AVAN**ZADO**

DICCIONARIO
DIDÁCTICO
DE ESPAÑOL

AVAN**ZADO**

DICCIONARIO DIDACTICO DE ESPANOL

Joaquin Turina, 39 - 28044 Madrid

PROYECTO EDITORIAL Y DIRECCIÓN
Concepción Maldonado González

ASESORAMIENTO Y REVISIÓN
Humberto Hernández Hernández

COORDINACIÓN DEL EQUIPO DE REDACCIÓN
Nieves Almarza Acedo

EQUIPO DE REDACCIÓN
Nieves Almarza Acedo
María Luisa Álvarez Rubio
Mireia Casaus Armentano
Carolina Blázquez González
María Luisa Escribano Ortega
Inés García García
Teresa Gutiérrez Carreras
Paloma Jover Gómez-Ferrer
Juan Antonio de las Heras Fernández
Ascensión Millán Moral

Elena Molinero Pinto
Cristina Olmeda Nicolás
Javier Rambaud Cabello
Laura Rivero Lynch
Miriam Rivero Ortiz
Manuel Rodríguez Alonso
Jorge Sánchez Arribas
Vicente Simarro Núñez-Arenas
María Isabel Toribio Tortosa

REVISIÓN CIENTÍFICA
Francisco Javier Almarza Acedo
Carlos Albert Bernal
Justino Apilánez
Carlos Arroyo Zapatero
Javier Calbet
Esther Carrión
Gaspar Castaño Mediavilla
José Manuel Eizaguirre
Eulalia Gómez Pajares
Carlos González
Juan de Isasa
Teodoro Larriba
María Luisa López Molina
José Manuel Luengo Méndez
Francisco J. M. Pignatelli Díaz
José Vicente Martín Rodríguez
Milagros Merino
Juan Antonio Pérez-Chao Romero
Elena Pérez Mínguez

José Manuel Pérez Pérez
Joaquín Maldonado Pignatelli
Fernando Rambaud Pérez
Rodrigo Rivero
Rafael Rivero Ortiz
José Sánchez de Ocaña Sans
Miguel Soto Martín

ILUSTRACIÓN
Javier Vázquez

CUBIERTA Y DISEÑO
Alfonso Ruano
Maritxu Eizaguirre
Estudio SM

FOTOCOMPOSICIÓN
Grafilia, SL

Comercializa: CESMA, SA. Aguacate, 43. 28044 Madrid

© EDICIONES SM, Joaquín Turina, 39. 28044 Madrid
ISBN: 84-348-5636-0 Depósito legal: M. 23295-1997
Impreso en España-*Printed in Spain*. Rotapapel, SA - c/ D, 14 - Polígono Industrial «Arroyomolinos» - Móstoles (Madrid)

PRÓLOGO

(por Alonso Zamora Vicente, de la Real Academia Española)

Ediciones SM lleva ya algún tiempo entregada a la tarea, aparentemente poco agradecida, de lanzar diccionarios escolares. Diccionarios de la lengua española. El estudiante de enseñanza secundaria (conservemos esta denominación, para entendernos) encuentra así, sin estruendo y a la mano, un arma de extraordinaria eficacia para resolver sus dudas y, en especial, para alcanzar el perfeccionamiento deseable y exigible en el uso del propio idioma. Es posible que aún quede por algún rinconcillo de nuestra geografía quien se pregunte por la utilidad de un diccionario desmenuzador de cuanto hablamos. Es menester salir a su encuentro para destruir, aprisita y del todo, esta actitud teñida de vacua presunción pecaminosa. No hemos nacido sabiéndonos el acervo idiomático de pe a pa, ni mucho menos. No llegaremos a poseerlo nunca. Cada escolar dispone de un lenguaje propio, impreciso, alicorto y casi mostrenco: el de su ciudad, su lugar de origen, el guirigay de sus compañeros de curso y de juegos: es la lengua que le sirve para satisfacer sus necesidades más elementales. También, y de propina, lucirá, con relativa soltura (más bien con acusadas limitaciones) la facundia especializada del quehacer o profesión de su medio familiar más cercano, habla salpicada de regionalismos, tecnicismos de artesanías o de oficios y profesiones. Bien poquita cosa ante el paisaje inmenso de la lengua, que ahora se nos ofrece crecedera, en deslumbrador ensanchamiento, alejando sus orillas a insospechadas metas. Ese escolar en quien pensamos tendrá que adueñarse de un léxico que no es el suyo cotidiano; tampoco es, en la mayor parte de los casos, el de sus familiares y amigos: el de la geografía, el de las matemáticas, el de las nuevas y pasmosas tecnologías, el de las ciencias naturales y sociales, el de la Historia... Cada día descubrirá escondidos mundos de su hablar. Tendrá que incorporarse tan rico caudal y compartirlo con miles de hablantes. Si no se encara con él, desde un principio, con rigor y seguridad, corre el riesgo, peligroso riesgo, de un conocimiento por aproximación, a tentones, sin diana certera, lo que, sin duda alguna, es minusvalía notoria. Y esta laguna es la que remedia un diccionario.

Llevamos ya largos años quejándonos del desdén, cuando no de la abierta malquerencia, que sufren la propia lengua y su enseñanza. Menospreciada, relegada al arrabal de la insignificancia en los innumerables planes de estudios y sustituido su hueco por una clamorosa pedantería, hemos ido a parar a un auténtico disparatario: el estudiante de secundaria se acerca a su más viva seña de identidad, su lengua, como a una asignatura más, cuando debería ser la asignatura por excelencia, sin matrículas ni ringorrangos eruditos, sino una permanente práctica de comunicación y de creación. En otras palabras: De privilegiada y muy fácil afirmación de la inalienable personalidad. Y en estos momentos en que la cultura universal transita caminos desusados, es de primordial importancia el empleo exacto de su terminología, de sus contenidos, y el conocimiento respetuoso de los horizontes inéditos, nacientes, los que nos amenazan y subyugan incluso desde una lejana niebla de aurora naciente. En un diccionario tendrá el joven escolar el mejor auxilio, la guía más cordial y fiable.

Claro está que pensamos en un diccionario que tenga determinadas cualidades: no caigamos en una engañosa escala de valores o de inocentes vanidades: un diccionario sabe, por muy bien pensado que esté (y el que tenemos en la mano rebosa tino, sabiduría y adecuación al hoy perentorio) que es un trabajo ingente, sí, pero humilde, ancilar, instrumento dispuesto para el laboreo continuado y para, a cada ayuda, ensanchar el horizonte espiritual de quien le consulta. Toda esta múltiple brega afianzará en el joven que se asoma al amplísimo paisaje de la lengua española actual, el amor por el propio idioma. Redundará en beneficio de su expresividad oral y aún más de la escrita. Revestirá de súbita dignidad los más leves y cotidianos esguinces de la comunicación y situará al individuo en el centro mismo de la existencia, lugar del que no debió apartarse jamás. Hemos dicho secularmente, y lo venimos repitiendo muchas veces: «Dime con quién andas y te diré quién eres». Pero, ¿no andamos, indisolublemente, con nuestra lengua? ¿Acaso podemos dejarla a capricho? Digamos entonces: *Dime cómo hablas y te diré quién eres*. Esta es la fórmula que el viejo refrán deberá adoptar para que el estudiante español vuelva a paladear el sano orgullo de estar instalado en una de las lenguas de mayor brillo histórico y creador. El equipo de colaboradores que ha elaborado este diccionario lo sabe, estaba al cabo de la calle ya antes de empezar su tarea, y, desde su modestia, contribuye, generosamente, a tan magna y gratificante empresa.

Habría sido muy hacedero pergeñar unas disquisiciones sobre el aspecto formal de las páginas que siguen. Siempre he preferido que sea el usuario quien lo vaya descubriendo: a cada hallazgo, sentirá crecerle entre las manos el gozo agradecido. Es resultado más placentero que el que pueda derivarse de pasar los ojos por unas frías observaciones sobre las diferencias de nuestro texto con aquel o aquellos que le han servido de precedente: la eliminación de ejemplos innecesarios; la supresión de tecnicismos violentos, agrios, que no aparecerán o surgirán muy de tarde en tarde en la lengua del jovencillo estudiante; la desaparición de ciertas entradas de claro aire dialectal, que pueden llevar a confusiones o a usos desviados; el rechazo de apostillas gramaticales impertinentes o insípidas: muchas pueden resolverse simplemente escuchándonos, hablándonos despacito a nosotros mismos. Todo el laboreo de este diccionario se ha llevado a término con un solo pensamiento: lograr la claridad máxima y la sencillez total en su manejo. Agradezcámoslo. Confío en que el escolar disfrute, se divierta persiguiendo los relámpagos iluminadores que la rebusca en este *Diccionario Avanzado* le va a proporcionar.

ALONSO ZAMORA VICENTE
de la Real Academia Española

CÓMO SE USA *AVANZADO*

- ● **Cuando se desconoce el significado de una palabra**

  - ¿Existen equivalentes en español para *flash, catering* o *croissant*?
  - ¿Cuál es la abreviatura de la palabra *teléfono*?
  - ¿Es lo mismo el *e-mail* que el *correo electrónico*?
  - ¿Son sinónimos *eficaz* y *eficiente*?
  - ¿Es lo mismo tener un hermano *mellizo* que tener un hermano *gemelo*?

  - Son muchos los **neologismos** y **extranjerismos** que a diario se usan al hablar o al escribir, y cuya reciente incorporación a nuestra lengua explica que no hayan sido incluidos aún en los repertorios académicos. En AVANZADO, todos ellos aparecen registrados y marcados siempre con un corchete inicial que nos indica la conveniencia de marcarlos tipográficamente en la lengua escrita con cursiva o entre comillas.

  - El corpus de AVANZADO es, por tanto, un corpus **actual**. Las palabras y expresiones que este diccionario recoge son palabras y expresiones vivas, de uso diario en los medios de comunicación.

- ● **Cuando se sabe qué significa una palabra pero no se sabe cómo usarla**

  - ¿Cómo se pronuncia *partenaire*?
  - ¿Cuál es el plural de *referéndum*?
  - ¿Cuál es el femenino de *juez*?
  - ¿Debo decir *impreso* o *imprimido*?
  - ¿El plural de *fax* es *faxes*?

  - En AVANZADO todas las dudas de uso de una palabra quedan resueltas en **notas** de pronunciación, ortografía, morfología, sintaxis, semántica y uso.

  - Además, los **apéndices finales** incluyen una información complementaria de gran utilidad.

- ● **Cuando se aúnan los criterios normativo y descriptivo**

  - En AVANZADO se proporciona, por tanto, toda la información necesaria para conocer, no sólo el significado de una palabra, sino también sus peculiaridades de uso. Es el hablante quien decide qué tipo de lengua quiere utilizar y cómo quiere hacerlo; y AVANZADO es la herramienta que le proporciona toda la información necesaria. El usuario de AVANZADO encontrará siempre en estas páginas cuál es la norma culta de nuestro idioma, pero siempre encontrará también, junto a ese enfoque normativo, un enfoque descriptivo que recoge cuál es el uso real que los hablantes hacemos de él. Sólo si conocemos bien nuestra lengua seremos capaces de discernir qué palabras queremos utilizar —y en qué circunstancias— y qué usos queremos desterrar de nuestro bagaje lingüístico —y por qué—.

AVANZADO. DICCIONARIO DIDÁCTICO DE ESPAÑOL

ORDEN ALFABÉTICO

- El corpus de *Avanzado* sigue el llamado **orden alfabético universal:** la *ch* y la *ll* no se consideran letras independientes sino letras dobles, y se incluyen, por tanto, en la *c* y en la *l* respectivamente.
- Los **lemas sin tilde** aparecen siempre antes que los **lemas con tilde** (el artículo de *carne* precede al de *carné*).
- Los **lemas dobles** se ordenan también según estos criterios (*reuma* o *reúma*), y en nota de uso se indica cuál es la forma preferida por la norma académica.
- Las **locuciones** se incluyen en el artículo de su primera palabra fuerte gramaticalmente, según este orden de prioridad: sustantivo, verbo, adjetivo, pronombre, adverbio.
  - Si la palabra fuerte puede funcionar en la lengua independientemente, la locución aparece en su artículo (*lucero del alba* aparece definido en *lucero*).
  Cuando hay varias locuciones seguidas dentro de un mismo artículo, siempre aparecen colocalas por orden alfabético (véase *cielo*).
  - Si la palabra fuerte no funciona en la lengua independientemente, la locución irá bajo un lema formado por dicha palabra (*a nado* está en la *N*, en el artículo *nado*).
  En los casos de locuciones latinas y extranjeras, se incluyen por orden alfabético, y el lema del artículo está formado por la locución entera, ordenada por la primera palabra (así, por ejemplo, *in albis,* precede a *inabarcable).*

SELECCIÓN DEL CORPUS

- Se marcan siempre con **un corchete inicial** las palabras, acepciones, locuciones y definiciones no registradas en la vigésima primera edición del Diccionario de la RAE; y en el uso que de ellas se hace en los ejemplos aparecen siempre entrecomilladas.
- No se incluyen regionalismos, ni términos y usos anticuados. Tampoco se incluyen nombres propios, aunque sí se hayan utilizado en ejemplos y en definiciones (en esos casos, siempre aparece entre paréntesis la explicación de su significado o de su referente).
- Se incluyen más de dos mil **americanismos**. La definición en todos ellos va precedida por la marca *En algunas zonas del español meridional,* que delimita su ámbito de uso.
- Las **locuciones** están definidas como combinaciones fijas de palabras que forman un solo elemento oracional cuyo significado no es siempre el de la suma de los significados de sus miembros.
No llevan indicación gramatical, porque ya en la propia definición se ve si están definidas como verbos, sustantivos, adjetivos, etc.
- No se incluyen refranes ni dichos.

Familias de palabras

- Es importante saber que muchas palabras derivadas no aparecen en los diccionarios (salvo que sea conveniente su inclusión porque hayan adquirido significados distintos del primer sentido: *mesilla* debe aparecer porque no sólo es el diminutivo de *mesa,* por ejemplo).
- Así, siguiendo esta tradición lexicográfica, apenas se han recogido en *Avanzado* adverbios en *-mente,* aumentativos, diminutivos y despectivos regulares, adjetivos en *-ble* y en *-dor,* y participios regulares en *-do* y en *-nte.*
- Los prefijos, en cambio, sí se han incluido de forma exhaustiva en el cuerpo del diccionario (su definición ha permitido no incluir las palabras derivadas o compuestas cuyo significado fuera fácilmente deducible de la suma de los significados de sus partes).

CATEGORÍA GRAMATICAL

- Las **palabras homónimas** se han incluido como acepciones distintas dentro de un mismo artículo (es el caso de *hoz,* por ejemplo).
- En caso de que los términos tengan distinta categoría gramatical, la **ordenación de las acepciones** se ha establecido según el siguiente criterio gramatical:
  1. adjetivo,
  2. adjetivo/sustantivo,
  3. sustantivo; masculino, masculino plural, femenino, femenino plural,
  4. verbo; verbo pronominal,
  5. adverbio,
  6. conjunción,
  7. preposición,
  8. interjección,
  Ejemplos: *auxiliar, ganso.*
  Y dentro de cada una de esas categorías, se ha seguido el criterio de frecuencia de uso (con excepción de las acepciones consideradas vulgarismos malsonantes, siempre colocadas al final del artículo).

REGISTROS DE USO

- Los valores *anticuado (ant.), coloquial (col.), eufemístico (euf.), poético (poét.), vulgar (vulg.)* y *vulgar malsonante (vulg.malson.)* aparecen en aquellas acepciones cuyo registro de uso es restringido.
- Se ha prescindido del tradicional valor *figurado (fig.)* porque esa información sólo adquiere pleno sentido cuando las acepciones están ordenadas por un criterio etimológico (y no de uso, como es el caso de este diccionario).

DEFINICIONES

- Son claras y precisas. No contienen remisiones innecesarias.
- Han sido redactadas según unos modelos tipo, lo que confiere una gran sistematicidad y coherencia interna al cuerpo del diccionario (véanse, por ejemplo, los términos botánicos o zoológicos, las unidades de medida, los grados militares, los instrumentos musicales, cargos y profesiones, etc.).
- En el caso de palabras con varias acepciones, cada una de ellas propia de un campo de conocimiento o de una disciplina, las definiciones van precedidas de un contorno que sirve como «pista» para encontrar antes el significado que se busca (resulta evidente que la palabra *linterna* en arquitectura tiene un significado distinto que en la lengua ordinaria, por ejemplo).
- La llamada *ley de la sinonimia*, principio unánimemente aceptado en lexicografía, exige que la definición pueda sustituir siempre al término definido. Este problema se ha resuelto en la definición de verbos y adjetivos con la fórmula *Referido a...*
  - En el caso de los adjetivos, en ese contorno se explicita el tipo de sustantivo al que dicho adjetivo puede acompañar (Ejemplo: *verde* no significa lo mismo referido a una planta, a un fruto o a una persona).
  - En el caso de los verbos, la fórmula permite extraer el sujeto, el objeto directo o el complemento preposicional regido (Ejemplo: existen diferencias apreciables entre *bailar una persona, bailar una peonza* o *bailar una cifra*).

REMISIONES

- Las remisiones de uno a otro artículo se han reducido a los casos de términos que presentan dos formas gráficas parecidas, o al caso de los vulgarismos.
- Existen en todo el diccionario remisiones desde los artículos a los **apéndices finales**, cuando en ellos se pueda encontrar información complementaria.

- Los conceptos se ilustran agrupados por campos temáticos. Y en el artículo de cada término ilustrado se remite con un "ojo con patas" ✍ a la entrada en que se puede encontrar dicha **ilustración**.

SINÓNIMOS

- En los artículos de términos sinónimos se repite la definición y se añade el sinónimo (detrás de la definición, en caso de uno o dos sinónimos; en nota de semántica, cuando hay más de dos términos sinónimos o cuando la sinonimia afecta a más de una acepción).

EJEMPLOS

- Hay **ejemplos de uso** en muchas definiciones.

NOTAS DE USO

- La inclusión de notas de etimología, pronunciación, ortografía, morfología, sintaxis, semántica y uso permite completar la información gramatical que, de forma implícita, impregna todo el diccionario. Así, por ejemplo, las notas de **etimología** explican la procedencia de una palabra siempre que no se trate de derivadas o compuestas de otra palabra castellana; las notas de **pronunciación** resultan imprescindibles en la explicación de extranjerismos recientemente incorporados a nuestro idioma; las de **ortografía** resultan particularmente indicadas para llamar la atención sobre la existencia de palabras homófonas o de distintas variantes ortográficas de una misma palabra; las de **morfología** aportan una completa información sobre la flexión nominal y verbal; las de **sintaxis** ayudan al uso codificador del lenguaje, informando, por ejemplo, de los regímenes de construcción verbal; las de **semántica** enriquecen el léxico con sinónimos y matizaciones diferenciadoras del significado; y en todas ellas, pero especialmente en las de **uso**, se enseña cuál es el papel que desempeña la Real Academia Española en la definición de la norma de nuestra lengua, lográndose aunar así los enfoques prescriptivo y descriptivo en el tratamiento del lenguaje.

APÉNDICES

- En los apéndices se explican, de forma clara y esquemática, las cuestiones que más duda suelen plantear en la expresión oral y escrita: la **acentuación**, la **puntuación**, los **modelos de conjugación verbal**, etc.

EJEMPLOS DE USO DE *AVANZADO*

Lema

[**triatlón** s.m. Competición deportiva de atletismo que consta de tres carreras, una de natación, una ciclista y otra a pie. □ ETIMOL. De *tri-* (tres) y del griego *âthlon* (premio de una lucha, lucha).

[**airbag** s.m. En un automóvil, dispositivo de seguridad que consiste en una bolsa que se infla de aire en caso de colisión violenta. □ ETIMOL. Del inglés *air bag.* □ PRON. [érbag].

guajolote s.m. En zonas del español meridional, pavo.

Con corchete inicial cuando no está registrado en el Diccionario de la RAE.

Americanismos.

Categoría gramatical

creativo, va ▮ adj. **1** Que posee o que estimula la capacidad de creación. ▮ s. **2** Persona que se dedica profesionalmente a la concepción de una campaña publicitaria.

Con indicación de cambio de categoría gramatical.

Definición

linterna s.f. **1** Utensilio manual y portátil provisto de una bombilla, que funciona con pilas eléctricas y que sirve para proyectar luz. ✦ alumbrado **2** En arquitectura, construcción con ventanas que remata una cúpula, una torre o una cubierta, y que sirve para iluminar o para ventilar el espacio interior. □ ETIMOL. Del latín *lanterna.*

Con «pistas» que ayudan a encontrar con rapidez el significado que se busca.

Ejemplos

alejar v. **1** Distanciar, poner lejos, o poner más lejos: *Alejó la ropa del fuego. No te alejes mucho de aquí.* **2** Ahuyentar o hacer huir: *El clavo pinchado en limón aleja a las moscas.* □ ORTOGR. Conserva la *j* en toda la conjugación.

Para aclarar con textos de uso.

Registros de uso

cuán adv. *poét.* Se usa para encarecer o ponderar el grado o la intensidad de algo: *¡Cuán felices fuimos en aquel paraíso!*

Coloquial, vulgar, poético, etc.

mellizo, za adj./s. Que ha nacido del mismo parto pero se ha originado de distinto óvulo. □ ETIMOL. Del latín **gemellicius,* y éste de *gemellus* (gemelo). □ SEM. Aunque la RAE lo considera sinónimo de *gemelo,* en el lenguaje médico no lo es.

Con indicación del criterio de la Real Academia Española.

Sinónimos

peladura s.f. **1** Cáscara o desperdicio de lo que se monda; monda, mondadura. **2** Eliminación de la capa, la superficie o el envoltorio de algo.

Detrás de la definición.

alhaja s.f. **1** Objeto de adorno personal, hecho con piedras y metales preciosos. ✦ joya **2** Lo que es de gran valía o tiene excelentes cualidades. □ ETIMOL. Del árabe *al-haya* (la cosa necesaria, el utensilio). □ SEM. Es sinónimo de *joya.*

En nota.

alergista adj./s. →**alergólogo.** □ MORF. 1. Como adjetivo es invariable en género. 2. Como sustantivo es de género común: *el alergista, la alergista.*

Con envío a otra entrada.

Locuciones	**tijera** s.f. **1** Utensilio que sirve para cortar y está formado por dos hojas de acero de un solo filo, unidas a modo de aspas por un eje para que se puedan abrir y cerrar. 🔍 costura **2** ‖ **de tijera**; referido a un objeto, que tiene dos piezas que se mueven y se articulan de modo semejante a este utensilio. ‖ **meter la tijera**; cortar, censurar o suprimir sin dudar. ☐ ETIMOL. Del latín *forfices tonsorias* (tijeras de esquilar). ☐ MORF. En plural tiene el mismo significado que en singular.	En la entrada correspondiente, en orden alfabético.
Notas gramaticales y notas de uso	**caco** s.m. Ladrón que roba con habilidad. ☐ ETIMOL. Por alusión a Caco, personaje de la mitología grecolatina que robó a Hércules unos bueyes.	De etimología.
	[mozzarella (italianismo) s.f. Queso de color pálido y sabor suave, elaborado con leche de búfala o de vaca. ☐ PRON. [motsaréla].	De pronunciación.
	enseguida adv. Inmediatamente después, en el tiempo o en el espacio. ☐ ORTOGR. Se admite también *en seguida*. ☐ USO Aunque la RAE prefiere *en seguida*, se usa más *enseguida*.	De ortografía.
	cursi adj./s. *col.* Que pretende ser elegante y refinado sin serlo. ☐ ETIMOL. De origen incierto. ☐ MORF. 1. Como adjetivo es invariable en género. 2. Como sustantivo es de género común: *el cursi, la cursi*. 3. Su superlativo es *cursilísimo*.	De morfología.
	ostentoso, sa adj. **1** Magnífico, aparatoso, lujoso o digno de verse. **[2** Que se hace para que los demás lo vean. ☐ SEM. Dist. de *estentóreo* (sonido muy fuerte o ruidoso) y de *ostensible* (claro, patente).	De semántica.
	incautarse v.prnl. Referido a mercancías o a bienes, apoderarse de ellos la autoridad competente: *La policía se ha incautado de un alijo de heroína.* ☐ ETIMOL. Del latín *incautare* (fijar una pena en dinero). ☐ SINT. 1. Constr. *incautarse DE algo*. 2. Su uso como transitivo es incorrecto, aunque está muy extendido: *La guardia civil {*incautó > se incautó de} un cargamento de armas.*	De sintaxis.
	entrenamiento s.m. Adiestramiento o preparación que se hacen para realizar una actividad, esp. para la práctica de algún deporte. ☐ USO 1. Es innecesario el uso del anglicismo *training*. 2. Aunque la RAE sólo registra *entrenamiento*, en la lengua coloquial se usa también *entreno*.	De uso.
Apéndices finales	**interrogación** s.f. **1** Formulación de una cuestión o demanda de información; pregunta. **2** En ortografía, signo gráfico de puntuación que se coloca al principio o, en posición invertida, al final de una expresión interrogativa: *La interrogación se representa con los signos '¿ ?'.* ☐ ORTOGR. 1. No debe omitirse el signo inicial de una interrogación. 2. →APÉNDICE DE SIGNOS DE PUNTUACIÓN.	Con remisiones desde cada artículo.
	entrechocar v. Referido a una cosa, chocar con otra, esp. si es de forma repetida: *El fuerte viento hacía entrechocar las ramas de los árboles.* ☐ ORTOGR. La *c* se cambia en *qu* delante de *e* →SACAR.	

ABREVIATURAS Y SÍMBOLOS EMPLEADOS EN *AVANZADO*

Abreviaturas

a.C.	antes de Cristo	m.	masculino
adj.	adjetivo	MORF.	morfología
adj./s.	adjetivo/sustantivo	n.	neutro
adv.	adverbio	numer.	numeral
ant.	anticuado	ORTOGR.	ortografía
art.	artículo	part.	participio
art.determ.	artículo determinado	pers.	personal
art.indeterm.	artículo indeterminado	pl.	plural
col.	coloquial	*poét.*	poético
comp.	comparativo	poses.	posesivo
conj.	conjunción	prep.	preposición
constr.	construcción	PRON.	pronunciación
d.C.	después de Cristo	pron.	pronombre
demos.	demostrativo	relat.	relativo
esp.	especialmente	RAE	Real Academia Española
etc.	etcétera	s.	sustantivo
ETIMOL.	etimología	s.f.	sustantivo femenino
euf.	eufemístico	s.m.	sustantivo masculino
exclam.	exclamativo	SEM.	semántica
f.	femenino	SINT.	sintaxis
incorr.	incorrecto	superlat.	superlativo
indef.	indefinido	v.	verbo
interj.	interjección	v.prnl.	verbo pronominal
interrog.	interrogativo	*vulg.*	vulgar
irreg.	irregular	*vulg.malson.*	vulgar malsonante

Símbolos — Indica

*	*Incorrección. / Sin documentación escrita (en notas de etimología).*
→	*Remisión a otra palabra o a un apéndice.*
□	*Nota gramatical.*
■	*Separación de distintas categorías gramaticales en un mismo artículo del diccionario.*
‖	*Locución.*
[	*La palabra, la acepción, la locución o la definición precedidas por este signo no están registradas en el Diccionario de la Real Academia Española.*
[ ]	*Pronunciación.*
>	*Se debe sustituir el término que precede a este signo por el término que lo sigue.*
(gris) marengo	*Se puede prescindir de lo incluido en el paréntesis.*
gótico {flamígero/florido}	*Se puede elegir cualquier elemento de los encerrados entre llaves.*

ÍNDICE DE ILUSTRACIONES

A a

a ▮ s.f. **1** Primera letra del abecedario. ▮ prep. **2** Indica la dirección que se lleva o el término al que se encamina: *Voy a la oficina*. **3** Indica el lugar o tiempo en los que sucede algo: *Te espero a la salida del cine*. **4** Indica la situación de algo: *Pon los garbanzos a remojo*. **5** Indica el intervalo de lugar o de tiempo que media entre una cosa y otra: *La mesa mide dos metros de un extremo al otro*. **6** Indica el modo en el que se hace algo: *No me hables a voces*. **7** Indica el precio de algo: *¿A cuánto están los boquerones hoy?* **8** Indica distribución o cuenta proporcional: *Tocamos a mil pesetas cada uno*. **9** Indica comparación o contraposición entre dos personas o cosas: *De este coche a este otro sólo hay diferencia en el precio*. **10** Introduce el complemento directo de persona y el complemento indirecto: *En la oración 'Veo a tu hermano', el complemento directo va precedido por 'a'*. □ ETIMOL. Las acepciones 2-10, del latín *ad* (a, hacia). □ PRON. La acepción 1 representa el sonido vocálico central y de abertura máxima. □ ORTOGR. Dist. de *ha* (del verbo *haber*) y de *ah* (interjección). □ MORF. 1. En la acepción 1, aunque su plural en la lengua culta es *aes*, la RAE admite también *as*. 2. En la acepción 1, incorr. **el a > la a*. □ SINT. 1. Forma parte de muchas perífrasis: *Vamos a abrir tu regalo*. 2. Es régimen preposicional de muchos verbos, sustantivos y adjetivos: *Debes ser fiel a tus principios*.

a- Prefijo que indica negación o privación: *asimétrico, amoral, anormalidad*. □ ETIMOL. Del griego *a*. □ ORTOGR. Ante palabra que empieza por vocal adopta la forma *an-*: *analfabeto*.

a divinis (latinismo) ‖ Apartado de las cosas divinas: *La cesación a divinis es la suspensión canónica de los divinos oficios en una iglesia profanada*.

a fortiori (latinismo) ‖ Con mayor razón.

a látere ‖ →**adlátere**. □ ETIMOL. Del latín *a latere*. □ ORTOGR. Incorr. **alátere*. □ MORF. Es de género común: *el a látere, la a látere*.

a nativitate (latinismo) ‖ De nacimiento.

[a porta gaiola (del portugués) ‖ En tauromaquia, modo de recibir el torero al toro frente a la puerta del toril, generalmente de rodillas y con una larga cambiada.

a posteriori (latinismo) ‖ Una vez conocido el asunto del que se trata: *Dijo que la lana era de mala calidad a posteriori, cuando vio que al lavarla se había estropeado*.

a priori (latinismo) ‖ Antes de examinar el asunto del que se trata: *A priori no me parece un mal negocio, pero déjame un tiempo para analizarlo*.

[ab absurdo (latinismo) ‖ Por reducción al absurdo.

ab aeterno (latinismo) ‖ Desde muy antiguo o desde la eternidad.

ab initio (latinismo) ‖ Desde el principio o desde tiempos muy remotos.

[ab origine (latinismo) ‖ Desde el principio. □ PRON. [ab orígine]. □ ORTOGR. Dist. de *aborigen*.

abacería s.f. Establecimiento en el que se venden legumbres secas, salazones y otros productos.

abacero, ra s. Propietario o encargado de una abacería. □ ETIMOL. De *haba*, porque el abacero vendía, sobre todo, habas.

abacial adj. Del abad, de la abadesa, de la abadía o relacionado con ellos. □ MORF. Invariable en género.

ábaco s.m. **1** Instrumento formado generalmente por un cuadro de madera atravesado por diez cuerdas o alambres paralelos, con diez bolas móviles cada uno, que sirve para realizar cálculos aritméticos. **2** En arquitectura, parte superior del capitel de una columna sobre el que se asienta el arquitrabe. □ ETIMOL. Del latín *abacus*.

abad s.m. **1** Superior de un monasterio de hombres, con categoría de abadía. **2** Superior eclesiástico de algunas colegiatas. □ ETIMOL. Del latín *abbas*, y éste del arameo *abba* (padre). □ SEM. Dist. de *abate* (clérigo extranjero).

abadejo s.m. Pez marino comestible, de gran tamaño, cuerpo alargado y cilíndrico, y cabeza muy grande; bacalao. □ MORF. Es un sustantivo epiceno: *el abadejo macho, el abadejo hembra*. ⚶ pez

abadengo, ga adj. De la dignidad o de la jurisdicción del abad o relacionado con ellos: *tierras abadengas*.

abadesa s.f. Superiora de algunas comunidades religiosas. □ ETIMOL. Del latín *abatissa*.

abadía s.f. **1** Iglesia o monasterio gobernados por un abad o por una abadesa. **2** Territorio en el que un abad o una abadesa ejercen su jurisdicción. □ ETIMOL. Del latín *abbatia*.

abajeño, ña o **[abajino, na]** adj./s. En zonas del español meridional, de las costas y tierras bajas, o relacionado con ellas.

abajo ▮ adv. **1** Hacia un lugar o una parte inferior: *La canoa iba río abajo*. **2** En un lugar, parte o posición más bajos o inferiores: *Tiene una bodega abajo, en el sótano*. ▮ interj. **3** Expresión que se usa para manifestar protesta y desaprobación: *¡Abajo, fuera, que se vayan!* □ SINT. Incorr. *La miró de arriba {*a abajo > abajo}*.

abalanzarse v.prnl. Lanzarse o arrojarse hacia algo: *El leopardo se abalanzó sobre su presa*. □ ORTOG. La *z* se cambia en *c* delante de *e* →CAZAR.

abalaustrado, da adj. →**balaustrado**.

[abalaustrar v. Poner balaústres o pequeñas columnas verticales que forman las barandillas y los antepechos: *'Han abalaustrado' la escalera*.

abalear v. En zonas del español meridional, disparar con balas o herir a balazos.

abalorio s.m. **1** Cuenta o bolita de vidrio perforada, que sirve para hacer collares o adornos. **[2** Collar o adorno de poco valor. □ ETIMOL. Del árabe *alballauri* (lo cristalino).

abanderado, da s. **1** En un desfile y en otros actos públicos, persona que lleva la bandera. **2** Portavoz, representante o defensor de una causa, de un movimiento o de una organización.

abanderamiento s.m. **1** Matriculación o registro de una embarcación de nacionalidad extranjera bajo la bandera de un Estado. **2** Representación o defensa de una causa, de un movimiento o de una organización.

abanderar v. **1** Referido a una embarcación de nacionalidad extranjera, matricularlo o registrarlo bajo la bandera de un Estado: *Abanderaron el buque bajo pabellón griego.* **2** Referido esp. a un movimiento o a una causa, defenderlos o ponerse al frente de ellos: *El conocido escritor abanderaba un movimiento en favor de la libertad.*

abandonado, da adj. **1** Sucio, sin asear o sin preparar. **2** Despreocupado, descuidado o dejado.

abandonar ▮ v. **1** Dejar solo o sin amparo ni atención: *Abandonó al niño en la puerta del orfanato.* **2** Apoyar o reclinar con dejadez o con negligencia: *Abandonó su cabeza sobre mi hombro. Llegó tan cansado que se abandonó en el sofá.* **3** Referido a algo que se había emprendido, dejarlo o renunciar a seguir haciéndolo: *Abandonó sus estudios. El corredor abandonó en la segunda vuelta.* **4** Referido a un lugar, dejarlo o no volver a frecuentarlo: *Abandonó la reunión muy enfadada.* ▮ prnl. **5** Descuidar los intereses o las obligaciones: *Desde que te has abandonado, tu negocio va de mal en peor.* **6** Descuidar el aseo y la compostura: *Se abandonó y ahora es una ruina física.* **7** Desanimarse o rendirse a los contratiempos o a las adversidades: *No te abandones y lucha contra tu enfermedad.* □ ETIMOL. Del francés *abandonner*, y éste de *laisser à bandon* (dejar en poder de alguien).

abandono s.m. **1** Desamparo o falta de atención: *Le echaron en cara el abandono en que tenía a sus hijos.* **2** Alejamiento de un lugar: *El abandono del hogar hace perder la custodia de los hijos.* **3** Renuncia a continuar algo que se había emprendido: *abandono de los estudios.* **4** Dejadez en el aseo o en la compostura.

abanicar v. Dar aire moviendo algo de un lado a otro, esp. un abanico: *Me abaniqué porque tenía calor.* □ ORTOGR. La *c* se cambia en *qu* antes de *e* →SACAR.

abanico s.m. **1** Instrumento que sirve para dar aire cuando se mueve. **2** Lo que tiene una forma semejante a la de este instrumento: *El pavo real abrió su cola formando un precioso abanico.* **3** Serie o conjunto de posibilidades entre las que se puede elegir: *Un amplio abanico de ofertas.* □ ETIMOL. De *abano* (abanico), y éste de *abanar* (abanicar).

abaniqueo s.m. Movimiento que se hace al usar el abanico.

abaniquería s.f. Taller o tienda en los que se hacen o se venden abanicos.

abaniquero, ra s. Persona que hace o que vende abanicos.

abano s.m. Aparato que se cuelga del techo y que sirve para dar aire cuando se mueve. □ ETIMOL. Del antiguo *abanar (abanicar).* □ ORTOGR. Dist. de *habano.*

abaratamiento s.m. Disminución o bajada de precio.

abaratar v. Hacer más barato: *abaratar los precios.*

abarca s.f. →**albarca.** 🗱 calzado

abarcar v. **1** Ceñir con los brazos o con las manos: *El tronco de este árbol es tan grueso que no lo puedo abarcar.* **2** Comprender, contener o encerrar en sí: *Este término municipal abarca varios pueblos. Este libro de historia abarca la época contemporánea.* **3** Dominar o alcanzar con la vista: *Su finca era tan grande que no se podía abarcar entera.* **4** Referido esp. a muchos asuntos o a muchos negocios, ocuparse de ellos a la vez: *No quieras abarcar tanto.* □ ETIMOL.-

Del latín **abbracchicare* (abrazar). □ ORTOGR. La *c* se cambia en *qu* delante de *e* →SACAR.

abaritonado, da adj. Referido a una voz o a un instrumento, que tienen un sonido de timbre parecido al de la voz del barítono.

abarloar v. Colocar un barco de costado, en contacto con otro barco o con el muelle: *Abarloaron el barco en una maniobra sin fallos.* □ ETIMOL. De *barloa* (cable para sujetar un buque a otro o al muelle). □ ORTOGR. Se admite también *barloar.*

abarquillado, da adj. Con forma de barquillo.

abarquillamiento s.m. Adopción de la forma de barquillo.

abarquillar v. Referido esp. a algo delgado o en forma de lámina, enrollarlo, combarlo o darle forma de barquillo: *Siempre baraja las cartas abarquillándolas. La madera se abarquilló por la humedad.*

abarrancar ▮ v. **1** Referido a una embarcación, encallar en un obstáculo que la hace detenerse; varar: *El barco se abarrancó en un banco de arena.* **2** Referido a una zona o a un terreno, formar barrancos en ellos la erosión o la acción de los elementos: *Las lluvias abarrancaron la zona.* ▮ prnl. **3** Meterse en un problema del que es difícil salir: *Me dijo que si yo sola me había abarrancado, yo sola debía resolver el asunto.* □ MORF. La *c* se cambia en *qu* delante de *e* →SACAR.

abarrotar v. Referido a un espacio, llenarlo por completo: *La gente abarrotaba el salón de actos.* □ ETIMOL. De *barrote*, porque *abarrotar* significó *sujetar la carga en un buque llenando los huecos con barrotes primero, y más adelante con los artículos más pequeños, para que no se moviera.*

abarrotes s.m.pl. En zonas del español meridional, comestibles. □ ETIMOL. De *abarrotar.*

abasí adj./s. Descendiente de Abu-l-Abbás (quien destronó a los califas omeyas de Damasco en el siglo VIII) o relacionado con esta dinastía: *dinastía abasí.* □ ETIMOL. Del árabe *abbasi.* □ MORF. 1. Como adjetivo es invariable en género. 2. Como sustantivo es de género común: *el abasí, la abasí.* □ USO Aunque la RAE registra *abasí,* se usa más *abasida.* **[abasida** adj./s. → **abasí.** □ MORF. 1. Como adjetivo es invariable en género. 2. Como sustantivo es de género común: *el 'abasida', la 'abasida'.*

abastecedor, -a adj./s. Que abastece.

abastecer v. Referido a algo que resulta necesario, esp. a víveres, suministrarlo o proveer de ello; aprovisionar: *El Mercado Central abastece de fruta a toda la ciudad. La ciudad se abastece del agua de los pantanos.* □ ETIMOL. Del antiguo *basto* (abastecido). □ MORF. Irreg. →PARECER. □ SINT. Constr. *abastecer DE algo.*

abastecimiento s.m. Suministro o entrega de lo que resulta necesario, esp. víveres; aprovisionamiento.

abastionar v. Fortificar con bastiones: *Abastionaron la ciudadela para resistir el ataque.*

abasto s.m. **1** Provisión de víveres y de otros artículos de primera necesidad: *mercado de abastos.* **2** En zonas del español meridional, tienda de comestibles y de artículos generales. **3** ‖**dar abasto**; bastar o ser suficiente: *Yo sola no doy abasto para atender el negocio.* □ ETIMOL. Del antiguo *abastar* (ser bastante, abastecer). □ ORTOGR. Incorr. **a basto, *a abasto.* □ SINT. *Dar abasto* se usa más en expresiones interrogativas y negativas.

abatanado s.m. Golpeteo de un paño en el batán para desengrasarlo y darle el cuerpo adecuado.

abatanar v. Referido a un paño, batirlo o golpearlo en el batán para desengrasarlo y darle el cuerpo correspondiente: *Al abatanar el paño, éste toma un aspecto fibroso y compacto.* □ ORTOGR. Se admite también *batanar.*

abate s.m. Clérigo extranjero, esp. francés o italiano, o clérigo español que ha vivido mucho tiempo en Francia o Italia (países europeos). □ ETIMOL. Del italiano *abate.* □ SEM. Dist de *abad* (superior eclesiástico).

abatible adj. Referido a un objeto, que se puede abatir o pasar de la posición vertical a la horizontal girando sobre un eje: *asientos abatibles.* □ MORF. Invariable en género.

abatimiento s.m. **1** Desaliento o pérdida del ánimo, de las fuerzas o del vigor. **2** Inclinación o giro de algo que estaba vertical. **3** Derribo o derrocamiento de algo: *abatimiento de una dictadura.*

abatir v. **1** Derribar, derrocar o echar por tierra: *Los cazadores abatieron a tiros a la presa.* **2** Referido a algo que estaba vertical, inclinarlo, tumbarlo o ponerlo tendido: *Puedes abatir el respaldo del asiento.* **3** Desalentar o perder el ánimo, las fuerzas o el vigor: *No hay que dejarse abatir por las desgracias. Se abatió al conocer la mala noticia.* □ ETIMOL. Del latín *abbatuere.*

abdicación s.m. Renuncia voluntaria a un cargo, a una dignidad o a un derecho, en favor de otra persona.

abdicar v. Referido esp. a un cargo o a una dignidad, cederlos o renunciar a ellos: *El rey abdicó el trono en la persona de su hijo.* □ ETIMOL. Del latín *abdicare,* y éste de *dicare* (proclamar solemnemente). □ ORTOGR. La *c* se cambia en *qu* delante de *e* →SACAR. □ SINT. Es siempre transitivo: **abdicar a la corona > abdicar la corona.*

abdomen s.m. **1** En el cuerpo humano o en el de otros mamíferos, parte comprendida entre el tórax y la pelvis, en la que se sitúa la mayor parte de los aparatos digestivo y reproductor; tripa. **2** Conjunto de vísceras que está contenido en esta parte del cuerpo. **3** En un artrópodo, último segmento de su cuerpo. □ ETIMOL. Del latín *abdomen.* □ SEM. En las acepciones 1 y 2, es sinónimo de *barriga* o de *vientre.*

abdominal adj. Del abdomen o relacionado con esta parte del cuerpo: *músculos abdominales.* □ MORF. Invariable en género.

abducción s.f. Movimiento por el que una parte del cuerpo se aleja del eje del mismo. □ ETIMOL. Del latín *abductio* (acción de separar o de llevarse algo). □ ORTOGR. Dist. de *aducción.*

abductor s.m. →**músculo abductor.**

abecé s.m. **1** *col.* Abecedario. **2** Principios elementales de una ciencia o de un oficio. □ ETIMOL. De *a, b y c, que son las primeras letras del abecedario.*

abecedario s.m. **1** Serie ordenada de las letras de un idioma; alfabeto. **2** Libro o cartel con estas letras, que se utiliza para enseñar a leer. □ ETIMOL. Del latín *abecedarium.*

abedul s.m. **1** Árbol de corteza lisa y plateada, y hojas pequeñas, puntiagudas y con el borde aserrado, que abunda en los bosques europeos. **2** Madera de este árbol. □ ETIMOL. Del latín *betulla.*

abeja s.f. **1** Insecto de color oscuro y con el cuerpo cubierto de vello, que vive en colonias que producen principalmente cera y miel. **2** ‖**abeja obrera**; la estéril que se encarga de las tareas de la colmena y de recolectar la miel. □ ETIMOL. Del latín *apicula* (abejita). 🐝 insecto

abejaruco s.m. Pájaro que tiene las alas puntiagudas y largas, el pico también largo y algo curvo, y el plumaje de vistosos colores. □ ETIMOL. De *abeja,* porque el abejaruco se alimenta de abejas. □ MORF. Es un sustantivo epiceno: *el abejaruco macho, el abejaruco hembra.*

abejorro s.m. Insecto que tiene el cuerpo velloso y que zumba mucho al volar. □ MORF. Es un sustantivo epiceno: *el abejorro macho, el abejorro hembra.*

abencerraje s. En el antiguo reino musulmán de Granada, miembro de la familia que fue famosa en el siglo XV por su rivalidad con los cegríes. □ MORF. Es de género común: *el abencerraje, la abencerraje.*

aberración s.f. **1** Acción o comportamiento perversos o que se desvían o apartan de lo que se considera lícito. **2** Error grave del entendimiento o de la razón. **3** En óptica, imperfección de un sistema óptico que causa deformaciones en las imágenes. □ ETIMOL. Del latín *aberratio* (desviación, distracción).

aberrante adj. Que se desvía o se aparta de lo que se considera normal o usual. □ MORF. Invariable en género.

[aberri eguna (del vasco) s.m. Día de la fiesta nacional vasca. □ USO Se usa más como nombre propio.

abertura s.f. **1** En una superficie, hendidura o espacio libre que no llega a dividirla en dos: *La falda tiene una abertura lateral.* **2** En un telescopio, en un objetivo o en otro aparato óptico, diámetro útil por el que pasa un haz de luz: *¿Cuál es la abertura del diafragma de esta cámara fotográfica?* **3** Separación de las partes de algo, de modo que su interior quede descubierto: *abertura de una herida.* **4** Amplitud o ensanchamiento de los órganos articulatorios para que pase el aire al emitir un sonido. □ ETIMOL. Del latín *apertura.* □ ORTOGR. Dist. de *obertura.* □ SEM. Su uso con el significado de 'inauguración' o 'comienzo' en lugar de *apertura* es incorrecto: *La {*abertura > apertura} del curso fue muy solemne.*

[abertzale (del vasco) adj./s. →**aberzale.** □ PRON. [aberchále].

[abertzalismo s.m. Movimiento político y social caracterizado por la defensa más o menos radical del nacionalismo vasco. □ PRON. [aberchalísmo].

aberzale adj./s. Del movimiento político y social caracterizado por la defensa más o menos radical del nacionalismo vasco, o relacionado con él. □ ETIMOL. Del vasco *abertzale* (patriota). □ PRON. Se usa más la pronunciación del vasco [aberchále]. □ MORF. 1. Como adjetivo es invariable en género. 2. Como sustantivo es de género común: *el aberzale, la aberzale.* □ USO Es innecesario el uso del término vasco *abertzale.*

abetal o **abetar** s.m. Terreno poblado de abetos.

abeto s.m. Árbol que produce resina, de gran altura, con copa cónica de ramas horizontales, hojas con forma de aguja y fruto en piña casi cilíndrico, propio de zonas de montaña. □ ETIMOL. Del latín *abies.*

abetunado, da adj. Con las características del betún.

abierto, ta ∎ 1 part.irreg. de **abrir. ∎** adj. **2** Referido esp. al campo, sin cercados o sin obstáculos que impidan la visión o el paso. **3** Sincero o franco. **4** Evidente, claro o que no presenta ninguna duda: *guerra abierta.* **5** Comprensivo, tolerante o dispuesto a acoger nuevas ideas. ∎ s.m. [**6** En deporte, competición para todas las categorías de participantes; open: *un 'abierto' de golf de nuestra ciudad.* □ MORF. En la acepción 1, incorr. *abrido. □ USO En la acepción 6, la RAE sólo registra *open.*

abietáceo, a ∎ adj./s.f. **1** Referido a una planta, que es arbórea y muy ramificada, tiene las hojas perennes estrechas o en forma de agujas, las flores unisexuales y las semillas en piña: *El abeto es un árbol abietáceo.* ∎ s.f.pl. **2** En botánica, familia de estas plantas, perteneciente a la clase de las coníferas. □ ETIMOL. Del latín *Abies,* que es el nombre de un género de plantas.

abigarrado, da adj. Amontonado, mal combinado o mezclado sin orden ni concierto: *colores abigarrados.* □ ETIMOL. Del francés *bigarré.*

abigarramiento s.m. **1** Combinación desordenada y chillona de colores. **2** Conjunto desordenado y heterogéneo.

abigarrar ∎ v. **1** Aplicar una mala combinación de colores: *Esa diseñadora abigarra los tejidos de sus trajes.* ∎ prnl. **2** Referido a cosas desordenadas o heterogéneas, amontonarse o apretujarse: *Una multitud se abigarraba a la entrada del camerino.* □ MORF. Dist. de *abarrotar* (llenar por completo).

abiogénesis s.f. Teoría según la cual los seres vivos pueden crearse a partir de la materia inorgánica. □ ETIMOL. De *a-* (negación), *bio-* (vida) y el griego *-génesis* (generación). □ MORF. Invariable en número.

abiótico, ca adj. **1** En biología, que no permite la vida. [**2** En biología, que no tiene vida, en oposición a ser vivo.

abisagrar v. Clavar o fijar bisagras: *Abisagraron las puertas.*

abisal adj. **1** Referido a un fondo marino, que está por debajo de los dos mil metros. **2** De esta zona marina. □ ETIMOL. Del latín *abyssus* (abismo). □ MORF. Invariable en género.

abisinio, nia adj./s. De Abisinia (zona del noreste africano que corresponde a la actual Etiopía), o relacionado con ella.

abismado, da adj. Referido a una persona o a su expresión, ensimismada o muy concentrada.

abismal adj. **1** Del abismo. **2** Muy profundo o muy difícil de averiguar o de conocer a fondo: *Existen diferencias abismales entre tú y yo.* □ MORF. Invariable en género.

abismar ∎ v. **1** Hundir en un abismo: *Las penas lo abismaron en una depresión.* **2** Confundir, abatir o causar gran sorpresa: *La audacia del proyecto abismó a la junta organizadora.* ∎ prnl. **3** Meterse de lleno en algo: *Se abismó en la lectura.*

abismo s.m. **1** Profundidad muy grande y peligrosa. **2** Diferencia muy grande: *Entre nuestras ideas hay un abismo.* **3** Lo que es insondable, incomprensible o inmenso: *Su mente es un abismo para mí.* **4** poét. Infierno. □ ETIMOL. Del latín *abyssus,* y éste del griego *ábyssos* (sin fondo).

[**abisopelágico, ca** adj. Referido a una zona marina, que tiene una profundidad entre dos mil quinientos y cinco mil metros.

abizcochado, da adj. Con las características del bizcocho.

abjuración s.f. Renuncia solemne, y a veces pública, a una creencia o a un compromiso.

abjurar v. Referido a una creencia o un compromiso, renegar o desdecirse de ellos, de forma solemne y a veces públicamente: *El rey visigodo Recaredo abjuró del arrianismo y se convirtió al catolicismo en el año 587.* □ ETIMOL. Del latín *abiurare* (negar con juramento). □ SINT. Constr. *abjurar DE algo.*

ablación s.f. Operación quirúrgica para extirpar un órgano o una parte del cuerpo. □ ETIMOL. Del latín *ablatio,* y éste de *auferre* (llevarse algo). □ ORTOGR. Dist. de *ablución.*

ablandamiento s.m. **1** Disminución o pérdida de la dureza. **2** Disminución del enfado o de las exigencias de alguien.

ablandar v. **1** Poner blando o hacer perder la dureza: *Tengo que ablandar los zapatos nuevos para que no me rocen. Si metes el arroz en agua se ablandará.* **2** Referido a una persona, hacer que ceda en una postura intransigente o que se suavice su enojo; emblandecer: *Nuestro buen comportamiento lo ablandó. Por fin se ablandó y cedió.*

ablande s.m. En zonas del español meridional, rodaje de un vehículo.

ablativo s.m. **1** →caso ablativo. **2** ‖ablativo absoluto; en una oración, expresión no vinculada gramaticalmente con el resto, que se compone generalmente de dos nombres con preposición, o de un nombre o pronombre acompañados de adjetivo, participio o gerundio: *En la oración 'Dicho esto, pasamos al segundo punto', 'dicho esto' es un ejemplo de ablativo absoluto.* □ ETIMOL. Del latín *ablativus* (relativo al hecho de llevarse algo).

ablución s.f. En algunas religiones, purificación ritual por medio del agua. □ ETIMOL. Del latín *ablutio,* y éste de *abluere* (sacar algo lavando). □ ORTOGR. Dist. de *ablación.*

ablusado, da adj. Referido a una prenda de vestir, ancha y holgada como una blusa.

[**ablusar** v. Referido a una prenda de vestir, colocarla de forma que quede ajustada a la cintura pero muy poco ceñida al cuerpo: *Me pongo este vestido con un cinturón para 'ablusármelo'.*

abnegación s.f. Sacrificio que alguien hace por algo, renunciando voluntariamente a pasiones, deseos o intereses propios. □ ETIMOL. Del latín *abnegatio sui* (negación de uno mismo).

abnegado, da adj. Que tiene o manifiesta abnegación.

abnegarse v. Referido a una persona, sacrificarse por algo, renunciando voluntariamente a deseos, pasiones o intereses propios: *Si pretendes conseguir tus metas, debes abnegarte.* □ ORTOGR. Aparece una *u* después de la *g* cuando le sigue *e.* □ MORF. Irreg. →REGAR.

abobado, da adj. Que parece bobo.

abobamiento s.m. **1** Entorpecimiento de la inteligencia o del entendimiento. **2** Admiración o embeleso producidos en una persona.

abobar v. **1** Volver bobo: *A veces pienso que con los años me he abobado.* **2** Referido a una persona, entretenerla o mantenerla admirada o perpleja; embobar: *Los dibujos animados lo aboban.*

abocado, da ∎ adj. **1** Que es conducido inevitablemente a algo: *El proyecto está abocado al fracaso.* ∎ adj./s.m. **2** Referido al vino, que contiene una mezcla de vino seco y dulce. □ ETIMOL. De *abocar* (verter el contenido de un recipiente). ☐ SINT. 1. Constr. de la acepción 1: *abocado A algo*. 2. La acepción 1 se usa más con los verbos *estar, hallarse, quedar* o equivalentes.

abocar ∎ v. **1** Referido al contenido de un recipiente, verterlo en otro: *Abocamos el vino acercando las bocas de los dos recipientes*. **2** En náutica, referido a una embarcación, empezar a entrar en un puerto, en un canal o en un estrecho: *El barco se abocaba en el canal a poca velocidad*. ∎ prnl. **[3** En zonas del español meridional, dedicarse. ☐ ETIMOL. De *boca*. ☐ ORTOGR. La *c* se cambia en *qu* delante de *e* →SACAR.

abocetar v. **1** Referido a una obra artística, hacer un boceto de ella o darle carácter de boceto: *Aquel pintor solía abocetar las figuras a lápiz*. **2** Insinuar o apuntar vagamente: *Están abocetando el nuevo plan energético*.

abochornar v. Producir un sentimiento de vergüenza; avergonzar: *Me abochornó oírle hablar de esa manera. No tiene sentido del ridículo y no se abochorna por nada*.

abocinar v. **1** Ensanchar en un extremo o dar una forma cónica como la de una bocina: *Para pronunciar la 'u' tienes que abocinar los labios*. **2** col. Caer de bruces: *Resbaló y se abocinó contra el bordillo*.

abofetear v. **1** Dar una o más bofetadas: *Se dejó llevar por su enfado y lo abofeteó*. **2** Ultrajar u ofender gravemente con palabras o acciones: *Esa mirada cargada de odio me abofeteó*. ☐ ETIMOL. Del antiguo *bofete* (bofetada).

abogacía s.f. **1** Profesión del abogado. **2** Conjunto de abogados que ejerce la profesión.

abogado, da s. **1** Persona legalmente autorizada para defender a sus clientes en los juicios o aconsejarlos sobre cuestiones legales; letrado. **2** Intercesor o mediador: *Es abogado de causas perdidas y siempre se pone de parte del débil*. **3** ‖ **abogado del diablo**; *col*. Persona que contradice o que pone muchos reparos. ☐ ETIMOL. Del latín *advocatus*, y éste de *advocare* (convocar o llamar a alguien como defensor).

abogar v. Interceder, mediar o hablar en favor de alguien: *Es una buena amiga, que abogó por mí cuando me calumniaron*. ☐ ORTOGR. La *g* se cambia en *gu* delante de *e* →PAGAR. ☐ SINT. Constr. *abogar POR alguien*.

abolengo s.m. Ascendencia ilustre o distinción que da a una persona el descender de una familia noble y antigua. ☐ ETIMOL. De *abuelo*.

abolición s.f. Anulación o suspensión, mediante una disposición legal, de una ley o de una costumbre.

abolicionismo s.m. Doctrina que defiende la abolición de una ley o una costumbre, esp. de la esclavitud.

abolicionista adj./s. Partidario o seguidor del abolicionismo. ☐ MORF. 1. Como adjetivo es invariable en género. 2. Como sustantivo es de género común: *el abolicionista, la abolicionista*.

abolir v. Referido esp. a una ley o una costumbre, anularla o suspenderla mediante una disposición legal: *En 1873 España abolió la esclavitud en Puerto Rico*. ☐ ETIMOL. Del latín *abolere*. ☐ MORF. Verbo defectivo: sólo se usan las formas que presentan *i* en su desinencia →ABOLIR.

abolladura s.f. Hundimiento de una superficie al apretarla o golpearla; abollón.

abollar v. Referido a una superficie, hundirla al apretarla o golpearla: *Le dieron un golpe al coche y lo abollaron*. ☐ ETIMOL. Del latín *bulla* (burbuja, bola). ☐ ORTOGR. Dist. de *aboyar*.

abollón s.m. Hundimiento de una superficie al apretarla o golpearla; abolladura.

abolsarse v.prnl. Tomar forma ahuecada como la de una bolsa: *La pintura del techo se abolsó por la humedad*.

abombar v. Curvar hacia afuera o dando forma convexa: *La humedad abombó la madera. El plástico se abombó porque estaba cerca de la lumbre*. ☐ ETIMOL. De *bomba* (proyectil esférico).

abominable adj. Que produce horror o que es digno de ser abominado. ☐ MORF. Invariable en género.

abominación s.f. **1** Horror o aborrecimiento. **2** Condena y maldición de algo que se considera malo o perjudicial.

abominar v. **1** Aborrecer, sentir horror o tener mucho odio: *Abomina los animales con toda su alma*. **2** Maldecir y condenar algo que se considera malo o perjudicial: *Abomina de quienes piensan que no hizo lo que debía hacer*. ☐ ETIMOL. Del latín *abominare*. ☐ SINT. Constr. de la acepción 2: *abominar DE algo*.

abonado, da s. Persona que ha pagado para recibir un servicio de modo continuado o asistir a un espectáculo un número determinado de veces.

abonanzar v. Calmarse la tormenta o mejorar el tiempo: *Tras el temporal, abonanzó y salió el sol*. ☐ ETIMOL. De *bonanza*. ☐ ORTOGR. La *z* se cambia en *c* delante de *e* →CAZAR. ☐ MORF. Es unipersonal.

abonar v. **1** Referido a algo que se debe, darlo o satisfacerlo; pagar: *Nos abonó la mitad de la deuda*. **2** Comprar un abono o lote de entradas para recibir un servicio o asistir a un espectáculo: *Aboné a mi hijo mayor a todos los partidos de la temporada. Se abonó a todos los conciertos del mes*. **3** Acreditar o dar garantía de algo: *Te abona un pasado intachable*. **4** Referido a un terreno, echarle materias fertilizantes para que dé más frutos: *Abonaron el huerto con estiércol*. ☐ ETIMOL. Las acepciones 1, 3 y 4, del latín *bonus* (bueno). La acepción 2, del francés *abonner*.

abono s.m. **1** Pago de una cantidad. **2** Lote de entradas que se compran conjuntamente y que permiten el uso periódico o limitado de un servicio o de una instalación, o la asistencia a una serie predeterminada de espectáculos. **3** Documento que acredita el derecho a usar un servicio o una instalación o a asistir a unos espectáculos. **4** Materia fertilizante que se echa en un terreno para que dé más frutos. ☐ ORTOGR. Dist. de *bono*.

abordaje s.m. Choque, roce o encuentro de una embarcación con otra, esp. con intención de atacarla o de combatir contra ella.

abordar v. **1** Referido a una embarcación, chocar, rozar o encontrarse con otra, de manera fortuita o con un determinado fin: *Un barco pirata abordó a las naves para saquearlas*. **2** Referido a una persona, acercarse a ella para proponerle algo o para tratar algún asunto: *Me abordó en un pasillo y me pidió que la votara como presidenta*. **3** Empezar a ocuparse de un asunto, esp. si plantea dificultades: *En la reunión se abordará el problema del nuevo aparcamiento*. **[4** En zonas del español meridional, referido a un vehículo, subir a él. ☐ ETIMOL. De *bordo* (costado exterior de las naves). ☐ SINT. Constr. de la acepción 1: *abordar una nave {A/CON} otra*.

aborigen ∎ adj. **1** Originario del lugar en que vive. ∎ adj./s. **2** Que es el primitivo poblador de un país. ☐ ETIMOL. Del latín *aborigines* (los que están desde el origen). ☐ ORTOGR. Dist. de *ab origine*. ☐ MORF. **1.** Como adjetivo es invariable en género. **2.** Como sustantivo es de género común: *el aborigen, la aborigen*. **3.** Como sustantivo se usa más en plural.

aborrecer v. **1** Referido a una persona o a una cosa, sentir aversión o repugnancia hacia ellas, de forma que el impulso natural sea alejarse o desear su desaparición; detestar: *Aborrecí las lentejas el día que me sentaron mal*. **2** Referido a un animal, esp. un ave, abandonar el nido, los huevos o las crías: *La gallina aborreció sus polluelos*. ☐ ETIMOL. Del latín *abhorrescere* (tener aversión). ☐ MORF. Irreg. →PARECER. ☐ SEM. En la acepción 1, aunque la RAE lo considera sinónimo de *execrar*, en la lengua actual no se usa como tal.

aborrecimiento s.m. Aversión o repugnancia hacia algo, que impulsa a alejarse de ello o a desear su desaparición.

aborregarse v. **1** Referido a una persona, volverse vulgar o perder las ideas, opiniones e iniciativas propias: *Desde que entró en la secta se ha aborregado totalmente*. **2** Referido al cielo, cubrirse de nubes blancas y redondas: *Al atardecer, el cielo se aborregó*. ☐ ORTOGR. La *g* se cambia en *gu* delante de *e* →PAGAR. ☐ SINT. Aunque la RAE sólo lo registra como pronominal, se usa también como verbo transitivo: *Ver tanta televisión 'aborrega' a la gente*.

abortar v. **1** Expulsar el feto antes de que pueda vivir fuera de la madre: *Empezó a sangrar y abortó en el tercer mes de embarazo*. **2** Referido a una empresa o a un proyecto, hacerlo fracasar o malograrse: *El servicio de espionaje logró abortar la rebelión*. ☐ ETIMOL. Del latín *abortare*, y éste de *aboriri* (perecer).

abortista s. Persona partidaria de la despenalización del aborto voluntario. ☐ MORF. Es de género común: *el abortista, la abortista*.

abortivo, va adj./s.m. Que puede hacer abortar.

aborto s.m. **1** Expulsión del feto antes de que pueda vivir fuera de la madre. **2** Ser o cosa abortada. **3** *col.* Persona o cosa deforme o monstruosa. ☐ USO En la acepción 3 es despectivo.

abotagamiento s.m. **1** Atontamiento o entorpecimiento de la mente. **2** Hinchazón del cuerpo o de una de sus partes, generalmente por una enfermedad. ☐ USO Aunque la RAE sólo registra *abotagamiento*, en círculos especializados se usa mucho *abotargamiento*.

abotagarse v.prnl. →**abotargarse**. ☐ ETIMOL. Del antiguo *buétago* (bofe, pulmón).

[*abotargamiento* s.m. →**abotagamiento**.

abotargar ∎ v. [**1** *col.* Atontar o entorpecer el entendimiento: *Tanto calor me 'ha abotargado'*. ∎ prnl. **2** Referido al cuerpo o a una de sus partes, hincharse o inflarse, generalmente por una enfermedad: *Si estoy mucho rato de pie se me abotargan las piernas*. ☐ ETIMOL. De *botarga* (vestido muy amplio). ☐ ORTOGR. Como pronominal, se admite también *abotagarse*. ☐ USO Aunque la RAE prefiere *abotagarse*, se usa más *abotargarse*.

abotinado, da adj. Referido esp. a un zapato, que ciñe los tobillos o que tiene forma de botín.

abotonadura s.f. →**botonadura**.

abotonar v. Referido a una prenda de vestir, cerrarla o ajustarla metiendo los botones en los ojales: *Me abotoné mal la camisa y me quedó un pico más largo que otro. Mi hermano pequeño todavía no sabe abotonarse él solo*.

abovedado, da adj. Curvo o arqueado.

abovedar v. Cubrir con una bóveda: *Abovedaron las naves de la iglesia*.

aboyar v. **1** Poner boyas: *Aboyaron la zona donde había escollos para que los barcos no chocasen con ellos*. **2** Referido a un objeto, flotar en el agua: *Restos del barco naufragado aboyaban en la mar*. ☐ ORTOGR. Dist. de *abollar*.

abra s.f. Bahía pequeña. ☐ ETIMOL. Del francés *havre* (puerto de mar). ☐ MORF. Por ser un sustantivo femenino que empieza por *a* tónica o acentuada, va precedido de *el, un, algún, ningún* y de las formas femeninas del resto de los determinantes.

abracadabra s.m. [Expresión que usan, esp. los magos, para indicar que algo va a aparecer.

abracadabrante adj. Muy sorprendente o desconcertante. ☐ MORF. Invariable en género.

abrasador, -a adj. Que abrasa.

abrasamiento s.m. **1** Reducción o conversión de algo en brasa. **2** Sensación que produce una pasión o una preocupación intensas.

abrasar v. **1** Estar muy caliente, hasta el extremo de quemar o molestar: *El café está que abrasa*. **2** Hacer sentir mucho calor: *Este sol tan fuerte me abrasa*. **3** Quemar hasta reducir a brasas: *El incendio abrasó la cabaña. La arboleda se abrasó*. **4** Destruir o deteriorar por exceso de calor o de acidez: *La lejía abrasó las sábanas*. **5** Referido a una planta, secarla el calor o el frío: *Las heladas han abrasado los geranios. Las rosas se han abrasado*. **6** Referido a una persona, consumirla una pasión o una preocupación: *Lo abrasan los celos. Se abrasaba de amor por ella*. ☐ SINT. Constr. de la acepción 6 como pronominal: *abrasarse {DE/EN} algo*.

abrasión s.f. **1** Desgaste por rozamiento o fricción. **2** En medicina, lesión superficial o irritación de la piel o las mucosas producida por una quemadura o un traumatismo. ☐ ETIMOL. Del latín *abrasio*.

abrasivo, va adj. De la abrasión o relacionado con ella.

abrazadera s.f. Pieza, generalmente de metal, que sirve para sujetar o ceñir algo.

abrazador, -a adj./s. Que abraza, rodea o ciñe.

abrazar v. **1** Rodear con los brazos en señal de saludo o cariño: *Abrazó emocionado a su padre. Se abrazaron al despedirse*. **2** Rodear con los brazos: *El pedestal de la estatua era tan grande que no pude abrazarlo. Era un árbol tan robusto que, aunque los dos se abrazaron a su tronco, no lograron abarcarlo*. **3** Referido a un asunto, tomarlo una persona a su cargo: *Abrazó entusiasmada el nuevo proyecto*. **4** Referido a una idea o a una doctrina, seguirlas o adherirse a ellas: *Abjuró del arrianismo y abrazó el catolicismo*. ☐ ORTOGR. La *z* se cambia en *c* delante de *e* →CAZAR.

abrazo s.m. Gesto de rodear con los brazos, generalmente como saludo o como señal de cariño. ☐ USO La expresión *un abrazo* se usa mucho como fórmula de despedida: *Terminó diciendo: 'Hasta mañana, un abrazo'*.

abreboca s.m. *col.* Aperitivo.

abrebotellas s.m. Utensilio que se utiliza para quitar la chapa de las botellas; abridor. □ MORF. Invariable en número.

abrecartas s.m. Utensilio parecido a un cuchillo que se utiliza para abrir los sobres. □ MORF. Invariable en número.

abrecoches s.m. Persona que abre la puerta de los automóviles a sus ocupantes, generalmente a cambio de una propina. □ MORF. Invariable en número.

ábrego s.m. Viento del sudoeste. □ ETIMOL. Del latín *Africus* (viento del Sur o africano).

abrelatas s.m. Utensilio de metal que se utiliza para abrir las latas de conservas; abridor. □ MORF. Invariable en número.

abrevadero s.m. Lugar en el que bebe el ganado; bebedero.

abrevar v. **1** Referido al ganado, darle de beber: *El pastor abreva su rebaño en la poza.* **2** Beber, esp. el ganado: *Antes de subir al monte las vacas abrevaron. El rebaño abrevó en la fuente.* □ ETIMOL. Del latín *abbiberare, y éste de *bibere* (el beber).

abreviación s.f. Disminución de la duración o del espacio de algo; abreviamiento. □ SEM. Dist. de *abreviatura* (reducción de una palabra).

abreviador, -a adj./s.m. Que abrevia o compendia.

abreviamiento s.m. →abreviación.

abreviar v. **1** Reducir o hacer más corto o más breve el tiempo o el espacio: *Abreviaron la reunión para poder estar en casa a la hora del partido.* **2** Acelerar o aumentar la velocidad: *Abrevia, o llegaremos tarde.* □ ETIMOL. Del latín *abbreviare.* □ ORTOGR. La *i* nunca lleva tilde.

abreviatura s.f. **1** Representación de una palabra en la escritura con sólo una o varias de sus letras: *La abreviatura de 'doctor' es 'dr.'.* **2** Palabra así reducida. □ SEM. Dist. de *abreviación* y *abreviamiento* (disminución de la duración de algo). □ USO →APÉNDICE DE ABREVIATURAS.

abridor s.m. **1** Utensilio de metal que se utiliza para abrir las latas de conservas; abrelatas. **2** Utensilio que se utiliza para quitar la chapa de las botellas; abrebotellas.

abrigado, da adj. [Que protege del frío.]

abrigar v. **1** Proteger o resguardar del frío: *Este jersey abriga mucho. Los guantes sirven para abrigar las manos. Esta cueva nos servirá para abrigarnos del frío.* **2** Proteger, ayudar o amparar: *Sus amigos lo abrigaron después de su fracaso.* **3** Referido esp. a ideas o a deseos, tenerlos o albergarlos: *Abriga grandes proyectos para la empresa. Abriga esperanzas de ganar el premio.* □ ETIMOL. Del latín *apricare* (calentar con el calor del sol). □ ORTOGR. La *g* se cambia en *gu* delante de *e* →PAGAR. □ SINT. Constr. de las acepciones 1 y 2: *abrigarse DE algo.*

abrigo s.m. **1** Prenda de vestir larga y con mangas, que se pone sobre las demás y que sirve para abrigar. **2** Defensa contra el frío. **3** Lo que sirve para abrigar. **4** Lugar defendido de los vientos. **5** Protección, ayuda o amparo. **6** ‖de abrigo; temible, de cuidado o de consideración.

abril ‖ s.m. **1** Cuarto mes del año, entre marzo y mayo. ‖ pl. **2** Años de edad de una persona joven: *Sólo tiene quince abriles.* □ ETIMOL. Del latín *aprilis.* □ MORF. La acepción 2 se usa más en plural.

abrileño, na adj. Propio del mes de abril.

abrillantado, da adj. [En zonas del español meridional, referido a una fruta, escarchada.]

abrillantador s.m. Producto que se usa para abrillantar o dar brillo.

[abrillantamiento s.m. Operación que consiste en dar brillo a una superficie.

abrillantar v. Dar brillo: *Abrillantaron el suelo con un producto especial.*

abrir ‖ v. **1** Referido a una puerta, a una ventana o a algo con puertas, separar sus hojas del marco, de manera que dejen descubierto el vano y permitan el paso: *Abre la ventana para que entre un poco de aire.* **2** Referido a un cerrojo o a otro mecanismo de cierre, descorrerlo o accionarlo de modo que deje de asegurar la puerta: *Para que se abra el pestillo, gíralo hacia la derecha. La llave está oxidada y no abre bien.* **3** Referido a un recinto o a un receptáculo, retirar lo que lo incomunica con el exterior o dejar al descubierto su interior: *Abre el costurero y saca las tijeras.* **4** Referido a una abertura o a un conducto, hacerlos o practicarlos: *Ten cuidado al abrir los ojales, no vayas a rasgar demasiado la tela. Se abrió un socavón en la calle a causa de las lluvias.* **5** Referido a partes del cuerpo, separar una de otra, de modo que quede un espacio entre ellas: *Se le abrieron los ojos de asombro.* **6** Referido a algo que está entero o cerrado, rajarlo, rasgarlo o dividirlo: *Abrió la sandía y me dio un trozo. Cuando ya parecía cicatrizada, se le volvió a abrir la herida.* **7** Referido esp. a una carta o a un sobre, despegarlos o romperlos por alguna parte de manera que pueda verse o sacarse su contenido: *Nunca abras una carta que no venga a tu nombre.* **8** Referido a un libro o a un objeto semejante, separar parte de sus hojas del resto, de manera que se puedan ver dos de sus páginas interiores: *Abre el periódico por la sección de deportes. Al caerse el libro, se abrió.* **9** Referido a un cajón, tirar de él hacia afuera sin sacarlo del todo: *Al abrir el cajón me enganché el vestido. Tenía la mesa tan desnivelada que el cajón se abría solo.* **10** Referido a algo encogido o plegado, extenderlo, desplegarlo o separar sus partes: *El pavo real abrió la cola. El abanico no se abre porque tiene una varilla rota.* **11** Referido a una lista o a un conjunto ordenado, ocupar el primer lugar en ellos: *El abanderado abre el desfile.* **12** Referido a algunos signos de puntuación, escribirlos delante del enunciado que delimitan: *En español es una falta abrir el signo de interrogación y no cerrarlo. Las comillas se abren al principio de la cita.* **13** Referido a la llave o al dispositivo que regulan el paso de un fluido por un conducto, ponerlos de modo que permitan la salida o la circulación de dicho fluido: *Para que salga el agua con más fuerza, abre más el grifo.* **14** Referido a un local donde se desarrolla una actividad, comenzar en el ejercicio de ésta o dar inicio a sus tareas: *Van a abrir una cafetería en el instituto. La academia abre sólo por las mañanas.* **15** Referido esp. a una convocatoria o a un concurso, declarar iniciado el plazo para poder participar en ellos: *Mañana abren la matrícula en el instituto. Nada más abrirse el concurso, se inscribieron cientos de aspirantes.* **16** Referido a una cuenta bancaria, entregar en el banco el dinero requerido a nombre de un titular y realizar los trámites necesarios para que éste pueda disponer de ella: *La pareja abrió una cuenta corriente a nombre de los dos.* **17** Referido a las ganas de comer, excitarlas o producirlas: *El* *ejercicio abre el apetito. Cuando vi aquellos manjares, se me abrieron unas ganas de comer incontenibles.* **18** Comenzar, inaugurar o dar por iniciado: *El Rey abrirá el nuevo curso en un acto solemne.* **19** Facilitar el paso o dejarlo libre: *Cuando termine la manifestación, volverán a abrir la calle al tráfico.* **20** Presentar u ofrecer: *Las palabras del médico abrieron nuevas esperanzas en los familiares. Ante sus ojos se abría un futuro prometedor.* **21** Separar, extender o apartar dejando espacios: *El capitán mandó abrirse al pelotón para cubrir una zona más amplia. El delantero se abría hacia la banda para desmarcarse.* **22** En un juego de cartas, referido a un jugador, hacer la primera apuesta o envite: *Abrió con cien monedas y nadie se atrevió a aceptarle la apuesta.* **23** Referido a una flor cerrada o a sus pétalos, separarse éstos unos de otros extendiéndose desde el botón o capullo: *Algunas flores abren cuando les da la luz. El rosal tiene una rosa a punto de abrirse.* **24** Referido al cielo o al tiempo atmosférico, despejar, serenarse o empezar a clarear: *Si deja de llover y abre, daremos un paseo. Empezaron a alejarse los nubarrones y se abrió el cielo.* ∎ prnl. **25** Tomar una curva arrimándose al lado exterior y menos curvado: *El coche se abrió demasiado en la curva y se salió de la carretera.* [**26** Mostrarse comunicativo o adoptar una actitud favorable: *El conflicto se acabaría si ambas partes 'se abriesen' a la negociación.* **27** col. Marcharse: *Me abro, que tengo prisa.* □ ETIMOL. Del latín *aperire*. □ MORF. Irreg.: Su participio es *abierto*.

[*abrochador* s.m. o [*abrochadora* s.f. En zonas del español meridional, grapadora.

abrochar v. **1** Cerrar o unir con botones o con algo semejante: *Abróchate el abrigo, que hace frío. Abróchense los cinturones de seguridad, por favor.* [**2** En zonas del español meridional, grapar.

abrogación s.f. Abolición de una ley, de un código o de un escrito semejante. □ PRON. [ab·rogación].

ab·rogar v. Referido esp. a una ley, abolirla: *Varios partidos han propuesto que se abrogue la ley de extranjería.* □ ETIMOL. Del latín *abrogare* (abrogar una ley, despojar a alguien de sus funciones). □ PRON. [ab·rogár]. □ ORTOGR. 1. Dist. de *arrogar.* 2. La *g* se cambia en *gu* delante de *e* →PAGAR.

abrojo s.m. Planta de tallos largos y rastreros, que tiene hojas compuestas, flores amarillas, y el fruto esférico y espinoso. □ ETIMOL. Del latín *¡aperi oculos!* (¡abre los ojos!), que se usaba para advertir al que se acercaba a un terreno cubierto de abrojos.

abroncar v. **1** Reprender o regañar ásperamente: *El jefe nos abroncó por llegar tarde.* **2** Reprobar o mostrar disconformidad mediante murmullos, ruidos o gritos; abuchear: *El público abroncó al artista por su pésima actuación.* □ ORTOGR. La *c* se cambia en *qu* delante de *e* →SACAR.

abroquelarse v. prnl. Defenderse o refugiarse física o moralmente: *Se abroqueló en su idea y no hubo forma de hacer que cambiara de opinión.*

abrótano s.m. Planta herbácea, de hojas sencillas, muy finas y blanquecinas, que se cultiva en los jardines por sus flores de olor agradable; boja. □ ETIMOL. Del latín *abrotonum.* □ ORTOGR. Se admite también *brótano.*

abrumador, -a adj. [Total, aplastante o completo.

abrumar v. **1** Agobiar por exceso de halagos, de atenciones o de burlas: *Tantas atenciones me abru-* *man y no sé que decir.* **2** Agobiar con un gran peso que causa molestia: *Tanta responsabilidad me abruma.* □ ETIMOL. De *bruma*, variante de *broma* (carcoma de los buques), porque los barcos comidos de broma eran muy pesados.

abrupto, ta adj. **1** Referido esp. a un terreno, que es escarpado, de difícil acceso o con una gran pendiente. **2** Áspero, rudo o sin educación. □ ETIMOL. Del latín *abruptus*, y éste de *abrumpere* (cortar violentamente).

absceso s.m. Acumulación localizada de pus en un tejido orgánico. □ ETIMOL. Del latín *abscessus* (tumor). □ ORTOGR. Dist. de *acceso.*

abscisa s.f. En matemáticas, en un sistema de coordenadas, línea o eje horizontales. □ ETIMOL. Del latín *abscissa linea*, y éste de *abscindere* (cortar, separar).

absenta s.f. Bebida alcohólica elaborada con ajenjo y con otras hierbas aromáticas; ajenjo. □ ETIMOL. Del catalán *absenta.*

absentismo s.m. Ausencia deliberada del puesto de trabajo. □ ETIMOL. Del inglés *absenteeism*, y éste del latín *absens* (ausente).

absentista ∎ adj. **1** Del absentismo o relacionado con esta ausencia laboral. ∎ adj./s. **2** Que practica el absentismo. □ MORF. 1. Como adjetivo es invariable en género. 2. Como sustantivo es de género común: *el absentista, la absentista.*

absidal adj. Con forma de ábside. □ MORF. Invariable en género.

ábside s.m. En una iglesia, parte abovedada y generalmente semicircular que sobresale de la fachada posterior. □ ETIMOL. Del latín *absis* (bóveda). □ ORTOGR. Dist. de *ápside.*

[*absidiola* s.f. o [*absidiolo* s.m. En una iglesia, capilla generalmente semicircular que sobresale en la parte exterior del ábside.

absolución s.f. **1** Declaración de un acusado como libre de culpa. **2** Perdón de los pecados de un penitente en el sacramento de la confesión. □ ETIMOL. Del latín *absolutio.*

absolutismo s.m. Sistema de gobierno que se caracteriza por la reunión de todos los poderes en una persona o en un cuerpo.

absolutista ∎ adj. **1** Del absolutismo o relacionado con este sistema de gobierno. ∎ adj./s. **2** Que sigue o que defiende el absolutismo. □ MORF. 1. Como adjetivo es invariable en género. 2. Como sustantivo es de género común: *el absolutista, la absolutista.*

absoluto, ta adj. **1** Que es ilimitado o que carece de restricciones. [**2** Total o completo. **3** Que excluye toda relación o comparación: *'superlativo absoluto'.* **4** ‖ **en absoluto**; de ningún modo. □ ETIMOL. Del latín *absolutus* (sin limitaciones). □ MORF. No admite grados: incorr. **más absoluto.*

absolutorio, ria adj. Que absuelve.

absolver v. **1** Referido a un acusado de un delito, declararlo libre de culpa: *El juez lo absolvió de la acusación de asesinato.* **2** Referido a un penitente, perdonarle los pecados el sacerdote en el sacramento de la confesión: *El sacerdote dijo: —Yo te absuelvo en el nombre del Padre, del Hijo y del Espíritu Santo.* □ ETIMOL. Del latín *absolvere*, y éste de *solvere* (soltar, desatar). □ ORTOGR. Dist. de *absorber* y de *adsorber.* □ MORF. Irreg.: 1. Su participio es *absuelto.* 2. →VOLVER. □ SINT. Constr. *absolver DE algo.*

absorbencia s.f. Propiedad de un cuerpo sólido de poder atraer y retener fluidos en su interior.

absorbente adj. Que es muy dominante o que trata de imponer su voluntad. ☐ MORF. Invariable en género.

absorber v. 1 Referido esp. a un cuerpo líquido o gaseoso, atraerlo un cuerpo sólido, de modo que penetre en él; chupar: *La aspiradora absorbe bien el polvo. Esta crema hidratante se absorbe muy fácilmente.* 2 Referido esp. a entidades políticas o comerciales, ser incorporadas a otras: *Las multinacionales están absorbiendo a la pequeña y mediana empresa.* 3 Referido a una persona, atraer o cautivar su atención: *Las relaciones sociales la absorben por completo.* 4 En física, referido a una radiación, captarla el cuerpo al que atraviesa: *Este aparato sirve para medir la dosis de radiación recibida y absorbida por un cuerpo.* ☐ ETIMOL. Del latín *absorbere.* ☐ ORTOGR. Dist. de *absolver* y de *adsorber.*

absorción s.f. 1 Atracción que un cuerpo sólido ejerce sobre un líquido o un gas, de forma que éste penetre en aquél. 2 Incorporación de una entidad política o comercial a otra, generalmente más importante. 3 En física, captación de una radiación por parte de un cuerpo al que ésta atraviesa. ☐ ORTOGR. Dist. de *adsorción.*

absorto, ta adj. 1 Concentrado o entregado totalmente a una actividad, esp. a la meditación o a la lectura. 2 Admirado, asombrado o pasmado.

abstemio, mia adj./s. Que nunca toma bebidas alcohólicas. ☐ ETIMOL. Del latín *abstemius.*

abstención s.f. Renuncia voluntaria a hacer algo, esp. a votar.

abstencionismo s.m. Tendencia a abstenerse en alguna actividad, esp. en política.

abstencionista ▌ adj. [1 Del abstencionismo o relacionado con esta tendencia: *actitud abstencionista.* ▌ adj./s. 2 Que practica la abstención. ☐ MORF. 1. Como adjetivo es invariable en género. 2. Como sustantivo es de género común: *el abstencionista, la abstencionista.*

abstenerse v.prnl. 1 Privarse de algo: *La médica le ha recomendado que se abstenga de fumar.* 2 No participar en algo a lo que se tiene derecho: *Varios diputados se abstuvieron en la votación.* ☐ ETIMOL. Del latín *abstinere.* ☐ MORF. Irreg. →TENER. ☐ SINT. Constr. de la acepción 1: *abstenerse DE hacer algo.*

abstinencia s.f. 1 Renuncia a tomar determinados alimentos o bebidas, especialmente si es en cumplimiento de un precepto religioso o moral. 2 Actitud que consiste en renunciar a satisfacer un deseo, esp. si es en cumplimiento de un precepto religioso o moral.

abstracción s.f. 1 Separación de las cualidades de algo por medio de una operación intelectual, para poder considerarlas aisladamente. [2 Idea abstracta o separada de la realidad. 3 Concentración total en algo.

abstracto, ta adj. 1 Que significa alguna cualidad, con exclusión del sujeto que la posee: *La belleza es un concepto abstracto.* 2 Referido a un tipo de arte, que no representa con fidelidad cosas concretas, sino que resalta algunas de sus características o de sus cualidades. 3 Que sigue o que practica este tipo de arte. 4 ‖**en abstracto**; separando el sujeto de la cualidad que posee: *Trató el tema en abstracto, sin referirse a nada en concreto.*

abstraer ▌ v. 1 Referido a las cualidades esenciales de algo, separarlas por medio de una operación intelectual para considerarlas aisladamente: *Supo prescindir de lo anecdótico y abstraer las ideas centrales del libro.* ▌ prnl. 2 Dejar de atender a lo que está alrededor, para entregarse completamente a la consideración de lo que se tiene en el pensamiento: *Si no consigues abstraerte del ruido de la calle, no lograrás estudiar bien.* ☐ MORF. Irreg. →TRAER. ☐ SINT. Constr. de la acepción 2: *abstraerse DE algo.* ☐ SEM. En la acepción 2, dist. de *sustraerse (de una obligación).*

abstraído, da adj. Ensimismado o absorto en algo.

abstruso, sa adj. Muy difícil de entender. ☐ ETIMOL. Del latín *abstrusus* (oculto).

absuelto, ta part.irreg. de **absolver.** ☐ MORF. Incorr. **absolvido.*

absurdo, da ▌ adj. 1 Contrario u opuesto a la razón, o sin sentido. 2 Extravagante o chocante. ▌ s.m. 3 Hecho o dicho irracional o sin sentido. ☐ ETIMOL. Del latín *absurdus.*

abubilla s.f. Pájaro que tiene el pico largo y algo curvado, el plumaje del cuerpo, rojizo, y el de las alas y la cola, negro con franjas blancas, y un penacho de plumas en la cabeza que puede abrir como un abanico. ☐ ETIMOL. Del latín **upupella*, y éste de *upupa* (abubilla). ☐ MORF. Es un sustantivo epiceno: *la abubilla macho, la abubilla hembra.*

abuchear v. Reprobar o mostrar disconformidad mediante murmullos, ruidos o gritos; abroncar: *Los aficionados abuchearon a los jugadores por su mal juego.* ☐ ETIMOL. De *ahuchear*, y éste de *huchear* (gritar, lanzar los perros en la cacería dando voces).

abucheo s.m. Demostración de disconformidad o de enfado mediante murmullos, ruidos o gritos.

abuelastro, tra s. 1 Respecto de una persona, segundo y sucesivos maridos de su abuela o segunda y sucesivas esposas de su abuelo. 2 Respecto de una persona, padre o madre de su padrastro o de su madrastra.

abuelo, la ▌ s. 1 Respecto de una persona, padre o madre de su padre o de su madre. 2 col. Persona anciana. ▌ s.m.pl. 3 Respecto de una persona, padres de su padre o de su madre, o de ambos. 4 Antepasados de los que se desciende. 5 ‖**no tener abuela**; col. Expresión que se usa para censurar al que se alaba mucho: *¡Ese chico no tiene abuela, siempre está diciendo lo bueno que es!* ☐ ETIMOL. *Abuela*, del latín *aviola* (abuelita). *Abuelo*, de *abuela.*

abuhardillado, da adj. 1 Que tiene buhardillas. 2 Con forma de buhardilla.

abulense adj./s. De Ávila o relacionado con esta provincia española o con su capital; avilés. ☐ MORF. 1. Como adjetivo es invariable en género. 2. Como sustantivo es de género común: *el abulense, la abulense.*

abulia s.f. Falta de voluntad o de energía. ☐ ETIMOL. Del griego *abulía*, y éste de *a-* (negación) y *bulé* (voluntad).

abúlico, ca ▌ adj. 1 Que es propio de la abulia. ▌ adj./s. 2 Que tiene abulia o poca voluntad o energía. ☐ MORF. En la acepción 2, la RAE sólo lo registra como adjetivo.

abullonar v. Referido esp. a una tela, adornarla con pliegues de forma esférica: *La modista me ha abu-*

llonado las mangas de la blusa de fiesta. ☐ ETIMOL. De *bullón* (plegado de las telas).
abultamiento s.m. Bulto, hinchazón o prominencia.
abultar v. 1 Aumentar el bulto o el volumen: *El viento abultaba las velas del barco.* 2 Aumentar la cantidad, la intensidad o el grado: *Abultó sus aventuras del verano para impresionar a sus amigos.* 3 Hacer bulto u ocupar más espacio del normal: *Quítate el abrigo, que con él puesto abultas demasiado.*
abundancia s.f. 1 Gran cantidad. [2 Prosperidad y buena situación económica. 3 ‖ [en la abundancia; con mucho dinero o en una buena posición económica. ☐ SINT. *'En la abundancia'* se usa más con los verbos *nadar, vivir* o equivalentes.
abundante adj. 1 Que abunda en algo. 2 Cuantioso o en gran abundancia. ☐ MORF. Invariable en género. ☐ SINT. Constr. de la acepción 1: *abundante EN algo.*
abundar v. 1 Haber en gran cantidad: *En este libro abundaban las erratas.* 2 Referido a una idea o a una opinión, apoyarlas o insistir en ellas: *Abundo en la opinión de que es necesario un cambio en la dirección del partido.* ☐ ETIMOL. Del latín *abundare* (salirse las ondas, rebosar). ☐ SINT. Constr. de la acepción 2: *abundar EN algo.*
abuñolado, da o **abuñuelado, da** adj. Con forma de buñuelo. ☐ USO *Abuñolado* es el término menos usual.
abur interj. col. →agur.
aburguesamiento s.m. Adopción de las características que se consideran propias de la burguesía. ☐ USO Tiene un matiz despectivo.
aburguesar v. Dar las características que se consideran propias de la burguesía: *La buena vida terminó por aburguesar a los que presumían de progresistas. Se aburguesó y olvidó sus ideas reformadoras.* ☐ MORF. La RAE sólo lo registra como pronominal. ☐ USO Tiene un matiz despectivo.
aburrido, da adj. Que produce aburrimiento.
aburrimiento s.m. Cansancio o fastidio producidos por falta de entretenimiento, de diversión o de estímulo.
aburrir v. 1 Producir o experimentar cansancio o fastidio por efecto de una falta de entretenimiento, de diversión o de estímulo: *Será una gran película, pero a mí consiguió aburrirme. Nos aburrimos tanto que aquello no parecía una fiesta.* 2 Molestar, fastidiar o producir una sensación de hartazgo, generalmente debido a la insistencia: *Me gusta el dulce, pero comerlo todos los días aburre.* ☐ ETIMOL. Del latín *abhorrere* (tener aversión a algo). ☐ SINT. En la acepción 1, la RAE sólo lo registra como pronominal.
abusar v. 1 Usar mal, de forma indebida o excesiva: *No conviene abusar de la bebida.* 2 Forzar a mantener una relación sexual: *Después de golpearla brutalmente, abusó de ella en un descampado.* ☐ SINT. Constr. *abusar DE algo.*
abusivo, va adj. Que abusa o que se aprovecha de una situación en beneficio propio.
abuso s.m. 1 Uso indebido, injusto o excesivo de algo. 2 Relación sexual mantenida con alguien en contra de su voluntad. ☐ ETIMOL. Del latín *abusus.*
abusón, -a adj./s. col. Referido a una persona, que se aprovecha frecuentemente de una situación en beneficio propio.

abyección s.f. Bajeza o acción vil y despreciable.
abyecto, ta adj. Despreciable, vil o rastrero. ☐ ETIMOL. Del latín *abiectus* (bajo, humilde).
acá adv. 1 En o hacia esta posición o lugar: *Ven acá y siéntate a mi lado.* 2 Ahora o en el momento presente: *Desde entonces acá no lo he vuelto a ver.* 3 ‖de acá para allá; de un lugar para otro. ☐ ETIMOL. Del latín *eccum hac* (he aquí). ☐ SINT. Incorr. *Han pasado muchas cosas desde entonces {*a acá > acá}.
acabado s.m. Último retoque o remate que se da a algo.
acabar v. 1 Llegar al fin o alcanzar el punto final: *No me gusta cómo acaba la película. Las entradas para el concierto se acabaron enseguida.* 2 Dar fin o poner término: *Cuando acabes el jersey, préstamelo.* 3 Apurar o consumir hasta el fin: *Acaba la cerveza, que nos vamos. Se ha acabado el tiempo del que disponías.* 4 Rematar con esmero; terminar: *Tienes que acabar un poco la estatua y limar los bordes rugosos.* 5 ‖acabar con algo; destruirlo o aniquilarlo: *Acabó con la vida del pistolero de un balazo. Los comentarios de la profesora acabaron con mis esperanzas de aprobar el examen.* ‖acabar en algo; tenerlo como fin o en un extremo: *Las espadas acaban en punta. La comida acabó en baile.* ‖san se acabó; col. →sanseacabó. ☐ ETIMOL. De cabo (extremo), porque acabar es hacer algo hasta el cabo. ☐ SINT. 1. La perífrasis *acabar + de + infinitivo* indica que la acción expresada por éste ha ocurrido poco antes: *Acabo de llegar y ya me estás gritando.* 2. La perífrasis *no acabar + de + infinitivo* indica la imposibilidad de conseguir lo que éste expresa: *Explícamelo otra vez, porque no acabo de entenderlo.*
acabáramos interj. col. Expresión que se usa para indicar que por fin se ha llegado a una conclusión o se ha conseguido algo: *¡Acabáramos!, ¿conque era eso lo que tanto te preocupaba?*
acabose ‖ser algo el acabose; col. Ser el colmo o un desastre.
acacia s.f. 1 Árbol o arbusto que puede tener espinas en sus ramas, y que se caracteriza por tener las hojas compuestas, divididas en pequeñas hojuelas, las flores blancas y olorosas y el fruto en vaina. 2 Madera de este árbol. ☐ ETIMOL. Del latín *acacia.*
academia s.f. 1 Sociedad o agrupación científica, artística o literaria formada por las personas más destacadas en una ciencia o un arte, y dedicadas a su estudio y difusión. 2 Lugar en que se reúne. 3 Establecimiento que se dedica a la enseñanza de un arte, técnica, profesión o materia. ☐ ETIMOL. Del latín *Academia,* que era la escuela de filosofía platónica, y éste del griego *Akádemeia,* que era el jardín de Academos, donde enseñaba Platón.
academicismo s.m. Observación o cumplimiento rigurosos de las normas académicas.
academicista ▮ adj. 1 Del academicismo o relacionado con esta tendencia. ▮ adj./s. 2 Que practica el academicismo. ☐ MORF. 1. Como adjetivo es invariable en género. 2. Como sustantivo es de género común: *el academicista, la academicista.*
académico, ca ▮ adj. 1 De una academia, relacionado con ella, o con sus características. 2 Relacionado con los centros oficiales de enseñanza: *expediente académico.* 3 Referido a una obra de arte o a su autor, que observan las normas clásicas. ▮ s. 4

Persona que forma parte de una academia o sociedad.

acadio, dia ∎ adj./s. **1** De Akkad (antiguo reino mesopotámico), o relacionado con él. ∎ s.m. **2** Lengua semítica de este reino.

acaecer v. Referido a un hecho, producirse, realizarse u ocurrir; acontecer, suceder: *La catástrofe acaeció de madrugada.* ☐ ETIMOL. Del latín **accadiscere*, y éste de **accadere*, por *accidere* (ocurrir). ☐ MORF. **1.** Verbo defectivo: Sólo se usa en las terceras personas de cada tiempo, y en las formas no personales (infinitivo, gerundio y participio). **2.** Irreg. →PARECER.

acaecimiento s.m. [Producción de un suceso o de un acontecimiento.

acallar v. **1** Hacer callar: *La conferenciante acalló los aplausos con un gesto y continuó hablando.* **2** Calmar, aplacar o sosegar: *Todas esas explicaciones son sólo un intento de acallar tu conciencia.* ☐ SEM. Dist. de *callar* (dejar de hablar).

acalorado, da adj. Pasional, enérgico y vehemente.

acaloramiento s.m. **1** Ardor o calor muy fuerte. **2** Pasión, vehemencia o excitación con que se discute algo.

acalorar ∎ v. **1** Dar o tener calor: *Llevar estos pesados muebles por toda la casa acalora a cualquiera. Con tanto ejercicio me he acalorado.* ∎ prnl. **2** Excitarse en una conversación o en una disputa: *No te acalores y habla con tranquilidad.*

acampada s.f. Instalación en un lugar al aire libre para vivir temporalmente en él, generalmente en tiendas de campaña o en caravanas.

acampanado, da adj. Con forma de campana o más ancho por la parte inferior que por la superior.

acampanar v. Dar forma de campana o hacer que sea más ancho por la parte inferior que por la superior.

[**acampante** s. En zonas del español meridional, campista. ☐ MORF. Es de género común: *el 'acampante', la 'acampante'.*

acampar v. Detenerse en un lugar al aire libre para vivir temporalmente en él, generalmente alojándose en tiendas de campaña o en caravanas: *Está prohibido acampar en este paraje.* ☐ ETIMOL. Del italiano *accampare.*

acanalado, da adj. **1** Con forma de canal o alargado y abarquillado. **2** Con forma de estría o con estrías.

acanalar v. **1** Hacer canales o estrías: *Acanalaron el río para facilitar el regadío de los sembrados.* **2** Dar forma de canal o de teja, alargada y abarquillada: *El alfarero acanalaba los bordes de los jarrones que hacía.*

acanallado, da adj. Que tiene los defectos propios de un canalla.

acanallar v. Referido a una persona, envilecerla o hacerle adoptar las costumbres o el comportamiento propios de un canalla; encanallar: *Las malas compañías lo acanallaron.* ☐ USO Aunque la RAE prefiere *encanallar*, se usa más *acanallar.*

acantilado, da ∎ adj. **1** Referido a un fondo marino, que forma escalones. ∎ adj./s.m. **2** Referido a un terreno, esp. a la costa marina, que está cortado casi verticalmente y es generalmente alto y con rocas. ☐ ETIMOL. De *cantil* (cortadura vertical en un terreno, especialmente en la costa).

acantilar v. **1** Referido a una embarcación, vararla en un cantil o lugar costero o marítimo con forma de escalón: *El buque se acantiló por una mala maniobra.* **2** Referido a un fondo marino, dragarlo para que quede formando escalones: *Sacaron gran cantidad de piedras cuando acantilaron esa zona de la costa.*

acanto s.m. Planta herbácea perenne, con hojas largas, rizadas y espinosas, y flores blancas. ☐ ETIMOL. Del latín *acanthus*, y éste del griego *ákantha* (espina).

acantonamiento s.m. **1** Distribución y alojamiento de las tropas militares en diversos poblados o poblaciones. **2** Lugar en el que hay tropas distribuidas y alojadas; cantón.

acantonar v. Referido a las tropas militares, distribuirlas y alojarlas en diversos poblados o poblaciones: *El coronel ordenó acantonar las tropas en los pueblos más cercanos. Las tropas se acantonaron cerca de la capital.* ☐ ETIMOL. De *cantón* (sitio de tropas acantonadas).

acaparador, -a adj./s. Que acapara.

acaparamiento s.m. **1** Adquisición o retención de una mercancía en cantidad superior a la normal, en previsión de su escasez o de su encarecimiento. **2** Monopolio, apropiación u obtención de algo por completo o en gran parte.

acaparar v. **1** Referido esp. a una mercancía, adquirirla o retenerla en cantidad superior a la normal en previsión de su escasez o de su encarecimiento: *Ante el anuncio de la huelga de supermercados, la gente acaparó los productos de primera necesidad.* **2** Absorber, monopolizar o apropiarse por completo o en gran parte: *La noticia de la dimisión del presidente ha acaparado la atención de la nación.* ☐ ETIMOL. Del francés *accaparer*, y éste del italiano *accaparrare* (comprar dejando algo como señal).

acápite s.m. En zonas del español meridional, párrafo. ☐ ETIMOL. Del latín *a capite* (desde la cabeza), frase con la que se indicaba que una parte del texto debía empezar en la cabeza del renglón.

acaracolado, da adj. Con forma de caracol.

acaramelar ∎ v. **1** Bañar en caramelo líquido o en azúcar fundido; caramelizar: *Para hacer almendras garrapiñadas hay que acaramelarlas.* ∎ prnl. **2** Referido a dos enamorados, darse muestras mutuas de cariño: *Los novios se acaramelaron en un banco del parque.*

acariciar v. **1** Hacer caricias o rozar suavemente con la mano: *¿Puedo acariciar a tu perro?* **2** Referido a una cosa, tocarla o rozarla suavemente otra: *Las olas acariciaban la orilla.* **3** Referido a un proyecto o a una idea, pensar en su consecución o en su ejecución: *Acariciaba la idea de ganar la carrera.* ☐ ORTOG. La *i* nunca lleva tilde.

[**acaricida** adj./s.m. Referido a una sustancia o a un producto, que sirve para matar arácnidos acáridos. ☐ ETIMOL. De *ácaro* y *-cida* (que mata). ☐ MORF. Como adjetivo es invariable en género.

[**acariñar** v. En zonas del español meridional, acariciar.

ácaro s.m. Arácnido que no tiene separación apreciable entre el cefalotórax y el abdomen, por tener una respiración traqueal o cutánea y por vivir generalmente como parásito de otro animal o de un vegetal. ☐ ETIMOL. Del latín *acarus*.

acarrear v. **1** Transportar o llevar de un lugar a otro: *Entre todos acarrearon el pesado baúl.* **2** Referido esp. a un daño, ocasionarlo, producirlo o traerlo consigo: *El cargo de directora sólo le ha acarreado desgracias.* ☐ ETIMOL. De *carro*.

acarreo s.m. Transporte o traslado de un lugar a otro.

acartonar ∎ v. **1** Poner como el cartón: *El exceso de sol le acartonó la piel y parecía mucho mayor de lo que era.* ∎ prnl. **2** Referido a una persona de edad avanzada, quedarse enjuta o muy delgada; apergaminarse: *El abuelo se acartonó terriblemente a causa de la enfermedad.* ☐ MORF. La RAE sólo lo registra como pronominal.

acaso adv. **1** Quizá, tal vez o posiblemente. **2** ‖ **por si acaso**; por si ocurre o llega a ocurrir algo. ‖ [**si acaso**; si por casualidad. ☐ ETIMOL. De *caso* (casualidad). ☐ ORTOGR. Dist. de *ocaso*.

acastañado, da adj. De color semejante al castaño o con tonalidades castañas.

acatamiento s.m. Aceptación de una orden, de una ley o de una autoridad con sumisión.

acatar v. Referido esp. a una orden, a una ley o a una autoridad, aceptarlas con sumisión: *Acataron la decisión del árbitro aunque no estaban de acuerdo con ella.* ☐ ETIMOL. Del antiguo *catar* (mirar).

acatarrarse v.prnl. Contraer catarro en las vías respiratorias.

acatólico, -a adj. Que no profesa la religión católica.

acaudalado, da adj. Que tiene mucho caudal o muchos bienes.

acaudalar v. Reunir en gran cantidad o en abundancia: *Se fue a América y allí acaudaló una inmensa fortuna.*

acaudillamiento s.m. Dirección o mando que ejerce un jefe o un líder.

acaudillar v. Mandar, dirigir o guiar como cabeza o jefe: *El coronel acaudillaba las tropas que conquistaron la última plaza rebelde.*

acceder v. **1** Referido esp. a una petición o a un deseo, consentir en ellos o mostrarse de acuerdo o favorable a ellos: *Cuando le dije que no se lo diría a nadie, accedió a contarme su secreto.* **2** Referido a un lugar, tener acceso, paso o entrada a él: *Esta llave permite acceder a todas las habitaciones del hotel. Por esa puerta se accede a la sala.* **3** Referido a una situación o a un grado superiores, alcanzarlos o tener acceso a ellos: *Por fin ha accedido a un puesto de responsabilidad en su trabajo.* ☐ ETIMOL. Del latín *accedere* (acercarse). ☐ SINT. Constr. *acceder A algo.*

accesibilidad s.f. Posibilidad de acceder a algo.

accesible adj. **1** Que tiene acceso o entrada. **2** De acceso o trato fácil. **3** De fácil comprensión o que puede ser entendido. ☐ MORF. Invariable en género. ☐ SEM. Dist. de *asequible* (fácil de conseguir o de alcanzar).

accésit s.m. En un concurso literario, artístico o científico, recompensa inmediatamente inferior al premio. ☐ ETIMOL. Del latín *accesit* (se acercó). ☐ MORF. Invariable en número.

acceso s.m. **1** Llegada o acercamiento a algo. **2** Lugar por el que se llega o se entra a un sitio. **3** Posibilidad de tratar a alguien o de alcanzar algo. **4** Ataque o aparición repentina y muy fuerte de un estado físico o moral. ☐ ORTOGR. Dist. de *absceso.* ☐ SINT. Constr. de las acepciones 1, 2 y 3: *acceso A algo.*

accesorio, ria ∎ adj. **1** Secundario, que depende de lo principal o que no forma parte esencial o natural. ∎ s.m. **2** Utensilio u objeto auxiliar o de adorno. ☐ MORF. La acepción 2 se usa más en plural.

accidentado, da ∎ adj. **1** Referido esp. a un terreno, abrupto, montañoso o con desniveles e irregularidades. **2** Agitado, turbado, difícil o con incidentes. ∎ adj./s. **3** Referido a una persona, que ha sido víctima de un accidente. ☐ ETIMOL. La acepción 1, del francés *accidenté.* Las acepciones 2 y 3, de *accidente.*

accidental adj. **1** Secundario, no esencial o no principal. **2** Casual, fortuito o no habitual. **3** Referido a un cargo, que se desempeña con carácter provisional. ☐ MORF. Invariable en género.

accidentalidad s.f. **1** Menor importancia o falta de fundamento. **2** Casualidad o imprevisto.

accidentar ∎ v. **1** Producir un accidente o provocar un incidente: *Sus salidas de tono accidentaron la reunión familiar.* ∎ prnl. **2** Sufrir un accidente: *Se accidentaron porque conducían demasiado deprisa.*

accidente s.m. **1** Suceso o hecho inesperados de los que involuntariamente resulta un daño para una persona o para una cosa. **2** Lo que sucede de forma imprevista y que altera el orden natural de las cosas. **3** Calidad, estado o lo que aparece en alguna cosa sin ser parte de su esencia o naturaleza. **4** Elemento que configura el relieve de un terreno. **5** ‖ **accidente (gramatical)**; en morfología, en una palabra variable, modificación que sufre en su forma para expresar diversas categorías gramaticales: *En español los accidentes gramaticales del nombre son género y número.* ☐ ETIMOL. Del latín *accidens,* y éste de *accidere* (caer encima). ☐ SEM. Dist. de *incidente* (disputa o pelea entre dos o más personas).

acción s.f. **1** Lo que se hace o se realiza. **2** Influencia, impresión o efecto producidos por un agente sobre algo. **3** En una obra dramática o en un relato, sucesión de hechos que constituyen su argumento. **4** col. Posibilidad o facultad de hacer algo. **5** Actividad, movimiento o dinamismo. **6** En economía, cada una de las partes en que se divide el capital de una sociedad anónima. **7** Título o documento que acredita y representa el valor de cada una de estas partes. **8** En derecho, facultad legal que se tiene para pedir alguna cosa en juicio: *acción penal.* **9** En derecho, puesta en práctica de esta facultad. **10** ‖ **acción directa**; empleo de la violencia alabado por algunos grupos sociales, con fines políticos o económicos. ☐ ETIMOL. Las acepciones 1-5, 8-10, del latín *actio.* Las acepciones 6 y 7, por influencia del francés *action* y del holandés *aktie.* ☐ USO En el lenguaje cinematográfico, se usa para advertir a actores y técnicos que comienza una toma: '*¡Luces!, ¡cámara!, ¡acción!*', dijo la directora con el megáfono.

accionamiento s.m. Puesta en marcha de un mecanismo o de una parte de él.

accionar v. **1** Referido a un mecanismo o a una parte de él, ponerlos en marcha o hacerlos funcionar: *Accionó el televisor con el mando a distancia.* **2** Hacer gestos o movimientos para expresar algo o para dar mayor énfasis y expresividad a lo dicho: *Esa actriz acciona tanto que se nota mucho que está actuando.*

accionariado s.m. Conjunto de accionistas o personas que poseen acciones de una sociedad anónima.

accionarial adj. De las acciones de una empresa,

o relacionado con ellas. □ MORF. Invariable en género.

accionario, ria adj. De las acciones de una sociedad anónima o relacionado con ellas.

accionista s. Persona que tiene acciones de una sociedad anónima. □ MORF. Es de género común: *el accionista, la accionista.*

[accisa s.f. Impuesto especial sobre determinado producto.

[ace (anglicismo) s.m. En tenis, tanto directo de saque. □ PRON. [éis]. □ USO Es un anglicismo innecesario y se puede sustituir por la expresión *saque ganador.*

acebo s.m. **1** Árbol silvestre de hojas perennes, de color verde oscuro, brillantes y con bordes espinosos, que tiene flores blancas y frutos en forma de bolitas rojas. **2** Madera de este árbol. □ ETIMOL. Del latín *acifolium* o **acifum,* que son variantes vulgares de *aquifolium.*

acebuche s.m. **1** Olivo propio de zonas áridas, que tiene menos ramas que el cultivado y da como fruto la acebuchina; olivo silvestre. **2** Madera de este árbol. □ ETIMOL. Del árabe *az-zanbuy.*

acebuchina s.f. Fruto del acebuche, parecido a la aceituna pero de peor calidad.

acechanza s.f. Vigilancia o persecución cautelosas que se hacen con un propósito determinado. □ SEM. Dist. de *asechanza* (engaño para perjudicar).

acecho s.m. **1** Vigilancia, observación o espera cautelosas con algún propósito. **2** ‖{al/en} acecho; observando a escondidas y con cuidado.

acecinar v. Referido esp. a la carne, salarla y ponerla al humo y al aire para su conservación: *En algunas zonas se acecina carne de vaca.* □ ORTOGR. Se admite también *cecinar.*

acedar ‖ v. **1** Poner agrio: *Este vino se ha acedado tanto que parece vinagre.* ‖ prnl. **2** Referido a una planta, ponerse amarilla y estropearse por un exceso de humedad o de acidez del medio en el que viven: *Regué demasiado las plantas y se me acedaron todas.* □ ETIMOL. Del antiguo *acedo (ácido).*

acedera s.f. Planta herbácea perenne, de sabor ácido, que se usa generalmente como condimento; vinagrera. □ ETIMOL. Del latín *acetaria,* y éste de *acetum* (vinagre).

acéfalo, la adj. Sin cabeza o sin parte considerable de ella. □ ETIMOL. Del latín *acephalus,* y éste del griego *a-* (negación) y *kephalé* (cabeza).

aceitar v. Untar o bañar con aceite.

aceite s.m. **1** Líquido graso combustible, de origen vegetal, animal, mineral o sintético, que no se disuelve en el agua y que se usa en la alimentación y en procesos industriales. **2** ‖**[perder aceite;** col. Referido a un hombre, ser homosexual. □ ETIMOL. Del árabe *az-zait* (el jugo de la oliva). □ USO *Perder aceite* es despectivo.

aceitera s.f. Véase **aceitero, ra.**

aceitero, ra ‖ adj. **1** Del aceite o relacionado con este líquido graso. ‖ s. **2** Persona que se dedica a la fabricación o venta de aceite. ‖ s.f. **3** Pequeño recipiente o vasija que sirve para conservar aceite; alcuza. ‖ s.f.pl. **4** Pieza que se usa para el servicio de mesa y que consta de dos o más recipientes destinados a contener el aceite, el vinagre y a veces también otros condimentos; vinagreras.

aceitoso, sa adj. **1** Que tiene mucho aceite. **2** Que tiene aceite. **3** Que es graso y espeso como el

aceite. □ SEM. En las acepciones 2 y 3, es sinónimo de *oleaginoso* y de *oleoso.*

aceituna s.f. **1** Fruto del olivo, del que se extrae aceite, es de forma ovalada, color verde y tiene un hueso grande y duro que encierra la semilla; oliva. **2** ‖aceituna manzanilla; la de pequeño tamaño y color verde claro. □ ETIMOL. Del árabe *az-zaituna* (la oliva).

aceitunado, da ‖ adj. **1** Del color de la aceituna. ‖ s.f. **[2** Cosecha de aceituna.

aceitunero, ra s. Persona que recoge, transporta o vende aceitunas, esp. si ésta es su profesión.

aceituno s.m. Árbol de tronco corto, grueso y retorcido, copa ancha y abundantes ramas, hojas persistentes elípticas, estrechas y puntiagudas, verdes por el haz y blanquecinas por el envés, flores blancas pequeñas, y cuyo fruto es la aceituna; olivera, olivo.

aceleración s.f. **1** Aumento de la velocidad. **2** En física, incremento o aumento de la velocidad en la unidad de tiempo. □ USO En la acepción 1, es innecesario el uso del galicismo *reprise.*

acelerador, -a ‖ adj. **1** Que acelera. ‖ s.m. **2** En algunos vehículos, mecanismo que regula la entrada de la mezcla explosiva en la cámara de combustión y que permite acelerar más o menos el número de revoluciones el motor. **3** ‖**[acelerador (de partículas);** en física, aparato que se utiliza para acelerar partículas atómicas cargadas eléctricamente.

acelerar ‖ v. **1** Dar mayor velocidad o aumentar la velocidad: *Si quieres acelerar el trabajo, tendrás que contratar más personal.* **2** Referido a un vehículo o a su motor, accionar su acelerador para que se mueva con mayor velocidad: *Si pisas tanto el acelerador, aceleras el coche demasiado. Nunca hay que acelerar al entrar en una curva.* ‖ prnl. **[3** Ponerse nervioso o apurarse: *Aunque tiene mil cosas que hacer, nunca 'se acelera'.* □ ETIMOL. Del latín *accelerare* (apresurar).

acelerón s.m. Aceleración brusca e intensa a la que se somete un motor.

acelga s.f. Planta herbácea de hojas grandes, anchas y lisas, con el nervio central blanco y muy desarrollado. □ ETIMOL. Del árabe *as-silga.*

acémila s.f. **1** Mula o macho que se utiliza para llevar cargas. **2** Persona ruda y de poco entendimiento; asno. □ ETIMOL. Del árabe *az-zamila* (la bestia de carga).

acendrado, da adj. Puro o sin mancha ni defecto. □ ORTOGR. Se admite también *cendrado.*

acendrar v. Depurar, purificar o dejar sin mancha ni defecto: *Acendró al máximo la formación cultural de sus hijos.* □ ETIMOL. De *cendrar,* y éste del antiguo *cendra* (pasta de ceniza de huesos que se usaba para pulir el oro y la plata). □ ORTOGR. Se admite también *cendrar.*

acento s.m. **1** Pronunciación destacada de una sílaba de la palabra, distinguiéndola de las demás por su mayor intensidad, por su alargamiento o por un tono más alto. **2** Signo ortográfico con el que se marca la vocal de la sílaba tónica o acentuada, según los criterios marcados por las normas de acentuación; tilde. **3** Pronunciación especial de una lengua, característica del habla de una determinada zona geográfica o de una persona concreta. **4** Importancia o relieve especial que se conceden a algo. **5** ‖acento agudo; el que tiene forma de rayita oblicua que baja de derecha a izquierda. ‖ **acento circunflejo**; el que tiene forma de ángulo con su vértice en la parte superior. ‖ **acento de intensidad**; el que consiste en un mayor esfuerzo al expulsar el aire. ‖ **acento grave**; el que tiene forma de rayita oblicua que baja de izquierda a derecha. ☐ ETIMOL. Del latín *accentus*, y éste de *canere* (cantar). ☐ ORTOGR. →APÉNDICE DE ACENTUACIÓN.

acentuación s.f. **1** Realce de la pronunciación de una sílaba, distinguiéndola de las demás. **2** Escritura o colocación del acento ortográfico. **3** Realce, aumento o intensificación. ☐ ORTOGR. →APÉNDICE DE ACENTUACIÓN.

acentual adj. Del acento gramatical o relacionado con él. ☐ MORF. Invariable en género.

acentuar v. **1** Destacar la pronunciación de una sílaba, distinguiéndola de las demás por su mayor intensidad, su alargamiento o su tono más alto: *Este francés habla bastante bien el español, pero no sabe acentuarlo. Es frecuente oír mal pronunciada la palabra 'elite', porque mucha gente acentúa la primera sílaba y pronuncia [élite] en vez de [elíte].* **2** Escribir o poner acento ortográfico: *Es preceptivo acentuar también las mayúsculas.* **3** Pronunciar o expresar poniendo especial énfasis; recalcar, subrayar: *Cuando dijo que no estaba interesada, acentuó el 'no' para que no hubiera duda de su negativa.* **4** Resaltar, destacar, realzar o intensificar: *Este silencio acentúa las tensiones que hay entre nosotros. Las arrugas del rostro se acentúan con el paso del tiempo.* ☐ ORTOGR. La *u* lleva tilde en los presentes, excepto en las personas *nosotros* y *vosotros* →ACTUAR.

aceña s.f. Molino de harina situado en el cauce de un río. ☐ ETIMOL. Del árabe *as-siña* (la rueda hidráulica).

acepción s.f. Cada uno de los significados o sentidos que tiene una palabra o frase según el contexto en los que se usen. ☐ ETIMOL. Del latín *acceptio*.

aceptabilidad s.f. Capacidad para ser aceptado o admitido.

aceptable adj. Digno de ser aceptado o admitido. ☐ MORF. Invariable en género.

aceptación s.f. **1** Recibimiento de forma voluntaria de algo que se ofrece o se da. **2** Aprobación o consideración de algo como bueno o válido. **3** Buena acogida o éxito. **4** Obligación, por escrito, de pagar una letra de cambio o una orden de pago.

aceptar v. **1** Referido a algo que se ofrece o se encarga, recibirlo voluntariamente: *Aceptó mi regalo.* **2** Aprobar o dar por bueno; admitir: *Aceptó mi cambio de planes sin rechistar. No se aceptó su propuesta.* **3** Referido a una letra o a una orden de pago, obligarse por escrito a su pago: *Hemos aceptado letras por valor de varios millones de pesetas.* [**4** Soportar o tolerar con entereza o con paciencia: *Es difícil 'aceptar' la muerte sin rebelarse.* ☐ ETIMOL. Del latín *acceptare* (recibir).

acequia s.f. Zanja o canal pequeño por donde se conduce el agua para diversos usos, generalmente para el riego. ☐ ETIMOL. Del árabe *as-saqiya* (la que da de beber).

[**acequión** s.m. En zonas del español meridional, arroyo.

acera s.f. **1** En una calle, cada uno de sus dos lados, generalmente más elevados que la calzada, y destinados para el paso de los peatones. **2** Hilera de casas que hay en cada uno de los lados de una calle.

3 ‖ **ser** alguien **de la** {**acera de enfrente/otra acera**}; *col.* Ser homosexual. ☐ ETIMOL. Del latín *faciaria*, y éste de *facies* (cara). ☐ ORTOGR. Dist. de *cera*. ☐ USO En la acepción 3, es despectivo.

acerado, da adj. **1** De acero o con sus características. **2** Incisivo, duro o hiriente.

acerar v. Poner aceras: *Están acerando las calles del nuevo barrio.*

acerbo, ba adj. **1** Cruel o desapacible. **2** Referido esp. a un vino, que presenta más acidez de la normal. ☐ ETIMOL. Del latín *acerbus* (áspero y agrio). ☐ ORTOGR. Dist. de *acervo*.

acerca ‖ **acerca de** algo; sobre ello o en relación a ello. ☐ ETIMOL. Del latín *ad circa*. ☐ SEM. Dist. de *acerca* del verbo *acercar*.

acercamiento s.m. Colocación en una posición más cercana.

acercar v. **1** Poner más cerca o a menor distancia: *Acércame el teléfono, por favor. Nos acercamos a la fecha fijada.* **2** Aproximar o poner de acuerdo: *Después de una hora de discusión, conseguimos acercar nuestras ideas.*

acerería o **acería** s.f. Fábrica de acero.

acerico s.m. Bolsita de tela rellena de un material blando que se usa para clavar en ella alfileres y agujas. ☐ ETIMOL. De *hazero* (almohada). 🪡 costura

acero s.m. **1** Aleación de hierro y una pequeña proporción de carbono. **2** Arma blanca, esp. la espada. **3** ‖ **de acero**; duro, fuerte y muy resistente. ☐ ETIMOL. Del latín *aciarium*, y éste de *acies* (filo).

acerola s.f. Fruto del acerolo. ☐ ETIMOL. Del árabe *az-za'rura* (el níspero).

acerolo s.m. Árbol de ramas espinosas, flores blancas y fruto agridulce, típico de los bosques mediterráneos.

acérrimo, ma adj. **1** Que es intransigente o extremado, o que muestra fortaleza y decisión. **2** superlat. irreg. de **acre**.

[**acertante** adj./s. Que acierta. ☐ MORF. Invariable en género.

acertar v. **1** Referido a algo dudoso, ignorado u oculto, dar con ello: *Nunca acierto los jeroglíficos de esta revista.* **2** Dar en el punto a que se dirige algo: *Disparó y acertó justo en el centro de la diana.* **3** Hacer lo más adecuado: *Acertó al elegir estudiar esa carrera.* **4** Seguido de *a* y de infinitivo, suceder por casualidad lo indicado por el infinitivo: *Se quedó en blanco y no acertó a responder.* **5** ‖ **acertar con** algo; encontrarlo después de haberlo estado buscando: *Acerté con su domicilio sin preguntar a nadie.* ☐ ETIMOL. Del latín *ad* (a) y *certum* (cosa cierta). ☐ MORF. Irreg. →PENSAR.

acertijo s.m. **1** Pasatiempo o juego que consiste en hallar la solución de un enigma o en encontrar el sentido oculto de una frase; adivinanza. **2** Afirmación o sentencia problemáticas o difíciles de entender.

acervo s.m. Conjunto de bienes o valores: *acervo cultural.* ☐ ETIMOL. Del latín *acervus*. ☐ ORTOGR. Dist. de *acerbo*.

acetato s.m. Sal formada por ácido acético y una base. ☐ ETIMOL. Del latín *acetum* (vinagre).

acético, ca adj. **1** Del vinagre, de sus derivados o relacionado con ellos. **2** Referido a un ácido, que se produce por oxidación del alcohol y es un buen disolvente orgánico. ☐ ETIMOL. Del latín *acetum* (vinagre).

acetileno s.m. Gas incoloro, inflamable y tóxico, producido por la acción del agua sobre el carburo de calcio. ☐ ETIMOL. De *acetilo (radical correspondiente al ácido acético).*

[acetilsalicílico adj. Referido a un ácido, que es un derivado del ácido salicílico combinado con ácido acético y que se utiliza en medicamentos contra la fiebre, el dolor o la inflamación.

acetona s.f. Líquido incoloro e inflamable, que se emplea en la industria como disolvente de grasas, lacas y otros compuestos orgánicos, y que se genera también en el organismo humano como consecuencia de ciertas enfermedades. ☐ ETIMOL. Del antiguo *aceto* (vinagre).

acezar v. Respirar trabajosamente o con dificultad, generalmente a causa del cansancio; jadear: *Llegó y se echó, acezando por el esfuerzo.* ☐ ORTOGR. La *z* se cambia en *c* delante de *e* →CAZAR.

achabacanar v. Hacer chabacano o grosero y de mal gusto: *El ambiente de esos suburbios achabacanaban a sus habitantes. Desde que se junta con esa gente se ha achabacanado mucho.*

achacar v. Referido esp. a una culpa o a un delito, atribuírselos a alguien: *Achacó el fracaso a la falta de planificación.* ☐ ETIMOL. Del árabe *'atsákkà* (acusar).

achacoso, sa adj. Que padece achaques o enfermedades habituales y generalmente de poca importancia, esp. a causa de la edad avanzada.

achaflanar v. Referido a una esquina, darle forma de chaflán achatándola: *Al achaflanar las esquinas de las casas han creado pequeñas placitas en cada cruce de calles.*

achampanado, da o **achampañado, da** adj. Referido a una bebida, que imita al champán. ☐ USO Aunque la RAE prefiere *achampañado*, se usa más *achampanado.*

achantar ▌ v. **1** Acobardar, confundir o causar miedo: *A mí no me achanta nadie si creo que tengo razón.* ▌ prnl. **2** Callarse por cobardía o por resignación: *En las discusiones se achanta y nunca interviene.* ☐ ETIMOL. De *chantar* (decir algo sin reparos).

achaparrado, da adj. Grueso o extenso y de poca altura; chaparrudo. ☐ ETIMOL. De *chaparro.*

achaparrarse v.prnl. **1** Referido a un árbol, tomar forma de chaparro al no crecer lo que es normal: *La rotura de la yema del eje principal ha hecho que este árbol se haya achaparrado.* **2** Adquirir una configuración baja y gruesa en el desarrollo: *Este hombre siempre fue bajito, pero terminó de achaparrarse en su vejez.*

achaque s.m. Indisposición o enfermedad habituales y generalmente de poca importancia, esp. las que son propias de la vejez. ☐ ETIMOL. Del árabe *as-saka'* (la queja, la enfermedad).

acharolado, da adj. Parecido al charol.

acharolar v. →charolar.

achatamiento s.m. Aplastamiento o transformación en algo más plano o que sobresalga menos en relación con otra cosa de la misma especie o clase.

achatar v. Poner chato o hacer que algo sea más plano o que sobresalga menos en relación con otra cosa de la misma especie o clase: *Al hacerle el re-*

trato le acható un poco la nariz. Con el golpe se acható el morro del coche.

[achatarrar v. Referido esp. a un coche, convertirlo en chatarra: *El periódico dice que son tantos los vehículos que se achatarran al año que sus residuos suponen un problema.*

achicamiento s.m. **1** Disminución de la dimensión, la duración o la estimación de algo. **2** Extracción de agua acumulada en un lugar, esp. en una embarcación; achique.

achicar v. **1** Referido al tamaño, la dimensión o la duración de algo, disminuirlos o hacerlos menores: *Achicaron el comedor para ampliar el cuarto de estar. El jersey se achicó al lavarlo en la lavadora.* **2** Referido esp. a una embarcación, extraer el agua de ella: *Achicaron la barca con cubos para evitar que se hundiera.* **3** Humillar o acobardar: *Lo achicó saber que sería comprobado todo lo que dijese. Al ver que nadie me apoyaba, me achiqué y decidí callarme.* **4** Hacer de menos o rebajar la estimación de algo: *Los grandes logros de su hermano mayor achican aún más sus pequeñas victorias. No te achiques por lo que te digan.* ☐ ORTOGR. La *c* se cambia en *qu* delante de *e* →SACAR.

achicharradero s.m. *col.* Lugar en el que hace mucho calor.

achicharramiento s.m. *col.* Calentamiento excesivo de algo hasta quemarlo.

achicharrar ▌ v. **1** Referido a un alimento, freírlo, tostarlo o asarlo hasta que tome sabor a quemado: *Saca las chuletas de la sartén porque las vas a achicharrar. Se le olvidó apagar el horno y la tarta se achicharró.* **2** Calentar demasiado: *El sol del mediodía achicharra. Las plantas se han achicharrado con tanto calor.* ▌ prnl. **3** Sentir un calor excesivo o quemarse por la acción de un agente exterior: *Como estés tanto tiempo al sol, te achicharrarás.* ☐ ETIMOL. Del antiguo *chicharrar* (abrasar).

[achicharre s.m. *col.* Calor sofocante.

achicoria s.f. **1** Planta herbácea de hojas recortadas, ásperas y comestibles. **2** Bebida que se obtiene por la infusión de la raíz tostada de esta planta, y que se utiliza como sucedáneo del café. ☐ ETIMOL. Del latín *cichoria.* ☐ ORTOGR. Se admite también *chicoria.*

achinado, da ▌ adj. **1** Con facciones o rasgos parecidos a los de los chinos. ▌ adj./s. **2** En zonas del español meridional, con facciones o rasgos mestizos.

achique s.m. **1** Extracción del agua acumulada en un lugar, esp. en una embarcación; achicamiento. **[2** En fútbol, movimiento de la defensa hacia adelante para provocar el fuera de juego del equipo contrario.

achispar v. Referido a una persona, ponerla casi ebria o borracha; enchispar: *El vino lo achispó y no paró de hablar en toda la noche. Se achispó con una copa de anís y empezó a reírse por todo.*

achocolatado, da adj. Con el color del chocolate o con otras características propias de éste.

acholado, da adj. En zonas del español meridional, que tiene la piel del mismo color que la de los mestizos.

[achuchado, da adj. **1** *col.* Con poco dinero. **2** Difícil, duro o que plantea problemas.

achuchar v. **1** *col.* Acariciar o abrazar cariñosamente: *El padre 'achuchaba' con alegría a la niña para que se riera. Una pareja 'se achuchaba' en la* *parada del autobús.* **2** *col.* Atosigar o apremiar: *Siempre tengo que achucharte para que termines a tiempo.* ☐ ETIMOL. De origen expresivo.

achuchón s.m. [**1** Empujón o golpe leve que se da a alguien. [**2** Caricia o abrazo cariñoso.

achulado adj. *col.* Que tiene aire o modales de chulo.

[**achulapado, da** adj. Con aire o modales de chulapo.

achulaparse v.prnl. [Adquirir modales o maneras de chulapo: *Muchos personajes de los sainetes de Arniches son señoritos que 'se achulapan'.* ☐ SEM. Aunque la RAE lo considera sinónimo de *achularse*, en la lengua actual no se usa como tal.

achularse v.prnl. Adquirir modales o maneras de chulo: *Desde que se ha ido a vivir a ese barrio se ha achulado.* ☐ SEM. Aunque la RAE lo considera sinónimo de *achulaparse*, en la lengua actual no se usa como tal.

achura s.f. En zonas del español meridional, asadura de una res. ☐ MORF. Se usa más en plural.

achurar v. *col.* En zonas del español meridional, herir o matar a cuchilladas.

aciago, ga adj. Referido a un período de tiempo, infeliz, nefasto o que presagia desgracias. ☐ ETIMOL. Del latín *aegyptiacus dies*, que en la Edad Media se decía de los días del año considerados peligrosos.

aciano s.m. Planta de tallo erguido y ramoso con grandes flores de color rojo, blanco o azul claro. ☐ ETIMOL. Del latín *cyanus* y éste del griego *kyanós* (azul).

acíbar s.m. **1** Planta perenne de hojas alargadas y carnosas que arrancan de la parte baja del tallo y de las que se extrae un jugo muy amargo y parecido a la resina que se usa en medicina; aloe. **2** *poét.* Amargura o sensación de disgusto. ☐ ETIMOL. Del árabe *as-sibar* o *as-sibr* (el jugo del áloe).

acicaladura s.f. o **acicalamiento** s.m. Aseo y arreglo cuidadosos. ☐ USO Aunque la RAE prefiere *acicaladura*, se usa más *acicalamiento*.

acicalar v. Asear y arreglar con cuidado: *Acicaló a los niños para ir a ver a los abuelos. Tardó una hora en acicalarse para la fiesta.* ☐ ETIMOL. Del árabe *as-siqal* (el pulimento).

acicate s.m. Lo que resulta gratificante e impulsa a hacer o a desear algo; incentivo. ☐ ETIMOL. Del árabe *as-sawkat (los aguijones, las espinas).*

acicular adj. Con forma de aguja o semejante a ella. ☐ ETIMOL. Del latín *acicula* (aguja pequeña). ☐ MORF. Invariable en género.

[**acid** (anglicismo) adj. **1** Del acid house o relacionado con este tipo de música. **2** ‖ **acid (house)**; estilo de música que se caracteriza por el uso de los sintetizadores y las nuevas tecnologías con un efecto psicodélico o hipnótico. ☐ PRON. [ácid] y [ácid háus], con *h* aspirada.

acidez s.f. **1** Sabor ácido. **2** Desagrado o aspereza en el trato. **3** En los aceites y en otras sustancias, cantidad de ácidos libres. **4** ‖ [**acidez de estómago**; sensación de quemazón y malestar en el estómago, producida por el exceso de ácidos en el jugo gástrico.

acidia s.f. *poét.* Pereza. ☐ ETIMOL. Del latín *acidia*, y éste del griego *akēdía* (negligencia).

ácido, da ▌adj. **1** De sabor amargo, parecido al del vinagre o al del limón. 🗲 sabor **2** Desagra-

dable, malhumorado o áspero en el trato. **3** En química, referido a una sustancia, que tiene carácter de ácido. [**4** Del tipo de música llamada *acid house* o relacionado con ella. ▌s.m. **5** Sustancia química que puede formar sales combinándose con algún óxido metálico u otra base de distinta especie. [**6** *col.* En el lenguaje de la droga, variedad de una droga de fuertes efectos alucinógenos. ☐ ETIMOL. Del latín *acidus*. La acepción 4, del inglés *acid* (ácido).

acidosis s.f. En medicina, estado patológico producido por exceso de ácidos en la sangre y en los tejidos orgánicos. ☐ MORF. Invariable en número.

[**acidulante** s.m. Sustancia que se añade a algunos alimentos para que sean más ácidos o más agrios.

acierto s.m. **1** Solución correcta entre varias posibilidades. **2** Habilidad, tino o destreza en lo que se hace. **3** Lo que tiene éxito o resultado adecuado.

acimut s.m. En astronomía, ángulo formado por el plano vertical de un astro y el plano meridiano del punto de observación. ☐ ETIMOL. Del árabe *as-sumut*, que es el plural de *as-samt* (la dirección). ☐ ORTOGR. Se admite también *azimut*. ☐ MORF. Su plural es *acimutes*.

acitara s.f. Muro pequeño que se pone en los puentes para evitar caídas. ☐ ETIMOL. Del árabe *as-sitara* (el velo).

aclamación s.f. **1** Acogida de una persona con voces o aplausos de aprobación o entusiasmo por parte de una multitud. **2** ‖ **por aclamación**; por unanimidad o con el consentimiento de todos.

aclamar v. **1** Referido a una persona, darle voces o aplausos de aprobación o entusiasmo una multitud: *Los manifestantes aclamaron a sus líderes.* **2** Referido a un cargo o un honor, otorgarlo a una persona por unanimidad: *El pastor baptista fue aclamado líder del partido.* ☐ ETIMOL. Del latín *acclamare*.

aclaración s.f. **1** Explicación o puesta en claro. **2** En un escrito, nota o comentario.

aclarado s.m. Limpieza con agua de algo que está enjabonado.

aclarar ▌v. **1** Quitar oscuridad o hacer más claro: *Estoy rubia porque uso un champú que aclara el pelo. La ropa blanca se aclara si la lavas con lejía.* **2** Quitar espesor o densidad: *Si la salsa ha quedado muy espesa, aclárala con un poco de agua. La pintura se aclara con aguarrás.* **3** Poner en claro o explicar; despejar: *Aclaró mis dudas con mucha amabilidad.* **4** Referido a algo que está enjabonado, quitarle el jabón con agua: *Esta lavadora no aclara bien la ropa. No puedo salir del baño hasta que no me aclare la cabeza.* **5** Referido a la voz, hacerla más perceptible: *Antes de empezar el recital, hizo gárgaras para aclarar la voz.* **6** Referido al tiempo atmosférico, mejorar o quedar despejado de nubes o de niebla: *Si esta noche no aclara, no podremos salir al campo.* [**7** Amanecer o empezar la claridad del día: *Ya está 'aclarando' y pronto saldrá el sol.* ▌prnl. [**8** *col.* Poner en claro las propias ideas: *Estoy hecho un lío sobre este asunto, y necesito 'aclararme'.* ☐ ETIMOL. Del latín *acclarare*.

aclaratorio, ria adj. Que aclara, explica o hace más fácil de entender.

aclimatación s.f. Adaptación a un nuevo clima, ambiente o actividad.

aclimatar v. Adaptar a un nuevo clima, ambiente o actividad: *Esta planta se ha aclimatado muy bien* *al calor.* ☐ ETIMOL. Del francés *acclimater.* ☐ MORF. Se usa más como pronominal. ☐ SEM. Dist. de *climatizar* (acondicionar la temperatura).

acne o **acné** s. Enfermedad de la piel que se caracteriza por la inflamación de las glándulas sebáceas y la aparición de espinillas y granos, generalmente en la cara y en la espalda. ☐ ETIMOL. Del griego *akmé* (punta). ☐ MORF. Aunque la RAE lo registra como sustantivo de género ambiguo (*el acné, la acné*), se usa más como masculino. ☐ USO *Acne* es la forma menos usual.

acobardamiento s.m. Sentimiento de miedo o de pérdida del ánimo y del valor.

acobardar v. Asustar, atemorizar o hacer perder el ánimo y el valor: *Nos acobardaron las dificultades. Se acobardó ante tantos problemas.*

acodar ▌ v. **1** Doblar en forma de codo: *Acodó el tubo para la salida de humos y lo adaptó a la pared.* **▌** prnl. **2** Apoyarse en los codos: *Se acodó en la barandilla.*

acogedor, -a adj. Agradable, cómodo, tranquilo o amistoso, esp. referido a un ambiente.

acoger ▌ v. **1** Referido a una persona, recibirla y aceptar su trato: *Lo acogió en su propia casa.* **2** Dar protección, refugio o amparo: *Este centro acoge a los que no tienen hogar.* **3** Admitir, aceptar o aprobar: *Acogieron la propuesta con gran entusiasmo.* **▌** prnl. **4** Referido a una persona, exigir para sí un derecho concedido por una ley, una norma o una costumbre: *Se acogió a la ley de servicio civil que sustituye al servicio militar.* **5** Valerse de algún pretexto para disimular o disfrazar algo: *Se acoge a la idea de que a mí no me conviene hacerlo.* ☐ ETIMOL. Del latín **accoligere*, y éste de *colligere* (recoger). ☐ ORTOGR. La *g* se cambia en *j* delante de *a, o* →COGER. ☐ SINT. **1.** Constr. de la acepción 1: *acoger EN un lugar.* **2.** Constr. como pronominal: *acogerse A algo.*

acogida s.f. Véase **acogido, da**.

acogido, da ▌ s. **1** Persona a quien se admite y mantiene en un establecimiento de beneficencia; asilado. **▌** s.f. **2** Recibimiento u hospitalidad que ofrece una persona o un lugar. **3** Admisión, aceptación o aprobación. ☐ SEM. En las acepciones 2 y 3, es sinónimo de *acogimiento*.

acogimiento s.m. **1** Recibimiento u hospitalidad que ofrece una persona o un lugar. **2** Admisión, aceptación o aprobación. ☐ SEM. Es sinónimo de *acogida*.

acogotar v. Vencer, intimidar, dominar de forma tiránica: *Lo acogotaron con amenazas y chantajes.*

[acojonante adj. *vulg.malson.* →**extraordinario**. ☐ MORF. Invariable en género.

acojonar v. **1** *vulg.malson.* →**acobardar**. **[2** *vulg.malson.* →**impresionar**.

[acojone o **[acojono** s.m. *vulg.malson.* Miedo o impresión fuertes.

acolchado s.m. **1** Colocación de lana, algodón u otro material blando entre dos telas que después se cosen unidas. **[2** Revestimiento de algo con estas telas rellenas.

acolchar v. **1** Poner lana, algodón u otras materias blandas entre dos telas que después se cosen unidas; almohadillar: *Voy a acolchar estas telas con guata para hacer una bolsa.* **2** Revestir con estas telas rellenas: *'He acolchado' el despacho para aislarlo de ruidos.*

acolchonar v. col. **[**Referido a una situación, hacer

que ésta sea más fácil o llevadera: *Cuando le des la mala noticia intenta 'acolchonar' un poco la situación.*

acólito s.m. **1** En la iglesia católica, seglar facultado para servir al sacerdote en el altar y administrar la eucaristía de forma extraordinaria. **2** Persona que acompaña o sigue a otra y depende de ella. ☐ ETIMOL. Del latín *acolytus*, y éste del griego *akóluthos* (el que va por el mismo camino).

acometer v. **1** Atacar con fuerza o de forma impetuosa: *El perro acometió a los que atacaban a su amo.* **2** Referido esp. al sueño o a una enfermedad, venir o dar repentinamente; atacar: *Me acometió una fiebre altísima.* **3** Referido a una acción, emprenderla, decidirse a hacerla o empezar a ejecutarla: *Acometieron la ejecución del proyecto con entusiasmo.* ☐ ETIMOL. Del antiguo *cometer* (embestir).

acometida s.f. **1** Ataque fuerte y violento; acometimiento. **2** Instalación por la que se deriva hacia un edificio un fluido que circula por una conducción principal.

acometimiento s.m. →**acometida**.

acometividad s.f. **1** Tendencia a acometer o a atacar. **2** Decisión para emprender una tarea y hacer frente a sus dificultades. ☐ SEM. Es sinónimo de *agresividad*.

acomodación s.f. **1** Colocación en el sitio que corresponde. **2** Adaptación del ojo para que la visión no se altere cuando varía la distancia o la luz del objeto que se mira.

acomodadizo, za adj. Que se acomoda fácilmente a todo; acomodaticio.

acomodado, da adj. Que tiene muchos medios económicos.

acomodador, -a ▌ adj./s. **1** Que acomoda o dispone convenientemente. **▌** s. **2** En algunos lugares públicos, esp. en cines y teatros, persona que se dedica profesionalmente a indicar a los asistentes los asientos que deben ocupar.

acomodar ▌ v. **1** Colocar en el lugar que corresponde: *El sobrecargo del avión nos acomodó en nuestros asientos. Se acomodó en la butaca y se dispuso a leer la novela.* **2** Disponer o arreglar convenientemente: *Acomódate el pelo, que con el aire te has despeinado.* **3** Amoldar o armonizar a una norma: *Tenemos que acomodar los impresos a la nueva norma. Estas disposiciones no se acomodan a lo que dice la ley.* **4** Concertar o conciliar: *Con esta propuesta el director intenta acomodar a las dos partes en disputa.* **5** Agradar o ser conveniente: *Hazlo como te acomode.* **▌** prnl. **6** Conformarse o avenirse a algo: *Hay que saber acomodarse a lo que se tiene.* ☐ ETIMOL. Del latín *accommodare*, y éste de *accommodus* (ajustado). ☐ SINT. Constr. de la acepción 6: *acomodarse A algo.*

acomodaticio, cia adj. Que se acomoda fácilmente a todo; acomodadizo.

acomodo s.m. Alojamiento o lugar en el que se vive.

acompañamiento s.m. **1** Conjunto de personas que van acompañando a alguien; comitiva. **2** Conjunto de alimentos que complementan el plato principal. **3** En una composición musical, soporte o complemento armónico de la melodía principal, por medio de instrumentos o de voces. **4** En música, provisión de este soporte o de un fondo musical a una voz solista, a un instrumento o a un coro.

acompañante adj./s. Que acompaña. ☐ MORF. 1. Como adjetivo es invariable en género. 2. Como sustantivo es de género común: *el acompañante, la acompañante.*

acompañar v. 1 Referido a una persona, ir con ella o hacerle compañía: *¿Me acompañas al instituto?* 2 Referido a una persona, tener algo, esp. una cualidad: *Es antipático y encima la voz no lo acompaña.* 3 Referido a una persona, participar de sus sentimientos: *Te acompaño en el sentimiento por la muerte de tu padre.* 4 Coincidir o existir simultáneamente: *El buen tiempo nos acompañó durante todo el viaje.* 5 Juntar, agregar o agrupar formando un conjunto: *Me gusta acompañar las comidas con un poco de vino. Para que sea válido el impreso, debe acompañarse de una fotocopia del carné de identidad.* 6 En música, referido esp. a un solista, proveerlo de un acompañamiento o fondo musical: *El pianista acompañó muy bien a la cantante. Los cantaores flamencos suelen acompañarse con una guitarra.* ☐ ETIMOL. De *compaña* (compañía). ☐ SINT. Constr. de la acepción 6: *acompañar(se)* {AL / DE} *un instrumento.*

acompasado, da adj. Que acostumbra a hablar o a moverse de forma pausada o rítmica.

acompasar v. Referido a una cosa, adaptarla a otra: *Acompasaron sus movimientos a la música.* ☐ ETIMOL. De *compás.* ☐ ORTOGR. Se admite también *compasar.* ☐ USO Aunque la RAE prefiere *compasar,* se usa más *acompasar.*

acomplejar v. Causar o sentir una inhibición o un complejo psíquico: *Me acompleja con sus comentarios. No te acomplejes por ser el más bajo de la clase.* ☐ ORTOGR. Conserva la *j* en toda la conjugación.

aconchabarse v.prnl. →conchabarse.

acondicionador, -a ∎ adj./s. 1 Que acondiciona, prepara o pone las condiciones adecuadas. ∎ s.m. [2 Producto cosmético para el cabello que se usa después del lavado, y que sirve para facilitar el peinado.

acondicionamiento s.m. Preparación adecuada de algo.

acondicionar v. 1 Preparar adecuadamente o poner en las condiciones adecuadas: *Han acondicionado el desván y lo usan como biblioteca.* 2 Referido a un espacio cerrado, darle las condiciones de temperatura, humedad del aire o presión necesarias para la salud o para la comodidad de quienes lo ocupan; climatizar: *Acondicionaron el museo para proteger los cuadros del calor y de la humedad.*

aconfesional adj. Que no pertenece a ninguna confesión religiosa. ☐ MORF. Invariable en género.

acongojar v. 1 Entristecer, afligir o apenar: *La enfermedad de su hijo la ha acongojado. Cuando nos contó su desgracia nos acongojamos.* 2 Causar o sentir preocupación o temor: *Lo acongojaba pensar que su hijo no había llegado. Cuando vi que venían hacia mí los atracadores, me acongojé.* ☐ ORTOGR. Conserva la *j* en toda la conjugación.

aconsejable adj. Que se puede aconsejar. ☐ MORF. Invariable en género.

aconsejar ∎ v. 1 Dar un consejo: *No sé qué hacer y vengo a que me aconsejes.* 2 Recomendar o proponer: *Me aconsejó que me quedara en casa aquella noche.* ∎ prnl. 3 Pedir consejo: *Se aconsejaron con varios entendidos antes de invertir su dinero.* ☐ ORTOGR. Conserva la *j* en toda la conjugación.

aconsonantar v. Referido esp. a un verso o a una palabra, rimar o hacerlos rimar con otros con rima consonante: *Normalmente, los versos de un terceto aconsonantan el primero con el tercero y queda libre el segundo.* ☐ MORF. Se usa más en infinitivo y como participio.

[aconstitucional] adj. Que carece de constitucionalidad o conformidad con la Constitución.

acontecer v. Referido a un hecho, producirse, realizarse u ocurrir; acaecer, suceder. ☐ ETIMOL. Del latín **contingere* (suceder). ☐ MORF. 1. Verbo defectivo: Sólo se usa en las terceras personas de cada tiempo, y en las formas no personales (infinitivo, gerundio y participio). 2. Irreg. →PARECER.

acontecimiento s.m. Hecho o suceso, esp. si son importantes.

acopiar v. Referido esp. a granos o a provisiones, acumularlos o reunirlos en gran cantidad: *Acopiaron gran cantidad de trigo para el invierno.* ☐ ORTOGR. La *i* nunca lleva tilde.

[acopie] s.m. En zonas del español meridional, acopio.

acopio s.m. Acumulación o reunión de gran cantidad de algo. ☐ ETIMOL. De *copia* (abundancia).

acoplado s.m. En zonas del español meridional, remolque.

acoplamiento s.m. Unión y ajuste de dos cosas dispares, o de una pieza con otra o en el sitio que le corresponde.

acoplar ∎ v. 1 Referido a dos cosas dispares, unirlas y ajustarlas: *Acoplaremos nuestros horarios de trabajo para poder poner en común los proyectos.* 2 Referido a una pieza, unirla y ajustarla a otra, o al sitio en el que debe colocarse: *Ya hemos acoplado las piezas del mueble y sólo falta atornillarlas.* 3 Adaptar a un nuevo uso o a una nueva situación: *Si vas a vivir al extranjero, debes acoplar tus costumbres a las de tu nuevo país. Se sabe acoplar muy bien a todas las situaciones. Este matrimonio se ha acoplado muy bien.* ∎ prnl. 4 Referido a los animales, unirse sexualmente: *Las ballenas se acoplan cerca de la superficie del agua.* [5 Referido a dos sistemas acústicos electrónicos, producir interferencias que impiden una perfecta audición: *El micrófono y los altavoces 'se han acoplado' y se ha oído un pitido muy molesto.* ☐ ETIMOL. Del latín *copulare* (juntar).

acoquinamiento s.m. Acobardamiento o debilitación del ánimo.

acoquinar v. col. Acobardar o debilitar los ánimos: *Un proyecto tan peligroso acoquina a cualquiera. Se acoquinó ante los graves problemas que se le plantearon.* ☐ ETIMOL. Del francés *acoquiner* (acostumbrar a un hábito degradante; acurrucarse). ☐ ORTOGR. Dist. de *apoquinar.*

acorazado s.m. Barco de guerra, blindado y de gran tamaño y tonelaje. 🖾 embarcación

acorazar v. Referido esp. a un buque de guerra o a una fortificación, protegerlos con un revestimiento de planchas de acero o de hierro. ☐ ETIMOL. De *coraza.*

acorazonado, da adj. Con forma de corazón o semejante a él.

acorchamiento s.m. 1 Adquisición de alguna de las características propias del corcho. 2 Insensibilidad de una parte del cuerpo.

acorchar v. [1 Revestir de corcho: *'Hemos acorchado' las paredes para aislar del ruido la habitación.* 2 Volver fofo o adquirir la textura del corcho: *El calor acorchó la fruta y la dejó insípida. La ma-*

dera se ha acorchado y está seca. ☐ MORF. En la
acepción 2, la RAE sólo lo registra como pronominal.
acordar ❚ v. **1** Referido a una decisión, llegar a ella
de común acuerdo: *El consejo de ministros acordó
retrasar la reunión.* **2** Determinar o resolver deliberada e individualmente: *Aunque no me apetecía,
acordé pedirle el favor.* ❚ prnl. **3** Recordar o traer a
la memoria: *No me acuerdo de cómo se llama.* ☐
ETIMOL. Del latín *accordare* (poner de acuerdo). ☐
MORF. Irreg. →CONTAR. ☐ SINT. Constr. de la acepción 3: *acordarse DE algo.* ☐ SEM. Expresiones como
acordarse de la familia de alguien se usan como fórmulas de insulto: *Cuando me digo que no me pensaba pagar, me acordé de toda su familia.*
acorde ❚ adj. **1** Conforme o de la misma opinión.
2 Igual, correspondiente o en consonancia. ❚ s.m. **3**
En música, conjunto de tres o más notas combinadas
de forma armónica y tocadas simultáneamente. ☐
MORF. Como adjetivo es invariable en género.
acordeón s.m. Instrumento musical de viento, formado por un fuelle con sus extremos cerrados por
dos cajas y un juego de botones en cada una de
ellas, o bien sólo uno en la caja de la mano izquierda y un teclado de piano y otras llaves para seleccionar registros en la de la mano derecha. ☐ ETI-
MOL. Del alemán *Accordion*, y éste de *Akkord* (acorde musical). 🔍 viento
acordeonista s. Músico que toca el acordeón. ☐
MORF. Es de género común: *el acordeonista, la acordeonista.*
acordonamiento s.m. Cerco de un lugar para in-
comunicarlo e impedir el acceso de la gente.
acordonar v. Referido a un lugar, cercarlo para in-
comunicarlo e impedir el acceso de la gente: *La policía acordonó la zona del crimen.*
acorralamiento s.m. Reclusión dentro de unos límites, impidiendo la salida.
acorralar v. **1** Encerrar dentro de unos límites,
impidiendo la salida: *La policía ha acorralado al
ladrón en un piso del edificio.* **2** Confundir o dejar
sorprendido y sin saber qué responder: *Acorralaron
al entrevistado con preguntas que no se esperaba.* ☐
ETIMOL. De *corral.*
acortamiento s.m. Disminución de la longitud, la
duración o la cantidad de algo.
acortar v. **1** Disminuir la longitud, la duración o
la cantidad: *Me voy a acortar este vestido por encima de las rodillas. Según se acerca el invierno, se
acortan los días.* **2** Referido a un camino, hacerlo más
corto: *Si vamos por aquí acortaremos y conseguiremos llegar a tiempo. Yendo por ese atajo se acorta.*
acosar v. **1** Perseguir sin dar tregua o descanso:
El león acosó a su presa hasta derribarla. **2** Importunar o molestar con continuas peticiones: *Los periodistas la acosaban con preguntas.* ☐ ETIMOL. Del
latín *accursare.*
acose s.m. En zonas del español meridional, acoso.
acoso s.m. **1** Persecución sin tregua ni descanso.
2 Molestia causada por la insistencia de alguien. **3**
‖ [**acoso y derribo**; conjunto de acciones continuadas que tienen como finalidad dejar a alguien sin
escapatoria.
acostar ❚ v. **1** Referido a una persona, echarla o tenderla, esp. en la cama, para que duerma o descanse:
*Cuando se desmayó, la llevaron a la cama y la acos-
taron. Se acuesta temprano porque tiene que madrugar.* ❚ prnl. **2** Referido a una persona, mantener

relaciones sexuales con otra: *Aseguró que nunca se
habían acostado juntos.* ☐ ETIMOL. De *costa* (costilla, costado). ☐ MORF. Irreg. →CONTAR. ☐ SINT.
Constr. de la acepción 2: *acostarse CON alguien.*
[acostumbrado, da adj. Habitual o usual.
acostumbrar v. **1** Adquirir o hacer adquirir una
costumbre o un hábito: *Acostumbró a su hermano a
llamar a la puerta antes de entrar. Me acostumbré
rápidamente a mi nueva situación.* **2** Tener una costumbre o un hábito: *Acostumbra a madrugar mucho.* ☐ SINT. Constr. *acostumbrar A algo.*
acotación s.f. **1** Limitación o reducción. **2** Reserva
del uso y del aprovechamiento de un terreno mediante la colocación de determinadas marcas; acotamiento. **3** Anotación de las cotas en un plano. **4**
Apunte o escritura de notas en el margen de un
texto, esp. para explicarlo o para aclararlo. **5** En una
obra teatral, nota que explica la acción o los movimientos de los personajes.
acotamiento s.m. **1** Reserva del uso y del aprovechamiento de un terreno mediante la colocación
de determinadas marcas; acotación. [**2** En zonas del
español meridional, arcén.
acotar v. **1** Limitar o reducir: *Debes acotar el tema
de tu trabajo porque me parece demasiado amplio.*
2 Referido a un terreno, reservar su uso y su aprovechamiento marcándolo generalmente con cotos o
mojones: *Han acotado el terreno que van a dedicar
a zona de caza.* **3** Referido a un plano, ponerle números que indican la longitud, la distancia o la altura de un punto: *Los topógrafos acotaban el plano
de la zona, anotando en cada punto su altura sobre
el nivel del mar.* **4** Referido a un texto, ponerle notas
al margen, esp. para explicarlo o aclararlo: *En esa
editorial acotan los textos de divulgación con las definiciones de las palabras menos usuales.* ☐ ETIMOL.
Las acepciones 1, 2 y 4, de *coto* (terreno acotado,
límite). La acepción 3, de *cota* (número que indica
la altura en los planos).
acotejar ❚ v. **1** En zonas del español meridional, arreglar o acomodar. ❚ prnl. **2** En zonas del español meridional, ponerse de acuerdo. ☐ ORTOGR. Conserva la
j en toda la conjugación.
acracia s.f. Doctrina que defiende la supresión de
toda autoridad.
ácrata adj./s. Que sigue o que defiende la supresión
de toda autoridad. ☐ ETIMOL. De *a-* (negación) y la
terminación de *demócrata.* ☐ MORF. **1.** Como adjetivo es invariable en género. **2.** Como sustantivo es
de género común: *el ácrata, la ácrata.* **3.** Cuando es
un sustantivo femenino, pese a empezar por *a* tónica o acentuada, va siempre precedido de las formas femeninas de los determinantes. ☐ SEM. Dist.
de *anarquista* (partidario de la abolición del Estado
y de toda forma de gobierno).
acre ❚ adj. **1** De olor o sabor picante y áspero. **2**
Referido al carácter o a la forma de hablar, desagradable
o despacible. ❚ s.m. **3** En el sistema anglosajón, unidad de superficie que equivale aproximadamente a
40,47 áreas. ☐ ETIMOL. Las acepciones 1 y 2, del
latín *acer* (agudo, penetrante). La acepción 3, del
inglés *acre.* ☐ MORF. Como adjetivo: **1.** Invariable
en género. **2.** Su superlativo es *acérrimo.*
acrecentamiento s.m. Aumento del tamaño, de
la cantidad o de la intensidad de algo.
acrecentar v. Hacer mayor en tamaño, en cantidad o en intensidad; aumentar: *Con estas inversio-*

*nes ha logrado acrecentar fabulosamente su fortuna.
Cada día se acrecentaba su amor hacia ellos.* ☐ ETI-
MOL. Del antiguo *crecentar.* ☐ MORF. Irreg. →PEN-
SAR.

acrecer v. Hacer mayor o aumentar: *La simple
idea de las vacaciones acrecía su buen humor.* ☐
ETIMOL. Del latín *accrescere.* ☐ MORF. Irreg. →PA-
RECER.

[acreditación s.f. Certificación de que una persona posee las facultades necesarias para desempeñar un determinado cargo, mediante un documento.

acreditar v. **1** Hacer digno de crédito o probar la
certeza: *Acreditó la verdad de su testimonio presen-
tando varios testigos.* **2** Dar o lograr fama o reputación: *El número de compradores acredita este producto. Se acreditaron como los mejores en su especialidad.* **3** Referido a algo con determinada apariencia,
asegurar que es lo que parece: *Este documento acredita la autenticidad de esta obra de arte.* **4** Referido
a una persona, asegurar un documento que posee las
facultades necesarias para desempeñar un cargo:
*Este carné me acredita como el delegado de la em-
presa.* ☐ ETIMOL. De *crédito.*

acreditativo, va adj. Que acredita o prueba algo.

acreedor, -a adj./s. **1** Que tiene derecho a que se
le pague una deuda. **2** Que tiene mérito suficiente
para obtener algo. ☐ ETIMOL. Del antiguo *acreer*
(prestar). ☐ SINT. Constr. de la acepción 2: *acreedor
A algo.* ☐ SEM. Dist. de *merecedor* (digno de recibir
un premio o un castigo).

acribillar v. **1** Hacer muchos agujeros, heridas o
picaduras: *Lo acribillaron a balazos. Me están acri-
billando los mosquitos.* **2** col. Molestar insistentemente: *La entrevistadora nos acribilló a preguntas.*
☐ ETIMOL. Del latín *cribellare* (cribar).

acrílico, ca adj. Referido a una fibra o a un material
plástico, que se obtienen por una reacción química
de un ácido que procede de la glicerina, o de sus
derivados.

acrimonia s.f. Mordacidad o brusquedad en las palabras o en el carácter; acritud. ☐ ETIMOL. Del latín
acrimonia.

acriollado, da adj. Con las características propias
de los criollos.

acriollarse v.prnl. Referido a un extranjero, adaptarse a las costumbres del país hispanoamericano en
el que vive: *Es normal acriollarse después de llevar
viviendo tantos años en Argentina.*

acrisolar v. **1** Referido a algunos metales, purificarlos
o depurarlos por medio del fuego en el crisol: *Acri-
solaron la pepita de oro para saber su valor real.* **2**
Referido esp. a la verdad o a una virtud, aclararlas o
probarlas: *Acrisoló su valentía en más de una ocasión.* ☐ ORTOGR. Se admite también *crisolar.*

acristalado, da adj. Referido a un lugar, esp. a una
puerta o a una ventana, que tiene cristales.

acristalamiento s.m. Colocación de cristales en
un lugar.

acristalar v. Referido a un lugar, esp. a una puerta o
a una ventana, colocarles cristales: *Han acristalado
la galería.* ☐ ORTOGR. Del admite también *encristalar.* ☐ USO Aunque la RAE prefiere *encristalar,* en
la lengua actual se usa más *acristalar.*

acristianar v. col. →**cristianar.**

acritud s.f. Mordacidad o brusquedad en las pala-

bras o en el carácter; acrimonia. ☐ ETIMOL. Del latín *acritudo.*

acrobacia s.f. **1** Ejercicio gimnástico o deportivo
difícil de realizar, que se hace como espectáculo público y que consiste principalmente en equilibrios en
el aire. **2** Maniobra o ejercicio espectaculares que
hace un avión en el aire. 🖾 acrobacia **3** Lo que
se hace con gran habilidad a pesar de su dificultad
o de su complicación. ☐ SINT. En la acepción 3, se
usa más en la expresión *hacer acrobacias.*

acróbata s. Persona que se dedica profesionalmente a la realización de acrobacias o ejercicios difíciles
y arriesgados como espectáculo público. ☐ ETIMOL.
Del francés *acrobate,* y éste del griego *akróbatos*
(que anda sobre las puntas de los pies). ☐ MORF. Es
de género común: *el acróbata, la acróbata.*

acrobático, ca adj. De la acrobacia, del acróbata
o relacionado con ellos.

acromático, ca adj. Referido a un cristal o a un sistema óptico, que pueden transmitir la luz blanca sin
descomponerla en sus colores constituyentes. ☐ ETI-
MOL. Del griego *akhrómatos* (sin color).

[acronimia s.f. Procedimiento de formación de palabras que consiste en la sustitución de un grupo
de palabras por una abreviatura formada por sus
letras o sílabas iniciales.

acrónimo s.m. Palabra formada a partir de una
sigla que se ha lexicalizado y que ha adquirido categoría gramatical: *'Ovni' es el acrónimo de 'Objeto
Volador No Identificado'.* ☐ ETIMOL. Del griego *ákros* (extremidad) y *ónoma* (nombre). ☐ USO →APÉN-
DICE DE SIGLAS Y ACRÓNIMOS.

acrópolis s.f. En las antiguas ciudades griegas, parte
más alta y fortificada. ☐ ETIMOL. Del griego *akró-
polis,* y éste de *ákros* (alto) y *pólis* (ciudad). ☐ MORF.
Invariable en número.

acróstico, ca adj./s.m. Referido a una composición
poética, que está formada por versos cuyas letras
iniciales, medias o finales, leídas verticalmente,
constituyen una palabra o una frase. ☐ ETIMOL. Del
francés *acrostiche,* y éste del griego *ákros* (extremo)
y *stíkhos* (verso).

acta s.f. **1** Relación escrita de lo sucedido, tratado
o acordado en una reunión o en una junta. **2** Certificación o constancia oficiales de un hecho. **3** Certificación o documento en los que constan el resultado de la elección de una persona para un cargo.
4 ‖**levantar acta**; extenderla o escribirla: *La juez
mandó levantar acta de lo sucedido.* ☐ ETIMOL. Del
latín *acta* (cosas hechas). ☐ MORF. Por ser un sustantivo femenino que empieza por *a* tónica o acentuada, va precedido de *el, un, algún, ningún* y de
las formas femeninas del resto de los determinantes.

actinia s.f. Organismo marino en forma de pólipo,
con el cuerpo blando, contráctil y de colores vivos,
y que tiene una serie de tentáculos alrededor del
orificio que le sirve de boca; anémona de mar. ☐
ETIMOL. Del griego *aktís* (radio).

actínido ▌ adj./s.m. **1** Referido a un elemento químico,
que tiene un número atómico comprendido entre el
89 y el 103, ambos inclusive. ▌ s.m.pl. **2** Grupo formado por estos elementos químicos.

actinio s.m. Elemento químico, metálico y sólido,
de número atómico 89, que es de color plateado, radiactivo y escaso. ☐ ETIMOL. Del griego *aktís* (rayo).
☐ ORTOGR. Su símbolo químico es *Ac.*

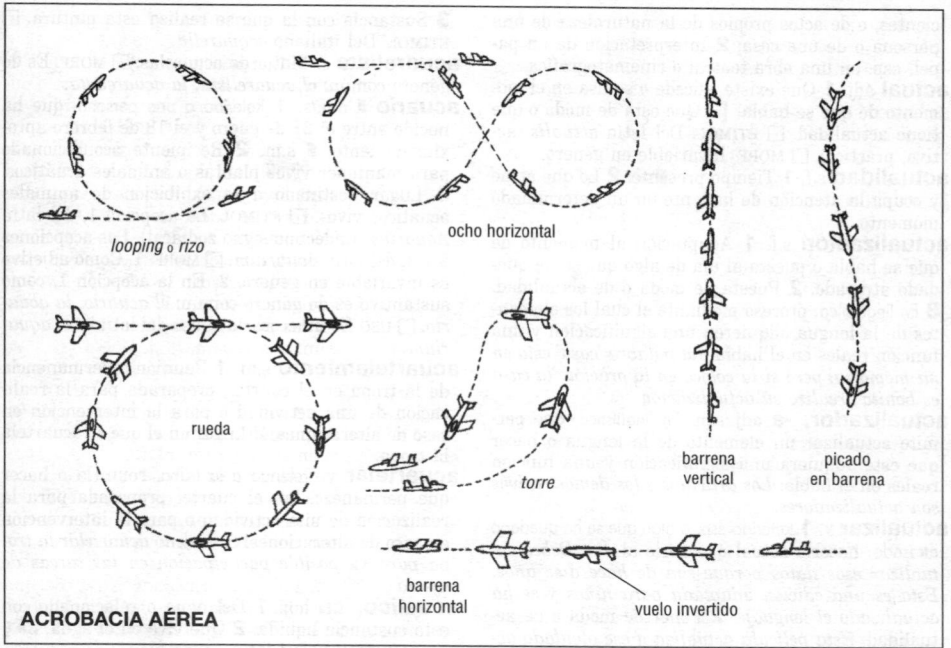

looping o rizo

ocho horizontal

rueda

torre

barrena
vertical

picado
en barrena

barrena
horizontal

vuelo invertido

ACROBACIA AÉREA

actitud s.f. **1** Comportamiento o estado de ánimo que se manifiesta exteriormente. **2** Postura o gesto del cuerpo, esp. cuando expresa algo. □ ETIMOL. Del italiano *attitudine* (postura, actitud). □ ORTOGR. Dist. de *aptitud*.

[actitudinal adj. De la actitud o relacionado con ella. □ MORF. Invariable en género.

activación s.f. **1** Aceleración o aumento de la intensidad o de la rapidez de algo. **[2** Puesta en funcionamiento de un mecanismo.

activar v. **1** Avivar, acelerar o aumentar la intensidad o la rapidez de algo: *Las declaraciones del ministro activaron la marcha de las negociaciones. Echaron más carbón a la caldera para que la locomotora se activase.* **[2** Referido a un mecanismo, ponerlo en funcionamiento: *'Activaron' la bomba uniendo dos de los cables. El mecanismo de arranque del coche 'se activa' mediante la llave de contacto.* **3** En física, referido a una sustancia, hacerla radiactiva: *Activaron la sustancia bombardeándola con fotones.*

actividad s.f. **1** Conjunto de trabajos o tareas propios de una persona o de una entidad. **2** Capacidad de actuar o de tener un efecto, esp. si es eficaz: *actividad solar.* **3** ‖ **en actividad**; en acción.

[activismo s.m. Actitud que defiende la importancia de la acción, esp. en política, frente a la discusión teórica.

activista s. Miembro que en una asociación o en un partido interviene activamente o practica la acción directa. □ MORF. Es de género común: *el activista, la activista.*

activo, va ▌adj. **1** Que actúa o que tiene la posibilidad de actuar: *miembro activo.* **2** Diligente, eficaz o con gran capacidad de acción. **3** Que produce efecto rápidamente. **4** En gramática, que expresa que

el sujeto realiza la acción del verbo. **5** Referido esp. a una sustancia, que tiene capacidad para emitir energía o para provocar una acción física o química. ▌s.m. **6** Conjunto de bienes que posee una persona o una entidad. **7** ‖ **en activo**; referido esp. a un funcionario, que está trabajando o prestando servicio. ‖ **por activa y por pasiva**; col. De todos los modos. □ ETIMOL. Del latín *activus*.

acto s.m. **1** Hecho o acción. **2** Acontecimiento público o solemne. **3** En una obra teatral o escénica, cada una de las partes principales en que están divididas. **4** En derecho, disposición legal. **5** ‖ **[acto fallido**; En psicología, olvido, lapsus o pérdida de un objeto. ‖ **acto seguido**; inmediatamente después. ‖ **acto sexual**; unión sexual de los animales superiores, esp. del hombre y la mujer; coito. ‖ **en el acto**; en seguida o inmediatamente. ‖ **hacer acto de presencia**; **1** Presentarse o estar presente en un lugar. **2** Asistir brevemente y por simple formalidad a una reunión o ceremonia. □ ETIMOL. Del latín *actus*, y éste de *agere* (obrar). □ ORTOGR. Dist. de *apto*.

actor, -a ▌s. **1** Persona que actúa como demandante o acusadora en un juicio. ▌s.m. **2** Persona que representa un papel en el teatro, en el cine, en la radio o en la televisión; comediante, cómico. **3** ‖ **actor de reparto**; el que habitualmente representa papeles secundarios y no actúa como protagonista. □ ETIMOL. Del latín *actor*. □ MORF. En la acepción 2, su femenino es *actriz*; incorr. **la actora.* □ SEM. *Actora* es distinto de *actriz* (mujer que representa un papel).

actriz s.f. de **actor**. □ ETIMOL. Del latín *actrix*. □ SEM. Dist. de *actora* (mujer que actúa como demandante o acusadora en un juicio).

actuación s.f. **1** Realización de actos libres y conscientes, o de actos propios de la naturaleza de una persona o de una cosa. **2** Interpretación de un papel, esp. en una obra teatral o cinematográfica.

actual adj. **1** Que existe, sucede o se usa en el momento de que se habla. [**2** Que está de moda o que tiene actualidad. □ ETIMOL. Del latín *actualis* (activo, práctico). □ MORF. Invariable en género.

actualidad s.f. **1** Tiempo presente. **2** Lo que atrae y ocupa la atención de la gente en un determinado momento.

actualización s.f. **1** Adaptación al momento de que se habla o puesta al día de algo que se ha quedado atrasado. **2** Puesta de moda o de actualidad. **3** En lingüística, proceso mediante el cual los elementos de la lengua adquieren una significación y una función reales en el habla: *La palabra 'casa' está en mi memoria, pero si la coloco en la oración 'la casa es bonita', realizo su actualización.*

actualizador, -a adj./s.m. En lingüística, que permite actualizar un elemento de la lengua o hacer que éste adquiera una significación y una función reales en el habla: *Los artículos y los demostrativos son actualizadores.*

actualizar v. **1** Referido esp. a algo que se ha quedado atrasado, hacerlo actual o ponerlo al día: *Debes actualizar esos datos porque son de hace diez años. Ésta es una edición adaptada para niños y se ha actualizado en el lenguaje.* **2** Poner de moda o de actualidad: *Esta película actualiza a ese olvidado actor.* **3** En lingüística, referido a un elemento de la lengua, hacer que adquiera una significación y una función reales en el habla: *Al actualizar el sustantivo 'coche' mediante el posesivo 'mi', dicho sustantivo pasa a aludir a un coche concreto.* □ ORTOGR. La *z* se cambia en *c* delante de *e* →CAZAR.

actuar v. **1** Obrar o realizar actos libres y conscientes: *En esa ocasión actuó con acierto.* **2** Referido a una persona o a una cosa, realizar actos propios de su naturaleza: *Los médicos actuaron con rapidez y salvaron la vida del enfermo.* **3** Interpretar un papel, esp. en una obra teatral o cinematográfica: *En esta obra de teatro actúa mi actor favorito.* [**4** Trabajar en un espectáculo público: *En aquel concierto no 'actuó' ningún cantante famoso.* **5** Producir un determinado efecto sobre algo: *Esta enfermedad actúa sobre el organismo anulándole las defensas.* □ ETIMOL. Las acepciones 1, 2 y 5, de *acto.* Las acepciones 3 y 4, del inglés *to act.* □ ORTOGR. La *u* lleva tilde en los presentes, excepto en las personas *nosotros* y *vosotros* →ACTUAR.

actuarial adj. Del actuario de seguros o relacionado con las funciones de esta persona. □ MORF. Invariable en género.

actuario, ria s. **1** Auxiliar judicial que da fe en los autos procesales. **2** ‖**actuario (de seguros)**; persona especializada en los cálculos matemáticos y en los conocimientos estadísticos, jurídicos y financieros relacionados con pensiones y compañías de seguros. □ ETIMOL. Del latín *actuarius* (fácil de mover).

[**acuaplano** s.m. Barco diseñado con una forma especial que le permite deslizarse sobre el agua a gran velocidad.

acuarela s.f. **1** Técnica pictórica que se caracteriza por la utilización de colores diluidos en agua. **2** Pintura sobre papel o cartón realizada con esta técnica.

3 Sustancia con la que se realiza esta pintura. □ ETIMOL. Del italiano *acquarella.*

acuarelista s. Pintor de acuarelas. □ MORF. Es de género común: *el acuarelista, la acuarelista.*

acuario ▮ adj./s. **1** Referido a una persona, que ha nacido entre el 21 de enero y el 18 de febrero aproximadamente. ▮ s.m. **2** Recipiente acondicionado para mantener vivos plantas o animales acuáticos. **3** Lugar destinado a la exhibición de animales acuáticos vivos. □ ETIMOL. La acepción 1, del latín *Aquarius* (undécimo signo zodiacal). Las acepciones 2 y 3, del latín *aquarium.* □ MORF. 1. Como adjetivo es invariable en género. 2. En la acepción 1, como sustantivo es de género común: *el acuario, la acuario.* □ USO Es innecesario el uso del latinismo *aquarium.*

acuartelamiento s.m. **1** Reunión o permanencia de la tropa en el cuartel, preparada para la realización de una actividad o para la intervención en caso de alteraciones. **2** Lugar en el que se acuartela la tropa.

acuartelar v. Referido a la tropa, reunirla o hacer que permanezca en el cuartel preparada para la realización de una actividad o para la intervención en caso de alteraciones: *Se ordenó acuartelar la tropa para su posible participación en las tareas de ayuda.*

acuático, ca adj. **1** Del agua o relacionado con esta sustancia líquida. **2** Que vive en el agua. 🐟 pico □ ETIMOL. Del latín *aquaticus.*

acuatizar v. Referido a un hidroavión, posarse en el agua: *El hidroavión de rescate acuatizó en el lago para recoger a los buzos.* □ ETIMOL. De *acuático* y la terminación de *aterrizar.* □ ORTOGR. La *z* se cambia en *c* delante de *e* →CAZAR.

acuchillado s.m. Operación que consiste en raspar y alisar los suelos de madera para después barnizarlos o encerarlos.

acuchillador, -a ▮ s. **1** Persona que se dedica profesionalmente a acuchillar pisos de madera. ▮ s.f. [**2** Máquina que sirve para acuchillar superficies de madera. □ MORF. En la acepción 1, la RAE sólo lo registra como sustantivo masculino.

[**acuchillamiento** s.m. Herida o muerte ocasionadas con un arma blanca, esp. con un cuchillo.

acuchillar v. **1** Herir o matar con un arma blanca, esp. con un cuchillo: *Fue acuchillado por un desconocido. Vio cómo dos hombres se acuchillaban en una pelea.* **2** Referido a una superficie de madera, alisarla con una cuchilla u otra herramienta adecuada: *Hemos acuchillado el parqué del salón.*

[**acuciante** adj. Que acucia, urge o inquieta. □ MORF. Invariable en género.

acuciar v. **1** Referido a una persona, estimularla o impulsarla para que se dé prisa en realizar algo: *El jefe no dejó de acuciarme para que terminara las facturas cuanto antes.* **2** Inquietar o disgustar: *Aquel silencio tan sospechoso me acuciaba.* □ ETIMOL. Del latín **acutiare,* y éste de *acutus* (agudo). □ ORTOGR. La *i* nunca lleva tilde.

acuclillarse v.prnl. Ponerse en cuclillas o doblar el cuerpo de forma que las nalgas se acerquen al suelo o a los talones: *Se acuclilló para buscar un libro en el estante más bajo de la librería.*

acudiente s. En zonas del español meridional, tutor. □ MORF. Es de género común: *el acudiente, la acudiente.*

acudir v. **1** Ir a un lugar por conveniencia o por haber sido llamado: *Acudieron en su ayuda al oír los gritos*. **2** Ir con frecuencia a algún lugar: *Acudía a clases nocturnas al salir del trabajo*. **3** Referido a algo inmaterial, presentarse o sobrevenir: *Las imágenes del accidente acudían a mi mente cada vez que pasaba por aquel lugar*. **4** Referido esp. a una persona, recurrir a ella o valerse de su ayuda para algún fin: *Acudieron a la directora del centro para protestar por el trato recibido*. ☐ ETIMOL. Del antiguo *recudir* (concurrir a un lugar), por influencia de *acorrer* (acudir). ☐ SEM. Dist. de *concurrir* (se refiere a varias personas).

acueducto s.m. Conducto artificial por el que va el agua a un lugar determinado, esp. referido al que se construye para abastecer de agua una ciudad. ☐ ETIMOL. Del latín *aquaeductus* (conducto de agua).

acuerdo s.m. **1** Decisión tomada en común por dos o más personas o entidades. **2** Decisión tomada por una sola persona. **3** ‖ [acuerdo marco; el que tiene un carácter muy general, y que, posteriormente, puede implicar otras decisiones o aspectos más específicos. ‖ de acuerdo; **1** Conforme o con la misma opinión. **2** Expresión que se usa para indicar asentimiento o conformidad. ☐ SEM. Dist. de *consenso* (consentimiento).

acuícola adj./s. Referido a un animal o a una planta, que vive en el agua.

acuicultura s.f. Técnica de cultivo de especies vegetales y animales acuáticas. ☐ ETIMOL. Del latín *aqua* (agua) y *-cultura* (cultivo).

acuífero, ra ▌ adj. **1** Referido esp. a un conducto o a un tejido de un organismo, que tiene o lleva sustancias líquidas, generalmente agua. ▌ adj./s.m. **2** En geología, referido esp. a una capa o a una zona del terreno, que contiene agua. ☐ ETIMOL. Del latín *aqua* (agua) y *-fero* (que lleva). ☐ MORF. En la acepción 2, la RAE sólo lo registra como adjetivo.

acuitar v. Afligir, apenar, o poner en cuita o en apuro: *El silencio de su amada lo acuitaba*.

acular v. Referido a un animal o a un vehículo, hacer que quede arrimado por detrás a alguna parte: *Acularon el carro a la puerta trasera para descargar la mercancía*. ☐ ETIMOL. De *culo*.

acullá adv. A la parte opuesta del que habla: *Acá nos batimos en duelo con quien daña nuestra honra, y acullá tengo oído que se hace de la misma manera*. ☐ ETIMOL. Del latín *eccum illac* (he allá). ☐ USO Su uso es característico del lenguaje escrito.

aculturación s.f. Adopción por parte de un grupo humano de los elementos culturales de otro, de forma que desaparecen las costumbres originales esenciales.

acumulación s.f. Reunión y amontonamiento de algo, esp. si se hace en gran cantidad.

acumulador s.m. Generador de corriente eléctrica, que utiliza la energía liberada en una reacción química reversible, y que puede recargarse haciéndole pasar una corriente en sentido contrario al de la descarga.

acumular v. Juntar y amontonar, esp. si se hace en gran cantidad: *Acumularon una gran riqueza. El trabajo atrasado se le acumulaba encima de la mesa*. ☐ ETIMOL. Del latín *accumulare* (amontonar).

acumulativo, va adj. Que actúa por acumulación o que resulta de ella.

acunar v. Referido a un niño, mecerlo en la cuna o en los brazos: *El bebé empezaba a llorar en cuanto dejaban de acunarlo*.

acuñación s.f. **1** Fabricación de moneda. **2** Estampación de relieves en una pieza metálica, esp. en una moneda o en una medalla, por medio de troqueles o cuños. **3** Creación o formación de una expresión o de un concepto, esp. cuando logran difusión o permanencia.

acuñar v. **1** Referido a una moneda, fabricarla: *Ya no se acuñan monedas de oro y plata para el uso normal*. **2** Referido esp. a una moneda o a una medalla, estamparles los relieves por medio de troqueles o cuños; troquelar: *Actualmente se acuñan las monedas de forma mecánica*. **3** Referido esp. a una expresión o a un concepto, crearlos o darles forma, esp. cuando logran difusión o permanencia: *Parece que fue Azorín quien acuñó la expresión 'Generación del 98' para referirse a un grupo de escritores*. **4** Poner cuñas: *Después de montar la estantería, la acuñaron para asegurar su estabilidad*. ☐ ETIMOL. Las acepciones 1-3, de *cuño*. La acepción 4, de *cuña*. ☐ SEM. No suele emplearse con el significado de 'acumular': {*Acuñó > Acumuló*} *una gran fortuna*.

acuosidad s.f. **1** Abundancia de agua. **2** Presencia de alguna de las características del agua. **3** Abundancia de jugo en una fruta.

acuoso, sa adj. **1** Que tiene mucha agua. **2** De agua o relacionado con ella. **3** Parecido al agua o que tiene alguna de sus características. **4** Referido a una fruta, que tiene mucho jugo. ☐ ETIMOL. Del latín *aquosus*.

[acupuntor, -a ▌ adj. **1** De la acupuntura o relacionado con esta técnica curativa. ▌ s. **2** Persona que se dedica a la acupuntura, esp. si ésta es su profesión.

acupuntura s.f. Técnica curativa de origen oriental que consiste en clavar una o más agujas en determinados puntos del cuerpo humano para curar ciertas enfermedades. ☐ ETIMOL. Del latín *acus* (aguja) y *punctura* (punzada).

acurrucarse v.prnl. Encogerse para resguardarse del frío o por otro motivo: *Se acurrucó junto a su padre y se quedó dormida*. ☐ ETIMOL. De origen incierto. ☐ ORTOGR. La *c* se cambia en *qu* delante de *e* →SACAR.

acusación s.f. **1** Atribución a una persona de un delito, una culpa o una falta. **2** En derecho, abogado o grupo de abogados encargados de demostrar en un juicio la culpabilidad de alguien. **3** Documento o discurso en el que se afirma la culpabilidad de alguien.

acusado, da ▌ adj. **1** Que destaca y se percibe fácilmente. ▌ s. **2** Persona a la que se acusa.

acusador, -a adj./s. Que acusa.

acusar v. **1** Referido a una persona, atribuirle un delito, una culpa o una falta: *Tu compañero te acusó de haber robado ese dinero. Me acuso de todos mis pecados*. **2** Reflejar o manifestar como efecto o consecuencia de algo: *En el segundo tiempo, los jugadores acusaron el esfuerzo realizado y fallaron varios goles*. **3** Manifestar, descubrir o hacer evidente: *Su nerviosismo acusa su falta de práctica en estas cosas*. **4** Referido al recibo de algo, esp. de una carta o de un documento, notificarlo o hacerlo constar: *Ya he acusado recibo del paquete que me enviaron*. ☐ ETIMOL. Del latín *accusare*, y éste de *causa* (causa). ☐ SINT. Constr. de la acepción 1: *acusar DE algo*.

acusativo s.m. →**caso acusativo**. ☐ ETIMOL. Del latín *accusativus*.

acusatorio, ria adj. De la acusación o relacionado con ella.

acuse ‖**acuse de recibo**; notificación o comunicación de que se ha recibido algo.

acusica o **acusón, -a** adj./s. *col.* Referido a una persona, que denuncia o acusa, esp. si lo hace en secreto y cautelosamente; delator. ☐ MORF. *Acusica* como adjetivo es invariable en género; como sustantivo es de género común: *el acusica, la acusica.*

acústico, ca ∎ adj. **1** Del órgano del oído o relacionado con él. **2** De la acústica o relacionado con esta parte de la física. **3** Que favorece la producción o la propagación del sonido. ∎ s.f. **4** Parte de la física que trata de la producción, la propagación, la recepción y el control del sonido. [**5** Conjunto de las características sonoras de un local. ☐ ETIMOL. Del griego *akustikós*, y éste de *akúo* (oigo).

ad calendas graecas (latinismo) ‖En un plazo de tiempo que nunca ha de cumplirse: *A este ritmo, terminaremos el trabajo ad calendas graecas.* ☐ ETIMOL. Esta frase significa *en las calendas griegas* y alude a un futuro imposible, ya que los griegos no fechaban con calendas.

ad hoc (latinismo) ‖Adecuado o dispuesto para un fin.

ad hóminem ‖Referido esp. a un argumento, que se funda en las opiniones o actos de la misma persona a quien se dirige: *Un razonamiento ad hóminem consiste en confundir al adversario oponiéndole sus propias palabras o sus propios actos.* ☐ ORTOGR. Es un latinismo (ad hominem) semiadaptado al español.

ad honórem ‖De forma honoraria. ☐ ETIMOL. Del latín *ad honorem*.

[*ad infinitum* (latinismo) ‖Hasta lo infinito. ☐ PRON. [ad infinítum].

[*ad interim* (latinismo) ‖De manera temporal o provisional. ☐ PRON. [ad ínterim].

[*ad lib* (latinismo) ‖Referido a la ropa, que es informal, está hecha con tejidos naturales y se caracteriza por ser cómoda y por tener generalmente colores claros. ☐ ETIMOL. Del latín *ad libitum* (a voluntad).

[*ad litteram* (latinismo) ‖Al pie de la letra, literalmente. ☐ PRON. [ad líteram].

adagio s.m. **1** Sentencia o frase breves, de origen popular y que expresan una observación o un principio generalmente de carácter moral. [**2** En música, aire o velocidad lentos con que se ejecutan una composición o un pasaje. **3** En música, composición o pasaje que se ejecutan con este aire. ☐ ETIMOL. La acepción 1, del latín *adagium*. Las acepciones 2 y 3, del italiano *adagio*. ☐ PRON. En las acepciones 2 y 3, se usa mucho la pronunciación del italiano [adáyo].

adalid s.m. Guía o persona que destaca en un partido, corporación o escuela. ☐ ETIMOL. Del árabe *ad-dalil* (el guía).

adamascado, da adj. Referido esp. a una tela, que es parecida al damasco por ser una tela de un solo color con dibujos entretejidos con hilos brillantes. ☐ ORTOGR. Se admite también *damascado.*

adamascar v. Referido a una tela, tejerla de un solo color con dibujos hechos con hilos brillantes como el damasco: *Los orientales eran especialistas en adamascar tejidos.*

adámico, ca adj. →**adánico**.

[*adamsita* s.f. Compuesto químico que irrita la piel y los conductos respiratorios, y que suele ser usado como arma química.

adán s.m. *col.* Hombre sucio o descuidado en su aspecto externo. ☐ ETIMOL. Por alusión a Adán, primer hombre según la Biblia.

adánico, ca adj. De Adán (primer hombre según la Biblia) o relacionado con él. ☐ ORTOGR. Se admite también *adámico.*

adaptabilidad s.f. **1** Capacidad de un objeto para acomodarse o ajustarse a otro. **2** Capacidad para acostumbrarse a una situación. **3** Capacidad que algo tiene para desempeñar funciones distintas de aquellas para las que fue creado.

adaptable adj. Que se puede adaptar. ☐ MORF. Invariable en género.

adaptación s.f. **1** Adquisición de lo necesario para acostumbrarse o amoldarse a situaciones distintas. [**2** Proceso por el que un ser vivo se acomoda al medio en que vive. **3** Acomodación o ajuste de un objeto a otro. **4** Transformación de un objeto o de un mecanismo para que desempeñe funciones distintas de aquellas para las que fue construido. **5** Modificación de una creación intelectual, esp. de una obra científica, literaria o musical, para darle una forma diferente de la original.

adaptador s.m. Dispositivo o aparato que sirve para acoplar elementos de distinto tamaño o forma, o que tienen diferente finalidad.

adaptar ∎ v. **1** Referido a un objeto, acomodarlo o ajustarlo a otro: *Tienes que adaptar el largo de las mangas a la medida de tus brazos. Estas zapatillas son de un material muy flexible y se adaptan muy bien al pie.* **2** Referido a un objeto o a un mecanismo, hacer que desempeñe funciones distintas de aquellas para las que fue construido: *Van a adaptar el local para convertirlo en una sala de fiestas.* **3** Referido a una obra científica, literaria o musical, darle una forma diferente de la original, o modificarlas para que puedan difundirse por un medio y entre un público distintos de aquellos para los que fueron concebidas: *La propia autora va a adaptar su novela al cine.* ∎ prnl. **4** Referido esp. a una persona, acostumbrarse o amoldarse a situaciones distintas: *Si quieres seguir con nosotros, tendrás que adaptarte a nuestro ritmo de vida.* ☐ ETIMOL. Del latín *adaptare* (hacer apto para alguna ocupación). ☐ ORTOGR. Dist. de *adoptar.*

adarga s.f. Escudo de cuero con forma ovalada o de corazón. ☐ ETIMOL. Del árabe *ad-daraqa* (el escudo de piel).

adarme s.m. Cantidad mínima de algo. ☐ ETIMOL. Del árabe *ad-dirham* (la dracma, octava parte de la onza). ☐ ORTOGR. Dist. de *adarve.*

adarve s.m. **1** Camino situado en lo alto de un terraplén, detrás de un parapeto o defensa. **2** Camino situado en lo alto de una muralla, detrás de las almenas. ☐ ETIMOL. Del árabe *ad-darb* (el camino estrecho, el desfiladero). ☐ ORTOGR. Dist. de *adarme.*

adecentar v. Poner limpio y ordenado: *A ver si adecentas un poco tu mesa de trabajo. Voy a adecentarme para salir a comprar.*

adecuación s.f. Adaptación o acomodo entre dos cosas.

adecuado, da adj. Que es apropiado o que cumple las características oportunas para el fin al que se destina.

adecuar v. Referido a una cosa, adaptarla o acomodarla a otra: *Adecuó sus explicaciones a la edad de los alumnos.* □ ETIMOL. Del latín *adaequare* (igualar). □ ORTOGR. La *u* nunca lleva tilde.

adefesio s.m. **1** col. Persona o cosa muy fea, ridícula o extravagante. **2** col. Prenda de vestir o adorno ridículo y extravagante. □ ETIMOL. De *ad Ephesios* (a los habitantes de Éfeso), epístola en la que san Pablo alude a lo absurdo de predicar en esta ciudad donde él estuvo a punto de ser martirizado por la plebe.

adelantado, da ❚ adj. **1** Referido esp. a una persona, que destaca pronto por su talento en alguna actividad; precoz. **2** Que es excelente o que lleva ventaja. ❚ s.m. **3** Antiguo cargo de gobernador político y militar de una provincia fronteriza. **4** ‖ **por adelantado**; anticipadamente o con antelación a que algo se realice.

adelantamiento s.m. **1** Movimiento de ida hacia adelante en el espacio o en el tiempo. **2** Superación que un vehículo hace de otro que va más lento que él.

adelantar ❚ v. **1** Mover o llevar hacia adelante: *Adelantó el sofá para colocar bien el armario. Se adelantó unos pasos para saludarme.* **2** Referido a un reloj, correr hacia adelante sus agujas: *He adelantado el reloj cinco minutos.* **3** Referido a algo que está delante, sobrepasarlo o dejarlo atrás: *Salieron después que nosotros, pero nos adelantaron por el camino. Me adelanté unos metros para hacerles una foto.* **4** Referido a algo que todavía no ha sucedido, hacer que ocurra antes de lo señalado o de lo previsto: *Adelantamos la salida para no encontrar atasco.* **5** Referido a dinero, darlo o entregarlo antes de la fecha normal o señalada: *Mis padres me han adelantado el dinero, pero se lo iré devolviendo poco a poco.* [**6** Referido a una noticia, darla antes de lo previsto; avanzar: *Un informativo 'adelantó' las noticias más importantes del telediario.* **7** Progresar, avanzar o pasar a un estado mejor: *Las obras han adelantado mucho en este mes.* **8** Referido a un reloj, ir más deprisa de lo que debe y señalar una hora que todavía no ha llegado: *Tendré que llevar el reloj a arreglar, porque adelanta diez minutos cada día.* ❚ prnl. **9** Ocurrir antes del tiempo señalado o previsto: *Este año las lluvias se han adelantado.* **10** Referido a una persona, ejecutar una acción antes que otra: *Se adelantó a la bajada de la Bolsa y vendió sus acciones en el momento justo.* □ SEM. En las acepciones 4-6, 9 y 10, es sinónimo de *anticipar*.

adelante ❚ adv. **1** Más allá en el tiempo o en el espacio: *Pienso seguir adelante con mis proyectos.* ❚ interj. **2** Expresión que se usa para indicar que se puede entrar en el sitio en el que está la persona que habla. **3** Expresión que se usa para animar a hacer algo. **4** ‖ **en adelante**; a partir de este momento. ‖ **más adelante**; después en el espacio o en el tiempo. □ ORTOGR. Incorr. **alante, *a delante.* □ SINT. Su uso seguido de un adjetivo posesivo es incorrecto: *Van adelante {*tuyo/de ti} y tienes que alcanzarlos.*

adelanto s.m. **1** Adelantamiento temporal a lo señalado o a lo previsto; anticipación. **2** Dinero anticipado. **3** Avance, mejora o progreso. □ SEM. En las acepciones 1 y 2, es sinónimo de *anticipo*.

adelfa s.f. **1** Arbusto de hojas persistentes y de flores grandes, en grupos y de variados colores, que se utiliza como planta ornamental y cuya savia es venenosa. **2** Flor de esta planta. □ ETIMOL. Del árabe *ad-difla.*

adelgazamiento s.m. Pérdida de peso o de grosor.

[**adelgazante** adj./s.m. Referido esp. a un producto, que sirve para adelgazar. □ MORF. Invariable en género.

adelgazar v. Disminuir el peso o el grosor: *Has adelgazado mucho desde la última vez que te vi. Esta crema adelgaza los muslos.* □ ETIMOL. Del latín **delicatiare* (afinar). □ ORTOGR. La *z* se cambia en *c* delante de *e* →CAZAR.

ademán ❚ s.m. **1** Gesto o actitud que indica un estado de ánimo. ❚ pl. **2** Gestos y comportamiento externo de una persona que indican su buena o mala educación; modales. □ ETIMOL. De origen incierto.

además adv. **1** Por añadidura o por si fuera poco. **2** ‖ **además de**; sin contar con o aparte de.

adenda s.f. Apéndice o conjunto de notas que se ponen al final de un libro o de un escrito. □ ETIMOL. Del latín *addenda* (lo que se ha de añadir).

[**adenina** s.f. Compuesto químico que forma parte de los ácidos nucleicos y de algunas enzimas.

adenitis s.f. En medicina, inflamación de los ganglios linfáticos. □ ETIMOL. Del griego *adén* (glándula) e *-itis* (inflamación). □ MORF. Invariable en número.

[**adenoide** s.f. Masa o tejido que forma los ganglios. □ ETIMOL. Del griego *adén* (glándula) y *-oide* (semejanza).

adenología s.f. Parte de la medicina que estudia y trata las glándulas. □ ETIMOL. Del griego *adén* (glándula) y *-logía* (estudio).

adenoma s.m. Tumor del tejido glandular y generalmente benigno. □ ETIMOL. Del griego *adén* (glándula) y *-oma* (tumor).

adenopatía s.f. En medicina, enfermedad de las glándulas, esp. de los ganglios linfáticos. □ ETIMOL. Del griego *adén* (glándula) y *-patía* (enfermedad).

adentrarse v.prnl. Internarse o penetrar hacia el interior: *El barco se adentró en el mar.*

adentro ❚ adv. **1** A la parte interior o en el interior. ❚ interj. **2** Expresión que se usa para indicar a una persona que entre en alguna parte. □ SINT. Incorr. *Pasa {*a adentro > adentro}.*

adentros s.m.pl. Pensamientos o sentimientos interiores de una persona.

adepto, ta adj./s. Partidario o seguidor de una persona, de una idea o de un movimiento. □ ETIMOL. Del latín *adeptus* (adquirido), y éste de *adipisci* (alcanzar). □ ORTOGR. Dist. de *adicto.*

aderezar v. **1** Referido a un alimento, condimentarlo o sazonarlo, generalmente con sal, aceite o especias: *Por favor, aderoza la ensalada.* **2** Arreglar con adornos: *Aderezó su discurso con comentarios humorísticos.* □ ETIMOL. Del latín **directiare* (dirigir). □ ORTOGR. La *z* se cambia en *c* delante de *e* →CAZAR. □ SEM. Es sinónimo de *aliñar.*

aderezo s.m. **1** Preparación de los alimentos generalmente con sal, aceite o especias. **2** Condimento o conjunto de ingredientes con los que se sazona

adeudar

una comida. **3** Arreglo hecho con adornos. **4** Conjunto de dichos adornos. **[5** Conjunto de ingredientes que se utilizan para preparar un guiso.

adeudar v. **1** Referido a una cantidad de dinero, deberla: *Ese cliente nos adeuda más de cinco mil pesetas.* **2** Referido a una cantidad de dinero, anotarla en el debe de una cuenta: *Me adeudaron la factura de teléfono en mi cuenta corriente.*

adeudo s.m. En economía, pago que debe hacerse con dinero, o anotación que se hace al debe de una cuenta; cargo.

adherencia s.f. **1** Unión de dos superficies. **2** Capacidad para que se produzca esta unión. **3** Materia o parte añadida. □ SEM. Dist. de *adhesión* (unión a una idea u opinión).

adherente s.m. Sustancia que sirve para unir dos superficies. □ MORF. Invariable en género.

adherir ▌ v. **1** Pegar o unir con una sustancia aglutinante: *Adherí la pegatina al plástico de la carpeta. Este papel no se adhiere al cristal.* ▌ prnl. **2** Estar de acuerdo con una idea u opinión: *Me adhiero plenamente a lo que acabas de decir.* □ ETIMOL. Del latín *adhaerere* (estar adherido). □ MORF. Irreg.: →SENTIR. □ SINT. Constr. *adherirse A algo.*

adhesión s.f. Unión a una idea u opinión, y defensa que se hace de ellas. □ SEM. Dist. de *adherencia* (unión de dos superficies; capacidad para que se unan; parte añadida).

adhesividad s.f. Capacidad de algo para pegarse o unirse a otra superficie.

adhesivo, va ▌ adj. **1** Que adhiere o que se pega. ▌ s.m. **2** Objeto, esp. de papel, que puede ser adherido a una superficie por ir dotado de una sustancia pegajosa.

adicción s.f. Dependencia física o psíquica de alguna droga, ocasionada por el consumo reiterado de ésta; drogadicción. □ ORTOGR. Dist. de *adición.*

adición s.f. **1** Unión de dos cosas o incorporación de una cosa a otra. **2** Lo que se añade en una obra o en un escrito. **3** En matemáticas, operación mediante la cual se reúnen en una sola varias cantidades homogéneas; suma. **[4** En zonas del español meridional, cuenta o factura. □ ETIMOL. Del latín *additio*, y éste de *addere* (añadir). □ ORTOGR. Dist. de *adicción.*

adicional adj. Añadido o unido a algo. □ MORF. Invariable en género.

adicionar v. Añadir o poner adiciones: *Muchos productos químicos son adicionados a los alimentos en conserva para evitar que se estropeen.*

adictivo, va adj. Que crea dependencia física o psíquica si se consume habitualmente. □ ORTOGR. Dist. de *aditivo.*

adicto, ta adj./s. **1** Partidario o seguidor de algo. **2** Referido a una persona, que tiene una dependencia física o psíquica de alguna droga, ocasionada por el consumo reiterado de ésta; drogadicto, drogodependiente. □ ETIMOL. Del latín *addictus*, y éste de *addicere* (adjudicar, dedicar). □ ORTOGR. Dist. de *adepto.*

adiestramiento s.m. Enseñanza o preparación para desempeñar una determinada actividad, esp. física.

adiestrar v. Enseñar o preparar para desempeñar una determinada actividad, esp. física: *Los jóvenes caballeros medievales eran adiestrados en el uso de la espada. Se adiestró en el manejo del ordenador.* □ ETIMOL. De *diestro* (que está a mano derecha).

adinerado, da adj. Que tiene mucho dinero.
adintelado, da adj. Referido a un arco, que tiene forma recta o de dintel.

adiós ▌ s.m. **1** Despedida. ▌ interj. **2** Expresión que se usa como señal de despedida; agur. **3** Expresión que se usa para indicar disgusto o decepción: *¡Adiós! Ya he vuelto a pinchar.* □ ETIMOL. Por acortamiento de *a Dios vayáis* o *a Dios quedad.*

adiposidad s.f. [Acumulación excesiva de grasa en el cuerpo.

adiposis s.f. En medicina, gordura excesiva; obesidad. □ MORF. Invariable en número.

adiposo, sa adj. Formado por grasa o que la contiene, esp. referido a un tejido orgánico. □ ETIMOL. Del latín *adeps* (grasa).

aditamento s.m. **1** Lo que se añade a algo. **[2** En algunas escuelas lingüísticas, función sintáctica de complemento circunstancial. □ ETIMOL. Del latín *aditamentum.*

aditivo, va ▌ adj. **1** Que puede o debe añadirse. ▌ s.m. **2** Sustancia que se añade a otra para darle cualidades de las que carece o para mejorar las que posee. □ ETIMOL. Del latín *additivus* (añadido). □ ORTOGR. Dist. de *adictivo.*

adivinación s.f. Predicción o descubrimiento de algo por arte de magia, por conjeturas o por azar.

adivinanza s.f. Pasatiempo o juego que consiste en hallar la solución de un enigma o en encontrar el sentido oculto de una frase; acertijo.

adivinar v. **1** Referido al futuro o a algo oculto o ignorado, predecirlo o descubrirlo por arte de magia: *No me conocía de nada, pero adivinó cuál era mi problema.* **2** Referido a algo oculto o ignorado, descubrirlo por conjeturas o intuiciones: *Adivina quién ha venido a verte.* **3** Referido esp. a un enigma, acertar lo que quiere decir: *No me digas la solución; deja que la adivine yo sola.* **4** Vislumbrar, distinguir o ver a lo lejos: *Adivinó un jabalí entre los matojos.* □ ETIMOL. Del latín *addivinare.*

adivinatorio, ria adj. De la adivinación, con adivinación o que la contiene.

adivino, na s. Persona que adivina o que predice el futuro.

adjetivación s.f. **1** Calificación o aplicación de adjetivos que se hace de algo. **2** Conjunto de adjetivos o modo de adjetivar propios y peculiares de un autor, de un estilo o de una época. **3** En lingüística, concesión del valor o de la función del adjetivo a otra parte de la oración.

adjetival adj. Del adjetivo o relacionado con él. □ MORF. Invariable en género.

adjetivar v. **1** Calificar o aplicar adjetivos: *Nadie tiene por qué adjetivar mi comportamiento.* **2** En lingüística, referido esp. a una palabra o a una parte de la oración no adjetivas, darles valor o función de adjetivo: *Un sustantivo se puede adjetivar aplicándole un cuantificador, como en la expresión 'muy hombre'.*

adjetivo, va ▌ adj. **1** En gramática, que funciona como un adjetivo. **2** Del adjetivo o relacionado con él. ▌ s.m. **3** En gramática, parte de la oración que califica o determina al sustantivo, expresando cualidades o propiedades de éste y concordando con él en género y número: *'Ágil' es un adjetivo invariable en género.* □ ETIMOL. Del latín *adiectivus* (que se añade).

adjudicación s.f. Declaración de que algo pertenece a alguien.

adjudicar ▮ v. **1** Referido a algo a lo que se aspiraba, concedérselo a alguien, generalmente tras haber competido con otros: *El director de subasta adjudicó el cuadro al comprador que pujó más alto.* ▮ prnl. **2** Apropiarse o apoderarse: *No te adjudiques todo lo que no tiene dueño.* **3** En algunas competiciones, ganar o hacerse con la victoria: *¿Qué equipo crees que se adjudicará la Liga este año?* □ ETIMOL. Del latín *adiudicare.* □ ORTOGR. La *c* se cambia en *qu* delante de *e* →SACAR.

adjudicatario, ria adj./s. Persona o entidad a quienes se concede algo, esp. una obra o un servicio público. □ MORF. La RAE sólo lo registra como sustantivo.

adjunción s.f. Unión de dos bienes que pertenecen a distintos propietarios, para formar un único bien que tenga la capacidad de ser dividido de nuevo.

adjuntar v. Unir, añadir o agregar a lo que se envía: *Adjuntamos a la carta folletos informativos.*

adjuntía s.f. Plaza de profesor, que generalmente estaba ligada a una cátedra o a un departamento.

adjunto, ta ▮ adj. **1** Que está unido o va con otra cosa. ▮ adj./s. **2** Que ayuda a otro en un cargo o trabajo de responsabilidad. ▮ s.m. [**3** En gramática, palabra que funciona como complemento de otra sin que entre ellas exista nexo alguno: *En 'casa blanca', 'blanca' es un 'adjunto' del sustantivo 'casa'.* □ ETIMOL. Del latín *adiunctum.* □ USO 1. Se usa como adverbio de modo con el significado de 'juntamente': *Adjunto le enviamos una muestra de nuestras novedades.*

adlátere s. Persona que parece inseparable de otra a la que está subordinada. □ ETIMOL. Del latín *a latere,* por confusión entre las preposiciones latinas *ab, a* y *ad.* □ ORTOGR. Se admite también *a látere.* □ MORF. Es de género común: *el adlátere, la adlátere.* □ USO Tiene un matiz despectivo.

adminículo s.m. Cosa pequeña y sencilla que sirve de ayuda para algo. □ ETIMOL. Del latín *adminiculum* (puntal, ayuda).

administración s.f. **1** Gobierno o dirección de una comunidad. **2** Organización de los bienes económicos y disposición de cómo deben usarse. **3** Aplicación de un medicamento. **4** Acción por la cual se confiere un sacramento. **5** Dosificación o graduación de algo para que dure más tiempo. **6** Suministro o distribución. **7** Oficina desde la que se lleva a cabo la organización y la gestión económica de una comunidad. **8** En algunos países, esp. en Estados Unidos (país americano), equipo de gobierno que actúa bajo un presidente. **9** ‖ [**administración de loterías**]; lugar en el que se pueden comprar billetes de lotería y cobrar los premios. ‖ **administración (pública)**; conjunto de instituciones y organismos que ejecutan y aseguran el cumplimiento de las leyes y la buena marcha de los servicios públicos, de acuerdo con las instrucciones de un gobierno. □ USO La acepción 1 se usa más como nombre propio.

administrado, da adj./s. Que está bajo la jurisdicción de una autoridad administrativa.

administrador, -a s. Persona que se dedica a administrar bienes que no son suyos.

administrar v. **1** Referido a una comunidad, gobernarla, dirigirla o ejercer autoridad sobre ella: *La nueva directora administra muy bien el colegio.* **2** Referido esp. a bienes económicos, organizarlos o disponer su utilización: *En casa soy yo quien se encar-*

ga de administrar los dos sueldos. **3** Referido a un medicamento, aplicarlo o hacerlo tomar: *El médico me administró un calmante para el dolor.* **4** Referido a un sacramento, darlo o conferirlo: *El sacerdote administró el bautismo al recién nacido.* **5** Referido a algo de lo que se hace uso, dosificarlo o graduarlo para que dure más tiempo: *El ciclista supo administrar sus fuerzas y así consiguió ganar la etapa. Se administró bien el dinero para irse de vacaciones.* **6** Suministrar, proporcionar o distribuir: *La empresa administró entre sus trabajadores fondos para ayuda a la formación.* □ ETIMOL. Del latín *administrare* (servir). □ SEM. Sólo debe usarse con el significado de 'dar' cuando se aplique a medicamentos o sacramentos: *Le {*administró > dio} una bofetada.*

administrativista adj./s. Referido esp. a un abogado, que está especializado en asuntos de derecho administrativo. □ MORF. **1.** Como adjetivo es invariable en género. **2.** Como sustantivo es de género común: *el administrativista, la administrativista.*

administrativo, va ▮ adj. **1** De la administración o relacionado con ella. ▮ s. **2** Persona que trabaja en las tareas de administración de una empresa o institución pública.

admirabilísimo, ma superlat. irreg. de admirable. □ MORF. Incorr. **admirablísimo.*

admirable adj. Que produce admiración o sorpresa. □ MORF. **1.** Invariable en género. **2.** Su superlativo es *admirabilísimo.*

admiración s.f. **1** Valoración muy positiva de algo, que se considera bueno por sus cualidades. **2** Sorpresa o extrañeza. **3** En ortografía, signo gráfico de puntuación que se coloca al principio y, en posición invertida, al final de una expresión exclamativa; exclamación: *La admiración se representa con los signos ¡ !* □ ORTOGR. **1.** No debe omitirse el signo inicial de una admiración. **2.** →APÉNDICE DE SIGNOS DE PUNTUACIÓN.

admirador, -a ▮ adj./s. **1** Que admira o valora mucho. ▮ s. **2** Fiel seguidor de una persona.

admirar v. **1** Estimar o valorar en mucho: *Los admiro por su valor. Me admiro de tu capacidad de razonamiento.* **2** Producir o causar sorpresa o extrañeza: *Me admira que tengas tan poca vergüenza. Se admiraron de nuestra forma de trabajar.* **3** Contemplar con placer o con especial agrado: *Pasé un buen rato admirando aquel cuadro.* □ ETIMOL. Del latín *admirari.*

admirativo, va adj. Admirado o asombrado.

admisibilidad s.f. Capacidad de ser admitido.

admisible adj. Que puede admitirse. □ MORF. Invariable en género.

admisión s.f. Aceptación, recibimiento o entrada de algo.

admitir v. **1** Recibir o dar entrada: *En este local no se admite la entrada a menores de dieciocho años.* **2** Aprobar o dar por bueno; aceptar: *Admito lo que dices, pero no estoy de acuerdo.* **3** Permitir, tolerar o sufrir: *No sé admitir las críticas que me hacen.* □ ETIMOL. Del latín *admittere.*

admonición s.f. **1** Advertencia muy severa que se hace a alguien; amonestación, amonestación. **2** Censura o riña suaves; reconvención. □ ETIMOL. Del latín *admonitio.*

admonitorio, ria adj. Que amonesta o que tiene carácter de grave advertencia.

adobar v. Referido a un alimento, esp. a la carne, ponerlo en adobo para que se conserve: *Si no comemos hoy el lomo de cerdo, lo adobaré para que no se estropee.* ☐ ETIMOL. Del francés antiguo *adober* (armar caballero, preparar).

adobe s.m. Masa de barro y paja, moldeada en forma de ladrillo y secada al aire, que se emplea como material de construcción en paredes o muros. ☐ ETIMOL. Del árabe *at-tub* (el ladrillo).

adobo s.m. Salsa hecha con aceite, vinagre, especias y otros ingredientes, usada para conservar los alimentos.

adocenado, da adj. Que es excesivamente corriente y vulgar.

adocenarse v.prnl. Volverse excesivamente corriente y vulgar: *La apatía de mi prima la adocenó con el paso del tiempo.*

adoctrinador, -a adj. Que adoctrina.

adoctrinamiento s.m. Enseñanza de los principios de una doctrina o de una ideología, para intentar inculcar determinadas ideas o creencias.

adoctrinar v. **1** Referido a una persona, enseñarle los principios de una doctrina o de una ideología, inculcándole determinadas ideas o creencias: *No me intentes adoctrinar; conozco bien esa secta, y no estoy en absoluto de acuerdo con sus principios.* **[2** Referido a una persona, decirle lo que debe hacer o cómo debe comportarse: *El jefe de la banda 'adoctrinó' muy bien a sus secuaces para que no estropeasen su coartada ante la policía.* ☐ ORTOGR. Se admite también *doctrinar.*

adolecer v. **1** Referido a una enfermedad, padecerla o sufrirla: *Adolece de jaqueca desde muy joven.* **2** Referido a un defecto, tenerlo o poseerlo: *Esa empresa adolece de graves irregularidades.* ☐ ETIMOL. De *doler.* ☐ MORF. Irreg. →PARECER. ☐ SINT. Constr. *adolecer DE algo.* ☐ SEM. No debe emplearse con el significado de 'carecer': {*Adolece > Carece} de inteligencia.*

adolescencia s.f. Período de la vida de una persona, desde la pubertad hasta el completo desarrollo del organismo.

adolescente adj./s. Referido a una persona, que está en la adolescencia. ☐ ETIMOL. Del latín *adolescens* (hombre joven). ☐ MORF. **1.** Como adjetivo es invariable en género. **2.** Como sustantivo es de género común: *el adolescente, la adolescente.* ☐ USO Es innecesario el uso del anglicismo *teenager.*

adolorido, da adj. En zonas del español meridional, dolorido.

adonde adv.relat. Designa el lugar hacia el que algo se dirige: *Aquel castillo es adonde vamos.* ☐ ORTOGR. Dist. de *adónde.* ☐ SINT. Su uso con verbos de reposo está anticuado en la lengua actual: *Estoy adonde tu tía.* ☐ SEM. *Donde* tiene el mismo significado que *adonde.*

adónde adv. A qué lugar: *¿Adónde vais?* ☐ ORTOGR. **1.** Dist. de *adonde.* **2.** Incorr. **a dónde: ¿{*A dónde > Adónde} quieres que vayamos?.* ☐ SEM. *Dónde* se usa con el mismo significado que *adónde.*

adondequiera adv. A cualquier parte: *Te seguiré adondequiera que vayas.* ☐ ORTOGR. Incorr. **a dondequiera.*

adonis s.m. Joven de gran belleza física. ☐ ETIMOL. Por alusión a Adonis, personaje mitológico de gran belleza. ☐ MORF. Invariable en número.

adopción s.f. **1** Acto jurídico por el que una persona se hace cargo legalmente de otra y la toma como hijo propio, sin que sea hijo biológico. **2** Toma de una decisión o de un acuerdo tras una discusión previa. **3** Adquisición o consideración como propio: *Aunque nació en Alemania, es español de adopción.*

adoptar v. **1** Referido a una persona, hacerse cargo legalmente de ella como hijo propio, sin que sea hijo biológico: *Como no podíamos tener hijos, hemos adoptado uno.* **2** Referido a ideas o costumbres ajenas, hacerlas propias: *Los dos han adoptado el mismo punto de vista sobre la cuestión.* **3** Referido a una decisión o a un acuerdo, tomarlos tras una discusión previa: *El Gobierno ha adoptado nuevas medidas contra el paro.* **4** Adquirir, tomar o considerar como propio: *No adoptes esa actitud tan crítica.* ☐ ETIMOL. Del latín *adoptare*, y éste de *ad* y *optare* (desear). ☐ ORTOGR. Dist. de *adaptar.*

adoptivo, va adj. **1** Que adopta. **2** Que es adoptado.

adoquín s.m. **1** Bloque de piedra labrada de forma rectangular que se usa para pavimentar las calles. **2** *col.* Persona muy torpe intelectualmente. ☐ ETIMOL. Del árabe *ad-dukkan* (la piedra escuadrada).

adoquinado s.m. **1** Suelo revestido o cubierto con adoquines. **2** Revestimiento de adoquines.

adoquinar v. Revestir el suelo de una calle con adoquines de piedra: *Hace años, las carreteras se adoquinaban, no se asfaltaban.*

adorable adj. Que inspira admiración, simpatía y cariño, por sus cualidades positivas. ☐ MORF. Invariable en género.

adoración s.f. **1** Culto que se da a algo que es o se considera divino. **2** Amor muy profundo.

adorar v. **1** Referido a lo que es o se considera divino, darle culto: *En esa tribu adoraban a la Luna.* **2** Amar extremadamente: *Adora a su hija.* **3** Considerar agradable o apetecible: *Adoro tomar un buen café después de la comida.* ☐ ETIMOL. Del latín *adorare.*

adoratriz s.f. Religiosa de la orden de las Esclavas del Santísimo Sacramento (congregación fundada con el fin de adorar el cuerpo de Jesucristo consagrado, y de educar y rehabilitar a mujeres jóvenes).

adormecer ▌ v. **1** Dormir o causar sueño: *Estar al sol en la playa adormece a cualquiera. El bebé se adormeció cantándole una nana.* **2** Calmar, sosegar o hacer disminuir la fuerza, la sensibilidad o el efecto: *Toma un medicamento que adormece los sentidos.* **▌** prnl. **3** Empezar a sentir sueño: *Después de comer se sienta en el sofá y enseguida se adormece.* ☐ ETIMOL. Del latín *addormiscere.* ☐ MORF. Irreg. →PARECER.

adormecimiento s.m. **1** Producción o sensación de sueño. **2** Disminución de la fuerza, de la sensibilidad o del efecto de algo.

adormidera s.f. **1** Planta herbácea de origen oriental, de hojas abrazadoras azuladas, flores grandes, blancas o rojas, y fruto en forma de cápsula. **2** Fruto de esta planta. ☐ ETIMOL. Del antiguo *adormir* (adormecer), por las propiedades narcóticas de la adormidera. ☐ ORTOGR. Se admite también *dormidera.*

adormilarse o **adormitarse** v.prnl. Dormirse a medias: *El niño se adormiló en mis brazos mientras lo mecía.* ☐ USO Aunque la RAE prefiere *adormitarse*, se usa más *adormilarse.*

adornar v. **1** Poner adornos para embellecer; ornamentar: *Si la fiesta es en el salón, habrá que adornarlo. Cuéntame la historia, pero no la adornes con detalles. En fiestas, las calles se adornan con luces de colores y banderines.* **2** Servir de adorno: *Las flores adornan mucho en una casa.* **3** Referido esp. a una persona, dotarla de cualidades positivas: *La naturaleza lo adornó con una gran inteligencia.* **4** Referido esp. a una cualidad positiva, estar presente en una persona: *Son muchas las virtudes que lo adornan.* □ ETIMOL. Del latín *adornare.* □ SEM. En las acepciones 1, 2 y 3, es sinónimo de *ornar.*

adornista s. Persona que se dedica a la realización o a la colocación de adornos, esp. en edificios, dependencias y escaparates. □ MORF. Es de género común: *el adornista, la adornista.*

adorno s.m. **1** Lo que se pone para embellecer, realzar el atractivo o mejorar el aspecto. **2** ‖ **de adorno**; sin una función útil o sin realizar una labor efectiva. □ USO *De adorno* tiene un matiz humorístico.

adosado, da adj./s.m. Referido a una vivienda, esp. a un chalé, que está construida contigua o pegada a otras por sus lados o por su parte de atrás.

adosar v. Colocar una cosa unida a otra, esp. por los lados o por detrás: *El granjero adosó el granero a la casa.* □ ETIMOL. Del francés *adosser.*

adquirir v. **1** Coger, lograr o conseguir; cobrar: *Adquirió la costumbre de madrugar siendo aún muy pequeño. Ha adquirido una gran cultura viajando.* **2** Referido a algo que no es propio, hacerse dueño de ello a cambio de dinero; comprar: *¡Adquiera dos camisas al precio de una!* □ ETIMOL. Del latín *acquirere,* y éste de *quaerere* (buscar, inquirir, pedir). □ MORF. Irreg. →ADQUIRIR.

adquisición s.f. **1** Obtención o compra de algo. **2** Lo que se adquiere, se compra o se obtiene. **3** Persona cuyos servicios o cuya ayuda se consideran valiosos.

adquisidor, -a adj./s. Que adquiere.

adquisitivo, va adj. Que sirve para adquirir.

adrede adv. A propósito o intencionadamente; aposta. □ ETIMOL. De origen incierto.

adrenal adj. De la glándula suprarrenal o relacionado con ella. □ ETIMOL. Del latín *ad* (junto a) y *renalis* (renal). □ MORF. Invariable en género.

adrenalina s.f. **1** Hormona segregada por las glándulas suprarrenales, que aumenta la presión sanguínea y estimula el sistema nervioso central. **[2** Excitación, nerviosismo o exceso de tensión acumulada. □ ETIMOL. De *adrenal.*

adriático, ca adj. Del mar Adriático (parte del mar Mediterráneo, situado en el golfo de la ciudad italiana de Venecia), o relacionado con él.

adscribir v. **1** Referido a una persona, destinarla a un empleo, servicio o fin determinados: *Cuando aprobó las oposiciones, lo adscribieron a un instituto de su localidad.* **2** Atribuir o contar entre lo que corresponde a alguien: *Adscribieron el caso al juzgado de delitos monetarios.* □ ETIMOL. Del latín *adscribere.* □ MORF. Su participio es *adscrito.*

adscripción s.f. **1** Destino de una persona a un empleo, a un servicio o a un fin determinados. **2** Atribución que se hace a una persona.

adscrito, ta part. irreg. de **adscribir.** □ MORF. Incorr. **adscribido.*

adsorber v. En física, referido a un cuerpo líquido o gaseoso, atraerlo un cuerpo sólido, de modo que retenga en su superficie sus moléculas o iones: *El carbón activo adsorbe ciertos gases tóxicos.* □ ETIMOL. Del latín *ad* y *sorbere* (sorber). □ ORTOGR. Dist. de *absolver* y de *absorber.*

adsorción s.f. Atracción que un cuerpo sólido ejerce sobre un líquido o un gas, de forma que retenga en su superficie sus moléculas o iones. □ ORTOGR. Dist. de *absorción.*

adstrato s.m. Lengua o dialecto que influye sobre otra lengua o dialecto vecinos a ella.

aduana s.f. Oficina pública, que suele estar situada en las costas y fronteras de un país para controlar y revisar las mercancías que entran y salen de él y cobrar los derechos correspondientes. □ ETIMOL. Del árabe *ad-diwana* (el registro).

aduanero, ra ■ adj. **1** De la aduana o relacionado con ella. ■ s. **2** Persona empleada en una aduana.

aducción s.f. Movimiento por el que una parte del cuerpo se acerca al eje del mismo. □ ORTOGR. Dist. de *abducción.*

aducir v. Referido esp. a una prueba o a un argumento, presentarlos o alegarlos para demostrar algo o convencer de ello: *Se declara inocente y aduce que no estaba allí cuando ocurrieron los hechos.* □ ETIMOL. Del latín *adducere* (conducir a alguna parte). □ MORF. Irreg. →CONDUCIR.

aductor s.m. →**músculo aductor.**

adueñarse v.prnl. **1** Referido a una persona, hacerse dueño o apropiarse: *Se adueñaron de cosas que no les correspondían legalmente.* **2** Referido esp. a un sentimiento o a una sensación, apoderarse o hacerse dominante: *Al conocer tan grata noticia, el optimismo se adueñó de nosotros.* □ SINT. Constr. *adueñarse DE algo.*

adulación s.f. Manifestación intencionada y desmedida de lo que se cree que puede agradar a una persona.

adulador, -a adj./s. Que adula; cobista.

adular v. Referido a una persona, decirle o hacerle de manera intencionada y generalmente desmedida lo que se cree que puede agradarle; lisonjear: *No pienses que adulándome vas a conseguir lo que pretendes.* □ ETIMOL. Del latín *adulari.*

adulatorio, ria adj. De la adulación o relacionado con ella.

adulteración s.f. **1** Corrupción o alteración de la calidad de algo, hechas generalmente añadiendo sustancias extrañas. **2** Alteración de la verdad de algo.

adulterar v. **1** Corromper o alterar la calidad, generalmente añadiendo sustancias extrañas: *Los traficantes de droga adulteraron una importante cantidad de heroína.* **2** Falsear o alterar la verdad: *El autor del informe adulteró los hechos interesadamente.* □ ETIMOL. Del latín *adulterare* (alterar, falsificar, deshonrar).

adulterino, na ■ adj. **1** Del adulterio o relacionado con este tipo de relación sexual. ■ adj./s. **2** Que procede del adulterio.

adulterio s.m. Relación sexual mantenida voluntariamente con una persona distinta de aquella con la que se está realmente casado.

adúltero, ra ■ adj. **1** Del adulterio o de la persona que mantiene esta relación sexual. ■ adj./s. **2** Que mantiene una relación de adulterio. □ ETIMOL. Del latín *adulter* (que comete adulterio).

adultez s.f. **1** Grado de cierta perfección o madurez que se alcanza generalmente con la experiencia. **2** Período de la vida de una persona en el que ha alcanzado su mayor grado de crecimiento y desarrollo, tanto físico como psicológico.

adulto, ta ∎ adj. **1** Que ha llegado a cierto grado de perfección, de madurez o de experiencia. **2** Referido a un animal, que ha alcanzado la plena capacidad reproductora. ∎ adj./s. **3** Que ha llegado a su mayor grado de crecimiento y desarrollo, tanto físico como psicológico. □ ETIMOL. Del latín *adultus*, y éste de *adolescere* (crecer).

adustez s.f. **1** Carácter huraño o poco amable. **2** Sequedad, aspereza o aridez.

adusto, ta adj. **1** Referido a una persona o a su carácter, que es huraño, poco amable y desagradable en el trato. **2** Seco, áspero o árido. □ ETIMOL. Del latín *adustus*, y éste de *adurere* (chamuscar).

advenedizo, za adj./s. Referido a una persona, que se introduce en un grupo social o llega a ocupar una posición que, en opinión de los que ya estaban allí, no le corresponde por su condición o por sus méritos. □ ETIMOL. Del latín **adveniticius*, en vez de *adventicius* (extraño).

advenimiento s.m. Llegada o venida, esp. si es esperada y solemne. □ ORTOGR. Dist. de *avenimiento*.

advenir v. Llegar, venir o sobrevenir: *Aquel año advino la guerra.* □ ETIMOL. Del latín *advenire*. □ MORF. Irreg. →VENIR. □ USO Su uso es característico del lenguaje culto.

adventicio, cia adj. Extraño o que sucede de manera accidental, no natural o impropia. □ ETIMOL. Del latín *adventicius* (advenedizo, extraño).

adventismo s.m. Doctrina religiosa protestante, según la cual Cristo volverá de nuevo a la Tierra y reinará visiblemente sobre ella. □ ETIMOL. Del latín *adventus* (llegada).

adventista ∎ adj. **1** Del adventismo o relacionado con esta doctrina religiosa. ∎ s. **2** Miembro de la comunidad religiosa que defiende o sigue el adventismo. □ MORF. 1. Como adjetivo es invariable en género. 2. Como sustantivo es de género común: *el adventista, la adventista.*

adverbial adj. **1** Del adverbio o relacionado con él. **2** Que funciona como un adverbio. □ MORF. Invariable en género.

adverbializar v. En lingüística, referido a una parte de la oración, darle valor o función de adverbio: *Cuando dices 'habla claro', estás adverbializando el adjetivo 'claro'.* □ ORTOGR. La *z* cambia en *c* delante de *e* →CAZAR.

adverbio s.m. En gramática, parte invariable de la oración cuya función consiste en modificar la significación de un verbo, de un adjetivo, de otro adverbio o de toda una oración: *'Ahí' es adverbio de lugar, 'poco', de cantidad, 'hoy', de tiempo y 'suavemente', de modo.* □ ETIMOL. Del latín *adverbium*.

adversario, ria ∎ s. **1** Persona contraria o enemiga. ∎ s.m. **2** Conjunto formado por personas contrarias o enemigas. □ ETIMOL. Del latín *adversarius*.

adversativo, va adj. En gramática, que implica o expresa oposición o contrariedad de sentido.

adversidad s.f. **1** Carácter contrario, desfavorable u opuesto que presenta algo. **2** Suerte contraria o desfavorable. **3** Situación desgraciada.

adverso, sa adj. Contrario, desfavorable u opuesto a lo que se desea o se pretende. □ ETIMOL. Del latín *adversus*.

advertencia s.f. Noticia o información que se dan a alguien, esp. para avisarlo sobre algo.

advertido, da adj. Capaz, experimentado y sagaz o prudente.

advertir v. **1** Hacer notar, hacer saber o llamar la atención sobre algo: *Te advierto que no estoy de humor para bromas.* **2** Aconsejar, prevenir o avisar con un ligero tono de amenaza: *Te lo advierto, como no llegues puntual, me voy sin ti.* **3** Darse cuenta, notar o reparar: *Advirtió que se había olvidado las llaves cuando ya era tarde para ir a buscarlas.* □ ETIMOL. Del latín *advertere* (dirigir hacia, notar). □ MORF. Irreg. →SENTIR. □ SINT. Constr. de las acepciones 1 y 2: es transitivo con complemento directo de persona *(advertir A alguien DE algo)* o con complemento directo de cosa y complemento indirecto de persona *(advertir algo A alguien).*

adviento s.m. En el cristianismo, tiempo que comprende las cuatro semanas que preceden al día de Navidad. □ ETIMOL. Del latín *adventus* (llegada).

advocación s.f. **1** Nombre del santo bajo cuya protección se encuentra un lugar de culto religioso. **2** Cada uno de los nombres con que se da culto a la Virgen. □ ETIMOL. Del latín *advocatio* (acción de llamar como protector o abogado).

[adyacencia s.f. Contigüidad o proximidad física.

adyacente ∎ adj. **1** Contiguo, inmediato o situado en las proximidades. ∎ adj./s.m. **[2** En gramática, referido a un elemento lingüístico que completa el significado del núcleo de un sintagma: *En el sintagma nominal 'perro blanco', el adjetivo 'blanco' es el 'adyacente'.* □ ETIMOL. Del latín *adiacens*, y éste de *adiacere* (estar echado al lado). □ MORF. Como adjetivo es invariable en género.

adyuvante adj. Que ayuda. □ ETIMOL. Del latín *adiuvans*. □ MORF. Invariable en género. □ USO Su uso es característico del lenguaje culto.

aéreo, a adj. **1** Del aire, con sus características o relacionado con él. **2** Que se realiza o se desarrolla en el aire, desde el aire o a través de él. **[3** De la aviación o relacionado con ella. **4** Referido a un organismo o a una de sus partes, que viven en contacto directo con el aire atmosférico. raíz □ ETIMOL. Del latín *aereus*. □ MORF. Cuando se antepone a otra palabra para formar compuestos, adopta la forma *aero-*.

aero- Elemento compositivo que significa 'aire' *(aerofobia, aerómetro)* o 'aéreo' *(aeronaval, aeronavegación).* □ ETIMOL. Del griego *aero-*.

aerobic o **aeróbic** s.m. Tipo de gimnasia que se practica con acompañamiento de música y que se basa en el control del ritmo respiratorio. □ ETIMOL. Del inglés *aerobics*.

aeróbico, ca adj. **1** Del aerobio o relacionado con este microorganismo que necesita oxígeno para vivir. **[2** Referido a un esfuerzo muscular, que consume oxígeno.

aerobio, bia adj./s.m. En biología, que necesita oxígeno para desarrollarse. □ ETIMOL. De *aero-* (aire) y *-bio* (vida). □ MORF. La RAE sólo registra el masculino. □ SEM. Dist. de *anaerobio* (que es capaz de vivir sin oxígeno).

aerobús s.m. Avión comercial europeo, con capacidad para un gran número de pasajeros, y que se

usa para trayectos de corta y media distancia. □
ETIMOL. Del inglés *airbus*. □ USO Es innecesario el
uso del anglicismo *airbus*.

aeroclub s.m. Sociedad recreativa interesada por
el deporte aéreo. □ ETIMOL. De *aero-* (aéreo) y *club*.

aerodeslizador s.m. Vehículo que se desliza sobre un colchón de aire.

aerodinámico, ca ∎ adj. **1** De la aerodinámica
o relacionado con esta parte de la física mecánica.
2 Referido esp. a un vehículo, que tiene una forma adecuada para reducir la resistencia del aire. ∎ s.f. **3**
Parte de la física mecánica que estudia las propiedades y el comportamiento del aire y de otros gases
en movimiento.

aeródromo s.m. Terreno provisto de las pistas y
de las instalaciones necesarias para el despegue y
el aterrizaje de aviones. □ ETIMOL. De *aero-* (aire)
y -*dromo* (lugar).

[aeroespacial adj. De la aviación, de la navegación aérea, o relacionado con ellas. □ MORF. Invariable en género.

aerofagia s.f. En medicina, toma de aire de manera
espasmódica o por contracciones musculares invo-
luntarias, y que suele ser síntoma de trastornos
nerviosos. □ ETIMOL. De *aero-* (aire) y -*fagia* (comer).

aerofaro s.m. En un aeropuerto, luz potente que sirve para orientar a los aviones en vuelo y facilitar
su aterrizaje en condiciones de poca visibilidad. □
ETIMOL. De *aero-* (aéreo) y *faro*.

aerófobo, ba adj. Que padece aerofobia o temor
enfermizo al aire.

aerofotografía s.f. Fotografía tomada desde un
vehículo aéreo. □ ETIMOL. De *aero-* (aéreo) y *fotografía*.

[aerogel s.m. Cuerpo sólido muy poroso que se forma a partir de un gel.

[aerografía s.f. Arte o técnica que consiste en la
aplicación de pintura de forma pulverizada mediante la utilización de una pistola de aire comprimido.
□ ETIMOL. De *aero-* (aire) y -*grafía* (representación
gráfica).

aerógrafo s.m. Aparato de aire comprimido, que
se usa generalmente en fotografía y en artes decorativas para aplicar pintura de forma pulverizada.

aerolínea s.f. Compañía o empresa de transporte
aéreo. □ ETIMOL. Del inglés *airline*. □ MORF. En
plural tiene el mismo significado que en singular.

aerolito s.m. Fragmento de un cuerpo sólido procedente del espacio exterior y que cae sobre la Tierra, que está formado por material rocoso, compuesto de silicatos minerales. □ ETIMOL. De *aero-*
(aire) y -*lito* (piedra).

aerómetro s.m. Instrumento que sirve para medir
la densidad del aire y de otros gases. □ ETIMOL. De
aero- (aéreo) y -*metro* (medidor). □ SEM. Dist. de
areómetro (instrumento para medir la densidad de
los líquidos).

aeromodelismo s.m. Actividad deportiva o recreativa consistente en construir, a pequeña escala,
modelos de aviones de forma que puedan volar. □
ETIMOL. De *aero-* (aéreo) y *modelo*.

aeromodelista ∎ adj. **1** Del aeromodelismo o relacionado con esta actividad deportiva. ∎ adj./s. **2**
Referido a una persona, que practica el aeromodelismo. □ MORF. 1. Como adjetivo es invariable en gé-

nero. **2**. Como sustantivo es de género común: *el aeromodelista, la aeromodelista*.

aeromodelo s.m. Avión de tamaño reducido,
construido para practicar el aeromodelismo o para
hacer vuelos deportivos o experimentales.

aeromotor s.m. Motor accionado por aire en movimiento. □ ETIMOL. De *aero-* (aéreo) y *motor*.

aeromoza s.f. En zonas del español meridional, azafata de aviación.

aeronauta s. Piloto o tripulante de una aeronave.
□ ETIMOL. De *aero-* (aéreo) y *nauta* (navegante). □
MORF. Es de género común: *el aeronauta, la aero-
nauta*.

aeronáutico, ca ∎ adj. **1** De la aeronáutica o relacionado con esta ciencia. ∎ s.f. **2** Ciencia de la navegación aérea. **3** Conjunto de medios destinados al
transporte aéreo.

aeronaval adj. Referido esp. a operaciones o a efectivos militares, de la aviación y de la marina conjuntamente. □ MORF. Invariable en género.

aeronave s.f. Vehículo capaz de navegar por el
aire. □ ETIMOL. De *aero-* (aire) y *nave*.

aeronavegación s.f. Navegación aérea. □ ETI-
MOL. De *aero-* (aéreo) y *navegación*.

aeroplano s.m. Vehículo volador, con alas, y generalmente propulsado por uno o más motores;
avión. □ ETIMOL. Del francés *aéroplane*.

aeroportuario, ria adj. Del aeropuerto o relacionado con él.

aeropuerto s.m. Terreno provisto de pistas para
el despegue y el aterrizaje de aviones, y dotado de
instalaciones y servicios destinados al tráfico aéreo.
□ ETIMOL. De *aero-* (aire) y *puerto*.

aerosol s.m. **1** Suspensión de partículas de un líquido o de un sólido en un gas. **2** Líquido que, almacenado bajo presión, puede lanzarse al exterior
en pequeñas partículas en esta suspensión. **3** Recipiente o envase que contiene este líquido. □ ETI-
MOL. Del francés *aérosol* y éste de *aero-* (aire) y *sol*,
acortamiento de *solutión* (disolución). □ USO Es innecesario el uso del anglicismo *spray* y de la forma
castellanizada *espray*.

aerostático, ca ∎ adj. **1** De la aerostática o relacionado con esta parte de la física mecánica. ∎ s.f.
2 Parte de la física mecánica que estudia el equilibrio de los gases y de los cuerpos sumergidos en
ellos, cuando están sometidos a la acción de la gravedad exclusivamente. □ ETIMOL. De *aero-* (aéreo)
y -*statica* (equilibrio).

aerostato o **aeróstato** s.m. Aeronave provista
de uno o más recipientes llenos de un gas más ligero que el aire, que le permiten flotar y elevarse
en éste. □ ETIMOL. De *aero-* (aire) y del griego *statós*
(parado, en equilibrio). □ USO Aunque la RAE prefiere *aeróstato*, se usa más *aerostato*.

aerotaxi s.m. Avión pequeño que se alquila para
uso privado. □ ETIMOL. De *aero-* (aéreo) y *taxi*.

aeroterapia s.f. Tratamiento de algunas enfermedades por medio del aire contenido en unos aparatos especiales. □ ETIMOL. De *aero-* (aire) y -*terapia* (curación).

aerotransportar v. Transportar por vía aérea. □
ETIMOL. De *aero-* (aéreo) y *transportar*.

[aerotransporte s.m. Transporte que se realiza
por vía aérea.

aerotrén s.m. Vehículo que se desplaza a gran velocidad por una vía especial, deslizándose sobre un colchón de aire. ☐ ETIMOL. De *aero-* (aéreo) y *tren*.

aerovía s.f. Ruta aérea establecida para el tráfico de los aviones. ☐ ETIMOL. De *aero-* (aéreo) y *vía*. ☐ SEM. Aunque la RAE lo registra también como sinónimo de *aerolínea*, en la lengua actual no se usa como tal.

afabilidad s.f. Agrado y amabilidad en el trato y en la conversación con los demás.

afabilísimo, ma superlat. irreg. de **afable**. ☐ MORF. Incorr. *afabilísimo.

afable adj. Agradable, afectuoso y amable en el trato y en la conversación con los demás. ☐ ETIMOL. Del latín *affabilis* (a quien se puede hablar). ☐ MORF. 1. Invariable en género. 2. Su superlativo es *afabilísimo*.

afamado, da adj. Famoso o muy conocido.

afamar v. Hacer famoso, generalmente por algo positivo: *¡Quién te habría dicho cuando eras un don nadie que te afamarías de esta manera!*.

afán s.m. 1 Empeño o interés y esfuerzo que se ponen en lo que se hace. 2 Deseo muy fuerte. 3 Fatiga, apuro, penalidad o exceso de trabajo o de esfuerzo. 4 En zonas del español meridional, prisa. ☐ MORF. La acepción 3 se usa más en plural.

afanador, -a s. En zonas del español meridional, persona que se encarga de la limpieza en un edificio público.

afanar ▌ v. 1 *col*. Robar o estafar, esp. si se hace utilizando la maña y sin violencia: *Me han afanado la cartera en el autobús*. ▌ prnl. 2 Esforzarse mucho en una actividad o para conseguir un propósito: *Los anfitriones se afanaban y desvivían para que todos los invitados se sintiesen a gusto*. ☐ ETIMOL. Del latín *affanare.

afanoso, sa adj. 1 Que da mucho trabajo o supone un gran esfuerzo. 2 Que se afana o esfuerza mucho.

afarolado, da adj. [1 Con forma parecida a la de un farol. 2 En tauromaquia, referido a un pase, que se ejecuta pasándose el torero la muleta o la capa por encima de la cabeza. ☐ ETIMOL. →*De farol*.

afasia s.f. Pérdida total o parcial de la capacidad de hablar o de comprender el lenguaje, producida por una lesión cerebral. ☐ ETIMOL. Del griego *aphasía* (imposibilidad de hablar).

afásico, ca ▌ adj. 1 De la afasia o propio de esta incapacidad. ▌ adj./s. 2 Referido a una persona, que padece afasia. ☐ MORF. La RAE sólo lo registra como adjetivo.

afeamiento s.m. 1 Pérdida de la belleza o aumento de la fealdad de algo. 2 Reproche o crítica que se hace de algo censurándolo.

afear v. Hacer o poner feo: *El acné te afea mucho*.

afección s.f. Enfermedad o alteración patológica. ☐ ETIMOL. Del latín *affectio*.

afectable adj. Que se impresiona fácilmente. ☐ MORF. Invariable en género.

afectación s.f. Excesivo cuidado o falta de sencillez y de naturalidad en la forma de hablar o de comportarse.

afectado, da adj. 1 Que tiene afectación o carece de sencillez y naturalidad. 2 Aparente o fingido.

afectar v. 1 Referido esp. a la forma de hablar o de comportarse, poner demasiado cuidado en ello, de manera que se pierda sencillez y naturalidad: *No me gusta que afectes tus modales cuando hablas*

conmigo. 2 Referido esp. a algo que no es cierto, darlo a entender, simularlo o aparentarlo; fingir: *Afectó tranquilidad, pero en su interior no podía con los nervios*. 3 Referido a una persona, impresionarla, causando en ella alguna sensación o emoción: *Me afectó mucho la muerte de su madre*. 4 Concernir, incumbir o corresponder; atañer: *La nueva ley no afecta a los que ya están admitidos*. 5 Alterar o producir cambios: *La temperatura es un factor que afecta a la conservación de los alimentos*. 6 Perjudicar o influir desfavorablemente: *La crisis del petróleo afectó a la economía de muchos países*. 7 Referido a un órgano o a un grupo de seres vivos, dañarlos o poder dañarlos una enfermedad o una plaga: *Algunas enfermedades infecciosas afectan sólo a las personas, aunque las transmitan los animales*. ☐ ETIMOL. Del latín *affectare*, frecuentativo de *afficere* (disponer, preparar).

afectividad s.f. Conjunto de las emociones y afectos de una persona.

afectivo, va adj. 1 Del afecto o relacionado con este sentimiento. 2 De la sensibilidad o relacionado con ella.

afecto, ta ▌ adj. 1 Inclinado, aficionado o partidario. ▌ s.m. 2 Sentimiento de cariño y estima. 3 Sentimiento fuerte o pasión del ánimo. ☐ ETIMOL. La acepción 1, del latín *affectus*, y éste de *afficere* (poner en cierto estado). Las acepciones 2 y 3, del latín *affectus* (estado de ánimo). ☐ SINT. Constr. como adjetivo: *afecto A algo*. ☐ USO En la acepción 1, se usa mucho el superlativo *afectísimo* como fórmula de despedida en cartas y documentos formales: *La carta terminaba con un 'Suyo afectísimo' y estaba firmada por el director*.

afectuosidad s.f. Amabilidad y cariño en el trato.

afectuoso, sa adj. Amable y cariñoso en el trato. ☐ ETIMOL. Del latín *affectuosus*.

afeitada s.f. En zonas del español meridional, afeitado.

afeitado s.m. 1 Corte a ras de piel del pelo del cuerpo, esp. del de la cara. [2 En tauromaquia, corte de los extremos de los cuernos de un toro, para disminuir su peligrosidad al torearlo.

afeitadora s.f. Máquina eléctrica que sirve para afeitar.

afeitar v. 1 Referido a una parte del cuerpo, cortarle a ras de piel el pelo que hay en ella; rasurar: *A este actor le afeitaron la cabeza por exigencias del guión. Mi hermano se afeita todos los días*. 2 En tauromaquia, referido a un toro, cortarle los extremos de los cuernos para que resulte menos peligroso al torearlo: *El ganadero fue multado por afeitar al quinto toro de la tarde*. ☐ ETIMOL. Del latín *affectare* (arreglar).

afeite s.m. *ant*. →**cosmético**.

afelpar v. 1 Referido a una tela, darle aspecto de felpa o de terciopelo al trabajarla: *Después de tejida la tela, la afelpan por una de sus caras*. 2 Recubrir o forrar con felpa: *Para hacer el cojín, primero se rellena el forro de guata y luego se afelpa*.

afeminación s.f. →**afeminamiento**.

afeminado, da ▌ adj. 1 Con características consideradas tradicionalmente propias de las mujeres. ▌ adj./s.m. 2 Referido a un hombre, que tiene características físicas y psicológicas consideradas tradicionalmente propias de las mujeres.

afeminamiento s.m. Adopción por parte de un hombre de características físicas o psicológicas que tradicionalmente se consideran propias de las mujeres; afeminación. ☐ USO Aunque la RAE prefiere *afeminación* se usa más *afeminamiento*.

afeminar v. Referido a un hombre, hacer que adopte las características que tradicionalmente se consideran propias de las mujeres: *Trabajar siempre entre mujeres ha afeminado sus gestos y reacciones. Dicen que se afeminó por ser el único chico entre tantas hermanas.* ☐ ETIMOL. Del latín *effeminare*.

afer s.m. Asunto, negocio o caso ilícito o escandaloso. ☐ ETIMOL. Del francés *affaire.* ☐ USO Aunque la RAE sólo registra *afer*, se usa más *affaire*.

aféresis s.f. Supresión de uno o de varios sonidos al principio de una palabra. ☐ ETIMOL. Del griego *apháiresis* (acción de llevarse). ☐ MORF. Invariable en número.

aferramiento s.m. **1** Acción de coger o agarrar con fuerza. **2** Insistencia o mantenimiento obstinados en una opinión o en un propósito.

aferrar ▌ v. **1** Coger o agarrar con mucha fuerza: *Aferró el bolso con las dos manos para que no se lo quitasen. Se aferró a la barandilla para no caer.* ▌ prnl. **2** Insistir o mantenerse obstinadamente en una opinión o en un propósito: *Me parece suicida aferrarse a un plan que se sabe fracasado de antemano.* ☐ ETIMOL. Del catalán *aferrar* (agarrar). [*affaire* (galicismo) s.m. →**afer**. ☐ PRON. [afér].

afgano, na adj./s. De Afganistán (país asiático), o relacionado con él.

afianzamiento s.m. **1** Afirmación de algo para darle mayor firmeza y seguridad. **2** Consolidación o adquisición de mayor seguridad.

afianzar v. **1** Afirmar, asegurar o sostener para mantener firme y seguro: *Afianzó las contraventanas con unos maderos.* **2** Hacer firme, consolidar o adquirir mayor seguridad: *Tu reacción me afianza en la opinión de que me estás ocultando algo. Con esta nueva victoria, nuestro equipo se afianza en el primer puesto de la liga.* ☐ ORTOGR. La *z* se cambia en *c* delante de *e* →CAZAR. ☐ SINT. Constr. de la acepción 2: *afianzar a alguien EN algo.*

afiche s.m. En zonas del español meridional, cartel o póster. ☐ ETIMOL. Del francés *affiche.*

afición s.f. **1** Gusto o interés que se sienten por algo. **2** Conjunto de personas que asisten con asiduidad a un espectáculo, esp. a un deporte o a la fiesta de los toros, y que sienten gran interés por él. ☐ ETIMOL. Del latín *affectio* (afección). ☐ SINT. Constr. *afición A algo.* ☐ USO En la acepción 1, es innecesario el uso del anglicismo *hobby.*

aficionado, da adj./s. **1** Que practica un deporte o cualquier otra actividad por pasatiempo, sin tenerla como profesión ni cobrar por ella. **2** Que siente afición, gusto o interés por un espectáculo y que asiste frecuentemente a él. ☐ USO En la acepción 1, es innecesario el uso del galicismo *amateur.*

aficionar v. Hacer sentir gusto o interés por algo: *Es conveniente aficionar a los niños a la lectura desde pequeños. Me aficioné a jugar al tenis durante un verano.* ☐ SINT. Constr. *aficionar A algo.*

afijación s.f. Formación de palabras nuevas por medio de afijos.

afijo, ja adj./s.m. En lingüística, referido a un morfema, que se une a una palabra o a una raíz para formar derivados o palabras compuestas: *El afijo '-ción' se une a verbos para formar su sustantivo correspon-*

diente, como '*actuar*' y '*actuación*'. ☐ ETIMOL. Del latín *affixus.*

afilador, -a s. Persona que se dedica profesionalmente a afilar instrumentos cortantes.

afilalápices s.m. Instrumento o aparato que sirve para sacar punta a los lápices; sacapuntas. ☐ MORF. Invariable en número.

afilamiento s.m. Adelgazamiento de la cara, la nariz o los dedos.

afilar ▌ v. **1** Referido a un objeto, sacarle filo o punta, o hacerlo más delgado o agudo: *Tengo que afilar los cuchillos de la cocina, porque cortan muy mal.* ▌ prnl. **2** Referido esp. a la cara, a la nariz o a los dedos, adelgazar o hacerse más delgados: *Con la enfermedad se le afiló mucho la cara.*

afiliación s.f. Ingreso en una corporación o en una sociedad como miembro de ella.

afiliado, da adj./s. Que es miembro de una corporación o de una sociedad.

afiliar v. Referido a una persona, incluirla como miembro de una corporación o de una sociedad: *El presidente del partido en el poder afilió a toda su familia a su partido. Se afilió al sindicato para defender sus intereses económicos.* ☐ ETIMOL. Del latín **affiliare.* ☐ ORTOGR. La *i* nunca lleva tilde. ☐ SINT. Constr. *afiliarse A algo.*

afiligranado, da adj. **1** De la filigrana o parecido a ella. **2** Pequeño, muy fino y delicado.

afiligranar v. **1** Hacer filigrana o trabajar hilos de oro y plata, uniéndolos con perfección y delicadeza: *Mi hermana afiligrana el oro y la plata con gran destreza.* **2** Embellecer con primor y con esmero: *Para recibir a sus invitados afiligranó la casa.*

afín adj. Próximo, parecido, semejante o que tiene algo en común. ☐ ETIMOL. Del latín *affinis* (limítrofe, emparentado). ☐ MORF. Invariable en género.

afinación s.f. Preparación de un instrumento musical para que suene en el tono justo con arreglo a un diapasón o para que suene acorde con otro instrumento.

afinador, a ▌ s. **1** Persona que se dedica profesionalmente a la afinación de instrumentos musicales. ▌ s.m. **2** Llave o martillo que sirven para afinar algunos instrumentos musicales de cuerda.

afinar v. **1** Mejorar, perfeccionar, precisar o rematar: *Estos ejercicios son para afinar la puntería.* **2** Referido a un instrumento musical, ponerlo en el tono justo con arreglo a un diapasón, o templarlo para que suene acorde con otro instrumento: *Antes de empezar el concierto, los músicos de la orquesta afinan sus instrumentos.* **3** Hacer fino, delicado o delgado: *Desde que dejé el baloncesto, se me han afinado mucho los dedos.* ☐ ETIMOL. De *fino.*

afincar v. Establecer la residencia en un lugar: *Los negocios lo afincaron en nuestra ciudad. Después de haber viajado por todo el mundo, decidió afincarse en su ciudad de nacimiento.* ☐ ETIMOL. Del antiguo *fincar* (quedar, permanecer).

afinidad s.f. Proximidad, analogía, semejanza o parecido. ☐ ETIMOL. Del latín *affinitas.*

afirmación s.f. **1** Declaración de que algo es verdad; aserción. **2** Expresión o gesto que sirven para afirmar o decir que sí.

afirmar ▌ v. **1** Asegurar, decir que es verdad o dar por cierto: *Cuando le preguntamos si vendría, nos lo afirmó con la cabeza.* **2** Poner firme, dar firmeza o fijar de forma segura: *Con dos escarpias en lugar de una sola, afirmarás mejor ese cuadro tan grande.* ∎ prnl. **3** Ratificarse en lo dicho: *Me afirmo en mi opinión, y no podréis hacerme cambiar de idea.* ◻ ETIMOL. Del latín *affirmare* (consolidar). ◻ SINT. Constr. de la acepción 3: *afirmarse* EN *algo*.

afirmativo, va adj. Que contiene o expresa afirmación o que da por cierto algo.

aflamencado, da adj. Con las características que se consideran propias del flamenco.

aflautado, da adj. De sonido parecido al de la flauta.

aflautar v. Referido a una voz o a un sonido, volverlos más agudos: *Aflautó la voz para imitar la forma de hablar de aquella mujer. El sonido de esa película tan antigua se había aflautado con el paso del tiempo.* ◻ ETIMOL. De *flauta*.

aflicción s.f. o **afligimiento** s.m. Gran tristeza o sufrimiento. ◻ ETIMOL. *Aflicción*, del latín *afflictio*. ◻ USO *Afligimiento* es el término menos usual.

aflictivo, va adj. Que aflige o causa gran tristeza.

afligir v. Causar gran tristeza o sufrimiento: *Tan terrible noticia nos ha afligido profundamente. Se afligió mucho al enterarse de tu despido.* ◻ ETIMOL. Del latín *affligere* (golpear contra algo, abatir). ◻ ORTOGR. La *g* se cambia en *j* delante de *a*, *o* →DIRIGIR.

aflojamiento s.m. Disminución de la tensión, la presión o la tirantez.

aflojar v. **1** Disminuir la tensión, la presión o la tirantez: *Aflójale el nudo de la corbata e incorpóralo para que no se ahogue. Parece que las tensiones en el grupo se han aflojado un poco.* **2** col. Referido esp. al dinero, entregarlo o darlo: *Si todos aflojamos mil pesetas podemos comprar el regalo que ella quiere.* **3** Perder fuerza o intensidad: *El corredor aflojó en los últimos metros y perdió la carrera.* ◻ ORTOGR. Conserva la *j* en toda la conjugación.

afloramiento s.m. Aparición de algo en la superficie, esp. un mineral o una masa rocosa.

aflorar v. **1** Referido esp. a una masa mineral o a un líquido, asomar a la superficie del terreno: *Una corriente de agua subterránea aflora en esta zona y forma un manantial.* **2** Referido a algo oculto o en desarrollo, surgir o aparecer: *Cuando afloraron los primeros síntomas, ya era tarde para atajar la enfermedad.* ◻ SINT. Su uso como transitivo es incorrecto aunque está muy extendido: *Están {*aflorando > haciendo aflorar} dinero negro.*

afluencia s.f. **1** Concurrencia o aparición en gran número en un lugar determinado. **2** Abundancia, gran cantidad o gran número. ◻ SEM. En las acepciones 1 y 2, es sinónimo de *aflujo*.

afluente s.m. Arroyo o río secundario que desembocan en otro principal.

afluir v. Acudir en abundancia o concurrir en gran número a un lugar determinado: *Sentía tal vergüenza que notó cómo la sangre le afluía con fuerza a la cara.* ◻ ETIMOL. Del latín *affluere*. ◻ MORF. Irreg. →HUIR. ◻ SINT. Constr. *afluir* A *algo*.

aflujo s.m. **1** Concurrencia o aparición de algo en gran número en un lugar determinado. **2** Abundancia, gran cantidad o gran número. **3** En medicina, llegada de una mayor cantidad de líquido orgánico a una determinada área del organismo. ◻ ETIMOL. Del latín *affluxus*. ◻ SEM. 1. En las acepciones 1 y

2, es sinónimo de *afluencia*. 2. En la acepción 3, dist. de *flujo* (secreción de un líquido al exterior del cuerpo).

afofarse v.prnl. Ponerse fofo, esponjoso y con poca consistencia: *Como que no hago deporte, los músculos se me están afofando.*

afonía s.f. Falta o pérdida de la voz, debida a una incapacidad o dificultad en el uso de las cuerdas vocales. ◻ ETIMOL. Del griego *aphonía*.

afónico, ca adj. Que ha perdido total o parcialmente la voz, como consecuencia de una incapacidad o dificultad en el uso de las cuerdas vocales.

aforado, da adj./s. Referido esp. a un miembro de las Cortes, que goza de fuero y se rige por normas jurídicas especiales.

aforar v. **1** Referido a un recipiente, a un local o a un caudal de agua, calcular su capacidad: *Hemos aforado el auditorio, y creemos que no es suficiente para albergar a todos los asistentes al acto.* **2** Referido a una mercancía o a un género almacenados, calcular su cantidad y su valor: *En este almacén aforan las existencias todas las semanas.* **3** Conceder un fuero u otorgar privilegios: *El Rey decidió aforar aquella región por su situación de zona fronteriza.* ◻ ETIMOL. De *foro*. ◻ MORF. Irreg. en la acepción 3, →CONTAR.

aforismo s.m. Sentencia breve que resume algún conocimiento esencial o una reflexión filosófica. ◻ ETIMOL. Del griego *aphorismós* (definición).

aforístico, ca adj. Del aforismo o relacionado con esta sentencia breve.

aforo s.m. Capacidad total de las localidades de un local destinado a espectáculos públicos. ◻ SEM. Su uso con el significado de 'público asistente' es incorrecto aunque está muy extendido: *Cerraron las puertas del estadio por un exceso de {*aforo > público}.*

afortunado, da adj. **1** Que tiene fortuna o buena suerte; agraciado. **2** Que es resultado de la buena suerte. **3** Acertado, oportuno o atinado.

afrancesado, da ∎ adj. **1** Que imita a los franceses. ∎ adj./s. **2** Partidario de los franceses, referido esp. a los españoles durante la Guerra de la Independencia española.

afrancesamiento s.m. Difusión o adopción de las características que se consideran propias de lo francés.

afrancesar ∎ v. **1** Dar o adquirir las características que se consideran propias de lo francés: *Aunque afranceses tu forma de hablar, nunca podrás pasar por un auténtico francés.* ∎ prnl. **2** Volverse afrancesado o partidario de los franceses: *Durante la Guerra de la Independencia española, muchos aristócratas se afrancesaron para poder conservar sus privilegios.*

afrecho s.m. Cáscara desmenuzada del grano de los cereales; salvado. ◻ ETIMOL. Del latín *affractum* (quebrantado).

afrenta s.f. Ofensa, hecho o dicho que molestan o humillan.

afrentar v. Ofender, humillar o insultar gravemente: *Me afrentó al acusarme de cobarde delante de mis hombres.* ◻ ETIMOL. Del latín *frons* (frente).

africado, da adj. En lingüística, referido a un sonido consonántico, que se articula en dos momentos sucesivos, uno oclusivo y otro fricativo, pero sin cambiar el lugar de articulación: *En la palabra 'coche',* *la 'ch' es un sonido africado.* □ ETIMOL. Del latín *fricare* (fregar, frotar).

africanismo s.m. Influencia de las culturas africanas en otros pueblos.

africanista s. Persona especializada en el estudio de la cultura y de los temas africanos. □ MORF. Es de género común: *el africanista, la africanista*.

africanizar v. Dar o adquirir características que se consideran propias de lo africano: *Este escultor ha africanizado mucho su estilo desde que vive en Guinea.* □ ORTOGR. La *z* se cambia en *c* delante de *e* →CAZAR.

africano, na adj./s. De África (uno de los cinco continentes) o relacionado con ella.

afrikaans s.m. Variedad del neerlandés que se habla en la República de Suráfrica (país africano) y en otros países africanos del sur. □ ETIMOL. Del holandés *Afrikaans*.

afrikáner adj./s. Referido a una persona, que desciende de los colonos holandeses de la República de Suráfrica (país africano). □ MORF. 1. Como adjetivo es invariable en género. 2. Como sustantivo es de género común: *el afrikáner, la afrikáner*. □ SEM. Dist. de *bóer* (antiguo habitante blanco del sur africano, descendiente de los colonos holandeses).

afro adj. De los usos y costumbres africanos o con características de éstos. □ ETIMOL. Del latín *afer*. □ MORF. Invariable en género.

afro- Elemento compositivo que significa 'africano': *afroasiático.* □ ETIMOL. Del latín *afer*.

[afroamericano, na ▮ adj. 1 De los habitantes americanos procedentes del continente africano. ▮ s. 2 Habitante americano que procede del continente africano.

afroasiático, ca adj. De África y Asia (dos de los cinco continentes) o relacionado con ellos.

[afrocubano, na adj. De los habitantes de color de Cuba (isla americana) o relacionado con ellos.

afrodisiaco, ca o **afrodisíaco, ca** adj./s.m. Que excita o provoca el deseo sexual. □ ETIMOL. Del griego *aphrodisiakós*, y éste de *Afrodite*, que es la diosa griega de la belleza y del amor.

afrontar v. Referido a una situación difícil, plantarle cara o hacerle frente: *Afrontó el peligro con gran valor.* □ ETIMOL. Del latín *frons* (frente).

[afrutado, da adj. Con olor a frutas.

afta s.f. Úlcera pequeña y blanquecina, que se forma generalmente en la boca. □ ETIMOL. Del griego *áphtha*.

[aftershave (anglicismo) s.m. Loción para después del afeitado. □ PRON. [afterchéiv], con *ch* suave. □ USO Su uso es innecesario.

[aftersun (anglicismo) s.m. Crema hidratante para después de tomar el sol. □ ETIMOL. Extensión del nombre de una marca comercial. □ PRON. [aftersán]. □ USO Su uso es innecesario.

afuera ▮ adv. 1 A la parte exterior o en el exterior. ▮ interj. 2 Expresión que se usa para ordenar a alguien retirarse de un lugar; fuera. □ ETIMOL. De *a* (preposición) y *fuera*. □ SINT. Incorr. *Vamos {*a afuera > afuera}*.

afueras s.f.pl. Alrededores de una población. □ ETIMOL. De *a* (preposición) y el antiguo *fueras*, y éste del latín *foras* (afuera).

afuereño, ña o **[afuerino, na** adj./s. En zonas del español meridional, forastero.

agá s.m. [Persona que ostenta cierto título honorífico en algunos países de Oriente Próximo (área geográfica que incluye los países asiáticos más al oeste). □ ETIMOL. Del turco *aga* (jefe, dueño, señor). □ PRON. Incorr. [ága].

agachado, da adj. *col.* [En zonas del español meridional, tímido o apocado.

agachar ▮ v. 1 Referido esp. a la cabeza, inclinarla o bajarla: *No agaches la cabeza y mírame a los ojos.* ▮ prnl. 2 Encoger el cuerpo, doblando hacia abajo la cintura o las piernas: *Se agachó para coger lo que se le había caído.* □ ETIMOL. De origen incierto.

agalla ▮ s.f. 1 En algunos animales acuáticos, cada una de las branquias que tienen en aberturas naturales, a ambos lados y en el arranque de la cabeza. 2 Parte que crece de forma anormal en algunos árboles y arbustos por las picaduras de ciertos insectos. ▮ pl. 3 *col.* Valentía, determinación, arrojo o valor. □ ETIMOL. La acepción 2, del latín *galla*. Las acepciones 1 y 3, de origen incierto. □ SINT. La acepción 3 se usa mucho en la expresión *tener agallas*.

ágape s.m. Comida a la que asisten muchas personas y en la que se celebra algún acontecimiento; banquete. □ ETIMOL. Del latín *agape* (amor, amistad, comida fraternal de los cristianos primitivos).

agarbanzado, da adj. 1 De color parecido al del garbanzo o de aspecto semejante. 2 Referido esp. a un estilo literario o a una costumbre, vulgar o de poco mérito. □ USO En la acepción 2 es despectivo.

agareno, na adj./s. 1 Descendiente de Agar (mujer de Abraham). 2 Que tiene como religión el islamismo; musulmán.

agarrada s.f. Véase **agarrado, da.**

agarraderas s.f.pl. *col.* Favor o influencia con los que una persona cuenta para conseguir sus fines.

agarradero s.m. 1 Asa o mango que sirven para coger o cogerse a algo. 2 *col.* Recurso o excusa con los que se cuenta para conseguir algo.

agarrado, da ▮ adj. 1 *col.* Referido a un baile, que se baila en pareja y enlazados estrechamente. ▮ adj./s. 2 *col.* Que intenta gastar lo menos posible, hasta resultar miserable y mezquino; tacaño. ▮ s.f. 3 *col.* Altercado, riña o discusión fuerte.

agarrador s.m. Paño acolchado que se utiliza en la cocina para agarrar recipientes que han estado en el fuego.

agarrar ▮ v. 1 Tomar o coger fuertemente, esp. si es con la mano: *Agarró el paquete para que no se lo quitaran. La niña se agarró a las faldas de su madre.* 2 Asir, coger o prender: *El árbitro me señaló falta personal por agarrar a un jugador contrario.* 3 *col.* Referido esp. a una enfermedad o a un estado de ánimo, contraerlos, adquirirlos o alcanzarlos; coger: *Agarré un catarro impresionante.* 4 Sorprender o coger desprevenido: *Lo agarraron robando la caja fuerte.* 5 *col.* Obtener o conseguir: *Agarró un buen pellizco en la lotería.* 6 Referido a una planta, prender, enraizar o arraigar: *Trasplantamos el pino de la maceta al jardín, y agarró muy bien.* ▮ prnl. 7 Referido a un guiso, adherirse al recipiente en que se hace por haberse quemado; pegarse: *Se me han agarrado un poco las lentejas.* 8 *col.* Referido esp. a una enfermedad, apoderarse fuertemente de una persona: *Se me ha agarrado el resfriado al pecho y no paro de toser.* [9 *col.* Discutir hasta llegar a la agresión física: *Los dos gamberros 'se agarraron' y tuvo que separarlos la policía.* [10 Tomar como pretexto o disculpa: *'Se agarra' a que está débil y no hace* *nada.* **11** ‖**agárrate**; *col.* Expresión que se usa para preparar al interlocutor a recibir una sorpresa: *Y entonces me dijo, agárrate, que no se arrepentía de habernos echado de su casa.* ☐ ETIMOL. De *garra.*

agarre s.m. **1** Sujeción de algo. **2** Localización de una enfermedad en una persona. **3** Enraizamiento de una planta. **4** Adhesión de un guiso al recipiente en que se ha cocinado por haberse quemado.

agarrón s.m. Acción de agarrar y tirar con fuerza.

agarrotamiento s.m. Rigidez, imposibilidad o dificultad de movimiento.

agarrotar v. Referido esp. a un miembro del cuerpo, dejarlo rígido o inmóvil: *El miedo le agarrotó las piernas. Se me habían agarrotado las manos por el frío.* ☐ ETIMOL. De *garrote.*

agasajar v. Referido a una persona, tratarla con atención, con amabilidad, con consideración y con afecto: *Nos agasajaron con una extraordinaria comida.* ☐ ETIMOL. Del germánico *gasalho* (compañero). ☐ ORTOGR. Conserva la *j* en toda la conjugación.

agasajo s.m. Trato atento y amable, marcado por la consideración y el afecto.

ágata s.f. Variedad del cuarzo, dura, translúcida y con franjas o capas de varios colores. ☐ ETIMOL. Del latín *achates.* ☐ MORF. Por ser un sustantivo femenino que empieza por *a* tónica o acentuada, va precedido de *el, un, algún, ningún* y de las formas femeninas del resto de los determinantes.

agavillador, a ‖ s. **1** Persona que hace gavillas. ‖ s.f. **2** Máquina que sirve para segar la mies y para formar gavillas.

agazaparse v.prnl. **1** Esconderse u ocultarse: *Los niños se agazaparon detrás de la valla para que no los viéramos.* **2** Agacharse encogiendo el cuerpo contra la tierra: *El felino se agazapó antes de saltar sobre su presa.* ☐ ETIMOL. De *gazapo* (cría del conejo), porque se oculta en el terreno.

agencia s.f. **1** Empresa destinada a gestionar asuntos ajenos o a ofrecer al público determinados servicios. **2** Sucursal u oficina que representa a la empresa de la que depende, y que lleva los asuntos y negocios de ésta en el lugar en el que se encuentra situada. **3** ‖ **[agencia mayorista**; la que vende sus productos a otras agencias más pequeñas.

agenciar v. *col.* Procurar o conseguir con maña y con rapidez: *Nos agenció billetes a todos nada más pedírselos. Tengo que agenciarme un vestido de noche para ir a esa fiesta.* ☐ ORTOGR. La *i* nunca lleva tilde.

agenda s.f. **1** Libro o cuaderno en el que se anota lo que se tiene que hacer para no olvidarlo. **2** Conjunto de asuntos que han de tratarse en una reunión o de las actividades sucesivas que se han de realizar. ☐ ETIMOL. Del latín *agenda* (cosas que se deben hacer).

agente ‖ adj./s.m. **1** Que realiza o ejecuta la acción de algo. ‖ s. **2** Persona que tiene a su cargo una agencia o empresa destinada a gestionar asuntos ajenos o prestar determinados servicios. **3** Persona que se dedica profesionalmente a velar por la seguridad pública o por el cumplimiento de las leyes u ordenanzas. ‖ s.m. **4** Lo que produce un efecto. **5** ‖**(agente) comercial**; el que se dedica profesionalmente a la gestión de operaciones de venta, por cuenta ajena y mediante comisión, ateniéndose a las condiciones estipuladas por la empresa en cuya representación actúa. ‖ **[agente secreto**; el que aparentemente no trabaja como tal. ‖ **[doble agente**; *euf.* Espía. ☐ ETIMOL. Del latín *agens* (el que hace). ☐ MORF. 1. Como adjetivo es invariable en género. 2. En las acepciones 2 y 3, es de género común: *el agente, la agente.* 3. En la acepción 1, la RAE sólo lo registra como adjetivo.

[aggiornamento (italianismo) s.m. Puesta al día o actualización. ☐ PRON. [ayiornaménto].

agigantado, da adj. De dimensiones gigantescas o extraordinarias.

agigantar v. Dar o adquirir dimensiones gigantescas o excesivamente grandes: *La poción mágica agigantaba a todo aquel que la probase.* ☐ ETIMOL. De *gigante.*

ágil adj. **1** Que se mueve con agilidad o con soltura. **2** Que tiene soltura o viveza. ☐ ETIMOL. Del latín *agilis.* ☐ MORF. Invariable en género.

agilidad s.f. Facilidad para realizar algo con soltura y viveza.

[agilipollar v. *vulg.malson.* →**atontar.**

agilización s.f. Aumento de la rapidez de un proceso.

agilizar v. Referido esp. al desarrollo de un proceso, hacerlo más ágil o dar mayor rapidez a su realización: *Si queremos cumplir los plazos previstos debemos agilizar el ritmo de trabajo.* ☐ ORTOGR. La *z* se cambia en *c* delante de *e* →CAZAR.

agitación s.f. **1** Movimiento fuerte y repetido, esp. el que se hace para disolver o para mezclar algo. **2** Inquietud, turbación o nerviosismo muy fuertes. **3** Descontento social o político.

agitador, -a s. Persona que agita los ánimos o que provoca conflictos de carácter político o social.

agitanar v. Dar las características que se consideran propias de lo gitano: *Se tiñó el pelo de moreno para agitanar su aspecto.*

agitar v. **1** Mover repetida y violentamente: *Me agitó para despertarme. Las cortinas se agitaban al viento.* **2** Referido al contenido de un recipiente, revolverlo para disolverlo o para mezclar sus componentes: *Antes de tomar el jarabe hay que agitar bien el frasco.* **3** Inquietar, turbar o poner nervioso: *La noticia del accidente nos agitó mucho. Me agité cuando vi que era muy tarde y no habías vuelto.* **4** Provocar la inquietud o el descontento sociales o políticos: *Las declaraciones de los políticos han agitado a la población.* ☐ ETIMOL. Del latín *agitare,* frecuentativo de *agere* (mover).

aglomeración s.f. Reunión o amontonamiento de algo, generalmente en abundancia y de forma desordenada.

aglomerado s.m. Material compacto elaborado a partir de fragmentos de determinadas sustancias prensados o unidos.

aglomerante s.m. Material capaz de unir fragmentos o partículas de una o de varias sustancias por métodos exclusivamente físicos.

aglomerar v. Reunir, juntar o amontonar, generalmente en abundancia y de forma desordenada: *El cantante aglomeró a un gran número de seguidores. Los aficionados se aglomeraron a las puertas del estadio.* ☐ ETIMOL. Del latín *agglomerare* (juntar), y éste de *glomus* (ovillo). ☐ SEM. Aunque la RAE lo considera sinónimo de *conglomerar,* en la lengua actual no se usa como tal.

aglutinación s.f. Unión o adhesión muy fuertes.

aglutinante ∎ adj. **1** Que aglutina. ∎ s.m. **[2** En una pintura o en un barniz, sustancia en la que se diluyen los pigmentos.

aglutinar v. **1** Unir, juntar o pegar con fuerza hasta formar una unidad: *Esta asociación aglutina a otras más pequeñas, que buscan un mismo fin.* **2** Referido a varios fragmentos que tienen la misma o distinta naturaleza, unirlos por medio de sustancias viscosas: *Al aglutinar los sólidos en suspensiones acuosas conseguimos que se precipiten.* **[3** Referido a una persona, reunir o congregar en torno a sí: *En esa casa, la hermana mayor 'aglutina' a toda la familia.* □ ETIMOL. Del latín *agglutinare* (pegar, adherir).

agnosticismo s.m. Doctrina filosófica que declara inaccesible a la razón humana el conocimiento de lo absoluto y de todo aquello que no pueda ser alcanzado por la experiencia. □ ORTOGR. Dist. de *gnosticismo*. □ SEM. Dist. de *ateísmo* (que niega la existencia de Dios).

agnóstico, ca ∎ adj. **1** Del agnosticismo o relacionado con esta doctrina filosófica. ∎ adj./s. **2** Que sigue o que defiende el agnosticismo. □ ETIMOL. Del griego *agnostikós* (el que declara no saber). □ ORTOGR. Dist. de *gnóstico*. □ SEM. Dist. de *ateo* (que niega la existencia de Dios).

agnus o **agnusdéi** s.m. **1** En la religión católica, oración que comienza con las palabras 'Cordero de Dios, que quitas el pecado del mundo'. **[2** Representación de san Juan Bautista cuando era niño con una cruz y un cordero que representa a Jesucristo. □ ETIMOL. Del latín *Agnus Dei* (Cordero de Dios). □ MORF. 1. *Agnus* es invariable en número. 2. El plural de *agnusdéi* es *agnusdéis*.

[agobiante adj. Que agobia. □ MORF. Invariable en género.

agobiar v. Molestar, deprimir o causar un gran sufrimiento: *Nunca se agobia por muchas cosas que tenga que hacer.* □ ETIMOL. Del latín *gibbus* (giba), porque el antiguo *agobiar* que significaba *estar cargado de espaldas*, pasó a significar *agachar la cabeza*, y más tarde a *abrumarla con el peso*. □ ORTOGR. La *i* nunca lleva tilde.

agobio s.m. **1** Sensación de angustia o de cansancio, esp. si están producidas por algo a lo que hay que hacer frente. **[2** Lo que causa esta sensación.

agolpamiento s.m. Llegada o acumulación repentinas de algo.

agolparse v.prnl. **1** Referido a un conjunto de personas, juntarse de golpe en un lugar: *Los periodistas se agolpaban a la puerta del teatro.* **2** Referido esp. a las lágrimas o a las penas, venir juntas y de golpe: *Estos días se me agolpan los problemas.*

agonía s.f. **1** Estado inmediatamente anterior a la muerte. **2** Pena o sufrimiento angustiosos. □ ETIMOL. Del latín *agonia*, y éste del griego *agonía* (lucha, angustia).

agonías s. *col.* Persona muy pesimista. □ MORF. Es de género común: *el agonías, la agonías*.

agónico, ca adj. De la agonía, con sus características o relacionado con este estado.

agonizante adj. Que agoniza. □ MORF. Invariable en género.

agonizar v. **1** Estar en los momentos finales de la vida: *El soldado agonizaba en la trinchera.* **2** Estar a punto de terminarse o extinguirse: *El fuego, sin leña, agonizaba en la chimenea.* **3** Sufrir angustio-

samente: *La familia del industrial secuestrado agoniza por la falta de noticias.* □ ORTOGR. La *z* se cambia en *c* delante de *e* →CAZAR.

ágora s.f. En la antigua Grecia, plaza pública. □ ETIMOL. Del griego *agorá* (reunión, plaza pública). □ MORF. Por ser un sustantivo femenino que empieza por *a* tónica o acentuada, va precedido de *el, un, algún, ningún* y de las formas femeninas del resto de los determinantes.

agorafobia s.f. Temor anormal y angustioso a los espacios abiertos. □ ETIMOL. Del griego *ágora* (plaza pública) y *-fobia* (aversión).

agorar v. Referido a algo generalmente desagradable, predecirlo o anunciarlo: *El adivino le agoró un año venidero lleno de desgracias.* □ ETIMOL. Del latín *augurare* (hacer augurios). □ MORF. Irreg. →AGORAR.

agorero, ra adj./s. Que predice males y desgracias.

agostar v. **1** Referido a las plantas, secarlas o abrasarlas el excesivo calor: *La falta de riego ha agostado los claveles.* **2** Referido a las cualidades de una persona, consumirlas o debilitarlas: *Los sufrimientos agostaron su belleza.* □ ETIMOL. De *agosto*, por ser un mes de mucho calor.

agosteño, ña adj. Del mes de agosto.

agosto s.m. **1** Octavo mes del año, entre julio y septiembre. **2** ‖hacer alguien **su agosto**; *col.* Hacer un buen negocio, aprovechando una ocasión oportuna. □ ETIMOL. Del latín *Augustus*, en memoria del emperador Octavio Augusto.

agotador, -a adj. Que agota o cansa.

agotamiento s.m. **1** Consumición o gasto completos. **2** Cansancio muy grande.

agotar v. **1** Gastar o consumir completamente: *Los invitados agotaron las bebidas. No he podido comprar el libro que me dijiste porque la edición se ha agotado.* **2** Cansar mucho o extenuar: *El calor me agota. Se agotó de tanto subir y bajar escaleras.* □ ETIMOL. Del latín **eguttare* (secar hasta la última gota).

agraciado, da adj. **1** Agradable o atractivo físicamente. **2** Que tiene fortuna o buena suerte; afortunado.

agraciar v. **1** Referido esp. a una gracia o a un favor, darlos o concederlos: *El conde nos agració con su visita. Varios empleados fueron agraciados con el premio gordo de la lotería.* **2** Referido a una persona, favorecerla o hacerla más agradable: *Ese traje le agracia la figura.* □ ETIMOL. De *gracia*. □ ORTOGR. La *i* nunca lleva tilde. □ MORF. En la acepción 1, se usa más como participio.

agradabilísimo, ma superlat. irreg. de **agradable**. □ MORF. Incorr. **agradablísimo*.

agradable adj. **1** Que produce agrado o satisfacción. **2** Referido a una persona, que es amable en el trato. □ MORF. 1. Invariable en género. 2. Su superlativo es *agradabilísimo*.

agradar v. Complacer, gustar o producir agrado: *La comida nos agradó. Me agrada que confíes en él.* □ ETIMOL. De *grado* (voluntad, gusto).

agradecer v. **1** Dar las gracias o mostrar gratitud: *Le agradeció sus consejos. Te agradecería que te fueras.* **2** Corresponder a las atenciones y cuidados recibidos: *Deja de fumar y los pulmones te lo agradecerán.* □ ETIMOL. De *grado* (voluntad, gusto). □ MORF. Irreg. →PARECER.

agradecido, da adj. **1** Que tiende a mostrar agradecimiento. **2** Que responde positivamente a los cuidados y atenciones recibidas.

agradecimiento s.m. Muestra de gratitud por un favor o un beneficio recibidos.

agrado s.m. **1** Placer, satisfacción o gusto: *Es una persona de mi agrado.* **2** Simpatía o modo agradable de tratar a las personas.

agrafia s.f. Incapacidad total o parcial de expresar las ideas por escrito. □ ETIMOL. De *a-* (negación) y el griego *grápho* (yo escribo).

ágrafo, fa adj. Que no sabe o no puede escribir.

agramatical adj. Que no respeta las reglas de la gramática: *oración agramatical.* □ MORF. Invariable en género.

agramaticalidad s.f. Característica de la oración que se forma sin respetar las reglas de la gramática.

agrandamiento s.m. Aumento del tamaño de algo.

agrandar v. Hacer más grande: *No agrandes la importancia de las cosas. Al tirar el tabique, la cocina se agrandó.*

agrario, ria adj. Del campo o relacionado con él. □ ETIMOL. Del latín *agrarius*, y éste de *ager* (campo). □ SEM. Dist. de *agrícola* (de la agricultura o relacionado con ella).

agrarismo s.m. **1** Movimiento que defiende los intereses de los agricultores: *El agrarismo tuvo un gran desarrollo en Galicia a comienzos del siglo XX.* **2** Doctrina de este movimiento.

agravamiento s.m. Aumento de la gravedad o de la importancia de algo.

agravante ❚ adj./s. **1** Que agrava la intensidad de algo o aumenta su gravedad: *Estamos sin calefacción, con el agravante de que tampoco tenemos agua.* ❚ s.f. **2** →**circunstancia agravante.** □ MORF. 1. Como adjetivo es invariable en género. 2. Como sustantivo es de género ambiguo: *el agravante, la agravante.*

agravar v. Aumentar la gravedad o importancia: *Su falta de escrúpulos agrava la falta que cometió. La enfermedad se agravó.* □ ETIMOL. Del latín *aggravare*, y éste de *gravare* (gravar). □ ORTOGR. Dist. de *gravar.*

agravatorio, ria adj. Que agrava.

agraviar v. Cometer un agravio: *Me agravió llamándome 'ladrón'.* □ ETIMOL. Del latín **aggraviare* (agravar, agraviar). □ ORTOGR. La *i* nunca lleva tilde.

agravio s.m. **1** Ofensa o insulto muy graves contra la honra o dignidad de alguien. **2** Perjuicio que se hace a alguien en sus derechos o en sus intereses: *El abogado consideró que la sentencia era un agravio para su cliente.*

agraz ❚ adj. **1** Molesto o desagradable. ❚ s.m. **2** Uva que aún no está madura y zumo que se obtiene de ella. **3** ‖**en agraz;** en preparación o antes de tiempo. □ ETIMOL. Del antiguo *agro* (agrio), y éste del latín *acris*, por *acer* (agudo, penetrante).

agredir v. Cometer una agresión: *Me agredieron por la espalda.* □ ETIMOL. Del latín *aggredi* (dirigirse a alguien, atacarlo). □ MORF. Verbo defectivo: sólo se usan las formas que presentan *i* en su desinencia →ABOLIR.

agregación s.f. Unión o adición de algo a un todo.

agregado, da s. **1** Funcionario diplomático en-

cargado de asuntos de su especialidad: *agregado cultural.* **2** ‖**(profesor) agregado**; el de instituto que está destinado a una cátedra o a un departamento, y que posee una categoría inmediatamente inferior a la de catedrático.

agregaduría s.f. **1** Cargo de agregado. **2** Oficina de un agregado diplomático.

agregar v. **1** Unir o añadir a un todo: *Agrega un poco de leche a la masa.* **2** Añadir a lo que ya estaba hecho o dicho: *–Y de postre, una naranja–, agregó.* □ ETIMOL. Del latín *aggregare* (juntar, asociar). □ ORTOGR. La *g* se cambia en *gu* delante de *e* →PAGAR. □ SINT. Constr. *agregar(se)* A *algo.*

agremiar v. Reunir en un gremio: *En la Edad Media los artesanos se agremiaban según sus profesiones.* □ ORTOGR. La *i* nunca lleva tilde.

agresión s.f. **1** Ataque violento, esp. para matar o para herir a alguien. **2** Acción que se opone a los derechos de otra persona: *Considero una agresión contra mi salud que la gente fume en el autobús.* **3** Ataque militar, generalmente repentino e inesperado, que viola los derechos del país atacado. □ ETIMOL. Del latín *aggressio.*

agresividad s.f. **1** Tendencia a acometer o a atacar: *Ese perro tiene mucha agresividad.* **2** Decisión para emprender una tarea y hacer frente a sus dificultades: *La agresividad es una característica muy valorada en los ejecutivos.* □ SEM. Es sinónimo de *acometividad.*

agresivo, va adj. **1** Que actúa o tiende a actuar con agresividad. [**2** Que actúa con decisión y dinamismo: *un ejecutivo 'agresivo'.* [**3** Que daña o que perjudica: *compuestos 'agresivos' para el medio ambiente.*

agresor, -a adj./s. Que comete una agresión o que provoca una riña o una pelea.

agreste adj. Referido a un terreno, que no está cultivado o que está lleno de maleza. □ ETIMOL. Del latín *agrestis* (del campo). □ MORF. Invariable en género.

agri- Elemento compositivo que significa 'campo': *agrimensura, agrimensor, agricultura.* □ ETIMOL. Del latín *agri* (del campo).

agriar v. Poner agrio: *Las penas te están agriando el carácter. La leche se ha agriado.* □ ORTOGR. La *i* puede llevar tilde en los presentes, excepto en las personas *nosotros* y *vosotros* →GUIAR, o no llevarla nunca.

agrícola adj. De la agricultura o relacionado con esta actividad. □ ETIMOL. Del latín *agricola.* □ SEM. Dist. de *agrario* (del campo o relacionado con él).

agricultor, -a s. Persona que se dedica al cultivo de la tierra.

agricultura s.f. **1** Actividad económica consistente en cultivar la tierra con el fin de obtener productos para el consumo animal o humano. **2** Arte o técnica que se utilizan en dicho cultivo. □ ETIMOL. Del latín *agricultura.*

agridulce adj. Que tiene mezcla de sabor agrio y dulce. □ MORF. Invariable en género.

agrietamiento s.m. Aparición o formación de grietas.

agrietar v. Abrir grietas o hendiduras: *La lluvia agrietó la pintura. El cuero de buena calidad no suele agrietarse.*

agrimensor, ra s. Persona especializada en la medición de las tierras.

agrimensura s.f. Arte y técnica de medir las tierras. □ ETIMOL. Del latín *agrimensura*, y éste de *ager* (campo) y *metiri* (medir).

agringado, da adj. En zonas del español meridional, con las costumbres o el aspecto propios de un gringo.

agringarse v.prnl. En zonas del español meridional, adoptar las costumbres o el aspecto propios de un gringo. □ ORTOGR. La segunda *g* se cambia en *gu* delante de *e* →PAGAR.

agrio, gria ▌ adj. **1** Que produce una sensación de acidez en el olfato o en el gusto. **2** Que se ha agriado. **3** Que resulta áspero o desagradable: *una respuesta agria.* ▌ s.m.pl. **4** Conjunto de frutas de sabor agridulce, esp. naranjas y limones. □ ETIMOL. Del antiguo *agro* (de sabor ácido), por influencia de *agriar*.

[agriparse v.prnl. En zonas del español meridional, comenzar a tener la gripe.

agrisado, da adj. De color gris o con tonalidades grises.

agrisar v. Dar o tomar un color gris.

agro s.m. *poét.* Campo de labranza.

agro- Elemento compositivo que significa 'campo': *agrología, agroquímica.*

[agroalimentación s.f. Producción o comercialización de productos agroalimentarios. □ ETIMOL. De *agro-* (campo) y *alimentación.*

[agroalimentario, ria adj. De los alimentos agrícolas que no sufren transformaciones industriales.

[agroambiental adj. Que afecta a la agricultura y al medio ambiente al mismo tiempo. □ ETIMOL. De *agro-* (campo) y *ambiental.* □ MORF. Invariable en género.

[agrogenética s.f. Parte de la genética que estudia las plantas que tienen un interés agrícola. □ ETIMOL. De *agro-* (campo) y *genética.*

[agroindustrial adj. De la industria derivada de las actividades agrarias, o relacionado con ella. □ ETIMOL. De *agro-* (campo) e *industrial.* □ MORF. Invariable en género.

agrología s.f. Parte de la agronomía que estudia las relaciones entre el suelo y la vegetación. □ ETIMOL. Del latín *ager* (campo) y *-logía* (estudio).

agronomía s.f. Conjunto de conocimientos referentes al cultivo de la tierra.

agronómico, ca adj. De la agronomía o relacionado con este conjunto de conocimientos.

agrónomo, ma adj./s. Referido a una persona, que practica la agronomía. □ ETIMOL. Del griego *agrónomos*, y éste de *ágros* (campo), y *némo* (yo divido).

agropecuario, ria adj. De la agricultura y la ganadería, o relacionado con ellas. □ ETIMOL. De *agro-* (campo) y *pecuario* (relacionado con el ganado).

[agropop s.m. Música pop española que está relacionada con el mundo rural. □ ETIMOL. De *agro-* (campo) y *pop.*

[agroturismo s.m. Turismo que se realiza en zonas rurales.

agrumar v. Hacer que se formen grumos: *Si se agruma la salsa, pásala por la batidora.*

agrupación s.f. **1** Reunión de elementos que generalmente tienen una característica común. **2** Conjunto de personas o de organismos que se agrupan o asocian para un fin común.

agrupamiento s.m. Reunión de elementos formando grupos.

agrupar v. **1** Reunir o juntar formando grupos: *Los niños se agruparon en torno al profesor.* **2** Constituir una agrupación o una asociación: *Esa asociación agrupa a los artesanos.*

agua ▌ s.f. **1** Sustancia líquida, insípida, inodora, incolora cuando se encuentra en pequeñas cantidades y azulada o verdosa si se halla en abundancia, que forma parte de los organismos vivos y que es el componente más abundante en la superficie terrestre: *La fórmula del agua es $H_2 O$. Si tienes sed, bebe agua. Esta agua no es potable.* **2** Líquido que resulta de la disolución de sustancias obtenidas de plantas, flores o frutos, y que se suele usar en medicina o en perfumería: *El agua de lavanda es la colonia que más me gusta. El agua de azahar es una bebida que se usa como calmante.* **3** Vertiente de un tejado: *tejado de dos aguas.* ▌ pl. **4** Ondulaciones o brillos, esp. en una tela, en una piedra preciosa o en una madera. **5** Manantial mineromedicinal: *Las aguas de esta región alivian el reumatismo.* **6** Zona marina más o menos cercana a una costa: *El pesquero fue detenido en aguas jurisdiccionales francesas.* **7** ‖ **[agua corriente**; la potable que sale de los grifos de las casas. ‖ **agua de borrajas**; *col.* Lo que se considera de poca o de ninguna importancia, o ha quedado reducido a nada: *Las promesas electorales han quedado en agua de borrajas.* ‖ **(agua de) Colonia**; perfume compuesto de agua, alcohol y sustancias aromáticas; colonia. ‖ **(agua de) Seltz**; la potable con gas, natural o preparada artificialmente; seltz: *Siempre tomo el vermú con agua de Seltz.* ‖ **agua {dura/gorda}**; en química, la que tiene en disolución gran cantidad de sales. ‖ **agua fuerte**; **1** Ácido nítrico poco diluido: *El agua fuerte es muy corrosiva.* **2** Técnica de grabado basada en la acción de este ácido nítrico sobre las partes de una plancha metálica que no han sido tratadas previamente con un barniz. ‖ **agua mineral**; la de manantial que lleva en disolución sustancias minerales. ‖ **agua nieve**; →**aguanieve.** ‖ **agua oxigenada**; compuesto químico líquido, incoloro, soluble en agua y en alcohol, que tiene propiedades desinfectantes. ‖ **agua pesada**; la que está compuesta por deuterio en lugar de hidrógeno simple. ‖ **(agua) tónica**; bebida gaseosa de sabor amargo, y que contiene quinina. ‖ **agua va**; expresión que se usaba para avisar a los que pasaban por la calle de que se iban a arrojar excrementos o desechos. ‖ **[aguas continentales**; masas líquidas de agua dulce procedentes de la lluvia, que forman los ríos y los lagos. ‖ **aguas mayores**; *euf.* Excremento humano. ‖ **aguas menores**; *euf.* Orina humana. ‖ **al agua patos**; *col.* **[**Expresión que indica la intención de meterse en el agua. ‖ **bailarle el agua** a alguien; *col.* Adularlo para resultarle agradable: *No me bailes el agua porque no pienso recomendarte.* ‖ **como agua de mayo**; *col.* Muy deseado o muy bien recibido: *Este dinero a fin de mes me viene como agua de mayo.* ‖ **con el agua al cuello**; *col.* En una situación apurada o en peligro. ‖ **cubrir aguas**; en arquitectura, acabar de cubrir un edificio para preservarlo de la lluvia. ‖ **entre dos aguas**; sentirse indeciso o tener dudas ante una decisión. ‖ **hacer agua**; **1** Referido a una embarcación, tener grietas o roturas por las que ésta empieza a penetrar. **[2** Referido a un asunto, empezar a ir mal. ‖ **[más claro que el agua**; muy manifiesto o patente. ‖ **romper**

aguas; romperse la bolsa que envuelve el feto y derramarse el líquido que contiene, antes del parto. ‖ **ser agua pasada**; haber perdido su importancia: *Aquella jugarreta ya es agua pasada, y no te guardo ningún rencor.* ‖ **tomar las aguas**; estar en un balneario para hacer una cura con estas aguas. ▢ ETIMOL. 1. Del latín *aqua*. 2. La expresión *agua de Colonia* por alusión a la ciudad alemana de Colonia de la que es típica. ▢ MORF. Por ser un sustantivo femenino que empieza por *a* tónica o acentuada, va precedido de *el*, *un*, *algún*, *ningún* y de las formas femeninas del resto de los determinantes. ▢ SEM. El uso de la expresión *hacer aguas* (orinar) con el significado de 'hacer agua' es incorrecto.

aguacate s.m. **1** Árbol americano con grandes hojas elípticas, alternas y siempre verdes, flores pequeñas en espiga y fruto comestible. **2** Fruto de este árbol, que tiene la corteza verde y una sola semilla de gran tamaño.

aguacero s.m. Lluvia repentina, abundante y de poca duración.

aguachinar v. *Referido a un alimento*, estropearlo por exceso de agua: *Has añadido tanta agua al caldo que has aguachinado la sopa.*

aguachirle s.f. Bebida o alimento líquido sin fuerza ni sustancia, esp. por estar muy aguado. ▢ PRON. Incorr. *[aguachírli], *[aguachírri]. ▢ MORF. Por ser un sustantivo compuesto femenino cuyo primer componente empieza por *a* tónica o acentuada, está muy extendido el uso de los determinantes *el*, *un*, *algún* y *ningún*.

aguada s.f. **1** Técnica pictórica que se caracteriza por el empleo de colores que se diluyen en agua sola o en agua mezclada con goma arábiga, miel u otras sustancias, y que son más espesos y más opacos que los de la acuarela; guache. **2** Diseño o pintura realizados con esta técnica. **3** Lugar para proveerse de agua potable. **4** Provisión de agua potable que lleva una embarcación.

aguaderas s.f.pl. Armazón que se coloca sobre las caballerías para transportar cántaros o barriles.

aguadero s.m. Lugar al que acostumbran a ir algunos animales del campo para beber.

[aguadilla s.f. col. →**ahogadilla.**

aguador, -a s. Persona que se dedica a transportar o vender agua.

aguaducho s.m. Puesto en el que se vende agua y otras bebidas. ▢ ETIMOL. Del latín *aquaeductus* (conducto de agua).

aguafiestas s. Persona que estropea o interrumpe una diversión. ▢ MORF. 1. Es de género común: *el aguafiestas, la aguafiestas.* 2. Invariable en número.

aguafuerte s. **1** Lámina obtenida mediante la técnica del agua fuerte, que consiste en la acción del ácido nítrico sobre las partes de una plancha metálica que no han sido tratadas previamente con un barniz. **2** Estampa hecha con esta lámina. ▢ MORF. 1. Es de género ambiguo: *el aguafuerte, la aguafuerte.* 2. Se usa más como masculino. 3. Su plural es *aguafuertes.*

aguaitar v. *En zonas del español meridional*, acechar o mirar.

aguamanil s.m. **1** Jarro con pico que contiene agua para lavar las manos; aguamanos. **2** Palangana o recipiente que se usa para lavarse las manos. **3** Soporte en el que se colocan la palangana y

otros utensilios para el aseo personal; palanganero. ▢ ETIMOL. Del latín *aquaemanile.*

aguamanos s.m. Jarro con pico que contiene agua para lavar las manos; aguamanil. ▢ ETIMOL. De la expresión *dar o pedir agua a las manos.* ▢ MORF. Invariable en número.

aguamarina s.f. Mineral muy duro, transparente, de color parecido al del agua del mar, y muy apreciado en joyería. ▢ ORTOGR. Dist. de *agua marina.* ▢ MORF. Por ser un sustantivo compuesto femenino cuyo primer componente empieza por *a* tónica o acentuada, está muy extendido el uso de los determinantes *el*, *un*, *algún* y *ningún.*

aguamiel s.f. Bebida hecha con agua y miel; hidromel, hidromiel. ▢ MORF. Por ser un sustantivo compuesto femenino cuyo primer componente empieza por *a* tónica o acentuada, va precedido de las formas masculinas *el*, *un*, *algún*, *ningún* y por las formas femeninas del resto de los determinantes.

aguanieve s.f. Agua de lluvia mezclada con nieve. ▢ ORTOGR. Se admite también *agua nieve.* ▢ MORF. 1. Por ser un sustantivo compuesto femenino cuyo primer componente empieza por *a* tónica o acentuada, está muy extendido el uso de los determinantes *el*, *un*, *algún* y *ningún.* 2. Su plural es *aguanieves.*

aguanoso, sa adj. Lleno de agua o demasiado húmedo: *tierras aguanosas.*

aguantaderas s.f.pl. col. Paciencia, tolerancia o capacidad para resistir algo; aguante.

aguantar ▌ v. **1** Sostener o sujetar sin dejar caer: *Estas vigas aguantan el peso del edificio. ¿Me aguantas el bolso un momento?* **2** *Referido a algo molesto o desagradable*, soportarlo o tolerarlo: *¿No sabes aguantar una broma?* **3** *Referido esp. a un deseo o impulso*, reprimirlos, contenerlos o no dejar que se manifiesten: *Aguantó las lágrimas para que nadie lo viera llorar. Aguanta un poco, que ya nos vamos. Se aguantó las ganas de marcharse.* **4** *Referido esp. a algo en movimiento*, contenerlo, frenarlo o resistirlo: *El jugador no pudo aguantar al contrario, que consiguió meter el gol.* ▌ prnl. **[5** Conformarse con algo y aceptarlo aunque no responda a nuestros deseos: *Si no te gusta, 'te aguantas'.* ▢ ETIMOL. Del italiano *agguantare* (coger, detener, resistir).

aguante s.m. **1** Fuerza o vigor para resistir o sostener algo: *Esa estantería no tiene aguante para tanto peso.* **2** Paciencia, tolerancia o capacidad para resistir algo; aguantaderas: *No tengo ningún aguante y pierdo la paciencia enseguida.*

aguar ▌ v. **1** *Referido a una bebida o a un alimento líquido*, mezclarlo con agua, esp. si se hace de manera indebida: *El tabernero aguaba el vino.* **2** *Referido esp. a una situación alegre o divertida*, interrumpirla o echarla a perder: *Si no quieres aguarme la fiesta, prométeme que vendrás. La cena se aguó cuando empezaron a discutir.* ▌ prnl. **3** Llenarse de agua: *Al saber la noticia no pude evitar que se me aguaran los ojos.* ▢ ORTOGR. 1. La *u* lleva diéresis cuando la sigue *e.* 2. La *u* permanece siempre átona →AVERIGUAR.

aguardar v. **1** *Referido a algo*, esperar su llegada o su realización: *Te aguardo en el portal. Aguarda a que te avisen.* **2** *Referido a un período de tiempo*, dejarlo pasar antes de realizar algo: *Aguardó unos minutos antes de empezar a hablar.* **3** *Referido a un suceso*, tener que ocurrirle a alguien en un futuro: *Yo* *sé que te aguarda la felicidad que te mereces.* ☐ ETI-MOL. De *guardar* (esperar).

aguardentero, ra ▮ adj. [**1** Del aguardiente o relacionado con su producción. ▮ s. **2** Persona que se dedica a producir o vender aguardiente. ☐ MORF. Incorr. *aguardientero.

aguardentoso, sa adj. Referido a la voz, áspera, ronca y desagradable.

aguardiente s.m. Bebida alcohólica que se obtiene por destilación del vino, frutas y otras sustancias. ☐ ETIMOL. De *agua* y *ardiente*.

aguarrás s.m. Jugo obtenido de algunos árboles, que se evapora con facilidad y que se utiliza principalmente como disolvente. ☐ ETIMOL. Del latín *aqua* (agua) y *rasis* (la pez). ☐ MORF. Su plural es *aguarrases*.

aguas interj. col. En zonas del español meridional, expresión que se usa como aviso o como señal de advertencia.

aguatero, ra s. En zonas del español meridional, aguador.

aguatinta s.f. **1** Variedad de la técnica del grabado al agua fuerte que consiste en granular la plancha de metal con una capa de resina para conseguir impresiones entintadas en lugar de líneas. **2** Estampa hecha con esta técnica. ☐ ETIMOL. Del italiano *acqua tinta* (agua teñida). ☐ MORF. Por ser un sustantivo compuesto femenino cuyo primer componente empieza por *a* tónica o acentuada, está muy extendido el uso de los determinantes *el*, *un*, *algún* y *ningún*.

aguazal s.m. Lugar bajo en el que se detiene el agua de lluvia.

agudeza s.f. **1** Delgadez en la punta o en el filo: *Estos cuchillos cortan muy bien por su agudeza.* **2** Rapidez y viveza de la inteligencia: *Respondió con gran agudeza.* **3** Intensidad de un mal o de un dolor. **4** Perspicacia y rapidez del sentido de la vista, del oído o del olfato para percibir las sensaciones con detalle o con perfección. **5** Dicho inteligente o ingenioso.

agudización s.f. **1** Transformación en agudo: *agudización de un dolor.* **2** Aumento de la gravedad de algo, esp. de una enfermedad.

agudizar ▮ v. **1** Hacer agudo: *La necesidad agudiza la inteligencia.* ▮ prnl. **2** Referido esp. a una enfermedad, empeorar o aumentar su gravedad: *El asma se me agudiza en primavera.* ☐ ORTOGR. La *z* se cambia en *c* delante de *e* →CAZAR.

agudo, da ▮ adj. **1** Que termina en punta o que tiene el borde muy afilado. **2** Ingenioso, rápido y vivo en la inteligencia. **3** Gracioso u oportuno. **4** Referido a una sensación, esp. de dolor, que es muy intensa y penetrante. **5** Referido al sentido de la vista, del oído o del olfato, que es perspicaz y rápido en percibir las sensaciones con detalle o perfección. **6** Referido a una enfermedad, que es grave y de corta duración. **7** Referido a una palabra, que lleva el acento en la última sílaba: '*Mamá*' y '*presumir*' son palabras agudas. **8** Referido a un verso, que termina en palabra acentuada en la última sílaba. ▮ adj./s. **9** Referido a un sonido, a una voz, o a un tono musical, que tiene una frecuencia de vibraciones grande. ☐ ETIMOL. Del latín *acutus*, y éste de *acuere* (aguzar). ☐ ORTOGR. Para la acepción 7 →APÉNDICE DE ACENTUACIÓN. ☐ SEM. En las acepciones 7 y 8, es sinónimo de *oxítono*.

agüelo, la s. vulg. →**abuelo**.

agüero s.m. **1** Procedimiento de adivinación basado principalmente en la interpretación supersticiosa de determinadas señales, como el canto o el vuelo de las aves; auspicio. **2** Presagio o señal de algo futuro. ☐ ETIMOL. Del latín *augurium*.

aguerrido, da adj. [Valiente o esforzado.

aguerrir v. Referido a los soldados sin preparación militar, acostumbrarlos a los peligros de la guerra: *Los combates aguerrirán a los nuevos soldados.* ☐ ETIMOL. Quizá del francés *aguerrir*. ☐ MORF. 1. Verbo defectivo: sólo se usan las formas que presentan *i* en su desinencia →ABOLIR. 2. Se usa más en infinitivo y como participio.

aguijada s.f. Vara larga con una punta de hierro en uno de los extremos que se usa para picar a los bueyes y a otros animales. ☐ ETIMOL. Del latín *aculeata*, y éste de *aculeus* (punta, aguijón).

aguijar v. **1** Referido a un buey o a otro animal, picarlos para que anden más deprisa, esp. si se hace con la aguijada; aguijonear: *Aguijé a los bueyes para que aceleraran el paso.* **2** Referido a un buey o a otro animal, avivarlos o estimularlos, esp. si se hace con la voz: *Mi abuelo me enseñó a aguijar a las mulas con la voz.* **3** Animar o incitar a hacer algo; aguzar, estimular: *Mis padres me aguijaban con premios.* **4** Acelerar el paso: *Aguija, que aún nos queda mucho para llegar.* ☐ ORTOGR. Conserva la *j* en toda la conjugación.

aguijón s.m. **1** En un escorpión y en algunos insectos, órgano que aparece en el extremo de su abdomen en forma de púa y generalmente con veneno. **2** Lo que estimula o incita a hacer algo; estímulo. ☐ ETIMOL. Del latín *aquileo*.

aguijonazo s.m. **1** Punzada o herida producidas por un aguijón. **2** Burla o reproche hiriente.

aguijonear v. **1** Picar con el aguijón: *Las abejas mueren después de aguijonear a su víctima.* **2** Incitar, estimular o causar inquietud o tormento: *Los aguijonea un deseo desmedido de riquezas.* **3** Referido a un buey o a otro animal, picarlos para que anden más deprisa, esp. si se hace con la aguijada; aguijar: *La mujer aguijoneaba a la mula para que tirara del carro.*

águila s.f. **1** Ave rapaz diurna que tiene el pico fuerte y curvado en la punta, vista muy aguda, fuertes músculos, vuelo muy rápido y garras muy desarrolladas. 🐦 rapaz **2** Persona de mucha viveza, capacidad y rapidez de ingenio o de inteligencia: *Es un águila para los negocios.* **3** ‖**águila imperial**; la de color casi negro y con la cola de forma cuadrada. ‖**águila real**; la que tiene un tamaño menor, la cola de forma cuadrada y es de color leonado. ☐ ETIMOL. Del latín *aquila*. ☐ MORF. 1. Por ser un sustantivo femenino que empieza por *a* tónica o acentuada, va precedido de *el*, *un*, *algún*, *ningún* y de las formas femeninas del resto de los determinantes. 2. En la acepción 1, es un sustantivo epiceno: *el águila macho, el águila hembra.*

aguileño, ña adj. **1** Del águila o con alguna de las características que se consideran propias de este animal: *nariz aguileña.* **2** Referido al rostro, que es largo y delgado. ☐ ETIMOL. De *águila*, por la forma de su pico.

[aguilera s.f. Peña alta en la que hacen su nido las águilas.

[aguilillo, lla adj./s. En zonas del español meridional, referido a un caballo, que es muy veloz.

aguilucho s.m. **1** Cría del águila. **2** Ave rapaz diurna de tamaño menor que el águila, que tiene fuertes garras, cabeza robusta, pico fuerte con forma de gancho, cola y alas alargadas. ⚒ rapaz ☐ MORF. Es un sustantivo epiceno: *el aguilucho macho, el aguilucho hembra.*

aguinaldo s.m. Regalo que se da en Navidad (período de tiempo en el que se celebra el nacimiento de Cristo). ☐ ETIMOL. Quizá del latín *hoc in anno* (en este año), refrán de las canciones populares de Año Nuevo.

agüita s.f. En zonas del español meridional, infusión de hierbas.

aguja s.f. **1** Barrita, generalmente metálica, con un extremo terminado en punta y con un ojo o agujero en el otro por el que se pasa el hilo, que se usa para coser. ⚒ costura **2** Tubo metálico de pequeño diámetro, que tiene un extremo cortado en diagonal y el otro provisto de un casquillo para adaptarlo a una jeringuilla, y que sirve para inyectar sustancias en el organismo. **3** Varilla delgada, generalmente larga y con un extremo puntiagudo, que sirve para distintos usos: *La sombra de la aguja del reloj de sol indica la hora.* **4** En un reloj o en otro instrumento de precisión, varilla delgada y alargada que marca una medida; manecilla: *A las seis, las agujas del reloj forman una línea vertical.* **5** En un tocadiscos, especie de púa o punzón que recorre los surcos de los discos musicales y reproduce las vibraciones inscritas en ellos. **6** En las vías del tren, cada uno de los dos raíles móviles que sirven para que los trenes y tranvías vayan por una de las vías que concurren en un punto. **7** En una torre o en el techo de una iglesia,

aguja
de coser

aguja
hipodérmica

agujas
del reloj
o manecillas

aguja
de media

ganchillo
o aguja
de gancho

aguja del
tocadiscos

aguja
de pino

aguja
arquitectónica

aguja de bitácora,
aguja de marear
o aguja magnética

aguja de las vías
del tren

agujas
de una res

AGUJA

aguja
de hojaldre

remate estrecho y alto con figura piramidal. **8** Hoja de algunas plantas coníferas, esp. de los pinos, con forma larga y delgada. **9** Pastel largo y estrecho relleno de carne, pescado o dulce. **10** Costillas que corresponden al cuarto delantero del animal: *agujas de ternera.* ⚒ carne **[11** Gas carbónico que retiene un vino y que produce burbujas al ser descorchado. **12** ‖ **aguja (de {bitácora/marear})** o **aguja magnética**; en náutica, brújula. ‖ **aguja de gancho**; la que mide unos veinte centímetros de largo, con uno de sus extremos más delgado y terminado en gancho, y que se usa para hacer labores de punto; ganchillo. ‖ **aguja (de media)**; la que mide más de veinte centímetros de largo y sirve para hacer medias y otras labores de punto. ‖ **{buscar/encontrar} una aguja en un pajar**; hacer algo muy difícil o imposible. ☐ ETIMOL. Del latín **acucula* (agujita). ☐ MORF. La acepción 10 en singular tiene el mismo significado que en plural. ⚒ aguja

agujerear v. Hacer uno o más agujeros: *Agujereo los folios para archivarlos.*

agujero s.m. **1** Abertura más o menos redondeada sobre una superficie. **2** Deuda o pérdida injustificada de dinero, esp. en una empresa o entidad. **3** *col.* Vivienda o lugar que proporciona abrigo y protección. **4** ‖ **agujero negro**; cuerpo celeste invisible de gran masa que, según la teoría de la relatividad, absorbe por completo cualquier materia o energía situada en su campo gravitatorio. ☐ ETIMOL. De *aguja*, porque primero significó *perforación de oreja*, y más tarde *perforación pequeña.*

agujeta ∎ s.f. **1** En zonas del español meridional, cordón. ∎ pl. **2** Dolores musculares que se sienten después de realizar un ejercicio físico no habitual.

agur interj. *col.* Expresión que se usa como señal de despedida; adiós. ☐ ETIMOL. Del vasco *agur*, y éste del latín *augurium* (agüero). ☐ ORTOGR. Se admite también *abur.*

agusanamiento s.m. Aparición de gusanos.

agusanarse v.prnl. Criar gusanos: *La fruta se ha agusanado.*

agustinianismo s.m. Doctrina teológica de san Agustín (filósofo y teólogo cristiano de la segunda mitad del siglo IV y principios del V). ☐ USO Aunque la RAE sólo registra *agustinianismo*, en círculos especializados se usa más *agustinismo.*

agustiniano, na adj. De san Agustín (filósofo y teólogo cristiano de la segunda mitad del siglo IV y principios del V), de su doctrina o de su obra.

[agustinismo s.m. →**agustinianismo.**

agustino, na adj./s. Referido a un religioso, que pertenece a la orden inspirada en la doctrina de san Agustín (obispo, doctor y padre de la iglesia latina de mediados del siglo IV y principios del V).

agutí s.m. Mamífero roedor que mide unos cincuenta centímetros, y que tiene las patas largas, la cola corta, las orejas pequeñas y el pelaje largo. ☐ MORF. 1. Es un sustantivo epiceno: *el agutí macho, el agutí hembra.* 2. Aunque su plural en la lengua culta es *agutíes*, se usa mucho *agutís.*

aguzanieves s.f. Pájaro de color grisáceo, con el vientre blanco y con el cuello, el pecho, las alas y la cola negros, que vive en lugares húmedos y que se alimenta de insectos; andarríos. ☐ ETIMOL. De *auze de nieves* (pájaro de nieves), porque anda por la nieve. ☐ MORF. 1. Es un sustantivo epiceno: *la* *aguzanieves macho, la aguzanieves hembra.* **2.** Invariable en número.

aguzar v. **1** Referido al entendimiento o a un sentido, quitarle la torpeza o forzarlo para que preste más atención o perciba las sensaciones con más detalle o perfección: *Agucé la vista, pero estaba muy oscuro y no vi nada.* **2** Animar o incitar a hacer algo; estimular, aguijar: *Aguzó mis ganas de verla cuando me dijo que me había traído un regalo.* ☐ ETIMOL. Del latín **acutiare,* y éste de *acutus* (agudo). ☐ ORTOGR. La *z* se cambia en *c* delante de *e* →CAZAR.

ah interj. Expresión que se usa para mostrar algún sentimiento, esp. pena, admiración o sorpresa. ☐ ORTOGR. Dist. de *ha* (del verbo *haber*) y de *a* (preposición).

ahechar v. Referido al trigo o a otra semilla, cribarlos o limpiarlos de impurezas por medio de una criba: *Ahecharon el trigo para separar el grano de la paja.* ☐ ETIMOL. Del latín *affectare* (arreglar).

aherrojar v. **1** Sujetar o aprisionar con hierros: *Los piratas aherrojaron con cadenas a sus prisioneros.* **2** Oprimir o dominar: *El miedo aherrojó al acusado mientras esperaba la sentencia del juez.* ☐ ORTOGR. 1. Dist. de *arrojar.* 2. Conserva la *j* en toda la conjugación.

aherrumbrarse v. Cubrirse de herrumbre o de orín: *Tengo que pintar la verja antes de que se aherrumbre.*

ahí adv. **1** En esta posición o lugar, o a esa posición o lugar: *Si nos ponemos ahí, veremos mejor. Vamos por ahí. Ahí no estoy de acuerdo contigo.* **2** ‖[**ahí mismo**; muy cerca: *Vivo 'ahí mismo'.* ‖**de ahí**; por eso: *Apenas come; de ahí que esté tan delgado.* ‖[**o por ahí**; poco más o menos o aproximadamente: *Me costó cinco mil pesetas 'o por ahí'.* ‖**por ahí**; por un lugar no lejano o indeterminado: *Se habrá entretenido por ahí con algún amigo.* ☐ ETIMOL. De *a* (preposición) y el antiguo *hi* (en tal lugar, ahí). ☐ ORTOGR. Dist. de *hay* (del verbo *haber*) y de *ay.* ☐ SINT. Incorr. *Mira {*a ahí > ahí}.* ☐ USO Su uso para designar personas se considera un vulgarismo: *{*Ahí > Ese señor}* le informará sobre eso.

ahijado, da s. Respecto de un padrino, persona que es representada o asistida por él en determinados actos: *Durante el bautizo la madrina sostenía a su ahijado.* ☐ ETIMOL. Del latín *affiliatus.*

ahijar v. **1** Referido a una persona, adoptarla o hacerse cargo legalmente de ella como si fuera hijo propio, sin que sea hijo biológico: *Han ahijado a dos niños abandonados.* **2** Referido a una planta, echar brotes nuevos: *Poda el arbusto para que en primavera ahije con fuerza.* ☐ ORTOGR. 1. Conserva la *j* en toda la conjugación. 2. La *i* lleva tilde en los presentes, excepto en las personas *nosotros* y *vosotros* →GUIAR.

ahilarse v.prnl. **1** Referido a una planta, crecer muy débil y alargada por falta de luz: *Este patio es tan oscuro que todas las plantas se me están ahilando.* **2** Referido a una persona, debilitarse o enflaquecer: *Se niega a comer y se está ahilando por momentos.* ☐ ORTOGR. La *i* lleva tilde en los presentes, excepto en las personas *nosotros* y *vosotros* →GUIAR.

ahínco s.m. Esfuerzo o empeño con que se hace o solicita algo.

ahíto, ta adj. **1** Saciado o lleno, esp. de comida. **2** Harto, cansado o fastidiado: *Ahíto de esperar, se*

marchó. ☐ ETIMOL. Del latín *infictus,* y éste de *infigere* (clavar o hundir en algo).

ahogadero s.m. Cuerda o correa que ciñe el pescuezo de una caballería. 🐎 arreos

ahogadilla s.f. Broma que consiste en zambullir a una persona, manteniendo su cabeza sumergida durante unos instantes; aguadilla.

ahogado, da adj. Referido a la respiración o a un sonido, que se emiten con dificultad: *voz ahogada.*

ahogamiento s.m. Privación de la vida impidiendo respirar a la víctima.

ahogar v. **1** Referido a una persona o a un animal, quitarles la vida impidiéndoles respirar: *Ahogó a la víctima estrangulándola con sus manos. Sufrió un calambre y se ahogó en el mar.* **2** Referido a una planta o a una semilla, dañarlas por el exceso de agua, por juntarlas demasiado o por la acción de alguna planta nociva: *Ahogó los rosales por regarlos demasiado.* **3** Referido al fuego, apagarlo o sofocarlo tapándolo con materias que dificultan su combustión: *Si pones troncos tan gordos vas a ahogar el fuego.* **4** Referido a algunos vehículos o a su motor, inundar el carburador con exceso de combustible: *Has ahogado el coche y ahora no hay quien lo arranque.* **5** Reprimir, extinguir, apagar o evitar el desarrollo normal: *Intentó ahogar sus penas en el alcohol.* **6** Oprimir, acongojar, fatigar o producir una sensación de ahogo: *El cuello de esta camisa me aprieta tanto que me está ahogando. ¡Me ahogo con este calor!* ☐ ETIMOL. Del latín *offocare* (sofocar, ahogar), y éste de *fauces* (garganta). ☐ ORTOGR. La *g* se cambia en *gu* delante de *e* →PAGAR.

ahogo s.m. **1** Dificultad para respirar. **2** Sentimiento de disgusto, pena o congoja.

ahojar v. Referido al ganado, comer las hojas tiernas de los árboles; ramonear: *La falta de pastos ha hecho que el ganado empiece a ahojar para alimentarse.* ☐ ORTOGR. Dist. de *aojar.*

ahondamiento s.m. **1** Aumento de la hondura o profundidad de algo. **2** Investigación o estudio profundos o detallados.

ahondar v. **1** Hacer más hondo o más profundo: *El paso del tiempo ha ahondado nuestras diferencias.* **2** Referido a un asunto, profundizar en él: *Tienes que ahondar en las personas, y no quedarte en su superficie.* ☐ ETIMOL. De *hondo.* ☐ SINT. Constr. de la acepción 2: *ahondar EN algo.*

ahora ▮ adv. **1** En este momento o en el tiempo actual: *No puedo ir ahora. Ahora que lo dices, sí que me acuerdo. En mi pueblo antes nevaba más que ahora.* **2** En un momento anterior pero muy cercano al presente: *Esta mañana no lo sabía, me lo han dicho ahora.* **3** En un momento futuro muy cercano al presente: *Ahora cuando llegue nos lo contará todo.* ▮ conj. **4** Enlace gramatical coordinante con valor adversativo: *Está en casa, ahora, como si no estuviese, porque no nos hablamos.* **5** ‖**ahora bien**; enlace gramatical coordinante con valor adversativo: *Yo te ayudo, ahora bien, no creas que lo haré yo todo.* ‖**ahora mismo**; en este preciso momento: *Ven aquí ahora mismo.* ☐ ETIMOL. Del latín *hac hora* (en esta hora). ☐ SINT. Incorr. *de entonces {*a ahora > ahora}.*

ahorcamiento s.m. Privación de la vida suspendiendo a la víctima de una cuerda que aprieta el cuello e impide respirar.

ahorcar v. **1** Referido a una persona o a un animal,

quitarles la vida haciendo que su cuerpo quede suspendido de una cuerda que les aprieta el cuello y les impide respirar: *Ahorcaron al ladrón de caballos. Un preso se ahorcó en su celda.* **2** Referido a una profesión o a una actividad, abandonarlas o dejarlas: *Ahorcó los estudios y se dedicó a viajar.* ☐ SEM. Es sinónimo de *colgar.*

ahormar v. **1** Ajustar o adaptar a una horma o molde: *He llevado las botas al zapatero para que me las ahorme, porque me aprietan mucho.* **2** Hacer entrar en razón: *Espero que las multas te ahormen y aprendas a respetar las señales de tráfico.* **3** En tauromaquia, referido al toro, hacer que se coloque en la posición adecuada para darle la estocada: *El torero ahormó al toro ayudándose de la muleta.* ☐ ORTOGR. Dist. de *ahornar.*

ahornar v. →**hornear.** ☐ ORTOGR. Dist. de *ahormar.*

ahorquillado, da adj. Con forma de horquilla.

ahorquillar v. **1** Dar forma de horquilla: *Para ahorquillar esta vara, haz que uno de sus extremos termine en dos puntas.* **2** Referido a una planta, afianzar sus ramas con horquillas para que no se rompan: *Hemos ahorquillado el naranjo.*

ahorrador, -a adj./s. Que ahorra.

ahorrar v. **1** Referido a una cantidad de dinero, guardarla para el futuro: *Cada mes ahorra un tercio del sueldo. Si no ahorras no podrás irte de viaje.* **2** Evitar un gasto o un consumo mayores: *Si vamos por el atajo, ahorraremos tiempo.* **3** Referido a algo que resulta desagradable, evitarlo o librarse de ello: *Ahórrame tus comentarios. Si quieres ahorrarte la visita, llama y di que estás enfermo.* ☐ ETIMOL. Del antiguo *horro* (libre de nacimiento, exento), porque antiguamente significó *librar de un trabajo, pena o pago.*

ahorrativo, va adj. **1** Del ahorro, que lo implica o relacionado con él: *carácter ahorrativo.* **2** Que ahorra o que gasta poco.

ahorro s.m. **1** Gasto o consumo menores: *Es necesario un ahorro de energía.* **2** Lo que se ahorra: *Se ha gastado todos sus ahorros.* ☐ MORF. La acepción 2 se usa más en plural.

ahuecado s.m. Esponjamiento de lo que estaba compacto o apretado.

ahuecar ▮ v. **1** Poner hueco o cóncavo: *Ahueca las manos y beberás mejor de la fuente.* **2** Referido a algo que estaba apretado, mullirlo o hacerlo menos compacto: *ahuecar la lana del colchón.* **3** Referido esp. a la voz, darle un tono más grave del habitual: *Cuando este actor ahueca la voz resulta muy poco natural.* **4** col. Marcharse: *Ahueca y no vuelvas por aquí.* ▮ prnl. **5** col. Llenarse de orgullo y soberbia: *Espero que con este premio no te ahueques demasiado.* ☐ ORTOGR. La *c* se cambia en *qu* delante de *e* →SACAR.

ahuesado, da adj. De color blanco amarillento, como el del hueso.

ahuevar v. Dar forma de huevo.

ahumado, da ▮ adj. **1** Referido a un cuerpo transparente, que tiene color oscuro sin haber sido sometido a la acción del humo: *gafas ahumadas.* ▮ s.m. **2** Sometimiento de un alimento a la acción del humo, como método de conservación o para darle sabor. ▮ s.m.pl. **3** Conjunto de alimentos, esp. pescados, conservados por la acción del humo: *Comimos canapés de ahumados.*

ahumar v. **1** Llenar de humo: *La chimenea no tira bien y ahúma toda la sala.* **2** Referido a un alimento, someterlo a la acción del humo para su conservación o para darle ese sabor: *La industria de ahumar pescados es una fuente de riqueza de ese país.* **3** Ennegrecer por el humo: *El fuego ahumó las paredes. La casa se ahumó en el incendio.* ☐ ETIMOL. Del latín **affumare.* ☐ ORTOGR. La *u* lleva tilde en los presentes, excepto en las personas *nosotros* y *vosotros* →ACTUAR.

ahuyentar v. **1** Referido a una persona o a un animal, hacerlos huir o no dejar que se acerquen: *Con sus gritos ahuyentó a los ladrones.* **2** Referido a algo que aflige o entristece, desecharlo o apartarlo: *Ahuyentó su tristeza y se dispuso a pasar un buen rato.* ☐ ETIMOL. De *huir.*

[aikido (del japonés) s.m. Arte marcial de origen japonés, que se utiliza para la defensa personal y que consiste en utilizar la energía del propio atacante para vencerlo.

aimara ▮ adj./s. **1** De un pueblo indio que habita en la región del Titicaca (lago suramericano) o relacionado con él. ▮ s.m. **2** Lengua indígena de este pueblo. ☐ PRON. Está muy extendida la pronunciación [aimará]. ☐ MORF. En la acepción 1, como adjetivo es invariable en género y como sustantivo es de género común: *el aimara, la aimara.*

aindiado, da adj. Con las facciones o rasgos que se consideran propios de los indios.

[air mail ‖ →**correo aéreo.** ☐ PRON. [érmeil]. ☐ USO Es un anglicismo innecesario.

airado, da adj. Muy enfadado o con ira.

airar v. Irritar o producir ira: *Aquel decreto airó a la población. Se airó con nosotros y empezó a gritarnos.* ☐ ETIMOL. De *ira.* ☐ ORTOGR. La *i* lleva tilde, excepto en las personas *nosotros* y *vosotros* →GUIAR.

[airbag s.m. En un automóvil, dispositivo de seguridad que consiste en una bolsa que se infla de aire en caso de colisión violenta. ☐ ETIMOL. Del inglés *air bag.* ☐ PRON. [érbag].

[airbus s.m. →**aerobús.** ☐ USO Es un anglicismo innecesario.

aire ▮ s.m. **1** Mezcla de gases que forma la atmósfera terrestre: *El aire está formado fundamentalmente por oxígeno y nitrógeno. Sin aire no es posible la vida en la Tierra.* **2** Viento, o esta mezcla de gases en movimiento: *El aire polar es muy frío y el aire tropical es caliente.* **3** Atmósfera terrestre: *Los aviones vuelan por el aire.* **4** Parecido o semejanza con alguien: *Todos sus hermanos tienen un aire a la madre.* **5** Conjunto de características o estilo particulares de algo: *Esta casa tiene un aire misterioso.* **6** Vanidad, soberbia o pretensión que se manifiestan frente a los demás: *No soporto el aire que te das últimamente.* **[7** Ambiente o circunstancias que rodean un acontecimiento: *Esas ideas están en el 'aire'. El descontento se respira en el 'aire'.* **8** Garbo, brío o gracia en la forma de hacer algo: *Se nota que es modelo profesional por el aire que tiene al caminar.* **9** En música, grado de rapidez o de lentitud con que se ejecutan una composición o un pasaje: *El pianista tocaba aquella pieza con un aire tan lento que parecía un adagio en lugar de un alegro.* **10** col. Ataque de parálisis: *Le ha dado un aire y no puede moverse.* **11** Música que acompaña a una composición destinada a ser cantada y compuesta generalmente en verso; canción. ▮ pl. **12** Lo que viene de fuera y suele ser innovador: *Este pintor ha traído aires de libertad a la pintura.* ∎ interj. **13** Expresión que se usa para indicar a alguien que se vaya o que se dedique a sus tareas: *¡Aire, y que no vuelva a verte por aquí!* **14** ‖ **a {mi/tu/...} aire**; con estilo propio: *Yo visto a mi aire.* ‖ **aire acondicionado**; instalación que permite regular la temperatura de un local o de un espacio cerrado. ‖ **aire comprimido**; el que ha sido sometido a presión y cuyo volumen se ha reducido: *escopeta de aire comprimido.* ‖ **al aire**; al desnudo o sin cubrir: *En pleno invierno iba con los brazos al aire.* ‖ **al aire libre**; fuera de un local, o sin techado ni resguardo: *¿Por qué no cenamos al aire libre, en el jardín?* ‖ {**cambiar/mudar} de aires**; marcharse o cambiar de residencia, generalmente por motivos de trabajo o de salud. ‖ **en el aire**; *col.* En suspenso o inseguro: *La película deja en el aire si se casan o no.* ‖ **tomar el aire**; pasear por un lugar descubierto. ☐ ETIMOL. Del latín *aer.* ☐ MORF. Las acepciones 3 y 6 se usan más en plural. ☐ SINT. 1. La acepción 6 se usa más en la expresión *darse aire* o *darse aires.* 2. La acepción 10 se usa más en la expresión *dar un aire.* 3. *En el aire* se usa más con los verbos *dejar, estar* y *quedar.*

aireación s.f. Ventilación o exposición a la acción del aire.

airear v. **1** Ventilar o poner al aire: *Abre la ventana para airear la habitación. Salgo a airearme un rato.* **2** Divulgar o dar publicidad: *Una revista ha aireado la crisis matrimonial de esa actriz.*

aireo s.m. Exposición de algo a la acción del aire.

airoso, sa adj. **1** Garboso, gallardo o con gracia: *Bailaron airosos un pasodoble.* **2** Que termina una empresa con éxito: *Salió airoso de los exámenes.* **3** Referido al tiempo o a un lugar, con mucho viento. ☐ SINT. La acepción 2 se usa más con los verbos *quedar* y *salir.*

aislacionismo s.m. Tendencia política que defiende el aislamiento o la no intervención de un país en asuntos extranjeros. ☐ ETIMOL. Del inglés *isolationism.*

aislacionista ∎ adj. **1** Del aislacionismo o relacionado con esta tendencia política. ∎ adj./s. **2** Que sigue o que practica el aislacionismo. ☐ MORF. 1. Como adjetivo es invariable en género. 2. Como sustantivo es de género común: *el aislacionista, la aislacionista.*

aislado, da adj. Excepcional, único o individual.

aislamiento s.m. **1** Separación de algo, dejándolo solo: *El aislamiento geográfico de algunos pueblos se solucionaría con una buena carretera.* **2** Incomunicación o desamparo en las relaciones: *Se retiró al campo en busca del aislamiento que necesita para escribir.* **3** Protección contra la propagación de determinadas formas de energía: *El aislamiento térmico del local es deficiente y hace mucho frío dentro.*

aislante ∎ adj./s. **1** Que aísla: *material aislante.* ∎ s.m. **2** Cuerpo que impide el paso de la energía eléctrica o de la térmica. ☐ MORF. 1. Como adjetivo es invariable en género. 2. Como sustantivo es de género común: *el aislante, la aislante.*

aislar v. **1** Dejar solo y separado: *La destilación es un método para aislar algunas sustancias químicas.* **2** Referido a una persona, incomunicarla o apartarla del trato con los demás: *Han aislado a varios presos acusados de promover disturbios.* [**3** Referido a algo

cerrado, protegerlo para evitar que haya intercambio de temperatura a través de sus paredes o que sea permeable al sonido: *Han obligado a 'aislar' las discotecas para que los ruidos no molesten a los vecinos.* ☐ ETIMOL. De *isla.* ☐ ORTOGR. La *i* lleva tilde en los presentes, excepto en las personas *nosotros* y *vosotros* → GUIAR.

aizcolari s.m. Deportista que practica el deporte de cortar el mayor número posible de troncos con un hacha en un determinado período de tiempo. ☐ ETIMOL. Del vasco *aitzkolari.*

ajá interj. *col.* Expresión que se usa para indicar aprobación, satisfacción o sorpresa: *¡Ajá, así es como hay que hacerlo!*

ajada s.f. Salsa hecha con ajos machacados, pan, agua y sal.

ajajá interj. *col.* → **ajá.**

ajar v. **1** Referido esp. a una persona o a una flor, hacer que pierdan su lozanía o su frescura. **2** Desgastar o deteriorar, esp. por el tiempo o el uso. ☐ ETIMOL. Del antiguo *ahojar* (ajar, romper). ☐ ORTOGR. Conserva la *j* en toda la conjugación.

ajardinamiento s.m. **1** Conversión de un terreno en jardín. **2** Construcción de jardines.

ajardinar v. **1** Referido a un terreno o a una zona, convertirlos en jardín: *Hemos ajardinado el patio.* **2** Referido a un terreno o a una zona, dotarlos de jardines: *El alcalde quiere ajardinar la zona sur de la ciudad.*

ajedrecista s. Persona entendida en ajedrez o que es aficionada a este juego. ☐ MORF. Es de género común: *el ajedrecista, la ajedrecista.*

ajedrecístico, ca adj. Del ajedrez o relacionado con este juego.

ajedrez s.m. **1** Juego que se practica entre dos con-

AJEDREZ

rey   reina   torre   alfil   caballo   peón
               o
               roque

trincantes, sobre un tablero a cuadros blancos y negros y con dieciséis fichas para cada jugador, y en el que gana el jugador que consigue dar jaque mate al adversario. **2** Conjunto de piezas y tablero que se utilizan en este juego. □ ETIMOL. Del árabe *as-satrany*, y éste del sánscrito *chaturanga* (juego que consta de cuatro cuerpos de ejército o filas: peones, caballos, roques o carros y elefantes). ⟴ ajedrez

ajedrezado, da adj. Que forma cuadros de dos colores alternados, al estilo de los de un tablero de ajedrez.

ajenjo s.m. **1** Planta perenne con abundantes ramas y hojas vellosas de color verde claro, que tiene propiedades medicinales. **2** Bebida alcohólica elaborada con esta planta y con otras hierbas aromáticas; absenta. □ ETIMOL. Del latín *absinthium*.

ajeno, na adj. **1** Que pertenece o corresponde a otro: *No debes desear los bienes ajenos*. **2** Impropio o extraño a alguien: *Es ajeno a su carácter comportarse así*. **3** Que no tiene conocimiento de algo: *Está ajeno a lo que se trama a su alrededor*. **4** Distante, lejano o apartado de algo: *No permanezcas ajeno a los problemas de tu familia*. □ ETIMOL. Del latín *alienus*, y éste de *alius* (otro). □ SINT. Constr. de las acepciones 2, 3 y 4: *ajeno A algo*.

ajerezado, da adj./s.m. Referido esp. al vino, que se parece al jerez.

ajero, ra s. Persona que se dedica a vender ajos.

ajete s.m. Ajo tierno, que aún no tiene cabeza.

ajetreado, da adj. Con mucha actividad o movimiento a causa de un trabajo o una obligación. □ ETIMOL. De *ajetrear*, y éste del antiguo *hetría* (enredo, confusión).

ajetrearse v.prnl. Fatigarse o cansarse mucho con un trabajo o con una obligación: *Si te organizases mejor, no te ajetrearías tanto*. □ ETIMOL. De *ajetrear*, y éste del antiguo *hetría* (enredo, confusión).

ajetreo s.m. Gran actividad o movimiento de gente en un lugar.

ají s.m. Tipo de pimiento americano.

ajiaco s.m. Sopa espesa hecha con carne, verduras y otros condimentos.

ajillo ‖ **al ajillo**; referido a un alimento, preparado con una salsa hecha con aceite, ajo y otros ingredientes.

ajimez s.m. Ventana arqueada, dividida en el centro por una columna. □ ETIMOL. Del árabe *as-sammis* (lo expuesto al sol).

ajo ▌ s.m. **1** Planta de hojas estrechas y largas, flores blancas y bulbo redondo, comestible y de olor fuerte: *He plantado ajos en la huerta*. **2** Cada uno de los dientes o partes en que está dividido el bulbo de esta planta: *¿Cuántos ajos le echo al gazpacho?* **3** *col*. En el lenguaje de la droga, dosis de ácido alucinógeno. ▌ interj. **4** Expresión con la que se estimula a hablar a los bebés. **5** ‖**ajo blanco**; gazpacho elaborado con pan, almendras crudas, sal, aceite y vinagre. ‖ **[ajo y agua**; *col*. Expresión que se usa para indicar resignación: *Pues si no te gusta, 'ajo y agua'*. ‖ **estar en el ajo**; *col*. Estar al corriente o enterado. □ ETIMOL. Las acepciones 1 y 2, del latín *alium*. *La expresión ajo y agua*, por acortamiento eufemístico de *a joderse y a aguantarse*. La acepción 4, de origen expresivo.

ajoaceite s.m. Salsa hecha con ajos machacados y aceite; alioli.

ajoarriero ‖ **(al) ajoarriero**; referido esp. al bacalao, que está guisado con ajo, aceite y huevos.

ajonjolí s.m. **1** Planta herbácea de flores acampanadas, cuyo fruto contiene numerosas semillas amarillentas, muy usadas como alimento y para la obtención de aceite. **2** Semilla de esta planta. **[3** Guiso de bacalao condimentado con ajos y otros ingredientes. □ ETIMOL. Del árabe *al-yulyulan* (el coriandro, el sésamo). □ MORF. Aunque su plural en la lengua culta es *ajonjolíes*, se usa mucho *ajonjolís*. □ SEM. En las acepciones 1 y 2 es sinónimo de *sésamo*.

ajorca s.f. Aro grueso que sirve para adornar el brazo, la muñeca, la pierna o el tobillo. □ ETIMOL. Del árabe *as-surka* (el brazalete). ⟴ joya

ajuar s.m. **1** Conjunto de muebles y objetos, esp. ropa de casa, que tradicionalmente aporta la mujer al casarse. **2** Conjunto de ropas, muebles y otros objetos necesarios en una casa. **3** En zonas del español meridional, canastilla del recién nacido. □ ETIMOL. Del árabe *as-suwar* (los muebles del menaje).

ajuglarado, da adj. Del juglar o con las características que se consideran propias de él.

ajuntar ▌ v. **1** *vulg*. →**juntar**. **[2** Ser amigo: *Ya no te 'ajunto'*. ▌ prnl. **3** *vulg*. Referido a una persona, vivir con otra con la que mantiene relaciones sexuales sin estar casada con ella; amancebarse: *Se ajuntó con esa mujer hace muchos años*. □ USO El uso de la acepción 2 es característico del lenguaje infantil.

ajustado, da adj. Justo, ceñido o recto.

ajustador, -a ▌ s. **1** Persona que se dedica profesionalmente a adaptar piezas mecánicas de metal y amoldarlas al sitio en que han de ir colocadas. ▌ s.m. **2** En zonas del español meridional, sujetador. □ MORF. La acepción 2 en plural tiene el mismo significado que en singular.

ajustamiento s.m. Ajuste o unión entre lo que encaja o se adapta.

ajustar v. **1** Encajar de forma precisa: *Este tapón no es de esta botella, porque no ajusta*. **2** Acomodar o conformar hasta eliminar las discrepancias: *Intento ajustar sus intereses a los míos. Es fácil convivir con él porque se ajusta a todo*. **3** Referido a un precio, concertar: *Ya hemos ajustado el presupuesto con los pintores*. **4** Referido a una cuenta, hallar el balance final entre ingresos y gastos: *En el banco se ajusta la caja todos los días antes de cerrar*.

ajuste s.m. **1** Unión de dos cosas que encajan perfectamente entre sí: *ajuste de piezas*. **2** Adaptación que termina en la eliminación de discrepancias o diferencias: *Consiguió un ajuste de las voluntades opuestas*. **3** Concertación o acuerdo, esp. sobre un precio: *Realizaron un ajuste de precios para poder soportar la competencia*. **4** En economía, corrección de una magnitud: *El Gobierno propuso un duro ajuste económico*. **5** ‖**ajuste de cuentas**; acto por el cual una persona se toma la justicia por su mano o se venga de otra.

ajusticiado, da s. Persona que ha muerto al aplicársele la pena de muerte.

ajusticiamiento s.m. Cumplimiento o aplicación de una sentencia de muerte.

ajusticiar v. Referido a una persona, darle muerte en cumplimiento de una condena; ejecutar: *Lo ajusticiaron al amanecer*. □ ETIMOL. De *justicia*. □ ORTOGR. La *i* nunca lleva tilde.

al Contracción de la preposición *a* y del artículo determinado *el*: *¿Vienes al cine? Llegó al atardecer. Vi al padre de tu amiga*. □ ORTOGR. 1. Incorr. {*a el > al} *cine.* **2.** Esta contracción no se produce cuando el artículo forma parte de un nombre propio: *Este cuadro se atribuye a El Greco.* □ SINT. Seguida de infinitivo, indica valor temporal: *¿Qué hicisteis al salir del cine? Se asustó al verla desmayada en el suelo.*

ala ∎ s.f. **1** En el cuerpo de algunos animales, esp. de las aves y de los insectos, cada uno de los órganos o apéndices pares que utilizan para volar. **2** En un avión, cada una de las partes planas que se extienden en los laterales del aparato y que sirven para sostenerlo en el aire. **3** En un edificio, parte lateral: *El ala derecha de este edificio es de construcción posterior al cuerpo central.* **4** En un ejército desplegado en orden de batalla, tropa situada en cada uno de sus extremos: *Fue atacada el ala derecha del ejército.* **5** En algunos deportes de equipo, extremo o lateral: *El entrenador me dijo que jugase de ala izquierda.* **6** En un tejado, parte inferior que sobresale fuera de la pared y sirve para desviar las aguas de lluvia; alar, alero. **7** En un sombrero, parte inferior que rodea la copa y sobresale de ella. 🔁 sombrero **8** En la nariz, reborde situado en la parte inferior, a ambos lados del tabique nasal; aleta. **9** En un partido, una organización o una asamblea, cada una de las diversas tendencias, esp. las extremistas: *El ala derecha del partido no se entendía con el ala izquierda.* ∎ pl. **10** Atrevimiento u osadía con que una persona actúa según su voluntad: *Ya va siendo hora de que alguien les corte las alas.* ∎ **ahuecar el ala**; *col.* Irse o marcharse. ‖ **[ala delta**; aparato compuesto por un trozo de tela especial y un armazón de metal y madera, de forma triangular y que permite volar planeando en el aire a una persona que se arroja desde un lugar alto. ‖ **dar alas**; *col.* Referido a una persona, animarla o estimularla: *La felicitación de la profesora me ha dado alas para seguir estudian-*

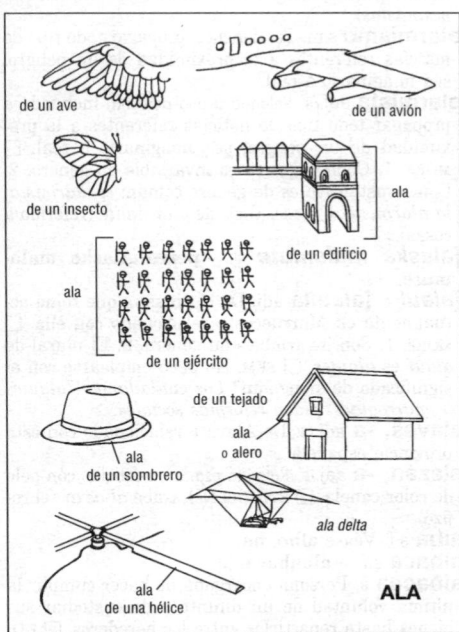

de un ave / de un avión / de un insecto / de un edificio / ala / de un ejército / ala / de un tejado / ala o alero / ala de un sombrero / ala delta / ala de una hélice / **ALA**

do. ‖ **del ala**; *col.* Seguido de una expresión que indica dinero, se usa para enfatizar dicha cantidad: *Me costó mil del ala.* ‖ **[tocado del ala**; *col.* Chiflado, con poco juicio o un poco loco. □ ETIMOL. Del latín *ala.* □ MORF. Por ser un sustantivo femenino que empieza por *a* tónica o acentuada, va precedido de *el, un, algún, ningún* y de las formas femeninas del resto de los determinantes. 🔁 ajedrez

alá interj. →**hala.**

alabanza s.f. **1** Elogio, reconocimiento o muestra de aprobación o admiración. **2** Expresión o conjunto de expresiones con las que se alaba.

alabar ∎ v. **1** Elogiar, reconocer o dar muestras de admiración; loar: *La alabó en público.* ∎ prnl. **2** Jactarse, presumir o sentir satisfacción u orgullo: *Se alababa de que todo hubiera salido bien.* □ ETIMOL. Del latín *alapari* (jactarse).

alabarda s.f. Arma antigua formada por un asta larga terminada en una punta de hierro, y con una cuchilla transversal con uno de los lados en forma de media luna. □ ETIMOL. Del germánico *helmbarte*, y éste de *helm* (empuñadura), y *barte* (hacha).

alabardero s.m. Soldado armado con alabarda.

alabastrino, na adj. De alabastro o con sus características: *tez alabastrina.*

alabastro s.m. Piedra caliza, blanca, no muy dura, translúcida y parecida al mármol, que se usa en la fabricación de objetos de arte o en elementos de decoración arquitectónica. □ ETIMOL. Del latín *alabaster.*

álabe s.m. Paleta curva de una rueda hidráulica o de una turbina: *La turbina gira gracias a los álabes.* □ ETIMOL. De origen incierto. □ ORTOGR. Dist. de *alabe* (del verbo *alabar*).

alabear v. Curvar, combar o dar forma curva: *La humedad ha alabeado la puerta.*

alabeo s.m. **1** Forma curva de un cuerpo o de una superficie, esp. si es de madera. **2** Movimiento de un avión al girar sobre su eje longitudinal.

alacena s.f. Especie de armario con puerta y estanterías, hecho generalmente en el hueco de una pared, habitualmente en la cocina o en el comedor, y usado para guardar alimentos y menaje de cocina. □ ETIMOL. Del árabe *al-jazana* (el armario).

alaciarse v.prnl. En zonas del español meridional, ponerse lacio.

alacrán s.m. **1** Animal arácnido que tiene el abdomen prolongado en una cola dividida en segmentos y terminada en un aguijón venenoso en forma de gancho; escorpión. **2** Persona malintencionada, esp. al hablar de los demás. □ ETIMOL. Del árabe *al-'aqrab* (el escorpión). □ MORF. En la acepción 1, es un sustantivo epiceno: *el alacrán macho, el alacrán hembra.*

alado, da adj. Que tiene alas.

alagar v. Inundar o llenar de lagos o charcos: *Las lluvias de estos días alagaron toda la finca.* □ ORTOGR. 1. Dist. de *halagar.* 2. La *g* se cambia en *gu* delante de *e* →PAGAR.

alalá s.m. Canto popular propio de algunas regiones del norte español.

alalia s.f. En medicina, pérdida del lenguaje producida por una lesión neurológica o por una afección de los órganos fonadores. □ ETIMOL. Del griego *alalía* (mudez).

álalo, la adj./s. En medicina, que padece alalia o pérdida del lenguaje. □ MORF. Cuando es un sustantivo femenino, pese a empezar por *a* tónica o acentuada, va siempre precedido de las formas femeninas de los determinantes.

alamar s.m. En una prenda de vestir, esp. un vestido o una capa, ojal o presilla con botón que se cose a la orilla y sirve como broche de cierre o como adorno: *Esa trenca tiene alamares de pasamanería.* □ ETIMOL. De origen incierto. ✖ pasamanería

alambicado, da adj. Agudo, ingenioso o muy penetrante; sutil: *soluciones alambicadas.*

alambicamiento s.m. Complicación planteada por algo excesivamente sutil o perspicaz.

alambicar v. Complicar mucho, por un exceso de sutileza y perspicacia: *Alambicas tanto tus razonamientos que es difícil entenderte.* □ ORTOGR. La *c* se cambia en *qu* delante de *e* →SACAR.

alambique s.m. Aparato que sirve para destilar líquidos por medio del calor, y que está formado por una caldera, donde hierven los líquidos, y un tubo o serpentín donde se condensan los vapores; alquitara. □ ETIMOL. Del árabe *al-inbiq.* ✖ química

alambrado, da s. **1** Red de alambre que sirve como protección de algo, esp. la que es gruesa, está llena de pinchos y es empleada por un ejército para impedir el paso. **2** Cerco hecho con alambres sujetos con postes. □ MORF. Aunque la RAE sólo lo registra como sustantivo masculino, se usa más como femenino.

alambrar v. Referido a un terreno, rodearlo o cercarlo con alambre: *Tenemos que alambrar estas tierras para que se distingan las lindes.*

alambre s.m. Hilo flexible y delgado de metal. □ ETIMOL. Del latín *aeramen* (bronce, objeto de bronce).

alambrera s.f. Red de alambre que sirve como protección de algo.

alambrista adj./s. Equilibrista que camina sobre un alambre tenso y colocado a cierta altura del suelo. □ MORF. 1. Como adjetivo es invariable en género. 2. Como sustantivo es de género común: *el alambrista, la alambrista.*

alameda s.f. **1** Terreno poblado de álamos. **2** Paseo con árboles.

álamo s.m. Árbol propio de lugares húmedos, que tiene un crecimiento bastante rápido, las hojas anchas con largos peciolos y una madera muy estimada por su resistencia al agua. □ ETIMOL. Quizá del latín *alnus* (álamo), por influencia de *ulmus* (olmo).

alancear v. →lancear.

alano, na adj./s. De un antiguo pueblo germánico que, en unión con otros, invadió la península Ibérica en el siglo V.

alar s.m. En un tejado, parte inferior que sobresale fuera de la pared y sirve para desviar las aguas de lluvia; ala, alero. □ ORTOGR. Dist. de *halar.*

alarde s.m. Ostentación o presentación llamativa o presuntuosa que hace una persona de algo que tiene: *En un alarde de valor, se enfrentó a sus enemigos.*

alardear v. Hacer alarde u ostentación: *Le gusta alardear de sus riquezas.* □ SINT. Constr. *alardear DE algo.*

alargadera s.f. Pieza o dispositivo que se adapta a algo para alargarlo, esp. referido al cable que sirve para unir un aparato eléctrico con un enchufe.

[alargado, da adj. Más largo que ancho.

alargador s.m. Pieza, dispositivo o instrumento que sirve para alargar: *Necesito un alargador para que este cable llegue al radiador.*

alargamiento s.m. Aumento de la longitud, de la extensión o de la duración de algo.

alargar v. **1** Dar mayor longitud: *Hemos alargado el camino de entrada.* **2** Dilatar, ensanchar o dar mayor extensión: *Alarga el paso, si quieres que lleguemos a tiempo.* **3** Prolongar o hacer durar más tiempo: *Nos han alargado la jornada una hora de trabajo. ¡Cómo se alargan los días en verano!* **4** Estirar o extender: *Para cogerlo sólo tienes que alargar el brazo.* **5** Referido a algo que no está al alcance de alguien, dárselo o acercárselo: *¿Me alargas una taza de café, por favor?* □ ORTOGR. La *g* se cambia en *gu* delante de *e* →PAGAR.

alarido s.m. Grito muy fuerte y agudo, esp. el provocado por un gran dolor o por una gran pena. □ ETIMOL. De origen incierto.

alarife s.m. *ant.* →albañil. □ ETIMOL. Del árabe *al-'arif* (el maestro, el entendido, el oficial).

alarma s.m. **1** Aviso o señal que advierte sobre la inminente llegada de un peligro: *El soldado dio la voz de alarma.* **2** Cualquier dispositivo que avisa de algo mediante luces o sonidos: *La alarma de este despertador es muy estridente.* **3** Susto, sobresalto o pérdida de tranquilidad, esp. los provocados por la proximidad de un mal o un peligro: *Hay que evitar que cunda la alarma entre la población.* □ ETIMOL. De *¡al arma!*, grito para poner una fuerza en disposición de combate.

alarmante adj. Que alarma o inquieta. □ MORF. Invariable en género. □ SEM. Dist. de *alarmista* (que se alarma).

alarmar v. **1** Dar la alarma o avisar sobre la inminente llegada de un peligro: *La sirena alarmó a la población.* **2** Asustar, sobresaltar o hacer perder la tranquilidad: *No me alarmes con tus comentarios pesimistas.*

alarmismo s.m. Tendencia a propagar todo tipo de noticias referentes a la proximidad de un peligro, sea imaginario o real.

alarmista adj./s. Referido a una persona, inclinada a propagar todo tipo de noticias referentes a la proximidad de un peligro, sea imaginario o real. □ MORF. 1. Como adjetivo es invariable en género. 2. Como sustantivo es de género común: *el alarmista, la alarmista.* □ SEM. Dist. de *alarmante* (referido a cosas).

[alaska malamute ‖ →perro Alaska malamute.

[alauí o **[alauita** adj. De la dinastía que reina actualmente en Marruecos o relacionado con ella. □ MORF. 1. Son invariables en género. 2. El plural de *alauí* es *alauíes.* □ SEM. No debe emplearse con el significado de 'marroquí': *Los ciudadanos {*alauíes > marroquíes} piden reformas sociales.*

alavés, -a adj./s. De Álava o relacionado con esta provincia española.

alazán, -a adj./s. Referido esp. a un caballo, con pelo de color canela. □ ETIMOL. Del árabe *al-az'ar* (el rojizo).

alba s.f. Véase **albo, ba.**

albaca s.f. →albahaca.

albacea s. Persona encargada de hacer cumplir la última voluntad de un difunto y de custodiar sus bienes hasta repartirlos entre los herederos. □ ETI-

MOL. Del árabe *al-wasiyya* (el testamento, la disposición testamentaria).

albacetense o **albaceteño, ña** adj./s. De Albacete o relacionado con esta provincia española o con su capital. □ MORF. *Albacetense* como adjetivo es invariable en género y como sustantivo es de género común: *el albacetense, la albacetense.*

albahaca s.f. Planta herbácea muy aromática, de flores blancas y hojas muy verdes, que se cultiva en los jardines. □ ETIMOL. Del árabe *al-habaqa.* □ ORTOGR. Se admite también *albaca.*

albanés, -a adj./s. De Albania (país europeo), o relacionado con ella.

albañal o **albañar** s.m. Canal o conducto por el que van las aguas sucias procedentes de usos domésticos o industriales. □ ETIMOL. Del árabe *al-balla'a* (la cloaca).

albañil, -a s. Persona que se dedica profesionalmente a la realización de obras de construcción en las que se emplean ladrillos, piedras, cal, arena, yeso, cemento y otros materiales semejantes. □ ETIMOL. Del antiguo *albañí.* □ MORF. La RAE sólo registra el masculino.

albañilería s.f. **1** Arte o técnica de realizar obras de construcción en las que se emplean ladrillos, piedras, cal, arena, yeso, cemento y otros materiales semejantes. **2** Obra o trabajo hechos según esta técnica.

albar adj. Referido esp. a algunas plantas, de color blanquecino: *pino albar.* □ ETIMOL. De *albo.* □ MORF. Invariable en género.

albarán s.m. Papel que firma una persona como prueba de que ha recibido la mercancía que en él se detalla. □ ETIMOL. Del árabe *al-bara'* (el papel o documento de libertad o exención).

albarca s.f. Calzado que cubre sólo la planta del pie, con un reborde alrededor, y que se sujeta con cuerdas o con correas al empeine o al tobillo. □ ETIMOL. De origen incierto. □ ORTOGR. Se admite también *abarca.* □ USO Aunque la RAE prefiere *abarca*, se usa más *albarca.* 🐾 calzado

albarda s.f. Aparejo formado por dos piezas como almohadas rellenas, que se pone sobre el lomo de las caballerías para que no les lastime la carga. □ ETIMOL. Del árabe *al-barda'a.*

albardilla s.f. Silla de montar que se usa para domar potros.

albardón s.m. Silla de montar con los bordes de delante y de detrás más altos que los de las sillas normales.

albaricoque s.m. **1** Árbol frutal, de ramas sin espinas, de hojas acorazonadas y de flores blancas; albaricoquero. **2** Fruto de este árbol, dulce y jugoso, de color amarillo anaranjado, redondo y con un surco, de piel aterciopelada y con un hueso liso. □ ETIMOL. Del árabe *al-barquq* o *al-birquq.* □ USO En la acepción 1, aunque la RAE prefiere *albaricoquero*, se usa más *albaricoque.*

albaricoquero s.m. →**albaricoque.**

[**albariño**] s.m. Vino blanco gallego, de poca graduación, y de sabor ácido y muy ligero.

albatros s.m. Ave marina de gran tamaño, de plumaje blanco, con las alas muy largas y estrechas y el pico en forma de gancho. □ ETIMOL. Del inglés *albatross* o *algatross* y éste del español *alcatraz* (especie de pelícano). □ MORF. **1.** Es un sustantivo epiceno: *el albatros macho, el albatros hembra.* **2.** Invariable en número.

albayalde s.m. Colorante sólido de color blanco que está hecho con plomo y se usa en pintura. □ ETIMOL. Del árabe *al-bayad* (la blancura).

albedrío s.m. **1** Capacidad de actuación que tiene el hombre, basada en la reflexión y en la libertad de elección: *La grandeza del hombre está en su libre albedrío.* **2** Capricho, gusto o voluntad de alguien: *Siempre hace las cosas según su albedrío.* □ ETIMOL. Del latín *arbitrium*, y éste de *arbiter* (árbitro). □ USO La acepción 1 se usa más en la expresión *libre albedrío.*

albéitar s.m. ant. →**veterinario.** □ ETIMOL. Del árabe *al-baitar*, éste del griego *hippiatrós*, y éste de *híppos* (caballo) e *iatrós* (médico).

alberca s.f. **1** Depósito artificial para almacenar agua, generalmente utilizada para el riego. **2** En zonas del español meridional, piscina. □ ETIMOL. Del árabe *al-birka* (el estanque).

alberchigal s.m. Terreno plantado de albérchigos.

albérchigo s.m. **1** Árbol frutal, variedad del melocotonero; alberchiguero. **2** Fruta de este árbol, redondeada, de color amarillo anaranjado, dulce y jugosa, con hueso, y muy parecida al melocotón. □ ETIMOL. Del mozárabe *al-bérchigo.*

alberchiguero s.m. Árbol frutal, variedad del melocotonero; albérchigo.

albergar v. **1** Dar o tomar albergue u hospedaje: *Este edificio alberga a más de mil personas. Durante el viaje nos albergaremos en pensiones.* **2** Encerrar, contener o llevar dentro: *Este texto alberga un significado más amplio de lo que parece.* **3** Referido a una idea o a un sentimiento, guardarlo en la mente o en el corazón: *Nunca imaginé que albergaras tales propósitos de venganza.* □ ETIMOL. Del gótico **haribaírgon* (alojar una tropa). □ ORTOGR. La g se cambia en *gu* delante de *e* →PAGAR.

albergue s.m. **1** Lugar que sirve de resguardo, de cobijo, de alojamiento o de vivienda temporal: *Aquella cueva era el albergue de alguna fiera.* **2** Alojamiento o cobijo que se dan o que se toman: *Nos ofrecieron albergue en su casa.* **3** Establecimiento público en el que se atiende al turismo durante estancias cortas: *Pasamos un mes en un albergue juvenil.* **4** Establecimiento benéfico en el que se aloja provisionalmente a personas necesitadas: *albergue de ancianos.* **5** Ayuda y protección: *En aquellos momentos, sólo encontré albergue en mi familia.*

[**alberguista**] adj./s. Referido esp. a una persona joven, que se aloja en albergues juveniles cuando viaja. □ MORF. **1.** Como adjetivo es invariable en género. **2.** Como sustantivo es de género común: *el 'alberguista', la 'alberguista'.*

albero s.m. **1** Tierra para jardines y para plazas de toros. **2** En una plaza de toros, ruedo. □ ETIMOL. Del latín *albarius*, y éste de *albus* (blanco).

albinismo s.m. Ausencia congénita de pigmentación en un ser vivo, por lo que es de un color muy claro o carece del color natural que caracteriza a su especie, variedad o raza.

albino, na adj./s. Referido esp. a una persona o a un animal, que carecen de pigmentación en la piel y en el pelo, por lo que son de un color muy claro o no tienen el color natural que caracteriza a su especie, variedad o raza. □ ETIMOL. De *albo* (blanco).

albo, ba ∎ adj. **1** *poét.* Blanco. ∎ s.f. **2** Momento inicial del día, en que aparece la primera luz antes de salir el Sol: *Saldremos de viaje al alba.* **3** Primera luz del día, antes de salir el Sol: *Vimos el alba desde la playa.* **4** Prenda blanca, larga hasta los pies, utilizada por los sacerdotes católicos en algunas ceremonias religiosas. **5** ||{quebrar/rayar/romper} el alba; empezar a aparecer la luz del día. □ ETIMOL. Del latín *albus* (blanco). □ MORF. Por ser un sustantivo femenino que empieza por *a* tónica o acentuada, va precedido de *el*, *un*, *algún*, *ningún* y de las formas femeninas del resto de los determinantes. □ SEM. En la acepción 2, es sinónimo de *amanecer*, *amanecida* y *madrugada*.

albóndiga s.f. Bola hecha de carne o de pescado picados, mezclados con pan rallado o harina, huevo y especias, que se come frita o guisada y rehogada con una salsa; albondiguilla. □ ETIMOL. Del árabe *al-bunduga* (la avellana, la bolita del tamaño de la avellana). □ ORTOGR. Se admite también *almóndiga*.

albondiguilla s.f. **1** →albóndiga. **2** Pelotilla de moco seco.

albor s.m. **1** Comienzo o principio de algo: *Eso ocurrió en los albores del reinado de Felipe II.* **2** Blancura perfecta; albura. □ ETIMOL. Del latín *albor*. □ ORTOGR. Dist. de *alcor*. □ MORF. Se usa más en plural.

alborada s.f. **1** Tiempo o momento en el que amanece. **2** Composición poética o musical destinada a cantar el alba o la mañana.

alborear v. Amanecer o aparecer en el horizonte la primera luz del día: *Salieron de viaje al alborear el día.* □ ETIMOL. Del latín *albor* (luz del alba). □ MORF. Verbo unipersonal: se usa sólo en tercera persona del singular y en las formas no personales (infinitivo, gerundio y participio).

alboreo s.m. Aparición en el horizonte de la primera luz del día.

albornoz s.m. Prenda de vestir, larga y con cinturón, hecha con una tela como la de las toallas, y que se utiliza para secarse después del baño. □ ETIMOL. Del árabe *al-burnus* (el capuchón).

alborotadizo, za adj. Que se alborota e inquieta con facilidad.

alborotado, da adj. **1** Inquieto, revoltoso, desobediente o poco dócil. **2** Que actúa irreflexivamente y con precipitación.

alborotador, -a adj./s. Que alborota.

alborotar v. **1** Inquietar, perturbar o causar tumulto o agitación: *La amenaza de inundaciones alborotó al pueblo. Los alumnos se alborotaron cuando dio el profesor dijo las notas.* **2** Desordenar o alterar el orden normal: *El viento alborotaba sus cabellos.* **3** Referido al mar, agitarlo o levantar sus olas; encrespar: *El temporal alborotó el mar y los barcos permanecieron amarrados en el puerto. No salimos a navegar porque el mar se alborotó.* □ ETIMOL. Quizá del latín *volutare* (agitar), con un cruce con *alborozar*. □ ORTOGR. Dist. de *alborozar*.

alboroto s.m. **1** Tumulto, inquietud, revuelta o agitación: *¡Menudo alboroto se organizó cuando el árbitro pitó penalti!* **2** Vocerío o ruido considerable producido por una o más personas: *El alboroto de la calle no me deja dormir.* **3** Desorden muy grande: *¡Qué alboroto tienes en tu habitación!* □ ORTOGR. Dist. de *alborozo*.

alborozar v. Producir una alegría, un placer o un regocijo extraordinarios: *La concesión del primer premio los alborozó. Siempre que nos ve se alboroza.* □ ORTOGR. 1. Dist. de *alborotar*. 2. La *z* se cambia en *c* delante de *e* →CAZAR.

alborozo s.m. Alegría, placer o regocijo extraordinarios. □ ETIMOL. Del árabe *al-buruz* (la parada o desfile militar). □ ORTOGR. Dist. de *alboroto*.

albricias interj. Expresión que se utiliza para indicar que se siente una alegría muy grande: *¡Albricias, por fin han acabado las obras de la casa!* □ ETIMOL. Del árabe *al-bisara* (la buena nueva). □ SEM. No debe emplearse con el significado de 'enhorabuena' o 'felicidades': *¡{*Albricias / Felicidades} por tu ascenso!*

albufera s.f. Laguna situada en el litoral, de agua ligeramente salada, formada por la entrada de agua del mar en una zona baja arenosa que luego ha quedado separada de éste por un banco o masa de arena: *la albufera de Valencia.* □ ETIMOL. Del árabe *al-buhaira* (la laguna, el mar pequeño).

álbum s.m. **1** Libro o cuaderno en cuyas hojas se guardan o se coleccionan fotografías, composiciones artísticas, sellos u objetos similares. **2** Carpeta o estuche que contiene uno o más discos fonográficos. □ ETIMOL. Del francés *album* y éste del latín *album* (encerado blanco). □ MORF. Su plural es *álbumes*.

albumen s.m. Tejido que rodea el embrión de algunas plantas y que le sirve de alimento cuando la semilla germina. □ ETIMOL. Del latín *albumen* (clara de huevo).

albúmina s.f. Proteína natural, vegetal o animal, muy rica en azufre y soluble en agua. □ ETIMOL. Del francés *albumine*. □ ORTOGR. Dist. de *alúmina*.

albuminoideo, a adj. Referido a una sustancia, que presenta en disolución acuosa el aspecto y las propiedades de la clara de huevo o de otros cuerpos ricos en albúmina o en proteínas.

albuminoso, sa adj. Que contiene albúmina.

albur s.m. Suerte o azar a los que se fía el resultado de un asunto: *No dejes al albur la solución de ese problema.* □ ETIMOL. De origen incierto.

albura s.f. **1** Blancura perfecta; albor. **2** Capa blanda y de color blanquecino que se encuentra debajo de la corteza de los árboles.

alcabala s.f. **1** Antiguo impuesto o tributo indirecto que tenía que pagar el vendedor de algo. **2** En zonas del español meridional, control de policía. □ ETIMOL. Del árabe *al-qabala* (el contrato, el impuesto concertado con el fisco).

alcachofa s.f. **1** Planta perenne, de raíz con forma de huso, tallo estriado y abundante en ramas, con hojas algo espinosas y con inflorescencias comestibles, en forma de piña: *La alcachofa es una hortaliza.* **2** Inflorescencia de esta planta: *Las alcachofas naturales son verdes, pero las de conserva son amarillentas.* **3** Panecillo que se parece a la figura de esta inflorescencia. **4** Pieza redondeada y llena de agujeros por donde sale el agua de forma dispersa, como en la ducha o las regaderas. □ ETIMOL. Del árabe *al-jarsuf*. □ SEM. En las acepciones 1 y 2, es sinónimo de *alcaucí* y *alcaucil*.

alcahuete, ta s. Persona que busca para otra alguien con quien mantener una relación amorosa o sexual, o que actúa como intermediario en una de estas relaciones; celestino, tercero. □ ETIMOL. Del árabe *al-qawwad* (el conductor, el intermediario). □ SEM. Dist. de *cacahuete* (un tipo de fruto seco).

alcahuetear v. Hacer de alcahuete o actuar de intermediario en un asunto amoroso o sexual: *No sé cómo consientes que tu amigo alcahuetee entre tú y ella.*
alcahuetería s.f. Actividad propia de un alcahuete.
alcaide s.m. **1** Director de una prisión. **2** En la Edad Media, hombre que tenía a su cargo la guarda y la defensa de un castillo o fortaleza. □ ETIMOL. Del árabe *al-qa'id* (el general, el que conduce las tropas). □ USO Ambas acepciones se consideran anticuadas, aunque la 1 ha vuelto a cobrar actualidad a partir de los doblajes de películas estadounidenses.
alcaldada s.f. Acción imprudente o poco considerada cometida por un alcalde o por cualquier otra persona que abuse de su autoridad.
alcalde s.m. **1** Persona que preside el Ayuntamiento de un término municipal y que está encargada de ejecutar los acuerdos de éste y de cuidar de todo lo relativo al buen orden de su territorio. **2** Juez que administraba justicia en algún pueblo y que presidía al mismo tiempo el concejo. □ ETIMOL. Del árabe *al-qadi* (el juez). □ MORF. Su femenino es *alcaldesa*. □ SEM. Dist. de *edil* (concejal).
alcaldesa s.f. de **alcalde**.
alcaldía s.f. **1** Cargo de alcalde. **2** Lugar de trabajo u oficinas de un alcalde. **3** Territorio o distrito que corresponden a la jurisdicción de un alcalde.
alcalescencia s.f. Alteración que sufre una sustancia que se vuelve alcalina.
álcali s.m. Hidróxido metálico que, por ser muy soluble en el agua, puede actuar como base energética. □ ETIMOL. Del árabe *al-qali* (la sosa o cenizas de plantas alcalinas).
alcalinidad s.f. En química, carácter alcalino.
alcalinizar v. Referido a una sustancia, comunicarle propiedades alcalinas: *Hemos alcalinizado esta sustancia y su ph es ahora 10.* □ ORTOGR. La z se cambia en c delante de e →CAZAR.
alcalino, na adj. De álcali o que contiene un hidróxido metálico: *tierras alcalinas; pilas alcalinas.*
alcaloide s.m. Compuesto orgánico nitrogenado, generalmente de origen vegetal, que suele producir efectos tóxicos, y que se utiliza como medicina o como droga: *La nicotina y la cocaína son dos alcaloides.*
alcance s.m. **1** Distancia a la que llega la acción o los efectos de algo: *Esto queda fuera del alcance de nuestra vista.* **2** Significación, trascendencia o consecuencia graves: *Nadie preveía el alcance que iban a tener esas declaraciones.* **3** Inteligencia o talento de una persona. **4** Capacidad o posibilidad de coger o de lograr algo. [**5** Choque leve de dos vehículos. □ MORF. La acepción 3 se usa más en plural.
alcancía s.f. **1** Vasija, generalmente de barro, cerrada y con una sola ranura estrecha por la que se mete dinero para guardarlo y ahorrar, porque no se puede vaciar si no es rompiéndola. **2** En zonas del español meridional, cepillo para limosnas. □ ETIMOL. Del árabe *al-kanziyya* (la caja propia para atesorar).
alcándara s.f. Percha o vara gruesa y muy larga en las que se posaban las aves de cetrería o se colgaba la ropa. □ ETIMOL. Del árabe *al-kandara* (la percha en la que se posa el halcón).
alcanfor s.m. Sustancia sólida, blanca, con un olor

penetrante, de fácil evaporación, que se obtiene de las ramas y raíces de un árbol, y que tiene aplicaciones médicas e industriales: *Mete unas bolas de alcanfor en el armario para que la ropa no se apolille.* □ ETIMOL. Del árabe *al-kafur*.
alcanforado, da adj. Compuesto o mezclado con alcanfor.
alcanforar v. Componer o mezclar con alcanfor: *Algunas pomadas se suelen alcanforar.*
alcantarilla s.f. **1** Conducto artificial subterráneo construido para recoger y dar paso al agua de lluvia y a las aguas residuales de las poblaciones. **2** Boca de este conducto. □ ETIMOL. Diminutivo del antiguo *alcántara* (caja de un telar), y éste del árabe *al-qantara* (el dique, el puente, el acueducto).
alcantarillado s.m. **1** Conjunto de alcantarillas. **2** Construcción de alcantarillas.
alcantarillar v. Construir o poner alcantarillas: *Van a alcantarillar todos los pueblos de la comunidad.*
alcanzar v. **1** Llegar a juntarse con lo que está más adelantando en el tiempo o en el espacio: *Echó a correr y lo alcanzó al final de la calle.* **2** Obtener, conseguir o llegar a coger: *Con este triunfo alcanza el título de campeón.* **3** Referido a algo que se busca o se solicita, lograrlo, conseguirlo o llegar a poseerlo: *Por fin alcanzó la estabilidad sentimental que necesitaba.* **4** Referido a un objeto, cogerlo alargando la mano: *Alcánzame la caja que está en lo alto del armario.* **5** Referido a una persona, llegar a igualar a otra en algún rasgo, característica o situación: *Ha crecido tanto que ya ha alcanzado a su padre.* **6** Entender o comprender: *No alcanzo los motivos de su enfado.* **7** Ser suficiente: *Mi sueldo no alcanza para caprichos.* **8** Referido esp. a un hecho, afectar, influir o llegar en su ámbito de acción: *Las restricciones de agua no alcanzan a esta región.* **9** Referido a un arma, llegar su tiro a una determinada distancia: *Este rifle no alcanza una distancia muy larga.* **10** ‖**alcanzársele** algo a alguien; llegar a entenderlo: *Por más que lo pienso, no se me alcanza por qué se enfadó.* □ ETIMOL. Del antiguo *encalzar* (perseguir, alcanzar), con cambio de prefijo. □ ORTOGR. La z se cambia en c delante de e →CAZAR. □ SINT. 1. La perífrasis *alcanzar + a + infinitivo* indica la consecución o el logro de la acción expresada por dicho infinitivo: *Hay tanto ruido que no alcanzo a oír lo que dicen.* 2. Alcanzársele algo a alguien se usa más en expresiones negativas.
alcaparra s.f. **1** Mata con muchas ramas, de tallos rastreros y espinosos, flores blancas y grandes, y cuyo fruto es el alcaparrón. **2** Botón floral o capullo de esta planta: *Las alcaparras suelen usarse como condimento.* □ ETIMOL. Del latín *capparis*, con el artículo árabe *al*.
alcaparrón s.m. Fruto de la alcaparra que consiste en una baya carnosa con forma parecida a un higo pequeño.
alcaraván s.m. Ave de color pardo que tiene las patas largas y amarillas, pico relativamente corto y grandes ojos amarillos. □ ETIMOL. Del árabe *al-karawan.* □ MORF. Es un sustantivo epiceno: *el alcaraván macho, el alcaraván hembra.*
alcarraza s.f. Vasija de arcilla porosa y poco cocida que deja salir cierta porción de agua que al evaporarse enfría la que está dentro. □ ETIMOL. Del árabe *al-karraz* (jarra de cuello estrecho).

alcarreño, ña

alcarreño, ña adj./s. De la Alcarria o relacionado con esta comarca de Castilla-La Mancha (comunidad autónoma).

alcatifa s.f. Alfombra o tapete muy finos. ☐ ETIMOL. Del árabe *al-qatifa* (el terciopelo).

alcatraz s.m. **1** Ave marina que tiene el pelaje blanco, el pico largo y las alas apuntadas y con los extremos de color negro. **2** Planta con una bráctea blanca en forma de cono que rodea una columna de pequeñas flores amarillas. ☐ ETIMOL. La acepción 1, quizá del árabe *al-gattas* (especie de águila marina). ☐ MORF. En la acepción 1, es un sustantivo epiceno: *el alcatraz macho, el alcatraz hembra*.

alcaucí o **alcaucil** s.m. **1** Planta perenne, de raíz con forma de huso, tallo estriado y abundante en ramas, con hojas algo espinosas y con inflorescencias comestibles en forma de piña. **2** Inflorescencia de esta planta. ☐ ETIMOL. Del mozárabe *al caucil*, y éste del latín *capitiellum* (cabecita). ☐ SEM. Es sinónimo de *alcachofa*. ☐ USO *Alcaucí* es el término menos usual.

alcaudón s.m. Pájaro carnívoro que tiene una punta a modo de diente en el extremo de la mandíbula superior, el plumaje ceniciento, el pico robusto y curvado, y las alas y la cola negras con manchas blancas: *El alcaudón forma despensa con sus presas clavándolas en los espinos.* ☐ ETIMOL. De origen incierto.

alcayata s.f. Clavo en forma de ele mayúscula, que se utiliza para colgar cosas; escarpia. ☐ ETIMOL. Del mozárabe *al-cayata*, y éste del latín *caia* (cayado).

alcazaba s.f. Recinto fortificado situado dentro de una población amurallada y utilizado como refugio de la tropa. ☐ ETIMOL. Del árabe *al-qasaba* (el fortín).

alcázar s.m. **1** Recinto fortificado, esp. si está amurallado como un castillo; fortaleza. **2** Casa real o habitación del príncipe. ☐ ETIMOL. Del árabe *al-qasr*, y éste del latín *castrum* (castillo).

alce s.m. Mamífero rumiante parecido al ciervo pero con mayor corpulencia, que tiene el cuello corto, cabeza grande, hocico muy grande, pelaje oscuro, y unos cuernos muy desarrollados en forma de pala, con los bordes muy recortados; anta. ☐ ETIMOL. Del latín *alce*. ☐ MORF. Es un sustantivo epiceno: *el alce macho, el alce hembra*. 🦌 rumiante

alcista ▪ adj. **1** Del alza de los valores, esp. en la bolsa o en los precios, o relacionado con ella: *La tendencia alcista de todas las bolsas españolas ha sido la noticia del día.* ▪ s. **2** Persona que especula sobre el alza de valores en bolsa. ☐ MORF. 1. Como adjetivo es invariable en género. 2. Como sustantivo es de género común: *el alcista, la alcista*.

alcoba s.f. En una casa, cuarto destinado a dormir; dormitorio. ☐ ETIMOL. Del árabe *al-qubba* (la cúpula, la bóveda, el gabinete).

alcohol s.m. **1** Compuesto orgánico derivado de un hidrocarburo, por sustitución de uno o varios de sus átomos de hidrógeno en un grupo -OH. **2** Bebida que contiene este hidrocarburo: *No abuses del alcohol.* **3** ‖ **alcohol (etílico)**; hidrocarburo líquido, incoloro y soluble en agua, que se utiliza como disolvente y que es el componente fundamental de las bebidas alcohólicas. ☐ ETIMOL. Del árabe *al-kuhl* (el colirio).

alcoholemia s.f. Presencia de alcohol en la sangre, esp. si excede o sobrepasa lo normal: *prueba de*

alcoholemia. ☐ ETIMOL. De *alcohol* y *-emia* (sangre). ☐ SEM. Dist. de *colemia* (presencia de bilis en la sangre).

alcoholero, ra ▪ adj. **1** De la producción y el comercio del alcohol, o relacionado con ellos. ▪ s.f. **2** Fábrica en la que se produce alcohol.

alcohólico, ca ▪ adj. **1** Del alcohol, que lo contiene o que está producido por él: *bebida alcohólica*. ▪ adj./s. **2** Que padece la enfermedad del alcoholismo debido al abuso frecuente de bebidas alcohólicas.

alcoholímetro s.m. Dispositivo o aparato que sirve para medir la cantidad de alcohol presente en el aire espirado por una persona; alcohómetro. ☐ ETIMOL. De *alcohol* y *-metro* (medidor).

alcoholismo s.m. **1** Abuso de bebidas alcohólicas. **2** Enfermedad producida por este abuso.

alcoholización s.f. Adquisición de la enfermedad del alcoholismo por el abuso frecuente de bebidas alcohólicas.

alcoholizarse v.prnl. Adquirir la enfermedad del alcoholismo por el abuso frecuente de bebidas alcohólicas: *Por beber una cerveza de vez en cuando no te vas a alcoholizar.* ☐ MORF. La *z* se cambia en *c* delante de *e* →CAZAR.

alcohómetro s.m. Dispositivo o aparato que sirve para medir la cantidad de alcohol presente en el aire espirado por una persona; alcoholímetro.

alcor s.m. Colina o elevación poco pronunciada del terreno, menor que un monte. ☐ ETIMOL. Del árabe *al-qur* (los collados). ☐ ORTOGR. Dist. de *albor*.

alcornocal s.m. Terreno poblado de alcornoques.

alcornoque ▪ adj./s.m. **1** Ignorante, grosero, o con poca inteligencia. ▪ s.m. **2** Árbol de hoja perenne, con el tronco retorcido, la copa muy extensa, las flores poco visibles, el fruto en forma de bellota, y una madera muy dura de cuya corteza se obtiene corcho. ☐ ETIMOL. Del artículo árabe *al*, el latín *quernus* (encina), y el sufijo hispánico *occus*. ☐ MORF. Como adjetivo es invariable en género.

alcorque s.m. Hoyo que se hace al pie de una planta para retener el agua de lluvia o de riego.

alcorza s.f. Pasta blanca, hecha de azúcar y almidón, con que se cubren algunos dulces y pasteles. ☐ ETIMOL. Del árabe *al-qursa* (la torta redonda y plana).

alcotán s.m. Ave rapaz diurna, migratoria y parecida al halcón, que tiene las plumas de las piernas y de la cola de color rojo. ☐ ETIMOL. Del árabe *al-qatam* (el gavilán). ☐ MORF. Es un sustantivo epiceno: *el alcotán macho, el alcotán hembra*.

alcurnia s.f. Conjunto de antepasados y descendientes de una persona, esp. si son nobles: *En su educación exquisita se nota que es una persona de alcurnia.* ☐ ETIMOL. Del árabe *al-kunya* (el sobrenombre).

alcuza s.f. Pequeño recipiente o vasija que sirve para conservar aceite; aceitera. ☐ ETIMOL. Del árabe *al-kuza* (la vasija).

alcuzcuz s.m. →**cuscús**. ☐ ETIMOL. Del árabe *al-kuskus*.

aldaba s.f. Pieza metálica, esp. de hierro o de bronce, que se pone en una puerta para llamar golpeando con ella. ☐ ETIMOL. Del árabe *ad-dabba* (el picaporte, el cerrojo).

aldabilla s.f. Pieza de hierro con forma de gancho que se engancha en una anilla metálica fija, y que sirve para cerrar puertas, ventanas, cajas y otros objetos.

aldabonazo s.m. **1** Golpe dado con la aldaba. **[2** *col.* Aviso o llamada de atención: *La subida del petróleo fue el primer 'aldabonazo' de la crisis económica.*

aldea s.f. Pueblo con muy pocos vecinos y generalmente sin jurisdicción propia. □ ETIMOL. Del árabe *ad-day'a* (la finca rústica, el cortijo).

aldeanismo s.m. Falta de amplitud intelectual o espiritual, propia de algunas sociedades muy reducidas y aisladas. □ USO Es despectivo.

aldeano, na ▌ adj. **1** Rústico, sin educación o sin refinamiento: *modales aldeanos.* ▌ adj./s. **2** De una aldea o relacionado con ella.

aldehído s.m. Compuesto químico orgánico procedente de la oxidación de determinados alcoholes: *Los aldehídos se utilizan en las industrias plásticas y en la desinfección.* □ ETIMOL. De *alcohol* y *dehydrogenatum* (alcohol sin hidrógeno).

ale interj. →**hala**.

aleación s.f. Producto homogéneo de propiedades metálicas, compuesto de dos o más elementos, uno de los cuales debe ser un metal: *El acero es una aleación de hierro y carbono.*

alear v. Referido a un metal, mezclarlo con otro, o con otros elementos, fundiéndolos: *Para alear los metales se necesitan temperaturas muy altas.* □ ETIMOL. Del francés antiguo *aleiier*, y éste del latín *alligare* (atar).

aleatorio, ria adj. Que depende de la suerte o del azar. □ ETIMOL. Del latín *aleatorius* (propio del juego de dados).

alebrestarse v.prnl. *col.* En zonas del español meridional, alborotarse o ponerse nervioso.

aleccionador, -a adj. Que alecciona.

aleccionamiento s.m. Instrucción, enseñanza o comunicación de un conocimiento, de una habilidad o de una experiencia para que otro los aprenda.

aleccionar v. Referido a una persona, instruirla o comunicarle un conocimiento, una habilidad o una experiencia: *Me aleccionó sobre lo que iba a encontrarme a mi llegada.* □ ETIMOL. De *lección*.

aledaño, ña ▌ adj. **1** Referido esp. a un terreno, contiguo o inmediato a otro. ▌ s.m.pl. **2** Terrenos que lindan con un pueblo, con otro campo o tierra, o con un lugar cualquiera, y que se consideran como parte accesoria de ellos. □ ETIMOL. De la locución *al lado*.

álef s.m. Primera letra del alefato o serie de las consonantes hebreas. □ ORTOGR. Se usa también *aleph*.

alefato s.m. **1** Serie ordenada de las consonantes hebreas. **2** →**alifato**.

alegación s.f. **1** Presentación de algo, esp. de un mérito, un argumento o una razón, como prueba, excusa o justificación: *La alegación de su estado de salud no sirvió para que le eximieran de realizar su trabajo.* **2** Argumento, discurso o razonamiento en favor o en contra de algo; alegato: *Sus alegaciones de inocencia no me convencen.*

alegar v. Referido esp. a un mérito, un argumento o una razón, presentarlos como prueba, excusa o justificación de algo: *Cuando le reprocharon su actitud, alegó que no lo había hecho a propósito.* □ ETIMOL. Del latín *allegare.* □ ORTOGR. La *g* se cambia en *gu* delante de *e* →PAGAR.

alegato s.m. Argumento, discurso o razonamiento

en favor o en contra de algo; alegación: *La juez desestimó el alegato de la defensa.*

alegatorio, ria adj. De la alegación o relacionado con ella.

alegoría s.f. **1** Ficción en virtud de la cual una cosa representa o significa otra diferente, generalmente una idea abstracta: *En la introducción a sus 'Milagros', Berceo hace una alegoría basada en la imagen del Paraíso como un prado.* **2** Composición literaria o artística, cuyo sentido se basa en una ficción de este tipo y tiene generalmente un carácter didáctico o moralizante: *La 'Divina Comedia' de Dante es una alegoría de la vida del hombre.* □ ETIMOL. Del latín *allegoria*.

alegórico, ca adj. De la alegoría, con alegoría, o relacionado con ella.

alegorizar v. Interpretar alegóricamente o dar un sentido alegórico: *Las espinas de la rosa son alegorizadas por este autor para hablar del amor.* □ ORTOGR. La *z* se cambia en *c* delante de *e* →CAZAR.

alegrar v. **1** Causar o sentir alegría: *Me alegra saber que te va bien. Se alegró mucho de verme.* **2** Referido a algo inanimado, avivarlo o darle nuevo esplendor: *Estas cortinas alegran la habitación.*

alegre adj. **1** Que siente, que muestra o que produce alegría: *Hoy te veo muy alegre. El triunfo de un amigo es siempre una noticia alegre.* **2** Que tiene inclinación a sentir o a manifestar alegría: *Son una gente muy alegre y lo pasarás bien con ellos.* **3** Que transcurre o se desarrolla con alegría: *un día alegre.* **4** Referido a un color, que es vivo. **5** *col.* Animado o excitado por haber tomado bebidas alcohólicas. **6** *col.* Que no cumple lo que se considera moralmente aceptable, esp. en el terreno sexual: *gente de vida alegre.* **7** Que se hace sin pensar o de modo irreflexivo: *No hagas comentarios alegres si no sabes de qué va el asunto.* □ ETIMOL. Del latín **alicer* (vivo, animado), por *alacer*.

alegreto s.m. **[1** En música, aire o velocidad no excesivamente rápidos con que se ejecutan una composición o un pasaje: *El 'alegreto' es menos vivo que el alegro.* **2** En música, composición o pasaje que se ejecutan con este aire. □ ETIMOL. Del italiano *allegretto.*

alegría ▌ s.f.· **1** Sentimiento grato y de gozo, producido generalmente por un motivo placentero y que suele manifestarse exteriormente: *Cuando nació su hijo sintió una gran alegría.* **[2** Lo que produce este sentimiento: *Esta tarta es una 'alegría' para la vista.* **3** Irresponsabilidad, ligereza o falta de reflexión: *Un asunto tan delicado no se puede tomar con tanta alegría.* ▌ pl. **4** Cante andaluz de música muy viva y graciosa. **5** Baile que se ejecuta al compás de este cante.

alegro s.m. **[1** En música, aire o velocidad moderadamente rápidos con que se ejecutan una composición o un pasaje: *El 'alegro' es más rápido que el moderato y más lento que el presto.* **2** En música, composición o pasaje que se ejecutan con este aire. □ ETIMOL. Del italiano *allegro.* □ USO En círculos especializados se usa mucho el italianismo *allegro.*

alejamiento s.m. Distanciamiento o colocación de algo lejos o más lejos de lo que estaba.

alejandrino, na ▌ adj. **1** De Alejandro Magno (emperador macedonio del siglo IV a. C.). ▌ adj./s. **2** De Alejandría (ciudad egipcia) o relacionado con ella. ∎ s.m. **3** →**verso alejandrino.** ☐ ETIMOL. Del latín *Alexandrinus*.

alejar v. **1** Distanciar, poner lejos, o poner más lejos: *Alejó la ropa del fuego. No te alejes mucho de aquí.* **2** Ahuyentar o hacer huir: *El clavo pinchado en limón aleja a las moscas.* ☐ ORTOGR. Conserva la *j* en toda la conjugación.

alelado, da adj. Lelo o tonto.

alelamiento s.m. Atontamiento o perturbación del entendimiento.

alelar v. Poner lelo o tonto: *Tal avalancha de datos me aleló un poco. Te alelas por cualquier cosa.*

alelí s.m. →**alhelí.** ☐ MORF. Aunque su plural en la lengua culta es *alelíes*, se usa mucho *alelís*.

alelo s.m. Cada uno de los genes que rigen un carácter y que se encuentran en cromosomas homólogos. ☐ ETIMOL. Por acortamiento de *alelomorfo*.

aleluya ∎ s. **1** En la liturgia católica, canto religioso que se usa para expresar alegría, esp. en la época de Pascua. ∎ s.f. **2** Cada uno de los dibujos que, formando una serie, contiene un pliego de papel, con la explicación de un asunto, generalmente en versos pareados. **3** col. Versos prosaicos y de poca calidad, con una rima poco elaborada. ∎ interj. **4** Expresión que se usa para indicar alegría. ☐ ETIMOL. Del hebreo *hallelu Yah* (alabad al Señor), palabras con que empiezan varios salmos. ☐ MORF. En la acepción 1, es de género ambiguo: *el aleluya, la aleluya*.

alemán, -a ∎ adj./s. **1** De Alemania (país europeo), o relacionado con ella; germano. ∎ s.m. **2** Lengua germánica de este y otros países. ☐ ETIMOL. Del francés *allemand*. ☐ MORF. Cuando se antepone a una palabra para formar compuestos, adopta la forma *germano-*.

alentar ∎ v. **1** Dar ánimos o infundir aliento o vigor: *El público alentaba a su equipo.* **2** Referido esp. a un sentimiento, mantenerlo vivo: *Alienta la ilusión de conocer México.* ∎ prnl. **3** En zonas del español meridional, convalecer. ☐ ETIMOL. Del latín **alenitare*, en vez de **anhelitare*, y éste de *anhelare* (respirar, alentar). ☐ MORF. Irreg. →PENSAR.

[aleph (del hebreo) s.m. →**álef.** ☐ PRON. [álef].

alerce s.m. Árbol alto y esbelto, parecido al pino, de ramas abiertas y hojas blandas y caducas en forma de aguja, que es propio de las zonas frías. ☐ ETIMOL. Del árabe *al-arz* (el cedro).

[alergénico, ca adj. Que produce alergia.

alergeno o **alérgeno** s.m. Sustancia que, introducida en el organismo, provoca una reacción alérgica. ☐ ETIMOL. De *alergia* y del griego *gennáo* (yo engendro). ☐ USO *Alérgeno* es el término menos usual.

alergia s.f. Conjunto de fenómenos de carácter respiratorio, nervioso o eruptivo que se producen en el organismo como una reacción negativa o de rechazo ante ciertas sustancias. ☐ ETIMOL. Del griego *allós* (extraño) y *ergón* (actividad), por la actividad que se produce en el organismo cuando se pone en contacto con sustancias extrañas.

alérgico, ca ∎ adj. **1** De la alergia, con alergia o relacionado con ella: *reacción alérgica.* ∎ adj./s. **[2** Que padece alergia: *Soy 'alérgica' a la clara de huevo.*

alergista adj./s. →**alergólogo.** ☐ MORF. 1. Como adjetivo es invariable en género. 2. Como sustantivo es de género común: *el alergista, la alergista*.

[alergología s.f. Parte de la medicina que estudia las alergias y su tratamiento.

alergólogo, ga s. Médico especialista en el tratamiento de las alergias; alergista.

alero s.m. **1** En un tejado, parte inferior que sobresale fuera de la pared y sirve para desviar las aguas de lluvia; ala, alar. ✺ ajedrez **[2** En baloncesto, jugador que ocupa el lado derecho o izquierdo de la cancha. ☐ ETIMOL. De *ala*.

alerón s.m. **1** En un avión, cada una de las piezas móviles articuladas que hay en el borde posterior de las alas y que sirve para hacer variar su inclinación y para facilitar otras maniobras. **[2** En un coche, especie de aleta colocada en la parte posterior de la carrocería. **[3** col. Sobaco. ☐ ETIMOL. Del francés *aileron* (ala pequeña).

alerta ∎ s.f. **1** Estado o situación de vigilancia y atención: *Estamos en alerta aérea ante la amenaza de un bombardeo.* ∎ adv. **2** En espera atenta de algo: *Hay que estar alerta ante posibles contratiempos.* **3** ‖ **[alerta roja**; situación límite: *Con esta sequía ya hay varios pueblos en 'alerta roja'.* ☐ ETIMOL. Del italiano *all'erta*, que se usaba para llamar a los soldados a levantarse y ponerse en guardia en caso de ataque. ☐ SINT. 1. La acepción 2 se usa más con los verbos *estar, poner, vivir* o equivalentes. 2. Incorr. **en alerta.* ☐ USO Se usa como aviso o señal de advertencia: *¡Alerta! Se acerca el momento decisivo.*

alertar v. Poner en alerta o avisar de una amenaza o de un peligro: *Nadie me alertó sobre las consecuencias que podría tener mi actuación.*

aleta s.f. **1** En un animal vertebrado acuático, cada uno de los apéndices que utiliza para nadar y cambiar de dirección en el agua. **2** Calzado con la forma de este apéndice, que usan las personas para impulsarse en el agua, al nadar o bucear. **3** En la nariz, reborde situado en la parte inferior, a ambos lados del tabique nasal; ala. **4** En algunos vehículos, pieza curva que está situada sobre cada una de sus ruedas para evitar las salpicaduras; guardabarros.

aletargamiento s.m. **1** Letargo, inmovilización o reposo de algunos animales que tiene lugar en determinada época del año. **2** Estado de somnolencia o modorra en las personas.

aletargar v. **1** Referido a un animal, producirle letargo y hacer que permanezca durante algún tiempo en inactividad y en reposo absolutos: *El frío aletarga a los reptiles. Los osos se aletargan en invierno.* **2** Referido a una persona, producirle sueño, modorra o pesadez de ánimo: *Este vino aletarga a cualquiera. No me gusta comer mucho porque luego me aletargo.* ☐ ORTOGR. La *g* se cambia en *gu* delante de *e* →PAGAR.

aletazo s.m. Golpe dado con un ala o con una aleta.

aletear v. **1** Referido a un ave, mover repetidamente las alas sin llegar a echar a volar: *Ante la presencia del gato, el jilguero aleteó nervioso en la jaula.* **2** Referido a un pez, mover repetidamente las aletas cuando está fuera del agua: *La trucha que pescamos aleteó un rato antes de morir.* **3** Referido a una persona, mover los brazos hacia arriba y hacia abajo, como las aves mueven las alas: *El niño aleteó jugando a ser un águila.*

aleteo s.m. Movimiento repetido de las alas, de las aletas o de algo parecido.

aleve adj. →**alevoso.** ☐ ETIMOL. De origen incierto.

□ ORTOGR. Dist. de *leve*. □ MORF. Invariable en género.

alevín ■ adj./s. [**1** Referido a un deportista, que, por edad, pertenece a la categoría posterior a la de benjamín y anterior a la de infantil. ■ s.m. **2** Cría de ciertos peces que se suelen utilizar para repoblar ríos, lagos o estanques. **3** Muchacho que empieza en una actividad o profesión. □ ETIMOL. Del francés *alevin*, y éste del latín *allevare* (criar). □ MORF. En la acepción 1, como adjetivo es invariable en género; como sustantivo es de género ambiguo: *el alevín, la alevín*.

alevosía s.f. **1** En derecho, circunstancia de haberse asegurado el que comete un delito de que no hay peligro para él al cometerlo. **2** Traición o deslealtad.

alevoso, sa ■ adj. **1** Referido a un delito, que ha sido cometido con alevosía. ■ adj./s. **2** Referido a una persona, que comete alevosía; aleve. □ ETIMOL. Del antiguo *aleve* (alevosía).

aleya s.f. Versículo del Corán (libro sagrado del islamismo). □ ETIMOL. Del árabe *al-aya*.

alfa s.f. **1** En el alfabeto griego clásico, nombre de la primera letra: *La grafía de alfa es α*. **2** ‖**alfa y omega**; principio y fin: *Creo firmemente que Dios es el alfa y omega de todas las cosas*. □ ETIMOL. Del griego *álpha*.

alfabético, ca adj. Del alfabeto o relacionado con él.

alfabetización s.f. **1** Enseñanza de la lectura y la escritura, esp. a personas adultas. **2** Ordenación por orden alfabético.

alfabetizar v. **1** Enseñar a leer y a escribir: *El Gobierno ha elaborado un programa para alfabetizar a la población adulta*. **2** Ordenar alfabéticamente: *Alfabetiza esta lista*. □ ORTOGR. La *z* se cambia en *c* delante de *e* →CAZAR. □ SEM. La acepción 1 se usa referida esp. a personas adultas.

alfabeto s.m. **1** Serie ordenada de las letras de un idioma; abecedario. **2** Sistema de signos empleados para transcribir un sistema de comunicación: *el alfabeto de los sordomudos*. □ ETIMOL. Del latín *alphabetum*, y éste de *álpha* y *beta*, las dos primeras letras griegas.

alfaguara s.f. Manantial muy abundante. □ ETIMOL. Del árabe *al-fawwara* (el surtidor, la tromba de agua).

alfajeme s.m. *ant.* →**barbero**. □ ETIMOL. De árabe *al-hayyam* (el sangrador, el que pone ventosas).

alfajor s.m. Dulce hecho con una pasta de almendras, nueces, miel, pan rallado y tostado u otros ingredientes. □ ETIMOL. Del árabe *al-hasu* (el relleno).

alfalfa s.f. Planta leguminosa que se cultiva para forraje o alimento del ganado. □ ETIMOL. Del árabe *al-fasfasa*.

alfanje s.m. Arma blanca parecida al sable, pero más ancha y de forma curvada, con filo sólo por un lado excepto en la punta, donde es de doble filo. □ ETIMOL. Del árabe *al-janyar* (el puñal). 🗡 arma

alfanumérico, ca adj. Que está formado por letras y números.

alfanúmero s.m. Serie de letras y números combinados. □ ETIMOL. De *alfabeto* y *número*.

alfaque s.m. Banco de arena, esp. en la desembocadura de un río: *En los alfaques de Tortosa, en la desembocadura del Ebro, han encallado muchos*

barcos. □ ETIMOL. Del árabe *al-jaqq* (la quebrada, la grieta en la tierra).

alfaquí s.m. Sabio o doctor de la ley coránica. □ ETIMOL. Del árabe *al-faqih* (el jurisconsulto). □ MORF. Aunque su plural en la lengua culta es *alfaquíes*, la RAE admite también *alfaquís*.

alfarería s.f. **1** Arte y técnica de fabricar vasijas u otros objetos de barro. **2** Lugar en el que se fabrican o venden estos objetos.

alfarero, ra s. Persona que se dedica profesionalmente a la fabricación de vasijas u otros objetos de barro; cantarero. □ MORF. La RAE sólo registra el masculino.

alfayate s.m. *ant.* →**sastre**. □ ETIMOL. Del árabe *al-jayyat* (el que cose).

alféizar s.m. Parte del muro que constituye el reborde de una ventana, esp. su parte inferior: *Tiene el alféizar de la ventana lleno de macetas*. □ ETIMOL. De origen incierto.

alfeñique s.m. *col.* Persona con una constitución física débil y delicada. □ ETIMOL. Del árabe *al-fanid* (el azúcar).

alferecía s.f. En el ejército, cargo de alférez.

alférez s.m. **1** En el ejército, persona cuyo empleo militar es superior al del subteniente e inferior al del teniente. **2** ‖**alférez de fragata**; en la Armada, persona cuyo empleo militar es equivalente al de alférez del Ejército de Tierra. ‖**alférez de navío**; en la Armada, persona cuyo empleo militar es equivalente al de teniente del Ejército de Tierra. □ ETIMOL. Del árabe *al-faris* (el jinete).

alfil s.m. En el juego del ajedrez, pieza que se mueve en diagonal pudiendo recorrer de una vez todas las casillas libres. □ ETIMOL. Del árabe *al-fil* (el elefante), porque los alfiles representaban una de las cuatro armas del ejército de la India, las tropas montadas en elefantes. 🗡 ajedrez

alfiler s.m. **1** Barrita delgada de metal, terminada en punta por uno de sus lados y en una bolita o cabeza por el otro, que se usa generalmente para unir o prender cosas ligeras. 🗡 costura **2** Joya con esta forma, que se prende en la ropa como adorno o para sujetar exteriormente algo. 🗡 joya **3** ‖**alfiler de {gancho/seguridad}**; en zonas del español meridional, imperdible. ‖**con alfileres**; *col.* Con poca consistencia o con poca firmeza material o moral: *Llevo la lección prendida con alfileres*. ‖**no caber un alfiler**; *col.* Referido a un lugar, estar muy lleno. □ ETIMOL. Del árabe *al-jilal* (lo que se entremete).

alfilerazo s.m. Pinchazo dado con un alfiler.

alfiletero s.m. Estuche en forma de tubo que sirve para guardar alfileres y agujas. 🗡 costura

alfiz s.m. Elemento decorativo característico de la arquitectura musulmana, que enmarca un arco. □ ETIMOL. Del árabe *al-ifriz* (el ornamento arquitectónico).

alfolí s.m. Lugar en el que se guarda y almacena el grano o la sal. □ ETIMOL. Del árabe *al-hury* (el hórreo, el granero público). □ MORF. Aunque su plural en la lengua culta es *alfolíes*, la RAE admite también *alfolís*.

alfombra s.f. **1** Tejido que se pone en el suelo como adorno o para evitar el frío. **2** Lo que cubre el suelo de una forma regular: *Una alfombra de nieve cubría el jardín*. [**3** En zonas del español meridional, moqueta.

□ ETIMOL. Del árabe *al-jumbra* (la esterilla de hoja de palmera).
alfombrado, da s.m. Conjunto de alfombras.
alfombrar v. **1** Referido al suelo, cubrirlo con una alfombra: *Hemos alfombrado el salón.* **2** Referido al suelo, cubrirlo con algo a manera de alfombra: *Alfombraron con flores las calles por las que pasaba la procesión.*
alfonsí adj. →**alfonsino.** □ MORF. **1.** Invariable en género. **2.** Aunque su plural en la lengua culta es *alfonsíes,* la RAE admite también *alfonsís.* □ SEM. Se usa referido esp. a lo relativo a Alfonso X el Sabio frente a *alfonsino,* que tiene un carácter más general.
alfonsino, na adj./s. De cualquiera de los reyes españoles que se llamaron Alfonso, o relacionado con ellos. □ SEM. Como adjetivo es sinónimo de *alfonsí.*
alforfón s.m. **1** Planta herbácea con tallos nudosos, hojas grandes y acorazonadas, flores blancas y fruto negruzco. **2** Semilla de esta planta. □ ETIMOL. Del árabe *al-furfur* (el euforbio, el trigo sarraceno).
alforja s.f. Tira de tela fuerte o de otro material que termina en una bolsa en cada uno de sus extremos, y sirve para llevar cosas al hombro o a lomos de las caballerías. □ ETIMOL. Del árabe *al-jurya* (la talega pendiente del arzón de la silla). □ MORF. Se usa más en plural.
alfoz s.m. Conjunto de pueblos que forman una misma jurisdicción. □ ETIMOL. Del árabe *al-hawz* (el distrito, el pago). □ MORF. La RAE lo registra como sustantivo de género ambiguo.
alga s.f. Planta que carece de tejidos diferenciados, está provista generalmente de clorofila, y vive y se desarrolla en el agua. □ ETIMOL. Del latín *alga.* □ MORF. Por ser un sustantivo femenino que empieza por *a* tónica o acentuada, va precedido de *el, un, algún, ningún* y de las formas femeninas del resto de los determinantes.
algalia s.f. Sustancia muy olorosa usada en perfumería, que se extrae de una planta del mismo nombre o de una bolsa que tiene cerca del ano la civeta. □ ETIMOL. Del árabe *al-galiya* (el perfume del almizcle con ámbar).
algara s.f. *ant.* →**algarada.** □ ETIMOL. Del árabe *al-gara* (la incursión de guerra).
algarabía s.f. Griterío confuso y molesto producido por personas que hablan al mismo tiempo. □ ETIMOL. Del árabe *al-'arabyya* (la lengua árabe).
algarada s.f. **1** Vocerío grande causado en un desorden o disturbio callejero por un grupo de gente. **2** Ataque o incursión violenta de una tropa de caballería para el saqueo del territorio enemigo. □ ETIMOL. De *algara* (incursión en tierra enemiga). □ ORTOGR. Dist. de *algazara.*
algarroba s.f. **1** Planta leguminosa cuyas semillas se usan como alimento para algunos animales; arveja. **2** Fruto del algarrobo. □ ETIMOL. Del árabe *al-jarruba* (el algarrobo).
algarrobo s.m. Árbol siempre verde, propio de las regiones marítimas templadas y cuyo fruto es la algarroba.
algazara s.f. Vocerío o griterío que suelen expresar alegría, y que están producidos generalmente por muchas voces. □ ETIMOL. Del árabe *al-gazara* (la locuacidad, el murmullo, el ruido). □ ORTOGR. Dist. de *algarada.*

álgebra s.f. Parte de las matemáticas que estudia las operaciones que se generalizan mediante el uso de números, letras y signos. □ ETIMOL. Del árabe *al-yabra* (la reducción). □ MORF. Por ser un sustantivo femenino que empieza por *a* tónica o acentuada, va precedido de *el, un, algún, ningún* y de las formas femeninas del resto de los determinantes.
algebraico, ca adj. Del álgebra o relacionado con esta parte de las matemáticas.
álgido, da adj. **1** Referido esp. a un momento o a un período, que es crítico o culminante en el desarrollo de un proceso: *El momento álgido de la reunión coincidió con la noticia de la dimisión del director.* **2** Muy frío. □ ETIMOL. Del latín *algidus,* y éste de *algere* (tener frío). □ MORF. No admite grados; incorr. **más álgido.*
algo ■ pron.indef. **1** Designa una cosa, sin decir exactamente qué es: *Tenemos que hacer algo, aunque no sé qué. ¿Por qué no comes algo?* **2** Cantidad indeterminada: *¿Me prestas algo de dinero?* ■ adv. **3** Un poco, no completamente o en pequeña cantidad o medida: *Estoy algo cansada, pero no es nada.* **4** ||**algo así**; aproximadamente, poco más o menos: *Se apellida Picol o algo así.* ||**algo es algo**; expresión que se utiliza para indicar que no se debe despreciar nada, por pequeño o insignificante que sea: *Me tocó sólo el último premio, pero algo es algo.* || **darle algo** a alguien; sobrevenirle una indisposición repentina: *No trabajes tanto, que te va a dar algo.* ||**por algo**; por algún motivo en concreto, aunque sea desconocido: *Si se ha enfadado, por algo será.* □ ETIMOL. Del latín *aliquod.* □ MORF. No tiene plural.
algodón s.m. **1** Planta de hojas alternas y con cinco lóbulos, flores amarillas con manchas encarnadas, y cuyo fruto contiene las semillas envueltas en una borra o pelusa larga y blanca: *plantación de algodón.* **2** Esta borra o pelusa que envuelve las semillas: *Estuvimos en la recolección del algodón.* **3** Esta borra, limpia y esterilizada: *Tengo que comprar algodón en la farmacia.* **4** Trozo de este material que se usa en medicina y en cosmética: *El algodón se usa para limpiar heridas.* **5** Tejido o tela hechos con hilo de este material: *El algodón es muy fresco para el verano.* **6** ||**[algodón dulce]**; dulce hecho con azúcar, y de aspecto parecido al del algodón. ||**entre algodones**; con muchos cuidados o con delicadeza: *Estás criando al niño entre algodones.* □ ETIMOL. Del árabe *al-qutn.*
algodonal s.m. Terreno plantado de plantas de algodón.
algodonero, ra ■ adj. **1** Del algodón o relacionado con esta planta. ■ s. **2** Persona que se dedica profesionalmente al cultivo o al comercio del algodón.
algodonoso, sa adj. Con las características que se consideran propias del algodón: *nube algodonosa.*
algoritmia s.f. Ciencia que estudia el cálculo aritmético y algebraico.
algorítmico, ca adj. Del algoritmo o relacionado con este concepto matemático.
algoritmo s.m. **1** Conjunto ordenado de operaciones sistemáticas que permiten hallar la solución de un problema: *La multiplicación 2 × 3 se resuelve aplicando el algoritmo de las sumas sucesivas: 2 + 2 + 2.* **2** Método y sistema de signos que sirven para expresar conceptos matemáticos: *ax + b = 0 es un*

algoritmo. ☐ ETIMOL. Del árabe *al-Jwarizmi*, sobrenombre del matemático Mohámed ben Musa.

alguacil s.m. **1** Oficial del ayuntamiento que ejecuta los mandatos del alcalde. **2** En una corrida de toros, agente que está a las órdenes del presidente. ☐ ETIMOL. Del árabe *al-wazir* (el ministro). ☐ MORF. Su femenino es *alguacilesa*.

alguacilesa s.f. de **alguacil**.

alguacilillo s.m. En una corrida de toros, cada uno de los dos alguaciles que abren el paseíllo a caballo, reciben del presidente las llaves del toril y entregan a los toreros las orejas y el rabo del toro cuando los han obtenido como trofeos.

alguien ▌ pron.indef. **1** Designa a una o varias personas, sin decir exactamente quiénes son: *Te ha llamado alguien, pero no ha dicho su nombre. ¿Lo sabe alguien más, o es un secreto entre tú y yo?* ▌ s.m. **2** col. Persona de cierta importancia: *Se cree alguien, y en realidad no es un cero a la izquierda.* ☐ ETIMOL. Del acusativo latino *aliquem* (algún, alguien). ☐ MORF. Como pronombre no tiene diferenciación de género. ☐ SINT. La acepción 2 se usa más con los verbos *ser* y *creerse*.

algún indef. →**alguno**. ☐ MORF. 1. Apócope de *alguno* ante sustantivo masculino singular. 2. Se usa ante sustantivo femenino que empieza por *a* o por *ha* tónicas o acentuadas.

alguno, na indef. **1** Indica que la persona o cosa designadas son una cualquiera e indeterminada de entre varias: *¿Tienes algún amigo que se llame Anacleto? Vinieron algunos, pero no todos.* **2** Indica una medida indeterminada: *Ya han llegado al pueblo algunas cigüeñas. Dice que tiene treinta años, pero yo creo que se quita algunos.* ☐ ETIMOL. Del latín *aliquis* (alguien) y *unus* (uno). ☐ MORF. Como adjetivo masculino se usa la forma apocopada *algún* cuando precede a un sustantivo determinándolo. ☐ SEM. En frases negativas, pospuesto a un sustantivo, equivale a *ninguno* antepuesto: *No hay duda alguna de que me ama.*

alhaja s.f. **1** Objeto de adorno personal, hecho con piedras y metales preciosos. 🔸 joya **2** Lo que es de gran valía o tiene excelentes cualidades. ☐ ETIMOL. Del árabe *al-haya* (la cosa necesaria, el utensilio). ☐ SEM. Es sinónimo de *joya*.

alhama s.f. ant. →**aljama**.

alharaca s.f. Demostración muy exagerada de algún sentimiento. ☐ ETIMOL. Del árabe *al-haraka* (el movimiento). ☐ MORF. Se usa más en plural.

alhelí s.m. **1** Planta de flores olorosas que se cultiva para adorno. **2** Flor de esta planta. ☐ ETIMOL. Del árabe *al-jairi*. ☐ ORTOGR. Se admite también *alelí.* ☐ MORF. Aunque su plural en la lengua culta es *alhelíes*, se usa mucho *alhelís*.

alheña s.f. **1** Arbusto de hojas lisas, brillantes y con forma ovalada, que tiene las flores blancas y pequeñas y el fruto negro y redondeado; aligustre; ligustro: *La alheña se usa para formar setos en parques y jardines.* **2** Flor de este arbusto. **3** Polvillo que se obtiene al machacar las hojas de este arbusto después de secarlas al aire. ☐ ETIMOL. Del árabe *al-hinna'* (el ligustro).

alhóndiga s.f. Edificio público en el que se comerciaba con trigo y con otros cereales. ☐ ETIMOL. Del árabe *al-funduqa* (la posada, la alhóndiga).

aliáceo, a adj. Del ajo, con sus características, o relacionado con él. ☐ ETIMOL. Del latín *alium* (ajo).

aliado, da adj./s. Referido esp. a un país, que se alió contra Alemania (país europeo) durante las guerras mundiales.

aliadófilo, la ▌ adj. **1** De los partidarios de las tropas aliadas durante las guerras mundiales o relacionado con ellos: *ideas aliadófilas.* ▌ adj./s. **2** Que sigue o que defiende a los partidarios de las naciones que se aliaron contra Alemania (país europeo) durante las guerras mundiales. ☐ ETIMOL. De *aliado* y *-filo* (amigo).

aliaga s.f. →**aulaga**. ☐ ETIMOL. De origen incierto.

aliancista adj./s. Que forma parte de una alianza política o que es partidario de ella. ☐ MORF. 1. Como adjetivo es invariable en género. 2. Como sustantivo es de género común: *el aliancista, la aliancista.*

alianza s.f. **1** Unión de personas o de colectividades para lograr algún fin común: *Estas reuniones han logrado crear una alianza entre nuestros dos países.* **2** Pacto o acuerdo entre las partes interesadas: *Los partidos en la oposición formaron alianza para las elecciones.* **3** Anillo de boda. 🔸 joya

aliar v. Referido esp. a una persona, unirla con otra para alcanzar un fin común: *Todos los propietarios se aliaron para defender sus intereses. Este tratado alía a varios países.* ☐ ETIMOL. Del francés *allier* (juntar, aliar). ☐ ORTOGR. La *i* lleva tilde en los presentes, excepto en las personas *nosotros* y *vosotros* →GUIAR.

alias ▌ s.m. **1** Apodo o sobrenombre de una persona: *Su alias es 'Conejo'.* ▌ adv. **2** Por otro nombre o por apodo: *Han detenido a J. M. L., alias 'Pecholobo'.* ☐ ETIMOL. Del latín *alias* (de otro modo). ☐ MORF. Como sustantivo es invariable en número.

alicaído, da adj. col. Muy débil, triste o desanimado; aliquebrado.

alicantino, na adj./s. De Alicante o relacionado con esta provincia española o con su capital.

alicatado s.m. Revestimiento de azulejos.

alicatar v. Revestir o cubrir con azulejos: *Hemos alicatado la cocina.* ☐ ETIMOL. Del árabe *al-qata'ra* (la pieza, la cortadura).

alicate s.m. Herramienta de metal compuesta de dos brazos curvados, que sirve para sujetar o cortar cosas delgadas: *Los alicates son parecidos a las tenazas, pero, además, sirven para cortar.* ☐ ETIMOL. Del árabe *al-liqat* (la tenaza). ☐ MORF. Se usa más en plural, con el mismo significado que en singular.

aliciente s.m. Atractivo, incentivo o estímulo que hace desear o hacer algo: *Es un aliciente saber que tú también vas.* ☐ ETIMOL. Del latín *alliciens* (que atrae).

alicorto, ta adj. **1** Referido a un ave, que tiene las alas cortas o cortadas. **2** Que tiene poca imaginación o escasas aspiraciones.

alícuota adj. **1** Proporcional, o según una proporción: *Todos debemos asumir nuestra parte alícuota de responsabilidad.* **2** Referido a la parte de un todo, que está contenida un número exacto de veces en éste: *Una parte alícuota respecto de 4 es 2.* ☐ ETIMOL. Del latín *aliquotus*, y éste de *aliquot* (algunos, cierto número).

alienación s.f. **1** Pérdida de la propia identidad de una persona cuando adopta una actitud distinta a la que en ella resultaría natural. **2** En psiquiatría, pérdida, temporal o permanente, de la razón o la propia conciencia. ☐ ORTOGR. Dist. de *alineación.*

alienante adj. Que produce alienación. ☐ MORF. Invariable en género.

alienar v. 1 Producir alienación o la pérdida de la propia identidad: *Este trabajo me aliena porque no va con mi forma de ser.* 2 Referido a una persona, sacarla fuera de sí o trastornarle la razón o los sentidos; enajenar: *La pasión deportiva lo aliena. No te dejes alienar por la ira.* ☐ ETIMOL. Del latín *alienare.* ☐ ORTOGR. Dist. de *alinear.*

alienígena adj./s. Que procede de otro planeta; extraterrestre. ☐ ETIMOL. Del latín *alienigena*, y éste de *alienus* (ajeno) y *genere* (engendrar, nacer). ☐ MORF. 1. Como adjetivo es invariable en género. 2. Como sustantivo es de género común: *el alienígena, la alienígena.*

alienista adj./s. Psiquiatra o médico que se dedica al estudio y curación de las enfermedades mentales. ☐ MORF. 1. Como adjetivo es invariable en género. 2. Como sustantivo es de género común: *el alienista, la alienista.*

aliento s.m. 1 Aire que sale de la boca al respirar; hálito: *Te huele mal el aliento.* 2 Respiración, o aire que se respira: *He corrido tanto que me falta el aliento.* 3 Vigor, energía o fuerza interior: *Está trabajando con mucho aliento.* 4 Inspiración, estímulo o apoyo: *Necesito que me des aliento.* ☐ ETIMOL. Del latín **alenitus*, en vez de *anhelitus.*

alifático, ca adj. Referido a un compuesto químico orgánico, que tiene una estructura molecular de cadena abierta: *El metano es un compuesto alifático ya que su fórmula no es cíclica.*

alifato s.m. Serie ordenada de las consonantes árabes, según un orden tradicional. ☐ ETIMOL. De *alif* (primera letra del alfabeto árabe). ☐ ORTOGR. Se admite también *alefato.*

aligator s.m. Reptil anfibio y carnívoro parecido al cocodrilo pero de menor tamaño y con el hocico más corto y redondeado, que habita fundamentalmente en los ríos y pantanos americanos; caimán. ☐ ETIMOL. Del francés *alligator*, éste del inglés *alligator*, y éste del español *lagarto.* ☐ PRON. Aunque la pronunciación correcta es [aligatór], está muy extendida [aligátor]. ☐ MORF. Es un sustantivo epiceno: *el aligator macho, el aligator hembra.*

aligeramiento s.m. Disminución del peso o de la carga de algo.

aligerar v. 1 Hacer ligero o menos pesado: *Aligeraron el coche quitándole parte de la carga.* 2 Hacer más moderado o más fácil de soportar: *Todos deseamos que nos aligeren los impuestos.* 3 Acelerar o aumentar la velocidad: *Aligera el paso, que está empezando a llover. Aligera, o no llegaremos nunca.*

alígero, ra adj. 1 poét. Que tiene alas. 2 poét. Muy rápido, veloz y ligero. ☐ ETIMOL. Del latín *aliger*, y éste de *ala* (ala) y *gerere* (llevar).

aligustre s.m. Arbusto de hojas lisas, brillantes y de forma ovalada, que tiene las flores blancas y pequeñas y el fruto negro y redondeado; alheña; ligustro. ☐ PRON. Incorr. **[alibustre].*

alijo s.m. Conjunto de productos de contrabando: *un alijo de coca.*

alimaña s.f. Animal que resulta perjudicial para la caza menor. ☐ ETIMOL. Del latín *animalia* (bestias).

alimentación s.f. 1 Suministro de alimentos a un ser vivo: *La alimentación es indispensable para la vida.* 2 Conjunto de lo que sirve de alimento: *Una alimentación equilibrada es fundamental para con-* servar la salud. 3 Suministro de lo necesario para que un mecanismo funcione: *Se ha estropeado la fuente de alimentación del ordenador.* 4 Mantenimiento o sostén de algo que consume energía: *Falta madera para la alimentación del fuego.* 5 Fomento de algo, esp. de un determinado sentimiento: *Con eso sólo consigue la alimentación enfermiza de su odio.*

alimentador s.m. Parte de una máquina que da la energía necesaria para su funcionamiento.

alimentar v. 1 Referido a un ser vivo, proporcionarle alimento: *Un buen filete te alimentaría más que todas esas guarrerías. Las plantas se alimentan por las raíces.* 2 Referido esp. a un mecanismo, proporcionarle lo que necesita para seguir funcionando: *Esta batería alimenta todo el circuito. Este motor se alimenta con gasolina.* 3 Referido esp. al fuego, servir para mantenerlo o para sostenerlo: *Los troncos alimentan la hoguera.* 4 Referido esp. a un sentimiento, avivarlo o fomentarlo: *No alimentes mis desesperación con tu pesimismo.*

alimentario, ria adj. De la alimentación o relacionado con ella. ☐ SEM. Dist. de *alimenticio* (que alimenta).

alimenticio, cia adj. Que alimenta. ☐ SEM. Dist. de *alimentario* (de la alimentación).

alimento s.m. 1 Lo que toman las personas y los animales para subsistir; comida: *Ningún animal puede vivir sin alimentos.* 2 Lo que sirve a los seres vivos o a sus células para nutrirlos y mantenerlos con vida: *Las plantas absorben su alimento a través de las raíces.* 3 Lo que sirve para mantener la existencia de algo: *Los escándalos son el alimento de las revistas sensacionalistas.* 4 ‖ **[alimento balanceado]**; en zonas del español meridional, pienso compuesto. ☐ ETIMOL. Del latín *alimentum*, y éste de *alere* (alimentar).

alimoche s.m. Ave rapaz parecida al buitre, pero de menor tamaño, que tiene el plumaje blanquecino, la cabeza y el cuello cubiertos de plumas, y el pico amarillo. ☐ MORF. Es un sustantivo epiceno: *el alimoche macho, el alimoche hembra.* 🐦 rapaz

alimón ‖ **al alimón**; En colaboración o conjuntamente: *Este trabajo lo hemos hecho los dos al alimón.* ☐ ETIMOL. De *alalimón*, comienzo del estribillo que se cantaba en un juego de muchachos.

alindamiento s.m. Colocación de las líneas o bordes que delimitan un terreno.

alindar v. Referido a un terreno, poner o colocar líneas que lo delimiten: *Debemos alindar bien esta tierra para que sus límites no se confundan con el del vecino.*

alineación s.f. 1 Colocación en línea recta: *Los soldados desfilaron en perfecta alineación.* 2 Inclusión de un jugador en un equipo deportivo para disputar un determinado encuentro: *La alineación del delantero titular es dudosa, porque está lesionado.* 3 Conjunto de jugadores que forman un equipo deportivo para un determinado partido, ordenados según su puesto o su función: *El entrenador todavía no ha decidido la alineación del domingo.* 4 Unión o relación con una tendencia política o ideológica: *Tras la crisis económica, se produjo la alineación de los países europeos con Estados Unidos.* ☐ ORTOGR. Dist. de *alienación.* ☐ SEM. En las acepciones 1, 2 y 4, es sinónimo de *alineamiento.*

alineamiento s.m. →**alineación**.

alinear ∎ v. **1** Poner en línea recta: *La profesora alineó a sus alumnos. Los soldados se alinearon delante de la bandera.* **2** Referido a un jugador, incluirlo en un equipo deportivo para un determinado partido: *El entrenador ha alineado a varios jugadores reservas.* ∎ prnl. **3** Relacionarse o asociarse con una tendencia, esp. política o ideológica: *Los países europeos se alinearon con Estados Unidos.* ☐ PRON. Aunque la pronunciación correcta es la que acentúa la e [alineó, alineás...], está muy extendida la pronunciación [alíneo, alíneas...], por influencia de la palabra *línea*. ☐ ORTOGR. Dist. de *alienar*.

aliñar v. **1** Referido a un alimento, condimentarlo o sazonarlo, generalmente con sal, aceite o especias: *Las ensaladas suelen aliñarse con sal, aceite y vinagre.* **2** Arreglar con adornos: *Aliñó la historia con algunas anécdotas no del todo ciertas.* ☐ ETIMOL. Del latín *ad*, y *lineare* (poner en línea, en orden). ☐ SEM. Es sinónimo de *aderezar*.

aliño s.m. **1** Condimentación de un alimento con sal y otros ingredientes. **2** Conjunto de ingredientes con los que se aliña un alimento. **3** Arreglo y aseo, esp. en la forma de vestir de las personas.

alioli s.m. Salsa hecha con ajos machacados y aceite; ajoaceite. ☐ ETIMOL. Del catalán *all* (ajo) y *oli* (aceite).

alípede o **alípedo, da** adj. *poét.* Con alas en los pies. ☐ ETIMOL. Del latín *alipes*, y éste de *ala* (ala) y *pes* (pie). ☐ MORF. *Alípede* es invariable en género.

aliquebrado, da adj. *col.* Muy débil, triste o desanimado; alicaído.

aliquebrar v. Quebrar las alas: *Hoy me siento triste y desanimado, como un pájaro al que hubiesen aliquebrado privándolo de libertad.* ☐ MORF. →PENSAR.

[alirón interj. **1** Expresión que se usa para indicar alegría por una victoria deportiva. **2** ‖{cantar/entonar} **el alirón;** celebrar que un equipo ha quedado el primero en una competición deportiva. ☐ ETIMOL. De la primera palabra de un himno deportivo.

[alisado s.m. →alisamiento.

alisal s.m. →alisar.

[alisamiento s.m. Hecho de poner liso; alisado.

alisar ∎ s.m. **1** Terreno poblado de alisos. ∎ v. **2** Poner liso: *No he planchado bien la camisa, pero al menos la he alisado un poco.* **3** Referido al pelo, ponerlo liso pasando el peine o la mano: *Se miró en el espejo y se alisó un poco el pelo.* ☐ ORTOGR. En la acepción 1, se admite también *alisal*.

aliseda s.f. Terreno poblado de alisos.

alisios s.m.pl. →vientos alisios.

aliso s.m. **1** Árbol de copa redonda, hojas ligeramente viscosas, flores blancas y frutos pequeños y rojizos. **2** Madera de este árbol. ☐ ETIMOL. De origen incierto.

alistamiento s.m. Inscripción en la lista de nuevos soldados pertenecientes al ejército.

alistar ∎ v. **1** Referido a una persona, inscribirla o anotarla en una lista: *Ya me he alistado para el viaje de fin de curso.* **2** En zonas del español meridional, preparar: *Me alisté para salir de viaje.* ∎ prnl. **3** Enrolarse en el ejército: *Se alistó como voluntario.* ☐ ETIMOL. De *lista*.

aliteración s.f. Figura retórica que consiste en la repetición de una serie de sonidos semejantes en una palabra o en un enunciado. ☐ ETIMOL. Del latín *ad* (a), y *littera* (letra).

aliviadero s.m. En un embalse, en una canalización o en otro tipo de depósito, vertedero o desagüe de aguas sobrantes, que evita su desbordamiento.

aliviar ∎ v. **1** Aligerar o hacer menos pesado: *Deberías aliviar un poco la carga de esa estantería.* **2** Referido esp. a una persona, quitarle la carga o el peso anímico que soporta: *Me alivia mucho saber que me comprendes.* **3** Referido esp. a una enfermedad o a un padecimiento, disminuirlos, suavizarlos o hacerlos menos fuertes: *Intentar aliviar las penas con la bebida es un error.* **4** Referido al cuerpo o a uno de sus órganos, descargarlos de elementos superfluos: *Los laxantes ayudan a aliviar el vientre.* **5** Darse prisa en algo: *Como no alivies, no llegarás a tiempo.* ∎ prnl. **6** Mejorar o sanar de una enfermedad: *Se va aliviando de la gripe.* ☐ ETIMOL. Del latín *alleviare* (aligerar). ☐ ORTOGR. La *i* nunca lleva tilde.

alivio s.m. **1** Aligeramiento o disminución de la carga o del peso que se soportan, esp. si son de carácter anímico: *Es un alivio saber que no fue mía la culpa.* **2** Disminución de la intensidad de una enfermedad o de un padecimiento: *Sus nietos son el mejor alivio para su soledad.* **3** Disminución del rigor en las señales externas de duelo, esp. en el color de la ropa, una vez transcurrido el tiempo de luto riguroso.

aljaba s.f. Especie de caja, generalmente en forma de tubo, provista de una cuerda o de una correa para colgársela al hombro, y que sirve para llevar flechas; carcaj. ☐ ETIMOL. Del árabe *al-ya'ba*.

aljama s.f. **1** Edificio destinado al culto judío; sinagoga. **2** Edificio destinado al culto musulmán; mezquita. **3** Barrio habitado por judíos o por musulmanes. ☐ ETIMOL. Las acepciones 1 y 3, del árabe *al-yama'a* (la congregación). La acepción 2, del árabe *al-yami* (la mezquita con sermón los viernes). ☐ ORTOGR. Se admite también *alhama*.

aljamía s.f. **1** En la Edad Media, entre moriscos o musulmanes, lengua romance peninsular. **2** Texto en castellano, transcrito con caracteres árabes. ☐ ETIMOL. Del árabe *al-'ayamiyya* (la lengua extranjera, no árabe).

aljamiado, da adj. Referido a un texto en castellano, que está en castellano pero transcrito con caracteres árabes: *Las jarchas medievales son un ejemplo de literatura aljamiada.*

aljibe s.m. **1** Depósito, generalmente subterráneo, donde se recoge y almacena el agua de lluvia o la que se lleva de algún río o manantial. **2** Depósito destinado al transporte de un líquido: *un camión aljibe.* ☐ ETIMOL. Del árabe *al-yubb* (el pozo). ☐ SINT. En la acepción 2, se usa en aposición, pospuesto a un sustantivo.

aljófar s.m. Perla pequeña y de forma irregular, o conjunto de ellas. ☐ ETIMOL. Del árabe *al-ŷawhar* (la perla).

aljofifa s.m. Pedazo de paño basto y generalmente de lana que se usa para fregar el suelo. ☐ ETIMOL. Del árabe *al-yaffafa* (lo que enjuga).

[all right (anglicismo) ‖Expresión que se usa para indicar asentimiento o conformidad. ☐ PRON. [olráit], con *r* suave. ☐ USO Su uso es innecesario y puede sustituirse por una expresión como *de acuerdo.*

[all-star (anglicismo) ‖Deportista de elite que destaca en un deporte. ☐ PRON. [olstár].

allá adv. **1** En o hacia aquel lugar o posición: *Vivo allá lejos. Allá va tu hermano con la moto.* **2** En un tiempo pasado: *Allá en los años veinte, el charlestón era el baile de moda.* **3** Seguido de un pronombre personal, indica una actitud desinteresada del hablante hacia algo que considera que no le atañe: *Allá él con sus mentiras.* **4** ‖**el más allá**; lo que hay después de la muerte. ‖**no muy allá**; no excesivamente bien, o no muy bueno: *Todavía no estoy muy allá de la gripe. La comida de ese restaurante no es muy allá.* ‖ **[y lo de más allá**; expresión que se utiliza para dar por concluida la enumeración de una serie indefinida de algo: *Dijo que yo era esto, aquello 'y lo de más allá'.* ☐ ETIMOL. Del latín *illac* (por allá). ☐ SINT. Incorr. *Vamos {*a allá >* allá}.

allanamiento s.m. **1** Conversión de algo, esp. de un terreno, en llano o en plano. **2** Eliminación de los obstáculos de un camino o de un lugar de paso, de forma que queden transitables. **3** Superación o vencimiento de una dificultad o de un inconveniente. **4** Entrada que se hace en una casa ajena, contra la voluntad de su dueño: *El allanamiento de morada es un delito.* **5** En zonas del español meridional, registro policial.

allanar v. **1** Poner llano o plano; aplanar: *Las apisonadoras allanaron el terreno.* **2** Referido esp. a un camino, dejarlo libre de obstáculos y transitable: *Los hermanos mayores suelen allanar el camino a los más pequeños en sus relaciones con los padres.* **3** Referido a una dificultad o a un inconveniente, superarlos, vencerlos o solucionarlos: *Los años y la experiencia ayudan a allanar los problemas.* **4** Referido a una casa ajena, entrar en ella contra la voluntad de su dueño: *Los detuvieron por allanar el domicilio del magistrado.*

allegado, da adj./s. Referido a una persona, que tiene con otra una relación cercana o estrecha de parentesco, amistad, confianza o trato.

allegar ∎ v. **1** Recoger, reunir o juntar: *Cuanto más dinero alleguemos en la colecta, a más necesidades podremos atender.* **2** Arrimar, acercar o poner junto a otra cosa: *Allega la silla a la mesa.* ∎ prnl. **3** Adherirse o mostrarse de acuerdo con una decisión o con una idea: *Aunque no asistiré a la reunión, me allego a todo lo que decidáis.* ☐ ETIMOL. Del latín *applicare* (acercar). ☐ ORTOGR. La *g* se cambia en *gu* delante de *e* →PAGAR. ☐ SINT. Constr. de la acepción 3: *allegarse A algo.*

[allegro (italianismo) s.m. →**alegro.** ☐ PRON. [alégro].

allende prep. Más allá de, o en la parte de allá de: *Allende los mares, siempre es posible la aventura.* ☐ ETIMOL. Del latín *illinc* (de allí). ☐ USO Su uso es característico del lenguaje literario.

allí adv. **1** En o a aquel lugar o posición: *Voy allí, a la vuelta de la esquina. Estaré allí a las cinco.* **2** Entonces, en un período de tiempo alejado o en tal ocasión: *El público empezó a arrojar objetos al campo, y allí se terminó el partido.* ☐ ETIMOL. Del latín *illic.* ☐ SINT. Incorr. *Vamos {*a allí >* allí}.

alma s.f. **1** En una persona, parte espiritual e inmortal, capaz de entender, querer y sentir, y que, junto con el cuerpo, constituye su esencia humana. **2** Viveza, interés o energía en lo que se hace: *Lo intentó con toda su alma y lo consiguió.* **3** Lo que anima, da fuerza y aliento, o actúa como impulsor: *Con ese carácter tan abierto y divertido, es el alma de todas*

las fiestas. **4** Persona considerada como individuo, esp. como habitante de una población: *La gente fue emigrando hasta que no quedó un alma en la aldea.* **5** ‖**alma de Dios**; persona muy bondadosa y sencilla. ‖**alma en pena**; **1** La que padece en el purgatorio o anda errante entre los vivos sin encontrar reposo definitivo. **2** Persona que anda sola, triste y melancólica. ‖**caérsele** a alguien **el alma a los pies**; col. Abatirse o desanimarse como consecuencia de una decepción, por no ser la realidad como se esperaba o deseaba. ‖**como alma que lleva el diablo**; col. Referido esp. a la forma de irse, con gran velocidad y con precipitación o nerviosismo. ‖**con el alma en un hilo**; col. Preocupado o nervioso por temor de algún riesgo o problema. ‖{**dar/entregar**} **el alma (a Dios)**; euf. morir. ‖**en el alma**; referido a la forma de experimentar o de expresar un sentimiento, entrañable o profundamente: *Te agradezco en el alma que estés conmigo.* ‖**llegar al alma** o **tocar en el alma**; afectar con gran intensidad: *Aquel detalle tan amable que tuviste me llegó al alma.* ‖**llevar en el alma** a alguien; col. Quererlo entrañablemente. ‖**partir el alma**; causar gran dolor, tristeza o sufrimiento: *Me parte el alma verte llorar.* ☐ ETIMOL. Del latín *anima* (aire, aliento, alma). ☐ MORF. Por ser un sustantivo femenino que empieza por *a* tónica o acentuada, va precedido de *el, un, algún, ningún* y de las formas femeninas del resto de los determinantes. ☐ USO En expresiones como *alma mía* o *mi alma*, se usa como apelativo: *Es que ya no puedo vivir sin ti, alma mía.*

alma máter ‖ [Lo que anima o actúa como impulsor o fuente de vitalidad de algo: *La directora de la orquesta es su verdadera 'alma máter'.* ☐ ETIMOL. Del latín *alma mater* (madre nutricia). ☐ MORF. Incorr. *{*el >* la} *alma máter.*

almacén s.m. **1** Local donde se guardan o depositan mercancías. **2** Local o establecimiento donde se venden productos, generalmente al por mayor: *almacén de zapatos.* **3** En zonas del español meridional, tienda de comestibles. **4** ‖**grandes almacenes**; establecimiento de grandes dimensiones, dividido en secciones, y en el que se venden al por menor productos de todo tipo. ☐ ETIMOL. Del árabe *al-majzan* (el depósito).

almacenaje o **almacenamiento** s.m. **1** Acción de guardar o de poner en un almacén: *Para el almacenamiento del grano, se utilizan lugares protegidos de la humedad.* **2** Reunión o conservación de cosas en gran cantidad: *Los embalses permiten el almacenamiento de agua.* **3** En informática, introducción de datos o de información en el disco de un ordenador o en la unidad adecuada para almacenarlos.

almacenar v. **1** Guardar o poner en un almacén: *La tienda cuenta con un local para almacenar mercancías.* **2** Reunir o guardar en gran cantidad: *Durante el verano, las hormigas almacenan comida para el invierno.* **3** En informática, referido a un dato o a una información, introducirlos en el disco de un ordenador o en su unidad de almacenamiento: *Una vez que hayas almacenado todos los datos en el ordenador, puedes analizarlos.*

almacenista s. Propietario de un almacén o persona que se dedica profesionalmente a la venta de mercancías en un almacén. ☐ MORF. Es de género común: *el almacenista, la almacenista.*

almáciga s.f. **1** Lugar en el que se siembran semillas para trasplantar las plantas cuando nazcan; semillero. **2** Resina clara, amarillenta y aromática, que se obtiene de una variedad de lentisco. □ ETIMOL. La acepción 1, de origen incierto. La acepción 2, del árabe *al-mastika*, y éste del griego *mastíkhe*.

almádena s.f. Mazo de hierro con un mango largo, que sirve para partir piedras. □ ETIMOL. Del árabe *al-mi'dana* (el instrumento para piedras).

almadía s.f. →**armadía**. □ ETIMOL. Del árabe *alma'diya* (la barca que sirve para que pasen hombres y animales).

almadraba s.f. **1** Pesca de atunes. **2** Red o cerco de redes que se utilizan en esa pesca. ✍ pesca □ ETIMOL. Del árabe *al-madraba* (el golpeadero).

almadreña s.f. Calzado de madera de una sola pieza, propio de los campesinos; madreña, zueco. □ ETIMOL. Del artículo árabe *al*, y *madreña*. ✍ calzado

almagra s.f. o **almagre** s.m. Óxido de hierro, de color rojo, más o menos arcilloso: *El almagre se usa mucho en pintura para obtener colores rojizos.* □ ETIMOL. Del árabe *al-magra* (la tierra roja).

almanaque s.m. Registro de los días del año distribuidos en meses y semanas, con indicaciones sobre las festividades y otras informaciones de tipo astronómico; calendario. □ ETIMOL. Del árabe *almanaj*, y éste del latín *manachus* (círculo de los meses).

almazara s.f. Molino o fábrica donde se extrae aceite de las aceitunas. □ ETIMOL. Del árabe *alma'sara* (el lugar de exprimir).

almeja s.f. Molusco marino de carne comestible, que vive encerrado en una concha de forma ovalada y en aguas poco profundas. □ ETIMOL. De origen incierto. ✍ marisco

almena s.f. En las antiguas fortalezas, cada uno de los prismas que, separados entre sí por un espacio, rematan sus muros. □ ETIMOL. Del artículo árabe *al*, y el latín *minae* (almenas).

almenara s.f. **1** Fuego que se encendía en las atalayas y otros sitios elevados, para avisar de algún peligro. **2** Soporte en el que se colocaban teas encendidas para alumbrar algún lugar. □ ETIMOL. Del árabe *al-manara* (el lugar de la luz).

almendra s.f. **1** Fruto del almendro, de forma ovalada y con una cáscara dura que recubre la semilla. **2** Semilla de este fruto, comestible y muy sabrosa. **3** Semilla de cualquier fruto con hueso. □ ETIMOL. Del latín *amygdala*.

almendrado, da ∎ adj. **1** Con forma semejante a la de una almendra: *ojos almendrados.* ∎ s.m. **2** Dulce hecho con almendras, harina y miel o azúcar.

almendro s.m. Árbol de hasta ocho metros de altura, de madera muy dura, flores blancas o rosáceas, y cuyo fruto es la almendra. □ ETIMOL. Del latín *amygdalus*.

almendruco s.m. Fruto del almendro que aún no ha madurado del todo.

almeriense adj./s. De Almería o relacionado con esta provincia española o con su capital. □ MORF. 1. Como adjetivo es invariable en género. 2. Como sustantivo es de género común: *el almeriense, la almeriense*.

almiar s.m. Pajar descubierto, con un palo en el centro alrededor del cual se van amontonando la paja o el heno. □ ETIMOL. Del árabe *al-* y del latín *metalis*, de *meta* (haces de paja).

almíbar s.m. Líquido dulce que se obtiene cociendo agua con azúcar hasta que la mezcla adquiere consistencia de jarabe: *melocotón en almíbar.* □ ETIMOL. Del árabe *al-maiba*.

almibarado, da adj. Referido a una persona o a su forma de hablar, que son excesivamente dulces, amables y complacientes.

almibarar v. **1** Bañar o cubrir con almíbar: *Voy a almibarar estas peras.* **2** Referido a algo que se dice a alguien, suavizarlo extremadamente para ganarse la voluntad de esa persona: *No almibares tanto tus palabras y háblame claro.*

almidón s.m. Hidrato de carbono que se encuentra como sustancia de reserva en casi todos los vegetales, esp. en las semillas de los cereales: *El arroz contiene mucho almidón.* □ ETIMOL. Del artículo árabe *al*, y el latín *amylum*.

almidonar v. Referido a una ropa, mojarla en agua con almidón para que quede tiesa y con más consistencia: *Antes era normal almidonar los cuellos de las camisas.*

almimbar s.m. Púlpito de una mezquita. □ ETIMOL. Del árabe *almimbar* (el púlpito). □ SEM. Dist. de *alminar* (torre de una mezquita). □ USO Aunque la RAE sólo registra *almimbar*, en círculos especializados se usa más *mimbar*.

alminar s.m. En una mezquita, torre desde la que el almuédano convoca a los musulmanes a la oración; minarete. □ ETIMOL. Del árabe *al-manar* (el faro). □ SEM. Dist. de *almimbar* (púlpito de una mezquita).

almirantazgo s.m. **1** En la Armada, empleo, cargo o dignidad del almirante. **2** Alto tribunal o consejo de la Armada.

almirante s.m. **1** En la Armada, persona cuyo empleo militar es superior al de vicealmirante e inferior al de capitán general. **[2** En la Armada, categoría militar superior a la de jefe: '*Almirante' es la categoría formada por contraalmirante, vicealmirante, almirante y capitán general.* □ ETIMOL. Del antiguo *amirate*, y éste del árabe *amir* (jefe).

almirez s.m. Recipiente semejante a un vaso, pequeño y de metal, que sirve para machacar o moler en él algunas sustancias. □ ETIMOL. Del árabe *almihras* (el instrumento para machacar). □ MORF. Incorr. su uso como femenino: {**la > el*} *almirez.* □ SEM. Dist. de *mortero* (de cualquier tamaño y material).

almizclado, da adj. Con olor a almizcle.

almizcle s.m. Sustancia grasa y de olor muy intenso, que segregan ciertas glándulas de algunos mamíferos. □ ETIMOL. Del árabe *al-misk*.

almizcleño, ña adj. Que huele a almizcle.

almizclero s.m. Mamífero rumiante, parecido a un ciervo, sin cuernos y con una glándula en su vientre que segrega almizcle. □ MORF. Es un sustantivo epiceno: *el almizclero macho, el almizclero hembra*.

almogávar s.m. En la época medieval, soldado especialmente preparado para atacar por sorpresa y adentrarse en tierras enemigas. □ ETIMOL. Del árabe *al-mugawir* (el que hace algaras).

almohada s.f. **1** Pieza de tela rellena de un material blando y mullido, que sirve para apoyar en ella la cabeza, esp. en la cama. **2** Funda de tela en la que se mete esta pieza; almohadón. **3** ǁ**consultar** algo **con la almohada**; *col.* Tomarse todo el tiempo necesario para pensar sobre ello y decidir con tranquilidad. ☐ ETIMOL. Del árabe *al-mujadda* (el lugar en que se apoya la mejilla).

almohadazo s.m. Golpe dado con una almohada.

almohade adj./s. De una antigua dinastía musulmana que reinó en el norte de África (uno de los cinco continentes) y en el sur de España durante los siglos XII y XIII, o relacionado con ella. ☐ ETIMOL. Del árabe *al-muwahhid* (el monoteísta, el unificador). ☐ MORF. 1. Como adjetivo es invariable en género. 2. Como sustantivo es de género común: *el almohade, la almohade*.

almohadilla s.f. 1 Cojín pequeño que se coloca sobre un asiento duro para estar más cómodo sentado, generalmente en un espectáculo público. 2 En algunos animales, masa de tejido con fibras y grasa que se encuentra en las puntas de las falanges o en la planta del pie y que los protege de golpes y de roces. [3 En algunos objetos, parte, generalmente acolchada, que sirve como apoyo o como protección para evitar un daño o una rozadura: *Estas gafas me hacen daño porque se me clavan las 'almohadillas' en la nariz.* 🔄 gafas 4 En zonas del español meridional, acerico. [5 En zonas del español meridional, tampón de tinta.

almohadillado, da adj./s.m. En arquitectura, con sillares que sobresalen por tener los bordes labrados de forma oblicua: *fachada almohadillada*.

almohadillar v. 1 Poner lana, algodón u otras materias blandas entre dos telas que después se cosen unidas; acolchar: *He almohadillado los agarradores de la cocina para que sean más resistentes.* 2 En arquitectura, labrar los sillares para que sobresalgan, por medio del corte oblicuo de sus bordes: *En el Renacimiento se almohadillaban las fachadas con fines ornamentales.*

almohadillazo s.m. Golpe dado con una almohadilla, esp. el que se da arrojándola.

almohadillero, ra s. Persona que se dedica a alquilar almohadillas a los asistentes a ciertos espectáculos.

almohadón s.m. 1 Pieza de tela, generalmente de forma cuadrada, rellena de un material blando y mullido, que sirve para sentarse encima, recostarse o apoyar los pies en él. 2 Funda de tela en la que se mete la almohada; almohada.

almóndiga s.f. →albóndiga.

almoneda s.f. 1 Venta de objetos en subasta pública, esp. si son objetos usados y que se anuncian a bajo precio. 2 Establecimiento en el que se realiza este tipo de venta. ☐ ETIMOL. Del árabe *al-munada* (el pregón).

almorávide adj./s. De una antigua dinastía musulmana, de origen bereber, que dominó el norte de África (uno de los cinco continentes) y gran parte de la península Ibérica durante el siglo XI y parte del XII. ☐ ETIMOL. Del árabe *al-murabit* (el religioso en una rábida, que era una fortaleza militar religiosa). ☐ MORF. 1. Como adjetivo es invariable en género. 2. Como sustantivo es de género común: *el almorávide, la almorávide*.

almorrana s.f. Pequeño tumor sanguíneo que se forma en el ano o en la parte final del recto por una excesiva dilatación de las venas en esa zona; hemorroide. ☐ ETIMOL. Del latín **haemorrheuma*, y éste del griego *hâima* (sangre) y *rhêuma* (flujo).

almorrón s.m. Pequeño montículo de tierra que se

levanta en terrenos cultivados y se destina a diversos usos; caballón: *El puesto de caza se hallaba camuflado en un almorrón.*

almorta s.f. 1 Planta herbácea con el tallo ramoso, hojas en forma de punta de lanza, flores moradas y blancas y cuyo fruto es una legumbre. 2 Fruto o semilla de esta planta. ☐ SEM. Es sinónimo de *guija, muela* y *tito*.

almorzar v. Tomar el almuerzo o tomar como almuerzo: *A media mañana hacemos una parada en el trabajo para almorzar. He almorzado sopa de primero y pescado de segundo.* ☐ ORTOGR. La z se cambia en c delante de e. ☐ MORF. Irreg. →FORZAR.

almuecín o **almuédano** s.m. Musulmán que, desde el alminar o torre de la mezquita, convoca en voz alta a los fieles musulmanes para que acudan a la oración; muecín. ☐ ETIMOL. *Almuecín*, quizá del francés *muezzin*. *Almuédano*, del árabe *al-mu'addin* (el que llama a la oración).

almuerzo s.m. 1 Comida principal del día, que se hace a mediodía. 2 Comida, generalmente ligera, que se hace a media mañana o al comenzar el día. 3 Alimento que se toma en estas comidas. ☐ ETIMOL. Del latín **admordium*, y éste de *admordere* (morder ligeramente).

almunia s.f. Lugar cercado en el que se cultivan alimentos o se crían animales. ☐ ETIMOL. Del árabe *al-munya* (el huerto, la granja).

[aló interj. En zonas del español meridional, expresión utilizada al contestar una llamada telefónica, para indicar que se está preparado para escuchar. ☐ ETIMOL. Del francés *hallô*.

alocado, da ▌ adj. 1 Inquieto, precipitado o atolondrado: *un ritmo de vida alocado.* ▌ adj./s. 2 Que se comporta o actúa con poco juicio, de forma insensata o muy precipitada. ☐ MORF. La RAE sólo lo registra como adjetivo.

alocar v. Aturdir, hacer perder el aplomo o la seguridad y la sensatez en la forma de obrar: *Mi hermana pequeña se aloca cuando se van mis padres de vacaciones.* ☐ ORTOGR. La c se cambia en qu antes de e →SACAR.

alocución s.f. Discurso o razonamiento generalmente breve, que dirige un superior a sus subordinados, o que pronuncia una persona con autoridad. ☐ ETIMOL. Del latín *allocutio*, y éste de *alloqui* (dirigir la palabra, hablar en público). ☐ ORTOGR. Dist. de *elocución* y de *locución*.

aloe o **áloe** s.m. Planta perenne de hojas alargadas y carnosas que arrancan de la parte baja del tallo y de las que se extrae un jugo muy amargo y parecido a la resina que se usa en medicina; acíbar. ☐ ETIMOL. Del latín *aloe*. ☐ USO Aunque la RAE prefiere *áloe*, se usa más *aloe*.

alófono s.m. Cada una de las variantes de pronunciación de un fonema, según los sonidos contiguos y la posición que ocupe en la palabra: *La 'n' gutural de 'manga' y la 'n' dental de 'santo' son alófonos del fonema /n/.* ☐ ETIMOL. Del griego *állos* (otro) y *-fono* (sonido).

alógeno, na adj./s. De origen distinto al de la población autóctona de un país. ☐ ORTOGR. Dist. de *halógeno*.

alojamiento s.m. 1 Instalación de una persona en un lugar que toma como vivienda, generalmente de forma temporal: *El alojamiento de los refugiados en el campamento es provisional.* 2 Lugar en el que se alojan una o varias personas, o en el que está algo: *¿Has encontrado alojamiento para esta noche?*

alojar v. **1** Dar o tomar alojamiento, esp. si es de forma temporal; hospedar: *Los organizadores del congreso alojaron a los asistentes en varios hoteles. Me alojo en un hotel.* **2** Referido a una cosa, meterla o meterse dentro de otra: *No consiguió alojar el clavo en el agujero adecuado. La bala se le alojó en el cerebro.* ☐ ETIMOL. Del provenzal *alotjar*. ☐ ORTOGR. Conserva la *j* en toda la conjugación.

alomorfo s.m. En gramática, cada una de las variantes de un mismo morfema en función de un contexto y de un significado idénticos: *En español, los alomorfos del morfema plural en el sustantivo son '-s', '-es' y '', como en 'coche-s', 'flor-es' y 'crisis'.*

alón, -a ■ adj. **1** En zonas del español meridional, referido esp. a un sombrero, que tiene el ala grande. ■ s.m. **2** Ala entera de ave, a la que se le han quitado las plumas: *alones de pavo.*

alondra s.f. Pájaro con la cola en forma de horquilla, el vientre blancuzco y el resto del cuerpo de color pardo con manchas oscuras, que tiene una pequeña cresta en la cabeza, y emite un canto muy agradable. ☐ ETIMOL. Del latín *alaudula* (alondra pequeña). ☐ MORF. Es un sustantivo epiceno: *la alondra macho, la alondra hembra.*

alópata adj./s. Médico que emplea la alopatía como método curativo de una enfermedad. ☐ MORF. 1. Como adjetivo es invariable en género. 2. Como sustantivo es de género común: *el alópata, la alópata.*

alopatía s.f. Método curativo que consiste en administrar al enfermo sustancias que en un individuo sano producen síntomas contrarios a los de la enfermedad que se intenta curar. ☐ ETIMOL. Del griego *allopátheia*, y éste de *állos* (otro) y *páthos* (sufrimiento).

alopecia s.f. Caída o pérdida del pelo. ☐ ETIMOL. Del latín *alopecia*, éste del griego *alopekía*, y éste de *alópex* (zorra), porque este animal pierde el pelo con frecuencia.

alopécico, ca adj. Que padece alopecia o caída del pelo.

aloque s.m. Vino tinto claro, esp. si su color es resultado de haberle añadido vino blanco. ☐ ETIMOL. Del árabe *jaluqí* (perfume azafranado).

alpaca s.f. **1** Aleación de color, brillo y dureza muy parecidos a los de la plata, que generalmente se obtiene mezclando cinc, cobre y níquel. **2** Tela brillante de algodón. **3** Animal mamífero rumiante, muy parecido a la llama, pero de menor tamaño, que tiene el pelo largo y ondulado y que se cría para aprovechar su carne y su pelo. 🐾 rumiante **4** Pelo de este animal: *jersey de alpaca.* **5** Paño o tela hecho con este pelo: *un abrigo de alpaca.* ☐ ETIMOL. De origen incierto. ☐ MORF. En la acepción 3, es un sustantivo epiceno: *la alpaca macho, la alpaca hembra.*

alpargata s.f. Calzado de lona, con suela de esparto, de cáñamo o de goma, que a veces se sujeta al pie con unas cintas que se atan al tobillo. ☐ ETIMOL. Del árabe *al-pargat*, plural de *al-parga* (la abarca). 🐾 calzado

alpargatería s.f. Establecimiento en el que se hacen o se venden alpargatas.

alpestre adj. Referido a una planta, que vive a gran altitud. ☐ MORF. Invariable en género.

alpinismo s.m. Deporte que consiste en escalar montañas elevadas. ☐ ETIMOL. De *alpino*. ☐ SEM. Dist. de *montañismo* (deporte que consiste en hacer marchas a través de las montañas). 🐾 alpinismo

alpinista ■ adj. **1** Del alpinismo o relacionado con él: *club alpinista.* ■ s. **2** Persona que practica el alpinismo o que es aficionada a este deporte. ☐ MORF. 1. Como adjetivo es invariable en género. 2. Como sustantivo es de género común: *el alpinista, la alpinista.*

alpino, na adj. **1** De los Alpes (cordillera europea), o de otra montaña muy elevada. **2** Del alpinismo o relacionado con este deporte. **3** Referido a una región geográfica, que se caracteriza por tener una fauna y una flora semejantes a las de la cordillera de los Alpes.

alpiste s.m. **1** Cereal con espiguillas de tres flores y con semillas menudas, que se utiliza generalmente como forraje o alimento del ganado. **2** Grano de este cereal que se utiliza como alimento de pájaros. **3** *col.* Bebida alcohólica. ☐ ETIMOL. Del mozárabe *al-pist*, éste del latín *pistum*, y éste de *pinseve* (desmenuzar), porque el alpiste es un cereal con semillas muy pequeñas.

alquería s.f. Casa de labranza, granja o conjunto de estas casas alejadas de una población. ☐ ETIMOL. Del árabe *al-qarya* (el poblado pequeño). ☐ ORTOGR. Dist. de *arquería*. 🐾 vivienda

alquibla s.f. Lugar orientado a la Meca (ciudad de Arabia Saudí, capital espiritual del mundo islámico), hacia donde los musulmanes dirigen la vista cuando rezan. ☐ ETIMOL. Del árabe *al-quibla* (el punto del horizonte que se tiene enfrente, el mediodía).

alquilar v. Referido a algo que se va a usar, darlo o tomarlo durante cierto tiempo, a cambio del pago de una cantidad determinada de dinero: *En esta empresa alquilan coches.* ☐ SEM. Se usa esp. refe-

cuerda de escalada

gafas para la nieve

anorak

pantalones *bávaros* o bombachos

martillo para el hielo

piolet

bota

clavijas

mosquetón

crampón

fijación del *crampón* a la bota

casco con lámpara

cinturón de escalada

polaina para la nieve

cinturón de asiento

mochila

estribo

estribo de cinta

ALPINISMO

rido a viviendas, coches, muebles y animales, frente a *arrendar*, que se prefiere para tierras, negocios o tiendas y servicios públicos.

alquiler s.m. **1** Uso, durante cierto tiempo, de algo que es propiedad ajena, a cambio del pago de una cantidad de dinero fijada de antemano: *Este coche no es mío, sólo lo tengo en alquiler*. **2** Precio en que se alquila algo o que se paga por usar durante cierto tiempo algo que es ajeno. **3** ‖ **de alquiler**; que se alquila y que está destinado a ser alquilado: *El chaqué del padrino es de alquiler*. ☐ ETIMOL. Del árabe *al-kirá* (el arriendo y su precio).

alquimia s.f. Conjunto de doctrinas y de experimentos, generalmente de carácter oculto o secreto, sobre las propiedades y transformaciones de la materia, que fueron el precedente de la actual ciencia química. ☐ ETIMOL. Del árabe *al-kimiyá* (la química).

alquitara s.f. Aparato que sirve para destilar líquidos por medio del calor, y que está formado por una caldera, donde hierven los líquidos, y un tubo o serpentín donde se condensan los vapores; alambique. ☐ ETIMOL. Del árabe *al-qattara* (el alambique). 🔬 química

alquitrán s.m. Producto viscoso de color negro, que se obtiene por destilación del petróleo, de la madera, del carbón o de otros materiales orgánicos; brea líquida: *Están asfaltando las calles con alquitrán.* ☐ ETIMOL. Del árabe *al-qitran* (la brea).

alquitranado s.m. Revestimiento de alguna cosa con alquitrán.

alquitranar v. Untar o cubrir con alquitrán: *Los tejados de las casas se alquitranan para hacerlos impermeables.*

alrededor ∎ s.m. **1** Territorio que rodea un lugar o una población; contorno: *Visitamos los alrededores de la ciudad.* ∎ adv. **2** Con un movimiento circular, o rodeando un punto central: *La Tierra gira alrededor del Sol. Miró alrededor, pero no vio a nadie.* **3** ‖ **alrededor de**; referido a una cantidad, poco más o menos o aproximadamente: *Llegué a casa alrededor de las doce.* ☐ ETIMOL. Del antiguo *al derredor*. ☐ ORTOGR. En la acepción 2, se admite también *al rededor* o *en rededor*. ☐ MORF. La acepción 1 se usa más en plural.

alta s.f. Véase **alto, ta**.

altaico, ca adj. De los montes Altai (sistema montañoso asiático) o relacionado con ellos.

altanería s.f. Orgullo que produce el creerse en una posición superior a la de los demás, lo que provoca un trato despectivo y desconsiderado hacia ellos.

altanero, ra adj. Orgulloso o que se cree superior, por lo que trata de forma despectiva y desconsiderada a los demás. ☐ ETIMOL. De *alto*.

altar s.m. **1** En el cristianismo, mesa consagrada en la que el sacerdote celebra la misa: *El sacerdote se arrodilló ante el altar.* **2** Conjunto formado por esta mesa, la base en la que está y todo lo que hay en ella: *Cuando ella baje del altar, subes tú para hacer la segunda lectura.* **3** Lugar elevado en el que se celebran ritos religiosos, como sacrificios u ofrendas: *Los judíos construyeron un altar al becerro de oro.* **4** ‖ **[elevar a los altares**; canonizar. ‖ **llevar al altar** a alguien; col. Casarse con él. ☐ ETIMOL. Del latín *altar*. ☐ SEM. En las acepciones 1 y 3, es sinónimo de *ara*.

altavoz s.m. Aparato que transforma en ondas acústicas las ondas eléctricas, y que sirve para amplificar el sonido.

álter ego ‖ Persona en la que otra tiene total confianza. ☐ ETIMOL. Del latín *alter ego* (otro yo).

alterabilidad s.f. Posibilidad de alterarse o de sufrir una alteración.

alterable adj. Que se puede alterar. ☐ MORF. Invariable en género.

alteración s.f. **1** Cambio que afecta a la forma o la esencia de algo. **2** Pérdida de la tranquilidad y de la calma: *Me produjo una gran alteración recibir carta tuya.* **3** Descomposición, deterioro o daño, esp. los sufridos por una sustancia: *La rápida alteración de algunos alimentos en verano es un peligro para la salud.* **4** En música, signo que se emplea para modificar el sonido de una nota: *Los bemoles y sostenidos son dos tipos de alteración musical.*

alterar v. **1** Cambiar la esencia o la forma: *Por mí, no alteréis vuestros planes.* **2** Trastornar, perturbar o hacer perder la tranquilidad y la calma: *Esa noticia nos ha alterado mucho. No vale la pena alterarse tanto por esa tontería.* **3** Enojar, excitar o enfadar: *Tiene un gran control de sí mismo y no hay nada que lo altere. Hoy se altera por cualquier cosa.* **4** Estropear, dañar, descomponer o deteriorar: *El calor altera los alimentos.* ☐ ETIMOL. Del latín *alterare*, y éste de *alter* (otro).

altercado s.m. Discusión o disputa fuertes, apasionadas o violentas.

altercar v. Disputar o discutir con obstinación, apasionamiento o terquedad: *No alterques con ellos por un asunto de tan poca importancia.* ☐ ETIMOL. Del latín *altercari*, y éste de *alter* (otro). ☐ ORTOGR. La *c* se cambia en *qu* delante de *e* →SACAR.

alteridad s.f. Capacidad de ser otro: *En filosofía, la alteridad se opone a la identidad.* ☐ ETIMOL. Del latín *alteritas*.

alternador s.m. Máquina generadora de corriente eléctrica alterna.

alternancia s.f. Sucesión en el espacio o en el tiempo de forma recíproca o repetida: *alternancia de partidos políticos.*

[alternante adj. Que alterna. ☐ MORF. Invariable en género.

alternar v. **1** Combinar o variar siguiendo un orden sucesivo: *Muchos alumnos alternan el estudio con el trabajo.* **2** Distribuir por turnos sucesivos: *Debemos alternar las tareas de la casa para que no trabaje yo solo.* **3** Sucederse en el espacio o en el tiempo recíproca o repetidamente: *Mañana alternarán las nubes y los claros. Los días de mucho trabajo se alternan con los que no tengo nada que hacer.* **4** Hacer vida social o tener trato: *Le gusta mucho alternar con personas mayores que él.* **5** En algunas salas de fiestas o locales similares, referido a una persona, tratar, hablar o ser amable con los clientes para animarlos a hacer gasto en el local en su compañía. ☐ ETIMOL. Del latín *alternare*, y éste de *alternus* (alterno).

alternativa s.f. Véase **alternativo, va**.

alternativo, va ∎ adj. **1** Que sucede, se hace o se dice alternándose y de forma sucesiva; alterno: *La entrevistadora y el entrevistado hablaban siguiendo un orden alternativo.* **2** Que puede sustituir a otra cosa con la misma función o semejante: *Si hay caravana en la carretera, conozco un camino alterna-*

tivo. ▪ adj./s. **[3** Que se ofrece como otra opción y, generalmente, en oposición a los valores tradicionales o establecidos: *Todos los años se celebra un certamen de cine 'alternativo', con películas de jóvenes cineastas.* ▪ s.f. **4** Opción o posibilidad de elegir entre dos cosas o más cosas: *O venía a verte o te enfadabas, así que no me has dejado alternativa.* **5** Cada una de estas opciones entre las que se puede elegir: *Creo que tomé la alternativa acertada.* **6** En tauromaquia, ceremonia en la que un torero da a un novillero el derecho a matar toros y no sólo novillos: *En la corrida de hoy, este novillero tomará la alternativa.* □ SINT. La acepción 6 se usa más con los verbos *dar* y *tomar.*

alterne s.m. **1** Trato o amistad superficial con otras personas, esp. cuando tiene lugar en locales públicos. **2** Relación y trato superficial que, en ciertas salas de fiestas o locales similares, mantienen con los clientes personas contratadas por la propia empresa, para animarles a hacer gasto en su compañía o para hacerles más agradable la estancia.

alterno, na adj. **1** Que sucede, se hace o se dice alternándose y de forma sucesiva; alternativo: *Las intervenciones alternas de los dos participantes del coloquio permitieron ver ambas posturas.* **2** Que se sucede en el tiempo o en el espacio de forma repetida y discontinua: *Trabajo en días alternos: lunes, miércoles y viernes.*

alteza s.f. En España, tratamiento honorífico que corresponde a los príncipes e infantes: *Su Alteza Real el Príncipe de Asturias inauguró la exposición.* □ ETIMOL. De *alto.* □ USO Se usa más en la expresión *{Su/Vuestra} Alteza {Real/Imperial}..*

altibajos s.m.pl. **1** col. En una sucesión de acontecimientos o de estados, cambio, generalmente brusco, que alterna con otros de signo contrario: *Es una persona con muchos altibajos de carácter.* **2** col. Desigualdad de un terreno, esp. si alterna con otras de diferentes alturas.

altillo s.m. Armario construido en el hueco de un techo rebajado, en la parte alta de una pared, o sobre otro armario.

altimetría s.f. Parte de la topografía que se ocupa de la medición de las alturas de los terrenos. □ ETIMOL. De *alto* y *-metría* (medición).

altímetro s.m. Instrumento que sirve para medir la altitud del punto en que está situado, respecto de otro de referencia, generalmente el nivel del mar. □ ETIMOL. De *alto* y *-metro* (medidor). ⟳ medida

altiplanicie s.f. o **altiplano** s.m. Meseta de altura elevada y de gran extensión. □ ETIMOL. *Altiplanicie,* de *alto* y *planicie;* o *altiplano,* de *alto* y *plano.*

altisonante o **altísono, na** adj. Referido esp. al lenguaje o al estilo de un escritor, que son excesivamente elevados y llenos de términos muy sonoros. □ ETIMOL. *Altisonante,* de *altísono,* por influencia de *altitonante; altísono, na,* del latín *altisonus.* □ MORF. *Altisonante* es invariable en género. □ USO Aunque la RAE prefiere *altísono,* se usa más *altisonante.*

altitud s.f. Elevación o distancia de un punto respecto del nivel del mar. □ ETIMOL. Del latín *altitudo.*

altivez o **altiveza** s.f. Orgullo o actitud de soberbia, generalmente acompañados de desprecio hacia los demás. □ USO *Altiveza* es el término menos usual.

altivo, va adj. Orgulloso o soberbio y generalmente despectivo con los demás. □ ETIMOL. De *alto.*

alto ▪ adv. **1** En un lugar o parte elevados o superiores: *Sus hijos hayan llegado muy alto en sus trabajos.* **2** En un tono de voz fuerte y sonoro: *No hables tan alto.* ▪ interj. **3** Expresión que se usa para indicar a alguien que se detenga o que suspenda lo que está haciendo o diciendo: *El capitán gritó: —¡Alto el fuego!* **4** ∥{dar/[echar} el alto a alguien; darle la orden de detenerse, esp. un miembro de las fuerzas del orden. ∥**en alto;** a cierta distancia del suelo: *Sujétalo en alto un momento.* □ ETIMOL. Las acepciones 1 y 2, del latín *altus.* La acepción 3, del alemán *halt,* y éste de *halten* (detenerse).

alto, ta ▪ adj. **1** Que tiene más altura o elevación de lo que se considera normal: *Los rascacielos son edificios muy altos.* **2** Que tiene un valor o una intensidad superiores a los normales: *Tienes la fiebre muy alta. Siempre pone la radio muy alta.* **3** Que está en un lugar o que ocupa una posición superiores: *El esquí es un deporte de alta montaña. Asistieron al acto todos los altos cargos del ministerio.* **4** Elevado, noble o excelente: *Acabó la carrera con notas altas.* **5** Difícil de alcanzar, de comprender o de ejecutar: *Se ha puesto metas muy altas en la vida.* **6** Referido a una parte de un río, que está cercana a su nacimiento. **7** Referido a una corriente de agua, que está muy crecida: *El río viene muy alto.* **8** Referido al mar, que está muy alborotado y con gran oleaje. **9** Referido a una cantidad o a un precio, que son elevados, cuantiosos o caros: *No lo compré porque me pedían una suma demasiado alta.* **10** Referido a una época o a un período históricos, que son los más lejanos respecto del tiempo actual: *La Alta Edad Media comprende desde la caída del Imperio Romano hasta los siglos XI y XII.* **11** Referido a un período de tiempo, que es muy avanzado y cercano ya a su fin: *Me acosté a altas horas de la madrugada.* **12** Referido esp. a un sonido, a una voz o a un tono musical, que son agudos o tienen una frecuencia de vibraciones grande: *Mi voz es muy grave y no llego bien a las notas altas.* **13** Referido a un delito o a una ofensa, que son enormes o muy graves: *Los sublevados serán juzgados por alta traición.* ▪ s.m. **14** En un cuerpo, dimensión perpendicular a su base y considerada por encima de ésta, desde la parte inferior hasta la superior; altura: *La casa mide diez metros de alto.* **15** Detención, interrupción o parada, generalmente de corta duración, que se hace en la marcha o en una actividad: *Hicimos un alto en el camino para comer.* **16** En el campo, elevación del terreno. **[17** →**contralto.** ▪ s.m.pl. **18** En un edificio, en contraposición a planta baja, piso o conjunto de pisos más elevados: *En la casa del pueblo, utilizaban los altos para colgar los jamones.* ▪ s.f. **19** Inscripción o ingreso en un cuerpo, en una profesión o en una asociación legalmente reconocida: *El alta en la Seguridad Social es un requisito para cobrar una pensión cuando te jubiles.* **20** Documento que acredita esta inscripción: *Hasta que te entreguen el carné, puedes entrar enseñando el alta.* **21** Declaración que un médico hace a un enfermo, reconociéndolo oficialmente curado: *No esperes el alta mientras tengas esa fiebre.* **22** ∥**alto el fuego;** el momentáneo

altoparlante

o definitivo de las acciones militares en un enfrentamiento bélico: *La guerrilla ha firmado un alto el fuego para facilitar las negociaciones con el Gobierno.* ‖{[causar/ser} **alta**; entrar a formar parte de un cuerpo o de una asociación, o volver a ellos después de haber sido baja: *En cuanto apruebes la oposición y firmes unos papeles, serás alta en el cuerpo de profesores de enseñanza.* ‖dar {[de/el} **alta**; referido a una persona que ha estado enferma, declararla curada un médico. ‖**darse de alta**; inscribirse como miembro en un cuerpo, en una profesión o en una asociación. ‖**lo alto; 1** La parte superior o más elevada: *Tiraron sus gorros a lo alto en señal de júbilo.* **2** El cielo: *Todos mirábamos a lo alto, embobados con las acrobacias del avión.* ‖**por todo lo alto**; *col.* A lo grande o con esplendor y todo tipo de lujos. □ ETIMOL. Del latín *altus.* □ MORF. 1. Cuando se antepone a otra palabra para formar compuestos, adopta la forma *alti-*. 2. El comparativo de superioridad *superior* sólo se usa cuando *alto* tiene el sentido de 'situado encima' o de 'notable, de mucha entidad'. 3. En las acepciones 19, 20 y 21, por ser un sustantivo femenino que empieza por *a* tónica o acentuada, va precedido de *el, un, algún, ningún* y de las formas femeninas del resto de los determinantes.
altoparlante s.m. En zonas del español meridional, altavoz. □ ETIMOL. Del italiano *altoparlante.*
altorrelieve s.m. Relieve escultórico cuyas figuras sobresalen del plano más de la mitad de su bulto. □ ORTOGR. Se admite también *alto relieve.*
altozano s.m. Cerro o monte de poca altura que se eleva sobre un terreno llano. □ ETIMOL. De *ante* (delante) por cruce con *alto*, y *ostium* (puerta).
altramuz s.m. **1** Planta herbácea anual con hojas compuestas, flores blancas y fruto en vaina. **2** Semilla de esta planta, en forma de grano achatado, que resulta comestible una vez que se le ha quitado el amargor poniéndola en remojo en agua con sal; chocho. □ ETIMOL. Del árabe *al-turmus.*
altruismo s.m. Afán de procurar el bien ajeno, incluso a costa del propio interés. □ ETIMOL. Del francés *altruisme.*
altruista adj./s. Que practica el altruismo o actúa movido por este afán de procurar el bien ajeno, incluso a costa del propio interés. □ ORTOGR. Incorr. **altruísta.* □ MORF. 1. Como adjetivo es invariable en género. 2. Como sustantivo es de género común: *el altruista, la altruista.*
altura ▌ s.f. **1** Elevación o distancia de un cuerpo respecto a la tierra o a otra superficie de referencia: *El helicóptero sobrevolaba la ciudad a poca altura.* **2** En un cuerpo, dimensión perpendicular a su base y considerada por encima de ésta, desde la parte inferior hasta la superior; *La altura de esa torre es impresionante.* **3** En geometría, en una figura plana o en un cuerpo, segmento o longitud de la perpendicular trazada desde un vértice al lado o a la cara opuestos: *Para hallar el área de un rectángulo, multiplica su base por su altura.* **4** Cima de un monte o de otra elevación del terreno: *Hoy iniciaremos la escalada a una de las mayores alturas de la zona.* **5** Lugar o puesto elevados: *Las alturas me producen vértigo.* **6** Altitud o distancia de un punto de la tierra respecto del nivel del mar: *Nevará en alturas superiores a los mil metros.* **7** Mérito, calidad o valía: *A las competiciones internacionales sólo*

llegan atletas de altura demostrada. **8** Elevación, excelencia o carácter sublime desde un punto de vista moral: *Aquel gesto puso de manifiesto su dignidad y su altura moral.* **9** Cualidad de los sonidos que depende de su frecuencia o número de vibraciones por segundo y que permite ordenarlos de graves a agudos; tono: *Los sonidos de altura muy elevada resultan estridentes para el oído humano.* **10** Navegación o pesca que se hacen en alta mar, lejos de las costas: *Los pilotos expertos en navegación de altura saben guiarse en alta mar por la observación de los astros.* ▌ pl. **11** Lugar en el que, según la tradición cristiana, se goza de la presencia de Dios; cielo, paraíso: *Los ángeles dijeron: —¡Gloria a Dios en las alturas, y en la tierra, paz!* **12** ‖**a estas alturas**; en este período de tiempo, cuando las cosas ya han llegado a este punto: *Si a estas alturas no me han dicho nada, ya no me lo van a decir.* ‖**a la altura de** algo; **1** Referido esp. a un lugar, aproximadamente allí o en sus inmediaciones: *El accidente ocurrió a la altura del kilómetro 300 de la carretera nacional.* **2** A su mismo nivel o a tono con ello: *Por mucho que lo intente, nunca lograré estar a su altura.* □ SINT. *A la altura de* se usa más con los verbos *estar, poner, quedar* o equivalentes.
alubia s.f. **1** Planta leguminosa, con tallos delgados, hojas grandes compuestas y acorazonadas, flores blancas y fruto en vainas de color verde y aplastadas, que terminan en dos puntas: *Las alubias se cultivan en huertas enredadas a unos palos para que crezcan hacia arriba.* **2** Fruto de esta planta, que es comestible: *alubias verdes.* **3** Semilla de este fruto, que tiene forma de riñón: *La fabada se hace con alubias.* □ ETIMOL. Del árabe *al-lubiya* (la judía). □ SEM. Es sinónimo de *judía.*
alucinación s.f. **1** Visión o sensación imaginarias, creadas por la mente sin previa percepción de los sentidos: *La fiebre le hizo tener terribles alucinaciones.* **2** Padecimiento de estas visiones o sensaciones: *En algunos casos de drogadicción, después del período de alucinación se produce una fuerte depresión.* **3** Sorpresa, deslumbramiento o producción de asombro: *La alucinación de los que se escuchaban se reflejaba en sus ojos.* **4** Ofuscamiento, engaño o seducción que se consiguen haciendo que se tome una cosa por otra: *Ese tipo te tiene sumida en tal estado de alucinación que puede manejarte como quiera.*
alucinado, da ▌ adj. **1** Trastornado o ido. ▌ adj./s. **2** Que cree cosas irreales o fantasiosas.
alucinar v. **1** Padecer alucinaciones: *La droga te hace alucinar y perder el control de ti mismo.* **2** Sorprender, deslumbrar, o producir o experimentar asombro: *Me alucina que seas capaz de pensar eso de mí. No dejo de alucinarme cuando te veo desenvolverte con esa soltura.* **3** Ofuscar, engañar o seducir haciendo que se tome una cosa por otra: *No te dejes alucinar por la palabrería de ese donjuán.* **4** *col.* Equivocarse o desvariar: *Si piensas eso de mí, tú alucinas.* □ ETIMOL. Del latín *alucinari.* □ SINT. 1. En la acepción 2, está muy extendido su uso como intransitivo: *Aluciné al verlo.* 2. En la acepción 4, aunque la RAE sólo lo registra como pronominal, se usa más como verbo intransitivo.
[alucine s.m. *col.* Alucinación: *Este coche es un 'alucine', tío.*
alucinógeno, na adj./s.m. Referido esp. a una dro-

ga, que produce alucinaciones. ☐ ETIMOL. Del francés *hallucinogène*.

alud s.m. **1** Gran masa de nieve que se desprende de una montaña y cae con violencia y estrépito. **2** Gran cantidad de algo que llega con fuerza: *Esta semana nos ha llegado un alud de trabajo.* ☐ ETIMOL. De origen prerromano. ☐ SEM. Es sinónimo de *avalancha*.

aludido, da ‖ **darse por aludido**; interpretar que se es el destinatario de una alusión o referencia, y reaccionar en consecuencia.

aludir v. **1** Hacer referencia sin nombrar expresamente: *En su discurso aludió a varias personas.* **2** Referirse o mencionar, generalmente de manera breve y de pasada: *La oradora aludió también a las causas del fenómeno, pero centró su discurso en las consecuencias.* ☐ ETIMOL. Del latín *alludere* (bromear, juguetear con alguien). ☐ SINT. 1. Constr. *aludir A algo.* 2. La RAE sólo lo registra como verbo intransitivo.

aludo, da ▪ adj. **1** Que tiene las alas grandes. ▪ s.f. **2** Hormiga con alas.

alumbrado, da ▪ adj./s. **1** Partidario o seguidor del movimiento religioso español del siglo XVI llamado *iluminismo*; iluminado. ▪ s.m. **2** Conjunto de luces que sirven para alumbrar un lugar. 🖾 alumbrado ☐ MORF. La acepción 1 se usa más en plural.

alumbramiento s.m. **1** Emisión o dotación de luz y claridad. **2** Parto o nacimiento de un niño. **3** Creación o producción, generalmente de una obra del entendimiento: *Los lectores esperan el alumbramiento de una nueva novela del escritor.* **4** Clarificación o explicación y facilitación de la comprensión o del conocimiento: *Dudo que alguien pueda conseguir el alumbramiento de una mente tan cerrada.*

alumbrar v. **1** Dar luz o llenar de luz y claridad: *Varios tubos fluorescentes alumbran el local. El vigilante nocturno se alumbra con una linterna.* **2** Referido a un lugar, poner luz o luces en él: *El Ayuntamiento destinará fondos para alumbrar las calles de las afueras.* **3** Parir o dar a luz: *Alumbró un hermoso niño de cuatro kilos de peso.* **4** Sacar a la luz, crear o dar existencia: *El genio de Cervantes alumbró una de las más grandes producciones literarias de todos los tiempos.* ☐ ETIMOL. De *lumbre*.

alumbre s.m. Sulfato de aluminio y potasio, que se encuentra en ciertas rocas y tierras, y de las cuales se extrae por disolución y cristalización. ☐ ETIMOL. Del latín *alumen*.

alúmina s.f. Óxido de aluminio que se encuentra en la naturaleza en estado puro o cristalizado, generalmente formando arcillas y feldespatos: *La alúmina se encuentra en piedras preciosas como el rubí.* ☐ ETIMOL. Del latín *alumen* (alumbre). ☐ ORTOGR. Dist. de *albúmina*.

aluminio s.m. Elemento químico, semimetálico y sólido, de número atómico 13, de brillo plateado, muy ligero y fácilmente deformable, que es buen conductor del calor y de la electricidad, e inoxidable: *Hemos puesto ventanas de aluminio.* ☐ ETIMOL. Del inglés *aluminium*, y éste del latín *alumen*. ☐ ORTOGR. Su símbolo químico es *Al*.

[aluminosis s.f. Alteración de algunos hormigones en los que se ha empleado cemento aluminoso, que conlleva su degradación y pérdida de resistencia. ☐ MORF. Invariable en número.

alumnado s.m. Conjunto de los alumnos o estudiantes de un centro docente.

alumno, na s. Persona que estudia bajo la orientación de otra o que recibe sus enseñanzas. ☐ ETI-

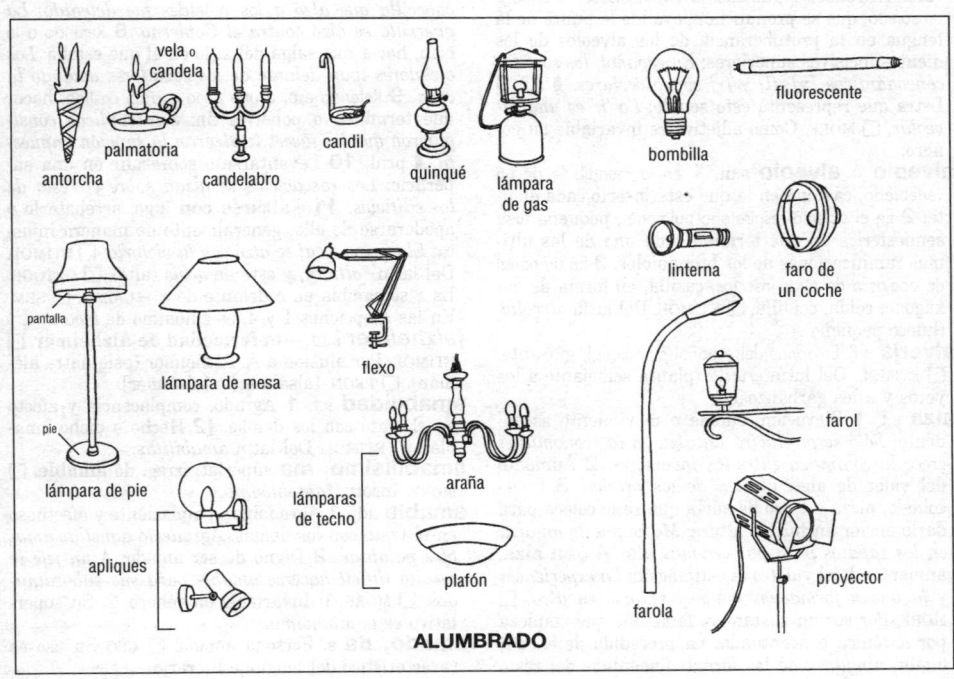

antorcha · vela o candela · palmatoria · candelabro · candil · quinqué · lámpara de gas · bombilla · fluorescente · linterna · faro de un coche · pantalla · lámpara de mesa · flexo · pie · lámpara de pie · apliques · lámparas de techo · araña · plafón · farola · farol · proyector

ALUMBRADO

alunado, da 68

MOL. Del latín *alumnus* (persona criada por otra), y éste de *alere* (alimentar).

alunado, da adj. Referido a una persona, que tiene cambios bruscos de carácter o sufre ataques de locura; lunático.

alunizaje s.m. Descenso de una nave espacial hasta posarse sobre la superficie lunar.

alunizar v. Referido a una nave espacial o a uno de sus tripulantes, posarse sobre la superficie lunar: *El cohete alunizó en el lugar previsto.* □ ORTOGR. La *z* se cambia en *c* delante de *e* →CAZAR. □ SEM. Dist. de *aterrizar* (posarse en tierra).

alusión s.f. Referencia o mención que se hacen de algo sin nombrarlo expresamente o de manera breve y de pasada. □ ETIMOL. Del latín *allusio* (retozo, juego). □ ORTOGR. Dist. de *elisión*.

alusivo, va adj. Que alude o hace referencia, generalmente de manera breve o indirecta. □ ORTOGR. Dist. de *elusivo*. □ SINT. Constr. *alusivo A algo*.

aluvial adj. Referido esp. a un terreno o a un sedimento, que se han formado por el arrastre de partículas debido a fuertes lluvias o a grandes crecidas de agua. □ ETIMOL. Del latín *alluvies* (aluvión). □ MORF. Invariable en género.

aluvión s.m. **1** Crecida, inundación o corriente violenta de agua, que se producen repentinamente. **2** Gran cantidad de cosas o de personas que se agolpan de pronto: *El galardonado recibió un aluvión de felicitaciones.* **3** Sedimento o depósito de materiales arrastrados por las lluvias o por las corrientes: *Los deltas de los ríos están formados por aluviones.*

[alveolado, da adj. Con forma de alveolo o que tiene alveolos.

alveolar ▌ adj. **1** De los alveolos o relacionado con estas cavidades orgánicas. **2** En lingüística, referido a un sonido, que se pronuncia apoyando la punta de la lengua en la protuberancia de los alveolos de los dientes incisivos superiores: *En español, los sonidos consonánticos [n], [l] y [r] son alveolares.* ▌ s.f. **3** Letra que representa este sonido: *La 'n' es una alveolar.* □ MORF. Como adjetivo es invariable en género.

alveolo o **alvéolo** s.m. **1** En la mandíbula de un vertebrado, cavidad en la que está inserto cada diente. **2** En el sistema respiratorio pulmonar, pequeña fosa semiesférica en que termina cada una de las últimas ramificaciones de los bronquiolos. **3** En un panal de abejas o de otros insectos, casilla, en forma de hexágono; celda, celdilla. □ ETIMOL. Del latín *alveolus* (hueco pequeño).

alverja s.f. En zonas del español meridional, guisante. □ ETIMOL. Del latín *ervilia* (planta semejante a los yeros y a los garbanzos).

alza s.f. **1** Elevación, subida o movimiento ascendente: *Sólo se producirá un alza en la economía si crece la confianza entre los inversores.* **2** Aumento del valor de algo: *el alza de los precios.* **3** En un calzado, pieza o trozo de suela que se le coloca para darle mayor anchura o altura: *Me he puesto un alza en los zapatos para parecer más alto.* **4** ‖en alza; aumentando el valor o la estimación: *La experiencia y la buena formación son hoy valores en alza.* □ MORF. Por ser un sustantivo femenino que empieza por *a* tónica o acentuada, va precedido de *el, un, algún, ningún* y de las formas femeninas del resto

de los determinantes. □ SINT. *En alza* se usa más con los verbos *ir, estar o equivalentes.*

alzacuello s.m. Tira suelta de tela endurecida o de material rígido, que se ciñe al cuello y que es propia del traje de los eclesiásticos; sobrecuello. □ ETIMOL. Del francés *hausse-col* (pieza de la armadura que protegía la base del cuello). □ MORF. Incorr. *el {*alzacuellos > alzacuello}*, aunque este uso está muy extendido.

alzado, da ▌ adj. **1** Referido a un precio o a una cantidad, que se fija en determinada cuantía, esp. si no ha habido una evaluación o un cálculo detallado previos: *Los autores de un libro pueden ir a porcentaje sobre los derechos de autor o a suma alzada.* ▌ s.m. **2** En arquitectura y en geometría, dibujo o representación gráfica de un edificio o de otro cuerpo en su proyección vertical y sin considerar la perspectiva. ▌ s.f. **3** Altura de un caballo y de otros cuadrúpedos, medida desde el talón hasta la cruz o parte alta del lomo.

alzamiento s.m. **1** Rebelión o levantamiento contra el poder establecido. **2** Elevación o movimiento de abajo hacia arriba: *alzamiento de pesos.*

alzar ▌ v. **1** Mover de abajo hacia arriba: *Alzó la mano en señal de protesta.* **2** Referido a un precio, elevarlo o subirlo: *Los comerciantes afirman que la escasez de existencias los obliga a alzar los precios.* **3** Referido a la voz, esforzarla o emitirla con vigor: *No alces tanto la voz, que nos van a oír.* **4** Referido esp. a una edificación o a un monumento, hacerlos o construirlos: *En la plaza están alzando una estatua.* **[5** Levantar o poner derecho o en vertical: *'Alza' esa silla que se ha caído. Cayó y nadie lo ayudó a 'alzarse' del suelo.* **6** Fundar, crear o instituir: *Con trabajo y tesón, alzaron todo un imperio comercial.* **7** Rebelar o levantar contra el poder establecido: *El cabecilla que alzó a los rebeldes fue detenido. La guerrilla se alzó contra el Gobierno.* **8** Referido a la caza, hacer que salga del sitio en el que estaba: *Los ojeadores iban delante de los cazadores alzando la caza.* **9** Referido esp. a una pena o a un castigo, hacer que terminen o ponerles fin: *Sus súplicas consiguieron que los jueces le alzaran la sanción impuesta.* ▌ prnl. **10** Levantarse o sobresalir en una superficie: *Los rascacielos se alzan sobre el resto de los edificios.* **11** ‖alzarse con algo; arrebatarlo o apoderarse de ello, generalmente de manera injusta: *El equipo local se alzó con la victoria.* □ ETIMOL. Del latín *altiare, y éste de *altus* (alto). □ ORTOGR. La *z* se cambia en *c* delante de *e* →CAZAR. □ SEM. En las acepciones 1 y 4, es sinónimo de *levantar*.

[alzheimer s.m. →**enfermedad de Alzheimer.** □ ETIMOL. Por alusión a A. Alzheimer (psiquiatra alemán). □ PRON. [alsáimer] o [alzéimer].

amabilidad s.f. **1** Agrado, complacencia y afecto en el trato con los demás. **[2** Hecho o dicho amables. □ ETIMOL. Del latín *amabilitas*.

amabilísimo, ma superlat. irreg. de **amable.** □ MORF. Incorr. *amablísimo.*

amable adj. **1** Agradable, complaciente y afectuoso en el trato con los demás: *Agradeció aquellas amables palabras.* **2** Digno de ser amado: *A un jefe le resulta difícil hacerse amable para sus subordinados.* □ MORF. 1. Invariable en género. 2. Su superlativo es *amabilísimo.*

amado, da s. Persona amada. □ USO Su uso es característico del lenguaje literario.

amadrinamiento s.m. **1** Actuación como madrina de otra persona, al recibir ésta ciertos sacramentos o algún honor. **2** Patrocinio o actuación como protectora que una mujer hace de otra persona o de una iniciativa para que triunfen.
amadrinar v. **1** Referido a una persona, asistirla como madrina suya una mujer, al recibir aquélla ciertos sacramentos o algún honor: *Fue su madre quien la amadrinó el día de su boda.* **2** Referido esp. a una persona o a una iniciativa, patrocinarlas o actuar como protectora suya una mujer para que triunfen: *Tiene ese cargo porque lo amadrina la principal accionista de la empresa.*
amaestramiento s.m. Doma de un animal, enseñándole generalmente a hacer ciertas habilidades.
amaestrar v. Referido a un animal, domarlo y enseñarle a hacer ciertas habilidades: *Estoy amaestrando a mi perro para que salude dando la pata.* □ ETIMOL. De *maestro*.
amagar ▌ v. **1** Referido esp. a un golpe o a una acción, mostrar con algún movimiento o gesto la intención de hacerlos, sin llegar a ello: *Un buen regateador tiene que saber amagar al contrario.* **2** Referido a algo que se considera negativo, sobrevenir o estar a punto de ocurrir: *El ambiente amaga tormenta.* ▌ prnl. **3** col. Esconderse u ocultarse: *La liebre se amagó detrás de una roca.* □ ETIMOL. De origen incierto. □ ORTOGR. La g se cambia en *gu* delante de *e* →PAGAR.
amago s.m. **1** Acción de mostrar con algún movimiento o gesto la intención de hacer algo, sin llegar a hacerlo realmente. **2** Señal o indicio de algo que no llega a realizarse o a ocurrir: *un amago de infarto.*
amainar v. Perder fuerza o intensidad: *El barco zarpó en cuanto amainó el temporal.* □ ETIMOL. Del catalán *amainar*.
amalgama s.f. Unión o mezcla de elementos de naturaleza distinta o contraria. □ ETIMOL. Del latín *amalgama*.
amalgamar v. Referido a elementos de naturaleza distinta, unirlos o mezclarlos: *En este colage el artista amalgama materiales muy distintos.*
amamantar v. Dar de mamar: *La perra amamanta a sus cachorros.*
amancebamiento s.m. Convivencia de dos personas que mantienen relaciones sexuales sin estar casadas entre sí.
amancebarse v. Referido a dos personas, vivir juntas y mantener relaciones sexuales sin estar casadas entre sí: *El conde jamás perdonó que su hija se amancebara con el lacayo.* □ ETIMOL. De *manceba*. □ MORF. Se usa más como participio. □ SINT. Constr. *amancebarse CON alguien.*
amanecer ▌ s.m. **1** Momento inicial del día, en que aparece la primera luz antes de salir el Sol. ▌ v. **2** Empezar a aparecer la luz del día: *En verano amanece antes que en invierno.* **3** Llegar o estar en un lugar o en una situación determinados al aparecer la luz del día: *Me dormí durante el viaje y amanecí en París.* □ ETIMOL. Del latín *manescere.* □ MORF. 1. En la acepción 2, es verbo unipersonal. 2. Irreg. →PARECER. □ SEM. En la acepción 1, es sinónimo de *alba, amanecida* y *madrugada.*
amanecida s.f. Momento inicial del día, en que

aparece la primera luz antes de salir el sol. □ SEM. Es sinónimo de *alba, amanecer* y *madrugada.*
amaneramiento s.m. **1** Falta de naturalidad, espontaneidad o variedad, esp. en el estilo o en una actividad artística. **[2** Adopción por parte de un hombre de las características físicas y psicológicas que tradicionalmente se consideran propias de las mujeres.
amanerar ▌ v. **1** Referido esp. al estilo, volverlo poco natural y privarlo de la espontaneidad: *Este pintor empezó a amanerar su estilo para parecerse a los grandes maestros del siglo XVII.* ▌ prnl. **[2** Referido a un hombre, adoptar las características físicas y psicológicas que tradicionalmente se consideran propias de las mujeres: *El vivir siempre rodeado de mujeres te hizo 'amanerarte'.* □ ETIMOL. De *manera.*
[amanita s.f. Seta que se caracteriza por tener un anillo en el pie debajo del sombrero y por sus esporas blancas, y que es comestible o venenosa según la especie.
amansar v. **1** Referido a un animal, hacerlo manso o domesticarlo: *Se dice que la música amansa a las fieras.* **2** Sosegar, apaciguar o eliminar la violencia y la brusquedad: *La edad le ha amansado el carácter. El potro se amansó con las palmadas del jinete.*
amante s. Persona que mantiene una relación amorosa y sexual con otra sin estar casada con ella. □ MORF. Es de género común: *el amante, la amante.*
amanuense s. Persona que se dedica profesionalmente a escribir a mano, bien copiando o poniendo en limpio escritos ajenos, o bien escribiendo lo que se le dicta. □ ETIMOL. Del latín *amanuensis* (secretario). □ MORF. Es de género común: *el amanuense, la amanuense.*
amañar ▌ v. **1** Preparar o disponer con engaño o artificio, generalmente para obtener algún beneficio: *Amañaron el sorteo para ser ellos los ganadores.* ▌ prnl. **2** Darse maña o habilidad para hacer algo: *Se amaña muy bien para estudiar y trabajar al mismo tiempo.* □ ETIMOL. De *maña.*
amaño s.m. Treta o artificio para realizar o para conseguir algo, esp. cuando no es justo o merecido. □ MORF. Se usa más en plural.
amapola s.f. **1** Planta anual que tiene flores generalmente de color rojo intenso, semilla negruzca y savia lechosa. **2** Flor de esta planta. □ ETIMOL. Del mozárabe *apapaura.*
amar v. Sentir amor hacia algo: *No siempre es fácil amar a los demás. Ama la música clásica desde niña. Se aman desde que eran niños.* □ ETIMOL. Del latín *amare.*
amaraje s.m. Descenso de un hidroavión o de un vehículo espacial hasta posarse sobre el agua.
amaranto ▌ adj./s.m. **1** De color carmesí o granate muy vivo. ▌ s.m. **2** Planta herbácea de tallo grueso y ramoso, hojas alargadas, flores carmesíes, blancas o amarillas, pequeñas y en espiga, y frutos con muchas semillas negras y relucientes. □ ETIMOL. Del latín *amarantus.* □ MORF. Como adjetivo es invariable en género.
amarar v. Referido esp. a un hidroavión, posarse en el agua: *El hidroavión amaró en un mar alborotado.* □ ETIMOL. De *mar.*
[amarfilado, da adj. Que se parece al marfil.
amargado, da adj./s. Referido a una persona, que guarda algún resentimiento, esp. por un fracaso,

por una frustración o por un disgusto. ☐ MORF. La RAE sólo lo registra como adjetivo.

amargar ▮ v. **1** Referido esp. a un alimento, tener sabor o gusto amargo: *Estos pepinos amargan.* **2** Causar aflicción o disgusto: *Tantos fracasos lo amargaron.* ▮ prnl. **3** Sentir resentimiento, esp. por un fracaso, una frustración o un disgusto: *Ten cuidado con lo que le dices porque se amarga por cualquier cosa.* ☐ ORTOGR. La *g* se cambia en *gu* delante de *e* →PAGAR.

amargo, ga adj. **1** De sabor fuerte y desagradable al paladar, como la hiel. ✎ sabor **2** Que causa disgusto o sufrimiento: *A menudo, la verdad es amarga.* **3** Que muestra disgusto o sufrimiento: *palabras amargas.* **4** Referido esp. a una persona, que es desagradable o áspera en el trato. ☐ ETIMOL. Del latín *amarus.*

amargor s.m. **1** Sabor o gusto amargo. **2** Disgusto, tristeza o sufrimiento, esp. si están producidos por rencor o desengaño; amargura.

amargura s.f. Disgusto, tristeza o sufrimiento, esp. si están producidos por rencor o desengaño; amargor.

amariconado, da adj. *vulg.* →afeminado. ☐ USO Es despectivo.

[amariconar v. *vulg.* →afeminar. ☐ USO Es despectivo.

amarillear v. Tomar un color amarillo.

amarillento, ta adj. De color semejante al amarillo o con tonalidades amarillas.

amarillez s.f. Propiedad de ser o de parecer de color amarillo.

amarillismo s.m. Sensacionalismo o tendencia a presentar los aspectos más llamativos de una noticia o de un suceso para producir gran sensación o emoción.

amarillista adj. Referido a la prensa, que es amarilla o sensacionalista. ☐ MORF. Invariable en género.

amarillo, lla ▮ adj. **1** Referido a la prensa, que se caracteriza por su sensacionalismo o tendencia a presentar los aspectos más llamativos de una noticia o de un suceso. **2** Referido a una persona, que pertenece a la población caracterizada por tener los ojos rasgados y el tono de la piel amarillento. ▮ adj./s. **3** Del color del limón maduro o del oro. ☐ ETIMOL. Del latín *amarellus* (amarillento, pálido), y éste de *amarus* (amargo).

amarilloso, sa adj. En zonas del español meridional, amarillento.

amariposado, da adj. **1** Con forma de mariposa. **[2** *col.* →afeminado.

amaro s.m. Planta herbácea de olor nauseabundo, cuyas hojas se usan para curar las úlceras; bácara. ☐ ETIMOL. Del latín *marum.*

amarra s.f. Cuerda o cable con que se asegura una embarcación a un punto fijo, bien en el lugar en el que da fondo, o bien en el puerto. ☐ MORF. Se usa más en plural.

amarraco s.m. En el juego del mus, tanteo de cinco puntos. ☐ ETIMOL. Del vasco *amarreco*, y éste de *amarr* (diez).

amarradero s.m. Poste o lugar donde se amarra algo, esp. una embarcación.

amarraje s.m. Impuesto que se paga por el amarre de las naves en un puerto.

amarrar v. **1** Atar y asegurar con cuerdas, maromas, cadenas u otro instrumento semejante: *Le*

amarraron las manos con una cuerda. **2** Sujetar o retener: *Haz lo posible para amarrar ese negocio y que no se te vaya de las manos.* **3** Referido a una embarcación, sujetarla en el puerto o en un fondeadero por medio de anclas y cadenas o cables: *Echaron el ancla y prepararon las maromas para amarrar la embarcación.* ☐ ETIMOL. Del francés *amarrer.*

amarre s.m. Sujeción de algo, esp. de una embarcación, con cuerdas, cadenas, anclas u otro instrumento semejante.

amarrete, ta adj. *col.* En zonas del español meridional, tacaño. ☐ USO Es despectivo.

[amarrón, -a adj./s. *col.* Referido a una persona, que no se arriesga, por temor a perder. ☐ USO Tiene un matiz despectivo.

amartelamiento s.m. Manifestación de cariño hacia alguien, esp. si se hace de manera excesiva.

amartelarse v.prnl. Referido a dos personas, ponerse muy cariñosas o dar muestras de cariño: *Los novios se amartelaron en el banco de la plaza.* ☐ ETIMOL. De *martelo* (celos). ☐ MORF. Se usa más como participio.

amartillar v. Referido a un arma de fuego, ponerla en disposición de disparar: *El cazador amartilló su escopeta y esperó a que saliera la liebre.*

amasable adj. Que se puede amasar. ☐ MORF. Invariable en género.

amasadora s.f. Máquina que sirve para amasar.

amasar v. **1** Referido a una sustancia, hacer una masa con ella mezclándola con otros elementos y con algún líquido: *Para hacer pan hay que amasar harina, agua y levadura.* **2** Referido esp. al dinero o a los bienes, reunirlos o acumularlos: *Los negocios le permitieron amasar una gran fortuna.*

amasijo s.m. *col.* Mezcla desordenada de elementos diferentes.

[amateur (galicismo) adj./s. Que practica un deporte o cualquier otra actividad por pasatiempo, sin tenerla como profesión ni cobrar por ella. ☐ PRON. [amatér]. ☐ MORF. **1.** Como adjetivo es invariable en género. **2.** Como sustantivo es de género común: *el 'amateur', la 'amateur'.* ☐ USO Su uso es innecesario y puede sustituirse por una expresión como *aficionado* o *no profesional.*

amatista s.f. Cuarzo transparente, de color violeta, que se usa en joyería como piedra preciosa. ☐ ETIMOL. Del latín *amethystus*, y éste del griego *améthystos* (que no está borracho), porque se creía que esta piedra preservaba de la embriaguez.

amatorio, ria adj. Del amor o relacionado con este sentimiento.

amazacotado, da adj. Pesado, duro, o compuesto de forma maciza o compacta.

[amazacotar v. Hacer demasiado denso, macizo o pesado: *No eches más harina a la masa porque la vas a 'amazacotar'.*

amazona s.f. **1** Mujer que monta a caballo. **2** En la mitología griega, mujer guerrera. ✎ mitología ☐ ETIMOL. Del latín *Amazon* y éste del griego *Amazón.* ☐ MORF. En la acepción 1, su masculino es *jinete.* ☐ SEM. Dist. de *jineta* (animal carnicero).

amazónico, ca adj. Del río suramericano Amazonas o de los territorios situados en sus orillas.

ambages s.m.pl. Rodeos de palabras para decir algo. ☐ ETIMOL. Del latín *ambages* (rodeos, sinuosidades).

ámbar ▮ adj./s.m. **[1** De color amarillo anaranjado. ▮ s.m. **2** Resina fósil, de color amarillo, muy ligera, dura y quebradiza, que arde fácilmente desprendiendo un buen olor, y que se usa para fabricar collares, boquillas de fumar y otros objetos. □ ETIMOL. Del árabe '*anbar* (cachalote, ámbar gris que se forma en el intestino del cachalote). □ MORF. En la acepción 1, como adjetivo es invariable en género y en número.

ambarino, na adj. Del ámbar o relacionado con él.

[ambicia s.f. En zonas del español meridional, ambición.

ambición s.f. Deseo intenso de conseguir algo, esp. poder, riquezas o fama. □ ETIMOL. Del latín *ambitio*.

ambicionar v. Desear con ardor o entusiasmo: *Lo único que ambiciona es poder dar cariño a sus hijos.*

ambicioso, sa ▮ adj. **1** Referido esp. a una obra o a un proyecto, que son de gran envergadura o manifiestan ambición. ▮ adj./s. **2** Que tiene o manifiesta ambición o un deseo intenso de conseguir algo.

ambidextro, tra o **ambidiestro, tra** adj./s. Que usa con la misma habilidad la mano derecha que la izquierda. □ ETIMOL. Del latín *ambidexter*. □ MORF. La RAE sólo lo registra como adjetivo. □ USO *Ambidextro* es el término menos usual, aunque la RAE lo prefiere a *ambidiestro*.

ambientación s.f. **1** Aportación de los rasgos necesarios para sugerir el marco histórico o social en el que se desarrolla la acción de una obra de ficción. **2** Preparación de un lugar para que ofrezca el ambiente adecuado. **3** Adaptación de una persona a un medio desconocido.

ambiental adj. Del ambiente o relacionado con él. □ MORF. Invariable en género.

ambientar ▮ v. **1** Referido a una obra de ficción, aportarle los rasgos necesarios para sugerir el marco histórico o social en el que se desarrolla la acción: *Los coreógrafos ambientaron el baile en un barrio pesquero.* **2** Referido a un lugar, proporcionarle el ambiente adecuado, esp. mediante la decoración o las luces adecuadas: *Ambientó la casa con velas para dar un toque romántico a la cena.* ▮ prnl. **3** Referido a una persona, adaptarse o acostumbrarse a un medio desconocido o a una nueva situación: *Todavía no me he ambientado a esta ciudad.*

ambiente s.m. **1** Aire o atmósfera: *El ambiente está muy cargado.* **2** Conjunto de condiciones o circunstancias, esp. de carácter social, físico o económico, que rodean o caracterizan un lugar, una colectividad o una época: *Las bibliotecas ofrecen un ambiente propicio para el estudio. Esta luz da un ambiente muy íntimo.* **3** Situación agradable o condiciones propicias o favorables para algo: *Me fui de la fiesta porque no había ambiente. En verano este pueblo tiene mucho más ambiente que en invierno.* **4** Conjunto de características típicas de un determinado marco histórico o social: *La novela refleja el ambiente de la España rural de principios de siglo.* **5** Grupo o sector social: *En los ambientes médicos ese laboratorio no goza de prestigio.* □ ETIMOL. Del latín *ambiens* (que rodea).

ambigú s.m. **1** Comida en la que todos los alimentos están dispuestos a la vez para que los comensales, de pie, elijan lo que prefieran. **2** En un local destinado a espectáculos públicos, lugar donde se sirve esa comida. □ ETIMOL. Del francés *ambigu*. □ MORF. Aunque su plural en la lengua culta es *ambigúes*, se usa mucho *ambigús*. □ SEM. Es sinónimo de *bufé*.

ambigüedad s.f. **1** Posibilidad de que algo sea entendido de varios modos o de que admita distintas interpretaciones. **2** Incertidumbre, duda o indefinición de las actitudes o de las opiniones: *Dada la ambigüedad de la situación, no me es posible apoyar a ninguno de los dos bandos.*

ambiguo, gua adj. **1** Que puede entenderse de varios modos o admitir distintas interpretaciones: *una frase ambigua.* **2** Incierto, dudoso o sin tener definidas claramente actitudes u opiniones: *Es una persona muy ambigua y nunca sabes realmente lo que piensa.* □ ETIMOL. Del latín *ambiguus*, y éste de *ambigere* (estar en discusión).

ámbito s.m. Espacio comprendido dentro de unos límites determinados: *Eso queda fuera del ámbito de mis posibilidades.* □ ETIMOL. Del latín *ambitus*.

ambivalencia s.f. **1** Posibilidad de interpretar algo de dos formas opuestas. **2** Estado de ánimo caracterizado por la coexistencia de dos emociones o sentimientos opuestos.

ambivalente adj. **1** Que puede interpretarse de dos formas opuestas: *Sus declaraciones fueron ambivalentes.* **2** Que manifiesta la coexistencia de dos emociones o sentimientos opuestos: *Mi actitud hacia ellos es ambivalente y tan pronto me inspiran desprecio como compasión.* □ MORF. Invariable en género.

ambón s.m. En una iglesia, cada uno de los dos púlpitos que están a ambos lados del altar mayor. □ ETIMOL. Del latín *ambo*, y éste del griego *ámbon*.

ambos, bas indef. pl. El uno y el otro, o los dos: *Ambos hermanos son muy deportistas. Uno es más práctico y el otro más decorativo, pero me gustan ambos.* □ ETIMOL. Del latín *ambo*. □ MORF. Cuando se antepone a una palabra para formar compuestos, adopta la forma *ambi-*. □ SINT. *Ambos dos* es una expresión redundante e incorrecta, aunque está muy extendida. □ SEM. Dist. de *sendos* (respecto de dos o más, uno para cada uno). □ USO El uso de *ambos a dos* es característico del lenguaje literario.

ambrosía s.f. En la mitología grecolatina, manjar o alimento de los dioses. □ ETIMOL. Del griego *ambrosía*, y éste de *ámbrotos* (inmortal).

ambulacral adj. De los apéndices eréctiles y con forma de pequeños tubos que salen por los orificios del esqueleto de los animales equinodermos, o relacionado con ellos: *Los pies ambulacrales de la estrella de mar son sus órganos de locomoción.* □ MORF. Invariable en género.

ambulancia s.f. Vehículo destinado al transporte de enfermos y heridos.

ambulante adj. Que va de un lugar a otro sin tener asiento fijo, o que realiza una actividad yendo de un lugar a otro: *vendedor ambulante.* □ ETIMOL. Del latín *ambulans* (que anda). □ MORF. Invariable en género. □ SEM. Aunque la RAE lo considera sinónimo de *itinerante*, en la lengua actual no se usa como tal.

ambulatorio s.m. Establecimiento médico dependiente del sistema de sanidad pública, en el que se presta asistencia médica y farmacéutica a personas que no están internadas en él. □ SEM. Aunque la

RAE lo considera sinónimo de *dispensario*, en la lengua actual no se usa como tal.

ameba s.f. Organismo microscópico unicelular que se mueve mediante pseudópodos y se reproduce mediante escisión. □ ETIMOL. Del griego *amoibé* (cambio, transformación). □ ORTOGR. Se admite también *amiba*.

amedrentar v. Atemorizar o hacer sentir miedo: *Me amedrentó con su actitud violenta. Al verle sacar la pistola, me amedrenté.* □ ETIMOL. De origen incierto. □ SEM. Dist. de *amenazar*.

amelga s.f. Cada una de las franjas de tierra en que se divide el terreno para sembrarlo uniformemente. □ ETIMOL. De origen incierto.

amelgar v. Hacer surcos en un campo para sembrarlo: *Amelgaron la tierra con el arado.* □ ORTOGR. La *g* se cambia en *gu* delante de *e* →PAGAR.

amelocotonado, da adj. Parecido al melocotón o que tiene alguna de sus características.

amelonado, da adj. Con forma de melón.

amén interj. **1** Expresión que se dice al final de las oraciones y que significa 'así sea'. **2** Expresión que se usa para indicar conformidad o deseo de que se cumpla lo que se ha dicho previamente. **3** ‖ **amén de**; además de: *Ha escrito varios libros de poesía, amén de dos o tres novelas.* ‖ **decir amén a** algo; col. Asentir a ello o aprobarlo. □ ETIMOL. Del hebreo *amen* (ciertamente).

amenaza s.f. **1** Advertencia o anuncio del mal que se le quiere hacer a alguien. **2** Advertencia o anuncio de algo malo o desagradable que va a ocurrir en un futuro próximo: *La degradación del medio ambiente es una amenaza para la humanidad.* □ ETIMOL. Del latín *minacia*.

amenazador, -a adj./s. Que amenaza o que supone un peligro.

amenazar v. **1** Referido a una persona, darle a entender con actos o con palabras que se le quiere hacer algún mal: *Un desconocido nos amenazó de muerte por teléfono.* **2** Referido a algo malo o desagradable, anunciarlo, presagiarlo o dar indicios de que va a ocurrir en un futuro próximo: *El cielo amenaza lluvia.* □ ORTOGR. La *z* se cambia en *c* delante de *e* →CAZAR. □ SEM. Dist. de *amedrentar*.

amenidad s.f. Capacidad para resultar agradable o alegre, o para entretener de forma tranquila y placentera.

amenizar v. Hacer ameno o entretenido: *Amenizó su conferencia con anécdotas.* □ ORTOGR. La *z* se cambia en *c* delante de *e* →CAZAR.

ameno, na adj. Agradable, alegre o que entretiene de forma tranquila y placentera. □ ETIMOL. Del latín *amoenus*.

amenorrea s.f. Enfermedad que consiste en la supresión de la menstruación. □ ETIMOL. Del griego *a* (negación), *men* (mes), y *rhéo* (yo fluyo).

amerengado, da adj. Parecido al merengue o que tiene alguna de sus características.

americana s.f. Véase **americano, na**.

americanada s.f. Lo que refleja los rasgos típicos estadounidenses. □ USO Es despectivo.

americanismo s.m. En lingüística, palabra, significado o construcción sintáctica de alguna lengua indígena americana o del español de algún país americano, esp. los empleados en otra lengua.

americanista ∎ adj. **1** Relacionado con lo que es propiamente americano. ∎ s. **2** Persona que estudia las lenguas y culturas americanas. □ MORF. 1. Como adjetivo es invariable en género. 2. Como sustantivo es de género común: *el americanista, la americanista.*

americanización s.f. Difusión o adopción de las características que se consideran propias de lo americano.

americanizar v. Dar o adquirir características que se consideran propias de lo americano: *Los muchos años pasados en Chile lo americanizaron.* □ ORTOGR. La *z* se cambia en *c* delante de *e* →CAZAR.

americano, na ∎ adj./s. **1** De América (uno de los cinco continentes), o relacionado con ella. ∎ s.f. **2** Chaqueta con solapas y botones que cubre hasta más abajo de la cadera y que no forma parte de un traje. □ SEM. En la acepción 1, no debe emplearse con el significado de 'estadounidense': *Los {*americanos > estadounidenses} viven mayoritariamente en ciudades.*

americio s.m. Elemento químico, metálico y artificial, de número atómico 95, que pertenece al grupo de las tierras raras y es de color blanco. □ ETIMOL. De *América*, donde se descubrió. □ ORTOGR. Su símbolo químico es *Am*.

amerindio, dia adj. De los indios americanos o relacionado con ellos. □ ETIMOL. Del inglés *Amerindian*.

ameritar v. **1** En zonas del español meridional, merecer. [**2** En zonas del español meridional, exigir o necesitar.

amerizaje s.m. Descenso de un hidroavión o de una nave espacial hasta posarse en el mar. □ ETIMOL. Del francés *amerrisage*.

amerizar v. Referido esp. a un hidroavión, posarse en el mar: *El hidroavión amerizó en mitad del océano.* □ ORTOGR. La *z* se cambia en *c* delante de *e* →CAZAR.

amestizado, da adj. Con características que se consideran propias de los mestizos.

ametrallador, -a ∎ adj. **1** Que dispara automáticamente y a gran velocidad. ∎ s.f. **2** Arma de fuego automática, habitualmente apoyada sobre un trípode, que dispara ráfagas a gran velocidad. 🔫 arma

ametrallamiento s.m. Ataque realizado al disparar repetidamente armas ametralladoras.

ametrallar v. **1** Disparar metralla o disparar con armas ametralladoras: *Los asesinos ametrallaron a sus víctimas.* [**2** Referido a una persona, asediarla con una ráfaga de preguntas o fotografías: *Llegó el presidente, y los fotógrafos lo 'ametrallaron' con sus cámaras.* □ ETIMOL. De *metralla*.

amianto s.m. Mineral incombustible y aislante, que se presenta en fibras finas, flexibles y suaves al tacto. □ ETIMOL. Del latín *amiantus*.

amiba s.f. →**ameba**.

amicísimo, ma superlat. irreg. de **amigo**.

amida s.f. Compuesto químico orgánico que resulta de sustituir en el amoníaco o en sus derivados un átomo de hidrógeno por un radical ácido orgánico.

amigabilidad s.f. Disposición o actitud natural para hacer amistades.

amigable adj. Que manifiesta amistad. □ MORF. Invariable en género.

amigar v. Unir en amistad: *Los dos hermanos se amigaron después de años sin hablarse.* □ ORTOGR. La *g* se cambia en *gu* delante de *e* →PAGAR.

amígdala s.f. Cada uno de los dos órganos forma-dos por la reunión de numerosos nódulos linfáticos, situados entre los pilares del velo del paladar. □ ETIMOL. Del latín *amygdala*, forma culta de *almen-dra*, porque las amígdalas tienen esta forma. □ SEM. Dist. de *angina* (inflamación de las amígdalas y de las zonas próximas).

amigdalitis s.f. En medicina, inflamación de las amígdalas. □ ETIMOL. De *amígdala* e -*itis* (infla-mación). □ MORF. Invariable en número.

amigo, ga ▌ adj. **1** Que siente gusto por algo o que es aficionado a ello: *No soy muy amiga de ma-drugar.* ▌ adj./s. **2** Que tiene una relación de amis-tad o de afecto y confianza con otra persona. ▌ s. **3** *col.* Amante. **4** ‖ [**falsos amigos**; par de términos de distintas lenguas, y cuyo significado es distinto pese a tener forma parecida: *La palabra inglesa 'sensible' y la española 'sensible' son 'falsos amigos' porque la primera significa 'sensato'.* □ ETIMOL. Del latín *amicus*. □ MORF. Sus superlativos son *ami-guísimo* y *amicísimo*. □ SEM. *Amigo personal* es una expresión redundante e incorrecta, aunque está muy extendida. □ USO Se usa como apelativo: *Oiga, amigo, ¿cuánto vale esta mesa?*.

amigote, ta s. *col.* Compañero de juergas y diver-siones. □ MORF. La RAE sólo lo registra como mas-culino. □ USO Tiene un matiz despectivo.

amiguero, ra adj. En zonas del español meridional, que entabla amistades fácilmente.

[amiguete s.m. *col.* Persona conocida con la que se mantiene una relación de amistad poco profunda.

amiguismo s.m. Tendencia a favorecer a los ami-gos en perjuicio del derecho de terceras personas, esp. en la concesión de un trabajo o de un cargo, si tienen méritos inferiores a los de los otros aspirantes. □ USO Es despectivo.

amilanar v. Intimidar, desanimar o causar miedo: *Los últimos fracasos lo amilanaron. No te dejes amilanar por sus amenazas.* □ ETIMOL. De *milano*, por el pánico que causan las aves de rapiña.

amina s.f. Compuesto químico orgánico derivado del amoníaco, al sustituir sus átomos de hidrógeno por radicales orgánicos: *La amina es soluble en agua.*

amino s.m. Radical químico formado por un átomo de nitrógeno y dos de hidrógeno.

aminoácido s.m. Compuesto químico orgánico que tiene al mismo tiempo carácter de ácido y de amino.

aminorar v. Disminuir, menguar o hacer menor en tamaño, cantidad o intensidad: *En las curvas hay que aminorar la velocidad. Dicen que la pena se aminora con el paso del tiempo.* □ ETIMOL. Del latín *minorare*. □ ORTOGR. Se admite también *minorar*.

amistad ▌ s.f. **1** Relación personal desinteresada, que nace y se fortalece con el trato y está basada en un sentimiento recíproco de cariño y simpatía. ▌ pl. **2** Personas con las que se tiene esta relación. □ ETIMOL. Del latín *amicitas, por *amicitia* (amistad).

amistar v. En zonas del español meridional, hacer las paces o reconciliarse.

amistoso, sa adj. **1** De amistad o con sus carac-terísticas. **2** Referido a una competición deportiva, que no está incluida en ningún campeonato.

amitosis s.f. En biología, división del núcleo celular en dos partes sin que haya cambios importantes en

la estructura nuclear. □ ETIMOL. De *a*- (negación) y *mitosis*. □ MORF. Invariable en número.

amnesia s.f. Pérdida total o parcial de la memoria. □ ETIMOL. Del griego *amnesía*, y éste de *a*- (priva-ción) y *mnésis* (recuerdo, memoria).

amnésico, ca ▌ adj. **1** De la amnesia o relacio-nado con la pérdida de memoria: *proceso amnésico.* ▌ adj./s. **2** Que padece amnesia.

[amniocentesis s.f. Análisis que se hace del lí-quido amniótico para diagnosticar el estado del feto. □ MORF. Invariable en número.

[amnioscopia s.f. Observación de la bolsa amnió-tica con el amnioscopio.

[amnioscopio s.m. Instrumento que se utiliza para realizar una exploración de la bolsa amniótica.

amniótico, ca adj. Del amnios o relacionado con esta envoltura del embrión: *líquido amniótico.*

amnistía s.f. Perdón total decretado por el Gobier-no y que se concede a todo el que cumple una pena por haber realizado determinado tipo de actos, ge-neralmente políticos. □ ETIMOL. Del griego *amnes-tía* (olvido). □ SEM. Dist. de *indulto* (perdón total o parcial de la pena legal impuesta a alguien en par-ticular).

amnistiar v. Conceder amnistía: *El nuevo Gobierno ha prometido amnistiar a los insumisos.* □ ORTOGR. La *i* final de la raíz lleva tilde en los presentes, excepto en las personas *nosotros* y *vosotros* →GUIAR.

amo, ma ▌ s. **1** Persona que es dueña de algo: *Los perros son fieles a sus amos.* **2** Persona que tiene uno o más criados a su servicio: *Las amas de las antiguas mansiones romanas tenían varias esclavas a su servicio.* **3** Persona que tiene mucha autoridad o gran influencia en otras: *El líder de la secta es el amo de las voluntades de los adeptos.* ▌ s.f. **4** Criada principal que gobierna una casa: *el ama del párroco.* **5** ‖ [**ama de casa**; mujer que se ocupa de las la-bores domésticas del hogar. ‖ **ama de** {**cría/leche**}; mujer que amamanta a un niño sin ser suyo; no-driza, madre de leche. ‖ **ama de llaves**; criada en-cargada de llevar la economía doméstica de una casa que no es la suya, a cambio de un sueldo. □ ETIMOL. *Ama*, del latín *amma* (nodriza) que pasó a ser *dueña de la casa*, y *amo*, de *ama*. □ MORF. En femenino, por ser un sustantivo que empieza por *a* tónica o acentuada, va precedido de *el*, *un*, *algún*, *ningún* y de las formas femeninas del resto de los determinantes.

[amoblamiento s.m. En zonas del español meridio-nal, mobiliario.

amodorramiento s.m. Adormecimiento o sopor que no llega al sueño total.

amodorrar v. Causar modorra o adormecimiento: *Este calor tan sofocante amodorra a cualquiera. Después de comer me amodorro en el sillón.* □ SINT. La RAE sólo lo registra como pronominal.

amohinamiento s.m. Enojo, disgusto o entriste-cimiento.

amohinarse v.prnl. Sentir enojo, disgusto o tris-teza: *Se amohína si ve que las cosas no le salen como él quiere.* □ ETIMOL. De *mohíno.* □ ORTOGR. La *i* lleva tilde en los presentes, excepto en las per-sonas *nosotros* y *vosotros* →GUIAR.

amojamar ▌ v. **1** Salar el atún y secarlo al aire, al sol o al humo, convirtiéndolo en mojama o cecina: *Mi abuela sabe amojamar muy bien el atún.* ▌ prnl. **2** Referido a una persona, quedarse muy delgada, por la vejez o por otras causas: *Con esta enfermedad se está amojamando día a día.*

amojonar v. Referido a un terreno, ponerle mojones o señales para marcar sus límites.

amolar v. col. Molestar o fastidiar con insistencia: *No me amueles, y no me digas eso ni en broma.* □ ETIMOL. De *muela* (la del molino). □ MORF. Irreg. →CONTAR.

amoldamiento s.m. **1** Adaptación de un objeto a un molde. **2** Adaptación a un fin, a una circunstancia o a una norma.

amoldar ∎ v. **1** Adaptar a un fin, a una circunstancia o a una norma: *Estoy dispuesta a amoldar mis intereses al bienestar general. Es inteligente y se amolda bien a las situaciones.* ∎ prnl. **2** Referido a un objeto, ajustarse o adaptarse a un molde: *Estos guantes se amoldan perfectamente a mis manos.* □ ETIMOL. De *molde.*

[amonal s.m. Explosivo compuesto de aluminio en polvo, trilita y otros componentes químicos.

amonarse v.prnl. col. Emborracharse: *Cuando se amona, empieza a decir tonterías.* □ ETIMOL. De *mona* (borrachera).

amondongado, da adj. col. Gordo, tosco o mal formado. □ ETIMOL. De *mondongo.* □ USO Tiene un matiz despectivo.

amonestación s.f. **1** Advertencia muy severa que se hace a alguien; admonición, amonestamiento. **2** En la iglesia católica, publicación de los nombres de las personas que se van a casar para que, si alguien conoce algún impedimento, lo denuncie.

amonestamiento s.m. →**amonestación.**

amonestar v. Referido a una persona, reprenderla o decirle con severidad que no debe volver a hacer lo que ha hecho porque es una falta grave: *El árbitro amonestó al defensa.* □ ETIMOL. Del latín *admonere*, por influencia de *molestare.*

amoniacal adj. Del amoníaco o relacionado con este gas. □ MORF. Invariable en género.

amoniaco o **amoníaco** s.m. **1** Gas incoloro compuesto de nitrógeno e hidrógeno, de olor penetrante y desagradable, muy soluble en agua. **2** Compuesto químico formado por este gas disuelto en agua y muy usado en artículos de limpieza y en abonos. □ ETIMOL. De *goma amoníaca*, éste del latín *ammoniacus* y éste del griego *Ammoniakós* (del país de Ammón), porque esta goma se traía de Libia, donde había un célebre templo de Ammón. □ USO Aunque la RAE prefiere *amoníaco*, se usa más *amoniaco.*

amónico, ca adj. Del amonio o relacionado con este radical químico.

amonio s.m. Radical químico compuesto de un átomo de nitrógeno y cuatro de hidrógeno. □ ETIMOL. De *Ammón*, porque en Libia, de donde procedía este compuesto, había un templo dedicado a este dios.

amontillado adj./s. Referido a un vino blanco, que tiene un sabor parecido al del vino de Montilla (ciudad cordobesa).

amontonamiento s.m. Acumulación o reunión desordenada de algo.

amontonar ∎ v. **1** Poner en montón o juntar de modo desordenado: *Amontonó los juguetes en un rincón. La gente se amontonó en los pasillos.* ∎ prnl. **2** Referido esp. a sucesos o ideas, producirse o desarrollarse muchos en poco tiempo: *Las informaciones*

se amontonaron y hubo que distinguir las ciertas de las dudosas.

amor s.m. **1** Sentimiento de afecto, cariño y solidaridad que una persona siente hacia otra y que se manifiesta generalmente en desear su compañía, alegrarse con lo que considera bueno para ella y sufrir con lo que considera malo: *Creo que el amor de madre es el más desinteresado.* **2** Sentimiento de afecto y cariño, unido a una atracción sexual: *El amor de Romeo y Julieta ha quedado como prototipo del amor desgraciado.* **3** Persona amada. **4** Afición o inclinación apasionada que una persona siente hacia algo: *amor a la verdad.* **5** Esmero o cuidado con el que se realiza algo: *Me dijo que el truco para cocinar bien es hacerlo con amor.* **6** ‖ **al amor de**; junto a: *Se sentaron al amor de la lumbre.* ‖ **[amor libre**; el que rechaza el matrimonio y cualquier otra concepción basada en el establecimiento de parejas fijas o cerradas. ‖ **amor platónico**; el que idealiza a la persona amada, sin establecer con ella ninguna relación sexual. ‖ **amor propio**; el que siente una persona por sí misma y le hace desear quedar bien ante sí misma y ante los demás. ‖ **de mil amores**; con mucho gusto: *Te acompaño de mil amores.* ‖ **en amor y compaña**; col. En amistad y buena compañía: *Aquí estamos todos, en amor y compaña.* ‖ **hacer el amor**; **1** Realizar el acto sexual. **2** Galantear y cortejar a un hombre a una mujer para intentar conseguir su amor. ‖ **por amor al arte**; col. De forma gratuita o sin cobrar nada. ‖ **por amor de Dios**; **1** Expresión que se usa para pedir algo humildemente y por caridad: *¡Déme una limosnita, por amor de Dios!* **2** Expresión que se usa para indicar sorpresa, protesta o indignación: *¡Por amor de Dios! ¿Es que nunca vas a reaccionar?* □ ETIMOL. Del latín *amor.*

amoral adj. Que no tiene ni sentido ni propósito moral. □ ETIMOL. De *a-* (privación) y *moral.* □ MORF. Invariable en género. □ SEM. Dist. de *inmoral* (que se opone a la moral).

amoralidad s.f. Falta de sentido o de propósito morales.

amoratado, da adj. De color semejante al morado o con tonalidades moradas.

amoratarse v.prnl. Poner de color morado: *La pierna se me amorató por el golpe.*

amorcillo s.m. En pintura y escultura, niño desnudo, con alas y con un arco y flechas, que representa al dios mitológico del amor.

amordazamiento s.m. Colocación de una mordaza o de un objeto que tape la boca.

amordazar v. **1** Poner una mordaza o un objeto para tapar la boca: *Los secuestradores amordazaron a la víctima.* **2** Coaccionar o impedir hablar libremente: *No te dejes amordazar por el miedo y di lo que piensas.* □ ORTOGR. La *z* se cambia en *c* delante de *e* →CAZAR.

amorfo, fa adj. **1** Que no tiene una forma propia: *Los gases son cuerpos amorfos.* **2** col. Que no tiene personalidad o carácter propios. □ ETIMOL. Del griego *ámorphos*, y éste de *a-* (negación) y *morphé* (forma).

amorío s.m. Relación amorosa superficial y poco duradera. □ MORF. Se usa más en plural.

amoroso, sa adj. **1** Del amor o relacionado con él: *poesía amorosa.* **2** Que siente amor o que lo manifiesta: *Me escribió una carta amorosa.*

amortajador, -a s. Persona que se dedica profesionalmente a amortajar.

amortajamiento s.m. Colocación de la mortaja o vestidura con que se va a enterrar a un difunto.

amortajar v. Referido a un difunto, ponerle la mortaja o vestidura con la que se le va a enterrar: *Amortajaron al niño con una túnica blanca.* □ ORTOGR. Conserva la *j* en toda la conjugación.

amortecer v. Referido a la fuerza, la intensidad o la violencia de algo, disminuirlas, moderarlas o hacerlas más suaves; amortiguar: *Esa medicina amortece el dolor.* □ MORF. Irreg. →PARECER.

amortecimiento s.m. Disminución o moderación de la fuerza, la intensidad o la violencia de algo.

amortiguación s.f. **1** Disminución o moderación de la fuerza, la intensidad o la violencia de algo; amortiguamiento. **[2** En un aparato mecánico, esp. en un vehículo, sistema o mecanismo que sirve para compensar y disminuir el efecto de choques, sacudidas o movimientos bruscos.

amortiguado, da adj. Con la intensidad, la fuerza o la violencia disminuidas o suavizadas.

amortiguador s.m. En un vehículo, mecanismo o dispositivo de amortiguación cilíndrico que contiene aire o un líquido.

amortiguamiento s.m. →amortiguación.

amortiguar v. Referido a la fuerza, la intensidad o la violencia de algo, disminuirlas, moderarlas o hacerlas más suaves; amortecer: *El parachoques amortiguó el golpe que nos dieron en el coche.* □ ETIMOL. Del latín *mortificare* (amortiguar, mortificar). □ ORTOGR. 1. La *u* lleva diéresis cuando la sigue *e*. 2. La *u* permanece siempre átona →AVERIGUAR.

amortizable adj. Que se puede amortizar. □ MORF. Invariable en género.

amortización s.f. **1** Pago total o parcial de una deuda. **2** Recuperación de los fondos invertidos en una empresa, por la obtención de unos beneficios que superan el desembolso inicial.

amortizar v. **1** Referido a una deuda, pagarla total o parcialmente: *En dos años amortizaré el precio del coche. Este crédito se amortiza a muy bajo interés.* **2** Referido a los fondos invertidos en una empresa, recuperarlos o compensarlos, por la obtención de unos beneficios que superan el desembolso inicial: *Hacemos tantas fotocopias que, al mes de haber comprado la fotocopiadora, ya la habíamos amortizado.* □ ETIMOL. Del latín *admortizare.* □ ORTOGR. La *z* se cambia en *c* delante de *e* →CAZAR.

[amosal s.m. Explosivo basado en componentes químicos.

amoscarse v.prnl. col. Enfadarse: *Se amoscó porque le dimos plantón.* □ ETIMOL. De *mosca,* porque cuando alguien se amosca, responde como si le hubiera picado una mosca. □ ORTOGR. La *c* se cambia en *qu* delante de *e* →SACAR.

amotinado, da adj./s. Que participa en un motín.

amotinamiento s.m. Alzamiento en motín, o levantamiento violento de un grupo de personas contra una autoridad establecida.

amotinar v. Referido a un grupo de personas, alzarlas en motín o provocar su levantamiento violento contra una autoridad establecida: *Las voces del líder amotinaron a la población. Los presos se amotinaron y no querían volver a sus celdas.* □ ETIMOL. Del francés *mutiner.*

[amoxicilina s.f. Penicilina semisintética de acción bactericida.

amparar ▌ v. **1** Proteger, favorecer o ayudar: *Que Dios te ampare.* ▌ prnl. **2** Referido a una persona, valerse de algo como defensa o protección: *En la película, el asesino se ampara en el secreto de confesión del sacerdote para hacer creer que éste ha sido el culpable del crimen.* □ ETIMOL. Del latín **anteparare* (prevenir).

amparo s.m. **1** Ayuda o protección que el más fuerte proporciona al más débil y desvalido: *Este pintor vive bajo el amparo de un matrimonio millonario amante del arte.* **2** Defensa o protección que algo proporciona a alguien: *Los ladrones actuaron al amparo de la oscuridad de la noche.* **3** Lo que ampara: *Mi hijo es mi único amparo.*

ampere s.m. Denominación internacional del amperio. □ ETIMOL. De *Ampère,* matemático y físico francés.

amperímetro s.m. Aparato que sirve para medir la intensidad de una corriente eléctrica. □ ETIMOL. De *amperio* y *-metro* (medidor).

amperio s.m. En el Sistema Internacional, unidad de intensidad de corriente eléctrica; ampere.

[ampicilina s.f. Penicilina semisintética de amplio espectro.

ampliación s.f. **1** Aumento del tamaño o la duración de algo. **2** Cosa ampliada, esp. una fotografía, un plano o un texto.

ampliar v. Referido al tamaño o la duración de algo, aumentarlos, extenderlos o hacerlos más grandes: *Hemos ampliado esta foto. El plazo de matrícula se ha ampliado hasta el próximo mes.* □ ETIMOL. Del latín *ampliare.* □ ORTOGR. La *i* lleva tilde en los presentes, excepto en las personas *nosotros* y *vosotros* →GUIAR.

amplificación s.f. Aumento de la intensidad de algún fenómeno físico, esp. del sonido.

amplificador s.m. Aparato o conjunto de aparatos que aumentan la amplitud o la intensidad de un fenómeno físico, utilizando energía externa.

amplificar v. Referido a la intensidad de un fenómeno físico, esp. el sonido, aumentarla por procedimientos técnicos: *Este aparato amplifica el sonido.* □ ETIMOL. Del latín *amplificare.* □ ORTOGR. La *c* se cambia en *gu* delante de *e* →SACAR.

amplio, plia adj. **1** Extenso o con espacio libre: *Esta casa es muy amplia para nosotros dos.* **2** Holgado o no ceñido: *un vestido amplio.* **3** No restringido o no limitado: *Ganaron por amplia mayoría.* □ ETIMOL. Del antiguo *amplo,* por influencia de *ampliar.*

amplitud s.f. **1** Extensión u holgura: *Lo que más me gusta de esta chaqueta es su amplitud.* **2** Capacidad de comprensión intelectual o moral: *Es una persona con gran amplitud de miras, porque no aspira a cumplir sólo un determinado objetivo.* **3** En física, espacio que recorre un cuerpo oscilante al pasar de una posición extrema a la otra: *Las vibraciones se caracterizan por su frecuencia y su amplitud de onda.*

ampolla s.f. **1** En la piel, levantamiento de la epidermis que forma una especie de bolsa llena de un líquido acuoso. **2** Tubo de cristal cerrado herméticamente, en forma alargada, que se estrecha en uno o en los dos extremos y suele contener una medicina

líquida. 🔍 medicamento ☐ ETIMOL. Del latín *ampulla* (botellita).
ampolleta s.f. En zonas del español meridional, bombilla.
ampulosidad s.f. Exceso de adorno o falta de naturalidad o sencillez, esp. al hablar o al escribir.
ampuloso, sa adj. Referido esp. al lenguaje o al estilo, hinchado, redundante, o falto de sencillez y naturalidad. ☐ ETIMOL. Del latín *ampullosus* (hinchado como una vejiga).
amputación s.f. Separación de un miembro del cuerpo, generalmente por medio de una operación quirúrgica.
amputar v. Referido a un miembro del cuerpo, cortarlo y separarlo enteramente de él, generalmente por medio de una operación quirúrgica: *Después del accidente, le tuvieron que amputar las dos piernas.* ☐ ETIMOL. Del latín *amputare* (podar, cortar).
amueblar v. Poner muebles o equipar con muebles: *Estamos amueblando la casa.*
amuermar v. *col.* Causar aburrimiento, malestar o sueño: *Ese tipo amuerma a cualquiera. Después de cenar me amuermo.*
amulatado, da adj. Con características que se consideran propias de los mulatos.
amuleto s.m. Objeto que una persona lleva siempre consigo porque le atribuye supersticiosamente el poder mágico de atraer la buena suerte y de alejar la desgracia. ☐ ETIMOL. Del latín *amuletum*.
amura s.f. En una embarcación, parte de los costados donde éstos se estrechan entre sí para formar la proa. ☐ ETIMOL. De *amurar* (sujetar los vértices de las velas a un costado del buque).
amurallado, da adj. Cercado con un muro o con una muralla.
amurallar v. Referido a un terreno, rodearlo con un muro o con una muralla: *En la Edad Media era frecuente amurallar las ciudades.*
an- →a-. ☐ ETIMOL. Del griego *an-*. ☐ MORF. Es la forma que adopta el prefijo *a-* cuando se antepone a palabras que empiezan por vocal: *analfabeto, anaerobio, anisopétalo.*
ana- Prefijo que significa 'contra' (anacrónico) o 'de nuevo' (anabaptista). ☐ ETIMOL. Del griego *ana-*.
anabaptismo s.m. Doctrina religiosa protestante que no admite el bautismo de los niños antes del uso de razón.
anabaptista adj./s. Que defiende o sigue el anabaptismo. ☐ ETIMOL. Del griego *anabaptízo* (yo bautizo de nuevo). ☐ MORF. 1. Como adjetivo es invariable en género. 2. Como sustantivo es de género común: *el anabaptista, la anabaptista.*
anabólico, ca adj. Del anabolismo o relacionado con este conjunto de procesos metabólicos.
anabolismo s.m. En biología, conjunto de procesos metabólicos a partir de los cuales se sintetizan moléculas complejas partiendo de otras más simples; asimilación. ☐ ETIMOL. Del griego *anabole* (altura, ascensión), porque el anabolismo tiene que ver con la creación de moléculas a partir de otras.
anabolizante s.m. Producto químico que se utiliza para aumentar la intensidad de los procesos anabólicos del organismo.
anacardo s.m. 1 Árbol tropical de flores pequeñas que tiene un fruto comestible. 2 Fruto de este árbol. ☐ ETIMOL. Del latín *anacardus* y éste del griego

onokárdion (corazón de asno), porque el fruto tiene forma de corazón.
anacoluto s.m. Falta de coherencia en la construcción sintáctica de los elementos de una oración: *La oración 'Yo... me gusta más éste' encierra un anacoluto.* ☐ ETIMOL. Del latín *anacoluthon*, y éste del griego *anakóluthos* (que no sigue, inconsecuente).
anaconda s.f. Serpiente acuática de gran tamaño, no venenosa, característica de los ríos suramericanos: *Las anacondas matan a sus presas por estrangulamiento.* ☐ ETIMOL. Del inglés *anaconda*. ☐ MORF. Es un sustantivo epiceno: *la anaconda macho, la anaconda hembra.* 🔍 serpiente
anacoreta s. Persona que vive en un lugar solitario y que está entregada por entero a la meditación religiosa y a la penitencia. ☐ ETIMOL. Del latín *anachoreta*, éste del griego *anakhorétes*, y éste de *anakhoréo* (me retiro). ☐ MORF. Es de género común: *el anacoreta, la anacoreta.*
anacrónico, ca adj. 1 Que atribuye erróneamente a una época lo que corresponde a otra: *Hay datos anacrónicos en su novela.* 2 Que pertenece a una época pasada: *Hoy es anacrónico viajar en diligencia.*
anacronismo s.m. 1 Error que consiste en atribuir a una época lo que corresponde a otra. 2 Lo que es propio de una época pasada. ☐ ETIMOL. Del griego *ana-khronismós* (acto de poner algo fuera del tiempo correspondiente).
ánade s. Ave palmípeda, de pico aplanado más ancho en la punta que en la base, cuello corto y patas pequeñas adaptadas para nadar; pato. ☐ ETIMOL. Del latín *anas*. ☐ MORF. 1. Es de género ambiguo: *los ánades blancos, las ánades blancas.* 2. Se usa más como masculino. 3. Cuando es un sustantivo femenino, pese a empezar por *a* tónica o acentuada, va siempre precedido de las formas femeninas de los determinantes.
[anaeróbico, ca adj. Que se desarrolla con escasa cantidad de oxígeno o sin él: *Algunos ejercicios físicos causan procesos 'anaeróbicos' musculares.*
anaerobio, bia adj./s.m. En biología, referido esp. a un microorganismo, que es capaz de vivir sin oxígeno. ☐ ETIMOL. De *an-* (privación) y *aerobio*. ☐ ORTOGR. Incorr. *anerobio*. ☐ SEM. Dist. de *aerobio* (que necesita oxígeno para vivir).
anafe s.m. →anafre.
anafiláctico, ca adj. De la anafilaxia o relacionado con esta sensibilidad exagerada del organismo.
anafilaxia o **anafilaxis** s.f. Sensibilidad exagerada del organismo ante determinadas sustancias orgánicas cuando le son administradas por segunda vez: *La alergia al polen es un tipo de anafilaxia.* ☐ ETIMOL. Del latín *anaphylaxis*. ☐ MORF. *Anafilaxis* es invariable en número. ☐ USO *Anafilaxis* es el término menos usual.
anáfora s.f. 1 En gramática, tipo de deixis por el que una palabra hace referencia a una parte ya enunciada del discurso: *En la oración 'A mi hermano le gusta todo', el pronombre 'le' es una anáfora de 'a mi hermano'.* 2 Figura retórica que consiste en repetir una palabra al principio de cada frase. ☐ ETIMOL. Del latín *anaphora*, y éste del griego *anáphorá* (repetición).
anafórico, ca adj. De la anáfora, con anáforas o

relacionado con este tipo de deixis o con esta figura retórica.

anafre s.m. Hornillo, generalmente portátil. □ ETIMOL. Del árabe *an-nafil* (horno portátil de barro cocido). □ ORTOGR. Se admite también *anafe*.

anafrodisiaco, ca o **anafrodisíaco, ca** adj./s.m. Que disminuye el deseo sexual.

anagnórisis s.f. En una obra teatral o narrativa, esp. en el teatro clásico, reconocimiento de la verdadera identidad de un personaje. □ ETIMOL. Del griego *anagnórisis* (acción de reconocer). □ MORF. Invariable en número.

anagrama s.m. **1** Símbolo o emblema, esp. el constituido por letras. **2** Palabra o sentencia que resulta de cambiar de lugar los sonidos o letras de otra palabra o de otra sentencia: *'Belisa' es anagrama de 'Isabel'.* □ ETIMOL. Del latín *anagramma*.

anal adj. **1** Del ano o relacionado con este orificio. ▌ s.m.pl. **2** Libro en el que se recogen los acontecimientos más importantes ocurridos cada año: *No se recuerda un suceso similar en los anales de la historia del país.* **3** Publicación periódica en la que se recogen noticias y artículos sobre un campo concreto de la cultura, de la ciencia o de la técnica. **[4** col. Historia de algo: *En los 'anales' del ciclismo es célebre aquella victoria.* □ ETIMOL. La acepción 1, de *ano*. Las acepciones 2-4, del latín *annalis*, y éste de *annus* (año). □ MORF. Como adjetivo es invariable en género.

analfabetismo s.m. **1** Falta de la instrucción elemental en un país. **2** Desconocimiento de la lectura y la escritura.

analfabeto, ta adj./s. **1** Referido a una persona, que no sabe leer ni escribir. **2** Referido a una persona, que no tiene cultura. □ ETIMOL. Del latín *analphabetus*. □ SEM. Es sinónimo de *iletrado*.

analgésico, ca ▌ adj. **1** De la analgesia o relacionado con la falta o supresión de dolor. ▌ s.m. **2** Medicamento que alivia o quita el dolor.

análisis s.m. **1** División y separación de las partes que forman un todo para llegar a conocer sus principios o elementos: *Si tienes capacidad de análisis, serás capaz de enfrentarte a cualquier situación.* **2** Examen que se hace de una obra, de un escrito o cualquier otro objeto de estudio intelectual: *Hizo un análisis muy acertado de la situación actual.* **3** En gramática, examen de los componentes del discurso y de sus respectivas propiedades y funciones: *análisis sintáctico.* **4** Parte de las matemáticas que resuelve problemas por medio del álgebra. **5** ‖ **análisis (clínico)**; **1** Examen cualitativo y cuantitativo de ciertos componentes o sustancias del organismo, siguiendo métodos especializados, para llegar a un diagnóstico; analítica: *análisis de sangre.* **2** Resultado de este examen: *Fui a recoger los análisis antes de ir al médico.* □ ETIMOL. Del griego *análysis* (disolución de un conjunto en sus partes). □ MORF. Invariable en número.

analista s. **1** Persona que se dedica profesionalmente a hacer análisis químicos o médicos. **2** Persona que se dedica profesionalmente al análisis de problemas informáticos. **3** Persona que sigue y analiza de manera habitual los acontecimientos relacionados con un campo de la vida social o cultural: *analista financiero.* □ MORF. Es de género común: *el analista, la analista.*

analítico, ca ▌ adj. **1** Del análisis o relacionado con esta distinción de partes que forman un todo, o con este examen: *método analítico.* ▌ s.f. **2** Examen cualitativo y cuantitativo de ciertos componentes o sustancias del organismo, siguiendo métodos especializados, para llegar a un diagnóstico; análisis clínico: *El médico nos dará un informe sobre los resultados de la analítica.*

analizar v. Referido a algo que se quiere conocer a fondo, hacer un análisis o un examen de sus partes: *Debes analizar a fondo la situación.* □ ETIMOL. Del francés *analyser.* □ ORTOGR. La *z* se cambia en *c* delante de *e* →CAZAR.

analogía s.f. Relación de semejanza o de parecido entre dos o más cosas distintas. □ ETIMOL. Del griego *analogía* (proporción, semejanza).

analógico, ca adj. **1** Que tiene analogía o semejanza con algo; análogo. **[2** Referido a un aparato o a un instrumento de medida, que representa ésta mediante rayas o agujas en su sistema de lectura: *un reloj 'analógico'.* ◀ medida

análogo, ga adj. **1** Que tiene analogía o semejanza con algo; analógico. **2** En un ser vivo, referido a una parte del cuerpo o a un órgano, que pueden adoptar un aspecto semejante a los de otros por cumplir la misma función: *Las alas de las aves y las aletas de los peces son órganos análogos.* □ SINT. Constr. *análogo A algo.*

ananá o **ananás** s.m. **1** Planta americana con hojas rígidas de bordes espinosos y terminadas en punta aguda, flores de color morado y fruto comestible. **2** Fruto de esta planta, de gran tamaño y forma cónica, con una pulpa dulce y carnosa de color amarillento, y terminado en una corona de hojas. □ ETIMOL. Del portugués *ananás*, y éste del guaraní *naná*. □ MORF. *Ananás* es invariable en número. □ SEM. Es sinónimo de *piña.*

anaquel s.m. En un armario o en una estantería, tabla horizontal sobre la que se colocan las cosas; balda, estante. □ ETIMOL. Del árabe *an-naqqal* (el que lleva o portea).

anaranjado, da adj./s.m. Del color que resulta de mezclar rojo y amarillo; naranja. □ ORTOGR. Se admite también *naranjado.*

anarco adj./s. col. →**anarquista**. □ ETIMOL. Quizá del francés *anarcho.* □ MORF. 1. Como adjetivo es invariable en género. 2. Como sustantivo es de género común: *el anarco, la anarco.*

anarco- Elemento compositivo que significa 'anarquismo': *anarcosindicalismo.*

anarcosindicalismo s.m. Movimiento sindical de carácter revolucionario y de orientación anarquista.

anarcosindicalista ▌ adj. **1** Del anarcosindicalismo o relacionado con este movimiento sindical. ▌ adj./s. **2** Partidario o seguidor del anarcosindicalismo. □ MORF. 1. Como adjetivo es invariable en género. 2. Como sustantivo es de género común: *el anarcosindicalista, la anarcosindicalista.*

anarquía s.f. **1** →**anarquismo**. **2** Desconcierto, desorganización, incoherencia o barullo por ausencia de una autoridad. □ ETIMOL. Del griego *anarkhía*, y éste de *ánarkhos* (sin jefe).

anárquico, ca ▌ adj. **1** De la anarquía, que la implica o relacionado con ella. ▌ adj./s. **2** Partidario o defensor del anarquismo o de la anarquía. □ SEM. En la acepción 2, como sustantivo es sinónimo de *anarquista.*

anarquismo s.m. **1** Doctrina que se basa en la abolición de toda forma de Estado o de autoridad, y en la exaltación de la libertad del individuo; anarquía. **2** Movimiento político formado por los partidarios de esta doctrina.

anarquista ▌ adj. **1** De la anarquía, del anarquismo o relacionado con estas doctrinas. ▌ s. **2** Partidario o defensor del anarquismo o de la anarquía; anárquico. ☐ MORF. **1.** Como adjetivo es invariable en género. **2.** Como sustantivo es de género común: *el anarquista, la anarquista.* ☐ SEM. Dist. de *ácrata* (partidario de la supresión de toda autoridad). ☐ USO En la lengua coloquial se usa mucho la forma *anarco.*

anarquizar v. Causar la anarquía o promoverla: *La propaganda y la escuela son los medios preferidos por los anarquistas para anarquizar la sociedad.* ☐ ORTOGR. La *z* se cambia en *c* delante de *e* →CAZAR.

anatema s. En la iglesia católica, exclusión a la que la jerarquía eclesiástica somete a un fiel, apartándolo de su comunidad y del derecho a recibir los sacramentos; excomunión. ☐ ETIMOL. Del latín *anathema,* y éste del griego *anáthema* (objeto consagrado, exvoto). ☐ MORF. Es de género ambiguo: *el anatema, la anatema.*

anatematizar o **anatemizar** v. **1** En la iglesia católica, referido a una persona, imponerle la jerarquía eclesiástica el anatema o excomunión: *Las autoridades eclesiásticas lo han anatematizado por hereje.* **2** Reprobar, maldecir o condenar: *En su discurso anatematizó las acciones del Gobierno.* ☐ ORTOGR. La *z* se cambia en *c* delante de *e* →CAZAR. ☐ USO *Anatemizar* es el término menos usual.

anatomía s.f. Ciencia que estudia la forma, la estructura y las relaciones de las distintas partes del cuerpo de los seres vivos. ☐ ETIMOL. Del latín *anatomia,* y éste del griego *anatémno* (yo corto de arriba abajo).

anatómico, ca adj. **1** De la anatomía o relacionado con esta ciencia o con su objeto de estudio. **2** Referido a un objeto, que ha sido construido para adaptarse perfectamente al cuerpo humano o a alguna de sus partes: *asiento anatómico.*

anatomista s. Persona que se dedica al estudio de la anatomía, esp. si ésta es su profesión. ☐ MORF. Es de género común: *el anatomista, la anatomista.*

anca s.f. **1** Cada una de las dos mitades laterales de la parte posterior de algunos animales: *ancas de rana.* **2** Grupa de las caballerías. ☐ ETIMOL. Del germánico **hanca.* ☐ MORF. Por ser un sustantivo femenino que empieza por *a* tónica o acentuada, va precedida de *el, un, algún, ningún* y de las formas femeninas del resto de los determinantes.

ancestral adj. **1** De los ancestros o antepasados, o relacionado con ellos. **2** Tradicional, de origen remoto o muy antiguo: *costumbres ancestrales.* ☐ ETIMOL. Del francés *ancestral.* ☐ MORF. Invariable en género.

ancestro s.m. Persona de la que se desciende. ☐ MORF. Se usa más en plural. ☐ SEM. Es sinónimo de *antecesor, antepasado* y *predecesor.*

ancho, cha ▌ adj. **1** Que tiene más anchura o mide más horizontalmente de lo que es necesario o habitual: *Los pantalones de campana son muy anchos por abajo.* **2** Amplio, espacioso o con más espacio del necesario: *Cuando voy solo en el asiento*

de atrás del coche, voy muy ancho. **3** Orgulloso, satisfecho, ufano y contento. ▌ s.m. **4** En una superficie plana, dimensión menor: *Necesito cinta de un ancho de dos centímetros.* **5** En una superficie, dimensión considerada de derecha a izquierda o de izquierda a derecha: *Mide el ancho de la pared.* **6** En un objeto de tres dimensiones, distancia entre los dos extremos vistos de frente: *Las tres dimensiones de un objeto son el ancho, la altura y la longitud.* **7** ‖ a {**mis/ tus...**} **anchas**; *col.* Con total libertad, con comodidad o sin sentirse cohibido. ☐ ETIMOL. Del latín *amplus.* ☐ SEM. En las acepciones 4-6, es sinónimo de *anchura.*

anchoa o **anchova** s.f. Boquerón curado en salmuera o agua con sal. ☐ ETIMOL. Del latín **apiuva,* y éste de *apua.* ☐ USO *Anchova* es el término menos usual.

anchoveta s.f. Tipo de anchoa o boquerón americano.

anchura s.f. **1** En una superficie plana, dimensión menor: *Esta carretera tiene una anchura de tres metros.* **2** En una superficie, dimensión considerada de derecha a izquierda, o de izquierda a derecha: *Compara la anchura de esta camiseta con la de una talla menor.* **3** En un objeto de tres dimensiones, distancia entre los dos extremos vistos de frente: *¿Has medido la anchura del armario?* ☐ SEM. Es sinónimo de *ancho.*

anchuroso, sa adj. Muy ancho o muy espacioso.

ancianidad s.f. **1** Último período de la vida natural de una persona. **2** Estado o condición de la persona que tiene mucha edad o muchos años.

anciano, na adj./s. Referido a una persona, que tiene muchos años. ☐ ETIMOL. Del latín *antianus* (viejo).

ancila s.f. Esclava, sierva o criada. ☐ ETIMOL. Del latín *ancilla.*

ancilar adj. Relacionado con la ancila.

ancla s.f. **1** Objeto de hierro en forma de arpón o de anzuelo con dos ganchos que cuelga de una cadena o de un cable y se arroja al fondo del mar para fondear la embarcación. **2** ‖ **levar anclas**; sacarlas del fondo del mar para que el barco pueda empezar su navegación. ☐ ETIMOL. Del latín *ancora.* ☐ MORF. Por ser un sustantivo femenino que empieza por *a* tónica o acentuada, esta palabra va precedida de *el, un, algún, ningún* y de las formas femeninas del resto de los determinantes.

anclaje s.m. **1** Colocación del ancla en el fondo del mar, de modo que la embarcación quede sujeta. **2** Cantidad de dinero que debe pagar una embarcación por detenerse en un puerto. **3** Conjunto de elementos destinados a sujetar algo firmemente al suelo.

anclar ▌ v. **1** Referido a una embarcación, sujetar sus anclas al fondo del mar: *anclar un barco.* **2** Sujetar firmemente al suelo o a otro lugar: *Hay que anclar de nuevo el columpio en el jardín porque se mueve mucho.* ▌ prnl. **3** Aferrarse o agarrarse con tenacidad a una idea o a una actitud: *Se ha anclado en el pasado.*

áncora s.f. *poét.* Ancla. ☐ ETIMOL. Del latín *ancora.* ☐ MORF. Por ser un sustantivo que empieza por *a* tónica o acentuada, va precedido de *el, un, algún, ningún* y de las formas femeninas del resto de los determinantes.

anda interj. **1** Expresión que se usa para indicar extrañeza, sorpresa, admiración o disgusto. [**2** Seguida de una petición, expresión que se usa para enfatizar ésta: *¡'Anda', papá, cómpramelo!* □ PRON. En la lengua coloquial, está muy extendida la pronunciación [andá]. □ USO En el lenguaje coloquial, combinada con otras expresiones, se usa mucho para indicar desprecio, burla o rechazo (¡Anda ya!, *¡Anda y que te zurzan!*), o para indicar sorpresa (¡Anda la osa!, *¡Anda mi madre!*).

andadas ‖ **volver a las andadas**; *col.* Reincidir o volver a caer en un vicio o en una mala costumbre.

andadero, ra ▌ adj. **1** Referido esp. a un terreno, con características que permiten que se pueda andar fácilmente por él. ▌ s.f. **2** Aparato que se utiliza para enseñar o para ayudar a andar; andador. □ MORF. La acepción 2 se usa más en plural.

andado s.m. [En zonas del español meridional, forma de andar.

andador s.m. Aparato que se utiliza para enseñar o para ayudar a andar; andadera.

andadura s.f. Movimiento o avance.

andalucismo s.m. **1** En lingüística, palabra, significado o construcción sintáctica propios del dialecto andaluz empleados en otra lengua. **2** Nacionalismo andaluz o defensa de lo que se considera propio o característico de la comunidad autónoma andaluza.

andalucista adj./s. Partidario o seguidor de todo lo andaluz o del andalucismo o nacionalismo andaluz. □ MORF. **1.** Como adjetivo es invariable en género. **2.** Como sustantivo es de género común: *el andalucista, la andalucista.*

andalusí adj./s. De Al Ándalus (nombre que los árabes daban a la España musulmana en la época medieval), o relacionado con ella. □ MORF. **1.** Como adjetivo es invariable en género. **2.** Como sustantivo es de género común: *el andalusí, la andalusí.* **3.** Aunque su plural en la lengua culta es *andalusíes*, se usa mucho *andalusís.*

andaluz, -a adj./s. De Andalucía (comunidad autónoma), o relacionado con ella.

andamiada s.f. →**andamiaje.**

andamiaje s.m. **1** Conjunto de andamios; andamiada. [**2** Conjunto de fundamentos o de bases sobre los que algo se apoya: *El 'andamiaje' de su teoría es discutible.* □ USO En la acepción 1, aunque la RAE prefiere *andamiada*, se usa más *andamiaje.*

[**andamiar** v. Poner andamios o armazones en una obra. □ ORTOGR. La *i* nunca lleva tilde.

andamio s.m. Armazón metálico o de tablones que se pone pegado a una obra en construcción o en reparación, y que sirve para subirse en él y poder llegar a las partes más altas. □ ETIMOL. De *andar.*

andana s.f. En una embarcación, batería de cañones puestos en línea. □ ETIMOL. De *andar.*

andanada s.f. **1** En una plaza de toros, localidad cubierta y con gradas, situada en la parte más alta de la plaza. **2** Conjunto de disparos hechos al mismo tiempo por todos los cañones del costado de un barco.

andando interj. Expresión que se usa para indicar que se inicia la marcha o para dar prisa: *Ya falta poco para acabar, así que, andando.*

andante s.m. [**1** En música, aire o velocidad tranquilos con que se ejecutan una composición o un pasaje. **2** En música, composición o pasaje que se ejecutan con este aire. □ ETIMOL. Del italiano *andante.*

andantino s.m. [**1** En música, aire o velocidad algo más vivo que el andante con que se ejecutan una

composición o un pasaje. **2** En música, composición o pasaje que se ejecutan con este aire. □ ETIMOL. Del italiano *andantino.*

andanza s.f. Recorrido, lleno de aventuras y de peripecias, que se hace por distintos lugares.

andar ▌ s.m. **1** Movimiento o avance: *Reconozco tus andares.* **2** Forma en la que se realiza este movimiento: *Es una persona muy tranquila y de andar pausado.* ▌ v. **3** Ir de un lugar a otro dando pasos; caminar: *He venido andando.* **4** Moverse de un lugar a otro: *Los barcos andan por el agua.* **5** Referido a un mecanismo, funcionar; marchar: *El reloj no anda.* **6** Estar, encontrarse o hallarse en una situación determinada: *¿Cómo andas de tu gripe?* **7** Haber o existir: *Es raro que a estas horas ande tanta gente en la calle.* **8** Obrar, proceder o comportarse de un modo determinado: *No me gusta que andes con rodeos.* **9** *col.* Revolver o tocar con las manos: *¿Quién ha andado en mi armario?* **10** Referido al tiempo, pasar o correr: *A partir de cierta edad, parece que los años anden más deprisa.* **11** Referido a un espacio, recorrerlo o atravesarlo: *He andado todo el edificio hasta encontrarte.* [**12** En zonas del español meridional, llevar. **13** ‖ **todo se andará**; *col.* Expresión que se usa para calmar la impaciencia de alguien: *No te preocupes más por eso, que todo se andará.* □ ETIMOL. Del latín **amlare*, en vez de *ambulare* (pasear, caminar). □ MORF. Irreg. →ANDAR. □ SINT. **1.** La acepción 2 en plural tiene el mismo significado que en singular. **2.** Constr. de la acepción 9: *andar EN algo.* **3.** La perífrasis andar + gerundio indica que se está realizando la acción expresada por éste: *No sé si lo encontrarás, porque anda cazando en el monte.*

andariego, ga o **andarín, -a** adj./s. Que anda mucho, esp. si lo hace porque le gusta.

andarivel s.m. **1** Cuerda gruesa que se coloca entre las dos orillas de una corriente de agua y que sirve para que una embarcación pequeña pueda atravesarla, al ir tirando de esa cuerda los tripulantes. **2** En una embarcación, cuerda gruesa que se usa principalmente como pasamanos. **3** Sistema compuesto por un cesto que cuelga de unas argollas, y que corre por una cuerda gruesa fija, que sirve para transportar carga salvando un río o una hondonada. **4** En zonas del español meridional, calle de una pista o piscina. [**5** En zonas del español meridional, carril de una carretera. □ ETIMOL. Del catalán *andarivell*, y éste del italiano *andarivello* (nombre de varios cabos que se usan en navegación).

andarríos s.m. Pájaro de color grisáceo, con el vientre blanco y con el cuello, el pecho, las alas y la cola negros, que vive en lugares húmedos y que se alimenta de insectos; aguzanieves. □ ETIMOL. De *andar* y *ríos.* □ MORF. **1.** Es un sustantivo epiceno: *el andarríos macho, el andarríos hembra.* **2.** Invariable en número.

andas s.f.pl. Tablero con dos barras paralelas horizontales que sirve para transportar una carga a hombros de personas: *Este año he llevado las andas de la Dolorosa en la procesión.* □ ETIMOL. Del latín *amites* (varas de las andas).

andén s.m. **1** En una estación de tren o de autobús, acera situada al borde de las vías o de la calzada, en la que los pasajeros esperan las llegadas y salidas de los trenes y autobuses. **2** En un puerto de mar, parte del muelle en la que trabajan las personas encargadas del embarque o desembarque de las mercancías. **3** En zonas del español meridional, acera de la calle. **4** En zonas del español meridional, bancal. ☐ ETIMOL. Del latín *indago* (cerco). ☐ MORF. La acepción 4 se usa más en plural.

andinismo s.m. En zonas del español meridional, montañismo. ☐ ETIMOL. De *andino*.

andinista s. En zonas del español meridional, montañero. ☐ MORF. Es de género común: *el andinista, la andinista*.

andino, na adj. De los Andes (cordillera montañosa suramericana), o relacionado con ellos.

andoba o **andóbal** s. Persona cuya identidad se ignora o no se quiere decir; individuo. ☐ ETIMOL. De origen gitano. ☐ MORF. Es de género común: *el {andoba/andóbal}, la {andoba/andóbal}*. ☐ USO Tiene un matiz despectivo.

andorrano, na adj./s. De Andorra o relacionado con este país europeo.

andrajo s.m. **1** Prenda de vestir vieja, rota o sucia. **2** Trozo desgarrado de ropa muy usado y muy viejo; harapo. ☐ ETIMOL. De origen incierto.

andrajoso, sa ▪ adj. **1** Referido esp. a una prenda de vestir, que está vieja, rota o sucia. ▪ adj./s. **2** Que está cubierto o vestido con andrajos.

andro- Elemento compositivo que significa 'varón' (*androfobia, androcracia*) o 'masculino' (*androceo, andrógeno*). ☐ ETIMOL. Del griego *andrós* (hombre).

androceo s.m. En una flor, conjunto de estambres o parte masculina. ☐ ETIMOL. De *andro-* (varón) y la terminación de *gineceo*. ✿ flor

[androcracia s.f. Predominio o mayor autoridad del hombre en una sociedad o en un grupo. ☐ ETIMOL. De *andro-* (varón) y *-cracia* (poder).

andrógeno s.m. Hormona sexual masculina responsable de la aparición de los caracteres sexuales secundarios. ☐ ETIMOL. De *andro-* (varón), y *-geno* (que produce).

[androginia s.f. Selección de una conducta masculina o de una femenina según las circunstancias: *La 'androginia' no considera que haya comportamientos propios de cada sexo.*

andrógino, na adj./s. Referido a una persona, que tiene rasgos externos que no corresponden exactamente con los propios de su sexo. ☐ ETIMOL. Del griego *andrógynos*, y éste de *aner* (varón) y *gyné* (mujer).

androide s.m. Robot con figura humana. ☐ ETIMOL. Del latín *androides*.

[andrología s.f. Parte de la medicina que estudia la fertilidad y la esterilidad masculinas. ☐ ETIMOL. De *andro-* (varón) y *-logía* (estudio).

[andropausia s.f. Período de la vida de un varón en el que se produce una disminución de la capacidad sexual a causa de la edad; ☐ ETIMOL. De *andro-* (varón) y el griego *pâusis* (cesación).

andurrial s.m. Lugar apartado y alejado de los caminos. ☐ ETIMOL. De origen incierto. ☐ MORF. Se usa más en plural.

anea s.f. →**enea**. ☐ ETIMOL. Del árabe *al-na'ya* (la flauta).

anécdota s.f. **1** Suceso curioso y poco conocido que se cuenta para ejemplificar algo o como entretenimiento. **2** Suceso poco importante o poco habitual. ☐ ETIMOL. Del griego *anékdota* (cosas inéditas).

anecdotario s.m. Conjunto de anécdotas.

anecdótico, ca adj. De la anécdota o relacionado con este relato o con este suceso.

anegadizo, za adj. Que se anega o se inunda fácilmente.

anegamiento s.m. Inundación de un terreno.

anegar ▪ v. **1** Referido a un lugar, cubrirlo de agua; inundar: *Las lluvias anegaron los campos. La tromba de agua ha hecho que la comarca se anegase.* ▪ prnl. **2** Referido a una persona, llorar abundantemente: *Estaba tan abatida que se anegaba en lágrimas.* ☐ ETIMOL. Del latín *enecare* (matar). ☐ ORTOGR. La *g* se cambia en *gu* delante de *e* →PAGAR.

anejar v. →**anexar**. ☐ ORTOGR. Conserva la *j* en toda la conjugación.

anejo, ja ▪ adj./s. **1** Unido a otro, del que depende o con el que tiene una estrecha relación: *Nos recibieron en un despacho anejo a la oficina principal.* ▪ s.m. **2** Libro que se edita como complemento de una revista. ☐ ETIMOL. Del latín *annexus* (añadido). ☐ ORTOGR. Se admite también *anexo*.

anélido, da ▪ adj./s.m. **1** Referido a un animal, que tiene el cuerpo alargado y casi cilíndrico, formado por segmentos en forma de anillos, y que suele vivir en el agua o en lugares húmedos: *La lombriz de tierra es un anélido.* ▪ s.m.pl. **2** En zoología, tipo de estos animales, perteneciente al reino de los metazoos. ☐ ETIMOL. Del francés *annélide*. ☐ MORF. En la acepción 1, la RAE sólo lo registra como adjetivo.

anemia s.f. Disminución de la sangre total circulante, del número de glóbulos rojos o de la cantidad de hemoglobina. ☐ ETIMOL. Del griego *anaimía* (falta de sangre).

anémico, ca ▪ adj. **1** De la anemia o relacionado con esta anormalidad de la sangre. ▪ adj./s. **2** Que padece anemia.

anemo- Elemento compositivo que significa 'viento': *anemografía, anemómetro*. ☐ ETIMOL. Del griego *ánemos* (viento).

anemografía s.f. Parte de la meteorología que describe los vientos. ☐ ETIMOL. De *anemo-* (viento) y *-grafía* (descripción).

anemometría s.f. Parte de la meteorología que enseña a medir la fuerza o la velocidad del viento.

anemómetro s.m. Instrumento que sirve para medir la velocidad o la intensidad del viento. ☐ ETIMOL. De *anemo-* (viento) y *-metro* (medidor). ✿ medida

anemona, anémona o **anemone** s.f. **1** Planta herbácea con tallo subterráneo en forma de rizoma, pocas hojas en los tallos y flores vistosas generalmente con seis pétalos. **2** Flor de esta planta. **3** ‖ **anémona de mar**; organismo marino en forma de pólipo, con el cuerpo blando, contráctil y de colores vivos, y que tiene una serie de tentáculos alrededor del orificio que le sirve de boca; actinia: *Las anémonas de mar viven fijas en las rocas.* ☐ ETIMOL. Del latín *anemone*. ☐ USO *Anemona* y *anemone* son los términos menos usuales.

anemoscopio s.m. Aparato que sirve para indicar los cambios en la dirección del viento: *La veleta es un tipo de anemoscopio.* ☐ ETIMOL. De *anemo-* (viento) y *-scopio* (instrumento para ver).

anestesia s.f. **1** Privación total o parcial de la sensibilidad de forma temporal por medio de una sustancia anestésica. **2** Sustancia que produce esta pérdida de la sensibilidad. **3** ‖ **[anestesia epidural]**; la que se inyecta en la zona lumbar, en el espacio que rodea la médula espinal: *La 'anestesia epidural' se emplea para anestesiar la mitad inferior del cuerpo.* □ ETIMOL. Del griego *anaisthesía* (insensibilidad).

anestesiar v. Privar parcial o totalmente de la sensibilidad de forma temporal por medio de la anestesia: *Me anestesiaron para que no sintiera ningún dolor.* □ ORTOGR. La *i* nunca lleva tilde.

anestésico, ca ∎ adj. **1** De la anestesia o relacionado con ella. ∎ adj./s.m. **2** Que produce o causa anestesia.

anestesiología s.f. Parte de la medicina que estudia la anestesia y su utilización.

anestesiólogo, ga s. Persona especializada en anestesia; anestesista.

anestesista adj./s. Referido a una persona, que está especializada en anestesia; anestesiólogo. □ MORF. 1. Como adjetivo es invariable en género. 2. Como sustantivo es de género común: *el anestesista, la anestesista.*

aneurisma s. En medicina, dilatación anormal de una parte del sistema vascular. □ ETIMOL. Del griego *aneúrysma* (dilatación). □ MORF. Es de género ambiguo: *el aneurisma aórtico, la aneurisma aórtica.*

anexar v. Referido a una cosa, incorporarla o unirla a otra haciendo que dependa de ésta: *He anexado una cláusula al contrato. El país vencedor se anexó varios territorios del país vencido.* □ ORTOGR. Se admite también *anejar.*

anexión s.f. Incorporación o unión de una cosa a otra, de la que depende. □ ETIMOL. Del latín *annexio.*

anexionar v. Referido esp. a un territorio, anexarlo o incorporarlo a otro: *El tratado permitió al principado anexionar una región muy próspera.*

anexionismo s.m. Tendencia política que favorece y que defiende la anexión de territorios.

anexionista adj./s. Que sigue o que defiende el anexionismo. □ MORF. 1. Como adjetivo es invariable en género. 2. Como sustantivo es de género común: *el anexionista, la anexionista.*

anexo, xa adj./s. →**anejo.** □ ETIMOL. Del latín *annexus* (unido).

anfeta s.f. *col.* →**anfetamina.**

anfetamina s.f. Medicamento que estimula el sistema nervioso central y que aumenta el rendimiento físico e intelectual: *El consumo de anfetaminas crea adicción.* □ ETIMOL. Del inglés *amphetamin* o del francés *amphétamine.* □ MORF. En la lengua coloquial se usa mucho la forma abreviada *anfeta.*

anfi- Elemento compositivo que significa 'alrededor' (*anfiteatro*) o 'doble' (*anfibio*). □ ETIMOL. Del griego *amphi-*.

anfibio, bia ∎ adj. **1** Referido esp. a un vehículo, que puede desplazarse tanto en el agua como en la tierra. ∎ adj./s. **2** Referido a un animal o a una planta, que puede vivir indistintamente en el agua o sobre tierra: *El sapo es un anfibio.* ∎ adj./s.m. **3** Referido a un vertebrado, que no tiene ni pelo ni plumas, es de sangre fría, necesita un medio acuático o muy húmedo para nacer y vivir, y cuando es larva tiene características muy diferentes a las del adulto; batracio: *La salamandra es un anfibio.* ∎ s.m.pl. **4** En zoología, clase de estos vertebrados, perteneciente al tipo de los cordados. □ ETIMOL. De *anfi-* (dos) y el griego *bíos* (vida).

anfibología s.f. **1** Doble sentido de una palabra o de una frase. **2** Figura retórica consistente en emplear intencionadamente palabras o expresiones de doble sentido. □ ETIMOL. Del latín *amphibologia*, y éste del griego *amphibolía* (ambigüedad).

anfibológico, ca adj. De la anfibología, con anfibologías o relacionado con ella.

anfiteatro s.m. **1** Edificio de forma ovalada o circular, con gradas para el público, que estaba destinado a determinados espectáculos, esp. a los combates de gladiadores o de fieras. **2** Local generalmente de forma semicircular y con gradas en el que suelen realizarse actividades docentes. **3** En un cine, en un teatro y en otros locales, parte alta de la sala que tiene los asientos en gradas. □ ETIMOL. De *anfi-* (alrededor) y el latín *theatrum* (teatro).

anfitrión, -a adj./s. **1** Referido a una persona, que tiene invitados en su casa. **2** Referido a una persona o a una entidad, que recibe invitados en su país o en su sede habitual. □ ETIMOL. Por alusión a Anfitrión, rey de Tebas que era muy espléndido en sus banquetes. □ MORF. La RAE sólo lo registra como sustantivo.

ánfora s.f. Vasija alta, estrecha y terminada en punta, de cuello largo y con dos asas. □ ETIMOL. Del latín *amphora*, y éste del griego *amphoréus* (cántaro de dos asas). □ MORF. Por ser un sustantivo femenino que empieza por *a* tónica o acentuada, va precedida de *el, un, algún, ningún* y de las formas femeninas del resto de los determinantes.

angarillas s.f.pl. Armazón formado por dos barras paralelas unidas por una tabla transversal, que sirve para transportar algo a mano. □ ETIMOL. Del latín *angaria* (acarreo).

ángel s.m. **1** En algunas religiones, espíritu celestial puro creado por Dios para que le sirva y haga de mediador entre Él y los hombres: *En el arte cristiano, se representa a los ángeles con alas.* **2** Persona que tiene las características que se consideran propias de estos espíritus: *Esta mujer es un ángel, siempre pendiente de los demás.* **3** Gracia, simpatía o encanto: *Esta bailarina tiene ángel.* **4** ∥**ángel {caído/de las tinieblas/malo}**; diablo. ∥**ángel {custodio/de la guarda}**; el destinado por Dios a cada persona para que la proteja. ∥ **[como los ángeles]**; muy bien: *Cantas 'como los ángeles'.* □ ETIMOL. Del latín *angelus*, y éste del griego *ángelos* (mensajero).

angelical o **angélico, ca** adj. **1** De los ángeles o relacionado con estos espíritus celestiales. **2** Con las características que se consideran propias de los ángeles. □ MORF. *Angelical* es invariable en género.

angelote s.m. *col.* Figura grande de ángel que se coloca generalmente en los retablos.

ángelus s.m. Oración que recuerda el misterio de la encarnación del hijo de Dios, y que comienza con las palabras: *El ángel del Señor anunció a María.* □ ETIMOL. Del latín *Angelus Domini* (el ángel del Señor). □ MORF. Invariable en número.

angina s.f. **1** Inflamación de las amígdalas y de las zonas próximas a éstas. **2** ∥**angina de pecho**; conjunto de síntomas causados por un fallo en la circulación arterial del corazón, que se caracteriza por un dolor muy grande en el pecho y el brazo izquierdo, y por una fuerte sensación de ahogo. □ ETIMOL. Del latín *angina*, y éste de *angere* (sofocar). □ MORF. La acepción 1 se usa más en plural. □ SEM. 1. Dist. de *amígdala* (cada uno de los dos nódulos linfáticos situados en la base de los pilares del paladar). 2. El uso de *angina de pecho* para designar la enfermedad caracterizada por estos síntomas es incorrecto, aunque está muy extendido: incorr. *morir de una angina de pecho*.

angiografía s.f. Imagen de los vasos sanguíneos, esp. la obtenida por rayos X. □ ETIMOL. Del griego *angêion* (vaso) y *-grafía* (representación gráfica).

angiología s.f. Parte de la medicina que estudia el aparato circulatorio y sus enfermedades. □ ETIMOL. Del griego *angêion* (vaso) y *-logía* (estudio).

angioma s.f. Tumor benigno formado por una acumulación de pequeños vasos sanguíneos: *Los angiomas se ven como manchas rojizas en la piel.* □ ETIMOL. Del griego *angêion* (vaso) y *-oma* (tumor).

angiospermo, ma ∎ adj./s.f. **1** Referido a una planta, que tiene flores con órganos femeninos y masculinos, y las semillas protegidas en el interior del fruto: *La judía y el melocotonero son angiospermas.* ∎ s.f.pl. **2** En botánica, división de estas plantas, perteneciente al reino de las metafitas. □ ETIMOL. Del latín *Angiospermae*.

anglicanismo s.m. Conjunto de doctrinas de la religión reformada predominante en Inglaterra (región británica).

anglicano, na ∎ adj. **1** Del anglicanismo o relacionado con este conjunto de doctrinas religiosas. ∎ adj./s. **2** Que profesa el anglicanismo. □ ETIMOL. Del latín *anglicanus*.

anglicismo s.m. En lingüística, palabra, significado o construcción sintáctica del inglés empleados en otra lengua; inglesismo.

anglicista adj. [Del anglicismo o relacionado con él. □ ETIMOL. De *ánglico* (de Inglaterra). □ MORF. Invariable en género.

anglo, gla adj./s. De un antiguo pueblo germánico que se estableció en los siglos V y VI en Inglaterra (región británica), o relacionado con él. □ ETIMOL. Del latín *Anglus*.

anglo- Elemento compositivo que significa 'inglés': *angloamericano, anglohablante, anglófilo.*

angloamericano, na adj. **1** De los ingleses y de los estadounidenses, o con elementos propios de ambos. **2** Referido a una persona, que ha nacido en América y es de origen inglés.

anglófono, na adj./s. De habla inglesa. □ ETIMOL. Del francés *anglophone*.

anglohablante adj./s. Que tiene como lengua materna u oficial el inglés, o que habla esta lengua. □ ETIMOL. De *anglo-* (inglés) y *hablante*. □ MORF. 1. Como adjetivo es invariable en género. 2. Como sustantivo es de género común: *el anglohablante, la anglohablante*.

anglosajón, -a adj./s. **1** De los pueblos germanos que en el siglo V invadieron Inglaterra (región británica), o relacionado con ellos. **2** De origen inglés o que habla esta lengua.

angoleño, ña adj./s. De Angola o relacionado con este país africano.

angora s.f. Lana que se obtiene a partir del pelo de un conejo originario de Angora (antiguo nombre de Ankara, la actual capital turca).

angorina s.f. Fibra textil que imita a la angora.

angosto, ta adj. Muy estrecho o de reducidas dimensiones. □ ETIMOL. Del latín *angustus*.

angostura s.f. **1** Falta de anchura o gran estrechez, esp. en un terreno o en un paso. **2** Bebida amarga que se extrae de la corteza de una planta, y que se usa en la elaboración de algunos cócteles.

ángstrom o **angstromio** s.m. Unidad de longitud que equivale a la diezmillonésima parte de un milímetro. □ ETIMOL. Por alusión a A. J. Angstrom, físico sueco. □ ORTOGR. *Ángstrom* es la denominación internacional de *angstromio*. □ USO Aunque la RAE prefiere *angstromio*, se usa más *ángstrom*.

anguila s.f. Pez comestible de cuerpo alargado y cilíndrico, que carece de aletas abdominales y que vive en los ríos pero se reproduce en el mar. □ ETIMOL. Del latín *anguilla*. □ MORF. Es un sustantivo epiceno: *la anguila macho, la anguila hembra*. ➤ pez

angula s.f. Cría de la anguila. □ ETIMOL. Del vasco *angula*. □ MORF. Es un sustantivo epiceno: *la angula macho, la angula hembra*.

angular adj. **1** Del ángulo o relacionado con él. **2** Con forma de ángulo. **3** ‖ **(gran) angular**; objetivo fotográfico de corta distancia de foco y con capacidad de cubrir un ángulo visual de 70° a 180°: *Sólo podrás fotografiar este panorama al completo si usas un gran angular.* □ MORF. Es invariable en género.

ángulo s.m. **1** Figura geométrica formada en una superficie por dos líneas rectas que parten de un mismo punto, o, en el espacio, por dos superficies que parten de una misma línea: *Los ángulos se miden en grados.* ➤ ángulo **2** Espacio formado por el encuentro de dos líneas o de dos superficies: *En un ángulo de la sala habían colocado un gran jarrón.* ➤ libro **3** Punto de vista u opinión desde el que se puede considerar algo: *Si lo miras desde ese ángulo verás que no existe ningún problema.* **4** ‖ **ángulo agudo**; el que mide menos de noventa grados. ‖ **ángulo complementario**; el que le falta a otro para sumar noventa grados; complemento. ‖ [**ángulo cóncavo**; el que mide más de ciento ochenta grados. ‖ [**ángulo convexo**; el que mide menos de ciento ochenta grados. ‖ **(ángulo) diedro**; cada una de las dos porciones del espacio limitadas por dos semiplanos que parten de una misma recta. ‖ **ángulo {llano/plano}**; el que mide ciento ochenta grados y está formado por dos líneas contenidas en el mismo plano. ‖ **ángulo muerto**; [el que queda fuera del campo visual: *Al mirar por el espejo retrovisor, siempre hay un 'ángulo muerto' que no se ve.* ‖ **ángulo obtuso**; el que mide más de noventa grados y menos de ciento ochenta grados. ‖ **ángulo recto**; el que mide noventa grados. ‖ **ángulo suplementario**; el que le falta a otro para sumar ciento ochenta grados; suplemento. ‖ **ángulos adyacentes**; los consecutivos que tienen un lado común, y los lados no comunes formando parte de una misma recta. ‖ **ángulos consecutivos**; los que tienen el vértice y un lado común y no está uno comprendido en el otro. ‖ **ángulos opuestos por el vértice**; los que tienen el vértice común y los lados de cada uno en prolongación de los del otro. □ ETIMOL. Del latín *angulus* (rincón).

angulosidad s.f. **1** Existencia de ángulos o esquinas. **2** Parte angulosa. □ MORF. La acepción 2 se usa más en plural.

anillo

anguloso, sa adj. Que tiene ángulos o esquinas muy marcados.
angurria s.f. **1** *col.* En zonas del español meridional, avidez o codicia. **2** *col.* En zonas del español meridional, hambre.
angurriento, ta adj. **1** *col.* En zonas del español meridional, codicioso o avaricioso. **2** *col.* En zonas del español meridional, hambriento.
angustia s.f. **1** Sentimiento de intranquilidad y sufrimiento ante una situación de peligro, amenaza o incertidumbre. **2** Sofoco o sensación de opresión en la región torácica o abdominal. □ ETIMOL. Del latín *angustia* (estrechez, situación crítica).
angustiar v. Causar angustia o sentimiento de intranquilidad o sufrimiento: *Me angustia pensar en la muerte. No te angusties por esa tontería.* □ ORTOGR. La *i* nunca lleva tilde.
angustioso, sa adj. **1** Que produce angustia. **2** Con mucha angustia.
anhelar v. Desear intensamente: *Lo que más anhelo es encontrar un trabajo.* □ ETIMOL. Del latín *anhelare* (respirar con dificultad).
anhelo s.m. Deseo intenso de conseguir algo; ansia.
anheloso, sa adj. Que tiene o siente anhelo.
anhídrido s.m. **1** Compuesto químico formado por la combinación del oxígeno con un elemento no metálico y que, al reaccionar con el agua, produce un ácido: *El anhídrido sulfúrico es óxido de azufre que, al combinarse con el agua, produce el ácido sulfúrico.* **2** ‖**anhídrido carbónico**; gas más pesado que el aire, inodoro, incoloro, que no se puede quemar, y que se produce en las combustiones y en algunas fermentaciones por la combinación del carbono con el oxígeno: *Las plantas respiran oxígeno y expulsan anhídrido carbónico.* □ ETIMOL. De *anhidro* (sin agua) y la terminación de *ácido*.
anidación s.f. o **anidamiento** s.m. Fabricación de un nido o establecimiento del ave en él.
anidar v. **1** Referido a un ave, hacer su nido o vivir en él: *Las cigüeñas han anidado en la torre de la iglesia.* **2** Referido esp. a un sentimiento, hallarse en una persona: *En su corazón nunca anidó la envidia.*

anilina s.f. Sustancia líquida y aceitosa, muy tóxica, que se obtiene a partir del benceno y que es muy utilizada en la industria: *La anilina se utiliza en la fabricación de colorantes.* □ ETIMOL. Del alemán *Anilin*, y éste del portugués *anil* (añil).
anilla ‖ s.f. **1** Pieza en forma de circunferencia hecha de un material duro que sirve para sujetar o para colgar algo. **2** química Pieza de metal o de plástico, de forma cilíndrica, que se pone en las patas de las aves para marcarlas y estudiar su comportamiento. ‖ pl. **3** En gimnasia, aparato que consta de dos aros que cuelgan de unas cuerdas sujetas al techo, y en el que los gimnastas realizan sus ejercicios. gimnasio
anillado, da adj. Que tiene uno o varios anillos: *La lombriz de tierra tiene el cuerpo anillado.*
anillar v. **1** Sujetar con anillos o con anillas: *He anillado todas las hojas sueltas.* **2** Referido esp. a un ave, ponerle una anilla en la pata para marcarla y poder estudiar alguna de sus características: *El ornitólogo anilló a la cigüeña para estudiar sus desplazamientos.*
anillo s.m. **1** Aro pequeño, esp. el que se lleva en los dedos de la mano. **2** Lo que tiene la forma de este aro. **3** En zoología, cada uno de los segmentos en que se divide el cuerpo de los gusanos y de los animales artrópodos. **4** En botánica, cada uno de los círculos leñosos concéntricos que forman el tronco de un árbol. **5** En arquitectura, moldura que rodea a un cuerpo cilíndrico: *El fuste de la columna estaba rodeado por anillos.* **6** En astronomía, formación celeste de forma circular que rodea a algunos planetas: *El planeta Saturno está rodeado por anillos.* **7** ‖**caérsele los anillos** a alguien; *col.* Sentirse rebajado o humillado respecto a su posición social o jerárquica. ‖**como anillo al dedo**; muy oportuno, conveniente o adecuado. □ ETIMOL. Del latín *anellus* (anillo pequeño). □ SINT. 1. *Caérsele los anillos a alguien* se usa más en expresiones negativas. 2. *Como anillo al dedo* se usa más con los verbos *venir, caer* o equivalentes.

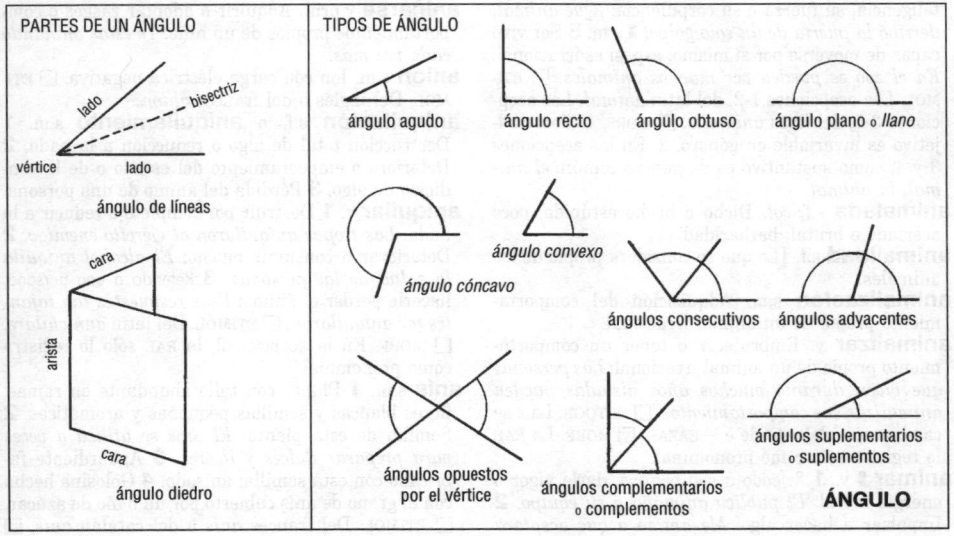

ánima ▪ s.f. **1** Alma de una persona, esp. la que pena antes de ir a la gloria. ▪ pl. **2** Toque de campanas en las iglesias con el que se invita a los fieles a rogar por las almas del purgatorio. **3** Hora en que se hace este toque de campanas. ☐ ETIMOL. Del latín *anima* (aire, aliento, alma). ☐ MORF. Por ser un sustantivo femenino que empieza por *a* tónica o acentuada, va precedido de *el, un, algún, ningún* y de las formas femeninas del resto de los determinantes.

animación s.f. **1** Comunicación de una mayor actividad, intensidad y movimiento. **2** Viveza y expresión en las acciones, en las palabras o en los movimientos. **3** Concurrencia de gente o gran actividad. **4** Técnica cinematográfica que permite dotar de movimiento a los dibujos o a las imágenes fijas. **5** Conjunto de técnicas destinadas a impulsar la participación de una persona en una determinada actividad y en el desarrollo sociocultural del grupo de que forman parte: *Se dedica a tareas de animación cultural en centros de la tercera edad.* ☐ ETIMOL. Del latín *animatio*.

animado, da adj. **1** Que tiene vida. **2** Alegre o divertido. **3** Concurrido o con mucha gente.

animador, -a s. **1** Persona que presenta y ameniza un espectáculo. [**2** Persona que se dedica profesionalmente a impulsar la participación en una determinada actividad, o el desarrollo sociocultural de un grupo. **3** Persona que se dedica a la animación o técnica cinematográfica que permite dotar de movimiento a los dibujos o a las imágenes fijas.

animadversión s.f. Sentimiento de aversión, odio o antipatía hacia alguien. ☐ ETIMOL. Del latín *animadversio* (atención, amonestación) con influencia de *aversión* y *animosidad*.

animal ▪ adj. **1** Del animal o relacionado con este ser vivo. **2** De la parte sensitiva de un ser vivo o relacionado con ella: *La parte animal del hombre se contrapone a su parte racional.* ▪ adj./s. **3** Referido a una persona, que no tiene educación, es ignorante y que muestra un comportamiento instintivo. **4** Referido a una persona, que destaca por su saber, su inteligencia, su fuerza o su corpulencia: *¡Qué animal, derribó la puerta de un solo golpe!* ▪ s.m. **5** Ser vivo capaz de moverse por sí mismo, esp. si es irracional: *En el zoo se pueden ver muchos animales.* ☐ ETIMOL. Las acepciones 1-2, del latín *animal*. Las acepciones 3-5, del latín *animalis*. ☐ MORF. 1. Como adjetivo es invariable en género. 2. En las acepciones 3 y 4, como sustantivo es de género común: *el animal, la animal.*

animalada s.f. col. Dicho o hecho estúpido, poco acertado o brutal; barbaridad.

animalidad s.f. [Lo que se considera propio de los animales.

animalización s.m. Adquisición del comportamiento propio de un animal irracional.

animalizar v. Embrutecer o tener un comportamiento propio de un animal irracional: *Las personas que viven durante muchos años aisladas pueden animalizar sus comportamientos.* ☐ ORTOGR. La *z* se cambia en *c* delante de *e* →CAZAR. ☐ MORF. La RAE lo registra sólo como pronominal.

animar ▪ v. **1** Referido a una persona, darle vigor o energía moral: *El público animaba a su equipo.* **2** Impulsar a hacer algo: *Me animó a que aceptara*

aquella oferta. Se animó a venir. **3** Comunicar una mayor actividad, intensidad y movimiento: *Un humorista animó la velada. La reunión se animó bastante cuando llegaste.* **4** Referido a algo inanimado, dotarlo de movimiento: *Al pasar estas imágenes a gran velocidad se consigue animar los dibujos.* ▪ prnl. **5** Sentir alegría, energía y disposición para hacer algo: *Anímate, porque no ganas nada con estar triste.* ☐ ETIMOL. Del latín *animare*. ☐ SINT. Constr. de la acepción 2: *animar A algo.*

anímico, ca adj. De los sentimientos y los afectos de una persona: *estado anímico.* ☐ SEM. Aunque la RAE lo considera sinónimo de *psíquico*, en la lengua actual no se usa como tal.

animismo s.m. **1** Creencia que considera que todos los objetos de la naturaleza tienen vida y poderes. **2** Creencia en la existencia de espíritus que animan los objetos. ☐ ETIMOL. De *ánima.*

animista ▪ adj. **1** Del animismo o relacionado con él. ▪ adj./s. **2** Seguidor del animismo. ☐ MORF. 1. Como adjetivo es invariable en género. 2. Como sustantivo es de género común: *el animista, la animista.*

ánimo ▪ s.m. **1** Parte espiritual del ser humano que constituye el principio de su actividad: *Es una persona de ánimo decidido.* **2** Valor, esfuerzo o energía con que se acomete algo; animosidad. **3** Intención o voluntad. ▪ interj. **4** Expresión que se usa para estimular a una persona o para infundirle aliento o vigor: *¡Ánimo, que ya nos queda poco para terminar!* **5** ‖ [hacerse el ánimo a algo; formarse una idea de algo y acostumbrarse a ello. ☐ ETIMOL. Del latín *animus.*

animosidad s.f. **1** Sentimiento de hostilidad, antipatía o aversión hacia alguien. **2** Valor, esfuerzo o energía con que se acomete algo; ánimo. ☐ ETIMOL. Del latín *animositas.*

animoso, sa adj. Que tiene ánimo o valor. ☐ ETIMOL. Del latín *animosus.*

aniñado, da adj. Con las características que se consideran propias de un niño, esp. referido a un rasgo físico.

aniñarse v.prnl. Adquirir o adoptar rasgos o comportamientos propios de un niño: *Te estás aniñando cada vez más.*

anión s.m. Ion con carga eléctrica negativa. ☐ ETIMOL. Del inglés o del francés *anion.*

aniquilación s.f. o **aniquilamiento** s.m. **1** Destrucción total de algo o reducción a la nada. **2** Deterioro o empeoramiento del estado o de la condición de algo. **3** Pérdida del ánimo de una persona.

aniquilar v. **1** Destruir por completo o reducir a la nada: *Las tropas aniquilaron al ejército enemigo.* **2** Deteriorar o consumir mucho: *El alcohol aniquila la salud de las personas.* **3** Referido a una persona, hacerle perder el ánimo: *Esas respuestas tan tajantes me aniquilaron.* ☐ ETIMOL. Del latín *annichilare.* ☐ MORF. En la acepción 2, la RAE sólo lo registra como pronominal.

anís s.m. **1** Planta con tallo abundante en ramas, flores blancas y semillas pequeñas y aromáticas. **2** Semilla de esta planta: *El anís se utiliza a veces para preparar dulces y licores.* **3** Aguardiente fabricado con esta semilla; anisado. **4** Golosina hecha con el grano de anís cubierto por un baño de azúcar. ☐ ETIMOL. Del francés *anis* o del catalán *anís.* ☐

SEM. En la acepción 3, dist. de *anisete* (licor fabricado con aguardiente, azúcar y anís).

anisado, da ∎ adj. **1** Que contiene anís o aroma de anís. ∎ s.m. **2** Aguardiente fabricado con la semilla del anís; anís. □ SEM. En la acepción 2, dist. de *anisete* (licor fabricado con aguardiente, azúcar y anís).

anisar v. Referido a un alimento, echarle anís o aroma de anís: *Siempre anisa las rosquillas para que queden más sabrosas.*

anisete s.m. Licor fabricado con aguardiente, azúcar y anís. □ ETIMOL. Del francés *anisette*. □ SEM. Dist. de *anís* y *anisado* (aguardiente fabricado con la semilla del anís).

aniversario s.m. **1** Día en el que se cumplen años de un determinado suceso. [**2** Celebración con que se conmemora este día. □ ETIMOL. Del latín *anniversarius* (que se repite cada año).

[**annus horribilis** (latinismo) ∥Año horrible. □ PRON. [ánus horríbilis].

[**annus mirabilis** (latinismo) ∥Año admirable. □ PRON. [ánus mirábilis].

ano s.m. Orificio en que termina el tubo digestivo de muchos animales, y por el que se expulsan los excrementos. □ ETIMOL. Del latín *anus* (anillo).

anoche adv. En la noche de ayer. □ ETIMOL. Del latín *ad noctem*. □ USO El uso de la expresión *ayer noche* con el significado de 'anoche' es un galicismo innecesario.

anochecer ∎ s.m. **1** Tiempo en el que empieza a faltar la luz del día y se hace de noche; anochecida. ∎ v. **2** Empezar a faltar la luz del día: *En invierno anochece antes que en verano.* **3** Llegar o estar en un lugar o en una situación determinados al empezar la noche: *Salimos de viaje por la tarde y anochecimos en Burgos.* □ MORF. 1. En la acepción 2, es verbo unipersonal. 2. Irreg. →PARECER.

anochecida s.f. Tiempo en el que empieza a faltar la luz del día y se hace de noche; anochecer.

anochecido adv. [Al empezar la noche.

anodino, na adj. Insignificante, que tiene poca importancia o que no presenta ningún interés. □ ETIMOL. Del griego *anódynos* (que no causa dolor).

ánodo s.m. Electrodo positivo: *En una pila, el ánodo está marcado con el signo '+'.* □ ETIMOL. Del griego *ánodos* (camino ascendente).

anofeles adj./s.m. Referido a un mosquito, que se caracteriza por ser transmisor de algunas enfermedades. □ ETIMOL. Del griego *anophelés* (inútil, dañino). □ PRON. Aunque la pronunciación correcta es [anoféles], está muy extendida [anófeles]. □ MORF. 1. Es un sustantivo epiceno: *el anofeles macho, el anofeles hembra.* 2. Invariable en número.

anomalía s.f. Irregularidad o desviación de lo que se considera normal o regular.

anómalo, la adj. Irregular, extraño o que se desvía de lo que se considera normal. □ ETIMOL. Del latín *anomalus*, y éste del griego *anómalos* (irregular).

anón s.m. o **anona** s.f. **1** Árbol tropical con la corteza oscura y con flores amarillentas y de mal olor. **2** Fruto de este árbol, comestible, de forma acorazonada y con pulpa blanquecina dulce y mantecosa, con numerosas pepitas negras: *El anón es parecido a la chirimoya.*

anonadación s.f. o **anonadamiento** s.m. Producción de desconcierto o de una gran sorpresa.

anonadar v. Referido a una persona, dejarla desconcertada o causarle gran sorpresa: *Lo que me dijo me anonadó.* □ ETIMOL. Del antiguo *nonada* (nadería, cosa nula).

anonimato s.m. **1** Condición de la obra literaria o artística que no lleva el nombre de su autor. **2** Condición de la persona o del autor de algo cuyos nombres no son conocidos. □ ETIMOL. Del francés *anonymat*.

anónimo, ma ∎ adj. **1** Referido a una persona autora de algo, de nombre desconocido. ∎ adj./s. **2** Referido a una obra literaria o artística, que no lleva el nombre de su autor, o que es de autor desconocido. ∎ s.m. **3** Carta o escrito sin firmar en el que, generalmente, se expresa una amenaza o se dice algo ofensivo o desagradable. **4** Secreto de la persona que oculta su nombre: *Decidió escudarse en el anónimo.* □ ETIMOL. Del griego *anónymos*, y éste de *an-* (negación) y *ónoma* (nombre).

anorak s.m. Prenda de vestir parecida a una chaqueta, hecha de tela impermeable, y que generalmente lleva capucha. □ ETIMOL. Del francés *anorak*. □ MORF. Su plural es *anoraks*. ⟳ alpinismo

anorexia s.f. Pérdida del apetito, generalmente producida por causas psíquicas. □ ETIMOL. Del griego *anorexía* (inapetencia), y éste de *an-* (negación) y *órexis* (deseo).

anoréxico, ca adj./s. Que padece anorexia o pérdida del apetito.

anormal ∎ adj. **1** Que es distinto de lo habitual o acostumbrado, o que accidentalmente se halla fuera de su estado natural o de las condiciones que le son propias. ∎ s. **2** Persona cuyo desarrollo físico o intelectual es inferior al que corresponde a su edad. □ ETIMOL. Del francés *anormal*. □ MORF. 1. Como adjetivo es invariable en género. 2. Como sustantivo es de género común: *el anormal, la anormal.* □ USO En la acepción 2 es despectivo y se usa como insulto.

anormalidad s.f. Diferencia respecto a lo habitual o acostumbrado, o situación accidental fuera del estado natural que algo tiene o de las condiciones que le son propias. □ USO Su uso referido al desarrollo físico o intelectual es despectivo.

anotación s.f. **1** Toma por escrito de un dato. **2** Adición de notas, explicaciones o de comentarios a un texto escrito.

anotar ∎ v. **1** Referido esp. a un dato, tomar nota de ello por escrito; apuntar: *Anotó en su agenda la fecha de la reunión.* **2** Referido esp. a un texto escrito, ponerle notas o añadirle una explicación o un comentario: *La editora de esta obra medieval la ha anotado con múltiples datos alusivos al lenguaje.* **3** En deporte, marcar tantos: *Nuestro equipo anotó al comenzar el segundo tiempo.* ∎ prnl. [**4** Referido esp. a un triunfo o a un fracaso, obtenerlos: *El equipo 'se anotó' una nueva victoria esta temporada.* □ ETIMOL. Del latín *annotare*.

[**anovulación** s.f. Falta de ovulación durante el ciclo menstrual. □ ETIMOL. De *an-* (negación) y *ovulación*.

[**anovulatorio, ria** adj./s.m. Referido a un medicamento, que impide la ovulación durante el ciclo menstrual. □ ETIMOL. De *an-* (negación) y *ovulatorio*.

anquilosamiento s.m. **1** Disminución o pérdida

de la movilidad en una articulación. **2** Detención del progreso o de la evolución de algo.

anquilosar ∎ v. **1** Producir una disminución o pérdida de la movilidad: *El reumatismo puede anquilosar las articulaciones.* ∎ prnl. **2** Detenerse el progreso o la evolución de algo: *Aquellas leyes se anquilosaron porque nadie las adaptó a los nuevos tiempos.* ☐ ETIMOL. De *anquilosis* (imposibilidad de movimiento en una articulación).

anquilosis s.f. Disminución de movimiento o imposibilidad total para ello en una articulación normalmente móvil. ☐ ETIMOL. Del griego *ankýlosis*, y éste de *ankýlos* (encorvado). ☐ MORF. Invariable en número.

ánsar s.m. Ave palmípeda con la parte superior del cuerpo de color ceniciento, los bordes de las alas y de las plumas más claros y la parte inferior blanca, que se alimenta de vegetales y vive en zonas pantanosas; ganso, oca. ☐ ETIMOL. Del latín *anser.* ☐ MORF. Es un sustantivo epiceno: el ánsar macho, el ánsar hembra.

ansia s.f. **1** Deseo intenso de conseguir algo; anhelo. **2** Angustia o fatiga que causa inquietud o agitación. ☐ ETIMOL. Del latín *anxia.* ☐ MORF. Por ser un sustantivo femenino que empieza por *a* tónica o acentuada, va precedido de *el, un, algún, ningún* y de las formas femeninas del resto de los determinantes.

ansiar v. Desear intensamente: *Ansiaba verse libre de todas esas obligaciones.* ☐ ORTOGR. La *i* lleva tilde en los presentes, excepto en las personas *nosotros* y *vosotros* →GUIAR.

ansiedad s.f. **1** Estado de agitación o inquietud. **2** Estado de angustia que suele acompañar a muchas enfermedades y que no permite el sosiego de la persona que la padece.

ansiolítico, ca adj./s.m. Referido a un medicamento, que sirve para calmar la ansiedad. ☐ ETIMOL. De *ansia* y el griego *lytikós* (que relaja).

ansioso, sa adj. Que siente ansia. ☐ ETIMOL. Del latín *anxiosus.*

anta s.f. Mamífero rumiante parecido al ciervo pero con mayor corpulencia, que tiene el cuello corto, cabeza grande, hocico muy grande, pelaje oscuro, y unos cuernos muy desarrollados en forma de pala, con los bordes muy recortados; alce: *De la piel curtida de las antas se obtiene el ante.* ☐ ETIMOL. De *ante.* ☐ MORF. Es un sustantivo epiceno: *la anta macho, la anta hembra.*

antagónico, ca adj. Que tiene o que manifiesta antagonismo u oposición, esp. en doctrinas y en opiniones.

antagonismo s.m. **1** Rivalidad u oposición, esp. en doctrinas y en opiniones. **2** Oposición mutua o acción opuesta: *Existe 'antagonismo' entre un músculo flexor y uno extensor.* ☐ ETIMOL. Del francés *antagonisme.*

antagonista adj./s. Que se opone a algo o que actúa en sentido contrario. ☐ ETIMOL. Del latín *antagonista*, y éste del griego *antagonistés* (el que lucha contra alguien). ☐ MORF. 1. Como adjetivo es invariable en género. 2. Como sustantivo es de género común: *el antagonista, la antagonista.*

antaño adv. En un tiempo pasado. ☐ ETIMOL. Del latín *ante annum* (un año antes, hace un año). ☐ SEM. Dist. de *hogaño* (en este año o en esta época).

antártico, ca adj. Del polo Sur o de las regiones que lo rodean, o relacionado con ellos. ☐ ETIMOL. Del latín *antarcticus*, y éste del griego *antartikós* (opuesto al ártico).

ante ∎ s.m. **1** Piel de algunos animales, esp. la del alce, curtida y preparada. ∎ prep. **2** En presencia de: *Estamos ante una situación muy difícil de resolver.* **3** En comparación de, o respecto de: *Ante lo que pudiera parecerte en un primer momento, no fue tan sencillo.* ☐ ETIMOL. La acepción 1, del árabe *lamt.* Las acepciones 2 y 3, del latín *ante* (delante de).

ante- Elemento compositivo que indica anterioridad en el tiempo (anteayer, antedicho, antevíspera, anteguerra) o en el espacio (pantecámara, anteponer, antesala, antealtar).

ante merídiem ‖Antes del mediodía: *La reunión tuvo lugar a las nueve ante merídiem.* ☐ ETIMOL. Del latín *ante meridiem.* ☐ USO Se usa mucho la abreviatura *a.m.* Su uso es característico del lenguaje técnico o formal.

anteanoche adv. Anteayer por la noche. ☐ ETIMOL. Del latín *ante noctem.* ☐ ORTOGR. Se admite también *antes de anoche.*

anteayer adv. En el día inmediatamente anterior a ayer. ☐ ETIMOL. Del latín *ante* y *heri.* ☐ ORTOGR. Se admite también *antes de ayer.*

antebrazo s.m. En el cuerpo de una persona, parte del brazo que está entre el codo y la muñeca. ☐ ETIMOL. De *ante-* (delante) y *brazo.*

antecámara s.f. Habitación situada delante de la sala principal de una casa o delante de la cámara o habitación en la que se recibe.

antecedente s.m. **1** Lo que ha ocurrido antes, y condiciona lo que ocurre después; precedente. **2** En gramática, primero de los términos de una correlación gramatical: *En la comparación 'Es tan bueno como grande', 'tan bueno' es el antecedente.* **3** En gramática, expresión a la que hace referencia un pronombre relativo: *En la oración 'Ése es el coche que me gusta', el antecedente de 'que' es 'el coche'.* **4** ‖[estar en antecedentes]; estar enterado de las circunstancias previas a un asunto. ‖[poner en antecedentes]; informar de las circunstancias previas a un asunto.

anteceder v. Ir delante en el tiempo o en el espacio; preceder: *La 'b' antecede a la 'c' en el orden alfabético.* ☐ ETIMOL. Del latín *antecedere.*

antecesor, -a ∎ s. **1** Persona que ha desempeñado un cargo, trabajo o dignidad antes de la que lo ejerce ahora; predecesor. ∎ s.m. **2** Persona de la que se desciende. ☐ ETIMOL. Del latín *antecessor.* ☐ MORF. La acepción 2 se usa más en plural. ☐ SEM. En la acepción 2, es sinónimo de *ancestro, antepasado* y *predecesor.*

antecocina s.f. Habitación contigua a la cocina y comunicada con ella. ☐ USO Aunque la RAE sólo registra *antecocina*, se usa más *office.*

antedicho, cha adj. Que ha sido dicho o nombrado con anterioridad. ☐ ETIMOL. De *antedecir* (predecir).

antediluviano, na adj. Muy antiguo. ☐ ETIMOL. De *ante-* (antes) y *diluviano* (del diluvio universal). ☐ MORF. Incorr. *antidiluviano.*

antefirma s.f. **1** Fórmula de cortesía que corresponde a una persona o a una corporación y que se pone antes de la firma en el escrito que se les dirige. **2** Texto en el que constan el empleo, la dignidad o la representación de la persona que firma un documento, y que aparece delante de su firma.

anteguerra s.f. Período inmediatamente anterior a una guerra.

antelación s.f. Anticipación temporal con la que sucede una cosa respecto a otra: *Si vienes el martes, avísame con dos días de antelación.* □ ETIMOL. Del latín medieval *antelatio* (acción de *anteponer*).

antemano ‖ **de antemano**; con anticipación o con anterioridad: *Yo sabía de antemano lo que iba a pasar.* □ ETIMOL. De *ante-* (delante) y *mano*.

antena s.f. **1** Dispositivo por el que se reciben o emiten ondas electromagnéticas: *antena de televisión.* **2** En un artrópodo, cada uno de los apéndices articulados que tiene en la cabeza: *Los insectos tienen dos antenas.* **3** col. Atención para escuchar conversaciones ajenas: *Siempre está con la antena puesta y sabe todo lo que pasa en el edificio.* **4** ‖ **en antena**; en emisión: *Ese programa lleva tres años en antena.* □ ETIMOL. Del latín *antema*.

antenista s. Persona que se dedica profesionalmente a la instalación, reparación o conservación de antenas receptoras. □ MORF. Es de género común: *el antenista, la antenista.*

antenoche adv. En zonas del español meridional, anteanoche.

anteojeras s.f.pl. Piezas de cuero que tapan los lados de los ojos de las caballerías para hacer que miren siempre hacia adelante. ✖️ arreos

anteojo ▌ s.m. **1** Cilindro que tiene un sistema de lentes en su interior que aumentan las imágenes de los objetos. ▌ pl. **2** Aparato formado por dos tubos que contienen en su interior una combinación de lentes, y que sirve para mirar por los dos ojos y ver ampliados los objetos lejanos; gemelos. **3** Gafas o lentes. □ ETIMOL. De *antojo*.

antepasado, da ▌ adj. **1** Inmediatamente anterior a un tiempo ya pasado: *Los vi hace casi diez días, porque quedé con ellos la semana antepasada.* ▌ s. **2** Persona de la que se desciende. □ MORF. 1. En la acepción 2, la RAE sólo registra el masculino. 2. La acepción 2 se usa más en plural. □ SEM. En la acepción 2, es sinónimo de *ancestro, antecesor* y *predecesor*.

antepecho s.m. **1** Parte baja de una ventana, formada por una plancha de piedra o cemento, que sirve para apoyarse y evitar caídas. **2** Muro pequeño o barandilla que se pone en un lugar alto para poder asomarse a él sin peligro de caer.

antepenúltimo, ma adj./s. Inmediatamente anterior al penúltimo.

anteponer v. Preferir, dar más importancia o estimar más: *Siempre antepuso sus apetencias a sus obligaciones.* □ ETIMOL. Del latín *anteponere*. □ MORF. Irreg.: 1. Su participio es *antepuesto*. 2. →PONER. □ SINT. Constr. *anteponer una cosa A otra*.

anteportada s.f. En un libro impreso, hoja que precede a la portada y en la que sólo suele ponerse el título de la obra; portadilla.

anteposición s.f. Preferencia o mayor importancia que se da a una cosa sobre otra.

anteproyecto s.m. Redacción provisional de una ley o del proyecto de una obra, a partir de la cual se elabora la redacción definitiva.

antepuesto, ta part.irreg. de **anteponer**. □ MORF. Incorr. **anteponido*.

antera s.f. En una flor, parte del estambre en cuyo interior está el polen; borlilla. □ ETIMOL. Del griego *antherá*, y éste de *ánthos* (flor). ✖️ flor

anterior adj. Que está delante en el espacio o el tiempo: *Se bajó en la estación anterior a la mía. La noche anterior al viaje no pude dormir.* □ ETIMOL. Del latín *anterior*. □ MORF. Invariable en género. □ SINT. Constr. *anterior A algo*.

anterioridad s.f. Existencia temporal anterior de una cosa con respecto a otra.

[anterozoide s.m. En algunas plantas, gameto masculino.

antes adv. **1** En un lugar o en un tiempo anteriores: *Llegó antes que yo. El restaurante está un poco antes del cruce.* **2** ‖ **antes bien**; enlace gramatical coordinante con valor adversativo: *No me molestó, antes bien, me hizo gracia.* ‖ **antes de anoche**; →anteanoche. ‖ **antes de ayer**; →anteayer. □ ETIMOL. De *ante* (preposición) y la *-s* de *tras*.

antesala s.f. **1** Habitación que precede a la sala y que está contigua a ella. **[2** Situación inmediatamente anterior a otra: *Esta mala forma de trabajar es la 'antesala' del fracaso.*

antetítulo s.m. En un texto periodístico, titular secundario que precede al principal.

antevíspera s.f. Día inmediatamente anterior a la víspera de algo.

anti- Prefijo que significa 'oposición' (*anticlerical, antinatural, anticonstitucional*), 'protección contra' (*antigás, antiniebla, antirrobo*), 'prevención contra' (*anticoncepción, anticorrosivo, anticoagulante, antideslizante*) o 'lucha contra' (*antidisturbios, antipirético, antidepresivo, anticatarral*). □ ETIMOL. Del griego *anti-*.

[antiabortista adj./s. Que se opone al aborto. □ MORF. 1. Como adjetivo es invariable en género. 2. Como sustantivo es de género común: *el antiabortista, la antiabortista.*

[antiaborto adj. Opuesto al aborto. □ MORF. Invariable en género y en número.

antiácido s.m. Sustancia que neutraliza, elimina o debilita la acidez gástrica o de estómago.

[antiadherente adj. Que impide la adherencia: *sartén 'antiadherente'.* □ MORF. Invariable en género.

antiaéreo, a adj. De la defensa contra aviones militares o relacionado con ella.

[antialérgico, ca adj. Que previene la alergia o que la combate.

[antiarrugas adj. Que previene la aparición de arrugas en la piel. □ MORF. Invariable en género y número.

antiasmático, ca adj./s.m. Que previene o combate el asma.

[antibaby (anglicismo) s.m. Píldora anticonceptiva. □ PRON. [antibéibi]. □ USO Su uso es innecesario.

[antibacteriano, na adj./s. Referido a un medicamento, que destruye las bacterias o impide su desarrollo.

[antibalas adj. Que protege de los disparos de las armas de fuego. □ MORF. Invariable en género y en número.

[antibiograma s.m. Prueba para determinar la sensibilidad de un microorganismo a los antibióticos. □ ETIMOL. De *antibiótico* y *-grama* (gráfico).

antibiótico, ca adj./s.m. Referido a una sustancia química, que es producida por un ser vivo o fabricada sintéticamente, y que es capaz de impedir el desarrollo de ciertos microorganismos causantes de enfermedades, o de producir la muerte de éstos. □ ETIMOL. Del francés *antibiotique*.

[*anticadencia* s.f. En fonética, elevación de la línea final de entonación de una oración.

[*anticancerígeno, na* o [*anticanceroso, sa* adj. Que combate el cáncer.

[*anticarro* adj. Que defiende contra carros de combate. □ MORF. Invariable en género y en número.

[*anticaspa* adj. Que combate la caspa. □ MORF. Invariable en género y en número.

[*anticatarral* adj./s.m. Que previene el catarro o que lo combate. □ MORF. Como adjetivo es invariable en género.

anticiclón s.m. Zona de alta presión atmosférica, que suele provocar un tiempo despejado. □ ETIMOL. Del inglés o del francés *anticyclone*.

anticiclónico, ca adj. Del anticiclón o relacionado con esta zona de alta presión atmosférica.

anticipación s.f. Adelantamiento temporal a lo señalado o a lo previsto; adelanto, anticipo.

anticipado ∥por anticipado; con antelación, o con adelanto en el tiempo: *Si quiere que se lo reserve, tiene que pagar por anticipado*.

anticipar ∎ v. 1 Referido a algo que todavía no ha sucedido, hacer que ocurra antes del tiempo señalado o previsto: *La profesora ha anticipado la fecha del examen*. 2 Referido a dinero, darlo o entregarlo antes de la fecha normal o señalada: *Le anticiparon una paga para que liquidara sus deudas*. [3 Referido a una noticia, darla antes de lo previsto; avanzar: *Te 'anticipo' que voy a votar en contra de tu proposición*. ∎ prnl. 4 Ocurrir antes del tiempo señalado o previsto: *Este año el frío del invierno se ha anticipado*. 5 Referido a una persona, ejecutar una acción antes que otra: *Los jugadores locales se anticiparon en todas las jugadas a los del equipo visitante*. □ ETIMOL. Del latín *anticipare*. □ SEM. Es sinónimo de *adelantar*.

anticipo s.m. 1 Adelantamiento temporal a lo señalado o lo previsto; anticipación. 2 Dinero anticipado. □ SEM. Es sinónimo de *adelanto*.

anticlerical ∎ adj. 1 Que es contrario al clero. ∎ adj./s. 2 Que se opone al clericalismo o a la influencia excesiva del clero en los asuntos políticos. □ MORF. 1. Como adjetivo es invariable en género. 2. Como sustantivo es de género común: *el anticlerical, la anticlerical*.

anticlericalismo s.m. 1 Postura contraria al clericalismo. 2 Oposición y hostilidad al clero y a sus directrices.

anticlímax s.m. 1 En retórica, disposición de palabras o de frases en el discurso de forma que se suceden en una gradación descendente de sus significados: *Las palabras de un poema de Machado 'Así voy yo, borracho melancólico, / guitarrista lunático, poeta, / y pobre hombre en sueños...' son un ejemplo de anticlímax*. 2 Momento en que desciende o se relaja la tensión después del clímax o punto culminante. □ ETIMOL. De *anti-* (oposición) y *clímax*. □ MORF. Invariable en número.

anticlinal adj./s.m. Referido a un plegamiento del terreno, que tiene forma convexa. □ ETIMOL. Del griego *antiklínein* (inclinar en sentido contrario). □ MORF. Como adjetivo es invariable en género. □ SEM. Dist. de *monoclinal* (con estratos paralelos) y de *sinclinal* (que tiene forma cóncava).

[*anticoagulante* adj./s.m. Que previene o que combate la coagulación. □ MORF. Como adjetivo es invariable en género.

anticomunista adj./s. Contrario al comunismo. □ MORF. 1. Como adjetivo es invariable en género. 2. Como sustantivo es de género común: *el anticomunista, la anticomunista*.

anticoncepción s.f. Conjunto de métodos utilizados para impedir que quede embarazada una mujer; contraconcepción.

anticonceptivo, va adj./s.m. Que impide que quede embarazada una mujer. □ SEM. Como adjetivo es sinónimo de *contraconceptivo*.

anticongelante s.m. Sustancia que impide la congelación del agua que refrigera un motor.

anticonstitucional adj. Que es contrario a la Constitución o ley fundamental de un Estado. □ MORF. Invariable en género. □ SEM. Dist. de *inconstitucional* (no conforme a la Constitución).

anticorrosivo, va adj. Referido esp. a una sustancia, que impide la corrosión.

anticristo s.m. En el cristianismo, ser maligno que vendrá antes de la segunda venida de Jesucristo para apartar a los cristianos de su fe. □ ETIMOL. Del latín *Antichristus*, y éste del griego *Antíkhristos* (contrario a Cristo).

anticuado, da adj. Que está en desuso desde hace tiempo, está pasado de moda o es propio de otra época.

anticuario, ria s. Persona que conoce muy bien los objetos antiguos, esp. los que tienen valor artístico, y se dedica a coleccionarlos o a comerciar con ellos. □ ETIMOL. Del latín *antiquarius*. □ MORF. La RAE sólo lo registra como masculino.

anticuarse v.prnl. Hacerse anticuado o pasarse de moda: *Las teorías de estos investigadores se han anticuado con los años*. □ ETIMOL. Del latín *antiquare*. □ ORTOGR. La *u* nunca lleva tilde.

anticuerpo s.m. En un organismo animal, sustancia que algunas células elaboran como reacción ante un antígeno o sustancia capaz de activar el sistema inmunitario: *Los anticuerpos que se producen cuando se tiene sarampión se conservan toda la vida e impiden volver a tener esta enfermedad*. □ ETIMOL. Del alemán *Antikörper*.

[*antidemocrático, ca* adj. Que se opone a la democracia.

antideportivo, va adj. Que carece de deportividad.

[*antidepresivo, va* adj./s.m. Referido a un medicamento, que previene o combate las depresiones.

antideslizante adj. Que evita que algo se deslice o patine. □ MORF. Invariable en género.

[*antidisturbios* adj./s. Que se utiliza para acabar con los disturbios o alteraciones del orden y de la paz. □ MORF. 1. Como adjetivo es invariable en género. 2. Como sustantivo es de género común: *el 'antidisturbios', la 'antidisturbios'*. 3. Invariable en número.

[*antidopaje* adj. Que persigue o castiga la administración de sustancias estimulantes en el deporte. □ MORF. Invariable en género. □ USO Es innecesario el uso del anglicismo *antidoping*.

[*antidoping* adj. →**antidopaje**. □ PRON. [antidópin]. □ USO Es un anglicismo innecesario.

antídoto s.m. 1 Medicamento o sustancia que anulan la acción de un veneno; contraveneno. 2 Lo que sirve para remediar un mal. ☐ ETIMOL. Del latín *antidotum*, éste del griego *antídoton*, y éste de didónai (lo que se da en contra de algo).

[antidroga adj. Que se opone al consumo o al tráfico de droga. ☐ MORF. Invariable en género y número.

antiemético, ca adj./s.m. En medicina, referido a una sustancia, que impide o contiene el vómito. ☐ ETIMOL. De *anti-* (oposición) y *emético* (vomitivo).

antiespasmódico, ca adj./s.m. Que calma los espasmos o contracciones involuntarios de los músculos.

antiestático, ca adj./s.m. Que impide la formación de electricidad estática.

antiestético, ca adj. Que se opone a la estética.

[antiestrés s.m. Que previene o cura el estrés. ☐ MORF. Invariable en género y número.

antifaz s.m. **1** Pieza con agujeros para los ojos, con la que una persona se cubre la zona de la cara que rodea a éstos. **2** Pieza u objeto con los que se cubren los ojos para evitar que reciban la luz. ☐ ETIMOL. De *ante* (delante) y *faz*.

antífona s.f. Texto breve que se canta o se reza antes y después de los salmos y de los cánticos en las horas canónicas. ☐ ETIMOL. Del latín *antiphona* (canto alternativo).

antigás adj. Referido a una máscara o a una careta, que protege de los gases que son tóxicos o venenosos. ☐ MORF. Invariable en género y en número.

antígeno s.m. Sustancia química que, al ser introducida en un organismo animal, provoca que éste reaccione contra ella produciendo otra sustancia llamada *anticuerpo*: *Las vacunas introducen en el organismo un antígeno.* ☐ ETIMOL. Del francés *antigène*.

[antigrasa adj. Que elimina la grasa. ☐ MORF. Invariable en género.

antigripal adj./s.m. Que combate la gripe. ☐ MORF. Como adjetivo es invariable en género.

antigualla s.f. Lo que es muy antiguo o está pasado de moda. ☐ ETIMOL. De *antiguo*, a imitación del italiano *anticaglia*. ☐ PRON. Incorr. *[anticuálla]. ☐ USO Tiene un matiz despectivo.

antigüedad ▪ s.f. **1** Existencia desde hace mucho tiempo: *La antigüedad de este cuadro ronda en torno a los 300 años.* **2** Tiempo transcurrido desde el día en el que se obtiene un empleo. **3** Tiempo antiguo, pasado o remoto. **4** Período histórico correspondiente a la época antigua de los pueblos situados en torno al mar Mediterráneo, esp. los griegos y los latinos. ▪ pl. **5** Monumentos u objetos artísticos antiguos o de épocas pasadas. ☐ SEM. En la acepción 4, dist. de *edad antigua* (período histórico que comprende desde la aparición de la escritura hasta el fin del Imperio Romano). ☐ USO En las acepciones 3 y 4, se usa mucho como nombre propio.

antiguo, gua ▪ adj. **1** Que existe desde hace mucho tiempo. **2** Que existió o sucedió hace mucho tiempo. **3** Referido a una persona, que lleva mucho tiempo en un empleo, en una profesión o en un ejercicio. ▪ adj./s. **4** Que resulta anticuado o pasado de moda. ▪ s.m.pl. **5** Conjunto de las personas que vivieron en épocas remotas. **6** ‖ **a la antigua**; según costumbres o usos de tiempos o épocas pasadas. ☐ ETIMOL. Del latín *antiquus*. ☐ MORF. Su superlativo es *antiquísimo*. ☐ SEM. La acepción 2 no siempre

coincide con el significado de *ex*: *un antiguo profesor* es distinto que un *ex profesor*.

antihéroe s.m. En una obra de ficción, personaje que desempeña el papel principal o protagonista propio del héroe, pero que está revestido de cualidades negativas o contrarias a las que tradicionalmente se adjudican a éste.

antihigiénico, ca adj. Que es contrario a las normas de la higiene.

[antihistamínico, ca adj./s.m. Referido a una sustancia, que combate los procesos alérgicos o los efectos de la histamina en el organismo.

antiimperialista adj./s. Que se opone al imperialismo. ☐ MORF. 1. Como adjetivo es invariable en género. 2. Como sustantivo es de género común: *el antiimperialista, la antiimperialista.*

[antiinflamatorio, ria adj./s.m. Que elimina o disminuye la inflamación de alguna parte del organismo.

antillano, na adj./s. De las Antillas o relacionado con este archipiélago centroamericano.

antílope s.m. Animal mamífero rumiante, con cuernos largos y patas altas y delgadas, muy rápido al correr, y que vive en rebaños: *La gacela es un tipo de antílope.* ☐ ETIMOL. Del francés *antilope*, y éste del inglés *antelope*, que tomaron los viajeros ingleses del latín *antilops* (animal fabuloso). ☐ MORF. Es un sustantivo epiceno: *el antílope macho, el antílope hembra.* 🐾 rumiante

antimonio s.m. Elemento químico semimetálico y sólido, de número atómico 51, duro, de color blanco azulado y brillante, muy frágil y fácilmente convertible en polvo. ☐ ETIMOL. Del latín *antimonium*. ☐ ORTOGR. Su símbolo químico es *Sb*.

antinatural adj. Que es contrario a la leyes de la naturaleza. ☐ MORF. Invariable en género.

[antiniebla adj. Referido a un faro o a una luz, que permiten ver en la niebla. ☐ MORF. Invariable en género y en número.

antinomia s.f. Contradicción u oposición entre dos preceptos legales o entre dos principios racionales. ☐ ETIMOL. Del latín *antinomia*, y éste del griego *antinomía* (contradicción en las leyes).

antinómico, ca adj. Que implica antinomia o contradicción entre dos preceptos legales o dos principios racionales.

[antinuclear adj. Que se opone al uso de la energía nuclear. ☐ MORF. Invariable en género.

[antioxidante adj./s.m. **1** Que evita la formación de óxidos: *El minio se puede emplear como 'antioxidante'.* **2** Referido a un cosmético, que impide la oxidación de la piel: *Una crema 'antioxidante' evita la aparición de arrugas.* ☐ MORF. Como adjetivo es invariable en género.

antipapa s.m. Hombre que actúa ilegítimamente como Papa, y aspira a ser reconocido como tal.

antipara s.f. Biombo que se pone delante de algo para ocultarlo a la vista. ☐ ETIMOL. De *ante* y *parar*. ☐ ORTOGR. Dist. de *antiparras*.

antiparasitario, ria adj./s.m. Que previene o combate los parásitos.

antiparras s.f.pl. *col*. Gafas. ☐ ETIMOL. De *ante* (preposición) y *parar*. ☐ ORTOGR. Dist. de *antipara*. ☐ MORF. Incorr. *antiparra*. ☐ USO Tiene un matiz humorístico o despectivo.

antipatía s.f. Sentimiento de desagrado o disgusto que algo provoca. ☐ ETIMOL. Del griego *antipátheia*.

antipático, ca adj. Que produce un sentimiento de antipatía o desagrado.

antipatriótico, ca adj. Contrario al patriotismo.

antiperistáltico, ca adj. Referido esp. al movimiento de los intestinos, que se produce en el sentido contrario al del avance normal, debido a contracciones sucesivas: *El vómito se produce por movimiento antiperistáltico.*

antipirético adj./s.m. Referido a un medicamento, que quita la fiebre. □ ETIMOL. De *anti-* (contra), y del griego *pyretós* (fiebre). □ SEM. Dist. de *apirético* (relacionado con la ausencia de fiebre).

antipirina s.f. Sustancia orgánica que se usa en medicina para quitar la fiebre o el dolor. □ ETIMOL. De *anti-* (contra) y el griego *pýrinos* (ardiente).

antípoda ∎ s. **1** Respecto de un habitante de la Tierra, otro que reside en un punto opuesto: *Los antípodas de los españoles son los habitantes de Nueva Zelanda.* ∎ s.m. **2** col. Lo que se contrapone totalmente a algo: *Lo que yo le pedí son los antípodas de lo que me trajo.* **3** ‖ **en las antípodas**; en un punto radicalmente opuesto: *Sus ideas políticas están en las antípodas de las mías.* □ ETIMOL. Del griego *antípodes.* □ MORF. 1. En la acepción 1, es de género común: *el antípoda, la antípoda.* 2. Se usa más en plural.

[antipolen adj. Referido esp. a un filtro, que impide el paso del polen que hay en el aire. □ MORF. Invariable en género.

[antipolio adj./s.f. Que previene la poliomielitis. □ MORF. 1. Como adjetivo es invariable en género. 2. Invariable en número.

[antipsicótico, ca adj. Que combate las psicosis.

antiquísimo, ma superlat. irreg. de **antiguo.** □ MORF. Incorr. *antigüísimo.*

antirrábico, ca adj. Referido a un medicamento, que combate la enfermedad de la rabia.

antirreglamentario, ria adj. Que va contra el reglamento.

antirrobo adj./s.m. Referido a un sistema o a un dispositivo, que protege contra los robos. □ MORF. 1. Como adjetivo es invariable en género y en número. 2. La RAE sólo lo registra como adjetivo o como sustantivo ambiguo.

antisemita adj./s. Que sigue o que defiende el antisemitismo. □ MORF. Invariable en género.

antisemitismo s.m. Doctrina o tendencia que se caracteriza por la enemistad hacia los judíos y hacia todo lo relacionado con su mundo o su cultura.

antisepsia s.f. Método para combatir o prevenir las infecciones mediante la destrucción de los microbios que las producen.

antiséptico, ca adj./s.m. Que previene o combate las infecciones, destruyendo los microbios que las causan. □ ETIMOL. Del inglés *antiseptic*, y éste de *anti-* (contra), y del griego *septikós* (que engendra la putrefacción).

[antisida adj. Que previene el contagio del sida. □ MORF. Invariable en género y número.

[antisísmico, ca adj. Referido esp. a una construcción, que está fabricada para intentar paliar las consecuencias de un movimiento sísmico.

antisocial adj./s. Contrario a la sociedad o al orden social establecido. □ MORF. 1. Como adjetivo es invariable en género. 2. Como sustantivo es de género común: *un antisocial, una antisocial.*

antisudoral adj./s.m. Referido a una sustancia, que reduce o elimina el sudor excesivo. □ MORF. Como adjetivo es invariable en género. □ SEM. Dist. de *desodorante* (que elimina el mal olor corporal producido por el sudor).

antitanque adj. Referido a armas y proyectiles, que destruyen tanques de guerra y otros vehículos semejantes. □ MORF. Invariable en género y número.

[antiterrorista adj./s. Contrario al terrorismo. □ MORF. 1. Como adjetivo es invariable en género. 2. Como sustantivo es de género común: *el 'antiterrorista', la 'antiterrorista'.*

antítesis s.f. **1** Lo que es totalmente opuesto a otra cosa. **2** Figura retórica consistente en contraponer una frase o una palabra a otra de significación contraria. □ ETIMOL. Del griego *antíthesis*, y éste de *anti-* (contra) y *thésis* (posición). □ MORF. Invariable en número.

antitetánico, ca adj. Que previene o cura la enfermedad del tétanos.

antitético, ca adj. Que expresa o implica antítesis u oposición. □ ETIMOL. Del griego *antithetikós.*

antitoxina s.f. Anticuerpo elaborado por el organismo para defenderlo de los efectos de una determinada toxina.

[antitranspirante adj. Que disminuye la transpiración corporal. □ MORF. Invariable en género.

[antitumoral adj. Que previene o combate los tumores. □ MORF. Invariable en género.

[antitusígeno adj./s.m. Referido a un medicamento, que quita la tos.

[antiviral adj. Que combate los virus. □ MORF. Invariable en género.

[antivirus adj./s.m. Referido a un programa informático, que detecta la presencia de virus y los anula; cazavirus. □ MORF. 1. Como adjetivo es invariable en género. 2. Invariable en número.

antojadizo, za adj. Que tiene antojos o deseos intensos y pasajeros con frecuencia.

antojarse v.prnl. **1** Presentarse de forma repentina e injustificada como objeto de deseo intenso: *A las tres de la mañana se le antojó comer una fabada.* **2** Presentarse como probable o sospechoso: *¿No se te antoja que aquí pasa algo raro?* □ ORTOGR. Conserva la *j* en toda la conjugación. □ SINT. El uso de **antojarse de algo* es incorrecto, aunque está muy extendido; **me antojé de un dulce* > *se me antojó un dulce.*

antojo s.m. **1** Deseo vivo, intenso y pasajero de algo. **2** Lunar o mancha que tienen en la piel algunas personas y que tradicionalmente se atribuye a caprichos no satisfechos por sus madres durante el embarazo. □ ETIMOL. Del latín *ante oculum* (delante del ojo).

antología s.f. **1** Colección de fragmentos selectos de obras artísticas o de alguna actividad. **2** ‖ **de antología**; extraordinario o digno de ser destacado. □ ETIMOL. Del griego *anthología*, y éste de *ánthos* (flor), y *légo* (yo cojo, recojo), porque en las antologías se recogen las flores, es decir, lo mejor de algo. □ ORTOGR. Dist. de *ontología.*

antológico, ca adj. Digno de ser destacado en una antología. □ ORTOGR. Dist. de *ontológico.*

antonimia s.f. En lingüística, oposición o contrariedad de significados entre palabras.

antónimo, ma adj./s.m. Referido a una palabra, de significado opuesto o contrario a otra. □ ETIMOL.

Quizá del francés *antonyme*, y éste de *anti-* (contra),
y de la terminación de *sinónimo*.

antonomasia s.f. **1** Figura retórica que consiste
en la sustitución de un nombre propio por su apelativo o la sustitución del apelativo por el nombre
propio. **2** ‖ **por antonomasia**; expresión que se utiliza para indicar que el nombre común con que se
designa a una persona o un objeto les corresponde
a éstos con más propiedad que a las otras personas
o a los otros objetos a los que también se les puede
aplicar: *Agosto es el mes de vacaciones por antonomasia*. ☐ ETIMOL. Del griego *antonomasía*, y éste de
antí (en lugar de) y *ónoma* (nombre), porque la antonomasia consiste en emplear el apelativo en lugar
del nombre.

antonomástico, ca adj. De la antonomasia o relacionado con esta figura retórica.

antorcha s.f. **1** Trozo de madera o de otro material
inflamable, de forma y tamaño apropiados para llevarlo en la mano, al cual se prende fuego en su
extremo superior, y que se utiliza para alumbrar. 🕯
alumbrado **2** ‖ **recoger la antorcha**; continuar
una labor ya empezada. ☐ ETIMOL. Quizá del provenzal antiguo *antorcha*.

antracita s.f. Carbón mineral, de color negro intenso, que arde con dificultad, sin desprender humo ni
dejar hollín. ☐ ETIMOL. Del latín *anthracites*.

ántrax s.m. Inflamación del tejido cutáneo, generalmente causada por una bacteria, y consistente en
la aparición de forúnculos llenos de pus. ☐ ETIMOL.
Del latín *anthrax*, y éste del griego *ánthrax* (carbón,
ántrax). ☐ MORF. Invariable en número.

antro s.m. **1** Establecimiento público de mal aspecto o reputación. **2** Local, lugar o vivienda sucio, pobre o en malas condiciones. ☐ ETIMOL. Del latín *an-
trum* (cueva).

antropo- Elemento compositivo que significa 'hombre' o 'ser humano': *antropocentrismo, antropoide,
antropófago*. ☐ ETIMOL. Del griego *ánthropos* (hombre, persona).

antropocéntrico, ca adj. Del antropocentrismo
o relacionado con esta doctrina filosófica.

antropocentrismo s.m. Doctrina o concepción filosófica que considera al ser humano como el centro
o el elemento más importante de todo lo que existe
en el mundo. ☐ ETIMOL. De *antropo-* (hombre, persona) y *centro*.

antropofagia s.f. Costumbre alimentaria de comer las personas carne humana. ☐ SEM. Dist. de
canibalismo (aplicable también a la costumbre de
comer los animales carne de su misma especie).

antropófago, ga adj./s. Referido a una persona, que
come carne humana; caníbal. ☐ ETIMOL. De *antropo*
(hombre) y el griego *éphagon* (yo comí).

antropografía s.f. Parte de la antropología que
estudia y describe las distintas poblaciones humanas y sus variedades. ☐ ETIMOL. De *antropo-* (persona) y *-grafía* (descripción).

antropoide adj./s. Referido a un animal, esp. a un
mono, que tiene forma parecida a la del ser humano.
☐ ETIMOL. Del griego *anthropeidés*. ☐ MORF. 1.
Como adjetivo es invariable en género. 2. Como sustantivo es de género común: *el antropoide, la antropoide*.

antropología s.f. Ciencia que estudia el ser humano en sus aspectos físicos, sociales y culturales.
☐ ETIMOL. De *antropo-* (hombre) y *-logía* (ciencia).

antropológico, ca adj. De la antropología o relacionado con esta ciencia.

antropólogo, ga s. Persona que se dedica profesionalmente al estudio del ser humano en sus aspectos físicos, sociales y culturales, o que está especializada en antropología.

antropometría s.f. Estudio de las proporciones y
medidas del cuerpo humano. ☐ ETIMOL. De *antropo-*
(persona) y *-metría* (medición).

antropomórfico, ca adj. Del antropomorfismo o
relacionado con esta tendencia. ☐ SEM. Dist. de *antropomorfo* (con forma humana).

antropomorfismo s.m. Tendencia a atribuir rasgos y cualidades humanas a las divinidades o las
cosas.

antropomorfo, fa adj. Que tiene forma humana.
☐ ETIMOL. Del griego *anthrópomorphos*, y éste de
ánthropos (hombre, persona) y *morphé* (forma). ☐
SEM. Dist. de *antropomórfico* (del antropomorfismo
o relacionado con este conjunto de creencias o de
doctrinas).

antroponimia s.f. Estudio de los nombres propios
de persona. ☐ ETIMOL. De *antropo* (persona) y el
griego *ónoma* (nombre).

antropónimo s.m. Nombre propio de persona. ☐
ETIMOL. De *antroponimia* (estudio del origen de los
nombres de persona), y de la terminación de *sinónimo*.

antropopiteco s.m. Antropoide fósil que los defensores de la teoría evolucionista de las especies
consideraban el eslabón de unión entre los monos
antropomorfos y el hombre. ☐ ETIMOL. Del francés
anthropopithèque.

[antropozoico, ca adj. En geología, de la era cuaternaria, quinta de la historia de la Tierra, o relacionado con ella; cuaternario, neozoico. ☐ ETIMOL.
De *antropo-* (hombre) y el griego *zôion* (animal).

anual adj. **1** Que sucede o se repite cada año. **2**
Que dura un año. ☐ ETIMOL. Del latín *annualis*. ☐
MORF. Invariable en género.

anualidad s.f. **1** Cantidad de dinero que se paga
regularmente cada año. **2** Repetición de algo cada
año.

anualizar v. Referir un cálculo a todo un año: *Estuve en el banco para que 'anualizaran' los intereses
de mi cuenta*. ☐ ORTOGR. La *z* se cambia en *c* delante de *e* →CAZAR.

anuario s.m. Libro que se publica cada año con
toda la información referente a una determinada
materia, y que sirve como guía a las personas que
trabajan en ese campo o están interesadas en él. ☐
ETIMOL. Del francés *annuaire*.

anubado, da o **anubarrado, da** adj. Nublado
o cubierto de nubes. ☐ USO *Anubado* es el término
menos usual.

anublar v. →**nublar**.

anudadura s.f. o **anudamiento** s.m. Realización de uno o más nudos, o unión de algo mediante
nudos. ☐ USO *Anudadura* es el término menos
usual.

anudar v. Hacer uno o más nudos, o unir mediante
nudos: *Anudó la cuerda para poder escalar por ella
más fácilmente. Se agachó para anudarse los cordones de los zapatos*.

anuencia s.f. Permiso para la realización de algo;
consentimiento. ☐ ETIMOL. Del latín *annuentia*.

anuente adj. Que consiente o permite algo. □ MORF. Invariable en género.

anulación s.f. **1** Hecho de invalidar algo, declarándolo nulo o haciendo que deje de ser válido o de tener efecto. **2** Apocamiento o incapacitación de alguien.

anular I adj. **1** Del anillo, con forma de anillo o relacionado con él. **I** s.m. **2** →**dedo anular**. **I** v. **3** Dar por nulo o dejar sin fuerza o sin efecto: *He anulado mi cita de esta tarde.* **4** Referido a una persona, incapacitarla, desautorizarla, apocarla o hacerle perder su valor o poder: *El marcaje realizado por el defensa anuló al delantero del otro equipo. No te anules ante ellos, porque tú puedes hacerlo mejor.* □ ETIMOL. Las acepciones 1 y 2, del latín *anularis*. Las acepciones 3 y 4, del latín *annullare*. □ MORF. Como adjetivo es invariable en género.

anunciación s.f. Anuncio, esp. referido al que el arcángel san Gabriel hizo a la Virgen María comunicándole que iba a ser la madre de Jesucristo sin dejar de ser virgen. □ USO Se usa más como nombre propio.

anunciador, -a adj./s. Que anuncia: *empresa anunciadora.*

anunciante adj./s. Que anuncia. □ MORF. Invariable en género.

anunciar v. **1** Hacer saber, proclamar, avisar o publicar: *En la radio han anunciado lluvias para los próximos días.* **2** Hacer o dar publicidad con fines comerciales: *Esa empresa anuncia sus productos en la prensa.* **3** Referido a algo que sucederá en el futuro, dar señal o indicio de ello; pronosticar: *Las nubes anuncian lluvia.* **4** Referido a una persona, hacer saber su nombre a otra: *El mayordomo nos anunció al dueño de la casa.* □ ETIMOL. Del latín *annuntiare.* □ ORTOGR. La *i* nunca lleva tilde.

anuncio s.m. **1** Comunicación, proclamación o aviso por los que se hace saber algo: *El anuncio de su boda nos sorprendió a todos.* **2** Conjunto de palabras o de signos que se usan para dar publicidad a algo: *En los descansos de las películas en la tele hay muchos anuncios.* **3** Señal que permite hacer juicios probables o adivinar algo que sucederá en un futuro; pronóstico: *Esas nubes son anuncio de tormenta.* **4** ‖[**anuncio por palabras**; el que se incluye en una sección de la prensa y se paga en función del número de palabras que contiene: *Encontré piso en la sección de 'anuncios por palabras' del periódico.*

anuro, ra I adj./s.m. **1** Referido a un anfibio, que en la edad adulta tiene cuatro extremidades, las dos posteriores adaptadas para el salto, y que carece de cola: *La rana y el sapo son anuros.* **I** s.m.pl. **2** En zoología, orden de estos anfibios. □ ETIMOL. Del griego *an-* (privación) y *urá* (cola).

anverso s.m. **1** En una moneda o en una medalla, lado o superficie principales. **2** En una hoja de papel, cara por la que se empieza a escribir. □ ETIMOL. Del francés *envers* (reverso). □ SEM. En la acepción 1, cuando se refiere a una moneda, es sinónimo de *cara.*

anzuelo s.m. **1** Gancho curvo, generalmente pequeño y metálico, con una punta muy afilada, que sirve para pescar. pesca **2** Lo que sirve para atraer, esp. si es con engaño o trampa. **3** ‖{**picar**/**tragar**} **el anzuelo** alguien; caer en la trampa que

le ha sido preparada. □ ETIMOL. Del latín **hamiceolus* (anzuelito).

añada s.f. Cosecha de un año, esp. de vino.

añadido s.m. **1** Añadidura o parte con la que se completa o aumenta algo, esp. una obra o un escrito: *El programa del concierto tiene un añadido con los cambios de última hora.* **2** Postizo o pelo que se usa en algunos peinados o para suplir la falta o escasez de cabello.

añadidura ‖**por añadidura**; además, encima o de propina: *No sólo no aprueba sino que, por añadidura, es el que peor se porta en clase.*

añadir v. Referido a una cosa, agregarla, incorporarla o unirla a otra, para completarla o aumentarla: *Añade un poco más de harina a la masa.* □ ETIMOL. Del latín **innadere*, y éste de *addere* (añadir).

añagaza s.f. Engaño o treta ingeniosa pensada y preparada con gran astucia. □ ETIMOL. De origen incierto.

añejo, ja adj. Que tiene un año o más: *vino añejo.* □ ETIMOL. Del latín *anniculus* (que tiene un año).

añicos s.m.pl. Pedazos o trozos pequeños en los que se divide algo al romperse: *Hice añicos la cristalería.* □ ETIMOL. De origen incierto.

añil adj./s.m. De color azul intenso con tonalidades violetas. □ ETIMOL. Del árabe *an-ni* (la planta del índigo). □ MORF. **1.** Como adjetivo es invariable en género. **2.** La RAE sólo lo registra como sustantivo.

año I s.m. **1** Período de doce meses, contado a partir del día 1 de enero o de un día cualquiera: *Yo nací en el año 1963. Hoy hace un año que murió mi abuela.* **2** Tiempo que tarda la Tierra en recorrer su órbita alrededor del Sol: *El año terrestre dura aproximadamente 365 días.* **I** pl. **3** Edad o tiempo vivido: *¿No te da vergüenza hacer esas chiquillerías a tus años?* **4** Día en el que se celebra el aniversario del nacimiento de una persona: *¿Cuándo haces los años?* **5** ‖**año {académico/escolar}**; período de duración de un curso. ‖**(año) bisiesto**; el que, cada cuatro años, tiene un día más en el mes de febrero. ‖**año de gracia**; el de la era cristiana, que empieza a contarse después del nacimiento de Cristo. ‖**año {de jubileo/santo/jubilar}**; aquel en el que el Papa concede indulgencias a los fieles que visiten determinados santuarios. ‖**año (de) luz**; distancia que recorre la luz en el vacío durante un período de doce meses. ‖**año {eclesiástico/[litúrgico}**; el que señala las solemnidades de la iglesia católica y empieza a partir del primer domingo de adviento. ‖**año nuevo**; el que está a punto de comenzar o el que acaba de comenzar. ‖**año sabático**; el que se toma de descanso, esp. el concedido a los profesores universitarios para que se dediquen a la investigación. ‖[**año viejo**; último día del año. ‖**entrado en años**; de edad avanzada. ‖**estar de buen año**; *col.* Estar gordo y saludable. ‖**perder año**; *col.* Referido a un estudiante, suspender varias asignaturas de un curso académico y tener que repetirlo. □ ETIMOL. Del latín *annus.* □ SEM. Expresiones como *año de la nana, año de la polca* y semejantes se usan para indicar época remota: *Todo el mundo lo miraba porque llevaba un traje del año de la polca.*

añojo, ja I s. **1** Becerro o cordero de un año cumplido. **I** s.m. **2** Carne de este becerro para uso comestible. □ ETIMOL. Del latín *annuculus* (de un año).

añoranza s.f. Nostalgia de algo querido cuando no se tiene, está ausente o se ha perdido.

añorar v. Referido a algo querido, recordarlo con pena cuando no se tiene, está ausente o se ha perdido: *Añora mucho su pueblo y no se acostumbra a la vida de la ciudad.* □ ETIMOL. Del catalán *enyorar*, y éste del latín *ignorare* (ignorar, no saber dónde está alguno).

añoso, sa adj. Referido esp. a un árbol, que tiene muchos años.

aojar v. Transmitir mala suerte con la mirada: *Mi tío dice que le han aojado la cosecha.* □ ORTOGR. Dist. de *ahojar*.

aoristo s.m. Forma verbal del griego: *El aoristo suele traducirse como un pretérito perfecto simple.* □ ETIMOL. Del griego *aóristos* (ilimitado, indefinido).

aorta s.f. Arteria principal del aparato circulatorio de algunos animales, que parte del corazón y que, a través de sus ramificaciones, lleva la sangre oxigenada a todo el cuerpo. □ ETIMOL. Del griego *aorte*, y éste de *aéiro* (yo elevo).

aórtico, ca adj. De la aorta o relacionado con esta arteria.

aovado, da adj. Con forma de huevo. □ SEM. Es sinónimo de *ovoide* y *ovoideo*.

aovar v. Referido a un ave o a otro animal, poner huevos: *Los gorriones aovan en nidos.* □ ORTOGR. Se admite también *ovar*.

aovillarse v.prnl. →**ovillarse**.

[apa s.f. Asociación de padres de alumnos. □ ETIMOL. Es un acrónimo que procede de la sigla de *Asociación de padres de alumnos.* □ MORF. Por ser un sustantivo femenino que empieza por *a* tónica o acentuada, va precedido de *el, un, algún, ningún* y de las formas femeninas del resto de los determinantes.

apabullamiento s.m. Desconcierto, confusión o intimidación que siente una persona ante la fuerza o la superioridad de otra; apabullo. □ USO Aunque la RAE prefiere *apabullo*, se usa más *apabullamiento*.

apabullante adj. *col.* Que apabulla o intimida por su fuerza o por su superioridad. □ MORF. Invariable en género.

apabullar v. *col.* Referido a una persona, confundirla o intimidarla mediante la fuerza o mostrando superioridad sobre ella; aplastar: *Me apabulló con sus argumentos.* □ ETIMOL. De origen incierto.

apabullo s.m. →**apabullamiento**.

apacentar v. Referido al ganado, llevarlo a pastar, y cuidarlo mientras pace. □ MORF. Irreg. →PENSAR.

apache adj./s. De un pueblo indígena americano, nómada, que habitaba al sur del actual territorio estadounidense, o relacionado con él. □ MORF. 1. Como adjetivo es invariable en género. 2. Como sustantivo es de género común: *el apache, la apache*.

apachurrar v. →**espachurrar**.

apacibilidad s.f. **1** Mansedumbre, dulzura y serenidad en la forma de ser o en el trato. **2** Benignidad, tranquilidad y falta de brusquedad, esp. las del tiempo atmosférico.

apacibilísimo, ma superlat. irreg. de **apacible**. □ MORF. Incorr. *apacibilísimo*.

apacible adj. **1** Referido a una persona, mansa, dulce y agradable en el trato o en la forma de ser. **2** Referido al tiempo atmosférico, bueno, tranquilo o agradable. □ ETIMOL. Del antiguo *aplacible*, y éste de

aplacer (agradar). □ MORF. 1. Invariable en género. 2. Su superlativo es *apacibilísimo*.

apaciguamiento s.m. Restablecimiento de la paz, del sosiego y de la calma entre personas o cosas que están alborotadas, enfadadas o en desacuerdo.

apaciguar v. Poner en paz, sosegar, aquietar o restablecer la calma: *Sus palabras no lograron apaciguar a la multitud. No hablaré contigo hasta que no te apacigües.* □ ETIMOL. Del latín *pacificare*. □ ORTOGR. 1. La *u* lleva diéresis cuando le sigue *e*. 2. La *u* permanece siempre átona →AVERIGUAR.

apadrinamiento s.m. **1** Actuación como padrino de otra persona, al recibir ésta ciertos sacramentos o algún honor. **2** Patrocinio o actuación como protector hacia una persona o hacia una iniciativa para que triunfen.

apadrinar v. **1** Referido a una persona, asistirla o actuar como padrino suyo al recibir ella ciertos sacramentos o algún honor: *En el bautizo, apadrinaron al niño sus abuelos maternos.* **2** Referido esp. a una persona o a una iniciativa, patrocinarlas o actuar como protector suyo para que triunfen: *El proyecto de investigación no salió adelante porque no encontramos quien lo apadrinara.*

apagado, da adj. **1** De genio o carácter apocado, muy sosegado, sin animación ni vitalidad. **2** Referido al brillo o al color, poco vivo o intenso.

apagamiento s.m. **1** Extinción o disminución de la fuerza o de la intensidad de algo, hasta llegar incluso a desaparecer. **[2** Falta de animación y vitalidad en el carácter.

apagar v. **1** Referido a un fuego o a una luz, extinguirlos o hacer que terminen: *Apagó las velas de la tarta con un soplido.* **2** Referido a un aparato eléctrico, interrumpir su funcionamiento desconectándolo de su fuente de energía: *Apaga la televisión.* **3** Referido esp. a un sentimiento o a una pasión, aplacarlos, extinguirlos o hacer que terminen o desaparezcan: *Dicen que el tiempo apaga las penas.* **4** Referido a un color vivo, rebajarlo o templar el tono de la luz: *¿Por qué no apagas un poco ese amarillo tan chillón?* **5** ‖ **apaga y vámonos**; *col.* Expresión que se usa para indicar que algo ha terminado o para mostrar desacuerdo ante algo que se considera absurdo, disparatado o escandaloso: *Si que estudies o no dependen de lo que te diga tu horóscopo, apaga y vámonos.* □ ETIMOL. Del latín *pacare* (calmar, mitigar). □ ORTOGR. La *g* se cambia en *gu* delante de *e* →PAGAR.

apagavelas s.m. Instrumento formado por una caperuza de metal y un palo largo, que sirve para apagar las velas que están colocadas en un lugar alto; matacandelas. □ MORF. Invariable en número. □ USO Aunque la RAE prefiere *matacandelas*, se usa más *apagavelas*.

apagón s.m. Interrupción inesperada y repentina del suministro de energía eléctrica.

apaisado, da adj. Que en su posición normal es más ancho que alto.

[apaisar v. Colocar una figura rectangular de forma apaisada, de modo que sea más ancha que alta: *Tenéis que 'apaisar' la hoja para que quepa el esquema.*

apalabrar v. Concertar o comprometerse de palabra, sin que quede constancia por escrito: *Me cobraron más de lo que habíamos apalabrado.*

apalancamiento s.m. Movimiento o abertura de algo por medio de una palanca o barra rígida que se apoya sobre un punto y sobre la que se hace fuerza.

apalancar ∎ v. **1** Mover haciendo fuerza con una palanca o barra rígida que se apoya sobre un punto y sobre la que se hace fuerza: *Perdí las llaves del arcón, y tuve que apalancar la tapa para poder abrirlo.* ∎ prnl. **2** *col.* Acomodarse en un sitio y permanecer inactivo en él: *No te apalanques en el sillón.* □ ORTOGR. La *c* se cambia en *qu* delante de *e* →SACAR.

apaleamiento s.m. Conjunto de golpes que se dan con un palo o con algo semejante.

apalear v. **1** Dar golpes o sacudir con un palo o con algo semejante: *Unos desconocidos lo apalearon cuando volvía a casa.* **2** Referido al grano, lanzarlo al viento con la pala para limpiarlo: *En mi pueblo muchos vecinos se reúnen en la era para apalear el grano.*

apaleo s.m. Lanzamiento al viento del grano con la pala para limpiarlo.

apandar v. *col.* Referido a algo ajeno, cogerlo, atraparlo o guardarlo con intención de quedárselo: *Cuando trabajó en el supermercado, siempre apandaba algo antes de marcharse.* □ ETIMOL. De *pando* (encorvado), por influencia de *apañar*.

apantanar v. Referido a un terreno, llenarlo de agua hasta dejarlo inundado: *Las últimas lluvias han apantanado la región.*

apañado, da adj. **1** Hábil o mañoso para hacer algo. **2** ||{estar/ir} apañado; *col.* **1** Estar equivocado o falsamente confiado en algo. col. **[2** Estar en una situación difícil.

apañar ∎ v. **1** Arreglar, asear, acicalar o adornar: *Apañó la casa antes de que llegaran las visitas.* **2** *col.* Amañar, solucionar o remediar con habilidad o con intención de salir del apuro: *Apañaremos una cena para todos en un momento. ¿Qué tal te apañas con ese sueldo?* **3** *col.* Coger: *Los ladrones apañaron todas las joyas.* **4** Referido a algo que está roto, remendarlo o componerlo: *Dale el juguete roto a papá, que seguro que te lo apaña.* ∎ prnl. **5** Darse buena maña para hacer algo: *Acaban de tener gemelos, pero entre los dos se apañan de maravilla para atenderlos.* **6** ||apañárselas; *col.* Encontrar el modo de solucionar uno mismo un problema o de salir adelante en la vida: *¿Cómo te las apañas para estudiar y trabajar a la vez?* □ ETIMOL. De origen incierto.

apaño s.m. **1** Arreglo, compostura, remiendo, esp. si se hacen con habilidad o para salir del apuro. **2** *col.* Relación amorosa o sexual considerada ilícita por la sociedad; lío. □ USO En la acepción 2, tiene un matiz despectivo.

apapachar v. En zonas del español meridional, acariciar.

aparador s.m. **1** Mueble en el que se guarda todo lo necesario para el servicio de la mesa. **2** En zonas del español meridional, escaparate.

aparato s.m. **1** Conjunto de piezas o elementos diseñados para funcionar conjuntamente con una finalidad práctica determinada: *¿Cuánto vale un aparato de aire acondicionado?* **2** Circunstancia o señal que precede o acompaña a algo: *Hubo una tormenta con gran aparato de truenos y relámpagos.* **3** Pompa, ostentación o conjunto de circunstancias cuya presencia da mayor importancia y vistosidad a algo: *No me gustan las ceremonias con tanto aparato.* **4**

Conjunto de personas que deciden la política de un partido o de un gobierno. **5** En biología, conjunto de órganos que realizan una misma función fisiológica: *aparato circulatorio.* **[6** En gimnasia, dispositivo que se utiliza como base para realizar los distintos ejercicios. **7** *col.* Teléfono. □ ETIMOL. Del latín *apparatus.* □ SEM. Se usa mucho como palabra comodín para designar de manera imprecisa un objeto.

aparatosidad s.f. Exageración o vistosidad excesiva con que algo se realiza.

aparatoso, sa adj. Exagerado, complicado u ostentoso.

aparcacoches s. En un establecimiento público, persona que se encarga de aparcar los coches de los clientes. □ MORF. **1.** Es de género común: *el aparcacoches, la aparcacoches.* **2.** Invariable en número.

aparcamiento s.m. **1** Lugar destinado a aparcar los vehículos. **2** Colocación de un vehículo en un lugar para dejarlo allí parado durante cierto tiempo. □ USO Es innecesario el uso del anglicismo *parking.*

aparcar v. **1** Referido a un vehículo, colocarlo en un lugar y dejarlo allí parado durante cierto tiempo: *Me pusieron una multa por aparcar en la acera.* **2** *col.* Referido a un proyecto o a una decisión, aplazarlos, posponerlos o abandonarlos hasta encontrar un momento más oportuno para llevarlos a cabo: *Los artículos conflictivos del proyecto de ley fueron aparcados.* □ ETIMOL. De *parque.* □ ORTOGR. La *c* se cambia en *qu* delante de *e* →SACAR.

aparcería s.f. Contrato por el que el propietario de unas tierras o unas instalaciones agrícolas o ganaderas deja que otra persona las explote a cambio de una parte de las ganancias o de los frutos producidos.

aparcero, ra s. Persona que, bajo un contrato de aparcería, explota unas tierras o unas instalaciones agrícolas o ganaderas que no le pertenecen, a cambio de dar a su propietario una parte de los beneficios que obtenga. □ ETIMOL. Del latín *partiarius* (partícipe).

apareamiento s.m. Unión sexual de dos animales de distinto sexo para procurar su reproducción.

aparear v. Referido a un animal, juntarlo con otro de distinto sexo para que se reproduzcan: *El ganadero apareó la vaca con el semental. Muchos animales se aparean en primavera.* □ ETIMOL. De *par.*

aparecer v. **1** Manifestarse o dejarse ver, generalmente causando sorpresa, admiración o desconcierto: *Apareció en casa sin avisar a la hora de cenar. Dice que se le apareció su difunto marido.* **2** Referido a algo oculto o desconocido, mostrarse o dejarse ver: *Ya han aparecido los primeros síntomas de la enfermedad.* **3** Referido a algo perdido, ser encontrado o hallado: *¿Ha aparecido ya tu cartera?* □ ETIMOL. Del latín *apparescere.* □ MORF. Irreg. →PARECER.

aparecido, da s. Fantasma de un muerto, que se presenta ante los vivos.

aparejado, da adj. Inherente, inseparable o inevitable: *Esa falta lleva aparejada una dura sanción.* □ SINT. Se usa más con los verbos *traer, llevar* o equivalentes.

aparejador, -a s. Persona que se dedica profesionalmente a la realización de diversas tareas técnicas en el campo de la construcción; arquitecto técnico.

aparejar v. **1** Preparar o disponer lo necesario: *El caballero aparejó sus armas antes del combate.* **2** Referido a una caballería, ponerle el aparejo o los arreos necesarios para montarla o cargarla: *Tengo que aparejar la mula para cargarla.* ☐ ETIMOL. De *parejo.* ☐ ORTOGR. 1. Dist. de *emparejar.* 2. Conserva la *j* en toda la conjugación.

aparejo ▌ s.m. **1** Preparación o disposición de lo necesario. **2** Elemento necesario para montar o cargar una caballería. **3** Conjunto formado por los palos, las velas, las jarcias y las vergas de un barco. **4** En una construcción, forma en la que quedan colocados los diversos materiales, esp. los ladrillos y sillares. ▌ pl. **5** Materiales y elementos necesarios para hacer algo o para desempeñar un oficio. ☐ ETIMOL. De *par.*

aparentar v. **1** Referido a una cualidad o a algo que no se posee, dar a entender que sí se poseen: *Aunque aparenta estar de buen humor, está enfadado. Se pasa el día aparentando, pero todos sabemos que está en la ruina.* **2** Tener el aspecto que corresponde a determinada edad: *Aunque debe de ser mayor, aparenta treinta años.* ☐ USO Aunque la RAE sólo registra *aparentar*, se usa también *aparienciar.*

aparente adj. **1** Que parece real o verdadero, pero no lo es. **2** Que está a la vista: *Se enfadó sin motivo aparente.* **3** col. Que tiene buen aspecto, y resulta atractivo. ☐ ETIMOL. Del latín *apparens*, y éste de *apparere* (aparecer). ☐ MORF. Invariable en género.

aparición s.f. **1** Presentación o manifestación ante la vista de algo que estaba oculto o era desconocido. **2** Visión de un ser sobrenatural o fantástico. **3** Fantasma o espíritu de un muerto que se presenta ante los vivos. ☐ ETIMOL. Del latín *apparitio.*

apariencia s.f. **1** Aspecto externo. **2** Lo que parece algo que no es: *Su bondad es pura apariencia.* ☐ ETIMOL. Del latín *apparentia.*

[aparienciar v. →**aparentar.**

apartadero s.m. **1** Lugar que sirve para poder apartar en él algún vehículo y dejar así el paso libre en la vía principal. **2** Lugar en el que se aparta a unos toros de otros para meterlos en unos cajones y trasladarlos a la plaza.

apartado, da ▌ adj. **1** Que está separado o alejado. ▌ s.m. **2** Servicio de correos por el que se alquila al cliente una casilla o buzón en donde se deposita su correspondencia: *apartado de correos.* **3** Número que identifica esta casilla situada en una oficina de correos: *Debes enviarle las cartas al apartado 333 de Valencia.* **4** Parte de un escrito que trata por separado de un determinado tema: *El apartado dedicado al sustantivo es el más interesante.*

apartamento s.m. Vivienda de pequeñas dimensiones, que consta de una o dos habitaciones, con una cocina y un cuarto de baño pequeños, y que generalmente está situada en un edificio en el que hay otras similares. ☐ ETIMOL. Del italiano *appartamento.* ☐ SEM. Dist. de *departamento* (parte o sección de algo).

apartamiento s.m. Separación de algo del lugar en el que estaba.

apartar v. **1** Separar, dividir o poner en un lugar apartado: *He apartado las fichas blancas de las negras. Aparta un poco de tarta para los que lleguen después.* **2** Retirar o poner en un lugar más alejado: *Apártate de ahí. Se apartó a un lado para dejarme*

pasar. **3** Referido a algo, quitarlo del lugar en el que estaba: *Aparté la vista del cuadro, porque no me gustó nada.* ☐ ETIMOL. De *parte.* ☐ SINT. Constr. *apartar una cosa DE otra.*

aparte ▌ adj. **1** Que es distinto y diferente a los demás, y resalta por su singularidad. ▌ s.m. **2** En una representación teatral, lo que cualquier personaje dice hablando para sí o con algún otro personaje, de forma que se supone que los demás personajes no lo han oído, aunque los espectadores sí. **3** Lo que se dice a una persona sin que lo oigan los demás. ▌ adv. **4** En otro lugar o en otra situación. **5** Por separado, o en sí o sin estar junto al resto: *Los de su grupo llegaron aparte.* **6** ‖ **aparte de**; además de o sin contar con: *Aparte de ese pequeño fallo técnico, todo ha salido muy bien.* ☐ MORF. Como adjetivo, es invariable en género.

[apartheid (anglicismo) s.m. Segregación racial, legislada y promovida por la minoría blanca, que sufren las personas de color en la República de Suráfrica (país africano). ☐ PRON. [aparhéid], con *h* aspirada. ☐ USO Su uso es innecesario y puede sustituirse por una expresión como *segregación racial.*

[aparthotel o **[apartotel** s.m. Apartamento que cuenta con los servicios y comodidades centrales propios de un hotel. ☐ ETIMOL. Del inglés *aparthotel.*

[apartosuite s.f. Apartamento de lujo con varias habitaciones, que cuenta con los servicios centrales propios de un hotel. ☐ PRON. [apartosuít].

aparvar v. Hacer parva o disponer la mies en la era para trillarla y recogerla en montones una vez trillada: *Aparvaron el trigo en la era.*

apasionado, da adj./s. **1** Poseído de una pasión: *Son dos amantes apasionados.* **2** Partidario o seguidor de algo: *apasionado del jazz.*

apasionamiento s.m. **1** Excitación de una pasión. **2** Sentimiento de gran interés, afición o entusiasmo hacia algo.

apasionante adj. Que capta mucho la atención o que es muy interesante. ☐ MORF. Invariable en género.

apasionar ▌ v. **1** Excitar o causar pasiones: *La música me apasiona.* ▌ prnl. **2** Sentir un gran interés, afición o entusiasmo hacia algo: *Cuando me apasiono con una novela, no puedo parar hasta terminarla.*

apatía s.f. Falta de actividad, de interés o de entusiasmo, que se manifiesta en dejadez o indiferencia ante todo. ☐ ETIMOL. Del griego *apátheia* (falta de sentimiento).

apático, ca adj. Que siente o muestra apatía o falta de actividad, de interés o de entusiasmo.

apátrida adj./s. Referido a una persona, que no tiene nacionalidad. ☐ ETIMOL. Del griego *apatris* (sin patria), y éste de *a-* (negación), y *patrís* (patria). ☐ MORF. 1. Como adjetivo es invariable en género. 2. Como sustantivo es de género común: *el apátrida, la apátrida.*

apeadero s.m. Estación de tren, de poca importancia, donde sólo suben o bajan viajeros.

apear v. **1** Descender o hacer descender de un medio de transporte; bajar: *Apeó al pequeño, que quedó en manos de su padre. ¿Se va a apear usted en la próxima parada?* **2** col. Referido a una persona, disuadirla de sus opiniones, ideas, creencias y suposiciones: *Es una cabezota y no se apea de sus ideas.* ☐

ETIMOL. Del latín *ad*, y el latín *pes* (pie). □ SINT.
Constr. *apearse* DE *algo*.
apechar o **apechugar** v. *col.* Cargar con algo
que resulta desagradable; apencar: *Te dirá que no
lo hace, pero después apechugará. Siempre me toca
a mí apechar con todo el trabajo.* □ ETIMOL. *Apechar*, de *pecho*. *Apechugar*, de *pechuga*. □ ORTOGR.
La *g* se cambia en *gu* delante de *e* →PAGAR. □ SINT.
Constr. {*apechar* / *apechugar*} CON *algo*.
apedrear v. **1** Tirar o arrojar piedras: *Los castigaron por apedrear a un perro vagabundo.* **2** Matar
a pedradas; lapidar: *Antiguamente, en algunas culturas se apedreaba a las mujeres adúlteras.*
apegarse v.prnl. Tomar apego o cariño: *Cada día
se apega más a esta ciudad.* □ ORTOGR. La *g* se
cambia en *gu* delante de *e* →PAGAR. □ SINT. Constr.
apegarse A *algo*.
apego s.m. Cariño, afecto o estimación hacia algo.
apelación s.f. **1** En derecho, presentación ante un
juez o ante un tribunal de justicia de una petición
para que se modifique o anule una sentencia que se
considera injusta y que fue dictada por un juez o
por un tribunal de categoría inferior. **2** Llamada o
mención a algo en cuya autoridad o criterio se confía para solucionar un asunto.
apelado, da adj./s. En derecho, que ha obtenido
una sentencia favorable contra la cual ha apelado
su contrario: *El apelado declaró que estaba seguro
de que volvería a ganar el recurso.*
apelambrar v. Referido a una piel animal, meterla en
agua y cal viva para que pierdan el pelo: *Algunas
pieles se apelambran para la fabricación de prendas
de vestir.*
apelar v. **1** En derecho, presentar ante un juez o
ante un tribunal la petición de que se modifique o
anule una sentencia que se considera injusta y que
fue dictada por un juez o por un tribunal de categoría inferior: *El demandado apeló contra la decisión de la juez.* **2** Recurrir a algo en cuya autoridad
o criterio se confía para solucionar un asunto: *Apeló
a la buena voluntad de todos para poder salir adelante.* □ ETIMOL. Del latín *appellare* (dirigir la palabra, llamar). □ SINT. 1. Constr. de la acepción 1:
apelar {CONTRA / DE} *algo*. 2. Constr. de la acepción
2: *apelar* A *algo*. 3. En la acepción 1, su uso como
transitivo es incorrecto, aunque está muy extendido: *apelaron* {*la sentencia* > *contra la sentencia*}.
apelativo, va ∎ adj./s.m. **1** Que sirve para llamar
o para calificar: *Los vocativos son un ejemplo de la
función apelativa del lenguaje.* ∎ s.m. **2** →**nombre
apelativo**.
apellidar ∎ v. **1** Llamar, nombrar o dar un mote o
un sobrenombre: *Felipe II fue apellidado 'el Prudente'.* ∎ prnl. **2** Tener un determinado apellido: *Se ape-
llida Rodríguez.* □ ETIMOL. Del latín *apellitare* (llamar repetidamente).
apellido s.m. Nombre que sirve para designar a los
miembros de una familia y que se transmite de padres a hijos.
apelmazarse v.prnl. Referido a algo que debe ser
esponjoso, hacerse más compacto, más pegajoso o
más duro de lo conveniente: *Mueve la lana del colchón para que no se apelmace.* □ ETIMOL. Del antiguo *pelmazo* (cosa apretada). □ ORTOGR. La *z* se
cambia en *c* delante de *e* →CAZAR.
apelotonar v. Aglomerar, amontonar o formar
grupos desordenados: *Apelotonó todos los trastos en

una esquina del patio. Los espectadores se apeloto-
naban a la entrada del teatro.* □ MORF. Se usa más
como pronominal.
apenar v. **1** Causar pena o tristeza: *Nos apenó mucho la noticia de su muerte.* **2** En zonas del español
meridional, avergonzar.
apenas ∎ adv. **1** Difícilmente, casi no, o tan solo:
*Apenas nos alcanza el dinero para llegar a fin de
mes. Apenas si me escuchó cinco minutos.* **2** Escasamente o tan solo: *Apenas hace ocho días que trabaja con nosotros.* ∎ conj. **3** Enlace gramatical subordinante con valor temporal: *Apenas me vio, me
abrazó.* □ SINT. En la acepción 1, *apenas si* se usa
con el mismo significado que *apenas*.
apencar v. *col.* Cargar con algo que resulta desagradable; apechar, apechugar: *No estoy dispuesta a
apencar con este trabajo yo sola.* □ ETIMOL. De *penca.* □ ORTOGR. 1. Aunque la RAE sólo registra *apencar*, se usa mucho la forma *pencar*. 2. La *c* se cambia en *qu* delante de *e* →SACAR. □ SINT. Constr.
apencar CON *algo*.
apéndice s.m. **1** Cosa accesoria que se adjunta o
se añade a otra de la que forma parte: *Al final del
diccionario hay unos apéndices muy útiles.* **2** En el
cuerpo animal, parte unida o contigua a otra principal: *La nariz es el apéndice nasal.* **3** ‖**apéndice**
‹{cecal/vermicular}›; en anatomía, prolongación
delgada y hueca, que está al final del intestino ciego. ‖ (**apéndice**) **xifoides**; en anatomía, prolongación cartilaginosa que está al final del esternón. □
ETIMOL. Del latín *appendix*, y éste de *appendere*
(colgar de algo). □ SEM. En la acepción 2, no debe
emplearse como sinónimo de *apendicitis* (inflamación del apéndice cecal o vermicular): *Operaron al
niño porque tenía* {*apéndice* > *apendicitis*}.
apendicitis s.f. Inflamación del apéndice que está
al final del intestino ciego. □ ETIMOL. De *apéndice*,
e *-itis* (inflamación). □ MORF. Invariable en número.
apercibimiento s.m. Amonestación o aviso que se
da a alguien haciéndole saber cuáles serán las consecuencias de sus actos si sigue actuando de determinada forma.
apercibir v. **1** Referido a una persona, amonestarla
o hacerle saber cuáles serán las consecuencias de
sus actos si sigue actuando de determinada manera:
*Mi jefa me apercibió de que sería sancionado si vol-
vía a llegar tarde al trabajo.* **2** Advertir o prevenir:
*La agencia apercibió a sus clientes de que en la es-
tación de esquí había escasa nieve.* □ ETIMOL. Del
latín *percipere* (percibir). □ SINT. Constr. *apercibirse*
DE *algo*.
apergaminarse v. prnl. Ponerse como el pergamino, esp. referido a las personas que al llegar a cierta
edad se quedan muy enjutas o muy delgadas; acartonar-
se: *El paso del tiempo apergaminó su rostro.*
aperitivo s.m. **1** Bebida y comida ligeras que se
toman antes de las comidas. **2** Porción de comida
que se sirve de forma gratuita y acompañando a
una bebida. □ ETIMOL. Del latín *aperitivus*.
apero s.m. **1** Instrumento que se usa para un oficio, esp. para la labranza. apero **2** En zonas del
español meridional, montura de una caballería. □ ETI-
MOL. Del latín **apparium* (útil, aparejo). □ MORF.
Se usa más en plural.
aperrear v. *col.* Referido a una persona, fatigarla mucho o causarle muchas molestias: *No lo aperrees con
tantos encargos.*

apersonarse v.prnl. →**personarse**.
apertura s.f. **1** Acción de abrir lo que estaba cerrado, pegado o plegado. **2** Comienzo o inauguración de un proceso, de una actividad o de un plazo. **3** Acto o ceremonia con que se produce o se resalta oficialmente este comienzo o inauguración. **4** En el juego del ajedrez, combinación de jugadas con que se inicia una partida. **5** Colocación de un signo de puntuación delante del enunciado que delimita. □ ETIMOL. Del latín *apertura*. □ SEM. Su uso con el significado de 'lo que está abierto' en lugar de *abertura* es incorrecto: *La {*apertura > abertura} que había en la pared*.
[aperturar v. En el lenguaje bancario, referido a una cuenta, abrirla: *El cajero me explicó lo que tenía que hacer para 'aperturar' una cuenta corriente.* □ USO Su uso es innecesario y puede sustituirse por *abrir*.
aperturismo s.m. Actitud favorable, comprensiva o transigente, esp. la que se mantiene frente a ideas o a actitudes distintas a las propias.
aperturista ∎ adj. **1** Del aperturismo ideológico o relacionado con él. ∎ adj./s. **2** Que defiende o sigue el aperturismo ideológico. □ MORF. 1. Como adjetivo es invariable en género. 2. Como sustantivo es de género común: *el aperturista, la aperturista*.
apesadumbrar v. Afligir o causar pesadumbre: *Les apesadumbra saber que su hijo les ha mentido. Se apesadumbró al conocer la noticia.* □ MORF. Se usa más como pronominal.
apestar v. **1** Dar muy mal olor: *Estas basuras apestan. Me estás apestando con el humo del puro.* **2** Producir o contagiar la enfermedad de la peste: *Las ratas apestaron a los habitantes de la ciudad. Se apestó en la ciudad en la que estuvo de vacaciones.* **3** ‖**estar apestado de** algo; *col.* Estar lleno de ello: *El mercado está apestado de gente.*

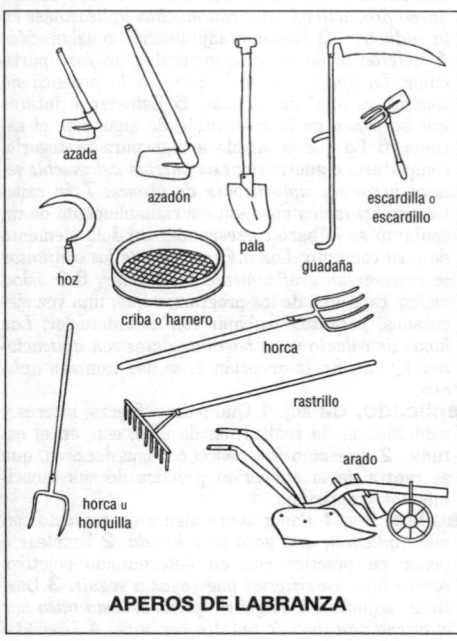

azada
azadón
pala
hoz
criba o harnero
escardilla o escardillo
guadaña
horca
rastrillo
arado
horca u horquilla

APEROS DE LABRANZA

apestoso, sa adj. **1** Que da muy mal olor. **2** Que fastidia o que causa aburrimiento.
apétalo, la adj. Referido a una flor, que no tiene pétalos. □ ETIMOL. Del griego *apétalos*, y éste de *a-* (privación) y *pétalon* (hoja).
apetecer v. **1** Gustar o resultar agradable o interesante: *¿No te apetece que vayamos al cine?* **2** Desear o anhelar: *Sólo apetece dinero y honores.* □ ETIMOL. Del latín *appetere*. □ MORF. Irreg. →PARECER.
apetecible adj. Digno de ser apetecido. □ MORF. Invariable en género.
apetencia s.f. Inclinación natural que tiene una persona a desear algo.
apetito s.m. **1** Ganas de comer. **2** Inclinación o instinto que lleva a las personas a satisfacer sus deseos o necesidades. □ ETIMOL. Del latín *appetitus*.
apetitoso, sa adj. **1** Que excita el apetito o el deseo. **2** Que gusta o que tiene buen sabor.
[apex s.f. →**tarifa apex**. □ PRON. [ápex]. □ MORF. Invariable en número.
apiadar ∎ v. **1** Inspirar piedad: *La narración de aquella desgracia apiadó hasta a las personas más insensibles.* ∎ prnl. **2** Tener piedad: *Apiádate de ellos y no los trates así.* □ MORF. Se usa más como pronominal. □ SINT. Constr. como pronominal: *apiadarse DE algo*.
apianar v. Referido a la voz o a un sonido, disminuir sensiblemente su intensidad: *El sonido del violín se fue apianando.*
apical ∎ adj./s.f. **1** En lingüística, referido a un sonido consonántico, que se articula con la intervención activa del ápice de la lengua, en contacto con los dientes, los alveolos o el paladar: *La 'l' de la palabra 'luna' es un sonido apical.* ∎ s.f. **2** Letra que representa este sonido: *La 't' es apical.* □ ETIMOL. De *ápice*. □ MORF. 1. Como adjetivo es invariable en género. 2. Cuando se antepone a una palabra para formar compuestos, adopta la forma *apico-*.
ápice s.m. **1** Punta o extremo superior de algo: *el ápice de la lengua.* **2** Parte muy pequeña: *No tiene ni un ápice de honradez.* □ ETIMOL. Del latín *apex*.
apicoalveolar adj./s.f. En lingüística, referido a un sonido consonántico, que se articula con la intervención activa del ápice de la lengua, en contacto con los alveolos: *La 'l' de la palabra 'malo' es un sonido apicoalveolar.* □ ETIMOL. Del latín *apex* (ápice, punta) y *alveolar*. □ MORF. Como adjetivo es invariable en género.
apícola adj. De la apicultura o relacionado con la cría de las abejas para el aprovechamiento de sus productos. □ ETIMOL. Del latín *apis* (abeja) y *colere* (cultivar). □ MORF. Invariable en género. □ SEM. Dist. de *avícola* (de la cría de las aves).
apicultor, -a s. Persona que se dedica a la apicultura o cría de abejas. □ SEM. Dist. de *avicultor* (persona que se dedica a la avicultura o cría de aves).
apicultura s.f. Arte o técnica de criar abejas para aprovechar sus productos, esp. la miel y la cera. □ ETIMOL. Del latín *apis* (abeja) y *-cultura* (cultivo). □ SEM. Dist. de *avicultura* (técnica de la cría de aves).
apilamiento s.m. Amontonamiento de cosas formando una pila o montón.
apilar v. Amontonar o colocar formando una pila o montón: *Apiló la leña en el cobertizo.*
[apimplarse v.prnl. *col.* Emborracharse ligera-

mente: *Se bebe unas cañas y 'se apimpla' en seguida.*

apiñamiento s.m. Reunión o colocación muy apretada de personas o cosas.

apiñar v. Referido a personas o cosas, juntarlas o reunirlas apretadamente: *Los participantes se apiñaban en la línea de salida.* ☐ ETIMOL. De *piña.*

apio s.m. Planta herbácea de color verde, que se cultiva en las huertas y de la que se comen los tallos y las hojas. ☐ ETIMOL. Del latín *apium.*

apiolar v. **1** Referido a presas de caza menor, atarlas de dos en dos para poder colgarlas y llevarlas con facilidad: *El cazador apioló los conejos por las patas.* **2** *col.* Referido a una persona, prenderla, detenerla o privarla de libertad: *Los apiolaron cuando intentaban forzar la caja fuerte.* **3** *col.* Matar: *El delincuente declaró que él no había apiolado a aquel taxista.* ☐ ETIMOL. De *pihuela* (grillete).

apiporrarse v.prnl. *col.* Comer y beber hasta hartarse: *Se apiporraron de dulces y pasteles.*

apirético, ca adj. En medicina, de la apirexia o relacionado con la ausencia de fiebre. ☐ SEM. Dist. de *antipirético* (que quita la fiebre).

apirexia s.f. En medicina, ausencia de fiebre, esp. en el intervalo que hay entre dos accesos de fiebre intermitente. ☐ ETIMOL. Del griego *apyrexía,* y éste de *a-* (privación) y *pyretikós* (febril).

apisonadora s.f. **1** Máquina que consta de unos rodillos pesados y que se utiliza para apretar y allanar el suelo. [**2** *col.* Persona que vence rápida y totalmente cualquier oposición.

apisonamiento s.m. Allanamiento del suelo con una apisonadora.

apisonar v. Referido al suelo, apretarlo y allanarlo con una apisonadora: *Antes de asfaltar la carretera, es necesario apisonar bien el pavimento.*

apizarrado, da adj. De color negro azulado, como el de la pizarra.

aplacamiento s.m. Aminoración o disminución del enfado de alguien o de la fuerza de algo.

aplacar v. Referido a la fuerza de algo, amansarla, mitigarla o hacerla más suave y soportable: *Parece que ya se va aplacando la fuerza del viento. Se aplacó cuando le dije que pagaría todos los desperfectos.* ☐ ETIMOL. Del latín *placare.* ☐ ORTOGR. La *c* se cambia en *qu* delante de *e* →SACAR.

aplanadora s.f. En zonas del español meridional, apisonadora.

aplanamiento s.m. **1** Conversión de una superficie desigual en una superficie plana. **2** Pérdida de la capacidad de reacción o del vigor y la energía.

aplanar v. **1** Poner plano o llano; allanar: *Han aplanado el camino de tierra.* **2** *col.* Dejar a alguien sin capacidad de reacción o sin vigor ni energía: *Este calor aplana a cualquiera.* ☐ ETIMOL. De *plano.*

aplastamiento s.m. **1** Disminución del grosor de algo como consecuencia de haberlo comprimido o golpeado hasta deformarlo o destruirlo. **2** Derrota total y definitiva.

aplastante adj. Que es abrumador o definitivo, y que no se puede rebatir o discutir. ☐ MORF. Invariable en género.

aplastar v. **1** Referido a un objeto, disminuir su grosor o su espesor comprimiéndolo o golpeándolo, hasta llegar a deformarlo o destruirlo: *No pongas el hierro encima de las cajas de cartón, porque las vas*

a aplastar. **2** Referido a una persona, confundirla o intimidarla mediante la fuerza o mostrando superioridad sobre ella; apabullar: *El exceso de responsabilidad me aplasta.* **3** Derrotar o vencer por completo: *El ejército aplastó la rebelión.* ☐ ETIMOL. Quizá de origen expresivo.

aplatanamiento s.m. Falta de energía para emprender cualquier actividad física o mental, esp. por influencia del ambiente o del clima.

aplatanar v. Hacer perder o disminuir actividad mental o física, generalmente por influencia del ambiente o del clima: *Después de comer siempre me aplatano.*

aplaudir v. **1** Juntar repetidamente las palmas de las manos para que resuenen en señal de aprobación o de entusiasmo: *El público aplaudió a los actores.* **2** Alabar con palabras o de otra manera: *Aplaudo tu decisión de seguir estudiando.* ☐ ETIMOL. Del latín *applaudere,* y éste de *plauder* (golpear, aplaudir).

aplauso s.m. **1** Señal de aprobación o de alegría, que consiste en juntar repetidamente las palmas de las manos para que resuenen. **2** Alabanza, elogio o reconocimiento. **3** ‖ **aplauso cerrado**; el unánime y ruidoso.

aplazamiento s.m. Retraso de la realización de algo.

aplazar v. **1** Referido a la realización de algo, retrasarla o dejarla para más tarde; diferir: *La reunión de esta tarde ha sido aplazada.* **2** En zonas del español meridional, poner un suspenso. ☐ ETIMOL. De *plazo.* ☐ ORTOGR. La *z* se cambia en *c* delante de *e* →CAZAR.

aplicable adj. Que se puede o se debe aplicar. ☐ MORF. Invariable en género.

aplicación s.f. **1** Colocación de una cosa sobre otra o en contacto con ella. **2** Empleo o puesta en práctica con un determinado objetivo: *Han inventado un nuevo producto químico con muchas aplicaciones en la industria.* **3** Destino, adjudicación o asignación. **4** Referencia a un caso general a un caso particular: *La aplicación de la teoría a la práctica no siempre es fácil de realizar.* **5** Esfuerzo e interés que se ponen en la realización de algo, esp. el estudio. **6** Lo que se añade a algo para protegerlo, completarlo o adornarlo: *Las puertas del mueble tenían hermosas aplicaciones de bronce.* **7** En matemáticas, operación por la que a cada elemento de un conjunto se le hace corresponder un solo elemento de otro conjunto: *Las aplicaciones de los conjuntos se representan gráficamente con flechas.* **8** En informática, cada uno de los programas que, una vez ejecutados, permiten trabajar con el ordenador: *Las hojas de cálculo y las bases de datos son aplicaciones.* ☐ USO En la acepción 6, se usa también *aplique.*

aplicado, da adj. **1** Que pone esfuerzo, interés y asiduidad en la realización de algo, esp. en el estudio. **2** Referido a una ciencia o a una disciplina, que se centra en la aplicación práctica de sus conocimientos y doctrinas.

aplicar ▌ v. **1** Poner sobre algo o en contacto con ello: *Aplicaron una gasa a la herida.* **2** Emplear o poner en práctica con un determinado objetivo: *Aplica bien los criterios que vayas a seguir.* **3** Destinar, adjudicar o asignar: *Aplicamos esta misa por el eterno descanso de nuestro hermano.* **4** Referido a un caso general, referirlo a un caso particular: *Para resolver este problema de física, tenéis que aplicar la teoría que estudiamos ayer.* ∎ prnl. **5** Poner mucho interés en la realización de cualquier tipo de trabajo, esp. en el estudio: *Si no te aplicas más, vas a suspender.* ☐ ETIMOL. Del latín *applicar* (arrimar). ☐ ORTOGR. La *c* se cambia en *qu* delante de *e* →SACAR. ☐ SINT. Constr. de la acepción 1: *aplicar A algo.*

aplique s.m. **1** Lámpara de luz eléctrica que se fija en una pared. 🔖 alumbrado [**2** →**aplicación. 3** Cualquier pieza del decorado teatral, excepto el telón, los bastidores y las bambalinas. ☐ ETIMOL. Del francés *applique.*

aplomado, da adj. **1** Con aplomo o serenidad. **2** De color gris azulado, como el del plomo; plomizo.

aplomar ∎ v. **1** En construcción, referido a una pared, comprobar con la plomada si es vertical: *Los albañiles deben aplomar las paredes que construyen.* ∎ prnl. **2** Referido a una persona, cobrar aplomo: *De joven era nervioso, pero con el tiempo se aplomó.* ☐ ETIMOL. De *plomo.*

aplomo s.m. Seriedad, serenidad o seguridad que manifiesta una persona en sus actuaciones.

apocado, da adj. Excesivamente tímido y acobardado.

apocalipsis s.m. [Fin del mundo. ☐ ETIMOL. Del latín *apocalypsis*, por alusión al Apocalipsis, libro bíblico que relata los acontecimientos que tendrán lugar en el fin del mundo. ☐ MORF. Invariable en número.

apocalíptico, ca adj. Del Apocalipsis (libro bíblico que relata los acontecimientos que tendrán lugar en el fin del mundo) o relacionado con él.

apocamiento s.m. Actitud excesivamente tímida y acobardada.

apocar v. Referido a una persona, acobardarla, cohibirla o hacer que se comporte con excesiva timidez o cortedad de ánimo: *Se apocó ante la superioridad de su jefe.* ☐ ORTOGR. La *c* se cambia en *qu* delante de *e.*

apocopar v. Referido a una palabra, suprimirle o eliminarle uno o varios de los sonidos finales: *La palabra 'algún' es resultado de apocopar 'alguno'.*

apócope s.f. Supresión o eliminación de uno o varios sonidos finales de una palabra. ☐ ETIMOL. Del griego *apokópe* (amputación). ☐ MORF. Incorr. su uso como masculino: *'San' es {*el/la} apócope de 'santo'.*

apócrifo, fa adj. **1** Falso, supuesto o fingido. **2** Referido a un libro de materia sagrada, que se atribuye a un autor sagrado, pero que no está incluido en el catálogo de los libros reconocidos por la Iglesia como inspirados. ☐ ETIMOL. Del griego *apókryphos* (secreto, oculto).

apodar v. Dar o poner un apodo o un mote: *Se llama 'Luis', pero lo apodan 'Artillero'.* ☐ ETIMOL. Del latín *apputare* (acomodar, ajustar).

apoderado, da s. Persona que tiene poderes o autorización legal de otra para representarla y actuar en su nombre. ☐ USO Su uso es característico del lenguaje legal y taurino.

apoderamiento s.m. **1** Representación que una persona ejerce de otra. **2** Apropiación de algo, habitualmente por la fuerza o ilegalmente.

apoderar ∎ v. **1** Referido a una persona, tener poder y autorización de otra para representarla: *El padre es un torero retirado que ahora apodera a su hijo.* ∎ prnl. **2** Hacerse dueño de algo, generalmente por la fuerza o ilegalmente: *El ejército vencedor se apoderó de las provisiones de los vencidos.* **3** Referido a un sentimiento, llenar por completo o dominar: *La emoción se apoderó de él y no pudo contener las lágrimas.* ☐ SINT. Constr. como pronominal: *apoderarse DE algo.*

apodíctico, ca adj. En lógica, referido a un juicio, que enuncia algo como absolutamente necesario o absolutamente imposible: *'Un todo es necesariamente mayor que sus partes' es un juicio apodíctico.* ☐ ETIMOL. Del latín *apodicticus*, y éste del griego *apodeiktikós*, y éste de *apodéiknymi* (yo muestro).

apodo s.m. Nombre que se da a una persona en sustitución del propio y que suele aludir a alguna condición o característica suyas; mote. ☐ ORTOGR. Dist. de *ápodo.* ☐ SEM. Aunque la RAE lo considera sinónimo de *nombre*, en la lengua actual no se usa como tal.

ápodo, da adj. Referido a un animal, que carece de pies o de extremidades: *Las culebras son animales ápodos.* ☐ ETIMOL. Del griego *apús*, y éste de *a-* (privación) y *pús* (pie). ☐ ORTOGR. Dist. de *apodo-*.

apódosis s.f. En gramática, en una oración subordinada condicional, parte que indica el resultado o la consecuencia de que se cumpla la condición: *En la oración 'Si estudias, aprobarás', 'aprobarás' es la apódosis.* ☐ ETIMOL. Del griego *apódosis*, y éste de *apodídomi* (yo restituyo). ☐ MORF. Invariable en número.

apófisis s.f. En anatomía, parte saliente de un hueso que sirve para su articulación con otro hueso o para la inserción de un músculo. ☐ ETIMOL. Del griego *apóphysis* (retoño). ☐ MORF. Invariable en número. ☐ SEM. Dist. de *epífisis* (parte final de los huesos largos, que permite su crecimiento).

apogeo s.m. En un proceso, momento o situación de mayor grandeza o intensidad. ☐ ETIMOL. Del griego *apógeios* (que viene de la tierra).

apolillado, da adj. **1** Con polillas. **2** *col.* Viejo, anticuado o pasado de moda.

apolilladura s.f. Agujero que la polilla hace en la ropa y en otros materiales.

apolillarse v.prnl. **1** Referido esp. a la ropa, estropearse o deteriorarse por efecto de la polilla: *He puesto bolitas de alcanfor en el armario para que no se apolille la ropa.* [**2** Quedarse anticuado o no cambiar: *Hace tanto tiempo que no leo que se me están 'apolillando' las ideas.*

apolíneo, a adj. Referido esp. a un hombre, de gran belleza física. ☐ ETIMOL. De *Apolo*, dios griego de la música, la poesía y la luz, representado por un joven de gran belleza.

apoliticismo s.m. Actitud que se caracteriza por la falta de participación o de interés en la política. ☐ MORF. Incorr. **apolitismo.*

apolítico, ca adj. Que no participa en la política ni muestra interés por ella.

apologético, ca adj. De la apología o relacionado con ella. ☐ SEM. Dist. de *apológico* (del apólogo).

apología s.f. Escrito o discurso que defiende o alaba algo. ☐ ETIMOL. Del griego *apología* (defensa).

apológico, ca adj. Del apólogo o relacionado con esta composición breve de carácter didáctico. ☐ SEM. Dist. de *apologético* (de la apología).

apologista s. Persona que hace apología de algo o

que lo defiende. □ MORF. Es de género común: *el apologista, la apologista.*

apólogo s.m. Composición literaria de carácter narrativo, generalmente breve, cuyos personajes pueden ser seres inanimados o irracionales personificados, y en la que se desarrolla una ficción alegórica con la que se pretende dar una enseñanza útil o moral, frecuentemente sintetizada en una moraleja final. □ ETIMOL. Del latín *apologus*, y éste del griego *apólogos* (fábula). □ SEM. Aunque la RAE lo considera sinónimo de *fábula*, éste se ha especializado para los apólogos protagonizados por animales y escritos generalmente en verso.

apoltronamiento s.m. **1** Instalación muy cómoda de una persona en un asiento. **2** Holgazanería, pereza y falta de cambios, esp. en el trabajo.

apoltronarse v.prnl. **1** Sentarse muy cómodamente: *Se apoltronó en el sofá y se quedó dormido.* **2** Llevar una vida holgazana, comodona o muy sedentaria: *Se ha apoltronado en su trabajo, y ya no tiene interés por aprender cosas nuevas.*

apoplejía s.f. Parada brusca y más o menos completa de la actividad cerebral, que no afecta a la respiración ni a la circulación de la sangre. □ ETIMOL. Del latín *apoplexia*, éste del griego *apoplexia*, y éste de *apoplésso* (yo dejo estupefacto, yo derribo).

apopléjico, ca o **apoplético, ca ▌** adj. **1** De la apoplejía o relacionado con ella. **2** Que padece apoplejía.

apoquinar v. *col.* Pagar, generalmente a disgusto, lo que corresponde: *Apoquina lo que me debes y deja ya de protestar.* □ ORTOGR. Dist. de *acoquinar.*

aporía s.f. En filosofía, dificultad lógica insuperable que se presenta en un razonamiento. □ ETIMOL. Del griego *aporía* (dificultad de pasar).

aporreado, da adj. Pobre, mísero o con privaciones y dificultades; arrastrado.

aporreamiento s.m. →**aporreo.**

aporrear v. Golpear repetidamente y con violencia, esp. si es con una porra: *Como el timbre no funcionaba, aporreó la puerta con los puños.*

aporreo s.m. Serie de golpes repetidos y violentos, esp. si se dan con una porra; aporreamiento.

aportación s.f. **1** Contribución o entrega de lo necesario o lo conveniente. **2** Lo que se aporta; aporte.

aportar v. **1** Referido a algo necesario o conveniente, proporcionarlo o darlo: *A mí este trabajo me aporta muchas satisfacciones.* **2** En derecho, referido a bienes o valores, llevar alguien la parte que le corresponde a la sociedad a la que pertenece: *¿Qué bienes aporta cada cónyuge al matrimonio?* □ ETIMOL. Del latín *apportare*, y éste de *ad* (a) y *portare* (llevar).

aporte s.m. **1** Lo que se aporta; aportación. **2** Ayuda, participación o contribución. **3** En geografía, depósito de materiales efectuado por el viento, un río o un glaciar.

aposentar ▌ v. **1** Dar habitación y hospedaje: *Aposentó al conde en su propia casa.* **▌** prnl. **[2** *col.* Sentarse o acomodarse: *Tu amigo llegó y se aposentó en mi sillón favorito.* □ ETIMOL. Del latín *ad* (a) y *pausans*, y éste de *pausare* (posar).

aposento s.m. **1** Habitación o cuarto de una casa. **2** Hospedaje o alojamiento en el que alguien se instala, generalmente de forma temporal. □ SEM. En la acepción 1, se usa referido esp. a las habitaciones de viviendas grandes y lujosas.

aposición s.f. En gramática, construcción en la que un sintagma va yuxtapuesto a otro de su misma categoría gramatical, respecto al cual ejerce una función explicativa o determinativa: *En 'María, tu hermana, es mi mejor amiga', 'tu hermana' funciona como aposición de 'María'.* □ ETIMOL. Del latín *appositio.*

apositivo, va adj. En gramática, de la aposición o relacionado con ella.

apósito s.m. En medicina, remedio para la curación de una lesión o de una herida, que está impregnado con sustancias curativas y se aplica exteriormente sujeto con una venda.

aposta adv. A propósito o intencionadamente; adrede. □ ETIMOL. Del latín *apposita ratione.* □ ORTOGR. Se admite también *a posta.*

apostante adj./s. Que apuesta. □ MORF. **1.** Como adjetivo es invariable en género. **2.** Como sustantivo es de género común: *el apostante, la apostante.*

apostar v. **1** Referido a algo que se fija de antemano, acordar entre dos o más personas que lo pagará o lo hará la que no acierte o no tenga razón en algo que se plantea y que es motivo de discusión: *Apostaron una comida a ver quién llegaba antes a la meta.* **2** Referido a una cantidad de dinero, arriesgarla para poder participar en en juego que consiste en acertar el resultado de algo, de forma que, si se acierta, se recibe una cantidad de dinero mucho mayor: *Esta semana he apostado 1.000 pesetas a las quinielas.* **3** Depositar la confianza en algo, esp. en una persona o en una idea que implica cierto riesgo: *Dice que ha apostado por mí para el puesto de dirección.* **4** Referido esp. a una persona, colocarla en un lugar para que cumpla un determinado objetivo: *El general apostó a sus tropas en lugares estratégicos. Los cazadores se apostaron tras unas rocas.* □ ETIMOL. Las acepciones 1-3, del latín *appositum*, y éste de *apponere* (colocar). La acepción 4, del italiano *posta* (lugar del caballo en el establo). □ MORF. En las acepciones 1, 2 y 3, es irreg.: La *o* diptonga en *ue* en las presentes, excepto en las personas *nosotros* y *vosotros* →CONTAR. □ SINT. **1.** Constr. de las acepciones 1 y 2: *apostar A algo.* **2.** Constr. de la acepción 3: *apostar POR algo.* □ SEM. La acepción 3 no debe emplearse con el significado de 'ser partidario, decidirse u optar': *Este partido {*apuesta por/es partidario de} un ejército profesional.*

apostasía s.f. Abandono o negación expresa de unas ideas o de unas creencias, esp. las de la fe cristiana.

apóstata s. Persona que apostata de sus ideas o de sus creencias, o las abandona o niega expresamente. □ ETIMOL. Del griego *apostátes*, y éste de *aphístamai* (me alejo). □ MORF. Es de género común: *el apóstata, la apóstata.* □ SEM. Dist. de *hereje* (que se aparta de los dogmas).

apostatar v. Referido esp. a unas creencias, renegar de ellas o negarlas expresamente: *Apostató del catolicismo.* □ SINT. Constr. *apostatar DE algo.*

apostema s.f. Absceso o acumulación de pus que supura. □ ETIMOL. Del latín *apostema*, y éste del griego *apóstema* (alejamiento, absceso). □ ORTOGR. Se admite también *postema.* □ USO Aunque la RAE prefiere *apostema*, se usa más *apostema.*

apostilla s.f. Anotación o comentario que explica o completa un texto. □ ETIMOL. Del latín *postilla*, y éste quizá por contracción de *post illa* (después de aquellas cosas).

apostillar v. Referido a un texto, ponerle apostillas: *Cuando dije que no quería su ayuda, mi socio apostilló: —Ni la quieres, ni la necesitas.*

apóstol s.m. **1** Cada uno de los doce discípulos que Jesucristo eligió para que predicaran y extendieran el Evangelio. **2** Evangelizador o predicador. **3** Persona que defiende, enseña y propaga unas ideas o creencias. ☐ ETIMOL. Del latín *apostolus*, y éste del griego *apóstolos* (enviado). ☐ MORF. Incorr. el femenino **la apóstol.*

apostolado s.m. **1** Enseñanza y propagación del Evangelio. **2** Campaña de propaganda a favor de unas ideas o creencias, o en defensa de una causa que se considera justa.

apostólico, ca adj. **1** De los apóstoles o relacionado con ellos. **2** Que procede del Papa o de su autoridad. **3** Referido a la Iglesia, que procede en cuanto a su origen y a su doctrina de los apóstoles.

apostrofar v. Invocar o llamar a alguien en un tono emocionado: *Ante tanta desgracia apostrofó al Destino diciendo: —¡Oh, Fortuna caprichosa! ¿Qué otros castigos me tenéis preparados?*

apóstrofe s. Figura retórica consistente en dirigir la palabra en tono emocionado a una persona o cosa personificada, generalmente utilizando la segunda persona e interrumpiendo el hilo del discurso. ☐ ETIMOL. Del latín *apostrophe*, y éste del griego *apostrophé* (acción de apartarse). ☐ ORTOGR. Dist. de *apóstrofo.* ☐ MORF. Aunque la RAE lo registra como sustantivo de género ambiguo (*el apóstrofe logrado*, *la apóstrofe lograda*), se usa más como masculino.

apóstrofo s.m. En ortografía, signo gráfico que se emplea para indicar la elisión de una letra o de una cifra: *Un ejemplo de uso del apóstrofo en francés se da en: 'l'eau < l(a) eau'.* ☐ ETIMOL. Del griego *apóstrophos* (que se aparta). ☐ ORTOGR. 1. Dist. de *apóstrofe.* 2. →APÉNDICE DE SIGNOS DE PUNTUACIÓN. ☐ USO Por influencia del inglés, se usa mucho en la indicación de un año: *'96 (1996).*

apostura s.f. Elegancia y gallardía de una persona, esp. en sus gestos y movimientos.

apotegma s.f. Frase breve y sentenciosa, muy conocida, que se atribuye a un personaje célebre. ☐ ETIMOL. Del griego *apóphthegma*, y éste de *apophthéngomai* (yo declaro, yo enuncio una sentencia). ☐ ORTOGR. Dist. de *apotema.*

apotema s.f. Línea perpendicular trazada desde el centro de un polígono regular a cualquiera de sus lados. ☐ ETIMOL. Del griego *apotíthemi* (deponer, bajar). ☐ ORTOGR. Dist. de *apotegma.*

apoteósico, ca adj. **1** Que recibe la aprobación y el aplauso generales: *éxito apoteósico.* **2** Excelente o deslumbrante, por ser el momento culminante de algo: *final apoteósico.*

apoteosis s.f. Culminación brillante de algo, esp. de un espectáculo. ☐ ETIMOL. Del griego *apothéosis* (endiosamiento). ☐ MORF. Invariable en número.

apoyar v. **1** Referido esp. a una cosa, hacer que descanse sobre otra, de modo que ésta sostenga a aquélla: *Apoyó la bicicleta en la pared. Apóyate en mí, si ves que te cansas.* **2** Referido esp. a una opinión o una doctrina, basarlas o fundarlas en datos o razones que las justifiquen: *Apoyo mis propuestas en datos concretos. ¿En qué te apoyas para decir eso?* **3** Referido a una opinión o una doctrina, confirmarlas o reforzarlas: *Lo que acabas de decir apoya mi teoría.* **4** Referido a una persona o a una empresa, favorecerlas,

patrocinarlas o ayudarlas a conseguir lo que se proponen: *Mis padres me apoyan en todo lo que hago.* ☐ ETIMOL. Del italiano *appoggiare.*

apoyatura s.f. **1** Apoyo: *En este antiguo edificio han puesto unas vigas de hierro como apoyatura para que no se derrumbe.* **2** En música, nota cuyo valor se toma del signo siguiente para no alterar la duración del compás: *La apoyatura es una nota de adorno.* ☐ ETIMOL. Del italiano *appoggiatura.*

apoyo s.m. **1** Lo que sirve para sujetar o sostener algo y evitar que se caiga. **2** Lo que justifica, prueba o confirma una idea, opinión o doctrina. **3** Ayuda y protección. ☐ SEM. Es sinónimo de *apoyatura.*

apreciable adj. Que merece ser apreciado y estimado. ☐ MORF. Invariable en género.

apreciación s.f. **1** Valoración que alguien hace de algo, objetiva o subjetivamente. **2** Captación, por los sentidos o por la inteligencia, de las cosas o de sus cualidades.

apreciar v. **1** Referido a algo, reconocer y valorar positivamente su mérito: *Veo que sabes apreciar un buen libro. Aprecio mucho lo que estás haciendo por mí.* **2** Referido a una persona, sentir cariño o estima hacia ella: *Te aprecio porque eres sincera conmigo.* **3** Referido a las cosas y sus cualidades, captarlas por los sentidos o por la inteligencia: *Aprecio cierta ironía en tus palabras.* **4** Referido a una moneda, aumentar su valor o cotización: *La peseta se apreció un dos por ciento en la última semana frente al dólar.* ☐ ETIMOL. Del latín *appretiare.* ☐ ORTOGR. La *i* nunca lleva tilde. ☐ MORF. La acepción 4 se usa más como pronominal.

apreciativo, va adj. De la apreciación o valoración de algo.

aprecio s.m. **1** Cariño o estima que se siente por alguien a quien se atribuyen determinadas cualidades. **2** Reconocimiento y valoración positiva del mérito o la importancia de algo.

aprehender v. **1** Referido a una persona, apresarla, detenerla o privarla de libertad: *Los ladrones fueron aprehendidos horas después del robo.* **2** Referido esp. a un botín, capturarlo o apropiarse de él: *La policía ha aprehendido un alijo de droga.* **3** Referido a una idea o a un conocimiento, asimilarlos o comprenderlos: *No consiguió aprehender las explicaciones del profesor.* ☐ ETIMOL. Del latín *apprehendere.* ☐ ORTOGR. Dist. de *aprender.* ☐ SEM. En la acepción 3, aunque la RAE lo considera sinónimo de *aprender*, en la lengua actual no se usa como tal.

aprehensión s.f. **1** Apresamiento o detención de alguien. **2** Captura de un botín o de una mercancía de contrabando. **3** Asimilación o comprensión de una idea o de un conocimiento. ☐ ORTOGR. Dist. de *aprensión.*

aprehensivo, va adj. Capaz de aprehender o asimilar una idea o un conocimiento. ☐ ORTOGR. Dist. de *aprensivo.*

[apremiante adj. Que urge o apremia. ☐ MORF. Invariable en género.

apremiar v. **1** Referido a una persona, meterle prisa u obligarla con fuerza o con autoridad a que haga algo con rapidez: *No la apremies tanto, y déjala trabajar a su ritmo. Debemos terminar de una vez porque el tiempo apremia.* **2** Urgir o ser necesaria o conveniente la inmediata ejecución de algo: *Me apremia saber si he aprobado o no.* ☐ ETIMOL. Del latín *premere* (apretar, oprimir). ☐ ORTOGR. La *i* nunca lleva tilde.

apremio s.m. Prisa o presión ejercida para que alguien haga algo con rapidez.

aprender v. 1 Referido a un conocimiento, adquirirlo por medio del estudio o de la experiencia: *Con este método es muy fácil aprender a escribir a máquina. Tengo que aprenderme esta lección para mañana.* 2 Fijar en la memoria: *Tu número de teléfono es muy fácil de aprender. Apréndete esta contraseña y dila cuando te la pidan.* ☐ ETIMOL. Del latín *apprehendere.* ☐ ORTOGR. Dist. de *aprehender.*

aprendiz, -a s. Persona que aprende un arte o un oficio manual.

aprendizaje s.m. Adquisición de unos conocimientos, esp. en un arte o en un oficio.

aprensión s.f. 1 Escrúpulo o recelo que se sienten hacia algo, esp. por miedo a contagiarse de una enfermedad o a recibir algún daño. 2 Temor infundado. ☐ ETIMOL. Del latín *apprehensio.* ☐ ORTOGR. Dist. de *aprehensión.*

aprensivo, va adj./s. Que siente un miedo excesivo a contagiarse de alguna enfermedad o a sufrir algún daño, o una excesiva preocupación por sus dolencias. ☐ ORTOGR. Dist. de *aprehensivo.*

[après ski (galicismo) ‖ Tiempo que se pasa en una estación de esquí después de esquiar y conjunto de actividades de entretenimiento que se pueden realizar en ese tiempo: *botas de 'après ski'.* ☐ PRON. [apreskí]. ☐ USO Su uso es innecesario.

apresamiento s.m. Captura o fuerte sujeción.

apresar v. 1 Coger fuertemente con las garras o los colmillos: *Los galgos apresaron a la liebre con los dientes.* 2 Encerrar o poner en prisión: *La policía ha conseguido apresar al asesino.* 3 Atar o sujetar con fuerza, privando de libertad de movimiento; aprisionar: *El tigre fue apresado con unas redes.* 4 Referido a una embarcación, tomarla por la fuerza: *Una patrullera marroquí ha apresado a un pesquero español por faenar en sus aguas jurisdiccionales.* ☐ ETIMOL. Del latín *apprensare.*

aprestar v. 1 Preparar o disponer con lo necesario: *Se aprestaba a comer cuando le llamaron por teléfono.* 2 Referido a un tejido, prepararlo con ciertas sustancias para que tenga más consistencia y quede más rígido: *He aprestado la camisa con almidón.* ☐ ETIMOL. Del latín *praestus.* ☐ SINT. Constr. *aprestarse A hacer algo.*

apresto s.m. Preparación de un tejido para que tenga una mayor consistencia o una mayor rigidez.

apresurado, da adj. Que muestra o que tiene prisa.

apresuramiento s.m. Prisa por hacer algo cuanto antes.

apresurar ‖ v. 1 Imprimir velocidad: *Apresuró el paso para llegar antes a casa.* ‖ prnl. 2 Darse prisa: *Apresúrate, o llegaremos tarde.* ☐ ETIMOL. Del antiguo *presura* (aprieto, congoja), y éste del latín *pressura* (acción de apretar).

apretado, da adj. 1 Difícil, peligroso o arriesgado. [2 Lleno de obligaciones, actividades o trabajos. 3 Ajustado, estrecho o con poco margen.

apretar v. 1 Oprimir o ejercer presión: *Apretó los dientes con fuerza para contener su rabia.* 2 Venir demasiado ajustada una prenda de vestir: *He engordado, y los pantalones me aprietan.* 3 Apiñar, comprimir o juntar estrechamente: *Aprieta bien las* cosas de la maleta para que quepa todo. *Si nos apretamos, cabe uno más en el coche.* 4 Acosar con ruegos, con razones o con amenazas: *Si lo aprietas un poco, conseguirás que te conceda una entrevista.* 5 Referido a algo que sirve para estrechar, tirar de ello para que ejerza una mayor presión: *Aprieta bien los cordones de los zapatos antes de anudarlos.* [6 Referido a algo que tiene rosca, enroscarlo con fuerza hasta el tope: *¿'Has apretado' bien los tornillos?* 7 Actuar o darse con mayor intensidad que la normal: *Si apretáis un poco a final de curso, aprobaréis todas las asignaturas. En diciembre el frío aprieta.* ☐ ETIMOL. Del latín *appectorare* (estrechar contra el pecho). ☐ MORF. Irreg. →PENSAR.

apretón s.m. 1 Presión fuerte y rápida que se ejerce sobre algo: *un apretón de manos.* 2 Falta de espacio causada por el exceso de gente. 3 *col.* Movimiento violento de los intestinos que produce una necesidad repentina e incontenible de defecar.

apretujamiento s.m. 1 *col.* Presión fuerte o reiterada que se ejerce sobre algo. 2 *col.* Amontonamiento de varias personas en un espacio muy reducido.

apretujar ‖ v. 1 *col.* Apretar con fuerza o repetidas veces: *No apretujes tanto al gatito, que lo vas a asfixiar.* ‖ prnl. 2 *col.* Referido a varias personas, amontonarse en un lugar demasiado pequeño: *Si nos apretujamos un poco, cabremos los cuatro en el sofá.* ☐ ORTOGR. Conserva la *j* en toda la conjugación.

apretujón s.m. *col.* Presión fuerte o reiterada que se ejerce sobre algo, esp. sobre una persona.

apretura s.f. 1 Opresión causada por el exceso de gente que hay en un sitio. 2 Falta o escasez de algo, esp. de alimentos. 3 Apuro o situación difícil de resolver; aprieto.

aprieto s.m. Apuro o situación difícil de resolver; apretura. ☐ ETIMOL. De *apretar.*

apriorístico, ca adj. [Que se hace a priori.

aprisa adv. Con mucha rapidez; deprisa. ☐ ORTOGR. Se admite también *a prisa.*

aprisco s.m. Lugar en el que los pastores recogen el rebaño para resguardarlo del frío o de la intemperie. ☐ ETIMOL. De *apriscar* (recoger el ganado).

[aprisionamiento s.m. Sujeción de algo con fuerza, de forma que no pueda moverse.

aprisionar v. Atar o sujetar con fuerza, privando de libertad de movimiento; apresar: *Me aprisionó entre sus brazos y no me dejaba escapar.*

aprobación s.f. Aceptación de algo que se da por bueno o que se considera válido.

aprobado s.m. Calificación académica mínima que indica que se ha superado el nivel exigido; suficiente.

aprobar v. 1 Dar por válido, bueno o suficiente: *No apruebo tu decisión de abandonar los estudios.* 2 Referido esp. a un examen, obtener la certificación de que se poseen los conocimientos mínimos exigidos: *He aprobado literatura con notable.* ☐ ETIMOL. Del latín *approbare.* ☐ MORF. Irreg. →CONTAR.

aprobatorio, ria adj. Que aprueba o que implica aprobación.

apropiación s.f. Adquisición de algo como propio, esp. si es de forma indebida.

apropiado, da adj. Que cumple las características adecuadas para el fin al que se destina.

apropiar ‖ v. 1 Acomodar o adaptar correctamente: *Intenta siempre apropiar tu comportamiento a*

las circunstancias. ▌ prnl. **2** Referido a algo ajeno, hacerse dueño de ello: *Se le acusa de haberse apropiado de dinero que no le pertenecía.* □ ETIMOL. Del latín *appropiare.* □ ORTOGR. La *i* nunca lleva tilde.
aprovechable adj. Que se puede aprovechar. □ MORF. Invariable en género.
aprovechado, da ▌ adj. **1** Que saca provecho de todo, incluso de lo que otros suelen desperdiciar. **2** Que es aplicado o que pone interés en lo que hace. ▌ adj./s. **3** Que saca beneficio de las circunstancias favorables, generalmente sin escrúpulos o a costa de los demás.
aprovechamiento s.m. Obtención de un beneficio o de un provecho.
aprovechar ▌ v. **1** Emplear útilmente o sacar el máximo rendimiento: *He aprovechado el hueso del jamón para hacer un caldo. Ahora que tienes dinero, aprovecha y vete de viaje.* **2** Avanzar en el aprendizaje de una materia: *¿Habéis aprovechado en clase de matemáticas?* **3** Servir de provecho: *¿Te aprovecharon los apuntes que te dejé?* ▌ prnl. **4** Sacar provecho, esp. con astucia o con engaños: *Se aprovechó de mi inocencia y me timó.* **[5** col. Propasarse sexualmente: *Al verla tan borracha, intentó 'aprovecharse' de ella.* □ SINT. 1. Constr. de la acepción 2: *aprovechar EN algo.* 2. Constr. de las acepciones 4 y 5: *aprovecharse DE algo.*
[aprovechón, -a adj./s. col. Aprovechado: *Eres un 'aprovechón' y nunca dejas tu bicicleta a nadie.*
aprovisionamiento s.m. Suministro o entrega de lo que resulta necesario, esp. víveres; abastecimiento.
aprovisionar v. Referido a algo que resulta necesario, esp. a víveres, suministrarlo o proveer de ello; abastecer: *Esta empresa aprovisiona de pan a varios restaurantes. Se aprovisionaron de comida para toda la semana.* □ SINT. Constr. *aprovisionar DE algo.*
aproximación s.f. **1** Acercamiento o colocación en una posición más próxima. **2** En la lotería nacional, cada uno de los premios que se conceden a los números anterior y posterior de los primeros premios de un sorteo. **3** En matemáticas, diferencia admisible entre un valor obtenido en una medición o cálculo y el valor exacto desconocido.
aproximar v. Acercar, arrimar o poner más cerca: *Aproxima la silla a la pared, por favor. Aproxímate para que pueda verte bien.*
aproximativo, va adj. Que se aproxima o que se acerca más o menos a lo exacto: *cálculo aproximativo.*
ápside s.m. Cada uno de los dos extremos del eje mayor de la órbita de un planeta: *La línea de los ápsides une los puntos de mayor y menor proximidad al Sol de un planeta.* □ ETIMOL. Del griego *apsís,* y éste de *ápto* (enlazo). □ ORTOGR. Dist. de *ábside.* □ USO Se usa más en plural.
áptero, ra adj. **1** Que no tiene alas. **2** Referido a un templo antiguo, que carece de pórticos con columnas en sus fachadas laterales. □ ETIMOL. Del griego *ápteros,* y éste de *a-* (privación) y *pterón* (ala).
aptitud s.f. Capacidad para llevar a cabo una tarea o para realizar bien una función determinada. □ ETIMOL. Del latín *aptitudo.* □ ORTOGR. Dist. de *actitud.*
apto, ta adj. Que es apropiado o idóneo para un determinado fin. □ ETIMOL. Del latín *aptus.* □ ORTOGR. Dist. de *acto.*

apud (latinismo) prep. En la obra de, o en el libro de: *La expresión 'apud Covarrubias' quiere decir 'en la obra de Covarrubias'.* □ PRON. [ápud].
apuesta s.f. Véase **apuesto, ta.**
apuesto, ta ▌ adj. **1** Que resulta elegante y de buena presencia. ▌ s.f. **2** Acuerdo entre dos o más personas según el cual la persona que acierte o tenga razón en el motivo de discusión recibirá de los perdedores el premio fijado de antemano. **3** Gasto de una cantidad de dinero para poder participar en un juego, en el que, si se gana, se recibe una cantidad superior a la apostada. **4** Lo que se arriesga en estos acuerdos o en estos juegos. **5** Depósito de la confianza en algo que implica cierto riesgo. □ ETIMOL. La acepción 1, del latín *appositus,* y éste de *apponere* (colocar). Las acepciones 2-5, de *apostar.*
apunarse v. En zonas del español meridional, provocar puna o mal de montaña, o sufrirlo.
apuntado, da adj. Con los extremos terminados en punta.
apuntador, -a s. En el teatro, persona que permanece oculta a los espectadores y que en voz baja recuerda a los actores lo que deben decir en escena.
apuntalamiento s.m. Colocación de puntales.
apuntalar v. **1** Colocar puntales, esp. para reforzar o para evitar un derrumbe: *Habrá que apuntalar las paredes que estén a punto de caerse.* **2** Referido esp. a una opinión, sostenerla: *Mi abuela apuntala sus razonamientos con refranes.*
apuntar ▌ v. **1** Señalar o estar dirigido hacia un lugar determinado: *La brújula apunta al Norte.* **2** Referido a un arma, colocarla o dirigirla en la dirección del objetivo o del blanco deseado: *El cazador apuntó cuidadosamente el rifle a la cabeza del jabalí. Has fallado el tiro porque no has apuntado bien.* **3** Señalar, indicar o llamar la atención: *La profesora me apuntó la posibilidad de solicitar una beca.* **4** Pretender, ambicionar o desear fervientemente: *Esta chica es ambiciosa y apunta a lo más alto.* **5** Referido a una persona, inscribirla en una lista o en un registro, o hacerla miembro de una agrupación o de una sociedad: *Me apuntaron para participar en un concurso sin que yo lo supiera. Cuando se habla de hacer algo, es la primera en apuntarse.* **6** Referido a un dato, tomar nota de ello por escrito; anotar: *Si me llama alguien cuando no estoy, apúntame el recado.* **7** Referido a un tema, insinuarlo o tocarlo ligeramente: *En la primera clase el profesor apuntó los temas que formaban parte del trimestre.* **8** En el teatro, referido a un texto, recordárselo a los actores el apuntador: *Este actor se distrae a menudo y hay que apuntarle el texto.* **9** Referido esp. a algo que se ha olvidado, sugerírselo a alguien para que lo recuerde o para que lo corrija: *Mi compañero me apuntó la segunda pregunta del examen.* **10** Empezar a manifestarse o a aparecer: *Apuntaba el día cuando llegamos a nuestro destino.* ▌ prnl. **11** Referido a un éxito o a un tanto, atribuírselo o conseguirlo: *Con esta victoria nos hemos apuntado un éxito sin precedente.* □ ETIMOL. De *punta.*
apunte ▌ s.m. **1** Nota breve que se toma por escrito, esp. si es para recordar algo. **2** Dibujo rápido que se hace del natural. **3** En el teatro, texto escrito del que se sirve el apuntador. ▌ pl. **4** Resumen de la explicación del profesor tomada por escrito por los alumnos.

apuntillar v. **1** Referido a un toro, rematarlo con la puntilla: *Después de dar la estocada, el torero se retiró para que un mozo de su cuadrilla apuntillara al toro.* [**2** col. Rematar, acabar de estropear o dar el golpe definitivo: *Estábamos en una situación económica muy mala, pero aquellas deudas nos 'apuntillaron'.*

[apuñalamiento s.m. Ataque a una persona dándole puñaladas.

apuñalar v. Dar puñaladas: *Lo apuñalaron para robarle la cartera.*

apurado, da adj. **1** Que carece de dinero y de lo que resulta necesario. **2** Que presenta cierta dificultad o que resulta angustioso.

apurar ▮ v. **1** Acabar o llevar hasta el último extremo: *Apuró toda el agua del vaso.* [**2** Agotar o aprovechar al máximo: *'Apuró' hasta el último día de las vacaciones para volver a su casa.* **3** Apremiar o meter prisa: *Apura, o llegaremos tarde.* **4** Molestar, enfadar o hacer perder la paciencia: *Cualquier cosa te apura y te pone nervioso.* ▮ prnl. **5** Afligirse, preocuparse o perder la calma: *No te apures, que todo tiene solución.* ☐ ETIMOL. De *puro.*

apuro s.m. **1** Gran escasez de algo, esp. de dinero. **2** Conflicto, aprieto o situación difícil. **3** Vergüenza o reparo que se sienten por algo. **4** En zonas del español meridional, prisa.

[aquaplaning s.m. **1** Efecto que se produce cuando hay tanta agua en el pavimento que impide la adherencia de las ruedas al suelo. **2** Deporte consistente en deslizarse sobre el agua a la mayor velocidad posible. ☐ ETIMOL. La acepción 1, del francés *aquaplaning.* La acepción 2, del inglés *aquaplanning.* ☐ PRON. [acuaplánin].

[aquarium s.m. →**acuario.**

aquejar v. Referido esp. a una enfermedad, afectar o causar daño: *Al pobre hombre lo aquejan todos los males.* ☐ ETIMOL. De *quejar.* ☐ ORTOGR. Conserva la *j* en toda la conjugación.

aquel, aquella ▮ demos. **1** Designa lo que está más lejos, en el espacio o en el tiempo, de la persona que habla y de la persona que escucha: *Aquel año llovió mucho. Éste de aquí es mi coche y aquél de allí es el de mi hermana.* **2** Designa un término del discurso que se nombró en primer lugar: *Tiene un amigo y dos amigas, pero aquel chico vive fuera de su ciudad. Pidió ayuda a Luis y a Pedro, pero aquél se la negó.* ▮ s.m. **3** Cualidad imprecisa o indeterminada: *Es una persona con mucho aquel, cautivadora y atractiva.* ☐ ETIMOL. Del latín *eccum* (he aquí) e *ille, illa* (aquel, aquella). ☐ ORTOGR. Como demostrativo, cuando funciona como pronombre se puede escribir con tilde para facilitar la comprensión del enunciado: *Aquellos chicos juegan al fútbol* frente a *aquéllos, los espectadores.* ☐ MORF. El plural de *aquel* es *aquellos.* ☐ USO Como demostrativo, pospuesto a un sustantivo precedido del artículo determinado, suele tener un matiz despectivo: *¿Volviste a ver al hombre aquel?*

aquelarre s.m. Reunión nocturna de brujos y brujas. ☐ ETIMOL. Del vasco *akelarre* (prado del macho cabrío).

aquella demos. f. de **aquel.**

aquello pron.demos. Designa objetos o situaciones lejanos, señalándolos sin nombrarlos: *Me gustaba aquello de salir a pasear por el campo.*

Aquello es lo que más recuerdo de él. ☐ ORTOGR. Nunca lleva tilde. ☐ MORF. No tiene plural.

aquellos demos. pl. de **aquel.**

aquenio s.m. En botánica, fruto seco, con una sola semilla en su interior rodeada por una envoltura externa no soldada a ella: *El fruto del girasol es un aquenio.* ☐ ETIMOL. Del latín *achaenium,* y éste del griego *kháino* (me abro).

aqueo, a adj./s. De un pueblo de la antigua Grecia o relacionado con él.

aqueste, ta demos. *ant.* →**este.** ☐ ETIMOL. Del latín *eccumiste.* ☐ MORF. Su plural es *aquestos, aquestas.*

aquesto pron.demos. *ant.* →**esto.**

aquí adv. **1** En esta posición o lugar o a esta posición o lugar: *¿Vives aquí? Ven aquí. Aquí reside el principal problema.* **2** Ahora, en este momento o entonces: *De aquí en adelante no quiero oír hablar más del asunto.* **3** ‖ **aquí y allá**; en varios lugares sin precisar: *Hemos estado aquí y allá, mirando escaparates.* ‖ **de aquí para allá**; de un lugar a otro: *Llevo toda la mañana de aquí para allá.* ‖ **[de aquí te espero**; col. Muy grande o muy importante: *Tuvimos una discusión 'de aquí te espero'.* ☐ ETIMOL. Del latín *eccum hic.* ☐ SINT. Incorr. *Ven {*a aquí > aquí}.* ☐ USO **1.** En el lenguaje coloquial se usa como fórmula de presentación de una persona a otra: *Aquí Juan, mi hermano.* **2.** Su uso para designar personas se considera un vulgarismo: *{*Aquí > Este hombre}* me lo contó todo.

aquiescencia s.f. Consentimiento en la realización de algo o aceptación de lo propuesto por alguien. ☐ ETIMOL. Del latín *acquiescere* (entregarse al reposo, consentir calladamente).

aquiescente adj. Que consiente o que autoriza algo. ☐ MORF. Invariable en género.

aquietamiento s.m. Apaciguamiento de lo que estaba agitado o nervioso.

aquietar v. Tranquilizar, sosegar o restablecer la calma: *Las caricias de su ama aquietaron al perro. Después de la discusión, los ánimos se aquietaron.*

aquilatamiento s.m. Examen cuidadoso para fijar el mérito o valor de algo.

aquilatar v. Examinar en profundidad y calibrar: *Debemos aquilatar lo que hacemos en esta situación tan comprometida.* ☐ ETIMOL. De *quilate.*

aquilino, na adj. *poét.* Aguileño: *Su rostro aquilino se perfilaba en la oscuridad.* ☐ ETIMOL. Del latín *aquilinus.*

aquillado, da adj. **1** Con forma de quilla. **2** Referido a una embarcación, que tiene mucha quilla.

aquilón s.m. Viento que sopla o que viene del Norte; norte. ☐ ETIMOL. Del latín *aquilo.*

[ar interj. En el ejército, expresión que se usa para indicar que hay que cumplir inmediatamente la orden dada: *¡Descanso, 'ar'!*

ara s.f. **1** Lugar elevado en el que se celebran ritos religiosos. **2** En el cristianismo, mesa consagrada en la que el sacerdote celebra la misa. **3** ‖ **en aras de** algo; en su beneficio o en su honor: *Renunció a parte de su herencia en aras de la armonía familiar.* ☐ ETIMOL. Del latín *ara* (altar). ☐ MORF. Por ser un sustantivo femenino que empieza por *a* tónica acentuada, va precedido de *el, un, algún, ningún* y de las formas femeninas del resto de los determinantes. □ SEM. En las acepciones 1 y 2, es sinónimo de *altar*.

árabe ∎ adj./s. **1** De Arabia (península del sudoeste asiático) o relacionado con ella. **2** De los pueblos de lengua árabe o relacionado con ellos. ∎ s.m. **3** Lengua semítica de estos pueblos. □ MORF. 1. Como adjetivo es invariable en género. 2. Como sustantivo es de género común: *el árabe, la árabe*. 3. Cuando es un sustantivo femenino, pese a empezar por *a* tónica o acentuada, va siempre precedido de las formas femeninas de los determinantes. 4. En la acepción 2, la RAE sólo lo registra como adjetivo. □ SEM. 1. Dist. de *islámico* y *musulmán* (referente a la religión). 2. En la acepción 1, como adjetivo es sinónimo de *arábigo*.

arabesco s.m. Adorno pintado o labrado, compuesto de figuras geométricas y de motivos vegetales entrelazados de forma muy variada y complicada, característico de la arquitectura árabe. □ ETIMOL. Del italiano *arabesco*, y éste de *arabo* (árabe), porque los arabescos son adornos característicos del arte musulmán, que no admite representaciones humanas ni animales.

arábigo, ga adj. →**árabe**.

arabismo s.m. En lingüística, palabra, significado o construcción del árabe empleados en otra lengua.

arabista s. Persona especializada en el estudio de la lengua y de la cultura árabes. □ MORF. Es de género común: *el arabista, la arabista*.

arabización s.f. Difusión o adopción de las características que se consideran propias de lo árabe.

arabizar v. Dar características que se consideran propias de lo árabe: *La expansión árabe de los siglos VII y VIII arabizó a los pueblos del Mediterráneo*. □ ORTOGR. La *z* se cambia en *c* delante de e →CAZAR.

arácnido, da ∎ adj./s.m. **1** Referido a un animal invertebrado, que se caracteriza por tener cuatro pares de patas y el cuerpo dividido en cefalotórax y abdomen: *Las arañas y las garrapatas son arácnidos*. ∎ s.m.pl. **2** En zoología, clase de estos animales pertenecientes al tipo de los artrópodos. □ ETIMOL. Del griego *arákhne* (araña).

arado s.m. Instrumento empleado en agricultura para labrar la tierra abriendo surcos en ella. □ ETIMOL. Del latín *aratrum*. ✍ apero

arador ∥**arador de la sarna**; ácaro de pequeño tamaño, parásito del hombre, que produce la enfermedad de la sarna. □ MORF. Es epiceno: *el arador de la sarna macho, el arador de la sarna hembra*.

aradura s.f. Trabajo de arar un campo.

aragonés, -a ∎ adj./s. **1** De Aragón o relacionado con esta comunidad autónoma española. **2** Del antiguo reino de Aragón o relacionado con él. ∎ s.m. **3** Dialecto romance que se habla en esta comunidad autónoma y en otros territorios.

aragonesismo s.m. En lingüística, palabra, significado o construcción sintáctica propios del aragonés y empleados en otra lengua.

arameo, a ∎ adj./s. **1** De un pueblo bíblico que habitó en el antiguo país de Aram (territorio asiático que se corresponde aproximadamente con el actual norte sirio), o relacionado con él. ∎ s.m. **2** Lengua semítica de este y de otros pueblos. **3** ∥**jurar en arameo**; *col*. Maldecir o decir frases malsonantes.

[aramida s.f. Polímero sintético, ligero y muy resistente, que se emplea en la fabricación de tejidos y plásticos.

arancel s.m. Impuesto o tarifa oficial que se ha de pagar por algunos derechos, esp. por importar productos extranjeros. □ ETIMOL. De origen incierto.

arancelario, ria adj. Del arancel o relacionado con este impuesto.

arándano s.m. **1** Planta de hojas aserradas y alternas, y flores solitarias de color blanco verdoso o rosado, cuyo fruto es redondeado de color negruzco o azulado. **2** Fruto comestible de esta planta: *De postre pedí mermelada de arándanos*. □ ETIMOL. De origen incierto. □ SEM. Es sinónimo de *mirtilo*.

arandela s.f. **1** Pieza plana, fina, y generalmente circular, con un orificio en el centro, que se usa para mejorar la fijación entre dos piezas o para disminuir el roce entre ellas: *Utilizó una arandela para que la tuerca y el tornillo quedaran más ajustados*. **2** Pieza con una forma semejante a la anterior. □ ETIMOL. Del francés *rondelle*, diminutivo de *rond* (redondo).

araña s.f. **1** Animal invertebrado con cuatro pares de patas y el cuerpo dividido en cefalotórax y abdomen, que tiene unos órganos en la parte posterior de su cuerpo con los que produce la sustancia que, en forma de red, le sirve para cazar sus presas y para ir de un lugar a otro: *La araña no es un insecto sino un artrópodo*. **2** Lámpara de techo, con varios brazos, de los que cuelgan abundantes piezas de cristal de distintas formas y tamaños. ✍ alumbrado □ ETIMOL. Del latín *aranea* (telaraña, araña). □ MORF. En la acepción 1, es un sustantivo epiceno: *la araña macho, la araña hembra*.

arañar v. **1** Herir superficialmente rasgando la piel, con las uñas o con algo punzante: *El gato me arañó en la cara. Al caerse se arañó todas las rodillas*. **2** Referido a una superficie lisa y dura, rayarla superficialmente: *Al aparcar el coche le he arañado la puerta*. **3** *col*. Referido a algo que resulta necesario para un fin, hacerse poco a poco con ello, recolectándolo de distintos sitios y en pequeñas cantidades: *Ha ido arañando dinero de aquí y de allá hasta ahorrar lo suficiente*.

arañazo s.m. **1** Herida superficial hecha en la piel con las uñas o con un objeto punzante. **[2** Raya alargada y superficial hecha en un material liso y duro.

arañuelo s.m. Larva o gusano de algunos insectos parásitos de las plantas cultivadas.

arar v. Hacer surcos en la tierra para sembrarla después; labrar: *Hasta que no aremos el campo no podemos sembrarlo*. □ ETIMOL. Del latín *arare*.

[ararteko s.m. Defensor del pueblo del País Vasco (comunidad autónoma). □ USO Se usa más como nombre propio.

araucano, na ∎ adj./s. **1** De un pueblo indio que en la época de la conquista española habitaba la región centro-sur de Chile (país suramericano) o relacionado con él. ∎ s.m. **2** Lengua de este pueblo indio. □ SEM. Es sinónimo de *mapuche*.

araucaria s.f Árbol americano de hojas rígidas y verdes, flores poco visibles y fruto que contiene una almendra dulce muy alimenticia. □ ETIMOL. De *Arauco*, que es la región chilena donde nace la araucaria.

arbitraje s.m. **1** Ejercicio de las funciones propias de un árbitro en una competición deportiva, haciendo que se cumpla el reglamento. **2** Intervención de una persona o entidad en la resolución pacífica de algún conflicto surgido entre dos o más personas o entidades, mediante el acuerdo establecido entre ellas de acatar lo que decida esta tercera.

arbitral adj. Del árbitro o relacionado con él. ☐ MORF. Invariable en género.

arbitrar v. **1** Referido a una competición deportiva, hacer de árbitro, cuidando de que se cumpla el reglamento: *¿Quién va a arbitrar el partido del domingo?* **2** Referido a un conflicto entre varias partes, resolverlo otra persona ajena a dicho conflicto: *Las dos partes se comprometieron a acatar las resoluciones de la persona que arbitrará el conflicto.* ☐ ETIMOL. Del latín *arbitrare*.

arbitrariedad s.f. **1** Forma de actuar basada sólo en la voluntad o en el capricho y que no obedece a principios dictados por la razón, la lógica o las leyes. [**2** Lo que resulta arbitrario, y es así no por naturaleza, sino por convención.

arbitrario, ria adj. **1** Que actúa basándose sólo en la voluntad o en el capricho, y no sigue los principios dictados por la razón, la lógica o las leyes. [**2** Que es de una forma determinada por convención, y no por su naturaleza: *El signo lingüístico es 'arbitrario' porque entre la expresión y aquello a lo que alude no existe una relación de tipo natural.* ☐ ETIMOL. Del latín *arbitrarius*.

arbitrio s.m. **1** Capacidad o facultad de decisión o de tomar una resolución. **2** Voluntad o deseo que obedecen al capricho y no a la razón. ☐ ETIMOL. Del latín *arbitrium*.

arbitrista s. Persona que propone planes disparatados o simples para solucionar algún problema, esp. un problema político. ☐ MORF. Es de género común: *el arbitrista, la arbitrista.*

árbitro, tra s. **1** En algunas competiciones deportivas, persona que hace que se cumpla el reglamento. **2** Persona designada como juez por dos partes que están en conflicto. **3** Persona que influye sobre las demás en algún asunto porque es considerada una autoridad en él. ☐ ETIMOL. Del latín *arbiter*. ☐ MORF. Cuando es un sustantivo femenino, pese a empezar por *a* tónica o acentuada, va siempre precedido de las formas femeninas de los determinantes: la *árbitra*.

árbol s.m. **1** Planta de tronco leñoso y elevado, que se abre en ramas a cierta altura del suelo, y cuyas hojas forman una copa de aspecto característico para cada especie. **2** En una embarcación, cada uno de los maderos largos y redondos que sirven para sostener las velas; palo. **3** En una máquina, barra fija o giratoria que sirve para sostener las piezas que giran o para transmitir la fuerza motriz de unas piezas a otras: *Este coche tiene doble árbol de levas.* **4** ‖árbol genealógico; esquema o cuadro que muestra las relaciones de parentesco entre distintas generaciones de una misma familia. ☐ ETIMOL. Del latín *arbor*. ☐ MORF. Cuando se antepone a una palabra para formar compuestos, adopta la forma *arbori-*.

arbolado, da ▌ adj. **1** Referido a un lugar, que está poblado de árboles. ▌ s.m. **2** Conjunto de árboles.

arboladura s.f. Conjunto de palos que sostienen las velas en una embarcación.

arbolar v. **1** Referido a una embarcación, ponerle los palos que sostienen las velas: *En ese astillero ar-*

bolaron nuestro yate. **2** Referido esp. a una bandera o a un estandarte, levantarlos en alto; enarbolar: *En mi pueblo, los mozos arbolan los estandartes en las fiestas.* **3** Elevarse mucho las olas: *El mar se arboló y tuvimos que regresar a puerto.*

arboleda s.f. Terreno poblado de árboles. ☐ ETIMOL. Del latín *arboreta*.

arbóreo, a adj. Del árbol, con sus características o relacionado con él. ☐ ETIMOL. Del latín *arboreus*.

arborescencia s.f. **1** Conjunto de características de las plantas que se asemejan a un árbol o que tienen su mismo tipo de crecimiento. **2** Lo que tiene una forma parecida a la de un árbol.

arborescente adj. Con las características propias de un árbol. ☐ MORF. Invariable en género.

arbori- Elemento compositivo que significa 'árbol': *arboricultura, arborícola, arboriforme.* ☐ ETIMOL. Del latín *arbor*.

arboricida adj./s. Que destruye los árboles. ☐ ETIMOL. De *arbori-* (árbol) y *-cida* (que mata). ☐ MORF. 1. Como adjetivo es invariable en género. 2. Como sustantivo es de género común: *el arboricida, la arboricida.*

[arboricidio s.m. Destrucción masiva de árboles.

arborícola adj. Que vive en los árboles. ☐ ETIMOL. De *arbori-* (árbol) y el latín *colere* (habitar). ☐ MORF. Invariable en género.

arboricultor, -a s. Persona que se dedica a la arboricultura.

arboricultura s.f. Arte y técnica de cultivar árboles. ☐ ETIMOL. De *arbori-* (árbol) y *-cultura* (cultivo).

arboriforme adj. Con forma de árbol. ☐ ETIMOL. De *arbori-* (árbol) y el latín *forma* (figura). ☐ MORF. Invariable en género.

arbotante s.m. En un edificio, arco exterior que contrarresta el empuje de otro arco, de un muro o de una bóveda. ☐ ETIMOL. Del francés *arc-boutant*.

arbustivo, va adj. Con las características de un arbusto.

arbusto s.m. Planta perenne de tallo leñoso, y de ramas que se ramifican desde el suelo, que es de menor tamaño que un árbol: *La zarzamora, la azalea y la adelfa son arbustos.* ☐ ETIMOL. Del latín *arbustum* (bosquecillo).

arca ▌ s.f. **1** Caja generalmente de madera, con una tapa plana unida con bisagras por uno de sus lados y con cerraduras o candados en el opuesto. ▌ pl. **2** Lugar en el que se guarda el dinero que pertenece a una colectividad: *Estos nuevos fichajes han vaciado las arcas del club.* **3** ‖arca {de la alianza/del testamento}; aquella en la que se guardaban las tablas de los mandamientos que Dios entregó a Moisés (profeta israelita). ☐ ETIMOL. Del latín *arca*. ☐ MORF. Por ser un sustantivo femenino que empieza por *a* tónica o acentuada, va precedido de *el, un, algún, ningún* y de las formas femeninas del resto de los determinantes.

arcabucero s.m. Soldado armado con un arcabuz.

arcabuz s.m. Antigua arma de fuego, parecida a un fusil, que se disparaba prendiendo la pólvora con una mecha móvil. ☐ ETIMOL. Del francés *arquebuse*.

arcada s.f. **1** Conjunto de arcos de una construcción. **2** En un puente, cada uno de los espacios abiertos que existen entre dos pilares; ojo. **3** Movimiento violento del estómago, que provoca ganas de vomitar.

arcaico, ca ∎ adj. **1** Muy antiguo o anticuado. **[2** En geología, de la primera era de la historia de la Tierra o relacionado con ella. ∎ s.m. **[3** →**era arcaica.** ☐ ETIMOL. Del griego *arkhakós,* y éste de *arkhâios* (antiguo).

arcaísmo s.m. **1** Conservación o imitación de lo antiguo. **2** En lingüística, palabra, construcción o elemento lingüístico que, por su forma, por su significado o por ambas cosas, resultan anticuados respecto de un momento determinado. ☐ ETIMOL. Del griego *arkhasmós.*

arcaizante adj. Que imita lo arcaico. ☐ MORF. Invariable en género.

arcaizar v. Referido a una lengua, darle carácter arcaico empleando arcaísmos: *Para situar esta novela en el siglo XVI, el autor ha arcaizado el lenguaje.* ☐ ORTOGR. La *z* se cambia en *c* delante de *e.* →CAZAR.

arcángel s.m. En algunas religiones, ser o espíritu celestial de categoría superior a la de los ángeles. ☐ ETIMOL. Del latín *archangelus,* éste del griego *arkhángelos,* y éste de *arkhós* (jefe) y *ángelos* (mensajero).

arcano s.m. **1** Secreto reservado o misterio difícil de conocer. **2** ‖ **[arcano (mayor)**; cada una de las veintidós cartas del tarot que tienen que interpretarse para predecir el porvenir. ☐ ETIMOL. Del latín *arcanus* (secreto, oculto).

arce s.m. Árbol de madera muy dura y salpicada de manchas, que tiene hojas sencillas y lobuladas, flores pequeñas, fruto seco y rodeado de una especie de ala, y que crece en las regiones de clima templado: *En la bandera de Canadá hay una hoja de arce roja.* ☐ ETIMOL. Del latín *acer.*

arcedo s.m. Terreno poblado de arces.

arcén s.m. En una carretera, cada uno de los dos márgenes o bordes laterales reservados para el uso de peatones o para el tránsito de determinados vehículos. ☐ ETIMOL. Del latín *arger* (cerco).

archi- Elemento compositivo que significa 'superioridad' o 'situación preeminente': *archiduque, archiducal, archicofrade.* ☐ ETIMOL. Del griego *arkhi-,* del verbo *árkho* (yo mando, soy jefe). ☐ MORF. Puede adoptar las formas *arci-* (arcipreste) o *arz-* (arzobispo). ☐ USO El uso de *archi-* con el significado de 'muy' es propio de la lengua coloquial: *archiconocido, archisabido.*

archicofrade s. Persona que pertenece a una archicofradía. ☐ MORF. Es de género común: *el archicofrade, la archicofrade.*

archicofradía s.f. Cofradía que se distingue de otras por su mayor antigüedad o por sus mayores privilegios.

archidiácono s.m. Eclesiástico que está al frente del cabildo o comunidad de eclesiásticos de una catedral. ☐ ETIMOL. Del latín *archidiaconus,* y éste del griego *archidiákonos.*

archidiócesis s.f. Diócesis principal del conjunto que forma una provincia eclesiástica y que está dirigida por un arzobispo. ☐ MORF. Invariable en número.

archiducado s.m. **1** Título de archiduque. **2** Territorio sobre el que antiguamente un archiduque ejercía su autoridad.

archiducal adj. Del archiduque, del archiducado o relacionado con ellos. ☐ MORF. Invariable en género.

archiduque s.m. Príncipe de la casa de Austria y de Baviera (antiguas dinastías nobiliarias). ☐ MORF. Su femenino es *archiduquesa.*

archiduquesa s.f. de archiduque.

archipámpano s.m. *col.* Persona que ejerce un altísimo cargo imaginario: *Es el último mono de la oficina y, sin embargo, parece el archipámpano de las Indias.* ☐ USO Tiene un matiz humorístico.

archipiélago s.m. Conjunto de islas cercanas entre sí. ☐ ETIMOL. Del italiano *arcipelago* (mar principal), y éste del griego *árkho* (ser superior) y *pélagos* (mar).

archivador s.m. **1** Mueble de oficina con lo necesario para guardar documentos de una forma ordenada. **2** Carpeta que contiene varios apartados que sirven para guardar documentos de forma ordenada.

archivar v. **1** Referido a papeles o a documentos, guardarlos en un archivo ordenadamente: *He archivado los expedientes por orden alfabético.* **2** Referido a un asunto, darlo por finalizado: *La prensa no está dispuesta a archivar este asunto hasta que no quede aclarado.*

archivero, ra o **archivista** s. Persona encargada del mantenimiento y organización de un archivo. ☐ MORF. *Archivista* es de género común: *el archivista, la archivista.* ☐ USO *Archivista* es el término menos usual.

archivístico, ca ∎ adj. **1** De los archivos o relacionado con estos documentos. ∎ s.f. **[2** Técnica usada en el mantenimiento y en la organización de un archivo.

archivo s.m. **1** Conjunto de documentos que se producen en el ejercicio de una actividad o de una función: *Tiene un archivo muy completo de clientes.* **2** Lugar en el que se guardan de forma ordenada estos documentos. **3** En informática, conjunto de informaciones o de instrucciones grabadas como una sola unidad de almacenamiento que puede manejarse en bloque; fichero. ☐ ETIMOL. Del latín *archivum,* y éste del griego *arkhêion* (residencia de los magistrados).

archivología s.f. Ciencia que estudia los archivos.

archivolta s.f. →**arquivolta.** ☐ ETIMOL. Del italiano *archivolto.*

arci- →**archi-.**

arcilla s.f. Roca formada a partir de depósitos de grano muy fino, compuesta básicamente por silicato de aluminio, que suele usarse en alfarería. ☐ ETIMOL. Del latín *argilla.*

arcilloso, sa adj. Que tiene arcilla o que la contiene en gran cantidad.

arciprestazgo s.m. **1** Cargo de arcipreste. **2** Territorio asignado a un arcipreste para ejercer sus funciones.

arcipreste s.m. **1** Sacerdote que, por nombramiento del obispo, realiza cierta dirección sobre varias parroquias de una misma zona. **2** Antiguamente, sacerdote principal. ☐ ETIMOL. Del latín *archipresbyter,* y éste del griego *arkhós* (jefe) y *presbýteros* (presbítero).

arco s.m. **1** Arma compuesta por una vara de un material elástico, sujeta por los dos extremos a una cuerda muy tensa, que sirve para disparar flechas. **2** Vara delgada, curva o doblada en sus extremos, en los cuales se sujetan unas cerdas que se frotan contra las cuerdas de algunos instrumentos musicales para hacerlos sonar. 🎻 cuerda **3** En geometría, porción continua de una curva: *Si en una circunferencia marcas dos puntos, 'A' y 'B', obtendrás dos arcos, 'AB' y 'BA'.* 🔊 círculo [**4** Lo que tiene esta forma: *el 'arco' del pie.* 🔊 pie **5** En arquitectura, construcción curva que se apoya en dos pilares o columnas y que cubre el vano o el hueco que queda entre ellos. **6** En zonas del español meridional, portería. **7** ‖**arco abocinado**; aquel cuyo vano o hueco es más ancho por una cara de la pared que por la otra. ‖**arco adintelado**; el que tiene forma recta. ‖**arco {apuntado/ojival}**; aquel cuya parte superior termina en un ángulo agudo. ‖**arco {cegado/ciego}**; el que tiene tapiado el vano o hueco que cubre. ‖**arco conopial**; el apuntado en cuya parte superior se unen dos curvas inversas a las de los arcos de los que parten. ‖**arco crucero**; el que une en diagonal los ángulos de una bóveda por arista. ‖**arco de herradura**; el que mide más de media circunferencia. ‖**arco de medio punto**; el que tiene la forma de una semicircunferencia. ‖**arco {de triunfo/triunfal}**; monumento arquitectónico compuesto por uno o varios arcos, adornado con esculturas, y construido en honor de algún héroe o para celebrar alguna victoria. ‖**(arco) {fajón}**; el que corta la bóveda en sentido transversal a su eje. ‖**(arco) formero**; cada uno de los que se desarrollan paralelos al eje longitudinal de una nave. ‖**(arco) iris**; banda de colores con esta forma, que aparece en el cielo cuando la luz del Sol se descompone al atravesar las gotas de agua. ‖**arco peraltado**; el que tiene forma de una semicircunferencia y que continúa por cada uno de sus extremos con una línea recta. ‖**arco rebajado**; aquel que está constituido por una porción de circunferencia inferior a la mitad de la misma. ‖**arco voltaico**; en física, descarga eléctrica luminosa que se produce entre dos electrodos separados: *El arco voltaico se emplea en soldaduras y en fuentes luminosas muy intensas.* ☐ ETIMOL. Del latín *arcus.* 🔊 arco

arcón s.m. Arca grande.

ardentísimo, ma superlat. irreg. de **ardiente.**

arder v. **1** Estar en combustión o quemándose: *La casa empezó a arder y llamamos a los bomberos.* **2** Desprender mucho calor: *La sopa está ardiendo.* **3** Sentir un deseo o una pasión de forma violenta: *Ardía en deseos de abrazar a su hermano.* **4** En zonas del español meridional, escocer. ☐ ETIMOL. Del latín *ardere.* ☐ SINT. Constr. de la acepción 3: *arder EN algo.*

ardid s.m. Lo que se hace con habilidad y astucia para conseguir algo, esp. para engañar a alguien; treta. ☐ ETIMOL. Del antiguo *ardido* (valiente).

ardiente adj. **1** Que produce mucho calor o una sensación de ardor. **2** Fogoso, apasionado o que manifiesta mucho entusiasmo. **3** *poét.* Del color del fuego. ☐ MORF. 1. Invariable en género. 2. Su superlativo es *ardentísimo.*

ardilla s.f. Mamífero roedor que mide unos veinte centímetros de largo, tiene una cola grande y peluda, gran agilidad de movimientos, es muy inquieto y vive en los bosques. ☐ ETIMOL. Diminutivo del antiguo *harda.* ☐ MORF. Es un sustantivo epiceno: *la ardilla macho, la ardilla hembra.* 🔊 roedor

ardite s.m. Lo que es insignificante o tiene poco valor: *Todas mis riquezas no valen un ardite al lado de sus altas cualidades.* ☐ ETIMOL. Del gascón *ardit.*

ardor s.m. **1** Excitación de los afectos o de las pasiones. **2** Ansia o deseo intenso de algo. **3** Sensación de calor o de rubor en alguna parte del cuerpo: *ardor de estómago.* **4** Calor intenso. ☐ ETIMOL. Del latín *ardor.*

ardoroso, sa adj. **1** Que tiene ardor. **2** Que tiene o manifiesta mucha fuerza, entusiasmo y pasión.

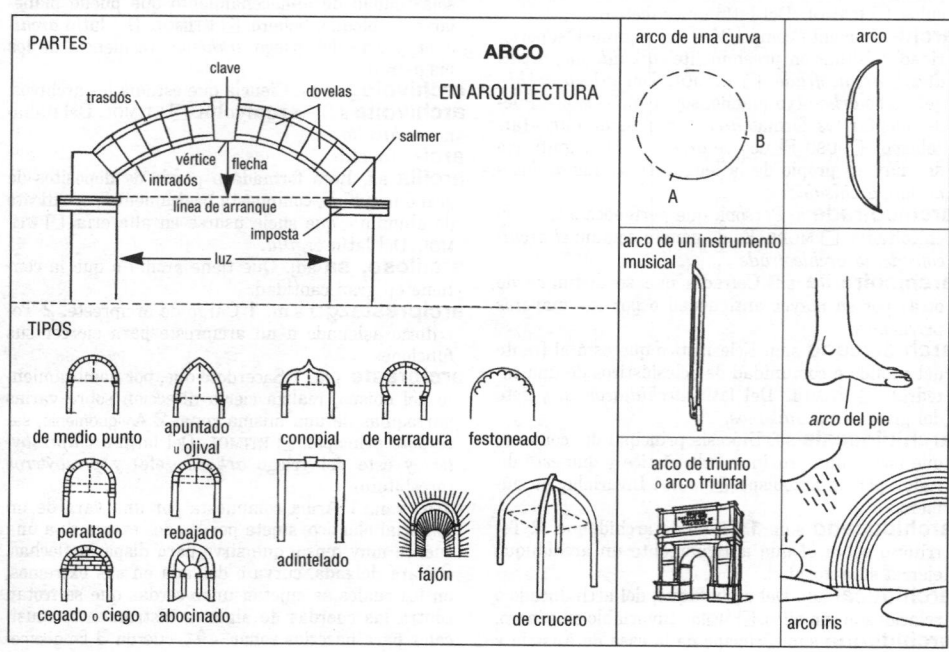

PARTES

ARCO
EN ARQUITECTURA

clave
trasdós
dovelas
salmer
vértice
intradós
flecha
línea de arranque
imposta
luz

arco de una curva
B
A

arco

arco de un instrumento musical

arco del pie

TIPOS

de medio punto   apuntado u ojival   conopial   de herradura   festoneado

peraltado   rebajado   adintelado   fajón

arco de triunfo o arco triunfal

cegado o ciego   abocinado   de crucero

arco iris

arduo, dua adj. Muy difícil. □ ETIMOL. Del latín *arduus* (escarpado, difícil).

área s.f. **1** Territorio comprendido entre unos límites: *En esta área de la isla se encuentran las mejores playas. Nos detuvimos en un área de descanso de la autopista.* **2** Espacio en el que se produce un determinado fenómeno o que se distingue por una serie de características comunes de carácter geográfico o económico: *El área cultural hispana está formada por todos los países donde se habla español.* **3** Campo o esfera de acción en los que mejor se pueden mostrar la índole, la naturaleza o las calidades de algo; territorio: *En el área de los negocios lo verás moverse con desenvoltura.* **4** Orden o serie de materias o de ideas de las que se trata: *El Ministerio prepara importantes proyectos en el área de Educación.* **5** Unidad de superficie que equivale a cien metros cuadrados. **6** En geometría, superficie comprendida dentro de un perímetro. **7** En algunos deportes, zona marcada delante de la meta y en la que las faltas cometidas dentro de ella son castigadas con sanciones especiales. **8** ‖ **[área de servicio**; en una autopista, lugar habilitado para el estacionamiento de los vehículos y en el que suele haber gasolinera, restaurante y otros servicios. □ ETIMOL. Del latín *area* (solar sin edificar, era). □ MORF. Por ser un sustantivo femenino que empieza por *a* tónica o acentuada, va precedido de *el, un, algún, ningún* y de las formas femeninas del resto de los determinantes. □ SEM. En las acepciones 3 y 4, es sinónimo de *terreno*.

arena s.f. **1** Conjunto de partículas separadas de las rocas y acumuladas en las orillas del mar, de los ríos, o en capas de terrenos. **2** Lugar en el que se desarrollan combates o luchas: *Los gladiadores romanos luchaban con los leones en la arena.* **3** En una plaza de toros, ruedo. **4** ‖ **arenas movedizas**; las húmedas y poco consistentes que no soportan pesos. □ ETIMOL. Del latín *arena*.

arenal s.m. Extensión grande de terreno arenoso.

arenar v. →**enarenar**.

arenero s.m. Mozo encargado de mantener en condiciones adecuadas la superficie de arena del ruedo durante la lidia.

arenga s.f. Discurso solemne y de tono elevado, esp. el que se pronuncia con el fin de enardecer o avivar los ánimos. □ ETIMOL. Quizá del gótico **harihrings* (reunión del ejército).

arengar v. Dirigir una arenga: *El general arengaba a sus soldados.* □ ORTOGR. La *g* se cambia en *gu* delante de *e* →PAGAR.

arenilla s.f. Cálculo pequeño o acumulación anormal y más o menos compacta de sales y minerales, esp. el que se forma en la vejiga.

arenisco, ca ‖ adj. **1** Que tiene mezcla de arena. ‖ s.f. **2** Roca sedimentaria formada por arena de cuarzo cuyos granos están unidos por un cemento o masa mineral: *La arenisca es muy utilizada en construcción.*

arenoso, sa adj. Que tiene arena o alguna de sus características.

arenque s.m. Pez marino comestible, parecido a la sardina, que tiene el cuerpo comprimido, boca pequeña, color azulado por encima y plateado por el vientre, y que vive en aguas frías. □ ETIMOL. Del provenzal antiguo *arenc*. □ MORF. Es un sustantivo epiceno: *el arenque macho, el arenque hembra*.

areola o **aréola** s.f. **1** Zona rojiza que rodea una herida o un punto inflamado. **2** Círculo de color oscuro que rodea el pezón del pecho. □ ETIMOL. Del latín *areola*. □ ORTOGR. Se admiten también *aureola* y *auréola*.

areómetro s.m. Instrumento que sirve para medir la densidad relativa de los líquidos; densímetro. □ ETIMOL. Del griego *araiós* (tenue) y *-metro* (medidor). □ SEM. Dist. de *aerómetro* (instrumento para medir la densidad del aire y de otros gases).

arete s.m. **1** Aro pequeño de metal que se lleva en las orejas como adorno. ✦ joya **[2** En zonas del español meridional, pendiente que se introduce en el agujero de la oreja por medio de un arito.

arévaco, ca adj./s. De un antiguo pueblo prerromano que habitaba una zona correspondiente a parte de las actuales provincias de Soria y de Segovia, o relacionado con él.

argamasa s.f. Masa formada por cal, arena y agua, que se usa en obras de albañilería. □ ETIMOL. Quizá formada con el latín *massa* (masa).

argelino, na adj./s. De Argelia (país norteafricano), o relacionado con ella.

argénteo, a adj. **1** De plata o con alguna de sus características. **2** Bañado en plata.

argentífero, ra adj. Que contiene plata. □ ETIMOL. Del latín *argentiferus*, y éste de *argentum* (plata) y *ferre* (llevar).

argentino, na ‖ adj. **1** Referido a un sonido, que es claro y sonoro, como el que produce la plata. ‖ adj./s. **2** De Argentina (país suramericano), o relacionado con ella.

argolla s.f. **1** Aro grueso de metal que está fijo en un lugar y sirve para amarrar algo a él. **2** En zonas del español meridional, alianza o anillo de boda. □ ETIMOL. Del árabe *al-gulla* (el collar, las esposas).

argón s.m. Elemento químico no metálico y gaseoso, de número atómico 18, que se encuentra en el aire y en los gases volcánicos, y que es mal conductor del calor: *El argón es un gas noble.* □ ETIMOL. Del griego *argón* (inactivo), llamado así porque no entra en ninguna combinación química conocida. □ ORTOGR. Su símbolo químico es *Ar*.

argonauta s.m. En la mitología griega, cada uno de los héroes que, capitaneados por Jasón, se embarcaron en la nave Argos para ir en busca del vellocino de oro. □ ETIMOL. Del latín *argonauta*, y éste del griego *argonaútes* (tripulación de la nave Argos).

argot s.m. Variedad de lengua que usan entre sí las personas pertenecientes a un mismo grupo profesional o social; jerga. □ ETIMOL. Del francés *argot*. □ MORF. Aunque su plural es *argotes*, se usa más *argots*. □ SEM. 1. *Argot* se prefiere para el lenguaje de grupos sociales usado con intención de no ser entendidos por los demás o diferenciarse de ellos, frente a *jerga*, que se aplica esp. al lenguaje de grupos profesionales. 2. Aunque la RAE lo registra también como sinónimo de *jerigonza*, en la lengua actual no se usa como tal.

argucia s.f. Razonamiento o argumento falsos presentados con habilidad o astucia para hacerlos pasar por verdaderos.

argüir v. **1** Referido esp. a una prueba o a un argumento, presentarlos o alegarlos en favor o en contra de algo: *Arguye como excusa que a él nadie lo avisó. Los socios argüían en contra de la propuesta del presidente.* **2** Deducir como consecuencia natural o sacar en claro: *Por lo que me dices, arguyo que no estás de acuerdo conmigo.* ☐ ETIMOL. Del latín *arguere.* ☐ ORTOGR. La *ü* pierde la diéresis cuando la sigue *y.* ☐ MORF. Irreg. →ARGÜIR.

argumentación s.f. Aportación de razones o de argumentos en favor o en contra de algo.

argumental adj. Del argumento o relacionado con él. ☐ MORF. Invariable en género.

argumentar v. Dar razones o argumentos en favor o en contra de algo: *Si no sabes argumentar el porqué de tu actitud, no pretendas que te comprendamos.*

argumento s.m. **1** Asunto o materia de que trata una obra, esp. si es una obra literaria o cinematográfica. **2** Razonamiento usado para probar o demostrar algo, o para convencer a otro de lo que se afirma o se niega. ☐ ETIMOL. Del latín *argumentum.*

aria s.f. Véase **ario, ria.**

aridez s.f. **1** Sequedad o falta de humedad. **2** Falta de amenidad o de capacidad de resultar agradable o de entretener.

árido, da ∎ adj. **1** Seco y con poca humedad. **2** Falto de amenidad o de capacidad para resultar agradable o para entretener. ∎ s.m.pl. **3** Granos, legumbres y otros frutos secos a los que se aplican medidas de capacidad: *La fanega y el celemín son unidades tradicionales de capacidad para medir áridos.* ☐ ETIMOL. Del latín *aridus.*

aries adj./s. Referido a una persona, que ha nacido entre el 21 de marzo y el 19 de abril aproximadamente. ☐ ETIMOL. De *Aries* (primer signo zodiacal). ☐ MORF. 1. Como adjetivo es invariable en género. 2. Como sustantivo es de género común: *el aries, la aries.* 3. Invariable en número.

ariete s.m. **1** Antigua máquina militar que se utilizaba para derribar puertas y murallas y que estaba formada por una viga larga y pesada reforzada en uno de sus extremos por una pieza de hierro o bronce, generalmente en forma de cabeza de carnero. **2** En fútbol, delantero centro de un equipo. ☐ ETIMOL. Del latín *aries* (carnero), por la semejanza entre la forma de usar el ariete y la forma de envestir del carnero.

ario, ria adj./s. **1** Que pertenece a un pueblo de estirpe nórdica que habitó la zona asiática central y que fue considerado por los nazis como superior. ∎ s.f. **2** Composición musical para una sola voz con acompañamiento instrumental. ☐ ETIMOL. Del sánscrito *arya* (noble). ☐ MORF. En la acepción 2, por ser un sustantivo femenino que empieza por *a* tónica o acentuada, va precedido de *el, un, algún, ningún* y de las formas femeninas del resto de los determinantes.

arisco, ca adj. Difícil de tratar o poco amable. ☐ ETIMOL. De origen incierto.

arista s.f. **1** Línea que resulta de la intersección o encuentro de dos superficies. 𝕏 ángulo **2** Filamento áspero de la cáscara que envuelve el grano de trigo y el de otras plantas gramíneas. **[3** Dificultad que algo presenta. ☐ ETIMOL. Del latín *arista* (arista de la espiga, espina del pescado).

aristocracia s.f. **1** Grupo social formado por las personas más notables de un estado o por las que tienen un título de nobleza. **2** Grupo social que sobresale entre los demás por alguna circunstancia. ☐ ETIMOL. Del griego *aristokratía,* y éste de *áristos* (el mejor) y *krátos* (fuerza).

aristócrata s. Miembro de la aristocracia o partidario de ella. ☐ MORF. Es de género común: *el aristócrata, la aristócrata.*

aristocrático, ca adj. De la aristocracia o relacionado con ella.

aristotélico, ca ∎ adj. **1** De Aristóteles (filósofo griego del siglo IV a. C.), o relacionado con él. ∎ adj./s. **2** Que está de acuerdo con la doctrina de este filósofo.

aristotelismo s.m. **1** Conjunto de las doctrinas de Aristóteles (filósofo griego del siglo IV a. C.). **2** Tendencia o escuela filosófica posterior a Aristóteles cuyo punto de partida es el pensamiento de este filósofo.

aritmético, ca ∎ adj. **1** De la aritmética o relacionado con esta parte de las matemáticas. ∎ s. **2** Persona que se dedica profesionalmente al estudio de la aritmética o que está especializada en esta parte de las matemáticas. ∎ s.f. **3** Parte de las matemáticas que estudia los números y las operaciones hechas con ellos. ☐ ETIMOL. Del latín *arithmetica,* y éste del griego *arithmetiké* (arte numérica).

[aritmomancia s.f. Adivinación a través de los números.

arlequín s.m. Personaje cómico de teatro, procedente de la antigua comedia del arte italiana, que lleva una máscara negra y va vestido con un traje de cuadros o rombos de distintos colores. ☐ ETIMOL. Del italiano *arlecchino,* y éste del francés antiguo *Herlequin* (nombre de un diablo).

arma ∎ s.f. **1** Instrumento o máquina que sirve para atacar o para defenderse. 𝕏 arma **2** Defensa natural de que dispone un animal para atacar o para defenderse. **3** Medio que sirve para conseguir algo. **4** En una fuerza militar, cada uno de los grupos ar-

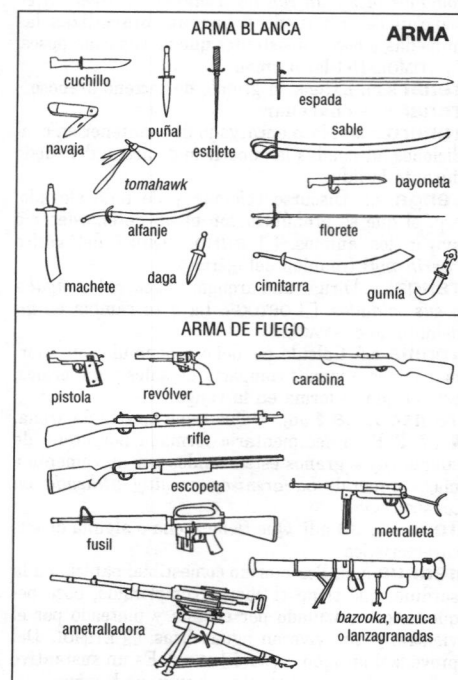

ARMA BLANCA — ARMA

cuchillo
navaja
puñal
estilete
tomahawk
alfanje
machete
daga
espada
sable
bayoneta
florete
cimitarra
gumía

ARMA DE FUEGO

pistola
revólver
carabina
rifle
escopeta
fusil
metralleta
ametralladora
bazooka, bazuca o lanzagranadas

mados que se caracterizan por su peculiar organización, armamento, equipo y modalidad de combate: *El arma de artillería inició el combate.* ∎ pl. **5** Profesión militar: *El ideal del caballero renacentista era compaginar las armas y las letras.* **6** Tropas o ejércitos de un Estado. **7** En heráldica, superficie u objeto con forma de escudo defensivo donde se pintan las figuras o piezas que son distintivos de un reino, de una ciudad, de un linaje o de una persona; blasón, escudo de armas. **8** ‖**alzarse en armas**; sublevarse. ‖**arma blanca**; la que consta de una hoja de acero y hiere por el filo o por la punta. ‖**arma de {doble filo/dos filos}**; lo que puede obrar en favor o en contra de lo que se pretende: *Hacer públicos esos datos es un arma de doble filo, porque podemos hundir a la competencia, pero también podemos hundirnos nosotros.* ‖**arma de fuego**; la que utiliza una materia explosiva para realizar los disparos. ‖**pasar por las armas** a alguien; fusilarlo. ‖**presentar armas**; referido a la tropa, rendir honor militar poniendo el fusil frente al pecho con el disparador hacia fuera. ‖**ser de armas tomar**; ser enérgico, decidido, o tener un carácter muy fuerte. ‖**velar las armas**; guardarlas sin perderlas de vista el que iba a ser armado caballero la noche anterior a este acto. ☐ ETIMOL. Del latín *arma* (armas). ☐ MORF. 1. Por ser un sustantivo femenino que empieza por *a* tónica o acentuada, va precedido de *el, un, algún* y de las formas femeninas del resto de los determinantes. 2. En las acepciones 2 y 3, la RAE lo registra en plural.

armada s.f. **1** Conjunto de las fuerzas navales de un estado. **2** Conjunto de barcos de guerra que participan en una determinada misión bajo el mismo mando; escuadra. ☐ ETIMOL. Del latín *armata*, y

éste de *armatus* (armado). ☐ MORF. En la acepción 1, se usa más como nombre propio. ☐ SEM. En la acepción 2, dist. de *marina* (conjunto de buques de una nación).

armadía s.f. Conjunto de maderas unidos unos con otros para poder ser transportados fácilmente por un río; almadía. ☐ ETIMOL. De *almadía*. ☐ ORTOGR. Se admite también *almadía*.

armadillo s.m. Animal mamífero que tiene el cuerpo protegido por una coraza ósea cubierta de escamas córneas y móviles, y que puede enrollarse sobre sí mismo. ☐ MORF. Es un sustantivo epiceno: *el armadillo macho, el armadillo hembra*.

armador, -a s. Persona que se dedica por su cuenta a la preparación y al equipamiento de embarcaciones. ☐ MORF. La RAE sólo lo registra como masculino.

armadura s.f. **1** Especie de traje formado por piezas metálicas articuladas con el que se vestían los guerreros para protegerse en los combates. ◁ armadura **2** Pieza o conjunto de piezas unidas que sirven para montar algo sobre ellas o para sostenerlo; armazón. ☐ ETIMOL. Del latín *armatura*.

[armamentismo s.m. Doctrina o actitud que defiende el incremento progresivo del número y de la calidad de las armas que posee un país.

armamentista ∎ adj. **1** Relacionado con la industria de las armas de guerra. ∎ adj./s. **2** Partidario de la doctrina o de la actitud del armamentismo. ☐ MORF. 1. Como adjetivo es invariable en género. 2. Como sustantivo es de género común: *el armamentista, la armamentista*.

armamento s.m. **1** Conjunto de las armas y del material que están al servicio de un soldado, de un cuerpo militar o de un ejército. **2** Preparación y pro-

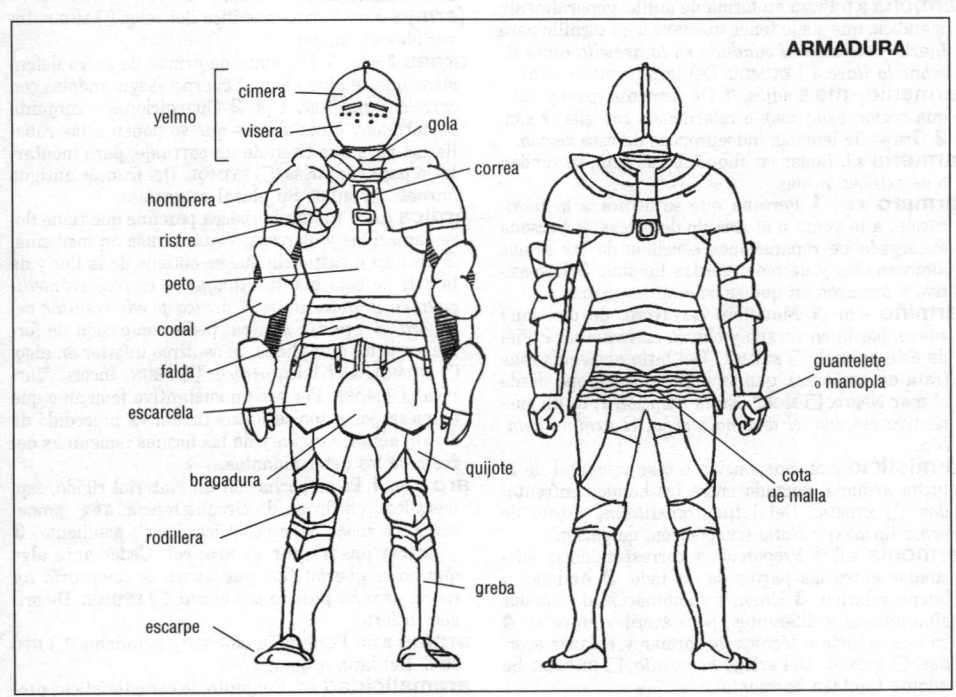

ARMADURA

cimera
yelmo
visera
gola
correa
hombrera
ristre
peto
codal
falda
escarcela
bragadura
rodillera
escarpe
quijote
guantelete o manopla
cota de malla
greba

visión de todo lo necesario para la guerra. □ ETI-
MOL. Del latín *armamentum*.
[armañac s.m. Bebida alcohólica originaria de Ar-
magnac (región francesa). □ ETIMOL. Del francés *ar-
magnac*.
armar ▌ v. **1** Proporcionar armas: *Armaron a toda
la población para poder hacer frente a los invasores.
Los exploradores se armaron de machetes y rifles
antes de entrar en la cueva.* **2** Preparar todo lo necesario para la guerra o para cualquier otra actividad: *El Gobierno decidió armar el ejército.* **3** Referido
esp. a un mueble, juntar sus piezas y ajustarlas entre
sí: *Tardaron sólo diez minutos en armar la tienda
de campaña.* **4** col. Referido esp. a una riña o a un
escándalo, promoverlos, causarlos o formarlos: *No
arméis tanto ruido. Con tanta gente en casa se armó
un jaleo tremendo.* **▌** prnl. **5** Referido a una actitud,
tomarla a fin de resistir alguna contrariedad: *Se
armó de paciencia y se sentó a esperar su llamada.*
6 ‖**armarla**; *col.* Provocar una riña o un alboroto:
*Ayer me callé, pero esta noche pienso armarla en
cuanto los vea.* □ SINT. Constr. de la acepción 5:
armarse DE *algo.*
armario s.m. Mueble con puertas que sirve para
guardar la ropa y otros objetos. □ ETIMOL. Del latín
armarium, que antiguamente significaba *lugar donde se guardan las armas.*
armatoste s.m. Lo que resulta grande y de poca
utilidad. □ ETIMOL. Del catalán antiguo *armatost.*
armazón s. Pieza o conjunto de piezas unidas que
sirven para montar algo sobre ellas o para sostenerlo; armadura: *Las gradas para el público se han
montado sobre un armazón de madera.* □ MORF. Es
de género ambiguo: *el armazón sólido, la armazón
sólida.*
armella s.f. Pieza en forma de anillo, generalmente
metálica, que suele tener un clavo o un tornillo para
fijarla: *Introduce el candado en la armella antes de
echar la llave.* □ ETIMOL. Del latín *armilla* (aro).
armenio, nia ▌ adj./s. **1** De Armenia (país y antigua región asiáticos), o relacionado con ella. **▌** s.m.
2 Grupo de lenguas indoeuropeas de esta región.
armería s.f. Lugar en el que se guardan, se venden
o se exhiben armas.
armero s.m. **1** Persona que se dedica a la fabricación, a la venta o al arreglo de armas. **2** Persona
encargada de reparaciones sencillas de las armas
almacenadas y de mantenerlas limpias. **3** Dispositivo o armazón en el que se colocan las armas.
armiño s.m. **1** Mamífero carnívoro, de piel muy
suave, parda en verano y blanca en invierno. **2** Piel
de este animal. □ ETIMOL. Del latín *armenius mus*
(rata de Armenia), que se importó a Europa desde
el mar Negro. □ MORF. En la acepción 1, es un sustantivo epiceno: *el armiño macho, el armiño hembra.*
armisticio s.m. Suspensión o cese temporal de la
lucha armada, pactado entre los bandos enfrentados. □ ETIMOL. Del latín *armistitium*, y éste de
arma (armas) y *statio* (suspensión, detención).
armonía s.f. **1** Proporción y correspondencia adecuadas entre las partes de un todo. **2** Amistad y
buena relación. **3** Unión y combinación de sonidos
simultáneos y diferentes, pero acordes entre sí. **4**
En música, arte o técnica de formar y enlazar acordes. □ ETIMOL. Del griego *harmonía.* □ ORTOGR. Se
admite también *harmonía.*

armónica s.f. Véase **armónico, ca.**
armónico, ca ▌ adj. **1** De la armonía o relacionado con ella. **▌** s.m. **2** En música, sonido que acompaña a otro fundamental y que se produce de forma
natural por la resonancia de éste: *La formación de
los armónicos depende de la caja de resonancia del
instrumento que produce el sonido.* **▌** s.f. **3** Instrumento musical de viento, en forma de cajita, provisto de una serie de ranuras con una o varias lengüetas metálicas cada una, y que se toca soplando
o aspirando por estas ranuras. ⊠ viento □ OR-
TOGR. Se admite también *harmónico.* □ MORF. La
acepción 2 se usa más en plural.
armonio s.m. Órgano pequeño, con la forma exterior de un piano, y al que se da aire por medio de
un fuelle que se mueve con los pies. □ ORTOGR.
admite también *armónium* y *harmonio.*
armonioso, sa adj. **1** Sonoro y agradable al oído.
2 Que tiene armonía entre sus partes. □ USO Se
admite también *harmonioso.*
armónium s.m. →**armonio.** □ ORTOGR. Incorr.
*harmonium.
armonización s.f. Creación de armonía o buena
relación, o concesión de la correspondencia adecuada entre las partes de un todo o entre los elementos
que deben contribuir a un mismo fin.
armonizar v. **1** Poner en armonía o en buena relación, o proporcionar la correspondencia adecuada
entre las partes de un todo o entre los elementos
que deben contribuir a un mismo fin: *La hermana
mayor armonizaba los intereses de todos los miembros de la familia.* **2** Estar en armonía, o manifestarla: *Las cortinas armonizan perfectamente con el
resto de la decoración.* □ ORTOGR. La *z* se cambia
en *c* delante de *e* →CAZAR.
[armys s.m. Correa metálica del reloj. □ MORF. Invariable en número.
arnés ▌ s.m. **1** Conjunto de armas de acero defensivas que se ajustaban al cuerpo asegurándolas con
correas y hebillas. **▌** pl. **2** Guarniciones o conjunto
de correas y otros objetos que se ponen a las caballerías para que tiren de un carruaje, para montarlas o para cargarlas. □ ETIMOL. Del francés antiguo
harneis. □ MORF. Su plural es *arneses.*
árnica s.f. **1** Planta herbácea perenne que tiene flores amarillas y olorosas, y que se usa en medicina.
2 Tintura o sustancia que se obtiene de la flor y de
la raíz de esta planta: *Aunque se emplea en medicina, en grandes dosis el árnica puede resultar venenosa.* **3** ‖**pedir árnica**; pedir compasión de forma explícita o implícita, al sentirse inferior en algo.
□ ETIMOL. Del latín *arnica.* □ PRON. Incorr. **[ar-
nica].* □ MORF. Por ser un sustantivo femenino que
empieza por *a* tónica o acentuada, va precedido de
el, un, algún, ningún y de las formas femeninas del
resto de los determinantes.
aro s.m. **1** Pieza hecha con un material rígido, esp.
metálico, con forma de circunferencia. ⊠ gimnasio **2** En zonas del español meridional, pendiente. **3**
‖{**entrar/pasar**} **por el aro**; *col.* Ceder ante algo
que no se quería: *Dijo que nunca se compraría un
coche, pero ha pasado por el aro.* □ ETIMOL. De origen incierto.
aroma s.m. Perfume u olor muy agradable. □ ETI-
MOL. Del latín *aroma.*
aromaticidad s.f. Conjunto de características pro-

pias de lo que es aromático o desprende un olor agradable.

aromático, ca adj. Que tiene aroma u olor agradable.

aromatización s.f. Proceso por el que se da aroma a alguna cosa.

[aromatizante adj./s.m. Que da aroma u olor agradable. □ MORF. Como adjetivo es invariable en género.

aromatizar v. Dar aroma u olor agradable: *Aromatizó las sábanas con agua de colonia.* □ ORTOGR. La z se cambia en c delante de e →CAZAR.

arpa s.f. Instrumento musical de cuerda, de forma triangular, con cuerdas de distintas longitudes colocadas verticalmente y unidas por uno de sus extremos a la caja de resonancia, y que se tocan pulsándolas con los dedos de ambas manos. □ ETIMOL. Del francés *harpe*, y éste del germánico *harpa* (rastrillo). □ ORTOGR. Se admite también *harpa*. □ MORF. Por ser un sustantivo femenino que empieza por *a* tónica o acentuada, va precedido de *el, un, algún, ningún* y de las formas femeninas del resto de los determinantes. ⟨⟩ cuerda

arpegiar v. Hacer arpegios o tocar las notas de un acorde de manera sucesiva, en lugar de simultáneamente: *En la música barroca se arpegia más que en la renacentista.* □ ORTOGR. La *i* nunca lleva tilde.

arpegio s.m. Sucesión más o menos acelerada de los sonidos que, cuando se tocan simultáneamente, forman un acorde. □ ETIMOL. Del italiano *arpeggio*, y éste de *arpeggiare* (tocar el arpa).

arpía s.f. **1** *col.* Persona mala o perversa. **2** En la mitología griega, divinidad que se representaba con rostro de mujer y cuerpo de ave de rapiña con afiladas garras. ⟨⟩ mitología □ ETIMOL. Del latín *harpyia*. □ ORTOGR. Se admite también *harpía*.

arpillera s.f. Tejido muy basto, generalmente de estopa, que se usa sobre todo para la fabricación de sacos y para embalar. □ ETIMOL. De origen incierto. □ ORTOGR. 1. Dist. de *aspillera*. 2. Se admite también *harpillera*.

arpista s. Músico que toca el arpa. □ MORF. Es de género común: *el arpista, la arpista*.

arpón s.m. Instrumento de pesca formado por un mango largo de madera terminado en uno de sus extremos por una punta de hierro, que sirve para herir a la presa, y otras dos dirigidas hacia atrás, que impiden que la presa se suelte. □ ETIMOL. Del francés *harpon*, y éste de *harpe* (garra). ⟨⟩ pesca

arponear v. Cazar o pescar con arpón: *Todos los pescadores estaban preparados para arponear a la ballena.*

arponero s.m. Hombre que caza o pesca con arpón.

arquear v. Dar o adquirir forma de arco; enarcar: *Al intentar arquear la vara de madera, la rompió. A muchos jinetes se les arquean las piernas.*

arqueo s.m. **1** Hecho de tomar forma de arco. **2** En contabilidad, reconocimiento del dinero y de los documentos que existen en la caja de una casa, una oficina o una corporación: *En el cierre mensual, confeccionamos el arqueo correspondiente al mes de la fecha.* □ ETIMOL. La acepción 1, de *arco*. La acepción 2, de *arca*.

arqueo- Elemento compositivo que significa 'antiguo': *arqueología, arqueozoología.* □ ETIMOL. Del griego *arkhâios* (antiguo).

arqueolítico, ca adj. De la edad de piedra o relacionado con ella. □ ETIMOL. De *arqueo-* (antiguo) y *líthos* (piedra).

arqueología s.f. Ciencia que estudia las civilizaciones antiguas, generalmente a través de los restos que nos han llegado de ellas. □ ETIMOL. Del griego *arkhaiología* (historia de lo antiguo), y éste de *arkhâios* (antiguo) y *lógos* (tratado).

arqueológico, ca adj. De la arqueología o relacionado con esta ciencia.

arqueólogo, ga s. Persona que se dedica profesionalmente al estudio de la arqueología o que está especializada en esta ciencia.

arquería s.f. Serie de arcos: *El claustro de la catedral tiene una hermosa arquería.* □ ORTOGR. Dist. de *alquería*.

arquero, ra ▌ s. **[1** Persona que practica el deporte del tiro con arco. ▌ s.m. **2** Soldado que peleaba con arco y flechas. **3** En zonas del español meridional, portero.

arqueta s.f. **1** Arca o caja de pequeño tamaño, esp. la que está hecha con materiales nobles. **[2** Recipiente o caja que recoge el agua: *Las aguas de los desagües van a parar a una 'arqueta'.*

arquetípico, ca adj. Del arquetipo o relacionado con este modelo.

arquetipo s.m. Modelo o forma ideal que sirve de patrón o de ejemplo: *El arquetipo del cortesano renacentista está descrito por Baltasar de Castiglione.* □ ETIMOL. Del latín *archetypum*, y éste del griego *arkhétypon* (modelo original).

arquitecto, ta s. **1** Persona que se dedica profesionalmente a la realización de proyectos de edificios y a la construcción de éstos. **2** ‖**arquitecto técnico**; persona que se dedica profesionalmente a la realización de diversas tareas técnicas en el campo de la construcción; aparejador: *El arquitecto técnico está capacitado para proyectar obras de pequeña envergadura.* □ ETIMOL. Del latín *architectus*, éste del griego *arkhitéktos*, y éste de *árkho* (soy el primero) y *tékton* (obrero, carpintero). □ MORF. El femenino de *arquitecto técnico* es *arquitecta técnica*.

arquitectónico, ca adj. De la arquitectura o relacionado con este arte.

arquitectura s.f. **1** Arte o técnica de diseñar, de proyectar y de construir edificios. **[2** Conjunto de edificios con una característica común: *'arquitectura' árabe.*

arquitrabe s.m. En arquitectura, parte más baja del entablamento, la cual descansa o se apoya directamente sobre los capiteles de las columnas. □ ETIMOL. Del italiano *architrave* (viga o trabe maestra).

arquivolta s.f. Conjunto de molduras o adornos exteriores que decoran la cara exterior de un arco arquitectónico a lo largo de toda su curva. □ ETIMOL. Del italiano *archivolto*. □ ORTOGR. Se admite también *archivolta*.

arrabal s.m. Barrio o zona que está fuera del recinto de una población o a las afueras, esp. los habitados por una población de bajo nivel económico. □ ETIMOL. Del árabe *ar-rabad* (el barrio de las afueras).

arrabalero, ra adj./s. *col.* Referido a una persona, que muestra mala educación.

arracimarse v.prnl. Unirse o juntarse en forma de racimo; enracimarse: *La gente se arracimaba delante de las taquillas.*

arraigar ∎ v. **1** Echar o criar raíces: *El árbol que trasplantamos se está secando porque no ha arraigado bien.* **2** Referido esp. a un sentimiento o a una costumbre, hacerlos muy firmes, consolidarlos o fijarlos con fuerza: *Aquella larga enfermedad arraigó en mí el hábito de la lectura.* ∎ prnl. **3** Establecerse de manera permanente en un lugar, vinculándose con las personas y cosas de allí: *Vino a pasar unas vacaciones, pero acabó abriendo un taller y arraigándose aquí.* ☐ ETIMOL. Del latín *radicare.* ☐ ORTOGR. La g se cambia en gu delante de e →PAGAR.

arraigo s.m. Fijación de manera permanente o firme: *Esa costumbre tiene muy poco arraigo en nuestro pueblo.*

arramblar v. Referido a algo que hay en un lugar, cogerlo y llevárselo con codicia: *Llegó el primero a la fiesta y arrambló con todo lo dulce.* ☐ ETIMOL. De *rambla.* ☐ ORTOGR. Se admite también *arramplar.* ☐ SINT. Constr. *arramblar CON algo.*

arramplar v. *col.* →**arramblar.** ☐ SINT. Constr. *arramplar CON algo.*

arrancada s.f. **1** Partida o salida violenta de una persona o de un animal. **2** Comienzo del movimiento de una máquina o de un vehículo que se pone en marcha.

arrancar v. **1** Sacar de raíz o con violencia, o separar con fuerza: *Tengo que arrancar las malas hierbas del jardín.* **2** Quitar con violencia: *Me pone nervioso que me arranques las cosas de las manos, en lugar de pedírmelas.* **3** Obtener o conseguir con astucia, con esfuerzo o con violencia: *Los actores arrancaron grandes aplausos del público.* **4** Referido a una persona, separarla o apartarla con violencia o con astucia de algo, esp. de un vicio: *Están haciendo todo lo posible para arrancarlos de la droga.* **5** Referido a una máquina, iniciar su funcionamiento o su movimiento: *¡Corre, a ver si cogemos el autobús antes de que arranque!* **6** *col.* Partir o salir de algún sitio: *Lleva media hora diciendo que se va, pero no arranca.* **7** *col.* Empezar a hacer algo de forma inesperada: *Estábamos tan tranquilos, cuando arrancó a llorar, sin que supiéramos qué le ocurría.* **8** Provenir o tener origen: *Su enemistad arranca de un problema que tuvieron en el trabajo.* **9** En arquitectura, referido a un arco o a una bóveda, empezar su curvatura: *Esta bóveda arranca de las impostas.* ☐ ETIMOL. De origen incierto. ☐ ORTOGR. La c se cambia en qu antes de e →SACAR.

arranque s.m. **1** Decisión o valentía para hacer algo. **2** Manifestación violenta y repentina de un sentimiento o de un estado de ánimo. **3** Dispositivo que pone en marcha el motor de una máquina, esp. el de un vehículo. **4** Comienzo, origen o principio de algo. **5** Ocurrencia ingeniosa o viva que alguien no se espera.

arrapiezo s.m. Niño pobre o de condición humilde. ☐ USO Tiene un matiz despectivo.

arras s.f.pl. Conjunto de las trece monedas que el novio da a la novia en la celebración de su matrimonio, como símbolo de los bienes que ambos van a compartir. ☐ ETIMOL. Del latín *arrae* (lo que se da en prenda de un contrato).

arrasar v. **1** Destruir por completo: *El terremoto arrasó la región.* [**2** *col.* Triunfar de forma aplastante: *Este cantante 'ha arrasado' en todas las ciudades en las que ha actuado.* ☐ ETIMOL. Del latín *radere* (afeitar).

arrascar v. *vulg.* →**rascar.** ☐ ORTOGR. La c se cambia en qu delante de e →SACAR.

arrastrado, da adj. Pobre, mísero o con privaciones y dificultades; aporreado.

arrastrar ∎ v. **1** Referido a un objeto, llevarlo por el suelo, tirando de ello: *No arrastres la silla, que vas a rayar el suelo.* **2** Referido a un objeto, llevarlo a ras del suelo o de otra superficie: *El rey avanzaba con paso majestuoso arrastrando su capa.* **3** Referido a una persona, impulsarla o llevarla a hacer algo una fuerza o un poder invisibles: *Lo arrastra la pasión por el juego.* **4** Referido a una persona, llevarla otra tras sí o atraer su voluntad: *Esta cantante arrastra a las masas.* **5** Traer o tener como consecuencia inevitable: *La dimisión del ministro arrastrará la de otros altos cargos.* **6** Referido esp. a una desgracia, soportarla penosamente: *Esa familia arrastra desde hace años una grave situación económica.* **7** En algunos juegos de cartas, echar una carta que obliga a los demás jugadores a echar una carta del mismo palo: *Arrastro con oros.* ∎ prnl. **8** Ir de un sitio a otro desplazando el cuerpo de forma que roce el suelo: *Los soldados se arrastraron hacia las trincheras.* **9** Humillarse y rebajarse de forma vil para conseguir algo: *Me parece indigno que te arrastres así ante tu jefa.* ☐ ETIMOL. Del latín *rastrum* (rastrillo de labrador). ☐ ORTOGR. Dist. de *arrostrar.*

arrastre s.m. **1** Transporte de algo tirando de ello de forma que roce el suelo. **2** En algunos juegos de cartas, obligación de echar todos los jugadores una carta del mismo palo que la carta echada por el primer jugador. **3** En tauromaquia, acto de retirar de la plaza al toro muerto en la lidia. [**4** En una pista de esquí, sistema de transporte utilizado por los esquiadores para ascender al inicio de una pista. **5** ‖**para el arrastre**; *col.* Muy cansado o en muy malas condiciones físicas o anímicas.

arrayán s.m. Arbusto muy oloroso, con hojas de un verde muy intenso, flores blancas y frutos en bayas de color negro azulado, muy empleado en jardinería para formar setos; mirto. ☐ ETIMOL. Del árabe *al-raihan* (el aromático, el mirto).

arre interj. Expresión que se usa para hacer que un animal de carga, esp. una caballería, empiece a andar, o para que lo haga con más rapidez. ☐ ETIMOL. De origen expresivo. ☐ ORTOGR. Se admite también *harre.*

arrea interj. *col.* Expresión que se usa para indicar extrañeza, sorpresa, admiración o disgusto.

arrear v. **1** Referido esp. a una caballería, hacer que empiece a andar o que lo haga con más rapidez: *El cochero arreaba a los caballos de la diligencia para escapar de los indios.* **2** Darse mucha prisa: *Si no arreamos, no llegaremos a tiempo.* **3** Seguido de algunos sustantivos, realizar la acción expresada por éstos: *Me arrearon una patada en la espinilla.* **4** Referido esp. a una caballería, ponerle los arreos o elementos necesarios para poder montarla o cargarla: *Mientras esperaba, le arrearon el corcel para salir de paseo.* ☐ ETIMOL. Las acepciones 1 y 2, de *arre.* Las acepciones 3 y 4, del latín **arredare* (proveer).

arrebañar v. *vulg.* →**rebañar.**

arrebatado, da adj. **1** Precipitado e impetuoso: *En un momento arrebatado, decidió abandonarlo todo y marcharse lejos. Salió arrebatado de la habitación.* **2** Enfadado, irritado o violento. **3** Referido al color de la cara, muy encendido.

arrebatador, -a adj./s. Que arrebata.

arrebatamiento s.m. **1** Furor o enajenamiento causados por la violencia de un sentimiento o de una pasión, esp. de la ira. **2** En algunas religiones, estado en el que el alma alcanza una unión mística con Dios por medio de la contemplación y del amor. **3** Estado de la persona cautivada por visiones o sensaciones extremadamente bellas, agradables o placenteras. □ SEM. 1. En las acepciones 1 y 2, es sinónimo de *arrebato*. 2. En las acepciones 2 y 3, es sinónimo de *arrobamiento, arrobo* y *éxtasis*.

arrebatar ∎ v. **1** Quitar con violencia, con fuerza o con rapidez: *Unos ladrones le arrebataron la maleta*. **2** Conmover intensamente y producir una gran admiración: *Su sencillez nos arrebata a todos*. ∎ prnl. **3** Enfurecerse o dejarse llevar por una pasión, esp. por la ira: *Cada vez que le hablan de eso, se arrebata*. **4** Referido a un alimento, asarse o cocerse mal por exceso de fuego: *Se me ha arrebatado la carne*. □ ETIMOL. De *rebato* (convocatoria de los vecinos de un lugar cuando había peligro).

arrebato s.m. **1** Furor producido por la violencia de un sentimiento o de una pasión, esp. de la ira. **2** En algunas religiones, estado en el que el alma alcanza una unión mística con Dios por medio de la contemplación y del amor; arrobamiento, éxtasis. □ SEM. Es sinónimo de *arrebatamiento*.

arrebol s.m. **1** Color rojo que se ve en las nubes al amanecer o al anochecer por efecto de los rayos del Sol. **2** Color rojo semejante al de estas nubes en otros objetos y esp. en las mejillas.

arrebolada s.f. Conjunto de nubes que adquieren color rojizo por los rayos de sol.

arrebolar v. Poner de color rojizo como el arrebol o el color de las nubes al amanecer y al atardecer: *Al verme, se le arreboló la cara*. □ ETIMOL. Quizá de **arruborar*, y éste de *rubor*.

arrebujar v. **1** Referido a algo flexible, arrugarlo, doblarlo o amontonarlo sin ningún cuidado: *Sacó su ropa del armario y la arrebujó en la maleta*. **2** Referido a una persona, cubrirla muy bien con la ropa, arrimándola mucho al cuerpo: *La arrebujó en el mantón para que no pasara frío en la verbena. En invierno, me gusta arrebujarme entre las sábanas*. □ ETIMOL. De *reburujar* (tapar, cubrir). □ ORTOGR. Conserva la *j* en toda la conjugación.

arrecharse v.prnl. **1** vulg.malson. En zonas del español meridional, excitarse sexualmente. **[2** col. En zonas del español meridional, enfurecerse.

arrecho, cha adj. **1** vulg.malson. En zonas del español meridional, excitado sexualmente. **[2** col. En zonas del español meridional, furioso o iracundo. □ ETIMOL. Del latín *arrectus* (enderezado).

arrechucho s.m. col. Indisposición repentina, pasajera y de poca gravedad. □ ETIMOL. De origen incierto.

arreciar v. Hacerse cada vez más fuerte, más intenso, más duro o más violento: *Durante la noche arreció la tormenta*. □ ETIMOL. De *recio*. □ ORTOGR. La *i* nunca lleva tilde.

arrecife s.m. Conjunto de rocas o de bancos de coral que está en el fondo del mar y llega muy cerca de la superficie. □ ETIMOL. Del árabe *ar-rasif* (la calzada).

arredramiento s.m. Temor o miedo que se intentan provocar.

arredrar v. Atemorizar, amedrentar o hacer sentir miedo o temor: *Las injurias y amenazas no conseguirán arredrarme. Cuando atacaron a su familia se arredró y abandonó la investigación*. □ ETIMOL. Del latín *ad retro* (hacia atrás).

arreglado, da adj. Con orden y moderación.

arreglador, -a s. En zonas del español meridional, arreglista.

arreglar ∎ v. **1** Poner en orden, en regla o como es debido: *¿Has arreglado ya tus asuntos?* **2** Referido a algo que está estropeado o que va mal, componerlo o hacer que vuelva a funcionar: *Tengo que llevar la televisión a arreglar, porque no se ve bien*. **3** Asear, acicalar o hacer tener un aspecto limpio y bonito: *Arregla a los niños, que nos vamos de paseo*. **4** Referido a un problema, llegar a un acuerdo sobre lo que hay que hacer para resolverlo: *Arreglaron el asunto de la comida yendo al restaurante de debajo de casa*. **[5** Referido a una comida, ponerle los condimentos necesarios para darle buen sabor: *Las ensaladas se suelen 'arreglar' con sal, aceite y vinagre*. **6** Referido a una persona, castigarla o corregirla: *Si te pillo, te voy a arreglar, gamberro*. **[7** Referido a una composición musical, adaptarla para que sea interpretada por voces o instrumentos para los que no fue escrita originariamente: *Esa canción no es suya, pero se la 'han arreglado' muy bien*. ∎ prnl. **[8** col. Referido a una persona, entablar relaciones amorosas con otra, esp. después de haber decidido terminarlas: *Mi hermano y su novia tuvieron una pelea pero ayer hablaron y ya 'se han arreglado'*. **9** ∥**arreglárselas**; col. Encontrar el modo de solucionar un problema o de salir adelante en la vida: *Cuando todos lo abandonaron tuvo que aprender a arreglárselas solo*.

[arreglista s. Persona que se dedica profesionalmente al arreglo de composiciones musicales, adaptándolas para que sean interpretadas por voces o instrumentos para los que no fueron escritas originariamente. □ MORF. Es de género común: *el 'arreglista', la 'arreglista'*.

arreglo s.m. **1** Orden y buena disposición de algo que está colocado de la forma adecuada. **2** Reparación que se hace de algo que estaba estropeado para que vuelva a funcionar. **3** Aseo y limpieza de algo de modo que tenga buen aspecto. **4** Acuerdo al que se llega sobre lo que hay que hacer para solucionar un problema o resolver una situación. **[5** Preparación de una comida con los condimentos necesarios para darle buen sabor. **6** Transformación o adaptación de una composición musical para ser interpretada por voces o instrumentos para los que no fue escrita originariamente. **7** ∥**arreglo de cuentas**; venganza que realiza alguien que se toma la justicia por su mano. ∥**con arreglo a**; según, conforme a, o de acuerdo con.

[arrejuntarse v.prnl. vulg. →ajuntarse.

arrellanarse v.prnl. Sentarse cómodamente en un asiento ocupando mucho sitio: *Cuando veo la tele me gusta arrellanarme en este sofá*. □ ETIMOL. De *rellano*.

arremangar v. vulg. →remangar. □ ORTOGR. La *g* se cambia en *gu* delante de *e* →PAGAR.

arremeter v. Acometer o atacar con ímpetu y fuerza: *En su discurso arremetió contra todos los que habían firmado el manifiesto*. □ ETIMOL. De *remeter*. □ SINT. Constr. *arremeter* CONTRA *algo*.

arremetida s.f. o **arremetimiento** s.m. Acometida o ataque impetuoso, muy fuerte y violento.
arremolinar ▮ v. [**1** Formar remolinos o moverse en giros rápidos: *El viento 'arremolinaba' su cabello. Bajo el puente 'se arremolinan' las aguas del río.* ▮ prnl. **2** Amontonarse, apiñarse o reunirse de forma desordenada y apretada: *La multitud se arremolinaba a las puertas del estadio.* □ ETIMOL. De *remolino.*
arrempujar v. *vulg.* →**empujar.** □ ORTOGR. Conserva la *j* en toda la conjugación.
arrempujón s.m. *vulg.* →**empujón.**
arrendador, -a s. Persona que da o toma en arrendamiento o alquiler algo.
arrendamiento s.m. Cesión o adquisición de algo para usarlo durante cierto tiempo, a cambio del pago de una cantidad de dinero; arriendo, locación.
arrendar v. **1** Referido a algo que se va a usar, cederlo, adquirirlo o tomarlo por un tiempo determinado a cambio de un precio: *Estos campesinos han arrendado la finca a sus dueños para cultivarla durante cinco años.* **2** En zonas del español meridional, alquilar. □ ETIMOL. Del antiguo *renda* (renta). □ MORF. Irreg. →PENSAR. □ SEM. En la acepción 1, se usa esp. referido a tierras, negocios o tiendas y servicios públicos, frente a *alquilar*, que se prefiere para viviendas, coches, muebles y animales.
arrendatario, ria adj./s. Que recibe algo en arrendamiento o en alquiler; locatario.
arrendaticio, cia adj. Del arrendamiento o relacionado con esta cesión o adquisición temporal de algo a cambio de un precio determinado.
arreos s.m.pl. **1** Conjunto de correas y de adornos de las caballerías de montar o de tiro. 🐴 arreos **2** Conjunto de cosas accesorias o menudas que pertenecen a otra o que se usan con ella. □ ETIMOL. De *arrear* (poner adornos).

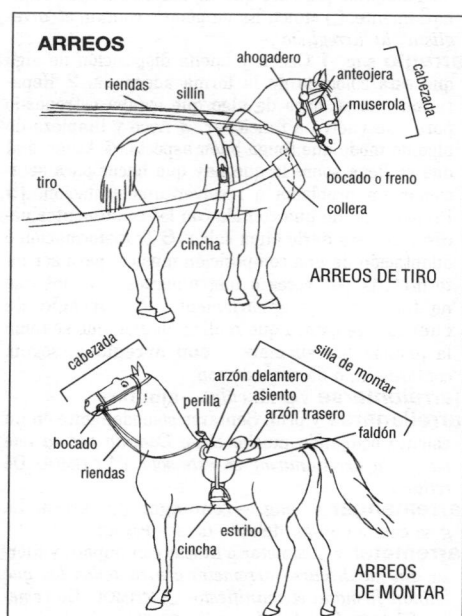

ARREOS

ahogadero
riendas
sillín
anteojera
cabezada
muserola
tiro
bocado o freno
collera
cincha

ARREOS DE TIRO

cabezada
silla de montar
arzón delantero
perilla
asiento
arzón trasero
bocado
faldón
riendas
estribo
cincha

ARREOS
DE MONTAR

arrepanchigarse v.prnl. *col.* →**repanchigarse.** □ ORTOGR. La *g* se cambia en *gu* delante de *e* →PAGAR.
[**arrepentido, da** adj./s. **1** Que se arrepiente. **2** Que se arrepiente de sus delitos, y que se entrega a la policía, a la que revela lo que sabe.
arrepentimiento s.m. Pena o pesar que se siente por haber hecho algo.
arrepentirse v. **1** Sentir una gran pena por haber hecho algo malo o por haber dejado de hacer algo: *Me arrepiento de todos mis pecados.* **2** Cambiar de opinión o no cumplir un compromiso: *Dijo que vendría con nosotros, pero después se arrepintió y se quedó en casa.* □ ETIMOL. Del latín *repaenitere.* □ MORF. Irreg. →SENTIR. □ SINT. Constr. *arrepentirse DE algo.*
arrestar v. Detener, hacer preso o dejar sin libertad: *La policía arrestó a dos traficantes de droga.* □ ETIMOL. Del latín *restare* (quedar).
arresto s.m. **1** Detención, reclusión o privación de libertad provisionales. **2** Privación de libertad por un tiempo breve que un juez pone como castigo a alguien por haber cometido alguna falta o algún delito. **3** Decisión, determinación y valor para hacer algo: *No sé cómo tienes arrestos para soportar eso.* □ MORF. La acepción 3 se usa más en plural.
arriada s.f. o **arriado** s.m. Bajada de una vela o una bandera que están izadas en lo alto. □ USO *Arriado* es el término menos usual.
arrianismo s.m. Doctrina religiosa que consiste en la negación de la divinidad de Jesucristo al afirmar que sólo era hijo adoptivo de Dios.
arriano, na ▮ adj. **1** Del arrianismo o relacionado con esta doctrina religiosa. ▮ adj./s. **2** Que sigue o que defiende el arrianismo. □ ETIMOL. Por alusión a Arrio, heresiarca griego de los siglos III y IV.
arriar v. Referido esp. a una bandera o a una vela, bajarlas: *El capitán del barco ordenó arriar las velas.* □ ETIMOL. De *arrear* (arreglar). □ ORTOGR. La *i* lleva tilde en los presentes excepto en las personas *nosotros* y *vosotros* →GUIAR.
arriate s.m. Franja de terreno estrecha y preparada para tener plantas de adorno junto a las paredes de un jardín o de un patio. □ ETIMOL. Del árabe *arriyad* (los jardines).
arriba ▮ adv. **1** Hacia un lugar o parte superior: *Vamos arriba a recoger unas cosas. Están pescando río arriba.* **2** En un lugar, parte o posición más altas o superiores: *Vive en el piso de arriba. Ponlo arriba, en lo alto de la estantería.* ▮ interj. **3** Expresión que se usa para manifestar aprobación, para dar ánimos o para indicar a alguien que se levante: *¡Arriba, muchachos, que la victoria ya es nuestra!* **4** ‖ **de arriba abajo; 1** Del principio al fin, o de un extremo a otro: *Léete las instrucciones de arriba abajo para aprender a usarlo.* **2** Con desdén o con superioridad: *No soporto que me miren de arriba abajo.* □ ETIMOL. Del latín *ad ripam* (a la orilla). □ SINT. Incorr. *Voy {*a arriba > arriba}. Me miró de arriba {*a abajo > abajo}.*
arribada s.f. o **arribaje** s.m. Llegada de una embarcación a un puerto.
arribar v. Llegar a un sitio, esp. referido a una embarcación cuando llega a un puerto: *Hoy arribarán varios barcos de guerra.* □ ETIMOL. Del latín *ripa* (orilla). □ SINT. Constr. *arribar A puerto.*
[**arribismo** s.m. Intento de conseguir una posición

social más elevada, sin tener en cuenta si los medios empleados para ello son éticos o no.

arribista s. Persona que aspira a conseguir una posición social más elevada sin tener en cuenta si los medios empleados para ello son éticos o no. □ ETIMOL. Del francés *arriviste*. □ MORF. Es de género común: *el arribista, la arribista*.

arribo s.m. Aparición o entrada en un lugar; llegada.

arriendo s.m. **1** →**arrendamiento**. **2** En zonas del español meridional, alquiler. □ SEM. En la acepción 1, es sinónimo de *locación*.

arriero s.m. Persona que lleva bestias de carga de un lugar a otro. □ ETIMOL. De *arre* (interjección).

arriesgado, da adj. **1** Aventurado, peligroso o que puede causar un daño. **2** Temerario, imprudente o que se pone en peligro.

arriesgar v. Poner en peligro o exponer a un riesgo: *Los bomberos arriesgan su vida para salvar la de otros. Si dejas esa nota, te arriesgas a que descubra que has sido tú.* □ ORTOGR. La *g* se cambia en *gu* delante de *e* →PAGAR.

arrimar ▪ v. **1** Referido a una cosa, acercarla o ponerla junto a otra: *Arrima la silla a la mesa. Los dos enamorados se arrimaban mientras bailaban juntos.* ▪ prnl. **2** Buscar la protección o el apoyo de algo, o valerse de ellos: *Siempre se está arrimando a los que tienen poder.* **3** Referido a una persona, vivir con otra con la que mantiene relaciones sexuales sin estar casada con ella; amancebarse: *Se rumorea que viven arrimados desde hace ya mucho tiempo.* **4** En tauromaquia, referido a un torero, torear en terreno próximo al toro: *El diestro estuvo muy valiente y se arrimó mucho.* □ ETIMOL. De origen incierto. □ USO En la acepción 3, es despectivo.

arrimo s.m. **1** Lo que sirve de apoyo para que algo no se caiga: *La pared es un buen arrimo para esa mesa que tiene la pata rota.* **2** ‖ **al arrimo de** algo; bajo su amparo o su protección.

arrinconado, da adj. **1** Que está alejado o apartado del centro. **2** Desatendido, abandonado u olvidado.

arrinconamiento s.m. **1** Colocación en un rincón o en un lugar apartado. **2** Abandono u olvido en que queda algo. **3** Acoso o persecución que sufre una persona hasta que no puede escapar ni retroceder más.

arrinconar v. **1** Poner en un rincón o en un lugar apartado: *En casa, vamos arrinconando los trastos viejos en la buhardilla.* **2** Apartar, abandonar, desatender o dejar de lado; arrumbar: *Es una lástima que haya personas que arrinconan a sus padres cuando éstos son ancianos.* **3** Referido a una persona, acosarla, perseguirla hasta que ya no pueda escapar ni retroceder más: *Me arrinconaron diciéndome lo que me pasaría si dejaba el club y tuve que quedarme.*

arritmia s.f. Falta de ritmo o de regularidad en las contracciones del corazón. □ ETIMOL. De *a-* (negación) y el griego *rythmós* (ritmo).

arroba s.f. **1** Unidad de peso que equivale aproximadamente a 11,5 kilogramos. **2** Unidad de capacidad para líquidos, de distinto peso según las provincias y los líquidos. **3** ‖ **por arrobas**; col. A montones, en abundancia. □ ETIMOL. Del árabe *ar-ru'b* (la cuarta parte del quintal). □ USO Es una medida tradicional española.

arrobamiento s.m. **1** En algunas religiones, estado en que el alma alcanza una unión mística con Dios por medio de la contemplación y del amor; arrebato. **2** Estado de la persona cautivada por visiones o sensaciones extremadamente bellas, agradables o placenteras. □ SEM. Es sinónimo de *arrebatamiento, arrobo* y *éxtasis*.

arrobar v. Producir o sentir una admiración o un placer tan grandes que hacen olvidarse de todo lo demás; embelesar, extasiar: *Su elegancia nos arrobó a todos. Se arrobó contemplando aquel paisaje tan maravilloso.* □ ETIMOL. De *robar*.

arrobo s.m. →**arrobamiento**.

arrocero, ra ▪ adj. **1** Del arroz o relacionado con él. ▪ s. **2** Persona que cultiva arroz, esp. si ésta es su profesión.

arrodillar v. Poner con las piernas dobladas sobre el suelo y apoyadas en las rodillas: *Antes, arrodillaban a los niños como castigo. Se arrodilló para rezar.*

arrogación s.f. En derecho, adopción como hijo de una persona huérfana o emancipada.

arrogancia s.f. **1** Orgullo, soberbia o actitud de la persona que se cree superior a los demás. **2** Actitud valiente y decidida. □ ETIMOL. Del latín *arrogantia*.

arrogante adj. **1** Orgulloso, soberbio o que se cree superior a los demás. **2** Valiente, animoso o decidido. □ MORF. Invariable en género.

arrogar ▪ v. **1** En derecho, referido a una persona huérfana o emancipada, adoptarla como hijo: *El matrimonio decidió arrogar a sus sobrinos cuando éstos se quedaron huérfanos.* ▪ prnl. **2** Referido a algo inmaterial, atribuírselo o apropiarse de ello: *Se arroga la facultad de juzgar a los demás.* □ ETIMOL. Del latín *arrogare* (apropiarse). □ ORTOGR. 1. Dist. de *abrogar.* 2. La *g* se cambia en *gu* delante de *e* →PAGAR.

arrojadizo, za adj. Que se puede arrojar, tirar o lanzar.

arrojado, da adj. Decidido, valiente, intrépido y atrevido.

arrojar ▪ v. **1** Referido a un objeto, darle impulso para soltarlo después, de modo que salga despedido con fuerza en una dirección; lanzar: *Los niños arrojaban piedras al río.* **2** Expulsar, despedir o hacer salir, esp. si se hace de manera violenta o despreciativa: *Lo arrojó de su casa y ño quiso volver a saber nada de él.* **3** Despedir de sí o emitir: *El volcán arrojaba gran cantidad de lava.* **4** Dejar caer o introducir, esp. si se hace en el lugar apropiado: *Hay gente que en lugar de arrojar las bolsas de basura al contenedor las deja fuera.* **5** col. Referido a algo que está en el estómago, expulsarlo violentamente por la boca; devolver, vomitar: *Hacía tanto calor que se mareó y arrojó todo lo que había comido. Si vas a arrojar, avísame y paro el coche.* **6** Dar o presentar como resultado o como consecuencia: *Su gestión arrojaba un saldo positivo.* ▪ prnl. **7** Ir o precipitarse violentamente de arriba abajo: *El capitán ordenó a sus soldados que se arrojaran al suelo.* **8** Ir o dirigirse con violencia contra algo: *Me arrojé en sus brazos y rompí a llorar.* □ ETIMOL. Del latín **rotulare* (rodar, echar a rodar). □ ORTOGR. 1. Dist. de *aherrojar.* 2. Conserva la *j* en toda la conjugación. □ SEM. 1. En las acepciones 2, 3 y 4, es sinónimo de *echar*.

arrojo s.m. Decisión, valentía y atrevimiento de una persona que no se detiene ante el peligro.

arrollador, -a adj. Que arrolla.

arrollamiento s.m. **1** Atropello o paso por encima de algo causándole daño. **2** Dominación, superación o derrota completa. **3** Avasallamiento o actuación sin tener en cuenta las leyes o los derechos de los demás.

arrollar v. **1** Atropellar o pasar por encima causando daño: *Un camión arrolló a un coche que estaba aparcado.* **2** Dominar, vencer, superar o derrotar por completo: *Hemos conseguido un producto tan bueno que va a arrollar a sus competidores en el mercado.* **3** Comportarse sin tener en cuenta los derechos de los demás o sin respetar las leyes: *Todos somos iguales ante la Ley, y nadie tiene derecho a arrollar a los demás.* ☐ ETIMOL. Del latín *rotulus* (rodillo). ☐ ORTOGR. Dist. de *arroyar.*

arropamiento s.m. **1** Colocación de ropa para abrigar o para proteger del frío. **2** Protección o ayuda. **3** En tauromaquia, movimiento envolvente con que los cabestros se llevan el toro al corral.

arropar v. **1** Cubrir o abrigar con ropa: *La abuela arropó bien a su nieto en la cama. Arrópate bien con la manta, no vayas a coger frío.* **2** Proteger o ayudar: *Todos sus compañeros lo arroparon cuando tuvo problemas.* **3** En tauromaquia, referido al toro, rodearlo los cabestros para llevárselo de vuelta al corral: *Los cabestros no tardaron nada en arropar al toro y llevárselo del ruedo.*

arrope s.m. Mosto cocido hasta que toma consistencia de jarabe, y al que se ha añadido trozos de alguna fruta. ☐ ETIMOL. Del árabe *ar-rubb* (el jugo de frutas cocido).

arrostrar v. Referido a una desgracia o a un peligro, hacerles frente con decisión y energía, sin dar muestras de cobardía: *Arrostraré todos los peligros con tal de conseguir tu amor.* ☐ ETIMOL. De *rostro.* ☐ ORTOGR. Dist. de *arrastrar.*

arroyada s.f. **1** Lugar por donde corre un arroyo o río pequeño. **2** Crecida de un arroyo e inundación que provoca. ☐ ORTOGR. Dist. de *arrollada* (del verbo *arrollar*).

arroyar v. Referido al agua de lluvia, formar arroyos: *La lluvia arroyó los campos.* ☐ ORTOGR. Dist. de *arrollar.*

arroyo s.m. **1** Río que lleva poco caudal. **2** Corriente de cualquier líquido. [**3** *col.* Situación humilde o miserable: *Gracias a su esfuerzo y tesón consiguió salir del 'arroyo' y tener una buena posición.* ☐ ETIMOL. De la voz hispánica *arrugia* (galería de mina). ☐ ORTOGR. Dist. de *arrollo* (del verbo *arrollar*).

arroz s.m. **1** Cereal que crece en lugares húmedos, y que produce un grano comestible, de forma oval y rico en almidón. ✺ cereal **2** Grano de este cereal. ☐ ETIMOL. Del árabe *ar-ruz* o *ar-ruzz.*

arrozal s.m. Terreno sembrado de arroz.

arruga s.f. **1** Pliegue o surco que se forma en la piel, generalmente a consecuencia de la edad. **2** Pliegue o marca irregular que se forman en la ropa o en otro material delgado o flexible. ☐ ETIMOL. Del latín *ruga.*

arrugamiento s.m. **1** Formación o existencia de arrugas. **2** Acobardamiento ante una situación difícil o complicada.

arrugar ▌ v. **1** Hacer arrugas: *El paso del tiempo le ha arrugado la cara. Si no guardas esas hojas en* *la carpeta, se te van a arrugar.* **2** Referido a la frente, al ceño o al entrecejo, fruncirlos en señal de enfado o disgusto: *arrugar el ceño.* ▌ prnl. **3** Acobardarse o carecer de coraje; encogerse: *Se arrugó ante las críticas y ya ni fue capaz de hablar.* ☐ ORTOGR. La *g* se cambia en *gu* delante de *e* →PAGAR.

arruinar v. **1** Causar ruina: *Una inversión mal hecha ha arruinado a esa familia. Se arruinó a causa de su afición por el juego.* **2** Destruir u ocasionar un grave daño: *El tabaco y el alcohol te están arruinando la salud. La cosecha se arruinó debido a la pertinaz sequía.*

arrullar v. **1** Referido a un niño, hacer que se adormezca cantándole una canción o susurrándole palabras cariñosas: *Cogió en brazos al bebé y empezó a arrullarlo para que se durmiera.* **2** Referido a un sonido, adormecer o tranquilizar: *El sonido de las olas del mar me arrulla y enseguida me duermo.* **3** *col.* Referido a una persona, decir a otra palabras cariñosas y agradables: *Arrullaba a su novia tiernamente. Mientras bailaban abrazados, los novios se arrullaban.* **4** Referido a una paloma o una tórtola, atraer el macho su atención por medio de un canto grave y monótono: *En primavera, los palomos arrullan a las palomas.* ☐ ETIMOL. De origen onomatopéyico.

arrullo s.m. **1** Canción monótona y suave que se canta a un niño para dormirlo. **2** Palabras y susurros cariñosos que una persona dice a otra para intentar conseguir su amor. **3** Canto grave y monótono de las palomas y las tórtolas. **4** Susurro o ruido suave que adormece.

arrumaco s.m. *col.* Demostración de cariño hecha con palabras o caricias. ☐ ETIMOL. Del dialectal *arremueco,* y éste de *mueca.* ☐ MORF. Se usa más en plural.

arrumar v. [En zonas del español meridional, amontonar.

arrumbar v. **1** Poner en un lugar apartado algo viejo o inútil: *He arrumbado todos los muebles viejos en el trastero.* **2** Apartar, abandonar, desatender o dejar de lado; arrinconar: *Es inhumano arrumbar a los ancianos.* **3** Fijar o establecer el rumbo o dirección en que debe navegar un barco: *El capitán ordenó arrumbar a puerto.*

[arsa] interj. Expresión que se usa para dar ánimo: *El guitarrista gritó a la bailaora: –¡'arsa', mi niña!*

arsenal s.m. **1** Almacén en el que se guardan armas, municiones y otros materiales de guerra. **2** Conjunto de cosas útiles, esp. de datos o noticias. ☐ ETIMOL. Del italiano *arsenale.*

arsénico s.m. Elemento químico semimetálico y sólido, de número atómico 33, de color gris o amarillo, cuyos ácidos son muy venenosos. ☐ ETIMOL. Del latín *arsenicum.* ☐ ORTOGR. Su símbolo químico es *As.*

[art déco] (galicismo) ‖Tendencia artística de los años veinte derivada del modernismo y caracterizada por el recargamiento y por el preciosismo en los objetos. ☐ ETIMOL. Por acortamiento de *art décoratif* (arte decorativo). ☐ PRON. [art decó].

[art nouveau] (galicismo) ‖Tendencia artística de finales del siglo XIX y comienzos del XX, que afirma que el arte debe participar de los descubrimientos técnicos de la vida moderna. ☐ PRON. [art nuvó].

arte s. **1** Habilidad, disposición o aptitud para hacer algo: *Tiene mucho arte peinándose.* **2** Conjunto de conocimientos o de reglas para hacer bien algo: *Es un estratega experto en el arte militar.* **3** Actividad humana dedicada a la creación de cosas bellas mediante la fantasía o la imitación de la realidad: *Ese jardín es una obra de arte.* **4** Astucia o maña para hacer algo: *Utilizó sus artes y consiguió las entradas.* **5** Utensilio que sirve para pescar: *La caña es un arte de pesca.* **6** ‖**arte decorativa**; la pintura y la escultura, en cuanto que no crean obras independientes sino obras destinadas a hacer más bellos los edificios. ‖**arte final**; última prueba que se hace de una obra impresa antes de encargar su reproducción. ‖**arte liberal**; la que requiere fundamentalmente un esfuerzo intelectual. ‖[**artes gráficas**; actividad cuyas obras se realizan sobre papel o sobre una superficie plana: *La fotografía y la imprenta son 'artes gráficas'.* ‖**artes marciales**; conjunto de antiguas técnicas de lucha orientales, que se practican como deporte: *El judo y el kárate son artes marciales.* ‖[**artes plásticas**; aquellas cuyas obras se captan fundamentalmente por la vista: *La arquitectura, la pintura y la escultura son las tres 'artes plásticas'.* ‖**bellas artes**; las que tienen por objeto expresar la belleza: *La pintura y la escultura son bellas artes.* ‖**(como) por arte de magia**; de forma inexplicable. ‖**malas artes**; las que contienen engaños y se usan para conseguir algo. ‖**no tener arte ni parte en algo**; *col.* No tener nada que ver con ello. ‖**por arte de birlibirloque**; *col.* Por medios ocultos y extraordinarios. ‖[**séptimo arte**; →**cinematografía**. □ ETIMOL. Del latín *ars* (profesión, habilidad, arte). □ MORF. 1. Aunque la RAE lo registra como sustantivo de género ambiguo, en singular se usa más como masculino y en plural, como femenino: *el arte, las artes.* 2. *Arte liberal* se usa más en plural. 3. *Arte final* se usa sólo en masculino, y en plural tiene el mismo significado que en singular.

artefacto s.m. Máquina, aparato o dispositivo, esp. el que es de gran tamaño o el que resulta extraño o desconocido: *un artefacto explosivo.* □ ETIMOL. Del latín *arte factus* (hecho con arte).

artejo s.m. En los artrópodos, cada una de las piezas que articuladas entre sí forman las extremidades: *los artejos de los cangrejos.* □ ETIMOL. Del latín *articulus* (articulación). □ MORF. Se usa más en plural.

artemisa o **artemisia** s.f. Planta aromática cuyas hojas, verdes por el haz y blanquecinas por el envés, tienen propiedades medicinales. □ ETIMOL. Del latín *artemisia*, éste del griego *artemisía*, y éste de *Ártemis* (diosa griega). □ USO *Artemisia* es el término menos usual.

arteria s.f. **1** En el sistema circulatorio, cada uno de los vasos o conductos por los que la sangre sale del corazón y llega a todas las partes del cuerpo. 🔎 arteria **2** Calle principal, con mucho tráfico, en la que desembocan muchas otras calles. **3** ‖**(arteria) carótida**; la que sale a ambos lados del cuello y lleva la sangre oxigenada a la cabeza. □ ETIMOL. Del latín *arteria.* □ ORTOGR. Dist. de *artería.*

artería s.f. Astucia con que se intenta obtener algún beneficio. □ ETIMOL. De *artero.* □ ORTOGR. Dist. de *arteria.* □ USO Tiene un matiz despectivo.

arterial adj. De las arterias o relacionado con estos vasos sanguíneos. □ MORF. Invariable en género.

arterioesclerosis s.f. →**arteriosclerosis**. □ OR-
TOGR. Dist. de *ateroesclerosis.* □ MORF. Invariable en número.

arteriola s.f. Arteria de pequeño diámetro.

arteriosclerósico, ca adj. →**arteriosclerótico**.

arteriosclerosis s.f. En medicina, aumento del grosor y endurecimiento de las paredes arteriales. □ ETIMOL. Del griego *artería* (arteria) y *sklérosis* (endurecimiento). □ ORTOGR. 1. Se admite también *arterioesclerosis.* 2. Dist. de *aterosclerosis.* □ MORF. Invariable en número.

arteriosclerótico, ca ▌ adj. **1** De la arteriosclerosis o relacionado con este problema arterial. ▌ adj./s. **2** Que padece este problema arterial. □ ORTOGR. Se admite también *arterioesclerósico.*

artero, ra adj. Que actúa con artería o con astucia para obtener algún beneficio. □ ETIMOL. De *arte* (cautela, astucia). □ USO Tiene un matiz despectivo.

artesa s.f. Cajón de madera más estrecho por abajo que por arriba, que se usa fundamentalmente para amasar el pan. □ ETIMOL. De origen incierto.

artesanado s.m. Oficio u ocupación del artesano. □ ORTOGR. Dist. de *artesonado.*

artesanal adj. →**artesano**. □ MORF. Invariable en género.

artesanía s.f. **1** Arte o técnica que consiste en la fabricación de objetos a mano o sin ayuda de grandes máquinas. **2** Lo que se fabrica según este arte o esta técnica.

artesano, na ▌ adj. **1** De la artesanía o relacionado con este arte; artesanal. ▌ s. **2** Persona que fabrica objetos a mano o sin la ayuda de grandes máquinas, esp. si lo hace con un propósito artístico. **3** Persona que tenía un oficio manual. □ ETIMOL. Del italiano *artigiano.*

artesón s.m. Elemento de construcción de forma poligonal, cóncavo y con adornos en el centro, que se dispone en serie para adornar techos y bóvedas; casetón. □ ETIMOL. De *artesa*, porque los artesones parecen artesas vistas desde fuera.

artesonado, da ▌ adj. **1** Adornado con compartimentos cóncavos, regulares y con adornos en el medio: *bóveda artesonada.* ▌ s.m. **2** Lo que está adornado con este elemento decorativo: *El artesonado de esta sala está hecho en madera de nogal.* □ ORTOGR. Dist. de *artesanado.*

ártico, ca adj. Del polo Norte o de los terrenos que lo rodean, o relacionado con ellos. □ ETIMOL. Del latín *arcticus*, éste del griego *arktikós*, y éste de *árktos* (oso, estrellas de la Osa Mayor y Menor, polo Norte).

articulación s.f. **1** Unión entre dos piezas rígidas que permite un cierto movimiento entre ellas. **2** Unión de un hueso o de un órgano esquelético con otro. **3** En fonética, posición y movimiento de los órganos de la voz para poder pronunciar un sonido. [**4** División ordenada y armónica de un todo en varias partes.

articulado, da ▌ adj. **1** Que tiene articulaciones. ▌ adj./s.m. **2** Referido a un animal, que posee un esqueleto externo formado por piezas que se articulan unas con otras: *Los artrópodos son animales articulados.*

articular ▌ adj. **1** De las articulaciones óseas o relacionado con ellas. ▌ v. **2** Referido a dos piezas, unirlas de forma que mantengan cierta libertad de movimiento: *Si tienes todas las piezas para montar la silla, ahora sólo tienes que articularlas. Quiero una* *mesa en la que las patas se articulen para poderla plegar.* **3** Referido a un sonido, pronunciarlo colocando los órganos de la voz correctamente: *Para articular bien el sonido [z] tienes que colocar la lengua entre los dientes.* **[4** Referido a las partes de un todo, unirlas con armonía y de forma que queden ordenadas: *La profesora me dijo que 'había articulado' muy bien las distintas partes de mi trabajo.* □ MORF. Como adjetivo es invariable en género. □ USO En la acepción 1, aunque la RAE sólo registra *articular*, se usa también *articulatorio*.

articulatorio, ria adj. **1** De la articulación de los sonidos del lenguaje o relacionado con ella. **[2** →**articular**.

articulista s. Persona que escribe artículos para periódicos o para publicaciones semejantes. □ MORF. Es de género común: *el articulista, la articulista.*

artículo s.m. **1** Mercancía con la que se comercia. **2** En gramática, parte de la oración que se antepone al nombre y que limita la extensión de su significado. **3** En una publicación, esp. en un periódico, escrito que expone un tema concreto. **4** En un tratado, en una ley, en un reglamento o en algo semejante, cada una de las disposiciones numeradas. **5** En un diccionario, cada una de las partes encabezada por una palabra. **6** ‖**artículo de fondo**; el que se inserta en un lugar preferente del periódico, trata temas de actualidad según el criterio de éste y generalmente no va firmado. ‖**artículo {definido/determinado}**; el que se antepone al nombre para indicar que el objeto al que se refiere es ya conocido por el hablante y por el oyente: *'El', 'la', 'los' y 'las' son formas del artículo determinado.* ‖**artículo {indefinido/indeterminado}**; el que se antepone a un nombre para indicar que el objeto al que se refiere no es conocido ni por el hablante ni por el oyente: *'Unos' y 'unas' son formas de plural del artículo indeterminado.* □ ETIMOL. Del latín *articulus* (articulación).

artífice s. Persona que causa o realiza algo; autor. □ ETIMOL. Del latín *artifex*, y éste de *ars* (arte) y *facere* (hacer). □ MORF. Es de género común: *el artífice, la artífice.*

artificial adj. **1** Que está hecho por las personas y no existe de forma natural. **2** No natural o falso. □ MORF. Invariable en género.

[artificialidad s.f. Falta de naturalidad.

artificiero s.m. **1** Persona especializada en el manejo de explosivos. **2** En el ejército, persona especializada en la clasificación, reconocimiento, conservación y manejo de proyectiles, cartuchos, espoletas y otros materiales explosivos.

artificio s.m. **1** Artefacto, máquina o aparato mecánico. **2** En una obra de arte, exceso de elaboración y falta de naturalidad. **3** Doblez o disimulo en la forma de actuar. □ ETIMOL. Del latín *artificium*, y éste de *ars* (arte) y *facere* (hacer).

artificiosidad s.f. Carácter excesivamente técnico y elaborado y falto de naturalidad.

artificioso, sa adj. **1** Que tiene disimulo o doblez. **[2** Falto de naturalidad.

artillería s.f. **1** Arte y técnica de construir, conservar y usar las armas, las máquinas y las municiones de guerra. **2** En una plaza militar, en un ejército o en un buque, conjunto de cañones, morteros y otras máquinas de guerra. **3** En el Ejército de Tierra, cuerpo

encargado de manejar estas máquinas. **[4** *col.* Esfuerzo o medio para lograr algún fin: *Utilizó toda su 'artillería' para lograr que lo admitieran en el curso.* **[5** En algunos deportes, esp. en el fútbol, conjunto de jugadores que forman el ataque del equipo. □ ETIMOL. Del francés *artillerie.*

artillero, ra ▌ adj. **1** De la artillería o relacionado con ella. ▌ s.m. **2** Soldado o miembro del cuerpo de artillería. **3** Persona encargada de cargar y encender los explosivos. **[4** En algunos deportes, esp. en el fútbol, jugador que suele marcar muchos goles.

artilugio s.m. Mecanismo o artefacto, esp. si resulta algo complicado. □ USO Tiene un matiz despectivo.

artimaña s.f. *col.* Lo que se hace con habilidad y astucia para conseguir algo, esp. para engañar a alguien; treta. □ ETIMOL. Quizá del latín *ars magica*, con influencia de *maña.*

artiodáctilo ▌ adj./s.m. **1** Referido a un mamífero, que tiene un número par de dedos, de los cuales apoya por lo menos dos, que son simétricos: *La vaca y el elefante son artiodáctilos.* ▌ s.m.pl. **2** En zoología, orden de estos animales. 🐾 ungulado □ ETIMOL. Del griego *ártios* (par) y *-dáctilo* (dedo).

artista s. **1** Persona que se dedica a alguna de las bellas artes. **2** Persona que tiene la habilidad y la disposición necesarias para alguna de las bellas artes. **3** Persona que se dedica profesionalmente a actuar para un público. **4** Persona que destaca o sobresale en alguna actividad. □ MORF. Es de género común: *el artista, la artista.*

artístico, ca adj. **1** De las artes, esp. de de las bellas artes, o relacionado con ellas. **[2** Que está hecho con arte.

artrítico, ca ▌ adj. **1** De la artritis o relacionado con esta inflamación. ▌ adj./s. **2** Que padece artritis. □ ETIMOL. Del latín *arthriticus*, y éste del griego *arthritikós* (referente a las articulaciones).

artritis s.f. Inflamación de las articulaciones de los huesos. □ ETIMOL. Del griego *arthrítis* (gota), y éste de *árthron* (articulación) e *-itis* (inflamación). □ MORF. Invariable en número. □ SEM. Dist. de *artrosis* (alteración degenerativa de las articulaciones).

artrología s.f. Parte de la anatomía que estudia las articulaciones. □ ETIMOL. Del griego *árthron* (articulación) y *-logía* (estudio, ciencia). □ ORTOGR. Dist. de *astrología.*

artrópodo ▌ adj./s.m. **1** Referido a un animal, que es invertebrado y tiene el cuerpo segmentado y provisto de apéndices articulados: *Las moscas son animales artrópodos.* ▌ s.m.pl. **2** En zoología, tipo de estos animales, perteneciente al reino de los metazoos. □ ETIMOL. Del griego *árthron* (articulación) y *-podo* (pie).

artrosis s.f. Alteración de las articulaciones de los huesos de carácter degenerativo y no inflamatorio. □ MORF. Invariable en número. □ SEM. Dist. de *artritis* (inflamación de las articulaciones).

artúrico, ca adj. Del rey Arturo (rey bretón legendario) o relacionado con él.

arveja s.f. **1** Planta leguminosa cuyas semillas se usan como alimento para algunos animales; algarroba. **2** En zonas del español meridional, guisante. □ ETIMOL. Del latín *ervilia* (planta parecida a los yeros y a los garbanzos).

arz- →**archi-**.

arzobispado s.m. **1** En el cristianismo, cargo de arzobispo. **2** Territorio o distrito asignado a un arzobispo para ejercer sus funciones y su jurisdicción. **3** Local o edificio en el que trabajan un arzobispo y sus ayudantes.

arzobispal adj. Del arzobispo o relacionado con él. ☐ MORF. Invariable en género.

arzobispo s.m. Obispo de una archidiócesis. ☐ ETIMOL. Del latín *archiepiscopus.*

arzón s.m. En una silla de montar, parte delantera o trasera. ☐ ETIMOL. Del latín *arcio,* y éste de *arcus* (arco), por su forma arqueada. 🖾 arreos

as s.m. **1** En la numeración de una baraja, naipe que lleva el número uno. 🖾 baraja **2** En un dado, cara que tiene señalado un único punto. **3** Persona que destaca o sobresale mucho en una actividad. **4** ‖ [**as de guía**; nudo que tiene forma de anillo no corredizo en el extremo de un cabo, y que sirve para sujetar. ☐ ETIMOL. Del latín *as* (unidad monetaria fundamental de los romanos).

asa s.f. En algunos objetos, esp. en algunos recipientes, parte curva que sobresale y que sirve para asirlos. ☐ ETIMOL. Del latín *ansa.* ☐ MORF. Por ser un sustantivo femenino que empieza por *a* tónica o acentuada, va precedido de *el, un, algún, ningún* y de las formas femeninas del resto de los determinantes.

asadero s.m. *col.* Lugar en el que hace mucho calor.

asado s.m. Carne cocinada por medio de la acción directa del fuego.

asador s.m. [**1** Restaurante especializado en asados. **2** Varilla puntiaguda en la que se ensarta y se pone al fuego lo que se va a asar. **3** Aparato o mecanismo que sirve para asar.

asadura s.f. **1** Conjunto de las entrañas de un animal. **2** Hígado y bofe o pulmón. **3** Hígado de un animal, esp. del muerto para el consumo. ☐ MORF. La acepción 1 se usa más en plural. ☐ SEM. En la acepción 3, aunque la RAE lo considera sinónimo de *hígado,* en la lengua actual no se usa como tal.

asaetear o **asaetar** v. **1** Disparar saetas o herir con ellas: *San Sebastián murió asaeteado.* **2** Causar disgusto o molestia repetidamente: *Me asaeteó toda la tarde con sus impertinentes preguntas.* ☐ USO *Asaetar* es el término menos usual.

asalariado, da s. Persona que recibe un salario por su trabajo.

asalariar v. Fijar un salario: *Me asalariaron para trabajar como celador.* ☐ ORTOGR. La *i* nunca lleva tilde.

asalmonado, da adj. **1** Referido a algunos pescados, esp. a la trucha, que tienen la carne parecida a la del salmón. **2** De color rosado, como el del salmón.

asaltante adj./s. Que asalta. ☐ MORF. 1. Como adjetivo es invariable en género. 2. Como sustantivo es de género común: el asaltante, la asaltante.

asaltar v. **1** Referido esp. a una plaza militar, atacarla con ímpetu para entrar en ella: *El capitán asaltó con éxito las posiciones enemigas.* **2** Referido a una persona, abordarla repentinamente y por sorpresa: *Un alumno me asaltó en el pasillo para preguntarme su nota.* **3** Atacar por sorpresa o de forma violenta, esp. con la intención de robar: *Dos ladrones asaltaron el banco de la esquina.* **4** Sobrevenir o aparecer repentinamente en la mente: *Cuando salía de casa me asaltó la duda de si llevaba las llaves.*

asalto s.m. **1** Ataque impetuoso para tomar una plaza militar o una fortaleza enemigas. **2** Ataque por sorpresa o de forma violenta, esp. si es con intención de robar. **3** En un combate de boxeo, cada una de las partes o tiempos en que éste se divide. **4** Acercamiento repentino y por sorpresa: *Desde que es famosa, es víctima de los continuos asaltos de los periodistas.* ☐ ETIMOL. Del italiano *assalto.* ☐ USO En la acepción 3, es innecesario el uso del anglicismo *round.*

asamblea s.f. **1** Reunión de muchas personas convocadas para un fin determinado. **2** Cuerpo político y deliberante, esp. si no está dividido en dos cámaras: *El Congreso y el Senado son asambleas.* ☐ ETIMOL. Del francés *assemblée,* y éste de *assembler* (juntar).

[asambleario, ria] adj. De una asamblea o relacionado con ella.

asambleísta s. Persona que forma parte de una asamblea. ☐ MORF. Es de género común: *el asambleísta, la asambleísta.*

asar ‖ v. **1** Referido a un alimento, cocinarlo por medio de la acción directa del fuego: *Las manzanas se asaron en pocos minutos.* ‖ prnl. **2** Sentir mucho calor o ardor: *Me he abrigado demasiado y ahora me aso.* ☐ ETIMOL. Del latín *assare,* y éste de *assus* (asado, seco).

asaz adv. *poét.* Bastante: *¡Vive Dios, que sois asaz valiente, caballero!* ☐ ETIMOL. Del provenzal *assatz* (mucho, suficientemente).

ascáride s.f. o [**áscaris**] s.m. En medicina, lombriz intestinal. ☐ ETIMOL. Del latín *ascaris.* ☐ MORF. 1. *Ascáride* es un sustantivo epiceno: *la ascáride macho, la ascáride hembra.* 2. 'Áscaris' es invariable en número.

ascendencia s.f. **1** Conjunto de ascendientes o antepasados de una persona. **2** Origen o procedencia. ☐ SEM. Dist. de *ascendente* (influencia moral).

ascendente ‖ adj. Que asciende. ‖ s.m. **2** Astro que se encuentra en el horizonte en el nacimiento de una persona y que sirve para hacer predicciones: *Aunque soy géminis, mi ascendente es tauro.* ☐ MORF. Como adjetivo es invariable en género.

ascender v. **1** Conceder o lograr un ascenso: *Ha ascendido a varios empleados porque llevaban muchos años en la empresa. Ascendió de capitán a comandante.* **2** Referido a una cuenta, valer o llegar a una cantidad determinada: *¿A cuánto asciende la cuenta del restaurante?* **3** Subir a un lugar, a un punto o a un grado más altos: *No se espera que las temperaturas asciendan en los próximos días.* ☐ ETIMOL. Del latín *ascendere* (subir). ☐ MORF. Irreg. → PERDER.

ascendiente ‖ s. **1** Respecto de una persona, padre, madre o abuelos de los que desciende. ‖ s.m. **2** Fuerza o influencia morales: *Sus hermanos le piden su opinión porque tiene mucho ascendiente sobre ellos.* ☐ MORF. En la acepción 1, es de género común: *el ascendiente, la ascendiente.* ☐ SEM. Dist. de *ascendencia* (origen o procedencia).

ascensión s.f. Subida a un lugar más alto. ☐ ORTOGR. Referido a la subida de Cristo (hijo de Dios) a los cielos, se usa como nombre propio.

ascenso s.m. **1** Paso a un lugar, a un punto o a un grado superiores o más altos; subida. **2** Promoción a un cargo o a una dignidad mayores.

ascensor s.m. Aparato que sirve para trasladar personas o mercancías de un piso a otro.

ascensorista s. Persona que se encarga del manejo del ascensor. □ MORF. Es de género común: *el ascensorista, la ascensorista*.

ascesis s.f. Conjunto de reglas y de prácticas encaminadas a la liberación del espíritu y al logro de la virtud. □ MORF. Invariable en número.

asceta s. Persona que lleva una vida ascética. □ ETIMOL. Del latín *asceta*, y éste del griego *asketés* (profesional, atleta). □ MORF. Es de género común: *el asceta, la asceta*.

ascético, ca ∎ adj. **1** Referido a una persona, que se dedica fundamentalmente a la práctica y al ejercicio de la perfección espiritual. **2** De esta práctica y ejercicio o relacionado con ellos. ∎ s.f. **3** →**ascetismo**.

ascetismo s.m. **1** Ejercicio y práctica para conseguir la perfección espiritual. **2** Doctrina en que se basa la vida dedicada a este ejercicio; ascética.

asco s.m. **1** Impresión desagradable causada por algo que provoca aversión: *Las babosas me dan asco.* **2** Lo que produce esta impresión: *Esta comida es un asco.* **3** Alteración del estómago causada por algo que resulta muy desagradable, y que generalmente provoca náuseas o vómitos; repugnancia. **4** *col.* Lo que se considera mal hecho, de poca calidad o de poco valor. **5** ‖**hacer ascos** a algo; *col.* Despreciarlo o rechazarlo porque no gusta. ‖**hecho un asco**; *col.* En muy malas condiciones físicas o psíquicas. □ ETIMOL. Del antiguo *usgo* (repugnancia).

[ascórbico adj. Referido a un ácido, que pertenece al grupo de las vitaminas solubles en agua y es necesario en la dieta humana: *El ácido 'ascórbico' es la vitamina C.*

ascua s.f. **1** Trozo de una materia sólida y combustible que está incandescente y sin llama: *Para asar algo en la hoguera tiene que haber unas buenas ascuas.* **2** ‖**arrimar** alguien **el ascua a su sardina**; *col.* Aprovechar una ocasión en interés propio: *Ahora todos quieren arrimar el ascua a su sardina, pero antes, cuando hubo problemas, se desentendieron.* ‖**{en/sobre} ascuas**; *col.* Inquieto o sobresaltado. □ ETIMOL. De origen incierto. □ MORF. Por ser un sustantivo femenino que empieza por *a* tónica o acentuada, va precedido de *el, un, algún, ningún* y de las formas femeninas del resto de los determinantes. □ SINT. *{En/sobre} ascuas* se usa más con los verbos *estar, tener, poner* o equivalentes. □ SEM. Dist. de *brasa* (pedazo rojo e incandescente de leña o carbón).

asear v. Adornar o arreglar con cuidado y limpieza: *Aseó su cuarto antes de que llegaran las visitas. Aséate, que nos vamos de paseo.* □ ETIMOL. Del latín **assedeare* (poner las cosas en su sitio).

asechanza s.f. Engaño para perjudicar; insidia. □ ETIMOL. De *asechar*, y éste del latín *assectari* (ir al alcance de alguien). □ SEM. Dist. de *acechanza* (vigilancia u observación).

asediar v. **1** Referido a un lugar fortificado, cercarlo para impedir que los que están en él salgan o reciban socorro: *La ciudad fue asediada por los invasores.* **2** Importunar o molestar continuamente: *Los aficionados asediaban a la cantante.* □ ORTOGR. La *i* nunca lleva tilde.

asedio s.m. **1** Cerco que se pone a una plaza o a un lugar fortificado para impedir la salida de los

que están en él o la llegada de socorro. **2** Agobio que se sufre continuamente. □ ETIMOL. Del latín *obsidium*.

asegurado, da s. Persona que ha contratado un seguro.

asegurador, -a s. Persona o empresa que aseguran riesgos ajenos.

aseguramiento s.m. **1** Fijación de algo para dejarlo firme y seguro. **2** Firma de un seguro para poner a cubierto algo.

asegurar v. **1** Dejar firme y seguro, o fijar sólidamente: *Aseguró las ventanas con un cerrojo.* **2** Dejar o quedar seguro de la realidad o certeza de algo: *El rehén servía para asegurar a los secuestradores la salida del país. No te preocupes, porque me he asegurado de que pagará.* **3** Referido a algo que se dice, afirmar su certeza: *Me aseguró que él no había sido.* **4** Referido a algo que puede correr algún riesgo, firmar un seguro para cubrirlo en caso de pérdida: *Aseguró su coche a todo riesgo.* □ SINT. 1. Constr. de la acepción 2 como pronominal: *asegurarse DE algo.* 2. Constr. de la acepción 3: *asegurar QUE algo.*

asemejar ∎ v. **1** Referido a una cosa, hacerla semejante a otra o representarla como tal: *Esos aires de grandeza lo asemejan a un dios.* ∎ prnl. **2** Parecerse o guardar semejanza: *El argumento de estas películas se asemeja bastante.* □ ETIMOL. Del latín *assimiliare.* □ ORTOGR. Conserva la *j* en toda la conjugación.

asenso s.m. Admisión de lo que otro ha propuesto o afirmado antes como cierto o conveniente; asentimiento. □ ETIMOL. Del latín *assensus.*

asentaderas s.f.pl. *col.* Nalgas.

asentado, -a adj. →**sentado**.

asentador, -a s. Persona que contrata víveres por mayor para un mercado público. □ MORF. La RAE sólo registra el masculino.

asentamiento s.m. **1** Colocación de algo de forma que permanezca firme y seguro. **2** Establecimiento de un pueblo o de una población en un lugar. **3** Lugar en el que se establece un pueblo. **4** Depósito de las partículas que están en suspensión en un líquido. **[5** Tranquilización o estabilización. **[6** En zonas del español meridional, rodaje de un motor.

asentar ∎ v. **1** Colocar o poner de modo firme y seguro: *Continúan los trabajos para asentar los pilares del puente.* **2** Aplanar o alisar, esp. si se hace planchando o apisonando: *Asienta con la plancha las costuras de la falda.* **[3** Apoyar o justificar: *'Asentaba' sus teorías sobre bases teóricas.* **[4** Calmar o tranquilizar: *Si tienes el estómago revuelto, tómate algo para 'asentarlo'.* **5** Referido a un golpe, darlo con violencia y acierto: *Se enfadó conmigo y me asentó una bofetada.* ∎ prnl. **6** Referido esp. a un pueblo, situarse, establecerse o fundarse: *Los primitivos pobladores de esta ciudad eran nómadas que se asentaron en las orillas de este río.* **7** Referido a las partículas que están en suspensión en un líquido, depositarse o posarse en el fondo: *Antes de coger agua del río, deja que se asiente la arena que lleva.* □ ETIMOL. De *sentar.* □ MORF. Irreg. →PENSAR.

asentimiento s.m. Admisión de lo que otro ha propuesto o afirmado antes como cierto o conveniente; asenso.

asentir v. Admitir como cierto o conveniente lo que otro ha propuesto o afirmado antes: *Le preguntamos* *si vendría con nosotros, y asintió.* ☐ ETIMOL. Del latín *assentire*. ☐ MORF. Irreg. →SENTIR.

aseo s.m. **1** Limpieza o adorno de algo. **2** →**cuarto de aseo**.

asépalo, la adj. Referido a una flor, que carece de sépalos. ☐ ETIMOL. De *a-* (privación) y *sépalo*.

asepsia s.f. Ausencia de materia productora de descomposición, o de gérmenes que pueden producir infecciones o enfermedades. ☐ ETIMOL. De *a-* (negación) y del griego *septós* (podrido).

aséptico, ca adj. **1** De la asepsia o relacionado con ella. [**2** Que no muestra ninguna emoción ni expresa sentimientos.

asequible adj. Que se puede conseguir o alcanzar. ☐ ETIMOL. Del latín *assequi* (alcanzar). ☐ MORF. Invariable en género. ☐ SEM. Dist. de *accesible* (que tiene acceso o entrada; que es de fácil trato; que es de fácil comprensión).

aserción s.f. Declaración de que algo es verdad; afirmación. ☐ ETIMOL. Del latín *assertio*.

aserradero s.m. Lugar en el que se sierra la madera u otra materia.

aserrado, da adj. Con dientes parecidos a los de una sierra.

aserrador, -a ▌ s. **1** Persona que se dedica profesionalmente a serrar. ▌ s.f. **2** Máquina que sirve para serrar. ☐ ORTOGR. 1. En la acepción 1, se admite también *serrador*. 2. En la acepción 2, se admite también *serradora*. ☐ MORF. En la acepción 1, la RAE registra el masculino.

aserrar v. →**serrar**. ☐ MORF. La e diptonga en *ie* en los presentes, excepto en las personas *nosotros* y *vosotros* →PENSAR.

aserrería s.f. →**serrería**.

aserrín s.m. →**serrín**.

[*asertar* v. →**aseverar**. ☐ USO Su uso es innecesario.

aserto s.m. Afirmación de la certeza de algo. ☐ ETIMOL. Del latín *assertum*, y éste de *asserere* (afirmar).

asertórico o **asertorio** adj. En filosofía, referido a un juicio, que se enuncia como real pero sin la idea de necesidad: '*Julio César conquistó la Galia*' *es un juicio asertórico*. ☐ ETIMOL. Del latín *assertorius*. ☐ USO *Asertorio* es el término menos usual, aunque la RAE solo registra *asertórico*.

asesinar v. Referido a una persona, matarla con premeditación o con otras circunstancias agravantes: *Los secuestradores asesinaron a su víctima*.

asesinato s.m. Muerte que se da a una persona con premeditación, alevosía o cualquier otra circunstancia agravante. ☐ SEM. 1. Dist. de *homicidio* (muerte sin premeditación o sin otras circunstancias agravantes). 2. Dist. de *crimen* (hecho de herir o de matar).

asesino, na ▌ adj. [**1** col. Que puede producir un daño físico o moral. ▌ adj./s. **2** Que causa la muerte de alguien premeditadamente o con otras circunstancias agravantes. ☐ ETIMOL. Del árabe *hassasin* (los bebedores de hachís). ☐ SEM. Dist. de *homicida* (que mata sin premeditación o sin otras circunstancias agravantes).

asesor, -a adj./s. Que asesora, o que tiene entre sus funciones la de ilustrar o aconsejar. ☐ ETIMOL. Del latín *assessor* (el que se sienta al lado).

asesoramiento s.m. Información sobre algo o consejo que se da acerca de ello.

asesorar v. Aconsejar o informar sobre algo: *Hizo muy buenas inversiones porque lo asesoró un buen economista. Antes de emprender la acción judicial, se asesoró sobre los riesgos que corría*.

asesoría s.f. **1** Profesión de asesor. **2** Oficina de un asesor.

asestar v. **1** Referido esp. a un golpe, descargarlo sobre algo: *Le asestaron una puñalada en la espalda*. **2** Referido esp. a la vista o la mirada, dirigirla hacia un punto determinado: *Me asestó una fría mirada de odio*. ☐ ETIMOL. Del latín *sextus* (blanco de puntería). ☐ MORF. Irreg. →PENSAR.

aseveración s.f. Afirmación de algo.

aseverar v. Afirmar o asegurar: *La arqueóloga aseveró que la jarra databa del siglo V*. ☐ ETIMOL. Del latín *asseverare* (hablar seriamente).

aseverativo, va adj. Que asevera o afirma: '*Me gustan las manzanas*' *es una oración aseverativa*.

asexuado, da adj. Que carece de sexo o de caracteres sexuales externos bien definidos.

asexual adj. Referido a un tipo de reproducción, que se realiza sin la intervención de los dos sexos: *La gemación es un tipo de reproducción asexual*. ☐ ETIMOL. De *a-* (negación) y el latín *sexus* (sexo). ☐ MORF. Invariable en género.

asfaltado s.m. Revestimiento de alguna cosa con asfalto.

asfaltar v. Referido al suelo, revestirlo o cubrirlo con asfalto: *Este año volverán a asfaltar la plaza del pueblo*.

asfáltico, ca adj. De asfalto.

asfalto s.m. **1** Sustancia de color negro que constituye la fracción más pesada del petróleo crudo: *El asfalto se mezcla con arena o con grava para pavimentar las calzadas*. [**2** Lo que está hecho con este material, esp. referido a la carretera o al suelo de una ciudad. ☐ ETIMOL. Del latín *asphaltus*.

asfixia s.f. **1** Paro de la respiración o dificultad para realizarla. **2** Sensación de agobio, esp. si está producida por el calor o por el enrarecimiento del aire. [**3** Impedimento o freno en el desarrollo de algo, producidos por la falta de lo necesario. ☐ ETIMOL. Del griego *asphyxía* (detención del pulso).

asfixiante adj. Que asfixia. ☐ MORF. Invariable en género.

asfixiar v. Producir o sentir asfixia: *Este calor asfixia a cualquiera. La falta de inversiones asfixia al sector empresarial*. ☐ ORTOGR. 1. Incorr. *axfisiar*. 2. La *i* nunca lleva tilde.

[*ashkenazi* adj./s. →**asquenazí**. ☐ PRON. [askenázi]. ☐ MORF. 1. Como adjetivo es invariable en género. 2. Como sustantivo es de género común: *el* '*ashkenazi*'*, la* '*ashkenazi*'.

así ▌ adv. **1** De esta o de esa manera: *Fíjate bien, porque tienes que hacerlo así. Soy así, y no intentes cambiarme*. **2** Seguido de la preposición 'de' y de un adjetivo, tan: *Dice que pesa treinta kilos, pero no es posible que esté así de delgado*. ▌ conj. **3** Enlace gramatical subordinante con valor consecutivo: *No ahorra una peseta y así no me extraña que le vayan mal las cosas*. **4** Enlace gramatical subordinante con valor concesivo: *No le volveré a hablar así me maten*. **5** Enlace gramatical con valor comparativo y que, combinado con *como*, se usa para coordinar: *La caridad exige un esfuerzo así a los pobres como a los ricos*. ▌ interj. **6** Expresión que se usa para indicar un deseo fuerte de que suceda algo: *¡Así llo-*

viera a cántaros! **7** ‖**así así**; *col.* Medianamente, regular: *Le pregunté que cómo se encontraba y me contestó que así así.* ‖**así como así**; de cualquier manera o sin reflexionar: *No te puedes ir así como así, sin dar explicaciones.* ‖**así como**; enlace gramatical subordinante con valor comparativo: *Habló de la actividad de la empresa, así como de los beneficios obtenidos.* ‖**así** {**como/que**}; tan pronto como: *Así que lleguen, empezaremos a trabajar.* ‖**así (es) que** o **así pues**; enlace gramatical subordinante con valor consecutivo: *No estaba en casa, así que no pude darle tu recado.* ‖**así mismo**; →**asimismo.** ‖**así** {**o/que**} **asá**; *col.* De un modo o de otro: *Le da lo mismo hacerlo así que asá, lo que quiere es terminar pronto.* ‖ [**así y todo**; *col.* A pesar de todo: *No me invitó, pero 'así y todo' yo me presenté en su casa.* □ ETIMOL. Del latín *sic.* □ PRON. Está muy extendida la pronunciación [así o asao] de la expresión *así o asá.* □ SINT. Pospuesto a un sustantivo, se utiliza como adjetivo invariable con el significado de 'tal' o 'semejante': *Con gente así no se puede trabajar.* □ SEM. En expresiones interrogativas, *así que* se usa para expresar extrañeza o admiración: *¿Así que te casas?*

asiático, ca adj./s. De Asia (uno de los cinco continentes), o relacionado con ella.

asidero s.m. Lo que sirve de ayuda, de apoyo o de pretexto.

asiduidad s.f. Frecuencia o constancia en la realización de algo.

asiduo, dua adj. Frecuente o constante. □ ETIMOL. Del latín *assiduus.*

asiento s.m. **1** Objeto o lugar que se utiliza para sentarse. [**2** En uno de estos objetos, parte sobre la que alguien se sienta. **3** Lugar en el que se sitúa algo, esp. un pueblo o un edificio. **4** Lugar que alguien tiene en un tribunal o en una junta: *Durante muchos años tuvo un asiento en el Tribunal de Cuentas.* **5** Pieza fija sobre la que descansa otra: *Unas columnas de hormigón son el asiento del edificio.* **6** Apunte o anotación que se hace para registrar algo: *En el libro de contabilidad aparecen todos los asientos del mes.* **7** Estabilidad o permanencia: *Esas teorías tienen poco asiento y pronto serán olvidadas.* **8** ‖**tomar asiento**; **1** Sentarse: *Tome asiento junto a mí, por favor.* **2** Establecerse en un lugar: *Se resistía a tomar asiento en aquella ciudad tan grande.* □ ETIMOL. De *asentar.*

asignación s.f. **1** Fijación o determinación de lo que corresponde o pertenece. **2** Cantidad de dinero que se destina a algún fin.

asignar v. Referido a lo que corresponde o pertenece a algo, fijarlo o señalarlo: *Me asignaron la última habitación del pasillo.* □ ETIMOL. Del latín *assignare.*

asignatura s.f. **1** Cada una de las materias que se enseñan en un centro docente o que forman parte de un plan académico de estudios. **2** ‖ [**asignatura de libre configuración**, la que se puede elegir de otra carrera universitaria dentro de un ciclo de estudios. ‖ [**asignatura pendiente**; **1** La que se suspende y se ha de recuperar en cursos sucesivos. **2** Tarea pendiente de resolución. □ ETIMOL. Del latín *assignatus* (signado). □ ORTOGR. Dist. de *signatura.*

asilado, da s. **1** Persona a quien se admite y mantiene en un establecimiento de beneficencia; acogido. **2** Persona que, por motivos políticos, encuentra asilo con protección oficial en un país distinto del suyo.

asilar ▮ v. **1** Dar asilo: *España asila a muchos hispanoamericanos.* **2** Albergar en un asilo: *Cuando se quedó solo, se asiló para estar con más gente.* ▮ prnl. **3** Tomar asilo en un lugar: *A este político no le permitieron asilarse en ninguno de los países vecinos.*

asilo s.m. **1** Establecimiento benéfico en el que se recoge o asiste a personas necesitadas. **2** Lugar de refugio para los perseguidos. **3** Amparo o protección. **4** ‖**asilo político**; protección que un Estado concede a los perseguidos políticos de otro. □ ETIMOL. Del latín *asylum*, y éste del griego *ásylos* (inviolable).

asilvestrado, da adj. Que vive en las condiciones de un animal salvaje.

[asilvestrar v. *col.* Hacer olvidar los buenos modales: *Estás consintiendo tantos caprichos a los niños que los vas a 'asilvestrar'.*

asimetría s.f. Falta de simetría.

asimétrico, ca ▮ adj. **1** Que no guarda simetría o que carece de ella. ▮ s.f.pl. [**2** →**barras paralelas asimétricas.**

asimilación s.f. **1** Comprensión de lo que se aprende o incorporación a los conocimientos previos. **2** En biología, conjunto de procesos metabólicos a partir de los cuales se sintetizan moléculas complejas partiendo de otras más simples; anabolismo. [**3** Adaptación o aceptación de algo. **4** Concesión de los derechos u honores que tienen las personas de una carrera o profesión a las personas de otra carrera o profesión: *La asimilación de todos los funcionarios traerá problemas a la Administración.* **5** En fonética, fenómeno por el cual un sonido se transforma para igualarse con otro contiguo.

asimilar ▮ v. **1** Referido a algo que se aprende, comprenderlo o incorporarlo a los conocimientos previos: *Los alumnos asimilan bien las explicaciones de su profesora.* **2** En biología, referido a una sustancia alimenticia, transformarla el organismo en sustancia propia: *Tiene problemas de nutrición porque no asimila bien las proteínas.* [**3** Referido a una situación, aceptarla o adaptarse a ella: *Le costó 'asimilar' su situación de jubilada.* **4** Referido a las personas de una carrera o profesión, concederles derechos u honores iguales a los que tienen las personas de otra carrera o profesión: *Queremos que nos asimilen al personal del departamento de informática. Si se asimilan las dos carreras, habrá que igualar los años de estudio de ambas.* **5** En fonética, referido a un sonido, transformarlo aproximándolo a otro semejante que influye sobre él: *El cierre del diptongo 'ai' en 'ei' o en 'e' ocurre porque las dos vocales se asimilan mutuamente.* ▮ prnl. **6** Ser semejante o parecido: *Ese lejano grupo de casas se asimila a una montaña.* □ ETIMOL. Del latín *assimilare.* □ SINT. Constr. de la acepción 6: *asimilarse A algo.*

asimismo adv. También. □ ORTOGR. 1. Se admite también *así mismo.* 2. Dist. de *a sí mismo.* □ USO Aunque la RAE prefiere *así mismo*, se usa más *asimismo.*

asindético, ca adj. Del asíndeton, con asíndeton o relacionado con esta figura retórica.

asíndeton s.m. Figura retórica consistente en omitir las conjunciones para dar viveza o energía a la expresión. □ ETIMOL. Del latín *asyndeton*, éste del griego *asýndeton*, y éste de *asýndetos* (desatado). □

SEM. Dist. de *polisíndeton* (empleo reiterado de conjunciones).

asir ∎ v. **1** Tomar o coger con la mano: *La niña asió a su madre de la falda. Se asió a la cuerda y empezó a columpiarse.* ∎ prnl. **2** Agarrarse con fuerza: *Le gusta asirse a sus recuerdos y desprecia el futuro.* ☐ ETIMOL. De *asa*. ☐ MORF. Irreg. →ASIR. ☐ SINT. Constr. como pronominal: *asirse A algo.*

asirio, ria ∎ adj./s. **1** De la antigua Asiria (región comprendida entre los valles de los ríos Tigris y Éufrates), o relacionado con ella. ∎ s.m. **2** Antigua lengua de esta región.

[**asistemático, ca** adj. Que no es sistemático o que no se ajusta a un sistema.

asistencia ∎ s.f. **1** Concurrencia a un lugar y estancia en él. **2** Ayuda, cooperación o socorro. **3** Conjunto de personas presentes en un acto. [**4** En baloncesto, pase de balón de un jugador a otro de su mismo equipo que está en posición de encestar, esp. si mete la canasta. ∎ pl. **5** Conjunto de personas que realizan las labores secundarias o de ayuda que requiere una actividad: *El delantero lesionado fue retirado en brazos de las asistencias.*

asistencial adj. De la asistencia social o relacionado con ella. ☐ MORF. Invariable en género.

asistenta s.f. Mujer que realiza las labores domésticas de una casa sin vivir en ella, y que generalmente cobra por horas.

asistente ∎ s. **1** Persona que realiza labores de asistencia. ∎ s.m. **2** Soldado destinado al servicio personal de un general, de un jefe o de un oficial. **3** ‖ **asistente social**; persona legalmente autorizada para prestar ayuda a individuos o a grupos en asuntos relacionados con el bienestar social. ☐ MORF. En la acepción 1, es de género común: *el asistente, la asistenta.*

asistir v. **1** Acudir a un lugar y estar presente en él: *Asiste todos los días a clase.* **2** Servir o atender: *Una azafata se encargó de asistir a la embajadora durante la recepción.* **3** Socorrer, favorecer o ayudar: *Ese centro público se dedica a asistir a los pobres.* **4** Referido a un enfermo, atenderlo y cuidarlo: *En el hospital asistieron a los heridos.* **5** Servir en una casa: *Cuando se quedó viuda se puso a asistir.* **6** Referido esp. a la razón o al derecho, estar de parte de una persona: *A todos los acusados les asiste el derecho a ser defendidos en un juicio.* ☐ ETIMOL. Del latín *assistere* (pararse junto a un lugar).

asma s.f. Enfermedad del sistema respiratorio caracterizada fundamentalmente por una respiración difícil y anhelosa, tos y sensación de ahogo. ☐ ETIMOL. Del latín *asthma*, y éste del griego *ásthma* (jadeo). ☐ MORF. **1.** Por ser un sustantivo femenino que empieza por *a* tónica o acentuada, va precedido de *el, un, algún, ningún* y de las formas femeninas del resto de los determinantes. **2.** En círculos especializados se usa más como masculino.

asmático, ca ∎ adj. **1** Del asma o relacionado con esta enfermedad. ∎ adj./s. **2** Que padece asma.

asno, na ∎ s. **1** Mamífero cuadrúpedo, doméstico, más pequeño que el caballo, con largas orejas, pelo áspero y normalmente grisáceo, y que se suele emplear como montura o como animal de carga o de tiro. ∎ s.m. **2** Persona ruda y de corto entendimiento; acémila. ☐ ETIMOL. Del latín *asinus*. ☐ SEM. En la acepción 1, es sinónimo de *borrico, burro, jumento* y *pollino*.

asociación s.f. **1** Unión de personas o de objetos para un determinado fin. **2** Establecimiento de una relación entre objetos o entre ideas. **3** Conjunto de los asociados para un determinado fin. **4** Entidad con estructura propia formada por este conjunto de asociados.

asociacionismo s.m. Tendencia a crear asociaciones para defender intereses comunes.

asociado, da s. **1** Persona que forma parte de una asociación o compañía. **2** ‖ **(profesor) asociado**; el que trabaja fuera de la universidad y es contratado temporalmente por ésta.

asocial adj. Que no se integra en la sociedad o no se vincula a ella. ☐ MORF. Invariable en género.

asociar v. **1** Referido a una persona o a un objeto, unirlos a otros para un determinado fin: *El padre asoció a su hija a la empresa familiar. Los trabajadores se asociaron para defender sus derechos.* [**2** col. Relacionar: *El olor de este perfume lo 'asocio' con una chica que conocí.* ☐ ETIMOL. Del latín *associare*. ☐ ORTOGR. La *i* nunca lleva tilde.

asociativo, va adj. Que asocia, que tiende a la asociación, o que resulta de ella.

asolación →asolamiento.

asolador, -a adj. Que asola o destruye; desolador.

asolamiento s.m. Arrasamiento o destrucción de algo; asolación.

asolar v. **1** Arruinar, arrasar o destruir por completo; desolar: *Un terremoto asoló la zona norte del país.* **2** Referido al campo o a sus frutos, secarlos o echarlos a perder, esp. si es por la acción del calor: *El fuerte sol y los vientos cálidos asolan las cosechas. El campo se asoló con los calores del verano.* ☐ ETIMOL. La acepción 1, del latín *assolare* (derribar). La acepción 2, de *sol*. ☐ MORF. En la acepción 1: 1. Irreg. →CONTAR. 2. Puede usarse también como regular.

asolear ∎ v. **1** Exponer al sol durante un tiempo: *Conviene asolear la ropa que ha estado en sitio húmedo para que no se estropee.* ∎ prnl. **2** En zonas del español meridional, tomar el sol. ☐ ORTOGR. En la acepción 1, se admite también *solear.*

asomar v. **1** Empezar a mostrarse: *Te asoman las enaguas por debajo de la falda.* **2** Sacar o mostrar por una abertura o por detrás de algo: *Asomó la cabeza por la puerta para vernos marchar. Asómate a la ventana, que te voy a dar un recado.* ☐ ETIMOL. Del latín *summum* (el más alto).

asombrar v. Causar o sentir asombro: *Nos asombró con su facilidad de palabra. Me asombra ver que tengas tanta fuerza.* ☐ ETIMOL. De *sombra*.

asombro s.m. **1** Gran admiración o sorpresa. **2** Lo que es o resulta asombroso.

asombroso, sa adj. Que causa asombro.

asomo s.m. **1** Indicio o señal de algo: *En sus escritos se aprecia un cierto asomo de humor negro.* **2** ‖ **ni por asomo**; de ningún modo: *No acepto, ni por asomo, que vuelvas a trabajar en ese sitio.*

asonada s.f. Reunión numerosa de personas para conseguir, mediante tumulto y violencia, algún fin, esp. si es de carácter político: *asonada popular.* ☐ ETIMOL. Del antiguo *asonar* (juntar, reunir), y éste del antiguo *de so uno* (juntamente).

asonancia s.f. En métrica, identidad de los sonidos vocálicos en la terminación de dos palabras, esp. si son finales de versos, a partir de su última vocal acentuada.

asonante adj. Referido esp. a una palabra o a un verso, que guardan con otros asonancia o identidad de los sonidos vocálicos a partir de su última vocal acentuada: *'Belleza' y 'espesa' son palabras asonantes entre sí.* □ MORF. Invariable en género.

asonar v. Hacer asonancia o sonar guardando correspondencia un sonido con otro: *El tercer verso de este poema asuena con el primero.* □ ETIMOL. Del latín *assonare* (responder al eco con un son). □ MORF. Irreg. →CONTAR.

asordar v. Ensordecer con ruido o con voces: *Me voy a asordar con el ruido de los coches de la calle.*

asorochar v. En zonas del español meridional, producir soroche o mal de montaña, o sufrirlo.

aspa s.f. **1** En un molino de viento, aparato exterior con figura de cruz o de 'X', en cuyos brazos se ponen unos lienzos que giran impulsados por el viento. **2** Lo que tiene forma de 'X'. □ ETIMOL. Del alemán *haspa* (madeja). □ MORF. Por ser un sustantivo femenino que empieza por *a* tónica o acentuada, va precedido de *el, un, algún, ningún* y de las formas femeninas del resto de los determinantes.

aspado, da adj. Con forma de aspa.

aspar ‖ **[que {me/te/le} aspen**; *col.* Expresión que indica desprecio o desinterés: *Si no quieres hacerme caso, anda y 'que te aspen'.*

aspaviento s.m. Demostración excesiva o exagerada de un sentimiento. □ ETIMOL. Del italiano *spavento* (espanto). □ MORF. Se usa más en plural. □ SINT. Se usa más con el verbo *hacer.*

aspecto s.m. **1** Conjunto de características o de rasgos exteriores de algo. **2** En lingüística, categoría gramatical que distingue en el verbo diferentes clases de acción: *Por el aspecto, la acción de un verbo puede presentarse como acabada o como en su transcurso.* **[3** Cada una de las formas de ver, analizar o estudiar algo: *Para su investigación ha tenido en cuenta tres 'aspectos': ambiente, vida y tiempo.* □ ETIMOL. Del latín *aspectus* (acción de mirar, presencia, aspecto).

aspectual adj. Del aspecto o relacionado con esta categoría gramatical. □ MORF. Invariable en género.

aspereza s.f. **1** Falta de suavidad por tener la superficie desigual. **2** Falta de amabilidad o de suavidad en el trato. **3** Dureza o inclemencia del tiempo o del clima. ‖**limar asperezas**; conciliar o vencer dificultades u opiniones contrapuestas.

asperger v. →**asperjar.** □ ETIMOL. Del latín *aspergere* (rociar). □ ORTOGR. La *g* se cambia en *j* delante de *a*, o →COGER.

asperjar v. **1** En algunas ceremonias de la religión católica, echar el sacerdote agua bendita con el hisopo sobre alguien o algo; hisopar, hisopear: *En la catedral, el sacerdote asperjó a sus feligreses.* **2** Regar con agua salpicando con gotas menudas: *Es mejor asperjar el césped que regarlo.* □ ORTOGR. Se admite también *asperger.*

áspero, ra adj. **1** Que no es suave al tacto por tener la superficie desigual. **2** Falto de amabilidad o de suavidad en el trato. **3** Referido esp. al tiempo o al clima, que son desapacibles o tempestuosos. □ ETIMOL. Del latín *asper.* □ MORF. Sus superlativos son *asperísimo* y *aspérrimo.*

aspérrimo, ma superlat. irreg. de **áspero.**

aspersión s.m. Distribución de un líquido en gotas menudas: *riego por aspersión.* □ ETIMOL. Del latín *aspersio.*

aspersor s.m. Aparato o mecanismo que esparce un líquido a presión.

áspid o **áspide** s.m. Serpiente venenosa de color verde amarillento con manchas pardas y cuello extensible lateralmente. □ ETIMOL. Del latín *aspis.* □ PRON. Incorr. *[aspíd] y *[aspíde]. □ MORF. Son sustantivos epicenos: *el {áspid/áspide} macho, el {áspid/áspide} hembra.*

aspillera s.f. En un muro, abertura larga y estrecha para disparar por ella. □ ETIMOL. De origen incierto. □ ORTOGR. Dist. de *arpillera.*

aspiración s.f. **1** Introducción de aire o de otra sustancia gaseosa en los pulmones. **2** Pretensión o deseo de conseguir o de alcanzar algo. **3** En fonética y fonología, sonido que se produce por el roce del aire espirado en la laringe o en la faringe: *La aspiración de la '-s' final de palabra es un rasgo dialectal del español.*

aspirador s.m. o **aspiradora** s.f. Electrodoméstico que sirve para limpiar mediante un sistema que aspira la basura. ⚡ electrodoméstico

aspirante ad./s. Que aspira a conseguir un empleo, distinción o título. □ MORF. **1.** Como adjetivo es invariable en género. **2.** Como sustantivo es de género común: *el aspirante, la aspirante.*

aspirar v. **1** Referido al aire o a una sustancia gaseosa, introducirlos en los pulmones: *En el incendio aspiró gases tóxicos.* **2** Referido a un fluido o a una partícula, absorberlos mediante una baja presión: *Con este aparatito puedes aspirar las migas de la mesa.* **3** En fonética y fonología, referido a un sonido, pronunciarlo aspirado: *Es andaluz y aspira la 'h-' inicial.* **4** Pretender conseguir o alcanzar: *Aspira a ser un buen médico.* □ ETIMOL. Del latín *aspirare* (echar el aliento hacia algo). □ SINT. Constr. de la acepción 4: *aspirar A algo.*

aspirina s.f. Medicamento que se utiliza para combatir la fiebre, el dolor y la inflamación. □ ETIMOL. Extensión del nombre de una marca comercial.

asquear v. Causar asco, repugnancia o fastidio: *Me asquea la mentira.*

asquenazí adj./s. Referido a un judío, que procede de la comunidad judía medieval alemana. □ MORF. **1.** Como adjetivo es invariable en género y como sustantivo es de género común: *el asquenazí, la asquenazí.* **2.** Su plural es *asquenazíes.* □ USO Es innecesario el uso de *'ashkenazi'.*

asqueroso, sa ‖ adj. **1** Que tiene asco o es propenso a sentirlo. ‖ adj./s. **2** Que causa asco. □ ETIMOL. Del latín *escharosus* (lleno de costras). □ USO Se usa como insulto.

asta s.f. **1** En algunos animales, pieza ósea, generalmente puntiaguda y algo curva, que nace en la región frontal; cuerno. **2** Palo o mástil en el que se coloca una bandera. **3** Palo de un arma blanca larga. □ ETIMOL. Del latín *hasta* (palo de la lanza o pica). □ ORTOGR. Dist. de *hasta.* □ MORF. **1.** Por ser un sustantivo femenino que empieza por *a* tónica o acentuada, va precedido de *un, algún, ningún* y de las formas femeninas del resto de los determinantes. **2.** Cuando se antepone a una palabra para formar compuestos, adopta la forma *asti-: astifino.*

astado, da adj./s.m. Referido a un animal, que tiene astas o cuernos.

ástato s.m. Elemento químico, semimetálico y sólido, artificial, de número atómico 85, radiactivo, bastante volátil y soluble en agua. □ ETIMOL. Del

astroso, sa

griego *ástatos* (inestable). ☐ PRON. Aunque la pronunciación correcta es [ástato], en círculos especializados se usa más [astáto]. ☐ ORTOGR. Su símbolo químico es *At*.

astenia s.f. En medicina, falta o decaimiento de las fuerzas. ☐ ETIMOL. Del griego *asthéneia* (debilidad).

asténico, ca ∎ adj. **1** De la astenia o relacionado con ella. ∎ adj./s. **2** Que padece astenia.

[astenosfera s.f. Capa de la Tierra situada entre la litosfera y la mesosfera.

[astenospermia s.f. Presencia mayoritaria de espermatozoides poco móviles en el líquido seminal.

asterisco s.m. En ortografía, signo gráfico que se utiliza para llamada de una nota o para otros usos convencionales: *El signo '*' es un asterisco.* ☐ ETIMOL. Del griego *asteriskos* (estrellita).

asteroide s.m. Cada uno de los pequeños planetas cuyas órbitas se hallan entre las de Marte y Júpiter. ☐ ETIMOL. Del griego *asteroeidés* (de figura de estrella).

astifino adj. Referido a un toro, que tiene las astas o cuernos delgados y finos.

astigmatismo s.m. Defecto de la visión producido por una curvatura irregular de la córnea. ☐ ETIMOL. De *a-* (negación) y el griego *stígma* (punto, pinta).

astil s.m. Mango, generalmente de madera, que tienen algunos instrumentos y herramientas: *Llevaba el hacha con el astil apoyado en el hombro.* ☐ ETIMOL. Del latín *hastile*. ☐ PRON. Incorr. **ástil*. ☐ ORTOGR. Dist. de *mástil*.

astilla s.f. **1** Fragmento irregular que salta o queda de una materia, esp. de la madera. **[2** col. Soborno: *Jamás pensé que fuesen tan sinvergüenzas como para intentar obtener una 'astilla' en este negocio.* ☐ ETIMOL. Del latín *astella* (astillita).

astillar v. Hacer astillas: *Dio un golpe tan fuerte en la puerta que la astilló. El hueso no se fracturó, pero sí se astilló.*

astillero s.m. Lugar en el que se construyen y se reparan barcos. ☐ ETIMOL. De *astilla* (montón o almacén de maderas).

astilloso, sa adj. Que salta fácilmente en pedazos o que se rompe formando astillas.

astracán s.m. **1** Piel de cordero no nacido o recién nacido, muy fina y con el pelo rizado. **2** Tejido de lana o de pelo de cabra muy rizados. ☐ ETIMOL. Del francés *astracan*, y éste del nombre de la ciudad rusa de *Astraján*, de donde se importó este tejido.

astracanada s.f. col. Farsa teatral disparatada y chabacana. ☐ USO Es despectivo.

astrágalo s.m. **1** En anatomía, hueso de la primera fila del tarso, que está articulado con la tibia y el peroné; taba. **2** En arquitectura, moldura en forma de anillo que se pone en la parte superior del fuste de una columna y que tiene decoración de cuentas. ☐ ETIMOL. Del latín *astragalus*.

astral adj. De los astros o relacionado con ellos. ☐ MORF. Invariable en género.

astreñir v. →**astringir**. ☐ MORF. Irreg. →CEÑIR.

astricción s.f. →**astringencia**.

astricto part. irreg. de **astringir**.

astringencia s.f. Estrechamiento o contracción de un tejido orgánico producidos por alguna sustancia; astricción. ☐ USO Aunque la RAE prefiere *astricción*, se usa más *astringencia*.

astringente adj./s.m. Referido a una sustancia o a algo que la contiene, que contrae los tejidos orgánicos.

☐ ETIMOL. Del latín *adstringens*, y éste de *adstringere* (estrechar). ☐ MORF. Como adjetivo es invariable en género.

astringir v. Estrechar o contraer un tejido orgánico; astreñir: *El arroz blanco y hervido astringe.* ☐ ETIMOL. Del latín *adstringere* (estrechar). ☐ ORTOGR. La *g* se cambia en *j* delante de *a, o* →DIRIGIR. ☐ MORF. Su participio es *astricto*.

astro s.m. **1** Cuerpo celeste que está en el firmamento: *Las estrellas, planetas y cometas son astros.* **2** Persona que sobresale en su profesión o que es muy popular, esp. referido a un artista o a un deportista; estrella. ☐ ETIMOL. Del latín *astrum*.

astro- Elemento compositivo que significa 'estrella' (*astrología, astronáutica, astrodinámica*) o *'espacio sideral'* (*astronauta, astronave*). ☐ ETIMOL. Del latín *astrum*.

[astrodinámica s.f. Parte de la astronomía que estudia el movimiento de los astros. ☐ ETIMOL. De *astro-* (estrella) y *dinámica*.

astrofísico, ca ∎ adj. **1** De la astrofísica o relacionado con esta parte de la astronomía. ∎ s. **2** Persona que se dedica a los estudios astrofísicos. ∎ s.f. **3** Parte de la astronomía que estudia las propiedades, el origen y la evolución de los cuerpos celestes. ☐ ETIMOL. De *astro-* (estrella) y *física*.

astrolabio s.m. Instrumento en el que estaba representada la esfera terrestre y que se usaba para observar y para determinar la posición y el movimiento de los astros: *El astrolabio servía para que los navegantes se orientasen.* ☐ ETIMOL. Del griego *astrolábion*, y éste de *ástron* (astro) y *lambáno* (yo tomo la altura).

astrología s.f. Estudio de la influencia que la posición y el movimiento de los astros tienen sobre las personas. ☐ ORTOGR. Dist. de *artrología*.

astrológico, ca adj. De la astrología o relacionado con ella.

astrólogo, ga s. Persona que se dedica al estudio de la influencia de los astros en las personas o que está especializada en astrología. ☐ ETIMOL. Del latín *astrolugus*, y éste del griego *astrológos* (astrónomo).

astronauta s. Persona que tripula una nave espacial o que está entrenada para ello; cosmonauta. ☐ ETIMOL. De *astro-* (espacio sideral) y *nauta* (navegante). ☐ MORF. Es de género común: *el astronauta, la astronauta.*

astronave s.f. Vehículo que puede navegar más allá de la atmósfera terrestre. ☐ ETIMOL. De *astro-* (espacio sideral) y *nave*.

astronomía s.f. Ciencia que estudia todo lo relacionado con los astros, esp. las leyes de sus movimientos, la distribución y la interacción de la materia, y la energía en el universo. ☐ ETIMOL. Del latín *astronomia*, éste del griego *astronomía*, y éste de *ástron* (astro) y *némo* (reparto).

astronómico, ca adj. **1** De la astronomía o relacionado con esta ciencia. **2** col. Referido esp. a una cantidad, que se considera desmesuradamente grande.

astrónomo, ma s. Persona que se dedica al estudio de la astronomía o que está especializada en esta ciencia.

astroso, sa adj. Desaseado, sucio o roto. ☐ ETIMOL. Del latín *astrosus* (desgraciado, el que tiene mala estrella), y éste de *astrum* (astro).

astucia s.f. **1** Habilidad para engañar a alguien, para evitar un daño o para lograr un fin. **2** Lo que se hace con habilidad para conseguir algo, esp. para engañar a alguien; treta.

astur adj./s. **1** De una antigua región española del norte del territorio peninsular. **2** →**asturiano**. □ MORF. 1. Como adjetivo es invariable en género. 2. Como sustantivo es de género común: *el astur, la astur*. 3. En la acepción 1, la RAE sólo lo registra como adjetivo.

astur-leonés s.m. →**asturleonés**.

asturcón, -a adj./s. Referido a un caballo, que es de una raza de pequeño tamaño y originaria de Asturias (comunidad autónoma y provincia).

asturianismo s.m. **1** En lingüística, palabra, significado o construcción sintáctica del asturiano empleados en otra lengua. **[2** Movimiento que defiende los valores históricos y culturales asturianos y generalmente es partidario de la autonomía política asturiana.

asturiano, na ∎ adj./s. **1** Del Principado de Asturias (comunidad autónoma), de la provincia de esta comunidad o relacionado con ellas. ∎ s.m. **2** Modalidad lingüística que se habla en Asturias.

asturleonés s.m. Dialecto romance que nació en las zonas que actualmente corresponden a León y Asturias; leonés. □ ORTOGR. Se admite también *astur-leonés*.

astuto, ta adj. Con astucia o hábil para engañar a alguien, para evitar un daño o para lograr un fin. □ ETIMOL. Del latín *astutus*.

asueto s.m. Descanso o vacación breves: *un día de asueto*. □ ETIMOL. Del latín *festum assuetum* (fiesta acostumbrada).

asumir v. **1** Referido a algo propio, aceptarlo o tomar plena conciencia de ello: *Se cree perfecta y no asume sus propias limitaciones*. **2** Referido esp. a una responsabilidad, tomarla por sí o sobre sí: *El comandante asumió el mando por la ausencia de su superior*. □ ETIMOL. Del latín *assumere*. □ SEM. Dist. de *presumir* (sospechar).

asunción s.f. **1** Aceptación o admisión para sí: *Con la asunción de sus nuevas funciones tendrá poco tiempo libre*. **2** En la iglesia católica, subida a los cielos de la Virgen María. □ ETIMOL. Del latín *asumptio* (acto de asumir). □ ORTOGR. La acepción 2 se usa más como nombre propio.

asunto s.m. **1** Materia de que se trata. **2** Tema o argumento de una obra de creación. **3** Negocio, ocupación o quehacer. **4** Aventura amorosa que se quiere mantener en secreto por algún motivo.

asustadizo, za adj. Que se asusta con facilidad.

asustar v. Causar o sentir susto, temor o desasosiego: *La tormenta asustó a los niños. ¿Te asusta pensar en el futuro?*

atabal s.m. Tambor de forma semiesférica con un solo parche. □ ETIMOL. Del árabe *at-tabal* (el tímpano).

[atacante adj./s. Que ataca. □ MORF. 1. Como adjetivo es invariable en género. 2. Como sustantivo es de género común: *el atacante, la atacante*.

atacar v. **1** Embestir o lanzarse con ímpetu o con violencia: *El enemigo atacó de noche*. **2** Referido a una persona o a una idea, combatirlas, contradecirlas u oponerse a ellas: *Siempre atacas sus propuestas porque le tienes envidia*. **3** Referido esp. al sueño o a una enfermedad, venir o dar repentinamente; aco-

meter: *Todos los años en otoño me ataca la gripe*. **4** Irritar, perjudicar o afectar de forma que hace daño: *Beber mucho alcohol ataca al hígado*. **5** Referido a una sustancia, ejercer su acción sobre otra, combinándose con ella o variando su estado: *El salitre ataca a los metales y los corroe*. **6** Referido esp. a una nota o a una composición musicales, empezar a ejecutarlas: *La cantante tomó aire antes de atacar la nota final*. **[7** En algunos deportes, llevar o tomar la iniciativa en el juego, esp. si es para obtener puntos o para ganar: *En baloncesto el equipo que tiene la posesión del balón es el que va a 'atacar'*. □ ETIMOL. Del italiano *attaccare* (pegar, unir, acometer). □ ORTOGR. La *c* se cambia en *qu* delante de *e* →SACAR.

atadijo s.m. col. Lío o envoltorio pequeños y mal hechos.

atado s.m. **1** Conjunto de cosas atadas. **2** En zonas del español meridional, paquete de cigarrillos.

atadura s.f. **1** Lo que ata. **2** Unión, enlace o vínculo.

atajar v. **1** Tomar un atajo o ir por una senda por donde se abrevia el camino: *Si atajamos por aquí, llegaremos antes que ellos*. **2** Referido a una persona o a un animal que huyen, salirles al encuentro por algún atajo: *Los perros atajaron al ganado*. **3** Referido a una acción o a un proceso, cortarlos o interrumpirlos: *Los bomberos atajaron el fuego en unos minutos*. **4** Referido a una persona, interrumpirla cuando habla: *Si te viene a contar chismes, atájalo y verás cómo deja de incordiar*. □ ETIMOL. Del latín *taleare* (cortar, rajar). □ ORTOGR. Conserva la *j* en toda la conjugación.

atajo s.m. **1** Senda o lugar por donde se abrevia el camino. **2** Grupo o conjunto; hatajo. **3** Pequeño grupo de ganado. □ USO En la acepción 2, tiene un matiz despectivo.

atalaje s.m. Conjunto de guarniciones o aparejos que llevan los animales de carga: *Las bridas forman parte del atalaje*. □ ETIMOL. Del francés *attelage*.

atalaya s.f. Torre construida generalmente en un lugar elevado para vigilar desde ella una gran extensión de tierra o de mar y poder dar aviso de lo que se descubra. □ ETIMOL. Del árabe *at-tala'i'* (los centinelas).

atañer v. Concernir, incumbir o corresponder; afectar: *Mis problemas no te atañen*. □ ETIMOL. Del latín *attangere* (llegar a tocar). □ ORTOGR. Dist. de *tañer*. □ MORF. 1. Verbo defectivo: sólo se usa en las terceras personas de cada tiempo, y en las formas no personales (infinitivo, gerundio y participio). 2. Irreg. →TAÑER.

ataque s.m. **1** Acción violenta o impetuosa contra algo para apoderarse de ello o para causarle algún daño. **2** Acceso repentino ocasionado por una enfermedad o por un sentimiento extremo: *ataque de gota*. **3** Hecho o dicho que suponen una crítica. **[4** En algunos deportes, posesión o toma de la iniciativa en el juego, esp. si es para obtener puntos o para ganar.

atar v. **1** Unir o sujetar con cuerdas: *Lo ataron de pies y manos. Se ató el pelo en una trenza*. **2** Impedir o quitar el movimiento o la libertad de acción: *Sus obligaciones profesionales la atan mucho*. **3** Juntar o relacionar: *Ata los cabos sueltos y descubrirás el meollo de la cuestión*. **4** ‖**atar corto** a alguien; col. Reprimirlo o sujetarlo: *No lo ates tan* *corto y dale más libertad.* □ ETIMOL. Del latín *aptare* (adaptar, sujetar).

atarantar v. En zonas del español meridional, aturdir. □ ETIMOL. De *tarántula.*

atarazana s.f. Lugar en el que se construyen y reparan barcos. □ ETIMOL. Del árabe *dár-as-sána* (casa de fabricación).

atardecer ▌ s.m. **1** Última parte de la tarde. ▌ v. **2** Empezar a caer la tarde: *Regresamos a casa cuando atardecía.* □ MORF. 1. Verbo unipersonal: sólo se usa en tercera persona y en las formas no personales (infinitivo, gerundio y participio). 2. Irreg. →PARECER.

atareado, da adj. Muy entregado a un trabajo o a una ocupación.

atarearse v. prnl. Referido a un trabajo o a una ocupación, entregarse mucho a ellos: *Todas las tardes se atareaba con el estudio y la meditación.* □ SINT. Constr. *atarearse {CON/EN} algo.*

atascar ▌ v. **1** Referido a un lugar, tapar u obstruir el paso por él; atrancar: *No sale agua porque hay algo que atasca la manguera. La tubería se atascó.* **2** Referido a un asunto, ponerle obstáculos para evitar que avance o prosiga: *Los intereses de los distintos partidos atascaron la negociación.* ▌ prnl. **3** Quedarse detenido sin poder seguir, esp. como consecuencia de un obstáculo: *La llave se ha atascado y no gira.* □ ETIMOL. De origen incierto. □ ORTOGR. La *c* se cambia en *qu* delante de *e* →SACAR.

atasco s.m. **1** Densidad alta del tráfico; embotellamiento. **2** Obstrucción de un conducto.

ataúd s.m. Caja, generalmente de madera, en la que se coloca un cadáver para enterrarlo; caja, féretro. □ ETIMOL. Del árabe *at-tabut* (la caja, el arca).

ataurique s.m. Ornamentación vegetal muy estilizada característica del arte árabe. □ ETIMOL. Del árabe *at-tawriq* (el adorno foliáceo).

ataviar v. Adornar, arreglar o vestir, esp. si los atuendos se apartan de lo que requiere la ocasión: *Se atavió con sus mejores galas para ir a la boda.* □ ORTOGR. La *i* lleva tilde en los presentes, excepto en las personas *nosotros* y *vosotros* →GUIAR.

atávico, ca adj. Que tiende a imitar o a mantener formas de vida o costumbres arcaicas.

atavío s.m. **1** Vestido o atuendo, esp. si se apartan de lo que requiere la ocasión. **2** Adorno o arreglo, generalmente provisionales: *Poco antes de la celebración colocaron los atavíos.* □ ETIMOL. De origen incierto. □ MORF. Se usa más en plural.

atavismo s.m. **1** Inclinación a imitar o mantener formas de vida o costumbres arcaicas. **2** En biología, referido a un ser vivo, reaparición de caracteres propios de sus ascendientes más o menos remotos. □ ETIMOL. Del latín *atavus* (cuarto abuelo, antepasado).

ateísmo s.m. Doctrina, opinión o actitud que niega la existencia de Dios. □ SEM. Dist. de *agnosticismo* (que declara inalcanzable para el entendimiento humano lo absoluto y lo sobrenatural).

atemorizar v. Causar temor o miedo: *No atemorices a tu hermano hablándole de fantasmas. Se atemorizó con los gritos.* □ ORTOGR. La *z* se cambia en *c* delante de *e* →CAZAR.

atemperar v. Moderar, calmar o hacer más tibio: *Los años han atemperado su carácter.* □ ETIMOL. Del latín *temperare* (moderar, templar).

[atemporal adj. Que no hace referencia al tiempo: *relato atemporal.* □ MORF. Invariable en género.

atenazar v. **1** Sujetar fuertemente con tenazas o de forma parecida: *Atenazó uno de los hierros candentes de la chimenea. El pequeño atenazaba el muñeco llorando.* **2** Referido esp. a un sentimiento, paralizar o inmovilizar: *Se siente inseguro porque múltiples miedos lo atenazan.* □ ORTOGR. La *z* se cambia en *c* delante de *e* →CAZAR.

atención s.f. **1** Interés y aplicación voluntaria del entendimiento: *Presta atención, que empezamos a rodar.* **2** Cuidado o aplicación de algo: *En el ambulatorio recibí atención primaria.* **3** Demostración de respeto o de cortesía: *Tuvo muchas atenciones con nosotros.* **4** ‖ [a la atención de alguien; en un envío, para entregárselo a esa persona: *Enviamos la carta 'a la atención de' la secretaria de dirección.* ‖ en atención a algo; teniéndolo en cuenta o atendiendo a ello: *Consiguió el ascenso en atención a sus numerosos años de servicio.* ‖llamar la atención; 1 Provocar o despertar interés, curiosidad o sorpresa. 2 Reprender o amonestar. □ USO Se usa como aviso o como señal de advertencia: *¡Atención!*, *cada uno a su puesto.*

atender v. **1** Poner atención o aplicar voluntariamente el entendimiento: *No atendió a las instrucciones de la azafata. Si no atiendes, no te enterarás.* **2** Referido a un deseo o a un ruego, acogerlo favorablemente o satisfacerlo: *Atendieron mis protestas y me arreglaron el teléfono.* **3** Referido a una persona o a una cosa, cuidarla u ocuparse de ella: *Desde hace varios años, atiende el negocio personalmente.* **4** Considerar o tener en cuenta: *Se cambió de casa, atendiendo a sus necesidades.* **5** ‖atender por; referido esp. a un animal, llamarse: *El perro perdido atiende por 'Cuqui'.* □ ETIMOL. Del latín *attendere* (tender el oído hacia algo, poner atento el ánimo). □ MORF. Irreg. →PERDER.

ateneo s.m. **1** Asociación cultural, generalmente científica, literaria y artística. **2** Local en el que tiene su sede dicha asociación. □ ETIMOL. Del latín *Athenaeum,* y éste del griego *Athénaion* (templo de Minerva en Atenas).

atenerse v.prnl. Referido a una persona, ajustarse o someterse a algo: *Si te vas, atente a las consecuencias. Se atuvo a lo dicho anteriormente.* □ ETIMOL. Del latín *attinere.* □ MORF. Irreg. →TENER. □ SINT. Constr. *atenerse a algo.*

ateniense adj./s. De Atenas (capital griega), o relacionado con ella. □ MORF. Como adjetivo es invariable en género. 2. Como sustantivo es de género común: *el ateniense, la ateniense.*

atentado s.m. **1** Agresión violenta contra la integridad física de algo. **2** Ofensa o acción contraria a lo que se considera justo o inviolable. □ SINT. Constr. *atentado CONTRA algo.*

atentar v. Cometer un atentado: *Los terroristas atentaron contra la vida de un militar. Este espectáculo atenta contra el buen gusto.* □ ETIMOL. Del latín *attemptare.* □ SINT. Constr. *atentar CONTRA algo.*

atentatorio, -a adj. Que atenta contra alguien o algo.

atento, ta adj. **1** Con la atención fija en algo. **2** Amable, cortés y bien educado. □ SINT. Constr. de la acepción 1: *atento A algo.*

atenuación s.f. Disminución de la fuerza o la intensidad de algo.
atenuante s.f. →**circunstancia atenuante.** □ MORF. Su uso como sustantivo masculino es incorrecto, aunque está muy extendido.
atenuar v. Disminuir en fuerza o en intensidad: *Los calmantes atenúan el dolor. Cuando atardece, la luz solar se atenúa.* □ ORTOGR. La *u* lleva tilde en los presentes, excepto en las personas *nosotros* y *vosotros* →ACTUAR.
ateo, a adj./s. Que niega la existencia de Dios. □ ETIMOL. Del griego *átheos*, y éste de *a-* (negación) y *theós* (Dios). □ SEM. Dist. de *agnóstico* (que ni afirma ni niega la existencia de Dios porque la considera inalcanzable para el entendimiento humano).
aterciopelado, da adj. Parecido al terciopelo o con la finura o suavidad propias de este tejido.
aterido, da adj. Paralizado, entumecido o rígido como consecuencia del frío. □ SEM. *Aterido de frío* es una expresión redundante e incorrecta, aunque está muy extendida.
aterir v. Paralizar, entumecer o quedar rígido como consecuencia del frío: *Los esquiadores se aterían en un refugio sin chimenea ni calefacción.* □ ETIMOL. De origen incierto. □ MORF. Verbo defectivo: sólo se usan las formas que presentan *i* en su desinencia →ABOLIR, esp. el infinitivo y el participio. □ SEM. *Aterirse de frío* es una expresión redundante e incorrecta, aunque está muy extendida.
ateroesclerosis s.f. →**aterosclerosis.** □ ORTOGR. Dist. de *arterioesclerosis.* □ MORF. Invariable en número.
aterosclerosis s.f. Endurecimiento patológico de los vasos sanguíneos, esp. de las arterias. □ ETIMOL. Del griego *athéra* (papilla) y *esclerosis.* □ ORTOGR. 1. Se admite también *ateroesclerosis.* 2. Dist. de *arteriosclerosis.* □ MORF. Invariable en número.
aterrador, -a adj. Que aterra o aterroriza.
aterrar v. Causar o sentir terror; aterrorizar: *El incendio del monte aterró a los excursionistas. Me aterra pensar en el accidente.* □ ETIMOL. Del latín *terrere.*
aterrizaje s.m. Descenso de una aeronave hasta posarse en tierra firme.
aterrizar v. **1** Referido a una aeronave o a sus ocupantes, posarse en tierra firme o sobre una pista destinada a este fin: *El avión aterrizó a la hora prevista.* **2** col. Aparecer o presentarse en un lugar de forma inesperada: *Aterrizó en la fiesta medio dormido.* **[3** col. Llegar y tomar los primeros contactos, generalmente con algo desconocido: *He estado de vacaciones y acabo de 'aterrizar'.* □ ORTOGR. La *z* se cambia en *c* delante de *e* →CAZAR. □ SEM. Dist. de *alunizar* (posarse en la superficie lunar).
aterrorizar v. Causar o sentir terror; aterrar: *La explosión aterrorizó a todo el barrio.* □ ORTOGR. La *z* se cambia en *c* delante de *e* →CAZAR.
atesoramiento s.m. Retención de dinero o de riquezas, generalmente en un lugar secreto.
atesorar v. **1** Referido a cosas de valor, reunirlas o guardarlas, generalmente en un lugar secreto: *No atesores tantas joyas y disfrútalas.* **2** Referido esp. a una cualidad, tenerla o poseerla: *Es una mujer que atesora grandes conocimientos.* □ ETIMOL. De *tesoro.*
atestado s.m. Documento oficial en el que se hace constar un hecho: *La agente levantó atestado del accidente.*

atestar v. Llenar por completo: *No cabe nada más, porque el maletero ya está atestado.* □ ETIMOL. Del antiguo adjetivo *tiesto* (tieso, duro), porque ésta es la forma que tiene la superficie de lo que está atestado.
atestiguar v. **1** Afirmar o declarar como testigo; testificar: *Atestiguó que él lo había visto todo.j.* **2** Referido a algo de lo que se duda, ofrecer indicios ciertos de ello: *Estas marcas atestiguan que alguien te ha pegado.* □ ETIMOL. Del latín *ad* (a) y *testificare.* □ ORTOGR. 1. La *u* lleva diéresis cuando la sigue *e.* 2. La *u* permanece siempre átona →AVERIGUAR.
atiborrar ◼ v. **1** Referido esp. a un recipiente, llenarlo por completo forzando su capacidad: *Cuando nos vamos de vacaciones, atiborramos el coche de bultos y maletas.* ◼ prnl. **2** Hartarse de comida: *Se atiborró de aperitivos y después no quería comer.* □ ETIMOL. De *atibar* (rellenar con tierra o escombros las excavaciones) y *borra* (desperdicio textil). □ PRON. Incorr. *[atiforrár].*
ático, ca ◼ adj./s. **1** Del Ática (región de la antigua Grecia), de Atenas (su ciudad principal) o relacionado con ellas. ◼ s.m. **2** En un edificio, último piso, generalmente con el techo inclinado o más bajo que el de los pisos inferiores.
atigrado, -a adj. Con manchas como las que tiene la piel del tigre.
atildado, da adj. Pulcro, elegante o excesivamente arreglado.
atildamiento s.m. Arreglo cuidadoso y, en general, excesivo.
atildar v. Referido esp. a una persona, arreglarla cuidadosamente y generalmente en exceso: *Atildó a los niños para asistir a la boda. Tarda horas en atildarse.* □ ETIMOL. De tilde.
atinar v. Acertar, dar en el blanco o encontrar lo que se busca: *Mete la mano en el cajón a ver si atinas a encontrar la llave.* □ ETIMOL. De *tino.* □ SINT. Constr. *atinar A hacer algo, atinar CON algo.*
atípico, ca adj. Que se sale de lo normal, de lo conocido o de lo habitual.
atiplar v. Referido esp. a una voz o un sonido, elevarlos hasta el tono de tiple o hacerlos más agudos: *El tenor atipló su voz para darle un tono burlón a su papel.*
atisbar v. **1** Mirar atentamente y con cautela; observar: *Desde el rincón atisbaba lo que ocurría en el salón.* **2** Referido esp. a un objeto, verlo de forma tenue o confusa por la distancia o por la falta de luz: *En mitad de la noche, atisbamos al fin el refugio.* **3** Referido a algo inmaterial, conocerlo ligeramente o conjeturarlo por leves indicios: *A veces me cuesta atisbar la solución de problemas bien sencillos.* □ ETIMOL. De origen incierto. □ SEM. En las acepciones 2 y 3, es sinónimo de *vislumbrar.*
atisbo s.m. Sospecha, indicio o conjetura que se forma a partir de éstos; vislumbre: *Dice que luchará mientras quede un atisbo de esperanza.*
atiza interj. col. Expresión que se usa para indicar extrañeza, sorpresa, admiración o disgusto.
atizador s.m. Utensilio que se utiliza para atizar.
atizar v. **1** Referido al fuego, removerlo o añadirle combustible para que arda más: *Atiza el fuego, que se va a apagar.* **2** Referido esp. a una discordia o a una pasión, avivarlas o hacerlas más intensas: *Unos comentarios hipócritas atizaron el odio que sentía.* **3** Referido esp. a un golpe, darlo o propinarlo: *Le atizó*

dos bofetadas. Se atizó un golpe contra el armario. **4** *col.* Golpear o dar golpes: *Llegó tarde y su padre lo atizó de lo lindo.* □ ETIMOL. Del latín **attitiare* (mover como se hace con los tizones). □ ORTOGR. La *z* se cambia en *c* delante de *e* →CAZAR.

atlante s.m. Estatua con figura de hombre que se usa como columna y sostiene sobre su cabeza o sus hombros la parte baja de las cornisas; telamón. □ ETIMOL. Del latín *atlantes.* □ SEM. Dist. de *cariátide* (con figura de mujer).

atlántico, ca adj. Del océano Atlántico (situado entre las costas americanas y las europeas y africanas), o relacionado con él.

atlas s.m. **1** Libro formado por una colección de mapas, generalmente geográficos. **2** Libro basado en una colección de láminas descriptivas, generalmente explicadas, que tratan sobre un tema concreto: *atlas de música.* **3** En anatomía, primera de las vértebras cervicales. □ ETIMOL. De *Atlas* (gigante mitológico que llevaba el mundo sobre las espaldas). □ MORF. Invariable en número.

atleta s. **1** Deportista que practica el atletismo. **2** Persona fuerte, robusta y musculosa. □ ETIMOL. Del latín *athleta.* □ MORF. Es de género común: *el atleta, la atleta.*

atlético, ca ▌ adj. **1** Del atletismo, de los atletas o relacionado con ellos. ▌ adj./s. **[2** Del Atlético de Madrid (club deportivo madrileño) o relacionado con él.

atletismo s.m. Deporte o conjunto de prácticas basadas en la carrera, los saltos y los lanzamientos.

atmósfera s.f. **1** Capa gaseosa que envuelve a un astro, esp. referido a la que envuelve a la Tierra. **2** Ambiente que rodea a personas y cosas. **3** En el Sistema Internacional, unidad de presión. □ ETIMOL. Del griego *atmós* (vapor) y *sphâira* (esfera). □ SEM. En la acepción 1, cuando se refiere a la masa de aire que rodea a la Tierra, es sinónimo de *cielo.*

atmosférico, ca adj. De la atmósfera o relacionado con ella.

atolladero s.m. **1** Lugar donde se producen atascos. **2** Estorbo u obstáculo que impide el avance de algo.

atolón s.m. Isla coralina en forma de anillo, con una laguna interior que se comunica con el mar por medio de estrechos pasos. □ ETIMOL. De *atulo,* voz de las Maldivas.

atolondramiento s.m. Torpeza o falta de tranquilidad.

atolondrar v. Causar aturdimiento; atontar, atontolinar: *Cállate ya porque con tus gritos me atolondras. No te atolondres y trabaja con calma.* □ ETIMOL. De *tolondro* (aturdido).

atómico, ca adj. **1** Del átomo o relacionado con él. **2** Que emplea la energía que se encuentra almacenada en los núcleos de los átomos; nuclear: *explosión atómica.*

atomismo s.m. Doctrina filosófica que explica la formación del mundo a partir de la combinación de partículas elementales o átomos. □ ORTOGR. Dist. de *tomismo.*

atomista ▌ adj. **[1** Del atomismo o relacionado con esta doctrina filosófica. ▌ adj./s. **2** Que sigue o defiende el atomismo. □ MORF. 1. Como adjetivo es invariable en género. 2. Como sustantivo es de género común: *el atomista, la atomista.* 3. En la acepción 2, la RAE sólo lo registra como sustantivo.

atomización s.f. División en partes muy pequeñas.

atomizador s.m. Aparato que sirve para aplicar líquidos pulverizándolos en partículas muy pequeñas.

atomizar v. Dividir en partes muy pequeñas: *Este aparato de riego del invernadero atomiza el agua formando una nube.* □ ETIMOL. De *átomo.* □ ORTOGR. La *z* se cambia en *c* delante de *e* →CAZAR.

átomo s.m. **1** Cantidad mínima de un elemento químico que tiene existencia propia: *El átomo está formado por un núcleo de protones y neutrones y una corteza de electrones.* **[2** *col.* Porción o cantidad muy pequeñas: *No tiene ni un 'átomo' de sentido común.* **3** ∥ **átomo gramo**; cantidad de un elemento químico que, expresada en gramos, coincide con su peso atómico: *El oxígeno tiene una masa de 16 átomos gramo.* □ ETIMOL. Del latín *atomus,* y éste del griego *átomos* (indivisible). □ MORF. El plural de *átomo gramo* es *átomos gramo.*

atonalidad s.f. o **atonalismo** s.m. **1** En una composición musical, falta de una tonalidad bien definida. **2** En música, sistema de composición en el que no se usa ninguna tonalidad. □ SEM. En la acepción 2, aunque la RAE lo considera sinónimo de *dodecafonía,* en círculos especializados no lo es.

atonía s.f. **1** En medicina, falta de tono o de vigor en los tejidos, esp. en los contráctiles. **[2** Apatía o falta de energía.

atónico, ca adj. →**átono.**

atónito, ta adj. Muy sorprendido o espantado. □ ETIMOL. Del latín *attonitu* (herido del rayo, aturdido).

átono, na adj. Referido a una vocal, a una sílaba o a una palabra, que se pronuncian sin acento de intensidad; atónico, inacentuado: *La 'a' de la palabra 'anillo' es átona.* □ ETIMOL. De *a-* (privación) y el griego *tónos* (tono, acento).

atontamiento s.m. Aturdimiento o perturbación del entendimiento.

atontar v. **1** Causar aturdimiento; atolondrar: *El golpe me ha atontado y siento un ligero mareo. Cuando estoy mucho tiempo al sol, me atonto.* **2** Volver o volverse tonto; entontecer: *Ver demasiada televisión atonta a los niños. Si no lees nada terminarás atontándote.* □ ETIMOL. De *tonto.* □ SEM. Es sinónimo de *atontolinar.*

atontolinar v. *col.* →**atontar.**

atoramiento s.m. **1** Atasco u obstrucción que impide el paso. **2** Interrupción o atasco en una conversación.

atorar ▌ v. **1** Atascar u obstruir, impidiendo el paso: *La suciedad ha atorado el filtro del lavavajillas. El grifo se ha atorado y no sale agua.* ▌ prnl. **2** Cortarse o trabarse en la conversación: *Su timidez hace que se atore cuando hay mucha gente escuchándole.* □ ETIMOL. Del latín *obturare* (obstruir).

atormentar v. **1** Dar tormento para obtener una información: *Te atormentaremos hasta que confieses.* **2** Causar molestia o dolor físicos: *Este dolor de cabeza me está atormentando.* **3** Causar disgusto o enfado: *Los remordimientos me atormentan. Deja de atormentarte pensando que el accidente lo has provocado tú.*

atornasolado, da adj. →**tornasolado.**

atornillador s.m. →**destornillador.**

atornillar v. **1** Referido a un tornillo, introducirlo haciéndolo girar alrededor de su eje: *Para atornillar un tornillo, hay que hacerlo girar a la derecha.* **2** Sujetar por medio de tornillos: *Atornillé las bisagras de la puerta porque estaban flojas.* **3** col. Referido a una persona, presionarla u obligarla a hacer algo: *No intentes atornillarme, porque sólo conseguirás que me agobie.*

atorrante, ta adj./s. col. En zonas del español meridional, vago o perezoso. ☐ MORF. La RAE sólo lo registra como sustantivo masculino.

atortolarse v.prnl. Enamorarse tiernamente y de forma muy visible: *Se atortolaron nada más conocerse.*

atosigamiento s.m. **1** Presión que se hace para dar prisa a alguien. **2** Molestia o incordio producidos por exigencias continuas o por problemas.

atosigar v. **1** Referido a una persona, presionarla metiéndole prisa para que haga algo: *No me atosigues, que mañana estará listo, como te prometí. Cuando tengo mucho trabajo, me atosigo y nada me sale bien.* **2** Inquietar o disgustar con exigencias o con preocupaciones: *Huyen de él porque siempre los atosiga con sus problemas. No te atosigues, porque todo tiene solución.* ☐ ETIMOL. Del latín *tussicare* (toser). ☐ ORTOGR. La *g* se cambia en *gu* delante de *e* →PAGAR.

atrabiliario, ria adj. col. Que tiene un genio violento. ☐ ETIMOL. Del antiguo *atrabilis* (bilis negra).

atracadero s.m. Lugar en el que pueden atracar o arrimarse a tierra las embarcaciones de pequeño tamaño.

atracador, -a s. Persona que atraca para robar.

atracar v. **1** Asaltar con la intención de robar: *Esta mañana, dos encapuchados han atracado la tienda de la esquina.* **2** col. Atiborrar o hartar de comida o de bebida: *En la fiesta nos atracaron de pasteles. Se ha atracado de frutos secos y ahora le duele el estómago.* **3** Referido a una embarcación, arrimarla o arrimarse a otra o a tierra: *El capitán atracó el barco y los pasajeros bajaron a tierra. Esta tarde han atracado dos petroleros en el puerto.* ☐ ETIMOL. De origen incierto. ☐ ORTOGR. La *c* se cambia en *qu* delante de *e* →SACAR. ☐ SINT. Constr. de la acepción 2: *atracar* DE *algo.*

atracción s.f. **1** Fuerza para atraer. **2** Interés o inclinación del ánimo. [**3** Lo que despierta este interés. **4** Espectáculo o diversión que se celebran en un mismo lugar o que forman parte de un programa: *He montado en todas las atracciones de la feria.* ☐ MORF. En la acepción 4, la RAE lo registra en plural.

atraco s.m. Asalto que se hace con la intención de robar.

atracón s.m. **1** col. Ingestión excesiva de comida o de bebida. **2** col. Exceso de una actividad: *El día anterior al examen me tengo que dar el atracón.* ☐ SINT. Se usa más en la expresión *darse el atracón.*

atractivo, va ▮ adj. **1** Que atrae: *El tema de la conferencia es muy atractivo.* **2** Que despierta interés y agrado: *una mirada atractiva.* ▮ s.m. **3** Conjunto de cualidades que atraen la voluntad o el interés: *Es una persona encantadora y con mucho atractivo.*

atraer v. **1** Traer hacia sí: *Su soberbia le atrajo la antipatía de mucha gente. Con su buena acción se atrajo la simpatía de la gente.* **2** Referido a un cuerpo, acercar y retener a otro debido a sus propiedades

físicas: *El imán atrae los metales.* **3** Despertar interés: *No me atrae ese tema.* ☐ ETIMOL. Del latín *attrahere.* ☐ MORF. Irreg. →TRAER.

atragantarse v.prnl. **1** Ahogarse con algo que se queda detenido en la garganta: *Si comes tan deprisa te vas a atragantar.* **2** Causar fastidio, enojo o antipatía; atravesarse: *Tu primo se me atragantó cuando oí lo que te había hecho.* ☐ ETIMOL. De *tragar.*

atrancar ▮ v. **1** Referido a una puerta o a una ventana, asegurarlas por dentro mediante una tranca o un cerrojo: *Los habitantes del fuerte atrancaron la puerta para impedir que entraran los indios.* **2** Referido a un lugar, tapar u obstruir el paso por él; atascar: *La suciedad ha atrancado la tubería.* ▮ prnl. **3** col. Atragantarse o cortarse al hablar o al leer: *Está aprendiendo a leer y se atranca con las palabras largas.* ☐ ETIMOL. De *tranca.* ☐ ORTOGR. La *c* se cambia en *qu* delante de *e* →SACAR.

atrapar v. **1** Referido a alguien que huye o que va delante, alcanzarlo o llegar a su altura: *El grupo atrapó al corredor que se había escapado.* **2** col. Agarrar o apresar: *El portero atrapó el balón.* **3** col. Referido a una enfermedad o a un estado de ánimo, contraerlos, adquirirlos o alcanzarlos; coger: *He atrapado un buen resfriado.* ☐ ETIMOL. Del francés *attraper* (coger en una trampa, alcanzar).

atraque s.m. **1** Acercamiento de una embarcación a otra o a tierra. **2** Maniobra con la que se realiza este acercamiento.

atrás adv. **1** Hacia la parte que está o que queda a la espalda: *Si no vas más deprisa, te vas a quedar atrás. Dio un salto atrás.* **2** En la zona posterior a aquella en la que se encuentra lo que se toma como referencia: *No lo puedes ver, porque está escondido atrás.* **3** En las últimas filas de un grupo de personas: *En el desfile, los más bajos iban atrás.* **4** En el fondo de un lugar: *Si te quedas tan atrás, no vas a ver nada.* **5** En un tiempo anterior o pasado: *Nuestros problemas quedaron atrás.* ☐ ETIMOL. De *tras.* ☐ SINT. Su uso seguido de un adjetivo posesivo es incorrecto: *Mira atrás {*tuyo > de ti} antes de moverte.*

atrasar ▮ v. **1** Referido a un reloj, correr o desplazar hacia atrás sus agujas: *Me atrasaron el reloj, y no llegué a tiempo.* **2** Referido a una acción, retrasarla en el tiempo; demorar, retardar: *Atrasó dos meses su boda.* **3** Referido a un reloj, ir más despacio de lo que debe y señalar una hora que ya ha pasado: *He llegado tarde porque mi reloj atrasa.* ▮ prnl. **4** Progresar a un ritmo inferior al normal: *Se atrasó en los estudios, y tuvo que repetir curso.* **5** Llegar tarde: *El despertador no sonó y me atrasé media hora.* ☐ ETIMOL. De *atrás.* ☐ SEM. En las acepciones 1 y 5, es sinónimo de *retrasar.*

atraso ▮ s.m. **1** Retraso de una acción en el tiempo. **2** Falta de desarrollo, o avance menor de lo normal. [**3** Lo que se considera propio de un lugar con escaso desarrollo. ▮ pl. **4** Pagos que se deben.

atravesado, da adj. Con mala intención o con mal carácter.

atravesar ▮ v. **1** Referido a un objeto, cruzarlo de modo que pase de una parte a otra: *Atravesó un madero en la puerta para que nadie pudiera pasar.* **2** Referido a un lugar, recorrerlo desde una parte a otra; cruzar, pasar: *Atravesamos el río a nado.* **3** Referido a un cuerpo, penetrarlo de parte a parte: *La* *bala le atravesó el brazo.* **4** Referido a una situación, pasar por ella: *No le apetece ir a la fiesta porque atraviesa un mal momento.* **5** Referido a un objeto, pasarlo por encima de otro o estar puesto sobre él oblicuamente: *La modista atravesó unas cintas en el cuello del vestido.* ▮ prnl. **6** col. Causar fastidio, enojo o antipatía; atragantarse: *Ese chico se me ha atravesado y no lo puedo ni ver.* **7** Mezclarse en algún asunto ajeno: *Todo iba bien hasta que él se atravesó.* **8** Referido esp. a un objeto, ponerse en medio u obstaculizando el paso: *Se me ha atravesado una espina de pescado en la garganta.* □ ETIMOL. Del latín *transversare.* □ MORF. Irreg. →PENSAR. □ SINT. En la acepción 4, es incorrecto su uso como intransitivo con la preposición *por,* aunque está muy extendido: **atravieso por una crisis > atravieso una crisis.*

atrayente adj. Que atrae. □ MORF. Invariable en género.

atreverse v.prnl. Referido a algo que resulta arriesgado, decidirse a hacerlo o a decirlo: *No me atrevo a decírtelo, porque te vas a enfadar.* □ ETIMOL. Del latín *tribuere sibi* (atribuirse la capacidad de hacer algo). □ SINT. Constr. *atreverse A algo.*

atrevido, da adj./s. Que se considera que falta al respeto debido: *Lleva un escote muy atrevido. Eres un atrevido por contestar así.*

atrevimiento s.m. **1** Falta de respeto. [**2** Hecho o dicho que resultan atrevidos.

atrezo o **atrezzo** s.m. Conjunto de enseres que se usan en la escena del teatro o en un plató. □ ETIMOL. Del italiano *attrezzo.* □ PRON. Está muy extendida la pronunciación italiana de *atrezzo* como [atrétso].

atribución s.f. **1** Adjudicación de un hecho o de una característica. **2** Asignación de un deber o de una función. **3** Facultad o competencia que da el cargo que se ejerce.

atribuir v. **1** Referido esp. a un hecho o a una característica, aplicarlos o adjudicarlos: *Le atribuyen mal carácter, pero sólo es timidez.* **2** Referido esp. a un deber o a una función, señalarlos o asignarlos: *Me atribuyó las funciones del gerente.* □ ETIMOL. Del latín *attribuere.* □ MORF. Irreg. →HUIR.

atribulación s.f. →**tribulación.**

atribular v. Causar tribulaciones, penas o adversidades: *Me atribula pensar que ya no me quieres. Se atribula cuando tiene el más mínimo problema.* □ ETIMOL. Del latín *tribulare* (trillar, atormentar).

atributivo, va adj. En gramática, que funciona como atributo, que lo incluye, o que sirve para construirlo.

atributo s.m. **1** Cada una de las propiedades o cualidades de algo: *El color blanco es uno de los atributos de la nieve.* **2** Lo que simboliza o representa algo: *El bastón de mando es el atributo de los alcaldes.* **3** En gramática, constituyente que identifica o cualifica al sujeto de un verbo copulativo: *En la oración 'Mi prima es rubia', 'rubia' es el atributo.* **4** En gramática, función que el adjetivo cuando se coloca en posición inmediata al sustantivo de que depende: *En 'flor amarilla', 'amarilla' es un atributo.* □ ETIMOL. Del latín *attributus.*

atrición s.f. En el cristianismo, pesar que se siente por temor a las consecuencias de haber ofendido a Dios. □ ETIMOL. Del latín *attritio.*

atril s.m. Soporte en forma de plano inclinado que

sirve para sostener papeles y leerlos con mayor comodidad: *La partitura estaba sobre el atril.* □ ETIMOL. Del antiguo *latril,* éste del latín *lectorile,* y éste de *lector* (lector).

atrincar v. En zonas del español meridional, sujetar o atar. □ ORTOGR. La *c* se cambia en *qu* delante de *e* →SACAR.

atrincheramiento s.m. **1** Protección o amparo en trincheras o en otras defensas. **2** Conjunto de trincheras o de obras de defensa o de fortificación pasajeras. **3** Mantenimiento de una actitud o de una posición de forma tenaz.

atrincherar ▮ v. **1** Referido a una fortificación militar, fortificarla con trincheras o con otras defensas: *El general ordenó atrincherar la zona.* ▮ prnl. **2** Ponerse en las trincheras o refugiarse a cubierto del enemigo: *Los soldados se atrincheraron para evitar las balas.* **3** Mantenerse en una actitud o en una posición con una tenacidad exagerada: *Se atrincheró en su opinión y nadie fue capaz de convencerlo.*

atrio s.m. **1** En algunos edificios, espacio descubierto y porticado que hay en el interior. **2** En algunos templos, espacio limitado que está situado en la parte exterior, a la entrada, generalmente más alto que el suelo de la calle. □ ETIMOL. Del latín *atrium.*

atrocidad s.f. **1** Crueldad muy grande. **2** Lo que va más allá de lo razonable o de las normas, o se sale de los límites de lo ordinario o lícito; disparate. **3** col. Hecho o dicho muy necio o temerario. **4** col. Insulto muy ofensivo. □ SINT. En la lengua coloquial, *una atrocidad* se usa mucho como adverbio de cantidad con el significado de 'mucho': *Creo que trabaja 'una atrocidad'.*

atrofia s.f. **1** En medicina, disminución del tamaño de un órgano o de un tejido orgánico que estaba completamente desarrollado y con un tamaño normal. **2** col. Falta de desarrollo, esp. si tiene efectos perjudiciales. □ ETIMOL. Del griego *atrophía* (desnutrición). □ SEM. Dist. de *hipertrofia* (desarrollo excesivo).

atrofiar v. Producir atrofia o falta de desarrollo: *La falta de ejercicio atrofia los músculos.* □ ORTOGR. La *i* nunca lleva tilde. □ SEM. Dist. de *hipertrofiar* (aumentar excesivamente el volumen).

atronador, -a adj. Que atruena o produce un ruido molesto.

atronar v. Perturbar con un ruido muy fuerte: *Sus gritos atronaban la calle.* □ MORF. Irreg. →CONTAR.

atropellamiento s.m. →**atropello.**

atropellar ▮ v. **1** Referido a una persona o a un animal, chocar con ellos o pasarles por encima un vehículo, causándoles daños: *El coche que atropelló al peatón se dio a la fuga.* **2** Derribar o empujar violentamente: *¡No me atropelle, señora, que yo estaba antes que usted!* **3** Agraviar de palabra, por abuso de poder o de fuerza o mediante la violencia: *No me gusta que el jefe me atropelle y no me dé ocasión de explicarme.* ▮ prnl. **4** Apresurarse mucho, esp. al hablar o al actuar: *Se atropella cuando habla porque es muy nervioso.* □ ETIMOL. De origen incierto.

atropello s.m. **1** Choque violento de un vehículo con un peatón o con un animal. **2** Agravio o falta de respeto. **3** Apresuramiento o prisa, esp. al hablar o al actuar. □ SEM. Es sinónimo de *atropellamiento.*

atropina s.f. Sustancia que se extrae de la belladona y que se usa en medicina, esp. para dilatar las pupilas. □ ETIMOL. Del latín *atropa,* y éste del griego *Átropos* (hombre de la Parca que cortaba el hilo de la vida), porque la atropina es venenosa.

atroz adj. **1** Cruel o inhumano. **2** Enorme o desmesurado: *Hacía un frío atroz.* [**3** Muy malo o de mala calidad: *La comida de este restaurante es 'atroz'.* □ ETIMOL. Del latín *atrox*, y éste de *ater* (negro). □ MORF. Invariable en género.

[**attaché** s.m. →**maletín**. □ PRON. [ataché]. □ USO Es un galicismo innecesario.

atuendo s.m. Conjunto de ropas que viste una persona. □ ETIMOL. Del latín *attonitus* (asombrado), porque al principio se aplicó a la pompa estruendosa que ostentaba la majestad real.

atufar v. [**1** *col.* Despedir mal olor: *¡Estas zapatillas atufan!* **2** Trastornar por el tufo o gas que se desprende en algunas fermentaciones o en algunas combustiones: *El humo nos atufó y empezamos a toser.*

atún s.m. Pez marino comestible, de color azul por encima, gris plateado por debajo y de carne muy apreciada. □ ETIMOL. Del árabe *at-tun* o *at-tunn*, y éste del latín *thunnus*. □ MORF. Es un sustantivo epiceno: *el atún macho, el atún hembra.* 🐟 pez

atunero, ra ∎ adj. [**1** Del atún o relacionado con este pez. ∎ adj./s.m. **2** Que se utiliza para la pesca del atún, esp. referido a una embarcación.

aturdimiento s.m. **1** Perturbación de los sentidos, esp. por un golpe o por un ruido muy grande. **2** Perturbación del entendimiento, esp. por una mala noticia. **3** Torpeza o falta de serenidad al actuar.

aturdir v. **1** Molestar o causar aturdimiento: *Ese ruido me aturde.* **2** Confundir o desconcertar: *Le gusta aturdirme con un montón de mentiras. Me aturdí cuando me diste la noticia.* □ ETIMOL. De *tordo* (pájaro atolondrado).

aturullamiento s.m. *col.* Torpeza o aturdimiento.

aturullar v. *col.* Referido a una persona, confundirla haciendo que no sepa qué decir o cómo hacer algo: *No me hables tan deprisa, que me aturullas.* □ ETIMOL. De *turullo* (cuerno de pastor para llamar al ganado).

atusar v. Referido al pelo, alisarlo o arreglarlo, esp. con un peine o con la mano: *Se atusó el cabello delante del espejo.* □ ETIMOL. Del latín *attonsus* (trasquilado).

[**au pair** (galicismo) ‖ Persona extranjera que trabaja en una casa cuidando niños o realizando diversas tareas domésticas a cambio del alojamiento, la comida y un pequeño salario. □ PRON. [opér], con *r* suave.

audacia s.f. Atrevimiento o valor para hacer o decir algo nuevo, arriesgado o peligroso.

audaz adj. Que tiene audacia o valor. □ ETIMOL. Del latín *audax*, y éste de *audere* (atreverse). □ MORF. Invariable en género.

audible adj. Que se puede oír; oíble. □ ETIMOL. Del latín *audibilis*. □ MORF. Invariable en género.

audición s.m. **1** Percepción de un sonido por medio del oído. **2** Concierto, recital o lectura que se hacen en público. **3** Prueba que hace un artista ante el director del espectáculo o ante el empresario.

audiencia s.f. **1** Acto de oír una autoridad a las personas que exponen, reclaman o solicitan algo: *El presidente concedió una audiencia a algunos representantes de los trabajadores.* **2** Lugar o edificio destinado a este fin. **3** Tribunal de justicia colegiado que entiende en los pleitos o en las causas de un territorio: *El recurso de apelación se vio en la Audiencia Provincial.* **4** Conjunto de oyentes que asisten a un acto; auditorio. **5** Conjunto de personas que atienden a un programa de radio o de televisión a través de los respectivos aparatos. □ ETIMOL. Del latín *audientia*. □ SEM. En la acepción 5, se usa mucho referido también al conjunto de personas que recibe un mensaje a través de la prensa (y no sólo de radio o televisión).

audífono s.m. Aparato para oír mejor los sonidos. □ ORTOGR. Se admite también *audiófono*.

[**audimetría** s.f. Medición del índice de audiencia por medio de un audímetro acoplado al televisor.

audímetro s.m. **1** Instrumento que sirve para medir la sensibilidad del aparato auditivo. **2** Aparato que se coloca en el receptor de radio o de televisión para medir el tiempo que están funcionando. □ ORTOGR. En la acepción 1, se admite también *audiómetro*.

[**audio** s.m. Técnica relacionada con la grabación, transmisión y reproducción de sonidos.

audio- Elemento compositivo que significa 'sonido' u 'oído': *audiometría, audiograma, audiovisual.* □ ETIMOL. Del latín *audire* (oír). □ MORF. Puede adoptar la forma *audi-*: *audífono, audímetro.*

audiófono s.m. →**audífono**.

audiograma s.m. Curva que representa la agudeza con que un individuo percibe un sonido.

[**audiolibro** s.m. Casete que contiene la grabación de la lectura de una obra literaria.

audiometría s.f. Prueba para medir la agudeza auditiva en relación con las distintas frecuencias sonoras.

audiómetro s.m. →**audímetro**.

audiovisual ∎ adj. **1** Que está relacionado con el oído y con la vista conjuntamente, esp. referido a un método de enseñanza. ∎ s.m. [**2** Proyección de una película combinada con sonidos, que se utiliza generalmente con fines didácticos. □ MORF. Como adjetivo es invariable en género.

auditar v. Referido esp. a una empresa o a una entidad, analizar su gestión o su contabilidad en determinado período para comprobar si refleja la realidad económica ocurrida en ella: *Han venido unos inspectores para auditar la empresa.* □ ETIMOL. Del inglés *to audite*.

auditivo, va adj. Del oído o relacionado con él.

auditor, -a adj./s. Que realiza la auditoría de una empresa.

auditoría s.f. **1** Revisión de la contabilidad de una institución o empresa, realizada por especialistas ajenos a la misma. **2** Profesión de auditor. **3** Lugar de trabajo del auditor.

auditorio s.m. **1** Conjunto de oyentes que asisten a un acto; audiencia. **2** Sala o lugar acondicionado para la celebración de actos públicos. □ ORTOGR. En la acepción 2, se admite también *auditórium*.

auditórium s.m. →**auditorio**. □ ETIMOL. Del latín *auditorium*.

auge s.m. **1** Momento de mayor elevación o intensidad de un proceso o de un estado. **2** ‖ [**cobrar auge**; ganar importancia. □ ETIMOL. Del árabe *awy* (el punto más alto del cielo).

auguración s.f. Adivinación a través de la observación del comportamiento de las aves o de otros signos.

augurar v. Predecir o presagiar: *El vidente auguró grandes logros para este año.* ☐ ETIMOL. Del latín *augurare.*

augurio s.m. Señal, anuncio o indicio de algo futuro.

augusto, ta adj. Que produce respeto y veneración. ☐ ETIMOL. Del latín *augustus.*

aula s.f. En un centro docente, sala en la que se imparte la enseñanza; clase. ☐ ETIMOL. Del latín *aula* (patio, atrio). ☐ MORF. Por ser un sustantivo femenino que empieza por a tónica o acentuada, va precedido de *el, un, algún, ningún* y de las formas femeninas del resto de los determinantes.

aulaga s.f. Planta espinosa, con hojas lisas terminadas en púas y flores amarillas; aliaga. ☐ ETIMOL. De origen incierto.

áulico, ca adj. De la corte, del palacio, o relacionado con ellos. ☐ ETIMOL. Del griego *aulikós.* ☐ ORTOGR. Dist. de *áurico.*

aullar v. Referido esp. al lobo o al perro, dar aullidos: *El perro aulló durante toda la noche.* ☐ ETIMOL. Del latín *ululare.* ☐ ORTOGR. La u lleva tilde en los presentes, excepto en las personas *nosotros* y *vosotros* →ACTUAR.

aullido s.m. **1** Voz triste y prolongada de algunos animales, esp. del lobo y del perro. **2** Sonido semejante a esta voz. ☐ SEM. Es sinónimo de *aúllo.*

aúllo s.m. →**aullido**.

aumentar v. Hacer mayor en tamaño, en cantidad o en intensidad; acrecentar: *En la nueva edición aumentaron el número de páginas.*

aumentativo, va ▌ adj. **1** Que aumenta o que indica aumento: *Los sufijos '-ón' y '-azo' tienen un valor aumentativo.* ▌ s.m. **2** En gramática, palabra formada con un sufijo que indica aumento: *'Sueldazo' es el aumentativo de 'sueldo'.*

aumento s.m. **1** Crecimiento en tamaño, en cantidad, en calidad o en intensidad; incremento. **2** Potencia amplificadora de un aparato óptico, esp. de una lente: *Este microscopio tiene muy poco aumento.* ☐ ETIMOL. Del latín *augmentum.*

aun ▌ adv. **1** Incluso o también: *Aun los más listos se equivocan a veces.* ▌ conj. **2** Enlace gramatical con valor concesivo; incluso: *Todas las personas son dignas de respeto, aun las que no piensan como nosotros.* **3** ▌**aun cuando**; enlace gramatical coordinante con valor adversativo; aunque: *No iré aun cuando me apetezca muchísimo.* ☐ ETIMOL. Del latín *adhuc* (hasta ahora). ☐ ORTOGR. Dist. de *aún.*

aún adv. Hasta el momento en que se habla; todavía: *Aún no he salido de casa. Nadie me ha dicho aún si esto es verdad.* ☐ ETIMOL. Del latín *adhuc* (hasta ahora). ☐ ORTOGR. Dist. de *aun.*

aunar v. **1** Unir o armonizar para lograr un fin: *Aunaron sus fuerzas y consiguieron mover la piedra.* **2** Referido a dos o más cosas, hacer de ellas una sola o un todo; unificar: *Antes de empezar el trabajo debemos aunar los criterios que vamos a seguir.* ☐ ETIMOL. Del latín *adunare* (juntar). ☐ ORTOGR. La u lleva tilde en los presentes, excepto en las personas *nosotros* y *vosotros* →ACTUAR.

aunque conj. **1** Enlace gramatical subordinante con valor concesivo: *Aunque no me apetece, te acompañaré al cine.* **2** Enlace gramatical coordinante con valor adversativo: *Aprobé la física, aunque suspendí la lengua.* ☐ ETIMOL. De *aun que.* ☐ SEM. Es sinó-

nimo de *aun cuando, por más que, por mucho que y si bien.*

aúpa interj. **1** Expresión que se usa para animar a alguien a levantarse o a levantar algo. **2** ▌**de aúpa**; col. **1** Grande o importante: *Tengo un gripazo de aúpa.* col. **2** Peligroso, desagradable, o que ha de ser tratado con cautela: *Cuidado con ellos, que son de aúpa.* ☐ ORTOGR. Dist. de *a upa.*

aupar v. **1** Referido esp. a un niño, levantarlo en brazos; upar: *Mamá, aúpame, que no llego.* **2** Ayudar a llegar a una posición más elevada e importante: *Los miembros de su partido lo auparon para que llegara a la jefatura.* ☐ ETIMOL. De *aúpa.* ☐ ORTOGR. La u lleva tilde en los presentes, excepto en las personas *nosotros* y *vosotros* →ACTUAR.

aura s.f. Irradiación luminosa que algunas personas perciben alrededor de los cuerpos. ☐ ETIMOL. Del latín *aura* (brisa, viento). ☐ MORF. Por ser un sustantivo femenino que empieza por a tónica o acentuada, va precedido de *el, un, algún, ningún* y de las formas femeninas del resto de los determinantes.

áureo, a adj. *poét.* De oro o con alguna de sus características. ☐ ETIMOL. Del latín *aureus.* ☐ PRON. Incorr. *[auréo], *[aúreo].

aureola o **auréola** s.f. **1** Resplandor, disco o círculo luminoso que se representa detrás de la cabeza de las imágenes de los santos; corona, halo. **2** Admiración o fama que alguien alcanza. **3** →**areola**. ☐ ETIMOL. Del latín *aureola* (dorada).

áurico, ca adj. De oro. ☐ ORTOGR. Dist. de *áulico.*

aurícula s.f. **1** En el corazón de algunos animales, cada una de las dos cavidades de la parte anterior o superior del corazón, que reciben la sangre que transportan las venas. ✺ corazón **2** En un molusco, cavidad o cavidades del corazón que reciben la sangre arterial. **3** En un pez, cavidad de la parte anterior del corazón, que recibe la sangre venosa. ☐ ETIMOL. Del latín *auricula.*

auricular ▌ adj. **1** Del oído o relacionado con él. **2** De las aurículas del corazón o relacionado con ellas. ▌ s.m. **3** En un aparato destinado a recibir sonidos, esp. en el telefónico, parte o pieza con la que se oye y que se aplica al oído. ☐ MORF. Como adjetivo es invariable en género.

auriga s.m. En la Antigüedad clásica, hombre que conducía los caballos de los carros en las carreras del circo. ☐ ETIMOL. Del latín *auriga* (cochero). ☐ PRON. Incorr. *[áuriga].

aurora s.f. **1** Luz sonrosada y difusa que precede a la salida del Sol. **2** ▌**[aurora polar**; fenómeno luminoso que se produce en las regiones polares y que se atribuye a descargas eléctricas del Sol. ☐ ETIMOL. Del latín *aurora.*

auscultación s.f. Exploración mediante el oído, y generalmente con la ayuda de instrumentos adecuados, de los sonidos producidos por los órganos en las cavidades del pecho o del abdomen.

auscultar v. En medicina, explorar mediante el oído, y generalmente con la ayuda de instrumentos adecuados, los sonidos producidos por los órganos en las cavidades del pecho o del abdomen: *Te voy a auscultar el pecho porque estás tosiendo mucho.* ☐ ETIMOL. Del latín *auscultare.*

ausencia s.f. **1** Alejamiento o separación de una persona o de un lugar. **2** Tiempo que dura este alejamiento. **3** Falta o privación de algo. **4** ▌**brillar**

algo **por su ausencia**; *col.* No estar presente en el lugar en el que era de esperar: *Los buenos modales de ese muchacho brillan por su ausencia.*

ausentar ∎ v. **1** Hacer alejarse o desaparecer: *Sus palabras ausentaron mis temores.* ∎ prnl. **2** Alejarse o separarse: *El trabajo lo obligó a ausentarse de su familia.* □ SINT. Constr. como pronominal: *ausentarse* DE *algo.*

ausente ∎ adj. **1** Distraído o ensimismado. ∎ adj./s. **2** Separado de una persona o de un lugar, esp. referido al que está alejado de su residencia. □ ETIMOL. Del latín *absens*, y éste de *abesse* (estar ausente). □ MORF. 1. Como adjetivo es invariable en género. 2. Como sustantivo es de género común: *el ausente, la ausente.*

[ausentismo s.m. En zonas del español meridional, absentismo.

auspiciar v. Predecir o adivinar: *Los augures romanos auspiciaban el futuro observando el vuelo de las aves.* □ ORTOGR. La *i* nunca lleva tilde.

auspicio ∎ s.m. **1** Procedimiento de adivinación basado principalmente en la interpretación supersticiosa de determinadas señales, como el canto o el vuelo de las aves; agüero. **2** Protección o favor: *Consiguió ascender mientras estuvo bajo los auspicios de gente influyente.* ∎ pl. **3** Señales favorables o adversas que parecen presagiar el resultado de algo. □ ETIMOL. Del latín *auspicium* (observación de las aves).

austeridad s.f. **1** Severidad en el cumplimiento de las normas morales. **2** Sencillez, moderación o falta de adornos superfluos.

austero, ra adj. **1** Severo o estricto en el cumplimiento de las normas morales. **2** Sencillo, moderado, o sin adornos superfluos. □ ETIMOL. Del latín *austerus* (áspero, severo).

austral ∎ **1** adj En astronomía y geografía, del polo Sur, del hemisferio Sur, o relacionado con ellos. ∎ s.m. **2** Antigua unidad monetaria argentina. □ MORF. Como adjetivo es invariable en género.

australiano, na adj./s. De Australia (isla del océano Pacífico que forma parte de Oceanía y constituye uno de los cinco continentes), o relacionado con ella.

australopiteco s.m. Homínido fósil que vivió en el continente africano, que se considera una etapa intermedia entre los monos y el hombre, y que se caracterizaba por su posición erguida.

austriaco, ca o **austríaco, ca** adj./s. De Austria (país centroeuropeo), o relacionado con ella.

austro s.m. *poét.* Sur. □ ETIMOL. Del latín *auster.* □ SINT. Se usa mucho en aposición, pospuesto a un sustantivo: *El viento austro empezó a soplar.* □ USO Referido al punto cardinal, se usa más como nombre propio.

autarquía s.f. **1** Política del Estado que pretende bastarse con sus propios recursos y evitar en lo posible las importaciones. **2** Estado o situación del que se basta a sí mismo; autosuficiencia. □ ETIMOL. Del griego *autárkeia* (autosuficiencia), y éste de *autós* (sí mismo) y *arkéo* (yo basto).

autárquico, ca adj. De la autarquía o relacionado con ella.

autenticidad s.f. Certeza o carácter verdadero.

auténtico, ca adj. **1** Acreditado como cierto y verdadero: *perlas auténticas.* **2** Autorizado o legalizado: *Puede cobrar su cheque porque la firma es au-*

téntica. □ ETIMOL. Del latín *authenticus*, y éste del griego *authentikós* (que tiene autoridad).

autentificar v. Autorizar o legalizar: *Esta ley autentifica los nuevos contratos laborales.* □ ORTOGR. La *c* se cambia en *qu* delante de *e* →SACAR.

autillo s.m. Ave rapaz nocturna de pequeño tamaño, parecida al mochuelo, que tiene el plumaje de color pardo grisáceo y dos mechones de plumas parecidos a orejas a ambos lados de la cabeza. □ ETIMOL. De origen incierto. □ MORF. Es un sustantivo epiceno: *el autillo macho, el autillo hembra.* □ SEM. Aunque la RAE lo considera sinónimo de *cárabo*, en círculos especializados no lo es. 🦉 rapaz

autismo s.m. Retraimiento de una persona hacia su mundo interior con pérdida del contacto con la realidad exterior. □ ETIMOL. Del griego *autós* (uno mismo).

autista adj./s. Que padece autismo. □ MORF. 1. Como adjetivo es invariable en género. 2. Como sustantivo es de género común: *el autista, la autista.*

auto s.m. **1** En derecho, forma de resolución judicial, fundada, que decide cuestiones secundarias o parciales, para las que no se requiere sentencia: *El juez ha dictado un auto de procesamiento contra el presunto estafador.* **2** En literatura, breve composición dramática, generalmente de tema religioso, en la que suelen intervenir personajes bíblicos o alegóricos. **3** →**automóvil**. **4** ‖**auto de fe**; proclamación solemne y ejecución en público de las sentencias dictadas por el tribunal de la Inquisición (tribunal eclesiástico destinado a la persecución de las herejías). ‖**auto sacramental**; el que se hace para ensalzar el misterio de la eucaristía y utiliza como recursos esenciales la alegoría y el simbolismo. □ ETIMOL. Las acepciones 1, 2 y 4, de *acto.*

auto- Elemento compositivo que significa 'uno mismo' (*autobiografía, autorretrato, autocontrol, autodestrucción*) o 'automóvil' (*autobús, autoescuela, autopista, autorradio, autostop*). □ ETIMOL. Del griego *autós* (mismo), o de *automóvil.* □ SEM. El uso de *auto-* ante verbos con valor reflexivo es redundante, aunque está muy extendido: incorr. {*autodestruirse* > *destruirse*}, {*autoanalizarse* > *analizarse*}.

[autoadherente adj. Que se adhiere por sí solo. □ MORF. Invariable en género.

[autoafirmación s.f. Afirmación de los propios poderes y habilidades.

[autoaprendizaje s.m. Aprendizaje que una persona realiza por sí misma, sin ayuda de un maestro.

autobiografía s.f. Biografía de una persona escrita por ella misma. □ ETIMOL. De *auto-* (uno mismo) y *biografía.*

autobiográfico, ca adj. De la autobiografía o relacionado con ella.

[autobombo s.m. *col.* Elogio y alabanza exagerados de uno mismo. □ SINT. Se usa mucho en la expresión *darse 'autobombo'.* □ USO Tiene un matiz despectivo.

autobús s.m. **1** Vehículo de transporte público, generalmente urbano y de trayecto fijo, que tiene cabida para muchas personas. **2** Vehículo para el transporte de personas, de gran capacidad, que generalmente realiza largos recorridos por carretera; autocar. □ ETIMOL. Del francés *autobus.* □ MORF. En la lengua coloquial se usa mucho la forma abreviada *bus.*

[autobusero, ra s. *col.* Conductor de autobuses.

autocar s.m. Vehículo para el transporte de personas, de gran capacidad, que generalmente realiza largos recorridos por carretera; autobús. □ ETIMOL. Del francés *autocar*. □ USO Es innecesario el uso del anglicismo *pullman*.

[**autocaravana** s.f. Automóvil acondicionado para vivienda.

autoclave s. Aparato que se cierra herméticamente y en cuyo interior se alcanzan altas presiones y temperaturas muy elevadas: *El autoclave se utiliza para esterilizar el material quirúrgico.* □ ETIMOL. De *auto-* (uno mismo) y *clave*. □ MORF. Aunque la RAE sólo lo registra como femenino, se usa más como masculino.

[**autocontrol** s.m. Capacidad de control sobre uno mismo. □ USO Es innecesario el uso del anglicismo *self-control*.

autocracia s.f. Sistema de gobierno en el que una sola persona ejerce el poder sin limitación de autoridad. □ ETIMOL. Del griego *autokráteia*, y éste de *autós* (mismo) y *kratéo* (yo domino).

autócrata s. Persona que ejerce por sí sola una autoridad suprema. □ MORF. Es de género común: *el autócrata, la autócrata*.

autocrático, ca adj. De la autocracia, del autócrata, o relacionado con ellos.

autocrítico, ca ▌ adj. [1 De la autocrítica o relacionado con este juicio. ▌ s.f. 2 Juicio crítico que se hace sobre obras o conductas propias.

autóctono, na adj./s. Que ha nacido o se ha originado en el mismo lugar en el que vive o en el que se encuentra: *población autóctona*. □ ETIMOL. Del latín *authochthon*, y éste del griego *autókhthon* (indígena).

[**autodefensa** s.f. Protección de uno mismo frente a un daño o un peligro.

[**autodefinido** s.m. Pasatiempo semejante al crucigrama en el que algunas casillas están rellenas con las claves que permiten rellenar las otras que están vacías.

autodeterminación s.f. Decisión de los habitantes de un territorio sobre su futuro estatuto político.

autodidacta, ta adj./s. Que se instruye por sí mismo, sin ayuda de maestro. □ ETIMOL. Del griego *autodídaktos*. □ MORF. Aunque la RAE sólo lo registra con género variable, se usa mucho la forma *autodidacta* como adjetivo invariable en género y como sustantivo de género común: *el autodidacta, la autodidacta*.

[**autoedición** s.f. Impresión o reproducción de una obra para su publicación por medio de técnicas informáticas individuales.

[**autoempleo** s.m. Trabajo por cuenta propia.

autoescuela s.f. Centro en el que se enseña a conducir automóviles. □ ETIMOL. De *auto-* (automóvil) y *escuela*.

[**autoestima** s.f. Aprecio, afecto o consideración que se tienen hacia uno mismo.

[**autoestop** s.m. → autostop.

[**autoestopista** adj./s. → autostopista. □ MORF. 1. Como adjetivo es invariable en género. 2. Como sustantivo es de género común: *el 'autoestopista', la 'autoestopista'*.

[**autofoco** o [**autofocus** s.m. En una cámara fotográfica o en una cámara de vídeo, mecanismo de enfoque automático. □ MORF. *Autofocus* es invaria-

ble en número. □ SINT. Se usa mucho en aposición, pospuesto a un sustantivo.

autogestión s.f. 1 Sistema de organización de una empresa en el que los trabajadores participan activamente en las decisiones sobre su desarrollo o funcionamiento. [2 Gobierno político y económico de una sociedad o de una comunidad por sí misma a través de un conjunto de órganos elegidos directamente por sus miembros.

autogiro s.m. Tipo de avión provisto de una hélice delantera de eje horizontal que le permite despegar y avanzar, y otra en la parte superior de eje vertical que le sirve de sustentación y le permite aterrizar casi verticalmente. □ ETIMOL. De *auto-* (mismo) y *giro*.

[**autogobierno** s.m. Sistema de administración de un territorio autónomo.

[**autogol** s.m. Gol conseguido en propia meta.

autógrafo, fa ▌ adj. 1 Que está escrito de mano de su mismo autor. ▌ s.m. 2 Firma de una persona famosa o importante. □ ETIMOL. Del latín *autographus*, éste del griego *autógraphos*, y éste de *autós* (uno mismo) y *grápho* (yo escribo).

autómata s.m. 1 Máquina o instrumento movido por un mecanismo interior, esp. si imita la figura y los movimientos de un ser animado. 2 col. Persona que actúa maquinalmente o que se deja dirigir por otra; robot. □ ETIMOL. Del griego *autómatos* (que se mueve por sí mismo).

automático, ca ▌ adj. 1 Que se hace sin pensar o de forma involuntaria. 2 Que ocurre o se produce necesariamente cuando se dan determinadas circunstancias: *Si no se cumplen las condiciones del contrato, su anulación será automática.* ▌ adj./s. 3 Referido a un mecanismo o al proceso que éste realiza, que funciona o se desarrolla total o parcialmente por sí solo. ▌ s.m. 4 Cierre formado por dos piezas, una de las cuales tiene un saliente que encaja a presión en el entrante de la otra. ✂ costura

automatismo s.m. [1 Funcionamiento de un mecanismo o desarrollo de un proceso por sí solos. 2 Realización de movimientos o de actos de forma involuntaria.

automatización s.f. 1 Aplicación de máquinas o de procedimientos automáticos a un proceso o a una industria. 2 Transformación de un movimiento corporal o de una operación intelectual en un acto automático o involuntario.

automatizar v. 1 Referido esp. a un proceso o a una industria, aplicar en ella máquinas o procedimientos automáticos: *La empresa quiere automatizar la fabricación de zapatos.* 2 Referido a un movimiento corporal o a una operación intelectual, convertirlos en automáticos o involuntarios: *La atleta ha automatizado todos los movimientos de la salida.* □ ORTOGR. La *z* se cambia en *c* delante de *e* →CAZAR.

[**automedicarse** v. Administrarse uno mismo medicinas: *'Automedicarse' puede ser peligroso para la salud*.

[**automercado** s.m. En zonas del español meridional, supermercado.

automoción s.m. 1 Estudio o descripción de las máquinas que se desplazan por la acción de un motor, esp. el estudio del automóvil. 2 Sector de la industria relacionado con el automóvil.

automotor, -a adj./s.m. Referido esp. a un vehículo de tracción mecánica, que se mueve sin la intervención directa de una acción externa. ☐ ETIMOL. De *auto-* (uno mismo) y *motor*. ☐ MORF. 1. Como adjetivo admite también la forma de femenino *automotriz*. 2. Como sustantivo se refiere sólo a los vehículos de tracción mecánica.

automotriz adj. f. de **automotor**.

automóvil ∎ adj./s.m. 1 Que se mueve por sí mismo. ∎ s.m. 2 Vehículo sobre ruedas impulsado por su propio motor, que circula por tierra sin necesidad de vías o carriles, que se destina al transporte de personas, y cuya capacidad no supera las nueve plazas; coche. ☐ ETIMOL. De *auto-* (uno mismo) y *móvil*. ☐ MORF. En la lengua coloquial se usa mucho la forma abreviada *auto*.

automovilismo s.m. 1 Conjunto de conocimientos teóricos y prácticos relacionados con la construcción, el funcionamiento y el manejo de los automóviles. 2 Deporte que se practica con automóviles y en el que los participantes compiten en velocidad, en habilidad o en resistencia.

automovilista s. Persona que conduce un automóvil. ☐ MORF. Es de género común: *el automovilista, la automovilista*.

automovilístico, ca adj. Del automovilismo o relacionado con él.

autonomía s.f. 1 Estado o situación de la persona, del pueblo o de la entidad que goza de independencia en algunos aspectos, esp. en el terreno político. 2 Poder o facultad que tienen ciertas entidades territoriales integradas en otras superiores para regirse internamente mediante normas y órganos de gobierno propios. 3 En *España*, entidad territorial que pertenece al ordenamiento constitucional del Estado y que dispone de este poder para ordenar su propia legislación, sus competencias ejecutivas, y para administrarse mediante sus propios representantes; comunidad autónoma. 4 Capacidad que tiene una máquina, esp. un vehículo, para funcionar sin recargar el combustible o la energía que utiliza.

autonómico, ca adj. De la autonomía o relacionado con ella. ☐ SEM. Dist. de *autónomo* (que goza de autonomía).

autónomo, ma adj. 1 Que goza de autonomía. 2 Referido a una persona, que trabaja por cuenta propia. ☐ ETIMOL. Del griego *autónomos*, y éste de *autós* (propio, mismo) y *nómos* (ley). ☐ SEM. Dist. de *autonómico* (de la autonomía o relacionado con ella).

[autoparlante s.m. En zonas del español meridional, altavoz.

autopista s.f. 1 Carretera de circulación rápida, con calzadas de varios carriles para cada sentido y separadas entre sí por una mediana ancha, sin cruces a nivel, con pendientes limitadas y con curvas muy amplias. 2 ‖**autopista de información**; [sistema o red que permiten poner en contacto, mediante un modem, una serie de ordenadores por todo el mundo; infopista. ☐ ETIMOL. De *auto-* (automóvil) y *pista*. ☐ SEM. Dist. de *autovía* (con entradas y salidas menos seguras).

autoplastia s.f. Restauración de las partes enfermas o lesionadas de un organismo mediante la implantación de injertos procedentes del mismo individuo. ☐ ETIMOL. De *auto-* (uno mismo) y el griego *plastós* (formado).

autopropulsado, da adj. Movido por autopropulsión.

autopropulsión s.f. Desplazamiento de un objeto por la propia fuerza motriz: *Los cohetes se mueven por autopropulsión*.

[autopullman (anglicismo) s.m. Autocar con instalaciones de lujo. ☐ PRON. [autopúlman].

autor, -a s. 1 Persona que causa o realiza algo; artífice. 2 Persona que ha hecho una obra de creación artística. 3 En derecho, persona que comete un delito, fuerza o induce directamente a otras a ejecutarlo, o coopera en él con actos sin los cuales no se hubiera ejecutado. ☐ ETIMOL. Del latín *auctor* (creador, instigador, promotor).

autoría s.f. Condición de autor.

autoridad s.f. 1 Poder para gobernar o mandar sobre algo que está subordinado. 2 Persona o institución que tiene este poder. 3 Carácter fuerte y dominante, esp. si es capaz de arrastrar la voluntad de otros: *Sabe hablar con autoridad*. 4 Crédito y fe que se da a algo en una determinada materia por su mérito o por su fama. **[5** Lo que goza de este crédito o de esta fama: *Esta historiadora es una 'autoridad' en el tema*. 6 Autor, texto o expresión que se citan para apoyar lo que se dice: *Su argumentación va acompañada de abundantes citas de autoridades*. ☐ ETIMOL. Del latín *auctoritas*.

autoritario, ria ∎ adj. 1 Que se funda o apoya exclusivamente en la autoridad. ∎ adj./s. 2 Que abusa de su autoridad o la impone.

autoritarismo s.m. Abuso de la autoridad o existencia de sumisión total a ella.

autorización s.f. 1 Concesión de autoridad, facultad o derecho para hacer algo. 2 Consentimiento para la realización de algo.

autorizado, da adj. Digno de atención y respeto por sus cualidades o circunstancias: *Un crítico autorizado ha opinado que es una novela muy mala*.

autorizar v. 1 Dar autoridad, facultad o derecho para hacer algo: *Si tú no puedes ir a recoger el carné, autoriza a alguien para que lo haga*. 2 Permitir la realización de algo: *El sindicato no autoriza la huelga*. ☐ ORTOGR. La *z* se cambia en *c* delante de *e* →CAZAR.

[autorradio s.m. Aparato de radio diseñado para ser colocado en un automóvil. ☐ USO Se usa también como sustantivo femenino.

autorretrato s.m. Retrato de una persona hecho por ella misma.

[autorreverse s.m. Mecanismo de un casete que hace que la cinta vuelva a empezar cuando llega al final.

autoservicio s.m. 1 Sistema de venta por el que el cliente toma lo que le interesa y lo paga a la salida del establecimiento. **[2** Establecimiento que utiliza este sistema. ☐ ETIMOL. De *auto-* (uno mismo) y *servicio*. ☐ USO Es innecesario el uso del anglicismo *self-service*.

autostop s.m. Manera de viajar por carretera que consiste en pedir transporte gratuito a los automovilistas. ☐ ETIMOL. Del francés *auto-stop*. ☐ USO Se usa mucho *autoestop*.

autostopista adj./s. Que practica el autostop. ☐ MORF. 1. Como adjetivo es invariable en género. 2. Como sustantivo es de género común: *el autostopista, la autostopista*. ☐ USO Se usa mucho *autoestopista*.

autosuficiencia s.f. Estado o situación del que se basta a sí mismo; autarquía. ☐ ETIMOL. De *auto-* (uno mismo) y *suficiencia*.

autosuficiente adj. Que se basta a sí mismo. □ MORF. Invariable en género.

[**autotransfusión** s.f. Transfusión de sangre o de plasma sanguíneo en la que el donante y el receptor son la misma persona.

[**autotrasplante** s.m. Trasplante en que el donante y el receptor son la misma persona.

autótrofo, fa adj. Referido a un organismo, que es capaz de elaborar su propia materia orgánica a partir de sustancias inorgánicas. □ ETIMOL. De *auto-* (uno mismo) y el griego *trophós* (alimenticio).

[**autovacuna** s.f. Vacuna que se elabora a partir de sustancias obtenidas del mismo enfermo al que se le va a administrar.

autovía s.f. Carretera con calzadas separadas para cada sentido de la circulación, cuyas entradas y salidas no se someten a las exigencias de seguridad de la autopista. □ SEM. Dist. de *autopista* (con entradas y salidas más seguras).

auxiliar ▌ adj. **1** Que auxilia o que sirve de ayuda: *una mesa auxiliar.* ▌ adj./s. **2** Referido a una persona, que ayuda o colabora en las funciones de otra como subordinada suya. ▌ s.m. **3** →**verbo auxiliar.** ▌ v. **4** Dar o prestar auxilio o ayuda: *Necesito que me auxilies en esta situación tan difícil.* **5** En el cristianismo, ayudar a morir en gracia de Dios: *Cuando vieron que el abuelo se moría, llamaron al párroco para que lo auxiliara.* **6** ‖**auxiliar de vuelo**; persona que se dedica profesionalmente a atender a los pasajeros y a la tripulación de un avión. ‖**auxiliar técnico sanitario**; persona legalmente autorizada para asistir a los enfermos, siguiendo las instrucciones de un médico, y para realizar ciertas intervenciones de cirugía menor: *A los auxiliares técnicos sanitarios se los conoce normalmente como 'ATS'.* □ ORTOGR. Aunque se usa más sin tilde, la segunda *i* puede llevar tilde en los presentes, excepto en las personas *nosotros* y *vosotros*, en las que no la lleva nunca →AUXILIAR. □ MORF. 1. Como adjetivo es invariable en género. 2. En la acepción 2, como sustantivo es de género común: *el auxiliar, la auxiliar.*

auxilio s.m. **1** Ayuda, socorro, amparo o asistencia que se prestan. **2** ‖[**primeros auxilios**; primera asistencia de urgencia que se presta a un accidentado. □ ETIMOL. Del latín *auxilium.* □ SEM. Se usa para solicitar ayuda urgente.

aval s.m. **1** Documento por el que una persona o entidad responde del pago de una deuda, del cumplimiento de una obligación o de la capacidad de ser solvente, o firma con la que se obliga a ello. **2** Lo que respalda o garantiza la realidad o calidad de algo. □ ETIMOL. Del francés *aval.* □ SEM. Su uso como sinónimo de *avalista* para designar a la persona que da un aval está muy extendido.

avalancha s.f. **1** Gran masa de nieve que se desprende de una montaña y cae con violencia y estrépito. **2** Gran cantidad de algo que llega con fuerza. □ SEM. Es sinónimo de *alud.*

avalar v. Garantizar por medio de un aval: *Me avalaron mis padres y el banco me concedió el préstamo.*

avalista s. Persona que, con su firma, garantiza el cumplimiento de una obligación contraída por otra persona. □ MORF. Es de género común: *el avalista, la avalista.*

avance s.m. **1** Movimiento y prolongación hacia adelante: *El ejército ha realizado un avance de dos*

kilómetros. **2** Ida hacia adelante: *Continuad el avance hasta el río.* [**3** Adelanto, progreso o mejora. **4** Lo que se presenta como adelanto o anticipo de algo: *Y esto es sólo un avance de lo que pasó; ya te contaré más en el recreo.*

avanzadilla s.f. →**avanzada.**

avanzado, da ▌ adj. **1** Que está muy adelantado o próximo al final. ▌ adj./s. **2** Que se distingue por su audacia o por su carácter de novedad, o que aparece en primera línea o en primer término: *Para su edad es una chica muy avanzada.* ▌ s.f. **3** Fracción pequeña de tropa destacada del cuerpo principal para observar al enemigo y prevenir sorpresas. **4** Lo que se adelanta, se anticipa o aparece en primer término. [**5** En zonas del español meridional, vanguardia. □ SEM. En las acepciones 3 y 4 es sinónimo de *avanzadilla.*

avanzar v. **1** Adelantar, mover o prolongar hacia adelante: *El mando ordenó que sus tropas avanzaran las posiciones.* **2** Ir hacia adelante: *Las tropas avanzaron durante la noche.* **3** Referido al tiempo, transcurrir o acercarse a su fin: *La tarde avanza y aún no tenemos noticias de ellos.* **4** Adelantar, progresar o pasar a un estado mejor: *Has avanzado mucho en tu inglés.* [**5** Referido a una noticia, darla antes de lo previsto; adelantar, anticipar: *La emisora 'avanzó' el resultado de las elecciones antes de que acabara el escrutinio de los votos.* □ ETIMOL. Del latín **abantiare*, y éste de *abante* (adelante). □ ORTOGR. La *z* se cambia en *c* delante de *e* →CAZAR.

avaricia s.f. **1** Afán excesivo de poseer y de adquirir riquezas para atesorarlas. **2** ‖[**con avaricia**; col. Con intensidad: *Este niño es malo 'con avaricia'.* □ ETIMOL. Del latín *avaritia.*

avaricioso, sa adj./s. →**avaro.**

avariento, ta adj./s. →**avaro.**

avaro, ra adj./s. Que no quiere gastar, porque disfruta atesorando dinero y riquezas. □ ETIMOL. Del latín *avarus.*

avasallador, -a adj./s. Que avasalla.

avasallamiento s.m. **1** Actuación o comportamiento sin tener en cuenta los derechos de los demás. [**2** Imposición o dominio con mucha diferencia.

avasallar v. [**1** Actuar o comportarse sin tener en cuenta los derechos de los demás: *Ya sé que tienes razón, pero no 'avasalles'.* [**2** Imponerse o dominar con mucha diferencia: *La nueva colección de libros es un éxito y 'ha avasallado' a la competencia.* □ ETIMOL. De *vasallo.*

avatar s.m. Cambio, transformación o vicisitud: *Su vida está llena de avatares.* □ ETIMOL. Del sánscrito *avatara* (descenso). □ MORF. Se usa más en plural.

ave ▌ s.m. [**1** Tren español que desarrolla una gran velocidad. ▌ s.f. **2** Animal vertebrado, ovíparo, de respiración pulmonar y sangre de temperatura constante, que tiene pico, el cuerpo cubierto de plumas, y dos patas y dos alas que, generalmente, le permiten volar. ▌ pl. **3** En zoología, clase de estos animales, perteneciente a la superclase de los tetrápodos. ▌ s.f. **4** ‖**ave de paso**; col. Persona que se detiene poco en un sitio determinado. ‖**ave {de rapiña/rapaz}**; la que es carnívora y tiene el pico y las uñas muy fuertes, encorvados y puntiagudos: *El águila y el buitre son aves de rapiña.* ‖**ave fría**; →**avefría.** □ ETIMOL. La acepción 1, es un acrónimo que procede de la sigla de *alta velocidad española.* Las acepciones 2 y 3, del latín *avis.* □ MORF. En la

gaviota · buitre · paloma · búho · gorrión · golondrina · avestruz · tucán · cacatúa · colibrí · pavo real · flamenco · pelícano · pájaro bobo o pingüino · **AVE**

acepción 2, por ser un sustantivo femenino que empieza por *a* tónica o acentuada, va precedido de *el*, *un*, *algún*, *ningún* y de las formas femeninas del resto de los determinantes.

avecinar v. Acercar o aproximar: *Se avecina una borrasca*. ☐ ETIMOL. De *vecino*.

avecindarse v.prnl. Establecerse en una población como vecino: *Se avecindó en Barcelona cuando sacó la oposición*.

[avecrem s.m. *col.* Condimento artificial que se elabora con sustancias deshidratadas. ☐ ETIMOL. Extensión del nombre de una marca comercial. ☐ PRON. [avecrém].

avefría s.f. Ave zancuda de color verde oscuro en el dorso y blanco en el vientre, y con un moño en la cabeza de cinco o seis plumas que se encorvan en la punta. ☐ ORTOGR. Se admite también *ave fría*. ☐ MORF. Es un sustantivo epiceno: *la avefría macho*, *la avefría hembra*.

avejentar v. Hacer parecer más viejo de lo que realmente se es por la edad: *Con esa barba te has avejentado mucho*.

avellana s.f. Fruto del avellano, comestible y muy sabroso, pequeño y de forma casi esférica, con una corteza dura, delgada y de color marrón. ☐ ETIMOL. Del latín *abellana nux* (nuez de Abella, ciudad de Campania, donde abundaban).

avellanal, avellanar s.m. o **avellaneda** s.f. Terreno poblado de avellanos.

avellano s.m. **1** Arbusto muy poblado de ramas, que tiene hojas anchas, aterciopeladas y aserradas, y cuyo fruto es la avellana. **2** Madera de este árbol.

avemaría s.f. **1** En el cristianismo, oración compuesta de las palabras con las que saludó el arcángel san Gabriel a la Virgen María, de las palabras que santa Isabel dijo a la Virgen cuando ésta fue a visitarla y de algunas otras que añadió la iglesia católica. **2** En un rosario, cada una de las cuentas pequeñas en la que se reza esta oración. ☐ ETIMOL. Del latín *ave*

(voz empleada para saludar) y *María* (nombre de la virgen). ☐ MORF. Por ser un sustantivo femenino compuesto que empieza por *a* tónica o acentuada, va precedido de *el*, *un*, *algún*, *ningún* y de las formas femeninas del resto de los determinantes.

avena s.f. **1** Cereal de cañas delgadas, con hojas lineales y con inflorescencias formadas por varias flores agrupadas en panojas: *La avena se cultiva como alimento*. 🌾 cereal **2** Grano de este cereal. ☐ ETIMOL. Del latín *avena*.

avenar v. Referido a un terreno, dar salida a sus aguas subterráneas o a la excesiva humedad por medio de zanjas o cañerías: *Han avenado el prado porque este año ha llovido mucho*. ☐ ETIMOL. De *vena*.

avenencia s.f. Conformidad, acuerdo o unión.

avenida s.f. **1** Vía ancha y generalmente con árboles a los lados. **2** Crecida violenta y súbita de un río o de un arroyo. ☐ SINT. En la acepción 1, el nombre de la calle debe ir precedido por la preposición *de*, salvo si es un adjetivo: *avenida de Portugal*.

avenimiento s.m. Reconciliación o puesta de acuerdo. ☐ ORTOGR. Dist. de *advenimiento*.

avenir ▌ v. **1** Concordar, reconciliar o poner de acuerdo: *Querían pleitear por los límites de sus tierras, pero el abogado consiguió avenirlos*. ▌prnl. **2** Entenderse o llevarse bien: *Es una suerte que se avenga tan bien con tu familia*. **3** Ponerse de acuerdo: *Cada uno tenía su idea, pero se avinieron a trabajar juntos*. **4** Conformarse o resignarse con algo: *Es tan bueno, que se aviene a todo y todo le parece bien*. ☐ ETIMOL. Del latín *advenire*, y éste de *ad* (a) y *venire* (venir). ☐ MORF. Irreg. →VENIR. ☐ SINT. Constr. de las acepciones 2, 3 y 4: *avenirse A algo* CON *alguien*.

aventajado, da adj. Que aventaja, que sobresale o que destaca en algo.

aventajar v. Superar, exceder, llevar o sacar ventaja en algo: *Según las encuestas, este candidato aventaja en votos al actual presidente*. ☐ ORTOGR. Conserva la *j* en toda la conjugación.

aventar v. **1** Referido a un cereal, echarlo al viento, generalmente para separar el grano de la paja: *Vamos a la era a aventar el trigo*. **2** En zonas del español meridional, tirar o arrojar. **3** *col.* En zonas del español meridional, empujar con violencia. ☐ ETIMOL. De *viento*. ☐ MORF. Irreg. →PENSAR.

aventón s.m. En zonas del español meridional, autostop.

aventura s.f. **1** Suceso o conjunto de sucesos extraños y variados. **2** Lo que es de resultado incierto o lo que presenta riesgos. **3** Relación amorosa o sexual pasajera. ☐ ETIMOL. Del latín *adventura* (cosas que han de suceder).

aventurado, da adj. Arriesgado, atrevido o inseguro.

aventurar v. **1** Arriesgar o poner en peligro: *Aventuró su fortuna en inversiones poco claras y se arruinó*. *Se aventuraron en la montaña a pesar de la tormenta*. **2** Referido a algo que se desconoce, decirlo o expresarlo: *Aventuró una explicación que no me convenció*.

aventurero, ra adj./s. **1** Aficionado a la aventura. **2** Referido a una persona, que se gana la vida por medios desconocidos o que se consideran ilícitos o poco correctos.

avergonzar ∎ v. **1** Producir un sentimiento de vergüenza; abochornar: *Me avergüenza que hables a tu madre así.* ∎ prnl. **2** Tener o sentir vergüenza: *Está arrepentido y se avergüenza de su pasado.* ☐ ORTOGR. La *g* se cambia en *gü* y la *z* en *c* delante de *e*. ☐ MORF. Irreg. →AVERGONZAR. ☐ SINT. Constr. *avergonzarse* DE *algo*.

avería s.f. Daño, fallo o rotura de un mecanismo, de un aparato o de un vehículo. ☐ ETIMOL. De origen incierto.

averiar v. Producir una avería: *Se me averió el coche y tuve que llamar a la grúa.* ☐ ORTOGR. La *i* lleva tilde en los presentes, excepto en las personas *nosotros* y *vosotros* →GUIAR.

averiguación s.f. Indagación de la verdad hasta descubrirla.

averiguar v. Referido esp. a un asunto, indagar en él hasta descubrir la verdad: *La policía trata de averiguar todo lo relacionado con ese crimen.* ☐ ETIMOL. Del latín *verificare* (presentar como verdad). ☐ ORTOGR. 1. La *u* lleva diéresis cuando le sigue *e*. 2. La *u* permanece siempre átona →AVERIGUAR.

averno s.m. En mitología, lugar donde iban las almas de los muertos; infierno. ☐ ETIMOL. Del latín *averno*. ☐ USO Se usa mucho como nombre propio.

averroísmo s.m. Doctrina filosófica desarrollada por Averroes (filósofo árabe del siglo XII) y que defiende que el entendimiento agente es único, universal y común para todos los hombres.

averroísta adj./s. Partidario o seguidor del averroísmo. ☐ MORF. 1. Como adjetivo es invariable en género. 2. Como sustantivo es de género común: *el averroísta, la averroísta*.

aversión s.f. Antipatía o repugnancia exageradas hacia algo. ☐ ETIMOL. Del latín *aversio*, y éste de *avertere* (apartar).

avestruz s.m. Ave corredora, con el cuello muy largo, casi desnudo, patas largas y robustas, y el plumaje suelto y flexible, negro en el macho y blanco en la hembra: *Cuando el avestruz se siente en peligro, esconde la cabeza debajo de la tierra.* ☐ ETIMOL. De *ave* y el antiguo *estruz* (avestruz). ☐ MORF. 1. Es un sustantivo epiceno: *el avestruz macho, el avestruz hembra*. 2. Incorr. su uso como femenino: {*las* > *los*} *avestruces*. 🔎 ave

[avezado, da adj. Referido a una persona, acostumbrada o habituada a algo.

aviación s.f. **1** Sistema aéreo de desplazamiento y de transporte por medio de aviones. **2** Cuerpo militar que utiliza este sistema de desplazamiento para la guerra. ☐ ETIMOL. Del francés *aviation*.

aviador, -a s. Persona que gobierna un avión, esp. si está legalmente autorizada para ello.

aviar v. **1** Arreglar, disponer o componer: *Después de aviar la casa, sale al mercado y hace la compra.* **2** Preparar o disponer lo necesario para algo: *Tú, avía lo que necesitas para el viaje, que yo te lo meteré en la maleta.* **3** ‖**estar aviado** alguien; *col.* Estar rodeado de dificultades y contratiempos: *Si no llegamos a tiempo estamos aviados, porque no hay otro tren hasta mañana.* ☐ ETIMOL. De *vía*. ☐ ORTOGR. La *i* lleva tilde en los presentes, excepto en las personas *nosotros* y *vosotros* →GUIAR.

avícola adj. De la avicultura o relacionado con esta técnica de criar aves. ☐ ETIMOL. Del latín *avis* (ave) y *colere* (cultivar). ☐ MORF. Invariable en género. ☐ SEM. Dist. de *apícola* (de la cría de abejas).

avicultor, -a s. Persona que se dedica a la avicultura o cría de aves. ☐ SEM. Dist. de *apicultor* (persona que se dedica a la apicultura o cría de abejas).

avicultura s.f. Técnica para criar y fomentar la reproducción de las aves y para aprovechar sus productos. ☐ ETIMOL. Del latín *avis* (ave) y *-cultura* (cultivo). ☐ SEM. Dist. de *apicultura* (técnica de la cría de abejas).

avidez s.f. Ansia o deseo muy fuertes e intensos de algo.

ávido, da adj. Que siente ansia o un deseo muy fuertes e intensos de algo. ☐ ETIMOL. Del latín *avidus*.

avieso, sa adj. Malo o de malas inclinaciones. ☐ ETIMOL. Del latín *aversus* (desviado, torcido).

avifauna s.f. Conjunto de las aves de un país o de una región. ☐ ETIMOL. De *ave* y *fauna*.

avilés, -a adj./s. De Ávila o relacionado con esta provincia española o con su capital; abulense.

avinagrado, da adj. Malhumorado o falto de amabilidad.

avinagrar ∎ v. **1** Referido esp. al vino, dar o adquirir la acidez u otras características propias del vinagre: *El calor excesivo ha avinagrado el licor. El vino se avinagró.* ∎ prnl. **[2** Referido a una persona, volverse malhumorada o de mal carácter: *Desde que sufrió aquella desgracia, 'se avinagró' y ahora es difícil tratar con él.*

avío ∎ s.m. **[1** *col.* Arreglo, disposición o compostura: *Hizo el 'avío' de la casa en dos horas.* ∎ pl. **2** Utensilios necesarios para hacer algo. ☐ ETIMOL. De *aviar*.

avión s.m. **1** Vehículo volador, con alas y generalmente propulsado por uno o más motores; aeroplano. **2** Pájaro de dorso negro y de vientre y patas blancos que generalmente anida en paredes y en pendientes rocosas abruptas: *El avión es parecido a la golondrina.* ☐ ETIMOL. Del francés *avion*. ☐ MORF. En la acepción 2, es un sustantivo epiceno: *el avión macho, el avión hembra*. ☐ SINT. Incorr. (galicismo): *avión* {*a* > *a*} *reacción*.

avioneta s.f. Avión pequeño y de poca potencia.

avisado, da adj. Prudente, sagaz y sensato.

avisar v. **1** Referido a un asunto, prevenir, advertir o informar de ello: *Avisa a tu padre de que la carretera está con nieve.* **2** Referido a un hecho, comunicarlo o dar noticia de ello: *Han llamado para avisar que ya está arreglado el televisor.* **3** Referido a una persona, llamarla para que preste algún servicio: *Hay que avisar al fontanero para que arregle el lavabo.* ☐ ETIMOL. Del francés *aviser* (instruir, avisar). ☐ SINT. Es transitivo con complemento directo de persona (*avisar* A *alguien* DE *algo*) o con complemento directo de cosa y complemento indirecto de persona (*avisar algo* A *alguien*).

aviso s.m. **1** Noticia o advertencia que se comunican a alguien. **2** Indicio, señal o muestra de algo: *Ese desmayo fue un aviso de que padecías anemia.* **3** Advertencia o consejo. **4** En tauromaquia, advertencia que hace el presidente al torero cuando éste tarda más tiempo en matar que el prescrito por el reglamento. **5** ‖**{andar/estar} sobre aviso**; estar prevenido o ir con cuidado: *Menos mal que andaba sobre aviso, porque si no, me hubieran timado.* ‖**[avisos {clasificados/limitados}**; en zonas del español meridional, anuncios por palabras.

avispa s.f. Insecto parecido a la abeja, pero de cuerpo amarillo con listas negras, que está provisto de un aguijón con el que pica y que vive en sociedad. □ ETIMOL. Del latín *vespa* (avispa), con la *a* de *abeja*. 🐝 insecto

avispado, da adj. Referido a una persona, que es viva, despierta o espabilada.

avispar v. Referido a una persona, despertarla o espabilarla: *Los otros niños lo avisparon y ya no es tan tímido.* □ ETIMOL. De origen incierto.

avispero s.m. **1** Panal o nido de avispas. **2** *col.* Asunto enredado que ocasiona disgustos. [**3** *col.* Aglomeración de personas o cosas inquietas y ruidosas.

avistar v. Ver desde lejos: *Avistaron la pequeña isla desde el barco.*

avitaminosis s.f. En medicina, carencia o escasez de vitaminas. □ ETIMOL. De *a-* (privación) y *vitamina*. □ MORF. Invariable en número.

avituallamiento s.m. Abastecimiento de vituallas o víveres.

avituallar v. Abastecer de vituallas o víveres: *El intendente se encarga, entre otras cosas, de avituallar a la tropa.*

avivamiento s.m. Aumento de la viveza, de la fuerza o de la intensidad.

avivar v. **1** Animar, excitar o dar mayor viveza o intensidad: *Su llamada avivó mi deseo de verlo. La discusión se avivaba más y más.* **2** Referido al fuego, hacer que arda más: *Aviva el fuego, porque se está apagando.* □ ETIMOL. De *vivo*.

avutarda s.f. Ave zancuda de carrera rápida y vuelo pesado, de cuerpo grueso y rojizo con manchas negras, cuello delgado y largo, y alas pequeñas. □ ETIMOL. Del latín *avis tarda* (ave tarda), porque la avutarda tiene un vuelo muy pesado. □ MORF. Es un sustantivo epiceno: *la avutarda macho, la avutarda hembra*.

axial o **axil** adj. Del eje o relacionado con él. □ ETIMOL. *Axial*, del francés *axial. Axil*, del latín *axis* (eje). □ MORF. Invariables en género. □ USO Aunque la RAE prefiere *axil*, se usa más *axial*.

axila s.f. Concavidad que forma el arranque del brazo con el cuerpo; sobaco. □ ETIMOL. Del latín *axilla*.

axilar adj. De la axila o relacionado con ella. □ MORF. Invariable en género.

axioma s.m. Proposición o enunciado básico tan claros y evidentes que se admiten sin necesidad de demostración: *'Dos cosas iguales a otra son iguales entre sí' es un axioma.* □ ETIMOL. Del griego *axíoma* (lo que parece justo).

axiomático, ca adj. Evidente o incuestionable.

axis s.m. En anatomía, segunda de las vértebras cervicales. □ ETIMOL. Del latín *axis* (eje). □ MORF. Invariable en número.

axón s.m. Prolongación de una neurona, que generalmente termina en una ramificación y que está en contacto con otras células: *Los axones sirven para transmitir los impulsos nerviosos.* □ ETIMOL. Del latín *axis* (eje). □ SEM. Es sinónimo de *cilindro eje, cilindroeje* y *neurita*.

ay ∎ s.m. **1** *col.* Quejido o suspiro. ∎ interj. **2** Expresión que se usa para indicar dolor, sorpresa, admiración o disgusto. □ ORTOGR. Dist. de *hay* (del verbo *haber*) y de *ahí*. □ MORF. En la acepción 1, su plural es *ayes*. □ SEM. Como interjección, en la lengua coloquial se usa mucho repetida, con un ma-

tiz intensivo: *¡Ayayay, qué mal me huele este asunto!*

ayatolá s.m. Autoridad religiosa chiita, esp. en Irán (país asiático). □ ETIMOL. Del árabe *aia* (signo) y *Allah* (Dios). □ PRON. Aunque la pronunciación correcta es [ayatolá], está muy extendida [ayatóla].

ayer ∎ s.m. **1** Tiempo pasado. ∎ adv. **2** En el día inmediatamente anterior al de hoy. **3** En un tiempo pasado. □ ETIMOL. Del latín *ad heri*. □ USO El uso de expresiones como *ayer tarde* con el significado de 'ayer por la tarde' es un galicismo innecesario.

ayo, ya s. Persona encargada del cuidado o la educación de los niños o jóvenes de familias acomodadas. □ ORTOGR. *Aya* es dist. de *halla* (del verbo *hallar*) y de *haya*. □ MORF. Por ser un sustantivo femenino que empieza por *a* tónica o acentuada, va precedido de *el, un, algún, ningún* y de las formas femeninas del resto de los determinantes.

ayuda s.f. **1** Cooperación o socorro. **2** Lo que sirve para ayudar. **3** Líquido que se introduce en el recto a través del ano, generalmente con fines terapéuticos o laxantes, o para facilitar una operación de diagnóstico. **4** Instrumento manual que se utiliza para aplicar este líquido. 💉 medicamento □ SEM. En las acepciones 3 y 4, es sinónimo de *enema*.

ayudanta s.f. Mujer que realiza trabajos subalternos, generalmente manuales.

ayudante s. **1** Persona que ayuda en un trabajo a otra, esp. si ésta tiene un cargo o una preparación superior. **2** ‖ [**ayudante técnico sanitario**]; persona que trabaja como enfermero después de haber conseguido la oportuna titulación. □ MORF. Es de género común: *el ayudante, la ayudante.*

ayudar ∎ v. **1** Prestar cooperación o socorrer: *Es buena persona y te ayudará en todo lo que pueda. Estas medidas ayudarán a vencer las dificultades económicas.* ∎ prnl. **2** Valerse o servirse de algo: *Se ayudó de sus amistades para conseguir el puesto.* □ ETIMOL. Del latín *adiutare*. □ SINT. 1. Constr. de la acepción 1: *ayudar {A/EN} algo.* 2. Constr. de la acepción 2: *ayudarse DE algo.*

ayunar v. Abstenerse o privarse de comer o de beber total o parcialmente, esp. por motivos religiosos o de salud: *Ayuna los miércoles de ceniza.* □ ETIMOL. Del latín *ieiunare*.

ayuno, na s.m. **1** Privación total o parcial de comer o beber, esp. por motivos religiosos o de salud. **2** ‖ **en ayunas**; **1** Sin haber desayunado. **2** Sin haber entendido algo: *Ellos hablaban de sus cosas, pero yo me quedé en ayunas.* □ SINT. *En ayunas* se usa más con los verbos *estar* y *quedar.*

ayuntamiento s.m. **1** Corporación compuesta por un alcalde y varios concejales que dirige y administra un término municipal. **2** Edificio en el que tiene su sede esta corporación; casa consistorial, concejo. **3** ‖ **ayuntamiento (carnal)**; coito. □ ETIMOL. Del latín *adiunctus* (junto). □ SEM. En la acepción 1, es sinónimo de *cabildo, concejo* y *municipio*. □ USO En la acepción 1, se usa más como nombre propio.

ayuntar v. *ant.* →**juntar.** □ ETIMOL. Del antiguo *ayunto* (junta, reunión).

azabache s.m. Variedad del lignito de color negro brillante, dura y compacta, que se puede pulir y es muy usada en joyería. □ ETIMOL. Del árabe *as-sabay.*

azada s.f. Instrumento formado por una pala cuadrangular de extremo cortante encajada en un mango, que se utiliza para cavar y remover la tierra. □ ETIMOL. Del latín *asciata* (herramienta provista de una especie de hacha). ⬩✥⬩ apero

azadón s.m. Instrumento parecido a la azada, pero con la pala algo más curva y más larga que ancha, que se utiliza esp. para cavar en tierras duras o para cortar raíces delgadas. ⬩✥⬩ apero

azafata s.f. **1** Mujer que se dedica profesionalmente a atender a los pasajeros de un avión. **2** Mujer que se dedica profesionalmente a ayudar y proporcionar informaciones al público que asiste a una reunión o a un congreso. **3** Antiguamente, criada encargada del servicio personal de la reina. □ ETIMOL. De *azafate* (bandeja). □ MORF. En las acepciones 1 y 2, se usa el masculino coloquial *azafato*.

azafate s.m. En zonas del español meridional, bandeja. □ ETIMOL. Del árabe *as-safat* (la cesta, el canastillo).

azafrán s.m. **1** Planta herbácea con tallo subterráneo en forma de tubérculo, hojas estrechas, flores lilas que se abren en estrella y estigma de color rojo anaranjado dividido en tres filamentos colgantes. **2** Estigma seco de esta planta, muy usado como condimento. □ ETIMOL. Del árabe *az-za'faran*.

azahar s.m. Flor blanca, esp. la del naranjo y otros cítricos. □ ETIMOL. Del árabe *al-azhar* (las flores blancas). □ ORTOGR. Dist. de *azar*.

azalea s.f. Arbusto de hoja caduca y flores de color blanco, rojo o rosa, que se cultiva como planta ornamental. □ ETIMOL. Del latín *azalea*, y éste del griego *azaléos* (seco, árido).

azar s.m. **1** Casualidad o supuesta causa a la que se atribuyen los sucesos no debidos a una necesidad natural o a la intervención humana. **2** Percance, riesgo o contratiempo imprevisto. **3** ‖ **al azar**; sin reflexión, sin orden o sin motivo: *Cierra los ojos, señala en el mapa un punto al azar y nos dirigiremos hacia allí.* □ ETIMOL. Del árabe *az-zahr* (el dado para jugar). □ ORTOGR. Dist. de *azahar*.

azarar v. Inquietar, turbar o aturdir hasta causar vergüenza o rubor: *Las miradas de los espectadores lo azaran. Se azaró al ver que se había descubierto su mentira.* □ ETIMOL. De *azorar*.

azaroso, sa adj. Con percances o riesgos.

azerbaiyano, na adj./s. De Azerbaiyán (país asiático), o relacionado con él.

azimut s.m. →acimut.

ázoe s.m. *ant.* →nitrógeno. □ ETIMOL. Quizá del francés *azote*.

azogue s.m. *col.* Mercurio. □ ETIMOL. Del árabe *az-za'uq* (el mercurio).

azor s.m. Ave rapaz diurna, de cabeza pequeña, pico negro y curvado, dorso oscuro, vientre blanco con manchas negras y con una línea blanca por encima de los ojos, muy apreciada en la caza de cetrería. □ ETIMOL. Del latín *acceptor*. □ MORF. Es un sustantivo epiceno: *el azor macho, el azor hembra*. ⬩✥⬩ rapaz

azoramiento s.m. Inquietud, turbación o aturdimiento.

azorar v. Inquietar, turbar o aturdir: *Se fue rápidamente a casa porque la multitud lo azora. Se azoró al ver que empezaba a llegar la gente y la comida no estaba lista.* □ ETIMOL. De *azor*.

azotaina s.f. *col.* Serie de azotes.

azotar v. **1** Dar azotes: *El capitán mandó azotar a*

dos de los insurrectos. **2** Producir daños o destrozos: *Hace dos años que la guerra azota esta tierra.* **3** Referido esp. al viento o las olas, golpear repetida y violentamente: *Al salir, había ventisca y el aire me azotó la cara.*

azote s.m. **1** Instrumento, generalmente formado por cuerdas anudadas, que se utilizaba para azotar. **2** Golpe dado con este instrumento. **3** Golpe dado en las nalgas con la mano abierta. **4** Destrozo o calamidad: *La sequía es un azote para esta comarca.* **5** Choque repetido, esp. del viento o del agua: *El azote del viento derribó varios árboles.* □ ETIMOL. Del árabe *as-sut* (el látigo).

azotea s.f. **1** Cubierta llana de un edificio sobre la que se puede andar. **[2** *col.* Cabeza humana. □ ETIMOL. Del árabe *as-sutaiha* (el terradillo).

azteca ▌ adj./s. **1** De un antiguo pueblo indígena que dominó cultural y económicamente en el actual territorio mejicano entre los siglos XV y primer cuarto del XVI. ▌ s.m. **2** Lengua indígena de este pueblo. □ MORF. En la acepción 1, como adjetivo es invariable en género, y como sustantivo es de género común: *el azteca, la azteca.*

azúcar s. **1** Sustancia sólida, generalmente de color blanco, de sabor muy dulce y que se extrae de la caña dulce, de la remolacha o de otros vegetales; sacarosa: *¿Cuántas cucharadas de azúcar quieres en el café?* **2** Hidrato de carbono dulce, cristalizable y soluble en agua: *Los diabéticos tienen exceso de azúcar en la sangre.* **3** ‖ **[azúcar glasé**; almíbar solidificado y muy brillante usado para recubrir pasteles y tartas. ‖ **[azúcar {glas/glaseada}**; la molida que se usa en pastelería. ‖ **[azúcar impalpable**; en zonas del español meridional, azúcar glas. □ ETIMOL. Del árabe *as-sukkar*. □ MORF. 1. Es de género ambiguo: *el azúcar moreno, la azúcar morena.* 2. En la acepción 1, en la lengua coloquial, se usa mucho con el artículo en masculino y el adjetivo en femenino: *el azúcar morena.*

azucarado, da adj. **1** Con azúcar, o dulce como el azúcar. **2** *col.* Dulce y meloso en las palabras.

azucarar v. **1** Endulzar con azúcar: *Me gusta azucarar los zumos de naranja.* **2** Bañar con azúcar: *Azucaró el pastel y lo decoró con anises de colores.*

azucarero, ra ▌ adj. **1** Del azúcar o relacionado con esta sustancia. ▌ s.m. **2** Recipiente para guardar y servir el azúcar. ▌ s.f. **3** Fábrica de azúcar.

azucarillo s.m. Terrón de azúcar.

azucena s.f. **1** Planta herbácea de tallo largo, hojas largas, estrechas y brillantes, y grandes flores terminales muy olorosas, que se cultiva como planta ornamental. **2** Flor de esta planta. □ ETIMOL. Del árabe *as-susana* (el lirio).

azufre s.m. Elemento químico, no metálico y sólido, de número atómico 16, quebradizo, insípido, de color amarillo y olor característico, muy utilizado para la obtención de ácido sulfúrico, la fabricación de sustancias plásticas y como insecticida: *El azufre arde con llama azul.* □ ETIMOL. Del latín *sulfur*. □ ORTOGR. Su símbolo químico es S.

azul adj./s.m. **1** Del color del cielo cuando está despejado. **2** ‖ **azul marino**; el oscuro, cercano al negro. □ ETIMOL. Del árabe *lazurd*, en vez de *lazaward* (lapislázuli, azurita). □ MORF. Como adjetivo es invariable en género.

azulado, da adj. De color azul o con tonalidades azules.

azular v. Poner de color azul: *El pantalón vaquero destiñó y azuló toda la colada.*

azulejo, ja ∎ adj. **1** En zonas del español meridional, azulado. ∎ s.m. **2** Pieza de arcilla cocida, de poco grosor y con una cara vidriada, que se utiliza para revestir superficies como decoración o como revestimiento impermeable: *Alicataron la cocina con azulejos blancos.* ☐ ETIMOL. Del árabe *az-zulaiy* (el ladrillito).

azulete s.m. Producto de limpieza de color añil que se usa para dar color azulado a la ropa blanca.

[azulgrana adj./s. *col.* De cualquier equipo cuya camiseta tenga los colores azul y rojo, o relacionado con él. ☐ MORF. **1.** Como adjetivo es invariable en género. **2.** Como sustantivo es de género común: el 'azulgrana', la 'azulgrana'. ☐ USO Es innecesario el uso del catalanismo *blaugrana*.

azulón s.m. Pato de gran tamaño, muy frecuente en lagos y albuferas.

azuloso, sa adj. En zonas del español meridional, azulado.

azumbre s. Unidad de capacidad que equivale aproximadamente a dos litros. ☐ ETIMOL. Del árabe *at-tumn* (la octava parte de la cántara). ☐ MORF. **1.** Es de género ambiguo: *el azumbre, la azumbre.* **2.** Se usa más como femenino. ☐ USO Es una medida tradicional española.

azuzar v. Referido a un animal, incitarlo, animarlo o irritarlo para que ataque o embista: *Azuzó a los perros contra el ladrón.* ☐ ETIMOL. De *¡sus!*, que se usa para infundir ánimo. ☐ ORTOGR. La *z* se cambia en *c* delante de *e* →CAZAR.

B b

b s.f. Segunda letra del abecedario. □ PRON. Representa el sonido consonántico bilabial sonoro.

baba s.f. **1** Saliva que cae de la boca de una persona o de algunos animales mamíferos. **2** Líquido pegajoso que segregan algunos animales invertebrados o algunas plantas. **3** ||**caérsele la baba** a alguien; *col.* Experimentar gran satisfacción, placer y contento viendo u oyendo algo. || [**mala baba**; *col.* Mala intención o mal carácter. □ ETIMOL. Del latín *baba*, de origen expresivo.

babada s.f. En un animal cuadrúpedo, parte de las extremidades inferiores que está formada por la musculatura y los tendones que articulan el fémur con la tibia y la rótula; babilla.

babear v. **1** Echar baba: *Al finalizar la carrera, los caballos babeaban. Los bebés babean mucho.* [**2** *col.* Experimentar gran satisfacción, placer y contento viendo u oyendo algo: *Siempre 'babea' cuando habla de sus maravillosos hijos.*

babel s. →**torre de Babel.** □ MORF. Es de género ambiguo: *el babel espantoso, la babel espantosa.*

babélico, ca adj. Confuso o difícil de entender. □ ETIMOL. De *Babel*, torre con la que los hombres quisieron alcanzar el cielo, provocando así que Dios los castigase con la confusión de lenguas.

babero s.m. **1** Prenda de tela o de otra materia que se coloca sobre el pecho para no mancharse. **2** En algunos hábitos religiosos, pieza que se pone sobre el vestido cubriendo los hombros y el pecho, y que se ata en el cuello.

babi s.m. *col.* Bata que se ponen los niños encima de la ropa para protegerla.

babia ||**estar en Babia**; *col.* Estar distraído o ajeno a lo que sucede alrededor. □ ETIMOL. Por alusión al aislado territorio de Babia en la montaña leonesa.

babieca adj./s. *col.* Bobo y de poco carácter. □ ETIMOL. De origen expresivo. □ MORF. 1. Como adjetivo es invariable en género. 2. Como sustantivo es de género común: *el babieca, la babieca.* □ USO Es despectivo y se usa como insulto.

babilla s.f. En un animal cuadrúpedo, parte de las extremidades inferiores que está formada por la musculatura y los tendones que articulan el fémur con la tibia y la rótula; babada. ✗◉⌂ carne

babilónico, ca adj. **1** De Babilonia (antigua ciudad asiática, famosa por su fastuosidad) o relacionado con ella. **2** Hecho con lujo o riqueza.

babilonio, nia adj./s. De Babilonia (antigua ciudad asiática, famosa por su fastuosidad y por ser centro político del Antiguo Oriente, situada entre los ríos Tigris y Éufrates).

babirusa s.m. Cerdo salvaje, de mayor tamaño que el jabalí y con cuatro colmillos, dos de los cuales salen de la parte superior del hocico y están encorvados hacia atrás. □ ETIMOL. Del malayo *babi* (cerdo) y *rusa* (ciervo), por sus colmillos retorcidos, que se comparaban a los cuernos de un ciervo. □ MORF. Es un sustantivo epiceno: *el babirusa macho, el babirusa hembra.*

bable s.m. Modalidad lingüística que se habla en Asturias (comunidad autónoma y provincia).

babor s.m. En una embarcación, lado izquierdo, según se mira de popa a proa. □ ETIMOL. Del francés *babord*, y éste del holandés *bakboord.* □ SINT. Constr. {A/POR} *babor.* □ SEM. Dist. de *estribor* (lado derecho). ✗◉⌂ embarcación

babosa s.f. Véase **baboso, sa.**

babosear v. Mojar o llenar de baba: *Duerme con la boca abierta y siempre babosea la almohada.*

baboseo s.m. *col.* Molestia y pesadez de quien intenta agradar o conquistar a una persona.

baboso, sa ▌ adj./s. **1** Que echa muchas babas. **2** *col.* Referido a una persona, que no tiene edad ni condiciones para lo que hace o dice. **3** *col.* Que resulta molesto y pesado en sus intentos por agradar o por conquistar a alguien. **4** En zonas del español meridional, referido a una persona, que es simple o tonta. ▌ s.m. **5** Pez marino de pequeño tamaño, cuerpo alargado y aplanado por los lados y recubierto de una sustancia pegajosa, hocico corto con labios carnosos y dientes largos y unidos, que puede pescarse con caña o con redes pequeñas; budión, doncella. ▌ s.f. **6** Molusco terrestre, alargado, sin concha o de concha rudimentaria, con una especie de ventosa en el vientre que le permite moverse, y que segrega en su marcha abundante baba.

babucha s.f. Zapatilla ligera y sin tacón. □ ETIMOL. Del francés *babouche.* ✗◉⌂ calzado

[**baby sitter** s. →**canguro.** □ PRON. [béibi síter]. □ USO Es un anglicismo innecesario.

baca s.f. En un automóvil, soporte, generalmente en forma de parrilla, que se coloca sobre el techo y que sirve para llevar bultos; portaequipaje. □ ETIMOL. Quizá del francés *bâche.* □ ORTOGR. Dist. de *vaca.*

bacalada s.f. Bacalao abierto y curado.

bacaladero, ra ▌ adj. **1** Del bacalao, de su pesca o de su comercio. ▌ s.m. **2** Barco preparado para la pesca del bacalao y para su conservación con vistas a su aprovechamiento industrial.

bacaladilla s.f. Pez marino de pequeño tamaño, de color gris, cuerpo alargado y mandíbula prominente. □ MORF. Es un sustantivo epiceno: *la bacaladilla macho, la bacaladilla hembra.*

bacalao s.m. **1** Pez marino comestible, de gran tamaño, cuerpo alargado y cilíndrico y cabeza muy grande; abadejo. ✗◉⌂ pez [**2** →**bakalao. 3** ||**cortar el bacalao**; *col.* Mandar o decidir en un asunto o en un grupo. □ ETIMOL. De origen incierto. □ PRON. Incorr. *[bacaládo]. □ MORF. En la acepción 1, es un sustantivo epiceno: *el bacalao macho, el bacalao hembra.*

[**bacán, -a** ▌ adj. **1** *col.* En zonas del español meridional, elegante o de categoría. ▌ adj./s. **2** *col.* En zonas del español meridional, que vive sin privaciones y gozando de una buena posición social.

bacanal adj./s.f. Referido a una fiesta, de carácter desenfrenado. □ ETIMOL. Del latín *bacchanalis*, y éste de *Bacchus* (Baco), por alusión a las fiestas que se celebraban en honor de este dios romano, símbolo del vino y de la sensualidad. □ MORF. 1. Como adjetivo es invariable en género. 2. Como sustantivo se usa más en plural.

[**bacano, na** ▌ adj. *col.* En zonas del español meridional, excelente o muy bueno.

bacante s.f. En la antigua Roma, sacerdotisa que se

dedicaba al culto de Baco (dios del vino y de la sensualidad) o mujer que participaba en las fiestas celebradas en honor de éste. ☐ ETIMOL. Del latín *bacchans*, y éste de *Bacchus* (Baco). ☐ ORTOGR. Dist. de *vacante*.

bacará s.m. Juego de cartas en que el banquero interviene contra los demás participantes y en el que gana aquel que, con dos cartas, se aproxime más a nueve puntos; bacarrá. ☐ ETIMOL. Del francés *baccara*.

bácara s.f. Planta herbácea de olor nauseabundo, cuyas hojas se usan para curar las úlceras; amaro. ☐ ETIMOL. Del griego *bákkaris*.

bacarrá s.m. →**bacará**. ☐ USO Aunque la RAE prefiere *bacará*, se usa más *bacarrá*.

[bacenilla s.f. En zonas del español meridional, bacinilla u orinal.

bache s.m. **1** En una vía pública, hoyo o desnivel que se forma por la acción de un agente externo. **2** En la atmósfera, corriente vertical de aire que causa el descenso repentino y momentáneo de un avión. **3** Situación pasajera de decaimiento o postración. ☐ ETIMOL. De origen incierto.

bachear v. Referido a una vía pública, arreglarla rellenando sus baches: *Van a bachear con asfalto las calles más céntricas.*

bacheo s.m. Reparación de una vía pública, que consiste en rellenar sus baches o sus desniveles.

bachiller s. **1** Persona que tiene el título académico de bachillerato. **2** Antiguamente, persona que tenía un título universitario de primer grado. ☐ ETIMOL. Del francés *bachelier* (joven que aspira a ser caballero, bachiller). ☐ MORF. Es de género común: *el bachiller, la bachiller.* ☐ SEM. Dist. de *bachillerato* (grado académico).

bachillerato s.m. **1** Grado académico que se obtiene después de haber cursado la enseñanza media. **2** Conjunto de estudios necesarios para obtener este grado. ☐ SEM. Dist. de *bachiller* (persona con ese grado académico).

bacía s.f. Recipiente cóncavo de gran diámetro y poca profundidad, que sirve para contener líquidos, esp. referido al de metal que usaban los barberos para remojar las barbas. ☐ ETIMOL. De origen incierto.

bacilar adj. De los bacilos o relacionado con ellos. ☐ ORTOGR. Dist. de *vacilar*. ☐ MORF. Invariable en género.

bacilo s.m. Bacteria en forma de bastón. ☐ ETIMOL. Del latín *bacillum* (bastoncito).

bacín s.m. Vasija alta y cilíndrica en la que se evacuaban los excrementos. ☐ ETIMOL. Del latín *bacchinon*.

bacinica o **bacinilla** s.f. Recipiente, generalmente cilíndrico, que se usa para evacuar los excrementos. ☐ USO Aunque la RAE prefiere *bacinica*, se usa más *bacinilla*.

[back-up (anglicismo) s.m. En informática, copia de seguridad. ☐ PRON. [bacáp]. ☐ USO Su uso es innecesario.

[backgammon (anglicismo) s.m. Juego de mesa que se practica entre dos jugadores, cada uno de los cuales debe mover sus fichas, blancas o negras, sobre un tablero dividido en veinticuatro casillas triangulares. ☐ PRON. [bacgámon].

[bacon s.m. →**beicon**. ☐ PRON. [béicon]. ☐ USO Es un anglicismo innecesario.

bacteria s.f. Organismo microscópico sin núcleo diferenciado, que se multiplica por división simple o por esporas. ☐ ETIMOL. Del griego *baktería* (bastón). ☐ MORF. Cuando se antepone a una palabra para formar compuestos, adopta la forma *bacteri-*.

bacteriano, na adj. De las bacterias o relacionado con ellas.

bactericida adj./s.m. Que mata las bacterias. ☐ MORF. Como adjetivo es invariable en género.

bacteriología s.f. Parte de la biología que estudia las bacterias. ☐ ETIMOL. De *bacteria* y *-logía* (estudio, ciencia).

bacteriológico, ca adj. De la bacteriología.

bacteriólogo, ga s. Persona que se dedica al estudio de las bacterias, esp. si ésta es su profesión.

báculo s.m. **1** Bastón que se utiliza como apoyo al caminar y cuyo extremo superior es muy curvo. **2** Lo que sirve de consuelo y apoyo. ☐ ETIMOL. Del latín *baculum* (bastón).

badajo s.m. En una campana o en un cencerro, pieza móvil que cuelga en su interior y que, al moverse, hace que suene. ☐ ETIMOL. Del latín **batuaculum*, y éste de *battuere* (golpear, batir).

badana ▮ s. **1** *col.* Persona despreocupada, vaga y perezosa. ▮ s.f. **2** Piel curtida de carnero o de oveja. **3** En un sombrero, tira que se cose en el borde interior de la copa para evitar que ésta se manche con el sudor. **4** ‖**zurrar la badana**; *col.* Maltratar con golpes o de palabra. ☐ ETIMOL. Del árabe *bitana* (forro). ☐ MORF. 1. En la acepción 1, aunque la RAE sólo lo registra como masculino, en la lengua actual es de género común: *el badana, la badana.* 2. En la acepción 1, se usa mucho la forma *badanas*, invariable en número.

badén s.m. En una vía pública, cauce que se construye para que pueda pasar un corto caudal de agua. ☐ ETIMOL. Del árabe *batn* (cavidad, depresión del suelo). ☐ PRON. Incorr. **[báden].

badián s.m. Árbol oriental, cuyas semillas se utilizan en medicina y como condimento; badiana. ☐ ETIMOL. Del persa *badiyan* (anís).

badiana s.f. **1** →**badián**. **2** Fruto de este árbol.

badil s.m. o **badila** s.f. Utensilio de metal, semejante a una pala pequeña, que se usa para remover la lumbre en las chimeneas y braseros. ☐ ETIMOL. Del latín *batillum*.

badminton o **bádminton** s.m. Deporte que se practica con raquetas más pequeñas que en el tenis y con una pelota semiesférica con plumas en su parte plana. ☐ ETIMOL. Por alusión a Badminton, lugar británico donde se practicó por primera vez. ☐ USO La RAE prefiere *bádminton*.

badulaque adj./s.m. *col.* Tonto, necio, de poco juicio o de corto entendimiento. ☐ ETIMOL. De origen incierto. ☐ MORF. Como adjetivo es invariable en género.

bafle s.m. En un equipo de alta fidelidad, caja que contiene uno o varios altavoces; columna. ☐ ETIMOL. Del inglés *baffle*.

bagaje s.m. **1** Conjunto de cosas o de conocimientos que alguien posee. **2** Equipaje militar de una tropa o de un ejército en marcha. ☐ ETIMOL. Del francés *bagage* (equipaje).

bagatela s.f. Lo que tiene poca importancia o es de poco valor. ☐ ETIMOL. Del italiano *bagattella* (juego de manos).

[baguette (galicismo) s.f. Pan francés en barra larga, poco denso, que se usa para bocadillos. ☐ PRON. [baguét].

bah interj. Expresión que se usa para indicar incredulidad o desdén.

bahareque s.m. En zonas del español meridional, pared hecha de cañas y tierra. ☐ ORTOGR. Se admite también *bajareque*.

baharí s.m. Ave rapaz diurna, de color gris azulado por encima, rojo oscuro con manchas por las partes inferiores, y pies rojos. ☐ ETIMOL. Del árabe *bahri* (del norte), porque los mejores baharís procedían del norte de Europa. ☐ MORF. 1. Es un sustantivo epiceno: *el baharí macho, el baharí hembra*. 2. Aunque su plural en la lengua culta es *baharíes*, también se usa *baharís*.

bahía s.f. Entrada del mar en la costa, mayor que la ensenada y generalmente menor que el golfo. ☐ ETIMOL. Quizá del francés *baie*.

baída s.f. →**bóveda baída**. ☐ ETIMOL. Del árabe *baida* (casco).

bailable ▌ adj. **1** Referido a la música, que resulta fácil de bailar. **▌** s.m. **2** Danza que forma parte de un espectáculo. ☐ MORF. Como adjetivo es invariable en género.

bailador, -a s. Persona que se dedica profesionalmente a ejecutar bailes populares españoles, esp. andaluces. ☐ PRON. Se usa mucho la pronunciación [bailaór].

[bailaor, -a s. Persona que se dedica profesionalmente a bailar flamenco.

bailar v. **1** Mover el cuerpo al ritmo de la música: *Estuvieron bailando toda la tarde. ¿Bailas conmigo una sevillana?* **2** Referido a algo insuficientemente sujeto o ajustado, moverse: *La falda me está ancha y me baila.* **3** Referido a un objeto, girar rápidamente en torno a su eje o hacerlo girar de este modo: *Mi peonza baila mejor que la tuya. Tu amiga sabe bailar las monedas.* **4** Hacer movimientos de índole nerviosa: *Deja ya de bailar o terminarás por ponerme nervioso a mí también.* **[5** col. Referido a una idea, confundirla o no tenerla suficientemente fijada en la memoria: *Tienes que estudiar con más profundidad porque 'bailas' los conceptos.* **[6** col. Referido a una cifra o una letra, alterar o confundir su orden: *'Bailó' la 'r' con la 's' y escribió 'mosra' en lugar de 'morsa'.* **[7** col. Vacilar entre dos o más posibilidades antes que se sepa la que será definitiva: *Cuando faltaba por escrutar el dos por ciento de las papeletas, un escaño de diputado 'bailaba' entre los conservadores y los progresistas.* **8 ‖que le quiten** a alguien **lo bailado**; col. Expresión que se usa para indicar que las contrariedades que puedan surgir no anulan el placer y las satisfacciones ya obtenidas: *Aunque me caía de sueño después de la fiesta, ¡que me quiten lo bailado!* ☐ ETIMOL. Quizá del provenzal *balar*. ☐ SEM. En la acepción 1, aunque la RAE lo considera sinónimo de *danzar*, éste se ha especializado para referirse a bailes de carácter artístico o tradicional.

bailarín, -a ▌ adj./s. **1** Referido a una persona, que baila, esp. si ésta es su profesión. **▌** s.f. **[2** Zapato de tacón muy bajo que tiene el escote redondeado.

baile s.m. **1** Conjunto de movimientos que se hacen con el cuerpo al ritmo de la música. **2** Serie de movimientos que se ejecutan siguiendo una técnica y un ritmo musical establecidos. **3** Reunión o fiesta en la que se juntan varias personas para bailar. **[4**

Movimiento rítmico y acompasado. **5** Movimiento de índole nerviosa. **[6** col. Confusión o falta de fijación de ideas o de conocimientos. **7** col. Error que consiste en alterar el orden de cifras o de letras. **[8** col. En una votación, indeterminación de un puesto entre varios candidatos, al estar muy igualados en el número de votos. **9 ‖ [baile de salón**; el que se baila en parejas, esp. en locales cerrados, siguiendo distintas técnicas según los distintos ritmos. **‖ baile de San Vito**; col. Cierta enfermedad convulsiva. ☐ SEM. En las acepciones 1 y 2, aunque la RAE lo considera sinónimo de *danza*, éste se ha especializado para referirse a bailes de carácter artístico o tradicional.

bailón, -a adj./s. Que disfruta bailando.

bailongo s.m. col. Baile.

bailotear v. col. Bailar sin gracia ni formalidad: *Estuvimos bailoteando toda la noche.*

bailoteo s.m. Baile informal o poco académico.

baja s.f. Véase **bajo, ja.**

bajá s.m. En el antiguo imperio turco, persona que obtenía algún mandato superior; pachá. ☐ ETIMOL. Del árabe *basa.* ☐ MORF. Aunque su plural en la lengua culta es *bajaes*, se usa mucho *bajás*.

bajada s.f. **1** Descenso de algo en su posición, su inclinación, su intensidad, su cantidad o su valor. **2** Camino que lleva hacia un lugar o hacia una posición inferiores. **3** Inclinación de un terreno. **4 ‖bajada de aguas**; en un edificio, conjunto de cañerías que da salida al agua de lluvia. **‖ bajada de bandera**; en un taxi, puesta en marcha del taxímetro cuando inicia una carrera. ☐ SEM. En las acepciones 2 y 3, es sinónimo de *descenso*.

bajamar s.f. **1** Fin del movimiento de descenso de la marea. **2** Tiempo que dura el final del descenso de la marea. ☐ SEM. Dist. de *marea baja* (descenso del nivel del mar).

bajante s. En una construcción, tubería vertical de desagüe. ☐ MORF. Es de género ambiguo: *el bajante roto, la bajante rota.*

bajar v. **1** Ir a un lugar o a una posición inferiores: *¡Bájate del árbol! Bajó de categoría por rendir poco. Siempre bajo las escaleras andando.* **2** Poner en un lugar o en una posición inferiores: *Baja el baúl al sótano. No te bajes los pantalones.* **3** Descender o hacer descender de un medio de transporte; apear: *Los bajaron del tren a empujones. No quiso bajarse del coche.* **4** Inclinar hacia abajo: *Bajó la cabeza con vergüenza.* **5** Disminuir en intensidad, cantidad o valor: *Baja el volumen de la radio. Hoy baja el precio de la gasolina.* **6** En música, descender de un tono agudo a uno más grave: *Si educas la voz podrás bajar hasta los tonos más graves.* ☐ ETIMOL. Del latín **bassiare*, de *bassus* (bajo). ☐ ORTOGR. Conserva la *j* en toda la conjugación. ☐ SEM. 1. En la acepción 1, es sinónimo de *descender*. 2. **Bajar abajo* es una expresión redundante e incorrecta, aunque está muy extendida.

bajareque s.m. En zonas del español meridional, pared hecha de cañas y tierra. ☐ ORTOGR. Se admite también *bahareque.*

bajel s.m. poét. Barco. ☐ ETIMOL. Del catalán *vaixell.* ☐ SEM. Dist. de *batel* (barco pequeño).

bajero, ra adj. Que se usa o se pone debajo de algo.

bajeza s.f. **1** Acción indigna y despreciable en la

que no se tienen en cuenta la moral ni la ética. **2** Falta de elevación moral.

[*bajini* o [*bajinis* ‖ [por lo {bajini/bajinis}; *col.* Disimuladamente o en voz muy baja.

bajío s.m. En el mar, elevación del fondo, generalmente arenosa. ☐ ETIMOL. De *bajo*.

bajista ∎ adj. **1** En economía, referido a un valor en la bolsa, con tendencia a disminuir su valor. ∎ s. **2** En economía, persona que vende acciones u otra clase de títulos cuando cree que van a caer los precios. **3** Músico que toca el bajo; bajo. ☐ MORF. **1.** Como adjetivo es invariable en género. **2.** Como sustantivo es de género común: *el bajista, la bajista*.

bajo, ja ∎ adj. **1** Que tiene menos altura de la que se considera normal. **2** Que tiene un valor o una intensidad inferiores a los normales. **3** Inclinado o dirigido hacia abajo. **4** Que está en un lugar inferior o que ocupa una posición inferior. **5** Referido a un terreno, que está a poca altura sobre el nivel del mar. **6** Referido al oro o a la plata, que tiene mucha mezcla de otros metales. **7** Referido a una persona o a su comportamiento, que son despreciables en cualquier aspecto. **8** Referido a una parte de un río, que está cercana a su desembocadura. **9** Referido a una época o a un período histórico, que son los más cercanos al tiempo actual. **10** Referido a un sonido, a una voz o a un tono musical, que tienen una frecuencia de vibraciones pequeña; grave. ∎ s.m. **11** En un edificio, piso que está a la misma altura que la calle. **12** En una prenda de vestir, doblez inferior cosido hacia dentro. **13** Instrumento musical que produce el sonido más grave en la escala general. **14** Músico que toca este instrumento; bajista. **15** En música, persona cuyo registro de voz es el más grave de los de las voces humanas. [**16** →**contrabajo**. **17** En el mar o en aguas navegables, elevación del fondo, generalmente arenosa. ∎ s.m.pl. [**18** En un vehículo, parte inferior externa de la carrocería, que forma el piso. ∎ s.f. **19** Cese o abandono de una persona en un cuerpo, en una profesión o en una asociación legalmente reconocida. **20** Documento que acredita y justifica el cese temporal en el trabajo, y en el que generalmente consta el reconocimiento oficial de enfermedad o accidente, hecho por un médico. **21** Muerte o desaparición en combate de una persona. **22** Disminución del precio o del valor de algo. **23** ‖ **baja (temporal)**; la que se da a un trabajador por un período de tiempo y generalmente por motivos de enfermedad o de accidente. ‖ **(bajo) continuo**; **1** En música, línea de notas que no tiene pausas y sirve para la armonía de acompañamiento instrumental. [**2** Instrumento que puede tocar esta línea de notas. ‖ {**causar/ser**} **baja**; dejar de pertenecer a una asociación. ‖ **dar de baja** a alguien; **1** Declararlo enfermo un médico. **2** Registrar que ha dejado de dedicarse a una actividad. ‖ **darse de baja**; dejar de pertenecer voluntariamente a un cuerpo, a una profesión o a una asociación. ☐ ETIMOL. Del latín *bassus* (gordo y poco alto). ☐ MORF. El comparativo de superioridad *inferior* y el superlativo irregular *ínfimo* sólo se usan cuando *bajo* tiene el sentido de 'situado debajo' o de 'escaso, de poco valor'. ☐ SEM. En la acepción 12, dist. de *dobladillo* (en cualquier pieza de tela).

bajo ∎ adv. **1** En un tono de voz suave. ∎ prep. **2** Debajo de: *Menos mal que la tormenta nos cogió bajo techo.* **3** Con sumisión o sujeción a: *Los artistas*

actuaban bajo el mando de un director. **4** ‖ **por lo bajo**; **1** Disimuladamente o en voz muy baja. **2** Referido a un cálculo, estableciendo cuál es la mínima cantidad probable: *Calculando por lo bajo, creo que costará mil pesetas.* ☐ SINT. Como preposición: Incorr. {**bajo > desde*} *el punto de vista.*

bajón s.m. Disminución brusca e importante. ☐ SINT. Se usa más con los verbos *dar*, *sufrir*, *tener* y *pegar*.

bajonazo s.m. En tauromaquia, estocada excesivamente baja.

bajorrelieve s.m. Relieve escultórico cuyas figuras sobresalen poco del plano. ☐ ORTOGR. Se admite también *bajo relieve*.

bajura s.f. Falta de elevación.

[*bakalao* s.m. Música de ritmo agresivo, repetitivo y machacón. ☐ ORTOGR. Se usa también *bacalao*.

bala s.f. **1** Proyectil para armas de fuego, generalmente cilíndrico, plano por un extremo y terminado en punta por el otro, y hecho de plomo o de hierro. **2** Paquete grande atado y muy apretado, pero sin envoltura. [**3** En zonas del español meridional, bola de hierro que se lanza en algunas pruebas deportivas. **4** ‖ **bala perdida**; *col.* Persona juerguista y de poco juicio. ‖ **bala rasa**; *col.* →**balarrasa**. ‖ **como una bala**; *col.* Muy rápidamente o con mucha velocidad. ☐ ETIMOL. De origen incierto. ☐ MORF. *Bala rasa* y *bala perdida* son de género común: *el bala rasa, la bala rasa; el bala perdida, la bala perdida.*

[*balacear* v. *col.* En zonas del español meridional, tirotear.

balacera s.f. En zonas del español meridional, tiroteo.

balada s.f. **1** En literatura, poema de tema legendario o tradicional que se puede cantar con acompañamiento musical. [**2** En música, composición de ritmo lento y tema intimista, esp. amoroso. ☐ ETIMOL. Del provenzal *balada*.

baladí adj. Que tiene poco valor, poca importancia o poco interés. ☐ ETIMOL. Del árabe *baladi* (del propio país), porque los artículos del país han sido casi siempre de menor aprecio que los importados. ☐ MORF. **1.** Invariable en género. **2.** Aunque su plural en la lengua culta es *baladíes*, se usa mucho *baladís*.

baladrón, -a adj./s. Que presume de valiente o de fuerte, sin serlo realmente. ☐ ETIMOL. Del latín *balatro* (término despectivo para aludir al que habla demasiado). ☐ ORTOGR. Incorr. **balandrón.*

baladronada s.f. Hecho o dicho propios de un baladrón o persona que presume de valiente sin serlo. ☐ ORTOGR. Incorr. **balandronada.* ☐ SEM. Es sinónimo de *blasonería* y *bravata*.

balalaica s.f. Instrumento musical de cuerda parecido a la guitarra pero con el cuerpo triangular y sólo tres cuerdas. ☐ ETIMOL. Del ruso *balalaika*. cuerda

balance s.m. **1** Revisión, generalmente periódica, del estado de las cuentas de una sociedad o de un negocio. **2** Informe que muestra la situación patrimonial de una empresa o de un negocio en una fecha determinada. **3** Valoración de una situación. ☐ ETIMOL. Del antiguo *balanzar* (contrapesar, balancear). ☐ SEM. No debe emplearse con el significado de 'resultado': *La catástrofe produjo un* {**balance > resultado*} *de diez muertos.*

balancear v. **1** Mover de un lado a otro de forma alternativa y repetida: *Balancea la cuna para que* *no llore el niño. El barco se balanceaba entre las olas.* **2** En zonas del español meridional, poner en equilibrio, contrapesar.

balanceo s.m. **1** Movimiento alternativo y repetido de un lado a otro. **2** En zonas del español meridional, equilibrado, esp. el de las ruedas de un coche.

balancín s.m. **1** Vara larga y delgada que usan los equilibristas para mantener el equilibrio sobre el alambre o la cuerda. **[2** Columpio formado por una barra larga sujeta al suelo por un eje central, con asientos en cada extremo, y que sube y baja alternativamente. **3** Asiento cuyas patas se apoyan en dos arcos, de forma que puede balancearse hacia delante y hacia atrás. **4** Asiento colgante cubierto con un toldo.

balandra s.f. Embarcación pequeña de vela, con cubierta y un solo palo. ☐ ETIMOL. Del francés *balandre.*

balandro s.m. Barco de vela deportivo, pequeño y alargado, con cubierta y un solo palo.

balanitis s.f. En medicina, inflamación del bálano o glande. ☐ MORF. Invariable en número.

balano o **bálano** s.m. En el órgano genital masculino, parte final de forma abultada; glande.

balanza s.f. **1** Instrumento para medir masas o pesos. 🔍 medida **2** ‖**balanza** {**comercial/de comercio**}; en economía, registro contable que recoge las importaciones y exportaciones de un país durante un período de tiempo determinado. ‖ **[balanza de cruz**; la que tiene los platillos pendientes de los extremos de la barra. ‖ **balanza de pagos**; en economía, registro contable sistemático de las transacciones económicas ocurridas durante un período de tiempo determinado entre un país y el resto del mundo. ‖ **balanza de Roberval**; la que tiene los platillos libres encima de la barra principal, que descansa en un pie convenientemente dispuesto. ☐ ETIMOL. Del latín **bilancia.* ☐ SEM. Dist. de *báscula* (instrumento para medir pesos, generalmente grandes, con una plataforma).

balar v. Referido esp. a una oveja, dar balidos o emitir su voz característica. ☐ ETIMOL. Del latín *balare.*

balarrasa s. *col.* Persona alocada y de poco juicio; tarambana. ☐ ETIMOL. De *bala* y *rasa.* ☐ ORTOGR. Se admite también *bala rasa.* ☐ MORF. Es de género común: *el balarrasa, la balarrasa.*

balasto o **balastro** s.m. Capa de grava que se echa para asentar y sujetar las traviesas de una vía férrea. ☐ ETIMOL. Del inglés *ballast.*

balaustra s.f. Granado que tiene la flor doble y grande. ☐ ETIMOL. Del latín *balaustium* (flor del granado). ☐ SEM. Dist. de *balaustre* (columna pequeña).

balaustrado, da ▌ adj. **1** Con forma de balaústre; balaustral. ▌ s.f. **2** Antepecho o barandilla formados por una serie de balaustres o columnas pequeñas. ☐ ORTOGR. 1. Incorr. **balustrada.* 2. Se admite también *abalaustrado.*

balaustral adj. Con forma de balaústre; abalaustrado, balaustrado. ☐ MORF. Invariable en género.

balaustre o **balaústre** s.m. Columna pequeña con ensanchamientos y estrechamientos sucesivos y que, unida a otras por un pasamanos, forma barandillas y antepechos. ☐ ETIMOL. Del italiano *balaustro,* y éste del latín *balaustium* (fruto del granado silvestre), porque se comparó el capitel del balaus-

tre con una flor. ☐ SEM. Dist. de *balaustra* (variedad de granado). ☐ USO *Balaustre* es el término menos usual.

balazo s.m. Disparo de bala hecho con arma de fuego.

balboa s.m. Unidad monetaria panameña. ☐ ETIMOL. Por alusión al conquistador Núñez de Balboa.

balbucear v. Hablar con pronunciación entrecortada y vacilante; balbucir: *Con los nervios, sólo pude balbucear una tonta excusa.* ☐ USO Aunque la RAE prefiere *balbucir,* se usa más *balbucear.*

balbuceo s.m. Pronunciación entrecortada y vacilante.

[balbuciente adj. Que comienza o que aún no está muy definido. ☐ MORF. Invariable en género.

balbucir v. Hablar con pronunciación entrecortada y vacilante; balbucear: *Estaba tan emocionado que sólo pudo balbucir unas palabras.* ☐ ETIMOL. Del latín *balbutire.* ☐ MORF. Verbo defectivo: en la primera persona del singular de los presentes se sustituye por las formas correspondientes del verbo *balbucear.*

balcánico, ca adj. De los Balcanes o relacionado con esta región del sudeste europeo.

[balcanización s.f. En política, referido a un país, proceso de fragmentación de sus territorios en estados más pequeños. ☐ ETIMOL. Por alusión al proceso de fragmentación de la Península Balcánica.

[balcanizar v. Referido a un país, fragmentar o dividir sus territorios en estados más pequeños: *Si se 'balcaniza' el sur del país, será más difícil gobernar.*

balcón s.m. **1** En un edificio, ventana abierta desde el suelo de la habitación, normalmente prolongada en el exterior y protegida con una barandilla o antepecho. **2** Barandilla que protege esta ventana. **3** En un terreno, lugar elevado y bien situado desde el que se ve una gran extensión; miranda. ☐ ETIMOL. Del italiano *balcone,* y éste de *balco* (tablado).

balconada s.f. **[**En un edificio, serie de balcones con una barandilla común.

balconaje s.m. En un edificio, conjunto de balcones.

balconcillo s.m. **1** En una plaza de toros, localidad provista de barandilla y situada sobre la puerta o sobre la salida del toril. **2** En un teatro, galería situada delante de la primera fila de palcos y más baja.

balda s.f. En un armario o en una estantería, tabla horizontal sobre la que se colocan las cosas; anaquel, estante.

baldaquín o **baldaquino** s.m. **1** Adorno hecho con telas ricas que se coloca a modo de cubierta o de techo sobre un trono, un altar o una tumba. **2** En un altar, construcción que lo cubre a modo de techo, generalmente apoyada sobre cuatro columnas. ☐ ETIMOL. Por alusión a Baldac, antiguo nombre de Bagdag, lugar de donde venía esta tela. ☐ USO Aunque la RAE prefiere *baldaquín,* se usa más *baldaquino.*

baldar v. Dejar tan agotado, maltrecho o dolorido que realizar cualquier movimiento suponga un gran esfuerzo: *Subir veinte pisos andando balda a cualquiera.* Se baldó al mover el piano él solo. ☐ ETIMOL. Del árabe *battala* (anular, inutilizar). ☐ ORTOGR. Dist. de *baldear.*

balde s.m. **1** Barreño o cubo. **2** ‖**de balde**; sin precio de ningún tipo. ‖**en balde**; inútilmente o en vano. □ ETIMOL. Del árabe *batil* (vano, inútil, sin valor).

baldear v. **1** Referido a un suelo o un pavimento, echarle agua con baldes para regarlo o limpiarlo: *Los marineros baldearon la cubierta del barco.* **2** Extraer con un balde el agua acumulada en un lugar: *Con la lluvia se inundó el garaje, y tuvimos que baldear más de una hora.* □ ORTOGR. Dist. de *baldar*.

baldeo s.m. **1** Lavado o riego de una superficie realizados con baldes de agua. **2** Extracción del agua acumulada en un lugar, por medio de baldes. **3** *col.* Arma blanca. □ PRON. En la acepción 3, está muy extendida la pronunciación [bardéo].

baldés s.m. Piel curtida de oveja, muy fina, suave y blanda. □ ETIMOL. De origen incierto. □ MORF. Invariable en número.

baldío, a ▌ adj. **1** Sin utilidad. ▌ adj./s. **2** Referido a un terreno, que no se cultiva o que no da ningún fruto. □ ETIMOL. De *balde*.

baldón s.m. Acción o situación que hace a alguien despreciable o indigno de estimación y respeto. □ ETIMOL. Del francés antiguo *bandon* (tratamiento arbitrario).

baldonar o **baldonear** v. Referido a una persona, hablar mal de ella en su presencia: *Me baldonea delante de todos cada vez que me ve.*

baldosa s.f. Pieza fina hecha con un material duro, de forma generalmente cuadrangular, que se usa para cubrir suelos; loseta. □ ETIMOL. De origen incierto.

baldosín s.m. Baldosa pequeña y más fina, generalmente esmaltada, que se emplea para cubrir paredes.

baldragas s.m. Hombre débil, flojo y sin energía. □ ETIMOL. De origen incierto. □ MORF. Invariable en número. □ USO Es despectivo.

balea s.f. Escoba grande para barrer las eras. □ ETIMOL. Del céltico *balazn* (retama).

balear ▌ adj./s. **1** De las islas Baleares (comunidad autónoma), o relacionado con ellas. ▌ s.m. **2** Variedad del catalán que se habla en estas islas. ▌ v. **3** En zonas del español meridional, matar a balazos o tirotear. □ MORF. En la acepción 1, como adjetivo es invariable en género, y como sustantivo es de género común: *el balear, la balear.*

baleárico, ca adj. De las islas Baleares (comunidad autónoma), o relacionado con ellas; balear.

balido s.m. Voz característica de la oveja y de otros animales. □ ORTOGR. Dist. de *valido*.

[**balilla** s.m. **1** Miembro de la organización juvenil fascista fundada en Italia en 1918, esp. si tenía entre ocho y catorce años. **2** *col.* Cierto coche utilitario familiar de poca cilindrada y poco consumo, fabricado por la casa italiana Fiat.

balín s.m. Bala de menor calibre que la ordinaria de fusil.

balístico, ca ▌ adj. **1** De la balística o relacionado con esta ciencia. ▌ s.f. **2** Ciencia que estudia la trayectoria, el alcance y los efectos de los proyectiles, esp. de los disparados por armas de fuego.

baliza s.f. **1** Señal fija o flotante, visual o sonora, que se coloca en un terreno o en el mar para advertir de un peligro o para marcar una zona, esp. un recorrido. **2** En zonas del español meridional, señal con forma de triángulo, que se lleva en los automóviles por si hay una situación de emergencia. **3** En zonas del español meridional, luces intermitentes de avería de un automóvil. □ ETIMOL. Del portugués *baliza* (palo hincado en el fondo del mar o de un río para señalar el rumbo).

[**balizado** o **balizamiento** s.m. Señalización de una zona con balizas, esp. de un lugar peligroso o de un recorrido.

balizar v. Referido a un lugar, marcarlo con balizas o señales indicadoras: *Balizaron el socavón para evitar accidentes.* □ ORTOGR. 1. La *z* se cambia en *c* delante de *e* →CAZAR.

ballena s.f. **1** Mamífero marino de gran tamaño, de color oscuro por el lomo y blanquecino por el vientre, con dos gruesas aletas laterales y una trasera horizontal, y con barbas en lugar de dientes. **2** Tira o varilla elástica o flexible. □ ETIMOL. Del latín *ballaena.* □ MORF. En la acepción 1, es un sustantivo epiceno: *la ballena macho, la ballena hembra.*

ballenato s.m. Cría de la ballena. □ MORF. Es un sustantivo epiceno: *el ballenato macho, el ballenato hembra.*

ballenero, ra ▌ adj. **1** De la ballena, de su pesca o relacionado con ellas. ▌ s.m. **2** Barco preparado para la pesca o captura de ballenas. ⨳ embarcación

ballesta s.f. **1** Arma portátil que se utiliza para disparar flechas u otros proyectiles y que consta de un arco y de un soporte o tablero perpendicular a él sobre el que se tensa. **2** En un vehículo, esp. si es muy pesado, cada una de las láminas flexibles y superpuestas en las que descansa la carrocería y que se apoyan sobre los ejes de las ruedas para amortiguar golpes o sacudidas. □ ETIMOL. Del latín *ballista* (máquina de guerra que disparaba piedras).

ballestero s.m. **1** Antiguamente, hombre que usaba la ballesta, esp. si era soldado. **2** Antiguamente, hombre que se dedicaba al cuidado de las armas reales en palacio y a la asistencia de la realeza en las cacerías.

ballestrinque s.m. Nudo marinero que se forma dando dos vueltas de cabo de modo que los extremos de éste quedan cruzados. □ ETIMOL. Del catalán *ballestrinc.*

ballet (galicismo) s.m. **1** Composición musical, generalmente de carácter orquestal, destinada a servir de acompañamiento a una danza escénica. **2** Danza con la que se escenifica una historia al compás de esta música. **3** Cuerpo o conjunto de bailarines que interpretan esta danza. [**4** Conjunto de esas composiciones o danzas con una característica común. □ PRON. [balé]. □ ORTOGR. Dist. de *valet.* □ MORF. Aunque su plural es *balletes*, se usa más *ballets.*

balneario s.m. **1** Establecimiento público donde se pueden tomar baños medicinales y en el cual suele darse hospedaje; baños. [**2** En zonas del español meridional, lugar turístico famoso por sus playas. □ ETIMOL. Del latín *balnearius* (relativo al baño).

balneoterapia s.f. Tratamiento medicinal por medio de baños, esp. si éstos son de aguas con propiedades curativas. □ ETIMOL. Del latín *balneum* (baño) y *-terapia* (curación).

[**balompédico, ca** adj. Del balompié o relacionado con este deporte; futbolístico.

balompié s.m. Deporte que se juega entre dos equipos de once jugadores y en el que éstos intentan introducir un balón en la portería del equipo contrario sin tocarlo con las manos; fútbol.

balón s.m. **1** Pelota grande, esp. la que está hinchada con aire a presión o la que se utiliza en el fútbol y en otros deportes de equipo. **2** Recipiente hecho de material flexible, generalmente esférico, y que se utiliza para contener gases. **3** ‖ [**balón medicinal**; el que está relleno de un material pesado y se utiliza para fortalecer los músculos. ‖ [**echar balones fuera**; *col.* Tratar de evitar una respuesta clara. ☐ ETIMOL. Del italiano *pallone*. ☐ ORTOGR. Dist. de *valón*.

[*balonazo* s.m. Golpe dado con un balón.

baloncestista s. Persona que practica el baloncesto, esp. si ésta es su profesión. ☐ MORF. Es de género común: *el baloncestista, la baloncestista*.

[*baloncestístico, ca* adj. Del baloncesto o relacionado con este deporte.

baloncesto s.m. Deporte que se juega entre dos equipos de cinco jugadores y en el que éstos intentan introducir un balón en la canasta del equipo contrario ayudándose sólo de las manos.

[*balonmanista* ▌ adj. **1** Del balonmano o relacionado con este deporte. ▌ s. **2** Persona que practica el balonmano, esp. si ésta es su profesión. ☐ MORF. 1. Como adjetivo es invariable en género. 2. Como sustantivo es de género común: *el 'balonmanista', la 'balonmanista'*.

balonmano s.m. Deporte que se juega entre dos equipos de siete jugadores y en el que éstos intentan introducir un balón en la portería del equipo contrario ayudándose sólo de las manos.

balonvolea s.m. Deporte que se juega entre dos equipos de seis jugadores y en el que éstos intentan lanzar con las manos un balón por encima de una red que divide el terreno de juego, evitando que toque el suelo del campo propio y procurando que caiga en el del contrario; voleibol.

balsa s.f. **1** Embarcación hecha de maderos o de troncos unidos entre sí. ☒ embarcación **2** ‖ **balsa de aceite**; *col.* Lo que está en calma o sin tensiones, esp. referido a un lugar o a una situación. ☐ ETIMOL. De origen incierto.

balsámico, ca adj. Con bálsamo o con las propiedades aromáticas o curativas de éste.

bálsamo s.m. **1** Medicamento líquido o cremoso, elaborado con sustancias aromáticas, que se aplica sobre la piel para aliviar heridas o enfermedades. **2** Lo que sirve de consuelo o de alivio. ☐ ETIMOL. Del latín *balsamum*.

balsero, ra s. Persona que conduce una balsa. ☐ MORF. La RAE sólo registra el masculino.

báltico, ca adj./s. Del mar Báltico (situado al norte de Europa), o relacionado con él.

baluarte s.m. Lo que sirve para defender o mantener algo; bastión. ☐ ETIMOL. Del francés antiguo *boloart*.

bamba s.f. **1** Composición musical de ritmo muy vivo y de origen suramericano. [**2** Baile que se ejecuta al compás de esta música. **3** En pastelería, bollo redondeado, abierto horizontalmente por la mitad y relleno generalmente de nata, crema o trufa. [**4** Zapatilla ligera, cerrada, de tela fina y suela de goma. ☐ ETIMOL. La acepción 4 es extensión del nombre de una marca comercial.

bambalearse v. prnl. **1** →**bambolearse**. **2** Refe-

rido a un objeto, no estar firme: *Esa mesa está coja y se bambalea*.

bambalina s.f. En el escenario de un teatro, cada una de las tiras de lienzo o de papel pintados que lo cruzan de lado a lado y forman la parte superior del decorado. ☐ ETIMOL. De *bambalear* (bambolear).

bambanearse v. prnl. **1** →**bambolearse**. **2** Referido a una persona, estar vacilante o perpleja: *Cuando lo obligué a elegir, se bambaneó un momento*.

[*bambi* s. *col.* Cervatillo. ☐ ETIMOL. Por alusión a un famoso cervatillo de dibujos animados con ese nombre.

bambolearse v. prnl. Moverse a un lado y a otro sin cambiar de sitio: *Al andar se bambolea y parece que va a perder el equilibrio*. ☐ ETIMOL. De origen onomatopéyico. ☐ ORTOGR. Se admite también *bambalearse, bambanearse* y *bambonearse*.

bamboleo s.m. Movimiento a un lado y a otro sin cambiar de sitio. ☐ ORTOGR. Se admite también *bamboneo*.

bambonear v. →**bambolear**. ☐ MORF. Se usa más como pronominal.

bamboneo s.m. →**bamboleo**.

bambú s.m. Planta tropical herbácea cuyos tallos son largas cañas huecas, resistentes y flexibles, que se ramifican y de las que brotan hojas verdes y flores por su extremo más alto. ☐ ETIMOL. Del portugués *bambu*. ☐ MORF. Aunque su plural en la lengua culta es *bambúes*, se usa mucho *bambús*.

banal adj. Intrascendente, vulgar o sin importancia. ☐ ETIMOL. Del francés *banal*. ☐ MORF. Invariable en género.

banalidad s.f. Intrascendencia, vulgaridad o falta de importancia.

banana s.f. Fruto comestible del banano o platanero, de forma alargada y curva, y con una cáscara verde que amarillea cuando está madura; plátano. ☐ ETIMOL. De origen incierto.

[*banana split* (anglicismo) ‖ Postre elaborado con un plátano cortado a lo largo y tres bolas de helado, y adornado con nata por encima.

bananal o **bananar** s.m. Terreno plantado de bananos o plataneros. ☐ SEM. Es sinónimo de *platanal, platanar* y *platanera*.

bananero, ra ▌ adj. **1** De las bananas o plátanos, o de su planta. ▌ s.m. **2** Árbol tropical, con forma de palmera, de grandes hojas verdes, y cuyo fruto es la banana o el plátano; banano. ☐ SEM. 1. Es sinónimo de *platanero*. 2. En la acepción 2, dist. de *plátano* (árbol de sombra).

banano s.m. Árbol tropical, con forma de palmera, de grandes hojas verdes y cuyo fruto es la banana o el plátano; bananero, platanero. ☐ SEM. Dist. de *plátano* (árbol de sombra).

banasta s.f. Cesta grande.

banasto s.m. Cesta grande y redonda.

banca s.f. **1** En economía, actividad consistente en comerciar con dinero, esp. aceptándolo en depósito y prestándolo con intereses. **2** En economía, conjunto de los banqueros, los bancos y las personas que trabajan en ellos. [**3** En un juego de azar, persona que dirige una partida. **4** En zonas del español meridional, escaño. [**5** En zonas del español meridional, banquillo. ☐ ETIMOL. De *banco* (asiento).

bancada s.f. **1** En mecánica, base firme sobre la que se asienta una máquina. **2** En una embarcación de remo, asiento de los remeros. **3** En zonas del español meridional, grupo parlamentario.

bancal s.m. **1** En un terreno en pendiente, rellano natural o artificial que se cultiva. **2** En un terreno cultivable, cada una de las divisiones, generalmente rectangulares, que se hacen para distribuir el riego y los cultivos.

bancario, ria ∎ adj. **1** De la banca o de los bancos. ∎ s. **2** Persona que trabaja en la banca sin ser banquero. □ SEM. Dist. de *banquero* (propietario o directivo de un banco).

bancarrota s.f. **1** En economía, interrupción de la actividad comercial motivada por la imposibilidad de hacer frente a las deudas o a las obligaciones contraídas; quiebra. **[2** col. Situación económicamente desastrosa. □ ETIMOL. Del italiano *bancarotta* (banco quebrado).

banco s.m. **1** Asiento largo y estrecho para varias personas. **2** En economía, organismo que comercia con dinero, lo acepta en depósito y lo presta con intereses. **3** Local u oficina dependiente de ese organismo y donde se realizan operaciones bancarias. **4** En carpintería o en otros oficios manuales, soporte o madero grueso que se utiliza como mesa de trabajo. **5** En aguas navegables, elevación prolongada del fondo, que impide o dificulta la navegación. **6** Conjunto numeroso de peces que nadan juntos, esp. si son de la misma especie; cardume, cardumen. **7** En medicina, establecimiento en el que se conservan órganos u otros elementos del cuerpo humano para su posterior utilización en transplantes o en operaciones médicas. **8** En geología, en un terreno, estrato o capa de materiales sedimentarios que tiene gran espesor. **[9** En zonas del español meridional, banqueta o taburete. **10** ‖ **[banco azul**; en el Congreso y en el Senado, el reservado al Gobierno. ‖ **banco de datos**; en informática, conjunto de datos relativos a un tema o a una materia organizado de manera que pueda ser consultado por los usuarios y estructurado generalmente en una base de datos. ‖ **banco de hielo**; en el mar, gran extensión de agua congelada y de origen polar que flota en la superficie. ‖ **[banco de negocios**; el que está especializado en negocios de asesoramiento e inversión de grandes clientes, esp. de empresas. ‖ **[banco de niebla**; acumulación de niebla que impide o dificulta la visibilidad. □ ETIMOL. Del germánico *bank* (asiento). □ SEM. *Banco de datos* es dist. de *base de datos* (sistema que permite el almacenamiento estructurado de datos y su consulta).

banda s.f. **1** Conjunto de músicos que tocan instrumentos de viento y de percusión. **2** Grupo organizado de delincuentes, esp. si está armado. **3** Conjunto numeroso de animales de la misma especie que van juntos. **4** Faja o cinta que se cruza sobre el pecho, desde un hombro hasta el costado opuesto, como insignia representativa de altos cargos o de distinciones. **5** Tira larga y estrecha de un material delgado y flexible que sujeta algo; faja. **6** En un campo de deporte, zona contigua a la línea que delimita el terreno de juego por sus lados más largos. **7** En una embarcación, cada uno de sus costados. **8** Conjunto de partidarios o de seguidores de una persona o de una causa. **9** Referido a magnitudes o a valores, intervalo comprendido entre dos límites y dentro del cual pueden darse variaciones u oscilaciones. **[10** En zonas del español meridional, cinta transpor-

tadora. **11** ‖ **banda** {**de sonido/sonora**}; en cine y televisión, fondo musical de una película. ‖ **cerrarse** {**a la/de/en**} **banda**; col. Mantener una opinión o una postura con obstinación y sin atender a razones. ‖ **[{coger/pillar} por banda** a alguien; col. Abordarlo para ajustarle las cuentas o para tratar un asunto, esp. si es en privado. ‖ **[jugar a dos bandas**; actuar con la intención de quedar bien con varios interesados y de sacar el mayor provecho de cada uno de ellos. □ ETIMOL. Las acepciones 1-3 y 8, del gótico *bandwo* (signo, bandera). Las acepciones 4-6 y 9, del francés antiguo *bande* (faja, cinta).

bandada s.f. **1** Referido a aves, a insectos o a peces, conjunto numeroso de ejemplares de la misma especie que van juntos; bando. **2** col. Grupo numeroso o bullicioso de personas.

bandazo s.m. Movimiento violento o cambio de orientación brusco. □ USO Se usa más con el verbo *dar*.

bandear ∎ v. **1** Mover o impulsar de una banda a la opuesta: *Un golpe de mar bandeó el equipaje del barco.* ∎ prnl. **2** Ingeniárselas para encontrar uno mismo la solución a un problema o la manera de salir adelante en la vida: *Vive solo pero se bandea muy bien.*

[bandeau (galicismo) s.m. Banda horizontal que se pone como adorno en la parte superior de una cortina o de un estor para ocultar la barra de la que cuelgan. □ PRON. [bandó]. □ USO Se usa también la forma castellanizada *bandó*.

bandeja s.f. **1** Pieza plana o con poco fondo, generalmente de amplia superficie y con un reborde, que se utiliza para poner, llevar o servir algo. **[2** En un coche, pieza plana, horizontal y abatible, situada entre los asientos y el cristal traseros y que se usa para dejar cosas sobre ella. **3** En un objeto destinado a guardar cosas, pieza movible, semejante a una caja descubierta, que se acopla en su interior y lo divide horizontalmente. **4** ‖ **en bandeja (de plata)**; col. Referido a la forma de brindar una oportunidad a alguien, con grandes facilidades para que la aproveche. ‖ **pasar la bandeja**; en una reunión de personas, pasar recogiendo sus donativos o limosnas. □ ETIMOL. Del portugués *bandeja*.

bandera s.f. **1** Trozo de tela con colores o dibujos simbólicos, generalmente de forma rectangular, que se sujeta por uno de sus lados a un palo o a una cuerda y que representa a una colectividad, esp. a una nación o a una región administrativa. **2** Trozo de tela o de otro material semejante, generalmente llamativo o fácilmente visible, que se cuelga o se sujeta a un palo por uno de sus lados y que se utiliza como adorno, como marca indicadora o para hacer señales. **3** Nacionalidad a la que pertenece una embarcación mercantil. **[4** Causa o ideología que defiende una persona y con la que se identifica o se compromete. **5** En algunos cuerpos del ejército, unidad táctica equivalente al batallón. **6** ‖ **arriar (la) bandera**; en un enfrentamiento armado, referido a un buque de guerra, rendirse. ‖ **[bandera azul**; en una playa, distintivo que indica que dicha playa cumple con todos los requisitos higiénicos y de salubridad. ‖ **bandera** {**blanca/de (la) paz**}; en un enfrentamiento armado, la de color blanco, que se muestra en alto como señal de rendición o para pedir una tregua o negociaciones. ‖ **de bandera**; col. Extraordinario o excelente en su clase. ‖ **[hasta la bandera**; referido a un local, esp. si es público, completo o muy lleno. ‖**jurar (la) bandera**; jurar fidelidad a la patria ante la bandera que la representa, generalmente en un acto militar solemne. □ ETIMOL. De *banda* (signo, estandarte).

banderazo s.m. [Señal hecha con una bandera, esp. la que hace el juez de una prueba deportiva.

banderilla s.f. **1** En tauromaquia, palo delgado y adornado, provisto de una punta o lengüeta de hierro en uno de sus extremos, que los toreros clavan en la cerviz del toro en una de las suertes del toreo. **2** Aperitivo que consta de porciones variadas ensartadas en un palillo y de sabor generalmente picante. □ ETIMOL. De *bandera*.

banderillear v. En tauromaquia, poner banderillas; parear: *La faena del matador empieza después de banderillear al toro.*

banderillero s.m. En tauromaquia, torero que pone banderillas.

banderín s.m. **1** Bandera pequeña y generalmente triangular. **2** ‖**banderín de enganche**; oficina destinada a la inscripción de voluntarios para el servicio militar.

banderola s.f. Bandera pequeña que se usa como señal. □ ETIMOL. Del catalán *banderola*.

bandidaje s.m. Presencia y actuación continuadas de bandidos; bandolerismo. □ MORF. Incorr. **bandidismo.*

bandido, da s. Salteador o ladrón que roba en caminos o en lugares despoblados y que generalmente forma parte de una banda; bandolero. □ ETIMOL. Del italiano *bandito.* □ MORF. La RAE sólo registra el masculino.

bando s.m. **1** Comunicado oficial de una autoridad, esp. si se lee en pregón o si se fija en lugares públicos. **2** Grupo de personas que defienden las mismas opiniones o ideas. **3** Referido a aves, a insectos o a peces, conjunto numeroso de ejemplares de la misma especie que van juntos; bandada. □ ETIMOL. La acepción 1, del francés *ban.* Las acepciones 2 y 3, del gótico *bandwo* (signo).

[**bandó** s.m. →**bandeau.**

bandola s.f. →**bandolín.** □ ETIMOL. Del latín *pandura,* y éste del griego *pandûra* (instrumento de tres cuerdas).

bandolera s.f. Véase **bandolero, ra.**

bandolerismo s.m. **1** Presencia y actuación continuadas de bandoleros; bandidaje. [**2** Presencia y actuación continuadas de grupos armados o violentos.

bandolero, ra ‖ s. **1** Salteador o ladrón que roba en caminos o en lugares despoblados y que generalmente forma parte de una banda; bandido. ‖ s.f. **2** Correa o cinta que se coloca alrededor del cuerpo cruzándola desde un hombro hasta la cadera opuesta, esp. la que se usa para llevar colgada un arma de fuego. □ ETIMOL. Del catalán *bandoler.*

bandolín s.m. o **bandolina** s.f. Instrumento musical de cuerda, parecido a la guitarra pero con el cuerpo ovalado y con cuatro grupos de cuerdas; bandola.

bandoneón s.m. Instrumento musical de viento, semejante a un acordeón pero con el cuerpo hexagonal o cuadrado. □ ETIMOL. Del alemán *Bandoneon,* por alusión a su inventor H. Ban. 🔊 viento

bandujo s.m. Embutido hecho con tripa rellena de carne picada.

bandurria s.f. Instrumento musical de cuerda, parecido a la guitarra pero más pequeño y con el cuerpo en forma de triángulo con las esquinas redondeadas y seis cuerdas dobles que se tocan con púa. □ ETIMOL. Del latín *pandurium* (especie de laúd de tres cuerdas). 🔊 cuerda

[**bangiofícea** s.f. En botánica, familia de algas perteneciente al tipo de las rodofíceas, que se caracterizan por ser de color rojo y tener el tallo sencillo.

baniano s.m. Comerciante hindú, generalmente sin residencia fija.

banjo s.m. Instrumento musical de cuerda, con travesaño, parecido a la guitarra pero con el cuerpo circular construido con una piel tensa, el mango largo con clavijas, y un número de cuerdas variable entre cuatro y nueve. □ ETIMOL. Del inglés *banjo.* □ PRON. [bányo] es un anglicismo. □ ORTOGR. Se admite también *banyo.* 🔊 cuerda

banqueo s.m. En un terreno, separación en planos escalonados o bancales.

banquero, ra s. Propietario o alto directivo de un banco o de una entidad bancaria. □ MORF. La RAE sólo registra el masculino. □ SEM. Dist. de *bancario* (que trabaja en la banca).

banqueta s.f. **1** Asiento sin respaldo, generalmente bajo, pequeño y sin brazos. **2** En zonas del español meridional, acera.

banquete s.m. **1** Comida a la que asisten muchas personas y en la que se celebra algún acontecimiento; ágape. **2** Comida muy buena y abundante. □ ETIMOL. Del francés *banquet,* y éste del italiano *banchetto.*

banquetear v. Dar banquetes o asistir a ellos con frecuencia: *Le encanta banquetear porque en esas comidas conoce gente.*

banquillo s.m. **1** En un juicio, asiento que ocupa el acusado ante el juez o el tribunal. **2** En un deporte, lugar situado fuera del terreno de juego y en el que se colocan los suplentes y los miembros de un equipo durante un partido.

banquina s.f. En zonas del español meridional, arcén.

banquito s.m. En zonas del español meridional, banqueta.

bantú adj./s. De un conjunto de pueblos indígenas del sur del continente africano. □ MORF. 1. Como adjetivo es invariable en género. 2. Como sustantivo es de género común: *el bantú, la bantú.* 3. Aunque su plural en la lengua culta es *bantúes,* se usa mucho *bantús.*

[**bantustán** s.m. Cada uno de los territorios autónomos creados para las etnias negras por el gobierno en la República Surafricana (país del sur africano).

banyo s.m. →**banjo.** 🔊 cuerda

banzo s.m. En un armazón, cada uno de los largueros paralelos que sirven para afianzarlo.

bañadera s.f. **1** En zonas del español meridional, bañera. [**2** En zonas del español meridional, palangana.

bañador s.m. Traje de baño.

bañar v. **1** Referido a un cuerpo o a una parte de él, sumergirlo o sumergirse en un líquido, esp. por limpieza o con un fin medicinal o de recreo: *¿Has bañado ya al bebé? Me gusta más bañarme en el mar que en la piscina.* **2** Referido a una superficie, cubrirla con una capa de otra sustancia: *Bañó el bizcocho con chocolate.* **3** Referido a un cuerpo, mojarlo totalmente o humedecerlo: *Al regar el rosal bañé al ve-*

cino, que leía en su jardín. Cuando le subió la fiebre se bañó en sudor. **4** Referido a un terreno, tocarlo una superficie grande de agua, esp. el mar o un río: *Esa comarca es fértil porque la baña un río.* **5** Referido a la luz o al aire, dar de lleno en algo: *El sol entra por el ventanal y baña todo el salón.* □ ETIMOL. Del latín *balneare.*

bañera s.f. Pila en la que se mete una persona para lavarse o bañarse; baño.

bañista s. Persona que se baña en un lugar, esp. en un balneario o en una playa. □ MORF. Es de género común: *el bañista, la bañista.*

baño ∎ s.m. **1** Introducción de un cuerpo o de parte de él en un líquido o en otra sustancia, esp. por limpieza o con un fin medicinal o de recreo. **2** Sustancia o vapor en los que se introduce un cuerpo. **3** Aplicación de un líquido sobre un cuerpo. **4** Cubrimiento de una superficie con una capa de otra sustancia. **5** Pila en la que se mete una persona para lavarse o bañarse; bañera. **6** →**cuarto de baño. 7** Sometimiento de un cuerpo a la acción prolongada o intensa de un agente físico. **8** Noción o conocimiento superficial de una ciencia; barniz. **9** Patio grande con aposentos pequeños alrededor en el que antiguamente los moros encerraban a los cautivos. **10** *col.* En un enfrentamiento, victoria clara de un adversario sobre el otro; revolcón. ∎ pl. **11** Establecimiento público donde los clientes pueden bañarse en aguas medicinales y en el cual suele darse hospedaje; balneario. **12** ∥ **al baño (de) María**; referido al modo de calentar algo, introduciéndolo en una vasija que se sumerge en otra que contiene agua hirviendo. ∥ **baño de sangre**; matanza de un gran número de personas. ∥ [**baño sauna**; en zonas del español meridional, sauna. ∥ [**hacer del baño**; en zonas del español meridional, defecar. ∎ □ ETIMOL. Del latín *balneum.*

baobab s.m. Árbol de la sabana africana, con tronco derecho y muy grueso, ramas largas horizontales, hojas palmeadas, flores grandes y blancas y frutos en forma de cápsula y carnosos de sabor un poco ácido.

baptismo s.m. Doctrina religiosa protestante según la cual el bautismo es por inmersión y sólo lo reciben los adultos, previa profesión de fe y arrepentimiento. □ ETIMOL. Del latín *baptismus.* □ SEM. Dist. de *bautismo* (sacramento cristiano).

baptista ∎ adj. **1** Del baptismo o relacionado con esta doctrina protestante. ∎ adj./s. **2** Que tiene como religión el baptismo. □ MORF. 1. Como adjetivo es invariable en género. 2. Como sustantivo es de género común: *el baptista, la baptista.* □ SEM. Dist. de *bautista* (persona que administra el sacramento del bautismo).

baptisterio s.m. **1** Edificio próximo a un templo, generalmente pequeño y de base redonda o en forma de polígono, en el que se administraba el sacramento del bautismo. **2** Lugar en el que se halla la pila bautismal. □ ETIMOL. Del griego *baptistérion.* □ ORTOGR. Se admite también *bautisterio.*

baqueano, na s. En zonas del español meridional, guía. □ ORTOGR. Se admite también *baquiano.*

baquelita s.f. Resina sintética que no se disuelve en agua, muy resistente al calor y que se usa como aislante o en la fabricación de materias plásticas. □ ETIMOL. Por alusión a L. H. Baekeland, su descubridor.

baqueta s.f. **1** Palo delgado y largo que sirve para tocar un instrumento de percusión, esp. el tambor. **2** Vara delgada que se usa para limpiar el cañón de un arma de fuego o para meter y apretar la carga en él. □ ETIMOL. Del italiano *bacchetta*, y éste de *bacchio* (bastón). □ MORF. En la acepción 1, la RAE sólo lo registra en plural.

baquetazo s.m. ∥ **a baquetazos**; *col.* Referido al modo de comportarse con alguien, con desprecio y con severidad.

baquetear v. **1** Maltratar o causar mucha molestia y fatiga: *En la oficina me baquetean con órdenes y recados.* **2** Enseñar o hacer adquirir capacidad y experiencia en una actividad: *Su jefe lo baqueteó en el manejo de la maquinaria.*

baqueteo s.m. **1** Fatiga, molestia o sufrimiento. **2** Adquisición de capacidad y experiencia en una actividad.

baquiano, na s. En zonas del español meridional, guía. □ ORTOGR. Se admite también *baqueano.*

bar s.m. **1** Establecimiento en el que se sirve comida y bebida que suele tomarse de pie en la barra. **2** En el Sistema Internacional, unidad de presión y tensión que equivale a 105 pascales: *El bar corresponde a un millón de dinas por centímetro cuadrado.* □ ETIMOL. La acepción 1, del inglés *bar* (barra). □ SEM. En la acepción 2, dist. de *baria* (equivalente a una dina por centímetro cuadrado).

barahúnda s.f. Desorden, ruido o confusión muy grande. □ ETIMOL. De origen incierto. □ ORTOGR. Se admite también *baraúnda.* □ SEM. Dist. de *marabunta* (aglomeración de gente que produce mucho ruido).

baraja s.f. **1** Conjunto de naipes, dividido en cuatro palos, que se usa en algunos juegos de azar; naipes. ⚒ baraja **2** ∥ [**romper la baraja**; *col.* Cancelar un pacto o un trato.

barajar v. **1** Referido a las cartas de una baraja, mezclarlas unas con otras y alterar su orden varias veces: *Baraja bien las cartas antes de repartirlas.* **2** Referido a un conjunto de posibilidades, considerar todas ellas antes de llegar a una decisión: *Estoy barajando varios títulos para mi libro. Para ese cargo se barajan los nombres de tres políticos.* [**3** Referido a una serie de datos, emplearlos o manejarlos: *'Barajas' demasiados números y no te entiendo bien.* [**4** Referido a riesgos o a dificultades, evitarlos con astucia y habilidad: *Tú sabes 'barajar' bien los obstáculos.* □ ETIMOL. De origen incierto. □ ORTOGR. 1. Incorr. **barajear.* 2. Conserva la *j* en toda la conjugación. □ SINT. En la acepción 2, se pueden *barajar* dos o más posibilidades, pero no una sola.

baranda ∎ s. **1** *col.* Jefe o persona con algún tipo de autoridad. ∎ s.f. **2** →**barandilla.** □ ETIMOL. De origen incierto. □ MORF. En la acepción 1, es de género común: *el baranda, la baranda.*

barandal s.m. **1** Antepecho formado por balaústres o columnas pequeñas y por la barra horizontal que los sujeta; baranda, barandilla. **2** En una barandilla, barra alargada a la que se fijan los balaustres por su parte superior o inferior; pasamanos.

barandilla s.f. **1** Antepecho formado por balaústres o columnas pequeñas y por la barra horizontal que los sujeta; baranda, barandal.

barata s.f. Véase **barato, ta.**

baratija s.f. Cosa de poco valor.

baratillo s.m. Lugar en el que se venden cosas a bajo precio.

barato, ta ∎ adj. **1** Referido a una mercancía, de precio bajo o inferior al habitual o al que se espera en relación con otra. **2** Que se logra con poco esfuerzo. ∎ s.f. **3** En zonas del español meridional, cucaracha. □ ETIMOL. Las acepciones 1 y 2, del antiguo *baratar* (alterar el precio de algo para ganar dinero). La acepción 3, del latín *blatta*.

barato adv. Por poco dinero o a bajo precio.

baraúnda s.f. →**barahúnda**.

barba ∎ s.f. **1** En la cara de una persona, pelo que nace debajo de la boca y en las mejillas. **2** En la cara de una persona, parte situada debajo de la boca. **3** En algunos cetáceos, esp. en la ballena, cada una de las láminas duras y flexibles que tienen en su mandíbula superior. **4** En algunos animales, esp. en el ganado cabrío, mechón de pelos que cuelga de la mandíbula inferior. **5** En algunas aves y reptiles, carnosidad colgante situada debajo de la garganta. ∎ pl. **6** Filamentos o desigualdades que quedan en los bordes de algunas cosas, esp. referido al papel. **7** En la pluma de un ave, filamentos delgados que salen a cada lado del eje central. **8** ‖ **barba cerrada**; la que es muy poblada y fuerte. ‖ **con toda la barba**; *col.* Referido a una persona, que actúa con todas las características o las cualidades que exige su condición. ‖ **en las barbas** de alguien; referido al modo de hacer algo, ante su vista o en su presencia. ‖ **hacer la barba**; *col.* En zonas del español meridional, adular a una persona para obtener algo a cambio. ‖ **por barba**; *col.* Referido al modo de hacer un reparto, por persona o por cabeza. ‖ **subirse a las barbas** de alguien; *col.* Referido a una persona, faltarle al respeto o no obedecerla. □ ETIMOL. Del latín *barba* (pelo de la barba). □ MORF. Cuando se antepone a una palabra para formar compuestos, adopta la forma *barbi-*: *barbicano*.

barbacana s.f. En un muro, abertura generalmente vertical y estrecha a través de la cual se puede disparar. □ ETIMOL. Del árabe *bab al-báqara* (puerta de las vacas), porque la barbacana era una fortificación que protegía el recinto donde los sitiados guardaban el ganado destinado a la alimentación.

barbacoa o **barbacuá** s.f. **1** Parrilla que se usa para asar comida al aire libre. **[2** Comida en la que se cocinan o se toman alimentos asados de este modo, esp. carne o pescado. **3** En zonas del español meridional, carne asada en un hoyo que se abre en la tierra. □ USO *Barbacuá* es el término menos usual.

barbado, da adj./s. Que tiene barba.

barbar v. **1** Referido a un hombre, empezar a tener barbas: *Ese chico tan joven ya ha empezado a barbar, pero todavía no se afeita.* **2** Referido a una planta, echar raíces: *Esa planta está barbando y sus raíces están empezando a brotar.*

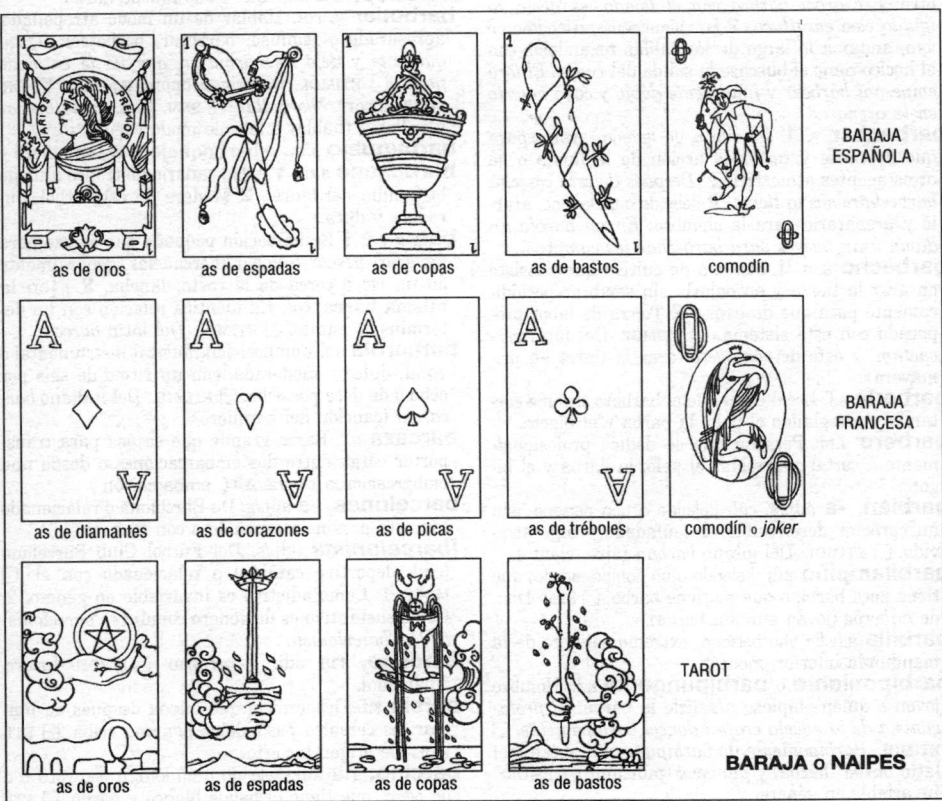

as de oros   as de espadas   as de copas   as de bastos   comodín   **BARAJA ESPAÑOLA**

as de diamantes   as de corazones   as de picas   as de tréboles   comodín o *joker*   **BARAJA FRANCESA**

as de oros   as de espadas   as de copas   as de bastos   **TAROT**

BARAJA o NAIPES

barbaridad s.f. **1** Hecho o dicho estúpido, poco acertado o brutal. **2** Crueldad o fiereza excesivas. **3** ‖ **una barbaridad**; *col.* **1** Gran cantidad. col. **[2** Muchísimo.

barbarie s.f. **1** Estado de incultura y de atraso. **2** Actitud fiera, inhumana y cruel.

barbarismo s.m. **1** En lingüística, extranjerismo empleado en una lengua sin haber sido totalmente incorporado a ella: *Los términos 'sport' y 'stand' son barbarismos en español.* **2** En gramática, incorrección lingüística que consiste en la alteración de la forma escrita o hablada de un vocablo o en el uso de vocablos impropios: *Decir 'haiga' en lugar de 'haya' es un barbarismo.* ☐ SEM. Dist. de *solecismo* (mal uso de una construcción o falta de sintaxis).

bárbaro, ra ∎ adj. **1** Que no parece propio de una persona por su crueldad o su fiereza. **2** Que tiene poca cultura o poca educación. **3** Que se comporta de modo resuelto e imprudente y no piensa lo que hace o dice. **4** De tamaño, cantidad o calidad mayores de lo normal; extraordinario. ∎ adj./s. **5** De los pueblos del centro y del norte de Europa que invadieron el Imperio Romano en el siglo V y se extendieron por la mayor parte del continente. ☐ ETIMOL. Del latín *barbarus*, y éste del griego *bárbaros* (extranjero). ☐ SINT. En la lengua coloquial se usa también como adverbio de modo con el significado de 'muy bien': *Lo pasamos 'bárbaro' y nos reímos mucho.*

barbear v. **1** Acercarse una cosa a la altura de otra: *Ese árbol barbea con el tejado, es decir, lo iguala casi en altura.* **2** En tauromaquia, referido a un toro, andar a lo largo de las tablas rozándolas con el hocico como si buscase la salida del ruedo: *El toro empezó a barbear y finalmente dobló y cayó muerto en la arena.*

barbechar v. **1** Referido a un terreno, ararlo para que descanse y reciba la acción de la lluvia o de otros agentes atmosféricos: *Después de esta cosecha barbecharemos la tierra.* **2** Referido a un terreno, ararlo y prepararlo para la siembra: *En mi pueblo todavía usan bueyes para barbechar los campos.*

barbecho s.m. **1** Sistema de cultivo que consiste en arar la tierra y en dejarla sin sembrar periódicamente para que descanse. **2** Tierra de labor preparada con este sistema. ☐ ETIMOL. Del latín *vervactum*, y éste de *vervagere* (arar la tierra en primavera).

barbería s.f. Local en el que el barbero trabaja cortando y arreglando el pelo, la barba y el bigote.

barbero s.m. Persona que se dedica profesionalmente a cortar y arreglar el pelo, la barba y el bigote.

barbián, -a adj./s. *col.* Referido a una persona, con un carácter desenvuelto, desenfadado y algo atrevido. ☐ ETIMOL. Del gitano *barban* (aire, viento).

barbilampiño adj. Referido a un hombre adulto, que tiene poca barba o que no tiene barba. ☐ SEM. Dist. de *imberbe* (joven aún sin barba).

barbilla s.f. En una persona, extremo saliente de la mandíbula inferior; mentón.

barbiponiente o **barbipungente** adj. Hombre joven a quien empieza a salirle la barba: *El protagonista de la novela era un doncel barbiponiente.* ☐ ETIMOL. *Barbiponiente* de *barbipungente*, y éste del latín *barba* (barba) y *pungens* (punzante). ☐ MORF. Invariable en género.

barbiquejo s.m. →**barboquejo**. 🗲 sombrero

barbirrucio, cia adj. Que tiene la barba mezclada de pelos negros y blancos. ☐ ORTOGR. Incorr. *barbirucio*.

barbitúrico s.m. Sustancia con propiedades hipnóticas y sedantes, derivada de un ácido orgánico cristalino. ☐ ETIMOL. Del alemán *Barbitursure* (ácido barbitúrico).

barbo s.m. Pez de agua dulce, comestible, con el lomo pardo verdoso y el vientre blanquecino, aletas de radios flexibles y hocico alargado con apéndices carnosos. ☐ ETIMOL. Del latín *barbus*, y éste de *barba*, así llamado por las barbillas que lo caracterizan. ☐ MORF. Es un sustantivo epiceno: *el barbo macho, el barbo hembra.* 🗲 pez

barboquejo s.m. En una prenda para cubrir la cabeza, cinta que la sujeta por debajo de la barbilla. ☐ ORTOGR. Se admiten también *barbuquejo* y *barbiquejo*. 🗲 sombrero

barbotar o **barbotear** v. Hablar de un modo atropellado, apresurado y confuso; barbullar: *Estaba tan enfadado que la recibió barboteando insultos. Deja de barbotear y habla más claro.* ☐ ETIMOL. *Barbotar* de origen onomatopéyico y *barbotear* de *barbotar*. ☐ SEM. Dist. de *balbucear* y *balbucir* (hablar o leer de modo vacilante).

barboteo s.m. Modo de hablar atropellado, apresurado y confuso.

barbudo, da adj. Que tiene mucha barba.

barbullar v. *col.* Hablar de un modo atropellado, apresurado y confuso; barbotar, barbotear: *Tranquilízate y deja de barbullar, que no te entiendo nada.* ☐ ETIMOL. De origen onomatopéyico. ☐ ORTOGR. Incorr. *barbollar*. ☐ SEM. Dist. de *balbucear* y *balbucir* (hablar o leer de modo vacilante).

barbuquejo s.m. →**barboquejo**. 🗲 sombrero

barbusano s.m. **1** Árbol canario de tronco alto, de la familia del laurel. **2** Madera de este árbol, duradera y dura.

barca s.f. **1** Embarcación pequeña que se usa para navegar, pescar o llevar mercancías, generalmente en un río o cerca de la costa; lancha. **2** ‖ **[en la misma barca**; *col.* En idéntica relación con un determinado asunto. ☐ ETIMOL. Del latín *barca*.

barcarola s.f. Composición musical instrumental o vocal, dulce y moderada, con un ritmo de seis por ocho o de doce por ocho. ☐ ETIMOL. Del italiano *barcarola* (canción del barquero).

barcaza s.f. Barca grande que se usa para transportar carga entre dos embarcaciones o desde una embarcación a tierra. 🗲 embarcación

barcelonés, -a adj./s. De Barcelona o relacionado con esta provincia española o con su capital.

[barcelonista adj./s. Del Fútbol Club Barcelona (club deportivo catalán) o relacionado con él. ☐ MORF. 1. Como adjetivo es invariable en género. 2. Como sustantivo es de género común: *el 'barcelonista', la 'barcelonista'.*

barceno, na adj. →**barcino**. ☐ PRON. Incorr. *[bárceno].*

barcia s.f. Desperdicio que queda después de limpiar los cereales pasándolos por una criba. ☐ ETIMOL. De origen incierto.

barcino, na adj. Referido a un toro, a una vaca o a un perro, que tiene el pelaje blanco y pardo. ☐ ETI-

MOL. De origen incierto. ☐ ORTOGR. Se admite también *barceno*.

barco s.m. **1** Embarcación cóncava que flota y puede transportar por el agua personas o cosas. **2** ‖**barco de vela**; el que tiene velas y se mueve impulsado por el viento. ☐ ETIMOL. De *barca*. ☐ SINT. Incorr. (galicismo): *barco {*a > de} vapor*, *barco {*a > de} vela*. ☐ SEM. Aunque la RAE lo considera sinónimo de *embarcación*, en la lengua actual no se usa como tal.

barda s.f. **1** En una valla o en una tapia, cubierta que la resguarda, generalmente hecha de paja o de ramas y asegurada con piedras o tierra. **[2** En zonas del español meridional, muro que sirve para separar un terreno o una construcción de otros. ☐ ORTOGR. En la acepción 1, se admite también *bardal*.

bardaguera s.f. Arbusto de la familia del álamo, con abundantes ramas flexibles y delgadas, hojas lanceoladas sencillas y alternas, y flores verdes.

bardal s.m. →**barda**.

[bardeo s.m. *col.* Navaja.

bardo s.m. Poeta heroico o lírico, esp. entre los antiguos celtas. ☐ ETIMOL. Del latín *bardus*.

[baremar v. Valorar de acuerdo con un baremo: *El tribunal 'baremó' los méritos de los candidatos.*

baremo s.m. **1** Escala de valores que se establece para evaluar o clasificar los elementos de un conjunto, de acuerdo con alguna de sus características. **2** Libro o tabla de cuentas ajustadas. ☐ ETIMOL. Por alusión a B. F. Barrême, matemático francés.

[bareto s.m. *col.* Bar de poca calidad.

bargueño s.m. Mueble de madera con muchos cajones y compartimentos. ☐ ETIMOL. Por alusión a la ciudad toledana de Bargas, en la que antiguamente se fabricaban. ☐ ORTOGR. Se admite también *vargueño*.

baria s.f. En el sistema cegesimal, unidad de presión que equivale aproximadamente a 0,1 pascal: *La baria equivale a una dina por centímetro cuadrado.* ☐ ETIMOL. Del griego *báros* (pesadez). ☐ SEM. Dist. de *bar* (equivalente a un millón de dinas por centímetro cuadrado).

[baricentro s.m. **1** En física, centro de gravedad de un cuerpo. **2** En un triángulo geométrico, punto en el que se cortan sus medianas. ☐ ETIMOL. Del griego *barýs* (pesado) y *centro*.

bario s.m. Elemento químico, metálico y sólido, de número atómico 56, de color blanco amarillento, dúctil y difícil de fundir. ☐ ETIMOL. De *barita*, por haberse extraído de este mineral. ☐ ORTOGR. 1. Su símbolo químico es *Ba*. 2. Dist. de *vario*.

barisfera s.f. En la Tierra, núcleo central; nife. ☐ ETIMOL. Del griego *barýs* (pesado) y *sphaíra* (esfera).

barita s.f. Óxido de bario. ☐ ETIMOL. Del griego *barýs* (pesado).

barítono s.m. En música, persona que tiene una voz de registro intermedio entre la de tenor y la de bajo. ☐ ETIMOL. Del latín *barytonus*, y éste del griego *barýtonos* (de voz grave).

barloa s.f. Cable con el que una embarcación se sujeta a otra o al muelle cuando está colocada de costado. ☐ ETIMOL. Del francés *par lof*.

barloar v. →**abarloar**.

barlovento s.m. En el mar, lado o dirección por donde viene el viento. ☐ ETIMOL. De origen incierto. ☐ SEM. Dist. de *sotavento* (lado opuesto).

[barman (anglicismo) s.m. Persona que trabaja como camarero en la barra, esp. en un pub o en una discoteca. ☐ PRON. [bárman]. ☐ USO Su uso es innecesario y puede sustituirse por una expresión como *camarero*.

barniz s.m. **1** Producto líquido elaborado con resinas y que se extiende sobre la superficie de algunos objetos para abrillantarlos o protegerlos del aire y de la humedad. **2** Noción o conocimiento superficial de una ciencia; baño. **3** ‖**barniz de uñas**; en zonas del español meridional, pintaúñas. ☐ ETIMOL. Del latín *veronix* (sandáraca o resina olorosa que con otras sustancias se ha empleado en la composición de barnices).

barnizado s.m. Operación de dar barniz; barnizadura.

barnizadura s.f. →**barnizado**.

barnizar v. Dar barniz: *Hay que barnizar esta puerta porque está muy estropeada.* ☐ ORTOGR. La *z* se cambia en *c* delante de *e* →CAZAR.

baro- Elemento compositivo que significa 'pesadez' o 'presión atmosférica'.

barógrafo s.m. Barómetro que registra en un cilindro giratorio las variaciones de la presión atmosférica. ☐ ETIMOL. De *baro-* (pesadez) y *-grafo* (que describe).

barométrico, ca adj. Del barómetro.

barómetro s.m. **1** Instrumento que sirve para medir la presión atmosférica. 🔾 medida **2** Señal que indica cuál es el estado de una situación. ☐ ETIMOL. Del griego *báros* (pesadez) y *metro* (medidor).

barón s.m. **1** Persona que tiene un título nobiliario inmediatamente inferior al de vizconde. **[2** En un partido político, persona que tiene una posición importante y es candidata a puestos destacados. ☐ ETIMOL. Del germánico **baro* (hombre libre). ☐ ORTOGR. Dist. de *varón*. ☐ MORF. En la acepción 1, su femenino es *baronesa*.

baronesa s.f. de **barón**.

baronía s.f. **1** Título nobiliario de barón. **2** Territorio sobre el que antiguamente un barón ejercía su autoridad.

[baroscopio s.m. Instrumento que se utiliza para mostrar la pérdida de peso de los cuerpos en el aire. ☐ ETIMOL. De *baro-* (pesadez) y *-scopio* (instrumento para ver).

barquero, ra s. Persona que conduce o guía una barca.

barquilla s.f. En un globo aerostático, cesto en el que van los pasajeros.

barquillero, ra ‖ s. **1** Persona que se dedica a la elaboración o a la venta de barquillos. ‖ s.m. **2** Molde en el que se hacen los barquillos. ‖ s.f. **3** Recipiente metálico en el que llevan su mercancía los vendedores de barquillos.

barquillo s.m. Dulce que se hace con una pasta delgada de harina sin levadura, azúcar y esencia.

barra s.f. **1** Pieza rígida, cilíndrica o prismática, y mucho más larga que gruesa. **2** Pieza alargada de pan. **3** 🔾 pan **3** En un establecimiento público, mostrador detrás del cual están los camareros y sobre el que se sirven consumiciones a los clientes. **4** *col.* En un texto escrito, signo gráfico formado por una línea vertical u oblicua de derecha a izquierda, que se utiliza para separar. **5** En la costa o en la desembocadura de un río, acumulación larga y estrecha de arena en el fondo. **[6** *col.* En zonas del español meridional, hinchada. **7** ‖**[barra americana**; bar en el que las bebidas son servidas por camareras que suelen ir provocativamente vestidas, conversan con los clientes y a menudo establecen relaciones de prostitución con ellos. ‖ **[barra (de equilibrio)**; en gimnasia, aparato formado por un travesaño de madera alargado, rectangular y estrecho, sostenido por patas fijas, sobre el que se suben las gimnastas para realizar sus ejercicios. ⚔ gimnasio ‖ **barra de labios**; tubo pequeño, cilíndrico y alargado, con una sustancia sólida en su interior que sirve para pintarse los labios; pintalabios. ‖ **barra (fija)**; **1** En gimnasia, aparato formado por un travesaño cilíndrico de acero, sostenido a cierta altura del suelo, y en el que los gimnastas realizan sus ejercicios sujetándose esp. con manos y piernas. ⚔ gimnasio **2** En gimnasia y en ballet, pieza horizontal, alargada y cilíndrica, sujeta a la pared, en la que los gimnastas o bailarines se apoyan para realizar sus ejercicios. ‖ **[barra libre**; posibilidad de consumir todas las bebidas que se deseen gratuitamente, previo pago de la entrada. ‖ **[barras paralelas asimétricas**; en gimnasia, aparato parecido al anterior, pero con los travesaños sostenidos a diferente altura del suelo. ⚔ gimnasio ‖ **(barras) paralelas**; en gimnasia, aparato que consta de dos travesaños cilíndricos y paralelos, sostenidos a la misma altura del suelo, sobre el que los gimnastas realizan sus ejercicios sujetándose esp. con manos y piernas. ⚔ gimnasio ‖ **sin reparar en barras**; sin consideración ni miramientos. ☐ ETIMOL. De origen incierto. ☐ SINT. *Sin reparar en barras* se usa también con los verbos *mirar, pararse* y *tropezar*.

barrabás s.m. *col.* Persona mala, traviesa o que comete maldades. ☐ ETIMOL. Por alusión a Barrabás, malhechor que fue indultado en lugar de Jesucristo. ☐ MORF. Invariable en número.

barrabasada s.f. *col.* Hecho o dicho malvado o necio.

barraca s.f. **1** Vivienda rústica construida con cañas, paja y adobe, de tejado con dos vertientes muy inclinadas, y que es propia de las zonas valenciana y murciana. **2** Casa pequeña construida toscamente y con materiales ligeros. **3** ‖ **barraca de feria**; construcción provisional desmontable que se destina a espectáculos y diversiones; caseta de feria. ☐ ETIMOL. Del catalán *barraca*.

barracón s.m. [Edificio rectangular, de un solo piso y sin muros de separación en su interior, construido esp. para albergar tropas.

barracuda s.f. Pez carnívoro de cuerpo muy alargado, hocico puntiagudo y mandíbula prominente con dientes en forma de puñal. ☐ MORF. Es un sustantivo epiceno: *la barracuda macho, la barracuda hembra*.

barragana s.f. Antiguamente, mujer que convivía y mantenía relaciones sexuales con un hombre sin estar casada con él. ☐ ETIMOL. De origen incierto.

barraganería s.f. *ant.* →**amancebamiento**.

barranca s.f. →**barranco**.

barrancal s.m. Lugar en el que hay muchos barrancos.

barranco s.m. Depresión profunda del terreno, esp. si sus pendientes no están cortadas a pico; barranquera. ☐ ETIMOL. De origen incierto. ☐ ORTOGR. Se admite también *barranca*.

barranquera s.f. →**barranco**.

barreduras s.f.pl. **1** Basura o conjunto de desper-

dicios que se barren. **2** Residuos que quedan como desecho de sustancias sueltas y menudas, esp. referido a granos y semillas.

[barreminas s.m. Barco preparado para limpiar el mar de minas submarinas; dragaminas. ☐ MORF. Invariable en número.

barrena s.f. **1** Herramienta formada por una barra metálica con la punta en espiral y que sirve para hacer agujeros en madera, metales y otros materiales duros. **2** ‖ **entrar en barrena**; referido a un avión, empezar a descender verticalmente y en espiral, por faltarle la velocidad mínima indispensable para sostenerse en el aire. ⚔ acrobacia ☐ ETIMOL. De origen incierto. ☐ SINT. *Entrar en barrena* se usa también con los verbos *caer, descender* o equivalentes.

barrenado, da adj. *col.* Que está loco o que lo parece.

[barrenador s.m. **1** Insecto coleóptero que barrena la madera y que se alimenta de la savia y de los hongos que se crían en las galerías. **2** Molusco marino con aspecto de gusano y una concha muy pequeña que deja descubierta la mayor parte del cuerpo; broma: *El 'barrenador' había roído la madera del barco*. ☐ MORF. En la acepción 1, es un sustantivo epiceno: *el 'barrenador' macho, el 'barrenador' hembra*.

barrenar v. Referido a un material duro, abrir agujeros en él con una barrena o con un barreno: *Los mineros barrenaron las paredes de la mina*.

barrendero, ra s. Persona que se dedica profesionalmente a barrer las calles.

barrenero s.m. Persona que se dedica profesionalmente a hacer barrenos en las minas o en lugares semejantes.

barrenillo s.m. **1** Insecto que excava galerías debajo de la corteza de los árboles. **2** Enfermedad que este insecto produce en los árboles. ☐ MORF. En la acepción 1, es un sustantivo epiceno: *el barrenillo macho, el barrenillo hembra*.

barreno s.m. **1** Agujero relleno de un material explosivo, que se hace en una roca o en una obra de fábrica para volarlas. **2** Barrena grande usada esp. para hacer agujeros en rocas. [**3** Explosivo con el que se rellena un agujero para realizar una voladura.

barreña s.f. o **barreño** s.m. Recipiente de uso doméstico más ancho que alto. ☐ ETIMOL. De *barro* (mezcla de tierra y agua).

barrer v. **1** Referido al suelo, limpiarlo o quitarle el polvo y la basura con una escoba o con un objeto semejante: *Barrió y fregó las escaleras de la casa. Después de comer, barrió las migas*. **2** Referido a un lugar, llevarse todo lo que hay en él o encontrarse de ello: *Los ladrones barrieron la casa y no dejaron ni una silla*. **3** Hacer desaparecer, arrollar o llevarse lo que se encuentra al paso: *Tu propuesta barrió todas las demás porque era la más coherente*. **4** ‖ **barrer {hacia/para} {casa/dentro}**; actuar por interés y con el fin de obtener algún beneficio personal. ☐ ETIMOL. Del latín *verrere*.

barrera s.f. **1** En un lugar, valla que lo cerca o que obstaculiza el paso. [**2** Mecanismo formado por una barra sujeta por uno de los extremos y que, cuando está bajada, impide el paso. **3** Hecho o circunstancia que constituye un obstáculo. **4** En una plaza de toros, valla de madera que cerca el ruedo y lo separa de las gradas de los espectadores. **5** En una plaza de toros, primera fila de asientos. **6** En algunas competiciones deportivas, fila de jugadores que, uno al lado del otro, se colocan delante de su portería para protegerla de un lanzamiento contrario. **7** ‖ **[barrera del sonido**; límite en el que el foco emisor de un sonido se mueve a la velocidad a la que se propaga el sonido.

barretina s.f. Gorro catalán de lana, en forma de manga cerrada por el extremo. ☐ ETIMOL. Del catalán *barretina*. ⭧ sombrero

barriada s.f. **1** En un núcleo de población relativamente grande, cada una de las zonas en las que se divide; barrio. **2** En un barrio, parte de él. **3** En zonas del español meridional, barrio de chabolas. ☐ SEM. Dist. de *distrito* (división administrativa).

barrial s.m. En zonas del español meridional, barrizal.

barrica s.f. Tonel de tamaño mediano que se usa para contener líquidos, esp. vino. ☐ ETIMOL. Del gascón *barrique*.

barricada s.f. Obstáculo que se levanta de manera improvisada amontonando distintos objetos para defenderse en un enfrentamiento o para impedir el paso. ☐ ETIMOL. Del francés *barricade*.

barrida s.f. [En zonas del español meridional, barrido del suelo con la escoba.

barrido s.m. **1** Limpieza del suelo que se hace quitándole el polvo y la basura con una escoba o con un objeto semejante. **2** Acaparamiento o apropiación de todo lo que hay en un lugar. **3** En cine, vídeo o televisión, recorrido horizontal que la cámara realiza enfocando desde un punto fijo. [**4** Búsqueda intensa y completa de datos. **5** Proceso automático por el que se miden las diversas magnitudes de un sistema para controlarlas. ☐ SEM. En la acepción 3, dist. de *travelling* (recorrido que realiza la cámara moviéndose).

barriga s.f. **1** *col*. En el cuerpo humano o en el de otros mamíferos, parte comprendida entre el tórax y la pelvis, en la que se sitúa la mayor parte de los aparatos digestivo y reproductor. **2** *col*. Conjunto de vísceras que está contenido en esta parte del cuerpo. [**3** *col*. En una persona, abultamiento que se forma en esa parte del cuerpo, esp. si es por acumulación de grasa. **4** Parte abultada de algunas cosas, esp. de una vasija; panza. ☐ ETIMOL. Quizá de *barrica*. ☐ SEM. 1. En las acepciones 1 y 2, es sinónimo de *abdomen*. 2. En las acepciones 1, 2 y 4, es sinónimo de *vientre*. 3. En las acepciones 1 y 3, es sinónimo de *tripa*.

barrigón, -a o **barrigudo, da** adj. Que tiene una gran barriga, esp. si es por acumulación de grasa.

barril s.m. **1** Tonel que sirve para contener y transportar líquidos. [**2** Unidad de capacidad que equivale a 158,982 litros de petróleo o de alguno de sus derivados. **3** ‖ **[ser un barril de pólvora**; referido a una situación, ser muy conflictiva. ☐ ETIMOL. De origen incierto.

barrila s.f. [**1** *col*. Discusión o escándalo entre personas. **2** ‖ **[dar la barrila**; *col*. Decir o pedir algo reiteradamente hasta llegar a ser molesto y pesado.

barrilete s.m. [**1** En un revólver, pieza cilíndrica y giratoria en la que se colocan los cartuchos. **2** En zonas del español meridional, cometa.

barrilla s.f. **1** Planta herbácea, de hojas estrechas y largas, que crece en terrenos salinos y de cuya ceniza se obtiene la sosa. **2** Ceniza de esta planta.

barrillo s.m. En la cara de una persona, grano de color rojizo; barro.

barrio s.m. **1** En un núcleo de población relativamente grande, cada una de las zonas en las que se divide; barriada. **2** ‖ **barrio bajo**; aquel en el que viven las clases sociales más pobres. ‖ **barrio chino**; *col*. En algunas ciudades, esp. en las portuarias, aquel en el que se concentran locales destinados a la prostitución. ‖ **el otro barrio**; *col*. Lo que hay después de la muerte. ☐ ETIMOL. Del árabe *barri* (exterior, propio de las afueras, arrabal). ☐ MORF. *Barrio bajo* se usa más en plural. ☐ SEM. En la acepción 1, dist. de *distrito* (división administrativa).

barriobajero, ra adj./s. Que habla o se comporta de un modo vulgar, ordinario o maleducado. ☐ MORF. La RAE sólo lo registra como adjetivo.

barritar v. Referido al elefante o al rinoceronte, dar barritos o emitir su voz característica.

barrito s.m. **1** Voz o sonido característico del elefante o del rinoceronte. [**2** En zonas del español meridional, espinilla. ☐ ETIMOL. La acepción 1, del latín *barritus*.

barrizal s.m. Terreno lleno de barro o lodo.

barro s.m. **1** Mezcla de tierra y agua. **2** Mezcla moldeable de agua y arcilla muy usada en alfarería y que, una vez cocida, se endurece. **3** Objeto hecho de esta mezcla. **4** En la cara de una persona, grano de color rojizo; barrillo. **5** ‖ **[{en/por} el barro**; *col*. En una situación humillante, baja o despreciable. ☐ ETIMOL. Las acepciones 1-3, de origen prerromano. La acepción 4, del latín *varus* (grano que sale en la piel). ☐ MORF. En la acepción 4, en América, se usa mucho el diminutivo *barrito*.

barroco, ca ‖ adj. **1** Del Barroco o con rasgos propios de este estilo. **2** Excesivamente adornado o complejo. ‖ s.m. **3** Estilo artístico que triunfó en Europa (uno de los cinco continentes) en el siglo XVII y que se caracteriza por la complicación formal y la exuberancia ornamental. **4** Período histórico durante el que se desarrolló este estilo. ☐ ETIMOL. Del francés *baroque*, resultante de la fusión de *Barocco* (figura de silogismo tomada como prototipo del raciocinio formalista y absurdo) y el portugués *barrôco* (perla irregular). ☐ USO En las acepciones 3 y 4, se usa más como nombre propio.

barrote s.m. **1** Barra gruesa. **2** Barra que sirve para asegurar, sostener o reforzar algo.

barrujo s.m.

barruntamiento s.m. →**barrunto**.

barruntar v. Sospechar, presentir o prever por algún ligero indicio: *Por tu mirada, barrunto que estás enamorada*. ☐ ETIMOL. De origen incierto.

barrunte s.m. →**barrunto**.

barrunto s.m. **1** Sospecha, presentimiento o previsión de que algo va a suceder. **2** Noticia o indicio; barruntamiento. ☐ ORTOGR. En la acepción 2, se admite también *barrunte*. ☐ USO En la acepción 2, aunque la RAE prefiere *barrunte*, se usa más *barrunto*.

bartola ‖ **a la bartola**; *col*. De forma relajada o libre de toda preocupación. ☐ ETIMOL. Por alusión a Bartolo, nombre genérico del prototipo de persona despreocupada y perezosa. ☐ USO Se usa más con los verbos *echarse, tenderse, tumbarse* o equivalentes.

bartolillo s.m. Pastel pequeño, generalmente de forma triangular, relleno de crema o de carne.

bártulos s.m.pl. Conjunto de cosas diversas de uso habitual, esp. en un trabajo o en una actividad. □ ETIMOL. Por alusión a Bartolo, jurisconsulto italiano del siglo XIV.

barullero, ra adj./s. *col.* Referido a una persona, que hace las cosas sin orden y sin cuidado.

barullo s.m. *col.* Situación confusa producida por la falta de orden y de cuidado o por la alteración de lo que se considera habitual. □ ETIMOL. Del portugués *barulho*, y éste del latín *involucrum* (envoltorio).

basa s.f. En una columna, pieza inferior sobre la que se apoya el fuste.

basal adj. En biología, referido a una actividad orgánica, que mantiene el grado mínimo o esencial para realizarse. □ MORF. Invariable en género.

basalto s.m. Roca volcánica de color negro o verdoso, muy dura, que procede de la fusión de materiales de las capas profundas del manto superior de la corteza terrestre. □ ETIMOL. Del francés *basalte*.

basamento s.m. En una columna, conjunto formado por la basa y el plinto o pedestal.

basar v. Apoyar o fundamentar sobre una base: *Basaron su amistad en la confianza mutua. Me baso en la experiencia para justificar su teoría.* □ ORTOGR. Dist. de *vasar*. □ SINT. Constr. *basar(se)* EN *algo*.

basca s.f. **1** *col.* Grupo de personas, esp. si son amigas. **2** Malestar que se siente en el estómago cuando se quiere vomitar; náusea. □ ETIMOL. De origen incierto. □ MORF. La acepción 2 se usa más en plural.

báscula s.f. Instrumento que sirve para medir pesos y que consta de una plataforma sobre la que se coloca lo que se va a pesar. □ ETIMOL. Del francés *bascule* (aparato que se balancea, báscula). □ SEM. Dist. de *balanza* (con un brazo y, generalmente, con dos platillos). ✪ medida

bascular v. **1** Referido a un objeto, efectuar movimientos de vaivén: *El péndulo del reloj dejó de bascular.* **[2** Referido a un estado, variar alternativamente: *Su estado de ánimo 'bascula' entre el optimismo y la tristeza.* **3** Referido a la caja de un vehículo de carga, levantarse mecánicamente por uno de sus extremos para que la mercancía se deslice hacia fuera por su propio peso: *El volquete basculó y la arena fue cayendo al suelo.* **[4** En deporte, referido a un jugador, desplazarse lateralmente de forma alternativa y continuada: *El jugador 'basculó' por la banda.* □ ORTOGR. Dist. de *vascular*.

base I s. **[1** En baloncesto, jugador cuya función primordial es la de organizar el juego de su equipo. **I** s.f. **2** Apoyo o fundamento en que descansa algo. **3** En una figura geométrica, línea o superficie sobre la que parece que descansa, y línea o superficie paralelas a éstas. **4** En matemáticas, en la potencia 'a^{b}', el término 'a'. **[5** En matemáticas, en el logaritmo '$\log_b a$', el número 'b'. **6** En un sistema de numeración matemático, número de unidades que constituyen la unidad colectiva del orden inmediatamente superior. **7** En química, compuesto generalmente formado por un metal y por oxígeno e hidrógeno y que, combinado con un ácido, forma una sal. **8** En un campo de béisbol, cada una de las cuatro esquinas que intenta ocupar un jugador, mientras otro del equipo

contrario la defiende. **9** Lugar especialmente preparado para una determinada actividad. **10** En topografía, punto que se fija sobre el terreno y que sirve de referencia para establecer otros puntos secundarios. **11** ‖ **[a base de bien**; *col.* En gran cantidad. ‖ **a base de**; tomando como base, fundamento o componente principal. ‖ **[base de datos**; en informática, sistema que permite el almacenamiento de datos de manera estructurada y su consulta por parte de usuarios múltiples e independientes entre sí. ‖ **base del cráneo**; en el cráneo, parte inferior, formada principalmente por los huesos occipital y temporales. ‖ **base imponible**; en un impuesto, suma de todos los rendimientos netos más la variación neta de patrimonio. □ ETIMOL. Del latín *basis*. □ MORF. En la acepción 1, es de género común: *el base, la base.* □ SINT. **1.** *A base de*, seguido de un adjetivo, es un vulgarismo: **a base de barato.* **2.** Incorr. (anglicismo): **en base a > sobre la base de.* □ SEM. *Base de datos* es dist. de *banco de datos* (conjunto organizado de datos relativos a un tema).

[basic (anglicismo) s.m. En informática, un tipo de lenguaje de programación. □ ETIMOL. Es un acrónimo que procede de la sigla de *Beginners All purpose Symbolic Instruction Code* (Código general de símbolos para principiantes). □ PRON. [béisic].

básico, ca adj. **1** De la base o del fundamento de algo. **2** Indispensable o esencial. □ MORF. No admite grados; incorr. **más básico.*

basílica s.f. **1** Iglesia notable por su antigüedad, tamaño o magnificencia, o por los privilegios de que goza. **[2** En arte, edificio religioso, generalmente cristiano y de planta rectangular dividida en tres o cinco naves separadas por columnas o pilares. □ ETIMOL. Del latín *basilica* (especie de lonja), porque el cristianismo, cuando triunfó, aprovechó estos edificios para construir las iglesias.

basilical adj. De la basílica o relacionado con ella. □ MORF. Invariable en género.

basilisco s.m. **1** Animal fabuloso que se representaba con cuerpo de serpiente y patas de ave. ✪ mitología **2** ‖ **{estar/[ponerse} hecho un basilisco**; *col.* Enfadarse mucho y mostrarlo claramente. □ ETIMOL. Del latín *basiliscus*, y éste del griego *basilískos* (reyezuelo).

[basket o **[basketball** (anglicismo) s.m. En zonas del español meridional, baloncesto. □ PRON. [básket], [básketbol].

básquet o **basquetbol** s.m. En zonas del español meridional, baloncesto. □ ETIMOL. Del inglés *basketball*. □ PRON. Está muy extendida la pronunciación anglicista [básketbol].

[basset (galicismo) adj./s.m. Referido a un perro, de una raza que se caracteriza por tener cuerpo pequeño y patas cortas. □ PRON. [báset]. □ MORF. Como adjetivo es invariable en género. ✪ perro

basta interj. Expresión que se usa para poner término a una acción o a un discurso.

bastante I indef. **1** Suficiente o no poco. **I** adv. **2** En una cantidad indefinida, pero suficiente. **3** Más de lo necesario o de lo normal. **4** Antepuesto a un adverbio, muy. □ MORF. En la acepción 1, es invariable en género.

bastar v. Ser suficiente: *Con este dinero basta para pagarlo todo. Me basto y me sobro para llevar yo solo el negocio.* □ ETIMOL. Del latín **bastare*, y éste

161   batea
```

del griego *bastázo* (llevo, sostengo un peso). □ SINT.
Constr. *bastar* CON *algo*.
**bastardía** s.f. **1** Condición del hijo nacido fuera del
matrimonio. **2** Hecho o dicho indignos de la natu-
raleza, el origen o el estado de una persona.
**bastardilla** s.f. →**letra bastardilla.**
**bastardo, da ▌** adj./s. **1** Referido a una persona, que
ha nacido fuera del matrimonio. **[2** *col.* Que actúa
con mala intención o sin nobleza. **▌** s.f. **3** →**letra
bastarda.** □ ETIMOL. Del francés antiguo *bastart.* □
MORF. En la acepción 1, se usa como sustantivo re-
ferido sólo a hijos. □ SEM. La acepción 2 se usa
como insulto. □ USO En las acepciones 1 y 2, tiene
un matiz despectivo.
**bastedad** s.f. En un objeto, falta de calidad o de
pulimento. □ ORTOGR. Dist. de *vastedad.*
**basteza** s.f. En una persona, falta de educación, de
delicadeza y de refinamiento.
**bastidor** s.m. **1** Armazón rectangular o en forma
de aro que deja un hueco en su interior, constituido
por un conjunto de listones unidos y que sirve para
fijar o montar algo, esp. telas o vidrios. **2** Armazón
metálico que soporta una estructura o un mecanis-
mo, esp. referido al que sostiene la carrocería de un
vehículo. **3** En un teatro, lienzo pintado y sostenido
por un armazón, que se sitúa a los lados y detrás
del escenario y sirve como decorado. □ ETIMOL. Del
antiguo *bastir* (construir, fabricar).
**bastilla** s.f. En un tejido, doblez que se le hace en los
bordes y que se asegura provisionalmente con pun-
tadas para que no se deshilache.
**bastión** s.m. Lo que sirve para defender o mante-
ner algo; baluarte. □ ETIMOL. Del italiano *bastione.*
**basto, ta ▌** adj. **1** Sin refinar, de poca calidad o
hecho con materiales de poco valor. **▌** adj./s. **2** Re-
ferido a una persona, sin educación, sin delicadeza y
sin refinamiento. **▌** s.m. **3** En la baraja española, carta
del palo que se representa con uno o varios garro-
tes, generalmente de color verde. **▌** pl. **4** En la baraja
española, palo que se representa con uno o varios
garrotes, generalmente de color verde. 🖾 baraja **▌**
s.f. **5** En un colchón, costura o atadura que mantiene
el relleno repartido y sujeto. □ ETIMOL. Las acep-
ciones 1 y 2, de *bastar.* Las acepciones 3 y 4, de
*bastón.* La acepción 5, del germánico *\*bastjan* (zur-
cir). □ ORTOGR. Dist. de *vasto.* □ USO En la acep-
ción 3, *un basto* designa cualquier carta de bastos
y *el basto* designa al as.
**bastón** s.m. **1** Vara o palo que sirve de apoyo al
caminar. **2** Distintivo simbólico que confiere auto-
ridad civil o militar. **[3** En esquí, barra que se usa
para apoyarse o impulsarse. □ ETIMOL. Del latín
*bastum* (palo).
**bastonada** s.f. o **bastonazo** s.m. Golpe dado
con un bastón. □ USO *Bastonada* es el término me-
nos usual.
**bastoncillo** s.m. **[**Palito de plástico con algodón
en sus extremos que se usa en el aseo personal.
**basura** s.f. **1** Conjunto de desperdicios y de cosas
que no sirven y se tiran. **2** Lo que se considera de
mala calidad, mal hecho o de poco valor. **3** Persona
con pocas cualidades y poco digna de aprecio. □ ETI-
MOL. Del latín *\*versura* (acción de barrer).
**basural** s.m. En zonas del español meridional, basu-
rero.
**basurero, ra ▌** s. **1** Persona que se dedica profe-
sionalmente a la recogida de basura. **▌** s.m. **2** Lugar

en el que se amontona la basura. **[3** En zonas del
español meridional, cubo de la basura.
**[bat** (anglicismo) s.m. En zonas del español meridional,
bate.
**bata** s.f. **1** Prenda de vestir holgada y cómoda, que
cubre desde el cuello hasta una altura variable de
las piernas y que se usa para estar en casa. **2** Pren-
da de vestir cómoda y ligera que se pone sobre la
ropa como medida de higiene o para protegerla de
la suciedad. □ ETIMOL. Quizá del árabe *batt* (vestido
basto).
**batacazo** s.m. **1** Caída fuerte y ruidosa. **2** Fracaso
grande e inesperado. □ USO Se usa más con los ver-
bos *darse* y *pegarse.*
**batalla** s.f. **1** Combate entre dos ejércitos, dos ar-
madas navales o dos aviaciones. **[2** Enfrentamien-
to, lucha o conflicto entre dos o más personas. **3**
Lucha y contradicción anímicas que una persona
vive en su interior. **[4** Relato de hechos esp. pasa-
dos en los que el narrador se presenta como pro-
tagonista absoluto. **5** ‖**batalla campal**; **1** La que
se produce entre dos ejércitos completos, o la que
se desarrolla en campo abierto. **[2** Discusión o en-
frentamiento violentos, esp. si toma parte mucha
gente. ‖{**dar/[presentar} (la) batalla**; enfrentarse
con decisión a un problema. ‖**de batalla**; referido
esp. a la ropa, que se utiliza para realizar una de-
terminada actividad. □ ETIMOL. Del latín *battualia*
(esgrima). □ MORF. En la acepción 4, se usa mucho
el plural y el diminutivo *batallita.* □ SINT. Constr.
*librar una batalla* CONTRA *algo.*
**batallar** v. **1** Pelear, combatir o luchar con armas:
*Los caballeros medievales batallaban con el que
ofendiera a su dama.* **2** Disputar, debatir o porfiar
con calor y vehemencia, generalmente para conse-
guir un propósito: *Tuvo que batallar mucho en el
trabajo.*
**batallón** s.m. **1** En el ejército, esp. en infantería, uni-
dad táctica con el mismo tipo de armas, compuesta
de varias compañías. **2** Grupo de personas muy nu-
meroso y ruidoso. □ ETIMOL. Del italiano *battaglio-
ne.*
**batán** s.m. Máquina compuesta por grandes rodillos
o por gruesos mazos de madera, que se usa para
limpiar, desengrasar y hacer compacto un tejido. □
ETIMOL. De origen incierto.
**batanar** v. →**abatanar.**
**batanear** v. *col.* Referido a una persona, sacudirla o
darle golpes: *Como no me obedezcas inmediatamen-
te te bataneo de lindo.*
**[batasuno, na** s. Miembro de Herri Batasuna
(partido político vasco).
**batata** s.f. **1** Planta herbácea de tallo rastrero, ho-
jas alternas de color verde oscuro, flores grandes y
acampanadas de color blanco o púrpura, y con tu-
bérculos comestibles muy parecidos a los de la pa-
tata. **2** Tubérculo de la raíz de esta planta. □ SEM.
Dist. de *boniato* (una variedad de la batata).
**bate** s.m. En algunos deportes, esp. en el béisbol, bastón
con el que se golpea la pelota, más estrecho en la
empuñadura que en el extremo opuesto. □ ETIMOL.
Del inglés *bat.* □ ORTOGR. Dist. de *vate.*
**batea** s.f. **1** Embarcación pequeña con forma de ca-
jón, que se usa en ríos y puertos para el transporte
de mercancías. **2** Bandeja con el borde de poca al-
tura, de madera pintada y adornada con pajas. **[3**
Construcción cuadrada, generalmente de madera,
```

que se coloca en el mar para la cría de mejillones. **4** En zonas del español meridional, recipiente para lavar la ropa o para otros usos domésticos. □ ETIMOL. Del árabe *batiya* (palangana).
bateador, -a s. En béisbol, jugador encargado de darle a la pelota con el bate. □ MORF. La RAE sólo registra el masculino.
batear v. En béisbol, golpear la pelota con el bate: *Bateó muy alto y corrió las cuatro bases del campo.*
batel s.m. Embarcación pequeña, sin cubierta y con tablas atravesadas que sirven de asiento; bote, lancha. □ ETIMOL. Del francés antiguo *batel.* □ SEM. Dist. de *bajel* (barco, en lenguaje poético). ✕✕ embarcación
bateo s.m. En béisbol, golpe dado a la pelota con un bate.
batería ▮ s. **1** En un grupo de música, persona que toca los instrumentos de percusión montados sobre un mismo armazón. ▮ s.f. **2** Conjunto de instrumentos musicales de percusión montados sobre un mismo armazón y tocados por un solo músico. **3** En el ejército, conjunto de piezas de artillería dispuestas para hacer fuego. **4** En el ejército, unidad de tiro compuesta por cuatro o seis piezas de artillería, el material automóvil que las mueve y los mandos y artilleros que las dirigen y disparan. **5** En un teatro, fila de luces en la parte del escenario más próxima al público, que sustituye a las antiguas candilejas. **6** Serie o conjunto numeroso de cosas. **7** ‖ **batería (de cocina)**; conjunto de cacharros y de utensilios que sirven para cocinar. ‖ **batería (eléctrica)**; en física, aparato formado por una o varias pilas, que permite la acumulación de energía eléctrica y su posterior suministro. ‖ **en batería**; referido al modo de estacionar un vehículo, en paralelo respecto a los demás vehículos aparcados. □ ETIMOL. Del francés *batterie.* □ MORF. En la acepción 1, es de género común: *el batería, la batería.*
batial adj. **1** Referido a una zona marina, que tiene una profundidad entre 200 y 2.500 metros. **2** De esta zona marina. □ ETIMOL. Del griego *bathýs* (hondo). □ MORF. Invariable en género.
batiborrillo o **batiburrillo** s.m. Mezcla desordenada de cosas o elementos dispares; baturrillo. □ ETIMOL. De *baturrillo* (revoltijo), por cruce con *zurriburri.* □ USO Aunque la RAE prefiere *baturrillo*, se usa más *batiborrillo* y *batiburrillo.*
batida s.f. **1** Registro o reconocimiento minucioso de un lugar. **2** En caza mayor, registro ruidoso del terreno para hacer salir a los animales de sus escondites y que se dirijan al lugar donde están los cazadores. □ USO La acepción 1 se usa más en la expresión *dar una batida.*
batido s.m. **1** Mezcla batida de claras, yemas o huevos completos. **2** Bebida que se prepara triturando y mezclando con una batidora diversos ingredientes, esp. leche, fruta o helado.
batidor, -a ▮ s. **1** Persona que se adelanta a un grupo para reconocer y explorar el terreno. **2** En caza, persona que lleva a cabo las batidas. ▮ s.m. **3** Utensilio, generalmente manual, que sirve para batir. **4** Peine largo con las púas largas y separadas, que sirve para desenmarañar y limpiar el pelo, la lana o la seda. ▮ s.f. **5** Electrodoméstico que sirve para triturar o batir productos alimenticios, por medio de aspas o cuchillas con movimiento giratorio.

✕✕ electrodoméstico □ MORF. En las acepciones 1 y 2, la RAE sólo lo registra como masculino.
batiente s.m. **1** En una puerta o en una ventana, parte movible que se abre y se cierra; hoja. ✕✕ hoja **2** En una costa o en un dique, lugar en el que golpean las olas.
[batímetro s.m. →**batómetro.**
batín s.m. Bata que se ponen los hombres para estar en casa.
batintín s.m. Instrumento de percusión formado por un disco que, suspendido de un soporte, resuena fuertemente al ser golpeado por una maza; gong, gongo. ✕✕ percusión
batipelágico, ca adj. **1** Referido a una zona marina, que tiene una profundidad superior a doscientos metros. **2** De esta zona marina. □ ETIMOL. Del griego *bathýs* (profundo) y *pélagos* (mar).
batir ▮ v. **1** Referido a una sustancia, esp. si es líquida, mezclarla o agitarla hasta que se condense, se disuelva o se licue: *La mantequilla se hace batiendo la leche.* **[2** Referido a un récord, superarlo: *Este año no se 'ha batido' la plusmarca en salto.* **3** Referido a un adversario, vencerlo o derrotarlo: *Esa nadadora batió a sus contrincantes tres años seguidos.* **4** Referido al sol, al aire o al agua, dar directamente en algún sitio: *Me relaja escuchar el sonido que hace la lluvia al batir los cristales.* **5** Referido a un terreno, explorarlo o registrarlo minuciosamente: *La policía batió las calles en busca de los atracadores.* **6** Mover de forma vigorosa, esp. si se hace ruido: *Escucha cómo se oye a los pájaros batir sus alas.* **[7** En atletismo, en algunas pruebas de salto, impulsar el cuerpo apoyando en el suelo la pierna contraria a la que inicia el salto: *Los atletas de salto de altura tienen más fuerza en la pierna con la que 'baten'.* ▮ prnl. **8** Referido a una persona, enfrentarse a otra en una pelea o en un combate, esp. por un desafío: *Los dos espadachines se batieron, pero ninguno resultó herido.* □ ETIMOL. Del latín *battuere.*
batiscafo s.m. Embarcación sumergible e independiente, que resiste grandes presiones y se usa para explorar las mayores profundidades acuáticas. □ ETIMOL. Del griego *bathýs* (hondo) y *skáphe* (bote). □ PRON. Incorr. *[batíscafo].* □ SEM. Dist. de *batisfera* (sin medios autónomos de propulsión).
[batisfera s.f. Cámara esférica que se utiliza para la investigación de los fondos marinos que se sumerge mediante un cable y que no tiene medios propios de propulsión. □ SEM. Dist. de *batiscafo* (con medios autónomos de propulsión).
batista s.f. Tela muy fina de lino o de algodón. □ ETIMOL. Por alusión a Baptiste, primer fabricante de esta tela.
[batoideo, a ▮ adj./s. **1** Referido a un pez, que tiene el cuerpo aplanado y ancho, con grandes aletas laterales que parecen alas y que se unen a la cabeza. ▮ s.m.pl. **2** En zoología, suborden de estos peces, perteneciente a la subclase de los selaceos: *La raya es un 'batoideo'.*
batómetro s.m. En oceanografía, instrumento que mide la profundidad de las aguas. □ ORTOGR. Aunque la RAE sólo registra *batómetro*, en círculos especializados se usa más *batímetro.*
[batón s.m. En zonas del español meridional, bata.
batracio, cia ▮ adj./s.m. **1** Referido a un vertebrado, que no tiene ni pelo ni plumas, es de sangre fría, necesita un medio acuático o muy húmedo para na-

cer y vivir, y cuando es larva tiene características muy diferentes a las del adulto; anfibio. ▪ s.m.pl. **2** En zoología, grupo de estos vertebrados. □ ETIMOL. Del griego *batrákheios* (relativo a la rana). □ OR-TOGR. Incorr. *batráceo*.

batuecas ‖ **estar en las Batuecas**; *col*. Estar distraído o ajeno a lo que sucede alrededor. □ ETIMOL. Por alusión a la aislada comarca salmantina de las Batuecas.

baturrillo s.m. →**batiborrillo**. □ ETIMOL. De *batir* (mezclar, revolver).

baturro, rra ▪ adj. **1** De los campesinos aragoneses. ▪ adj./s. **2** Referido a una persona aragonesa, del campo. □ SEM. Dist. de *maño* (aragonés, en lenguaje coloquial).

batuta s.f. **1** En música, palo corto y delgado que utiliza el director de una orquesta para indicar el ritmo, la dinámica y la expresión de la obra. **2** ‖ **llevar la batuta**; *col*. Dirigir o mandar en una situación. □ ETIMOL. Del italiano *battuta* (compás).

[batzoki (del vasco) s.m. Centro social de reunión del Partido Nacionalista Vasco (partido político vasco). □ PRON. [batsóki].

baúl s.m. **1** Caja grande rectangular, con una tapa arqueada que gira sobre bisagras; cofre. **[2** En zonas del español meridional, maletero o portaequipajes. □ ETIMOL. Quizá del francés *bahut*.

bautismal adj. Del bautismo o relacionado con él. □ MORF. Invariable en género.

bautismo s.m. **1** En el cristianismo, primero de los sacramentos, que convierte en cristiano a quien lo recibe y lo incorpora a la Iglesia. **2** En el cristianismo, administración de este sacramento y ceremonia o fiesta con que se celebra; bautizo. **3** ‖ **bautismo de fuego**; primera vez que combate un soldado. □ ETI-MOL. Del griego *baptismós*. □ SEM. Dist. de *baptismo* (doctrina religiosa protestante).

bautista s.m. En el cristianismo, persona que administra el sacramento del bautismo. □ ETIMOL. Del griego *baptistés*. □ SEM. Dist. de *baptista* (del baptismo, doctrina religiosa protestante).

bautisterio s.m. →**baptisterio**.

bautizar v. **1** En el cristianismo, referido a una persona todavía no cristiana, administrarle el sacramento del bautismo; cristianar: *El sacerdote bautizó al bebé echándole agua por la cabeza*. **2** Dar nombre para distinguir o individualizar: *Bautizó el barco con mi nombre*. **3** *col*. Referido a una persona, ponerle un nombre distinto al que tiene, generalmente un apodo: *En el colegio bautizamos con motes a los profesores*. □ ETIMOL. Del latín *baptizare*, y éste del griego *baptízo* (yo zambullo, bautizo). □ ORTOGR. La *z* se cambia en *c* delante de *e, i* →CAZAR.

bautizo s.m. En el cristianismo, administración del sacramento del bautismo y ceremonia o fiesta con que se celebra; bautismo.

bauxita s.f. Mineral blando de color blanquecino, grisáceo o rojizo, constituido por hidróxidos y óxidos hidratados de aluminio y por una serie de impurezas como sílice e hidróxidos de hierro: *La bauxita es la fuente principal del aluminio*. □ ETIMOL. Por alusión a Les Baux, en Provenza, que son unas canteras de donde se extrajo este mineral.

bávaro, ra ▪ adj./s. **1** De Baviera (región alemana). ▪ s.m. **[2** →**pantalón bávaro**.

baya s.f. Véase **bayo, ya**.

bayadera s.f. Danzarina y cantante de la India

(país del sur asiático). □ ETIMOL. Del francés *bayadère*, y éste del portugués *bailadeira* (bailarina).

bayeta s.f. Paño que se usa para fregar, limpiar o secar una superficie. □ ETIMOL. Quizá del francés antiguo *baiette*.

bayo, ya ▪ adj./s. **1** Referido esp. a un caballo o a su pelo, de color amarillento más o menos oscuro. ▪ s.m. **[2** Frijol de color amarillo claro. ▪ s.f. **3** Fruto carnoso y jugoso con semillas rodeadas de pulpa. □ ETIMOL. La acepción 1, del latín *badius*. La acepción 3, del francés *baie*. □ ORTOGR. En las acepciones 1 y 3, dist. de *valla* y de *vaya*.

bayón s.m. **[1** Baile popular procedente de América del Sur. **[2** Arbusto de ramas estriadas y angulosas con abundantes hojas duras que se caen cuando nacen otras, con flores amarillentas y fruto de color rojo. □ ETIMOL. La acepción 2, de *bodón* (espadaña).

bayonesa s.f. Pastel hecho con dos capas de hojaldre y relleno de cabello de ángel. □ SEM. Dist. de *mayonesa* (un tipo de salsa).

bayoneta s.f. Arma blanca de doble filo con forma de cuchillo, que se ajusta al cañón de un fusil y sobresale de su boca. □ ETIMOL. Del francés *baonnette*, y éste de *Bayona*, donde se fabricó por primera vez. □ USO Se usa más con los verbos *armar*, *calar* y *cargar*. ⚔ arma

bayonetazo s.m. Corte hecho con una bayoneta.

baza s.f. **1** En una partida de cartas, conjunto de naipes que se utilizan en cada jugada y que se echan sobre la mesa. **2** ‖ **meter baza**; *col*. Intervenir en una conversación o un asunto ajenos. □ ETIMOL. De origen incierto.

bazar s.m. **1** Tienda en la que se venden objetos muy dispares. **2** En algunos países, esp. en los orientales, mercado público. □ ETIMOL. Del persa *bazar* (mercado cubierto y con puertas).

bazo s.m. En el sistema circulatorio de un vertebrado, órgano de color rojo oscuro, situado a la izquierda del estómago, que produce glóbulos rojos y destruye los inservibles. □ ETIMOL. Del latín *badius* (rojizo), por el color de esta víscera.

bazofia s.f. Lo que se considera despreciable, desagradable o de mala calidad. □ ETIMOL. Del italiano *bazzoffia*.

[bazooka s. →**bazuca**. □ ORTOGR. Es un anglicismo innecesario. ⚔ arma

bazuca s. Arma portátil que consiste en un tubo abierto en los dos extremos, que se apoya en el hombro y se usa para lanzar proyectiles, generalmente contra los carros de combate; lanzagranadas. □ ETIMOL. Del inglés *bazooka*. □ MORF. Aunque la RAE sólo lo registra como femenino, se usa más como masculino. □ USO Es innecesario el uso del anglicismo *bazooka*. ⚔ arma

be s.f. **1** Nombre de la letra *b*. **2** ‖ **be larga**; en zonas del español meridional, nombre de esta letra.

[beat (anglicismo) ▪ adj./s. **1** →**beatnik**. ▪ s.m. **2** En la música jazz, tiempo o unidad de medida. □ PRON. [bit].

beatería s.f. Comportamiento que muestra una devoción religiosa o una virtud exageradas o falsas.

beaterio s.m. Casa en la que viven en comunidad las beatas o religiosas. □ PRON. Incorr. *[beaterío].

beatificación s.f. En la iglesia católica, declaración oficial eclesiástica por la que el Papa reconoce que puede dársele culto a una persona y la propone como modelo de vida cristiana.

beatificar v. En la iglesia católica, referido a una persona, declararla oficialmente el Papa como modelo de vida cristiana y digna de recibir culto: *No la beatificaron porque se demostró que sus milagros eran falsos.* □ ORTOGR. La *c* se cambia en *qu* delante de *e* →SACAR.

beatífico, ca adj. [Referido a una persona o a su actitud, *de carácter pacífico, sosegado y sereno.*

beatitud s.f. **1** En la iglesia católica, felicidad total de los que están en el cielo. **2** Serenidad y felicidad grandes.

[beatnik (anglicismo) adj./s. Que está relacionado con un movimiento juvenil contrario al conformismo burgués, a la sociedad de consumo y a algunos valores sociales tradicionalmente establecidos. □ PRON. [bítnik]. □ USO En la lengua coloquial se usa mucho la forma abreviada *beat.*

beato, ta ▮ adj./s. **1** En la iglesia católica, referido a una persona, que ha sido declarada por el Papa modelo de vida cristiana y digna de recibir culto. **2** *col.* Referido a una persona, que muestra una virtud o una devoción religiosa exagerada. ▮ s.m. **[3** Manuscrito ilustrado entre los siglos IX y XI con miniaturas mozárabes. □ ETIMOL. Las acepciones 1 y 2, del latín *beatus* (feliz). La acepción 3, por alusión a los 'Comentarios al Apocalipsis' realizados por el Beato de Liébana.

[beatus ille (latinismo) ‖ Tópico literario que ensalza la vida sencilla y sosegada. □ ETIMOL. De *beatus ille qui procul negotiis...* (feliz aquel que, alejado de los negocios...) que es un verso del poeta latino Horacio. □ PRON. [beátus íle].

bebe, ba s. *col.* En zonas del español meridional, bebé o niño muy pequeño. □ MORF. Se usa mucho el diminutivo *bebito, bebita.*

bebé s.m. **1** Persona recién nacida o de pocos meses, que aún no anda. **[2** Cría de un animal. □ ETIMOL. Del francés *bébé.*

bebedero, ra s.m. **1** Recipiente en el que beben los pájaros y las aves domésticas. **2** Lugar en el que bebe el ganado; abrevadero. **3** En una vasija, pico saliente por donde se bebe o se vierte el contenido. **4** En zonas del español meridional, fuente para beber agua.

bebedizo s.m. **1** Bebida a la que se atribuye la propiedad de despertar el amor de quien lo toma. **2** Bebida hecha con veneno. **3** Bebida medicinal.

bebedor, -a adj./s. Referido a una persona, que abusa de las bebidas alcohólicas.

beber v. **1** Referido a un líquido, tomarlo o ingerirlo: *Bebo porque tengo sed. ¿Quieres beber agua?* **2** Consumir bebidas alcohólicas: *Mi hermana la deportista no bebe.* **3** Levantar una copa u otro recipiente con bebida, para manifestar un deseo o festejar algo; brindar: *Bebamos a la salud de tu hijo.* **4** Referido a conocimientos, ideas o cosas semejantes, obtenerlos o aprenderlos de algo o de alguien: *Todos sus conocimientos los ha bebido de su abuelo.* **[5** Referido a palabras, escucharlas o leerlas con avidez: *Te admira tanto que 'bebe' tus palabras. Le encanta leer y 'se bebe' los libros.* **6** Referido al entendimiento, trastornarlo o confundirlo: *La tele le bebe el seso y los sentidos.* □ ETIMOL. Del latín *bibere.* □ SINT. Constr. de la acepción 4: *beber {DE/EN} algo.*

[bebercio s.m. *col.* Bebida.

bebestible adj./s.m. *col.* Referido a un líquido, que se puede beber. □ MORF. Invariable en género. □ USO Tiene un matiz humorístico.

bebible adj. Referido a un líquido, que se puede beber, esp. si no resulta desagradable al paladar. □ MORF. Invariable en género. □ SEM. Dist. de *potable* (que se puede beber sin peligro de que dañe).

bebida s.f. Véase **bebido, da.**

bebido, da ▮ adj./s. **1** Referido a una persona, que está borracha o casi borracha por los efectos del alcohol. ▮ s.f. **2** Líquido que se bebe o que se puede beber. **3** Consumo habitual y excesivo de bebidas alcohólicas.

bebistrajo s.m. *col.* Bebida con mal aspecto, poco apetitosa o de poca calidad.

beca s.f. **1** Ayuda económica temporal que se concede a una persona para que complete sus estudios o para que realice una investigación o una obra. **2** Distintivo honorífico que llevan algunos colegiales como señal de su pertenencia a un determinado centro. □ ETIMOL. De origen incierto.

becada s.f. Véase **becado, da.**

becado, da ▮ adj./s. **1** Que disfruta de una beca; becario. ▮ s.f. **2** Ave del tamaño de una perdiz, que tiene el pico largo, recto y delgado, y el plumaje rojizo, y cuya carne es muy apreciada; chochaperdiz. □ ETIMOL. La acepción 2, del catalán *becada.* □ MORF. En la acepción 2, es un sustantivo epiceno: *la becada macho, la becada hembra.*

becar v. Conceder una beca o ayuda económica temporal: *Me han becado para estudiar ruso en Moscú.* □ ORTOGR. La *c* se cambia en *qu* delante de *e* →SACAR.

becario, ria s. Persona que disfruta de una beca o ayuda económica temporal; becado.

becerrada s.f. Espectáculo taurino en el que son toreados becerros.

becerrillo s.m. Piel de becerro curtida.

becerro, rra ▮ s. **1** Hijo del toro, desde que deja de mamar hasta que tiene dos años. ▮ s.m. **2** En tauromaquia, hijo del toro, de tres años; novillo. **3** Piel curtida de ternero. □ ETIMOL. Quizá de **ibicirru*, del latín *ibex* (rebeco).

bechamel s.f. →**besamel.**

becqueriano, na adj. De Gustavo Adolfo Bécquer (poeta romántico español del siglo XIX) o con características de sus obras.

[bed and breakfast (anglicismo) ‖ Hotel pequeño que ofrece habitación y desayuno. □ PRON. [bed and brékfast].

bedel, -a s. En un centro oficial, esp. en los de enseñanza, persona cuyo trabajo consiste en dar la información requerida, mantener el orden necesario, suministrar los materiales y realizar otros cometidos no especializados. □ ETIMOL. Del francés antiguo *bedel.*

beduino, na adj./s. De los árabes nómadas de los desiertos del norte africano. □ ETIMOL. Del árabe *badawi* (el que vive en el desierto).

befa s.f. Véase **befo, fa.**

befo, fa ▮ adj./s. **1** Que tiene los labios abultados. **2** →**belfo. ▮** s.f. **3** Burla o broma grosera e insultante. □ ETIMOL. La acepción 3, quizá del italiano *beffa.*

begonia s.f. **1** Planta ornamental de jardín, de tallos carnosos, hojas grandes dentadas, verdes por encima y rojizas por debajo, con flores pequeñas, blancas, rojas o rosadas. **2** Flor de esta planta. □ ETIMOL. Del francés *bégonia*, en honor de Bégon, intendente francés de Santo Domingo. □ ORTOGR. Dist. de *Begoña* (nombre propio de mujer).

begoniáceo, a ▌ adj./s.f. **1** Referido a una planta, que tiene dos cotiledones en su embrión, flores unisexuales con los pétalos separados, y el fruto en forma de cápsula: *La begonia es una begoniácea.* ▌ s.f.pl. **2** En botánica, familia de estas plantas, perteneciente a la clase de las dicotiledóneas.

behaviorismo s.m. Teoría psicológica cuyo método se basa en la observación del comportamiento del objeto que se estudia ante un estímulo determinado; conductismo. □ ETIMOL. Del inglés *behaviorism*. □ PRON. [behaviorísmo], con *h* aspirada.

[behaviorista ▌ adj. **1** Del behaviorismo o relacionado con esta teoría psicológica. ▌ adj./s. **2** Que sigue o que defiende esta teoría psicológica. □ PRON. [behaviorísta], con *h* aspirada. □ MORF. **1**. Como adjetivo es invariable en género. **2**. Como sustantivo es de género común: *el 'behaviorista', la 'behaviorista'*. □ SEM. Es sinónimo de *conductista*.

beicon s.m. Tocino ahumado de cerdo con vetas de carne magra. □ ETIMOL. Del inglés *bacon*. □ USO Es innecesario el uso del anglicismo *bacon*.

beige o **beis** adj./s.m. De color marrón muy claro. □ ETIMOL. Del francés *beige*. □ MORF. **1**. Como adjetivo es invariable en género. **2**. *Beis* es invariable en número.

[beisbol s.m. En zonas del español meridional, béisbol.

béisbol s.m. Deporte que se juega entre dos equipos de nueve jugadores cada uno y en el que éstos intentan recorrer el mayor número de veces los cuatro puestos o bases del terreno de juego en el intervalo en que la pelota, golpeada inicialmente con un bate, llega a una de las bases en la mano de un defensor. □ ETIMOL. Del inglés *baseball*.

bejuco s.m. Planta tropical, trepadora, y de tallos largos y delgados.

bel s.m. Denominación internacional del **belio**.

[bel canto (italianismo) ‖ En ópera, técnica de canto caracterizada por su expresividad, por una dicción clara y ágil y por la abundancia de elementos de adorno. □ SEM. No debe emplearse con el significado de 'ópera'.

beldad s.f. **1** *poét.* Belleza o hermosura, esp. la de una mujer. **2** Mujer de belleza excepcional. □ ETIMOL. Del provenzal antiguo *beltat*.

belén s.m. **1** Representación con figuras del nacimiento de Jesucristo; nacimiento, pesebre. **2** Asunto problemático o que está expuesto a contratiempos. □ ETIMOL. La acepción 1, por alusión a la ciudad palestina de Belén, en la que se produjo este acontecimiento. La acepción 2, por la confusión que hay en las representaciones populares del Nacimiento de Jesús. □ MORF. La acepción 2 se usa más en plural.

belenista s. Persona que se dedica a la construcción de belenes navideños. □ MORF. Es de género común: *el belenista, la belenista*.

belfo s.m. En un caballo u otros animales, cada uno de sus labios. □ ETIMOL. Del latín *bifidus* (partido en dos). □ ORTOGR. Se admite también *befo*.

belga adj./s. De Bélgica (país europeo) o relacionado con ella. □ MORF. **1**. Como adjetivo es invariable en género. **2**. Como sustantivo es de género común: *el belga, la belga*.

belicismo s.m. Tendencia a provocar guerras o a participar en ellas.

belicista adj./s. Partidario o defensor del belicismo. □ MORF. **1**. Como adjetivo es invariable en género. **2**. Como sustantivo es de género común: *el belicista, la belicista*. □ SEM. Dist. de *bélico* (de la guerra) y de *belicoso* (agresivo o inclinado a hacer la guerra).

bélico, ca adj. De la guerra o relacionado con ella; guerrero. □ ETIMOL. Del latín *bellicus*, y éste de *bellum* (guerra). □ SEM. Dist. de *belicista* (partidario del belicismo) y de *belicoso* (agresivo o inclinado a hacer la guerra).

belicosidad s.f. Inclinación a hacer la guerra o a entrar en discusiones y peleas.

belicoso, sa adj. **1** Que es guerrero o que tiene inclinación a hacer la guerra. **2** Referido a una persona, que es agresiva o inclinada a las discusiones y peleas. □ SEM. Dist. de *belicista* (partidario del belicismo) y de *bélico* (de la guerra).

beligerancia s.f. Participación en una guerra.

beligerante adj./s. Referido a una colectividad, que participa en una guerra o en un enfrentamiento. □ ETIMOL. Del latín *belligerans*, y éste de *bellum* (guerra) y *gerere* (hacer). □ MORF. **1**. Como adjetivo es invariable en género. **2**. Como sustantivo es de género común: *el beligerante, la beligerante*.

belio s.m. Unidad básica del nivel de intensidad sonora; bel: *Un sonido superior a doce belios es insoportable para el oído humano.* □ ETIMOL. Por alusión al físico Bell, inventor del teléfono.

bellaco, ca adj./s. Referido a una persona o a su comportamiento, malo y despreciable en cualquier aspecto. □ ETIMOL. De origen incierto.

bellaquería s.f. Hecho o dicho propios de un bellaco.

belleza s.f. **1** Conjunto de cualidades que se perciben por la vista o el oído y producen un placer espiritual, intelectual o sensorial. **2** Persona que destaca por su hermosura.

bello, lla adj. **1** Que produce un placer espiritual, intelectual o sensorial al ser percibidas sus cualidades por la vista o el oído. **2** Referido a una persona, que tiene cualidades morales que se consideran positivas. □ ETIMOL. Del latín *bellus* (bonito). □ ORTOGR. Dist. de *vello*.

bellota s.f. Fruto de la encina, del roble y de árboles de este género, que tiene una cáscara de forma ovalada y color castaño claro que contiene una sola semilla. □ ETIMOL. Del árabe *balluta* (encina).

[belvedere (italianismo) s.m. Edificio o mirador desde los que se puede divisar un amplio panorama.

bemol ▌ adj./s.m. **1** En música, referido a una nota, que está alterada en un semitono por debajo de su sonido natural. ▌ s.m. **2** En música, alteración o signo gráfico que, colocado delante de una nota, modifica su sonido bajándolo un semitono: *El signo ♭ es un bemol.* □ ETIMOL. Del latín *be molle* (b suave). □ MORF. Como adjetivo es invariable en género. □ USO *Bemoles* se usa mucho en la lengua coloquial como palabra comodín para formar locuciones eufemísticas: *tener bemoles* significa 'ser muy complicado o difícil'.

benceno s.m. En química, hidrocarburo líquido, incoloro, tóxico e inflamable, que se obtiene por destilación de alquitrán de hulla y se usa como disolvente; benzol. □ ETIMOL. De *benzoe* (benjuí).

bencina s.f. En zonas del español meridional, gasolina. ☐ ETIMOL. De *benzoe* (benjuí).

[**bencinera** s.f. En zonas del español meridional, gasolinera.

bendecir v. 1 En la iglesia católica, referido esp. a un sacerdote, pedir o invocar la protección divina, generalmente haciendo una cruz en el aire con la mano extendida: *El sacerdote bendijo a los fieles al acabar la misa.* 2 En la iglesia católica, referido a algo material, consagrarlo para el culto divino mediante una ceremonia: *La nueva capilla será bendecida esta tarde.* 3 Referido a una persona, desearle prosperidad y felicidad, y expresar este deseo con solemnidad: *Bendijo a sus hijos antes de que partieran.* 4 En la iglesia católica, referido a la Providencia divina, conceder bienes y protección: *Dios lo bendijo con unos hijos buenos e inteligentes.* 5 Referido a algo que se considera positivo, manifestar alegría o satisfacción por ello: *Bendigo el día en que naciste.* ☐ ETIMOL. Del latín *benedicere* (hablar bien de algo). ☐ MORF. Irreg.: 1. Tiene un participio regular (*bendecido*), que se usa más en la conjugación, y otro irregular (*bendito*), que se usa más como adjetivo. 2. →BEN-DECIR.

bendición s.f. 1 En la iglesia católica, invocación o petición de la protección divina, realizada generalmente por un sacerdote haciendo una cruz en el aire con la mano extendida. 2 En la iglesia católica, consagración de algo material para el culto divino mediante una ceremonia. 3 Deseo de prosperidad y felicidad para una persona. 4 En la iglesia católica, protección o ayuda divina. 5 ‖ **ser una bendición (de Dios)**; ser muy bueno, muy abundante, muy beneficioso o muy agradable.

bendito, ta ▌ 1 part. irreg. de **bendecir. ▌ s. 2** Persona muy bondadosa e incapaz de hacer daño o de enfadarse. ☐ MORF. La acepción 1 se usa más como adjetivo, frente al participio regular *bendecido*, que se usa más en la conjugación. ☐ USO La acepción 2 se usa mucho en la expresión *bendito de Dios.*

[**benedictine** (galicismo) s.m. →**benedictino**.

benedictino, na ▌ adj./s. **1** De la orden de San Benito (monje italiano que fundó dicha orden a principios del siglo VI), o relacionado con ella; benito. **▌ s.m. 2** Licor de hierbas aromáticas creado por un monje de la orden benedictina. ☐ USO En la acepción 2, es innecesario el uso del galicismo *benedictine.*

benefactor, -a adj./s. Que beneficia o ayuda; bienhechor.

beneficencia s.f. **1** Ayuda desinteresada a los necesitados. **2** Conjunto de instituciones que se dedican a esta actividad.

beneficiar ▌ v. **1** Resultar bueno o hacer bien: *Bajar el impuesto de lujo sólo beneficia a los ricos. Las heladas no benefician al campo.* **▌** prnl. **2** Obtener un provecho o un beneficio: *Se beneficia de sus conocimientos siempre que puede.* **3** vulg. Referido a una persona, poseerla sexualmente: *No entiendo que tu máxima preocupación sea beneficiarte de todo el que se te cruce por delante.* ☐ ORTOGR. La i nunca lleva tilde. ☐ SINT. 1. Constr. de la acepción 2: *beneficiarse* DE *algo.* 2. Constr. de la acepción 3: *beneficiarse* A *alguien.* ☐ USO En la acepción 3, tiene un matiz despectivo.

beneficiario, ria adj./s. Referido a una persona, que obtiene o recibe un beneficio.

beneficio s.m. Provecho, utilidad o ganancia obtenidos. ☐ ETIMOL. Del latín *beneficium*, y éste de *bene* (bien) y *facere* (hacer).

beneficioso, sa adj. Que es provechoso, útil o produce ganancias.

benéfico, ca adj. De la beneficencia o relacionado con ella. ☐ MORF. Su superlativo es *beneficentísimo.*

benemérito, ta adj. **1** Digno de gran estimación por los servicios que presta. **2** ‖ **la Benemérita**; la guardia civil española. ☐ ETIMOL. Del latín *bene meritus* (que se ha portado bien con alguien).

beneplácito s.m. **1** Aprobación clara y decidida. **2** Complacencia y satisfacción absolutas. ☐ ETIMOL. Del latín *bene placitus* (que ha gustado, que ha parecido bien), que era una nota que solía poner el superior a las propuestas de nombramiento.

benevolencia s.f. Buena voluntad, simpatía y comprensión hacia alguien.

benevolente o **benévolo, la** adj. Referido a una persona, o a su comportamiento, que tiene buena voluntad, simpatía y comprensión hacia los demás. ☐ ETIMOL. *Benévolo* del latín *benevolus*, y éste de *bene* (bien) y *velle* (querer). ☐ MORF. 1. *Benevolente* es invariable en género. 2. Su superlativo es *benevolentísimo.*

bengala s.f. **[1** Fuego de artificio formado por una varilla con pólvora en uno de sus extremos que, al arder, desprende chispas de colores y una luz muy viva. **2** →**luz de Bengala.** ☐ ETIMOL. La acepción 1, por alusión a Bengala, región india de donde se trajeron.

bengalí ▌ adj./s. **1** De Bengala (región asiática que se extiende por territorio indio y por Bangladesh), o relacionado con ella. **▌** s.m. **2** Lengua indoeuropea de Bangladesh (país asiático que limita con la India y con Birmania). ☐ MORF. 1. En la acepción 1, adjetivo es invariable en género; como sustantivo es de género común: *el bengalí, la bengalí.* 2. Aunque su plural en la lengua culta es *bengalíes*, se usa mucho *bengalís.*

benignidad s.f. **1** Carácter templado o apacible de las condiciones climáticas. **2** Referido a una enfermedad o a un tumor, falta de gravedad o de malignidad.

benigno, na adj. **1** Referido a las condiciones climáticas, de carácter templado o apacible. **2** Referido a una enfermedad o a un tumor, que no reviste gravedad porque está localizado y no es de carácter maligno. ☐ ETIMOL. Del latín *benignus* (de buen natural), de *bene* (bien) y *gignere* (engendrar).

benito, ta adj./s. De la orden de San Benito (monje italiano que fundó dicha orden a principios del siglo VI), o relacionado con ella; benedictino. ☐ ETIMOL. Del latín *benedictus.*

benjamín, -a ▌ adj./s. **[1** Referido a un deportista, que, por edad, pertenece a la categoría más baja, anterior a la de alevín. **▌ s. 2** En una familia, hijo menor. **[3** En un grupo, miembro más joven. ☐ ETIMOL. Por alusión al último hijo de Jacob y Raquel, según los textos bíblicos. ☐ MORF. 1. La RAE sólo lo registra como sustantivo masculino. 2. En la acepción 1, 'benjamín' es un adjetivo invariable en género.

bentos s.m. En biología, conjunto de organismos animales y vegetales que viven en contacto con el fondo del mar. □ ETIMOL. Del griego *bénthos* (fondo del mar). □ MORF. Invariable en número.

benzol s.m. En química, hidrocarburo líquido, incoloro, tóxico e inflamable, que se obtiene por destilación de alquitrán de hulla y se usa como disolvente; benceno. □ ETIMOL. De *benzoe* (benjuí) y la terminación de *alcohol*.

beocio, cia ▌ adj. **1** *col.* Falto de inteligencia o de formación. ▌ adj./s. **2** De Beocia (región de Grécia) o relacionado con ella.

beodo, da adj./s. Que tiene disminuidas temporalmente las capacidades físicas o mentales a causa de un consumo excesivo de bebidas alcohólicas; borracho. □ ETIMOL. Del latín *bibitus* (bebido).

beorí s.m. Tapir americano.

berberecho s.m. Molusco comestible, de color blanco amarillento, con dos conchas iguales, estriadas y casi redondas, que vive enterrado en la arena. □ ETIMOL. Quizá del griego *bérberi* (molusco donde se encuentra la perla). 🐚 marisco

berberisco, ca ▌ adj./s. **1** De Berbería (región del norte de África, comprendida entre el océano Atlántico y Egipto), o relacionado con ella. ▌ s.m. **2** Lengua asiática de este pueblo. □ SEM. Es sinónimo de *bereber* y *beréber*.

berbiquí s.m. Herramienta que se usa para taladrar y que consta de una broca con un mango horizontal a ella que se hace girar. □ ETIMOL. Del francés *vilebrequin*. □ MORF. Aunque su plural en la lengua culta es *berbiquíes*, se usa mucho *berbiquís*.

bereber, beréber o **berebere** ▌ adj./s. **1** De Berbería (región del norte de África comprendida entre el océano Atlántico y Egipto), o relacionado con ella. ▌ s.m. **2** Lengua asiática de este pueblo. □ MORF. 1. En la acepción 1, como adjetivos son invariables en género. 2. Como sustantivos son de género común: *el* {bereber/beréber/berebere}, *la* {bereber/beréber/berebere}. □ SEM. Son sinónimos de *berberisco*. □ USO *Berebere* es el término menos usual.

berenjena s.f. **1** Planta herbácea, de tallo fuerte y erguido, hojas grandes y ovaladas cubiertas por pelos, y flores de color morado. **2** Fruto de esta planta, de forma redondeada y alargada, con la piel muy fina de color morado, comestible y muy carnoso. **3** ‖ berenjena {**catalana/morada/moruna**}; la que es casi cilíndrica y de color morado muy oscuro. □ ETIMOL. Del árabe *badinyana*.

berenjenal s.m. *col.* Asunto enredado y complicado, esp. si tiene difícil solución.

bergamota s.f. **1** Variedad de pera muy jugosa y aromática. **2** Variedad de lima muy aromática, de la cual se extrae una esencia usada en cosmética. □ ETIMOL. Del italiano *bergamotta*.

bergamote o **bergamoto** s.m. **1** Variedad de peral que produce unas peras jugosas y aromáticas. **2** Variedad de limero que produce unas limas muy aromáticas.

bergante s.m. Persona que actúa sin honradez o sin escrúpulos. □ ETIMOL. Quizá del catalán *bergant* (individuo de una brigada de trabajo).

bergantín s.m. Embarcación de vela con dos palos y muy ligera. □ ETIMOL. Del francés *brigantin* o del catalán *bergantí*. 🚢 embarcación

beriberi s.m. Enfermedad debida a la falta de vitamina B y caracterizada por problemas cardíacos,

rigidez dolorosa de los músculos y debilidad general. □ ETIMOL. Del cingalés *beri* (debilidad). □ ORTOGR. Incorr. **beri-beri*.

berilio s.m. Elemento químico, metálico y sólido, de número atómico 4, blanco, fácilmente deformable y poco abundante en la naturaleza. □ ORTOGR. 1. Su símbolo químico es *Be*. 2. Dist. de *berilo*.

berilo s.m. Mineral muy duro, ligero y translúcido, de color azul, rosa, verde o amarillo, que cristaliza en el sistema hexagonal: *La esmeralda es una variedad de berilo*. □ ETIMOL. Del latín *beryllus*. □ ORTOGR. Dist. de *berilio*.

[berkelio s.m. → berquelio. □ ETIMOL. De *Berkeley*, universidad de California, donde fue descubierto.

berlina s.f. **1** Antiguo coche de caballos, cerrado, con cuatro ruedas y con dos o cuatro asientos; cupé. 🚗 carruaje **2** Automóvil utilitario, de cuatro o seis plazas, con cuatro ventanillas y cuatro puertas laterales. □ ETIMOL. Del francés *berline*, y éste de *Berlín*, ciudad donde se construyeron estos coches.

berlinés, -a adj./s. De Berlín (capital alemana), o relacionado con ella.

berma s.f. [En zonas del español meridional, arcén.

bermejo, ja adj. Rubio o rojizo. □ ETIMOL. Del latín *vermiculus* (gusanillo, cochinilla), que se usaba para producir el color grana.

bermellón s.m. [**1** Color rojo vivo. **2** Cinabrio en polvo, de color rojo vivo. □ SINT. En la acepción 1, se usa mucho en aposición, pospuesto a un sustantivo.

bermudas s.pl. Pantalón que llega hasta las rodillas, generalmente estrecho y de un tejido fino. □ MORF. Es de género ambiguo: *los bermudas rojos, las bermudas rojas*. □ USO Se usa más como sustantivo femenino.

bernardo, da adj./s. **1** Referido a un monje o a una monja, que pertenece al cister (orden religiosa fundada por Roberto de Molesme en 1098 y cuyo principal difusor fue san Bernardo); cisterciense. **2** ‖ [**san bernardo**; → **perro San Bernardo**.

berquelio s.m. Elemento químico, metálico, artificial y radiactivo, de número atómico 97, que pertenece al grupo de tierras raras. □ ETIMOL. De *Berkeley*, universidad de California, donde fue descubierto. □ ORTOGR. 1. Aunque la RAE sólo registra *berquelio*, se usa más *berkelio*. 2. Su símbolo químico es *Bk*.

berrea s.f. **1** Emisión de berridos. **2** Referido a algunos animales, esp. al ciervo, apareamiento o búsqueda instintiva de pareja para procrear; brama.

berrear v. **1** Referido a un animal, esp. a un becerro, dar berridos o emitir su voz característica: *Los becerros berreaban llamando a su madre*. **2** Referido a una persona, esp. a un niño, llorar con fuerza dando gritos: *Berreaba en la cuna porque tenía hambre*. **3** Referido a una persona, gritar de forma estridente o hablar dando gritos: *Es un maleducado y no sabe discutir sin berrear*. **4** Cantar de un modo desentonado: *Deja de berrear, porque estás desafinando*. □ ETIMOL. Del latín *verres* (verraco), porque este animal tiene una voz muy fuerte.

berrendo, da adj./s.m. Referido a un toro, que tiene el pelaje blanco con manchas de distinto color. □ ETIMOL. Quizá del céltico **barrovindos* (blanco en un extremo). □ SINT. Se usa la constr. *berrendo EN un color* para indicar el color de las manchas.

berreo s.m. **1** Llanto fuerte y a gritos. **2** Grito estridente o voz fuerte al hablar; berrido.

[berretes s.m.pl. *col.* Manchas en la cara, esp. las que quedan alrededor de la boca después de haber comido algo.

berrido s.m. **1** Voz característica del becerro, del ciervo o de otros animales. **2** Grito estridente o voz fuerte al hablar; berreo. **3** Nota desentonada y desafinada.

berrinche s.m. *col.* Disgusto o enfado que se manifiesta de modo claro y aparatoso. □ ETIMOL. Del latín *verres* (verraco), por lo rebelde de este animal. □ USO Se usa más con los verbos *coger, dar, llevarse* y *tener*.

berro s.m. Planta herbácea, de tallos rastreros, hojas verdes comestibles y flores blancas, que crece en terrenos con mucha agua. □ ETIMOL. Del céltico *beruron*. □ ORTOGR. Dist. de *berrera*.

berrocal s.m. Terreno en el que hay berruecos o rocas de granito de forma redondeada.

berroqueña s.f. →**piedra berroqueña.**

[bertsolari (del vasco) →**versolari.**

berza s.f. **1** Planta herbácea comestible con un cogollo formado por hojas anchas y verdes con el nervio principal grueso, y flores pequeñas blancas o amarillas; col. **[2** Variedad basta de col. **[3** *col.* Borrachera. **4** ‖ **[ser la berza**; *col.* Ser indignante, intolerable o sorprendente. □ ETIMOL. Del latín *virdia* (cosas verdes, verdura).

berzas o **berzotas** adj./s. *col.* Que tiene escasos conocimientos, poca habilidad mental y un comportamiento poco elegante; col. □ MORF. 1. Como adjetivos son invariables en género. 2. Como sustantivos son de género común: *el {berzas/berzotas}, la {berzas/berzotas}*. 3. Invariables en número. □ USO Son despectivos y se usan como insulto.

besalamano s.m. Comunicación breve redactada en tercera persona y sin firma, generalmente para un ofrecimiento o una invitación. □ SEM. Dist. de *besamanos* (acto oficial; saludo).

besamanos s.m. **1** Recepción oficial o acto público en el que los reyes o las autoridades reciben el saludo de los asistentes en señal de adhesión y cortesía. **2** Modo de saludar a una persona besándole la mano derecha o haciendo el gesto. **3** En la iglesia católica, acto en el que se besa la palma de la mano de un sacerdote después de decir su primera misa. □ MORF. Invariable en número. □ SEM. Dist de *besalamano* (comunicación breve).

besamel o **besamela** s.f. Salsa blanca y cremosa hecha con leche, harina y mantequilla o aceite. □ ETIMOL. Del francés *béchamel*. □ ORTOGR. Se admite también *bechamel*. □ USO *Besamela* es el término menos usual.

besar v. **1** Oprimir o tocar con los labios juntos contrayéndolos y separándolos con una pequeña aspiración: *El niño besó a sus padres antes de irse a dormir. Se besaron y se fue cada uno a su casa.* **2** Hacer el gesto propio del beso, sin tocar con los labios: *Mis tías se besan acercando sólo las mejillas.* **3** *col.* Referido a una cosa inanimada, tocar a otra: *Los panes se besaron en el horno y se deformaron. Colocó las copas en el estante besándose unas con otras.* **4** *col.* Chocar o encontrarse inesperadamente dándose un golpe: *Tropecé en el escalón y besé el suelo. Iban los dos distraídos y se besaron al doblar la esquina.* □ ETIMOL. Del latín *basiare*.

beso s.m. **1** Toque o presión que se hace con los labios juntos, contrayéndolos y separándolos con una pequeña aspiración. **2** Gesto que se hace besando al aire o la propia mano para ofrecérselo a alguien. **3** ‖ **comer(se) a besos** (a alguien); *col.* Besar repetidamente y con vehemencia. □ ETIMOL. Del latín *basium*. □ SINT. La acepción 2 se usa más con los verbos *lanzar, soltar* y *tirar.* □ USO La expresión *un beso* se usa mucho como fórmula de despedida: *—Nos vemos mañana. Un beso —y colgó el teléfono.*

best-séller s.m. Obra literaria de gran éxito y de mucha venta. □ ETIMOL. Del inglés *best-seller* (de gran venta). □ PRON. [bestséler], con *t* suave.

bestia ∎ adj./s. **1** Referido a una persona, que se comporta de manera violenta y maleducada o que es desconsiderada y poco amable con los demás; bruto. **2** Referido a una persona, poco inteligente o con poca cultura. ∎ s.f. **3** Animal cuadrúpedo, esp. el doméstico de carga. **4** ‖ **bestia {negra/parda}; 1** Persona que provoca odio o rechazo, esp. dentro de un grupo. **[2** Lo que supone una amenaza, una preocupación o algo difícil de superar. □ ETIMOL. Del latín *bestia*. □ MORF. 1. Como adjetivo es invariable en género. 2. En las acepciones 1 y 2, como sustantivo es de género común: *el bestia, la bestia.* □ USO La acepción 1 se usa como insulto.

[bestiada s.f. **1** *col.* Hecho o dicho estúpido, poco acertado o brutal; barbaridad. **2** ‖ **[una bestiada**; *col.* **1** Gran cantidad. col. **2** Muchísimo.

bestial adj. **1** Referido a un hecho o un dicho, que no parecen propios de una persona por su crueldad o su irracionalidad; brutal. **2** *col.* De tamaño, cantidad o calidad mayores de lo normal; extraordinario. □ MORF. Invariable en género. □ SINT. En la lengua coloquial se usa también como adverbio de modo con el significado de 'muy bien': *Lo pasamos 'bestial' con tus chistes.*

bestialidad s.f. **1** *col.* Hecho o dicho estúpido, poco acertado o brutal; barbaridad. **2** Relación sexual de una persona con un animal. **3** ‖ **[una bestialidad**; *col.* **1** Gran cantidad. col. **2** Muchísimo.

bestiario s.m. En literatura, esp. en la medieval, libro de fábulas protagonizadas por animales reales o fantásticos.

besucar v. *col.* →**besuquear.** □ ORTOGR. La *c* se cambia en *qu* delante de *e* →SACAR.

besucón, -a adj./s. *col.* Referido a una persona, que da muchos besos.

besugo s.m. **1** Pez marino hermafrodita, de color gris rojizo con una mancha oscura a cada lado donde comienza la cabeza, ojos muy grandes y hocico corto. **2** *col.* Persona torpe y poco inteligente. □ ETIMOL. De origen incierto.

besuquear v. *col.* Dar besos de modo reiterado e insistente; besucar: *Me llenó de babas al besuquearme.*

besuqueo s.m. Muestra de afecto dando besos de modo reiterado e insistente.

beta ∎ s.f. **1** En el alfabeto griego clásico, nombre de la segunda letra: *La grafía de la beta es* β. ∎ s.m. **[2** Sistema de grabación y reproducción de imágenes para vídeo doméstico. □ ORTOGR. Dist. de *veta*. □ SINT. En la acepción 2, se usa más en aposición, pospuesto a un sustantivo.

betarraga s.f. En zonas del español meridional, remolacha. □ ETIMOL. Del francés *betterave*, y éste de *bette* (acelga) y *rave* (nabo).

bético, ca adj./s. **1** De la Bética (provincia romana que corresponde al actual territorio andaluz), o relacionado con ella. **2** Del Real Betis Balompié (club deportivo andaluz) o relacionado con él.

betuláceo, a ∎ adj./s.f. **1** Referido a una planta, que es un árbol o un arbusto de hojas sencillas y alternas que caen en invierno, flores unisexuales de color verdoso, generalmente en forma de espiga colgante, y con un fruto seco en forma de nuez o con fruto alado: *El abedul es una betulácea*. ∎ s.f.pl. **2** En botánica, familia de estas plantas, perteneciente a la división de las angiospermas. □ ETIMOL. Del latín *betula* (abedul).

betún s.m. **1** Crema para limpiar, dar color y abrillantar el calzado. **[2** En zonas del español meridional, crema mezclada con algún sabor, que se utiliza para cubrir los pasteles. □ ETIMOL. Del latín *bitumen*.

bi- Elemento compositivo que significa 'dos'. □ ETIMOL. Del latín *bi-*, por *bis*. □ MORF. Puede adoptar la forma *bis-* (bisabuelo) o *biz-* (biznieto).

bianual adj. Que sucede dos veces al año. □ ETIMOL. De *bi-* (dos) y *anual*. □ MORF. Invariable en género. □ SEM. Dist. de *bienal* (que sucede cada dos años).

[biatlón s.m. Carrera de esquí de fondo en la que se efectúa también una prueba de tiro al blanco con arma de fuego. □ ETIMOL. De *bi-* (dos) y las terminaciones de *pentatlón* y *triatlón*.

biberón s.m. **1** Botella pequeña con tetina que sirve para alimentar artificialmente a los niños recién nacidos y a las crías de mamíferos. **2** Alimento que contiene esta botella y que se toma cada vez. □ ETIMOL. Del francés *biberon*, y éste del latín *bibere* (beber).

biblia s.f. **1** Libro o conjunto de ideas fundamentales para una persona o en una religión. **2** ‖ **[la biblia (en verso)**; *col.* Muchas cosas. □ ETIMOL. La acepción 1, por alusión a la Biblia, libro sagrado de cristianos y judíos.

bíblico, ca adj. De la Biblia (Sagradas Escrituras o libro sagrado de cristianos y judíos, constituido por el Antiguo y el Nuevo Testamento).

biblio- Elemento compositivo que significa 'libro'. □ ETIMOL. Del griego *biblíon*.

bibliobús s.m. Autobús acondicionado como biblioteca pública móvil para llegar a los núcleos de población que no tienen bibliotecas propias. □ ETIMOL. De *biblio-* (libro) y *bus*.

bibliofilia s.f. Afición a los libros, esp. a los raros, antiguos y curiosos. □ SEM. Dist. de *bibliomanía* (pasión por tener libros).

bibliófilo, la s. Persona aficionada a los libros, esp. a los que son únicos o raros, y que generalmente los colecciona y estudia. □ ETIMOL. De *biblio-* (libro) y *-filo* (aficionado). □ SEM. Dist. de *bibliómano* (que siente una pasión desmedida por tener libros).

bibliografía s.f. **1** Ciencia que estudia la historia del libro y de los manuscritos y describe sus elementos materiales y sus ediciones. **2** Relación o catálogo de libros o escritos referentes a una materia determinada y ordenado según un determinado criterio. **[3** Relación ordenada de libros y publicaciones de un mismo autor. □ ETIMOL. De *biblio-* (libro) y *-grafía* (escritura). □ SEM. Dist. de *biografía* (historia de la vida de una persona).

bibliográfico, ca adj. De la bibliografía o relacionado con ella. □ SEM. Dist. de *biográfico* (de la vida de una persona).

bibliógrafo, fa s. Persona que se dedica al estudio, descripción y clasificación de los libros. □ SEM. Dist. de *biógrafo* (el que escribe la historia de la vida de una persona).

bibliomanía s.f. Pasión desmedida por tener y acumular libros. □ ETIMOL. De *biblio-* (libro) y *-manía* (afición desmedida). □ SEM. Dist. de *bibliofilia* (afición a los libros).

bibliómano, na s. Persona que siente una pasión desmedida por tener libros. □ SEM. Dist. de *bibliófilo* (aficionado a los libros).

[bibliorato s.m. En zonas del español meridional, archivador.

biblioteca s.f. **1** Local en el que se conserva una colección organizada de libros y otros materiales para poder ser consultados, estudiados o leídos por los usuarios. **2** Colección de libros, esp. si consta de un número considerable de ellos. **3** Mueble o estantería para colocar libros; librería. **4** Colección de libros con una característica común, generalmente del tema. □ ETIMOL. Del latín *bibliotheca*, éste del griego *bibliothéke*, y éste de *biblíon* (libro) y *théke* (caja).

bibliotecario, ria s. Persona que se dedica al cuidado técnico y a la organización de una biblioteca o de uno de sus servicios o secciones.

biblioteconomía s.f. Estudio de la organización y administración de una biblioteca. □ ETIMOL. De *biblioteca* y del griego *némo* (yo distribuyo, administro).

[biblista s. Persona que se dedica al estudio de la Biblia. □ MORF. Es de género común: *el 'biblista', la 'biblista'*.

bicameral adj. En un sistema democrático, referido al poder legislativo, que está formado por dos cámaras de representantes. □ ETIMOL. Del francés *bicaméral*. □ MORF. Invariable en género.

bicarbonato s.m. **1** En química, sal ácida obtenida a partir del ácido carbónico. **2** ‖ **[bicarbonato (sódico)**; el de color blanco, soluble en agua, que se usa en medicina y en la fabricación de alimentos y de bebidas efervescentes. □ ETIMOL. De *bi-* (dos) y *carbonato*.

bicéfalo, la adj. Con dos cabezas. □ ETIMOL. De *bi-* (dos) y el griego *kephalé* (cabeza).

bicentenario s.m. Segundo centenario.

bíceps s.m. →**músculo bíceps**. □ ETIMOL. Del latín *biceps* (de dos cabezas), y éste de *bi-* (dos) y *caput* (cabeza). □ ORTOGR. Aunque es palabra llana terminada en *s*, debe llevar tilde. □ MORF. Invariable en número. 🔊 bíceps

bicha s.f. **1** En arte, figura de animal fantástico con cabeza de mujer o de águila, pecho femenino y alas, terminada en un tallo enroscado. **2** *euf. col.* Culebra. □ ETIMOL. Del latín *bestia* (bestia). □ USO El uso de la acepción 2 es frecuente entre personas supersticiosas para evitar términos como *culebra* o *serpiente*, que se consideran de mala suerte.

bicharraco, ca s. **1** *col.* Bicho feo y repugnante. **2** *col.* Persona fea o de miembros desproporcionados. □ USO Tiene un matiz despectivo.

bicho ∎ adj./s.m. **[1** *col.* Referido a una persona, esp. si tiene pocos años, que es muy traviesa e inquieta. ∎

s.m. **2** Animal, esp. el de tamaño pequeño y nombre desconocido. **3** *col.* Animal, esp. el doméstico. **4** En tauromaquia, toro de lidia. **5** Persona con malas intenciones. **6** ∥ **[bicho raro**; *col.* Persona de carácter o de costumbres raros. ∥ **(todo) bicho viviente**; *col.* Expresión que se usa para indicar que se exceptúa a nadie de lo que se dice. □ ETIMOL. Del latín *bestius* (animal). □ MORF. Como adjetivo es invariable en género. □ USO En la acepción 2 tiene un matiz despectivo.

bici s.f. *col.* →**bicicleta**.

bicicleta s.f. Vehículo de dos ruedas iguales, con dos pedales que, por medio de una cadena, transmiten a la rueda trasera la fuerza producida por las piernas y la transforman en movimiento. □ ETIMOL. Del francés *bicyclette*. □ MORF. En la lengua coloquial se usa mucho la forma abreviada *bici*.

biciclo s.m. Vehículo de dos ruedas desiguales, con dos pedales que transmiten directamente a la rueda delantera, mucho mayor, la fuerza producida por las piernas y la transforman en movimiento. □ ETIMOL. Del inglés *bicycle*, y éste del latín *bi-* (dos) y *el griego kýklos* (círculo).

[bicicross s.m. Modalidad de ciclismo que consiste en subir y bajar obstáculos con una bicicleta por un circuito preparado para ello.

bicoca s.f. *col.* Lo que resulta rentable y ventajoso porque cuesta poco o es fácil de obtener. □ ETIMOL. Del italiano *bicocca* (castillo edificado en una roca).

bicolor adj. De dos colores. □ MORF. Invariable en género.

bicorne adj. Que tiene dos cuernos o dos puntas. □ ETIMOL. Del latín *bicornis*. □ MORF. Invariable en género.

bicornio s.m. Sombrero con dos puntas o picos. □ ETIMOL. De *bicorne*. 🔎 sombrero

bicromía s.f. En imprenta, impresión o grabado en dos colores. □ ETIMOL. De *bi-* (dos) y el griego *khrôma* (color).

bicúspide ∎ adj. **1** Que tiene dos cúspides o remates puntiagudos. ∎ s.f. **2** →**válvula bicúspide**. □ MORF. Como adjetivo es invariable en género.

bidé s.m. Cubeta baja y ovalada con grifos y desagüe, destinada a la higiene íntima y sobre la que se sienta el que va a lavarse. □ ETIMOL. Del francés *bidet* (caballito). □ ORTOGR. Incorr. **bidel*.

[bidentado, da adj. En botánica, referido a una hoja, con el borde recortado en lóbulos pequeños, esp. si sólo son dos.

bidón s.m. Recipiente generalmente cilíndrico y de

hojalata, con tapa o cierre hermético, y que sirve para transportar líquidos. □ ETIMOL. Del francés *bidon*.

biela s.f. En una máquina, barra de un material resistente que une dos piezas móviles para transformar el movimiento de vaivén en uno de rotación, o viceversa. □ ETIMOL. Del francés *bielle*.

bielda s.f. Instrumento de labranza que se usa para recoger o cargar la paja y que está formado por un palo largo y un travesaño provisto de seis o siete dientes atravesados por dos palos. □ ETIMOL. De *beldar*. □ SEM. Dist. de *bieldo* (con cuatro dientes).

bieldo s.m. Instrumento de labranza que se usa para separar la paja del grano y que está formado por un palo largo y un travesaño con cuatro dientes sujeto a uno de sus extremos. □ ETIMOL. De *beldar*. □ SEM. Dist. de *bielda* (con seis o siete dientes).

bielorruso, sa ∎ adj./s. **1** De Bielorrusia (país europeo), o relacionado con ella. ∎ s.m. **2** Lengua eslava hablada en este país.

[biempensante adj./s. Con las ideas que tradicionalmente se consideran correctas. □ MORF. Invariable en género.

bien ∎ adj. **[1** Distinguido o de posición social acomodada. ∎ s.m. **2** Lo que es útil o conveniente o lo que proporciona bienestar o dicha. **3** En filosofía, aquello que se considera la perfección absoluta o que reúne en sí mismo todo lo moralmente bueno y perfecto. **[4** Calificación académica que indica que se ha superado el nivel exigido. ∎ s.m.pl. **5** Conjunto de posesiones y riquezas. ∎ adv. **6** Referido al estado de una persona, con salud o con aspecto saludable. **7** Referido a la forma de hacer algo, sin dificultad o de manera correcta, acertada o conveniente. **8** Referido a la forma de terminar algo, conforme a lo previsto o deseado. **9** Referido a la forma de abordar algo, con gusto o de buena gana. **10** Antepuesto a un adjetivo, muy o bastante. **11** Expresión que se usa para indicar asentimiento, conformidad o entendimiento. **12** Expresión que se usa para indicar cálculo aproximado. ∎ conj. **13** Enlace gramatical con valor distributivo y que, repetido, se usa para coordinar. **14** ∥ **bien que mal**; referido a la forma de conseguir algo, de una manera o de otra o venciendo las dificultades. ∥ **bienes de equipo**; los que se utilizan en la producción de otros bienes. ∥ **(bienes) gananciales**; los adquiridos durante el matrimonio por uno o por ambos cónyuges y que pertenecen a los dos. ∥ **bienes {inmuebles/raíces}**; los que no pueden ser trasladados sin perder su naturaleza. ∥ **bienes mostrencos**; los que carecen de dueño conocido. ∥ **bienes muebles**; los que pueden ser trasladados sin perder su naturaleza. ∥ **(bienes) semovientes**; los que consisten en ganado. ∥ **[de bien**; referido a una persona, que procede con honradez y rectitud, esp. en su trato con los demás. ∥ **no bien**; enlace gramatical subordinante con valor temporal; apenas. ∥ **si bien**; enlace gramatical coordinante con valor adversativo; aunque. ∥ **y bien**; expresión que se utiliza para preguntar o para introducir una pregunta. □ ETIMOL. Del latín *bene* (bien). □ MORF. 1. Como adjetivo es invariable en género y en número. 2. Su comparativo de superioridad es *mejor*; incorr. **más bien*: *Yo lo hago todo {*más bien > mejor} que tú*. Dist. de *más bien* (enlace gramatical con valor adversativo). 3. Se combina con otras unidades léxicas como un prefijo, y a veces llega a formar con

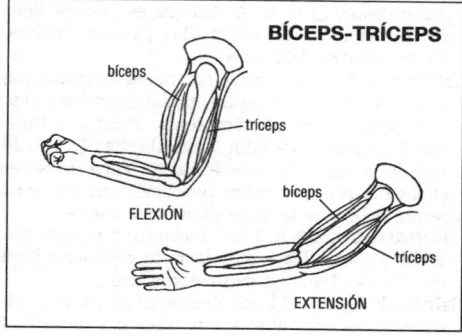

BÍCEPS-TRÍCEPS

bíceps

tríceps

FLEXIÓN

bíceps

tríceps

EXTENSIÓN

ellas una sola palabra: *bien educado, bienhechor.* **4.** En la acepción 5, se usa también en singular. ☐ SINT. Como conjunción distributiva, puede ir precedido de la conjunción disyuntiva *o: Iré o bien hoy o bien mañana.* ☐ SEM. La acepción 12 suele tener un sentido intensificador: *Muy bien podrían caber aquí cinco litros.* ☐ USO **1.** En las acepciones 9 y 12, se usa más antepuesto al verbo. **2.** El uso de la locución *si bien* es característico del lenguaje escrito.

bienal ▌ adj. **1** Que dura dos años. **2** Que tiene lugar cada dos años. ▌ s.f. **3** Exposición o manifestación cultural que tiene lugar cada dos años. ☐ ETIMOL. Del latín *biennalis.* ☐ MORF. Como adjetivo es invariable en género. ☐ SEM. Dist. de *bienio* (período de dos años) y de *bianual* (que sucede dos veces al año).

bienaventurado, da ▌ adj. **1** Referido a una persona, que es afortunada o dichosa. ▌ adj./s. **2** En la iglesia católica, referido a un difunto o a su alma, que está en el cielo y goza de la felicidad eterna.

bienaventuranza s.f. **1** En el cristianismo, cada una de las ocho sentencias que comienzan con la palabra *bienaventurados* y con las que Jesucristo explicó quiénes alcanzarán la gloria. **2** Goce eterno que disfrutan las almas en presencia de Dios; cielo, gloria. ☐ MORF. En la acepción 1, la RAE sólo lo registra en plural.

bienestar s.m. **1** Estado acomodado y en el que las necesidades materiales están cubiertas. **2** Estado de una persona cuando se siente en buenas condiciones físicas y psíquicas.

bienhablado, da adj. Que habla con educación y corrección.

bienhechor, -a adj./s. Que beneficia o ayuda; benefactor.

bienintencionado, da adj. Con buena intención. ☐ ORTOGR. Se admite también *bien intencionado.*

bienio s.m. **1** Período de tiempo de dos años. **2** Incremento económico que se obtiene sobre el sueldo o sobre el salario por cada dos años trabajados. ☐ ETIMOL. Del latín *biennium.* ☐ SEM. Dist. de *bienal* (manifestación cultural que tiene lugar cada dos años).

bienmandado, da adj. Que obedece con prontitud o de buena gana. ☐ ORTOGR. Se admite también *bien mandado.*

bienmesabe s.m. Dulce hecho con azúcar y con claras de huevo batidas, con el que se hacen los merengues.

bienoliente adj. Que tiene o despide fragancia o un aroma agradable; fragante. ☐ ORTOGR. Incorr. **bien oliente.* ☐ MORF. Invariable en género.

bienquisto, ta adj. Referido a una persona, que es estimada y goza de buena opinión entre los demás. ☐ ETIMOL. De *bien* y *quisto,* participio antiguo de *querer.* ☐ SINT. Constr. *bienquisto {CON / DE / POR} alguien.*

bienvenida s.f. Véase **bienvenido, da.**

bienvenido, da ▌ adj. **1** Que es recibido con agrado o que llega en momento oportuno. **2** Expresión que se usa para saludar a alguien y manifestarle la satisfacción que produce su llegada. ▌ s.f. **3** Manifestación con la que se da a entender a alguien la satisfacción que produce su llegada.

bies s.m. **1** Tira de tela que está cortada oblicua-

mente a la dirección de los hilos y cosida en los bordes de otra tela como remate o como adorno. **2** ‖ **al bies**; referido a la manera de estar colocado algo, esp. un trozo de tela, oblicuamente o en diagonal. ☐ ETIMOL. Del francés *biais* (sesgo).

bifásico, ca adj. Referido a un sistema eléctrico, que tiene dos corrientes alternas iguales, procedentes del mismo generador, y cuyas fases se distancian entre sí un cuarto de ciclo. ☐ ETIMOL. De *bi-* (dos) y *fase.*

bife s.m. En zonas del español meridional, filete. ☐ ETIMOL. Del inglés *beefsteak,* y éste de *beef* (buey) y *steak* (tajada).

bífido, da adj. En biología, referido a un órgano, que está dividido en dos partes o que se bifurca. ☐ ETIMOL. Del latín *bifidus,* y éste de *bi-* (dos) y *findere* (hender, partir).

[bífidus s.m. Bacilo con propiedades dietéticas. ☐ MORF. Invariable en número.

bifocal adj. En óptica, referido esp. a una lente, que tiene dos focos o que permite enfocar a dos distancias distintas. ☐ MORF. Invariable en género.

[bífora s.f. En arte, ventana coronada por un arco de medio punto y formada por dos vanos geminados. ☐ ETIMOL. Del latín *bifores* (de dos aberturas), de *bi-* (dos) y *fores* (puerta, abertura).

bifronte ▌ adj. **1** Que presenta dos frentes o caras. ▌ s.m. **[2** En arte, busto o estatua con dos cabezas que se dan la espalda y miran en sentidos opuestos. ☐ MORF. Como adjetivo es invariable en género.

bifurcación s.f. **1** División en dos ramales o brazos separados. **2** Punto donde se produce esta división.

bifurcarse v.prnl. Dividirse en dos ramales o brazos separados: *Al llegar al valle, el camino se bifurca en dos sendas.* ☐ ETIMOL. Del latín *bifurcus* (ahorquillado). ☐ ORTOGR. La *c* se cambia en *qu* delante de *e →SACAR.*

[big bang (anglicismo) ‖ En astronomía, gran explosión de la que se originó el universo.

bigamia s.f. Estado de la persona que está casada con dos hombres o con dos mujeres al mismo tiempo.

bígamo, ma adj./s. Que se casa de nuevo mientras su anterior matrimonio aún tiene vigencia legal. ☐ ETIMOL. Del latín *bigamus* (casado con dos).

bigardo, da ▌ adj. **1** Antiguamente, referido a un monje, que llevaba una vida licenciosa o desenfrenada. ▌ s. **[2** Persona muy corpulenta. ☐ ETIMOL. De *begardo* (hereje de los siglos XIII y XIV).

bígaro o **bigarro** s.m. Caracol de mar, de pequeño tamaño y concha oscura, que vive en los litorales y cuya carne es comestible. ☐ ETIMOL. De origen incierto. 🐚 marisco

bigote s.m. **1** En la cara de una persona o de algunos animales, conjunto de pelos que nacen sobre el labio superior. **2** En la cara de una persona o de un animal, huella que deja sobre el labio superior lo que se ha bebido; bigotera. ☐ ETIMOL. De origen incierto. ☐ MORF. En plural tiene el mismo significado que en singular. ☐ USO Se usa mucho en la lengua coloquial como palabra comodín para formar expresiones eufemísticas: *de bigotes* significa 'muy grande o extraordinario'.

bigotera s.f. **1** En dibujo, compás de pequeñas dimensiones cuya abertura se regula con una rosca. **2** En la cara de una persona o de un animal, huella que deja sobre el labio superior lo que se ha bebido; bigote. **3** Tira de tela que se coloca sobre el bigote para que no se descomponga o para darle la forma deseada. ☐ MORF. La acepción 2 se usa más en plural.

bigotudo, da adj./s. Referido a una persona, que tiene un bigote grande o llamativo.

bigudí s.m. Pequeña pieza de peluquería, cilíndrica y más larga que ancha, sobre la que se enrolla un mechón de pelo para rizarlo. ☐ ETIMOL. Del francés *bigoudi*. ☐ MORF. Aunque su plural en la lengua culta es *bigudíes*, se usa mucho *bigudís*.

bikini s.m. Traje de baño femenino formado por un sujetador y una braga; dos piezas. ☐ ETIMOL. De *Bikini*, atolón de las islas Marshall que se encuentran en el océano Pacífico. ☐ ORTOGR. Se admite también *biquini*.

bilabiado, da adj. En botánica, referido al cáliz o a la corola de una planta, que tiene la parte superior dividida en dos, semejante a unos labios: *La salvia tiene flores bilabiadas.*

bilabial ▌ adj. **1** En lingüística, referido a un sonido consonántico, que se articula juntando el labio inferior contra el superior: *En español, los sonidos bilabiales son [b], [p] y [m].* ▌ s.f. **2** Letra que representa este sonido: *La 'b' y la 'p' son dos bilabiales.* ☐ ETIMOL. De bi- (dos) y *labial*. ☐ MORF. Como adjetivo es invariable en género.

bilateral adj. Referido a algo con dos lados o partes, con la intervención de ambos o que afecta a ambos. ☐ ETIMOL. De bi- (dos) y *lateral*. ☐ MORF. Invariable en género. ☐ SEM. Su uso con el significado de 'recíproco' es incorrecto, aunque está muy extendido.

bilbaíno, na adj./s. De Bilbao o relacionado con esta ciudad vizcaína.

biliar o **biliario, ria** adj. De la bilis o relacionado con este jugo del aparato digestivo. ☐ MORF. *Biliar* es invariable en género.

bilingüe adj. **1** Referido a un hablante o a una comunidad de hablantes, que usa perfectamente dos lenguas. **2** Referido a un texto, que está escrito en dos idiomas. ☐ ETIMOL. Del latín *bilinguis*. ☐ MORF. Invariable en género.

bilingüismo s.m. **1** En una comunidad de hablantes, coexistencia de dos lenguas. **2** Uso habitual de dos lenguas por una misma persona. ☐ SEM. Dist. de *diglosia* (bilingüismo en el que una lengua goza de mayor prestigio que la otra).

[bilirrubina s.f. En medicina, sustancia que aparece en la bilis como pigmento y en la sangre como derivado de la hemoglobina.

bilis s.f. **1** En el sistema digestivo de algunos animales superiores, líquido viscoso de color verdoso o amarillento que es segregado por el hígado y que interviene en la digestión junto con el jugo pancreático. **2** Sentimiento de irritación o de amargura. ☐ ETIMOL. Del latín *bilis*. ☐ MORF. Invariable en número. ☐ SEM. Es sinónimo de *hiel*.

billar s.m. **1** Juego de salón que se practica sobre una mesa rectangular forrada de paño y rodeada de bandas elásticas, y que consiste en impulsar unas bolas de marfil con la punta de un taco, intentando hacerlas chocar con otras. **2** Local o establecimiento provisto de mesas para practicar este juego y, generalmente, otros juegos recreativos. ☐ ETIMOL. Del

francés *billard*. ☐ MORF. La acepción 2 se usa más en plural.

billetaje s.m. **1** En un espectáculo o en un servicio públicos, conjunto de billetes o de entradas que se ponen a la venta. **[2** *col*. Conjunto de dinero en billetes.

billete s.m. **1** En un espectáculo o en un servicio públicos, tarjeta o papel que se compra y que da derecho a entrar en ellos, a presenciarlos o a usarlos. **2** Papel impreso o grabado que emite generalmente el banco central de un país y que circula como dinero legal en efectivo; billete de banco, papel moneda. **[3** En el juego de la lotería, número completo, dividido en décimos o en participaciones que se pueden vender por separado. ☐ ETIMOL. Del francés *billet*.

billetera s.f. o **billetero** s.m. Cartera de bolsillo que sirve para llevar billetes, tarjetas o documentos. ☐ USO *Billetero* se usa más para designar los monederos o carteras femeninos.

billón ▌ pron.numer. **1** Número 1.000.000.000.000: *Un billón es un millón de millones.* ▌ s.m. **2** Signo que representa este número: *Un billón es un uno seguido de doce ceros.* ☐ ETIMOL. Del francés *billion*. ☐SINT. Va precedido por de cuando le sigue el nombre de aquello que se numera (un billón de pesetas), pero no cuando lo siguen uno o más numerales (un billón cien mil pesetas). ☐ SEM. Su uso con el significado de 'mil millones' es un anglicismo innecesario, y debe sustituirse por *millardo*.

billonésimo, ma numer. **1** En una serie, que ocupa el lugar número un billón. **2** Referido a una parte, que constituye un todo junto con otras 999.999.999.999 iguales a ella.

bilocular adj. En botánica, referido a un órgano o a un fruto, que tiene dos cavidades o compartimentos. ☐ MORF. Invariable en género.

bilogía s.f. Libro, esp. si es de carácter literario, que consta de dos partes. ☐ ETIMOL. De bi- (dos) y -logía (estudio).

[bimbollo s.m. Panecillo industrial de corteza blanda que se conserva fresco varios días. ☐ ETIMOL. Extensión del nombre de una marca comercial.

bimembre adj. Que tiene dos miembros o dos partes. ☐ MORF. Invariable en género.

bimensual adj. Que sucede dos veces al mes. ☐ ETIMOL. De bi- (dos) y el latín *mensis* (mes). ☐ MORF. Invariable en género. ☐ SEM. Dist. de *bimestral* (cada dos meses; que dura dos meses).

bimestral adj. **1** Que tiene lugar cada dos meses. **2** Que dura dos meses. ☐ MORF. Invariable en género. ☐ SEM. 1. Dist. de *bimensual* (que sucede dos veces al mes). 2. Es sinónimo de *bimestre*.

bimestre ▌ adj. **1** →**bimestral**. ▌ s.m. **2** Período de tiempo de dos meses. ☐ ETIMOL. Del latín *bimestris*, y éste de *bis* (dos) y *mensis* (mes). ☐ MORF. Como adjetivo es invariable en género.

bimotor s.m. Avión provisto de dos motores.

binar v. **1** Referido a una tierra de cultivo, ararla por segunda vez antes de sembrarla: *Después de arada, binó la tierra para hacer surcos más profundos.* **2** Referido a una viña, cavarla por segunda vez: *Tengo que binar la viña para que arraiguen mejor las vides plantadas.* **3** Referido a un sacerdote, celebrar misas en un mismo día: *En verano sólo se queda un cura en el pueblo y tiene que binar.* ☐ ETIMOL. Del latín *binus* (doble).

173   bioquímico, ca

binario, ria adj. Que se compone de dos elementos. ☐ ETIMOL. Del latín *binarius*.

bingo ∎ s.m. **1** Juego de azar en el que cada jugador va tachando los números impresos en su cartón según van saliendo en el sorteo, y en el que gana el que antes los tache todos. **2** Establecimiento público en el que se organizan partidas de este juego. [**3** En ese juego, premio más alto que se da en una partida. ∎ interj. [**4** Expresión que se usa para indicar que se ha acertado en algo. ☐ ETIMOL. Del inglés *bingo*.

binocular ∎ adj. **1** Referido a la visión, que se hace con los dos ojos simultáneamente. ∎ adj./s.m. **2** Referido a un aparato óptico, que se emplea haciendo uso de los dos ojos simultáneamente. ∎ s.m.pl. [**3** Aparato óptico que consta de dos tubos provistos de lentes y que se usa para ver a distancia con los dos ojos. ☐ MORF. Como adjetivo es invariable en género. ☐ SEM. En la acepción 3, dist. de *prismáticos* y *gemelos* (un tipo de binoculares que amplían la imagen por medio de prismas).

binóculo s.m. Gafas sin patillas, que se sujetan sólo sobre la nariz. ☐ ETIMOL. Del latín *binus* (doble) y *oculus* (ojo). 🔍 gafas

binomio s.m. **1** En matemáticas, expresión algebraica compuesta de dos términos que están unidos por el signo de la suma o por el de la resta: *La expresión 'a + b' es un binomio.* **2** Conjunto formado por dos personas, esp. si actúan en estrecha colaboración. ☐ ETIMOL. Del latín *binomium*, y éste del griego *ek dýo onomáton* (de dos nombres).

binza s.f. **1** En una cebolla, piel delgada y delicada que la recubre. **2** En el huevo de un ave, piel delgada y delicada que recubre la parte interior de la cáscara; fárfara. [**3** En un líquido en reposo, telilla que se forma en su superficie. ☐ ETIMOL. Del latín *vinctiare* (atar).

bio- Elemento compositivo que significa 'vida' (*biografía*, *biogénesis*, *biología*) o indica relación con la vida o con los seres vivos (*biosfera*, *bioelectricidad*, *bioclimatología*). ☐ ETIMOL. Del griego *bíos*. ☐ USO En la lengua actual, se usa mucho antepuesto a otras palabras para indicar la intervención o utilización de agentes exclusivamente naturales: *bioagricultura*, *biomedicina*.

[**bioagricultura** s.f. Modalidad de la agricultura en la que se respetan los ciclos naturales de las plantas y se prescinde de abonos artificiales o de otros productos químicos.

[**biobasura** s.f. Basura de origen orgánico.

[**biocatalizador** s.m. En química, sustancia que acelera la velocidad de las reacciones químicas en los organismos vivos.

biocenosis s.f. En biología, comunidad natural formada por las poblaciones vegetales y animales que viven en un biotopo o área determinados. ☐ ETIMOL. De *bio-* (vida) y el griego *koinós* (común). ☐ MORF. Invariable en número.

[**bioclimático, ca** adj. De la bioclimatología o relacionado con la interacción entre clima y seres vivos.

[**bioclimatología** s.f. Estudio de las relaciones que hay entre el clima y los organismos vivos.

[**biocombustible** s.m. Combustible que no contamina.

biodegradable adj. Referido a una sustancia, que puede degradarse o descomponerse de manera natural, por la acción de agentes biológicos. ☐ ETIMOL.

De *bio-* (vida) y *degradable*. ☐ MORF. Invariable en género.

biodegradación s.f. Degradación o descomposición natural de una sustancia por la acción de agentes biológicos.

biodinámica s.f. Estudio de los efectos que las fuerzas que provocan o modifican un movimiento ejercen sobre los organismos vivos.

[**biodiversidad** s.f. Diversidad o variedad de especies vegetales y animales.

bioética s.f. Ciencia que estudia los aspectos éticos de la medicina, de la biología y de las relaciones del hombre con los restantes seres vivos.

biofísico, ca ∎ adj. **1** De la biofísica o relacionado con esta aplicación de la física. ∎ s. **2** Persona que se dedica a los estudios biofísicos. ∎ s.f. **3** Aplicación de los principios y métodos de la física al estudio de las estructuras de los organismos vivos y al estudio de los mecanismos de los fenómenos biológicos. ☐ ETIMOL. De *bio-* (vida) y *física*.

[**biogénesis** s.f. **1** Origen y desarrollo de la vida. **2** En biología, génesis o nacimiento de un organismo vivo a partir de otro. ☐ MORF. Invariable en número.

biografía s.f. Respecto de una persona, relato o historia de su vida. ☐ SEM. Dist. de *bibliografía* (relación o catálogo de libros).

biográfico, ca adj. De la biografía. ☐ SEM. Dist. de *bibliográfico* (de la bibliografía).

biógrafo, fa s. Persona que se dedica a hacer biografías, generalmente por escrito. ☐ ETIMOL. De *bio-* (vida) y *-grafo* (que escribe). ☐ SEM. Dist. de *bibliógrafo* (el que estudia, describe y clasifica los libros).

[**bioindicador** s.m. Organismo vivo que se usa como indicador de algo, generalmente de contaminación.

biología s.f. Ciencia que estudia a los seres vivos y los fenómenos vitales en todos sus aspectos. ☐ MORF. Cuando se antepone al nombre de una ciencia para formar compuestos, adopta la forma *bio-*: *biofísica, bioingeniería, biomecánica, bioquímica.*

biológico, ca adj. **1** De la biología o relacionado con esta ciencia. [**2** Que utiliza agentes exclusivamente naturales.

biólogo, ga s. Persona que se dedica al estudio de los seres vivos y de los fenómenos vitales, esp. si es licenciado en biología. ☐ ETIMOL. De *bio-* (vida) y *-logo* (estudioso).

biombo s.m. Mueble formado por varias láminas rectangulares colocadas verticalmente y unidas mediante bisagras de forma que pueden plegarse. ☐ ETIMOL. Del portugués *biombo*, y éste del japonés *byóbu*.

[**biónico, ca** ∎ adj. **1** De la biónica o relacionado con esta rama de la ingeniería. ∎ s.f. **2** En ingeniería, aplicación tecnológica del estudio de las funciones y estructuras biológicas a la creación de sistemas electrónicos: *El marcapasos es una aplicación de la 'biónica' a la medicina.*

biopsia s.f. En medicina, extracción y análisis de tejidos, células o líquidos de un ser vivo, que se realiza para completar o confirmar un diagnóstico. ☐ ETIMOL. De *bio-* (vida) y el griego *óps* (vista).

bioquímico, ca ∎ adj. **1** De la bioquímica o relacionado con esta rama de la química. ∎ s. **2** Persona que se dedica a los estudios bioquímicos. ∎ s.f.

3 Rama de la química que estudia la constitución y las transformaciones químicas de los seres vivos.
biorritmo s.m. Variación cíclica en la actividad de los procesos vitales de una persona o de un animal.
biosfera s.f. Zona terrestre en la que existe la vida y que está constituida por la parte inferior de la atmósfera, la hidrosfera y la parte superior de la litosfera. □ ETIMOL. De *bio-* (vida) y *esfera*.
[biosíntesis s.f. En biología, formación de sustancias en el interior de un ser vivo. □ MORF. Invariable en número.
biótico, ca adj. De los seres vivos. □ ETIMOL. Del griego *bíos* (vida).
biotipo s.m. **1** En biología, animal o planta que se consideran representativos de su especie, variedad o raza por la perfección de los caracteres hereditarios que presentan. **[2** En biología, grupo de individuos que poseen la misma composición de genes. **[3** En psicología, tipo biológico que presenta una correlación entre su constitución física y sus reacciones psíquicas. □ ETIMOL. De *bio-* (vida) y el griego *týpos* (tipo).
biótopo s.m. Área geográfica con unas condiciones determinadas, en la que vive una biocenosis o comunidad de especies animales y vegetales. □ ETIMOL. De *bio-* (vida) y el griego *tópos* (lugar). □ PRON. Aunque la pronunciación correcta es [biótopo], en círculos especializados se usa más [biotópo]. □ SEM. Dist. de *ecosistema* (sistema biológico formado por el biótopo y por la comunidad de especies que viven en él) y de *hábitat* (área en la que vive una determinada especie).
bióxido s.m. En química, combinación de un radical simple o compuesto con dos átomos de oxígeno. □ ETIMOL. De *bi-* (dos) y *óxido*.
[bíparo, ra adj. Referido a un animal o a una especie, que tiene dos crías en un solo parto. □ ETIMOL. De *bi-* (dos) y *-paro* (que pare). □ SEM. Dist. de *uníparo* (que tiene una cría en cada parto) y de *multíparo* (que tiene varias crías en cada parto).
bipartición s.f. División en dos partes.
bipartidismo s.m. Sistema político que se basa en la alternancia en el gobierno de dos partidos fuertes y mayoritarios.
bipartidista adj. Del bipartidismo o relacionado con este sistema político. □ MORF. Invariable en género.
bipartido, da adj. Que está dividido en dos partes. □ ETIMOL. Del latín *bipartitus*, y éste de *bis* (dos veces) y *partitus* (partido).
bipartito, ta adj. Que consta de dos partes, esp. referido a una negociación o a una reunión.
bípedo, da adj./s.m. Referido a un animal, que tiene dos pies o dos patas. □ ETIMOL. Del latín *bipes*, y éste de *bi-* (dos) y *pes* (pie).
[bipinnado, da adj. En botánica, referido a una hoja, dos veces pinnada o con el peciolo ramificado en peciolillos, que a su vez están ramificados en hojuelas.
biplano s.m. Aeroplano con dos alas paralelas en cada costado.
biplaza adj./s.m. Referido a un vehículo, de dos plazas. □ MORF. 1. Como adjetivo es invariable en género. 2. La RAE sólo lo registra como sustantivo masculino.
bipolar adj. Que tiene dos polos o dos extremos opuestos. □ MORF. Invariable en género.
biquini s.m. →**bikini**.

[birdie (anglicismo) s.m. En golf, jugada en la que se logra meter la pelota en el hoyo con un golpe menos de los fijados en su par. □ PRON. [bérdi]. □ USO Su uso es innecesario y puede sustituirse por una expresión como *uno bajo par* o *menos uno*.
birimbao s.m. Instrumento musical pequeño, en forma de herradura, con una lengüeta de acero en medio que se hace vibrar con el dedo. □ ETIMOL. De origen onomatopéyico.
birlar v. col. Quitar sin violencia y con astucia: *Me birlaron la cartera en el metro sin que me diera cuenta.* □ ETIMOL. Del antiguo *birlo* (bolo).
birlocha s.f. Juguete formado por un armazón ligero cubierto de tela, papel o plástico, que se suelta para que el viento la eleve y se mantiene sujeto con un cordel largo; cometa. □ ETIMOL. De *milocha* (cometa).
birlocho s.m. Coche de caballos ligero y descubierto, de cuatro ruedas, con cuatro asientos y abierto por los lados sin portezuelas. □ ETIMOL. Del italiano *biroccio* (carreta de dos ruedas).
birmano, na adj./s. De Myanmar o relacionado con este país asiático, antes denominado *Birmania*.
birome s.f. En zonas del español meridional, bolígrafo. □ ETIMOL. Del inglés *biro*, y éste del inventor húngaro Biro.
[birra (italianismo) s.f. col. Cerveza.
birreme adj./s.m. Referido a una embarcación, con dos filas de remos a cada lado. □ ETIMOL. Del latín *biremis*, y éste de *bis* (dos) y *remus* (remo). □ MORF. Como adjetivo es invariable en género.
birreta s.f. Gorro cuadrangular que usan los eclesiásticos, generalmente con una borla grande en la parte superior; birrete.
birrete s.m. **1** Gorro con forma de prisma y una borla en la parte superior, que usan en actos oficiales los doctores y catedráticos universitarios, magistrados, jueces y abogados. **2** →**birreta**. □ ETIMOL. Del provenzal antiguo *birret*, y éste del latín *birrus* (capote con capucha). ✺ sombrero
birria I adj./s.f. **1** col. De mala calidad, mal hecho o de poco valor. **I** s. **2** col. Persona con pocas cualidades y poco digna de aprecio. **I** s.f. **[3** En zonas del español meridional, carne de borrego o de chivo, cocida en barbacoa. □ MORF. 1. Como adjetivo es invariable en género. 2. En la acepción 2, es de género común: *el birria, la birria*. 3. La RAE sólo lo registra como sustantivo. □ SEM. Como adjetivo es sinónimo de *birrioso*. □ USO En las acepciones 1 y 2 es despectivo.
[birrioso, sa adj. col. De mala calidad, mal hecho o de poco valor; birria.
biruje o **biruji** s.m. col. Viento helado.
bis I s.m. **1** En un concierto o en un recital, repetición de un fragmento o de una pieza fuera del programa, a petición del público. **I** adv. **2** Indica repetición de lo que sigue o de lo que precede. □ ETIMOL. Del latín *bis* (dos veces). □ ORTOGR. Dist. de *vis*.
bisabuelo, la I s. **1** Respecto de una persona, padre o madre de su abuelo o de su abuela. **I** s.m.pl. **2** Respecto de una persona, padres de su abuelo, o de su abuela, o de los dos. □ ETIMOL. De *bis-* (dos veces) y *abuelo*.
bisagra s.f. Mecanismo de metal con dos piezas unidas por un eje común, que se fijan en dos superficies separadas para juntarlas permitiendo el

giro de una sobre otra. ☐ ETIMOL. De origen incierto.

bisar v. En un concierto o en un recital, referido a un fragmento o a una pieza, repetirlos fuera del programa, a petición del público: *El grupo bisó dos canciones al final del concierto.* ☐ ORTOGR. Dist. de *visar*.

bisbisar o **bisbisear** v. col. Hablar en voz muy baja produciendo un murmullo; musitar: *Los oí bisbisear en la sala, pero no entendí qué decían.* ☐ USO Aunque la RAE prefiere *bisbisar*, se usa más *bisbisear*.

bisbiseo s.m. Murmullo suave que se produce al hablar en voz muy baja.

biscocho s.m. En zonas del español meridional, bizcocho.

biscote s.m. Rebanada de pan tostado, seca y dura, que se puede conservar mucho tiempo. ☐ ETIMOL. Del francés *biscotte*, y éste del italiano *biscotto*.

[biscuit (galicismo) s.m. **1** →galleta. **2** →bizcocho.** ☐ PRON. [biscuít]. ☐ USO Su uso es innecesario.

bisección s.f. En geometría, división de una figura en dos partes iguales. ☐ ORTOGR. Dist. de *disección*.

bisector, triz adj./s. En geometría, que divide en dos partes iguales, esp. referido a un plano o a una recta. ☒ ángulo

bisel s.m. En algunas superficies, esp. en una lámina o en una plancha, corte oblicuo que se realiza en el borde. ☐ ETIMOL. Del francés antiguo *bisel*.

biselar v. Referido a una lámina o a una plancha, hacer biseles o cortar el borde de forma oblicua: *Biseló el cristal para que no tuviera aristas.*

bisemanal adj. **1** Que sucede o se repite dos veces por semana. **2** Que sucede o se repite cada dos semanas. ☐ ETIMOL. De *bi-* (dos) y *semana*. ☐ MORF. Invariable en género.

bisemanario s.m. Publicación que aparece cada dos semanas.

bisexual ▌adj. **[1** De la bisexualidad o relacionado con esta inclinación sexual. ▌adj./s. **2** Referido a una persona, que siente atracción sexual por individuos de ambos sexos. ☐ ETIMOL. De *bi-* (dos) y el latín *sexus* (sexo). ☐ MORF. 1. Como adjetivo es invariable en género. 2. Como sustantivo es de género común: *el bisexual, la bisexual*.

[bisexualidad s.f. **1** Atracción sexual por individuos de ambos sexos. **2** Práctica de relaciones sexuales con individuos de ambos sexos.

bisiesto s.m. →año bisiesto. ☐ ETIMOL. Del latín *bisextus* (día que en los años bisiestos se agregaba entre el 24 y el 25 de febrero).

bisilábico, ca adj. →bisílabo.

bisílabo, ba adj./s.m. De dos sílabas; disílabo. ☐ SEM. Como adjetivo es sinónimo de *bisilábico*.

bismuto s.m. Elemento químico, metálico y sólido, de número atómico 83, de color gris rojizo brillante, muy frágil y fácil de fundir. ☐ ETIMOL. Del alemán *Wismut*, y éste de *Wiese* (prado) y *muten* (aspirar), porque se extrajo por primera vez en Wiesen (los Prados) en Bohemia. ☐ ORTOGR. Su símbolo químico es Bi.

bisnieto, ta s. Respecto de una persona, hijo o hija de su nieto o de su nieta. ☐ ETIMOL. De *bis-* (dos veces) y *nieto*. ☐ ORTOGR. Se admite también *biznieto*.

bisojo, ja adj./s. Referido a una persona, que padece

estrabismo y tiene los ojos desviados respecto de su posición normal. ☐ ETIMOL. Del latín *versare* (volver) y *oculus* (ojo). ☐ SEM. 1. Dist. de *tuerto* (sin visión en un ojo). 2. Es sinónimo de *bizco* y *estrábico*.

bisonte s.m. **1** Mamífero rumiante bóvido, de cuerpo grande, robusto y más elevado hacia la cabeza, con cuernos pequeños y separados, con barba y con la frente y el cuello cubiertos por una larga melena; bisonte americano, búfalo. ☒ rumiante **2** ‖**bisonte europeo**; el de menor altura pero más pesado y con el pelaje castaño rojizo. ☐ ETIMOL. Del latín *bison*, y éste del griego *bíson* (toro salvaje). ☐ MORF. Es un sustantivo epiceno: *el bisonte macho, el bisonte hembra*.

bisoñé s.m. Peluca que cubre sólo la parte anterior de la cabeza. ☐ ETIMOL. Quizá del francés *besogneux* (necesitado), porque lo usaban quienes no podían pagarse una peluca entera.

bisoñería s.f. col. →bisoñada.

bisoño, ña adj./s. col. Referido a una persona, que no tiene experiencia o que es nueva en una profesión o en una actividad; novato. ☐ ETIMOL. Del italiano *bisogno* (necesidad), aplicado por los italianos en el siglo XVI a los soldados españoles, por lo mal vestidos que iban.

bisté o **bistec** s.m. Filete o trozo de carne que se asa o se fríe. ☐ ETIMOL. Del inglés *beef-steak*, y éste de *beef* (buey) y *steak* (tajada). ☐ MORF. Su plural es *bistés* o *bistecs*.

[bistró o **[bistrot** (galicismo) s.m. Restaurante al estilo de las casas de comida francesas. ☐ PRON. [bistró].

bisturí s.m. Instrumento de cirugía formado por una hoja larga, estrecha y cortante, y que se usa para hacer cortes precisos. ☐ ETIMOL. Del francés *bistourí*. ☐ MORF. Aunque su plural en la lengua culta es *bisturíes*, la RAE admite también *bisturís*.

bisutería s.f. Joyería que no utiliza materiales preciosos, pero que generalmente la imita. ☐ ETIMOL. Del francés *bijouterie*.

bit (anglicismo) s.m. En informática, unidad mínima de almacenamiento de información. ☐ ETIMOL. Es un acrónimo que procede de la sigla *Binary Digit* (dígito binario). ☐ PRON. [bit]. ☐ SEM. Dist. de *byte* (ocho bites).

bitácora s.f. En una embarcación, armario próximo al timón, en el que se coloca la brújula. ☐ ETIMOL. Del francés *bitacle*, y éste del latín *habiticulum* (vivienda).

bíter s.m. Bebida alcohólica de color rojo y sabor amargo que se hace macerando en ginebra diversas plantas. ☐ ETIMOL. Del holandés *bitter* (amargo). ☐ MORF. Aunque su plural es *bíteres*, se usa mucho como invariable en número: *los bíter*.

biunívoco, ca adj. Referido esp. a una correspondencia matemática, que asocia cada uno de los elementos de un conjunto con uno, y sólo uno, de los elementos del otro conjunto, y cada elemento de este último con uno, y sólo uno, de los de aquél. ☐ ETIMOL. De *bi-* (dos) y *unívoco*.

bivalente adj. En química, referido a un elemento, que tiene dos valencias o posibilidades de combinación con otros elementos. ☐ MORF. Invariable en género.

bivalvo, va ▌adj./s.m. **1** Referido a un animal, que tiene dos valvas o piezas duras y móviles que encajan una en otra. ▌s.m.pl. **[2** En zoología, grupo de estos animales. ☐ MORF. En la acepción 1, la RAE sólo lo registra como adjetivo.

bizantino, na ▮ adj. **1** Referido a una discusión, sin utilidad por ser demasiado complicada y sutil. ▮ adj./s. **2** De Bizancio (antigua colonia griega e imperio romano de Oriente), o relacionado con él. ☐ MORF. En la acepción 2, la RAE sólo lo registra como adjetivo.

bizarría s.f. **1** Valor y decisión en la forma de actuar; gallardía. **2** Actitud desinteresada, generosa y espléndida.

bizarro, rra adj. **1** Que actúa con valor, con ánimo y con decisión; gallardo, valiente. **2** Referido a una persona, generosa y espléndida. ☐ ETIMOL. Del italiano *bizzarro* (iracundo, furioso).

bizcar v. →**bizquear.** ☐ ORTOGR. La *c* se cambia en *qu* delante de *e* →SACAR.

bizco, ca ▮ adj. **1** Referido a la mirada o a un ojo, que están desviados de su trayectoria normal. ▮ adj./s. **2** Referido a una persona, que padece estrabismo y tiene los ojos desviados respecto de su posición normal. ☐ ETIMOL. De origen incierto. ☐ SEM. **1.** Dist. de *tuerto* (sin visión en un ojo). **2.** En la acepción 2, es sinónimo de *bisojo* y *estrábico.*

bizcocho s.m. **1** Dulce elaborado con una masa cocida al horno y hecha de harina, huevos y azúcar. **2** Pan sin levadura cocido dos veces para que se conserve más tiempo. **3** Objeto de porcelana o de loza cocido una o dos veces y sin barnizar. **4** ‖ **(bizcocho) borracho;** pastel con forma generalmente redondeada, emborrachado o empapado en almíbar. ☐ ETIMOL. Del latín *bis coctus* (cocido dos veces). ☐ USO Es innecesario el uso del galicismo *biscuit.*

[*bizkaitarra* (del vasco) adj./s. →**vizcaitarra.** ☐ USO Su uso es innecesario.

biznieto, ta s. →**bisnieto.**

bizquear v. Referido a una persona, padecer estrabismo o simularlo desviando uno de sus ojos respecto de su posición normal: *Los que bizquean tienen los ojos torcidos.* ☐ ORTOGR. Se admite también *bizcar.*

bizquera s.f. col. Desviación de un ojo respecto de su posición normal; estrabismo.

[*blackjack* s.m. →**veintiuna.** ☐ PRON. [blacyác]. ☐ USO Es un anglicismo innecesario.

blanca s.f. Véase **blanco, ca.**

blanco, ca ▮ adj. **1** De color más claro en relación con algo de la misma especie o clase, esp. referido al pan o al vino. ▮ adj./s. **2** Del color de la nieve o de la leche. **3** Referido a una persona, que pertenece al grupo étnico caracterizado por el color pálido de su piel. ▮ s.m. **4** Objeto que se sitúa a cierta distancia y sobre el cual se dispara para ejercitarse en el tiro y en la puntería. **5** Objetivo hacia el que se dirige un disparo o un lanzamiento. **6** Objetivo o fin al que se dirige un acto, un deseo o un pensamiento. **7** Hueco o espacio entre dos cosas. **8** En un escrito, espacio que queda sin llenar. ✍ libro ▮ s.f. **9** En música, nota que dura la mitad de una redonda y que se representa con un círculo no relleno y una barrita vertical pegada a uno de sus lados. **10** ‖ **en blanco; 1** Referido a un papel, sin escribir, sin imprimir o sin marcar. **2** Referido a un cheque, firmado por el titular de la cuenta bancaria pero sin haber escrito en él la cantidad de dinero correspondiente. ‖ **{estar/quedarse} en blanco;** no comprender lo que se oye o se lee y quedarse sin reaccionar o sin

poder pensar. ‖ **no tener (ni) blanca;** col. No tener dinero. ‖ **sin blanca;** col. Sin dinero. ☐ ETIMOL. Del germánico *blank* (brillante, blanco).

blancor s.m. o **blancura** s.f. Propiedad de ser o de parecer de color blanco.

blancuzco, ca adj. De color semejante al blanco o de un blanco sucio.

blandengue ▮ adj. **1** Referido a una materia, con blandura poco agradable. ▮ adj./s. **2** Referido a una persona, muy débil física o anímicamente. ☐ MORF. **1.** Como adjetivo es invariable en género. **2.** Como sustantivo es de género común: *el blandengue, la blandengue.* **3.** En la acepción 2, la RAE lo registra sólo como adjetivo. ☐ USO Tiene un matiz despectivo.

blandenguería s.f. Debilidad física o anímica de una persona.

blandir v. Referido esp. a un arma, moverla o agitarla haciéndola vibrar en el aire: *El general lo amenazó blandiendo la espada.* ☐ ETIMOL. Del francés *brandir.* ☐ MORF. Verbo defectivo: sólo se usan las formas que presentan *i* en su desinencia →ABOLIR.

blando, da adj. **1** Referido a una materia, que se corta o se deforma con facilidad, esp. al presionarla. **2** Referido a una persona, esp. a su carácter, excesivamente benévolo o falto de energía y de severidad. **3** Referido a una persona, esp. a su carácter, tranquilo, suave y apacible. **4** Suave y sin violencia. **5** Referido a una persona, con poca capacidad para los esfuerzos físicos. **[6** Referido a una droga, que no produce adicción o que tiene efectos no demasiado peligrosos. **[7** En geología, referido a un mineral, que se puede rayar con facilidad. ☐ ETIMOL. Del latín *blandus* (tierno, lisonjero).

blandura s.f. Propiedad de ser o de parecer blando.

blanqueado s.m. →**blanqueo.**

blanquear v. **1** Poner de color blanco; emblanquecer: *La nieve blanqueó todo el valle.* **2** Referido a una pared o a un techo, aplicarles una o varias capas de cal o de yeso blanco diluidos en agua: *En los pueblos del sur blanquean las casas con cal.* **3** Referido a un metal, esp. al oro y a la plata, limpiarlo y sacarle su color: *El platero blanqueó la bandeja de plata.* **4** Referido a una materia orgánica, decolorarla mediante la supresión de las sustancias que le dan color: *La lana y la seda son materias que se blanquean.* **5** col. Referido al dinero conseguido por medios ilegales, hacerlo legal: *Un modo de blanquear dinero negro es la compra de inmuebles.* **6** Ser de color semejante al blanco, o ir adquiriendo este color: *Le ha dado tanto el sol a esa tela que ya empieza a blanquear.* ☐ SEM. En las acepciones 1 y 3, es sinónimo de *blanquecer.*

blanquecer v. **1** →**blanquear. 2** →**emblanquecer.** ☐ MORF. Irreg. →PARECER.

blanquecino, na adj. De color semejante al blanco o con tonalidades blancas.

blanqueo s.m. **1** Proceso mediante el que se da color blanco a algo; emblanquecimiento. **2** Decoloración de una materia orgánica mediante la supresión de las sustancias que le dan color. **3** Limpieza de un metal para sacarle su color. **4** col. Legalización de un dinero conseguido por medios ilegales. ☐ SEM. Es sinónimo de *blanqueado.*

[*blanquiazul* adj./s. col. De cualquier equipo cuya camiseta tenga los colores blanco y azul, o relacionado con él. ☐ MORF. **1.** Como adjetivo es invariable en género. 2. Como sustantivo es de género común: *el 'blanquiazul', la 'blanquiazul'*.

[**blanquirrojo, ja** adj./s. *col.* De cualquier equipo cuya camiseta tenga los colores rojo y blanco, o relacionado con él; rojiblanco.

[**blanquita** s.f. Mariposa diurna de color blanco y amarillo, cuya oruga es muy dañina para los cultivos de coles y de otras crucíferas.

[**blanquiverde** adj./s. *col.* De cualquier equipo deportivo cuya camiseta tenga los colores blanco y verde, o relacionado con él; verdiblanco. □ MORF. 1. Como adjetivo es invariable en género. 2. Como sustantivo es de género común: *el 'blanquiverde', la 'blanquiverde'*.

[**blanquivioleta** adj./s. *col.* Del Real Valladolid Club de Fútbol (club deportivo vallisoletano) o relacionado con él. □ MORF. 1. Como adjetivo es invariable en género. 2. Como sustantivo es de género común: *el 'blanquivioleta', la 'blanquivioleta'*.

blasfemar v. **1** Referido a algo o a alguien, ultrajarlo de palabra, esp. si se considera sagrado o digno de respeto: *Blasfemó contra Dios y contra los santos*. **2** Decir blasfemias o maldecir; renegar: *Blasfemaba de los que lo habían injuriado y ofendido*. □ SINT. 1. Constr. de la acepción 1: *blasfemar* CONTRA *algo*. 2. Constr. de la acepción 2: *blasfemar* DE *algo*.

blasfematorio, ria adj. Que contiene blasfemia; blasfemo.

blasfemia s.f. **1** Palabra, significado o expresión ultrajantes contra lo que se considera sagrado, esp. contra Dios. **2** Palabra, significado o expresión que ultraja gravemente, esp. si es contra lo que se considera digno de respeto.

blasfemo, ma ∎ adj. **1** Que contiene blasfemia; blasfematorio. ∎ adj./s. **2** Que dice blasfemias. □ ETIMOL. Del latín *blasphemus*.

blasón s.m. **1** En heráldica, superficie u objeto con forma de escudo defensivo donde se pintan las figuras o piezas que son distintivos de un reino, de una ciudad, de un linaje o de una persona; armas, escudo de armas. **2** En heráldica, en un escudo, cada una de estas figuras o piezas. **3** Honor o fama, esp. los adquiridos por la realización de acciones nobles o grandiosas. **4** ‖ **hacer blasón de** algo; hacer ostentación de ello con alabanza propia. □ ETIMOL. Del francés *blason*.

blasonado, da adj. Referido a una persona, que es ilustre por sus blasones.

blasonar v. Hacer ostentación de algo con alabanza propia: *Blasona de la gente rica que conoce, y no es para tanto*. □ ETIMOL. De *blasón*. □ SINT. Constr. *blasonar* DE *algo*.

blasonería s.f. Hecho o dicho propios de alguien que blasona o presume de valiente sin serlo; baladronada, bravata.

[**blaugrana** (catalanismo) adj./s. Del Fútbol Club Barcelona (club deportivo catalán) o relacionado con él. □ MORF. Es de género común: *el 'blaugrana', la 'blaugrana'*. □ USO Su uso es innecesario y puede sustituirse por *azulgrana*.

[**blazer** s.f. Chaqueta generalmente hecha de franela y de un determinado color, como la usada por los miembros de un equipo deportivo o de una escuela. □ PRON. [bléiser]. □ USO Es un anglicismo innecesario.

bledo ‖ **un bledo**; muy poco o nada. □ ETIMOL. Del latín *blitum*. □ SINT. Se usa más con los verbos *im-*

portar, valer o equivalentes, y en expresiones negativas.

blenda s.f. Sulfuro de cinc, que se encuentra en la naturaleza en cristales brillantes y cuyo color va del amarillo rojizo al pardo oscuro: *La blenda es un mineral del que se extrae el cinc*. □ ETIMOL. Del alemán *Blende*, y éste de *blenden* (cegar, engañar), porque se parece a la galena, pero no produce plomo.

blenorragia s.f. Enfermedad infecciosa de transmisión sexual, que consiste en la inflamación de las vías urinarias y genitales, y que produce un flujo excesivo de moco genital. □ ETIMOL. Del griego *blénna* (mucosidad) y *-rragia* (flujo, derramamiento).

blenorrea s.f. En medicina, blenorragia crónica. □ ETIMOL. Del griego *blénna* (mucosidad) y *-rrea* (flujo, emanación).

blindaje s.m. **1** Cubrimiento con planchas metálicas u otro material difícilmente penetrable, a fin de proteger un lugar, un objeto o lo que hay en su interior. **2** Conjunto de materiales que se usan para proteger exteriormente un objeto o un lugar o lo que hay en su interior.

blindar v. Referido esp. a un vehículo o a una puerta, cubrirlos con planchas metálicas u otro material difícilmente penetrable para protegerlos o proteger lo que hay en su interior: *Ese coche militar está blindado contra las balas y el fuego*. □ ETIMOL. Del francés *blinder*, y éste del alemán *blenden* (cegar).

blister s.m. Envase para varios productos pequeños que está formado por un soporte de cartón sobre el que va pegada una lámina de plástico transparente con cavidades en las que se alojan los distintos artículos: *Hasta el momento de usarlas, las pilas se conservan mejor en el blister*. □ ETIMOL. Del inglés *blisterpack*. □ PRON. [blíster].

bloc s.m. Conjunto de hojas de papel superpuestas, esp. si constituyen un cuaderno. □ SEM. Aunque la RAE lo considera sinónimo de *bloque*, en la lengua actual no se usa como tal.

[**blocaje** s.m. En fútbol, parada de un balón por parte del portero, que lo coge con las manos protegiéndolo con el cuerpo.

[**blocar** v. **1** En fútbol, referido al balón, pararlo con las manos y sujetarlo con seguridad contra el cuerpo: *El balón iba con tanta fuerza que el portero no pudo 'blocarlo'*. **2** En rugby, referido a un jugador, detenerlo o impedir que avance: *Se abalanzaron sobre él tres jugadores y lo 'blocaron' sin que pudiera moverse*. **3** En boxeo, referido a un golpe, pararlo con los brazos o los puños: *No le rozó ni la cara porque 'blocó' todos sus golpes*. □ ETIMOL. Del francés *bloquer*. □ ORTOGR. La *c* se cambia en *qu* delante de *e* →SACAR. □ USO Su uso es innecesario y puede sustituirse por una expresión como *bloquear, detener* o *impedir el paso*.

blonda s.f. Véase **blondo, da.**

blondina s.f. Encaje de seda estrecho.

blondo, da ∎ adj. **1** *poét.* Rubio. ∎ s.f. **2** Encaje de seda. □ ETIMOL. La acepción 1, del francés *blond*. La acepción 2, del francés *blonde*, y éste de *blond* (rubio), porque se hacían del color de la seda cruda.

[**bloody mary** (anglicismo) ‖ Cóctel elaborado con vodka y zumo de tomate. □ ETIMOL. Por alusión a María Tudor, reina de Inglaterra, famosa por su

persecución implacable contra los protestantes. □
PRON. [blódi méri].

[bloomers (anglicismo) s.m.pl. En zonas del español
meridional, braga. □ PRON. [blúmers].

bloque s.m. **1** Trozo de piedra o de otro material,
de grandes dimensiones y sin labrar. **2** Pieza con
forma de paralelepípedo rectangular, esp. si es de
materia dura. **3** En un núcleo de población, edificio
grande que tiene varias viviendas de características
parecidas. **4** Conjunto compacto o coherente de cosas con alguna característica común. **5** Conjunto de
hojas superpuestas y pegadas o sujetas por uno de
sus lados de modo que puedan desprenderse fácilmente. □ ETIMOL. Del francés *bloc*. □ SEM. En la
acepción 5, aunque la RAE lo considera sinónimo de
bloc, en la lengua actual no se usa como tal.

bloquear v. **[1** Referido a un lugar, impedir o interrumpir el paso o el movimiento a través de él: *La
nevada 'ha bloqueado' las carreteras.* **[2** Referido a
algo que se mueve, interrumpir su trayectoria para
impedir que llegue a su destino: *El guardameta
'bloqueó' el balón y no hubo gol.* **3** Referido a un mecanismo, frenar o impedir su funcionamiento: *Blo-
quea el coche con el freno de mano. Se bloqueó la
cerradura porque está oxidada.* **4** Paralizar la capacidad de actuación o la capacidad mental: *Es fácil
que los nervios bloqueen la mente. En situaciones de
peligro me bloqueo y no reacciono.* **5** Referido a un
proceso, impedir o frenar su desarrollo: *Un país puede bloquear las relaciones diplomáticas con otro.* **6**
En economía, referido a una cantidad de dinero o un crédito, inmovilizarlos para evitar que pueda disponerse de ellos: *Han ordenado bloquear sus cuentas bancarias.* **7** Referido a la prestación de un servicio, impedir
o interrumpir su funcionamiento por exceso de demanda: *Las muchas felicitaciones que se envían en
navidades bloquean el correo. Las líneas se bloquean cuando hay muchas llamadas telefónicas.* □
ETIMOL. Del francés *bloquer* (hacer un bloque).

bloqueo s.m. **[1** Interrupción del paso o del movimiento a través de un lugar. **[2** Interrupción de
la trayectoria de algo que se mueve para impedir
que llegue a su destino. **3** Obstrucción o entorpecimiento del funcionamiento de un mecanismo. **4**
Paralización de la capacidad de actuación o de la
capacidad mental. **5** Interrupción del desarrollo de
un proceso, generalmente con un obstáculo. **6** Inmovilización de una cantidad de dinero o de un crédito para evitar que pueda disponerse de ellos. **7**
Referido a la prestación de un servicio, interrupción de
su funcionamiento por exceso de demanda.

[blue-jean (anglicismo) s.m. En zonas del español
meridional, pantalón vaquero. □ PRON. [blu-yin].

blues (anglicismo) s.m. Música y canto melancóli-
cos y lentos, propios del folclore negro norteamericano y surgidos a principios del siglo XIX. □ PRON.
[blus]. □ MORF. Invariable en número.

[bluff (anglicismo) s.m. Fanfarronada, engaño o camelo. □ PRON. [bluf]. □ USO Su uso es innecesario
y puede sustituirse por *engaño* o *camelo*.

[blúmer s.m. En zonas del español meridional, braga.
□ ETIMOL. Del inglés *bloomers*. □ MORF. 1. Se usa
mucho el plural *blúmers*. 2. En plural tiene el mismo significado que en singular.

blusa s.f. Prenda de vestir femenina, de tela fina,
que cubre la parte superior del cuerpo, y general-

mente es abierta por delante o por detrás y se cierra con botones. □ ETIMOL. Del francés *blouse*.

blusón s.m. Blusa larga y con mangas, muy holgada y suelta.

[bluyin s.m. En zonas del español meridional, pantalón
vaquero. □ ETIMOL. Del inglés *blue-jean*. □ MORF.
1. Su plural es *bluyines*. 2. En plural tiene el mismo
significado que en singular.

boa ▌ s.m. **1** Prenda de vestir en forma de serpiente, que se coloca como adorno alrededor del cuello
y está hecha de plumas o de piel. ▌ s.f. **2** Serpiente
americana no venenosa, de gran tamaño y fuerza,
que tiene la piel con vistosos dibujos. 🔻 serpiente
□ ETIMOL. Del latín *boa* (serpiente acuática). □
MORF. En la acepción 2, es un sustantivo epiceno:
la boa macho, la boa hembra.

boardilla s.f. →**buhardilla.**

[boat people (anglicismo) ‖ Persona que intenta
huir por mar de su país, por hallarse éste en situación de guerra.

[boatiné s.f. Tela acolchada con relleno de guata.

boato s.m. Lucimiento y manifestación de grandeza
en las formas exteriores. □ ETIMOL. Del latín *boatus*
(grito ruidoso, mugido).

bobada s.f. **1** Hecho o dicho sin fundamento o sin
base lógica. **[2** col. Lo que se considera sin importancia o de poco valor. □ SEM. Es sinónimo de *tontería.*

[bobales s. **1** col. Que tiene poca inteligencia o
entendimiento. **2** col. Que se admira por todo a causa de su gran ingenuidad. □ MORF. 1. Es de género
común: *el bobales, la bobales.* 2. Invariable en número.

bobalicón, na adj./s. col. Muy bobo.

bobear v. **1** Hacer o decir bobadas: *Deja de bobear,
que esto es un tema serio.* **2** Emplear el tiempo en
cosas inútiles y vanas: *Haz algo que valga la pena
en vez de bobear.*

bobería s.f. Hecho o dicho sin fundamento o sin
base lógica; tontería.

bóbilis ‖ de bóbilis bóbilis; col. Sin esfuerzo o sin
merecimiento: *Tienes que estudiar, porque no vas a
aprobar de bóbilis bóbilis.* □ ETIMOL. De *vobis vobis*,
y éste del latín *vobis* (para vosotros), expresión del
que reparte dinero a otra gente.

bobina s.f. **1** Carrete que sirve para enrollar un
material flexible, esp. hilo o alambre. 🔻 costura
2 Rollo de un material flexible, esp. hilo o alambre,
generalmente montado sobre un soporte. **3** En un
circuito eléctrico, componente formado por un hilo
conductor aislado y enrollado repetidamente, que
sirve para crear y captar campos magnéticos. □ ETI-
MOL. Del francés *bobine* (carrete de hilo). □ ORTOGR.
Dist. de *bovina.*

bobinar v. Referido a un material flexible, enrollarlo,
generalmente alrededor de una bobina o un carrete:
Bobina bien el cable para que no se hagan nudos. □
SEM. Dist. de *rebobinar* (hacer que el material se
desenrolle de una bobina y se enrolle en otra).

bobo, ba ▌ adj./s. **1** Que tiene poca inteligencia o
poco entendimiento; tonto. **2** Que se admira por
todo a causa de su gran ingenuidad. ▌ s.m. **3** En la
comedia clásica, personaje que tiene el papel cómico. □ ETIMOL. Del latín *balbus* (tartamudo). □ USO Es
despectivo y se usa como insulto.

[bobs o **[bobsleigh** (anglicismo) s.m. Deporte de
invierno que consiste en deslizarse rápidamente por

una pista de hielo de poca anchura sobre un trineo articulado. ☐ PRON. [bóbsleig], con *g* suave.

boca s.f. **1** En una persona o en un animal, entrada en el aparato digestivo, generalmente situada en la parte inferior de la cabeza, y formada por una cavidad en la que suelen encontrarse los dientes y la lengua si existen. **2** Conjunto de los dos labios de la cara. **3** En un lugar o en un objeto, abertura o agujero, esp. si comunica el interior con el exterior. **4** *col.* Persona o animal a los que se mantiene y se da de comer. **5** En un crustáceo, pinza en que termina cada pata delantera. **6** Referido a un vino, sabor o gusto. **7** Habla de una persona o vocabulario hablado. **[8** En zonas del español meridional, tapa o porción de alimento que se toma como aperitivo. **9** ‖**a boca (de) jarro**; →**a bocajarro**. ‖ **a pedir de boca**; tal y como se ha deseado. ‖ **[abrir la boca**; *col.* Hablar. ‖**{abrir/hacer} boca**; *col.* Abrir el apetito con una pequeña cantidad de bebida o comida antes de otra comida más fuerte. ‖**{andar/correr/ir} de boca en boca**; ser conocido públicamente o ser tema de conversación entre la gente. ‖**{andar/ir} en (la) boca de alguien**; ser objeto de murmuración. ‖**boca a boca**; modo de respiración artificial mediante el cual una persona introduce aire con su propia boca en la de la persona que no respira por sí misma. ‖**boca abajo**; en posición invertida, o tendido sobre el vientre y con la cara hacia al suelo. ‖**boca arriba**; en la posición normal o tendido sobre la espalda. ‖**boca de lobo**; lugar muy oscuro. ‖**boca de riego**; en un conducto de agua, abertura en la cual se enchufa una manga para regar. ‖**boca del estómago**; en el cuerpo humano, parte central del epigastrio. ‖**{callar/cerrar/coser} la boca**; *col.* Callar. ‖**con la boca abierta**; *col.* Referido a una persona, embobado a causa de la sorpresa o la admiración; boquiabierto. ‖**con la boca {chica/pequeña}**); *col.* Referido a un ofrecimiento, sin verdadero deseo de hacerlo. ‖**de boca**; *col.* Con palabras pero sin ser verdad. ‖**{enterarse/saber} {de/por} (la) boca de** alguien; llegar a conocer por habérselo oído a alguien. ‖**hablar por boca de** otro; decir lo que otra persona ha dicho. ‖**hacérsele a** alguien **la boca agua**; *col.* Disfrutar al imaginar algo que se desea o que gusta, esp. si es comida o bebida. ‖**irse de la boca** o **írsele la boca** a alguien; *col.* Hablar mucho y con imprudencia. ‖**no caérsele a** alguien **de la boca** algo; decirlo o hablar de ello con frecuencia. ‖**poner en boca de** alguien; referido a un dicho, atribuírselo. ‖**quitar** algo **de la boca** a alguien; *col.* Anticiparse a lo que otro iba a decir. ‖**venirle** a alguien algo **a la boca**; *col.* Ocurrírsele y tener ganas de decirlo. ☐ ETIMOL. Del latín *bucca* (mejilla). ☐ ORTOGR. *Boca abajo* admite también la forma *bocabajo*. ☐ MORF. Cuando se antepone a una palabra para formar compuestos, adopta la forma *boqui-*: *boquiancho, boquiseco.* ☐ SINT. 1. Incorr. **boca a abajo, *boca a arriba* y **bocarriba.* 2. Con *la boca abierta* se usa más con los verbos *dejar, estar, quedarse* o equivalentes. 3. *Con la boca chica* se usa más con los verbos *decir, hablar, ofrecer, prometer* o equivalentes. ☐ SEM. *Boca abajo* es dist. de *cabeza abajo* (con la parte superior hacia abajo).

bocabajo adv. →**boca abajo**.

bocacalle s.f. **1** Entrada de una calle. **2** Calle secundaria que da a otra.

[bocadillería s.f. Establecimiento en el que se venden bocadillos.

bocadillo s.m. **1** Trozo de pan cortado a lo largo en dos partes, y relleno con algún alimento. **2** En un dibujo, texto enmarcado con una línea, que expresa lo que dice o piensa el personaje al que señala; globo. ⚖ globo **3** En una representación teatral, interrupción breve del diálogo. ☐ ETIMOL. De *bocado*. ☐ SEM. En la acepción 1, dist. de *sándwich* (bocadillo con pan de molde). ☐ USO En la acepción 1, en la lengua coloquial se usa mucho la forma *bocata*.

[bocadito s.m. Pastel pequeño relleno generalmente de nata o de crema.

bocado s.m. **1** Trozo de comida que se mete en la boca de una vez. **2** Cantidad pequeña de comida: *Tomaremos un bocado antes de ir al cine.* **3** Mordedura hecha con los dientes: *El perro me dio un bocado.* **4** Trozo que se arranca con los dientes o violentamente: *Escupí el bocado de queso porque sabía mal.* **5** En un objeto, trozo que falta: *Este papel tiene un bocado porque se me cayó al suelo y lo pisé.* **6** Instrumento de hierro que se ajusta a la boca de un caballo para sujetarlo y dirigirlo; freno. ⚖ arreos **7** Parte de este instrumento que se mete en la boca. **8** ‖**bocado de Adán**; en una persona, abultamiento de la laringe en la parte anterior del cuello; nuez. ‖**buen bocado**; *col.* Lo que se considera bueno y ventajoso: *Ese empleo es un buen bocado que puede darte mucho dinero.*

bocajarro ‖**a bocajarro**; **1** Referido al modo de disparar, desde muy cerca, esp. si es de frente. **2** Referido al modo de decir algo, de improviso o sin preparación. ☐ ORTOGR. Se admite también *a boca jarro*.

bocal adj. →**bucal**. ☐ ORTOGR. Dist. de *vocal*. ☐ MORF. Invariable en género.

bocamanga s.f. En la manga de una prenda de vestir, parte que queda sobre la muñeca, esp. por el interior o por el forro.

bocamina s.f. En una mina, abertura que sirve de entrada. ☐ MORF. Su plural es *bocaminas*.

bocana s.f. En el mar, paso estrecho de entrada a una bahía. ☐ ETIMOL. De *boca*.

bocanada s.f. **1** Cantidad de líquido, de aire o de humo que se toma de una vez con la boca o se arroja de ella; buchada. **2** Ráfaga repentina y breve de aire o de humo, que sale o entra de una vez. **3** *col.* Cantidad grande de gente que entra o sale. ☐ SEM. Dist. de *boqueada* (cada una de las veces que un moribundo abre la boca para respirar).

bocarte s.m. Pez marino comestible, de cuerpo muy delgado, de color verdoso o azulado y vientre plateado, que se pesca en grandes cantidades, y se consume fresco o en salazón; boquerón. ☐ MORF. Es un sustantivo epiceno: *el bocarte macho, el bocarte hembra*.

bocata s.m. *col.* →**bocadillo**.

[bocatería s.f. *col.* Bocadillería.

bocazas s. *col.* Persona que habla más de lo que debe y generalmente en voz alta, o que dice tonterías o fanfarronadas. ☐ MORF. 1. Es de género común: *el bocazas, la bocazas.* 2. Invariable en número. ☐ USO Se usa como insulto.

bocera s.f. Herida que se forma en las comisuras de los labios de una persona; boquera.

boceras s. →**voceras**. ☐ MORF. 1. Es de género común: *el boceras, la boceras.* 2. Invariable en número.

boceto s.m. **1** En las artes decorativas, proyecto o apunte hecho sólo con los trazos generales, esp. referido a una pintura. **2** Esquema o proyecto hecho sólo con los rasgos o los datos principales: *Aún no he escrito el libro aunque ya tengo el boceto de la trama.* □ ETIMOL. Del italiano *bozzetto*.

bocha s.f. En la petanca y otros juegos, cada una de las bolas con las que los participantes tratan de acercarse a otra bola más pequeña. □ ETIMOL. Del italiano *boccia*.

boche s.m. *col.* En zonas del español meridional, follón. □ ETIMOL. De *bochinche*.

bochinche s.m. Situación confusa, agitada y desordenada, esp. si va acompañada de un gran alboroto y tumulto.

bochorno s.m. **1** Calor excesivo y sofocante, esp. cuando va acompañado de bajas presiones. **2** En verano, aire muy caliente. **3** En una persona, vergüenza y sonrojo que producen sensación de calor. □ ETIMOL. Del latín *vulturnus* (viento del Sur). □ SEM. Dist. de *calígine* (niebla densa y oscura), de *calima* (bruma de épocas calurosas) y de *canícula* (período más caluroso del año).

bochornoso, sa adj. **1** Referido al tiempo atmosférico, muy caluroso y sofocante: *un día bochornoso.* **2** Referido a una actitud o una situación, que produce vergüenza y sonrojo: *un error bochornoso.* □ SEM. Dist. de *caliginoso* (nebuloso, oscuro y denso).

bocina s.f. **1** Aparato formado por una pieza en forma de embudo, una lengüeta vibratoria y una pera de goma, que sirve como avisador sonoro. **2** Pieza de forma cónica que sirve para amplificar o reforzar un sonido: *Las bocinas de algunos gramófonos eran enormes.* **3** Instrumento mecánico que sirve como avisador sonoro: *Cuando aprendió a conducir no hacía más que tocar la bocina.* **4** Instrumento musical de viento, de forma curva y con un sonido grave semejante al de la trompeta; cuerno. **[5** En zonas del español meridional, bafle. □ ETIMOL. Del latín *bucina* (cuerno de boyero).

bocinazo s.m. **1** Sonido fuerte producido por una bocina. **2** Grito fuerte para llamar la atención o para reprender a alguien. □ SINT. La acepción 2 se usa más con los verbos *dar, meter* y *pegar.*

bocio s.m. En medicina, aumento de la glándula tiroides que produce un abultamiento de la parte anterior y superior del cuello. □ ETIMOL. Quizá del latín *bucius* (bubón).

boda s.f. **1** Ceremonia o acto en el que dos personas contraen matrimonio; casamiento; nupcias. **2** Fiesta con que se celebra este acto. **3** ‖ **bodas de diamante**; referido a un acontecimiento importante, esp. un casamiento, sexagésimo aniversario. ‖ **bodas de oro**; referido a un acontecimiento importante, esp. a un casamiento, quincuagésimo aniversario. ‖ **bodas de plata**; referido a un acontecimiento importante, esp. a un casamiento, vigésimo quinto aniversario. ‖ **bodas de platino**; referido a un acontecimiento importante, esp. a un casamiento, sexagésimo quinto aniversario. □ ETIMOL. Del latín *vota* (votos, promesas), porque los que se casan se prometen una serie de cosas. □ MORF. En plural tiene el mismo significado que en singular.

bodega s.f. **1** Lugar en el que se hace y se almacena el vino, generalmente en toneles. **2** Tienda en la que se venden vino y otros alcoholes. **3** En una embarcación, espacio interior por debajo de la cubierta inferior hasta la quilla. **4** Establecimiento en el que se fabrica vino, generalmente de forma industrial. **5** En zonas del español meridional, almacén o comercio pequeño. □ ETIMOL. Del latín *apotheca* (despensa), y éste del griego *apothéke* (depósito).

bodegón s.m. Cuadro o pintura en los que se representan seres inanimados y objetos cotidianos; naturaleza muerta.

bodeguero, ra s. Persona que tiene a su cargo una bodega.

bodijo s.m. *col.* →**bodorrio**. □ USO Es despectivo.

bodoque ∎ adj./s.m. **1** *col.* Referido a una persona, sin inteligencia o sin sensibilidad. ∎ s.m. **2** En un tejido, adorno redondeado que se borda en relieve. □ ETIMOL. Del árabe *bunduq* (avellana, bolita). □ MORF. Como adjetivo es invariable en género. □ USO La acepción 1 se usa como insulto.

bodorrio s.m. *col.* Boda que se considera de poco gusto; bodijo. □ MORF. Aunque la RAE prefiere *bodijo*, se usa más *bodorrio*. □ USO Es despectivo.

bodrio s.m. Cosa que se considera de muy mala calidad, muy mal hecha o de mal gusto. □ ETIMOL. Del latín *brodium* (caldo). □ ORTOGR. Se admite también *brodio*.

[body (anglicismo) s.m. Prenda de ropa interior de una sola pieza que cubre todo el cuerpo menos las extremidades. □ PRON. [bódi].

[bodyboard (anglicismo) s.m. Surf que se practica tumbado y sobre una tabla más pequeña. □ PRON. [bodibórd].

[bodybuilding (anglicismo) s.m. Tipo de gimnasia que desarrolla los músculos para cambiar el aspecto corporal. □ PRON. [bodibíldin].

boe s.m. [Publicación oficial diaria del Estado español en la que se dan a conocer leyes y disposiciones generales o administrativas y en general todo asunto de carácter público. □ ETIMOL. Es un acrónimo que procede de la sigla de *Boletín Oficial del Estado.*

bóer ∎ adj. **1** De las personas de piel blanca descendientes de los colonos holandeses del siglo XVII que habitaban en el sur africano, o relacionado con ellas. ∎ adj./s. **2** Referido a una persona, que habitaba en el sur africano y era descendiente de los colonos holandeses del siglo XVII. □ ETIMOL. Del holandés *boer* (colono). □ MORF. 1. Como adjetivo es invariable en género. 2. Como sustantivo es de género común: *el bóer, la bóer.* □ SEM. Dist. de *afrikáner* (actual habitante blanco de Suráfrica, descendiente de los *bóers*).

bofe s.m. **1** Pulmón, esp. el de los animales muertos para el consumo. **2** ‖ **echar {el bofe/los bofes}**; *col.* Esforzarse, trabajar o cansarse excesivamente: *Corrió veinte kilómetros y llegó echando el bofe.* □ ETIMOL. De *bofar* (soplar). □ MORF. Se usa más en plural.

bofetada s.f. **1** Golpe dado en la cara con la mano abierta; tortazo. **[2** *col.* Trompazo o golpe fuerte: *Las mayores 'bofetadas' me las he dado esquiando.* **3** Desprecio o censura que causa humillación. **4** ‖ **[no tener** alguien **media bofetada**; ser débil o de pequeño tamaño: *Ese tipo 'no tiene ni media bofetada'.* □ ETIMOL. Del antiguo *bofete*, y éste de *bofar* (soplar). □ SINT. La acepción 2 se usa más con los verbos *darse* o *pegarse.* □ SEM. En la acepción 1, aunque la RAE lo considera sinónimo de *cachetada,* *bofetada* se ha especializado para el golpe dado en la cara.

bofetón s.m. Bofetada que se da con fuerza.

[bofia s.f. *col.* Policía. □ USO Es despectivo.

boga ‖ **estar en boga**; estar de moda o de actualidad. □ ETIMOL. Del francés *vogue* (moda), y éste de *voguer* (remar, navegar).

bogar v. Mover los remos en el agua para impulsar una embarcación; remar: *El marinero bogó con fuerza hasta alcanzar el puerto.* □ ETIMOL. De origen incierto. □ SEM. Dist. de *navegar* (avanzar sobre el agua).

bogavante s.m. Crustáceo marino comestible, con cuerpo alargado y de gran tamaño, y cinco pares de patas con pinzas grandes y fuertes en el primer par; lobagante, lubigante. □ MORF. Es un sustantivo epiceno: *el bogavante macho, el bogavante hembra.* ▒ marisco

bohardilla s.f. →**buhardilla**.

bohemio, mia adj./s. Referido a una persona, esp. a un artista, que lleva una vida informal y poco organizada, sin ajustarse a las convenciones sociales.

bohío s.m. Cabaña o casa rústica americana, sin ventanas, hecha esp. de caña, paja, ramas o madera. □ ORTOGR. Se admite también *buhío*.

boicot s.m. Interrupción de algo, esp. de un acto, como medio de presión para conseguir algo; boicoteo. □ ETIMOL. Del inglés *boycott*, y éste de Ch. Boycott, a quien se le hizo un boicot por primera vez. □ MORF. Se usa mucho como invariable en número: *los boicot*. □ USO Aunque la RAE prefiere *boicoteo*, se usa más *boicot*.

boicotear v. Referido esp. a un acto, impedir o interrumpir su realización como medio de presión para conseguir algo: *Los manifestantes boicotearon el desfile militar para protestar contra las guerras.*

boicoteo s.m. →**boicot**.

boina s.f. Gorra sin visera, redonda y de una pieza. □ ETIMOL. Del vasco. □ PRON. Incorr. *[boína]. ▒ sombrero

[boîte s.f. →**sala de fiestas**. □ PRON. [buat]. □ USO Es un galicismo innecesario.

[boixos nois (catalanismo) ‖ Grupo de hinchas radicales del Fútbol Club Barcelona (club deportivo catalán). □ PRON. [bóisos nois].

boj s.m. **1** Arbusto de tallos derechos, con abundantes ramas, hojas perennes, menudas y brillantes, flores blanquecinas de fuerte olor y frutos en forma de cápsula. **2** Madera de este arbusto, amarillenta, dura y compacta. □ ETIMOL. Del latín *buxus*. □ SEM. Es sinónimo de *boje*.

boja s.f. Planta herbácea, de hojas sencillas, muy finas y blanquecinas, que se cultiva en los jardines por sus flores de olor agradable; abrótano, brótano. □ ETIMOL. Del catalán *botja*.

boje s.m. **1** →**boj**. **2** En un vehículo articulado que circula sobre raíles, esp. en un tren, plataforma giratoria situada en sus dos extremos y formada por dos o tres pares de ruedas montadas sobre dos ejes paralelos. □ ETIMOL. La acepción 2, del inglés *boogie*.

bojiganga s.f. Compañía ambulante de teatro, formada por seis o siete actores, que iba de pueblo en pueblo representando autos y comedias. □ ETIMOL. Del latín *vessica* (vejiga), porque *bojiganga* primero designó a un personaje caracterizado por unas vejigas sujetas a la punta de un palo.

bol s.m. **1** Recipiente con forma de taza grande casi semiesférica y sin asas; tazón. **2** Red de pesca, muy larga y compuesta de un saco y dos bandas, de las cuales se tira desde tierra por medio de dos cabos muy largos; jábega. ▒ pesca □ ETIMOL. La acepción 1, del inglés *bowl* (taza). La acepción 2, del latín *bolus*.

bola s.f. Véase **bolo, la**.

[bolamen s.m. *vulg.malson.* Testículos.

bolardo s.m. **1** En un puerto, pieza de hierro con la parte superior encorvada, que sirve para atar las amarras. **2** Poste de hierro clavado en el suelo, para impedir el aparcamiento de los coches. □ ETIMOL. Del inglés *bollard*.

bolazo s.m. Golpe dado con una bola.

bolchevique ∎ adj. **1** Del bolchevismo. **∎** adj./s. **2** Partidario del bolchevismo. □ ETIMOL. Del francés *bolchevique*, y éste del ruso. □ MORF. 1. Como adjetivo es invariable en género. 2. Como sustantivo es de género común: *el bolchevique, la bolchevique*.

bolcheviquismo o **bolchevismo** s.m. **1** Teoría política, económica y social que triunfó en la Unión Soviética con la revolución de 1917, y que sostiene la necesidad de la revolución y se basa en la dictadura del proletariado y en el colectivismo: *El bolchevismo o comunismo ruso fue capitaneado por Lenin.* **2** Sistema de gobierno soviético partidario de esta teoría.

boldo s.m. **1** Árbol chileno de hoja perenne y aromática, flor blanca en racimos cortos, y fruto comestible. **2** Infusión hecha con las hojas de este árbol.

boleadoras s.f.pl. Instrumento de caza que consta de dos o tres bolas hechas de una materia pesada, forradas de cuero y atadas fuertemente a sendas cuerdas, unidas por un cabo común.

bolear v. **1** En algunos juegos, lanzar la bola o la pelota: *Bolea alto y fuerte para que la pelota vaya lejos.* **2** En zonas del español meridional, referido al calzado, darle brillo con betún. □ ORTOGR. Dist. de *volear*.

bolera s.f. Véase **bolero, ra**.

bolero, ra ∎ adj./s. **1** *col.* Mentiroso. **∎** s. **2** En zonas del español meridional, limpiabotas. **∎** s.m. **[3** Canción de origen antillano, lenta, dulce y de tema generalmente sentimental. **[4** Baile de pareja que se ejecuta al compás de esta música. **5** Composición musical española, de compás ternario y ritmo moderado. **6** Baile popular que se ejecuta al compás de esta música. **7** Prenda de vestir con forma de chaqueta corta. **∎** s.f. **8** Establecimiento público destinado al ocio, en el que se practica el juego de los bolos. □ ETIMOL. Las acepciones 1, 2 y 8, de *bola*. Las acepciones 3-7, de origen incierto. □ USO En la acepción 8, es innecesario el uso del anglicismo *bowling*.

boleta s.f. **1** En zonas del español meridional, factura. **[2** En zonas del español meridional, boleto de un sorteo. **[3** En zonas del español meridional, nota o mensaje escrito. **[4** En zonas del español meridional, boletín de calificaciones escolares. **5** ‖ **dar (la) boleta** a alguien; *col.* Romper el trato con alguien que molesta. □ ETIMOL. Del italiano antiguo *bolletta* (salvoconducto).

boletería s.f. En zonas del español meridional, taquilla o ventanilla en la que se venden billetes de transporte o entradas.

boletero, ra adj./s. En zonas del español meridional,

taquillero. □ MORF. La RAE sólo lo registra como sustantivo.

boletín s.m. **1** Publicación periódica informativa sobre un tema especializado. **2** En radio y televisión, espacio o programa en el que, a horas determinadas, se transmiten noticias de forma breve y concisa. **3** Impreso que sirve para hacer una suscripción. **[4** Papel en el que se escriben las calificaciones de un estudiante. □ ETIMOL. Del italiano *bollettino*.

boleto s.m. **[1** En algunos juegos de azar, impreso que rellena el apostante con sus pronósticos. **[2** En un sorteo, papel que se compra y que acredita la participación en él. **3** En zonas del español meridional, billete para viajar o para asistir a algún espectáculo. □ ETIMOL. De *boleta*.

[boli s.m. col. →**bolígrafo.**

boliche s.m. **1** En el juego de la petanca, la bola más pequeña; bolín. **2** Juguete que consta de un palo terminado en punta por un extremo y con una cazoleta en el otro, y de una bola taladrada sujeta al medio del palo con un cordón. **3** En zonas del español meridional, local público en el que se consumen bebidas y comidas ligeras. **4** En zonas del español meridional, juego de los bolos. □ ETIMOL. Del catalán *bolitx* (red pequeña).

bólido s.m. Vehículo que puede correr a gran velocidad, esp. referido a un automóvil de carreras. □ ETIMOL. Del latín *bolis*, y éste del griego *bolís* (objeto que se lanza).

bolígrafo s.m. Instrumento que sirve para escribir y que tiene en su interior un tubo de tinta con la que se impregna una bolita de acero que gira en la punta. □ ETIMOL. De *bola* y -*grafo* (que escribe). □ MORF. En la lengua coloquial se usa mucho la forma abreviada *boli*.

bolillo s.m. **1** Palo de madera, pequeño y redondeado, que se usa para hacer encajes y labores de pasamanería. **[2** En zonas del español meridional, bollo de pan.

bolín s.m. En el juego de la petanca, la bola más pequeña; boliche.

bolinche o **bolindre** s.m. En un mueble, adorno torneado o esférico que sirve de remate. □ ETIMOL. De *bola*.

[bolinga adj. col. Borracho. □ MORF. Invariable en género.

[bolita s.f. En zonas del español meridional, canica.

bolívar s.m. Unidad monetaria venezolana. □ ETIMOL. Por alusión a Simón Bolívar, que inició la independencia americana.

boliviano, na ▌ adj./s. **1** De Bolivia o relacionado con este país suramericano. ▌ s.m. **2** Unidad monetaria boliviana.

bollar v. **1** Referido a un tejido, ponerle un sello de plomo para indicar su origen: *Las piezas de tela se bollan en la fábrica antes de su distribución.* **2** Referido al metal o al cuero, labrarlo a martillo y a buril o cincel, de modo que en una de sus caras resulten figuras de relieve con forma de bollones o clavos de cabeza grande: *Bollé la chapa de metal y la adorné con un clavo de cabeza grande.*

bollería s.f. **1** Establecimiento en el que se elaboran o se venden bollos y otros productos hechos de harina. **2** Conjunto de bollos de diversas clases que se ofrecen para la venta o el consumo.

bollero, ra ▌ s. **1** Persona que se dedica a la elaboración o la venta de bollos, esp. si ésta es su profesión. ▌ s.f. **[2** vulg. →**lesbiana.** □ USO En la acepción 2 es despectivo.

bollo s.m. **1** Panecillo o pastel esponjoso hecho con una masa de harina y agua cocida al horno. **2** col. En un objeto duro, hundimiento o abultamiento producidos por un golpe o por una presión: *Tengo dos bollos en la puerta del coche.* **3** col. Situación confusa, agitada o embarazosa, esp. si va acompañada de gran alboroto y tumulto; lío: *Cuando se coló en la fila, todos protestaron y se montó un buen bollo.* **4** Abultamiento redondeado producido por un golpe: *Se cayó y se hizo un bollo en la espinilla.* **[5** vulg. →**lesbiana.** □ ETIMOL. Del latín *bulla* (burbuja, bola). □ SEM. En la acepción 4, aunque la RAE lo considera sinónimo de *chichón*, éste se ha especializado para designar el bulto producido por un golpe en la cabeza. □ USO En la acepción 5 es despectivo.

bolo, la ▌ adj./s. **1** col. Ignorante y poco hábil. ▌ s.m. **2** Pieza cilíndrica con la base plana, que se usa en un juego consistente en derribar dichas piezas con una bola que se les arroja rodando. **3** Representación de una compañía teatral en un lugar para aprovechar circunstancias económicas favorables. ▌ s.f. **4** Cuerpo esférico de cualquier materia: *bolas de billar.* **5** col. Mentira o rumor infundado. **[6** col. Bíceps: *Practica el culturismo y tiene dos buenas 'bolas' en los brazos.* **[7** En zonas del español meridional, dibujo con forma de lunar o mota. ▌ pl. **8** Juego infantil que se practica con esferas pequeñas hechas de un material duro, generalmente de vidrio o de barro; canicas. **[9** vulg. →**testículos. 10** ‖ **[a {mi/tu/...} bola;** col. Sin tener en cuenta los deseos e intereses de los demás: *Esa chica es incapaz de hacer un favor porque siempre va 'a su bola'.* ‖ **bolo alimenticio;** cantidad de alimento que se traga de una vez, masticada y mezclada con saliva. ‖ **correr la bola;** col. Dar a conocer un rumor o divulgarlo: *¿Se puede saber quién ha corrido la bola de que me caso mañana?* ‖ **dar bola; [**en zonas del español meridional, limpiar el calzado. ‖ **[darse bola;** col. Marcharse: *Como no me gustaba el ambiente de la fiesta, 'me di bola' enseguida.* ‖ **[en bolas;** vulg. Desnudo. ‖ **[hacer bolos;** col. Referido esp. a una compañía teatral, ir de gira: *'Haremos bolos' durante el verano por todo el norte de Europa.* ‖ **[hasta la bola;** col. En tauromaquia, referido a una estocada, con toda la espada dentro del cuerpo del animal. ‖ **pasar** alguien **la bola;** col. Rechazar una responsabilidad y pasársela a otra persona: *A mí no me pases la bola, que el encargo te lo hicieron a ti.* ‖ **[sacar bola;** col. Contraer el bíceps doblando el brazo. □ ETIMOL. La acepción 2, de *bola.* La acepción 4, del griego *bôlos* (terrón, bola). Las acepciones 5-9, del provenzal *bola*, y éste del latín *bulla* (burbuja). □ MORF. En la acepción 1, la RAE sólo registra el masculino. □ SEM. **1.** En la acepción 2, se usa el plural para designar ese juego: *Ayer jugamos a los bolos y gané yo.* **2.** *Bola* no debe emplearse con el significado de 'pelota' (anglicismo): *Ese tenista devuelve muy bien las* {*bolas > pelotas*}. □ USO **1.** En la acepción 1 es despectivo. **2.** La acepción 1 se usa como insulto. **3.** *Ir a su bola* se usa también con los verbos *andar* o *estar.* **4.** En la acepción 9, se usa mucho como palabra comodín en expresiones vulgares malsonantes.

bolsa s.f. **1** Saco hecho de un material flexible, con o sin asas, que se usa para llevar o guardar algo. **2** Saco pequeño que antiguamente se usaba para llevar el dinero. **3** Cantidad de dinero: *Nadie sabe la bolsa que puede recibir ese boxeador si gana el combate.* **4** En economía, mercado público organizado y especializado en el que se efectúan las operaciones de compra y venta de los valores que cotizan en este mercado. **5** En economía, establecimiento público donde se realizan estas operaciones de mercado. **6** En biología, estructura orgánica en forma de saco que contiene un líquido o que protege un órgano: *Los calamares guardan la tinta en una bolsa.* **7** En una persona, piel floja debajo de los ojos. **8** En un tejido, pliegue o arruga que se forma cuando resulta ancho o cuando está deformado o mal ajustado. **9** En un lugar, esp. en un terreno o en el interior de una conducción, acumulación espontánea de un fluido: *una bolsa de gas.* **10** ‖ [**bolsa de aseo**; la pequeña y cerrada, que sirve para guardar lo necesario para la higiene personal. ‖ [**bolsa de dormir**; en zonas del español meridional, saco de dormir. ‖ [**bolsa de estudios**; cantidad de dinero que se concede a una persona como ayuda para financiar sus estudios. □ ‖ **bolsa de la compra**; conjunto de alimentos y productos que necesita diariamente una familia, esp. referido a su precio; cesta de la compra. ‖ **bolsa marsupial**; en la hembra de un mamífero marsupial, la que tiene en la parte delantera del cuerpo para llevar las crías hasta que completan su desarrollo; marsupio. ‖ [**bolsas de pobreza**; manifestaciones de marginación dentro de las grandes ciudades y en las zonas rurales de las economías avanzadas. □ ETIMOL. Del latín *bursa*, y éste del griego *býrsa* (cuero, odre).

bolsillo s.m. **1** En una prenda de vestir, pieza de tela, generalmente en forma de bolsa o de saco, que se cose sobrepuesta o en su parte interior y que sirve para guardar objetos pequeños y usuales. **2** Bolsa de mano, generalmente con una o dos asas y con cierre, que se usa para llevar diversos objetos de uso personal; bolso. **3** Cantidad de dinero de una persona: *El viaje tendrás que pagártelo de tu bolsillo.* **4** ‖ {aflojar/rascarse} **el bolsillo**; *col.* Dar dinero o pagar, esp. si se hace obligado o de mala gana. ‖ **de bolsillo**; **1** Que tiene el tamaño y la forma adecuados para que quepa en el bolsillo de una prenda de vestir: *libro de bolsillo.* [**2** De un tamaño menor de lo que se considera normal: *un autobús 'de bolsillo'.* ‖ [**meterse** a alguien **en el bolsillo**; *col.* Ganarse su simpatía y su apoyo: *Te has conquistado con tu alegría y 'te lo has metido en el bolsillo'.*

bolsista s. Persona que se dedica profesionalmente a la realización de operaciones de compra y venta de títulos o a la especulación con los valores de la bolsa. □ MORF. Es de género común: *el bolsista, la bolsista.*

bolso s.m. **1** Bolsa de mano, generalmente con una o dos asas y con cierre, que se usa para llevar diversos objetos de uso personal; bolsillo. **2** ‖ [**bolso de mano**; bolsa pequeña de viaje, con asas, y que se lleva consigo. 🗪 equipaje

boludo, da adj./s. *vulg.malson.* En zonas del español meridional, tonto. □ USO Se usa como insulto.

bomba s.f. **1** Artefacto explosivo provisto de un mecanismo que lo hace explotar en el momento conveniente. **2** Máquina que se usa para elevar un flui-

do e impulsarlo en una dirección determinada: *Esta bomba sube el agua desde el pozo hasta la casa.* **3** Noticia inesperada y sorprendente; bombazo. **4** En zonas del español meridional, gasolinera. [**5** En zonas del español meridional, globo. **6** En zonas del español meridional, pompa o burbuja. **7** En zonas del español meridional, copla de tono pícaro o amoroso. **8** ‖ **bomba atómica**; la que se basa en el gran poder explosivo de la energía liberada súbitamente por la escisión de los neutrones en los núcleos de material atómico como el plutonio o el uranio. ‖ **bomba de cobalto**; aparato que se emplea en radioterapia y que se utiliza para radiar con un tipo de cobalto. ‖ **bomba (neumática)**; la que se usa para extraer o para comprimir aire. ‖ [**bombita de luz**; en zonas del español meridional, bombilla. ‖ **caer como una bomba**; *col.* Producir desconcierto, malestar o desagrado: *El picante me cae como una bomba.* ‖ [**pasarlo bomba**; *col.* Pasarlo muy bien y divertirse mucho. □ ETIMOL. Del latín *bombus* (zumbido). □ SINT. En la acepción 1, se usa en aposición, pospuesto a sustantivos como *carta* o *coche*, para indicar que éstos son portadores de una bomba explosiva.

bombacha s.f. **1** En zonas del español meridional, pantalones bombachos. [**2** En zonas del español meridional, braga. □ ETIMOL. De *bomba*, por la forma esférica. □ MORF. En plural tienen el mismo significado que en singular.

bombacho s.m. →**pantalón bombacho**.

bombardear v. **1** Disparar bombas, esp. si se arrojan desde un avión: *Los aviones enemigos bombardearon la ciudad.* **2** Referido a un objetivo, hacer fuego violento y sostenido de artillería contra él: *Los cañones no dejaron de bombardear la ciudad cercada.* [**3** *col.* Referido a una persona, asediarla o agobiarla con la petición reiterada de algo en muy corto espacio de tiempo: *Los periodistas me 'bombardearon' con preguntas.* **4** En física, referido a un cuerpo, someterlo a la acción de ciertas radiaciones o partículas: *Si se bombardea un átomo con neutrones, se produce la escisión de su núcleo.*

bombardeo s.m. **1** Disparo de bombas contra un objetivo, esp. si se efectúa su lanzamiento desde un avión. **2** Fuego de artillería, violento y sostenido, contra un objetivo. [**3** Asedio o agobio producidos por la petición reiterada de algo en un corto espacio de tiempo: *Los testigos fueron sometidos a un 'bombardeo' de preguntas.* **4** En física, sometimiento de un cuerpo a la acción de ciertas radiaciones o partículas.

bombardero s.m. Avión militar destinado a la acción ofensiva mediante el lanzamiento de bombas o de otros proyectiles contra un objetivo terrestre o naval.

bombardino s.m. Instrumento musical de viento y de metal, con sonido grave y potente, con el que se tocan fragmentos lentos. 🗪 viento

bombazo s.m. **1** Golpe, explosión o daño producidos por una bomba. [**2** *col.* Noticia inesperada y sorprendente; bomba.

bombear v. **1** Referido a un fluido, elevarlo e impulsarlo en una dirección determinada: *El corazón bombea la sangre.* **2** Referido a un balón, lanzarlo por alto y suavemente haciendo que siga una trayectoria curva o parabólica: *Bombeó el balón y un compañero remató de cabeza.*

bombeo s.m. Elevación e impulso de un fluido en una dirección determinada. ☐ MORF. Incorr. *bombeamiento*.

bombero, ra s. 1 Persona que se dedica profesionalmente a la extinción de incendios y que presta ayuda en caso de siniestro. [2 En zonas del español meridional, vendedor en una gasolinera. ☐ MORF. En la acepción 1, la RAE sólo registra el masculino.

bombilla s.f. 1 Aparato que sirve para iluminar y que consta de un globo de cristal cerrado herméticamente para mantener el vacío, en cuyo interior hay un filamento que se pone incandescente con el paso de la corriente eléctrica. ✲ alumbrado 2 Tubo delgado que se usa para sorber el mate. ☐ ETIMOL. De *bomba*, por la forma esférica que tienen.

bombillo s.m. [1 En una cerradura de llave pequeña, mecanismo que mueve los cierres cuando se introduce y se gira la llave. 2 En zonas del español meridional, bombilla.

bombín s.m. Sombrero de ala estrecha y copa baja, rígida y redondeada, hecho generalmente de fieltro; sombrero hongo. ☐ ETIMOL. De *bomba*, por la forma esférica que tienen. ✲ sombrero

bombo s.m. 1 Instrumento musical de percusión, más grande que el tambor, y que se toca sólo con una maza. ✲ percusión 2 Músico que toca este instrumento. 3 Caja esférica y giratoria de la que se extraen al azar bolas numeradas o papeletas en un sorteo. 4 Elogio exagerado con el que se ensalza a alguien o se anuncia algo: *Dio a conocer la noticia con mucho bombo.* [5 col. En una mujer, vientre abultado por un embarazo de varios meses. 6 ‖ **a bombo y {platillo/platillos}**; referido al modo de contar una noticia o un suceso, con mucha publicidad o propaganda. ‖ **dar bombo**; col. Elogiar y alabar de modo exagerado. ‖ [**hacer un bombo**; vulg. Dejar embarazada. ☐ ETIMOL. Del latín *bombus* (zumbido). ☐ SEM. No debe emplearse con el significado de 'pieza giratoria de algunas máquinas': *el {*bombo > tambor} de la lavadora.*

bombón s.m. 1 Dulce pequeño hecho de chocolate. 2 col. Persona muy atractiva físicamente. ☐ ETIMOL. Del francés *bonbon* (bueno, bueno).

bombona s.f. 1 Recipiente metálico muy resistente, de forma cilíndrica o acampanada y con cierre hermético, que se usa para contener líquidos muy volátiles y gases a presión: *bombona de gas butano.* 2 Recipiente metálico, cilíndrico, de poca altura y con cierre hermético, que se usa en un hospital para guardar materiales esterilizados. ☐ ETIMOL. Del francés *bonbonne*.

bombonera s.f. Caja pequeña para guardar bombones.

[**bombonería** s.f. Establecimiento público en el que se venden dulces, esp. los de chocolate.

[**bómper** s.m. En zonas del español meridional, parachoques. ☐ ETIMOL. Del inglés *bumper*.

bonachón, -a adj./s. col. Referido a una persona, que cree con facilidad lo que se le dice y tiene un carácter tranquilo y amable.

bonaerense adj./s. De Buenos Aires o relacionado con esta capital y provincia argentina. ☐ MORF. 1. Como adjetivo es invariable en género. 2. Como sustantivo es de género común: *el bonaerense, la bonaerense.*

bonancible adj. Referido al mar, al clima o al viento,

tranquilo, sereno y suave. ☐ ETIMOL. De *bonanza.* ☐ MORF. Invariable en género.

bonanza s.f. Tiempo tranquilo o sereno en el mar. ☐ ETIMOL. Del latín *bonacia*, alteración de *malacia* (calma chicha). ☐ SINT. Se usa más con los verbos *haber* y *hacer*.

bondad s.f. 1 En una persona, inclinación natural a hacer el bien: *Su bondad es muy grande y siempre está dispuesto a ayudar.* 2 En una persona, dulzura, suavidad y amabilidad de carácter: *Me agrada estar con ella por su bondad y su dulzura.* 3 Facultad de ser bueno o de parecerlo: *La bondad del clima hace que pasemos en esa playa largas temporadas.* ☐ ETIMOL. Del latín *bonitas.*

bondadoso, sa adj. Lleno de bondad.

bonete s.m. 1 Gorro, generalmente de cuatro picos, que usaban los eclesiásticos y, antiguamente, también los colegiales y los graduados. ✲ sombrero 2 En un rumiante, segunda de las cuatro cavidades en que se divide su estómago; redecilla. 3 Gorro redondo, pequeño y sin ala, hecho de lana o de un material flexible. ☐ ETIMOL. Del francés *bonnet*.

bongó s.m. Instrumento musical de percusión que consiste en un tubo de madera cubierto en su parte superior por una piel de cabra y descubierto en su parte inferior, y que se toca con los dedos o con las palmas de las manos. ☐ PRON. Incorr. *[bóngo]. ✲ percusión

[**bonhotel** s.m. Vale que da derecho a determinados servicios hoteleros a cambio de una cantidad de dinero. ☐ ORTOGR. Se usa también *bonotel*.

boniato s.m. 1 Planta herbácea de tallos rastreros con abundantes ramas, hojas alternas y lobuladas, flores en campanilla y tubérculos comestibles. 2 Tubérculo de la raíz de esta planta. [3 col. Billete de mil pesetas. ☐ ETIMOL. De origen incierto. ☐ ORTOGR. En las acepciones 1 y 2, se admite también *buniato*.

bonificación s.f. 1 Descuento en lo que se ha de pagar o aumento en lo que se ha de cobrar. 2 En algunas pruebas deportivas, descuento en el tiempo empleado.

bonificar v. Conceder una cantidad para aumentarla a otra o para descontarla de ella: *Si pagas la multa antes de diez días te bonifican dos mil pesetas.* ☐ ETIMOL. Del latín *bonus* (bueno) y *facere* (hacer). ☐ ORTOGR. La *c* se cambia en *qu* delante de *e* →SACAR. ☐ SINT. Constr. *bonificar CON algo.*

bonísimo, ma superlat. irreg. de **bueno**. ☐ MORF. Es la forma culta de *buenísimo*.

bonito, ta ▌ adj. 1 Que resulta agradable a la sensibilidad estética o artística: *Es un traje bonito y elegante. ¡Qué día tan bonito hace!* ▌ s.m. 2 Pez marino comestible, de color plateado en la parte inferior, y azul oscuro con cuatro franjas longitudinales en la superior. ☐ ETIMOL. De *bueno*. En la acepción 2, quizá por el color dorado de los ojos y el color plateado del vientre. ☐ MORF. En la acepción 2, es un sustantivo epiceno: *el bonito macho, el bonito hembra.*

bono s.m. 1 Tarjeta o entrada de abono, que da derecho a utilizar un servicio durante un número determinado de veces: *Me dieron un bono para las comidas de toda la semana.* 2 Vale para canjear por dinero o por productos de primera necesidad: *Cuando fui a la tienda a cambiar la camisa me dieron* un bono por su valor. **3** En economía, título o documento de deuda a medio plazo, generalmente amortizable, al portador y con interés fijo y periódico, que representa una suma exigible a su vencimiento a la persona o entidad que lo emitió. **4** ‖ [**bono basura**; el que tiene un alto riesgo y, por tanto, da un alto interés. ‖ [**(bono) matador**; el que emite alguna entidad internacional en pesetas. ☐ ETIMOL. Del francés *bon*. ☐ ORTOGR. Dist. de *abono*. ☐ MORF. **1.** El plural de *bono basura* es *bonos basura*; incorr. **bonos basuras*. **2.** El plural de *bono matador* es *bonos matador*; incorr. **bonos matadores*.

bonobús s.m. Tarjeta de abono que da derecho a realizar un número determinado de viajes en un autobús. ☐ ETIMOL. De *bono* y la terminación de *autobús*.

bonoloto s.f. Juego público de azar cuyo premio máximo se obtiene cuando los seis números marcados en un boleto de cuarenta y nueve, coinciden con los elegidos por sorteo.

[bonotel s.m. →**bonhotel**.

[bonotrén s.m. Tarjeta de abono que da derecho a realizar un número determinado de viajes en tren.

bonsái s.m. Árbol enano que se cultiva en tiestos y al que se cortan brotes y raíces para evitar que crezca normalmente. ☐ ETIMOL. Del japonés *bonsai*. ☐ MORF. Su plural es *bonsáis*.

[bonus s.m. Bonificación, ya sea como un descuento en un pago o como un sobresueldo. ☐ MORF. Invariable en número.

bonzo ‖ [**quemarse a lo bonzo**; rociarse el cuerpo con gasolina y prenderse fuego.

boñiga s.f. Excremento del ganado vacuno o de otros animales. ☐ ETIMOL. Del latín **bunnica*. ☐ ORTOGR. Aunque la RAE sólo registra *boñiga*, se usa mucho *moñiga*. ☐ SEM. Dist. de *boñigo* (cada porción de excremento del ganado vacuno).

boñigo s.m. Cada una de las porciones o piezas del excremento del ganado vacuno. ☐ ETIMOL. De *boñiga*. ☐ ORTOGR. Aunque la RAE sólo registra *boñigo*, se usa mucho *moñigo*. ☐ SEM. Dist. de *boñiga* (excremento del ganado vacuno).

[boogie-woogie s.m. →**bugui-bugui**. ☐ PRON. [búgui búgui].

[book (anglicismo) s.m. Álbum de fotografías que reflejan la trayectoria profesional de una persona. ☐ PRON. [buk].

[boom (anglicismo) s.m. Auge o éxito inesperados y repentinos: *Cuando se produjo el 'boom' turístico, el país empezó a prosperar económicamente*. ☐ PRON. [bum]. ☐ USO Su uso es innecesario y puede sustituirse por una expresión como *auge* o *avance*.

[boomerang s.m. →**bumerán**. ☐ PRON. [bumerán]. ☐ USO Es un anglicismo innecesario.

boqueada s.m. **1** Cada una de las últimas veces que un moribundo abre la boca para respirar. **2** ‖ **dar las boqueadas**; *col.* **1** Estar muriéndose: *El pez recién pescado daba sus últimas boqueadas*. col. **2** Estar a punto de terminarse: *Las vacaciones están ya dando las boqueadas*. ☐ SEM. **1.** Dist. de *bocanada* (cantidad de aire que se toma de una vez con la boca). **2.** *Dar las boqueadas* es sinónimo de *boquear*.

boquear v. **1** Referido a una persona o a un animal, abrir la boca, esp. cuando está a punto de morir: *Cuando el enfermo empezó a boquear, el médico dijo que le quedaba poco tiempo de vida*. **2** *col.* Estar a

punto de terminarse: *La fiesta estaba ya boqueando cuando llegué*. ☐ ETIMOL. De *boca*.

boquera s.f. Herida que se forma en las comisuras de los labios de una persona; bocera.

boquerón s.m. Pez marino comestible, de cuerpo muy delgado, de color verdoso o azulado y vientre plateado, que se pesca en grandes cantidades, y se consume fresco o en salazón; bocarte. ☐ ETIMOL. De *boca*, porque el boquerón tiene la boca muy grande. ☐ MORF. Es un sustantivo epiceno: *el boquerón macho, el boquerón hembra*.

boquete s.m. **1** En una superficie, rotura o abertura irregulares; brecha: *Los ladrones hicieron un boquete en la puerta*. **2** Entrada estrecha a un lugar: *El boquete del túnel era muy pequeño y no pudimos pasar*. ☐ ETIMOL. De *boca*.

boquiabierto, ta adj. **1** Con la boca abierta. **2** Referido a una persona, embobado a causa de la sorpresa o de la admiración. ☐ SINT. Se usa más con los verbos *dejar, estar* y *quedarse*.

boquilla s.f. **1** Tubo pequeño, generalmente provisto de un filtro, en uno de cuyos extremos se coloca un cigarro para fumarlo. **2** En un cigarro, parte que no se fuma y por la que se aspira el humo, formada por un tubo de cartulina relleno de una sustancia filtrante. **3** En una pipa, parte que se introduce en la boca. **4** En un cigarro puro, parte por la que se enciende. **5** En un instrumento musical de viento, pieza hueca que se adapta a su tubo y por la que se sopla para producir el sonido; embocadura. **6** ‖ **de boquilla**; referido esp. a la forma de hacer un ofrecimiento o una promesa, sin intención de cumplirlos. ☐ ETIMOL. De *boca*.

borato s.m. En química, sal del ácido bórico, fusible y poco soluble, que se puede encontrar en la naturaleza formando minerales.

bórax s.m. Sal incolora y cristalina, compuesta de ácido bórico, sosa y agua, que se encuentra en el agua de algunos lagos o que se obtiene artificialmente. ☐ ETIMOL. Del árabe *bawraq* (nitro). ☐ MORF. Invariable en número.

borbolla s.f. **1** Burbuja de aire que se forma en el interior del agua, esp. a causa de la lluvia. **2** →**borbotón**.

borbollar v. →**borbotar**.

borbollón s.m. →**borbotón**.

borbónico, ca ‖ adj. **1** De los Borbones (dinastía real que se inicia en Francia en 1589 y se extiende por Italia y España), o relacionado con ellos. ‖ adj./s. **2** Partidario de la dinastía borbónica o perteneciente a ella: *Los borbónicos defendían la vuelta de Alfonso XII a España*.

borborigmo s.m. En el intestino, ruido producido por el movimiento de los gases en su interior. ☐ ETIMOL. Del griego *borborygmós*. ☐ ORTOGR. Incorr. **borborismo*.

borbotar o **borbotear** v. Referido a un líquido, brotar o hervir con fuerza y haciendo ruido; borbollar: *Desde el salón se oía borbotar el caldo del puchero en el fuego*. ☐ ETIMOL. Quizá de origen onomatopéyico.

borboteo s.m. Salida o hervor impetuosos de un líquido.

borbotón s.m. **1** En un líquido, burbuja que se forma en su interior y sube hasta su superficie cuando éste brota con fuerza de un lugar o cuando hierve; borbolla, borbollón. **2** ‖ **a borbotones**; *col.* Referido al modo de hablar, de forma acelerada, apresurada y atropellada.

borceguí s.m. Antiguo calzado abierto por delante, que llegaba más arriba del tobillo y que se ajustaba con cordones o correas. ☐ ETIMOL. De origen incierto. ☐ MORF. Aunque su plural en la lengua culta es *borceguíes*, la RAE admite también *borceguís*. ⟨⟩ calzado

borda s.f. **1** En una embarcación, borde o parte más alta del costado, que termina a veces en una baranda o antepecho. **2** Choza o cabaña propias de las regiones españolas del Norte. ☐ ETIMOL. De *borde* (orilla).

bordado s.m. Acción de adornar un tejido o una piel con cosidos hechos en relieve; bordadura.

bordador, -a s. Persona que se dedica a bordar, esp. si ésta es su profesión.

bordadura s.f. →**bordado.**

bordar v. **1** Referido a un tejido, adornarlo con bordados: *He bordado un mantel.* **2** Referido a una figura, coser su forma en relieve: *Antes de bordar la flor, haz el dibujo sobre la tela.* **3** Referido a una acción, ejecutarla brillantemente: *La última canción la bordó, y todos aplaudimos a rabiar.* ☐ ETIMOL. Quizá del germánico *bruzdon.*

borde ▌ adj./s. **1** *col.* Referido a una persona, con mal humor, mal carácter o malas intenciones. ▌ s.m. **2** Línea o zona límite que señala la separación entre dos cosas o el fin de una de ellas: *No me asomo al borde del precipicio porque tengo vértigo.* **3** En un recipiente, orilla o contorno de la boca. **4** En una embarcación, lado o costado exterior. **5** ‖ **[al borde del abismo**; *col.* En un peligro muy grande: *Las drogas la pusieron 'al borde del abismo'.* ‖ **estar al borde de una situación**; estar muy cerca de ella: *Con tantas tensiones, estoy al borde del ataque de nervios.* ☐ ETIMOL. La acepción 1, del catalán *bord* (bastardo). Las acepciones 2, 3 y 4, del francés *bord.* ☐ MORF. 1. En la acepción 1, como adjetivo es invariable en género, y como sustantivo es de género común: *el borde, la borde.* 2. En la acepción 1, la RAE sólo lo registra como adjetivo.

bordear v. **1** Referido a una superficie, ir por su borde o cerca de él: *Paseábamos bordeando el lago.* **2** Referido a un lugar o a un cuerpo, estar a lo largo de su borde: *Hay una valla que bordea el camino.* **3** Referido a una condición moral o intelectual, aproximarse a uno de sus grados o estados: *Siento una inquietud que bordea la locura.*

[bordeaux (galicismo) adj./s.m. En zonas del español meridional, burdeos. ☐ PRON. [bordó]. ☐ MORF. Como adjetivo es invariable en género.

bordelés, -a adj./s. De Burdeos o relacionado con esta región francesa. ☐ ETIMOL. Del francés antiguo *Bourdel* (Burdeos).

[borderline (anglicismo) s.f. En psicología, frontera entre la normalidad y la deficiencia mental. ☐ PRON. [bórderlain], con *r* suave.

bordillo s.m. **1** En una acera o en un andén, borde u orilla formados por una fila de piedras largas y estrechas, generalmente paralela a la pared. **[2** En una calzada, borde saliente que sirve para separar un carril: *El 'bordillo' del carril-bus ha evitado muchos accidentes.*

bordo ‖ **a bordo**; referido a una embarcación o a una aeronave, dentro de ella: *Ya están todos los equipajes a bordo.* ☐ ETIMOL. De *borde* (lado). ☐ SEM. A

bordo no debe emplearse referido a vehículos terrestres: *Iba {*a bordo de > en} un descapotable.*

[bordó adj./s.m. En zonas del español meridional, burdeos. ☐ ETIMOL. Del francés *bordeaux.* ☐ MORF. Como adjetivo es invariable en género.

boreal adj. **1** Del viento norte. **2** En astronomía y geografía, del septentrión o del norte; septentrional: *hemisferio boreal.* ☐ ETIMOL. De *bóreas* (viento del Norte). ☐ MORF. Invariable en género.

borgoña s.m. Vino originario de Borgoña (región francesa).

borla s.f. **1** Conjunto de hilos o de cordones reunidos y sujetos sólo en uno de sus extremos, que se emplea como adorno. ⟨⟩ pasamanería **2** En el bonete de un graduado universitario, este conjunto de hilos, cosidos en su centro y esparcidos alrededor, que sirve como distintivo de cada facultad según su color. **3** Bola para empolvarse la cara, hecha de un material suave. ☐ ETIMOL. De origen incierto.

borlilla s.f. En una flor, parte del estambre en cuyo interior está el polen; antera.

borne s.m. **1** En electricidad, pieza de metal que se fija al extremo de un aparato y permite conectar a éste cables conductores: *los bornes de la batería del coche.* **2** En electricidad, tornillo o varilla en el cual se sujeta el extremo de un conductor para conectar con un circuito el aparato en el que va montado. ☐ ETIMOL. Del francés *borne* (extremo, límite).

boro s.m. Elemento químico, semimetálico y sólido, de número atómico 5, de color pardo oscuro, que en la naturaleza sólo se presenta combinado. ☐ ETIMOL. De *bórax* (sal compuesta de ácido bórico). ☐ ORTOGR. Su símbolo químico es *B.*

borona s.f. **1** Mijo o maíz. **2** En algunas zonas, pan de maíz. **3** En zonas del español meridional, miga o migaja. ☐ ETIMOL. De origen prerromano.

borra s.f. **1** Parte de la lana más basta y corta. **2** Desperdicio textil basto y de mala calidad que queda en las operaciones de acabado de un tejido de lana o de algodón. **3** Pelusa polvorienta que se suele formar entre los muebles, en una alfombra o en los bolsillos de una prenda de vestir. ☐ ETIMOL. Del latín *burra.*

borrachera s.f. **1** Pérdida temporal de las capacidades físicas o mentales como consecuencia de un consumo de bebidas alcohólicas superior a lo que tolera el organismo. **2** *col.* Entusiasmo o exaltación grandes en el modo de actuar: *Tras la borrachera del éxito suele venir el decaimiento.* ☐ SINT. La acepción 1 se usa más con los verbos *agarrar, coger, pillar* o equivalentes.

borrachín, -a adj./s. Que tiene el hábito de tomar bebidas alcohólicas.

borracho, cha ▌ adj. **1** Referido a un dulce, empapado en una bebida alcohólica o en almíbar. ▌ adj./s. **2** Que tiene disminuidas temporalmente las capacidades físicas o mentales a causa de un consumo excesivo de bebidas alcohólicas. **3** Que se emborracha habitualmente. ▌ s.m. **4** →**bizcocho borracho.** ☐ ETIMOL. De *borracha* (bota de vino).

borrador s.m. **1** Utensilio que se usa para borrar lo escrito en una pizarra. **2** Utensilio hecho de caucho o goma elástica que se usa para borrar la tinta o el lápiz, esp. de un papel; goma de borrar. **3** Esquema provisional de un escrito en el que se hacen las adiciones, supresiones o correcciones necesarias antes de redactar la copia definitiva. **[4** En pintura, primer apunte o croquis de un dibujo.

borraja s.f. Planta herbácea anual, cubierta de pelos ásperos, con tallo grueso y ramoso, hojas grandes, y flores blancas o azuladas en racimo. ☐ ETIMOL. Quizá del catalán *borratja*.

borrajo s.m. **1** Brasa pequeña que queda debajo de la ceniza; rescoldo. **2** Hojarasca de pino. ☐ ETIMOL. De origen incierto.

borrar v. **1** Referido a algo gráfico, hacerlo desaparecer de la superficie en que está escrito o marcado: *Borra ese dibujo tan feo.* **2** Referido a una superficie, hacer desaparecer lo escrito o marcado en ella: *Me puse perdida de tiza al borrar la pizarra.* **3** Referido a un recuerdo, hacerlo desaparecer de la memoria: *Quiero borrar ese estúpido momento de mi vida. Esos años se han borrado de mi memoria.* **4** Referido a una persona, darla de baja: *Bórrame de la lista, porque ya no voy al viaje. Se borró del concurso porque no le gustaba el premio.* ☐ ETIMOL. De *borra*, probablemente porque se empleaba lana para borrar lo escrito.

borrasca s.f. **1** Perturbación atmosférica caracterizada por fuertes vientos, lluvias abundantes y un descenso de la presión atmosférica; ciclón. **2** Tormenta fuerte, esp. en el mar. **3** En un asunto o en un negocio, peligro o contratiempo que dificulta su buen desarrollo. ☐ ETIMOL. Quizá del latín *borras*, en vez de *boreas* (viento del Norte).

borrascoso, sa adj. **1** De la borrasca o relacionado con esta perturbación atmosférica. **2** Que causa borrascas o que es propenso a ellas: *litoral borrascoso.* **3** Referido al estilo de vida, libertino y desordenado. **4** Referido a una situación, de carácter agitado y violento: *La revolución industrial trajo cambios borrascosos en la sociedad europea del siglo XIX.*

borrego, ga ∎ adj./s. **1** *col.* Referido a una persona, que tiene poca voluntad o poca inteligencia y se deja llevar fácilmente. **∎** s. **2** Cordero o cordera que tiene uno o dos años. ☐ ETIMOL. Quizá de *borra*, por la lana tierna de que está cubierto.

[borreguismo s.m. Tendencia a seguir opiniones o actitudes ajenas sin tener un juicio crítico propio. ☐ USO Es despectivo.

borrico, ca ∎ adj./s. **1** *col.* Referido a una persona, que es poco inteligente o de poca formación: *¡La muy borrica dice que 'boca' se escribe con 'v'!* **2** *col.* Referido a una persona, obstinada: *Es tan borrico que no hay quien le haga cambiar de opinión.* **3** *col.* Referido a una persona, de gran aguante, esp. en el trabajo: *Gracias a que es tan borrica pudo acabar el trabajo a tiempo.* **∎** s. **4** Mamífero cuadrúpedo, doméstico, más pequeño que el caballo, con largas orejas, pelo áspero y normalmente grisáceo, y que se suele emplear como montura o como animal de carga o de tiro; asno. **5** ‖**caer de su borrico;** *col.* Darse cuenta de su error o reconocerlo: *No seas cabezota, debes caer de tu borrico y reconocer que te has equivocado.* ☐ ETIMOL. Del latín *burricus* (caballo pequeño).

[borriqueta s.f. o **borriquete** s.m. En carpintería, armazón o soporte en el que se apoya una madera.

borrón s.m. **1** En un papel, mancha de tinta. **2** Acción o suceso indignos que disminuyen el valor de una persona o la buena opinión que de ella se tiene:

No quiero verme implicado en este caso de corrupción porque supondría un borrón en mi historial. **3** Falta o imperfección que quitan la gracia y el atractivo: *Aquel lapsus fue un borrón en su brillante discurso.* **4** ‖**borrón y cuenta nueva;** *col.* Expresión que se usa para indicar que cuestiones pasadas han quedado ya olvidadas y disculpadas: *¿Por qué no haces borrón y cuenta nueva e intentas olvidar viejas rencillas?*

borronear v. **1** Escribir sin un tema ni un propósito determinados: *Cuando se aburre en el trabajo se dedica a borronear papeles.* **2** Escribir o hacer rayas en un papel por entretenimiento: *Le gusta borronear y llenar hojas con su firma..*

borrosidad s.f. Confusión, imprecisión o falta de claridad.

borroso, sa adj. Que no se distingue con claridad y resulta confuso o impreciso, esp. referido a una imagen.

boruga s.f. Requesón que se bate con azúcar una vez coagulada la leche.

borujo s.m. →**burujo**.

boscoso, sa adj. Referido a un terreno, con muchos bosques.

bosnio, nia adj./s. De Bosnia-Herzegobina (república de la antigua Yugoslavia), o relacionado con ella.

bosque s.m. Terreno muy poblado de árboles, arbustos y matas. ☐ ETIMOL. De origen incierto.

bosquejar v. **1** Referido a una obra de creación, hacer un primer proyecto de modo provisional, con los elementos esenciales y sin mucha precisión: *Cuando hayas bosquejado el cuento, déjame que lo lea.* **2** Referido esp. a una idea o a un plan, explicarlos brevemente y de un modo general y vago: *Bosquejó la situación económica sin extenderse en las cifras.* ☐ ETIMOL. Del catalán *bosquejar* (desbastar). ☐ ORTOGR. Conserva la *j* en toda la conjugación. ☐ SEM. Es sinónimo de *esbozar*.

bosquejo s.m. **1** Primer plan o proyecto, hecho de modo provisional, sólo con los elementos esenciales y sin mucha precisión. **2** Explicación breve, general y vaga, generalmente acerca de una idea o de un plan. ☐ SEM. Es sinónimo de *esbozo*. ☐ USO Es innecesario el uso del anglicismo *sketch*.

bosquimán o **bosquimano, na ∎** adj./s. **1** De un pueblo de África meridional, al norte del Cabo (provincia de la República de Suráfrica, país africano). **∎** s.m. **[2** Lengua africana de este pueblo. ☐ ETIMOL. Del afrikaans *boschjesaman* (hombre del bosque). ☐ PRON. Incorr. *[bosquímano]. ☐ MORF. 1. La RAE sólo lo registra como sustantivo masculino. 2. *Bosquimán* es de género común: *el bosquimán, la bosquimán.* 3. Aunque la RAE prefiere *bosquimán*, se usa más *bosquimano*.

[bossa nova (del portugués) ‖ **1** Composición musical de origen brasileño que tiene el ritmo de la samba pero con variaciones. **2** Baile que se ejecuta al compás de esta música, con movimientos vivos. ☐ PRON. [bósa nóva].

bosta s.f. Excremento del ganado vacuno o del caballar. ☐ ETIMOL. Del gallegoportugués *bosta*.

bostezar v. Abrir la boca de modo involuntario, inspirando y espirando lenta y profundamente, a causa del sueño, el cansancio, el hambre o el aburrimiento: *Es una falta de educación bostezar sin* *taparse la boca con la mano.* □ ETIMOL. Quizá del latín *oscitare*, con una *b* añadida por influencia de *boca*. □ ORTOGR. La *z* se cambia en *c* delante de *e* →CAZAR.

bostezo s.m. Abertura involuntaria de la boca para respirar lenta y profundamente, causada por el sueño, el cansancio, el hambre o el aburrimiento.

bota s.f. **1** Calzado que cubre el pie y parte de la pierna. 🖉 calzado **2** Recipiente pequeño para beber vino, hecho de cuero flexible y con forma de pera, con un tapón en la parte más estrecha por el que sale el líquido en un chorro fino. [**3** Calzado deportivo que cubre el pie hasta por encima del tobillo. **4** ‖**ponerse las botas**; *col.* Conseguir un gran beneficio o disfrutar mucho: *Me puse las botas cuando me dijeron que podía coger todo lo que quisiera.* □ ETIMOL. Las acepciones 1, 3 y 4, de origen incierto. La acepción 2, del latín *buttis* (odre). □ MORF. Las acepciones 1 y 3 se usan más en plural.

botadura s.f. Lanzamiento de una embarcación al agua, esp. si está recién construida.

botafumeiro s.m. Incensario grande, esp. el de hierro que se cuelga del techo de la iglesia y se pone en movimiento por medio de un mecanismo. □ ETIMOL. Por alusión al de la catedral gallega de Santiago de Compostela. □ SEM. Aunque la RAE lo considera sinónimo de *incensario*, *botafumeiro* se ha especializado para el incensario grande de una iglesia.

botana s.f. En zonas del español meridional, aperitivo.

botánico, ca ∎ adj. **1** De la botánica o relacionado con esta ciencia. ∎ s. **2** Persona que se dedica al estudio de los organismos vegetales, esp. si es licenciado en biología. ∎ s.m. **3** →**jardín botánico**. ∎ s.f. **4** Ciencia que estudia los organismos vegetales. □ ETIMOL. Del griego *botanikós*, y éste de *botáne* (hierba).

botar v. **1** Referido a un cuerpo elástico, esp. a una pelota, saltar o salir despedido después de chocar contra el suelo o contra una superficie dura: *El balón botó con fuerza en la pared y cayó al suelo.* **2** Referido a una persona o a un animal, dar saltos: *En la carrera de sacos, los participantes iban botando hasta la meta.* **3** *col.* Referido a una persona, manifestar o sentir gran nerviosismo, dolor o indignación: *Estoy que boto porque me han roto la guitarra.* **4** Referido a una pelota, lanzarla o dejarla caer contra una superficie, esp. contra el suelo, para que salte o suba: *No botes la pelota en casa, que vas a molestar a los vecinos de abajo.* **5** Referido a una embarcación, echarla al agua, esp. si está recién construida: *Ya han terminado el barco y mañana lo botan en el puerto.* **6** *col.* Echar fuera o arrojar con violencia de un lugar: *Cuando empezó a armar jaleo, los guardas lo botaron del local.* **7** En zonas del español meridional, tirar, echar o arrojar: *No me gusta que boten papeles al suelo.* [**8** En zonas del español meridional, perder o extraviar: *'Boté' las llaves y ahora no puedo entrar a mi apartamento.* [**9** →**reinicializar**. □ ETIMOL. Las acepciones 1-8, del francés antiguo *boter* (golpear, empujar). La acepción 9, del inglés *boot*. □ ORTOGR. Dist. de *votar*. □ USO El uso de la acepción 9 es un anglicismo innecesario.

botarate adj./s.m. *col.* Referido a una persona, que tiene poco juicio y actúa de forma insensata y alocada. □ ETIMOL. Quizá de *boto* (necio) por cruce con

el antiguo *patarata* (mentira, ridiculez). □ MORF. Como adjetivo es invariable en género.

botarel s.m. En arquitectura, pilar macizo que está adosado al muro y lo refuerza en los puntos en los que éste soporta los mayores empujes; contrafuerte. □ ETIMOL. Del catalán *botarell*, y éste de *botar* (empujar).

botavara s.f. En un barco de vela, palo horizontal que, apoyado en el mástil, sujeta la vela cuadrilátera de popa.

bote s.m. **1** Recipiente generalmente cilíndrico, pequeño, más alto que ancho y con tapa, que se usa para guardar algo. **2** Embarcación pequeña, sin cubierta y con unas tablas atravesadas que sirven de asiento; batel, lancha. 🖉 embarcación **3** Salto que se da al botar o salir despedido después de chocar contra el suelo o contra una superficie dura: *La pelota dio un bote muy alto.* **4** *col.* En un establecimiento público, esp. en un bar, recipiente en el que se guardan las propinas para el fondo común. [**5** *col.* En un sorteo, premio que queda acumulado del sorteo anterior. **6** ‖**[a bote pronto**; *col.* Sin reflexionar: *Así, 'a bote pronto', no se me ocurrió qué decir.* ‖**[bote de basura**; en zonas del español meridional, cubo de la basura. ‖**[bote de humo**; el que lleva incorporado un mecanismo que, al accionarse, expele un humo que afecta a los ojos y a las vías respiratorias. ‖**bote salvavidas**; el que está acondicionado para poder abandonar una embarcación grande en caso de necesidad. ‖ **[bote sifónico**; mecanismo o dispositivo que permite que los objetos que caen en una tubería queden ahí retenidos y no se vayan con el agua. ‖**chupar del bote**; *col.* Aprovecharse de una situación y obtener beneficios o ventajas sin dar nada a cambio: *Deja ya de chupar del bote y colabora tú también en esto.* ‖ **[de bote en bote**; *col.* Referido a un lugar, completamente lleno de gente. ‖ **[tener** a alguien **en el bote**; *col.* Haberse ganado su apoyo o su confianza y tener la seguridad de contar con él para algo: *'Los tengo en el bote' y sé que me apoyarán en todo lo que emprenda.* □ ETIMOL. Las acepciones 1, 4 y 5, del catalán *pot* (bote, tarro). La acepción 2, del inglés antiguo *bat*. La acepción 3, de *botar*. *De bote en bote*, del francés *de bout en bout* (de extremo a extremo). □ MORF. Incorr. **bote sifónico*.

botella s.f. **1** Vasija de cuello estrecho, generalmente alta, cilíndrica y de cristal, que se usa para meter un líquido. **2** ‖**botella de Leiden**; en física, la que recibe y acumula electricidad, como si fuera un condensador, por medio de una varilla de cobre o de latón que atraviesa el corcho que la cierra. □ ETIMOL. Del francés *bouteille. Botella de Leiden*, por alusión a Leiden, ciudad holandesa donde se inventó. □ SEM. No debe confundirse con el significado de 'bombona': {**botella* > *bombona*} de butano.

botellazo s.m. Golpe dado con una botella.

botellín s.m. Botella pequeña, esp. la de cerveza.

botica s.f. **1** Lugar en el que se hacen y se venden medicinas; farmacia. **2** Conjunto de medicamentos que se suministran a una persona. **3** ‖{**haber/[tener**} **de todo, como en botica**; *col.* Haber variedad de productos: *Tengo lo que pides, porque aquí hay de todo, como en botica.* □ ETIMOL. Del griego *apothéke* (depósito, almacén).

boticario, ria s. Persona que tiene a su cargo una botica y posee conocimientos sobre la preparación de medicamentos y las propiedades de las sustancias que se emplean en ellos, esp. si es licenciado en farmacia.

botija s.f. Recipiente de barro de tamaño mediano, redondo y con el cuello corto o estrecho, que se usa para guardar un líquido. □ ETIMOL. Del latín *butticula* (tonelito). □ ORTOGR. Dist. de *botijo*.

botijo s.m. Recipiente de barro con el vientre abultado, provisto de una boca y un pitón en la parte superior y un asa entre estos dos, que se usa esp. para mantener el agua fresca. □ ETIMOL. De *botija*. □ ORTOGR. Dist. de *botija*.

botillería s.f. En zonas del español meridional, tienda de bebidas.

botín s.m. **1** Calzado que cubre el tobillo y parte de la pierna. ▨ calzado **2** Calzado antiguo que se llevaba sobre los zapatos y cubría el tobillo y parte de la pierna: *Los botines solían ser de paño y se ajustaban a la pierna con correas o hebillas.* **3** Conjunto de objetos robados. **4** Conjunto de armas y de bienes que el vencedor toma del enemigo vencido. □ ETIMOL. Las acepciones 1 y 2, de *bota* (calzado). Las acepciones 3 y 4, del francés *butin*.

botiquín s.m. **1** Lugar o recipiente en el que se guardan los medicamentos y todo lo necesario para prestar los primeros auxilios médicos. **2** Conjunto de los medicamentos indispensables o más necesarios. □ ETIMOL. De *botica*. □ SEM. Dist. de *enfermería* (centro de asistencia médica).

boto s.m. Bota alta de una sola pieza que generalmente se usa para montar a caballo. □ ORTOGR. Dist. de *voto*. ▨ calzado

botón s.m. **1** En una prenda de vestir, pieza generalmente pequeña, dura y redonda, que sirve para abrocharla o como adorno. ▨ costura **2** En un aparato mecánico o eléctrico, pieza que desconecta o que pone en marcha alguno de sus mecanismos. **3** En esgrima, chapa de hierro pequeña y redonda que se coloca en la punta de la espada o del florete para no herir al contrario. **4** ‖**botón de muestra**; en un conjunto, parte que se toma como ejemplo de las características comunes a la totalidad: *Lo que le conté es sólo un botón de muestra de lo que es capaz de hacer.* □ ETIMOL. Del francés antiguo *boton*.

botonadura s.f. Juego de botones para una prenda de vestir. □ ORTOGR. Se admite también *abotonadura*.

botones s. Persona que se dedica profesionalmente a hacer recados y encargos en un establecimiento, esp. en un hotel. □ ETIMOL. De *botón*, por los que suele llevar en el uniforme. □ MORF. 1. Aunque

la RAE sólo lo registra como masculino, en la lengua actual es de género común: *el botones, la botones.* 2. Invariable en número.

[bottom-bra (anglicismo) s.m. Braga o calzoncillo con relleno, que moldea y aumenta el tamaño de los glúteos. □ ETIMOL. Extensión del nombre de una marca comercial. □ PRON. [bótom bra].

botulismo s.m. Intoxicación producida por la toxina de cierto bacilo existente en conservas o embutidos en malas condiciones. □ ETIMOL. Del latín *botulus* (embutido).

bou s.m. **1** Arte de pesca en la que una o dos embarcaciones tiran de una red arrastrándola por el fondo del mar. ▨ pesca **2** Barca que se emplea en este arte de pesca. □ ETIMOL. Del catalán *bou*.

[bouquet s.m. →**buqué**. □ PRON. [buqué]. □ USO Es un galicismo innecesario.

[bourbon (anglicismo) s.m. Güisqui hecho de maíz, centeno y cebada o sólo de maíz. □ PRON. [búrbon].

[boutade s.f. →**sandez**. □ PRON. [butád]. □ USO Es un galicismo innecesario.

boutique (galicismo) s.f. **1** Establecimiento público especializado en la venta de artículos de moda, esp. ropa de calidad. **2** Establecimiento público en el que se vende un tipo específico de artículos: *boutique del pan.* □ PRON. [butíc].

bóveda s.f. **1** En arquitectura, construcción o estructura arqueada con la que se cubre un espacio comprendido entre dos muros o entre varios pilares o columnas: *La nave principal de esa iglesia está cubierta por una bóveda.* ▨ bóveda **2** Lo que tiene forma de cubierta arqueada: *Esa campana tiene una bóveda muy ancha.* **3** En zonas del español meridional, panteón. **4** ‖**(bóveda)** {**baída/vaída**}; la semiesférica cortada por cuatro planos verticales y paralelos entre sí dos a dos. ‖**bóveda celeste**; espacio en el que se mueven los astros y que, visto desde la Tierra, parece formar sobre ella una cubierta arqueada; cielo, firmamento. ‖**bóveda craneal**; parte interna y superior del cráneo. ‖**bóveda de cañón**; la de superficie generalmente semicilíndrica, originada por el desplazamiento de un arco de medio punto a lo largo de un eje longitudinal. ‖**[bóveda de** {**crucería/nervada**}; la que deriva de la bóveda por arista y refuerza sus aristas con nervios. ‖**bóveda por arista**; la originada por el cruce perpendicular de dos bóvedas de cañón de igual sección. □ ETIMOL. Del latín **volvita*, y éste de *volver* (dar vuelta). □ SEM. En la acepción 1, dist. de *cúpula* (bóveda semiesférica).

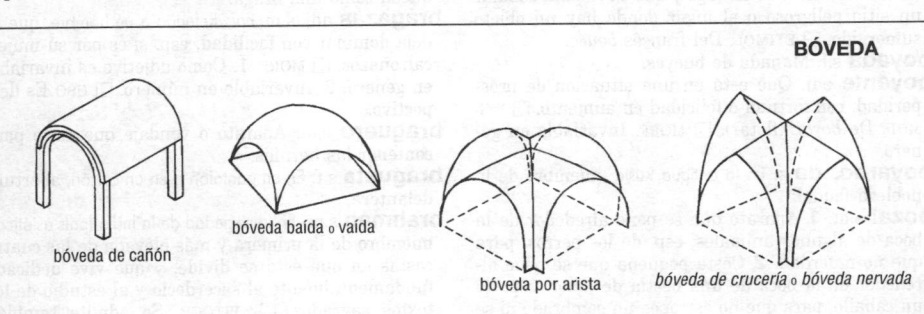

BÓVEDA

bóveda de cañón

bóveda baída o vaída

bóveda por arista

bóveda de crucería o bóveda nervada

bovedilla s.f. Bóveda pequeña que cubre el espacio entre vigas contiguas.

bóvido, da ∎ adj./s. **1** Referido a un mamífero, que es rumiante y, tanto el macho como la hembra, tienen cuernos óseos permanentes, cubiertos por un estuche córneo: *Muchos bóvidos son animales de caza, como el búfalo*. ∎ s.m.pl. **2** En zoología, familia de estos mamíferos. ▢ ETIMOL. Del latín *bos* (buey). ▢ SEM. Dist. de *bovino* (tipo de bóvido).

bovino, na ∎ adj. **1** Del toro o de la vaca. ∎ adj./s. **2** Referido a un rumiante, que es de cuerpo grande y robusto, sin cuernos o con los cuernos lisos y encorvados hacia afuera, el hocico ancho y desnudo y la cola larga y con un mechón en el extremo: *El bisonte y el toro son animales bovinos*. ∎ s.m.pl. **3** En zoología, subfamilia de estos rumiantes, perteneciente a la familia de los bóvidos. ▢ ETIMOL. Del latín *bovinus*. ▢ SEM. Dist. de *bóvido* (grupo al que pertenecen los bovinos).

[bowling s.m. →**bolera**. ▢ PRON. [bóulin], con *u* suave. ▢ USO Es un anglicismo innecesario.

box s.m. **[1** En una cuadra o en un hipódromo, compartimiento individual para cada caballo. **[2** En un circuito automovilístico, zona donde se instalan los servicios mecánicos de mantenimiento. **3** En zonas del español meridional, boxeo.

boxeador, -a s. Persona que practica el boxeo, esp. si ésta es su profesión.

boxear v. Luchar a puñetazos, esp. si se hace siguiendo las normas del boxeo: *Ese chico boxea en la categoría de peso pluma*. ▢ ETIMOL. Del inglés *to box* (golpear).

boxeo s.m. Deporte en el que dos personas luchan a puñetazos con las manos protegidas con unos guantes especiales.

[boxer (anglicismo) ∎ adj./s. **1** Referido a un perro, de la raza que se caracteriza por tener cuerpo mediano, pecho ancho y fuerte, maxilar inferior prominente y pelo corto de color marrón. ⚔ perro ∎ s.m. **2** Tipo de calzoncillo parecido a un pantalón corto. ▢ PRON. [bóxer]. ▢ MORF. Como adjetivo es invariable en género.

bóxer s.m. Miembro de una sociedad secreta china que en 1900 era contraria a la presencia extranjera en el país. ▢ ETIMOL. Del inglés *boxer*.

boxístico, ca adj. Del boxeo o relacionado con este deporte.

[boy scout (anglicismo) ‖ →**scout**. ▢ PRON. [boi escáut].

boya s.f. Cuerpo flotante que se sujeta al fondo del mar, de un río o de un lago y que sirve para señalar un sitio peligroso o el lugar donde hay un objeto sumergido. ▢ ETIMOL. Del francés *bouée*.

boyada s.f. Manada de bueyes.

boyante adj. Que está en una situación de prosperidad, con fortuna o felicidad en aumento. ▢ ETIMOL. De *boyar* (flotar). ▢ MORF. Invariable en género.

boyardo, da s. En la antigua Rusia, miembro de la nobleza feudal.

bozal s.m. **1** Aparato que se pone alrededor de la boca de algunos animales, esp. de los perros, para que no muerdan. **2** Cesta pequeña que se pone alrededor de la boca de una bestia de labor, esp. de un caballo, para que no estropee un sembrado ni se pare a comer. ▢ ETIMOL. De *bozo*.

bozo s.m. En un joven, vello o pelillo suave que le empieza a nacer sobre el labio superior antes de la aparición del bigote. ▢ ETIMOL. Quizá de **bucciu*, y éste del latín *bucca* (boca, mejilla).

braceada s.f. Movimiento amplio de brazos ejecutado con esfuerzo o con ímpetu: *El náufrago daba braceadas para llamar la atención de la avioneta de rescate*. ▢ SEM. Dist. de *brazada* (movimiento de brazos con que se impulsa el cuerpo en el agua).

bracear v. **1** Mover los brazos repetidamente: *El náufrago braceó para que lo vieran desde la barca*. **2** Mover los brazos para avanzar en el agua al nadar: *Braceó hacia la isla luchando contra la corriente*. **3** Forcejear para soltarse de una sujeción: *Braceé con rabia, pero no pude soltarme porque me agarraban con fuerza*.

braceo s.m. Movimiento repetido de brazos.

bracero s.m. Jornalero que se dedica a un trabajo no especializado. ▢ ETIMOL. De *brazo*. ▢ SEM. Aunque la RAE lo considera sinónimo de *peón*, *bracero* se ha especializado para los jornaleros del campo.

bracmán s.m. →**brahmán**.

bráctea s.f. En algunas plantas, hoja próxima a la flor, de distinta forma, consistencia y color que la hoja normal, a veces, muy coloreada: *Las espigas del maíz están envueltas en brácteas*. ▢ ETIMOL. Del latín *brattea* (hoja de metal).

bradicardia s.f. En medicina, ritmo cardíaco lento. ▢ ETIMOL. Del griego *bradýs* (lento) y *-cardia* (corazón).

braga s.f. **1** Prenda de ropa interior femenina o infantil que cubre generalmente desde la cintura hasta la ingle. **[2** col. Lo que se considera de poca calidad o de poco valor: *Esta película es una 'braga'*. **[3** Prenda de vestir que se coloca alrededor del cuello a modo de bufanda cerrada. **4** ‖ **en bragas**; col. No preparado para afrontar una determinada situación: *Fui al examen sin estudiar y el profesor me pilló 'en bragas'*. ‖ **hecho una braga**; col. Referido a una persona, en muy malas condiciones físicas o psíquicas. ▢ ETIMOL. Del latín *braca* (calzón). ▢ MORF. La acepción 1 en plural tiene el mismo significado que en singular.

bragado, da adj. **1** col. Referido a una persona, enérgica, firme y decidida. **2** Referido a una persona, con mala intención.

bragadura s.f. En una prenda de vestir, parte que se corresponde con la entrepierna de una persona. ⚔ armadura

[bragapañal s.m. Pañal que se ajusta al cuerpo y queda como una braga.

bragazas adj./s.m. col. Referido a un hombre, que se deja dominar con facilidad, esp. por su mujer; calzonazos. ▢ MORF. 1. Como adjetivo es invariable en género. 2. Invariable en número. ▢ USO Es despectivo.

braguero s.m. Aparato o vendaje que sirve para contener las hernias.

bragueta s.f. En un pantalón o en un calzón, abertura delantera.

brahmán s.m. En la sociedad de la India (país asiático), miembro de la primera y más elevada de las cuatro castas en que ésta se divide, y que vive dedicado fundamentalmente al sacerdocio y al estudio de los textos sagrados. ▢ ORTOGR. Se admite también *bracmán* y *brahmín*.

brahmanismo s.m. Sistema filosófico, religioso y social que se desarrolla en la India, basado en la concepción panteísta de la realidad y en la existencia del dios supremo Brahma como principio único de todo, en quien el hombre debe integrarse tras un proceso de purificación en varias vidas.

brahmín s.m. →**brahmán**.

braille s.m. Sistema de lectura para ciegos basado en la representación de las letras por medio de la combinación de puntos en relieve. □ ETIMOL. Por alusión a Louis Braille, pedagogo francés de mediados del siglo XIX y creador del método. □ PRON. [bráile].

[brainstorming (anglicismo) s.f. Reunión de personas que tiene como objetivo suscitar el mayor número de ideas originales en un mínimo de tiempo. □ PRON. [breinstórmin], con la segunda *r* suave. □ USO Su uso es innecesario y puede sustituirse por una expresión como *tormenta de ideas*.

brama s.f. Referido a algunos animales, esp. al ciervo, apareamiento o búsqueda instintiva de pareja para procrear; berrea.

bramadera s.f. Tabla pequeña con un agujero y con una cuerda atada en él, y que, al ser agitada con fuerza en el aire, produce un sonido semejante al bramido: *Los pastores usan una bramadera para guiar al ganado.*

bramadero s.m. Lugar al que suelen acudir los ciervos y otros animales salvajes cuando están en celo.

bramante s.m. Cordel delgado y resistente hecho de cáñamo; tramilla. □ ETIMOL. Por alusión a Brabante, provincia de los Países Bajos, famosa por sus manufacturas de cáñamo.

bramar v. 1 Referido esp. al toro o a la vaca, dar bramidos o emitir su voz característica. 2 Referido a una persona, dar gritos fuertes y violentos para manifestar irritación, cólera o dolor. □ ETIMOL. Quizá del gótico *bramôn.

bramido s.m. 1 Voz característica del toro, de la vaca y de otros animales salvajes. 2 Referido a una persona, grito que manifiesta irritación y cólera grandes o un dolor muy fuerte. 3 Referido al mar o al viento, ruido grande y estruendoso producido cuando están agitados.

brancada s.f. Red que se coloca atravesada en un río o en un brazo de mar para encerrar la pesca y poder cogerla a mano. □ ETIMOL. Del latín *branca* (garra).

[brandada s.f. Guiso hecho con bacalao, aceite, patatas, ajo machacado, leche y otros ingredientes.

brandy (anglicismo) s.m. Bebida alcohólica de graduación muy elevada, obtenida por la destilación del vino y parecida al coñac. □ PRON. [brándi]. □ SEM. Dist. de *coñá* y *coñac* (originario de la región francesa de Cognac).

branquia s.f. En algunos animales acuáticos, órgano respiratorio formado por láminas o filamentos, que puede ser externo o interno según los estadios o especies. □ ETIMOL. Del latín *branchia*.

branquial adj. De las branquias o relacionado con ellas: *respiración branquial*. □ MORF. Invariable en género. □ SEM. Dist. de *braquial* (del brazo).

[branquiópodo ■ adj./s.m. **1** Referido a un crustáceo, que tiene dos antenas para nadar y un gran número de patas laminares con apéndices branquiales. ■ s.m.pl. **2** En zoología, subclase de estos crustáceos, perteneciente al tipo de los artrópodos. □ ORTOGR. Dist. de *braquiópodo*.

[branquiosaurio s.m. Anfibio fósil con cuatro dedos en las manos y cinco en los pies, que vivió en la era secundaria. □ ETIMOL. Del griego *bránkhion* (branquia) y *sàuros* (lagarto).

braquial adj. En anatomía, del brazo o relacionado con esta parte del cuerpo. □ ETIMOL. Del latín *brachialis*, y éste de *bracchium* (brazo). □ MORF. Invariable en género. □ SEM. Dist. de *branquial* (de las branquias).

braquiópodo ■ adj./s.m. **1** Referido a un animal marino, que tiene una concha con dos valvas, dos brazos tentaculares situados a derecha e izquierda de la boca, y vive aislado y fijo al fondo del mar. ■ s.m.pl. **2** En zoología, tipo de estos animales, perteneciente al reino de los metazoos. □ ETIMOL. Del griego *brakhíon* (brazo) y *-podo* (pie). □ ORTOGR. Dist. de *branquiópodo*.

braquiuro ■ adj./s.m. **1** Referido a un crustáceo, que es ancho, con el abdomen plano y recogido debajo del cefalotórax: *Los cangrejos de mar son animales braquiuros.* ■ s.m.pl. **2** En zoología, suborden de estos crustáceos, perteneciente al tipo de los artrópodos. □ ETIMOL. Del griego *brakhýs* (corto) y *urá* (cola).

brasa s.f. **1** Pedazo de una materia sólida y combustible, esp. leña o carbón, cuando arde y se pone rojo e incandescente. **2** ‖ **[a la brasa**; referido a un alimento, que se cocina sobre trozos incandescentes de leña o de carbón, directamente o con una parrilla. ‖ **[dar la brasa**; *col.* Aburrir o importunar. □ ETIMOL. De origen incierto. □ SEM. Dist. de *ascua* (brasa sin llama).

brasero s.m. **1** Recipiente de metal, poco profundo y generalmente redondo, que se usa como calefacción y que funciona con brasas o con energía eléctrica. **2** En zonas del español meridional, lugar en el que se enciende el fuego en algunas cocinas. □ ETIMOL. De *brasa*.

[brasier s.m. En zonas del español meridional, sujetador. □ ETIMOL. Del francés *brassière*. □ ORTOGR. Se usa también *brassier*.

brasileño, ña adj./s. De Brasil (país suramericano), o relacionado con él.

brasilero, ra adj./s. En zonas del español meridional, brasileño.

[brasserie s.f. →**cervecería**. □ PRON. [braserí]. □ USO Es un galicismo innecesario.

[brassier s.m. En zonas del español meridional, sujetador. □ ETIMOL. Del francés *brassière*. □ PRON. [brasiér]. □ ORTOGR. Se usa también *brasier*.

bravata s.f. **1** Amenaza hecha con arrogancia; bravura. **2** Hecho o dicho propios de quien presume de valiente sin serlo. □ ETIMOL. Del italiano *bravata*. □ SEM. En la acepción 2, es sinónimo de *baladronada* y *blasonería*.

braveza s.f. **1** Valentía y capacidad para emprender acciones difíciles o peligrosas. **2** Carácter fiero y agresivo en un animal, esp. en un cuadrúpedo, debido a su falta de doma. □ SEM. Es sinónimo de *bravura*.

bravío, a adj. **1** Referido a un animal, que es salvaje y feroz, y no está domado o es difícil de domar. **2** Referido a un árbol o a una planta, que se cría sin cultivo en la selva o en el campo; silvestre. **3** Referido a una persona, sin educación y sin cortesía. **[4** Referido al mar, embravecido y encrespado; bravo, bravoso.

bravo interj. Expresión que se usa para indicar entusiasmo, aprobación o aplauso. ☐ ETIMOL. Del italiano *bravo* (bueno).

bravo, va o **bravoso, sa** adj. **1** Referido a una persona, valiente y capaz de emprender acciones difíciles o peligrosas: *Los bravos guerreros luchaban sin miedo a la muerte.* **2** Referido a un animal, que actúa con fiereza: *un toro bravo.* **3** Referido al mar, embravecido y encrespado; bravío. **4** Referido a una persona, que está enfadada o que se enoja con facilidad: *Es un poco colérico y puede ponerse bravo y violento.* **5** *col.* Que presume de valiente o de guapo sin serlo. **6** *col.* Poco afable en la conversación y en el trato con los demás: *Tiene unos amigos bravosos y antipáticos.* **7** Bueno o excelente: *¡Brava estocada la del diestro al toro!* **8** *col.* Suntuoso, magnífico o costoso: *¡Bravo palacio el que se ha construido el conde!* **9** ‖ **por las bravas**; referido al modo de hacer algo, por la fuerza o por imposición: *¿Es que todo lo tienes que hacer por las bravas?* ☐ ETIMOL. Quizá latín *barbarus* (bárbaro, fiero). ☐ USO →*Bravoso* es el término menos usual.

bravucón, -a adj./s. *col.* Que parece valiente pero no lo es.

bravuconada o **bravuconería** s.f. Hecho o dicho propios de un bravucón.

bravura s.m. **1** Valentía y capacidad para emprender acciones difíciles o peligrosas. **2** Carácter fiero y agresivo de un animal, esp. de un cuadrúpedo, debido a su falta de doma. **3** Amenaza hecha con arrogancia. ☐ SEM. En las acepciones 1 y 2, es sinónimo de *braveza*.

braza s.f. **1** En el sistema anglosajón, unidad de longitud que equivale aproximadamente a 1,8 metros. **2** En natación, estilo que consiste en nadar boca abajo extendiendo y recogiendo los brazos y las piernas de forma simultánea y sin sacarlos del agua. ☐ ETIMOL. Del latín *bracchia*, plural de *bracchium* (brazo), por ser lo abarcado con los dos brazos extendidos.

brazada s.f. **1** Movimiento de brazos consistente en extenderlos y recogerlos, esp. si con ello se impulsa el cuerpo en el agua. **2** Cantidad que se puede abarcar de una vez con los brazos, esp. si es de leña o de hierba. ☐ ORTOGR. En la acepción 2, se admite también *brazado*. ☐ SEM. Dist. de *braceada* (movimiento amplio de brazos, hecho con esfuerzo).

brazado s.m. →**brazada**.

brazal s.m. **1** Tira de tela que se ajusta por encima de la ropa en el brazo izquierdo, y que sirve de distintivo. **2** En un escudo, asa para cogerlo y por la cual se metía el brazo izquierdo.

brazalete s.m. **1** Aro que se lleva como adorno en el brazo. 🔶 joya **2** En una armadura antigua, pieza que cubría el brazo. ☐ ETIMOL. Del francés *bracelet*. ☐ SEM. Su uso para designar el brazal que se lleva como distintivo es incorrecto, aunque está muy extendido; incorr. *el futbolista llevaba un {*brazalete > brazal}.*

brazo ∎ s.m. **1** En el cuerpo de una persona, extremidad superior que va desde el hombro hasta la mano y que está situada a cada lado del tronco. **2** En la extremidad superior de una persona, parte que va desde el hombro hasta el codo. **3** Fuerza, poder o autoridad: *el brazo de la ley.* **4** En un animal cuadrú-

pedo, pata delantera. **5** En un asiento, pieza alargada situada a cada uno de sus lados y que sirve para apoyar el codo o el antebrazo. **6** En una cruz, cada una de las dos mitades del palo más corto. **7** En una lámpara o en un candelabro, cada una de las ramificaciones que salen del cuerpo central y que sirven para sostener las luces. **8** En una balanza, cada una de las dos mitades de la barra horizontal, en la que se apoyan o de la que cuelgan los platillos. **9** Pieza alargada y móvil de cuyos extremos uno está fijo y otro sobresale: *El brazo del tocadiscos sujeta la aguja.* ∎ pl. **10** Mano de obra, esp. referido a jornaleros o braceros: *Aquí hacen falta brazos para la recolección de la uva.* **11** ‖ **a brazo partido**; referido esp. a una lucha, con todo el esfuerzo y la energía posibles. ‖ **[brazo armado**; en un grupo político, rama violenta y partidaria del uso de las armas para conseguir sus objetivos. ‖ **brazo (de) gitano**; en pastelería, bizcocho formado por una capa delgada que se unta generalmente de crema o de nata y se enrolla sobre sí misma con forma de cilindro. ‖ **brazo de mar**; canal ancho y largo de agua de mar que se adentra en la tierra. ‖ **con los brazos abiertos**; referido al modo de recibir a alguien, con agrado y con cariño. ‖ **cruzarse de brazos**; quedarse sin hacer nada o sin intervenir en un asunto. ‖ **hecho un brazo de mar**; *col.* Referido a una persona, muy acicalada y arreglada con elegancia. ‖ **no dar** alguien **su brazo a torcer**; *col.* Mantenerse firme en una opinión o en una decisión. ‖ **ser el brazo derecho** de alguien; ser la persona de más confianza o el colaborador más importante. ☐ ETIMOL. Del latín *bracchium*. ☐ MORF. Cuando se antepone a una palabra para formar compuestos, adopta la forma *braci-*: *bracilargo*.

brazuelo s.m. En las patas delanteras de un animal cuadrúpedo, parte que está entre el codillo y la rodilla. 🔶 carne

brea s.f. **1** Sustancia viscosa de color rojo oscuro que se obtiene de varios árboles coníferos. **2** En marina, mezcla hecha con esta sustancia viscosa y oscura y con aceite, sebo y pez, que se usa para pintar los aparejos de una embarcación o para tapar las junturas del casco. **3** ‖ **brea (líquida)**; producto viscoso de color negro, que se obtiene por destilación del petróleo, de la madera, del carbón o de otros materiales orgánicos; alquitrán. ☐ ETIMOL. Del antiguo *brear* (embrear).

[break (anglicismo) ∎ s.m. **1** En jazz, improvisación de un solista que interrumpe su composición momentáneamente. **2** En tenis, punto por el que un jugador gana un juego frente al saque del contrario. **3** →**breakdance**. **4** En un coche, carrocería propia del modelo familiar. ∎ interj. **5** En boxeo, expresión que usa el árbitro para separar a los dos púgiles. ☐ PRON. [breik]. ☐ USO En las acepciones 1 y 2, su uso es innecesario y puede sustituirse por una expresión como *improvisación* o *ruptura de servicio*, respectivamente.

[breakdance (anglicismo) s.m. Baile brusco con contorsiones y ejercicios acrobáticos que imita los movimientos de un autómata. ☐ PRON. [bréikdans]. ☐ MORF. En la lengua coloquial se usa mucho la forma abreviada *break*.

brear v. **1** Maltratar o molestar insistentemente de palabra o de obra: *Los periodistas me brearon a preguntas.* **2** *col.* Referido a una persona, golpearla: *Unos* *gamberros me brearon a palos y no puedo ni moverme.* □ SINT. Constr. *brear a alguien* A *algo.*

brebaje s.m. Bebida que tiene mal aspecto o mal sabor. □ ETIMOL. Del francés *breuvage*, y éste del latín *bibere* (beber).

brecha s.f. **1** Herida, esp. si es en la cabeza. **2** En una superficie, rotura o abertura irregulares; boquete. **[3** En zonas del español meridional, camino abierto en la selva, o cualquier camino sin pavimentar. **4** ‖**abrir brecha**; [crear una posibilidad nueva: *Sus investigaciones van a 'abrir brecha' en el campo de la medicina.* ‖**estar en la brecha**; referido a una persona, estar siempre dispuesta o decidida a defender un interés o a cumplir con un deber. □ ETIMOL. Del francés *brèche.*

brécol s.m. Variedad de col común, con hojas de color verde oscuro que no se apiñan; bróculi. □ ETIMOL. Del italiano *broccoli*, y éste de *brocco* (retoño). □ USO Es innecesario el uso del italianismo *broccoli.*

brega s.f. **1** Trabajo afanoso y ajetreado. **2** col. Enfrentamiento y lucha con alguien o con una dificultad o riesgo: *Los problemas convierten la vida en una brega continua.* **3** ‖**andar a la brega**; trabajar con mucho afán. □ ORTOGR. Se admite también *briega.*

bregar v. **1** Trabajar mucho y afanosamente: *Cada día tengo que bregar con las tareas de la casa.* **2** Enfrentarse a una dificultad o a un riesgo y luchar para superarlo: *Tuvo que bregar con la oposición de sus padres para dedicarse al teatro.* □ ETIMOL. Del gótico *brikan* (golpear). □ ORTOGR. La *g* se cambia en *gu* delante de *e* →PAGAR. □ SINT. Constr. *bregar* CON *algo.*

brete ‖{estar/poner} **en un brete**; estar o poner en un aprieto o en una dificultad que no se puede eludir: *Con esa pregunta me puso en un brete y no supe qué responder.* □ ETIMOL. Quizá del provenzal *bret* (trampa para coger pájaros).

[bretel s.m. En zonas del español meridional, tirante de prendas femeninas.

bretón, -a ‖ adj. **[1** De las historias o narraciones del ciclo literario medieval del rey Arturo y de los Caballeros de la Tabla Redonda (personajes del siglo VI). ‖ adj./s. **2** De Bretaña (región del noroeste francés), o relacionado con ella. ‖ s.m. **3** Lengua céltica de esta región. □ SEM. Dist. de *británico* (de Gran Bretaña).

breva s.f. **1** Primer fruto que produce un tipo de higuera cada año. **2** ‖**de higos a brevas**; *col.* Muy de tarde en tarde: *Nos vemos muy poco, de higos a brevas.* ‖**no caerá esa breva**; *col.* Expresión con que se expresa la dificultad de conseguir algo que se desea vivamente: *Dice que va a dimitir, pero no caerá esa breva.* □ ETIMOL. Del latín *bifera*, y éste de *bifer* (que da fruto dos veces).

breval s.m. →**higuera breval.**

breve ‖ adj. **1** De poca duración en el tiempo o de corta extensión. ‖ s.m. **2** Noticia de corta extensión publicada en columna o en bloque con otras semejantes. □ ETIMOL. Del latín *brevis*. □ MORF. Como adjetivo es invariable en género. □ SEM. 1. No debe emplearse con el significado de 'poco': *Lo resolvió en* {*breves* > *pocos*} *minutos.* 2. *En breve* no debe emplearse con el significado de 'en resumen' (galicismo): {*En breve* > *En resumen*}, *que no estoy de acuerdo.*

brevedad s.f. Corta extensión o corta duración de tiempo. □ SINT. Incorr. {*a* > *con*} *la mayor brevedad.*

breviario s.m. Libro que contiene el rezo eclesiástico de todo el año. □ ETIMOL. Del latín *breviarium*, y éste de *brevis* (breve).

brezo s.m. Arbusto con abundantes ramas de color blanquecino, raíces gruesas, hojas estrechas y flores blancas o rosadas en racimo con la corola acampanada y el cáliz persistente. □ ETIMOL. Del latín hispánico **broccius.*

bribón, -a adj./s. Que no tiene honradez ni vergüenza. □ ETIMOL. De *briba* (vida holgazana del mendigo o del pícaro). □ USO Aplicado a niños tiene un matiz cariñoso.

bribonada s.f. Hecho o dicho propios de un bribón.

bricolaje s.m. Trabajo manual, no profesional, generalmente destinado al arreglo o a la decoración de una casa. □ ETIMOL. Del francés *bricolage.* □ ORTOGR. Incorr. **bricolage.*

brida s.f. Referido a una caballería, conjunto formado por el freno, las correas que lo sujetan a la cabeza y las riendas. □ ETIMOL. Del francés *bride.*

[bridge (anglicismo) s.m. Juego de cartas con la baraja francesa, que se practica entre dos parejas y está basado en la apuesta de las bazas que se considera que pueden hacerse. □ PRON. [brich], con *ch* suave.

[briefing (anglicismo) s.m. **1** Informe o sumario de instrucciones para realizar una tarea. **2** Reunión para informar de algo o para dar unas breves instrucciones. □ ETIMOL. Del inglés *brief* (breve). □ PRON. [brífin]. □ USO Su uso es innecesario y puede sustituirse por una expresión como *informe* o *reunión informativa.*

briega s.f. →**brega.**

brigada ‖ s.m. **1** En el ejército, persona cuyo empleo militar es superior al del sargento primero e inferior al de subteniente. ‖ s.f. **2** En el ejército, gran unidad que consta de dos o tres regimientos o de cuatro a seis batallones de un arma determinada, y que es mandada por un general o un coronel. **3** Conjunto de personas reunidas para realizar un trabajo determinado: *una brigada de salvamento.* □ ETIMOL. Del francés *brigade*, y éste del italiano *brigata* (grupo de personas que van juntas).

brigadier s.m. **1** En el antiguo ejército, persona cuyo empleo militar era inmediatamente superior al de coronel. **2** En la antigua Armada, persona cuyo empleo militar era inmediatamente superior al de capitán de navío. □ ETIMOL. Del francés *brigadier.* □ SEM. No debe emplearse con el significado de 'general o brigada del ejército actual' (anglicismo).

[brigadista s. Persona que forma parte de una brigada política. □ MORF. Es de género común: *el 'brigadista', la 'brigadista'.*

[brik (del sueco) s.m. →**tetra brik.**

brillante ‖ adj. **1** Admirable o sobresaliente por el valor o por la calidad de sus características: *unas notas brillantes.* ‖ s.m. **2** Diamante tallado por sus dos caras. □ MORF. Como adjetivo es invariable en género.

brillantez s.f. **1** Conjunto de rayos de luz propia o reflejada que despide algo. **2** Gloria o lucimiento que hace sobresalir y destacar, y que despierta admiración: *Terminó la carrera con brillantez y con* *las mejores notas de la clase.* □ SEM. Es sinónimo de *brillo.*

brillantina s.f. Producto cosmético que se usa para dar brillo al cabello. □ SEM. Dist. de *gomina* (para fijar el cabello).

brillar v. 1 Despedir rayos de luz, propia o reflejada: *El Sol brilla en el firmamento.* 2 Sobresalir o destacar de manera que despierta admiración: *Su inteligencia y belleza brillan allá donde va.* [3 En zonas del español meridional, sacar brillo. □ ETIMOL. Del italiano *brillare* (girar, brillar).

brillo s.m. 1 Conjunto de rayos de luz propia o reflejada que despide algo: *Me encanta el brillo de tus ojos cuando estás alegre.* 2 Gloria o lucimiento que hace sobresalir y destacar, y que despierta admiración: *Me deslumbra el brillo de la popularidad.* □ SEM. Es sinónimo de *brillantez.*

[**brilloso, sa**] adj. En zonas del español meridional, brillante y resplandeciente.

brincar v. Saltar repentinamente impulsando el cuerpo hacia arriba: *Al ver sus buenas notas brincó de alegría.* □ ETIMOL. Del portugués *brincar* (jugar, retozar). □ ORTOGR. La *c* se cambia en *qu* delante de *e* →SACAR.

brinco s.m. 1 Salto repentino con el que alguien se impulsa hacia arriba. [2 Movimiento inconsciente que alguien hace al sobresaltarse.

brindar v. 1 Levantar una copa u otro recipiente con bebida, para manifestar un deseo o festejar algo; beber: *Brindemos por todos nosotros.* 2 Ofrecer por propia voluntad y sin esperar nada a cambio: *El Ayuntamiento brindó el teatro para representaciones benéficas. Se brindó a enseñarme la ciudad.* 3 En un espectáculo, esp. en tauromaquia, dedicar expresamente a alguien lo que se va a realizar: *El torero brindó el toro al público.* 4 Referido a una oportunidad, proporcionarla o hacer posible su disfrute o su aprovechamiento: *Las vacaciones me brindan la ocasión de leer.* □ SINT. Constr. de la acepción 2 como pronominal: *brindarse A hacer algo.*

brindis s.m. 1 Gesto de levantar, al ir a beber, una copa u otro recipiente semejante para manifestar un deseo o festejar algo. 2 Lo que se dice al brindar. □ ETIMOL. Del alemán *ich bring dir's* (yo te lo ofrezco), que solía pronunciarse al brindar. □ MORF. Invariable en número.

brinza s.f. →brizna.

brío s.m. 1 Fuerza con la que algo crece o se desarrolla o con la que se ejecuta una acción; pujanza: *Irrumpió con brío en medio de la reunión.* 2 Energía, firmeza y decisión con que se hace algo: *Si quieres aprobar, tendrás que estudiar con más brío.* 3 Garbo y energía: *No todos los actores caminan con ese brío.* 4 ‖ voto a bríos; ant. Juramento que expresaba cólera (por sustitución eufemística de *voto a Dios,* que se pronunciaba [díos]): *¡Voto a bríos, que no haré tal cosa!* □ ETIMOL. Del céltico **brigos* (fuerza). □ ORTOGR. La RAE sólo registra *voto a brios.*

[**brioche** (galicismo) s.m. Bollo grande de forma redondeada, esponjoso y con frutas confitadas en el interior. □ PRON. [brióch], con *ch* suave.

briofito, ta ■ adj./s. 1 Referido a una planta, que tiene falso tallo, falsas hojas y falsas raíces y que es propia de lugares húmedos: *El musgo es una briofita.* ■ s.f.pl. 2 En botánica, división de estas plantas,

perteneciente al reino de las metafitas. □ ETIMOL. Del griego *brýon* (musgo) y *phytón* (planta).

brios ‖ voto a brios; →voto a bríos.

brioso, sa adj. Con brío.

[**briqué** s.m. En zonas del español meridional, mechero. □ ETIMOL. Del francés *briquet.*

brisa s.f. 1 Viento suave. 2 En las costas, corriente suave de aire que por el día va del mar a la tierra y por la noche, de la tierra al mar. □ ETIMOL. De origen incierto.

brisca s.f. Juego de cartas en el que se reparten tres a cada jugador, una se deja boca arriba de triunfo, y gana el que consigue mayor número de puntos. □ ETIMOL. Del francés *brisque.*

británico, ca adj./s. Del Reino Unido de Gran Bretaña e Irlanda del Norte (país del occidente europeo), o relacionado con él. □ SEM. Dist. de *bretón* (de Bretaña) y de *inglés* (de Inglaterra).

britano, na adj./s. De la antigua Britania (nombre dado a Inglaterra por los griegos y romanos). □ SEM. Dist. de *bretón* (de Bretaña) y de *británico* (de Gran Bretaña).

brizna s.f. Filamento o hebra de algo, esp. de una planta. □ ETIMOL. Del antiguo *brinza* (brizna). □ ORTOGR. Se admite también *brinza.*

briznoso, sa adj. Que tiene muchas briznas.

broca s.f. En una máquina de taladrar, pieza que se coloca en la punta y que, al girar, hace los agujeros. □ ETIMOL. Del catalán *broca.*

brocado s.m. 1 Tela de seda que está entretejida con oro o plata. 2 Tejido fuerte de seda, con dibujos de distinto color que el del fondo. □ ETIMOL. Del italiano *broccato.*

brocal s.m. En un pozo, muro pequeño que rodea la boca para evitar que alguien caiga en él. □ ETIMOL. De *bocal,* y éste de *boca.*

[**broccoli** s.m. →brécol. □ PRON. [brócoli]. □ USO Es un italianismo innecesario.

brocha s.f. Utensilio formado por un conjunto de cerdas sujetas al extremo de un mango. □ ETIMOL. Quizá del francés dialectal *brouche* (cepillo).

brochada s.f. Cada pasada que se da con la brocha; brochazo.

brochazo s.m. Cada pasada que se da con la brocha; brochada. □ USO Aunque la RAE prefiere *brochada,* se usa más *brochazo.*

broche s.m. 1 Cierre formado por dos piezas, una de las cuales engancha o encaja en la otra. 2 Joya que se lleva prendida en la ropa como adorno o para sujetar exteriormente algo. [3 En zonas del español meridional, grapa. [4 En zonas del español meridional, pinza. 5 ‖ broche (de oro); final feliz y brillante, esp. referido a un acto público: *El broche de oro del festival fue la actuación de la soprano.* □ ETIMOL. Del francés *broche* (joya, broche).

brocheta s.f. 1 Varilla en la que se ensartan trozos de alimentos, esp. de carne o pescado, para asarlos o cocinarlos a la parrilla. [2 Comida que se guisa ensartada en estas varillas. □ ORTOGR. En la acepción 1, se admite también *broqueta.* □ USO En la acepción 1, aunque la RAE prefiere *broqueta,* se usa más *brocheta.*

bróculi s.m. Variedad de col común, con hojas de color verde oscuro que no se apiñan; brécol. □ USO Es innecesario el uso del italianismo *broccoli.*

brodio s.m. →bodrio.

[**broker** (anglicismo) s. Agente financiero que se dedica a actuar como intermediario en operaciones económicas de compra y venta. ☐ PRON. [bróker]. ☐ USO Su uso es innecesario y puede sustituirse por una expresión como *agente financiero*.

broma s.f. **1** Hecho o dicho con que alguien intenta reírse o hacer reír, sin mala intención: *No se creyó la broma de que le había tocado la lotería*. **2** Diversión, desenfado o falta de seriedad: *Hoy tengo ganas de broma*. **3** Molusco marino con aspecto de gusano y una concha muy pequeña que deja descubierta la mayor parte del cuerpo. ☐ ETIMOL. Las acepciones 1 y 2, de *broma* (carcoma que hacía que la madera de los buques fuese mucho más pesada), por eso broma significó *cosa pesada*. La acepción 3, del griego *brôma* (caries).

bromatología s.m. Estudio de los alimentos y de su adecuada preparación y dosificación de acuerdo con principios científicos y económicos. ☐ ETIMOL. Del griego *brôma* (alimento) y *-logía* (estudio, ciencia).

bromear v. Hacer uso de bromas o chanzas con intención de reírse o de hacer reír: *Bromeó con la estatura del jugador de baloncesto*.

bromeliáceo, a ■ adj./s.f. **1** Referido a una planta, que es un arbusto y que tiene las hojas reunidas en la base, envainadoras, rígidas, dentadas y espinosas en el margen, las flores en racimo, espiga o panoja, y el fruto en cápsulas o bayas: *La piña americana es una bromeliácea*. ■ s.f.pl. **2** En botánica, familia de estas plantas, perteneciente a la división de las angiospermas. ☐ ETIMOL. En honor del botánico sueco Bromel.

[brómico, ca adj. De bromo o del bromo.

bromista adj./s. Aficionado a hacer uso de bromas para reírse o hacer reír. ☐ MORF. 1. Como adjetivo es invariable en género. 2. Como sustantivo es de género común: *el bromista, la bromista*.

bromo s.m. Elemento químico, no metálico y líquido, de número atómico 35, de color rojo pardusco y olor fuerte y desagradable. ☐ ETIMOL. Del griego *brômos* (hedor), por su mal olor que despide. ☐ ORTOGR. Su símbolo químico es *Br*.

bromuro s.m. En química, combinación del bromo con un radical simple o compuesto: *El bromuro de plata se utiliza en fotografía*.

bronca s.f. Véase **bronco, ca**.

bronce s.m. **1** Cuerpo metálico que resulta de la aleación del cobre con el estaño, de color amarillento rojizo y muy resistente. **2** Objeto artístico hecho con esta materia. **[3** Medalla hecha con esta materia, que se otorga al tercer clasificado en una competición. ☐ ETIMOL. Quizá del italiano *bronzo*.

bronceado, da ■ adj. **1** De color de bronce. ■ s.m. **2** Coloración morena de la piel, que se adquiere por la acción de los rayos del sol o de un agente artificial.

bronceador, -a ■ adj. **1** Que sirve para broncear. ■ s.m. **2** Producto cosmético que se extiende sobre la piel para broncearla.

broncear v. Poner moreno: *El sol broncea más por la mañana que por la tarde. Mi tía se broncea en el salón de belleza con una lámpara de rayos ultravioletas*.

broncíneo, a adj. De bronce o con características de este metal.

bronco, ca ■ adj. **1** Referido a un sonido, que es áspero, ronco y desagradable: *tos bronca*. **2** Referido

a una superficie, sin pulir o desigual y escabrosa: *Los montañeros escalaban la ladera más bronca del monte*. **3** Referido a una persona, sin formación o de carácter y trato poco amables. ■ s.f. **4** *col*. Discusión fuerte o enfrentamiento físico: *Tuvieron tal bronca que las voces se oían desde la calle*. **5** Amonestación severa con la que se desaprueba lo dicho o hecho por alguien: *Me echaron una bronca por llegar tarde a casa*. **6** En un espectáculo público, manifestación colectiva y ruidosa de desaprobación: *El equipo visitante fue recibido con una gran bronca*. **7** *col*. En zonas del español meridional, rabia. ☐ ETIMOL. Quizá del latín **bruncus*.

bronconeumonía s.f. En medicina, infección que desde los bronquios se extiende a los pulmones. ☐ ETIMOL. Del griego *brónkhos* (tráquea) y *pneumonía* (pulmonía).

bronquedad s.f. **1** *col*. Aspereza o carácter ronco y desagradable de un sonido. **2** Falta de pulimento o carácter desigual y escabroso de una superficie. **3** *col*. Falta de formación o de amabilidad. **4** Facilidad para quebrarse y falta de elasticidad de un metal.

bronquial adj. De los bronquios. ☐ MORF. Invariable en género.

bronquio s.m. En el sistema respiratorio pulmonar, cada uno de los conductos que se forman a partir de la tráquea, y sus ramificaciones sucesivas en los pulmones. ☐ ETIMOL. Del latín *bronchium*. ☐ MORF. 1. Se usa más en plural. 2. Cuando se antepone a una palabra para formar compuestos, adopta la forma *bronco-: broncopulmonar*.

bronquiolo o **bronquíolo** s.m. En el sistema respiratorio pulmonar, cada una de las ramificaciones finas y sin cartílago en que se subdividen los bronquios dentro de los pulmones. ☐ MORF. Se usa más en plural.

[bronquítico, ca ■ adj. **1** De la bronquitis o relacionado con esta enfermedad. ■ adj./s. **2** Referido a una persona, que padece bronquitis.

bronquitis s.f. En medicina, inflamación de la mucosa bronquial. ☐ ETIMOL. De *bronquio* e *-itis* (inflamación). ☐ MORF. Invariable en número.

[brontosaurio s.m. Reptil del grupo de los dinosaurios que existió en la era secundaria, era herbívoro, de cabeza pequeña y cuello muy largo, y que probablemente vivía en pantanos o lagunas.

broquel s.m. **1** Escudo defensivo, esp. el de tamaño pequeño hecho de madera o de corcho. **2** Lo que sirve de defensa, amparo o protección: *Un padre es el mejor broquel para su hijo*. ☐ ETIMOL. Del francés antiguo *bocler*, y éste de *bocle* (guarnición de metal que el escudo llevaba en su centro).

broqueta s.f. →**brocheta**.

brotadura s.f. Nacimiento de un brote.

brótano s.m. →**abrótano**.

brotar v. **1** Comenzar a nacer o a salir: *Las semillas que planté ya han brotado*. **2** Referido a una planta, echar hojas, tallos o flores: *Los rosales han brotado muy pronto este año*. **3** Referido a un líquido, manar o salir por una abertura: *Le brotó sangre de la herida*. **4** Referido a una enfermedad, manifestarse en la piel con granos u otras erupciones: *Le brotó la viruela*. **5** Nacer o empezar a manifestarse: *En su cabeza brotaban ideas descabelladas*.

brote s.m. **1** En una planta, tallo nuevo que empieza a desarrollarse. **2** Aparición o principio de algo que empieza a manifestarse: *Se produjeron nuevos brotes de violencia.* □ ETIMOL. Del gótico **brut*.

broza s.f. **1** Maleza o ramas y hojas de plantas en los montes y los campos. **2** Conjunto de desperdicios y suciedad que van quedando depositados en algún lugar: *La broza no dejaba pasar el agua por el desagüe.* □ ETIMOL. De origen incierto.

[brucelosis s.f. En medicina, enfermedad infecciosa transmitida al hombre por algunos animales y caracterizada por fiebres muy altas, cambios bruscos de temperatura, sudores abundantes y por su larga duración; fiebre de Malta. □ MORF. Invariable en número.

bruces ‖*darse de bruces con* algo; *col.* Encontrarse con ello de frente y de manera inesperada: *Al doblar la esquina de la calle, me di de bruces con él.* ‖*de bruces*; tendido con la cara contra el suelo: *Se cayó de bruces y se raspó la frente.* □ ETIMOL. De origen incierto.

brujear v. Hacer brujerías: *En esa película, el protagonista brujeaba cuando había luna llena.*

brujería s.f. **1** Conjunto de conocimientos y poderes mágicos o sobrenaturales propios de aquellos que han hecho un pacto con los espíritus. **[2** Lo que se realiza usando estos poderes: *El hechicero indio curó a su hijo con 'brujerías'.*

[brujeril adj. *col.* Brujesco. □ MORF. Invariable en género.

brujesco, ca adj. Del brujo o de la brujería. □ USO Se usan también *brujeril* y *brujil*.

[brujil adj. *col.* Brujesco. □ MORF. Invariable en género.

brujo, ja ∎ adj. **1** Que atrae irresistiblemente; hechicero: *No puedo olvidar la mirada de sus ojos brujos.* ∎ s. **2** Persona que practica los conocimientos y poderes sobrenaturales propios de los que han hecho un pacto con los espíritus. ∎ s.f. **3** *col.* Mujer fea y vieja o de aspecto repugnante. **[4** *col.* Mujer de malas intenciones y de mal carácter. □ ETIMOL. De origen incierto.

brújula s.f. **1** Instrumento que sirve para orientarse en la superficie terrestre y que está formado por una aguja con las propiedades del imán, que gira libremente sobre un eje y señala siempre el Norte magnético. **2** En náutica, instrumento que consta de dos círculos concéntricos en los que se señala respectivamente el Norte y la orientación de la embarcación, y que sirve, confrontando ambas indicaciones, para conocer el rumbo que lleva la nave; compás. □ ETIMOL. Del italiano *bussola*, y éste del latín *buxis* (caja). □ SEM. En la acepción 2, es sinónimo de *aguja de bitácora*, *aguja de marear* y *aguja magnética*.

brujulear v. *col.* Hacer gestiones con habilidad y por varios caminos hasta conseguir lo que se pretende: *Hasta que no ha conseguido ese trabajo, no ha parado de brujulear.*

bruma s.f. Niebla poco densa, esp. la que se forma en el mar. □ ETIMOL. Del latín *bruma* (invierno).

brumoso, sa adj. **1** Con bruma. **[2** Confuso o difícil de entender.

[brunch (anglicismo) s.m. Comida que se toma a media mañana en sustitución del desayuno y de la comida. □ PRON. [branch].

bruno, na ∎ adj. **1** *poét.* De color negro u oscuro. ∎ s.m. **2** Árbol cuyo fruto es una ciruela negra y pequeña. **3** Fruto de este árbol. □ ETIMOL. La acep

ción 1, del germánico *brun* (moreno). Las acepciones 2 y 3, del latín *prunum* (ciruela). □ ORTOGR. En las acepciones 2 y 3, se admite también *bruño*.

bruñido s.m. Operación que consiste en dar brillo a una superficie, esp. si es metálica o de piedra; bruñidura; bruñimiento.

bruñidor s.m. Instrumento que sirve para bruñir.

bruñir v. Referido esp. a una superficie metálica o de piedra, darle brillo: *He bruñido tanto estas bandejas metálicas, que parecen de plata aunque no lo son.* □ ETIMOL. Del provenzal antiguo *brunir*. □ MORF. Irreg. → PLAÑIR.

bruño s.m. →**bruno**. □ ETIMOL. Del latín **pruneum*, y éste de *prunum* (ciruela).

brusco, ca adj. **1** De carácter poco amable o falto de suavidad. **2** Referido a un movimiento, repentino y rápido. □ ETIMOL. De origen incierto.

brusquedad s.f. **1** Carácter poco amable o falto de suavidad: *La brusquedad de sus respuestas me pareció fuera de tono.* **2** Hecho o dicho con este carácter: *No tengo por qué soportar tus brusquedades.* **3** Rapidez y carácter repentino de un movimiento: *El coche giró con brusquedad al llegar al cruce.*

[brut (galicismo) s.m. Vino en su estado primero, no adulterado ni manipulado excesivamente.

brutal adj. **1** Referido a un hecho o a un dicho, que no parecen propios de una persona por su crueldad o su irracionalidad; bestial. **[2** *col.* De tamaño, cantidad o calidad mayores de lo normal; extraordinario. □ MORF. Invariable en género.

brutalidad s.f. **1** Violencia, descortesía o desconsideración. **2** Hecho o dicho estúpido, poco acertado o brutal; barbaridad. □ SEM. Es sinónimo de *bruteza*.

bruteza s.f. **1** Tosquedad y falta de refinamiento o de adorno. **2** →**brutalidad**.

bruto, ta ∎ adj. **1** Que es tosco y está sin refinar: *El joyero compró diamantes brutos para pulirlos en su taller.* **[2** Referido a una cantidad de dinero, que no ha sufrido los descuentos que le corresponden: *Gano 200.000 pesetas 'brutas' al mes.* **3** Referido al peso de un objeto, que incluye el peso de dicho objeto y lo que éste contiene: *El peso bruto de este bote de judías es de un kilo, pero el neto es de 900 gramos.* ∎ adj./s. **4** Referido a una persona, sin inteligencia, sin cordura o sin formación: *No seas bruta y discurre un poquito.* **5** Referido a una persona, que se comporta de manera violenta y maleducada o que es desconsiderada y poco amable con los demás: *Hay que ser bruto para decirle esas burradas a la cara.* ∎ s.m. **6** Animal irracional, esp. cuadrúpedo: *Se llama 'noble bruto' al caballo.* □ ETIMOL. Del latín *brutus* (estúpido). □ USO En las acepciones 1, 2 y 3, se usa más la expresión *en bruto*.

buba s.f. Tumor blando, generalmente doloroso y con pus, esp. el que sale en las ingles, las axilas y el cuello. □ ETIMOL. De *bubón* (tumor voluminoso). □ MORF. Se usa más en plural.

bubático, ca ∎ adj. **1** De las bubas. ∎ adj./s. **2** Que padece bubas o tumores blandos; bubónico, buboso.

bubón ∎ s.m. **1** Tumor voluminoso con pus. ∎ pl. **2** Tumores que salen a consecuencia de una enfermedad venérea. □ ETIMOL. Del griego *bubón* (tumor en la ingle).

bubónico, ca ∎ adj. **1** Del bubón o relacionado con este tumor voluminoso: *peste bubónica.* ∎ adj./s.

2 Que padece bubas o tumores blandos; bubático, buboso.

buboso, sa adj./s. Que padece bubas o tumores blandos; bubático, bubónico.

bucal adj. De la boca. □ ORTOGR. Se admite también *bocal.* □ MORF. Invariable en género.

bucanero s.m. Pirata que en los siglos XVII y XVIII saqueaba las posesiones españolas de tierras americanas. □ ETIMOL. Del francés *boucanier.* □ SEM. Dist. de *corsario* (pirata que saqueaba con la autorización del Gobierno de su nación).

búcaro s.m. **1** Recipiente para poner flores; florero. **2** En algunas regiones, botijo. □ ETIMOL. Del latín *poculum* (copa).

buceador, -a adj./s. Que bucea.

bucear v. **1** Nadar o permanecer bajo el agua realizando alguna actividad: *Atravesó toda la piscina buceando.* **2** Investigar o explorar acerca de algún asunto: *El psiquiatra buceó en el pasado de su paciente intentando descubrir el origen de sus temores.* □ ETIMOL. De *buzo.*

buceo s.m. Permanencia bajo el agua, nadando o realizando alguna actividad.

buchada s.f. Cantidad de líquido, de aire o de humo que se toma de una vez con la boca o se arroja de ella; bocanada.

buche s.m. **1** En las aves, ensanchamiento del esófago donde se reblandecen los alimentos; papo. **2** En algunos animales cuadrúpedos, estómago: *el buche del cerdo.* **3** col. En una persona, estómago. **4** Cantidad de líquido que cabe en la boca: *Tomó un buche de agua.* □ ETIMOL. De origen expresivo.

buchón, -a adj. Referido a un palomo o paloma domésticos, que hinchan el buche de un modo excesivo.

bucle s.m. **1** En el cabello, rizo en forma de espiral. **[2** En informática, serie de instrucciones de un programa que se ejecutan repetitivamente. □ ETIMOL. Del francés *boucle* (hebilla, bucle).

buco s.m. col. [En el lenguaje de la droga, dosis que se inyecta.

[bucodental adj. De la boca y de los dientes o relacionado con ellos. □ MORF. Invariable en género.

bucólico, ca ▌ adj. **1** Referido a un género literario, esp. a la poesía, que idealiza la naturaleza, la vida pastoril y los sentimientos. ▌ adj./s. **2** De este género literario o con sus características. ▌ s.f. **3** Composición poética de este género. □ ETIMOL. Del latín *bucolicus* (pastoril).

[bucolismo s.m. **1** Forma de expresión con rasgos propios del género bucólico. **2** Tendencia a idealizar la naturaleza o a disfrutar de ella.

búdico, ca adj. Del budismo o relacionado con esta religión; budista.

budín s.m. En zonas del español meridional, pudín. □ ETIMOL. Del inglés *pudding.*

budinera s.f. Cazuela o molde en que se hace el budín o pudín.

budión s.m. Pez marino de pequeño tamaño, cuerpo alargado y aplanado por los lados y recubierto de una sustancia pegajosa, hocico corto con labios carnosos y dientes largos y unidos, que puede pescarse con caña o con redes pequeñas; baboso; doncella. □ ETIMOL. De origen incierto. □ MORF. Es un sustantivo epiceno: *el budión macho, el budión hembra.*

budismo s.m. Religión basada en la doctrina de Buda (reformador religioso indio del siglo VI a. C.),

que considera el dolor como esencia del mundo y propone el conocimiento de sus causas y la forma de superarlo para entrar en un estado perfecto que es el nirvana.

budista ▌ adj. **1** Del budismo o relacionado con esta religión; búdico. ▌ adj./s. **2** Que tiene como religión el budismo. □ MORF. **1.** Como adjetivo es invariable en género. **2.** Como sustantivo es de género común: *el budista, la budista.*

buen adj. →**bueno.** □ MORF. Apócope de *bueno* ante sustantivo masculino singular.

[buenas interj. col. Expresión que se utiliza como saludo. □ USO Equivale a *buenos días, buenas tardes* o *buenas noches.*

buenaventura s.f. Predicción del futuro, esp. por medio de la lectura de las líneas de la mano. □ ORTOGR. Se admite también *buena ventura.* □ SINT. Se usa más con los verbos *decir, leer* o *contar.*

buenazo, za adj./s. col. Referido a una persona, bondadosa y pacífica.

bueno, na adj. **1** Que tiene las cualidades propias de su naturaleza o de su función: *Este jarabe es bueno porque quita la tos.* **2** Que es como conviene o gusta que sea: *No sé si te gusta pero yo creo que es una buena novela.* **3** Beneficioso, conveniente o útil: *Comer demasiado no es bueno.* **4** Referido a una persona, que tiene cualidades morales que se consideran positivas, esp. en su trato con los demás. **5** Con buena salud; sano: *Tómate la medicina para ponerte bueno.* **6** Referido a algo que se deteriora, que no está estropeado y se puede aprovechar: *Esta leche ya no está buena.* **7** Que sobrepasa lo normal en tamaño, cantidad o intensidad: *Le dio unos buenos azotes.* **8** ‖{a/por las} **buenas**; de forma voluntaria y sin crear problemas: *O vienes tú por las buenas o te traigo yo por las malas.* ‖ **de buenas a primeras**; de repente y sin aviso: *De buenas a primeras se puso a llorar.* ‖ **de buenas**; col. De buen humor y con una actitud complaciente: *Te lo doy porque me pillas de buenas.* ‖ **[estar bueno** alguien; col. Tener un cuerpo físicamente atractivo. □ ETIMOL. Del latín *bonus.* □ MORF. **1.** Ante sustantivo masculino singular se usa la apócope *buen.* **2.** Su comparativo de superioridad es *mejor.* **3.** Sus superlativos son *buenísimo, bonísimo* y *óptimo.* □ USO En la acepción 7, se usa más antepuesto al nombre.

bueno ▌ adv. **1** Expresión que se utiliza para indicar aprobación o conformidad: *Me preguntó si quería comer y le dije que bueno.* **2** Expresión con la que se indica que algo es suficiente y debe terminar: *Bueno, ya está bien.* ▌ interj. **3** Expresión con la que se indica sorpresa, agradable o desagradable: *¡Bueno, lo que faltaba!*

buey s.m. **1** Toro castrado que se suele emplear como animal de tiro en las tareas del campo. **2** ‖ **[buey (de mar)**; crustáceo marino con cinco pares de patas, el primero con grandes pinzas, y un caparazón ovalado: *El 'buey de mar' es parecido al centollo.* 🦀 marisco ‖ **buey marino**; mamífero herbívoro acuático, de unos cinco metros de largo, con cuerpo grueso y piel grisácea de gran espesor, labio superior muy desarrollado, extremidades anteriores transformadas en dos aletas y las posteriores unidas en una sola, y cuya carne y grasa son muy estimadas; manatí, vaca marina: *Los bueyes marinos son parecidos a las focas pero más grandes.*

□ ETIMOL. Del latín *bos*. □ MORF. *'Buey de mar'* y *buey marino* son epicenos: *el 'buey de mar' {macho / hembra}, el buey marino {macho / hembra}*.

búfalo, la s. **1** Mamífero rumiante bóvido, de cuerpo robusto, cuernos largos y gruesos colocados muy atrás en el cráneo, frente abultada y pelaje escaso. **2** Mamífero rumiante bóvido, de cuerpo grande, robusto y más elevado hacia la cabeza, con cuernos pequeños y separados, con barba y con la frente y el cuello cubiertos por una larga melena; bisonte americano. □ ETIMOL. Del latín *bufalus*. 🔊 rumiante

bufanda s.f. **1** Prenda de vestir que se coloca alrededor del cuello para protegerlo del frío, y que es mucho más larga que ancha. **2** Cantidad de dinero que se paga como sobresueldo. □ ETIMOL. Quizá del francés antiguo *bouffante*.

bufar v. **1** Referido a un animal, esp. al toro o al caballo, resoplar con fuerza y furor: *El toro bufaba en medio de la plaza*. **2** *col.* Referido a una persona, manifestar enfado o ira muy grandes: *Se fue bufando del taller porque no le habían arreglado el coche*. □ ETIMOL. De origen onomatopéyico.

bufé s.m. **1** Comida en la que todos los alimentos están dispuestos a la vez para que los comensales, de pie, elijan lo que prefieran. **2** En un local destinado a espectáculos públicos, lugar donde se sirve esa comida. **3** ‖ **[bufé libre]**; el que permite repetir cuantas veces se quiera por el mismo precio. □ ETIMOL. Del francés *buffet*. □ SEM. Es sinónimo de *ambigú*.

bufete s.m. Despacho en el que un abogado atiende a sus clientes. □ ETIMOL. Del francés *buffet* (aparador).

[buffer (anglicismo) s.m. Memoria provisional de datos que actúa en relación con el ordenador y sus periféricos. □ PRON. [báfer].

bufido s.m. **1** Referido a un animal, esp. al toro o al caballo, resoplido dado con fuerza y furor. **2** *col.* Referido a una persona, manifestación incontenible de enfado e ira. □ ETIMOL. De *bufar*.

bufo, fa adj. **1** Referido a una representación teatral, esp. a una ópera, de carácter cómico y burlesco. ▌ s.f. **2** Hecho o dicho con que se ridiculiza algo: *Todos hacían bufa de sus zapatos grandes y se reían*. □ ETIMOL. Del italiano *buffo* (cómico, que hace reír).

bufón, -a s. En la corte medieval y de los siglos XVII y XVIII, persona que se encargaba de hacer reír y divertir a los cortesanos: *Los bufones solían ser enanos o personas deformes*. □ ETIMOL. Del italiano *buffone*.

bufonada o **bufonería** s.f. Hecho o dicho propios de un bufón.

bufonesco, ca adj. Del bufón o con sus características.

[buga s.m. *col.* Coche.

[bugambilia s.f. En zonas del español meridional, buganvilla.

buganvilla s.f. Arbusto trepador de hoja perenne, con gran cantidad de ramas muy largas y con alguna espina, y con flores muy abundantes de color rojo o morado reunidas en grupos de tres. □ ETIMOL. Por alusión a Bougainville, navegante francés que trajo esta planta al continente europeo. □ PRON. Incorr. *[bungavilla].

[buggy (anglicismo) s.m. Automóvil con carrocería baja y neumáticos muy anchos, generalmente des-

capotable, apto para todo tipo de terrenos. □ PRON. [búgui].

bugle s.m. Instrumento musical de viento y de metal, formado por un largo tubo cónico arrollado de diversas maneras. □ ETIMOL. Del francés *bugle*. 🔊 viento

[bugui-bugui s.m. **1** Música de ritmo muy rápido que se caracteriza por la repetición constante y fuerte de la parte grave contrarrestada por la melodía de la parte aguda. **2** Baile de movimientos muy rápidos que se ejecuta al compás de esta música. □ ETIMOL. Del inglés *boogie-woogie*.

buharda o **buhardilla** s.f. **1** En una casa, habitación más alta, inmediatamente bajo el tejado, que suele usarse para guardar objetos viejos o que ya no se usan; desván. **2** En el tejado de una casa, ventana saliente en forma de caseta que sirve para dar luz al desván o para salir al tejado. □ ETIMOL. *Buharda* de *buhar* (soplar). □ ORTOGR. Se admite también *boardilla, bohardilla* y *guardilla*.

buhío s.m. →bohío.

búho s.m. **1** Ave rapaz nocturna de vuelo silencioso, garras fuertes, cabeza de gran tamaño con llamativos penachos de plumas que parecen orejas, pico ganchudo y ojos grandes y redondos de color naranja, que vive en bosques y zonas inaccesibles. 🔊 ave, rapaz **[2** *col.* Autobús urbano que circula durante toda la noche en sustitución del servicio normal. □ ETIMOL. Del latín *bufo*. □ MORF. La acepción 1 es un sustantivo epiceno: *el búho macho, el búho hembra*.

buhonería s.f. Mercancía de poco valor que llevan los buhoneros para venderla.

buhonero, ra s. Persona que va de casa en casa vendiendo mercancías de poco valor. □ ETIMOL. Del antiguo *buhón*.

buitre s.m. **1** Ave rapaz de gran tamaño, con cabeza y cuello sin plumas, enormes alas y cola corta, que se alimenta de animales muertos y anida en acantilados y árboles poco accesibles. 🔊 ave, rapaz **2** *col.* Persona egoísta que aprovecha cualquier circunstancia para obtener beneficio: *Son unos buitres y se pelearon por la herencia de su padre en cuanto murió*. **3** ‖ **buitre {común/leonado}**; el que tiene el plumaje leonado, cola muy corta, oscura y cuadrada. ‖ **buitre {franciscano/monje/negro}**; el que tiene el plumaje pardo oscuro, casi negro, y la cola más larga y en forma de cuña. □ ETIMOL. Del latín *vultur*. □ MORF. En la acepción 1, es un sustantivo epiceno: *el buitre macho, el buitre hembra*.

buitrear v. **[1** *col.* Consumir o utilizar de forma gratuita lo que tiene otra persona; gorronear: *Siempre que me ve me 'buitrea' el tabaco*. **[2** Intentar aprovecharse de los demás: *¿Cuándo vas a dejar de 'buitrear' con las chicas?*

buitrero, ra ▌ adj. **1** De los buitres o relacionado con ellos. ▌ s. **2** Persona que caza buitres, esp. con cebo. ▌ s.f. **3** Lugar en el que crían los buitres en colonias. **4** Lugar en el que se pone el cebo a los buitres.

buitrón s.m. En pesca, red en forma de cilindro o de cono prolongado en cuya boca hay otro cono más pequeño dirigido hacia dentro, de manera que los peces que entran por éste, pasan al grande y no pueden salir. □ ETIMOL. De *buitre*. □ ORTOGR. Se admite también *butrón*. 🔊 pesca

bujarrón adj./s.m. *col.* Hombre homosexual. □ ETI-

MOL. Del latín *bulgarus* (búlgaro), que se usó como insulto porque eran considerados herejes, ya que pertenecían a la iglesia ortodoxa griega. ☐ USO Es despectivo.

buje s.m. En una rueda, cilindro por el que pasa el eje. ☐ ETIMOL. Del latín *buxis* (cajita).

bujía s.f. En algunos motores de explosión, pieza que produce una chispa eléctrica para encender el combustible. ☐ ETIMOL. De *Bujía*, ciudad africana de donde se traía la cera para las antiguas bujías (velas).

bula s.f. **1** En el catolicismo, documento autorizado y firmado por el Papa que trata de asuntos de fe o de interés general: *La bula daba derechos especiales a quien la tenía.* **2** ||**tener bula**; *col.* Tener facilidades que no tienen otros para hacer o conseguir algo: *Es el mimado de la casa y tiene bula para llegar tarde.* ☐ ETIMOL. Del latín *bulla* (bola, sello de plomo que va pendiente de algunos documentos pontificios).

bulbar adj. En anatomía, del bulbo raquídeo. ☐ MORF. Invariable en género.

bulbo s.m. **1** En una planta, tallo subterráneo de forma redondeada, compuesto por una yema o brote en cuyas hojas se acumulan sustancias nutritivas de reserva: *El puerro y el ajo son bulbos, y de ellos nace una nueva planta.* **[2** En anatomía, estructura de forma redondeada: *El 'bulbo' piloso es el abultamiento que forma la raíz del pelo en el interior de la piel.* **3** ||**bulbo raquídeo**; en el sistema nervioso central, parte ensanchada de la médula espinal, que se halla en la zona inferior y posterior de la cavidad craneal. ☐ ETIMOL. Del latín *bulbus*.

bulboso, sa adj. **1** Referido a una planta, que tiene bulbos. **2** Con forma de bulbo.

bulería s.f. **1** Cante flamenco muy bullicioso y con ritmo ligero, que se acompaña con un intenso redoble de palmas y gritos de alegría. **2** Baile que se ejecuta al compás de este cante. ☐ MORF. La RAE sólo lo registra en plural.

bulero s.m. Persona que estaba autorizada para distribuir las bulas relacionadas con la Santa Cruzada y para recoger la limosna que daban los fieles.

bulevar s.m. Avenida o calle ancha con un paseo o un andén central, generalmente adornado con árboles o plantas. ☐ ETIMOL. Del francés *boulevard*.

búlgaro, ra ▌ adj./s. **1** De Bulgaria o relacionado con este país del este europeo. ▌ s.m. **2** Lengua eslava de este país y otras regiones.

bulimia s.f. En medicina, apetito patológico excesivo e insaciable. ☐ ETIMOL. Del griego *bulimía*, y éste de *bûs* (buey) y *límos* (hambre).

[bulímico, ca ▌ adj. **1** En medicina, de la bulimia o relacionado con esta hambre patológica. ▌ adj./s. **2** Referido a una persona, que tiene bulimia.

[bulín s.m. *col.* En zonas del español meridional, piso destinado a encuentros sexuales.

bulla s.f. **1** Ruido confuso causado por las voces y gritos que dan una o varias personas. **2** Aglomeración confusa de gente; bullaje. ☐ ETIMOL. De *bullir*. ☐ SINT. La acepción 1 se usa más con los verbos *armar* y *meter*.

bullabesa s.f. Sopa de pescados y mariscos, condimentada con especias, vino y aceite, y que suele servirse con trozos de pan. ☐ ETIMOL. Del francés *bouillabaisse*.

bullaje s.m. *col.* Aglomeración confusa de gente; bulla.

bullanga s.f. Jaleo, griterío y alboroto producidos por una aglomeración de gente.

bullanguero, ra adj./s. Aficionado a organizar alborotos y jaleos.

[bulldog (anglicismo) adj./s. Referido a un perro, de la raza que se caracteriza por tener cabeza grande, cuerpo robusto, patas cortas, hocico aplanado y el labio superior caído sobre ambos lados. ☐ PRON. [buldóg]. ☐ MORF. Como adjetivo es invariable en género. 🐕 perro

[bulldozer (anglicismo) s.m. Máquina constituida por un tractor oruga que tiene en la parte delantera una sólida cuchilla de acero, recta o algo curva, y que sirve para nivelar terrenos. ☐ PRON. [buldózer].

bullicio s.m. **1** Ruido y rumor causados por la actividad de mucha gente. **2** Situación confusa, agitada y desordenada, esp. si va acompañada de un gran alboroto y tumulto: *Con tanto bullicio no me puedo concentrar.* ☐ ETIMOL. Del latín *bullitio* (burbujeo).

bullicioso, sa adj. **1** Que causa bullicio, o que lo tiene: *un bar bullicioso.* **2** Referido a una persona, que se mueve o alborota mucho.

bullir v. **1** Referido a un conjunto de personas, animales o cosas, moverse o agitarse de forma desordenada: *Después de la lluvia, las hormigas bullían alrededor del hormiguero.* **2** Referido a algo inmaterial, esp. ideas o proyectos, surgir abundantemente y mezclarse: *Me gusta el proyecto y ya tengo ideas bullendo en mi cabeza.* **3** Referido a una persona, moverse mucho o tener mucha actividad: *Bullía en la sala de espera del dentista esperando que lo llamara.* **4** Referido a un líquido, moverse agitadamente y formando burbujas por efecto de la alta temperatura o de la fermentación; hervir: *El agua bulle a cien grados.* **5** Referido a un líquido, agitarse de forma parecida a como lo hace el agua hirviendo: *El mar bullía con la tormenta.* ☐ ETIMOL. Del latín *bullire* (bullir, hervir), de *bulla* (burbuja). ☐ MORF. Irreg. →PLAÑIR.

bullón s.m. En un libro grande, esp. en los de coro, pieza de metal con forma de cabeza de clavo que sirve para adornar las cubiertas. ☐ ETIMOL. Del latín *bulla* (bola).

bulo s.m. Noticia falsa que se difunde con algún fin, generalmente negativo. ☐ ETIMOL. De origen incierto.

bulto s.m. **1** En una superficie, elevación o abultamiento: *El pañuelo te hace un bulto en el bolsillo.* **2** Cuerpo u objeto percibido de forma imprecisa: *En la oscuridad sólo apreciamos dos bultos que corrían.* **3** Paquete, bolsa, maleta o cualquier otro equipaje. **4** ||**a bulto**; calculando aproximadamente, sin medir ni contar: *No lo he medido pero, a bulto, tiene más de dos metros.* ||**escurrir el bulto**; *col.* Eludir un trabajo, un riesgo o un compromiso: *Siempre escurre el bulto cuando hay trabajo en la cocina.* ☐ ETIMOL. Del latín *vultus* (rostro).

bumerán s.m. Arma arrojadiza de madera dura y de forma curvada, que vuelve al lugar de partida cuando no da en el blanco. ☐ ETIMOL. Del inglés *boomerang*. ☐ USO Es innecesario el uso del anglicismo *boomerang*.

bungaló s.m. Casa de campo o de playa, esp. si es de una sola planta y de estructura arquitectónica sencilla. ☐ ETIMOL. Del inglés *bungalow*. ☐ USO Es innecesario el uso del anglicismo *bungalow*. ✦ vivienda

[***bungalow*** (anglicismo) →**bungaló**. ☐ PRON. [bungalóu]. ✦ vivienda

buniato s.m. →**boniato**.

búnker s.m. **1** Refugio blindado, generalmente subterráneo, para defenderse de los bombardeos. [**2** En golf, obstáculo artificial que consiste en una fosa con arena que dificulta el recorrido de la pelota. **3** Grupo político reaccionario. ☐ ETIMOL. Las acepciones 1 y 3, del alemán *Bunker*, y éste del inglés *bunker* (carbonera de un barco). ☐ PRON. En la acepción 2, se usa más la pronunciación anglicista [bánker].

[***bunsen*** s.m. →**mechero de Bunsen**. ✦ química

buñuelo s.m. **1** Masa de harina, agua y, generalmente, otros ingredientes, que se fríe en pequeñas cantidades y resulta una bola hueca que puede rellenarse. **2** En zonas del español meridional, pan dulce de forma aplanada, hecho con harina y frito en aceite. **3** ‖**buñuelo (de viento)**; el que se rellena con algo dulce. ☐ ETIMOL. De origen incierto.

buque s.m. **1** Barco de grandes dimensiones, con una o varias cubiertas, esp. el utilizado para navegaciones de importancia. **2** ‖**buque de cabotaje**; el que navega entre puertos sin perder de vista la costa. ‖ **buque escuela**; en la Armada, el que sirve para que los guardiamarinas completen su formación militar. ‖ [**buque insignia**; aquel en el que va el jefe de una escuadra o de una división naval. ‖ (**buque) mercante**; el destinado al transporte de mercancías y pasajeros. ☐ ETIMOL. Del francés *buc* (casco). ☐ SEM. Aunque la RAE no lo considera sinónimo de *navío*, en la lengua actual se usa como tal.

buqué s.m. Referido a un vino, esp. si es de buena calidad, aroma. ☐ ETIMOL. Del francés *bouquet*. ☐ USO Es innecesario el uso del galicismo *bouquet*.

burbuja s.f. **1** En un líquido, pompa llena de aire o de gas, que se forma en su interior y sube a la superficie, donde estalla. [**2** Espacio desinfectado y aislado del exterior para evitar cualquier posible contaminación. ☐ ETIMOL. De **burbujar* (burbujear), y éste del latín **bulbulliare*.

burdégano s.m. Animal estéril nacido del cruce de burra y caballo, con la cola muy poblada y el cuerpo desproporcionadamente grande en relación con las patas. ☐ ETIMOL. Del latín *burdus* (bastardo).

burdel s.m. Establecimiento público en el que se ejerce la prostitución; prostíbulo. ☐ ETIMOL. Del catalán o del provenzal *bordel*.

burdeos ‖ adj./s.m. **1** De color granate oscuro. ‖ s.m. **2** Vino originario de la zona de Burdeos (ciudad del sudoeste francés). ☐ MORF. 1. Como adjetivo es invariable en género y número. 2. Como sustantivo es invariable en número.

burdo, da adj. Que no tiene delicadeza, finura ni sutileza: *hombre burdo; tela burda*. ☐ ETIMOL. De origen incierto.

burel s.m. En heráldica, en un escudo, franja horizontal que lo cruza por el centro y que ocupa la novena parte de su ancho. ☐ ETIMOL. Del francés antiguo *burel*.

bureo s.m. *col.* Diversión: *No digas que te aburres, porque en cuanto puedes te vas de bureo*. ☐ ETIMOL. Del francés *bureau* (oficina, comité).

bureta s.f. Instrumento de laboratorio consistente en un tubo de vidrio alargado y graduado, abierto por su extremo superior y provisto en el inferior de una llave que permite controlar la salida de líquido. ☐ ETIMOL. Del francés *burette*. ✦ química

burga s.f. Manantial de agua caliente. ☐ ETIMOL. Quizá del vasco *bera-ur-ga* (lugar de agua caliente).

burgalés, -a adj./s. De Burgos o relacionado con esta provincia española o con su capital.

[***burger*** s.m. →**hamburguesería**. ☐ PRON. [búrguer]. ☐ USO Es un anglicismo innecesario.

burgo s.m. En la Edad Media, ciudad pequeña. ☐ ETIMOL. Del latín *burgus*, y éste del germánico *burgs* (ciudad pequeña).

burgomaestre s.m. En algunos países europeos, persona que preside un ayuntamiento con las competencias y límites que marca la ley: *Un burgomaestre alemán es el equivalente de un alcalde español*. ☐ ETIMOL. Del alemán *Bürgermeister* (alcalde).

burgués, -a adj./s. **1** En las edades Moderna y Contemporánea, de la burguesía o relacionado con ella. **2** En la sociedad actual, que tiende a la comodidad y a la estabilidad. **3** En la Edad Media, del burgo o relacionado con él.

burguesía s.f. Grupo social formado por las personas de posición acomodada; clase media.

buril s.m. Instrumento puntiagudo de acero que se utiliza para grabar metales; punzón. ☐ ETIMOL. Del catalán *burí*.

burla s.f. **1** Hecho o dicho con que una persona se ríe de algo o de alguien, esp. si es con intención de ridiculizarlo: *Se enfadó conmigo porque creyó que le estaba haciendo burla*. **2** Engaño que se hace a alguien abusando de su buena fe: *Su promesa de devolverme el préstamo fue una burla*. ☐ ETIMOL. De origen incierto.

burladero s.m. En una plaza de toros, valla situada delante de la barrera y tras la cual se refugia el torero para burlar al toro.

burlador s.m. Hombre libertino, que suele engañar y seducir a las mujeres y que presume de deshonrarlas.

burlar ‖ v. **1** Referido a un peligro o a una amenaza, esquivarlos o eludirlos: *El forajido se disfrazó para burlar los controles policiales*. **2** Engañar o hacer creer algo falso premeditadamente: *Ese truhán burló al pueblo entero con sus aires de gran señor*. ‖ prnl. **3** Hacer burla o poner en ridículo: *Sacó la lengua y empezó a burlarse de todos*. ☐ SINT. Constr. de la acepción 3: *burlarse DE algo*.

burlesco, ca adj. Que hace reír o que manifiesta burla.

burlete s.m. Tira de fieltro o de otro material flexible que se fija en los bordes de puertas y ventanas para cubrir rendijas e impedir que pase el aire por ellas. ☐ ETIMOL. Del francés *bourrelet*, y éste de *bourre* (borra).

burlón, -a ‖ adj. **1** Con burla: *palabras burlonas*. ‖ adj./s. **2** Referido a una persona, aficionada a hacer burlas o bromas.

buró s.m. **1** Escritorio con pequeños compartimentos en su parte superior y que se cierra levantando el tablero sobre el que se escribe o bajando una persiana que llega hasta éste. **2** En zonas del español meridional, mesilla. ☐ ETIMOL. Del francés *bureau*. ☐ SEM. No debe emplearse con el significado de 'oficina' u 'órgano dirigente de un partido político' (galicismo): {*El buró > la oficina} de prensa difundió la información. Se ha reunido el {*buró > comité} político del partido.

burocracia s.f. **1** Actividad administrativa, esp. la que se realiza en organismos públicos. **[2** Exceso de normas y de papeleo que complican o retrasan la resolución de un asunto: Con tanta 'burocracia' es imposible que cumplan ni un plazo previsto. □ ETI-MOL. Del francés bureaucratie, y éste de bureau (oficina) y el griego krátos (poder).

burócrata s. Persona que se dedica profesionalmente a la realización de tareas administrativas, esp. referido a empleados públicos. □ MORF. Es de género común: el burócrata, la burócrata.

burocrático, ca adj. De la burocracia o de los burócratas.

[burocratización s.f. Implantación de una organización burocrática, esp. si ésta es excesiva.

[burocratizar v. Dotar de una organización burocrática, esp. si ésta es excesiva: 'Han burocratizado' tanto el Ayuntamiento que funciona sin tener en cuenta la opinión pública. □ ORTOGR. La z se cambia en c delante de e →CAZAR.

[burótica s.f. Aplicación de los recursos y programas informáticos en el trabajo de oficina; ofimática.

burrada s.f. **1** col. Hecho o dicho estúpido, poco acertado o brutal; barbaridad. **2** ‖**una burrada**; col. **1** Gran cantidad: Comí una burrada de patatas fritas. col. **[2** Muchísimo: Me cansé 'una burrada' estudiando.

burrajo s.m. Estiércol seco de las caballerías. □ ETIMOL. De borrajo.

burriciego adj./s. col. Que ve mal. □ USO Es despectivo.

burro, rra ‖ adj./s. **1** col. Poco inteligente o de poca formación. **2** col. Que se comporta de manera violenta y maleducada o que es desconsiderado y poco amable con los demás; bruto. **[3** col. Que mantiene una actitud o unas ideas a pesar de cualquier razón en contra; terco. ‖ s. **4** Mamífero cuadrúpedo, doméstico, más pequeño que el caballo, con largas orejas, pelo áspero y normalmente grisáceo, y que se suele emplear como montura o como animal de carga o de tiro; asno. ‖ s.m. **5** Juego de cartas en el que el jugador que pierde recibe el nombre de 'burro'. **6** En el español meridional, tabla para planchar la ropa. ‖ s.f. **7** col. Motocicleta: Tengo que echarle gasolina a mi 'burra'. **8** ‖**burro (de arranque)**; en zonas del español meridional, motor de arranque. ‖ **[como un burro**; col. Muchísimo: Trabaja 'como un burro' y apenas tiene un rato de diversión. ‖ **[no ver {dos/tres} en un burro**; ver mal o ser miope. ‖ **vender la burra**; col. Convencer o camelar: Me intentó 'vender la burra' de que le hiciese yo el trabajo. □ ETIMOL. Del vulgar burrico (borrico).

[burrotaxi s.m. col. Burro que se alquila para hacer un recorrido, esp. si es de carácter turístico.

[burruño s.m. vulg. →gurruño.

bursátil adj. En economía, de la bolsa o de las operaciones que se realizan en ella. □ ETIMOL. Del latín bursa (bolsa). □ MORF. Invariable en género.

burujo s.m. Aglomeración que se forma al apretarse o al enredarse las partes de algo, esp. de una masa o de un hilo. □ ETIMOL. Del latín voluclum, en vez de involucrum (envoltorio). □ ORTOGR. Se admite también borujo.

bus s.m. **1** →autobús. **[2** Conjunto de componen-

tes de un ordenador que permiten la transmisión interna o externa de información; canal. **3** ‖ **[(bus) vao**; en una carretera, carril por el que sólo pueden circular autobuses o vehículos ocupados por un mínimo de dos personas. □ ETIMOL. En la expresión bus vao, vao es un acrónimo que procede de la sigla vehículo de alta ocupación. □ SINT. Bus vao se usa normalmente como aposición de carril.

busca ‖ s.m. **1** col. →buscapersonas. ‖ s.f. **2** Lo que se hace para encontrar algo o a alguien; búsqueda.

buscador, -a adj./s. Que busca.

buscapersonas s.m. Pequeño aparato electrónico que transmite señales acústicas y que se utiliza para recibir mensajes a distancia; mensáfono. □ MORF. **1.** Invariable en número. **2.** En la lengua coloquial se usa mucho la forma abreviada busca.

buscapiés s.m. Cohete sin varilla que, cuando se enciende, corre en zigzag a ras de suelo. □ MORF. Invariable en número.

buscapleitos s. col. Persona que tiende a provocar discusiones o peleas; pleitista. □ MORF. **1.** Es de género común: el buscapleitos, la buscapleitos. **2.** Invariable en número.

buscar v. **1** Intentar encontrar: Lleva meses buscando trabajo. **[2** Referido a una persona, meterse con ella o provocarla: Esa insolente me está 'buscando', y un día se va a enterar de quién soy yo. **3** ‖**buscársela**; col. Hacer algo con riesgo de recibir un castigo o un perjuicio: Haciendo tantos novillos, se la está buscando. □ ETIMOL. De origen incierto. □ ORTOGR. La c se cambia en qu delante de e →SACAR. □ SINT. Su uso seguido de infinitivo es un galicismo innecesario y puede sustituirse por una expresión como pretender o tratar de: {*Busca > Pretende} llegar a ministro.

buscarla s.f. Pájaro insectívoro, de pequeño tamaño, pico corto y color pardo, que vive entre juncos y maleza en zonas húmedas. □ MORF. Es un sustantivo epiceno: la buscarla macho, la buscarla hembra.

buscavidas s. col. Persona que sabe ingeniárselas para salir adelante en la vida. □ MORF. **1.** Es de género común: el buscavidas, la buscavidas. **2.** Invariable en número.

buscón, -a ‖ adj./s. **1** Que hace pequeños robos o estafas con distintas tretas o artimañas. ‖ s.f. **2** col. Prostituta.

buseta s.f. En zonas del español meridional, microbús.

busilis s.m. **1** En un asunto, punto en el que radica su dificultad. **2** ‖**dar en el busilis** de un asunto; col. Entender o descubrir su dificultad. □ ETIMOL. Del latín in diebus illis (en aquellos días), que alguien entendió mal y separó in die bus illis, y no sabía lo que significaba bus illis. □ MORF. Invariable en número. □ SEM. Dist. de quid (razón o punto esencial de algo).

búsqueda s.f. Lo que se hace para encontrar algo o a alguien; busca.

[bustier (galicismo) s.m. Prenda de vestir femenina ajustada, sin mangas y sin tirantes, que cubre el cuerpo desde las axilas hasta la cintura. □ PRON. [bustié].

busto s.m. **1** En arte, representación de la cabeza y de la parte superior del cuerpo de una persona. **2** En el cuerpo humano, parte comprendida entre el cuello y la cintura. **3** En una mujer, senos. □ ETIMOL.

Del latín *bustum* (sepultura, crematorio de cadáveres, monumento fúnebre).

butaca s.f. **1** Silla con brazos, generalmente mullida y con el respaldo algo inclinado hacia atrás. **2** En un local de espectáculos, localidad cómoda y situada en un lugar con buena visibilidad, esp. en la planta baja. **3** En un espectáculo, entrada que da derecho a ocupar esta localidad. □ ETIMOL. De *putaka* (asiento), término de un dialecto de Venezuela.

[butanero s.m. Persona que se dedica profesionalmente al reparto y venta a domicilio de butano.

butano s.m. Hidrocarburo natural gaseoso, incoloro, fácil de transformar en líquido y que se usa como combustible doméstico e industrial. □ ETIMOL. Del latín *butyrum* y la terminación de *metano*.

buten ‖ **de buten**; *vulg.* Muy bueno o muy bien: *Este disco suena de buten, colega.* □ USO Aunque la RAE sólo registra *de buten*, se usa más *dabuten* o *dabuti.*

butifarra s.f. Embutido, generalmente de carne de cerdo. □ ETIMOL. Del catalán *botifarra*.

butrón s.m. **1** En un techo o en una pared, agujero hecho por los ladrones para robar. **2** →**buitrón.** ⚡ pesca

butronero s.m. Persona que abre butrones o boquetes en techos o en paredes para robar.

buxáceo, a ∎ adj./s.f. **1** Referido a una planta, que es leñosa, de hojas perennes y con frutos en forma de cápsula. ∎ s.f.pl. **2** En botánica, familia de estas plantas, perteneciente a la división de las angiospermas. □ ETIMOL. De *Buxus* (nombre de un género de plantas).

buzo s.m. **1** Persona que se dedica a bucear o a realizar actividades bajo el agua, esp. si ésta es su profesión. **[2** En zonas del español meridional, chándal. **[3** En zonas del español meridional, sudadera. **[4** En zonas del español meridional, jersey. **5** ‖ **[ponerse buzo**; *col.* En zonas del español meridional, estar atento. □ ETIMOL. Del portugués *búzio* (caracol que vive debajo del agua).

buzón s.m. **1** Caja o receptáculo provisto de una ranura por la que se echan cartas o escritos para que lleguen a su destinatario. **[2** *col.* Boca grande. □ ETIMOL. Del antiguo *bozón* (ariete).

buzonear v. Depositar propaganda en los buzones para hacer publicidad de algo: *Mi amiga buzoneó por toda la ciudad para promocionar los artículos de su tienda.*

buzoneo s.m. Sistema de propaganda que consiste en depositar información en los buzones de las casas.

[bwana (del suajili) s. *col.* Amo: *Sí, 'bwana', haré lo que tú digas.* □ PRON. [buána]. □ USO Su uso tiene un matiz humorístico.

[bypass (anglicismo) s.m. En medicina, prótesis o pieza artificial o biológica que se coloca para establecer una comunicación entre dos puntos de una arteria en mal estado. □ PRON. [baipás].

[byte (anglicismo) s.m. En informática, unidad de almacenamiento de información constituida por ocho bites. □ PRON. [báit]. □ SEM. Dist. de *bit* (unidad mínima de almacenamiento de información).

C c

c s.f. Tercera letra del abecedario. ☐ PRON. 1. Ante *e, i* representa el sonido consonántico interdental fricativo sordo, y se pronuncia como la *z*, aunque está muy extendida su pronunciación como [s]: *Cecilia* [sesília] →**seseo**. 2. Ante *a, o, u*, y formando parte de grupos consonánticos, representa el sonido consonántico velar oclusivo sordo y se pronuncia como la *k*: *can, cuco, crin* [kan, kúko, krin]. 3. Ante *h* representa el sonido consonántico palatal, africado y sordo: *cha, che, chi, cho, chu*. 4. En posición final de sílaba se pronuncia como una *k* suave: *rector, frac* [rektór, frak]. ☐ ORTOGR. 1. La grafía *ch* es indivisible al final de línea: incorr. *coc-he > coche*. 2. La grafía mayúscula de *ch* es *Ch*; incorr. *CHile > Chile*.

ca interj. *col.* Expresión que se usa para indicar negación u oposición; quia: *¡Ven aquí! —¡Ca, de eso nada!* ☐ ETIMOL. De la expresión *¡qué ha de ser!* ☐ PRON. [ca] como apócope de *casa* o de *cada* es un vulgarismo. ☐ ORTOGR. Dist. de *ka*.

cabal adj. 1 Que tiene juicio y honradez: *Puedes fiarte de ella, porque es una chica cabal.* 2 Exacto o completo en su medida porque no sobra ni falta nada: *Tuvo su segundo hijo a los dos años cabales del primero.* 3 ‖**estar** alguien **en sus cabales**; tener normales sus facultades mentales: *Si estás en tus cabales, ¿por qué dices esas tonterías?* ☐ ETIMOL. De *cabo* (extremo). ☐ MORF. Invariable en género. ☐ USO La acepción 3 se usa más en expresiones interrogativas y negativas.

cábala s.f. 1 En el judaísmo, conjunto de doctrinas que surgieron para explicar y fijar el sentido del Antiguo Testamento. 2 Conjetura o cálculo que se hace con datos incompletos o supuestos. ☐ ETIMOL. Del hebreo *qabbalah* (tradición). ☐ MORF. La acepción 2 se usa más en plural.

cabalgada s.f. 1 Jornada larga a caballo, esp. si la realizan varias personas. 2 Tropa de jinetes que recorría el territorio enemigo.

cabalgadura s.f. Animal sobre el que se puede montar o llevar carga; montura.

cabalgamiento s.m. [En geología, desplazamiento o corrimiento de unos terrenos sobre otros.

cabalgar v. 1 Ir a caballo o sobre otra cabalgadura: *Para ser jockey hace falta cabalgar muy bien.* 2 Referido esp. a un caballo, llevarlo como cabalgadura: *Siempre cabalgo este potro alazán.* ☐ ETIMOL. Del latín *caballicare*. ☐ ORTOGR. La *g* se cambia en *gu* delante de *e* →PAGAR. ☐ SEM. Es sinónimo de *montar.*

cabalgata s.f. Desfile de jinetes, carrozas, bandas de música y otras atracciones, que se organiza como festejo popular: *Ayer estuvimos en la cabalgata de los Reyes Magos.* ☐ ETIMOL. Del italiano *cavalcata*, de *cavalcare* (cabalgar).

cabalístico, ca adj. 1 De sentido oculto o enigmático. 2 De la cábala o relacionado con este conjunto de doctrinas.

caballa s.f. Pez marino, de cabeza puntiaguda, de color azul metálico con franjas negras onduladas y costados y vientre plateados, cuya carne es comestible. ☐ ETIMOL. De *caballo*, porque la caballa voladora da pequeños saltos sobre la superficie del mar. ☐ MORF. Es un sustantivo epiceno: *la caballa macho, la caballa hembra.* ☐ SEM. Dist. de *yegua* (hembra del caballo).

caballar adj. Del caballo o que tiene semejanza o relación con él. ☐ MORF. Invariable en género.

caballeresco, ca adj. 1 De la caballería medieval o relacionado con ella: *literatura caballeresca.* 2 Con características que se consideran propias de caballero: *gesto caballeresco.*

caballería s.f. 1 Animal doméstico, de la familia de los équidos, que se utiliza para transportar cargas o personas: *El caballo, las mulas y los asnos son caballerías.* 2 Arma del ejército formada por soldados a caballo o en vehículos motorizados: *La caballería de los ejércitos actuales tiene vehículos blindados y pocos caballos.* 3 Institución feudal de carácter militar cuyos miembros se comprometían a luchar para defender a su señor y sus dominios: *En la Edad Media, la caballería estaba formada por gente de la nobleza.* 4 ‖**caballería andante**; orden o profesión de los caballeros que recorrían el mundo en busca de aventuras para defender unos ideales de justicia y lealtad. ‖**caballería ligera**; antigua modalidad de esta arma formada por soldados con caballos y armamento de poco peso.

caballerizo, za ∎ s. 1 Persona encargada del cuidado y del mantenimiento de las cuadras. ∎ s.f. 2 Instalación o lugar cubierto preparado para la estancia de caballos y otras caballerías; cuadra. ☐ MORF. En la acepción 1, la RAE sólo registra el masculino.

caballero s.m. 1 Hombre cortés, generoso y de buena educación. 2 Hombre adulto. 3 Antiguamente, hidalgo o noble. 4 Hombre que pertenece a una orden de caballería. 5 ‖**armar caballero** a alguien; declararlo miembro de una orden de caballería mediante una ceremonia: *El rey lo armó caballero tocándole con la espada en el hombro.* ‖**caballero andante**; héroe de los libros de caballería que recorría el mundo en busca de aventuras para defender unos ideales de justicia y lealtad. ☐ ETIMOL. Del latín *caballarius.* ☐ USO La acepción 2 se usa como tratamiento de cortesía.

caballerosidad s.f. Comportamiento o carácter cortés, generoso y noble, que se consideran propios de un caballero.

caballeroso, sa adj. Característico de un caballero por su cortesía, generosidad o nobleza.

caballete s.m. 1 Soporte con tres puntos de apoyo y que sirve para colocar algo en posición vertical o ligeramente inclinado hacia atrás: *Todavía tengo el cuadro en el caballete porque está sin terminar.* 2 Soporte formado por una pieza horizontal sostenida por pies: *Con una tabla grande y dos caballetes podemos montar una mesa.* 3 Elevación que suele tener la nariz en su parte media: *No se le caen las gafas porque tiene un caballete enorme.* 4 En un tejado, línea superior de la que arrancan dos vertientes: *Las tejas del caballete suelen ser redondeadas.* ☐ ETIMOL. De *caballo.*

caballista s. Jinete hábil y que entiende de caballos. ☐ MORF. Es de género común: *el caballista, la caballista.*

caballitos s.m.pl. Atracción de feria formada por una plataforma giratoria sobre la que hay reproducciones a pequeña escala de caballos y otros animales donde los niños se pueden montar; carrusel, tiovivo.

caballo s.m. **1** Mamífero herbívoro, cuadrúpedo, de cuello largo y arqueado que, al igual que la cola, está poblado de largas y abundantes cerdas, fácilmente domesticable, y que se suele emplear como montura o como animal de carga o de tiro: *El caballo de carreras necesita unos cuidados muy específicos.* ✖ ungulado **2** En el juego del ajedrez, pieza que representa a este animal y que se mueve en forma de L. ✖ ajedrez **3** En la baraja española, carta que representa a ese animal con su jinete. **4** En gimnasia, aparato formado por cuatro patas y un cuerpo superior alargado y terminado en punta, en el que los gimnastas apoyan las manos para saltarlo. ✖ gimnasio **5** col. En el lenguaje de la droga, heroína. **6** ‖ **a caballo**; entre dos cosas o épocas contiguas o participando de ambas: *Algunas narraciones están a caballo entre la poesía y la prosa.* ‖ **a mata caballo**; →**a matacaballo**. ‖ **caballito de mar**; pez marino que nada en posición vertical y tiene la cabeza semejante a la del caballo; hipocampo: *El macho de los caballitos de mar posee una bolsa para incubar los huevos.* ✖ pez ‖ **caballito del diablo**; insecto parecido a la libélula pero de menor tamaño, de vuelo rápido, con cuatro alas estrechas, cuerpo cilíndrico muy fino y largo, que suele vivir junto a estanques y ríos. ‖ **caballo de batalla**; punto principal o especialmente conflictivo de un asunto, de una discusión o de un problema: *Acabar con el paro es el caballo de batalla de todo Gobierno.* ‖ **caballo de vapor**; unidad de potencia que equivale aproximadamente a 745 vatios: *La potencia de un motor se mide en caballos de vapor.* □ ETIMOL. Del latín *caballus* (caballo castrado, caballo de trabajo). □ MORF. 1. En la acepción 1, la hembra se designa con el femenino *yegua*. 2. *Caballito de mar* y *caballito del diablo* son epicenos: *el caballito del diablo de mar* {*macho / hembra*}, *el caballito del diablo de mar* {*macho / hembra*}.

caballón s.m. Pequeño montículo de tierra que se levanta en terrenos cultivados y se destina a diversos usos; almorrón.

cabaña s.f. **1** Vivienda pequeña y tosca hecha en el campo, que suele usarse como refugio. ✖ vivienda **2** Conjunto de cabezas de ganado de un mismo tipo o de una misma zona. □ ETIMOL. Del latín *capanna* (choza).

cabaré s.m. Establecimiento público de diversión, generalmente nocturno, en el que se baila, se sirven bebidas y comidas y se ofrecen espectáculos de variedades. □ ETIMOL. Del francés *cabaret*.

cabaretero, ra s. Persona que baila y canta en un espectáculo del cabaré.

cabás s.m. Maletín pequeño o caja con un asa en la parte superior. □ ETIMOL. Del francés *cabas*.

cabe prep. *ant.* Junto a: *Yacía exhausto cabe el fuego.* □ ETIMOL. De *cabo* (orilla, borde). □ ORTOGR. Dist. de *cave* (del verbo *cavar*).

cabecear v. **1** Mover la cabeza a un lado y a otro o de arriba abajo: *El caballo cabeceaba al andar.* **2** Dar cabezadas por efecto del sueño: *Vete a la cama y deja de cabecear en el sillón.* **3** Referido a un vehículo, moverse subiendo y bajando las partes delan-

tera y trasera alternativamente: *El avión cabeceaba a causa de los baches de la atmósfera.* **4** En fútbol, golpear el balón con la cabeza: *El defensa cabeceó con tanta fuerza que mandó el balón fuera del campo.*

cabeceo s.m. **1** Movimiento que se hace con la cabeza a un lado y a otro o de arriba abajo. **2** Inclinación brusca e involuntaria que se hace repetidamente por efecto del sueño. **3** Movimiento que hace un vehículo al subir y bajar las partes delantera y trasera alternativamente: *Las olas provocan el cabeceo del barco.*

cabecera s.f. **1** En una cama, pieza que se pone en su extremo superior y que impide que se caigan las almohadas: *Cuando dormía me golpeé la cabeza con la cabecera.* **2** En una cama, extremo en el que se ponen las almohadas o en el que reposa la cabeza al dormir: *En la cabecera, sobre la almohada, tiene siempre un muñeco.* **3** En un lugar o en una mesa, parte principal o preferente, o asiento de honor. **4** En un impreso o en un programa, parte inicial en la que suelen incluirse los datos generales relativos al mismo: *El nombre de esta joven actriz figura ya en la cabecera de reparto de varias películas.* **5** Principio o punto del que parte algo: *La cabecera de esta línea de autobús está en la plaza.* □ ETIMOL. De *cabeza*. □ SEM. En las acepciones 1 y 2, es sinónimo de *cabecero*. □ USO En la acepción 1, se usa más *cabecero*.

cabecero s.m. →**cabecera**.

cabecilla s. Persona que está a la cabeza de un grupo o movimiento cultural, político o de otro tipo, esp. si es de carácter contestatario. □ MORF. Es de género común: *el cabecilla, la cabecilla*.

cabellera s.f. **1** Conjunto de cabellos, esp. si son largos. **2** En un cometa, estela luminosa que rodea el núcleo.

cabello s.m. **1** En una persona, cada uno de los pelos que nacen en su cabeza. **2** Conjunto de estos pelos; pelo: *Tardé un buen rato en desenredarme el cabello.* **3** ‖ **cabello de ángel**; dulce hecho con calabaza y almíbar que recuerda al cabello por estar compuesto de filamentos finos y largos. □ ETIMOL. Del latín *capillus*.

caber v. **1** Referido esp. a un objeto, poder contenerse en otro: *El cajón está tan lleno que no caben más cosas.* **2** Poder entrar: *Está tan gordo que no cabe por la puerta.* **3** Existir o ser posible: *No cabe la menor duda de que se ha ido.* **4** Tocar, corresponder: *Me cabe la satisfacción de ser yo el que te entregue el premio.* **5** ‖ **no caber** alguien **en sí**; estar o mostrarse muy contento o satisfecho: *Estaba tan orgulloso de haberlo conseguido que no cabía en sí de gozo.* □ ETIMOL. Del latín *capere* (asir, contener). □ MORF. Irreg. →CABER.

cabestrante s.m. Torno de eje vertical en el que se enrolla un cable o una cadena y que se usa para elevar un objeto pesado: *Al izar el ancla la cadena del cabestrante se rompió.* □ ORTOGR. Se admite también *cabrestante*. □ USO Aunque la RAE prefiere *cabrestante*, se usa más *cabestrante*.

cabestrillo s.m. Banda o armazón que se cuelga del cuello para sostener el brazo en flexión: *Lleva el brazo en cabestrillo porque lo tiene roto.* □ ETIMOL. De *cabestro* (cuerda que se ata al cuello de las caballerías).

cabestro s.m. Buey manso que suele llevar cencerro y que sirve de guía a las reses bravas. □ ETI-MOL. Del latín *capistrum*.

cabeza s.f. **1** En una persona y en algunos animales, parte superior o anterior del cuerpo en la que se encuentran algunos órganos de los sentidos: *Los toros tienen cuernos en la cabeza.* 🔎 carne **2** En una persona y en algunos mamíferos, parte que comprende desde la frente hasta el cuello, excluida la cara: *Como tenía piojos, le raparon la cabeza.* **3** En un reparto o en una distribución, persona: *En el reparto tocaron a tres por cabeza.* **4** Pensamiento, imaginación o capacidad intelectual humana: *Al verte me vino a la cabeza que te debo dinero.* **5** Animal cuadrúpedo de ciertas especies domésticas o de algunas salvajes; res: *Tenía un rebaño de doscientas cabezas.* **6** En algunos objetos, principio o parte extrema: *Nuestro equipo es cabeza de serie del torneo.* **7** Extremo abultado, generalmente opuesto a una punta: *La cabeza de los dientes es la parte blanca que vemos.* 🔎 dentadura **8** En el corte de un libro, parte superior: *¿Cuántos centímetros dejo de margen en la cabeza?* **9** En una colectividad, persona que la dirige, preside o lidera: *La cabeza de la iglesia católica es el Papa.* **10** ||**{a la/en} cabeza**; delante, en primer lugar o al mando: *A la cabeza de la manifestación iban los líderes políticos.* ||**{andar/ir} de cabeza**; *col.* Estar muy ocupado o tener muchas preocupaciones: *Son pocos en el trabajo y andan siempre de cabeza.* ||**bajar la cabeza**; *col.* Obedecer sin réplica, humillarse o avergonzarse: *No estaba de acuerdo con la orden, pero bajó la cabeza y la acató.* ||**cabeza abajo**; con la parte superior hacia abajo: *Para hacer el pino hay que ponerse cabeza abajo.* ||**[cabeza cuadrada**; *col.* Persona que sólo actúa según normas o planes prefijados: *No puede entender ese mundo porque es una 'cabeza cuadrada'.* ||**cabeza de ajo(s)**; conjunto de los dientes o partes que forman el bulbo del ajo, esp. cuando todavía están unidos. ||**(cabeza de) chorlito**; *col.* Persona de poco juicio o despistada. ||**cabeza (de familia)**; persona que figura como jefe de una familia a efectos legales. ||**[cabeza de jabalí**; embutido hecho con trozos de la cabeza del jabalí. ||**cabeza de partido**; en una demarcación territorial, población más importante de la que dependen judicialmente otras y en la que se encuentran los juzgados de primera instancia e instrucción. ||**cabeza de turco**; persona sobre la que se hace recaer una culpa compartida por varios; chivo expiatorio. ||**[cabeza dura**; *col.* **1** Persona torpe o que no tiene facilidad para entender las cosas. col. **2** Persona obstinada que mantiene una postura a pesar de cualquier razón en contra. ||**[cabeza hueca**; *col.* Persona irresponsable, vacía o sin sentido común. ||**[cabeza {lectora/reproductora}**; *col.* en un aparato electrónico, dispositivo que sirve para leer, grabar o reproducir señales de una banda magnética: *La 'cabeza reproductora' de mi radiocasete está sucia y no graba bien.* ||**[cabeza loca**; *col.* Persona que actúa de forma irresponsable o poco juiciosa. ||**[cabeza rapada**; miembro de un grupo social juvenil y urbano de comportamiento violento y que se caracteriza por llevar el pelo muy corto; rapado. ||**calentarle** a alguien **la cabeza**; *col.* Molestarlo, cansarlo o preocuparlo con conversaciones pesadas e insistentes. ||**{calentarse/quebrarse/romperse} la cabeza**; *col.* Esforzarse o preocuparse mucho: *Me he roto la cabeza para dar con la solución de este*

problema. ||**[con la cabeza alta**; con dignidad y sin avergonzarse: *Es una persona honrada y puede andar 'con la cabeza bien alta'.* ||**[{cortar/rodar} cabezas**; *col.* Echar a alguien de un puesto: *Si este proyecto fracasa, 'rodarán cabezas'.* ||**de cabeza**; **[1** Con esta parte del cuerpo por delante: *Ya sé tirarme 'de cabeza' a la piscina.* **2** Referido a la forma de actuar, con decisión y sin vacilar: *Se metió de cabeza en el negocio cuando supo que tú serías su jefe.* **3** Referido a la forma de dar información, de memoria: *No sé si éstos son los nombres exactos de los organismos porque te los estoy dando de cabeza.* ||**echar de cabeza**; *col.* En zonas del español meridional, denunciar o acusar: *Me echó de cabeza con el jefe por lo que había dicho.* ||**escarmentar en cabeza ajena**; *col.* Extraer una enseñanza de los errores ajenos, esp. si sirve para evitar repetirlos: *Con el fracaso de mi vecino escarmenté en cabeza ajena y renuncio a continuar.* ||**[estar {mal/tocado} de la cabeza**; *col.* Estar trastornado o loco: *Para hacer esa tontería hay que 'estar mal de la cabeza'.* ||**levantar cabeza**; *col.* Salir de la pobreza o de una mala situación: *Lleva una época horrorosa y el pobre no levanta cabeza.* ||**[levantar la cabeza**; *col.* Resucitar: *Si mi difunto esposo 'levantara la cabeza', todo sería distinto.* ||**[llenar la cabeza de pájaros**; *col.* Infundir vanas esperanzas: *Le 'han llenado la cabeza de pájaros' y está convencida que será una famosa cantante.* ||**meter en la cabeza**; *col.* Hacer comprender: *No hay quien le meta en la cabeza que hay que respetar a los demás.* ||**metérsele** algo **en la cabeza** a alguien; *col.* Obstinarse en ello: *Se le ha metido en la cabeza estudiar arquitectura.* ||**perder la cabeza**; *col.* Perder la razón o volverse loco: *Entiendo que perdieras la cabeza por semejante belleza.* ||**sentar (la) cabeza**; *col.* Hacerse juicioso y sensato: *Ya es hora de que sientes la cabeza y te busques un trabajo.* ||**subirse a la cabeza**; *col.* Provocar un orgullo excesivo: *El dinero se le ha subido a la cabeza y ahora nos mira por encima del hombro.* ||**[tener {buena/mala} cabeza**; *col.* Tener buena o mala memoria: *'Tengo muy mala cabeza' para recordar los nombres de la gente.* ||**tener la cabeza a pájaros**; *col.* Ser poco juicioso o estar distraído: *Tiene la cabeza a pájaros y no se da cuenta del mundo en que vive.* ||**tener la cabeza en su sitio**; ser muy juicioso: *Me gusta mucho como habla porque es una persona que tiene la cabeza en su sitio.* ||**traer de cabeza**; *col.* Alterar, aturdir o agobiar, esp. por un exceso de obligaciones o de preocupaciones: *Ese demonio de niño trae a sus padres de cabeza.* □ ETIMOL. Del latín *capitia*, por *caput*. □ MORF. En la acepción 9, la RAE lo registra como masculino. □ SEM. *Cabeza abajo* es dist. de *boca abajo* (tendido sobre el vientre y con la cara hacia el suelo). □ USO Es innecesario el uso del anglicismo *skin head* en lugar de *cabeza rapada*.

cabezada s.f. **1** Inclinación brusca e involuntaria que se hace con la cabeza, esp. al quedarse dormido sin tenerla apoyada. **2** Golpe dado con la cabeza o recibido en ella. **3** Movimiento que hace una embarcación al subir y bajar sus partes delantera y trasera alternativamente. **4** Conjunto de correas que se pone en la cabeza a las caballerías y que sirve esp. para sujetar el bocado o freno. 🔎 arreos

cabezal s.m. **1** En un aparato, pieza, generalmente móvil, colocada en uno de sus extremos: *En las ma-*

quinillas de afeitar desechables la hoja se coloca en el cabezal. **[2** En un magnetófono y otros aparatos semejantes, pieza que sirve para grabar, reproducir o borrar lo grabado en una cinta: Limpié con alcohol el 'cabezal' del magnetófono porque la cinta se oía muy mal.

cabezazo s.m. Golpe dado con la cabeza.

cabezón, -a ▌ adj. **1** Referido a una bebida alcohólica, que produce dolor de cabeza. **▌** adj./s. **2** Terco o que mantiene una actitud o unas ideas a pesar de cualquier razón en contra; cabezota. □ SEM. En la acepción 2, como adjetivo es sinónimo de cabezudo. □ USO Es despectivo.

cabezonada o **[cabezonería** s.f. col. Hecho o dicho propios de quien mantiene una actitud a pesar de cualquier razón en contra: La cabezonada de salir bajo la lluvia le costó un buen resfriado.

cabezota adj./s. col. →**cabezón.** □ MORF. 1. Como adjetivo es invariable en género. 2. Como sustantivo es de género común: el cabezota, la cabezota. □ USO Tiene un matiz despectivo.

cabezudo, da ▌ adj. **1** →**cabezón. ▌** s.m. **2** Figura grotesca con apariencia de enano que resulta de disfrazarse una persona con una enorme cabeza de cartón pintada con vivos colores. □ USO En la acepción 1, tiene un matiz despectivo.

cabezuela s.f. En botánica, inflorescencia formada por un conjunto de flores sentadas o sostenidas por un pedúnculo muy corto, y que nacen en un receptáculo común; capítulo: La flor de algunos cardos es una cabezuela. □ ETIMOL. De cabeza. 🔎 inflorescencia

cabida s.f. Capacidad o espacio para contener algo. □ ETIMOL. De caber.

cabila s.f. Tribu de beduinos o de bereberes. □ PRON. Incorr. *[cábila]. □ ORTOGR. Dist. de cavila (del verbo cavilar).

cabildo s.m. **1** En una catedral o en una colegiata, comunidad de canónigos y eclesiásticos con voto en ella. **2** Corporación compuesta por un alcalde y varios concejales que dirige y administra un término municipal. **3** Junta celebrada por esta comunidad o por esta corporación. **4** Lugar donde se celebran estas juntas. **5** En Canarias, corporación que gobierna y administra los intereses comunes a los ayuntamientos de cada isla y los peculiares de ésta. □ ETIMOL. Del latín capitulum (reunión de monjes o canónigos). □ SEM. En la acepción 2, es sinónimo de ayuntamiento, concejo o municipio.

cabina s.f. **1** Cuarto o recinto pequeños y aislados donde se encuentran los mandos de un aparato o de una máquina o en cuyo interior se pueden realizar funciones que requieran concentración o intimidad: La cabina del avión está reservada para los pilotos. **2** Caseta de reducidas dimensiones en cuyo interior hay un teléfono público. **[3** Recinto pequeño en el que viajan personas: Las 'cabinas' de este teleférico tienen asientos. □ ETIMOL. Del francés cabine.

cabizbajo, ja adj. Con la cabeza inclinada hacia abajo por tristeza, preocupación o vergüenza. □ ETIMOL. Del antiguo cabecibajo.

cable s.m. **1** Trenzado de cuerdas o hilos metálicos capaz de soportar grandes tensiones o pesos: el cable del ancla. **2** Conductor eléctrico o conjunto de ellos generalmente recubierto de un material aislante: el cable de la luz. **3** Telegrama o mensaje escrito transmitido por conductor eléctrico subma-

rino: Te envié un cable para que la noticia te llegara rápidamente. **[4** →**televisión por cable. 5 ▌ [cruzársele los cables** a alguien; col. Bloqueársele la mente, esp. si esto le lleva a actuar sin motivo lógico aparente: 'Se me han cruzado los cables' y ya no consigo entender el problema. **▌ {echar/lanzar/ tender} un cable**; ayudar, esp. en una situación comprometida: Gracias a que me tendió un cable pude salir de semejante situación. □ ETIMOL. Quizá del latín capulum (cuerda). □ MORF. En la acepción 3, es la forma abreviada y usual de cablegrama.

cableado s.m. **1** Operación consistente en establecer conexiones eléctricas mediante cables. **2** Conjunto de cables que forman parte de un sistema o de un aparato eléctrico.

cablear v. Referido a un dispositivo eléctrico, unir mediante cables sus diferentes partes: Ese electricista nos cableó toda la instalación eléctrica.

cablegrama s.m. →**cable.** □ ETIMOL. De cable y la terminación de telegrama.

[cableoperador, -a s. Operador o empresa de comunicaciones por cable.

cabo s.m. **1** En un objeto alargado, extremo o punta: Para saltar a la cuerda hay que agarrar bien un cabo con cada mano. **2** En un objeto alargado, resto que queda después de haber consumido la mayor parte: Se alumbraban con un cabo de vela. **3** Saliente o porción de terreno que penetra en el mar: Los romanos creían que en el cabo de Finisterre se acababa el mundo. **4** En un hilo, fibra o hebra que lo compone: Es una lana muy resistente porque es de cuatro cabos. **5** En el ejército, persona cuya categoría militar es superior a la de soldado e inferior a la de sargento: La categoría de cabo comprende distintas modalidades, como cabo primero o cabo. **6** En náutica, cuerda, esp. la que se utiliza en las maniobras: No aseguró los cabos y se desgarró la vela por el viento. **7 ▌al cabo de**; después de: Al cabo de varios días, decidí ir a verla. **▌atar cabos**; reunir y relacionar datos para sacar una conclusión: Logró atar cabos y descubrió al asesino. **▌cabo suelto**; col. Circunstancia imprevista o que queda sin resolver: En la investigación hay todavía algunos cabos sueltos. **▌de cabo a {cabo/rabo}**; col. De principio a fin sin omitir nada: A pesar de que no me estaba gustando la novela, la leí de cabo a rabo. **▌estar al cabo de la calle**; col. Estar perfectamente enterado: Cuando llegó con la noticia yo ya estaba al cabo de la calle y no me sorprendió. **▌llevar a cabo** algo; hacerlo o concluirlo: Conseguí llevar a cabo mi proyecto y ha salido muy bien. □ ETIMOL. Del latín caput (cabeza). □ USO Atar cabos se usa también con los verbos juntar, recoger y unir.

cabotaje s.m. Navegación o tráfico marítimo entre puertos, esp. entre los de una misma nación, que se hace sin perder de vista la costa. □ ETIMOL. Del francés cabotage.

cabra s.f. **1** Mamífero rumiante doméstico, a veces con cuernos nudosos y vueltos hacia atrás, cuerpo cubierto de pelo áspero y muy ágil en lugares escarpados: La leche de cabra es más fuerte que la de vaca. **2 ▌cabra montés**; especie salvaje de cuerpo y cuernos mucho más grandes que la doméstica y que habita en zonas montañosas. **▌como una cabra**; col. Muy loco. □ ETIMOL. Del latín capra. □ MORF. 1. Es un sustantivo epiceno: la cabra macho, la cabra hembra aunque el macho se designa también con el sustantivo masculino *cabrón* y con la expresión *macho cabrío*. **2**. Incorr. **cabra montesa*.

🐐rumiante

cabracho s.m. Pez marino comestible, de color rojizo jaspeado, boca grande y dientes pequeños, cuya cabeza, plana y ancha, tiene crestas y espinas: *Las espinas de la cabeza de los cabrachos son venenosas*. ☐ MORF. Es un sustantivo epiceno: *el cabracho macho, el cabracho hembra*.

[cabrales s.m. Queso de olor y sabor fuertes, elaborado con mezcla de leche de vaca, oveja y cabra, y curado en cuevas a baja temperatura, originario de Cabrales (comarca asturiana). ☐ MORF. Invariable en número.

cabrear v. *col.* Enfadar o poner de mal humor: *No cabrees a tu madre y ponte a estudiar ya. Se cabreó porque nunca lo tomaban en serio*. ☐ ETIMOL. De *cabra*, por las rabietas típicas de estos animales. ☐ MORF. Se usa más como pronominal.

cabreo s.m. *col.* Enfado o enojo.

cabrerizo, za ▮ adj. **1** De la cabra o relacionado con ella; cabruno, caprino. ▮ s. **2** →**cabrero**.

cabrero, ra s. Pastor de cabras; cabrerizo.

cabrestante s.m. →**cabestrante**. ☐ ETIMOL. De origen incierto.

cabrilla ▮ s.f. **1** Pez marino, de boca grande con muchos dientes, color rojizo o grisáceo, nadar lento y muy voraz, cuya carne es blanda e insípida. **2** En carpintería, trípode o soporte donde se apoyan los maderos grandes para aserrarlos o trabajarlos. ▮ pl. **3** Manchas que se forman en las piernas por estar mucho tiempo cerca del fuego. **4** Olas pequeñas y espumosas que se levantan en el mar cuando éste empieza a agitarse. ☐ ETIMOL. De *cabra*. ☐ MORF. En la acepción 1, es un sustantivo epiceno: *la cabrilla macho, la cabrilla hembra*.

cabrío, a adj. De las cabras o relacionado con ellas.

cabriola s.f. **1** En danza, salto que da el bailarín cruzando varias veces los pies en el aire; pirueta. **2** Salto en que el caballo cocea mientras se mantiene en el aire. **3** Voltereta en el aire. ☐ ETIMOL. Del italiano *capriola*, de *capriolo* (venado).

cabriolé s.m. **1** Coche de caballos ligero y descubierto, de dos o cuatro ruedas. 🐎 carruaje **[2** Automóvil descapotable. ☐ ETIMOL. Del francés *cabriolet*. ☐ USO La acepción 2 es un galicismo innecesario.

cabrita s.f. Véase **cabrito, ta**.

cabritada s.f. *col.* Acción mal intencionada.

cabritilla s.f. Piel curtida de cabrito o de otro mamífero pequeño.

cabrito, ta ▮ adj./s. **[1** *euf. col.* Referido a una persona, que tiene mala intención o que juega malas pasadas; cabrón. ▮ s.m. **2** Cría de la cabra desde que nace hasta que deja de mamar; choto. ▮ s.f. **3** En zonas del español meridional, palomita de maíz. ☐ MORF. **1**. En la acepción 2, es un sustantivo epiceno: *el cabrito macho, el cabrito hembra*. **2**. En la acepción 3, la RAE sólo lo registra como masculino. ☐ USO La acepción 1 se usa como insulto.

cabro s.m. *col.* En zonas del español meridional, chico o muchacho.

cabrón, -a ▮ adj./s. **1** *vulg.malson.* Referido a una persona, que actúa con mala intención o que juega malas pasadas; cabrito. ▮ adj./s.m. **2** *vulg.malson.* Referido a un hombre, que está casado con una mujer adúltera, esp. si consiente el adulterio. ▮ s.m. **3** Macho de la cabra; macho cabrío: *Los cabrones se distinguen de las cabras por los cuernos*. ☐ ETIMOL. De *cabra*. ☐ SEM. En la acepción 1, la RAE sólo lo registra como sustantivo masculino. ☐ USO En las acepciones 1 y 2 se usa como insulto.

cabronada s.f. **1** *vulg.malson.* Hecho que causa un perjuicio, esp. si es malintencionado. **2** *vulg.malson.* Lo que se debe hacer y que fastidia, molesta o causa gran incomodidad: *Tener que salir con este frío es una cabronada*.

cabruno, na adj. De la cabra o relacionado con ella; cabrerizo, caprino.

cabuya s.f. **1** En zonas del español meridional, pita: *La fibra de la cabuya se usa en la industria textil*. **2** En zonas del español meridional, cuerda.

caca s.f. *euf. col.* Mierda. ☐ ETIMOL. De origen expresivo, procedente del lenguaje infantil.

cacahuate s.m. En zonas del español meridional, cacahuete.

cacahué o **cacahuete** s.m. **1** Planta de tallo rastrero, hojas alternas lobuladas, flores amarillas cuyos pedúnculos se alargan y se introducen en el suelo para que madure el fruto, el cual está compuesto de una cáscara dura y varias semillas, comestibles después de tostadas: *El cacahuete es una planta de origen americano*. **2** Fruto de esta planta. ☐ ETIMOL. *Cacahuete*, del náhuatl *cacahuatl*. ☐ ORTOGR. Incorr. **cacahués*, **cacahuet*, **alcahués*. ☐ MORF. Su plural es *cacahués* o *cacahuetes*; incorr. **cacahueses*. ☐ SEM. 1. Dist. de *alcahuete* (intermediario en unas relaciones amorosas). 2. Es sinónimo de *maní*. ☐ USO *Cacahué* es el término menos usual.

cacao s.m. **1** Árbol tropical, de hojas alternas, lisas y duras, flores blancas o amarillas, raíces muy desarrolladas y fruto en forma de baya que contiene muchas semillas que se usan como principal ingrediente del chocolate: *El cacao es un árbol originario de América*. **2** Semilla de este árbol. **3** Polvo soluble elaborado con estas semillas y azúcar, que da color y sabor a chocolate. **[4** Bebida, esp. leche, mezclada con este polvo. **[5** Sustancia grasa que se usa para hidratar los labios. **[6** *col.* Situación confusa, agitada o embarazosa, esp. si va acompañada de gran alboroto y tumulto; lío: *Se armó un buen 'cacao' esta mañana cuando cortaron el tráfico. Fue al examen con un verdadero 'cacao' mental y suspendió*. ☐ ETIMOL. Del náhuatl *cacahuatl*.

cacarear v. **1** Referido al gallo o a la gallina, emitir su voz característica. **2** *col.* Referido esp. a las cosas propias, alabarlas en exceso: *No deja de cacarear lo bueno que es su hijo*. ☐ ETIMOL. De origen onomatopéyico.

cacareo s.m. Voz característica del gallo o de la gallina.

cacatúa s.f. **1** Ave trepadora, de pico ancho, corto, y dentado en los bordes, mandíbula superior muy arqueada, plumaje de colores vistosos, con un penacho de plumas en la cabeza que puede abrir como un abanico, y que puede aprender a emitir algunas palabras. 🦜 ave **[2** *col.* Mujer fea, vieja y de aspecto estrafalario. ☐ ETIMOL. Del malayo *kakatw* (voz que imita su canto). ☐ MORF. En la acepción 1, es un sustantivo epiceno: *la cacatúa macho, la cacatúa hembra*. ☐ USO En la acepción 2 es despectivo.

cacereño, ña adj./s. De Cáceres o relacionado con esta provincia española o con su capital.

cacería s.f. Expedición o excursión para cazar.

cacerola s.f. Recipiente de metal, cilíndrico y más ancho que hondo, con dos asas y que se utiliza para cocer o guisar. ☐ ETIMOL. Del francés *casserole*.

cacerolada s.f. Protesta, generalmente política o social, que se hace golpeando cacerolas o tapaderas.

cacha s.f. **1** En un cuchillo, en una navaja o en algunas armas de fuego, pieza que cubre cada lado del mango o de la culata: *Tengo una navaja con las cachas de nácar.* **2** col. En una persona, músculo. ☐ ETIMOL. Quizá del latín *capula*, plural de *capulum* (empuñadura de la espada). ☐ MORF. Se usa más en plural.

cachaco, ca ▌ adj./s. **1** En zonas del español meridional, que tiene buenos modales o que es educado. **2** col. En zonas del español meridional, elegante y bien vestido. **▌** s.m. **3** col. En zonas del español meridional, policía. ☐ USO En las acepciones 2 y 3, es despectivo.

cachalote s.m. Mamífero marino de gran tamaño, con la cabeza grande y larga, boca dentada, aleta caudal horizontal, que vive en mares templados y tropicales y del que se obtiene gran cantidad de grasa: *El cachalote es un cetáceo parecido a la ballena.* ☐ MORF. Es un sustantivo epiceno: *el cachalote macho, el cachalote hembra.*

cachar v. **1** En zonas del español meridional, coger al vuelo. **2** En zonas del español meridional, dar cornadas. ☐ ETIMOL. Del inglés *to catch*.

[cacharrazo s.m. col. Golpe violento y ruidoso, esp. el recibido en una caída o en un choque.

cacharrería s.f. Establecimiento comercial en el que se venden cacharros o recipientes toscos.

cacharrero, ra s. Persona que se dedica profesionalmente a la venta de cacharros o recipientes toscos. ☐ SEM. Dist. de *chatarrero* (persona que recoge, almacena o vende chatarra).

cacharro s.m. **1** Recipiente tosco, esp. el usado en las cocinas. **2** col. Aparato viejo, deteriorado o que funciona mal. ☐ ETIMOL. De *cacho* (cacharro, cazo, tiesto, vasija rota). ☐ SEM. Se usa mucho como palabra comodín para designar de manera imprecisa un objeto. ☐ USO En la acepción 2, tiene un matiz despectivo.

cachas adj./s. col. Referido a una persona, que tiene un cuerpo fuerte, musculoso y moldeado. ☐ MORF. 1. Invariable en número. 2. Como adjetivo es invariable en género. 3. Como sustantivo, aunque la RAE lo registra como masculino, en la lengua actual es de género común: *el cachas, la cachas.*

cachava s.f. o **cachavo** s.m. Bastón cuyo extremo superior es curvo; cayado, garrota.

cachaza s.f. col. Calma o despreocupación excesivas en la forma de actuar; parsimonia.

cachazudo, da adj./s. Que tiene cachaza o calma excesiva.

cachear v. Registrar palpando el cuerpo por encima de la ropa: *Los cachearon a todos para ver si llevaban armas escondidas.*

cachelos s.m.pl. Trozos de patata cocida que se sirven acompañando carne o pescado. ☐ ETIMOL. De *cacho* (trozo pequeño).

cachemir s.m. o **cachemira** s.f. **1** Tejido muy fino fabricado con pelo de cabra de Cachemira (región asiática que comprende parte de la India, Chi-

na y Paquistán), o de lana merina: *Un jersey de cachemir es caro.* **[2** Tela con dibujos en forma ovalada y curvada en cuyo interior hay más dibujos de colores. ☐ SEM. Es sinónimo de *casimir*.

cacheo s.m. Registro palpando el cuerpo por encima de la ropa.

[cachet (galicismo) s.m. **1** Cotización en el mercado del espectáculo: *El actor de moda tiene un 'cachet' altísimo.* **2** Refinamiento o distinción que dan un carácter distintivo: *Esa chica tiene mucho 'cachet' y todo el mundo se fija en ella.* ☐ PRON. [caché]. ☐ USO Su uso es innecesario y puede sustituirse por una expresión como *cotización* o *toque de distinción*, respectivamente.

cachetada s.f. Golpe dado con la mano abierta, esp. en la cara o en las nalgas. ☐ SEM. Aunque la RAE lo considera sinónimo de *bofetada*, éste se ha especializado para las cachetadas en la cara.

cachete s.m. **1** Golpe dado con los dedos de la mano, esp. en la cara o en las nalgas. **2** Carrillo, esp. si es abultado. ☐ ETIMOL. Del latín *capulus* (puño).

cachetero s.m. **1** Puñal o cuchillo corto y agudo para despedazar las reses; puntilla. **2** En tauromaquia, torero que remata al toro con este puñal; puntillero.

cachimba s.f. Utensilio para fumar, formado por un tubo terminado en una cazoleta o recipiente donde se echa el tabaco picado; pipa. ☐ ETIMOL. Del portugués *cacimba*, y éste de origen africano.

cachiporra s.f. Palo de una sola pieza con un extremo muy abultado.

cachiporrazo s.m. **1** Golpe dado con una cachiporra o con otro objeto parecido. **[2** Golpe fuerte o aparatoso, esp. el dado en un choque.

cachirulo s.m. Pañuelo que se ata alrededor de la cabeza en el traje masculino típico de la región aragonesa. ☐ SEM. Se usa mucho como palabra comodín para designar de manera imprecisa un objeto.

cachivache s.m. **1** Mueble o utensilio, esp. los de una casa y si están desordenados. **2** Trasto u objeto en desuso, viejo o inútil. ☐ MORF. Se usa más en plural. ☐ SEM. Se usa mucho como palabra comodín para designar de manera imprecisa un objeto. ☐ USO Tiene un matiz despectivo.

cacho s.m. **1** col. Pedazo o trozo pequeño: *un cacho de pan.* **2** En zonas del español meridional, cuerno. **3** ‖ **[pillar cacho**; col. **1** Conseguir dinero o poder. col. **2** Ligar con una persona: *Tú sólo quieres ir a esa fiesta para ver si 'pillas cacho'.* ‖ **[ser un cacho de pan**; col. Ser muy bondadoso. ☐ ETIMOL. De origen incierto.

cachondearse v.prnl. **1** col. Burlarse o guasearse: *No te cachondees, porque lo mismo te podía haber pasado a ti.* **[2** vulg. En zonas del español meridional, hacerse caricias. ☐ SINT. Constr. de la acepción 1: *cachondearse DE algo.*

cachondeo s.m. **1** col. Burla, guasa o juerga. **2** col. Desorganización, desbarajuste o falta de seriedad. **[3** vulg. En zonas del español meridional, juego de caricias entre dos personas.

cachondo, da ▌ adj. **1** vulg.malson. Excitado sexualmente. **▌** adj./s. **2** vulg. Divertido y gracioso o burlón. **[3** vulg. En zonas del español meridional, sexualmente atractivo. ☐ MORF. En la acepción 2, la RAE sólo lo registra como adjetivo.

cachorro, rra s. **1** Perro de poco tiempo. **2** Cría

de algunos mamíferos. ☐ ETIMOL. Quizá del latín *catulus*.

cachucha s.f. En zonas del español meridional, gorra de visera.

cacica s.f. de cacique.

cacicada s.f. Hecho o dicho arbitrarios que se consideran propios de un cacique: *La concesión de ese permiso es una cacicada*. ☐ USO Es despectivo.

cacillo s.m. Cazo pequeño, generalmente de forma redondeada, que se usa para servir líquidos.

cacique s.m. **1** Gobernante o jefe de algunas tribus indias americanas. **2** *col.* En un pueblo o en una comarca, persona influyente que interviene de forma abusiva en asuntos políticos o administrativos. **3** *col.* En una colectividad, persona que ejerce una autoridad o poder abusivos: *El cacique del partido siempre logra que se aprueben sus propuestas.* ☐ MORF. Su femenino es *cacica*. **2.** En las acepciones 2 y 3, la RAE sólo lo recoge como masculino. ☐ USO En las acepciones 2 y 3, es despectivo.

caciquear v. Intervenir en algo usando indebidamente la autoridad o la influencia que se tienen: *Esa mujer caciqueó durante meses hasta conseguir hacerse con las fincas colindantes.* ☐ USO Es despectivo.

caciquil adj. Del cacique de un pueblo o comarca, o relacionado con él. ☐ MORF. Invariable en género. ☐ USO Tiene un matiz despectivo.

caciquismo s.m. **1** Dominación o influencia del cacique de un pueblo o comarca. **2** Intromisión o manipulación abusivas en un asunto por medio de la autoridad o de la influencia personales.

caco s.m. Ladrón que roba con habilidad. ☐ ETIMOL. Por alusión a Caco, personaje de la mitología grecolatina que robó a Hércules unos bueyes.

cacofonía s.f. Efecto acústico desagradable que resulta de la mala combinación de los sonidos de las palabras. ☐ ETIMOL. Del griego *kakophonía*, y éste de *kakós* (malo) y *phoné* (sonido). ☐ SEM. Dist. de *eufonía* (efecto acústico agradable).

cacofónico, ca adj. Con cacofonía: *El sintagma 'tres tristes tigres' resulta cacofónico.*

cactáceo, a ▌ adj./s. **1** Referido a una planta, que tiene tallos gruesos, verdes y carnosos, con las hojas transformadas en espinas, y flores grandes, olorosas y de colores vivos: *El cactus y la chumbera son plantas cactáceas.* ▌ s.f.pl. **2** En botánica, familia de estas plantas, perteneciente a la clase de las dicotiledóneas. ☐ MORF. En la acepción 1, la RAE sólo lo registra como adjetivo. ☐ SEM. Como adjetivo es sinónimo de *cácteo*.

cácteo, a adj. →*cactáceo*.

cacto o **cactus** s.m. Planta de tallo grueso, verde y carnoso, con flores amarillas, que puede almacenar agua y es originaria de México (país centroamericano): *El cactus es propio de terrenos secos.* ☐ ETIMOL. Del griego *káktos* (cardo). ☐ MORF. *Cactus* es invariable en número. ☐ USO Aunque la RAE prefiere *cacto*, se usa más *cactus*.

cacumen s.m. *col.* Inteligencia y perspicacia, o gran capacidad de entendimiento; pesquis: *¡Tiene tal cacumen que no se le escapa nada!* ☐ ETIMOL. Del latín *cacumen* (cumbre). ☐ MORF. Su plural es *cacúmenes*.

cacuminal adj. En lingüística, referido a un sonido consonántico, que se articula juntando el borde o la cara inferior de la punta de la lengua con los alveolos

superiores o con el paladar: *La 'd' cacuminal es una característica del asturiano occidental.* ☐ ETIMOL. Del latín *cacumen* (cumbre). ☐ MORF. Invariable en género.

cada indef. **1** Establece una correspondencia distributiva entre los miembros numerables de una serie y los miembros de otra: *Daban un regalo a cada niño.* **2** Designa un elemento de una serie individualizándolo: *Va a casa de su abuela cada martes.* **3** En expresiones generalmente elípticas, se usa para ponderar: *Estos niños arman cada jaleo...* ☐ ETIMOL. Del latín *cata*, y éste del griego *katá* (desde lo alto de, durante, según). ☐ MORF. Invariable en género y en número.

cadalso s.m. Tablado que se levanta para ejecutar a un condenado a muerte. ☐ ETIMOL. Del provenzal *cadafalcs*.

cadáver s.m. Cuerpo muerto o sin vida, esp. el de una persona. ☐ ETIMOL. Del latín *cadaver*. ☐ SINT. Se usa mucho en aposición, pospuesto a un sustantivo: *El accidentado ingresó cadáver en el hospital.*

cadavérico, ca adj. Del cadáver, relacionado con él, o con sus características.

cadena s.f. **1** Conjunto de eslabones o piezas, generalmente metálicas y en forma de anillo, enlazadas una a continuación de la otra: *Me regalaron una cadena de oro muy bonita.* 🞕 joya **2** Conjunto de piezas, generalmente metálicas, iguales y articuladas entre sí, que forman un circuito cerrado: *Se ha salido la cadena de la bicicleta y no sé ponerla.* **3** Sucesión de fenómenos, acontecimientos, hechos o cosas relacionados entre sí: *El recorte económico ha originado una cadena de protestas.* **4** Serie de personas enlazadas, generalmente cogiéndose de las manos, o relacionadas entre sí: *Los manifestantes formaron una cadena humana de varios kilómetros.* **5** Conjunto de establecimientos, instalaciones o construcciones del mismo tipo o con una misma función, organizados en sistema y pertenecientes a una sola empresa o sometidos a una sola dirección; red: *Es el dueño de una de las mejores cadenas hoteleras.* **6** Conjunto de emisoras que difunden una misma programación radiofónica o televisiva: *El partido lo televisará una cadena privada.* [**7** Lo que supone una obligación o se considera una atadura: *Se queja de que sus hijos son una 'cadena', aunque no podría vivir sin ellos.* **8** ‖**cadena (de montaje)**; conjunto de instalaciones y operaciones sucesivas por las que pasa un producto industrial en el proceso de fabricación y montaje y que están organizadas con el fin de reducir al mínimo el tiempo y el esfuerzo invertido en el trabajo: *En una cadena de montaje, cada trabajador tiene que hacer siempre la misma tarea.* ‖**de música/de sonido/musical**}; equipo estereofónico compuesto por varios aparatos grabadores y reproductores de música, independientes pero adaptables entre sí: *Mi cadena musical tiene tocadiscos, casete y radio.* ‖**cadena perpetua**; en derecho, pena máxima de privación de libertad: *Lo han condenado a cadena perpetua y pasará el resto de su vida en la cárcel.* ☐ ETIMOL. Del latín *catena*.

cadencia s.f. **1** Sucesión regular o medida de sonidos o de movimientos: *Su elegancia queda patente en la cadencia de todos sus movimientos.* **2** En fonética, bajada de la línea final de entonación de una oración. ☐ ETIMOL. Del italiano *cadenza* (caída).

cadencioso, sa adj. Con cadencia.
cadeneta s.f. Labor o punto en forma de cadena.
cadera s.f. **1** En el cuerpo humano, cada una de las dos partes salientes formadas a los lados por los huesos superiores de la pelvis. [**2** En un animal cuadrúpedo, parte lateral del anca. ✕̲ carne □ ETIMOL. Del latín *cathedra* (silla).
caderamen s.m. *col.* Caderas de una persona, esp. si son voluminosas.
cadete ▮ adj./s. [**1** Referido a un deportista, que, por edad, pertenece a la categoría posterior a la de infantil y anterior a la de juvenil. ▮ s. **2** Alumno de una academia militar. □ ETIMOL. Del francés *cadet* (joven noble que servía como voluntario). □ MORF. 1. Como adjetivo es invariable en género. 2. Como sustantivo es de género común: *el cadete, la cadete.*
cadi s.m. En golf, persona que lleva los palos del jugador. □ ETIMOL. Del inglés *caddie.* □ ORTOGR. Dist. de *cadí.*
cadí s.m. Juez musulmán que interviene en las causas civiles y religiosas. □ ETIMOL. Del árabe *qadi* (juez). □ ORTOGR. Dist. de *cadi.* □ MORF. Aunque su plural en la lengua culta es *cadíes*, se usa mucho *cadís.*
cadmio s.m. Elemento químico, metálico y sólido, de número atómico 48, de color blanco azulado, brillante y fácilmente deformable. □ ETIMOL. Del latín *cadmium.* □ ORTOGR. Su símbolo químico es *Cd.*
caducar v. **1** Perder validez o efectividad debido esp. al paso del tiempo: *El contrato caduca dentro de un mes.* **2** Referido esp. a un plazo, terminar o acabarse: *El plazo de matrícula caduca hoy.* **3** Referido a un producto que puede deteriorarse con el tiempo, estropearse o dejar de ser apto para el consumo: *Tira estas medicinas porque ya han caducado.* □ ETIMOL. De *caduco.* □ ORTOGR. La *c* se cambia en *qu* delante de *e* → SACAR.
caducidad s.f. **1** Pérdida o fin de la validez o de la efectividad debido esp. al paso del tiempo: *fecha de caducidad.* **2** Carácter de lo que es caduco o perecedero: *En el sermón resaltó la caducidad de los bienes terrenales.*
caducifolio, lia adj. Referido a un árbol, que pierde sus hojas anualmente.
caduco, ca adj. **1** Perecedero, de poca duración o que se estropea en un plazo de tiempo no muy largo. **2** Referido a una persona, que es de edad muy avanzada y tiene por ello menguadas sus facultades. [**3** Sin vigencia o anticuado: *Sus valores están 'caducos' y no tienen sentido en nuestros tiempos.* □ ETIMOL. Del latín *caducus* (que cae, perecedero). □ USO En la acepción 2, es despectivo.
caer v. **1** Moverse de arriba abajo por la acción del propio peso: *La nieve caía suavemente.* **2** Perder el equilibrio hasta dar en el suelo o en algo firme que lo detenga: *Resbaló con una cáscara de plátano y cayó de espaldas. Se ha caído el jarrón y se ha hecho trizas.* **3** Desprenderse o separarse del lugar o del objeto a los que se estaba unido o adherido: *La fruta madura cae de los árboles. Se me cayó un botón de la camisa.* **4** Encontrarse inesperadamente o sin pensarlo en una desgracia o en un peligro: *Cayó en poder de sus enemigos.* **5** Venir a dar en una trampa o en un engaño: *El grupo de soldados cayó en una emboscada de la guerrilla.* **6** Incurrir en un error o cometer una falta: *Aunque me he propuesto mil veces no hablar de ello, siempre caigo en lo mis-

mo. **7** Ir a parar a un lugar o a una situación distintos de lo previsto: *Caí en un pueblo inmundo que ni aparecía en los mapas.* **8** Perder la posición, el cargo o el poder: *La revolución hizo caer al dictador.* **9** Desaparecer, dejar de ser o de existir, acabar o morir: *Cuando cayó la monarquía, el país se convirtió en una república.* **10** Descender o bajar mucho: *Los precios del petróleo volvieron a caer.* **11** Estar situado en un punto en el espacio o en el tiempo, o cerca de él: *¿Por dónde cae la estación?* **12** Sentar bien o mal: *Ese vestido te cae muy bien y te favorece mucho.* [**13** Fracasar, ser vencido o ser conquistado: *En el primer examen 'cayó' la mitad de la clase.* [**14** Abalanzarse o echarse encima con rapidez: *Los niños 'cayeron' sobre los pasteles y no dejaron ni uno.* **15** *col.* Llegar a entender, a comprender o a recordar: *Hasta varios días después, no caí en lo que quiso decir con aquellas palabras misteriosas.* **16** Tomar una determinada forma al colgar: *Las cortinas caen en pliegues.* **17** Seguido por un adjetivo, alcanzar el estado expresado por éste: *Si no te cuidas, caerás enferma.* **18** Referido a un acontecimiento, sobrevenir o venir inesperadamente: *La desgracia ha caído sobre esa familia.* **19** Referido esp. a un premio o a una tarea, tocar o corresponder: *¿Cómo me ha podido caer a mí semejante tarea?* **20** Referido al Sol, al día o a la tarde, acercarse a su ocaso o a su fin: *Cuando el Sol cae, el cielo se tiñe de rojo.* [**21** Referido a un vestido, tener el borde desnivelado hacia abajo: *Ese vestido 'cae' por delante.* **22** ‖ [**caer bajo**; referido a una persona, hacer algo indigno o despreciable: *Me has desilusionado porque nunca creí que pudieras 'caer tan bajo'.* ‖ **caer {bien/mal}** a alguien; resultarle simpático o antipático: *No sé cómo ese cretino te puede caer bien.* ‖ **caerse de {culo/espaldas}**; *col.* Asombrarse mucho: *Se cayó de espaldas cuando le dije que me iba a meter monja.* ‖ **dejar caer** algo; en una conversación, decir algo de pasada pero con intención: *Dejó caer que me engañabas, pero yo no me di por aludida.* ‖ **dejarse caer**; *col.* Presentarse de forma inesperada: *Si voy por tu pueblo, ya me dejaré caer por tu casa.* ‖ **estar al caer**; estar a punto de llegar o de ocurrir: *Las vacaciones están al caer.* □ ETIMOL. Del latín *cadere.* □ MORF. Irreg. →CAER. □ SINT. 1. Su uso como transitivo es incorrecto aunque está muy extendido: **no caigas eso > no tires eso.* Constr. de las acepciones 4, 5, 6, 7 y 15: *caer EN algo.* 3. Constr. de la acepción 14: *caer SOBRE algo.*
café ▮ adj./s. **1** En zonas del español meridional, marrón. ▮ s.m. **2** Arbusto tropical, de hojas opuestas, lanceoladas, perennes y muy verdes, flores blancas y olorosas, y con el fruto en forma de baya de color rojo; cafeto: *El café es un arbusto muy cultivado en América.* **3** Semilla de este arbusto. **4** Bebida de color oscuro y sabor amargo que se prepara con estas semillas tostadas y molidas. **5** Establecimiento público en el que se sirve esta infusión y otras bebidas. **6** ‖ **(café) descafeinado**; el que no tiene cafeína o tiene muy poca. ‖ [**café americano**; el preparado con mucha agua. ‖ **(café) capuchino**; el mezclado con leche y espumoso. ‖ **(café) cortado**; el mezclado con muy poca leche. ‖ [**café {griego/turco}**; el que se hace con el agua y el polvo mezclados y se toma sin filtrar. ‖ [**café irlandés**; el que se prepara con güisqui y nata. ‖ **café torrefacto**; el que se tuesta con algo de azúcar. ‖ [**café vienés**;

el que se prepara con nata. ‖ **café-cantante**; aquel en el que se ofrecen actuaciones musicales en directo, esp. con canciones frívolas. ‖ **[café-concierto**; aquel en el que se ofrecen actuaciones musicales en directo, esp. de cantautores o de música clásica. ‖ **café-teatro**; aquel en el que se representan obras teatrales breves. ‖ **[mal café**; *col.* Mal humor: *Está de 'mal café' porque le han puesto una multa.* ☐ ETIMOL. Del turco *qahwé.* ☐ MORF. 1. Su plural es *cafés*; incorr. **cafeses.* 2. En la acepción 4, se usa mucho el diminutivo coloquial *cafelito.* 3. En la acepción 5, se usa mucho el diminutivo *cafetín.* ☐ USO Es innecesario el uso del galicismo '*café negro*' en lugar de *café solo.*

cafeína s.f. Sustancia de origen vegetal con propiedades estimulantes y que se obtiene de las semillas y de las hojas de plantas como el café, el té o el mate: *La cafeína se usa en medicina como estimulante del corazón.*

cafetal s.m. Terreno poblado de cafés.

cafetera s.f. Véase **cafetero, ra.**

cafetería s.f. Establecimiento donde se sirven café y otras bebidas y comidas.

cafetero, ra ∎ adj. **1** Del café o relacionado con él. ∎ adj./s. **2** Referido a una persona, que es muy aficionada a tomar café. ∎ s. **3** Persona que se dedica profesionalmente a la recolección o al comercio del café. ∎ s.f. **4** Máquina o aparato para hacer café, o recipiente para servirlo. 🔌 electrodoméstico **5** *col.* Vehículo viejo y que no funciona bien.

cafeto s.m. Arbusto tropical, de hojas opuestas, lanceoladas, perennes y muy verdes, flores blancas y olorosas, y con el fruto en forma de baya de color rojo; café: *El cafeto es un arbusto muy alto.*

[cafiche s.m. *col.* En zonas del español meridional, chulo.

cafre adj./s. Muy bruto, violento o grosero. ☐ MORF. 1. Como adjetivo es invariable en género. 2. Como sustantivo es de género común: *el cafre, la cafre.* ☐ USO Es despectivo y se usa como insulto.

caftán s.m. Túnica, generalmente de seda y colores vivos, que cubre hasta la mitad de la pierna, con mangas cortas y abierta por delante, y usada por turcos y árabes. ☐ ETIMOL. Del árabe *qaftan* (especie de vestido).

cagada s.f. Véase **cagado, da.**

cagadero s.m. *vulg.* Lugar donde se caga; cagatorio.

cagado, da ∎ adj./s. **1** *vulg.* Cobarde, miedoso o poco valeroso. ∎ s.f. **2** *vulg.* Excremento que sale por el ano cada vez que se evacua el vientre. **3** *vulg.* Lo que se considera de mala calidad o de poco valor. ☐ ETIMOL. Las acepciones 2 y 3, del latín *cacata.*

cagajón s.m. Porción de excremento de una caballería. ☐ ETIMOL. De *cagar.*

cagalera s.f. *vulg.* Diarrea.

cagar ∎ v. **1** *vulg.* Expulsar excrementos por el ano: *¿Cómo voy a cagar en ese servicio tan guarro?* ∎ prnl. **2** *vulg.* Acobardarse o tener mucho miedo: *Al oír aquellos ruidos se cagó de miedo.* **3** ‖ **[cagarla**; *vulg.* Cometer una equivocación muy difícil de solucionar: *Si el profesor te pilló con la chuleta, 'la has cagado', porque no vas a aprobar nunca.* ‖ **[cagarse en** algo; *vulg.* Maldecirlo: *Estaba tan enfadada conmigo que 'se cagó' en mi familia.* ☐ ETIMOL. Del latín *cacare.* ☐ ORTOGR. La *g* se cambia en *gu*

delante de *e* →PAGAR. ☐ SINT. Constr. de la acepción 2: *cagarse DE algo.*

cagarruta s.f. Porción de excremento, generalmente esférico, de ganado menor y de otros animales. ☐ ETIMOL. De *cagar.*

cagatintas s. *col.* Oficinista. ☐ MORF. 1. Es de género común: *el cagatintas, la cagatintas.* 2. Invariable en número. ☐ USO Es despectivo.

cagatorio s.m. *vulg.* Lugar donde se caga; cagadero.

[cagódromo s.m. *vulg.* →retrete.

cagón, -a adj./s. **1** *vulg.* Que caga con mucha frecuencia. **2** *col.* Cobarde y miedoso en extremo.

caguama s.f. **1** Tortuga marina de gran tamaño cuyos huevos son muy apreciados: *La caguama es más grande que el carey.* **2** Material que se saca del caparazón de esta tortuga: *Tengo un peine de caguama.* ☐ MORF. En la acepción 1, es un sustantivo epiceno: *la caguama macho, la caguama hembra.*

[cague s.m. *vulg.* Miedo.

cagueta adj./s. *col.* Muy cobarde o miedoso. ☐ MORF. Es de género común: *el cagueta, la cagueta.*

caíd s.m. En algunos países musulmanes, especie de juez o gobernador. ☐ ETIMOL. Del árabe *qa'id* (jefe).

caída s.f. Véase **caído, da.**

caído, da ∎ adj. **1** Referido a una parte del cuerpo, que está muy inclinada o más baja de lo normal: *Si tienes los hombros caídos, ponte hombreras.* **2** adj./s. Referido a una persona, que ha muerto en defensa de una causa: *Los caídos en las guerras se convierten en héroes nacionales.* ∎ s.f. **3** Movimiento que se hace de arriba abajo por la acción del propio peso: *Es agradable observar la caída de la nieve desde la ventana del refugio.* **4** Pérdida del equilibrio hasta dar en el suelo o en algo firme que lo detenga: *A consecuencia de una caída, se rompió un brazo.* **5** Desprendimiento o separación del lugar o del objeto a los que se estaba unido o adherido: *Teme quedarse calvo e intenta prevenir la caída del cabello.* **6** Encuentro inesperado en una desgracia, en un peligro, en una trampa o en una situación imprevista: *Desde su caída en desgracia, no hay forma de hacerlo reaccionar.* **7** Pérdida de la posición, del cargo o del poder: *Todo el país celebró la caída del dictador.* **8** Desaparición, destrucción o extinción: *Muchos factores colaboraron en la caída del Imperio Romano.* **9** Descenso acentuado, bajada fuerte o inclinación brusca: *La caída del dólar ha afectado a la economía mundial.* **[10** Fracaso, derrota o conquista: *La'caída' de la ciudad costó varios meses de asedio.* **11** Movimiento consistente en abalanzarse sobre algo o en echarse encima de ello con rapidez: *La caída del ejército sobre el grupo guerrillero ocasionó numerosas víctimas.* **12** Acción de incurrir en un error o de cometer una falta: *Si estás desintoxicándote del alcohol, no puedes permitirte tener una caída.* **13** Puesta del Sol o finalización del día o de la tarde: *En verano sale a pasear a la caída de la tarde.* **14** Manera de caer, colgar o plegarse una tela a causa de su peso: *Para hacerte el vestido, compra una tela que tenga mucha caída.* **15** ‖ **[caída de la noche**; comienzo de la noche: *Con la 'caída de la noche' no se oye ni un ruido en el campo.* ‖ **caída de ojos**; forma de bajar los ojos o los párpados: *Ese actor tiene una caída de ojos muy sensual.* ‖ **caída libre**; **1** La que experimenta un cuerpo sometido exclusivamente a la acción de la gravedad: *Para ha-*

cer el experimento de caída libre, subió al primer piso y soltó la pesa. **[2** En paracaidismo deportivo, modalidad de salto en el que se retrasa voluntariamente la apertura del paracaídas: *Me da miedo ver a un paracaidista haciendo 'caída libre'.*

caimán s.m. Reptil anfibio y carnívoro parecido al cocodrilo pero de menor tamaño y con el hocico más corto y redondeado, que habita fundamentalmente en los ríos y pantanos americanos; aligator. □ ETIMOL. De origen incierto. □ MORF. Es un sustantivo epiceno: *el caimán macho, el caimán hembra.* □ SEM. Aunque la RAE lo considera sinónimo de *yacaré*, en círculos especializados no lo es.

caín ‖**pasar las de Caín**; *col.* Sufrir grandes apuros o contratiempos: *Pasé las de Caín hasta que conseguí un trabajo.* □ ETIMOL. Por alusión a la historia bíblica de Caín.

cairel s.m. **1** Adorno a modo de fleco que cuelga de los extremos de algunos vestidos y complementos: *Tengo un sombrero con caireles de seda.* **2** Pieza de cristal de distintas formas y tamaños que adorna lámparas, candelabros u otros objetos. □ ETIMOL. Quizá del provenzal antiguo *cairel.*

caja s.f. **1** Recipiente de distintas formas y materiales, generalmente con tapa, que sirve para guardar o transportar cosas. **2** Receptáculo, generalmente de madera, en el que se coloca un cadáver para enterrarlo; ataúd, féretro. **3** En un establecimiento, ventanilla o lugar donde se realizan pagos, cobros y entregas de dinero o semejantes: *Pasen por caja para abonar sus compras.* **4** En algunos instrumentos musicales de cuerda o de percusión, parte exterior de madera que los cubre y resguarda, o parte hueca en la que se produce la resonancia: *El violonchelo tiene una caja mayor que la del violín.* **5** Instrumento musical de percusión, de forma cilíndrica, hueco, cubierto por sus bases con una piel tensa, y que se toca con dos palillos; tambor: *Toca la caja en una banda militar.* ✍ percusión **6** Cubierta o armazón en los que se aloja algo: *Si entra la caja del reloj, entrará polvo y se estropeará.* **7** ‖**caja alta**; letra mayúscula: *El título va en caja alta.* ‖**caja baja**; letra minúscula: *Este ejemplo va en caja baja y en cursiva.* ‖**caja** {**boba/tonta**}; *col.* Televisión. ‖**caja (de ahorros)**; entidad bancaria destinada esp. a guardar los ahorros de los particulares. ‖**caja de cambios**; mecanismo que permite el cambio de marcha en un automóvil. ‖**caja** {**de caudales/fuerte**}, la que está hecha de un material resistente y se utiliza para guardar con seguridad dinero y objetos de valor. ‖**caja de música**; la que tiene un mecanismo que, al accionarse, hace que suene una melodía. ‖**[caja de Pandora**; conjunto de problemas o males que una forma determinada de actuar puede causar: *Al decir aquella inconveniencia, abrió la 'caja de Pandora' y desde entonces no hemos tenido más que problemas.* ‖**caja de reclutamiento**; organismo militar encargado de inscribir, clasificar y destinar a los reclutas: *Tengo que ir a la caja de reclutamiento para enterarme a qué guarnición y cuerpo voy destinado.* ‖**caja negra**; en un avión, aparato que registra todos los datos e incidencias del vuelo: *Gracias a la caja negra se pudieron saber las causas del accidente del avión siniestrado.* ‖**caja registradora**; la que se usa en un establecimiento comercial para señalar y sumar el importe de las ventas. ‖{**despedir/echar**} **con**

cajas destempladas; *col.* Despedir con malos modos: *No sé qué te he hecho para que ahora me despidas con cajas destempladas.* ‖ **[hacer caja**; hacer recuento de los pagos e ingresos, generalmente al final de la jornada laboral: *Al 'hacer caja' se dieron cuenta de que faltaba dinero.* □ ETIMOL. Del latín *capsa.*

cajero, ra s. **1** Persona que se dedica profesionalmente al control de la caja de una entidad comercial, de un banco o de establecimientos semejantes. **2** ‖**cajero (automático)**; máquina informatizada que, por medio de una clave personal, permite efectuar operaciones bancarias inmediata y automáticamente.

cajeta s.f. *vulg.malson.* [En zonas del español meridional, vulva.

cajetilla ▪ adj./s. **1** *col.* En zonas del español meridional, presumido y afectado. **[2** *col.* En zonas del español meridional, elegante, que vive con lujo y sin privaciones. ▪ s.f. **3** Paquete de cigarrillos o de picadura de tabaco. □ MORF. En las acepciones 1 y 2, como adjetivo es invariable en género y como sustantivo es de género común: *el cajetilla, la cajetilla.* □ USO En la acepción 1, tiene un matiz despectivo.

cajetín s.m. Cada uno de los compartimentos en que se divide el cajón donde se ordenan los tipos de imprenta: *En cada cajetín se coloca el molde de una letra o de un signo tipográfico.*

cajista s. Persona que se dedica profesionalmente a la composición de un texto para su impresión. □ ETIMOL. De caja. □ MORF. Es de género común: *el cajista, la cajista.*

cajón s.m. **1** En un mueble, receptáculo que se puede meter y sacar de un hueco en el que encaja: *Los cubiertos están en el cajón de la mesa de la cocina.* **2** En zonas del español meridional, ataúd. **[3** En zonas del español meridional, plaza de aparcamiento. **4** ‖**cajón de sastre**; *col.* Conjunto de cosas diversas y desordenadas o sitio donde están. ‖**ser de cajón**; *col.* Ser evidente o estar fuera de toda duda: *Si llueve, es de cajón que no iremos al campo.*

cajonera s.f. **1** En una mesa escolar, parte en la que se guardan los libros y otras cosas. **2** Mueble formado exclusivamente por cajones o conjunto de cajones de un mueble.

cajuela s.f. En zonas del español meridional, maletero de un vehículo.

cal s.f. **1** Sustancia de óxido de calcio, de color blanco, que, al contacto con el agua, se hidrata o se apaga, con desprendimiento de calor, y que se emplea principalmente en la fabricación de cementos: *La cal se obtiene de la piedra caliza sometida a más de ochocientos grados de temperatura.* **2** ‖**cal viva**; la que no está mezclada con agua. ‖**cerrar a cal y canto**; cerrar totalmente: *Cuando se fue de vacaciones, cerró la casa a cal y canto.* ‖**dar una de cal y otra de arena**; *col.* Alternar cosas distintas o contrarias: *No sé si le caigo bien o mal porque me da una de cal y otra de arena.* □ ETIMOL. Del latín *calx.*

cala s.f. **1** Entrante del mar en la costa más pequeño que la ensenada y generalmente rodeado de rocas: *Esta cala se cubre cuando hay marea alta.* **2** Corte que se hace en una fruta, esp. en un melón o en una sandía, para probarla; caladura: *Haz una cala en melón, por favor.* **3** Trozo que se corta de una fruta para probarla: *Prueba esta cala de melón* *y dime si está dulce.* **4** Investigación en un campo del saber inexplorado o en un campo de estudio reducido: *En el artículo se hace una cala del teatro contemporáneo.* **5** Parte más baja en el interior de un buque: *Mandó a un marinero inspeccionar la cala del barco.* **6** Planta ornamental con una piña alargada de flores amarillas que sale del centro de una hoja blanca en forma de cucurucho: *Las calas necesitan mucha agua.* **[7** Flor de esta planta. **[8** col. Peseta: *La bolsa de pipas me ha costado cincuenta 'calas'.* □ ETIMOL. La acepción 1, de origen incierto. Las acepciones 2-5, de *calar*. Las acepciones 6 y 7, del latín *Calla Aethiopica*. □ SEM. En las acepciones 6 y 7, es sinónimo de *lirio de agua.*

calabacera s.f. Planta herbácea, de tallos rastreros muy largos y cubiertos de pelo áspero, hojas anchas y flores amarillas y cuyo fruto, generalmente grande y comestible; calabaza: *La calabacera crece a ras de suelo.*

calabacín s.m. Variedad de calabaza, cilíndrica, con la piel verde oscura y la carne blanca.

calabaza s.f. **1** Planta herbácea, de tallos rastreros muy largos y cubiertos de pelo áspero, hojas anchas y flores amarillas y cuyo fruto, generalmente grande y carnoso, es comestible; calabacera: *El fruto de una variedad de calabaza es anaranjado.* **2** Fruto de esta planta. **[3** col. En el lenguaje estudiantil, suspenso: *Tengo una 'calabaza' en matemáticas.* **4** ‖ **dar calabazas;** col. Rechazar un ofrecimiento amoroso: *Juana me ha dado calabazas y estoy muy triste.* □ ETIMOL. De **calapaccia*, de origen prerromano.

calabobos s.m. col. Llovizna muy fina y continua. □ MORF. Invariable en número.

calabozo s.m. **1** Celda de una cárcel o lugar destinado a encerrar a un preso o a un arrestado, esp. si está bajo condiciones de incomunicación. **2** Lugar, generalmente oscuro y subterráneo, donde se encerraba a los presos. □ ETIMOL. Del latín **calafodium*, de *fodere* (cavar).

calada s.f. **1** Chupada que se da al fumar. **2** Introducción de un instrumento de pesca en el agua: *La calada de las redes se realizó de madrugada.*

caladero s.m. Lugar apropiado para calar o echar las redes de pesca.

calado s.m. **1** Labor o adorno que se hace en una superficie de modo que ésta quede taladrada, agujereada o hueca, generalmente siguiendo un dibujo: *Tengo un mantel con un calado en forma de flor en el centro.* **2** Distancia entre la superficie del agua y el fondo. **3** En una embarcación, distancia entre el punto más bajo sumergido y la superficie del agua: *Los barcos de poco calado pueden navegar por el río.* embarcación **[4** Parada brusca de un motor de explosión a causa de la falta de combustible, por estar frío o por otras razones.

caladura s.f. **1** Corte que se hace en una fruta, esp. en un melón o en una sandía, para probarla; cala. **[2** col. Penetración de un líquido en un cuerpo: *Sécate o, con semejante 'caladura', cogerás un catarro.*

calafate s.m. Persona que se dedica a calafatear o tapar las junturas de una embarcación para que no entre agua, esp. si ésta es su profesión. □ ETIMOL. Quizá del árabe *qalfat.*

calafateado s.m. Tapado de junturas, esp. las del casco de una embarcación con estopa y brea; cala-

fateo. □ USO Aunque la RAE prefiere *calafateo*, se usa más *calafateado.*

calafatear v. **1** Referido esp. al casco de una embarcación, tapar las junturas de sus maderas con estopa y brea para que no entre agua: *Mi abuelo me enseñó a calafatear las barcas.* **2** Tapar cualquier juntura: *Hay que calafatear el tejado antes del invierno.* □ ETIMOL. De *calafate.*

calafateo s.m. →**calafateado.**

calamar s.m. Molusco marino, con diez tentáculos alrededor de la cabeza provistos de ventosas, sin concha externa y con una interna, con el cuerpo en forma de huso provisto de dos aletas en su parte superior y que segrega un líquido negro con el que enturbia el agua para ocultarse cuando se siente perseguido: *Los calamares viven formando bancos.* □ ETIMOL. Del latín *calamarius*, y éste de *calamus* (pluma de escribir), porque este molusco tiene una bolsita con tinta. □ MORF. Es un sustantivo epiceno: *el calamar macho, el calamar hembra.* 🦑 marisco

calambre s.m. **1** Contracción brusca, involuntaria y dolorosa de un músculo: *Tengo un calambre en la pierna y no puedo estirarla.* **2** Estremecimiento que se produce en el cuerpo por una descarga eléctrica de baja intensidad. □ ETIMOL. Del alemán *krampf.*

calamidad s.f. **1** Desgracia, adversidad, infortunio o sufrimiento, esp. cuando afecta a muchas personas. **2** Persona a la que le ocurren todo tipo de desgracias por su torpeza o mala suerte. □ ETIMOL. Del latín *calamitas* (plaga, calamidad). □ MORF. La acepción 1 se usa más en plural.

calamina s.f. **1** Silicato de cinc, de estructura cristalina rómbica y generalmente de color blanco o amarillento: *La calamina es un mineral del que se extrae el cinc.* **2** Cinc fundido. **[3** Aleación de cinc, plomo y estaño. **[4** En zonas del español meridional, chapa ondulada que se usa en las construcciones de mala calidad. □ ETIMOL. Del latín *calamina.*

calamita s.f. Mineral de hierro muy pesado que tiene la propiedad de atraer determinados metales; magnetita. □ ETIMOL. Del griego *kalamítes.*

calamite s.f. Sapo pequeño, verdoso y con una línea amarilla a lo largo del dorso. □ ETIMOL. Del latín *calamites*, y éste del griego *kalamítes* (el que pasa la vida en un tallo de trigo). □ MORF. Es un sustantivo epiceno: *la calamite macho, la calamite hembra.*

calamitoso, sa adj. **1** Que causa calamidades, que va acompañado de ellas o que es propio de ellas. **2** Infeliz, desdichado o que le ocurren calamidades por su torpeza o mala suerte. □ ETIMOL. Del latín *calamitosus.*

cálamo s.m. **1** En la pluma de un ave, parte hueca de su eje central, que carece de filamentos laterales y que se inserta en la piel; cañón. **2** poét. Pluma para escribir: *Cuando me inspiro, el cálamo vuela sobre el papel.* **3** poét. Caña de una planta: *Descansemos entre los cálamos a la ribera del río.* □ ETIMOL. Del latín *calamus.*

[calandra s.f. En algunos vehículos, rejilla frontal que sirve para que entre aire al ventilador. □ ETIMOL. Del francés *calandre.*

calandria s.f. **1** Pájaro parecido a la alondra, de dorso pardusco, vientre blanquecino y una mancha negra en el cuello, alas anchas, pico fuerte y de color amarillo, y que anida en el suelo: *Las calandrias imitan fácilmente el canto de otros pájaros.* **2** Máquina formada por cilindros giratorios que sirve para prensar y satinar tejidos o papel. □ ETIMOL. La acepción 1, del griego *khálandros*. La acepción 2, del francés *calandre*. □ MORF. Es un sustantivo epiceno: *la calandria macho, la calandria hembra*.

calaña s.f. Clase, género o condición: *No quiero a mi lado gente de su calaña*. □ ETIMOL. Del antiguo *calaño* (semejante). □ USO Es despectivo.

calañés s.m. →**sombrero calañés**. 🖾 sombrero

calar ▌ v. **1** Referido a un líquido, penetrar en un cuerpo permeable: *El agua ha calado el techo y hay goteras. Llueve tan poco que no ha calado en la tierra.* [**2** Referido a un cuerpo, permitir que un líquido penetre en él: *Esta tela 'cala' y no te sirve para hacer una gabardina.* **3** Introducirse o penetrar: *Lo que dijo caló hondo en nosotros.* **4** col. Referido a una persona, adivinar su verdadero carácter, sus intenciones o sus pensamientos: *Me caló al instante y supo que estaba nervioso.* **5** col. Referido a una cuestión, comprender su razón o su sentido ocultos: *Cuando caló el tipo de negocio que era, quiso echarse atrás.* **6** Referido a una fruta, esp. a un melón o a una sandía, cortar un trozo para probarla: *Si hubiera calado el melón, me habría dado cuenta de que no está maduro.* **7** Referido a una tela o a un material en láminas, hacer calados en ellos: *Es muy bonito el mantel que ha calado tu abuela. Llevé el anillo de oro a un orfebre para que me lo calara.* **8** Referido a un instrumento de pesca, introducirlo en el agua para pescar: *Esos barcos se dirigen hacia alta mar para calar las redes.* **9** Referido a un sombrero, encajarlo bien en la cabeza: *Su padre le caló el gorro hasta las cejas. Se caló la gorra y salió a la calle.* [**10** Referido a una bayoneta, colocarla o encajarla en el fusil: *El teniente ordenó 'calar' las bayonetas.* ▌ prnl. **11**Mojarse hasta que el agua llega al cuerpo a través de la ropa: *Como no llevaba paraguas, me calé hasta los huesos.* **12** Referido a un motor de explosión, pararse bruscamente por no llegarle el suficiente combustible, por estar frío o por otras causas: *A los novatos se les cala el coche cada dos por tres.* □ ETIMOL. Del latín *calare* (hacer bajar).

calasancio, cia adj./s. De las Escuelas Pías (orden religiosa fundada en 1597 por san José de Calasanz), o relacionado con ellas; escolapio. □ MORF. La RAE sólo lo registra como adjetivo.

calato, ta adj. col. En zonas del español meridional, desnudo.

calavera ▌ s.m. **1** Hombre con poco sentido común o vicioso y juerguista. ▌ s.f. **2** Conjunto de huesos que forman la cabeza cuando permanecen unidos. ▌ pl. [**3** En zonas del español meridional, verso ingenioso que, el día de los muertos, se le compone a un vivo, hablando de sus defectos como si ya estuviera muerto. □ ETIMOL. Del latín *calvaria* (cráneo). □ ORTOGR. Dist. de *carabela*.

calcado, da ▌ adj. [**1** Idéntico o muy parecido. ▌ s.m. **2** Acción de copiar por contacto del original con el soporte al que se traslada.

calcáneo s.m. Hueso del tarso, que en la especie humana forma el talón. □ ETIMOL. Del latín *calcaneum* (talón). □ SEM. Dist. de *calcañal* (parte posterior de la planta del pie).

calcañal o **calcañar** s.m. Parte posterior de la planta del pie. □ ETIMOL. Del antiguo *calcaño*, y éste del latín *calcaneum* (talón). □ ORTOGR. Se ad-

mite también *carcañal*. □ SEM. Dist. de *calcáneo* (hueso del talón).

calcar v. **1** Sacar copia por contacto del original con el soporte al que se va a trasladar: *Calcó el dibujo en un cristal y luego lo coloreó.* **2** Imitar, copiar o reproducir fielmente: *Admira tanto a su hermana que calca sus gestos.* □ ETIMOL. Del latín *calcare* (pisar). □ ORTOGR. La *c* se cambia en *qu* delante de *e* →SACAR.

calcáreo, a adj. Que tiene cal. □ ETIMOL. Del latín *calcarius*.

calce s.m. **1** Cuña que se pone entre el suelo y una rueda para evitar que ésta se mueva, o debajo de un mueble, para evitar que cojee; calza, calzo. **2** En zonas del español meridional, pie de un documento legal. □ ETIMOL. Del latín *calcens* (zapato).

calceta s.f. Tejido de punto que se hace a mano. □ ETIMOL. De *calza* (media).

calcetín s.m. Prenda de vestir de punto que cubre el pie y la pierna sin llegar a la rodilla. □ ETIMOL. De *calceta* (media).

cálcico, ca adj. Del calcio o relacionado con él.

calcificación s.f. Modificación o degeneración de un tejido orgánico por la asimilación o por la acumulación de sales de calcio.

calcificar ▌ v. **1** Referido a un tejido orgánico, darle propiedades cálcicas mediante la asimilación de sales de calcio: *Tomo jarabe de calcio para ayudar a calcificar los huesos.* ▌ prnl. **2** Referido a un tejido orgánico, modificarse o degenerar por la acumulación de sales de calcio: *En los años de crecimiento los huesos se calcifican.* □ ETIMOL. Del latín *calx* (cal) y *facere* (hacer). □ ORTOGR. La *c* se cambia en *qu* delante de *e* →SACAR.

calcinación s.f. o **calcinamiento** s.m. Quema o sometimiento a altas temperaturas.

calcinar v. **1** Referido a un mineral o a otra materia, someterlos a altas temperaturas para que se desprendan las sustancias volátiles: *El carbón vegetal resulta de calcinar la madera. Al introducir las basuras en este horno, se calcinan.* [**2** Quemar o abrasar de forma que quede una materia de color blanco: *El sol 'ha calcinado' las plantas.*

calcio s.m. Elemento químico, metálico y sólido, de número atómico 20, de color blanco, muy alterable al contacto con el aire o el agua, y muy abundante en la naturaleza: *El calcio se encuentra en la leche y las verduras.* □ ETIMOL. Del latín *calx* (cal). □ ORTOGR. Su símbolo químico es *Ca*.

calcita s.f. Carbonato cálcico, incoloro o de color blanco, y muy abundante en la naturaleza. □ ETIMOL. De *calcio*.

calco s.m. **1** Copia por contacto del original con el soporte al que se va a trasladar. **2** Imitación o reproducción idéntica o muy parecida. **3** En lingüística, adaptación de una palabra o una expresión extranjeras a una lengua, traduciendo su significado completo o el de cada uno de los elementos que las forman: *'Balonvolea' es un calco de la palabra inglesa 'volleyball'.*

calcografía s.f. **1** Arte o técnica de estampar imágenes por medio de planchas metálicas grabadas, esp. si son de cobre. [**2** Reproducción obtenida mediante esta técnica. □ ETIMOL. Del griego *khalkós* (cobre, bronce) y *-grafía* (representación gráfica).

calcolítico, ca ▌ adj. **1** Del calcolítico o relacionado con esta etapa prehistórica. ▌ adj./s.m. **2** Referido a una etapa del neolítico, que es la última de este período y que se caracteriza por el uso de útiles de piedra pulimentada, de cobre y de otros metales. □ ETIMOL. Del griego *khalkós* (cobre, bronce) y *lítico* (de la piedra). □ SEM. Es sinónimo de *eneolítico*.

calcomanía s.f. **1** Papel que lleva una imagen al revés preparada con una sustancia pegajosa para pasarla por contacto a otra superficie. **2** Imagen trasladada por contacto de un papel a otra superficie. □ ETIMOL. Del francés *décalcomanie*. □ OR-TOGR. Incorr. *calcamonía*.

calcopirita s.f. Sulfuro de hierro y cobre, de color amarillento y brillante: *La calcopirita es un mineral del que se extrae cobre*. □ ETIMOL. Del griego *khalkós* (cobre) y *pirita*.

calculador, -a ▌ adj./s. **1** Referido a una persona, que hace algo pensando sólo en el interés material que puede reportarle. ▌ s.f. **2** Aparato o máquina que realiza automáticamente y en pocos segundos operaciones matemáticas. □ MORF. En la acepción 2, la RAE lo registra como sustantivo de género ambiguo.

calcular v. **1** Hacer cálculos: *Calcular el área del triángulo*. **2** Considerar o reflexionar con cuidado y atención: *Calcula los pros y los contras antes de decidirte*.

cálculo s.m. **1** Conjunto de operaciones matemáticas que se hacen para hallar un resultado. **2** Parte de las matemáticas que estudia estas operaciones. **3** Juicio que se forma a partir de datos incompletos o aproximados: *Según mis cálculos, ese niño debe de ser mayor que tú*. **4** Acumulación anormal y más o menos compacta de sales y minerales que se forma en conductos y órganos huecos; piedra. □ ETIMOL. Del latín *calculus* (guijarro, piedra para enseñar a los niños a contar, cuenta).

caldas s.f.pl. Baños de aguas minerales calientes; termas. □ ETIMOL. Del latín *calda*.

caldear v. **1** Calentar suavemente, esp. un lugar cerrado: *Encendí la chimenea para caldear la sala. Con esta calefacción la casa se caldeará pronto*. **2** Animar, excitar o hacer perder la tranquilidad: *La postura de los empresarios caldeó los ánimos de los trabajadores. Con la aparición de la policía el ambiente empezó a caldearse*. □ ETIMOL. Del latín *caldus* (caliente).

caldeo, a ▌ adj./s. **1** De Caldea (antigua región asiática), o relacionado con ella. ▌ s.m. **2** Antigua lengua semítica de esta región.

caldera s.f. **1** Recipiente metálico, cerrado o dotado de una fuente de calor, donde se calienta o se hace hervir el agua, esp. el empleado en sistemas de calefacción: *una caldera de barco*. **2** Recipiente de metal, grande, con el fondo redondeado, que se utiliza para calentar o cocer algo. **3** ‖caldera de vapor; aquella en la que se genera vapor como fuerza motriz de una máquina. □ ETIMOL. Del latín *caldaria*, y éste de *calidus* (caliente). □ SINT. Incorr. (galicismo): *caldera {*a > de} vapor*.

caldereta s.f. **1** Guiso que se hace con carne de cordero o de cabrito. **2** Guiso que se hace con pescado o marisco, cebolla y pimiento.

calderilla s.f. Conjunto de monedas, esp. si son de poco valor.

caldero s.m. **1** Caldera pequeña o cubo de metal con una sola asa, esp. si se sujeta a cada lado con argollas. [**2** Comida elaborada con arroz, pescados

y mariscos, similar a una paella, pero en la que cada uno de estos ingredientes se come por separado. □ ETIMOL. Del latín *caldarium*.

calderón s.m. **1** En imprenta, signo gráfico que antiguamente señalaba un párrafo: *El signo ¶ es un calderón*. **2** En música, signo gráfico que se coloca sobre una nota o sobre un silencio y que indica que la duración de éstos puede prolongarse a voluntad del intérprete: *El signo ⌢ es un calderón*.

calderoniano, na adj. De Calderón de la Barca (escritor español del siglo XVII) o con características de sus obras.

caldillo s.m. Salsa de algunos guisos.

caldo s.m. **1** Líquido que resulta de la cocción de algún alimento en agua. **2** Jugo vegetal destinado a la alimentación y que se extrae directamente de un fruto, esp. el vino. **3** Líquido que resulta de aderezar una ensalada. **4** ‖caldo de cultivo; **1** Líquido preparado para favorecer la reproducción de bacterias y otros microorganismos. **2** Conjunto de circunstancias que favorecen el desarrollo de algo que se considera perjudicial. ‖ [caldo gallego; guiso de verduras y carne de vaca y de cerdo. ‖ [poner a caldo a alguien; col. Regañarlo o criticarlo acaloradamente, esp. si es con insultos. □ ETIMOL. Del latín *calidus* (caliente). □ MORF. La acepción 2 se usa más en plural.

caldoso, sa adj. Con mucho caldo.

calé adj./s.m. En el lenguaje gitano, gitano. □ MORF. 1. Como adjetivo es invariable en género. 2. La RAE sólo lo registra como sustantivo masculino.

calefacción s.f. **1** Sistema y conjunto de aparatos destinados a calentar un edificio o parte de él. **2** ‖calefacción central; la que depende de un foco calorífico o de una caldera común para todo un edificio. □ ETIMOL. Del latín *calefactio*, y éste de *calefacere* (calentar).

[calefactable adj. Que puede calentarse. □ MORF. Invariable en género.

calefactor, -a ▌ s. **1** Persona que se dedica profesionalmente a la instalación o a la reparación de aparatos de calefacción. ▌ s.m. **2** Aparato de calefacción, esp. el que recoge el aire del ambiente y lo expulsa caliente.

calefón s.m. En zonas del español meridional, calentador o termosifón.

caleidoscopio s.m. →calidoscopio.

calendario s.m. **1** Sistema de división del tiempo en períodos regulares de años, meses y días. **2** Registro de los días del año distribuidos en meses y semanas, con indicaciones sobre las festividades y otras informaciones de tipo astronómico; almanaque: *En este calendario los días festivos están marcados en rojo*. [**3** Distribución de determinadas actividades humanas a lo largo de un año. □ ETIMOL. Del latín *calendarium*.

[calendarizar v. Referido a algo que hay que hacer, ponerle fecha y plazos de realización: *‘Calendarizaremos’ el proyecto*. □ MORF. La *z* se cambia en *c* delante de *e* →CAZAR.

calendas s.f.pl. **1** En el antiguo calendario romano y en el eclesiástico, el primer día de cada mes. **2** Tiempos pasados. □ ETIMOL. Del latín *calendae*.

caléndula s.f. Planta herbácea de jardín cuya flor es una gran inflorescencia en cabezuela de color

anaranjado o amarillento. ☐ ETIMOL. Del latín *ca-lendula*, que es el nombre científico de esta planta.
calentador s.m. **1** Recipiente o utensilio que sirve para calentar. **[2** Electrodoméstico que sirve para calentar el agua corriente. ☒ electrodoméstico **[3** Media de lana, sin pie, que sirve para mantener calientes las piernas; calientapiernas.
calentamiento s.m. **1** Comunicación de calor haciendo que aumente la temperatura. **2** Entrenamiento que realiza un deportista para desentumecer los músculos y entrar en calor. **[3** Aumento de la intensidad, la actividad o la fuerza: *Las medidas económicas del Gobierno produjeron un 'calentamiento' de la economía*.
calentar v. **1** Comunicar calor haciendo aumentar la temperatura: *En otoño el sol calienta poco. La leche se calentó*. **2** Animar, excitar o exaltar: *La suspensión del partido terminó de calentar los ánimos. Estuvo metiéndose conmigo toda la tarde hasta que me calenté*. **3** col. Azotar o dar golpes: *Me calentó el culo*. **4** vulg. Excitar sexualmente: *Se calienta con cualquier escena erótica*. **[5** En deporte, hacer ejercicios suaves para desentumecer los músculos: *Si no 'caliento' me dan tirones*. ☐ ETIMOL. De *caliente*. ☐ MORF. Irreg. →PENSAR.
calentísimo, ma superlat. irreg. de **caliente**. ☐ MORF. Incorr. **calentísimo*.
calentón s.m. Calentamiento rápido o breve.
calentura s.f. **1** Herida que sale en los labios; pupa. **2** Aumento anormal de la temperatura del cuerpo, que es síntoma de algún trastorno o enfermedad; fiebre. **[3** col. Excitación sexual.
calenturiento, ta adj. **1** Referido al pensamiento, excitado y muy vivo. **2** Con indicios de calentura o fiebre. **[3** col. Que se excita sexualmente con facilidad: *mente calenturienta*.
calesa s.f. Coche de caballos de dos o cuatro ruedas, abierto por delante y con capota. ☐ ETIMOL. Del francés *calèche*. ☒ carruaje
calesita s.f. En zonas del español meridional, tiovivo o carrusel.
caletre s.m. col. Inteligencia, talento o capacidad de entender con acierto. ☐ ETIMOL. Del latín *character* (carácter, índole).
calibrar v. **1** Referido esp. a un arma de fuego, un proyectil o a un cuerpo cilíndrico, medir o reconocer su calibre o diámetro interior, o darle el calibre conveniente: *Lleva al laboratorio de balística las balas para que las calibren. Trabajo en una sección donde se calibran los cañones de los fusiles*. **2** Referido a un asunto, estudiarlo con detenimiento: *Antes de meternos en este negocio, calibraremos bien los riesgos*.
calibre s.m. **1** En un arma de fuego, diámetro interior del cañón. **2** En un cuerpo cilíndrico hueco, diámetro interior. **3** Diámetro de un proyectil o de un alambre. **4** Tamaño, importancia o clase: *Ante un hecho de ese calibre nos vemos obligados a tomar medidas*. ☐ ETIMOL. Del francés *calibre*.
calicanto s.m. Obra o construcción de albañilería que se hace con piedras sin labrar o poco labradas, de distintos tamaños, colocadas unas sobre otras sin orden determinado, y unidas generalmente con argamasa o con cemento; mampostería.
caliciforme adj. Con forma de cáliz. ☐ ETIMOL. De *cáliz* y *-forme* (con forma). ☐ MORF. Invariable en género.
calidad s.f. **1** Propiedad o conjunto de propiedades

inherentes a una cosa, que la caracterizan y permiten valorarla respecto de otras de su misma especie: *calidad humana*. **2** Superioridad, excelencia o conjunto de buenas cualidades. **3** ‖ **[calidad de vida**; conjunto de condiciones que hacen la vida más agradable. ‖ **de calidad**; muy bueno o que goza de gran estimación. ‖ **en calidad de**; con carácter de: *Iré al juicio en calidad de testigo*. ☐ ETIMOL. Del latín *qualitas*.
cálido, da adj. **1** Que da calor. **2** Afectuoso o acogedor. **3** Referido a un color, que tiene como base el rojo, el amarillo o la mezcla de ambos. ☐ ETIMOL. Del latín *calidus* (caliente).
calidoscopio s.m. Aparato formado por un tubo que tiene en su interior varios espejos inclinados y en un extremo del cual se ven imágenes de colores que varían al hacerlo girar. ☐ ETIMOL. Del griego *kalós* (hermoso), *êidos* (imagen) y *-scopio* (instrumento para ver). ☐ ORTOGR. Se admite también *caleidoscopio*.
[calientabraguetas s.f. vulg.malson. Persona que provoca deseo sexual en un hombre sin intención de satisfacerlo. ☐ MORF. **1.** Es de género común. **2.** Invariable en número. ☐ USO **1.** Es despectivo. **2.** Se usa como insulto.
[calientacamas s.m. Aparato para calentar las sábanas de la cama. ☐ MORF. Invariable en número.
[calientapiernas s.m. Media de lana, sin pie, que sirve para mantener calientes las piernas; calentador. ☐ MORF. Invariable en número.
calientapiés s.m. Aparato para calentar los pies; calorífero. ☐ MORF. Invariable en número.
calientaplatos s.m. Aparato que sirve para mantener calientes los platos cocinados. ☐ MORF. Invariable en número.
[calientapollas s. vulg.malson. Persona que provoca deseo sexual en un hombre sin intención de satisfacerlo. ☐ MORF. **1.** Es de género común. **2.** Invariable en número. ☐ USO **1.** Es despectivo. **2.** Se usa como insulto.
caliente ∎ adj. **1** Con temperatura elevada. **2** Que proporciona calor y comodidad. **3** col. Recién hecho o que acaba de suceder: *noticias calientes*. **4** Acalorado, vivo o apasionado: *ánimos calientes*. **[5** Conflictivo. **6** col. Referido a una persona o a un animal, excitado sexualmente. ∎ interj. **7** Expresión que se usa para indicar que alguien está a punto de encontrar algo que busca: *¡Caliente, caliente!, sigue preguntando*. **8** ‖ **en caliente**; de forma inmediata o sin dejar que pase el efecto de lo acaecido. ☐ ETIMOL. Del latín *calens* (que se ha calentado). ☐ MORF. **1.** Como adjetivo es invariable en género. **2.** Su superlativo es *calentísimo*.
califa s.m. Príncipe musulmán que, como sucesor de Mahoma, ejercía la potestad religiosa y civil. ☐ ETIMOL. Del francés *khalife*, y éste del árabe *jalifa* (sucesor, lugarteniente).
califal adj. Del califa o relacionado con él. ☐ MORF. Invariable en género.
califato s.m. **1** Cargo del califa. **2** Tiempo durante el que un califa ejercía su cargo. **3** Territorio sobre el que un califa ejercía su autoridad. **4** Período histórico en el que gobernaron califas.
calificación s.f. **1** Atribución de determinadas cualidades: *La calificación de mi actitud no te corresponde a ti*. **2** Valoración de la suficiencia o de la no suficiencia de los conocimientos, esp. de los

académicos: *En junio saldrán las calificaciones fi-nales.* [**3** Procedimiento mediante el cual se otorga a un terreno una finalidad rústica o urbana.

calificado, da adj. **1** Con autoridad y digno de respeto: *opinión calificada.* **2** Que está especialmente preparado para el desempeño de una actividad o de una profesión. **3** Con todos los requisitos necesarios. □ SEM. En las acepciones 1 y 2, es sinónimo de *cualificado.*

calificar v. **1** Atribuir determinadas cualidades: *Tu comportamiento se puede calificar de insolente. En gramática, se llama adjetivo calificativo a aquel que califica al sustantivo.* **2** Valorar el grado de suficiencia o de no suficiencia de los conocimientos académicos: *Calificó mi examen con un notable.* [**3** Referido esp. a un terreno, otorgarle una finalidad rústica o urbana: *Esta finca está 'calificada' como terreno rústico.* □ ETIMOL. Del latín *qualificare.* □ ORTOGR. La *c* se cambia en *qu* delante de *e* →SACAR. □ SINT. Constr. de la acepción 1: calificar DE *algo.*

calificativo, va adj./s.m. Que califica, esp. referido a una palabra o a una expresión.

californio s.m. Elemento químico, metálico y artificial, de número atómico 98, radiactivo y que se obtiene bombardeando el curio con partículas alfa. □ ETIMOL. De *California,* donde se descubrió. □ ORTOGR. Su símbolo químico es *Cf.*

cáliga s.f. En la antigua Roma, especie de sandalia que usaban los soldados. □ ETIMOL. Del latín *caliga.* ✕ calzado

calígine s.f. Niebla densa y oscura. □ SEM. Dist. de *bochorno* (calor excesivo) y de *calima* (bruma de épocas calurosas).

caliginoso, sa adj. Oscuro, denso y con neblina. □ ETIMOL. Del latín *caliginosus.* □ SEM. Dist. de *bochornoso* (muy caluroso) y de *calimoso* (con calima).

caligrafía s.f. **1** Conjunto de rasgos que caracterizan la escritura de una persona o de un documento. **2** Arte y técnica de escribir a mano con letra bien hecha según diferentes estilos. □ ETIMOL. Del griego *kalligraphía,* y éste de *kállos* (belleza) y *grápho* (yo dibujo, escribo).

caligrafiar v. Escribir a mano con letra bien hecha: *Caligrafió dos páginas del libro de texto.* □ ORTOGR. La *i* final de la raíz lleva tilde en los presentes, excepto en las personas *nosotros* y *vosotros* →GUIAR.

caligráfico, ca adj. De la caligrafía o relacionado con ella.

caligrama s.m. Composición poética en la que, a través de la disposición tipográfica, se intenta representar el contenido del poema. □ ETIMOL. Del francés *calligramme.*

calima s.f. Bruma ligera de épocas calurosas formada por partículas en suspensión en el aire en calma. □ ETIMOL. De *calina,* por influencia de *calma* (bochorno). □ ORTOGR. Se admite también *calina.* □ SEM. Dist. de *bochorno* (calor excesivo), de *calígine* (niebla densa y oscura) y de *canícula* (período más caluroso del año). □ USO Aunque la RAE prefiere *calina,* se usa más *calima.*

[*calimocho* s.m. *col.* Bebida que se hace mezclando vino y refresco de cola.

calimoso, sa adj. Con calima o bruma ligera de épocas calurosas. □ ORTOGR. Se admite también *calinoso.* □ SEM. Dist. de *caliginoso* (nebuloso, oscuro

y denso). □ USO Aunque la RAE prefiere *calinoso,* se usa más *calimoso.*

calina s.m. →**calima.** □ ETIMOL. Del latín *caligo* (tinieblas, niebla).

calinoso, sa adj. →**calimoso.**

calipso s.m. **1** Composición musical en compás de cuatro por cuatro, propia de la isla caribeña de Trinidad. **2** Baile que se ejecuta al compás de esta música.

[*caliqueño* ǁ echar un caliqueño; *vulg.* →copular.

cáliz s.m. **1** Recipiente sagrado, generalmente en forma de copa, que se utiliza para consagrar el vino en la misa. **2** Conjunto de amarguras, aflicciones o trabajos: *Según la Biblia, Jesús pronunció estas palabras: – ¡Padre, aparta de mí este cáliz!* **3** En una flor, parte exterior formada por varias hojas, generalmente verdes, con las que se une al tallo. ✕ flor □ ETIMOL. Del latín *calix* (copa). □ SINT. La acepción 2 se usa más con los verbos *apurar, beber* o equivalentes.

calizo, za ǁ adj. **1** Referido a un terreno o a una roca, que tiene cal. ǁ s.f. **2** Roca sedimentaria compuesta principalmente por carbonato cálcico, de color blanco y de la que se obtiene la cal: *El mármol es una caliza pura.*

calla interj. *col.* Expresión que se usa para indicar extrañeza, sorpresa, admiración o disgusto: *¡Calla, no me digas que hizo eso!*

callado, da adj. **1** Poco hablador y reservado. **2** *poét.* Silencioso o sin ruido. **3** ǁ dar la callada por respuesta; *col.* No querer responder: *Cuando le pedí explicaciones, me dio la callada por respuesta.* □ ORTOGR. Dist. de *cayado.*

callampa s.f. **1** En zonas del español meridional, seta. **2** En zonas del español meridional, chabola.

callandito adv. *col.* En silencio o en secreto.

callar v. **1** Dejar de hablar o de hacer algún ruido o sonido: *Cuando el intruso se marchó, el perro calló.* **2** No hablar o no hacer ningún ruido o sonido: *Hace tanto calor que hasta los animales callan.* **3** No manifestar lo que se sabe o se siente: *Hay muchas ocasiones en que es más sensato callar.* **4** Referido a algo que se sabe o se siente, omitirlo o no decirlo: *No calles tus miedos.* □ ETIMOL. Del latín **callare* (bajar la voz), y éste del griego *khaláo* (yo suelto, yo hago bajar). □ SINT. En la acepción 4, es incorrecto su uso con complemento directo de persona: **no me callarán* > *no me harán callar.* □ SEM. Dist. de *acallar* (hacer callar).

calle s.f. **1** En una población, vía pública entre dos filas de edificios o solares y que generalmente tiene separada la zona para los vehículos y la zona para los peatones. **2** En una población, zona al aire libre. **3** Camino o zona limitada por dos líneas o dos hileras de cosas paralelas entre sí: *La atleta corría por la calle cinco.* **4** Conjunto de personas o parte mayoritaria de la sociedad: *Háblame con el lenguaje de la calle.* **5** ǁ[calle ciega; en zonas del español meridional, callejón sin salida. ǁ dejar en la calle a alguien; *col.* Dejarlo sin medios de subsistencia. ǁ echar por la calle de en medio; *col.* Actuar con decisión y sin consideraciones o sin reparar en obstáculos. ǁecharse a la calle; *col.* amotinarse o sublevarse. ǁen la calle; en libertad. ǁhacer la calle; *col.* Buscar clientes en la calle una persona que se dedica a la prostitución. ǁllevarse de calle a alguien; *col.* Despertar irresistiblemente simpatía, admiración o amor en él. ‖ {llevar/traer} **por la calle de la amargura**; proporcionar disgustos o preocupaciones. ☐ ETIMOL. Del latín *callis* (sendero). ☐ SINT. En la acepción 1, el nombre de la calle debe ir precedido por la preposición *de* salvo si es un adjetivo: *calle de Alcalá, calle Mayor.*

callejear v. Pasear o corretear por las calles sin dirección fija.

callejeo s.m. Paseo por las calles sin dirección fija.

callejero, ra ▌ adj. **1** De la calle o relacionado con ella. ▌ s.m. **2** Guía de calles de una ciudad.

callejón s.m. **1** Calle estrecha. **2** En una plaza de toros, espacio comprendido entre la valla que separa el ruedo y la primera fila de asientos. **3** ‖ **callejón sin salida**; *col.* Asunto o problema muy difíciles de resolver.

callicida s.m. Sustancia que sirve para eliminar los callos o durezas que salen en algunas partes del cuerpo. ☐ ETIMOL. De *callo* y *-cida* (que mata). ☐ MORF. La RAE lo registra como sustantivo de género ambiguo.

callista s. Persona que se dedica profesionalmente al tratamiento de problemas de los pies, como callos y uñeros; pedicuro. ☐ MORF. Es de género común: *el callista, la callista.* ☐ SEM. Dist. de *podólogo* (médico especialista en podología).

callo ▌ s.m. **1** Dureza que por presión se forma en los pies, las manos y otras partes del cuerpo. **2** *col.* Persona muy fea. **3** Cicatriz que se forma tras soldarse los fragmentos de un hueso fracturado. ▌ pl. **4** Guiso hecho con trozos de estómago de carnero, ternera o vaca. **5** ‖ [dar el callo; *col.* Trabajar mucho o duramente. ☐ ETIMOL. Del latín *callum.* ☐ ORTOGR. Dist. de *cayo.*

callosidad s.f. Dureza menos profunda que el callo.

calloso, sa adj. Con callos.

calma s.f. Véase **calmo, ma.**

calmante s.m. Medicamento que hace desaparecer o disminuir el dolor o la excitación nerviosa.

calmar v. **1** Sosegar, dar paz y tranquilidad, o eliminar la agitación, el movimiento o el ruido: *Sus palabras me calmaron. A la caída de la tarde se calmó el viento.* **2** Referido al dolor o a la intensidad de algo, aliviarlos o hacerlos disminuir: *No me parece bien que tomes pastillas para calmar los nervios. Túmbate y verás cómo se te calma el dolor de espalda.*

calmo, ma ▌ adj. **1** *poét.* Tranquilo. ▌ s.f. **2** Falta de agitación, de movimiento o de ruido. **3** Paz y tranquilidad en la forma de actuar. **4** ‖ **calma chicha**; ausencia total de viento o de oleaje. ☐ ETIMOL. Las acepciones 2 y 3, del griego *kâuma* (quemadura, calor).

calmoso, sa adj. **1** Que está en calma. **2** *col.* Tranquilo y lento en la forma de actuar.

caló s.m. Lengua de los gitanos españoles. ☐ ETIMOL. Del gitano *caló* (gitano).

calor s.m. **1** Sensación que experimenta el cuerpo animal con una subida de temperatura. **2** Temperatura ambiental elevada. **3** En física, energía que, al ponerse en contacto dos cuerpos, pasa del cuerpo con mayor temperatura al otro cuya temperatura es más baja hasta que dichas temperaturas se equilibran. **4** Afecto, simpatía y adhesión: *Busca en los amigos el calor que no encuentra en casa.* **5** Entu-

siasmo o apasionamiento. **6** ‖ **al calor de** algo; *col.* A su amparo o con su ayuda y protección. ‖ **calor específico**; cantidad de energía calorífica que se necesita para elevar en un grado centígrado la temperatura de un kilogramo masa de una sustancia. ‖ **calor negro**; el producido por un aparato eléctrico. ☐ ETIMOL. Del latín *calor.* ☐ USO Su uso como sustantivo femenino es característico del lenguaje poético. Fuera de este contexto, se considera un arcaísmo o un vulgarismo.

caloría s.f. Unidad de energía calorífica que equivale a la cantidad de calor necesaria para elevar la temperatura de un gramo de agua en un grado centígrado.

calorífero, ra ▌ adj. **1** Que conduce o propaga el calor. ▌ s.m. **2** Aparato con el que se calienta una habitación. **3** Aparato para calentar los pies; calientapiés. ☐ ETIMOL. Del latín *calor* (calor) y *ferre* (llevar).

calorífico, ca adj. **1** Que produce o distribuye calor. **2** Del calor o relacionado con él.

calorífugo, ga adj. **1** Que no transmite o difunde el calor. **2** Que no se puede quemar; incombustible. ☐ ETIMOL. Del latín *calor* (calor) y *fugere* (huir). ☐ MORF. La RAE sólo registra el masculino.

calorina s.f. *col.* Calor sofocante. ☐ ETIMOL. De *calor.*

calostro s.m. Primera leche que dan las hembras de los mamíferos después de parir. ☐ ETIMOL. Del latín *calostrum.* ☐ MORF. Se usa más en plural.

calumnia s.f. **1** Acusación falsa contra una persona que se hace con el fin de perjudicarla. **2** En derecho, delito que consiste en la atribución falsa de un delito perseguible de oficio. ☐ ETIMOL. Del latín *calumnia.* ☐ SEM. Dist. de *injuria* (ofensa con hechos o con palabras).

calumniar v. **1** Atribuir falsamente y con el fin de perjudicar palabras, actos o malas intenciones: *No sé qué quieres conseguir calumniándome así.* **2** En derecho, acusar falsamente de haber cometido un delito perseguible de oficio: *Si no tienes pruebas no hables por hablar, porque estarás calumniándome y te puedo demandar.* ☐ ETIMOL. Del latín *calumniari.* ☐ ORTOGR. La *i* nunca lleva tilde. ☐ SEM. Dist. de *injuriar* (ofender con hechos o con palabras).

calumnioso, sa adj. Que contiene calumnia.

caluroso, sa adj. **1** Que siente o que causa calor. **2** Muy afectuoso o con mucho entusiasmo.

calva s.f. Véase **calvo, va.**

[calvados (galicismo) s.m. Bebida alcohólica hecha con manzanas, originaria de Calvados (región francesa). ☐ MORF. Invariable en número.

calvario s.m. *col.* Sufrimiento prolongado o sucesión de adversidades y penalidades. ☐ ETIMOL. Por alusión al camino de Jesucristo hasta el monte Calvario, donde fue crucificado.

calvero s.m. En el interior de un bosque, lugar sin árboles. ☐ ETIMOL. De *calvo.*

calvicie s.f. Falta de pelo en la cabeza.

calvinismo s.m. **1** Doctrina religiosa protestante, basada en las teorías de Juan Calvino (reformador religioso francés del siglo XVI). **2** Comunidad o conjunto de las personas que siguen esta doctrina.

calvinista ▌ adj. **1** Del calvinismo o relacionado con esta doctrina. ▌ adj./s. **2** Que defiende o sigue el calvinismo. ☐ MORF. 1. Como adjetivo es invariable en género 2. Como sustantivo es de género común: *el calvinista, la calvinista.*

calvo, va ▌ adj./s. **1** Referido a una persona, que no tiene pelo en la cabeza. ▐ s.f. **2** En la cabeza, parte sin pelo. ✗ peinado **3** En una piel o en un tejido, parte gastada o que ha perdido el pelo: *Tu abrigo de visón tiene calvas en los codos.* ☐ ETIMOL. Del latín *calvus.*

calza s.f. **1** Cuña que se pone entre el suelo y una rueda para evitar que ésta se mueva, o debajo de un mueble, para que no cojee; calce, calzo. **2** Antigua prenda de vestir masculina que cubría generalmente el muslo y la pierna. **3** En zonas del español meridional, empaste de un diente o de una muela. ☐ ETIMOL. Del latín **calcea* (media), y éste de *calceus* (zapato). ☐ MORF. La acepción 2 en plural tiene el mismo significado que en singular.

calzada s.f. Véase **calzado, da**.

calzado, da ▌ adj. **1** Referido a un religioso, que usa zapatos, en contraposición a los miembros de las órdenes cuya regla les obliga a llevar desnudos los pies y que calzan sandalias. **2** Referido a un animal cuadrúpedo, que tiene la parte inferior de las extremidades de distinto color que el resto. ▐ s.m. **3** Prenda de vestir que cubre el pie o el pie y la pierna, y los resguarda del exterior. ✗ calzado ▐ s.f. **4** En una calle o en una carretera, zona entre las aceras o entre los arcenes y cunetas por donde circulan los coches. **5** Camino ancho y pavimentado. ☐ ETIMOL. Las acepciones 1-3, de *calzar*. Las acepciones 4 y 5, del latín **calciata* (camino empedrado).

calzador s.m. Utensilio rígido y de forma acanalada que sirve de ayuda para meter el pie en el calzado.

calzar v. **1** Cubrir el pie con el calzado: *Calcé mis pies con zapatillas de baile. Siempre que llego a casa me calzo las zapatillas. Tengo los pies muy grandes y calzo un cuarenta y ocho.* **[2** Proporcionar

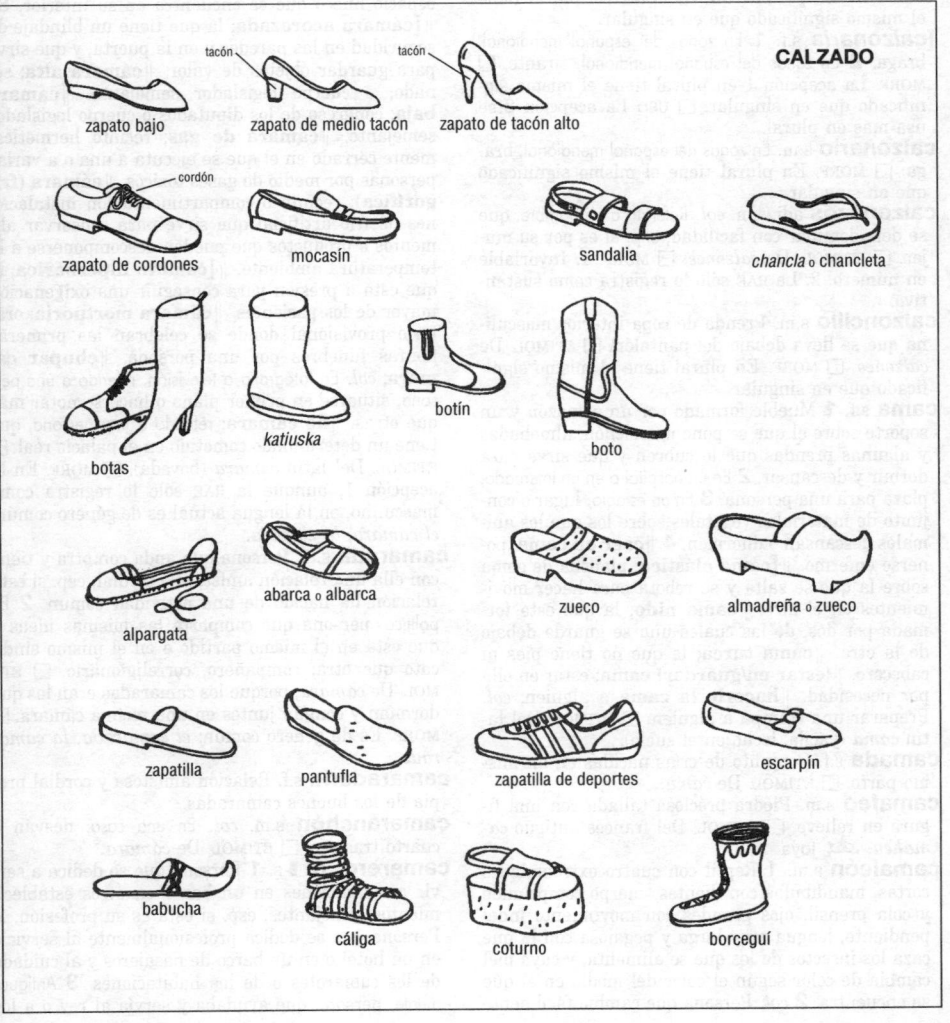

CALZADO

zapato bajo

zapato de medio tacón — tacón

zapato de tacón alto — tacón

zapato de cordones — cordón

mocasín

sandalia

chancla o chancleta

botín

boto

katiuska

botas

abarca o albarca

zueco

almadreña o zueco

alpargata

zapatilla

pantufla

zapatilla de deportes

escarpín

babucha

cáliga

coturno

borceguí

calzado: *Este zapatero 'calza' a la realeza.* **3** Referido a una prenda o a un objeto, ponerlos o llevarlos puestos: *¿Sabes calzarte los esquís?* **4** Referido esp. a una rueda o a un mueble que cojea, poner una cuña para evitar que se muevan: *Calza la mesa porque está coja.* **5** En zonas del español meridional, empastar. □ ETIMOL. Del latín *calceare*, y éste de *calceus* (zapato). □ ORTOGR. La *z* se cambia en *c* delante de *e* →CAZAR.

calzo ▌ s.m. **1** →calza. ▌ pl. **2** Extremidades de una caballería, esp. cuando son de distinto color al resto del cuerpo. □ SEM. En la acepción 1, es sinónimo de *calce*.

calzón s.m. **1** Pantalón que llega hasta una altura variable de los muslos o hasta las rodillas, generalmente usado por los hombres. **2** En zonas del español meridional, braga. □ ETIMOL. De *calza*. □ ORTOGR. En la acepción 1, se admite también *calzona*. □ MORF. En plural tiene el mismo significado que en singular.

calzona s.f. [→calzón. □ MORF. En plural tiene el mismo significado que en singular.

[calzonaria s.f. **1** En zonas del español meridional, braga. **2** En zonas del español meridional, tirante. □ MORF. La acepción 1 en plural tiene el mismo significado que en singular. □ USO La acepción 2 se usa más en plural.

calzonario s.m. En zonas del español meridional, braga. □ MORF. En plural tiene el mismo significado que en singular.

calzonazos adj./s.m. *col.* Referido a un hombre, que se deja dominar con facilidad, esp. si es por su mujer. □ ETIMOL. De *calzones*. □ MORF. 1. Invariable en número. 2. La RAE sólo lo registra como sustantivo.

calzoncillo s.m. Prenda de ropa interior masculina que se lleva debajo del pantalón. □ ETIMOL. De *calzones*. □ MORF. En plural tiene el mismo significado que en singular.

cama s.f. **1** Mueble formado por un armazón y un soporte sobre el que se pone un colchón, almohadas y algunas prendas que lo cubren y que sirve para dormir y descansar. **2** En un hospital o en un internado, plaza para una persona. **3** En un establo, lugar o conjunto de materiales vegetales sobre los que los animales descansan o duermen. **4** ‖ caer en cama; ponerse enfermo. ‖ [cama elástica; plancha de goma sobre la que se salta y se rebota para hacer movimientos en el aire. ‖ cama nido; la que está formada por dos, de las cuales una se guarda debajo de la otra. ‖ cama turca; la que no tiene pies ni cabecero. ‖{estar en/guardar} cama; estar en ella por necesidad. ‖ hacerle la cama a alguien; *col.* Preparar una trampa a alguien. □ ETIMOL. Del latín *cama* (yacija, lecho en el suelo).

camada s.f. Conjunto de crías nacidas en un mismo parto. □ ETIMOL. De *cama*.

camafeo s.m. Piedra preciosa tallada con una figura en relieve. □ ETIMOL. Del francés antiguo *camaheu*. 🔷 joya

camaleón s.m. **1** Reptil con cuatro extremidades cortas, mandíbulas con dientes, cuerpo comprimido y cola prensil, ojos grandes con movimiento independiente, lengua muy larga y pegajosa con la que caza los insectos de los que se alimenta, y cuya piel cambia de color según el color del medio en el que se encuentra. **2** *col.* Persona que cambia fácilmente

y según le conviene de actitud o de opinión. □ ETIMOL. Del latín *chamaeleon*, y éste del griego *khamailéon* (león que va por el suelo). □ MORF. En la acepción 1, es un sustantivo epiceno: *el camaleón macho, el camaleón hembra.*

camaleónico, ca adj. Del camaleón o relacionado con él.

cámara ▌ s. [**1** Persona que se dedica al manejo de un aparato con el que se registran imágenes en movimiento, esp. si ésta es su profesión. ▌ s.f. **2** Habitación o pieza con distintos usos, esp. las de uso privado o restringido. **3** En un sistema político representativo, cuerpo que se encarga de legislar: *En España existen dos cámaras, la de los diputados y la de los senadores.* **4** Corporación u organismo que se encarga de los asuntos propios de una profesión o actividad: *cámara de comercio.* **5** Aparato para registrar imágenes estáticas o en movimiento. **6** En algunos objetos, cuerpo de goma inflado con aire a presión y alojado en su interior. **7** En algunos objetos, espacio hueco que se encuentra en su interior. **8** ‖ [cámara acorazada; la que tiene un blindaje de seguridad en las paredes y en la puerta, y que sirve para guardar objetos de valor. ‖ cámara alta; senado, o cuerpo legislador semejante. ‖ cámara baja; congreso de los diputados o cuerpo legislador semejante. ‖ cámara de gas; recinto herméticamente cerrado en el que se ejecuta a una o a varias personas por medio de gases tóxicos. ‖ cámara (frigorífica); recinto o compartimento con instalaciones de frío artificial que sirve para conservar alimentos o productos que pueden descomponerse a la temperatura ambiente. ‖ [cámara hiperbárica; la que está a presión para conseguir una oxigenación mayor de los pacientes. ‖ cámara mortuoria; oratorio provisional donde se celebran las primeras honras fúnebres por una persona. ‖ chupar cámara; *col.* En fotografía o televisión, referido a una persona, situarse en primer plano o hacerse notar más que otras. ‖ de cámara; referido a una persona, que tiene un determinado cometido en el palacio real. □ ETIMOL. Del latín *camara* (bóveda). □ MORF. En la acepción 1, aunque la RAE sólo lo registra como masculino, en la lengua actual es de género común: *el cámara, la cámara.*

camarada s. **1** Persona que anda con otra y tiene con ella una relación amistosa o cordial, esp. si esta relación ha nacido de una actividad común. **2** En política, persona que comparte las mismas ideas o que está en el mismo partido o en el mismo sindicato que otra; compañero, correligionario. □ ETIMOL. De *cámara*, porque los camaradas eran los que dormían y comían juntos en una misma cámara. □ MORF. Es de género común: *el camarada, la camarada.*

camaradería s.f. Relación amistosa y cordial propia de los buenos camaradas.

camaranchón s.m. *col.* En una casa, desván o cuarto trastero. □ ETIMOL. De *cámara*.

camarero, ra ▌ s. **1** Persona que se dedica a servir consumiciones en un bar o en otros establecimientos semejantes, esp. si ésta es su profesión. **2** Persona que se dedica profesionalmente al servicio en un hotel o en un barco de pasajeros y al cuidado de los camarotes o de las habitaciones. **3** Antiguamente, persona que ayudaba y servía al rey o a los nobles. ∎ s.f. **[4** Carrito de cocina para llevar varias cosas a la vez, esp. si es comida o bebida.

camarilla s.f. Conjunto de personas influyente y exclusivo, esp. el que interviene extraoficialmente en las decisiones de una autoridad. ☐ ETIMOL. De *cámara*.

camarín s.m. Capilla pequeña detrás del altar en la que se venera alguna imagen.

camarógrafo, fa s. En zonas del español meridional, cámara.

camarón s.m. Crustáceo marino comestible que tiene el abdomen extendido en forma de cola, cinco pares de patas y las antenas muy largas; quisquilla. ☐ ETIMOL. Del latín *cammarus*. ☐ MORF. Es un sustantivo epiceno: *el camarón macho, el camarón hembra*. 🦐 marisco

camarote s.m. En una embarcación, habitación con una o varias camas. ☐ ETIMOL. De *cámara*.

camastro s.m. Cama pobre, incómoda o sucia y desordenada. ☐ USO Tiene un matiz despectivo.

cambalache s.m. **1** *col.* Trueque de cosas de poco valor. **2** En zonas del español meridional, tienda de compraventa de objetos usados. ☐ ETIMOL. De *cambiar*. ☐ USO En la acepción 1, tiene un matiz despectivo.

cambiador s.m. **[1** Pieza de tela o de plástico sobre la que se coloca a un bebé cuando se le cambia la ropa o los pañales. **[2** Mueble con cajones sobre el que se cambia de ropa o de pañales a un bebé.

cambiante ∎ adj. **1** Que cambia, esp. si toma distintos aspectos sucesivamente. ∎ s.m. **2** Tonalidad o reflejo que produce la luz en las telas o en otras cosas. ☐ MORF. 1. Como adjetivo, es invariable en género. 2. En la acepción 2, se usa más en plural.

cambiar ∎ v. **1** Modificar, alterar o convertir en algo distinto, opuesto o contrario: *Con sus bromas cambió mi llanto en risas*. **2** Intercambiar o dar a cambio: *Cambio moto por coche*. **3** Reemplazar o sustituir: *¿Cada cuánto tiempo cambias el agua de la pecera?* **4** Referido a valores o a monedas, darlos o tomarlos por sus equivalentes: *cambiar pesetas en dólares*. **5** Mudar o alterar la condición, o la apariencia física o moral: *Los reumáticos suelen notar cuándo va a cambiar el tiempo*. **6** Referido esp. al viento, alterar su dirección: *Ha cambiado el viento, y ahora sopla de levante*. **7** En un vehículo de motor, pasar de una marcha o velocidad a otra: *Al cambiar a segunda se me caló el coche*. ∎ prnl. **[8** Mudarse de ropa: *Fui a casa a cambiarme*. ☐ ETIMOL. Del latín *cambiare* (trocar). ☐ ORTOGR. La *i* nunca lleva tilde.

cambiario, ria adj. En economía, del cambio de monedas o relacionado con él.

cambiazo s.m. Cambio engañoso o que conlleva fraude. ☐ SINT. Se usa más en la expresión *dar el cambiazo*.

cambio s.m. **1** Modificación, alteración o conversión en algo distinto, opuesto o contrario; trueque: *cambio de actitud*. **2** Mudanza o alteración de la condición o de la apariencia física o moral: *cambio de imagen*. **3** Reemplazo o sustitución. **4** Intercambio o entrega de una cosa por otra: *cambio de impresiones*. **5** Intercambio de monedas o valores por sus equivalentes. **6** Dinero en monedas o billetes de poco valor. **[7** Vuelta o conjunto de monedas o billetes que sobran de pagar con otros de mayor cantidad de la necesaria. **8** Valor relativo de una mo-

neda de un país en relación con la de otro: *Ha bajado el cambio de la peseta*. **9** ‖**a cambio de** algo; en su lugar o cambiando esto por otra cosa. ‖**a las primeras de cambio**; de repente y sin aviso. ‖**cambio (de velocidades)**; en un vehículo con motor, mecanismo formado por un sistema de engranajes que permite el paso de una velocidad a otra. ‖**en cambio**; por el contrario. ‖**libre cambio**; →**librecambio**. ☐ SEM. En las acepciones 1 y 4, es sinónimo de *trocamiento*. ☐ USO Lo usa el emisor en emisiones de radio, para dar paso al receptor: *Aquí Morsa llamando a León Marino, ¿me escuchas?*, *cambio*.

cambista s. Persona que se dedicaba profesionalmente al cambio de moneda. ☐ MORF. Es de género común: *el cambista, la cambista*.

camboyano, na adj./s. De Camboya o relacionado con este país asiático.

cambriano, na o **cámbrico, ca** ∎ adj. **1** En geología, del primer período de la era primaria o paleozoica o de los terrenos que se formaron en él. ∎ adj./s.m. **2** En geología, referido a un período, que es el primero de la era primaria o paleozoica. ☐ ETIMOL. De *Cambria*, forma latinizada de *Cymry* (Gales). ☐ USO *Cambriano* es el término menos usual.

cambur s.m. **1** En zonas del español meridional, plátano. **[2** *col.* En zonas del español meridional, empleo público.

camelar v. *col.* Convencer o conquistar con alabanzas o engaños: *No me hagas la pelota porque sé que quieres camelarme*. ☐ ETIMOL. Quizá del gitano *camelar* (querer, enamorar).

camelia s.f. **1** Arbusto de hojas perennes y brillantes, flores solitarias sin olor y de color blanco, rojo o rosa. **2** Flor de este arbusto. ☐ ETIMOL. Por alusión al botánico G. L. Kamel.

camellero, ra s. Persona que se dedica a cuidar o a conducir camellos.

camello, lla ∎ s. **1** Mamífero rumiante, de cuerpo voluminoso con dos jorobas, cuello muy largo y arqueado, cabeza pequeña, patas largas y delgadas, y adaptado a la vida de zonas áridas. 🐫 rumiante ∎ s.m. **2** *col.* Persona que vende droga en pequeñas cantidades. ☐ ETIMOL. Del latín *camellus*. ☐ SEM. Dist. de *dromedario* (rumiante con una joroba).

camelo s.m. **1** *col.* Lo que es falso o engañoso y se hace pasar por verdadero. **2** *col.* Burla o farsa. **3** ‖**[dar (el) camelo**; *col.* Engañar o producir una impresión distinta de la real y verdadera.

[*camembert* (galicismo) s.m. Queso de leche de vaca recubierto por una fina capa de moho blanco y originario de Camembert (ciudad francesa). ☐ PRON. [cámember].

[*cameraman* (anglicismo) s.m. En zonas del español meridional, persona que trabaja como cámara. ☐ PRON. [cámeráman].

camerino s.m. En un teatro, cuarto en el que se visten y maquillan los actores para salir a escena. ☐ ETIMOL. Del italiano *camerino*.

camero, ra adj. Que sirve para las camas intermedias entre las camas individuales y las de matrimonio.

camicace ∎ adj./s. **1** Que arriesga su vida en una misión suicida, esp. referido a los pilotos japoneses de la Segunda Guerra Mundial. ∎ s.m. **2** En la Segunda Guerra Mundial, avión japonés cargado de explosivos, cuya misión consistía en estrellarse voluntariamente contra un objetivo enemigo. □ ETIMOL. Del japonés *kamikaze* (viento divino). □ MORF. 1. La RAE sólo lo registra como sustantivo masculino. 2. En la acepción 1, como adjetivo es invariable en género y como sustantivo es de género común: *el camicace, la camicace.* □ USO Es innecesario el uso del término japonés *kamikaze.*

camilla s.f. 1 Cama estrecha y portátil, que se usa para transportar enfermos, heridos o cadáveres; parihuela. 2 →**mesa camilla.**

camillero, ra s. Persona encargada de llevar la camilla para transportar enfermos, heridos o cadáveres.

caminante s. Persona que viaja a pie. □ MORF. Es de género común: *el caminante, la caminante.*

caminar v. 1 Ir de un lugar a otro dando pasos; andar: *Venimos caminando por el monte.* 2 Dirigirse a un lugar o a una meta o avanzar hacia ellos: *La vida es muy difícil y es imposible caminar siempre derecho.* 3 Referido a algo inanimado, seguir su curso: *El río camina por el valle hacia el mar.* 4 Referido a una distancia, recorrerla a pie: *Todos los días camino un par de kilómetros.*

caminata s.f. Paseo o recorrido que se hace a pie, esp. si es largo y fatigoso. □ ETIMOL. Del italiano *camminata.*

camino s.m. 1 Vía por donde se transita habitualmente, esp. si es de tierra apisonada y sin asfaltar. 2 Trayecto o itinerario que se sigue para ir de un lugar a otro. 3 Dirección que se sigue para llegar a un lugar o para conseguir algo: *Las conversaciones van por buen camino.* 4 Medio para hacer o conseguir algo: *El mejor camino para aprobar es estudiar.* 5 ‖a **medio camino**; *col.* 1 Sin terminar: *Eres tan impaciente que todo lo que empiezas lo abandonas a medio camino.* col. [2 Con características de varias cosas: *Es un perro feísimo, 'a medio camino' entre rata y mono.* ‖**abrirse camino**; ir venciendo dificultades y problemas hasta conseguir lo propuesto. ‖{**atravesarse/cruzarse**} **en el camino**; impedir, entorpecer o obstaculizar. ‖[**camino de cabras**]; el estrecho y accidentado. ‖**camino de un lugar; hacia él o en su dirección.** ‖**de camino**; de paso o al ir a otro lugar. ‖{**echar/ir**} **cada cual por su camino**; estar en desacuerdo y hacer cada uno las cosas a su modo. ‖**llevar camino de** algo; estar en vías de llegar a serlo. □ ETIMOL. Del latín *camminus.*

camión s.m. 1 Vehículo automóvil grande, de cuatro o más ruedas, que se usa generalmente para transportar cargas pesadas. 2 En zonas del español meridional, autobús. 3 ‖[**estar** alguien **como un camión**; *col.* Ser muy atractivo físicamente. □ ETIMOL. Del francés *camion.*

camionero, ra s. Persona que se dedica profesionalmente al transporte de mercancías en un camión.

camioneta s.f. 1 Vehículo automóvil más pequeño que el camión. 2 En algunas zonas, autobús.

camisa s.f. 1 Prenda de vestir de tela que cubre el cuerpo desde el cuello hasta más abajo de la cintura, generalmente con cuello y abotonada por delante de arriba abajo. 2 En un reptil, piel que se desprende periódicamente después de haberse formado debajo de ella un nuevo tejido que la sustituye. 3 ‖**cambiar de camisa**; cambiar interesadamente de ideas, esp. si son políticas. ‖[**camisa de dormir**;

en zonas del español meridional, camisón. ‖**camisa de fuerza**; prenda de tela fuerte, abrochada por detrás y con las mangas cerradas por el extremo para poder inmovilizar los brazos de la persona a la que se le pone. ‖**hasta la camisa**; *col.* Todo lo que se tiene. ‖**meterse** alguien **en camisa de once varas**; *col.* Meterse en algo que no le incumbe o que no será capaz de realizar. ‖**no llegarle** a alguien **la camisa al cuerpo**; *col.* Estar atemorizado por algo que puede suceder. □ ETIMOL. Del latín *camisia.*

camisería s.f. Establecimiento comercial en el que se venden prendas de vestir masculinas, esp. camisas.

camisero, ra adj. 1 De la camisa o con características de esta prenda. ∎ s. 2 Persona que se dedica profesionalmente a la confección o a la venta de camisas.

camiseta s.f. 1 Prenda de ropa interior o deportiva que cubre la parte superior del cuerpo hasta más abajo de la cintura, generalmente sin cuello y de punto. 2 ‖[**sudar la camiseta**; *col.* Esforzarse mucho en algo, esp. en una competición deportiva.

camisola s.f. [Camisa amplia, generalmente con cuello camisero.

camisón s.m. Prenda de dormir que cubre el cuerpo desde el cuello, y cae suelta hasta una altura variable de las piernas.

camita adj./s. Descendiente de Cam (hijo de Noé según la Biblia). □ MORF. 1. Como adjetivo es invariable en género. 2. Como sustantivo es de género común: *el camita, la camita.*

camomila s.f. 1 Planta herbácea de flores olorosas en cabezuela, de color blanco y con el centro amarillo, que tiene propiedades medicinales. 2 Flor de esta planta. □ SEM. Es sinónimo de *manzanilla.*

camorra s.f. 1 *col.* Riña o discusión ruidosas y violentas. [2 Apelativo de la mafia italiana. □ ETIMOL. De origen incierto.

camorrista adj./s. *col.* Que arma camorras o peleas fácilmente y por causas sin importancia. □ MORF. 1. Como adjetivo es invariable en género. 2. Como sustantivo es de género común: *el camorrista, la camorrista.*

camote s.m. En zonas del español meridional, batata.

campamento s.m. 1 Lugar o conjunto de instalaciones, generalmente al aire libre, que se disponen para acampar en ellos o para servir de albergue provisional. 2 Grupo de personas acampadas en este lugar. [3 *col.* Período del servicio militar durante el que los reclutas reciben la instrucción militar básica.

campana s.f. 1 Instrumento metálico, generalmente en forma de copa invertida, que suena al ser golpeado por el badajo que cuelga en su interior o por un martillo. 🔊 percusión 2 Objeto con forma semejante a la de este instrumento. 3 ‖**campana extractora**; electrodoméstico que sirve para aspirar los humos de la cocina. ‖**echar las campanas a vuelo**; *col.* Alegrarse por un suceso feliz o hacerlo público con muestras de alegría. ‖**oír** alguien **campanas y no saber dónde**; *col.* Enterarse a medias o de manera sólo aproximada. □ ETIMOL. Del latín *campana*, y éste de *vasa Campana* (recipiente hecho en Campania, región de la que procedía el bronce de mejor calidad). □ MORF. 1. Cuando se antepone a una palabra para formar compuestos adopta la forma *campani-.* □ USO Aunque la RAE no registra *echar las campanas al vuelo*, su uso está muy extendido en la lengua coloquial.

campanada s.f. **1** Golpe dado a una campana y sonido que produce. **2** Escándalo o novedad sorprendente.

campanario s.m. Torre, construcción o lugar, generalmente de una iglesia, en los que se colocan las campanas; campanil.

campaneo s.m. Toque reiterado de campanas.

campanero, ra s. **1** Persona encargada de tocar las campanas. **2** Persona que se dedica a la fabricación de campanas, esp. si ésta es su profesión.

campanil s.m. →campanario.

campanilla s.f. **1** Campana pequeña que se hace sonar con la mano y que suele estar provista de un mango. **2** En anatomía, pequeña masa carnosa y muscular que cuelga en la parte media posterior del velo del paladar, a la entrada de la garganta; úvula. [**3** Planta herbácea trepadora, cuyas flores, de distintos colores, tienen la corola en forma de campana. **4** Flor de esta planta. **5** ‖ **de (muchas) campanillas**; *col.* De mucha importancia, distinción o lujo.

campanilleo s.m. Sonido continuado o frecuente de una campanilla.

campanillero, ra ‖ s. **1** Persona encargada de tocar la campanilla. ‖ s.m. **2** En zonas rurales andaluzas, miembro de un grupo que canta canciones de carácter religioso con acompañamiento de campanillas, guitarras y otros instrumentos. □ MORF. La RAE sólo registra el masculino.

campante adj. *col.* Satisfecho o tranquilo y despreocupado. □ MORF. Invariable en género.

campánula s.f. Planta perenne, de tallos herbáceos, estriados y con muchas ramas, hojas ásperas y vellosas, y flores grandes, acampanadas y de distintos colores.

campaña s.f. **1** Conjunto de actividades o de esfuerzos organizados para conseguir un fin: *campaña electoral*. **2** Conjunto de operaciones militares ofensivas y defensivas desarrolladas con continuidad en el tiempo y en un mismo territorio. **3** En zonas del español meridional, campo. □ ETIMOL. Del latín *campania* (llanura).

campar v. Destacar o distinguirse entre una diversidad; campear: *Su simpatía campa por encima de todos sus defectos.* □ ETIMOL. De *campo.* □ SEM. Su uso como sinónimo de *campear* con el significado de 'pacer por el campo un animal' o de 'reconocer el campo una tropa' es impropio.

campeador adj./s.m. Referido a un guerrero, que sobresale por sus hazañas en el campo de batalla.

campear v. **1** Referido a un animal, salir a pacer o andar por el campo. **2** →campar. □ ETIMOL. De *campo.*

campechanía s.f. Sencillez, cordialidad y falta de formulismos y de ceremonias en el trato.

campechano, na adj. Sencillo, cordial y sin formulismos ni ceremonias en el trato. □ ETIMOL. Quizá de *campechano* (de Campeche, estado mejicano).

campeón, -a s. **1** En un campeonato o en otra competición, persona o equipo victoriosos. [**2** Persona que sobresale y supera a los demás, esp. en una actividad. □ ETIMOL. Del italiano *campione.* □ MORF. Aunque los sustantivos no admiten superlativo, está muy extendido el uso de *campeonísimo.*

campeonato s.m. **1** En algunos juegos o deportes, competición en la que se disputa un premio. **2** Triunfo o victoria alcanzados en esta competición. **3** ‖ **de campeonato**; *col.* Extraordinario o muy bueno.

campera s.f. Véase **campero, ra.**

campero, ra ‖ adj. **1** Del campo o relacionado con él. **2** Referido a un animal, que duerme en el campo y sin recogerse bajo cubierto. ‖ s.m. **3** En zonas del español meridional, vehículo de todo terreno. ‖ s.f. **4** En zonas del español meridional, cazadora.

campesinado s.m. Grupo social formado por las personas que viven y trabajan en el campo.

campesino, na ‖ adj. **1** Del campo o propio de éste; campestre. ‖ adj./s. **2** Referido a una persona, que vive y trabaja en el campo. □ SEM. Como sustantivo es sinónimo de *paisano.*

campestre adj. **1** Del campo o propio de éste; campesino. **2** Referido esp. a una reunión o a una comida, que se celebra o se hace en el campo: *merienda campestre.* □ MORF. Invariable en género.

[*camping* (anglicismo) s.m. **1** Lugar al aire libre, acondicionado para que acampen en él los viajeros o turistas por un precio establecido. **2** Actividad consistente en ir de acampada a este tipo de lugares. **3** ‖ **camping gas**; bombona pequeña de gas, a la que se acopla un quemador para que sirva de cocina, y que suele usarse en las acampadas por su facilidad de transporte. □ ETIMOL. La expresión *camping gas* es extensión del nombre de una marca comercial. □ PRON. [cámpin]. □ USO La RAE lo considera un anglicismo innecesario, y propone su sustitución por *campamento* o *acampada* en las acepciones 1 y 2, respectivamente.

campiña s.f. Campo o terreno extensos y llanos dedicados a la agricultura.

campista s. [Persona que practica el camping o que está acampada en un camping. □ MORF. Es de género común: *el 'campista', la 'campista'.*

campo s.m. **1** Terreno fuera de los núcleos de población. **2** Tierra laborable o conjunto de terrenos cultivados: *campos de trigo.* **3** En contraposición a *ciudad*, zona y forma de vida agrarias. **4** Conjunto de instalaciones para la práctica de algunos deportes. **5** En fútbol y en otros deportes, terreno de juego. **6** En este terreno, mitad que corresponde defender a cada equipo. **7** Terreno reservado para determinados ejercicios: *campo de tiro* . **8** En una guerra, terreno o zona que ocupa un ejército o parte de él durante el desarrollo de las operaciones. **9** Parcela del saber o del conocimiento, esp. la que corresponde a una disciplina: *Es una autoridad en el campo de la medicina interna.* **10** Ámbito propio de una actividad; reino: *No entra en el campo de mis competencias ocuparme de eso.* **11** Espacio visual que se abarca o se alcanza desde un punto: *En la fotografía saldrá lo que entre en el campo visual del objetivo de la máquina.* **12** En física, espacio en que se manifiesta una fuerza o un fenómeno: *campo gravitatorio.* **13** ‖ **a campo** {[**través/traviesa/travieso**]}; atravesando el terreno por donde no hay caminos. ‖ [**campo de acogida**; lugar en el que, de manera provisional, se recibe a los ciudadanos huidos de su país por razones políticas. ‖ **campo de concentración**; recinto cercado en el que se recluye a prisioneros, generalmente presos políticos o de guerra. ‖ [**campo de refugiados**; lugar en el que pueden vivir los ciudadanos que han huido de su país por razones

políticas. ‖ **[campo de trabajo**; lugar al que se
acude a trabajar a cambio de la manutención y de
una pequeña cantidad de dinero. ‖ **campo santo**;
→camposanto. ‖ **dejar el campo** {abierto/libre};
retirarse de un empeño, dejando así mayores posibilidades a los competidores. ☐ ETIMOL. Del latín
campus (llanura). ☐ SINT. Incorr. {**campo a {tra-
vés / traviesa}* > *a campo {través / traviesa}*.
camposanto s.m. Cementerio de los católicos. ☐
ORTOGR. Se admite también *campo santo*. ☐ USO
Aunque la RAE prefiere *campo santo*, se usa más
camposanto.
campus s.m. Conjunto de terrenos y de edificios
que pertenecen a una universidad. ☐ ETIMOL. Del
inglés *campus*. ☐ MORF. Invariable en número.
camuflaje s.m. **1** En el ejército, hecho de disimular
la presencia de tropas o de material bélico, dándoles
una apariencia engañosa que los haga pasar inadvertidos para el enemigo. **2** Disimulación u ocultación que se hacen dando una apariencia engañosa.
camuflar v. **1** En el ejército, referido esp. a tropas o a
material bélico, disimular su presencia dándoles una
apariencia engañosa que los haga pasar inadvertidos para el enemigo: *Camuflaron el depósito de municiones cubriéndolo con ramas. La compañía se ca-
mufló y esperó el momento de atacar.* **2** Disimular
u ocultar dando una apariencia engañosa: *Los traficantes camuflaron la droga entre las mercancías.
Algunos animales se camuflan tan bien que parecen
plantas o rocas.* ☐ ETIMOL. Del francés *camoufler*.
can s.m. **1** Mamífero cuadrúpedo, doméstico, con un
olfato muy fino, y que se suele emplear como animal de compañía, de vigilancia o para la caza; perro. **2** →kan. ☐ ETIMOL. La acepción 1, del latín
canis. ☐ USO En la acepción 1, su uso es característico del lenguaje literario.
cana s.f. Véase **cano, na**.
canadiense adj./s. De Canadá o relacionado con
este país americano. ☐ MORF. 1. Como adjetivo es
invariable en género. 2. Como sustantivo es de género común: *el canadiense, la canadiense*.
canal █ s. **1** Cauce artificial, esp. el que sirve para
la conducción de agua. **2** En un organismo vivo, conducto generalmente hueco y fino. **3** En el interior de
la tierra, vía por la que circulan las aguas y los gases.
4 En el mar, estrecho natural por donde pasa el agua
hasta salir a una zona más ancha y profunda: *Entre
las dos islas había un canal que no era navegable
con marea baja.* **5** Concavidad alargada y estrecha:
*Las columnas corintias se reconocen por los canales
de sus fustes.* **6** Res muerta, abierta y sin tripas ni
despojos: *Metieron las canales en la cámara frigorífica antes del despiece.* **7** Teja delgada y muy com-
bada, que se usa para formar en los tejados los conductos de desagüe. **█** s.m. **8** Paso natural o artificial
que comunica dos mares. **9** En radio y televisión, banda de frecuencia en la que puede emitir una emisora. **[10** Conjunto de componentes de un ordenador que permiten la transmisión interna o externa
de información; bus. **11** ‖ **abrir en canal**; referido
esp. a un cuerpo, abrirlo o rajarlo de arriba abajo. ☐
ETIMOL. Del latín *canalis*. ☐ MORF. Aunque en las
ocho primeras acepciones es de género ambiguo (*el
canal estrecho, la canal estrecha*), en la 1, 2, 3 y 4
se usa más como masculino y en la 5, 6 y 7, como
femenino.
canaladura s.f. En arquitectura, moldura cóncava,

hueca y vertical que se abre en una superficie, esp.
en el fuste de columnas y pilastras.
[canalé s.m. Tejido de punto acanalado y elástico.
[canalear v. *col.* Cambiar continuamente de canal
de televisión utilizando el mando a distancia.
[canaleo s.m. *col.* Cambio continuo de canal televisivo utilizando el mando a distancia.
canaleta s.f. En zonas del español meridional, canalón.
canalización s.f. **1** Realización de canales en un
lugar, generalmente para transportar por ellos gases o líquidos. **2** Hecho de regularizar o de reforzar
el cauce de una corriente de agua, generalmente
para darle un curso determinado. **3** Orientación o
encauzamiento de corrientes de opinión, de iniciativas, o de otras fuerzas en una dirección o hacia
un fin: *Se teme una canalización del descontento
ciudadano hacia la violencia.*
canalizar v. **1** Referido a un lugar, abrir canales en
él, generalmente para transportar por ellos gases o
líquidos: *Al canalizar la zona, se podrá transportar
el petróleo más rápidamente.* **2** Referido a una corriente de agua, regularizar o reforzar su cauce, generalmente para darle un curso determinado: *Canaliza-
ron el río para evitar que se desborde cuando llueve
mucho.* **3** Referido esp. a corrientes de opinión o a iniciativas, orientarlas, dirigirlas o encauzarlas en una
dirección o hacia un fin: *La enseñanza debe canalizar la energía del niño hacia la creatividad.* ☐ OR-
TOGR. La *z* se cambia en *c* delante de e →CAZAR.
canalla adj./s. *col.* Referido a una persona, que es despreciable y se comporta de manera malvada o vil. ☐
ETIMOL. Del italiano *canaglia*. ☐ MORF. 1. Como adjetivo es invariable en género. 2. Como sustantivo
es de género común: *el canalla, la canalla*. 3. La
RAE sólo la registra como sustantivo.
canallada s.f. Hecho o dicho propios de un canalla.
canallesco, ca adj. Despreciable, ruin o propio
de un canalla.
canalón s.m. Conducto que recoge el agua que cae
sobre los tejados y la vierte a la calle o a un desagüe. ☐ ETIMOL. De *canal*. ☐ ORTOGR. Se admite
también *canelón*.
canana s.f. Cinturón preparado para llevar cartuchos; cartuchera. ☐ ETIMOL. Del árabe *kinâna* (aljaba, carcaj).
cananeo, a adj./s. De Canaán (antigua región
asiática que se extendía por los actuales territorios
sirio y palestino) o relacionado con ella.
canapé s.m. **1** Aperitivo consistente en una pequeña rebanada de pan u otra base semejante, sobre las que se extiende o coloca algún alimento. **[2**
En una cama, soporte rígido y acolchado sobre el que
se coloca el colchón. ☐ ETIMOL. Del francés *canapé*.
canario, ria █ adj./s. **1** De las islas Canarias (comunidad autónoma), o relacionado con ellas. **█** s. **2**
Pájaro de unos trece centímetros de longitud, de
plumaje generalmente amarillo o verdoso, canto
melodioso, y que se suele criar como ave doméstica.
[canarión, -a adj./s. *col.* De Gran Canaria (isla
canaria), o relacionado con ella. ☐ USO Tiene cierto
matiz despectivo.
canasta s.f. **1** Cesto de mimbre, de boca ancha y
generalmente con dos asas. **2** En baloncesto, aro con
una red colgante sin fondo, a través del cual debe
pasar el balón; cesta. **[3** En baloncesto, armazón
compuesto por un soporte con un tablero, en el que
está sujeto horizontalmente este aro. **4** En balonces-

to, introducción del balón a través del aro; enceste.
5 ‖ **[canasta familiar**; en zonas del español meridional, cesta de la compra.
canastilla s.f. Ropa que se prepara para el niño que va a nacer.
canasto s.m. **1** Canasta alta y estrecha. **[2** En zonas del español meridional, papelera.
canastos interj. Expresión que se usa para indicar extrañeza, sorpresa, admiración o disgusto: *¡Canastos, qué cochazo te has comprado!*
cáncamo s.m. [Tornillo que tiene en su extremo una anilla abierta o cerrada, en vez de cabeza. □ ETIMOL. Del griego *kánkhalon* (anillo).
cancán ‖ s. [**1** En zonas del español meridional, leotardo o media. ‖ s.m. **2** Baile de origen francés, frívolo y muy movido, en el que se levantan las piernas hasta la altura de la cabeza, y que generalmente es bailado sólo por mujeres como parte de un espectáculo. □ ETIMOL. La acepción 2, del francés *cancan*. En la acepción 1, es de género ambiguo: *el 'cancán' nuevo, la 'cancán' nueva*, y en plural tiene el mismo significado que en singular.
cancela s.f. En algunas casas, esp. en las andaluzas, verja que se pone delante del portal o de la pieza que antecede al patio para separarlos de la calle o para impedir el libre paso desde ella. □ ETIMOL. De *cancel* (barandilla).
cancelación s.f. **1** Anulación de un documento o de una obligación legal. **2** Suspensión de un compromiso o de algo proyectado. **[3** Pago total de una deuda.
cancelar v. **1** Referido esp. a un documento o a una obligación legal, anularlos o dejarlos sin validez: *Cancelaré la cuenta que tengo en el banco. El contrato se cancelará automáticamente al cabo de un año.* **2** Referido esp. a un compromiso o a algo proyectado, dejarlos sin efecto o suspender su realización: *Si se aplaza el viaje, tendré que cancelar la reserva del hotel. Se han cancelado todos los vuelos con los países en guerra.* **[3** Referido esp. a una deuda, saldarla o terminar de pagarla: *Si ahorro, el año que viene podré 'cancelar' el préstamo.* □ ETIMOL. Del latín *cancellare* (borrar).
cáncer ‖ adj./s. **1** Referido a una persona, que ha nacido entre el 22 de junio y 22 de julio aproximadamente. ‖ s.m. **2** Tumor maligno que invade y destruye tejidos orgánicos humanos o animales. **[3** Lo que destruye o daña gravemente y es difícil de combatir o de frenar: *La droga es el 'cáncer' de muchas sociedades modernas.* □ ETIMOL. Del latín *cancer* (cangrejo). □ MORF. 1. Invariable en número. 2. En la acepción 1, como adjetivo es invariable en género y como sustantivo es de género común: *el cáncer, la cáncer.* □ SEM. Dist. de *tumor* (alteración patológica de un órgano o de parte de él).
cancerbero s.m. [En el lenguaje del deporte, portero. □ ETIMOL. Por alusión a un perro mitológico del mismo nombre que guardaba la entrada de los infiernos.
cancerígeno, na adj./s.m. Referido a una sustancia, que produce cáncer o que favorece su aparición. □ SEM. Dist de *canceroso* (con las características del cáncer).
canceroso, sa adj. Con cáncer o con sus características. □ SEM. Dist. de *cancerígeno* (que produce cáncer).
cancha s.f. **1** Local o terreno de juego destinados

a la práctica de determinados deportes. **2** En zonas del español meridional, maíz tostado. **3** ‖**dar cancha** a alguien; [[col. Darle una oportunidad o un margen de confianza suficiente para que pueda intervenir o actuar a su modo. □ ETIMOL. Las acepciones 1 y 3, del quechua *cancha* (recinto, patio). La acepción 2, del quechua *camcha*.
cancilla s.f. Verja que sirve de puerta. □ ETIMOL. Del latín *cancellus* (barandilla enrejada).
canciller s.m. **1** En algunos países europeos, jefe o presidente del Gobierno. **2** En algunos países, ministro de Asuntos Exteriores. □ ETIMOL. Del latín *cancellarius* (secretario).
cancillería s.f. **1** Cargo o funciones del canciller. **2** Centro diplomático desde el que se dirige la política exterior de un país. **3** En un organismo diplomático, esp. en una embajada, oficina o departamento especiales.
canción s.f. **1** Composición, generalmente en verso, apropiada para ser cantada o puesta en música. **2** Música que acompaña a esta composición; aire. **3** Lo que se dice con reiteración insistente o pesada: *Ya está ése con su eterna canción de que nadie lo entiende.* **4** ‖**canción de cuna**; la que se canta a los niños para dormirlos; nana. ‖ **canción de gesta**; poema medieval, de carácter popular y narrativo, en el que se cuentan las hazañas de personajes históricos o legendarios, y que solía ser transmitido oralmente por los juglares; cantar de gesta. □ ETIMOL. Del latín *cantio* (canto).
cancioneril adj. De la poesía culta de los cancioneros del siglo XV o relacionado con ella. □ MORF. Invariable en género.
cancionero s.m. Colección de canciones o de poemas, generalmente de diferentes autores y con una característica común.
candado s.m. Cerradura suelta, contenida en una caja metálica de la que sale un gancho o anilla con los que se enganchan y aseguran puertas, tapas o piezas semejantes. □ ETIMOL. Del latín *catenatum*, y éste de *catena*, porque antiguamente se cerraba con una cadena.
candeal s.m. **1** →**trigo candeal. 2** →**pan candeal.** □ ETIMOL. Del latín *candidus* (blanco), porque el pan de trigo candeal es muy blanco.
candela s.f. **1** Cilindro de cera o de otra materia grasa, con un cordón que lo atraviesa por su centro y que, al encenderlo, produce luz; vela. 🌣 alumbrado **2** col. Materia combustible encendida, con o sin llama; lumbre. **3** En el Sistema Internacional, unidad básica de intensidad luminosa. □ ETIMOL. Del latín *candela* (vela de luz).
candelabro s.m. Candelero o utensilio de dos o más brazos, que se sostiene sobre un pie o sujeta a una pared, y que sirve para mantener derechas varias candelas o velas. □ ETIMOL. Del latín *candelabrum.* □ SEM. Dist. de *palmatoria* (candelero bajo y con mango). 🌣 alumbrado
candelaria s.f. En la iglesia católica, fiesta en la que se celebra la purificación de la Virgen María, y que suele festejarse con una procesión con candelas o velas encendidas. □ USO Se usa más como nombre propio.
candelero s.m. **1** Utensilio formado por un cilindro hueco y unido a un pie, que sirve para mantener derecha una candela o vela. **2** ‖**en (el) can-**

delero; en una posición destacada de poder, de éxito o de publicidad. □ ETIMOL. De *candela*.
candente adj. **1** Referido a un cuerpo, esp. si es metálico, que está rojo o blanco por la acción del calor; incandescente: *hierro candente*. **2** Referido a un asunto, que es de mucha actualidad e interés y que generalmente levanta polémica: *tema candente*. □ ETIMOL. Del latín *candens* (brillante). □ MORF. Invariable en género.
candidato, ta s. Persona que solicita o pretende un cargo, una distinción o algo semejante, o que es propuesta para ellos. □ ETIMOL. Del latín *candidatus*, y éste de *candere* (ser blanco), porque los candidatos se vestían con toga blanca.
candidatura s.f. **1** Solicitud o aspiración a un cargo, a una distinción o algo semejante. **2** Propuesta o presentación que se hace de una persona para un cargo, para una distinción o para algo semejante. **3** Conjunto de los candidatos a un cargo, a una distinción o a algo semejante.
candidez s.f. **1** Falta total de malicia, de hipocresía o de secretos. **2** Ingenuidad, simpleza o poca experiencia.
cándido, da adj. **1** Sin malicia, hipocresía ni ideas ocultas. **2** Ingenuo, simple o con poca experiencia. □ ETIMOL. Del latín *candidus* (blanco).
candil s.m. Lámpara formada por un recipiente de aceite, con un pico en el borde por el que asoma la mecha, y un asa en el extremo opuesto o un gancho para colgarlo. □ ETIMOL. Del mozárabe *qindil*. ✍ alumbrado
candileja ■ s.f. **1** Vaso en el que se pone aceite u otro combustible para que ardan una o más mechas, esp. referido al recipiente de un candil. ■ pl. **2** En un teatro, fila de luces colocadas en el borde del escenario más cercano al público. □ ETIMOL. De *candil*.
candilera s.f. Planta de la familia de las labiadas, de hojas lineales y flores amarillas, y con el cáliz cubierto de pelos largos.
candor s.m. Sinceridad, sencillez, ingenuidad y pureza de ánimo. □ ETIMOL. Del latín *candor*, y éste de *candere* (ser blanco).
candoroso, sa adj. Con candor.
canear v. *col.* [Referido a una persona, pegarla o darle una paliza: *Como no recojas la habitación, te 'caneo'*.
canela s.f. Véase **canelo, la**.
canelo, la ■ adj. **1** Referido esp. a un perro o a un caballo, de color marrón rojizo, como el de la canela. ■ s.m. **2** Árbol de tronco liso, hojas verdes parecidas a las del laurel y flores blancas y aromáticas. ■ s.f. **3** Segunda corteza de las ramas del canelo, de color marrón rojizo, muy sabrosa y aromática y que se usa como condimento. **4** ‖ hacer alguien el **canelo**; *col.* [**1** Hacer algo que no va a ser valorado o que no va a tener recompensa. *col.* **2** Dejarse engañar fácilmente: *Estoy harta de hacer el canelo con ese tramposo*. ‖ ser algo **canela** (⟨fina/[en rama⟩}); *col.* Ser muy fino y exquisito o excepcionalmente bueno. □ ETIMOL. La acepción 3, del italiano *cannella* (cañita), porque la corteza seca del canelo tiene forma de canuto.
canelón s.m. **1** Pasta alimenticia en forma de rollo, hecha de harina de trigo y con un relleno generalmente de carne picada. **2** →**canalón**. □ ETIMOL. La acepción 1, del italiano *cannellone*. □ MORF. La acepción 1 se usa más en plural.

canesú s.m. En un vestido o en una camisa, pieza superior a la que se unen el cuello, las mangas y el resto de la prenda. □ ETIMOL. Del francés *canezou*. □ MORF. Aunque su plural en la lengua culta es *canesúes*, se usa mucho *canesús*.
cangilón s.m. En una noria, recipiente atado a su rueda junto con otros iguales a él, y que sirve para sacar el agua. □ ETIMOL. De origen incierto.
cangrejo s.m. **1** Crustáceo marino o de río, con un caparazón redondeado y aplanado y cinco pares de patas, de las cuales las dos primeras son más grandes y están provistas de pinzas. **2** ‖ (**cangrejo**) ermitaño; el que tiene el abdomen muy blando y se aloja en conchas vacías de caracoles marinos para protegerse. □ ETIMOL. Del latín *cancer*. □ MORF. Es un sustantivo epiceno: *el cangrejo macho, el cangrejo hembra*. ✍ marisco
cangrena s.f. *ant.* →**gangrena**.
canguelo s.m. *col.* Miedo muy grande. □ ETIMOL. De origen gitano. □ USO Se usa también *canguis*.
[canguis s.f. *col.* Miedo muy grande; canguelo. □ MORF. Invariable en número.
canguro ■ s. **1** *col.* Persona, normalmente joven, que se dedica a cuidar niños a domicilio durante ausencias cortas de los padres y generalmente cobrando por ello. ■ s.m. **2** Animal marsupial herbívoro, que se desplaza a grandes saltos gracias a sus desarrolladas patas posteriores, con una cola robusta que le sirve de apoyo cuando está quieto, y cuya hembra tiene en el vientre una bolsa o marsupio donde lleva a las crías. □ ETIMOL. Del francés *kangourou*, y éste de origen australiano. □ MORF. **1.** En la acepción 1, es de género común: *el canguro, la canguro*. **2.** En la acepción 2, es un sustantivo epiceno: *el canguro macho, el canguro hembra*. □ USO En la acepción 1, es innecesario el uso del anglicismo *baby sitter*.
caníbal adj./s. Referido a una persona, que come carne humana; antropófago. □ ETIMOL. De *caríbal*, y éste de *caribe*. □ ORTOGR. Se admite también *caríbal*. □ MORF. **1.** Como adjetivo es invariable en género. **2.** Como sustantivo es de género común: *el caníbal, la caníbal*.
canibalismo s.m. **1** Costumbre alimentaria de comer carne de seres de la propia especie. [**2** En el lenguaje publicitario, parte de mercado que un producto o una marca come a otro producto o a otra marca. □ SEM. Dist. de *antropofagia* (aplicable sólo a la costumbre de comer las personas carne humana).
canica ■ s.f. **1** Bola o esfera pequeñas y de material duro, generalmente de vidrio, que se usan para jugar. ■ pl. **2** Juego infantil que se practica con estas esferas; bolas. □ ETIMOL. Del holandés *knikker* (bola con la que juegan los niños).
[caniche adj./s. Referido a un perro, de la raza que se caracteriza por ser de pequeño tamaño y por tener el pelo lanoso y ensortijado. □ MORF. Como adjetivo es invariable en género. ✍ perro
canícula s.f. Período más caluroso del año. □ ETIMOL. Del latín *canicula* (la estrella Sirio), porque en la antigüedad la salida de Sirio sobre el horizonte coincidía con la del Sol durante los primeros días de agosto. □ SEM. Dist. de *calima* (bruma de épocas calurosas) y de *bochorno* (calor excesivo y sofocante).

canicular adj. De la canícula. ☐ MORF. Invariable en género.

cánido ▌ adj./s.m. **1** Referido a un mamífero, que es de mediano tamaño, carnívoro, con dedos provistos de uñas fijas, y cinco dedos en las patas delanteras y cuatro en las traseras. ▌ s.m.pl. **2** En zoología, familia de estos mamíferos. ☐ ETIMOL. Del latín *canis* (perro).

canijo, ja adj./s. **1** *col.* Pequeño o de baja estatura. **[2** *col.* En zonas del español meridional, mala persona. ☐ ETIMOL. La acepción 1, quizá del latín *canicula* (perrita), por el hambre proverbial que pasan los perros. ☐ USO Es despectivo.

canilla s.f. **1** En una persona, pierna, esp. si es muy delgada. **2** En una máquina de tejer o de coser, carrete que va dentro de la lanzadera y en el que se devana el hilo. **3** En zonas del español meridional, grifo. ☐ ETIMOL. Del antiguo *cañilla* (cañita).

canillita s.m. En zonas del español meridional, vendedor callejero de periódicos.

canino, na ▌ adj. **1** Del can o con características de este animal. ▌ s.m. **2** →**diente canino.** 🗲 dentadura

canje s.m. Intercambio, trueque o sustitución. ☐ USO Su uso es característico de los lenguajes diplomático, militar y comercial.

canjear v. Intercambiar, trocar o hacer una sustitución: *El viaje que me ha tocado puedo canjearlo por dinero.* ☐ ETIMOL. Del italiano *cangiare.* ☐ USO Su uso es característico de los lenguajes diplomático, militar y comercial.

[*cannabis* (latinismo) s.m. Planta herbácea, de hojas compuestas y flores verdes. ☐ PRON. [cánnabis]. ☐ MORF. Invariable en número.

cano, na ▌ adj. **1** Referido esp. a una persona, que tiene el pelo o la barba blancos en su totalidad o en su mayor parte. **[2** Referido al pelo, a una barba o a un bigote, que están blancos en su totalidad o en su mayor parte. ▌ s.f. **3** Hebra de pelo que se ha vuelto blanco. **4** ‖**echar** alguien **una** {**cana/[canita**} **al aire;** *col.* Divertirse o salir de diversión, esp. cuando no se tiene costumbre. ‖**peinar** alguien **canas;** *col.* Ser viejo. ☐ ETIMOL. Del latín *canus* (blanco).

canoa s.f. Embarcación pequeña y ligera, generalmente de remo, estrecha, sin quilla y con la proa y la popa terminadas en punta. 🗲 embarcación

canódromo s.m. Lugar destinado a la celebración de carreras de galgos. ☐ ETIMOL. Del latín *canis* (perro) y *-dromo* (carrera).

canon s.m. **1** Regla, norma o precepto, esp. los establecidos por la costumbre para una actividad: *canon de la buena conducta.* **2** Modelo ideal o de características perfectas, esp. referido al establecido para la figura humana por los antiguos griegos: *Según el canon clásico, la altura de una figura humana debe equivaler a siete cabezas y media.* **3** Cantidad de dinero o impuesto que se pagan periódicamente por un arrendamiento o por el disfrute de algo ajeno o público: *El Estado cobra un canon a las empresas instaladas en terrenos públicos.* **4** En música, composición polifónica en la que las distintas voces van entrando de manera sucesiva y repitiendo o imitando cada una de ellas lo que ha cantado la anterior. **5** En la iglesia católica, decisión o regla establecidas en un concilio sobre el dogma o la disciplina. ☐ ETIMOL. Del latín *canon*, y éste del griego *kanón* (tallo,

varita, regla, norma). ☐ MORF. **1.** Su plural es *cánones.* **2.** La acepción 1 se usa más en plural.

canónico, ca adj. **1** Que está de acuerdo con los cánones, reglas o disposiciones establecidos por la iglesia. **2** Que se ajusta a un canon, generalmente de perfección o de conducta. **3** Referido a un libro o a un texto, que está dentro del catálogo de los considerados auténticos o sagrados por la iglesia católica. ☐ ETIMOL. Del latín *canonicus* (regular, conforme a las reglas). ☐ ORTOGR. Dist. de *canónigo.*

canónigo s.m. En la iglesia católica, sacerdote que forma parte del cabildo de una catedral. ☐ ETIMOL. Del latín *canonicus* (regular, conforme a las reglas). ☐ ORTOGR. Dist. de *canónico.*

canonizable adj. Digno de ser canonizado. ☐ MORF. Invariable en género.

canonización s.f. En la iglesia católica, declaración oficial hecha por el Papa de la santidad de una persona previamente beatificada.

canonizar v. En la iglesia católica, referido a una persona previamente beatificada, declararla oficialmente santa el Papa: *El Papa canonizó a varios beatos.* ☐ ETIMOL. Del latín *canonizare.* ☐ ORTOGR. La *z* se cambia en *c* delante de *e* →CAZAR.

canonjía s.f. **1** Cargo o dignidad de canónigo. **2** *col.* Empleo que requiere poco esfuerzo y reporta mucho beneficio. ☐ ETIMOL. Del antiguo *canonje* (canónigo).

canoso, sa adj. Con canas.

[*canotaje* s.m. En zonas del español meridional, deporte que consiste en navegar en canoas.

[*canotier* (galicismo) s.m. Sombrero de paja, de ala recta y copa plana y baja, generalmente rodeada con una cinta negra. ☐ PRON. [canotié]. 🗲 sombrero

cansado, da adj. **1** Que está en decadencia o que ha perdido fuerzas o facultades. **2** Que produce cansancio.

[*cansador, -a* adj. *col.* En zonas del español meridional, aburrido.

cansancio s.m. **1** Falta de fuerzas y sensación de malestar o de debilidad producidas generalmente por la realización de un esfuerzo. **2** Hastío, fastidio o sensación de aburrimiento.

cansar v. **1** Producir o experimentar pérdida de fuerzas y sensación de malestar o de debilidad, generalmente por efecto de un esfuerzo: *Subir tantos pisos a pie cansa a cualquiera. El caballo se cansó mucho por el veloz galope.* **2** Enfadar, fastidiar o producir sensación de aburrimiento o de hastío: *¡No me canses con tanta insistencia, porque no voy a ceder!* **3** ‖**cansarse de** hacer algo; *col.* Hacerlo muchas veces o durante mucho tiempo: *Se cansa de repetírmelo, pero nunca le hago caso.* ☐ ETIMOL. Del latín *campsare* (doblar, desviarse); porque cuando alguien se desvía de un camino deja de hacer algo, lo mismo que ocurre cuando alguien se cansa.

cansino, na adj. **1** Que tiene las fuerzas o la capacidad de trabajo disminuidas por el cansancio. **2** Que revela o aparenta cansancio por la lentitud y pesadez de movimientos. **3** Que resulta pesado, aburrido o cansado.

[*cantabile* (italianismo) ▌ adj. **1** En música, referido a un pasaje, que debe ejecutarse destacando su carácter melodioso. ▌ s.m. **2** En una composición musical, pasaje que se ejecuta de esta manera. ☐ PRON. [cantábile]. ☐ MORF. Como adjetivo es invariable en género. □ USO Aunque la RAE sólo registra *cantable*, se usa más '*cantabile*'.

cantable ∎ adj./s.m. **1** →**cantabile**. ∎ s.m. **2** En el libreto de una zarzuela, parte escrita en verso para que pueda ponerse en música. **3** En una zarzuela, escena cantada y no simplemente hablada. □ MORF. Como adjetivo es invariable en género.

cantábrico, ca adj. **1** De Cantabria (comunidad autónoma), o relacionado con ella. [**2** De la cordillera Cantábrica (situada en el norte español), del mar Cantábrico (situado entre la costa norte española y la sudoeste francesa), o relacionado con ellos.

cántabro, bra adj./s. **1** De Cantabria (comunidad autónoma), o relacionado con ella. [**2** De un antiguo pueblo celta que habitaba en el territorio que corresponde a esta comunidad autónoma, o relacionado con él.

cantado, da ‖ estar algo **cantado**; *col.* Saberse anticipadamente o darse por seguro.

cantaleta s.f. En zonas del español meridional, cantinela.

cantalinoso, sa adj. Referido a un terreno, que está lleno de cantos y piedras. □ ETIMOL. De *cantal* (canto).

cantamañanas s. *col.* Persona informal, fantasiosa y que no merece crédito. □ MORF. 1. Es de género común: *el cantamañanas, la cantamañanas*. 2. Invariable en número.

cantante s. Persona que se dedica profesionalmente a cantar. □ MORF. Es de género común: *el cantante, la cantante*.

[*cantaor, -a* s. Cantante de flamenco.

cantar ∎ s.m. **1** Copla o composición poética breve, puesta en música para cantarse o adaptable a alguno de los aires o canciones populares. ∎ v. **2** Referido a una persona, formar con la voz sonidos melodiosos o que siguen una melodía musical: *¡Qué bien cantó el tenor! Le canté una nana y se durmió enseguida.* **3** Referido a un animal, esp. a un ave, emitir sonidos armoniosos: *Los canarios cantan durante el día.* **4** Referido a un insecto, producir sonidos estridentes haciendo vibrar determinadas partes de su cuerpo: *Las cigarras cantan por el día.* **5** *col.* Referido esp. a una parte del cuerpo, desprender un olor desagradable o muy fuerte: *Anda, cálzate, que te cantan los pies.* [**6** Decir en voz alta y con una entonación diferente y más modulada de lo normal: *El agraciado con el gordo hizo un regalo a los niños que 'cantaron' el premio.* **7** *col.* Referido a algo que se guardaba en secreto, confesarlo o descubrirlo: *Tememos que cante todo lo que sabe. Aunque juró no delatar a sus compinches, las torturas lo hicieron cantar.* **8** En algunos juegos, referido esp. a una combinación de cartas o a un tanteo, decirlos en voz alta cuando se consiguen. [**9** Cometer un fallo estrepitoso: *Nuestro portero 'cantó' y el otro equipo nos ganó por goleada.* **10** ‖ **cantar de gesta**; poema medieval, de carácter popular y narrativo, en el que se cuentan las hazañas de personajes históricos o legendarios, y que solía ser transmitido oralmente por los juglares; canción de gesta. ‖ **ser** algo **otro cantar**; *col.* Ser otra cosa o un asunto distinto: *No quiero ir sola, pero si tú me acompañas es otro cantar.* □ ETIMOL. Las acepciones 2-9, del latín *cantare*. □ SINT. En la acepción 8, aunque la RAE sólo lo registra como intransitivo, se usa también como verbo transitivo.

cántara s.f. **1** Unidad de capacidad para líquidos

que equivale aproximadamente a 16,1 litros. **2** →**cántaro**. □ USO La acepción 1 es una medida tradicional española.

cantarela s.f. En una guitarra o en un violín, cuerda más fina y que produce el sonido más agudo. □ ETIMOL. Del italiano antiguo *cantarello* (el que canta).

cantarero, ra ∎ s. **1** Persona que se dedica profesionalmente a la fabricación de vasijas u otros objetos de barro; alfarero. ∎ s.f. **2** Soporte en el que se colocan los cántaros. **3** *col.* Hueco que forma la clavícula. □ MORF. En la acepción 1, la RAE sólo registra el masculino.

cantarín, -a adj. *col.* Muy aficionado a cantar.

cántaro s.m. **1** Vasija grande de barro o de metal, estrecha por la boca y por la base, ancha por la barriga, y generalmente con una o con dos asas; cántara. **2** ‖ **a cántaros**; referido esp. a la forma de llover o de salir el agua, en abundancia o con mucha fuerza. □ ETIMOL. Del latín *cantharus* (especie de copa grande con dos asas).

cantata s.f. Composición musical de carácter vocal e instrumental, que se canta a una o a varias voces y puede tener un tema religioso o profano. □ ETIMOL. Del italiano *cantata*.

cantatriz s.f. de **cantante**. □ ETIMOL. Del latín *cantatrix*. □ USO Tiene un matiz humorístico.

cantautor, -a s. Cantante, generalmente solista, que interpreta composiciones de las que él mismo es autor y cuyo contenido suele responder a una intención crítica o poética.

cantazo s.m. Golpe dado con un canto.

cante s.m. **1** Canto popular andaluz de características semejantes. [**2** *col.* Olor desagradable y fuerte. [**3** En algunos juegos de cartas, jugada en la que se añaden unos tantos suplementarios. **4** *col.* Acción de ponerse en evidencia o de realizar algo muy llamativo o chocante. [**5** *col.* Fallo estrepitoso. **6** ‖ **cante flamenco**; el andaluz con raíces folclóricas gitanas y emparentadas con los ritmos árabes. ‖ **cante** {**hondo/jondo**}; el andaluz de profundo sentimiento, ritmo monótono y tono quejumbroso. ‖ [**dar el cante**; *col.* **1** Llamar la atención o ponerse en ridículo: *Iba 'dando el cante' con un clavel rojo en cada oreja.* col. **2** Dar un aviso: *Alguien 'dio el cante' a la policía y los pillaron con las manos en la masa.* □ PRON. *Cante hondo* se pronuncia [cante hondo], con *h* aspirada.

cantear ∎ v. **1** Referido esp. a una tabla o a una piedra, labrar sus cantos o bordes: *Después de cortar el tablero, lo canteó para que no quedasen aristas.* **2** Referido a un ladrillo o a un sillar, ponerlo de canto en la construcción de un muro: *Cantearon los ladrillos superiores para rematar el muro.* ∎ prnl. [**3** *col.* Pasarse de la raya: *No 'te cantees' y deja ya de darme la barrila.*

[*cantegril* s.m. En zonas del español meridional, barrio de chabolas.

cantera s.f. **1** Lugar del que se extrae piedra o materiales semejantes para obras y construcciones. **2** Lugar u organización donde se forman o del que proceden personas idóneas para realizar una actividad, esp. si es de carácter profesional. □ ETIMOL. De *canto* (piedra).

cantería s.f. **1** Arte o técnica de labrar la piedra que se utiliza para la construcción. **2** Obra hecha de piedra labrada según este arte.

cantero s.m. **1** Persona que se dedica profesionalmente a la extracción de piedra de una cantera, o a labrarla para las construcciones. **2** Extremo de algunas cosas duras y que se pueden partir con facilidad: *un cantero de jabón.* **3** En zonas del español meridional, macizo o agrupación de plantas. □ ETIMOL. De *canto* (piedra).

cántico s.m. Composición poética generalmente de ensalzamiento, esp. referido a las recogidas en los textos sagrados en alabanza o agradecimiento a Dios. □ ETIMOL. Del latín *canticum.*

cantidad ❙ s.f. **1** Propiedad de lo que puede ser contado o medido. **2** Número de unidades o porción de algo, esp. si son indeterminados. **3** Suma de dinero. **4** En matemáticas, conjunto de objetos de una clase entre los que se puede definir la igualdad y la suma. ❙ adv. **5** *col.* Mucho. **6** ‖**cantidad de**; *col.* Mucho. ‖**en cantidad** o [**en cantidades industriales**; en abundancia. □ ETIMOL. Del latín *quantitas.*

cantiga s.f. Composición poética medieval destinada al canto. □ ETIMOL. Quizá del celta **cantica.*

cantilena s.f. →**cantinela.** □ ETIMOL. Del latín *cantilena.*

cantimplora s.f. Recipiente de forma aplanada, generalmente metálico o de plástico y revestido de cuero o de otro material semejante, que se usa para llevar agua u otra bebida en viajes y excursiones. □ ETIMOL. Del catalán *cantimplora.*

cantina s.f. Establecimiento donde se sirven o se venden bebidas y algunos alimentos. □ ETIMOL. Del italiano *cantina.*

cantinela s.f. *col.* Lo que se repite con una insistencia que molesta e importuna. □ ORTOGR. Se admite también *cantilena.*

cantinero, ra s. Propietario o encargado de una cantina.

canto s.m. **1** Formación con la voz de sonidos melodiosos o que siguen una melodía musical. **2** Emisión de sonidos, esp. si son armoniosos o rítmicos, por parte de un animal. **3** Arte o técnica de cantar. **4** En un poema épico, cada una de las grandes partes en que se divide. **5** Composición poética, esp. si es de tono elevado o solemne. **6** Alabanza o ensalzamiento, esp. los que se hacen componiendo poemas con ese fin: *La película era un canto a la vida.* **7** En una superficie, extremo, lado o borde que limita o remata su forma: *el canto de una moneda.* **8** En un libro, corte opuesto al lomo. ✄ libro **9** En un arma blanca, borde que no corta, opuesto al filo. ✄ cuchillo **10** Trozo de piedra. **11** ‖**al canto**; de manera inmediata y efectiva o inevitable: *En cuanto se ven, ya tenemos discusión al canto.* ‖**al canto del gallo**; *col.* Al amanecer. ‖**canto del cisne**; Última obra o actuación de alguien. ‖**canto {gregoriano/llano}**; el adoptado tradicionalmente por la iglesia católica para cantar sus textos litúrgicos; gregoriano. ‖**canto {pelado/rodado}**; piedra redondeada y pulida por el desgaste de una corriente de agua. ‖**darse** alguien **con un canto en los dientes**; *col.* Contentarse con algo que, sin ser muy bueno, no es lo peor que podía pasar. ‖**el canto de un duro**; *col.* Muy poco. □ ETIMOL. Las acepciones 1-6, del latín *cantus.* Las acepciones 7-10, del latín *canthus* (esquina). La expresión *canto gregoriano,* por alusión al papa Gregorio Magno, a quien se atribuye la ordenación, a finales del siglo VI, de este canto.

cantón s.m. **1** En algunos países, división territorial y administrativa, caracterizada por estar dotada de un importante grado de autonomía política. **2** Lugar en el que hay tropas distribuidas y alojadas; acantonamiento. **3** Esquina o ángulo, esp. en un edificio. □ ETIMOL. De *canto* (esquina).

cantonal ❙ adj. **1** Del cantón, del cantonalismo o relacionado con ellos. ❙ adj./s. **2** →**cantonalista.** □ ETIMOL. De *cantón* (territorio). □ MORF. 1. Como adjetivo es invariable en género. 2. Como sustantivo es de género común: *el cantonal, la cantonal.*

cantonalismo s.m. Movimiento político que defiende la división del Estado central en cantones casi independientes.

cantonalista adj./s. Partidario o defensor del cantonalismo; cantonal. □ MORF. 1. Como adjetivo es invariable en género. 2. Como sustantivo es de género común: *el cantonalista, la cantonalista.* □ USO Aunque la RAE prefiere *cantonal,* en la lengua actual se usa más *cantonalista.*

cantonera s.f. Pieza que se coloca en un objeto con esquinas, generalmente para protegerlas o como adorno. □ ETIMOL. De *cantón* (esquina).

cantor, -a ❙ adj. **1** Referido a un ave, que es capaz de emitir sonidos melodiosos y variados, debido al gran desarrollo de su aparato fonador. ❙ s. **2** Persona que sabe cantar o que se dedica profesionalmente al canto. □ ETIMOL. Del latín *cantor.*

cantoral s.m. Libro de gran tamaño, con las hojas generalmente de pergamino, que contiene la letra y la música de los himnos religiosos que se cantaban en las iglesias, y que solía colocarse sobre un atril en el coro; libro de coro.

cantueso s.m. Planta perenne, de tallos ramosos, hojas estrechas y vellosas y flores en espiga moradas y muy olorosas.

canturrear v. *col.* Cantar a media voz y generalmente de manera descuidada.

canturreo s.m. Canto a media voz y generalmente de manera descuidada.

cánula s.f. **1** En medicina, tubo pequeño que se coloca en una abertura del cuerpo para evacuar o introducir líquidos. **2** En una jeringuilla, extremo más fino y en el que se acopla la aguja. □ ETIMOL. Del latín *cannula* (cañita).

canular adj. Con forma de cánula o de caña. □ MORF. Invariable en género.

canutas ‖**pasarlas canutas**; *col.* Encontrarse en una situación muy difícil o apurada.

canutillo s.m. **1** Tubo pequeño de vidrio que se usa en trabajos de pasamanería. **2** Hilo rizado de oro o de plata para bordar. □ ORTOGR. Se admite también *cañutillo.* □ USO Aunque la RAE prefiere *cañutillo,* se usa más *canutillo.*

canuto s.m. **1** Tubo de longitud y grosor no muy grandes y generalmente abierto por sus dos extremos. **2** *col.* Cigarrillo de hachís, marihuana u otra droga, generalmente mezcladas con tabaco; porro. □ ETIMOL. Del latín **cannutus* (semejante a la caña). □ ORTOGR. En la acepción 1, se admite también *cañuto.*

caña s.f. **1** Tallo de algunas plantas gramíneas, generalmente hueco y nudoso. [**2** Lo que tiene la forma de este tallo. **3** Planta con tallo hueco, leñoso y con nudos que tiene hojas anchas y ásperas, flores que nacen en un eje común, y que se cría en parajes húmedos. **4** Vaso cilíndrico y ligeramente cónico. **5** Hueso largo del brazo o de la pierna. **6** En zonas del español meridional, aguardiente de caña. **7** ‖**caña** (**(de azúcar/dulce)**); planta de unos dos metros de altura, que tiene hojas largas y flores purpúreas, y cuyo tallo es leñoso y está lleno de un tejido esponjoso y dulce del que se extrae el azúcar. ‖ **caña (de pescar)**; vara larga, delgada y flexible, que lleva en el extremo más delgado una cuerda de la que pende un sedal con un anzuelo. ✗️ pesca ‖ **(dar/meter) caña**; *col.* **1** Meter prisa a alguien o aumentar la velocidad o la intensidad de algo. col. **2** Provocar o molestar. □ ETIMOL. Del latín *canna*.

cañada s.f. **1** Camino para los ganados trashumantes. **2** Paso entre dos montañas poco distantes. □ ETIMOL. Del latín *canna* (caña).

cañadilla s.f. Caracol marino comestible, cuya concha está provista de numerosas espinas y se prolonga en un tubo largo y estrecho.

cañamazo s.m. **1** Tejido de hilos muy separados que se usa para bordar sobre él. **2** Tela tosca de cáñamo.

cáñamo s.m. **1** Planta herbácea con tallo erguido, hueco, abundante en ramas y con vello, flores de color verde, y cuyas fibras se utilizan para la fabricación de tejidos o de cuerdas. **2** Fibra textil de esta planta. □ ETIMOL. Del latín *cannabum*.

cañamón s.m. Semilla del cáñamo que se emplea principalmente para alimentar a los pájaros.

cañaveral s.m. Terreno poblado de cañas. □ SEM. Es sinónimo de *cañizal* y *cañizar*.

cañazo s.m. En zonas del español meridional, aguardiente de caña.

cañería s.f. Conducto formado por caños, a través del cual se distribuye el agua o el gas.

cañí ∎ adj. [**1** *col.* Típico, folclórico o popular. ∎ adj./ s. **2** Gitano. □ MORF. 1. Como adjetivo es invariable en género. 2. Como sustantivo es de género común: *el cañí, la cañí.* 3. Su plural es *cañís.*

cañizal o **cañizar** s.m. Terreno poblado de cañas; cañaveral.

cañizo s.m. Tejido hecho con cañas entretejidas que se usa generalmente como armazón en los toldos o como soporte del yeso en los techos de superficie plana y lisa.

caño s.m. **1** Tubo corto, esp. el que forma, junto con otros, las tuberías. **2** Tubo por el que sale un chorro de agua o de otro líquido, esp. referido a una fuente. [**3** En zonas del español meridional, cañón de un arma de fuego portátil. **4** ‖ **caño de escape**; en zonas del español meridional, tubo de escape. □ ETIMOL. De *caña*.

cañón ∎ adj. **1** Estupendo, muy bueno, o que resulta atractivo, esp. referido a una persona. ∎ s.m. **2** Pieza hueca y larga, con forma de tubo. **3** Lo que tiene la forma de esta pieza. **4** Arma de artillería de gran diámetro interior, que se utiliza para lanzar proyectiles. **5** Paso estrecho o garganta profunda entre dos altas montañas de paredes escarpadas, por donde suelen correr los ríos. **6** En la pluma de un ave, parte hueca de su eje central, que carece de filamentos laterales y que se inserta en la piel; cálamo. **7** Pluma del ave cuando empieza a nacer. **8** Foco de luz concentrada: *Un cañón iluminaba al actor mientras recitaba su monólogo.* **9** ‖ **[cañón de nieve**; máquina que lanza nieve artificial en las zonas de una pista de esquí que la necesitan. □ ETIMOL. De *caña*. □ MORF. Como adjetivo es invariable en género. □ SINT. 1. La acepción 1 se usa más con

el verbo *estar*. 2. Se usa también como adverbio de modo: *En aquella fiesta lo pasamos cañón.*

cañonazo s.m. **1** Disparo hecho con un cañón. **2** Ruido producido por este disparo. **3** En algunos deportes, lanzamiento muy fuerte.

cañonero, ra ∎ adj./s. **1** Referido a una embarcación, que lleva algún cañón. ∎ s. [**2** En algunos deportes, jugador que posee un potente disparo.

cañutillo s.m. →canutillo.

cañuto s.m. →canuto.

caoba ∎ adj./s.m. [**1** De color marrón rojizo. ∎ s.f. **2** Árbol americano con tronco recto y grueso, hojas compuestas, flores pequeñas y blancas que nacen de un eje común, y cuya madera, de color pardo rojizo, es muy apreciada en ebanistería. **3** Madera de este árbol, de color rojizo y fácil de pulimentar.

caolín s.m. Arcilla blanca y muy pura que se usa generalmente para la fabricación de porcelanas y elaboración de papel. □ ETIMOL. Del francés *kaolin*, y éste del chino *kaoling* (Alta Colina, nombre del lugar donde se encontró).

caos s.m. **1** Confusión o desorden absolutos. **2** En algunas creencias y en algunos filósofos primitivos, desorden en que se hallaba la materia antes de adquirir su ordenación actual. □ ETIMOL. Del latín *chaos*, y éste del griego *kháos* (abismo). □ MORF. Invariable en número.

caótico, ca adj. Del caos o relacionado con él.

capa s.f. **1** Prenda de abrigo larga y suelta, sin mangas, generalmente abierta por delante, y que se lleva sobre los hombros encima del vestido. **2** En tauromaquia, pieza de tela con vuelo, de color vivo, que se utiliza para torear; capote de brega, trapo. **3** Lo que cubre o baña algo: *capa de pintura.* **4** Zona o plano superpuestos a otro u otros con los que forman un todo: *La tarta está formada por dos capas de bizcocho y de chocolate.* **5** Grupo o estrato social. **6** Lo que se usa para encubrir algo, esp. si es un pretexto o una apariencia: *Bajo la capa de sinceridad dice muchas inconveniencias.* **7** Color de las caballerías y de otros animales. **8** ‖ **a capa y espada**; a toda costa o de forma enérgica. ‖ **capa española**; la de hombre, hecha de paño, con vuelo amplio, y que generalmente tiene los bordes delanteros forrados de terciopelo. ‖ **capa pluvial**; la que utilizan los superiores eclesiásticos y los sacerdotes en actos del culto divino. ‖ **de capa caída**; *col.* En decadencia o perdiendo fuerza. ‖ **hacer** alguien **de su capa un sayo**; *col.* Obrar libremente y según su voluntad en cosas o asuntos que sólo a él afectan. □ ETIMOL. Del latín *cappa* (capucha). □ SINT. 1. La expresión 'de capa caída' se usa más con los verbos *andar, estar, ir* o equivalentes. 2. La expresión 'a capa y espada' se usa más con los verbos *defender, mantener* o equivalentes.

capacha s.f. Pequeña cesta de palma que se utiliza para llevar fruta y otras cosas de pequeño tamaño.

capacho s.m. **1** Cesta con dos asas pequeñas, esp. si es de juncos o de mimbre, que se suele utilizar para llevar objetos. **2** Especie de cesta acondicionada como cuna y que puede encajarse en un armazón con ruedas que facilita su desplazamiento; capazo. □ ETIMOL. Quizá del latín **capaceum*, y éste de *capere* (contener).

capacidad s.f. **1** Posibilidad para contener algo dentro de ciertos límites: *Esta botella tiene capacidad para dos litros.* **2** Aptitud o conjunto de condiciones que posibilitan para la realización de algo: *La nueva maquinaria aumentará la capacidad de producción de la empresa.* **3** En derecho, aptitud legal para realizar actos válidos o para ser sujeto de derechos y obligaciones. ☐ ETIMOL. Del latín *capacitas*.

capacitación s.f. Adecuación para un determinado fin.

capacitar v. Referido a una persona, hacerla apta o capaz para algo: *Este título sólo te capacita para ejercer como auxiliar.*

capar v. Extirpar o inutilizar los órganos genitales; castrar: *El buey es un toro que ha sido capado.* ☐ ETIMOL. De *capón*.

caparazón s.m. **1** Cubierta dura que protege el cuerpo de algunos animales. **2** Esqueleto del tórax o pecho de las aves. **3** Cubierta que se pone encima de algo para protegerlo. ☐ ETIMOL. De origen incierto.

capataz, -a s. **1** Persona que manda y vigila un grupo de trabajadores. **2** Persona encargada de labrar y administrar una hacienda o finca agrícola. ☐ ETIMOL. Del latín *caput* (cabeza).

capaz ▌ adj. **1** Que tiene cualidades o aptitud para algo: *Es capaz de comérselo todo en sólo cinco minutos.* **2** Referido a una persona, que se atreve a hacer algo o está dispuesta a hacerlo: *¿Serías capaz de hacerlo?* **3** Referido esp. a un lugar o a un recipiente, que tiene capacidad o posibilidad de contener algo. **4** En derecho, que es legalmente apto para algo. ▌ adv. **5** En zonas del español meridional, de forma probable. **6** ‖ capaz que; en zonas del español meridional, es posible que. ☐ ETIMOL. Del latín *capax* (que tiene cabida). ☐ MORF. Invariable en género. ☐ SEM. No debe usarse con el significado de 'susceptible': *Esto es {*capaz > susceptible} de mejora.*

capazo s.m. **1** Cesta grande con dos asas pequeñas, hecha de esparto o de palma. **2** Especie de cesta acondicionada como cuna y que puede encajarse en un armazón con ruedas, que facilita su desplazamiento; capacho. ☐ ETIMOL. Del latín **capaceum*, de *capere* (contener).

capciosidad s.f. Intención de engañar o de comprometer a alguien con las palabras que se dicen.

capcioso, sa adj. **1** Que engaña o que induce a error, esp. referido a las palabras o doctrinas. **2** Referido esp. a una pregunta o sugerencia, que se hacen para obtener del interlocutor una respuesta que pueda comprometerlo, o que favorezca a quien la formula. ☐ ETIMOL. Del latín *captiosus*.

capea s.f. Fiesta taurina que consiste en la lidia de becerros o novillos por aficionados.

capear v. **1** En tauromaquia, torear con la capa: *El diestro supo capear al toro.* **2** *col.* Eludir con mañas un compromiso o un trabajo desagradable: *Procura capear todas las preguntas indiscretas para seguir manteniendo el secreto.* **3** Referido a una embarcación, hacer frente al mal tiempo con las maniobras adecuadas: *El velero capeó la tormenta gracias a la preparación del capitán.*

capellán s.m. Sacerdote encargado de las funciones religiosas en una determinada institución religiosa, seglar o militar. ☐ ETIMOL. Quizá del provenzal antiguo *capelán*.

capelo s.m. **1** Sombrero rojo de los cardenales. 🔍 sombrero **2** Dignidad de cardenal. ☐ ETIMOL. Del italiano *cappello*.

caperuza s.f. **1** Gorro terminado en punta. **2** Pieza que se usa para proteger o para cubrir la punta o el extremo de algo: *Me han regalado una pluma negra con la caperuza dorada.* ☐ ETIMOL. Del latín *capero*, y éste de *cappa* (capa).

capicúa ▌ adj. **[1** En una serie, que tiene sus elementos alternos de forma que su orden es igual empezando por la derecha que empezando por la izquierda: *La palabra 'oso' es 'capicúa'.* ▌ adj./s.m. **2** Referido a un número, que se lee de igual forma de izquierda a derecha que de derecha a izquierda. ☐ ETIMOL. Del catalán *cap-i-cua* (cabeza y cola). ☐ MORF. Como adjetivo es invariable en género.

capilar ▌ adj. **1** Del cabello o relacionado con él. **2** Referido a un tubo, que es muy estrecho, de un diámetro similar al de un cabello. ▌ s.m. **3** En el sistema circulatorio, cada uno de los vasos muy finos que, en forma de red, enlazan la terminación del sistema arterial con el comienzo del sistema venoso. ☐ ETIMOL. Del latín *capillaris* (relativo al cabello). ☐ MORF. Como adjetivo es invariable en género.

capilaridad s.f. Fenómeno según el cual la superficie de un líquido que está en contacto con un sólido se eleva o desciende debido a la fuerza resultante de las atracciones entre las moléculas del líquido y las de éste con las del sólido.

capilla s.f. **1** Local pequeño destinado al culto cristiano. **2** Parte de una iglesia que tiene altar o en la que se venera una imagen. **3** Edificio contiguo a una iglesia o parte integrante de ella con altar y generalmente con advocación particular. **4** *col.* Grupo de partidarios de una persona o de una idea: *El entrenador no consentirá que sus jugadores hagan capilla.* **5** ‖ capilla ardiente; lugar en el que se vela un cadáver o en el que se celebran por éste las primeras honras fúnebres. ‖ estar en capilla alguien; *col.* Encontrarse a la espera de pasar una prueba difícil o de conocer el resultado de algo preocupante. ☐ ETIMOL. Del latín *cappella* (oratorio, capilla). ☐ MORF. En la acepción 4, se usa mucho el diminutivo *capillita*. ☐ USO En la acepción 4, tiene un matiz despectivo.

capirotazo s.m. Golpe que se da, generalmente en la cabeza, haciendo resbalar la uña de un dedo con fuerza sobre la yema del pulgar; papirotada, papirotazo.

capirote s.m. **1** Gorro terminado en punta y con forma de cucurucho, generalmente de cartón y cubierto de tela, utilizado esp. por los penitentes en las procesiones de Semana Santa (fiesta religiosa con la que termina la cuaresma). 🔍 sombrero **2** Caperuza de cuero que se pone a las aves de cetrería para que se estén quietas hasta que se las haga volar. ☐ ETIMOL. Del gascón *capirot* (capucha).

[capiscar v. *col.* Comprender: *Sí 'capisco' lo que me dices.* ☐ ORTOGR. La *c* se cambia en *qu* delante de *e* →SACAR.

capital ▌ adj. **1** Principal, muy grande o muy importante. ▌ s.m. **2** Conjunto de bienes que posee una persona o una sociedad, esp. si es en dinero o en valores. **3** En economía, elemento o factor de la producción constituido por todo aquello que se destina con carácter permanente a la obtención de un producto. ▌ s.f. **4** Población principal y cabeza de un país, de una autonomía, de una provincia o de un distrito. **[5** Población que tiene una posición importante o destacada en algún aspecto o actividad.

□ ETIMOL. Del latín *capitalis*, y éste de *caput* (cabeza). □ MORF. Como adjetivo es invariable en género.

capitalidad s.f. Condición de la población que es la capital de un país, de una comunidad autónoma, de una provincia o de un distrito.

capitalismo s.m. **1** Sistema económico basado en la doctrina del liberalismo y que se funda en la importancia del capital como elemento de producción y creador de riqueza. **2** Conjunto de los partidarios de este sistema.

capitalista ∎ adj. **1** Del capital, del capitalismo o propio de ellos. ∎ adj./s. **2** Referido a una persona, que coopera con su capital a uno o más negocios. ∎ s. **3** Persona muy rica, esp. en dinero. □ MORF. 1. Como adjetivo es invariable en género. 2. Como sustantivo es de género común: *el capitalista, la capitalista*.

capitalización s.f. **1** Utilización de una acción o de una situación en beneficio propio, aunque sean ajenas. [**2** En economía, inyección de recursos en una empresa o conversión de sus reservas en capital.

capitalizar v. Referido a una acción o a una situación, utilizarlas en beneficio propio, aunque sean ajenas: *Tiene una personalidad tan fuerte que capitaliza la atención.* □ ORTOGR. La *z* se cambia en *c* delante de *e* →CAZAR.

capitán, -a ∎ s. **1** Persona que capitanea o dirige un grupo de personas, esp. un equipo deportivo. **2** Persona que es cabeza de un grupo de forajidos. ∎ s.m. **3** En los Ejércitos de Tierra y Aire, persona cuyo empleo militar es superior al de teniente e inferior al de comandante. **4** En la Armada, persona cuyo empleo militar es superior al de alférez de navío e inferior al de contraalmirante. **5** Persona que manda una embarcación, esp. si es de gran tamaño. ∎ s.f. **6** Nave en la que va embarcado el jefe de una escuadra: *De las tres naves que descubrieron América, la 'Santa María' era la capitana.* **7** ‖**capitán general**; **1** En el ejército, grado supremo. **2** En el ejército, jefe superior de una región militar, aérea o naval. □ ETIMOL. Del latín *capitanus* (jefe). □ SINT. La acepción 6 se usa en aposición, pospuesto a un sustantivo. □ SEM. En la acepción 3, dist. de *teniente de navío* (en la Armada).

capitanear v. **1** Referido a un grupo de personas o a una acción, dirigirlos o conducirlos: *Con su gran actuación en el partido ha capitaneado a su equipo a la victoria.* **2** Referido a una tropa, mandarla con el empleo de capitán: *Capitaneó a los soldados que defendieron la plaza con tanta valentía.*

capitanía s.f. **1** En el ejército, empleo de capitán. **2** ‖**capitanía general**; **1** En el ejército, empleo de capitán general. **2** Puesto de mando u oficina de éste. **3** Territorio bajo la autoridad de éste.

capitel s.m. En arquitectura, parte superior de una columna, de una pilar o de una pilastra. □ ETIMOL. Del provenzal antiguo *capitel*. □ ORTOGR. Se admite también *chapitel*.

capitolio s.m. Edificio majestuoso y elevado. □ ETIMOL. Del latín *capitolium*.

capitoste s.m. col. Persona que tiene poder, influencia o mando. □ ETIMOL. Del catalán *capitost*. □ USO Tiene un matiz despectivo.

capitulación ∎ s.f. **1** Pacto o concierto hecho entre dos o más personas sobre algún asunto, generalmente importante. **2** Convenio militar o político en el que se estipula la rendición de una plaza o de un ejército. ∎ pl. **3** Acuerdos que se firman ante notario y en los que se establece el régimen económico del matrimonio.

capitular ∎ adj. **1** De un cabildo o corporación secular o eclesiástica, de un capítulo o junta de una orden, o relacionado con ellos. ∎ v. **2** Referido esp. a una plaza de guerra o a un ejército, rendirse o entregarse bajo determinadas condiciones estipuladas con el enemigo: *La plaza fuerte capituló porque el enemigo se comprometió a tratar bien a los vencidos.* **3** Abandonar una pugna o discusión por cansancio o por el poder de los argumentos contrarios: *Le di tantas razones para ir a ese viaje, que no le quedó más remedio que capitular.* **4** Pactar o acordar en convenio: *Las dos partes creían que se había cumplido lo que habían capitulado.* □ ETIMOL. Las acepciones 2-4, de *capítulo*. □ MORF. Como adjetivo es invariable en género.

capítulo s.m. **1** En una narración o en un escrito, cada una de las partes en que se dividen, generalmente dotadas de cierta unidad de contenido. [**2** Asunto, materia o tema: *Sólo nos queda por tratar el 'capítulo' de las obras del nuevo edificio.* **3** Junta de una corporación, esp. la de una orden religiosa: *El capítulo de los franciscanos fue presidido por el general de la orden.* **4** En botánica, inflorescencia formada por un conjunto de flores sentadas o sostenidas por un pedúnculo muy corto, y que nacen en un receptáculo común; cabezuela: *La flor de la margarita es un capítulo.* 🔬 inflorescencia **5** ‖**{llamar/traer} a capítulo** a alguien; reprenderlo o pedirle cuentas de su conducta. ‖**ser capítulo aparte** algo; ser una cuestión distinta o que merece una consideración aparte. □ ETIMOL. Del latín *capitulum* (letra capital). □ SEM. Dist. de *capitulo* (del verbo *capitular*).

capo s.m. Jefe de una mafia, esp. si es de narcotraficantes. □ ETIMOL. Del italiano *capo* (cabeza), aplicado a los jefes de la mafia).

capó s.m. En un automóvil, cubierta del motor. □ ETIMOL. Del francés *capot*.

capón ∎ adj./s.m. **1** Referido a un hombre o a un animal, que han sido castrados. ∎ s.m. **2** Pollo que se castra cuando es pequeño y que se ceba para comerlo. **3** col. Golpe dado con los nudillos de los dedos, esp. con el del dedo corazón, en la cabeza. □ ETIMOL. Las acepciones 1 y 2, del latín **cappo*.

caporal s.m. **1** Persona que se ocupa del ganado que se emplea en la labranza. **2** Persona que encabeza un grupo de gente y lo manda. □ ETIMOL. Del italiano *caporale*.

capota s.f. Cubierta de tela que llevan algunos vehículos. □ ETIMOL. Del latín *caput* (cabeza).

capotar v. **1** Referido a una aeronave, dar con la parte delantera en tierra: *La avioneta capotó al despegar.* **2** Referido a un automóvil, volcar de forma que queda en posición invertida: *El coche capotó porque tomó la curva a demasiada velocidad.* □ ETIMOL. Del francés *capoter*. □ ORTOGR. Dist. de *capotear*.

capotazo s.m. En tauromaquia, pase que realiza el torero con el capote para provocar o detener la embestida del toro.

capote s.m. **1** Prenda de abrigo parecida a la capa, pero con mangas y con menos vuelo. **2** ‖**capote (de brega)**; en tauromaquia, pieza de tela con vuelo, de color vivo, que se utiliza para torear; capa, trapo. ‖**capote de paseo**; en tauromaquia, capa corta de seda, bordada de oro o de plata con lentejuelas, que los toreros de a pie usan en el desfile de las cuadrillas y al entrar y al salir de la plaza. ‖ **echar un capote**; *col.* Ayudar en un apuro, esp. en una conversación o en una disputa. ☐ ETIMOL. De *capa*.

capotear v. Torear con el capote: *El torero capoteó al toro.* ☐ ORTOGR. Dist. de *capotar*.

capotillo s.m. Prenda de abrigo parecida a la capa, pero que sólo llega a la cintura.

cappa s.f. →**kappa**.

capricho s.m. **1** Deseo arbitrario que no está basado en una razón lógica, sino en un antojo pasajero. **2** Lo que es objeto de este deseo: *Ese coche deportivo es un capricho.* **3** Composición musical de forma libre y fantasiosa, que busca producir efectos imprevistos y sorpresivos: *Los caprichos son característicos de la última época del Barroco y del Romanticismo.* **4** Obra de arte que se aleja de los modelos académicos y tradicionales por medio del ingenio o de la fantasía. ☐ ETIMOL. Del italiano *capriccio* (idea nueva y extraña en una obra de arte, antojo).

caprichoso, sa adj. Que obedece al capricho, y no a la lógica o a un modelo previo.

capricornio adj./s. Referido a una persona, que ha nacido entre el 22 de diciembre y el 20 de enero aproximadamente. ☐ ETIMOL. Del latín *capricornus*, y éste de *capra* (cabra) y *cornu* (cuerno). ☐ MORF. 1. Como adjetivo es invariable en género. 2. Como sustantivo es de género común: *el capricornio, la capricornio.*

caprino, na adj. De la cabra o relacionado con ella; cabrerizo, cabruno.

cápsula s.f. **1** Envoltura de un material insípido y soluble que recubre algunos medicamentos. **2** Conjunto formado por esta envoltura y por el medicamento que contiene: *unas cápsulas para el catarro.* **3** En una nave espacial, parte en la que se instalan los tripulantes. **4** Recipiente de bordes muy bajos que se usa en el laboratorio para evaporar líquidos. 🔬 química **5** En anatomía, membrana que recubre algunos órganos o algunas partes del organismo. **6** ‖ **cápsula suprarrenal**; en anatomía, glándula que está situada en la parte alta del riñón humano. ☐ ETIMOL. Del latín *capsula*, y éste de *capsa* (caja).

captación s.f. **1** Percepción de algo por medio de los sentidos o de la inteligencia. **2** Recepción de las ondas de radio o de televisión, o de lo que por ellas se transmite. **3** Recogida de las aguas de uno o de varios manantiales de forma conveniente. **4** Atracción o logro de nuevos partidarios, o de su voluntad o su afecto: *captación de socios.*

captar v. **1** Percibir por medio de los sentidos o de la inteligencia: *Tiene un oído muy fino y capta el más mínimo ruido.* **2** Referido a ondas de radio o de televisión, o a lo que se transmite por ellas, recibirlas o recogerlas: *Con la nueva antena de televisión capto mejor las emisiones.* **3** Referido a aguas, recoger convenientemente las de uno o más manantiales: *El pantano capta las aguas de la cuenca.* **4** Referido a una persona, atraer o ganar su voluntad o su afecto: *Con su discurso intentaba captar adeptos para su causa.* **5** Referido a una actitud o a un sentimiento ajenos, lograrlos o conseguirlos: *El niño llora para captar la atención de los mayores.* ☐ ETIMOL. Del latín *captare* (tratar de coger, tratar de percibir).

captor, -a ‖ adj. **1** Que capta. ‖ adj./s. **2** Que captura.

captura s.f. **1** Apresamiento de alguien al que se considera un delincuente. **2** Apresamiento de algo que ofrece resistencia. ☐ ETIMOL. Del latín *captura* (acción de coger).

capturar v. **1** Referido esp. a un delincuente, prenderlo o apresarlo: *La policía capturó al delincuente que se había escapado de la cárcel.* **2** Referido a algo que se desea y que ofrece resistencia, aprehenderlo o apoderarse de ello: *Los asaltantes capturaron a un trabajador como rehén.*

capucha s.f. **1** En algunas prendas de vestir, parte terminada en punta, que sirve para cubrir la cabeza; capucho. 🔬 sombrero **[2** *col.* →**capuchón.** 🔬 tapón ☐ ETIMOL. De *capucho* (capucha). ☐ USO Aunque la RAE prefiere *capucho*, se usa más *capucha*.

capuchino, na ‖ adj. **1** De la orden religiosa que reforma la fundada por san Francisco (religioso italiano de los siglos XII y XIII) o relacionado con ella. ‖ adj./s. **2** Referido a un religioso descalzo, que pertenece a esta orden. ‖ s.m. **3** →**café capuchino.** ☐ ETIMOL. Del italiano *cappuccino.*

capucho s.m. →**capucha.**

capuchón s.m. En algunos instrumentos de escritura, pieza que cubre y protege el extremo en el que está la punta; capucha. 🔬 tapón

[capul s. En zonas del español meridional, flequillo. ☐ MORF. Es de género ambiguo: *el 'capul' largo, la 'capul' larga.*

capullo s.m. **1** Flor cuyos pétalos todavía no se han abierto. **2** Envoltura de forma oval en la que se encierra la larva de algunos insectos para transformarse en adulto. 🔬 metamorfosis **[3** *vulg.* Persona que hace una mala pasada a otra. **4** *vulg.* Persona torpe o con poca experiencia. **[5** *vulg.* →**glande.** ☐ ETIMOL. Quizá de *capillo* (capullo, capucha), con la terminación del latín *cucullus* (capucha). ☐ MORF. Las acepciones 3 y 4 se usan como insulto.

caqui ‖ adj./s.m. **1** De color verde grisáceo o pardo amarillento. ‖ s.m. **2** Tela de algodón o de lana de este color. **3** Árbol frutal originario del este asiático que produce un fruto comestible, carnoso y de sabor dulce. **4** Fruto de este árbol, de color rojizo o anaranjado. ☐ ETIMOL. Las acepciones 1 y 2, del inglés *khaki*, y éste del urdu *khaki* (de color de polvo). Las acepciones 3 y 4, del latín *Diospiros kaki*. ☐ MORF. 1. Como adjetivo es invariable en género. 2. En la acepción 3, la RAE sólo lo registra como sustantivo.

cara s.f. Véase **caro, ra.**

caraba ‖ **ser la caraba**; *col.* Ser indignante, intolerable o sorprendente.

carabao s.m. Mamífero rumiante de origen asiático parecido al búfalo, pero de color gris azulado y con cuernos largos, aplanados y dirigidos hacia atrás. ☐ ETIMOL. De la voz de las islas del archipiélago filipino *karabáw*. ☐ MORF. Es un sustantivo epiceno: *el carabao macho, el carabao hembra.*

carabela s.f. Antigua embarcación muy ligera, larga y estrecha, que tiene tres palos y una sola cubierta. ☐ ETIMOL. Del portugués o gallego *caravela*. ☐ ORTOGR. Dist. de *calavera.* 🔬 embarcación

carabina s.f. **1** Arma de fuego portátil parecida al fusil, pero de menor longitud. 🔬 arma **2** *col.* Acompañante de una persona que va con otra de distinto sexo, para vigilarlos. ☐ ETIMOL. Del francés *carabine.*

carabinero s.m. **1** Miembro de un cuerpo encargado de perseguir el contrabando. **2** Antiguamente, soldado armado con carabina. **3** Crustáceo comestible parecido al langostino, pero de mayor tamaño y de color rojo oscuro. **[4** En zonas del español meridional, agente de policía. □ MORF. En la acepción 3, es un sustantivo epiceno: *el carabinero macho, el carabinero hembra.*

cárabo s.m. Ave rapaz nocturna, que tiene la cabeza grande y redonda, los ojos negros y el plumaje rojizo o con motas grises. □ ETIMOL. Del árabe *qarab* (ave nocturna). □ MORF. Es un sustantivo epiceno: *el cárabo macho, el cárabo hembra.* □ SEM. Aunque la RAE lo considera sinónimo de *autillo*, en círculos especializados no lo es.

caracol s.m. **1** Molusco terrestre o marino que posee una concha en espiral. **2** Concha de este animal. **3** En anatomía, cavidad del oído interno que en los mamíferos tiene una forma semejante a esta concha. ⚭ oído **4** Rizo del pelo. ⚭ peinado **5** En equitación, cada una de las vueltas que el jinete hace dar al caballo. □ ETIMOL. De origen incierto.

caracola s.f. **1** Concha de gran tamaño y de forma cónica de un caracol marino. **[2** Bollo glaseado, redondo, aplanado y con forma de espiral.

caracoles interj. Expresión que se usa para indicar extrañeza, sorpresa, admiración o disgusto.

caracolillo s.m. **1** Planta leguminosa, de tallos volubles, hojas romboidales puntiagudas, y flores blancas y azules enroscadas. **2** Flor de esta planta.

carácter s.m. **1** Conjunto de cualidades o circunstancias propias y distintivas: *Esta novela tiene un carácter humorístico.* **2** Firmeza de ánimo, energía o temperamento; genio: *Es una persona de carácter.* **3** Signo de escritura o de imprenta: *Las letras y los números son caracteres.* **4** Condición o naturaleza: *La visita del presidente fue de carácter privado.* **5** Señal espiritual que deja un conocimiento o una experiencia importantes: *El sacerdote nos dijo que el bautismo imprime carácter.* □ ETIMOL. Del latín *character* (carácter de estilo). □ MORF. Su plural es *caracteres.* □ SINT. La acepción 5 se usa más con los verbos *imprimir, imponer* o equivalentes.

[caracteriología s.f. →**caracterología.**

[caracteriológico, ca adj. →**caracterológico.**

característico, ca ∎ adj./s.f. **1** Referido a una cualidad, que es propia de algo y sirve para distinguirlo de los demás: *Habló con su ironía característica.* ∎ s.f. **2** En matemáticas, conjunto de cifras que indican la parte entera de un logaritmo.

caracterización s.f. **1** Distinción o diferenciación de algo por sus rasgos característicos. **2** Maquillaje de un actor para la representación de un personaje.

caracterizar ∎ v. **1** Distinguir o diferenciar por los rasgos característicos: *En la redacción describí los rasgos que me caracterizan. Mi primo se caracteriza por su gran optimismo.* ∎ prnl. **2** Referido esp. a un actor, maquillarse para representar un determinado personaje: *Para representar su personaje tiene que caracterizarse de payaso.* □ ORTOGR. La z se cambia en *c* delante de *e* →CAZAR.

caracterología s.f. **1** Parte de la psicología que estudia el carácter y la personalidad humanos. **2** Conjunto de rasgos o peculiaridades que forman el carácter de una persona. □ ETIMOL. De *carácter* y *-logía* (ciencia, estudio). □ USO Aunque la RAE sólo registra *caracterología,* se usa también *caracteriología.*

caracterológico, ca adj. De la caracterología o relacionado con ella. □ USO Aunque la RAE sólo registra *caracterológico,* se usa también *caracteriológico.*

caradura adj./s. Referido a una persona, que tiene gran desfachatez o desvergüenza; carota. □ ORTOGR. Se admite también *cara dura.* □ MORF. **1.** Como adjetivo es invariable en género. **2.** Como sustantivo es de género común: *el caradura, la caradura.* **3.** La RAE sólo lo registra como sustantivo. **4.** En la lengua coloquial se usa mucho la forma abreviada *cara.*

carajillo s.m. Bebida compuesta de café y de un licor, esp. coñac.

carajo ∎ s.m. **1** *vulg.malson.* →**pene.** ∎ interj. **2** *vulg.* Expresión que se usa para indicar extrañeza, sorpresa, admiración o disgusto. **3** ‖ **[al carajo** con algo; *vulg.* Expresión que se usa para indicar el enfado o la impaciencia que esto causa. ‖ **[del carajo];** *vulg.* Muy grande o extraordinario. ‖ **irse al carajo un asunto;** *vulg.* Fracasar. ‖ **mandar al carajo** algo; *vulg.* Rechazarlo o desentenderse de ello. ‖ **[qué carajo;** *vulg.* Expresión que se usa para indicar decisión, negación, sorpresa o contrariedad. ‖ **un carajo;** *vulg.* **1** Muy poco o nada. vulg. **[2** Expresión que se usa para indicar negación o rechazo. □ ETIMOL. De origen incierto. □ SINT. *Un carajo,* en la acepción 1, se usa más con los verbos *importar, valer* o equivalentes y en expresiones negativas. □ USO Se usa mucho como palabra comodín en expresiones vulgares malsonantes.

caramba interj. *col.* Expresión que se usa para indicar extrañeza, sorpresa, admiración o disgusto. □ USO Se usa mucho en la expresión *qué caramba.*

carámbano s.m. Trozo de hielo más o menos largo y puntiagudo, esp. el que se forma al helarse por el frío el agua que gotea. □ ETIMOL. Del latín **calamulus* (cañita, palito), porque los carámbanos tienen forma cilíndrica.

carambola s.f. **1** En el billar y otros juegos, jugada en la que la bola impulsada toca a otra o a otras dos. **2** *col.* Suerte o casualidad favorable; chiripa. □ ETIMOL. De origen incierto.

caramelizar v. Bañar en caramelo líquido o en azúcar fundido; acaramelar: *El cocinero caramelizó el postre.* □ ORTOGR. La z se cambia en *c* delante de *e* →CAZAR.

caramelo s.m. **1** Golosina, generalmente en forma de pastilla, hecha con azúcar fundido y endurecido, y aromatizada con esencias u otros ingredientes. **2** Azúcar fundido y endurecido. □ ETIMOL. Del portugués *caramelo.*

caramillo s.m. Flauta de caña, de madera o de hueso, con un sonido muy agudo. □ ETIMOL. Del latín *calamellus,* y éste de *calamus* (caña). ⚭ viento

caramujo s.m. **1** Rosal silvestre. **2** Caracol marino que se pega a los fondos de los buques.

carantoña s.f. Caricia, halago o demostración de cariño para conseguir algo de alguien. □ SEM. En plural es sinónimo de *cucamonas.* □ USO Se usa más en plural.

caraota s.f. En zonas del español meridional, judía o alubia.

[carapintada s.m. Militar golpista argentino.

carátula s.f. **1** Máscara para ocultar la cara. **2** Cubierta o portada, esp. la de un libro o la de los estuches de discos o cintas. ☐ ETIMOL. Del latín *character* (signo, marca).

caravana s.f. **1** Grupo de personas que viajan juntas, a pie o en algún vehículo, esp. si atraviesan una zona sin poblar y tienen un destino determinado. 🔎 vivienda **2** Fila de vehículos que circulan por una carretera en una misma dirección y que, debido al denso tráfico, marchan lentamente y con poca distancia entre ellos. **3** Automóvil o remolque grande acondicionados para vivienda. ☐ ETIMOL. Del persa *karawan* (recua de caballerías).

caray interj. Expresión que se usa para indicar extrañeza, sorpresa, admiración o disgusto. ☐ SINT. Se usa mucho en la expresión *¡qué caray!*

carbón s.m. **1** Materia sólida, ligera, negra y combustible, que se obtiene por destilación o combustión incompleta de la leña o de otros cuerpos orgánicos. **2** ‖**carbón animal**; el que se obtiene mediante calcinación de huesos. ‖**carbón {de leña/vegetal}**; el que se obtiene por la combustión incompleta de la madera. ‖**carbón {de piedra/mineral}**; el que resulta de la transformación de masas vegetales en minerales. ☐ ETIMOL. Del latín *carbo*.

carbonada s.f. Carne cocida, picada, y después asada en ascuas o en parrillas.

carbonato s.m. En química, sal derivada del ácido carbónico. ☐ ETIMOL. De *carbono*.

carboncillo s.m. **1** Lápiz o barrita de madera carbonizada que sirven para dibujar. **2** Dibujo hecho con este lápiz o con esta barrita.

carbonera s.f. Véase **carbonero, ra**.

carbonería s.f. Establecimiento o almacén donde se vende carbón.

carbonero, ra ❚ adj. **1** Del carbón o relacionado con esta materia. ❚ s. **2** Persona que hace o vende carbón. ❚ s.m. **3** Pájaro insectívoro de pequeño tamaño y pico corto, afilado y casi cónico. ❚ s.f. **4** Lugar en el que se guarda el carbón. ☐ MORF. En la acepción 3, es un sustantivo epiceno: *el carbonero macho, el carbonero hembra.*

carbónico, ca adj. Referido a una combinación o a una mezcla, que contiene carbono.

carbonífero, ra ❚ adj. **1** En geología, del quinto período de la era primaria o paleozoica o relacionado con él. ❚ adj./s.m. **2** En geología, referido a un período, que es el quinto de la era primaria o paleozoica. ☐ ETIMOL. Del latín *carbo* (carbón) y *ferre* (producir).

carbonilla s.f. **1** Resto o partícula de carbón. **[2** En zonas del español meridional, carboncillo para dibujar.

carbonización s.f. Quema, calcinación o reducción a carbón de un cuerpo orgánico.

carbonizar v. Referido a un cuerpo orgánico, reducirlo a carbón: *El incendio carbonizó toda la arboleda. Los muebles del salón se carbonizaron por las llamas.* ☐ ORTOGR. La *z* se cambia en *c* delante de *e* →CAZAR.

carbono s.m. **1** Elemento químico, no metálico y sólido, de número atómico 6, muy abundante en la naturaleza como componente principal de todas las sustancias orgánicas. **2** ‖**[carbono 14**; isótopo radiactivo de este elemento químico que se forma en la atmósfera a partir del nitrógeno por acción de los rayos cósmicos, y que se utiliza en investigación

para determinar la edad de los fósiles y los restos orgánicos hasta un límite de 50.000 años. ☐ ETIMOL. Del latín *carbo* (carbón). ☐ ORTOGR. Su símbolo químico es *C*.

carburación s.f. Mezcla de gases o aire de la atmósfera con carburantes gaseosos o con vapores de carburantes líquidos para hacerlos combustibles o detonantes.

carburador s.m. En un motor de explosión, pieza en la que se efectúa la carburación.

carburante s.m. Mezcla de hidrocarburos que se emplea en los motores de explosión y de combustión interna.

carburar v. **1** Mezclar los gases o el aire atmosférico con carburantes gaseosos o con vapores de carburantes líquidos, para hacerlos combustibles o detonantes: *Se han ensuciado las bujías porque el coche no carbura bien.* **2** col. Funcionar bien o dar un buen rendimiento: *Aunque es muy anciano, su cabeza carbura muy bien.*

carburo s.m. Combinación de carbono con otros elementos, preferiblemente metálicos.

carca adj./s. col. Anticuado o de ideas retrógradas o conservadoras. ☐ MORF. 1. Como adjetivo es invariable en género. 2. Como sustantivo es de género común: *el carca, la carca*. ☐ USO Es despectivo.

carcaj s.m. Especie de caja, generalmente en forma de tubo, provista de una cuerda o de una correa para colgársela al hombro, y que sirve para llevar flechas; aljaba. ☐ MORF. Su plural es *carcajes.*

carcajada s.f. Risa impetuosa y ruidosa. ☐ ETIMOL. De origen onomatopéyico.

carcajearse v.prnl. **1** Reírse a carcajadas: *La situación era tan divertida que no parábamos de 'carcajearnos'*. **[2** Burlarse o no hacer caso: *Es un impresentable y 'se carcajea' de la gente.*

carcamal adj./s.m. Referido a una persona, que está vieja y achacosa. ☐ ETIMOL. De *cárcamo*, y éste de *cárcavo* (viejo achacoso). ☐ MORF. Como adjetivo es invariable en género. ☐ USO Es despectivo.

carcañal s.m. →calcañal.

carcasa s.f Armazón o estructura. ☐ ETIMOL. Del francés *carcasse.*

cárcel s.m. Lugar en el que se encierra y custodia a los condenados a una pena de privación de libertad o a los presuntos culpables de un delito. ☐ ETIMOL. Del latín *carcer.*

carcelario adj. De la cárcel o relacionado con ella.

carcelero, ra s. Persona encargada de cuidar y vigilar a los presos.

[carcinogénico, ca adj. Referido a una sustancia o a un agente, que produce cáncer; carcinógeno.

carcinógeno, na adj. En medicina, referido a una sustancia o a un agente, que produce cáncer; carcinogénico. ☐ ETIMOL. Del griego *kárkinos* (cáncer) y *-geno* (que produce).

carcinoma s.m. En medicina, tumor formado a partir de células del epitelio, que tiende a reproducirse. ☐ ETIMOL. Del griego *karkínoma*, y éste de *kárkinos* (cáncer) y *-oma* (tumor).

carcoma s.f. Insecto coleóptero, muy pequeño y de color oscuro, esp. el que tiene larvas que roen y taladran la madera. ☐ ETIMOL. De origen incierto.

carcomer v. **1** Referido a la madera, roerla la carcoma: *La carcoma carcomió el armario.* **2** Referido esp. a la salud o a la paciencia, corroerlas o consumirlas poco a poco: *La tuberculosis carcome su salud.*

Los remordimientos lo carcomen y no logra alejarlos de su mente.

cardado s.m. **1** Limpieza de la materia textil antes de hilarla. **2** Extracción del pelo de un tejido con un instrumento o una máquina. **3** Peinado o cepillado del pelo desde la punta a la raíz para que quede hueco.

cardar v. **1** Referido a una materia textil, peinarla o limpiarla o prepararla para el hilado: *Cardar la lana es un trabajo duro.* **2** Referido al pelo de un tejido, sacarlo con la carda: *Esas operarias están cardando los paños.* **3** Referido al pelo de una persona, peinarlo o cepillarlo desde la punta a la raíz para que quede hueco: *Si no se carda el pelo se le queda muy aplastado.* ☐ ETIMOL. De *cardo*, porque la lana se peinaba con la cabeza de un cardo antes de hilarla.

cardenal s.m. **1** En la iglesia católica, prelado o superior eclesiástico de categoría inmediatamente inferior a la del papa, y consejero de éste en los asuntos graves de la Iglesia. **2** Mancha amoratada o amarillenta que se produce en la piel, generalmente por efecto de un golpe. **3** Pájaro americano que tiene un alto penacho rojo y canta de forma agradable. ☐ ETIMOL. Las acepciones 1 y 3, del latín *cardinalis* (cardinal, principal). La acepción 2, de *cárdeno.* ☐ MORF. En la acepción 3, es un sustantivo epiceno: *el cardenal macho, el cardenal hembra.* ☐ SEM. En la acepción 2, es sinónimo de *moradura* y *moratón.*

cardenalato s.m. Cargo de cardenal.

cardenalicio, cia adj. Del cardenal o relacionado con este superior eclesiástico.

cardenillo s.m. Sustancia venenosa, de color verdoso o azulado, que se forma en un objeto de cobre. ☐ ETIMOL. De *cárdeno.*

cárdeno, na adj. **1** De color semejante al morado o con tonalidades moradas. **2** Referido a un toro, que tiene el pelo negro y blanco. ☐ ETIMOL. Del latín *cardinus* (azulado), y éste de *cardus* (cardo) por el color azul de las flores de esta planta.

cardiaco, ca o **cardíaco, ca** ▌ adj. **1** Del corazón o relacionado con este órgano. ▌ adj./s. **2** Referido a una persona, que padece del corazón. ☐ ETIMOL. Del griego *kardiakós*, y éste de *kardía* (corazón).

cardias s.m. En el sistema digestivo, orificio del estómago que comunica con el esófago. ☐ ETIMOL. Quizá del griego *trêma kardías* (agujero del estómago). ☐ MORF. Invariable en número.

cárdigan s.m. Chaqueta deportiva de punto, con escote en pico y generalmente sin cuello. ☐ ETIMOL. Del inglés *cardigan.* ☐ MORF. Invariable en número.

cardillo s.m. Planta herbácea, de flores amarillentas y hojas rizadas y espinosas, cuya penca se come cocida cuando está tierna.

cardinal ▌ adj. **1** Que expresa la idea de cantidad o número: *Uno, siete y mil son pronombres cardinales numerales.* **2** Principal o fundamental. ▌ s.m. **3** →**número cardinal.** ☐ ETIMOL. Del latín *cardinalis* (principal). ☐ MORF. 1. Como adjetivo es invariable en género. 2. En la acepción 3, la RAE sólo lo registra como adjetivo.

cardio- Elemento compositivo que significa 'corazón'. ☐ ETIMOL. Del griego *kardía.*

cardiocirujano, na s. Cirujano especializado en operaciones de corazón.

cardiografía s.f. Estudio y descripción del cora-

zón. ☐ ETIMOL. De *cardio-* (corazón) y *-grafía* (imagen).

cardiología s.f. Rama de la medicina que estudia el corazón, sus funciones y enfermedades. ☐ ETIMOL. De *cardio-* (corazón) y *-logía* (estudio, ciencia).

cardiólogo, ga s. Médico especialista en cardiología.

cardiopatía s.f. Enfermedad del corazón. ☐ ETIMOL. De *cardio-* (corazón) y *-patía* (enfermedad).

[cardiorrespiratorio, ria adj. Del corazón y del aparato respiratorio.

[cardiovascular adj. Del corazón y de los vasos sanguíneos o relacionado con el aparato circulatorio. ☐ MORF. Invariable en género.

cardo s.m. **1** Planta anual de hojas grandes y espinosas, flores en cabezuela, y cuyo nervio principal suele ser comestible. **2** ‖**cardo (borriquero); 1** El que tiene las hojas rizadas y espinosas y flores de color púrpura en cabezuela. *col.* **2** Persona arisca o muy desagradable. ☐ ETIMOL. Del latín *cardus.*

cardume o **cardumen** s.m. Conjunto numeroso de peces que nadan juntos, esp. si son de la misma especie; banco. ☐ ETIMOL. Del portugués y del gallego *cardume.* ☐ USO *Cardume* es el término menos usual.

carear ▌ v. **1** Referido a varias personas, ponerlas cara a cara e interrogarlas para averiguar la verdad sobre algo: *El juez ordenó carear a los dos testigos.* **2** Referido a un elemento, cotejarlo o compararlo con otro: *El experto careó las dos láminas.* ▌ prnl. **3** Referido a varias personas, verse para algún negocio o para resolver algo desagradable: *Tendremos que carearnos para resolver este problema de una vez por todas.* ☐ ETIMOL. De *cara.*

carecer v. Referido a algo, no tenerlo: *Son tan pobres, que carecen de lo más elemental.* ☐ ETIMOL. Del latín *carescere.* ☐ MORF. Irreg. →PARECER. ☐ SINT. Constr. *carecer DE algo.*

carencia s.f. **1** Falta o privación de algo. **2** En un crédito bancario, tiempo en el que aún no se comienza a devolver el dinero: *Este préstamo tiene un año de carencia.* ☐ ETIMOL. Del latín *carentia.*

carencial adj. De la carencia de sustancias alimenticias o de vitaminas, o relacionado con ella. ☐ MORF. Invariable en género.

carente adj. Que carece o que no tiene. ☐ MORF. Invariable en género. ☐ SINT. Constr. *carente DE algo.*

careo s.m. Colocación de varias personas frente a frente para realizar un interrogatorio conjunto y averiguar la verdad sobre algo.

carero, ra adj. Que suele vender caro.

carestía s.f. Precio elevado de lo que es de uso común. ☐ ETIMOL. Del latín *caristia* (escasez de víveres).

careta s.f. **1** Máscara o mascarilla de cartón o de otra materia que se utiliza para cubrir la cara. **2** Lo que oculta o disimula la forma de ser de alguien o sus propósitos; máscara. ☐ ETIMOL. De *cara.*

[careto s.m. *col.* Cara.

carey s.m. **1** Tortuga de mar que alcanza un metro de longitud, con las extremidades anteriores más largas que las posteriores, el caparazón dividido en segmentos ondulados, y cuyos huevos son comestibles. **2** Materia córnea que se obtiene del caparazón de esta tortuga; concha. ☐ MORF. 1. En la acepción 1, es un sustantivo epiceno: *el carey macho, el carey* *hembra.* **2.** Aunque el plural en la lengua culta es *careyes,* se usa mucho la forma *caréis.*

carga s.f. **1** Colocación de un peso o de una mercancía sobre algo, generalmente para transportarlos. **2** Lo que se transporta: *La carga que lleva este camión es material explosivo.* **3** Peso sostenido por una estructura. **4** Repuesto o recambio de una materia necesaria para el funcionamiento de un utensilio o de un aparato: *Cuando se te acabe la tinta, cambia la carga de la pluma.* **5** Cantidad de sustancia explosiva que se introduce en un arma de fuego o que se utiliza para volar algo. **6** Llenado, aumento o incremento de algo. **7** Acometida o ataque con fuerza contra alguien. **8** En algunos deportes, desplazamiento de un jugador por otro mediante un choque violento con el cuerpo. **9** Cantidad de energía eléctrica acumulada en un cuerpo: *Las cargas eléctricas de igual signo se repelen.* **10** Impuesto o tributo que recae sobre algo. **11** Obligación propia de un oficio o de una situación: *El puesto de director supone muchas cargas.* **12** Aflicción o situación penosa que recae sobre alguien: *Lo que empecé haciendo con gusto ahora se ha convertido en una carga.* **13** ‖ [**carga lectiva**; cantidad de horas de clase que abarca un curso. ‖ **volver a la carga**; insistir o reincidir.

cargado, da adj. **1** Referido al tiempo atmosférico, bochornoso o muy caluroso. **2** Referido esp. al café, fuerte o muy concentrado.

cargador s.m. En un arma de fuego, pieza que contiene las municiones.

cargamento s.m. Conjunto de mercancías que carga o lleva un vehículo.

cargante adj. Que resulta molesto o que cansa mucho por su insistencia. ☐ MORF. Invariable en género.

cargar ▮ v. **1** Referido a una persona o a un animal, poner o echar peso sobre ellos: *Cargaron las mulas con los bultos. Siempre me cargan a mí el asunto de los presupuestos.* **2** Referido a un vehículo, poner en él una mercancía para transportarla: *Has cargado tanto mucho el coche.* **3** Referido a un arma de fuego, introducir en ella la carga o el cartucho: *Cargó el revólver con sólo una bala.* **4** Referido esp. a un utensilio o a un aparato, proveerlos de lo que necesitan para funcionar: *Acelera un poco más para que se cargue la batería.* **5** Referido a una persona o a un objeto, imponer sobre ellos una carga, una obligación o un impuesto: *Han cargado estas viviendas con un nuevo impuesto.* **6** Referido a algo negativo o perjudicial, achacárselo o atribuírselo a alguien: *Aunque no tenían pruebas le cargaron a él el robo.* **7** En economía, referido a la cantidad que corresponde al debe, anotarla en una cuenta, esp. si es bancaria: *Ya me han cargado el recibo del teléfono.* **8** Hacer acopio o reunir en abundancia: *Hemos cargado azúcar para todo el año.* **9** col. Incomodar, cansar o causar molestia: *Esas bromitas suyas me cargan.* **10** col. Referido a una asignatura, suspenderla: *He cargado las matemáticas con un cero.* **11** Acometer o atacar con fuerza contra alguien: *La caballería cargó contra el campamento.* **12** En algunos deportes, referido a un jugador, desplazar a otro de su sitio mediante un choque violento con el cuerpo: *El defensa cargó contra el delantero.* **13** Mantener o soportar sobre sí un peso o una obligación: *¿Quién va a cargar con los gastos del viaje?* **14** Referido a un elemento, descansar

sobre otro: *La bóveda carga sobre los muros laterales.* **15** En zonas del español meridional, repostar. **16** En zonas del español meridional, referido a un objeto de uso personal, llevarlo: *Cargo siempre los anteojos.* **[17** En zonas del español meridional, referido a un animal macho, montar a la hembra. ▮ prnl. **18** Llenarse o llegar a tener en abundancia: *cargarse de hijos.* **19** Romper, estropear o echar a perder: *cargarse un negocio.* **20** col. Referido a un ser vivo, matarlo o quitarle la vida: *Es una película muy violenta y se cargan a diez tipos por minuto.* **21** Referido a un ambiente, volverse impuro o irrespirable por falta de ventilación: *La habitación se cargó mucho.* **22** Referido a una parte del cuerpo, sentir en ella pesadez o congestión: *Se me cargan las piernas.* **23** Acumular energía eléctrica: *Enchufa la batería a la red para que se cargue.* **24** ‖ **cargársela** alguien; recibir un castigo o una reprimenda: *Te la vas a cargar por haber vuelto tarde a casa.* ☐ ETIMOL. Del latín *carricare,* y éste de *carrus* (carro). ☐ ORTOGR. La *g* se cambia en *gu* delante de *e* →PAGAR. ☐ MORF. En la acepción 10, la RAE no la registra como pronominal. ☐ SINT. En las acepciones 1, 2 y 3, también los objetos cargados pueden funcionar de objeto directo: *Cargaron los bultos en las mulas. Cargué la leña en el camión. Cargó una bala en el revólver.*

cargazón s.m. Pesadez que se siente en alguna parte del cuerpo. ☐ ETIMOL. De *cargar.*

cargo s.m. **1** Dignidad, empleo u oficio. **2** Persona que tiene esta dignidad o que desempeña este oficio. **3** Cuidado, custodia o dirección de algo: *Tiene a su cargo la contabilidad de varias empresas.* **4** Falta o delito que se atribuyen a alguien. **5** En una cuenta, cantidad que se debe pagar, esp. por un servicio o una operación bancaria. **6** En economía, pago que debe hacerse con dinero, o anotación que se hace al debe de una cuenta; adeudo: *En mi cuenta corriente aparecen varios cargos que corresponden a compras.* **7** ‖ **a cargo de**; **1** Al cuidado de. **2** A expensas o a cuenta de. ‖ **cargo de conciencia**; lo que hace a alguien sentirse culpable. ‖ **hacerse cargo de** algo; **1** Encargarse de ello. **2** Formarse el concepto o la idea de ello: *Hazte cargo de que ya has perdido a esa persona para siempre.* **3** Comprenderlo o considerar todas sus circunstancias: *Hazte cargo de la situación en la que estoy y no me agobies.* ☐ ETIMOL. De *cargar.* ☐ SEM. *A cargo de* no debe emplearse con el significado de 'encargado de': *Mi hermano quedó {*a cargo > encargado*} de la empresa.*

cargoso, sa adj. col. En zonas del español meridional, que molesta o cansa. ☐ ETIMOL. De *cargar.*

carguero, ra s.m. Vehículo de carga, esp. un buque o un tren. 🖜 embarcación

cariacontecido, da adj. Que muestra en el rostro pena, alteración o sobresalto.

cariar v. Producir caries: *Se le cariaron todas las muelas.* ☐ ORTOGR. La *i* nunca lleva tilde. ☐ MORF. Se usa más como pronominal.

cariátide s.f. Estatua con figura de mujer vestida, que se usa como columna o pilastra para sujetar un arquitrabe o parte baja de la cornisa. ☐ ETIMOL. Del latín *caryatis,* y éste del griego *Karyâtis* (mujer de Karyai, ciudad de Laconia, donde había un templo famoso con columnas en forma de mujer). ☐ SEM. Dist. de *atlante.*

caríbal adj./s. →**caníbal.** ☐ ETIMOL. De *caribe.* ☐ MORF. **1.** Como adjetivo es invariable en género. **2.**

Como sustantivo es de género común: *el caríbal, la caríbal.*

caribe ▌ adj./s. **1** De un antiguo pueblo que dominó una parte de las Antillas (islas centroamericanas) y se extendió por el norte de América del Sur o relacionado con él. ▌ s.m. **2** Lengua americana de este pueblo. ☐ MORF. En la acepción 1, como adjetivo es invariable en género y como sustantivo es de género común: *el caribe, la caribe.*

caribeño, ña adj./s. Del mar Caribe (situado entre las costas centroamericanas, venezolanas y colombianas), o relacionado con él.

caribú s.m. Mamífero parecido al reno, de orejas cortas, pelo suave y cuernos ramificados, que vive principalmente en zonas del norte del continente americano. ☐ MORF. 1. Es un sustantivo epiceno: *el caribú macho, el caribú hembra.* 2. Aunque su plural en la lengua culta es *caribúes,* la RAE admite también *caribús.*

caricato s.m. Actor cómico o humorista especializado en la imitación de personajes conocidos. ☐ ETIMOL. Del italiano *caricato* (exagerado).

caricatura s.f. **1** Representación, copia o retrato en los que, con intención humorística o crítica, se deforman o exageran los rasgos más característicos del modelo que se sigue. **2** Lo que no alcanza a ser lo que pretende: *Sus pinturas sólo son pobres caricaturas de las de su maestro.* **[3** En zonas del español meridional, dibujos animados.] ☐ ETIMOL. Del italiano *caricatura.* ☐ MORF. La acepción 3 se usa más en plural. ☐ USO En la acepción 2, tiene un matiz despectivo.

caricaturesco, ca adj. Relacionado con la caricatura o que tiene alguna de sus características.

caricaturista s. Persona que se dedica profesionalmente a dibujar caricaturas. ☐ MORF. Es de género común: *el caricaturista, la caricaturista.*

caricaturización s.f. Representación por medio de una caricatura.

caricaturizar v. Representar por medio de una caricatura: *Estos dibujos caricaturizan la vida parlamentaria del siglo XIX.* ☐ ORTOGR. La *z* se cambia en *c* delante de *e* →CAZAR.

caricia s.f. **1** Demostración de cariño que consiste en rozar suavemente con la mano un cuerpo o una superficie. **2** Roce suave que produce una sensación agradable. **3** Halago o demostración de amor. ☐ ETIMOL. Del italiano *carezza.*

caridad s.f. **1** Actitud solidaria con el sufrimiento ajeno. **2** Limosna o auxilio que se da o se presta a los necesitados. **3** En el cristianismo, virtud teologal que consiste en amar a Dios sobre todas las cosas y al prójimo como a nosotros mismos. ☐ ETIMOL. Del latín *caritas* (amor, cariño).

caries s.f. Destrucción localizada de un tejido duro, esp. la producida en los dientes. ☐ ETIMOL. Del latín *caries* (podredumbre). ☐ MORF. Invariable en número.

carilla s.f. Página o cara de una hoja: *El resumen ocupa tres folios escritos por una sola carilla.*

carillón s.m. **1** Conjunto de campanas que producen un sonido armónico: *el carillón de la torre de la catedral.* **2** Reloj provisto de uno de estos juegos de campanas. **3** Juego de tubos o de planchas de acero que producen un sonido musical: *Asistimos a un curioso concierto de carillones, campanas y otros ins-*trumentos metálicos. ✪ percusión ☐ ETIMOL. Del francés *carillon.* ☐ PRON. Incorr. *[carrillón].

cariñena s.m. Vino tinto, dulce y oloroso, originario de Cariñena (comarca zaragozana).

cariño s.m. **1** Sentimiento o inclinación de amor o de afecto hacia algo. **2** Manifestación de este sentimiento. ☐ ETIMOL. Del gallego *cariño.* ☐ USO Se usa como apelativo: *Cariño, no llores, que ya está aquí mamá.*

cariñoso, sa adj. Afectuoso, amoroso o que manifiesta cariño.

carioca adj./s. De Río de Janeiro (ciudad y estado brasileños) o relacionado con él. ☐ MORF. 1. Como adjetivo es invariable en género. 2. Como sustantivo es de género común: *el carioca, la carioca.*

[cariotipo s.m. Conjunto de los cromosomas propios de cada individuo.

carisma s.m. **1** Don o cualidad que tienen algunas personas para atraer o seducir mediante su presencia o su palabra. **2** En el cristianismo, don gratuito que Dios concede a algunas personas para que obren en beneficio de la comunidad. ☐ ETIMOL. Del latín *charisma,* y éste del griego *khárisma* (gracia, beneficio).

carismático, ca adj. Del carisma, con carisma o relacionado con este don.

caritativo, va adj. De la caridad, con caridad, o relacionado con ella.

cariz s.m. Aspecto que presenta un asunto o cuestión. ☐ ETIMOL. De origen incierto.

carlinga s.f. En un avión, espacio interior en el que van el piloto y la tripulación. ☐ ETIMOL. Del francés *carlingue.*

carlismo s.m. Movimiento político español, de carácter conservador, que se inició con Carlos María Isidro de Borbón (hermano del rey de España Fernando VII) para apoyar sus pretensiones al trono.

carlista ▌ adj. **1** Del carlismo o relacionado con este movimiento político. ▌ adj./s. **2** Partidario o seguidor del carlismo. ☐ MORF. 1. Como adjetivo es invariable en género. 2. Como sustantivo es de género común: *el carlista, la carlista.*

carmelita ▌ adj. **1** Del Carmen o Carmelo (orden religiosa fundada en el siglo XIII); carmelitano. ▌ adj./s. **2** Referido a una persona, que pertenece a la orden del Carmen o Carmelo. ☐ ETIMOL. De *monte Carmelo.* ☐ MORF. 1. Como adjetivo es invariable en género. 2. Como sustantivo es de género común: *el carmelita, la carmelita.*

carmelitano, na adj. Del Carmen o Carmelo (orden religiosa fundada en el siglo XIII); carmelita.

carmen s.m. Verso o poema, esp. los compuestos en latín. ☐ ETIMOL. Del latín *carmen.*

carmesí adj./s. De color granate muy vivo. ☐ ETIMOL. Del árabe *quirmizi* (color del quermes, que es un insecto del que se extrae un pigmento de color rojo). ☐ MORF. 1. Como adjetivo es invariable en género. 2. Aunque su plural en la lengua culta es *carmesíes,* se usa mucho *carmesís.*

carmín ▌ adj./s.m. **1** De color rojo encendido. ▌ s.m. **2** Cosmético que sirve para pintarse los labios y que se presenta normalmente en forma de barra y dentro de un estuche; pintalabios. ☐ ETIMOL. De origen incierto. ☐ MORF. 1. Como adjetivo es invariable en género. 2. En la acepción 1, la RAE sólo lo registra como sustantivo.

carminativo, va adj./s.m. Referido a una sustancia, que ayuda a expulsar los gases almacenados en el tubo digestivo. □ ETIMOL. Del antiguo *carminar* (expeler).

carnada s.f. Animal o trozo de carne que se utilizan como cebo para cazar o pescar; carnaza.

carnadura s.f. →**encarnadura**.

carnal adj. **1** Del cuerpo y de sus instintos, o relacionado con ellos. **2** Referido a un parentesco, que se tiene por consanguinidad. □ MORF. Invariable en género.

carnaval s.m. **1** Período de tres días que precede a la cuaresma; carnestolendas. **2** Fiesta popular que se celebra en estos días y que consiste generalmente en mascaradas, bailes y comparsas. □ ETIMOL. Del italiano *carnevale*, y éste del latín *carne levare* (quitar la carne), por ser el comienzo del ayuno de Cuaresma.

carnavalada s.f. **1** Hecho o broma propios del tiempo de carnaval. **[2** Asunto, reunión o hecho grotescos o poco serios.

[carnavalero, ra adj. Del carnaval o relacionado con él.

carnavalesco, ca adj. Del carnaval o relacionados con él.

carnaza s.f. **1** Animal o trozo de carne que se utilizan como cebo para cazar o pescar; carnada. **[2** Suceso en el que hay alguna víctima inocente y que provoca fuertes sentimientos: *Ese periodista busca 'carnaza'.*

carne s.f. **1** Parte blanda del cuerpo de los animales formada por los músculos. **2** Alimento consistente en esta parte del cuerpo de los animales, esp. la de los animales terrestres y aéreos. ✕ carne **3** Parte blanda de la fruta que está debajo de la cáscara o de la piel. **4** Cuerpo humano y sus instintos, esp. los que se consideran que inclinan a la sensualidad y a los placeres sexuales, en oposición al espíritu: *tentaciones de la carne.* **5** ‖ **abrírsele** a alguien **las carnes**; col. Impresionarse mucho. ‖ **carne de cañón**; **1** En la guerra, tropa expuesta inútilmente a peligro de muerte. col. **2** Gente tratada sin miramientos o sin consideración. ‖ **carne de gallina**; piel que toma un aspecto granuloso o semejante a la de esta ave, generalmente por efecto de un estremecimiento; piel de gallina. ‖ **(carne de) membrillo**; dulce de aspecto gelatinoso que se elabora con este fruto. ‖ **en carne viva; 1** Referido a una parte del cuerpo, sin piel a causa de una herida o una lesión. **[2** Referido esp. a algo doloroso, tenerlo muy vivo y muy presente. ‖ **en carnes**; en cueros o desnudo. ‖ **metido en carnes**; referido a una persona, que es algo gruesa, pero que no llega a la obesidad. ‖ **poner toda la carne en el asador**; col. Arriesgarlo todo de una vez o utilizar todos los recursos disponibles para hacer algo. ‖ **ser de carne y hueso**; col. Ser sensible a las experiencias y a los sucesos de la vida humana. □ ETIMOL. Del latín *caro.* □ ORTOGR. Dist. de *carné.*

carné s.m. Documento que acredita la identidad de una persona y que la faculta para ejercer ciertas actividades o que la acredita como miembro de determinada agrupación. □ ETIMOL. Del francés *carnet.* □ ORTOGR. Dist. de *carne.* □ USO Es innecesario el uso del galicismo *carnet.*

carnero s.m. Mamífero rumiante con cuernos estriados y enrollados en espiral, y de lana espesa. □ ETIMOL. De *carne*, porque el carnero sólo se emplea para la carne, a diferencia de la oveja que también

es útil por sus crías. □ MORF. La hembra se designa con el sustantivo femenino *oveja.*

carnestolendas s.f.pl. Conjunto de los tres días que preceden a la cuaresma; carnaval. □ ETIMOL. Del latín *dominica ante carnes tollendas* (el domingo antes de quitar las carnes). □ MORF. Invariable en número.

[carnet s.m. →**carné**. □ USO Es un galicismo innecesario.

carnicería s.f. **1** Establecimiento en el que se vende carne. **2** Matanza o gran mortandad de gente causadas generalmente por la guerra o por una catástrofe. **3** Destrozo efectuado en la carne. □ ORTOGR. Incorr. **carnecería.*

carnicero, ra ▮ adj./s. **1** Referido a un animal, que mata a otros para comérselos. **2** Cruel, sanguinario e inhumano. ▮ s. **3** Persona que se dedica profesionalmente a la venta de carne. **[4** col. Cirujano que hace mal su oficio. □ MORF. En la acepción 2, la RAE sólo lo registra como adjetivo. □ SEM. En la acepción 1, dist. de *carnívoro* (que se alimenta de carne). □ USO En la acepción 4, es despectivo o humorístico.

cárnico, ca adj. De la carne destinada al consumo o relacionado con ella.

carnívoro, ra ▮ adj. **1** Referido a un animal, que se alimenta de carne o que puede alimentarse de ella. **2** Referido a una planta, que se nutre de insectos. ▮ adj./s. **3** Referido a un mamífero, que tiene una dentición adaptada esp. al consumo de carne, con caninos fuertes, molares cortantes y potentes mandíbulas. ▮ s.m.pl. **4** En zoología, orden de estos mamíferos. □ ETIMOL. Del latín *carnivorus*, de *caro* (carne) y *vorare* (devorar). □ SEM. En la acepción 1, dist. de *carnicero* (que mata a un animal para comérselo).

carnosidad s.f. Masa irregular y de consistencia blanda que sobresale en alguna parte del cuerpo.

carnoso, sa adj. **1** De carne de animal. **2** Referido a un órgano vegetal, que está formado por tejidos blandos y jugosos: *frutos carnosos.*

caro, ra ▮ adj. **1** Referido a una mercancía, de precio elevado o superior al habitual o al que se espera en relación con otra. **2** *poét.* Amado, querido o estimado. ▮ s.f. **3** En la cabeza, parte anterior que va desde la frente hasta la barbilla. **4** Expresión del rostro; semblante: *Tiene cara de ángel.* **5** Fachada o parte frontal. **6** En un objeto plano, cada una de sus superficies. **7** En un cuerpo geométrico, cada una de las superficies planas que lo forman. **8** En una moneda, lado o superficie principales; anverso. **9** Aspecto o apariencia. **10** Persona, esp. la que está presente o asiste a un acto: *En el estreno de la película había muchas caras famosas.* **11** ‖ **a cara o cruz**; referido a la forma de tomar una decisión, dejando que decida la suerte, esp. tirando una moneda al aire. ‖ **{buena/mala} cara**; col. Muestra de aprobación o de desaprobación. ‖ **caérsele la cara de vergüenza** a alguien; col. Avergonzarse. ‖ **cara a cara**; de manera abierta y directa. ‖ **[cara de circunstancias**; col. La que expresa una tristeza o una seriedad fingidas, para estar a tono con una determinada situación. ‖ **cara de perro**; col. La que expresa hostilidad o reprobación. ‖ **cara de {pocos amigos/vinagre}**; col. La de aspecto seco y desagradable. ‖ **cara (dura)**; col. **1** Desfachatez, descaro o poca vergüenza: *No tengo cara para vol-*

CARNE

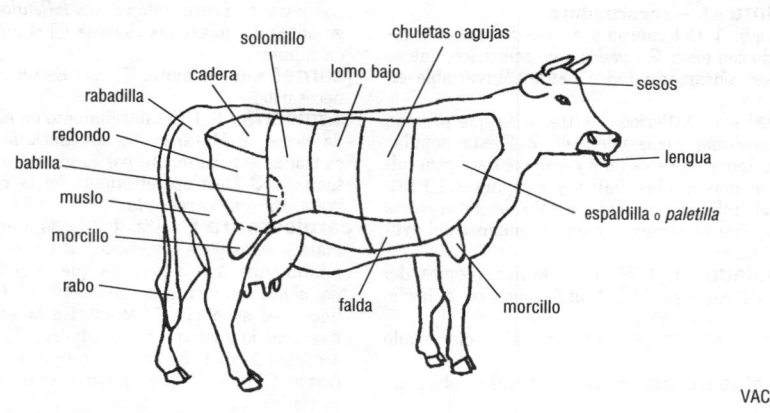

solomillo

cadera

rabadilla

redondo

babilla

muslo

morcillo

rabo

lomo bajo

chuletas o agujas

sesos

lengua

espaldilla o *paletilla*

falda

morcillo

VACA

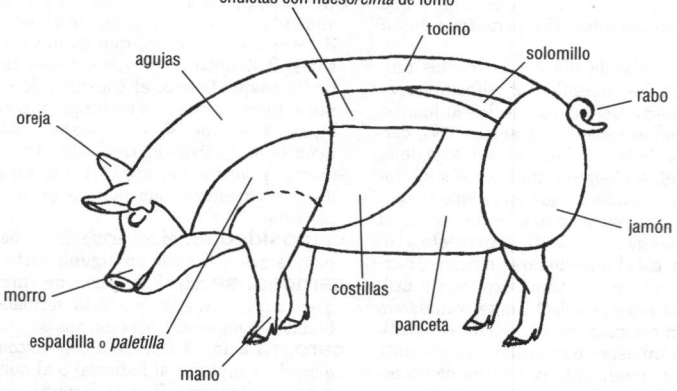

chuletas con hueso/*cinta* de lomo

tocino

agujas

solomillo

oreja

rabo

morro

jamón

espaldilla o *paletilla*

costillas

mano

panceta

CERDO

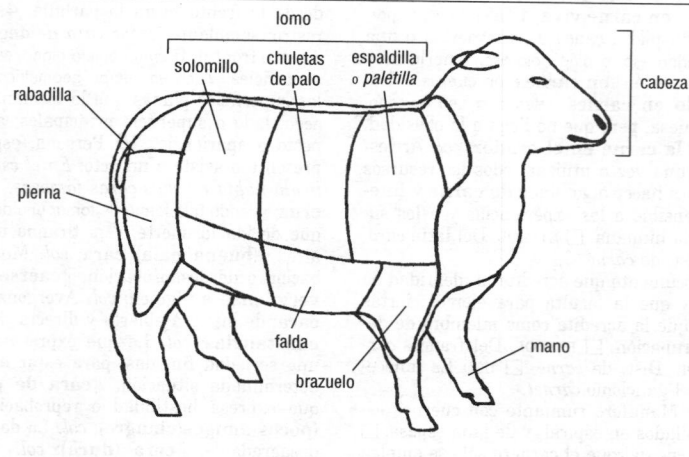

lomo

solomillo

chuletas
de palo

espaldilla
o *paletilla*

rabadilla

cabeza

pierna

falda

mano

brazuelo

CORDERO

verle a pedir dinero. col. **2** →**caradura.** ‖ **cara larga;** *col.* La que expresa tristeza y contrariedad. ‖ **cruzar la cara** a alguien; darle un golpe, esp. una bofetada. ‖ **dar la cara;** responder de los propios actos. ‖ {**dar/sacar**} **la cara por** alguien; *col.* Salir en su defensa. ‖ **de cara a;** en relación con: *Me estoy preparando a fondo, de cara a los próximos exámenes.* ‖ **echar en cara;** recordar con reproche un favor o un beneficio a los que no se ha correspondido. ‖ [**lavar la cara** a algo; modificarle la apariencia externa sin cambiar su contenido. ‖ **partir la cara** a alguien; *col.* Darle una paliza. ‖ **plantar cara** a algo; *col.* Hacerle frente o presentarle oposición o resistencia. ‖ **por su linda cara** o [**por su cara bonita;** *col.* Sin méritos propios. ☐ ETIMOL. Las acepciones 1 y 2, del latín *carus.* Las acepciones 3-11, del griego *kára* (cabeza). ☐ MORF. *Cara,* cuando se antepone a una palabra para formar compuestos, adopta la forma *cari-.* ☐ SINT. *A cara o cruz* se usa más con los verbos *echar, jugar* o equivalentes. ☐ USO Es innecesario el uso del galicismo *tête à tête* en lugar de la expresión *cara a cara.*

caro adv. Por mucho dinero o a un precio elevado.

carolingio, gia adj./s. De Carlomagno (rey francés de los siglos VIII y IX), o relacionado con él.

[**carota** adj./s. Referido a una persona, que tiene gran desfachatez o desvergüenza; caradura. ☐ MORF. 1. Como adjetivo es invariable en género. 2. Como sustantivo es de género común: *el 'carota', la 'carota'.*

carótida s.f. →**arteria carótida.** ☐ ETIMOL. Del griego *karotís,* y éste de *karóo* (adormezco), porque llevan la sangre al cerebro y se creía que el sueño dependía de ellas.

carpa s.f. **1** Pez de agua dulce, verdoso por encima y amarillento por abajo, de boca pequeña sin dientes, con escamas grandes y aleta dorsal larga y sin lóbulos. ☒ pez **2** Toldo que cubre un recinto amplio. **3** En zonas del español meridional, tienda de campaña. ☐ ETIMOL. La acepción 1, del latín *carpa.* Las acepciones 2 y 3, de origen incierto. ☐ MORF. En la acepción 1, es un sustantivo epiceno: *la carpa macho, la carpa hembra.*

[**carpaccio** (italianismo) s.m. Carne o pescado crudos que se sirven cortados muy finos y se aliñan con distintos condimentos. ☐ PRON. [carpácho].

[**carpe diem** (latinismo) ‖Tópico literario que anima a disfrutar del momento presente, dada la brevedad de la vida. ☐ ETIMOL. De *Carpe diem* (disfruta de lo presente), que es una expresión de una oda del poeta latino Horacio. ☐ PRON. [cárpe díem].

carpelo s.m. En una planta fanerógama, cada una de las hojas modificadas que componen el gineceo o parte femenina. ☐ ETIMOL. Del griego *karpós* (fruto).

carpeta s.f. **1** Pieza, generalmente de cartón, doblada y que se utiliza para guardar papeles o documentos. [**2** En informática, directorio. **3** En zonas del español meridional, tapete. ☐ ETIMOL. Del francés *carpette* (tapete, cubierta), y éste del inglés *carpet* (alfombra).

carpetano, na adj./s. De un antiguo pueblo prerromano que ocupaba parte de la zona central de la meseta española o relacionado con él.

carpetazo ‖ **dar carpetazo;** referido a un asunto, interrumpir su proceso, dejarlo sin solución o darlo por terminado.

carpetovetónico, ca adj. **1** Que se considera

muy español y que se opone a toda influencia extranjera. **2** De los carpetanos o de los vetones o relacionado con estos antiguos pueblos.

carpintería s.f. **1** Lugar de trabajo o taller de un carpintero. **2** Arte y técnica de trabajar la madera y de hacer objetos con ella. **3** Obra o trabajo hechos según esta técnica.

carpintero, ra s. Persona que se dedica profesionalmente a trabajar la madera y a construir objetos con ella. ☐ ETIMOL. Del latín *carpentarius* (carpintero de carretas).

carpo s.m. En algunos vertebrados, conjunto de los huesos que forman parte del esqueleto de la muñeca o de las extremidades anteriores. ☐ ETIMOL. Del griego *karpós* (muñeca).

carraca s.f. **1** Instrumento formado por una rueda dentada que, al girar, va levantando consecutivamente una o más lengüetas, produciendo un ruido seco. ☒ percusión **2** *col.* Artefacto deteriorado, viejo o que funciona mal. [**3** Persona vieja o con achaques. **4** Pájaro de cabeza, alas y vientre azules, con el dorso castaño y el pico largo y ligeramente curvado. **5** Antigua embarcación de transporte. ☐ ETIMOL. Las acepciones 1 y 4, de origen onomatopéyico. Las acepciones 2, 3 y 5, de origen incierto. ☐ MORF. En la acepción 4, es un sustantivo epiceno: *la carraca macho, la carraca hembra.* ☐ USO En la acepción 2, tiene un matiz despectivo.

carracuca ‖ **que Carracuca;** *col.* Se usa pospuesto a un comparativo de superioridad para intensificar lo que se expresa: *más feo que Carracuca.*

carraspear v. Emitir una tosecilla, generalmente para aclarar la garganta o para evitar la ronquera de la voz. ☐ ETIMOL. De origen onomatopéyico.

carraspeo s.m. Emisión de una tosecilla, generalmente para aclarar la garganta o para evitar la ronquera de la voz; carraspera.

carraspera s.f. **1** Aspereza en la garganta que obliga a toser para eliminarla. **2** Emisión de una tosecilla, generalmente para aclarar la garganta o para eliminar la ronquera de la voz; carraspeo. ☐ ORTOGR. Incorr. **garraspera.*

[**carré** (galicismo) s.m. Pieza cuadrada de tela que se dobla por la diagonal y se lleva como fular. ☐ PRON. [carré]. ☐ USO Su uso es innecesario.

carrera ▌ s.f. **1** Marcha rápida a pie de una persona o de un animal, en la que entre un paso y el siguiente los pies quedan durante un momento en el aire. **2** Competición de velocidad entre varias personas o entre animales. **3** Conjunto de estudios que hacen a una persona apta para ejercer una profesión: *carrera de ingeniero.* **4** Profesión por la que se recibe un salario: *Comenzó la carrera de cantante siendo una niña.* **5** En una media o en un tejido semejante, línea de puntos que se sueltan. **6** Servicio o trayecto que hace un vehículo de alquiler transportando pasajeros a un lugar determinado y según una tarifa establecida: *Cuando llegamos al destino, el taxista me cobró la carrera y me bajé.* **7** Calle que anteriormente era un camino. [**8** Intento de conseguir la primacía en algún campo: *carrera armamentista.* ▌ pl. **9** Competición de velocidad entre caballos de una raza especial montados por sus jinetes. **10** ‖ **a la carrera;** a gran velocidad. ‖ [**de carreras;** destinado a esta competición: *coche 'de carreras'.* ‖ **hacer carrera;** prosperar en la sociedad. ‖ **hacer la carrera;** dedicarse a la prostitución. ‖ **no poder hacer carrera** {**con/de**} alguien; *col.* No poder convencerlo para que haga lo que debe: *No puede hacer carrera de sus hijos.* ☐ ETIMOL. Del latín *carraria* (vía para los carros).

carrerilla ‖ **de carrerilla**; *col.* De memoria y de corrido, sin enterarse muy bien del sentido de lo que se dice. ‖ **tomar carrerilla**; retroceder unos pasos para poder coger impulso y avanzar con más fuerza.

carreta s.f. Carro pequeño de madera, generalmente con dos ruedas que no están herradas, y con un madero que sobresale y al que se ata el yugo. ⚒ carruaje

carrete s.m. **1** Cilindro que generalmente tiene el eje hueco, con rebordes en sus bases y que sirve para devanar o enrollar algo flexible. ⚒ costura **2** En una caña de pescar, pieza cilíndrica en la que se enrolla el sedal. ⚒ pesca **3** Rollo de película fotográfica. **4** ‖ **dar carrete** a alguien; *col.* Darle conversación. ‖ [**tener carrete**; *col.* Hablar mucho. ☐ ETIMOL. De *carro.*

carretera s.f. Véase **carretero, ra.**

carretero, ra ‖ s. 1 Persona que conduce un carro o una carreta. ‖ s.f. **2** Camino público, ancho y pavimentado, preparado para el tránsito de vehículos. **3** ‖ [**fumar como un carretero**; *col.* Fumar mucho. ‖ **hablar como un carretero**; *col.* Decir continuamente palabras malsonantes.

carretilla s.f. Carro pequeño formado generalmente por una sola rueda, un cajón en el que se lleva la carga, dos varas que sirven para dirigirlo y dos pies sobre los que descansa.

carricoche s.m. Automóvil viejo, que funciona mal o que resulta feo.

carril s.m. **1** En una vía pública, cada parte destinada al tránsito de una sola fila de vehículos. **2** Guía por la que se desliza un objeto en una dirección determinada: *Corrió la cortina haciéndola mover por el carril.*

carrilano s.m. En zonas del español meridional, ferroviario.

[**carrilar** v. En fútbol, jugar por las bandas del campo: *El entrenador me dijo que tenía que 'carrilar' más.*

carrillo s.m. **1** Cada una de las dos partes carnosas y abultadas de la cara, debajo de los ojos; mejilla. **2** ‖ **comer a dos carrillos**; *col.* Con rapidez y voracidad. ☐ ETIMOL. Quizá de *carro,* por el movimiento de vaivén de las mandíbulas al masticar.

carrizal s.m. Terreno poblado de carrizos.

carrizo s.m. Planta herbácea que tiene la raíz larga, rastrera y dulce, el tallo alto, las hojas planas y alargadas, y las flores en panoja, que crece cerca del agua. ☐ ETIMOL. Del latín *cariceum* (carrizal).

carro s.m. **1** Vehículo formado por una armazón montado sobre dos ruedas, con lanza o con varas para enganchar el tiro. ⚒ carruaje **2** Vehículo o armazón con ruedas que se emplea para transportar objetos. **3** En algunas máquinas, pieza que tiene un movimiento de traslación horizontal: *Puso el folio en el carro de la máquina de escribir.* **4** En zonas del español meridional, coche o automóvil. **5** ‖ **carro (de combate)**; tanque de guerra. ‖ **carros y carretas**; *col.* Contrariedades o contratiempos: *Aguantó carros y carretas.* ‖ **parar el carro**; *col.* Contenerse o dejar de hablar. ‖ [**subirse al carro**; *col.* Meterse a colaborar en un asunto que parece

exitoso. ‖ **tirar del carro**; *col.* Hacer el trabajo en el que deberían participar otros. ☐ ETIMOL. Del latín *carrus.* ☐ SINT. *Carros y carretas* se usa más con los verbos *aguantar, pasar* o equivalentes. ☐ USO *Parar el carro* se usa más en imperativo.

carrocería s.f. En un automóvil o en un tren, parte que recubre el motor y otros elementos y en cuyo interior se instalan los pasajeros o la carga. ☐ ETIMOL. De *carrocero.*

carromato s.m. Carro grande de dos ruedas, cubierto por un toldo, que tiene dos varas para enganchar uno o varios animales de tiro. ☐ ETIMOL. Del italiano *carro matto* (carro con un suelo de tablas muy resistente que va sobre cuatro ruedas muy bajas).

carroña s.f. **1** Carne corrompida. **2** Lo que se considera ruin y despreciable. ☐ ETIMOL. Del italiano *carogna.*

carroñero, ra ‖ adj. **1** De la carroña o relacionado con esta carne. ‖ adj./s. **2** Referido a un animal, que se alimenta de carroña.

carroza ‖ adj./s. [**1** *col.* Referido a una persona, que es mayor o está anticuada. ‖ s.f. **2** Coche de caballos grande, lujoso y adornado. ⚒ carruaje **3** Vehículo que se adorna para algunos festejos o funciones públicas. [**4** En zonas del español meridional, coche fúnebre. ☐ ETIMOL. Del italiano *carrozza.* ☐ MORF. En la acepción 1, como adjetivo es invariable en género y como sustantivo es de género común: *el 'carroza', la 'carroza'.* ☐ USO En la acepción 1, tiene un matiz despectivo.

carruaje s.m. Vehículo formado por una armazón de madera o de hierro montada sobre ruedas. ☐ ETIMOL. Del provenzal antiguo *cariatge.* ⚒ carruaje

carrusel s.m. Atracción de feria formada por una plataforma giratoria sobre la que hay reproducciones a pequeña escala de caballos y otros animales donde los niños se pueden montar; caballitos, tiovivo. ☐ ETIMOL. Del francés *carrousel.*

[**carst** s.m. →**karst.**

cárstico, ca adj. →**kárstico.**

carta s.f. **1** Papel escrito, generalmente metido en un sobre, que se envía a una persona para comunicarle algo. **2** Cada una de las cartulinas rectangulares que llevan en una de sus caras una figura o un número determinado de objetos, y que forman parte de una baraja; naipe. **3** En un restaurante o en un establecimiento semejante, lista de los platos y de las bebidas que se pueden elegir. **4** Representación gráfica, sobre un plano y de acuerdo con una escala, de la superficie terrestre o de una parte de ella; mapa: *carta de navegación.* **5** Documento oficial acreditativo. **6** ‖ **a carta cabal**; por completo: *Fíate de él porque es una persona íntegra a carta cabal.* ‖ **carta abierta**; la que se dirige a una persona, pero con la intención de que se exhiba públicamente. ‖ **carta astral**; gráfico en el que se representa la posición de los planetas y otros factores que coinciden en el momento del nacimiento de una persona. ‖ **carta blanca**; *col.* Libertad que se da a alguien para obrar en un asunto. ‖ **carta de ajuste**; en un televisor, gráfico con líneas y colores que sirve para ajustar la imagen. ‖ **carta de naturaleza**; concesión a un extranjero de la nacionalidad de un país. ‖ **carta de pago**; escritura en la que el acreedor afirma haber recibido lo que se le debía o parte

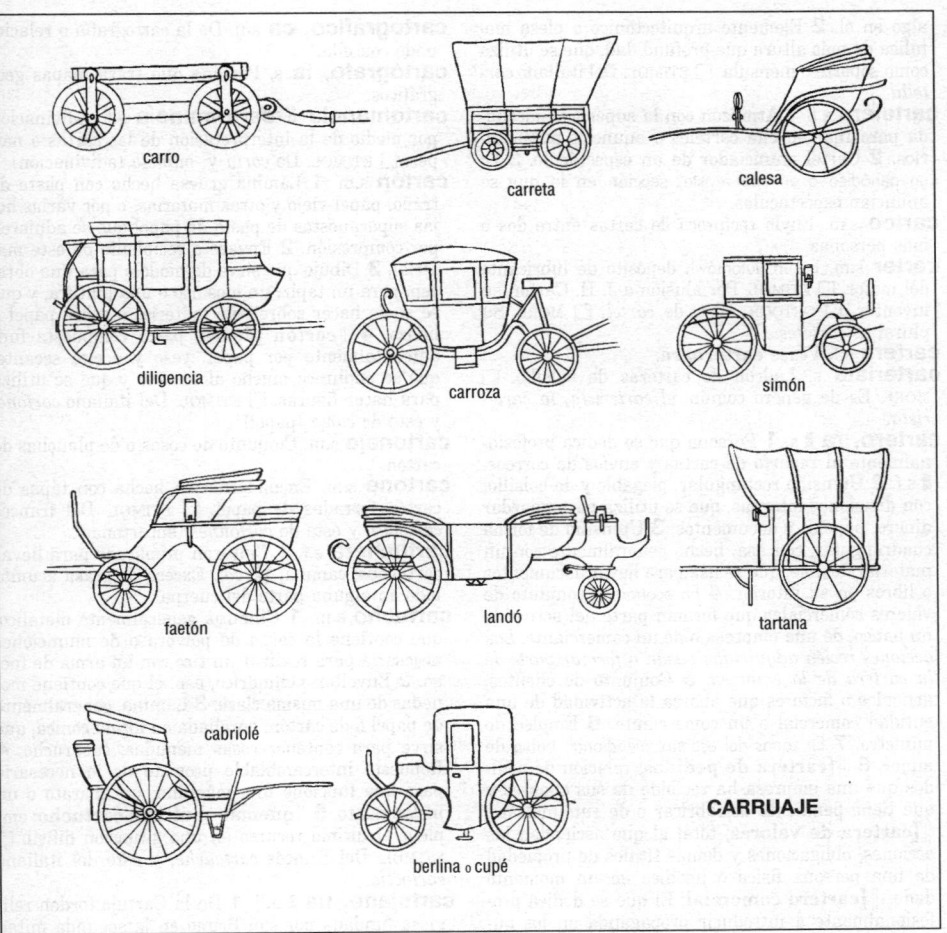

carro

carreta

calesa

diligencia

carroza

simón

faetón

landó

tartana

cabriolé

CARRUAJE

berlina o cupé

de ello. ‖**carta magna**; constitución escrita o código fundamental de un Estado. ‖**(carta) pastoral**; escrito o discurso en los que un prelado instruye o exhorta a su diócesis. ‖**(cartas) credenciales**; las que se dan a un embajador o a un ministro para que se les reconozca o se les admita como tales. ‖**echar las cartas**; leer o adivinar el futuro usando las cartas de la baraja. ‖**enseñar las cartas** o **poner las cartas boca arriba**; manifestar una intención o una opinión que se ocultaban. ‖**jugar** alguien **sus cartas**; aprovechar los recursos para lograr algún fin. ‖**no saber a qué carta quedarse**; *col.* Estar indeciso. ‖**[tener** algo **carta de naturaleza]**; tener carácter de normalidad. ‖**tomar cartas en un asunto**; *col.* Intervenir en él. □ ETIMOL. Del latín *charta* (papel).

cartabón s.m. Instrumento de dibujo con figura de triángulo rectángulo y con los catetos de distinta longitud. □ ETIMOL. Quizá del italiano *quarto buono*. 📐 medida

cartaginense o **cartaginés, -a** adj./s. De Cartago (antigua ciudad norteafricana) o relacionado con ella. □ MORF. Como adjetivo es invariable en género y como sustantivo es de género común: *el cartaginense, la cartaginense*.

cartapacio s.m. **1** Cartera o carpeta para guardar libros o papeles. **2** Cuaderno para tomar apuntes. □ ETIMOL. De *carta*.

cartearse v.prnl. Escribirse cartas recíprocamente: *Me carteo con mis alumnos*.

cartel s.m. **1** Lámina, generalmente de papel, con inscripciones o figuras, que se coloca en un lugar con fines publicitarios o propagandísticos. **2** Fama o reputación. **3** →**cártel**. **4** ‖**[en cartel**; Referido a un espectáculo, que se está representando. □ ETIMOL. Las acepciones 1, 2 y 4, del catalán *cartell*, y éste del italiano *cartello*.

cártel s.m. **1** Convenio entre varias empresas para evitar la competencia entre ellas y regular la producción, la venta y los precios de un producto. **2** Agrupación de personas que persiguen fines ilícitos: *La policía persigue los cárteles formados en torno a la droga*. □ ETIMOL. Del alemán *Kartell*. □ ORTOGR. 1. Se admite también *cartel*. 2. Dist. de *cárter*.

cartela s.f. **1** Trozo de cartón, madera u otro material que se utiliza a modo de tarjeta para escribir

algo en él. **2** Elemento arquitectónico o pieza metálica de más altura que profundidad, que se utiliza como soporte o ménsula. □ ETIMOL. Del italiano *cartella*.
cartelera s.f. **1** Armazón con la superficie adecuada para fijar en ella carteles o anuncios publicitarios. **2** Cartel anunciador de un espectáculo. **3** En un periódico o en una revista, sección en la que se anuncian espectáculos.
carteo s.m. Envío recíproco de cartas entre dos o más personas.
cárter s.m. En un automóvil, depósito de lubricante del motor. □ ETIMOL. Por alusión a J. H. Carter, su inventor. □ ORTOGR. Dist. de *cártel.* □ MORF. Su plural es *cárteres.*
cartera s.f. Véase **cartero, ra.**
carterista s. Ladrón de carteras de bolsillo. □ MORF. Es de género común: *el carterista, la carterista.*
cartero, ra ▌ s. **1** Persona que se dedica profesionalmente al reparto de cartas y envíos de correos. **▌** s.f. **2** Utensilio rectangular, plegable y de bolsillo, con divisiones internas, que se utiliza para guardar dinero, papeles y documentos. **3** Utensilio de forma cuadrangular, con asa, hecho generalmente con un material flexible, que se usa para llevar documentos o libros en su interior. **4** En economía, conjunto de valores comerciales que forman parte del activo de un banco, de una empresa o de un comerciante: *Las acciones recién adquiridas pasan a formar parte de la cartera de la empresa.* **5** Conjunto de clientes, artículos o factores que abarca la actividad de una entidad comercial o un comerciante. **6** Empleo de ministro. **7** En zonas del español meridional, bolso de mujer. **8** ‖ **[cartera de pedidos**; relación de pedidos que una empresa ha recibido de sus clientes y que tiene pendiente de fabricar o de suministrar. ‖ **[cartera de valores**; total al que ascienden las acciones, obligaciones y demás títulos de propiedad de una persona física o jurídica en un momento dado. ‖ **[cartero comercial**; El que se dedica profesionalmente a introducir propaganda en los buzones. ‖ **tener en cartera** algo; tenerlo en proyecto o preparado para su próxima realización.
cartesiano, na adj. De Descartes (filósofo, matemático y físico francés del siglo XVIII) o relacionado con él. □ ETIMOL. De *Cartesius* (nombre latino de Descartes).
cartilaginoso, sa adj. De los cartílagos o que tiene semejanza o relación con ellos.
cartílago s.m. **[1** Tejido de sostén, duro y flexible, con propiedades intermedias entre el tejido óseo y el conjuntivo. **2** Pieza formada por este tejido. □ ETIMOL. Del latín *cartilago.*
cartilla s.f. **1** Cuaderno pequeño impreso o libro para aprender a leer. **2** Libreta en la que se anotan determinados datos. **3** Conocimientos elementales de un arte o un oficio. **4** ‖ **leerle la cartilla** a alguien; *col.* Reprenderlo o advertirlo de lo que debe hacer en un asunto. ‖ **saberse la cartilla** o **tener aprendida la cartilla**; haber recibido instrucciones sobre el modo de actuar en un asunto. □ ETIMOL. De *carta.*
cartografía s.f. **1** Arte y técnica de trazar mapas geográficos. **2** Ciencia que estudia los mapas y cómo realizarlos. □ ETIMOL. De *carta* (mapa) y *-grafía* (descripción, tratado).

cartográfico, ca adj. De la cartografía o relacionado con ella.
cartógrafo, fa s. Persona que traza mapas geográficos.
cartomancia o **cartomancía** s.f. Adivinación por medio de la interpretación de las cartas o naipes. □ ETIMOL. De *carta* y *-mancia* (adivinación).
cartón s.m. **1** Lámina gruesa hecha con pasta de trapo, papel viejo y otras materias, o por varias hojas superpuestas de pasta de papel que se adhieren por compresión. **2** Envase o recipiente de este material. **3** Dibujo que sirve de modelo para una obra, esp. para un tapiz, un mosaico o una pintura, y que se suele hacer sobre este material o sobre papel o lienzo. **4** ‖ **cartón piedra**; pasta compuesta fundamentalmente por papel, yeso y aceite secante, que se endurece mucho al secarse y que se utiliza para hacer figuras. □ ETIMOL. Del italiano *cartone*, y éste de *carta* (papel).
cartonaje s.m. Conjunto de cosas o de planchas de cartón.
cartoné s.m. Encuadernación hecha con tapas de cartón forradas de papel. □ ETIMOL. Del francés *cartonée*, y éste de *cartonner* (encartonar).
cartuchera s.f. **1** Cinturón preparado para llevar cartuchos; canana. **[2** *col.* Exceso de grasa acumulado en alguna parte del cuerpo.
cartucho s.m. **1** Cilindro, generalmente metálico, que contiene la carga de pólvora o de municiones necesaria para realizar un tiro con un arma de fuego. **2** Envoltorio cilíndrico, esp. el que contiene monedas de una misma clase. **3** Lámina, generalmente de papel o de cartón, enrollada en forma cónica, que sirve para contener cosas menudas; cucurucho. **4** Repuesto intercambiable provisto de lo necesario para que funcione una máquina, un aparato o un instrumento. **5** ‖ **quemar el último cartucho**; emplear el último recurso en una situación difícil. □ ETIMOL. Del francés *cartouche*, y éste del italiano *cartoccio.*
cartujano, na ▌ adj. **1** De la Cartuja (orden religiosa fundada por san Bruno en la segunda mitad del siglo XI) o relacionada con ella. **2** Referido a un caballo o a una yegua, que tiene las características típicas de la raza andaluza. **▌** adj./s. **3** Que es religioso de la orden Cartuja; cartujo.
cartujo, ja ▌ adj./s. **1** Que es religioso de la orden Cartuja (orden religiosa fundada por san Bruno en la segunda mitad del siglo XI); cartujano. **▌** s.f. **2** Monasterio o convento de esta orden.
cartulina s.f. **1** Cartón delgado y generalmente liso. **2** En fútbol y en otros deportes, tarjeta de un determinado color con la que un árbitro advierte o castiga a un jugador por una falta; tarjeta. □ ETIMOL. Del italiano *cartolina.*
casa s.f. **1** Edificio o parte de él en el que vive una persona o una familia. **2** Familia o grupo de personas emparentadas entre sí que viven juntas en este edificio o en esta parte de él. **3** Linaje o conjunto de personas que tienen un mismo apellido y proceden del mismo origen: *la casa de Borbón.* **4** Conjunto de las propiedades de una familia y de las personas que la forman: *La madre está al frente de la casa y todos la obedecen.* **5** Establecimiento industrial o mercantil o institución dedicada a algún fin: *En esta casa nunca se ha recibido queja de ningún cliente.* **[6** En deporte, campo de juego propio. **7**

En un tablero de juego, cada una de sus casillas o una casilla determinada. **8** ‖ **casa consistorial**; edificio en el que tiene sede la corporación, compuesta por un alcalde y varios concejales, que dirige y administra un término municipal; ayuntamiento, concejo. ‖ **[casa cuartel**; conjunto de instalaciones y viviendas a las que sólo pueden acceder los guardias civiles y sus familiares. ‖ **casa de baños**; establecimiento con baños para el servicio público. ‖ **casa de citas**; lugar en el que se alquilan habitaciones para mantener relaciones sexuales. ‖ **casa de {Dios/oración}** o **casa del Señor**; templo o iglesia. ‖ **casa de empeño**; establecimiento en el que se presta dinero a cambio de la entrega de un objeto que se deja como prenda. ‖ **casa de (la) moneda**; establecimiento destinado a fundir, fabricar y acuñar moneda o billetes de banco. ‖ **casa de {labor/ labranza}**; casa en la que viven labradores y que dispone de dependencias para el ganado y los aperos de labranza. ‖ **casa de locos**; *col.* Manicomio. ‖ **casa de socorro**; establecimiento benéfico en el que se prestan servicios médicos de urgencia. ‖ **casa de tócame Roque**; aquella en la que vive mucha gente y tiene gran desorden y mal gobierno. ‖ **[casa del pueblo**; la de reunión y esparcimiento de las clases populares, esp. las promovidas por los partidos socialistas. ‖ **casa real**; conjunto de personas que forman parte de la familia real. ‖ **[casa rodante**; en zonas del español meridional, caravana o remolque. ‖ **[como Pedro por su casa**; *col.* Con naturalidad y confianza, o sin cumplidos. ‖ **{echar/ tirar} la casa por la ventana**; *col.* Hacer un gasto grande aunque sea excesivo. ‖ **[empezar la casa por el tejado**; empezar a realizar una actividad por donde debiera terminarse. ‖ **para andar por casa**; referido esp. a un procedimiento o a una solución, que tiene poco valor, o que se ha hecho sin rigor o de cualquier manera. ‖ **[sin casa**; persona que vive en la calle y que suele mantenerse de la mendicidad: *Ayer vi a un 'sin casa' que dormía en el parque.* □ ETIMOL. Del latín *casa* (cabaña, choza).

casaca s.f. Prenda de vestir que consiste en una especie de chaqueta ceñida al cuerpo, con mangas hasta las muñecas y con faldones que llegan a la parte posterior de las rodillas. □ ETIMOL. Quizá del francés *casaque*.

casación s.f. →**recurso de casación**.

casadero, ra adj. Que está en edad de casarse.

casamentero, ra adj./s. Que es aficionado a proponer o a concertar bodas.

casamiento s.m. Ceremonia o acto en el que dos personas contraen matrimonio; boda, nupcias.

casanova s.m. Hombre que ha seducido a un gran número de mujeres. □ ETIMOL. Por alusión a Casanova, seductor italiano del siglo XVIII.

casar ▪ s.m. **1** Conjunto de casas que no llegan a formar un pueblo. **▪ v. 2** Contraer matrimonio: *Casó con un guapo muchacho de la ciudad. Nos casaremos el próximo año.* **3** Referido a un sacerdote o a una autoridad civil, unir en matrimonio, realizando la ceremonia o los requisitos legales necesarios para ello: *Los casó el párroco de su iglesia.* **4** *col.* Referido a la persona que tiene autoridad sobre otra, esp. al padre o al tutor, disponer el matrimonio de ésta: *Sus padres los casaron cuando tenían quince años.* **5** Referido a dos o más elementos, disponerlos y ordenarlos de forma que hagan juego o que guarden correspondencia en-

tre sí: *Los azulejos no casan bien.* **6** Referido a dos o más elementos, corresponder o cuadrar entre sí: *La declaración del testigo no casa con la que hizo el acusado.* **7** ‖ **no casarse con nadie**; *col.* Mantener una actitud o una opinión independientes: *Aunque suele pedir opinión a sus colaboradores, a la hora de decidir no se casa con nadie.* □ ETIMOL. De *casa*.

cascabel s.m. **1** Bola metálica, hueca y con una abertura en su parte inferior, que encierra pequeños trozos de hierro o de latón para que suene al moverla. **2** ‖ **poner el cascabel al gato**; *col.* Atreverse a realizar algo peligroso o muy difícil. ‖ **ser un cascabel**; *col.* Ser muy alegre. □ ETIMOL. Del provenzal *cascavel.* □ USO 'Poner el cascabel al gato' se usa más en expresiones interrogativas.

cascabeleo s.m. Ruido de cascabeles o sonido de voces y risas que se asemeja al de éstos.

cascabelero, ra adj. *col.* Referido a una persona, que tiene poco juicio y es alegre y desenfadada.

cascada s.f. Véase **cascado, da**.

cascado, da ▪ adj. **1** Que está muy gastado, muy trabajado o no tiene fuerza o vigor. **▪ s.f. 2** Caída de una corriente de agua desde cierta altura producida por un rápido desnivel del cauce. **[3** Lo que se asemeja a esta caída porque se produce en gran abundancia y sin interrupción. □ ETIMOL. Las acepciones 2 y 3, del italiano *cascata*.

cascadura s.f. [Rotura o raja en un cuerpo sólido.

cascajo s.m. **1** Conjunto de fragmentos de piedra y de otros materiales quebradizos. **2** *col.* Trasto u objeto viejo, roto o inútil. **3** *col.* Persona decrépita. **4** *col.* En zonas del español meridional, calderilla. □ ETIMOL. De *cascar* (romper, quebrantar).

cascanueces s.m. Utensilio, generalmente con forma de tenaza, que se utiliza para partir nueces. □ MORF. Invariable en número.

cascar v. **1** Referido a algo quebradizo, romperlo o hacerle grietas o agujeros: *Casca los huevos dándoles un golpe contra el borde de la sartén. Lo siento, pero el plato que me dejaste cayó al suelo y se cascó.* **2** *col.* Referido a una persona, golpearla: *Cuando se entere tu hermano, seguro que te casca.* **3** *col.* Charlar: *No le cuentes ningún secreto porque lo casca todo. En el tren me tocó dormir con dos chicos que no pararon de cascar en toda la noche.* **4** *col.* Morir: *Ya os acordaréis de mí cuando casque.* **[5** Referido a la voz, volverla ronca o perder su sonoridad: *El abuso del tabaco le 'cascó' la voz.* □ ETIMOL. Del latín **quassicare*, y éste de *quassare* (sacudir, golpear, quebrantar). □ ORTOGR. La *c* se cambia en *qu* delante de *e* →SACAR.

cáscara s.f. **1** Corteza o cubierta dura de algunas cosas, esp. de los huevos y de algunas frutas, que sirve para proteger el interior. **2** ‖ **ser de la cáscara amarga**; **1** Ser de ideas avanzadas. **[2** *col.* Ser homosexual. □ ETIMOL. De *cascar*, porque las cáscaras hay que romperlas para comer el contenido. □ USO *Ser de la cáscara amarga* es despectivo.

cáscaras interj. *col.* Expresión que se utiliza para indicar extrañeza, sorpresa, admiración o disgusto.

cascarilla s.f. [Cubierta o envoltura fina y quebradiza que rodea algunos cereales o algunos frutos. □ ETIMOL. De *cáscara*.

cascarón s.m. Cáscara de huevo de un ave, esp. la rota por un pollo al salir de él.

cascarrabias s. *col.* Persona que se enfada o que

riñe con mucha facilidad. ☐ MORF. Es de género común: *el cascarrabias, la cascarrabias*.
cascarria s.f. Mancha o salpicadura de lodo o de barro secos en la parte de la ropa que va cerca del suelo. ☐ ORTOGR. Se admite también *cazcarria*. ☐ MORF. Se usa más en plural. ☐ USO Aunque la RAE prefiere *cazcarria*, se usa más *cascarria*.
casco ∎ s.m. **1** Pieza que cubre y protege la cabeza. 🔊 sombrero **2** Recipiente de un líquido cuando está vacío. **3** Fragmento que queda de un vaso o vasija después de romperse o de una bomba después de estallar. **4** Cuerpo de una embarcación o de una aeronave sin el aparejo y las máquinas. **5** En un équido, uña de las extremidades anteriores y posteriores, con la que realiza el apoyo con el suelo. ∎ pl. **6** *col.* Cabeza humana: *Ahora se le ha metido en los cascos que no podemos ir a ver esa película sin haber leído antes la novela*. **7** Aparato que consta de dos auriculares unidos, generalmente por una tira de metal curvada, que se ajusta a la cabeza y que se usa para una mejor recepción del sonido. **8** ‖**calentar los cascos** a alguien; *col.* Inquietarlo con preocupaciones. ‖**casco** {**de población/urbano**}; conjunto de edificaciones de una ciudad hasta donde termina su agrupación. ‖**cascos azules**; tropas que son enviadas por las Naciones Unidas (organismo internacional para el mantenimiento de la paz) para que intervengan como fuerzas neutrales en zonas conflictivas. ‖**ligero de cascos**; *col.* Referido a una persona, que tiene poco juicio o reflexión. ‖**romperse** alguien **los cascos**; *col.* Esforzarse mucho o preocuparse mucho. ☐ ETIMOL. De *cascar* (romper, quebrantar). ☐ MORF. La acepción 6, la RAE lo registra en singular. 🔊 casco

cascote s.m. Fragmento de una construcción derribada o de parte de ella. ☐ ETIMOL. De *casco*.
[casera s.f. Véase **casero, ra.**
casería s.f. →**caserío.**
caserío s.m. **1** Casa de campo aislada, con edificios dependientes y con fincas rústicas unidas y cercanas a ella. **2** Conjunto de casas que no llegan a constituir un pueblo. ☐ ORTOGR. En la acepción 1, se admite también *casería*.
casero, ra adj. **1** Que se hace o que se cría en casa o que pertenece a ella. **2** Con confianza o sin formalidades. **3** *col.* Según el saber popular, sin dificultad o sin ciencia, pero con eficacia. **4** Referido a una persona, que disfruta mucho estando en su casa. **5** Referido a un árbitro deportivo o a un arbitraje, que favorecen al equipo en cuyo campo se juega. ∎ s. **6** Persona que es dueña de una casa y que la alquila a otra. **7** Persona que cuida de una casa y vive en ella cuando está ausente su dueño. ∎ s.f. [**8** Gaseosa. ☐ ETIMOL. La acepción 8 es extensión del nombre de una marca comercial.
caserón s.m. Casa muy grande y destartalada. 🔊 vivienda
caseta s.f. **1** Casa pequeña y aislada, que sólo tiene un piso bajo. **2** Vestuario para los deportistas. **3** ‖**caseta de feria**; construcción provisional desmontable que se destina a espectáculos y diversiones; barraca de feria.
casete ∎ s. **1** Cajita de plástico que contiene una cinta magnética para el registro y reproducción del sonido o para el almacenamiento y lectura de la información suministrada a través del ordenador. ∎ s.m. **2** Pequeño magnetófono que utiliza esta cajita de plástico. **3** *col.* →**radiocasete.** ☐ ETIMOL. Del

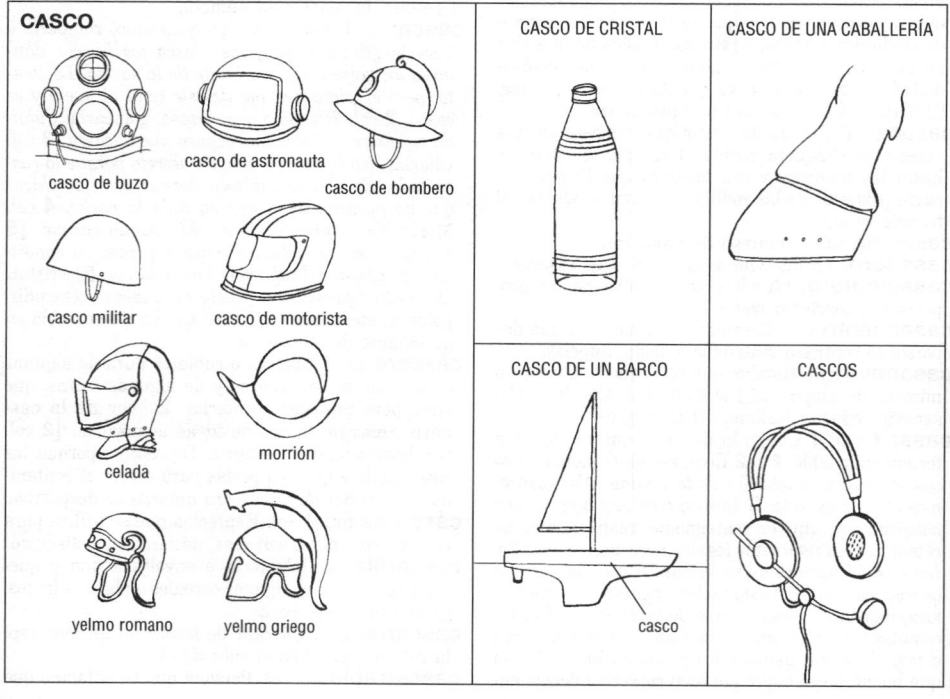

CASCO
casco de buzo
casco de astronauta
casco de bombero
casco militar
casco de motorista
celada
morrión
yelmo romano
yelmo griego
CASCO DE CRISTAL
CASCO DE UNA CABALLERÍA
CASCO DE UN BARCO
CASCOS
casco

francés *cassette*. ☐ MORF. En la acepción 1, es de género ambiguo (*el casete nuevo, la casete nueva*), aunque se usa más el femenino.

casetón s.m. Elemento de construcción, de forma poligonal, cóncavo y con adornos en el centro, que se dispone en serie para adornar techos y bóvedas; artesón. ☐ ETIMOL. De *casa*.

[cash (anglicismo) s.m. Dinero en efectivo. ☐ PRON. [casch], con *ch* suave. ☐ USO Su uso es innecesario y puede sustituirse por *efectivo*.

casi adv. Por poco, con poca diferencia o aproximadamente. ☐ ETIMOL. Del latín *quasi* (como si). ☐ MORF. Cuando se antepone a otra palabra para formar compuestos, adopta la forma *cuasi-*. ☐ USO Se usa con un matiz coloquial para expresar indecisión o duda: *Casi prefiero que vengas tú a mi casa.*

casilla s.f. **1** Cada una de las divisiones de un casillero o mueble. **2** En un tablero de juego, esp. el del ajedrez o el de las damas, cada uno de los compartimentos en que quedan divididos. **3** En un papel cuadriculado o rayado verticalmente, cada una de las divisiones en las que se anotan separados y por orden figuras o datos. **4** ‖**casilla {[de correos/postal]**; en zonas del español meridional, apartado de correos. ‖**[casilla electoral]**; en zonas del español meridional, lugar en el que se vota. ‖**sacar de sus casillas**; a alguien; col. Hacerle perder la paciencia. ☐ ETIMOL. De *casa*.

casillero s.m. **1** Mueble con varios huecos o divisiones para tener clasificados papeles u otros objetos. **[2** En deporte, marcador o tablón en el que se anotan los tantos que obtiene un jugador o un equipo. **[3** En zonas del español meridional, taquilla o compartimento para guardar ropa.

casimir s.m. →**cachemir**.

casino s.m. **1** Establecimiento público en el que hay juegos de azar y espectáculos, conciertos, bailes y otras diversiones. **2** Club o sociedad de recreo; círculo: *Es miembro del casino de su ciudad desde muy joven.* ☐ ETIMOL. Del italiano *casino* (pequeña casa elegante).

caso s.m. **1** Suceso, acontecimiento o lo que ocurre. **2** Casualidad o combinación de circunstancias que no se pueden prever ni evitar. **3** Asunto del que se trata o que se propone para consultar o para explicar algo. **4** Cada una de las manifestaciones individuales de una enfermedad o de una epidemia, o de un determinado hecho. **5** En gramática, en una lengua con declinación, relación sintáctica que una palabra de carácter nominal mantiene con su posición en una oración, según la función que desempeñe. **6** En gramática, en una lengua con declinación, forma que adopta una palabra de carácter nominal según la función que desempeña en una oración: *'Yo', 'me', 'mí', 'conmigo' son casos del pronombre de primera persona del singular.* **7** ‖**(caso) ablativo**; el que expresa la función de complemento. ‖**(caso) acusativo**; el que expresa generalmente la función de complemento directo. ‖**caso clínico**; **1** Manifestación de una enfermedad en un individuo. **[2** Persona cuyo comportamiento se sale de lo que se considera normal. ‖**(caso) dativo**; el que expresa generalmente la función de complemento indirecto. ‖**caso {de/que}** o **en caso de que**; si sucede o si ocurre. ‖**(caso) genitivo**; el que expresa generalmente el complemento del nombre. ‖**(caso) locativo**; el que expresa generalmente la función de

complemento de lugar en donde algo está o se realiza. ‖**(caso) nominativo**; el que expresa generalmente la función de sujeto. ‖**caso perdido**; persona de mala conducta, de la que no se puede esperar que se enmiende. ‖**(caso) vocativo**; el que expresa la llamada o invocación. ‖**hacer caso omiso** de algo; no tenerlo en cuenta. ‖**hacer caso**; prestar atención u obedecer. ‖**{hacer/venir} al caso**; col. Venir al propósito. ‖**poner por caso**; dar por supuesto o poner por ejemplo. ‖**ser un caso**; col. Referido a una persona, que se distingue de las demás para bien o para mal. ☐ ETIMOL. Del latín *casus* (caída, caso fortuito, accidente).

casona s.f. Casa señorial antigua. 🔎 vivienda

casorio s.m. col. Casamiento hecho de forma irreflexiva o con poco lucimiento. ☐ USO Tiene un matiz despectivo.

caspa s.f. Conjunto de escamas blancuzcas que se forman en el cuero cabelludo. ☐ ETIMOL. De origen incierto.

cáspita interj. Expresión que se usa para indicar extrañeza, sorpresa, admiración o disgusto. ☐ ETIMOL. Del italiano *caspita*.

casposo, sa adj. Que tiene caspa, esp. si es mucha.

casquería s.f. Establecimiento en el que se venden vísceras y otras partes comestibles de la res que no se consideran carne.

casquete s.m. **1** Cubierta de tela o de cuero que se ajusta a la cabeza. 🔎 sombrero **2** ‖**casquete esférico**; parte de la superficie de una esfera cortada por un plano que no pasa por su centro. ‖**[casquete glaciar**; manto de hielo que cubre completamente las cumbres de un macizo montañoso.

casquillo s.m. **1** Cartucho metálico vacío. **2** Parte metálica de un cartucho de cartón o de otro material. **3** Parte metálica de una bombilla que permite conectarla con el circuito eléctrico.

casquivano, na adj. De poco juicio y de poca reflexión.

[cast s.m. →**reparto**. ☐ USO Es un anglicismo innecesario.

casta s.f. Véase **casto, ta**.

castaña s.f. Véase **castaño, ña**.

castañal o **castañar** s.m. Terreno plantado de castaños. ☐ USO Aunque la RAE prefiere *castañar* se usa más *castañal*.

castañazo s.m. col. Golpe muy fuerte que se da o se recibe.

castañear v. →**castañetear**.

castañero, ra s. Persona que vende castañas.

castañeta s.f. **1** Instrumento musical de percusión formado por dos piezas cóncavas, generalmente de madera, que se suelen tocar sujetándolas por el ligar con un cordón que las une y haciéndolas chocar y repicar con los demás dedos; castañuela. 🔎 percusión **2** Lazo o adorno de cintas negras que se ponen los toreros en la coleta cuando salen a lidiar. ☐ MORF. La acepción 1 se usa más en plural.

castañetear v. Referido a los dientes, sonar dando los de una mandíbula con los de la otra; castañear: *Tenía tanto miedo que castañeteaba los dientes y no podía pararlos.*

castañeteo s.m. Golpeteo que dan los dientes de una mandíbula con los de la otra.

castaño, ña ∎ adj./s. **1** Del color de la cáscara de la castaña. ∎ s.m. **2** Árbol de tronco grueso, copa ancha y redonda, con hojas grandes, lanceoladas y aserradas, flores blancas y fruto redondeado envuelto en una cubierta espinosa. **3** Madera de este árbol. ∎ s.f. **4** Fruto del castaño. **5** Moño con la forma de este fruto, esp. el que se hace en la parte posterior de la cabeza. **6** *col.* Borrachera. **7** *col.* Golpe o choque violentos. **8** *col.* Lo que resulta aburrido o fastidioso. **[9** *col.* Año de edad de una persona; taco. **10** ‖ **castaña pilonga;** la que se ha secado al humo y se guarda todo el año. ‖ **castaño de Indias**; árbol de hojas compuestas, cuyas siete hojuelas nacen de un punto común, con flores blancas o rojizas y de fruto no comestible. ‖ **pasar de castaño oscuro** algo; *col.* Ser demasiado grave o intolerable. ‖ **sacarle las castañas del fuego** a alguien; *col.* Solucionarle los problemas. ‖ **[toma castaña**; *col.* Expresión que se usa para indicar extrañeza, sorpresa, admiración o disgusto. ☐ ETIMOL. Del latín *castanea.* ☐ USO En la acepción 1, es innecesario el uso galicista de *marrón* en lugar de *castaño* aplicado al pelo de las personas o al pelaje de los animales.

castañuela s.f. **1** Instrumento musical de percusión formado por dos piezas cóncavas, generalmente de madera, que se suelen tocar sujetándolas por el pulgar con un cordón que las une y haciéndolas chocar y repicar con los demás dedos; castañeta. ✲ percusión **2** ‖ **como unas castañuelas;** Muy alegre. ☐ ETIMOL. De *castaña.* ☐ MORF. Se usa más en plural.

castellanismo s.m. **1** Palabra, significado o construcción propios del territorio castellano. **2** En lingüística, palabra, significado o construcción del castellano empleados en otra lengua.

castellanización s.f. Adaptación de una palabra procedente de una lengua extranjera a las normas fonológicas, morfológicas y ortográficas del castellano.

castellanizar v. Dar características que se consideran propias de lo castellano o del castellano: *La Real Academia Española ha castellanizado el galicismo 'cassette' en la forma 'casete'.* ☐ ORTOGR. La *z* se cambia en *c* delante de *e* →CAZAR.

castellano, na ∎ adj./s. **1** De Castilla (actual territorio de las comunidades autónomas de Castilla-León y Castilla-La Mancha), o relacionado con ella. **2** Del antiguo condado y reino de Castilla, o relacionado con ellos. ∎ s.m. **3** Lengua española.
[castellano-leonés, -a adj./s. De Castilla y León (comunidad autónoma), o relacionado con ella.
[castellano-manchego, ga adj./s. De Castilla-La Mancha (comunidad autónoma), o relacionado con ella.

castellanohablante adj./s. Que habla el castellano sin dificultad, esp. si ésta es su lengua materna. ☐ MORF. 1. Como adjetivo es invariable en género. 2. Como sustantivo es de género común: *el castellanohablante, la castellanohablante.*
[castellers (catalanismo) s.m.pl. Conjunto de personas que se suben unas encima de otras para hacer una torre humana.

castellonense adj./s. De Castellón o relacionado con esta provincia española. ☐ MORF. 1. Como adjetivo es invariable en género. 2. Como sustantivo es de género común: *el castellonense, la castellonense.*

casticismo s.m. **1** Admiración y simpatía hacia lo castizo en las costumbres o en los modales. **2** Actitud de quienes, al hablar o al escribir, evitan los extranjerismos y prefieren el empleo de voces y giros castizos o de su propia lengua, aunque estén desusados.

casticista s. Partidario o defensor del casticismo al hablar o al escribir. ☐ MORF. Es de género común: *el casticista, la casticista.*

castidad s.f. **1** Ausencia de sensualidad. **2** Renuncia a todo placer sexual. **3** Aceptación y respeto de los principios morales o religiosos en lo relacionado con la sexualidad. ☐ ETIMOL. Del latín *castitas.*

castigador, -a adj./s. *col.* Referido a una persona, que despierta amor pero no lo satisface.

castigar v. **1** Imponer un castigo por un delito o una falta: *Castigaron públicamente a los culpables del robo.* **2** Referido esp. a una persona, causarle dolor físico o moral o hacerla padecer sin que tenga culpa: *Los consumidores son castigados con esta nueva subida de precios.* **3** Referido a una persona, reprenderla duramente o aplicarle una sanción para que no repita los errores o faltas cometidos; escarmentar: *Las castigaron sin dejarlas salir el sábado por la tarde.* **[4** Estropear o dañar, esp. un fenómeno natural: *El granizo 'castigó' los sembrados.* **[5** En tauromaquia, referido a un toro, obligarlo con pases de muleta a que vaya y venga por donde quiere el torero: *El torero dio unos pases para 'castigar' al toro.* **[6** *col.* En el lenguaje del deporte, derrotar: *El equipo visitante 'castigó' duramente al equipo local.* ☐ ETIMOL. Del latín *castigare* (amonestar, enmendar). ☐ ORTOGR. La *g* se cambia en *gu* delante de *e* →PAGAR.

castigo s.m. **1** Pena o daño que se impone al que ha cometido un delito o una falta. **[2** Lo que causa molestias o daños. **[3** *col.* En el lenguaje del deporte, derrota. **4** ‖ **[máximo castigo**; *col.* Penalti o sanción a una falta en el área.

castillete s.m. Armazón o torre que sirve para sostener algo.

castillo s.m. **1** Edificio o conjunto de edificios fortificados que están cercados con murallas, fosos y baluartes y que generalmente se han construido con fines militares. **2** En algunos buques, cubierta parcial que está a la altura de la borda. **3** ‖ **castillo de {fuego/[fuegos artificiales)**; conjunto de cohetes y otros artificios de pólvora que producen detonaciones y luces de colores y que se lanzan como espectáculo. ‖ **castillos en el aire**; *col.* Ilusiones o esperanzas con poco o ningún fundamento. ☐ ETIMOL. Del latín *castellum* (fuerte, reducto). ☐ SINT. *Castillos en el aire* se usa más con los verbos *hacer, forjar, levantar* o equivalentes. ✲ vivienda
[casting (anglicismo) s.m. Proceso de selección de actores o de modelos. ☐ PRON. [cástin].

castizo, za ∎ adj. **1** Referido al lenguaje, que es puro o sin mezcla de voces o giros extraños a la propia lengua. ∎ adj./s. **[2** Referido a un madrileño o a un andaluz, que es simpático, ocurrente y tiene la gracia que se considera propia de su región. ☐ ETIMOL. De origen incierto.

casto, ta ∎ adj. **1** Referido a una persona, que renuncia a todo placer sexual o se atiene a lo que se considera justo desde un punto de vista moral o religioso. **2** Recatado o sin provocación erótica. ∎ s.f. **3** Linaje, ascendencia o familia. **4** Especie, clase o condición. **5** En la India (país asiático), cada uno de los grupos sociales, homogéneos y cerrados en sí mismos, en que se divide la población. **6** En algunas sociedades, grupo social cerrado, que tiende a permanecer separado de los demás por la costumbre o los prejuicios. **7** En una sociedad animal, esp. referido a los insectos sociales, conjunto de individuos especializados por su estructura o función. □ ETIMOL. Las acepciones 1 y 2, del latín *castus* (puro, virtuoso). Las acepciones 3-7, de origen incierto.

castor s.m. **1** Mamífero roedor adaptado a la vida acuática, que tiene cuerpo grueso, patas cortas, pies con cinco dedos largos y palmeados, cola aplanada y escamosa que le sirve para impulsarse en el agua, y piel suave y resistente. ✍ roedor **2** Piel de dicho animal. □ ETIMOL. Del latín *castor*. □ MORF. En la acepción 1, es un sustantivo epiceno: *el castor macho, el castor hembra.*

castoreño s.m. →**sombrero castoreño.** ✍ sombrero

castración s.f. Hecho de extirpar o de inutilizar los órganos genitales; castradura.

castrado s.m. Hombre al que se le han extirpado los órganos genitales, esp. los cantantes a los que se practicaba esta operación para que conservaran la voz aguda infantil. □ USO Es innecesario el uso del italianismo *castrato.*

castradura s.f. →**castración.**

castrar v. **1** Extirpar o inutilizar los órganos genitales; capar: *Han castrado al cerdo para cebarlo con más rapidez. En la Antigüedad se castraba a hombres para convertirlos en eunucos.* **2** Debilitar, disminuir o anular: *No dejes que tu ansiedad castre tu inteligencia.* □ ETIMOL. Del latín *castrare.*

[castrato s.m. →**castrado.** □ USO Es un italianismo innecesario.

castrense adj. Del ejército o relacionado con la vida o la profesión militares. □ ETIMOL. Del latín *castrensis* (relativo a los campamentos). □ MORF. Invariable en género.

castrismo s.m. Movimiento político de ideología comunista, iniciado con la revolución cubana que encabezó Fidel Castro (general y presidente cubano) y que triunfó en 1959.

castrista ∎ adj. **1** Del castrismo o relacionado con este movimiento político. ∎ s. **2** Partidario o seguidor del castrismo. □ MORF. Como adjetivo es invariable en género. 2. Como sustantivo es de género común: *el castrista, la castrista.*

castro s.m. Poblado celta fortificado. □ ETIMOL. Del latín *castrum* (campamento fortificado).

castúo, a ∎ adj./s. **1** Referido a una persona, que ha nacido en la comunidad autónoma extremeña. ∎ s.m. **2** Modalidad lingüística extremeña. □ MORF. En la acepción 1, la RAE sólo lo registra como adjetivo.

casual adj. **1** Que sucede por casualidad. **2** ‖ **[por un casual**; *col.* Por casualidad. □ ETIMOL. Del latín *casualis.* □ ORTOGR. Dist. de *causal.* □ MORF. Invariable en género.

casualidad s.f. Combinación de circunstancias imprevistas que no se pueden evitar. □ ORTOGR. Dist de *causalidad.*

casuístico, ca ∎ adj. **1** De la casuística o relacionado con esta parte de la moral. **2** Que analiza y estudia muchos casos y ejemplos concretos pero sin dar una norma o exposición generales. ∎ s.f. **3** En moral, aplicación de los principios morales a casos concretos de las acciones humanas. **4** Consideración

de los diversos casos particulares que se pueden prever.

casulla s.f. Vestidura sacerdotal, que consiste en una pieza alargada, con una abertura en el centro para pasar la cabeza y que se pone sobre las demás para celebrar la misa. □ ETIMOL. Del latín *casubla* (capa con capucha).

cata s.f. **1** Prueba o degustación de una pequeña porción de algo para examinar su sabor. **2** Porción que se toma en esta prueba.

catabólico, ca adj. En biología, del catabolismo o relacionado con este conjunto de procesos metabólicos.

catabolismo s.m. En biología, conjunto de procesos metabólicos de degradación de sustancias para obtener otras más simples o energía. □ ETIMOL. Del griego *katá* (abajo) y *bállo* (yo echo), porque el catabolismo tiene que ver con la destrucción de moléculas para obtener otras.

cataclismo s.m. **1** Desastre de grandes proporciones que afecta a todo el planeta Tierra o a parte de él y que está producido por un fenómeno natural. **2** Gran trastorno del orden político y social. **3** *col.* Disgusto, contratiempo o suceso que altera la vida cotidiana. □ ETIMOL. Del latín *cataclysmos* (diluvio).

catacumbas s.f.pl. Galerías subterráneas en las que los primitivos cristianos enterraban a sus muertos y practicaban las ceremonias del culto, para permanecer en secreto. □ ETIMOL. Del latín *catacumbae.*

catador, -a s. Persona que se dedica profesionalmente a probar o catar vinos para informar sobre su calidad y sus propiedades; catavinos. □ SEM. Dist. de *enólogo* (especialista en la elaboración de los vinos).

catadura s.f. Aspecto, gesto o semblante. □ SINT. Se usa más con los adjetivos *mala, fea* o equivalentes.

catafalco s.m. Túmulo o armazón de madera que suele ponerse en un templo para celebrar los funerales por un difunto. □ ETIMOL. Del italiano *catafalco* (sepulcro solemne).

catáfora s.f. En gramática, tipo de deixis por el que una palabra anticipa una parte aún no enunciada del discurso y que se enunciará a continuación: *En la oración 'Le dije a mi hermano que no irían', el pronombre 'le' es un ejemplo de catáfora.* □ ETIMOL. Del griego *kataphorá* (que lleva hacia abajo).

catalán, -a ∎ adj./s. **1** De Cataluña (comunidad autónoma), o relacionado con ella. ∎ s.m. **2** Lengua románica de esta comunidad y de otros territorios.

catalanidad s.f. Conjunto de características propias de lo catalán, o hecho de ser catalán.

catalanismo s.m. **1** En lingüística, palabra, significado o construcción sintáctica del catalán empleados en otra lengua. **2** Movimiento que defiende los valores históricos y culturales catalanes y generalmente es partidario de la autonomía política catalana.

catalanista adj./s. Partidario o seguidor del catalanismo como movimiento. □ MORF. 1. Como adjetivo es invariable en género. 2. Como sustantivo es de género común: *el catalanista, la catalanista.* 3. La RAE sólo lo registra como sustantivo.

[catalanización s.f. Difusión o adopción del catalán y de las características que se consideran propias de lo catalán.

[**catalanizar** v. Dar características que se consideran propias de lo catalán o del catalán: *Es hijo de un emigrante andaluz, pero 'se ha catalanizado'.* ☐ ORTOGR. La *z* se cambia en *c* delante de *e* →CAZAR.

[**catalanohablante** adj./s. Que habla el catalán sin dificultad, esp. si ésta es su lengua materna. ☐ MORF. 1. Como adjetivo es invariable en género. 2. Como sustantivo es de género común: *el 'catalanohablante', la 'catalanohablante'.*

catalejo s.m. Tubo extensible que sirve para ver lo que está muy lejos como si estuviera cerca. ☐ ETIMOL. Del antiguo *catar* (mirar) y *lejos*.

catalepsia s.f. En medicina, trastorno nervioso repentino que se caracteriza por la pérdida de la sensibilidad y la completa inmovilidad del cuerpo, que permanece en la postura en que se le coloque. ☐ ETIMOL. Del griego *katálepsis* (acción de coger, sorprender).

cataléptico, ca ▌ adj. **1** De la catalepsia o con las características de este trastorno nervioso. ▌ adj./ s. **2** Que sufre catalepsia.

catalina s.f. *col.* Excremento, generalmente de ganado vacuno.

catalítico, ca adj. De la catálisis de una reacción química.

catalizador s.m. **1** En química, sustancia que acelera o retarda la velocidad de una reacción sin participar directamente en ella. [**2** Persona que reúne, agrupa o dinamiza un grupo.

[**catalizar** v. **1** En química, referido a una reacción, provocar el aumento o la disminución de su velocidad a una sustancia que queda al final inalterada: *El platino 'cataliza' las reacciones de obtención de ácido sulfúrico.* **2** Referido a fuerzas o sentimientos, atraerlos, agruparlos o unirlos: *El líder 'cataliza' el espíritu del grupo.* ☐ ETIMOL. De *catálisis.* ☐ ORTOGR. La *z* se cambia en *c* delante de *e* →CAZAR.

catalogación s.f. **1** Registro o descripción ordenada, generalmente de un documento, que se hace siguiendo unas normas. [**2** Consideración o clasificación dentro de una clase o de un grupo.

catalogar v. **1** Referido esp. a un documento o un objeto de valor, registrarlo o describirlo ordenadamente y siguiendo unas normas: *Cuando hayas catalogado los libros, inserta las fichas en el catálogo de títulos.* [**2** Considerar o clasificar dentro de una clase o de un grupo: *Lo han 'catalogado' de vago y por mucho que trabaje no consigue quitarse la etiqueta.* ☐ ORTOGR. La *g* se cambia en *gu* delante de *e* →PAGAR.

catálogo s.m. Relación ordenada en la que se incluyen o se describen de forma individual objetos o personas que tienen algún punto común. ☐ ETIMOL. Del latín *catalogus,* y éste del griego *katálogos* (lista, registro).

catamarán s.m. Embarcación deportiva que consta de una plataforma y dos cascos alargados en forma de patines y que está impulsada por vela o por motor. ☐ ETIMOL. Del inglés *catamaran,* y éste del tamil *kattumaran.*

cataplasma s.f. Medicamento de uso externo y consistencia blanda, que se aplica a una parte del cuerpo con fines calmantes o curativos. ☐ ETIMOL. Del griego *katáplasma* (emplasto).

[**cataplines** s.m.pl. *euf. col.* →**testículos.**

catapulta s.f. **1** Antigua máquina de guerra que se usaba para arrojar piedras u otras armas arrojadizas. [**2** Lo que lanza o da impulso decisivo a una actividad o una empresa. ☐ ETIMOL. Del latín *catapulta.*

catapultar v. Lanzar o dar un fuerte impulso: *Su última novela lo catapultó a la fama.*

catar v. **1** Referido a algo, probarlo o tomar una pequeña porción para examinar su sabor: *Cató el gazpacho y dijo que estaba para chuparse los dedos.* **2** Experimentar, generalmente por primera vez, la impresión o la sensación que produce algo: *Tiene ganas de catar lo que son unas buenas vacaciones en la playa.* ☐ ETIMOL. Del latín *captare* (tratar de coger, tratar de percibir por los sentidos).

catarata s.f. **1** Cascada o salto grande de agua. **2** Opacidad o falta de transparencia del cristalino del ojo o de su cápsula, producida por acumulación de sustancias que impiden el paso de los rayos de luz. ☐ ETIMOL. Del latín *cataracta.*

[**catarina** s.f. En zonas del español meridional, mariquita.

catarral adj. Del catarro o relacionado con él. ☐ MORF. Invariable en género.

catarro s.m. **1** Inflamación de las membranas mucosas, con aumento de la secreción habitual. [**2** Malestar físico que se produce generalmente por cambios bruscos de temperatura; resfriado. ☐ ETIMOL. Del latín *catarrhus.* ☐ SEM. Es sinónimo de *constipado.*

catarroso, sa adj. Que padece catarro, normalmente ligero.

catarsis s.f. **1** Para los antiguos griegos, purificación de las pasiones o los sentimientos por la contemplación de las obras de arte, esp. la que causa al espectador la puesta en escena de una tragedia. **2** En fisiología, expulsión de sustancias nocivas para el organismo. **3** Eliminación de recuerdos perturbadores. [**4** Cambio que rompe con lo anterior por considerarlo negativo. ☐ MORF. Invariable en número.

catártico, ca adj. De la catarsis o relacionado con ella. ☐ ETIMOL. Del griego *kathartikós,* y éste de *katharós* (limpio).

catastral adj. Del catastro o relacionado con este censo o impuesto. ☐ MORF. Invariable en género.

catastro s.m. **1** En un territorio, esp. en un país, censo y lista estadística de las propiedades territoriales urbanas y rústicas. [**2** *col.* Impuesto que se paga por la posesión de una finca. ☐ ETIMOL. Del francés antiguo *catastre.*

catástrofe s.f. **1** Suceso desdichado que produce una desgracia y que altera gravemente el orden regular de las cosas. **2** Lo que tiene escasa calidad, mal funcionamiento o lo que produce mala impresión. ☐ ETIMOL. Del griego *katastrophé* (ruina, trastorno).

catastrófico, ca adj. **1** De una catástrofe o con sus características. **2** Desastroso o muy malo.

catastrofismo s.m. Tendencia pesimista a predecir catástrofes.

catastrofista adj./s. Que tiende a predecir catástrofes porque es exagerademente pesimista. ☐ MORF. Es de género común: *el catastrofista, la catastrofista.*

[**catatónico, ca** adj. **1** En medicina, referido esp. a un estado, que se caracteriza por la inmovilidad y la falta de voluntad, y que es propio de algunas enfermedades psiquiátricas. **2** *col.* Referido a una persona,

muy impresionada o alterada por una situación. □
SINT. En la acepción 2, se usa más con los verbos
estar o quedarse.
catavino s.m. Copa larga, estrecha y redondeada,
de cristal muy fino, para probar o catar el vino. □
SEM. Dist. de *catavinos* (persona que se dedica profesionalmente a catar el vino).
catavinos s. Persona que se dedica profesionalmente a probar o catar vinos para informar sobre
su calidad y sus propiedades; catador. □ MORF. Invariable en género y número. □ SEM. Dist. de *catavino* (copa para catar el vino) y de *enólogo* (persona especializada en el conocimiento de la elaboración de los vinos).
[catcher (anglicismo) s. En béisbol, jugador que se
coloca detrás del bateador contrario para recoger la
pelota enviada por el lanzador de su equipo. □
PRON. [cátcher], con *t* suave. □ MORF. Es de género
común: *el 'catcher', la 'catcher'.*
[catchup s.m. →**catsup**. □ ORTOGR. Es un anglicismo (*catsup*) adaptado al español e innecesario.
cate s.m. col. Suspenso.
catear v. col. En la enseñanza, suspender: *Me han
cateado las matemáticas.*
catecismo s.m. Libro de instrucción o enseñanza
elemental en el que se contiene y explica la doctrina
cristiana, y que está redactado generalmente en forma de preguntas y respuestas. □ ETIMOL. Del latín
catechismus.
catecumenado s.m. **1** Ejercicio de enseñar a
otros la fe católica para que reciban el bautismo. **2**
Tiempo que dura esta enseñanza. **[3** Ejercicio de
profundización en la fe católica.
catecúmeno, na s. **1** Persona que se instruye en
la fe católica para recibir el bautismo. **[2** Persona
bautizada que quiere profundizar en la fe católica.
□ ETIMOL. Del latín *catechumenus.*
cátedra s.f. **1** Asiento elevado o especie de púlpito
desde donde el profesor da una lección a sus alumnos. **2** Cargo o dedicación del catedrático. **3** Asignatura o materia enseñadas por un catedrático. **4**
Aula o despacho de un catedrático. **[5** Departamento o sección dependiente de la autoridad del catedrático. **6** ‖**cátedra de San Pedro**; papado o dignidad de papa. ‖**ex cátedra**; →**ex cáthedra**.
‖**sentar cátedra**; pronunciarse de forma concluyente sobre alguna materia o asunto. □ ETIMOL. 1.
Del latín *cathedra* (silla). 2. *Ex cátedra* del latín *ex
cathedra.*
catedral s.f. **1** Iglesia principal y generalmente de
grandes dimensiones, que es sede de una diócesis.
2 ‖**[como una catedral**; col. Grandísimo, muy importante o extraordinario. □ ETIMOL. De *cátedra*
(trono del obispo o arzobispo).
catedralicio, cia adj. De la catedral o relacionado con ella.
catedrático, ca s. En los centros oficiales de enseñanza secundaria o universitaria, profesor de la categoría más alta.
cátedro s.m. col. Catedrático.
categoría s.f. **1** Cada una de las jerarquías establecidas en una actividad. **2** Condición de una persona respecto de otras. **3** En una ciencia, clase, grupo
o paradigma en que se distinguen los elementos o
las unidades que la componen: *categoría gramati-
cal.* **4** En la filosofía de Aristóteles (filósofo griego), cada
una de las diez nociones abstractas y generales que

corresponden al modo como está organizada la realidad. **5** En la filosofía kantiana, cada uno de los conceptos a priori o formas de entendimiento. **6** ‖**de
categoría**; de importancia, valor o prestigio grandes. □ ETIMOL. Del griego *kategoría* (calidad que se
atribuye a un objeto).
categórico, ca adj. Que afirma o niega de forma
absoluta, sin vacilación ni posibilidad de alternativa. □ ETIMOL. Del latín *categoricus*, y éste del griego *kategorikós* (afirmativo).
[categorización s.f. Clasificación de algo dentro
de una determinada categoría.
[categorizar v. Clasificar dentro de una determinada categoría: *Este delito 'se categoriza' como
robo con violencia.* □ ORTOGR. La *z* se cambia en *c*
delante de *e* →CAZAR.
catequesis s.f. Enseñanza de principios y dogmas
pertenecientes a la religión, esp. la que se considera
una preparación para recibir la primera comunión.
□ MORF. Invariable en número.
[catequético, ca adj. →**catequístico**.
catequista s. Persona que enseña los principios y
dogmas pertenecientes a la religión. □ MORF. Es de
género común: *el catequista, la catequista.*
catequístico, ca adj. De la catequesis o relacionado con la enseñanza de la religión; catequético.
catequización s.f. Enseñanza de los principios y
dogmas de la fe católica.
catequizar v. Enseñar los principios y dogmas de
la fe católica: *Muchos religiosos españoles fueron a
América en la época del descubrimiento para catequizar a los indígenas.* □ ETIMOL. Del griego *katek-
hízo* (instruyo). □ ORTOGR. La *z* se cambia en *c* delante de *e* →CAZAR.
[catering (anglicismo) s.m. Servicio de abastecimiento de comidas preparadas, esp. el de las compañías aéreas. □ PRON. [cáterin].
caterva s.f. Multitud de personas o cosas consideradas en grupo, que están desordenadas o que se
consideran despreciables o de poca importancia. □
ETIMOL. Del latín *caterva* (batallón, muchedumbre).
□ USO Tiene un matiz despectivo.
catéter s.m. En medicina, sonda o tubo delgado, liso
y generalmente largo que se introduce por cualquier
conducto del cuerpo para explorar o dilatar un órgano o para servir de guía a otros instrumentos. □
ETIMOL. Del griego *kathetér* (sonda de cirujano).
cateterismo s.m. En medicina, operación quirúrgica
o exploratoria que consiste en introducir un catéter
cateto, ta ▌ s. **1** Persona rústica y sin refinamiento. ▌ s.m. **2** En un triángulo rectángulo, cada uno de los
dos lados que forman el ángulo recto. □ ETIMOL. La
acepción 1, de origen incierto. La acepción 2, del
latín *kathetus*, y éste del griego *káthetos* (perpendicular). □ USO En la acepción 1, es despectivo.
catión s.m. Ion con carga eléctrica positiva. □ ETI-
MOL. De *cátodo* e *ion*.
catódico, ca adj. Del cátodo o relacionado con
este electrodo.
cátodo s.m. Electrodo negativo. □ ETIMOL. Del
griego *káthodos* (camino descendente).
catolicidad s.f. Universalidad de la iglesia.
catolicismo s.m. **1** Religión cristiana que reconoce como autoridad suprema al Papa de la iglesia
romana. **2** Comunidad o conjunto de las personas
que tienen esta religión.

católico, ca ▌ adj. **1** Del catolicismo o relacionado con esta religión. **2** Expresión que se aplicaba como título honorífico a los reyes de España (país europeo). **3** col. Referido a una persona, que está sana y en perfectas condiciones. ▌ adj./s. **4** Que tiene como religión el catolicismo. ☐ ETIMOL. Del latín *catholicus*, y éste del griego *katholikós* (universal, general). ☐ SINT. La acepción 3 se usa más en la expresión *no estar muy católico*.

catón s.m. Libro con palabras y frases sencillas que se utiliza para aprender a leer. ☐ ETIMOL. Por alusión a Dionisio Catón, gramático latino.

catorce ▌ numer. **1** Número 14: *catorce personas.* ▌ s.m. **2** Signo que representa este número: *Los romanos escribían el catorce como 'XIV'.* ☐ ETIMOL. Del latín *quattuordecim.*

catorceavo, va numer. Referido a una parte, que constituye un todo junto con otras trece iguales a ella; catorzavo. ☐ SEM. Su uso como numeral ordinal es incorrecto: *Llegué en {*catorceava > decimocuarta} posición.*

catorceno, na numer. En una serie, que ocupa el lugar número catorce; decimocuarto.

catorzavo, va numer. →**catorceavo.**

catre s.m. **1** Cama estrecha, sencilla, ligera e individual. [**2** col. Cama. ☐ ETIMOL. Del portugués *catre.*

[catsup (anglicismo) s.m. Salsa de tomate condimentada con vinagre, azúcar y especias; ketchup.

caucasiano, na adj. De la cordillera del Cáucaso o relacionado con ella. ☐ USO Se usa también *caucásico.*

caucásico, ca adj. **1** Del grupo étnico de origen europeo, o relacionado con él. [**2** Del grupo de lenguas habladas en la zona del Cáucaso (cordillera del sudeste europeo) o relacionado con ellas. [**3** →**caucasiano.**

cauce s.m. **1** En un río o en un canal, lugar por el que corren sus aguas. **2** Modo, procedimiento o norma para realizar algo. [**3** Camino o vía. **4** ║ [**dar cauce** a algo; facilitarlo o darle una oportunidad. ☐ ETIMOL. Del latín *calix* (tubo de las conducciones de agua).

cauchero, ra ▌ adj. **1** Del caucho o relacionado con esta sustancia. ▌ s. **2** Persona que recoge el caucho de los árboles que lo producen.

caucho s.m. **1** Sustancia elástica, impermeable, resistente a la abrasión y a las corrientes eléctricas, que se obtiene por procedimientos químicos o a partir del látex o jugo lechoso de algunas plantas tropicales; goma elástica. **2** En zonas del español meridional, neumático. [**3** En zonas del español meridional, goma o tira elástica. ☐ ETIMOL. De *cauchuz*, voz indígena americana. ☐ MORF. En la acepción 3, se usa mucho el diminutivo *'cauchito'.*

caución s.f. Garantía, fianza o medio con que se aseguran el cumplimiento de una obligación, de un pacto o de algo semejante. ☐ ETIMOL. Del latín *cautio.*

caudal ▌ adj. **1** De la cola o relacionado con esta parte de los animales. ▌ s.m. **2** Hacienda o conjunto de bienes. **3** Cantidad de agua que mana o que corre. **4** Abundancia o gran cantidad de algo. ☐ ETIMOL. La acepción 1, del latín *cauda* (cola). Las acepciones 2-4, del latín *capitalis* (principal). ☐ MORF. Como adjetivo es invariable en género.

caudaloso, sa adj. Referido a una corriente de agua, que tiene mucho caudal.

caudillaje s.m. Gobierno o mando de un caudillo.

caudillismo s.m. Forma de gobernar de un caudillo.

[caudillista adj. Del caudillo, con las características de su gobierno o relacionado con él. ☐ MORF. Invariable en género.

caudillo s.m. Persona que guía y manda a un grupo de gente, esp. a soldados o a gente armada. ☐ ETIMOL. Del latín *capitellum* (cabecilla).

causa s.f. **1** Lo que se considera origen o fundamento de un efecto. **2** Motivo o razón para obrar. **3** Proyecto o ideal que se defienden o por los que se toma partido. **4** Pleito o disputa en juicio; litigio. **5** ║**a causa de** algo; por ese motivo. ║**hacer causa común con** alguien; unirse a él para lograr algún fin. ☐ ETIMOL. Del latín *causa.*

causal adj. **1** De la causa o relacionado con ella. **2** Que expresa o que indica causa. ☐ ETIMOL. Del latín *causalis.* ☐ ORTOGR. Dist. de *casual.* ☐ MORF. Invariable en género.

causalidad s.f. En filosofía, ley en virtud de la cual las causas producen los efectos. ☐ ORTOGR. Dist. de *casualidad.*

causante adj./s. Que es la causa de algo. ☐ MORF. **1.** Como adjetivo es invariable en género. **2.** Como sustantivo es de género común: *el causante, la causante.*

causar v. Referido a un efecto, producirlo o ser su origen: *La humedad causa la corrosión de los metales.* ☐ ETIMOL. Del latín *causare.* ☐ ORTOGR. La *u* nunca lleva tilde.

causativo, va adj. Que causa algo.

causticidad s.f. **1** Propiedad que tienen algunas sustancias de destruir o de quemar los tejidos animales. **2** Mordacidad o malignidad, esp. en lo que se dice o en lo que se escribe.

cáustico, ca adj. **1** Referido a una sustancia, que quema y destruye los tejidos animales. **2** Mordaz y agresivo. ☐ ETIMOL. Del latín *causticos*, y éste del griego *kaustikós* (que quema).

cautela s.f. Cuidado o precaución al hacer algo. ☐ ETIMOL. Del latín *cautela.*

cautelar adj. Que se establece como cautela o para prevenir algo. ☐ MORF. Invariable en género.

cauteloso, sa adj. Con cautela.

cauterio s.m. **1** Instrumento o medio empleados para destruir o quemar los tejidos con fines curativos. **2** →**cauterización.** ☐ ETIMOL. Del latín *cauterium.*

cauterización s.f. Tratamiento de algunas enfermedades destruyendo o quemando los tejidos afectados; cauterio.

cauterizar v. En medicina, referido a algunas enfermedades, esp. a heridas, tratarlas quemando o destruyendo los tejidos afectados: *Le cauterizaron la herida con un objeto candente para pararle la hemorragia.* ☐ ORTOGR. La *z* se cambia en *c* delante de *e* →CAZAR.

cautivador, -a adj. Que cautiva.

cautivar v. **1** Referido a una persona, ejercer influencia en su ánimo mediante algo que resulta física o moralmente atractivo: *Su agradable voz nos cautivó a todos.* **2** Referido a una actitud o un sentimiento ajenos, ganarlos o atraerlos: *Con su vestido cautivó la atención de los asistentes a la fiesta.* **3** En una guerra,

referido al enemigo, apresarlo y privarlo de libertad: *Los moros encerraban en cárceles a los cristianos que cautivaban.* □ ETIMOL. Del latín *captivare*.
cautiverio s.m. o **cautividad** s.f. **1** Privación de libertad causada por un enemigo. **2** Encarcelamiento o vida en la cárcel. **3** Privación de la libertad a los animales no domésticos. **4** Estado en el que se encuentran estos animales.
cautivo, va adj./s. **1** Que está privado de libertad, esp. en una guerra. **[2** Que está dominado por algo o que se siente atraído por ello. □ ETIMOL. Del latín *captivus*.
cauto, ta adj. Cauteloso o precavido. □ ETIMOL. Del latín *cautus*, y éste de *cavere* (guardarse, tener cuidado).
cava ▮ s.m. **1** Vino espumoso elaborado en cuevas, al estilo del champán. ▮ s.f. **2** Cueva en la que se elabora este vino. **3** Levantamiento de la tierra para ahuecarla, esp. de las viñas, mediante la azada, el azadón u otro instrumento semejante. **4** →**vena cava**. □ ETIMOL. Las acepciones 1 y 2, del latín *cava* (zanja, cueva). La acepción 3, de *cavar*.
cavar v. **1** Levantar o remover la tierra con una azada o con una herramienta semejante: *Antes de sembrar el terreno es conveniente cavarlo.* **2** Profundizar en la tierra utilizando una azada o una herramienta semejante: *Si quieres encontrar agua tendrás que cavar un poco más.* □ ETIMOL. Del latín *cavare* (ahuecar, cavar).
caverna s.f. **1** Cavidad profunda, subterránea o entre rocas. **2** En algunos tejidos orgánicos, cavidad causada por la destrucción y la pérdida de una sustancia. □ ETIMOL. Del latín *caverna*.
cavernario, ria adj. De las cavernas o relacionado con ellas.
cavernícola adj./s. Que vive en las cavernas. □ ETIMOL. De *caverna* y *-cola* (habitante). □ MORF. **1.** Como adjetivo es invariable en género. **2.** Como sustantivo es de género común: *el cavernícola, la cavernícola.*
cavernoso, sa adj. **1** De una caverna, relacionado con ella o con alguna de sus características. **2** Que tiene muchas cavernas. **3** Referido a un sonido, que resulta sordo y áspero.
caviar s.m. Comida que consiste en huevas de esturión frescas, aderezadas con sal y prensadas. □ ETIMOL. Del italiano antiguo *caviares*, y éste del turco *havyar*.
cavidad s.f. Espacio hueco en el interior del cuerpo: *cavidad bucal.* □ ETIMOL. Del latín *cavitas*.
cavilación s.f. Reflexión que se hace pensando en algo profundamente.
cavilar v. Pensar profundamente o reflexionar: *Cavila cómo pagar sus deudas. Cuando cavila se pone muy seria.* □ ETIMOL. Del latín *cavillari* (bromear, emplear sofismas).
caviloso, sa adj. Pensativo y muy preocupado, esp. por excesiva desconfianza o suspicacia.
cayado s.m. **1** Bastón cuyo extremo superior es curvo. **2** Bastón que usan algunos religiosos como símbolo de su autoridad. □ ETIMOL. Del latín *caia* (porra). □ ORTOGR. Dist de *callado* (del verbo callar). □ SEM. En la acepción 1, es sinónimo de *cachava, cachavo* y *garrota*.
cayo s.m. Tipo de isla llana y arenosa, muy común en el mar de las Antillas y en el golfo de México, que se inunda fácilmente. □ ORTOGR. Dist. de *callo*.

cayuco s.m. En zonas del español meridional, canoa o embarcación pequeña.
caz s.m. Canal para coger y llevar agua de un sitio a otro. □ ETIMOL. Del latín *calix* (tubo de las conducciones de agua).
caza ▮ s.m. **1** Avión de pequeño tamaño y de gran velocidad y agilidad que se utiliza generalmente en misiones de reconocimiento y en combates aéreos. ▮ s.f. **2** Búsqueda y persecución de un animal hasta atraparlo o matarlo. **3** Conjunto de animales salvajes, antes y después de cazados. **4** Seguimiento o persecución. **5** ‖{andar/ir} a la caza de algo; *col.* Procurar obtenerlo. ‖ caza de brujas; la que se ejerce por prejuicios sociales o políticos. ‖ espantar la caza; *col.* Estropearse un asunto.
cazabombardero s.m. Avión de combate que se utiliza en distintas misiones y con capacidad para arrojar bombas.
[cazacerebros s. →**cazatalentos**. □ MORF. **1.** Es de género común: *el 'cazacerebros', la 'cazacerebros'.* **2.** Invariable en número.
cazador, -a ▮ adj. **1** Referido a algunos animales, que por instinto persiguen y cazan a otros. ▮ adj./s. **2** Aficionado a la caza o que se dedica a esta actividad. ▮ s.f. **3** Prenda de abrigo corta y ajustada a la cintura.
cazadora s.f. Véase **cazador, -a**.
cazadotes s.m. Hombre que trata de casarse con una mujer rica.
[cazafortunas s. Persona que trata de casarse con alguna persona rica. □ MORF. **1.** Es de género común: *el 'cazafortunas', la 'cazafortunas'.* **2.** Invariable en número.
cazalla s.f. Aguardiente seco y muy fuerte, originario de Cazalla de la Sierra (localidad sevillana).
cazallero, ra s. [Persona que acostumbra a beber cazalla.
cazar v. **1** Referido a un animal, buscarlo o perseguirlo hasta atraparlo o matarlo: *Cazamos dos liebres. Para mí, cazar no es una forma de hacer deporte.* **2** *col.* Referido a algo difícil o inesperado, conseguirlo fácilmente o con habilidad: *A pesar de su poca formación, cazó un buen empleo.* **3** *col.* Referido a una persona, hacerse con su voluntad o ganarla para un propósito, esp. si se hace mediante engaños o halagos: *Toda la vida criticando el matrimonio y al final te han cazado.* **4** *col.* Referido a una persona, descubrirla o sorprenderla en un error o en una acción que desearía ocultar: *Lo cazaron con las manos en la masa y no pudo negar que había sido él.* [**5** *col.* Referido a alguien que escapa o que va delante, atraparlo o darle alcance: *El pelotón 'cazó' al corredor escapado en la última recta.* [**6** *col.* Entender, comprender o captar el significado: *Pronto 'cacé' la solución del problema.* □ ETIMOL. Del latín **captiare*, y éste de *capere* (coger). □ ORTOGR. La *z* se cambia en *c* delante de *e* →CAZAR.
cazatalentos s. Persona que se dedica a buscar profesionales bien dotados o preparados para una actividad artística o profesional, generalmente con intención de contratarlos. □ ETIMOL. Traducción del inglés *talent scout* o *head-hunter*. □ MORF. **1.** Es de género común: *el cazatalentos, la cazatalentos.* **2.** Invariable en número. □ USO **1.** Aunque la RAE sólo registra *cazatalentos*, se usa también *cazacerebros*. **2.** Es innecesario el uso del anglicismo *head-hunter*.
[cazavirus adj./s.m. Referido a un programa informá-

tico, que detecta la presencia de virus y los anula; antivirus. □ MORF. 1. Como adjetivo es invariable en género. 2. Invariable en número.

cazcarria s.f. →**cascarria**. □ MORF. Se usa más en plural.

cazo s.m. **1** Recipiente de cocina, cilíndrico o más ancho por la boca que por el fondo, con un mango alargado, generalmente con un pico para verter, y que se se suele usar para calentar o para cocer alimentos. **2** Utensilio de cocina, formado por un pequeño recipiente semiesférico con un mango largo, y que se utiliza para servir líquidos o alimentos poco consistentes, o para pasarlos de un recipiente a otro. **3** →**cazoleta**. [**4** col. Persona fea. [**5** col. Persona torpe, bruta o sin gracia. **6** ‖ [**meter el cazo**; col. Cometer un error o tener una intervención poco acertada o inconveniente. □ ETIMOL. De origen incierto.

cazoleta s.f. **1** En una espada o en un sable, pieza metálica de forma redondeada, que se pone sobre la empuñadura para proteger la mano; cazo. **2** En una pipa de fumar, pequeño receptáculo que tiene en uno de sus extremos y en el que se pone el tabaco.

cazón s.m. Pez marino que tiene el esqueleto cartilaginoso, la boca grande y armada de dientes afilados, y que vive en mares cálidos. □ ETIMOL. De origen incierto. □ MORF. Es un sustantivo epiceno: *el cazón macho, el cazón hembra*.

cazuela s.f. **1** Recipiente de cocina, más ancho que alto, generalmente de barro o de metal, redondo y con dos asas, y que suele usarse para guisar. [**2** En una prenda de vestir femenina, esp. en un sujetador, parte hueca que cubre un seno.

cazurrería s.f. Torpeza, ignorancia o lentitud de entendimiento.

cazurro, rra adj./s. Torpe, ignorante o de lento entendimiento. □ ETIMOL. De origen incierto. □ MORF. La RAE sólo lo registra como adjetivo.

ce s.f. **1** Nombre de la letra *c*. **2** ‖ *ce por ce*; col. De forma muy detallada. ‖ *por ce o por be*; col. Por una u otra razón.

ceba s.f. Alimentación abundante y de calidad que se da al ganado, esp. al destinado para consumo humano.

cebada s.f. **1** Cereal semejante al trigo, de menor altura, hojas más anchas y granos más alargados y puntiagudos, muy empleado como alimento para el ganado y en la fabricación de diversas bebidas. ✍ cereal **2** Grano de este cereal. □ ETIMOL. De *cebar* (dar comida a los animales).

cebar ∎ v. **1** Referido a un animal, engordarlo, esp. cuando se hace para destinar su carne a la alimentación humana: *En esa granja ceban los cerdos que compra el matadero de mi pueblo.* [**2** col. Referido a una persona, alimentarla abundantemente o engordarla: *Muchos padres 'ceban' a sus hijos pensando erróneamente que estarán más sanos cuanto más gordos.* **3** Referido esp. a un sentimiento, alimentarlo, fomentarlo o avivarlo: *Provoca a su marido para cebar sus celos.* ∎ prnl. **4** Ensañarse o mostrarse desmesuradamente cruel o duro, esp. si se hace con quien es más débil: *El asesino se cebó en su víctima y siguió golpeándola cuando ya estaba inconsciente.* □ ETIMOL. Del latín *cibare* (alimentar). □ SINT. Constr. de la acepción 4: *cebarse EN alguien.*

[cebé s.m. Instrumento creado y utilizado por el Banco de España para dar liquidez al mercado interbancario. □ ETIMOL. Es un acrónimo que procede de la sigla de *Certificado del Banco de España*.

cebo s.m. **1** En caza y en pesca, comida o algo que la simula, que se pone en las trampas para atraer y capturar al animal. ✍ pesca **2** Comida que se da a los animales para alimentarlos o engordarlos. [**3** Lo que sirve para atraer, generalmente de manera engañosa, y para incitar a hacer algo. **4** Fomento o alimento que se da a un sentimiento: *La coquetería es el cebo que mantiene vivo el interés de su novio.* □ ETIMOL. Del latín *cibus* (alimento, manjar).

cebolla s.f. **1** Hortaliza de tallo delgado y hueco, con un bulbo comestible formado por capas superpuestas, y de olor y sabor dulces, muy fuertes y picantes. **2** Bulbo o tallo subterráneo de esta hortaliza. □ ETIMOL. Del latín *cepulla* (cebolleta).

cebolleta s.f. **1** Hortaliza de tallo delgado y hueco, semejante a la cebolla, pero con el bulbo más pequeño. **2** Cebolla muy tierna.

cebollino s.m. col. Persona torpe o ignorante.

cebollón s.m. **1** Variedad de cebolla, de forma más alargada y de sabor más suave que la común. [**2** col. Borrachera.

cebón, -a adj./s. **1** Referido a un animal, que está cebado o engordado para servir de alimento. [**2** col. Referido a una persona, que está muy gorda.

cebra s.f. Mamífero cuadrúpedo, parecido al asno y de pelaje amarillento con rayas verticales pardas o negras. □ ETIMOL. De origen incierto. □ MORF. Es un sustantivo epiceno: *la cebra macho, la cebra hembra*.

cebú s.m. Mamífero rumiante, parecido al toro pero con una o dos gibas de grasa en la cruz, y que se emplea como bestia de carga. □ MORF. 1. Es un sustantivo epiceno: *el cebú macho, el cebú hembra*. 2. Aunque su plural en la lengua culta es *cebúes*, la RAE admite también *cebús*.

ceca s.f. **1** Antiguamente, casa en la que se acuñaba moneda. **2** ‖ *de la Ceca a la Meca*; col. De una parte a otra o de aquí para allí. □ ETIMOL. Del árabe *sikka* (troquel de madera, lugar donde se acuña).

cecear v. Pronunciar la *s* como la *z* o como la *c* ante *e, i*: *Si al leer 'así' pronunciamos [así], estamos ceceando.* □ SEM. Dist. de *sesear* (pronunciar la *z*, o la *c* ante *e, i*, como la *s*).

ceceo s.m. Pronunciación de la *s* como la *z* o como la *c* ante *e, i*. □ SEM. Dist. de *seseo* (pronunciación de la *z* o de la *c* ante *e, i*, como la *s*).

cecina s.f. Carne salada y secada al sol, al aire o al humo; chacina. □ ETIMOL. Del latín **siccina* (carne seca).

cecinar v. →**acecinar**.

ceda s.f. →**zeta**.

cedacero s.m. Persona que se dedica profesionalmente a la fabricación o a la venta de cedazos.

cedazo s.m. Utensilio formado por un aro ancho con una rejilla o tejido semejante fijados a uno de sus lados, y que sirve para separar sustancias de distinto grosor. □ ETIMOL. Del latín *saetaceum* (criba de seda).

ceder v. **1** Dar, transferir o traspasar, esp. de manera voluntaria: *Cedió parte de su herencia a una institución benéfica.* **2** Rendirse, someterse o dejar de oponerse: *Cedió a las peticiones de su hijo y le compró la moto.* **3** Referido a algo que ofrece resistencia, disminuir o cesar ésta: *Los muelles de la cama han* cedido y es muy incómodo dormir en ella. **4** Referido a algo que se manifiesta con fuerza, mitigarse o disminuir dicha fuerza: *La lluvia y el viento cedieron y pudimos emprender el viaje.* **[5** Referido a algo sometido a una fuerza excesiva, fallar, romperse o soltarse: *Con el peso de la nieve, 'cedieron' las vigas y se hundió el tejado.* □ ETIMOL. Del latín *cedere* (retirarse, marcharse, ceder).

cedilla s.f. **1** Nombre de la letra . **2** Signo gráfico en forma de coma curvada que forma la parte inferior de esta letra. □ ETIMOL. De *ceda*. □ ORTOGR. Se admite también *zedilla*.

cedro s.m. **1** Árbol conífero, de gran altura, tronco grueso y derecho, hojas perennes y fruto en forma de piña. **2** Madera de este árbol. □ ETIMOL. Del latín *cedrus*.

cédula s.f. **1** Documento, generalmente de carácter oficial, en el que se hace constar algo o se reconoce alguna deuda u obligación. **2** || **cédula de identidad**; en zonas del español meridional, tarjeta de identidad. || **cédula hipotecaria**; la que certifica la concesión de un crédito cuya garantía de devolución es una vivienda. □ ETIMOL. Del latín *schedula* (hoja de papel, página). □ ORTOGR. Dist. de *célula*.

cefalalgia s.f. En medicina, dolor de cabeza. □ ETIMOL. Del griego *kephalalgía*, y éste de *kephalé* (cabeza) y *álgos* (dolor).

cefalea s.f. En medicina, dolor de cabeza muy intenso y persistente. □ ETIMOL. Del griego *kephaláia*, y éste de *kephalé* (cabeza).

cefálico, ca adj. En anatomía, de la cabeza o relacionado con ella.

cefalópodo ∎ adj./s.m. **1** Referido a un molusco, que vive en aguas marinas, tiene la cabeza rodeada de tentáculos con ventosas y que generalmente carece de concha exterior: *El pulpo, el calamar y la jibia son tres cefalópodos.* ∎ s.m.pl. **2** En zoología, clase de estos moluscos. □ ETIMOL. Del griego *kephalé* (cabeza) y *-podo* (pie).

cefalorraquídeo, a adj. En un vertebrado, de la cabeza y de la columna vertebral o del sistema nervioso alojado en ellas. □ ETIMOL. Del griego *kephalé* (cabeza) y *raquídeo*.

cefalotórax s.m. En un crustáceo o en un arácnido, parte anterior de su cuerpo, formada por la unión de la cabeza y el tórax. □ ETIMOL. Del griego *kephalé* (cabeza) y *thórax* (pecho).

céfiro s.m. **1** Viento del Oeste. **2** *poét.* Viento suave y agradable. □ ETIMOL. Del latín *zephyrus*, y éste del griego *zéphyros*.

cegamiento s.m. [Disminución de la profundidad de un río, de un canal o de un puerto por acumulación de tierras.

cegar v. **1** Quitar la vista o dejar ciego: *No pude ver qué pasaba porque aquella luz me cegaba los ojos.* **2** Ofuscar o hacer perder el entendimiento: *La avaricia lo cegó hasta el punto de que se enemistó con toda su familia por dinero. Se cegó con aquella chica y nadie pudo hacerle ver que lo engañaba.* **3** Referido esp. a algo hueco o abierto, taparlo u obstruirlo: *Cegaron la antigua entrada con ladrillos.* □ ETIMOL. Del latín *caecare*. □ ORTOGR. Aparece una *u* después de la *g* cuando la sigue *e*. □ MORF. Irreg. →REGAR.

cegato, ta adj./s. *col.* Referido a una persona, que es corta de vista o que ve mal. □ USO Tiene un matiz despectivo.

cegrí s. En el antiguo reino musulmán de Granada, miembro de la familia que fue famosa en el siglo XV por su rivalidad con los abencerrajes. □ ETIMOL. Del árabe *tagri* (fronterizo). □ MORF. **1.** La RAE sólo registra el masculino. **2.** Es de género común: *el cegrí, la cegrí.* **3.** Aunque su plural en la lengua culta es *cegríes*, la RAE admite también *cegrís*.

ceguedad o **ceguera** s.f. **1** Falta o privación de la vista. **2** Incapacidad del entendimiento para ver con claridad. □ USO Aunque la RAE prefiere *ceguedad*, se usa más *ceguera*.

[ceilandés, -a adj./s. De Sri Lanka o relacionado con este país asiático, antes denominado *Ceilán*.

ceja s.f. **1** En la cara, parte que sobresale encima del ojo y que está cubierta de pelo. **2** En la cara, pelo que cubre esta parte. **3** →cejilla. **4** ||**hasta las cejas**; *col.* Hasta el extremo o en un grado máximo. ||{metérsele/ponérsele} **entre ceja y ceja** algo a alguien; *col.* Obstinarse en ello u obsesionarse con ello. ||**tener entre** {cejas/ceja y ceja} a alguien; *col.* Sentir antipatía o rechazo hacia él. □ ETIMOL. Del latín *cilia* (cejas). □ USO {*Meterse / ponerse*} *algo entre ceja y ceja* se usa también con los verbos *llevar* y *tener.*

cejar v. Referido esp. a un empeño o a una postura que se defiende, ceder en ellos o aflojar el ímpetu o la oposición: *No cejó en su propósito a pesar de las dificultades.* □ ETIMOL. Del latín *cessare* (pararse, entretenerse, cesar). □ ORTOGR. **1.** Dist. de *cesar*. **2.** Conserva la *j* en toda la conjugación. □ SINT. Constr. *cejar* EN *algo*. □ USO Se usa más en expresiones negativas.

cejijunto, ta adj. Que tiene las cejas tan pobladas por el entrecejo que casi se juntan.

cejilla s.f. **1** Pieza o abrazadera que se ajusta al mástil de una guitarra o de otro instrumento similar de manera que, al mantener pisadas las cuerdas, reduce la parte vibrante de éstas y eleva el tono de sus sonidos. **[2** Colocación del dedo índice de la mano izquierda sobre un traste de la guitarra, presionando todas las cuerdas para conseguir un efecto semejante al que permite esta pieza. **3** En un instrumento musical de cuerda, pieza en forma de listón en la que se apoyan las cuerdas. □ SEM. Es sinónimo de *ceja*.

celada s.f. **1** Trampa o engaño preparados con habilidad o con disimulo. **2** Emboscada llevada a cabo por gente armada en un lugar oculto y cogiendo a la víctima por sorpresa. **3** En una armadura, pieza que cubría y protegía la cabeza. 🪖 casco □ ETIMOL. Las acepciones 1 y 2, de *celar* (ocultar). La acepción 3 de *capellina celada* (pieza cubierta de la armadura que protegía la parte superior de la cabeza).

celador, -a s. En un centro público, persona que se dedica profesionalmente a vigilar el cumplimiento de las normas y el mantenimiento del orden o a realizar otras tareas de apoyo.

celda s.f. **1** En una cárcel, cuarto en el que se encierra a los presos. **2** En un convento, en un colegio o en otro establecimiento con internado, habitación o cuarto individuales. **3** →celdilla. □ ETIMOL. Del latín *cella* (cuarto, habitación pequeña).

celdilla s.f. En un panal de abejas o de otros insectos, casilla en forma de hexágono. □ SEM. Es sinónimo de *alveolo, alvéolo* y *celda*.

celebérrimo, ma superlat. irreg. de **célebre**. □ MORF. Incorr. *celebrísimo.
celebración s.f. **1** Realización de un acto, esp. si es de carácter solemne. **2** Conmemoración o festejo, esp. los que se hacen con motivo de un acontecimiento o de una fecha importantes. **3** Aplauso o aclamación. **4** Realización de la ceremonia de la misa que hace un sacerdote.
celebrante s.m. Sacerdote que celebra misa.
celebrar v. **1** Referido a un acto, esp. si es de carácter solemne, realizarlo o llevarlo a cabo: *El obispo celebró los oficios del Jueves Santo en la catedral. La boda se celebró en el juzgado central.* **2** Referido esp. a un acontecimiento o a una hecha importantes, conmemorarlos o festejarlos: *Celebró el aprobado invitando a todos sus amigos.* **3** Referido esp. a un suceso, alegrarse por él: *Celebro que hayas venido a verme.* **4** Decir misa: *En esa iglesia sólo celebran los domingos.* **5** Referido a una persona, alabarla, aplaudirla o hacerle los honores: *El perro celebró a su amo con grandes muestras de alegría.* □ ETIMOL. Del latín *celebrare* (frecuentar, asistir a una fiesta). □ SINT. Constr. de la acepción 5: *celebrar a alguien.*
célebre adj. Que tiene fama o que es muy conocido; famoso. □ ETIMOL. Del latín *celeber* (frecuentado, concurrido, celebrado). □ MORF. **1.** Invariable en género. **2.** Su superlativo es *celebérrimo.*
celebridad s.f. **1** Fama, popularidad o admiración pública. **2** Persona famosa o que goza de estas condiciones.
celemín s.m. **1** Unidad de capacidad para granos, legumbres y otros frutos secos que equivale aproximadamente a 4,6 litros. **2** Antigua unidad de superficie que equivalía aproximadamente a 537 metros cuadrados. □ ETIMOL. Del árabe *tumni* (relativo a la octava parte). □ USO Es una medida tradicional española.
celentéreo, a ▪ adj./s.m. **1** Referido a un animal, que es de vida acuática, está provisto de tentáculos y tiene el cuerpo formado por una sola cavidad digestiva, comunicada con el exterior por un orificio que le sirve a la vez de boca y de ano: *Las medusas y los corales son celentéreos.* ▪ s.m.pl. **2** En zoología, tipo de estos animales, perteneciente al reino de los metazoos. □ ETIMOL. Del griego *kôilos* (hueco) y *énteron* (intestino). □ ORTOGR. Incorr. *celenterio.
celeridad s.f. Rapidez o velocidad en lo que se hace. □ ETIMOL. Del latín *celeritas.*
celeste adj. **1** Del cielo. **2** De color azul claro. □ ETIMOL. Del latín *caelestis.* □ MORF. Invariable en género.
celestial adj. **1** Del cielo o morada de Dios, de los ángeles y de los bienaventurados. **2** Que resulta perfecto, delicioso o muy agradable.
celestinesco, ca adj. Del celestino o relacionado con él.
celestino, na s. Persona que busca para otra alguien con quien mantener una relación amorosa o sexual, o que actúa como intermediario en una de estas relaciones; alcahuete, tercero. □ ETIMOL. Por alusión a Celestina, personaje de la 'Tragicomedia de Calisto y Melibea' que desempeña funciones de este tipo. □ MORF. La RAE sólo registra el femenino.
celiaca s.f. Enfermedad que origina trastornos en la absorción de ciertos alimentos y cuyo síntoma principal es la presencia de heces pastosas y blanquecinas.

celiaco, ca o **celíaco, ca** ▪ adj. **1** Del vientre o de los intestinos, o relacionado con ellos. ▪ adj./s. **2** Enfermo de celiaca. □ ETIMOL. Del latín *coeliacus*, y éste del griego *koiliakós* (del vientre). □ USO La RAE prefiere *celíaco.*
celibato s.m. Estado de la persona que no ha contraído matrimonio. □ SEM. Se aplica esp. al estado de las personas que no han contraído matrimonio por impedírselo sus votos religiosos.
célibe adj./s. Que no ha contraído matrimonio; soltero. □ ETIMOL. Del latín *caelebs* (soltero). □ MORF. **1.** Como adjetivo es invariable en género. **2.** Como sustantivo es de género común: *el célibe, la célibe.* □ SEM. Se aplica esp. a la persona que no ha contraído matrimonio por impedírselo sus votos religiosos.
celo ▪ s.m. **1** Cuidado o esmero que se ponen en lo que se hace, esp. en el cumplimiento de una obligación. **2** En la vida de algunas especies animales, período durante el que aumenta su apetito sexual y en el que la hembra está preparada para la reproducción. **3** Estado de un animal durante este período. **4** →**papel celo.** ▪ pl. **5** Sospecha, inquietud o temor de que la persona amada prefiera a otro antes que a uno mismo. **6** Envidia o disgusto producidos por el mayor éxito o suerte de otro. □ ETIMOL. Del latín *celus* (ardor, celos). La acepción 4 es extensión del nombre de una marca comercial.
celofán s.m. →**papel celofán.** □ ETIMOL. Extensión del nombre de una marca comercial.
celosía s.f. Enrejado de listones, generalmente de madera o de hierro, esp. el que se pone en ventanas o en otros huecos semejantes para poder ver a través de él el exterior sin ser vistos. □ ETIMOL. De *celoso*, porque las celosías impedían que cualquier hombre desde la calle observara a la esposa de otro cuando ésta estaba tras la ventana.
celoso, sa ▪ adj. **1** Que tiene o que manifiesta celo, esp. en el cumplimiento de una obligación. ▪ adj./s. **2** Que tiene o siente celos. □ MORF. La RAE sólo lo registra como adjetivo.
celota s. Miembro del grupo del pueblo judío palestino, que se caracterizó por su fuerte y rígido integrismo religioso y por su oposición armada frente a los romanos. □ ORTOGR. Se usa también *zelotas* o *zelote.* □ MORF. Es de género común: *el celota, la celota.*
celta ▪ adj./s. **1** De un conjunto de antiguos pueblos indoeuropeos que se extendieron por el occidente europeo y alcanzaron allí su mayor auge entre los siglos VI y I a. C., o relacionado con ellos. ▪ s.m. **2** Grupo de lenguas indoeuropeas de estos pueblos. □ MORF. En la acepción 1, como adjetivo es invariable en género, y como sustantivo es de género común: *el celta, la celta.*
celtibero, ria, celtibero, ra o **celtíbero, ra** adj./s. De un pueblo prerromano que habitó en Celtiberia (antigua región hispánica prerromana) o relacionado con él o con este territorio.
céltico, ca adj. De los celtas.
celtismo s.m. **1** Afición al estudio de la lengua y de la cultura célticas. **[2** En lingüística, palabra, significado o construcción sintáctica del celta empleados en otra lengua.
celtista s. Persona especializada en el estudio de la lengua y de la cultura célticas. □ MORF. Es de género común: *el celtista, la celtista.*
celtohispánico, ca o **celtohispano, na** adj.

Que pertenece a la cultura céltica que existió en territorio hispánico.

celtolatino, na adj. Referido esp. a una palabra, que es de origen céltico y fue incorporada al latín: *'Abedul', 'álamo' y 'toro' son vocablos celtolatinos.*

célula s.f. **1** En biología, unidad fundamental de los seres vivos, dotada de cierta individualidad funcional y generalmente visible sólo al microscopio. **2** En una organización, grupo o unidad capaces de actuar de forma independiente. **3** ‖ **célula fotoeléctrica;** dispositivo que reacciona ante variaciones de energía luminosa y que permite transformar éstas en variaciones de energía eléctrica. □ ETIMOL. Del latín *cellula* (celdita). □ ORTOGR. Dist. de *cédula.*

celular adj. De las células o relacionado con ellas. □ MORF. Invariable en género.

[celulitis s.f. Inflamación del tejido celular situado debajo de la piel. □ ETIMOL. De *célula* e *-itis* (inflamación). □ MORF. Invariable en número.

celuloide s.m. **1** Material que se utiliza en la industria fotográfica y cinematográfica para la fabricación de películas. **[2** Arte o mundo del cine.

celulosa s.f. Sustancia compuesta de hidratos de carbono que forma la membrana externa de las células vegetales y que se emplea en la fabricación del papel y de otros materiales semejantes. □ ETIMOL. Del latín *cellula* (hueco).

cementación s.f. Calentamiento de un metal en contacto con otra materia en polvo o en pasta, de modo que se mezclen. □ ORTOGR. Dist. de *cimentación.*

cementar v. Referido a un metal, calentarlo en contacto con otra materia en polvo o en pasta, de modo que se mezclen: *Cementaron el hierro con carbón para convertirlo en acero.* □ ORTOGR. Dist. de *cimentar.*

cementerio s.m. **1** Lugar, generalmente cercado y descubierto, donde se entierran cadáveres. **[2** Lugar al que van a morir algunos animales. **[3** Lugar en el que se almacenan o acumulan materiales o productos inservibles. □ ETIMOL. Del latín *coementerium,* y éste del griego *koimetérion* (dormitorio).

cementero, ra adj. Del cemento o relacionado con él.

cemento s.m. **1** Material en polvo, formado por sustancias calcáreas y arcillosas, que se endurece y se hace sólido al mezclarlo con agua, y que se emplea en construcción para adherir superficies, para rellenar huecos en las paredes y como componente aglutinante en morteros y hormigones. **2** Material que se emplea como aglutinante, como masa adherente o para tapar huecos y que, una vez aplicado, se endurece. **3** En algunas rocas, masa mineral que une los fragmentos o arenas de que se componen. **4** ‖ **cemento armado;** masa compacta, hecha de grava, piedras pequeñas, arena, agua y cemento o cal, y reforzada con varillas de acero o con tela metálica; hormigón armado. □ ETIMOL. Del latín *caementum* (argamasa).

cena s.f. **1** Última comida del día, que se hace al atardecer o por la noche. **[2** Alimento que se toma en esta comida. □ ETIMOL. Del latín *cena* (comida de las tres de la tarde).

cenáculo s.m. Sala en la que tuvo lugar la última cena de Jesucristo con sus apóstoles. □ ETIMOL. Del latín *cenaculum* (comedor, local donde se come).

cenador s.m. En un jardín, espacio, generalmente redondo, cercado y revestido de plantas trepadoras, y que suele estar destinado a actividades de esparcimiento.

cenagal s.m. **1** Terreno lleno de cieno. **2** *col.* Asunto o situación embarazosos o de difícil salida. □ ORTOGR. Incorr. **cenegal, *cienagal.*

cenagoso, sa adj. Lleno de cieno; cienoso. □ ETIMOL. Del latín **coenicosus,* y éste de *caenum* (fango).

cenar v. Tomar la cena o tomar como cena: *Cenamos sopa y pescado.*

cencerrada s.f. *col.* Ruido que se hace con cencerros y otros utensilios, generalmente con fines festivos o de burla.

cencerreo s.m. Ruido desagradable y repetitivo, esp. el de los cencerros.

cencerro s.m. **1** Campana pequeña y cilíndrica, generalmente tosca, hecha de chapa de hierro o de cobre, y que se ata al cuello de las reses para localizarlas mejor. **2** ‖ **estar** alguien **como un cencerro**; *col.* Estar loco o chiflado. □ ETIMOL. De origen onomatopéyico.

cendrado, da adj. →**acendrado.**

cendrar v. →**acendrar.**

cenefa s.f. Banda de adorno, generalmente recorrida por motivos o dibujos repetidos, que se hace o se coloca en el borde de un tejido, de una pared o de otra superficie. □ ETIMOL. Del árabe *sanifa* (borde del vestido). □ ORTOGR. Incorr. **fenefa.* 🔊 pasamanería

[cenetista ∎ adj. **1** De la CNT (sindicato anarquista español) o relacionado con él. ∎ adj./s. **2** Que es miembro de este sindicato. □ MORF. 1. Como adjetivo es invariable en género. 2. Como sustantivo es de género común: *el 'cenetista', la 'cenetista'.*

cenicero s.m. **1** Recipiente donde se echa la ceniza y los residuos del cigarro. **[2** *col.* Vertedero de cenizas. □ ORTOGR. Incorr. **cenizero.*

cenicienta s.f. Véase **ceniciento, ta.**

ceniciento, ta ∎ adj. **1** De color grisáceo, como el de la ceniza; cenizo. ∎ s.f. **2** Lo que es injustamente marginado o despreciado. □ ETIMOL. La acepción 2, por alusión a Cenicienta, personaje de un cuento infantil que cargaba con los trabajos más humildes y cansados.

cenit s.m. **1** Punto culminante o momento de mayor esplendor. **2** En astronomía, punto del cielo situado en la parte más alta de una vertical imaginaria que parta desde el punto terrestre en el que se encuentra el observador. □ ETIMOL. Del árabe *samt al-ra's* (paraje de la cabeza). □ PRON. Aunque la pronunciación correcta es [cenít], está muy extendida [cénit]. □ ORTOGR. Se admite también *zenit.* □ MORF. Invariable en número.

cenital adj. Del cenit o relacionado con él. □ ORTOGR. Incorr. **zenital.* □ MORF. Invariable en género.

ceniza s.f. Véase **cenizo, za.**

cenizo, za ∎ adj. **1** De color grisáceo, como el de la ceniza; ceniciento. ∎ s.m. **2** Persona que tiene mala suerte o que la trae. **[3** *col.* Mala suerte. ∎ s.f. **4** Polvo de color gris que queda como residuo después de una quema o combustión completas. ∎ s.f.pl. **5** Restos o residuos de un cadáver después de haber sido incinerado. **6** ‖ **convertir en/reducir a) cenizas**; destruir o destrozar por completo. ‖ **tomar la ceniza**; recibirla en la frente de manos del sacerdote en la ceremonia de cuaresma en que se recuerda que el hombre es polvo y en polvo se convertirá. □ ETIMOL. Las acepciones 4 y 5, del latín **cinisia*.

cenobial adj. Del cenobio o relacionado con él. □ MORF. Invariable en género.

cenobio s.m. Edificio en el que viven en comunidad los monjes o las monjas de una orden religiosa, esp. si es de grandes dimensiones y está situado fuera de una población; monasterio. □ ETIMOL. Del latín *coenobium*, y éste del griego *koinóbion* (vida en común). □ USO Su uso es característico del lenguaje poético o eclesiástico.

cenobita s. Persona que vive en comunidad con otras de su orden religiosa. □ MORF. Es de género común: *el cenobita, la cenobita*.

cenobítico, ca adj. Del cenobita o relacionado con él.

cenotafio s.m. Monumento funerario dedicado a la memoria de una persona, pero que no contiene su cadáver. □ ETIMOL. Del latín *cenotaphium*, y éste del griego *kenotáphion* (sepulcro vacío). □ SEM. Dist. de *panteón* y de *sepulcro* (construcciones funerarias para contener el cadáver).

cenozoico, ca ▌ adj. **1** En geología, de la era terciaria, cuarta de la historia de la Tierra, o relacionado con ella; terciario. ▌ s.m. **2** →**era cenozoica**. □ ETIMOL. Del griego *kainós* (nuevo) y *zôion* (animal).

censal adj. Del censo; censual. □ MORF. Como adjetivo es invariable en género. □ USO Aunque la RAE prefiere *censual*, se usa más *censal*.

censar v. **1** Hacer el censo o lista de los habitantes: *El Ayuntamiento censa cada cuatro años.* **2** Incluir o registrar en el censo: *En cuanto me traslade, iré a censarme al Ayuntamiento.*

censatario, ria adj./s. Referido a una persona, que está obligada por contrato al pago de un censo por el disfrute de un bien inmueble. □ SEM. Dist. de *censualista* (persona que tiene derecho a percibir un censo).

censista s. Funcionario que interviene en la elaboración de censos demográficos o electorales. □ MORF. Es de género común: *el censista, la censista*.

censo s.m. **1** Lista o padrón de los habitantes o de la riqueza de un país o de otra colectividad. **2** En la antigua Roma en época medieval, tributo o pensión que se pagaban en reconocimiento de vasallaje o de sumisión. **3** Contrato por el cual se está obligado al pago de una renta periódica por el disfrute de un bien inmueble. **4** ‖ **censo (electoral)**; registro de los ciudadanos con derecho a voto en las elecciones. □ ETIMOL. Del latín *census*, y éste de *censere* (estimar, evaluar).

censor, -a ▌ adj./s. **1** Que censura o tiene inclinación a censurar y criticar a los demás. ▌ s. **2** Persona encargada por la autoridad gubernamental o competente de revisar publicaciones y otras obras destinadas al público, y de someterlas a las modificaciones, supresiones o prohibiciones convenientes para que se ajusten a lo que dicha autoridad permite. ▌ s.m. **3** En la antigua Roma, magistrado encargado de realizar el censo de la ciudad y de velar por la moralidad de las costumbres. □ ETIMOL. Del latín *censor*, y éste de *censere* (estimar, evaluar).

censual adj. →**censal**.

censualista s. Persona que tiene derecho por contrato a percibir el censo a que está sujeto un bien inmueble. □ MORF. Es de género común: *el censualista, la censualista*. □ SEM. Dist. de *censatario* (persona obligada al pago de un censo).

censura s.f. **1** Crítica o juicio negativo que se hace de algo, esp. del comportamiento ajeno. **2** Sometimiento de una obra destinada al público a las modificaciones, supresiones o prohibiciones que el censor designado por la autoridad competente considere convenientes para que se ajuste a lo que dicha autoridad permite. **[3** Organismo oficial encargado de ejercer esta labor. **4** En la antigua Roma, cargo y funciones de censor. □ ETIMOL. Del latín *censura* (oficio de censor, examen, crítica).

censurable adj. Que es digno de censura. □ MORF. Invariable en género.

censurar v. **1** Criticar, juzgar negativamente o tachar de malo: *Cuando vi cómo te trataba, censuré su comportamiento.* **2** Referido esp. a una obra destinada al público, someterla a un censor a las modificaciones, supresiones o prohibiciones que considere convenientes: *Muchas de sus fotografías se censuraron y nunca fueron publicadas.*

centauro s.m. Ser mitológico con cabeza y pecho de hombre y el resto del cuerpo de caballo. □ ETIMOL. Del latín *centaurus*. ⚜ mitología

centavo, va ▌ numer. **1** →**centésimo**. ▌ s.m. **2** En algunos sistemas monetarios americanos, moneda equivalente a la centésima parte de la unidad.

centella s.f. **1** col. Rayo de poca intensidad. **2** Lo que es muy veloz. □ ETIMOL. Del latín *scintilla* (chispa). □ USO La acepción 2 se usa más en expresiones comparativas.

centellar o **centellear** v. **1** Despedir rayos de luz de intensidad cambiante: *Los brillantes del anillo centelleaban a la luz del sol.* **[2** Referido a los ojos de una persona, brillar intensamente: *Sus ojos 'centellearon' de emoción al vernos llegar.* □ ETIMOL. *Centellar* del latín *scintillare* y *centellear* de *centellar*. □ USO *Centellear* es el término menos usual.

centelleo s.m. **1** Emisión de rayos de luz temblorosos o de intensidad cambiante. **2** En los ojos de una persona, brillo intenso.

centena s.f. Véase **centeno, na**.

centenal s.m. Terreno plantado de centeno. □ ORTOGR. Se admite también *centenar*.

centenar s.m. **1** Conjunto de cien unidades; centena, ciento. **2** →**centenal**. **3** ‖ **a centenares**; en gran número o en abundancia.

centenario, ria ▌ adj. **1** De la centena. ▌ adj./s. **2** Que tiene alrededor de cien años. ▌ s.m. **3** Fecha en la que se cumplen uno o varios centenares de años de un acontecimiento. □ ETIMOL. Del latín *centenarius*. □ SEM. En la acepción 1, dist. de *centesimal* (de cien o de cada una de las cien partes de un todo).

centeno, na ▌ numer. **1** En una serie, que ocupa el lugar número cien; centésimo. ▌ s.m. **2** Cereal semejante al trigo, de espiga más delgada y vellosa y con hojas más delgadas y ásperas, muy empleado como alimento y en la fabricación de bebidas. ⚜ cereal **3** Grano de este cereal. ▌ s.f. **4** Conjunto de cien unidades; centenar, ciento. □ ETIMOL. La acepción 1, del latín *centenus*. Las acepciones 2 y 3, del latín hispánico *centenum*, y éste del latín clásico *centeni* (de ciento en ciento), porque se creía que cada grano sembrado producía cien. La acepción 4, del latín *centena*.

centesimal adj. [De cien o de cada una de las cien partes iguales en que se divide un todo. □ MORF. Invariable en género. □ SEM. Dist. de *centenario* (de la centena).

centésimo, ma numer. **1** En una serie, que ocupa el lugar número cien; centeno. **2** Referido a una parte, que constituye un todo junto con otras noventa y nueve iguales a ella; centavo. □ ETIMOL. Del latín *centesimus*. □ MORF. *Centésima primera* (incorr. **centésimo primera*), etcétera. □ SEM. En la acepción 2, como adjetivo es sinónimo de *céntimo*.

centi- Elemento compositivo que significa 'centésima parte' (*centigramo*, *centímetro*, *centiárea*) o 'cien' (*centígrado*). □ ETIMOL. Del latín *centum* (cien).

centiárea s.f. Unidad de superficie que equivale a la centésima parte de un área.

centígrado, da adj. Referido a una escala para medir temperatura, que tiene cien divisiones, equivalentes cada una de ellas a un grado Celsius, y pueden medir un intervalo de temperaturas comprendidas entre la que corresponde a la fusión del hielo y la de la ebullición del agua. □ ETIMOL. De *centi-* (cien) y *grado*. □ PRON. Incorr. **[centigrádo]*.

centigramo s.m. En el Sistema Internacional, unidad de masa que equivale a la centésima parte de un gramo. □ ETIMOL. De *centi-* (cien) y *gramo*. □ ORTOGR. Incorr. **centígramo*.

[centil s.m. Cada uno de los noventa y nueve valores que resultan de dividir una distribución en cien partes de igual frecuencia; percentil: *Si un sujeto tiene 'centil' 40, existe un cuarenta por ciento de sujetos que obtienen puntuaciones iguales o inferiores a la suya.*

centilitro s.m. Unidad de volumen que equivale a la centésima parte de un litro. □ ETIMOL. De *centi-* (cien) y *litro*. □ ORTOGR. Incorr. **centílitro*.

centímetro s.m. **1** En el Sistema Internacional, unidad de longitud que equivale a la centésima parte de un metro. **2** ‖ **centímetro cuadrado**; en el Sistema Internacional, unidad de superficie que equivale a la centésima parte de un metro cuadrado. ‖ **centímetro cúbico**; en el Sistema Internacional, unidad de volumen que equivale a la centésima parte de un metro cúbico. □ ETIMOL. De *centi-* (cien) y *metro*. □ PRON. Incorr. **centímetro*.

céntimo, ma ‖ numer. **1** →**centésimo**. ‖ s.m. **2** En algunos sistemas monetarios, moneda equivalente a la centésima parte de la unidad. □ ETIMOL. Del francés *centime*.

centinela ‖ s. **1** Persona que vigila o está en actitud de observación. ‖ s.m. **2** Soldado encargado de la vigilancia. □ ETIMOL. Del italiano *sentinella* (servicio de vigilancia que presta un soldado en un lugar fijo). □ MORF. En la acepción 1, es de género común: *el centinela, la centinela*.

centiplicado, da adj. Que se ha multiplicado por cien o se ha hecho cien veces mayor. □ ETIMOL. De *centi-* (cien) y *plicatus* (doblado).

centolla s.f. o **centollo** s.m. Crustáceo marino comestible, de cuerpo ancho y aplastado, caparazón casi redondo y velludo, y cinco pares de patas también velludas y largas. □ ETIMOL. De origen incierto. 🦀 marisco

central ‖ adj. **1** Que está en el centro o entre dos extremos. **2** Que es lo principal o más importante.

3 Que ejerce su acción sobre la totalidad de un conjunto: *calefacción central*. ‖ s.m. [**4** En fútbol, jugador que juega en el centro de la defensa. ‖ s.f. **5** Instalación u organización donde están unidos o centralizados varios servicios de un mismo tipo. **6** En una empresa con varias oficinas o establecimientos, oficina o establecimiento principales. **7** Instalación donde se produce energía eléctrica a partir de otras formas de energía. □ ETIMOL. Del latín *centralis*. □ MORF. Como adjetivo es invariable en género.

centralismo s.m. Tendencia que defiende la asunción o concentración de atribuciones o de funciones.

centralista ‖ adj. **1** Del centralismo o relacionado con esta tendencia: *En el siglo XVIII triunfaron en Europa las teorías centralistas.* ‖ adj./s. **2** Partidario o defensor del centralismo: *Los partidarios del regionalismo acusan al Gobierno de practicar una política centralista.* □ MORF. 1. Como adjetivo es invariable en género. 2. Como sustantivo es de género común: *el centralista, la centralista*.

centralita s.f. **1** Aparato que permite conectar las llamadas telefónicas hechas por una o por varias líneas a la misma entidad, con diversos teléfonos instalados en ella. **2** Lugar en el que está instalado este aparato. □ ETIMOL. De *central*.

centralización s.f. **1** Reunión o concentración de cosas diversas o de distinta procedencia en un centro común. **2** Asunción o concentración de atribuciones o de funciones políticas o administrativas, esp. de las que son propias de poderes locales, por parte de un poder central.

centralizar v. **1** Referido esp. a una diversidad de cosas de distinta procedencia, reunirlas o concentrarlas en un centro común: *El periódico centraliza en una oficina las informaciones que recibe de todos sus corresponsales. En este teléfono se centralizan todas las llamadas de los espectadores.* **2** Referido esp. a atribuciones o a funciones políticas o administrativas locales, asumirlas un poder central o hacer que dependan de él: *El Gobierno nacional centralizará las competencias de todas las regiones en materia de sanidad y educación.* □ ETIMOL. De *central*. □ ORTOGR. La *z* se cambia en *c* delante de *e* →CAZAR. □ SEM. Dist. de *centrar* (hacer converger en un punto).

centrar v. **1** Colocar haciendo coincidir un centro con otro: *Para centrar el cuadro en la pared, calcula que esté a la misma distancia de las dos puertas.* **2** Dirigir o hacer convergir en un punto o en un objetivo: *Centraron la luz de los focos en el actor principal. Mi estudio se centra en la novela de posguerra.* [**3** Atraer hacia sí o ser centro de convergencia: *La novia 'centraba' todas las miradas y comentarios.* [**4** Proporcionar o encontrar un estado de equilibrio, de orientación o de conformidad con uno mismo: *Por fin encontró una mujer que lo 'centró'. Las preocupaciones me impiden 'centrarme' en los estudios.* **5** En fútbol o en otros deportes de equipo, pasar el balón desde un lateral del campo hacia un compañero de equipo que avanza por la parte central: *El defensa centró a un delantero desmarcado.* □ ETIMOL. De *centro*. □ SEM. Dist. de *centralizar* (hacer depender de un mismo centro).

céntrico, ca adj. Del centro o situado en él.

centrifugación s.f. Sometimiento de una sustancia o de una materia a una fuerza centrífuga, esp. si se lleva a cabo para conseguir un efecto de secado o la separación de componentes unidos o mezclados.

centrifugado s.m. Sometimiento a la acción de una fuerza centrífuga, esp. para conseguir un efecto de secado o la separación de componentes unidos o mezclados.

centrifugadora s.f. Máquina que sirve para centrifugar.

centrifugar v. Someter a la acción de una fuerza centrífuga, esp. para conseguir un efecto de secado o la separación de componentes unidos o mezclados: *Las modernas lavadoras centrifugan y dejan la ropa casi seca.* □ ORTOGR. La g se cambia en *gu* delante de *e* →PAGAR.

centrífugo, ga adj. Referido esp. a una fuerza, que aleja del centro. □ ETIMOL. Del latín *centrum* (centro) y *fugere* (huir).

centrípeto, ta adj. Referido esp. a una fuerza, que atrae o impulsa hacia el centro. □ ETIMOL. Del latín *centrum* (centro) y *petere* (dirigirse hacia).

centrismo s.m. [Tendencia o ideología política intermedia entre la izquierda y la derecha.

centrista ∎ adj. [1 Del centrismo o relacionado con esta tendencia política. ∎ adj./s. 2 Partidario o seguidor del centrismo. □ MORF. 1. Como adjetivo es invariable en género. 2. Como sustantivo es de género común: *el centrista, la centrista.*

centro s.m. 1 Lo que está en medio o queda más alejado del exterior o de los límites de algo. 2 Fin u objeto principal al que todo se supedita o por el que se siente atracción. 3 Lugar o punto de donde parten o a donde se dirigen acciones particulares coordinadas: *centro de atención.* 4 En un núcleo de población, zona con mayor actividad comercial o burocrática y generalmente más concurrida. 5 Lugar donde se concentra o en el que se desarrolla más intensamente una actividad. 6 Lugar, establecimiento u organismo donde se realizan actividades con un fin determinado: *centro de enseñanza.* 7 En un círculo, punto interior que está a igual distancia de todos los de la circunferencia. 8 En una esfera, punto interior que está a igual distancia de todos los de la superficie. 9 En un polígono o en un poliedro, punto en el que todas las diagonales que pasan por él quedan divididas en dos partes iguales. 10 En política, conjunto de los partidarios y agrupaciones políticas de tendencia centrista. 11 En fútbol o en otros deportes de equipo, jugada de ataque en la que un jugador pasa el balón desde un lateral del campo hacia un compañero que avanza por la parte central. 12 ‖**centro de gravedad; 1** En un cuerpo, punto en el que se puede considerar que está concentrada su masa. [2 Punto o lugar importante sobre el que giran otras cosas. ‖**centro de mesa**; jarrón u objeto de adorno que suelen colocarse con flores en el centro de una mesa, esp. en la de un salón. ‖**centro nervioso**; en el sistema nervioso de un organismo, zona que recibe las impresiones del interior y del exterior del mismo y que transmite las respuestas oportunas a los órganos correspondientes. □ ETIMOL. Del latín *centrum*, y éste del griego *kéntron* (aguijón), por alusión a la punta del compás que se clava en el centro de la circunferencia que se va a dibujar.

centroafricano, na adj./s. De la zona central del continente africano, de la República Centroafricana (país africano), o relacionado con ellos.

centroamericano, na adj./s. De Centroamérica

(conjunto de países del centro del continente americano), o relacionado con ella.

centrocampista s. En algunos deportes de equipo, jugador que tiene la misión de contener los avances del equipo contrario en el centro del campo, y de servir de enlace entre la defensa y la delantera del equipo propio; mediocampista. □ MORF. Es de género común: *el centrocampista, la centrocampista.*

centroeuropeo, a adj./s. De la zona central de Europa (uno de los cinco continentes), o relacionado con ella. □ MORF. La RAE sólo lo registra como adjetivo.

centuplicar v. Multiplicar por cien o hacer cien veces mayor: *En esta imagen del microscopio se centuplica el tamaño real de las bacterias.* □ ETIMOL. Del latín *centuplicare*, y éste de *centum* (ciento) y *plicare* (doblar). □ ORTOGR. La c se cambia en *qu* delante de *e* →SACAR.

céntuplo, pla numer. Referido a una cantidad, que es cien veces mayor que otra. □ ETIMOL. Del latín *centuplus.*

centuria s.f. 1 Período de tiempo de cien años; siglo. 2 En el ejército de la antigua Roma, compañía de cien soldados. □ ETIMOL. Del latín *centuria.*

centurión s.m. En el ejército de la antigua Roma, oficial al mando de una centuria. □ ETIMOL. Del latín *centurio.*

cenutrio, tria s. col. Persona de poca habilidad o de poca inteligencia. □ MORF. La RAE sólo registra el masculino.

ceñido, da adj. 1 Ajustado o apretado. 2 Moderado en los gastos.

ceñir ∎ v. 1 Referido a una parte del cuerpo, esp. a la cintura, rodearla, ajustarla o apretarla: *A la dora le ciñeron la frente con una corona de laurel.* 2 Referido a un objeto, llevarlo ajustado a una parte del cuerpo: *Cíñete bien el sombrero para que no se lo lleve el viento. El comisario se ciñó la pistola y fue en busca del bandido.* 3 Rodear, cerrar o envolver: *Las murallas ciñen la ciudad.* ∎ prnl. 4 Limitarse o atenerse concretamente; circunscribirse: *No empecéis a divagar y ceñíos a lo que os pregunto.* 5 Moderarse o amoldarse a un límite: *Si te ciñeras a tu sueldo no tendrías deudas.* □ ETIMOL. Del latín *cingere.* □ MORF. Irreg. →CEÑIR. □ SINT. Constr. de las acepciones 4 y 5: *ceñirse A algo.* □ SEM. Seguido de un objeto representativo de una condición, *ceñir* se usa con el significado de 'ostentar': *'Ceñir corona'* significa 'ser rey'.

ceño s.m. 1 Gesto que se hace en señal de enfado arrugando la frente y juntando las cejas. 2 Espacio que separa las dos cejas; entrecejo. □ ETIMOL. Del latín *cinnus* (señal que se hace con los ojos).

ceñudo, da adj. Que arruga el ceño, generalmente en señal de enfado.

cepa s.f. 1 Planta de la vid. 2 Tronco de esta planta. 3 En una planta, parte de su tronco que se encuentra bajo tierra y unida a las raíces. 4 ‖**de buena cepa**; de origen o de cualidades que se consideran buenos. ‖**de pura cepa**; referido a una persona, que tiene los caracteres propios y auténticos de la clase en la que se la encuadra. □ ETIMOL. De *cepo.*

cepellón s.m. Tierra que se deja adherida a las raíces de las plantas cuando son arrancadas para trasplantarlas. □ ETIMOL. De *cepa.*

cepillar ∎ v. 1 Limpiar con cepillo: *Cepillé la cha-*

queta porque la tenía llena de polvo. Cepíllate bien cuando te laves los dientes. [**2** Referido al pelo, peinarlo o desenredarlo con cepillo: *Antes de hacerle las trenzas 'cepíllale' un poco el pelo. Cuando tengo el pelo muy enredado, prefiero 'cepillarme' a pasarme el peine.* **3** Referido a una madera, alisarla con cepillo: *El carpintero cepillaba las tablas con las que iba a construir la mesa.* **4** *col.* Quitar los bienes ajenos mediante engaño, arte o violencia; pelar: *Le cepillaron la cartera en el autobús sin que se diera cuenta.* ▪ *prnl.* **5** *col.* Referido a una persona, matarla: *El malo de la película se cepilló a tres comisarios.* **6** *col.* Referido a un alumno o a alguien que se examina, suspenderlo: *Se lo cepillaron en la última prueba de la oposición.* **7** *col.* Referido a un asunto, terminarlo o resolverlo en poco tiempo: *Como tenía prisa, se cepilló el trabajo en un periquete.* [**8** *col.* En el lenguaje estudiantil, referido a una clase, faltar a ella: *'Me cepillé' una clase por ver el partido.* **9** *vulg.* Referido a una persona, poseerla sexualmente: *Ese fanfarrón inmaduro presume de cepillarse cada día a una mujer distinta.* [**10** *vulg.* Referido a una persona, destituirla o expulsarla de un cargo o trabajo: *Se lo 'han cepillado' por incompetente.*

cepillo s.m. **1** Utensilio formado por una estructura de madera o de otro material, a la que van fijados cerdas o filamentos semejantes que suelen ir cortados al mismo nivel, y que se utiliza generalmente para limpiar: *el cepillo de dientes; el cepillo del pelo; el cepillo de la ropa.* **2** Caja provista de una ranura, que se coloca en las iglesias o en otros lugares para recoger limosnas. **3** Herramienta de carpintería, formada por una pieza de madera de cuya parte inferior sobresale una cuchilla con la que se alisan y pulen las maderas. **4** ▪ [**a cepillo**; referido a un corte de pelo, de forma que éste queda muy corto y de punta. ▢ ETIMOL. De *cepo.*

cepo s.m. **1** Trampa para cazar animales, provista de un dispositivo que se cierra y aprisiona al animal cuando éste lo toca. **2** Instrumento que sirve para aprisionar o para inmovilizar. ▢ ETIMOL. Del latín *cippus* (mojón, columna funeraria, palo clavado en el suelo para detener la marcha del enemigo).

ceporro, rra s. **1** Persona torpe, poco inteligente o poco sensible. **2** ▪ [**dormir como un ceporro**; *col.* Hacerlo profundamente o con un sueño muy pesado. ▢ MORF. La RAE sólo registra el masculino.

cera s.f. **1** Sustancia sólida, amarillenta y fundible, segregada por las abejas y por otros insectos. **2** Sustancia vegetal, animal o artificial, con la consistencia y el color u otras características de ésta. **3** Sustancia amarillenta segregada por las glándulas de los oídos; cerumen. [**4** Producto de limpieza que sirve para abrillantar. **5** ▪ [**hacer la cera**; depilar por el procedimiento de extender esta sustancia derretida sobre la piel y de despegarla una vez fría y solidificada, arrancando con ella el vello. ▪ **no haber más cera que la que arde;** *col.* Expresión que se usa para indicar que no hay más que lo que está a la vista. ▢ ETIMOL. Del latín *cera.* ▢ ORTOGR. Dist. de *acera.*

cerámico, ca ▪ adj. **1** De la cerámica o relacionado con este arte. ▪ s.f. **2** Arte o técnica de fabricar vasijas u otros objetos con arcilla cocida a altas temperaturas. **3** Objeto o conjunto de objetos fabricados según este arte, esp. si tienen una característica co-

mún. ▢ ETIMOL. Del griego *keramikós* (hecho de arcilla).

[**cerapio** s.m. *col.* En el lenguaje estudiantil, cero en las calificaciones.

cerbatana s.f. Canuto o tubo estrechos y huecos, en los que se introducen flechas u otros proyectiles para dispararlos soplando por uno de sus extremos. ▢ ETIMOL. Del árabe *zarbatana* (canuto para tirar a los pájaros).

cerca ▪ s.f. **1** Construcción que se hace alrededor de un lugar para delimitarlo o para resguardarlo; cercado. ▪ adv. **2** A corta distancia o en un punto próximo o inmediato. **3** ▪cerca de; combinado con una expresión de cantidad, casi o aproximadamente. ▪ de cerca; a corta distancia o desde ella. ▢ ETIMOL. La acepción 1, de *cercar.* La acepción 2, del latín *circa* (alrededor). ▢ MORF. Como adverbio, su superlativo es *cerquísima.* ▢ SINT. Como adverbio, su uso seguido de un pronombre posesivo es incorrecto: *Está cerca {*tuyo > de ti}.*

cercado s.m. **1** Terreno rodeado de una cerca. **2** →**cerca.**

cercanía ▪ s.f. **1** Proximidad o distancia corta que separa un punto. ▪ pl. **2** Respecto de un lugar, conjunto de zonas cercanas a él o que lo rodean. ▢ MORF. En la acepción 2, la RAE sólo lo registra en singular.

cercano, na adj. **1** Que está a corta distancia, próximo o inmediato. **2** Referido esp. a una relación o a un parentesco, que se asientan sobre lazos fuertes o directos.

cercar v. **1** Referido a un lugar, rodearlo con una cerca de modo que quede delimitado o resguardado: *Cercaron el jardín con setos para evitar que los niños salieran a la carretera.* **2** Referido esp. a una zona o a una fortaleza enemiga, ponerles cerco o rodearlas un ejército para combatirlas: *El general ordenó cercar la ciudad y esperar a que el enemigo se rindiera por hambre.* **3** Rodear andando o formando un cerco multitudinario: *La policía cercó a los terroristas para que no pudieran escapar.* ▢ ETIMOL. Del latín *circare* (dar una vuelta, recorrer). ▢ ORTOGR. La *c* se cambia en *qu* delante de *e* →SACAR.

cercenar v. **1** Referido a una extremidad, esp. a la de un ser vivo, cortarla: *La cortadora de césped le cercenó un dedo del pie. Se cercenó una mano en un accidente de trabajo.* **2** Disminuir o acortar: *Acusan al Gobierno de cercenar las libertades constitucionales.* ▢ ETIMOL. Del latín *circinare* (redondear, dar forma redonda).

cerciorar v. Asegurar la verdad o certeza de algo: *Las declaraciones del testigo cercioraron al jurado de la culpabilidad del acusado. Consulté el horario de trenes para cerciorarme de que llegaba a tiempo.* ▢ ETIMOL. Del latín *certiorare.* ▢ MORF. Se usa más como pronominal. ▢ SINT. Constr. *cerciorar(se) DE algo.*

cerco s.m. **1** Lo que ciñe o rodea. **2** Moldura o encuadre en los que se encajan algunas cosas; marco. **3** Fenómeno atmosférico luminoso que a veces aparece rodeando algunos cuerpos celestes, esp. la Luna y el Sol; halo. **4** Asedio que pone un ejército a una zona, esp. a una fortaleza enemiga, rodeándola para conquistarla. ▢ ETIMOL. Del latín *circus* (círculo, circo).

cerda s.f. Véase **cerdo, da.**

cerdada s.f. [**1** Hecho que causa un perjuicio, esp.

si es malintencionado; faena. **2** Lo que está sucio o mal hecho. **3** Lo que se considera indecoroso o contrario a la moral establecida. ☐ SEM. En las acepciones 2 y 3, es sinónimo de *guarrada*.

cerdo, da ∎ adj./s. **1** Sucio o falto de limpieza. **2** Referido a una persona, que tiene mala intención o carece de escrúpulos. ∎ s. **3** Mamífero doméstico de cuerpo grueso, cola en forma de espiral, patas cortas y cabeza grande con un hocico casi cilíndrico, que se cría para aprovechar su carne. ⚶ ungulado ∎ s.m. **[4** Carne de este animal. ∎ s.f. **5** Pelo grueso, duro y generalmente largo que tiene el ganado caballar en la cola y en la crin, y otros animales en el cuerpo. **6** Pelo o filamento de cepillo. **7** ‖ **[como un cerdo**; *col.* **1** Referido a una persona, muy gorda. col. **2** Referido a la forma de comer, muchísimo. ☐ ETIMOL. Las acepciones 5 y 6, del latín *cirra* (mechón de pelos). ☐ SEM. En la acepción 3, es sinónimo de *cochino, gorrino, guarro, marrano* y *puerco*.

cereal ∎ adj./s.m. **1** Referido a una planta, que da frutos en forma de granos de los que se obtienen harinas y que se utilizan en la alimentación humana y de algunos animales. ∎ s.m. **2** Grano de esta planta. ∎ s.m.pl. **[3** Alimento elaborado con este grano y generalmente enriquecido con vitaminas y otras sustancias nutritivas. ☐ ETIMOL. Del latín *cerealis* (perteneciente a Ceres, diosa de la agricultura; relativo al trigo y al pan). ☐ MORF. 1. Como adjetivo es invariable en género. 2. La acepción 2 se usa más en plural. ⚶ cereal

cerebelo s.m. En el sistema nervioso de un vertebrado, parte del encéfalo situada en la zona posterior e inferior del cráneo y encargada de la coordinación muscular, del mantenimiento del equilibrio del cuerpo y de otras funciones no controladas por la voluntad. ☐ ETIMOL. Del latín *cerebellum*.

cerebral adj. **1** Del cerebro o relacionado con esta parte del encéfalo. **2** Que se guía por la inteligencia y por la frialdad de la razón, y no deja que puedan más los sentimientos. ☐ MORF. Invariable en género.

cerebro s.m. **1** En el sistema nervioso de un vertebrado, parte del encéfalo situada en la zona anterior y superior del cráneo y que constituye el centro fundamental de dicho sistema. **2** Talento, cabeza o capacidad de juicio y de entendimiento. **3** Persona de inteligencia o talento sobresalientes, esp. la que destaca en actividades científicas, técnicas o culturales. **4** Persona que concibe o dirige un plan de acción, esp. si lo hace al frente de una organización o de un grupo. **5** ‖ **cerebro electrónico**; máquina o dispositivo electrónico, capaces de regular automáticamente las fases de un proceso o de realizar otras operaciones a imitación de las que realiza el cerebro humano. ‖ **[lavar el cerebro** a alguien; anular o modificar profundamente su mentalidad o sus características psíquicas, esp. si se hace mediante técnicas de manipulación psicológica. ‖ **[secársele el cerebro** a alguien; *col.* Perder la capacidad de discurrir normalmente. ☐ ETIMOL. Del latín *cerebrum*.

ceremonia s.f. **1** Acto solemne que se celebra de acuerdo con ciertas reglas o ritos establecidos por la ley o por la costumbre. **2** Solemnidad o excesiva afectación, esp. en la forma de actuar o en el trato. ☐ ETIMOL. Del latín *caeremonia* (carácter sagrado, práctica religiosa).

ceremonial ∎ adj. **1** De la celebración de las ceremonias o relacionado con ella o con las formalidades propias de ella. ∎ s.m. **2** Conjunto de reglas y formalidades que se siguen en la celebración de una ceremonia. ☐ MORF. Como adjetivo es invariable en género.

ceremonioso, sa adj. **1** Que sigue las ceremonias y se atiene a sus reglas y formalidades punto por punto. **2** Que muestra inclinación o afición a ceremonias y cumplimientos exagerados.

céreo, a adj. De cera o con características de esta sustancia. ☐ ETIMOL. Del latín *cereus*. ☐ SEM. Dist. de *cerúleo* (de color azulado).

cerería s.f. Lugar en el que se trabaja la cera o en el que se venden objetos de cera.

cereza s.f. Fruto del cerezo, comestible, pequeño y casi redondo, con un rabillo largo, piel lisa y encarnada, pulpa dulce y jugosa y un hueso en su interior. ☐ ETIMOL. Del latín *ceresia*.

cerezo s.m. **1** Árbol frutal de tronco liso y abundante en ramas, copa amplia, hojas en forma de punta de lanza, flores blancas, y cuyo fruto es la cereza. **2** Madera de este árbol.

cerilla s.f. **1** Palito de madera, papel encerado u otro material, con un extremo recubierto de fósforo que se prende al frotarlo con ciertas superficies; fósforo. **2** En zonas del español meridional, cera de los oídos. ☐ ETIMOL. De *cera*.

cerillero, ra s. Persona que se dedica a la venta de cerillas y tabaco en cafés o en otros locales públicos.

cerillo s.m. En zonas del español meridional, cerilla o fósforo.

cerio s.m. Elemento químico, metálico y sólido, de número atómico 58, que pertenece al grupo de los lantánidos, es de color grisáceo, se oxida en agua

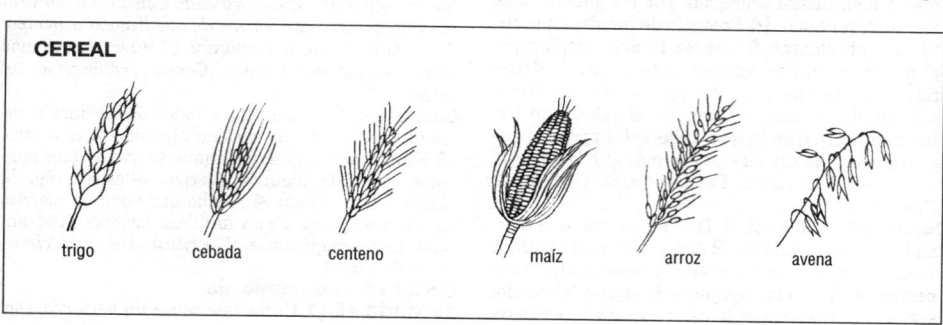

CEREAL

trigo   cebada   centeno   maíz   arroz   avena

hirviendo, y es blando y deformable. □ ETIMOL. De *Ceres*, nombre del planeta que se descubrió al mismo tiempo que este metal. □ ORTOGR. Su símbolo químico es *Ce*.

cerner ∎ v. **1** Referido a una materia en polvo, esp. a la harina, pasarla por un cedazo para separar las partes más finas de las más gruesas; cribar: *La abuela cernía la harina, y el salvado se iba quedando en el cedazo.* ∎ prnl. **2** Referido a un mal, amenazar de cerca: *Las desgracias se ciernen de nuevo sobre su familia.* **3** Referido a un ave, mantenerse en el aire aleteando y sin avanzar: *El cernícalo se cernía sin perder de vista a su presa.* □ ETIMOL. Del latín *cernere* (separar). □ ORTOGR. Se admite también *cernir*, pero se conjugan distinto. □ MORF. Irreg. →PERDER.

cernícalo s.m. Ave rapaz de cabeza abultada, pico y uñas negros y plumaje rojizo con manchas también negras. □ ETIMOL. Del latín *cerniculum* (cedazo), porque el movimiento de un cernícalo cuando vuela es parecido al del cedazo cuando se cierne algo. □ MORF. Es un sustantivo epiceno: *el cernícalo macho, el cernícalo hembra.* 🔍 rapaz

cernir v. →cerner. □ MORF. Irreg. →DISCERNIR.

cero ∎ numer. **1** Número 0: *Ellos metieron tres goles y nosotros cero.* ∎ s.m. **2** Signo que representa este número: *El cero se puede confundir con la 'o' mayúscula.* **3** En la escala de un termómetro o de otro instrumento de medida, punto desde el que se empiezan a contar los grados o las unidades de medida. **4** ‖ **al cero**; referido a un corte de pelo, de forma que éste queda a ras de la piel. ‖ **cero absoluto**; en física, temperatura mínima que se puede alcanzar según los principios de la termodinámica, y que corresponde a -273,16 °C. ‖ **[{de/desde} cero**; referido a la forma de abordar una tarea, desde el principio o sin contar con recursos ni con nada hecho. ‖ **ser** alguien **un cero a la izquierda**; col. No valer o no ser tenido en cuenta para nada. □ ETIMOL. Del italiano *zero*.

cerrado, da adj. **1** Referido a un hablante o a su habla, que tienen muy marcados el acento y los rasgos de pronunciación locales, esp. si ello hace difícil su comprensión. **2** Referido a una persona, que es torpe de entendimiento o incapaz de comprender o admitir algo, por ignorancia o por prejuicio. **3** col. Referido a una persona, que es introvertida y muy callada o distante. **4** Referido esp. al cielo, que está cargado de nubes. **5** Poco claro o difícil de comprender. **6** Estricto, rígido o que no admite distintas posibilidades.

cerradura s.f. Mecanismo generalmente metálico y accionable mediante una llave, que se fija en puertas, tapas o piezas semejantes para cerrarlas.

cerrajero, ra s. Persona que se dedica profesionalmente a la fabricación o arreglo de cerraduras, llaves, mecanismos de cierre y otros objetos de metal. □ ETIMOL. Del antiguo *cerraja* (cerradura). □ MORF. La RAE sólo registra el masculino.

cerramiento s.m. **1** Lo que cierra o tapa una abertura, un conducto o un paso. **2** Acción de cerrar lo que estaba abierto o descubierto.

cerrar ∎ v. **1** Referido a una puerta, a una ventana o a algo con puertas, encajar sus hojas en el marco, de manera que tapen el vano e impidan el paso, esp. si se aseguran con cerradura o con otro mecanismo semejante: *Cierra la puerta para que no nos oigan.*

Se levantó viento y la ventana se cerró de golpe. Este armario no cierra bien porque se ha roto una bisagra. **2** Referido a un recinto o a un receptáculo, hacer que queden incomunicados con el exterior: *Cerraron la terraza con cristaleras para evitar los ruidos de la calle.* **3** Referido a una abertura o a un conducto, taparlos u obstruirlos: *El desprendimiento de rocas cerró la entrada de la mina. Las cañerías se han ido cerrando por la acumulación de desperdicios.* **4** Referido a partes del cuerpo, juntar una con otra de modo que no quede espacio entre ellas: *Cerró los ojos y se durmió.* **5** Referido a una herida, cicatrizar o cicatrizarla: *Deja la herida al aire y ella sola cerrará. Sólo el tiempo cerró la herida de aquella ofensa. Una brecha así no se cierra si no te dan unos puntos.* **6** Referido esp. a una carta o a un sobre, disponerlos o pegarlos de manera que no pueda verse su contenido sin romperlos o despegarlos: *Antes de echar una carta al correo hay que cerrarla. Me dieron un sobre que no cerraba bien porque tenía la goma gastada.* **7** Referido a un libro o a un objeto semejante, juntar todas sus hojas de manera que no se puedan ver las páginas interiores: *Si estás cansado, cierra el libro y acuéstate. Se me ha cerrado la revista y ahora no encuentro la página que estaba leyendo.* **8** Referido a un cajón abierto, hacer que vuelva a entrar en su hueco: *Al cerrar el cajón de la mesa me pillé un dedo. Los cajones del archivo se cierran apretando un botón. Este cajón no cierra bien porque está demasiado lleno.* **9** Referido a algo que forma o describe una figura, completar su perfil uniendo el final del trazado con el principio: *Cuando cierren la carretera de circunvalación, no hará falta atravesar la ciudad para ir de un extremo al otro.* **10** Referido a algo extendido o desplegado, encogerlo, plegarlo o juntar sus partes: *El pajarillo se posó y cerró sus alas. Me pillé el dedo con un paraguas que se cierra automáticamente.* **11** Referido a una lista o a un conjunto ordenado, ocupar el último lugar en ellos: *Tu candidato cierra las listas de todos los sondeos de opinión.* **12** Referido a algunos signos de puntuación, escribirlos detrás del enunciado que delimitan: *El texto parecía incoherente porque olvidé cerrar un paréntesis. Aquí se abren unas comillas que se cierran varias líneas más abajo.* **13** Referido a la llave o al dispositivo que regulan el paso de un fluido por un conducto, ponerlos de modo que impidan la salida o la circulación de dicho fluido: *¿Has cerrado la llave del gas? Este grifo se cierra haciéndolo girar hacia la derecha.* **14** Referido a un local donde se desarrolla una actividad, esp. si es de carácter profesional, cesar en el ejercicio de ésta o poner fin a sus tareas: *Cerró la tienda porque ninguno de sus hijos quería continuar en el negocio. La oficina de información cierra a mediodía.* **15** Referido a un acuerdo o a una negociación, darlos por concertados: *Las dos mujeres cerraron el trato con un apretón de manos. Si no se cumple este requisito, no podrá cerrarse el contrato.* **16** Concluir o dar por terminado: *El presidente cerró la sesión después de varias horas de debates. No se pudo incluir la noticia porque ya se había cerrado la edición.* **17** Meter en una parte o en un lugar, impidiendo la salida fuera de ellos; encerrar: *Cerraron al perro en una habitación porque a la visita le daba miedo. En una rabieta, se cerró en el cuarto y tiró la llave por la ventana.* **18** Impedir el paso: *Cerraron la calle al tráfico con barricadas.* **19** Api-

ñar, agrupar o unir estrechamente: *La lógica aconseja cerrar la formación para hacer la defensa más eficaz. Cuanto más se cerraban los jugadores, más difícil era meterles gol.* **20** En el juego del dominó, referido a un jugador, poner una ficha que impida seguir colocando otras: *No se dio cuenta de que con aquella ficha cerrada, porque nadie tenía otra con la misma puntuación.* ∎ prnl. **21** Referido a una flor o a sus pétalos, juntarse éstos unos con otros sobre el botón o capullo: *Las campanillas se cierran por la noche y se abren por el día.* **22** Referido al cielo o al tiempo atmosférico, encapotarse o nublarse: *Si el día se cierra, nos estropeará la excursión.* **23** Tomar una curva ciñéndose al lado interior y más curvado: *En aquella curva se cerró tanto que perdió el control de la moto y se cayó.* **[24** Mostrarse poco comunicativo o adoptar una actitud negativa: *Tu timidez hace que 'te cierres' y te distancies de la gente.* □ ETIMOL. Del latín *serare*, y éste de *sera* (cerrojo, cerradura). □ MORF. Irreg. →PENSAR.
cerrazón s.f. **1** Incapacidad de comprender, esp. si se debe a la ignorancia o a juicios infundados. **2** Obstinación o insistencia obcecada o excesiva en una actitud.
cerril adj. **1** Que se obstina en una actitud o en una opinión, sin admitir acercamiento o razonamiento. **[2** *col.* Cerrado o torpe de entendimiento. **3** *col.* Grosero, tosco o sin refinamiento. □ ETIMOL. De *cerro*. □ MORF. Invariable en género.
cerro s.m. **1** Elevación del terreno aislada y de menor altura que el monte. ☒ montaña **2** ‖{irse/salir} **por los cerros de Úbeda**; *col.* Apartarse mucho del asunto que se está tratando, esp. diciendo un sinsentido o algo que no viene al caso. □ ETIMOL. Del latín *cirrus* (rizo, copete, crin).
cerrojazo s.m. **1** Cierre que se hace echando bruscamente el cerrojo. **2** Cierre o terminación bruscos, esp. los de una actividad.
cerrojo s.m. **1** Mecanismo formado por una pequeña barra, generalmente con manija y en forma de T, que se desplaza horizontalmente entre las anillas de un soporte y que sirve para cerrar puertas. **[2** En algunos deportes de equipo, esp. en fútbol, táctica defensiva de juego, consistente en el repliegue o acumulación de jugadores del mismo equipo dentro de su área. **3** En un fusil o en otras armas de fuego, pieza que contiene el percutor, empuja las balas hasta la recámara y cierra ésta. □ ETIMOL. Del latín *veruculum* (barra de hierro).
certamen s.m. Concurso abierto para estimular con premios determinadas actividades o competiciones, esp. las de carácter artístico, literario o científico. □ ETIMOL. Del latín *certamen* (lucha, justa, combate). □ SEM. No debe emplearse con el significado de 'exposición': *visité un {*certamen > exposición} de pintura contemporánea.*
certero, ra adj. **1** Referido a un tiro o a un tirador, con seguridad y buena puntería o que da en el blanco. **2** Acertado, atinado o ajustado a lo razonable.
certeza o **certidumbre** s.f. **1** Conocimiento seguro y claro que se tiene de algo. **2** Seguridad total y sin temor a equivocarse que se tiene sobre algo que se puede conocer. □ ETIMOL. *Certeza* de *cierto* y *certidumbre* del latín *certitudo.* □ SEM. Es sinónimo de *certitud.*
certificado, da ∎ adj./s.m. **1** Referido a un envío por correo, que se realiza asegurando su entrega en

mano al destinatario, mediante un resguardo que se obtiene previo pago. ∎ s.m. **2** Escritura o documento en los que se certifica o asegura oficialmente la certeza de lo que se expone.
certificar v. **1** Asegurar o dar por cierto o por auténtico, esp. mediante escritura o documento oficiales o extendidos por persona autorizada: *Las fotografías y las declaraciones de los testigos certificaron su inocencia.* **2** Referido a un envío por correo, asegurar su entrega en mano al destinatario, mediante la obtención, previo pago, de un resguardo por el que el servicio de Correos se compromete a ello: *Si quieres asegurarte de que sólo él abra el paquete, es mejor que lo certifiques.* □ ETIMOL. Del latín *certificare*, y éste de *certus* (cierto) y *facere* (hacer). □ ORTOGR. La *c* se cambia en *qu* delante de *e* →SACAR.
certísimo, ma superlat. irreg. de **cierto**. □ MORF. Es la forma culta de *ciertísimo.*
certitud s.f. →**certeza**.
cerúleo, a adj. De color azulado, como el del cielo despejado o como el de la alta mar. □ ETIMOL. Del latín *caeruleus*, y éste de *caelum* (cielo). □ SEM. Dist. de *céreo* (de cera).
cerumen s.m. Sustancia amarillenta segregada por las glándulas de los oídos; cera. □ ETIMOL. De *cera.*
cerval adj. →**cervuno**. □ MORF. Invariable en género.
cervantesco, ca o **cervantino, na** adj. De Cervantes (escritor español de los siglos XVI y XVII) o con características de sus obras.
cervato s.m. Cría del ciervo, menor de seis meses. □ MORF. Es un sustantivo epiceno: *el cervato macho, el cervato hembra.*
cervecería s.f. **1** Establecimiento donde se vende o se toma cerveza. **2** Fábrica de cerveza. □ USO Es innecesario el uso del galicismo *brasserie.*
cerveza s.f. Bebida alcohólica, de color amarillento y sabor amargo, hecha con granos de cebada u otros cereales fermentados con agua, y aromatizada con lúpulo. □ ETIMOL. Del latín *cervesia.*
cervical ∎ adj. **1** De la cerviz, relacionado con esta parte del cuello. **[2** Del cuello de un órgano o relacionado con él. ∎ adj./s.f. **3** Referido a una vértebra, que está situada en el cuello. □ ETIMOL. Del latín *cervicalis.* □ MORF. 1. Como adjetivo es invariable en género. 2. En la acepción 2, la RAE sólo la registra como sustantivo.
cérvido ∎ adj./s.m. **1** Referido a un mamífero rumiante, que se caracteriza por la presencia, en los ejemplares machos de cuernos ramificados que se renuevan cada año: *El ciervo, el reno y el corzo son cérvidos.* ∎ s.m.pl. **2** En zoología, familia de estos mamíferos. □ ETIMOL. Del latín *cervus* (ciervo) y el griego *êidos* (forma).
cervino, na adj. →**cervuno**. □ ETIMOL. Del latín *cervinus.*
cerviz s.f. **1** En una persona o en un mamífero, parte posterior del cuello. **2** ‖{[agachar/bajar/doblar} la cerviz**; humillarse o someterse, abandonando actitudes orgullosas o altivas. □ ETIMOL. Del latín *cervix.*
cervuno, na ∎ adj. **1** Del ciervo, con sus características, o relacionado con él; cerval, cervino. **2** Referido al pelaje de una caballería, con un tono gris oscuro. ∎ s.m. **3** Arbusto, variedad de la jara, con las

hojas acorazonadas, lampiñas y sin mancha en la base de los pétalos.

cesación s.f. o **cesamiento** s.m. Suspensión, interrupción o terminación de una acción o en una actividad.

cesante adj./s. **1** Referido esp. a un funcionario o a un empleado del Gobierno, que ha sido privado de su cargo o de su empleo. **2** En zonas del español meridional, desempleado. ☐ MORF. 1. Como adjetivo es invariable en género. 2. Como sustantivo es de género común: *el cesante, la cesante*. ☐ SINT. El uso de *cesado* en lugar de *cesante* es incorrecto: *Los {*cesados > cesantes} reclaman una paga.*

cesantía s.f. **1** Estado o situación de un cesante. **2** Paga que recibe un cesante en determinadas circunstancias.

cesar v. **1** Acabar o llegar al fin; terminar: *Con la tregua, cesaron los combates.* **2** Hacer una interrupción en lo que se está haciendo, o dejar de hacerlo: *Este chico no cesa de moverse y me está poniendo nervioso.* **3** Dejar de desempeñar un cargo o un empleo: *Desde que cesó en el cargo dedica más tiempo a la familia.* ☐ ETIMOL. Del latín *cessare* (descansar, pararse). ☐ ORTOGR. Dist. de *cejar*. ☐ SINT. 1. Constr. de la acepción 2: *cesar DE hacer algo.* 2. Constr. de la acepción 3: *cesar EN algo.* 3. El uso de la acepción 3 como transitivo y el del participio *cesado* en lugar de *cesante* son incorrectos, aunque están muy extendidos: {*cesaron > destituyeron / dieron el cese} al secretario; el funcionario {*cesado > cesante}.

césar s.m. Emperador de la antigua Roma. ☐ ETIMOL. Por alusión a Julio César, de quien tomaron el nombre los emperadores romanos.

cesárea s.f. Véase **cesáreo, a.**

cesáreo, a ▌ adj. **1** Del imperio, del emperador o relacionado con ellos. ▌ s.f. **2** Operación quirúrgica que consiste en extraer el feto a través de la pared abdominal.

cese s.m. **1** Terminación en el desempeño de un cargo o de un empleo. **2** Nota o documento en los que se hace constar esta terminación en el cargo o en el empleo. **3** ‖**dar el cese a** alguien; destituirlo de su cargo o de su empleo. ☐ SEM. No debe emplearse con el significado de 'final' o 'fin': *el {*cese > fin} de las hostilidades.*

cesio s.m. Elemento químico, metálico y líquido, de número atómico 55, de color blanco plata, ligero y blando y que se inflama en contacto con el aire. ☐ ETIMOL. Del latín *caesius* (azul verdoso), porque el espectro del cesio presenta dos rayas azules. ☐ ORTOGR. Su símbolo químico es *Cs*.

cesión s.f. Renuncia que se hace de un bien a favor de otra persona. ☐ ETIMOL. Del latín *cessio*.

césped s.m. **1** En un terreno, hierba menuda y espesa que lo cubre. [**2** En algunos deportes, terreno de juego. ☐ ETIMOL. Del latín *caespes* (terrón cubierto de césped). ☐ MORF. Su plural es *céspedes*.

cesta s.f. **1** Recipiente tejido con mimbres, cañas u otros materiales semejantes, esp. el de boca redondeada, más ancho que alto y con un asa que lo cruza de lado a lado. **2** En baloncesto, aro con una red colgante sin fondo, a través del cual debe pasar el balón; canasta. **3** En pelota vasca, especie de pala larga y cóncava, hecha con materiales y procedimientos de cestería, que se sujeta a la mano a modo de guante para recoger y lanzar la pelota. **4** ‖**cesta**

de la compra; conjunto de alimentos y productos que necesita diariamente una familia, esp. referido a su precio; bolsa de la compra. ‖ [**cesta punta**; modalidad de pelota vasca que se juega con esta especie de pala. ☐ ETIMOL. Del latín *cista*.

cesto s.m. **1** Cesta grande, más alta que ancha y con dos asas. **2** ‖**cesto de los papeles**; recipiente que se usa para tirar papeles inservibles y otros desperdicios; papelera.

cesura s.f. **1** En métrica moderna, pausa interior obligatoria que se produce en un verso compuesto y que lo divide en dos hemistiquios. **2** En métrica grecolatina, pausa o corte que se produce en el interior de un pie. ☐ ETIMOL. Del latín *caesura* (corte, cesura).

ceta s.f. →**zeta.**

cetáceo, a ▌ adj./s.m. **1** Referido a un mamífero, que es de vida marina, con las extremidades anteriores convertidas en aletas, sin extremidades posteriores y con las aberturas nasales en lo alto de la cabeza: *La ballena, el delfín, el cachalote y la marsopa son cetáceos.* ▌ s.m.pl. **2** En zoología, orden de estos mamíferos. ☐ ETIMOL. Del latín *cetus* (monstruo marino).

cetárea o **cetaria** s.f. Vivero comunicado con el mar, en el que se crían animales marinos destinados al consumo. ☐ ETIMOL. Del latín *cetaria*.

cetario s.m. Lugar en el que las ballenas y otros vivíparos marinos tienen y crían a sus hijos. ☐ ETIMOL. Del latín *cetaria*.

[**cetme** s.m. Fusil ligero que permite hacer disparos de uno en uno o en cortas ráfagas. ☐ ETIMOL. Es un acrónimo que procede de la sigla de *Centro de estudios técnicos de materiales especiales*, porque es el centro que fabrica estas armas.

cetrería s.f. **1** Arte o técnica de criar, cuidar y adiestrar aves rapaces para la caza. **2** Caza que se hace empleando estas aves como perseguidoras de las presas.

cetrino, na adj. De color amarillo verdoso. ☐ ETIMOL. Del latín *citrinus* (parecido al limón).

cetro s.m. **1** Bastón de mando, generalmente hecho de materiales preciosos, que usan algunas dignidades, esp. reyes y emperadores, como símbolo de su condición y autoridad. [**2** Supremacía o primer puesto, esp. los de quien destaca en una actividad. **3** Dignidad o cargo de rey o de emperador. **4** Reinado o mandato de un rey o de un emperador. ☐ ETIMOL. Del latín *sceptrum*, y éste del griego *skêptron* (bastón).

ceugma s.f. →**zeugma.**

ceutí adj./s. De Ceuta (ciudad al norte del continente africano), o relacionado con ella. ☐ MORF. 1. Como adjetivo es invariable en género y como sustantivo es de género común: *el ceutí, la ceutí.* 2. Aunque su plural en la lengua culta es *ceutíes*, se usa mucho *ceutís.*

ch Véase **c.**

chabacanada o **chabacanería** s.f. **1** Ordinariez, grosería o mal gusto. **2** Dicho propio de un chabacano.

chabacano, na ▌ adj./s. **1** Ordinario o grosero y de mal gusto. ▌ s.m. **2** En zonas del español meridional, albaricoque. ☐ ETIMOL. De origen incierto.

chabola s.f. Vivienda de escasas dimensiones, hecha con materiales de desecho o de muy baja calidad, que carece de unas mínimas condiciones para ser habitada y que suele estar construida en zonas de suburbios. □ ETIMOL. Del vasco *txabola*.

chabolismo s.m. Abundancia de chabolas en suburbios.

chabolista s. Persona que vive en una chabola, generalmente en suburbios. □ MORF. Es de género común: *el chabolista, la chabolista*.

[chabolo s.m. *vulg.* Cárcel.

chacal s.m. Mamífero carnívoro, parecido al lobo pero de menor tamaño y con la cola más larga, que vive solo o en manada y suele alimentarse de carroña. □ ETIMOL. Del francés *chacal*. □ MORF. Es un sustantivo epiceno: *el chacal macho, el chacal hembra*.

chacha s.f. Véase **chacho, cha**.

chachachá s.m. **1** Composición musical de origen cubano, derivada de la rumba y del mambo. **2** Baile que se ejecuta al compás de esta música. □ ORTOGR. Se admite también *cha-cha-chá*.

cháchara s.f. **1** *col.* Charla o conversación intrascendentes, esp. si se mantienen animadamente y sin prisas; palique. **2** En zonas del español meridional, baratija. □ ETIMOL. Del italiano *chiacchera* (conversación sin objeto y por mero pasatiempo). □ MORF. La acepción 2 se usa más en plural.

chachi adj. *col.* Buenísimo o estupendo. □ ORTOGR. Se admite también *chanchi*. □ MORF. Invariable en género. □ SINT. Se usa también como adverbio de modo: *En su cumpleaños lo pasamos chachi*. □ USO Aunque la RAE prefiere *chanchi*, en la lengua actual se usa más *chachi*.

chacho, cha ▌ s. 1 *col.* →muchacho. **▌ s.f. 2** *col.* Mujer empleada en una casa para cuidar a los niños; niñera. **3** *col.* Empleada del servicio doméstico; muchacha, sirvienta. □ SEM. La acepción 3 tiene un matiz despectivo.

chacina s.f. **1** Carne de cerdo adobada, de la que se suelen hacer embutidos. **2** Conjunto de embutidos o de conservas hechos con esta carne. **3** Carne salada y secada al sol, al aire o al humo; cecina. □ ETIMOL. Del latín **siccina* (carne seca).

chacinería s.f. Establecimiento en el que se venden embutidos y productos derivados del cerdo; charcutería.

chacolí s.m. Vino de sabor algo agrio y de baja graduación alcohólica, que se hace en el País Vasco y Cantabria (comunidades autónomas) y en Chile (país suramericano). □ ETIMOL. Del vasco *txacolin*. □ MORF. Aunque su plural en la lengua culta es *chacolíes*, la RAE admite también *chacolís*.

chacota s.f. *col.* Broma, burla o risa. □ ETIMOL. De origen onomatopéyico.

chacra s.f. En zonas del español meridional, granja. □ ORTOGR. Se admite también *chagra*.

[chador (arabismo) s.m. Velo que usan las mujeres árabes para cubrirse el rostro.

chafar v. **1** Estropear o echar a perder: *Tiene tan poco cuidado con la ropa que enseguida la chafa. Con aquel contratiempo, se chafaron todos sus proyectos.* **2** Referido a algo blando, frágil o erguido, aplastarlo: *Cada vez que celebran una fiesta en el jardín, se chafa el césped.* **3** *col.* Referido a una persona, apabullarla o dejarla sin saber cómo reaccionar, esp. al cortarla en una conversación o en un grupo: *El último desengaño acabó de chafarlo.* □ ETIMOL. De origen incierto.

chafarrinada s.f. o **chafarrinón** s.m. Borrón o mancha que desluce.

chaflán s.m. Cara, generalmente larga y estrecha, que une dos superficies planas que forman ángulo, y que sustituye a la esquina que ambas formarían. □ ETIMOL. El francés *chanfrein*.

chagra ▌ s. 1 En zonas del español meridional, campesino. **▌ s.f. 2** En zonas del español meridional, granja. □ ORTOGR. En la acepción 2, se admite también *chacra*. □ MORF. En la acepción 1, es de género común: *el chagra, la chagra*.

chahuistle o **[chahuiztle** s.m. En zonas del español meridional, hongo o roya del grano.

[chaise-longue (galicismo) Butaca con el asiento muy bajo, de forma que se pueden estirar sobre él las piernas. □ PRON. [chés long], con *g* suave.

chal s.m. **1** Prenda de vestir femenina, mucho más ancha que larga, generalmente de seda o de lana, y que se lleva sobre los hombros como abrigo o como adorno; echarpe. **[2** Prenda de abrigo, generalmente de punto y de forma cuadrada o triangular, que se usa para envolver a los bebés. □ ETIMOL. Del francés *châle*.

chalado, da adj./s. **1** *col.* Alelado o falto de juicio. **2** *col.* Muy enamorado o entusiasmado. □ MORF. En la acepción 2, la RAE sólo lo registra como adjetivo.

chaladura s.f. **1** *col.* Extravagancia, manía o hecho propio de un chalado. **2** Enamoramiento o gran entusiasmo.

chalán, -a ▌ adj./s. **1** Referido a una persona, que se dedica a hacer tratos en compras y ventas, esp. de caballos y de otras bestias, y tiene para ello especial maña y capacidad de persuasión. **▌ s.m. 2** En zonas del español meridional, picador o domador de caballos. **▌ s.f. 3** Embarcación pequeña, de fondo plano, proa aguda y popa cuadrada, que se usa para el transporte en aguas poco profundas. □ ETIMOL. Las acepciones 1 y 2, del francés *chaland* (cliente). La acepción 3, del francés *chaland*, y éste del griego *khelándion* (barco para transportar mercancías).

chalanear v. Negociar con la maña y la capacidad de persuasión propias de un chalán: *Consigue precios muy ventajosos porque chalanea como nadie.*

chalaneo s.m. Negociación hecha con la maña y la capacidad de persuasión propias de un chalán.

chalanería s.f. Maña o astucia para comprar y vender.

chalar v. **1** Enloquecer o volver lelo o como pasmado: *Tal cúmulo de desgracias acabarán por chalarlo. Ante una visión así, cualquiera puede chalarse.* **2** Enamorar o hacer sentir gran amor o entusiasmo: *Se chaló por aquel lugar de ensueño.* □ ETIMOL. De origen gitano. □ MORF. Se usa más como pronominal. □ SINT. Constr. de la acepción 2: *chalarse POR algo*.

chalaza s.f. En un huevo, filamento que sostiene la yema en medio de la clara.

chalé s.m. **1** Vivienda unifamiliar, generalmente con más de una planta y rodeada de un terreno ajardinado. ▨ vivienda **2** ‖ **[chalé adosado**; el que tiene alguna de sus paredes colindantes con las de otra vivienda del mismo tipo. □ ETIMOL. Del francés *chalet*. □ ORTOGR. Se admite también *chalet*.

chaleco s.m. **1** Prenda de vestir sin mangas, que cubre el cuerpo hasta la cintura y que se suele poner encima de la camisa. **2** ‖ **[chaleco antibalas**;

el que está hecho de materiales especiales para servir de protección contra las balas. ‖ **chaleco salvavidas**; el que está hecho de materiales para que quien lo lleva pueda mantenerse a flote en el agua. ☐ ETIMOL. Del árabe *yalika*.

chalet (galicismo) s.m. →**chalé**. 🔾 vivienda

chalina s.f. Corbata ancha, que se anuda con una lazada grande y que usan tanto los hombres como las mujeres. ☐ ETIMOL. De *chal*.

chalota s.f. o **chalote** s.m. Bulbo o tallo subterráneo, parecido al ajo o a la cebolla, de color rojizo y que se usa como condimento; escalonia. ☐ ETIMOL. Del francés *échalotte*, y éste del latín *ascalonia cepa* (cebolla de Ascalón, ciudad palestina). ☐ USO *Chalote* es el término menos usual.

chalupa s.f. Embarcación pequeña, esp. la que tiene cubierta y dos palos para velas. ☐ ETIMOL. Del francés *chaloupe*. 🔾 embarcación

chamaco, ca s. En zonas del español meridional, niño o muchacho.

chamán s.m. Hechicero al que se considera que tiene comunicación con espíritus divinos y poderes sobrenaturales de adivinación y curación.

chamarilear v. Comerciar con objetos viejos o usados: *Le compré la mesa a un hombre que chamarilea material de oficina.*

chamarileo s.m. Comercio o venta de objetos viejos o usados.

chamarilería s.f. Establecimiento donde se compran y venden objetos viejos o usados.

chamarilero, ra s. Persona que se dedica a la compra y venta de objetos viejos o usados, esp. si ésta es su profesión. ☐ ETIMOL. Del antiguo *chambariles*, que significó *instrumentos de zapatero* y *vendedor de estos instrumentos*, con influencia de *chambar* o *chamar* (trocar cualquier cosa).

chamarra s.f. Prenda de abrigo parecida a la zamarra y hecha de tela gruesa y tosca. ☐ ETIMOL. De *zamarra*.

chambelán s.m. En las antiguas cortes reales, noble que acompañaba y atendía al rey en su cámara. ☐ ETIMOL. Del francés *chambellan*.

chambergo, ga s.m. [Chaquetón que llega aproximadamente hasta la mitad del muslo. ☐ ETIMOL. Por alusión a Schomberg, militar francés que lo vestía.

chamizo s.m. **1** Choza cuyo techo está formado por una hierba menuda que crece en lugares húmedos. **2** Local o vivienda sórdidos o míseros y mal acondicionados. ☐ ETIMOL. De *chamiza* (hierba silvestre que se seca mucho).

champán o **champaña** s.m. Vino blanco espumoso, originario de Champaña (región francesa). ☐ ETIMOL. Del francés *champagne*. ☐ SEM. Dist. de *cava* (no originario de Champaña). ☐ USO Aunque la RAE prefiere *champaña*, se usa más *champán*.

champiñón s.m. Seta comestible que se cultiva artificialmente. ☐ ETIMOL. Del francés *champignon*.

champú s.m. Producto jabonoso, generalmente líquido, preparado para lavar el pelo. ☐ ETIMOL. Del inglés *shampoo*. ☐ MORF. Su plural es *champús*.

chamullar v. col. Hablar, esp. si es de forma poco comprensible: *Chamulló unas palabras que nadie entendió.* ☐ ETIMOL. De origen gitano.

chamuscar v. Quemar por la parte exterior o de manera superficial: *En la matanza chamuscan los cerdos para quitarles los pelos de la piel. Me arrimé*

demasiado el mechero y me chamusqué las pestañas. ☐ ETIMOL. Del portugués *chamuscar*. ☐ ORTOGR. La *c* se cambia en *qu* delante de *e* →SACAR. ☐ MORF. Se usa más como pronominal.

chamusquina s.f. **1** Quema que se hace por la parte exterior o de manera superficial. **2** ‖ **oler** un asunto **a chamusquina**; col. Despertar desconfianza o temor de que esconda algún peligro o de que no vaya a salir bien.

[chance (anglicismo) s.f. Oportunidad u ocasión. ☐ PRON. [chánce]. ☐ MORF. En zonas del español meridional se usa como masculino.

chanchada s.f. col. En zonas del español meridional, faena o guarrada.

chanchi adj. col. →**chachi**. ☐ MORF. Invariable en género.

chancho, cha s. En zonas del español meridional, cerdo. ☐ MORF. Se usa mucho el diminutivo *chanchito*.

chanchullero, ra adj./s. Aficionado a hacer chanchullos.

chanchullo s.m. col. Lo que se hace de manera ilegal o poco limpia para conseguir un fin o para sacar provecho. ☐ ETIMOL. Del italiano *cianciullare* (hacer naderías).

chancla o **chancleta** s.f. [**1** Calzado formado por una suela y una o varias tiras en la parte delantera. 🔾 calzado **2** Zapatilla o zapato sin talón o con el talón aplastado, generalmente de suela ligera y que suelen usarse dentro de casa. **3** ‖ **en {chanclas/chancletas}**; referido a la forma de llevar el calzado, con el talón sin calzar. ☐ ETIMOL. *Chancla*, de *chanclo*. *Chancleta*, de *chancla*.

chanclo s.m. **1** Calzado de madera o de suela gruesa para protegerse de la humedad o del barro. **2** Zapato grande de caucho o de otra materia elástica, que se coloca sobre el calzado habitual para protegerlo de la lluvia o del barro. ☐ ETIMOL. Del dialectal *chanco* (chapín).

chándal s.m. Prenda de vestir deportiva, que consta de un pantalón largo y de una chaqueta o jersey amplios y de mangas largas. ☐ ETIMOL. Del francés *chandail* (jersey de los vendedores de verdura). ☐ MORF. Aunque su plural es *chándales*, se usa mucho *chandals*.

changador s.m. En zonas del español meridional, mozo de equipajes.

changar v. col. Romper, destrozar o estropear: *Le di un golpe al reloj y lo changué.* ☐ ETIMOL. De origen onomatopéyico. ☐ ORTOGR. La *g* se cambia en *gu* delante de *e* →PAGAR.

changurro s.m. Comida elaborada con centollo cocido y desmenuzado en su caparazón. ☐ ETIMOL. Del vasco *txangurro*.

chanquete s.m. Pez marino comestible, de cuerpo muy pequeño y translúcido, y de color blanco amarillento o rosado, punteado de negro sobre la cabeza. ☐ MORF. Es un sustantivo epiceno: *el chanquete macho, el chanquete hembra.*

chantaje s.m. **1** Amenaza de difamación pública o de otro daño, que se hace contra alguien para obtener de él dinero u otro beneficio. **2** Presión que se ejerce sobre alguien, mediante amenazas u otros medios, para obligarlo a actuar de determinada manera. ☐ ETIMOL. Del francés *chantage*.

chantajear v. Someter a chantaje: *Unas fotogra-*

fías comprometedoras sirvieron para chantajear al candidato.

chantajista s. Persona que hace chantajes. □ MORF. Es de género común: *el chantajista, la chantajista.*

chantillí s.m. Crema de pastelería hecha de nata batida. □ ETIMOL. Por alusión a Chantilly, ciudad francesa de donde procede. □ MORF. Aunque su plural en la lengua culta es *chantillíes*, la RAE admite también *chantillís*.

chanza s.f. 1 Dicho festivo, agudo y gracioso. 2 Hecho burlesco que se hace por diversión o para ejercitar el ingenio. □ ETIMOL. Del italiano *ciancia* (burla, broma).

chao interj. *col.* Expresión que se usa como señal de despedida; adiós. □ ETIMOL. Del italiano *ciao*.

chapa ∎ s.f. 1 Lámina de material duro, esp. de metal o de madera. [2 En un automóvil, parte metálica de su carrocería. 3 Tapón metálico, generalmente dentado, que cierra herméticamente algunas botellas. ⚒ tapón 4 Insignia o distintivo, generalmente de metal, que llevan los agentes de policía para identificarse como tales; placa. 5 Mancha roja que sale en las mejillas; chapeta. 6 En zonas del español meridional, cerradura. [7 En zonas del español meridional, matrícula de un vehículo. ∎ pl. 8 Juego infantil que se juega con los tapones metálicos de las botellas. 9 ‖ [estar sin chapa; *col.* No tener dinero. ‖ [no tener ni chapa; *col.* No saber nada. ‖ [no {dar/pegar} ni chapa; *col.* No trabajar o estar ocioso. □ ETIMOL. De origen incierto.

chapado, da ‖ chapado a la antigua; referido a una persona, que está muy apegada a ideas y costumbres anticuadas.

chapar v. 1 Cubrir, revestir o adornar con chapas de un material duro o con capas de un metal precioso; chapear: *La joyera chapó una pulsera en oro.* [2 *col.* Trabajar o estudiar mucho: *La víspera del examen 'chapé' como nunca.* [3 *col.* Cerrar: *Estuvimos en el bar hasta que 'chaparon'.* □ USO En la acepción 1, aunque la RAE prefiere *chapear*, se usa más *chapar.*

chaparral s.m. Terreno poblado de chaparros.

chaparro, rra ∎ adj./s. 1 Referido a una persona, que es baja y rechoncha. ∎ s.m. 2 Mata de roble o de encina, muy ramificada y de poca altura. □ ETIMOL. De origen prerromano. □ MORF. En la acepción 1, la RAE sólo registra el masculino.

chaparrón s.m. 1 Lluvia fuerte de corta duración. 2 *col.* Riña o reprimenda fuertes. 3 *col.* Abundancia o gran cantidad, esp. las que sobrevienen de repente. □ ETIMOL. De origen onomatopéyico.

chaparrudo, da adj. → achaparrado.

[chapata s.f. Barra de pan de forma aplastada, con mucha corteza y poca miga.

chapear v. → chapar.

[chapeau (galicismo) interj. *col.* → chapó. □ PRON. [chapó]. □ USO Es un galicismo innecesario.

chapela s.f. Boina con mucho vuelo, típicamente vasca. □ ETIMOL. Del vasco *txapela.* ⚒ sombrero

[chapero s.m. *col.* Homosexual masculino que se dedica a la prostitución. □ USO Es despectivo.

chapeta s.f. Mancha roja que sale en las mejillas; chapa.

chapín s.m. Calzado con suela de corcho y forrado de cuero, que usaban antes las mujeres. □ ETIMOL. De origen onomatopéyico.

chapitel s.m. 1 Remate en forma piramidal de una torre. 2 → capitel. □ ETIMOL. Del francés antiguo *chapitel.*

chapó interj. *col.* Expresión que se usa para indicar admiración o aprobación. □ ETIMOL. Del francés *chapeau* (sombrero), porque al mismo tiempo que se decía se levantaba el sombrero. □ USO Es innecesario el uso del galicismo *chapeau.*

[chapopote s.m. En zonas del español meridional, alquitrán.

chapotear v. Referido a una persona, agitar las manos o los pies en el agua o en el barro, produciendo ruido: *La chiquilla se divertía chapoteando y saltando en un charco. En la playa, un niño empezó a chapotear con el agua para salpicarme.* □ ETIMOL. De origen onomatopéyico.

chapoteo s.m. 1 Agitación de las manos o de los pies que se hace en el agua o en el barro produciendo ruido. 2 Ruido que produce el agua al ser batida por las manos o por los pies.

chapucería s.f. 1 Tosquedad, imperfección o deficiente acabado en lo que se hace. 2 → chapuza.

chapucero, ra ∎ adj. 1 Realizado sin técnica ni cuidado o con un acabado deficiente. ∎ adj./s. 2 Referido a una persona, que trabaja de esta manera. [3 *col.* En zonas del español meridional, tramposo.

chapulín s.m. En zonas del español meridional, saltamontes.

chapurrar o **chapurrear** v. Hablar con dificultad y de manera incorrecta en un idioma, esp. en uno distinto del propio: *Dice que sabe inglés, pero sólo lo chapurrea.* □ ETIMOL. De origen incierto.

[chapurreo s.m. Forma de hablar cuando no se conoce bien un idioma, esp. uno distinto del propio.

chapuza s.f. 1 Obra hecha sin técnica ni cuidado o con un acabado deficiente; chapucería. 2 Trabajo o arreglo de poca importancia. [3 *col.* En zonas del español meridional, trampa. □ ETIMOL. Del francés antiguo *chapuis.*

chapuzar v. Referido a una persona, meterla bruscamente o de cabeza en el agua: *Como querían gastarme una broma, me cogieron y me chapuzaron en el río.* □ ETIMOL. Del latín **subputeare* (sumergir). □ ORTOGR. La *z* se cambia en *c* delante de *e* → CAZAR.

chapuzas s. *col.* Persona que hace chapuzas u obras sin técnica ni cuidado. □ MORF. 1. Es de género común: *el chapuzas, la chapuzas.* 2. Invariable en número.

chapuzón s.m. Baño rápido o en el que la introducción en el agua se hace bruscamente o de cabeza.

chaqué s.m. Prenda masculina de etiqueta, semejante a una chaqueta, que a la altura de la cintura se abre por delante y se prolonga hacia atrás en dos largos faldones, y que suele combinarse con un pantalón oscuro a rayas. □ ETIMOL. Del francés *jaquette* (chaqué, chaqueta larga). □ SEM. Dist. de *frac* (prenda que por delante termina en dos picos y llega hasta la cintura).

chaqueta s.f. 1 Prenda exterior de vestir, con mangas, abierta por delante y que cubre hasta más abajo de la cintura. 2 ‖ cambiar de chaqueta; cambiar interesadamente de ideas, esp. si son políticas. □ ETIMOL. Del francés *jaquette* (chaqué, chaqueta larga).

chaquetear v. Cambiar interesadamente de ideas,

esp. si son políticas: *Durante estos años ha chaqueteado lo que ha podido para lograr mantener su cargo público.*

chaquetero, ra adj./s. *col.* Que cambia interesadamente de ideas, esp. si son políticas. ☐ MORF. La RAE sólo lo registra como adjetivo.

chaquetilla s.f. Chaqueta más corta que la ordinaria y que suele llevar adornos.

chaquetón s.m. Prenda de abrigo más larga que la chaqueta.

charada s.f. Juego que consiste en adivinar una palabra a partir de algunas pistas sobre su significado y el de las palabras que resultan tomando una o varias de sus sílabas. ☐ ETIMOL. Del francés *charade.*

charanga s.f. Banda de música de carácter jocoso o populachero formada por instrumentos de viento, esp. de metal.

charango s.m. Instrumento musical semejante a una bandurria de cinco cuerdas, y con el que se acompañan en sus danzas algunos indios suramericanos.

charca s.f. Charco grande de agua detenida en el terreno de forma natural o artificial.

charco s.m. 1 Agua u otro líquido detenidos en una cavidad del terreno o sobre el piso. 2 ‖ {cruzar/ pasar} el charco; *col.* Cruzar el mar, esp. el océano Atlántico (situado entre las costas americanas y las europeas y africanas). ☐ ETIMOL. De origen incierto.

charcutería s.f. Establecimiento en el que se venden embutidos y productos derivados del cerdo; chacinería. ☐ ETIMOL. Del francés *charcuterie.*

charcutero, ra s. Persona que se dedica profesionalmente a la venta de embutidos y productos derivados del cerdo.

charla s.f. 1 *col.* Conversación que se mantiene por pasatiempo, sin un objeto preciso, o sobre cosas intrascendentes; charloteo. 2 Disertación oral ante un público, sin solemnidad y sin excesivas preocupaciones formales. 3 ‖ [{dar/echar} {la/una} charla; *col.* Reprender una conducta o exponer una idea para enseñar a otros.

charlar v. 1 *col.* Conversar y hablar por pasatiempo, sin un objeto preciso: *Pasaron la tarde charlando y recordando viejos tiempos.* 2 *col.* Hablar mucho y de cosas intrascendentes: *Se pasó las tres horas del viaje charlando sin parar.* ☐ ETIMOL. Del italiano *ciarlare.*

charlatán, -a ‖ adj./s. 1 Que habla mucho y de cosas intrascendentes. 2 Indiscreto o que cuenta lo que debería callar. 3 Que embauca o engaña a alguien aprovechándose de su inexperiencia o de su candor. ‖ s.m. 4 Vendedor callejero que anuncia a voces su mercancía. ☐ ETIMOL. Del italiano *ciarlatano.*

charlatanería s.f. 1 Tendencia o inclinación a hablar mucho; locuacidad. 2 Conversación abundante, intrascendente o indiscreta, esp. si con ella se intenta embaucar a alguien.

charlestón s.m. Baile creado por las comunidades negras estadounidenses y que se puso de moda en el continente europeo en los años veinte. ☐ ETIMOL. Por alusión a Charleston, ciudad estadounidense en la que surgió.

[charleta s.f. Charla desenfadada y amistosa.

charlotada s.f. 1 Espectáculo taurino de carácter cómico. 2 Actuación pública grotesca o ridícula. ☐

ETIMOL. Por alusión a Charlot, apodo de un torero bufo que imitaba al actor cómico del mismo nombre.

charlotear v. *col.* Charlar: *Los alumnos de esa clase no paran de charlotear.*

charloteo s.m. Conversación que se mantiene por pasatiempo, sin un objeto preciso, o sobre cosas intrascendentes; charla.

charnego, ga s. En Cataluña (comunidad autónoma), inmigrante de otra región española de habla no catalana. ☐ ETIMOL. Del catalán *xarnego.* ☐ USO Es despectivo.

charol s.m. 1 Barniz muy brillante y permanente, que conserva su brillo sin agrietarse, y que se adhiere perfectamente a la superficie sobre la que se aplica. 2 Cuero al que se le ha aplicado este barniz. 3 En zonas del español meridional, bandeja. ☐ ETIMOL. Del portugués *charo,* y éste del chino *chat liao.*

charola s.f. En zonas del español meridional, bandeja.

charolar v. Referido a una superficie, barnizarla con charol o con otro líquido que lo imite: *Voy a charolar la piel de este bolso.* ☐ ORTOGR. Se admite también *acharolar.*

charqui s.m. En zonas del español meridional, carne salada o tasajo.

charrán, -a adj./s. Pillo, tunante. ☐ ETIMOL. Quizá del vasco *txarran* (malvado, traidor).

charretera s.f. Insignia militar de oro, plata, seda u otra materia, con forma de pala, que se sujeta al hombro por una presilla, y de la que cuelga un fleco. ☐ ETIMOL. Del francés *jarretière* (liga).

charro, rra ‖ adj. 1 De mal gusto o muy recargado de adornos. ‖ adj./s. 2 De los aldeanos de la provincia de Salamanca o relacionado con ellos.

chárter adj./s.m. Referido a un vuelo o al avión que lo realiza, que ha sido contratado expresamente para realizar ese viaje y al margen de los vuelos regulares. ☐ ETIMOL. Del inglés *charter.* ☐ MORF. 1. Como adjetivo es invariable en género. 2. Invariable en número.

chartreuse s.m. Licor hecho con hierbas aromáticas por los monjes cartujos. ☐ ETIMOL. Del francés *Chartreuse* (abadía francesa donde se fabricaba este licor). ☐ PRON. [chartrés].

chascar v. Dar chasquidos; chasquear: *La leña chascaba entre las llamas de la chimenea.* ☐ ETIMOL. De origen onomatopéyico. ☐ ORTOGR. La *c* se cambia en *qu* delante de *e* →SACAR.

chascarrillo s.m. *col.* Anécdota, cuento breve o frase ingeniosos, equívocos o graciosos. ☐ ETIMOL. De *chasco* (burla).

chasco s.m. 1 Decepción que produce un suceso adverso o contrario a lo que se esperaba. 2 Burla o engaño que se hace a alguien. ☐ ETIMOL. De origen onomatopéyico.

chascón, -a adj. *col.* En zonas del español meridional, enmarañado o con greñas.

chasis s.m. 1 En un automóvil, bastidor o armazón que soporta la carrocería. 2 ‖ {estar/quedarse} alguien en el chasis; *col.* Estar o quedarse muy delgado. ☐ ETIMOL. Del francés *châssis* (marco, chasis). ☐ MORF. Invariable en número.

[chasís s.m. En zonas del español meridional, chasis. ☐ ETIMOL. Del francés *châssis* (marco, chasis). ☐ MORF. Invariable en número.

chasquear v. 1 Dar chasquidos; chascar: *El látigo del domador chasqueaba ante los leones.* 2 Referido

a una persona, darle un chasco o burla: *Nos chasqueó a todos diciéndonos que nos había tocado la lotería.*
chasquido s.m. **1** Ruido seco y repentino que se produce al resquebrajarse o romperse algo, esp. la madera. **2** Sonido que se hace con el látigo o con la honda al sacudirlos en el aire. **3** Ruido que se hace con la lengua al separarla rápidamente del paladar. **4** Cualquier ruido semejante a éstos: *Daba chasquidos con los dedos para llamar al camarero.*
chasquilla s.f. En zonas del español meridional, flequillo.
chatarra s.f. **1** Conjunto de trozos de metal viejo o de desecho, esp. de hierro. [**2** *col.* Máquina o aparato viejo o inservible. [**3** *col.* Conjunto de monedas metálicas de poco valor. [**4** *col.* Lo que tiene poco valor. [**5** *col.* Conjunto de condecoraciones o de joyas. ☐ ETIMOL. Del vasco *txatarra* (lo viejo).
[chatarrería s.f. Establecimiento en el que se compra o vende chatarra.
chatarrero, ra s. Persona que se dedica a recoger, almacenar o vender chatarra. ☐ SEM. Dist. de *cacharrero* (persona que vende cacharros o recipientes toscos).
chatear v. *col.* Beber chatos de vino: *Antes de comer suelo chatear con los amigos.*
chato, ta ▌ adj. **1** Referido a la nariz, que es pequeña y aplastada. **2** Que es más plano, sobresale menos o tiene menos altura en relación con algo de la misma especie o clase. [**3** *col.* En zonas del español meridional, de baja estatura. **▌** adj./s. **4** Referido a una persona, que tiene la nariz pequeña y aplastada. **▌** s.m. **5** *col.* Vino que se toma en un vaso bajo y ancho. ☐ ETIMOL. Del latín **platus* (plano).
chau interj. *col.* En zonas del español meridional, chao. ☐ MORF. Se usa mucho el diminutivo *chaucito.*
chaucha s.f. **1** En zonas del español meridional, patata temprana. **2** En zonas del español meridional, judía verde. **3** *col.* En zonas del español meridional, moneda de escaso valor.
chauvinismo s.m. →**chovinismo.** ☐ PRON. [chovinísmo].
chauvinista adj./s. →**chovinista.** ☐ PRON. [chovinísta]. ☐ MORF. 1. Como adjetivo es invariable en género y como sustantivo es de género común: *el chauvinista, la chauvinista.* 2. La RAE sólo lo registra como sustantivo.
chaval, -a s. Niño, muchacho o persona joven. ☐ ETIMOL. Del gitano *chavale,* vocativo masculino plural de *chavó* (hijo, muchacho).
chavea s.m. *col.* Chaval o muchacho. ☐ ETIMOL. Del gitano *chavaia,* de *chavó* (hijo, muchacho).
chaveta s.f. [**1** *col.* Cabeza. [**2** *col.* En zonas del español meridional, navaja. ☐ ETIMOL. La acepción 1, del italiano *chiavetta.*
chavo s.m. →**ochavo.**
che ▌ s.f. **1** Nombre que se daba a la unión de las letras *c* y *h* en español. **▌** interj. **2** Expresión que se usa para llamar la atención del oyente.
checa s.f. Véase **checo, ca.**
[checar v. En zonas del español meridional, fichar en el trabajo. ☐ ETIMOL. Del inglés *check.*
[checheno, na adj./s. De Chechenia (república autónoma rusa) o relacionado con ésta.
checo, ca ▌ adj./s. **1** De la República Checa (país centroeuropeo), o relacionado con ella. **2** De la antigua Checoslovaquia (país centroeuropeo), o relacionado con ella; checoeslovaco, checoslovaco. **▌** s.m. **3**

Lengua eslava de este país. **▌** s.f. **4** Policía política secreta de algunos regímenes comunistas. **5** Local donde esta policía política detenía y torturaba.
checoeslovaco, ca o **checoslovaco, ca** adj./s. De la antigua Checoslovaquia (país centroeuropeo), o relacionado con ella; checo.
[chef (galicismo) s.m. Jefe de cocina.
cheli s.m. Variedad lingüística o jerga compuesta por palabras y expresiones castizas o marginales.
chelín s.m. **1** Moneda inglesa que equivalía a la vigésima parte de una libra esterlina. **2** Unidad monetaria austríaca. **3** Unidad monetaria de distintos países. ☐ ETIMOL. Las acepciones 1 y 3, del inglés *shilling.* La acepción 2, del alemán *Schilling.*
[chelo s.m. →**violonchelo.**
chepa s.f. **1** Corvadura anómala de la columna vertebral, del pecho o de ambos a la vez; joroba. **2** ‖ **subírsele a la chepa** a alguien; tomarse excesivas confianzas o perderle el respeto: *Si no te pones serio con los alumnos, se te suben a la chepa.* ☐ ETIMOL. Del latín *gibba* (joroba).
[cheposo, sa o **chepudo, da** adj. *col.* Que tiene chepa.
cheque s.m. **1** Documento por el que la persona que lo expide autoriza el pago de una cierta cantidad al beneficiario señalado o al portador del mismo. **2** ‖ **[cheque cruzado;** el que no se puede cobrar en efectivo sino por mediación de un banco. ☐ ETIMOL. Del inglés *check.*
chequear ▌ v. **1** Examinar, verificar o cotejar: *La contable chequeaba el libro de cuentas con las facturas de la empresa.* [**2** En zonas del español meridional, referido al equipaje, facturarlo. **▌** prnl. **3** Hacerse un reconocimiento médico completo y exhaustivo: *Los médicos aconsejan chequearse una vez al año.* ☐ ETIMOL. Del inglés *to check* (comprobar).
chequeo s.m. **1** Reconocimiento médico completo y exhaustivo. [**2** Revisión, comprobación o cotejo de algo.
chequera s.f. **1** Talonario de cheques. **2** Cartera para guardar talonario.
[cherokee adj./s. De una tribu india que habitaba en Tennessee (estado norteamericano) y que en el siglo XIX fue expulsada hacia el oeste, o relacionado con ella. ☐ PRON. [cheróki].
chéster s.m. Queso elaborado con leche de vaca, originario de Chéster (ciudad inglesa).
[chetnik (del serbocroata) s.m. Miliciano de la guerrilla serbia. ☐ PRON. [chétnik].
chévere adj. *col.* En zonas del español meridional, excelente o estupendo. ☐ MORF. Invariable en género.
chevió o **cheviot** s.m. **1** Lana del cordero escocés. **2** Paño que se hace con esta lana. ☐ ETIMOL. Por alusión a los montes Cheviot, en la frontera de Escocia con Inglaterra, donde se crían estos corderos. ☐ MORF. El plural de *cheviot* es *cheviots.*
[cheyene adj./s. De la tribu amerindia que vivía al sur del lago Superior (lago estadounidense), o relacionado con ella. ☐ PRON. [cheyén].
[chianti s.m. →**quianti.** ☐ USO Es un italianismo innecesario.
chibcha ▌ adj./s. **1** De un pueblo amerindio que habitaba las tierras altas de Colombia y Ecuador (países suramericanos), o relacionado con él. **▌** s.m. **2** Lengua americana de este pueblo.
chic adj. Elegante, distinguido o a la moda. ☐ ETIMOL. Del francés *chic.*

[*chicane* (galicismo) s.f. En un circuito de automovilismo o motociclismo, zona con una serie de obstáculos para que los corredores disminuyan su velocidad. □ PRON. [chicán], con *ch* suave.

chicano, na adj./s. De los ciudadanos estadounidenses que pertenecen a la minoría de origen mexicano. □ ETIMOL. De *mexicano*.

chicarrón, -a adj./s. *col.* Referido a un joven o a un adolescente, que está muy crecido y desarrollado.

chicha s.f. **1** *col.* Carne. **2** Bebida alcohólica de maíz fermentado. **3** ||de chicha y nabo; *col.* De poca importancia o de poco valor. ||no ser algo ni chicha ni limonada; *col.* Tener un carácter indefinido o impreciso, o no valer para nada. □ USO La expresión *de chicha y nabo* es despectiva.

chícharo s.m. **1** En zonas del español meridional, guisante. [**2** En zonas del español meridional, ayudante o aprendiz de un oficio. □ ETIMOL. La acepción 1, del latín *cicer* (garbanzo).

chicharra s.f. **1** Insecto de color verdoso amarillento de cabeza gruesa, ojos salientes, alas cortas y membranosas, y abdomen en forma de cono, en cuya base los machos tienen un aparato con el que producen un ruido estridente y monótono; cigarra. 🕮 insecto **2** *col.* Persona muy habladora. □ ETIMOL. De *cigarra*. □ MORF. En la acepción 1, es un sustantivo epiceno: *la chicharra macho, la chicharra hembra*.

chicharrero, ra ▮ adj./s. **1** *col.* Persona que ha nacido en Santa Cruz de Tenerife (ciudad canaria). ▮ s.m. **2** *col.* Lugar muy caluroso. ▮ s.f. [**3** *col.* Mucho calor.

chicharro s.m. **1** Pez marino, de cuerpo rollizo y de color azul o verdoso por el lomo y blanco rojizo por el vientre, cabeza corta, escamas pequeñas y muy unidas a la piel, excepto a lo largo de los costados, donde son fuertes y agudas, con dos aletas dorsales provistas de grandes espinas y una cola extensa y en forma de horquilla; jurel. **2** →**chicharrón**. □ MORF. En la acepción 1, es un sustantivo epiceno: *el chicharro macho, el chicharro hembra*.

chicharrón ▮ s.m. **1** Residuo de la manteca de algunos animales, esp. del cerdo, una vez que ha sido derretida; chicharro. **2** En zonas del español meridional, corteza de cerdo. ▮ pl. **3** Fiambre formado por trozos de carne de distintas partes del cerdo prensado en moldes.

chiche s.m. En zonas del español meridional, adorno pequeño de bisutería.

chichear v. →**sisear**.

chicheo s.m. →**siseo**. □ MORF. Se usa más en plural.

chichi ▮ s.m. [**1** *vulg.* →**vulva.** ▮ s.f. [**2** *col.* En zonas del español meridional, pecho de una mujer.

chichón s.m. Abultamiento redondeado producido por un golpe en la cabeza. □ ETIMOL. De origen incierto. □ SEM. Aunque la RAE lo considera sinónimo de *bollo*, *chichón* se ha especializado para el bulto producido por un golpe en la cabeza.

chichonera s.f. Gorro que se utiliza para proteger a una persona de un golpe en la cabeza. 🕮 sombrero

chicle s.m. Golosina que se mastica pero no se traga, de sabor agradable; goma de mascar. □ PRON. Incorr. *[chiclé], *[chiclét].

[*chiclé* s.m. Pieza que regula el paso de algunos fluidos, esp. en el carburador de un automóvil.

chico, ca ▮ adj. **1** Pequeño o de poco tamaño. ▮ s. **2** Niño o muchacho. **3** Persona, esp. la de edad no muy avanzada. ▮ s.m. **4** Persona joven que hace recados y ayuda en una oficina o en un establecimiento. ▮ s.f. **5** Criada o empleada del servicio doméstico. □ ETIMOL. Del latín *ciccum* (cosa de muy poco valor). □ USO Se usa como apelativo: *Me dijo cuando me vio: —¡Chico, cómo has cambiado!*

chicoria s.f. →**achicoria**.

chicote s.m. En zonas del español meridional, látigo. □ ETIMOL. Del francés *chicot*.

[*chicuelina* s.f. En tauromaquia, pase que el torero da con la capa por delante y con los brazos a la altura del pecho, girando en sentido contrario a la embestida del toro. □ ETIMOL. Por alusión a su creador, el torero español Chicuelo.

[*chifa* s.m. *col.* En zonas del español meridional, restaurante chino.

[*chiffonnier* (galicismo) s.m. Mueble con cajones superpuestos, más alto que ancho. □ PRON. [chifoniér], con *ch* suave. □ USO Se usa también *sinfonier*.

chiflado, da adj./s. *col.* Loco o con el juicio trastornado; sonado.

chifladura s.f. **1** Entusiasmo desmedido o trastorno del juicio. [**2** Manía, extravagancia o hecho propios de un chiflado.

chiflar v. **1** Silbar con un silbato o imitar este sonido: *Apaga la olla cuando empiece a chiflar.* **2** *col.* Volver loco o trastornar el juicio: *Me chiflan los trajes de esta tienda. Se chifló por una compañera de trabajo.* □ ETIMOL. Del latín *sifilare* (silbar). □ MORF. En la acepción 2, la RAE sólo lo registra como pronominal.

chigre s.m. Establecimiento donde se vende o se toma sidra.

chigüín s.m. *col.* En zonas del español meridional, niño o chiquillo.

chihuahua adj./s. Referido a un perro, de la raza que se caracteriza por tener cuerpo muy pequeño, cabeza redonda y orejas grandes. □ MORF. Como adjetivo es invariable en género. 🕮 perro

[*chíí* adj./s. →**chiita**. □ MORF. 1. Como adjetivo es invariable en género. 2. Como sustantivo es de género común: *el 'chíí', la 'chíí'.*

chiismo s.m. En la religión islámica, rama que considera a Alí, yerno de Mahoma (profeta árabe de finales del siglo VI y principios del VII) y a sus descendientes como únicos imanes o guías religiosos legítimos. □ ETIMOL. Del árabe *si'ah* (secta).

chiita ▮ adj. **1** De la rama de la religión islámica que considera a Alí, yerno de Mahoma (profeta árabe), y a sus descendientes como únicos guías religiosos o relacionado con ella. ▮ adj./s. **2** Partidario o seguidor de esta rama de la religión islámica. □ MORF. 1. Como adjetivo es invariable en género. 2. Como sustantivo es de género común: *el chiita, la chiita.* □ USO Se usa también *chíí*.

chilaba s.f. Prenda de vestir con capucha que usan los árabes. □ ETIMOL. Del árabe marroquí *yallaba* o *yellaba*.

chile s.m. **1** Pimiento pequeño y muy picante. [**2** *vulg.* En zonas del español meridional, pene.

chileno, na ▮ adj./s. **1** De Chile (país suramericano), o relacionado con él. ▮ s.f. [**2** En fútbol, remate o tiro a gol que hace un jugador de espaldas a la portería, elevando los pies por encima de la cabeza.

chilindrón s.m. ‖ **al chilindrón**; referido a la carne, que se guisa rehogándola con tomate, pimiento y otros ingredientes.
[chilladera s.f. *col.* En zonas del español meridional, griterío.
chillar v. **1** Dar chillidos: *No chilles, que una cucaracha no te va a hacer nada.* **[2** Levantar la voz: *¡'Chilla' más, que no te oigo!* ☐ ETIMOL. De una alteración del latín *fistulare* (tocar la flauta).
chillido s.m. Sonido de la voz no articulado, agudo y desagradable.
chillón, -a ∎ adj. **1** Referido a un sonido, que es agudo y desagradable. **2** Referido a un color, que es demasiado vivo o que está mal combinado con otro. ∎ adj./s. **3** *col.* Que chilla mucho.
chimbo, ba s. *col.* Persona nacida en Bilbao (capital vasca). ☐ ETIMOL. De origen vasco. ☐ USO Tiene un matiz humorístico.
chimenea s.f. **1** Conducto por el que sale el humo que resulta de la combustión en una caldera, cocina u horno. **2** En un lugar, esp. en una habitación, espacio acondicionado para encender fuego y provisto de una salida de humo. **3** En geología, conducto a través del cual un volcán expulsa lava y otros materiales de erupción. **[4** En alpinismo, grieta vertical en un muro o en un glaciar. ☐ ETIMOL. Del francés *cheminée*.
chimpancé s.m. Mono de brazos largos, cabeza grande, barba y cejas prominentes, con la nariz aplastada y todo el cuerpo cubierto de pelo de color pardo negruzco. ☐ MORF. Es un sustantivo epiceno: *el chimpancé macho, el chimpancé hembra.* 🐾 primate
china s.f. Véase **chino, na**.
chinchar ∎ v. **1** *col.* Molestar, fastidiar o incordiar: *No chinches más a tu hermano.* ∎ prnl. **2** *col.* Aguantarse o sufrir con paciencia un contratiempo inevitable; fastidiarse: *Lo esperaremos cinco minutos más, y si no viene entramos al cine y que se chinche.* ☐ ETIMOL. De *chinche*.
chinche ∎ adj./s. **1** *col.* Referido a una persona, que es molesta y pesada. ∎ s.f. **2** Insecto de color oscuro, con aparato bucal chupador, piezas bucales en forma de pico articulado, y cuerpo aplastado, casi elíptico, y que segrega un líquido maloliente. 🐾 insecto **3** En zonas del español meridional, chincheta. **4** ‖{caer/morir} **como chinches**; *col.* Haber gran número de muertes. ☐ ETIMOL. Del latín *cimex*. ☐ MORF. **1.** En la acepción 1, como adjetivo es invariable en género y como sustantivo es de género común: *el chinche, la chinche.* **2.** En la acepción 2, se usa también como masculino. **3.** En la acepción 3, en zonas del español meridional se usa como masculino.
chincheta s.f. Pequeño clavo metálico de cabeza grande circular y chata y con la punta afilada.
chinchilla s.f. **1** Mamífero roedor, parecido a la ardilla, pero de tamaño algo mayor con pelaje gris, más claro por el vientre que por el lomo, de gran finura y suavidad. **2** Piel de este animal. ☐ MORF. En la acepción 1, es un sustantivo epiceno: *la chinchilla macho, la chinchilla hembra.*
chinchín interj. Expresión que se usa cuando se brinda al chocar las copas o los vasos. ☐ ETIMOL. Del inglés *chin-chin*, y éste del chino pequinés *ching-ching*.

chinchón s.m. Aguardiente anisado, originario de Chinchón (localidad madrileña).
chinchorrería s.f. Impertinencia, pesadez o cualquier cosa que resulta molesta. ☐ ETIMOL. De *chinchorrero* (chismoso).
chinchorrero, ra adj./s. *col.* [Que se molesta o que se ofende con facilidad o por cosas sin importancia. ☐ ETIMOL. De *chinche*.
chinchoso, sa adj. *col.* Referido a una persona, que es molesta, pesada o que fastidia.
chinela s.f. Zapatilla sin talón, de suela ligera, que se usa para andar por casa. ☐ ETIMOL. Quizá del italiano dialectal *cianella*.
chinesco, ca adj. De China (país asiático) o que tiene semejanza o relación con las cosas de este país.
chingana s.f. En zonas del español meridional, tienda pequeña y generalmente pobre.
chingar ∎ v. **1** *col.* Referido a una persona, fastidiarla o molestarla: *¡Deja ya de chingarme con tus historias!* **2** *vulg.malson.* →**copular**. **[3** *col.* En zonas del español meridional, robar. ∎ prnl. **[4** *col.* En zonas del español meridional, matar. **[5** *col.* En zonas del español meridional, acabar con algo.
[chingón, -a ∎ adj. **1** *col.* En zonas del español meridional, estupendo. ∎ s. **2** *col.* En zonas del español meridional, referido a una persona, hábil para hacer algo.
[chinita s.f. En zonas del español meridional, mariquita.
chino, na ∎ adj./s. **1** De China (país asiático) o relacionado con ella. **2** En zonas del español meridional, persona de origen indio o mestizo. **[3** En zonas del español meridional, referido al cabello, rizado. ∎ s. **4** *col.* En zonas del español meridional, sirviente. ∎ s.m. **5** Lengua asiática de este y otros países. **[6** *col.* Lenguaje ininteligible o difícil de entender. **[7** En el lenguaje de la droga, heroína que se quema sobre un papel de plata para ser inhalada. ∎ s.m.pl. **[8** Juego que consiste en adivinar el número total de monedas que cada jugador esconde dentro del puño. ∎ s.f. **9** Piedra pequeña, y a veces redondeada. **[10** Trozo de hachís prensado. **11** ‖ **[de chinos**; referido esp. a un trabajo, que es muy pesado o que requiere mucha paciencia. ‖ **engañar como a un chino** a alguien; *col.* Aprovecharse de su credulidad o engañarlo por completo. ‖ **tocarle la china** a alguien; *col.* Corresponderle la peor parte o el peor trabajo. ☐ USO La expresión *engañar como a un chino* tiene un matiz despectivo.
chip s.m. Pequeño circuito integrado, montado sobre una cápsula de material plástico, generalmente de silicio, y provista de una serie de patillas que permiten establecer las conexiones: *Una tarjeta de gráficos de ordenador está compuesta por numerosos chips.* ☐ ETIMOL. Del inglés *chip*.
chipén adj. *col.* [Excelente, estupendo o muy bueno. ☐ ETIMOL. Del gitano *chipén* (vida). ☐ MORF. Invariable en género. ☐ SINT. Se usa también como adverbio de modo: *Estuvimos comiendo en su casa y lo pasamos 'chipén'.*
[chípil adj./s. **1** En zonas del español meridional, referido a un hijo, que es el penúltimo. **2** *col.* En zonas del español meridional, referido a un niño, que está celoso. ☐ MORF. **1.** Como adjetivo es invariable en género. **2.** Como sustantivo es de género común: *el 'chípil', la 'chípil'.*

chipirón s.m. Calamar de pequeño tamaño. □ ETI-MOL. Del latín *sepia* (sepia). □ MORF. Es un sustantivo epiceno: *el chipirón macho, el chipirón hembra*.

chipriota adj./s. De Chipre o relacionado con este país europeo. □ MORF. 1. Como adjetivo es invariable en género. 2. Como sustantivo es de género común: *el chipriota, la chipriota*.

chiquero s.m. Cada uno de los compartimentos del toril o lugar en el que están encerrados los toros antes de empezar la corrida. □ ETIMOL. Del latín **circarium*, y éste de *circus* (circo).

[chiquilicuatre o **chiquilicuatro** s.m. *col.* Hombre bullicioso, enredador y de poco juicio; chisgarabís. □ USO Tiene un matiz despectivo.

chiquillada s.f. Hecho o dicho propios de un chiquillo; chiquillería.

chiquillería s.f. 1 *col.* Conjunto de chiquillos. 2 Hecho o dicho propios de un chiquillo; chiquillada.

chiquito, ta s.m. 1 Vaso pequeño de vino; txikito. 2 ‖ **andarse con chiquitas**; *col.* Usar contemplaciones, pretextos o rodeos para esquivar o no hacer frente a algo: *No te andes con chiquitas y dime lo que te apetece.* □ USO *Andarse con chiquitas* se usa más en expresiones negativas.

chiribita ▌ s.f. 1 Partícula encendida que salta de una materia ardiendo o del roce de los objetos; chispa. ▌ pl. 2 *col.* Partículas o destellos que, durante breves instantes, estorban la vista. □ MORF. La acepción 1, se usa más en plural.

chirigota s.f. 1 *col.* Broma, burla o cuchufleta sin mala intención. [2 Conjunto de personas formado para cantar coplas festivas en los carnavales. □ ETIMOL. De origen incierto. □ SEM. En la acepción 1, aunque la RAE lo considera sinónimo de *cuchufleta*, en la lengua actual no se usa como tal.

chirimbolo s.m. Objeto de forma extraña o complicada que no se sabe cómo nombrar. □ ETIMOL. De origen incierto.

chirimía s.f. Instrumento musical de viento de origen árabe, parecido al oboe, de madera, con nueve o con diez agujeros y boquilla con lengüeta de caña. □ ETIMOL. Del francés antiguo *chalemie*. ✖ viento

chirimiri s.m. → sirimiri.

chirimoya s.f. Fruta comestible, de color verde y con pulpa blanca y jugosa y grandes pepitas negras en su interior.

chirimoyo s.m. Árbol con tronco ramoso, hojas elípticas y puntiagudas, flores olorosas con pétalos verdosos y casi triangulares, y cuyo fruto es la chirimoya.

chiringuito s.m. Quiosco o puesto de bebidas y comidas sencillas, generalmente situado al aire libre.

chiripa s.f. *col.* Suerte o casualidad favorable; carambola. □ ETIMOL. De origen incierto.

chirla s.f. Molusco con dos valvas parecido a la almeja, pero de menor tamaño y con la concha gris oscura y estriada. □ SEM. Aunque la RAE lo considera sinónimo de *chocha*, en la lengua actual no se usa como tal.

chirlar v. *vulg.* Robar con navaja.

chirle adj. *col.* Insípido o sin sustancia. □ MORF. Invariable en género.

[chirlero, ra s. *vulg.* Navajero.

chirlo s.m. Herida alargada en el rostro. □ ETIMOL. Quizá de *chirlar* (chillar), por el chillido que se supone daría quien recibiese un chirlo, que al principio significó *golpe*.

chirona s.f. *col.* Cárcel. □ ETIMOL. De origen incierto.

chirriar v. Referido a un objeto, producir un sonido desagradable al rozar con otro; rechinar: *La puerta chirría al abrirla.* □ ETIMOL. De origen onomatopéyico. □ ORTOGR. La *i* lleva tilde en los presentes, excepto en las personas *nosotros* y *vosotros* → GUIAR.

chirrido s.m. Sonido agudo, continuado y desagradable.

[chiruca s.f. Bota hecha de tela resistente, con suela de goma. □ ETIMOL. Extensión del nombre de una marca comercial.

chis interj. 1 *col.* Expresión que se usa para pedir o para imponer silencio; chitón. 2 *col.* Expresión que se usa para llamar a alguien. □ ORTOGR. Se admite también *chist*.

chiscón s.m. Habitación pequeña o estrecha.

chisgarabís s.m. *col.* Hombre bullicioso, enredador y de poco juicio; chiquilicuatro, chiquilicuatre. □ ETIMOL. De origen expresivo. □ MORF. Su plural es *chisgarabises*. □ USO Tiene un matiz despectivo.

chisguete s.m. *col.* En zonas del español meridional, chorrillo de un líquido que sale con fuerza. □ ETIMOL. De origen onomatopéyico.

chisme s.m. 1 Noticia o comentario con los que se pretende murmurar de alguien o enemistar a unas personas con otras. 2 *col.* Baratija o cosa pequeña y de poco valor, esp. si es inútil o resulta un estorbo. □ ETIMOL. De origen incierto. □ SEM. Se usa mucho como palabra comodín para designar de manera imprecisa un objeto.

chismografía s.f. 1 *col.* Ocupación de chismorrear. 2 *col.* Conjunto de chismes sobre algo.

chismorrear v. Contar chismes; cotillear: *Mi abuelo dice que las mujeres sólo se juntan para chismorrear.*

chismorreo s.m. Actividad que consiste en comentar las vidas ajenas.

chismoso, sa adj./s. Que chismorrea o que tiene inclinación a contar chismes.

chispa s.f. 1 Partícula encendida que salta de una materia ardiendo o del roce de dos objetos; chiribita. 2 Partícula o parte muy pequeña de algo. 3 Descarga luminosa entre dos cuerpos, esp. si éstos están cargados con diferente potencial eléctrico. 4 Gota de lluvia menuda y escasa. 5 Gracia, atractivo o ingenio. 6 *col.* Borrachera ligera. [7 *col.* Electricista. 8 ‖ **echar** alguien **chispas**; *col.* Dar muestras de enojo o enfado. ‖ **ser** alguien **una chispa**; *col.* Ser muy vivo y despierto. □ ETIMOL. De origen onomatopéyico.

chispazo s.m. 1 Salto de una chispa del fuego o entre conductores con distinta carga eléctrica. 2 Daño que este salto produce. 3 Suceso aislado y poco importante que precede o sigue al conjunto de otros de mayor importancia.

chispeante adj. Referido esp. a un discurso o a un escrito, que en él abundan los destellos de ingenio y agudeza. □ MORF. Invariable en género.

chispear v. 1 Echar chispas: *Los troncos de madera chispeaban en la lumbre.* 2 Relucir o brillar mucho: *Sus ojos chispearon cuando recibió la noticia.* 3 Llover poco y en forma de gotas pequeñas: *Coge el paraguas, que ha empezado a chispear.* □ MORF. En la acepción 3, es unipersonal.

chisporrotear v. *col.* Referido al fuego o a un cuerpo encendido, despedir chispas reiteradamente: *No te* *acerques a la lumbre, porque la leña aún chisporro-tea.*

chisporroteo s.m. *col.* Desprendimiento reiterado de chispas del fuego o de un cuerpo encendido.

chisquero s.m. Encendedor antiguo de bolsillo con mecha. ☐ SEM. Aunque la RAE lo considera sinóni-mo de *mechero*, éste se ha especializado para los encendedores que funcionan con gas o con gasolina.

chist interj. →chis. ☐ ETIMOL. De origen onoma-topéyico.

chistar v. **1** Referido o una persona, llamarla emi-tiendo el sonido 'chis': *Me chistó para que me vol-viera.* **[2** *col.* Hablar o replicar: *A mí no me 'chistes', que estoy muy enfadada.* ☐ ETIMOL. De origen ono-matopéyico.

chiste s.m. **1** Frase, historieta breve o dibujo que hace reír. **2** Suceso gracioso. **3** Gracia o atractivo. ☐ ETIMOL. De *chistar* (hablar en voz baja), porque originariamente los chistes eran obscenos y se con-taban en voz baja.

chistera s.f. *col.* Sombrero de ala estrecha y copa alta, casi cilíndrica y plana por arriba, generalmen-te forrado de felpa de seda negra; sombrero de copa. ☐ ETIMOL. Del vasco *txistera*, y éste del latín *cistella* (cestilla). ⚒ sombrero

[chistorra s.f. Embutido parecido al chorizo pero más delgado, propio de algunas zonas del norte es-pañol. ☐ ETIMOL. Del vasco *txistor*.

chistoso, sa ∎ adj. **1** Que tiene chiste o gracia. ∎ adj./s. **2** Que acostumbra a hacer chistes.

chistu s.m. Flauta recta de madera y con emboca-dura de pico, típica del País Vasco (comunidad au-tónoma).

chistulari s.m. Músico que acompaña danzas po-pulares vascas con el chistu y el tamboril. ☐ USO Es innecesario el uso del término vasco *txistulari*.

chita o **chitacallando** ‖a la chita callando o a la chitacallando; calladamente o con disimulo.

chitón interj. *col.* Expresión que se usa para pedir o para imponer silencio; chis, chist.

[chiva s.f. Véase chivo, va.

chivarse v.prnl. *col.* Delatar o decir algo que per-judique a otra persona: *Como me vuelvas a pegar me chivaré a mamá para que te castigue.*

chivatada s.f. o **chivatazo** s.m. *col.* Acusación, denuncia o divulgación de algo que perjudique a al-guien. ☐ USO *Chivatada* es el término menos usual, aunque la RAE lo prefiere a *chivatazo*.

chivato, ta ∎ adj./s. **1** Referido o una persona, que denuncia o acusa, esp. si lo hace en secreto y cau-telosamente; delator. ∎ s.m. **2** Dispositivo que ad-vierte de una anormalidad o que llama la atención sobre algo. **[3** *col.* En zonas del español meridional, per-sona importante en la vida pública.

chivo, va ∎ s. **1** Cría de la cabra desde que deja de mamar hasta que llega a la edad de procrear. ∎ s.f. **[2** En zonas del español meridional, autobús peque-ño. **3** ‖chivo expiatorio; persona sobre la que se hace recaer una culpa compartida por varios; ca-beza de turco. ‖estar como una chiva; *col.* Estar muy loco. ☐ ETIMOL. La acepción 1, de origen ex-presivo, porque *chivo* fue la voz de llamada para hacer que acuda el animal.

chocante adj. Que choca. ☐ MORF. Invariable en género.

chocar v. **1** Referido o un cuerpo, encontrarse violen-tamente con otro: *Los dos coches chocaron al tomar*

la curva. Andaba mirando hacia atrás y se chocó contra una farola. **2** Referido o un elemento, ser con-trario a otro o estar en desacuerdo con él: *Nuestras opiniones chocaron y salimos discutiendo.* **3** Causar extrañeza o sorprender: *Me choca mucho que no haya venido porque habíamos quedado.* **4** Unir o juntar, esp. referido a las manos: *¡Cuánto me alegro de verte, choca esa mano!* **[5** *col.* En zonas del españo meridional, molestar. ☐ ETIMOL. De origen incierto. ☐ ORTOGR. la *c* se cambia en *qu* delante de *e* →SACAR

chocarrería s.f. Chiste o broma groseros o de mal gusto.

chocarrero, ra adj. Que tiene o manifiesta cho-carrería.

chocha s.f. Véase chocho, cha.

chochaperdiz s.f. Ave del tamaño de una perdiz, que tiene el pico largo, recto y delgado, y el plumaje rojizo, y cuya carne es muy apreciada; becada. ☐ MORF. Es un sustantivo epiceno: *la chochaperdiz macho, la chochaperdiz hembra.*

chochear v. **1** Tener debilitadas las facultades mentales por efecto de la edad: *A sus ochenta años es normal que chochee y se le olviden las cosas.* **2** *col.* Extremar o exagerar el cariño o la afición por algo: *Tu padre chochea cuando habla de ti.*

chochera o **chochez** s.f. **1** Debilidad mental y falta de agilidad intelectual por efecto de la edad. **2** Hecho o dicho propio de la persona que chochea. ☐ USO *Chochera* es el término menos usual.

chocho, cha ∎ adj. **1** Que chochea. **2** *col.* Alelado o atontado por el cariño o la afición hacia algo. ∎ s.m. **3** Semilla del altramuz, en forma de grano achatado, que resulta comestible una vez que se le ha quitado el amargor poniéndola en remojo en agua con sal; altramuz. **4** *vulg.* →vulva. ∎ s.f. **5** Molusco con dos valvas parecido a la almeja pero de menor calidad y con la concha blanquecina y lisa. ☐ SEM. En la acepción 5, aunque la RAE lo considera sinónimo de *chirla*, en la lengua actual no se usa como tal.

choclo s.m. En zonas del español meridional, mazorca tierna de maíz.

choco s.m. →chopo. ☐ MORF. Se usa mucho el di-minutivo *choquito*.

[chocolatada s.f. Comida cuyo componente prin-cipal es el chocolate caliente o a la taza.

chocolate s.m. **1** Sustancia alimenticia preparada con cacao y azúcar molidos, y al que se suele añadir canela o vainilla. **2** Bebida que se prepara con esta sustancia desleída y cocida en agua o en leche. **3** *col.* En el lenguaje de la droga, hachís. **4** ‖el choco-late del loro; *col.* Cosa insignificante. ☐ ETIMOL. Del mejicano *chocolatl*. ☐ SINT. La acepción 4 se usa más con los verbos *ser* y *ahorrar*.

[chocolateado, da adj. Que tiene chocolate.

chocolatera s.f. Véase chocolatero, ra.

chocolatería s.f. **1** Establecimiento en el que se fabrica o vende chocolate. **2** Establecimiento en el que se sirve al público chocolate a la taza.

chocolatero, ra ∎ adj./s. **1** Referido o una persona, que es muy aficionada a tomar chocolate. ∎ s. **2** Per-sona que se dedica profesionalmente a elaborar o vender chocolate. ∎ s.f. **3** Recipiente para servir cho-colate.

chocolatín s.m. o **chocolatina** s.f. Tableta del-gada y pequeña de chocolate.

chofer s.m. En zonas del español meridional, chófer.

chófer s.m. Persona que se dedica profesionalmente a conducir automóviles. □ ETIMOL. Del francés *chauffeur*. □ MORF. Se usa mucho el femenino coloquial *choferesa*.

[choferesa s.f. *col.* de **chófer.**

chola s.f. Véase **cholo, la.**

chollo s.m. Lo que es apreciable y se adquiere de forma ventajosa o sin esfuerzo; ganga.

cholo, la ▌ adj./s. **1** En zonas del español meridional, indio o mestizo occidentalizados. ▌ s.f. **2** *col.* Cabeza.

chomba s.f. En zonas del español meridional, jersey. □ ETIMOL. Del inglés *jumper.*

chompa s.f. **1** En zonas del español meridional, jersey. **[2** En zonas del español meridional, cazadora. □ ETIMOL. Del inglés *jumper.*

chongo s.m. **1** En zonas del español meridional, moño. **2** Dulce de leche cuajada.

[chop suey (del chino) s.m. ‖Comida china hecha con verduras salteadas, a la que se pueden añadir mariscos o trozos pequeños de cerdo, de ternera o de pollo.

[choped s.m. Embutido grueso semejante a la mortadela.

chopera s.f. Terreno poblado de chopos.

chopo s.m. **1** Variedad de álamo, esp. la llamada *álamo negro*, que tiene corteza grisácea o rugosa, hojas ovales y ramas poco separadas del eje del tronco. **2** Molusco marino variedad de sepia; choco. **3** *col.* Fusil. □ ETIMOL. Del latín *populus.* □ MORF. En la acepción 2 se usa mucho el diminutivo *chopito.*

choque s.m. **1** Encuentro violento de dos o más cuerpos. **2** Oposición de varios elementos o desacuerdo entre ellos. **3** Contienda, discusión o pelea. **4** En el ejército, combate o pelea de corta duración o con un pequeño número de tropas. **5** Estado de profunda depresión nerviosa y circulatoria, sin pérdida de la conciencia, que se produce después de intensas conmociones o de una impresión fuerte de carácter físico o psíquico. **[6** En el lenguaje del deporte, encuentro o partido entre dos equipos. □ ETIMOL. Las acepciones 1-4, de *chocar*. La acepción 5, del inglés *shock*. □ USO En la acepción 5, es innecesario el uso del anglicismo *shock.*

[chorbo, ba s. **1** Persona cuya identidad se ignora o no se quiere decir; individuo. **2** Respecto de una persona, compañero sentimental.

choricear v. *col.* Robar: *¡Ya me han vuelto a choricear la cartera!*

choriceo s.m. *col.* Robo.

choricero, ra ▌ adj. **[1** Del chorizo o relacionado con este embutido. ▌ s. **2** *col.* Ratero.

chorizar v. *col.* Robar: *Le chorizaron el bolso en el autobús.*

chorizo, za ▌ s. **1** *col.* Ratero. ▌ s.m. **2** Embutido hecho con carne picada y adobada, generalmente de cerdo, que tiene forma cilíndrica y alargada, y que se cura al humo. □ ETIMOL. La acepción 1, del gitano *chori* (ladrón). La acepción 2, de origen incierto.

chorlito s.m. **1** Ave que tiene patas largas, cuello grueso y pico robusto, y que se alimenta principalmente de insectos, moluscos y crustáceos. **2** *col.* →**cabeza de chorlito.** □ ETIMOL. De origen onomatopéyico. □ MORF. Es un sustantivo epiceno: *el chorlito macho, el chorlito hembra.*

chorra ▌ adj./s.m. **1** Referido a un hombre, que es tonto o estúpido. ▌ s.f. **2** *col.* Buena suerte. **3** *vulg.* →**pene.** □ MORF. En la acepción 1, la RAE sólo lo registra como sustantivo. □ USO En la acepción 1, se usa más la forma *chorras*, invariable en número.

chorrada s.f. **1** *col.* Necedad o tontería. **[2** *col.* Objeto inútil o de poco valor.

chorrear v. **1** Referido a un líquido, caer o salir en forma de chorro: *Se rompió el depósito y la gasolina empezó a chorrear.* **2** Referido a un líquido, salir lentamente y goteando: *El agua chorrea de la gotera del techo.*

chorreo s.m. **1** Salida o caída de un líquido en forma de chorro. **[2** Gasto continuo.

chorreón s.m. →**chorretón.**

chorrera s.f. **1** En una prenda de vestir, esp. en una camisa, adorno de la pechera que cae desde el cuello en forma de volante y que generalmente cubre el cierre. **2** Lugar por donde cae una pequeña porción de agua o de otro líquido. **3** Marca o señal que queda en este lugar. □ ETIMOL. De *chorro.*

chorretón s.m. **1** Chorro de un líquido que sale de forma repentina o inesperada. **2** Mancha o huella que deja este chorro. □ ORTOGR. Se admite también *chorreón.*

chorro s.m. **1** Líquido que, con más o menos fuerza, sale por un orificio o fluye por un caudal. **2** Caída sucesiva de cosas de pequeño tamaño e iguales entre sí: *un chorro de monedas.* **[3** Salida fuerte e impetuosa de algo: *un 'chorro' de insultos.* **4** ‖a chorros; con abundancia. ‖chorro de voz; plenitud o gran potencia de voz. ‖como los chorros del oro; *col.* Muy limpio, brillante o reluciente. □ ETIMOL. De origen onomatopéyico.

chotacabras s.m. Pájaro nocturno, que se alimenta de insectos y tiene el plumaje pardo grisáceo, el pico muy corto y la boca muy grande. □ ETIMOL. Del antiguo *chotar* (mamar el choto) y *cabra*, porque el chotacabras comía los insectos que hay en los rediles y se pensaba que mamaba de las cabras y de las ovejas. □ MORF. 1. Es un sustantivo epiceno: *el chotacabras macho, el chotacabras hembra.* 2. Invariable en número.

chotearse v.prnl. *col.* Burlarse, guasearse o tomarse a risa; pitorrearse: *Se chotea de la gente delante de sus narices.* □ SINT. Constr. *chotearse DE alguien.*

choteo s.m. *col.* Burla o guasa.

chotis s.m. **1** Composición musical en compás de cuatro por cuatro y de ritmo lento. **2** Baile agarrado que se ejecuta al compás de esta música, generalmente desplazándose muy poco y dando tres pasos a la izquierda, tres a la derecha y vueltas. □ ETIMOL. Del alemán *schottisch* (baile escocés). □ MORF. Invariable en número.

choto, ta s. **1** Cría de la cabra desde que nace hasta que deja de mamar; cabrito. **2** Cría de la vaca; jato, ternero. **3** ‖como una chota; *col.* Muy loco. □ ETIMOL. De origen onomatopéyico.

[choucroute (galicismo) s.f. Col fermentada con sal y vino, vinagre o aguardiente, de sabor ácido, que se suele tomar acompañando a otros alimentos y que se conserva durante meses. □ PRON. [chucrút]. □ MORF. Se usa también como masculino.

chovinismo s.m. Valoración exagerada de todo lo nacional y desprecio de lo extranjero. □ ETIMOL. Del

francés *chauvinisme* (patriotismo fanático). □ OR-
TOGR. Se admite también *chauvinismo*.
chovinista adj./s. Que valora exageradamente
todo lo nacional y desprecia lo extranjero. □ OR-
TOGR. Se admite también *chauvinista*. □ MORF. 1.
Como adjetivo es invariable en género y como sustantivo es de género común: *el chovinista, la chovinista*. 2. La RAE sólo lo registra como sustantivo.
[chow-chow adj./s. Referido a un perro, de la raza
que se caracteriza por tener la cabeza parecida a la
de un león, pelo largo y la lengua azulada. □ MORF.
Como adjetivo es invariable en género. 🐾 perro
choza s.f. Vivienda pequeña y tosca hecha de madera y cubierta de ramas o paja, usada generalmente por pastores y por gente del campo. □ ETI-
MOL. Quizá de *chozo*. 🐾 vivienda
chozo s.m. Choza pequeña. □ ETIMOL. Del latín
pluteus (armazón de tablas con que los soldados se
protegían de los disparos enemigos).
[christmas (anglicismo) s.m. Tarjeta que se envía
para felicitar las fiestas navideñas. □ PRON. [krís-
mas].
chubasco s.m. Lluvia momentánea más o menos
fuerte y generalmente acompañada de mucho viento. □ ETIMOL. Del portugués *chuvasco*, y éste de
chuva (lluvia).
chubasquero s.m. Impermeable corto, muy fino
y generalmente con capucha. □ SEM. Aunque la RAE
lo considera sinónimo de *impermeable*, chubasquero
se ha especializado para un tipo de impermeable en
particular.
chuchería s.f. 1 Alimento ligero y generalmente
apetitoso. 2 Objeto de poco valor, pero gracioso o
delicado. □ ETIMOL. De origen expresivo.
chucho, cha ∎ s. 1 *col.* Perro, esp. el que no es
de raza. ∎ s.f. [2 *col.* Peseta. □ ETIMOL. De origen
onomatopéyico.
chuchurrido, da o **[chuchurrío, a** adj. *col.*
Marchito, decaído o apagado. □ ORTOGR. Aunque la
RAE sólo registra *chuchurrido*, se usa más *chuchu-
rrío*.
chueco, ca adj. **[1** En zonas del español meridional,
torcido. 2 En zonas del español meridional, patizambo.
[3 En zonas del español meridional, zurdo. [4 *col.* En
zonas del español meridional, tramposo.
chueta s. Judío balear o que desciende de los judíos
conversos de estas islas. □ ETIMOL. Del mallorquín
xueta (judío). □ MORF. Es de género común: *el chueta, la chueta*.
chufa s.f. 1 Tubérculo de aproximadamente un centímetro de largo, color amarillento por fuera y blanco por dentro, que tiene un sabor dulce y agradable,
y que se emplea para preparar la horchata o se
come remojado en agua. [2 *vulg.* Bofetón.
chufla s.f. Broma o cuchufleta. □ SEM. Aunque la
RAE lo considera sinónimo de *cuchufleta*, en la lengua actual no se usa como tal.
chuflar v. *col.* Silbar: *¡Deja de chuflar con ese silbato!* □ ETIMOL. Del latín *sifilare*.
chulada s.f. *col.* Lo que es bonito y vistoso.
chulapo, pa s. Persona de algunos barrios populares madrileños, que se caracteriza por su traje típico, su forma de hablar poco natural y sus andares
marcados: chulo. □ MORF. 1. Aunque la RAE prefiere
chulo se usa más *chulapo*. 2. Se usa mucho el aumentativo *chulapón*.
chulear ∎ v. 1 Referido a una persona, abusar de ella

o explotarla: *Ese rufián chulea a varias mujeres.* 2
Referido a una persona, hacerle burla o reírse de ella:
*Deja de chulear a tu hermano. Se chulea de su ma-
dre, y consigue siempre lo que quiere.* ∎ prnl. 3 Presumir o jactarse: *No te chulees conmigo, que ya no.
conocemos.*
chulería s.f. 1 Presunción o insolencia al hablar o
al actuar. 2 Hecho o dicho jactanciosos, presuntuo-
sos o insolentes.
chulesco, ca adj. Que es o parece propio de una
persona desenfadada, presuntuosa o insolente.
chuleta ∎ adj./s.m. [1 Chulo o presumido. ∎ s.f. 2
Costilla con carne de ternera, buey, cerdo o cordero.
🐾 carne 3 Entre estudiantes, escrito que se oculta
para consultarlo disimuladamente en los exámenes.
4 *col.* Bofetada. □ ETIMOL. Del valenciano *xulleta*.
[chuletada s.f. Comida cuyo componente principal
son las chuletas.
chulo, la ∎ adj. 1 *col.* Bonito o vistoso. ∎ adj./s. 2
Gracioso, desenfadado, presuntuoso o insolente. ∎ s.
3 → **chulapo.** ∎ s.m. 4 Hombre que trafica con prostitutas y vive de sus ganancias; macarra. 5 ‖ **[más
chulo que un ocho**; muy guapo o muy bonito. □
ETIMOL. Del italiano *ciullo* (niño). □ MORF. En la
acepción 3, aunque la RAE prefiere *chulo* se usa más
chulapo.
chumbera s.f. Planta muy carnosa, con tallos a
modo de hojas y en forma de paletas ovales con espinas, y cuyo fruto es el higo chumbo; higuera
chumba, nopal.
[chuminada s.f. *vulg.* Lo que se considera una
tontería, porque no tiene importancia o tiene poco
valor.
[chumino s.m. *vulg.malson* → **vulva.**
[chundarata s.f. Música ruidosa o ruido fuerte y
variado.
chunga s.f. Véase **chungo, ga.**
chungo, ga ∎ adj. 1 *col.* De mal aspecto o en mal
estado. [2 *col.* Difícil o enrevesado. ∎ s.f. 3 *col.* Broma o burla festivas. □ ETIMOL. La acepción 3, del
gitano *chungo* (feo). □ SINT. En la lengua coloquial,
chungo se usa también como adverbio de modo: *Con
tantos problemas económicos lo están pasando
'chungo'.*
chungón, -a adj./s. Referido a una persona, aficionada a la chunga o a la broma.
chunguearse v. Burlarse de forma alegre o divertida: *Se chunguea cuando me ve con este sombrero.*
chupa s.f. 1 *col.* Cazadora o chaqueta. [2 *col.* Lluvia abundante. 3 ‖ **poner** a alguien **como chupa
de dómine** o **como una chupa**; *col.* Regañarlo duramente o decirle palabras ofensivas. □ ETIMOL. Del
francés *jupe*.
[chupa-chups s.m. Caramelo en forma de bola
que se chupa cogiéndolo de un palito hincado en su
centro. □ ETIMOL. Extensión del nombre de una
marca comercial.
chupado, da ∎ adj. 1 *col.* Muy flaco y con aspecto
enfermizo. [2 *col.* Muy fácil. ∎ s.f. 3 Succión con los
labios y la lengua del jugo o la sustancia de algo. 4
col. Lametón.
chupamirto s.m. En zonas del español meridional, colibrí.
chupar ∎ v. 1 Referido al jugo o a la sustancia de algo,
sacarla o extraerla con los labios y la lengua: *El
vampiro chupa la sangre a sus víctimas.* 2 Referido

a una superficie, embeber en sí el agua o la humedad: *En cuanto riego esta planta, chupa el agua. Este césped chupa mucho.* **3** Lamer o humedecer con la boca y con la lengua: *Me da asco que el perro me chupe. Si no le pones el chupete, se chupará el dedo.* **4** Referido esp. a un cuerpo líquido o gaseoso, atraerlo un cuerpo sólido, de modo que penetre en él; absorber: *Esta esponja chupa muy bien el agua.* **5** *col.* Obtener dinero u otro beneficio con astucia y engaño: *Mientras fue director general, chupó lo que pudo.* **[6** *col.* En algunos deportes de equipo, acaparar un jugador el juego: *Sería mejor futbolista si no 'chupara' tanto balón.* **‖** prnl. **[7** *col.* Referido a algo desagradable, verse obligado a soportarlo: *Me 'chupé' un viaje de cuatro horas.* **8** ‖**chúpate ésa**; *col.* Expresión que se usa para recalcar algo oportuno o ingenioso que se acaba de decir: *Lo sé antes que tú, ¡chúpate ésa!* ‖ ETIMOL. De origen onomatopéyico.

chupatintas s. *col.* Oficinista; cagatintas. ☐ MORF. 1. Es de género común: *el chupatintas, la chupatintas.* 2. Invariable en número. ☐ USO Es despectivo.

chupete s.m. **1** Objeto con una parte de goma en forma de pezón que se da a los niños pequeños para que lo chupen. **[2** En zonas del español meridional, chupa-chups.

chupetear v. Chupar repetidamente: *El niño chupeteaba su piruleta.*

chupeteo s.m. Chupadas repetidas y continuas.

chupetón s.m. Chupada dada con fuerza.

[chupi adj. *col.* Muy bueno o estupendo. ☐ MORF. Invariable en género. ☐ SINT. Se usa también como adverbio de modo: *Lo pasamos 'chupi' en la fiesta.*

chupinazo s.m. **1** Disparo de un cohete de fuegos artificiales. **[2** En fútbol, disparo fuerte.

chupito s.m. Sorbito o trago pequeño de vino o de licor.

chupón, -a ‖ adj./s. **1** *col.* Que obtiene dinero u otro beneficio con astucia y engaño. **[2** *col.* Referido a un deportista, que es individualista y que acapara el juego del equipo. ‖ s.m. **3** En zonas del español meridional, biberón. **[4** En zonas del español meridional, chupete.

chupóptero, ra s.m. *col.* Persona que vive sin trabajar o que disfruta de uno o más sueldos sin merecerlos. ☐ USO Es despectivo.

churrasco s.m. Carne asada a la brasa o a la parrilla. ☐ ETIMOL. De origen onomatopéyico.

churre s.m. Grasa sucia que escurre de algo. ☐ ETIMOL. De origen incierto.

churrería s.f. Establecimiento en el que se elaboran y se venden churros.

churrero, ra s. **1** Persona que se dedica profesionalmente a la elaboración o la venta de churros. **[2** *col.* Persona que tiene buena suerte.

churrete s.m. Mancha que ensucia la cara, las manos u otro lugar visible. ☐ MORF. Se usa mucho el aumentativo *churretón.*

churretoso, sa adj. Con churretes.

churrigueresco, ca adj. **1** Del barroco español desarrollado por José de Churriguera (arquitecto de mediados del siglo XVII), y caracterizado por una recargada ornamentación. **[2** Muy recargado o con excesivos adornos.

churro, rra ‖ adj./s. **1** Referido a una oveja, de la raza que se caracteriza por tener lana basta y larga. ‖ s.m. **2** Masa de harina y agua en forma cilíndrica y larga, que se fríe en aceite. **3** *col.* Chapuza o cosa

mal hecha. **[4** *col.* Casualidad favorable: *Consiguió el empleo de puro 'churro'.* **[5** *col.* En zonas del español meridional, persona atractiva. **6** ‖**[mezclar las churras con las merinas**; *col.* Mezclar o confundir cosas muy distintas. ‖ **[mojar el churro**; *vulg.* Tener un hombre relaciones sexuales.

churruscar v. Asar o tostar demasiado: *Churrusca bien la carne porque no me gusta que quede roja. La tostada se ha churruscado.* ☐ ETIMOL. De *churrasco.*

churrusco s.m. Trozo de pan muy tostado o que se empieza a quemar.

churumbel s.m. *col.* Niño o muchacho. ☐ ETIMOL. De origen gitano.

chusco, ca ‖ adj. **1** Que tiene gracia y picardía. ‖ s.m. **2** Pedazo de pan o panecillo.

chusma s.f. Conjunto de gente vulgar o despreciable. ☐ ETIMOL. Del italiano *ciusma* (canalla). ☐ USO Es despectivo.

chuspa s.f. En zonas del español meridional, bolsa o morral.

chusquero adj./s. *col.* Referido a un oficial o a un suboficial del ejército, que ha ascendido desde soldado raso. ☐ USO Tiene un matiz despectivo.

[chut s.m. En fútbol, lanzamiento fuerte del balón con el pie, normalmente hacia la portería contraria. ☐ ETIMOL. Del inglés *shoot.*

chutar ‖ v. **1** En fútbol, lanzar fuertemente el balón con el pie, normalmente hacia la portería del contrario: *El delantero chutó muy bien, pero el balón se estrelló en el larguero.* ‖ prnl. **[2** En el lenguaje de la droga, inyectarse una dosis: *Necesita 'chutarse' una vez al día.* **[3** *col.* En zonas del español meridional, soportar o aguantar. **4** ‖ **[ir** alguien **que chuta**; *col.* Salir muy bien parado o conseguir más de lo que se esperaba: *Con esta propina 'va que chuta'.* ☐ ETIMOL. Del inglés *to shoot* (tirar, disparar).

[chute s.m. *col.* En el lenguaje de la droga, dosis de droga que se inyecta.

chuzo s.m. **1** Palo o bastón con un pincho de hierro, que se usa como arma de defensa o de ataque. **2** ‖**caer chuzos de punta**; *col.* Llover muy fuerte. ☐ ETIMOL. Quizá de *suizo,* porque los soldados de Suiza usaban un arma parecida a un chuzo.

cía ‖ **[y cía**; *col.* Y compañía: *Ayer se presentaron en casa Luis 'y cía'.* ☐ ETIMOL. De la abreviatura de *Compañía.*

cianuro s.m. Compuesto químico, muy tóxico, de acción rápida, de fuerte olor, sabor amargo, que se usa en agricultura para fumigar. ☐ ETIMOL. Del griego *kýanos* (azul), porque el cianógeno, del que se obtienen algunos pigmentos azules, entra en la composición del cianuro.

ciático, ca ‖ adj. **1** De la cadera o relacionado con ella. ‖ s.m. **2** →**nervio ciático.** ‖ s.f. **3** Dolor agudo del nervio ciático, producido por la compresión, inflamación o irritación de éste. ☐ ETIMOL. Del latín *sciaticus,* y éste de *ischia* (huesos de la cadera).

[ciber- Elemento compositivo que significa 'cibernético': *cibernauta, ciberespacio.* ☐ ETIMOL. Del inglés *cybernetic* (cibernético).

[cibercultura s.f. Cultura del mundo informático, relacionada con las redes informáticas de comunicación y con la realidad virtual.

[ciberespacio s.m. Espacio artificial o virtual formado por una red informática.

[**cibernauta** s. Persona que utiliza el ciberespacio o espacio informático virtual. □ MORF. Es de género común: *el 'cibernauta', la 'cibernauta'*.

cibernético, ca ∎ adj. **1** De la cibernética o relacionado con esta ciencia. ∎ s.f. **2** Ciencia que estudia los mecanismos de comunicación y de regulación automática de los seres vivos y su aplicación a sistemas mecánicos, electrónicos o informáticos. □ ETIMOL. Del inglés *cybernetics*.

[**ciberusuario, ria** s. Persona que utiliza las redes informáticas mundiales.

cicatear v. *col.* Hacer cicaterías o escatimar lo que se debe dar: *¿No te da vergüenza cicatear hasta con tus amigos?*

cicatería s.f. **1** Mezquindad, ruindad o inclinación a escatimar lo que se debe dar. **2** Inclinación a dar importancia a pequeñas cosas o a ofenderse por ellas. **3** Hecho propio de un cicatero.

cicatero, ra adj./s. **1** Que es mezquino, tacaño o que escatima lo que debe dar. **2** Que da importancia a pequeñas cosas o que se ofende por ellas. □ ETIMOL. Del árabe *saqqat* (baratillero).

cicatriz s.f. **1** En el tejido de un ser vivo, señal que queda al curarse una herida. **2** En el ánimo de una persona, huella o impresión profunda que queda de algo doloroso. □ ETIMOL. Del latín *cicatrix*. □ MORF. Su plural es *cicatrices*.

cicatrización s.f. Proceso de cierre y curación de una herida.

cicatrizar v. Referido a una herida, cerrarla y curarla: *Me sangra la herida porque no ha cicatrizado bien. Los años cicatrizan las heridas de la juventud.* □ ORTOGR. La *z* se cambia en *c* delante de *e* →CAZAR.

cícero s.m. En tipografía, unidad de medida que equivale aproximadamente a cuatro milímetros y medio y que se usa para la justificación de líneas o de márgenes. □ ETIMOL. Del latín *Cicero* (Cicerón), porque una de las primeras ediciones de sus obras estaba imprimida con una letra que medía un cícero.

cicerón s.m. Persona muy elocuente o con gran facilidad de palabra. □ ETIMOL. Por alusión a Cicerón, político, escritor y orador romano del siglo I a. C.

cicerone s. Persona que guía a otras por un lugar, esp. en una visita turística, y les enseña y explica lo que sea de interés en él. □ ETIMOL. Del italiano *cicerone*, y éste de Cicerón, célebre orador romano. □ MORF. Aunque la RAE sólo lo registra como masculino, en la lengua actual es de género común: *el cicerone, la cicerone*.

ciceroniano, na adj. De Cicerón (político, escritor y orador romano del siglo I a. C.) o con características de sus obras.

cíclico, ca adj. **1** Del ciclo o relacionado con él. **2** Que ocurre o se repite regularmente cada cierto tiempo. **3** Referido esp. a una enseñanza, que se da de manera gradual o repartiendo sus partes en ciclos. **4** En química, referido a una estructura molecular, que tiene forma de anillo. □ ETIMOL. Del griego *kyklikós*.

ciclismo s.m. Deporte que se practica con una bicicleta. □ ETIMOL. Del francés *cyclisme*.

ciclista ∎ adj. **1** Del ciclismo o relacionado con este deporte; ciclístico. ∎ adj./s. **2** Que va en bicicleta. **3** Referido a un deportista, que practica el ciclismo. □

MORF. **1**. Como adjetivo es invariable en género. **2** Como sustantivo es de género común: *el ciclista, la ciclista*. □ USO En la acepción 1, aunque la RAE prefiere *ciclístico*, se usa más *ciclista*.

ciclístico, ca adj. →ciclista.

ciclo s.m. **1** Período de tiempo o conjunto de años cuya cuenta se vuelve a iniciar una vez terminados. **2** Serie de fenómenos o de operaciones que se repiten ordenadamente. **3** Sucesión de fases, comprendidas entre dos situaciones análogas, por las que pasa un fenómeno periódico. **4** Serie de actos culturales relacionados entre sí, esp. por el tema. **5** En un plan de estudios, cada una de sus divisiones. **6** En literatura, conjunto de obras y de tradiciones, generalmente de carácter épico, que giran en torno a un personaje o a un núcleo temático. □ ETIMOL. Del latín *cyclus*, y éste del griego *kýklos* (círculo).

[**ciclocross** (anglicismo) s.m. Modalidad de ciclismo en la que los participantes corren a campo traviesa o por un terreno lleno de desniveles y desigualdades.

ciclomotor s.m. Vehículo de dos ruedas, semejante a una bicicleta, provisto de pedales y de un motor de pequeña cilindrada capaz de desarrollar poca velocidad. □ ETIMOL. Del francés *cyclomoteur*. □ SEM. Dist. de *motocicleta* (sin pedales y con motor de mayor cilindrada).

ciclón s.m. **1** Viento muy fuerte que gira en grandes círculos como un torbellino; huracán. **2** Perturbación atmosférica caracterizada por fuertes vientos, lluvias abundantes y un descenso de la presión atmosférica; borrasca. **3** Persona que actúa de manera rápida y vigorosa o que altera lo que encuentra a su paso. □ ETIMOL. Del inglés *cyclone*, y éste del griego *kykló* (doy vueltas).

ciclonal o **ciclónico, ca** adj. Del ciclón, de la rotación de sus vientos, o relacionado con ellos. □ MORF. *Ciclonal* es invariable en género. □ USO *Ciclonal* es el término menos usual.

ciclope o **cíclope** s.m. En la mitología griega, gigante con un solo ojo en el centro de la frente. □ ETIMOL. Del latín *cyclops*, éste del griego *kýklops*, y éste de *kýklos* (círculo) y *óps* (ojo). □ USO *Cíclope* es el término menos usual. ⛏ mitología

ciclópeo, a o **ciclópico, ca** adj. **1** De los cíclopes o relacionado con estos gigantes mitológicos. **2** Excesivo, muy sobresaliente o de dimensiones muy superiores a las normales; gigante, gigantesco. **3** Referido a una construcción antigua, que está hecha con enormes bloques de piedra, generalmente superpuestos o colocados sin ningún material de unión. □ USO *Ciclópico* es el término menos usual.

ciclorama s.m. En un teatro, tela de gran tamaño, de superficie curvada y de color uniforme, que se coloca en el fondo del escenario y que facilita los efectos del cielo o de ambiente necesarios. □ ETIMOL. Del griego *kýklos* (círculo) y *órama* (vista).

ciclostil s.m. [Técnica de reproducción de un escrito o de un dibujo que se hace con esta máquina. □ ETIMOL. Del inglés *cyclostyle*.

ciclóstomo ∎ adj./s.m. **1** Referido a un pez, que tiene el cuerpo largo y cilíndrico, con la piel sin escamas. ∎ s.m.pl. **2** En zoología, grupo de estos peces. □ ETIMOL. Del griego *kýklos* (círculo) y *stóma* (boca).

ciclotimia s.f. En psiquiatría, perturbación mental caracterizada por la alternancia de períodos de exaltación y de depresión del ánimo. ☐ ETIMOL. Del griego *kýklos* (círculo) y *thymós* (ánimo).

ciclotímico, ca ∎ adj. **1** De la ciclotimia o relacionado con esta perturbación mental. ∎ adj./s. **2** Que padece ciclotimia.

ciclotrón s.m. Aparato que actúa mediante fuerzas electromagnéticas sobre partículas desprendidas de un átomo, acelerándolas para que sirvan como proyectiles para bombardear otros átomos. ☐ ETIMOL. Del griego *kýklos* (círculo) y la terminación de *electrón*.

[cicloturismo s.m. Modalidad de turismo en la que se emplea la bicicleta como medio de transporte.

[cicloturista s. Persona que practica el cicloturismo. ☐ MORF. Es de género común: *el 'cicloturista', la 'cicloturista'*.

[cicloturístico, ca adj. Del cicloturismo o relacionado con esta forma de hacer turismo en bicicleta.

ciconiforme ∎ adj./s.f. **1** Referido a un ave, que tiene el cuello muy largo, el pico recto y puntiagudo, y las patas largas terminadas en cuatro dedos: *Las cigüeñas y los flamencos son aves ciconiformes.* ∎ s.f.pl. **2** En zoología, orden de estas aves. ☐ ETIMOL. Del latín *ciconia* (cigüeña) y -*forme* (forma). ☐ MORF. Como adjetivo es invariable en género.

[cicopirrolona s.f. Compuesto químico que se usa en farmacia por sus propiedades somníferas.

cicuta s.f. **1** Planta herbácea de tallo hueco con manchas rojas en la base y con muchas ramas en lo alto, hojas verde oscuras, flores blancas en umbela y jugo venenoso. **[2** Veneno que se hace con el jugo de esta planta. ☐ ETIMOL. Del latín *cicuta*.

cidra s.f. Fruto del cidro, parecido al limón, pero generalmente redondeado y de mayor tamaño. ☐ ETIMOL. Del latín *citrea* (limones).

cidrera s.f. o **cidro** s.m. Árbol de tronco liso y ramoso, con hojas verdes por encima y rojizas por el envés. ☐ ETIMOL. *Cidro*, del latín *citrus* (limonero). ☐ USO *Cidrera* es el término menos usual.

ciego, ga ∎ adj. **1** Ofuscado o incapacitado para pensar con claridad. **2** Poseído o dominado por un sentimiento o por una inclinación fuertes. **3** *col.* Atiborrado o harto, esp. de comida, de bebida o de droga. **[4** Referido a un sentimiento o a una inclinación, que se sienten con una fuerza desmedida o sin límites ni reservas. **5** Referido a un conducto, a una vía o a una abertura, que están obstruidos o tapados. ∎ adj./s. **6** Privado de la vista; invidente. ∎ s.m. **7** En el animal digestivo de una persona o de un mamífero, parte del intestino grueso que termina en un fondo de saco. **[8** *col.* Borrachera de drogas o de alcohol. **9** ∥a ciegas; **1** Sin ver. **2** Referido a una forma de actuar, sin conocimiento o sin reflexión. ☐ ETIMOL. Del latín *caecus*.

cielo s.m. **1** Espacio en el que se mueven los astros y que, visto desde la Tierra, parece formar sobre ella una cubierta arqueada; bóveda celeste, firmamento. **2** Capa gaseosa que rodea la Tierra; atmósfera. **3** Lugar en el que, según la tradición cristiana, se goza de la presencia de Dios; alturas, paraíso. **4** Goce eterno que disfrutan las almas en presencia de Dios; bienaventuranza, gloria. **5** Dios o la providencia divina. **[6** Lo que se considera muy bueno o encantador. **7** ∥a cielo {abierto/descubierto}; al aire libre, sin ningún techado o protección. ∥{[caí-

do/llovido} del cielo; *col.* Llegado o sucedido en el momento o en el lugar oportunos o más convenientes. ∥cielo de la boca; en la boca, parte interior y superior que separa las fosas nasales y la cavidad bucal; paladar. ∥clamar algo al cielo; causar gran indignación por su carácter injusto o disparatado. ∥[en el (séptimo) cielo; *col.* Muy a gusto. ∥ganar el cielo; *col.* Hacer algo meritorio y digno de premio. ∥mover cielo y tierra; *col.* Hacer todas las gestiones posibles para conseguir un fin. ∥ver alguien el cielo abierto; *col.* Ver la forma de salir de un apuro o de conseguir un propósito. ☐ ETIMOL. Del latín *caelum*. ☐ MORF. Las acepciones 3 y 5, en plural tienen el mismo significado que en singular. ☐ SEM. **Cielo del paladar* es una expresión redundante e incorrecta, aunque está muy extendida. ☐ USO Se usa como apelativo: *Anda, cielo, tráeme eso, por favor. ¿Qué te pasa, cielo mío?*

[cielos interj. Expresión que se usa para indicar extrañeza, sorpresa, admiración o disgusto.

ciemo s.m. **1** Materia orgánica en descomposición que resulta de la mezcla de excrementos de animales con materias vegetales, y que se usa como abono. **2** Excremento de animal. ☐ ETIMOL. De *cieno*, con influencia de *fiemo* (estiércol). ☐ SEM. Es sinónimo de *estiércol* y *fimo*.

ciempiés s.m. Animal invertebrado de respiración traqueal, dos antenas, cuerpo alargado y con un par de patas en cada uno de los numerosos anillos en que tiene dividido el cuerpo. ☐ ORTOGR. Incorr. *cienpiés, *cien pies. ☐ MORF. **1**. Es un sustantivo epiceno: *el ciempiés macho, el ciempiés hembra* **2**. Invariable en número.

cien ∎ numer. **1** Número 100: *cien pesetas.* ∎ s.m. **[2** Signo que representa este número: *Los romanos escribían el cien como 'C'.* **3** ∥a cien; *col.* En un alto grado de excitación o nerviosismo. ∥cien por cien; absolutamente o de principio a fin: *Me siento francés cien por cien.* ☐ MORF. Apócope de *ciento* con valor adjetivo. **3**. La RAE sólo lo registra como adjetivo. **4**. -APÉNDICE DE NUMERALES.

ciénaga s.f. Terreno pantanoso o lleno de cieno. ☐ ORTOGR. Se admite también *ciénega*.

ciencia ∎ s.f. **1** Conocimiento cierto y adquirido de lo que existe, de sus principios y de sus causas, esp. el que se obtiene por la experimentación y el estudio. **2** Conjunto de conocimientos y de doctrinas organizados metódicamente y que constituyen una rama del saber. **3** Saber o conjunto de conocimientos que se poseen. **4** Habilidad, maestría o conjunto de conocimientos para la realización de algo. ∎ pl. **5** Conjunto de disciplinas y de conocimientos relacionados con las matemáticas, la física, la química, la biología y la geología. **6** ∥a ciencia cierta; con toda seguridad. ∥ciencia ficción; género narrativo, literario o cinematográfico, cuyas obras giran en torno a hipotéticas formas de vida e innovaciones técnicas, esp. a las que pueden alcanzarse en el futuro gracias al avance científico. ∥ciencia infusa; la que se tiene sin haberla estudiado ni aprendido, esp. referido a la otorgada o inspirada directamente por Dios. ∥ciencias exactas; las de la matemática. ∥ciencias ocultas; conjunto de conocimientos y de prácticas encaminadas a estudiar e intentar desvelar los secretos y fenómenos ocultos de la naturaleza, generalmente por procedimientos no estrictamente científicos. ∥gaya ciencia; *poét.* Arte de la poesía. ‖ [tener algo **poca ciencia**; *col.* Ser fácil de hacer. ☐ ETIMOL. Del latín *scientia* (conocimiento).

ciénega s.f. →**ciénaga.**

cienmilésimo, ma numer. [**1** En una serie, que ocupa el lugar número cien mil. **2** Referido a una parte, que constituye un todo junto con otras 99.999 iguales a ella..

cienmillonésimo, ma numer. adj./s. [**1** En una serie, que ocupa el lugar número cien millones. **2** Referido a una parte, que constituye un todo junto con otras 99.999.999 iguales a ella.

cieno s.m. Lodo o barro blandos que forman depósito en el fondo de las aguas, esp. en ríos y lagunas. ☐ ETIMOL. Del latín *caenum* (fango).

cienoso, sa adj. →**cenagoso.**

científico, ca ▮ adj. **1** De la ciencia o relacionado con ella. ▮ adj./s. **2** Que se dedica al estudio de una o de varias ciencias, esp. si ésta es su profesión. ☐ ETIMOL. Del latín *scientificus.*

ciento ▮ numer. **1** →**cien.** ▮ s.m. **2** Conjunto de cien unidades; centena, centenar. **3** ‖ **ciento y la madre**; *col.* Gran cantidad de personas. ‖ **por ciento**; pospuesto a un numeral cardinal, indica porcentaje: *El diez por ciento de veinte es dos.* ☐ ETIMOL. Del latín *centum.* ☐ MORF. 1. La acepción 2 se usa más en plural. 2. Incorr. *un tanto por* {**cien > ciento*}.

cierne ‖ **en** {**cierne/ciernes**}; en los comienzos, en potencia o en una etapa previa al desarrollo y lejana de la perfección: *Tenemos un viaje en ciernes, pero no sé si al final lo haremos.* ☐ ETIMOL. De *cerner* (lanzar las plantas el polen fecundante).

cierre s.m. **1** Lo que sirve para cerrar. **2** Unión de las partes de algo, de modo que su interior quede oculto: *Me mandaron una pomada para acelerar el cierre de la herida.* **3** Unión o plegado de las partes de un todo: *un paraguas de cierre automático.* **4** Terminación, conclusión o culminación de un proceso o de una acción: *El cierre de la carretera de circunvalación se retrasó sobre el plazo previsto.* **5** Delimitación u obstrucción de un espacio, esp. si se deja incomunicado con el exterior: *El juez ordenó el cierre de la sala al público.* **6** Finalización o término de una actividad o de un plazo: *La hora de cierre de la tienda la establece el dueño.* **7** Colocación de un signo de puntuación detrás del enunciado que delimita: *El cierre de comillas es fundamental para citar literalmente.* **8** ‖ [**cierre centralizado**; el que permite cerrar con llave todas sus puertas desde una sola cerradura. ‖ [**cierre de filas**; demostración de unión por parte de un grupo para defenderse ante una situación difícil. ‖ **cierre** {[**eclair/relámpago**}; en zonas del español meridional, cremallera. ‖ [**cierre patronal**; el que realizan de una empresa sus patronos o propietarios como medida de presión para que los trabajadores acepten sus condiciones. ‖ [**echar el cierre**; *col.* Terminar o dar por terminado. ☐ PRON. *Cierre 'eclair'*: [ciérre eclér]. ☐ USO Es innecesario el uso del anglicismo *lock out* en lugar de *cierre patronal.*

cierto, ta adj. **1** Verdadero, seguro o que no se puede poner en duda. **2** Antepuesto a un sustantivo, indica indeterminación: *En cierta ocasión me hicieron esa pregunta.* **3** ‖ **de cierto**; con certeza o con seguridad: *Lo sé de cierto.* ‖ **por cierto**; expresión que se usa para indicar lo que se va a decir se ha recordado o ha sido sugerido al hilo de lo que se estaba tratando. ☐ ETIMOL. Del latín *certus* (deci-

dido, asegurado). ☐ MORF. Sus superlativos son *ciertísimo* y *certísimo.*

cierto adv. Con certeza. ☐ ETIMOL. Del latín *certus* (decidido, asegurado). ☐ SINT. Se usa también como adverbio de afirmación: *Cuando le dije que sus productos eran más caros, contestó: 'Cierto, pero también son mejores'.*

ciervo, va s. **1** Mamífero rumiante, de color pardo rojizo o gris, cuerpo esbelto, patas largas y hocico agudo, que vive generalmente en estado salvaje y cuyo macho, de mayor tamaño que la hembra, presenta grandes cuernos ramificados que renueva cada año; venado. **2** ‖ **ciervo volante**; insecto de gran tamaño, de color rojo oscuro o negro, con dos alas anteriores endurecidas que se superponen como protección a las dos posteriores voladoras, y cuyo macho tiene unas mandíbulas semejantes a dos cuernos. ☐ ETIMOL. Del latín *cervus.* ☐ MORF. *Ciervo volante* es epiceno: *el ciervo volante* {*macho / hembra*}. 🐾 rumiante

cierzo s.m. Viento frío que sopla del norte. ☐ ETIMOL. Del latín *cercius.*

cifra s.f. **1** Signo con que se representa un número; guarismo: *El número 139 tiene tres cifras.* **2** Cantidad indeterminada, esp. si es una suma de dinero. **3** Lo que reúne o resume en sí muchas otras cosas: *La bondad es la cifra de todas las virtudes.* **4** ‖ **en cifra**; en resumen o dicho brevemente: *Empezó a decir que se agobiaba, que no podía más...; en cifra: lo de siempre.* ☐ ETIMOL. Del árabe *sifr* (nombre del cero, que luego se aplicó a los demás números).

cifrar v. **1** Referido a un mensaje, escribirlo en cifra o de modo que sólo pueda interpretarse si se conoce la clave: *En el ejército hay especialistas para cifrar y descifrar mensajes secretos.* **2** Referido esp. a pérdidas o a ganancias, valorarlas cuantitativamente: *Las pérdidas causadas por las inundaciones han sido cifradas en cientos de millones.* **3** Referido a algo que suele proceder de varias causas, basarlo o considerar que consiste exclusivamente en la que se indica: *¿Cómo puedes cifrar la felicidad en el éxito profesional?* **4** Referido a un conjunto de cosas o a un discurso, compendiarlos, resumirlos o reducirlos: *Cifró todas las explicaciones anteriores en una sola frase. Los diez mandamientos de la Iglesia se cifran en dos fundamentales.* ☐ SINT. Constr. de la acepción 3: *cifrar EN algo.*

cigala s.f. Crustáceo marino, de color rojizo claro, con el cefalotórax cubierto por un caparazón duro, el abdomen alargado y con cinco pares de patas, el primero de los cuales termina en unas pinzas muy desarrolladas. ☐ ETIMOL. Del latín *cicala*, por *cicada.* ☐ MORF. Es un sustantivo epiceno: *la cigala macho, la cigala hembra.* 🐾 marisco

cigarra s.f. Insecto de color verdoso amarillento, de cabeza gruesa, ojos salientes, alas cortas y membranosas, y abdomen en forma de cono, en cuya base los machos tienen un aparato con el que producen un ruido estridente y monótono; chicharra. ☐ ETIMOL. Del latín *cicala*, por *cicada.* ☐ MORF. Es un sustantivo epiceno: *la cigarra macho, la cigarra hembra.* 🐾 insecto

cigarral s.m. En la provincia toledana, finca situada fuera de la ciudad, con huerta, árboles frutales y casa de recreo.

cigarrera s.f. Véase **cigarrero, ra.**

cigarrero, ra ▮ s. **1** Persona que se dedica a la

fabricación o a la venta de cigarros. ∎ s.f. **2** Caja o mueblecillo en los que se guardan o se tienen a la vista cigarros puros. **3** En zonas del español meridional, petaca de cigarros.

cigarrillo s.m. Cigarro pequeño y delgado, hecho con picadura y liado con papel de fumar; pitillo.

cigarro s.m. **1** Rollo o cilindro de tabaco, que se enciende por un extremo y se fuma por el otro, esp. el pequeño, hecho con picadura y liado con papel de fumar. **2** ‖ **cigarro (puro)**; el que se hace enrollando hojas de tabaco y no tiene filtro; puro. ☐ ETIMOL. De origen incierto.

cigoñino s.m. Cría de la cigüeña; cigüeñato. ☐ MORF. Es un sustantivo epiceno: *el cigoñino macho, el cigoñino hembra*.

cigoñuela s.f. →cigüeñuela.

cigoto s.m. →zigoto.

cigüeña s.f. **1** Ave zancuda de gran tamaño, de costumbres migratorias, con patas largas y rojas, cuello y pico largos, cuerpo blanco y alas negras, y que anida generalmente en árboles y lugares elevados. **2** ‖ **[venir la cigüeña**; col. Producirse el nacimiento de un hijo. ☐ ETIMOL. Del latín *ciconia*. ☐ MORF. Es un sustantivo epiceno: *la cigüeña macho, la cigüeña hembra*.

cigüeñal s.m. En una máquina, esp. en un motor de explosión, eje con uno o varios codos, en cada uno de los cuales se ajusta una biela, y que transforma un movimiento rectilíneo en circular, o a la inversa.

cigüeñato s.m. Cría de la cigüeña; cigoñino. ☐ MORF. Es un sustantivo epiceno: *el cigüeñato macho, el cigüeñato hembra*.

cigüeñuela s.f. **1** En una máquina o en un instrumento, manivela o pieza en forma de codo y unida a la prolongación de su eje, por medio de las cuales se les da movimiento rotatorio: *Para que el molinillo funcione tienes que darle a la cigüeñuela.* **2** Ave zancuda de menor tamaño que la cigüeña con patas rojas, pico largo y anaranjado, cuerpo blanco y alas negras. ☐ ORTOGR. En la acepción 2 se admite también *cigoñuela*. ☐ MORF. En la acepción 2 es un sustantivo epiceno: *la cigüeñuela macho, la cigüeñuela hembra*.

ciliado, da adj. Que tiene cilios.

ciliar adj. **1** En anatomía, de las cejas o relacionado con ellas. **2** De los cilios o relacionado con estos filamentos celulares. ☐ MORF. Invariable en género.

cilicio s.m. Cinturón o faja de cerdas o de púas de hierro, que se usa ceñido al cuerpo como penitencia o como sacrificio. ☐ ETIMOL. Del latín *cilicium* (vestidura áspera, cilicio). ☐ SEM. Dist. de *flagelo* (instrumento compuesto de un palo y de unas tiras largas, que se usa para azotar).

cilindrada s.f. Capacidad para contener carburante que tienen en conjunto los cilindros de un motor de explosión, y que se expresa en centímetros cúbicos.

cilíndrico, ca adj. **1** Del cilindro. **2** Con forma de cilindro.

cilindro s.m. **1** Cuerpo geométrico limitado por una superficie lateral no plana, cuyo desarrollo es un rectángulo, y por dos bases circulares iguales y paralelas. **2** Lo que tiene la forma de este cuerpo. **3** En una máquina, pieza con esta forma. **4** En una máquina, esp. en un motor, tubo en cuyo interior se mueve el émbolo o el pistón. **5** ‖ **cilindro eje**; prolongación de una neurona, que generalmente ter-

mina en una ramificación y que está en contacto con otras células. ☐ ETIMOL. Del latín *cylindrus*. ☐ SEM. *Cilindro eje* es sinónimo de *axón* y *neurita*. ☐ USO Aunque la RAE sólo registra *cilindro eje*, se usa más *cilindroeje*.

[cilindroeje s.m. →cilindro eje.

cilio s.m. En algunos protozoos y en algunas células, filamento delgado y corto, localizado en su membrana junto con otros muchos, todos los cuales actúan conjuntamente como aparato locomotor o con otros fines; pestaña vibrátil. ☐ ETIMOL. Del latín *cilium* (ceja, párpado).

cima s.f. **1** En una elevación del terreno o en algo elevado, parte más alta. **2** Punto más alto o de mayor perfección que se puede alcanzar: *Esta actriz está en la cima de la popularidad.* **3** En botánica, inflorescencia en la que tanto el eje principal como los secundarios terminan en una flor. **4** ‖ **[cima {bípara/dicótoma]**; la que tiene un eje secundario a cada lado del principal. 🗶 inflorescencia ‖ **[cima escorpioidea]**; la que tiene los ejes secundarios a un solo lado del principal. 🗶 inflorescencia ‖ **dar cima** a algo; concluirlo o llevarlo hasta su fin con éxito o con perfección: *Con esa obra da cima a una brillante carrera.* ☐ ETIMOL. Del latín *cyma* (tallo joven). ☐ ORTOGR. Dist. de *sima*.

cimarrón, -a adj./s. **1** Referido a un animal doméstico, que huye al campo y se hace salvaje. **2** Esclavo fugitivo que se refugiaba en los montes. ☐ ETIMOL. De *cima*, por los montes adonde huían.

címbalo s.m. Instrumento musical de percusión muy parecido a los platillos, esp. referido al que se usaba en la Antigüedad grecolatina en algunas ceremonias religiosas. ☐ ETIMOL. Del latín *cymbalum* (especie de platillos). 🗶 percusión

cimborio o **cimborrio** s.m. **[1** En una iglesia, torre o cuerpo saliente al exterior, generalmente de planta cuadrada u octogonal, que se levanta sobre el crucero para iluminarlo. **2** Cuerpo cilíndrico que sirve de base a una cúpula, esp. a la que cubre el crucero de una iglesia. ☐ ETIMOL. Del latín *ciborium* (especie de copa). ☐ USO El término menos usual es *cimborio*.

cimbra s.f. Armazón de forma curva que sirve de soporte a un arco o a una bóveda mientras se construyen. ☐ ETIMOL. Del francés antiguo *cindre*, y éste de *cindrer* (tener bóveda).

cimbrar v. **1** Referido a una vara o a algo delgado y flexible, moverlos sujetándolos por un extremo de modo que vibren: *El domador cimbró la vara delante de los leones.* **2** Referido al cuerpo o a una de sus partes, moverlos con garbo, esp. al andar: *Paseaba cimbreando sus caderas.* **3** En construcción, colocar las cimbras para construir un arco o una bóveda: *Antes de levantar el arco, los albañiles cimbraron el vano.* ☐ ETIMOL. De origen incierto. ☐ ORTOGR. Se admite también *cimbrear*. ☐ USO En la acepción 2, aunque la RAE prefiere *cimbrar*, se usa más *cimbrear*.

cimbreante adj. Que es flexible y se cimbrea fácilmente. ☐ MORF. Invariable en género.

cimbrear v. →cimbrar.

cimbreño, ña adj. Que se cimbrea.

cimentación s.f. **1** Colocación o construcción de los cimientos de una edificación. **2** Consolidación de algo inmaterial o asentamiento de sus principios o de sus bases: *Los misioneros consiguieron la cimen-*

tación de su fe en muchas tierras no cristianas. □
ORTOGR. Dist. de *cementación.*

cimentar v. **1** Referido a una construcción, echar o
poner sus cimientos: *Si no cimentamos adecuada-*
mente el puente, puede derrumbarse. **2** Referido a
algo inmaterial, afianzarlo o asentar sus principios o
sus bases: *El cariño y la confianza cimientan su re-*
lación. Su autoridad se cimienta en sólidos conoci-
mientos. □ ORTOGR. Dist. de *cementar.* □ MORF. Es
irregular y la e diptonga en ie en los presentes, excepto en las personas *nosotros* y *vosotros* →PENSAR,
pero se usa más como regular.

cimera s.f. Véase **cimero, ra.**

cimero, ra ▮ adj. **1** Que está en la cima o que
remata o culmina. ▮ s.f. **2** En una armadura, parte
superior del morrión o de la pieza que cubría la cabeza, que se solía adornar con plumas u otras cosas.
🗶 armadura □ ETIMOL. La acepción 2, del latín
chimaera (quimera), que es un animal fabuloso con
cabeza de león.

cimiento s.m. **1** En una edificación, parte que está
bajo tierra y sobre la que se apoya y afirma toda la
construcción. **2** Lo que constituye la base o el principio y raíz: *La comprensión y el respeto mutuos son*
los cimientos de una buena amistad. □ ETIMOL. Del
latín *caementum* (canto de construcción, piedra sin
labrar). □ MORF. Se usa más en plural.

cimitarra s.f. Arma blanca semejante a un sable,
de hoja curva que se va ensanchando a medida que
se aleja de la empuñadura, y con un solo filo en el
lado convexo. □ ETIMOL. De origen incierto. 🗶
arma

cinabrio s.m. Mineral compuesto de azufre y mercurio, muy pesado y de color rojo oscuro: *Del cina-*
brio se extrae el mercurio. □ ETIMOL. Del latín *cin-*
nabari.

cinamomo s.m. Árbol de tronco recto y ramas
irregulares, con la madera dura y aromática, las hojas alternas, las flores en racimo de color lila y el
fruto parecido a una cereza pequeña, del que se extrae un aceite que se usa en medicina y en la industria. □ ETIMOL. Del latín *cinnamomum.*

cinc s.m. Elemento químico, metálico y sólido, de
número atómico 30, de color blanco azulado y brillo
intenso, blando, de estructura laminar y que se oxida expuesto al aire húmedo. □ ETIMOL. Del alemán
Zink. □ PRON. [cink]; incorr. *[cinz]. □ ORTOGR. 1.
Se admite también *zinc.* 2. Su símbolo químico es
Zn. □ MORF. Su plural es *cines;* incorr. **cinces,*
**cincs.*

cincel s.m. Herramienta consistente en una barra
alargada, de poco grosor y con un extremo acerado
y en forma de cuña, que se usa para trabajar a golpe de martillo piedras y metales. □ ETIMOL. Del
francés antiguo *cisel* (cincel y tijeras).

cincelado s.m. o **cinceladura** s.f. Labrado o
grabado que se hace con cincel sobre piedra o sobre
metal. □ USO Aunque la RAE prefiere *cinceladura,*
se usa más *cincelado.*

cincelar v. Labrar o grabar con cincel sobre piedra
o sobre metal: *El artista cinceló escenas guerreras*
en el bloque de granito.

cincha s.f. Faja o correa con que se asegura la silla
o la albarda sobre la cabalgadura, ciñéndola por debajo de la barriga. □ ETIMOL. De *cincho.* 🗶 arreos

cinchar v. **1** Referido a la silla o a la albarda de una
cabalgadura, asegurarlas en ésta, apretando las cin-

chas: *En el pueblo aprendió a cinchar la silla al*
caballo. **2** Asegurar o reforzar con cinchos o aros de
hierro: *Cinchó la cuba para que no se separaran las*
tablas.

cincho s.m. **1** Cinturón que se usa para ceñir a la
cintura una prenda de vestir o para llevar colgada
un arma. **2** Aro de hierro con el que se aseguran o
refuerzan barriles, ruedas u otros objetos. **3** Faja
ancha con la que se ciñe y abriga el estómago. □
ETIMOL. Del latín *cingulum* (cinturón).

cinco ▮ numer. **1** Número 5: *cinco dedos.* ▮ s.m. **2**
Signo que representa este número: *Los romanos es-*
cribían el cinco como 'V'. **3** ‖**esos cinco;** col. La
mano: *¡Choca esos cinco y no se hable más!* ‖**no**
tener ni cinco; col. No tener dinero. □ ETIMOL. Del
latín *quinque.* □ USO *Esos cinco* se usa más con los
verbos *chocar, venir* o equivalentes.

cincuenta ▮ numer. **1** Número 50: *cincuenta ni-*
ños. ▮ s.m. **2** Signo que representa este número: *Los*
romanos escribían el cincuenta como 'L'. □ ETIMOL.
Del latín *quinquaginta.*

cincuentavo, va numer. Referido a una parte, que
constituye un todo junto con otras cuarenta y nueve
iguales a ella; quincuagésimo. □ SEM. Su uso como
numeral ordinal es incorrecto: *Llegué en* {**cincuen-*
tava > *quincuagésima*} *posición.*

cincuentena s.f. Véase **cincuenteno, na.**

cincuentenario s.m. **[1** Fecha en la que se cumplen cincuenta años de un acontecimiento. **2** Fiesta
o conjunto de actos festivos con los que se celebra
esta fecha.

cincuenteno, na ▮ numer. **1** En una serie, que
ocupa el lugar número cincuenta. **2** Referido a una
parte, que constituye un todo junto con otras cuarenta y nueve iguales a ella. ▮ s.f. **3** Conjunto de
cincuenta unidades. □ SEM. En las acepciones 1 y
2, es sinónimo de *quincuagésimo.*

cincuentón, -a adj./s. col. Referido a una persona,
que tiene más de cincuenta años y aún no ha cumplido los sesenta.

cine s.m. **1** Arte, técnica e industria de la cinematografía. **2** Película o conjunto de películas hechas
según este arte, esp. si tienen una característica común: *Me paso tardes enteras viendo cine.* **3** Local
en el que se proyectan estas películas. **4** ‖**de cine;**
col. Muy bueno o muy bien. □ MORF. La acepción 3
es la forma abreviada y usual de *cinematógrafo.* □
SEM. Es sinónimo de *cinema.*

cineasta s. Persona que se dedica profesionalmente al cine, esp. como director. □ MORF. Es de género
común: *el cineasta, la cineasta.*

cineclub s.m. **1** Asociación creada para la difusión
del cine y de la cultura cinematográfica. **2** Lugar
de reunión de esta asociación y en el que se proyectan y comentan películas. □ MORF. Su plural es
cineclubes.

cinéfilo, la adj./s. Aficionado al cine. □ ETIMOL. De
cine y *-filo* (amigo).

[cinefórum s.m. Reunión en la que se dialoga sobre una película que se acaba de proyectar.

cinegético, ca ▮ adj. **1** De la cinegética o relacionado con ésta. ▮ s.f. **2** Arte o técnica de la caza.
□ ETIMOL. Del griego *kynegetikós* (relativo a la
caza).

cinema s.m. →**cine.** □ ETIMOL. De *cinematógrafo.*

cinemascope s.m. Procedimiento cinematográfico que consiste en comprimir las imágenes al rodar,

de modo que al proyectarlas sobre una pantalla curva recuperen su proporción, pero resulten agrandadas y con mayor sensación de perspectiva. ☐ ETIMOL. Extensión del nombre de una marca comercial.

cinemateca s.f. **1** Local en el que se conserva una colección organizada de películas cinematográficas, generalmente ya apartadas de los circuitos comerciales, para poder ser estudiadas o vistas por los usuarios. [**2** Local en el que se proyectan este tipo de películas. **3** Colección de películas cinematográficas, generalmente ordenada y que consta de un número considerable. ☐ SEM. Es sinónimo de *filmoteca*.

cinematografía s.f. Arte de reproducir sobre una pantalla imágenes en movimiento mediante la proyección a gran velocidad de secuencias fotografiadas en una película de celuloide; séptimo arte.

cinematografiar v. Registrar en película cinematográfica o impresionar ésta con imágenes; filmar: *Un reportero de televisión cinematografió el acto.* ☐ ORTOGR. La *i* final de la raíz lleva tilde en los presentes, excepto en las personas *nosotros* y *vosotros* →GUIAR.

cinematográfico, ca adj. Del cine o relacionado con él.

cinematógrafo s.m. **1** →cine. **2** Aparato que permite reproducir imágenes en movimiento mediante la técnica de la cinematografía. ☐ ETIMOL. Del francés *cinématographe*, y éste del griego *kínema* (movimiento) y *-grapho* (yo dibujo).

[cinemómetro s.m. Aparato que sirve para medir la velocidad de los vehículos que circulan.

cinerama s.m. Procedimiento cinematográfico que consiste en proyectar simultáneamente tres imágenes, de manera que parte de ellas queden yuxtapuestas y se dé mayor amplitud de pantalla. ☐ ETIMOL. Extensión del nombre de una marca comercial.

[cinésica s.f. Parte de la teoría de la comunicación que estudia los gestos y los movimientos del cuerpo como medios de expresión. ☐ ORTOGR. Se usa también *kinésica*.

cinético, ca adj. En física, del movimiento o relacionado con él. ☐ ETIMOL. Del griego *kinetikós* (que mueve).

cingalés, -a ▪ adj./s. **1** De Sri Lanka (país insular asiático, antes llamado Ceilán) o relacionado con él. [**2** De una de las dos etnias principales de Sri Lanka. ▪ s.m. [**3** Lengua indoeuropea de este país.

cíngaro, ra adj./s. Del pueblo gitano, esp. del centroeuropeo, o relacionado con él. ☐ ETIMOL. Del italiano *zíngaro*. ☐ ORTOGR. Incorr. **zíngaro*.

cínico, ca adj./s. Que muestra cinismo. ☐ ETIMOL. Del latín *cynicus*, y éste del griego *kynikós* (perteneciente a la escuela cínica), porque los miembros de dicha escuela mostraban su desprecio por las convenciones sociales y las necesidades externas.

cinismo s.m. Desvergüenza o descaro al mentir, o al defender o practicar algo que merece desaprobación o reproche. ☐ ETIMOL. Del griego *kynismós* (doctrina cínica).

cinquillo s.m. [Juego de cartas en el que la carta inicial es un cinco.

cinta s.f. **1** Tira plana, larga y estrecha de un material flexible: *cinta adhesiva*. ✂ gimnasio, pasamanería, sombrero **2** Tira de un material plástico y flexible que sirve como soporte para diversos tipos de grabaciones: *cinta de vídeo*. **3** En una máquina de

escribir o en una impresora, tira de material flexible impregnada de tinta. **4** Dispositivo automático formado por una banda metálica o plástica y que sirve para trasladar mercancías. **5** Tira de un material fuerte y resistente en la que se engarzan los proyectiles de una ametralladora. **6** Planta de hojas largas, listadas de blanco y verde, que se usa como adorno. **7** En arquitectura, tira estrecha adornada. [**8** Pieza de carne alargada y ovalada que se obtiene del lomo de cerdo. ✂ carne **9** ‖**cinta métrica**; la que tiene marcada la longitud del metro y sus divisiones, y se usa para medir. ✂ costura, medida ☐ ETIMOL. Del latín *cincta*.

cinto s.m. Tira o faja, generalmente de cuero, que se usa para ceñir la cintura con una sola vuelta y que se ajusta y aprieta a ella mediante una hebilla u otro mecanismo de cierre. ☐ ETIMOL. Del latín *cinctus* (acción de ceñir, cinturón, cintura).

cintura s.f. **1** En el cuerpo humano, parte más estrecha, encima de las caderas. [**2** En una prenda de vestir, parte que rodea esta zona del cuerpo: *Tendré que meter la 'cintura' de la falda porque me adelgazado.* **3** ‖[**cintura de avispa**; la muy delgada y fina. ‖**meter en cintura** a alguien; col. Hacerle entrar en razón: *Con este castigo intenta meter en cintura a su hijo y que le obedezca.* ☐ ETIMOL. Del latín *cinctura*, de *cingere* (ceñir).

cinturilla s.f. En algunas prendas de vestir, cinta o tira de tela dura y fuerte que se pone en la cintura.

cinturón s.m. **1** Cinto, correa o tira semejante que se usan para ceñir la cintura, esp. los que se ajustan a ella para sujetar el pantalón u otra prenda de vestir. ✂ alpinismo **2** Cinto que sirve para llevar colgados el sable o espada. **3** Conjunto de elementos que rodean algo: *cinturón industrial de una ciudad.* **4** En las artes marciales, categoría o grado a los que pertenece el luchador: *Soy un experto karateca, y ya soy cinturón negro.* [**5** Carretera de circunvalación que rodea las grandes ciudades. **6** ‖**apretarse el cinturón**; reducir los gastos por haber escasez de medios: *Cuando me quedé en el paro tuve que apretarme el cinturón para ahorrar dinero.* ‖ [**cinturón de castidad**; el metálico o de cuero con una cerradura, y que aseguraba la fidelidad de las esposas cuando sus maridos estaban ausentes. ‖ **cinturón de seguridad**; en algunos vehículos, el que sujeta al viajero al asiento.

cipote s.m. *vulg.* →**pene**.

ciprés s.m. **1** Árbol de hojas persistentes, que tiene el tronco recto, las ramas cortas y erguidas, la copa cónica y espesa y el fruto redondeado. **2** Madera de este árbol. **3** ‖[**ciprés calvo**; el que crece en zonas pantanosas y tiene unas raíces que emergen en la superficie para facilitar su respiración. ☐ ETIMOL. Del latín *cypressus*.

circe s.f. Mujer astuta y que engaña con frecuencia. ☐ ETIMOL. Por alusión a Circe, maga mitológica. ☐ USO Tiene un matiz despectivo.

circense adj. Del circo o relacionado con este espectáculo. ☐ MORF. Invariable en género.

circo s.m. [**1** Grupo ambulante de gente y animales que, con sus actuaciones de habilidad y de riesgo, entretienen al público. **2** Espectáculo que realiza. **3** Instalación en la que lo representan. **4** En la antigua Roma, lugar destinado a determinados espectáculos, esp. a las carreras de carros y a las de caballos. [**5** col. Actividad que resulta llamativa o que produce alboroto: *Vaya 'circo' habéis montado para preparar la obra de teatro.* **6** ‖**circo glaciar**; en un macizo montañoso, depresión de paredes escarpadas y fondo cóncavo, originada por la acción erosiva del hielo de un glaciar. 🗻 montaña ☐ ETIMOL. Del latín *circus* (círculo, circo).

circonio s.m. Elemento químico, metálico y sólido, de número atómico 40, radiactivo, duro y resistente a la corrosión, que se presenta en forma de polvo grisáceo. ☐ ETIMOL. De *circón.* ☐ ORTOGR. **1.** Se usa también *zirconio.* **2.** Su símbolo químico es *Zr.*

[circonita s.f. Variedad de circón que se usa en joyería.

circuito s.m. **1** Trayecto en forma de curva cerrada, previamente fijado, en el que suelen disputarse determinadas carreras. **2** Recorrido previamente fijado, que suele terminar en el punto de partida: *circuito turístico.* **3** ‖**circuito integrado**; en física, el que tiene sus componentes unidos en un soporte: *Se ha estropeado uno de los circuitos integrados del ordenador.* ‖**corto circuito**; →**cortocircuito.** ☐ ETIMOL. Del latín *circuitus.*

circulación s.f. **1** Traslado o tránsito por las vías públicas. **2** Movimiento o paso de algo de unas personas a otras: *Estos billetes ya no están en circulación.* **3** Paso por una vía cerrada, volviendo al lugar de partida: *circulación sanguínea.*

circular ∎ adj. **1** Del círculo o relacionado con esta figura geométrica. **2** Con forma de círculo: *Las pistas de los circos tienen forma circular.* ∎ s.f. **3** Orden que una autoridad superior dirige a sus empleados: *En el tablón de anuncios hay una circular del director en la que indica las fiestas del año.* **4** Cada una de las cartas o avisos iguales que se entregan a varias personas para darles a conocer algo: *La profesora ha mandado una circular a los padres de los alumnos en la que los cita para una reunión.* ∎ v. **5** Andar o moverse: *El policía dijo a los transeúntes que estaban mirando que circularan.* **6** Correr o pasar algo de unas personas a otras: *Circula el rumor de que te vas de la ciudad.* ☐ ETIMOL. Las acepciones 1-4, del latín *circularis.* Las acepciones 5-6, del latín *circulare* (redondear, formar grupo). ☐ MORF. Como adjetivo es invariable en género.

circulatorio, ria adj. De la circulación o relacionado con ella.

círculo s.m. **1** En geometría, área o superficie delimitada por una circunferencia: *La fórmula del área del círculo es* $\pi r^2.$ 🗻 círculo **2** col. Curva plana y cerrada cuyos puntos equidistan de otro, llamado centro; circunferencia: *Cogeos de la mano y formad un círculo.* **3** Club o sociedad de recreo; casino. **4** Sector o ambiente social: *En círculos políticos se ha-*

bla *de un posible cambio de ministros.* **5** ‖**círculo vicioso**; situación o razonamiento en los que el planteamiento y la resolución se remiten recíprocamente: *Esta situación es un círculo vicioso, ya que no atiendes porque no entiendes nada y no entiendes nada porque no atiendes.* ☐ ETIMOL. Del latín *circulus.* ☐ MORF. La acepción 4 se usa más en plural.

circuncidar v. Cortar circularmente una porción del prepucio o piel móvil del pene: *En algunas religiones circuncidar a los niños es un ritual.* ☐ ETIMOL. Del latín *circumcidere* (recortar en redondo). ☐ ORTOGR. Dist. de *circundar.* ☐ MORF. Tiene un participio regular (*circuncidado*), que se usa en la conjugación, y otro irregular (*circunciso*), que se usa como adjetivo o sustantivo.

circuncisión s.f. Corte circular que se hace en el prepucio o piel móvil del pene.

circunciso adj./s.m. Referido a un hombre, que ha sido circuncidado.

[circundante adj. Que circunda algo o lo rodea: *carretera circundante.* ☐ MORF. Invariable en género.

circundar v. Cercar o rodear dando la vuelta: *Hay una autopista que circunda la ciudad.* ☐ ETIMOL. Del latín *circumdare,* y éste de *circum* (alrededor) y *dare* (dar). ☐ ORTOGR. Dist. de *circuncidar.*

circunferencia s.f. **1** En geometría, curva plana y cerrada cuyos puntos equidistan de otro, llamado centro: *Una circunferencia no tiene área, sino perímetro.* 🗻 círculo **2** Contorno de una superficie o de un lugar: *la circunferencia del tronco de un árbol.* ☐ ETIMOL. Del latín *circumferentia,* y éste de *circumferre* (circunscribir).

circunferir v. Circunscribir o limitar: *Circunfirió su actividad profesional a unos pocos asuntos que llevaba él personalmente.* ☐ ETIMOL. Del latín *circumferre* (circunscribir). ☐ MORF. Irreg. →SENTIR.

circunloquio s.m. Rodeo de palabras con las que se quiere dar a entender algo que podía haberse dicho de una forma más corta. ☐ ETIMOL. Del latín *circumloquium,* y éste de *circum* (alrededor) y *loqui* (hablar).

circunnavegación s.f. Navegación alrededor de un lugar.

circunnavegar v. Referido a un lugar, navegar a su alrededor: *Con su yate circunnavegó las islas Cíes.* ☐ ETIMOL. Del latín *circum* (alrededor) y *navigare* (navegar). ☐ ORTOGR. La *g* se cambia en *gu* delante de *e* →PAGAR.

circunscribir ∎ v. **1** Reducir a unos límites o términos determinados: *El inspector ha circunscrito su actuación a este barrio.* **2** En geometría, referido a una figura, formarla de modo que rodee a otra y esté en contacto con todos sus vértices o con sus líneas: *Si circunscribimos una circunferencia a un triángulo, los tres vértices de éste estarán en contacto con ella.* ∎ prnl. **3** Limitarse o atenerse concretamente; ceñirse: *El profesor nos rogó que nos circunscribiéramos a las preguntas que nos ponía.* ☐ ETIMOL. Del latín *circumscribere.* ☐ MORF. Su participio es *circunscrito.* ☐ SINT. Constr. *circunscribir(se)* A *algo.*

circunscripción s.f. **1** División administrativa, militar, electoral o eclesiástica de un territorio. **2** Reducción o limitación a unos términos concretos: *Gracias a las vacunas se ha conseguido la circunscripción de la epidemia a una zona.*

circunscrito, ta part. irreg. de **circunscribir.**

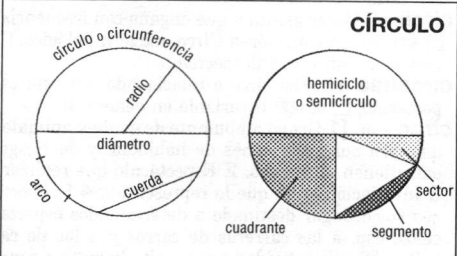

CÍRCULO

círculo o circunferencia

radio

hemiciclo o semicírculo

diámetro

arco

cuerda

sector

cuadrante

segmento

circunsolar adj. Que rodea al Sol. ☐ MORF. Invariable en género.

circunspección s.f. Seriedad, decoro, gravedad y comedimiento al hablar o al actuar.

circunspecto, ta adj. Que actúa con circunspección o que la muestra. ☐ ETIMOL. Del latín *circumspectus*, y éste de *circumspicere* (mirar alrededor).

circunstancia s.f. **1** Accidente que rodea o que va unido a la sustancia de algo: *El mal tiempo fue una de las circunstancias que me decidieron a no salir de casa.* **2** Calidad o requisito: *Sólo iré si se dan determinadas circunstancias.* **3** Situación o conjunto de lo que rodea a alguien: *Las circunstancias me obligaron a hacerlo.* **4** ‖ (circunstancia) agravante; la que constituye un motivo legal para recargar la pena correspondiente a un delito. ‖ (circunstancia) atenuante; la que constituye un motivo legal para aliviar la pena correspondiente a un delito. ‖ (circunstancia) eximente; la que constituye un motivo legal para librar de una responsabilidad criminal. ☐ ETIMOL. Del latín *circumstantia* (cosas circundantes).

circunstancial ∎ adj. **1** Que implica alguna circunstancia o que depende de ella. ∎ s.m. **2** →complemento circunstancial.. ☐ MORF. Como adjetivo es invariable en género.

circunvalación s.f. **1** Rodeo o vuelta que se dan a un lugar o a una ciudad: *La circunvalación de la ciudad nos llevará una media hora.* **2** Vía que rodea una población a la que puede acceder por distintas entradas. ☐ ORTOGR. Dist. de *circunvolución.*

circunvalar v. Referido a un lugar, esp. a una ciudad, rodearlo o dar la vuelta a su alrededor: *La nueva carretera circunvala la ciudad.* ☐ ETIMOL. Del latín *circumvallare.*

circunvolución s.f. **1** Vuelta o rodeo. **2** ‖ circunvolución (cerebral); cada uno de los relieves que aparecen en la parte externa del cerebro, y que se hallan separados unos de otros por medio de unas depresiones. ☐ ETIMOL. Del latín *circumvolvere* (enrollar en torno de algo). ☐ ORTOGR. Dist. de *circunvalación.*

cirílico, ca ∎ adj. **1** Del cirílico o relacionado con este alfabeto. ∎ s.m. **2** Alfabeto usado en ruso y en otras lenguas eslavas. ☐ ETIMOL. Por alusión a san Cirilo, a quien se atribuye la creación de dicho alfabeto.

cirio s.m. **1** Vela de cera, larga y gruesa. **2** *col.* Situación confusa, agitada o embarazosa, esp. si va acompañada de gran alboroto y tumulto; lío. ☐ ETIMOL. Del latín *cereus* (de cera, cirio).

cirro s.m. Nube blanca, ligera y de aspecto deshilachado, que se forma en las capas altas de la atmósfera; cirrostrato. ☐ ETIMOL. Del latín *cirrus* (rizo). nube

[cirrocúmulo s.m. Nube que tiene forma algodonosa con los bordes desgarrados.

cirrosis s.f. Enfermedad del hígado que consiste en la destrucción de las células hepáticas y en su sustitución por tejido conjuntivo. ☐ ETIMOL. De *cirro* (tumor duro, especie de cáncer) y *-osis* (enfermedad). ☐ MORF. Invariable en número.

[cirrostrato s.m. Nube blanca, ligera y de aspecto deshilachado, que se forma en las capas altas de la atmósfera; cirro. ☐ ETIMOL. De *cirro* y *estrato.* ☐

USO Aunque la RAE sólo registra *cirro*, en círculos especializados se usa más *cirrostrato.*

cirrótico, ca ∎ adj. **1** De la cirrosis o relacionado con esta enfermedad. ∎ adj./s. **2** Que padece esta enfermedad.

ciruela s.f. **1** Fruto comestible del ciruelo que tiene forma redondeada, la piel lisa y un solo hueso. **2** ‖ (ciruela) claudia; la redonda, de color verde claro, jugosa y dulce. ☐ ETIMOL. Del latín *cereola* (que tiene color de cera).

ciruelo s.m. Árbol frutal que tiene las hojas lanceoladas y dentadas, flores blancas y cuyo fruto es la ciruela.

cirugía s.f. **1** Parte de la medicina que tiene por objeto curar enfermedades por medio de operaciones. **2** ‖ cirugía menor; la que comprende operaciones sencillas. ‖ cirugía plástica; **1** Especialidad quirúrgica que trata de mejorar, embellecer o restablecer la forma de una parte del cuerpo: *Soy especialista en cirugía plástica.* **[2** Operación quirúrgica realizada con este fin estético: *Después del accidente le hicieron la 'cirugía plástica' para disimularle las cicatrices.* ☐ ETIMOL. Del latín *chirurgia*, y éste del griego *kheirurgía* (operación quirúrgica).

cirujano, na s. Médico especialista en cirugía.

ciscar ∎ v. **1** *col.* Ensuciar o manchar: *¡Como cisques los zapatos con barro los limpiarás tú!* ∎ prnl. **2** *col.* Expulsar los excrementos involuntariamente: *¡Sal pronto del servicio, que me cisco!* ☐ ORTOGR. La c se cambia en *qu* delante de *e* →SACAR.

cisco s.m. **1** Carbón vegetal menudo. **2** *col.* Situación confusa, agitada o embarazosa, esp. si va acompañada de gran alboroto y tumulto; lío. **3** ‖ hacer(se) cisco; *col.* Dejar en muy malas condiciones físicas o anímicas: *El martilazo me ha hecho cisco el dedo.* ☐ ETIMOL. De origen incierto.

cisma s.m. **1** División o separación en el seno de una iglesia o de una religión. **2** Ruptura o escisión: *En el congreso de este partido político se ha producido el cisma de una de las corrientes internas.* ☐ ETIMOL. Del latín *schisma*, y éste del griego *skhísma* (separación).

cismático, ca adj./s. **1** Que se aparta de la autoridad reconocida, esp. en asuntos religiosos: *movimiento cismático.* **2** Referido a una persona, que introduce un cisma o la discordia en una comunidad o en un pueblo: *Con aquel controvertido artículo en el periódico lo tacharon de cismático.*

cisne s.m. Ave acuática, generalmente de plumaje blanco, que tiene el cuello largo y flexible, la cabeza pequeña y las patas cortas. ☐ ETIMOL. Del francés antiguo *cisne.* ☐ MORF. Es un sustantivo epiceno: *el cisne macho, el cisne hembra.*

cister s.m. Orden religiosa fundada por san Roberto (monje francés del siglo XI) para volver a la austeridad de la orden benedictina. ☐ ETIMOL. De *Cistercium*, nombre latino de Citeaux, localidad francesa donde se fundó la orden. ☐ PRON. Aunque la pronunciación correcta es [cistér], está muy extendida [císter]. ☐ USO Se usa más como nombre propio.

cisterciense ∎ adj. **1** Del cister o relacionado con esta orden. ∎ adj./s. **2** Referido a un monje o a una monja, que pertenece al cister (orden religiosa fundada por Roberto de Molesme en 1098 y cuyo principal difusor fue san Bernardo); bernardo. ☐ MORF.

1. Como adjetivo es invariable en género. 2. Como sustantivo es de género común: *el cisterciense, la cisterciense.*

cisterna s.f. **1** Depósito de agua de un retrete o urinario. **2** Depósito destinado al transporte de líquidos: *camión cisterna.* **3** En zonas del español meridional, aljibe. ☐ ETIMOL. Del latín *cisterna,* y éste de *cista* (cesta). ☐ SINT. En la acepción 2, se usa en aposición, pospuesto a un sustantivo.

cistitis s.f. Inflamación de la vejiga de la orina. ☐ ETIMOL. Del griego *kýstis* (vejiga) e *-itis* (inflamación). ☐ MORF. Invariable en número.

cisura s.f. Abertura, hendidura o grieta muy finas. ☐ ETIMOL. Del latín *scissura.*

cita s.f. **1** Designación o acuerdo de un día, de una hora y de un lugar entre dos o más personas para reunirse o para tratar de un asunto: *No puedes faltar a la cita del martes con tus compañeras de colegio.* [**2** Encuentro o reunión señalados o acordados entre dos o más personas para un lugar y una fecha determinados: *Tengo una 'cita' de negocios en Londres esta semana.* **3** Mención de un texto, de una autoridad o de una idea como prueba de lo que se dice o se escribe.

citación s.f. En derecho, aviso por el que se convoca a una persona para que acuda a un lugar, esp. a un juzgado o a un tribunal, en un día y hora determinados para una diligencia: *citación judicial.*

citar v. **1** Referido a una persona, indicarle el día, la hora y el lugar para reunirse con ella o para tratar de un asunto: *Tu padre me ha citado a las ocho de la tarde en el café de la esquina. Se conocieron ayer y ya se han citado para ir al cine este fin de semana.* **2** Hacer mención o nombrar al hablar o al escribir: *Mi profesor citó varias veces tu último libro.* **3** En derecho, llamar el juez ante su presencia: *La juez ha citado a todos los testigos para que declaren.* [**4** En tauromaquia, referido al toro, provocarlo para que embista o para que acuda a determinado lugar: *El torero 'citaba' al toro con el capote.* ☐ ETIMOL. Del latín *citare* (llamar, convocar).

cítara s.f. **1** Instrumento musical antiguo, parecido a la lira, pero con una caja de resonancia, plana y de madera, y con un número variable de cuerdas. **2** Instrumento musical de cuerda semejante a éste, con una caja de resonancia de forma trapezoidal, generalmente con seis cuerdas dobles y que se toca con púa. ☐ ETIMOL. Del latín *cithara.* 🐾 cuerda

citerior adj. Que está en la parte de acá: *La Hispania citerior comprendía la provincia oriental de la península Ibérica, la más cercana a Roma.* ☐ ETIMOL. Del latín *citerior.* ☐ MORF. Invariable en género. ☐ USO Su uso es característico del lenguaje literario.

citología s.f. **1** Parte de la biología que estudia la célula. **2** Análisis o examen de las células de una materia orgánica: *citología vaginal.* **3** Resultado de este análisis o examen; citodiagnosis. ☐ ETIMOL. Del griego *kýtos* (célula) y *-logía* (estudio, ciencia).

citoplasma s.m. En una célula, parte que rodea el núcleo y que está limitada por la membrana celular. ☐ ETIMOL. Del griego *kýtos* (célula) y *plasma* (forma).

cítrico, ca ∎ adj. **1** Del limón o relacionado con él. **2** Referido a un ácido, que es de sabor agrio y se encuentra en muchas plantas y frutos. ∎ s.m. **3** Planta que produce frutas ácidas o agridulces. **4** Fruto de

este tipo de planta. ☐ ETIMOL. Del latín *citrus* (limón). ☐ MORF. En las acepciones 1 y 2, la RAE lo registra en plural.

citrón s.m. **1** Árbol frutal de hoja perenne, espinoso, de flores olorosas, y con un fruto amarillo comestible; limonero. **2** Fruto de este árbol. ☐ ETIMOL. Del latín *citrus.* ☐ SEM. Es sinónimo de *limón.*

ciudad s.f. **1** Espacio geográfico cuya población, generalmente numerosa, se dedica principalmente a actividades no agrícolas. **2** Conjunto de las calles y de los edificios de este espacio geográfico: *Esta parte de la ciudad es la que mejor conozco.* **3** Conjunto de edificios o de instalaciones destinadas a una determinada actividad: *ciudad universitaria.* **4** ∥**ciudad dormitorio**; la habitada principalmente por población que acude a trabajar a un núcleo urbano próximo mayor. ∥**ciudad jardín**; aquella que está formada por viviendas unifamiliares situadas en un entorno ajardinado. ☐ ETIMOL. Del latín *civitas* (conjunto de los ciudadanos de un estado o ciudad).

ciudadanía s.f. **1** Condición y derecho de ciudadano: *Ha nacido en Francia, pero se considera de ciudadanía española.* **2** Comportamiento de un buen ciudadano: *Mostró su 'ciudadanía' cuando me vio con el coche estropeado y paró para ayudarme.*

ciudadano, na ∎ adj. **1** De una ciudad, de sus naturales, de sus habitantes o relacionado con ellos; civil. ∎ adj./s. **2** Que ha nacido o que habita en una ciudad. ∎ s. **3** Persona que posee determinados derechos y deberes civiles y políticos como miembro de la comunidad organizada de un Estado: *Todos los ciudadanos deben pagar sus impuestos.* ☐ MORF. En la acepción 3, la RAE la registra como masculino.

ciudadela s.f. Recinto fortificado permanentemente en el interior de una plaza, que sirve para dominarla, defenderla o como último refugio en tiempo de guerra. ☐ ETIMOL. Del italiano *cittadella,* y éste de *città* (ciudad).

ciudadrealeño, ña adj./s. De Ciudad Real o relacionado con esta provincia española o con su capital. ☐ PRON. [ciudad·realeño].

civeta s.f. Mamífero carnívoro de color gris con franjas negras, estrechas y paralelas, y de cola larga. ☐ ETIMOL. Del francés *civette.* ☐ MORF. Es sustantivo epiceno: *la civeta macho, la civeta hembra.*

cívico, ca adj. Del civismo o comportamiento propio de un buen ciudadano, o relacionado con él. ☐ ETIMOL. Del latín *civicus,* y éste de *civis* (ciudadano).

civil ∎ adj. **1** De una ciudad, de sus naturales, de sus habitantes o relacionado con ellos; ciudadano. **2** En derecho, de las relaciones e intereses privados según el estado de las personas, del régimen de la familia, de la condición de los bienes o de los contratos. ∎ adj./s. **3** Que no es militar ni eclesiástico. ∎ s. **4** *col.* Persona que pertenece a la guardia civil. ☐ ETIMOL. Del latín *civilis* (propio del ciudadano, político). ☐ MORF. **1.** Como adjetivo es invariable en género. **2.** Como sustantivo es de género común: *el civil, la civil.* **3.** En la acepción 3, la RAE lo registra sólo como adjetivo. **4.** En la acepción 4, la RAE lo registra como masculino.

civilización s.f. **1** Conjunto de ideas, creencias religiosas, ciencias, técnicas, artes y costumbres propias de un determinado grupo humano: *la civilización griega.* **2** Educación, instrucción o ilustración que se da a una persona o a un grupo: *El pueblo invasor llevó a cabo la civilización del pueblo conquistado.*

civilizar v. **1** Referido a un pueblo o a una persona, sacarlos del estado salvaje o primitivo llevándoles los conocimientos y formas de vida de otros más desarrollados: *Civilizaron a varias tribus que vivían en la selva.* **2** Referido a una persona, educarla, instruirla o ilustrarla: *Era un muchacho sin civilizar que ni saludaba a los que se encontraba en la escalera.* □ ORTOGR. La z se cambia en c delante de e →CAZAR.

civismo s.m. Comportamiento del ciudadano que cumple con sus obligaciones con la comunidad y que tiene una actitud generosa hacia ella. □ ETIMOL. Del francés *civisme*.

cizaña s.f. **1** Lo que hace daño a algo, maleándolo o echándolo a perder: *No quiero que vayas con ese muchacho que es la cizaña del grupo.* **2** ‖{meter/ sembrar} cizaña; crear desavenencias, enemistades o provocar disensiones. □ ETIMOL. Del latín *zizania* (planta).

cizañar v. Meter cizaña o crear discordia; encizañar: *Cizañó todo lo que pudo, pero no consiguió que rompieran su relación.*

clac s.f. **1** Conjunto de personas que asisten gratuitamente a un espectáculo para aplaudir; claque. [**2** Conjunto de personas que siempre aplauden o alaban las acciones de otra. □ ETIMOL. Del francés *claque*, y éste de *claquer* (crujir, golpear con las manos). □ PRON. Está muy extendida la pronunciación [clá].

clamar v. **1** Exigir o pedir con vehemencia: *Un crimen así clama justicia.* **2** Quejarse o dar voces, esp. si es pidiendo ayuda o auxilio: *Clamó a los cielos que no la abandonaran en tan difícil trance.* **3** Referido a algo inanimado, tener necesidad de algo: *Después de tantos días de sequía, los campos claman por una buena lluvia.* □ ETIMOL. Del latín *clamare* (gritar, exclamar). □ SINT. Constr. *clamar {A/POR} algo.*

clamor s.m. **1** Grito o voz que se profieren con fuerza, esp. los de una multitud. **2** Voz lastimosa que indica sufrimiento o angustia. □ ETIMOL. Del latín *clamor.*

clamoroso, sa adj. **1** Que va acompañado de clamor, esp. el de la gente entusiasmada. [**2** De tamaño, cantidad o calidad mayores de lo normal; extraordinario: *Nuestro equipo consiguió un triunfo 'clamoroso'.*

clan s.m. **1** Grupo de personas que pertenecen a un mismo tronco familiar, que conceden gran importancia a los lazos de parentesco y que están unidas bajo la autoridad de un jefe. **2** Grupo restringido de personas unidas por lazos o intereses comunes: *Un clan de especuladores quería desalojar los pisos para arreglarlos y venderlos más caros.* □ ETIMOL. Del inglés *clan*, y éste del gaélico escocés *clann* (familia, descendencia). □ USO En la acepción 2, tiene un matiz despectivo.

clandestinidad s.f. Ocultación o encubrimiento de algo, esp. por temor a la ley o por eludirla.

clandestino, na adj. Secreto, que se oculta o se esconde, esp. por temor a la ley o para eludirla. □ ETIMOL. Del latín *clandestinus* (que se hace ocultamente).

claque s.f. →**clac.** □ ORTOGR. Dist. de *claqué.*

claqué s.m. Baile que se caracteriza por el golpeteo que el bailarín realiza con la punta y el tacón de sus zapatos. □ ORTOGR. Dist. de *claque.*

claqueta s.f. En cine, tablilla compuesta por dos planchas, unidas por una bisagra, en las que se escriben las indicaciones técnicas de la toma que se va a grabar. □ ORTOGR. Dist. de *plaqueta.*

clara s.f. Véase **claro, ra.**

claraboya s.f. Ventana abierta en el techo o en la parte alta de una pared. □ ETIMOL. Del francés *claire-voie.*

clarear ▌ v. **1** Empezar a amanecer o salir el Sol: *La fiesta se alargó y llegué a casa cuando clareaba.* **2** Irse abriendo o desapareciendo el nublado: *Si clarea podremos salir al campo.* ▌ prnl. **3** Referido esp. a un cuerpo, permitir que se vea o se perciba algo a través de él: *Esta tela se clarea mucho.* **4** Referido esp. a una prenda de vestir, estar demasiado fina por el desgaste: *Se te clarean los pantalones de lo viejos que están.*

clarete s.m. →**vino clarete.** □ ETIMOL. Del francés antiguo *claret.*

claretiano, na ▌ adj. **1** De san Antonio María Claret (religioso español del siglo XIX), de sus doctrinas o de sus instituciones o relacionado con ellos. ▌ s.m. **2** Religioso de la Congregación de Misioneros Hijos del Inmaculado Corazón de María (fundada en 1849 por san Antonio María Claret).

claridad s.f. **1** Luminosidad o abundancia de luz. **2** Facilidad para percibir, para comprender o para distinguir bien: *Os recomiendo este libro de artículos por su claridad.* **3** Orden, seguridad o precisión, esp. de la mente o de las ideas: *Este trabajo de investigación demuestra una gran claridad de ideas.* **4** Transparencia, limpieza o falta de mezclas o alteraciones: *La claridad del agua del mar invita a darse un baño.* **5** Pureza, limpieza o agudeza de timbre de un sonido: *Noté que estabas nervioso, a pesar de la claridad de tu voz.* **6** Exposición manifiesta o posibilidad de percibir o de comprender perfectamente: *Me parece una gran profesora por la claridad con la que explica.* **7** Efecto que causa la luz iluminando un espacio de forma que se distingue lo que hay en él: *Esa noche la claridad de la Luna hacía menos cansada la conducción.*

clarificación s.f. Aclaración o explicación de algo que no se entiende.

clarificador, -a adj. Que clarifica.

clarificar v. Aclarar o hacer menos denso o espeso: *Clarifica un poco la salsa con leche para que quede más líquida.* □ ORTOGR. La c se cambia en qu delante de e →SACAR.

clarificativo, va adj. Que clarifica.

clarín s.m. **1** Instrumento musical de viento, metálico, parecido a la trompeta, pero más pequeño y de sonidos más agudos. **2** Músico que toca este instrumento. □ ETIMOL. De *claro*. 🔧 viento

clarinete s.m. Instrumento musical de viento, de la familia de las maderas, compuesto de una boquilla con lengüeta y de un tubo con agujeros que se tapan con los dedos o se cierran mediante llaves para producir los diferentes sonidos. □ ETIMOL. Del italiano *clarinetto*. 🔧 viento

clarisa ▌ adj. **1** Referido a una religiosa, que pertenece a la orden fundada por santa Clara (religiosa italiana del siglo XIII) y cuya regla fue redactada por san Francisco de Asís (religioso italiano del siglo XIII).

clarividencia s.f. **1** Capacidad o perspicacia para comprender y distinguir claramente: *Su clarividencia en las inversiones le ha permitido hacer buenos negocios.* **2** Facultad sobrenatural de percibir o adivinar lo que no se ha visto o no ha sucedido. □ ETIMOL. De *claro* y el latín *videre* (ver).

clarividente adj./s. Que posee clarividencia. □ MORF. 1. Como adjetivo es invariable en género. 2. Como sustantivo es de género común: *el clarividente, la clarividente.*

claro, ra ▌ adj. **1** Que tiene luz o mucha luz: *Estas habitaciones son las más claras de toda la casa.* **2** Que se distingue bien: *Tiene una firma muy clara y se lee muy bien su nombre.* **3** Referido a la mente o a las ideas, ordenadas, seguras o precisas. **4** Transparente, limpio o no enturbiado: *agua clara.* **5** Referido a algo líquido mezclado con algunos ingredientes, poco espeso o poco consistente: *un chocolate claro.* **6** Referido a un color, que tiene mucho blanco en su mezcla o que está más cerca del blanco que otros de su misma gama. **7** Inteligible o fácil de comprender: *una explicación clara.* **8** Referido a una persona, que se explica de esta forma: *Ha sido muy clara en sus críticas.* **9** Que está despejado y sin nubes. **10** Referido esp. a un sonido, que es puro, limpio o de timbre agudo. **11** Que se manifiesta, se percibe o se comprende perfectamente: *Está claro que intenta timarte. Lo sucedido son hechos claros que tenemos que afrontar.* **12** Que está más ensanchado o que tiene más espacios e intermedios de lo normal: *Decidieron comer cuando llegaran a alguna zona del monte claro.* ▌ s.m. **13** Espacio vacío en un conjunto de cosas o en el interior de algo, esp. en un bosque. **[14** Porción de cielo despejado entre nubes. ▌ s.f. **15** En un huevo, materia blanquecina, fluida y transparente que rodea la yema. **16** Bebida que se hace mezclando cerveza con gaseosa. **17** ‖ **a las claras**; manifiesta o públicamente: *Dime a las claras qué es lo que quieres de mí.* ‖ **claro de luna**; en una noche oscura, momento en el que la Luna se deja ver muy bien. ‖ **[poner en claro**; aclarar, explicar o exponer. ‖ **[sacar en claro**; obtener ideas o conclusiones precisas y concretas de algo. □ ETIMOL. Del latín *clarus.* Las acepciones 15 y 16, de *claro.*

claro adv. Con claridad. □ SINT. Se usa también como adverbio de afirmación con el significado de 'evidentemente' o de 'por supuesto': *Cuando le pregunté si el regalo era para mí, dijo: 'Claro'. ¡Claro que iré a tu fiesta!.*

claroscuro s.m. **1** En pintura, distribución adecuada y conveniente de las sombras y de la luz en un cuadro. **[2** Diferentes facetas en la personalidad o en las funciones que desempeña una persona, y que generalmente se consideran opuestas o contradictorias. □ ETIMOL. Del italiano *chiaroscuro.*

clase s.f. **1** Naturaleza o índole; género: *Es de esa clase de personas en las que nunca confiaría.* **2** Grupo de estudiantes que pertenecen a un mismo conjunto y que reciben las lecciones y explicaciones juntos. **3** En un centro docente, sala en la que se imparte la enseñanza; aula. **4** Lección que el profesor enseña cada día: *El profesor siempre termina la clase haciendo un resumen de lo que ha explicado.* **5** En un centro docente, cada una de las asignaturas a las que se destina determinado tiempo por separado: *Tenemos cuatro clases de lengua española a la semana.* **6** En sociología, conjunto de personas que tienen trabajos o intereses económicos iguales o parecidos. **7** Categoría o distinción: *Viajamos en el vagón de primera clase con billete de segunda.* **8** En biología, en la clasificación de los seres vivos, categoría superior a la de orden e inferior a la de superclase. **9** ‖ **[clase alta**; la que está por encima de la clase media. ‖ **clase baja**; la más humilde. ‖ **[clase media**; grupo social formado por las personas de posición acomodada; burguesía. ‖ **clases pasivas**; conjunto de personas que, sin realizar un trabajo, disfrutan de una pensión del Estado: *Los jubilados forman parte de las clases pasivas.* □ ETIMOL. Del latín *classis* (grupo, categoría).

clasicismo s.m. **1** Sistema literario o artístico que se basa en la imitación de los modelos de la Antigüedad griega o romana: *Fray Luis de León es uno de los grandes representantes del clasicismo renacentista en España.* **2** Equilibrio, armonía o respeto a lo que se considera clásico: *El clasicismo en el vestir es un toque de elegancia.* □ ORTOGR. Dist. de *clasismo.*

clasicista ▌ adj. **[1** Del clasicismo o relacionado con este sistema artístico. ▌ adj./s. **2** Partidario o seguidor del clasicismo; clásico. □ MORF. 1. Como adjetivo es invariable en género. 2. Como sustantivo es de género común: *el clasicista, la clasicista.*

clásico, ca ▌ adj. **1** Que se ajusta a lo establecido o marcado por la tradición o por el uso: *En nochevieja tomaremos las clásicas doce uvas.* **2** Referido a la música o a otro arte relacionado con ella, que son de carácter culto y responden a principios estéticos establecidos: *ballet clásico.* **[3** Del período cumbre o más característico de algo que evoluciona, o relacionado con él: *El latín 'clásico' presenta estructuras sintácticas más definidas que el medieval.* ▌ adj./s. **4** Referido a un autor artístico o a una de sus obras, que son tenidos como modelos dignos de imitación. **5** De la literatura o el arte grecorromanos, o de sus seguidores. **6** Partidario o seguidor del clasicismo; clasicista. ▌ s.m. **7** Lo que ha entrado a formar parte de la tradición por su importancia o por su calidad: *La película que vimos es un clásico del cine mudo.* □ ETIMOL. Del latín *classicus* (de primera clase). □ MORF. En la acepción 7, la RAE lo registra como adjetivo.

clasificación s.f. **1** Ordenación o colocación por clases: *clasificación del reino animal.* **2** En una competición, obtención de determinado puesto o consecución de un resultado que permite continuar en ella.

clasificado, da adj. Referido a un documento o a una información, secreto y reservado.

clasificador, -a ▌ adj./s. **1** Que clasifica. ▌ s.m. **2** Mueble o carpeta que sirven para guardar y clasificar papeles y documentos.

clasificar v. **1** Ordenar o poner por clases: *El secretario clasifica la correspondencia antes de entregársela al jefe.* **2** En una competición, obtener determinado puesto o conseguir continuar en ella: *Esta victoria clasifica a la selección española para la siguiente fase del campeonato.* □ ETIMOL. Del latín *classificare*, y éste de *classis* (clase) y *ficare* (hacer). □ ORTOGR. La c se cambia en *qu* delante de *e* → CAZAR. □ MORF. En la acepción 2, la RAE lo registra como pronominal.

[**clasificatorio, ria** adj. Que sirve para conseguir una clasificación.

[**clasismo** s.m. Actitud o tendencia discriminatoria que defiende las diferencias de clase social y discrimina a quienes no pertenecen a la suya. □

clasista ▌adj. **1** Del clasismo o relacionado con esta actitud discriminatoria. ▌adj./s. **2** Referido a una persona, que defiende las diferencias de clase social y discrimina a quienes no pertenecen a la suya. □ MORF. **1.** Como adjetivo es invariable en género. **2.** Como sustantivo es de género común: *el clasista, la clasista.*

claudia s.f. →**ciruela claudia**. □ ETIMOL. De *Claudia* (esposa de Francisco I de Francia).

claudicación s.f. **1** Rendición o renuncia, generalmente ante una presión externa. **2** Fallo en la observancia de los propios principios o normas de conducta.

claudicar v. **1** Ceder o rendirse, generalmente ante una presión externa: *Quería fundar un colegio, pero ante la falta de recursos económicos claudicó.* **2** Fallar en la observancia de los propios principios o normas de conducta: *Nunca claudicó de sus ideas revolucionarias.* □ ETIMOL. Del latín *claudicare* (cojear, ser cojo). □ ORTOGR. La *c* se cambia en *qu* delante de *e* →SACAR.

claustro s.m. **1** En un edificio, galería que rodea el patio principal. **2** Junta que interviene en el gobierno de las universidades y de los centros dependientes de un rectorado. **3** Conjunto de profesores de un centro docente. **4** Reunión de este conjunto de profesores. □ ETIMOL. Del latín *claustrum* (cerradura, cierre).

claustrofobia s.f. Temor anormal y angustioso a los lugares cerrados. □ ETIMOL. Del latín *claustrum* (cerradura, cierre) y -*fobia* (aversión).

claustrofóbico, ca adj. **1** De la claustrofobia o relacionado con este temor. [**2** Que padece claustrofobia.

cláusula s.f. Cada una de las disposiciones de un documento público o privado, esp. de un contrato o de un testamento; estipulación. □ ETIMOL. Del latín *clausula* (conclusión de una frase).

clausura s.f. **1** Acto solemne con el que termina o se suspende la actividad de un organismo o de una institución. **2** En un convento de religiosos, recinto interior en el que no pueden entrar personas que no pertenezcan a él sin una orden o un permiso especiales: *El médico tenía un permiso especial para entrar en la clausura del convento.* **3** Obligación que tienen las personas religiosas de no salir de cierto recinto y prohibición a las personas seglares de entrar en él: *La clausura religiosa exige mucho y no todas las personas están preparadas para ella.* **4** Vida religiosa que sigue esta obligación: *Las carmelitas son religiosas de clausura.* [**5** Cierre de un local o de un edificio. □ ETIMOL. Del latín *clausura* (acto de cerrar).

clausurar v. **1** Referido esp. a la actividad de un organismo o institución, cerrarla o ponerle fin: *La directora de la academia clausuró el curso trimestral.* **2** Referido esp. a un local o a un edificio, cerrarlos o declararlos no aptos para ser utilizados: *Las autoridades sanitarias clausuraron el restaurante porque no cumplía las normas higiénicas.*

clavado, da adj. **1** Fijo o puntual: *Llegó a las cinco clavadas.* **2** Idéntico o muy parecido: *El niño es* clavado al padre. [**3** Confuso, desconcertado: *Con la respuesta que me dio me dejó 'clavado'.*

clavar ▌v. **1** Referido a un clavo o a un objeto puntiagudo, introducirlo en un cuerpo, esp. si se hace a presión o mediante golpes: *Clava las chinchetas en el corcho para que no se pierdan.* **2** Referido a un objeto, asegurarlo a otro con clavos: *Clava las tablas del cajón con estos clavillos.* **3** Referido a una persona, cobrarle más de lo normal o de lo que es justo: *No entres en ese bar porque te clavan.* **4** Fijar, parar o poner: *El niño clavó los ojos en el muñeco. Se clavó delante del televisor y no hubo forma de moverlo en toda la tarde.* ▌prnl. [**5** col. En zonas del español meridional, quedarse con algo ajeno. □ ETIMOL. Del latín *clavare.*

clave ▌s.m. **1** →**clavecín**. 🗘 cuerda ▌s.f. **2** Código de signos establecido para la transmisión de un mensaje secreto: *un mensaje en clave.* **3** Conjunto de reglas que explican este código: *El inspector necesitaba la clave para descifrar el texto secreto.* **4** Signo o combinación de signos que permite acceder a algo o hacer funcionar un mecanismo o un aparato. **5** Noticia, dato o explicación que permite entender algo: *La clave de su éxito está en su gran capacidad de trabajo.* **6** Lo que es fundamental o decisivo para algo: *Ocupa un puesto clave en la empresa.* **7** En música, signo que se pone al comienzo del pentagrama y que determina el nombre y la entonación de las notas escritas en él. **8** En arquitectura, piedra central con que se cierra un arco o una bóveda. 🗘 arco **9** ‖**en clave de**; con el carácter o con el tono de: *en clave de humor.* □ ETIMOL. Del latín *clavis* (llave). □ SINT. En la acepción 6 se usa en aposición, pospuesto a un sustantivo.

clavecín s.m. Instrumento musical de cuerda y teclado, en el que las cuerdas se ponen en vibración al ser pulsadas desde abajo por cañones de pluma que actúan a modo de púas accionadas por dicho teclado; clavicémbalo. □ ETIMOL. Del francés *clavecin.* □ MORF. Se usa mucho la forma abreviada *clave.* 🗘 cuerda

clavel s.m. **1** Planta que está provista de tallos nudosos y delgados, hojas largas, estrechas y puntiagudas, y flores olorosas de diversos colores que tienen el borde superior de los pétalos dentado. **2** Flor de esta planta. **3** ‖[**clavel reventón**; el que es de color rojo oscuro y tiene muchos pétalos. □ ETIMOL. Del catalán *clavell* (flor de clavel).

clavellina s.f. **1** Variedad de clavel que tiene el tallo, las hojas y las flores más pequeños. **2** Flor de esta planta. □ ETIMOL. Del catalán *clavellina* (clavel de flores sencillas).

clavetear v. **1** Adornar con clavos: *Claveteé el baúl para que pareciera más antiguo.* [**2** Sujetar con clavos, esp. si se hace con poca habilidad: *'He claveteado' la ventana, pero no estoy seguro de que dure mucho.*

clavicémbalo s.m. Instrumento musical de cuerda y teclado, en el que las cuerdas se ponen en vibración al ser pulsadas desde abajo por cañones de pluma que actúan a modo de púas accionadas por dicho teclado; clavecín. □ ETIMOL. Del italiano *clavicembalo.* 🗘 cuerda

clavicordio s.m. Antiguo instrumento musical de cuerda y teclado, que consta de una caja rectangular en la que las cuerdas son percutidas por láminas de latón que se accionan a través del teclado. □

ETIMOL. Del latín *clavis* (llave) y *chorda* (cuerda). ⇒ cuerda

clavícula s.f. Cada uno de los dos huesos situados a ambos lados de la parte superior del pecho y que se articulan por su parte interna con el esternón y por su parte externa con una parte del omóplato. ☐ ETIMOL. Del latín *clavicula* (llavecita), porque se comparó con la forma de una clavija.

clavija s.f. 1 Pieza de madera, metal u otra materia que se encaja en un agujero para ensamblar, sujetar o conectar algo: *Los montañeros necesitan clavijas para fijar y sujetar las cuerdas.* ⇒ alpinismo 2 En un instrumento musical, pieza que sirve para asegurar, tensar y enrollar las cuerdas. 3 Pieza con una varilla metálica que sirve para conectar un teléfono a la red. 4 ‖ **apretarle** a alguien **las clavijas**; *col.* Adoptar una postura rígida o severa para obligarlo a que haga algo: *Si sigues siendo tan impuntual para entrar a trabajar, voy a tener que apretarte las clavijas.* ☐ ETIMOL. Del latín *clavicula* (llavecita).

clavo s.m. 1 Pieza metálica larga y delgada con un extremo terminado en punta y el otro en cabeza. 2 Callo duro de figura piramidal que se forma normalmente sobre los dedos de los pies. 3 Capullo seco de la flor de un árbol, aromático, de sabor picante y que se utiliza como especia. 4 ‖ **agarrarse {a/de} un clavo ardiendo**; *col.* Servirse de cualquier medio, por arriesgado que sea, para conseguir algo. ‖ **como un clavo**; fijo, exacto o puntual: *Él siempre llega a la hora, como un clavo.* ‖ **dar en el clavo**; *col.* Acertar en lo que se hace o se dice. ‖ **[no {dar/pegar} ni clavo**; *col.* No trabajar o estar ocioso. ‖ **[no tener un clavo**; *col.* No tener dinero. ‖ **por los clavos de Cristo**; *col.* expresión que se utiliza para rogar algo de forma exagerada. ☐ ETIMOL. Del latín *clavus*.

claxon s.m. Bocina eléctrica de sonido potente, esp. la de un automóvil. ☐ ETIMOL. Extensión del nombre de una marca comercial. ☐ MORF. Su plural es *cláxones*.

[clembuterol s.m. Sustancia química que se utiliza para aumentar el peso o la masa muscular de un organismo.

clemencia s.f. Compasión o moderación al aplicar la justicia.

clemente adj. Que tiene o que manifiesta clemencia. ☐ ETIMOL. Del latín *clemens*. ☐ MORF. Invariable en género.

clementina s.f. Variedad de mandarina de piel más roja, sin pepitas y muy dulce.

cleptomanía s.f. Inclinación enfermiza al hurto. ☐ ETIMOL. Del griego *klépto* (yo robo) y *-manía* (afición desmedida).

cleptomaniaco, ca, cleptomaníaco, ca o **cleptómano, na** adj./s. Referido a una persona, que padece una inclinación enfermiza al hurto. ☐ MORF. La RAE sólo registra *cleptomaniaco* y *cleptomaníaco* como adjetivo. ☐ USO *Cleptómano* es el término más usual.

clerecía s.f. 1 Conjunto de personas eclesiásticas que componen el clero. 2 Oficio u ocupación de clérigos.

[clergyman (anglicismo) s.m. Traje religioso compuesto por chaqueta y pantalón de color oscuro y alzacuello blanco. ☐ PRON. [cléryiman].

clerical adj. Del clérigo o del clero. ☐ ETIMOL. Del latín *clericalis*. ☐ MORF. Invariable en género.

clericalismo s.m. 1 Influencia excesiva del clero en los asuntos políticos. 2 Inclinación y sumisión al clero y a sus directrices.

clérigo s.m. 1 Hombre que ha recibido las órdenes sagradas; eclesiástico. 2 En la época medieval, hombre letrado y con estudios, esp. de latín, teología y filosofía. ☐ ETIMOL. Del latín *clericus* (miembro del clero).

clero s.m. 1 Grupo social formado por los clérigos u hombres que han recibido las órdenes sagradas. 2 En la sociedad europea medieval, estamento privilegiado formado por estas personas. ☐ ETIMOL. Del latín *clerus* (conjunto de los sacerdotes).

clic s.m. [Presión o golpe pequeños.

cliché s.m. 1 En fotografía, tira de película fotográfica revelada con imágenes negativas. 2 En imprenta, soporte material en el que se ha reproducido una composición tipográfica o un grabado para su posterior reproducción. 3 Idea o expresión demasiado repetidas o tópicas. ☐ ETIMOL. Del francés *cliché*. ☐ SEM. En las acepciones 2 y 3, es sinónimo de *clisé*.

cliente, ta ‖ s. 1 Persona que utiliza habitualmente los servicios de un profesional o de una empresa. 2 Persona que compra en un establecimiento o que utiliza sus servicios, esp. si lo hace de forma habitual. ‖ s.m. [3 Elemento del sistema informático que envía peticiones al servidor para que éste realice para él ciertas funciones. ☐ ETIMOL. Del latín *cliens* (persona defendida por un patrón, protegido). ☐ MORF. La RAE registra *cliente* como sustantivo de género común, aunque admite también *clienta* como forma del femenino.

clientela s.f. Conjunto de los clientes de una persona o de un establecimiento.

clima s.m. 1 Conjunto de condiciones atmosféricas que caracterizan un lugar. 2 Conjunto de condiciones que caracterizan una situación o de circunstancias que rodean a una persona: *La luminosidad y el mobiliario funcional crean un buen clima de trabajo.* ☐ ETIMOL. Del latín *clima* (cada una de las grandes regiones en que se dividía la superficie terrestre, por su mayor o menor proximidad al Polo). ☐ SEM. Dist. de *clímax* (culminación de un proceso).

[climalit adj. Referido esp. a una ventana, que tiene doble acristalamiento. ☐ ETIMOL. Extensión del nombre de una marca comercial.

climaterio s.m. Período de la vida que precede y sigue a la extinción de la función reproductora. ☐ ETIMOL. Del griego *klimaktér* (escalón, peldaño).

climático, ca adj. Del clima o relacionado con él.

climatización s.f. Operación que consiste en dar a un espacio cerrado las condiciones de temperatura, humedad del aire o presión necesarias para la salud o para la comodidad de quienes lo ocupan.

climatizado, da adj. Referido a un local, que tiene aire acondicionado.

climatizador s.m. Aparato o sistema que se utilizan para climatizar un espacio cerrado.

climatizar v. Referido a un espacio cerrado, darle las condiciones de temperatura, humedad del aire o presión necesarias para la salud o para la comodidad de quienes lo ocupan; acondicionar: *Antes de abrir estos salones al público hay que climatizarlos.* ☐ ORTOGR. La *z* se cambia en *c* delante de *e* →CA-

cloruro

ZAR. □ SEM. Dist. de *aclimatar* (adaptarse a un nuevo ambiente).

climatología s.f. **1** Ciencia o tratado que estudia el clima. **2** Conjunto de las condiciones propias de un determinado clima: *Una climatología húmeda favorece el crecimiento de la vegetación.* □ ETIMOL. Del griego *klíma* (clima) y *-logía* (estudio, ciencia). □ SEM. Dist. de *meteorología* (estudio de los fenómenos naturales de la atmósfera terrestre; factores que producen el tiempo atmosférico).

climatológico, ca adj. De la climatología o relacionado con ella. □ SEM. No debe emplearse con el significado de 'meteorológico': *Las condiciones {*climatológicas- > meteorológicas} adversas dificultaron el aterrizaje.*

[climatólogo, ga s. Persona que está especializada en climatología. □ SEM. Dist. de *meteorólogo* (persona que estudia la atmósfera).

clímax s.m. Punto más alto o culminación de un proceso: *El mitin alcanzó su clímax cuando el presidente negó las acusaciones que se le habían hecho.* □ ETIMOL. Del latín *climax*, y éste del griego *klímax* (escala, escalera, gradación). □ MORF. Invariable en número. □ SEM. Dist. de *clima* (condiciones atmosféricas de un lugar).

[climbing (anglicismo) s.m. Modalidad de escalada. □ PRON. [clímbin].

[clínex s.m. →**kleenex**.

clínica s.f. Véase **clínico, ca**.

clínico, ca ▌ adj. **1** De la clínica o relacionado con esta parte práctica de la enseñanza de la medicina: *análisis clínico.* ▌ s. **2** Persona que se dedica al ejercicio práctico de la medicina: *Ha acudido a los mejores clínicos del país.* ▌ s.m. **3** Hospital en el que se enseña la parte práctica de la medicina: *Los últimos años de la carrera de medicina los estudió en un clínico.* ▌ s.f. **4** Hospital o establecimiento para el cuidado o atención de los enfermos, esp. el que es de carácter privado. **5** Parte práctica de la enseñanza de la medicina: *La clínica se relaciona con el cuidado directo de los enfermos.* □ ETIMOL. Del latín *clinicus* (que visita al que guarda cama).

clip (anglicismo) s.m. **1** Utensilio hecho con una barrita de metal o de plástico doblada sobre sí misma y que se utiliza generalmente para sujetar papeles. **2** Sistema de cierre a presión que consta de una especie de pinza: *pendientes de clip.* **[3** Grabación breve de vídeo o fragmento de una película, generalmente musicales. □ MORF. Su plural es *clipes.* □ SEM. En las acepciones 1 y 2, es sinónimo de *clipe.*

clipe s.m. →**clip**. □ ETIMOL. Del inglés *clip.*

clíper s.m. **1** Barco de vela ligero, fácil de maniobrar y muy resistente. **2** Avión grande de pasajeros, esp. el que se utiliza para vuelos transatlánticos. □ ETIMOL. Del inglés *clipper.*

clisé s.m. →**cliché**. □ ETIMOL. Del francés *cliché.*

clítoris s.m. Órgano pequeño y carnoso situado en el ángulo anterior de la vulva. □ ETIMOL. Del griego *kleitorís.* □ MORF. Invariable en número.

cloaca s.f. **1** Conducto por el que van las aguas sucias o los residuos de una población. **2** Lugar muy sucio y repugnante. **3** En algunos animales, esp. en un ave, porción final del intestino, ensanchada y dilatable, en la que desembocan los conductos genitales y urinarios. □ ETIMOL. Del latín *cloaca.*

clocar v. →**cloquear**. □ ORTOGR. La *c* se cambia en *qu* delante de *e*. □ MORF. Irreg. →TROCAR.

clon s.m. **1** →**clown**. **2** Conjunto de células con una idéntica dotación genética obtenido a partir de una célula determinada. □ ETIMOL. La acepción 1, del inglés *clown.* La acepción 2, del griego *klón* (retoño). □ MORF. Su plural es *clones.*

clonación s.m. Técnica genética que permite la obtención de un clon a partir de la dotación cromosómica de una célula.

[clónico, ca adj. **1** Del clon o relacionado con este conjunto de células. **2** Referido a un ordenador, que se hace por encargo con piezas de distintas marcas.

cloquear v. Referido a una gallina clueca o que está empollando huevos, dar cloqueos o emitir su voz característica; clocar: *La gallina no ha parado de cloquear en toda la mañana.*

cloqueo s.m. Voz característica de la gallina clueca o que está empollando huevos.

cloración s.f. Tratamiento con cloro para hacer potables las aguas o para mejorar sus condiciones higiénicas.

[clorar v. Referido esp. al agua, añadirle cloro: *Van a 'clorar' el agua de esa fuente para desinfectarla.*

[cloratita s.f. Explosivo compuesto de clorato.

clorato s.m. En química, sal derivada del ácido clórico. □ ETIMOL. De *cloro.*

clorhidrato s.m. En química, sal derivada del ácido clorhídrico.

clorhídrico, ca adj. **1** De las combinaciones del cloro con el hidrógeno o relacionado con ellas. **2** Referido a un ácido, que es gaseoso, incoloro, muy corrosivo y se usa disuelto en el agua. □ ETIMOL. De *cloro* y la terminación de *hidrógeno.*

clórico, ca adj. Del cloro o relacionado con este elemento químico.

cloro s.m. Elemento químico, no metálico y gaseoso, de número atómico 17, color amarillo verdoso, olor fuerte y sofocante, muy oxidante, tóxico y muy reactivo. □ ETIMOL. Del griego *khlorós* (verde claro, verde amarillento). □ ORTOGR. Su símbolo químico es *Cl.*

clorofila s.f. Pigmento de color verde que se halla presente en las plantas y en numerosas algas unicelulares, y que posibilita la realización del proceso químico de la fotosíntesis. □ ETIMOL. Del griego *khlorós* (verde claro) y *phýllon* (hoja).

clorofílico, ca adj. De la clorofila o relacionado con este pigmento.

cloroformización s.f. Aplicación de cloroformo para privar total o parcialmente de la sensibilidad.

cloroformizar v. Aplicar cloroformo para anestesiar o privar total o parcialmente de la sensibilidad: *En el laboratorio, cloroformizamos al ratón antes de iniciar la operación.* □ ORTOGR. La *z* se cambia en *c* delante de *e* →CAZAR.

cloroformo s.m. Líquido incoloro, de olor agradable, que se utiliza en medicina como anestésico. □ ETIMOL. De *cloro* y *formo*, y éste de *ácido fórmico* (ácido que se extraía de las hormigas).

[cloroplasto s.m. En la célula de una planta, orgánulo o estructura que desempeña la función de un órgano, de color verde, generalmente con forma de huevo y que contiene la clorofila: *En los 'cloroplastos' se efectúa la fotosíntesis.*

cloruro s.m. **1** Combinación del cloro con un metal o con alguno de los metaloides. **2** ‖ **[cloruro de polivinilo**; plástico que se fabrica a partir de una sal de cloro: *La abreviatura del 'cloruro de polivinilo' es*

PVC. ‖ **cloruro sódico**; sustancia cristalina, muy soluble en agua, generalmente blanca y de sabor característico, que se utiliza para condimentar alimentos, para conservar carnes y en la industria química; sal.

clóset s.m. En zonas del español meridional, armario empotrado. ☐ ETIMOL. Del inglés *closet*. ☐ ORTOGR. Se usa también *closet*.

clown s.m. Payaso, esp. el que, con aires de afectación y seriedad, forma pareja con otro que se comporta de manera estúpida y que aparece vestido de forma estrafalaria; clon. ☐ ETIMOL. Del inglés *clown*. ☐ PRON. [cloun]. ☐ ORTOGR. Se admite también *clon*.

club o **clube** s.m. **1** Asociación formada por un grupo de personas con intereses comunes y que se dedica a determinadas actividades, esp. de carácter deportivo o cultural. **2** Lugar en el que se reúnen los miembros de esta asociación. **3** Lugar de diversión donde se bebe y se baila y en el que suelen ofrecerse espectáculos musicales. **[4** En un teatro o en un cine, zona de localidades correspondiente a las filas delanteras del piso superior al patio de butacas. ☐ ETIMOL. Del inglés *club*. ☐ MORF. El plural de *club* es *clubes*. ☐ USO *Clube* es el término menos usual.

clueco, ca adj./s. Referido a un ave, esp. a una gallina, que está echada sobre los huevos para empollarlos.

cluniacense adj./s. Del monasterio de Cluny (villa de la región del centro francés de Borgoña) que fue fundado en el siglo X, o de la congregación en él establecida, que seguía la regla de san Benito (monje italiano que fundó la orden benedictina a principios del siglo VI). ☐ MORF. 1. Como adjetivo es invariable en género. 2. Como sustantivo es de género común: *el cluniacense, la cluniacense.*

[clutch (anglicismo) s.m. En zonas del español meridional, embrague. ☐ PRON. [cloch].

co- Prefijo que significa 'reunión', 'cooperación' o 'compañía': *codirector, copartícipe, correinado, coexistir.* ☐ ETIMOL. Del latín *cum.*

coacción s.f. Fuerza o violencia física, psíquica o moral que se ejerce sobre alguien para obligarlo a que realice o diga algo. ☐ ETIMOL. Del latín *coactio* (acción de forzar).

coaccionar v. Referido a una persona, ejercer coacción sobre ella: *La empresa coaccionó a los trabajadores para que aceptaran el aumento de la jornada de trabajo.*

coactivo, va adj. Que ejerce coacción o que resulta de ella. ☐ ETIMOL. Del latín *coactus* (impulso). ☐ SEM. Dist. de *coercitivo* (que coerce o refrena).

coadjutor, -a ‖ s. **1** Persona que ayuda y acompaña a otra en determinados asuntos o cargos: *El obispo coadjutor ayuda al obispo titular en sus tareas.* ‖ s.m. **2** Eclesiástico que ayuda al párroco. **3** En algunas órdenes religiosas, el que no hace la profesión solemne. ☐ ETIMOL. Del latín *coadiutor.*

coadyuvante adj. Que coadyuva o contribuye a la consecución de algo. ☐ MORF. Invariable en género.

coadyuvar v. Contribuir o ayudar a la consecución de algo: *El ahorro es uno de los factores que coadyuva en la recuperación económica.* ☐ ETIMOL. Del latín *coadiuvare.* ☐ SINT. Constr. *coadyuvar {A/ EN} algo.*

coagulación s.f. Transformación de un líquido,

esp. la sangre, en una sustancia más o menos sólida.

coagular v. Referido a un líquido, esp. a la sangre, hacer que se vuelva más o menos sólido o cuajarse: *Las costras se forman cuando la sangre se coagula.* ☐ ETIMOL. Del latín *coagulare.*

coágulo s.m. Masa coagulada o grumo que se extrae de un líquido coagulado.

[coala s.m. →**koala**. ☐ ETIMOL. Del inglés *koala*, éste de origen australiano. ☐ MORF. Es un sustantivo epiceno: *el 'coala' macho, el 'coala' hembra.*

coalición s.f. Unión, confederación o liga. ☐ ETIMOL. Del francés *coalition.*

coaligar v. →**coligar**. ☐ ORTOGR. La *g* se cambia en *gu* delante de *e* →PAGAR. ☐ MORF. Se usa más como pronominal. ☐ SINT. Constr. *coaligarse CON alguien.*

coartada s.f. Prueba con la que un acusado demuestra que no ha estado presente en el lugar del delito.

coartar v. Limitar, restringir o no conceder enteramente, esp. referido a una libertad o un derecho: *Una sociedad democrática no puede coartar el derecho a la libertad de expresión.* ☐ ETIMOL. Del latín *coartare*, y éste de *artare* (apretar, reducir).

coatí s.m. Mamífero americano, de cabeza alargada, hocico largo, orejas cortas y redondeadas, pelaje espeso y cola con anillos rojizos y negros, que se caracteriza por tener el olfato muy fino. ☐ ORTOGR. Se admite también *cuatí.* ☐ MORF. 1. Es un sustantivo epiceno: *el coatí macho, el coatí hembra.* 2. Aunque su plural en la lengua culta es *coatíes*, se usa mucho *coatís.* ☐ USO Aunque la RAE prefiere *cuatí*, se usa más *coatí.*

coautor, -a s. Persona que ha hecho una obra de creación conjuntamente con otras u otras.

coaxial adj. Que tiene el mismo eje de simetría o rotación que otro cuerpo: *Las imágenes de televisión llegan desde la antena al televisor por medio de un cable coaxial.* ☐ ETIMOL. De *co-* (reunión, cooperación) y el latín *axis* (eje). ☐ MORF. Invariable en género.

coba s.f. Halago o adulación fingidos, esp. si su fin es conseguir algo: *Mi hermano me da coba para que le preste el coche.* ☐ ETIMOL. De origen incierto. ☐ SINT. Se usa más con el verbo *dar.*

cobalto s.m. Elemento químico, metálico y sólido, de número atómico 27, de color blanco rojizo y muy duro, que se usa, combinado con el oxígeno, para formar la base azul de pinturas y esmaltes. ☐ ETIMOL. Del alemán *kobalt*, y éste de *kobold* (duende), porque según una leyenda, los mineros que buscaban plata creían que un duende la robaba y ponía cobalto en su lugar. ☐ ORTOGR. Su símbolo químico es *Co.*

cobarde ‖ adj. **1** Hecho con cobardía: *Fue un cobarde asesinato, porque lo apuñaló por la espalda cuando dormía.* ‖ adj./s. **2** Falto de ánimo o de valor, esp. para enfrentarse a un peligro o para soportar una desgracia. ☐ ETIMOL. Del francés *couard.* ☐ MORF. 1. Como adjetivo es invariable en género. 2. Como sustantivo es de género común: *el cobarde, la cobarde.*

cobardía s.f. Falta de ánimo o de valor.

cobaya s. Mamífero roedor, más pequeño que el conejo, con orejas cortas y cola casi nula, muy usado en laboratorios como animal de experimentación;

conejillo de Indias. □ MORF. Es de género ambiguo: *el cobaya blanco, la cobaya blanca.*

cobertizo s.m. **1** Lugar cubierto de forma ligera o tosca que sirve para resguardarse de la intemperie. **2** Tejadillo que sobresale de una pared y sirve para resguardarse, esp. del sol o de la lluvia.

cobertor s.m. Manta o colcha de cama. □ ETIMOL. Del latín *coopertorium* (cubierta).

cobertura s.f. **1** Lo que sirve para cubrir o tapar algo: *El taller no es más que una cobertura de otros negocios ilegales.* **2** Lo que sirve de garantía para la emisión de billetes de banco o para otra operación financiera o mercantil: *La cobertura para el crédito no está en metálico, sino en acciones.* **3** Protección o apoyo, esp. económicos: *Los presupuestos de este año amplían la cobertura de la Seguridad Social.* **4** Extensión territorial que abarcan diversos servicios, esp. los de telecomunicaciones: *Este teléfono móvil da una cobertura bastante amplia.* **5** Conjunto de personas y de medios técnicos que hacen posible una información, o seguimiento del desarrollo de un suceso llevado a cabo por los profesionales de la información: *La cobertura de las Olimpiadas está asegurada por nuestra cadena de radio.* **6** En el lenguaje publicitario, medida de la audiencia, definida como el porcentaje de personas alcanzadas por un medio en relación con el universo definido: *La cobertura de este programa de radio sobrepasó todas las previsiones.* **7** En economía, capacidad de una red comercial o de una empresa de servicio para cubrir la comunicación con el cliente: *Esta red comercial de veinte vendedores da cobertura a todo el país.* **8** En algunos deportes de equipo, línea de jugadores que se coloca delante del portero para obstaculizar la acción del adversario. □ ETIMOL. Del latín *coopertura.*

cobija s.f. En zonas del español meridional, manta. □ ETIMOL. De *cobijo.*

cobijar v. **1** Guarnecer o dar refugio, generalmente de la intemperie: *Cobijó en su casa un niño maltratado. El perro se cobijaba de la tormenta bajo los soportales.* **2** Ayudar o amparar, dando afecto y protección: *Aunque haya hecho algo malo, sus padres siempre lo cobijarán. Es muy tímido y cuando llega alguien se cobija en su madre.* □ ORTOGR. Conserva la *j* en toda la conjugación.

cobijo s.m. **1** Refugio o lugar que protege de la intemperie o de otras cosas. **2** Amparo o protección: *En las dificultades, siempre encontré cobijo en ella.* □ ETIMOL. Del latín *cubiculum* (dormitorio).

cobla s.f. **1** En la comunidad catalana, conjunto de músicos, que tocan sardanas. **2** Copla o composición poética trovadoresca. □ ETIMOL. Del provenzal *cobla.*

[cobol (anglicismo) s.m. En informática, tipo de lenguaje de programación. □ ETIMOL. Es un acrónimo que procede de la sigla de *Common Business Oriented Languaje* (lenguaje de programación orientado a negocios comunes). □ PRON. [cóbol].

cobra s.f. Serpiente propia de zonas cálidas, principalmente en los continentes africano y asiático, que se alimenta de roedores, pájaros e insectos y cuyo veneno es mortal para el hombre. □ ETIMOL. Del portugués *cobra*, y éste del latín *colubra* (culebra). □ MORF. Es un sustantivo epiceno: *la cobra macho, la cobra hembra.* 🐍 serpiente

cobrador, -a s. Persona que se dedica profesionalmente a cobrar o recoger el dinero adeudado.

cobranza s.f. **1** →**cobro**. **2** Recogida o captura de una pieza de caza.

cobrar ▌ v. **1** Referido esp. *a una cantidad de dinero,* recibirla como pago de algo: *En mi empresa cobramos a principios de mes.* **2** Coger, lograr o conseguir; adquirir: *Cobró gran fama tras su intervención en un programa de televisión.* **3** Referido *a un sentimiento,* tenerlo o empezar a sentirlo: *Tuvo que cobrar mucho valor para reconocer públicamente su error. La separación será dura, porque se cobraron mucho afecto.* **4** Referido *a algo que ya se tenía,* recobrarlo o volver a adquirirlo: *Esperarán a que cobre la salud para darle la noticia.* **5** Recibir un castigo, esp. si es corporal: *Como no dejes en paz a tu hermano, vas a cobrar.* **6** Referido *a una cuerda o una soga,* tirar de ellas recogiéndolas: *Tardó cinco minutos en cobrar la cuerda arrojada por el balcón.* **7** En caza, referido *a una pieza herida o muerta,* recogerla o capturarla: *Hizo diez disparos y cobró tres perdices.* ▌ prnl. **8** Referido *a un favor hecho o a un perjuicio* recibido, obtener una compensación a cambio: *Pienso cobrarme todo el mal que me hiciste.* **9** Referido *a una víctima,* causar su muerte: *La inundación se cobró miles de víctimas.* □ ETIMOL. De *recobrar*, y éste del latín *recuperare.*

cobre ▌ s.m. **1** Elemento químico, metálico y sólido, de número atómico 29, color rojizo, fácilmente deformable y buen conductor del calor y de la electricidad: *El bronce es una aleación de cobre y estaño.* ▌ pl. **2** En una orquesta, conjunto de los instrumentos metálicos de viento. **3** ∥ **enseñar el cobre**; *col.* En zonas del español meridional, mostrar poca calidad moral. □ ETIMOL. Del latín *cuprum*, y éste del griego *Kýpros* (Chipre), porque en esta isla abundaba el cobre. □ ORTOGR. En la acepción 1, su símbolo químico es *Cu.*

cobrizo, za adj. De color rojizo, como el cobre.

cobro s.m. **1** Recepción o recogida, esp. de dinero, como pago de algo; cobranza. **2** ∥ **[a cobro revertido]**; llamada telefónica en la que el importe recae en la persona que recibe dicha llamada: *Cuando estaba estudiando en Londres, siempre llamaba a mi casa 'a cobro revertido'.*

coca s.f. **1** Arbusto de flores blanquecinas, frutos en forma de drupas rojas, de cuyas hojas se extrae la cocaína y que es originario de Perú (país suramericano). **2** Hoja de este arbusto. **3** *col.* →**cocaína**. **4** En algunas regiones, torta o masa redondeada de harina y otros ingredientes: *Son famosas las cocas catalanas que se hacen para San Juan.* **5** ∥ **[coca (cola)]**; refresco con burbujas y de color marrón oscuro. □ ETIMOL. La acepción 4, del catalán *coca.* La expresión *coca cola* es extensión del nombre de una marca comercial.

cocaína s.f. Sustancia que se obtiene de las hojas de la coca: *La cocaína es una droga que provoca adicción.* □ MORF. En la lengua coloquial se usa mucho la forma abreviada *coca.*

cocainómano, na adj./s. Referido *a una persona,* que es adicta a la cocaína.

cocción s.f. **1** Sometimiento a la acción del calor de un horno: *Para la perfecta resistencia de un ladrillo es fundamental una buena cocción.* **2** Preparación de un alimento crudo sometiéndolo a la ac-

ción de un líquido en ebullición: *La cocción de estas patatas debe hacerse a fuego lento.*
cóccix s.m. →**coxis**. ☐ ETIMOL. Del latín *coccyx*. ☐ MORF. Invariable en número.
cocear v. Dar o tirar coces: *La mula me tiró al suelo y me coceó.*
cocedero, ra ∎ adj. **1** Fácil de cocer: *garbanzos cocederos.* ∎ s.m. **2** Lugar donde se cuece algo: *cocedero de marisco.*
cocedura s.f. →**cocimiento**.
cocer ∎ v. **1** Someter a la acción del calor en un horno: *El artesano cuece las vasijas de cerámica y después las decora.* **2** Referido a un alimento crudo, cocinarlo sometiéndolo a la acción de un líquido en ebullición: *No has cocido bien las zanahorias.* **3** Referido a un líquido, hervir o alcanzar la temperatura de ebullición: *Pon el agua a cocer, para preparar la infusión.* ∎ prnl. **4** Prepararse en secreto o tramarse: *No sé qué es, pero intuyo que aquí se está cociendo algo gordo.* [**5** Sentir mucho calor: *En agosto y sin aire acondicionado, en la oficina 'nos coceremos'.* ☐ ETIMOL. Del latín *coquere*. ☐ ORTOGR. La *c* se cambia en *z* delante de *a, o.* ☐ MORF. Irreg. →COCER.
cochambre s. Suciedad o porquería. ☐ MORF. Aunque la RAE lo registra como sustantivo de género ambiguo (*el cochambre, la cochambre*), se usa más como femenino.
cochambroso, sa adj. Con cochambre o suciedad.
coche s.m. **1** Vehículo sobre ruedas impulsado por su propio motor, que circula por tierra sin necesidad de vías o carriles, que se destina al transporte de personas, y cuya capacidad no supera las nueve plazas; automóvil. **2** Carruaje para viajeros tirado por caballerías: *Vimos la ciudad desde el coche de caballos.* **3** Vagón de ferrocarril, esp. el dedicado al transporte de viajeros: *Nos encontramos en el coche restaurante.* **4** ‖**coche cama**; el dividido en compartimentos provistos de camas. ‖**coche celular**; el acondicionado para transportar a presos o detenidos. ‖**coche de línea**; autobús que hace el servicio regular entre dos poblaciones. ‖**(coche) deportivo**; el diseñado para que alcance grandes velocidades y sea fácil de maniobrar, que generalmente es de dos plazas y de pequeño tamaño. ‖ [**coche escoba**; el que recoge a los que se quedan rezagados. ‖**coche fúnebre**; el diseñado para llevar cadáveres al cementerio. ‖[**coche patrulla**; el de policía que lleva una emisora de radio para dar y recibir avisos. ‖(**coche) utilitario**; el que es sencillo y tiene poco consumo. ‖[**coches de choque**; atracción de feria compuesta por una pista por la que se mueven a poca velocidad pequeños coches fáciles de conducir que pueden chocar entre sí. ☐ ETIMOL. Del húngaro *kocsi*, o del eslovaco *kôči*. ☐ MORF. 1.El plural de *coche patrulla* es *coches patrulla.* 2. El plural de *coche cama* es *coches cama.* ☐ USO Es innecesario el uso del galicismo *wagon-lit* en lugar de *coche cama.*
cochera s.f. Véase **cochero, ra**.
cochero, ra ∎ s. **1** Persona que se dedica profesionalmente a conducir un coche de caballos. ∎ s.f. **2** Lugar en el que se guardan coches o autobuses.
cochinada o **cochinería** s.f. [**1** Hecho que causa un perjuicio, esp. si es malintencionado; faena. **2** Lo que está sucio o mal hecho. **3** Lo que se consi-

dera indecoroso o contrario a la moral establecida: *Dice que le parece inmoral que las parejas vayan a los parques a hacer cochinadas.* ☐ SEM. En las acepciones 2 y 3, es sinónimo de *guarrada.* ☐ USO *Cochinería* es el término menos usual.
cochinilla s.f. **1** Crustáceo terrestre de unos dos centímetros de largo, de forma ovalada, con el cuerpo formado por anillos de color oscuro y numerosas patas muy cortas, que se enrosca formando una bola para camuflarse. **2** Insecto hemíptero con el cuerpo arrugado, cabeza cónica, antenas cortas y una trompa en forma de pelo: *La cochinilla, reducida a polvo, se empleaba mucho como colorante de color grana.* ☐ ETIMOL. La acepción 1, de *cochino*. La acepción 2, de origen incierto.
cochinillo s.m. Cerdo que se alimenta fundamentalmente de la leche que mama.
[**cochinita** s.f. En zonas del español meridional, cochinillo.
cochino, na ∎ adj./s. **1** Sucio o falto de limpieza. **2** Referido a una persona, que tiene mala intención o carece de escrúpulos. ∎ s. **3** Cerdo, esp. el que se cría y engorda para la matanza. ☐ ETIMOL. De *coch* (interjección para llamar al cerdo). ☐ SEM. En las acepciones 1 y 2, es sinónimo de *cerdo.*
cochiquera s.f. Establo para los cerdos; pocilga.
cocido s.m. **1** Guiso preparado con garbanzos, carne, tocino y hortalizas. [**2** *col.* Borracho. ☐ SEM. En la acepción 1, aunque la RAE lo considera sinónimo de *olla, cocido* se ha especializado para el *guiso con garbanzos.*
cociente s.m. **1** En matemáticas, resultado de una división. **2** ‖**cociente intelectual**; cifra que expresa la relación entre la edad mental de una persona y sus años; coeficiente intelectual. ☐ ETIMOL. Del latín *quotiens* y éste del adverbio *quotiens* (cuántas veces).
cocimiento s.m. **1** Proceso mediante el que se cuece algo. **2** Líquido o pasta que resultan de haber cocido hierbas y otras sustancias medicinales. **3** Hecho de sentir mucho calor: *Fuimos de vacaciones al Sahara y ¡vaya cocimiento...!* ☐ SEM. Es sinónimo de *cocedura.*
cocina s.f. **1** Espacio en el que se prepara la comida: *Vamos a alicatar la cocina y a cambiar los muebles.* **2** Aparato con hornillos, fuegos y, a veces, horno, que sirve para cocinar los alimentos: *Cambiaremos la cocina de gas butano por una cocina eléctrica.* 🔌 electrodoméstico **3** Arte, técnica o manera especial de preparar distintos platos: *La cocina no es su fuerte y no sabe ni freír un huevo.* **4** Conjunto de platos típicos o forma de cocinar, propios de un lugar: *Para mi gusto, lo mejor de la cocina asturiana es la fabada.* ☐ ETIMOL. Del latín *coquina.*
cocinar v. **1** Referido a un alimento, prepararlo para que se pueda comer, esp. si se somete a la acción del fuego: *Cocinó unas lentejas que estaban riquísimas. Su padre cocina muy bien.* [**2** En el lenguaje de la droga, referido a ésta, tratarla o prepararla para su distribución: *Detuvieron a una persona que 'cocinaba' la cocaína en un laboratorio secreto.*
cocinero, ra s. Persona que cocina, esp. si ésta es su profesión.
cocinilla s. *col.* Persona que es muy aficionada a las tareas domésticas, esp. a las de cocina. ☐ MORF. Aunque la RAE sólo lo registra como masculino, en

la lengua actual es de género común: *el cocinilla, la cocinilla.* ☐ USO Se usa mucho la forma *cocinillas.*

[cocker (anglicismo) adj./s. Referido a un perro, de la raza que se caracteriza por tener patas cortas, pelo sedoso y orejas largas, anchas y caídas. ☐ PRON. [cóker]. ☐ MORF. Como adjetivo es invariable en género. 🐕 perro

coco s.m. **1** →cocotero. **2** Fruto del cocotero, en forma de melón, formado por dos cortezas, la primera fibrosa y la segunda dura, en cuyo interior se encuentra una pulpa comestible blanca y carnosa y un líquido de sabor dulce: *El bizcocho llevaba coco rallado.* **3** *col.* Cabeza humana: *Es muy inteligente y tiene un buen coco.* **4** En la tradición popular, personaje imaginario que asusta a los niños o que se los lleva si no se portan bien. **5** *col.* Persona muy fea. **6** *col.* En zonas del español meridional, coscorrón. **7** ‖**comer el coco** a alguien; *col.* Convencerlo o influir en él para que piense de una determinada manera. ‖**comerse** alguien **el coco**; *col.* Darle vueltas a algo o pensar mucho en ello: *No te comas el coco y olvídate del tema.* ☐ ETIMOL. Las acepciones 4 y 5, de origen expresivo. ☐ USO 1. En la acepción 1, aunque la RAE prefiere *coco*, se usa más *cocotero.* 2. En la acepción 5, es despectivo.

cocodrilo s.m. Reptil que llega a alcanzar los cinco metros de largo, de color verdoso oscuro, de piel muy dura y con escamas, cola larga y robusta y boca muy grande con muchos dientes fuertes y afilados, que vive en los grandes ríos de las regiones intertropicales y nada y corre con gran velocidad. ☐ ETIMOL. Del latín *crocodilus.* ☐ MORF. Es un sustantivo epiceno: *el cocodrilo macho, el cocodrilo hembra.*

cocorota s.f. *col.* Cabeza humana.

cocotero s.m. Árbol americano de tronco esbelto y gran altura, con las hojas muy grandes plegadas hacia atrás y cuyo fruto es el coco; coco. ☐ ETIMOL. Quizá del francés *cocotier.* ☐ USO Aunque la RAE prefiere la forma abreviada *coco*, se usa más *cocotero.*

coctel o **cóctel** s.m. **1** Bebida preparada con licores mezclados, a la que se añaden generalmente otro tipo de ingredientes no alcohólicos. **2** Reunión o fiesta en la que se sirven bebidas y aperitivos. **3** Mezcla de distintas cosas: *Su biblioteca es un cóctel de libros del más diverso origen.* **4** ‖**cóctel de mariscos**; plato preparado con mariscos, que se sirve acompañado de algún tipo de salsa, y que se toma generalmente frío. ‖**cóctel molotov**; explosivo de fabricación casera, generalmente el hecho con una botella llena de líquido inflamable y provisto de una mecha. ☐ ETIMOL. Del inglés *cock-tail.* ☐ USO 1. La RAE prefiere *cóctel.* 2. Es innecesario el uso del anglicismo *cocktail.*

coctelera s.f. Recipiente que se usa para mezclar los licores de un cóctel.

coda s.f. Véase codo, da.

codal s.m. En una armadura, pieza que cubre y defiende el codo. ☐ ETIMOL. Del latín *cubitalis*, y éste de *cubitus* (codo). 🛡 armadura

codazo s.m. Golpe dado con el codo.

codear ∎ v. **1** Mover los codos o dar golpes con ellos reiteradamente: *El árbitro pitó falta al jugador que comenzó a codear cuando se acercó al contrincante.* ∎ prnl. **2** Referido a una persona, tener trato

habitual y de igual a igual con otra, o con un grupo social: *Se codea con la aristocracia.*

codeína s.f. Sustancia que se extrae del opio y que se emplea como calmante. ☐ ETIMOL. Del griego *kódeia* (cabeza de la adormidera).

codera s.f. **1** En algunas prendas de vestir, pieza que, como remiendo o como adorno, cubre el codo. **2** En algunas prendas de vestir, deformación o desgaste en la parte que cubre el codo. **[3** Tira o venda de material elástico, que se coloca ciñendo el codo para sujetarlo o para protegerlo.

[codex (latinismo) s.m. →códice. ☐ PRON. [códex].

códice s.m. Libro manuscrito, antiguo y de importancia histórica o literaria, esp. el anterior a 1455, fecha de la invención de la imprenta. ☐ ETIMOL. Del latín *codex* (libro). ☐ USO En círculos especializados, se usa también *codex.*

codicia s.f. Afán excesivo por obtener algo, esp. riquezas. ☐ ETIMOL. Del latín *cupiditia*, y éste de *cupidus* (codicioso).

codiciar v. Referido esp. a riquezas, desearlas con ansia: *Codicia las joyas de su amiga.* ☐ ORTOGR. La *i* final de la raíz nunca lleva tilde.

codicilo s.m. Documento que sirve de última voluntad o por el que se anula o se modifica un testamento. ☐ ETIMOL. Del latín *codicillus*, y éste de *codex* (testamento).

codicioso, sa adj./s. Que tiene codicia.

codificación s.f. Transformación de un mensaje mediante las reglas de un código.

codificar v. Referido a un mensaje, transformarlo mediante las reglas de un código: *Para expresar una idea, el hablante codifica elementos de la lengua según las normas gramaticales.* ☐ ETIMOL. Del francés *codifier.* ☐ ORTOGR. La *c* se cambia en *qu* delante de *e* →SACAR.

código s.m. **1** Conjunto de leyes dispuestas de forma sistemática y ordenada: *código de circulación.* **2** Conjunto de signos que sirve para formular y comprender mensajes, esp. secretos: *Para poder abrir la puerta tuve que marcar mi código personal.* **3** Sistema de signos y de reglas que sirve para formular y para comprender un mensaje: *En el mar los barcos se comunican por medio de un código de señales.* **4** Libro en el que aparecen las equivalencias de este sistema de signos: *Si no tienes el código no podrás descifrar el mensaje.* **5** ‖**código de barras**; el formado por una serie de líneas y de números asociados, y que se pone en los productos de consumo. ‖**(código) morse**; el formado por la combinación de rayas y puntos: *El código morse se usa para comunicaciones telegráficas.* ‖**código postal**; el que se usa como clave de poblaciones o de distritos. ☐ ETIMOL. Del latín *codex* (libro).

codillo s.m. En los animales cuadrúpedos, esp. en el cerdo, parte que corresponde a los huesos cúbito y radio.

[codirección s.f. Dirección común entre varias personas.

[codirector, -a s. Persona que dirige junto con otra u otras personas.

[codirigir v. Dirigir en común: *Un grupo de especialistas seremos los encargados de 'codirigir' esta empresa.* ☐ ORTOGR. La *g* se cambia en *j* delante de *a, o* →DIRIGIR.

codo, da ∎ adj. **1** *col.* En zonas del español meridional, tacaño. ∎ s.m. **2** Parte posterior y prominente de la articulación del húmero, el cúbito y el radio. **[3** En una prenda de vestir, parte que cubre esta zona. **4** Trozo de tubo doblado en ángulo o en arco, que sirve para variar la dirección de una tubería. **▮ s.f. 5** En una composición musical, parte final de un movimiento, añadida con el fin de redondear la obra. **6** ‖ **codo con codo**; junto con otra persona: *Los dos socios trabajaron codo con codo para que saliera adelante el proyecto.* ‖ **{empinar/levantar}** el **codo**; *col.* Beber bebidas alcohólicas. ‖ **hablar por los codos**; *col.* Hablar demasiado. ‖ **hincar los codos**; *col.* Estudiar mucho. □ ETIMOL. Las acepciones 2, 3 y 4, del latín *cubitus.* La acepción 5, del italiano *coda* (cola).

codorniz s.f. Ave que tiene la parte superior del cuerpo de color pardo con listas oscuras y la inferior gris amarillenta, el pico oscuro y la cola muy corta. □ ETIMOL. Del latín *coturnix.* □ MORF. Es un sustantivo epiceno: *la codorniz macho, la codorniz hembra.*

coeducación s.f. Educación conjunta, esp. la que se da a alumnos de los dos sexos.

coeficiente s.m. **1** En matemáticas, factor que multiplica a una expresión algebraica o a algunos de sus términos: *Los coeficientes suelen escribirse delante de la expresión a la que afectan.* **2** En matemáticas, factor constante en un producto: *El resultado que te dé al aplicar la fórmula debes multiplicarlo por un coeficiente que elimina los posibles errores.* **3** En física y en química, expresión numérica de una propiedad, de una relación o de una característica: *El coeficiente de dilatación de los cuerpos es la relación que existe entre la longitud o el volumen de un cuerpo y la temperatura.* **4** ‖ **coeficiente intelectual**; →**cociente intelectual.** □ ETIMOL. De *co-* (con, que indica compañía o unión) y *eficiente* (que produce un efecto).

coercitivo, va adj. Que refrena: *La policía usó medios coercitivos para que la manifestación no se transformara en una batalla.* □ ETIMOL. Del latín *coercitum,* y éste de *coercere* (reprimir). □ SEM. Dist. de *coactivo* (que fuerza).

coetáneo, a adj./s. Que tiene la misma edad o que es de la misma época. □ ETIMOL. Del latín *coetaneus,* y éste de *cum* (con) y *aetas* (edad, tiempo que se vive). □ MORF. La RAE sólo lo registra como adjetivo. □ SINT. Constr. *coetáneo DE algo.*

coexistencia s.f. Existencia o convivencia de dos o más personas o cosas al mismo tiempo y en el mismo lugar.

coexistir v. Referido a dos o más personas o cosas, existir o ser al mismo tiempo que otras: *En este hábitat coexisten diferentes especies de animales.*

cofa s.f. En una embarcación, plataforma colocada horizontalmente en el cuello del palo. □ ETIMOL. Del árabe *quffa* (canasto).

cofia s.f. **1** Prenda de vestir parecida a un gorro, generalmente de color blanco y de pequeño tamaño, que forma parte de algunos uniformes femeninos. ⤬ sombrero **[2** En las plantas, cubierta en forma de dedal, que protege la punta de la raíz. ⤬ raíz □ ETIMOL. Del latín *cofia.*

cofrade s. Persona que pertenece a una cofradía. □ ETIMOL. Del latín *cum* (con) y *frater* (hermano). □ MORF. Es de género común: *el cofrade, la cofrade.*

cofradía s.f. **1** Asociación autorizada que algunos devotos forman con fines piadosos; hermandad. **2**

Gremio, compañía o unión entre personas, con un fin determinado: *cofradía de pescadores.*

cofre s.m. **1** Caja resistente que tiene tapa y cerradura, y que generalmente se usa para guardar objetos de valor. **2** Caja grande rectangular, con una tapa arqueada que gira sobre las bisagras; baúl. □ ETIMOL. Del francés *coffre,* y éste del latín *cophinus* (cesta).

cogedor s.m. Utensilio parecido a una pala, que se usa para recoger cosas, esp. basura; recogedor.

coger v. **1** Asir, agarrar o tomar: *Coge un trozo más grande de pastel. Me cogí de su mano para no perderme.* **2** Dar cabida o recibir en sí: *Esta madera coge muy bien la pintura.* **3** Recoger, cosechar o guardar: *Si ves que comienza a llover, coge la ropa que está tendida. La fruta que se coge de los árboles está más rica que la de la tienda.* **4** Hallar, encontrar o descubrir: *Lo cogí de buenas y me concedió el favor que le pedí.* **5** Sorprender o hallar desprevenido: *Cogieron al ladrón con las manos en la masa.* **6** Capturar, prender o apresar: *La policía consiguió coger al preso que se había escapado.* **7** Obtener, lograr o adquirir: *No conduce mal, pero le falta coger seguridad.* **8** Entender, comprender o captar el significado: *¿Coges el significado de la frase?* **9** col. Referido a un espacio, llenarlo por completo u ocuparlo: *Si llegas pronto al teatro, cógeme sitio.* **10** Referido a una emisión de radio o de televisión, captarla o recibirla: *En esta zona se cogen muy pocas cadenas de radio.* **11** Referido a lo que precede, alcanzarlo o llegar hasta ello: *Corre, corre, que te cojo.* **12** Referido a lo que alguien dice, tomarlo por escrito: *El profesor habla demasiado deprisa y no me da tiempo a cogerlo.* **13** col. Referido esp. a una enfermedad o a un estado de ánimo, contraerlos, adquirirlos o alcanzarlos: *He cogido un buen resfriado.* **14** Referido a un toro, herir o enganchar a alguien con los cuernos: *El público gritó cuando vio que el toro iba a coger al torero.* **15** col. Referido a algo o a alguien, hallarse o encontrarse en determinada situación local: *No me da tiempo a llegar a tu casa porque me coge lejos.* **16** col. Caber: *En este autobús cogen sesenta pasajeros.* **17** vulg.malson. En zonas del español meridional, copular. **18** ‖ **[cogerla con** alguien; col. Tomarle manía y molestarlo continuamente: *'La ha cogido con' su compañero de clase y cada vez que lo ve, se mete con él.* □ ETIMOL. Del latín *colligere* (recoger). □ ORTOGR. La *g* se cambia en *j* delante de *a, o* →COGER. □ SINT. Seguido de *y* y de un verbo, sirve para poner de relieve la acción expresada por éste: *Cogió y se fue sin despedirse.* □ SEM. En la acepción 13, es sinónimo de *atrapar, agarrar, pillar* y *pescar.*

cogida s.f. Herida que produce el toro al enganchar con los cuernos.

cognición s.f. Conocimiento, esp. el que se alcanza por el ejercicio de las facultades mentales. □ ETIMOL. Del latín *cognitio.* □ USO Su uso es característico del lenguaje filosófico o culto.

cognoscible adj. Que se puede conocer. □ ETIMOL. Del latín *cognoscibilis.* □ MORF. Invariable en género.

cognoscitivo, va adj. Que permite conocer o que es capaz de ello. □ ETIMOL. Del latín *cognoscere* (conocer).

cogollo s.m. **1** En algunas hortalizas, parte interior y más apretada: *cogollo de la lechuga.* **2** Lo mejor o

lo escogido: *Vive en un piso en el cogollo de la ciudad.* □ ETIMOL. Del latín *cucullus* (capucha).
cogorza s.f. *col.* Borrachera. □ ETIMOL. De origen incierto.
cogotazo s.m. Golpe dado con la mano abierta en el cogote.
cogote s.m. Parte superior y posterior del cuello.
cogotudo, da adj. Referido a una persona, que tiene muy grueso el cogote.
cohabitación s.f. **1** Convivencia entre dos personas que mantienen relaciones sexuales sin estar casadas. **2** Simultaneidad en el ejercicio del poder entre varios partidos de distinta ideología política.
cohabitar v. **1** Referido a una persona, vivir con otra con la que mantiene relaciones sexuales: *Esa pareja cohabita desde hace tiempo.* [**2** Compartir el poder político: *En el ayuntamiento 'cohabitan' los liberales y los conservadores.* □ ETIMOL. Del latín *cohabitare*, y éste de *cum* (con) y *habitare* (habitar).
cohechar v. Referido a un funcionario público, sobornarlo para obtener de él un favor: *Trató de cohechar a la juez, y fue acusado por ello.* □ ETIMOL. Del latín **confectare* (arreglar, preparar).
cohecho s.m. Soborno a un funcionario público para obtener de él un favor. □ ETIMOL. De *cohechar.*
coherencia s.f. Conexión, relación o unión.
coherente adj. Que tiene coherencia o relación. □ ETIMOL. Del latín *coaherens*, y éste de *cohaerere* (estar pegado). □ MORF. Invariable en género.
cohesión s.f. **1** Unión estrecha entre personas o cosas: *No hay cohesión entre las partes de tu trabajo y resulta inconexo.* **2** Unión recíproca de las moléculas de un cuerpo homogéneo a causa de las fuerzas intermoleculares de atracción.
[**cohesionar** v. Dar cohesión o unir: *Algunas pequeñas empresas se 'cohesionan' para poder afrontar las crisis económicas.*
cohete s.m. **1** Tubo resistente relleno de pólvora y unido al extremo de una varilla ligera que al encenderlo asciende a gran altura y estalla. **2** Aparato que se lanza al espacio, se desplaza por propulsión a chorro, y que se puede usar como arma de guerra o para investigación. □ ETIMOL. Del catalán *coet.*
cohibir v. Refrenar, reprimir o impedir hacer algo: *Me cohíbe hablar delante de extraños. No te cohíbas y di lo que opinas.* □ ETIMOL. Del latín *cohibere* (refrenar, reprimir). □ ORTOGR. La *i* final de la raíz lleva tilde en los presentes, excepto en las personas *nosotros* y *vosotros* →PROHIBIR.
cohorte s.m. **1** En la antigua Roma, unidad táctica del ejército: *Las legiones romanas se dividían en cohortes.* **2** Conjunto o serie: *La cantante entró acompañada por una cohorte de admiradores.* □ ETIMOL. Del latín *cohors.* □ ORTOGR. Dist. de *corte.*
coima s.f. **1** *ant.* →**concubina. 2** *col.* En zonas del español meridional, soborno o cohecho. □ ETIMOL. La acepción 1, del árabe *quwaima* (muchacha).
coincidencia s.f. **1** Concurrencia en el tiempo o en el espacio de dos o más sucesos: *La coincidencia en las fechas de nuestras vacaciones nos permitirá ir juntos de viaje.* **2** Conformidad o parecido: *Después de estar un rato hablando descubrimos la coincidencia de nuestros gustos.* [**3** Lo que ocurre de forma casual al mismo tiempo o en el mismo lugar que otro suceso: *Fue una 'coincidencia' que pasara por allí cuando tú llegabas.*
coincidir v. **1** Referido a una cosa, ocurrir al mismo

tiempo que otra: *Mis vacaciones coinciden con las tuyas.* **2** Referido a una cosa, ajustarse con otra perfectamente: *La ranura de esta pieza coincide con el saliente de esta otra.* **3** Referido a una persona, encontrarse con otra en el mismo lugar: *Coincidimos en la salida del cine.* **4** Referido a una persona, estar de acuerdo con otra en algo: *Tú y yo coincidimos en nuestras aficiones.* □ ETIMOL. Del latín *coincidere* (caer juntamente).
coiné s.f. Lengua común originada a partir de la unificación de diversas variedades dialectales, esp. referido a la adoptada por los griegos a partir del siglo IV a. C. y que dio lugar al griego clásico; koiné. □ ETIMOL. Del griego *koiné.*
coito s.m. Unión sexual de los animales superiores, esp. del hombre y la mujer; acto sexual. □ ETIMOL. Del latín *coitus*, y éste de *coire* (unirse sexualmente).
[**coitus interruptus** ‖ Método anticonceptivo que consiste en interrumpir el coito antes de la eyaculación.
cojear v. **1** Andar defectuosamente a causa de una lesión o de una deformidad: *Desde que me operaron de la cadera cojeo un poco.* **2** Referido a un mueble, esp. a una mesa, moverse por no asentar bien sobre el suelo o porque éste sea desigual: *Pon un calzo bajo la pata de la mesa que es más corta para que no cojee.* **3** *col.* Tener algún vicio o defecto: *La profesora me ha dicho que este mes he cojeado en lenguaje.* **4** ‖ [**cojear del mismo pie**; *col.* Tener los mismos defectos. ‖ [**saber de qué pie cojea** alguien; *col.* Conocer sus defectos.
cojera s.f. Defecto que impide andar con regularidad.
cojín s.m. Almohadón que se usa para sentarse o para apoyar sobre él alguna parte del cuerpo. □ ETIMOL. Del latín **coxinum*, y éste de *coxa* (cadera), porque el cojín sirve para sentarse encima.
cojinete s.m. **1** Pieza de hierro con la que se sujetan los carriles a las traviesas del ferrocarril. **2** Pieza o conjunto de piezas en las que se apoya y gira el eje de una maquinaria. □ ETIMOL. Del francés *coussinet.*
cojitranco, ca adj./s. Que cojea, generalmente de forma llamativa, dando trancos o pasos largos. □ ETIMOL. De *cojo* y *atrancar* (dar trancos o pasos largos). □ USO Tiene un matiz despectivo.
cojo, ja ▪ adj. **1** Referido a un mueble, que se balancea o se mueve por no asentar bien sobre el suelo. **2** Referido a algo inmaterial, que está incompleto o mal fundado: *Sus razonamientos quedan cojos porque no aporta datos concretos.* ▪ adj./s. **3** Referido a una persona o a un animal, que cojea o anda defectuosamente. **4** Referido a una persona o a un animal, que le falta una pierna, una pata o un pie. □ ETIMOL. Del latín *coxus*, y éste de *coxa* (cadera).
cojón s.m. *vulg.malson.* →**testículo.** □ ETIMOL. Del latín *coleo.* □ MORF. Se usa más en plural. □ USO Se usa mucho como palabra comodín en expresiones vulgares malsonantes.
cojones interj. *vulg.malson.* Expresión que se usa para indicar extrañeza, sorpresa, admiración o disgusto.
cojonudo, da adj. *vulg.* Admirable o extraordinariamente bueno. □ SINT. *Cojonudo* se usa también como adverbio de modo con el significado de 'muy bien': *Lo pasamos cojonudo en la fiesta.*

cojudez s.f. *vulg.malson.* En zonas del español meridional, tontería.

cojudo, da adj./s. *vulg.malson.* En zonas del español meridional, imbécil. □ USO Se usa como insulto.

col s.f. **1** Planta herbácea comestible con un cogollo formado por hojas anchas y verdes con el nervio principal grueso, y flores pequeñas blancas o amarillas; berza. **2** ‖ **col de Bruselas**; variedad de pequeño tamaño que tiene tallos alrededor de los cuales crecen apretados muchos cogollos pequeños. □ ETIMOL. Del latín *caulis* (tallo, col).

cola s.f. **1** En algunos animales, prolongación posterior del cuerpo y de la columna vertebral; rabo. **2** En un ave, conjunto de plumas fuertes y más o menos largas que tiene en la rabadilla o extremo posterior de su cuerpo. **3** Parte posterior o final de algo: *La cola del pelotón llegó a la meta quince minutos después que el ciclista vencedor.* **4** Prolongación de algo: *Unas niñas sujetaban la cola del vestido de la novia.* **5** Fila o hilera de personas o de vehículos que esperan turno para algo: *Si quieres comprar la entrada ponte a la cola.* **6** col. →**pene**. **7** Pasta fuerte y viscosa que se utiliza para pegar: *Pegó las tablas del cajón con cola.* **8** Semilla de un árbol ecuatorial que contiene sustancias que se utilizan en medicina como excitante de las funciones digestivas y nerviosas. [**9** Refresco hecho con las sustancias de estas semillas. **10** ‖ **cola de caballo**; coleta recogida en la parte alta de la nuca y que se asemeja a la cola de un caballo. 🖾 peinado ‖ **cola de pescado**; gelatina que se hace con pescado, esp. con la vejiga del esturión. ‖ **no pegar ni con cola**; *col.* Desentonar o no tener relación con algo: *Este vestido no pega ni con cola con esos zapatos.* ‖ {**tener/traer**} **cola** algo; *col.* Tener o traer consecuencias, esp. si éstas son graves. □ ETIMOL. Las acepciones 1-6 del latín *cauda* (cola). La acepción 7, del griego *kólla* (goma, cola). Las acepciones 8 y 9, de origen africano.

colaboración s.f. **1** Realización de un trabajo o de una tarea común entre varias personas: *Este libro es fruto de la colaboración de cuatro personas.* **2** Aportación voluntaria de un donativo: *Gracias a vuestra colaboración se podrán construir centros de enseñanza en países subdesarrollados.* **3** Ayuda al logro de algún fin: *Sin tu colaboración nunca hubiera podido terminar este trabajo.* [**4** Texto o artículo que escribe un colaborador para un periódico o para una revista: *Me han pedido una 'colaboración' para el número extra de este mes.*

[**colaboracionismo** s.m. Actitud de apoyo a un régimen político que la mayoría de los ciudadanos rechaza o considera antipatriótico: *Después de la Segunda Guerra Mundial, algunos franceses fueron acusados de 'colaboracionismo' con las tropas nazis.*

colaboracionista ▌ adj. [**1** Del colaboracionismo o relacionado con esta actitud. ▌ s. **2** Persona que apoya un régimen político que la mayoría de los ciudadanos rechaza o considera antipatriótico. □ MORF. 1. Como adjetivo es invariable en género. 2. Como sustantivo es de género común: *el colaboracionista, la colaboracionista.* □ USO Es despectivo.

colaborador, -a s. **1** Compañero en la realización de una obra, esp. si es de carácter literario. **2** Persona que trabaja habitualmente para una empresa sin formar parte de su plantilla fija, esp. la que escribe en un periódico o en una revista.

colaborar v. **1** Trabajar con otras personas en una tarea común: *En la construcción de este puente han colaborado muchas personas.* [**2** Trabajar habitualmente para una empresa, esp. para un periódico o una revista, sin formar parte de su plantilla fija: *Esta escritora 'colabora' en nuestro periódico con temas políticos.* **3** Aportar voluntariamente un donativo: *Me preguntaron si quería colaborar en una rifa.* **4** Ayudar al logro de algún fin: *Tu firma colaborará con las demás para presionar al Gobierno.* □ ETIMOL. Del latín *collaborare*, y éste de *laborare* (trabajar). □ SEM. En las acepciones 3 y 4, es sinónimo de *contribuir.*

colación s.f. **1** Comida ligera, esp. la que se toma por la noche en los días de ayuno. **2** En zonas del español meridional, porción de dulces, frutas y otros comestibles que se regalan en Navidad. **3** ‖ **sacar a colación** algo; *col.* Mencionar o hablar de ello: *Aprovechando que estábamos todos, sacó a colación el tema de las vacaciones.* ‖ **traer a colación** algo; *col.* Mezclar palabras o frases inoportunas en un discurso o en una conversación: *No sé por qué tienes que traer a colación a ese hombre si sabes que no quiero ni oír hablar de él.* □ ETIMOL. Del latín *collatio* (acción de aportar algo), y éste de *conferre* (aportar un contingente de víveres).

colada s.f. **1** Lavado de la ropa sucia de una casa: *Una vez por semana hago la colada.* **2** Ropa lavada: *Cuando termine de lavar tengo que tender la colada.* **3** En un alto horno, operación de sacar el hierro fundido. [**4** Masa de lava incandescente que fluye por las laderas. □ ETIMOL. Las acepciones 1 y 2, de *colar*, porque antiguamente se lavaba la ropa con agua de cenizas que había que colar.

coladera s.f. **1** En zonas del español meridional, colador. **2** En zonas del español meridional, sumidero.

coladero s.m. **1** col. En el lenguaje estudiantil, centro o examen en los que se aprueba fácilmente o que permiten aprobar fácilmente. [**2** col. Lugar por el que es fácil colarse.

colador s.m. **1** Utensilio con el que se cuela un líquido y que está formado generalmente por una tela o por una lámina agujereada. [**2** Lo que tiene muchos agujeros.

coladura s.f. **1** Paso de un líquido por un colador para clarificarlo o para separarlo de las partes más gruesas. **2** col. Equivocación o desacierto que se comete. [**3** col. Enamoramiento o afición muy grande por alguien o por algo: *Tienes una 'coladura' irracional por las motos.*

colage s.m. **1** Técnica o procedimiento artístico consistente en pegar sobre un lienzo o una tabla distintos materiales, esp. recortes de papel. **2** Composición plástica realizada según este u otro procedimiento de carácter mixto. □ ETIMOL. Del francés *collage*. □ PRON. Está muy extendida la pronunciación galicista [*colách*], con *ch* suave. □ USO Es innecesario el uso del galicismo *collage*.

colágeno, na ▌ adj. **1** Del colágeno o relacionado con esta proteína. ▌ s.m. **2** Proteína que se encuentra en los tejidos conjuntivos, óseos y cartilaginosos, y que se transforma en gelatina por cocción. □ ETIMOL. Del griego *kólla* (cola) y *-geno* (que produce).

colapsar v. Producir o sufrir un colapso o bloqueo: *Un trombo le colapsó la circulación sanguínea. La actividad de muchas empresas se colapsó debido a la crisis económica.*

colapso s.m. **1** En medicina, estado de debilitamiento extremo, gran depresión y circulación sanguínea insuficiente. **2** Paralización o disminución de una actividad: *La rotura de las tuberías del agua provocó el colapso del tráfico en la zona.* **3** Destrucción o ruina de algo, esp. de una institución o de un sistema: *La aparición de la moneda causó el colapso del sistema de intercambio de productos.* ☐ ETIMOL. Del latín *collapsus* (caída, hundimiento).

colar ‖ v. **1** Referido a un líquido, echarlo en un colador para clarificarlo o para separarlo de las partes más gruesas: *Cuela la leche para que no tenga nata.* **2** *col.* Referido esp. a algo falso o ilegal, darlo o pasarlo con engaño: *Coló la cámara de fotos por la aduana ocultándola en el bolso.* **3** Introducir en un lugar o hacer pasar por él: *El delantero coló el balón en la portería aprovechando un descuido del portero.* **4** *col.* Referido esp. a un engaño o a una mentira, ser creído: *La historia que conté coló y nadie volvió a hacer preguntas.* ‖ prnl. **5** Pasar por un lugar estrecho: *El agua se colaba por las rendijas de la pared.* **6** *col.* Introducirse con engaño en algún sitio: *Nos colamos en el circo pasando por debajo de la carpa.* **7** *col.* Equivocarse o decir inconveniencias: *Te has colado, porque no he sido yo el que te ha escondido la carpeta.* **8** *col.* Estar muy enamorado: *Se coló por esa chica y dejó de salir con sus amigos.* ☐ ETIMOL. Del latín *colare* (pasar por un colador). ☐ MORF. Irreg. →CONTAR. ☐ SINT. En la acepción 6, aunque la RAE sólo lo registra como pronominal, se usa también como verbo transitivo: *Pudimos colar a tu hermano para que entrara al estadio sin pagar.*

colateral ‖ adj. **1** Que está situado a uno y otro lado de un elemento principal: *Esta iglesia tiene una nave central y dos colaterales.* ‖ adj./s. **2** Referido a una persona, que es pariente de otra por un ascendiente común pero no por la línea directa de padres a hijos. ☐ ETIMOL. Del latín *collateralis*, y éste de *latus* (lado). ☐ MORF. 1. Como adjetivo es invariable en género. 2. Como sustantivo es de género común: *el colateral, la colateral.*

colcha s.f. Cobertura de la cama que sirve de adorno y de abrigo; cubrecama, sobrecama. ☐ ETIMOL. Del francés antiguo *colche* (lecho).

colchón s.m. **1** Especie de saco de forma rectangular, relleno de lana o de otro material blando o elástico, que se pone sobre la cama para dormir sobre él. **[2** Capa hueca y esponjosa que cubre una superficie: *El perro se recostó sobre un 'colchón' de pajas.* **3** ‖ **colchón de aire**; capa de aire a presión que se interpone entre dos superficies para evitar su contacto, para amortiguar sus movimientos o para disminuir el rozamiento. ☐ ETIMOL. De *colcha*.

colchonería s.f. Establecimiento en el que se hacen o se venden colchones, almohadones y otros objetos semejantes.

colchonero, ra ‖ adj./s. **[1** *col.* Del Atlético de Madrid (club deportivo madrileño) o relacionado con él. ‖ s. **2** Persona que se dedica a la fabricación o a la venta de colchones.

colchoneta s.f. **1** Colchón delgado. **2** Colchón de tela impermeable lleno de aire. **3** Cojín largo y delgado que se pone sobre un asiento. **4** En deporte, colchón delgado o grueso sobre el que se realizan ejercicios gimnásticos. 🢒 gimnasio

cole s.m. *col.* [→colegio.

colear v. **1** Referido a un animal, mover con frecuencia la cola: *El perro empieza a colear en cuanto ve la comida.* **2** Referido a un asunto o a sus consecuencias, durar o continuar: *En la reunión se vio que las viejas enemistades aún colean entre sus miembros.*

colección s.m. **1** Conjunto de elementos, esp. si son de una misma clase o tienen algo en común, y si están sujetos a un orden: *una colección de sellos.* **2** Conjunto de modelos creados por un diseñador de ropa para cada temporada. **[3** Gran cantidad de algo: *Lo único que dijo fue una 'colección' de disparates.* ☐ ETIMOL. Del latín *collectio*, y éste de *colligere* (recoger).

[coleccionable ‖ **1** Que puede coleccionarse. ‖ s.m. **2** Libro que se publica por fascículos, esp. en un periódico. ☐ MORF. Como adjetivo es invariable en género.

coleccionar v. Referido a varios elementos, formar con ellos una colección: *He empezado a coleccionar los números extras de esta revista. Colecciono canicas de colores.*

coleccionismo s.m. Arte, técnica o afición de coleccionar.

coleccionista s. Persona que colecciona algo. ☐ MORF. Es de género común: *el coleccionista, la coleccionista.*

colecistitis s.f. En medicina, inflamación de la vesícula biliar producida generalmente por un cálculo. ☐ ETIMOL. Del griego *kholé* (bilis) y *kýstis* (vejiga) e *-itis* (inflamación). ☐ MORF. Invariable en número.

colecta s.f. Recaudación de donativos voluntarios, esp. con fines benéficos. ☐ ETIMOL. Del latín *collecta.*

colectar v. Referido esp. a una cantidad de dinero, cobrarla o percibirla; recaudar: *Vamos a colectar dinero para una campaña contra el hambre.* ☐ SEM. Dist. de *recolectar* (recoger la cosecha; juntar algo disperso).

colectividad s.f. Conjunto de personas que tienen entre sí una relación determinada o que están reunidas o concertadas para un fin común.

colectivización s.f. Transformación de algo particular o individual en colectivo.

colectivizar v. Referido a algo particular o individual, transformarlo en colectivo: *Las reformas empezarán por colectivizar los medios de producción del país.* ☐ ORTOGR. La *z* se cambia en *c* delante de *e* →CAZAR.

colectivo, va ‖ adj. **1** De una agrupación de personas o relacionado con ella: *esfuerzo colectivo.* ‖ s.m. **2** Grupo de personas unido por unos fines o por unos intereses comunes: *El colectivo médico del hospital ha decidido suspender la huelga.* **3** En zonas del español meridional, autobús. ☐ ETIMOL. Del latín *collectivus.*

colector, -a ‖ adj. **1** Que recoge. ‖ s. **2** Persona que reúne textos, documentos u otros objetos para su estudio y conocimiento. ‖ s.m. **3** Canal o conducto que recoge el agua que transportan otros canales. ☐ ETIMOL. Del latín *collector*, y éste de *colligere* (recoger).

colega s. **1** Respecto de una persona, otra que tiene su misma profesión u ocupación. **2** *col.* Amigo o compañero. ☐ ETIMOL. Del latín *collega.* ☐ MORF. Es un sustantivo común y exige concordancia en masculino o en femenino para señalar la diferencia de sexo: *el colega, la colega.* ☐ USO En la lengua coloquial, se usa como apelativo: *¡Colega, qué te cuentas!*

colegiación

colegiación s.f. Reunión en colegio o asociación de las personas de una misma profesión o clase, o afiliación a éste.

colegiado, da adj./s. Referido a una persona, que es miembro de un colegio o asociación, esp. si está reconocido oficialmente.

colegial, -a s. Alumno que asiste a un colegio o que tiene plaza en él.

colegial adj. Del colegio. ☐ MORF. Invariable en género.

colegiarse v.prnl. Referido a las personas de una misma profesión o clase, reunirse en colegio o asociación, o afiliarse a él: *Al terminar la carrera se colegió en el Colegio de Médicos de Barcelona.* ☐ ORTOGR. La *i* nunca lleva tilde.

colegiata s.f. Iglesia que, sin ser sede propia del obispo o del arzobispo, se compone de abad y canónigos seculares, y en la que se celebran los oficios divinos como en las catedrales.

colegio s.m. **1** Centro de enseñanza. [**2** col. Clase: *El lunes es fiesta y no hay 'colegio'.* **3** Asociación o corporación de personas que ejercen una misma profesión o que tienen una misma dignidad: *el Colegio de Arquitectos.* **4** ‖**colegio electoral**; **1** Conjunto de los electores que forman un mismo grupo legal para ejercer su derecho al voto: *Casi la totalidad del colegio electoral de nuestra provincia ha acudido a las urnas.* **2** Lugar o local en el que se reúnen. ‖**colegio mayor**; residencia de estudiantes universitarios. ☐ ETIMOL. Del latín *collegium* (conjunto de colegas, asociación). ☐ USO En las acepciones 1 y 2, en la lengua coloquial se usa mucho la forma abreviada *cole.*

colegir v. Deducir a partir de algo: *Por lo que me contó colegí que las cosas no debían ir bien en su familia.* ☐ ETIMOL. Del latín *colligere* (recoger, coger). ☐ ORTOGR. La *g* se cambia en *j* delante de *a, o.* ☐ MORF. Irreg. →ELEGIR.

colemia s.f. En medicina, presencia de bilis en la sangre. ☐ ETIMOL. Del griego *kholé* (bilis) y *-emia* (sangre). ☐ SEM. Dist. de *alcoholemia* (presencia de alcohol en la sangre).

[cóleo s.m. Planta herbácea que tiene numerosas hojas dentadas y flores pequeñas agrupadas en racimos, y que se utiliza como ornamentación.

coleóptero ‖ adj./s.m. **1** Referido a un insecto, que tiene boca masticadora, caparazón consistente, y un par de élitros o alas córneas que cubren dos alas membranosas y plegadas: *El escarabajo y el gorgojo son insectos coleópteros.* ‖ s.m.pl. **2** En zoología, orden de esos insectos, perteneciente al tipo de los artrópodos. ☐ ETIMOL. Del griego *koleópteros*, y éste de *koleós* (vaina) y *pterón* (ala), por los élitros que recubren las alas de los insectos.

cólera ‖ s.m. **1** Enfermedad infecciosa de origen vírico que se caracteriza por vómitos repetidos, dolores abdominales y diarrea, y que causa la deshidratación del enfermo. ‖ s.f. **2** Ira, enojo o enfado muy violentos. **3** ‖**montar en cólera**; airarse o enfadarse mucho. ☐ ETIMOL. Del latín *cholera* (bilis), porque el cólera es una enfermedad causada por la bilis.

colérico, ca ‖ adj. **1** De la cólera o relacionado con este estado de ánimo. ‖ adj./s. **2** Que se deja llevar fácilmente por la cólera. ☐ MORF. En la acepción 2, la RAE sólo lo registra como adjetivo.

colesterina s.f. →**colesterol**. ☐ ETIMOL. Del francés *cholestérine.*

colesterol s.m. Molécula de origen graso que, combinada con otras moléculas, entra a formar parte de distintas estructuras orgánicas, como las membranas, y que es necesaria para la síntesis de sustancias, fundamentalmente de tipo hormonal; colesterina. ☐ ETIMOL. Del francés *cholestérol*, y éste del griego *kholé* (bilis) y *stereós* (sólido, duro, robusto).

coleta s.f. **1** Peinado que se hace recogiendo el pelo cerca de la cabeza y dejándolo suelto desde ahí. ✂ peinado **2** ‖**cortarse la coleta**; dejar una costumbre u oficio, esp. el de torero. ☐ ETIMOL. De *cola* (peinado).

coletazo s.m. **1** Golpe dado con la cola o con la coleta. **2** Última manifestación, aparición o acción de algo antes de acabar o desaparecer: *El huracán ya se había alejado, pero aún se sentían sus últimos coletazos.* ☐ MORF. La acepción 2 se usa más en plural.

coletilla s.f. Añadido a lo que se dice o se escribe para hacer referencia a algo que se ha olvidado o que se quiere recalcar. ☐ SEM. Dist. de *latiguillo* y *muletilla* (palabra o expresión que, de tanto repetirse, pierden su fuerza expresiva).

coleto s.m. **1** col. Conjunto de pensamientos o sentimientos interiores de una persona; adentros: *En aquel momento no dije nada, pero pensé para mi coleto que algo no marchaba bien.* **2** ‖**echarse** algo **al coleto**; col. Comerlo o beberlo: *Échate un trago al coleto, mujer.* ☐ ETIMOL. Del italiano *colletto* (cuello de una camisa).

colgadero s.m. **1** Gancho, garfio u otro instrumento que sirve para colgar algo. [**2** En zonas del español meridional, tendedero.

colgado, da ‖ adj. **1** col. Desamparado o frustrado porque no se ha cumplido lo que se esperaba o se deseaba: *Mi amigo me dejó colgada esperando a la puerta del cine.* **2** Pendiente de resolución o con final incierto: *Ese asunto está colgado hasta que se reúna el consejo de dirección.* **3** col. Muy atento o totalmente pendiente: *Es tan elocuente que me quedé colgado de sus palabras.* ‖ adj./s. **4** col. Que está bajo los efectos de una droga o depende en grado sumo de ella. ☐ USO 1. En las acepciones 1 y 3, se usa más con los verbos *dejar* y *quedarse.* 2. En la acepción 4 se usa más con los verbos *andar* o *estar.*

colgador s.m. Gancho, garfio u otro utensilio que sirve para colgar ropa.

colgadura s.f. Tapiz o tela con que se cubren, protegen o adornan paredes, balcones, muebles y otros objetos. ☐ USO Se usa más en plural.

colgajo s.m. Lo que cuelga, esp. si es de forma descuidada o antiestética. ☐ USO Tiene un matiz despectivo.

colgante s.m. Adorno que cuelga de un collar, de una pulsera o de cualquier otra pieza de joyería o de bisutería. ✂ joya

colgar v. **1** Referido a una cosa, estar o ponerla suspendida de otra de forma que no se apoye por su parte inferior: *Los frutos cuelgan de los árboles. Colgó las llaves en el clavo de la entrada.* Referido a una persona o a un animal, quitarles la vida haciendo que su cuerpo quede sostenido por una cuerda que les aprieta el cuello y les impide respirar: *Lo condenaron a muerte y el mismo día lo colgaron.* **3**

Referido a una profesión o a una actividad, abandonarlas o dejarlas: *Era sacerdote pero colgó los hábitos hace años*. **4** Interrumpir una comunicación telefónica, generalmente colocando el auricular en su sitio: *Me telefoneó para insultarme y le colgué*. **5** col. Referido a algo generalmente incierto, atribuírselo o achacárselo a alguien: *Le colgaron ese apodo y ya nadie sabe cuál es su verdadero nombre*. **6** Referido esp. a una tela o a un vestido, tener los bordes desiguales y con unas partes más largas que otras: *El vestido cuelga mucho y hay que igualarle el bajo*. **[7** col. Referido a una asignatura, suspenderla: *Tengo 'colgado' el inglés del año pasado*. **[8** En informática, referido esp. a un ordenador, bloquearlo o quedarse bloqueado: *Has dado tantas órdenes seguidas que has dejado 'colgado' el ordenador*. □ ETIMOL. Del latín *collocare* (situar, colocar). □ ORTOGR. Aparece una *u* después de la *g* cuando le sigue *e*. □ MORF. Irreg. →COLGAR. □ SINT. Constr. *colgar {DE/EN} un sitio*. □ SEM. En las acepciones 2 y 3, es sinónimo de *ahorcar*.

colibrí s.m. Pájaro de tamaño muy pequeño, con el pico muy largo y delgado y el plumaje de colores muy vivos; picaflor. □ ETIMOL. Del francés *colibri*. □ MORF. 1. Es un sustantivo epiceno: *el colibrí macho, el colibrí hembra*. 2. Aunque su plural en la lengua culta es *colibríes*, la RAE admite también *colibrís*. ✗ ave

cólico s.m. Trastorno del intestino o de otro órgano abdominal, que produce fuertes dolores y suele ir acompañado de vómitos. □ ETIMOL. Del latín *colicus*.

coliflor s.f. Variedad de col con una gran masa redonda, blanca y granulosa.

coligación s.f. **1** Unión o asociación entre personas o entidades con algún propósito común. **2** Unión, trabazón o enlace de unas cosas con otras: *Debes estudiar la coligación de estos elementos químicos*.

coligar v. Referido esp. a personas o entidades, unirlas o ponerlas de acuerdo para conseguir algún propósito común; coaligar: *Consiguió coligarse con el subdirector para boicotear la propuesta de la directora*. □ ETIMOL. Del latín *colligare*. □ ORTOGR. La *g* se cambia en *gu* delante de *e* →PAGAR. □ MORF. Se usa más como pronominal. □ SINT. Constr. *coligarse CON alguien*.

colilla s.f. Parte de los cigarros que se deja sin fumar. □ ETIMOL. De *cola*.

colimbo s.m. Ave acuática, de pico comprimido, alas cortas, dedos unidos por una membrana y que mantiene una posición casi vertical gracias a la localización trasera de sus patas. □ ETIMOL. Del griego *kólymbos*. □ MORF. Es un sustantivo epiceno: *el colimbo macho, el colimbo hembra*.

colín s.m. **1** Pieza de pan sin miga, larga, muy delgada, y con forma cilíndrica. ✗ pan **2** Modalidad más pequeña del piano de cola.

colina s.f. Elevación poco pronunciada del terreno, menor que un monte y generalmente de forma redondeada. □ ETIMOL. Del italiano *collina* (colina extensa y algo elevada).

colindante adj. Referido esp. a dos lugares, terrenos o construcciones, que lindan entre sí o están contiguos. □ MORF. Invariable en género.

colindar v. Referido esp. a dos lugares, terrenos o construcciones, lindar entre sí o estar contiguos: *La finca de mi vecino colinda con la mía*. □ ETIMOL. De *co-*

(compañía) y *lindar*. □ SINT. Constr. *colindar CON algo*.

colirio s.m. Medicamento que se aplica en los ojos para aliviar o curar molestias o enfermedades. □ ETIMOL. Del latín *collyrium*.

coliseo s.m. Sala, generalmente de grandes dimensiones, para representaciones o espectáculos públicos. □ ETIMOL. Por alusión al Coliseo de Roma.

colisión s.f. **1** Choque violento de dos vehículos. **2** Oposición o disputa entre personas o entidades, o entre intereses, sentimientos o ideas. □ ETIMOL. Del latín *collisio*, y éste de *collidere* (chocar).

colisionar v. **1** Referido a un vehículo, chocar violentamente con otro: *Cuando intentaba adelantar, colisionó con un camión que venía de frente*. **[2** Estar en desacuerdo y oponerse: *Las ideas de los más jóvenes del partido 'colisionan' con las de los viejos militantes*.

colista adj./s. Referido a una persona o a un equipo, que ocupa el último lugar de una clasificación. □ MORF. 1. Como adjetivo es invariable en género. 2. Como sustantivo es de género común: *el colista, la colista*.

colitis s.f. Inflamación del colon intestinal. □ ETIMOL. De *colon* e *-itis* (inflamación). □ MORF. Invariable en número.

collado s.m. **1** Elevación poco pronunciada del terreno, generalmente aislada y menor que un monte. **2** En una sierra o en una cadena montañosa, paso o depresión poco pronunciada del terreno que permite ir fácilmente de una vertiente a la otra. ✗ montaña □ ETIMOL. Del latín *collis* (colina, altura).

[collage (galicismo) s.m. →**colage**. □ PRON. [colách], con *ch* suave.

collar s.m. **1** Joya o pieza que se pone alrededor del cuello, como adorno o como insignia representativa de altos cargos o distinciones. ✗ joya **2** Aro o banda que se pone alrededor del cuello de los perros u otros animales domésticos como adorno, como medio defensivo o para llevarlos sujetos. □ ETIMOL. Del latín *collare*, y éste de *collum* (cuello).

collarín s.m. Aparato de ortopedia que se coloca alrededor del cuello para inmovilizar las vértebras cervicales.

collarino s.m. En una columna, moldura en forma de anillo que está entre el fuste y el capitel. □ ETIMOL. Del italiano *collarino*.

colleja s.f. col. [Golpe pequeño o palmada dados en la parte de atrás del cuello.

collera s.f. **1** Collar relleno de paja o de otro material, que se coloca al cuello de bueyes y caballerías para sujetar en él los correajes y demás arreos sin lastimar al animal. ✗ arreos **2** En zonas del español meridional, gemelo de la camisa. **[3** En zonas del español meridional, pareja de jinetes que participa en un rodeo. □ ETIMOL. De *cuello*.

[collie (anglicismo) adj./s. Referido a un perro, de la raza que se caracteriza por tener pelo largo, hocico alargado y porte elegante. □ PRON. [cóli]. □ MORF. Como adjetivo es invariable en género. ✗ perro

colmado s.m. Tienda de comestibles o local barato y de baja categoría, donde se sirven bebidas y comidas.

colmar v. **1** Llenar hasta rebasar o exceder los bordes o los límites: *Olvidó cerrar el grifo y el agua colmó la bañera*. **2** Referido esp. a muestras de aprecio o de desprecio, darlas o dispensarlas en abundancia;

colmena

llenar: *La anfitriona colmó a su invitado de obsequios.* **3** Referido esp. a esperanzas, aspiraciones o deseos, satisfacerlos plenamente: *Lograr aquel ascenso colmó todas mis ilusiones.* ☐ ETIMOL. Del latín *cumulare* (amontonar, llenar). ☐ SINT. Constr. de la acepción 2: *colmar DE algo.*

colmena s.f. **1** Habitáculo natural o artificial en el que las abejas viven y almacenan la cera y la miel que producen. [**2** Lugar o edificio donde viven apiñadas muchas personas. ☐ ETIMOL. De origen incierto.

colmenar s.m. Lugar donde están las colmenas. ☐ ORTOGR. Incorr. **colmenal.*

colmenero, ra s. Persona que posee colmenas o que cuida de ellas.

colmillo s.m. **1** En una persona o en algunos mamíferos, diente fuerte y puntiagudo situado entre el último incisivo y la primera muela de cada cuarto de la boca y cuya función es desgarradora o defensiva; canino, diente canino. **2** En un elefante, diente incisivo, alargado y en forma de cuerno, en cada lado de la mandíbula superior. **3** ‖**enseñar los colmillos**; col. Mostrarse amenazador o temible, o imponer respeto: *Cuando enseña los colmillos, nadie se atreve a llevarle la contraria.* ☐ ETIMOL. Del latín *columella* (columnita), porque los colmillos tienen forma cilíndrica.

colmo s.m. **1** Grado máximo al que se puede llegar en algo: *Eres el colmo de la estupidez y no dices más que tonterías.* **2** Añadido, culminación o remate: *Llegas tarde, y para colmo no me traes lo que te pedí.* **3** ‖**ser el colmo**; ser intolerable: *Es el colmo que llegues tarde y encima vengas con exigencias.* ☐ ETIMOL. Del latín *cumulus* (montón, exceso).

colocación s.m. **1** Disposición adecuada, ordenada o en el lugar preciso: *Yo me encargo de la colocación de los libros en la estantería.* **2** Búsqueda y consecución de un puesto o de un trabajo: *Conoce a mucha gente y proporcionó colocación a toda la familia.* **3** Situación o forma de estar colocado o puesto algo: *Su colocación era inmejorable para verlo todo.* **4** Puesto de trabajo, empleo o destino: *Después de dos años en el paro, por fin encontró una buena colocación.* [**5** En bolsa, venta de acciones u obligaciones de una empresa.

colocar v. **1** Poner en la posición adecuada o en el orden o lugar correspondientes: *Los niños colocaron sus juguetes en el armario.* **2** Proporcionar un puesto, un empleo o un estado: *Su padre lo colocó en la dirección de la empresa.* **3** Referido a una cantidad de dinero, emplearla con la intención de obtener beneficios; invertir: *Decidido a vivir de las rentas, colocó en bolsa todos sus ahorros.* [**4** col. Referido a algo que supone una carga o una molestia, hacer que alguien lo acepte o se haga cargo de ello; endilgar, endosar: *Consiguió 'colocar' aquel coche destartalado a un pobre inocente.* **5** col. Poner eufórico el alcohol o alguna droga: *Como no bebo nunca, con dos cervezas me coloco.* ☐ ETIMOL. Del latín *collocare.* ☐ ORTOGR. La *c* se cambia en *qu* delante de *e* →SACAR.

[**colocón** s.m. col. Borrachera o estado producido por efecto de una droga; coloque.

colodrillo s.m. Parte posterior de la cabeza humana.

colofón s.m. **1** En un libro, nota final que incluye datos relacionados con la impresión, esp. el lugar, la fecha y el nombre del impresor. **2** Añadido con

que se termina, completa o remata algo, esp. si aporta una nota de énfasis o culminación: *Aquella condecoración era el mejor colofón de una brillante carrera.* ☐ ETIMOL. Del griego *kolophón* (cumbre, remate, fin de una obra).

coloidal adj. De los coloides o relacionado con estas sustancias; coloideo. ☐ MORF. Invariable en género.

coloide adj./s.m. Referido a una sustancia, que se disgrega en un líquido pero sin llegar a disolverse o a deshacerse en él. ☐ ETIMOL. Del griego *kólla* (goma, cola) y *-oide* (relación, semejanza). ☐ MORF. Como adjetivo es invariable en género.

coloideo, a adj. →**coloidal.**

colombiano, na adj./s. De Colombia o relacionado con este país suramericano.

colombicultura s.f. **1** Arte o técnica de criar palomas y fomentar su reproducción. **2** Afición deportiva a la cría, al adiestramiento y al cuidado de palomas, esp. de las mensajeras; colombofilia. ☐ ETIMOL. Del latín *columba* (paloma) y *-cultura* (cuidado).

colombino, na ▌adj. **1** De Cristóbal Colón (descubridor de América), de su familia o relacionado con ellos. ▌s.f. **2** Personaje de teatro, procedente de la comedia italiana, que representa a una mujer joven y atractiva. ☐ ORTOGR. Dist. de *columbino.*

colombofilia s.f. Afición a la cría, al adiestramiento y al cuidado de palomas, esp. de las mensajeras; colombicultura. ☐ ETIMOL. Del latín *columba* (paloma) y *-filia* (afición, gusto, amor).

colombófilo, la ▌adj. **1** De la colombofilia o relacionado con esta afición a la cría de palomas. ▌s.f. **2** Persona aficionada a la cría, al adiestramiento y al cuidado de las palomas, esp. de las mensajeras.

colon s.m. En el aparato digestivo de una persona o de algunos animales, parte del intestino grueso entre el íleon y el recto. ☐ ETIMOL. Del griego *kôlon* (miembro). ☐ ORTOGR. Dist. de *colón.*

colón s.m. Unidad monetaria costarricense y salvadoreña. ☐ ETIMOL. Por alusión a Cristóbal Colón, cuya efigie llevaban estas monedas. ☐ ORTOGR. Dist. de *colon.*

colonia s.f. **1** →**agua de Colonia. 2** Conjunto de personas procedentes de un país, región o provincia que van a otro territorio para poblarlo, explotarlo o establecerse en él: *Las colonias que se asientan en un territorio suelen dar lugar a grandes ciudades.* **3** Territorio o lugar donde se establecen estas personas: *Recorrí la colonia de españoles en París.* **4** Territorio sometido al dominio militar, político, administrativo o económico de una nación extranjera más poderosa y generalmente con un grado de civilización más avanzado. **5** En una población, conjunto de edificaciones de construcción y aspecto semejantes que responden a un proyecto urbanístico común. **6** En biología, grupo de animales o de organismos de una misma especie que viven en un territorio delimitado o con una organización característica: *En el laboratorio están examinando las colonias de bacterias del cultivo.* **7** En biología, animal que por reproducción asexual, esp. por gemación, forma un cuerpo único de numerosos individuos unidos entre sí: *Los corales son un tipo de colonia marina.* [**8** Lugar acondicionado para vacaciones infantiles, generalmente en el campo o en la playa.

□ ETIMOL. Las acepciones 2-8, del latín *colonia*, y éste de *colonus* (labriego).

colonial adj. De las colonias, de su época o relacionado con ellas. □ MORF. Invariable en género.

colonialismo s.m. Forma de imperialismo o de dominación entre países, caracterizada por la posesión y explotación de colonias.

colonialista adj./s. Partidario del colonialismo. □ MORF. 1. Como adjetivo es invariable en género. 2. Como sustantivo es de género común: *el colonialista, la colonialista.*

colonización s.m. 1 Establecimiento de colonias. 2 Establecimiento de colonos o emigrantes en territorios despoblados para controlarlos, trabajar en ellos o civilizarlos.

colonizador, -a adj./s. Que coloniza.

colonizar v. 1 Referido a un territorio, establecer colonias en él: *Las naciones europeas colonizaron muchas zonas de Asia y África.* 2 Poblar con colonos o emigrantes, normalmente para controlar, trabajar o civilizar un territorio despoblado: *Los romanos colonizaron España e implantaron en ella los fundamentos de su civilización.* □ ORTOGR. La *z* se cambia en *c* delante de *e* →CAZAR.

colono, na s. 1 Persona que coloniza o se establece en una colonia. 2 Persona que cultiva tierras que no son suyas y paga por ello un arrendamiento o alquiler, y que suele vivir en ellas. □ ETIMOL. Del latín *colonus* (labriego, labrador que arrienda una heredad, habitante de una colonia). □ MORF. La RAE sólo lo registra como masculino.

[coloque s.m. *col.* Borrachera o estado producido por efecto de una droga; colocón.

coloquial adj. Característico de la conversación o del lenguaje usado corrientemente, esp. referido a palabras o expresiones. □ MORF. Invariable en género.

coloquio s.m. 1 Conversación, esp. si es animada y distendida, entre dos o más personas. 2 Debate o discusión organizada para intercambiar información, ideas u opiniones. □ ETIMOL. Del latín *colloquium*, y éste de *colloqui* (conversar, confenciar).

color ▌ s.m. 1 Impresión que capta la vista y que es producida por los rayos de luz que refleja un cuerpo: *El rojo y el amarillo son colores cálidos.* 2 Tonalidad natural del rostro humano: *Debes estar enfermo porque tienes mal color.* 3 Sustancia preparada para pintar o teñir: *Cuida mucho su aspecto y no sale sin darse un poco de color en la cara.* 4 Conjunto, disposición y grado de intensidad de los colores y tonalidades de algo; coloración: *El color del paisaje cambiaba con la luz.* 5 Carácter peculiar o característico, o nota distintiva: *Las tradiciones han ido perdiendo su color de siempre. Ahora las fiestas no tienen color, son todas iguales.* [6 Aspecto que algo tiene o impresión que produce: *Es un pesimista, todo lo ve de 'color' oscuro.* 7 Ideología, corriente de opinión o fracción política: *No es un partido de un solo color y por eso tienen tantas disputas internas.* [8 Timbre o calidad de un sonido o de una voz que permite distinguirlos de otro del mismo tono: *El 'color' claro y brillante de esa voz es inconfundible.* ▌ pl. 9 Combinación cromática adoptada como símbolo o distintivo: *Tengo una banderola con los colores de mi equipo.* 10 Entidad, agrupación o país representado por esta combinación cromática: *Siempre defenderé nuestros colores.* 11 ‖[a todo color; con variedad de colores y no sólo en blanco

y negro: *La revista publicó un reportaje 'a todo color' de la boda.* ‖de color; 1 Que no tiene sólo el blanco y el negro: *La ropa de color es más alegre que la negra.* 2 Referido a una persona, que es mulata o que tiene la piel muy oscura. ‖de color de rosa; de forma optimista o ideal: *Es muy alegre y todo lo ve de color de rosa.* ‖no haber color; no admitir comparación: *Entre tu casa y la mía no hay color, porque la mía es muchísimo mejor.* ‖ponerse alguien de mil colores; alterarse y palidecer o sonrojarse por vergüenza o cólera: *Lo pillaron espiando por la cerradura y se puso de mil colores.* ‖sacar los colores; hacer enrojecer de vergüenza: *Si le preguntas si tiene novia, le sacarás los colores.* □ ETIMOL. Del latín *color.* □ SEM. En las acepciones 4 y 5, es sinónimo de *colorido.* □ USO El uso de *color* como sustantivo femenino es característico del lenguaje poético; fuera de este contexto, se considera un arcaísmo o un vulgarismo.

coloración s.f. 1 Dotación de color. [2 Conjunto, disposición y grado de intensidad de los colores y tonalidades de algo; color, colorido. □ ETIMOL. De *colorar* (colorear).

colorado, da adj. 1 De color más o menos rojo; encarnado. 2 ‖poner colorado; ruborizar o sonrojar: *Es muy vergonzoso, se pone colorado sólo con que lo miren.* □ ETIMOL. Del latín *coloratus*, y éste de *colorare* (colorar).

colorante s.m. Sustancia que da color o tiñe.

colorar v. →colorear.

colorativo, va adj. Que puede dar color o puede teñir.

colorear v. 1 Pintar o teñir de color: *Si coloreas ese dibujo quedará más alegre.* 2 Referido esp. a un fruto, tomar el color encarnado propio de su madurez: *Casi todos los tomates estaban verdes, pero algunos ya empezaban a colorear.* □ SEM. Es sinónimo de *colorar.*

colorete s.m. Cosmético, generalmente de tonos rojizos, que se utiliza para dar color al rostro, esp. a las mejillas.

colorido s.m. 1 Conjunto, disposición y grado de intensidad de los colores y tonalidades de algo; coloración: *Mis cuadros tienen un colorido variado.* 2 Carácter peculiar o característico, o nota distintiva: *Las tradiciones han ido perdiendo su colorido de siempre.* □ SEM. Es sinónimo de *color.*

colorín s.m. 1 *col.* Color vivo y llamativo, esp. si contrasta con otros. [2 Árbol americano de poca altura, con un fruto parecido al frijol, pero de color rojo. □ USO La acepción 1 se usa más en plural.

colorismo s.m. 1 En pintura, uso predominante o excesivo del color frente al dibujo: *El colorismo de sus cuadros los hace ideales para decorar habitaciones infantiles.* 2 En literatura, uso abundante o excesivo de adjetivos y expresiones vigorosas, redundantes o enfatizantes: *El excesivo colorismo de sus relatos los hace barrocos y recargados.*

colorista ▌ adj./s. [1 Que tiene mucho colorido. 2 Que utiliza con abundancia o exceso adjetivos y expresiones vigorosas, redundantes o que dan énfasis. ▌ adj./s. 3 En pintura, que usa bien el color: *El pintor español Miró fue un gran colorista.* □ MORF. 1. Como adjetivo es invariable en género. 2. Como sustantivo es de género común: *el colorista, la colorista.*

colosal adj. 1 Del coloso o relacionado con esta grandísima estatua. 2 De tamaño, cantidad o calidad mayores de lo normal; extraordinario. □ MORF. Invariable en género. □ SINT. En la lengua coloquial se usa también como adverbio de modo con el significado de 'muy bien': *En la fiesta lo pasamos 'colosal'*.

coloso s.m. **1** Estatua de tamaño mucho mayor que el natural. **2** Lo que destaca o sobresale por poseer alguna cualidad en grado muy alto, esp. el tamaño o la fuerza: *Con el fin del comunismo, cayó uno de los colosos del mundo.* □ ETIMOL. Del latín *colossus*, y éste del griego *kolossós* (estatua colosal).

[colposcopia s.f. En medicina, exploración de la vagina y del cuello del útero, mediante la introducción de un colposcopio. □ ETIMOL. Del griego *kólpos* (vagina) y *-scopia* (exploración).

[colposcopio s.m. Instrumento óptico que se utiliza en medicina para examinar internamente la vagina y el cuello del útero. □ ETIMOL. Del griego *kólpos* (vagina) y *-scopio* (instrumento para ver).

columbino, na adj. De las palomas o con sus características. □ ETIMOL. Del latín *columbinus*, y éste de *columba* (paloma). □ ORTOGR. Dist. de *colombino*.

columbrar v. **1** Divisar o ver sin distinguir claramente, esp. si es a causa de la distancia: *Tras recorrer kilómetros de desierto, columbraron a lo lejos un poblado.* **2** Percibir o conjeturar por indicios: *Por tus sonrisas columbro que todo ha sido un engaño.* □ ETIMOL. De origen incierto.

columna s.f. **1** Elemento arquitectónico vertical, más alto que ancho y normalmente de forma cilíndrica, que se utiliza como adorno o como apoyo de techumbres, arcos u otras partes de una construcción. **2** Lo que sirve de base o de apoyo: *La Constitución es la columna de nuestro sistema democrático.* **3** Conjunto o serie de cosas colocadas ordenadamente una sobre otra. **4** En una página impresa o manuscrita, sección vertical separada de otras por un espacio blanco o por una línea: *Este diccionario tiene el texto distribuido a dos columnas por página.* **5** Masa, normalmente líquida o gaseosa, con forma cilíndrica o semejante, esp. si asciende en el aire o si está contenida en un cilindro vertical: *una columna de humo.* **6** Conjunto de personas o de vehículos colocados en formación de poco frente y mucho fondo, esp. en el ámbito militar: *Cientos de soldados cruzaron el puente en columna de a cuatro.* **7** Formación de tropas o de barcos dispuestos para operar: *El capitán gritó: −¡Primera columna, preparada para el ataque!* **[8** En un equipo de sonido, bafle. **[9** En una publicación periodística, sección o espacio fijo reservado al artículo firmado de un columnista. **10** ‖**columna salomónica**; aquella cuyo fuste imita a una espiral. ‖**columna vertebral; 1** En una persona o en un animal vertebrado, eje del esqueleto situado en la espalda y formado por una serie de vértebras o pequeños huesos articulados entre sí. **2** Lo que sirve de sustento, de base o de apoyo: *La industria textil es la columna vertebral de la economía de esta región.* ‖**quinta columna; 3** En una guerra, conjunto de personas que combate al enemigo dentro del territorio de éste. **[4** Grupo de personas que apoya una causa dentro del campo contrario. □ ETIMOL. Del latín *columna*. □ SEM. *Columna vertebral* es sinónimo de *espina dorsal, espinazo* y *raquis*.

columnata s.f. Conjunto de columnas dispuestas en una o varias filas, normalmente de manera si-

métrica, como adorno o como elementos de soporte de un edificio o de otra construcción.

columnista s. Periodista o colaborador de una publicación periodística para la que escribe regularmente un artículo firmado que aparece en un espacio fijo, normalmente en una columna. □ MORF. Es de género común: *el columnista, la columnista.*

columpiar ‖ v. **1** Empujar o impulsar cuando se está en un columpio, o mover con un movimiento semejante: *No le gusta columpiarse porque se cansa, pero le encanta que lo columpien. El mono se columpiaba de la rama de un árbol.* **‖** prnl. **[2** Equivocarse: *'Me columpié' al llamar a su marido por el nombre de su antiguo novio.* □ MORF. En la acepción 1, se usa más como pronominal.

columpio s.m. Asiento colgado de un soporte más alto por cuerdas, cadenas o barras en el que, mediante impulsos, es posible balancearse.

colutorio s.m. Líquido para enjuagarse y prevenir, aliviar o curar heridas o afecciones de la boca. □ ETIMOL. Del latín *collutum*, y éste de *colluere* (lavar, rociar). □ USO Su uso es característico del lenguaje médico.

colza s.f. **1** Planta híbrida de col y nabo, con hojas amarillas y frutos en forma de cápsula, que se utiliza como forraje o alimento para el ganado y para extraer aceite de sus semillas. **[2** col. Ingrediente o alimento muy poco sanos. □ ETIMOL. Del francés *colza.*

com- →con-.

coma ‖ s.m. **1** Estado patológico que se caracteriza por la pérdida de la consciencia, de la sensibilidad y de la capacidad de movimiento, y que se produce generalmente por algunas enfermedades o por lesiones cerebrales: *Ha entrado en coma y no creen que viva mucho tiempo.* **‖** s.f. **2** En ortografía, signo gráfico de puntuación formado por un pequeño rasgo curvado que se coloca a la derecha de una palabra para indicar una pausa breve en la frase: *El signo ',' es una coma.* **3** En matemáticas, signo gráfico formado por un pequeño rasgo curvado que se coloca a la derecha de un número para separar las unidades de los decimales. **4** ‖**sin faltar una coma**; col. Literalmente y sin omitir detalle o de manera minuciosa o perfecta. □ ETIMOL. La acepción 1, del griego *kôma* (sueño profundo). Las acepciones 2 y 3, del latín *comma* (miembro corto de un período del discurso, coma). □ ORTOGR. Para la acepción 2 →APÉNDICE DE SIGNOS DE PUNTUACIÓN. □ USO En la acepción 3, el punto decimal es un anglicismo innecesario que debe sustituirse por la coma decimal: **4.5 > 4,5.*

comadre s.f. **1** Respecto de los padres o del padrino de un bautizado, madrina de éste: *Mi madrina es comadre de mi madre.* **2** Respecto de los padrinos de un bautizado, madre de éste: *Mi tío es mi padrino y mi madre es su comadre.* **[3** col. Mujer a la que le gusta curiosear y chismorrear sobre los demás. **4** col. En zonas del español meridional, amiga íntima. □ ETIMOL. Del latín *commater*, y éste de *cum* (con) y *mater* (madre). □ MORF. En las acepciones 1 y 2, el masculino es *compadre.*

comadrear v. col. Referido esp. a una mujer, murmurar, chismorrear o contar e intercambiar chismes y cotilleos sobre los demás: *Como le encanta comadrear, no sabe guardar un secreto.* □ USO Tiene un matiz despectivo.

comadreja s.f. Mamífero carnívoro, de cabeza pequeña, patas cortas con uñas muy afiladas, de pelaje pardo por el lomo y blanco por el vientre, y que se mueve con gran agilidad y rapidez. □ ETIMOL. De *comadre*, porque con esta denominación cariñosa intentaban ganarse la simpatía del feroz animal. □ MORF. Es un sustantivo epiceno: *la comadreja macho, la comadreja hembra.*

comadreo s.m. *col.* Chismorreo o divulgación e intercambio de chismes y cotilleos sobre los demás, esp. si es entre mujeres. □ USO Tiene un matiz despectivo.

comadrona s.f. **1** Mujer sin titulación que asiste a las parturientas. **2** *col.* Enfermera especializada en la asistencia a parturientas y legalmente autorizada para ello; matrona. □ ETIMOL. De *comadre.*

comanche ▌ adj./s. **1** De un pueblo indígena que vivía al este de las montañas Rocosas (situadas en el este norteamericano), o relacionado con él. ▌ s.m. **2** Lengua americana de este pueblo. □ MORF. 1. Como adjetivo es invariable en género. 2. En la acepción 1, como sustantivo es de género común: *el comanche, la comanche.*

[comanda s.f. En zonas del español meridional, nota o cuenta de un restaurante.

comandancia s.f. **1** En el ejército, empleo superior al de capitán e inferior al de teniente coronel. **2** Territorio bajo la autoridad militar de un comandante. **3** Puesto de mando u oficina de un comandante.

comandanta s.f. *Antiguamente,* nave en la que iba el comandante o jefe de una escuadra.

comandante s.m. **1** En los Ejércitos de Tierra y Aire y en Infantería de Marina, persona cuyo empleo militar es superior al de capitán e inferior al de teniente coronel. **2** En el ejército, militar que, en unas circunstancias concretas, ejerce el mando independientemente de su empleo. **[3** Piloto al mando de un avión o de una aeronave. **4** ‖ **[comandante en jefe**; jefe de todas las fuerzas armadas que tiene una nación o que participan en una misión o en una batalla concretas.

comandar v. *Referido esp. a unas tropas o a una plaza,* mandar o ejercer el mando militar en ellas: *Un teniente coronel comandaba la fortaleza y las tropas de defensa.* □ ETIMOL. Del francés *commander.* □ SEM. No debe emplearse referido a cuestiones no militares: {**Comandar > liderar*} *una pandilla de amigos.*

comandita s.f. ‖ **en comandita**; *col.* En grupo. □ ETIMOL. Del francés *commandite.*

comando s.m. **1** Grupo pequeño de soldados entrenados para realizar operaciones especiales, generalmente de carácter ofensivo o arriesgado. **2** Grupo de personas que pertenecen a una organización armada y generalmente terrorista, que actúa aisladamente en la ejecución de operaciones o de atentados. **[3** En informática, palabra que sirve para dar una instrucción o una orden al sistema. **4** ‖ **[comando legal**; el que no está fichado por la policía.

comarca s.f. Territorio geográfica, social y culturalmente homogéneo y con una clara delimitación natural o administrativa. □ ETIMOL. De *co-* (reunión, compañía) y *marca* (provincia).

comarcal adj. De la comarca o relacionada con ella. □ MORF. Invariable en género.

comatoso, sa adj. **1** Del coma o relacionado con este estado. **2** En estado de coma.

comba s.f. Véase **combo, ba.**

combadura s.f. Forma arqueada que adquiere un cuerpo recto o plano cuando se encorva.

combar v. *Referido esp. a un cuerpo recto o plano,* torcerlo, encorvarlo o doblarlo en forma curva: *Combó la puerta de una patada. Si cuelgas demasiada ropa en el ropero, se combará la barra.*

combate s.m. **1** Enfrentamiento entre bandos contendientes, esp. si es armado. **2** Enfrentamiento entre personas o animales, generalmente sujeto a ciertas normas: *combate de boxeo.* **3** Oposición a algo o actuación para frenarlo o destruirlo: *En el combate contra la droga no podemos concedernos una tregua.* **4** Enfrentamiento que se produce en el ánimo o en la mente entre sentimientos, deseos o ideas contrapuestos.

combatiente s. Soldado que forma parte de un ejército. □ MORF. Es de género común: *el combatiente, la combatiente.*

combatir v. **1** Pelear, reñir, enfrentarse o luchar con fuerza: *Los soldados combatieron hasta el amanecer. Su partido combatió por las libertades desde la clandestinidad.* **2** *Referido esp. a un rival,* atacarlo o acometerlo con ímpetu y fuerza: *El ejército combatió al enemigo en varios frentes. En los momentos difíciles hay que combatir el desánimo.* **3** *Referido a algo que se considera perjudicial o dañino,* hacerle frente, actuar para frenarlo o impedir su propagación: *Combatieron la epidemia con todos los medios a su alcance. Hay que combatir los incendios forestales si queremos conservar nuestros bosques.* □ ETIMOL. Del latín *combattuere.*

combatividad s.f. **1** Predisposición o inclinación a la lucha o a la polémica. **[2** Tesón y capacidad de esfuerzo para lograr un empeño o superar una dificultad.

combativo, va adj. **1** Dispuesto o inclinado a la lucha o a la polémica. **[2** Que persiste en el esfuerzo y no ceja fácilmente en un empeño.

[combi s.m. Frigorífico que tiene dos motores independientes, uno para el refrigerador y otro para el congelador.

combinación s.f. **1** Unión o mezcla de personas o cosas diferentes que conforman un conjunto unitario: *La combinación de ruidos, imágenes y efectos especiales producía un resultado estremecedor.* **2** Coordinación o acuerdo de personas, cosas o acciones para favorecer un fin: *La combinación de los intereses individuales beneficia al interés común. Utilizo el coche porque desde aquí tengo muy mala combinación para ir a casa.* **3** Prenda interior femenina de forma parecida a la de un vestido y que se coloca debajo de éste o de la falda. **4** Conjunto ordenado de números o de signos que constituyen una clave para abrir una cerradura o para hacer funcionar un mecanismo.

combinado s.m. **1** Bebida, normalmente alcohólica, obtenida por la mezcla de otras. **[2** En deportes, equipo formado por jugadores procedentes de otros varios para disputar un partido o un campeonato concretos.

combinar v. **1** *Referido a cosas diversas,* unirlas, mezclarlas o disponerlas de modo que se obtenga un conjunto unitario o un resultado equilibrado y armonioso: *Dudo que consigas un plato sabroso com-*

binando ingredientes tan distintos. Esta pintora combina muy bien los colores. **2** Coordinar o armonizar para favorecer un fin; concertar: *Los enfermeros combinan sus horarios para que el enfermo nunca esté solo.* □ ETIMOL. Del latín *combinare*, y éste de *cum* (con) y *bini* (dos cada vez).

combinatorio, ria ▮ adj. **1** De la combinación o de la combinatoria: *leyes combinatorias.* ▮ s.f. **[2** Rama de las matemáticas que estudia las distintas agrupaciones que se pueden establecer con un número de elementos dados y las operaciones posibles entre ellas.

combo, ba ▮ adj. **1** Que está combado o arqueado. ▮ s.f. **2** Juego que consiste en saltar sobre una cuerda que, sostenida por sus dos extremos, se impulsa para que pase repetidamente bajo los pies del que salta. **3** Cuerda que se utiliza en este juego. **4** ‖ **[dar a la comba**; impulsarla para que otro salte. ‖ **no perder comba**; **1** *col.* Aprovechar cualquier ocasión favorable: *Ha llegado tan alto porque no pierde comba jamás.* **[2** *col.* Enterarse de todo lo que se dice sin perder detalle: *Parece distraído, pero 'no pierde comba' de lo que estás contando.* □ ETIMOL. La acepción 1, de *comba*. Las acepciones 2-4, quizá del latín *comba* (vallecito).

combustible ▮ adj. **1** Que puede arder o que arde fácilmente. ▮ s.m. **2** Sustancia o materia capaz de arder o de producir combustión, esp. las que se utilizan para producir calor o energía. □ MORF. Como adjetivo es invariable en género. □ SEM. Dist. de *inflamable* (que se enciende con facilidad y desprende llamas de forma inmediata).

combustión s.f. **1** Quema o extinción producida por el fuego. **2** Reacción química producida por la combinación de un material oxidable con el oxígeno y que conlleva desprendimiento de calor o de energía: *La combustión de la gasolina hace que el motor de un coche funcione.* □ ETIMOL. Del latín *combustio.*

[comecocos s.m. **1** *col.* Lo que absorbe por completo los pensamientos o la atención de alguien. **2** Juego de ordenador en el que, una figura que representa al jugador, recorre un laberinto, sorteando peligros o comiendo los dibujos que van apareciendo. □ MORF. Invariable en número.

comecome s.m. **1** *col.* Picazón en el cuerpo; comezón. **2** Intranquilidad o nerviosismo, esp. si es producto de una preocupación.

comedero s.m. Lugar o recipiente donde comen los animales, esp. los domésticos.

comedia s.f. **1** Obra dramática, esp. la que tiene una acción en la que predominan los aspectos agradables, alegres o humorísticos y que termina con un desenlace feliz. **2** Género al que pertenecen las obras de este tipo. **3** Situación o suceso que resulta interesante o cómico: *Era una comedia verte ensartar disculpas cuando me di cuenta de tu confusión.* **4** Fingimiento para aparentar algo o para encubrir un engaño; pantomima: *Por su forma de actuar parecía un aristócrata, pero era todo pura comedia.* **5** ‖ **hacer** ⟨⟨(la/una)⟩⟩ **comedia**; *col.* Fingir o aparentar algo o para encubrir un engaño: *No sé si está realmente contento o si está haciendo comedia.* □ ETIMOL. Del latín *comoedia*, éste del griego *komoidía*, y éste de *kômos* (fiesta con cantos y bailes) y *áido* (yo canto).

comediante, ta s. **1** Persona que representa un

papel en el teatro, en el cine, en la radio o en la televisión; actor, cómico. **2** *col.* Persona que finge lo que no siente en realidad. □ SEM. En la acepción 1, se usa referido esp. a actores de teatro.

comedido, da adj. **1** Cortés, prudente o moderado. **[2** En zonas del español meridional, atento o servicial.

comedimiento s.m. Moderación, prudencia o consideración, esp. en las actitudes o en las expresiones.

comediógrafo, fa s. Persona que escribe comedias.

comedirse v. Contenerse o comportarse con moderación, con prudencia o con consideración: *Debéis comediros en la bebida cuando salgáis por ahí. Me entraron ganas de dar un puñetazo pero me comedí.* □ ETIMOL. Del latín *commetiri* (pensar, moderar). □ MORF. Irreg. → PEDIR.

comedor, -a ▮ adj./s. **1** Que come mucho o con apetito. ▮ s.m. **2** En una casa o en un establecimiento, pieza o sala destinada para comer. **3** Mobiliario de esta pieza de la casa, esp. de una particular: *Hemos comprado un comedor completo para la casa nueva.* **4** Local o establecimiento público donde se sirven comidas, esp. si está destinado al uso de un colectivo determinado.

[comedura ‖ **comedura de coco**; *col.* Problema sobre el que se piensa mucho o cuestión que preocupa y a la que se da muchas vueltas en la cabeza.

comején s.m. Insecto roedor, propio de zonas tropicales o cálidas, de coloración pálida, que vive en colonias organizadas por castas y se alimenta comúnmente de madera; termes, termita. □ ETIMOL. De la voz de las Antillas *comixén.* □ MORF. Es un sustantivo epiceno: *el comején macho, el comején hembra.*

[comemierda s. *vulg.malson.* Persona considerada indigna o despreciable. □ MORF. Es de género común: *el 'comemierda', la 'comemierda'.* □ USO Se usa como insulto.

comendador, -a ▮ s.m. **1** En una orden militar o de caballeros, caballero que tenía una encomienda. ▮ s.f. **2** Religiosa de un convento de las antiguas órdenes militares. □ ETIMOL. Del latín *commendator* (protector).

comensal s. **1** Persona que come con otras, esp. si es en la misma mesa. **[2** En biología, ser que vive a expensas de otro sin causarle perjuicios. □ ETIMOL. Del latín *commensalis*, y éste de *cum* (con) y *mensa* (mesa). □ MORF. Es de género común: *el comensal, la comensal.*

comentar v. **1** Referido esp. a un escrito, explicarlo, interpretarlo o criticarlo para facilitar su comprensión y su valoración: *La profesora ha comentado un poema.* **2** *col.* Hacer comentarios o expresar opiniones u observaciones sobre algo concreto: *El público salía del teatro comentando la obra.* □ ETIMOL. Del latín *commentari* (meditar, ejercitarse). □ SINT. Incorr. (anglicismo): comentar {*sobre algo > algo}.* □ SEM. No debe emplearse con el significado de 'contar' o 'decir': *Me {*comentó > contó / dijo} que tenía mucho trabajo. Se {*comenta > dice / rumorea} que habrá elecciones anticipadas.*

comentario s.m. **1** Explicación, interpretación o crítica que se hace de una obra, esp. de un escrito, para facilitar su comprensión y su valoración; comento: *Tiene los márgenes de los libros llenos de* comentarios. **2** col. Juicio, parecer, consideración u observación que se expresa sobre algo: *No confíes en él, siempre está haciendo comentarios a tus espaldas.* **3** ‖ [sin comentarios; col. Expresión que se usa para indicar que no vale la pena opinar o que no se desea decir nada. ‖ [sin más comentarios; col. Sin dar explicaciones o sin decir nada.

comentarista s. Persona que hace comentarios, esp. si son escritos o en un medio de comunicación y dirigidos a un público. ☐ MORF. Es de género común: *el comentarista, la comentarista.*

comento s.m. →comentario.

comenzar v. **1** Tener principio: *Las vacaciones comienzan mañana.* **2** Dar principio: *Comenzamos el curso contentos.* ☐ ETIMOL. Del latín *cominitiare*, y éste de *cum* (con) e *initiare* (iniciar). ☐ ORTOGR. La z se cambia en c delante de e. ☐ MORF. Irreg. →EMPEZAR. ☐ SEM. Es sinónimo de *empezar.*

comer ∎ v. **1** Tomar alimento o tomar como alimento: *La enfermedad le impide comer y tienen que alimentarlo con suero. Los vegetarianos no comen carne.* **2** Masticar y tragar alimento sólido: *Le han sacado una muela y no puede comer.* **3** Tomar la comida principal del día: *En mi casa se come a las tres.* **4** Referido a un color o al brillo, quitarles intensidad o eliminarlos: *El sol le ha comido el color a la ropa tendida. Ese producto se come el brillo de la madera.* **5** Gastar, consumir o corroer: *Los hijos le han comido los ahorros. Los ácidos comen los metales. La humedad se ha comido los frescos de la pared.* **6** En un juego de tablero, ganar una pieza o una ficha al contrario: *Una partida de ajedrez se acaba cuando se come un rey.* **7** Producir desazón física o moral: *En verano me comen los mosquitos.* [**8** Vencer o sobrepasar: *Si no limpias la casa te va a 'comer' la suciedad.* ∎ prnl. **9** Anular, hacer parecer menos importante o hacer parecer más pequeño: *El flequillo te come la cara.* **10** Referido a una parte o a un elemento de un discurso o de un escrito, omitirlos o saltarlos, esp. por descuido: *El que leía se comió un párrafo y no entendimos nada.* **11** Referido a prendas de vestir, esp. a ropa interior, arrugarlas y entremeterlas: *Estos zapatos se comen los calcetines.* **12** vulg. En zonas del español meridional, referido a una persona, mantener relaciones sexuales con ella. [**13** En zonas del español meridional, cenar. **14** ‖comer vivo a alguien; col. Recriminarle algo de forma apabullante o con argumentos aplastantes y con gran enfado. ‖comerse (los) unos a (los) otros; oponerse entre sí o arremeter unos contra otros de manera airada. ‖de buen comer; referido a una persona, que come con apetito o que no es exigente con la comida. ‖ [para comérselo; col. Con mucho encanto o con mucho atractivo: *Tiene un bebé que está 'para comérselo'.* ‖sin comerlo ni beberlo; col. Sin haber tenido parte o sin esperarlo: *Me hice millonaria sin comerlo ni beberlo, por la herencia de un pariente lejano.* ☐ ETIMOL. Del latín *comedere.*

comerciable adj. Que puede ser objeto de comercio. ☐ MORF. Invariable en género.

comercial ∎ adj. **1** Del comercio o de los comerciantes: *local comercial.* **2** Que se vende o se puede vender fácilmente o que resulta atrayente e incita a la compra. ∎ s. [**3** →agente comercial. ∎ s.m. [**4** En zonas del español meridional, anuncio de televisión o de radio. ☐ MORF. **1.** Como adjetivo es invariable

en género. **2.** En la acepción 3, es de género común: *el 'comercial', la 'comercial'.*

comercialización s.f. [**1** Puesta en venta. **2** Conjunto de actividades encaminadas a posibilitar la venta de un producto.

comercializar v. **1** Referido a un producto, darle condiciones y organización comerciales para su venta: *La publicidad es uno de los sistemas más eficaces para comercializar un producto.* [**2** Referido a un producto, ponerlo a la venta: *'Comercializarán' la colección en primavera.* ☐ ORTOGR. La z se cambia en c delante de e →CAZAR.

comerciante ∎ adj./s. **1** Que comercia. ∎ s. **2** Persona que se dedica profesionalmente al comercio, esp. si es el dueño del establecimiento comercial. ☐ MORF. **1.** Como adjetivo es invariable en género. **2.** Como sustantivo es de género común: *el comerciante, la comerciante.*

comerciar v. Negociar comprando, vendiendo o cambiando mercancías o valores para obtener beneficios: *Antiguamente se comerciaba en especies.* ☐ ORTOGR. La i nunca lleva tilde.

comercio s.m. **1** Actividad económica consistente en realizar operaciones comerciales, como la compra, la venta o el intercambio de mercancías o de valores, para obtener beneficios. **2** Tienda, almacén o establecimiento dedicado a la venta o a la compraventa de productos al público. **3** Conjunto de los comerciantes, esp. si constituyen un ramo: *El comercio hará huelga.* **4** Relación y trato, generalmente ilícitos, entre personas: *Algunas personas se dedican al comercio carnal.* [**5** col. Comida: *Yo me encargo del 'comercio' de la fiesta, otro que traiga la música.* ☐ ETIMOL. Del latín *commercium*, y éste de *cum* (con) y *merx* (mercancía). ☐ USO En la acepción 5, tiene un matiz humorístico.

comestible ∎ adj. **1** Que se puede comer y no es dañino. ∎ s.m. **2** Producto alimenticio: *tienda de comestibles.* ☐ ETIMOL. Del latín *comestibilis.* ☐ MORF. Como adjetivo es invariable en género. ☐ USO La acepción 2 se usa más en plural.

cometa ∎ s.m. **1** Astro formado generalmente por un núcleo poco denso rodeado por una esfera luminosa de gases, que tiene una órbita elíptica. ∎ s.f. **2** Juguete formado por un armazón ligero cubierto de tela, papel o plástico, que se suelta para que el viento lo eleve y se mantiene sujeto con un cordel largo; birlocha. ☐ ETIMOL. Del latín *cometa*, éste del griego *kométes*, y éste de *kóme* (cabellera).

cometer v. Referido esp. a una falta o a un delito, realizarlos o caer en ellos: *Es frecuente cometer faltas gramaticales al hablar.* ☐ ETIMOL. Del latín *committere* (encargar, hacer luchar, emprender una lucha).

cometido s.m. **1** Orden o encargo de hacer algo: *El secretario tenía el cometido de no dejar pasar a nadie.* **2** Obligación moral o deber que alguien tiene que cumplir: *Mi vecina considera que su cometido en la vida es criar a sus hijos.* ☐ SEM. Es sinónimo de *misión.*

comezón s.f. **1** Picazón en el cuerpo; comecome. **2** Intranquilidad o desazón interior, esp. si es producida por un deseo no satisfecho. ☐ ETIMOL. Del latín *comestio* (acción de comer). ☐ MORF. Incorr. su uso como masculino: *Tener {*un > una} comezón.*

comible adj. Referido a una comida, que se puede

comer, esp. si no resulta desagradable al paladar. ☐
MORF. Invariable en género.

cómic s.m. **1** Sucesión o serie de viñetas con desarrollo narrativo. **2** Libro o revista que contiene estas viñetas. ☐ ETIMOL. Del inglés *comic*.

comicial adj. De los comicios o relacionado con ellos. ☐ MORF. Invariable en género.

comicidad s.f. Capacidad de divertir o de provocar la risa.

comicios s.m.pl. Elecciones o actos electorales. ☐ ETIMOL. Del latín *comitia*, y éste de *comitium* (lugar donde se reunía el pueblo).

cómico, ca ▮ adj. **1** Que divierte y hace reír. **2** De la comedia o relacionado con ella: *teatro cómico.* ▮ adj./s. **3** Referido a un actor, que representa comedias o papeles jocosos. ▮ s. **4** Persona que representa un papel en el teatro, en el cine, en la radio o en la televisión; actor, comediante. [**5** Persona que se dedica profesionalmente a divertir o a hacer reír al público; humorista. ☐ ETIMOL. Del latín *comicus.* ☐ SEM. En la acepción 4, se usa referido esp. a actores de comedias.

comida s.f. **1** Lo que toman las personas y los animales para subsistir; alimento. **2** Acción de comer, generalmente en horas fijas y esp. al mediodía o primeras horas de la tarde. **3** Conjunto de alimentos que se toman, generalmente a horas fijas y esp. al mediodía o primeras horas de la tarde. **4** En zonas del español meridional, cena. [**5** Reunión de personas en torno a un almuerzo, esp. con motivo de una celebración o para tratar de algún asunto. **6** ▮ [**comida rápida**; la que se prepara con rapidez porque se utilizan ingredientes ya elaborados. ☐ USO 1. El uso de *fast food* en lugar de *comida rápida* es un anglicismo innecesario. 2. La acepción 5 se usa más con los verbos *dar* y *hacer*.

comidilla s.f. *col.* Tema o motivo de conversación, esp. si es objeto de cotilleo o de censura.

comido, da adj. **1** Referido a una persona, que ya ha comido: *Ya estoy comida, ya puedo trabajar.* **2** ▮ **lo comido por lo servido**; [**1** *col.* Expresión que se usa para indicar que una cosa compensa otra: *Le he hecho una faena, pero él me hace muchas, así que 'lo comido por lo servido'.* **2** Expresión que se usa para indicar que es poco el producto de un trabajo: *He ganado mucho dinero con el libro, pero me costó tanto editarlo que al final es lo comido por lo servido.*

comienzo s.m. **1** Principio, origen o raíz de algo. **2** ▮ **a comienzos** de un período de tiempo; [hacia su principio: *'A comienzos' de año habremos terminado.* ☐ ETIMOL. De *comenzar.*

comillas s.f.pl. En ortografía, signo gráfico formado por un pequeño rasgo curvado que se coloca al principio y al final de una palabra o de un texto para destacarlos: *Los signos ' ' son un tipo de comillas.* ☐ ORTOGR. →APÉNDICE DE SIGNOS DE PUNTUACIÓN.

comilón, -a ▮ adj./s. **1** Que come mucho o desordenadamente, o que disfruta mucho comiendo. ▮ s.f. **2** *col.* Comida espléndida, abundante y variada.

comilona s.f. Véase **comilón, -a.**

comino s.m. **1** Planta herbácea de tallos abundantes en ramas y acanalados, flores blancas o rojizas y semillas en forma de grano unidos de dos en dos. **2** Semilla de esta planta, de forma ovalada, plana por un lado y redondeada y acanalada por el otro. **3** Persona de poca estatura, esp. referido a un niño.

4 ▮ **un comino**; *col.* Muy poco o nada: *Me impor[un comino lo que digas.* ☐ ETIMOL. Del latín *cum num.* ☐ SINT. *Un comino* se usa más con los verb[*importar, valer* o equivalentes y en expresiones n[gativas. ☐ USO En la acepción 3, tiene un mat[cariñoso o despectivo.

comisar v. →**decomisar.**

comisaría s.f. **1** Oficina de un comisario o conju[to de oficinas y dependencias bajo su autoridad. Oficio o cargo de comisario. **3** ▮ **comisaría (de p[licía)**; la que está bajo la autoridad de un comisar[de policía, tiene un carácter público y permanent[☐ ORTOGR. Dist. de *comisaria.*

comisario, ria s. **1** Persona que recibe de ot[autoridad y facultad para desempeñar un cargo para llevar a cabo una misión: *Los comisarios de [carrera descalificaron al caballo que entró en prim[lugar.* [**2** Inspector de policía americano. **3** ▮ [c[**misario (de policía)**; máxima autoridad policial [una demarcación o de una comisaría de polici[☐ETIMOL. Del latín *commissarius*, y éste [*committere* (confiar algo a alguien). ☐ ORTOGR. Dis[de *comisaría.* ☐ MORF. La RAE sólo lo registra con[masculino.

comisión s.f. **1** Grupo de personas que reciben [orden o el encargo de hacer algo, esp. si tienen a[toridad o si actúan en representación de un cole[tivo; comité: *Se ha constituido una comisión parl[mentaria para controlar el gasto público.* **2** Retri[bución, habitualmente monetaria, en función de l[ventas efectuadas por cuenta ajena: *Por cada pi[que consigue vender la inmobiliaria le da una c[misión del uno por ciento.* [**3** Coste de intermedi[ción que supone la realización de una operació[bancaria o comercial. **4** ▮ **a comisión**; cobrando u[cantidad proporcional al trabajo realizado: *No teng[sueldo fijo porque trabajo a comisión.* ▮ **comisió[de servicios**; situación de un funcionario del E[tado que presta sus servicios transitoriamente fuer[de su puesto habitual de trabajo. ▮ **(comisión) r[gatoria**; comunicación o petición que hace un tr[bunal de un país a otro tribunal de otro país. [ETIMOL. Del latín *commissio*, y éste de *committer[(confiar, encargar).

comisionado, da s. Persona que ha recibido [otra el encargo o la orden de hacer algo.

comisionar v. Referido a una persona, encargarle ordenarle que haga algo en nombre de otro: *Los e[tudiantes comisionaron a uno de ellos para expone[sus peticiones al director.*

comisionista s. Persona que desempeña encargo[mercantiles, generalmente cobrando una comisión retribución. ☐ MORF. Es de género común: *el com[sionista, la comisionista.*

comiso s.m. →**decomiso.**

comistrajo s.m. [**1** *col.* Comida con mal aspect[poco apetitosa o de poca calidad. **2** *col.* Mezcla e[traña de comidas.

comisura s.f. Zona de unión de los bordes de un[abertura del organismo, esp. de los labios o de lo[párpados. ☐ ETIMOL. Del latín *commissura*, y ést[de *committere* (juntar).

comité s.m. Grupo de personas que reciben la or[den o el encargo de hacer algo, esp. si tienen au[toridad o si actúan en representación de un cole[tivo; comisión. ☐ ETIMOL. Del francés *comité*, y ést[del inglés *committee.*

omitiva s.f. Conjunto de personas que van acompañando a alguien; acompañamiento. □ ETIMOL.
Del latín *comitiva dignitas* (categoría de acompañante del emperador).

omo ▌ adv. **1** Expresa el modo o la manera en
que se realiza la acción: *No me gustó la forma como
e habló.* **2** Indica semejanza, igualdad o equivalen-
ia: *Ya soy tan alta como tú.* **3** Indica cantidad
aproximada: *Habría como ochenta o noventa invi-
ados.* **4** Indica conformidad, correspondencia o
nodo: *Para que esté bien, sólo tienes que hacerlo
omo dicen las instrucciones.* ▌ conj. **5** Enlace gramatical subordinante con valor condicional: *Como
llueva así mañana, se suspenderá la excursión.* **6**
Enlace gramatical subordinante con valor causal:
Como llegué tarde, no me esperaron. □ ETIMOL. Del
latín *quomodo.* □ ORTOGR. Dist. de *cómo.* □ SINT. 1.
Funciona como preposición con el significado de 'en
calidad de': *Te pedimos tu opinión como experto en
la materia.* 2. En la lengua coloquial, está muy extendido su uso innecesario en expresiones atributi-
vas: *Es un asunto como bastante complicado.*

ómo ▌ adv. **1** De qué modo o de qué manera:
Cómo lo has pasado? **2** Por qué motivo, causa o
razón: *No entiendo cómo sigues confiando en él.* ▌
interj. **3** Expresión que se usa para indicar extrañeza, sorpresa, admiración o disgusto: *¡Cómo!, ¿que
tengo yo la culpa?* **4** ∥**a cómo**; a qué precio: *¿A
cómo está el kilo de naranjas, por favor?* ∥ **cómo no**;
expresión que se usa para indicar que algo no puede
ser de otra forma o que por supuesto es así: *¡Claro
que iré a tu fiesta, cómo no!* □ ORTOGR. Dist. de
como.

ómoda s.f. Véase **cómodo, da.**

omodidad ▌ s.f. **1** Estado o situación del que se
encuentra a gusto, descansado, satisfecho y con las
necesidades cubiertas: *En este hotel nos alojaremos
con comodidad.* **2** Capacidad o disposición para proporcionar bienestar o descanso: *He comprado este
coche por la comodidad de sus asientos.* **3** Conveniencia o ausencia de dificultades o de problemas:
*Compré el coche a plazos por la comodidad de la
forma de pago.* ▌ pl. **4** Elementos, aparatos o cosas
necesarias para vivir a gusto y con descanso. □ USO
Es innecesario el uso del galicismo *confort.*

omodín s.m. **1** Naipe que puede tomar el valor y
hacer las veces de cualquier otro, según la conveniencia del jugador que lo tiene. ▨ baraja **2** Lo
que puede servir para fines distintos según la conveniencia de quien dispone de ello: *'Cosa', 'chisme',
'cacharro' son palabras comodín con las que se puede designar cualquier objeto.* □ ETIMOL. De *cómodo.*
□ SINT. En la acepción 2, se usa mucho en aposición, pospuesto a un sustantivo. □ USO En la acepción 1, es innecesario el uso del anglicismo *joker.*

ómodo, da ▌ adj. **1** Que proporciona bienestar
o descanso: *un sillón cómodo.* **2** Que puede realizarse o afrontarse con facilidad o sin grandes molestias ni esfuerzos: *Los coches con dirección asistida tienen un manejo muy cómodo.* **3** A gusto, relajado o de manera agradable: *Viajo más cómodo en
tren que en avión.* ▌ adj./s. **4** →**comodón.** ▌ s.m. **5**
En zonas del español meridional, cuña u orinal de cama.
▌ s.f. **6** Mueble de mediana altura, con cajones de
arriba abajo y un tablero horizontal en su parte superior, que se usa habitualmente para guardar
ropa. □ ETIMOL. Las acepciones 1-5, del latín *com-*

modus (apropiado, oportuno). La acepción 6, del
francés *commode.*

comodón, -a adj./s. Referido a una persona, que es
amante de la comodidad o que evita esforzarse o
tomarse molestias; cómodo.

comodoro s.m. En la marina de algunos países, título
del jefe de la Armada que tiene bajo su mando más
de tres buques. □ ETIMOL. Del inglés *commodore*, y
éste del francés *commandeur* (comandante).

comoquiera ∥**comoquiera que**; enlace gramatical subordinante con valor causal: *Comoquiera que
terminará por enterarse, podemos decírselo ya.*

[compact (anglicismo) adj. **1** Que ocupa menos
volumen o menos espacio del habitual: *Hay una versión 'compact' de ese diccionario, que no tiene ejemplos.* **2** ∥ **[compact (disc); 1 →disco compacto. 2**
Aparato capaz de reproducir los sonidos grabados
en un disco compacto. □ PRON. [cómpac disc]. □ USO
1. Su uso es innecesario. 2. En la acepción 2, se usa
también la forma *CD.*

compactación s.f. Compresión de algo de modo
que no queden huecos o que queden pocos.

compactar v. Hacer compacto o comprimir de
modo que no queden huecos o que queden pocos:
*Apisoné los cartones para compactarlos y que ocu-
paran menos sitio.*

compacto, ta ▌ adj. **1** Referido a una materia o a un
cuerpo sólido, que tiene una textura o estructura
densas y con muy pocos poros o huecos. ▌ adj./s.m.
2 Referido esp. a un equipo de música, que reúne en
una sola pieza diversos aparatos independientes conectados entre sí para funcionar de manera conjunta: *Mi compacto tiene tocadiscos y casete.* ▌ s.m. **3**
→**disco compacto. 4** Aparato reproductor de discos compactos. □ ETIMOL. Del latín *compactus*, y
éste de *compingere* (ensamblar, unir). □ SEM. 1.
Como adjetivo, su uso referido a personas o a cosas
inmateriales es un galicismo innecesario: *Tenemos
un equipo de trabajo {*compacto > compenetrado /
muy unido}.* 2. En las acepciones 3 y 4 es innecesario el uso del anglicismo *compact disc.*

compadecer v. Sentir compasión o lástima por la
desgracia o por el sufrimiento ajenos o participar de
ellos: *Compadezco a los afectados por la riada. Con
esa tendencia a compadecerse de todo el mundo
nunca será feliz.* □ ETIMOL. Del latín *compati.* □
MORF. Irreg. →PARECER. □ SINT. Constr. *compadecerse DE algo.* □ SEM. Como pronominal es sinónimo
de *condolerse.*

compadraje s.m. →**compadreo.**

compadrar v. Trabar una relación de amistad o
de compañerismo: *Compadraron en la Universidad
y son grandes amigos.* □ ORTOGR. Dist. de *compadrear.*

compadrazgo s.m. **1** Relación de parentesco que
se establece entre los padres y el padrino de un
bautizado o de un confirmado; compaternidad. **2**
→**compadreo.**

compadre s.m. **1** Respecto de los padres o de la madrina de un bautizado, padrino de éste. **2** Respecto de
los padrinos de un bautizado, padres de éste. **3** col.
Amigo o conocido. □ ETIMOL. Del latín *compater*, y
éste de *cum* (con) y *pater* (padre). □ MORF. En las
acepciones 1 y 2, su femenino es **comadre.**

compadrear v. **1** Tener o trabar amistad, generalmente con fines poco lícitos: *Ascendió tan rápidamente porque compadrea como nadie con los jefes.*

2 *col.* En zonas del español meridional, jactarse o engreírse. □ ORTOGR. Dist. de *compadrar*. □ USO Tiene un matiz despectivo.

compadreo s.m. **1** Unión o acuerdo entre varias personas para beneficiarse o para ayudarse mutuamente; compadraje, compadrazgo. **[2** *col.* En zonas del español meridional, relación estrecha o trato íntimo. □ USO En la acepción 1, tiene un matiz despectivo.

compaginación s.f. **[1** Realización de dos o más cosas o actividades en el mismo espacio de tiempo: *La 'compaginación' de varios trabajos resulta agotadora.* **2** Correspondencia, ajuste o conformidad de una cosa con otra: *La compaginación de las exigencias de todo el mundo es imposible.*

compaginar I v. **[1** Referido esp. a una actividad, hacerla compatible o realizarla en el mismo espacio de tiempo que otra: *Es sorprendente que pueda 'compaginar' el trabajo con el estudio y las diversiones. Sus deseos 'se compaginan' mal con sus obligaciones.* **I** prnl. **2** Corresponderse, ajustarse o estar de acuerdo: *Su actitud no se compagina con sus promesas.* □ ETIMOL. Del latín *conpaginare*, y éste de *compages* (unión, trabazón).

compaña s.f. *ant.* →compañía. □ ETIMOL. Del latín **compania*, y éste de *cum* (con) y *panis* (pan), en el sentido de acción de comer de un mismo pan.

compañerismo s.m. Vínculo o relación existente entre compañeros.

compañero, ra s. **1** Persona que está con otra, que realiza su misma actividad o que está en su mismo grupo: *Somos compañeras de colegio.* **2** Respecto de una persona, otra con la que mantiene una relación amorosa o con la que convive, esp. si no son matrimonio. **3** En política, persona que comparte las mismas ideas o que está en el mismo partido o en el mismo sindicato que otra; camarada, correligionario. **4** En un juego, persona que juega formando pareja o equipo con otra u otras. **5** Referido a algo inanimado, lo que hace juego o forma pareja: *La melancolía es la compañera de la tristeza.* □ ETIMOL. Del antiguo *compaña* (compañía).

compañía s.f. **1** Unión o cercanía de alguien o estado del que está acompañado: *Mi familia me hizo compañía en el hospital.* **2** Persona o personas que acompañan a otra: *Anda con malas compañías y acabará mal.* **3** Sociedad o junta de personas para un fin común: *San Ignacio de Loyola fundó una compañía religiosa.* **4** Agrupación de actores y profesionales formada para representar conjuntamente. **5** En el ejército, unidad o grupo de soldados, generalmente bajo el mando de un capitán, que suele formar parte de un batallón. □ ETIMOL. Del antiguo *compaña* (compañía). □ USO En la acepción 4, es innecesario el uso del galicismo *troupe*.

comparable adj. Que se puede comparar. □ MORF. Invariable en género.

comparación s.f. **1** Examen de dos o más cosas para apreciar o descubrir su relación, sus semejanzas o sus diferencias. **2** Confrontación de dos o más cosas, para apreciar sus diferencias y sus semejanzas; cotejo. **[3** Similitud o semejanza entre varias cosas: *Nuestro equipo es el mejor sin 'comparación'.* **4** Figura retórica consistente en establecer una semejanza entre dos términos mediante vínculos gramaticales expresos; símil. □ SEM. En la acepción 4, dist. de *metáfora* (figura en la que se emplea un

término con el significado de otro, basándose en u comparación no expresa entre ellos).

comparanza s.f. *ant.* →comparación.

comparar v. **1** Referido a dos o más cosas, exan narlas para apreciar o descubrir su relación, sus s mejanzas o sus diferencias: *La profesora compa en clase textos de distintas épocas.* **2** Referido a d o más cosas, confrontarlas teniéndolas a la vis para observar sus diferencias y sus semejanzas; c tejar: *Cuando compararon las copias con el origin se dieron cuenta de la falsificación.* **[3** Referido a c o más cosas, establecer una relación de similitud de equivalencia entre ellas: *No 'compares' tu situ ción con la mía porque no tienen nada que ver.* ETIMOL. Del latín *comparare* (cotejar, adquirir).

comparatista s. Persona especializada en est dios comparados de ciertas disciplinas, esp. en l de lingüística. □ MORF. Es de género común: *el cor paratista, la comparatista.*

comparativo, va I adj. **1** Que compara dos o m cosas, o que expresa una comparación: *En 'Haz como lo hace tu hermana', la frase 'como lo hace hermana' es una oración subordinada comparativ* **I** s.m. **2** Grado del adjetivo que compara la cualid expresada por éste: *El comparativo de 'bien' es 'm jor'.*

comparecencia s.f. Presentación de alguien do de ha acordado o donde está convocado.

comparecer v. Referido a una persona, presentar donde ha acordado o donde está convocada: *Las d partes comparecieron ante notario para firmar contrato.* □ ETIMOL. Del latín *comparescere.* MORF. Irreg. →PARECER.

comparsa I s. **1** En el teatro, el cine u otro espect culo, persona que forma parte del acompañamiento que figura sin hablar o con un papel poco impo tante. **[2** Persona que ocupa una posición pero q carece del poder y de la capacidad de actuación qu ésta implica: *Resultó ser sólo un 'comparsa' del a rector y no pudo decidir nada.* **I** s.f. **3** En una repr sentación dramática, conjunto de personas que figura pero no hablan o tienen un papel poco important **4** En un festejo público, esp. en carnaval, conjunto c personas que van en grupo disfrazadas o vestida de la misma manera. □ ETIMOL. Del italiano *con parsa.* □ MORF. En las acepciones 1 y 2, es de g nero común: *el comparsa, la comparsa.*

compartimentación s.f. [División o separació real o figurada, en compartimentos o en espaci independientes.

compartimentar v. [Subdividir o separar e compartimentos o en espacios independientes: *E más enriquecedor interrelacionar conocimientos qu 'compartimentarlos'.*

compartimento o **compartimiento** s.m. Pa te o zona delimitada o independiente en que se d vide un espacio: *Los vagones del tren estaban div didos en compartimentos.* □ USO Aunque la RA prefiere *compartimiento*, se usa más *compartimer to.*

compartir v. [1 Referido a un todo, tenerlo o usar en común dos o más personas: *Mi hermano y y compartimos la misma habitación.* **2** Referido esp. sentimientos o a ideas, participar de ellos: *Respeto t opinión, pero no la comparto.* **3** Dividir en partes distribuirlas: *Compartieron el premio para que se* *uno dispusiese de su parte.* □ ETIMOL. Del latín *compartiri*, y éste de *cum* (con) y *partire* (dividir).

compás s.m. **1** Instrumento formado por dos piernas o varillas puntiagudas que están articuladas en uno de sus extremos y que se utiliza para trazar curvas regulares y para medir distancias. **2** En una composición musical, signo que determina su ritmo, su distribución de acentos y las relaciones de valor entre las notas empleadas. **[3** En una composición musical, cada uno de los períodos de tiempo regulares en que se divide, determinados por este signo: *La voz solista entra después de cantar el coro los cinco primeros 'compases'.* **4** En música, ritmo o cadencia de una composición: *Al tiempo que cantaba, iba marcando el compás con el pie.* **5** En náutica, instrumento que consta de dos círculos concéntricos en los que se señalan respectivamente el Norte y la orientación de la embarcación y que sirve, confrontando ambas indicaciones, para conocer el rumbo que lleva la nave; brújula. **6** ‖**compás de espera**; **1** En música, compás o período de tiempo que transcurre en silencio. **[2** Paro, detención o tiempo que se espera para que algo empiece o siga: *Antes de intervenir daremos un 'compás de espera' para ver si los medicamentos han sido efectivos.* □ ETIMOL. Del antiguo *compasar* (medir), y éste del latín *cum* (con) y *passus* (paso).

compasar v. →**acompasar**.

compasión s.f. Sentimiento de pena y lástima por la desgracia o por el sufrimiento ajenos; conmiseración. □ ETIMOL. Del latín *compassio*.

compasivo, va adj. Que tiene o muestra compasión o que la siente fácilmente.

compaternidad s.f. Relación de parentesco que se establece entre los padres y el padrino de un bautizado o de un confirmado; compadrazgo. □ ETIMOL. De *con-* (cooperación, reunión) y *paternidad*.

compatibilidad s.f. Capacidad para existir, ocurrir, realizarse o unirse junto con otra cosa: *compatibilidad de caracteres.*

compatibilizar v. Hacer compatible: *Está agobiada porque no consigue compatibilizar todas sus obligaciones.* □ ORTOGR. La *z* se cambia en *c* delante de *e* →CAZAR.

compatible ▮ adj. **1** Que tiene posibilidad de existir, ocurrir, de hacerse o de unirse junto con otra cosa: *Tus deberes pueden ser compatibles con tus diversiones.* ▮ adj./s.m. **[2** Referido a un aparato informático, esp. a un computador, que es capaz de trabajar con los mismos programas que otro estándar o de referencia. □ ETIMOL. Del latín *compatibilis*, y éste de *compati* (compadecerse). □ MORF. Como adjetivo es invariable en género.

compatriota s. Persona de la misma patria o nación que otra. □ ETIMOL. Del latín *compatriota*, y éste de *cum* (con) y *patria* (patria). □ MORF. Es de género común: *el compatriota, la compatriota.*

compeler o **compelir** v. Obligar con fuerza o por autoridad a hacer lo que no se quería: *La juez compelió al acusado al pago de una multa.* □ ETIMOL. Del latín *compellere* (acorralar, reducir). □ SINT. Constr. *compeler* A *algo.*

compendiar v. Referido esp. a un escrito o a un discurso, sintetizarlos o reducirlos a lo esencial: *Los apuntes de clase compendian el libro de texto.* □ ORTOGR. La *i* nunca lleva tilde.

compendio s.m. **1** Exposición breve en la que se recopila y se sintetiza lo esencial de algo: *un compendio de gramática.* **[2** Reunión o suma de cosas: *Su vida es un 'compendio' de desgracias.* □ ETIMOL. Del latín *compendium* (ahorro, abreviación).

compendioso, sa adj. **1** Que se escribe o se dice con brevedad, precisión y exhaustividad. **2** Que contiene o engloba muchas cosas.

compenetración s.f. Identificación de la forma de pensar y de sentir de dos o más personas o perfecto entendimiento entre ellas.

compenetrarse v.prnl. Referido a dos o más personas, entenderse muy bien o identificarse en sus formas de pensar y de sentir: *Los dos autores del libro se compenetraron tanto que parece escrito por una sola persona.*

compensación s.f. **1** Indemnización para reparar un daño, un perjuicio o una molestia. **2** Anulación de un efecto con el contrario o igualación de dos efectos contrarios: *Volveremos a invertir cuando se produzca la compensación de las pérdidas con las ganancias.* □ SEM. No debe emplearse con el significado de 'recompensa' o 'premio': *Me regalaron un coche como {*compensación > recompensa} por haber terminado la carrera.*

compensar v. **1** Referido a un efecto, igualarlo o neutralizarlo con el contrario: *He compensado las pérdidas con las ganancias.* **2** Dar una recompensa o hacer un beneficio como indemnización de un daño, perjuicio o molestia: *¿Cómo puedo compensarte la ayuda que me prestas?* **3** Merecer la pena: *Me compensa madrugar porque tardo menos en venir.* □ ETIMOL. Del latín *compensare* (pesar juntamente dos cosas hasta igualarlas).

compensativo, va o **compensatorio, ria** adj. Que compensa o iguala. □ USO *Compensativo* es el término menos usual.

competencia s.f. **1** Oposición, rivalidad o lucha para conseguir una misma cosa: *Hay tantas tiendas en esta calle que la competencia entre ellas es muy grande.* **[2** Persona o grupo que tiene una rivalidad con otra u otras: *La 'competencia' ofrece precios más baratos.* **3** Función u obligación que corresponde a una persona o entidad, generalmente por su cargo o situación; incumbencia: *Las comunidades autónomas tienen competencias en educación.* **4** Capacidad o aptitud para hacer algo bien: *Esa mujer tiene competencia en materia de derecho.* **5** Atribución legítima que se da a una persona con autoridad para intervenir en un asunto: *Le han dado competencia para que lleve a cabo la resolución del asunto.* **[6** Conocimientos intuitivos que un hablante tiene de su propia lengua. **7** En zonas del español meridional, competición deportiva.

[*competencial* adj. De la competencia o incumbencia sobre algo, o relacionado con ellas. □ MORF. Invariable en género.

competente adj. **1** Referido esp. a una persona o a una entidad, que tiene la función o la obligación de hacer algo: *autoridad competente.* **2** Referido a una persona, que es experta en algo o tiene buenos conocimientos sobre algo.

competer v. Referido esp. a un deber, pertenecerle, tocarle o incumbirle a alguien: *La conservación de las carreteras nacionales compete al Gobierno de la nación.* □ ETIMOL. Del latín *competere* (ir al encuentro una cosa de otra, ser adecuado, pertenecer). □ ORTOGR. Dist. de *competir*.

competición s.f. **1** Lucha o enfrentamiento entre dos o más personas o grupos que tratan de conseguir una misma cosa. **2** Prueba deportiva en la que se lucha por conseguir el triunfo.

competidor, -a adj./s. Referido a una persona, que compite o que se enfrenta con otras.

competir v. **1** Referido esp. a una persona o a un animal, luchar con otros por un mismo objetivo: *Compite con su primo para tener mejores notas.* **2** Presentarse en igualdad de condiciones: *Nuestros productos pueden competir con los europeos.* ☐ ETIMOL. Del latín *competere* (ir al encuentro una cosa de otra, ser adecuado, pertenecer). ☐ ORTOGR. Dist. de *competer.* ☐ MORF. Irreg. →PEDIR. ☐ SEM. Es sinónimo de *rivalizar.*

competitividad s.f. **1** Capacidad para competir. **2** Rivalidad para conseguir un fin: *La competitividad de la sociedad actual es cada vez mayor.*

competitivo, va adj. **1** De la competición o relacionado con ella. **2** Capaz de competir, o de igualar o superar a otros, esp. en ventas o en calidad: *productos competitivos.*

compilación s.f. **1** Reunión en una sola obra de partes, extractos o materias de varios libros o documentos. [**2** En informática, traducción de un programa de lenguaje de alto nivel a un lenguaje máquina.

compilador, -a ▌ adj./s. **1** Que reúne los extractos o partes de distintas obras o de distintos documentos. ▌ adj./s.m. [**2** Referido a un programa informático, que traduce el lenguaje de programación, a un lenguaje cercano al de la máquina.

compilar v. **1** Referido a partes o estractos de libros, reunirlos en una sola obra: *Ha compilado todos sus artículos periodísticos en un libro.* [**2** En informática, referido a un programa, traducirlo de un lenguaje de programación, a un lenguaje cercano al de la máquina: *Al 'compilar' se detectaron cuatro errores en el programa.* ☐ ETIMOL. La acepción 1, del latín *compilare.* La acepción 2, del inglés *compiler.*

[**compincharse** v. col. Referido a dos o más personas, ponerse de acuerdo para hacer algo, esp. si es negativo: *'Os habéis compinchado' para engañarme.*

compinche s. col. Amigo o compañero, esp. si lo es en la diversión o en las fechorías. ☐ MORF. Es de género común: *el compinche, la compinche.*

complacencia s.f. Satisfacción, agrado o placer con que se hace algo.

complacer ▌ v. **1** Causar agrado, satisfacción o placer: *Me complace que me acompañes.* **2** Acceder a un deseo o a una petición: *Me gustaría complacerte, pero no puedo darte lo que pides.* ▌ prnl. **3** Encontrar satisfacción: *Esta casa se complace en presentarles un nuevo producto.* ☐ ETIMOL. Del latín *complacere* (gustar a varios a la vez). ☐ MORF. Irreg. →PARECER. ☐ SINT. Constr. *complacerse EN algo.*

complaciente adj. Que trata de complacer o de cumplir deseos y peticiones. ☐ MORF. Es invariable en género.

complejidad s.f. **1** Conjunto de características de lo que está formado por diversas partes o elementos. **2** Dificultad para ser entendido o comprendido; complicación.

complejo, ja ▌ adj. **1** Formado por partes o elementos diversos: *Un complejo sistema de alarma protege el museo.* **2** Enmarañado y de difícil comprensión; complicado: *Es un problema muy comple-*

jo. ▌ s.m. **3** Conjunto o unión de varias cosas: *complejo vitamínico.* **4** Conjunto de establecimient que sirven para un mismo fin y están situados e un mismo lugar: *En las afueras se encuentra el co plejo industrial de la ciudad.* **5** En psicología, con binación de ideas, tendencias y emociones que está en el subconsciente e influyen en la personalidad d una persona y suelen determinar su conducta. [ETIMOL. Del latín *complexus.*

complementar v. Añadir como complement *Complementa la comida con vitaminas adicionale.*

complementariedad s.f. Conjunto de caract rísticas de lo que completa o perfecciona algo.

complementario, ria adj. Que sirve para con pletar o perfeccionar algo.

complemento s.m. **1** Lo que se añade para com pletar, mejorar, hacer íntegro o hacer perfecto: *U pañuelo de seda será un perfecto complemento par tu abrigo.* **2** En lingüística, constituyente de la oració que completa el significado de uno o de varios d sus componentes. **3** En geometría, ángulo que falta otro para sumar 90°; ángulo complementario. ‖ **(complemento) circunstancial**; el que complet el significado de un verbo, expresando una circun tancia de la acción: *En 'Comimos en el jardín', 'e el jardín' es un complemento circunstancial de lu gar.* ‖ **complemento directo**; el que completa ▪ significado de un verbo transitivo: *En 'Ayer vi un película', 'una película' es un complemento directo* ‖ **complemento indirecto**; el que completa el si nificado de un verbo transitivo o intransitivo, e presando el destinatario o beneficiario de la acció: *El complemento indirecto de la frase 'Trajo flores mamá' es 'a mamá'.* ‖ **(complemento) predicat vo**; el que completa el significado del verbo y al mi mo tiempo atribuye una cualidad al sujeto o al com plemento directo: *En 'Las aguas bajan turbias', 'tu bias' es un complemento predicativo del sujeto.* [ETIMOL. Del latín *complementum.*

completar v. Referido a algo incompleto, hacer qu esté perfecto, lleno, terminado o entero: *Para com pletar el trabajo sólo me falta la conclusión.*

completivo, va ▌ adj. **1** Referido a una conjunció que introduce una oración subordinada sustantiva *En 'Dice que no vendrá', 'que' es una conjunció completiva.* ▌ s.f. **2** →**oración completiva.** ☐ ET MOL. Del latín *completivus.*

completo, ta ▌ adj. **1** Lleno o con todo el siti ocupado: *El autobús va completo.* **2** Acabado o per fecto: *No lo creas porque es un completo mentiros* **3** Entero o con todas sus partes: *Tengo las obra completas de ese poeta.* **4** Total o en todos sus as pectos: *El estreno fue un completo fracaso.* ▌ s.f.p **5** En la iglesia católica, octava y última de las hora canónicas. **6** ‖ **por completo**; en su totalidad: *E chico es tonto por completo.* ☐ ETIMOL. Las acepcio nes 1-5, del latín *completus.* La acepción 6, de *com pleto.*

complexión s.f. **1** Naturaleza y relación de lo sistemas y aparatos orgánicos, cuyas funciones de terminan el grado de fuerzas y la vitalidad de un individuo; constitución: *Es una chica de complexió atlética.* **2** Figura retórica que consiste en repeti palabras en posición inicial y final de secuencia. ☐ ETIMOL. Del latín *complexio* (conjunto, temperamen to).

complicación s.f. **1** Conversión en algo difícil o

más difícil de lo que era: *Si lo insultas sólo conseguirás la complicación de vuestras relaciones.* **2** Dificultad para ser entendido o comprendido; complejidad: *No sé resolver ese problema porque tiene mucha complicación.* **3** Problema o dificultad que proceden de la concurrencia de cosas diversas: *Tu enfermedad puede tener complicaciones si sigues fumando.* **4** Mezcla o exceso de algo: *La complicación del decorado convierte su habitación en un lugar opresivo.* □ ETIMOL. Del latín *complicatio* (plegadura).

complicado, da adj. **1** Enmarañado y de difícil comprensión; complejo. **2** Compuesto de un gran número de piezas.

complicar v. **1** Hacer difícil o más difícil que antes: *Las obras en la carretera complican el tráfico.* **2** Mezclar o recargar: *No compliques tanto los adornos.* **[3** Comprometer, implicar o hacer participar: *Sus declaraciones 'complican' en la estafa a muchas personas que parecían respetables.* □ ETIMOL. Del latín *complicare.* □ ORTOGR. La *c* se cambia en *qu* ante *e* →SACAR.

cómplice ▌ adj. **[1** Que muestra complicidad. **▌** s. **2** Persona o cosa que coopera con otra para que cometa un delito o que participa en él. □ ETIMOL. Del latín *complex* (unido, complicado), y éste de *cum* (con) y *plicare* (plegar, doblar). □ MORF. 1. Como adjetivo es invariable en número. 2. Como sustantivo es de género común: *el cómplice, la cómplice.*

complicidad s.f. Cooperación en la comisión de un delito o una falta o participación en ellos.

complot (galicismo) s.m. Conspiración o acuerdo secreto entre dos o más personas contra alguien o algo. □ MORF. Aunque su plural es *complotes*, se usa más *complots*.

componenda s.f. Arreglo o trato censurables o inmorales.

componente s. Elemento que compone o entra en la composición de algo. □ MORF. Es de género común: *el componente, la componente.*

componer v. **1** Referido a un todo o a un conjunto unificado de cosas, formarlo o constituirlo juntando y colocando con orden sus componentes: *Intenta componer un collar con estas cuentas de colores. El reloj se compone de una serie de piezas.* **2** Referido a algo desordenado, estropeado o roto, ordenarlo o repararlo: *Compuso el reloj estropeado en menos de dos minutos.* **3** Adornar o arreglar: *Antes de hacerme la foto quiero componerme un poco.* **4** Referido a una obra científica, literaria o artística, hacerla o producirla: *Se prepara para componer algún día una sinfonía.* **5** Producir una obra musical: *Le gusta mucho la música y compone en sus ratos libres.* **[6** En zonas del español meridional, mejorar de aspecto físico. **7** ‖**componérselas**; *col.* Encontrar el modo de solucionar uno mismo un problema o de salir adelante en la vida. □ ETIMOL. Del latín *componere* (arreglar). □ MORF. Irreg.: 1. Su participio es *compuesto.* 2. →PONER.

comportamiento s.m. Manera o forma de comportarse una persona; conducta.

comportar ▌ v. **1** Implicar o conllevar: *Comprar un coche comporta muchos gastos.* **▌** prnl. **2** Portarse, conducirse o actuar: *Debes comportarte bien.* □ ETIMOL. Del latín *comportare*, y éste de *cum* (con) y *portare* (llevar).

composición s.f. **1** Conjunto de elementos que

componen algo, esp. una sustancia, o forma de estar compuesto: *No conozco la composición de ese nuevo producto.* **2** Obra científica, literaria o musical: *Nos tocó al piano una composición musical escrita por ella.* **3** Arte o técnica de crear y escribir obras musicales: *Para instrumentar bien una melodía, hace falta saber composición.* **4** En algunas artes, esp. en escultura, pintura o fotografía, técnica y arte de agrupar las figuras y otros elementos para conseguir el efecto deseado: *El colorido del cuadro es armonioso pero la composición es mala.* **5** Ejercicio de redacción que se hace como tarea escolar para ejercitar el uso del lenguaje escrito: *He escrito una composición sobre las vacaciones.* **6** En lingüística, procedimiento de formación de palabras que consiste en agregar a una palabra otro vocablo íntegro o modificado: *'Bocamanga' es una palabra formada por composición.* **7** Formación de un todo o de un conjunto unificado de cosas juntando y colocando con cierto orden una serie de componentes: *La composición de este puzzle te llevará por lo menos dos semanas.* **8** Realización o producción de una obra científica, literaria o artística: *Estudia música en el conservatorio porque quiere dedicarse a la composición musical.* **9** ‖**composición de lugar**; estudio de las circunstancias que rodean algo para tener una idea de conjunto o hacer un plan de acción: *Hazte una composición de lugar antes de actuar.* □ ETIMOL. Del latín *compositio.*

compositivo, va adj. Referido a un elemento gramatical, que forma una palabra compuesta.

compositor, -a s. Persona que compone obras musicales.

[compost (anglicismo) s.m. Abono formado por una mezcla de residuos del jardín y de residuos orgánicos procedentes de los hogares. □ PRON. [compós].

compostura s.f. **1** Modestia, moderación y buena educación: *Aunque es sólo un niño guardó muy bien la compostura en todos los actos oficiales.* **2** Aseo, adorno o aliño de una persona o cosa: *Es muy aseado y cuida mucho su compostura.* □ ETIMOL. Del latín *compositura.*

compota s.f. Dulce hecho con fruta cocida con agua y azúcar. □ ETIMOL. Del francés *compote.*

compra s.f. **1** Adquisición de algo a cambio de dinero. **2** Lo que se compra o adquiere, esp. el conjunto de comestibles que se compran para uso diario.

comprador, -a adj./s. Que compra.

comprar v. **1** Referido a algo que no es propio, hacerse dueño de ello a cambio de dinero; adquirir: *Compré pan esta mañana. La amistad no se puede comprar.* **2** Referido a una persona, darle dinero u otro tipo de recompensa para conseguir un favor, esp. si es ilícito o injusto; sobornar: *Dice que su equipo perdió porque los contrarios habían comprado al árbitro.* □ ETIMOL. Del latín *comparare* (cotejar, adquirir).

compraventa s.f. Comercio en el que se compra y se vende, esp. antigüedades o cosas usadas.

comprender v. **1** Referido esp. a algo que se dice, que se hace o que ocurre, tener idea clara de ello o saber su significado y alcance: *Comprendes muy bien las explicaciones del profesor.* **2** Referido esp. a un sentimiento o a un acto, encontrarlos justificados o naturales: *No puedo comprender la crueldad hacia* *los niños.* **3** Contener o incluir dentro de sí: *La granja comprende dos edificios y tres establos.* □ ETIMOL. De *comprehender.*

comprensibilidad s.f. Conjunto de características que hacen que algo se pueda comprender.

comprensible adj. Que se puede comprender. □ MORF. Invariable en género. □ SEM. Dist. de *comprensivo* (que comprende o sabe comprender).

comprensión s.f. **1** Obtención o asimilación del significado y del alcance de algo o buen entendimiento o conocimiento perfecto de ello: *Los dibujos y esquemas ayudarán a la comprensión del texto.* **2** Capacidad o facilidad para entender algo: *problema de comprensión.* **3** Actitud capaz de respetar y de ser tolerante con los demás. □ ORTOGR. Dist. de *comprensión.*

comprensivo, va adj. Que tiene la capacidad de comprender, de entender o de ser tolerante. □ SEM. Dist. de *comprensible* (que se puede comprender).

compresa s.f. **1** Gasa o tela con varios dobleces, generalmente esterilizada, que se usa para cubrir heridas, contener hemorragias o para la aplicación de frío, calor o algún medicamento. **2** Tira desechable de celulosa u otra materia similar que se usa principalmente para absorber el flujo menstrual de la mujer. □ ETIMOL. Del latín *compressa* (comprimida).

compresión s.f. Estrechamiento o reducción a menor volumen. □ ORTOGR. Dist. de *compresión.*

compresor, -a ∎ adj./s. **1** Que comprime. ∎ s.m. [**2** Aparato o máquina para comprimir un fluido.

comprimido s.m. Pastilla pequeña que se obtiene comprimiendo sus ingredientes después de haberlos reducido a polvo.

comprimir v. Oprimir, apretar o reducir a menor volumen: *Si das al ordenador la orden de comprimir, te quedará más espacio libre en el disco duro.* □ ETIMOL. Del latín *comprimere.*

comprobación s.f. Lo que se hace para comprobar la verdad o la exactitud, esp. de un hecho o de un dato.

comprobante s.m. Documento o recibo que confirma un hecho o un dato o da constancia de ellos.

comprobar v. Referido esp. a un hecho o a un dato, revisar o confirmar su verdad o su exactitud: *Creo que el libro está en mi casa, no obstante, lo comprobaré.* □ ETIMOL. Del latín *comprobare.* □ MORF. Irreg. →CONTAR.

comprometedor, -a adj. Que compromete.

comprometer ∎ v. **1** Implicar, involucrar o poner en una situación difícil o perjudicial: *Sus revelaciones comprometían en el caso de corrupción a otra organización.* **2** Exponer a un riesgo: *Su mal genio compromete el éxito de sus gestiones.* ∎ prnl. **3** Contraer un compromiso o asumir una obligación o una tarea: *Me he comprometido a acabarlo mañana.* **4** Darse mutuamente palabra de casamiento; prometerse: *Se han comprometido, pero hasta el año próximo no se celebrará la boda.* □ ETIMOL. Del latín *compromittere,* y éste de *cum* (con) y *promittere* (prometer). □ SINT. Constr. de la acepción 3: *comprometerse A hacer algo.*

comprometido, da adj. Peligroso, delicado o difícil.

compromisario, ria adj./s. Referido a una persona, que tiene la representación de otras para realizar o resolver algo.

compromiso s.m. **1** Obligación contraída por guien, generalmente por medio de una promesa, acuerdo o un contrato. **2** Apuro, aprieto o situaci difícil de resolver. **3** Promesa de casamiento. □ E MOL. Del latín *compromissum* (promesa recíproca

compuerta s.f. **1** En una presa, un dique o un can plancha móvil que se usa para cortar o graduar paso del agua. **2** En una casa o en una habitación, m dia puerta que resguarda la entrada.

compuesto, ta ∎ **1** part. irreg. de **componer.** adj. **2** Que está formado por varias partes. **3** Re rido a una persona, arreglado o preparado. **4** En ar del orden compuesto: *Los capiteles compuestos t nen volutas.* **5** Referido o un tiempo verbal, que se co juga con un verbo auxiliar en el tiempo correspo diente, seguido del participio pasado: *El pretéri perfecto, 'he estudiado', es un tiempo compuesto.* adj./s.f. **6** Referido a una planta, que tiene infloresce cias de tipo cabezuela, con las flores que la comp nen reunidas sobre un receptáculo, de forma q parece una flor más grande. ∎ s.m. **7** En químic sustancia o cuerpo formados por la combinación dos o más elementos. [**8** →**orden compuesto.** s.f.pl. **9** En botánica, familia de aquellas plantas, pe teneciente a la clase de las dicotiledóneas. □ MOF En la acepción 1, incorr. **componido.*

compulsa s.f. Comprobación y certificación leg de que una copia coincide con el original.

compulsar v. Referido a una copia, comprobar q coincide con el original y certificarlo legalmente: *funcionario que compulsa los documentos, les po un sello y te los devuelve.* □ ETIMOL. Del latín *cor pulsare* (hacer que dos cosas choquen una con otr

compulsión s.f. Inclinación o pasión vehemente tenaz u obsesiva. □ ETIMOL. Del latín *compulsio.* [ORTOGR. Dist. de *convulsión.*

compulsivo, va adj. Que tiene fuerza para obl gar a hacer algo.

compunción s.f. Sentimiento que produce el dol ajeno o un pecado cometido. □ ETIMOL. Del lat *compunctio.*

compungido, da adj. Triste o apenado.

compungirse v. Entristecerse o apenarse, esp. es por una culpa propia o por un dolor ajeno: *M compungí cuando te vi tan apenado.* □ ETIMOL. D latín *compungere* (atravesar de parte a parte). [ORTOGR. La *g* se cambia en *j* delante de *a, o* →D RIGIR.

computación s.f. →**cómputo.** □ ETIMOL. Del ir glés *computation.*

[**computacional** adj. Relacionado con la info mática. □ MORF. Invariable en género.

computador s.m. Máquina capaz de efectuar u tratamiento automático de la información, esp. l que calcula datos numéricos; computadora. □ ET MOL. Del inglés *computer.*

computadora s.f. →**computador.**

computar v. **1** Referido esp. al tiempo, contarlo o ca cularlo por números: *El tiempo empleado se com putará por horas.* **2** Tomar en cuenta o considera como equivalente a un determinado valor: *Le com putaron los servicios que prestó en su anterior carg para concederle este nuevo trienio.* □ ETIMOL. De latín *computare* (calcular).

computarizar v. Referido a datos, someterlos al tra tamiento de una computadora: *La operadora com putariza los datos para que los registros salgan po* orden alfabético. □ ORTOGR. 1. La *z* se cambia en *c* delante de *e* →CAZAR. 2. Se usa también *computerizar*.

[**computerizar** v. →computarizar. □ ORTOGR. La *z* se cambia en *c* delante de *e* →CAZAR.

cómputo s.m. Cuenta o cálculo; computación. □ ETIMOL. Del latín *computus* (cálculo, cómputo).

comulgar v. **1** Tomar la comunión: *Cuando voy a misa, comulgo.* **2** Referido a los principios o las ideas de alguien, compartirlos o coincidir con los de otro: *Siempre discutimos porque no comulgo con sus ideas.* **3** ‖**comulgar con ruedas de molino**; col. Creer algo inverosímil o increíble: *No me hagas comulgar con ruedas de molino.* □ ETIMOL. Del latín *communicare* (comunicar). □ MORF. La *g* se cambia en *gu* delante de *e* →PAGAR.

común ‖ adj. **1** Que pertenece o se extiende a la vez a varios, sin ser privativo de ninguno. **2** Frecuente, usual o muy extendido: *Estos pájaros son muy comunes en esta región.* **3** Ordinario, vulgar o no selecto. ‖ s.m. **4** Referido a personas, generalidad o mayoría: *El común de la gente aspira a la felicidad.* **5** ‖**en común**; **1** Conjuntamente o entre dos o más personas. **2** Referido a una cualidad, que es compartida entre dos o más personas. ‖**por lo común**; corrientemente o de manera habitual. □ ETIMOL. Del latín *communis*. □ MORF. Como adjetivo es invariable en género. □ SINT. Constr. de la acepción 1: *común A alguien.*

comuna s.f. **1** Forma de organización social y económica basada en la propiedad colectiva. **2** Conjunto de personas que viven en comunidad, comparten sus bienes, y generalmente se mantienen al margen de la sociedad organizada. □ ETIMOL. Del francés *commune*.

comunal adj. Común a la población de un territorio, esp. a la de un municipio. □ MORF. Invariable en género.

comunero, ra ‖ adj. **1** De las Comunidades de Castilla (movimiento de protesta de las ciudades y municipios castellanos en contra de Carlos I, que tuvo lugar a principios del XVI) o relacionado con ellas. ‖ s. **2** Partidario o seguidor de las Comunidades de Castilla.

comunicación ‖ s.f. **1** Manifestación, declaración o aviso. **2** Extensión, propagación o paso de un lugar a otro. **3** Transmisión de información por medio de un código. **4** Unión o relación entre lugares. ‖ pl. **5** Conjunto de medios destinados a poner en contacto entre sí lugares o personas, esp. los sistemas de correos, teléfonos y telégrafos.

comunicado s.m. Nota o declaración que se comunica para conocimiento público.

comunicador, -a s. Persona que sabe hacer llegar la información a la mayoría y conecta muy bien con ella.

comunicar ‖ v. **1** Manifestar, hacer saber o dar a conocer: *La empresa le comunicó su despido por escrito.* **2** Hacer partícipe o transmitir: *Su serena sonrisa comunica paz.* **3** Transmitir información por medio de un código: *Los indios se comunicaban con señales de humo.* **4** Referido a lugares, establecer una vía de acceso entre ellos: *Un pasillo comunica estas dos salas.* **5** Referido a una persona, entrar en contacto con otra o tener trato con ella, de palabra o por escrito: *¿Has logrado ya comunicar con tus padres?* **6** Referido a un teléfono, dar la señal que indica que

la línea está ocupada: *Llevo toda la tarde llamando pero comunica.* ‖ prnl. **7** Extenderse, propagarse o pasar de un lugar a otro: *El fuego se comunicó a las tierras colindantes.* □ ETIMOL. Del latín *communicare*. □ ORTOGR. La *c* se cambia en *qu* delante de *e* →SACAR. □ SEM. Está muy extendido su uso como intransitivo con el significado de 'conectar muy bien con la gente': *Esta periodista 'comunica' muy bien.*

comunicativo, va adj. Referido a una persona, inclinado a comunicar lo que tiene.

comunidad s.f. **1** Grupo de personas que viven unidas bajo ciertas reglas o que tienen características, intereses u objetivos comunes. **2** ‖**comunidad autónoma**; en un país, parte del territorio con instituciones comunes a todo el Estado, que está administrada por sus propios representantes, y que tiene capacidad ejecutiva y poder para ordenar su propia legislación; autonomía. □ ETIMOL. Del latín *communitas*.

comunión s.f. **1** En el cristianismo, administración del sacramento de la eucaristía. **2** Unión, contacto o participación en lo que es común. □ ETIMOL. Del latín *communio* (comunidad), y éste de *communis* (común).

comunismo s.m. Doctrina y sistema político, social y económico que defiende una organización social basada en la abolición de la propiedad privada, de los medios de producción y en la que los bienes son propiedad común.

comunista ‖ adj. **1** Del comunismo o relacionado con él. ‖ adj./s. **2** Que defiende o sigue el comunismo. □ MORF. 1. Como adjetivo es invariable en género. 2. Como sustantivo es de género común: *el comunista, la comunista.*

comunitario, ria adj. **1** De la comunidad o relacionado con ella. [**2** De la Unión Europea o relacionado con esta organización de países europeos.

con prep. **1** Indica el instrumento, el medio o el modo de hacer algo: *La sopa se come con cuchara.* **2** Indica compañía o colaboración: *Vivo con mis padres.* **3** Indica contenido, posesión o concurrencia: *Llevo un maletín con dinero.* **4** Indica relación o comunicación: *Mantengo buena relación con mis vecinos.* **5** Seguido de infinitivo, indica condición suficiente: *Te crees que con darme unas palmaditas en la espalda me olvidaré de todo.* **6** Contrapone lo que se dice en una exclamación con una realidad expresa o implícita: *¡Con lo que yo te quiero, qué mal me tratas!* **7** A pesar de: *Con el dinero que tiene, y nunca invita a nadie.* □ ETIMOL. Del latín *cum*.

con- Prefijo que significa 'reunión', 'cooperación' o 'compañía': *condueño, condiscípulo.* □ ETIMOL. Del latín *cum*. □ MORF. Ante *b* o *p*, adopta la forma *com-*: *compatriota, compadre.*

conativo, va adj. **1** Que indica una acción se inicia: *'Florecer' es un verbo conativo que indica que empiezan a salir las flores.* **2** Que dirige la conducta de los oyentes: *Muchos mensajes publicitarios son un buen ejemplo de la función conativa del lenguaje.*

conato s.m. Acción que no llega a realizarse por completo. □ ETIMOL. Del latín *conatus* (esfuerzo, tentativa).

concatenación s.f. o **concatenamiento** s.m. **1** Unión o enlace de hechos o ideas. **2** Figura retórica consistente en la repetición de la última o últimas palabras de un verso o de una oración al

comienzo del verso o la oración siguientes. ☐ ETI-
MOL. Del latín *concatenatio*.
concatenar v. Referido esp. a hechos o ideas, unirlos
o enlazarlos unos con otros: *Al concatenar los hechos ocurridos, encontré su causa.*
concavidad s.f. Hueco o depresión en la parte
central de una línea o de una superficie.
cóncavo, va adj. Referido a una línea o una superficie,
que son curvas y tienen su parte central más hundida. ☐ ETIMOL. Del latín *concavus*, y éste de *cavus*
(hueco).
concebir v. 1 Referido a una idea o un proyecto, formarlos en la imaginación: *He concebido un plan
para rescatar el barco hundido.* 2 Referido a una hembra, quedar fecundada: *Una mujer no puede concebir
hasta que no comience a tener la menstruación.* 3
Referido esp. a un deseo, empezar a sentirlo: *No con-
cibas ilusiones sobre el asunto porque no es seguro.*
4 Comprender o creer posible: *No concibo cómo pudiste ser tan cruel.* ☐ ETIMOL. Del latín *concipere*
(absorber, contener). ☐ MORF. Irreg. →PEDIR.
conceder v. 1 Dar o adjudicar, esp. quien tiene autoridad para ello: *Ojalá me encuentre a un hada que
me conceda tres deseos.* 2 Convenir o estar de
acuerdo en algo: *Concedo que me equivoqué, pero no
fue por culpa mía.* 3 Referido a una cualidad o a una
condición, atribuírsela a algo: *No concedes ningún
valor al dinero, porque siempre has sido rico.* ☐ ETI-
MOL. Del latín *concedere* (retirarse, ceder, conceder).
concejal, -a s. En un concejo o ayuntamiento, persona que tiene un cargo de gobierno; edil.
concejalía s.f. 1 Cargo del concejal. 2 Departamento dirigido por un concejal.
concejo s.m. 1 Corporación compuesta por un alcalde y varios concejales que dirige y administra un
término municipal. 2 Sesión celebrada por esta corporación. 3 Edificio en el que tiene su sede esta
corporación; ayuntamiento, casa consistorial. ☐ ETI-
MOL. Del latín *concilium* (reunión, asamblea). ☐ OR-
TOGR. Dist. de *consejo*. ☐ SEM. En la acepción 1, es
sinónimo de *ayuntamiento, cabildo* y *municipio*.
concelebrar v. Referido a la misa, celebrarla juntos
varios sacerdotes: *Dos obispos y cuatro sacerdotes
concelebraron la misa de Pascua.*
concentración s.f. 1 Reunión en un lugar de lo
que está separado. 2 Reclusión o encierro voluntario de deportistas antes de competir. 3 En una disolución, relación que existe entre la cantidad de sustancia disuelta y la de disolvente: *Cuanto mayor es
la concentración de sal en el agua, más flotan los
cuerpos.* 4 Atención fija o reflexión profunda al
margen del exterior.
concentrado s.m. [Sustancia condensada que es
necesario mezclar con agua u otro líquido para su
consumo.
concentrar ▌ v. 1 Referido a lo que está separado,
reunirlo en un lugar: *Concentraron a todos los soldados en la frontera. En las puertas del museo se
concentró un grupo de turistas.* 2 Referido a una disolución, aumentar la proporción entre la sustancia
disuelta y el líquido en que se disuelve: *Si somete-
mos una disolución salina a evaporación, la concen-
traremos.* [3 Referido esp. a la atención, atraerlas hacia sí: *El cantante 'concentró' la atención del público.* [4 Referido a un equipo de deportistas, recluirse y
aislarse voluntariamente antes de competir: *El
equipo 'se concentró' en un hotel.* ▌ prnl. 5 Fijar la

atención en algo o reflexionar profundamente a
margen del exterior: *Me cuesta concentrarme en
trabajo.* ☐ ETIMOL. De *con-* (reunión) y *centro*.
concéntrico, ca adj. En geometría, referido a varia
figuras, que tienen el mismo centro.
concepción s.f. 1 Formación en la imaginació
de una idea o de un proyecto. 2 Formación en u
nuevo ser en un vientre femenino. 3 Modo de ve
algo o conjunto de ideas sobre ello: *Presenta en s
obra una concepción del mundo muy particular.* [
ETIMOL. Del latín *conceptio*.
concepcionista adj./s.f. Referido a una religios
que pertenece a la congregación de la Inmaculad
Concepción (tercera orden franciscana). ☐ MOR
Como adjetivo es invariable en género.
conceptismo s.m. Estilo literario caracterizad
por asociaciones ingeniosas y rebuscadas entre lo
conceptos y las palabras.
conceptista ▌ adj. 1 Del conceptismo o relacio
nado con ese estilo literario. ▌ adj./s. 2 Referido a u
escritor, que practica o sigue este estilo. ☐ MORF. 1
Como adjetivo es invariable en género. 2. Como sus
tantivo es de género común: *el conceptista, la con
ceptista.*
concepto s.m. 1 Idea o representación mental d
algo. 2 Opinión o juicio, esp. los que se tienen acer
ca de una persona. 3 Título o calidad: *Nos diero.
una gratificación en concepto de gastos de despla
zamiento.* 4 En economía, tipo de operación que s
ha realizado en una cuenta: *Los saldos, las com*
*siones y los reintegros son algunos de los concepto
más comunes.* ☐ ETIMOL. Del latín *conceptus* (acció
de concebir, pensamiento). ☐ SINT. En la acepció
3, se usa mucho en la expresión *en concepto de.*
conceptual adj. Del concepto o relacionado con é
☐ MORF. Invariable en género.
[conceptualizar v. Organizar en conceptos: *'Con
ceptualizó' la teoría y la plasmó en su mejor obra.* [
ORTOGR. La *z* se cambia en *c* delante de *e* →CAZAR
conceptuar v. Referido esp. a una persona, calificar
la o formarse de ella el concepto o la opinión qu
se indica: *La crítica ha conceptuado a esa ilustra
dora como la mejor de la literatura infantil.* ☐ OR
TOGR. La *u* lleva tilde en los presentes, excepto e
las personas *nosotros* y *vosotros* →ACTUAR. ☐ SINT
Constr. *conceptuar a alguien* {COMO/DE} *algo.*
conceptuoso, sa adj. Referido esp. a un escritor
a su estilo, que son sentenciosos o agudos, o que em
plean muchos conceptos. ☐ ETIMOL. Del latín *con
ceptus* (pensamiento, acción de concebir o recibir).
[concerniente adj. Que concierne. ☐ MORF. In
variable en género.
concernir v. 1 Referido a una función o una respon
sabilidad, atañer o corresponder a alguien: *La edu
cación de nuestros hijos nos concierne a los dos.* 2
Referido a un asunto, tener interés para alguien: *No
me cuentes tu vida, porque no me concierne.* ☐ ETI-
MOL. Del latín *concernere*, y éste de *cernere* (distinguir, en el sentido de mirar). ☐ MORF. 1. Verbo defectivo: sólo se usa en la tercera persona del presente de indicativo y de subjuntivo, y en el pretérit
imperfecto, y en las formas no personales (infinitivo, gerundio y participio). 2. Irreg. →DISCERNIR.
concertación s.f. Acuerdo o decisión tomada de
común acuerdo.
concertado, da adj. [Referido a un centro de ense-

ñanza, que es de propiedad privada y recibe una subvención estatal.

concertar v. **1** Referido esp. a un asunto, acordarlo o decidirlo de común acuerdo: *La empresa y el sindicato concertaron la subida salarial.* **2** Referido a varias voces o instrumentos, hacer que suenen acordes entre sí: *Es fundamental concertar las distintas voces de una composición.* **3** Coordinar o armonizar para favorecer un fin; combinar: *El proyecto fue un fracaso porque no concertaron las posibilidades con las necesidades reales.* **4** En gramática, referido a una palabra variable, concordarla con otra o hacerle que tengan los mismos accidentes gramaticales: *El artículo concierta con el sustantivo en género y número.* □ ETIMOL. Del latín *concertare* (debatir, discutir). □ MORF. Irreg. →PENSAR.

concertina s.f. Acordeón de fuelle largo, con los extremos en forma hexagonal u octogonal, en cuyas caras tiene botones en lugar de teclado. 🗫 viento

concertista s. Músico que interviene en un concierto como solista. □ MORF. Es de género común: *el concertista, la concertista.*

concesión s.f. **1** Adjudicación o entrega de algo, esp. la hecha por alguien con autoridad para ello. **2** Permiso que otorga la Administración o una empresa a un particular o a otra empresa para construir, explotar o administrar un servicio. **3** Cesión o abandono de una actitud o una posición firme. □ ETIMOL. Del latín *concessio.*

concesionario, ria adj./s. Referido a una persona o a una entidad, que tiene la concesión de un servicio.

concesivo, va adj. Que expresa o indica un obstáculo a pesar del cual se realiza o se cumple la acción principal.

concha s.f. **1** En algunos animales, cubierta o caparazón que protege su cuerpo. **2** Materia córnea que se obtiene del caparazón de la tortuga carey; carey. **3** En un teatro, mueble generalmente con forma de cuarto de esfera, que se coloca en la parte delantera del escenario para ocultar al apuntador. [**4** En zonas del español meridional, piel, corteza o cáscara. [**5** Pan dulce que se hace con huevo y se cubre con azúcar. [**6** Instrumento musical de cuerda hecho con el caparazón de un armadillo. **7** *vulg.malson.* En zonas del español meridional, vulva. □ ETIMOL. Del latín *conchula* (concha pequeña).

conchabar ▌ v. **1** En zonas del español meridional, contratar. ▌ prnl. **2** Referido a dos o más personas, unirse para algún fin que se considera ilícito: *Se conchabaron para sobornar a su jefe.* □ ETIMOL. Del latín *conclavari* (acomodarse en una habitación). □ ORTOGR. Se admite también *aconchabarse.*

[concho interj. Expresión que se usa para indicar sorpresa o disgusto.

conchudo, da adj./s. *vulg.malson.* En zonas del español meridional, imbécil. □ USO Se usa como insulto.

conciencia s.f. **1** Facultad del ser humano para reconocer el mundo que lo rodea o a sí mismo. **2** Conocimiento o noción interiores del bien y del mal que permiten juzgar moralmente las acciones. **3** Conocimiento exacto y reflexivo de las cosas: *Tengo conciencia de habértelo dado ya, pero si no lo tienes, puedo estar equivocado.* **4** ‖ **a conciencia**; con rigor o con empeño, sin escatimar esfuerzos. ‖ **en conciencia**; con sinceridad o con honradez. ‖ **[mala conciencia**; remordimiento o inquietud. □ ETIMOL.

Del latín *conscientia.* □ ORTOGR. Se admite también *consciencia.*

concienciación s.f. Adquisición de conciencia o de conocimiento de algo.

concienciar v. Referido a una persona, adquirir o hacerle adquirir conciencia o conocimiento de algo: *Hace falta una campaña publicitaria que conciencie a los ciudadanos de la necesidad de ahorrar agua.* □ ORTOGR. La *i* nunca lleva tilde.

concienzudo, da adj. **1** Referido esp. a un trabajo, que se hace a conciencia o con rigor y empeño. **2** Referido a una persona, que hace las cosas con mucha atención o detenimiento.

concierto s.m. **1** Función musical en la que se ejecutan composiciones sueltas. **2** Composición musical para diversos instrumentos, en la que uno o varios de ellos llevan la parte principal. **3** Acuerdo o convenio entre dos o más personas o entidades sobre algo: *Se llegó a un concierto entre los trabajadores y la patronal.* **4** Buen orden y disposición de las cosas. □ SEM. En las acepciones 1 y 2, dist. de *recital* (de canción y de poesía).

conciliábulo s.m. **1** Junta o reunión para tratar de algo que se quiere mantener oculto. **2** Asamblea o reunión no convocadas por una autoridad legítima. □ ETIMOL. Del latín *conciliabulum* (lugar de reunión).

conciliación s.f. Acuerdo, ajuste o concordancia de una cosa con otra con la que estaba en oposición.

conciliador, -a adj./s. Que concilia.

conciliar v. **1** Referido esp. a las ideas, ajustarlas o concordarlas con otras que parecen contrarias a ellas: *Los intermediarios quisieron conciliar la petición de los trabajadores con el ofrecimiento de la dirección.* **2** Referido esp. a una persona, componerla y ajustarla con otra a la que está opuesta: *Traté de conciliar a los niños para que no se pegaran.* □ ETIMOL. Del latín *conciliare.* □ ORTOGR. La *i* nunca lleva tilde.

conciliatorio, ria adj. Que intenta conciliar o poner de acuerdo.

concilio s.m. **1** En la iglesia católica, asamblea o congreso de los obispos y otros eclesiásticos para tratar y decidir sobre materias de fe y costumbres. **2** En zonas del español meridional, junta o congreso. □ ETIMOL. Del latín *concilium* (reunión, asamblea).

concisión s.f. Brevedad y economía de medios en la forma de expresar un concepto con exactitud.

conciso, sa adj. Que se expresa con brevedad y exactitud. □ ETIMOL. Del latín *concisus* (cortado).

concitar v. Referido a una persona, hacer que haga algo contra otra: *Los discursos de los demagogos concitaron al pueblo contra el gobierno.* □ ETIMOL. Del latín *concitare.* □ SEM. Dist. de *suscitar* (promover).

conciudadano, na s. **1** Respecto de una persona, otra que vive en su misma ciudad. **2** Respecto de una persona, otra que es natural de su misma nación. □ ETIMOL. De *con-* (reunión, compañía) y *ciudadano.*

conclave o **cónclave** s.m. **1** En la iglesia católica, junta o reunión de los cardenales para elegir Papa. **2** Junta o reunión de personas que se reúnen para tratar algún asunto. □ ETIMOL. Del latín *conclave* (cuartito, habitación pequeña). □ USO La RAE prefiere *cónclave.*

concluir v. **1** Acabarse, extinguirse o llegar al fin: *Cuando concluya la representación iremos al ca-*

merino del protagonista para que lo conozcas. **2** Deducir a partir de algo que se admite, se demuestra o se presupone: *Los puntos de los que parte tu investigación son erróneos y de ellos no concluirás nada válido.* **3** Determinar y resolver sobre lo que se ha tratado: *A la vista de lo que teníamos hecho, la directora concluyó que necesitábamos ayuda.* ☐ ETIMOL. Del latín *concludere* (cerrar, encerrar, terminar). ☐ MORF. Irreg.: 1. Tiene un participio regular (*concluido*), que se usa más en la conjugación, y otro irregular (*concluso*), que se usa más como adjetivo. 2. →HUIR.

conclusión s.f. **1** Fin y terminación de algo. **2** Resolución que se toma sobre una materia después de haberla tratado. **3** Deducción de una consecuencia o de un resultado a partir de otros que se admiten, se demuestran o se presuponen. **4** ‖ **en conclusión**; por último o en suma.

concluso, sa part. irreg. de **concluir**.

concluyente adj. Que no se puede rebatir o que no admite ninguna duda o discusión. ☐ MORF. Invariable en género.

concomerse v.prnl. Consumirse de impaciencia, de pesar o de otro sufrimiento; reconcomerse: *La incertidumbre de no saber qué va a pasar me concome.* ☐ ETIMOL. De *con-* (reunión, compañía) y *comer*.

concomitancia s.f. Coincidencia de una cosa con otra.

[concomitante adj. Que coincide. ☐ ETIMOL. Del latín *concomitas*, y éste de *concomitari* (acompañar). ☐ MORF. Invariable en género.

concordancia s.f. **1** Correspondencia o conformidad de una cosa con otra. **2** En gramática, correspondencia entre los accidentes de dos o más palabras variables: *'*El niño es altas' es incorrecto porque no hay concordancia de género y de número.*

concordar v. **1** Referido a una cosa, coincidir o estar de acuerdo con otra: *Tus declaraciones de ayer no concuerdan con las de hoy.* **2** En gramática, referido a una palabra variable, hacerle tener los mismos accidentes gramaticales que otra: *Un sustantivo masculino debes concordarlo en masculino con su adjetivo. El sujeto concuerda con el verbo en número y persona.* ☐ ETIMOL. Del latín *concordare* (estar de acuerdo). ☐ MORF. Irreg. →CONTAR.

concordato s.m. Tratado o convenio que el Gobierno de un Estado hace con la Santa Sede (Estado regido por el Papa) sobre asuntos eclesiásticos. ☐ ETIMOL. Del latín *concordatum*, y éste de *concordare* (estar de acuerdo).

concorde adj. Conforme o de acuerdo con otro. ☐ ETIMOL. Del latín *concors*, y éste de *cum* (con) y *cor* (corazón). ☐ MORF. Invariable en género.

concordia s.f. Conformidad, unión o buena relación. ☐ ETIMOL. Del latín *concordia*.

concreción s.f. **1** Limitación a una materia de la que se habla o escribe, o a lo más esencial o seguro de ella; concretización. **2** Acumulación de partículas para formar una masa: *Las estalagmitas son concreciones de sales calcáreas y silíceas.* ☐ ETIMOL. Del latín *concretio* (agregación, materia). ☐ ORTOGR. Incorr. *concrección*.

concretar ‖ v. **1** Hacer concreto; concretizar: *Hay que concretar esos planes en hechos.* **2** Reducir a lo más esencial o seguro la materia sobre la que se habla o escribe: *Concreté mi exposición a los puntos*

que mejor me sabía. ‖ prnl. **3** Reducirse a habla de una sola cosa, excluyendo otros asuntos: *Me con creto a responder tus preguntas, sin hacer caso a tu insinuaciones.* ☐ SEM. Su uso en el lenguaje del de porte con el significado de 'terminar' es incorrect aunque está muy extendido: *la jugada {*se concret > terminó} en gol.*

concretización s.f. →concreción.

concretizar v. →concretar. ☐ ORTOGR. La *z* s cambia en *c* delante de *e* →CAZAR.

concreto, ta ‖ adj. **1** Que se considera en sí mi mo, de forma particular y en oposición al grupo g nérico del que forma parte: *ejemplo concreto.* **2** Qu existe en el mundo material o sensible como ind viduo, más que como representación mental de tod una especie: *Una silla es algo concreto, frente mal, que es un concepto abstracto.* **3** Preciso y si vaguedad. ‖ s.m. **4** En zonas del español meridiona hormigón. ☐ ETIMOL. Las acepciones 1-3, del latí *concretus* (espeso, compacto). La acepción 4, del ir glés *concrete*.

concubina s.f. Mujer que vive y que mantiene re laciones sexuales con un hombre sin estar casad con él; manceba. ☐ ETIMOL. Del latín *concubina*, éste de *cubare* (acostarse).

concubinato s.m. Relación entre un hombre una mujer que mantienen relaciones sexuales si estar casados.

conculcar v. Referido a normas establecidas, esp. a le yes o a derechos, quebrantarlos o no respetarlos: *Co. su actuación en la venta de su negocio ha concu cado varias disposiciones mercantiles.* ☐ ETIMO Del latín *conculcare* (pisotear). ☐ ORTOGR. La *c* s cambia en *qu* delante de *e* →SACAR. ☐ SEM. Dist. d *inculcar* (fijar una idea).

concuñado, da s. **1** Respecto del hermano o de l hermana de un cónyuge, hermano o hermana del otr cónyuge. **2** Respecto del cónyuge de una persona, cón yuge de su hermano o de su hermana. ☐ ETIMO De *con-* (cooperación, reunión) y *cuñado.*

concupiscencia s.f. En la moral católica, deseo d bienes terrenales o deseo desordenado de placere deshonestos. ☐ ETIMOL. Del latín *concupiscentia*, éste de *concupiscere* (desear ardientemente). ☐ PRON. Incorr. *concupisciencia.*

concupiscente adj. Dominado por la concupis cencia. ☐ MORF. Invariable en género.

concurrencia s.f. **1** Conjunto de personas qu asisten a un acto o reunión. **2** Aparición o presenci en el tiempo o en el espacio de dos o más personas sucesos o cosas. ☐ SEM. No debe emplearse con e significado de 'competencia' (anglicismo): *las empre sas de la {*concurrencia > competencia}.*

concurrido, da adj. Con mucha gente.

concurrir v. **1** Referido a diferentes cosas, juntarse e un mismo lugar o un mismo tiempo: *Los especta dores concurrían al estadio para ver la final del tro feo.* **2** Referido esp. a diferentes cualidades, coincidir e algo: *En tu persona concurren la bondad, la gene rosidad y la inteligencia.* ☐ ETIMOL. Del latín *con currere* (correr junto a otros). ☐ SEM. Dist. de *acudi* (puede referirse a una sola persona).

concursante s. Persona que toma parte en ui concurso. ☐ MORF. Es de género común: *el concur sante, la concursante.*

concursar v. Tomar parte en concurso y optar

lo que en él se otorga: *Concursé con un cuento en un concurso literario de mi colegio y gané.*
concurso s.m. **1** Competición o prueba entre varios candidatos para conseguir un premio. **2** Oposición que se hace por medio de la presentación de un escrito o de unos méritos para conseguir un cargo o un puesto. **3** Asistencia, participación o colaboración. ☐ ETIMOL. Del latín *concursus.*
condado s.m. **1** Título nobiliario de conde. **2** Territorio sobre el que antiguamente un conde ejercía su autoridad. **3** En algunos países anglosajones, circunscripción o división administrativa del territorio. ☐ ETIMOL. Del latín *comitatus* (cortejo).
condal adj. Del conde, de su dignidad o relacionado con ellos. ☐ MORF. Invariable en género.
conde s.m. Persona que tiene un título nobiliario entre el de marqués y el de vizconde. ☐ ETIMOL. Del latín *comes* (compañero, miembro de un séquito). ☐ MORF. Su femenino es *condesa.*
condecoración s.f. **1** Concesión de honores o de distinciones. **2** Insignia o cruz que representan honor o distinción.
condecorar v. Referido a una persona, concederle o darle honores o distinciones: *Te condecorarán por tu heroica actuación en acto de servicio.* ☐ ETIMOL. Del latín *condecorare,* y éste de *cum* (con) y *decorare* (adornar).
condena s.f. **1** Pena o castigo que impone una autoridad. **2** Reprobación o desaprobación de algo que se considera malo y pernicioso.
condenable adj. Digno de ser condenado. ☐ MORF. Invariable en género.
condenación s.f. Sufrimiento de las penas del infierno. ☐ ORTOGR. Dist. de *condonación.*
condenado, da adj. Endemoniado, nocivo o perverso.
condenar ▌v. **1** Imponer una pena o castigo: *Fue condenado a tres años de prisión.* **2** Referido a algo que se considera malo y pernicioso, reprobarlo o desaprobarlo: *Las fuerzas políticas democráticas condenan las dictaduras.* **3** Referido a un recinto o a una vía de acceso, cerrarlos permanentemente o tapiarlos: *Condené la puerta trasera de mi casa porque nunca la usamos.* **4** Referido esp. a una situación, conducir inevitablemente a ella: *Ese trabajo te condenará a la soledad.* ▌prnl. **5** Ir al infierno: *Según esos textos religiosos, algunos se condenan por su deseo desmedido de riquezas.* ☐ ETIMOL. Del latín *condemnare,* y éste de *cum* (con) y *damnare* (dañar).
condenatorio, ria adj. Que contiene condena o que puede motivarla.
condensación s.f. **1** En química, paso de un cuerpo gaseoso a estado líquido o sólido. **2** Exposición resumida, abreviada o sintetizada.
condensador, -a ▌adj. **1** Que condensa. ▌s.m. **2** Aparato que condensa los gases. **3** ‖**condensador (eléctrico)**; dispositivo eléctrico formado por dos conductores, generalmente de gran superficie, que están separados por una lámina aislante.
condensar v. **1** Referido a un cuerpo gaseoso, convertirlo en líquido o en sólido: *El frío condensa el vapor del aire en rocío. El vapor de agua se condensa en la atmósfera formando gotas de agua.* **2** Referido esp. a una sustancia, reducirla a menor volumen y darle más consistencia si es líquida: *Para condensar la leche se le quita agua.* **3** Resumir, sintetizar o compendiar: *Condensó su trabajo de veinte folios*

en un escrito de treinta y dos líneas. ☐ ETIMOL. Del latín *condensare* (apretar, hacer compacto).
condesa s.f. de **conde.**
condescendencia s.f. Acomodación o adaptación de una persona, por bondad, al gusto y a la voluntad de otra.
condescender v. Referido a una persona, acomodarse o adaptarse, por bondad, al gusto y a la voluntad de otra: *Condescendí con tu propuesta porque te vi entusiasmado con ella, no porque me gustara.* ☐ ETIMOL. Del latín *condescendere* (ponerse al nivel de alguien). ☐ MORF. Irreg. →PERDER.
condescendiente adj. Referido a una persona, que se acomoda o se adapta al gusto y a la voluntad de otra. ☐ MORF. Invariable en género.
condestable s.m. Antiguamente, persona que obtenía y ejercía la primera dignidad de la milicia. ☐ ETIMOL. Del latín *comes stabuli* (conde encargado del establo real).
condición ▌s.f. **1** Índole, naturaleza o propiedad de las cosas. **2** Carácter o genio de las personas: *Tu primo es de condición aspera.* **3** Estado, situación o circunstancia en la que se halla una persona. **4** Clase o posición social. **5** Situación, circunstancia a lo que es indispensable para que algo sea u ocurra. ▌pl. **6** Aptitud o disposición: *Tu hijo tiene condiciones para ser un buen bailarín.* **7** Circunstancias que afectan a un proceso o al estado de algo: *condiciones de vida.* **8** ‖**condición sine qua non**; aquella sin la cual no se hará una cosa o se tendrá por no hecha. ‖**en condiciones**; a punto, bien dispuesto o apto para el fin que se desea. ☐ ETIMOL. Del latín *condicio.* Condición sine qua non, del latín *conditio sine qua non.* ☐ MORF. En las acepciones 6 y 7, es incorrecto su uso en singular: *Estoy en {*perfecta condición física > perfectas condiciones físicas}.*
condicional ▌adj. **1** Que incluye y lleva consigo una condición o requisito. ▌s.m. **2** En gramática, tiempo verbal que expresa una acción futura en relación con el pasado del que se parte: '*Comería*' es el condicional simple de '*comer*' y '*habría comido*' es su condicional compuesto. ☐ MORF. Como adjetivo es invariable en género.
condicionamiento s.m. **1** Sometimiento a una condición. **2** Limitación o restricción.
condicionante s. Circunstancia que condiciona. ☐ MORF. Es de género ambiguo: *el condicionante negativo, la condicionante negativa.*
condicionar v. **1** Hacer depender de una condición: *Condicioné el pago total de la reparación a la entrega de una garantía.* [**2** Influir o determinar una actitud o una conducta: *La publicidad 'condiciona' lo que compran muchas personas.*
condimentar v. Referido a una comida, añadirle condimentos para darle más sabor: *No me gustan las especias que usan en este restaurante para condimentar la comida.*
condimento s.m. Lo que sirve para sazonar o dar más sabor a la comida. ☐ ETIMOL. Del latín *condimentum,* y éste de *condire* (sazonar, aderezar).
condiscípulo, la s. Persona que es o ha sido compañera de estudios de otra. ☐ ETIMOL. Del latín *condiscipulus.*
condolencia s.f. **1** Participación en el pesar o dolor ajenos. **2** Expresión con la que se indica a una persona allegada a un difunto, que se participa en su dolor y en su pena; pésame.

condolerse v.prnl. Sentir compasión o lástima por la desgracia o por el sufrimiento ajenos o participar de ellos; compadecerse: *Me conduelo de las desgracias de mis amigos e intento ayudarlos.* □ ETIMOL. Del latín *condolere*. □ MORF. La *o* final de la raíz diptonga en *ue* en los presentes salvo en las personas *nosotros* y *vosotros*.

condominio s.m. Dominio de algo que pertenece en común a dos o más personas. □ ETIMOL. Del latín *condominium*.

condón s.m. Funda fina y elástica que se usa para cubrir el pene durante el coito y evitar así la fecundación o la transmisión de enfermedades; preservativo; profiláctico. □ ETIMOL. Por alusión a Condom, apellido de su inventor.

condonación s.f. Perdón de una deuda o de una pena. □ ORTOGR. Dist. de *condenación*.

condonar v. Referido a una deuda o a una pena, perdonarlas, remitirlas o alzarlas: *El Gobierno condonó parte de la deuda de un país amigo.* □ ETIMOL. Del latín *condonare*, y éste de *cum* (con) y *donare* (dar, conceder).

cóndor s.m. Ave rapaz diurna, de gran tamaño, con la cabeza y el cuello desnudos, que tiene el plumaje fuerte de color negro azulado y plumas blancas en la espalda y en la parte superior de las alas. □ MORF. Es un sustantivo epiceno: *el cóndor macho, el cóndor hembra*.

conducción s.f. **1** Manejo o dirección de un vehículo. **2** Transporte o traslado de algo. **3** Conjunto de conductos que se usan para el traslado de un fluido. **4** Dirección hacia un lugar o hacia un fin.

[conducente adj. Que conduce a algo. □ MORF. Invariable en género.

conducir ▌ v. **1** Guiar o dirigir hacia un lugar o hacia una situación: *La guía que nos condujo en el museo nos mostró lo más interesante.* **2** Referido a un vehículo, guiarlo o manejarlo: *Debes conducir por el carril de la derecha.* **3** Referido a un negocio o a una colectividad, guiarlos o dirigirlos: *El capitán del equipo nos condujo a la victoria.* **[4** Referido a un programa de radio o de televisión, presentarlos con la posibilidad de introducir modificaciones en el guión: *Me gusta cómo 'conduce' el programa esta presentadora.* ▌ prnl. **5** Portarse o manejarse de una forma determinada: *Me admira que ante las situaciones de peligro te conduzcas con tanta sangre fría.* □ ETIMOL. Del latín *conducere* (conducir juntamente). □ MORF. Irreg. →CONDUCIR.

conducta s.f. Manera o forma de comportarse una persona; comportamiento. □ ETIMOL. Del latín *conducta* (conducida, guiada).

conductibilidad s.f. →conductividad.

conductismo s.m. Teoría psicológica cuyo método se basa en la observación del comportamiento del objeto que se estudia ante un estímulo determinado; behaviorismo. □ ETIMOL. De *conducta* y como traducción del inglés *behaviorism*.

conductista ▌ adj. **1** Del conductismo o relacionado con esta teoría psicológica. ▌ adj./s. **2** Que sigue o que defiende esta teoría psicológica. □ MORF. 1. Como adjetivo es invariable en género. 2. Como sustantivo es de género común: *el conductista, la conductista*. □ SEM. Es sinónimo de *conductista*.

conductividad s.f. Propiedad de los cuerpos que consiste en transmitir fácilmente el calor o la electricidad; conductibilidad.

conducto s.m. **1** Canal o tubo que sirve para dar paso o salida a alguna materia. **2** Medio que se sigue para conseguir algo. □ ETIMOL. Del latín *conductus* (conducido).

conductor, -a ▌ s. **1** Persona que conduce un vehículo. **[2** Persona que conduce un programa de radio o de televisión. ▌ s.m. **3** Cuerpo que permite el paso del calor o de la electricidad.

[conductual adj. De la conducta o relacionado con ella. □ MORF. Invariable en género.

condumio s.m. col. Manjar o comida, esp. la que se come con pan. □ ETIMOL. De origen incierto.

conectar v. **1** Enlazar, establecer relación o poner en comunicación: *Esta nueva carretera conecta la zona norte del país con el resto.* **2** Entrar en contacto o en conexión: *El programa conectó con el enviado especial.* **3** Referido a una parte de un sistema mecánico o eléctrico, enlazarla con otra de forma que hagan contacto: *Conecta la radio para oír las noticias. Este vídeo se conecta solo si lo dejas programado.* **4** Referido a un aparato o a un sistema, enlazarlo con otro: *Conecta el tubo de la aspiradora con el aparato. Mi ordenador no se puede conectar con tu impresora porque no son compatibles.* □ ETIMOL. Del inglés *to connect* (unir), y éste del latín *connectere*.

conectivo, va adj. Que une o liga las partes de un sistema o de un aparato. □ ETIMOL. De *conectar*.

[conector adj./s.m. Que conecta. □ MORF. Como sustantivo es invariable en género.

conejero, ra ▌ adj. **1** Referido esp. a un perro, que caza conejos. ▌ adj./s. **[2** col. De Lanzarote (isla canaria), o relacionado con ella. ▌ s. **3** Persona que cría o vende conejos. ▌ s.f. **4** Madriguera en la que se crían conejos. **5** Lugar destinado a la cría de conejos.

conejo, ja ▌ s. **1** Mamífero de pelaje corto y espeso, las orejas largas y la cola corta, que tiene las extremidades posteriores más largas que las anteriores, y que vive en madrigueras. ▌ s.m. **[2** vulg. →**vulva**. ▌ s.f. **3** vulg. Hembra que pare con mucha frecuencia. **4** ‖**conejillo de Indias**; **1** Mamífero roedor más pequeño que el conejo, con orejas cortas y cola casi nula, muy usado en el laboratorio como animal de experimentación; cobaya. **2** Animal o persona que son sometidos a observación o a experimentación. □ ETIMOL. Del latín *cuniculus*. □ MORF. *Conejillo de Indias*, cuando se refiere al animal, es epiceno: *el conejillo de Indias {macho/hembra}*.

conexión s.f. **1** Relación o comunicación. **2** Enlace, atadura o concatenación de una cosa con otra. **3** Punto en el que se realiza el enlace entre aparatos o sistemas eléctricos.

conexionarse v.prnl. Establecer conexiones: *La policía descubrió que la mafia se había conexionado con el tráfico de drogas.*

conexo, xa adj. Que está enlazado o relacionado con otro. □ ETIMOL. Del latín *connexus* (conectado).

confabulación s.f. Acuerdo entre varias personas para realizar algo, esp. si es ilícito.

confabularse v.prnl. Ponerse de acuerdo para realizar algo, esp. si es ilícito: *Se confabularon para hacer fracasar mi proyecto.* □ ETIMOL. Del latín *confabulari* (conversar).

confección s.f. **1** Preparación de algo, generalmente mediante la mezcla o la combinación de varios componentes. **2** Fabricación de una prenda de vestir. □ ETIMOL. Del latín *confectio* (composición, preparación).

confeccionar v. **1** Referido a algo material, esp. si es compuesto, hacerlo o prepararlo: *Confeccionó el traje en un solo día.* **2** Referido a una obra intelectual, prepararla o elaborarla: *El Gobierno está confeccionando los presupuestos del año próximo.*

confeccionista adj./s. Referido a una persona, que se dedica profesionalmente a la fabricación o a al comercio de ropas confeccionadas. □ MORF. **1.** Como adjetivo es invariable en género. **2.** Como sustantivo es de género común: *el confeccionista, la confeccionista.*

confederación s.f. **1** Alianza, unión o pacto entre varias personas, entidades o estados. **2** Organismo, entidad o Estado que resultan de esta alianza o de este pacto.

confederado, da adj./s. **1** Que forma parte de una confederación. [**2** En la guerra de Secesión estadounidense, partidario de los estados del sur; sudista.

confederar v. Hacer una alianza o un pacto: *Este tratado confedera varias naciones que antes eran completamente independientes. Varios estados se han confederado para conseguir un mayor desarrollo económico.* □ ETIMOL. Del latín *confoederare* (unir por tratado, asociar).

confederativo, va adj. De la confederación o relacionado con esta agrupación.

conferencia s.f. **1** Discurso o exposición públicos de un tema. **2** Reunión de los representantes de entidades o de países, para tratar un tema. **3** Comunicación telefónica que se establece entre dos provincias o entre dos países. **4** ‖**conferencia de prensa**; reunión de periodistas en torno a una persona para escuchar sus declaraciones. □ ETIMOL. Del latín *conferentia*, y éste de *conferre* (reunir).

conferenciante s. **1** Persona que expone un tema en público. [**2** Persona que participa en una conferencia o reunión. □ MORF. Es de género común: *el conferenciante, la conferenciante.*

conferenciar v. Conversar o hablar con varias personas para tratar un asunto: *La gobernadora ha conferenciado con los atracadores para conseguir la liberación de los rehenes.* □ ORTOGR. La *i* nunca lleva tilde.

conferir v. **1** Referido esp. a una dignidad o a una facultad, concederlas o asignarlas: *La directora me ha conferido la facultad de elegir a mis colaboradores.* **2** Referido a una cualidad que no es materia, atribuirla o prestarla: *Habla con la seguridad que le confieren los muchos años de experiencia.* □ ETIMOL. Del latín *conferre* (reunir). □ MORF. Irreg. →SENTIR.

confesar v. **1** Referido a un acto, a una idea o a un sentimiento verdaderos, expresarlos voluntariamente: *Te confieso que en el fondo estoy de acuerdo contigo. El acusado se confesó culpable de los delitos que le imputaban.* **2** Referido a algo que no se desea declarar o reconocer, declararlo o reconocerlo por obligación: *Los piratas lo torturaron para que confesara el lugar en el que estaba el tesoro.* **3** Referido a pecados que se han cometido, declararlo el penitente al confesor en el sacramento de la penitencia: *Le confesé al sacerdote que había pecado. Se confesó con el párroco.* **4** Referido al penitente, oírlo el confesor en el sacramento de la penitencia: *Para confesar al pe-*

nitente, el sacerdote entró en el confesonario. □ ETIMOL. Del latín *confessare.* □ MORF. Irreg. →PENSAR.

confesión s.f. **1** Declaración que alguien hace de lo que sabe, voluntariamente o por obligación. **2** Declaración de los pecados cometidos, que hace el penitente al confesor en el sacramento de la confesión. **3** Creencia religiosa.

confesional adj. Que pertenece a una confesión religiosa. □ MORF. Invariable en género.

confesionalidad s.f. Pertenencia a una confesión religiosa.

confesionario s.m. →**confesonario**.

confeso, sa ▮ adj. **1** Referido a una persona, que ha confesado su delito o su culpa. ▮ adj./s. **2** Referido a un judío, que se había convertido al cristianismo. □ ETIMOL. Del latín *confessus*, y éste de *confiteri* (confesar).

confesonario s.m. En una iglesia, lugar cerrado en el que se coloca el sacerdote para oír las confesiones. □ ORTOGR. Se admite también *confesionario*.

confesor s.m. Sacerdote que confiesa a los penitentes.

confeti s.m. Papel en trocitos muy pequeños y de varios colores, que se lanza en algunas fiestas. □ ETIMOL. Del plural italiano *confetti* (confites). □ MORF. **1.** Es incorrecto su uso en singular para designar cada uno de esos trocitos de papel: *Se me quedó {*un confeti > confeti} en el pelo.* **2.** Es incorrecto su uso en plural: *Arrojaron {*confetis > confeti}.*

confiado, da adj. Referido a una persona, que es crédula o poco previsora.

confianza s.f. **1** Esperanza o seguridad firmes que se tienen en algo. **2** Seguridad en sí mismo. **3** Ánimo o aliento para hacer algo. **4** Sencillez, amistad o intimidad en el trato. **5** Atrevimiento u osadía en el trato. **6** ‖**de confianza**; **1** Referido a una persona, que se tiene intimidad en el trato con ella. **2** Referido a una persona, en quien se puede confiar. **3** Que posee las cualidades recomendables para el fin al que se destina. ‖**en confianza**; con reserva e intimidad. □ MORF. La acepción 5 se usa más en plural.

confiar ▮ v. **1** Encargar o poner el cuidado de alguien: *Le confié el cuidado de los niños.* **2** Esperar con firmeza y con seguridad: *Confío en que vendrá hoy.* [**3** Tener confianza: *'Confío' en ti porque nunca me has traicionado.* ▮ prnl. **4** Tener excesiva seguridad en algo: *Se confió y casi suspende.* □ ETIMOL. Del latín *confidare.* □ ORTOGR. La *i* lleva tilde en los presentes, excepto en las personas *nosotros* y *vosotros* →GUIAR. □ SINT. Constr. de las acepciones 2 y 3: *confiar EN algo.*

confidencia s.f. Revelación o declaración secreta o reservada. □ ETIMOL. Del latín *confidentia.*

confidencial adj. Que se hace o se dice en confianza o en secreto. □ MORF. Invariable en género.

confidente, ta s. **1** Persona de confianza a la que se le confían o se le encargan cosas reservadas. **2** Persona que sirve de espía y que da información de lo que ocurre entre sospechosos o en el bando contrario. □ ETIMOL. Del latín *confidens* (el que confía, atrevido). □ MORF. Aunque la RAE registra el femenino *confidenta*, en la lengua actual es de género común: *el confidente, la confidente.*

configuración s.f. Disposición de las partes que forman un todo y que le dan su forma peculiar.

configurar v. Dar una determinada forma o estructura: *Hay que configurar la nueva estrategia de la empresa para el año próximo. El paisaje de esta zona se ha configurado por las continuas lluvias.* □ ETIMOL. Del latín *configurare*.

confín s.m. Término que divide dos territorios y que señala los límites de cada uno de ellos. □ ETIMOL. Del latín *confinis* (contiguo).

confinación s.f. o **confinamiento** s.m. 1 Destierro al que se somete a alguien, señalándole una residencia obligatoria. 2 Encierro dentro de unos límites.

confinar v. 1 Desterrar y señalar una residencia obligatoria: *Confinaron a Napoleón en la isla de Santa Elena.* 2 Encerrar dentro de unos límites: *Su familia lo confinó en un centro psiquiátrico.* □ ETIMOL. De *confín*.

confirmación s.f. 1 Reafirmación de la verdad o de la probabilidad de algo. 2 Ratificación de algo que ya estaba aprobado. 3 En la iglesia católica, sacramento por el cual confirma su fe el que ya ha sido bautizado. 4 En la iglesia católica, administración de este sacramento.

confirmar v. 1 Referido a algo que no se sabe con certeza, reafirmar su probabilidad o su verdad: *La televisión ha confirmado la noticia que había dado en el avance.* 2 Referido a algo que ya estaba aprobado, ratificarlo: *Tengo que llamar para confirmar la cita del médico.* 3 Asegurar o dar mayor firmeza o seguridad: *Con aquellas excusas sólo consiguió confirmar mis sospechas.* 4 Administrar o recibir el sacramento de la confirmación: *El obispo confirmó a varios muchachos de la parroquia.* □ ETIMOL. Del latín *confirmare*.

confiscación s.f. Apropiación de los bienes de una persona por parte del Estado.

confiscar v. Referido a los bienes, apropiarse de ellos el Estado: *El Gobierno ha confiscado los bienes de los traficantes apresados.* □ ETIMOL. Del latín *confiscare* (incorporar al fisco). □ ORTOGR. La *c* se cambia en *qu* delante de *e* → SACAR.

[confit (galicismo) s.m. Pieza de carne cocinada y que se conserva en su propia grasa.

confitar v. 1 Referido a una fruta o a una semilla, cubrirlas con un baño de azúcar: *Para hacer almendras garrapiñadas hay que confitarlas.* 2 Referido a una fruta, cocerla en almíbar: *Tiene un melocotonero y confita los melocotones para poderlos comer durante todo el año.* □ ETIMOL. De *confite*.

confite s.m. Dulce, generalmente en forma de bolitas de distintos tamaños, hecho con azúcar y con otros ingredientes. □ ETIMOL. Del catalán *confit*. □ MORF. Se usa más en plural.

confitería s.f. 1 Establecimiento en el que se elaboran o se venden dulces. 2 En zonas del español meridional, cafetería. [3 En zonas del español meridional, discoteca.

confitero, ra s. Persona que se dedica profesionalmente a la elaboración o a la venta de dulces.

confitura s.f. Lo que está confitado con azúcar o almíbar, esp. si es una fruta. □ ETIMOL. Del francés *confiture*.

conflagración s.f. Conflicto bélico entre pueblos o naciones. □ ETIMOL. Del latín *conflagratio*.

conflictividad s.f. 1 Capacidad de crear conflictos. 2 Situación conflictiva o de enfrentamiento.

conflictivo, va adj. 1 Que origina un conflicto. 2

Referido esp. a una situación o a una circunstancia, qu poseen conflicto.

conflicto s.m. 1 Combate, lucha o enfrentamient generalmente violentos o armados. 2 Situación cor fusa, agitada o embarazosa, que resulta de difíc salida. 3 Problema o materia de discusión: *conflic greneracional.* □ ETIMOL. Del latín *conflictus*, y ést de *confligere* (chocar).

confluencia s.f. 1 Reunión de varias líneas, es de caminos o de cursos de agua, en un lugar. 2 Lu gar en el que se produce esta reunión.

confluente adj. Que confluye. □ MORF. Invariab en género.

confluir v. 1 Juntarse en un punto o en un luga *Todas las calles del pueblo confluyen en la plaza. :* Referido a muchas personas, reunirse en un lugar: *La distintas manifestaciones confluyeron delante de ayuntamiento para protestar conjuntamente.* □ ET MOL. Del latín *confluere*. □ MORF. Irreg. → HUIR.

conformación s.f. Disposición o colocación de la partes que forman un todo.

conformar ▌ v. 1 Dar forma: *Estos once jugadore conforman el equipo.* ▌ prnl. 2 Acceder voluntaria mente a algo, esp. si resulta desagradable: *Me h dicho que no sea tan egoísta y que me conforme co lo que tengo.* □ ETIMOL. Del latín *conformare* (da forma).

conforme ▌ adj. 1 Que está de acuerdo con algo 2 Resignado o paciente. ▌ adv. 3 Referido a la form de hacer algo, con conformidad, con correspondenci o del modo que se indica. 4 ║**conforme a**; con arre glo a o de manera que. □ ETIMOL. Del latín *confor mis* (muy semejante).

conformidad s.f. 1 Aprobación o asentimiento. 2 Resignación o tolerancia ante las adversidades. 3 Concordia, correspondencia o igualdad. 4 ║{**de/en conformidad**; de acuerdo con.

conformismo s.m. Actitud o tendencia de la per sona que se adapta fácilmente a cualquier circuns tancia de carácter público o privado.

conformista adj./s. Que tiene o muestra confor mismo. □ MORF. 1. Como adjetivo es invariable e género. 2. Como sustantivo es de género común: *e conformista, la conformista.*

[confort s.m. →**comodidad.** □ PRON. [confórt]. □ USO Es un galicismo innecesario.

confortabilidad s.f. Capacidad para producir un sensación de comodidad.

confortable adj. Que produce una sensación de comodidad. □ MORF. Invariable en género.

confortador, -a adj./s. Que conforta.

confortante adj. Que conforta. □ MORF. Invaria ble en género.

confortar v. 1 Dar fuerzas o vigor: *Esta sopa ca liente te confortará.* 2 Referido a una persona que está afligida, animarla, alentarla o consolarla: *Las pala bras de consuelo confortaron a la viuda.* □ ETIMOL Del latín *confortare*.

confraternidad s.f. Relación caracterizada por el afecto y la solidaridad propios de hermanos; her mandad. □ ETIMOL. De *con-* (cooperación, compañía y *fraternidad*.

[confraternización s.f. Establecimiento de una relación propia de hermanos.

confraternizar v. Tratarse con amistad y con ca maradería: *Los jugadores de los dos equipos aca* *baron por confraternizar.* □ ORTOGR. La *z* se cambia en *c* delante de *e* →CAZAR.

confrontación s.f. **1** Careo o colocación de una persona en presencia de otra para averiguar la verdad. **2** Comparación de una cosa con otra. □ SEM. No debe emplearse con el significado de 'enfrentamiento': **confrontación deportiva > enfrentamiento deportivo.*

confrontar v. **1** Referido a una cosa, esp. a un texto, cotejarla o compararla con otra: *El profesor confrontó los dos exámenes para ver si se habían copiado.* **2** Referido a una persona, ponerla en presencia de otra para averiguar la verdad: *La abogada confrontó al acusado con uno de los testigos para ver cuál de los dos mentía.* □ ETIMOL. Del latín *cum* (con) y *frons* (frente).

confucianismo o **confucionismo** s.m. Doctrina moral y política basada en las enseñanzas de Confucio (filósofo chino de los siglos VI y V a. C.), que considera que las personas son capaces de transformarse mediante la práctica de las virtudes y de la sumisión a las leyes del universo. □ ORTOGR. Dist. de *confusionismo.*

confucionista ▌ adj. **1** Del confucionismo o relacionado con esta doctrina. ▌ adj./s. **2** Que sigue o que practica el confucionismo. □ ORTOGR. Dist. de *confusionista.* □ MORF. 1. Como adjetivo es invariable en género. 2. Como sustantivo es de género común: *el confucionista, la confucionista.*

confundir v. **1** Mezclar de forma que resulte difícil reconocer o distinguir: *Logró huir al confundirse entre la multitud.* **2** Perturbar, trastornar o desconcertar: *Confundió con sus argumentos a todos los que lo criticaban. Por culpa de los nervios se confundió y no atinó a explicarse.* **3** Referido a una cosa, tomarla por otra equivocadamente: *Eres tan parecida a tu hermana que siempre os confundo.* □ ETIMOL. Del latín *confundere.* □ MORF. Tiene un participio regular (*confundido*), que se usa en la conjugación, y otro irregular (*confuso*), que se usa como adjetivo.

confusión s.f. **1** Mezcla de elementos diferentes que hace que resulte difícil reconocerlos o distinguirlos. **2** Perturbación, trastorno o desconcierto. **3** Equivocación o error. □ ETIMOL. Del latín *confusio.*

confusionismo s.m. Confusión o falta de claridad en las ideas o en el lenguaje. □ ORTOGR. Dist. de *confusionista.*

confusionista ▌ adj. **1** Del confusionismo o relacionado con esta confusión en las ideas o en el lenguaje. ▌ adj./s. **2** Que practica este tipo de expresión. □ ORTOGR. Dist. de *confucionista.* □ MORF. 1. Como adjetivo es invariable en género. 2. Como sustantivo es de género común: *el confusionista, la confusionista.* 3. En la acepción 2, la RAE sólo lo registra como sustantivo.

confuso, sa adj. Oscuro o dudoso.

conga s.f. **1** Composición musical cubana de origen africano. **2** Baile que se ejecuta al compás de esta música y en el que los participantes forman una larga cadena.

congelación s.f. **1** Conversión en sólido de un líquido por efecto del frío. **2** Sometimiento de un alimento o de otro cuerpo a temperaturas tan bajas que la parte líquida quede helada. **3** Lesión de un tejido orgánico producida por el frío, esp. la que supone la muerte de sus células. **4** Inmovilización o

bloqueo de algo. **5** Detención del curso o del desarrollo normal de un proceso. □ SEM. Es sinónimo de *congelamiento.*

congelador s.m. Electrodoméstico que sirve para congelar alimentos y para conservarlos congelados.

congelamiento s.m. →**congelación.**

congelar v. **1** Referido a un líquido, helarlo o convertirlo en sólido por efecto del frío: *El frío de la noche congeló el agua del estanque.* **2** Referido esp. a un alimento, someterlo a temperaturas tan bajas que la parte líquida quede helada: *Compra carne una vez al mes y la congela para tener siempre que necesite.* **3** Referido a un tejido orgánico, dañarlo el frío, esp. produciendo la muerte de sus células: *Andar por la nieve sin un calzado adecuado puede congelar los pies. A la montañera se le congelaron las manos.* **4** Inmovilizar o bloquear: *La orden de congelar sus cuentas bancarias se debe a que sus negocios están siendo investigados judicialmente.* **5** Referido a un proceso, detener su curso o su desarrollo normal: *El Gobierno congelará la entrada en vigor de la ley hasta la próxima legislatura.* □ ETIMOL. Del latín *congelare.*

congénere adj./s. Que es del mismo género, origen o clase que otro. □ ETIMOL. Del latín *congener.* □ MORF. 1. Como adjetivo es invariable en género. 2. Como sustantivo es de género común: *el congénere, la congénere.*

congeniar v. Llevarse bien o entenderse por coincidir en la forma de ser o en las inclinaciones: *Tienes un carácter tan flexible que congenias con todo el mundo.* □ ETIMOL. De *con-* (compañía) y *genio.* □ ORTOGR. La *i* nunca lleva tilde.

congénito, ta adj. Que se tiene desde el nacimiento porque se ha adquirido durante el período de gestación. □ ETIMOL. Del latín *congenitus* (engendrado juntamente).

congestión s.f. **1** Acumulación anormal y excesiva de sangre en una parte del cuerpo. **2** Obstrucción o entorpecimiento de la circulación o del movimiento por una zona. □ ETIMOL. Del latín *congestio,* y éste de *congerere* (amontonar).

congestionar v. **1** Referido a una parte del cuerpo, acumular en ella una cantidad excesiva de sangre: *La carrera que se dio le congestionó el rostro. Cuando un órgano se congestiona, aumenta de tamaño.* **2** Referido esp. a una zona, obstruir o entorpecer la circulación o el movimiento por ellos: *Una inmensa multitud congestionaba la plaza. En cuanto me acatarro, se me congestiona la nariz.*

conglomerado s.m. **1** Conjunto o acumulación formados a partir de una diversidad. **2** Masa compacta de materiales unidos artificialmente. **3** En geología, masa rocosa formada por fragmentos redondeados de diversas rocas o sustancias minerales unidos entre sí por un cemento.

conglomerante s.m. Material capaz de unir fragmentos o partículas de una o de varias sustancias y de dar cohesión al conjunto.

conglomerar v. **1** Reunir, juntar o acumular, esp. si se hace formando un conjunto de gran diversidad interna: *Un buen líder tiene que saber conglomerar las distintas opiniones de sus seguidores. En la coalición se conglomeran las tendencias más dispares.* **2** Referido a fragmentos o a partículas de una o de varias sustancias, unirlos con un conglomerante de modo que resulte una masa compacta: *Para fabricar el*

*asfalto hay que conglomerar la gravilla con un be-
tún.* □ ETIMOL. Del latín *conglomerare* (amontonar).
□ SEM. En la acepción 1, aunque la RAE lo considera
sinónimo de *aglomerar*, en la lengua actual no se
usa como tal.

congoja s.f. Angustia o pena muy intensas. □ ETI-
MOL. Del catalán *congoixa*, y éste del latín *congustia*
(angostura).

congoleño, ña adj./s. Del Congo (país africano),
o relacionado con él.

congraciar v. Conseguir la benevolencia o el afecto de alguien: *Su amabilidad lo congració enseguida
con sus nuevos colaboradores.* □ ETIMOL. De *con-*
(reunión) y *gracia.* □ ORTOGR. Dist. de *congratular.*

congratulación s.f. Manifestación de alegría y de
satisfacción que se hace a alguien con motivo de un
suceso feliz.

congratular v. Alegrar o manifestar alegría y satisfacción por un suceso feliz: *Me congratula estar
con ustedes en día tan señalado. Todos reían y se
congratulaban por la distinción recibida.* □ ETIMOL.
Del latín *congratulari* (felicitar). □ ORTOGR. Dist. de
congraciar. □ MORF. Se usa más como pronominal.

congregación s.f. **1** Conjunto de religiosos que
viven en comunidad sujetos a una regla y que suelen estar dedicados a determinadas actividades
acordes con sus fines piadosos. **2** Asociación o hermandad autorizada de personas devotas, formada
para realizar obras piadosas o religiosas.

congregante, ta s. Miembro de una congregación.

congregar v. Referido esp. a un gran número de personas, reunirlas en un mismo lugar o hacerles acudir a él: *El mitin congregó a multitud de seguidores.
Los afectados se congregaron delante del ayuntamiento.* □ ETIMOL. Del latín *congregare* (asociar). □
ORTOGR. La *g* se cambia en *gu* delante de *e* →PAGAR.

congresista s. Miembro de un congreso o participante en él. □ MORF. Es de género común: *el congresista, la congresista.*

congreso s.m. **1** Reunión de personas para tratar
o debatir un asunto. **2** Conferencia, generalmente
periódica, en la que se reúnen miembros de un colectivo para exponer y debatir cuestiones previamente fijadas. **3** En algunos países, asamblea legislativa nacional, formada por una o por dos cámaras.
4 Edificio en el que se celebran las sesiones de esta
asamblea. □ ETIMOL. Del latín *congressus* (reunión).

congrio s.m. Pez marino de forma casi cilíndrica,
con una larga aleta dorsal, color gris oscuro y carne
blanca muy apreciada como alimento. □ ETIMOL.
Del latín *conger.* □ MORF. Es un sustantivo epiceno:
el congrio macho, el congrio hembra. 🐟 *pez*

congruencia s.f. Coherencia, conformidad, correspondencia o relación lógica.

congruente adj. Con congruencia, con lógica o con
coherencia. □ ETIMOL. Del latín *congruens* (conforme). □ MORF. Invariable en género.

cónico, ca adj. Del cono o con la forma de este
cuerpo geométrico.

conífero, ra ▌ adj./s.f. **1** Referido a una planta, que
es arbórea, tiene las hojas perennes y en forma de
escamas o de agujas, y los frutos generalmente en
forma de cono o de piña: *El pino y el abeto son dos
coníferas.* ▌ s.f.pl. **2** En botánica, clase de estas plantas, perteneciente a la división de las gimnosper-
mas. □ ETIMOL. Del latín *conifer* (que lleva piñas).

conjetura s.f. Juicio o idea que se forman a partir
de indicios o de datos incompletos o no comprobados. □ ETIMOL. Del latín *coniectura.*

conjeturar v. Referido esp. a un juicio, formarlos a
partir de indicios o de datos no completos o no comprobados: *Conjeturo que debe de tener problemas serios.*

conjugación s.f. **1** Combinación de varias cosas
entre sí. **2** En gramática, enunciación ordenada de las
formas que presenta un verbo para cada modo,
tiempo, número y persona. **3** En gramática, cada uno
de los grupos que sirven como modelo para esta
enunciación: *Los verbos terminados en '-ar' pertenecen a la primera conjugación.*

conjugar v. **1** Combinar o poner de acuerdo: *Los
candidatos para el puesto deben conjugar experiencia y capacidad de mando.* **2** En gramática, referido a
un verbo, enunciarlo ordenadamente en las formas
que presenta para cada modo, tiempo, número y
persona: *¿Cómo se conjuga el verbo 'amar' en presente de indicativo?* □ ETIMOL. Del latín *coniugare*
(unir). □ ORTOGR. La *g* se cambia en *gu* delante de
e →PAGAR.

conjunción s.f. **1** En gramática, parte invariable de
la oración cuya función es hacer de nexo entre dos
oraciones o entre dos miembros de una de ellas: *La
conjunción 'y' es coordinante copulativa.* **2** Unión,
reunión o convergencia de varias cosas. □ ETIMOL.
Del latín *coniunctio*, y éste de *coniungere* (unir).

conjuntar v. Combinar en un conjunto armonioso:
¡Qué bien has conjuntado los muebles del salón! □
ETIMOL. Del latín *coniunctare.*

conjuntiva s.f. Véase **conjuntivo, va.**

conjuntivitis s.f. Inflamación de la conjuntiva del
ojo. □ ETIMOL. De *conjuntiva* e *-itis* (inflamación). □
MORF. Invariable en número.

conjuntivo, va ▌ adj. **1** Que junta y une una cosa
con otra. **2** En gramática, de la conjunción, con valor
de locución, o relacionado con ella: *La expresión 'por
mucho que' es una locución conjuntiva que equivale
a 'aunque'.* ▌ s.f. **3** En anatomía, membrana mucosa
que recubre el interior del párpado y la parte anterior del globo ocular de los vertebrados: *La conjuntiva tiene una función protectora y lubrificante.*
□ ETIMOL. Las acepciones 1 y 2, del latín *coniunc-
tivus*, y éste de *coniungere* (unir). La acepción 3, del
latín *coniunctiva.*

conjunto, ta ▌ adj. **1** Hecho en unidad o combi-
nadamente con otros. ▌ s.m. **2** Agrupación homogénea y que se considera formando un cuerpo: *La
cantante fue recibida por un conjunto numeroso de
aficionados.* **3** Grupo musical formado por un número reducido de intérpretes. **4** Juego de dos o más
prendas de vestir combinadas. **5** En matemáticas, totalidad de los elementos con una propiedad común
que los distingue de otros. □ ETIMOL. Del latín *co-
niunctus*, y éste de *coniungere* (unir).

conjura o **conjuración** s.f. Unión mediante juramento o compromiso para un fin, esp. conspiran-
do contra alguien.

conjurado, da adj./s. Participante en una conjura.

conjurar v. **1** Unirse mediante juramento o compromiso para un fin, esp. para conspirar contra alguien: *Los que conjuraron fueron detenidos. Su manía persecutoria le hace pensar que todo el mundo
se conjura contra él.* **2** Referido esp. a un daño o a un

peligro, evitarlos o alejarlos: *Se necesita de la solidaridad internacional para conjurar el hambre.* **3** Referido a un espíritu maligno, esp. al demonio, ahuyentarlo con exorcismos: *Un sacerdote exorcista conjuraba al demonio para que saliese de aquel cuerpo.* **4** Referido a un espíritu, invocar su presencia: *El hechicero conjuraba a los espíritus con palabras mágicas.* □ ETIMOL. Del latín *coniurare.*

conjuro s.m. **1** Fórmula mágica que se dice para conseguir un deseo. **2** Pronunciación de exorcismos para ahuyentar al demonio o a otro espíritu maligno.

conllevar v. Implicar, suponer o traer como consecuencia: *El trabajo de vigilante conlleva serios riesgos.* □ SINT. Incorr. **conllevar a algo* > *conllevar algo.*

conmemorable adj. Digno de ser conmemorado. □ MORF. Invariable en género.

conmemoración s.f. Recuerdo que se hace de una persona o de un acontecimiento, esp. el que se celebra en una ceremonia.

conmemorar v. Recordar, esp. si se celebra en una ceremonia: *El 23 de abril se conmemora la muerte de Cervantes.* □ ETIMOL. Del latín *commemorare.*

conmemorativo, va adj. Que conmemora a una persona o un acontecimiento.

conmensurable adj. Sujeto a medida o a valoración. □ ETIMOL. Del latín *commensurabilis.* □ MORF. Invariable en género.

conmigo pron.pers. Forma de la primera persona del singular cuando se combina con la preposición *con*: *Tu hermano está conmigo.* □ ETIMOL. Del latín *cum* (con) y *mecum* (conmigo). □ MORF. 1. No tiene diferenciación de género. 2. Incorr. **con mí.*

conminar v. **1** Referido a una persona, amenazarla, esp. con un castigo: *La Administración conmina con un recargo a cuantos se retrasen en el pago de impuestos.* **2** En derecho, exigir el cumplimiento de un mandato bajo advertencia de pena o de sanción quien tiene autoridad para ello: *El juez conminó a todos los implicados a presentarse en el lugar y fecha fijados.* □ ETIMOL. Del latín *comminari*, y éste de *cum* (con) y *minari* (amenazar). □ SINT. Constr. de la acepción 2: *conminar A hacer algo.*

conminativo, va adj. Que conmina o puede conminar, amenazar o exigir con autoridad.

conminatorio, ria adj. Que conmina, amenaza o exige con autoridad.

conmiseración s.f. Sentimiento de pena y lástima por la desgracia o el sufrimiento ajenos; compasión. □ ETIMOL. Del latín *commiseratio.*

conmoción s.f. **1** Alteración, inquietud o perturbación violentas. **2** ‖ **conmoción cerebral**; aturdimiento o pérdida del conocimiento producidos por un fuerte golpe en la cabeza o por efecto de otro factor violento. □ ETIMOL. Del latín *commotio*, y éste de *commovere* (conmover).

conmocionar v. Producir o experimentar conmoción, perturbación o agitación, generalmente por efecto de causas violentas: *Un anuncio de nuevos despidos masivos conmocionaría a las masas. Todos nos conmocionamos cuando nos comunicaron la mala noticia.*

conmovedor, -a adj. Que conmueve.

conmover v. Enternecer o producir compasión: *Conmueve ver a un niño mendigando. Es tan sen-* sible que se conmueve por cualquier cosa.* □ ETIMOL. Del latín *commovere.* □ MORF. La *o* final de la raíz diptonga en *ue* en los presentes, excepto en las personas *nosotros* y *vosotros* →MOVER.

conmutabilidad s.f. Posibilidad de ser conmutado, cambiado o sustituido.

conmutación s.f. **1** Cambio de una cosa por otra. **2** Sustitución de una condena o de una obligación por otras más leves.

conmutador, -a ‖ adj. **1** Que conmuta. ‖ s.m. **2** En electrónica, aparato o dispositivo que permiten cambiar la dirección de una corriente eléctrica o interrumpirla. **3** En zonas del español meridional, centralita telefónica.

conmutar v. **1** Intercambiar o cambiar por otra cosa: *Conmutar el orden de los factores no altera el producto.* **2** Referido esp. a una condena, sustituirla por otra más leve: *Le conmutaron la pena de muerte por cadena perpetua.* □ ETIMOL. Del latín *commutare.*

conmutativo, va adj. Que conmuta o que puede conmutar.

connatural adj. Propio de la naturaleza de cada ser. □ ETIMOL. Del latín *connaturalis.* □ MORF. Invariable en género.

connivencia s.f. **1** Confabulación o acuerdo que se hace para llevar a cabo un plan ilícito. **2** Tolerancia o disimulo de un superior para con las faltas o los incumplimientos que cometen sus subordinados contra las reglas y leyes a las que están sujetos: *Aunque él no participara en el fraude, su connivencia lo hizo posible y debe ser castigado.* □ ETIMOL. Del latín *conniventia* (guiño de los ojos).

connivente adj. Con connivencia, con tolerancia o bajo acuerdo. □ MORF. Invariable en género.

connotación s.f. En lingüística, significación secundaria y subjetiva que posee una palabra o una unidad léxica por asociación: *El adjetivo 'caduco' aplicado a una persona tiene una connotación despectiva.* □ SEM. Dist. de *denotación* (significación básica y desprovista de matizaciones subjetivas).

connotar v. En lingüística, poseer significados secundarios y subjetivos: *La palabra 'tarde' en muchos poemas de Antonio Machado connota tristeza y sensación de paso del tiempo.* □ ETIMOL. De *con-* (reunión, compañía) y *notar.* □ SEM. Dist. de *denotar* (poseer un significado básico y sin matizaciones subjetivas).

connotativo, va adj. Que connota. □ SEM. Dist. de *denotativo* (que denota o indica un significado básico).

connubio s.m. *poét.* Matrimonio. □ ETIMOL. Del latín *connubium.*

cono s.m. **1** Cuerpo geométrico limitado por una base circular y por la superficie generada por la rotación de una recta que mantiene fijo uno de sus extremos y que describe con el otro la circunferencia de dicha base. **2** Lo que tiene forma semejante a la de este cuerpo geométrico. **3** En botánica, fruto de las plantas coníferas. **4** En la retina del ojo, célula que recibe las impresiones luminosas de color. **5** ‖ **cono sur**; en geografía, región sur del continente americano, formada por los territorios chileno, argentino y uruguayo. □ ETIMOL. Del latín *conus*, y éste del griego *kônos* (cono, piña).

conocedor, -a adj./s. Experto o entendido en una materia.

conocer v. **1** Averiguar o descubrir por el ejercicio de las facultades intelectuales: *El científico aspira a conocer los misterios del mundo.* **2** Percibir de manera clara y distinguiendo de todo lo demás: *Es peligroso ir a coger setas si no conoces las especies venenosas.* **3** Notar, advertir o saber por indicios o por conjeturas: *Por aquella mirada, conocí sus intenciones.* **4** Experimentar, sentir o saber por propia experiencia: *Quien no ha conocido el amor, no entiende lo que es estar enamorado.* **5** Referido a una persona, tener trato o relación con ella: *Resultó que era de una familia a la que conozco mucho.* **6** Referido a una persona, tener relaciones sexuales con ella: *Hasta el día de su boda no conoció varón.* **7** En derecho, entender en un asunto con facultad legítima para ello: *El tribunal que conoce de la causa se reunió para deliberar.* **8** ‖ **se conoce que**; *col.* Parece ser que: *Se conoce que no les iba bien, porque han roto.* ☐ ETIMOL. Del latín *cognoscere.* ☐ MORF. Irreg. →PARECER. ☐ SINT. Constr. de la acepción 7: *conocer DE un asunto.* ☐ USO El uso de la acepción 6 es característico del lenguaje culto.

conocido, da ‖ adj. **1** Ilustre, famoso o acreditado. ‖ s. **2** Persona con la que se tiene cierto trato o relación, sin llegar a la amistad; conocimiento.

conocimiento ‖ s.m. **1** Entendimiento, inteligencia o capacidad de razonar. **2** Conciencia o capacidad sensorial y perceptiva de una persona. **3** Averiguación o descubrimiento que se alcanzan por el ejercicio de las facultades intelectuales. **4** Apreciación, percepción o saber que se alcanzan generalmente por indicios o por conjeturas. **5** Experimentación, sentimiento o saber adquiridos por propia experiencia. **6** Trato o relación con una persona. **7** Persona con la que se tiene cierto trato o relación, sin llegar a la amistad; conocido. ‖ pl. **8** Conjunto de las nociones aprendidas sobre una materia o sobre una disciplina.

conque conj. Enlace gramatical subordinante con valor consecutivo: *No te necesito aquí, conque ya te puedes ir.* ☐ ETIMOL. De *con* y *que.* ☐ ORTOGR. Dist. de *con que.* ☐ USO Se usa para introducir frases exclamativas que expresan sorpresa o censura al interlocutor: *¡Conque esas tenemos, eh!*

conquense adj./s. De Cuenca o relacionado con esta provincia española o con su capital. ☐ MORF. 1. Como adjetivo es invariable en género. 2. Como sustantivo es de género común: *el conquense, la conquense.*

conquista s.f. **1** Consecución o logro obtenidos con esfuerzo, con habilidad o venciendo dificultades. **2** Dominación de un territorio mediante operaciones de guerra. **3** Logro del amor de una persona. **4** Logro o atracción de la voluntad, de la simpatía o de la actitud favorable de otra persona. **5** Lo que ha sido conquistado.

conquistador, -a adj./s. Que conquista.

conquistar v. **1** Conseguir o ganar, generalmente con esfuerzo, con habilidad o venciendo dificultades: *Para conquistar su actual puesto, tuvo que superar una dura prueba de selección.* **2** Referido a un territorio, tomarlo o dominarlo mediante operaciones de guerra: *Durante la Edad Media, los árabes conquistaron gran parte de la península Ibérica.* **3** Referido a una persona, lograr su amor: *Su actual marido se le resistió mucho, pero al final lo conquistó.* **4** Referido a una persona, ganarse su voluntad, su

simpatía o su actitud favorable: *Sabe conquistar al público con su arte. Cuando se pone tan cariñoso, sé que quiere conquistarme para pedirme algo.* ☐ ETIMOL. Del latín *conquistare.*

consabido, da adj. Habitual o sabido por todos. ☐ ETIMOL. De *con-* (reunión) y *sabido.*

consagración s.f. **1** En la misa, pronunciación por parte del sacerdote de las palabras necesarias para que se realice la conversión de las sustancias del pan y del vino en el cuerpo y la sangre de Jesucristo. **2** Dedicación u ofrecimiento a Dios. **3** Dedicación a un determinado fin, esp. si se hace con ardor o entusiasmo. **4** Adquisición de fama o prestigio en una actividad.

consagrar v. **1** En la misa, pronunciar el sacerdote las palabras necesarias para que se realice la conversión de las sustancias del pan y del vino en cuerpo y sangre de Jesucristo: *Cuando el sacerdote consagra todos los fieles se ponen en pie. El sacerdote levantó la hostia y el cáliz después de consagrarlos.* **2** Dedicar u ofrecer a Dios: *Ingresó en un seminario y consagró su vida a Dios.* **3** Dedicar a un determinado fin, esp. si se hace con ardor o entusiasmo: *Consagró sus mejores años a la investigación científica. Se consagró en cuerpo y alma a la defensa de los derechos humanos.* **4** Dar fama o prestigio en una actividad: *Sus últimos cuadros lo consagran como uno de los mejores pintores del momento. Con aquel reportaje se consagró como periodista.* ☐ ETIMOL. Del latín *consecrare.*

consanguíneo, a adj. Referido a una persona, que tiene relación de consanguinidad con otra. ☐ ETIMOL. Del latín *consanguineus.*

consanguinidad s.f. Unión por parentesco natural de varias personas que descienden de antepasados comunes. ☐ MORF. Incorr. *consanguineidad.*

consciencia s.f. →**conciencia**.

consciente adj. **1** Que tiene conocimiento de algo, esp. de sus actos, de sus sentimientos o de sus pensamientos. **2** Que se hace en estas condiciones. **3** Con pleno uso de sus sentidos y facultades. ☐ ETIMOL. Del latín *consciens,* y éste de *conscire* (tener conciencia). ☐ MORF. Invariable en género.

conscripto s.m. En zonas del español meridional, recluta.

consecución s.f. Obtención o logro de lo que se pretende o desea.

consecuencia s.f. **1** Lo que resulta o se deriva de algo: *La mala cosecha de este año es consecuencia de la sequía.* **2** Correspondencia lógica entre distintos elementos, esp. entre los principios de una persona y su comportamiento. **3** ‖ **a consecuencia de**; enlace gramatical subordinante con valor causal: *El río se desbordó a consecuencia de las fuertes lluvias.* ‖ **{en/por} consecuencia**; enlace gramatical coordinante con valor consecutivo: *No quiero que me vea y, en consecuencia, saldré por la otra puerta.*

consecuente adj. Que guarda correspondencia lógica con algo, esp. referido a la persona que observa correspondencia entre sus actos y sus principios. ☐ ETIMOL. Del latín *consequens,* y éste de *consequi* (seguir). ☐ MORF. Invariable en género.

consecutivo, va adj. **1** Que sigue inmediatamente o sin interrupción a otro elemento. **2** Que expresa consecuencia. ☐ ETIMOL. Del latín *consecutus,* y éste de *consequi* (ir detrás de uno).

conseguir v. Referido a lo que se pretende o desea, alcanzarlo, obtenerlo o lograrlo: *Consiguió superar su depresión. ¿Quién conseguirá ganar la carrera?* □ ETIMOL. Del latín *consequi* (seguir, perseguir, alcanzar). □ ORTOGR. La *gu* se cambia en *g* delante de *a, o.* □ MORF. Irreg. →SEGUIR.

conseja s.f. Cuento, fábula o relato, generalmente de carácter cómico y de sabor antiguo. □ ETIMOL. Del latín *consilia*, y éste de *consilium* (consejo), porque con él se solían terminar las consejas.

consejería s.f. **1** Departamento del gobierno de una comunidad autónoma. **2** Establecimiento o lugar en el que funciona un consejo o corporación consultiva o administrativa. **3** Cargo de consejero. □ ORTOGR. Dist. de *conserjería*.

consejero, ra s. **1** Persona que aconseja o que sirve para aconsejar; consiliario. **2** Miembro de un consejo o de una consejería. **3** Lo que sirve de advertencia para la conducta. □ MORF. En las acepciones 2 y 3 la RAE sólo lo registra como masculino.

consejo s.m. **1** Opinión o juicio que se da o se toma sobre cómo se debe actuar en un asunto. **2** Corporación consultiva encargada de informar al Gobierno sobre determinada materia: *consejo de agricultura.* **3** Cuerpo administrativo, consultivo o de gobierno, esp. referido al de una sociedad o compañía particular: *consejo escolar.* **4** Reunión de esta corporación o de este cuerpo: *consejo de ministros.* **5** Lugar en el que se reúne o tiene su sede esta corporación o este cuerpo. **6** ‖ **consejo de guerra**; tribunal compuesto por generales, jefes u oficiales que, con asistencia de un asesor jurídico, se ocupa de las causas de la jurisdicción militar. ‖ **Consejo de Ministros**; cuerpo de ministros que, presididos por el jefe del poder ejecutivo, tratan cuestiones del Estado. □ ETIMOL. Del latín *consilium* (parecer, asamblea consultiva). □ ORTOGR. Dist. de *concejo*.

[conselleiro s.m. Miembro del gobierno autónomo gallego.

[conseller s.m. Miembro del gobierno autónomo catalán, valenciano o balear.

consenso s.m. Asenso o consentimiento, esp. referido al de todas las personas que componen una corporación. □ ETIMOL. Del latín *consensus*. □ SEM. Dist. de *acuerdo* (decisión acordada tras un debate).

consensual adj. Del consenso o relacionado con este consentimiento mutuo. □ MORF. Invariable en género.

consensuar v. Referido esp. a una decisión, adoptarla de común acuerdo entre dos o más partes: *La ley fue consensuada por todos los partidos políticos.* □ ORTOGR. La *u* lleva tilde en los presentes, excepto en las personas *nosotros* y *vosotros* →ACTUAR.

consentido, da adj./s. Mimado en exceso. □ MORF. La RAE sólo lo recoge como adjetivo.

consentimiento s.m. Permiso para la realización de algo; anuencia.

consentir v. **1** Referido a la realización de algo, permitirla o dejar que se haga: *No te consiento que hables mal de mis amigos.* **2** Referido a una persona, mimarla o ser muy tolerante con ella: *Si consientis tanto al niño lo vais a malcriar.* □ ETIMOL. Del latín *consentire* (estar de acuerdo, decidir de común acuerdo). □ MORF. Irreg. →SENTIR.

conserje s. Persona que se encarga del cuidado, vigilancia y limpieza de un edificio o de un establecimiento público. □ ETIMOL. Del francés *concierge* (portero). □ MORF. Es de género común: *el conserje, la conserje.*

conserjería s.f. **1** Lugar que ocupa el conserje en el edificio que está a su cuidado. **2** Cargo de conserje. □ ORTOGR. Dist. de *consejería*.

conserva s.f. Alimento preparado y envasado convenientemente para mantenerlo comestible durante mucho tiempo.

conservación s.f. **1** Mantenimiento de algo o cuidado de su permanencia. **2** Continuación de la práctica de algo, esp. de las costumbres o de las virtudes.

[conservacionista adj./s. Referido esp. a una persona, que tiende a la conservación de una situación o de otra cosa. □ MORF. **1.** Como adjetivo es invariable en género. **2.** Como sustantivo es de género común: *el 'conservacionista', la 'conservacionista'.*

conservador, -a ‖ adj./s. **1** Que defiende o sigue el conservadurismo. ‖ s.m. **2** En zonas del español meridional, conservante.

conservadurismo s.m. Doctrina o actitud que defiende los valores tradicionales y la moderación en las reformas, y que se opone a los cambios bruscos respecto a una situación dada.

conservante adj./s.m. Que se añade a los alimentos para conservarlos sin alterar sus cualidades. □ MORF. Como adjetivo es invariable en género.

conservar v. **1** Mantener o cuidar la permanencia de algo: *Aún conservo tus regalos. Los alimentos frescos se conservan en la nevera.* **2** Referido esp. a una costumbre o a una virtud, continuar su práctica: *Conserva aún la agilidad de sus años jóvenes.* **3** Guardar con cuidado: *La biblioteca conserva valiosos manuscritos.* **4** Elaborar conservas: *En esta fábrica se utilizan diversos procedimientos para conservar los pescados.* □ ETIMOL. Del latín *conservare*.

conservatorio s.m. Centro, generalmente oficial, dedicado a la enseñanza de la música y de otras artes relacionadas con ella.

conservero, ra ‖ adj. **1** De las conservas o relacionado con ellas. ‖ s. **2** Propietario de una industria dedicada a la conservación de alimentos, o persona que se dedica profesionalmente a la realización de conservas.

considerable adj. Grande, cuantioso o importante. □ MORF. Invariable en género.

consideración s.f. **1** Meditación o reflexión atenta y cuidadosa de algo. **2** Atención y respeto. **3** Opinión o juicio que se tiene sobre algo. **4** ‖ **de consideración**; grande o importante.

considerado, da adj. **1** Que actúa con reflexión, con atención o de forma respetuosa. **2** Que recibe muestras de atención y respeto.

considerar v. **1** Pensar, meditar o reflexionar con atención y cuidado: *Tengo que considerar tu oferta antes de darte una respuesta.* **2** Juzgar, estimar o tener una opinión sobre algo: *Considero que no tienes razón. Se considera una sabia y quiere darnos lecciones a todos.* □ ETIMOL. Del latín *considerare* (examinar atentamente).

consigna s.f. **1** Orden o instrucción que se da a un subordinado o a los afiliados de una agrupación política o sindical. **2** En una estación o en un aeropuerto, lugar o compartimento en el que se pueden dejar depositados los equipajes.

consignación s.f. **1** Cantidad destinada para determinados gastos o servicios. **2** Manifestación por escrito de algo, esp. de una opinión, de un voto o de un dato.

consignar v. **1** En un presupuesto, anotar una cantidad de dinero para un fin determinado: *El Ayuntamiento ha consignado poco dinero para la conservación de los parques.* **2** Referido esp. a una opinión, un voto o un dato, ponerlos por escrito: *En la factura debes consignar la fecha de entrega.* [**3** En zonas del español meridional, ingresar una cantidad de dinero en una cuenta bancaria. □ ETIMOL. Del latín *consignare.*

consignatario, ria s. Empresa o persona a quien va destinada una mercancía.

consigo pron.pers. Forma de la tercera persona cuando se combina con la preposición *con: Reflexionaba consigo misma. Se llevaron todos los libros consigo.* □ ETIMOL. Del latín *cum* (con) y *secum* (consigo). □ MORF. 1. No tiene diferenciación de género ni de número. 2. Incorr. *con sí*. □ SEM. Dist. de *consigo* (del verbo *conseguir*).

consiguiente adj. **1** Que depende y se deduce de algo. **2** ‖ **por consiguiente**; enlace gramatical subordinante con valor consecutivo. □ ETIMOL. Del latín *consequens*, y éste de *consequi* (seguir). □ MORF. Invariable en género.

consiliario, ria s. Persona que aconseja o sirve para aconsejar; consejero. □ ETIMOL. Del latín *consiliarius.*

consistencia s.f. **1** Estabilidad, solidez o fundamento de algo. **2** Cohesión o unión entre las partículas de una masa o entre los elementos de un conjunto.

consistente adj. Que tiene consistencia. □ MORF. Invariable en género.

consistir v. [**1** Ser o estar formado o compuesto por lo que se expresa: *El premio 'consiste' en un lote de libros. Mi trabajo 'consiste' en catalogar libros.* **2** Estribar o estar basado; radicar: *Su éxito consiste en su capacidad de trabajo.* □ ETIMOL. Del latín *consistere* (colocarse, detenerse, ser consistente). □ SINT. Constr. *consistir EN algo.*

consistorial adj. Del consistorio o relacionado con él. □ MORF. Invariable en género.

consistorio s.m. **1** En algunas ciudades y villas importantes españolas, ayuntamiento o cabildo. **2** En la iglesia católica, junta o asamblea que celebra el Papa con asistencia de los cardenales. □ ETIMOL. Del latín *consistorium* (lugar de reunión).

consola s.f. **1** Mesa hecha para estar arrimada a la pared y cuyo fin es principalmente decorativo. **2** Panel de mandos e indicadores que sirve para que el usuario o el operador dirija el funcionamiento de una determinada máquina o de un sistema. □ ETIMOL. Del francés *console.*

consolación s.f. Alivio de la pena o del dolor de una persona.

consolador s.m. [Aparato con forma de pene usado para la estimulación sexual.

consolar v. Referido a una persona, aliviar su pena o su dolor: *Tus palabras de cariño me consuelan. Se consuela contando su desgracia a los amigos.* □ ETIMOL. Del latín *consolari* (aliviar). □ MORF. Irreg.
→CONTAR.

consolatorio, ria adj. Que consuela.

consolidación s.f. Adquisición de firmeza y solidez.

consolidar v. Afianzar o dar firmeza y solidez:

Nuestra amistad se consolidó tras aquel viaje. □ ETIMOL. Del latín *consolidare.* □ SEM. Dist. de *solidificar* (hacer sólido un fluido).

consomé s.m. Caldo de carne concentrado. □ ETIMOL. Del francés *consommé.*

consonancia s.f. **1** Relación de igualdad o de conformidad entre varios elementos. **2** En métrica, identidad de sonidos en la terminación de dos palabras, esp. si son finales de versos, a partir de su última vocal acentuada.

consonante ‖ adj. **1** Referido esp. a una palabra o a un verso, que guardan con otros consonancia o identidad de sonidos a partir de su última vocal acentuada. **2** Que tiene relación de igualdad o de conformidad con algo. ‖ adj./s.f. **3** Referido a un sonido, que se produce por un movimiento de cierre total o parcial de los órganos de la articulación, de forma que se interrumpe o dificulta el paso del aire a través de los mismos, seguido de otro movimiento de apertura. [**4** Referido a una letra, que representa este sonido. □ ETIMOL. Del latín *consonans*, y éste de *consonare* (estar en armonía). □ MORF. Como adjetivo es invariable en género.

consonántico, ca adj. De la consonante o relacionado con ella.

consorcio s.m. Unión o asociación de personas o de elementos que tienen intereses comunes o que tienden a un mismo fin, esp. referido a la agrupación de entidades para negocios importantes. □ ETIMOL. Del latín *consortium.*

consorte s. Respecto de una persona, su esposo o su esposa; cónyuge. □ ETIMOL. Del latín *consors* (el que tiene la misma suerte). □ MORF. Es de género común: *el consorte, la consorte.*

conspicuo, cua adj. Ilustre, notable o sobresaliente. □ ETIMOL. Del latín *conspicuus* (en quien se juntan las miradas).

conspiración s.f. Unión o alianza de varias personas para preparar una acción contra algo, esp. contra una autoridad.

conspirador, -a s. Persona que conspira o que participa en una conspiración.

conspirar v. Referido a varias personas, unirse o aliarse para preparar una acción contra algo, esp. contra una autoridad: *Miembros del partido de la oposición conspiraban para derribar al Gobierno.* □ ETIMOL. Del latín *conspirare* (estar de acuerdo).

constancia s.f. **1** Firmeza de ánimo y continuidad en las resoluciones, en los propósitos o en la realización de algo. **2** Certeza o exactitud de algo que se ha hecho o se ha dicho. **3** Registro escrito en el que se hace constar algo, esp. si es de manera fehaciente o digna de crédito. □ SINT. La acepción 3 se usa más con los verbos *haber, dejar* o equivalentes.

constante ‖ adj. **1** Que tiene constancia. **2** Que persiste o que dura. ‖ adj./s.f. **3** Que se repite continuamente. ‖ s.f. **4** En matemáticas, variable que tiene un valor fijo. □ MORF. Como adjetivo es invariable en género.

constar v. **1** Ser cierto, manifiesto o sabido: *Me consta que tu intención era buena. Que conste que yo te he tratado con amabilidad.* **2** Quedar registrado en algún sitio: *Los datos del recién nacido ya constan en el registro civil.* **3** Estar formado por determinadas partes o elementos: *El libro consta de doce capítulos.* □ ETIMOL. Del latín *constare* (detenerse, subsistir, estar de acuerdo). □ SINT. Constr. de la acepción 3: *constar DE algo*.

constatación s.f. Comprobación de un hecho o establecimiento de su veracidad.

constatar v. Referido a un hecho, comprobarlo, establecer su veracidad o dar constancia de él: *Se han aporatdo muchos datos, pero aún hay que constatarlos*. □ ETIMOL. Del francés *constater*.

constelación s.f. Conjunto de estrellas que, mediante trazos imaginarios sobre la superficie celeste, forman un dibujo que evoca una figura determinada. □ ETIMOL. Del latín *constellatio* (posición de los astros).

consternación s.f. Alteración del ánimo o pérdida de la tranquilidad.

consternar v. Alterar o inquietar el ánimo, o intranquilizar mucho: *La noticia de su muerte me ha consternado. Al conocer su nuevo fracaso se consternó*. □ ETIMOL. Del latín *consternare* (azorar, alocar de miedo, abatir).

constipado s.m. 1 Inflamación de las membranas mucosas, con aumento de la secreción habitual. [2 Malestar físico que se produce generalmente por cambios bruscos de temperatura; resfriado. □ SEM. Es sinónimo de *catarro*.

constiparse v.prnl. Resfriarse o acatarrarse: *Me constipé porque pasé mucho frío*. □ ETIMOL. Del latín *constipare* (constreñir).

constitución s.f. 1 Ley fundamental de la organización de un Estado. 2 Forma o sistema de gobierno que tiene cada Estado. 3 Establecimiento o fundación de algo. 4 Adquisición de una determinada posición, cargo o condición. 5 Manera de estar constituido algo o conjunto de características que lo conforman. 6 Naturaleza y relación de los sistemas y aparatos orgánicos, cuyas funciones determinan el grado de fuerzas y la vitalidad de un individuo; complexión: *El niño es de constitución fuerte*. 7 En una orden religiosa, conjunto de estatutos y ordenanzas por los que se rige, o cada uno de ellos. □ ETIMOL. Del latín *constitutio* (decreto, edicto). □ USO En la acepción 1, se usa más como nombre propio.

constitucional adj. 1 De la Constitución (ley fundamental de un Estado) o conforme a ella. 2 De la constitución de una persona, o que es propio de ésta. □ MORF. Invariable en género.

constitucionalidad s.f. Conformidad con la Constitución o ley fundamental de un Estado.

constituir ∎ v. 1 Formar o componer: *La fábrica constituye el complejo industrial de esta zona*. 2 Ser o suponer: *La bondad constituye su mayor cualidad*. 3 Establecer, erigir o fundar: *Los tres socios van a constituir una nueva sociedad. El nuevo país se constituirá como república*. 4 Asignar o dotar de la posición o condición que se indica: *La directora me constituyó en encargado de la sección*. ∎ prnl. 5 Asumir una obligación, un cargo o un cuidado: *Se constituyó en la abogada de la familia*. □ ETIMOL. Del latín *constituere* (organizar, instituir). □ MORF. Irreg. →HUIR. □ SINT. Constr. como pronominal: *constituirse {EN} algo*.

constitutivo, va adj./s.m. Que forma parte esencial o fundamental de algo.

constituyente adj. 1 Que constituye algo o es parte de ello. 2 Referido esp. a las cortes, a una asamblea o a un congreso, que han sido convocados para

elaborar o reformar la Constitución de un Estado. □ MORF. Invariable en género.

constreñimiento s.m. 1 Obligación para que alguien haga algo. [2 Opresión o limitación. □ SEM. Es sinónimo de *constricción*.

constreñir v. 1 Referido a una persona, obligarla por fuerza a hacer algo: *La justicia me constriñó a saldar todas mis deudas*. 2 Oprimir o limitar: *El exceso de instrucciones constriñe la espontaneidad de los alumnos*. 3 En medicina, apretar y cerrar por opresión: *Un tumor le constriñe la arteria e impide el riego cerebral*. □ ETIMOL. Del latín *constringere*. □ MORF. Irreg. →CEÑIR.

constricción s.f. 1 Obligación para que alguien haga algo. 2 Opresión o limitación. 3 En medicina, opresión o estrechamiento. □ ORTOGR. Dist. de *contrición*. □ SEM. En las acepciones 1 y 2, es sinónimo de *constreñimiento*.

constrictivo, va adj. Que constriñe.

construcción s.f. 1 Fabricación o realización de algo, esp. de una obra de albañilería, juntando los elementos necesarios para ello. 2 Arte o técnica de construir. 3 Obra construida. 4 Creación o formación de algo inmaterial: *construcción de una teoría explicativa*. 5 En gramática, ordenamiento y disposición de las palabras de una frase para expresar correctamente un concepto: *construcción de una frase*.

constructivismo s.m. 1 Movimiento artístico de vanguardia que se interesa especialmente por la organización de los planos y la expresión del volumen utilizando materiales de la época industrial. [2 Método de enseñanza basado esp. en la práctica o en la experiencia. □ ETIMOL. Del ruso *konstruktivizm*. [**constructivista** adj. Del constructivismo o relacionado con este método de enseñanza. □ MORF. Invariable en género.

constructivo, va adj. Que construye o que sirve para construir.

constructor, -a adj./s. Que se dedica a la construcción.

construir v. 1 Referido esp. a una obra de albañilería, fabricarla o hacerla juntando los elementos necesarios para ello: *Ha construido una casa*. 2 Referido a algo inmaterial, crearlo o idearlo: *Hay que construir una teoría que explique el fenómeno*. 3 En gramática, ordenar o unir las palabras o las frases de acuerdo con las leyes gramaticales: *El verbo 'depender' se construye con la preposición 'de'*. □ ETIMOL. Del latín *construere* (construir, edificar). □ MORF. Irreg. →HUIR.

consubstanciación s.f. Presencia de Cristo en la eucaristía, de forma que el pan y el vino conservan su propia sustancia. □ ORTOGR. Incorr. *consustanciación*.

consubstancial adj. →consustancial. □ ETIMOL. Del latín *consubstantialis*. □ MORF. Invariable en género.

consubstancialidad s.f. →consustancialidad.

consuegro, gra s. Respecto del padre o de la madre de una persona, padre o madre de su cónyuge. □ ETIMOL. Del latín *consocer*.

consuelo s.m. Alivio de la pena o del dolor que afligen y oprimen el ánimo.

consuetudinario, ria adj. Que está establecido por la costumbre. □ ETIMOL. Del latín *consuetudinarius*, y éste de *consuetudo* (costumbre).

cónsul ∎ s. 1 Funcionario diplomático que, en una

población extranjera, se encarga de los asuntos relacionados con los compatriotas residentes en dicha población. ∎ s.m. 2 En la antigua Roma, cada uno de los dos magistrados que tenía autoridad suprema. ☐ ETIMOL. Del latín *consul* (magistrado supremo de la República romana). ☐ MORF. En la acepción 1, es de género común: *el cónsul, la cónsul*, aunque la RAE admite también el femenino *consulesa*.

consulado s.m. 1 Cargo o dignidad de cónsul. 2 Tiempo durante el cual un cónsul ejerce su cargo. 3 Territorio o distrito asignados a un cónsul y en los cuales ejerce su autoridad. 4 Oficina en la que trabaja un cónsul.

consular adj. Del cónsul o relacionado con él. ☐ MORF. Invariable en género.

consulesa s.f. de **cónsul.**

consulta s.f. 1 Examen de un asunto entre varias personas. 2 Examen que hace el médico a sus pacientes. 3 Lugar o local en el que el médico atiende y examina a sus pacientes; consultorio. 4 Búsqueda o investigación. 5 Petición o solicitud de una opinión o de un consejo.

consultar v. 1 Pedir opinión o consejo: *Consultaré al abogado.* 2 Buscar o investigar: *Consulté en varios libros, pero no encontré el dato que buscaba.* 3 Referido a un asunto, tratarlo o examinarlo con otras personas: *Tengo que consultar el tema con mis socios.* ☐ ETIMOL. Del latín *consultare* (pedir consejo).

[consulting s.m. →**consultoría.** ☐ PRON. [consúltin]. ☐ USO Es un anglicismo innecesario.

consultivo, va adj. Referido a una junta o a un organismo, que están establecidos para ser consultados por las personas que gobiernan.

consultor, -a adj./s. Que aconseja o da su opinión sobre algo, esp. sobre asuntos legales, económicos o profesionales en general.

consultoría s.f. 1 Despacho o local en el que se asesora sobre algún tema, esp. legal, económico o profesional. 2 Actividad que se realiza en este local. ☐ USO Es innecesario el uso del anglicismo *consulting.*

consultorio s.m. 1 Lugar o local en el que el médico atiende y examina a sus pacientes; consulta. 2 Local u oficina privados en los que se tratan y resuelven consultas sobre asuntos técnicos. 3 En algunos medios de comunicación, sección dedicada a contestar preguntas que hace el público.

consumación s.f. Realización de algo de una forma completa o total.

consumado, da adj. Excelente o perfecto.

consumar v. Hacer por completo o totalmente: *Después de haber consumado el crimen, el asesino se entregó. Se ha consumado la ruptura entre los dos países.* ☐ ETIMOL. Del latín *consummare.*

consumibles s.m.pl. [Conjunto de los materiales de oficina que se consumen.

consumición s.f. 1 Lo que se consume en un establecimiento público, esp. en un bar o en un restaurante. 2 Destrucción o extinción.

consumido, da adj. *col.* Muy flaco o con muy mal aspecto.

consumidor, -a s. Persona que compra y consume bienes o productos.

consumir v. 1 Referido a un comestible o a otro género, utilizarlo para satisfacer las necesidades o los gustos: *En mi casa consumimos mucha leche.* 2 Referido a la energía o al producto que la origina, utilizar-

los o gastarlos: *Este coche consume muy poca gasolina.* 3 Destruir o extinguir: *Se consumía poco a poco debido a una grave enfermedad.* ☐ ETIMOL. Del latín *consumere.*

consumismo s.m. Tendencia al consumo excesivo e indiscriminado de bienes que no son absolutamente necesarios.

[consumista adj./s. Que tiende a consumir de una forma excesiva o indiscriminada. ☐ MORF. 1. Como adjetivo es invariable en género. 2. Como sustantivo es de género común: *el 'consumista', la 'consumista'.*

consumo s.m. Utilización o gasto de lo que se extingue con el uso.

consustancial adj. Que es de la misma naturaleza o esencia. ☐ ORTOGR. Se admite también *consubstancial.* ☐ MORF. Invariable en género. ☐ USO Aunque la RAE prefiere *consubstancial*, se usa más *consustancial.*

consustancialidad s.f. Propiedad de lo que es de la misma naturaleza o esencia que otro. ☐ ORTOGR. Se admite también *consubstancialidad.* ☐ USO Aunque la RAE prefiere *consubstancialidad*, se usa más *consustancialidad.*

contabilidad s.f. 1 Registro sistemático de todas las operaciones económicas de una empresa o de una organización. [2 Conjunto de dichos registros contables.

contabilizar v. 1 Referido a una operación económica, registrarla en un libro de cuentas: *Debes contabilizar las reparaciones como gastos generales.* 2 Contar o llevar la cuenta: *Ya 'he contabilizado' diez errores en el examen.* ☐ ORTOGR. La *z* se cambia en *c* delante de *e* →CAZAR.

contable ∎ adj. 1 De la contabilidad o relacionado con ella. ∎ s. 2 Persona que está encargada de llevar la contabilidad. ☐ ETIMOL. Del latín *computabilis.* ☐ MORF. 1. Como adjetivo es invariable en género. 2. Como sustantivo es de género común: *el contable, la contable.*

contactar v. Establecer contacto o comunicación: *Contacté con el dueño del local.* ☐ SINT. La RAE sólo lo registra como transitivo. ☐ SEM. Constr. *contactar CON alguien.*

contacto ∎ s.m. 1 Unión entre dos elementos, de forma que entre ellos no exista ninguna separación. 2 Conexión que se establece entre dos partes de un circuito eléctrico. 3 Dispositivo que se usa para establecer esta conexión. 4 Persona que actúa como intermediaria entre otras, esp. dentro de una organización; enlace. 5 Relación o comunicación que se establece entre personas o entre entidades. ∎ pl. [6 *col.* Conjunto de amistades que tienen influencia para conseguir los favores que se les solicita. ☐ ETIMOL. Del latín *contactus*, y éste de *contingere* (llegar hasta tocar algo).

contado, da adj. 1 Escaso en su clase o en especie; raro. 2 ‖ **al contado**; referido a una forma de pago, que se hace entregando el importe total en el momento.

contador, -a ∎ s. 1 En zonas del español meridional, contable. ∎ s.m. 2 Aparato que sirve para medir el volumen de agua o de gas que pasa por una cañería o la electricidad que recorre un circuito en un tiempo determinado.

contaduría s.f. 1 Profesión u oficio del contable. 2 Lugar en el que se lleva la contabilidad de una institución o de una organización.

contagiar v. **1** Referido a una enfermedad, transmitirla o adquirirla: *Tu hermana me ha contagiado la varicela. Mi amigo tenía gripe y al beber de su vaso me contagié.* **2** Referido esp. a una idea o a un estado de ánimo, transmitirlos o adquirirlos: *Es una persona muy vital que contagia su energía a los que la rodean.Se contagió de las ideas progresistas de sus compañeros.* □ ORTOGR. La *i* nunca lleva tilde.
contagio s.m. Transmisión o adquisición, esp. de una enfermedad. □ ETIMOL. Del latín *contagium.*
contagioso, sa adj. Que se contagia.
[*container* (anglicismo) s.m. Contenedor que se emplea para el transporte de mercancías entre puntos distantes. □ PRON. [contéiner]. □ USO Su uso es innecesario y puede sustituirse por una expresión como *contenedor.*
contaminación s.f. **1** Daño o alteración de la pureza o del estado de algo. **2** Contagio o infección.
contaminante s.m. Sustancia que contamina.
contaminar v. **1** Referido a algo limpio o natural, dañar o alterar su pureza o su estado original: *La radiación contaminó los alimentos. El río se ha contaminado con los vertidos de una fábrica.* **2** Contagiar o infectar: *No quería contaminar a su hijo y prefería no tocarlo. Se ha contaminado con el virus que estudiaba en el laboratorio.* □ ETIMOL. Del latín *contaminare* (ensuciar tocando, corromper).
contante ‖ **contante (y sonante)**; referido al dinero, en efectivo.
contar v. **1** Referido a los elementos de un conjunto, numerarlos o computarlos considerándolos como unidades homogéneas: *Cuenta las sillas del comedor y dime cuántas hay.* **2** Referido a un suceso, narrarlo: *Contame lo que ha pasado. ¿Qué se cuenta, abuelo?* **3** Referido a una edad, tenerla: *Este edificio que están viendo cuenta ya cien años de existencia.* **4** Referido a una persona, incluirla en el grupo o en la categoría que le corresponden: *Estoy orgullosa de poderte contar entre mis colaboradores. Me cuento entre los pocos amigos que lo conocen bien.* **5** Considerar o tener en cuenta: *Cuando hagas el presupuesto cuenta con los imprevistos.* **[6** Enunciar los números de forma ordenada: *La niña ya sabe 'contar' hasta diez.* **7** Tener importancia: *En este producto lo que cuenta es la calidad y no el precio.* **8** ‖ **contar con** algo; **1** Confiar en ello para algún fin: *Cuento contigo para el partido del sábado.* **2** Tenerlo o disponer de ello: *Esta casa cuenta con dos cuartos de baño.* □ ETIMOL. Del latín *computare* (calcular). □ MORF. Irreg. →CONTAR.
contemplación s.f. **1** Atención que se presta a algo material o espiritual. **2** Meditación o reflexión intensas sobre Dios o sobre sus atributos divinos: *vida de contemplación.* **3** Atención, consideración o miramiento en el trato: *Nos echaron sin contemplaciones.*
contemplar v. **1** Referido a algo material o espiritual, poner la atención en ello: *Contempló el paisaje y se extasió ante su belleza.* **2** Considerar, juzgar o tener en cuenta: *Estamos contemplando la posibilidad de aplazar las vacaciones.* **3** Referido a Dios, pensar intensamente en Él o en sus atributos divinos: *Los místicos contemplan a Dios.* **4** Referido a una persona, ser condescendiente con ella o complacerla en exceso: *No contemples tanto al niño, que lo estás malcriando.* □ ETIMOL. Del latín *contemplari* (mirar atentamente). □ SEM. En la acepción 2, no debe em-

plearse con sujeto no personal: *El documento {*contempla > prevé} esta posibilidad.*
contemplativo, va adj. **1** De la contemplación, con contemplación o relacionado con ella. **2** Que acostumbra a meditar intensamente. **3** Que está consagrado o dedicado a la contemplación de las cosas divinas.
contemporáneo, a ‖ adj. **1** Del tiempo o época actual, o relacionado con ellos. ‖ adj./s. **2** Que existe a la vez o en el mismo tiempo. □ ETIMOL. Del latín *contemporaneus,* y éste de *cum* (con) y *tempus* (tiempo).
contemporización s.f. Adaptación o acomodación a las opiniones o a los gustos ajenos.
contemporizador, -a adj./s. Que contemporiza o se adapta a las opiniones ajenas.
contemporizar v. Adaptarse o acomodarse a las opiniones o a los gustos ajenos: *No me importa contemporizar con él con tal de no discutir.* □ ORTOGR. La *z* se cambia en *c* delante de *e* →CAZAR. □ SINT. Constr. *contemporizar* CON *alguien.*
contención s.f. Sujeción del movimiento o del impulso de un cuerpo: *Hicieron un muro de contención.*
contencioso, sa ‖ adj. **1** Referido a una persona o a su carácter, que acostumbra a contradecir todo lo que otros opinan. **2** En derecho, referido esp. a un procedimiento judicial, que es competencia de los tribunales de justicia. ‖ adj./s.m. **3** En derecho, referido a un asunto, que es objeto de disputa en un juicio o que está sometido en éste al fallo de los tribunales. **4** ‖ **contencioso administrativo**; referido esp. a un procedimiento judicial, que se mantiene contra la Administración después de agotar la vía administrativa. □ ETIMOL. Del latín *contentiosus.* □ SEM. No debe emplearse con el significado de 'desavenencia' (anglicismo): *Nuestros dos países mantienen {*un contencioso > desavenencias} sobre las zonas de pesca.*
contender v. Luchar, disputar o porfiar para conseguir un propósito: *Varios equipos contendían por conseguir la victoria.* □ ETIMOL. Del latín *contendere* (esforzarse, luchar). □ MORF. Irreg. →PERDER.
contendiente s. Persona o grupo que luchan para conseguir un propósito. □ MORF. Es de género común: *el contendiente, la contendiente.*
contenedor, -a ‖ adj. **1** Que contiene. ‖ s.m. **2** Recipiente que se usa para transportar o para contener mercancías o residuos y que está provisto de unos dispositivos para facilitar su manejo. □ USO En la acepción 2, es innecesario el uso del anglicismo *container.*
contener v. **1** Referido a una cosa, llevar o encerrar otra en su interior: *El agua contiene oxígeno.* **2** Referido a una pasión o a un sentimiento, reprimirlos o moderarlos: *Contuvo su ira. No pudo contenerse y rompió en sollozos.* **3** Referido esp. a un movimiento o a un impulso, reprimirlos o impedirlos: *Hicieron un muro para contener el avance de la lava del volcán.* □ ETIMOL. Del latín *continere.* □ MORF. Irreg. →TENER.
contenido s.m. **1** Lo que se contiene en algo o está en su interior. **2** En lingüística, significado de un signo lingüístico o de un enunciado: *El contenido de la palabra 'mesa' es 'mueble generalmente de cuatro patas, que sirve para poner cosas sobre él'.*

contentadizo, za adj. Que se contenta fácilmente o que admite sin dificultad lo que se le propone.
contentamiento s.m. Alegría o satisfacción; contento.
contentar ∎ v. **1** Dar alegría o satisfacer los gustos o las aspiraciones: *Para contentar al niño lo llevé al cine.* ∎ prnl. **2** Aceptar algo de buen grado o darse por contento: *No me contento con un aprobado y aspiro al sobresaliente.* **3** Referido a dos o más personas que estaban enfadadas, reconciliarse: *Aquel encuentro logró que se contentasen e hiciesen las paces.*
contento, ta ∎ adj. **1** Que está alegre o satisfecho por el logro de algo que era deseado. **[2** col. Ligeramente borracho. ∎ s.m. **3** Alegría o satisfacción; contentamiento. ☐ ETIMOL. Del latín *contentus* (satisfecho).
contera s.f. Pieza generalmente de metal que se pone en el extremo opuesto al puño de algunos objetos, esp. de un bastón o de un paraguas. ☐ ETIMOL. De *cuento* (casquillo, regatón).
contertulio, lia s. Persona que participa en una tertulia; tertuliano.
contestación s.f. Respuesta que se da a una pregunta o a un escrito.
contestador ‖ **contestador (automático)**; aparato que registra y emite mensajes grabados en el teléfono.
contestar v. **1** Referido esp. a algo que se pregunta, se habla o se escribe, responderlo: *No ha contestado ninguna de mis preguntas. Espero que conteste pronto mi carta.* **2** Replicar o responder con malos modos: *No contestes a tu madre y hazle caso.* ☐ ETIMOL. Del latín *contestari* (empezar una disputa invocando testigos). ☐ SEM. No debe emplearse con el significado de 'impugnar' (galicismo): *Estos hechos no podrán ser {*contestados/impugnados} por nadie.*
contestatario, ria adj./s. Que se opone o protesta contra lo establecido. ☐ ETIMOL. De *contestar.*
contestón, -a adj./s. col. Que replica con frecuencia y de malos modos. ☐ MORF. La RAE sólo lo registra como adjetivo.
contexto s.m. **1** En lingüística, entorno del cual depende el sentido y el valor de una palabra, de una frase o de un fragmento de un texto: *Si no entiendes una palabra quizá puedas deducir su significado de su contexto.* **2** Situación o entorno físico en el cual se considera un hecho: *contexto histórico.* ☐ ETIMOL. Del latín *contextus* (trabazón). ☐ ORTOGR. Dist. de *contesto* (del verbo *contestar*).
contextual adj. Del contexto o relacionado con él. ☐ MORF. Invariable en género.
contextura s.f. **1** Disposición, correspondencia y unión entre las distintas partes que componen un todo. **2** Configuración corporal de una persona. ☐ ETIMOL. De *contexto.*
contienda s.f. **1** Batalla, riña o pelea, generalmente armadas. **2** Disputa o discusión entre varias personas. ☐ ETIMOL. De *contender.*
contigo pron.pers. Forma de la segunda persona del singular cuando se combina con la preposición 'con': *Contigo todo es más divertido. Me gusta hablar contigo.* ☐ ETIMOL. Del latín *cum* (con) y *tecum* (contigo). ☐ MORF. 1. No tiene diferenciación de género. 2. Incorr. **con ti.*
contigüidad s.f. Proximidad entre dos cosas.

contiguo, gua adj. Referido a una cosa, que está tocando a otra. ☐ ETIMOL. Del latín *contiguus.*
continencia s.f. Virtud o modo de actuar del que modera y refrena las pasiones y los sentimientos. ☐ ETIMOL. Del latín *continentia*, y éste de *continere* (contener).
continental adj. De un continente, de los países que lo forman o relacionado con ellos. ☐ MORF. Invariable en género.
continente s.m. Cada una de las grandes extensiones en las que se considera dividida la superficie terrestre. ☐ ETIMOL. Del latín *terra continente* (tierra unida).
contingencia s.f. Lo que tiene la posibilidad de suceder; contingente.
contingente ∎ adj. **1** Que tiene la posibilidad de suceder. ∎ s.m. **2** Lo que tiene la posibilidad de suceder; contingencia. **3** En economía, límite que se pone a la producción o a la importación de una mercancía. **4** Conjunto de las fuerzas militares de las que dispone un mando. ☐ ETIMOL. Del latín *contingens*, y éste de *contingere* (tocar, suceder). ☐ MORF. Como adjetivo es invariable en género. ☐ SEM. En la acepción 1, dist. de *necesario* (que inevitablemente ha de ser o suceder).
continuación s.f. **1** Prolongación o mantenimiento de una acción que estaba comenzada. **2** ‖ **[a continuación]**; enseguida o inmediatamente.
continuador, -a s. Persona que continúa lo empezado por otra.
continuar ∎ v. **1** Referido a algo que se ha empezado, proseguirlo: *Continuaré leyendo hasta que me entre el sueño.* **2** Durar, permanecer o mantenerse cierto tiempo: *El mal tiempo continuará hasta la semana próxima. ¿Continúas viviendo en la misma casa?* ∎ prnl. **3** Seguir, extenderse u ocupar un espacio: *Esta calle se continúa con otra más importante.* ☐ ETIMOL. Del latín *continuare.* ☐ ORTOGR. La *u* lleva tilde en los presentes, excepto en las personas *nosotros* y *vosotros* → ACTUAR.
continuidad s.f. **1** Unión que tienen entre sí las partes que forman un todo: *A los capítulos de tu novela les falta continuidad.* **[2** Continuación, prolongación o mantenimiento de algo: *En la reunión se habló de tu 'continuidad' en la empresa.*
continuismo s.m. Tendencia a continuar en una situación de forma indefinida y sin indicios de cambio.
continuista adj. Que sigue o que practica el continuismo, referido esp. a un partido político o a un sistema. ☐ MORF. Invariable en género.
continuo, nua ∎ adj. **1** Que no tiene interrupción. **2** Referido a varios elementos, que están unidos entre sí. **3** Constante, perseverante o sin interrupción. ∎ s.m. **[4** → **bajo continuo. 5** ‖ **de continuo**; sin interrupción o de forma constante. ☐ ETIMOL. Del latín *continuus* (adyacente, consecutivo).
contonearse v. Mover los hombros y las caderas de forma exagerada al andar. ☐ ETIMOL. De *cantonearse* (andar de esquina en esquina para lucirse).
contoneo s.m. Movimiento exagerado de los hombros y de las caderas al andar.
contornear v. **1** Referido a un lugar, dar vueltas a su alrededor: *Contornearon la isla con la barca.* **2** Referido a una figura, dibujar sus contornos: *Primero contorneó la cara y luego la dibujó con mayor precisión.*

contorneo s.m. **1** Vuelta que se da alrededor de algo. **2** Dibujo o trazado de los contornos de una figura.

contorno s.m. **1** Territorio que rodea un lugar o una población; alrededor. **2** Conjunto de líneas o de trazos que limitan una figura. □ ETIMOL. Del italiano *contorno*, y éste de *contornare* (circular). □ MORF. La acepción 1 se usa más en plural. □ SEM. Dist. de *entorno* (ambiente que rodea algo).

contorsión s.f. Movimiento irregular del cuerpo o de una parte de él, que da lugar a una postura forzada y a veces grotesca. □ ETIMOL. Del latín *contorsio*.

contorsionarse v.prnl. Hacer contorsiones: *Se contorsionaba por los fuertes dolores de estómago.*

contorsionista s. Artista de circo que hace contorsiones difíciles. □ MORF. Es de género común: *el contorsionista, la contorsionista.*

contra ∎ s.m. **1** *col.* Dificultad o inconveniente que presenta un asunto. ∎ s.f. **[2** →**contrarrevolución.** ∎ prep. **3** Indica oposición, lucha o enfrentamiento: *Esa asociación se dedica a la lucha contra la droga. Mañana jugamos contra el primer equipo de la liga.* **4** Indica contacto o apoyo: *Me apretó contra su pecho y me besó. El policía mandó a los detenidos ponerse contra la pared para cachearlos.* **5** Indica intercambio: *Pedí unos libros por correo y me los enviaron contra reembolso.* ∎ interj. **[6** *col.* Expresión que se usa para indicar extrañeza, contrariedad o disgusto. **7** ‖ **en contra**; en oposición de algo: *Como no le di la razón, se me puso en contra.* □ ETIMOL. Las acepciones 1, 3-5, del latín *contra* (frente a, contra). □ MORF. En la acepción 1, la RAE lo registra como femenino. □ SINT. 1. El uso de *en contra* con un pronombre posesivo es incorrecto: *Está en contra* {*mía > *de mí*}. 2. Su uso como adverbio en lugar de *cuanto* es un vulgarismo: {*Contra > *Cuanto*} *más lo pienso, menos lo entiendo.* 3. El uso de *por contra es un galicismo innecesario que debe sustituirse por *por el contrario.*

contra- Prefijo que indica oposición (*contracultura, contraorden, contraataque, contraveneno, contraespionaje*), o que significa 'refuerzo' (*contraventana, contrafuerte*) o 'segundo lugar' (*contrabarrera, contrapuerta, contraalmirante*). □ ETIMOL. Del latín *contra.*

[contraalisios s.m.pl. →**vientos contraalisios.**

contraalmirante s.m. En la Armada, persona cuyo empleo militar es superior al de capitán de navío e inferior al de vicealmirante. □ ETIMOL. De *contra-* (segundo lugar) y *almirante.* □ ORTOGR. Se admite también *contralmirante.*

contraatacar v. Reaccionar ofensivamente ante el avance o el ataque del enemigo o del rival: *Nuestro equipo contraatacó y consiguió dos puntos más.* □ ETIMOL. De *contra-* (oposición) y *atacar.* □ ORTOGR. La *c* se cambia en *qu* delante de *e* →SACAR.

contraataque s.m. Reacción ofensiva ante el avance o el ataque del enemigo o del rival.

contrabajista s. Músico que toca el contrabajo. □ MORF. Es de género común: *el contrabajista, la contrabajista.*

contrabajo ∎ s. **1** Persona que toca el instrumento del mismo nombre. ∎ s.m. **2** Instrumento musical de cuerda y arco, de la familia de los violines, en la que es el de mayor tamaño y sonido más grave. ▨ cuerda □ ETIMOL. Del italiano *contrabasso.* □ MORF.

1. Se usa mucho la forma abreviada *bajo.* 2. En la acepción 1, es de género común: *el contrabajo, la contrabajo.*

contrabandista adj./s. Que se dedica al contrabando. □ MORF. 1. Como adjetivo es invariable en género. 2. Como sustantivo es de género común: *el contrabandista, la contrabandista.*

contrabando s.m. **1** Introducción o exportación de géneros sin pagar los derechos de aduana a los que están sometidos legalmente. **2** Comercio con géneros prohibidos por las leyes a los particulares. **3** Mercancía, género o lo que se produce o se introduce de forma fraudulenta. □ ETIMOL. De *contra-* (oposición) y *bando* (ley, edicto).

contrabarrera s.f. En una plaza de toros, segunda fila de asientos del tendido. □ ETIMOL. De *contra-* (oposición) y *barrera.*

contracción s.f. **1** Estrechamiento o reducción a un tamaño menor. **2** Adquisición de algo, esp. de una enfermedad o de un vicio: *En ese folleto preventivo se explican las formas de contracción de la enfermedad.* **3** Asunción o aceptación de una obligación o de un compromiso: *El nuevo cargo implica la contracción de mayores responsabilidades.* **4** En lingüística, unión de dos vocales fundiéndose en una sola: *'Del' es la contracción de la preposición 'de' y el artículo 'el'.* □ ETIMOL. Del latín *contractio*, y éste de *contrahere* (contraer).

[contracepción s.m. →**contraconcepción.** □ ETIMOL. Del inglés *contraconception.*

[contraceptivo, va adj./s.m. →**contraconceptivo.**

contrachapado, da adj./s.m. Referido a un tablero, que está formado por varias capas finas de madera encoladas de forma que sus fibras queden cruzadas entre sí.

contraconcepción s.f. Conjunto de métodos utilizados para impedir que quede embarazada una mujer; anticoncepción. □ USO Es innecesario el uso del anglicismo *contracepción.*

contraconceptivo, va adj./s.m. Que impide que quede embarazada una mujer; anticonceptivo. □ MORF. La RAE sólo lo registra como adjetivo. □ USO Es innecesario el uso de *contraceptivo.*

contracorriente ‖ **a contracorriente**; en contra de la opinión general.

contráctil adj. Que es capaz de contraerse con facilidad. □ ETIMOL. De *contracto.* □ MORF. Invariable en género.

contracto, ta part. irreg. de **contraer.** □ USO Se usa sólo como adjetivo, frente al participio regular *contraído*, que se usa en la conjugación.

contractual adj. Procedente de un contrato o derivado de él. □ ETIMOL. Del latín *contractus* (contrato). □ MORF. Invariable en género.

contractura s.f. Contracción involuntaria de uno o de más grupos musculares.

contracultura s.f. Conjunto de actitudes sociales caracterizadas por el rechazo de los valores y modos de vida establecidos, esp. referida a los movimientos surgidos en Estados Unidos (país americano) en la década de los sesenta. □ ETIMOL. Del inglés *counterculture.*

contradecir v. Referido a una persona, decir lo contrario de lo que otra afirma, o negar lo que da por cierto: *Lo contradice todo porque siempre quiere llevar la razón. No te contradigas en tus afirmaciones.* □ ETIMOL. Del latín *contradicere.* □ MORF. Irreg.: 1.

Su participio es *contradicho*. 2. →DECIR. 3. En el imperativo se usa más la forma *contradice (tú)*, frente a *contradí (tú)*.

contradicción s.f. Afirmación de algo contrario a lo ya dicho, o negación de algo que se da por cierto.

contradicho part. irreg. de **contradecir**. □ MORF. Incorr. *contradecido.

contradictorio, ria adj. Que guarda contradicción con otra cosa.

contraer ■ v. 1 Estrechar o reducir a menor tamaño: *El corazón se contrae y se dilata*. 2 Referido esp. a una enfermedad o a un vicio, adquirirlos o caer en ellos: *Contrajo el sarampión con cuatro meses*. 3 Referido a una obligación o a un compromiso, asumirlos o responsabilizarse de ellos: *Los novios contrajeron matrimonio*. ■ prnl. 4 En lingüística, referido a una vocal, juntarse con otra, generalmente fundiéndose en una sola: *La preposición 'a' con el artículo 'el' se contraen formando 'al'*. □ ETIMOL. Del latín *contrahere*, y éste *de cum* (con) y *trahere* (traer). □ MORF. Irreg. →TRAER.

contraespionaje s.m. Servicio secreto de defensa de un país contra el espionaje extranjero. □ ETIMOL. De *contra*- (oposición) y *espionaje*.

contrafuerte s.m. 1 En arquitectura, pilar macizo que está adosado al muro y lo refuerza en los puntos en los que éste soporta los mayores empujes; botarel. 2 Pieza de cuero con que se refuerza el calzado por la parte del talón. □ ETIMOL. De *contra*- (refuerzo) y *fuerte*.

contragolpe s.m. [1 En deporte, contraataque hecho de forma muy rápida y enérgica. 2 Efecto de un golpe que se produce en un sitio distinto del que se sufre la contusión.

contrahecho, cha adj./s. Que tiene alguna deformidad en el cuerpo, o que lo tiene torcido.

[*contraincendios*] adj. Que impide o combate los incendios. □ MORF. Invariable en género y número.

contraindicación s.f. Caso en que un remedio, un alimento o una acción resultan perjudiciales.

contraindicar v. Referido esp. a un remedio o a una acción, señalarlos como perjudiciales en ciertos casos: *El médico me contraindicó los antibióticos mientras tomara otra medicina*. □ ETIMOL. De *contra*- (oposición) e *indicar*. □ ORTOGR. La *c* se cambia en *qu* delante de *e* →SACAR.

contralmirante s.m. →**contraalmirante**.

contralor s.m. En zonas del español meridional, inspector de gastos públicos. □ ETIMOL. Del francés *contrôleur*.

contraloría s.f. En zonas del español meridional, oficina de control de los gastos públicos.

contralto s. En música, persona que tiene una voz de registro intermedio entre la de mezzosoprano y la de tenor. □ ETIMOL. Del italiano *contralto*. □ MORF. 1. Se usa mucho la forma abreviada *alto*. 2. Es de género común: *el contralto, la contralto*.

contraluz s. 1 Vista o aspecto de las cosas desde el lado opuesto a la luz: *Puso el sobre a contraluz*. 2 Fotografía tomada en estas condiciones. □ MORF. Es de género ambiguo (*el contraluz oscuro, la contraluz oscura*), pero se usa más el masculino.

contramaestre s.m. 1 Suboficial de Marina que dirige la marinería bajo las órdenes de un oficial. 2 En algunas fábricas, persona encargada de los obreros. □ ETIMOL. De *contra*- (segundo lugar) y *maestre*.

contramano ‖**a contramano**; en dirección contraria a la corriente o a la establecida.

contraofensiva s.f. Ofensiva que se emprende para contrarrestar la del enemigo, haciéndole pasar a la defensiva. □ ETIMOL. De *contra*- (oposición) y *ofensiva*.

[*contraoferta*] s.f. Oferta con que se mejora o se cambia otra anterior.

contraorden s.f. Orden con la que se deja sin efecto o sin valor otra dada con anterioridad.

contrapartida s.f. Lo que tiene por objeto compensar o resarcir a alguien. □ ETIMOL. De *contra*- (oposición) y *partida*.

contrapelo ‖**a contrapelo**; 1 Contra la inclinación o dirección natural del pelo. 2 Referido a la forma de hacer algo, contra el modo natural o normal de hacerlo: *Siempre tienes que llevar la contraria, y lo haces todo a contrapelo*.

contrapesar v. Igualar, compensar, subsanar o poner en equilibrio: *Debes contrapesar lo que ganarías y lo que perderías. Pon en la derecha dos maletas para contrapesar los bultos*.

contrapeso s.m. Lo que sirve para igualar o equilibrar el peso o fuerza de algo.

[*contrapié*] ‖ [**a contrapié**; en mala posición o en la posición contraria a la que sería natural: *La pelota me pilló 'a contrapié'*.

contraplano s.m. En cine y en televisión, toma que se hace con la cámara desde un punto de vista opuesto al de otra toma.

contraponer v. Referido a una cosa, compararla o cotejarla con otra distinta o contraria: *Si contraponemos estas cifras a las del año pasado, vemos que el aumento ha sido claro*. □ ETIMOL. Del latín *contraponere*. □ MORF. Irreg.: 1. Su participio es *contrapuesto*. 2. →PONER.

contraportada s.f. 1 En un libro impreso, página que se pone frente a la portada y en la que figuran detalles sobre él. [2 En un periódico o en una revista, última página. [3 Tapa o cubierta posterior de un libro.

contraprestación s.f. Prestación o servicio que debe una parte contratante por razón de la que ha recibido.

contraproducente adj. Referido a una acción, que tiene efectos opuestos a los previstos. □ ETIMOL. Del latín *contra* (al contrario) y *producens* (que produce). □ MORF. Invariable en género.

[*contraprogramación*] s.f. En televisión, estrategia que consiste en programar una cadena en función de la programación de otra cadena.

contraproposición s.f. Proposición con la que se contesta o se impugna otra formulada con anterioridad.

contrapuerta s.f. Puerta colocada inmediatamente detrás de otra.

contrapuesto, ta part. irreg. de contraponer.

contrapunto s.m. 1 Concordancia armoniosa de voces contrapuestas. 2 Arte de combinar dos o más melodías diferentes según ciertas reglas. 3 Contraste entre dos o más cosas, esp. si son simultáneas: *El contrapunto ha utilizado como técnica narrativa en novelas en las que se juega con la simultaneidad de situaciones*. □ ETIMOL. Del latín *cantus contrapunctus*.

contrariar v. [Disgustar, producir disgusto o enfadar: *Me 'ha contrariado' mucho que te burlaras de *mí delante de todos.* '*Se contrarió*' *porque le dije que no podía ir a aquella fiesta.* ☐ ORTOGR. La *i* lleva tilde en los presentes, excepto en las personas *nosotros* y *vosotros* →GUIAR.

contrariedad s.f. **1** Suceso eventual que impide o retarda el logro de algo: *Fue una contrariedad que no os encontrarais en el aeropuerto.* **2** Oposición que existe entre una cosa y otra.

contrario, ria ▮ adj. **1** Que daña o que perjudica. ▮ adj./s. **2** Que se opone a algo; enemigo. ▮ s. **3** Persona que lucha o que está en oposición con otra. **4** ‖{al/por el} **contrario**; al revés, o de un modo opuesto. ‖**llevar la contraria** a alguien; oponerse a lo que dice o a lo que intenta. ☐ ETIMOL. Del latín *contrarius*.

contrarreforma s.f. Movimiento religioso, intelectual y político que surgió para combatir los efectos de la reforma protestante. ☐ USO Se usa más como nombre propio.

contrarreloj adj./s.f. Referido a una carrera, esp. la ciclista, que se caracteriza porque los participantes toman la salida distanciados entre sí por un intervalo de tiempo y se clasifican por el tiempo que ha invertido cada uno para llegar a la meta. ☐ ORTOGR. Se escribe también *contra reloj*. ☐ MORF. Como adjetivo es invariable en género y en número.

contrarrelojista s. Ciclista especializado en carreras contrarreloj. ☐ MORF. Es de género común: *el contrarrelojista, la contrarrelojista.*

contrarréplica s.f. Contestación que se da a una réplica. ☐ ORTOGR. Incorr. **contraréplica.*

contrarrestar v. Referido al efecto o a la influencia de algo, paliarlos o neutralizarlos: *Necesita un antídoto para contrarrestar los efectos del veneno.* ☐ ETIMOL. Del latín *contra* (contra) y *restare* (detenerse, resistir, restar).

contrarrevolución s.f. Revolución en contra de otra anterior y muy próxima en el tiempo. ☐ USO Se usa mucho la forma abreviada *contra.*

contrarrevolucionario, ria ▮ adj. **1** De la contrarrevolución o relacionado con ella. ▮ s. **2** Persona que defiende o sigue la contrarrevolución. ☐ ORTOGR. Incorr. **contrarevolucionario.*

contrasentido s.m. Lo que carece de sentido o de lógica y resulta contradictorio.

contraseña s.f. Palabra o señal secretas que permiten el acceso a algo antes inaccesible.

contrastar v. **1** Referido a una información, comprobar su exactitud o su autenticidad: *Antes de dar las noticias, los periodistas deben contrastarlas.* **2** Mostrar gran diferencia: *La alegría de los vencedores contrastaba con la tristeza de los vencidos.* ☐ ETIMOL. Del latín *contrastare* (oponerse).

contraste s.m. **1** Comprobación de la exactitud o la autenticidad de algo. **2** Diferencia u oposición entre lo que se compara. **3** Sustancia que se introduce en el organismo para explorar órganos que de otra forma no se verían: *contraste de bario.*

contrata s.f. Contrato que se hace para la ejecución de una obra o para la prestación de un servicio por un precio determinado.

contratación s.f. Establecimiento de un contrato o de un acuerdo con alguien para que haga algo a cambio de dinero o de otra compensación.

contratante adj./s. Que contrata. ☐ MORF. **1.** Como adjetivo es invariable en género. **2.** Como sus-

tantivo es de género común: *el contratante, la contratante.*

contratar v. Hacer un contrato o llegar a un acuerdo con alguien para que haga algo a cambio de dinero o de otra compensación: *Contrató dos albañiles para terminar la obra. Contrató los servicios de la empresa por tres años.*

contratiempo s.m. Imprevisto que impide o dificulta la realización de algo. ☐ ETIMOL. De *contra*- (oposición) y *tiempo.*

contratista s. Persona o entidad que, por contrata, se encarga de la ejecución de una obra o de la prestación de un servicio.

contrato s.m. **1** Convenio o acuerdo, generalmente escrito, entre dos o más personas o instituciones, por el que se obligan a cumplir lo pactado. **2** Documento escrito en el que queda reflejado este convenio. **3** ‖ [**contrato basura**; col. El que no es por tiempo indefinido y se considera mal pagado. ‖ [**contrato blindado**; el que tiene una importante indemnización económica en caso de rescisión. ☐ ETIMOL. Del latín *contractus.*

contraveneno s.m. Medicamento o sustancia que anulan la acción de un veneno; antídoto.

contravenir v. Actuar en contra de lo que está mandado o establecido: *Fue sancionado por contravenir a la ley.* ☐ ETIMOL. Del latín *contravenire.* ☐ MORF. Irreg. →VENIR. ☐ SINT. Constr. *contravenir A algo.*

contraventana s.f. Puerta que cubre el interior o el exterior de los cristales de las ventanas o los balcones y que sirve para impedir el paso de la luz o para resguardar del frío.

contrayente s. Persona que contrae matrimonio. ☐ MORF. Es de género común: *el contrayente, la contrayente.*

contreras s. col. Persona que lleva siempre la contraria. ☐ MORF. **1.** Aunque la RAE sólo lo registra como masculino, es de género común: *el contreras, la contreras.* **2.** Invariable en número.

contribución s.f. **1** Pago de una cantidad. **2** Esta cantidad. **3** Lo que se aporta o lo que se hace para ayudar a algo: *contribución económica.*

contribuir v. **1** Dar o pagar la cantidad que corresponde por un impuesto o por una carga: *Aunque no vive con sus hijos, contribuye a su mantenimiento. Cada vecino debe contribuir con una cuota extraordinaria de cinco mil pesetas para pintar el portal.* **2** Aportar voluntariamente un donativo: *¿Desea usted contribuir en la lucha contra la droga?* **3** Ayudar al logro de un fin: *El buen tiempo ha contribuido al éxito del espectáculo.* ☐ ETIMOL. Del latín *contribuere*, y éste de *cum* (con) y *tribuere* (abonar, atribuir). ☐ MORF. Irreg. →HUIR. ☐ SEM. **1.** En las acepciones 2 y 3, es sinónimo de *colaborar*. **2.** No debe emplearse con el significado de 'causar': *La lluvia {*contribuyó a > causó} la inundación del pueblo.*

contribuyente s. Persona que contribuye, esp. referido a la persona obligada legalmente al pago de impuestos al Estado. ☐ MORF. Es de género común: *el contribuyente, la contribuyente.*

contrición s.f. Dolor o arrepentimiento por una culpa, esp. por haber ofendido a Dios. ☐ ETIMOL. Del latín *contritio.* ☐ PRON. Incorr. **[contricción].* ☐ ORTOGR. Dist. de *constricción.*

contrincante s. Persona que compite con otras. □ ETIMOL. De con- (reunión) y *trinca* (conjunto de tres personas para argüir en las oposiciones). □ MORF. Es de género común: *el contrincante, la contrincante.*

contrito, ta adj. Que siente contrición o dolor, esp. por haber ofendido a Dios. □ ETIMOL. Del latín *contritus* (machacado, abrumado).

control s.m. **1** Inspección, fiscalización o comprobación atentas de algo. **2** Dominio o mando ejercidos sobre algo. **3** Supervisión o verificación de lo realizado por otros. **4** Lugar desde donde se controla. **5** Regulación, manual o automática, sobre un sistema. **6** Mando o dispositivo de regulación. **[7** *col.* Examen no oficial para comprobar la marcha de los alumnos. **8** ‖**control remoto**; el dispositivo que regula a distancia el funcionamiento de un aparato, mecanismo o sistema. □ ETIMOL. Del francés *contrôle.*

controlable adj. Que se puede controlar. □ MORF. Invariable en género.

controlador, -a s. Técnico que controla, orienta y regula el despegue y el aterrizaje de los aviones en un aeropuerto.

controlar v. **1** Inspeccionar, fiscalizar o comprobar atentamente: *El Gobierno controlará la subida de los precios.* **2** Dominar o mandar sobre algo: *Nuestra escuadra controla este lugar. Nunca pierde los nervios porque se controla muy bien.* **3** Referido a algo realizado por otros, supervisarlo o verificarlo: *En este departamento se controlan los horarios.* **4** Referido a un sistema, regularlo de forma manual o automática: *Controla la iluminación y los efectos especiales de la obra.* □ ETIMOL. Del francés *contrôler.* □ SINT. En la acepción 2, es incorrecto el uso como intransitivo, aunque está muy extendido: *Me admira ver cómo {*controlas > te controlas}.*

[*controller* (anglicismo) s. Persona que controla y gestiona los diferentes procesos internos de una empresa. □ PRON. [contróler].

controversia s.f. Discusión larga y repetida entre dos o más personas, esp. sobre temas filosóficos. □ ETIMOL. Del latín *controversia.*

controvertido, da adj. Que provoca controversia o que es discutido o polémico. □ ETIMOL. De *controvertir* (discutir sobre algún asunto).

contubernio s.m. **1** Alianza que no está permitida legal o moralmente y que merece desprecio. **2** Amancebamiento o convivencia entre dos personas que mantienen relaciones sexuales sin estar casadas entre sí. □ ETIMOL. Del latín *contubernium,* y éste de *taberna* (vida en una misma choza). □ USO Es despectivo.

contumaz adj. Tenaz y obstinado en mantener un error. □ ETIMOL. Del latín *contumax* (obstinado). □ MORF. Invariable en género.

contundencia s.f. Capacidad para convencer de lo que resulta claro, decisivo o evidente.

contundente adj. **1** Que produce contusión o daño, esp. referido a un instrumento o a un acto: *objeto contundente.* **2** Que convence porque resulta claro, decisivo o evidente. □ ETIMOL. Del latín *contundens,* y éste de *contundere* (contundir). □ MORF. Invariable en género.

conturbar v. Alterar, inquietar o quitar la tranquilidad: *El terremoto conturbó a la población.* □ ETIMOL. Del latín *conturbare.*

contusión s.f. Daño o lesión, sin herida, que se produce al comprimir o golpear violentamente un tejido orgánico. □ ETIMOL. Del latín *contusio.*

contusionar v. Referido esp. *a* una parte del cuerpo, dañarla sin llegar a herirla, al comprimirla o golpearla violentamente; magullar: *Al chocar, se contusionó el pecho con el volante.*

contuso, sa adj./s. Que ha sufrido alguna contusión o daño. □ ETIMOL. Del latín *contusus* (magullado).

convalecencia s.f. Recuperación de las fuerzas perdidas en una enfermedad o en un estado de postración; convalecimiento.

convalecer v. Recuperarse de una enfermedad o de un estado de postración: *Convalece de su enfermedad en la playa. La economía española todavía convalece de la inflación y el paro.* □ ETIMOL. Del latín *convalescere.* □ MORF. Irreg. →PARECER.

convaleciente adj./s. Que se recupera de una enfermedad. □ MORF. 1. Como adjetivo es invariable en género. 2. Como sustantivo es de género común: *el convaleciente, la convaleciente.*

convalecimiento s.m. →**convalecencia**.

convalidación s.f. En un país o en una institución educativa, reconocimiento de la validez académica de estudios realizados en otro país o en otra institución.

convalidar v. **1** Referido a los estudios realizados en un país o en una institución, darles validez académica en otro país o en otra institución: *Me han convalidado el curso de doctorado que hice en París.* **2** Referido esp. a un acto jurídico, confirmarlo, ratificarlo o darle nuevo valor: *El consejo social de la universidad convalidó la decisión del rector.* □ ETIMOL. Del latín *convalidare.*

convencer v. **1** Referido a una persona, conseguir que cambie una opinión o un comportamiento: *Lo convencí para que viniera de excursión. Se convenció de que había que trabajar más.* **[2** Gustar o causar satisfacción: *El comentarista dijo que el equipo venció, pero que no 'convenció'.* □ ETIMOL. Del latín *convincere,* y éste de *cum* (con) y *vincere* (vencer). □ ORTOGR. La c se cambia en z delante de a, o →VENCER. □ MORF. Tiene un participio regular (*convencido*), que se usa en la conjugación, y otro irregular (*convicto*), que se usa sólo como adjetivo. □ SINT. Constr. *convencer {DE/CON} algo.*

[*convencido, da* adj. **1** Con convencimiento. **2** Seguro de algo y sin duda sobre ello. □ SINT. Constr. de la acepción 2: *estar convencido DE algo.*

convencimiento s.m. **1** Consecución, mediante razones, de un cambio de opinión o de comportamiento. **2** Seguridad de algo que parece lógico racionalmente. □ SEM. Es sinónimo de *convicción.*

convencional adj. **1** Que se establece por un convenio, por un acuerdo general o por una costumbre. **2** Que es poco original o que no supone ninguna novedad. □ ETIMOL. Del latín *conventionalis.* □ MORF. Invariable en género.

convencionalismo s.m. Idea o comportamiento que se aceptan y se ponen en práctica por comodidad, por costumbre o por conveniencia social. □ MORF. Se usa más en plural.

conveniencia s.f. **1** Adecuación, oportunidad o utilidad de algo. **2** Lo que se considera beneficioso, útil o adecuado: *Sólo busca su propia conveniencia.*

3 Acuerdo, pacto o convenio: *matrimonio de conveniencia.*

conveniente adj. Que es adecuado, oportuno o que puede servir para algo. □ MORF. Invariable en género.

convenio s.m. **1** Acuerdo o pacto, generalmente hecho entre personas o instituciones. **2** ‖ **[convenio colectivo**; el establecido por empresarios y trabajadores para regular las condiciones laborales.

convenir v. **1** Ser adecuado, oportuno o útil: *Nos conviene aceptar el trato. Tú sabrás si te conviene pedir ahora las vacaciones. No conviene que nos vean juntos.* **2** Acordar o decidir entre varias personas: *Convinieron en verse a la entrada del teatro. Hemos convenido aceptar el estipulado por la empresa.* □ ETIMOL. Del latín *convenire* (ir a un mismo lugar, juntarse). □ MORF. Irreg. →VENIR. □ SINT. Constr. de la acepción 2: *convenir* CON *alguien* EN *algo.*

convento s.m. **1** Edificio en el que viven en comunidad los monjes o las monjas de una orden religiosa. **2** Comunidad que vive en este edificio. □ ETIMOL. Del latín *conventus* (reunión de gente).

conventual adj. De un convento o relacionado con él. □ MORF. Invariable en género.

convergencia s.f. Unión o coincidencia en un mismo punto o en un mismo fin.

convergente adj. Que converge. □ MORF. Invariable en género.

converger o **convergir** v. **1** Referido a dos o más líneas, unirse en un punto: *Todas estas calles convergen en la misma plaza.* **2** Referido a ideas o acciones de dos o más personas, tener un mismo fin: *Cada uno se expresa de una forma, pero sus ideas convergen.* □ ETIMOL. Del latín *convergere*, y éste de *vergere* (inclinarse). □ ORTOGR. La *g* se cambia en *j* delante de *a, o: converger* →COGER, *convergir* →DIRIGIR. □ USO . Aunque la RAE prefiere *convergir*, se usa más *converger.*

conversación s.f. **1** Comunicación mediante palabras. **2** ‖ **sacar la conversación**; tocar algún punto para que se hable de él: *Sacó la conversación del trabajo y ya no la dejamos en toda la tarde.*

conversador, -a adj./s. Referido a una persona, que sabe hacer entretenida e interesante una conversación.

conversar v. Mantener una conversación; hablar: *Conversaban animadamente horas y horas.* □ ETIMOL. Del latín *conversari* (vivir en compañía).

conversión s.f. **1** Transformación o cambio en algo distinto. **2** Adquisición de una religión, creencia o ideología que antes no se tenían. **3** Figura retórica que consiste en repetir una palabra al final de secuencia.

converso, sa adj./s. Referido a una persona, que se ha convertido al cristianismo, esp. referido a la que antes era musulmana o judía.

convertible ‖ adj. **[1** En economía, que puede ser cambiado en una divisa. ‖ s.m. **2** Automóvil descapotable. □ MORF. Como adjetivo es invariable en género.

convertidor s.m. **[1** Aparato que se utiliza para cambiar el tipo de corriente o alguna de sus características. **2** Aparato que se usa para convertir la fundición de hierro en acero.

convertir v. **1** Hacer distinto o transformar: *La experiencia, los viajes y las lecturas lo convirtieron en*

un hombre de mundo. **2** Hacer adquirir una religión, una creencia o una ideología: *Entabló relación con un grupo clandestino que lo convirtió al anarquismo.* □ ETIMOL. Del latín *convertere.* □ MORF. Irreg. →SENTIR. □ SINT. **1.** Constr. de la acepción 1: *convertir* EN *algo.* **2.** Constr. de la acepción 2: *convertir* A *algo.*

convexo, xa adj. Referido a una línea o a una superficie, que son curvas y tienen su parte central saliente. □ ETIMOL. Del latín *convexus* (curvo, cóncavo).

convicción ‖ s.f. **1** Consecución, mediante razones, de un cambio de opinión o de comportamiento. **2** Seguridad de algo que parece lógico racionalmente. ‖ pl. **3** Ideas religiosas, éticas o políticas en las que se cree firmemente. □ ETIMOL. Del latín *convictio.* □ PRON. Incorr. *[convinción].* □ SEM. En las acepciones 1 y 2, es sinónimo de *convencimiento.*

convicto, ta adj. En derecho, referido al acusado de un delito, con culpabilidad probada legalmente aunque no la haya confesado. □ ETIMOL. Del latín *convictus*, y éste de *convincere* (convencer).

convidado, da s. **1** Persona que recibe un convite o que asiste a él. **2** ‖ **convidado de piedra**; en un grupo, persona que está callada y que no participa.

convidar v. **1** Invitar u ofrecer gratis una comida o una bebida: *Insistió en que nos quería convidar a comer en un buen restaurante.* **2** Mover o animar a algo: *Este día de sol convida a pasear.* □ ETIMOL. Del latín **convitare*, por *invitare.* □ SINT. Constr. *convidar* A *algo.*

convincente adj. Que convence. □ MORF. Invariable en género.

convite s.m. Banquete o comida con invitados. □ ETIMOL. Del catalán *convit.*

convivencia s.f. Vida en compañía de otro o de otros.

convivir v. Vivir en compañía de otro o de otros: *En el país conviven pacíficamente varios grupos étnicos.*

convocar v. **1** Referido a una persona, citarla o llamarla para que acuda a un lugar o a un acto determinados: *La directora convocó a todos los estudiantes en el salón de actos.* **2** Referido esp. a una concurso, anunciarlo o hacer públicas las condiciones y los plazos para que las personas interesadas puedan tomar parte en él: *El concurso de cuentos fue convocado en mayo y el jurado se reunió en octubre.* □ ETIMOL. Del latín *convocare* (llamar a junta). □ ORTOGR. La *c* se cambia en *qu* delante de *e* →SACAR.

convocatoria s.f. Llamada, anuncio o escrito con los que se convoca.

convoy s.m. **1** Escolta que acompaña y protege a una expedición de barcos o vehículos: *Un convoy militar acompañaba a la caravana.* **2** Conjunto de los barcos o vehículos así protegidos. **3** Vinagreras para el servicio de mesa. □ ETIMOL. Del francés *convoi* (escolta de soldados o navíos, acompañamiento de un entierro). □ MORF. Su plural es *convoyes.*

convulsión s.f. **1** Movimiento brusco e involuntario de contracción y estiramiento alternativos de los músculos del cuerpo, que está causado generalmente por una enfermedad. **2** Agitación violenta que trastorna la normalidad de la vida colectiva. □ ETIMOL. Del latín *convulsio*, y éste de *convulsus* (que padece convulsiones). ☐ ORTOGR. Dist. de *compulsión.*

convulsionar v. Producir convulsiones: *El anuncio de las nuevas medidas económicas convulsionó a los sindicatos.*

convulsivo, va adj. De la convulsión o con sus características.

convulso, sa adj. **1** Con convulsiones. **2** Referido a una persona, muy excitada o fuera de sí. ☐ ETIMOL. Del latín *convulsus.*

conyugal adj. De los cónyuges o relacionado con ellos. ☐ MORF. Invariable en género.

cónyuge s. Respecto de una persona, su esposo o su esposa; consorte. ☐ ETIMOL. Del latín *coniux* (el que lleva el mismo yugo). ☐ PRON. Incorr. *[cónyugue]. ☐ MORF. Es de género común: *el cónyuge, la cónyuge.*

coña s.f. **1** *vulg.* Burla o guasa disimulada. **2** *vulg.* Lo que se considera molesto. ☐ ETIMOL. De *coño.*

coñá o **coñac** s.m. Bebida alcohólica de graduación muy elevada, originaria de Cognac (región francesa). ☐ ETIMOL. Del francés *cognac*, y éste de *Cognac*, lugar de Francia donde empezó a elaborarse. ☐ MORF. Su plural es *coñás* o *coñacs.* ☐ SEM. Dist. de *brandy* (no originario de Francia).

coñazo s.m. *vulg.* Lo que resulta insoportable o muy molesto.

coño ▌ s.m. **1** *vulg.malson.* →**vulva.** [**2** *vulg.* En zonas del español meridional, español. ▌ interj. **3** *vulg.malson.* Expresión que se usa para indicar extrañeza, sorpresa, admiración o disgusto. ☐ ETIMOL. Del latín *cunnus.* ☐ USO En la acepción 2, es despectivo.

cooperación s.f. Actuación conjunta para lograr un mismo fin.

cooperador, -a adj./s. Que coopera.

[cooperante adj./s. Que coopera. ☐ MORF. 1. Como adjetivo es invariable en género. 2. Como sustantivo es de género común: *el 'cooperante', la 'cooperante'.*

cooperar v. Obrar conjuntamente para lograr un mismo fin: *Ambos países cooperarán en la lucha contra el terrorismo.* ☐ ETIMOL. Del latín *cooperare.*

cooperativa s.f. Véase **cooperativo, va.**

cooperativismo s.m. **1** Tendencia a la cooperación en el orden económico y social. **2** Régimen de las asociaciones organizadas como cooperativas: *Los productores vinícolas de esta zona han optado por el cooperativismo.*

cooperativista ▌ adj. **1** Del cooperativismo o relacionado con él. ▌ adj./s. **2** Partidario o seguidor del cooperativismo. ☐ MORF. 1. Como adjetivo es invariable en género. 2. Como sustantivo es de género común: *el cooperativista, la cooperativista.*

cooperativo, va ▌ adj. **1** Que coopera o que puede cooperar. ▌ s.f. **2** →**sociedad cooperativa.**

coordenado, da adj./s./f. En matemáticas, referido a una línea, a un eje o a un plano, que sirven para determinar la posición de un punto.

coordinación s.f. **1** Combinación o unión de algo para conseguir una acción común. **2** Disposición de algo de forma metódica u ordenada. **3** Relación gramatical que se establece entre dos elementos sintácticos del mismo nivel o con la misma función, pero independientes entre sí; parataxis: *En la oración 'Cantas bien, pero bailas mal' hay coordinación adversativa.*

coordinado, da adj./s.f. En lingüística, referido esp. a una oración, que se une a otra u otras por coordinación.

coordinador, -a ▌ s. **1** Persona que coordina un grupo de personas. ▌ s.f. **2** Conjunto de personas elegidas para dirigir y organizar algo.

[coordinante adj. Que coordina. ☐ MORF. Invariable en género.

coordinar v. **1** Concertar o unir para conseguir una acción común: *Es la encargada de coordinar los trabajos de los tres equipos de investigadores.* **2** Disponer de forma metódica u ordenada: *Para desfilar bien hay que coordinar los movimientos propios con los de los demás.* [**3** En gramática, referido a dos elementos del mismo nivel o con la misma función, unirlos sintácticamente: *La conjunción 'y' 'coordina' palabras y oraciones.* ☐ ETIMOL. Del latín *co*, por *cum* (con), y *ordinare* (ordenar).

copa ▌ s.f. **1** Vaso con pie que se usa para beber. **2** Líquido que cabe en este vaso, esp. si es alcohólico. **3** En un árbol, conjunto de ramas y de hojas que forma su parte superior. **4** En un sombrero, parte hueca en la que entra la cabeza. 🖾 sombrero **5** En un sujetador de mujer, parte hueca destinada a cubrir cada seno. **6** En la baraja, carta del palo que se representa con uno o varios vasos con pie. **7** Premio que se concede en algunas competiciones deportivas. **8** Competición deportiva en la que se participa para ganar este premio. [**9** Cóctel o fiesta en la que se sirven bebidas. ▌ pl. **10** En la baraja, palo que se representa con uno o varios vasos con pie. 🖾 baraja **11** ‖ **[como la copa de un pino**; *col.* Grandísimo, muy importante o extraordinario. ☐ ETIMOL. Del latín *cuppa.*

copar v. **1** Referido esp. a una lista, conseguir todos los puestos de ésta: *Los escritores españoles han copado las listas de ventas de libros este mes.* **[2** *col.* Ocupar o acaparar por completo: *Esta noticia 'copó' la atención de todo el pueblo.* ☐ ETIMOL. Del francés *couper* (cortar).

copartícipe s. Persona que participa en algo con otra u otras personas. ☐ MORF. Es de género común: *el copartícipe, la copartícipe.*

copear v. *col.* Tomar bebidas alcohólicas.

cópec s.m. o **copeca** s.f. Moneda rusa equivalente a la centésima parte de un rublo; kopek. ☐ USO 1. Aunque la RAE prefiere *copeca*, se usa más *cópec.* 2. Es innecesario el uso del término ruso *kopek.*

copeo s.m. *col.* Consumo de bebidas alcohólicas.

copero, ra ▌ adj. **1** De una copa deportiva, de una competición o relacionado con ellas: *trofeo copero.* ▌ s.m. **2** Mueble que se usa para contener las copas en las que se sirven licores. **3** Persona que estaba encargada de traer la copa y de dar de beber a su señor.

copete s.m. **1** Mechón de pelo que cae sobre la frente. 🖾 peinado **2** En un sorbete o en una bebida helada, parte que rebasa o que sobresale del borde de los vasos o del recipiente que los contiene. **3** En un mueble, adorno que puede tener en su parte superior. **4** ‖ **de (alto) copete**; *col.* De mucha importancia, distinción o lujo. ☐ ETIMOL. De *copo* (mechón).

copetín s.m. **1** Pequeña fiesta en la que se sirven bebidas y aperitivos. **2** En zonas del español meridional, cóctel o aperitivo.

opia s.f. **1** Reproducción de un original o de un modelo. **2** Imitación del estilo o de la obra original de un artista: *Este estilo pretende ser una copia de a arquitectura clásica.* **3** Imitación o persona muy parecida a otra. □ ETIMOL. Del latín *copia* (posibilidad de tener algo). □ SEM. Está muy extendido su uso con el significado de 'disco' o 'ejemplar': *Esta cantante ha vendido millón y medio de {*copias > discos}, esa edición es de varios miles de {*copias > ejemplares}.*

opiadora s.f. Máquina que reproduce en numerosas copias de papel.

opiar v. **1** Referido a un original o a un modelo, reproducirlos o representarlos: *Copié este dibujo de un cuadro que salía en una revista.* **2** Referido a lo que dice alguien que está hablando, escribirlo o anotarlo: *Copia las cosas que te voy diciendo, para que no se e olvide ninguna.* **3** Imitar, reflejar, remedar o hacer semejante: *No era un poeta original, sino que copiaba muy bien a otros anteriores a él.*

copichuela s.f. col. Copa de una bebida alcohólica.

opiloto s. Piloto auxiliar o persona que ayuda al piloto. □ MORF. Aunque la RAE sólo lo registra como masculino, en la lengua actual es de género común: *el copiloto, la copiloto.*

opión, -a adj./s. Que copia o que imita. □ USO Tiene un matiz despectivo.

opiosidad s.f. Abundancia o gran cantidad.

opioso, sa adj. Abundante, numeroso o grande en número o en cantidad. □ ETIMOL. Del latín *copiosus.*

opista s. Persona que se dedica a copiar, esp. escritos ajenos. □ MORF. Es de género común: *el copista, la copista.*

opla ▌ s.f. **1** Composición poética formada por una seguidilla, por una redondilla o por otra combinación breve de versos, generalmente en número de cuatro, y que suele servir de letra en las canciones populares. **2** Estrofa o combinación métrica. **[3** Canción folclórica española, esp. la de raíces andaluzas. **▌** pl. **4** Cuentos, habladurías o evasivas. □ ETIMOL. Del latín *copula* (unión, enlace).

oplero, ra s. **1** Persona que compone coplas y otras poesías o que las vende. **2** Mal poeta. □ USO En la acepción 2, es despectivo.

opo s.m. Cada una de las porciones de nieve que caen cuando nieva. □ ETIMOL. De *copa.*

opón s.m. **1** Copa grande de metal en la que, puesta en el sagrario, se guarda el Santísimo Sacramento (Cristo en la eucaristía). **2** ‖ **[del copón;** vulg. Muy grande o extraordinario.

copro- Elemento compositivo que significa 'excremento': *coproanálisis, coprofagia.* □ ETIMOL. Del griego *kópros.*

oproducción s.f. Producción de algo que se hace en común, esp. referido a una película cinematográfica. □ ETIMOL. De *co-* (cooperación) y *producción.*

coproducir v. Referido esp. a una película cinematográfica, producirla en común: *Una empresa cinematográfica francesa y otra española 'coproducen' esta película.* □ MORF. Irreg. →CONDUCIR.

copropiedad s.f. Propiedad que se tiene juntamente con otro u otros. □ ETIMOL. De *co-* (cooperación) y *propiedad.*

opropietario, -a adj./s. Que es propietario o dueño de algo juntamente con otro o con otros.

copto, ta adj./s. Cristiano de Egipto (país africano). □ ETIMOL. Del griego *Aigýptios* (egipcio).

cópula s.f. **1** Unión sexual del macho y la hembra. **[2** En gramática, palabra que sirve para unir dos términos o dos frases: *Las conjunciones y los verbos 'ser' y 'estar' son las 'cópulas' más frecuentes.* □ ETIMOL. Del latín *copula* (lazo, unión).

copular v. Unirse sexualmente: *Los perros copulan cuando la hembra está en celo.*

copulativo, va adj. En gramática, que junta y une una palabra o una frase con otra: *En la oración 'Come y calla', 'y' es una conjunción copulativa.*

[copyright] (anglicismo) s.m. Derecho de propiedad intelectual o de autor. □ PRON. [cópirrait].

coque s.m. Combustible sólido, ligero y poroso que resulta de calcinar o someter a altas temperaturas ciertas clases de carbón, esp. la hulla. □ ETIMOL. Del inglés *coke.*

coqueta s.f. Véase **coqueto, ta.**

coquetear v. **1** Tratar de agradar o de atraer por mera vanidad y con métodos estudiados, esp. referido a las relaciones con el sexo opuesto: *Empezaron coqueteando, pero se fueron conociendo mejor y acabaron siendo novios.* **2** Tener una relación o implicación pasajera en un asunto: *En su juventud coqueteó con un partido progresista, pero no se decidió por la actividad política.*

coqueteo s.m. →**coquetería.**

coquetería s.f. Intento de agradar o de atraer por mera vanidad y con medios estudiados, esp. referido a las relaciones con el sexo opuesto; coqueteo.

coqueto, ta ▌ adj. **1** Referido a una cosa, pulcra, limpia, cuidada o graciosa. **▌** adj./s. **2** Que trata de agradar o de atraer por mera vanidad y con medios estudiados, esp. referido a las relaciones con el sexo opuesto. **▌** s.f. **3** Mueble con forma de mesa y con espejo que se utiliza para peinarse y maquillarse. □ ETIMOL. Del francés *coquette*, y éste de *coqueter* (coquetear).

coquina s.f. Molusco marino de carne comestible, con valvas finas, ovales, muy aplastadas y de color gris blanquecino con manchas rojizas. 🐚 marisco

coraje s.m. **1** Valor o fuerza para hacer o para afrontar algo. **2** Irritación, ira, rabia o enojo. □ ETIMOL. Del francés *courage* (valentía).

corajina s.f. col. Ataque de ira.

corajudo, -a adj. Que tiene coraje.

coral ▌ adj. **1** Del coro o relacionado con él. **▌** s.m. **2** Animal marino que vive en colonias unido a otros individuos por una masa calcárea segregada por ellos de color rojo o rosado. **3** Masa de naturaleza calcárea segregada por este animal, que, después de pulimentada, se emplea en joyería. **4** Composición musical de carácter vocal o instrumental, de ritmo lento y solemne y generalmente de tema religioso. **▌** s.f. **5** Agrupación musical de personas que cantan en coro sin acompañamiento instrumental; orfeón. □ ETIMOL. Las acepciones 1, 4 y 5 de *coro.* Las acepciones 2 y 3, del francés antiguo *coral.* □ MORF. Como adjetivo es invariable en género.

coralífero, ra adj. Que tiene coral. □ ETIMOL. De *coral* y *-fero* (que lleva).

coralino, na adj. De coral o parecido a él.

coránico, ca adj. Del Corán (libro sagrado del islamismo) o relacionado con él.

coraza s.f. **1** Armadura de hierro o de acero que protege el pecho y la espalda. **2** Protección o defen-

sa. 3 Cubierta que protege el cuerpo de algunos reptiles, con aberturas para la cabeza, las patas y la cola. □ ETIMOL. Del latín *coriacea* (hecha de cuero).

corazón ▮ s.m. 1 Órgano muscular encargado de recoger la sangre y de impulsarla al resto del cuerpo. ✖✪ corazón **2** Figura que representa este órgano. **3** Sentimiento, voluntad o afecto. **4** Parte media, central o más importante de algo. **5** Interior de una cosa inanimada: *el corazón de una alcachofa.* **6** →dedo corazón. ▮ pl. **7** En la baraja francesa, palo que se representa con una o varias figuras con la forma del órgano del corazón. ✖✪ baraja **8** ‖ **con el corazón en la mano**; con toda franqueza y sinceridad. ‖ **de corazón**; de verdad, con seguridad o con afecto. ‖ **del corazón**; referido esp. a la prensa o a una revista, que recoge sucesos relativos a personas famosas, esp. los de su vida privada. ‖ **ser todo corazón** o **tener un corazón de oro**; ser muy generoso o benevolente o tener ánimo favorable. □ ETIMOL. Del latín *cor*. □ USO Se usa como apelativo: *¿Por qué lloras tú, corazón mío?.*

corazonada s.f. **1** Sensación de que algo va a ocurrir. **2** Lo que se presiente o intuye. □ SEM. Es sinónimo de *presentimiento.*

corazonista adj./s. De la orden religiosa de los Sagrados Corazones o de sus miembros, o relacionado con ellos. □ MORF. 1. Como adjetivo es invariable en género. 2. Como sustantivo es de género común: *el corazonista, la corazonista.*

corbata s.f. **1** Tira de tela que se anuda al cuello de la camisa dejando caer los extremos sobre el pecho, o haciendo lazos con ellos. **2** ‖ [(corbata) mañito; en zonas del español meridional, pajarita. □ ETIMOL. Del italiano *corvatta* o *crovatta* (croata), porque los jinetes croatas llevaban corbata.

corbatín s.m. Corbata corta que sólo da una vuelta al cuello y que se ajusta por detrás con un broche, o por delante con un lazo sin caídas.

corbeta s.f. [**1** Barco ligero de guerra, menor que la fragata, y que generalmente se destina a la escolta de mercantes. **2** Antiguo barco de guerra con tres palos y vela cuadrada, semejante a la fragata pero de menor tamaño; fragata ligera. ✖✪ embarcación □ ETIMOL. Del francés *corvette*. □ ORTOGR. Dist. de *corveta.*

corcel s.m. *poét.* Caballo ligero, de gran alzada, que se utilizaba sobre todo en los torneos y batallas. □ ETIMOL. Del francés antiguo *corsier.*

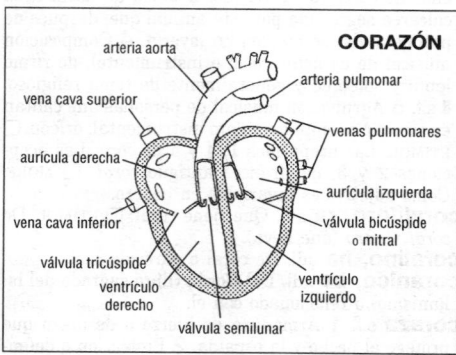

arteria aorta

CORAZÓN

arteria pulmonar

vena cava superior

venas pulmonares

aurícula derecha

aurícula izquierda

vena cava inferior

válvula bicúspide o mitral

válvula tricúspide

ventrículo izquierdo

ventrículo derecho

válvula semilunar

corchea s.f. En música, nota que dura la mitad que una negra y que se representa con un círculo rel no, una barrita vertical pegada a uno de sus lad y un pequeño gancho en el extremo de ésta. □ E MOL. Del francés *crochée* (torcido), porque así es rabillo de la nota.

corchero, ra ▮ adj. **1** Del corcho o relacionado c este material. ▮ s.f. **2** En una piscina de competicic cuerda provista de flotadores de corcho o de otr material que se utiliza para delimitar las calles.

corcheta s.f. En un corchete, pieza que tiene u especie de anilla en la que se engancha la otra. ETIMOL. Del francés *crochet* (gancho).

corchete s.m. **1** Especie de broche compuesto p dos piezas, una de las cuales, con forma de ganch se engancha en la otra que tiene forma de anilla. ✖ costura **2** En un texto escrito, signo gráfico que tie la forma de un paréntesis cuadrado, y que se colo al principio y, en posición invertida, al final de u serie de guarismos, palabras, renglones o de dos más pentagramas. [**3** En zonas del español meridion grapa. □ ETIMOL. Del francés *crochet* (gancho). ORTOGR. Para la acepción 2 →APÉNDICE DE SIGNC DE PUNTUACIÓN.

[corchetera s.f. En zonas del español meridional, gr padora.

corcho s.m. **1** Tejido vegetal que se encuentra la zona periférica del tronco, de las ramas y de l raíces, y que está formado por células en las que celulosa de su membrana ha sufrido una transfo mación química y ha quedado convertida en ur sustancia orgánica impermeable y elástica. **2** Troz lámina u objeto de este tejido vegetal. □ ETIMO Del mozárabe *corch* o *corcho*, y éstos del latín *corte* (corteza).

[corcholata s.f. En zonas del español meridional, ch pa de una botella.

córcholis interj. Expresión que se usa para ind car extrañeza, sorpresa, admiración o disgusto. [ETIMOL. Eufemismo por *carajo.*

corcova s.f. Corvadura anómala de la columr vertebral, del pecho o de ambos a la vez; joroba. [ETIMOL. Del latín *curcuvus* (encorvado).

corcovado, da adj./s. Que tiene corcova o jorob. jorobado.

corcovar v. Encorvar o hacer que algo tenga co cova o joroba: *Esa forma de andar mirando siemp al suelo te puede corcovar la espalda.*

cordada s.f. Grupo de alpinistas sujetos por un misma cuerda.

cordado ▮ adj./s. **1** Referido a un animal, que tien durante toda su vida o en determinadas fases de s desarrollo, un cordón de tejido conjuntivo que form el esqueleto del embrión, y que protege la médul espinal. ▮ s.m.pl. **2** En zoología, tipo de estos an males, perteneciente al reino de los metazoos. □ ETIMOL. Del latín *chorda* (cordel).

cordaje s.m. Conjunto de cuerdas, esp. referido de una embarcación o al de un instrumento musi cal. □ ETIMOL. De *cuerda.*

cordal s.m. En un instrumento musical de cuerda, piez generalmente en forma de abanico, colocada en l parte inferior de la tapa y que sirve para atar la cuerdas por el cabo opuesto al que se sujeta en la clavijas.

cordel s.m. Cuerda delgada. □ ETIMOL. Del catalá *cordell.*

orderil adj. Del cordero o con alguna de sus características. ☐ MORF. Invariable en género.

ordero, ra ▌ s. **1** Cría de la oveja, que no pasa de un año. **2** Persona dócil y humilde. ▌ s.m. **[3** Carne de la cría de la oveja que no pasa de un año. **4** ‖**cordero pascual**; **1** El que comen ritualmente los hebreos para celebrar la salida de su pueblo de Egipto. **2** El joven mayor que el lechal. ☐ ETIMOL. Del latín *cordarius*, y éste de *cordus* (tardío).

ordial adj. Afectuoso o amable. ☐ ETIMOL. Del latín *cordialis*, y éste de *cor* (corazón, esfuerzo, ánimo). ☐ MORF. Invariable en género.

ordialidad s.f. **1** Carácter amable o afectuoso. **2** Franqueza o sinceridad.

ordillera s.f. Serie de montañas unidas entre sí y con características comunes. ☐ ETIMOL. De *cordel*.

órdoba s.m. Unidad monetaria nicaragüense.

ordobán s.m. Piel curtida de macho cabrío o de cabra. ☐ ETIMOL. De *Córdoba*, porque el curtido de pieles alcanzó un gran desarrollo en la Córdoba musulmana.

ordobés, -a adj./s. De Córdoba o relacionado con esta provincia española o con su capital.

ordón s.m. **1** Cuerda generalmente cilíndrica y hecha con materiales finos. 🗶 calzado, pasamanería **2** Lo que tiene la forma de esta cuerda. **3** Conjunto de personas colocadas en línea y guardando una distancia para cortar la comunicación de un territorio con otros o para impedir el paso. **4** En zonas del español meridional, bordillo. **5** ‖**cordón sanitario**; conjunto de elementos y medidas que se organizan en un lugar para detener la propagación de un fenómeno, esp. de epidemias o de plagas. ‖**cordón umbilical**; **1** Conjunto de vasos que unen la placenta de la madre con el vientre del feto. **[2** Lo que une una cosa a otra que le suministra lo indispensable para vivir. ☐ ETIMOL. Del francés *cordon*.

ordoncillo s.m. **1** En algunas telas, raya estrecha y en relieve que forma su tejido. **2** Tipo de bordado en línea. **3** En una moneda o en algunas medallas, adorno que se graba en el borde.

ordura s.f. Prudencia, sensatez o buen juicio. ☐ ETIMOL. De *cuerdo*.

oreano, na ▌ adj./s. **1** De Corea (península asiática y cada uno de los dos países establecidos en ella), o relacionado con ella. ▌ s.m. **2** Lengua asiática de esta península.

orear v. Cantar, recitar o hablar varias personas a la vez: *El público coreaba el estribillo de la canción.*

oreografía s.f. **1** Arte de componer y dirigir bailes y danzas. **2** Conjunto de pasos o de movimientos que componen una danza o un baile. ☐ ETIMOL. Del griego *khoréia* (danza) y *-grafía* (representación).

oreográfico, ca adj. De la coreografía o relacionado con ella.

oreógrafo, fa s. Creador de la coreografía de un espectáculo de danza o baile.

orifeo s.m. **1** En las antiguas tragedias grecolatinas, el que dirigía el coro o parte de él. **2** Persona a la que siguen otras. ☐ ETIMOL. Del latín *coryphaeus*, y éste del griego *korypháios* (jefe). ☐ SEM. No debe emplearse con el significado de 'adulador': *El jefe tiene muchos {*corifeos* > aduladores} que nunca critican nada de lo que hace.*

orimbo s.m. En botánica, inflorescencia formada

por flores que tienen pedúnculos y que nacen de un eje común, pero en puntos diferentes, y que llegan a la misma altura: *Las flores del peral forman corimbos.* ☐ ETIMOL. Del latín *corymbus*, y éste del griego *kórymbos* (cumbre, racimo). 🗶 inflorescencia

corintio, tia ▌ adj. **1** En arte, del orden corintio. ▌ adj./s. **2** De Corinto (ciudad griega), o relacionado con ella. ▌ s.m. **3** →**orden corintio**.

corinto adj./s.m. De color rojo oscuro tirando a violáceo. ☐ ETIMOL. De *Corinto* (ciudad griega), porque el color de las pasas de esta zona era rojo oscuro.

corista ▌ s. **1** Persona que canta formando parte del coro de una función musical, esp. de una ópera o de una zarzuela. ▌ s.f. **2** En una revista o en otros espectáculos, esp. si son de carácter frívolo, mujer que forma parte del coro. ☐ MORF. En la acepción 1, es de género común: *el corista, la corista.*

cormorán s.m. Ave palmípeda que tiene el plumaje oscuro, patas muy cortas, pico largo, aplastado y con la punta doblada, y que suele habitar en las costas. ☐ ETIMOL. Del francés *cormoran*, y éste de *corp* (cuervo) y *marenc* (marino). ☐ MORF. Es un sustantivo epiceno: *el cormorán macho, el cormorán hembra.*

[corn flakes (anglicismo) ‖Maíz tostado que se suele mezclar con leche para tomarlo como desayuno. ☐ PRON. [con fléics].

cornada s.f. Golpe dado por un animal con la punta del cuerno, o herida que produce.

cornadura s.f. →**cornamenta**.

cornalón adj. Referido a un toro, que tiene los cuernos muy grandes.

cornamenta s.f. **1** Conjunto de los cuernos de un animal, esp. del toro, de la vaca o del ciervo. **2** col. Cuernos o símbolo de la infidelidad sentimental de uno de los miembros de una pareja. ☐ MORF. Es sinónimo de *cornadura.*

cornamusa s.f. **1** Trompeta de metal larga, cuyo tubo forma una gran rosca en su parte media y termina en un pabellón muy ancho. **2** Instrumento musical de viento, de carácter rústico, compuesto de un odre o cuero cosido y de varios canutos o tubos en los que se produce el sonido. ☐ ETIMOL. Del francés *cornemuse*. 🗶 viento

córnea s.f. Véase **córneo, a.**

cornear v. Dar cornadas. ☐ ETIMOL. De *cuerno.*

corneja s.f. Ave parecida al cuervo pero de menor tamaño, que tiene el plumaje totalmente negro. ☐ ETIMOL. Del latín *cornicula.* ☐ MORF. Es un sustantivo epiceno: *la corneja macho, la corneja hembra.*

cornejo s.m. Arbusto que alcanza los tres o cuatro metros de altura, con muchas ramas de corteza roja en invierno, hojas opuestas, flores blancas y fruto en drupa. ☐ ETIMOL. Del latín *cornus.*

córneo, a ▌ adj. **1** De cuerno o con las características de éste. ▌ s.f. **2** En el ojo, membrana dura y transparente situada en la parte anterior, engastada en la abertura anterior de la esclerótica y un poco más abombada que ésta. ☐ ETIMOL. La acepción 1, del latín *corneus* (de cuerno). La acepción 2, del latín *cornea* (dura como el cuerno).

córner s.m. **1** En fútbol y en otros deportes, jugada defensiva que consiste en enviar un jugador el balón fuera del campo de juego cruzando la línea de meta de su portería. **2** En el fútbol y en otros deportes, saque que hace un jugador desde una esquina del campo, como castigo a esta jugada; saque de esquina. ☐ ETIMOL. Del inglés *corner* (esquina).

corneta ▌ s.m. **1** Persona que toca el instrumento del mismo nombre. ▌ s.f. **2** Instrumento musical de viento, de la familia de los metales, formado por un tubo metálico cónico, enrollado y terminado en un pabellón en forma de campana. 🗶 viento ☐ ETIMOL. De *cuerno.*

cornete s.m. **[1** Helado de cucurucho, esp. si está envasado. **2** Cada una de las pequeñas láminas óseas y de forma arqueada situadas en el interior de las fosas nasales. ☐ ETIMOL. De *cuerno.*

cornetín s.m. **1** Instrumento musical de viento, de la familia de los metales, parecido al clarín, generalmente provisto de pistones, y muy utilizado en las bandas populares. 🗶 viento **2** Especie de clarín que se usa en el ejército para dar los toques reglamentarios a las tropas.

cornisa s.f. **1** Conjunto de molduras o salientes que rematan la parte superior de algo, esp. de un edificio. **2** Faja horizontal estrecha que corre al borde de un precipicio o de un acantilado. **[3** Borde rocoso y saliente de la ladera de una montaña. ☐ ETIMOL. Quizá del griego *koronís* (rasgo final, remate, cornisa).

corno s.m. **1** Cierto instrumento musical de viento, de la familia del oboe. **2** ║**corno inglés**; oboe de mayor tamaño y de sonido más grave que el ordinario. 🗶 viento ☐ ETIMOL. Del italiano *corno* (cuerno).

cornucopia s.f. **1** Vaso en forma de cuerno lleno y rebosante de frutas y flores; cuerno de la abundancia. **2** Espejo con un marco tallado y dorado que suele tener algún soporte para velas en la parte inferior. ☐ ETIMOL. Del latín *cornu copia* (la abundancia del cuerno).

cornudo, da ▌ adj. **1** Que tiene cuernos. ▌ adj./s. **2** Referido a una persona, que padece la infidelidad de su pareja sentimental. ☐ MORF. En la acepción 2, la RAE sólo lo registra referido a un hombre. ☐ SEM. En la acepción 2, como sustantivo, es sinónimo de *cornúpeta.* ☐ USO La acepción 2 se usa como insulto.

cornúpeta s. **1** Animal dotado de cuernos, esp. el toro de lidia. **[2** col. Persona que padece la infidelidad de su pareja sentimental; cornudo. ☐ ETIMOL. Del latín *cornupeta*, y éste de *cornu* (cuerno) y *petere* (dirigirse hacia). ☐ MORF. Es de género común: *el cornúpeta, la cornúpeta.* ☐ USO En la acepción 2, tiene un matiz despectivo y humorístico.

cornúpeto s.m. col. Toro de lidia.

coro s.m. **1** Conjunto de personas reunidas para cantar, esp. si lo hacen de forma habitual o profesionalmente. **2** Pieza o pasaje musicales que canta este grupo de personas. **3** En el teatro grecolatino, conjunto de actores que recitan la parte lírica del texto destinada a comentar la acción. **4** Texto que recita este conjunto de actores. **5** Conjunto de eclesiásticos o de religiosos que cantan o rezan los divinos oficios. **6** En un templo, recinto donde se junta el clero para cantar los oficios divinos. **[7** Conjunto de voces que se oyen al mismo tiempo. **8** ║**a coro**; de forma simultánea o a la vez. ║**hacer coro**; unirse o apoyar algo. ☐ ETIMOL. Del latín *chorus*, y éste del griego *khorós* (danza en corro, coro de tragedia).

corola s.f. En una flor, parte que rodea los órganos sexuales y que está formada por los pétalos, que

suelen ser finos y de vistosos colores. ☐ ETIMOL. De latín *corolla* (corona pequeña). 🗶 flor

corolario s.m. Proposición o afirmación que no ne cesita una prueba particular porque se deduce fá cilmente de lo demostrado antes: *Y como corolario resulta claro que soy inocente.* ☐ ETIMOL. Del latín *corollarium* (propina, añadidura).

corona s.f. **1** Aro o cerco, generalmente de ramas flores o de un metal precioso, con que se ciñe l cabeza como adorno o como símbolo honorífico o d autoridad. **2** Conjunto de flores y hojas dispuesta en círculo. **3** Reino o estado que tiene como sistema de gobierno una monarquía. **4** Dignidad real. **5** Fe nómeno atmosférico que a veces aparece rodeand algunos cuerpos celestes, esp. la Luna y el Sol. **(** Resplandor, disco o círculo luminoso que se repre senta detrás de la cabeza de las imágenes de lo santos; aureola, auréola, halo. **7** En algunos relojes ruedecilla dentada que sirve para darles cuerda **(** para mover las agujas. **8** En un diente, parte que so bresale de la encía. **9** Unidad monetaria de distin tos países. **10** Antigua moneda con distinto valo en cada país o en cada región. **11** Tonsura o cort de pelo en círculo que llevaban los eclesiásticos e la parte superior de la cabeza; coronilla. ☐ ETIMOL Del latín *corona.* ☐ SEM. En las acepciones 5 y 6 es sinónimo de *halo.*

coronación s.f. **1** Acto o ceremonia en que se co rona a un soberano. **[2** Culminación o remate per fecto. ☐ SEM. Es sinónimo de *coronamiento.*

coronamiento s.m. →**coronación.**

coronar v. **1** Poner una corona en la cabeza, esp si es como señal del comienzo de un reinado o d un imperio: *El Papa coronó al Emperador en un ceremonia majestuosa.* **2** Referido esp. a una obra completarla o perfeccionarla: *Ésta es la obra cumbr que corona toda su producción anterior.* **3** Estar, po ner o ponerse en la parte más alta: *Los ciclista acaban de coronar el puerto de montaña.* ☐ ETIMOL Del latín *coronare.*

coronario, ria adj. **1** Referido a un vaso sanguíneo que se distribuye por el corazón. **[2** De este vas sanguíneo o relacionado con él.

coronel s.m. En los Ejércitos de Tierra y Aire, person cuyo empleo militar es superior al de teniente co ronel e inferior al de general de brigada. ☐ ETIMOL Del francés *colonel*, y éste del italiano *colonnello.*

coronilla s.f. **1** Parte más alta y posterior de l cabeza. **2** Tonsura o corte de pelo en forma de pe queño círculo que se hacían los clérigos en la ca beza; corona. **3** ║**hasta la coronilla**; col. Muy har to. ☐ ETIMOL. De *corona.*

corotos s.m.pl. col. En zonas del español meridional trastos o chismes.

corpachón s.m. Cuerpo muy grande de una per sona.

corpiño s.m. **1** Prenda de vestir femenina, muy ajustada y sin mangas, que cubre el pecho y la es palda hasta la cintura. **[2** En zonas del español meri dional, sujetador. ☐ ETIMOL. Del gallego o portugués *corpinho* (cuerpecito).

corporación s.f. **1** Cuerpo o comunidad, general mente de interés público, y a veces reconocidos por la autoridad. **[2** Empresa o compañía de gran ta maño, esp. si agrupa a otras menores. ☐ ETIMOL Del latín *corporatio.*

corporal adj. Del cuerpo, esp. del humano, o re

lacionado con él. □ ETIMOL. Del latín *corporalis*. □ MORF. Invariable en género.

orporativismo s.m. **1** Doctrina política y social que defiende la intervención del Estado en la solución de los conflictos laborales, mediante la creación de corporaciones profesionales que agrupen a trabajadores y empresarios. **2** Tendencia a defender los intereses de un cuerpo o de un sector profesional por encima de los intereses generales de la sociedad.

orporativista adj. **1** Del corporativismo o relacionado con él. **2** Partidario del corporativismo. □ MORF. Invariable en género.

orporativo, va adj. De una corporación o relacionado con ella.

corpore insepulto (latinismo) ‖ De cuerpo presente, o con el cuerpo sin sepultar o sin enterrar. □ PRON. [córpore insepúlto]. □ SINT. Incorr. **de corpore insepulto*.

orporeidad s.f. Conjunto de características de lo que tiene cuerpo o consistencia.

orpóreo, a adj. Que tiene cuerpo o consistencia. □ ETIMOL. Del latín *corporeus*.

orps s.m. Empleo destinado principalmente al servicio de la persona del rey. □ ETIMOL. Del francés *corps* (cuerpo).

orpulencia s.f. Carácter robusto y de gran magnitud de un cuerpo natural o artificial. □ ETIMOL. Del latín *corpulentia*.

orpulento, ta adj. Que tiene el cuerpo grande y robusto.

orpus s.m. Conjunto extenso y ordenado de datos o textos de diverso tipo, que pueden servir como base de investigación. □ ETIMOL. Del latín *corpus* (cuerpo). □ MORF. 1. Invariable en número. 2. Se usa mucho el plural *corpora*.

orpúsculo s.m. Cuerpo muy pequeño, célula, molécula, partícula o elemento. □ ETIMOL. Del latín *corpusculum*, y éste de *corpus* (cuerpo).

orral s.m. **1** Sitio cerrado y descubierto, en una casa o en el campo, que sirve generalmente para guardar animales. **2** Lugar, esp. si estaba descubierto, donde se hacían representaciones teatrales: *Durante los siglos XVI y XVII las comedias se representaban en los corrales.* **3** En una plaza de toros, recinto con departamentos comunicados entre sí que facilitar el apartado de las reses. [**4** Armazón rodeado por una malla y con el suelo acolchado, en el que se deja a los niños muy pequeños para que jueguen; parque. **5** Cercado que se hace en las costas o en los ríos para encerrar la pesca y cogerla. 🐟 pesca □ ETIMOL. Quizá del latín **currale* (circo para carreras, lugar donde se guardan los carros). □ MORF. En la acepción 4 se usa mucho el diminutivo *corralito*.

[**corrala** s.f. Casa de vecinos de varios pisos con un gran patio interior al que dan todas las puertas principales de cada vivienda.

orrea s.f. **1** Tira estrecha de cuero o de otra materia flexible y resistente, que se usa generalmente para atar o para ceñir. **2** col. Aguante o paciencia para soportar trabajos, bromas o cosas semejantes: *Para soportar a esos niños hay que tener mucha correa.* □ ETIMOL. Del latín *corrigia*.

correaje s.f. Conjunto de correas que hay en algo.

correazo s.m. Golpe dado con una correa.

corrección s.f. **1** Indicación o enmienda de un error o falta. **2** Disminución, modificación o desaparición de un defecto o imperfección. **3** Ausencia de errores o defectos. **4** Respeto de las normas de trato social. **5** Alteración o cambio que se hace para mejorar o para quitar defectos o errores. □ ETIMOL. Del latín *correctio*.

correccional s.m. Establecimiento penitenciario en el que se trata de corregir las conductas delictivas de los menores de edad penal.

correctivo s.m. Castigo o sanción generalmente leves.

correcto, ta adj. **1** Libre de errores o defectos. **2** Conforme a las reglas. **3** Referido a una persona, que tiene una conducta irreprochable. **4** ‖ **políticamente correcto; 1** Referido a una persona o a sus actitudes, que cumplen una serie de normas socialmente aceptadas. **2** Referido al lenguaje, que elimina significados ofensivos al sustituir ciertos términos por expresiones libres de prejuicios. □ ETIMOL. De *corregir*.

corrector, -a ‖ adj./s.m. **1** Que corrige. ‖ s. **2** Persona que se dedica profesionalmente a la corrección de textos escritos.

corredero, ra ‖ adj. **1** Referido esp. a una puerta o a una ventana, que corre sobre carriles. ‖ s.f. **2** Aparato que sirve para medir la distancia recorrida por una embarcación y que consiste en una cuerda unida a un flotador en forma de hélice por un extremo y a la embarcación por el otro.

corredizo, za adj. Referido esp. a un nudo, que corre o se desliza con facilidad.

corredor, -a ‖ adj./s.f. **1** Referido a un ave, que se caracteriza por ser de gran tamaño y tener unas alas rudimentarias que no le permiten volar, y unas patas largas y fuertes adaptadas para la carrera. ‖ s. **2** Deportista que participa en algún tipo de carrera de competición. **3** Persona que interviene profesionalmente como intermediario en operaciones comerciales o de compraventa de diverso tipo. ‖ s.m. **4** En un edificio, pieza de paso alargada y estrecha, a la que dan las puertas de habitaciones y salas; pasillo. **5** En un edificio, galería que rodea el patio al que dan los balcones, las ventanas o las puertas de cada casa. □ MORF. En la acepción 3, la RAE sólo lo registra como masculino.

correduría s.f. Oficio o actividad del corredor comercial.

corregidor s.m. Antiguamente, alcalde nombrado por el rey con arreglo a cierta legislación municipal, que presidía el Ayuntamiento y ejercía varias funciones gubernativas.

corregir v. **1** Referido esp. a un error o a una falta, señalarlos o quitarlos: *Corrígeme si me equivoco. Corrige los errores del trabajo antes de entregarlo.* **2** Referido esp. a un examen u otra prueba, señalar los errores que tiene: *La profesora me corrigió el dictado y tuve que copiar las faltas.* **3** Referido esp. a un defecto o a una imperfección, disminuirlos, modificarlos o hacerlos desaparecer: *Debes corregir tu egoísmo. Las gafas corrigen los defectos de la visión.* **4** Referido a una persona, decirle lo que ha hecho mal para que no vuelva a hacerlo o lo haga bien: *Mi madre me corrige cuando como con la boca abierta.* □ ETIMOL. Del latín *corrigere*, y éste de *regere* (regir, gobernar). □ ORTOGR. La g se cambia en j ante a, o. □ MORF. 1. Tiene un participio regular (*corregido*) que se usa en la conjugación, y otro irregular

(*correcto*) que se usa sólo como adjetivo. 2. Irreg.
→ELEGIR.
correlación s.f. Relación o correspondencia que tienen dos o más cosas entre sí.
correlativo, va adj. 1 Que tiene correlación o que la expresa: *En la frase 'Cuanto más como, menos hambre tengo', 'cuanto' es una partícula correlativa.* 2 Que sigue inmediatamente a otro.
correlato s.m. Término que corresponde a otro en una correlación.
correligionario, ria adj./s. En política, referido a una persona, que comparte las mismas ideas o que está en el mismo partido o en el mismo sindicato que otra. ☐ SEM. Como sustantivo, es sinónimo de *camarada* y *compañero*.
correo s.m. 1 Servicio público que se encarga de transportar la correspondencia oficial o privada. 2 Edificio o lugar en el que se recibe, se remite o se da la correspondencia. 3 Vehículo que lleva la correspondencia. 4 Buzón en el que se deposita la correspondencia. 5 Conjunto de cartas que se envían o que se reciben; correspondencia. 6 Persona que se dedica profesionalmente a llevar la correspondencia de un lugar a otro. [**7** *col.* Persona que lleva recados o paquetes de un lugar a otro. **8** ‖ [**correo electrónico**; el que permite el intercambio de mensajes por ordenador a través de la red informática. ☐ ETIMOL. Del catalán *correu*. ☐ MORF. Las acepciones 1 y 2 se usan más en plural. ☐ USO Es innecesario el uso del anglicismo *e-mail* en lugar de la expresión *correo electrónico*.
correoso, sa adj. 1 Que se estira y se dobla sin romperse. 2 Referido a algunos alimentos, que han perdido sus cualidades o se han ablandado, generalmente a causa de la humedad. ☐ ETIMOL. De *correa*.
[**correpasillos** s.m. Juguete sobre ruedas con el que los niños se desplazan sentados encima y empujando con los pies. ☐ MORF. Invariable en número.
correr ▌ v. 1 Ir deprisa: *Corrió a la puerta para ver quién llamaba.* 2 Andar rápidamente de forma que entre un paso y el siguiente, los pies quedan en el aire durante un momento: *Corre todas las mañanas varios kilómetros para mantenerse en forma.* 3 Actuar con exceso o rapidez: *No corras, que te va a salir mal la letra.* 4 Referido al tiempo, pasar o tener curso: *Mientras te esperaba sentía correr los minutos.* 5 Referido esp. a un fluido, moverse progresivamente de una parte a otra: *Deja correr el agua del grifo hasta que salga caliente.* 6 Referido esp. a un camino o a un río, caminar, pasar o extenderse por un territorio: *Esta carretera corre al lado del mar.* 7 Referido a un viento, soplar o dominar: *En esta zona corre el cierzo.* 8 Referido a una noticia o a un rumor, circular o difundirse: *La noticia corre por toda la ciudad.* 9 Referido a un deber o a una obligación, estar a cargo de alguien o corresponderle: *Si tú me invitas a comer, las copas corren de mi cuenta.* 10 Referido a una persona, acudir a ella en caso de necesidad: *En cuanto me encuentro en un apuro, corro a mi madre para que me ayude.* [**11** Referido a un programa informático, funcionar: *Este programa 'corre' muy bien en ese entorno de red.* [**12** Participar en una carrera: *En esta carrera 'corren' los mejores ciclistas del momento.* **13** Avergonzar y confundir: *Cuando se descubrió su plan, se corrió de vergüenza.* **14** Referido a una llave o a un mecanismo de cierre, ac-

cionarlos para cerrar; echar: *Cuando se va a aco[tar, cierra la puerta con llave y corre el pestillo.* **1** Referido a un objeto que no está fijo, moverlo o des[zarlo de un lugar a otro: *Corre el armario a la d[recha para que se pueda abrir bien la puerta.* **1** Referido esp. a un color o a una mancha, extender[fuera del lugar que ocupan: *La lluvia ha corrido l[pintura de la puerta.* **17** Referido esp. a una cortin[cerrarla o tenderla: *Cuando enciende la luz, corr[las cortinas para que los vecinos no lo vean.* **18** R[ferido a una circunstancia, estar expuesto a ella o p[sarla: *Sé que corro grave peligro.* **19** Referido a ur[persona o a un animal, acosarlos o perseguirlos: *L[niños del pueblo corrían a los gatos.* [**20** En zone[del español meridional, despedir de un trabajo o e[pulsar de un lugar. ▌ prnl. **21** Referido a una persor[retirarse hacia la derecha o hacia la izquierda: *C[rrete y déjame sitio.* **22** *vulg.* Tener un orgasm[23** En zonas del español meridional, huir cobardeme[te. **24** ‖ **correr con** algo; encargarse de ello: *M[abuela corrió con los gastos de mi educación.* ‖ **c[rrerla**; *col.* Ir de juerga, esp. si es a altas horas d[la noche: *Llegó a su casa al amanecer, después d[haberla corrido con unos amigos.* ☐ ETIMOL. Del l[tín *currere*. ☐ MORF. En la acepción 16, la RAE sól[lo registra como pronominal. ☐ SEM. En las ace[ciones 4 y 6, es sinónimo de *discurrir*.
correría ▌ s.f. 1 Agresión realizada por gente a[mada en un territorio enemigo. ▌ pl. 2 *col.* Aven[turas o diversiones. ☐ ETIMOL. De *correr*.
correspondencia s.f. 1 Conjunto de cartas qu[se envían o que se reciben; correo. 2 Relación o pr[porción de una cosa con otra. 3 En matemáticas, r[lación que se establece entre los elementos de d[conjuntos o series distintos. 4 Devolución de u[afecto o de una actitud recibidas. 5 Comunicació[o conexión, esp. entre dos líneas de metro.
corresponder v. 1 Referido esp. a un afecto o a un[actitud recibidos, devolverlos de igual forma o propor[cionalmente: *Correspondía a mi amor con indiferen[cia. Tengo que corresponder los favores que me ha[hecho, pero no sé cómo.* 2 Tocar o pertenecer: *Est[trabajo no me corresponde hacerlo a mí.* 3 Referid[a una cosa, tener relación o proporción con otra: *Su[afirmaciones no se corresponden con la realidad d[los hechos.* 4 Referido a un elemento de un conjunto [de una serie, tener relación con otro elemento de otr[conjunto o de otra serie: *Si tenemos el conjunto d[los números naturales y el conjunto formado por la[palabras 'par' e 'impar', al número dos le correspon[dería la palabra 'par'.* ☐ ETIMOL. De *co-* (reunión) [*responder*. ☐ SINT. Constr. como pronominal: *co[rresponderse CON algo*.
correspondiente ▌ adj. 1 Que corresponde o ata[ñe a algo o a alguien. 2 Que tiene relación o pro[porción con otra cosa. ▌ adj./s. 3 Que tiene corres[pondencia escrita con alguien: *La Real Academi[Española tiene académicos correspondientes en lo[países hispanoamericanos.* ☐ MORF. 1. Como adje[tivo es invariable en género. 2. Como sustantivo e[de género común: *el correspondiente, la correspon[diente.*
corresponsal s. Periodista que suministra noti[cias de actualidad de forma habitual a un medio d[comunicación desde otra población o desde el ex[tranjero. ☐ MORF. Es de género común: *el corres[ponsal, la corresponsal.*

corresponsalía s.f. **1** Cargo de corresponsal de un medio de comunicación. **2** Lugar de trabajo de un corresponsal.

corretear v. *col.* Correr de un lado a otro: *Los niños correteaban por el parque.*

correturnos s. Trabajador cuyo turno va rotando en función de cuándo libran los otros turnos. □ MORF. **1.** Es de género común: *el correturnos, la correturnos.* **2.** Invariable en número.

correvedile o **correveidile** s. *col.* Persona que va enterándose de los asuntos ajenos y contándolos a los demás. □ ETIMOL. De *corre, ve* y *dile.* □ MORF. Es de género común: *el {correvedile/correveidile}, la {correvedile/correveidile}.* □ USO *Correvedile* es el término menos usual.

corrida s.f. Véase **corrido, da.**

corrido, da ▌ adj. **1** Avergonzado o confundido. **2** Referido a algunas partes de un edificio, que están continuas o seguidas. ▌ s.m. **3** Composición musical de origen mejicano, de carácter alegre y que se toca generalmente con guitarras y trompetas. ▌ s.f. **[4** En zonas del español meridional, montón, fila o línea. **[5** En zonas del español meridional, carrera de una media. **[6** *vulg.* →**eyaculación. 7** ‖**corrida (de toros)**; fiesta que consiste en torear un determinado número de toros en una plaza. ‖ **de corrido**; referido a la forma de realizar algo, rápidamente y sin equivocación.

corriente ▌ adj. **1** Que es común o que no presenta ninguna cualidad extraordinaria. **2** Referido a una persona, que tiene un trato llano y familiar. **3** Que sucede con frecuencia. **4** Que es admitido por todos o autorizado por el uso o por la costumbre. **5** Referido a una semana, a un mes, a un año o a un siglo, que son los actuales o los que están transcurriendo. ▌ s.f. **6** Movimiento continuado de un fluido en una dirección determinada: *Los ríos que tienen una corriente tan fuerte son muy peligrosos.* **7** Masa de fluido que tiene este movimiento: *Durante la inundación, la corriente de agua arrastró los coches.* **8** Curso, movimiento o tendencia de los sentimientos o de las ideas: *una corriente artística.* **9** ‖**al corriente; 1** Sin atraso, con exactitud. **2** Referido a un asunto, enterado o con conocimiento de ello. ‖ **contra (la) corriente**; referido a la forma de pensar o de comportarse, en contra de la opinión general. ‖ **corriente alterna**; la que tiene una intensidad variable, que cambia de sentido al pasar la intensidad por cero. ‖ **corriente continua**; la que fluye siempre en el mismo sentido, y tiene una intensidad generalmente variable. ‖ **corriente (eléctrica)**; movimiento de cargas eléctricas a lo largo de un conductor. ‖ **corriente y moliente**; *col.* Llano y normal. ‖ **{llevar/seguir} la corriente** a alguien; *col.* Mostrarse conforme con lo que dice o hace. □ ETIMOL. Del latín *currens*, y éste de *currere* (correr). □ MORF. Como adjetivo es invariable en género. □ SINT. *Contra (la) corriente* se usa más con los verbos *ir, nadar* y equivalentes.

corrillo s.m. Corro o grupo de personas que hablan o discuten separados del resto.

corrimiento s.m. Movimiento o desplazamiento de un objeto de un lado a otro.

corro s.m. **1** Conjunto de personas que se ponen en círculo. **2** Juego infantil que consiste en formar un círculo cogiéndose de la mano y cantar al girar alrededor. **[3** Reunión de una sesión de bolsa para la contratación de un grupo de valores: *En los últimos 'corros' hubo menor presión vendedora.* □ ETIMOL. Quizá de *corral* o de *correr.*

corroborar v. Referido a lo ya dicho, confirmarlo con nuevos datos: *Con estos hechos que acaban de ocurrir se corrobora mi suposición.* □ ETIMOL. Del latín *corroborare*, y éste de *robur* (fuerza, robustez). □ SEM. Dist. de *ratificar* (afirmar y dar por bueno).

corroer v. **1** Desgastar lentamente: *La carcoma corroe la madera. Los metales en contacto con el agua salada se corroen.* **2** Causar angustia y malestar: *El rencor lo corroe. Se corroía de celos.* □ ETIMOL. Del latín *corrodere.* □ MORF. Irreg. →ROER.

corromper v. **1** Referido esp. a una materia orgánica, dañarla, pudrirla o echarla a perder: *Las bacterias corrompieron el agua. Los alimentos se han corrompido debido al calor.* **2** Referido a una persona, sobornarla con regalos o con otros favores: *Intentaron corromper al juez ofreciéndole mucho dinero.* **3** Pervertir, viciar o hacer moralmente malo: *Las malas compañías lo corrompieron. Decía que las nuevas modas corrompían las costumbres.* □ ETIMOL. Del latín *corrumpere.* □ MORF. Tiene un participio regular (*corrompido*), que se usa en la conjugación, y otro irregular (*corrupto*), que se usa sólo como adjetivo o sustantivo.

corrosión s.f. Desgaste lento y paulatino, esp. el producido por un agente externo. □ ETIMOL. Del latín *corrosum*, y éste de *corrodere* (corroer).

corrosivo, va adj. **1** Que corroe. **2** Referido esp. a una persona o a su lenguaje, que resultan incisivos, mordaces o hirientes.

corrupción s.f. **1** Aceptación de un soborno. **2** Perversión o vicio que estropean moralmente. **3** Alteración de la forma o de la estructura de algo. □ ETIMOL. Del latín *corruptio.*

corruptela s.f. Corrupción, esp. la de poca importancia. □ ETIMOL. Del latín *corruptela.*

corrupto, ta adj./s. **1** Que se deja o se ha dejado corromper o sobornar. **2** Que está pervertido o viciado.

corruptor, -a adj./s. Que corrompe.

corrusco s.m. *col.* →**currusco.** 🗙 pan

corsario, ria ▌ adj./s. **1** Referido a un buque o a su tripulación, que perseguía a los piratas o a las naves enemigas, con autorización de su nación. ▌ s.m. **2** Persona que navega sin licencia y asalta y roba barcos en el mar o en las costas; pirata. □ ETIMOL. De *corso* (grupo de buques mercantes con permiso del gobierno para perseguir a los piratas o a las embarcaciones enemigas). □ SEM. Dist. de *bucanero* (pirata que en los siglos XVII y XVIII saqueaba las posesiones españolas en América).

corsé s.m. **1** Prenda interior de material resistente que ciñe el cuerpo desde el pecho hasta las caderas. **[2** Lo que constriñe o priva de libertad. □ ETIMOL. Del francés *corset*, y éste de *corps* (cuerpo).

corsetería s.f. Lugar en el que se fabrican o se venden corsés y otras prendas interiores.

corsetero, ra s. Persona que se dedica profesionalmente a la fabricación o a la venta de corsés o de otras prendas interiores.

corso, sa adj./s. De Córcega (isla mediterránea francesa), o relacionado con ella. □ ETIMOL. Del latín *corsus.*

cortacésped s.f. Máquina que sirve para recortar el césped. □ MORF. Se usa también como masculino.

cortacigarros s.m. Utensilio que sirve para cortar la punta de los puros; cortapuros. ☐ MORF. Invariable en número.

cortacircuitos s.m. Aparato que interrumpe el paso de corriente eléctrica automáticamente cuando es excesiva o peligrosa. ☐ MORF. Invariable en número. ☐ SEM. Dist. de *cortocircuito* (fenómeno eléctrico accidental originado por el contacto de dos conductores).

cortacorriente s.m. Aparato que se usa para abrir o cerrar el paso de corriente eléctrica en un circuito.

cortado, da ▮ adj./s. **1** Tímido o turbado. ▮ s.m. **2** →café cortado.

cortador, -a s. Persona que se dedica profesionalmente al corte de piezas, generalmente de tela o de cuero, para confeccionar determinados objetos.

cortafuego s.m. Camino ancho que se hace entre los sembrados o en el monte para evitar que se extiendan los incendios.

cortante adj. Que corta. ☐ MORF. Invariable en género.

cortapisa s.f. Obstáculo o dificultad para hacer algo. ☐ ETIMOL. Del catalán antiguo *cortapisa*. ☐ MORF. Se usa más en plural.

cortaplumas s.m. Navaja de pequeño tamaño que se usa generalmente para abrir las cartas, y que antiguamente servía para cortar las plumas de las aves. ☐ MORF. Invariable en número.

cortapuros s.m. Utensilio que sirve para cortar la punta de los puros; cortacigarros. ☐ MORF. Invariable en número.

cortar ▮ v. **1** Herir o hacer un corte: *Me he cortado con un cristal.* **2** Dividir o separar en dos partes: *El río corta la región.* **3** Recortar con un instrumento cortante, dando la forma adecuada: *Quiero hacerme una chaqueta y ya he cortado la tela.* **4** Interrumpir, suspender o suprimir parcial o totalmente: *La censura ha cortado varias escenas de la película.* **5** Referido a un todo, dividir o separar las partes que lo forman mediante un instrumento cortante: *Corta un poco de pan.* **6** Referido a un gas o a un líquido, atravesarlos o cruzarlos: *La bala cortó el aire.* **7** En los juegos de cartas, referido a una baraja, dividirla en dos levantando y separando un número indeterminado de las cartas que la forman: *Normalmente, corta el jugador que está a la izquierda del que reparte.* **8** Referido al curso o al paso de algo, atajarlo, detenerlo o entorpecerlo: *Con esta maniobra hemos conseguido cortar el avance del ejército enemigo.* **9** Referido a un líquido, mezclarlo con otro para modificar su fuerza o su sabor: *Voy a cortar el café con un poco de leche, porque me ha salido muy fuerte.* **10** En matemáticas, referido a una línea, a una superficie o a un cuerpo, atravesar a otra: *Dos rectas que se cortan tienen un punto en común.* **11** Referido al aire o al frío, ser tan intensos que parece que traspasan la piel: *Hace un viento que corta.* **12** Tomar el camino más corto: *Para llegar antes, corta por la calle de la derecha.* **13** Referido a un instrumento cortante, tener buen o mal filo: *Dame otro cuchillo, que éste no corta.* **[14** En el lenguaje de la droga, adulterar: *La policía descubrió un almacén donde se 'cortaba' droga.* ▮ prnl. **15** Referido a un líquido, separarse las partes que lo forman: *No dejes la leche fuera de la nevera, que se va a cortar. Se me ha cortado la mayonesa y ha quedado líquida.* **16** Referido a una

persona, turbarse o faltarle las palabras por la turbación: *No te cortes y pide lo que quieras.* ☐ ETIMOL Del latín *curtare* (cercenar).

cortaúñas s.m. Utensilio metálico parecido a uno alicates o a unas pinzas con la boca afilada y cur vada hacia dentro, que sirve para cortar las uñas. ☐ MORF. Invariable en número.

corte ▮ s.m. **1** Filo de un instrumento cortante. **2** Herida producida por este tipo de instrumentos (de objetos. **3** Arte y técnica de cortar las piezas ne cesarias para confeccionar una prenda. **4** Cantida(de tejido o material con el que se puede confeccio nar una prenda de vestir o un calzado: *corte de tela* **5** Sección que queda al cortar una pieza, esp. d(carne. **6** División o separación en dos partes. **7** Sec ción de un edificio. **8** Interrupción, suspensión o su presión parciales o totales: *La sequía obligará a es tablecer cortes periódicos en el suministro de agua* **9** División de una baraja en dos partes, levantand(y separando un número indeterminado de las cartas que la forman. **10** Turbación, vergüenza o apuro *Me da corte cantar en público.* **11** En matemáticas contacto o intersección entre planos, líneas o cuer pos: *punto de corte de una recta.* **[12** Trozo de he lado de barra que se pone entre dos galletas. **[13** Estilo, tipo o carácter: *un vestido de 'corte' clásico.* ▮ s.f. **14** Población en la que reside el rey. **15** Con junto de personas que componen la familia y la co mitiva del rey. **16** Séquito, comitiva o acompaña miento. **17** Cielo o mansión divina: *corte celestial.* ▮ pl. **18** Cámaras legislativas: *Fuimos a ver una sesión de las cortes.* **19** Edificio en el que tienen su sede. **20** En los antiguos reinos de Castilla, Aragón, Ca taluña, Valencia y Navarra, junta general que celebra ban personas autorizadas. **21** ‖ **corte de mangas;** col. Gesto brusco que se hace doblando el brazo por el codo, con intención ofensiva. ‖ **dar un corte** a alguien; col. Responder de forma agresiva y rápida. ‖ **[hacer el corte de caja;** en zonas del español me ridional, hacer caja. ‖ **hacer la corte** a una mujer; tratarla un hombre de forma amable y cortés, esp. si es para seducirla o para iniciar una relación sen timental. ☐ ETIMOL. Las acepciones 1-13, de *cortar.* Las acepciones 14-20, del latín *cohors* (séquito de magistrados provinciales, división de un campa mento, grupo de personas). ☐ ORTOGR. Dist. de *co horte.*

cortedad s.f. **1** Falta o escasez de talento, inteli gencia o valor. **2** Pequeñez y poca extensión de algo.

cortejar v. Referido a una mujer, tratarla un hombre de forma amable y cortés, esp. si es para seducirla o para iniciar una relación sentimental; galantear: *Es muy tradicional y quiere conocer las familias de los chicos que cortejan a su hija.* ☐ ETIMOL. Del ita liano *corteggiare.* ☐ ORTOGR. Conserva la *j* en toda la conjugación.

cortejo s.m. **1** Conjunto de personas que forman el acompañamiento en una ceremonia. **[2** Fase inicial del apareamiento de algunos animales. ☐ ETIMOL. Del italiano *corteggio.*

cortés adj. Que respeta las normas establecidas en el trato social. ☐ ETIMOL. De *corte*, por las maneras que se adquieren en la corte. ☐ MORF. Invariable en género.

cortesano, na ▮ adj. **1** De la corte o relacionado con ella. ▮ s. **2** Persona que servía al rey en la corte. ▮ s.f. **3** Prostituta refinada y culta. ☐ ETIMOL. Del italiano *cortegiano*. ☐ MORF. En la acepción 2, la RAE sólo lo registra como masculino. ☐ USO El uso de la acepción 3 es característico del lenguaje culto.

cortesía s.f. **1** Comportamiento amable y de buena educación, que respeta las normas para el trato social. **2** Demostración o acto con que se manifiesta la atención, el respeto o el afecto que se tiene por alguien. **3** Dádiva o regalo que se hace voluntariamente o por costumbre. **4** Favor o beneficio gratuitos que se hacen sin merecimiento particular. ☐ ETIMOL. De *cortés*. ☐ USO. En la acepción 3, aunque la RAE lo considera sinónimo de *regalo*, en la lengua actual no se usa como tal.

corteza s.f. **1** Capa exterior y dura de una cosa. 🐷 pan **2** Parte externa de un órgano animal o vegetal. [**3** Parte sólida más superficial de la Tierra, situada entre la atmósfera y el manto. **4** ‖ [**corteza (de cerdo)**; piel de cerdo muy frita que se suele tomar como aperitivo. ☐ ETIMOL. Del latín *corticea* (que se hace de corteza).

[**corticoide** o [**corticosteroide** s.m. Compuesto químico con acción hormonal que está presente en las glándulas situadas al lado de los riñones. ☐ ETIMOL. Del latín *cortex* (corteza).

cortijo s.m. Extensión grande de campo y conjunto de edificaciones para labor y vivienda, propios de las zonas andaluza y extremeña. ☐ ETIMOL. Del latín *cohorticula*, y éste de *cohors* (recinto, corral). 🐷 vivienda

cortina s.m. **1** Tela u otro material semejante con que se cubren ventanas, puertas u otros huecos y que sirve como adorno, para que no entre la luz o para que no se vea lo que hay al otro lado. **2** Lo que encubre u oculta algo. **3** ‖ **cortina de humo**; [lo que se utiliza para ocultar o encubrir algo. ☐ ETIMOL. Del latín *cortina*.

cortinaje s.m. Conjunto o juego de cortinas.

cortisona s.f. Compuesto químico con acción hormonal que se produce en las glándulas situadas junto al riñón, que tiene una eficaz acción antiinflamatoria. ☐ ETIMOL. Del latín *corticeus* (de la corteza).

corto, ta ∎ adj. **1** Que tiene poca longitud o poca extensión, o menos de lo normal o de lo necesaria. **2** De poca duración, poca estimación o poca entidad. **3** Escaso o con poca cantidad. **4** Que no alcanza el punto de destino: *El atleta lanzó una bola demasiado corta para puntuar*. **5** Que tiene poca inteligencia, poco talento o pocos conocimientos. **6** Tímido o apocado. **7** Referido a una prenda de vestir, que queda muy por encima de la rodilla o por encima de la cintura. ∎ s.m. **8** →**cortometraje**. **9** ‖ **ni corto ni perezoso**; con decisión o sin pensarlo. ☐ ETIMOL. Las acepciones 1-8, del latín *curtus* (truncado, incompleto).

cortocircuito s.m. Fenómeno eléctrico accidental que se produce por el contacto entre dos conductores y que suele determinar una descarga. ☐ ORTOGR. Se admite también *corto circuito*. ☐ SEM. Dist. de *cortacircuitos* (aparato que interrumpe el paso de corriente eléctrica).

cortometraje s.m. Película cinematográfica de corta duración, que no sobrepasa los treinta minutos. ☐ ETIMOL. Del francés *court-métrage*. ☐ MORF. Se usa mucho la forma abreviada *corto*.

coruñés, -a adj./s. De La Coruña o relacionado con esta provincia española o con su capital.

corva s.f. Véase **corvo, va**.

corvejón s.m. En las patas traseras de los cuadrúpedos, parte que está entre la parte inferior de la pierna y la superior de la caña. ☐ ETIMOL. De *corva*. ☐ SEM. Aunque la RAE lo considera sinónimo de *tarso*, en círculos especializados no lo es.

corveta s.f. Movimiento que se enseña al caballo, haciéndolo andar sólo con las patas traseras. ☐ ETIMOL. Del francés *courbette*, y éste de *courbe* (corvo). ☐ ORTOGR. Dist. de *corbeta*.

córvido, da ∎ adj./s.m. **1** Referido a un ave, que se caracteriza por tener el plumaje generalmente negro u oscuro y el pico largo y fuerte: *El cuervo es un córvido*. ∎ s.m.pl. **2** En zoología, familia de estas aves. ☐ ETIMOL. Del latín *corvus* (cuervo).

corvo, va ∎ adj. **1** Arqueado o combado. ∎ s.f. **2** Parte por donde se dobla la pierna, opuesta a la rodilla. ☐ ETIMOL. Del latín *curvus* (curvo).

corzo, za s. Mamífero rumiante, parecido al ciervo pero más pequeño, de pelaje gris rojizo, con el rabo muy corto y cuernos pequeños con abultamientos y ahorquillados en la punta. ☐ ETIMOL. Del latín **curtiare*, y éste de *curtus* (truncado). 🐷 rumiante

cosa s.f. **1** Todo lo que existe, sea real o imaginario, natural o artificial, espiritual o corporal: *No te metas en mis cosas*. **2** Objeto inanimado: *Las plantas no son cosas, sino seres vivos*. **3** Aquello de lo que se trata: *No creas que la cosa es tan fácil*. **4** En frases negativas, nada o casi nada: *No hay cosa que no sepa*. **5** En derecho, objeto de las relaciones jurídicas por oposición a persona o sujeto: *En el régimen de esclavitud, los esclavos eran cosas*. **6** ‖ **a cosa hecha**; con éxito seguro: *Ya sabía que me habían admitido y fui a la entrevista a cosa hecha*. ‖ **como quien no quiere la cosa**; col. Con disimulo o sin dar importancia. ‖ **como si tal cosa**; col. Como si no hubiera pasado nada. ‖ **cosa de**; col. Aproximadamente o poco más o menos: *Éramos cosa de 20 personas*. ‖ [**cosa fina**; col. Exquisito o muy bueno. ‖ **cosa mala**; col. Mucho o en cantidad: *Ojalá estén, porque me apetece verlos cosa mala*. ‖ **cosa rara**; expresión que se usa para manifestar admiración, extrañeza o novedad. ‖ **no ser cosa de**; no ser conveniente u oportuno. ‖ **ser cosa de** hacer algo; ser necesario. ‖ **ser poca cosa**; ser poco importante, de poco tamaño o de poco valor. ☐ ETIMOL. Del latín *causa* (motivo, asunto, cuestión). ☐ MORF. Se usa mucho como palabra comodín para designar algo de manera imprecisa.

cosaco, ca ∎ adj./s. **1** De un antiguo pueblo que se estableció en las estepas rusas del sur. ∎ s.m. **2** Soldado ruso de caballería ligera.

coscarse v.prnl. col. [Enterarse o darse cuenta: *Es tan despistado que no 'se coscó' de nada*. ☐ SINT. Constr. *coscarse DE algo*.

coscorrón s.m. **1** Golpe muy doloroso dado en la cabeza. **2** Golpe dado en la cabeza con los nudillos de la mano cerrada. ☐ ETIMOL. De origen onomatopéyico.

coscurro s.m. →**cuscurro**. 🐷 pan

cosecante s.f. En trigonometría, razón entre la hipotenusa y el cateto opuesto de un ángulo.

cosecha s.f. **1** Conjunto de frutos que se recogen de la tierra cuando están maduros. **2** Producto que se obtiene de estos frutos mediante un tratamiento adecuado. **3** Tiempo durante el que se recogen estos frutos. **4** Ocupación de recoger estos frutos. **5** Conjunto de lo que obtiene alguien como resultado del propio esfuerzo o del azar. **6** ‖ **ser** algo **de la cosecha** de alguien; *col.* Ser de su propio ingenio o invención. ☐ ETIMOL. Del antiguo *cogecha*, éste del latín *collecta*, y éste de *colligere* (recoger, coger).

cosechadora s.f. Máquina que siega los cereales, separa el grano de la paja y envasa el grano.

cosechar v. **1** Referido a los productos del campo o de un cultivo, recogerlos cuando están maduros: *Al acabar de cosechar el trigo, celebraron una fiesta.* **2** Referido a resultados, conseguirlos o lograrlos después de haber trabajado por ellos: *El equipo cosechó varias victorias seguidas.* ☐ SINT. En la acepción 2, se pueden *cosechar* varios resultados, pero no uno solo: *Cosechó {*un fracaso > varios fracasos}.*

cosechero, ra ∎ adj. **1** De la cosecha o relacionado con ella. ∎ s. **2** Persona que tiene una cosecha.

[cosedora s.f. Máquina que sirve para coser.

coseno s.m. En trigonometría, razón entre el cateto contiguo de un ángulo y la hipotenusa.

coser v. **1** Hacer una labor con una aguja enhebrada: *No sé coser. He cosido una mantelería.* **2** Unir con cualquier clase de hilo, generalmente enhebrado en una aguja: *No sé cómo coser este desgarrón. Le cosieran la brecha en el hospital.* **3** Unir con grapas: *Toma la grapadora y cose esas hojas.* **4** *col.* Referido a una persona, producirle muchas heridas con un arma: *Lo cosió a puñaladas.* **5** ‖ **coser y cantar**; *col.* Expresión que se usa para indicar que lo que se ha de hacer es muy fácil y no ofrece dificultades: *Hacer este puzzle es coser y cantar.* ☐ ETIMOL. Del latín *consuere* (coser una cosa con otra).

cosido s.m. **1** Unión de algo con hilo, generalmente enhebrado en una aguja; costura. **2** Calidad en el acabado de coser.

cosificar v. **1** Referido esp. a una persona, considerarla como una cosa: *Las grandes ciudades cosifican a las personas.* **2** Convertir en cosa: *Hay aspectos de la vida que no se pueden cosificar.* ☐ ETIMOL. De *cosa* y el latín *facere* (hacer). ☐ ORTOGR. La *c* se cambia en *qu* delante de *e* →SACAR.

cosmético, ca ∎ adj./s.m. **1** Referido a un producto, que se utiliza para la higiene o la belleza del cuerpo, esp. la del rostro. ∎ s.f. **2** Arte y técnica de preparar y de emplear estos productos. ☐ ETIMOL. Del griego *kosmetikós*, de *kósmos* (adorno, compostura).

cósmico, ca adj. Del cosmos o relacionado con él. ☐ ETIMOL. Del latín *cosmicus*, y éste del griego *kosmikós*, de *kósmos* (mundo).

cosmogonía s.f. Ciencia que trata del origen y la evolución del universo. ☐ ETIMOL. Del griego *kosmogónia*, y éste de *kósmos* (orden, estructura) y *gígnomai* (yo llego a ser).

cosmogónico, ca adj. De la cosmogonía o relacionado con esta ciencia que estudia el universo.

cosmología s.f. Parte de la astronomía que trata de las leyes generales, del origen y de la evolución del universo. ☐ ETIMOL. De *cosmos* y *-logía* (estudio, ciencia).

cosmonauta s. Persona que tripula una nave espacial o que está entrenada para ello; astronauta. ☐ ETIMOL. Del ruso *kosmonavt*. ☐ MORF. Es de género común: *el cosmonauta, la cosmonauta.*

cosmonáutico, ca ∎ adj. **1** De la cosmonáutica o relacionado con esta ciencia o técnica. ∎ s.f. **2** Ciencia o técnica de navegar más allá de la atmósfera terrestre.

cosmopolita adj./s. Referido a una persona, que con-

sidera todo el mundo como patria suya o que ha viajado mucho y conoce muchos países y costun bres. ☐ ETIMOL. Del griego *kosmopolítes*, y éste d *kósmos* (mundo) y *polítes* (ciudadano). ☐ MORF. Como adjetivo es invariable en género. **2.** Como sus tantivo es de género común: *el cosmopolita, la cos mopolita.*

cosmopolitismo s.m. Teoría y forma de vida d las personas que se consideran ciudadanos de tod el mundo.

cosmorama s.m. Lugar donde se pueden ver au mentadas, a través de unas lentes, representacione de paisajes, edificios o imágenes semejantes. ☐ ET MOL. Del griego *kósmos* (mundo) y *hórama* (lo qu se ve).

cosmos s.m. **1** Conjunto de todo lo creado o exis tente. **2** Espacio exterior a la Tierra. ☐ ETIMOL. De latín *cosmos*, y éste del griego *kósmos* (mundo, uni verso). ☐ SEM. En la acepción 1, es sinónimo d *creación, mundo, orbe* y *universo.*

cosmovisión s.f. Manera de ver e interpretar e mundo. ☐ ETIMOL. Del alemán *Weltanschauung.*

coso s.m. **1** Plaza, sitio o lugar cercado donde s lidian toros y se celebran otras fiestas públicas. **2** En algunas poblaciones, calle principal. **[3** *col.* En zo nas del español meridional, cosa o chisme. ☐ ETIMOI Las acepciones 1 y 2, del latín *cursus* (carrera).

cosque o **cosqui** s.m. *col.* Coscorrón.

cosquillas s.f.pl. **1** Sensación de tipo nervioso qu se produce al rozar suavemente la piel y que pro duce risa involuntaria. **2** ‖ **buscarle las cosquilla** a alguien; impacientarlo o hacerle perder la sere nidad. ☐ ETIMOL. De origen expresivo.

cosquillear v. **1** Hacer cosquillas: *La etiqueta d la camisa me cosquillea en el cuello.* **[2** Referido esp a una idea, tener deseos de realizarla: *Siempre 'm ha cosquilleado' la idea de tener un caballo.*

cosquilleo s.m. Sensación que producen las cos quillas u otra cosa semejante.

cosquilloso, sa adj. Que siente cosquillas muy fácilmente.

costa ∎ s.f. **1** Orilla de un extenso lugar con agua esp. del mar. **2** Franja de tierra que está cerca d la orilla. ∎ pl. **3** Gastos judiciales: *No ganó el juici y tuvo que pagar las costas.* **4** ‖ **a costa de; 1** A fuerza de o gracias a: *Consiguió aprobar a costa d muchas noches de estudio.* **2** A expensas de: *Estoj harta de que te diviertas a mi costa.* ‖ **a toda costa** sin pensar en el gasto, en el esfuerzo o en el trabajo ☐ ETIMOL. Las acepciones 1 y 2, del latín *costa* (cos tado). Las acepciones 3 y 4, de *costar.*

costado s.m. **1** En el cuerpo humano, cada una de las dos partes laterales que están debajo de los bra zos, entre el pecho y la espalda. **2** Parte o zona lateral de algo. **3** ‖ **[por los cuatro costados**; *col.* Por todas partes. ☐ ETIMOL. Del latín *costatus* (que tiene costillas).

costal ∎ adj. **1** De las costillas o relacionado con ellas. ∎ s.m. **2** Saco grande de tela fuerte que ge neralmente sirve para transportar grano. ☐ ETIMOL Del latín *costalis*, y éste de *costa* (costilla).

costalada s.f. o **costalazo** s.m. Golpe fuerte dado al caer de espaldas o de costado; talegazo.

costalero, ra s. Persona que lleva a hombros los pasos de las procesiones. ☐ MORF. La RAE sólo lo registra como masculino.

costana s.f. Calle en cuesta o en pendiente.

costanera s.f. En zonas del español meridional, **paseo marítimo**.

costanilla s.f. Calle corta más inclinada que las cercanas.

costar v. **1** Valer o tener determinado precio: *¡Seguro que ese regalo te ha costado un montón!* **2** Ocasionar una molestia o un perjuicio, o requerir determinado esfuerzo: *No te cuesta nada echarme una mano*. **3** ‖ **costar caro**; resultar perjudicial: *Si intentas engañarme, te costará caro*. ☐ ETIMOL. Del latín *constare* (adquirirse por cierto precio). ☐ MORF. Irreg. →CONTAR.

costarricense adj./s. De Costa Rica o relacionado con este país centroamericano. ☐ MORF. 1. Como adjetivo es invariable en género. 2. Como sustantivo es de género común: *el costarricense, la costarricense*.

coste s.m. **1** Cantidad que se da o que se paga por algo; costo. **2** Gasto que se realiza para la obtención o adquisición de algo: *Para determinar el precio de un producto se tienen en cuenta los costes de producción*.

costear v. **1** Pagar los costes o gastos de algo: *Mis padres me costearon los estudios. Fuimos juntos de viaje, pero cada uno costeaba lo suyo*. **2** Referido a una dificultad o a un peligro, esquivarlos, soslayarlos o dejarlos de lado: *A pesar de su juventud supo costear el peligro que suponían esas malas compañías*. ☐ ETIMOL. La acepción 1, de *coste*. La acepción 2, de *costa*.

costeño, ña adj. De la costa o relacionado con ella.

costero, ra adj. De la costa, cercano a ella o relacionado con ella.

costilla s.f. **1** Cada uno de los huesos largos y arqueados que nacen de la columna vertebral y que forman la caja torácica. 🖾 carne **2** ‖ **medirle las costillas** a alguien; *col.* Darle de palos. ☐ ETIMOL. Del latín *costa*.

costillar s.m. Conjunto de costillas.

costo s.m. **1** Cantidad que se da o que se paga por algo; coste. **[2** En el lenguaje de la droga, hachís. ☐ ETIMOL. De *costar*.

costoso, sa adj. Que cuesta mucho o que cuesta un gran esfuerzo.

costra s.f. **1** Capa dura que se forma en la cicatrización de una herida; postilla. **2** Cubierta o corteza exterior que se endurece o se seca sobre algo húmedo o blando. ☐ ETIMOL. Del latín *crusta*.

costumbre ‖ s.f. **1** Modo de actuar adquirido por la frecuente práctica de un acto; hábito. ‖ pl. **2** Conjunto de inclinaciones o de usos que forman el carácter distintivo de una nación o de una persona. ☐ ETIMOL. Del latín **consuetumen*.

costumbrismo s.m. En una obra artística, atención especial que se presta a la descripción de costumbres típicas de un país o de una región.

costumbrista ‖ adj. **1** Del costumbrismo o relacionado con él. ‖ s. **2** Escritor o pintor que cultiva el costumbrismo. ☐ MORF. 1. Como adjetivo es invariable en género. 2. Como sustantivo es de género común: *el costumbrista, la costumbrista*.

costura s.f. **1** Unión de algo con hilo, generalmente enhebrado en una aguja; cosido. **2** Labor que está cosiéndose y que está sin acabar. **3** Serie de puntadas que une dos piezas: *Llevaba una camisa azul con costuras blancas*. **4** Arte y técnica de coser: *Los modelos de alta costura suelen ser muy caros*. ☐ ETIMOL. Del latín *consutura* (el arte de coser).

costurero, ra ‖ s. **1** Persona que se dedica a la costura, esp. si ésta es su profesión. ‖ s.m. **2** Caja o canastilla en las que se guardan los útiles de costura. 🖾 costura

costurón s.m. **1** Costura basta o mal hecha. **2** Cicatriz o marca muy visible de una herida.

cota s.f. **1** Antigua armadura defensiva que cubría el cuerpo. 🖾 armadura **2** En topografía, número que en un plano indica la altura de un punto sobre el nivel del mar o sobre otro plano de nivel. **3** En topografía, esta altura. **[4** *col.* Categoría, nivel o grado: *'cotas' de popularidad*. ☐ ETIMOL. La acepción 1, del francés antiguo *cote*. Las acepciones 2-4, del latín *quota pars* (qué parte, cuánta parte).

cotangente s.f. En trigonometría, razón entre el cateto contiguo de un ángulo y el cateto opuesto.

cotarro s.m. *col.* Situación de inquietud o de agitación. ☐ ETIMOL. De *coto* (cercado).

cotejar v. Referido a dos o más cosas, confrontarlas teniéndolas a la vista para observar sus diferencias y semejanzas; comparar: *Cotejaron el cuadro original y la copia y las diferencias eran imperceptibles*. ☐ ETIMOL. De *cota* (número), por la comparación de citas y cantidades en el cotejo de escrituras. ☐ ORTOGR. Conserva la *j* en toda la conjugación.

cotejo s.m. Confrontación entre dos o más cosas, para apreciar sus diferencias y sus semejanzas; comparación.

cotidianidad s.f. Frecuencia y normalidad de algo que pasa todos o casi todos los días. ☐ MORF. Incorr. **cotidianeidad*.

cotidiano, na adj. [Frecuente, normal, usual o

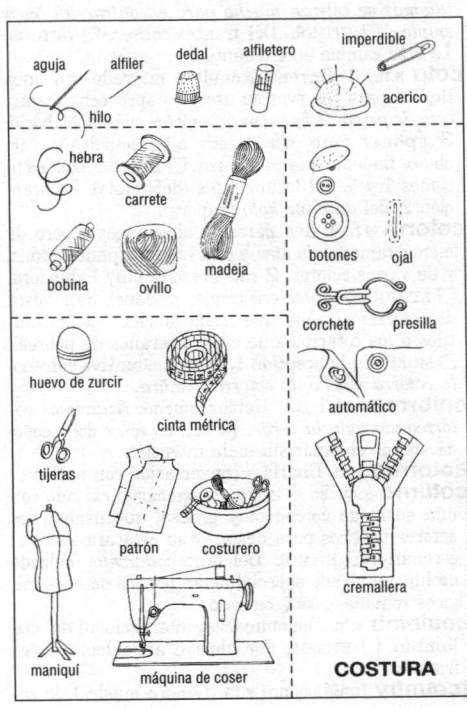

aguja · alfiler · hilo · dedal · alfiletero · imperdible · acerico · hebra · carrete · botones · ojal · bobina · ovillo · madeja · corchete · presilla · huevo de zurcir · cinta métrica · automático · tijeras · patrón · costurero · cremallera · maniquí · máquina de coser

COSTURA

que sucede habitualmente. ☐ ETIMOL. Del latín *quotidianus*, y éste de *quotidie* (cada día).

cotiledón s.m. En el embrión de algunas plantas, parte que sirve de almacén de sustancias de reserva y que forma la primera hoja de dichas plantas. ☐ ETIMOL. Del griego *kotyledón* (hueco de un recipiente).

cotiledóneo, a ▌ adj./s.f. **1** Referido a una planta, que tiene un embrión con uno o más cotiledones: *La lenteja es una cotiledónea*. ▌ s.f.pl. **2** En botánica, grupo de estas plantas.

cotilla adj./s. Persona que cotillea. ☐ MORF. 1. Como adjetivo es invariable en género. 2. Como sustantivo es de género común: *el cotilla, la cotilla*.

cotillear v. **1** *col.* Contar chismes; chismorrear: *Mis vecinos se pasan el día cotilleando*. **[2** *col.* Curiosear, fisgar o tratar de averiguar los asuntos ajenos: *No me gusta que 'cotilleen' en mi cajón*.

cotilleo s.m. **1** *col.* Difusión o narración de chismes entre varias personas. **[2** *col.* Indagación indiscreta de los asuntos ajenos.

cotillón s.m. **1** Fiesta y baile que se celebra en un día señalado. **[2** Conjunto de adornos y de objetos de fiesta que se dan en esta fiesta. ☐ ETIMOL. Del francés *cotillon*.

cotización s.f. **1** Pago de una cuota. **2** En la bolsa, publicación del precio de un valor o de una acción. **3** Estima, apreciación o valoración pública y general de algo.

cotizar v. **1** Pagar una cuota: *Cotizo un 6 por ciento de mi salario a la Seguridad Social*. **2** En la bolsa, referido esp. a un valor o a una acción, publicar su precio: *Las acciones de esta empresa cotizan hoy cinco puntos por encima del precio que tenían ayer*. **3** Estimar, apreciar o valorar, esp. de forma pública o general, en relación con un fin determinado: *Los idiomas se cotizan mucho para encontrar un buen empleo*. ☐ ETIMOL. Del francés *cotiser*. ☐ ORTOGR. La *z* se cambia en *c* delante de *e* →CAZAR.

coto s.m. **1** Terreno acotado o marcado con unos límites para reservar su uso y su aprovechamiento: *coto de pesca*. **2** En zonas del español meridional, bocio. **3** ‖**poner coto**; referido esp. a un desorden o a un abuso, impedir que continúen. ☐ ETIMOL. Las acepciones 2 y 3, del latín *cautus* (defendido). La acepción 2, del quechua *koto* (papera).

cotorra s.f. **1** Ave parecida al papagayo, pero de menor tamaño, de alas y cola largas y puntiagudas, y de varios colores. **2** *col.* Persona muy habladora. ☐ ETIMOL. De *cotorrera* (mujer parlanchina), y ésta de *cotarrera* (mujer que hacía muchas visitas inútiles a los cotarros, que eran albergues de pobres). ☐ MORF. En la acepción 1, es un sustantivo epiceno: *la cotorra macho, la cotorra hembra*.

cotorrear v. **1** *col.* Hablar mucho: *Estuvimos cotorreando toda la tarde*. **[2** *col.* En zonas del español meridional, engañar sin mala intención.

cotorreo s.m. Charla o conversación con bullicio.

coturno s.m. En el teatro grecorromano, calzado con una suela de corcho muy gruesa, que usaban los actores trágicos para destacar su estatura sobre el escenario. ☐ ETIMOL. Del latín *cothurnus* (calzado de lujo empleado especialmente por los actores trágicos romanos). ✄ calzado

coulomb s.m. Denominación internacional del **culombio**. ☐ ETIMOL. Por alusión a Coulomb, físico francés.

[country (anglicismo) s.m. Género musical de carácter popular y tradicional en los Estados Unido (país americano). ☐ PRON. [cáuntri]. ☐ SINT. Se usa mucho en aposición, pospuesto a un sustantivo.

[coupé (galicismo) adj./s.m. Referido a un coche, que tiene un asiento corrido para dos o tres personas, dos puertas laterales. ☐ PRON. [cupé]. ☐ ORTOGR. Se usa también *cupé*.

[courier (anglicismo) s.m. Mensajero, esp. el que hace envíos internacionales. ☐ PRON. [cúrier]. ☐ USO Su uso es innecesario.

covacha s.f. **1** Cueva pequeña. **2** Vivienda o aposento pobres, incómodos, oscuros o pequeños.

[cowboy (anglicismo) s.m. Vaquero de los ranchos del Oeste de los Estados Unidos (país norteamericano). ☐ PRON. [cáoboi].

coxal adj. De la cadera o relacionado con ella. ☐ ETIMOL. Del latín *coxa* (cadera). ☐ MORF. Invariable en género.

coxis s.m. Hueso formado por la unión de las últimas vértebras y que está articulado por su base con el sacro; cóccix. ☐ MORF. Invariable en número. ☐ USO Aunque la RAE prefiere *cóccix*, se usa más *coxis*.

coyote s.m. Mamífero carnívoro, parecido al lobo pero de menor tamaño, de color gris amarillento que habita en las praderas de países norteamericanos o de algunos centroamericanos. ☐ ETIMOL. Del náhuatl *cóyotl*. ☐ MORF. Es un sustantivo epiceno: *el coyote macho, el coyote hembra*.

coyuntura s.f. **1** Combinación de circunstancias y de factores que se presentan en una determinada situación: *coyuntura económica*. **2** Ocasión u oportunidad para algo: *aprovechar la coyuntura*. ☐ ETIMOL. Del latín *cum* (con) y *iuntura* (unión).

coyuntural adj. Que depende de la coyuntura o combinación de circunstancias. ☐ MORF. Invariable en género.

coz s.f. **1** Movimiento violento que hace un animal cuadrúpedo, esp. una caballería, con alguna de sus patas. **2** Golpe dado con este movimiento. **3** Golpe dado con el pie moviéndolo con violencia hacia atrás. **4** Hecho o dicho injuriosos o groseros. ☐ ETIMOL. Del latín *calx* (talón).

[crack (anglicismo) s.m. **1** En algunos deportes, esp. en el fútbol, jugador de extraordinaria calidad o habilidad. **2** Droga que está compuesta principalmente por cocaína. **3** →**crash**.

[crampón s.m. Pieza metálica que se fija a la suela del calzado para no resbalar sobre el hielo o la nieve. ✄ alpinismo

craneal o **craneano, na** adj. Del cráneo o relacionado con él. ☐ MORF. *Craneal* es invariable en género.

cráneo s.m. **1** Conjunto de huesos que forman una caja en la que está contenido el encéfalo. **2** ‖**ir de cráneo**; *col.* Ir mal encaminado o encontrarse en una situación de difícil solución. ☐ ETIMOL. Del griego *kraníon*, y éste de *krános* (casco, yelmo).

[craneoencefálico, ca adj. Del cráneo y el encéfalo o relacionado con ellos.

crápula s.m. Hombre de vida licenciosa, viciosa o deshonesta. ☐ ETIMOL. Del latín *crapula* (embriaguez, borrachera).

[crash (anglicismo) s.m. Desastre financiero o caída brusca y súbita de las cotizaciones, esp. de las de la bolsa. ☐ USO Se usa también *crack*.

craso, sa adj. Referido esp. a un error, que no tiene disculpa, generalmente por su gravedad o sus dimensiones. ☐ ETIMOL. Del latín *crassus* (gordo).

cráter s.m. **1** En un volcán, depresión situada en su parte superior o lateral, de forma generalmente circular, por la que expulsa los materiales sólidos, líquidos y gaseosos cuando está en actividad. **2** En un planeta o en un astro, depresión formada en su superficie por el impacto de un meteorito o por una erupción volcánica. ☐ ETIMOL. Del latín *crater*, y éste del griego *kratér* (vasija).

cratera o **crátera** s.f. En la Antigüedad clásica, vasija grande y ancha en la que se mezclaba el vino con agua antes de servirlo en copas durante las comidas. ☐ ETIMOL. Del latín *cratera*, y éste del griego *kratér* (vasija).

[crayón s.m. En zonas del español meridional, lápiz de cera.

creación s.f. **1** Conjunto de todo lo creado o existente. **2** Producción de algo a partir de la nada o realización de algo a partir de las propias capacidades. **3** Establecimiento, fundación, invención o introducción de algo por primera vez. **4** Obra de ingenio, de arte o de artesanía muy laboriosa o que demuestra gran inventiva: *El modisto mostrará sus creaciones en el desfile de mañana.* ☐ ETIMOL. Del latín *creatio*. ☐ SEM. En la acepción 1, es sinónimo de *cosmos, mundo, orbe* y *universo*.

creacionismo s.m. **1** Movimiento literario de vanguardia, surgido a comienzos del siglo XX en círculos poéticos franceses e hispanoamericanos, y que defiende la total autonomía del poema frente a la realidad. **2** En filosofía y teología, doctrina según la cual Dios creó el mundo a partir de la nada e interviene directamente en la creación del alma humana en el momento de la concepción.

[creacionista ▮ adj. **1** Del creacionismo o relacionado con él. ▮ adj./s. **2** Que defiende o sigue el creacionismo. ☐ MORF. 1. Como adjetivo es invariable en género. 2. Como sustantivo es de género común: *el 'creacionista', la 'creacionista'*.

creador, -a adj./s. Que crea algo, esp. en las religiones cristianas y referido a Dios como hacedor del mundo. ☐ USO Como sustantivo, y referido a Dios, se usa como nombre propio.

crear v. **1** Referido a algo existente, producirlo de la nada o realizarlo a partir de las propias capacidades: *Según el Génesis, Dios creó el mundo en seis días.* **2** Establecer, hacer aparecer, instituir o introducir por primera vez: *Creó un colegio que fue un modelo de renovación pedagógica. No le lleves la contraria y así no te crearás problemas.* ☐ ETIMOL. Del latín *creare* (producir de la nada).

creatividad s.f. Facultad o capacidad para crear.

creativo, va ▮ adj. **1** Que posee o que estimula la capacidad de creación. ▮ s. **2** Persona que se dedica profesionalmente a la concepción de una campaña publicitaria.

[crecepelo s.m. Sustancia que se utiliza para hacer crecer el pelo.

crecer ▮ v. **1** Referido a un ser vivo, aumentar o desarrollarse de forma natural: *Este niño ha crecido mucho.* **2** Aumentar, esp. si es por adquisición de nueva materia: *El río creció con las lluvias. El poder económico de ese país crece día a día.* **3** En una labor de punto o de ganchillo, referido a un punto, añadirlo o aumentarlo: *Cuando acabes el puño, creces un punto cada seis vueltas hasta llegar al codo.* ▮ prnl. **4** Referido esp. a una persona, tomar mayor fuerza, autoridad, importancia o atrevimiento: *No temas por ella, porque se crece ante las adversidades y saldrá bien de ésta.* ☐ ETIMOL. Del latín *crescere.* ☐ MORF. Irreg. →PARECER.

creces ▮ con creces; con abundancia, o más de lo suficiente o de lo debido. ☐ ETIMOL. De *crecer*.

crecida s.f. Véase **crecido, da.**

crecido, da ▮ adj. **1** Grande o numeroso. ▮ s.m. **2** En una labor de punto o de ganchillo, punto que se aumenta. ▮ s.f. **3** Aumento del caudal de un río o de un arroyo. ☐ MORF. En la acepción 2, la RAE lo registra en plural.

creciente adj. Que crece. ☐ MORF. Invariable en género.

crecimiento s.m. **1** Aumento o desarrollo natural de un ser vivo. **2** Aumento de algo, esp. por adquisición de nueva materia o como resultado de una evolución favorable. **3** ▮ [crecimiento cero; teoría económica que pone en tela de juicio los beneficios del crecimiento económico y que propone una política de ahorro de las riquezas.

credencial ▮ adj. **1** Que acredita: *tarjeta credencial de periodista.* ▮ s.f. **2** Documento que sirve para que se dé a un empleado posesión de su plaza: *La ministra juró su cargo después de presentar su credencial ante el Rey.* ▮ s.f.pl. **3** →cartas credenciales. ☐ ETIMOL. Del antiguo *credencia* (cartas credenciales). ☐ MORF. Como adjetivo es invariable en género.

credibilidad s.f. Facilidad para ser creído. ☐ ETIMOL. Del latín *credibilis* (creíble). ☐ SEM. Dist. de *crédito* (reputación o buen nombre).

crediticio, cia adj. Del crédito o relacionado con él.

crédito s.m. **1** Cantidad de dinero que se debe y que el acreedor tiene derecho a exigir y a cobrar. **[2** Préstamo o cantidad de dinero que se pide prestada a un banco o a una entidad semejante. **3** Reputación, fama o buen nombre. **4** Opinión que se tiene de que una persona cumplirá los compromisos que contraiga, y que la faculta para obtener de otra fondos o mercancías: *Yo tengo crédito en esta tienda.* **[5** En los estudios universitarios, unidad de valoración de una materia o de una asignatura: *En mi universidad un 'crédito' equivale a diez horas de enseñanza.* **6** Declaración que sirve para acreditar algo: *cuadro de créditos de un libro.* **7** ▮ a crédito; **1** Como anticipo o sin otra seguridad que la de la opinión que merece la persona que pide lo que se presta: *Se llevó los muebles a crédito y prometió volver a pagarlos.* **[2** Sin pagar todo el importe de una vez, sino en varios plazos. ▮ [crédito blando; el que presenta unas condiciones de plazo y tipo de interés muy favorables. ▮ [crédito comercial; aplazamiento que concede un proveedor en el pago del suministro de mercancías y prestaciones de servicios. ▮ dar crédito a algo; creerlo o tenerlo por cierto o verdadero. ☐ ETIMOL. Del latín *creditum* (préstamo). ☐ SEM. 1. Su uso con los significados de *rótulo* o *firma*, es un anglicismo innecesario. 2. En la acepción 3, dist. de *credibilidad* (facilidad para ser creído).

credo s.m. **1** Oración que contiene los principales artículos de la fe enseñada por los apóstoles: *El credo comienza con las palabras 'Creo en Dios Padre'.*

2 Conjunto de doctrinas comunes a una colectividad: *Su credo no le permite comer carne de cerdo.* □ ETIMOL. Del latín *credo* (creo), primera palabra de la oración.

crédulo, la adj. Que cree algo con mucha facilidad. □ ETIMOL. Del latín *credulus*.

creencia s.f. **1** Certeza que se tiene de algo. **2** Religión o secta. [**3** Conjunto de ideas sobre algo: *'creencias' políticas.*

creer v. **1** Referido esp. a algo que no está demostrado o que no se comprende, tenerlo por cierto o verdadero: *No creo nada de lo que cuentas. Aunque lo que cuentas parece imposible, me lo creo.* **2** Referido a una sospecha o a una opinión, tenerlas, sostenerlas o considerarlas: *Creo que ha sido él el que te ha traicionado. Se cree la persona más lista del mundo.* **3** Considerar como probable o posible: *Creo que llegaré a tiempo, pero, por si acaso, no me esperéis.* **4** Referido a las verdades reveladas por Dios y propuestas por la Iglesia, tenerlas o admitirlas como ciertas: *Creo las verdades de mi fe.* **5** Dar apoyo o tener confianza: *La directora cree en esa joven actriz.* **6** ∥*ya lo creo*; expresión que se usa para dar a entender que algo es evidente: *Cuando le pregunté si tenía calor me respondió: —¡Ya lo creo!* □ ETIMOL. Del latín *credere* (dar fe de alguien). □ ORTOGR. En las formas cuya desinencia contiene un diptongo *ie, io*, esta *i* se cambia en *y* →LEER. □ SINT. Constr. de la acepción 5: *creer EN alguien.*

creíble adj. Que se puede creer. □ MORF. Invariable en género.

creído, da adj./s. *col.* Referido a una persona, que es muy vanidosa u orgullosa. □ MORF. La RAE sólo lo registra como adjetivo.

crema s.f. [**1** Pasta confeccionada con huevos, azúcar y con otros ingredientes que se usa en pastelería. **2** Natillas espesas y con azúcar tostado en su superficie. **3** Puré claro o poco espeso. **4** Producto cosmético de consistencia pastosa que se aplica en la piel. **5** Pasta que se usa para limpiar y dar brillo a las pieles curtidas, esp. al calzado. **6** Sustancia grasa de la leche. **7** Lo más distinguido de un grupo social. [**8** Quema de las fallas en las fiestas populares valencianas. □ ETIMOL. Las acepciones 1-7, del francés *crème* (nata). La acepción 8, del catalán *crema* (quema). □ PRON. En la acepción 8, está muy extendida la pronunciación [cremá].

cremación s.f. Incineración o quema de cadáveres de personas. □ ETIMOL. Del latín *crematio*, y éste de *cremare* (quemar).

cremallera s.f. **1** Cierre que se cose generalmente en una prenda de vestir, y que consta de dos tiras de tela dentadas, cuyos dientes se engranan o se separan al mover una pequeña pieza. ✘✗ costura [**2** En algunas vías férreas, raíl suplementario provisto de dientes, que se coloca en los tramos muy inclinados para que sirva de engranaje a una rueda dentada de la locomotora. □ ETIMOL. Del francés *crémaillère.*

crematístico, ca ∥ adj. **1** Del dinero o relacionado con él. ∥ s.f. **2** Conjunto de conocimientos sobre la producción y distribución de la riqueza. ∥ s.f. [**3** Conjunto de asuntos relacionados con el dinero. □ ETIMOL. Del griego *khrematistikós* (relacionado con los negocios financieros).

crematorio, ria ∥ adj. **1** De la cremación de los cadáveres o relacionado con ella. ∥ s.m. **2** Lugar e el que se queman los cadáveres.

cremoso, sa adj. **1** Que tiene el aspecto o la tex tura de la crema. **2** Que tiene mucha crema.

crencha s.f. **1** Raya que divide el cabello en do partes. **2** Cada una de estas partes de cabello. [ETIMOL. De origen incierto.

crepe s.f. Tortita fina hecha con una masa de ha rina, leche y huevo batido frita, que se rellena co ingredientes dulces o salados. □ ETIMOL. Del fran cés *crêpe*. □ PRON. Está muy extendida la pronur ciación galicista [crep]. □ MORF. Su uso como sus tantivo masculino es incorrecto, aunque está mu extendido.

crepería s.f. Establecimiento en el que se hacen se venden crepes.

crepitar v. Referido esp. a una madera, dar chasqu dos al arder: *La leña de la chimenea crepitaba.* [ETIMOL. Del latín *crepitare.*

crepuscular adj. Del crepúsculo o relacionado co él. □ MORF. Invariable en género.

crepúsculo s.m. **1** Claridad que hay desde qu empieza a amanecer hasta que sale el Sol, y desd que se empieza a poner hasta que es de noche. : Tiempo que dura esta claridad. **3** *poét.* Decadencia *Escribió sus más bellos poemas en el crepúsculo d' su vida.* □ ETIMOL. Del latín *crepusculum.*

[***crescendo*** (italianismo) s.m. **1** En música, au mento gradual de la intensidad con que se ejecuta un sonido o un pasaje. **2** En una composición musica pasaje que se ejecuta efectuando un aumento de in tensidad de este tipo. **3** ∥[*in crescendo*; *col.* E progresión creciente. □ PRON. [crechéndo], con c/ suave.

crespo, pa adj. Referido al cabello, que está rizad de forma natural. □ ETIMOL. Del latín *crispus* (ri zado, ondulado).

crespón s.m. Tela negra que se usa en señal d luto. □ ETIMOL. De *crespo* (rizado), porque la urdim bre de esta tela está más retorcida que la trama.

cresta s.f. **1** En el gallo y en otras aves, carnosida roja que está sobre la cabeza. **2** Moño de plumas d algunas aves. [**3** Lo que imita esta carnosidad • este moño de plumas. **4** Parte más elevada de algo esp. de una montaña o de una ola. [**5** En un horario hora de mayor demanda y precio más caro. **6** ∥*es tar en la cresta de la ola*; estar en el mejor mo mento. □ ETIMOL. Del latín *crista.*

crestería s.f. Adorno calado característico del es tilo gótico ojival, que se colocaba en las partes altas de los edificios. □ ETIMOL. De *cresta.*

crestomatía s.f. Conjunto de escritos selecciona dos para la enseñanza. □ ETIMOL. Del griego *khrestomátheia* (estudio de las cosas útiles), y éste de *khrestós* (bueno, útil) y *mantháno* (yo aprendo).

cretáceo, -a o **cretácico, ca** ∥ adj. **1** En geo logía, del tercer período de la era secundaria o me sozoica o de los terrenos que se formaron en él. ∥ adj./s.m. **2** En geología, referido a un período, que es el tercero de la era secundaria o mesozoica. □ ETI MOL. Del latín *cretaceus*, y éste de *creta* (greda). □ MORF. La RAE registra *cretáceo* sólo como adjetivo. □ USO *Cretáceo* es el término menos usual.

cretense adj./s. De Creta (isla mediterránea grie ga), o relacionado con ella. □ MORF. **1.** Como adje tivo es invariable en género. **2.** Como sustantivo es de género común: *el cretense, la cretense.*

cretinismo s.m. **1** Enfermedad producida por una insuficiencia de la glándula tiroides en los recién nacidos o en los jóvenes. **2** Estupidez, idiotez o falta de talento.

cretino, na adj./s. Estúpido o necio. □ ETIMOL. Del francés *crétin* (enfermo de cretinismo), porque el que padece esta enfermedad se caracteriza por un enanismo deforme. □ USO Es despectivo y se usa como insulto.

cretona s.f. Tela fuerte, generalmente de algodón, que se usa en tapicería. □ ETIMOL. Del francés *cretonne*, y éste de *Creton* (pueblo de Normandía donde se fabricaba).

creyente adj./s. Que profesa una determinada fe religiosa. □ MORF. 1. Como adjetivo es invariable en género. 2. Como sustantivo es de género común: *el creyente, la creyente*.

cría s.f. Véase **crío, a**.

criadero s.m. Lugar destinado a la cría de animales.

criadilla s.f. Testículo de los animales cuya carne se destina al consumo humano.

criado, da s. **1** Persona que sirve a otra a cambio de un salario, esp. la que se emplea en el servicio doméstico. **2** ‖ **bien criado**; cortés y con buena educación. ‖ **mal criado**; →**malcriado**. □ ETIMOL. De *criar*, porque los vasallos eran educados o criados en las casas de sus señores.

criador, -a s. Persona que se dedica profesionalmente a la cría de animales o que los tiene a su cargo.

crianza s.f. **1** Nutrición, alimentación y cuidado de los hijos, esp. durante el período de lactancia. **2** Época de la lactancia. **3** Alimentación y cuidados que se dan a algunos animales, esp. a los destinados a la venta o al consumo. **4** Instrucción y educación de una persona. **5** Proceso de elaboración de algunos vinos. **6** ‖ {buena/mala} **crianza**; buena o mala educación.

criar ‖ v. **1** Referido a un niño, nutrirlo y alimentarlo con leche: *Cría a su hijo con biberón.* **2** Referido a las aves o a otros animales, alimentarlos, cuidarlos y cebarlos: *Me dedico a criar canarios.* **3** Referido a sus hijos, cuidarlos y alimentarlos un animal: *El macho y la hembra se turnan para criar a los pollos.* **4** Referido a un animal, tener descendencia: *Está dando a su perra unas pastillas para evitar que críe.* **5** Referido a una persona, instruirla o educarla: *Crió a sus hijos en un ambiente familiar. Se crió en los mejores colegios.* ‖ prnl. **[6** Referido a una persona, crecer o desarrollarse: *'Me crié' en la misma ciudad en la que nací.* □ ETIMOL. Del latín *creare* (crear, engendrar, procrear). □ ORTOGR. La *i* lleva tilde en los presentes, excepto en las personas *nosotros* y *vosotros* →GUIAR.

criatura s.f. **1** En teología, lo que ha sido creado de la nada. **2** Niño recién nacido o de poco tiempo. **[3** Ser fantástico, inventado o imaginado. □ ETIMOL. Del latín *creatura*.

criba s.f. **1** Utensilio formado por un aro de madera al que se fijan un cuero o una plancha metálica agujereados o una malla metálica, y que se utiliza para cribar o limpiar de impurezas el trigo u otras semillas o para separar las partes menudas de las gruesas; harnero. 🔧 apero **[2** Selección o elección de lo que interesa. □ ETIMOL. Del latín *cribum* (criba).

cribar v. **1** Referido esp. a una semilla o a un mineral, pasarlos por la criba para limpiarlos de impurezas o para separar las partes gruesas de las finas: *Los buscadores de oro cribaban la arena del río para encontrar pepitas de oro.* **[2** Seleccionar o elegir, separando lo que interesa: *La secretaria 'cribaba' las llamadas telefónicas que recibía su jefe.* □ ETIMOL. Del latín *cribrare*.

[cricket (anglicismo) s.m. Deporte que se juega en un campo de césped, entre dos equipos de once jugadores, con bates, pelota y dos rastrillos. □ PRON. [críket]. □ ORTOGR. Dist. de *croquet*.

crimen s.m. **1** Acción voluntaria de matar o herir gravemente a una persona. **2** Acción que resulta gravemente perjudicial o censurable. □ ETIMOL. Del latín *crimen* (acusación, falta). □ SEM. Dist. de *asesinato* (hecho de matar a una persona).

criminal ‖ adj. **1** Del crimen o relacionado con él: *acto criminal.* **2** Referido esp. a una ley, a un organismo o a una acción, que están destinados a perseguir y a castigar los crímenes o los delitos: *querella criminal.* ‖ adj./s. **3** Que intenta cometer o ha cometido un crimen. □ ETIMOL. Del latín *criminalis.* □ MORF. 1. Como adjetivo es invariable en género. 2. Como sustantivo es de género común: *el criminal, la criminal.*

criminalidad s.f. **1** Conjunto de características que hacen que una acción sea criminal. **2** Número de crímenes cometidos en un territorio y un tiempo determinado.

criminalista adj./s. **1** Que se dedica profesionalmente al derecho penal o que está especializado en él. **2** Especializado en el estudio del crimen. □ MORF. 1. Como adjetivo es invariable en género. 2. Como sustantivo es de género común: *el criminalista, la criminalista.*

crin s.f. **1** Conjunto de cerdas o pelos gruesos que tienen algunos animales en la parte superior del cuello: *las crines del caballo.* **2** Filamentos flexibles y elásticos que se obtienen de las hojas del esparto cocido o humedecido: *guante de crin.* □ ETIMOL. Del latín *crinis* (cabello, cabellera). □ MORF. La acepción 1 se usa más en plural.

crío, a ‖ s. **1** Niño que se está criando. **[2** Persona joven o de corta edad. ‖ s.f. **3** Nutrición, alimentación y cuidados que se dan a las personas o a los animales. **4** Animal que se está criando.

criollismo s.m. Conjunto de características y tradiciones que se consideran propias de los criollos.

criollo, lla adj./s. **1** De un país hispanoamericano o relacionado con él. **2** Referido a una persona, que es descendiente de europeos y nacida en los antiguos territorios españoles del continente americano o en algunas colonias europeas de dicho continente. **3** Referido a una lengua, que está formada por elementos de lenguas diferentes y que ha surgido por la convivencia de dos comunidades distintas. □ ETIMOL. Del portugués *crioulo* (blanco nacido en las colonias).

cripta s.f. **1** Lugar subterráneo en el que se solía enterrar a los muertos. **2** En una iglesia, piso subterráneo destinado al culto. □ ETIMOL. Del latín *crypta.*

críptico, ca adj. Oscuro, enigmático o de difícil comprensión. □ ETIMOL. Del griego *kryptikós* (oculto).

criptógamo, ma ‖ adj./s.f. **1** Referido a una planta, que se caracteriza por carecer de flores o por no tener los órganos sexuales visibles a simple vista: *Los musgos y los helechos son plantas criptógamas.* ∎ s.f.pl. **2** En botánica, grupo de estas plantas. ☐ ETIMOL. Del griego *kryptós* (oculto) y *gámos* (unión de los sexos).

criptografía s.f. Arte y técnica de escribir con una clave secreta o de modo enigmático. ☐ ETIMOL. Del griego *kryptós* (oculto) y *-grafía* (imagen).

criptograma s.m. Documento cifrado. ☐ ETIMOL. Del griego *krytós* (oculto) y *-grama* (representación gráfica).

criptón s.m. Elemento químico, no metálico y gaseoso, de número atómico 36, inerte e incoloro, que se encuentra en muy bajas proporciones en el aire. ☐ ETIMOL. Del griego *kryptós* (oculto). ☐ ORTOGR. Su símbolo químico es *Kr*.

[criptónimo s.m. Conjunto de las iniciales mayúsculas del nombre y el apellido de una persona.

crisálida s.f. En zoología, insecto lepidóptero que está en una fase de desarrollo posterior a la larva y anterior al adulto. ☐ ETIMOL. Del griego *khrysallís*, y éste de *khrysós* (oro), por el color dorado de muchas crisálidas. ☐ SEM. Aunque la RAE lo considera sinónimo de *pupa*, se ha especializado para la pupa de los insectos lepidópteros. ✺ metamorfosis

crisantemo s.m. **1** Planta perenne de tallo casi leñoso, de hojas hendidas y dispuestas de forma alterna, más oscuras por el haz que por el envés, que tiene flores abundantes y de variados colores. **2** Flor de esta planta. ☐ ETIMOL. Del griego *khrysánthemon*, y éste de *khrysós* (oro) y *ánthemon* (flor).

crisis s.f. **1** Situación caracterizada por un cambio importante en el desarrollo de un proceso. **2** Situación complicada de un asunto o de un proceso, en la que está en duda la continuación, la modificación o el cese de éstos. **3** Escasez o carestía. ☐ ETIMOL. Del latín *crisis*, y éste del griego *krísis* (decisión). ☐ MORF. Invariable en número.

crisma ∎ s. **1** Aceite y bálsamo mezclados que consagran los obispos el Jueves Santo (día del apresamiento de Jesús), y que se usa para ungir a las personas que se bautizan o que se confirman, a los obispos y a los sacerdotes que se consagran o que se ordenan. ∎ s.f. **2** col. Cabeza humana. ☐ ETIMOL. Del latín *chrisma*, y éste del griego *khrîsma* (acción de ungir). ☐ MORF. En la acepción 1, es de género ambiguo: *el crisma sagrado, la crisma sagrada.*

crismón s.m. Símbolo de Cristo, que consiste en las dos primeras letras de este nombre en griego. ☐ ETIMOL. Del griego *khríō* (yo unjo).

crisol s.m. **1** Recipiente que se usa para fundir materiales a temperaturas muy elevadas. **2** En un horno de fundición, cavidad que sirve para recoger el metal fundido. **[3** Lo que tiene lo más característico de algo y por eso suele ponerse como modelo. ☐ ETIMOL. Del catalán antiguo y dialectal *cresol*.

crisolar v. →acrisolar.

crispación s.f. o **crispamiento** s.m. **1** Irritación, enojo o enfurecimiento. **2** Contracción repentina o pasajera de un tejido contráctil, esp. de un músculo. ☐ USO *Crispamiento* es el término menos usual.

crispar v. **1** col. Irritar o causar enojo: *Tu lentitud me crispa. No pude evitar crisparme cuando me insultó.* **2** Causar una contracción repentina o pasa-

jera en un tejido contráctil, esp. en un músculo: *Las manos se le crisparon de dolor.* ☐ ETIMOL. Del latín *crispare* (ondular, fruncir).

cristal s.m. **1** Vidrio incoloro y transparente que se fabrica a partir de la mezcla y fusión de arena silícea, potasa y minio. ✺ gafas **2** Pieza de vidrio o de una sustancia semejante en forma de lámina que se usa para tapar huecos, esp. en las ventanas o en las puertas. **3** En mineralogía, cuerpo sólido cuya estructura atómica es ordenada y se repite periódicamente en las tres direcciones del espacio: *Los cristales de sal común tienen forma cúbica.* **4** ∥ **cristal de roca**; cuarzo cristalizado, incoloro y transparente. ☐ ETIMOL. Del latín *crystallius*.

cristalera s.f. Véase **cristalero, ra**.

cristalería s.f. **1** Establecimiento en el que se fabrican o se venden objetos de cristal. **2** Conjunto de los objetos que se fabrican o venden en este establecimiento. **3** En una vajilla, parte formada por los vasos, las copas y las jarras de cristal.

cristalero, ra ∎ s. **[1** Persona que se dedica profesionalmente a la fabricación, a la colocación o a la venta de cristales; vidriero. ∎ s.f. **2** Ventana o puerta de cristales. **3** Armario con cristales.

cristalino, na ∎ adj. **1** Del cristal o con sus características. ∎ s.m. **2** En el ojo, cuerpo en forma de lente situado detrás de la pupila y que permite el paso de los rayos de luz.

cristalización s.f. En geología, formación de un cristal.

cristalizar v. **1** Tomar o hacer tomar una estructura cristalina: *El cuarzo cristaliza en el sistema hexagonal. La solidificación es uno de los métodos para cristalizar una sustancia. El reposo favorece que una sustancia se cristalice.* **2** Referido esp. a un deseo o a un plan, tomar una forma determinada o precisa: *Tras muchos esfuerzos consiguió que sus planes cristalizaran.* ☐ ETIMOL. De *cristal*. ☐ ORTOGR. La *z* se cambia en *c* delante de *e* →CAZAR.

cristalografía s.f. Parte de la geología que estudia las formas que toman los cuerpos al cristalizar. ☐ ETIMOL. Del griego *krýstallos* (cristal) y *-grafía* (estudio, ciencia).

cristianar v. col. En el cristianismo, referido a una persona todavía no cristiana, administrarle el sacramento del bautismo; bautizar: *El bebé lloraba cuando el sacerdote lo cristianaba.* ☐ ORTOGR. Se admite también *acristianar*. ☐ SEM. Dist. de *cristianizar* (convertir al cristianismo).

cristiandad s.f. Conjunto de personas o de países que profesan la religión cristiana.

cristianismo s.m. Religión que afirma la existencia de un único dios, salvador del mundo, y cuyos dogmas y preceptos fueron predicados por Jesucristo y recogidos en el texto sagrado de los *Evangelios*.

cristianización s.f. Difusión o adopción de la religión cristiana o de las características propias de su dogma o de su rito.

cristianizar v. **1** Convertir al cristianismo: *Una de las funciones de los misioneros era cristianizar a los no cristianos.* **2** Dar las características propias del dogma o del rito cristiano: *Algunos pueblos primitivos han cristianizado sus costumbres.* ☐ ORTOGR. Cambia la *z* en *c* delante de *e* →CAZAR. ☐ SEM. Dist. de *cristianar* (bautizar).

cristiano, na ∎ adj. **1** Del cristianismo o relacionado con esta religión. ∎ adj./s. **2** Que sigue o que

practica el cristianismo. ∎ s.m. **3** *col.* Persona o individuo de la especie humana. **4** ‖**en cristiano**; *col.* En términos sencillos y comprensibles, o en el idioma conocido. ☐ ETIMOL. Del latín *christianus*.
cristo s.m. **1** Imagen del hijo del dios cristiano crucificado; crucifijo. **2** Persona con muchas heridas, con la ropa rota o muy sucia. **3** ‖**todo cristo**; *col.* Todo el mundo o todas las personas presentes. ☐ ETIMOL. Del latín *Christus*, y éste del griego *Khristós* (el Ungido).
cristología s.f. Estudio de todo lo relacionado con Jesucristo. ☐ ETIMOL. De *Cristo* y *-logía* (estudio).
criterio s.m. **1** Capacidad o facultad que se tienen para comprender algo y formar una opinión sobre ello. **2** Norma, regla o pauta para conocer la verdad o la falsedad de algo o para distinguir, clasificar o relacionar algo. ☐ ETIMOL. Del latín *criterium* (juicio), y éste del griego *kritérion* (facultad de juzgar).
[criterium (latinismo) s.m. Prueba o conjunto de pruebas ciclistas que se celebran sin carácter oficial, en las que intervienen deportistas de alta categoría.
crítica s.f. Véase crítico, ca.
criticar v. Referido esp. a una persona o a sus actos, censurarlos o juzgarlos de forma desfavorable: *Ahora te alaba, pero cuando te vayas te criticará. Puedes hacer lo que quieras porque yo no lo critico.* ☐ ORTOGR. La c se cambia en *qu* delante de *e* →SACAR.
criticismo s.m. **1** Método de investigación que considera que todo trabajo científico debe ser precedido por un examen de la posibilidad del conocimiento de que se trata y de las fuentes y límites de éste. **2** Sistema filosófico kantiano.
crítico, ca ∎ adj. **1** De la crítica o relacionado con este juicio, opinión o censura. [**2** Que hace críticas sobre algo, esp. para que se mejore: *Has sido muy 'crítico' con la actuación de tu hermano.* **3** De la crisis o relacionado con ella: *Las enfermedades tienen un momento crítico.* **4** Decisivo, que debe atenderse o aprovecharse: *Decídete, porque estamos en un momento muy crítico.* ∎ s. **5** Persona que se dedica profesionalmente a la crítica o al juicio de obras de ficción. ∎ s.f. **6** Arte y técnica de juzgar algo o de formar opiniones justificadas por algún criterio: *crítica deportiva.* **7** Juicio, opinión o conjunto de ellos que se hacen sobre algo: *Esta película tiene muy buena crítica.* **8** Censura o juicio negativo sobre una persona o sus actos. **9** ‖**la crítica**; el conjunto de críticos profesionales de una determinada materia. ☐ ETIMOL. Del latín *criticus*, y éste del griego *kritikós* (que juzga, que decide). ☐ SEM. No debe emplearse con el significado de 'duro': *Ha tenido muy mala suerte y está pasando unos momentos muy {*críticos > duros}.*
criticón, -a adj./s. Que lo censura todo, sin perdonar lo más mínimo.
croar v. Referido a una rana, emitir su voz característica. ☐ ETIMOL. De origen onomatopéyico.
croata ∎ adj./s. **1** De Croacia (país europeo), o relacionado con ella. ∎ s.m. **2** Lengua eslava meridional hablada en este país. ☐ MORF. 1. Como adjetivo es invariable en género. 2. Como sustantivo es de género común: *el croata, la croata.*
crocante s.m. Dulce o pasta comestibles hechos con almendras tostadas y caramelo; guirlache. ☐ ETIMOL. Del francés *croquant*.
[crocanti s.m Helado cubierto por una capa de chocolate con almendras.

croché s.m. **1** Labor que se hace con una aguja de unos veinte centímetros de largo, que tiene uno de sus extremos más delgado y terminado en gancho. **2** En boxeo, puñetazo que se da con el brazo doblado en forma de gancho. ☐ ETIMOL. Del francés *crochet*.
[croissant s.m. →cruasán. ☐ PRON. [cruasán]. ☐ USO Es un galicismo innecesario.
[croissanterie (galicismo) s.f. Pastelería o cafetería especializadas en la fabricación y venta de cruasanes. ☐ PRON. [cruasanterí].
crol s.m. En natación, estilo que consiste en mover los brazos alternativamente y de forma circular e impulsarse con las piernas estiradas y moviéndolas de arriba abajo también de forma alternativa. ☐ ETIMOL. Del inglés *crawl*.
cromado s.m. Baño de cromo.
cromar v. Referido a un metal o a un objeto metálico, darles un baño de cromo para hacerlos inoxidables: *He cromado la barandilla para no se estropee.*
cromático, ca adj. [De los colores o relacionado con ellos. ☐ ETIMOL. Del griego *khromatikós*.
[cromlech (galicismo) s.m. →crónlech.
cromo s.m. **1** Elemento químico, metálico y sólido, de número atómico 24, duro, de color blanco plateado y muy resistente a los agentes atmosféricos. **2** Estampa, papel o tarjeta con un dibujo o una fotografía impresos. **3** ‖**como un cromo** o **hecho un cromo**; con heridas, muy sucio o mal arreglado. ☐ ETIMOL. La acepción 1, del francés *chrome*. La acepción 2, abreviatura de *cromolitografía*. ☐ ORTOGR. En la acepción 1, su símbolo es *Cr*.
cromosoma s.m. Cada uno de los filamentos de material hereditario que forman parte del núcleo celular y que tienen como función conservar, transmitir y expresar la información genética que contienen. ☐ ETIMOL. Del griego *khrôma* (color) y *sôma* (cuerpo).
[cromosómico, ca adj. Del cromosoma o relacionado con él.
crónica s.f. Véase **crónico, ca.**
crónico, ca ∎ adj. **1** Referido a una enfermedad, que es muy larga o habitual. **2** Referido esp. a un vicio, que está muy arraigado o se tiene desde hace mucho tiempo. **3** Que viene desde tiempo atrás o que se repite desde hace tiempo. ∎ s.f. **4** Artículo periodístico o información de radio o de televisión sobre temas de actualidad. **5** Historia en que se observa el orden de los tiempos: *las crónicas de Indias.* ☐ ETIMOL. Las acepciones 1-3, del latín *chronicus*, éste del griego *khronikós*, y éste de *khrónos* (tiempo). Las acepciones 4 y 5, del latín *chronica* (libros de cronología).
cronicón s.m. Relato histórico breve ordenado por orden cronológico. ☐ ETIMOL. Del latín *chronicon*.
cronista s. Autor de una crónica histórica o periodística. ☐ MORF. Es de género común: *el cronista, la cronista.*
crónlech s.m. Monumento prehistórico formado por una serie de piedras verticales o menhires dispuestos de forma circular. ☐ ETIMOL. Del francés *cromlech*. ☐ USO Aunque la RAE sólo registra *crónlech*, en círculos especializados se usa más *cromlech*.
crono s.m. **1** En una prueba de velocidad, tiempo medido con cronómetro. **2** →cronómetro. 🢒 medida
cronoescalada s.f. Prueba ciclista contrarreloj que se desarrolla en un trayecto ascendente.

cronología s.f. **1** Serie de personas, de obras o de sucesos por orden de fechas. **2** Manera o sistema de computar los tiempos. **3** Ciencia que tiene por objeto determinar el orden y las fechas de los sucesos. □ ETIMOL. Del griego *khronología*, y éste de *khrónos* (tiempo) y *lógos* (tratado).

cronológico, ca adj. **1** Según la aparición en el tiempo. **2** De la cronología o relacionado con ella.

cronometraje s.m. Medición del tiempo utilizando un cronómetro.

cronometrar v. Referido esp. al tiempo, medirlo con un cronómetro: *Cronométrame el tiempo que tardo en dar una vuelta.*

cronométrico, ca adj. Del cronómetro, con sus características o relacionado con él.

cronómetro s.m. Reloj de gran precisión que sirve para medir fracciones de tiempo muy pequeñas. □ ETIMOL. Del griego *khrónos* (tiempo) y *-metro* (medidor). □ USO Se usa mucho la forma abreviada *crono*. 🔈 medida

[croquet (anglicismo) s.m. Juego que consiste en golpear una bola con un mazo para hacerla pasar por debajo de unos aros clavados en el suelo. □ ORTOGR. Dist. de *cricket*.

croqueta s.f. Bola ovalada que se hace con una masa de besamel con trozos pequeños generalmente de carne o de pescado, y que se fríe. □ ETIMOL. Del francés *croquette*.

croquis s.m. Dibujo rápido y esquemático que se hace a ojo y sin instrumentos adecuados o sin precisión ni detalles. □ ETIMOL. Del francés *croquis*. □ MORF. Invariable en número.

cross (anglicismo) s.m. **1** Carrera, generalmente de larga distancia, a campo traviesa. **[2** En boxeo, puñetazo horizontal y circular contra el mentón. □ MORF. Invariable en número.

[crossista s. Persona que participa en una carrera de cross, esp. si ésta es su profesión. □ MORF. Es de género común: *el 'crossista', la 'crossista'.*

crótalo ▍ s.m. **1** *poét.* Castañuela. **2** Serpiente venenosa que tiene en el extremo de la cola unos anillos con los que emite un ruido particular al moverse; serpiente de cascabel. ▍ pl. **3** Instrumento musical de percusión formado por dos pequeños platillos que se tocan sujetándolos al dedo índice y al pulgar y entrechocando sus bordes. □ ETIMOL. Del latín *crotalum*, y éste del griego *krótalon* (especie de castañuela). □ MORF. En la acepción 2, es un sustantivo epiceno: *el crótalo macho, el crótalo hembra.*

crotorar v. Referido a una cigüeña, producir con el pico un ruido característico. □ ETIMOL. Del latín *crotolare*.

cruasán s.m. Bollo, generalmente de hojaldre, en forma de media luna. □ ETIMOL. Del francés *croissant* (medialuna). □ USO Es innecesario el uso del galicismo *croissant*.

cruce s.m. **1** Lugar o punto en los que se encuentran dos líneas. **2** Paso señalado para que crucen los peatones. **3** Interferencia telefónica o de emisiones de radio o televisión. **4** Colocación de una cosa sobre otra para que queden en forma de cruz. **5** Unión de animales de distinta raza pero de la misma especie o de especies muy semejantes. **[6** Animal que nace de esta unión. □ SEM. Es sinónimo de *cruzamiento*.

cruceiro s.m. Unidad monetaria brasileña.

crucería s.f. Sistema de construcción en el cual la bóveda se logra mediante el cruce de arcos diagonales, ojivas o nervios. □ ETIMOL. De *crucero*.

crucero s.m. **1** Viaje de recreo en barco, con distintas escalas. **2** En un templo, esp. en una iglesia, espacio en el que se cruza la nave central con la transversal. **3** Buque de guerra de gran velocidad, equipado con cañones de calibre medio y pesado y destinado al reconocimiento y protección de las rutas de navegación. □ ETIMOL. De *cruz*.

cruceta s.f. Cruz que resulta al cortarse dos líneas o dos tiras perpendiculares: *Los hilos de la marioneta se atan a la cruceta.*

crucial adj. Referido esp. a un momento o a un punto, que son decisivos o muy importantes porque son condicionan el desarrollo de algo. □ ETIMOL. Del inglés *crucial*. □ MORF. Invariable en género.

crucífero, ra ▍ adj./s.f. **1** Referido a una planta, que tiene las hojas alternas, la corola en forma de cruz, el fruto en forma de vaina seca y las semillas sin albumen: *La mostaza es una planta crucífera.* ▍ s.f.pl. **2** En botánica, familia de estas plantas, perteneciente a la clase de las dicotiledóneas. □ ETIMOL. Del latín *crucifer*, y éste de *crux* (cruz) y *ferre* (llevar).

crucificar v. **1** Referido a una persona, clavarla o fijarla a una cruz: *Los romanos crucificaban a los condenados.* **2** Referido a una persona, perjudicarla o abandonarla a un daño, generalmente en provecho de un fin o de un interés que se consideran más importantes: *Con esa crítica que a ti te favorece, a él lo crucificas.* □ ETIMOL. Del latín *crucifigere*, y éste de *crux* (cruz) y *figere* (clavar). □ ORTOGR. La *c* se cambia en *qu* delante de *e* →SACAR.

crucifijo s.m. Imagen de Cristo (hijo del dios cristiano) crucificado; cristo. □ ETIMOL. Del latín *crucifixus* (crucificado).

crucifixión s.f. **1** Colocación o fijación de una persona en una cruz. **2** Representación de la muerte de Cristo (hijo del dios cristiano) en la cruz.

cruciforme adj. Con forma de cruz. □ ETIMOL. Del latín *crux* (cruz) y *-forme* (forma).

crucigrama s.m. Pasatiempo que consiste en llenar con letras las casillas en blanco de un dibujo, de forma que leídas horizontal y verticalmente formen las palabras que corresponden a una serie de definiciones dadas. □ ETIMOL. De *cruz* y *-grama* (gráfico, representación).

crudelísimo, ma superlat. irreg. de cruel.

crudeza s.f. **1** Aspereza, crueldad o realismo con que se muestra algo, esp. lo que puede resultar desagradable o afectar a la sensibilidad. **2** Rigor o dureza del clima. □ ETIMOL. De *crudo*.

crudo, da ▍ adj. **1** Referido a un alimento, que no está cocinado o que lo está muy poco. **2** Referido esp. a un producto, que está en estado natural sin haber sido elaborado. **3** Referido a un color, que es blanco amarillento como el de los huesos o el de la lana natural. **4** Referido esp. al tiempo o al clima, que son muy fríos y desapacibles. **5** Cruel, áspero, despiadado o que muestra con realismo que puede resultar desagradable o afectar a la sensibilidad. **[6** col. Difícil o muy complicado. ▍ s.m. **7** Petróleo sin refinar o sin haber sido sometido a casi ningún tratamiento industrial. **[8** En zonas del español meridional, tela de saco o arpillera. □ ETIMOL. Del latín *crudus*.

cruel adj. **1** Referido esp. a una persona o a su comportamiento, que se complace en hacer sufrir a los demás o que no siente compasión por los padecimientos ajenos. **2** Difícil de soportar o excesivamente duro. □ ETIMOL. Del latín *crudelis*. □ MORF. 1. Invariable en género. 2. Sus superlativos son *cruelísimo* y *crudelísimo*. □ SEM. Dist. de *cruento* (que causa abundante derramamiento de sangre).

crueldad s.f. **1** Complacencia o falta de compasión hacia el sufrimiento ajeno. **2** Lo que resulta cruel e inhumano.

cruento, ta adj. Que causa abundante derramamiento de sangre; sangriento. □ ETIMOL. Del latín *cruentus*, y éste de *cruor* (sangre). □ SEM. Dist. de *cruel* (que se complace en hacer sufrir).

[cruise control (anglicismo) ‖ En un vehículo, sistema automático que permite mantener la velocidad elegida. □ PRON. [crus cóntrol]. □ USO Su uso es innecesario.

crujido s.m. Ruido característico que hacen la madera y algunas telas al partirse, doblarse, rozarse o apretarse.

[crujiente adj. Que cruje. □ MORF. Invariable en género.

crujir v. Referido esp. a la madera o a algunas telas, hacer un ruido característico al partirse, doblarse, rozarse o apretarse: *Los peldaños de madera crujían bajo sus pies.* □ ETIMOL. De origen incierto. □ ORTOGR. Conserva la *j* en toda la conjugación.

crupier s. En una casa de juego, persona que se dedica profesionalmente a dirigir una partida de cartas, repartir los naipes y pagar y recoger el dinero apostado. □ ETIMOL. Del francés *croupier*. □ MORF. 1. Es de género común: *el crupier, la crupier.* 2. La RAE sólo lo registra como masculino.

crustáceo, a ▮ adj./s.m. **1** Referido a un animal, que se caracteriza por tener respiración branquial, un par de antenas y el cuerpo cubierto por un caparazón duro o flexible: *La langosta y la gamba son animales crustáceos.* ▮ s.m.pl. **2** En zoología, clase de estos animales, perteneciente al tipo de los artrópodos. 🦐 marisco □ ETIMOL. Del latín *crusta* (costra, corteza).

cruz s.f. **1** Figura formada básicamente por dos líneas que se cortan perpendicularmente. **2** Lo que tiene la forma de esta figura. **3** Patíbulo formado por un madero vertical atravesado en su parte superior por otro horizontal y más corto, en el que se clavaban o sujetaban los pies y las manos de los condenados. **4** Imagen de este patíbulo que es insignia o señal del cristianismo. **5** Pena, dolor, carga o trabajo grandes, duros y generalmente prolongados. **6** En una moneda, lado o superficie opuestos a la cara o anverso. **7** En algunos animales cuadrúpedos, parte más alta del lomo, donde se cruzan los huesos de las extremidades anteriores y el espinazo. **8** ‖cruz gamada; la que tiene los cuatro brazos doblados en ángulo recto, y que es el emblema de los pueblos y de los movimientos nazis; esvástica, swástica. ‖cruz griega; la que tiene los cuatro brazos iguales. ‖cruz latina; la que tiene los dos brazos horizontales iguales, pero más cortos que el vertical inferior y más largos que el superior. □ ETIMOL. Del latín *crux* (horca, tormento).

cruza s.f. En zonas del español meridional, cruce de animales.

cruzada s.f. Véase **cruzado, da.**

cruzado, da ▮ adj. **1** Referido a una prenda de vestir, que tiene el ancho necesario para abrochar una parte del delantero sobre la otra. ▮ adj./s. **2** Referido a una persona, que se había alistado en una cruzada o expedición militar. ▮ s.f. **3** En los siglos XI, XII, XIII y XIV, expedición militar que organizaba la cristiandad para luchar contra los considerados infieles. **4** Campaña en favor de algún fin importante. □ ETIMOL. Las acepciones 1 y 2, de *cruzar.* Las acepciones 3 y 4, de *cruz*, por la insignia con esta forma que llevaban los soldados en el pecho.

cruzamiento s.m. →**cruce.**

cruzar ▮ v. **1** Referido a un lugar, recorrerlo desde una parte a otra; atravesar, pasar: *Crucé el río en barca.* **2** Referido a una cosa, ponerla sobre otra formando una cruz: *Cruzó las piernas cuando se sentó. Te espero donde se cruzan los caminos.* **3** Referido a un animal, juntarlo con otro de distinta raza pero de la misma especie o de una muy semejante, para que procreen: *Ha cruzado su perro pastor con un lobo.* **4** Referido a un cheque, trazar dos rayas paralelas para que sólo pueda cobrarse por medio de una cuenta corriente: *Si cruzas el cheque no podré cobrarlo en efectivo.* **[5** Referido esp. a palabras, miradas o gestos, intercambiarlos: *Desde que discutimos no 'he cruzado' con él ni una sola palabra.* ▮ prnl. **6** Referido esp. a dos personas, animales o cosas, pasar por un mismo lugar en dirección contraria: *Me crucé en la escalera con ella. A las tres el tren de ida se cruza con el de vuelta.* **[7** Aparecer o ponerse: *Espero que no vuelvas a 'cruzarte' en mi camino.* **8** Interponerse o mezclarse: *Algunas palabras se usan mal porque se cruzan unos significados con otros.* □ ETIMOL. De *cruz.* □ ORTOGR. La *z* se cambia en *c* delante de *e* →CAZAR.

cu s.f. Nombre de la letra *q*.

cuaco s.m. *col.* En zonas del español meridional, caballo.

cuaderna s.f. **1** En una embarcación, cada una de las piezas curvas cuya parte inferior encaja en la quilla a derecha o a izquierda y que forma su armazón. **2** Conjunto de estas piezas. **3** ‖**cuaderna vía**; en métrica, estrofa formada por cuatro versos de catorce sílabas, con una sola rima común a todos, y cuyo esquema es *AAAA*; tetrástrofo monorrimo. □ ETIMOL. Del latín *quaterna.*

cuadernillo s.m. Conjunto de cinco pliegos de papel.

cuaderno s.m. **1** Conjunto de varios pliegos de papel doblados y generalmente cosidos en forma de libro. **2** Especie de libro o conjunto de hojas de papel en el que se registra todo tipo de información relacionada con una determinada actividad. **3** ‖**cuaderno de bitácora**; aquel en el que se apuntan los datos e incidencias de la navegación. □ ETIMOL. Del antiguo *quaderno* (cuádruple), porque los cuadernos estaban formados por cuatro pliegos.

cuadra s.f. **1** Instalación o lugar cubierto preparado para la estancia de caballos y otras caballerías; caballeriza. **2** Conjunto de caballos, generalmente de carreras, que pertenecen a una misma persona y que suelen llevar el nombre de su dueño. **3** Lugar muy sucio. **4** En zonas del español meridional, manzana de casas. □ ETIMOL. Del latín *quadra* (un cuadrado).

cuadrado, da ▮ adj. **1** Con cuatro lados iguales y cuatro ángulos rectos o de sección semejante. **[2** *col.* Referido a una persona, de complexión fuerte y ancha. ∎ s.m. **3** En geometría, polígono que tiene cuatro lados iguales y cuatro ángulos rectos. **4** En matemáticas, resultado que se obtiene de multiplicar una cantidad por sí misma. **5** ‖ [al cuadrado; referido a la base de una potencia, de exponente 2. ☐ ETIMOL. Del latín *quadratus*.

cuadragésimo, ma numer. **1** En una serie, que ocupa el lugar número cuarenta. **2** Referido a una parte, que constituye un todo con otras treinta y nueve iguales a ella; cuarentavo. ☐ ETIMOL. Del latín *quadragesimus*. ☐ MORF. *Cuadragésima primera* (incorr. **cuadragésimo primera*), etc.

cuadrangular adj. Que tiene o forma cuatro ángulos. ☐ MORF. Invariable en género.

cuadrante s.m. **1** En geometría, cuarta parte de un círculo o de una circunferencia, limitados por dos radios perpendiculares. ⚓ círculo **2** Instrumento formado por un cuarto de círculo graduado y que se utiliza en astronomía para medir ángulos. ☐ ETIMOL. Del latín *quadrans* (cuarta parte).

cuadrar ∎ v. **1** Ajustar, encajar, casar con algo: *Tu voz no cuadra con tu físico.* [**2** En zonas del español meridional, aparcar. ∎ prnl. **3** Referido esp. a un soldado, ponerse en posición erguida con los pies unidos por los talones y separados en sus puntas: *Los soldados se cuadraron ante su capitán.* ☐ ETIMOL. Del latín *quadrare* (escuadrar, hacer cuadrado).

cuadratín s.m. En tipografía, blanco o espacio cuya altura y anchura es igual a la del cuerpo empleado.

cuadratura ‖ la cuadratura del círculo; col. Expresión que se usa para indicar la imposibilidad de algo. ☐ ETIMOL. Del latín *quadratura*.

cuadri- Elemento compositivo que significa 'cuatro': *cuadrienio, cuadrisílabo*. ☐ ETIMOL. Del latín *quadri-*.

[cuádriceps s.m. →**músculo cuádriceps.** ☐ ETIMOL. De *cuadri-* (cuatro) y el latín *caput* (cabeza). ☐ MORF. Invariable en número.

cuadrícula s.f. Conjunto de cuadrados que resultan de cortarse perpendicularmente dos series de rectas paralelas.

cuadriculado, da adj. **1** Con líneas que forman una cuadrícula. [**2** Sometido a una estructura u orden muy rígidos: *mente cuadriculada.*

cuadricular v. **1** Trazar líneas que formen una cuadrícula: *He cuadriculado el papel para copiar el dibujo con más facilidad.* [**2** Someter a una estructura u orden muy rígidos: *'Cuadriculó su vida y no permite ninguna alteración de sus planes.*

cuadrienio s.m. →**cuatrienio.**

cuadriga s.f. Carro tirado por cuatro caballos de frente, esp. el que se usaba en las carreras de circo y en los triunfos de la antigua Roma. ☐ ETIMOL. Del latín *quadriga*, y éste de *quadri-* (cuatro) y *iugum* (yugo). ☐ PRON. Incorr. **[cuádriga].

cuadrilátero, ra ∎ adj./s.m. **1** En geometría, referido a un polígono, que tiene cuatro lados. ∎ s.m. **2** Espacio limitado por cuerdas y con suelo de lona en el que tienen lugar los combates de boxeo. ☐ ETIMOL. Del latín *quadrilaterus*. ☐ USO En la acepción 2, es innecesario el uso del anglicismo *ring*.

cuadrilla s.f. **1** Grupo de personas que se reúne con un mismo fin o para desempeñar un mismo trabajo. [**2** En tauromaquia, conjunto de toreros que está bajo las órdenes de un matador. ☐ ETIMOL. De *cuadro*, que antiguamente significó *división de la hueste en cuatro partes para repartir el botín.*

cuadringentésimo, ma numer. **1** En una serie, que ocupa el lugar número cuatrocientos. **2** Referido a una parte, que constituye un todo junto con otras trescientas noventa y nueve iguales a ella.

cuadriplicar v. →**cuadruplicar.** ☐ ORTOGR. La *c* se cambia en *qu* delante de *e* →SACAR.

cuadrisílabo, ba adj./s. →**cuatrisílabo.**

cuadrivio s.m. En la Edad Media, conjunto de las cuatro artes relativas a las matemáticas que, junto con el trivium, formaban parte de la enseñanza universitaria; quadrivium. ☐ ETIMOL. Del latín *quadrivium* (encrucijada de cuatro caminos). ☐ USO Aunque la RAE sólo registra *cuadrivio*, se usa más *quadrivium*.

cuadro s.m. **1** Figura formada por cuatro lados y cuatro ángulos rectos. **2** En un todo, sección con esta forma. **3** Pintura, dibujo o grabado, que generalmente se enmarcan y se cuelgan de las paredes como adorno. **4** Espectáculo, situación o suceso que se ofrece a la vista y que conmueve o produce determinada impresión. **5** Descripción viva y animada de un suceso o de un espectáculo: *cuadro de costumbres.* **6** Conjunto de datos organizados y presentados de manera que se hace visible la relación existente entre ellos: *cuadro sinóptico.* **7** En una representación dramática, cada una de las partes en las que se dividen los actos. **8** En una organización o en determinada actividad profesional, conjunto de personas que la componen, esp. el que la dirige y coordina: *el cuadro técnico.* **9** Conjunto de mecanismos o instrumentos necesarios para manejar un aparato o una instalación: *el cuadro de mandos.* [**10** En una bicicleta o en una motocicleta, conjunto de tubos que forman su armazón. **11** ‖ cuadro clínico; en medicina, conjunto de síntomas que presenta un enfermo o que caracterizan una enfermedad. ‖ {estar/quedarse} en cuadro; referido a una corporación, cuerpo o familia, quedar reducidos a pocos miembros o a menos de los necesarios. ☐ ETIMOL. Del latín *quadrum* (un cuadrado), porque se aplicó esp. a las obras pictóricas y a los terrenos labrados, que tenían forma cuadrada o rectangular.

cuadru- Elemento compositivo que significa 'cuatro': *cuadrúmano, cuadrúpedo*. ☐ ETIMOL. Del latín *quadru-*.

cuadrumano, na o **cuadrúmano, na** adj./s. Referido a un mamífero, con manos en sus cuatro extremidades, por ser el dedo pulgar oponible a sus otros dedos en todas ellas: *El chimpancé es un cuadrumano.* ☐ ETIMOL. Del latín *quadrumanus*.

cuadrúpedo adj./s.m. Que tiene cuatro patas. ☐ ETIMOL. Del latín *quadrupes*, y éste de *quadri-* (cuatro) y *pes* (pie).

cuádruple ∎ numer. **1** Que consta de cuatro o que es adecuado para cuatro. ∎ adj./s.m. **2** Referido a una cantidad, que es cuatro veces mayor que otra. ☐ SEM. Es sinónimo de *cuádruplo.*

cuadruplicar v. Multiplicar por cuatro o hacer cuatro veces mayor: *Los precios de los pisos se han cuadruplicado.* ☐ ETIMOL. Del latín *quadruplicare*. ☐ ORTOGR. 1. La *c* se cambia en *qu* delante de *e* →SACAR. 2. Se admite también *cuadriplicar*. ☐ MORF. Incorr. **cuatriplicar.

cuádruplo, pla numer. →**cuádruple.** ☐ ETIMOL. Del latín *quadruplus*.

cuajada s.f. Parte grasa de la leche que se separa

del suero por la acción del calor, del cuajo o de los ácidos, y que se toma como alimento.

cuajar ∎ s.m. **1** En el estómago de los rumiantes, última de las cuatro cavidades de que consta. ∎ v. **2** Referido a una sustancia líquida, convertirla en una masa sólida o pastosa: *Para la elaboración del queso es necesario cuajar la leche.* **3** Referido a la nieve o al agua, formar una capa sólida sobre una superficie: *Como ha nevado muy poco, no ha cuajado.* **4** col. Realizarse, llegar a ser o adoptar una forma definitiva: *Mi propuesta no cuajó por falta de interés.* **5** col. Gustar, agradar o resultar bien acogido: *El nuevo detergente no cuajó y fue retirado del mercado.* ∎ prnl. **6** Llenarse o poblarse: *Los ojos se me cuajaron de lágrimas.* □ ETIMOL. La acepción 1, de *cuajo*. Las acepciones 2-6, del latín *coagulare*. □ ORTOGR. Conserva la *j* en toda la conjugación.

cuajarón s.m. Porción de sangre o de otros líquidos cuajados.

cuajo ∎ s.m. **1** Fermento para coagular un líquido, esp. la leche. **2** col. Calma o despreocupación excesivas en la forma de actuar; parsimonia. ∎ s.m. [3 *vulg.*malson. →pene. **4** ‖**de cuajo**; de raíz o desde el origen. □ ETIMOL. Del latín *coagulum*, éste de *co-* (juntamente) y *agere* (empujar, hacer mover).

cuákero, ra s. →**cuáquero**.

cual ∎ pron.relat. **1** Designa una persona, un objeto o un hecho ya mencionados: *Vine con su hermano, el cual conduce muy deprisa.* ∎ adv. **2** poét. Como: *Hablaba y se comportaba cual persona instruida.* **3** ‖**cada cual**; designa separadamente a una persona en relación a las otras: *Cada cual que se ocupe de sus cosas.* ‖**tal cual**; [así, de esta forma o de esta manera: *No lo pienses más y hazlo 'tal cual'*, como te he dicho. □ ETIMOL. Del latín *qualis* (tal como, de qué clase). □ ORTOGR. Dist. de *cuál*. □ MORF. Invariable en género. □ SINT. En la acepción 1, es un relativo con antecedente y siempre va precedido de determinante.

cuál ∎ interrog. **1** Pregunta por algo o por alguien entre varios: *¿Cuál es tu coche?* ∎ exclam. **2** Se usa para encarecer o ponderar: *¡Cuál no sería mi sorpresa al veros llegar!* □ ORTOGR. Dist. de *cual*. □ MORF. Invariable en género.

cualesquier indef. pl. de **cualquier**. □ MORF. Invariable en género.

cualesquiera indef. pl. de **cualquiera**. □ MORF. Invariable en género.

cualidad s.f. Carácter, propiedad o modo de ser propio y distintivo de algo, esp. si se considera positivo. □ ETIMOL. Del latín *qualitas*.

cualificado, da adj. **1** Que está especialmente preparado para el desempeño de una actividad o de una profesión. **2** De buena calidad o de muy buenas cualidades. **3** Con autoridad y digno de respeto. □ SEM. En las acepciones 1 y 3, es sinónimo de *calificado*.

cualificar v. Referido a una persona, darle o atribuirle cualidades, esp. las necesarias para desempeñar una profesión: *Este curso nos cualifica para trabajar con ordenadores.* □ ORTOGR. La *c* se cambia en *qu* delante de *e* →SACAR.

cualitativo, va adj. De la cualidad o relacionado con ella.

cualquier indef. →**cualquiera**. □ MORF. **1.** Es invariable en género y es apócope de *cualquiera* cuan-

do precede a un sustantivo determinándolo: *cualquier año, cualquier día.* **2.** Su plural es *cualesquier.*

cualquiera indef. **1** Indica una persona o cosa indeterminadas, que no se precisan ni se señalan: *lo habrá dicho cualquier chico de su clase. Cualquiera de esas herramientas me vale.* **2** ‖**ser** alguien {un/una} **cualquiera**; ser persona de poca importancia o indigna de consideración. □ ETIMOL. De *cual* y *quiera*, y éste de *querer*. □ MORF. **1.** Invariable en género. **2.** Su plural es *cualesquiera*, pero el plural de *ser un cualquiera* es *ser unos cualquieras*. **3.** Se usa la forma apocopada *cualquier* cuando precede a un sustantivo determinándolo.

cuan adv. Cuanto: *Tropezó y cayó cuan larga era.*

cuán adv. poét. Se usa para encarecer o ponderar el grado o la intensidad de algo: *¡Cuán felices fuimos en aquel paraíso!*

cuando ∎ adv.relat. **1** En el tiempo, en el momento o en la ocasión en que: *Llegó cuando yo salía.* ∎ conj. **2** Enlace gramatical subordinante con valor condicional: *Cuando no te ha dicho nada todavía, es que no piensa invitarte.* **3** ‖**de cuando en cuando**; algunas veces o de tiempo en tiempo. □ ETIMOL. Del latín *quando*. □ ORTOGR. Dist. de *cuándo*. □ SINT. En frases sin verbo, funciona como una preposición: *Cuando niño, me gustaba que mi padre me contara cuentos.*

cuándo adv. En qué tiempo o en qué momento: *¡Cuándo vas a reconocer que te has equivocado!* □ ORTOGR. Dist. de *cuando*.

cuantía s.f. **1** Cantidad o medida. **2** ‖**de** {**mayor/menor**} **cuantía**; de mayor o menor importancia. □ ETIMOL. De *cuanto*.

cuántico, ca adj. En física, de los cuantos o relacionado con esta unidad mínima de energía.

cuantificación s.f. Expresión de una cantidad, esp. por medio de números.

cuantificador s.m. En gramática, término que cuantifica a otro o expresa la cantidad de otro: *'Tres' en español es un cuantificador.*

cuantificar v. Expresar una cantidad, esp. por medio de números: *En 'tres niños', 'tres' cuantifica al sustantivo 'niños'.* □ ETIMOL. De *cuanto*. □ ORTOGR. La *c* se cambia en *q* delante de *e* →SACAR. □ SEM. No debe emplearse con los significados de *evaluar* o *calcular: Se van a* {**cuantificar > evaluar*} *los daños de la inundación.*

cuantioso, sa adj. Abundante o grande en cantidad o número.

cuantitativo, va adj. De la cantidad o relacionado con ella.

cuanto, ta pron.relat. **1** Designa la totalidad de lo mencionado o de lo sobrentendido: *Puedes comer cuantos pasteles desees. Me trajo cuantos le pedí sin ningún problema.* **2** ‖**cuanto antes**; con rapidez, con prisa o lo antes posible. ‖**cuanto más**; expresión que se usa para contraponer, ponderar o encarecer algo: *Se venden pisos viejos, cuanto más los nuevos.* ‖**en cuanto a** algo; por lo que toca o corresponde a ello: *En cuanto a lo que te dije el otro día, no ha habido cambios.* ‖**en cuanto**; al punto o tan pronto como. ‖**unos cuantos**; cantidad indeterminada: *Te han llamado unos cuantos para felicitarte.* □ ETIMOL. Del latín *quantus*. □ ORTOGR. Dist. de *cuánto*. □ MORF. Como pronombre se usa más en plural.

cuanto ∎ adv.relat. **1** Designa la totalidad de lo ya

mencionado o de lo sobrentendido: *Lo que me estás contando es cuanto necesitaba saber.* ▪ s.m. **2** En física, unidad mínima de energía que es emitida o absorbida por la materia. □ ETIMOL. La acepción 1, del latín *quantus.* La acepción 2, del latín *quantum.* □ ORTOGR. Dist. de *cuánto.* □ MORF. Como pronombre no tiene plural. □ SINT. La acepción 1, se usa como adverbio relativo seguido de *más, menos, mayor, menor,* y en correlación con *tan* y *tanto: Cuanto menor sea el precio del producto, tanto más lo venderás.*

cuánto, ta ▪ interrog. **1** Pregunta por el número, por la cantidad o por la intensidad de algo: *¿Cuánto dinero tienes? Pregúntale cuántas ha escrito.* ▪ exclam. **2** Se usa para encarecer o ponderar el número, la cantidad o la intensidad de algo: *¡Cuánta gente ha venido! ¡Cuánto me gustaría acompañarte en este viaje!* □ ORTOGR. Dist. de *cuanto.*

cuánto adv. En qué grado o en qué cantidad: *¡Cuánto llueve! ¿Cuánto dura esa película?* □ ORTOGR. Dist. de *cuanto.*

cuáquero, ra s. Miembro de un grupo religioso protestante surgido en el siglo XVII en Inglaterra (región británica) y extendido por Estados Unidos (país americano) que carece de jerarquía eclesiástica y que se caracteriza por la sencillez y severidad de sus costumbres. □ ETIMOL. Del inglés *quaker.* □ ORTOGR. Se admite también *cuákero.*

cuarcita s.f. Roca de cuarzo, muy dura, generalmente de estructura granulosa y de color blanco lechoso, gris o rojiza. □ ETIMOL. De *cuarzo.*

cuarenta ▪ numer. **1** Número 40: *cuarenta caramelos.* ▪ s.m. **2** Signo que representa este número: *Los romanos escribían el cuarenta como 'XL'.* **3** ‖ **cantar las cuarenta** a alguien; *col.* Decirle claramente lo que se piensa, aunque le moleste: *En cuanto lo vea, le voy a cantar las cuarenta.* □ ETIMOL. Del latín *quadraginta.*

cuarentavo, va numer. Referido a una parte, que constituye un todo junto con otras treinta y nueve iguales a ella; cuadragésimo. □ SEM. Su uso como numeral ordinal es incorrecto: *Llegué en {*cuarentava > cuadragésima}* posición.

cuarentena s.f. **1** Aislamiento preventivo por razones sanitarias de personas y animales durante un período de tiempo. **2** Conjunto de cuarenta unidades, esp. un período de tiempo de días, años o meses.

cuarentón, -a adj./s. *col.* Referido a una persona, que tiene más de cuarenta años y aún no ha cumplido los cincuenta.

cuaresma s.f. En el cristianismo, tiempo de cuarenta y seis días que va desde el miércoles de ceniza hasta el domingo de Pascua o Resurrección y que se consagra a la penitencia y al ayuno. □ ETIMOL. Del latín *quadragesima dies* (día número cuarenta).

cuaresmal adj. De la cuaresma o relacionado con ella. □ MORF. Invariable en género.

cuarta s.f. Véase **cuarto, ta.**

cuartear ▪ v. **1** Partir o dividir en cuatro partes: *Pedí que me cuartearan el pollo, porque así se asa mejor.* ▪ prnl. **2** Rajarse o agrietarse: *La pared se ha cuarteado con la humedad.*

cuartel s.m. **1** Lugar o instalación donde viven y se alojan las tropas o unidades del ejército. **2** Lugar en el que acampa o se establece una fuerza militar

en campaña. **3** Tregua, descanso o buen trato dado al enemigo. **4** ‖ **cuartel general**; **1** Lugar en el que se establece con su estado mayor el jefe de un ejército o de una gran unidad. col. **[2** Lugar en el que se encuentra o se establece la dirección de una organización o asociación. □ ETIMOL. Del francés *quartier.*

cuartelazo s.m. Alzamiento militar contra el gobierno.

cuartelero, ra ▪ adj. **1** Referido al lenguaje, que es vulgar, grosero o de mal gusto. ▪ s.m. **2** Soldado encargado del cuidado y de la vigilancia de los dormitorios de su compañía.

cuartelillo s.m. Lugar o puesto de una sección militar, esp. de la guardia civil, o alojamiento de una sección de tropa.

cuarteta s.f. En métrica, estrofa formada por cuatro versos de arte menor, esp. referido a la formada por octosílabos con rima consonante y cuyo esquema es *abab.* □ ETIMOL. Del italiano *quartetta.*

cuarteto s.m. **1** Composición musical escrita para cuatro instrumentos o para cuatro voces. **2** Conjunto formado por este número de instrumentos o de voces. **3** En métrica, estrofa formada por cuatro versos de arte mayor, generalmente con rima consonante, y cuyo esquema más frecuente es *ABBA.* □ ETIMOL. Del italiano *quartetto.*

cuartilla s.f. Hoja de papel para escribir, aproximadamente del tamaño de un folio doblado por la mitad. □ ETIMOL. De *cuarta.*

cuartillo s.m. **1** Unidad de capacidad para líquidos que equivale aproximadamente a 0,5 litros. **2** Unidad de capacidad para granos, legumbres y otros frutos secos que equivale aproximadamente a 1,1 litros. □ USO Es una medida tradicional española.

cuarto, ta ▪ numer. **1** En una serie, que ocupa el lugar número cuatro. **2** Referido a una parte, que constituye un todo junto con otras tres iguales a ella: *un cuarto de kilo.* ▪ s.m. **3** En una vivienda, cada uno de los espacios o departamentos en que está dividida, esp. los destinados a dormir; habitación. **4** En un animal cuadrúpedo o en un ave, cada una de las cuatro partes en que se considera dividido su cuerpo: *los cuartos traseros de un caballo.* ▪ s.m.pl. **5** col. Dinero: *Gané cuatro cuartos.* ▪ s.f. **6** Unidad de longitud que equivale aproximadamente a veinte centímetros; palmo. **7** En música, intervalo existente entre una nota y la cuarta nota anterior o posterior a ella en la escala, ambas inclusive. **[8** En el motor de algunos vehículos, marcha que tiene mayor velocidad que la tercera y menor potencia que la quinta. **9** ‖ (**cuarto de**) **aseo**; aquel que es pequeño y tiene lavabo y retrete, pero no bañera. ‖ (**cuarto de**) **baño**; el que está destinado al aseo corporal y tiene lavabo, retrete, bañera y otros servicios sanitarios. ‖ **cuarto de estar**; aquel en el que hace vida la familia: *En casi todas las casas, la televisión está en el cuarto de estar.* ‖ **cuarto de Luna**; cada uno de los cuatro períodos en que se divide el tiempo que tarda la Luna desde una conjunción a otra con el Sol: *Cuando la Luna está en cuarto menguante se ve en forma de 'C'.* ‖ **cuarto oscuro**; aquel sin luz exterior que se usa como trastero y donde se encerraba a los niños como castigo. ‖ **cuartos de final**; en una competición o en un concurso, cada uno de los cuatro antepenúltimos encuentros o pruebas que se ganan por eliminación del contrario y no por puntos. ‖ **tres cuartos de lo mismo**; *col.* Expresión que se usa para indicar que lo dicho para uno es aplicable al otro: *Ése será bobo, pero tú, tres cuartos de lo mismo.* ‖ **[tres cuartos**; *referido a una prenda de abrigo*, que mide tres cuartas partes de la longitud corriente: *Con este chaquetón 'tres cuartos' se me ve la falda.* ☐ ETIMOL. Del latín *quartus.* La acepción 3, porque este número se asocia a las divisiones en pocas partes. ☐ USO Es innecesario el uso del galicismo *toilette* por *cuarto de aseo.*

cuarzo s.m. Mineral de sílice, duro, de brillo vítreo, incoloro o blanco cuando es puro, de gran conductividad calorífica y componente de muchas rocas. ☐ ETIMOL. Del alemán *quarz.*

cuasi adv. *ant.* →**casi.**

cuasi- Elemento compositivo que significa 'casi': *cuasibien, cuasiperfecto.* ☐ ETIMOL. Del latín *quasi.* ☐ USO Se usa mucho en la lengua coloquial.

cuate, ta adj./s. **1** En zonas del español meridional, gemelo de un parto. **2** *col.* En zonas del español meridional, amigo íntimo.

cuaternario, ria ▌ adj. **1** Que se compone de cuatro partes o elementos. **2** En geología, de la era antropozoica, quinta de la historia de la Tierra, o relacionado con ella; antropozoico, neozoico. ▌ s.m. **3** →**era cuaternaria.** ☐ ETIMOL. Del latín *quaternarius.*

cuatí s.m. →**coatí.** ☐ MORF. 1. Es un sustantivo epiceno: *el cuatí macho, el cuatí hembra.* 2. Aunque su plural en la lengua culta es *cuatíes,* se usa mucho *cuatís.*

cuatrero, ra s. Ladrón de ganado, esp. de caballos. ☐ ETIMOL. De *cuatro,* porque en el lenguaje de germanía significaba *caballo.* ☐ MORF. La RAE sólo lo registra como masculino.

cuatri- Elemento compositivo que significa 'cuatro': *cuatrimotor, cuatrisílabo.* ☐ ETIMOL. Del latín *quatri-.*

cuatricromía s.f. En imprenta, impresión o grabado en cuatro colores.

cuatrienal adj. **1** Que tiene lugar cada cuatro años. **2** Que dura cuatro años. ☐ MORF. Invariable en género.

cuatrienio s.m. Período de tiempo de cuatro años. ☐ ORTOGR. Se admite también *cuadrienio.*

cuatrillizo, za adj./s. Que ha nacido de un parto cuádruple. ☐ ETIMOL. De *cuatri-* (cuatro) y la terminación de *mellizo.* ☐ MORF. Se usa sólo en plural.

cuatrimestral adj. **1** Que tiene lugar cada cuatro meses. **2** Que dura cuatro meses. ☐ MORF. Invariable en género.

cuatrimestre s.m. Período de tiempo de cuatro meses. ☐ ETIMOL. Del latín *quadrimestris,* por influencia de *cuatro.*

cuatrimotor s.m. Avión provisto de cuatro motores.

cuatrisílabo, ba adj./s. De cuatro sílabas. ☐ ORTOGR. Se admite también *cuadrisílabo.*

cuatro ▌ numer. **1** Número 4: *cuatro ruedas.* ▌ s.m. **2** Signo que representa este número: *Los romanos escribían el cuatro como 'IV'.* **3** ‖ **[cuatro por cuatro**; vehículo similar a un todoterreno y que se caracteriza por tener tracción en las cuatro ruedas. ☐ ETIMOL. Del latín *quattuor.* ☐ MORF. 1. Como pronombre es invariable en género y en número. 3. Cuando se antepone a otra palabra para formar compuestos, adopta la forma *cuadri-, cuadru-* o *cua-*

tri-. ☐ USO Cuando va antepuesto a ciertos sustantivos, se usa para indicar una cantidad pequeña e indeterminada: *Apenas llovió, cayeron sólo cuatro gotas.*

cuatrocientos, tas ▌ numer. **1** Número 400: *cuatrocientas pesetas.* ▌ s.m. **2** Signo que representa este número: *Los romanos escribían el cuatrocientos como CD.* ☐ MORF. 1. Como numeral es invariable en número. 2. Incorr. *página* {**cuatrocientos* > *cuatrocientas*}.

cuba s.f. **1** Recipiente, generalmente de madera, formado por tablas curvas unidas y sujetadas por aros de metal y por dos bases circulares en sus extremos, que se utiliza para contener líquidos. **2** ‖ **como una cuba**; *col.* Muy borracho. ☐ ETIMOL. Del latín *cupa.*

cubalibre s.m. Bebida alcohólica de distintos ingredientes, esp. si se hace mezclando ron y cola. ☐ USO En la lengua coloquial se usa mucho la forma *cubata.*

cubano, na adj./s. De Cuba o relacionado con este país centroamericano.

[cubata s.m. *col.* Cubalibre.

cubertería s.f. Conjunto de cuchillos, cucharas, tenedores y utensilios semejantes para el servicio de mesa.

cubeta s.f. **1** Recipiente poco profundo, generalmente de forma rectangular, que se usa mucho en laboratorios químicos y fotográficos. **2** Depósito de mercurio que tiene un barómetro en su parte inferior. **3** En zonas del español meridional, cubo.

cúbico, ca adj. **1** Con forma de cubo. **2** Del cubo: *raíz cúbica; centímetros cúbicos.* ☐ ETIMOL. Del latín *cubicus.*

cubículo s.m. Habitación o recinto pequeños. ☐ ETIMOL. Del latín *cubiculum,* y éste de *cubare* (acostarse).

cubierta s.f. Véase **cubierto, ta.**

cubierto, ta ▌ **1** part. irreg. de cubrir. ▌ s.m. **2** Conjunto de cuchillo, cuchara y tenedor. **[3** Cada uno de estos utensilios. **4** Servicio de mesa que se pone a cada uno de los comensales y que está compuesto de cuchillo, cuchara, tenedor, plato, vaso y servilleta. **5** En un restaurante, en un hotel o en un lugar semejante, comida que se sirve por un precio fijo y que se compone de determinados platos. ▌ s.f. **6** Lo que se pone encima de algo para taparlo o protegerlo. **7** En un libro, parte exterior que lo cubre y protege. ↗ libro **8** En un edificio, parte exterior de la techumbre. **9** En la rueda de un vehículo, banda que protege exteriormente la cámara del neumático y que sufre el rozamiento con el suelo. **10** En un barco, cada uno de los pisos situados a diferente altura, esp. el piso superior. **11** ‖ **a cubierto**; resguardado, defendido o protegido: *Cuando empezó a llover, nos pusimos a cubierto.* ☐ MORF. En la acepción 1, incorr. **cubrido.* ☐ SEM. En la acepción 7, dist. de *portada* (primera página de un libro).

cubil s.m. Lugar que sirve de refugio. ☐ ETIMOL. Del latín *cubile* (lecho).

cubilete s.m. Especie de vaso estrecho y hondo que se usa para mover los dados o para hacer algunos juegos de manos. ☐ ETIMOL. Del francés *gobelet* (vaso para beber, sin pie y sin asa), por influencia de *cuba.*

cubismo s.m. Movimiento artístico de principios del siglo XX que se caracteriza por el empleo de formas geométricas para representar cualquier imagen. ☐ ETIMOL. Del francés *cubisme*.

cubista ∎ adj. **1** Del cubismo o con rasgos propios de este movimiento artístico. ∎ adj./s. **2** Que defiende o sigue el cubismo. ☐ MORF. 1. Como adjetivo es invariable. 2. Como sustantivo es de género común y exige concordancia en masculino o en femenino para señalar la diferencia de sexo: *el cubista, la cubista*.

cubitera s.f. Recipiente para hacer o servir cubitos de hielo.

cubito s.m. Trozo pequeño de hielo que se añade a una bebida para enfriarla. ☐ ETIMOL. De *cubo* (cuerpo geométrico). ☐ ORTOGR. Dist. de *cúbito*.

cúbito s.m. En el antebrazo, hueso más largo y grueso de los dos que lo forman. ☐ ETIMOL. Del latín *cubitus*. ☐ ORTOGR. Dist. de *cubito*.

cubo s.m. **1** Cuerpo geométrico limitado por seis polígonos o caras que son seis cuadrados iguales. **2** Recipiente de forma cónica, con la boca más ancha que el fondo y un asa en el borde superior, y que suele tener un uso doméstico. **3** En matemáticas, resultado que se obtiene al multiplicar una cantidad tres veces por sí misma. **4** ‖ [al cubo; referido a la base de una potencia, de exponente 3. ☐ ETIMOL. Las acepciones 1 y 3, del latín *cubus*, y éste del griego *kýbos* (cubo, dado). La acepción 2, de *cuba*.

cuboides s.m. →hueso cuboides. ☐ ETIMOL. Del griego *kýbos* (cubo) y *-oides* (semejante). ☐ MORF. Invariable en número.

[cubrebotón s.m. Pieza que se usa para cubrir un botón.

cubrecama s.f. Cobertura de la cama que sirve de adorno y de abrigo; colcha.

[cubrecosturas s.f. Cinta que se cose sobre una costura para disimularla.

cubrir ∎ v. **1** Ocultar, tapar o quitar de la visión: *Las nubes cubren el Sol.* **2** Depositar o extender sobre una superficie: *Cubrió de abono todo el jardín.* **3** Disimular o falsear: *Cubre su orgullo con una falsa modestia.* **4** Defender, proteger o resguardar de un daño o de un peligro: *El vaquero dijo: —Vosotros cubridme, mientras yo me acerco. El torero se cubre con la muleta.* **5** Referido a una cavidad, rellenarla de manera que quede nivelada: *Cubre el agujero con tierra.* **6** Referido a una plaza o a un puesto de trabajo, hacer que deje de estar vacante por adjudicación a una persona: *Se han convocado oposiciones para cubrir treinta plazas .* **7** Referido a un servicio, disponer del personal necesario para desempeñarlo: *Con tan poca gente no podemos cubrir las necesidades del hotel.* **8** Referido a un espacio, ponerle techo: *Quiero cubrir una parte del jardín.* **9** Referido a una distancia, recorrerla: *Cubrió los veinte kilómetros de la carrera en menos de dos horas.* **10** Referido a un acontecimiento, seguir su desarrollo, esp. si es para transmitirlo como noticia: *Veinte periodistas se encargaron de cubrir el viaje del presidente.* **11** Referido esp. a muestras de afecto, prodigarlas u ofrecerlas de forma insistente y repetida: *Cubrió de besos a su hijo.* **12** En algunos deportes, referido a un jugador o a una zona del campo, marcarlos o defenderlos: *Tú cubre la banda derecha, que yo cubriré la izquierda.* **13** Referido a una deuda, a un gasto o a una necesidad, pagarlos o solventarlos: *Con este último pago, la deuda queda cubierta.* **14** Referido a una emisión de títulos de deuda pública o de valor comercial, suscribirla enteramente: *Esta emisión de bonos ha sido cubierta en apenas tres días.* **15** Referido a un animal macho, unirse sexualmente a la hembra para fecundarla; montar: *El caballo cubrió a la yegua.* ∎ prnl. **16** Ponerse el sombrero: *Cuando salió de la iglesia, se cubrió.* **17** Referido al cielo, nublarse o llenarse de nubes: *Como se cubra el cielo, no podremos tomar el sol.* ☐ ETIMOL. Del latín *cooperire*. ☐ MORF. participio es *cubierto*. ☐ SINT. Constr. de la acepción 11: *cubrir DE algo*.

cuca s.f. Véase **cuco, ca**.

cucamonas s.f.pl. *col.* Caricias, halagos o demostraciones de cariño para conseguir algo de alguien; carantoñas.

cucaña s.f. Palo largo, untado de jabón o grasa, por el que hay que trepar o andar para coger como premio un objeto colocado en su extremo. ☐ ETIMOL. Del italiano *cuccagna* (palo de cucaña).

cucaracha s.f. Insecto de cuerpo en forma oval y aplanada, de color negro por encima y rojizo por debajo, con aparato bucal masticador, seis patas casi iguales y el abdomen terminado en dos puntas articuladas. ☐ ETIMOL. De *cuca* (larva de mariposa). ☐ MORF. Es un sustantivo epiceno: *la cucaracha macho, la cucaracha hembra*. 🐜 insecto

cuchara s.f. **1** Cubierto formado por un mango y una pieza cóncava, que sirve para llevarse a la boca los alimentos líquidos o blandos. **2** En zonas del español meridional, paleta de albañilería. ☐ ETIMOL. Del latín *cochlear*.

cucharada s.f. Cantidad que cabe en una cuchara.

cucharadita s.f. Cantidad que cabe en una cucharilla.

cucharilla s.f. **1** Cuchara pequeña. **2** Utensilio para pescar con caña que tiene varios anzuelos y una pieza metálica cuyo brillo atrae a los peces. 🐟 pesca

cucharón s.m. Cubierto de servir, en forma de cazo o de cuchara grande.

cuché s.m. →papel cuché.

cucheta s.f. En zonas del español meridional, litera. ☐ ETIMOL. Del francés *couchette*.

cuchichear v. Hablar en voz baja o al oído, para que los demás no se enteren. ☐ ETIMOL. De origen onomatopéyico.

cuchicheo s.m. Conversación en voz baja o al oído, para que los demás no se enteren.

cuchilla s.f. Lámina de acero, generalmente con un filo, que se usa para cortar.

cuchillada s.f. o **cuchillazo** s.m. Corte hecho con un cuchillo o con un arma blanca. ☐ USO *Cuchillazo* es el término menos usual.

cuchillo s.m. **1** Utensilio cortante formado por un mango y una hoja de metal con un solo filo. 🔪

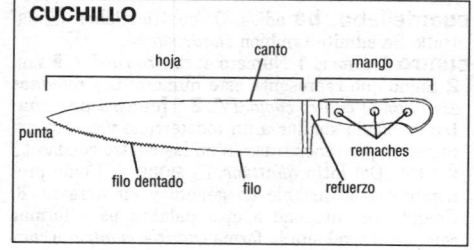

CUCHILLO

hoja — canto — mango — punta — filo dentado — filo — remaches — refuerzo

arma, cuchillo **2** ‖**pasar a cuchillo**; referido esp. a los habitantes de un lugar conquistado, darles muerte. □ ETIMOL. Del latín *cultellus* (cuchillito).

cuchipanda s.f. *col.* Reunión de varias personas para comer abundantemente y divertirse. □ ETIMOL. De origen incierto.

cuchitril s.m. Cuarto o lugar pequeños y sucios. □ ETIMOL. De origen incierto.

cuchufleta s.f. *col.* Dicho gracioso o burlesco. □ ETIMOL. De *chufar* (burlarse). □ SEM. Aunque la RAE lo considera sinónimo de *chirigota* y *chufla*, en la lengua actual no se usa como tal.

cuclillas ‖**en cuclillas**; con el cuerpo doblado de forma que las nalgas se acercan al suelo o a los talones. □ ETIMOL. De *clueca*, porque la gallina cuando empolla los huevos parece que está en cuclillas. □ SINT. Incorr. **de cuclillas*.

cuclillo s.m. Ave trepadora, de pequeño tamaño, plumaje ceniciento y cola negra con pintas blancas, cuya hembra pone los huevos en los nidos de otras aves; cuco. □ ETIMOL. De *cuquillo*, y éste de *cuco*. □ MORF. Es un sustantivo epiceno: *el cuclillo macho, el cuclillo hembra*.

cuco, ca ‖ adj. **1** *col.* Que resulta bonito, agradable y gracioso. ‖ adj./s. **2** *col.* Que actúa con astucia y habilidad en busca de su propio provecho o conveniencia. ‖ s.m. **3** Ave trepadora, de pequeño tamaño, plumaje ceniciento y cola negra con pintas blancas, cuya hembra pone los huevos en los nidos de otras aves; cuclillo. ‖ s.f. **4** *col.* Peseta. **5** Larva de algunas mariposas nocturnas. □ ETIMOL. Del latín *cucus*. □ MORF. En la acepción 3, es un sustantivo epiceno: *el cuco macho, el cuco hembra*. □ USO En la acepción 3, aunque la RAE prefiere *cuclillo*, se usa más *cuco*.

cucú s.m. Canto característico del cuco. □ ETIMOL. De origen onomatopéyico.

cucurbitáceo, a ‖ adj./s.f. **1** Referido a una planta, que tiene el tallo rastrero, el fruto carnoso y la semilla sin albumen: *El melón y la calabaza son plantas cucurbitáceas.* ‖ s.f.pl. **2** En botánica, familia de estas plantas, perteneciente a la clase de las dicotiledóneas. □ ETIMOL. Del latín *cucurbita* (calabaza). □ ORTOGR. Incorr. **curcubitáceo*.

cucurucho s.m. **1** Lámina enrollada en forma cónica, que sirve para contener cosas menudas; cartucho. **2** Especie de gorro con esta forma, que llevan los penitentes en las procesiones. □ ETIMOL. Del italiano *cucuruccio*.

[cuelgue s.m. **1** *col.* Estado producido por el efecto de una droga. **2** *col.* Atracción grande que produce algo, y que hace que todo lo demás pierda importancia.

cuello s.m. **1** En una persona o en algunos animales vertebrados, parte estrecha del cuerpo que une la cabeza con el tronco. **2** En una prenda de vestir, tira unida a su parte superior y que rodea a esta parte del cuerpo. **3** En un recipiente, parte superior más estrecha: *el cuello del jarrón.* **4** En un objeto, parte más estrecha y alargada, esp. si es de forma redondeada: *El cuello de un diente está oculto por la encía.* ✄ dentadura **5** ‖**[cuello de botella]**; lo que por su estrechez dificulta o hace más lento el paso natural de algo: *Ese tramo de la carretera es un 'cuello de botella' y se forman grandes atascos.* ‖**[hablar para el cuello de la camisa]**; *col.* Hablar en voz baja. □ ETIMOL. Del latín *collum.* □ MORF. Cuando

se antepone a otra palabra para formar compuestos, adopta la forma *cuelli-: cuellilargo*.

cuenca s.f. **1** Territorio cuyas aguas van a parar a un mismo río, lago o mar. **[2** Territorio en cuyo subsuelo abunda un determinado mineral que es extraído en las minas. **3** Terreno hundido y rodeado de montañas. **4** Cavidad en la que está cada uno de los ojos. □ ETIMOL. Del latín *concha* (concha de molusco).

cuenco s.m. **1** Recipiente hondo, ancho y sin reborde. **2** Sitio cóncavo. □ ETIMOL. De *cuenca*.

cuenta ‖ s.f. **1** Numeración o recuento de los elementos de un conjunto considerados como unidades homogéneas. **2** Cálculo u operación aritmética. **3** Factura o nota escrita en la que aparece lo que debe pagar una persona. **4** Depósito de dinero en una entidad bancaria. **5** Conjunto de anotaciones o registros de los gastos e ingresos de una actividad comercial. **6** Explicación o justificación de algo, esp. del comportamiento de una persona: *Tendrás que dar cuenta de estos gastos.* **7** Cuidado, incumbencia o cargo que caen sobre alguien: *Ese asunto es cuenta tuya.* **8** Consideración o atención: *No le tomes en cuenta lo que dijo.* **9** Beneficio o provecho: *No me tiene cuenta comprar ahora el coche.* **10** Bola pequeña y perforada que se utiliza para hacer distintos objetos, esp. collares o rosarios. ‖ pl. **[11** Asuntos o negocios entre varias personas: *Tú y yo tenemos 'cuentas' pendientes.* **12** ‖**a cuenta**; como anticipo o señal de una suma que se ha de pagar. ‖**a cuenta de**; en compensación o a cambio de: *Se quedó con el piso a cuenta de lo que le debía.* ‖**caer en la cuenta**; *col.* Conocer o entender algo que no se comprendía o en lo que no se había reparado. ‖**[cuenta a la vista]**; la que permite al cliente una disponibilidad de fondos inmediata. ‖**[cuenta a plazo]**; la que no permite disponer de los fondos en un plazo de tiempo determinado. ‖**cuenta atrás**; **1** En astronáutica, lectura, en sentido inverso, de las unidades de tiempo que preceden al lanzamiento de un cohete. **2** Cuenta del tiempo, cada vez menor, que falta para un acontecimiento previsto. ‖**cuenta corriente**; la que permite a su titular hacer cargos en ella o disponer de manera inmediata de las cantidades depositadas. ‖**dar cuenta** de algo; *col.* Acabarlo o dar fin de ello, esp. si es destruyéndolo o malgastándolo. ‖**darse cuenta** de algo; *col.* Advertirlo o percatarse de ello. ‖**estar fuera de cuenta(s)** o **salir de cuenta(s)**; referido a una mujer embarazada, cumplir o haber cumplido ya el período de gestación. ‖**[habida cuenta de]** algo; teniéndolo en cuenta. ‖**la cuenta de la vieja**; *col.* La que se hace con los dedos o por otro procedimiento semejante. ‖**por cuenta de**; a costa de: *Estos gastos corren por cuenta de la empresa.* ‖**por mi cuenta**; a mi juicio o según mi parecer. □ SINT. Está muy extendida la omisión incorrecta de la preposición *de* en algunas expresiones: *se dio cuenta {*que > de que} estaba solo, caí en la cuenta {*que > de que} ya lo había visto antes*, etc.

cuentagotas s.m. **1** Utensilio formado generalmente por un tubo de cristal y un sistema de goma, que sirve para verter un líquido gota a gota. ✄ medicamento, medida **2** ‖**con cuentagotas**; *col.* Poco a poco, lentamente o con escasez. □ MORF. Invariable en número.

cuentahílos s.m. Especie de lupa, formada generalmente por tres piezas plegables, que se utiliza para ver los hilos de la trama de un tejido, el detalle de un dibujo u otra cosa semejante. ☐ MORF. Invariable en número.

cuentakilómetros s.m. En un vehículo, aparato que registra los kilómetros recorridos. ☐ MORF. Invariable en número.

cuentapasos s.m. Aparato que se usa para contar el número de pasos que da la persona que lo lleva y la distancia recorrida por ésta; podómetro. ☐ MORF. Invariable en número.

[cuentarrevoluciones s.m. Aparato que cuenta y registra las revoluciones de un motor. ☐ MORF. Invariable en número.

cuentero, ra adj./s. col. En zonas del español meridional, cuentista.

cuentista ▮ adj./s. **1** col. Que acostumbra a contar enredos, chismes o embustes, o que exagera la realidad. ▮ s. **2** Persona que suele narrar o escribir cuentos. ☐ MORF. 1. Como adjetivo es invariable en género. 2. Como sustantivo es de género común: *el cuentista, la cuentista.*

[cuentitis s.f. col. Enfermedad inventada para no hacer algo que debe hacerse. ☐ MORF. Invariable en número. ☐ USO Tiene un matiz humorístico.

cuento s.m. **1** Narración breve de sucesos ficticios, esp. la que va dirigida a los niños. **2** Embuste, engaño o relación de un suceso falso o inventado: *¡No me cuentes cuentos!* **3** Chisme o enredo. **4** ‖a cuento; a propósito de algo o en relación con ello: *Eso no viene a cuento y no hay por qué discutirlo ahora.* ‖**cuento chino**; embuste o invención. ‖ **[el cuento de la lechera**; proyecto ambicioso y optimista que se hace sin una base sólida. ‖**el cuento de nunca acabar**; col. Asunto o negocio que se complica y del que nunca se ve el fin. ☐ ETIMOL. Del latín *computus* (cálculo, cómputo).

cuerda s.f. Véase **cuerdo, da.**

cuerdo, da ▮ adj./s. **1** Que está en su sano juicio. **2** Que es prudente o que reflexiona antes de actuar. ▮ s.f. **3** Conjunto de hilos que, retorcidos, forman un solo cuerpo cilíndrico, largo, flexible y más o menos grueso. 〽 alpinismo, gimnasio **4** En un instrumento musical, hilo que produce los sonidos por vibración. **[5** En música, en una orquesta, conjunto de los instrumentos que se tocan frotando, pulsando y haciendo vibrar estos hilos: *La 'cuerda' de la orquesta acompañaba al piano.* 〽 cuerda **6** En algunos mecanismos, esp. en un reloj, muelle o resorte que se pone en funcionamiento. **7** En anatomía, tendón, nervio o ligamento del cuerpo del hombre o de los animales. **8** En geometría, línea recta que une dos puntos de un arco o porción de curva. 〽 círculo **9** ‖**[bajo cuerda**; de forma reservada o con medios ocultos. ‖ **[contra las cuerdas**; en una situación comprometida o sin escapatoria. ‖**cuerda floja**; cable o alambre con poca tensión sobre el que los acróbatas hacen sus ejercicios. ‖**cuerdas vocales**; membranas situadas en la laringe, capaces de tensarse, y que producen la voz al vibrar con el paso del aire. ‖**dar cuerda** a algo; **1** Tensar el muelle o resorte que hace funcionar un mecanismo: *El reloj está parado porque no le has dado cuerda.* **2** Alargarlo o hacer que dure. ‖**en la cuerda floja**; en una situación inestable, conflictiva o peligrosa. ☐ ETIMOL. Las acepciones 1 y 2, del latín *cordatus*, y éste de *cor* (corazón, ánimo). Las acepciones 3-9, del

latín *chorda* (cuerda de instrumento musical, soga, cordel).

cueriza s.f. col. En zonas del español meridional, paliza o zurra.

cuerno s.m. **1** En algunos animales, pieza ósea, generalmente puntiaguda y algo curva, que nace en la región frontal; asta. **2** En un rinoceronte, prolongación dura y puntiaguda que tiene sobre la mandíbula superior. **3** Lo que tiene la forma de estas prolongaciones. **4** Instrumento musical de viento, de forma curva y con un sonido grave semejante al de la trompeta; bocina. **5** Símbolo de la infidelidad sentimental de uno de los miembros de una pareja. **[6** En zonas del español meridional, cruasán. **7** ‖**cuerno de la abundancia**; vaso en forma de cuerno lleno y rebosante de flores y frutas; cornucopia. ‖ **[irse al cuerno un asunto**; col. Fracasar. ‖**mandar al cuerno** algo; col. Rechazarlo o desentenderse de ello. ‖**poner los cuernos** a alguien; serle infiel. ‖ **[romperse los cuernos**; col. Esforzarse en algo o trabajar mucho. ‖**saber a cuerno quemado**; col. Producir una impresión desagradable en el ánimo. ☐ ETIMOL. Del latín *cornu.* ☐ MORF. 1. Cuando se antepone a otra palabra para formar compuestos, adopta la forma *corni-.* 2. La acepción 5 se usa más en plural. ☐ USO En plural, se usa mucho en la lengua coloquial como interjección: *¡Cuernos, me he quemado!*

cuero s.m. **1** Pellejo que cubre la carne de los animales. **2** Este pellejo, curtido y preparado para su uso en la industria; piel. **3** Recipiente hecho de piel de cabra o de otro animal, y que sirve para contener líquidos, esp. vino o aceite; odre, pellejo. **[4** col. En zonas del español meridional, prostituta. **[5** col. En zonas del español meridional, mujer fea. **6** ‖**cuero cabelludo**; piel en la que nace el cabello. ‖**en cueros**; completamente desnudo; en porreta, en porretas. ☐ ETIMOL. Del latín *corium* (piel del hombre o de los animales). ☐ USO En la acepción 5, se usa como insulto.

cuerpo s.m. **1** Lo que tiene extensión limitada y ocupa un lugar en el espacio: *El aire es un cuerpo gaseoso.* **2** En una persona o en un animal, materia orgánica que constituye sus diferentes partes. **3** En una persona o en un animal, tronco o parte comprendida entre la cabeza y las extremidades. **4** Aspecto físico de una persona: *El culto al cuerpo es característico de la época actual.* **5** Cadáver de una persona. **6** En geometría, objeto de tres dimensiones. **7** Cada una de las partes unidas a otra principal y que pueden ser consideradas independientemente: *el cuerpo central de la fachada de un edificio.* **8** En un vestido, parte superior que cubre desde el cuello hasta la cintura. **9** En un texto, parte principal, prescindiendo de los índices y preliminares. **10** Conjunto de personas que forman una comunidad, una asociación, o que desempeñan una misma profesión. **11** Conjunto de informaciones, conocimientos, leyes o principios: *el cuerpo principal de una teoría.* **12** Grosor o espesor de algo, esp. de un tejido o de un papel. **13** Densidad o espesura de algo, esp. de un líquido. **14** En imprenta, tamaño del tipo de letra. **15** ‖**a cuerpo de rey**; con toda comodidad. ‖**a cuerpo**; sin ninguna prenda de abrigo exterior. ‖**cuerpo a cuerpo**; referido a un enfrentamiento, que se realiza mediante el contacto físico directo entre los adversarios. ‖**cuerpo compuesto**; en química, sus-

365

CUERDA (INSTRUMENTOS)

INSTRUMENTOS DE CUERDAS PUNTEADAS

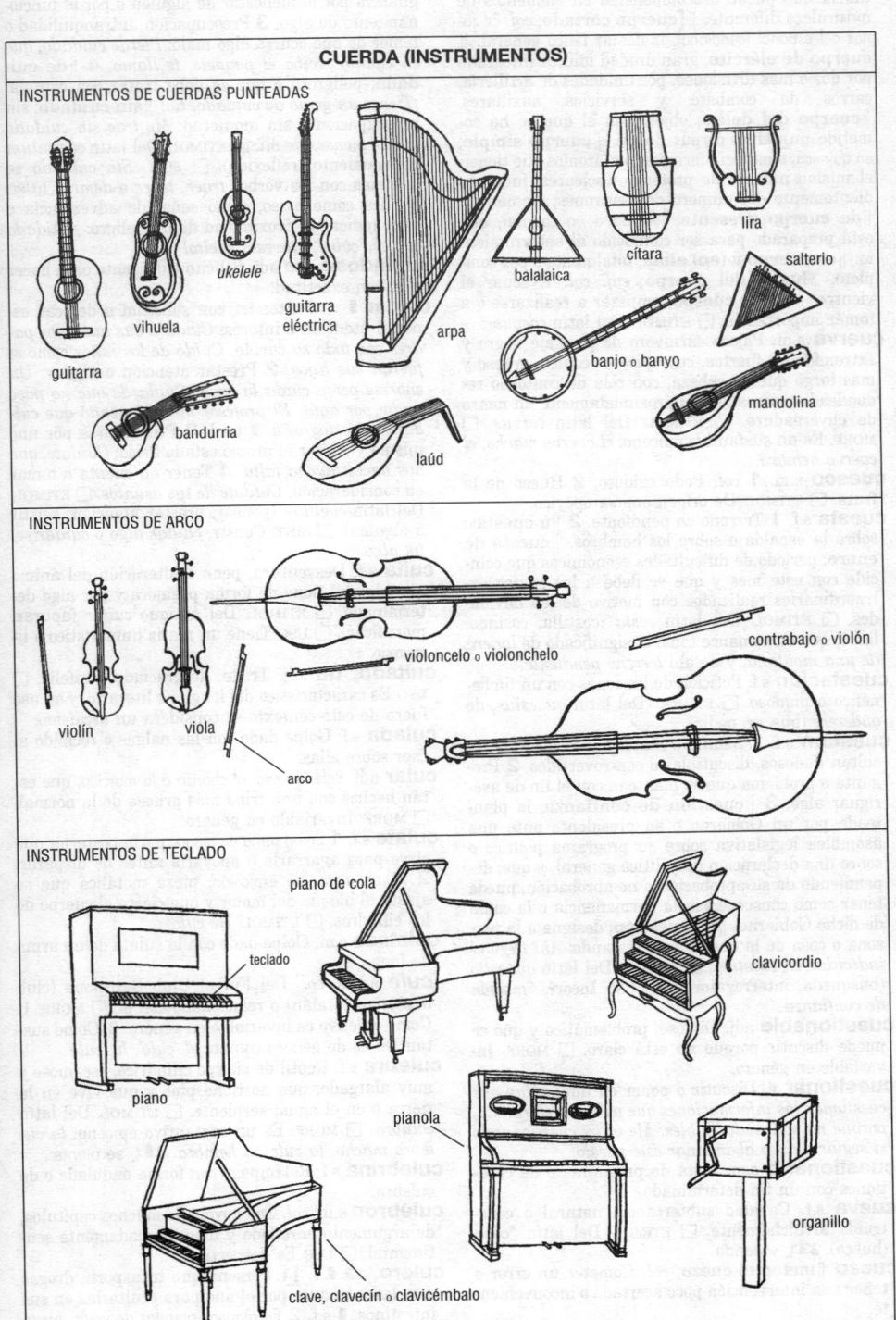

ukelele

guitarra
eléctrica

vihuela

guitarra

bandurria

laúd

lira

cítara

balalaica

salterio

arpa

banjo o banyo

mandolina

INSTRUMENTOS DE ARCO

violonchelo o violonchelo

contrabajo o violón

violín

viola

arco

INSTRUMENTOS DE TECLADO

piano de cola

teclado

piano

pianola

clavicordio

clave, clavecín o clavicémbalo

organillo

tancia que puede descomponerse en elementos de naturaleza diferente. ‖ **[cuerpo cortado**; *col.* En zonas del español meridional, malestar físico general. ‖ **cuerpo de ejército**; gran unidad militar integrada por dos o más divisiones, por unidades de artillería, carros de combate y servicios auxiliares. ‖ **cuerpo del delito**; objeto con el que se ha cometido un delito; corpus delicti. ‖ **cuerpo simple**; en química, sustancia formada por átomos que tienen el mismo número de protones nucleares, independientemente del número de neutrones; elemento. ‖ **de cuerpo presente**; referido a un cadáver, que está preparado para ser conducido al enterramiento. ‖ **en cuerpo y (en) alma**; totalmente o por completo. ‖ **hacer del cuerpo**; *euf. col.* Evacuar el vientre. ‖ **tomar cuerpo**; empezar a realizarse o a tomar importancia. □ ETIMOL. Del latín *corpus*.

cuervo s.m. Pájaro carnívoro de plumaje negro y extremidades fuertes, cuyo pico es cónico, grueso y más largo que su cabeza, con cola de contorno redondeado y con alas de aproximadamente un metro de envergadura. □ ETIMOL. Del latín *corvus*. □ MORF. Es un sustantivo epiceno: *el cuervo macho, el cuervo hembra*.

cuesco s.m. **1** *col.* Pedo ruidoso. **2** Hueso de la fruta. □ ETIMOL. De origen onomatopéyico.

cuesta s.f. **1** Terreno en pendiente. **2** ‖ **a cuestas**; sobre la espalda o sobre los hombros. ‖ **cuesta de enero**; período de dificultades económicas que coincide con este mes y que se debe a los gastos extraordinarios realizados con motivo de las navidades. □ ETIMOL. Del latín *costa* (costilla, costado, lado), que en romance tomó el significado de *ladera de una montaña*, y de ahí *terreno pendiente*.

cuestación s.f. Petición de limosnas con un fin benéfico o piadoso. □ ETIMOL. Del latín *quaestus*, de *quaerere* (buscar, pedir).

cuestión s.f. **1** Asunto o materia, esp. los que resultan dudosos, discutibles o controvertidos. **2** Pregunta o problema que se plantean con el fin de averiguar algo. **3** ‖ **cuestión de confianza**; la planteada por un Gobierno o su presidente ante una asamblea legislativa sobre su programa político o sobre una declaración de política general, y que, dependiendo de su aprobación o no aprobación, puede tener como consecuencia la permanencia o la caída de dicho Gobierno. ‖ **en cuestión**; designa a la persona o cosa de la que se está tratando: *Ahí llega el individuo en cuestión*. □ ETIMOL. Del latín *quaestio* (búsqueda, interrogatorio). □ USO Incorr. **moción de confianza*.

cuestionable adj. Dudoso, problemático y que se puede discutir porque no está claro. □ MORF. Invariable en género.

cuestionar v. Discutir o poner en duda: *Hay que cuestionar las informaciones que publica esa revista, porque no son nada fiables. Me estoy cuestionando si seguir aquí o abandonar este puesto.*

cuestionario s.m. Lista de preguntas o de cuestiones con un fin determinado.

cueva s.f. Cavidad subterránea, natural o construida artificialmente. □ ETIMOL. Del latín **cova* (hueca). 🔎 vivienda.

cuezo ‖ **meter el cuezo**; *col.* Cometer un error o tener una intervención poco acertada o inconveniente.

cuidado s.m. **1** Solicitud o especial atención. **2** Vi-

gilancia por el bienestar de alguien o por el funcionamiento de algo. **3** Preocupación, intranquilidad o temor de que ocurra algo malo: *Pierde cuidado, que en cuanto reciba el paquete, te llamo.* **4** ‖ **de cuidado**; peligroso o que se debe tratar con cautela: *¡Tienes un genio de cuidado, tío!* ‖ **sin cuidado**; sin preocupación o sin inquietud: *Me trae sin cuidado lo que pienses de mí.* □ ETIMOL. Del latín *cogitatum* (pensamiento, reflexión). □ SINT. *Sin cuidado* se usa más con los verbos *traer, tener* o *dejar*. □ USO Se usa como aviso, como señal de advertencia o para indicar la proximidad de un peligro: *¡Cuidado con ese cable, que está suelto!*

cuidadoso, sa adj. Solícito y diligente para hacer algo con exactitud.

cuidar ‖ v. **1** Atender con solicitud o dedicar especial atención e interés: *Cuida a sus ancianos padres con todo su cariño. Cuidó de los niños como si fueran sus hijos.* **2** Prestar atención o vigilar: *Un enorme perro cuida la casa. Cuida de que no pase nadie por aquí. El profesor me recomendó que cuidara mi ortografía.* ‖ prnl. **3** Preocuparse por uno mismo y vigilar el propio estado físico: *Cuídate, que nos haces mucha falta.* **4** Tener en cuenta o tomar en consideración: *Cuídate de tus asuntos.* □ ETIMOL. Del latín *cogitare* (pensar, prestar atención, asistir a alguien). □ SINT. Constr. *cuidar algo* o *cuidar(se) DE algo*.

cuita s.f. Desventura, pena o alteración del ánimo que alguien tiene de forma pasajera y por algo determinado. □ ETIMOL. Del antiguo *cuitar* (apurar, mortificar). □ USO Tiene un matiz humorístico o literario.

cuitado, da adj. Triste, desgraciado o infeliz. □ USO Es característico del lenguaje literario, y su uso fuera de este contexto se considera un arcaísmo.

culada s.f. Golpe dado con las nalgas o recibido al caer sobre ellas.

cular adj. Referido esp. al chorizo o a la morcilla, que están hechos con una tripa más gruesa de la normal. □ MORF. Invariable en género.

culata s.f. **1** En un arma de fuego, parte posterior que sirve para agarrarla o apoyarla antes de disparar. **2** En un motor de explosión, pieza metálica que se ajusta al bloque del motor y que cierra el cuerpo de los cilindros. □ ETIMOL. De *culo*.

culatazo s.m. Golpe dado con la culata de un arma de fuego.

[culé adj./s. *col.* Del Fútbol Club Barcelona (club deportivo catalán) o relacionado con él. □ MORF. 1. Como adjetivo es invariable en género. 2. Como sustantivo es de género común: *el 'culé', la 'culé'.*

culebra s.f. Reptil de cuerpo cilíndrico, escamoso y muy alargado, que no tiene pies y que vive en la tierra o en el agua; serpiente. □ ETIMOL. Del latín *colubra*. □ MORF. Es un sustantivo epiceno: *la culebra macho, la culebra hembra*. 🔎 serpiente.

culebrina s.f. Relámpago con forma ondulada o de culebra.

culebrón s.m. *col.* Telenovela de muchos capítulos, de argumento enredado y tono excesivamente sentimental. □ USO Es despectivo.

culero, ra ‖ s. **[1** Persona que transporta drogas y se las introduce por el ano para ocultarlas en sus intestinos. ‖ s.f. **2** En algunas prendas de vestir, pieza que cubre el culo como remiendo o como adorno. **3**

En algunas prendas de vestir, mancha o desgaste en la parte que cubre el culo.

culinario, ria adj. De la cocina o relacionado con el arte de cocinar. □ ETIMOL. Del latín *culinarius*, de *culina* (cocina).

[culmen s.m. Punto más alto de algo. □ ETIMOL. Del latín *culmen* (cumbre).

culminación s.f. **1** Llegada de algo a su punto más alto. **2** Fin o terminación de una actividad.

culminante adj. Que culmina. □ MORF. Invariable en género.

culminar v. **1** Llegar al punto más alto: *Mi enfado culminó cuando me llamó mentiroso.* **2** Referido a una actividad, darle fin o terminarla: *Culminó el curso con sobresaliente. Las conversaciones culminaron y se firmó el convenio.* □ ETIMOL. Del latín *culminare* (levantar, elevar).

culo s.m. **1** Nalgas o parte carnosa que rodea el ano. **2** *col.* Ano. **3** Extremo inferior o posterior de algo: *Se rompió el culo del vaso.* **4** *col.* Escasa porción de líquido que queda en el fondo de un vaso: *¿Por qué nunca te terminas la leche, y siempre dejas un culo?* **5** ‖ **[con el culo al aire**; *col.* En situación difícil o comprometida. ‖ **culo de mal asiento**; *col.* Persona inquieta que no permanece mucho tiempo en un lugar o en una actividad. ‖ **[dar por el culo**; *vulg.malson.* →**sodomizar.** □ ETIMOL. Del latín *culus*. □ MORF. **1.** Cuando se antepone a otra palabra para formar compuestos, adopta la forma *culi-*: *culibajo.* **2.** En la acepción 4 se usa mucho el diminutivo *culín*.

culombio s.m. En el Sistema Internacional, unidad de carga eléctrica equivalente a la cantidad de electricidad transportada en un segundo por una corriente de un amperio; coulomb.

culón, -a adj. *col.* Que tiene mucho culo.

[culotte (galicismo) s.m. Pantalón corto que llega hasta la rodilla y está muy ceñido a las piernas. □ PRON. [culót].

culpa s.f. **1** Falta voluntaria o involuntaria: *Sus culpas no lo dejan dormir tranquilo.* **2** Responsabilidad que ocasiona esta falta: *Tú tienes la culpa de que todo haya salido mal.* **3** Causa de un daño o de un perjuicio. □ ETIMOL. Del latín *culpa*.

culpabilidad s.f. Responsabilidad del que tiene una culpa o del que ha cometido un delito.

culpabilísimo, ma superlat. irreg. de **culpable**. □ MORF. Incorr. *culpablísimo*.

[culpabilizar v. →**culpar.** □ MORF. La z se cambia en c delante de e →CAZAR.

culpable adj./s. **1** Que tiene culpa o que se le atribuye. **2** Responsable de un delito. □ MORF. **1.** Como adjetivo es invariable en género. **2.** Como sustantivo es de género común: *el culpable, la culpable.* **3.** Su superlativo es *culpabilísimo*.

culpar v. Atribuir la culpa: *No me culpes a mí de lo que sólo era responsabilidad tuya. Se culpa de no haber hecho todo lo posible.* □ ETIMOL. Del latín *culpare*. □ SINT. Constr. *culpar DE algo*. □ USO Aunque la RAE sólo registra *culpar*, se usa mucho *culpabilizar*.

culposo, sa adj. Referido a un acto, que ha sido imprudente o negligente y que origina responsabilidades. □ ETIMOL. De *culpa*.

culteranismo s.m. Estilo literario propio del barroco español, y caracterizado, entre otros rasgos, por un lenguaje de difícil comprensión, cargado de cultismos y palabras eruditas, metáforas abundantes y enrevesadas y una sintaxis muy compleja.

culterano, na ▌ adj. **1** Del culteranismo o relacionado con este estilo literario. ▌ adj./s. **2** Referido a un escritor, que practica o sigue este estilo.

cultismo s.m. Palabra, significado o expresión de una lengua clásica en una lengua moderna, esp. referido a la palabra que ha penetrado por la vía culta y no ha tenido transformaciones fonéticas.

cultivable adj. Que se puede cultivar. □ MORF. Invariable en género.

cultivado, da adj. Referido a una persona, que tiene cultura y que es refinada.

cultivar v. **1** Referido a la tierra o a las plantas, trabajarlas o darles lo necesario para que produzcan sus frutos: *Ese agricultor cultiva la tierra desde niño. En el invernadero cultivo plantas de interior.* **2** Referido a un microorganismo, sembrarlo y hacer que se desarrolle en los medios adecuados: *Ese biólogo cultiva bacterias patógenas y estudia su comportamiento.* **3** Referido a un ser vivo, criarlo y explotarlo con fines industriales, económicos o científicos: *Cultiva ostras en un vivero.* **4** Referido esp. a un sentimiento o a una relación, hacer lo necesario para mantenerlos y desarrollarlos: *Si no cultivas su amistad, la perderás.* **5** Referido a una capacidad, ejercitarla para que se perfeccione: *Cultiva su inteligencia mediante la lectura y el estudio.* **6** Referido esp. a un arte o a una ciencia, practicarlos o dedicarse a su ejercicio: *Cultiva la poesía desde la juventud.* □ ETIMOL. Del latín *cultivare*.

cultivo s.m. **1** Trabajo y cuidado de la tierra o de las plantas para que produzcan fruto. **2** Preparación de un microorganismo para que se desarrolle en los medios adecuados: *cultivo de bacterias.* **3** Cría y explotación de algunos animales, esp. si es con fines industriales, económicos o científicos. **4** Fomento, mantenimiento y desarrollo de un sentimiento, de una relación o de una capacidad. **5** Dedicación a un arte o a una ciencia, ejercitándolos y practicándolos. □ ETIMOL. De *culto* (cultivado, sembrado).

culto, ta ▌ adj. **1** Con las características que provienen de la cultura o de la sólida formación intelectual. ▌ s.m. **2** Homenaje externo de veneración y respeto que se rinde a lo que se considera divino o sagrado. **3** Conjunto de ritos o ceremonias litúrgicas con los que se expresa este homenaje. **4** Admiración afectuosa e intensa. □ ETIMOL. Del latín *cultus* (cultivado).

cultura s.f. **1** Resultado de cultivar los conocimientos humanos mediante el ejercicio de las facultades intelectuales. **2** Conjunto de conocimientos y modos de vida y costumbres que se dan en un pueblo o en una época. **[3** Conjunto de valores y comportamientos que comparten los integrantes de una agrupación. □ ETIMOL. Del latín *cultura*, y éste de *colere* (cultivar).

cultural adj. De la cultura o relacionado con ella. □ MORF. Invariable en género.

culturismo s.m. Práctica sistemática de ejercicios gimnásticos y de pesas que, combinados con un determinado régimen alimenticio, desarrollan los músculos del cuerpo humano; fisioculturismo.

culturista s. Persona que practica el culturismo. □ MORF. Es de género común: *el culturista, la culturista.*

culturización s.f. Transmisión de la propia cultura.

culturizar v. Dar o llevar la propia cultura: *Los misioneros culturizaron a la población indígena.* ☐ ORTOGR. La *z* se cambia en *c* delante de *e* →CAZAR.

[cum laude (latinismo) ||Calificación máxima en las calificaciones académicas de los títulos universitarios.

cumbia o **cumbiamba** s.f. [**1** Música de origen colombiano, de ritmo rápido y compás de dos por cuatro. **2** Baile popular que se ejecuta al compás de esta música y en el que los participantes suelen llevar una vela encendida en la mano.

cumbre s.f. **1** En una elevación del terreno, cima o parte más alta. ⊠⊸ montaña **2** Punto más alto, o último grado al que se puede llegar; cúspide. **3** Reunión de personalidades de amplio poder y autoridad para tratar asuntos de especial importancia. ☐ ETIMOL. Del latín *culmen* (caballete del tejado, cima).

cumpleaños s.m. Aniversario del nacimiento de una persona. ☐ MORF. Invariable en número.

cumplido, da ❚ adj. **1** Referido a una persona, que cumple de forma meticulosa las normas de cortesía. ❚ s.m. **2** Muestra de cortesía o de amabilidad.

cumplidor, -a adj./s. Que cumple siempre lo que promete o que hace lo que debe hacer.

cumplimentar v. **1** Referido esp. a una autoridad, saludarla o visitarla con motivo de algún acontecimiento y dando las muestras de respeto oportunas. **2** Referido al despacho o la orden de un superior, llevarla a cabo o ponerla en ejecución. [**3** Referido a un impreso, rellenarlo.

cumplimiento s.m. **1** Realización de lo que es un deber o de lo que se considera una obligación: *El desconocimiento de la ley no exime de su cumplimiento.* **2** Terminación o finalización de un plazo o de un período de tiempo: *Si esperas al cumplimiento del plazo, lo tendrás que pagar con recargo.*

cumplir ❚ v. **1** Hacer lo que se debe: *Aquí, o cumplimos todos, o dimito.* **2** Referido a una obligación, llevarla a cabo o ejecutarla: *Espero que cumpla su promesa. Las leyes se deben cumplir.* **3** Seguir las normas de cortesía establecidas para quedar bien: *Te lo digo de corazón y no por cumplir.* **4** Referido a una edad, llegar a tenerla: *Cumple veinte años el próximo abril.* **5** Referido a un plazo o a un período de tiempo, terminar o llegar a su fin: *Empezó a trabajar cuando cumplió el servicio militar. Se cumplió el plazo y ya no hay posibilidad de vuelta atrás.* [**6** *col.* Corresponder con la pareja en lo que se considera el deber sexual: *Tienen problemas matrimoniales porque su marido no 'cumple'.* ❚ prnl. **7** Realizarse o hacerse realidad: *Todos los deseos que pedí se cumplieron.* ☐ ETIMOL. Del latín *complere* (llenar, completar).

cúmulo s.m. **1** Conjunto de cosas reunidas o agrupadas. **2** Nube blanca, de aspecto algodonoso, con base plana y forma de cúpula redondeada. ⊠⊸ nube ☐ ETIMOL. Del latín *cumulus* (amontonamiento, exceso, colmo).

cuna s.f. **1** Cama para bebés o para niños muy pequeños, que generalmente tiene barandillas laterales. **2** Patria o lugar de nacimiento de una persona. **3** Estirpe, familia o linaje. ☐ ETIMOL. Del latín *cuna.*

cundir v. **1** Extenderse o propagarse: *El miedo cun-*

dió entre los pasajeros. **2** Dar mucho de sí: *Este detergente cunde mucho.* ☐ ETIMOL. De origen incierto.

cuneiforme ❚ adj. **1** Con forma de cuña, esp. referido a los caracteres de un tipo de escritura usada por antiguos pueblos asiáticos. ❚ s.m. **2** →**hueso cuneiforme.** ☐ ETIMOL. Del latín *cuneus* (cuña) y *-forme* (con forma). ☐ MORF. Como adjetivo es invariable en género.

cuneta s.f. Zanja existente a los lados de un camino para recoger las aguas de la lluvia. ☐ ETIMOL. Del italiano *cunetta* (zanja en los fosos de las fortificaciones, charco de aguas).

cuña s.f. **1** Pieza de madera o de metal, terminada por uno de sus extremos en un ángulo agudo, y que se introduce entre dos elementos o en una ranura. **2** Especie de orinal de poca altura que tiene la forma adecuada para ser usado por los enfermos que están en cama. **3** En meteorología, formación de determinadas presiones que penetran en zonas de presión distinta causando cambios atmosféricos. **4** Noticia breve que se imprime para ajustar mejor la página de un periódico. **5** En radio y televisión, espacio breve para la publicidad. [**6** *col.* En zonas del español meridional, enchufe o recomendación. ☐ ETIMOL. De *cuño.*

cuñado, da s. **1** Respecto de una persona, hermano o hermana de su cónyuge. [**2** Respecto de una persona, cónyuge de su hermano o hermana. ☐ ETIMOL. Del latín *cognatus* (pariente consanguíneo).

cuño s.m. **1** Troquel o molde con el que se sellan las monedas, las medallas y otras cosas semejantes. **2** ||de nuevo cuño; [de reciente aparición. ☐ ETIMOL. Del latín *cuneus* (cuña).

cuota s.f. **1** Cantidad de dinero que debe pagar cada contribuyente. **2** Parte o porción fija y proporcional de algo. ☐ ETIMOL. Del latín *quota pars* (cuánta parte).

cupé s.m. **1** Antiguo coche de caballos, cerrado, con cuatro ruedas y con dos o cuatro asientos; berlina. ⊠⊸ carruaje [**2** →**coupé.** ☐ ETIMOL. Del francés *coupé* (cortado). ☐ SINT. En la acepción 2 se usa más en aposición, pospuesto a un sustantivo.

cupido s.m. Representación pictórica o escultórica del amor que consiste en un niño desnudo y alado, con los ojos vendados, y que lleva flechas, arco y carcaj. ☐ ETIMOL. Por alusión a Cupido, dios del amor en la mitología romana.

cuplé s.m. Canción corta y ligera, generalmente de texto picaresco, que suele cantarse en teatros y otras salas de espectáculos. ☐ ETIMOL. Del francés *couplet* (copla).

[cupletista s.f. Artista que canta cuplés.

cupo s.m. **1** Parte proporcional de algo, que corresponde a una persona o a una comunidad. **2** Número de reclutas que cada localidad o provincia debe aportar al contingente anual de las fuerzas armadas, o número de reclutas que entran en filas. ☐ ETIMOL. Del pretérito de *caber* (lo que tocó a cada uno).

cupón s.m. Parte que se corta de un objeto, de un documento o de un conjunto de elementos iguales, y a la que se le asigna un valor o un uso determinado. ☐ ETIMOL. Del francés *coupon* (recorte, retazo).

[cuponazo s.m. *col.* Premio extraordinario de la lotería de la Organización Nacional de Ciegos.

cúpula s.f. **1** En arquitectura, bóveda en forma de media esfera, que cubre un edificio o parte de él. **2** Conjunto de los máximos dirigentes de un partido, administración, organismo o empresa. □ ETIMOL. Del italiano *cupola*. □ SEM. En la acepción 1, dist. de *bóveda* (estructura arqueada).

cuquería s.f. **1** Lo que resulta delicado, gracioso o bonito. **2** Picardía o astucia.

cura ▌ s.m. **1** *col*. Sacerdote católico. ▌ s.f. **2** Aplicación de los remedios necesarios para que desaparezca una enfermedad o una lesión. **3** Método curativo o tratamiento para recuperar la salud. □ ETIMOL. Del latín *cura* (cuidado, solicitud), porque se aplicó al sacerdote que tenía a su cargo el cuidado espiritual de los feligreses. □ SEM. En la acepción 2, es sinónimo de *curación*.

curación s.f. **1** Recuperación de la salud. **2** Aplicación de los remedios necesarios para que desaparezca una enfermedad o una lesión. **3** Preparación de algo para que se conserve durante mucho tiempo, esp. referido a la carne o al pescado; curado. □ SEM. En la acepción 2, es sinónimo de *cura*.

curado s.m. [Preparación de algo para que se conserve durante mucho tiempo, esp. referido a la carne o al pescado; curación.

curandero, ra s. Persona que, sin ser médico, ejerce prácticas curativas, esp. si utiliza procedimientos naturales o mágicos.

curar v. **1** Recuperar la salud: *El niño curó pronto porque estaba muy fuerte. Ya me he curado del catarro.* **2** Referido a una persona o a un animal enfermos, aplicarles los tratamientos correspondientes a su enfermedad: *La veterinaria curó al perro.* **3** Referido a una enfermedad o a una lesión, aplicarles los tratamientos necesarios para que desaparezcan: *Me curaron la herida en el ambulatorio. Guardó cama para curarse la gripe.* **4** Referido a un mal espiritual o a un defecto, sanarlos o corregirlos: *Tardó algún tiempo en curarse de aquel mal de amores.* **5** Referido a la carne o al pescado, prepararlos para que se conserven durante mucho tiempo: *Los jamones se curan gracias a la sal y al humo de la chimenea.* **6** Referido a una piel, curtirla y prepararla para usos industriales: *Estas pieles están curadas con productos químicos.* □ ETIMOL. Del latín *curare* (cuidar).

curasao s.m. Licor fabricado con corteza de naranja y otros ingredientes. □ ETIMOL. De *curazao*, y éste de *Curazao* (isla de las Antillas).

curativo, va adj. Que sirve para curar.

curcuncho s.m. En zonas del español meridional, jorobado.

curda s.f. Véase **curdo, da**.

curdo, da ▌ adj./s. **1** →**kurdo**. ▌ s.f. **2** *col*. Borrachera. □ ETIMOL. La acepción 2, de *turca* (borrachera), y éste de *turco* (vino puro), porque no estaba mezclado con agua, es decir, no estaba *bautizado*.

curia s.f. **1** Conjunto de abogados, escribanos, procuradores y empleados de la administración de justicia. **2** ‖ [**curia diocesana**; conjunto de personas que ayudan al obispo en la administración de la diócesis. ‖ **curia** {**pontificia/romana**}; conjunto de las congregaciones y tribunales que existen en la corte del Papa para el gobierno de la iglesia católica. □ ETIMOL. Del latín *curia* (local del senado y de otras asambleas).

curio s.m. Elemento químico, metálico y artificial, de número atómico 96, radiactivo y que se obtiene bombardeando el plutonio con partículas alfa. □

ETIMOL. Por alusión al matrimonio Curie, químicos franceses que lo descubrieron. □ ORTOGR. Su símbolo químico es *Cm*.

curiosear v. **1** Indagar o investigar por costumbre, y con disimulo o maña; fisgonear: *Tiene la mala costumbre de curiosear lo que la gente tiene en sus casas.* [**2** Mirar sin mucho interés o de manera superficial: *En realidad no pienso comprar nada, sólo estoy 'curioseando'.*

curiosidad s.f. **1** Deseo de saber o de conocer. **2** Interés de una persona por saber o por averiguar lo que no debiera importarle. **3** Cosa curiosa, rara o interesante.

curioso, sa ▌ adj. **1** Que excita la curiosidad, esp. por su rareza o interés. **2** Limpio o aseado. ▌ adj./s. **3** Que tiene curiosidad o interés por lo que no debiera importarle. □ ETIMOL. Del latín *curiosus* (cuidadoso).

[**curita** s.f. En zonas del español meridional, tirita. □ ETIMOL. Extensión del nombre de una marca comercial.

[**currante, ta** s. *col*. Trabajador.

currar v. *col*. Trabajar: *Este sábado me toca currar.*

[**curre** s.m. *col*. Trabajo.

[**currela** s. *col*. →**currelante**. □ MORF. Es de género común: *el 'currela', la 'currela'*.

[**currelante, ta** s. *col*. Trabajador. □ USO Se usa mucho la forma abreviada *currela*.

[**currelar** v. *col*. Trabajar: *Tengo ganas de que me toque la lotería para dejar de 'currelar'.*

[**currele** o [**currelo** s.m. *col*. Trabajo. □ MORF. Se usa también la forma *curre*.

curricán s.m. Aparejo de pesca de un solo anzuelo que suele soltarse por la popa del barco cuando navega. □ ETIMOL. Del portugués *corrico* (cazar levantando a la presa mediante perros).

curricular adj. Del currículo o relacionado con él. □ MORF. Invariable en género.

currículo s.m. **1** Plan de estudios. **2** Conjunto de estudios y prácticas destinadas a que el alumno desarrolle plenamente sus posibilidades. **3** →**currículum vitae**. □ ETIMOL. Del latín *curriculum*, de *currere* (correr). □ MORF. Su plural es *currículos*, aunque se usa mucho el plural latino *los currícula*.

currículum vitae ‖ Relación de datos biográficos, académicos y profesionales de una persona; currículo. □ ETIMOL. Del latín *curriculum vitae* (carrera de la vida). □ MORF. 1. Su plural latino es *currícula vitae*. 2. Se usa mucho como invariable en número: *los currículum vitae*. □ USO Se usa mucho la expresión abreviada *currículum*.

[**currito, ta** ▌ s. **1** *col*. Trabajador, esp. el que está a las órdenes de un jefe. ▌ s.m. **2** Golpe dado con los nudillos en la cabeza de alguien.

curro s.m. *col*. Trabajo.

currusco s.m. Parte del pan que corresponde a los extremos o al borde; cuscurro, coscurro. □ ORTOGR. Se admite también *corrusco*. 🐾 pan

[**curry** (anglicismo) s.m. Condimento procedente de la India (país asiático) preparado con distintas especias, esp. jengibre, clavo y azafrán, y que se utiliza en la elaboración de algunos platos.

cursar v. **1** Referido a una materia o a un curso, seguirlos en un centro de enseñanza: *Cursó estudios de filosofía en la universidad.* **2** Referido esp. a un documento o a una orden, darles curso o tramitarlos: *Tienes que cursar la solicitud de la beca.* □ ETIMOL.

Del latín *cursare* (correr, andar con frecuencia). □
SEM. No debe emplearse con el significado de 'correr', 'regir': *El plazo vence el diez del mes que {*cursa > corriente/en curso}*.
cursi adj./s. *col.* Que pretende ser elegante y refinado sin serlo. □ ETIMOL. De origen incierto. □
MORF. 1. Como adjetivo es invariable en género. 2.
Como sustantivo es de género común: *el cursi, la cursi*. 3. Su superlativo es *cursilísimo*.
cursilada s.f. Hecho propio de una persona cursi.
cursilería s.f. 1 Propiedad de lo que es cursi. 2 Lo que es cursi.
cursilísimo, ma superlat. irreg. de **cursi**. □
MORF. Incorr. **cursísimo*.
cursillista s. Persona que interviene en un cursillo. □ MORF. Es de género común: *el cursillista, la cursillista*.
cursillo s.m. Curso de poca duración.
cursiva s.f. →**letra cursiva**.
curso s.m. 1 Paso, marcha o evolución de algo. 2 Movimiento de un líquido, esp. del agua, que se traslada en masa continua por un cauce. 3 Dirección o recorrido de un astro. 4 Tiempo del año señalado para que los alumnos asistan a clase. 5 División o parte en que se divide un ciclo de enseñanza. 6 Conjunto de alumnos que forman cada una de estas divisiones. 7 Conjunto de enseñanzas sobre una materia. 8 Circulación o difusión entre la gente: *Estas monedas son de curso legal*. □ ETIMOL. Del latín *cursus* (carrera).
cursor s.m. Pieza pequeña o marca que se mueve y que sirve de indicador: *El cursor de la pantalla del ordenador es una marca luminosa*. □ ETIMOL. Del latín *cursor* (corredor).
curtido s.m. Preparación de una piel para su uso posterior.
curtidor, -a s. Persona que se dedica profesionalmente al curtido de las pieles.
curtir v. 1 *Referido a una piel*, prepararla para su uso posterior: *Para curtir las pieles se suelen utilizar sustancias vegetales*. 2 *Referido a la piel de una persona*, tostarla o endurecerla el sol o el aire: *El sol y el aire curten la piel*. 3 *Referido a una persona*, acostumbrarla a la vida dura y a las adversidades: *Las desgracias lo han curtido. Se curtió a fuerza de desengaños*. □ ETIMOL. De origen incierto.
curva s.f. Véase **curvo, va**.
curvado, da adj. Con forma de curva.
curvar v. Doblar dando forma curva; encorvar: *Para curvar el hierro hay que fundirlo. La puerta se ha curvado con la humedad*.
curvatura s.f. Desviación continua respecto de la dirección recta. □ ETIMOL. Del latín *curvatura*.
curvilíneo, a adj. Con curvas. □ ETIMOL. Del latín *curvilineus*.
curvo, va ▌adj. 1 Que se aparta continuamente de la línea recta sin formar ángulos. ▌s.f. 2 Línea cuyos puntos se apartan gradualmente de la línea recta sin formar ángulos: *La circunferencia es una curva cerrada*. 🔁 línea 3 Lo que tiene esta forma, esp. referido al tramo de una carretera o de otra vía terrestre de comunicación: *El coche se salió en una curva*. 4 Representación gráfica de un fenómeno por medio de una línea que unos puntos que representan

valores de una variable. ▌pl. [5 *col.* Formas del cuerpo femenino. □ ETIMOL. La acepción 1, del latín *curvus* (curvo). Las acepciones 2-5, del latín *curva*.
cuscurro s.m. Parte del pan que corresponde a los extremos o al borde; corrusco, currusco. □ ORTOGR. Se admite también *coscurro*. 🔁 pan
cuscús s.m. Plato de origen árabe que se compone de sémola de trigo o una especie de bolitas hechas con harina, cocidas al baño maría y guisadas con carne, pollo o verduras; alcuzcuz, cuzcuz. □ USO Aunque la RAE prefiere *alcuzcuz*, se usa más *cuscús*.
cúspide s.f. 1 En una elevación del terreno, parte más alta, esp. si es puntiaguda. 2 Remate superior de algo, que tiende a formar punta. 3 Punto más alto, o último grado al que se puede llegar; cumbre. 4 En geometría, punto en el que concurren los vértices de todos los triángulos que forman las caras de una pirámide, o de las generatrices del cono. □ ETIMOL. Del latín *cuspis* (punta, objeto puntiagudo).
[cusqui ‖ **hacer la cusqui**; *col.* Molestar, fastidiar o perjudicar.
custodia s.f. 1 Guardia o protección atenta y vigilante. 2 Pieza en que se expone el Santísimo Sacramento para la adoración de los fieles. 3 Templete o trono de grandes dimensiones y generalmente de plata con que se coloca esta pieza cuando se saca en una procesión. □ ETIMOL. Del latín *custodia* (guardia, conservación, prisión).
custodiar v. Guardar o cuidar con atención y vigilancia: *Varios guardias custodian a la testigo para evitar un posible atentado*. □ ORTOGR. La *i* nunca lleva tilde.
custodio adj./s.m. Que custodia: *ángel custodio*.
cutáneo, a adj. De la piel o relacionado con ella.
cutícula s.f. 1 Capa fina y delicada que recubre muchos tejidos u órganos que están en contacto con el exterior, esp. la que rodea la parte inferior de la uña. 🔁 mano 2 Capa más externa de la piel; epidermis. □ ETIMOL. Del latín *cutícula*, y éste de *cutis* (piel). □ SEM. En la acepción 1, aunque la RAE lo considera sinónimo de *película*, en la lengua actual no se usa como tal.
cutis s.m. Piel que cubre el cuerpo humano, esp. la cara. □ ETIMOL. Del latín *cutis* (piel, pellejo). □ MORF. Invariable en número.
cutre ▌adj. 1 Descuidado, sucio o de baja calidad. ▌adj./s. 2 Tacaño o miserable. □ MORF. 1. Como adjetivo es invariable en género. 2. Como sustantivo es de género común: *el cutre, la cutre*.
[cutrería o **cutrez** s.f. 1 Descuido, suciedad o baja calidad. 2 Tacañería o mezquindad.
[cutter (anglicismo) s.m. Utensilio que sirve para cortar y que está formado por una cuchilla recambiable que se puede recoger dentro de un mango de plástico. □ PRON. [cúter].
cuyo, ya relat. Designa una relación de posesión: *Mi coche, cuyo motor es diesel, utiliza gasóleo*. □ ETIMOL. Del latín *cuius, cuya, cuyum*. □ MORF. Es incorrecto el uso del relativo *que* seguido de un posesivo en sustitución de *cuyo: Vine con un chico {*que su > cuya} madre es vecina tuya*. □ SEM. No debe emplearse en las expresiones: {*en cuyo caso > en tal caso}, {*a cuyo fin > a tal fin}, {*con cuyo objeto > con tal objeto}.
cuzcuz s.m. →**cuscús**.

D d

s.f. Cuarta letra del abecedario. □ PRON. 1. Representa el sonido consonántico dental sonoro. 2. Aunque en posición final de sílaba la pronunciación correcta es [d], en la lengua coloquial está muy extendida su pronunciación como [t] o [z]: *virtud* [virtút], *Madrid* [Madríz]. 3. En posición intervocálica, no es normativa su desaparición, aunque está muy extendida en la lengua coloquial, esp. en la terminación *-ado*: *aprobado* [aprobáo], *perdido* [perdío].

dabuten o [**dabuti** ▌ adj. 1 *col.* Extraordinario o muy bueno. ▌ adv. 2 *col.* Muy bien. □ MORF. Como adjetivos son invariables en género y en número. □ USO Aunque la RAE sólo registra *de buten*, se usa más *dabuten* o *dabuti*.

dacha (del ruso) s.f. En algunos países del este europeo, casa de campo y de recreo, de propiedad privada.

dactilar adj. De los dedos o relacionado con ellos; digital. □ MORF. Invariable en género.

dáctilo s.m. 1 En métrica grecolatina, pie formado por una sílaba larga seguida de otras dos breves. 2 En métrica española, pie formado por una sílaba tónica seguida de dos átonas. □ ETIMOL. Del latín *dactylus*, y éste de *dáktylos* (dedo), por comparación con el tamaño de las tres falanges que componen los dedos.

dadá ▌ adj. 1 →dadaísta. ▌ s.m. 2 →dadaísmo. □ MORF. Como adjetivo es invariable en género.

dadaísmo s.m. Movimiento artístico y literario vanguardista que surgió en el continente europeo durante la Primera Guerra Mundial, que rechaza todo lo establecido y defiende la espontaneidad absoluta y lo no racional en el arte. □ ETIMOL. Del francés *dadaísme*. □ MORF. Se usa mucho la forma abreviada *dadá*.

dadaísta ▌ adj. 1 Del dadaísmo o con rasgos propios de este movimiento artístico. ▌ adj./s. 2 Que defiende o sigue este movimiento. □ MORF. 1. Como adjetivo es invariable en género. 2. Como sustantivo es de género común: *el dadaísta*, *la dadaísta*. 3. Como adjetivo se usa mucho la forma abreviada *dadá*.

dádiva s.f. Lo que se da como regalo o se concede como una gracia. □ ETIMOL. Del latín *dativa*, plural de *dativum* (donativo).

dadivosidad s.f. Generosidad o inclinación a hacer dádivas o regalos desinteresadamente.

dadivoso, sa adj. Inclinado a hacer dádivas o a regalar desinteresadamente.

dado s.m. 1 Pieza de forma cúbica en cuyas caras hay un número de puntos o una figura, y que se utiliza en algunos juegos de azar. 2 Lo que tiene forma cúbica. 3 ‖ **dado que**; enlace gramatical subordinante con valor causal: *No te preocupes por eso, dado que no tiene solución*. □ ETIMOL. Las acepciones 1 y 2, de origen incierto. La acepción 3, de *dar*.

daga s.f. Arma blanca de hoja ancha y corta, generalmente provista de una guarnición para proteger la mano. □ ETIMOL. De origen incierto. ✕ arma

daguerrotipia s.f. →daguerrotipo.

daguerrotipo s.m. 1 Técnica fotográfica en la que las imágenes tomadas por la cámara oscura se reproducen y se fijan sobre una plancha metálica; daguerrotipia. 2 Reproducción fotográfica obtenida con este aparato. □ ETIMOL. Por alusión al francés Daguerre, su inventor. □ USO Aunque la RAE prefiere *daguerrotipia*, se usa más *daguerrotipo*.

[daguestano, na adj./s. De Daguestán (república autónoma rusa), o relacionado con ésta.

daiquiri s.m. Cóctel elaborado con ron, zumo de limón y azúcar (de Daiquiri, lugar de Cuba donde se produce ron).

dalai-lama s.m. En el budismo, nombre que recibe el sumo sacerdote, que es a la vez dirigente espiritual y jefe de Estado en el Tíbet (región autónoma del sudoeste chino). □ ETIMOL. Del mongol *dalai* (océano) y el tibetano *lama* (sacerdote).

dalia s.f. 1 Planta herbácea, con hojas de color verde oscuro y flores grandes y de colores vistosos. 2 Flor de esta planta. □ ETIMOL. Por alusión al botánico sueco Dahl, que la introdujo en Europa.

dalle s.m. Guadaña o herramienta para segar a ras de tierra. □ ETIMOL. Del provenzal y catalán *dall*.

dálmata ▌ adj./s. 1 De Dalmacia (región europea situada entre la costa adriática y el sistema balcánico), o relacionado con ella. 2 Referido a un perro, de la raza que se caracteriza por tener el pelaje corto, de color blanco y con manchas negras u oscuras. ✕ perro 3 Antigua lengua románica de la región de Dalmacia. □ MORF. 1. Como adjetivo es invariable en género. 2. Como sustantivo es de género común: *el dálmata*, *la dálmata*. □ SEM. En las acepciones 1 y 3, es sinónimo de *dalmático*.

dalmático, ca ▌ adj./s. 1 De Dalmacia (región europea situada entre la costa adriática y el sistema balcánico) o relacionado con ella. ▌ s.m. 2 Antigua lengua románica de esta región. □ SEM. En las acepciones 1 y 2, es sinónimo de *dálmata*.

daltoniano, na o **daltónico, ca** ▌ adj. 1 Del daltonismo o relacionado con este defecto de la vista. ▌ adj./s. 2 Que tiene daltonismo. □ MORF. La RAE sólo registra *daltónico* como adjetivo. □ USO Aunque la RAE prefiere *daltoniano*, se usa más *daltónico*.

daltonismo s.m. Defecto de la vista que impide percibir o distinguir con claridad determinados colores. □ ETIMOL. Por alusión a Dalton, físico inglés del siglo XVIII, que lo describió por primera vez.

dama ▌ s.f. 1 Mujer distinguida, esp. si es de origen noble. 2 En una corte real, mujer que acompaña o servía a la reina, a las princesas o a las infantas. 3 *poét.* Mujer amada. 4 En el teatro, actriz que interpreta los papeles principales. 5 En el juego de las damas, pieza que consigue alcanzar la primera línea del contrario y coronarse. 6 En el juego del ajedrez, la reina. ▌ pl. 7 Juego que se practica entre dos contrincantes sobre un tablero de cuadros blancos y negros y con doce fichas para cada jugador. 8 ‖ **dama de honor**; [en una ceremonia, mujer que acompaña a otra principal o que ocupa un lugar secundario respecto a ésta. ‖ **[primera dama**; esposa del jefe de Estado o del jefe de Gobierno. □ ETIMOL. Del francés *dame* (señora), y éste del latín *domina* (dueña).

damascado, da adj. →**adamascado**.

damasco s.m. **1** Tela fuerte de seda o de lana, con dibujos entretejidos con hilos del mismo color y de distinto grosor (de Damasco, ciudad de Siria, de donde se importaba). **2** En zonas del español meridional, albaricoque. **3** En zonas del español meridional, albaricoquero. □ ETIMOL. De *Damasco*, ciudad Siria de la que procede.

damasquinado s.m. Trabajo o adorno que se hace incrustando metales preciosos, esp. oro o plata, en objetos de hierro o acero.

damero s.m. **1** Tablero sobre el que se juega a las damas, y que consta de sesenta y cuatro casillas cuadradas, alternativamente blancas y negras. **2** Plano de una zona urbanizada cuya distribución semeja ese tablero. **[3** Pasatiempo semejante al crucigrama y en el que, una vez rellenas sus casillas, puede leerse una frase.

damisela s.f. Muchacha que presume de dama o de señorita refinada. □ ETIMOL. Del francés antiguo *dameisele* (señorita). □ USO Tiene un matiz irónico o cariñoso.

damnificado, da adj./s. Que ha sufrido grandes daños como consecuencia de una desgracia colectiva.

damnificar v. Causar un daño o un perjuicio importantes: *El huracán damnificó a varias poblaciones.* □ ETIMOL. Del latín *damnificare.* □ ORTOGR. La *c* se cambia en *qu* delante de *e* →SACAR.

dan (del japonés) s.m. En judo y otras artes marciales, cada uno de los diez grados superiores, concedidos a partir de cinturón negro.

[danaide s.f. En la mitología griega, hija de Dánao (rey mítico de la ciudad de Argos).

dandi s.m. Hombre que se distingue por su extremado refinamiento o por la afectación de su aspecto. □ ETIMOL. Del inglés *dandy.*

danés, -a ▌ adj./s. **1** De Dinamarca (país europeo), o relacionado con ella. ▌ s.m. **2** Lengua germánica de este país y de otras regiones. **3** ‖ **[gran danés**; referido a un perro, de la raza que se caracteriza por su gran tamaño y por tener el pelaje oscuro o blanco con manchas negras; dogo. □ SEM. En las acepciones 1 y 2, es sinónimo de *dinamarqués.*

dantesco, ca adj. Referido a una situación, que horroriza o resulta sobrecogedora. □ ETIMOL. Por alusión a las escenas del infierno que Dante describe en su 'Divina comedia'. □ SEM. Dist. de *dantista* (especialista en la obra de Dante).

dantismo s.m. **1** Influencia de la obra de Dante (escritor italiano de los siglos XIII y XIV). **[2** Estudio crítico de esta obra y de todo lo relacionado con Dante.

dantista adj./s. Especializado en el estudio de Dante (escritor italiano de los siglos XIII y XIV). □ MORF. 1. Como adjetivo es invariable en género. 2. Como sustantivo es de género común: *el dantista, la dantista.* □ SEM. Dist. de *dantesco* (que horroriza).

[dantzari (del vasco) s.f. Persona que baila danzas tradicionales vascas. □ PRON. [danzári]. □ MORF. Es de género común: *el 'dantzari', la 'dantzari'.*

danza s.f. **1** Conjunto de movimientos que se hacen con el cuerpo al ritmo de una música, esp. si ésta es clásica o folclórica. **2** Serie de movimientos que se ejecutan siguiendo una técnica y un ritmo establecidos, generalmente al compás de composicione[musicales clásicas o folclóricas. **3** col. Ajetreo o m[vimiento continuo: *Siempre estoy en danza, sin p[rar de trabajar un momento.* **4** ‖ **[danzas de ▌ muerte**; composición escénica típicamente medi[val, en la que se personificaba la muerte y se pon[de manifiesto la igualdad de todos los hombres an[ella. □ SEM. En las acepciones 1 y 2, aunque la R[lo considera sinónimo de *baile, danza* se ha esp[cializado para referirse a bailes de carácter artísti[o tradicional.

danzar v. **1** Bailar al ritmo de una música, esp. [ésta es de carácter clásico o folclórico: *En las fiest[danzaron varios grupos folclóricos.* **2** Moverse c[agitación o de un lado para otro y sin parar: *Est[vimos danzando todo el día, pero no encontramos [que buscábamos.* □ ETIMOL. Del francés *danser* (b[lar). □ ORTOGR. La *z* se cambia en *c* delante de [→CAZAR. □ SEM. En la acepción 1, aunque la R[lo considera sinónimo de *bailar, danzar* se ha e[pecializado para referirse a bailes de carácter art[tico o tradicional.

dañar v. **1** Causar dolor, molestia o sufrimient[*Los niños se dañaron jugando. Si le dices eso, d[ñarás su sensibilidad.* **2** Estropear o causar un pe[juicio: *Los golpes dañaron la fruta madura.* □ ET MOL. Del latín *damnare* (condenar).

dañino, na adj. Que causa daño o perjuicio.

daño s.m. **1** Dolor, sufrimiento o molestia. **2** Pe[juicio o deterioro. □ ETIMOL. Del latín *damnum.*

dar ▌ v. **1** Regalar o ceder voluntaria y gratuita[mente; donar: *Dio todo lo que tenía a los más n[cesitados.* **2** Poner en manos de otra persona: *Da[un plato, por favor.* **3** Proporcionar o proveer: *U[conocido nos dio casa y vestido.* **4** Asignar o adju[dicar según lo que corresponde: *Le dieron un bue[puesto en la empresa.* **5** Sugerir o indicar: *Me diero[un buen tema para la tesis.* **6** Otorgar o conced[como una gracia: *Les dieron permiso para salir.* [Ocasionar o causar: *La estufa da mucho calor.* [Transmitir o comunicar: *El periódico dio la notici[* **9** Referido a frutos o a beneficios, producirlos: *El nog[da nueces.* **10** Referido a lo que se suministra a trav[de un conducto, abrir la llave de paso de éste: *Cuan[do se hizo de noche, dio la luz.* **11** Referido a u[sustancia, untarla o aplicarla: *Dio una mano de pi[tura al techo.* **12** Referido a una enseñanza, transm[tirla o recibirla: *Dará la asignatura un profeso[nuevo.* **13** col. Referido a un espectáculo, exhibirlo [celebrarlo: *La televisión dio un gran documenta[* **14** Referido a un acto social, organizarlo e invitar [asistir a él: *El Rey dio una recepción al cuerpo d[plomático.* **15** Referido a una hora, señalarla o relo[*Van a dar las diez.* **16** Referido a un período de tiem[po, fastidiarlo o causar muchas molestias durant[su transcurso: *Ese tipo me ha dado el día con su[impertinencias.* **17** En un juego de cartas, repartirla [a los jugadores: *¡Da cartas de una vez y deja d[barajar!* **18** Golpear o chocar: *La lluvia daba co[fuerza sobre los cristales.* **19** Acertar, atinar o cae[*No dio ni una en el examen y suspendió.* **20** Ir [parar o desembocar: *Siguiendo por esta calle vas [dar a una glorieta.* **[21** Producir buena imagen e[la pantalla: *La protagonista 'da' muy bien en es[película.* **22** Referido a una enfermedad o a una senso[ción, sobrevenir: *Le han dado ya varios infartos.* [Seguido de algunos sustantivos, realizar la acción ex[

presada por éstos: *Da saltos de alegría. Me gusta dar paseos.* ∎ prnl. **24** Suceder o existir: *No se dan las condiciones favorables para hacer el experimento.* **25** ‖**dale**; *col.* Expresión que se usa para indicar enfado o molestia por la insistencia u obstinación de alguien: *Y dale, ¿es que no me vas a dejar en paz?* ‖**dar a entender**; insinuar o hacer saber sin expresar claramente: *No lo dijo, pero dio a entender que estaba ofendido.* ‖**dar {a/sobre} un lugar**; estar orientado en esa dirección: *Mi habitación da al Norte.* ‖**dar con** algo; encontrarlo: *¡Por fin doy contigo!* ‖**dar de sí**; **1** Referido esp. a un tejido, extender o ensanchar: *La falda se ha dado de sí y se me cae.* **2** Rendir, aprovechar o ser capaz: *Con poca cantidad basta, porque da mucho de sí.* ‖**dar en** algo; empeñarse en ello: *Don Quijote dio en leer libros de caballerías.* ‖**dar {igual/lo mismo}**; **1** No importar o ser indiferente: *Me da igual lo que pienses.* **2** Tener el mismo valor: *Lo mismo da seis huevos que media docena.* ‖**[dar para** algo; alcanzar o ser suficiente para ello: *Ese dinero 'da' para la entrada del cine.* ‖**dar por**; seguido de una expresión que indica cualidad, considerar que la tiene: *Todos le insultan, pero él no se da por aludido.* ‖**[dar por sentado** algo; presuponerlo o entenderlo como seguro o cierto de forma anticipada: *'Dieron por sentado' que les habíamos invitado a la boda.* ‖**dar que**; seguido de un infinitivo, ofrecer ocasión o motivo para realizar la acción expresada por éste: *Aquel escándalo dio que hablar a todo el pueblo.* ‖**darle a** algo; *col.* Tenerlo como hábito o dedicarse a ello intensa o insistentemente: *Lo expulsaron del trabajo porque le daba al vino.* ‖**darle** a alguien **por** algo; **1** Entrarle gran interés por ello: *Le ha dado por la música y se pasa el día oyendo discos.* **[2** Ponerse a hacerlo intensamente: *Nos 'dio por' reír y no podíamos parar.* ‖**darse a** algo; entregarse intensamente a ello: *Se dio a la bebida para olvidar sus penas.* ‖**darse a conocer**; referido a una persona, comunicar o descubrir su identidad: *El príncipe apareció disfrazado y hasta el final no se dio a conocer.* ‖**darse a entender**; comunicarse por señas: *Como no conoce el idioma, se da a entender por señas.* ‖**darse por vencido**; *col.* Reconocer la incapacidad de lograr algo y desistir de ello: *Me doy por vencido, dime la solución.* ‖**dársela** a alguien; *col.* Engañarlo o serle infiel: *Su novio se la da con su mejor amiga.* ‖**dárselas** de algo; *col.* Presumir de ello: *Se las da de saber mucho.* ‖**para dar y tomar**; en gran abundancia o variedad: *En la biblioteca tienes libros para dar y tomar.* ☐ ETIMOL. Del latín *dare*. ☐ MORF. Irreg. →DAR. ☐ USO **1**. Su participio se usa para presentar los datos de un problema o los condicionantes de una situación: *Dada una circunferencia con un radio de 3 cm, averiguar su perímetro.* **2**. El empleo abusivo de la acepción 23 en lugar del verbo correspondiente indica pobreza de lenguaje.

[dardanismo s.m. En comercio, destrucción de los excedentes de un producto para evitar la caída de su precio en el mercado.

dardo s.m. **1** Arma arrojadiza, semejante a una lanza pequeña y delgada, que se lanza con la mano o con cerbatana. **2** Dicho satírico o punzante con el que se intenta molestar o herir a alguien. ☐ ETIMOL. Del francés *dard*.

dársena s.f. En aguas navegables o en un puerto, parte resguardada artificialmente y acondicionada para la carga y descarga de las embarcaciones. ☐ ETIMOL. Del italiano *darsena*.

darviniano, na adj. Del darwinismo o relacionado con esta teoría biológica; darvinista. ☐ ORTOGR. Incorr. *darvinista*.

darvinismo s.m. →darwinismo.

darvinista ∎ adj. **1** →darviniano. ∎ adj./s. **2** Que defiende o sigue la teoría biológica del darwinismo. ☐ ORTOGR. Incorr. *darvinista*. ☐ MORF. **1**. Como adjetivo es invariable en género. **2**. Como sustantivo es de género común: *el darvinista, la darvinista.*

darwinismo s.m. Teoría biológica expuesta por Charles Darwin (naturalista británico del siglo XIX), que explica la evolución de las especies como resultado de una selección natural debida a la lucha por la existencia y a la transmisión de los caracteres hereditarios. ☐ ORTOGR. Se admite también *darvinismo*.

data s.f. **1** Tiempo en el que se hace o sucede algo: *La data de ese cuadro es anterior al siglo XV.* **2** Indicación del lugar y del tiempo en que se hace o sucede algo, esp. la que se pone al principio o al final de un escrito; fecha. ☐ ETIMOL. Del latín *data* (dada, otorgada), porque en las escrituras latinas esta palabra precede inmediatamente a la indicación de lugar y fecha.

[data bank ‖ →banco de datos. ☐ PRON. [dáta banc]. ☐ USO Es un anglicismo innecesario.

[data base ‖ →base de datos. ☐ PRON. [dáta béis]. ☐ USO Es un anglicismo innecesario.

[datáfono s.m. Servicio de transmisión de datos a través del teléfono mediante el abono a una línea telefónica.

datar v. **1** Poner una fecha o determinarla: *Dató su carta en Madrid a 3 de marzo de 1850. La arqueóloga dató en el paleolítico los restos encontrados.* **2** Seguido de una expresión de tiempo, existir desde entonces o haberse originado en ese momento: *La catedral data del siglo pasado.* ☐ SINT. Constr. de la acepción 2: *datar DE una época.*

dátil s.m. **1** Fruto de algunas palmeras, de forma alargada, color marrón y con un hueso en su interior. **2** *col.* Dedo de la mano. **3** ‖**dátil de mar**; molusco marino, con una concha de dos valvas que se asemeja a ese fruto. ☐ ETIMOL. Del latín *dactylum*, y éste del griego *dáktylos* (dedo, dátil). ☐ MORF. La acepción 2 se usa más en plural.

dativo s.m. →caso dativo. ☐ ETIMOL. Del latín *dativus*.

dato s.m. **1** Información previa, necesaria para llegar a un conocimiento exacto o para deducir conclusiones acertadas. **2** En informática, información representada o codificada de modo que pueda ser tratada por un ordenador: *base de datos.* ☐ ETIMOL. Del latín *datum* (lo que se da).

de ∎ s.f. **1** Nombre de la letra *d*. ∎ prep. **2** Indica posesión o pertenencia: *Vino en el coche de su padre.* **3** Indica el lugar del que algo viene o procede: *Llegó un paquete de Barcelona. Su familia es del norte.* **4** Indica la materia de la que está hecho algo: *Compré muebles de madera.* **5** Indica el todo del que se toma una parte: *Tomó un poco de carne asada.* **6** Indica el asunto o materia de que se trata: *Me gustan los libros de aventuras.* **7** Indica la naturaleza, carácter o condición de algo o de alguien: *Es persona de buen carácter.* **[8** Indica la profesión o el oficio de alguien: *Actúa de asesor.* **9** Indica la causa o el factor desencadenante de algo: *Salta de alegría. Murió de infarto.* **10** Indica el modo de hacer algo: *Nos miró de refilón. Lo dijo de buena fe.* **11** Indica el contenido de algo: *Pidió un sobre de azúcar.* **12** Indica el tiempo en el que sucede algo: *Llegamos cuando todavía era de día.* **13** Indica la finalidad o la utilidad de algo: *Le regalaron una máquina de escribir. Nos dieron un día de descanso.* **14** Introduce un término específico que concreta o restringe a otro con valor genérico: *El mes de agosto es muy caluroso. Vive en la ciudad de Madrid.* **15** Introduce un complemento agente: *Es querido de todos. Vino acompañado de sus amigos.* **16** Precedido de una expresión que indica cualidad, señala el individuo al que se atribuye ésta: *Es un encanto de mujer. ¡Pobre de ti si no vienes!* **17** Seguido del numeral uno y de un sustantivo de acción, indica la rapidez o la eficacia con que algo se ejecuta: *Se bebió el refresco de un trago.* **18** En combinación con la preposición *a*, indica distancia en el tiempo o en el espacio, o diferencia entre dos términos que se comparan: *Trabajo de ocho a tres de la tarde. De aquí a mi casa hay varios kilómetros.* **19** En combinación con la preposición *en*, indica paso o transcurso por fases sucesivas: *Iba creciendo de día en día. La noticia corrió de boca en boca.* **20** En combinación con la preposición *en* y seguidas ambas de un mismo numeral, indica grupos de ese número de unidades: *Llegaron de dos en dos.* **21** Seguido de infinitivo, sirve para formar oraciones con valor condicional: *De haberlo sabido, te habría avisado. De no ser así, no aceptaré.* ☐ ETIMOL. Las acepciones 2-21, del latín *de* (desde arriba abajo, desde, apartándose de). ☐ SINT. 1. Sobre el uso incorrecto de *de* ante una subordinada introducida por *que* →**dequeísmo.** 2. En las denominaciones de accidentes geográficos, vías públicas, años, instituciones y otros objetos designados con un término genérico seguido de otro específico, aunque tradicionalmente éste iba precedido de la preposición *de*, en la lengua actual está muy extendida su omisión: *Cabo (de) Gata. Calle (de) Goya. Instituto (de) Cervantes. Año (de) 1950.* 3. Está muy extendida la omisión incorrecta de la preposición *de* en algunas locuciones y expresiones: *Se dio cuenta {*que > de que} estaba solo. ¡Ya era hora {*que > de que} vinieses! Da la impresión {*que > de que} no le importa. Estoy seguro {*que > de que} lo vi. Se enteró {*que > de que} estuve aquí. Me alegro {*que > de que} vengas. No cabe duda {*que > de que} es tonto. A pesar {*que > de que} lo intentó, no pudo, etcétera.*

de- Prefijo que significa 'privación' (*decapitar, demente*) o acción inversa a la expresada por la palabra madre (*decolorar, decelerar, decrecer*). ☐ ETIMOL. Del latín *de-*.

de facto (latinismo) ‖En derecho, de hecho o en realidad. ☐ ORTOGR. Incorr. **defacto.* ☐ SEM. Dist. de *de iure* y de *de jure* (de derecho o según la ley).

de iure o **de jure** (latinismo) ‖En derecho, según la ley. ☐ SEM. Dist. de *de facto* (de hecho o en realidad).

[deadline s.m. →**fecha límite.** ☐ PRON. [dédlain]. ☐ USO Es un anglicismo innecesario.

deambular v. Ir de un lado para otro sin rumbo fijo. ☐ ETIMOL. Del latín *deambulare.*

deambulatorio s.m. En una iglesia, pasillo transitable, de forma semicircular, que rodea por detrás

al altar mayor y da acceso a pequeñas capillas. ETIMOL. Del latín *deambulatorium* (galería).

deán s.m. En una catedral, eclesiástico que preside cabildo o comunidad de canónigos en ausencia d obispo. ☐ ETIMOL. Del francés antiguo *deiien*, y ést del latín *decanus* (jefe de una decena de monjes e un monasterio).

debacle s.f. Ruina, desastre o situación lament: ble. ☐ ETIMOL. Del francés *débâcle.*

debajo adv. En una posición o parte inferior: *L niños encontraron sus regalos debajo del árbol d Navidad. Ese vecino vive debajo.* ☐ ETIMOL. De c y *bajo.* ☐ SINT. Su uso seguido de un adjetivo p sesivo es incorrecto: *Está debajo {*tuyo > de ti}.*

debate s.m. Intercambio y enfrentamiento de idea o de argumentos sobre un asunto. ☐ ETIMOL. D *debatir.*

debatir ▮ v. **1** Referido a ideas o argumentos, inte cambiarlos o enfrentarlos: *En la junta de esta tar debatiremos un tema muy polémico.* ▮ prnl. **2** Ag tarse, forcejear o luchar interiormente: *El enferm se debate entre la vida y la muerte.* ☐ ETIMOL. D latín *debattuere.* ☐ SINT. En la acepción 1, es sien pre transitivo y es incorrecto su uso seguido de l preposición *sobre*: **debatiremos sobre esa cuestión debatiremos esa cuestión.*

debe s.m. **1** En una cuenta, parte en la que apur tan las cantidades que tiene que pagar su titula **[2** Lista imaginaria donde se lleva cuenta de la fallos o de las deudas de alguien. ☐ SEM. Dist. d *haber* (apunte de las cantidades a favor del titula lista de aciertos o méritos).

deber ▮ s.m. **1** Lo que se tiene obligación de hace esp. si es por imposición legal o moral. ▮ s.m.pl. ; Tarea que el alumno tiene que hacer fuera de la horas de clase. ▮ v. **3** Estar obligado por imposició legal o moral: *Me debo a mi familia. Debemos a lc padres gratitud eterna.* **4** Referido a una deuda o a u compromiso, estar obligado a satisfacerlos: *Has pe dido la apuesta y me debes una cena.* ▮ prnl. **5** T ner por causa o ser consecuencia: *La mala cosech se debe a la sequía.* ☐ ETIMOL. Las acepciones 1 2, del verbo *deber.* Las acepciones 3-5, del latín *d bere.* ☐ SINT. 1. La perífrasis *deber + de + infinitiv* indica probabilidad o suposición: *A estas horas, deb de estar ya en casa.* 2. La perífrasis *deber + inf* nitivo indica obligación: *Un soldado debe obedecer su superior.* ☐ SEM. En la acepción 1, dist. de de recho (facultad de hacer o exigir todo lo que la le establece).

debido ‖**como es debido**; de manera correcta, como corresponde. ‖**debido a**; a causa de.

débil adj. Que tiene poca fuerza, poco vigor o poc: resistencia. ☐ ETIMOL. Del latín *debilis.* ☐ MORF Invariable en género.

debilidad s.f. **1** Escasez de fuerza o de resistenci: físicas. **2** Falta de energía en la forma de ser, esp para imponerse o para tomar resoluciones. **[3** He cho o dicho que son consecuencia de esta falta d fuerza o de energía. **4** Afecto o inclinación especia les. **[5** *col.* Hambre.

debilitación s.f. o **debilitamiento** s.m. Dis minución o pérdida de fuerza, de energía o de re sistencia. ☐ USO *Debilitación* es el término meno: usual.

debilitar v. Quitar o perder fuerza, energía o re sistencia: *Las acusaciones de fraude debilitaron s* *posición en el partido. Nuestra amistad nunca se debilitará.* ☐ ETIMOL. Del latín *debilitare.*

débito s.m. Obligación que se ha contraído, esp. si consiste en un pago o en una devolución de dinero; deuda. ☐ ETIMOL. Del latín *debitum* (deuda).

debut s.m. En una actividad, esp. en el mundo del espectáculo, comienzo o primera actuación. ☐ ETIMOL. Del francés *début.* ☐ MORF. Aunque su plural es *debutes*, se usa más *debuts.*

debutante s.f. Mujer joven que asiste a un baile de gala para hacer su presentación en sociedad. ☐ MORF. Incorr. **debutanta.*

debutar v. Hacer el debut en una actividad y empezar a desempeñarla: *Hoy debuta en nuestra ciudad una nueva compañía de teatro.*

deca- Elemento compositivo que significa 'diez': *decárea, decagramo, decalitro, decámetro.* ☐ ETIMOL. Del griego *déka* (diez).

década s.f. Período de tiempo de diez años, que comprende cada decena de siglo. ☐ ETIMOL. Del griego *dekás* (decena). ☐ SEM. Dist. de *decenio* (período de diez años). ☐ USO Las décadas terminan con las decenas de siglo y, por tanto, la última década del siglo XX empezó el 1 de enero de 1991 y acabará el 31 de diciembre del año 2000 (y no el 31 de diciembre del año 1999).

decadencia s.f. 1 Pérdida progresiva de cualidades; decaimiento. 2 Período de tiempo en el que tiene lugar este proceso, esp. referido a períodos históricos o artísticos.

decadente ∎ adj. 1 Que se halla o se encuentra en decadencia. [2 Que revaloriza formas o gustos pasados de moda. [3 Que se caracteriza por un excesivo refinamiento. ∎ adj./s. 4 →decadentista. ☐ MORF. Invariable en género.

decadentismo s.m. Movimiento literario europeo, desarrollado a finales del siglo XIX como una derivación del simbolismo francés, y caracterizado por su desencanto y pesimismo ideológicos y por un marcado refinamiento estilístico.

decadentista ∎ adj. [1 Del decadentismo o relacionado con este movimiento literario. ∎ adj./s. 2 Partidario o seguidor de este movimiento. ☐ MORF. 1. Como adjetivo es invariable en género. 2. Como sustantivo es de género común: *el decadentista, la decadentista.* ☐ SEM. 1. Es sinónimo de *decadente.* 2. En la acepción 2, aunque la RAE prefiere *decadente*, se usa más *decadentista.*

decaedro s.m. Cuerpo geométrico limitado por diez polígonos o caras. ☐ ETIMOL. De *deca-* (diez) y *-edro* (cara).

decaer v. Ir a menos, o perder progresivamente cualidades: *La calidad de este periódico ha decaído últimamente. ¡Que no decaiga la fiesta!* ☐ ETIMOL. Del latín **decadere.* ☐ MORF. Irreg. →CAER.

decagonal adj. Del decágono o con la forma de este polígono. ☐ MORF. Invariable en género.

decágono, na adj./s.m. En geometría, referido a un polígono, que tiene diez lados y diez ángulos. ☐ ETIMOL. Del griego *dekágonos*, y éste de *déka* (diez) y *gonía* (ángulo).

decagramo s.m. En el Sistema Internacional, unidad de masa que equivale a diez gramos. ☐ ORTOGR. Incorr. **decágramo.* ☐ SEM. Dist. de *decigramo* (décima parte de un gramo).

decaído, da adj. Referido a una persona, sin fuerzas o baja de ánimo.

decaimiento s.m. 1 Falta o pérdida de fuerzas o de ánimo. 2 Pérdida progresiva de cualidades; decadencia.

decalcificación s.f. →descalcificación.

decalcificar v. →descalcificar. ☐ ETIMOL. De *de-* (acción inversa) y *calcificar.* ☐ ORTOGR. La *c* se cambia en *qu* delante de *e* →SACAR.

decalitro s.m. Unidad de volumen que equivale a diez litros. ☐ ETIMOL. De *deca-* (diez) y *litro.* ☐ ORTOGR. Incorr. **decálitro.* ☐ SEM. Dist. de *decilitro* (décima parte de un litro).

decálogo s.m. 1 En el cristianismo y en el judaísmo, los diez mandamientos o normas de la ley de Dios que fueron entregados a Moisés (profeta israelita). 2 Conjunto de diez normas o puntos cuyo cumplimiento se considera básico para el correcto ejercicio de una actividad. ☐ ETIMOL. Del griego *dekálogos*, y éste de *déka* (diez) y *lógos* (precepto).

decámetro s.m. En el Sistema Internacional, unidad de longitud que equivale a diez metros. ☐ ETIMOL. De *deca-* (diez) y *metro.* ☐ ORTOGR. Incorr. **decametro.* ☐ SEM. Dist. de *decímetro* (décima parte de un metro).

decanato s.m. 1 Cargo de decano. 2 Tiempo durante el que un decano ejerce su cargo. 3 Lugar oficial de trabajo de un decano.

decano, na ∎ adj./s. 1 En una colectividad, referido a una persona, que es la de más edad o el miembro más antiguo. ∎ s. 2 En una corporación o en una facultad universitaria, persona que la preside. ☐ ETIMOL. Del latín *decanus* (jefe de una decena de monjes en un monasterio).

decantar ∎ v. 1 Referido a un líquido, verterlo en un recipiente inclinando suavemente el que lo contiene, de manera que no caigan los posos: *Decantaron un vino viejo para depurarlo.* ∎ prnl. 2 Tomar partido o mostrar preferencia: *El político se decantó hacia posturas más conservadoras.* ☐ ETIMOL. De *de-* (privación) y *canto* (ángulo, esquina).

decapado s.m. Eliminación, por procedimientos fisicoquímicos, de la capa de óxido, pintura u otra sustancia que cubre una superficie, esp. si es metálica.

[decapante s.m. Producto químico que se usa para decapar superficies.

decapar v. Referido a una superficie, esp. si es metálica, eliminar por procedimientos fisicoquímicos la capa de óxido, pintura u otra sustancia que la cubre: *Decaparon las partes oxidadas antes de volver a pintar el coche.* ☐ ETIMOL. De *de-* (privación) y *capa.*

decapitación s.f. Separación de la cabeza del resto del cuerpo.

decapitar v. Cortar la cabeza separándola del tronco: *Los condenados eran decapitados con la guillotina.* ☐ ETIMOL. Del latín *decapitare*, y éste de *caput* (cabeza).

decápodo, da ∎ adj./s.m. 1 Referido a un crustáceo, que tiene cinco pares de patas: *El cangrejo y la langosta son decápodos.* 2 Referido a un molusco, que tiene diez tentáculos provistos de ventosas: *El calamar y la sepia son decápodos.* ∎ s.m.pl. 3 En zoología, orden de esos crustáceos, perteneciente al tipo de los artrópodos. 4 En zoología, grupo de esos moluscos. ☐ ETIMOL. De *deca-* (diez) y *-podo* (pie).

decárea s.f. Unidad de superficie que equivale a

diez áreas. ☐ ETIMOL. De *deca-* (diez) y *área*. ☐ SEM. Dist. de *deciárea* (décima parte de un área).

decasílabo, ba adj./s.m. De diez sílabas, esp. referido a un verso. ☐ ETIMOL. Del latín *decasyllabus*.

decatlón s.m. Competición atlética que consta de diez pruebas, realizadas por un mismo deportista. ☐ ETIMOL. De *deca-* (diez) y del griego *âthlon* (premio de una lucha, lucha). ☐ ORTOGR. Incorr. **decalón*.

deceleración s.f. Disminución de la rapidez o de la velocidad; desaceleración. ☐ ETIMOL. Del francés *décélération*.

[decelerar v. →desacelerar.

decena s.f. Conjunto de diez unidades. ☐ ETIMOL. Del latín *decena*, neutro de *deceni* (de diez en diez). ☐ SEM. Dist. de *década* (cada decena de un siglo) y de *decenio* (período de diez años).

decencia s.f. **1** Honradez, dignidad o respeto a los principios morales socialmente aceptados. **2** Respeto a la moral sexual. **3** Dignidad o calidad suficientes, pero no excesivas: *No es una obra brillante, pero está hecha con decencia.* ☐ ETIMOL. Del latín *decentia*.

decenio s.m. Período de tiempo de diez años. ☐ ETIMOL. Del latín *decennium*. ☐ SEM. 1. Dist. de *decena* (conjunto de diez unidades) y de *década* (cada decena de un siglo).

decente adj. **1** Honrado, digno o respetuoso con los principios morales socialmente aceptados. **2** Que actúa de acuerdo con la moral sexual. **3** De buena calidad o en buenas condiciones, pero sin excesos. **4** Limpio y aseado. ☐ ETIMOL. Del latín *decens*, y éste de *decere* (convenir, estar bien, ser honesto). ☐ MORF. Invariable en género.

decepción s.f. Desilusión o pesar producidos por el conocimiento de algo que no es como se esperaba. ☐ ETIMOL. Del latín *deceptio* (engaño).

[decepcionante adj. Que decepciona. ☐ MORF. Invariable en género.

decepcionar v. Referido a una persona, desilusionarla o defraudarla por no ser algo como se esperaba: *Esa novela me decepcionó. En el primer curso se decepcionó y dejó la carrera.*

deceso s.m. Muerte natural de una persona. ☐ ETIMOL. Del latín *decessus* (partida). ☐ USO Es característico del lenguaje culto.

dechado s.m. Lo que, por reunir cualidades en su más alto grado, sirve de ejemplo digno de imitación: *Tu prima es un dechado de virtudes.* ☐ ETIMOL. Del latín *dictatum* (precepto, enseñanza).

deci- Elemento compositivo que significa 'décima parte': *decibelio, deciárea, decigramo, decilitro, decímetro.* ☐ ETIMOL. De *décimo*.

deciárea s.f. Unidad de superficie que equivale a la décima parte de un área. ☐ ETIMOL. De *deci-* (décima parte) y *área*. ☐ SEM. Dist. de *decárea* (diez áreas).

decibel o **decibelio** s.m. Unidad del nivel de intensidad sonora que equivale a la décima parte de un bel o belio: *La contaminación acústica se mide en decibelios.* ☐ ETIMOL. *Decibelio* de *deci-* (décima parte) y *belio*. ☐ ORTOGR. *Decibel* es la denominación internacional del *decibelio*. ☐ USO *Decibel* es el término menos usual.

decidido, da ∎ adj. **1** Firme y sin vacilación. ∎ adj./s. **2** Que actúa con decisión o valentía.

decidir v. **1** Tomar una determinación o inclinarse definitivamente por una cosa; resolver: *He deci-*

dido quedarme. Se decidió por el modelo más bc rato. **2** Orientar decisivamente en un sentido: *E penalti decidió el partido.* ☐ ETIMOL. Del latín *de cidere* (cortar, resolver).

decigramo s.m. En el Sistema Internacional, unida de masa que equivale a la décima parte de un gra mo. ☐ ETIMOL. De *deci-* (décima parte) y *gramo*. [ORTOGR. Incorr. **decígramo*. ☐ SEM. Dist. de *deca gramo* (diez gramos).

decilitro s.m. Unidad de volumen que equivale la décima parte de un litro. ☐ ETIMOL. De *deci-* (dé cima parte) y *litro*. ☐ ORTOGR. Incorr. **decílitro*. [SEM. Dist. de *decalitro* (diez litros).

décima s.f. Véase **décimo, ma**.

decimal ∎ adj. **1** Que se basa en estructuras de diez elementos. **2** Referido a una parte, que constituy una cantidad junto con otras nueve iguales a ella ∎ adj./s.m. **[3** En una expresión numérica, referido a un cifra, que está a la derecha de la coma. ∎ s.m. [→**número decimal**. ☐ ETIMOL. De *décimo*. ☐ MORF. Como adjetivo es invariable en género.

decímetro s.m. **1** En el Sistema Internacional, unidad de longitud que equivale a la décima parte de un metro. **2** ‖**decímetro cuadrado**; en el Sistema Inter nacional, unidad de superficie que equivale a la cen tésima parte de un metro cuadrado. ‖ **decímetro cúbico**; en el Sistema Internacional, unidad de volu men que equivale a la milésima parte de un metr cúbico. ☐ ETIMOL. De *deci-* (décima parte) y *metro* ☐ SEM. Dist. de *decámetro* (diez metros).

décimo, ma ∎ numer. **1** En una serie, que ocupa e lugar número diez. **2** Referido a una parte, que cons tituye un todo junto con otras nueve iguales a ella ∎ s.m. **3** En el juego de la lotería, cada una de las die participaciones en que se divide un billete o nú mero, y que se pueden vender por separado. ∎ s.m **4** En la forma de medir la fiebre, cada una de las die partes en que se divide un grado del termómetr clínico. **5** En métrica, estrofa formada por diez verso octosílabos de rima consonante y cuyo esquema e *abbaaccddc*. ☐ ETIMOL. Las acepciones 1-3, del latí *decimus*. Las acepciones 4 y 5, del latín *decima*. [MORF. Como pronombre es numeral: *décima tercer* (incorr. **décimo tercera*), etc. Sirve para formar lo ordinales que corresponden a los números 13 al 19 incorr. **décimo primero* > *undécimo* y **décimo se gundo* > *duodécimo*.

decimoctavo, va numer. En una serie, que ocupa el lugar número dieciocho. ☐ ORTOGR. 1. Incorr. **de cimooctavo*. 2. Se admite también *décimo octavo*.

decimocuarto, ta numer. En una serie, que ocupa el lugar número catorce. ☐ ORTOGR. 1. Nunca lleva tilde. 2. Se admite también *décimo cuarto*.

decimonónico, ca adj. **1** Del siglo XIX o relacio nado con él. **2** Anticuado o pasado de moda. ☐ ETI MOL. De *decimonono*. ☐ USO En la acepción 2, tiene un matiz despectivo.

decimonono o **decimonoveno, na** numer En una serie, que ocupa el lugar número diecinueve ☐ ETIMOL. De *décimo* y *nono* (nueve). ☐ ORTOGR. Nunca llevan tilde. 2. Se admite también *décimo noveno*. ☐ USO *Decimonono* es el término menos usual.

decimoquinto, ta numer. En una serie, que ocupa el lugar número quince. ☐ ORTOGR. 1. Nunca lleva tilde. 2. Se admite también *décimo quinto*.

decimoséptimo, ma numer. En una serie, que

ocupa el lugar número diecisiete. □ ORTOGR. Se admite también *décimo séptimo*.

decimosexto, ta numer. En una serie, que ocupa el lugar número dieciséis. □ ORTOGR. 1. Nunca lleva tilde. 2. Se admite también *décimo sexto*.

decimotercero, ra numer. En una serie, que ocupa el lugar número trece. □ ORTOGR. 1. Nunca lleva tilde. 2. Se admite también *décimo tercero*.

decir ▌ s.m. **1** Palabra o conjunto de palabras con las que se expresa un concepto, esp. si es de carácter ingenioso o incluye una sentencia; dicho. ▌ v. **2** Pronunciar o expresar con palabras: *Me dijo que no vendría. En el prospecto dice que este medicamento tiene efectos secundarios*. **3** Afirmar, opinar o sostener: *A ti te parecerá bien, pero yo digo que es un error*. **4** Dar por nombre o llamar: *Al rape aquí le dicen 'pez sapo'*. **5** Indicar, mostrar o comunicar: *Sus ojos me dicen que me ama*. **6** Seguido de una expresión de modo, resultar o sentar de esa manera: *Esa corbata no te dice bien con la camisa que llevas*. ▌ prnl. [**7** Reflexionar consigo mismo: *Quise contestarle, pero 'me dije': —Cállate o te arrepentirás*. **8** ‖**como quien dice** o **como si dijéramos**; expresión que se usa para suavizar lo que se afirma a continuación: *Empezó a insultarme y me puso, como quien dice, a caer de un burro*. ‖**decir bien**; hablar con verdad o con acierto: *Pensaba que eso sucedió el año pasado, pero, dices bien, fue hace más tiempo*. ‖**decir {entre/para} sí**; reflexionar consigo mismo: *Cuando se enteró, dijo para sí: —Esta me la pagas*. ‖**diga** o **dígame**; expresión que se usa para indicar al interlocutor que puede empezar a hablar, esp. cuando se inicia una llamada telefónica. ‖**el qué dirán**; la opinión pública o las habladurías: *No se atrevió a hacerlo, por miedo al qué dirán*. ‖**es decir**; expresión que se usa para introducir una explicación a lo anteriormente dicho: *La cefalea, es decir, el dolor de cabeza, es muy molesta*. ‖**ni que decir tiene**; expresión que se usa para indicar que lo que sigue es evidente o se da por supuesto: *Ni que decir tiene que todos los alumnos deben asistir al acto de inauguración*. ‖ [**que se dice pronto**]; expresión que se utiliza para poner de manifiesto o resaltar algo exagerado o excesivo: *Gana al mes casi medio millón de pesetas, ¡que se dice pronto!*. ‖**ser un decir**; ser una suposición: *Si no vengo, es un decir, tampoco pasa nada*. ‖**y que lo digas**; expresión que se usa para confirmar las palabras del interlocutor: *Opine lo que opine, siempre contesta: —¡Y que lo digas!* □ ETIMOL. La acepción 1, del verbo *decir*. Las acepciones 2-7, del latín *dicere*. □ MORF. Irreg.: 1. Su participio es *dicho*. 2. →DECIR.

decisión s.f. **1** Determinación o resolución que se toman en un asunto dudoso o incierto. **2** Firmeza y ausencia de vacilación en la forma de actuar.

decisivo, va adj. **1** Que decide o que lleva a tomar una determinación: *Tengo razones decisivas para actuar así*. [**2** col. Que tiene una importancia trascendental para el futuro. □ ETIMOL. Del latín *decisus* (decidido).

decisorio, ria adj. Que tiene capacidad para decidir: *poder decisorio*. □ ETIMOL. Del latín *decisus* (decidido).

declamación s.f. **1** Pronunciación o recitado de un discurso, en voz alta y acompañándolo con la entonación y los gestos adecuados. **2** Discurso pronunciado en público.

declamar v. **1** Hablar o recitar en voz alta, acompañando con la entonación y los gestos adecuados: *Nunca vi declamar ese monólogo con tanto sentimiento*. **2** Hablar en público: *Antiguamente, había clases de retórica para aprender a declamar*. □ ETIMOL. Del latín *declamare*.

declamatorio, ria adj. Referido a la forma de expresarse, enfática, exagerada y que encubre una pobreza de contenido.

declaración s.f. **1** Manifestación, explicación o exposición públicas. **2** Atribución o concesión de una calificación, esp. si es de carácter oficial: *El preso esperaba una declaración de inocencia*. **3** Manifestación que un testigo o un reo hacen ante un juez u otra autoridad acerca de lo que saben sobre aquello que se les pregunta. **4** Manifestación oficial de los bienes sujetos a impuestos, que se hace para pagar dichos impuestos: *declaración de la renta*. **5** Manifestación de amor que una persona hace a otra pidiéndole relaciones. **6** Reconocimiento, comunicación o determinación de un estado o de una condición: *declaración de guerra*. **7** Aparición o manifestación de algo que se extiende o se propaga: *la declaración de un incendio*.

declarado, da adj. Manifiesto o muy claro.

declarar ▌ v. **1** Manifestar, explicar o decir públicamente: *La primera ministra declaró que no subirán los impuestos*. **2** Atribuir, otorgar o conceder una calificación, esp. si es de carácter oficial: *El juez declaró inocente al acusado*. **3** Referido a bienes sujetos al pago de impuestos, manifestar oficialmente su cantidad y su naturaleza para satisfacer dichos impuestos: *En la aduana nos preguntaron si teníamos algo que declarar*. [**4** Referido esp. a una situación política, comunicar oficialmente su inicio: *El presidente 'declaró' el estado de sitio*. **5** Referido a un testigo o a un reo, manifestar ante un juez u otra autoridad lo que saben sobre aquello que se enjuicia o se les pregunta: *Los testigos del accidente fueron llamados a declarar*. ▌ prnl. **6** Referido a una persona, manifestar su amor a otra pidiéndole relaciones: *Se me declaró en la fiesta*. **7** Referido a un estado o a una condición, reconocerlos o comunicarlos: *Los obreros se han declarado en huelga*. **8** Producirse o empezar a manifestarse: *El incendio se declaró en el sótano*. □ ETIMOL. Del latín *declarare* (aclarar, declarar).

declarativo, va o **declaratorio, ria** adj. Que declara un derecho sin ser un mandamiento ejecutivo.

declinación s.f. **1** En gramática, enunciación ordenada de las formas que presenta una palabra con flexión para cada caso: *En latín, la declinación de 'rosa' es: 'rosa, rosa, rosam...'*. **2** En gramática, cada uno de los grupos que sirven como modelo para la flexión de casos de una palabra: *En latín, 'civitas, civitatis' pertenece a la tercera declinación*.

declinar v. **1** Disminuir, ir a menos o perder cualidades progresivamente: *La hegemonía española comenzó a declinar en el siglo XVI*. **2** Aproximarse o acercarse al fin: *Declinaba el día y empezaba a anochecer*. **3** Renunciar, rechazar o no aceptar: *Declinó cortésmente la invitación*. **4** En gramática, referido a una palabra con flexión casual, enunciarla en las formas que presenta para cada caso: *Al declinar 'civitas, civitatis', me equivoqué en el ablativo*. □ ETIMOL. Del latín *declinare*.

declive s.m. **1** Inclinación o pendiente de un terreno o de otra superficie. **2** Descenso, decadencia o pérdida progresiva de cualidades. ☐ ETIMOL. Del latín *declivis* (pendiente, que forma cuesta).

decodificación s.f. →**descodificación**.

decodificador s.m. →**descodificador**. ☐ MORF. La RAE sólo lo registra como adjetivo.

decodificar v. →**descodificar**.

[decolaje s.m. En zonas del español meridional, despegue de un avión.

[decolar v. En zonas del español meridional, despegar un avión.

decoloración s.f. Privación o pérdida de color.

decolorante s.m. Producto químico que se usa para decolorar.

decolorar v. Quitar o perder color; descolorar, descolorir: *El sol ha decolorado las cortinas. Esa tela se decolora al lavarla.* ☐ ETIMOL. Del latín *decolorare*.

decomisar v. Referido a una mercancía de contrabando, confiscarla o apropiársela una autoridad en nombre del Estado; comisar: *La policía decomisó un alijo de tabaco.* ☐ ETIMOL. De la frase *dar por de comiso* (pena por la que, el que comercia con géneros prohibidos, los pierde).

decomiso s.m. **1** En derecho, pena que consiste en la confiscación o privación de mercancías de contrabando. **2** Mercancía que es objeto de esta confiscación. ☐ SEM. Es sinónimo de *comiso*.

[decomisos s.m. Establecimiento comercial en el que se venden a bajo precio mercancías de contrabando que han sido confiscadas por el Estado. ☐ MORF. Invariable en número.

decoración s.f. **1** Hecho de embellecer con adornos. **2** Colocación de muebles y otros objetos en un lugar para embellecerlo y crear un ambiente determinado. **3** Lo que decora o sirve de adorno. **4** Arte o técnica de decorar o combinar distintos elementos ornamentales. **5** En una representación teatral, conjunto de telones, bambalinas y objetos con que se representa una escena.

decorado s.m. Decoración, esp. la de una representación teatral.

decorador, -a s. Persona que se dedica profesionalmente a la decoración de interiores.

decorar v. **1** Adornar o embellecer con adornos: *Los niños decoraron el árbol de Navidad.* **2** Servir de decoración o de adorno: *Varios tapices decoran la sala.* **3** Referido a un lugar, dotarlo de muebles y otros objetos de forma que se embellezca y se cree un ambiente determinado: *Decoró el apartamento con un estilo moderno.* ☐ ETIMOL. Del latín *decorare*.

decorativo, va adj. De la decoración o relacionado con este arte.

decoro s.m. **1** Honor o respeto que merece una persona, esp. en razón de su condición social. **2** Recato o respeto a la moral sexual. **[3** Dignidad o calidad suficiente, pero sin lujo ni excesos: *Mi sueldo me da para vivir con suficiente 'decoro'.* ☐ ETIMOL. Del latín *decorum* (conveniencias, decoro).

decoroso, sa adj. Que tiene o que manifiesta decoro.

decrecer v. Hacerse menor en tamaño, en cantidad o en intensidad: *Nuestro entusiasmo no decrecerá con el paso de los años.* ☐ ETIMOL. Del latín *decrescere.* ☐ MORF. Irreg. →PARECER.

[decreciente adj. Que decrece o disminuye. ☐ MORF. Invariable en género.

decrépito, ta adj. Referido a una persona, que es d[edad muy avanzada, esp. si por ello tiene mengua[das sus facultades. ☐ ETIMOL. Del latín *decrepitu* (sumamente viejo).

decrepitud s.f. Vejez extrema, esp. si va acompa[ñada de una pérdida de facultades.

decrescendo ∎ s.m. **[1** En música, disminució[gradual de la intensidad con que se ejecutan un so[nido o un pasaje. **2** En una composición musical, pasaj[que se ejecuta efectuando una disminución de in[tensidad de este tipo. ∎ adv. **3** En música, referido [la forma de ejecutar un sonido o pasaje, disminuyen[do gradualmente la intensidad. ☐ ETIMOL. Del ita[liano *decrescendo*. ☐ PRON. Se usa más la pronun[ciación italianista [decrechéndo], con *ch* suave.

decretal ∎ adj. **1** De las decretales o con caracte[rísticas de estas cartas papales. ∎ s.f. **2** En la iglesi[católica, epístola o carta en la que el Papa da un[explicación que adquiere carácter de regla general[∎ pl. **3** Libro en el que se recopilan estas epístola[o cartas. ☐ ETIMOL. Del latín *decretalis* (ordenad[por decreto). ☐ MORF. Como adjetivo es invariabl[en género.

decretar v. Decidir o determinar, porque se tien[autoridad para ello: *El Ayuntamiento ha decretad[el cierre de ese local.*

[decretazo s.m. col. Decreto que se pone en vigo[sin haber sido pactado previamente, y cuyo conte[nido no es aceptado por la mayoría. ☐ USO Es des[pectivo.

decreto s.m. **1** Decisión, determinación o resolu[ción de un jefe de Estado, de su Gobierno o de un[autoridad judicial, esp. sobre asuntos de carácte[político. **2** En la iglesia católica, decisión que toma e[Papa después de haber consultado a los cardenales[**3** ‖**decreto ley**; el que, teniendo carácter de ley[es dictado de manera excepcional por el poder eje[cutivo sin someterlo al órgano legislativo competen[te. ‖**por (real) decreto**; col. Obligatoriamente [sin razón justificada. ‖**real decreto**; en una monar[quía constitucional, el aprobado por el Consejo de Mi[nistros. ☐ ETIMOL. Del latín *decretum*, y éste de *de[cernere* (decidir, determinar). ☐ MORF. El plural d[*decreto ley* es *decretos leyes*.

decúbito s.m. **1** Posición del cuerpo de una per[sona o de un animal cuando están tendidos hori[zontalmente. **2** ‖**decúbito lateral**; aquel en que e[cuerpo se apoya sobre uno de sus costados. ‖**de[cúbito prono**; aquel en que el cuerpo se apoya so[bre el pecho y el vientre. ‖**decúbito supino**; aquel[en que el cuerpo se apoya sobre la espalda. ☐ ETI[MOL. Del latín *decubitus* (acostado). ☐ MORF. Incorr[*posición decúbito* {*supina > supino*}.

décuplo, pla numer. Referido a una cantidad, que[es diez veces mayor que otra. ☐ ETIMOL. Del latín[*decuplus.*

decurso s.m. Sucesión o transcurso del tiempo. ☐[ETIMOL. Del latín *decursus* (recorrido).

dedal s.m. Utensilio de costura, de material duro y[forma cilíndrica, que se encaja en el extremo de un[dedo para protegerlo al empujar la aguja. ☐ ETI[MOL. Del latín *digitale*, y éste de *digitus* (dedo). **[costura**

dedicación s.f. **1** Ocupación en una actividad o[entrega intensa a ella. **2** Destino o empleo para un[

fin: *El pleno aprobó la dedicación de fondos a actividades culturales.* **3** Ofrecimiento o consagración como homenaje.

dedicar ‖ v. **1** Emplear o destinar a un fin o a un uso determinados: *Dediqué el fin de semana a la lectura.* **2** Ofrecer o dirigir como obsequio u homenaje: *La ciudad dedicó un monumento al insigne escritor.* **3** Referido o un objeto, firmar o escribir unas palabras en él en atención a alguien: *La novelista dedicó cientos de ejemplares.* **4** Referido esp. a un templo, ponerlo bajo la advocación o protección de una divinidad o de un santo, o consagrarlo a su culto: *Esta ermita está dedicada a san Saturio.* ‖ prnl. **5** Tener como ocupación o como profesión: *Me dedico a la enseñanza.* ☐ ETIMOL. Del latín *dedicare.* ☐ ORTOGR. La *c* se cambia en *qu* delante de *e* →SACAR. ☐ SINT. Constr. de la acepción 5: *dedicarse A algo.*

dedicatorio, ria ‖ adj. **1** Que tiene o supone un homenaje: *placa dedicatoria.* ‖ s.f. **2** Escrito o nota que se pone en un libro, en una fotografía o en otro objeto, y que se dirige a una persona a la que éstos se ofrecen.

dedillo ‖ **al dedillo**; *col.* Muy bien: *La taxista se conocía al dedillo todas las calles.*

dedo s.m. **1** En las personas y en algunos animales, cada una de las prolongaciones articuladas en las que terminan sus manos o sus pies. 🖐 mano, pie **2** Porción que equivale al ancho de un dedo de la mano: *Deja tres dedos de margen.* **3** Unidad de longitud que equivale aproximadamente a 18 milímetros. **4** ‖ **a dedo**; **1** Referido o la forma de realizar una elección o un nombramiento, por decisión personal de una autoridad o sin procedimiento legal de selección. *col.* **2** Referido o la forma de viajar, haciendo autostop. ‖ **chuparse el dedo**; *col.* Ser fácil de engañar o no enterarse de lo que pasa alrededor. ‖ {**cogerse/pillarse**} **los dedos**; *col.* Quedarse corto por un error o por una falta de previsión. ‖ **[contarse con los dedos**; ser muy pocos: *Las personas que asistieron se pueden 'contar con los dedos'.* ‖ **(dedo) anular**; el cuarto de la mano, empezando a contar por el pulgar. ‖ **dedo (del) corazón**; el del centro y más largo de la mano. ‖ **dedo gordo** o **(dedo) pulgar**; el primero y más grueso de la mano o del pie. ‖ **(dedo) índice**; el segundo de la mano, empezando a contar por el pulgar. ‖ **(dedo) meñique**; el quinto y más pequeño de la mano o del pie, empezando a contar por el pulgar. ‖ **[hacer dedo**; hacer autostop. ‖ **no mover un dedo**; *col.* No tomarse la menor molestia: *Ese egoísta no mueve un dedo por nadie.* ‖ **no tener dos dedos de frente**; ser poco sensato o poco inteligente. ‖ **poner el dedo en la llaga**; acertar a señalar el punto más delicado o que más afecta a una cuestión. ‖ **señalar con el dedo**; *col.* Criticar o censurar. ☐ ETIMOL. Del latín *digitus.* ☐ USO En la acepción 3, es una medida tradicional española.

dedocracia s.f. *col.* Sistema de adjudicación o designación a dedo que realiza una autoridad abusando de su poder. ☐ USO Tiene un matiz humorístico.

dedocrático, ca adj. De la dedocracia o que practica este sistema de elección. ☐ USO Tiene un matiz humorístico.

deducción s.f. **1** Conclusión o resultado que se extraen o se alcanzan a partir de un antecedente y por medio del razonamiento; derivación. **2** Método de razonamiento que consiste en partir de un principio general conocido y avanzar lógicamente hasta alcanzar una conclusión particular desconocida. **3** Descuento de una cantidad. ☐ SEM. En la acepción 2, dist. de *inducción* (método que alcanza un principio general a partir de datos particulares). ☐ USO En la acepción 1, aunque la RAE prefiere *derivación*, se usa más *deducción*.

deducible adj. **1** Que puede ser sacado como consecuencia de algo. **2** Que puede ser restado o descontado de algo. ☐ MORF. Invariable en género.

deducir v. **1** Referido a una conclusión o a un resultado, extraerlos o alcanzarlos por medio del razonamiento; inferir: *Por su reacción, deduzco que no le gustó el regalo. De lo que te ha dicho, no se deduce que esté enfadado.* **2** Referido a una cantidad, restarla o descontarla: *Éste es mi sueldo bruto, es decir, sin deducir los descuentos correspondientes.* ☐ ETIMOL. Del latín *deducere.* ☐ MORF. Irreg. →CONDUCIR. ☐ SINT. Constr. *deducir una cosa DE otra.* ☐ SEM. Dist. de *inducir* (alcanzar un principio general a partir de datos particulares).

deductivo, va adj. De la deducción o relacionado con este método de razonamiento.

defecación s.f. Expulsión de excrementos por el ano. ☐ ORTOGR. Dist. de *defección.*

defecar v. Expulsar excrementos por el ano: *Las personas estreñidas defecan con dificultad.* ☐ ETIMOL. Del latín *defaecare* (purificar). ☐ ORTOGR. La *c* se cambia en *qu* delante de *e* →SACAR

defección s.f. Deserción, abandono o separación de una causa o de un partido. ☐ ETIMOL. Del latín *defectio.* ☐ ORTOGR. Dist. de *defecación.*

defectible adj. Que puede faltar. ☐ ETIMOL. Del latín *defectibilis.* ☐ MORF. Invariable en género.

defectivo, va adj. En gramática, referido o un verbo, que no se usa en todas las formas de su conjugación: *El verbo 'abolir' es defectivo porque sólo se usan las formas que presentan 'i' en su desinencia.* ☐ ETIMOL. Del latín *defectivus.*

defecto s.m. **1** Imperfección o falta natural o moral: *Tiene un defecto en la pierna. Tu mayor defecto es ser tan cotilla.* **2** ‖ **en su defecto**; en su falta o en su ausencia: *Debe presentar el carné de identidad o, en su defecto, el de conducir.* ‖ **por defecto**; **1** Por no alcanzar el mínimo suficiente: *Si no sabes calcular cuántos vendrán, al encargar la comida más vale que peques por exceso que por defecto.* **[2** Referido a una opción, que se selecciona automáticamente si no se elige expresamente otra. ☐ ETIMOL. Del latín *defectus,* y éste de *deficere* (faltar).

defectuoso, sa adj. Imperfecto o con algún defecto.

defender ‖ v. **1** Proteger, apartar o preservar de un daño o de un peligro: *Mi hermana mayor me defendió. Encendieron una hoguera para defenderse del frío.* **2** Referido a una posición ideológica, mantenerla, sostenerla o argumentar a su favor: *Está convencido de lo que dice y lo defiende con todas sus fuerzas.* **3** Referido a la acción de un adversario, impedirla u obstaculizarla: *Tú serás el jugador encargado de defender al delantero centro.* **4** Referido esp. a un acusado, abogar o intervenir en su favor: *La abogada que me defendió en el juicio demostró mi inocencia.* ‖ prnl. **5** Desenvolverse bien: *No sé mucho alemán, pero me defiendo.* ☐ ETIMOL. Del latín *defendere* (alejar, rechazar a un enemigo, proteger). ☐ MORF. Irreg. →PERDER.

defendido, da s. En derecho, persona a la que defiende profesionalmente un abogado.

defenestración s.f. 1 Destitución o expulsión de una persona del puesto que ocupaba, esp. si se hace de manera drástica e inesperada. 2 Acto de arrojar a una persona por una ventana. ☐ ORTOGR. Incorr. **desfenestración.*

defenestrar v. 1 Referido a una persona, destituirla o expulsarla de su puesto, esp. si se hace de manera drástica e inesperada: *La ministra fue defenestrada por razones que no se han hecho públicas.* 2 Referido a una persona, arrojarla por una ventana: *Cuando se vio acorralado, amenazó con defenestrar a un rehén. La policía evitó que se defenestrase un psicópata.* ☐ ETIMOL. Del francés *défenestrer.* ☐ MORF. En la acepción 1, se usa más en voz pasiva.

defensa ∎ s. 1 En algunos deportes de equipo, jugador que tiene la misión de obstaculizar la acción del adversario; zaguero. ∎ s.f. 2 Protección frente a un daño o a un peligro. 3 Mantenimiento de una postura ideológica o argumentación a su favor. 4 Interposición de obstáculos a la acción de un adversario. 5 Alegación o intervención en favor de algo, esp. de un acusado. 6 Abogado o conjunto de abogados que representan a un acusado en un pleito e intervienen a su favor. 7 Lo que sirve para defender o para defenderse. [8 En zonas del español meridional, parachoques. ☐ ETIMOL. Del latín *defensa.* ☐ MORF. En la acepción 1, es de género común: *el defensa, la defensa.*

defensivo, va ∎ adj. 1 Que sirve para defender o defenderse. ∎ s.f. 2 Situación en la que se desiste del ataque y se pretende sólo defenderse. 3 ‖ **a la defensiva**; en actitud de defenderse, esp. si ésta está originada por un sentimiento de recelo. ☐ SINT. *A la defensiva* se usa más con los verbos *estar, ponerse* o *quedarse.*

defensor, -a adj. 1 Que defiende o protege. 2 ‖ **defensor del pueblo**; persona designada por el Parlamento para presidir la institución pública encargada de defender los derechos fundamentales de los ciudadanos ante la Administración y de velar por que ésta la respete. ☐ USO En la acepción 2, es innecesario el uso del término sueco *ombudsman.*

deferencia s.f. Amabilidad o atención que se tiene con alguien como muestra de respeto o de cortesía. ☐ ETIMOL. De *deferir* (adherirse al dictamen de otro por respeto).

deferente adj. Que demuestra deferencia o que actúa con cortesía y consideración.

deficiencia s.f. Imperfección, fallo o carencia.

deficiente ∎ adj. 1 Que tiene algún defecto o alguna deficiencia. 2 Que no alcanza el nivel normal o requerido. ∎ adj./s. 3 Referido a una persona, que tiene alguna deficiencia física o psíquica. 4 ‖ **[muy deficiente**; calificación académica mínima que indica que no se ha superado el nivel exigido. ☐ ETIMOL. Del latín *deficiens,* y éste de *deficere* (faltar). ☐ MORF. 1. Como adjetivo es invariable en género. 2. Como sustantivo es de género común: *el deficiente, la deficiente.* ☐ USO En la acepción 2, tiene un matiz despectivo, y por ello es preferible el uso de la expresión *persona con discapacidad.*

déficit s.m. 1 En economía, diferencia que hay entre los ingresos y los gastos, cuando los segundos son mayores que los primeros. 2 Falta o escasez de algo que se considera necesario. ☐ ETIMOL. Del latín *de-*

ficere (faltar), tercera persona de singular del presente de indicativo. ☐ MORF. Invariable en número. ☐ SEM. Dist. de *superávit* (diferencia entre ingreso y gastos cuando aquéllos son mayores; abundanci o exceso de algo).

deficitario, ria adj. Que implica déficit.

definición s.f. 1 Determinación y explicación precisa de la significación de una palabra o de una ex presión. 2 Aclaración o explicación de algo dudos o incierto. 3 Claridad y precisión con que se percib una imagen observada mediante un instrument óptico, o la formada sobre una película fotográfic o una pantalla de televisión. 4 ‖ **[alta definición** en un televisor, calidad consistente en tener entre m ciento veinticinco y mil doscientas cincuenta línea por pantalla.

definir ∎ v. 1 Referido a una palabra o a una expresió determinar y explicar de manera precisa su signi ficación: *En el diccionario de la lengua española s definen las palabras de nuestro idioma.* 2 Caracte rizar o determinar la naturaleza o los límites: *E la Constitución se definen las competencias del Go bierno.* ∎ prnl. 3 Referido a una persona, mostrar cla ramente cuál es su pensamiento o su actitud: *Des pués de meditarlo, se definió a favor nuestro.* ☐ ETI MOL. Del latín *definire* (delimitar).

definitivo, va adj. 1 Que decide o que es inamo vible. 2 ‖ **en definitiva**; de manera definitiva, e conclusión o en resumen. ☐ ETIMOL. Del latín *defi nitivus.* ☐ MORF. No admite grados: incorr. **má definitivo.*

deflación s.f. En economía, descenso del nivel ge neral de precios que produce un aumento del valo del dinero. ☐ ETIMOL. Del francés *déflation,* y ést del inglés *deflation.* ☐ ORTOGR. Incorr. **deflacción* ☐ SEM. Dist. de *inflación* (subida del nivel genera de precios).

deflacionario, ria adj. En economía, de la defla ción monetaria, relacionado con ella o que la pro duce; deflacionista. ☐ ORTOGR. Incorr. **deflaccio nario.*

deflacionista ∎ adj. 1 →deflacionario. ∎ adj./s 2 Partidario de la deflación monetaria. ☐ ORTOGR Incorr. **deflaccionista.* ☐ MORF. 1. Como adjetivo e invariable en género. 2. Como sustantivo es de gé nero común: *el deflacionista, la deflacionista.*

deflagrar v. Referido a una sustancia, arder de ma nera rápida, con llama y sin producirse explosión *Acercaron una cerilla a la pólvora para hacerla de flagrar.* ☐ ETIMOL. Del latín *deflagrare* (quemarse del todo). ☐ ORTOGR. Incorr. **deflagar.*

[deflector s.m. Dispositivo que hace variar la di rección de un fluido, generalmente un gas.

deforestación s.f. Eliminación o desaparición de plantas forestales. ☐ ORTOGR. Se admite tambié *desforestación.*

deforestar v. Referido a un terreno, despojarlo de plantas forestales; desforestar: *Los incendios han deforestado grandes extensiones de terreno.* ☐ ETI MOL. De *de-* (privación) y el francés antiguo *forest* (bosque).

[deformable adj. Que se puede deformar. ☐ MORF. Invariable en género.

deformación s.f. 1 Alteración de la forma natural o de la manera de ser. 2 ‖ **deformación profesio nal**; conjunto de hábitos adquiridos por el ejercici de una profesión.

deformar v. Alterar la forma natural o la manera de ser: *Tengo los pies muy anchos y deformo los zapatos.* ☐ ETIMOL. Del latín *deformare*.

deforme adj. **1** Desproporcionado o irregular en la forma. **2** Que ha sufrido deformación. ☐ ORTOGR. Se admite también *disforme*. ☐ MORF. Invariable en género.

deformidad s.f. Desproporción o irregularidad en la forma; disformidad.

defraudar v. **1** Referido esp. al pago de un impuesto, eludirlo o burlarlo: *Defraudó varios millones de pesetas a Hacienda.* **2** Referido a algo que corresponde a otra persona, privarla de ello con abuso de confianza o faltando a la fidelidad de las obligaciones propias: *Falsificando la firma del cajero, defraudó dos millones de pesetas a su empresa.* **3** Referido a una persona, frustrar o desvanecer la confianza que tiene puestas en algo: *Estudia por lo menos para acabar el curso y no defraudar a tus padres.* ☐ ETIMOL. Del latín *defraudare*.

defunción s.f. Muerte, fallecimiento o terminación de la vida de una persona. ☐ ETIMOL. Del latín *defunctio*.

degeneración s.f. Paso a un estado peor o pérdida de las características o cualidades positivas anteriores o primitivas.

degenerado, da adj./s. Referido a una persona, con un grado de anormalidad mental y moral que se manifiesta en el comportamiento y en el aspecto físico.

degenerar v. Decaer o pasar a un estado peor, o perder las características y cualidades positivas anteriores o primitivas: *Ese catarro ha degenerado en una grave bronquitis.* ☐ ETIMOL. Del latín *degenerare* (desdecir del linaje).

degenerativo, va adj. Que causa o produce degeneración.

deglución s.f. Paso de un alimento o de una materia sólida o líquida de la boca al estómago.

deglutir v. Referido esp. a un alimento, tragarlos o hacerlos pasar de la boca al estómago: *Deglute con dificultad porque le duele mucho la garganta.* ☐ ETIMOL. Del latín *deglutire*.

degollación s.f. Realización de un corte profundo en la garganta o en el cuello de una persona o de un animal; degollamiento.

degollamiento s.m. →**degollación**.

degollar v. Referido a una persona o a un animal, cortarles la garganta o el cuello: *Los matarifes degollaban los corderos del matadero.* ☐ ETIMOL. Del latín *decollare*, y éste de *collum* (cuello). ☐ MORF. Irreg. →AVERGONZAR.

[degradable adj. Que se puede degradar, de modo que se reduzcan las propiedades contaminantes. ☐ MORF. Invariable en género.

degradación s.f. **1** Privación o pérdida del empleo, de la dignidad, del privilegio o del honor que tiene una persona. **2** Reducción o desgaste de las cualidades inherentes o características.

degradante adj. Que degrada o rebaja. ☐ MORF. Invariable en género.

degradar v. **1** Referido a una persona, privarla del empleo, de la dignidad, del privilegio o del honor que tiene: *Los oficiales golpistas serán degradados a soldados rasos.* **2** Reducir o desgastar las cualidades características: *La contaminación degrada los edificios de la ciudad.* **3** Referido a una sustancia compleja, transformarla en otra más sencilla: *Los agentes atmosféricos degradan algunas sustancias.* **4** Referido esp. a un color, disminuir su viveza: *Para conseguir sensación de lejanía, debes degradar el color de los objetos más lejanos.* ☐ ETIMOL. Del latín *degradare*.

[dégradé ‖ [en dégradé; en gradación: *Las paredes estaban pintadas de amarillo 'en dégradé'.* ☐ ETIMOL. Del francés *de dégradé*. ☐ USO Su uso es innecesario.

degüello s.m. Acción de cortar la garganta o el cuello de una persona o de un animal.

degustación s.f. Prueba, cata o toma de una pequeña cantidad de un alimento o de una bebida.

degustar v. Referido a un alimento o a una bebida, probarlos, catarlos o tomar una pequeña cantidad de ellos: *Hoy había en la tienda un plato con trozos pequeños de un nuevo queso para que los clientes lo degustaran.* ☐ ETIMOL. Del latín *degustare*.

dehesa s.f. Tierra generalmente acotada o limitada y destinada a pastos. ☐ ETIMOL. Del latín *defensa* (defensa).

dehiscente adj. Referido a un fruto, que tiene el pericarpio que se abre naturalmente para que salga la semilla. ☐ ETIMOL. Del latín *dehiscens*, y éste de *dehiscere* (entreabrirse). ☐ MORF. Invariable en género.

deicida adj./s. Referido a una persona, que dio muerte a Jesucristo (hijo de Dios). ☐ ETIMOL. Del latín *deicida*, y éste de *Deus* (dios) y *caedere* (matar). ☐ MORF. **1.** Como adjetivo es invariable en género. **2.** Como sustantivo es de género común: *el deicida, la deicida.*

deicidio s.m. Crimen cometido por el deicida.

deíctico, ca ▌ adj. **1** De la deixis o relacionado con este tipo de forma de señalar. ▌ s.m. **2** Elemento gramatical que realiza una deixis. ☐ ETIMOL. Del griego *deiktikós* (demostrativo).

deidad s.f. **1** Ser supremo o sobrenatural al que se le rinde culto; dios. **2** Conjunto de características o cualidades propias de un dios. ☐ ETIMOL. Del latín *deitas*.

deísmo s.m. Concepción filosófica que reconoce la existencia de un dios como autor de la creación, pero que no admite la revelación ni el culto externo. ☐ ETIMOL. Del latín *Deus* (dios).

deísta adj./s. Partidario o seguidor del deísmo. ☐ MORF. **1.** Como adjetivo es invariable en género. **2.** Como sustantivo es de género común: *el deísta, la deísta.*

deixis o **[deíxis** s.f. En gramática, forma de señalar que se realiza en el discurso mediante determinados elementos lingüísticos que muestran o indican un lugar, una persona o un tiempo. ☐ MORF. Invariable en número.

dejación s.f. **1** Abandono, desamparo o descuido. **2** Cesión o abandono de un derecho o de un bien. ☐ SEM. Dist. de *dejadez* (pereza, negligencia).

dejadez s.f. Pereza, falta de cuidado, de atención, de interés. ☐ SEM. Dist. de *dejación* (abandono; cesión de derechos).

dejado, da ▌ adj. **1** Perezoso, descuidado o que no se ocupa de sí mismo o de las cosas propias. ▌ s.f. **[2** En tenis, golpe que se da a la pelota con un efecto para que bote de delante hacia atrás cerca de la red.

dejar ▌ v. **1** Consentir, permitir o no impedir: *¿Me dejas ir al cine?* **2** Encargar o encomendar: *Si sa-*

limos esta noche podemos dejarle los niños a mi madre. **3** Dar, regalar o ceder gratuitamente por voluntad del dueño antes de ausentarse o de morir: *Cuando murió dejó todo lo que poseía a sus sobrinos.* **4** Soltar o poner en un lugar: *Cuando se acuesta deja el reloj encima de la mesilla.* **5** No inquietar, no molestar o no perturbar: *Deja a tu madre, que está durmiendo.* **6** Referido a una persona, abandonarla o desampararla: *Dejaron un bebé a la puerta del convento.* Referido a un lugar, abandonarlo o ausentarse de él: *Dejé su casa casi al amanecer.* **8** Referido a una actividad, abandonarla o no proseguirla: *Dejé el baloncesto cuando empecé la carrera.* **9** Referido a algo habitual, retirarse, apartarse o renunciar a ello: *Dejó a su novio por imposición de su familia.* **10** Referido a una ganancia o a un beneficio, valerlos o producirlos: *La venta del coche me dejó beneficios.* **11** Referido esp. a una posesión, entregarla o darla provisionalmente, a condición de que sea devuelta; prestar: *¿Me dejas tu coche para ir a la facultad?* **12** Seguido de algunos adjetivos y participios, hacer pasar al estado o situación que éstos expresan: *El ciclista aceleró y dejó atrás al resto del pelotón.* **13** Seguido de la preposición de y de un infinitivo, interrumpir la acción expresada por éste: *Deja de chillar, que te vas a quedar ronco.* **14** Nombrar, designar o proclamar para el desempeño de un cargo o para una función: *La millonaria dejó a su hijo como único heredero.* **15** Referido a un objeto, olvidarlo en alguna parte: *Dejé mi bolsa en el cine.* ∎ prnl. **16** Abandonarse o descuidarse por desánimo o por pereza: *Aunque creas que no adelgazas con el régimen, no te dejes y sigue intentándolo.* **17** ‖ **dejar {bastante/ mucho} que desear**; ser inferior a lo que se esperaba: *Sé que su familia deja mucho que desear.* ‖ **dejar caer** algo; en una conversación, decir algo de pasada pero con intención: *Durante la reunión, dejé caer que no estaba todo tan bien organizado como ella pensaba.* ‖ **dejarse caer**; col. Presentarse de forma inesperada: *A ver cuándo te dejas caer por aquí.* ‖ **dejarse de** algo; dejar de prestarle atención, para pasar a dedicársela a otras cuestiones: *Déjate de juegos de ordenador y ponte a estudiar ahora mismo.* ‖ **no dejar de**; seguido de una oración de infinitivo, se usa para afirmar irónicamente lo que ésta expresa: *No deja de resultar extraño que la hayan elegido para ese premio.* ⬚ ETIMOL. Del antiguo *lexar*, por influencia de *dar.* ⬚ ORTOGR. Conserva la *j* en toda la conjugación. ⬚ SINT. La perífrasis *dejar + participio* indica que la acción realizada por éste ha sido ya realizada por precaución: *Si sales, déjame dicho lo que tengo que comprar.*

deje s.m. **1** Modo particular de pronunciación y de entonación que acusa o revela un estado de ánimo transitorio o peculiar del hablante. **2** Acento peculiar del habla de una región determinada. **3** Gusto o sabor que queda en la comida o en la bebida. ⬚ ETIMOL. De *dejar.* ⬚ SEM. Es sinónimo de *dejo.* ⬚ USO Aunque la RAE prefiere *dejo*, se usa más *deje.*

dejo s.m. **1** →**deje**. **2** Placer o disgusto que queda después de una acción. ⬚ ETIMOL. De *dejar.*

del Contracción de la preposición *de* y del artículo determinado *el*. ⬚ ORTOGR. 1. Incorr. {*de el > del*} *armario*. 2. Esta contracción no se produce cuando el artículo forma parte de un nombre propio: *Llegaron tarde de El Ferrol.*

delación s.f. Acusación, declaración o información

sobre algo oculto, esp. si es algo reprobable. ⬚ ETI MOL. Del latín *delatio* (denuncia).

delantal s.m. Prenda que, colgada generalmente del cuello, se ata a la cintura y se pone encima de la ropa para protegerla; mandil.

delante adv. **1** En una posición o lugar anterior o más avanzado: *Se puso delante de mí un señor muy alto y no vi nada.* **2** ‖ **delante de**; a la vista o en presencia de. ⬚ ETIMOL. Del latín *de* e *inante* (delante). ⬚ SINT. Su uso seguido de un adjetivo posesivo es incorrecto: *Está delante* {**mío > de mí*}.

delantera s.f. Véase **delantero, ra**.

delantero, ra ∎ adj. **1** Que está delante o en una posición anterior. ∎ s.m. **2** En el fútbol y otros deportes, jugador que, en la alineación de un equipo, forma parte de la línea situada en posición avanzada cuya misión es atacar al equipo contrario. ∎ s.f. **3** Parte anterior de algo. **4** Espacio o distancia con los que se adelanta a una persona. **5** En el fútbol y otros deportes, línea formada por los jugadores que juegan en una posición avanzada, y cuya misión es la de atacar al equipo contrario. **6** col. Pecho de la mujer. **7** ‖ **llevar la delantera**; ir por delante en una carrera o en alguna materia.

delatar ∎ v. **1** Referido a una persona, revelarla voluntariamente a la autoridad como autora de un delito para que sea castigada: *El atracador arrepentido delató a sus compañeros a la policía.* **2** Referido a algo oculto y generalmente reprobable, descubrirlo o ponerlo de manifiesto: *Aquel artículo del periódico delataba la falta de seguridad ciudadana. El criminal se delató al mostrarse tan nervioso.* ∎ prnl. Hacer patente de forma involuntaria una intención: *Te delataste cuando dijiste delante de ella que harías cualquier cosa por complacerla.*

delator, -a adj./s. Referido a una persona, que denuncia o acusa, esp. si lo hace en secreto y cautelosamente. ⬚ ETIMOL. Del latín *delator*, y éste de *deferre* (denunciar, llevar a un tribunal). ⬚ SEM. Es sinónimo de *acusica, acusón y chivato.*

delco s.m. En un motor de explosión, aparato que distribuye la corriente de alto voltaje haciéndola llegar por turno a cada una de las bujías. ⬚ ETIMOL. Es un acrónimo que procede de la sigla de *Dayton Engineering Laboratories Corporation*, que es el nombre de la sociedad norteamericana que creó este dispositivo de encendido.

deleble adj. Que puede borrarse o que se borra con facilidad. ⬚ ETIMOL. Del latín *delebilis.* ⬚ MORF. Invariable en género.

delectación s.f. Placer o gozo del ánimo o de los sentidos; deleitamiento, deleite. ⬚ ETIMOL. Del latín *delectatio.*

delegación s.f. **1** Cesión que hace una persona a otra de la jurisdicción o de las funciones que posee para que las ejerza o para que las represente. **2** Cargo de delegado. **3** Cuerpo o conjunto de delegados. **4** Oficina del delegado.

delegado, da adj./s. Referido a una persona, que representa a otra que le ha delegado una jurisdicción o función en ella.

delegar v. Referido esp. a una función, dejar a otra persona para que la ejerza: *Delegó algunas de sus funciones directivas en sus colaboradores más directos.* ⬚ ETIMOL. Del latín *delegare.* ⬚ ORTOGR. La *g* se cambia en *gu* delante de *e* →PAGAR.

deleitamiento s.m. →**deleite**.

deleitar v. Producir deleite o placer: *La anfitriona nos deleitó con una interpretación al piano. Me deleito leyendo*. ☐ ETIMOL. Del latín *delectare* (seducir, deleitar).

deleite s.m. Placer o gozo del ánimo o de los sentidos; delectación, deleitamiento.

deleitoso, sa adj. Que causa deleite o placer.

deletrear v. Referido esp. a una palabra, pronunciar aislada y separadamente las letras que la forman: *Como no sabía escribir mi apellido, me pidió que lo deletreara*. ☐ ETIMOL. De *de-* (separación) y *letra*.

deleznable adj. **1** Que se deshace, se rompe o se disgrega con facilidad. **[2** Referido esp. a una persona o a sus acciones, que son reprobables, despreciables o viles. ☐ ETIMOL. Del antiguo *deleznarse* (resbalar, deslizar con facilidad).

delfín s.m. **1** Mamífero marino, que se alimenta de peces, grisáceo por encima y blanquecino por debajo, de cabeza voluminosa y ojos pequeños, que tiene el hocico delgado y agudo, la boca muy grande y dientes cónicos en ambas mandíbulas. **2** Hijo primogénito del rey de Francia (país europeo). **[3** Persona elegida por otra para que sea su sucesora. ☐ ETIMOL. La acepción 1, del latín *delphinus*. Las acepciones 2 y 3, del francés *dauphin*. ☐ MORF. En la acepción 1, es un sustantivo epiceno: *el delfín macho, el delfín hembra*.

delfinario s.m. Instalación adecuada para la exhibición de delfines vivos. ☐ ETIMOL. Del inglés *delphinarium*.

delgadez s.f. Flaqueza, escasez de carnes o grosor inferior al normal.

delgado, da adj. **1** Flaco, de pocas carnes o poco grueso. **2** Delicado, suave, fino o de poco espesor. ☐ ETIMOL. Del latín *delicatus* (tierno, fino, delicado, delicioso).

deliberación s.f. Reflexión o meditación que se hacen antes de tomar una decisión, considerando atenta y detenidamente los pros y los contras o los motivos que llevan a tomarla.

deliberado, da adj. Referido esp. a un acto, voluntario, intencionado o hecho a propósito.

deliberar v. Reflexionar o meditar antes de tomar una decisión, considerando con atención y con detenimiento los pros y los contras o los motivos que llevan a tomarla: *El jurado se reunió a deliberar*. ☐ ETIMOL. Del latín *deliberare*.

deliberativo, va adj. De la deliberación o relacionado con ella.

delicadeza s.f. **1** Debilidad, finura o facilidad para estropearse o para romperse. **2** Atención, miramiento, tacto o gran cuidado. **3** Ternura, suavidad o consideración.

delicado, da adj. **1** Débil, flaco, delgado o enfermizo. **2** Fino, suave, tierno o atento. **3** Quebradizo, que se rompe, se deteriora o se estropea fácilmente. **4** Fino, primoroso, elegante o exquisito. **5** Difícil, expuesto a contingencias, problemas o cambios. **6** Sabroso, gustoso, agradable o placentero. **7** Referido a una persona, suspicaz que resulta difícil de contentar. **8** Que procede o actúa con escrupulosidad o con miramiento. ☐ ETIMOL. Del latín *delicatus* (tierno, fino, delicioso).

[delicatessen] (anglicismo) s.f.pl. Comidas exquisitas, preparadas y cocinadas, que se suelen vender en tiendas especializadas. ☐ ETIMOL. Del inglés *de-*

licatessen, y éste del alemán *delikatessen*. ☐ PRON. [delicatésen].

delicia s.f. **1** Placer muy intenso o muy vivo del ánimo o de los sentidos. **2** Lo que produce este placer. **[3** Comida hecha con pescado cocido y desmenuzado, que se reboza en huevo y pan rallado y se fríe. ☐ ETIMOL. Del latín *delicia*.

delicioso, sa adj. Muy agradable, ameno o que produce o puede producir delicia o placer.

delictivo, va adj. Que implica delito. ☐ ETIMOL. Del latín *delictum* (delito).

delimitación s.f. Determinación o fijación con precisión de los límites de algo.

delimitar v. Determinar o fijar con precisión los límites: *Los obreros ya han delimitado el solar en el que van a construir la nueva urbanización*. ☐ ETIMOL. Del latín *delimitare*.

delincuencia s.f. Conjunto de delitos cometidos en un determinado lugar o en un determinado período de tiempo.

delincuente adj./s. Que delinque o que comete delito. ☐ ETIMOL. Del latín *delinquens*, y éste de *delinquere* (cometer una falta). ☐ MORF. 1. Como adjetivo es invariable en género. 2. Como sustantivo es de género común: *el delincuente, la delincuente*.

delineación s.f. Trazado o dibujo de las líneas de una figura.

delineante s. Persona que se dedica profesionalmente al trazado o dibujo de planos. ☐ MORF. Es de género común: *el delineante, la delineante*.

delinear v. Referido a una figura, trazar sus líneas: *El arquitecto delineaba el plano del edificio*. ☐ ETIMOL. Del latín *delineare*. ☐ PRON. Aunque la pronunciación correcta es la que acentúa la *e* [delineó, delineás...], está muy extendida la pronunciación [delíneo, delíneas...], por influencia de la palabra *línea*.

delinquir v. Cometer un delito: *La persona que roba delinque*. ☐ ETIMOL. Del latín *delinquere* (faltar, cometer una falta). ☐ ORTOGR. La *qu* se cambia en *c* delante de *a, o* →DELINQUIR.

[delirante] adj. **1** Que delira. **2** Propio del delirio. ☐ MORF. Invariable en género.

delirar v. **1** Desvariar, decir locuras o despropósitos o tener perturbada la razón por una enfermedad o por una pasión violenta: *La fiebre era tan alta que lo hacía delirar*. **2** Hacer o decir despropósitos o disparates: *Tú deliras si crees que tu primo te va a dar ese dinero*. ☐ ETIMOL. Del latín *delirare*.

delirio s.m. **1** Desorden o perturbación de la razón o de la fantasía, causados por una enfermedad o por una pasión violenta. **2** Despropósito, disparate o lo que resulta ilógico o sin sentido. **3** ‖ **[con delirio**; *col.* Mucho. ‖ **delirios de grandeza**; actitud de la persona que sueña con una situación o con un lujo que están fuera de su alcance.

delírium trémens ‖ Delirio que sufren los alcohólicos crónicos y que se caracteriza por una gran agitación, ansiedad, temblor y alucinaciones. ☐ ETIMOL. Del latín *delirium tremens* (delirio con suma agitación).

delito s.m. **1** Culpa, crimen o quebrantamiento de la ley. **2** En derecho, acción u omisión voluntaria, castigada por la ley con pena grave. **3** ‖ **[delito de sangre**; aquel que se hace contra la vida o la integridad física de una persona y que puede llegar a causar su muerte. ☐ ETIMOL. Del latín *delictum*.

delta ∎ s.m. **1** Terreno comprendido entre los brazos de un río en su desembocadura. ∎ s.f. **2** En el alfabeto griego clásico, nombre de la cuarta letra: *La grafía de la delta es* δ. ☐ ETIMOL. De *delta* (nombre de una letra griega), porque la forma de los deltas es como la mayúscula de esta letra.

demacrado, da adj. Que está muy delgado o que tiene mal aspecto.

demacrar v. Quitar o perder carnes o adelgazar mucho por una causa física o moral; descarnar: *Tuvo una gripe tan fuerte que le demacró el rostro. Se demacró por las preocupaciones.* ☐ ETIMOL. Del latín *macrare* (enflaquecer).

demagogia s.f. Utilización de todo lo necesario para conseguir convencer a la gente sin reparar en los métodos, y utilizando más la exaltación de los ánimos que los razonamientos.

demagógico, ca adj. De la demagogia o relacionado con ella.

demagogo, ga adj./s. Referido a una persona, que practica la demagogia o que intenta convencer a la gente sin reparar en los medios. ☐ ETIMOL. Del griego *demagogós* (que conduce al pueblo), de *dêmos* (pueblo) y *ágo* (yo conduzco).

demanda s.f. **1** Petición o solicitud, esp. si se hace como súplica o en nombre de un derecho. **2** En derecho, reclamación o acción judiciales que se emprenden contra alguien. **3** En economía, cantidad de mercancías o conjunto de servicios que una colectividad solicita o está dispuesta a comprar. ☐ SEM. Dist. de *denuncia* (reclamación o acusación judicial contra alguien) y de *querella* (acusación que se presenta ante un juez o un tribunal).

demandado, da s. En derecho, persona contra la que se emprende una acción judicial.

demandador, -a o **demandante** s. En derecho, persona que emprende una acción judicial. ☐ MORF. *Demandante* es de género común: *el demandante, la demandante.* ☐ USO *Demandador* es el término menos usual.

demandar v. **1** Pedir o solicitar, esp. si se hace como súplica o en nombre de un derecho: *Los trabajadores demandan mejoras salariales.* **2** En derecho, referido a una persona o a una entidad, emprender una acción judicial contra ellas para reclamarles algo: *La clienta demandó a la empresa por incumplimiento de contrato.* ☐ ETIMOL. Del latín *demandare* (confiar, encomendar).

demarcación s.f. **1** Señalización o establecimiento de los límites de un terreno, esp. si se trata de un territorio. **2** Terreno o territorio comprendido entre estos límites. **3** División administrativa o territorio sobre el que tiene competencias una autoridad. [**4** En algunos deportes, posición táctica que ocupa un jugador en el terreno de juego.

demarcar v. Referido esp. a un territorio, marcar o fijar sus límites: *Cada colono demarcó sus concesiones con alambradas.* ☐ ETIMOL. De *de* (preposición) y *marcar.* ☐ ORTOGR. La *c* se cambia en *qu* delante de *e* →SACAR.

[**demarraje** s.m. En deporte, acelerón brusco que da un corredor para distanciarse de sus seguidores. ☐ ETIMOL. Del francés *démarrage.*

[**demarrar** v. En deporte, referido esp. a un corredor, acelerar bruscamente para distanciarse de sus seguidores: *El corredor 'demarró' y dejó clavado al pelotón.* ☐ ETIMOL. Del francés *démarrer.*

demás indef. **1** Designa a los individuos restante de una serie o a una parte no mencionada de u todo: *Hoy ceno con mis padres, mis tíos y demá familia. Vive para estudiar y lo demás no le impor ta.* **2** ‖**los demás**; el prójimo o las otras persona que forman parte de la misma colectividad. ‖**po demás**; **1** Inútilmente o en vano. **2** Excesivamente ‖**por lo demás**; por lo que respecta a otras cosa ‖**y demás**; en una enumeración, expresión que se us para sustituir su parte final y evitar detallarla: *Vi nieron amigos, familiares y demás.* ☐ ETIMOL. De latín *de magis* (mucho). ☐ ORTOGR. Dist. de *de más* ☐ MORF. Como indefinido es invariable en género número. ☐ SINT. Como indefinido se usa más pre cedido de un artículo determinado o de un posesiv

demasía s.f. ‖**en demasía**; de manera excesiva. [ETIMOL. De *demás.*

demasiado, da indef. Que sobrepasa los límite de lo ordinario o de lo debido. ☐ ETIMOL. De *de masía.*

demasiado adv. En exceso. ☐ ETIMOL. De *dema sía.* ☐ SINT. Intercalar la preposición *de* entre *de masiado* y un adjetivo se considera un vulgarism *Es demasiado {*de bueno > bueno} para ser verdad*

[**demasié** ∎ adj. **1** *vulg.* Estupendo o increíble. adv. **2** *vulg.* Muy bien o fabulosamente. ☐ MORF Como adjetivo es invariable en género y en número

demencia s.f. **1** Locura o trastorno de la razón. **2** En medicina, estado caracterizado por el debilita miento de las facultades mentales, generalment con carácter progresivo e irreversible. [**3** *col.* Hech o dicho disparatados o faltos de cordura.

demencial adj. De la demencia o con característ ticas no racionales. ☐ MORF. Invariable en género.

demente adj./s. Referido a una persona, que padec demencia o trastorno de sus facultades mentales. [ETIMOL. Del latín *demens.* ☐ MORF. **1.** Como adjetiv es invariable en género. **2.** Como sustantivo es d género común: *el demente, la demente.*

demérito s.m. Acción o circunstancia que provoca la pérdida del mérito o del valor de algo; desmere cimiento. ☐ ETIMOL. Del latín *demeritus.* ☐ ORTOGR **1.** Incorr. **desmérito.* **2.** Dist. de *de mérito.*

demiurgo s.m. **1** En la filosofía platónica, ser supre mo, ordenador del mundo. **2** En la filosofía gnóstica alma universal o principio activo del universo. ☐ ETIMOL. Del latín *demiurgus,* y éste del griego *de miurgós* (artesano, Creador).

[**demo** s.f. En informática, programa de demostració que permite al usuario conocer las característica de un determinado programa.

democracia s.f. **1** Forma de gobierno en la qu el poder reside en el pueblo. **2** Doctrina polític que defiende esta forma de gobierno. [**3** Estad que tiene esa forma de gobierno. [**4** Tiempo du rante el que está vigente esa forma de gobierno [**5** Participación de todos los miembros de una co lectividad en la toma de decisiones. ☐ ETIMOL. De griego *demokratía* (gobierno popular, democracia de *dêmos* (pueblo) y *kratéo* (yo gobierno).

demócrata adj./s. Partidario o defensor de la de mocracia. ☐ MORF. **1.** Como adjetivo es invariable en género. **2.** Como sustantivo es de género común *el demócrata, la demócrata.*

democratacristiano, na adj./s. →democristia no.

democrático, ca adj. De la democracia o con características de esta forma de gobierno. ☐ ETIMOL. Del griego *demokratikós*.

democratización s.f. **1** Conversión en partidario de la democracia. **2** Transformación que se lleva a cabo de acuerdo con criterios democráticos.

democratizar v. **1** Hacer partidario de la democracia: *El nuevo Gobierno pretende democratizar los altos mandos militares. Algunos defensores del régimen autoritario se fueron democratizando con el tiempo.* **2** Transformar de acuerdo con criterios democráticos: *El militar golpista anunció su intención de democratizar el país. Con la llegada del nuevo régimen, las instituciones se democratizaron.* ☐ ORTOGR. La *z* se cambia en *c* delante de *e* →CAZAR.

democristiano, na ∎ adj. **1** De la democracia cristiana o relacionado con este movimiento político. ∎ adj./s. **2** Que defiende o sigue la democracia cristiana. ☐ SEM. Es sinónimo de *democratacristiano*.

[demodé adj. *col.* Pasado de moda. ☐ ETIMOL. Del francés *démodé.* ☐ MORF. Invariable en género. ☐ USO Su uso es innecesario.

demografía s.f. Estudio estadístico de la población humana según su composición, estado y distribución en un determinado momento o según su evolución histórica. ☐ ETIMOL. Del griego *dêmos* (pueblo) y *-grafía* (tratado). ☐ SEM. Dist. de *población* (conjunto de habitantes de un territorio).

demográfico, ca adj. De la demografía o relacionado con ella.

demógrafo, fa s. Persona que se dedica al estudio estadístico de poblaciones humanas, esp. si ésta es su profesión.

demoledor, -a adj./s. Que demuele.

demoler v. Destruir o hacer caer: *Los bomberos demolieron las casas que amenazaban ruina.* ☐ ETIMOL. Del latín *demoliri* (echar al suelo). ☐ MORF. Irreg. →MOVER.

demolición s.f. Destrucción o derribo, esp. de una construcción o de algo dotado de estructura.

demoniaco, ca o **demoníaco, ca** ∎ adj. **1** Del demonio, o que tiene semejanza o relación con él. ∎ adj./s. **2** Poseído por el demonio; endemoniado.

demonio s.m. **1** Espíritu maligno que se opone a la acción de Dios. **2** Persona muy hábil y astuta para conseguir lo que se propone. **3** Persona muy traviesa e inquieta, esp. si es un niño. **4** Persona malvada o que tiene mal genio. **5** ‖ **[a (mil) demonios**; referido a la forma de oler o de saber, muy mal o de manera muy desagradable. ‖ **como {el/un} demonio**; *col.* Mucho o excesivamente. ‖ **del demonio** o **[de mil demonios**; **1** *col.* Expresión que se usa para exagerar el carácter negativo de algo: *un tiempo 'de mil demonios'.* **2** col. Tremendo o impresionante. ‖ **llevarse el demonio** a alguien o **ponerse hecho un demonio**; irritarse mucho. ☐ ETIMOL. Del latín *daemonium*, y éste del griego *daimónion* (genio, divinidad inferior). ☐ MORF. Cuando se antepone a una palabra para formar compuestos, adopta la forma *demono-.* ☐ SEM. Es sinónimo de *diablo.*

demonio o **demonios** interj. *col.* Expresión que se usa para indicar extrañeza, sorpresa, admiración o disgusto.

demontre ∎ s.m. **1** *euf. col.* Diablo. ∎ interj. **2** *col.* Expresión que se usa para indicar extrañeza, sorpresa, admiración o disgusto. ☐ ETIMOL. Eufemismo por *demonio.*

demora s.f. Tardanza o retraso en la realización o en el cumplimiento de algo, esp. de una obligación.

demorar ∎ v. **1** Referido a una acción, retrasarla en el tiempo; atrasar, retardar: *Los viajeros demoraron su salida. El comienzo de las obras se demoró varios meses.* **[2** En zonas del español meridional, tardar. ∎ prnl. **3** Detenerse o entretenerse durante un tiempo: *Los dos amigos se demoraron hablando.* **[4** En zonas del español meridional, retrasarse. ☐ ETIMOL. Del latín *demorari.*

demoscopia s.f. Estudio de las opiniones, aficiones y comportamiento humanos mediante sondeos de opinión. ☐ ETIMOL. Del alemán *Demoskopie.*

demoscópico, ca adj. De la demoscopia o relacionado con este estudio de opinión.

demóstenes s.m. Persona de gran elocuencia o facilidad de palabra. ☐ ETIMOL. Por alusión a Demóstenes, famoso orador griego del siglo I a. C.

demostrable adj. Que se puede demostrar. ☐ MORF. Invariable en género.

demostración s.f. **1** Lo que hace evidente de manera definitiva la verdad de algo. **2** Muestra o manifestación exterior, esp. de sentimientos. **3** Exhibición u ostentación, esp. de poder. **4** Lo que se hace para enseñar de manera práctica. **5** Comprobación que se hace de un principio o de una teoría aplicándola en experimentos o casos concretos.

demostrar v. **1** Referido a la verdad de algo, hacerla evidente con razones o pruebas definitivas: *Aquellas cartas demostraban que el acusado fue objeto de chantaje.* **2** Manifestar o dar a entender: *Demostraste poco interés marchándote de esa manera.* **3** Enseñar o mostrar de manera práctica: *El ciclista demostró cómo corre un campeón.* ☐ ETIMOL. Del latín *demonstrare.* ☐ MORF. Irreg. →CONTAR.

demostrativo, va ∎ adj. **1** Que demuestra o pone de manifiesto. ∎ s.m. **2** →**pronombre demostrativo.**

demótico, ca ∎ adj. **1** En el antiguo Egipto, referido a un sistema de escritura, que se caracteriza por la ligazón de sus trazos y por su simplificación respecto de las escrituras hierática y jeroglífica. ∎ s.m. **2** →**griego demótico.** ☐ ETIMOL. Del griego *demotikós* (popular).

demudar v. Referido esp. al color o a la expresión del rostro, cambiar o alterarse por una fuerte impresión: *La mala noticia le demudó el rostro. Cuando vio a su hijo herido, se le demudó el color.* ☐ ETIMOL. Del latín *demutare.*

denario s.m. **1** En la antigua Roma, moneda de plata equivalente a diez ases o a cuatro sestercios. **2** En la antigua Roma, moneda de oro equivalente a cien sestercios. ☐ ETIMOL. Del latín *denarius.*

dendrita s.f. En biología, en una célula nerviosa, prolongación ramificada de su citoplasma. ☐ ETIMOL. Del griego *déndron* (árbol).

denegar v. Referido a una petición o a una solicitud, negarlas o no concederlas: *Solicité un aumento de sueldo, pero me lo denegaron.* ☐ ETIMOL. Del latín *denegare.* ☐ ORTOGR. Aparece una *u* después de la *g* cuando le sigue *e.* ☐ MORF. Irreg. →REGAR.

denegatorio, ria adj. Que responde negativamente a una petición o a una solicitud.

dengue s.m. Hecho o dicho afectados con los que se finge disgusto o desagrado por lo que en realidad se desea. ☐ ETIMOL. De origen expresivo.

denigrante adj./s. Que denigra, ofende o insulta. ☐

MORF. **1.** Como adjetivo es invariable en género. **2.** Como sustantivo es de género común: *el denigrante, la denigrante.*

denigrar v. **1** Atacar la reputación o la buena fama: *Las malas lenguas denigran tu buen nombre.* **2** Ofender o insultar gravemente, esp. con acusaciones injustas; injuriar: *El carcelero denigraba a los presos con sus burlas y malos tratos.* ☐ ETIMOL. Del latín *denigrare* (poner negro, manchar).

denodado, da adj. Con denuedo o con decisión. ☐ ETIMOL. Del latín *denotatus* (famoso).

denominación s.f. **1** Asignación de un nombre o de una expresión que sirven para identificar. **2** ‖ [**denominación de origen**; la que se asigna oficialmente a un producto como garantía de que procede de una determinada comarca y tiene la calidad y las propiedades características de ese lugar.

denominador s.m. **1** En un número quebrado o en una fracción matemática, término que indica el número de partes iguales en que se considera dividido un todo o la unidad: *En el quebrado 2/3, el denominador es 3.* **2** ‖ [**común denominador** o [**denominador común**; **1** En un conjunto de fracciones, número que es múltiplo de todos sus denominadores. **2** Aquello en lo que se coincide.

denominar v. Asignar o recibir un nombre o una expresión que identifique: *En medicina, la infección de amígdalas se denomina 'amigdalitis'.* ☐ ETIMOL. Del latín *denominare.*

denostar v. Desacreditar u ofender gravemente y de palabra: *Fue expulsado por denostar a un superior en público.* ☐ ETIMOL. Del latín *dehonestare* (deshonrar, infamar). ☐ MORF. Irreg. →CONTAR.

denotación s.f. **1** Significación o indicación, esp. las que se dan a entender mediante indicios o señales. **2** En lingüística, significación básica y desprovista de matizaciones subjetivas que presenta una palabra o una unidad léxica. ☐ SEM. Dist. de *connotación* (significación secundaria y subjetiva).

denotar v. **1** Referido esp. a un signo, significar o indicar: *Su gesto denota admiración y respeto.* **2** En lingüística, poseer un significado básico y desprovisto de matizaciones subjetivas: *La palabra 'víbora' denota un tipo de culebra y connota 'persona mordaz'.* ☐ ETIMOL. Del latín *denotare.* ☐ SEM. Dist. de *connotar* (poseer significados secundarios y subjetivos).

denotativo, va adj. Que implica o conlleva denotación. ☐ SEM. Dist. de *connotativo* (que connota o sugiere significados secundarios y subjetivos).

densidad s.f. **1** Espesor o concentración de elementos. **2** Gran cantidad o concentración de contenido, esp. si ello conlleva oscuridad o dificultad. **3** En física, relación entre la masa y el volumen de una sustancia o de un cuerpo. **4** ‖ **densidad de población**; relación entre el número de habitantes que pueblan un territorio y su superficie.

densímetro s.m. Instrumento que sirve para medir la densidad relativa de los líquidos; areómetro. ☐ ETIMOL. De *denso* y -metro (medidor).

denso, sa adj. **1** Espeso o formado por elementos muy juntos o apretados. **2** Sustancioso o con mucho contenido y muy concentrado, esp. si por ello resulta oscuro o difícil. ☐ ETIMOL. Del latín *densus* (espeso, compacto, denso).

dentado, da adj. Que tiene dientes o salientes semejantes a ellos.

dentadura s.f. Conjunto de dientes, muelas y col-

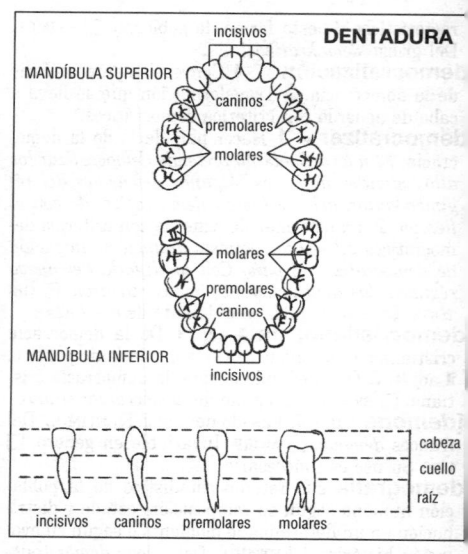

DENTADURA

MANDÍBULA SUPERIOR — incisivos, caninos, premolares, molares

MANDÍBULA INFERIOR — molares, premolares, caninos, incisivos

cabeza, cuello, raíz — incisivos, caninos, premolares, molares

millos de una persona o de un animal. ⚔ **dentadura**

dental ‖ adj. **1** De los dientes o relacionado con ellos. **2** En lingüística, referido a un sonido consonántico, que se articula acercando la lengua a la cara interior de los dientes incisivos superiores: *El sonido [t] es un sonido dental.* ‖ s.f. **3** Letra que representa este sonido: *La 'd' es una dental.* ☐ MORF. Como adjetivo es invariable en género.

[dente (italianismo) ‖ **al dente**; referido a la pasta italiana, cocida de modo que no quede excesivamente blanda ni desprenda harina.

dentellada s.f. Mordedura hecha con los dientes.

dentera s.f. Sensación desagradable que se nota en los dientes, esp. cuando se oyen chirridos o cuando se toman sustancias agrias; grima: *El chirrido de la tiza sobre la pizarra le da dentera.*

dentición s.f. **1** Formación y salida de los dientes. **2** Tiempo que dura este proceso. **3** En zoología, tipo de dentadura que caracteriza a un mamífero según su especie. ☐ ETIMOL. Del latín *dentitio.*

dentífrico, ca adj./s.m. Que se usa para limpiar los dientes. ☐ ETIMOL. Del latín *dens* (diente) y *fricare* (frotar). ☐ PRON. Incorr. *[dentrífico].

dentista s. Persona que se dedica profesionalmente al cuidado y arreglo de la dentadura y al tratamiento de enfermedades asociadas con ésta. ☐ MORF. Es de género común: *el dentista, la dentista.*

dentón, -a ‖ adj./s. **1** Que tiene los dientes exageradamente grandes; dentudo. ‖ s.m. **2** Pez marino comestible, de color azulado por el lomo, cabeza grande y dientes salientes. ☐ MORF. En la acepción 2, es un sustantivo epiceno: *el dentón macho, el dentón hembra.*

dentro adv. **1** En la parte interior: *Tengo el libro dentro de la cartera.* **2** ‖ **dentro de**; seguido de una expresión que indica tiempo, durante su transcurso o una vez terminado ese período. ☐ ETIMOL. Del latín *de* e *intro* (dentro). ☐ SINT. Constr. incorr. *dentro {*el > del} armario.*

dentudo, da adj./s. Que tiene los dientes exageradamente grandes; dentón.

denuedo s.m. Coraje o intrepidez para acometer o para culminar algo. □ ETIMOL. Del antiguo *denodarse* (atreverse, mostrarse valiente).

denuesto s.m. Hecho o dicho que desacreditan o que ofenden gravemente. □ ETIMOL. De *denostar*.

denuncia s.f. **1** En derecho, comunicación que se hace ante una autoridad judicial o policial de que se ha cometido una falta o un delito. **2** Comunicación que se hace públicamente de una ilegalidad o de algo que se considera injusto o intolerable. **3** Comunicación que una de las partes hace de que queda cancelado o sin efecto un contrato o un tratado. □ SEM. Dist. de *demanda* (comunicación ante una autoridad judicial de que se ha cometido una falta) y de *querella* (acusación que se presenta ante un juez o un tribunal).

denunciar v. **1** Referido a un daño, dar parte de él a la autoridad: *Denunció en la comisaría de policía el robo*. **2** Referido a una ilegalidad o a algo que se considera injusto o intolerable, hacer pública esta consideración: *Con sus reportajes denunció las inhumanas condiciones de trabajo de algunos emigrantes*. **3** Referido esp. a un contrato o a un tratado, comunicar una de las partes que lo considera cancelado o sin efecto: *Los dos países denunciaron su convenio comercial para redactar otro nuevo*. □ ETIMOL. Del latín *denuntiare*. □ ORTOGR. La *i* nunca lleva tilde.

deontología s.f. Teoría o tratado de los deberes y de los principios éticos, esp. de aquellos que rigen el ejercicio de una profesión. □ ETIMOL. Del griego *déon* (el deber) y *-logía* (ciencia, estudio).

deparar v. Referido esp. a algo inesperado o a una ocasión, proporcionarlos o concederlos: *La celebración nos deparó la oportunidad de reencontrarnos. La vida le deparó una cadena de desdichas*. □ ETIMOL. Del latín *de* (de) y *parare* (preparar).

departamento s.m. **1** En un todo, parte o sección que es resultado de dividirlo o de estructurarlo. **2** En la Administración Pública, ministerio o ramo. **3** En una facultad universitaria, unidad de docencia e investigación formada por una o varias áreas de materias afines. **4** En zonas del español meridional, apartamento o piso. **5** En zonas del español meridional, provincia. □ ETIMOL. Del francés *département*. □ SEM. En las acepciones 1-3, dist. de *apartamento* (vivienda pequeña).

departir v. Conversar o hablar de manera distendida: *Los contertulios departían sobre lo humano y lo divino*. □ ETIMOL. Del latín *departire*. □ SINT. Constr. *departir {DE/SOBRE} algo*.

depauperación s.f. **1** Empobrecimiento o mengua de los recursos económicos. **2** Hecho de debilitar o extenuar el organismo.

depauperar v. **1** Hacer pobre o más pobre; empobrecer: *La crisis económica ha depauperado los sectores más pobres de nuestra sociedad. Nuestra economía se depaupera debido a los altos impuestos que nos gravan*. **2** En medicina, extenuar o debilitar en extremo: *El hambre ha depauperado a los niños de los países subdesarrollados. Uno de los trabajadores en huelga de hambre está empezando a depauperarse*. □ ETIMOL. Del latín *pauper* (pobre).

dependencia s.f. **1** Subordinación a una autoridad o a una jurisdicción. **2** →**drogodependencia**. **3** Conexión o relación de origen. **4** Oficina que depende de otra superior. **5** En un edificio, cada una de las habitaciones o de los espacios destinados a un

uso determinado. □ SINT. Constr. de las acepciones 1, 2 y 3: *dependencia DE algo*.

depender v. **1** Estar subordinado o sometido a una autoridad o una jurisdicción: *Las colonias dependían de la metrópoli*. **2** Estar condicionado por algo: *El que vaya o no depende del humor del que me levante*. **3** Estar necesitado de algo para vivir: *Los consumidores de drogas acaban dependiendo de éstas*. □ ETIMOL. Del latín *dependere* (colgar, pender). □ SINT. Constr. *depender DE algo*.

dependiente, ta ∎ adj. **1** Que depende de algo o de alguien. ∎ s. **2** Persona que se dedica profesionalmente a atender a los clientes en un establecimiento comercial. □ MORF. Como adjetivo es invariable en género.

depilación s.f. Eliminación del vello de la piel.

depilar v. Eliminar el vello de la piel: *Esta crema depila y no duele. Se depilaba las cejas con unas pinzas*. □ ETIMOL. Del latín *depilare* (pelar).

depilatorio, ria adj. Que depila.

deplorable adj. Lamentable, malo o infeliz. □ MORF. Invariable en género.

deplorar v. Lamentar o sentir profundamente: *Todos deploramos ese desgraciado accidente*. □ ETIMOL. Del latín *deplorare*.

deponer v. **1** Dejar, abandonar o apartar de sí: *El coronel sublevado accedió a deponer las armas*. **2** Privar a un empleo o de los honores que se tenían: *Tus graves errores me han obligado a deponerte del cargo*. □ ETIMOL. Del latín *deponere* (poner). □ MORF. Irreg.: 1. Su participio es *depuesto*. 2. →PONER.

deportación s.f. Destierro de una persona a un lugar alejado, por razones políticas o como castigo.

deportar v. Desterrar por razones políticas o como castigo: *Muchos judíos fueron deportados a campos de concentración*. □ ETIMOL. Del latín *deportare* (trasladar, transportar).

deporte s.m. **1** Actividad física que se practica como juego o como competición, que está sujeta a determinadas normas, y que requiere entrenamiento. **2** Diversión, actividad física o pasatiempo que suelen realizarse al aire libre. **3** ‖ **por deporte**; *col.* Por gusto o desinteresadamente. □ ETIMOL. Del antiguo *deportar* (divertirse, descansar).

deportista adj./s. Que practica algún deporte. □ MORF. 1. Como adjetivo es invariable en género 2. Como sustantivo es de género común: *el deportista, la deportista*.

[deportiva s.f. Véase **deportivo, va**.

deportividad s.f. Comportamiento deportivo o ajustado a las normas de corrección que se considera que deben guardarse en la práctica de un deporte.

[deportivista adj./s. Del Real Club Deportivo de La Coruña (club deportivo gallego) o relacionado con él. □ MORF. 1. Como adjetivo es invariable en género. 2. Como sustantivo es de género común: *el 'deportivista', la 'deportivista'*.

deportivo, va ∎ adj. **1** Del deporte o relacionado con esta actividad física. **2** Que se ajusta a las normas de corrección que se considera que deben cumplirse en la práctica de un deporte. **[3** Referido a una prenda de vestir, que es cómoda o informal. ∎ s.m. **4** →**coche deportivo**. **[5** En zonas del español meridional, polideportivo. ∎ s.f. **[6** Zapatilla para hacer deporte.

deposición s.f. **1** Expulsión de excrementos por el ano. **2** Abandono de algo, esp. de una actitud o de una forma de comportamiento. **3** Expulsión o privación de un cargo o de una dignidad.
depositar ❚ v. **1** Poner o colocar en un sitio determinado: *Han depositado las joyas en la caja fuerte*. **2** Referido a un bien o a un objeto de valor, ponerlos bajo la custodia de una persona o de una entidad que debe responder de ellos: *Deposité mis ahorros en el banco*. **3** Referido esp. a un sentimiento, ponerlo en alguien o confiarlo a alguien: *Deposité toda mi confianza en ti y me has defraudado*. ❚ prnl. **4** Referido a una materia que está en suspensión en un líquido, separarse y caer al fondo: *La arena se depositaba en el fondo del estanque*. ☐ ETIMOL. De *depósito*.
depositario, ria ❚ adj./s. **1** Que guarda o tiene a su cargo algo, esp. un bien o un objeto de valor por los que debe responder. ❚ s. **2** Persona en la que se deposita un sentimiento.
depósito s.m. **1** Posición o colocación en un sitio determinado. **2** Colocación de un bien o de un objeto de valor bajo la custodia de una persona o de una entidad que debe responder de ellos. **3** Lo que se deposita. **4** Lugar o recipiente en el que se deposita algo. **5** Sedimento o materia que, habiendo estado en suspensión en un líquido, se deposita por su mayor gravedad en un fondo. **6** ‖ **en depósito**; referido a una mercancía, que ha sido entregada para su exposición y su posible venta. ☐ ETIMOL. Del latín *depositum*.
depravación s.f. Corrupción o adquisición de vicios o costumbres negativas o perjudiciales.
depravado, da adj./s. Muy corrompido o que posee muchas costumbres negativas o perjudiciales.
depravar v. Referido esp. a una persona, corromperla o hacerle adquirir vicios y costumbres perjudiciales: *Se fue depravando poco a poco y terminó siendo un traficante*. ☐ ETIMOL. Del latín *depravare* (pervertir).
[depre ❚ adj./s. **1** col. →**deprimido**. ❚ s.f. **2** col. →**depresión**. ☐ MORF. 1. Como adjetivo es invariable en género. 2. En la acepción 1, como sustantivo es de género común: *el 'depre', la 'depre'*.
deprecación s.f. Petición, súplica o ruego para conseguir algo.
depreciación s.f. Disminución del valor o del precio de algo.
depreciar v. Referido al valor o al precio de algo, disminuirlo o rebajarlo: *La construcción de la fábrica depreciará el valor de los pisos de alrededor. La moneda del país se depreció a consecuencia de la crisis económica*. ☐ ETIMOL. Del latín *depretiare* (menospreciar). ☐ ORTOGR. La *i* nunca lleva tilde.
depredador, -a adj./s. Referido a un animal, que se alimenta de los animales de distinta especie que caza.
depredar v. **1** Referido a un animal, cazarlo otro de distinta especie para su subsistencia: *Las fieras salvajes suelen depredar animales débiles*. **2** Robar o saquear con violencia y destrozo: *Las tropas enemigas depredaron cuantos pueblos encontraron a su paso*. ☐ ETIMOL. Del latín *depraedari*, y éste de *praeda* (presa, rapiña).
depresión s.f. **1** Estado psíquico caracterizado por una tristeza profunda, una disminución de la actividad del organismo y por una pérdida de interés. **2** Hundimiento de una superficie o de una parte de

un cuerpo. **3** En una superficie, esp. en un terreno, concavidad producida por este hundimiento. **4** Período de baja actividad económica general que se caracteriza sobre todo por el desempleo masivo, la caída de las inversiones y un decreciente uso de los recursos. **5** Caída o empobrecimiento de algo. ☐ ETIMOL. Del latín *depressio*. ☐ MORF. En la acepción 1, en la lengua coloquial se usa mucho la forma abreviada *depre*.
depresivo, va ❚ adj. **1** Que deprime el ánimo. ❚ adj./s. **[2** Referido a una persona, que tiene tendencia a deprimirse.
deprimido, da adj. Que padece depresión. ☐ MORF. En la lengua coloquial se usa mucho la forma abreviada *depre*.
deprimir v. Producir decaimiento en el ánimo: *La noticia de la catástrofe nos deprimió muchísimo. Siempre me deprimo cuando llega la primavera*. ☐ ETIMOL. Del latín *deprimere*, y éste de *premere* (apretar).
deprisa adv. Con mucha rapidez; aprisa. ☐ ETIMOL. De *de* (preposición) y *prisa*. ☐ ORTOGR. Se admite también *de prisa*.
depuesto, ta part. irreg. de **deponer**. ☐ MORF. Incorr. *deponido.
depuración s.f. **1** Purificación o eliminación de las impurezas de algo, esp. de una sustancia. **2** Perfeccionamiento o aumento de la pureza de algo, esp. del estilo o del lenguaje.
depurado, da adj. Trabajado con esmero o elaborado cuidadosamente.
depuradora s.f. Aparato o instalación que sirve para depurar o limpiar algo, esp. las aguas.
depurar v. **1** Referido esp. a una sustancia, limpiarla, purificarla o quitarle impurezas: *Para depurar el agua se le añade cloro. Muchas sustancias se depuran mediante el filtrado*. **2** Referido esp. al estilo o al lenguaje, perfeccionarlo o hacerlo más puro: *A fuerza de leer buenas obras su estilo se depuró*. ☐ ETIMOL. Del latín *depurare*, y éste de *purus* (puro).
depurativo, va adj./s.m. Que depura o purifica los líquidos del cuerpo, esp. la sangre.
dequeísmo s.m. En gramática, uso indebido de la preposición *de* ante una subordinada introducida por la conjunción *que*: *En la expresión 'Le dijimos de que saliera esta noche' hay un dequeísmo*.
[dequeísta adj./s. Que hace uso del dequeísmo. ☐ MORF. 1. Como adjetivo es invariable en género. 2. Como sustantivo es de género común: *el 'dequeísta', la 'dequeísta'*.
derbi s.m. Encuentro deportivo, generalmente futbolístico, entre dos equipos de la misma ciudad o de ciudades próximas. ☐ ETIMOL. Del inglés *derby*. ☐ USO Es innecesario el uso del anglicismo *derby*.
[derby (anglicismo) s.m. **1** →**derbi**. **2** Competición hípica importante. ☐ ETIMOL. La acepción 2, por alusión al conde Derby, que fundó la primera carrera de caballos de este tipo.
derecha s.f. Véase **derecho, cha**.
derechazo s.m. **1** Golpe dado con la mano, con el puño o con el pie derechos. **2** En tauromaquia, pase de muleta dado con la mano derecha.
derechista ❚ adj. **1** De la derecha o relacionado con estas ideas políticas. ❚ adj./s. **2** Partidario o seguidor de las ideas políticas conservadoras. ☐ MORF. 1. Como adjetivo es invariable en género. 2. Como

derrame

sustantivo es de género común: *el derechista, la derechista.*

derecho, cha ▌adj. [1 Referido a una parte del cuerpo, que está situada en el lado opuesto del corazón. **2** Que está situado en el lado opuesto que el corazón del observador. [3 Referido a un objeto, que, respecto de su parte delantera, está situado en el lado opuesto del que correspondería al del corazón de un hombre. **4** Recto, erguido o sin torcerse a un lado o a otro. [5 Directo, sin hacer rodeos o sin desviarse. **6** En zonas del español meridional, justo o conforme a la razón. ▌s.m. **7** Conjunto de principios, leyes y reglas a las que están sometidas las relaciones humanas en una sociedad civil y que deben cumplir obligatoriamente todas las personas. **8** Ciencia que estudia estos principios y leyes. **9** Facultad de hacer legítimamente lo que conduce a los fines de la vida de una persona. **10** Facultad de hacer o exigir todo lo que la ley o la autoridad establece en favor de alguien, o lo que el dueño de algo nos permite de ello. **11** Conjunto de consecuencias naturales derivadas del estado de una persona o de sus relaciones respecto a otras. **12** Acción que se tiene sobre algo. **13** Justicia o razón. **14** En un objeto, parte o lado que se considera principal y que aparece labrado o trabajado con más perfección. ▌pl. **15** Cantidades que se cobran en algunas profesiones. **16** Cantidad que se paga por la realización de determinados hechos regulados por la ley, esp. por la introducción de una mercancía. ▌s.f. [17 Mano o pierna que están situadas en el lado opuesto del corazón. [18 Dirección o situación correspondiente al lado derecho. **19** Conjunto de personas o de organizaciones políticas que defienden ideas conservadoras. **20** ‖a **derechas**; referido a la forma de hacer algo, bien, con acierto, o de forma justa. ‖ **de derecho**; según la ley. ‖ **derecho de asilo**; protección que recibe una persona para no poder ser apresada en determinados lugares o en un país extranjero. ‖ **derechos de autor**; cantidad que un profesional cobra como participación de los beneficios que produzca la publicación, ejecución o reproducción de su obra. ‖ [**extrema derecha**; la más extremista y radical en sus ideas. ☐ ETIMOL. Del latín *directus* (recto, directo). ☐ MORF. Precedido del número de planta de un edificio, se usa siempre la forma femenina: *Vivo en el primero derecha.* ☐ SEM. En la acepción 11, dist. de *deber* (lo que se tiene obligación de hacer).

derecho adv. Referido a la forma de hacer algo, de manera directa o sin hacer rodeos.

deriva s.f. **1** Desvío del rumbo que algo sigue, esp. una embarcación, por efecto del viento, del mar o de la corriente. **2** ‖**a la deriva**; **1** Referido a un objeto flotante, esp. a una embarcación, a merced de la corriente o del viento, o sometido a su dominio. **2** Sin dirección o sin propósito fijo. ‖**deriva continental**; en geología, desplazamiento lento y continuo de las masas continentales sobre una materia fluida formada por una masa de rocas fundidas.

derivación s.f. **1** Conclusión o resultado que se extraen o se alcanzan a partir de un antecedente y por medio del razonamiento; deducción. **2** Separación de una parte del todo, o de un elemento de su origen o su principio. **3** En lingüística, procedimiento de formación de palabras que consiste en alterar o en ampliar la estructura o la significación de otra ya existente: *Si a 'conocer' le añadimos el prefijo 're-',*

obtenemos por derivación el verbo 'reconocer'. **4** En electrónica, pérdida de fluido en una línea eléctrica, esp. si se produce por la acción de la humedad del ambiente.

derivada s.f. En matemáticas, en una función respecto a una variable, límite hacia el que tiende el cociente entre el incremento de la función y el atribuido a la variable, cuando este último tiende a cero.

derivado s.m. **1** Producto obtenido a partir de otro. **2** En lingüística, palabra formada por derivación.

derivar v. **1** Referido esp. a un objeto, proceder de otro u originarse a partir de él: *Su comportamiento deriva de los ejemplos que recibió. Estas conclusiones se derivan de los últimos datos aportados.* **2** En lingüística, referido a una palabra, formarse a partir de otra o a partir de una determinada raíz: *La palabra 'llavero' deriva de 'llave'.* **3** Desviar, tomar una nueva dirección o encaminar a otra parte: *Derivaron la carretera nacional para que no pasase por el centro de la ciudad.* **4** En matemáticas, referido a una función, hallar su derivada: *Para derivar una función hay que tener en cuenta su variable.* ☐ ETIMOL. Del latín *derivare* (desviar una corriente de agua).

dermatitis s.f. Inflamación de la piel; dermitis. ☐ ETIMOL. Del griego *dérma* (piel) e *-itis* (inflamación). ☐ MORF. Invariable en número.

dermatología s.f. Parte de la medicina que trata de las enfermedades de la piel. ☐ ETIMOL. Del griego *dérma* (piel) y *-logía* (ciencia, estudio).

dermatológico, ca adj. De la dermatología o relacionado con esta parte de la medicina.

dermatólogo, ga s. Médico especializado en las enfermedades de la piel.

dérmico, ca adj. De la piel, de la dermis o relacionada con ellas.

dermis s.f. Capa intermedia de la piel, situada entre la epidermis y la hipodermis. ☐ ETIMOL. De *epidermis*. ☐ MORF. Invariable en número.

dermitis s.f. Inflamación de la piel; dermatitis. ☐ ETIMOL. Del griego *dérma* (piel) e *-itis* (inflamación). ☐ MORF. Invariable en número.

[*dermoprotector, -a* adj. Que mantiene el equilibrio de la piel y la protege de los efectos de los agentes atmosféricos.

derogación s.f. Anulación de una norma jurídica.

derogar v. Referido a una norma jurídica, anularla o dejarla sin validez: *Han sido derogadas las leyes contra la libertad de expresión.* ☐ ETIMOL. Del latín *derogare* (anular en parte una ley). ☐ ORTOGR. La *g* se cambia en *gu* delante de *e* →PAGAR.

derogatorio, ria adj. Que deroga o deja sin validez una norma jurídica. ☐ ORTOGR. Incorr. **derrogatorio.*

derrama s.f. **1** Reparto de un gasto eventual, esp. de una contribución. **2** Contribución temporal o extraordinaria. ☐ ETIMOL. De *derramar* (reparto o de una contribución).

derramamiento s.m. Caída o salida de un líquido o de cosas pequeñas contenidas en algo; derrame.

derramar v. Referido a algo contenido en un sitio, esp. a un líquido o a cosas pequeñas, hacer que salga o caiga de donde está y se esparza: *Cuidado no vayas a derramar el agua del vaso. Se cayó el salero y la sal se derramó en la mesa.* ☐ ETIMOL. Del latín **diramare* (separarse las ramas de un árbol).

derrame s.m. **1** →**derramamiento. 2** Acumulación anormal de un líquido orgánico en una cavidad o salida anormal de dicho líquido al exterior.

[derrapaje (galicismo) s.m. →**derrape.** ☐ USO Su uso es innecesario.

derrapar v. Referido a un vehículo o a sus ruedas, deslizarse o patinar sobre el suelo desviándose lateralmente: *Derrapó la rueda delantera y casi me caigo de la bici.* ☐ ETIMOL. Del francés *déraper.*

[derrape s.m. Deslizamiento o patinazo laterales de un vehículo o de sus ruedas. ☐ USO Es innecesario el uso del galicismo *derrapaje.*

derredor ‖ **en derredor;** alrededor o en círculo. ☐ ETIMOL. De *de* (preposición) y *redor* (rededor).

derrengado, da adj. Agotado físicamente.

derrengar v. **1** Referido a una persona o un animal, dañarles el espinazo o los lomos; desriñonar: *Pesas tanto que me derrengaste cuando te llevé a cuestas. Derrengó al caballo a palos.* **2** Torcer o inclinar a un lado más que al otro: *Tiene un problema de columna y cada vez se derrenga más. Derrenga un poco el árbol para llegar a las ramas.* ☐ ETIMOL. Del latín **derenicare* (lesionar los riñones). ☐ ORTOGR. Aparece una *u* después de la *g* cuando le sigue *e.* ☐ MORF. Antiguamente era irregular y la segunda *e* diptongaba en *ie* en los presentes, excepto en las personas *nosotros* y *vosotros* →REGAR, pero hoy se usa como regular.

derretir ▮ v. **1** Referido a algo sólido o pastoso, fundirlo o hacerlo líquido por medio del calor: *Derrite un poco de mantequilla en la sartén. Se derritió el helado por sacarlo de la nevera.* **2** Referido a los bienes materiales, esp. al dinero, gastarlos o derrocharlos: *Derritió una gran fortuna en pocos años.* ▮ prnl. **3** col. Sentirse muy enamorado: *Me derrito cada vez que me mira a los ojos.* ☐ ETIMOL. Del latín *reterere* (deshacer), por cruce con *deterere.* ☐ MORF. Irreg. →PEDIR.

derribar v. **1** Tirar o hacer caer al suelo: *El caballo derribó a su jinete.* **2** Referido a una construcción, hacerla caer al suelo destruyéndola: *Derribaron la casa con dinamita.* **3** Referido a una persona, hacerle perder el poder, el cargo o la estimación: *Una revuelta popular derribó al dictador.* **4** Referido a una res, hacerla caer en tierra, corriendo tras ella a caballo y empujándola con una garrocha: *Derribaban a las vacas en tierra y luego las marcaban.* ☐ ETIMOL. Quizá de *riba* (porción de tierra con alguna elevación).

derribo s.m. **1** Demolición de una construcción. **[2** Caída al suelo provocada.

derrocamiento s.m. Expulsión forzosa del puesto o cargo que ocupa una persona o caída provocada de un sistema de gobierno.

derrocar v. **1** Referido a una persona o a un sistema de gobierno, hacerlos caer: *Los golpistas derrocaron el Gobierno legalmente constituido.* **2** Referido a algo que está sobre una roca, despeñarlo o arrojarlo hacia abajo: *Se deshizo de él derrocándolo desde lo alto del acantilado.* **3** Referido a una construcción, derribarla, demolerla o hacerla caer al suelo: *Van a derrocar una manzana de casas para hacer un parque.* ☐ ETIMOL. Del provenzal y catalán *derrocar* (derribar). ☐ ORTOGR. La *c* se cambia en *qu* delante de *e.* ☐ MORF. Antiguamente era irregular y la *o* de la raíz diptongaba en *ue* en los presentes, excepto en las personas *nosotros* y *vosotros* →TROCAR, pero hoy se usa como regular.

derrochador, -a adj./s. Que derrocha o malgasta.

derrochar v. **1** Gastar demasiado, de forma insensata o sin necesidad: *Nunca tiene dinero porque lo derrocha. No derroches gasolina.* **2** col. Referido a algo positivo o bueno, tenerlo en gran cantidad: *Es alegre y derrocha vitalidad.* ☐ ETIMOL. Del francés *dérocher* (despeñar).

derroche s.m. Gasto excesivo, superfluo o innecesario.

derrota s.f. **1** Vencimiento o resultado adverso a causa de perder en un enfrentamiento. **2** En marina, rumbo o dirección que lleva una embarcación al navegar. ☐ ETIMOL. La acepción 1, del francés *déroute* (desbandada), por influencia del castellano *rota* (fuga del ejército). La acepción 2, del antiguo *derromper* (cortar, romper).

derrotar v. **1** Referido a un contrincante o a un enemigo, vencerlo, esp. si éste queda inutilizado para seguir en el enfrentamiento: *Derrotaron al ejército invasor en poco tiempo. Nos vencieron, pero no nos derrotaron.* **2** En tauromaquia, referido a un toro, dar cornadas levantando la cabeza con cambio brusco de dirección: *El torero no hizo una buena faena porque el toro derrotaba continuamente.*

derrote s.m. En tauromaquia, cornada que da el toro levantando la cabeza con cambio brusco de dirección.

derrotero s.m. **1** Camino, rumbo o medio para llegar al fin propuesto. **2** En marina, línea señalada en la carta de navegación para gobierno de los pilotos. **3** En marina, dirección que debe seguirse y que se da por escrito. ☐ ETIMOL. De *derrota* (rumbo, camino terrestre).

derrotismo s.m. Actitud o tendencia pesimista que se caracteriza por el desaliento y el convencimiento de la imposibilidad de vencer o de conseguir algo positivo.

derrotista adj./s. Pesimista y sin la menor esperanza de conseguir algo positivo. ☐ MORF. 1. Como adjetivo es invariable en género. 2. Como sustantivo es de género común: *el derrotista, la derrotista.*

derruir v. Referido a una construcción, derribarla, destruirla o hacerla caer al suelo: *Una bomba derruyó la torre de la iglesia.* ☐ ETIMOL. Del latín *diruere* (derribar, demoler). ☐ ORTOGR. Incorr. **derruír.* ☐ MORF. Irreg. →HUIR.

derrumbamiento s.m. **[1** Hundimiento de una construcción. **2** Hundimiento moral.

derrumbar v. **[1** Referido a una construcción, hundirla o hacerla caer hundiéndola: *El viento 'derrumbó' el castillo de naipes. 'Se derrumbó' el techo sobre la cama.* **2** Hacer caer algo desde una roca o por una pendiente escarpada: *Derrumbó la bicicleta desde lo alto de la colina. El caballo se derrumbó por el precipicio.* **3** Referido a una persona, hundirla moralmente: *El suspenso lo derrumbó y no quiere seguir estudiando. Se derrumbaron cuando les metieron el tercer gol.* ☐ ETIMOL. Del latín **derupare* (despeñar), y éste de *rupes* (precipicio).

des- Prefijo que indica negación (*desacatar, desconfiar, desagradar, desafortunado, desacostumbrado, desfavorable, deshonesto*), privación (*desconfianza, desacuerdo, desagrado, desamor, desinformación*), exceso (*deslenguado*), 'fuera de' (*destiempo, deshora*) o acción inversa a la expresada por la palabra madre (*desabollar, deshacer, desatrancar, desandar, descalzar, desvestir, desactivar, desaceleración, des-*

sobediencia). □ ETIMOL. De los prefijos latinos *de-*, *ex-*, *dis-* y *e-*. □ ORTOGR. Las palabras que comienzan por este prefijo admiten separación silábica a final de línea, pero admiten también la separación por el prefijo: *de-sánimo* o *des-ánimo*.

desabastecer v. Dejar sin abastecimiento: *La huelga ha desabastecidos de frutas y verduras a la ciudad.* □ ETIMOL. De *des-* (privación) y *abastecer*. □ MORF. Irreg. →PARECER.

desabastecimiento s.m. Falta de abastecimiento de determinado productos.

desaborido, da ▌ adj. **1** Sin sabor o sin sustancia. ▌ adj./s. **2** *col.* Referido a una persona, que no tiene gracia o que tiene un carácter indiferente. □ ETIMOL. De *desabor* (insipidez). □ ORTOGR. Dist. de *desabrido*.

desabotonar v. Sacar los botones de los ojales: *Me desaboté la chaqueta porque tenía calor.*

desabrido, da adj. **1** Referido a un alimento, esp. a la fruta, con poco o ningún sabor, o con sabor desagradable. **2** Referido al tiempo atmosférico, con variaciones desagradables. **3** Referido a una persona o a su carácter, que son desagradables o ásperos en el trato. □ ETIMOL. De *desaborido*. □ ORTOGR. Dist. de *desaborido*.

desabrigar v. Quitar lo que abriga: *Te has constipado por desabrigarte por la noche.* □ ORTOGR. La g se cambia en *gu* delante de *e* →PAGAR.

desabrochar v. Referido a algo que está abrochado o ajustado, soltar o abrir lo que lo abrocha o ajusta: *Se me desabrochó la cremallera.*

desacatar v. **1** Referido a una persona, faltarle al respeto que se le debe: *Lo echaron de la sala por desacatar al juez.* **2** Referido esp. a una ley, una norma o una orden, desobedecerlas o no acatarlas: *Desacatar las leyes se castiga según la importancia del hecho.*

desacato s.m. Falta de respeto que se comete al calumniar, injuriar, insultar o amenazar a una autoridad en el ejercicio de sus funciones.

desaceleración s.f. Disminución de la rapidez o de la aceleración; deceleración.

desacelerar v. Disminuir la rapidez o la aceleración: *El Gobierno tomará medidas para desacelerar la subida de precios.* □ USO Aunque la RAE sólo registra desacelerar, se usa mucho *decelerar*.

desacierto s.m. Equivocación o falta de acierto. [*desacompasar* v. →descompasar.

desaconsejar v. Aconsejar no hacer, o considerar poco recomendable: *El mecánico me desaconsejó que comprara ese coche porque consume mucho.* □ ORTOGR. Conserva la *j* en toda la conjugación.

desacoplar v. Referido a algo acoplado, separar sus partes: *La televisión no funcionaba porque se había desacoplado el enchufe.*

desacorde adj. Referido esp. a un instrumento musical, que no iguala, no armoniza o no concuerda con otro.

desacostumbrado, da adj. Fuera de lo usual o de lo acostumbrado.

desacostumbrar v. Dejar o hacer perder el hábito que se tenía: *No me desacostumbro al café del mediodía.* □ SINT. Constr. *desacostumbrarse A algo*.

desacreditado, da adj. Que no tiene buena fama.

desacreditar v. Quitar reputación o estimación: *Un fracaso me desacreditaría en el trabajo.*

desactivación s.f. **1** Inutilización o desconexión

de los dispositivos que harían estallar un mecanismo explosivo. **2** Anulación de la potencia activa de lo que tiene actividad.

desactivar v. **1** Referido a un mecanismo explosivo, inutilizar los dispositivos que lo harían estallar o desconectarlos: *Los artificieros de la policía desactivan las bombas.* **2** Referido a algo que tiene actividad, anular su potencia activa: *Hay que desactivar los materiales radiactivos antes de desecharlos.*

desacuerdo s.m. Falta de acuerdo.

desafección s.f. **1** Mala voluntad o falta de afecto. [**2** Oposición a algo, esp. a un régimen político.

desafecto, ta adj. **1** Que no siente afecto o que muestra indiferencia hacia algo. **2** Contrario u opuesto a algo, esp. a un régimen político. □ SINT. Constr. de la acepción 2: *desafecto A algo*.

desafiar v. **1** Incitar o invitar a la lucha o a la competición: *Lo desafié a un partido de tenis.* **2** Referido esp. a una persona, hacerle frente u oponerse a sus opiniones o mandatos: *Se atrevió a desafiar al jefe.* **3** Referido a una dificultad o a un peligro, afrontarlos con valentía o ir en busca de ellos: *El trapecista desafía a la muerte.* **4** Referido a una cosa, oponerse o contradecir a otra: *Mi abuela decía que los aviones desafían las leyes de la gravedad.* □ ETIMOL. De *des-* (acción contraria) y el antiguo *afiar* (dar palabra de no hacer daño). □ ORTOGR. La *i* de la raíz lleva tilde en los presentes, excepto en las personas *nosotros* y *vosotros* →GUIAR. □ SINT. Constr. de la acepción 1: *desafiar A hacer algo*.

desafinar v. En música, referido esp. a una voz o a un instrumento, desviarse del punto de la perfecta entonación, causando desagrado al oído: *Si desafinas así, no creo que te dejen cantar en el coro. Algunos instrumentos se desafinan por la falta de uso.*

desafío s.m. **1** Incitación o invitación a la lucha o a la competición. **2** Rivalidad o competencia. **3** Oposición o contradicción.

desaforado, da adj. Desmedido, enorme o fuera de lo común.

desaforar ▌ v. **1** Romper o perder los fueros o privilegios que se tenían: *El rey desaforó a algunos nobles como castigo a su traición.* ▌ prnl. **2** Perder la compostura o descomedirse: *Cuando criticas su forma de dirigir el negocio se desafuera y se pone a gritar.* □ ETIMOL. De *des-* (privación) y *aforar*. □ MORF. Irreg. →CONTAR.

desafortunado, da adj. **1** Sin fortuna o con mala suerte. **2** No acertado, imprudente o inoportuno.

desafuero s.m. Acción hecha contra la ley, la justicia o las costumbres establecidas, esp. si se lleva a cabo con violencia. □ ETIMOL. De *desaforar* (quebrantar los fueros).

desagraciado, da adj. Sin gracia o sin belleza.

desagradable adj. Que desagrada o disgusta. □ MORF. Invariable en género.

desagradar v. No gustar o causar disgusto: *Me desagrada discutir continuamente.*

desagradecido, da ▌ adj. **1** Referido esp. a una cosa o a una tarea, que no compensan el esfuerzo o las atenciones que se les dedica. ▌ adj./s. **2** Que no agradece los beneficios recibidos o no corresponde a ellos; ingrato.

desagradecimiento s.m. Falta de agradecimiento o de reconocimiento por los beneficios recibidos; ingratitud.

desagrado   392

desagrado s.m. **1** Disgusto, descontento o falta de
agrado. **2** Expresión de disgusto.
desagraviar v. **1** Reparar el agravio u ofensa que
se han hecho: *Me calumnió y para desagraviarme
se disculpó públicamente.* **2** Compensar el perjuicio
causado: *Se desagraviará a las víctimas del accidente.* □ ORTOGR. La *i* nunca lleva tilde.
desagravio s.m. Reparación de un agravio o compensación de un perjuicio.
desaguar v. **1** Referido a un lugar, extraer o sacar
el agua que hay en él: *Hay que desaguar el sótano
porque se inundó.* **2** Referido esp. a un río, verter sus
aguas; desembocar: *Ese río desagua en el mar.* **3**
Referido a un recipiente o a una concavidad, dar salida
al agua que contiene: *El lavabo no desagua porque
está atascado.* **4** *euf.* →**orinar.** □ ORTOGR. **1.** La *u*
lleva diéresis cuando la sigue *e.* **2.** La *u* permanece
siempre átona →AVERIGUAR.
desagüe s.m. Conducto o canal por donde se da
salida al agua.
desaguisado, da ▌ adj. **1** Referido a una acción,
que está hecha contra la ley o contra la razón. ▌
s.m. **2** *col.* Destrozo o fechoría.
desahogado, da adj. **1** Referido a un lugar, con
amplitud o con suficiente espacio libre. **2** Con los
suficientes recursos, esp. si son económicos, como
para estar cómodo y despreocupado.
desahogar ▌ v. **1** Referido esp. a un sentimiento contenido, expresarlo para encontrar alivio: *Desahoga
tus penas conmigo.* ▌ prnl. **2** Aliviarse del peso de
una pena o de un sentimiento contenido: *Cuando
un problema me agobia, grito para desahogarme.* □
ORTOGR. La *g* se cambia en *gu* delante de *e* →PAGAR.
desahogo s.m. **1** Alivio de una pena, de un sentimiento contenido o de un trabajo. **2** Seguridad debida a la falta de problemas económicos.
desahuciar v. **1** Referido al inquilino de una vivienda,
desalojarlo u obligarlo a salir de ella mediante una
acción legal: *El edificio fue declarado en ruina y de-
sahuciaron a los inquilinos.* **2** Referido a un enfermo,
declararlo incurable y sin esperanzas de sobrevivir:
*Lleva dos días en estado de coma y los médicos lo
han desahuciado.* □ ETIMOL. De *des-* (negación) y el
antiguo *ahuciar* (esperanzar). □ ORTOGR. La *i* nunca lleva tilde.
desahucio s.m. Desalojo o expulsión de un inquilino, obligándolo a salir de su vivienda mediante
una acción legal.
desairado, da adj. Sin lucimiento o sin mucha
fortuna.
desairar v. Referido a una persona, humillarla al no
hacer caso o aprecio de lo que dice o hace: *Le di el
regalo ilusionado, pero me desairó dejándolo en la
mesa sin abrirlo.* □ ORTOGR. La *i* nunca lleva tilde.
desaire s.m. Humillación a una persona, al no hacer caso o aprecio de lo que hace o de lo que dice.
desajustar v. **1** Referido a dos o más cosas, desi-
gualarlas o quitarles la relación de proporción: *Han
desajustado los precios de la gasolina de los precios
del petróleo.* **2** Referido esp. a un aparato o a un sistema,
alterar su correcto funcionamiento: *Se ha desajustado el mecanismo del reloj, y retrasa mucho.*
desajuste s.m. Aflojamiento, separación o falta de
ajuste.
desalar v. Referido a algo salado, quitarle la sal o
parte de ella: *Desaló el bacalao dejándolo en remojo.*
desalentar v. Quitar las ganas o el ánimo de ha-

cer algo: *Me desalienta ver que nadie colabora en el
trabajo.* □ MORF. Irreg. →PENSAR.
desaliento s.m. Decaimiento del ánimo, de las ganas o de las fuerzas.
desalinización s.f. Eliminación de la sal del agua
del mar.
desalinizadora s.f. Instalación industrial donde
se lleva a cabo la eliminación de la sal del agua del
mar.
[desalinizar v. Referido al agua del mar, quitarle la
sal: *La sequía es ya tan duradera que van a 'desa-
linizar' parcialmente el agua marina para poder regar.*
desaliñado, da adj. **1** Que no cuida el arreglo o
el aseo personal. **[2** Referido a la comida, sin aliño o
aderezo.
desaliñar v. Estropear el adorno o la compostura:
Me desaliñé el pelo al pasar por debajo de la valla.
desaliño s.m. Falta de cuidado en el arreglo personal.
desalmado, da adj./s. Referido a una persona, que
es cruel e inhumana, o que no tiene conciencia.
desalojar v. **1** Referido a un lugar, abandonarlo o
dejarlo vacío: *Los bomberos desalojaron el edificio
en tres minutos.* **2** Referido a una persona, obligarlo a
hacerle salir de un lugar: *La policía desalojó a los
huelguistas.* **3** En física, referido a un fluido, trasladarlo
o moverlo de un lugar a otro; desplazar: *Al meter
un cuerpo en el agua, desaloja una cantidad de líquido igual a su volumen.* □ ORTOGR. Conserva la
j en toda la conjugación.
desalojo s.m. Evacuación de un lugar o de sus
ocupantes.
desambientado, da adj. Que no está en su ambiente habitual o que no se adapta al lugar en el
que está.
[desambiguar v. Referido a una palabra, una frase o
un texto, hacer que pierdan la ambigüedad: *El signo
ortográfico de la coma es muy útil para 'desambi-
guar' el sentido de algunas oraciones.* □ ORTOGR. **1.**
La *u* lleva diéresis cuando le sigue *e.* **2.** La *u* permanece siempre átona →AVERIGUAR.
desamor s.m. Enemistad o aborrecimiento.
desamortización s.f. Liberación mediante disposiciones legales de un bien que no se podía vender para que pueda ser vendido o traspasado.
desamortizar v. Referido a un bien que no se puede
vender, dejarlo libre mediante disposiciones legales
para que pueda ser vendido o traspasado: *En el siglo XIX español, se desamortizaron muchas tierras
eclesiásticas.* □ ORTOGR. La *z* se cambia en *c* delante
de *e* →CAZAR.
desamparado, da adj./s. Que no tiene ayuda ni
protección. □ MORF. La RAE sólo lo registra como
adjetivo.
desamparar v. Referido a una persona que necesita
ayuda, dejarla sin amparo o sin protección: *Nunca
perdonó a su familia que lo desampararan cuando
murieron sus padres.*
desamparo s.m. Falta de ayuda o de protección
para quien las necesita.
desandar v. Referido a un camino ya recorrido, retroceder en él o volver atrás: *Vi que había olvidado el
paraguas, y tuve que desandar el camino para recogerlo.* □ MORF. Irreg. →ANDAR.
desangelado, da adj. Falto de ángel, de gracia
o de adorno.

desangrar v. Referido a una persona o a un animal, sacarles o perder la sangre en gran cantidad: *En una matanza, desangran al cerdo antes de abrirlo en canal. Si no le cortamos la hemorragia, se desangrará.* □ ETIMOL. Del latín *desanguinare*.

desanimado, da adj. Sin animación, con poca gente o con poca diversión.

desanimar v. Desalentar o quitar el ánimo de hacer algo: *Pensé vender mis libros, pero me desanimaron a hacerlo.*

desánimo s.m. Falta de ánimo y de ganas.

desanudar v. **1** Referido a algo anudado, desatarlo o deshacerle el nudo: *Para descalzarte debes desanudar los cordones de los zapatos.* **2** Referido a algo enredado o enmarañado, aclararlo o deshacer la confusión: *La trama de la película era tan confusa que el director no fue capaz de desanudarla al final.*

desapacible adj. [**1** Referido al tiempo atmosférico, destemplado y desagradable a causa del viento, la lluvia u otras alteraciones juntas o alternas. **2** Que causa disgusto o enfado, o es desagradable a los sentidos.

[**desaparcar** v. Referido a un vehículo, sacarlo del lugar donde está aparcado: *Mientras yo bajo las maletas, tú ve 'desaparcando' el coche.*

desaparecer v. **1** Ocultarse, dejar de estar en un sitio o dejar de ser perceptible: *Abre la ventana para que desaparezca este mal olor.* **2** Dejar de ser o de existir: *Muchos de los que están en esa fotografía ya han desaparecido.* **3** En zonas del español meridional, referido a una persona, detenerla y retenerla ilegalmente, negando conocer su paradero: *Hace dos años que desaparecieron al hijo de una amiga.* □ MORF. Irreg. →PARECER. □ SINT. En las acepciones 1 y 2, su uso como transitivo es incorrecto aunque está muy extendido: **la desaparecieron > la hicieron desaparecer.*

[**desaparecido, da** s. Persona detenida por los servicios policiales de un Estado sin que haya constancia de su paradero posterior.

desaparición s.f. **1** Ocultación o ausencia de algo en el lugar en que estaba. **2** Terminación de la existencia.

desapegarse v.prnl. Desprenderse del apego o afecto que se siente: *Con la distancia me he desapegado de mis antiguos amigos.* □ ORTOGR. La *g* se cambia en *gu* delante de *e* →PAGAR. □ SINT. Constr. *desapegarse* DE *algo*.

desapego s.m. Falta de afecto o interés por alguien o algo; despego.

desapercibido, da adj. Inadvertido o no percibido. □ SINT. Se usa más con el verbo *pasar*.

desaplicado, da adj./s. Que no pone interés ni se esfuerza en el trabajo o en el estudio.

desaprensión s.f. Falta de escrúpulos, de miramiento o de delicadeza.

desaprensivo, va adj./s. Que actúa sin miramiento hacia los demás o sin respetar las normas.

desaprobación s.f. No admisión de algo como bueno o conveniente.

desaprobar v. Reprobar o no admitir como bueno: *Desaprueba mi comportamiento porque le parece egoísta.* □ MORF. Irreg. →CONTAR.

desaprovechamiento s.m. Mal aprovechamiento de algo.

desaprovechar v. Emplear mal o no aprovechar

debidamente: *Desaprovechaste una ocasión irrepetible.*

desarbolar v. [Desbaratar o dejar sin capacidad de defensa: *Con su velocidad, nuestros delanteros consiguieron 'desarbolar' la defensa contraria.*

desarmador s.m. En zonas del español meridional, destornillador.

desarmar v. **1** Referido a un objeto, desunir o separar las piezas que lo componen; desmontar: *Desarmó la radio y ahora no es capaz de dejarla como estaba.* **2** Quitar las armas o el armamento: *La policía desarmó al atracador y lo esposó. Los pacifistas quieren que las naciones se desarmen.* **3** Referido a una persona, confundirla o dejarla sin posibilidades de actuar: *No me respondió porque la desarmé con mis argumentos.*

desarme s.m. Retirada o eliminación de las armas o del armamento.

[**desarraigado, da** adj./s. Referido a una persona, sin lazos afectivos ni intereses que lo liguen al lugar o al medio en el que está.

desarraigar v. **1** Referido a una persona, echarla o apartarla de donde vive o de donde tiene su familia y amigos: *Cuando me trasladaron me desarraigaron de mi tierra.* **2** Referido a una planta, arrancarla de raíz: *El huracán ha desarraigado del suelo varios árboles.* **3** Referido esp. a una costumbre o a un sentimiento, suprimirlos o hacerlos desaparecer: *Quiero desarraigar este sentimiento de soledad.* □ ETIMOL. De *des-* (privación) y *arraigar*. □ ORTOGR. La *g* se cambia en *gu* delante de *e* →PAGAR.

desarraigo s.m. **1** Falta de relación con el entorno. **2** Extracción de una planta con raíz.

desarrapado, da adj./s. Andrajoso o vestido con harapos y ropa sucia y rota. □ ORTOGR. Se admite también *desharrapado*. □ USO Aunque la RAE prefiere *desharrapado*, se usa más *desarrapado*.

desarreglo s.m. Alteración, desorden o falta de arreglo.

desarrimo s.m. Falta de apego, de apoyo o de afición.

desarrollar ▌ v. **1** Acrecentar, aumentar o hacer crecer en el orden físico, intelectual o moral: *Leer desarrolla la inteligencia. Las plantas se desarrollan con el calor.* **2** Referido esp. a un tema, exponerlo y explicarlo con amplitud y detalle: *Tienes que desarrollar más algunos puntos de la lección.* [**3** Referido esp. a un proyecto, realizarlo o llevarlo a cabo: *No le dejan 'desarrollar' ninguna de sus iniciativas.* **4** En matemáticas, efectuar las operaciones de cálculo necesarias para llegar a un resultado: *Si desarrollas mal el problema, llegarás a un resultado falso.* **5** Referido a una comunidad humana, hacerla progresar económica, social, cultural o políticamente: *La cultura desarrolla a los pueblos. Los países del Norte se han desarrollado más que los del Sur.* [**6** Producir o alcanzar: *Este coche 'desarrolla' una velocidad de 160 km/h.* [**7** En zonas del español meridional, referido a una película fotográfica, revelarla. ▌ prnl. **8** Referido a un hecho, suceder o tener lugar: *La acción se desarrolla en un país indeterminado.* □ ETIMOL. De *des-* (acción contraria) y *arrollar* (envolver en forma de rollo). □ MORF. En la acepción 5, la RAE sólo lo registra como pronominal.

desarrollo s.m. **1** Crecimiento o aumento en el orden físico, intelectual o moral. **2** Proceso de crecimiento económico, social, cultural o político de una

comunidad humana. **3** Exposición o explicación amplia y detallada. **4** Realización, producción o evolución en etapas sucesivas de algo. **5** En matemáticas, realización de las operaciones necesarias para obtener un resultado o para cambiar la forma de una expresión analítica. **[6** En ciclismo, distancia que recorre una bicicleta por pedalada. **7** ‖ **[desarrollo sostenible**; el que hace posible cumplir los objetivos de crecimiento económico, al mismo tiempo que garantiza la protección del medio ambiente.
desarropar v. Referido esp. a una persona, quitar la ropa con que se tapa: *Desarropa al niño en la cuna porque hace calor.*
desarrugar v. Referido a algo arrugado, quitarle las arrugas o ponerlo liso: *Saca la ropa de la maleta para que se desarrugue.* ☐ ORTOGR. La g se cambia en *gu* delante de *e* →PAGAR.
desarticulación s.f. **1** Separación o desunión de algo articulado. **2** Desmantelamiento o supresión de la organización de un plan o de un grupo de personas.
desarticular v. **1** Referido a algo articulado, desencajarlo o separar su articulación: *Tiró tan fuerte de su brazo que casi se lo desarticula. Se desarticuló el tren eléctrico.* **2** Referido a algo organizado, desmantelarlo o deshacer su organización: *La policía desarticuló una red de tráfico de estupefacientes.*
desasir ‖ v. **1** Referido a algo asido o agarrado, soltarlo o desprenderlo: *El náufrago no se ahogó porque no se desasió del madero.* ‖ prnl. **2** Desprenderse de algo: *Nunca se desasirá del cuadro que heredó de sus abuelos.* ☐ MORF. Irreg. →ASIR. ☐ SINT. Constr. *desasirse* DE *algo.*
desasistir v. Referido a una persona necesitada de ayuda, dejarla sin asistencia, sin ayuda o sin compañía: *Es una atrocidad desasistir a un herido.*
desasnar v. col. Referido a una persona, hacerle perder la rudeza y la ignorancia por medio de la enseñanza: *Tienes que ir a la escuela para que te desasne el profesor.* ☐ ETIMOL. De des- (privación) y *asno.*
desasosegar v. Quitar el sosiego o la tranquilidad: *Los problemas de mis hijos me desasosiegan. Empezaba a desasosegarme porque tardabas demasiado.* ☐ ORTOGR. Aparece una u después de la g cuando la sigue e. ☐ MORF. Irreg. →REGAR.
desasosiego s.m. Falta de sosiego o de tranquilidad.
desastrado, da adj./s. Desaseado y mal vestido.
desastre s.m. **1** Desgracia grande o suceso lamentable en el que hay mucho daño y destrucción. **2** Lo que tiene mala calidad, mala organización o mal resultado. **[3** Persona llena de imperfecciones o con absoluta falta de habilidad o de suerte. ☐ ETIMOL. Del provenzal antiguo *desastre.*
desastroso, sa adj. Muy malo o que produce desastres.
desatado, da adj. Con libertad y sin contención.
desatar ‖ v. **1** Soltar o quitar las ataduras: *No puedo desatar los cordones de los zapatos. Se desató el saco de trigo y se salió un poco.* **2** Originar o provocar, esp. si es de forma violenta; desencadenar: *Mi desprecio desató su ira. Se desató una tormenta de arena.* ‖ prnl. **3** Perder la timidez o el temor y empezar a actuar con desenvoltura: *Al principio estaba muy calladito, pero luego se desató y fue el cen-*

tro de atención. ☐ MORF. En la acepción 2, la RAE sólo lo registra como pronominal.
[desatascador s.m. Utensilio formado generalmente por una ventosa unida a un mango, y que sirve para desatascar.
desatascar v. **1** Referido a un conducto obstruido, limpiarlo para quitar la obstrucción: *Desatascó la tubería metiendo un alambre muy largo.* **2** Referido a algo atascado, sacarlo del lugar o situación donde está atascado: *No pude desatascar el coche del barrizal.* ☐ ORTOGR. La c se cambia en *qu* delante de *e* →SACAR.
desatención s.f. **1** Distracción o falta de atención. **2** Falta de educación, de amabilidad o de respeto.
desatender v. **1** Referido a una persona, no prestarle atención, asistencia ni ayuda: *El herido casi se muere porque lo desatendieron.* **2** Referido a un hecho o un dicho, no prestarles atención: *Desatiende los consejos y no hace caso a nadie.* **3** Referido a una obligación o a un trabajo, no atenderlos o no ocuparse de ellos como es debido: *Desatiende sus negocios y se arruinará.* ☐ MORF. Irreg. →PERDER.
desatento, ta adj./s. **1** Referido esp. a una persona, que es descortés o no tiene amabilidad ni educación. **2** Referido a una persona, que no presta la debida atención.
desatino s.m. Error, desacierto o disparate.
desatornillador s.m. →destornillador.
desatornillar v. Sacar los tornillos dándoles vueltas: *Desatornilla la cerradura y pon una nueva. Aprieta bien el tornillo para que no se desatornille.* ☐ ORTOGR. Se admite también destornillar.
desatracar v. Referido a una embarcación, separarla o separarse de otra o del lugar en que está atracada: *El capitán dio la orden de desatracar el barco a las tres.* ☐ ORTOGR. La c se cambia en *qu* delante de *e* →SACAR.
desatrancar v. **1** Referido a algo obstruido, limpiarlo o quitarle lo que lo obstruye: *Llamaré al fontanero para que desatranque las tuberías.* **2** Referido esp. a una puerta o una ventana, quitarle la tranca o lo que impide abrirlas: *Desatranca la puerta y déjame pasar.* ☐ ORTOGR. La c se cambia en *qu* delante de *e* →SACAR.
desautorización s.f. Privación de la autoridad, del poder, del crédito o de la estimación.
desautorizar v. Quitar la autoridad, el poder o el crédito: *El presidente desautorizó al ministro.* ☐ ORTOGR. La z se cambia en c delante de *e* →CAZAR.
desavenencia s.f. Falta de armonía, de acuerdo o de entendimiento entre varias personas.
desavenir v. Referido a dos o más personas o cosas, hacer que dejen de estar conformes, de acuerdo o en armonía: *La diferencia de intereses ha desavenido al grupo.* ☐ MORF. Irreg. →VENIR.
desayunar v. Tomar el desayuno o tomar como desayuno: *¿Has desayunado ya? Siempre me desayuno antes de salir. Desayuna café con leche y una tostada.* ☐ ETIMOL. De des- (acción contraria) y ayunar.
desayuno s.m. **1** Primera comida del día, que se hace por la mañana. **2** Alimento que se toma en esta comida.
desazón s.f. Sensación anímica de intranquilidad, temor y falta de alegría.
desazonar v. Disgustar, intranquilizar o causar desazón: *¡Pórtate bien y no desazones más a tu pa-*

dre! Me desazono cuando veo que mis esfuerzos son inútiles.

desbancar v. Referido a una persona, hacerle perder la posición o la consideración que tiene, ganándolas para uno mismo: *Tú eres mi mejor amigo y en eso nadie puede desbancarte.* □ ORTOGR. La *c* se cambia en *qu* delante de *e* →SACAR.

desbandada s.f. **1** Huida o dispersión en desorden. **2** ‖{a la/[en} **desbandada**; confusamente y sin orden. □ ETIMOL. De *des-* (acción contraria) y *bando* (bandada).

desbandarse v.prnl. Irse en distintas direcciones o huir en desorden: *Al pasar corriendo por la plaza se desbandaron las palomas.*

desbarajustar v. Desordenar introduciendo gran caos y confusión: *Puse mal una fecha y desbarajusté todos los horarios.* □ ETIMOL. De *des-* (intensivo) y el antiguo *barajustar* (confundir, trastornar). □ SEM. Aunque la RAE lo considera sinónimo de *desordenar*, *desbarajustar* tiene un matiz intensivo.

desbarajuste s.m. Desorden caótico y muy confuso.

desbaratamiento s.m. Descomposición, desorganización o ruina.

desbaratar v. **1** Deshacer, estropear o arruinar: *El mal tiempo desbarató nuestros planes. Él lo intenta, pero es tan manazas que todo se le desbarata.* **2** Referido a bienes materiales, malgastarlos o derrocharlos: *Se metió en el juego y desbarató la fortuna familiar en dos meses.* □ ETIMOL. De *des-* (intensivo) y el antiguo *barata* (confusión, barullo).

desbarrar v. Razonar o actuar sin sentido común o de forma contraria a la razón: *¡Deja ya de desbarrar y de decir tantos disparates!* □ ETIMOL. Del antiguo *desbarar* (disparatar).

desbastar v. Referido a una materia, quitarle las partes más bastas: *El carpintero desbastaba la madera antes de darle forma con el torno.* □ ORTOGR. Dist. de *devastar.*

desbeber v. *col.* Orinar: *Voy al cuarto de baño a desbeber.* □ USO Tiene un matiz humorístico.

desbloquear v. Deshacer el bloqueo o levantarlo: *No pude llamarte hasta que no se desbloquearon las líneas telefónicas.*

desbloqueo s.m. Eliminación de un bloqueo.

desbocado, da adj. Referido al cuello o a las mangas de una prenda de vestir, que están más abiertos de lo debido, generalmente por haberse dado de sí.

desbocar ▌ v. **1** Referido esp. a un recipiente, quitarle o romperle la boca: *Has desbocado el cántaro y no se puede beber bien.* **2** Referido esp. al cuello o a las mangas de una prenda de vestir, darlos de sí o abrirlos más de lo debido: *Me desbocaste el cuello del jersey cuando me agarraste.* ▌ prnl. **3** Referido a una caballería, dejar de obedecer al freno y galopar alocadamente: *La yegua se desbocó y acabó tirando al jinete.* **4** Perder la contención en la conducta o en el lenguaje: *Cuando lo echaron de la sala se desbocó y los insultó a todos.* □ ORTOGR. La *c* se cambia en *qu* delante de *e* →SACAR.

desbordamiento s.m. **1** Salida o derrame de lo que está contenido en un recipiente o en un cauce, sobrepasando los bordes de éstos. **2** Superación de la capacidad o de los límites de una persona. **3** Exaltación e imposibilidad de contención de un sentimiento.

desbordante adj. Que desborda o que se desbor-

da: *Siento una alegría desbordante.* □ MORF. Invariable en género.

desbordar ▌ v. **1** Referido esp. a un recipiente o a un cauce, sobrepasar sus bordes lo que está contenido en ellos: *Dejé el grifo abierto y el agua desbordó el lavabo. Si sigue lloviendo tanto, se desbordará el río.* **2** Referido esp. a una persona o a una capacidad, sobrepasarlas o exceder sus límites: *Esta travesura desborda mi paciencia y no aguanto una más. Me desbordo con tanto trabajo.* ▌ prnl. **3** Referido esp. a un sentimiento, exaltarse y no poder ser contenido o dominado: *El entusiasmo del público se desbordó cuando el cantante interpretó su tema más famoso.* □ MORF. En la acepción 1, la RAE sólo lo registra como intransitivo y como pronominal.

[desborde s.m. En zonas del español meridional, desbordamiento del cauce de un río.

desbravar v. **1** Referido esp. a un caballo que no está domado, amansarlo: *Desbrava al caballo para poder montarlo.* **2** Perder la braveza o parte de ella: *Al cesar el viento, el mar se desbravó.* **3** Referido a una bebida alcohólica, perder su fuerza: *Desbravé el aguardiente quemándolo un poco.*

[desbrozadora s.f. Máquina que se utiliza para desbrozar un lugar o quitarle la maleza.

desbrozar v. Referido a un lugar, limpiarlo de broza, de ramas o de maleza: *En verano desbrozan el monte para evitar incendios.* □ ORTOGR. La *z* se cambia en *c* delante de *e* →CAZAR.

desbrozo s.m. **1** Eliminación de la broza o de las ramas y hojas secas de un terreno. **2** Conjunto de broza o de ramaje que queda tras la poda de los árboles o tras la limpieza de las tierras.

descabalar v. **1** Referido a algo completo o cabal, quitarle o perder alguna de las partes que lo componen: *He descabalado este juego de pendientes, porque perdí uno. Se ha descabalado el juego de café al romper una taza.* **[2** Referido a un plan o a una previsión, desorganizarlos o alterarlos: *Tu retraso 'descabala' la excursión que íbamos a hacer. Con la subida del precio del piso, 'se han descabalado' mis previsiones económicas.*

descabalgar v. Desmontar o bajar de una caballería: *El jinete descabalgó y desensilló el caballo.* □ ORTOGR. La *g* se cambia en *gu* delante de *e* →PAGAR.

descabellado, da adj. Contrario a la razón o a la prudencia.

descabellar v. En tauromaquia, referido a un toro, matarlo instantáneamente clavándole en la cerviz la punta de la espada o la puntilla: *Si un toro no muere por efecto de la estocada, lo descabellan.*

descabello s.m. En tauromaquia, muerte instantánea que se da al toro, clavándole en la cerviz la punta de la espada o la puntilla.

descabezar v. Quitar la cabeza: *Al detener al jefe, han descabezado la organización.* □ ORTOGR. La *z* se cambia en *c* delante de *e* →CAZAR.

descacharrar v. →**escacharrar.**

descafeinado, da adj. **▌ 1** Falto de autenticidad o de intensidad por haber perdido alguna característica esencial. **▌** s.m. **2** →**café descafeinado.**

descafeinar v. **1** Referido al café, extraer o eliminar toda o casi toda su cafeína: *Existen procedimientos industriales para descafeinar el café.* **2** Privar de alguna característica considerada perjudicial o peligrosa: *Interpretar el problema de los enfrentamientos raciales como una lucha entre vecinos es* *una forma de descafeinarlo.* □ ORTOGR. La *i* lleva tilde en los presentes, excepto en las personas *nosotros* y *vosotros* →GUIAR.

descalabrar v. **1** Herir en la cabeza: *Lo descalabraron de una pedrada. Se cayó de la bicicleta y se descalabró.* **2** Causar un grave perjuicio: *La negativa del crédito descalabró el negocio.* □ ORTOGR. Se admite también *escalabrar.*

descalabro s.m. Contratiempo o problema que ocasionan un grave daño.

descalcificación s.f. Pérdida o disminución del calcio y de los compuestos cálcicos que contienen un hueso u otro tejido orgánico. □ ORTOGR. Se admite también *decalcificación.*

descalcificar v. Referido esp. a un hueso, eliminar o disminuir el calcio y los compuestos cálcicos que contiene: *Una lactación prolongada puede descalcificar los tejidos orgánicos de la madre. Toma calcio para evitar que se le descalcifiquen los huesos.* □ ORTOGR. 1. La *c* se cambia en *qu* delante de *e* →SACAR. 2. Se admite también *decalcificar.*

descalificación s.f. **1** En una competición, eliminación de un participante, generalmente por haber cometido una infracción de las reglas. **2** Pérdida de reputación, de capacidad o de autoridad de una persona.

descalificar v. **1** Desacreditar o restar capacidad o autoridad: *Su falta de prudencia lo descalifica para los negocios.* **2** En una competición, referido a un participante, eliminarlo, generalmente por cometer una infracción de las reglas: *Descalificarán a los que queden en los diez últimos lugares.* □ ORTOGR. La *c* se cambia en *qu* delante de *e* →SACAR.

descalzar v. **1** Quitar el calzado: *Esté donde esté se descalza en cuanto se sienta.* **2** Referido a un objeto, quitarle el calzo o la cuña: *Si descalzas el armario volverá a cojear.* □ ORTOGR. La *z* se cambia en *c* delante de *e* →CAZAR.

descalzo, za ∎ adj. **1** Sin calzado. ∎ adj./s. **2** Referido a un religioso, que profesa una regla que exige llevar los pies sin calzado.

descamar ∎ v. **1** →escamar. ∎ prnl. **2** Referido a la piel, caerse en forma de escamas: *Se me descama la piel porque la tengo muy reseca.*

descambiar v. col. Referido a una compra, devolverla a cambio de dinero o de otro artículo: *Compré la blusa con la condición de que, si no te quedaba bien, podíamos descambiarla.* □ ORTOGR. La *i* nunca lleva tilde.

descaminado, da adj. Equivocado o mal orientado.

descaminar v. Referido a una persona, apartarla del camino que debe seguir; desencaminar: *Las malas compañías te van a descaminar y acabarás mal.*

descamisado, da ∎ adj. **1** col. Sin camisa o con ella desabrochada. ∎ adj./s. **2** col. Referido a una persona, que es pobre o desarrapada. ∎ s.m. [**3** Partidario de Juan Domingo Perón (político argentino).□ MORF. La acepción 3 se usa más en plural. □ USO En la acepción 2, tiene un matiz despectivo.

descamisarse v.prnl. [Quitarse la chaqueta y quedarse sólo en camisa: *Hacía tanto calor en la reunión que algunos directivos 'se descamisaron'.*

descampado, da adj./s.m. Referido a un lugar, que está descubierto y libre de viviendas, de árboles y de vegetación espesa.

descampar v. →escampar.

descangayado, da adj. col. En zonas del español meridional, desgarbado o patoso.

descansado, da adj. Que no exige mucho trabajo o esfuerzo.

descansar v. **1** Cesar en el trabajo o recuperar fuerzas con el reposo: *Se tomó unos días de vacaciones para descansar de las tensiones del trabajo.* **2** Reposar o dormir: *Habla bajito, que está descansando.* **3** Quedar tranquilo después de un dolor o una inquietud: *Cuando me saquen la muela, descansaré.* **4** Referido a una cosa, apoyarla o apoyarse sobre otra: *Siéntate y descansa los pies sobre el taburete. El techo descansa sobre cuatro columnas.* **5** Referido a un terreno, estar sin cultivo para recuperar su fertilidad: *Dejaremos esta tierra descansar este año y la sembraremos el que viene.* **6** Estar enterrado o reposar en el sepulcro: *Mis antepasados descansan lejos de aquí.* **7** Aliviar o disminuir la fatiga: *Ya verás como un buen masaje te descansa.*

descansillo s.m. En una escalera, parte llana en que termina cada uno de sus tramos; descanso, rellano.

descanso s.m. **1** Quietud, reposo o pausa en el trabajo o en el esfuerzo. **2** Lo que alivia en las dificultades o disminuye la fatiga. **3** En un espectáculo, una representación o un programa, espacio de tiempo que los interrumpe; intermedio. **4** En una escalera, parte llana en que termina cada uno de sus tramos; descansillo, rellano. **5** Lugar sobre el que se apoya o asegura algo.

descapitalización s.f. **1** Pérdida de dinero, esp. la que ocurre en una entidad o en una empresa. **2** Pérdida de riquezas históricas o culturales de un país o de una comunidad.

descapitalizar v. **1** Referido esp. a una entidad o a una empresa, dejarlas sin el capital que tenían: *Descapitalizaron el banco al descubrir que formaba parte de una red de comercio ilegal.* **2** Referido a un país o a una comunidad, hacerle perder las riquezas históricas o culturales acumuladas: *La guerra ha descapitalizado este país porque ha destruido sus monumentos.* □ ORTOGR. La *z* se cambia en *c* delante de *e* →CAZAR.

descapotable s.m. Automóvil que tiene el techo plegable.

descapotar v. Referido a un coche o a un automóvil, plegarle la capota o bajársela: *Descapota el coche del niño para que le dé el sol.*

descapullar v. Referido a algo que tiene capullo, quitárselo: *El granizo ha descapullado los rosales.*

descarado, da adj./s. Referido a una persona, que habla o actúa con atrevimiento y sin respeto ni pudor.

descarga s.f. **1** Extracción, eliminación o salida de una carga. **2** Liberación de un peso o de una preocupación. **3** Paso de electricidad de un cuerpo a otro de distinto potencial.

descargar v. **1** Quitar, extraer o anular la carga: *Descarga camiones en el mercado. Las pilas se descargan aunque no se usen.* **2** Referido a una carga, sacarla o desviarla de donde está: *Ayúdame a descargar los muebles de la furgoneta.* **3** Referido a un arma de fuego, dispararla: *Descargó la escopeta sobre una perdiz.* **4** Referido a un golpe, darlo con violencia: *Le descargó un puñetazo en toda la cara.* **5** Referido a un enfado o a un sentimiento violento, hacerlo recaer sobre alguien o algo, como forma de liberarse de él:

No descargues tu ira sobre mí, que yo no tengo la culpa. **6** Producir lluvia o granizo, o producirse una precipitación atmosférica: *Como descarguen esas nubes tan negras, nos vamos a empapar.* [**7** En zonas del español meridional, referido a una persona, librarla de una responsabilidad o de una culpa. □ ORTOGR. La *g* se cambia en *gu* delante de *e* →PAGAR.

descargo ‖ en **descargo de** alguien; como excusa o justificación para librarlo de una acusación que se le hace o de una obligación de conciencia.

descarnado, da adj. **1** Sin adornos, sin rodeos o sin atenuaciones. **2** ‖ la **descarnada**; la muerte.

descarnar v. **1** Referido a un hueso o a la piel, separarlos de la carne o quitársela: *Descarnó la piel del conejo para poder curtirla.* **2** Quitar o perder carnes o adelgazar mucho por una causa física o moral; demacrar: *Una larga enfermedad le descarnó la cara.*

descaro s.m. Insolencia o falta de vergüenza, de recato o de respeto.

descarriar v. **1** Referido esp. a una persona, apartarla del camino que debe seguir: *Las malas compañías lo descarriaron. Una buena formación ayuda a no descarriarse en la vida.* **2** Referido a un animal, esp. a una oveja, apartarlo del rebaño: *El pastor evita que se descarríen las ovejas.* □ ETIMOL. Quizá del antiguo *descarrerar* (descarriar), por cruce con *desviar.* □ ORTOGR. La *i* lleva tilde en los presentes, excepto en las personas *nosotros* y *vosotros* →GUIAR. □ MORF. Se usa más como pronominal.

descarrilamiento s.m. Desacoplamiento de un tren u otro vehículo semejante, de los carriles o de los raíles sobre los que marcha.

descarrilar v. Referido a un tren o a un vehículo semejante, salirse de los carriles: *El metro descarriló, pero no hubo heridos.*

descarrío s.m. **1** Apartamiento del camino que se debe seguir. **2** Alejamiento del grupo o de la compañía con la que se suele ir.

[**descartable** adj. En zonas del español meridional, desechable.

descartar I v. **1** Referido a una posibilidad, desecharla o no tenerla en cuenta: *Si pensabas contar con mi ayuda este verano, ya puedes descartar esa posibilidad.* **I** prnl. **2** En algunos juegos de naipes, dejar las cartas que se tienen y se consideran inútiles: *No me descarto de ninguna carta porque todas las que tengo son buenas.*

descarte s.m. **1** En algunos juegos de naipes, rechazo de las cartas que se consideran inútiles. **2** Conjunto de estas cartas que se desechan.

descasar v. **1** Referido a cosas que casan o se corresponden entre sí, hacer que dejen de coincidir: *Descasa esas piezas porque no son de ahí.* **2** Referido a dos personas legalmente casadas, anular su matrimonio: *Después de la Guerra Civil española descasaron a mucha gente.* **3** Referido a dos personas que no están legalmente casadas, separarlas: *Los padres quieren descasar a esa pareja pero ellos no quieren separarse.*

descascarillar v. **1** Referido esp. a un fruto, quitarle la cáscara o la cascarilla: *Para hacer harina refinada, hay que descascarillar el trigo.* **2** Referido esp. a un objeto, quitar parte de la capa que lo recubre: *Un balonazo descascarilló la pared. Cuando empieza a descascarillarse el esmalte de las uñas, es mejor quitarlo todo.*

descastado, da adj./s. Referido a una persona, que muestra poco cariño a su familia o que no corresponde al cariño que recibe.

[**descatalogado, da** adj. Que ha dejado de figurar en catálogo.

descendencia s.f. Conjunto de hijos, nietos y demás generaciones sucesivas que descienden de una persona por línea directa.

descendente adj. Que desciende. □ MORF. Invariable en género.

descender v. **1** Ir a un lugar o a una posición inferiores: *Descendimos al sótano por una escalera de mano.* **2** Disminuir en intensidad, cantidad o valor: *En invierno desciende mucho la temperatura.* **3** Referido a una persona o a un animal, proceder por generaciones sucesivas de un antepasado, de un linaje o de un pueblo: *El hombre desciende del primate.* □ ETIMOL. Del latín *descendere.* □ MORF. Irreg. →PERDER. □ SINT. Constr. de la acepción 3: *descender DE alguien.* □ SEM. 1. En las acepciones 1 y 2, es sinónimo de *bajar.* 2. **Descender abajo* es una expresión redundante e incorrecta.

descendiente s. Respecto de una persona, hijo, nieto u otro miembro de las generaciones sucesivas por línea directa. □ MORF. Es de género común: *el descendiente, la descendiente.*

descendimiento s.m. **1** Ida a un lugar o a una posición inferior; descenso. **2** Transporte de algo hacia un lugar inferior.

descenso s.m. **1** Camino que lleva hacia un lugar o una posición inferiores. **2** Inclinación de un terreno. **3** Ida a un lugar o a una posición inferior; descendimiento. **4** Disminución de la intensidad, de la cantidad o del valor. □ ETIMOL. Del latín *descensus.* □ SEM. En las acepciones 1 y 2, es sinónimo de *bajada.*

descentralizar v. Referido a algo centralizado, traspasar sus competencias o las responsabilidades que conlleva a organismos o unidades más pequeños, para evitar la concentración o la centralización: *Hay que descentralizar la industria para evitar que haya regiones menos desarrolladas.* □ ORTOGR. La *z* se cambia en *c* delante de *e* →CAZAR.

descentrar v. Referido esp. a una persona o a un objeto, hacer que dejen de estar centrados: *Los ruidos me descentran y no puedo estudiar. Se descentró el proyector y la película se veía fuera de la pantalla.*

descerebrado, da adj./s. col. [Que tiene muchas dificultades para recordar las cosas o que no tiene memoria. □ USO Tiene un matiz despectivo.

descerebrar v. **1** Producir la inactividad funcional del cerebro: *El golpe que sufrió en la cabeza no lo mató, pero lo descerebró.* **2** Referido a un animal, extirparle experimentalmente el cerebro: *En el laboratorio descerebraron a un ratón para hacer un experimento.*

descerrajar v. Referido a algo con cerradura, romper o forzar ésta: *El caco descerrajó la puerta para entrar en la casa.* □ ORTOGR. Conserva la *j* en toda la conjugación.

descifrar v. Referido a algo en clave o difícil de comprender, deducir o averiguar su significado: *No consiguió descifrar el jeroglífico.*

[**desclasado, da** adj./s. Referido a una persona, que no está integrada en un grupo social o que lo está en el que no le corresponde. □ ETIMOL. Del francés *déclassé.* □ USO Tiene un matiz despectivo.

desclasificar v. [Referido a algo clasificado, desordenarlo o sacarlo del conjunto ordenado en el que está: *Procura no 'desclasificar' las fichas al consultarlas.* □ ORTOGR. La *c* se cambia en *qu* delante de *e* →SACAR.

desclavar v. Referido a algo clavado, arrancarlo o desprenderlo; desenclavar: *Desclava la escarpia de la pared.*

descocarse v.prnl. *col.* Referido a una persona, mostrar demasiada desenvoltura o descaro: *En las fiestas se descoca y es el centro de todas las miradas.* □ ETIMOL. De *des-* (privación) y *coca* (cabeza), porque se pierde o no se tiene cabeza. □ ORTOGR. La *c* se cambia en *qu* delante de *e* →SACAR.

descoco s.m. Descaro o desenvoltura excesiva; descoque.

descodificación s.f. Aplicación inversa de las reglas de un código para recuperar la forma primitiva de un mensaje codificado. □ ORTOGR. Se admite también *decodificación.*

descodificador s.m. Aparato o dispositivo que se usa para recuperar la forma primitiva de un mensaje codificado. □ ORTOGR. Se admite también *decodificador.*

descodificar v. Referido a un mensaje codificado, aplicarle inversamente las reglas de su código para que recupere su forma primitiva: *Necesito el código para descodificar el mensaje y poder entenderlo.* □ ORTOGR. 1. La *c* se cambia en *qu* delante de *e* →SACAR. 2. Se admite también *decodificar.*

[descojonamiento s.m. *vulg.malson.* Burla o risa desmedidas.

[descojonarse v.prnl. *vulg.malson.* Reírse mucho.

[descojone s.m. *vulg.malson.* Burla o risa desmedidas.

descolgar ▮ v. 1 Referido a algo colgado, bajarlo o quitarlo de donde está: *Descuelga la lámpara para limpiarla. Se descolgó el sombrero de la percha.* 2 Referido a algo que pende de una cuerda, bajarlo despacio: *Descolgaron el piano por el balcón hasta la calle. Me descolgué con una cuerda desde lo alto del acantilado.* 3 Referido a un teléfono, levantar su auricular: *Descolgó el teléfono para no recibir llamadas.* ▮ prnl. 4 *col.* Referido a una persona, aparecer inesperadamente o sin una finalidad determinada: *Ayer se descolgó Paco por casa y estuvimos charlando.* 5 Referido a un miembro de un grupo, separarse de éste o quedarse rezagado: *Un ciclista se descolgó del pelotón y ya no pudo alcanzarlo.* 6 *col.* Hacer o decir algo inesperado: *¿Ahora que nos habías convencido a todos te descuelgas tú con que estabas equivocado?* □ ORTOGR. Aparece una *u* después de la *g* cuando le sigue *e*. □ MORF. Irreg. →COLGAR. □ SINT. 1. Constr. de las acepciones 2 y 5: *descolgarse DE algo.* 2. Constr. de la acepción 6: *descolgarse CON algo.*

descollar v. 1 Destacar en altura o en anchura: *El campanario de la iglesia descuella sobre los tejados.* 2 Distinguirse entre los demás: *Descuella en habilidad entre todos sus hermanos.* □ MORF. Irreg. →CONTAR. □ SINT. Constr. de la acepción 2: *descollar EN algo.* □ SEM. Es sinónimo de *sobresalir.*

descolocar v. Poner en una posición o en una situación indebidas: *No me descoloques los libros. Se te ha descolocado el clavel de la solapa.* □ ORTOGR. La *c* se cambia en *qu* delante de *e* →SACAR.

descolorar v. →decolorar.

descolorido, da adj. De color pálido.

descolorir v. Quitar o perder color; decolorar: *El sol ha descolorido las persianas.* □ MORF. Verbo defectivo: se usa sólo en los tiempos compuestos y en las formas no personales (infinitivo, gerundio y participio).

descombrar v. →desescombrar.

descomedido, da adj. Excesivo, desproporcionado o fuera de lo regular.

descomer v. *col.* Defecar: *Todo lo que se come se descome.* □ USO Tiene un matiz humorístico.

descompasar v. Perder o hacer perder el compás o el ritmo: *El despiste del director descompasó a toda la orquesta. Uno de los que desfilaban se descompasó por mirar al público.* □ SINT. Aunque la RAE sólo lo registra como pronominal, se usa también como verbo transitivo. □ USO Se usa también *desacompasar.*

descompensación s.f. 1 Falta de compensación o de equilibrio. 2 En medicina, estado de un órgano enfermo, esp. del corazón, que es incapaz de realizar correctamente su función.

descompensar v. Perder o hacer perder la compensación o el equilibrio: *Se nos descompensó el presupuesto con los gastos imprevistos. Si el árbitro expulsa a un jugador, descompensará el equilibrio de fuerzas entre los dos equipos.*

descomponer ▮ v. 1 Referido a una sustancia o a un todo, separar sus componentes o sus partes: *Para descomponer una palabra en sílabas, hay que tener en cuenta determinadas reglas. Cuando la sal se descompone, obtenemos cloro y sodio.* 2 Referido esp. a un cuerpo orgánico, alterarlo o corromperlo de forma que entre en estado de putrefacción: *El excesivo calor puede descomponer un alimento. Un cadáver empieza a descomponerse a los tres días de la muerte.* 3 Referido a un mecanismo o a un aparato, estropearlo o hacer que deje de funcionar: *Si metes el reloj en agua, lo vas a descomponer. Se descompuso la nevera y no congela bien.* 4 Referido a una persona o a su cuerpo, dañarlos o perjudicar su salud: *La salsa me descompuso el estómago. Con este frío, se me descompone el cuerpo.* 5 Referido a una persona, enfadarla, irritarla o hacerle perder la serenidad: *Las injusticias me descomponen. Me descompongo cuando veo pegar a un niño.* 6 Desarreglar, desordenar o hacer perder la armonía: *Si habéis descompuesto la habitación, tenéis que colocarla. Con el aire, se me descompuso el peinado.* ▮ prnl. 7 Referido esp. a una persona o a su cara, cambiarse su color o su expresión, esp. debido a una fuerte impresión: *La cara se le descompuso de ira.* [8 En zonas del español meridional, dislocarse. 9 En zonas del español meridional, averiarse. □ MORF. Irreg.: 1. Su participio es *descompuesto.* 2. →PONER.

descomposición s.f. 1 Separación de los componentes de una sustancia o de las partes de un todo. 2 Corrupción, alteración o cambio de algo. 3 *col.* Diarrea.

descompostura s.f. 1 Falta de compostura, de aseo o de cortesía. 2 En zonas del español meridional, descomposición o diarrea. [3 En zonas del español meridional, avería en un mecanismo. [4 En zonas del español meridional, dislocación.

descompresión s.f. Reducción de la compresión o de la presión a la que ha estado sometido un cuerpo, esp. un gas o un líquido.

descompresor s.m. Aparato o dispositivo que se usa para hacer disminuir la presión de algo.

descompuesto, ta part. irreg. de **descomponer**. ☐ MORF. Incorr. *descomponido.

descomunal adj. Enorme, monstruoso o totalmente fuera de lo común. ☐ ETIMOL. De des- (fuera de) y *comunal* (común). ☐ MORF. Invariable en género.

[desconcertante adj. Que desconcierta. ☐ MORF. Invariable en género.

desconcertar v. Referido a una persona, sorprenderla, desorientarla o dejarla sin saber lo que pasa realmente: *Aquellas acusaciones tan directas me desconcertaron y no supe reaccionar. Dudo que tu profesor se desconcierte por nada que tú le digas.* ☐ MORF. Irreg. →PENSAR.

desconchado s.m. o **desconchadura** s.f. →desconchón.

desconchar v. Referido a una superficie, quitar parte de la capa que la recubre: *Al clavar el clavo, desconché un poco la pared. Si golpeas la jarra de porcelana, se desconchará.*

desconchón s.m. Caída de una parte del revestimiento o de la pintura de una superficie; desconchado, desconchadura.

desconcierto s.m. **1** Sorpresa o confusión de una persona, dejándola sin saber lo que ocurre realmente. **2** Perturbación del orden o del concierto.

desconectar v. **1** Deshacer o interrumpir la conexión, el contacto o la comunicación eléctrica: *La calefacción tiene un dispositivo con el que se desconecta en caso de temperatura excesiva.* **2** Dejar de tener relación, comunicación o enlace: *Me he desconectado de mis amigos porque ya no tenemos nada en común.*

desconexión s.f. Interrupción de la conexión o falta de ésta.

desconfianza s.f. Falta de confianza.

desconfiar v. No confiar, no fiarse o tener poca seguridad: *Desconfío de él, porque ya me engañó una vez.* ☐ ORTOGR. La i lleva tilde en los presentes, excepto en las personas *nosotros* y *vosotros* →GUIAR. ☐ SINT. Constr. *desconfiar DE algo.*

desconforme adj./s. →disconforme.

desconformidad s.f. →disconformidad.

descongelación s.f. **1** Derretimiento del hielo que hacía que algo estuviera congelado. **2** Eliminación del hielo que contiene un frigorífico o un aparato semejante. **[3** En economía, referido a algo congelado o inmovilizado, esp. al dinero, suspensión de su inmovilización.

descongelar v. **1** Referido a algo congelado, hacer que deje de estarlo: *El acuerdo permitió descongelar los salarios que no subían desde hacía dos años. Mete la comida en el horno para que se descongele.* **2** Referido esp. a un frigorífico, eliminar o deshacer el hielo que contiene: *Desenchufa la nevera para descongelarla.*

descongestión s.f. Disminución o desaparición de la congestión o de la acumulación excesiva de algo.

descongestionar v. Disminuir o quitar la congestión o la acumulación excesiva de algo: *Estas gotas están indicadas para descongestionar la nariz. Con la carretera de circunvalación, se descongestionará el tráfico de la ciudad.*

desconocer v. **1** No conocer: *Desconozco cuáles*

son sus verdaderas intenciones. **2** Referido a algo conocido, no reconocerlo o encontrarlo distinto: *Me desconozco en esta foto.* ☐ MORF. Irreg. →PARECER.

desconocido, da ▮ adj. **1** Muy cambiado. **▮** adj./s. **2** Referido a una persona, que no es conocida o que no es famosa.

desconocimiento s.m. Falta de conocimiento o de información.

desconsideración s.f. Falta de consideración o de amabilidad y respeto.

desconsiderado, da adj./s. Que no guarda la consideración o el respeto debidos.

desconsolar v. Causar desconsuelo o gran pena: *Me desconsuela verte llorar. No te desconsueles, que todo se arreglará.* ☐ MORF. Irreg. →CONTAR.

desconsuelo s.m. Angustia y pena profundas, esp. por la pérdida de algo muy querido o necesario.

descontado ‖dar algo **por descontado**; *col.* Darlo por hecho o por cierto. ‖**por descontado**; *col.* Expresión que se usa para asentir mostrando seguridad y firmeza.

descontar v. **1** Referido a una cantidad, quitarla o restarla de otra: *Si compras ahora, te descontarán un diez por ciento del precio fijado.* **2** Referido a una letra de cambio, adelantar el banco una cantidad de dinero al tenedor de la letra antes de su vencimiento: *Al descontar una letra, se rebaja de su valor la cantidad que se estipule, como intereses del dinero que se anticipe.* ☐ MORF. Irreg. →CONTAR.

descontentar v. Desagradar o causar insatisfacción o disgusto: *No me entusiasma ese tipo de literatura, pero tampoco me descontenta. Como no esté todo a su gusto, enseguida se descontenta.*

descontento, ta ▮ adj. **1** Referido a una persona, que no está a gusto o que se siente insatisfecha. **▮** s.m. **2** Insatisfacción, disgusto y desagrado.

[descontextualizar v. Sacar de contexto: *Me fastidia que 'descontextualicen' mis palabras y las citen de forma que parezcan tener otro sentido.* ☐ ORTOGR. La z se cambia en c delante de e →CAZAR.

descontrol s.m. Falta de control, de orden o de disciplina.

descontrolarse v.prnl. **1** Perder el control o el dominio de sí mismo: *Cuando hago algo mal, enseguida se descontrola y empieza a gritarme.* **2** Referido esp. a un mecanismo, perder su ritmo normal de funcionamiento: *Una brújula se descontrola si le acercas un imán.*

desconvocar v. Referido a un acto convocado, anular su convocatoria antes de que comience dicho acto: *Los sindicatos acaban de desconvocar la huelga que estaba anunciada para mañana.* ☐ ORTOGR. La c se cambia en qu delante de e →SACAR. ☐ SEM. Su uso con el significado de 'suspender un acto convocado y ya iniciado' es incorrecto, aunque está muy extendido.

desconvocatoria s.f. Anulación de la convocatoria de un acto antes de que éste comience.

[descoordinación s.f. Falta de coordinación.

[descoque s.m. *col.* →descoco.

descorazonamiento s.m. Decaimiento grande del ánimo o pérdida de la esperanza.

descorazonar v. Quitar o perder el ánimo o la esperanza: *Sentir que nadie te apoya descorazona a cualquiera. Inténtalo otra vez y no te descorazones a la primera.*

descorchar v. Referido esp. a una botella, destaparla

sacando el corcho que la cierra: *Descorcha una botella de champán para celebrarlo.*

descorche s.m. **1** Operación que se realiza para sacar el tapón de corcho de una botella. **2** Separación de la corteza del alcornoque de su tronco.

descornar ∎ v. **1** Referido a un animal, quitarle los cuernos: *Los dos ciervos lucharon hasta que uno descornó al otro.* ∎ prnl. **2** *col.* Entregarse con decisión y esfuerzo a la consecución de un fin: *Se descuerna trabajando para dar a sus hijos lo mejor.* □ PRON. En la acepción 2, está muy extendida la pronunciación [escornárse]. □ MORF. Irreg. →CONTAR.

descorrer v. **1** Referido a algo estirado, esp. a unas cortinas, plegarlo o recogerlo: *Descorrió las cortinas para que entrara luz.* **2** Referido esp. a un pestillo, moverlo para que pueda abrirse lo que cerraba: *Descorre el cerrojo de la puerta, que quiero entrar.*

descortés adj./s. Que no tiene cortesía, buena educación ni amabilidad. □ MORF. **1.** Como adjetivo es invariable en género. **2.** Como sustantivo es de género común: *el descortés, la descortés.*

descortesía s.f. Falta de cortesía, de buena educación o de amabilidad.

descoser v. Referido a algo cosido, soltarle las puntadas: *Se me ha descosido un botón de la blusa.*

descosido s.m. **1** En una prenda de vestir o en una tela, parte que tiene sueltas las puntadas que la cosían. **2** ‖ **como un descosido;** *col.* Mucho o con exceso: *Cuando llegan los exámenes estudia como una descosida.*

descoyuntamiento s.m. Desencajamiento de lo que estaba unido por una articulación.

descoyuntar v. Referido a algo articulado, esp. a los huesos, desencajarlo de las articulaciones: *Me descoyunté un brazo al intentar mover yo solo la lavadora.* □ ETIMOL. Del latín *dis* (acción contraria) y *coiunctare* (unir).

descrédito s.m. Pérdida o disminución de la reputación, del valor o de la estima.

descreído, da adj./s. Incrédulo, sin fe o sin creencias.

descreimiento s.m. Falta o abandono de la fe o de las creencias.

descremar v. Referido a la leche, quitarle la crema o la grasa: *La leche que descreman en las centrales lecheras suele emplearse para regímenes de adelgazamiento.*

describir v. **1** Representar por medio del lenguaje, refiriendo o explicando las distintas partes, cualidades o circunstancias: *La autora describe un paisaje.* **2** Referido a una línea, trazarla o recorrerla moviéndose a lo largo de ella: *Los planetas describen órbitas elípticas.* □ ETIMOL. Del latín *describere.* □ MORF. Irreg.: Su participio es *descrito.*

descripción s.f. Representación de algo por medio del lenguaje, explicando sus distintas partes, cualidades o circunstancias. □ ETIMOL. Del latín *descriptio.*

descriptivo, va adj. Que describe.

descriptor s.m. [En documentación, palabra o conjunto de palabras que reflejan conceptos representativos de un documento y que están dentro de un tesauro.] □ ETIMOL. Del latín *descriptor.*

descrito, ta part. irreg. de **describir.** □ MORF. Incorr. **describido.*

descruzar v. Referido a algo puesto en forma de cruz, disponerlo para que deje de estar así: *Descruzó las*

piernas y se levantó de la silla.* □ ORTOGR. La *z* se cambia en *c* delante de *e* →CAZAR.

descuadernar v. →desencuadernar.

descuajaringar o **descuajeringar** ∎ v. **1** Referido esp. a un objeto, romperlo, estropearlo o desunir sus partes: *El niño estuvo jugando con la radio y la descuajeringó. Ha vuelto a descuajeringarse la lavadora.* ∎ prnl. **2** *col.* Cansarse mucho: *Si te descuajeringas con tan poco esfuerzo, es que ya estás viejo.* [**3** *col.* Reírse mucho: *'Se descuajeringa' viendo cómo se viste su hijo pequeño.* □ ORTOGR. La *g* se cambia en *gu* delante de *e* →PAGAR. □ USO Aunque la RAE prefiere *descuajaringar,* se usa más *descuajeringar.*

descuartizamiento s.m. División de un cuerpo en trozos.

descuartizar v. Referido a un cuerpo, dividirlo en trozos: *En el matadero descuartizan las reses muertas.* □ ETIMOL. De *cuarto.* □ ORTOGR. La *z* se cambia en *c* delante de *e* →CAZAR.

descubierto, ta ∎ **1** part. irreg. de descubrir. ∎ adj. **2** Referido esp. a un lugar, que es despejado o espacioso. ∎ s.m. **3** Falta de fondos en una cuenta bancaria. **4** ‖ **al descubierto;** **1** Claramente o sin ocultar nada. **2** Al raso o sin resguardo. □ MORF. En la acepción 1, incorr. **descubrido.*

descubrimiento s.m. **1** Hallazgo o conocimiento de lo que estaba oculto o se desconocía. **2** Lo que se descubre.

descubrir ∎ v. **1** Referido a algo tapado o cubierto, destaparlo o quitarle lo que lo cubre: *Al final del acto la presidenta descubrió una placa conmemorativa. Tápate con la manta y no te descubras.* **2** Referido a algo escondido o ignorado, encontrarlo o hallarlo: *Colón descubrió América en 1492.* **3** Manifestar, mostrar o dar a conocer: *Jamás os descubriré mi secreto.* ∎ prnl. **4** Referido a una persona, quitarse el sombrero o lo que le cubre la cabeza: *El soldado se descubrió al entrar en el despacho del coronel.* □ ETIMOL. Del latín *discooperire.* □ MORF. Irreg.: Su participio es *descubierto.*

descuento s.m. **1** Rebaja que se hace en una cantidad, generalmente en un precio. **2** En un encuentro deportivo, tiempo que se añade al final para compensar el que se ha perdido durante su transcurso. **3** Adelanto de la cantidad de dinero que efectúa un banco al tenedor de una letra de cambio antes de su vencimiento.

descuerar v. *col.* En zonas del español meridional, criticar duramente.

descuidado, da adj. No preparado, no prevenido o falto de lo necesario; desprevenido.

descuidar ∎ v. **1** Referido esp. a una obligación, no prestarle la atención o los cuidados debidos: *No descuides tu higiene personal.* ∎ prnl. **2** Despistarse o retirar la atención sobre algo: *En cuanto me descuido, ya estás haciendo alguna travesura.* □ USO Se usa en imperativo para dar tranquilidad o seguridad sobre algo: *Descuida, que yo lo haré.*

descuidero, ra adj./s. Referido a una persona, que roba aprovechando que el dueño está descuidado, entretenido o distraído.

descuido s.m. **1** Distracción, negligencia o falta de cuidado. **2** Falta de arreglo o de cuidado.

desde prep. **1** Indica el punto, en el tiempo o en el espacio, del que procede, se origina o se empieza a contar algo: *Desde ayer no lo he visto. Vengo an-*

desembocar

dando desde la parada de tren. Hay regalos desde cien pesetas. **2** ‖**desde luego**; expresión que se utiliza para indicar asentimiento, conformidad o entendimiento. ‖**desde ya**; ahora mismo o inmediatamente. ☐ ETIMOL. De las preposiciones latinas *de* y *ex de*. ☐ USO No debe usarse para indicar un talante o una postura: *Hago un llamamiento {*desde > por}* la *solidaridad*.
desdecir ∎ v. **1** No corresponder o ser impropio del origen o de la condición que se tienen: *Esa actitud tan intransigente desdice de tu cuidada educación.* **2** Desentonar o no convenir: *Ese adorno tan chabacano desdice en un ambiente tan elegante.* ∎ prnl. **3** Volverse atrás o contradecirse de lo que se ha dicho: *Si se compromete a algo, que te lo dé por escrito para que no pueda desdecirse.* ☐ MORF. Irreg.: 1. Su participio es *desdicho*. 2. →DECIR. 3. En el imperativo se usa más la forma *desdice (tú)* frente a *desdí (tú)*. ☐ SINT. Constr. *desdecir(se)* DE *algo.*
desdén s.m. Indiferencia y falta de interés que denotan menosprecio. ☐ ETIMOL. Del antiguo *desdeño* (desdén).
desdentado, da adj. Que ha perdido los dientes o que le faltan algunos.
desdeñable adj. Digno de ser desdeñado. ☐ MORF. Invariable en género.
desdeñar v. **1** Menospreciar o tratar con desdén o indiferencia: *Un día desdeñé tu amistad y ahora me arrepiento.* [**2** Rechazar o desestimar con desprecio: *En un gesto de orgullo, 'desdeñó' el premio.* ☐ ETIMOL. Del latín *dedignare* (rehusar por indigno).
desdeñoso, sa adj./s. Que manifiesta o muestra desdén o indiferencia.
desdibujar v. Hacer perder o perder claridad, precisión o nitidez: *La niebla desdibuja los árboles. Con la lejanía, las montañas se desdibujan.* ☐ ORTOGR. Conserva la *j* en toda la conjugación. ☐ MORF. La RAE sólo lo registra como pronominal.
desdicha s.f. Véase **desdicho, cha.**
desdichado, da adj./s. **1** Que es desgraciado o que tiene desgracias y mala suerte. **2** En zonas del español meridional, referido a una persona, malvada o perversa.
desdicho, cha ∎ **1** part. irreg. de **desdecir.** ∎ s.f. **2** Desgracia, mala suerte o infelicidad. ☐ ETIMOL. La acepción 2, de *des-* (privación) y *dicha.* ☐ MORF. En la acepción 1, incorr. **desdecido.*
desdoblamiento s.m. **1** Extensión de lo que está doblado. **2** Formación de dos o más cosas a partir de una sola.
desdoblar v. **1** Referido a algo doblado, extenderlo o estirarlo: *Desdobló el mapa para estudiar la ruta. Lleva esas camisas planchadas con cuidado para que no se desdoblen.* **2** Referido a una sola cosa, separar sus elementos para formar dos o más cosas a partir de ella: *Tendré que desdoblar mi horario para poder comer en casa. Uno de los actores se desdobla en dos personajes.*
desdoro s.m. Deshonor o desprestigio. ☐ ETIMOL. De *desdorar* (quitar el oro), deslucir).
[**desdramatizar** v. Referido esp. a un suceso o a una situación, quitarles dramatismo, importancia o gravedad: *Debes 'desdramatizar' la enfermedad porque su curación es posible aunque requiera tiempo.* ☐ ORTOGR. La *z* se cambia en *c* delante de *e* →CAZAR.

deseable adj. Digno de ser deseado.
desear v. **1** Anhelar o querer con vehemencia: *Estoy deseando que lleguen las vacaciones.* **2** Referido a una persona, sentir atracción sexual hacia ella: *Piensa que las mujeres lo desean porque es joven y guapo.* **3** ‖**dejar {bastante/mucho} que desear**; ser inferior a lo que se esperaba: *Dice que es una casa maravillosa, pero deja mucho que desear.* ☐ ETIMOL. De *deseo.*
desecar v. Extraer la humedad o dejar seco: *Para desecar los pétalos de rosa, métefos entre dos láminas de papel secante. Si persiste la sequía, algunos pantanos se desecarán.* ☐ ETIMOL. Del latín *dessicare.* ☐ ORTOGR. 1. Dist. de *disecar.* 2. La *c* se cambia en *qu* delante de *e* →SACAR.
desechable adj. Referido a un objeto, que está destinado a ser usado una sola vez y tirado después de su uso. ☐ MORF. Invariable en género.
desechar v. **1** No admitir, rechazar o despreciar: *Desecharon mi proyecto porque era muy costoso.* **2** Referido a un objeto de uso, dejar de usarlo por considerarlo inútil o inservible: *Al comprar el ordenador, desechó su máquina de escribir.* **3** Referido esp. a un temor o a un mal pensamiento, apartarlos de la mente: *Desecha tus dudas sobre mí, porque siempre estaré a tu lado.* ☐ ETIMOL. Del latín *desiectare.*
desecho s.m. **1** Residuo, cosa inservible o resto que queda después de haber escogido lo mejor y más útil de algo. **2** Lo que es vil y despreciable. ☐ ORTOGR. Dist. de *deshecho* (del verbo *deshacer*).
desembalar v. Referido a algo embalado, quitarle el embalaje o el envoltorio: *Cuando acaben de traer los paquetes tienes que ayudarme a desembalarlos.*
desembarazar ∎ v. **1** Dejar libre y sin impedimentos: *Desembarazaron el camino de las piedras.* ∎ prnl. **2** Apartarse o librarse de algo molesto: *En cuanto pueda desembarazarme de ese pesado, me voy contigo.* ☐ ETIMOL. De *des-* (acción contraria) y *embarazar* (estorbar, impedir). ☐ ORTOGR. La *z* se cambia en *c* delante de *e* →CAZAR. ☐ SINT. Constr. *desembarazar(se)* DE *algo.*
desembarazo s.m. Desenvoltura y facilidad en el trato o en las acciones.
desembarcadero s.m. Lugar destinado para desembarcar.
desembarcar v. **1** Referido a algo embarcado, sacarlo o salir de la nave en la que están: *Los operarios del puerto desembarcarán la carga del buque. Esperaremos aquí a que desembarquen los pasajeros.* **2** Llegar a un lugar o a una organización para iniciar o desarrollar una actividad: *Pronto desembarcarán en el ministerio los colaboradores del nuevo ministro.* ☐ ORTOGR. La *c* se cambia en *qu* delante de *e* →SACAR.
desembarco s.m. **1** Bajada de mercancías o de pasajeros de una embarcación. **2** Operación militar que realizan en tierra las tropas de un buque o de una escuadra.
desembarque s.m. Bajada de las mercancías o de los pasajeros de una nave.
desembocadura s.f. Lugar por donde desemboca un río u otra corriente de agua.
desembocar v. **1** Referido esp. a un río, verter sus aguas; desaguar: *El Ebro desemboca en el mar Mediterráneo.* **2** Referido esp. a una calle, acabar o tener salida: *En esta plaza desembocan cuatro calles.* **3** Concluir o terminar: *La discusión desembocó en una*

desembolsar

pelea callejera. □ ORTOGR. La *c* se cambia en *qu* delante de *e* →SACAR.

desembolsar v. Referido a una cantidad de dinero, pagarla o entregarla: *Para comprar el coche tuve que desembolsar una buena suma.*

desembolso s.m. Entrega de una cantidad de dinero, esp. si se hace en efectivo y al contado.

desembragar v. Referido esp. a un motor, quitarle o soltarle el embrague: *Para meter las marchas del coche hay que desembragar el motor pisando el embrague.* □ ORTOGR. La *g* se cambia en *gu* delante de *e* →PAGAR.

desembrollar v. col. Referido a algo embrollado, aclararlo o desenredarlo: *Menos mal que nos desembrolló la historia y comprendimos lo que realmente ocurrió.*

desembuchar v. col. Referido a algo que se tenía callado, decirlo por completo: *Desembucha de una vez y no te guardes la información para ti solo.*

desempacho s.m. Desenvoltura o falta de timidez y vergüenza al hablar o al actuar.

desempañar v. Referido a algo empañado, limpiarlo para que vuelva a estar brillante o transparente: *Voy a abrir la ventana para que se desempañen los cristales.*

desempapelar v. Referido a algo envuelto o revestido con papel, quitarle el papel que lo envuelve o lo cubre: *Antes de pintar las paredes, quiero desempapelarlas.*

desempaquetar v. Referido a algo empaquetado, sacarlo del paquete en el que está: *Ayúdame a desempaquetar la vajilla que han traído.*

desemparejar v. Referido a algo igualado o parejo, desigualarlo o deshacer la pareja: *Cada vez que vas de excursión desemparejas los calcetines porque pierdes alguno.* □ ORTOGR. Conserva la *j* en toda la conjugación.

desempatar v. Referido a algo empatado, deshacer el empate: *Ese gol nos permitió desempatar a la mitad del partido.*

desempate s.m. Eliminación de un empate.

desempeñar v. 1 Referido esp. a un cargo, ejercerlo o realizar las funciones propias de él: *Desempeñó el cargo de alcalde durante tres años.* 2 Referido a un papel dramático, interpretarlo o representarlo: *En su última obra, ese actor desempeña el papel de galán.* 3 Referido a algo entregado como garantía de un préstamo, recuperarlo pagando la cantidad acordada; desentrampar: *En cuanto gane un poco de dinero, desempeñaré el anillo.*

desempeño s.m. Realización de las funciones propias de un cargo o de una ocupación.

desempleado, da adj./s. Referido a una persona, que está sin trabajo de forma forzosa; parado.

desempleo s.m. Carencia de trabajo por causas ajenas al trabajador y generalmente también al patrono; paro.

desempolvar v. 1 Quitar el polvo: *Desempolvé las tazas de la vitrina.* 2 Referido a algo olvidado o desechado tiempo atrás, traerlo a la memoria o volver a utilizarlo: *La prensa desempolvó un viejo asunto en el que estuvo complicado el nuevo ministro.*

desempuñar v. Referido a un objeto, dejar de empuñarlo: *La policía le dijo al ladrón que desempuñara el arma.*

desencadenamiento s.m. 1 Liberación de lo

que estaba atado con cadenas. 2 Producción de un proceso violento.

[desencadenante s.m. Acción que se encuentra en el origen de un suceso, o que lo provoca.

desencadenar v. 1 Soltar o librar de las cadenas: *Desencadenaron a los presos cuando llegaron a la cárcel.* 2 Originar o provocar, esp. si es de forma violenta; desatar: *La subida de precios desencadenó numerosas protestas callejeras. Se desencadenó una tempestad.*

desencajar ▮ v. 1 Referido a algo encajado, separarlo o arrancarlo de donde está: *Desencajé las patas de la silla para pintarlas mejor. Cuando se cayó el cuadro, se desencajó el marco.* ▮ prnl. 2 Referido a una persona o a su rostro, desfigurarse o alterarse sus facciones: *Cuando le dieron la mala noticia, se le desencajó el rostro.* □ ORTOGR. Conserva la *j* en toda la conjugación.

desencajonar v. 1 Sacar un cajón: *Después de la mudanza hay que desencajonar todo.* 2 En tauromaquia, referido a un toro, hacerlo salir del cajón en que ha sido transportado a la plaza: *Antes de la corrida desencajonan a los toros en los toriles.*

desencallar v. Referido a una embarcación encallada, sacarla de donde está y volverla a poner a flote: *El pesquero desencallará cuando suba la marea.*

desencaminar v. →**descaminar.**

desencantar v. 1 Referido a una persona, hacerle perder la ilusión y la admiración que tenía: *La monotonía del paisaje me desencantó enormemente.* 2 Referido a algo encantado, quitarle el encantamiento: *Con el beso, la rana se desencantó y se convirtió en príncipe.*

desencanto s.m. Pérdida de la ilusión y de la admiración que se tenían.

desencarcelar v. Referido a un preso, ponerlo en libertad por mandamiento judicial; excarcelar: *Sin la orden judicial no puedo desencarcelarlo.*

desencerrar v. Referido a algo encerrado, sacarlo o abrirle camino: *Desencerró los perros para que corriesen por el campo.* □ MORF. Irreg. →PENSAR.

desenchufar v. Referido a algo enchufado, desconectarlo de la toma de corriente eléctrica: *Antes de intentar arreglar la plancha, desenchúfala.*

desenclavar v. →**desclavar.**

desencolar v. Referido a algo pegado con cola, despegarlo: *Con la humedad se desencoló el papel pintado.*

desencuadernar v. Referido a un libro o a un cuaderno, romper o deshacer su encuadernación; descuadernar: *Desencuadernaron el libro para cambiarle las cubiertas.*

desenfadado, da adj. Libre y sin seriedad ni estorbos.

desenfadar v. Quitar el enfado: *Cuando te aburras de estar enfadado, te desenfadas tú solito.*

desenfado s.m. Desenvoltura, naturalidad y falta de seriedad.

desenfocar v. Enfocar mal o perder el enfoque: *Creo que has llegado a conclusiones exageradas porque has desenfocado el tema. Si mueves la cámara, se desenfocará la imagen.* □ ORTOGR. La *c* se cambia en *qu* delante de *e* →SACAR.

desenfoque s.m. Falta de enfoque, o enfoque defectuoso.

desenfrenado, da adj. Sin freno o sin moderación.

desenfrenar ∎ v. **1** Referido a una caballería, quitarle el freno: *Desenfrena la mula y déjala pastar en la pradera.* ∎ prnl. **2** Referido a una persona, desmandarse y no ser capaz de dominar o contener las pasiones o los vicios: *Cuando bebe más de la cuenta se desenfrena.*

desenfreno s.m. Falta de moderación o de freno en las pasiones o en los vicios.

desenfundar v. Referido a algo enfundado, quitarle la funda o sacarlo de ella: *El pistolero desenfundó el revólver.*

desenganchar ∎ v. **1** Referido a algo enganchado, soltarlo o desprenderlo: *Ayúdame a desenganchar la blusa de las zarzas. Los caballos se desengancharon del carro.* ∎ prnl. **[2** col. Librarse de la adicción a una droga: *Hay centros especiales para ayudar a los drogadictos a 'desengancharse'.*

desenganche s.m. **1** Separación o desprendimiento de lo que está enganchado. **[2** col. Abandono de la adicción a la droga o a otra cosa.

desengañar v. **1** Hacer reconocer el engaño o el error: *Lo creía persona de confianza, pero aquella indiscreción suya me desengañó. ¡Desengáñate y desconfía, que nadie da duros a peseta!* **2** Quitar las esperanzas o las ilusiones: *Desengaña a ese chico y dile de una vez que no estás interesada en él. Si confiabas en obtener ese puesto, es mejor que te desengañes, porque seguro que está dado.*

desengaño s.m. Pérdida de la esperanza y de la confianza que se había puesto en algo o alguien.

[desengrasante s.m. Producto que se usa para quitar la grasa.

desengrasar v. Limpiar o quitar la grasa: *La bisagra chirría porque se ha desengrasado.*

desenjaular v. Referido a algo enjaulado, sacarlo de la jaula: *Desenjaulé al canario y se escapó por la ventana.*

desenlace s.m. En un suceso, en una narración o en una obra dramática, final en el que se resuelve la historia tratada.

desenmarañar v. **1** Referido a algo enmarañado o enredado, deshacerle el enredo: *Tienes el pelo muy enredado y no puedo desenmarañarlo.* **2** Referido a algo desordenado o confuso, ponerlo claro y en orden para que se entienda: *Se necesita un buen contable para desenmarañar las cuentas.* □ SEM. Es sinónimo de *desenredar.*

desenmascarar v. Referido esp. a una persona, quitarle la máscara o descubrir lo que oculta de sí misma: *Lo desenmascaramos y vimos sus verdaderas intenciones. Iba disfrazada y no la reconocí hasta que no se desenmascaró.*

desenredar v. **1** Referido a algo enmarañado o enredado, deshacerle el enredo: *Ayúdame a desenredar la madeja.* **2** Referido a algo desordenado o confuso, ponerlo claro y en orden para que se entienda: *Es difícil desenredar un asunto tan complicado.* □ SEM. Es sinónimo de *desenmarañar.*

desenrollar v. Referido a algo enrollado, extenderlo o deshacer el rollo: *Desenrolla el cable para que llegue hasta aquí.*

desenroscar v. **1** Referido a algo enroscado, extenderlo o desplegarlo: *Cuando oyó el ruido, la serpiente se desenroscó.* **2** Referido a algo metido a rosca, sacarlo dando vueltas: *Por favor, intenta desenroscar el tapón, porque yo no puedo.* □ ORTOGR. La *c* se cambia en *qu* delante de *e* →SACAR.

desensillar v. Referido a una caballería, quitarle la silla de montar: *Desensilla el caballo antes de meterlo en el establo.*

desentenderse v.prnl. **1** Quedarse al margen y sin ocuparse de algo: *Yo me desentiendo de eso y lo dejo en tus manos.* **2** Fingir que se ignora o que no se entiende: *Como le hables cuando está leyendo, él sigue a lo suyo y se desentiende.* □ MORF. Irreg. →PERDER. □ SINT. Constr. *desentenderse DE algo.*

desenterramiento s.m. Descubrimiento de lo que está enterrado.

desenterrar v. **1** Referido a algo enterrado, sacarlo o descubrirlo quitando la tierra que lo cubre: *El perro ha desenterrado del jardín un hueso.* **2** Referido a algo largo tiempo olvidado, traerlo a la memoria o a la actualidad; exhumar: *El reportaje desentierra un viejo asunto de estafas.* □ MORF. Irreg. →PENSAR.

desentonar v. **1** En música, desafinar o desviarse de la entonación justa que corresponde a cada nota: *Canta de pena porque desentona.* **2** Contrastar desagradablemente con el entorno: *La corbata roja desentona con la camisa marrón.* **[3** Referido esp. al cuerpo, hacerle perder el tono, el vigor o el equilibrio interno: *La fiebre me 'ha desentonado' el cuerpo.*

desentrañar v. Referido esp. a algo difícil de comprender, averiguar o llegar a conocer lo más recóndito y profundo de ello: *Nadie ha podido desentrañar el misterio de la vida.*

desentrenado, da adj. Falto de entrenamiento.

desentronizar v. →destronar. □ ORTOGR. La *z* se cambia en *c* delante de *e* →CAZAR.

[desentubar v. col. →desintubar.

desentumecer v. Referido esp. al cuerpo, quitarle el entumecimiento o el entorpecimiento: *Vamos a correr un poco para desentumecernos.* □ MORF. Irreg. →PARECER.

desenvainar v. Referido esp. a un arma blanca, sacarla de su vaina o de su funda: *El mosquetero desenvainó la espada para defenderse.*

desenvoltura s.f. Facilidad o gracia en la forma de actuar o de hablar.

desenvolver ∎ v. **1** Quitar la envoltura: *Desenvuelve el regalo antes de que me vaya.* ∎ prnl. **2** Encontrar la manera de proceder, o actuar con desenvoltura y habilidad: *¿Qué tal te desenvuelves con los nuevos compañeros?* **3** Salir de una dificultad: *Con la experiencia que tienes ya, sabrás desenvolverte.* □ MORF. Irreg.: 1. Su participio es *desenvuelto.* 2. →VOLVER.

desenvolvimiento s.m. Forma de actuar desenvuelta o habilidosa.

desenvuelto, ta ∎ **1** part. irreg. de **desenvolver**. ∎ adj. **2** Que tiene facilidad y soltura para actuar o para hablar. □ MORF. En la acepción 1, incorr. **desenvolvido.*

deseo s.m. **1** Impulso enérgico de la voluntad hacia el conocimiento, hacia la posesión o hacia el disfrute de algo. **2** Lo que se desea. **[3** Apetito sexual. **4** ‖**arder en deseos de** algo; col. Desearlo vivamente. □ ETIMOL. Del latín *desidium* (deseo erótico).

deseoso, sa adj. Que siente deseo o apetencia. □ SINT. Constr. *deseoso DE algo.*

desequilibrado, da adj./s. Que carece de equilibrio mental o padece alguna enfermedad nerviosa.

desequilibrar v. Hacer perder o perder el equili-

brio: *Los gastos imprevistos desequilibran mi presupuesto. La trapecista se desequilibró y casi se cae.*
desequilibrio s.m. Falta o alteración del equilibrio. ☐ SEM. Está muy extendido el uso eufemístico de *desequilibrios* con el significado de 'desigualdades': *En esta sociedad existen {muchos desequilibrios > muchas desigualdades} económicas.*
deserción s.f. Abandono de un puesto, de una obligación o de un grupo, esp. el que hace un soldado del ejército sin autorización.
desertar v. 1 Referido a un soldado, abandonar su puesto sin autorización: *Le formaron consejo de guerra por desertar de su puesto.* 2 Abandonar una obligación, un ideal o un grupo: *Cuando empezó a ver tantos cambios en el partido, desertó de su militancia.* ☐ ETIMOL. Del latín *desertare.* ☐ ORTOGR. Dist. de *disertar.* ☐ SINT. Constr. *desertar DE algo.*
desértico, ca adj. 1 Del desierto o relacionado con él. 2 Despoblado, vacío o sin habitantes; desierto.
[desertificación s.f. →desertización.
[desertificar v. →desertizar. ☐ ORTOGR. La *c* se cambia en *qu* delante de *e* →SACAR.
desertización s.f. Transformación de un terreno en un desierto. ☐ USO Se usa también *desertificación.*
desertizar v. Referido a un terreno, transformarlo en un desierto: *Los incendios forestales están desertizando la comarca. Los cambios climáticos hacen que muchas zonas se deserticen.* ☐ ORTOGR. La *z* se cambia en *c* delante de *e* →CAZAR. ☐ USO Se usa también *desertificar.*
desertor, -a adj./s. Referido a una persona, que deserta.
[desescamar v. Referido al pescado, quitarle las escamas: *Pídele al pescadero que te 'desescame' la pescadilla.*
desescombrar v. Limpiar de escombros; escombrar, descombrar: *Tras derribar el muro, desescombraron la acera.* ☐ USO Aunque la RAE prefiere *escombrar*, se usa más *desescombrar.*
[desescombro s.m. Limpieza del escombro.
desesperación s.f. 1 Pérdida total de la esperanza. 2 Alteración del ánimo causada por la cólera, el despecho o el enojo. 3 Lo que desespera.
desesperada ‖ **a la desesperada**; como última solución o como último recurso para conseguir lo que se pretende.
desesperante adj. Que quita la calma, la tranquilidad o la paciencia. ☐ MORF. Invariable en género. ☐ SEM. Dist. de *desesperanzador* (que quita la esperanza).
desesperanza s.f. Estado de ánimo de la persona que ha perdido las esperanzas; desespero.
desesperanzador, -a adj. Que quita la esperanza. ☐ SEM. Dist. de *desesperante* (que quita la paciencia y la calma).
desesperanzar v. Quitar o perder la esperanza; desesperar: *Otro suspenso podría desesperanzarlo del todo. Se ha desesperanzado porque no obtiene los resultados apetecidos.* ☐ ORTOGR. La *z* se cambia en *c* delante de *e* →CAZAR.
desesperar v. 1 col. Hacer perder la calma, la tranquilidad o la paciencia: *Me desespera que llegues tan tarde. Me desespero cuando veo tanto desorden.* 2 Quitar o perder la esperanza; desesperanzar: *Confía en tus posibilidades y no dejes que un*

tropiezo te desespere. *Después de mucho buscarlo, y he desesperado de encontrarlo.* ☐ ETIMOL. De *des* (acción contraria) y *esperar.* ☐ SINT. Constr. de 1ª acepción 2: *desesperar DE hacer algo.*
desespero s.m. →desesperanza.
[desestabilización s.f. Perturbación de la estabilidad.
desestabilizar v. Referido esp. a una situación, perturbar o comprometer su estabilidad: *Grupos terroristas intentan desestabilizar la democracia. Si la economía internacional se desestabiliza, repercutirá en nuestro país.* ☐ ORTOGR. La *z* se cambia en *c* delante de *e* →CAZAR.
desestimar v. 1 Referido esp. a una petición, no admitirla o no concederla: *La juez desestimó la solicitud por considerarla inapropiada.* 2 Referido a una persona o a una cosa, hacerles poco aprecio: *No desestimes nunca la ayuda que te presten.*
desfachatez s.f. col. Insolencia, desvergüenza o falta total de respeto. ☐ ETIMOL. Del italiano *sfacciatezza.*
desfalcar v. Referido esp. a una cantidad de dinero, apropiarse de ella quien la tiene bajo su custodia: *El cajero desfalcó varios millones de pesetas y desapareció.* ☐ ETIMOL. Del italiano *defalcare.* ☐ ORTOGR. La *c* se cambia en *qu* delante de *e* →SACAR.
desfalco s.m. Apropiación de una cantidad de dinero por parte de quien la tiene bajo su custodia.
desfallecer v. Desmayarse o decaer perdiendo el ánimo, el vigor y las fuerzas: *Desfallezco de hambre.* ☐ MORF. Irreg. →PARECER.
desfallecimiento s.m. Desmayo, disminución del ánimo o decaimiento del vigor y de las fuerzas.
desfasado, da adj. 1 Con una diferencia de fase: *El sonido y las imágenes de la película estaban desfasados y se oían las palabras antes de que los actores movieran los labios.* 2 No ajustado ni adaptado a las circunstancias del momento.
desfasar ▌ v. 1 Producir una diferencia de fase: *El sonido de la película se había desfasado y se notaba que estaba doblada.* [2 col. Pasarse o excederse: *¡Cuidadito con 'desfasar', eh!* ▌ prnl. 3 No ajustarse ni adaptarse a las circunstancias del momento: *Tus ideas ya se han desfasado y no sirven para el mundo actual.*
desfase s.m. 1 Falta de acuerdo o de adaptación a las ideas o circunstancias del momento. 2 Diferencia de fase entre dos mecanismos o entre dos movimientos periódicos. [3 col. Exageración o salida de tono.
desfavorable adj. Poco favorable, adverso o que perjudica. ☐ MORF. Invariable en género.
desfavorecer v. 1 Perjudicar o hacer oposición favoreciendo lo contrario: *La sociedad de consumo desfavorece a los pobres privilegiando a los ricos.* 2 No ayudar, no apoyar o dejar de favorecer: *La suerte me desfavoreció en aquella ocasión y perdí todo lo que había ganado.* ☐ MORF. Irreg. →PARECER.
desfigurar v. 1 Referido esp. al rostro, transformar su aspecto, afeándolo o deformándolo: *El terror le desfiguraba la cara. Con el accidente se le desfiguró el rostro.* 2 Disfrazar o encubrir con una apariencia diferente: *No desfigures la realidad con tus interpretaciones fantásticas.* ☐ ETIMOL. Del latín *defigurare.*
desfiladero s.m. Paso estrecho entre montañas.
desfilar v. 1 Referido esp. a tropas militares, marchar

o pasar en fila, en formación o en orden: *Las tropas desfilaban ante la bandera al son de la marcha militar.* [**2** Pasar sucesivamente: *En estos años, por este despacho 'han desfilado' varios directores.* **3** Salir del lugar, esp. si es con orden: *Los espectadores ya habían empezado a desfilar cuando llegó el último gol.* □ ETIMOL. Del francés *défiler*.

desfile s.m. Marcha o pase en fila, en formación o en orden, generalmente como exhibición o para rendir honores.

desflorar v. Referido a una mujer, desvirgarla o hacer que pierda la virginidad: *El padre pedía venganza contra el hombre que desfloró a su hija.* □ ETIMOL. Del latín *deflorare*.

desfogar v. Referido esp. a una pasión, manifestarla o exteriorizarla con violencia: *Desfogó su ira tirando al suelo un jarrón. No te desfogues conmigo, que yo no tengo la culpa de tu fracaso.* □ Del italiano *sfogare*, y éste de *foga* (ardor impetuoso). □ ORTOGR. La *g* se cambia en *gu* delante de *e* →PAGAR.

desfogue s.m. [Exteriorización y satisfacción de una pasión o de un sentimiento.

desfondar v. **1** Referido esp. a un recipiente, quitarle o romperle el fondo: *Si pones tanto peso en una caja de cartón, la vas a desfondar. El yate se desfondó al chocar contra los arrecifes.* **2** Referido a una persona, quitarle o perder las fuerzas o el empuje: *El esfuerzo desfondó al ciclista. Como no hago deporte, en cuanto echo una carrera me desfondo.*

desforestación s.f. →deforestación.

desforestar v. →deforestar.

desfruncir v. Estirar o deshacer los frunces o las arrugas: *Desfrunció la tela del vestido.* □ ORTOGR. La *c* se cambia en *z* delante de *a*, o →ZURCIR.

desgaire s.m. **1** Descuido, generalmente afectado, en la forma de moverse o de vestir. **2** ‖ **al desgaire;** con descuido o desinterés generalmente afectados. □ ETIMOL. Del catalán *a escaire* (oblicuamente, al sesgo).

desgajadura s.f. Rotura de la rama de un árbol de forma que lleva consigo parte del tronco.

desgajamiento s.m. →desgaje.

desgajar ▮ v. **1** Referido a una rama, arrancarla o desprenderla con violencia del tronco: *El huracán desgajó varias ramas. Una rama del manzano se desgajó por el peso de las manzanas.* ▮ prnl. **2** Separarse o apartarse por completo: *El grupo más conservador se ha desgajado del partido.* □ ETIMOL. De *gajo*. □ ORTOGR. Conserva la *j* en toda la conjugación.

desgaje s.m. Separación completa de algo; desgajamiento.

desgalichado, da adj. *col.* Desarreglado o desgarbado. □ ETIMOL. De *desgalibado* (desaliñado), por cruce con *desdichado*.

desgana s.f. **1** Inapetencia o falta de ganas de comer. **2** Falta de interés, de deseo o de gusto.

desganar v. **1** Quitar o perder el apetito: *El dolor de estómago me ha desganado. Con estos calores, el niño se desgana.* **2** Quitar o perder el gusto o las ganas de hacer algo: *Me desgana tener que pelear por todo con mis compañeros. Uno acaba por desganarse si se da cuenta de que todo lo que tiene que hacer solo.*

desgano s.m. En zonas del español meridional, desgana.

desgañitarse v.prnl. *col.* Esforzarse mucho gritando o dando voces: *Me desgañité llamándolo, pero él no me oyó.* □ ETIMOL. Del latín *gannitus* (aullido).

desgarbado, da adj. Falto de garbo o de elegancia y gracia.

desgarrado, da adj. Descarnado o terrible.

desgarrador, -a adj. Que produce horror o gran pena.

desgarradura s.f. →desgarrón.

desgarramiento s.m. **1** Rompimiento de algo de poca consistencia mediante la fuerza y sin la ayuda de ningún instrumento. **2** Pena y dolor profundos, que despiertan compasión. □ SEM. Dist. de *desgarradura* (rasgón grande).

desgarrar v. **1** Referido a algo de poca consistencia, romperlo o hacerlo pedazos mediante la fuerza y sin ayuda de ningún instrumento; rasgar: *El tigre desgarraba a zarpazos la carne de su víctima. Se me enganchó el vestido en una zarza y se desgarró la tela.* **2** Apenar profundamente o despertar honda compasión: *Su muerte en accidente desgarró a la familia. Se me desgarra el corazón cuando lo veo tan abatido.* □ ETIMOL. De *garra*.

desgarro s.m. **1** Rotura producida mediante la fuerza o el estiramiento, sin ayuda de ningún instrumento. **2** Realismo descarnado.

desgarrón s.m. Rotura grande de algo flexible y de poca consistencia, producida generalmente por estiramiento y sin ningún instrumento; desgarradura. □ SEM. Dist. de *desgarramiento* (pena profunda).

desgastar v. **1** Referido a algo material, consumirlo o hacerlo desaparecer poco a poco por el uso o por el roce: *La lluvia y el viento desgasta las piedras. Las ruedas del coche se desgastan mucho al frenar bruscamente.* **2** Hacer disminuir o perder la fuerza, el vigor o el poder: *Tanta tensión me ha desgastado mucho. Un partido en el poder se desgasta más que la oposición.* □ MORF. En la acepción 2, la RAE sólo lo registra como pronominal.

desgaste s.m. Consumición o pérdida del volumen, de la fuerza o del vigor de algo, generalmente por efecto del uso o del roce.

desglosar v. Referido a un todo, separar sus partes para estudiarlas o considerarlas por separado: *Desglosó su explicación en varios apartados.*

desglose s.m. Separación de las partes de un todo para poder estudiarlas o considerarlas por separado.

desgobierno s.m. Desorden, desconcierto o falta de gobierno.

desgracia s.f. **1** Mala suerte. **2** Suceso que causa un dolor o un daño muy grandes. **3** Motivo de aflicción o de pesar. **4** Pérdida del favor, de la consideración o del afecto. □ ETIMOL. De *des-* (privación) y *gracia*. □ SINT. En la acepción 4, se usa más en la expresión *caer EN desgracia.* □ SEM. En las acepciones 1 y 2, es sinónimo de *desventura.*

desgraciado, da adj./s. **1** Que padece alguna desgracia o que tiene mala suerte; desventurado. **2** Que inspira menosprecio. □ USO En la acepción 2 es despectivo y se usa como insulto.

desgraciar v. **1** Malograr, estropear o echar a perder: *Con tu manazas que es, cosa que toca, la desgracia.* [**2** *col.* Herir gravemente: *La próxima vez que me hagas burla, te 'desgracio'. Me caí por la escalera y casi 'me desgracio'.* □ ORTOGR. La *i* nunca lleva tilde.

desgranar v. **1** Referido esp. a un fruto, sacarle el grano: *Desgrana las mazorcas de maíz. Esta granada está tan madura que casi se desgrana sola.* **2** Referido a varias cosas ensartadas, soltarlas o dejarlas caer una detrás de otra: *No sabe hablar de su hijo sin desgranar una a una sus muchas virtudes. Se rompió el hilo del collar y se desgranaron las perlas.*

desgravación s.f. Descuento o rebaja de una cantidad de dinero en el importe de un impuesto.

desgravar v. Referido esp. a una cantidad de dinero, rebajarla o descontarla del importe de un impuesto: *La compra de una vivienda desgrava un tanto por ciento en el impuesto sobre la renta.*

desguace s.m. Despiece total de algo.

desguarnecer v. Dejar sin protección o sin defensa: *El ataque enemigo desguarneció la parte norte de la ciudad. Dejaron una retaguardia para no desguarnecerse por detrás.* ☐ MORF. Irreg. →PARECER.

desguazar v. Deshacer o desarmar totalmente: *Desguaza coches usados en un taller mecánico. Se me ha desguazado el reloj.* ☐ ETIMOL. Del italiano *sguazzare.* ☐ ORTOGR. La *z* se cambia en *c* delante de *e* →CAZAR.

[deshabillé s.m. →**salto de cama.** ☐ USO Es un galicismo innecesario.

deshabitado, da adj. Referido a un lugar, que estuvo habitado, pero ya no lo está. ☐ SEM. Dist. de *inhabitado* (que nunca ha sido habitado).

deshabitar v. **1** Referido a un lugar, esp. a un edificio, dejar de vivir en él: *Los vecinos deshabitaron el edificio en ruinas.* **2** Referido a un lugar, dejarlo sin habitantes: *La erupción del volcán ha deshabitado una amplia zona.*

deshacer ▌ v. **1** Referido esp. a algo material, destruirlo, descomponerlo o deformarlo: *Tengo que deshacer parte del jersey. El castillo de arena se deshizo por un golpe de mar.* **2** Referido esp. a un acuerdo, alterarlo o hacer que quede sin efecto: *Deshice el trato porque no me convenía.* **3** Referido a un cuerpo sólido, derretirlo, disolverlo o convertirlo en líquido: *El calor deshace el hielo. El chocolate se deshace en la boca.* ▌ prnl. **4** Afligirse mucho o estar muy impaciente o inquieto: *Está que se deshace de nervios esperando el resultado del examen.* **5** ‖ **deshacerse de** algo; desprenderse o librarse de ello: *Deshazte de ese trasto cuanto antes. En cuanto pueda deshacerme de este pesado, me voy.* ‖ **deshacerse en** algo; seguido de un sustantivo, extremar o prodigarse en lo que éste indica: *Siempre que lo visitamos, se deshace en atenciones con nosotros.* ☐ MORF. Irreg.: 1. Su participio es *deshecho.* 2. →HACER.

desharrapado, da adj./s. →**desarrapado.** ☐ ETIMOL. De *harapo.*

deshecho, cha ▌ **1** part. irreg. de **deshacer.** ▌ s.m. **2** En zonas del español meridional, atajo. ☐ ORTOGR. Dist. de *desecho.* ☐ MORF. Incorr. *deshacido.*

deshelar v. Referido a algo que está helado, convertirlo en líquido: *En primavera el calor deshiela la nieve de las montañas.* ☐ MORF. Irreg. →PENSAR.

desheredado, da adj./s. Pobre o que carece de lo necesario para vivir.

desheredar v. Referido a una persona, excluirla de la herencia a la que tiene derecho: *Desheredó a uno de sus hijos porque se casó sin su consentimiento.*

desherrar v. **1** Referido esp. a un caballo, quitarle las herraduras: *Las herraduras del caballo estaban*

gastadas, así que lo desherraron y le pusieron otra nuevas. **2** Referido a una persona encadenada, quitarl las cadenas o lo que lo aprisiona: *Desherraron a prisionero y lo dejaron en libertad.* ☐ MORF. Irreg →PENSAR.

deshidratación s.f. o **deshidratado** s.m. Ex tracción o pérdida del agua de una sustancia, de ur tejido o de un organismo. ☐ USO *Deshidratado es* el término menos usual.

deshidratar v. Referido esp. a un cuerpo o a un or ganismo, quitarles o perder el agua que contienen *Para obtener leche en polvo, deshidratan la leche Cuando hace mucho calor conviene beber mucho agua para no deshidratarse.*

deshielo s.m. **1** Transformación en líquido del hie lo, de la nieve o de algo helado. **2** Desaparición de la desconfianza o de la frialdad entre personas.

deshilachar v. Referido a una tela, sacarle o perder hilachas: *Está de moda deshilachar los bajos de lo pantalones. Esa camisa está tan usada que los pu ños se están deshilachando.*

deshilar v. Referido a un tejido, sacarle los hilos destejerlos por la orilla dejándolos pendientes: *Des hiló la orilla del mantel para hacerle flecos. Esta tela no está bien tejida y se deshila.*

deshilvanado, da adj. Referido esp. a un razona miento, sin enlace ni trabazón.

deshilvanar v. Referido a algo hilvanado, quitarle los hilvanes: *Pruébate el pantalón con cuidado para que no se deshilvane.*

deshinchar ▌ v. **1** Referido a algo hinchado, quitarle o perder el aire o la sustancia que lo hincha: *Des hinchó la colchoneta y la guardó. Infla el balón, que se ha deshinchado.* ▌ prnl. **2** Referido a una parte de cuerpo inflamada, perder su inflamación: *Para que se te deshinche el dedo, métalo en agua fría.* **[3** col. Referido a una persona, desanimarse o perder las ganas o las fuerzas que se tenían: *Empezó con mucho entusiasmo, pero pronto 'se deshinchó' y lo dejó.*

deshojar v. Referido esp. a una flor o a una planta arrancarles o perder los pétalos o las hojas: *Deshojó una rosa y guardó los pétalos en un libro. Los ár boles se deshojan en otoño.* ☐ ORTOGR. 1. Dist. de *desojar.* 2. Conserva la *j* en toda la conjugación.

deshoje s.m. Caída de las hojas de una planta.

deshollinador, -a ▌ s. **1** Persona que se dedica profesionalmente a deshollinar chimeneas. ▌ s.m. **2** Utensilio que se usa para deshollinar chimeneas. **3** Utensilio formado por un cepillo y un palo largo, que se usa para limpiar de hollín techos y paredes.

deshollinar v. Referido a una chimenea, limpiarla quitándole el hollín: *Se subió al tejado para desho llinar la chimenea.*

deshonestidad s.f. **1** Falta de honestidad, de pudor, de decoro o de ética. **2** Hecho o dicho desho nestos.

deshonesto, ta adj. Que carece de honestidad, de pudor, de decoro o de ética.

deshonor s.m. **1** Pérdida del honor. **2** Lo que se considera indigno o supone una ofensa o una humillación.

deshonra s.f. **1** Pérdida de la honra. **2** Hecho o dicho que causan esta pérdida.

deshonrar v. Quitar la honra: *Tu mal comporta miento te deshonra.*

deshonroso, sa adj. Que conlleva o causa deshonra.

deshora ‖ **a deshora**; en un momento inoportuno o inconveniente.

deshuesadora s.f. Máquina o utensilio que se utiliza para deshuesar los frutos.

deshuesar v. Referido esp. a un animal o a un fruto, quitarles los huesos; desosar: *Compré un jamón y le dije al carnicero que me lo deshuesara.*

[**deshuevarse** v.prnl. *vulg.malson.* Reírse mucho.

deshumanización s.f. Pérdida o carencia de caracteres humanos.

deshumanizar v. Despojar de sentimientos o de rasgos humanos: *El poder deshumaniza muchas veces a quien lo ejerce. La vida en las grandes ciudades se ha deshumanizado.* □ ORTOGR. La z se cambia en c delante de e → CAZAR.

desiderata s.f. Relación de objetos o de cosas que se echan de menos. □ ETIMOL. Del latín *desiderata*. □ SEM. Dist. de *desiderata* (pl. de *desiderátum*).

desiderativo, va adj. Que expresa o indica deseo.

desiderátum s.m. Aspiración o deseo que aún no se ha cumplido. □ ETIMOL. Del latín *desideratum*. □ MORF. La RAE admite como formas de plural *los desiderata* y *los desiderátum*; incorr. **desiderátums.*

desidia s.f. Negligencia, desgana o falta de interés. □ ETIMOL. Del latín *desidia* (pereza, indolencia).

desidioso, sa adj./s. Que actúa con desidia o que la muestra.

desierto, ta ▮ adj. **1** Despoblado, vacío o sin habitantes; desértico. **2** Referido esp. a un premio o una plaza, que quedan sin adjudicar. ▮ s.m. **3** Extensión amplia de terreno que se caracteriza por la gran escasez de lluvias, de vegetación y de fauna. **4** Lugar despoblado de edificios y gentes. **5** ‖ ⟨predicar/[clamar] en (el) desierto; *col.* Esforzarse inútilmente por convencer a alguien de lo que no está dispuesto a admitir. □ ETIMOL. Del latín *desertus* (abandonado).

designación s.f. **1** Hecho de señalar o de nombrar a una persona o una cosa para un fin. **2** Denominación o indicación, por medio del lenguaje, de un objeto, de una idea o de una realidad extralingüística.

designar v. **1** Referido a una persona o a una cosa, señalarlas o destinarlas para un fin: *Te han designado para que dirijas el proyecto.* **2** Denominar o indicar: *Con la palabra 'lápiz', designamos un objeto que sirve para escribir.* □ ETIMOL. Del latín *designare.*

designio s.m. Propósito, plan o idea que alguien se propone realizar.

desigual adj. **1** Que no es igual. **2** Referido esp. a un terreno o a una superficie, que tiene desniveles. **3** Diverso, variable o cambiante. □ MORF. Invariable en género.

desigualar v. Referido a dos o más cosas igualadas, hacerlas desiguales: *El partido estaba empatado pero este gol ha desigualado el marcador.*

desigualdad s.f. **1** Falta de igualdad. **2** Prominencia o depresión de un terreno.

desilusión s.f. Pérdida de la ilusión o sentimiento de decepción.

desilusionar v. Quitar o perder las ilusiones: *Lo desilusioné cuando le dije que su cuento no era bueno. Se desilusionó al ver que su esfuerzo no servía de nada.*

desincrustar v. Referido a algo incrustado, quitarlo

o separarlo de donde está: *Debes usar un producto para desincrustar la grasa.*

desinencia s.f. En gramática, morfema flexivo que se añade a la raíz de un adjetivo, de un nombre, de un pronombre o de un verbo: *Las desinencias verbales indican el tiempo, el modo, la persona y el número.* □ ETIMOL. Del latín *desineus* (el que cesa o termina).

desinencial adj. De la desinencia o relacionado con ella. □ MORF. Invariable en género.

[**desinente** adj. Referido a un verbo, que indica una acción que siempre se considera terminada: *Matar y nacer son verbos 'desinentes'.* □ MORF. Invariable en género.

desinfección s.f. Eliminación de los gérmenes nocivos para la salud, para evitar infecciones.

desinfectante adj./s.m. Que desinfecta. □ MORF. Como adjetivo es invariable en género.

desinfectar v. Referido esp. a algo infectado, quitarle la infección o la propiedad de causarla, eliminando los gérmenes nocivos o evitando su desarrollo: *Échate agua oxigenada para que se desinfecte la herida. Friega el suelo con lejía para desinfectarlo.*

desinflar v. **1** Referido a algo inflado, sacarle el aire o el gas que lo llena: *Desinfla el flotador para guardarlo. El balón se ha desinflado porque tenía un pinchazo.* **2** Desanimar o desilusionar rápidamente: *No te dejes desinflar por el primer inconveniente. Quería venir de excursión, pero se desinfló cuando le dije que dormiríamos al aire libre.*

desinformación s.f. **1** Transmisión de información intencionadamente manipulada o incompleta. **2** Ignorancia o falta de información.

desinformar v. Dar información intencionadamente manipulada o incompleta: *Esos periódicos tendenciosos, en vez de informar, desinforman.*

desinhibición s.m. Pérdida de la inhibición o de la represión de una facultad o de un hábito.

desinhibir v. Hacer perder las inhibiciones o comportarse con espontaneidad: *El alcohol desinhibe a muchas personas. Es tímida, pero en cuanto conoce a la gente se desinhibe.*

desintegración s.f. **1** Separación de las partes o de los elementos que forman un todo, de manera que deja de existir como tal. **2** ‖ **desintegración nuclear;** partición espontánea o provocada de un núcleo atómico con absorción o producción de energía.

desintegrar v. Referido a un todo, separar las partes o los elementos que lo forman, de manera que deje de existir como tal: *La explosión desintegró las rocas que estaban cerca. El grupo se desintegró debido a las rivalidades internas.*

desinterés s.m. [**1** Falta de interés, de atención o de entusiasmo. **2** Generosidad o ausencia del deseo de conseguir beneficio o provecho personales.

desinteresado, da adj. Que actúa sin que lo mueva el interés por obtener un provecho o un beneficio para sí.

desinteresarse v.prnl. Perder el interés que se tenía: *En su trabajo, se desinteresa cada vez más porque no le encuentra sentido.*

desintoxicación s.f. Tratamiento para combatir los efectos perjudiciales de una intoxicación.

desintoxicar v. Referido esp. a una persona intoxicada, aplicarle un tratamiento que combata la intoxicación o sus efectos: *Le han hecho un lavado de* estómago para desintoxicarlo. *Para desintoxicarte debes ir a un centro especializado.* □ ORTOGR. La *c* se cambia en *qu* delante de *e* →SACAR.

[desintubar v. Referido a un enfermo, quitarle los tubos de aire: *Tras una operación con anestesia general, siempre hay que 'desintubar' al paciente.* □ ORTOGR. Se usa también *desentubar.*

desistir v. Referido esp. a un plan o a un proyecto comenzados, abandonarlos o dejar de hacerlos: *He encontrado tantas dificultades que voy a desistir de mis planes.* □ ETIMOL. Del latín *desistere.* □ SINT. *Constr. desistir DE algo.*

deslavazado, da adj. Desordenado, mal compuesto o sin conexión.

desleal adj./s. Que actúa sin lealtad. □ MORF. 1. Como adjetivo es invariable en género. 2. Como sustantivo es de género común: *el desleal, la desleal.*

deslealtad s.f. Falta de lealtad.

deslegalizar v. Referido a algo legalizado, privarlo de la legalidad que tenía: *Varios grupos piden que se deslegalice ese partido.* □ ORTOGR. La *z* se cambia en *c* delante de *e* →CAZAR.

[deslegitimar v. Quitar el carácter legítimo: *Su forma de actuar ya 'ha deslegitimado' ante sus electores.*

desleír v. Referido esp. a algo sólido, disolverlo y desunir sus partes por medio de un líquido; diluir: *Para hacer el pastel, hay que desleír el chocolate en un poco de leche. La harina se deslíe mejor en agua fría que en agua caliente.* □ ETIMOL. Del latín *delere* (borrar, destruir). □ MORF. Irreg. →REÍR.

deslenguado, da adj./s. Mal hablado o desvergonzado.

deslenguar ▪ v. 1 Quitar la lengua o cortarla: *Al traidor lo deslenguaron.* ▪ prnl. 2 *col.* Perder la educación y la vergüenza al hablar: *En un momento de ira, se deslenguó y nos insultó a todos.* □ ORTOGR. 1. La *u* lleva diéresis cuando le sigue *e.* 2. La *u* permanece átona.

desliar v. Referido a algo liado, deshacerle el lío o desatarlo: *Trae la tijera porque no puedo desliar la cuerda.* □ ORTOGR. La *i* lleva tilde en los presentes excepto en las personas *nosotros* y *vosotros* →GUIAR.

desligar v. 1 Desatar o soltar las ligaduras: *Desligó a los prisioneros para que escapasen. Es un irresponsable y se desliga cuando quiere de sus obligaciones.* 2 Separar o independizar: *No puedes desligar un suceso de otro. Se desligó de sus antiguos compañeros de pandilla.* □ ETIMOL. Del latín *deligare.* □ ORTOGR. La *g* se cambia en *gu* cuando le sigue *e* →PAGAR.

deslindamiento s.m. Separación de varias cosas para poder entenderlas mejor; deslinde.

deslindar v. Referido esp. a un asunto, aclararlo o señalar sus límites claramente, de modo que no haya confusión: *Hay que deslindar el problema del paro del de la inflación y abordarlos por separado.* □ ETIMOL. Del latín *delimitare.*

deslinde s.m. Separación de varias cosas para poder entenderlas mejor; deslindamiento.

desliz s.m. 1 Desacierto, fallo o indiscreción involuntaria, esp. en cuanto a las relaciones sexuales; tropiezo. 2 →**deslizamiento.**

deslizamiento s.m. Movimiento con suavidad sobre una superficie lisa o mojada; desliz.

deslizar ▪ v. 1 Referido a algo material, moverlo con suavidad sobre una superficie lisa o mojada: *Para*

abrir la puerta, desliza el pestillo hacia la izquierda. *Los esquís se deslizan sobre la nieve. Estas zapatillas deslizan.* **[2** Entregar o colocar con disimulo: *Me 'deslizó' unas monedas sin que lo viera nadie.* ▪ Referido esp. a una idea intencionada, incluirla disimuladamente en un escrito o en un discurso: *En la conferencia deslizó una serie de frases en contra del Gobierno.* ▪ prnl. **4** Moverse o andar con mucha cautela: *Aprovechó la noche para deslizarse en la casa sin ser visto.* □ ETIMOL. De origen onomatopéyico. □ ORTOGR. La *z* se cambia en *c* delante de *e* →CAZAR.

deslomar v. **1** Dañar o lesionar la espalda o los lomos: *No pegues más al asno, que lo vas a deslomar.* **2** Referido a una persona, agotarla por un trabajo o por un esfuerzo: *Estos críos tan traviesos me desloman. Me deslomo desde las seis de la mañana para que tú vivas bien.*

deslucir v. Quitar la gracia, el atractivo o el brillo: *La mala actuación de la cantante deslució el concierto.* □ MORF. Irreg. →LUCIR.

deslumbrador, -a adj. Que deslumbra.

deslumbramiento s.m. **1** Pérdida o turbación momentáneas de la vista, producidas por un exceso de luz. **2** Aturdimiento del entendimiento por efecto de una pasión o de la fascinación.

deslumbrante adj. Que deslumbra. □ MORF. Invariable en género.

deslumbrar v. **1** Cegar o turbar la vista momentáneamente por un exceso de luz: *No me enfoques con la linterna, que me deslumbras. La liebre se deslumbró con los faros del coche.* **2** Referido a una persona, dejarla confusa, impresionada o admirada: *No te dejes deslumbrar por el dinero. Me deslumbré con la fastuosidad de su forma de vida.* □ ETIMOL. De *lumbre.*

desmadejado, da adj. Referido a una persona, que tiene sensación de flojedad y de debilidad en el cuerpo.

desmadejar v. Causar debilidad o flojedad en el cuerpo: *El calor y el hambre me han desmadejado.* □ ETIMOL. De *des-* (privación) y *madeja,* porque una madeja deshecha es algo deslucido o aflojado. □ ORTOGR. Conserva la *j* en toda la conjugación.

desmadrar ▪ v. **1** Referido a las crías del ganado, separarlas de la madre para que no mamen más: *Han desmadrado al ternero para poder ordeñar a la vaca.* ▪ prnl. **2** *col.* Referido a una persona, conducirse o actuar sin moderación o con un exceso de libertad: *Se desmadraron en la fiesta.*

desmadre s.m. **1** *col.* Pérdida de la moderación o excesiva libertad en la forma de actuar. **2** *col.* Desorden o desorganización muy grandes. **3** *col.* Juerga desenfrenada. □ ETIMOL. De *des-* (privación) y *madre* (terreno por donde corre un río o arroyo).

desmán s.m. Desorden, exceso o abuso. □ ETIMOL. Del antiguo *desmanarse* (desbandarse, dispersarse), por cruce con *desmandarse.*

desmandarse v.prnl. Actuar sin freno, sin mesura o sin comedimiento: *Los soldados se desmandaron y cometieron muchos atropellos entre la población civil.*

desmano ‖ **a desmano;** fuera del camino que se lleva: *Hoy no paso por tu casa porque me pilla a desmano.*

desmantelamiento s.m. Destrucción o desmontaje, generalmente de una construcción o de una organización.

desmantelar v. **1** Referido esp. a una construcción, derribarla, cerrarla o desmontarla de forma que se impida una actividad: *Han desmantelado las bases militares de esta zona.* **2** Desarmar, desarticular o desmontar totalmente: *La policía desmanteló una red de traficantes.* ☐ ETIMOL. Del latín *dis* (privación) y *mantellum* (velo, mantel).

desmañado, da adj./s. Falto de maña, de destreza y de habilidad.

[desmañanarse v.prnl. En zonas del español meridional, levantarse muy temprano.

desmaquillador, -a adj./s.m. Que sirve para quitar el maquillaje.

desmaquillar v. Quitar el maquillaje: *Al acabar la actuación, el payaso se desmaquilló.*

desmarcarse v.prnl. **1** En algunos deportes, referido a un jugador, desplazarse para librarse de la vigilancia del adversario: *Mete muchos goles porque sabe desmarcarse muy bien.* **2** Distanciarse o alejarse, esp. si con ello se logra destacar: *Con sus últimas declaraciones, se desmarca de la línea ideológica del partido.* ☐ ORTOGR. La *c* se cambia en *qu* delante de *e* →SACAR. ☐ SINT. Constr. *desmarcarse DE algo.*

[desmarque s.m. **1** En algunos deportes, desplazamiento de un jugador para lograr escapar de la vigilancia del adversario. **2** Distanciamiento de algo, esp. para poder destacar.

desmayado, da adj. Referido a un color, que es pálido y apagado.

desmayar v. **1** Causar o experimentar momentáneamente una pérdida del sentido y un desfallecimiento de las fuerzas: *El hambre te va a desmayar. Se desmayó y se cayó al suelo.* **2** Perder las fuerzas, el ánimo o el valor: *No debes desmayar en tu intento.* ☐ ETIMOL. Del francés antiguo *esmaiier* (perturbar, inquietar, espantar, desfallecer).

desmayo s.m. **1** Pérdida momentánea del sentido y desfallecimiento de las fuerzas. **2** Pérdida de las fuerzas, del ánimo o del valor.

desmedido, da adj. Desproporcionado, sin medida o sin término.

desmedirse v.prnl. Excederse o ir más allá de lo razonable o de lo educado: *No quiso contenerse y se desmidió en sus críticas.* ☐ MORF. Irreg. →PEDIR. ☐ SINT. Constr. *desmedirse EN algo.*

desmejorar v. **1** Ir perdiendo la salud: *Desde que sufrió el infarto, ha desmejorado mucho. Se desmejoró por no seguir las indicaciones del médico.* **2** Hacer perder las buenas condiciones, el esplendor o la perfección: *Este suspenso desmejora tu brillante expediente.*

desmelenar ▮ v. **1** Despeinar o desordenar el cabello: *El aire me desmelenó y tuve que peinarme de nuevo. Se tiraron de los pelos y se desmelenaron.* ▮ prnl. **2** col. Perder la timidez y lanzarse a hablar o a actuar de forma despreocupada y decidida: *Los sábados se desmelena y no vuelve a casa hasta la madrugada.* **3** col. Enfadarse mucho o enfurecerse: *Cada vez que le sacan ese espinoso tema, se desmelena y suelta de todo por la boca.*

desmembración s.f. División o separación en partes.

desmembrar v. **1** Referido a un todo, dividirlo o separarlo en partes: *Las luchas internas desmembraron el antiguo país en Estados independientes.*

El partido se desmembró por las diferencias ideológicas que había en su seno. **2** Referido al cuerpo, separar sus miembros: *La bomba le desmembró el cuerpo y murió en el acto.* ☐ MORF. Irreg. →PENSAR.

desmemoriado, da adj./s. Que tiene poca memoria o que la conserva sólo a intervalos.

desmemoriarse v.prnl. Perder la memoria: *Con los años se ha desmemoriado.* ☐ ORTOGR. La *i* nunca lleva tilde.

desmentida s.f. o **desmentido** s.m. **1** Negación de la falsedad de algo que se dice. **2** Comunicado en que se desmiente algo públicamente. ☐ SEM. En la acepción 2, aunque la RAE lo considera sinónimo de *mentís*, en la lengua actual no se usa como tal. ☐ USO *Desmentida* es el término menos usual.

desmentir v. **1** Referido a un hecho o a un dicho, decir que no es verdad o demostrar su falsedad: *La dirección ha desmentido que vayan a subir los sueldos este año.* **2** Referido a una persona, decirle que miente: *No se atrevió a desmentirme cuando lo acusé.* **3** Referido a algo que no se muestra, disimularlo o hacerlo desaparecer: *Su cortesía desmiente el tremendo enfado que tiene.* ☐ MORF. Irreg. →SENTIR.

desmenuzador, ra adj./s. Que desmenuza.

desmenuzamiento s.m. **1** Operación que consiste en deshacer algo dividiéndolo en partes menudas. **2** Análisis o examen minuciosos.

desmenuzar v. **1** Referido a un todo, deshacerlo dividiéndolo en partes menudas: *No seas guarro y no desmenuces el terrón de azúcar. Se me cayó la caja de galletas y se han desmenuzado todas.* **2** Analizar o examinar minuciosamente: *El prólogo desmenuza los aspectos más relevantes de la obra.* ☐ ETIMOL. Del latín *minutia* (parte pequeña). ☐ ORTOGR. La *z* se cambia en *c* delante de *e* →CAZAR.

desmerecer v. **1** Perder mérito o valor: *Su heroica acción no desmerece por el hecho de no haber tenido un éxito total.* **2** Ser inferior a algo con lo que se compara: *Esta tela es bonita, pero desmerece de la que hemos visto antes.* ☐ MORF. Irreg. →PARECER. ☐ SINT. Constr. de la acepción 2: *desmerecer DE algo.*

desmerecimiento s.m. Acción o circunstancia que provocan la pérdida de mérito o de valor; demérito.

desmesura s.f. Exageración o falta de moderación.

desmesurado, da adj. Excesivo o mayor de lo normal.

desmesurar ▮ v. **[1** Exagerar o hacer más grande de lo que corresponde: *No hay que 'desmesurar' los hechos.* ▮ prnl. **2** Referido a una persona, excederse o perder la moderación: *Como estaba tan enfadado, se desmesuró en lo que dijo.* ☐ SINT. Constr. de la acepción 2: *desmesurarse EN algo.*

desmigajar v. Hacer migajas o desmenuzar en partes muy pequeñas: *Este pan se desmigaja cuando lo intentas partir.* ☐ ORTOGR. Conserva la *j* en toda la conjugación.

desmigar v. Referido al pan, deshacerlo en migas o quitarle la miga: *Desmigó el pan en la leche.* ☐ ORTOGR. La *g* se cambia en *gu* delante de *e* →PAGAR.

desmilitarización s.f. **1** Reducción o supresión de las tropas y de las instalaciones militares de un territorio. **2** Supresión del carácter o de la organización militar de una colectividad.

desmilitarizar v. **1** Referido a un territorio, reducir o suprimir sus tropas e instalaciones militares, esp. si se hace por un acuerdo internacional: *Los pacifistas piden que se desmilitarice el centro de Europa.* **2** Referido a una colectividad, suprimir su carácter o su organización militares: *Las nuevas autoridades democráticas desmilitarizaron el cuerpo policial. Ese grupo armado se desmilitarizó y luego se deshizo.* □ ORTOGR. La *z* se cambia en *c* delante de *e* →CAZAR.

desmirriado, da adj. →**esmirriado**. □ ETIMOL. Quizá del leonés *mirra* (producto para la conservación de cadáveres).

desmitificación s.f. Disminución o privación del carácter mítico o idealizado de algo.

desmitificar v. Referido esp. a algo mitificado o valorado en exceso, quitarle o hacerle perder el carácter mítico o idealizado: *Hasta que no desmitifiques a tu pareja, no la conocerás realmente.* □ ORTOGR. La *c* se cambia en *qu* delante de *e* →SACAR.

desmocha o **desmochadura** s.f. →**desmoche**.

desmochar v. Referido a algo material, quitarle o cortarle la parte superior, dejándolo mocho o sin su debida terminación: *El cañonazo desmochó la torre de la iglesia.* □ ETIMOL. De *des-* (privación) y *mocho* (remate sin punta y grueso).

desmoche s.m. Corte de la parte superior de algo, dejándolo mocho o sin su debida terminación; desmocha, desmochadura.

desmontable adj. Que se puede desmontar. □ MORF. Invariable en género.

desmontar v. **1** Referido a un objeto, desunir o separar las piezas que lo componen; desarmar: *Desmontó el reloj para arreglarlo. Al aflojarse los tornillos, se desmontó la mesa.* **2** Bajar del vehículo o de la cabalgadura en que se va: *El jinete desmontó al terminar la carrera. Tuvo que desmontarse de la bicicleta porque se le pinchó una rueda.* **3** Referido a un edificio o a una parte de él, derribarlos: *Hay que desmontar los pisos superiores porque está prohibido edificar tan alto.* **4** Referido a un terreno, allanarlo o rebajar su nivel: *Antes de plantar el parque, hubo que desmontar el terreno.* **5** Referido a un monte o bosque, talar o cortar sus árboles y matas: *Para cultivar ese monte, primero hay que desmontarlo.* **6** Referido a un arma de fuego, poner el mecanismo de disparo en el seguro: *Es conveniente desmontar las armas cargadas para evitar que se disparen.* □ ETIMOL. De *des-* (acción inversa) y *montar.* □ SINT. Constr. de la acepción 2: *desmontar algo* o *desmontar* DE *algo.*

desmonte s.m. **1** Allanamiento o rebajamiento del nivel de un terreno. **2** Tala o corte de los árboles y matas en un monte. **3** Conjunto de fragmentos o restos de lo desmontado. **4** Terreno que ha sido desmontado. □ MORF. La acepción 4 se usa más en plural.

desmoralización s.f. Desánimo o pérdida del valor y de las esperanzas.

desmoralizar v. Quitar el ánimo, el valor o las esperanzas: *Las últimas derrotas han desmoralizado al equipo. Los jóvenes se desmoralizan ante las pocas perspectivas de trabajo.* □ ORTOGR. La *z* se cambia en *c* delante de *e* →CAZAR.

desmoronamiento s.m. **1** Disgregación, destrucción o derrumbamiento que se produce poco a

poco. **2** Caída de una persona en un estado de profundo desánimo.

desmoronar v. **1** Deshacer, destruir o derrumbar poco a poco: *Las lluvias y el viento van desmoronando el muro. El Imperio Romano se desmoronó y acabó fragmentándose.* **2** Referido a una persona, caer en un estado de profundo desánimo: *La enfermedad lo desmoronó y ha perdido las ilusiones. Se desmoronó con aquella desgracia y se echó a llorar delante de mí.* □ ETIMOL. Del antiguo *desboronar* (desmoronar).

desmotivación s.f. Falta o pérdida de la motivación o del interés por algo.

desmotivar v. Perder o hacer perder la motivación o el interés por algo: *Su fracaso escolar lo ha desmotivado y no quiere seguir estudiando. La competencia era tanta que se desmotivó.*

desnatar v. Referido a algunos líquidos, esp. a la leche, quitarles la nata: *Se realiza un proceso especial para desnatar la leche.*

desnaturalización s.f. Alteración de una sustancia de forma que deje de ser apta para el consumo humano.

desnaturalizado, da adj./s. Que no cumple con las obligaciones familiares que se consideran naturales.

desnaturalizar v. Referido esp. a una sustancia, alterarla de manera que deje de ser apta para el consumo humano: *El aceite que ha sido desnaturalizado no sirve para cocinar.* □ ORTOGR. La *z* se cambia en *c* delante de *e* →CAZAR.

desnivel s.m. **1** Falta de nivel o de igualdad. **2** Diferencia de alturas entre dos o más puntos.

desnivelar v. Desequilibrar o alterar el nivel existente: *Este gol ha desnivelado el partido. Al poner más peso en un lado que en otro, la balanza se desnivela.*

desnucar v. **1** Sacar de su lugar los huesos de la nuca: *Al darle aquel golpe, lo desnucó. Se desnucó al chocar de frente con otro automóvil.* **2** Matar de un golpe en la nuca: *Desnucó al perro y lo enterró en el jardín. La médica forense dijo que el difunto se había desnucado.* □ PRON. Incorr. *[esnucar].* □ ORTOGR. La *c* se cambia en *qu* delante de *e* →SACAR.

desnuclearización s.f. Eliminación o reducción del armamento o de las instalaciones nucleares.

[desnuclearizar v. Referido a un territorio, eliminar o reducir el armamento o las instalaciones nucleares que hay en él: *El Gobierno no piensa 'desnuclearizar' el país.* □ ORTOGR. La *z* se cambia en *c* delante de *e* →CAZAR.

desnudar ∎ v. **1** Quitar el vestido o parte de él; desvestir: *Desnudó a su hijo y lo metió en el baño. Cuando llega a casa, se desnuda y se pone otra ropa.* **2** Referido a algo adornado u oculto, quitarle lo que lo adorna o cubre: *Desnudó de adornos las paredes de su habitación. Las ramas de los árboles se desnudaron de hojas.* **3** Referido a una persona, quitarle el dinero o las cosas de valor que lleva encima: *Los otros jugadores lo desnudaron y no le quedó ni un duro para volver.* ∎ prnl. **[4** Referido a una persona, contar a otra sus pensamientos o sentimientos íntimos: *Necesitaba hablar con alguien y 'se desnudó' ante mí.* □ ETIMOL. Del latín *denudare.* □ SINT. Constr. de la acepción 2: *desnudar* DE *algo.*

desnudez s.f. Falta de vestido, de adorno, de cobertura o de riquezas.

desnudismo s.m. →**nudismo.**

desnudista adj./s. →**nudista.** ☐ MORF. 1. Como adjetivo es invariable en género. 2. Como sustantivo es de género común: *el desnudista, la desnudista.*

desnudo, da ∎ adj. 1 Sin ropa. 2 Con poca ropa o con ropa considerada indecente. 3 Falto de lo que cubre o adorna. 4 Sin riquezas o falto de bienes de fortuna. 5 Patente, claro o sin doblez. 6 Falto de algo no material. ∎ s.m. 7 En arte, figura humana sin vestido o cuyas formas se perciben aunque esté vestida. 8 ‖**al desnudo**; descubiertamente o a la vista de todos. ☐ ETIMOL. De latín *nudus* (desnudo), por influencia de *desnudar.*

desnutrición s.f. Debilitamiento o debilidad del organismo por insuficiente aportación de alimentos.

desnutrirse v.prnl. Debilitar el organismo por trastorno de la nutrición: *Si comes tan poco terminarás por desnutrirte.*

desobedecer v. Referido a una orden o a quien la da, no hacerles caso: *Desobedeció las órdenes de su superior y lo expulsaron.* ☐ MORF. Irreg. →PARECER.

desobediencia s.f. Falta de obediencia o incumplimiento de lo mandado.

desobediente adj./s. Que desobedece o tiende a desobedecer. ☐ MORF. 1. Como adjetivo es invariable en género. 2. Como sustantivo es de género común: *el desobediente, la desobediente.*

desocupación s.f. 1 Falta de ocupación. [2 Desalojo de un lugar. 3 En zonas del español meridional, desempleo.

desocupado, da adj./s. En zonas del español meridional, desempleado.

desocupar ∎ v. 1 Referido esp. a un lugar, dejarlo libre de ocupantes o sacar lo que hay dentro: *Como hay invitados tendrás que desocupar tu habitación.* ∎ prnl. 2 Quedarse libre de una ocupación: *Cuando me desocupe, te echaré una mano en tu trabajo.*

desodorante adj./s.m. Referido esp. a un producto, que elimina el mal olor, esp. el corporal. ☐ ETIMOL. Del inglés *deodorant.* ☐ MORF. Como adjetivo es invariable en género. ☐ SEM. Dist. de *antisudoral* (que reduce o elimina el sudor).

desodorizar v. Referido a algo que tiene olor, eliminar los olores que tiene, esp. los desagradables: *Desodorizó el baño con un producto especial.* ☐ ORTOGR. La *z* se cambia en *c* delante de *e* →CAZAR.

desoír v. Referido esp. a un consejo o a una advertencia, no atenderlos o hacer caso omiso de ellos: *No tuvo éxito porque desoyó mi recomendación de que actuara con prudencia.* ☐ MORF. Irreg. →OÍR.

desojar ∎ v. 1 Referido a un utensilio, romperle el ojo o agujero que lo atraviesa de parte a parte: *Desojó la aguja al doblarla.* ∎ prnl. 2 Forzar la vista al mirar o al buscar o perder agudeza visual por ello: *Te vas a desojar si lees con poca luz.* ☐ ETIMOL. Del latín *exoculare.* ☐ ORTOGR. 1. Dist. de *deshojar.* 2. Conserva la *j* en toda la conjugación.

desolación s.f. 1 Destrucción completa. 2 Aflicción, tristeza o sufrimiento grandes. [3 Falta de personas y cosas en un lugar.

desolador, -a adj. 1 →**asolador.** 2 Que causa gran tristeza o sufrimiento.

desolar ∎ v. 1 →**asolar.** ∎ prnl. 2 Afligirse o sentir gran tristeza o sufrimiento: *Desolarse por lo que no tiene remedio no soluciona nada.* ☐ ETIMOL. Del latín *desolare* (devastar, dejar desierto). ☐ MORF. 1.

Irreg. →CONTAR. 2. Se usa más en infinitivo y como participio.

desolladero s.m. Lugar destinado para desollar las reses.

desolladura s.f. [Herida o marca que quedan donde se ha levantado la piel.

desollar v. 1 Referido al cuerpo o a alguno de sus miembros, quitarles la piel o el pellejo; despellejar: *Los caníbales desollaron vivo al cazador. Si no te compras un número mayor de zapato, se te van a desollar los pies.* 2 Referido a una persona, arruinarla o causarle daño, esp. en su fortuna o en su honor: *Los acreedores lo desollaron y se ha quedado sin nada.* ☐ ETIMOL. Del antiguo *desfollar,* y éste del latín **exfollare* (sacar la piel). ☐ MORF. Irreg. →CONTAR.

desorbitar v. 1 Referido esp. a un cuerpo, sacarlo o salir de su órbita o de sus límites habituales: *Un meteorito ha desorbitado un satélite artificial. Los precios se han desorbitado.* 2 Exagerar, abultar o conceder demasiada importancia: *Nadie te cree porque siempre desorbitas los hechos.*

desorden s.m. 1 Confusión, alboroto o alteración del orden. 2 Exceso o abuso. [3 Desarreglo o anomalía. ☐ MORF. La acepción 2 se usa más en plural. ☐ SEM. Su uso con el significado de 'afección o enfermedad' es un anglicismo innecesario: *El paciente estaba aquejado de {*desórdenes > afecciones} de causa desconocida.*

desordenado, da adj./s. Referido a una persona, que actúa sin método y no cuida el orden en sus cosas. ☐ MORF. La RAE sólo lo registra como adjetivo.

desordenar v. Referido a algo ordenado, dejarlo sin orden o alterárselo: *Al buscar el vestido, revolvió y desordenó el armario. Se ha caído el fichero y se han desordenado las fichas.* ☐ SEM. Aunque la RAE lo considera sinónimo de *desbarajustar,* éste tiene un matiz intensivo.

desorejado, da adj. col. Prostituido o despreciable, ruin y vil.

desorganización s.f. Desorden total o falta de organización.

desorganizar v. Desordenar totalmente, deshaciendo la organización existente: *Estuve fuera dos días y desorganizaron el archivo. En cuanto falta el jefe, todo se desorganiza.* ☐ ORTOGR. La *z* se cambia en *c* delante de *e* →CAZAR.

desorientación s.f. Falta de orientación.

desorientar v. Confundir o hacer perder la orientación: *Consulté a un abogado y sus explicaciones me desorientaron aún más. En esta zona me desoriento porque todas las calles son iguales.*

desosar v. →**deshuesar.** ☐ MORF. Irreg. →DESOSAR.

desovar v. Referido a las hembras de los peces o de los anfibios, soltar sus huevos; frezar: *Los salmones viven en el mar, pero desovan en los ríos.* ☐ ETIMOL. Del latín *ovum* (huevo).

desove s.m. Puesta de huevos o huevas por parte de las hembras de los peces o de los anfibios.

desoxidar v. 1 En química, referido a una sustancia combinada con oxígeno, quitarle éste; desoxigenar: *Para desoxidar sustancias químicas, se usan compuestos muy reactivos con el oxígeno.* 2 Referido a un metal oxidado, quitarle el óxido: *He desoxidado las bisagras de hierro con un líquido especial.* [3 Refe-

rido a algo que ha estado abandonado, actualizarlo o recuperar su buen estado: *Me he apuntado a un curso intensivo para 'desoxidar' mi francés.*
desoxigenar v. En química, referido a una sustancia combinada con oxígeno, quitarle éste; desoxidar: *Un procedimiento para desoxigenar compuestos orgánicos consiste en tratarlos con hidrógeno gaseoso.*
desoxirribonucleico adj. Referido a un ácido, que constituye el material genético de las células y se encuentra fundamentalmente en el núcleo de éstas.
despabilar v. **1** Referido esp. a una vela, quitarle la pavesa o la parte ya quemada del pabilo o de la mecha: *Despabila la vela para que dé más luz.* **2** → **espabilar.**
despachaderas s.f.pl. *col.* Actitud arisca y áspera al responder. ☐ MORF. Se usa siempre en plural.
despachar ▮ v. **1** *col.* En un establecimiento comercial, referido a un cliente, atenderlo el tendero o el dependiente: *Despacha a esa señora, que lleva un rato esperando.* **2** En un establecimiento comercial, referido a un artículo, venderlo: *En aquella tienda despachan pan.* **3** Referido a un asunto, atenderlo y resolverlo o concluirlo: *Los ministros despacharon todos los asuntos del día.* **4** Hacer ir o hacer llegar; enviar: *Despachó una misiva urgente para el rey.* **5** Referido a una persona, echarla, despedirla o apartarla de sí: *Despachó a su ayudante porque trabajaba poco y mal.* [**6** *col.* Referido a una comida o a una bebida, tomarlas completamente: *'Despacharon' los pollos en un instante. Tenía tanta sed que 'me despaché' una botella de litro.* **7** *col.* Matar: *Despachó al perro porque tenía la rabia. El asesino se despachó a todos los que se le pusieron delante.* **8** Darse prisa: *Despacha, que nos están esperando.* ▮ prnl. **9** Decir lo que viene en gana o hablar sin contención: *Se despachó a gusto contra las nuevas medidas de tráfico.* ☐ ETIMOL. Del francés antiguo *despeechier.* ☐ USO En la acepción 9, se usa más la expresión *despacharse alguien a su gusto.*
despacho s.m. **1** Habitación o conjunto de salas destinadas al estudio, a ciertos trabajos intelectuales o a recibir clientes o personas con las que se tratan los negocios. **2** Conjunto de muebles de esta habitación. **3** Venta de un artículo al público. **4** Lugar en el que se venden ciertos artículos. **5** Comunicación oficial, esp. la que hace un Gobierno a sus representantes diplomáticos en el extranjero, o la que se hace para notificar el nombramiento de un empleo. **6** Comunicación transmitida por vía rápida, esp. por teléfono o por telégrafo.
despachurramiento s.m. Aplastamiento que se produce al apretar con fuerza. ☐ ORTOGR. Aunque la RAE sólo registra *despachurramiento,* se usa más *espachurramiento.*
despachurrar v. → **espachurrar.** ☐ ETIMOL. Del antiguo *despanchurrar,* por influencia de *despachar* (matar).
despacio ▮ adv. **1** Poco a poco o lentamente. [**2** *col.* En zonas del español meridional, en voz baja. ▮ interj. **3** Expresión que se usa para imponer o recomendar moderación: *¡Despacio!, deja que te explique.* ☐ ETIMOL. De *de* (preposición) y *espacio.*
despacioso, sa adj. Lento o con pausa.
despampanante adj. Asombroso, deslumbrante o que llama la atención por su aspecto. ☐ MORF. Invariable en género.

despanzurrar v. **1** Referido esp. a algo blando o que está relleno, aplastarlo o reventarlo de forma que se esparza: *Se cayó sobre la tarta y la despanzurró. S¡ me ha caído la bolsa de leche y se ha despanzurra do.* **2** Referido a un animal o a una persona, romperle o abrirle la panza: *El toro embistió con tal fuerz¡ que despanzurró con sus cuernos al caballo. Casi s¡ despanzurra al tirarse del trampolín.*
[**desparasitar** v. Quitar los parásitos: *Tengo qu¡ llevar a mi perro al veterinario para que lo vacune y lo 'desparasite'.*
desparejar v. Referido a una pareja, deshacerla: *Procura no desparejar los guantes, que luego siempre t¡ falta uno. Al hacer la mudanza, se han desparejado varios calcetines.* ☐ ORTOGR. Conserva la *j* en toda la conjugación.
desparejo, ja adj. Desigual o diferente; dispar. disparejo.
desparpajo s.m. *col.* Desenvoltura, facilidad y atrevimiento en la forma de hablar o de actuar. ☐ ETIMOL. De *desparpajar* (hablar mucho y sin concierto).
desparramar v. **1** Referido a algo que está junto, esparcirlo o extenderlo por muchas partes: *Desparramó las cartas de la baraja sobre la mesa. Al llegar los antidisturbios, los manifestantes se desparramaron por las calles adyacentes.* **2** Referido al dinero o a los bienes, derrocharlos o malgastarlos: *Desparramó su hacienda en diversiones y ahora está lleno de deudas.* ☐ ETIMOL. Del cruce de *esparcir* con *derramar.* ☐ ORTOGR. Se admite también *esparramar.*
[**desparrame** s.m. *col.* → **desparramo.**
desparramo s.m. **1** Esparcimiento de algo por muchas partes. **2** *col.* Hecho o dicho divertidos o graciosos; desparrame.
despatarrar v. *col.* Referido esp. a una persona, a un animal o a un mueble, abrirles excesivamente las piernas o las patas: *Al tropezar, caí sobre el perro y casi lo despatarro. Pisó una cáscara de plátano y se despatarró.* ☐ ETIMOL. De *pata.* ☐ SEM. Como pronominal, se admite también *espatarrarse.*
despavorido, da adj. Con pavor o terror.
despecho s.m. **1** Resentimiento o indignación producidos por los desengaños o por las ofensas. **2** ▮ **a despecho de** alguien; a pesar suyo o contra su deseo. ☐ ETIMOL. Del latín *despectus* (menosprecio).
despechugar ▮ v. **1** Referido a un ave, quitarle la pechuga. ▮ prnl. **2** *col.* Referido a una persona, mostrar o llevar el pecho descubierto: *Hacía tanto calor, que los albañiles se despechugaron para trabajar.* ☐ ORTOGR. La *g* se cambia en *gu* delante de *e* → PAGAR.
despectivo, va ▮ adj. **1** Que indica desprecio; despreciativo. ▮ s.m. **2** En gramática, palabra formada con un sufijo que indica desprecio: *'Medicucho', 'pequeñajo' o 'mujerzuela' son algunos despectivos.*
despedazamiento s.m. **1** Separación de algo en trozos sin orden o de forma violenta. **2** Daño o destrozo causado en algo no material.
despedazar v. **1** Referido a algo material, hacerlo pedazos de manera desordenada o violenta: *El lobo mató al cordero y lo despedazó.* **2** Referido a una persona o a algo no material, maltratarlos o destruirlos: *La crítica lo ha despedazado porque ha tratado de ser diferente.* ☐ ORTOGR. La *z* se cambia en *c* delante de *e* → CAZAR.
despedida s.f. **1** Acompañamiento que se hace a una persona que se va a ir hasta el momento de

irse. 2 Expresión de afecto o cortesía al separarse varias personas. [**3** Reunión o acto en honor de alguien que se va o que cambia de estado. **4** En algunas canciones populares, estribillo final en el que el cantor se despide.

despedir ▮ v. **1** Referido a una persona que se va de un lugar, acompañarla hasta que se vaya o decirle adiós: *Fuimos a despedirlo a la estación.* **2** Referido a una persona, prescindir de sus servicios o alejarla de su ocupación o de su empleo: *Van a despedir a muchos trabajadores.* **3** Referido a una persona, echarla o apartarla de sí, esp. por resultar molesta: *Me recibió, pero me despidió enseguida con malos modos.* **4** Desprender, esparcir o difundir: *La basura despide mal olor.* **5** Arrojar, lanzar con impulso o echar fuera de sí con fuerza: *Ese volcán en erupción despide lava.* ▮ prnl. **6** Hacer o decir alguna expresión de afecto o de cortesía al separarse: *Se despidió de mí con un abrazo.* **7** col. Referido a algo que se tiene o que se quiere, renunciar a la esperanza de mantenerlo o de conseguirlo: *Si no apruebo el curso, me despido de las vacaciones.* □ ETIMOL. Del latín *expetere* (reclamar, reivindicar). □ MORF. Irreg. →PEDIR. □ SINT. Constr. como pronominal: *despedirse* DE *algo.*

despegado, da adj. col. Poco afectuoso.

despegar ▮ v. **1** Referido a algo pegado o muy junto, separarlo o desprenderlo de donde está: *He despegado los cromos. El ciclista se despegó del grupo.* **2** Referido a algo que vuela, esp. a un avión, separarse de la superficie en la que descansaba para iniciar el vuelo: *En el aeropuerto despegan y aterrizan aviones.* **3** Comenzar un proceso de desarrollo o de ascenso: *El diseño español despegó en los años ochenta.* ▮ prnl. **4** Desprenderse de una relación que se tenía, esp. si se sentía apego o afecto hacia ella: *Cuando me cambié de barrio, me despegué de mis amigos.* □ ORTOGR. La *g* se cambia en *gu* delante de *e* →PAGAR.

despego s.m. Falta de afecto o de interés por alguien o por algo; desapego.

despegue s.m. **1** Inicio del vuelo, separándose de la superficie en la que se descansaba. **2** Comienzo de un proceso de desarrollo o de ascenso.

despeinar v. Deshacer el peinado o desordenar y enredar el pelo.

despejado, da adj. **1** De ingenio ágil, vivo y despierto. **2** Espacioso, extenso o sin obstáculos.

despejar ▮ v. **1** Referido a un lugar, desocuparlo o dejarlo libre y sin estorbos: *Despejó el pasillo de cajas para poder pasar.* **2** Poner en claro o explicar; aclarar: *En la película, el detective reunió a los implicados para despejar el misterio.* **3** En algunos deportes, referido a la pelota, enviarla lo más lejos posible del área de meta: *El defensa despejó el balón de cabeza. El jugador despejó hacia la banda derecha.* **4** En matemáticas, referido a una incógnita, separarla mediante diversas operaciones de los restantes miembros de una ecuación: *Si habéis despejado bien la incógnita de la ecuación '3x=1', el resultado debe ser 'x=1/3'.* ▮ prnl. **5** Referido esp. al tiempo atmosférico, aclararse o mejorar al desaparecer las nubes: *Amaneció nublado, pero luego se despejó el día.* **6** Referido a una persona, sentirse despierto y en buen estado, después de desprenderse de un malestar o de una atmósfera viciada: *Tomó un café bien cargado para despejarse.* □ ETIMOL. Del portugués *des-*

pejar (vaciar, desembarazar, desocupar). □ ORTOGR. Conserva la *j* en toda la conjugación. □ MORF. En la acepción 3, la RAE sólo lo registra como pronominal.

despeje s.m. En algunos deportes, esp. en fútbol, lanzamiento del balón lo más lejos posible del área de meta.

despellejadura s.f. **1** Separación de la piel o del pellejo, del cuerpo o de alguno de sus miembros. [**2** Herida o marca que queda en el lugar en el que se ha levantado la piel.

despellejar ▮ v. **1** Referido al cuerpo o a alguno de sus miembros, quitarles la piel o el pellejo; desollar: *Despellejó el pollo antes de freírlo. Se despellejó el dedo al pillarse con la puerta.* **2** Referido a una persona, murmurar de ella o criticarla negativamente: *Despelleja vivo a todo el que envidia.* ▮ prnl. [**3** Estropearse al levantarse una parte superficial de la piel: *Los zapatos 'se han despellejado' por el uso.* □ ORTOGR. Conserva la *j* en toda la conjugación. □ USO En la acepción 2, se usa más la expresión *despellejar vivo a alguien.*

despelotarse v.prnl. **1** col. Desnudarse. **2** col. Reírse mucho, alborotarse o perder la formalidad: *Es tímido, pero cuando bebe un poco se despelota.* □ ETIMOL. De *pelota.*

despelote s.m. **1** col. Hecho de quitarse la ropa para quedar desnudo. **2** col. Juerga o risa desmedidas o excesivas.

despeluchar v. Referido a algo peludo o semejante a la felpa, quitarle o estropearle el pelo o la felpa: *El perro ha despeluchado la alfombra. Llora porque su osito se ha despeluchado.*

despenalización s.f. Supresión del carácter de delito o de pena que tiene algo.

despenalizar v. Referido a algo que constituye delito, legalizarlo o levantar la pena que pesa sobre ello: *El Gobierno despenalizó el consumo de drogas blandas.* □ ORTOGR. La *z* se cambia en *c* delante de *e* →CAZAR.

despendolarse v.prnl. col. Actuar de forma alocada: *Se despendolaron cuando se fue el jefe.*

despensa s.f. **1** En una casa, lugar en el que se almacenan los comestibles. **2** Conjunto de estos comestibles almacenados. □ ETIMOL. Del latín *dispensus* (aprovisionado, administrado).

despeñadero s.m. **1** En un terreno, precipicio escarpado y con peñascos desde donde es fácil caerse. **2** Peligro o riesgo grandes.

despeñar v. Referido a una persona o a un objeto, arrojarlos o caer desde un lugar alto, esp. si es escarpado y rocoso: *Colocó el coche al borde del acantilado y lo despeñó. El montañero temía despeñarse.*

despepitar ▮ v. **1** Referido a un fruto, quitarle las pepitas o semillas. ▮ prnl. **2** Hablar o gritar con vehemencia, con enojo o sin medida. [**3** col. Reírse mucho: *'Nos despepitamos' al ver tu disfraz.* □ ETIMOL. La acepción 1, de *pepita* (semilla). La acepción 2, de *pepita* (tumor en la garganta de las gallinas).

desperdiciar v. **1** Emplear mal o no aprovechar debidamente: *Desperdiciaste aquella oportunidad.* **2** Dejar inservible: *Al cortar así la tela, has desperdiciado muchos trozos.*

desperdicio s.m. **1** Residuo que no se puede aprovechar. **2** Derroche o mal uso de algo. **3** ‖ **no tener desperdicio** algo; ser de mucho provecho o utilidad. □ ETIMOL. Del latín *disperditio* (acción de perderse).

desperdigamiento s.m. **1** Separación y esparcimiento de algo en distintas direcciones. **2** Dispersión del esfuerzo o de la actividad de una persona en distintos objetivos.

desperdigar v. **1** Referido a un conjunto o a sus componentes, separar y extender éstos, o esparcirlos en distintas direcciones: *La guerra desperdigó a la familia. Se cayó el archivo y todos los albaranes se desperdigaron.* **2** Referido esp. al esfuerzo o a la actividad de una persona, dividirlos y repartirlos en distintos objetivos: *Si no desperdigaras tus fuerzas en tantas cosas, disfrutarías más de algunas.* □ ETIMOL. De *perdiz*, por alusión al vuelo de las perdices que se separan al aproximarse el cazador. □ ORTOGR. La *g* se cambia en *gu* delante de *e* →PAGAR.

desperezarse v.prnl. Extender los miembros del cuerpo para desentumecerse o quitarse la pereza; estirarse: *Desperezarse ante los demás es de mala educación.* □ ETIMOL. De *esperezarse* (desperezarse). □ ORTOGR. La *z* se cambia en *c* delante de *e* →CAZAR.

desperfecto s.m. **1** Daño o deterioro leves. **2** Falta o defecto que restan cierto valor o perfección a algo.

despersonalización s.f. **1** Pérdida de los rasgos característicos o individuales que distinguen a una persona. **2** Pérdida del carácter personal.

despersonalizar v. **1** Referido a una persona, quitarle o perder los rasgos característicos o individuales que la distinguen: *El fiel seguimiento de la moda despersonaliza a los chicos. Por imitar a sus amigos, ha conseguido despersonalizarse.* **2** Referido esp. a un asunto, quitarle el carácter personal: *Intenté despersonalizar el problema para ser más objetivo.* □ ORTOGR. La *z* se cambia en *c* delante de *e* →CAZAR.

despertador s.m. Reloj que hace sonar un timbre u otro sonido a una hora previamente fijada. ẋ̇ medida

despertar ∎ s.m. **1** Interrupción del sueño o momento en que ocurre: *Tiene muy mal despertar y es mejor no hablarle hasta pasado un rato.* **2** Principio del desarrollo de una actividad o de un negocio: *El despertar de la industria se fecha a principios de siglo.* ∎ v. **3** Referido a una persona o a un animal dormidos, interrumpirles el sueño o dejar de dormir: *Estaba tan dormido que no podían despertarme. Despertó a las diez de la mañana. ¿A qué hora te despiertas tú?* **4** Referido a algo olvidado, recordarlo o traerlo a la memoria: *Aquel sitio despertó en mí el recuerdo de un antiguo amigo.* **5** Provocar, incitar o estimular: *El olor del asado despertó mi apetito.* **6** Referido a una persona, hacerla más prudente, más lista o más astuta de lo que era: *Aquel engaño lo despertó de su inocencia. Despertó de su ignorancia y ya no actúa tan ingenuamente.* □ ETIMOL. La acepción 1 y 2, de *despertar*. Las acepciones 3-6, de *despierto*. □ MORF. Irreg.: 1. Tiene un participio regular (*despertado*), que se usa en la conjugación, y otro irregular (*despierto*), que se usa como adjetivo. 2. →PENSAR. □ SINT. Constr. de la acepción 6: *despertar(se) DE algo.*

despiadado, da adj. Cruel o sin piedad.

despido s.m. **1** Expulsión o destitución de una persona de la ocupación o del empleo que tenía. **2**

Indemnización o dinero que se cobra por esta expulsión.

despiece s.m. Separación de un todo en partes o en piezas.

despierto, ta adj. **1** Que no está dormido. **2** De ingenio ágil, vivo y claro. □ ETIMOL. Del latín *expertus*.

despiezar v. Referido a un todo, descomponerlo en partes o piezas, o separar éstas: *Despiezó la impresora para arreglarla.* □ ORTOGR. La *z* se cambia en *c* delante de *e* →CAZAR.

despilfarrar v. Derrochar o gastar con insensatez, con exceso o sin necesidad: *Despilfarró su fortuna en juegos y diversiones.* □ ETIMOL. De origen incierto.

despilfarro s.m. Derroche o gasto excesivo, insensato o innecesario.

despintar v. **1** Referido a algo pintado o teñido, quitarle la pintura o perderla: *La lluvia ha despintado la puerta del portal. Con el paso del tiempo se despintó la valla.* **2** Referido a un asunto, cambiarlo o desfigurarlo: *El paso del tiempo despinta los malos recuerdos.* **3** ‖ no despintársele algo a alguien; *col.* Conservar con viveza y claridad su recuerdo: *No se me despintará en la vida aquella angustiosa escena.*

despiojar v. Quitar los piojos: *La maestra dijo que había que despiojar a los niños. Se despiojó con un champú especial.* □ ORTOGR. Conserva la *j* en toda la conjugación.

[despíole s.m. *col.* En zonas del español meridional, jaleo.

despiporre o **despiporren** s.m. *col.* Juerga desmedida, esp. si conlleva escándalos y desorden.

despistar v. **1** Hacer perder la pista: *Los ladrones consiguieron despistar a la policía y escaparon.* **2** Desorientar o hacer perder el rumbo: *Los edificios nuevos me despistaron y estuve a punto de perderme. Me despisté y no fui capaz de encontrar la casa.* □ MORF. En la acepción 2, la RAE sólo lo registra como pronominal.

despiste s.m. Distracción, fallo u olvido.

desplante s.m. Hecho o dicho bruscos, arrogantes o insolentes.

desplazado, da adj./s. Referido a una persona, que no se adapta al lugar en el que está o a las circunstancias que lo rodean.

desplazamiento s.m. **1** Cambio o traslado de lugar. **2** Sustitución en un cargo, en un puesto o en una función.

desplazar v. **1** Mover o cambiar de lugar: *Desplazó el sillón hacia la ventana para estar más cerca de la luz. Me desplazo al centro de la ciudad en metro.* **2** Quitar de un cargo, de un puesto o de una función: *Las máquinas han desplazado al hombre en muchos trabajos.* **3** En física, referido a un fluido, trasladarlo o moverlo de un lugar a otro; desalojar: *Un globo aerostático desplaza una cantidad de aire igual a su volumen.* □ ETIMOL. Del francés *déplacer*, y éste de *place* (lugar). □ ORTOGR. La *z* se cambia en *c* delante de *e* →CAZAR.

[desplegable s.m. Hoja de grandes dimensiones convenientemente doblada, que, al desplegarse, permite observar el contenido total del mensaje.

desplegar v. **1** Referido a algo plegado, extenderlo o desdoblarlo: *Despliega el mantel para colocarlo sobre la mesa. El periódico se desplegó con el aire.* **2** Referido esp. a un conjunto de tropas, hacerlo pasar a

desprecio

una formación abierta y extendida: *El jefe de policía desplegó a sus hombres por toda la plaza. Las tropas se desplegaron rápidamente por la llanura.* **3** Referido esp. a una cualidad o a una actividad, ejercitarlas o ponerlas en práctica: *Para conseguir lo que pretendía, desplegó toda su astucia.* ☐ ETIMOL. Del latín *explicare*. ☐ ORTOGR. Aparece una *u* después de la *g* cuando la sigue *e*. ☐ MORF. Irreg. →REGAR.

despliegue s.m. **1** Hecho de extender o desdoblar lo que está plegado. **2** Formación en una disposición abierta y extendida de un grupo organizado de personas, esp. de un conjunto de tropas. **3** Ejercicio o puesta en práctica de una cualidad, de una aptitud o de una actividad. **4** Ostentación o exhibición de algo para que sea conocido y admirado.

desplomar ‖ v. **1** Referido esp. a una pared o a un edificio, hacerles perder la posición vertical o caerse: *El peso del techo está desplomando la columna. La torre de Pisa parece que se va a desplomar.* ‖ prnl. **2** Referido a una persona, caerse sin vida o sin conocimiento: *Le bajó tanto la tensión que se desplomó.* **3** Arruinarse, perderse o venirse abajo: *Su imperio industrial se desplomó en tres años.* ☐ ETIMOL. De *plomo*.

desplome s.m. **1** Caída de algo que estaba en una posición vertical. **2** Desaparición o destrucción de algo.

desplumar v. **1** Referido a un ave, quitarle las plumas: *Metió el pavo en agua hirviendo para desplumarlo. Los gallos de pelea se desplumaron a picotazos.* **2** col. Quitar los bienes ajenos mediante engaño, arte o violencia; pelar: *Me desplumaron en una partida de cartas.*

despoblación s.m. **1** Disminución o desaparición de la población de un lugar. **2** Desaparición de lo que hay en un lugar, esp. de vegetación. ☐ SEM. Es sinónimo de *despoblamiento*.

despoblado s.m. Lugar no poblado, esp. el que antes tuvo población.

despoblamiento s.m. →**despoblación**.

despoblar v. **1** Referido a un lugar habitado, reducir su población o dejarlo sin habitantes: *La emigración a zonas industrializadas ha despoblado muchos pueblos. La zona se despobló por la pobreza de aquellos campos.* **2** Referido a un lugar, despojarlo de lo que hay en él, esp. de vegetación: *Despoblaron de álamos la avenida.* ☐ ETIMOL. Del latín *depopulare*. ☐ MORF. Irreg. →CONTAR.

despojar ‖ v. **1** Referido a una persona, privarla de lo que tiene o de lo que disfruta, esp. si se hace con violencia: *Lo despojaron de su cargo y decidió abandonar la empresa. Se despojó de todos sus bienes y se hizo ermitaño.* **2** Referido esp. a algo adornado o cubierto, quitarle lo que lo adorna, lo cubre o lo completa: *Al llegar de vacaciones, despojó de sábanas los muebles.* ‖ prnl. **3** Desnudarse o quitarse alguna prenda de vestir: *Se despojó de la camisa y se puso a cavar.* ☐ ETIMOL. Del latín *despoliare* (despojar, saquear). ☐ ORTOGR. Conserva la *j* en toda la conjugación. ☐ SINT. Constr. *despojar(se) DE algo*.

despojo ‖ s.m. **1** Privación o pérdida de lo que se tiene. **2** Lo que se ha perdido por el paso del tiempo, por la muerte o por otros accidentes. ‖ pl. **3** Vísceras y partes poco carnosas de los animales, que se consumen como carne. **4** Sobras, residuos o desperdicios. **5** Restos mortales.

despolitización s.f. Pérdida o eliminación del carácter político.

despolitizar v. Referido esp. a una persona o a un hecho, quitarles el carácter político: *Ante la agresividad de algunos, se intentó despolitizar la reunión.* ☐ ORTOGR. La *z* se cambia en *c* delante de *e* →CAZAR.

desportilladura s.f. **1** Defecto o mella que queda en el borde de algo después de saltar de él un fragmento. **2** Fragmento que se separa del borde o del canto de algo.

desportillar v. Referido a un objeto, estropearlo quitándole parte del borde: *Al tirar el plato al suelo, lo desportilló. Si se desportilla un vaso, prefiero tirarlo para evitar cortarnos.* ☐ ETIMOL. De *portillo* (hueco).

desposar v. Casar o unir en matrimonio: *El sacerdote que nos desposó era amigo nuestro. Los novios se desposaron en la catedral.* ☐ ETIMOL. Del latín *desponsare* (prometer). ☐ ORTOGR. Dist. de *esposar*.

desposeer ‖ v. **1** Referido a una persona, privarla de lo que posee: *Teme que lo desposean de alguna de sus fincas por no pagar las deudas.* ‖ prnl. **2** Renunciar a lo que se posee: *Se desposeyó de sus riquezas y las entregó a una institución benéfica.* ☐ORTOGR. En las formas cuya desinencia contiene un diptongo *ie, io*, esta *i* se cambia en *y* →LEER. ☐SINT. Constr. *desposeer(se) DE algo*.

desposeído, da adj./s. Que es pobre o que carece de lo indispensable para vivir.

desposorio s.m. Promesa mutua de futuro matrimonio que se hacen dos personas. ☐ MORF. Se usa más en plural.

déspota ‖ adj./s. **1** Que abusa de su autoridad y trata de imponerse con dureza. ‖ s. **2** Soberano que gobierna sin más norma que su voluntad. ☐ ETIMOL. Del griego *despótes* (dueño, señor). ☐ MORF. **1.** Como adjetivo es invariable en género. **2.** Como sustantivo es de género común: *el déspota, la déspota*. **3.** En la acepción 1, la RAE sólo lo registra como sustantivo. **4.** En la acepción 2, la RAE sólo lo registra como masculino.

despótico, ca adj. Del déspota, propio de él o relacionado con él.

despotismo s.m. **1** Abuso de superioridad, de poder o de fuerza en el trato con los demás. **2** Autoridad absoluta no limitada por la ley. **3** ‖**despotismo ilustrado**; política propia de algunas monarquías absolutas del siglo XVIII, en la que se intentaba conciliar el poder absoluto del rey y las ideas ilustradas de la razón y orden natural.

despotricar v. col. Hablar sin consideración ni reparo criticando algo: *Despotrica contra todo y nunca está conforme con nada.* ☐ ETIMOL. Quizá de *potro*, con el sentido de *saltar como un potro*. ☐ ORTOGR. La *c* se cambia en *qu* delante de *e* →SACAR.

despreciable adj. Digno de desprecio. ☐ MORF. Invariable en género.

despreciar v. No considerar digno de aprecio: *Desprecia a su primo porque tiene un trabajo humilde.* ☐ ETIMOL. Del latín *depretiare*. ☐ ORTOGR. La *i* nunca lleva tilde.

despreciativo, va adj. Que indica desprecio; despectivo.

desprecio s.m. **1** Falta de aprecio. **2** Hecho o dicho despreciativos. ☐ SEM. Dist. de *displicencia* (falta de interés, afecto o entusiasmo).

desprender ▌v. **1** Referido a algo fijo o unido a otra cosa, desunirlo, separarlo o despegarlo de ella: *Desprendió los alfileres del vestido y lo cosió. Se han desprendido varias tejas y han caído a la acera.* **2** Echar de sí o esparcir: *Ese pescado desprende muy mal olor.* ▌prnl. **3** Referido esp. a algo propio, apartarse o prescindir de ello, o renunciar a ello: *Cuando se divorció, le costó mucho desprenderse de sus hijos.* **4** Deducirse o inferirse: *De todo lo que has dicho se desprende que no quieres ir.* ☐ ETIMOL. De *des-* (privación) y *prender*. ☐ SINT. Constr. de la acepción 3: *desprenderse DE algo.*

desprendido, da adj. Desinteresado o generoso.

desprendimiento s.m. **1** Desunión o separación de trozos o de partes de algo. **2** Generosidad o actitud desinteresada. **3** En medicina, separación o desplazamiento de un órgano respecto de su posición normal.

despreocupación s.f. **1** Tranquilidad de ánimo o falta de preocupaciones. [**2** Negligencia o falta de cuidado.

despreocupado, da adj./s. Que actúa con despreocupación. ☐ MORF. La RAE sólo lo registra como adjetivo.

despreocuparse v.prnl. **1** Librarse o salir de una preocupación: *Tú no eres el responsable de lo que ha pasado, así que despreocúpate de ello.* **2** Desentenderse o no prestar la atención o el cuidado debidos: *No puedes despreocuparte de tus hijos así como así.* ☐ SINT. Constr. *despreocuparse DE algo.*

desprestigiar v. Quitar el prestigio o la buena fama: *Intenta desprestigiarme porque ve en mí un adversario. Su imagen pública se desprestigió al asociarse con ese grupo.*

desprestigio s.m. Pérdida del prestigio o de la buena fama.

desprevenido, da adj. No preparado, no prevenido o falto de lo necesario; descuidado.

[**desprogramar** v. **1** Referido esp. a un aparato, borrarle las órdenes con las que estaba programado: *El vídeo 'se desprogramó' cuando se fue la luz y no grabó el documental.* **2** col. Referido a una persona, cambiarle un sistema de valores que se le había impuesto anteriormente: *El equipo de psicólogos consiguió 'desprogramar' a los jóvenes que habían pertenecido a la secta.*

desproporción s.f. Falta de la debida proporción.

desproporcionado, da adj. Que no tiene la proporción adecuada o necesaria.

desproporcionar v. Quitar la proporción o sacar de la medida: *Al desproporcionar las figuras, sus cuadros resultan extraños.*

despropósito s.m. Hecho o dicho inoportunos, sin sentido o sin razón.

[**desprotección** s.f. Falta de protección.

[**desprotegido, da** adj. Que no tiene protección.

desprovisto, ta adj. Falto o carente, generalmente de lo necesario.

después adv. **1** En un lugar o en un tiempo posteriores; luego: *Deja eso para después. Saldremos a la calle después de comer.* **2** Seguido de de, en orden o jerarquía posteriores: *Después de ti, es la persona que mejor me cae.* **3** ‖ **después de todo**; a pesar de todo o teniendo en cuenta las circunstancias: *Después de todo, no nos fue tan mal.* ☐ ETIMOL. De las preposiciones latinas *de, ex* y el adverbio *post.* ☐ SINT. Se usa también con valor adversativo: *Después*

de lo que me preocupé por él, ahora me lo echa e. cara.

despumar v. →espumar.

despuntar v. **1** Referido a algo con punta, gastarla quitarla o estropearla: *El uso ha despuntado el cu chillo. Al caerse el lápiz, se despuntó.* **2** Referido una planta o a alguna de sus partes, empezar a brota Ya han empezado a despuntar las flores del rosa **3** Referido al alba, a la aurora o al día, empezar a apa recer: *Nos levantamos al despuntar el día.* **4** Des tacar o sobresalir: *Despuntaba entre sus amigos po su simpatía.*

desquiciamiento s.m. Exasperación, trastorno alteración nerviosa de una persona.

desquiciar v. **1** Referido a una persona, exasperarla trastornarla o ponerla fuera de sí: *Su tranquilida cuando hay prisa me desquicia. Según ha ido en vejeciendo, se ha ido desquiciando.* **2** Referido a una idea o a una situación, darles una interpretació o un sentido distintos al natural: *Te ofendes sin ra zón, porque desquicias mis palabras. La situació se ha desquiciado porque todos estamos muy nervio sos.* **3** Referido esp. a una puerta o a una ventana, de sencajarlas o sacarlas de su quicio: *De una fuert patada desquició la puerta. Las ventanas de la cas abandonada se han desquiciado.* ☐ ORTOGR. La nunca lleva tilde.

desquitar ▌v. **1** Referido a una persona, compensar la de una pérdida o de un contratiempo: *El premi me desquitó lo que había perdido. Al terminar lo exámenes, se desquitó de su encierro no parando e casa ni un momento.* ▌prnl. **2** Vengarse o tomar l revancha de un daño o de un disgusto recibidos: *A ganar por cinco goles a cero, el equipo se desquit de su anterior derrota.* ☐ MORF. La acepción 1 s usa más como pronominal. ☐ SINT. Constr. *desqui tar(se) DE algo.*

desquite s.m. Venganza o revancha del daño o de disgusto recibidos.

desratización s.f. Exterminio de las ratas y ra tones que hay en un lugar. ☐ ORTOGR. Incorr. **des rratización.*

desratizar v. Referido a un lugar, exterminar las ra tas y ratones que hay en él: *Han desratizado lo almacenes del puerto.* ☐ ORTOGR. La z se cambia er c delante de e →CAZAR.

desriñonar v. **1** Referido a una persona o a un animal dañarles el espinazo o los lomos; derrengar: *Le hizo llevar un pesado saco de patatas a la espalda y l desriñonó. Al agacharse bruscamente, se desriñonó* [**2** col. Agotar o cansar mucho: *En ese trabajo 'l desriñonan' y encima le pagan una miseria. No 'te desriñones' por ayudarlos, que no lo merecen.* ☐ ETI MOL. De *des-* (privación) y *riñón.*

destacado, da adj. Que se distingue entre los demás, generalmente por algo positivo.

destacamento s.m. En el ejército, grupo de tropa que se separa del resto para realizar una misiór determinada.

destacar v. **1** Referido esp. a una característica, re saltarla o ponerla de relieve: *Destacó la importancia de la calidad de enseñanza.* **2** Sobresalir o notarse más: *En ese cuadro destaca el color azul. Le gusta destacarse de los demás.* **3** En el ejército, referido a ur grupo de tropa, separarlo del cuerpo principal para una acción determinada: *El comandante destacó una sección de infantería para que vigilase la ca-*

417

rretera. □ ETIMOL. Del italiano *staccare.* □ ORTOGR. La *c* se cambia en *qu* delante de *e* →SACAR.

destajo ‖ **a destajo; 1** Referido a un modo de trabajar o de contratación, cobrando por el trabajo hecho y no por el tiempo invertido: *Como trabajan a destajo, les conviene hacer lo máximo en el mínimo de tiempo.* **2** Con empeño, sin descanso o muy deprisa: *Ahora estamos trabajando a destajo día y noche.* □ ETIMOL. De *destajar.*

destapador s.m. En zonas del español meridional, abrebotellas.

destapar ∎ v. **1** Referido a algo tapado, quitarle la tapa o el tapón: *Destapó la olla y probó la comida. Al destaparse la botella, el champán salió con fuerza.* **2** Referido a algo oculto o cubierto, descubrirlo quitando lo que lo cubre: *El periodista destapó varios casos de corrupción. Me destapé anoche y me he acatarrado.* [**3** En zonas del español meridional, desatascar. ∎ prnl. [**4** *col.* Desnudarse exhibiéndose: *La primera vez que esa actriz 'se destapó' en una película fue un escándalo.*

destape s.m. Despojo de la ropa para exhibir el cuerpo desnudo.

destaponar v. Referido a algo tapado o taponado, quitarle el tapón o el taponamiento: *El médico me recetó unas gotas para que se me destaponen los oídos.*

destartalado, da adj. Mal cuidado, estropeado o medio roto. □ ETIMOL. De origen incierto.

destejer v. Referido a algo tejido, desenlazar los hilos que lo forman: *Se había equivocado y tuvo que destejer dos vueltas del jersey.* □ ORTOGR. Conserva la *j* en toda la conjugación.

destellar o [*destellear* v. Despedir destellos, rayos de luz o chispas, generalmente intensos y de breve duración: *Las estrellas destellan en la noche.* □ ETIMOL. Del latín *destillare* (gotear).

destello s.m. **1** Resplandor o rayo de luz intenso y de breve duración. **2** Manifestación breve o momentánea de algo.

destemplado, da adj. Referido al tiempo atmosférico, que es desapacible.

destemplanza s.f. **1** Falta de templanza o de moderación. **2** Sensación de malestar general, acompañada a veces de escalofríos; destemple.

destemplar v. **1** Referido a un instrumento musical, desafinarlo o romper la armonía con que está afinado: *Destempló el violín porque no sabía tocarlo. Se ha destemplado la guitarra y no sé afinarla.* **2** Producir o sentir malestar físico: *He dormido poco y eso me ha destemplado. Se destempló por una corriente de aire y se echó una manta por encima.* □ ETIMOL. De *des-* (acción contraria) y *templar.*

destemple s.m. **1** Falta de armonía en la afinación de un instrumento. **2** Pérdida del temple de un instrumento de acero o de otro metal. **3** →destemplanza.

desteñir v. **1** Quitar el tinte o apagar el color: *El sol ha desteñido la camisa y se ha quedado blancuzca. La ropa de color se destiñe de tanto lavarla.* **2** Manchar al perder el color: *Lava ese pantalón aparte para que no destiña las demás prendas. Esa tela no es de buena calidad y destiñe.* □ MORF. Irreg. →CEÑIR.

desternillarse v. *col.* Reírse mucho: *Es tan bueno contando chistes que nos desternillamos con él.* □ ETIMOL. De *ternilla,* porque cuando uno se ríe mucho, parece que se van a romper las ternillas. □ PRON. Incorr. *[destornillarse].

desterrar ∎ v. **1** Referido a una persona, expulsarla de un territorio por orden judicial o por decisión gubernamental: *A Lope de Vega lo desterraron de la corte.* **2** Referido a una costumbre o a un uso, abandonarlos o hacer que se desechen: *Creo que habría que desterrar la costumbre de dar propinas.* **3** Echar o apartar de sí: *Jamás pudo desterrar de su mente aquella imagen.* ∎ prnl. **4** Abandonar la patria por algún motivo que impida vivir en ella: *Muchos intelectuales se desterraron al implantarse la dictadura.* □ ETIMOL. De *des-* (separación) y *tierra.* □ MORF. Irreg. →PENSAR.

destetar ∎ v. **1** Referido a un niño o a una cría animal, hacer que dejen de mamar, dándole otro tipo de alimento: *Hasta que no dejó de tener leche, no destetó a su hijo.* ∎ prnl. **2** *col.* Referido a una persona, apartarse de la protección de su casa y aprender a valerse por sí misma: *Ya es hora de que te destetes y de que no tengan que decidir tus padres por ti.*

destete s.m. Terminación de la lactancia.

destiempo ‖ **a destiempo;** fuera de tiempo o en un momento inoportuno.

destierro s.m. **1** Expulsión de un territorio que se hace de una persona por orden judicial o por decisión gubernativa. **2** Abandono de la patria por decisión propia. [**3** Tiempo que dura esta expulsión o este abandono. **4** Lugar donde vive la persona que está desterrada. **5** Abandono de una costumbre o de un uso.

destilación s.f. Proceso mediante el que se separa una sustancia volátil de otra que no lo es, por medio del calor.

destilar v. **1** Referido a una sustancia volátil, separarla de otra que no lo es, por medio de calor y en alambiques o en otros vasos: *El alambique sirve para destilar alcohol. El queroseno se destila entre 190 y 260 grados centígrados.* **2** Revelar, mostrar o dejar ver: *Su mirada destilaba envidia.* **3** Referido a un líquido, soltarlo gota a gota: *La herida destila pus.* □ ETIMOL. Del latín *destillare* (gotear).

destilería s.f. Lugar donde se hacen destilaciones.

destinar v. **1** Señalar o determinar para un fin o para una función: *Parte del presupuesto lo destinarán para hospitales.* **2** Referido a una persona, designarle un empleo, una ocupación o un lugar donde ejercerlos: *Aprobó unas oposiciones de juez y lo destinaron a Burgos.* **3** Referido a un envío, dirigirlo hacia una persona o hacia un lugar: *Esa crítica iba destinada a tu primo.* □ ETIMOL. Del latín *destinare* (fijar, sujetar, apuntar).

destinatario, ria s. Persona a quien va dirigido o destinado algo.

destino s.m. **1** Punto de llegada, o hacia el que se dirige alguien o algo. **2** Uso, finalidad o función que se da a algo. **3** Empleo u ocupación. **4** Lugar o establecimiento en el que se ejerce un empleo. **5** Encadenamiento de los sucesos considerado como necesario e inevitable. **6** Hado o fuerza desconocida que actúa irresistiblemente sobre los hombres y los sucesos.

destitución s.f. Expulsión de una persona del cargo que tiene.

destituir v. Referido a una persona, separarla o expulsarla del cargo que tiene: *Lo destituyeron del cargo de director porque su gestión era mala.* □ ETI-

MOL. Del latín *destituere* (abandonar, privar, suprimir). ☐ MORF. Irreg. →HUIR.

destornillador s.m. **1** Herramienta que sirve para atornillar y desatornillar; atornillador. [**2** *col.* Bebida alcohólica hecha con vodka y naranjada. ☐ ORTOGR. Se admite también *desatornillador*.

destornillar v. →desatornillar. ☐ ORTOGR. Dist. de *desternillarse*.

destreza s.f. Habilidad, facilidad o arte para hacer algo bien hecho. ☐ ETIMOL. De *diestro*.

destripar v. **1** Referido a una persona o a un animal, sacarles las tripas: *El toro embistió al caballo y lo destripó. Una cabra se ha caído por un barranco y se ha destripado.* **2** Referido a un objeto, desarmarlo y sacar lo que tiene en el interior: *Destripó la muñeca para averiguar por qué hablaba.* **3** Referido esp. a algo blando, aplastarlo o reventarlo apretando con fuerza: *Se sentó sobre el paquete y lo destripó.* **4** *col.* Referido a un relato, estropearlo por anticipar su final: *Sé que sabes el final, pero cállate y no me destripes el chiste.* ☐ SEM. En la acepción 3, es sinónimo de *apachurrar, despachurrar* y *espachurrar*.

destripaterrones s. **1** *col.* Persona tosca, inculta y poco educada. **2** Persona que trabaja cavando la tierra. ☐ MORF. Aunque la RAE sólo lo registra como masculino, en la lengua actual es de género común: *el destripaterrones, la destripaterrones.* ☐ USO Tiene un matiz despectivo.

destrísimo, ma superlat. irreg. de **diestro**. ☐ MORF. Es la forma culta de *diestrísimo*.

destronamiento s.m. **1** Privación del trono a un rey o a una reina. **2** Privación de la situación importante o privilegiada que tenía alguien o algo.

destronar v. **1** Referido a un rey o a una reina, expulsarlos o echarlos del trono: *Los sublevados pretendían destronar al rey.* **2** Referido esp. a una persona, quitarle la posición importante o privilegiada que ocupa: *El hermano mayor está celoso porque el bebé lo ha destronado.* ☐ SEM. Es sinónimo de *desentronizar*.

destroncar v. Referido a un árbol, cortarlo por el tronco. ☐ ORTOGR. La *c* se cambia en *qu* delante de *e* →SACAR.

destrozar v. **1** Romper, destruir o convertir en pedazos: *En ese edificio cayó una bomba y lo destrozó. El coche se destrozó al caer por el barranco.* **2** Estropear, maltratar o deteriorar: *No te presto mis libros porque los destrozas. Por fregar sin guantes, se me han destrozado las manos.* **3** Referido esp. a una persona, causarle un profundo daño moral: *La noticia del accidente ha destrozado a la familia.* **4** Referido esp. a un contrincante, vencerlo totalmente: *Nuestro equipo destrozó al contrario.* [**5** Agotar o cansar muchísimo: *Tanto pasear me 'ha destrozado'. No 'te destroces' trabajando.* ☐ ORTOGR. La *z* se cambia en *c* delante de *e* →CAZAR.

destrozo s.m. **1** Destrucción o rotura de algo en trozos. **2** Daño muy grande.

destrozón, -a adj./s. Referido a una persona, que rompe o estropea las cosas más de lo normal al usarlas.

destrucción s.f. **1** Daño o destrozo muy grandes. **2** Hecho de hacer desaparecer o inutilizar totalmente.

destructible adj. Que puede ser destruido. ☐ MORF. Invariable en género.

destructivo, va adj. Que destruye o tiene el poder de destruir.

destructor, -a ∎ adj./s. **1** Que destruye. ∎ s.m. **2** Barco de guerra rápido, de tonelaje medio y preparado para misiones de escolta y ofensivas. 🗶 embarcación

destruir v. **1** Referido a algo material, deshacerlo o arruinarlo totalmente: *El incendio destruyó el edificio entero. La presa se destruyó por la presión excesiva del agua.* **2** Referido a algo no material, hacerlo desaparecer o inutilizarlo: *Destruyó mis argumentos con una frase. ¡Qué fácilmente puede destruirse una esperanza!* ☐ ETIMOL. Del latín *destruere* (demoler, destruir). ☐ MORF. Irreg. →HUIR.

desubicarse v.prnl. En zonas del español meridional, desorientarse. ☐ ORTOGR. La *c* se cambia en *qu* delante de *e* →SACAR.

desuello s.m. **1** Separación de la piel de una persona o de un animal. **2** Ruina o daño causados esp. en la fortuna o en el honor.

desunión s.f. Discordia, enemistad o separación, esp. entre personas.

desunir v. **1** Referido a dos o más cosas unidas, separarlas o apartarlas: *Tengo que desunir las mangas del vestido porque me quedan mal. Se ha desunido uno de los vagones del tren.* **2** Referido a dos o más personas, hacer que se lleven mal entre sí: *Los problemas económicos nunca han desunido a la familia. Esa pareja se desunió cuando empezaron a conocerse de verdad.*

desusado, da adj. **1** Desacostumbrado, insólito o poco normal. **2** Anticuado o que ha dejado de usarse.

desuso s.m. Falta de uso o de utilización.

desvaído, da adj. **1** Referido esp. a un color, que es pálido o apagado. **2** Desdibujado, impreciso o poco claro. ☐ ETIMOL. Quizá del portugués *esvaido* (desvanecido, evaporado).

desvaírse v.prnl. Hacer perder el color, la fuerza o la intensidad: *El colorido del toldo se está desvayendo.* ☐ MORF. 1. Verbo defectivo: sólo se usan las formas que presentan *i* en su desinencia. →ABOLIR. 2. Irreg. →HUIR.

desvalido, da adj./s. Que no puede valerse por sí mismo, o que carece de ayuda y de protección.

desvalijamiento s.m. Robo de todo lo que se tiene.

desvalijar v. **1** Referido a una persona, despojarla de todo lo que lleva mediante el robo, el engaño o el juego: *Unos tipos me desvalijaron el equipaje en el aeropuerto.* **2** Referido esp. a un lugar, robar todas las cosas valiosas que tiene: *Los ladrones le desvalijaron la casa mientras él estaba fuera.* ☐ ORTOGR. Conserva la *j* en toda la conjugación.

desvalimiento s.m. Abandono o falta de amparo, de ayuda o de protección.

desvalorización s.f. Disminución del valor o del precio.

desvalorizar v. Referido a algo con valor, disminuir su valor o su precio: *Poner un basurero justo al lado ha desvalorizado estos terrenos. Los coches se desvalorizan con el paso del tiempo.* ☐ ORTOGR. La *z* se cambia en *c* delante de *e* →CAZAR.

desván s.m. En una casa, parte más alta, inmediatamente bajo el tejado, que suele usarse para guardar objetos viejos o que ya no se usan. ☐ ETIMOL. Del antiguo *desvanar*, y éste de *vano* (lugar vacío

detallista

entre el tejado y el último piso). □ SEM. Es sinónimo de *boardilla, bohardilla, buharda, buhardilla, guardilla* y *sobrado*.

desvanecer ∎ v. **1** Referido esp. a una sustancia o a un color, disgregarlos o hacerlos desaparecer poco a poco: *El sol desvaneció la niebla. El humo se desvanece en la atmósfera.* **2** Referido esp. a una idea o a un recuerdo, deshacerlos, anularlos o quitarlos de la mente: *Espero que mi declaración haya desvanecido tus dudas. En cuanto te tomes esto, se te desvanecerá el dolor.* ∎ prnl. **3** Perder el sentido o desmayarse: *Se ha desvanecido porque lleva el día entero sin comer.* □ ETIMOL. Del latín *evanescere* (desaparecer, disiparse, evaporarse). □ MORF. Irreg. →PARECER.

desvanecimiento s.m. **1** Desaparición de algo sin dejar ningún rastro. **2** Desmayo o pérdida del sentido.

desvariar v. Decir o hacer locuras o cosas ilógicas o sin sentido: *La fiebre te hace desvariar.* □ ETIMOL. De *vario*. □ ORTOGR. La *i* lleva tilde en los presentes, excepto en las personas *nosotros* y *vosotros* →GUIAR.

desvarío s.m. **1** Hecho o dicho disparatados, irracionales o sin lógica. **2** Pérdida momentánea de la razón o del juicio, generalmente causada por una enfermedad o por la vejez.

desvelar ∎ v. **1** Quitar el sueño o no dejar dormir: *Las preocupaciones me desvelan. La niña se ha desvelado y no hay quien la duerma.* **2** Referido a algo que no se sabe, descubrirlo o ponerlo de manifiesto: *Nunca desvelaré el secreto de este postre.* ∎ prnl. **3** Referido a una persona, poner gran cuidado y atención en las personas o en las cosas que tiene a su cargo, o en la consecución de un propósito: *Se desvela para que no le falte nada a sus hijos.* □ ETIMOL. La acepción 2, de *des-* (privación) y *velar* (cubrir con velo). Las acepciones 1 y 3, del latín *dis-* (des-) y *evigilare* (despertarse, velar).

desvelo s.m. **1** Pérdida del sueño cuando se necesita dormir. **2** Cuidado y atención que se pone en lo que uno tiene a su cargo.

desvencijar v. Referido esp. a una construcción, aflojar, desunir o separar las partes que la forman: *El viento ha desvencijado las ventanas de esa casa abandonada. Peso tanto que al sentarme se desvencijó la silla.* □ ETIMOL. De *des-* (acción contraria) y *vencejo* (ligadura). □ ORTOGR. Conserva la *j* en toda la conjugación.

desventaja s.f. **1** Perjuicio que tiene algo en comparación con otra cosa. **2** Inconveniente o impedimento.

desventura s.f. **1** Mala suerte. **2** Suceso que causa un dolor o un daño grandes. □ ETIMOL. De *des-* (acción contraria) y *ventura*. □ SEM. Es sinónimo de *desgracia*.

desventurado, da adj./s. Que padece alguna desgracia o que tiene mala suerte; desgraciado.

desvergonzado, da adj./s. Que habla o actúa con desvergüenza. □ MORF. La RAE sólo lo registra como adjetivo.

desvergonzarse v.prnl. Perder la vergüenza al hablar o al actuar: *Se desvergonzó y casi acaba insultándonos.* □ ORTOGR. La *g* se cambia en *gü* y la *z* en *c* delante de *e*. □ MORF. Irreg. →AVERGONZAR.

desvergüenza s.f. Insolencia, falta de vergüenza o falta de educación ostentosa.

desvestir v. Quitar el vestido o parte de él; desnudar: *Desviste al niño mientras le preparo el baño.* □ MORF. Irreg. →PEDIR.

desviación s.f. **1** Cambio de la trayectoria de algo que llevaba determinada dirección. **2** Separación de la dirección o de la posición normales o debidas. **3** Tramo de una carretera que se aparta de la general. **4** Camino provisional que sustituye un tramo inutilizado de una carretera. **5** Tendencia o hábito que se consideran anormales en el comportamiento de una persona. □ SEM. En las acepciones 1, 3 y 4 es sinónimo de *desvío*.

desviacionismo s.m. Doctrina o práctica que se apartan de otras que se consideran fundamentales.

desviacionista adj./s. Del desviacionismo o relacionado con esta doctrina. □ MORF. 1. Como adjetivo es invariable en género. 2. Como sustantivo es de género común: *el desviacionista, la desviacionista*.

desviar v. **1** Referido a algo que lleva determinada dirección, cambiar su trayectoria o apartarlo del camino que llevaba: *La policía desviaba los coches por calles secundarias.* **2** Referido a una persona, disuadirla o apartarla del propósito o de la idea que tenía: *Tanto juego te está desviando del estudio.* □ ETIMOL. Del latín *deviare*. □ ORTOGR. La *i* lleva tilde en los presentes, excepto en las personas *nosotros* y *vosotros* →GUIAR.

desvinculación s.f. Separación de algo a lo que se estaba unido.

desvincular v. Quitar un vínculo o perderlo: *Con este documento me desvinculo de mis obligaciones con la empresa.*

desvío s.m. →**desviación**.

desvirgar v. Referido a una persona, hacer que pierda la virginidad: *En la Edad Media, el señor feudal tenía el derecho a desvirgar a las mujeres de sus vasallos.* □ ETIMOL. De *des-* (privar) y *virgo*. □ ORTOGR. La *g* se cambia en *gu* delante de *e* →PAGAR.

desvirtuar v. Quitar la virtud, la esencia o las características propias: *Esta salsa es tan fuerte que desvirtúa el sabor de la carne. Muchas fiestas populares se han desvirtuado y han perdido su sentido.* □ ORTOGR. La *u* lleva tilde en los presentes, excepto en las personas *nosotros* y *vosotros* →ACTUAR.

[desvitalizar v. Referido esp. a un nervio, dejarlo sin sensibilidad: *El dentista me 'ha desvitalizado' el nervio de la muela que tanto me dolía.* □ ORTOGR. La *z* se cambia en *c* delante de *e* →CAZAR.

desvivirse v.prnl. Mostrar amor o incesante y vivo interés por una persona: *Se desvive por todos nosotros y nos colma de atenciones.* □ SINT. Constr. *desvivirse* {CON/POR} *algo*.

detallar v. Contar o tratar por partes o de forma pormenorizada: *Ha detallado muy bien todos sus gastos. La policía me pidió que detallara los hechos.* □ ETIMOL. Del francés *détailler*.

detalle s.m. **1** Pormenor, parte o fragmento de algo. **2** Muestra de cortesía, de amabilidad o de cariño. **3** ‖ **al detalle**; referido esp. a la forma de comprar o de vender, al por menor o en pequeña cantidad.

detallista ∎ adj./s. **1** Que es minucioso, meticuloso o que se fija en los detalles. ∎ s. **2** Persona que se dedica profesionalmente a la venta al por menor o en pequeñas cantidades. □ MORF. 1. Como adjetivo es invariable en género. 2. Como sustantivo es de género común: *el detallista, la detallista*.

detección s.f. Descubrimiento o localización de algo, esp. por métodos físicos o químicos.

detectar v. 1 Referido a algo que no puede ser observado directamente, ponerlo de manifiesto por métodos físicos o químicos: *Los análisis no han detectado en su organismo ningún tipo de sustancia contaminante. Detecto ironía en el tono de tu voz.* 2 Descubrir o hacer patente: *Le han detectado un bulto en el cuello. Han detectado restos de una antigua cultura en la zona.* □ ETIMOL. Del inglés *to detect.*

detective s. 1 Policía que se dedica a la investigación de determinados casos y que a veces interviene en los procesos judiciales. 2 ‖ **[detective (privado)**; persona legalmente autorizada para la investigación de los asuntos para los que es contratada. □ ETIMOL. Del inglés *detective.* □ MORF. Es de género común: *el detective, la detective.*

detectivesco, ca adj. Del detective, de su profesión o relacionado con ellos.

detector s.m. Aparato que sirve para detectar: *detector de metales; detector de mentiras.*

detención s.f. 1 Privación provisional de la libertad, ordenada por la autoridad competente. 2 Parada o suspensión de una acción o del movimiento de algo; detenimiento.

detener v. 1 Referido al desarrollo de algo, suspenderlo o impedirlo: *La juez detuvo la ejecución en el último momento.* 2 Parar o cesar en el movimiento o en una acción: *El conductor detuvo el coche delante de la casa. El crecimiento económico se ha detenido.* 3 Privar de libertad por un corto espacio de tiempo: *La policía soltó al joven que acababa de detener.* □ ETIMOL. Del latín *detinere.* □ MORF. Irreg. →TENER.

detenido, da adj. Que se detiene o que requiere detenerse en los menores detalles; minucioso.

detenimiento s.m. 1 →detención. 2 ‖ con detenimiento; de forma minuciosa o con cuidado.

detentar v. Referido a un poder o a un cargo públicos, ejercerlos ilegítimamente: *El general detentó el poder del país gracias a un golpe de Estado.* □ ETIMOL. Del latín *detentare.* □ SEM. No debe emplearse con el significado de 'ocupar o desempeñar cargos o títulos legales': *Ganó las elecciones y {*detenta > ocupa} la jefatura del Gobierno.*

detergente s.m. Sustancia o producto artificiales que sirven para limpiar. □ ETIMOL. Del antiguo *deterger* (limpiar).

deteriorar v. Estropear o poner en un estado peor que el original: *La lluvia ha deteriorado la pintura de la puerta. Las relaciones entre estos dos países se han deteriorado.* □ ETIMOL. Del latín *deteriorare,* y éste de *deterior* (peor, inferior).

deterioro s.m. Empeoramiento del estado o de la condición de algo.

determinación s.f. 1 Resolución que se toma sobre algo. 2 Valor, osadía o actitud del que actúa con decisión y no se detiene ante los riesgos o las dificultades. 3 Establecimiento de los términos o límites. 4 Distinción o conocimiento de algo al establecer sus diferencias o características. 5 Fijación para un efecto.

determinado, da adj. Que actúa de forma osada y valerosa, con decisión y sin detenerse ante los riegos y las dificultades.

determinante s.m. [En gramática, palabra que limita o precisa la extensión significativa del nombre.

determinar v. 1 Fijar o establecer los términos o límites: *Hay que determinar las competencias de las autonomías.* 2 Distinguir, averiguar o conocer al establecer las diferencias o características: *No soy capaz de determinar la naturaleza de este virus.* 3 Señalar, concretar o fijar para un efecto: *La forense no ha determinado aún la hora de la muerte.* 4 Tomar o hacer tomar una decisión: *Determiné comprarme un coche nuevo.* [5 Originar o ser causa o motivo: *El aumento de precio del petróleo 'determinó' la subida de la gasolina.* 6 En gramática, referido a un nombre, limitar o precisar su extensión significativa: *'Casa' es un sustantivo sin determinar, frente a 'la casa', 'esta casa', 'dos casas'...* □ ETIMOL. Del latín *determinare.*

determinativo, va adj. Que determina, esp. referido a un adjetivo.

determinismo s.m. Concepción filosófica según la cual todos los acontecimientos del universo están sometidos a las leyes naturales.

determinista ‖ adj. 1 Del determinismo o relacionado con esta concepción filosófica. ‖ adj./s. 2 Que sigue o que defiende el determinismo. □ MORF. 1. Como adjetivo es invariable en género. 2. Como sustantivo es de género común: *el determinista, la determinista.* 3. En la acepción 2, la RAE sólo lo registra como sustantivo.

detestable adj. Muy malo o digno de ser detestado. □ MORF. Invariable en género.

detestar v. Referido a una persona o a una cosa, sentir aversión o repugnancia hacia ellas, de forma que el impulso natural sea alejarse o desear que desaparezca; aborrecer: *Detesto a la gente que miente.* ETIMOL. Del latín *detestari* (alejar con imprecaciones, tomando a los dioses como testigos).

detonación s.f. Explosión o estallido fuertes o bruscos.

detonador s.m. Dispositivo que sirve para hacer estallar una carga explosiva.

detonante s.m. 1 Agente capaz de producir una detonación. [2 Lo que provoca o causa un resultado. □ MORF. Incorr. su uso como femenino: {*la > el} detonante.*

detonar v. 1 Estallar o dar un estampido o un trueno: *Cuando la bomba detonó, no había nadie cerca.* 2 Producir una explosión o un estallido: *Este mecanismo sirve para detonar la bomba.* □ ETIMOL. Del latín *detonare.*

detractor, -a s. Persona que critica o que no está conforme con algo. □ ETIMOL. Del latín *detractor.*

detraer v. Referido a algo ajeno, sustraerlo o robarlo: *El cajero fue acusado de detraer de la caja pequeñas cantidades de dinero durante dos años.* □ ETIMOL. Del latín *detrahere.* □ MORF. Irreg. →TRAER.

detrás adv. 1 En una posición o lugar posterior o más retrasado: *Detrás de la casa hay un precioso jardín.* 2 ‖ (por) detrás; en ausencia: *Cuando comenta algo de él lo hace por detrás, porque no se atreve a decírselo a la cara.* □ ETIMOL. De las preposiciones latinas *de* y *trans.* □ SINT. Su uso seguido de un adjetivo posesivo es incorrecto: *El niño se ha escondido detrás {*mío > de mí}.*

detrimento s.m. Perjuicio o daño contra los intereses de alguien. □ ETIMOL. Del latín *detrimentum* (pérdida, perjuicio). □ SINT. Se usa mucho en la expresión *ir en detrimento de algo.*

detrito o **detritus** s.m. Materia que resulta de la

descomposición de una masa sólida en partículas. □ ETIMOL. Del latín *detritus* (desgastado). □ MORF. *Detritus* es invariable en número. □ USO Aunque la RAE prefiere *detrito*, se usa más *detritus*.

deuda s.f. Véase **deudo, da**.

deudo, da ∎ s. **1** Persona que tiene relaciones familiares con otra; pariente. ∎ s.f. **2** Obligación que se ha contraído, esp. si consiste en un pago o en una devolución de dinero; débito. **3** Pecado, culpa u ofensa que se cometen contra algo. **4** ‖ **deuda exterior**; la pública que se emite en el extranjero y generalmente en moneda extranjera. ‖ **deuda interior**; la pública que se emite en el propio país con moneda nacional. ‖ **deuda pública**; la emitida por el Estado de un país para hacer frente al déficit entre los ingresos y los gastos, y que incluye títulos de diversos tipos, como bonos u obligaciones. □ ETIMOL. *Deudo* del latín *debitus* (debido). *Deuda* del latín *debita*, plural de *debitum* (deuda).

deudor, -a adj./s. Que debe o que ha contraído una obligación, esp. si consiste en un pago o en una devolución de dinero.

devaluación s.f. Disminución del valor de algo, esp. de una moneda.

devaluar v. Referido esp. a una moneda, rebajar o disminuir su valor: *El Gobierno ha devaluado la peseta. El franco francés se ha devaluado.* □ ETIMOL. Del francés *dévaluer*, y éste del inglés *to devalue*. □ ORTOGR. La *u* lleva tilde en los presentes, excepto en las personas *nosotros* y *vosotros* →ACTUAR.

devanar v. Referido esp. a un hilo, enrollarlo alrededor de un eje: *Devané la madeja de lana y formé un ovillo.* □ ETIMOL. Del latín **depanare*, y éste de *panus* (ovillo).

devaneo s.m. Relación superficial y pasajera, esp. si es amorosa.

devastación s.f. Destrucción de algo, esp. de un territorio, arrasando sus edificios y asolando o echando a perder sus campos. □ ORTOGR. Incorr. **desvastación*.

devastador, -a adj. Que destruye, arrasa o no deja lugar a réplica. □ ORTOGR. Incorr. **desvastador*.

devastar v. Referido esp. a un territorio, destruirlo arrasando sus edificios y asolando o echando a perder sus campos: *El incendio devastó la parte vieja de la ciudad.* □ ETIMOL. Del latín *devastare*. □ ORTOGR. Dist. de *desbastar*.

devengar v. Referido a una cantidad de dinero, adquirir derecho a su percepción o a su retribución, esp. por el trabajo o por un servicio realizado: *Mi cuenta corriente devenga unos intereses de unas cinco mil pesetas al mes.* □ ETIMOL. Del latín *vindicare* (reivindicar, reclamar), porque *devengar* formaba parte de la forma de la prerrogativa de los hidalgos *hijos dalgo notorios, de vengo quinientos sueldos*. □ ORTOGR. La *g* se cambia en *gu* delante de *e* →PAGAR.

devengo s.m. Cantidad devengada o que se tiene derecho a percibir.

devenir ∎ s.m. **1** Cambio, transformación o transcurso de algo. ∎ v. **2** Suceder, producirse o venir de forma repentina o inesperada: *En esta situación nos puede devenir cualquier cosa.* □ ETIMOL. Del francés *devenir*. □ MORF. Irreg. →VENIR.

devoción s.f. **1** Amor o sentimiento intenso y de respeto, esp. si son religiosos. **2** Inclinación, admiración o afición especial hacia algo. **3** Práctica religiosa que no es obligatoria. □ ETIMOL. Del latín *devotio*.

devocionario s.m. Libro que contiene oraciones para el uso de los fieles.

devolución s.f. **1** Entrega que se hace a alguien de lo que había dado o prestado. **2** Lo que se hace para corresponder a otro acto, esp. a un favor o a una ofensa. [**3** Entrega de una compra a quien la vendió, a cambio del importe pagado por su adquisición.

devolver ∎ v. **1** Referido a algo prestado o dado, entregarlo a quien lo tenía antes: *Devuélveme mi bicicleta.* **2** Hacer volver al estado o a la situación que se tenía: *El descanso le ha devuelto el optimismo.* **3** Referido esp. a un favor o a una ofensa, corresponder a ellos: *No sé si tendré ocasión de devolverle los favores que me hizo.* **4** col. Referido a algo que está en el estómago, expulsarlo violentamente por la boca; arrojar, vomitar: *No aguanta el alcohol y siempre lo devuelve. Devolvió porque le hizo daño la comida.* **5** Referido a lo que sobra de un pago, darlo a la persona que efectuó la compra: *Me devolvieron tres mil pesetas de la compra que hicimos.* [**6** Referido a una compra, entregársela a quien la vendió, a cambio del importe pagado por su adquisición: *Como el pantalón que compré estaba roto, lo 'he devuelto'.* ∎ prnl. **7** En zonas del español meridional, volver o regresar. □ ETIMOL. Del latín *devolvere* (rodar tumbado, desenrollar). □ MORF. Irreg.: 1. Su participio es *devuelto*; incorr. **devolvido*. 2. →MOVER.

devoniano, na o **devónico, ca** ∎ adj. **1** En geología, del cuarto período de la era primaria o paleozoica o de los terrenos que se formaron en él. ∎ adj./s.m. **2** En geología, referido a un período, que es el cuarto de la era primaria o paleozoica. □ ETIMOL. Del inglés *devonian*, y éste de *Devon* (lugar donde se empezaron a estudiar los terrenos de este período). □ MORF. La RAE registra *devónico* sólo como adjetivo. □ USO *Devoniano* es el término menos usual.

devorador, -a adj./s. Que devora.

devorar v. **1** Comer con ansia y rapidez: *Se atragantó al devorar la comida.* **2** Referido a un animal, comer a otro: *El león devoró al ciervo en un instante.* **3** Consumir o hacer desaparecer por completo: *El incendio ha devorado el edificio.* **4** Referido a algo que gusta, consumirlo o volcarse en ello con avidez: *Devora novelas de aventuras.* □ ETIMOL. Del latín *devorare*.

devoto, ta ∎ adj. **1** Que inspira devoción. ∎ adj./s. **2** Que tiene o siente devoción. □ ETIMOL. Del latín *devotus* (consagrado, dedicado).

devuelto, ta ∎ **1** part. irreg. de **devolver**. ∎ s.m. [**2** col. Lo que estaba en el estómago y se arroja por la boca; vómito. □ MORF. Incorr. **devolvido*.

deyección s.f. Conjunto de excrementos expelidos por el ano. □ ETIMOL. Del latín *deiectio*, y éste de *deiicere* (echar abajo). □ MORF. Se usa más en plural.

di- Elemento compositivo que significa 'dos'. □ ETIMOL. Del griego *dís*.

día ∎ s.m. **1** Período de tiempo de aproximadamente veinticuatro horas. **2** Período de tiempo en el que hay luz solar. **3** Momento u ocasión en los que sucede algo. ∎ pl. **4** Respecto de una persona, período de tiempo que transcurre desde su nacimiento hasta su muerte; vida. **5** ‖ **al día**; al corriente o sin retraso. ‖**al otro día**; al día siguiente. ‖**buen día**; en América, buenos días. ‖**buenos días**; expresión que se usa como saludo por la mañana. ‖**de un día** {a/para} **otro**; con prontitud. ‖**[día azul**; aquel en el que los viajes en tren tienen un precio reducido. ‖**[día D**; el que se ha fijado o es decisivo para realizar algo complicado o arriesgado, esp. una acción militar. ‖**[día de autos**; aquel en que sucedió el hecho que ya se ha mencionado o que está en la mente de los hablantes. ‖**día de precepto**; aquel en el que la iglesia católica dispone que se oiga misa. ‖**día del Señor**; domingo. ‖**(día) festivo**; fiesta oficial o eclesiástica. ‖**(día) laborable**; aquel en el que oficialmente se trabaja. ‖**día (natural)**; período de tiempo de aproximadamente veinticuatro horas. ‖**día y noche**; constantemente o a todas horas. ‖**el día de mañana**; en el futuro. ‖**el otro día**; uno de los días inmediatamente anteriores al actual. ‖**en su día**; en su debido momento o en el momento oportuno. ‖**hoy (en) día**; en la actualidad o en el tiempo presente. ‖**tener** alguien **los días contados**; estar muy cerca del fin. □ ETIMOL. Del latín *dies*. □ USO 1. En la acepción 1, para referirse al día siguiente de otro, está muy extendida la omisión incorrecta de la preposición *de* en la expresión *el día de después*. 2. En la acepción 1, en el español meridional, se usa antepuesto a los días de la semana: *día lunes, día martes*, etc.

diabetes s.f. Enfermedad que se caracteriza por un alto nivel de glucosa en la sangre. □ ETIMOL. Del latín *diabetes*, éste del griego *diabétes* (que atraviesa). □ ORTOGR. Incorr. **diabetis*. □ MORF. Invariable en número.

diabético, ca ∎ adj. **1** De la diabetes o relacionado con esta enfermedad. ∎ adj./s. **2** Que padece diabetes.

diablesa col. s.f. de **diablo**.

diablesco, ca adj. Del diablo o relacionado con él; diabólico.

diablo s.m. **1** Espíritu maligno que se opone a la acción de Dios. **2** Persona muy hábil y astuta para conseguir lo que se propone. **3** Persona muy traviesa e inquieta, esp. si es un niño. **4** Persona malvada o que tiene mal genio. **5** ‖**como un diablo**; *col.* Mucho o excesivamente. ‖**del diablo** o **de mil diablos**; *col.* Expresión que se usa para exagerar el carácter negativo de algo. ‖**[irse al diablo un asunto**; *col.* Fracasar. ‖**[mandar al diablo** algo; *col.* Rechazarlo o desentenderse de ello. ‖**pobre diablo**; *col.* Hombre infeliz, sin malicia o de carácter débil, y al que se considera poco valioso. ‖**tener el diablo en el cuerpo**; *col.* Ser muy astuto o muy travieso e inquieto. □ ETIMOL. Del latín *diabolus*, y éste del griego *diábolos* (el que desune o calumnia). □ MORF. Aunque la RAE registra también el femenino *diabla*, suele usarse sólo el masculino. □ SEM. En las acepciones 1, 2, 3 y 4, es sinónimo de *demonio*. □ USO En plural, se usa mucho en la lengua coloquial como interjección.

diablo o **diablos** interj. *col.* Expresión que se usa para indicar extrañeza, sorpresa, admiración o disgusto.

diablura s.f. Travesura de poca importancia. □ ETIMOL. De *diablo*.

diabólico, ca adj. **1** Del diablo o relacionado con él; diablesco. **2** *col.* Excesivamente malo. □ ETIMOL. Del latín *diabolicus*.

diábolo s.m. Juguete que consiste en hacer girar sobre una cuerda atada al extremo de dos palos una figura formada por dos conos unidos por sus vértices. □ ETIMOL. Del italiano *diavolo*.

diaconal adj. Del diácono o relacionado con este eclesiástico. □ MORF. Invariable en género.

diaconato s.m. Orden inmediatamente inferior al sacerdocio.

diaconisa s.f. En algunas iglesias, mujer esp. dedicada a los servicios religiosos.

diácono s.m. Eclesiástico que ha recibido el diaconato y cuya categoría es inmediatamente inferior a la del sacerdote. □ ETIMOL. Del latín *diaconus*, y éste del griego *diákonos* (servidor, ministro).

diacrítico, ca adj. En gramática, referido a un signo ortográfico, que da a una letra un valor especial: *En la palabra 'cigüeña', los puntos diacríticos indican que esa 'u' se pronuncia.* □ ETIMOL. Del griego *diakritikós* (distintivo).

diacronía s.f. En lingüística, evolución de una lengua o de un fenómeno lingüístico a través del tiempo. □ ETIMOL. Del francés *diachronie*. □ SEM. Dist. de *sincronía* (consideración de la lengua en un momento dado de su existencia histórica).

diacrónico, ca adj. De la diacronía o relacionado con ella.

[diada (catalanismo) s.f. Día de la fiesta nacional catalana. □ USO Se usa más como nombre propio.

diadema s.f. **1** Adorno semicircular que se pone en la cabeza, generalmente para sujetar el pelo. **2** Corona sencilla y redonda que se usa como adorno o como símbolo honorífico o de autoridad. ⟐ joya □ ETIMOL. Del latín *diadema*, éste del griego *diádema*, y éste de *diadéo* (yo rodeo atando).

diáfano, na adj. **1** Referido a un cuerpo, que deja pasar la luz casi en su totalidad. **2** Claro, limpio o sin ocultación. □ ETIMOL. Del griego *diaphanés* (transparente).

diafragma s.m. **1** En un mamífero, músculo que separa la cavidad torácica de la cavidad abdominal. **2** En una cámara fotográfica, dispositivo que permite regular la cantidad de luz que se deja pasar. **[3** Dispositivo anticonceptivo femenino con forma de disco flexible y que se coloca en la entrada del útero. □ ETIMOL. Del latín *diaphragma*, y éste del griego *diáphragma* (separación, barrera).

diagnosis s.f. Identificación de una enfermedad a partir de sus síntomas; diagnóstico. □ ETIMOL. Del griego *diágnosis* (conocimiento). □ MORF. Invariable en número.

diagnosticar v. Referido a una enfermedad, identificarla mediante el análisis de sus síntomas: *El médico le diagnosticó una gripe.* □ ORTOGR. La *c* se cambia en *qu* delante de *e* →SACAR.

diagnóstico s.m. **1** Identificación de una enfermedad a partir de sus síntomas; diagnosis. **2** Calificación que da el médico a una enfermedad según sus síntomas. □ ETIMOL. Del griego *diagnostikós* (que permite distinguir).

diagonal adj./s.f. **1** En un polígono, referido a una recta, que une dos vértices no consecutivos. **2** En un poliedro, referido a una línea recta, que une dos vértices no situados en la misma cara. □ ETIMOL. Del latín *diagonalis*, y éste del griego *diagónios*, de *gonía* (ángulo). □ MORF. Como adjetivo es invariable en género.

diagrama s.m. Representación gráfica de las variaciones de un fenómeno o de las relaciones que existen entre los elementos de un conjunto. ☐ ETI-MOL. Del griego *diágramma* (dibujo, trazado, tabla).

[diagramar v. Referido a un texto, distribuir proporcionalmente los espacios: *Yo me ocupo de 'diagramar' los artículos de la revista.*

dial s.m. **[1** En un aparato de radio o en un teléfono, placa o superficie graduada con letras o números que se seleccionan para establecer la comunicación deseada. **2** Superficie graduada sobre la que se mueve un indicador que mide una determinada magnitud. ☐ ETIMOL. Del inglés *dial*.

dialectal adj. De un dialecto o relacionado con él. ☐ MORF. Invariable en género.

dialectalismo s.m. En lingüística, palabra, significado o construcción sintáctica propios de un dialecto.

dialéctico, ca ∎ adj. **1** De la dialéctica o relacionado con esta parte de la filosofía. ∎ s.f. **2** Parte de la filosofía que estudia el razonamiento, sus leyes, formas y modos de expresión. **3** Método de razonamiento que consiste en ir enfrentando posiciones distintas para extraer de su confrontación una conclusión que las supere y se acerque más a la verdad. **[4** Arte y técnica de dialogar y convencer con la palabra. **5** Sucesión encadenada de hechos o de razonamientos que se derivan unos de otros. ☐ ETI-MOL. Del griego *dialektikós* (referente a la discusión).

dialecto s.m. En lingüística, modalidad de una lengua en un determinado territorio. ☐ ETIMOL. Del griego *diálektos* (manera de hablar, lengua, dialecto). ☐ SEM. Dist. de *idiolecto* (modo característico en que cada hablante emplea su lengua).

dialectología s.f. Parte de la lingüística que estudia los dialectos. ☐ ETIMOL. De *dialecto* y *-logía* (estudio).

dialectólogo, ga adj./s. Que se dedica al estudio de los dialectos, esp. si ésta es su profesión.

diálisis s.f. **1** →**hemodiálisis**. **2** En física y química, proceso de separación de las sustancias mezcladas en una disolución mediante una membrana que las filtra. ☐ ETIMOL. Del griego *diálysis* (disolución). ☐ MORF. Invariable en número.

dialítico, ca adj. De la diálisis o relacionado con ella.

[dialogante adj. Que está abierto al diálogo. ☐ MORF. Invariable en género.

dialogar v. **1** Referido a dos o más personas, conversar turnándose en el uso de la palabra: *Los espectadores dialogaban en el descanso.* **2** Discutir sobre un asunto con la intención de llegar a un acuerdo entre las distintas posiciones: *Oposición y Gobierno dialogan para llegar a un acuerdo.* ☐ ORTOGR. La *g* se cambia en *gu* delante de *e* →PAGAR.

diálogo s.m. **1** Conversación en la que dos o más personas se turnan en el uso de la palabra. **2** Género literario cuyas obras parecen reproducir literalmente una conversación entre los personajes. **3** Negociación o discusión sobre un asunto con la intención de llegar a un acuerdo entre las distintas posiciones. **4** ‖[diálogo de {besugos/sordos}; *col.* Aquel en el que no existe relación lógica entre lo que dicen los interlocutores. ☐ ETIMOL. Del latín *dialogus*, y éste del griego *diálogos* (conversación de dos o varios).

diamante ∎ s.m. **1** Mineral formado por carbono cristalizado, transparente o ligeramente coloreado, de gran brillo y dureza, y muy estimado como piedra preciosa. ∎ pl. **2** En la baraja francesa, palo que se representa con uno o varios rombos de color rojo. ☒ baraja **3** ‖**diamante (en) bruto**; lo que tiene grandes cualidades o facultades en potencia, pero desaprovechadas o sin desarrollar. ☐ ETIMOL. Del latín *diamas*, alteración de *adamas*, y éste del griego *adámas* (acero, diamante).

diamantífero, ra adj. Referido a un terreno, que contiene diamantes. ☐ ETIMOL. De *diamante* y *-fero* (que tiene).

[diamantina s.f. Véase **diamantino, na.**

diamantino, na ∎ adj. **1** Del diamante o con características de este mineral. **2** *poét.* Duro, inflexible o inquebrantable. ∎ s.f. **[3** En América, purpurina.

diametral adj. Del diámetro o relacionado con él. ☐ MORF. Invariable en género.

diámetro s.m. Segmento de recta que pasa por el centro de una circunferencia, de una curva cerrada o de una superficie esférica y que está limitado por dos puntos de las mismas. ☐ ETIMOL. Del griego *diámetros*, y éste de *dia-* (a través) y *métron* (medida). ☒ círculo

diana s.f. **1** Punto central de un blanco de tiro. **[2** Blanco de tiro formado por una superficie circular con varias circunferencias concéntricas dibujadas sobre ella. **3** Toque o música militar que sirve para despertar a la tropa. ☐ ETIMOL. De *día*.

diantre ∎ s.m. **1** *euf. col.* Diablo. ∎ interj. **2** *col.* Expresión que se usa para indicar extrañeza, sorpresa, admiración o disgusto. ☐ ETIMOL. Eufemismo por *diablo*.

diapasón s.m. En música, instrumento capaz de emitir un sonido de altura conocida y constante, que se toma como referencia para afinar o para entonar. ☐ ETIMOL. Del latín *diapason*, y éste del griego *dià pasôn khordôn* (a través de todas las cuerdas).

diaporama s.m. Sistema audiovisual que consiste en la proyección de diapositivas sobre una o varias pantallas.

diapositiva s.f. Fotografía sacada en película transparente y directamente en positivo, sin invertir los colores; filmina. ☐ SEM. Aunque la RAE lo considera sinónimo de *transparencia*, en la lengua actual no se usa como tal.

diario, ria ∎ adj. **1** Correspondiente a todos los días o que se repite cada día. ∎ s.m. **2** Periódico que se publica todos los días. **3** Relación o relato de lo que ocurre cada día. **4** ‖**a diario**; todos los días. ‖**[diario hablado**; programa informativo de una emisora de radio que se emite todos los días a la misma hora. ☐ ETIMOL. Del latín *diarium*.

diarrea s.f. **1** Trastorno intestinal que consiste en la expulsión de heces más o menos líquidas, generalmente de manera frecuente y dolorosa. **2** ‖[diarrea mental; *col.* Confusión de ideas. ☐ ETIMOL. Del latín *diarrhoea*, éste del griego *diárrhoia*, y éste de *diarrhéo* (yo fluyo por todas partes).

diarreico, ca adj. De la diarrea o relacionado con este trastorno intestinal.

diáspora s.f. Dispersión de una comunidad humana, esp. la del pueblo judío. ☐ ETIMOL. Del griego *diasporá* (dispersión).

diástole s.f. En anatomía, movimiento de dilatación del corazón y de las arterias que se produce cuando la sangre entra en ellos. ☐ ETIMOL. Del latín *dias-*

tole, y éste del griego *diastolé* (dilatación). □ SEM. Dist. de *sístole* (movimiento de contracción).

diatérmico, ca adj. De la diatermia o relacionado con este procedimiento terapéutico.

diatriba s.f. Discurso o escrito violentos y ofensivos, dirigidos contra algo o alguien. □ ETIMOL. Del latín *diatriba,* y éste del griego *diatribé* (conversación filosófica).

dibujante s. Persona que se dedica profesionalmente al dibujo. □ MORF. Aunque es de género común *(el dibujante, la dibujante),* se usa mucho el femenino coloquial *dibujanta.*

dibujar ▌ v. **1** Trazar en una superficie líneas y rasgos que representan figuras: *El niño dibujó un gato en su cuaderno.* **2** Describir con palabras: *En esta novela, se dibuja la vida provinciana de principios de siglo.* ▌ prnl. **3** Mostrarse o dejarse ver: *En su rostro se dibujó una sonrisa. A lo lejos, se dibujaban las montañas.* □ ETIMOL. Del francés antiguo *deboissier* (labrar en madera, representar gráficamente). □ ORTOGR. Conserva la *j* en toda la conjugación.

dibujo s.m. **1** Arte o técnica de dibujar. **2** Representación o imagen trazadas según este arte. **3** Forma de combinarse las líneas o las figuras que adornan un objeto. **4** ▌**dibujos animados**; película cinematográfica hecha con fotografías de dibujos que representan fases sucesivas de un movimiento.

dicción s.f. **1** Manera de pronunciar; pronunciación. **2** Manera de hablar o de escribir. □ ETIMOL. Del latín *dictio* (acción de decir, discurso, modo de expresión).

diccionario s.m. **1** Inventario en el que se recogen y definen las palabras de uno o más idiomas, generalmente por orden alfabético. **2** Inventario en el que se recogen y explican los términos propios de una ciencia o de una materia, generalmente por orden alfabético. **3** ║**diccionario enciclopédico**; el que, además de las definiciones de los términos de una lengua, incluye información sobre distintas materias, personajes y lugares; enciclopedia. ║ **[diccionario ideológico**; el que agrupa las palabras por campos temáticos. ║ **[diccionario manual**; aquel que es reducción de otro más amplio. □ ETIMOL. Del latín *dictionarium.*

dicha s.f. Véase **dicho, cha.**

dicharachero, ra adj. *col.* Que tiene una conversación amena y jovial.

dicho, cha ▌ **1** part. irreg. de **decir.** ▌ s.m. **2** Palabra o conjunto de palabras con las que se expresa un concepto, esp. si es de carácter ingenioso o contiene una sentencia; decir. ▌ s.f. **3** Estado de ánimo del que se encuentra contento y satisfecho con las circunstancias de la vida. **4** Satisfacción, gusto o contento. **5** Suerte favorable. **6** ║**dicho y hecho**; expresión con que se explica la prontitud con que se hace algo. □ ETIMOL. Las acepciones 3-5, del latín *dicta* (cosas dichas), que adoptó el sentido de *fatum* (hado), por la creencia de que la suerte individual se debía a unas palabras que pronunciaban los dioses al nacer un niño. □ MORF. En la acepción 1, incorr. **decido.* □ SEM. 1. En las acepciones 3 y 4, es sinónimo de *felicidad.* 2. En las acepciones 3 y 5, es sinónimo de *ventura.*

dichoso, sa adj. **1** Con dicha o felicidad. **2** Que causa dicha o felicidad. **3** *col.* Que causa enfado o molestias. **4** Referido a algo que se piensa o que se ex-

presa, que es oportuno, acertado o eficaz. □ ETIMOL. De *dicha* (suerte). □ SEM. En las acepciones 1, 2 y 4, es sinónimo de *feliz.*

diciembre s.m. Duodécimo y último mes del año, entre noviembre y enero. □ ETIMOL. Del latín *december,* y éste de *decem* (diez), porque era el décimo mes del año, antes de agregarse julio y agosto a calendario romano.

dicotiledóneo, a ▌ adj./s.f. **1** Referido a una planta que tiene un embrión con dos cotiledones. ▌ s.f.pl **2** En botánica, clase de estas plantas, perteneciente a la división de las angiospermas. □ ETIMOL. De *dicotiledón,* y éste de *di-* (dos) y *cotiledón.*

dicotomía s.f. División en dos partes, esp. referido a un método de clasificación. □ ETIMOL. Del griego *dikhotomía* (división en dos partes), y éste de *díkha* (en dos partes) y *témno* (yo corto). □ SEM. Dist. de *disyuntiva* (alternativa entre dos posibilidades).

dicotómico, ca adj. De la dicotomía o relacionado con este método de clasificación.

dictado ▌ s.m. **1** Acción de decir algo con las pausas necesarias para que otro lo vaya escribiendo. **2** Texto que transcribe lo que se dice de esta manera. ▌ pl. **3** Lo que está inspirado u ordenado por la razón o por los sentimientos. □ ETIMOL. Del latín *dictatus,* y éste de *dictare* (dictar).

dictador, -a s. **1** Gobernante que asume todos los poderes estatales y los ejerce sin limitaciones. **2** Persona que abusa de su autoridad y trata de imponerse a los demás. □ ETIMOL. Del latín *dictator.*

dictadura s.f. **1** Forma de gobierno caracterizada por la concentración del poder sin limitaciones en una sola persona o institución. **[2** Nación que tiene esta forma de gobierno. **3** Tiempo que dura esta forma de gobierno.

dictáfono s.m. Aparato que se usa para grabar y reproducir lo que se dicta o lo que se dice. □ ETIMOL. Extensión del nombre de una marca comercial.

dictamen s.m. Opinión o juicio que se forma o emite sobre algo, esp. si lo hace un especialista. □ ETIMOL. Del latín *dictamen* (acción de dictar).

dictaminar v. Dar dictamen u opinión sobre algo, esp. si lo hace un especialista: *Los arquitectos dictaminaron que el edificio se había derrumbado por la mala calidad de los cimientos.*

dictar v. **1** Referido esp. a un texto, decirlo con las pausas adecuadas para que otro lo vaya escribiendo: *La profesora dictaba muy deprisa y no me dio tiempo a copiar todos los números.* **2** Referido esp. a una ley, darla o publicarla formalmente: *Se dictó una ley para evitar las estafas inmobiliarias.* **3** Sugerir o inspirar de forma sutil: *El sentido común me dictó prudencia.* □ ETIMOL. Del latín *dictare.*

dictatorial adj. Del dictador o relacionado con él. □ MORF. Invariable en género.

didacticismo s.m. →**didactismo.**

didáctico, ca ▌ adj. **1** De la enseñanza, de la didáctica o relacionado con ellas. ▌ s.f. **2** Parte de la pedagogía que se ocupa de los métodos y técnicas de enseñanza. □ ETIMOL. Del griego *didaktikós,* y éste de *didásko* (yo enseño).

didactismo s.m. Reunión de las condiciones necesarias para la enseñanza; didacticismo. □ USO Aunque la RAE prefiere *didacticismo,* en círculos especializados se usa más *didactismo.*

diecinueve ▌ numer. **1** Número 19: *diecinueve*

alumnos. ∎ s.m. [2 Signo que representa este número: *Los romanos escribían el diecinueve como* '*XIX*'. ☐ MORF. Como numeral es invariable en género y en número.

diecinueveavo, va numer. Referido a una parte, que constituye un todo junto con otras dieciocho iguales a ella. ☐ SEM. Su uso como numeral ordinal es incorrecto: *Llegué en* {*diecinueveava > decimonovena*} *posición.*

dieciochavo, va numer. →dieciochoavo.

dieciochesco, ca adj. Del siglo XVIII o relacionado con él.

dieciocho ∎ numer. 1 Número 18: *dieciocho vasos.* ∎ s.m. [2 Signo que representa este número: *Los romanos escribían el dieciocho como* '*XVIII*'. ☐ MORF. Como numeral es invariable en género y en número.

dieciochoavo, va numer. Referido a una parte, que constituye un todo junto con otras diecisiete iguales a ella. ☐ ORTOGR. Se admite también *dieciochavo.* ☐ SEM. Su uso como numeral ordinal es incorrecto: *Llegué en* {*dieciochoava > decimoctava*} *posición.*

dieciséis ∎ numer. 1 Número 16: *dieciséis años.* ∎ s.m. [2 Signo que representa este número: *Los romanos escribían el dieciséis como* '*XVI*'. ☐ MORF. Como numeral es invariable en género y en número.

dieciseisavo, va numer. 1 Referido a una parte, que constituye un todo junto con otras quince iguales a ella. 2 ‖ [dieciseisavos de final; en una competición o en un concurso, fase eliminatoria en la que se enfrentan treinta y dos participantes, de los cuales sólo pasan a la fase siguiente los dieciséis que resulten vencedores. ☐ SEM. Su uso como numeral ordinal es incorrecto: *Llegué en* {*dieciseisava > decimosexta*} *posición.*

diecisiete ∎ numer. 1 Número 17: *diecisiete años.* ∎ s.m. [2 Signo que representa este número: *Los romanos escribían el diecisiete como* '*XVII*'. ☐ MORF. Como numeral es invariable en género y en número.

diecisieteavo, va numer. Referido a una parte, que constituye un todo junto con otras dieciséis iguales a ella. ☐ SEM. Su uso como numeral ordinal es incorrecto: *Llegué en* {*diecisieteava > decimoséptima*} *posición.*

diedro s.m. →ángulo diedro. ☐ ETIMOL. Del griego *díedros*, y éste de *di-* (dos) y *hédra* (asiento, base).

diente s.m. 1 En una persona y en algunos animales, cada una de las piezas duras y blancas que, encajadas en las mandíbulas, sirven para masticar o para defenderse. 2 En una superficie, esp. en la de algunos instrumentos o herramientas, cada uno de los salientes que aparecen en su borde. 3 ‖ a regaña dientes; →a regañadientes. ‖ de dientes para afuera; *col.* En zonas del español meridional, con la boca chica. ‖ decir algo entre dientes o hablar entre dientes; *col.* Refunfuñar o murmurar. ‖ (diente) canino; el que es fuerte y puntiagudo, está situado entre el último incisivo y la primera muela de cada cuarto de la boca y cuya función es desgarradora o defensiva; colmillo. 🖝 dentadura ‖ diente de ajo; cada una de las partes en que se divide la cabeza del ajo, y que está separada por su propia tela y su propia cáscara. ‖ diente de leche; en una persona y en los animales que mudan la dentadura cuando alcanzan cierta edad, cada uno de los que forman la primera dentición. ‖ diente de león; planta herbácea con hojas dentadas y flores amarillas, y que tiene propiedades medicinales. ‖ (diente) incisivo; cada uno de los que están situados en la parte más saliente de la mandíbula, antes del canino de cada cuarto de boca, y que sirven para cortar. ‖ (diente) molar; cada uno de los situados en la parte posterior de la boca después de los premolares, más anchos que éstos y cuya función es trituradora. ‖ (diente) premolar; cada una de las muelas de leche o definitivas, que están situadas después del colmillo en cada cuarto de la boca, y cuya raíz es más sencilla que la de las otras muelas. ‖ {enseñar/mostrar} los dientes; *col.* Amenazar o mostrar disposición para atacar o para defenderse. ‖ {hincar/meter} el diente; 1 Referido a algo ajeno, apropiarse de ello. 2 Referido a un asunto, abordarlo y empezar a tratarlo. ‖ ponerle los dientes largos a alguien; *col.* Sentir o provocar un deseo intenso por algo. ☐ ETIMOL. Del latín *dens.* ☐ SEM. Aunque la RAE considera *diente molar* sinónimo de *muela*, se ha especializado para las muelas de mayor tamaño y que se encuentran detrás de los premolares.

diéresis s.f. En ortografía, signo gráfico que se coloca sobre la 'u' de las sílabas 'gue', 'gui' para indicar que esta letra debe pronunciarse, o sobre la primera vocal del diptongo cuyas vocales han de pronunciarse en sílabas distintas: '*Vergüenza lleva diéresis sobre la* '*u*'. ☐ ETIMOL. Del griego *diáiresis* (separación). ☐ MORF. Invariable en número.

diesel s.m. 1 →motor Diesel. 2 Coche que tiene este motor. ☐ ETIMOL. Por alusión a R. Diesel, ingeniero alemán que lo inventó.

diestra s.f. Véase **diestro, tra.**

diestro, tra ∎ adj. 1 Hábil o experto en una actividad. 2 Referido a una persona, que tiene más habilidad con la mano o con la pierna derechas. ∎ s.m. 3 En tauromaquia, torero, esp. el matador de toros. ∎ s.f. 4 Mano derecha. 5 ‖ a diestro y siniestro; a todos lados, sin orden o sin miramiento. ☐ ETIMOL. Del latín *dexter, dextra* (derecho, que está a mano derecha). ☐ MORF. Sus superlativos son *diestrísimo* y *destrísimo.*

dieta s.f. 1 Regulación de la alimentación que ha de observar o guardar una persona. 2 Conjunto de comidas y bebidas que componen esta alimentación regulada. [3 Conjunto de comidas y bebidas que una persona toma normalmente. 4 Cantidad de dinero que se paga a la persona encargada de realizar una determinada actividad, esp. si ésta debe ser realizada fuera de su residencia habitual. ☐ ETIMOL. Del latín *diaeta*, y éste del griego *díaita* (manera de vivir, régimen de vida). ☐ MORF. La acepción 4 se usa más en plural.

dietario s.m. Libro en el que se anotan los ingresos y los gastos diarios de una casa o de un establecimiento. ☐ ETIMOL. Del latín *dietarium* (libro donde se anotan gastos de víveres).

dietético, ca ∎ adj. 1 De la dieta o regulación de la alimentación. ∎ s.f. 2 Ciencia que estudia la alimentación más adecuada para conservar la salud o para recuperarla. ☐ ETIMOL. Del griego *diaitetikós.*

diez ∎ numer. 1 Número 10: *diez dedos.* ∎ s.m. 2 Signo que representa este número: *Los romanos escribían el diez como* '*X*'. ☐ ETIMOL. Del latín *decem.* ☐ MORF. Como numeral es invariable en género y en número. □ SEM. En la lengua coloquial, pospuesto a un sustantivo, se usa con el significado de 'excelente': *Presume de que su novia es una chica diez.*

diezmar v. **1** Referido esp. a una población, causar gran mortandad en ella: *La guerra ha diezmado la población de la ciudad.* [**2** Hacer disminuir o causar bajas: *Las lesiones que se produjeron en el último partido 'han diezmado' nuestro equipo.* □ ETIMOL. Del latín *decimare*, por influencia de *diezmo*, que significó en un principio *matar uno de cada diez* y luego *mermar mucho en número.*

diezmilésimo, ma numer. [**1** En una serie, que ocupa el lugar número diez mil. **2** Referido a una parte, que constituye un todo junto con otras 9.999 iguales a ella.

diezmillonésimo, ma numer. [**1** En una serie, que ocupa el lugar número diez millones. **2** Referido a una parte, que constituye un todo junto con otras 9.999.999 iguales a ella.

diezmo s.m. Parte de la cosecha o de los frutos, generalmente la décima, que pagaban los fieles a la Iglesia. □ ETIMOL. Del latín *decimus* (décima parte de la cosecha).

difamación s.f. Hecho de quitar la reputación de una persona publicando cosas que perjudiquen su buena opinión o fama.

difamar v. Referido a una persona, desacreditarla o quitarle reputación publicando cosas que perjudiquen su buena opinión o fama: *Aquel hombre me difamó diciendo que le había robado.* □ ETIMOL. Del latín *diffamare.*

difamatorio, ria adj. Que difama.

diferencia s.f. **1** Característica o propiedad por las que una cosa se distinguen de otras. **2** Desacuerdo u oposición entre dos o más personas. **3** En matemáticas, resultado de una resta; resto. **4** ‖ **a diferencia de**; de modo diferente a. □ ETIMOL. Del latín *differentia.*

diferenciación s.f. Percepción y determinación de las diferencias que existen entre varios elementos.

diferencial ‖ adj. **1** De la diferencia o relacionado con esta característica o propiedad. **2** En matemáticas, referido a una cantidad, que es infinitamente pequeña. ‖ s.f. **3** En matemáticas, derivada de una función. ‖ s.m. **4** En un automóvil, mecanismo que permite que las ruedas giren a velocidades diferentes repartiendo el esfuerzo. [**5** En economía, margen o diferencia entre dos tipos o precios. □ MORF. Como adjetivo es invariable en género. □ USO En la acepción 5, es innecesario el uso del anglicismo *spread.*

diferenciar v. **1** Referido a varios elementos, hacer distinción entre ellos o percibir las diferencias que entre ellos existen: *Con los años aprendió a diferenciar el bien del mal.* **2** Distinguir o hacer diferente o distinto: *El carácter diferencia a los dos hermanos. Todos estos jóvenes se diferencian por sus gustos musicales.* □ ORTOGR. La *i* nunca lleva tilde.

diferente adj. Distinto o que no es igual. □ MORF. Invariable en género.

diferido ‖ **en diferido**; referido a un programa de radio o de televisión, que se emite posteriormente a su grabación.

diferir v. **1** Referido a la realización de algo, retrasarla o dejarla para más tarde; aplazar: *Los responsables han decidido diferir la entrevista hasta tener todos los resultados del experimento.* **2** Referido a un ele-

mento, ser diferente de otro o tener distintas cualidades: *Nuestras opiniones difieren porque partimos de puntos de vista distintos.* [**3** Referido a una persona, no estar de acuerdo con algo: *'Difiero' de todo lo que has dicho.* □ ETIMOL. Del latín *differre.* □ MORF. Irreg. →SENTIR. □ SINT. Constr. de la acepción 3: *diferir DE algo.*

difícil adj. **1** Que se hace con mucho trabajo o con mucha dificultad. **2** Que tiene poca probabilidad de suceder. **3** Referido a una persona, que es poco tratable o rebelde, o que presenta problemas. □ ETIMOL. Del latín *difficilis.* □ MORF. Invariable en género.

dificultad s.f. **1** Inconveniente, contrariedad u objeción, esp. los que impiden la realización o el logro rápido de algo. [**2** Presencia de esfuerzo en la realización de algo. □ ETIMOL. Del latín *difficultas.*

dificultar v. Referido a la realización o al logro de algo, ponerle dificultades o inconvenientes: *El temporal dificultaba el rescate de los náufragos.*

dificultoso, sa adj. Difícil o que presenta dificultad.

difteria s.f. En medicina, enfermedad infecciosa caracterizada por la formación de placas o falsas membranas en las mucosas y que produce dificultad para respirar y sensación de ahogo. □ ETIMOL. Del griego *diphthéra* (membrana, piel).

difuminar v. **1** Referido a una línea o a un color, extenderlos o rebajar sus tonos, esp. si para ello se utiliza un difumino: *Difuminó los contornos del dibujo para que tuviera sombras.* **2** Hacer perder claridad o intensidad: *La niebla difuminaba los contornos de los edificios.* □ SEM. Es sinónimo de *esfuminar.*

difumino s.m. Rollito de papel suave, terminado en punta, que sirve para difuminar; esfumino. □ ETIMOL. Del italiano *sfummino.*

difundir v. **1** Extender, propagar o hacer que se ocupe más espacio: *El viento difundió el olor de las flores por todo el campo.* **2** Referido esp. a una noticia o a un conocimiento, extenderlo o hacer que llegue a muchos lugares o a muchas personas: *La radio y la televisión difunden las noticias. La costumbre de ese antiguo pueblo se difundió por toda la región.* □ ETIMOL. Del latín *diffundere.* □ MORF. Tiene un participio regular (*difundido*), que se usa en la conjugación, y otro irregular (*difuso*), que se usa como adjetivo.

difunto, ta adj./s. Referido a una persona, que está muerta. □ ETIMOL. Del latín *defunctus.*

difusión s.f. **1** Extensión, propagación o aumento del espacio que algo ocupa. **2** Propagación de algo, esp. de una noticia o de un conocimiento, para que llegue a muchos lugares o a muchas personas. □ ETIMOL. Del latín *diffusio.*

difuso, sa adj. Impreciso y poco claro.

difusor, -a adj./s. Que difunde o extiende.

digerir v. **1** Referido a un alimento, convertirlo, en el aparato digestivo, en sustancias que puedan ser asimiladas y absorbidas por el organismo: *Una ensalada ligera se digiere fácilmente.* **2** Referido a una desgracia o una ofensa, sufrirlas con paciencia o superarlas: *No pude digerir aquel fracaso profesional.* □ ETIMOL. Del latín *digerere* (distribuir, repartir). □ MORF. Irreg. →SENTIR.

digestible adj. Que se puede digerir con facilidad.

☐ MORF. Invariable en género. ☐ SEM. Dist. de *digestivo (que ayuda a digerir)*.

digestión s.f. Proceso fisiológico complejo por el cual el aparato digestivo convierte un alimento en sustancias que puedan ser asimiladas y absorbidas por el organismo. ☐ ETIMOL. Del latín *digestio*.

digestivo, va adj. **1** De la digestión o relacionado con ella. **2** Que ayuda a hacer la digestión. ☐ SEM. En la acepción 2, dist. de *digestible* (que se puede digerir con facilidad).

digitación s.m. [**1** En una partitura musical, indicación de los dedos que deben usarse para dar cada nota al tocar un instrumento, mediante la asignación de una cifra a cada dedo. **2** Adiestramiento de las manos en la ejecución musical.

digital adj. **1** De los dedos o relacionado con ellos; dactilar. **2** Referido a un instrumento de medida, que representa dicha medida mediante números dígitos. ✍ medida ☐ ETIMOL. Del latín *digitalis*. ☐ MORF. Invariable en género.

[**digitalización** s.f. Transformación de una información en una sucesión de números, para su tratamiento informático.

[**digitalizar** v. Referido a cualquier tipo de información, transformarla en una sucesión de números, para su tratamiento informático: *Cualquier fotografía se puede 'digitalizar' para manipularla en el ordenador*. ☐ ORTOGR. La *z* se cambia en *c* delante de *e* →CAZAR.

dígito s.m. →**número dígito**. ☐ ETIMOL. Del latín *digitus* (dedo), porque estos números pueden contarse con los dedos.

diglosia s.f. En lingüística, en una comunidad de hablantes, situación de bilingüismo en que una lengua goza de mayor prestigio social que la otra. ☐ ETIMOL. Del latín *diglossos* (de dos lenguas). ☐ SEM. Dist. de *bilingüismo* (coexistencia de dos lenguas con el mismo prestigio social).

dignarse v.prnl. Referido a una acción, acomodarse a realizarla o tener a bien hacerla: *Es un antipático y no se digna saludarnos. Dígnate pasar por casa de vez en cuando*. ☐ ETIMOL. Del latín *dignari* (juzgar digno). ☐ SINT. Constr. *dignarse hacer algo*; incorr. **dignarse A hacer algo*, aunque su uso está muy extendido.

dignatario, ria s. Persona que tiene un cargo honorífico y de autoridad. ☐ MORF. La RAE sólo registra el masculino.

dignidad s.f. **1** Seriedad, decoro y gravedad en el comportamiento. **2** Cargo o empleo honorífico y de autoridad. ☐ ETIMOL. Del latín *dignitas*.

dignificación s.f. Cambio a una condición digna o más digna.

dignificar v. Hacer digno o hacer que lo parezca: *Tu honradez te dignifica. Un empleo se dignifica si mejoran las condiciones de trabajo*. ☐ ETIMOL. Del latín *dignificare*. ☐ ORTOGR. La *c* se cambia en *qu* delante de *e* →SACAR. ☐ SEM. No debe emplearse con el significado de 'valorar': *Se debe {*dignificar > valorar} la labor del profesorado*.

digno, na adj. **1** Que es merecedor de algo, en sentido favorable o adverso. **2** Que tiene dignidad o que actúa de modo que merece respeto y admiración. **3** Correspondiente o proporcionado al mérito y la condición que se tiene. [**4** Que permite mantener la dignidad. ☐ ETIMOL. De latín *dignus*. ☐ SINT. Constr. de la acepción 1: *digno* DE *algo*.

dígrafo o [**digrama** s.m. Conjunto de dos signos que representan un sonido o un fonema; letra doble: *La 'ch' de 'choza' es un dígrafo*. ☐ ETIMOL. *Dígrafo*, de *di-* (dos) y *-grafo* (signo). *Digrama*, de *di-* (dos) y *-grama* (letra).

digresión s.f. Ruptura del hilo de un discurso por tratar en él asuntos que no tienen conexión o relación con aquello de lo que se está tratando. ☐ ETIMOL. Del latín *digressio*, y éste de *digredi* (apartarse). ☐ MORF. Incorr. **disgresión*.

dije ∎ adj. **1** col. En zonas del español meridional, encantador, simpático y agradable. ∎ s.m. **2** Joya pequeña que suele llevarse colgada de una cadena o de una pulsera. ☐ MORF. Como adjetivo es invariable en género.

dilacerar v. Referido a la carne de una persona o de un animal, despedazarla al desgarrarla: *La operación fue difícil porque las púas de la alambrada le habían dilacerado los tejidos*. ☐ ETIMOL. Del latín *dilacerare*. ☐ MORF. Incorr. **dislacerar*.

dilación s.f. Demora, tardanza o detención por algún tiempo. ☐ ETIMOL. Del latín *dilatio*, éste de *dilatus*, y éste de *diferre* (aplazar).

dilapidación s.f. Derroche o gasto excesivo de los bienes materiales.

dilapidar v. Referido esp. a bienes materiales, malgastarlos o derrocharlos: *No dilapides el dinero en gastos inútiles. Dilapidó su fortuna y ahora está arruinado*. ☐ ETIMOL. Del latín *dilapidare* (lanzar algo aquí y allá como si fueran piedrecitas).

dilatable adj. Que se puede dilatar. ☐ MORF. Invariable en género.

dilatación s.f. **1** Alargamiento o extensión en el espacio o en el tiempo. **2** En física, aumento del volumen de un cuerpo por separación de sus moléculas y disminución de su densidad. [**3** Aumento del diámetro del cuello del útero para posibilitar la salida del feto.

dilatador, -a adj./s. Que dilata o extiende.

dilatar v. **1** Alargar, extender o hacer ocupar más espacio: *El calor dilata los cuerpos. La pupila se dilata cuando hay poca luz*. **2** Extender en el tiempo o hacer durar más: *Las preguntas dilataron el debate. El concierto se dilató porque el público pidió la repetición de varias canciones*. **3** Diferir o retrasar en el tiempo: *La conferencia se dilató dos semanas por enfermedad del conferenciante*. **4** Referido esp. a la fama, propagar o hacer que se extienda: *La prensa contribuyó a dilatar la fama de esta novela. La popularidad de ese gran músico se dilata de día en día*. [**5** Aumentar el diámetro del cuello del útero para posibilitar la salida del feto en un parto: *Como no 'dilataba' lo suficiente, me hicieron la cesárea*. ☐ ETIMOL. Del latín *dilatare* (ensanchar).

dilatorio, ria adj. **1** Que causa dilación o aplazamiento. **2** En derecho, que sirve para prorrogar y extender un término judicial o la tramitación de un asunto. ☐ ETIMOL. Del latín *dilatorius*.

dilema s.f. **1** Situación de duda en la que hay que elegir. **2** En filosofía, argumento formado por dos proposiciones contrarias y disyuntivas de modo que, negada o afirmada cualquiera de las dos, queda demostrado lo que se intenta probar. ☐ ETIMOL. Del griego *dílemma*, de *di-* (dos) y *lêmma* (tema, premisa). ☐ SEM. Dist. de *problema* (situación que dificulta algo y que hay que solucionar).

diletante adj./s. Que cultiva un arte o un campo

del saber como aficionado y no como profesional. □ ETIMOL. Del italiano *dilettante*. □ MORF. 1. Como adjetivo es invariable en género. 2. Como sustantivo es de género común: *el diletante, la diletante*. □ USO Tiene un matiz despectivo.

diletantismo s.m. Comportamiento propio de un diletante que cultiva un arte o un campo del saber por afición. □ USO Tiene un matiz despectivo.

diligencia s.f. **1** Coche grande de caballos que estaba dividido en dos o tres departamentos y se destinaba al transporte de viajeros. ⭗ carruaje **2** Cuidado o prontitud con que se hace algo. **3** Trámite de un asunto administrativo y constancia por escrito de haberlo efectuado. **[4** En zonas del español meridional, encargo, recado o gestión.

diligente adj. **1** Que hace las cosas con mucho cuidado y exactitud. **2** Que actúa con prontitud. □ ETIMOL. Del latín *diligens* (lleno de celo, atento, escrupuloso). □ MORF. Invariable en género.

dilucidación s.f. Explicación o aclaración de algo.

dilucidar v. Referido esp. a un asunto, explicarlo y aclararlo: *Ya dilucidé la causa del accidente*. □ ETIMOL. Del latín *dilucidare*. □ SEM. No debe emplearse con el significado de 'discutir' o de 'elegir': *Ya {*dilucidé > elegí} a quién le encargaré el trabajo*.

diluir v. **1** Referido esp. a algo sólido, disolverlo y desunir sus partes por medio de un líquido; desleír: *El cacao se diluye bien en leche caliente*. **2** Referido esp. a una disolución, añadirle un líquido para aclararla: *Diluye la pintura con aguarrás porque está espesa*. □ ETIMOL. Del latín *diluere* (desleír, anegar). □ MORF. Irreg. →HUIR. □ SEM. No debe emplearse con el significado de 'dispersar': *La policía {*diluyó > dispersó} a los manifestantes*.

diluviano, na adj. Relacionado con el diluvio universal o con sus características.

diluviar v. Llover muy abundantemente: *No salgas ahora, que está diluviando*. □ ORTOGR. La *i* nunca lleva tilde. □ MORF. Verbo unipersonal: se usa sólo en tercera persona del singular y en las formas no personales (infinitivo, gerundio y participio).

diluvio s.m. **1** Lluvia muy abundante. **2** *col.* Abundancia excesiva de algo: *Aquel diluvio de preguntas confundió al joven*. □ ETIMOL. Del latín *diluvium* (inundación, diluvio).

diluyente adj./s.m. Que diluye. □ MORF. Como adjetivo es invariable en género.

dimanación s.f. Acción de dimanar, originarse o proceder.

dimanar v. Originarse, provenir o proceder: *Antiguamente, se creía que el poder real dimanaba de Dios*. □ ETIMOL. Del latín *dimanare*. □ SINT. Constr. *dimanar DE algo*.

dimensión s.f. **1** Extensión de un objeto en una dirección determinada. **2** Cada una de las magnitudes que sirven para definir un fenómeno o un objeto. **3** Magnitud o alcance que tiene o que puede adquirir algo. □ ETIMOL. Del latín *dimensio*, y éste de *dimetiri* (medir en todos los sentidos).

dimensional adj. De la dimensión o relacionado con ella. □ MORF. Invariable en género.

dimes ‖ **dimes y diretes**; *col.* Respuestas, debates o comentarios entre dos o más personas.

diminutivo, va ∎ adj. **1** En gramática, referido a un sufijo o a una categoría gramatical, que indica menor tamaño o que da un valor afectivo determinado. ∎ s.m. **2** En gramática, palabra formada con un sufijo

que indica menor tamaño o valor afectivo. □ ET. MOL. Del latín *diminutivus*. □ ORTOGR. Incorr. **disminutivo*.

diminuto, ta adj. De tamaño excesivamente pe‑ queño. □ ETIMOL. Del latín *diminutus*.

dimisión s.f. Renuncia o abandono del cargo qu‑ se desempeña, esp. si se comunica a la autorida‑ correspondiente. □ ETIMOL. Del latín *dimissio*.

dimisionario, ria adj./s. Que presenta o que h‑ presentado su dimisión.

dimitir v. Renunciar al cargo que se desempeña, esp. si se comunica a la autoridad correspondiente. *Como me obliguen a hacer algo que no quiero, ten‑ dré que dimitir. Dimite de su cargo porque no est‑ satisfecho*. □ ETIMOL. Del latín *dimittere*. □ SINT. 1 Su uso como transitivo es incorrecto: {*dimitir > hacer dimitir} a alguien de su cargo. 2. Constr. *di mitir DE un cargo*.

dina s.f. En el sistema cegesimal, unidad de fuerza qu‑ equivale a 10^{-5} *newtons*. □ ETIMOL. Del griego *dýna mis* (fuerza, potencia).

dinamarqués, -a ∎ adj./s. **1** De Dinamarca (paí‑ europeo), o relacionado con ella. ∎ s.m. **2** Lengua germánica de este país y de otras regiones. □ SEM‑ Es sinónimo de *danés*.

dinámico, ca ∎ adj. **1** *col.* Referido a una persona que es muy activa y tiene mucha energía. **2** De la dinámica, de la fuerza que produce movimiento ‑ relacionado con ellas. ∎ s.f. **3** Parte de la mecánica que estudia el movimiento de los cuerpos en rela‑ ción con las fuerzas que lo producen. **4** Conjunto de hechos o de fuerzas que actúan en algún sentido. □ ETIMOL. Del griego *dynamikós* (potente, fuerte). SEM. 1. En la acepción 3, dist. de *estática* (estudi‑ de las leyes del equilibrio de los cuerpos). 2. En la acepción 4, no debe emplearse con el significado de 'situación': *Se encuentra en una {*dinámica > si‑ tuación} muy compleja*.

dinamismo s.m. **1** Actividad y presteza para ha‑ cer o para emprender cosas. **2** Energía activa que estimula el cambio o el desarrollo. □ ETIMOL. De‑ griego *dýnamis* (fuerza, potencia).

dinamita s.f. **1** Mezcla explosiva de nitroglicerina con un cuerpo muy poroso. **[2** *col.* Lo que tiene fa‑ cilidad para crear alboroto. □ ETIMOL. Del griego *dýnamis* (fuerza, potencia); es una palabra acuñada por el inventor de la dinamita.

dinamitar v. Destruir o volar con dinamita: *Dina mitan el puente viejo para construir uno nuevo*.

dinamitero, ra adj./s. Referido a una persona, que está especializada en destruir algo por medio de la dinamita.

[dinamizar v. Referido esp. a algo que no es activo, transmitirle dinamismo o hacer que se desarrolle o que cobre más importancia: *Las nuevas inversiones 'han dinamizado' la economía*. □ ORTOGR. La *z* se cambia en *c* delante de *e* →CAZAR.

dinamo o **dínamo** s.f. MÁQ. Máquina que transforma la energía mecánica o movimiento en energía eléc‑ trica por medio de la inducción electromagnética. □ ETIMOL. Del griego *dýnamis* (fuerza, potencia).

dinamómetro s.m. Instrumento que sirve para apreciar la resistencia de las máquinas y para me‑ dir fuerzas motrices. □ ETIMOL. Del griego *dýnamis* (fuerza) y *-metro* (medidor). ⭗ medida

dinar s.m. Nombre genérico que recibe la unidad

monetaria de distintos países. □ ETIMOL. Del árabe *dinar*.

dinastía s.f. **1** Conjunto de príncipes soberanos en un país y que pertenecen a la misma familia. **2** Familia en cuyos individuos se perpetúa el poder o la influencia en algún sector. □ ETIMOL. Del griego *dynásteia* (dominación, gobierno).

dinástico, ca adj. De la dinastía o relacionado con ella.

dinerada s.f. o **dineral** s.m. Cantidad grande de dinero.

dinerario, ria adj. Del dinero o relacionado con él.

dinero s.m. **1** Conjunto de billetes y monedas corrientes o que tienen valor legal. **2** En economía, lo que una sociedad acepta generalmente como medio de pago. **3** *col.* Conjunto de bienes y riquezas, esp. de billetes y monedas corrientes. **4** ∥ **de dinero**; referido esp. a una persona, que tiene dinero en abundancia. ∥ **[dinero caliente**; el que se invierte sucesivamente en distintos países según el rédito que produzca. ∥ **[dinero de bolsillo**; el que se lleva a mano para pequeños gastos cotidianos. ∥ **[dinero de plástico**; tarjetas de crédito. ∥ **[dinero {limpio/sucio}**; *col.* El que se gana de forma legal o ilegal respectivamente. ∥ **dinero negro**; el que se mantiene oculto al fisco. □ ETIMOL. Del latín *denarius* (moneda de plata que valía diez ases). □ MORF. El plural *dineros* es coloquial. □ USO Es innecesario el uso del anglicismo *money*.

[dingo s.m. Especie de perro de una raza que se caracteriza por ser depredador y tener el tronco robusto y el pelaje rojizo. □ MORF. Es un sustantivo epiceno: *el 'dingo' macho, el 'dingo' hembra*.

dinosaurio s.m. Reptil de gran tamaño que vivió en la era secundaria, con cabeza pequeña, cuello y cola largos, y las patas anteriores más cortas que las posteriores. □ ETIMOL. Del griego *deinós* (terrible) y *sáuros* (lagarto).

dintel s.m. En una puerta o en una ventana, parte superior horizontal sostenida por dos piezas laterales. □ ETIMOL. Del francés antiguo *lintel*, y éste del latín *liminaris* (perteneciente a la puerta de entrada). □ SEM. Dist. de *umbral* (suelo de la puerta).

diñar v. ∥ **diñarla**; *vulg.* Morir: *Con ese tipo de vida que llevas, pronto la diñas*. □ ETIMOL. De origen gitano.

diocesano, na adj. De la diócesis o relacionado con ella.

diócesis s.f. Distrito o territorio en el que ejerce su jurisdicción un prelado. □ ETIMOL. Del latín *dioecesis* (circunscripción), y éste del griego *dióikesis* (administración, gobierno). □ MORF. Invariable en número.

diodo s.m. Válvula electrónica de dos electrodos que sirve para dejar pasar la corriente en un solo sentido. □ ETIMOL. De *di-* (dos) y el griego *odós* (camino).

dionisiaco, ca o **dionisíaco, ca** adj. **1** De Dioniso (dios griego del vino y de la sensualidad), o relacionado con él. **2** Relacionado con el vino o con la borrachera.

dioptría s.f. **1** En óptica, unidad de potencia de una lente. **[2** Unidad que expresa el grado de defecto visual de un ojo. □ ETIMOL. Del griego *día-* (a través de) y la raíz *op-* (ver). □ ORTOGR. Incorr. **diotría*.

diorama s.m. **[1** Reproducción a pequeña escala de una escena. **2** Tela transparente pintada por las dos caras que, al ser iluminada por uno u otro lado, permite ver en un mismo sitio dos cosas distintas. **3** Lugar en el que se muestran estos lienzos. □ ETIMOL. Del griego *dià* (a través) y *hórama* (lo que se ve).

diorita s.f. Roca eruptiva de grano grueso, generalmente de textura homogénea, que puede tomar coloraciones entre el blanco y el negro. □ ETIMOL. Del griego *diorízo* (yo distingo), porque está compuesta de diversas partes que son diferentes entre sí.

dios, -a s. **1** Ser supremo o sobrenatural al que se le rinde culto; deidad. **[2** Persona muy admirada y querida, y considerada superior a las demás. **3** ∥ **a la buena de Dios**; *col.* De cualquier modo, sin especial cuidado o sin preparación. ∥ **{andar/marchar/ir} con Dios**; expresión que se usa como fórmula de despedida. ∥ **[como Dios**; *col.* Muy bien. ∥ **[como Dios manda**; como está socialmente admitido que debe ser. ∥ **Dios mediante**; si Dios quiere o si no hay contratiempo. ∥ **Dios y ayuda**; *col.* Mucha ayuda o mucho esfuerzo. ∥ **la de Dios (es Cristo)**; *col.* Alboroto o jaleo muy grandes. ∥ **sin encomendarse** alguien **a Dios ni al diablo**; *col.* Sin pensarlo y sin precaución. ∥ **[todo Dios**; *col.* Todo el mundo. □ ETIMOL. Del latín *deus*. □ MORF. *Dios* se usa mucho como interjección: *¡Dios!, se me olvidó avisarlo*.

dióxido s.m. En química, óxido cuya molécula contiene dos átomos de oxígeno.

[dioxina s.f. Sustancia tóxica que se forma durante la elaboración de algunos herbicidas.

dipétalo, la adj. Referido esp. a una flor, que tiene dos pétalos.

diplodoco o **[diplodocus** s.m. Reptil del grupo de los dinosaurios que existió en la era secundaria, tenía gran tamaño, cabeza muy pequeña, cuello y cola muy largos y las vértebras ahuecadas para aliviar su carga. □ ETIMOL. Del griego *diplóos* (doble) y *dokós* (estilete), porque las vértebras de la cola tienen dos estiletes longitudinales.

diploma s.m. Título o documento que expide una corporación u un organismo y que acredita generalmente un grado académico o un premio. □ ETIMOL. Del latín *diploma* (documento oficial), y éste del griego *díploma* (tablilla o papel doblado en dos).

diplomacia s.f. **1** Ciencia que estudia los intereses y las relaciones internacionales de los estados. **2** Conjunto de personas y organización al servicio de cada Estado en sus relaciones internacionales. **3** *col.* Cortesía aparente e interesada. **4** *col.* Habilidad o disimulo al hacer o decir algo. □ ETIMOL. De *diploma*.

diplomado, da s. Persona que tiene un diploma o una diplomatura. □ SINT. Constr. *diplomado EN algo*.

diplomar v. Conceder u obtener un diploma facultativo o de aptitud: *Me he diplomado en enfermería*. □ SINT. Constr. *diplomar EN algo*.

diplomático, ca ∎ adj. **1** De la diplomacia o relacionado con ella. **2** *col.* Que trata a los demás con cortesía aparente e intencionada o con habilidad y disimulo. ∎ s. **3** Persona que se dedica profesionalmente al servicio de un Estado en sus relaciones internacionales.

[diplomatura s.f. Grado universitario obtenido tras realizar estudios de primer ciclo.

dipsomanía s.f. Tendencia irresistible al abuso de

bebidas alcohólicas. ☐ ETIMOL. Del griego *dípsia* (sed) y *manía* (locura).

dipsomaniaco, ca, dipsomaníaco, ca o **dipsómano, na** adj./s. Referido a una persona, que padece dipsomanía o tendencia a abusar de las bebidas alcohólicas. ☐ USO Aunque la RAE prefiere *dipsomaníaco*, se usa más *dipsómano*.

díptero, ra ∎ adj./s. **1** Referido a un insecto, que se caracteriza por carecer de alas, o tener las dos anteriores membranosas y las dos posteriores transformadas en balancines, y por tener el aparato bucal chupador. ∎ s.m.pl. **2** En zoología, orden de estos insectos, perteneciente al tipo de los artrópodos. ☐ ETIMOL. Del latín *dipteros*, y éste del griego *di-* (dos) y *pterón* (ala).

díptico s.m. Cuadro o bajo relieve formado por dos partes que pueden cerrarse como las tapas de un libro. ☐ ETIMOL. Del latín *dyptychus*, y éste del griego *díptychos* (plegado en dos).

diptongación s.f. **1** Transformación de una vocal en diptongo. **2** Pronunciación de dos vocales en una sola sílaba formando diptongo.

diptongar v. **1** Referido a una vocal, transformarse en diptongo: *La 'o' de 'volar' diptonga en 'ue' en el presente 'vuelo'.* **2** Referido a dos vocales, pronunciarlas en una sola sílaba formando diptongo: *Si diptongamos 'baúl', obtendremos la pronunciación vulgar [bául].* ☐ ORTOGR. La *g* se cambia en *gu* delante de *e* →PAGAR.

diptongo s.m. Conjunto de dos vocales que se pronuncian en una misma sílaba. ☐ ETIMOL. Del latín *diphthongus*, éste del griego *díphthongos*, y éste de *di-* (dos) y *phthóngos* (sonido). ☐ ORTOGR. →APÉNDICE DE ACENTUACIÓN. ☐ SEM. Dist. de *hiato* (contacto de dos vocales que forman sílabas distintas).

diputación s.f. **1** Cuerpo o conjunto de los diputados. **2** Edificio o lugar donde los diputados celebran las sesiones.

diputado, da s. Persona nombrada por elección popular como representante de una cámara legislativa, de ámbito nacional, regional o provincial. ☐ ETIMOL. Del antiguo *diputar* (reputar, elegir a un individuo como representante de la colectividad).

dique s.m. **1** Muro que se construye para contener el empuje de las aguas. **2** Lo que sirve para contener, moderar o proteger algo. **3** ‖**dique (seco)**; en una dársena, cavidad o recinto que se llena de agua para que entre un barco y luego se vacía para reparar su casco o limpiarlo. ☐ ETIMOL. Del holandés *dijk*.

dirección s.f. **1** Camino o rumbo que sigue algo en su movimiento. **2** Enseñanza, normas o consejos que guían un trabajo o una actuación. **3** Persona o conjunto de personas que gobiernan o dirigen a otras en una empresa, asociación o grupo. **4** Cargo de director. **5** Oficina o lugar en el que está el director. **6** Domicilio o calle, número y piso en el que vive una persona. **7** En un automóvil, mecanismo que sirve para guiarlo o conducirlo. **8** ‖ **[dirección asistida]**; la que tiene un mecanismo adicional que facilita el movimiento del volante. ☐ ETIMOL. Del latín *directio*.

[direccional s.f. En zonas del español meridional, intermitente de un vehículo.

directivo, va ∎ adj./s. **1** Que tiene la facultad, la cualidad o el poder de dirigir. ∎ s.f. **2** Mesa o junta

de gobierno de una corporación o sociedad. ☐ ETIMOL. De *directo*.

directo, ta ∎ adj. **1** Derecho o en línea recta, desde el punto de partida al de destino. **2** Que va de una parte a otra sin detenerse en puntos intermedios. **3** Que va directamente a un objeto o a un propósito. ∎ s.f. **[4** Marcha que permite alcanzar la máxima velocidad. **5** ‖**en directo**; referido a un espacio de radio o de televisión, que se emite al mismo tiempo que se realiza o tiene lugar. ☐ ETIMOL. Del latín *directus*, y éste de *dirigere* (dirigir). ☐ SEM. El uso de la expresión *en directo* con el verbo *asistir* es redundante, aunque está muy extendido: **Asistí al campo a ver el partido en directo.*

director, triz ∎ adj./s. **1** En geometría, referido a una línea, a una figura o a una superficie, que determina las condiciones de generación de otra línea, figura o superficie: *vector director.* ∎ s.f. **2** Conjunto de instrucciones o normas generales que deben seguirse en la ejecución de algo. ☐ MORF. La acepción 2 se usa más en plural. ☐ SEM. *Directriz* es dist. de *directora* (mujer que dirige).

director, -a s. Persona a cuyo cargo está la dirección de algo. ☐ SEM. *Directora* es dist. de *directriz* (un tipo de línea, de figura o de superficie en geometría).

directorio s.m. **1** Lista informativa de direcciones, de departamentos o de otras cosas. **[2** En informática, conjunto de ficheros agrupados bajo un mismo nombre.

dirham o **dirhem** s.m. Unidad monetaria de la Unión de Emiratos Árabes (país asiático) y de Marruecos (país africano). ☐ ETIMOL. Del árabe *dirham*, y éste del griego *drakhmé* (dracma). ☐ PRON. [dírham] o [dírhem], con *h* aspirada.

dirigente s. Persona que ejerce una función o un cargo directivo, esp. si es en un partido político o en una empresa. ☐ MORF. Es de género común: *el dirigente, la dirigente.*

dirigible s.m. →**globo dirigible**.

dirigir v. **1** Llevar hacia un término o lugar señalados: *Dirigiré el coche hacia ese aparcamiento. Me dirijo hacia tu casa.* **2** Mostrar un camino por medio de señas o consejos: *Tú conduces y yo te dirijo.* **3** Poner en una dirección determinada o encaminar a determinado fin: *Dirigió los ojos hacia el cielo. Mi pregunta se dirige a los poderosos.* **4** Referido a una carta o a un paquete, ponerle la dirección o las señas del destinatario: *Dirige esta carta al presidente.* **5** Referido esp. a un grupo de personas, guiarlo o disponer su trabajo o su actuación conjunta: *dirigir una orquesta.* **6** Referido esp. a un trabajo, orientarlo o poner las pautas para su realización: *dirigir una película.* **7** Referido a una obra de creación, dedicarla o destinarla: *Dirijo mi libro a los que no tienen trabajo.* ☐ ETIMOL. Del latín *dirigere*, y éste de *regere* (regir, gobernar). ☐ ORTOGR. La *g* se cambia en *j* delante de *a, o* →DIRIGIR.

dirimir v. Referido esp. a una discusión, terminarla, concluirla o resolverla: *Dirimiremos nuestro desacuerdo con una tercera persona.* ☐ ETIMOL. Del latín *dirimere* (partir, separar, interrumpir, terminar).

dis- Prefijo que significa 'negación', 'dificultad' o 'anomalía': *discapacidad, disconforme, dislexia.*

[disc jockey ‖ →**pinchadiscos**. ☐ PRON. [disyókei]. ☐ USO Es un anglicismo innecesario.

discal adj. Del disco intervertebral o relacionado con él. □ MORF. Invariable en género.

discapacidad s.f. Limitación de la capacidad de una persona para realizar ciertas actividades a causa de una deficiencia física o psíquica; minusvalidez. □ SEM. Aunque la RAE lo considera sinónimo de *minusvalidez*, en la lengua actual no se usa como tal debido al valor peyorativo de ese término. □ USO Las normas de Naciones Unidas recomiendan la utilización genérica de la expresión *personas con discapacidad* frente a expresiones despectivas como *deficientes, disminuidos, minusválidos* y otras.

discapacitado, da adj./s. Referido a una persona, que tiene una deficiencia física o psíquica que la limita para la realización de ciertas actividades; minusválido. □ ETIMOL. Traducción del inglés *disabled*. □ MORF. La RAE sólo lo registra como adjetivo. □ SEM. Aunque la RAE lo considera sinónimo de *minusválido*, en la lengua actual no se usa como tal debido al carácter peyorativo de ese término. □ USO Es preferible usar *una persona con discapacidad* en lugar de *un discapacitado*.

discar v. En zonas del español meridional, referido a un número de teléfono, marcarlo. □ ORTOGR. La *c* cambia en *qu* delante de *e* →SACAR.

discente ▌ adj. **1** Referido a una persona, que recibe enseñanza. ▌ s.m. **2** Persona que cursa estudios en un centro de enseñanza; estudiante. □ MORF. Como adjetivo es invariable en género.

discernimiento s.m. Distinción o separación de dos o más cosas señalando sus diferencias.

discernir v. Referido a dos o más cosas, distinguirlas señalando sus diferencias: *En ese tema hay que discernir lo principal de lo accesorio. Debes discernir al amigo sincero entre los hipócritas.* □ ETIMOL. Del latín *discernere*. □ MORF. Irreg. →DISCERNIR.

disciplina s.f. **1** Sujeción de una persona a ciertas reglas de comportamiento propias de una profesión o de un grupo. **2** Doctrina o instrucción de una persona. **3** Ciencia, arte o técnica que trata un tema concreto. □ ETIMOL. Del latín *disciplina* (enseñanza, educación).

disciplinado, da adj. Que guarda la disciplina o que cumple las leyes.

disciplinar ▌ adj. **1** De la disciplina eclesiástica o relacionado con ella. [**2** →disciplinario. ▌ v. **3** Referido a una persona, hacer que se comporte de acuerdo con una disciplina o con ciertas normas: *En ese colegio disciplinan bien a los alumnos.* **4** Referido a una persona, instruirla o enseñarle una profesión: *Debes darle unas lecciones para disciplinarlo en esa materia.* □ MORF. Como adjetivo es invariable en género. □ SINT. Constr. de las acepciones 3 y 4: *disciplinar EN algo.*

disciplinario, ria adj. **1** De la disciplina o relacionado con ella. **2** Que se hace o que sirve para mantener la disciplina o para castigar las faltas contra ésta. □ USO Aunque con este uso la RAE sólo registra *disciplinario*, se usa mucho *disciplinar*.

discípulo, la s. **1** Persona que aprende y recibe la enseñanza de un maestro. **2** Persona que sigue o defiende las ideas de una escuela o de un maestro. □ ETIMOL. Del latín *discipulus*.

[*discman* (anglicismo) s.m. Aparato portátil reproductor de discos compactos.

disco s.m. **1** Cuerpo cilíndrico cuya base es muy grande respecto a su altura. **2** Figura circular y

plana, esp. la que tienen el Sol, la Luna y los planetas al ser observados desde la Tierra. **3** Lámina circular hecha generalmente de un material plástico, que se emplea en la grabación y reproducción fonográfica. [**4** Aparato eléctrico que emite señales luminosas y se usa para regular la circulación; semáforo. **5** En un semáforo, cada una de sus señales luminosas de color verde, naranja o rojo, que regulan la circulación de automóviles y el paso de peatones. **6** En informática, elemento de almacenamiento de datos, que tiene forma circular y está recubierto por un material magnético. **7** En deporte, plancha circular y gruesa que se lanza en ciertas pruebas atléticas. **8** En un teléfono, pieza giratoria que sirve para marcar el número con el que se quiere establecer una comunicación. **9** *col.* Tema de conversación o explicación que se repite y resulta fastidioso o pesado. **10** *col.* →discoteca. **11** ‖ (**disco**) **compacto**; el que se graba y se reproduce por medio de un rayo láser. ‖ [**disco de larga duración**; el que tiene un diámetro de unos treinta centímetros y graba a treinta y tres revoluciones por minuto. ‖ **disco** {**duro/rígido**}; el que tiene más capacidad que el disquete y está fijo en el ordenador. ‖ [**disco flexible**; el portátil, de capacidad reducida, que se introduce en el ordenador para su grabación o lectura; disquete. ‖ **disco** (**intervertebral**); formación fibrosa con esta forma que se encuentra entre dos vértebras y en cuyo interior hay una masa poco consistente. ‖ [**disco óptico**; placa circular de material plástico donde se graba información sonora, visual o digital por medio de un haz de láser codificado. ‖ [(**disco**) **sencillo**; el más pequeño y de menor duración. □ ETIMOL. Del latín *discus*. □ USO Es innecesario el uso de los anglicismos *single* y *compact disc* en lugar de *disco sencillo* y *disco compacto*, respectivamente.

[*discobar* s.m. Establecimiento en el que se sirven bebidas, se escucha música y se baila.

discóbolo s.m. En los juegos de la Antigüedad clásica, atleta que lanzaba el disco. □ ETIMOL. Del griego *diskóbolos*, y éste de *dískos* (disco) y *bállo* (yo lanzo).

discografía s.f. Conjunto de las obras musicales relativas a un autor, a un intérprete o a un tema.

discográfico, ca adj. De los discos o de la discografía, o relacionado con ellos.

díscolo, la adj./s. Referido esp. a un niño o a un joven, que son rebeldes, poco dóciles y desobedientes. □ ETIMOL. Del latín *dyscolus*, y éste del griego *dýscolos* (malhumorado, de trato desagradable).

disconforme adj./s. Que no está conforme; inconforme. □ ORTOGR. Se admite también *desconforme*. □ MORF. 1. Como adjetivo es invariable en género 2. Como sustantivo es de género común: *el disconforme, la disconforme.*

disconformidad s.f. **1** Oposición o falta de acuerdo entre varias personas. **2** Diferencia o falta de correspondencia entre varias cosas. □ ORTOGR. Se admite también *desconformidad*.

discontinuidad s.f. Falta de continuidad.

discontinuo, nua adj. Que no es continuo, que sucede a intervalos o que consta de elementos separados.

[*discopub* (anglicismo) s.m. Establecimiento en el que se sirven bebidas y se puede escuchar música,

discordancia 43

que tiene un pequeño espacio para bailar. □ PRON. [discopáb].

discordancia s.f. **1** Oposición, diferencia o falta de armonía entre dos o más cosas. **2** Falta de acuerdo entre dos o más personas.

discordar v. **1** Referido a una cosa, ser opuesta o diferente a otra o no armonizar con ella: *El traje clásico discordaba de la corbata de colores.* **2** Referido a una persona, no estar de acuerdo con las ideas o las opiniones de otra: *Discordaba de su socio en muchas decisiones y decidió dejar el negocio.* **3** En música, referido a una voz o a un instrumento, no estar acorde con otros: *Esos instrumentos tienen distinta afinación y discuerdan entre sí.* □ MORF. Irreg. →CONTAR. □ SINT. Constr. *discordar DE otro EN algo.*

discorde adj. **1** Opuesto, diferente o sin armonía. **2** Sin acuerdo en las ideas o en las opiniones. **3** En música, referido esp. a una voz o a un instrumento, que no están acordes o en consonancia con otros. □ ETIMOL. Del latín *discors* (disconforme). □ MORF. Invariable en género.

discordia s.f. Situación entre personas con deseos opuestos o con opiniones contrarias o muy diferentes. □ ETIMOL. Del latín *discordia.*

discoteca s.f. **1** Establecimiento público en el que se escucha música, se baila y se consumen bebidas. **2** Colección de discos fonográficos. □ ETIMOL. Del griego *dískos* (disco) y *théke* (caja para guardar algo). □ MORF. En la lengua coloquial se usa la forma abreviada *disco*. □ SEM. En la acepción 2, es dist. de *fonoteca* (colección de documentos sonoros de cualquier tipo).

discotequero, ra ▌ adj. **1** De la discoteca o relacionado con ella. ▌ adj./s. **2** col. Referido a una persona, que es aficionada a las discotecas.

discreción s.f. **1** Tacto, moderación y sensatez para hacer o decir algo. **2** Reserva al callar lo que no interesa que se divulgue. **3** ‖ **a discreción**; a la voluntad o al antojo de alguien o sin medida ni limitación. □ ETIMOL. Del latín *discretio.*

discrecional adj. Que no está regulado o que se deja a la voluntad de la autoridad correspondiente. □ MORF. Invariable en género.

discrepancia s.f. Diferencia de opinión, de ideas o de comportamiento entre varias personas.

discrepar v. **1** Referido a una persona, no estar de acuerdo con otra: *Discrepo de tus ideas.* **2** Referido a una cosa, ser diferente o desigual a otra: *Esta revista discrepa de ésa en el tratamiento de algunos temas. Sus ideas del mundo discrepan en la forma de ver la vida.* □ ETIMOL. Del latín *discrepare* (disonar, sonar diferente). □ SINT. Constr. *discrepar {DE/EN} algo.*

discreto, ta adj. **1** Que tiene o muestra discreción. **2** Que se caracteriza por su moderación y no es exagerado ni extraordinario en ningún sentido. □ ETIMOL. Del latín *discretus*, y éste de *discernere* (distinguir, separar mentalmente).

discriminación s.f. **1** Distinción o diferenciación entre dos o más cosas. **2** Actitud por la que se considera inferior a una persona o a una colectividad por motivos sociales, religiosos o políticos, y se le niegan ciertos derechos o se la desfavorece en la legislación.

discriminador s.m. [Dispositivo electrónico que

efectúa el proceso de cambiar de modulación un frecuencia.

discriminar v. Referido a una persona o a una colectividad, considerarlas inferiores por motivos sociales religiosos o políticos, y negarles ciertos derechos: *E un país racista, las leyes discriminan a algunas personas.* □ ETIMOL. Del latín *discriminare.*

discriminatorio, ria adj. Que considera inferior a una persona o a una colectividad por motivos sociales, religiosos o políticos, y les niega ciertos derechos.

disculpa s.f. **1** Razón o pretexto que se da para excusarse o para pagar una culpa. **2** ‖ **pedir disculpas**; pedir perdón o disculparse. □ ETIMOL. De *dis-* (negación) y *culpa.*

disculpar v. **1** col. Referido esp. a un defecto o a un error, no tenerlo en cuenta, perdonarlo o justificarle *A un amigo se le disculpa casi todo. Su juventud l disculpa sus imprudencias.* **2** Referido a una persona dar razones o pruebas que la alivien o la descar guen de una culpa o de una acción: *¿Vas a disculpa a esa chica después de lo que ha hecho? Puedo dis culparme y debéis escucharme.*

discurrir v. **1** Reflexionar acerca de algo para lle gar a comprenderlo o para encontrar una respuesta *Discurre un poco y lo comprenderás.* **2** Referido a algo nuevo, descubrirlo o inventarlo después de habe pensado sobre ello: *¿Qué nuevo plan has discurrido* **3** Ir de una parte a otra o pasar por cierto sitio *Ese camino discurre desde el pueblo hasta el valle* **4** Referido al tiempo, pasar o tener curso: *A veces e tiempo discurre lentamente.* **5** Referido esp. a un ca mino o a un río, caminar, pasar o extenderse por un territorio: *El río discurre entre álamos hacia el va lle.* □ ETIMOL. Del latín *discurrere* (correr aquí y allá, tratar de algo). □ SEM. En las acepciones 4 y 5, es sinónimo de *correr.*

discursear v. col. Pronunciar discursos con fre cuencia: *Este profesor discursea mucho, pero nunca dice nada interesante.* □ USO Tiene un matiz des pectivo.

discursivo, va adj. **1** Del discurso, del razona miento o relacionado con ellos. **2** Que discurre o reflexiona.

discurso s.m. **1** Serie de palabras o frases con las que se expresa un pensamiento, un sentimiento o un deseo. **2** Razonamiento o exposición sobre un tema determinado que se pronuncia en público. **3** Tratado o escrito no muy extenso en el que se re flexiona sobre un tema para enseñar o para persua dir. **4** Resultado del ejercicio del habla o cualquier porción de la emisión sonora que posee coherencia lógica y gramatical. **5** Paso de cierto período de tiempo. □ ETIMOL. Del latín *discursus.* □ USO En la acepción 2, es innecesario el uso del anglicismo *speech.*

discusión s.f. **1** Conversación en la que se defien den opiniones contrarias. **2** Conversación en la que se analiza un asunto desde distintos puntos de vista para explicarlo o solucionarlo. **3** Objeción que se pone a una orden o a lo que alguien dice. □ ETIMOL. Del latín *discussio.*

discutible adj. Que se puede o que se debe dis cutir. □ MORF. Invariable en género.

discutidor, -a adj./s. Referido a una persona, que es aficionada a disputas verbales y a discusiones.

discutir v. **1** Sostener y defender opiniones o puntos de vista opuestos: *No quiero discutir sobre este asunto.* **2** Referido a un asunto, analizarlo con detenimiento desde distintos puntos de vista para explicarlo o solucionarlo: *Discutiremos los pros y los contras de esa cuestión.* **[3** Referido a lo que alguien dice, ponerle objeciones y manifestar una opinión contraria: *Le 'discutes' las órdenes sólo por fastidiar.* □ ETIMOL. Del latín *discutere* (decidir, quebrar, disipar). □ SINT. Constr. de la acepción 1: *discutir {DE/SOBRE} algo.*

disecación s.f. o **disecado** s.m. Preparación de un animal muerto para que no se descomponga y conserve la apariencia que tenía.

disecar v. Referido a un animal muerto, prepararlo para que no se descomponga y conserve la apariencia que tenía: *El taxidermista disecó el zorro que cazamos.* □ ETIMOL. Del latín *dissecare* (cortar). □ ORTOGR. 1. Dist. de *desecar.* 2. La *c* se cambia en *qu* delante de *e* →SACAR.

disección s.f. Corte de un cadáver o de una planta, o separación de sus partes, para el estudio de su estructura o de sus órganos. □ ORTOGR. Dist. de *bisección.*

diseccionar v. Referido a un cadáver o a una planta, cortarlos o dividirlos en partes para estudiar su estructura o sus órganos: *En el examen de biología tuve que diseccionar una rana.*

diseminación s.f. Separación o extensión de algo en distintas direcciones. □ ORTOGR. Dist. de *inseminación.*

diseminar v. Referido a algo que está junto, esparcirlo, sembrarlo o extenderlo por muchas partes o en distintas direcciones: *El campesino diseminó las semillas sobre la tierra. La pandilla de gamberros se diseminó entre el gentío.* □ ETIMOL. Del latín *disseminare* (sembrar al vuelo, esparcir). □ ORTOGR. Dist. de *inseminar.*

disensión s.f. **1** Oposición o falta de acuerdo entre varias personas por su forma de pensar o por sus propósitos. **2** Enfrentamiento o riña entre personas. □ ETIMOL. Del latín *dissensio.*

disenso s.m. →disentimiento.

disentería s.f. Enfermedad infecciosa que consiste en la inflamación y la aparición de úlceras en el intestino y que se manifiesta con dolor abdominal, diarrea intensa y deposiciones de mucosidades y sangre. □ ETIMOL. Del griego *dysentería,* de *dys-* (mal estado) y *énteron* (intestino).

disentimiento s.m. Desacuerdo entre personas que tienen ideas, sentimientos u opiniones diferentes; disenso.

disentir v. Referido a una persona, estar en desacuerdo con las ideas, los sentimientos o las opiniones de otra: *Disientes de mí en todo.* □ ETIMOL. Del latín *dissentire.* □ MORF. Irreg. →SENTIR. □ SINT. Constr. *disentir DE alguien EN algo.* □ SEM. Dist. de *disidir* (separarse de una doctrina, una creencia o un partido).

diseñador, -a s. Persona que se dedica profesionalmente al diseño.

diseñar v. **1** Referido a un edificio o a una figura, dibujar su trazo con líneas: *Diseñó la casa en unas pocas líneas.* **2** Referido a un objeto, idearlo o crearlo de tal forma que se conjuguen su utilidad y su estética: *Diseño moda para una modista italiana.* □ ETIMOL. Del italiano *disegnare.*

diseño s.m. **1** Actividad creativa y artística que se dirige a la producción de un objeto que se caracterice por su utilidad y su estética y que pueda ser fabricado en serie. **2** Forma o características externas de estos objetos. **3** Dibujo con líneas del trazo de un edificio o de una figura. **4** Descripción o explicación breve de algo. **5** Proyecto o plan. □ ETIMOL. Del italiano *disegno.*

disertación s.f. **1** Razonamiento o reflexión que se hace detenida y metódicamente acerca de algo. **2** Escrito o discurso oral en el que se hace un razonamiento detenido y metódico.

disertar v. Razonar o reflexionar detenida y metódicamente acerca de algo, esp. si es en público: *La conferenciante disertó sobre temas de actualidad.* □ ETIMOL. Del latín *dissertare.* □ ORTOGR. Dist. de *desertar.* □ SINT. Constr. *disertar SOBRE algo.*

disfasia s.f. Anomalía en el lenguaje causada por una lesión cerebral. □ ETIMOL. De *dis-* (dificultad) y el griego *phemí* (yo hablo). □ SEM. Dist. de *dislalia* (dificultad para articular las palabras).

disforme adj. →deforme. □ MORF. Invariable en género.

disformidad s.f. →deformidad.

disfraz s.m. **1** Prenda de vestir con la que se oculta la apariencia física y que suele llevarse en una fiesta. **2** Lo que sirve para desfigurar la apariencia o la forma de algo y hacer que no se reconozca. □ ETIMOL. De *disfrazar.*

disfrazar v. **1** Vestir con un disfraz: *Disfrázalo de enano. Me disfracé con un traje de vampiro.* **2** Referido a algo que no se quiere que se reconozca, desfigurarlo, disimularlo o cambiarle la apariencia o la forma: *Disfrazó el sabor del pescado con una salsa. Habla continuamente para disfrazar su nerviosismo.* □ ETIMOL. De origen incierto. □ ORTOGR. La *z* se cambia en *c* delante de *e* →CAZAR.

disfrutar v. **1** Sentir placer o alegría; gozar: *Ayer disfruté mucho. Disfruto con la buena música.* **2** Apreciar y considerar bueno, útil o agradable: *Disfruté mucho la cena.* **3** Referido a algo que se considera positivo, tenerlo o gozar de ello: *Disfruto de muy buena salud.* **4** Referido esp. a la amistad, la ayuda o la protección de alguien, poseerlas o aprovecharse de ellas: *Disfrutemos de su generosidad.* □ ETIMOL. Del latín *exfructare.* □ SINT. Constr. de las acepciones 3 y 4: *disfrutar DE algo.* □ SEM. Es inadecuado su uso para referirse a algo que se considera negativo: {**disfrutar de > sufrir*} *una indisposición.*

disfrute s.m. Uso o aprovechamiento de algo bueno, útil o agradable.

disfunción s.f. Alteración en el funcionamiento de algo, esp. en el de una función orgánica.

[disgrafía s.f. Trastorno de la capacidad de escribir.

disgregación s.f. Separación o desunión de las partes de algo que estaba unido.

disgregar v. Referido a algo que estaba unido, apartar, separar o desunir sus partes: *La policía disgregó a los huelguistas.* □ ETIMOL. Del latín *disgregare* (dispersar un rebaño). □ ORTOGR. La *g* se cambia en *gu* delante de *e* →PAGAR.

disgustar ■ v. **1** Causar tristeza, inquietud o mal humor: *La pérdida de su perro lo ha disgustado. Se disgustó por no conseguir el premio.* **2** Producir desagrado al paladar: *Esta comida está ácida y me disgusta.* ■ prnl. **3** Enfadarse o perder la amistad por enfados o disputas: *Se disgustó con su primo y* *casi ni se saludan.* ☐ ETIMOL. De *dis-* (negación) y *gustar.*

disgusto s.m. **1** Sentimiento de tristeza, de inquietud o de pesar ante una contrariedad o una desgracia. **2** Enfado o disputa con alguien cuando existen diferencias o desacuerdo. **3** Fastidio, aburrimiento o enfado. **4** ‖ **a disgusto**; de mala gana, sin ganas o en contra de lo que se desea. ☐ ETIMOL. De *disgustar.*

disidencia s.f. **1** Separación de una doctrina, de una creencia o de un partido. **2** Desacuerdo importante de opiniones.

disidente adj./s. Que se separa de las ideas, de las creencias o de la conducta comunes. ☐ MORF. 1. Como adjetivo es invariable en género. 2. Como sustantivo es de género común: *el disidente, la disidente.*

disidir v. Separarse de una doctrina, de una creencia o de un partido: *Muchas personas disidieron de aquel partido porque estaban en desacuerdo con sus doctrinas.* ☐ ETIMOL. Del latín *dissidere* (sentarse lejos, estar separado, discrepar). ☐ SEM. Dist. de *disentir* (estar en desacuerdo con las ideas, los sentimientos o las opiniones de otra persona).

disílabo, ba adj./s.m. De dos sílabas; bisílabo. ☐ ETIMOL. Del latín *disyllabus.* ☐ SEM. Como adjetivo es sinónimo de *bisilábico.*

disímil adj. Diferente, que no se parece o que es distinto. ☐ ETIMOL. Del latín *dissimilis.* ☐ MORF. Invariable en género.

disimilación s.f. En fonética y fonología, cambio en la articulación de un sonido para diferenciarlo de otro igual o semejante cuando están contiguos o próximos en la misma palabra: *La forma 'cangrena' surge por disimilación de la 'g' de 'gangrena'.*

disimilitud s.f. Falta de semejanza o de parecido.

disimulación s.f. **1** Ocultación o fingimiento de algo para que no se conozca o no se descubra. **2** →**disimulo.**

disimulado, da ∎ adj. **1** Oculto o tapado de forma que se note poco. ∎ adj./s. **2** Inclinado a disimular y a fingir con habilidad lo que no siente. **3** ‖ **[hacerse el disimulado**; *col.* Fingir no enterarse de algo o no conocerlo.

disimular v. **1** Referido esp. a una intención o a un sentimiento, ocultarlos para que los demás no se den cuenta: *Has sido tú, así que no disimules.* **2** Fingir desconocimiento: *No disimules, porque sé que te lo ha contado.* **3** Referido esp. a algo material, disfrazarlo o desfigurarlo para que parezca distinto de lo que es o para que no se vea: *Disimuló el roto del pantalón con un parche.* **4** En América, referido a un error, tolerarlo o disculparlo. ☐ ETIMOL. Del latín *dissimulare.*

disimulo s.m. Capacidad para ocultar la intención o el sentimiento, sin que los demás se den cuenta; disimulación.

disipación s.f. **1** Desaparición o desvanecimiento. **2** Derroche de dinero sin aprovecharlo debidamente. **3** Relajamiento moral.

disipado, da adj./s. Libertino o que actúa con un gran relajamiento moral.

disipar v. **1** Esparcir, desvanecer o hacer desaparecer: *El viento disipó las nubes. Me dijo la verdad y todas mis dudas se disiparon.* **2** Referido esp. al dinero, malgastarlo y no aprovecharlo debidamente:

Disipó toda su fortuna en poco tiempo. ☐ ETIMOL. Del latín *dissipare* (desparramar, aniquilar).

dislalia s.f. Dificultad para articular las palabras. ☐ ETIMOL. De *dis-* (dificultad) y el griego *laléo* (yo charlo, hablo). ☐ SEM. Dist. de *disfasia* (anomalía en el lenguaje debida a una lesión cerebral).

dislate s.m. Hecho o dicho sin sentido común o contrario a la razón; disparate. ☐ ETIMOL. Del antiguo *deslate* (desbandada), y éste del antiguo *deslatar* (disparar, disparatar).

dislexia s.f. Trastorno de la capacidad de leer, que se manifiesta en la confusión, en la inversión y en la omisión de letras, sílabas o palabras. ☐ ETIMOL. De *dis-* (dificultad, anomalía) y *léxis* (habla, dicción).

disléxico, ca adj./s. Que padece dislexia.

dislocación o **dislocadura** s.f. Salida o descolocación de un hueso o de una articulación. ☐ SEM. Dist. de *disloque* (desbarajuste). ☐ USO *Dislocadura* es el término menos usual.

dislocar v. Sacar o salirse de su lugar, esp. referido a un hueso o a una articulación: *Un mal movimiento me dislocó el brazo. Al caer, se dislocó la muñeca.* ☐ ETIMOL. De *dis-* (negación) y el latín *locare* (colocar). ☐ ORTOGR. La *c* se cambia en *qu* delante de *e* →SACAR. ☐ MORF. Se usa más como pronominal.

disloque s.m. *col.* Desbarajuste o situación en la que algo llega al colmo o al grado sumo. ☐ SEM. Dist. de *dislocación* y de *dislocadura* (salida de algo de su lugar). ☐ USO Se usa más con el artículo *el.*

dismenorrea s.f. Menstruación dolorosa o difícil. ☐ ETIMOL. De *dis-* (dificultad), *men* (mes) y *rhéo* (yo fluyo).

disminución s.f. Reducción del tamaño, de la cantidad o de la intensidad.

disminuido, da adj./s. Referido a una persona, que no tiene completas sus facultades físicas o psíquicas. ☐ USO Tiene un matiz despectivo y por ello es preferible usar la expresión *persona con discapacidad.*

disminuir v. Hacer o hacerse menor en tamaño, en cantidad o en intensidad: *En la curva disminuí la velocidad del coche.* ☐ ETIMOL. Del latín *diminuere.* ☐ MORF. Irreg. →HUIR.

disociación s.f. Separación de dos cosas o de dos elementos que estaban unidos.

disociar v. **1** Referido a dos cosas que están unidas, separarlas: *Disociemos la vida pública y la privada en ese artista.* **2** Referido a una sustancia, separar sus componentes: *En el laboratorio disociamos la sal en iones de cloro y de sodio.* ☐ ETIMOL. Del latín *dissociare.* ☐ ORTOGR. La *i* nunca lleva tilde.

disolubilidad s.f. **1** Capacidad o facilidad para disolverse: *El azúcar aumenta su disolubilidad en un líquido caliente.* **2** Posibilidad de separación o de sunión: *Mis padres no aceptan la disolubilidad de un matrimonio.*

disoluble adj. Que se puede disolver. ☐ MORF. Invariable en género.

disolución s.f. **1** Desunión de las partículas o de las moléculas de una sustancia en un líquido de forma que queden incorporadas a él. **2** Separación o desunión de las partes de un todo. **3** Mezcla que resulta de disolver una sustancia en un líquido. **4** Anulación de los lazos o de los vínculos existentes entre varias personas. ☐ ETIMOL. Del latín *dissolutio.*

soluto, ta adj./s. Que pasa el mayor tiempo posible disfrutando de vicios y placeres. ☐ ETIMOL. Del latín *dissolutus* (desenfrenado).

solvente s.m. Producto que se emplea para diolver una sustancia.

solver v. **1** Referido esp. a una sustancia, desunir us partículas en un líquido de forma que queden ncorporadas a él: *Disuelve el azúcar en el café. Los olvos se disolvieron en el agua.* **2** Referido a algo que stá unido, separarlo o desunirlo: *El Gobierno disolerá el Parlamento y convocará elecciones. La asoiación se disolvió cuando terminó su cometido.* **3** eferido a un contrato que liga a dos o más personas, nularlo o romperlo: *El matrimonio se ha disuelto egalmente y ya no viven juntos.* **4** Hacer desapaecer totalmente o destruir: *La muerte lo disuelve odo. Con el paso del tiempo se disuelven muchas lusiones.* ☐ ETIMOL. Del latín *dissolvere.* ☐ MORF. rreg.: 1. Su participio es *disuelto.* 2. →VOLVER. ☐ .EM. No debe emplearse con el significado de 'disersar': *La policía {*disolvió > dispersó} a los maifestantes.*

sonancia s.f. **1** En música, acorde o combinación le sonidos simultáneos que no están en consonania. **2** Carencia de igualdad, de correspondencia o le la proporción adecuada. ☐ ETIMOL. Del latín *disonantia.*

sonar v. **1** Referido a un sonido o a una voz, sonar in consonancia ni armonía o de manera desagralable: *Una voz ronca y desafinada disonaba en el oro y estropeaba el conjunto.* **2** Referido a una cosa, arecer de la semejanza, de la igualdad o de la proorción que debe tener con otra: *Ese cuadro tan moerno disuena con esos muebles tan clásicos del saón.* **3** Resultar extraño y no parecer bien: *Ese gesto nnoble disuena en su honradez habitual.* ☐ MORF. rreg. →CONTAR.

spar adj. Desigual o diferente; desparejo, disparejo. ☐ ETIMOL. Del latín *dispar.* ☐ MORF. Invariable en género.

sparadero ‖ **poner** a alguien **en el disparadero**; *col.* Ponerlo muy nervioso o agotar su paciencia.

sparado, da adj. Precipitado o con mucha prisa.

sparador s.m. **1** En un arma portátil de fuego, pieza que sujeta el mecanismo que sirve para dispararla y que permite el disparo cuando se oprime por uno de sus extremos. **2** En una cámara fotográfica, pieza que sirve para hacer funcionar el obturador automático.

sparar v. **1** Referido esp. a un arma, hacer que lance un proyectil o lanzarlo: *Apreté el gatillo y disparé. La ametralladora dispara con rapidez. Se le disparó el arma y hubo un herido.* **2** Referido a un objeto, esp. a un proyectil, lanzarlo con violencia o salir despedido: *Los arqueros dispararon sus flechas. La bomba se disparó del cañón.* **3** Referido a algo con un disparador, hacerlo funcionar: *¡Dispara la cámara ya y haz la foto! La alarma se dispara al abrir la puerta.* **4** Crecer o aumentar rápidamente y sin moderación: *La subida del petróleo ha disparado los precios de la gasolina. Con el descontento social y la crisis, se ha disparado la violencia.* ☐ ETIMOL. Del latín *disparare,* negativo de *parare* (preparar). ☐ MORF. En la acepción 4, la RAE sólo lo registra como pronominal.

disparatar v. Hablar o actuar sin sentido común o de forma contraria a la razón: *¡Piensa un poco lo que dices y no disparates!*

disparate s.m. **1** Hecho o dicho sin sentido común o contrario a la razón; dislate. **2** *col.* Lo que va más allá de lo razonable o de las normas, o se sale de los límites de lo ordinario o lícito; atrocidad. ☐ ETIMOL. Del antiguo *desbarate* (desconcierto).

disparejo, ja adj. Desigual o diferente; desparejo, dispar.

disparidad s.f. Falta de igualdad y de parecido de una persona o cosa respecto de otra.

disparo s.m. **1** Lanzamiento hecho generalmente con fuerza o violencia. **2** Operación con la que se pone en marcha un disparador o un mecanismo. **3** ‖ [disparo de salida; momento que marca el inicio de un proceso.

dispendio s.m. Gasto excesivo y generalmente innecesario, esp. si es de tiempo o de dinero. ☐ ETIMOL. Del latín *dispendium* (gasto).

dispendioso, sa adj. **1** Que cuesta mucho o que supone un gasto excesivo y generalmente innecesario. [**2** Referido a una persona, que gasta mucho dinero.

dispensa s.f. Privilegio que se concede a alguien como gracia, por el cual queda libre del cumplimiento de una obligación o de una ley, orden o prohibición.

dispensar v. **1** Referido esp. a una obligación, permitir su incumplimiento: *Te dispenso del examen porque estás enferma.* **2** Referido a una falta, no tenerla en cuenta y perdonarla: *Está muy mimado y se le dispensa todo.* **3** Referido esp. a algo positivo, darlo, concederlo o distribuirlo: *El público le dispensó una calurosa acogida.* ☐ ETIMOL. Del latín *dispensare* (distribuir, administrar). ☐ SINT. Constr. de la acepción 1: *dispensar DE algo.*

dispensario s.m. Establecimiento médico en el que se da asistencia médica y farmacéutica a personas que no están internadas en él. ☐ SEM. Aunque la RAE no lo considera sinónimo de *ambulatorio,* en la lengua actual no se usa como tal.

dispersar v. Referido a algo que está o debe estar unido, dividirlo, separarlo, extenderlo o repartirlo: *El bombardeo dispersó a los enemigos. No te disperses en tantos trabajos y céntrate en uno solo.*

dispersión s.f. Separación, extensión o distribución en distintas direcciones o en distintos objetivos.

disperso, sa adj. Separado y extendido en distintas direcciones o repartido en distintos objetivos. ☐ ETIMOL. Del latín *dispersus,* y éste de *dispergere* (esparcir, dispersar).

displasia s.f. Anomalía en el desarrollo de un órgano. ☐ ETIMOL. De *dis-* (anomalía) y el griego *plásso* (yo formo).

[display (anglicismo) s.m. **1** Pantalla donde se representan visualmente los datos que proporciona el sistema de un aparato electrónico. **2** Soporte publicitario que sirve para presentar un producto o una muestra de él. ☐ PRON. [displéi].

displicencia s.f. Demostración de mal humor y de falta de interés, de falta de afecto o de falta de entusiasmo. ☐ SEM. Dist. de *desprecio* (falta de aprecio).

displicente adj./s. Referido a una persona, que muestra mal humor y falta de interés, afecto y entusiasmo. ☐ ETIMOL. Del latín *displicens,* y éste de *dis-*

plicere (desagradar). □ MORF. **1.** Como adjetivo es invariable en género. **2.** Como sustantivo es de género común: *el displicente, la displicente.*

disponer ∎ v. **1** Poner o ponerse en el orden o en la situación adecuados o de la manera que conviene para un fin: *Antes del acto dispón las sillas en varias filas. Nos dispusimos alrededor de la mesa para la cena.* **2** Referido a algo que debe hacerse, decidirlo, determinarlo o mandarlo: *El médico ha dispuesto que tomes esta medicina.* **3** Referido a algo que tiene que estar preparado, hacer lo necesario para tenerlo así en el momento adecuado: *Dispondré la cena para las nueve. Me dispondré para recibirlos como se merecen.* **4** Tener, poseer o usar libremente como si fuera propio: *No dispongo de tiempo para atenderte. Te dejo mi casa para cuando quieras disponer de ella.* ∎ prnl. **5** Referido a una acción, estar a punto de realizarla: *Me disponía a salir cuando llegaste.* □ ETIMOL. Del latín *disponere* (poner por separado). □ MORF. Irreg.: 1. Su participio es *dispuesto.* 2. →PONER. □ SINT. 1. Constr. de la acepción 4: *disponer DE algo.* 2. Constr. de la acepción 5: *disponerse A hacer algo.*

disponibilidad s.f. **1** Conjunto de características que tiene lo que está disponible. **2** Conjunto de dinero o de bienes de los que se puede disponer en un momento determinado. **3** Situación de un funcionario público que está sin empleo temporalmente y que espera ser destinado. □ MORF. La acepción 2 se usa más en plural.

disponible adj. Que puede ser utilizado o que está libre para hacer algo. □ MORF. Invariable en género.

disposición s.f. **1** Ordenación del modo adecuado o conveniente. **2** Decisión que toma la autoridad y mandato de qué debe hacerse y cómo. **3** Estado de salud o de ánimo para hacer algo. **4** Capacidad o aptitud para algo. **5** Medio empleado para realizar o conseguir algo. **6** Distribución de las partes de un edificio. □ ETIMOL. Del latín *dispositio.*

dispositivo s.m. **1** Mecanismo o artefacto dispuestos para que se produzca una acción prevista. **2** ‖ **[dispositivo intrauterino]**; el que se coloca en el interior del útero de una mujer para evitar el embarazo; diu.

disprosio s.m. Elemento químico, metálico y sólido, de número atómico 66, que pertenece al grupo de los lantánidos. □ ETIMOL. Del latín *dysprosium,* y éste del griego *dysprositós* (difícil de alcanzar). □ ORTOGR. Su símbolo químico es *Dy.*

dispuesto, ta ∎ **1** part. irreg. de **disponer.** ∎ adj. **2** Que es capaz de hacer muchas cosas bien o fácilmente. □ MORF. En la acepción 1, incorr. **dispondido.*

disputa s.f. **1** Discusión acalorada entre personas que mantienen obstinada y vehementemente su punto de vista. **2** Enfrentamiento por la posesión o la defensa de algo, o por un mismo objetivo.

disputar v. Referido a un objetivo, rivalizar y competir varias personas por él: *Varios equipos disputan la liga este año. Se disputan el premio cinco participantes.* □ ETIMOL. Del latín *disputare* (examinar, discutir una cuestión, disertar).

disquete s.m. En informática, disco magnético portátil, de capacidad reducida, que se introduce en el ordenador para su grabación o lectura; disco flexi-ble. □ ETIMOL. Del inglés *diskette.* □ USO Es innecesario el uso del anglicismo *floppy disk.*

disquetera s.f. En un ordenador, dispositivo en que se inserta un disquete para su grabación o le tura.

disquisición s.f. Comentario que se aparta d tema que se trata. □ ETIMOL. Del latín *disquisiti* y éste de *disquirere* (indagar). □ MORF. Se usa ma en plural.

distancia s.f. **1** Espacio entre dos cosas, medi por el camino o la línea que las une. **2** Intervalo tiempo entre dos sucesos. **3** Falta de semejanza diferencia grande entre personas o cosas. **4** En m temáticas, longitud del segmento de recta compre dido entre dos puntos del espacio. **5** ‖ **a distanci 1** Apartado o desde lejos. **[2** Referido a la enseñanz por correspondencia y sin contacto directo o diar entre alumno y profesor. ‖ **guardar las distancia** evitar la familiaridad o la excesiva confianza en trato. □ ETIMOL. Del latín *distantia.*

distanciamiento s.m. **1** Alejamiento o separ ción en el tiempo o en el espacio. **2** Alejamien afectivo o intelectual de una persona respecto a u grupo.

distanciar v. Separar, apartar o hacer que hay más distancia: *El enfrentamiento generacional di tancia a padres e hijos.* □ ORTOGR. La i nunca lle tilde.

distante adj. **1** Lejano o apartado en el espacio en el tiempo; extremo. **2** Frío en el trato o que s aparta del trato amistoso o íntimo. □ MORF. Inv riable en género.

distar v. **1** Estar apartado o a cierta distancia e el espacio o en el tiempo: *Su casa dista de la m tres kilómetros.* **2** Ser diferente o estar lejos de u modo de ser, de un sentimiento o de una acción: *S alegría dista mucho de ser sincera.* □ ETIMOL. D latín *distare* (estar apartado). □ SINT. Constr. *dist DE algo.*

distender v. **1** Referido a algo tirante o tenso, afloja lo o hacer que disminuya su tensión: *Distendió arco y lanzó la flecha.* **2** En medicina, referido a u tejido o a una membrana, producirse en ellos un e tiramiento violento o causárselo: *El tendón se h distendido y me duele mucho.* **3** Perder la tensió o tirantez o hacer que disminuya: *Las malas rela ciones entre los dos países se distendieron.* □ O TOGR. Incorr. **distendir.* □ MORF. Irreg. →PERDE

distensión s.f. **1** Pérdida de la tensión de lo qu está tirante o tenso. **2** En medicina, estiramiento vio lento, esp. de un tejido o de una membrana. □ ETI MOL. Del latín *distensio.*

distinción s.f. **1** Conocimiento y determinación d las características que diferencian una cosa de otr **2** Característica por la cual algo no es lo mismo es igual a otra cosa. **3** Elegancia o elevación sobr lo vulgar. **4** Privilegio, gracia u honor que se con ceden como un trato especial. **5** Respeto y atenció que se dan a una persona. □ ETIMOL. Del latín *di tinctio.*

distingo s.m. Reparo u objeción que se ponen co cierta malicia o sutileza. □ ETIMOL. Del latín *di tinguo* (yo distingo), empleado en lógica para intro ducir distinciones.

distinguido, da adj. Ilustre y que sobresale entr los demás por alguna cualidad.

distinguir ∎ v. **1** Referido a dos o más cosas, conoce as características que las hacen diferentes: *¿Sabes distinguir un mulo de un asno?* **2** Referido esp. a una imagen o a un sonido, ser capaz de verla, de oírlo o de percibirlos a pesar de que haya alguna dificultad: *No distingo bien las letras lejanas porque soy algo miope.* **3** Referido a dos o más cosas, diferenciarlas mediante una señal o una peculiaridad: *Ese lunar de la barbilla distingue a un gemelo de otro. Esos tres perros se distinguen entre sí por su color.* **4** Referido esp. a un comportamiento o a una cualidad, caracterizar y hacer peculiar a algo o a alguien: *Su sinceridad es lo que lo distingue. Todas sus obras se distinguen por una belleza serena.* **5** Referido a una persona, concederle un privilegio, una gracia o un honor como un trato especial: *La distinguieron con el primer premio.* ■ prnl. **6** Sobresalir o destacar entre otros: *Se distingue por su humor peculiar.* □ ETIMOL. Del latín *distinguere* (separar, dividir, diferenciar). □ ORTOGR. La *gu* se cambia en *g* delante de *a, o* →DISTINGUIR.

distintivo, va ■ adj. **1** Que distingue o que permite distinguir o caracterizar algo. ■ s.m. **2** Lo que distingue o caracteriza esencialmente. **3** Señal o insignia, esp. si indican la pertenencia a un grupo.

distinto, ta adj. **1** Que tiene realidad o existencia diferentes de otros y no es igual a ellos. **2** Que no se parece a otros porque no tiene las mismas cualidades. □ ETIMOL. Del latín *distinctus* (distinguido, diferenciado). □ SINT. Constr. *distinto {A/DE} algo.*

distorsión s.f. Deformación de las imágenes o de los sonidos producida en su transmisión. □ ETIMOL. Del latín *distorsio.*

distorsionar v. **1** Referido a una imagen o a un sonido, deformarlos: *La avería de la antena distorsiona las imágenes en la televisión.* **2** Referido esp. a lo que se dice, interpretarlo equivocadamente y darle un significado que no corresponde: *No distorsiones mis palabras, porque yo no dije eso.*

distracción s.f. **1** Falta de atención, esp. en lo que se está haciendo o en lo que debe hacerse. **2** Entretenimiento o recreo proporcionados por un rato alegre. **3** Lo que atrae la atención apartándola de otra cosa. □ ETIMOL. Del latín *distractio* (separación, distancia). □ SEM. En la acepción 2, es sinónimo de *diversión, de divertimento* y de *divertimiento.*

distraer v. **1** Referido a una persona, apartarle o hacerle apartar la atención de lo que se está haciendo o de lo que debe hacerse: *Si hablas al conductor lo distraerás. En clase me distraigo con el vuelo de una mosca.* **2** Entretener, recrear o proporcionar un rato alegre; divertir: *La televisión distrae mucho a mis abuelos. Me distraigo escuchando música.* **3** Apartar, desviar o alejar: *Distraeré el hambre con pipas.* □ ETIMOL. Del latín *distrahere.* □ MORF. Irreg. →TRAER.

distraído, da adj./s. Que se distrae con facilidad y actúa sin darse cuenta de lo que dice o de lo que sucede a su alrededor.

distribución s.f. **1** Reparto entre varios, designando lo que corresponde a cada uno de acuerdo con cierta regla o derecho, o según dicte la voluntad o la conveniencia. **2** Colocación o situación de las partes de un todo del modo conveniente o adecuado. **3** Reparto de la mercancía a vendedores y consumidores. **4** Forma de distribuir o de colocar, esp. las partes de un edificio o los muebles.

distribucionalismo s.m. Método de análisis lingüístico que define los elementos de una lengua según su distribución o los contextos en los que aparecen.

distribuidor, -a ■ s. **1** Persona que se dedica profesionalmente a la distribución de mercancías. ■ s.m. **[2** En una casa, pieza de paso a la que van a dar varias habitaciones. ■ s.f. **3** Empresa que se dedica a la distribución de un producto y actúa entre el productor y el comerciante.

distribuir v. **1** Dividir entre varios, designando lo que corresponde a cada uno de acuerdo con cierta regla o derecho, o según dicte la voluntad o la conveniencia: *Distribuyó el quehacer y todos trabajan por igual.* **2** Repartir o colocar del modo conveniente o adecuado: *Distribuye bien tu tiempo para no perderlo. La sangre se distribuye gracias al aparato circulatorio.* **3** Referido a una mercancía, entregarla a los vendedores y consumidores: *Ha llegado el camión que distribuye la leche por las tiendas.* □ ETIMOL. Del latín *distribuere.* □ MORF. Irreg. →HUIR.

distributivo, va adj. Que expresa distribución o que está relacionado con ella.

distrito s.m. Subdivisión administrativa o jurídica en que se divide un territorio o una población. □ ETIMOL. Del latín *districtus*, y éste de *distringere* (separar). □ SEM. Dist. de *barriada* y *barrio* (divisiones no administrativas de una población).

distrofia s.f. Trastorno patológico que afecta a la nutrición y al crecimiento. □ ETIMOL. De *dis-* (anomalía) y el griego *trophé* (alimentación).

disturbar v. Perturbar o causar disturbios: *Un grupo de encapuchados disturbó el orden público.* □ ETIMOL. Del latín *disturbare.*

disturbio s.m. Alteración del orden, de la paz y de la tranquilidad. □ ETIMOL. De *disturbar* (perturbar).

disuadir v. Referido a una persona, hacerle cambiar con razones la opinión o el propósito: *Lo disuadieron de fumar diciéndole que era perjudicial. Debes disuadirte de tu error y reconocer que obraste mal.* □ ETIMOL. Del latín *dissuadere.* □ SINT. Constr. *disuadir DE algo.*

disuasión s.f. Utilización de razones para conseguir cambiar la opinión o el propósito de alguien.

disuasivo, va o **disuasorio, ria** adj. Que hace cambiar con razones una opinión o un propósito, o que lo pretende. □ USO Aunque la RAE prefiere *disuasivo*, se usa más *disuasorio.*

disuelto, ta part. irreg. de disolver. □ MORF. Incorr. *disolvido.*

disyunción s.f. **1** Desunión y separación de las partes que componen un todo. **[2** En gramática, relación entre dos o más cosas de forma que una de ellas excluye a las demás.

disyuntivo, va ■ adj. **1** Que implica opción, alternancia o exclusión: *La frase '¿Estudias o trabajas?' es disyuntiva.* ■ s.f. **2** Alternativa entre dos posibilidades por una de las cuales hay que optar: *Me encuentro en la disyuntiva de ir o de quedarme.* □ ETIMOL. Del latín *disiunctivus*, y éste de *disiungere* (separar). □ SEM. En la acepción 2, dist. de *dicotomía* (división en dos).

ditirambo s.m. **1** En la antigua Grecia, poema lírico breve en honor de Dioniso (dios del vino y de la sensualidad). **2** Composición poética en la que se expresa gran entusiasmo o sentimientos muy vivos hacia algo o alguien, generalmente en forma de alabanza y elogio. **3** Alabanza exagerada o elogio excesivo. ☐ ETIMOL. Del latín *dithyrambus*, y éste del griego *dithýrambos* (composición poética en honor de Baco).

[diu s.m. Dispositivo anticonceptivo que se coloca en el interior del útero de una mujer para evitar el embarazo; dispositivo intrauterino. ☐ MORF. Es un acrónimo que procede de la sigla de *dispositivo intrauterino*.

diuresis s.f. En medicina, secreción de la orina. ☐ MORF. Invariable en número. ☐ SEM. Dist. de *enuresis* (incapacidad para controlar la expulsión de orina).

diurético, ca adj./s.m. Referido a un medicamento, que aumenta o facilita la secreción y eliminación de la orina. ☐ ETIMOL. Del latín *diureticus*, y éste del griego *dià* (a través) y *ûron* (orina).

diurno, na adj. **1** Del día o relacionado con él. **2** Referido a un animal, que busca el alimento durante el día. **3** Referido a una planta, con flores que sólo están abiertas durante el día. ☐ ETIMOL. Del latín *diurnus*.

divagación s.f. Alejamiento o separación del asunto principal que se está tratando.

divagar v. Hablar o escribir apartándose del asunto principal que se está tratando o sin un propósito fijo: *No divagues tanto y ve al grano, que tenemos poco tiempo.* ☐ ETIMOL. Del latín *divagari*. ☐ ORTOGR. La *g* se cambia en *gu* delante de *e* →PAGAR.

diván s.m. Asiento alargado y mullido, generalmente sin respaldo y con almohadones, en el que una persona puede tenderse. ☐ ETIMOL. Del árabe *diwan* (registro público, cancillería).

divergencia s.f. Discrepancia o falta de acuerdo.

divergente adj. Que diverge. ☐ MORF. Invariable en género.

divergir v. **1** Referido a dos o más líneas o superficies, irse apartando sucesivamente unas de otras: *Las calles que nacen en una misma plaza redonda divergen en forma radial.* **2** Discrepar o no estar de acuerdo: *Aunque tú y yo divergimos en gustos, nos complementamos.* ☐ ETIMOL. Del latín *divergere*. ☐ ORTOGR. 1. La *g* se cambia en *j* delante de *a*, *o* →DIRIGIR. 2. Incorr. **diverger*.

diversidad s.f. **1** Variedad o diferencia de naturaleza, cantidad o cualidad. **2** Abundancia o concurrencia de varias cosas distintas.

diversificación s.f. Conversión en múltiple y diverso de lo que era uniforme y único.

diversificar v. Referido a algo uniforme y único, convertirlo en múltiple y diverso: *Hay que diversificar la producción para satisfacer toda la demanda. Con el tiempo mis intereses se diversificaron.* ☐ ETIMOL. Del latín *diversificare*. ☐ ORTOGR. La *c* se cambia en *qu* delante de *e* →SACAR.

diversión s.f. **1** Entretenimiento o recreo proporcionados por un rato alegre; distracción. **2** Lo que sirve de entretenimiento, de recreo o de pasatiempo. ☐ SEM. Es sinónimo de *divertimento* y *divertimiento*.

diverso, sa adj. De distinta naturaleza, cantidad o cualidad. ☐ ETIMOL. Del latín *divertere* (apartarse). ☐ SEM. En plural equivale a 'varios' o 'más de uno': *Tiene talento musical y toca diversos instrumentos.*

divertido, da adj. **1** Que produce diversión. **2** Re-

ferido a una persona, alegre, graciosa o de buen h♦ mor.

divertimento s.m. **1** →divertimiento. **2** Con♦ posición musical para un número reducido de in♦ trumentos, de forma más o menos libre y genera♦ mente de carácter alegre. ☐ ETIMOL. Del italian♦ *divertimento*.

divertimiento s.m. **1** Entretenimiento o recre♦ proporcionados por un rato alegre; distracción. **2** I♦ que sirve de entretenimiento, de recreo o de pasa♦ tiempo. ☐ ETIMOL. De *divertir*. ☐ ORTOGR. Se a♦ mite también *divertimento*. ☐ SEM. Es sinónimo d♦ *diversión*.

divertir v. Entretener, recrear o proporcionar u♦ rato alegre; distraer: *¡Que os divirtáis en la fiesta♦* ☐ ETIMOL. Del latín *divertere* (apartarse), porque a♦ divertirse, se aparta la atención. ☐ MORF. Irre♦ →SENTIR.

dividendo s.m. **1** En una división matemática, cant♦ dad que tiene que dividirse por otra: *Si divides♦ entre 2, 4 es el dividendo y 2 es el divisor.* **2** E♦ economía, parte de los beneficios de una empres♦ que se reparte a los accionistas.

dividir v. **1** Referido a un todo, separarlo o partir♦ en varias partes: *Un biombo dividía el salón en do♦ partes.* **2** Repartir o distribuir entre varios: *Dividi♦ sus bienes entre los tres hijos.* **3** Referido a dos o m♦ personas, enemistarlas o provocar desunión entr♦ ellas creando enfrentamientos: *Los problemas sur♦ gidos con la empresa han dividido a los dos socios♦* **4** En matemáticas, realizar la operación aritmética d♦ la división: *Si dividimos 6 entre 2, da 3.* ☐ ETIMOI♦ Del latín *dividere* (partir, separar).

divieso s.m. Abultamiento de la piel, pequeñ♦ puntiagudo y doloroso, con pus en su interior; fo♦ rúnculo, furúnculo. ☐ ETIMOL. Del latín *diversu♦* (separado).

divinidad s.f. **1** Naturaleza de los dioses o conjun♦ to de características que definen su esencia. **2** Dio♦ o ser divino al que se rinde culto.

divinización s.f. Consideración de algo o de al♦ guien como un dios o como si fuera divino.

divinizar v. Considerar o creer divino, o tributa♦ culto u honores divinos: *No entiendo que la juven♦ tud actual divinice todo lo que sale por la tele.* ☐ ORTOGR. La *z* se cambia en *c* delante de *e* →CAZAR♦

divino, na adj. **1** De los dioses o que tiene relació♦ con ellos. **2** Extraordinario o muy bueno. ☐ ETIMOL♦ Del latín *divinus*. ☐ SINT. En la lengua coloquial s♦ usa también como adverbio de modo con el signif♦ cado de 'muy bien': *Lo pasamos 'divino'.*

divisa s.f. **1** En economía, respecto de la unidad mo♦ netaria de un país, moneda extranjera. **2** Señal exte♦ rior que se adopta como distintivo o como símbolo♦ **3** En tauromaquia, lazo de cintas de colores con qu♦ se distinguen en la lidia los toros de cada ganader♦ ☐ ETIMOL. De *divisar*.

divisar v. Ver o percibir, aunque con poca claridad♦ *A lo lejos se divisaban los torreones del castillo.* ♦ ETIMOL. Del latín *divisus*, y éste de *dividere* (dividir♦ distinguir).

divisibilidad s.f. **1** Posibilidad de ser dividido. **2**♦ En matemáticas, propiedad de un número entero de♦ poder dividirse por otro número entero y dar de co♦ ciente un número también entero, sin decimales.

divisible adj. **1** Que se puede dividir. **2** En mate♦ máticas, referido a un número entero, que, al dividirse♦

or otro número entero, da por cociente un número ambién entero. ☐ MORF. Invariable en género.

ivisión s.f. **1** Separación o partición de un todo n varias partes. **2** Reparto entre varios. **3** En maemáticas, operación mediante la cual se calcula las eces que una cantidad, llamada *divisor*, está conenida en otra, llamada *dividendo*. **4** Enemistad, lesunión o enfrentamiento entre personas. **5** En deorte, grupo en que compiten, según su categoría, os equipos o los deportistas. **6** En el ejército, gran nidad que consta de dos o más brigadas o reginientos. **[7** En biología, en la clasificación de las planas, categoría superior a la de clase e inferior a la le reino. ☐ ETIMOL. Del latín *divisio*.

ivisor, -a ▮ adj./s.m. **1** En matemáticas, referido a un úmero, que está contenido exactamente dos o más eces en otro; submúltiplo: *3 es un divisor de 21 orque 21 lo contiene 7 veces.* ▮ s.m. **2** En una división natemática, cantidad por la que se divide otra. ☐ ETIMOL. Del latín *divisor*. ☐ SEM. En la acepción 1, omo sustantivo es sinónimo de *factor*.

ivisorio, ria adj./s.f. Que sirve para dividir o searar. ☐ ETIMOL. De *divisor*.

ivo, va ▮ adj. **1** *poét.* Divino. **[2** Referido a una ersona, arrogante, engreída y que se cree superior a los demás. ▮ adj./s. **3** Referido a un artista del mundo lel espectáculo, que goza de muchísima fama. ☐ ETIMOL. Del latín *divus* (divino). ☐ USO En la acepción 2, tiene un matiz despectivo.

ivorciado, da adj./s. Referido a una persona, que ha interrumpido la vida en común con su cónyuge y se ha producido la disolución del vínculo matrimonial. ☐ SEM. Dist. de *separado* (sin disolución del vínculo matrimonial).

ivorciar ▮ v. **1** Referido a dos personas casadas, declarar disuelto su matrimonio: *El juez los divorció y ya no viven juntos.* **2** Referido a lo que está en estrecha relación, separarlo o apartarlo: *No creo que en literatura se pueda divorciar el fondo de la forma.* ▮ prnl. **3** Obtener el divorcio legal: *Tras dos años de matrimonio, decidieron divorciarse.*

ivorcio s.m. **1** Disolución de un matrimonio declarada por un juez competente. **2** Separación de lo que estaba en estrecha relación. ☐ ETIMOL. Del latín *divortium*. ☐ SEM. En la acepción 1, dist. de *separación* (sin ruptura del vínculo matrimonial).

ivulgación s.f. Publicación, propagación o difusión entre la gente.

ivulgar v. Publicar, dar a conocer o poner al alcance de mucha gente: *Divulgó mi secreto y ahora todos hablan de mí. En este libro se divulgan los últimos avances científicos.* ☐ ETIMOL. Del latín *divulgare*. ☐ ORTOGR. La *g* se cambia en *gu* delante de *e* →PAGAR.

izque adv. En zonas del español meridional, al parecer. ☐ ETIMOL. De la frase *dice que*.

lo s.m. **1** En música, primera nota de la escala de do mayor. **2** ‖ **do de pecho**; *col.* El mayor esfuerzo que se puede hacer para lograr un fin. ☐ ETIMOL. Del italiano *do*. ☐ MORF. Su plural es *dos*.

dobermann (germanismo) adj./s. Referido a un perro, de la raza que se caracteriza por tener mediana estatura, cuerpo musculoso, cabeza larga y estrecha y pelo corto y duro. ☐ PRON. [dóberman]. ☐ MORF. Como adjetivo es invariable en género. perro

lobla s.f. Antigua moneda castellana de oro. ☐ ETIMOL. Del latín *duplus* (doble).

dobladillo s.m. En una tela, pliegue cosido que se hace doblando el borde dos veces hacia adentro. ☐ SEM. Dist. de *bajo* (sólo en una prenda de vestir).

dobladura s.f. **1** Parte por donde se ha doblado o plegado algo. **2** Señal que queda por donde se ha doblado algo.

doblaje s.m. En cine y televisión, sustitución de las voces originales de los actores por otras voces que traducen el texto original a la lengua del público destinatario de la película.

doblamiento s.m. Hecho de doblar algo.

doblar ▮ v. **1** Referido a un objeto flexible, plegarlo de forma que una parte quede superpuesta a otra: *Dobló la carta y la metió en el sobre.* **2** Referido a algo que estaba recto o derecho, torcerlo o darle forma curva: *Es imposible arrodillarse sin doblar las piernas por las rodillas.* **3** Referido a un lugar, pasar por delante de él y ponerse al otro lado: *El barco dobló el cabo y entró en el puerto. Cuando llegues al cruce, dobla a la derecha.* **4** Duplicar en edad o hacer dos veces mayor: *Te doblo en edad, pues yo tengo veinte años y tú, diez. Me han doblado el trabajo y no doy abasto.* **5** En cine y televisión, hacer un doblaje: *Prefiero las películas subtituladas a las que han sido dobladas.* **[6** En cine, referido a un actor, sustituirlo en determinados momentos del rodaje de una película: *Los especialistas 'doblan' a los protagonistas en las escenas más peligrosas.* **[7** En algunos deportes, referido a un corredor, ser alcanzado por otro que ya ha dado una vuelta más que él: *En los 10.000 metros lisos es muy normal que el primer clasificado 'doble' a los últimos.* **8** *col.* Referido a una persona, causarle desaliento, daño, dolor o pena: *Tantas desgracias me han dejado doblado. Como no te calles, te voy a doblar a palos.* **9** En tauromaquia, referido al toro, echarse a tierra para morir después de haber recibido la estocada: *Cuando el toro dobló, el público sacó los pañuelos y pidió la oreja para el torero.* **10** Referido esp. a las campanas, tocar a muerto: *Todas las campanas del pueblo doblan por el boticario, que murió ayer.* ▮ prnl. **11** Ceder a la persuasión o a la fuerza, y renunciar a un intento: *No te dobles ante los contratiempos y trata de superarlos.* ☐ ETIMOL. Del latín *duplare*, y éste de *duplus* (doble). ☐ SEM. **Doblar a muerto* es una expresión redundante e incorrecta, aunque está muy extendida.

doble ▮ adj. **1** Que va acompañado por algo semejante o idéntico, junto con lo cual desempeña una misma función. **2** Referido esp. a un tejido, que es más fuerte, más grueso o más consistente de lo normal. ▮ numer. **3** Que consta de dos o que es adecuado para dos. ▮ adj./s.m. **4** Referido a una cantidad, que es dos veces mayor que otra; duplo. ▮ adj./s. **5** Referido esp. a una persona, que no se comporta con naturalidad, esp. si se muestra de una manera y después es de otra. ▮ s. **6** Persona que se parece tanto a otra que puede sustituirla o pasar por ella sin que se note. **7** En cine, actor que sustituye a otro en determinados momentos del rodaje de una película. ▮ s.m. **[8** Medida de cerveza mayor de lo normal. ▮ pl. **9** En tenis y otros deportes, partido en el que juegan dos contra dos. **[10** En baloncesto, falta que se comete cuando un jugador bota con las dos manos a la vez o cuando salta con el balón y cae con él todavía en las manos. ▮ adv. **11** Dos veces o dos veces más. **12** Referido a la forma de actuar, con doblez y con malicia. ☐ ETIMOL. Del latín *duplus*. ☐ MORF.

1. Como adjetivo es invariable en género. 2. En las acepciones 6 y 7, es de género común: *el doble, la doble*. 3. En la acepción 6, la RAE lo registra sólo como masculino.

doblegar v. Someter o hacer desistir de una idea o propósito y obligar a obedecer o a aceptar otros: *No conseguirás doblegar mi voluntad. Habrá que doblegarse a la opinión de la mayoría.* ☐ ETIMOL. Del latín *duplicare* (doblar). ☐ ORTOGR. La *g* se cambia en *gu* delante de *e* →PAGAR.

doblete s.m. [1 Serie de dos victorias o éxitos consecutivos, esp. en deporte. 2 ‖ hacer doblete; referido a un actor, desempeñar dos papeles en una misma obra.

doblez ▌ s. 1 Hipocresía, astucia o malicia en la manera de actuar, dando a entender lo contrario de lo que verdaderamente se siente. **▌ s.m. 2** Parte que se dobla o se pliega. **3** Señal que queda en la parte por donde se ha doblado. ☐ MORF. En la acepción 1, es de género ambiguo: *el doblez interesado, la doblez interesada.*

doblón s.m. Antigua moneda española de oro con distintos valores según la época. ☐ ETIMOL. De *dobla* (antigua moneda castellana).

doce ▌ numer. **1** Número 12. **▌** s.m. **2** Signo que representa este número. ☐ ETIMOL. Del latín *duodecim*, de *duo* (dos) y *decem* (diez). ☐ MORF. Como numeral es invariable en género y en número.

doceavo, va numer. Referido a una parte, que constituye un todo junto con otras once iguales a ella; duodécimo, dozavo. ☐ SEM. Su uso como numeral ordinal es incorrecto: *Llegué en {*doceava > duodécima} posición.*

docena s.f. Conjunto de doce unidades.

docencia s.f. Actividad del que se dedica a la enseñanza.

docente ▌ adj. **1** De la enseñanza o relacionado con esta actividad educativa. **▌** adj./s. **2** Que se dedica profesionalmente a la enseñanza. ☐ ETIMOL. Del latín *docens*, y éste de *docere* (enseñar). ☐ MORF. 1. Como adjetivo es invariable en género. 2. Como sustantivo es de género común: *el docente, la docente.*

dócil adj. **1** Dulce y apacible o fácil de educar. **2** Que obedece o cumple lo que se le manda; obediente. **3** Referido esp. a un metal o a una piedra, que puede labrarse con facilidad. ☐ ETIMOL. Del latín *docilis* (que aprende fácilmente). ☐ MORF. Invariable en género.

docilidad s.f. **1** Modo de ser del que es dulce y apacible o fácil de educar. **2** Modo de ser del que cumple lo que se le manda; obediencia.

docto, ta adj./s. Sabio o con muchos conocimientos, esp. si han sido adquiridos a través del estudio. ☐ ETIMOL. Del latín *doctus* (enseñado).

doctor, -a s. **1** Persona legalmente autorizada para ejercer la medicina; médico. **2** Persona que tiene un título universitario de doctorado. **3** En la iglesia católica, título que se concede al santo que se ha distinguido en la defensa o en la enseñanza de esta religión. ☐ ETIMOL. Del latín *doctor* (el que enseña, maestro). ☐ SINT. Constr. de la acepción 2: *doctor EN algo.*

doctorado s.m. **1** Título universitario que se obtiene después de haber realizado los estudios necesarios y haber presentado y aprobado la tesis. **2** Estudios necesarios para obtener este título.

doctoral adj. De doctor o del doctorado, o relaci⟨ nado con ellos. ☐ MORF. Invariable en género.

doctorando, da s. Persona que está preparan⟨ la obtención del título de doctor.

doctorar v. Conceder o conseguir un título de do⟨ tor en una universidad: *Lo doctoraron con la m⟨ xima nota. Se doctoró en Filosofía por la Univers⟨ dad Complutense de Madrid.* ☐ SINT. Constr. *do⟨ torarse EN algo.*

doctrina s.f. **1** Conjunto de ideas o de creencia⟨ defendidas y sostenidas por un grupo. **2** Cienci⟨ sabiduría o conjunto de conocimientos ordenados s⟨ bre un tema. ☐ ETIMOL. Del latín *doctrina.*

doctrinal ▌ adj. **1** De la doctrina o relacionado co⟨ ella. **▌** s.m. **2** Libro que contiene reglas y precepto⟨ ☐ MORF. Como adjetivo es invariable en género. ⟨ SEM. Dist. de *doctrinario* (relacionado con una do⟨ trina determinada; que defiende o practica una do⟨ trina).

doctrinar v. →adoctrinar.

doctrinario, ria ▌ adj. **1** Relacionado con una do⟨ trina determinada, esp. la de un partido político la de una institución. **▌** adj./s. **2** Que defiende ⟨ practica una doctrina, esp. la de un partido polític⟨ o la de una institución. ☐ MORF. En la acepción ⟨ la RAE sólo lo registra como adjetivo. ☐ SEM. Dis⟨ de *doctrinal* (de la doctrina; libro que contiene r⟨ glas y preceptos).

doctrinarismo s.m. Actitud de quien es partida⟨ rio de una doctrina a la que se consagra y a la qu⟨ se dedica totalmente.

docudrama s.m. Programa de radio, de cine o d⟨ televisión que trata, con técnicas dramáticas, h⟨ chos reales propios de un documental. ☐ ETIMOI⟨ De *documental* y *dramático.*

documentación s.f. **1** Conocimiento de un asur⟨ to a través de la información que se recibe de él. ⟨ Conjunto de documentos, esp. si son de carácter of⟨ cial, que sirven como identificación personal o com⟨ prueba de algo.

documentado, da adj. **1** Que se acompaña d⟨ los documentos necesarios. [2 Que consta o se men⟨ ciona en documentos. [3 Referido a una persona, qu⟨ posee o lleva consigo documentación oficial que l⟨ identifica.

documental ▌ adj. **1** Que se basa en documento⟨ para probar o demostrar algo, o que se refiere ⟨ ellos. **▌** adj./s.m. **2** Referido a un programa de radic⟨ cine o televisión, que trata asuntos o hechos de la rea⟨ lidad con un fin informativo o pedagógico. ☐ MORI⟨ Como adjetivo es invariable en género.

[documentalismo s.m. Técnica de preparación ⟨ elaboración de todo tipo de informes, de noticias ⟨ de datos bibliográficos acerca de un asunto.

documentalista s. **1** Persona que se dedica a ha⟨ cer programas documentales, esp. si ésta es su pro⟨ fesión. **2** Persona que se dedica profesionalmente ⟨ la preparación y elaboración de todo tipo de infor⟨ mes, de noticias y de datos bibliográficos acerca d⟨ un asunto. ☐ MORF. Es de género común: *el docu⟨ mentalista, la documentalista.*

documentar v. **1** Referido a una cuestión, aporta⟨ documentos para probarla o demostrarla: *No hagas⟨ acusaciones si no puedes documentarlas.* **2** Informa⟨ acerca de lo que atañe a un asunto: *Tu conferencia⟨ ha sido brillante porque te has documentado mu⟨ bien.*

ocumento s.m. **1** Escrito en el que constan datos iables para probar o acreditar algo. **2** Lo que inorma o ilustra sobre un hecho. ☐ ETIMOL. Del latín *documentum* (enseñanza, ejemplo, muestra).

odeca- Elemento compositivo que significa 'doce'. ☐ ETIMOL. Del griego *dódeka-*.

odecaedro s.m. En geometría, cuerpo geométrico imitado por doce polígonos o caras. ☐ ETIMOL. Del griego *dodekáedros* (con doce caras). ☐ SEM. Dist. le *dodecágono* (polígono).

odecafonía s.f. o **[dodecafonismo** s.m. En música, sistema atonal de composición que se basa en el empleo de los doce sonidos de la escala cromática dispuestos en un orden que establece el compositor y que configura una serie o estructura compositiva básica. ☐ ETIMOL. De *dódeca* (doce) y el griego *phoné* (sonido). ☐ SEM. Aunque la RAE lo considera sinónimo de *atonalidad* y *atonalismo*, en círculos especializados no lo es.

odecafónico, ca adj. De la dodecafonía o relacionado con este sistema de composición musical.

odecágono adj./s.m. En geometría, referido a un polígono, que tiene doce lados y doce ángulos. ☐ ETIMOL. Del griego *dodekágonos* (con doce ángulos). ☐ SEM. Dist. de *dodecaedro* (cuerpo geométrico).

odecasílabo adj./s.m. De doce sílabas, esp. referido a un verso. ☐ ETIMOL. De *dódeca-* (doce) y sílaba.

dodo s.m. Ave de gran tamaño, incapaz de volar, que tenía el pico fuerte y ganchudo y movimientos torpes y cuya hembra ponía un solo huevo que debía ser incubado por el macho y la hembra. ☐ MORF. Es un sustantivo epiceno: *el 'dodo' macho, el 'dodo' hembra.*

dodotis s.m. Pañal de un solo uso, hecho con celulosa absorbente y que se ajusta al cuerpo por medio de unas tiras adhesivas. ☐ ETIMOL. Extensión del nombre de una marca comercial. ☐ MORF. Invariable en número.

logma s.m. **1** Afirmación que se considera verdadera y segura, y que no puede ser negada ni puesta en duda por sus adeptos. **2** Fundamento o conjunto de los puntos principales de una ciencia, de un sistema, de una doctrina o de una religión. ☐ ETIMOL. Del latín *dogma*, y éste del griego *dógma* (parecer, decisión, decreto).

logmático, ca adj./s. Referido a una persona, que es inflexible en sus opiniones y las mantiene como verdades firmes que no admiten duda ni contradicción.

logmatismo s.m. **1** Presunción de quien se muestra inflexible en sus opiniones al mantenerlas como verdades firmes que no admiten duda ni contradicciones. **2** Conjunto de las afirmaciones que se consideran principios innegables de una ciencia, de una religión o de una doctrina.

logmatizar v. Afirmar y defender como verdades absolutas e innegables principios o ideas que pueden contradecirse: *No dogmatices cuando hablas, porque tú también te equivocas.* ☐ ORTOGR. La *z* se cambia en *c* delante de *e* →CAZAR.

logo, ga adj./s. Perro que se caracteriza por su gran tamaño y por tener el pelaje oscuro o blanco con manchas negras; gran danés. ☐ ETIMOL. Del inglés *dog* (perro).

lólar s.m. **1** Unidad monetaria estadounidense. **2** Nombre genérico que recibe la unidad monetaria de distintos países. **3** ‖ **[estar montado en el dólar**;

col. Tener muchas riquezas. ☐ ETIMOL. Del inglés *dollar*, y éste del alemán *daler*.

[dolby (anglicismo) s.m. Sistema que reduce el ruido de fondo de la grabación sonora. ☐ ETIMOL. Extensión del nombre de una marca comercial. ☐ PRON. [dólbi].

[dolce far niente (italianismo) ‖ Ociosidad agradable. ☐ PRON. [dólche far niénte].

[dolce vita (italianismo) ‖ Vida frívola. ☐ PRON. [dólche víta].

dolencia s.f. Enfermedad, achaque o indisposición.

doler ∎ v. **1** Referido a una parte del cuerpo, hacer sentir dolor físico: *Cuando me duelen las muelas me desespero.* **2** Causar pena, tristeza o pesar: *Este fracaso me duele y me apena mucho.* ∎ prnl. **3** Sentir pesar y expresarlo: *Me duelo de mi mala suerte.* **4** Referido al mal ajeno, compadecerse de ello: *Yo también sufro con tu desgracia y me duelo contigo.* ☐ ETIMOL. Del latín *dolere*. ☐ MORF. Irreg. →MOVER. ☐ SINT. Constr. como pronominal: *dolerse DE algo.*

doliente ∎ adj. **1** Referido a una persona, que siente pena, desconsuelo o dolor. ∎ s. **2** En un duelo, pariente de la persona difunta. ☐ ETIMOL. Del latín *dolens*. ☐ MORF. 1. Como adjetivo, es invariable en género. 2. Como sustantivo es de género común: *el doliente, la doliente.*

dolmen s.m. Monumento megalítico formado por una o varias piedras horizontales puestas sobre varias piedras verticales. ☐ ETIMOL. Del francés *dolmen*. ☐ SEM. Dist. de *menhir* (formado por una sola piedra vertical).

dolomítico, ca adj. Semejante a la dolomita o que la contiene.

dolor s.m. **1** Sensación molesta que se siente en una parte del cuerpo. **2** Sentimiento grande de pena, de tristeza o de pesar. ☐ ETIMOL. Del latín *dolor*.

dolorido, da adj. Que padece o que siente dolor.

doloroso, sa adj. **1** Que causa o implica dolor. **2** ‖ **la dolorosa**; *col.* La factura. ☐ ETIMOL. Del latín *dolorosus*.

doma s.m. **1** Operación de amansar a un animal mediante el ejercicio y la enseñanza. **2** Control o represión de una pasión o de un comportamiento. ☐ SEM. Es sinónimo de *domadura*.

domador, -a s. Persona que se dedica profesionalmente a la doma de animales o a la exhibición de animales salvajes domados.

domadura s.f. →doma.

domar v. **1** Referido a un animal, amansarlo y hacerlo dócil mediante el ejercicio y la enseñanza: *Ha domado un caballo salvaje y ahora lo monta para pasear.* **2** Referido esp. a una pasión o a una conducta, dominarlas o reprimirlas: *No consigue domar su pasión por el juego.* **3** Referido a una persona, hacer que sea más agradable y de carácter menos áspero; domesticar: *Debes domar a ese niño, porque es muy rebelde.* **4** Referido a un objeto, darle flexibilidad y holgura: *A ver si domo estos zapatos, porque me hacen daño.* ☐ ETIMOL. Del latín *domare*.

domeñar v. Someter, dominar o sujetar: *No consigue domeñar a ese joven rebelde.* ☐ ETIMOL. Del latín **dominiare*, y éste de *dominium* (dominio).

domesticable adj. Que puede domesticarse. ☐ MORF. Invariable en género.

domesticación s.f. Transformación de las costumbres de un animal salvaje o fiero de forma que se haga doméstico y se acostumbre a la convivencia con seres humanos.

domesticar v. **1** Referido a un animal, hacerlo doméstico y acostumbrarlo a la convivencia con seres humanos: *El cachorro de león que domestiqué está en el jardín.* **2** Hacer que sea más agradable y de carácter menos áspero; domar: *Mi suegra siempre dice que yo he domesticado a su hijo.* ☐ ETIMOL. De *doméstico.* ☐ ORTOGR. La *c* se cambia en *qu* delante de *e* →SACAR.

domesticidad s.f. Adaptabilidad de un animal a la convivencia con las personas.

doméstico, ca adj. **1** De la casa, del hogar o relacionado con ellos. **2** Referido a un animal, que se cría en la compañía de las personas. ☐ ETIMOL. Del latín *domesticus* (de la casa). ☐ SEM. No debe emplearse con el significado de 'nacional' o 'interior' (anglicismo): *Se retrasaron algunos vuelos {*domésticos > nacionales}.*

domiciliación s.f. Autorización de un pago o de un cobro con cargo a una cuenta existente en una entidad bancaria.

domiciliar v. Referido a un pago o a un cobro, autorizarlos con cargo a una cuenta existente en una entidad bancaria: *Ya he domiciliado todos mis pagos en la cuenta corriente.* ☐ ORTOGR. La *i* nunca lleva tilde.

domiciliario, ria adj. **1** Que se hace o que se cumple a domicilio. **2** Del domicilio o relacionado con él.

domicilio s.m. **1** Lugar que legalmente se considera residencia y permanencia habitual de una persona. **2** Lugar o casa donde se habita de forma fija y permanente. **3** ‖**a domicilio**; **1** En el domicilio del interesado. **2** En el lenguaje del deporte, en el campo o en la pista del contrario. ‖ **[domicilio social**; el de una empresa. ☐ ETIMOL. Del latín *domicilium*, y éste de *domus* (casa).

dominación s.f. Ejercicio del dominio sobre algo o sobre alguien.

dominador, -a adj./s. Que domina.

dominante ‖ adj. **1** En biología, referido a un carácter hereditario, que siempre se manifiesta cuando se posee. ‖ adj./s. **2** Referido a una persona o a su carácter, que avasalla a otras y no tolera que le contradigan. ‖ s.f. **3** En música, en una escala diatónica, quinto grado a partir de la tónica. ☐ MORF. 1. Como adjetivo es invariable en género. 2. En la acepción 2, como sustantivo es de género común: *el dominante, la dominante.*

dominar v. **1** Referido a algo, tener o ejercer dominio sobre ello: *Los antiguos romanos dominaron a muchos pueblos.* **2** Sujetar, reprimir o contener: *Debes dominar tus nervios.* **3** Referido esp. a un arte o a una ciencia, conocerlas perfectamente: *Domina las matemáticas.* **4** Referido a una extensión de terreno, divisarla desde una altura: *Desde la montaña domino todo el valle.* **5** Referido esp. a un edificio, ser más alto que otros o sobresalir entre ellos: *Las torres dominan toda la ciudad.* ☐ ETIMOL. Del latín *dominare.*

dómine s.m. Antiguamente, persona que enseñaba gramática latina. ☐ ETIMOL. Del latín *domine*, vocativo de *dominus* (dueño, maestro), porque lo empleaban los alumnos al dirigirle la palabra.

[domingas s.f.pl. *vulg.* Pechos femeninos.

domingo s.m. **1** Séptimo día de la semana, entre el sábado y el lunes. **[2** En zonas del español meridio-

nal, cantidad de dinero que se da a los niños en es día. ☐ ETIMOL. Del latín *dies dominicus* (día del S ñor).

dominguero, ra ‖ adj. **1** En América, referido a l ropa, que es elegante y se usa en días especiales. ‖ s. **2** Persona que suele salir a divertirse y distraers sólo los domingos y festivos. **3** Conductor inexpert porque sólo usa el coche los domingos y festivo para salir de la ciudad. ☐ USO En las acepciones y 3 tiene un matiz despectivo.

dominical ‖ adj. **1** Del domingo o relacionado co él. ‖ adj./s.m. **2** Referido a un periódico o a su supl mento, que sale los domingos. ☐ ETIMOL. Del latí *dominicalis.* ☐ MORF. Como adjetivo es invariabl en género.

dominicano, na adj./s. De la República Domin cana (país centroamericano), o relacionado con ell

dominico, ca adj./s. De la Orden de Santo D mingo (fundada por Domingo de Guzmán en el sig XIII), o relacionado con ella.

dominio s.m. **1** Poder que se ejerce sobre algo sobre alguien sometiéndolo a la propia voluntad controlándolo. **2** Territorio sobre el que alguie esp. un Estado, ejerce este poder. **3** Conocimien suficiente de un arte o de una ciencia. **4** Ámbit real o imaginario de una actividad. **5** ‖ **de domini público**; sabido o conocido por la mayoría de l gente. ☐ ETIMOL. Del latín *dominium* (propiedad dominio).

dominó s.m. Juego de mesa que consta de veinti cho fichas rectangulares, cada una dividida en d partes iguales y con una puntuación que señala to das las combinaciones posibles entre el cero y e seis. ☐ ETIMOL. Del francés *domino*, y éste del latí *domino* (yo gano).

don ‖ s. **1** Tratamiento de respeto que se da a la personas. **2** Seguido de una expresión que expresa un cualidad, indica que una persona se caracteriza po esa cualidad. ‖ s.m. **3** Cualidad o habilidad par hacer algo. **4** Regalo, dádiva o bien naturales o so brenaturales: *El hada le concedió tres dones.* ‖ **don de gentes**; el que se tiene para tratar a otra personas, para convencerlas o para atraer su sim patía. ‖ **don nadie**; persona de poca influencia, a l que no se reconoce ningún valor. ☐ ETIMOL. La acepciones 1 y 2, del latín *dominus* (señor). La acepciones 3 y 4, del latín *donum.* ☐ MORF. En l acepción 1, su femenino es *doña.* ☐ SINT. 1. En l acepción 1, se usa antepuesto a un nombre de pila 2. En la acepción 2, se usa antepuesto a un sustan tivo o a un adjetivo.

[dona s.f. En zonas del español meridional, donut.

donación s.f. Entrega voluntaria y gratuita d algo que se posee.

donaire s.m. Agilidad, discreción y gracia en la for ma de hablar o de moverse. ☐ ETIMOL. Del latí *donarium* (donativo), que se aplicaba a la graci que era considerada como el mejor de los dones na turales.

donante s. Persona que da sangre para una trans fusión o que cede algún órgano para un trasplante ☐ MORF. Es de género común: *el donante, la donan te.*

donar v. Regalar o ceder voluntaria y gratuitamen te; dar: *Donó su finca para que se construyera al un colegio. Soy A + y dono sangre cada tres meses* ☐ ETIMOL. Del latín *donare*, y éste de *donum* (don)

dormitar

onativo s.m. Dádiva, regalo o cesión, esp. si se aacen con fines benéficos. ☐ ETIMOL. Del latín *do-ativum.*

oncel s.m. **1** Antiguamente, joven noble que aún no aabía sido armado caballero. **2** *poét.* Joven que no aa tenido relaciones sexuales. ☐ ETIMOL. Del pro-venzal *donsel.* ☐ MORF. En la acepción 2, su feme-aino es *doncella.*

oncella s.f. **1** *poét.* s.f. de *doncel.* **2** Mujer que orma parte del servicio doméstico de una casa y se ledica a los trabajos ajenos a la cocina. **3** Pez ma-ino de pequeño tamaño, cuerpo alargado y apla-aado por los lados y recubierto de una sustancia aegajosa, hocico corto con labios carnosos y dientes argos y unidos, que puede pescarse con caña o con redes pequeñas; baboso, budión. ☐ ETIMOL. Del pro-venzal *donsela.*

oncellez s.f. *poét.* Virginidad.

onde adv.relat. Designa un lugar ya mencionado o sobrentendido. ☐ ETIMOL. Del latín *de* (preposi-ión) y *unde* (de donde). ☐ ORTOGR. 1. Dist. de *dón-de.* 2. Precedido de la preposición *a*, se escribe *adon-de*; incorr. *a donde.* ☐ SINT. 1. En frases sin verbo, unciona como una preposición: *Estuve donde tus tíos.* 2. Es un relativo con o sin antecedente. ☐ SEM. *Adonde* y *en donde* tienen el mismo significado que *donde.* ☐ USO *Por donde* se usa, generalmente pre-cedido de un imperativo, para expresar un hecho nesperado: *Creíamos que no volverías y, mira tú por donde, no pudiste estar sin nosotros ni un día.*

ónde adv. **1** En qué lugar o en qué sitio. **2** ‖de **dónde**; expresión que se utiliza para indicar sor-presa. ☐ ORTOGR. 1. Dist. de *donde.* 2. Precedido de la preposición *a*, se escribe *adónde*; incorr. *a dón-de.* ☐ SEM. *Adónde* y *en dónde* se usan con el mismo significado que *dónde.*

ondequiera adv. En cualquier parte. ☐ ETIMOL. De *donde* y *querer.* ☐ ORTOGR. Se admite también *donde quiera.*

ondiego s.m. Planta herbácea con tallos dere-chos, hojas opuestas y lanceoladas, y flores gene-ralmente rojas, amarillas o blancas con forma de embudo que están abiertas sólo durante la noche; dondiego de noche. ☐ ETIMOL. De *don* y *Diego.*

onjuán s.m. Hombre aficionado a seducir muje-res. ☐ ETIMOL. Por alusión al personaje literario de don Juan, galanteador y atrevido. ☐ USO Es inne-cesario el uso del anglicismo *playboy.*

onjuanesco, ca adj. De don Juan (personaje literario galanteador y atrevido), con sus caracterís-ticas o relacionado con él.

onjuanismo s.m. Conjunto de caracteres y de actitudes propios de Don Juan Tenorio (personaje de ficción, galanteador y atrevido).

onostiarra adj./s. De San Sebastián o relacio-nado con esta ciudad guipuzcoana. ☐ ETIMOL. Del vasco *Donostia* (San Sebastián). ☐ MORF. 1. Como adjetivo es invariable en género. 2. Como sustantivo es de género común: *el donostiarra, la donostiarra.*

donut s.m. Bollo esponjoso y frito con forma de rosquilla, cubierto de azúcar o de chocolate. ☐ ETI-MOL. Extensión del nombre de una marca comercial. ☐ PRON. [dónut].

loña s.f. de **don.** ☐ ETIMOL. Del latín *domina* (dama).

lopaje s.m. Uso de sustancias estimulantes para

conseguir un mayor rendimiento en el deporte. ☐ USO Es innecesario el uso del anglicismo *doping.*

dopar v. Administrar sustancias estimulantes para conseguir un mayor rendimiento, esp. en competi-ciones deportivas: *La federación ha descalificado a ese deportista porque se dopaba.* ☐ ETIMOL. Del in-glés *to dope* (drogar). ☐ MORF. Se usa más como pronominal.

[doping s.m. →**dopaje.** ☐ PRON. [dópin]. ☐ USO Es un anglicismo innecesario.

doquier o **doquiera** adv. *ant.* →**dondequiera.** ☐ SINT. Se usa más en la expresión *por doquier.*

dorada s.f. Véase **dorado, da.**

dorado, da ▌ adj. **1** Del color del oro o semejante a él. **2** Referido a un período de tiempo, esplen-doroso o feliz. ▌ s.m. **3** Cubrimiento con oro o apli-cación de un color dorado; doradura. ▌ pl. **4** Con-junto de adornos metálicos, de oro o de latón. ▌ s.f. **5** Pez marino con el dorso gris azulado, los flancos amarillos plateados y una mancha dorada sobre la frente, entre los ojos. ☐ MORF. En la acepción 5, es un sustantivo epiceno: *la dorada macho, la dorada hembra.*

doradura s.f. →**dorado.**

dorar v. **1** Referido a un alimento, asarlo o freírlo li-geramente: *Tienes que dorar cebolla en la sartén antes de echar la carne.* **2** Cubrir con oro o dar el aspecto del oro: *Quiero dorar este jarrón de latón.* ☐ ETIMOL. Del latín *deaurare.*

dórico, ca ▌ adj. **1** De la Dóride (región de la anti-gua Grecia), o relacionado con ella; dorio. **2** En arte, del orden dórico. ▌ s.m. **3** →**orden dórico.**

dorio, -a adj./s. De la Dóride (región de la antigua Grecia), o relacionado con ella. ☐ SEM. Como adje-tivo es sinónimo de *dórico.*

dormida s.f. *col.* Acto de dormir, durante el cual se suspende la actividad consciente y se reposa con el sueño.

dormidero, ra ▌ adj. **1** Que hace dormir. ▌ s.m. **2** Lugar en el que duerme el ganado. ▌ s.f. **3** →**adormidera.**

dormilón, -a ▌ adj./s. **1** *col.* Que duerme mucho o que se duerme con facilidad. ▌ s.f. **2** En zonas del español meridional, camisón.

dormilona s.f. Véase **dormilón, -a.**

dormir ▌ v. **1** Estar o hacer estar en un estado de reposo en el que se suspende la actividad conscien-te: *Estoy tan cansada que me dormiría aquí mismo. Acuné al niño para dormirlo. Todas las tardes duer-mo la siesta. Se acostó a dormir la borrachera que traía.* **2** Pasar la noche en un lugar, esp. si es fuera del domicilio propio; pernoctar: *Esta última semana he dormido en casa de mis tíos.* **[3** Producir mucho aburrimiento: *Esa película tan larga 'duerme' a cualquiera.* **[4** *euf. col.* Tener relaciones sexuales: *No 'dormiría' con ese chico ni aunque fuera el único hombre del mundo.* ▌ prnl. **5** Descuidarse en una acción y no realizarla con la diligencia y con el cui-dado necesarios: *No te duermas y acaba de una vez los deberes.* **6** Referido a un miembro del cuerpo, ador-mecerse o perder temporalmente la sensibilidad: *Siento un hormigueo en el pie porque se me está durmiendo.* ☐ ETIMOL. Del latín *dormire.* ☐ MORF. Irreg. →DORMIR.

dormitar v. Estar medio dormido o dormir con un sueño poco profundo: *La abuela dormitaba y daba* *cabezadas viendo la televisión.* ☐ ETIMOL. Del latín *dormitare.*

dormitorio s.m. En una casa, cuarto destinado a dormir; alcoba. ☐ ETIMOL. Del latín *dormitorium.*

dorsal ∎ adj. 1 Del dorso, espalda o lomo, o relacionado con ellos. 2 En fonética y fonología, referido a un sonido, que se articula con el dorso de la lengua: *[ch] es un sonido dorsal.* ∎ s.m. 3 Trozo de tela con un número, que llevan en la espalda los participantes en algunos deportes. ∎ s.f. 4 Letra que representa un sonido dorsal. ☐ ETIMOL. Del latín *dorsualis.* ☐ MORF. Como adjetivo es invariable en género.

dorso s.m. 1 Parte posterior de algo o parte opuesta a la que se considera principal. ✺ mano [2 En zonas del español meridional, natación a espalda. ☐ ETIMOL. Del latín *dorsum* (espalda).

dos ∎ numer. 1 Número 2: *dos amigas.* ∎ s.m. 2 Signo que representa este número: *Los romanos escribían el dos como 'II'.* 3 ‖ (a) **cada dos por tres;** con frecuencia: *Cada dos por tres prepara una fiesta en su casa.* ‖ **una de dos;** expresión que se usa para contraponer dos cosas por una de las cuales hay que optar: *Una de dos: o te vienes con nosotros, o te vas tú solo.* ☐ ETIMOL. Del latín *duos,* acusativo de *duo* (dos). ☐ MORF. 1. Como numeral es invariable en género y en número. 2. En la acepción 2, su plural es *doses.*

doscientos, tas ∎ numer. 1 Número 200: *doscientas páginas.* ∎ s.m. 2 Signo que representa este número: *Los romanos escribían el doscientos como 'CC'.* ☐ ETIMOL. Del latín *ducenti* por influencia de *dos.* ☐ MORF. 1. Como numeral es invariable en número. 2. Incorr. *página* {**doscientos* > *doscientas*}.

dosel s.m. Cubierta ornamental con forma de techo, que se coloca a cierta altura sobre un altar, un trono, una cama o algo semejante. ☐ ETIMOL. Del francés *dossier* o del catalán *dosser.*

dosificación s.f. División o graduación de algo en dosis.

dosificar v. Dividir o graduar en dosis: *Dosifica tus esfuerzos o no podrás llegar al final de la carrera.* ☐ ETIMOL. De *dosis* y del latín *facere* (hacer). ☐ ORTOGR. La *c* se cambia en *qu* delante de *e* →SACAR.

dosis s.f. 1 Cantidad de un medicamento o de otra sustancia que debe tomarse cada vez. 2 Cantidad o porción de algo. ☐ ETIMOL. Del griego *dósis* (acción de dar). ☐ MORF. Invariable en número.

dossier s.m. Informe, expediente o conjunto de papeles y documentos sobre un asunto. ☐ ETIMOL. Del francés *dossier.*

dotación s.f. 1 Equipamiento o provisión con algo que proporciona una mejora. 2 Concesión a una persona de los dones o cualidades que se expresan. 3 Asignación del personal y de los medios necesarios para el funcionamiento de un lugar. 4 Conjunto de las personas asignadas para un servicio. 5 Asignación de una cantidad como pago.

dotado, da adj. 1 Equipado o provisto. 2 Que tiene condiciones o cualidades naturales para una actividad.

dotar v. 1 Equipar o proveer con algo que proporcione una mejora: *Este vehículo viene dotado con todas las comodidades.* 2 Referido a una persona, darle o concederle los dones o cualidades que se expresan: *Según la Biblia, Dios dotó al hombre de inteligencia.* 3 Referido a un lugar, asignarle el personal y los medios necesarios para su funcionamiento:

Cada ministerio cuenta con un presupuesto para d⟨ tar las oficinas que dependen de él. 4 Referido esp. un cargo, asignarle una cantidad como pago: *Dot⟨ ron los cargos directivos con una suma despropo⟨ cionada en comparación con los sueldos medios.* ☐ ETIMOL. Del latín *dotare.* ☐ SINT. Constr. de l⟨ acepciones 1 y 2: *dotar* {CON/DE} *algo.*

dote ∎ s. 1 Conjunto de dinero o de bienes que llev⟨ una mujer al matrimonio o que entrega al convent⟨ o a la orden religiosa en que profesa. ∎ s.f. 2 Cu⟨ lidad o buena capacidad de una persona para un⟨ actividad. ☐ ETIMOL. Del latín *dos.* ☐ MORF. 1. E⟨ la acepción 1, aunque se usa más como femenin⟨ es de género ambiguo: *el dote paterno, la dote p⟨ terna.* 2. La acepción 2 se usa más en plural.

dovela s.f. En arquitectura, piedra labrada en form⟨ de cuña truncada para formar un arco, una bóved⟨ u otras superficies. ☐ ETIMOL. Del francés dialect⟨ *douvelle.* ✺ arco

dozavo, va numer. →doceavo.

dracma s.f. Unidad monetaria griega. ☐ ETIMO⟨ Del latín *drachma,* y éste del griego *drakhmé.* ⟨ MORF. Incorr. su uso como masculino.

draga s.f. Máquina que se emplea para excavar ⟨ limpiar el fondo de puertos y zonas de aguas na⟨ vegables, extrayendo de ellos fango, piedras u otr⟨ materiales. ☐ ETIMOL. Del francés *drague,* y ést⟨ del inglés *to drag* (arrastrar).

dragado s.m. Excavación y limpieza del fondo d⟨ una zona de aguas navegables con una draga.

dragaminas s.m. Barco preparado para limpiar e⟨ mar de minas submarinas; barreminas. ☐ MORF. In⟨ variable en número. ✺ embarcación

dragar v. Referido esp. a una zona de aguas navegable⟨ excavar y limpiar su fondo con una draga: *Dragaro⟨ el puerto para eliminar la suciedad del fondo.* ⟨ ORTOGR. La *g* se cambia en *gu* delante de *e* →PAGA⟨

drago s.m. Árbol de hasta veinte metros de altur⟨ de tronco grueso, ramificado y liso, copa amplia ⟨ siempre verde, pequeñas flores acampanadas de co⟨ lor blanco verdoso con estrías encarnadas, y frut⟨ en forma de baya anaranjada. ☐ ETIMOL. Del latí⟨ *draco* (dragón).

dragón s.m. 1 Animal fabuloso, con cuerpo en for⟨ ma de serpiente muy corpulenta, con patas y ala⟨ y al que se atribuye gran fiereza y la capacidad d⟨ arrojar fuego por la boca. ✺ mitología 2 Rept⟨ parecido al lagarto, de unos veinte centímetros d⟨ largo, cuya piel forma a ambos lados del abdome⟨ una especie de alas que le ayudan en los saltos, ⟨ que suele vivir subido a los árboles. 3 Embarcació⟨ deportiva de vela, de nueve metros de longitu⟨ como máximo. [4 Antigua embarcación vikinga mo⟨ vida por remos y por una vela, y utilizada para e⟨ transporte. ✺ embarcación ☐ ETIMOL. Del latí⟨ *draco.*

drama s.m. 1 Obra literaria destinada a ser repre⟨ sentada en un escenario, y cuyo argumento se de⟨ sarrolla mediante la acción y el lenguaje directo ⟨ dialogado de los personajes. 2 Género literario for⟨ mado por las obras de este tipo; dramática, dra⟨ maturgia. 3 Obra teatral o cinematográfica, en qu⟨ se presentan acciones y situaciones desgraciadas ⟨ dolorosas, y sin llegar a los grados extremos de l⟨ tragedia. 4 Suceso que interesa y conmueve viva⟨ mente. ☐ ETIMOL. Del latín *drama,* y éste del grieg⟨ *drâma* (acción, pieza teatral).

ramático, ca ∎ adj. **1** Del drama, relacionado con él, o con rasgos propios de este género literario o de este tipo de obras. **2** Capaz de interesar y conmover vivamente. **3** Teatral o falto de naturalidad. ∎ adj./s. **4** Referido a un autor, que escribe obras dramáticas. ∎ s.f. **5** Género literario formado por los dramas u obras destinadas a ser representadas en un escenario; drama. **6** Arte de componer estas obras: *La dramática clásica establecía que en las obras de teatro debían respetarse las unidades de tiempo, lugar y acción.* ☐ SEM. 1. En las acepciones 5 y 6, es sinónimo de *dramaturgia*. 2. Su uso como adjetivo con el significado de 'drástico, espectacular o llamativo' es un anglicismo innecesario: *La Bolsa experimentó una subida* {**dramática > espectacular*}.

ramatismo s.m. Carácter de lo que es dramático o de lo que tiene capacidad para interesar y conmover vivamente.

ramatización s.f. Exageración de algo, poniéndole tintes dramáticos o afectados.

ramatizar v. Exagerar con tintes dramáticos o afectados: *¡Anda, no dramatices, que no ha sido para tanto!* ☐ ORTOGR. La *z* se cambia en *c* delante de *e* →CAZAR.

ramaturgia s.f. →**dramática**.

ramaturgo, ga s. Autor de obras dramáticas o teatrales. ☐ ETIMOL. Del griego *dramaturgós*, de *drâma* (acción) y *érgon* (obra).

ramón s.m. *col.* Drama de baja calidad, en el que se exageran los aspectos que pueden conmover más al espectador. ☐ USO Tiene un matiz despectivo.

rapeado, da adj. Referido esp. a una prenda de vestir, con muchos pliegues.

rapear v. Referido a una prenda de vestir, colocar o marcar sus pliegues, esp. para darles la caída conveniente: *Para este vestido hace falta mucha tela porque hay que draparle el cuerpo.* ☐ ETIMOL. Del francés *draper*.

rástico, ca adj. Enérgico, radical, riguroso o muy severo. ☐ ETIMOL. Del griego *drastikós* (activo, enérgico).

renaje s.m. **1** Desagüe o eliminación del agua acumulada en un lugar, generalmente mediante zanjas o cañerías. **2** En medicina, operación que se realiza para dar salida a los líquidos anormalmente acumulados en el interior de una herida o de una cavidad orgánica. [**3** Tubo, gasa u otro material que se utiliza en esta operación. ☐ ETIMOL. Del francés *drainage*, y éste del inglés *drainage*.

renar v. **1** Referido a un lugar, dar salida al agua acumulada en él, generalmente mediante zanjas o cañerías: *Después de las inundaciones, tuvieron que drenar varios campos.* **2** En medicina, referido esp. a una herida o a una cavidad orgánica, dar salida a los líquidos anormalmente acumulados en su interior: *Tuvieron que drenarme la herida para sacarme el pus.* ☐ ETIMOL. Del francés *drainer*, y éste del inglés *to drain*.

dribbler (anglicismo) s. En algunos deportes de equipo, jugador que dribla o regatea muy bien a los del equipo contrario. ☐ PRON. [dríbler].

dribbling (anglicismo) s.m. En algunos deportes de equipo, amago que se hace a un contrario con un movimiento engañoso para no dejarse quitar el balón por él. ☐ PRON. [dríblin]. ☐ USO Su uso es in-

necesario y puede sustituirse por una expresión como *regate* o *finta*.

driblar v. En algunos deportes de equipo, referido a un contrario, amagarle con un movimiento engañoso para no dejarse quitar el balón por él: *El pívot de nuestro equipo encestó después de driblar a dos defensas.* ☐ ETIMOL. Del inglés *to dribble*.

dril s.m. Tejido fuerte de algodón o de lino crudos o sin tratar. ☐ ETIMOL. Del inglés *drill*.

[drive (anglicismo) s.m. **1** En tenis, golpe que se ejecuta devolviendo la pelota por el mismo lado por el que se tiene la raqueta y elevándola ligeramente de abajo arriba. **2** En golf, golpe largo que se ejecuta como primera jugada desde la salida. ☐ PRON. [dráiv].

[driver (anglicismo) s.m. **1** En golf, palo con que se hace el saque. **2** En informática, programa gestor que interpreta la información interna del ordenador. ☐ PRON. [dráiver].

droga s.f. **1** Sustancia o preparado que produce estimulación, depresión, alucinaciones o disminución de la sensibilidad o de la conciencia, y cuyo consumo reiterado puede crear adicción o dependencia. [**2** *col.* Lo que atrae hasta el punto de ser más fuerte que la voluntad. **3** En zonas del español meridional, deuda. **4** ‖**droga blanda**; la que no crea adicción o lo hace en bajo grado. ‖**droga dura**; la que crea una fuerte adicción. ☐ ETIMOL. De origen incierto.

drogadicción s.f. Dependencia física o psíquica de alguna droga, ocasionada por el consumo reiterado de ésta; adicción. ☐ ETIMOL. Del inglés *drug addiction*.

drogadicto, ta adj./s. Referido a una persona, que tiene una dependencia física o psíquica de alguna droga, ocasionada por el consumo reiterado de ésta; adicto, drogodependiente. ☐ ETIMOL. Del inglés *drug addict*. ☐ USO En la lengua coloquial se usan mucho las formas *drogata* y *drogota*.

drogar v. Administrar alguna droga: *Lo drogaban para que no sufriera dolores. Cuando empezó a drogarse, perdió trabajo y amigos.* ☐ ORTOGR. La *g* se cambia en *gu* delante de *e* →PAGAR.

drogata s. *col.* →**drogadicto**. ☐ MORF. Es de género común: *el drogata, la drogata.*

drogodependencia s.f. Dependencia física o psíquica que tiene un drogadicto y que le lleva a hacer uso habitual de drogas o de estupefacientes. ☐ MORF. Se usa mucho la forma abreviada *dependencia*.

drogodependiente adj./s. →**drogadicto**. ☐ MORF. 1. Como adjetivo es invariable en género. 2. Como sustantivo es de género común: *el drogodependiente, la drogodependiente.*

drogota s. *col.* →**drogadicto**. ☐ MORF. Es de género común: *el drogota, la drogota.*

droguería s.f. **1** Establecimiento en el que se venden productos de limpieza, pinturas y otros semejantes. [**2** En zonas del español meridional, farmacia.

droguero, ra s. Persona que se dedica profesionalmente a la elaboración o a la venta de artículos de droguería.

dromedario s.m. Mamífero rumiante propio de zonas arábigas y norteafricanas, muy parecido al camello pero con una sola joroba, y muy empleado en el desierto como animal de carga y medio de transporte. ☐ ETIMOL. Del latín *dromedarius*, y éste del griego *dromás* (corredor). ☐ MORF. Es un sustantivo epiceno: *el dromedario macho, el dromedario hembra.* □ SEM. Dist. de *camello* (rumiante con dos jorobas). ⟨⟩ rumiante

[drug o **[drugstore** (anglicismo) s.m. Establecimiento comercial en el que se venden muy diversos productos, que tiene cafetería o restaurante y que suele estar abierto las veinticuatro horas del día. □ PRON. [drag], [drágstor].

druida s.m. Sacerdote de los antiguos celtas. □ ETIMOL. Del latín *druida,* y éste del celta *derv* (roble), porque los sacerdotes galos hacían prácticas mágicas con el muérdago de roble.

drupa s.f. En botánica, fruto carnoso, con una sola semilla en su interior rodeada por un endocarpio o envoltura leñosos en forma de hueso. □ ETIMOL. Del latín *druppa* (aceituna madura).

druso, sa ▌ adj. **1** De los drusos o relacionado con estos habitantes libaneses o sirios. ▌ adj./s. **2** Habitante de territorios libaneses o sirios, que tiene una religión que deriva de la mahometana. □ ETIMOL. De Darazi (sastre), que era el sobrenombre de uno de los fundadores de esta religión.

dual adj. Que reúne o presenta dos aspectos, dos caracteres o dos fenómenos distintos. □ ETIMOL. Del latín *dualis* (binario). □ MORF. Invariable en género.

dualidad s.f. Existencia de dos aspectos, caracteres o fenómenos distintos en una misma persona o en un mismo estado de cosas; dualismo.

dualismo s.m. **1** Doctrina filosófica que explica el origen y naturaleza del universo por la acción de dos principios o fuerzas distintos y contrarios. **2** Existencia de dos aspectos, caracteres o fenómenos distintos en una misma persona o en un mismo estado de cosas; dualidad.

dualista ▌ adj. **1** Del dualismo o relacionado con él. ▌ adj./s. **2** Partidario o seguidor del dualismo filosófico. □ MORF. 1. Como adjetivo es invariable en género. 2. Como sustantivo es de género común: *el dualista, la dualista.*

dubitación s.f. →**duda.** □ USO Su uso es característico del lenguaje culto.

dubitativo, va adj. Que implica, manifiesta o expresa duda. □ ETIMOL. Del latín *dubitativus.*

[dubles s.m.pl. col. Juego que consiste en saltar a la comba dejando pasar la cuerda bajo los pies más de una vez en cada salto.

ducado s.m. **1** Estado gobernado por un duque. **2** Título nobiliario de duque. **3** Territorio sobre el que antiguamente un duque ejercía su autoridad. **4** Antigua moneda de oro española. □ ETIMOL. De *duque.*

ducal adj. Del duque o relacionado con él. □ MORF. Invariable en género.

ducentésimo, ma numer. **1** En una serie, que ocupa el lugar número doscientos. **2** Referido a una parte, que constituye un todo junto con otras ciento noventa y nueve iguales a ella. □ ETIMOL. Del latín *ducentesimus.*

ducha s.f. Véase **ducho, cha.**

duchar v. **1** Dar una ducha: *Se duchó con agua fría para espabilarse.* **2** col. Empapar con gotas de un líquido: *Con los charcos que hay por aquí, como pase un coche un poco deprisa nos ducha.* □ MORF. En la acepción 1, se usa más como pronominal. □ SEM. En la acepción 2, aunque la RAE la considera

sinónimo de *mojar,* en la lengua actual no se usa como tal.

ducho, cha ▌ adj. **1** Experimentado o con conocimiento y destreza en una actividad: *Pregúntale a otro, que en ese tema no ando yo muy ducho.* ▌ s.f. **2** Aplicación de agua en forma de lluvia o de chorro haciéndola caer sobre el cuerpo, para limpiarlo o para refrescarlo: *Me di una ducha y me quedé como nuevo.* **3** Aparato o instalación que sirve para aplicar agua de esta forma: *En mi casa tenemos ducha de teléfono.* **4** Recipiente de loza o de otro material en el que cae y se recoge el agua que sale de este aparato. **5** Habitación o lugar donde está instalado uno de esos aparatos. **6** Hecho de empapar algo con un líquido en forma de gotas. **7** ‖ **[ducha de agua fría;** col. Noticia o suceso generalmente repentinos y que producen una impresión fuerte y desagradable o decepcionante. □ ETIMOL. La acepción 1, del latín *ductus* (guiado). Las acepciones 2-6, del francés *douche,* y éste del italiano *doccia* (caño de agua).

dúctil adj. **1** Referido esp. a una persona o a su carácter, que se conforma fácilmente con todo y cede a la voluntad de otros. **2** Referido a un metal, que puede ser sometido a grandes deformaciones mecánicas en frío, sin llegar a romperse. □ ETIMOL. Del latín *ductilis* (que se deja conducir). □ MORF. Invariable en género.

ductilidad s.f. **1** Blandura de carácter o tendencia a conformarse fácilmente con todo y a ceder a la voluntad de otros. **2** Propiedad que presenta un metal de poder ser sometido a grandes deformaciones mecánicas en frío, sin llegar a romperse.

duda s.f. **1** Inseguridad, vacilación o indeterminación ante opciones distintas o acerca de un hecho o de una información: *Es un hecho demostrado y que no admite duda.* **2** Desconfianza o sospecha: *No pongas en duda mis afirmaciones.* **3** Cuestión que se propone para solucionarla o resolverla: *Dedicaremos la última clase antes del examen para ver dudas.* □ SINT. Es incorrecta la omisión de la preposición *de* en expresiones como: *No cabe duda {*que > de que} vendrán.* □ SEM. Es sinónimo de *dubitación.*

dudar v. **1** Estar inseguro, vacilante o indeciso entre opciones contradictorias: *Si dudas en todo, no me extraña que tardes tanto en hacer cualquier cosa. Dudo que apruebe el curso si no estudia un poco más. Con esta información, dudo del resultado del estudio.* **2** Desconfiar o sospechar: *Los celos le hacen dudar de su pareja sin motivo.* **3** Referido a una información negativa, no concederle crédito o considerarla poco fiable: *Dicen que la estafa fue obra suya, pero, conociendo su honradez, lo dudo.* □ ETIMOL. Del latín *dubitare* (vacilar, dudar). □ SINT. 1. Constr. de la acepción 1: *dudar algo* o *dudar* DE *algo.* 2. Constr. de la acepción 2: *dudar* DE *alguien* o DE *algo.*

dudoso, sa adj. **1** Que ofrece duda, inseguridad o sospecha: *Anda metido en negocios de dudosa legalidad.* **2** Indeciso en la forma de actuar: *Está muy dudoso y no sabe qué oferta aceptará.* **3** Inseguro o poco probable: *Es dudoso que vengan.*

duelo s.m. **1** Combate o pelea entre dos, como consecuencia de un reto o de un desafío. **[2** Enfrentamiento entre dos, muy reñido o en el que uno busca la derrota del contrario: *El jefe del Gobierno y el de la oposición mantuvieron un violento 'duelo'* *dialéctico.* **3** Conjunto de demostraciones que se hacen como manifestación de dolor por la muerte de una persona: *Más valiera que le hubiesen ayudado en vida esos que ahora hacen tanto duelo por su muerte.* **4** Conjunto de las personas que asisten a la casa mortuoria o a los actos funerales como demostración de su sentimiento por una muerte: *El duelo se despidió a la entrada del cementerio.* □ ETIMOL. Las acepciones 1 y 2, del latín *duellum* (combate, pelea). Las acepciones 3 y 4, del latín *dolus* (dolor). □ SEM. En las acepciones 1 y 2, no debe emplearse cuando el combate es entre más de dos.

duende s.m. **1** Espíritu fantástico y travieso, que suele representarse con figura de viejo o de niño, y del que se dice que habita en algunas casas y lugares, causando en ellos alteraciones y desórdenes; trasgo. **2** Encanto o atractivo, esp. el que resulta misterioso y no se puede explicar con palabras: *No es una gran bailarina, pero gusta mucho porque tiene duende.* **3** ‖ [duendes de imprenta; causa que origina la aparición imprevista de errores y erratas en una obra impresa. □ ETIMOL. De *duen de casa* (dueño de una casa).

dueño, ña s. **1** Persona que tiene la propiedad o el dominio de algo: *Quisiera hablar con el dueño del local.* **2** ‖ dueño de sí mismo; referido a una persona, que sabe dominarse y no dejarse arrastrar por los primeros impulsos. ‖ ser (muy) dueño de hacer algo; col. Tener libertad o derecho para ello: *Eres muy dueño de hacer lo que quieras, siempre que no molestes a los demás.* □ ETIMOL. Del latín *dominus.*

duermevela s. Sueño ligero o frecuentemente interrumpido: *Pasé la noche en duermevela.* □ ETIMOL. De *dormir* y *velar.* □ MORF. Es de género ambiguo: *el duermevela intranquilo, la duermevela intranquila.*

dulce ‖ adj. **1** De sabor suave y agradable al paladar, como el del azúcar o la miel. sabor **2** Que no sabe agrio ni salado, esp. si se considera comparativamente con otras cosas de la misma especie: *vino dulce.* **3** Agradable, apacible o que resulta placentero: *El bebé duerme un dulce sueño.* **4** Amable, complaciente o afectuoso en el trato: *Da gusto hablar con personas tan dulces y atentas.* [5 Bueno o afortunado: *Esa atleta pasa por un momento 'dulce' en su carrera deportiva.* ‖ s.m. **6** Alimento elaborado con azúcar y en el que el sabor de este ingrediente destaca sobre los demás: *De postre sacaron fruta y dulces variados.* **7** Fruta cocida con almíbar o con azúcar: *dulce de membrillo.* ‖ adv. **8** Dulcemente o con dulzura: *Canta tan dulce que oyéndola se siente uno en el cielo.* **9** ‖ dulce de leche; dulce que se prepara con leche y azúcar, cocidas a fuego lento hasta que la mezcla adopta una consistencia cremosa. □ ETIMOL. Del latín *dulcis.* □ MORF. Como adjetivo es invariable en género.

dulcería s.f. En zonas del español meridional, pastelería o confitería.

dulcero, ra adj. col. Aficionado al dulce.

dulcificación s.f. Transformación de algo, haciéndolo más dulce, suave, más agradable o menos áspero.

dulcificar v. Hacer más dulce, suave, más agradable o menos áspero: *Tienes que dulcificar tu trato con los niños si no quieres que te tengan miedo.* □ ETIMOL. Del latín *dulcificare.* □ ORTOGR. La *c* se cambia en *qu* delante de *e* →SACAR.

dulcinea s.f. col. Amada o mujer querida. □ ETIMOL. Por alusión a Dulcinea, dama ideal de la que don Quijote se sentía enamorado.

dulzaina s.f. Instrumento musical de viento, formado por un tubo de madera alargado, con agujeros que se tapan con los dedos para producir los diferentes sonidos, y con una doble lengüeta por la que se sopla para hacerlo sonar. □ ETIMOL. Del francés antiguo *doulaine.* viento

dulzarrón, -a o **dulzón, -a** adj. col. Tan dulce que desagrada o empalaga. □ USO Aunque la RAE prefiere *dulzarrón,* se usa más *dulzón.*

dulzor s.m. o **dulzura** s.f. **1** Sabor suave y agradable al paladar, como el del azúcar o la miel. **2** Carácter apacible o bondadoso de lo que resulta agradable o placentero: *El clima mediterráneo se caracteriza por su suavidad y dulzura.* **3** Amabilidad, complacencia o afecto en el trato: *La enfermera trataba al niño con dulzura.* □ SEM. Aunque la RAE los considera sinónimos, *dulzor* se ha especializado para el carácter dulce en sentido material y *dulzura* para el sentido no material.

duna s.f. En un desierto o en una playa, colina de arena que forma y empuja el viento; médano. □ ETIMOL. Del holandés *duin.*

dúo s.m. **1** Composición musical escrita para dos instrumentos o para dos voces. **2** Conjunto formado por este número de instrumentos o de voces. [3 Conjunto formado por dos personas, esp. si hay colaboración o entendimiento entre ellas. □ ETIMOL. Del italiano *duo.*

duodécimo, ma numer. **1** En una serie, que ocupa el lugar número doce. **2** Referido a una parte, que constituye un todo junto con otras once iguales a ella; doceavo. □ ETIMOL. Del latín *duodecimus.* □ MORF. Incorr. **decimosegundo.*

duodécuplo, pla numer. Referido a una cantidad, que es doce veces mayor que otra. □ ETIMOL. Del latín *duo* (dos) y *decuplus* (décuplo).

duodenal adj. Del duodeno o relacionado con esta parte del intestino: *úlcera duodenal.* □ MORF. Invariable en género.

duodenitis s.f. En medicina, inflamación patológica del duodeno. □ ETIMOL. De *duodeno* e *-itis* (inflamación). □ MORF. Invariable en número.

duodeno s.m. Parte inicial del intestino delgado de los mamíferos, que comienza en el estómago y termina en el yeyuno. □ ETIMOL. Del latín *duodeni* (de doce en doce), porque el duodeno mide doce dedos de largo.

dúplex s.m. Vivienda constituida por la unión de dos pisos o apartamentos superpuestos y comunicados entre sí por una escalera interior. □ ETIMOL. Del latín *duplex* (doble). □ MORF. Invariable en número. □ SINT. Se usa mucho en aposición, pospuesto a un sustantivo.

duplicación s.f. **1** Multiplicación por dos o aumento de algo en dos veces. **2** Reproducción de algo en una copia.

duplicado s.m. **1** Copia o segundo documento de las mismas características que el primero, hechos generalmente por si éste o el original se pierden. **2** ‖ por duplicado; en dos ejemplares: *Las solicitudes se presentarán por duplicado.*

duplicar v. **1** Multiplicar por dos o hacer dos veces mayor: *Se ha duplicado el número de afectados.* **2** Hacer exactamente igual dos veces o hacer una copia: *Siempre duplicamos los documentos importantes.* □ ETIMOL. Del latín *duplicare* (doblar). □ ORTOGR. La *c* se cambia en *qu* delante de *e* →SACAR.

duplicidad s.f. Hipocresía, falsedad o manera de ser o de actuar de quien da a entender lo contrario de lo que verdaderamente siente. □ ETIMOL. Del latín *duplicitas*.

duplo, pla numer. Referido a una cantidad, que es dos veces mayor que otra; doble. □ ETIMOL. Del latín *duplus*.

duque s.m. Persona que tiene un título nobiliario entre el de príncipe y el de marqués. □ ETIMOL. Del francés antiguo *duc*, y éste del latín *dux* (guía, conductor). □ MORF. Su femenino es *duquesa*.

duquesa s.f. de **duque**.

duración s.f. 1 Tiempo que dura algo o que transcurre entre su comienzo y su fin: *La duración de la obra es de casi tres horas.* 2 Prolongación o extensión en el tiempo: *La larga duración de la espera me está crispando los nervios.*

duradero, ra adj. Que dura o puede durar mucho.

[duralex s.m. Material transparente, semejante al cristal, que se utiliza en la fabricación de platos, vasos y otras piezas de vajilla. □ ETIMOL. Extensión del nombre de una marca comercial. □ MORF. Invariable en número.

durante prep. Indica el tiempo a lo largo del cual algo dura o sucede: *Jugamos al fútbol durante el recreo. Durante mi estancia allí, conocí a mucha gente.*

durar v. 1 Prolongarse o extenderse en el tiempo: *El concierto duró más de dos horas.* 2 Permanecer, conservarse o mantener las propias cualidades: *Algunos alimentos duran más si se guardan en el frigorífico.* □ ETIMOL. Del latín *durare*, y éste de *durus* (duro).

durativo, va adj. En lingüística, que expresa la acción en su transcurso o duración.

duraznero s.m. En zonas del español meridional, melocotonero.

durazno s.m. 1 Árbol frutal de flores de color rosa, y hojas ovaladas: *El durazno es de un tamaño menor que el melocotonero.* 2 Fruto de este árbol. 3 En zonas del español meridional, melocotón. □ ETIMOL. Del latín *duracinus* (de carne fuertemente adherida al hueso), término aplicado a melocotones y a cerezas.

dureza s.f. 1 Resistencia que ofrece un cuerpo a ser labrado, rayado o deformado: *la dureza del diamante.* 2 Falta de blandura, terneza o carácter mullido: *un colchón de gran dureza.* 3 Fortaleza o capacidad para resistir y soportar bien la fatiga y el trabajo: *Era admirable la dureza de aquellas mujeres que trabajaban el campo.* 4 Aspereza, falta de suavidad o severidad excesiva: *Habló con dureza.* Violencia, crueldad o falta de sensibilidad: *Las faltas eran castigadas con dureza.* 6 Rigidez o falta de armonía y de suavidad en un estilo o en una línea: *Sus dibujos se caracterizan por la dureza de sus trazos.* 7 En el cuerpo, endurecimiento de la piel que se forma en algunas zonas generalmente por el roce o por la presión: *Tengo muchos callos y durezas en los pies.* □ ETIMOL. Del latín *duritia*.

durmiente s.m. En zonas del español meridional, traviesa de una vía férrea.

duro, ra ▌ adj. 1 Referido a un cuerpo, que se resiste a ser labrado, rayado o deformado: *Ese material es duro como una roca.* 2 Que no está lo blando, mullido o tierno que debe estar: *pan duro.* 3 Fuerte resistente a la fatiga, al trabajo y a las contrariedades: *Eres muy dura y no te cansas por nada.* 4 Áspero, falto de suavidad o excesivamente severo: *duras críticas.* 5 Riguroso, que no hace concesiones o que resulta difícilmente tolerable: *La mayoría considera extremistas las posiciones del ala dura del partido.* 6 Violento, cruel o insensible: *imágenes duras.* 7 Referido esp. a un estilo, falto de armonía, de suavidad o de fluidez: *facciones duras.* [8 Referido un mecanismo, que funciona o se acciona con dificultad y esfuerzo: *La cerradura estaba tan 'dura' que no pude abrir.* ▌ s.m. 9 Moneda española equivalente a cinco pesetas: *¿Tienes tres duros?* 10 ‖ estar las duras y las maduras; col. Aceptar o cargar con las desventajas o partes desagradables de una situación, de la misma manera que se aceptan las ventajas y partes agradables. □ ETIMOL. Del latín *durus.*

duro adv. 1 Duramente o con fuerza o violencia: *Trabaja duro.* [2 En zonas del español meridional, en voz alta: *Esta profesora habla siempre 'duro' y claro.*

[duty-free s.m. Establecimiento comercial de artículos libres de las tasas fiscales: *Compré un perfume en el 'duty-free' del aeropuerto.* □ PRON. [diútifri].

E e

e ▌ s.f. **1** Quinta letra del abecedario. ▌ conj. **2** →y. □ ETIMOL. La acepción 2, del latín *et* (también). □ PRON. En la acepción 1, representa el sonido vocálico anterior o palatal y de abertura media. □ ORTOGR. Dist. de *eh* y *he*. □ USO Como conjunción, se usa ante palabra que comienza por *i-* o por *hi-*, con dos excepciones: ante palabras que empiezan por *hie-* (flores y hierba), y en inicio de oraciones interrogativas o exclamativas (¿Y Isabel?).

e-mail s.m. →correo electrónico. □ PRON. [i·méil]. □ USO Es un anglicismo innecesario.

ea interj. *col.* Expresión que se usa para dar ánimo o estímulo: *¡Ea, levantaos, que ya son las diez!* □ ETIMOL. Del latín *eia*. □ USO Se usa mucho repetido para acunar a los niños.

ebanista s. Persona que se dedica profesionalmente a realizar trabajos en maderas finas. □ MORF. Es de género común: *el ebanista, la ebanista.*

ebanistería s.f. **1** Taller de un ebanista. **2** Arte o técnica de trabajar maderas finas. **3** Conjunto de obras fabricadas según este arte, esp. si tienen una característica común: *La ebanistería del palacio fue encargada a un artesano francés.*

ébano s.m. **1** Árbol de copa ancha y tronco grueso, de madera maciza, pesada y lisa, muy negra en el centro y blanquecina hacia la corteza. **2** Madera de este árbol. □ ETIMOL. Del latín *ebenus*.

ébola s.m. Enfermedad infecciosa, producida por un virus, cuyos síntomas son múltiples hemorragias internas y externas que producen la muerte en breve tiempo: *El 'ébola' actúa corrompiendo los órganos internos de las personas infectadas.*

ebriedad s.f. **1** Turbación o trastorno temporal de las capacidades físicas o mentales, producidos por un consumo excesivo de bebidas alcohólicas o por una intoxicación de gas o de otra sustancia. **2** Alteración o turbación del ánimo. □ SEM. Es sinónimo de *embriaguez*.

ebrio, bria ▌ adj. **1** Ciego o dominado por un sentimiento o por una pasión fuertes: *El poeta, ebrio de amor, compuso extraordinarios poemas.* ▌ adj./s. **2** Que tiene disminuidas temporalmente las capacidades físicas o mentales a causa de un consumo excesivo de bebidas alcohólicas; borracho. □ ETIMOL. Del latín *ebrius*.

ebullición s.f. **1** Movimiento agitado y con burbujas que se produce en un líquido al elevarse su temperatura o al ser sometido a fermentación; hervor: *La temperatura de ebullición del agua es de 100 °C.* **2** Estado de agitación: *Vivimos un momento de ebullición política.* □ ETIMOL. Del latín *ebullitio*.

eccehomo s.m. **1** Representación de Jesucristo herido, atado, azotado y con corona de espinas. **2** Persona herida, magullada y de lastimoso aspecto. □ ETIMOL. Por alusión a la expresión latina *ecce homo*, con la que el procurador Pilatos presentó ante el pueblo a Jesucristo azotado.

eccema s.m. En medicina, afección de la piel, caracterizada por la aparición de escamas, ampollas, manchas rojizas y picores. □ ETIMOL. Del griego *ékzema* (erupción cutánea). □ ORTOGR. Se admite también *eczema*.

echar ▌ v. **1** Hacer llegar o enviar dando impulso: *Échame el balón.* **2** Dejar caer o introducir, esp. si se hace en el lugar apropiado: *Tengo mal pulso y siempre echo el agua fuera del vaso.* **3** Expulsar, despedir o hacer salir, esp. si se hace de manera violenta o despreciativa: *Nos echaron a la calle de mala manera.* **4** Dar, repartir o proporcionar: *Échale alpiste a los canarios.* **5** Despedir de sí o emitir: *La cafetera echa mucho humo.* **6** *col.* Poner o colocar: *Echó una manta en la cama porque pasaba frío.* **7** Inclinar o poner en posición horizontal: *El vino se conserva mejor si echas las botellas en vez de dejarlas de pie.* **8** Tender o acostar, esp. si es para un descanso breve: *Echó al bebé en su cuna. Después de comer le gusta echarse unos minutos.* **9** Empezar a tener o a mostrar: *¡Menuda barriga estás echando!* **10** Referido esp. a una pena o a una tarea, imponerlas como obligación o como condena: *Robó un banco y le echaron veinte años de cárcel.* **11** Referido esp. a un período de tiempo, gastarlo o invertirlo: *Echo casi una hora en ir al trabajo.* **12** Referido a un dato desconocido, suponerlo o calcularlo aproximadamente: *Tiene treinta años, pero le eché casi cuarenta.* **13** Referido a un juego o a una competición, jugarlos, participar en ellos o llevarlos a cabo: *¿Te apetece que echemos un parchís?* **14** Referido a una prueba de competición, realizarla para ver cuál de los participantes resulta vencedor: *Te echo una carrera.* **15** *col.* En un juego de azar, jugar o apostar: *Echó la paga en una rifa y lo perdió todo.* **16** Referido a algo que hay que decidir, dejar que lo decida la suerte: *Echamos a cara o cruz quién debía ir.* **17** *col.* Referido esp. a un espectáculo, exhibirlo o representarlo: *¿Sabes qué echan en el teatro?* **[18** *col.* Referido a un documento, presentarlo ante la autoridad o el organismo correspondiente: *'Echaré' una instancia para pedir revisión de examen.* **19** Referido a una llave o a un mecanismo de cierre, accionarlos para cerrar; correr: *Echa el cerrojo.* **20** Referido a un dicho o a un discurso, decirlos o pronunciarlos: *El sacerdote echó un responso ante la tumba.* **21** Referido a una parte del cuerpo, inclinarla o moverla en alguna dirección: *Echa la cabeza a un lado, que no me dejas ver.* **22** Seguido de un sustantivo, realizar la acción expresada por éste: *Me echó una mirada que me dejó petrificada.* **23** Seguido de una expresión que indica lugar o dirección, ir o encaminarse por ellos: *Echa por la derecha, que llegaremos antes.* **24** Seguido de una expresión que indica un lugar inferior, derribar o arruinar: *El policía echó al suelo la puerta de una patada.* ▌ prnl. **25** Dirigir el cuerpo en alguna dirección: *Échate un poco a un lado, para que salgas bien en la foto.* **26** Tenderse un rato para descansar: *Todos los días me echo un ratito después de comer.* **27** Moverse con violencia y brusquedad hacia abajo: *Se echó a tierra cuando oyó los aviones enemigos.* **28** Lanzarse o precipitarse hacia algo: *Se echó de cabeza a la piscina.* **29** Seguido de un sustantivo con el que se califica a una persona, establecer con ésta la relación expresada por dicho sustantivo: *No sé nada de él desde que se echó novia.* **30** ‖**echar a**; seguido de infinitivo, empezar a realizar la acción expresada por éste: *Cuando nos acercamos a él, el pajarillo echó a volar. Es tan sensible, que se echa* *a llorar por cualquier cosa.* ‖ **echar {de menos/[en falta}** algo; notar su falta o sentirse apenado por ella: *Echo de menos aquellas tardes de tertulia.* ‖ **echarse atrás**; no cumplir un trato o desdecirse de algo: *Me eché atrás porque no vi claro el negocio.* ‖ **echarse encima** algo; estar muy próximo: *Acaba de terminar el verano y ya se echan encima los primeros fríos.* ☐ ETIMOL. Del latín *iactare* (arrojar, lanzar, agitar). ☐ SEM. En las acepciones 2, 3 y 5, es sinónimo de *arrojar*. ☐ USO El empleo abusivo de la acepción 22 en lugar del verbo correspondiente indica pobreza de lenguaje.

echarpe s.m. Prenda de vestir femenina, mucho más ancha que larga, generalmente de seda o de lana, y que se lleva sobre los hombros como abrigo o como adorno; chal. ☐ ETIMOL. Del francés *écharpe.*

eclecticismo s.m. Modo de actuar o de pensar que adopta posturas intermedias y alejadas de soluciones extremas o muy definidas.

ecléctico, ca ∎ adj. **1** Del eclecticismo o relacionado con este modo de actuar o de pensar: *En un buen arbitraje, conviene saber adoptar soluciones eclécticas.* ∎ adj./s. **2** Que practica el eclecticismo: *Huye de los radicalismos porque es un ecléctico.* ☐ ETIMOL. Del griego *eklektikós* (miembro de una escuela filosófica que escogía las mejores doctrinas de todos los sistemas).

eclesial adj. De la comunidad cristiana que constituye la Iglesia, o relacionado con ella. ☐ MORF. Invariable en género. ☐ SEM. Dist. de *eclesiástico* (referido esp. a los clérigos).

eclesiástico, ca ∎ adj. **1** De la comunidad cristiana que constituye la Iglesia, esp. de los clérigos, o relacionado con ella. ∎ s.m. **2** Hombre que ha recibido las órdenes sagradas; clérigo. ☐ ETIMOL. Del griego *ekklesiastikós* (de la Iglesia en general).

eclipsar ∎ v. **1** Referido a un astro, causar el eclipse de otro: *La Luna eclipsó al Sol.* **2** Oscurecer o deslucir: *Tiene tanto encanto, que eclipsa a cuantos estén con ella.* ∎ prnl. **3** Referido a un astro, sufrir un eclipse: *Cuando el Sol se eclipsa, parece que se ha hecho la noche.* **4** Desaparecer, ausentarse o perder notoriedad: *Su belleza no se eclipsa con el paso de los años.*

eclipse s.m. **1** Desaparición transitoria de un astro a la vista de un observador, debida a la interposición de otro cuerpo celeste. ⬛ eclipse **2** Desaparición, ausencia o pérdida de notoriedad. **3** ‖ **eclipse lunar**; el producido por la interposición de la Tierra entre la Luna y el Sol. ‖ **eclipse solar**; producido por la interposición de la Luna entre el Sol y la Tierra. ☐ ETIMOL. Del latín *eclipsis*, y éste del griego *ékleipsis* (desaparición).

eclosión s.f. Manifestación, aparición o brote repentinos de un fenómeno, esp. en el ámbito social o cultural. ☐ ETIMOL. Del francés *éclosion.*

eclosionar v. En biología, referido esp. a la envoltura de un organismo, abrirse para dar salida a éste: *Los huevos de la gallina eclosionan tras el período de incubación.*

eco s.m. **1** Repetición de un sonido producida cuando las ondas sonoras son reflejadas por un cuerpo duro: *Si gritas en este túnel, comprobarás que hay eco.* **2** Sonido débil y confuso: *De lejos se oían los ecos de la verbena.* **3** Noticia o rumor vagos: *Nos llegaron ecos de un golpe de Estado en la isla.* **4**

Difusión, repercusión o alcance: *La convocatoria de huelga no tuvo ningún eco.* **5** ‖ **hacerse eco de** algo; contribuir a su difusión: *Sólo un periódico se hizo eco del estreno.* ☐ ETIMOL. Del latín *echo*, y éste del griego *ekhó* (sonido, eco). ☐ SINT. La acepción se usa más con el verbo *tener* o equivalentes.

eco- Elemento compositivo que significa 'casa' (*economía*) o 'medio ambiente' (*ecología, ecológico*). ☐ ETIMOL. Del griego *ôikó-*. ☐ USO En la lengua actual se usa mucho antepuesto a otras palabras para indicar protección del medio ambiente: *ecoturismo.*

ecografía s.f. Exploración interna de un órgano mediante ondas electromagnéticas o acústicas cuyos ecos quedan reflejados en una pantalla. ☐ ETIMOL. Del latín *echo*, y éste del griego *ekhó* (sonido) y *-grafía* (representación gráfica).

[ecógrafo s.m. Aparato con el que se realizan ecografías.

ecología s.f. **1** Ciencia que estudia las relaciones de los seres vivos entre sí y con su medio ambiente. **[2** Relación existente entre los grupos humanos y el medio ambiente natural: *Se detecta una creciente preocupación social por la 'ecología'.* ☐ ETIMOL. De *eco-* (medio ambiente) y *-logía* (ciencia, estudio).

ecológico, ca adj. **1** De la ecología o relacionado con ella: *desastre ecológico.* **[2** Que respeta el medio ambiente porque no contamina o porque no malgasta energía.

ecologismo s.m. Movimiento que defiende la necesidad de proteger el medio ambiente, y que pretende que las relaciones entre el hombre y su entorno sean más armónicas.

ecologista ∎ adj. **1** Del ecologismo o relacionado con este movimiento: *ideas ecologistas.* ∎ adj./s. **2** Partidario o seguidor del ecologismo: *Los ecologistas se oponen a la construcción de una central nuclear.* ☐ MORF. 1. Como adjetivo es invariable en género. 2. Como sustantivo es de género común: *el ecologista, la ecologista.*

ecólogo, ga s. Persona que se dedica al estudio de la ecología, esp. si ésta es su profesión.

economato s.m. Establecimiento en el que se pueden adquirir productos a un precio más bajo del habitual, y cuyo acceso suele estar restringido a los miembros de un colectivo.

economía s.f. **1** Ciencia que se ocupa de la creación, desarrollo y administración de los recursos, bienes y servicios dirigidos a satisfacer las necesidades humanas. **2** Estructura o régimen económicos de una organización o de un sistema: *En un sistema de economía mixta, algunos medios de producción son del Estado y otros de particulares.* **3** Riqueza pública o conjunto de actividades económicas: *La agricultura es uno de los pilares de nuestra economía.* **4** Ahorro de dinero o de otros recursos: *El aislamiento térmico permite una importante economía en gastos de calefacción.* **5** ‖ **[economía de escala**; beneficios que se derivan de la gran dimensión de las empresas: *Entendí qué era la 'economía de escala' cuando comprendí que las industrias de automóviles gastan miles de millones en publicidad con un porcentaje muy pequeño de su facturación.* ‖ **economía de mercado**; sistema económico en el que los precios se determinan en función de la oferta y la demanda. ‖ **economía sumergida**; conjunto de actividades económicas realizadas al margen de la legislación y eludiendo el control del Estado. ☐ ETIMOL. Del latín *oeconomia*, y éste del griego *oikonomía* (dirección o administración de una casa).

[**economicismo** s.m. → economismo.

[**economicista** adj./s. Que defiende la hegemonía o la preeminencia de los hechos económicos en el análisis de los fenómenos sociales. ☐ MORF. 1. Como adjetivo es invariable en género. 2. Como sustantivo es de género común: *el 'economicista', la 'economicista'*.

económico, ca adj. 1 De la economía o relacionado con ella: *crisis económica*. 2 Que cuesta poco dinero o que gasta poco.

economismo s.m. Doctrina o concepción que concede a los factores económicos una importancia fundamental y superior a la de los de cualquier otro tipo. ☐ USO Aunque la RAE sólo registra *economismo*, en círculos especializados se usa también *economicismo*.

economista s. Persona que se dedica profesionalmente a la economía, esp. si es licenciada en ciencias económicas. ☐ MORF. Es de género común: *el economista, la economista*.

economizar v. 1 Ahorrar o disminuir los gastos, generalmente con el fin de guardar para el futuro: *Si el sueldo no te llega, debes economizar en la compra diaria*. 2 Referido esp. a un esfuerzo o a un riesgo, evitarlos o no realizarlos: *Economiza energías, que queda mucho camino*. ☐ ORTOGR. La *z* se cambia en *c* delante de *e* → CAZAR.

ecónomo ▮ adj./s.m. 1 Referido a un eclesiástico, esp. a un sacerdote, que desempeña las funciones de un puesto cuando éste está vacante o cuando su titular no puede desempeñarlo. ▮ s.m. 2 Persona que, designada por el obispo, administra los bienes de la diócesis. ☐ ETIMOL. Del griego *oikonómos*, y éste de *ôikos* (casa) y *nómos* (ley, norma).

ecosistema s.m. Sistema biológico formado por una comunidad de seres vivos y el medio ambiente en el que se desarrollan. ☐ ETIMOL. De *eco-* (medio ambiente) y *sistema*. ☐ ORTOGR. Dist. de *biótopo* (área geográfica en la que vive una comunidad de especies).

[**ecotasa** s.f. Impuesto con el que se gravan las energías más contaminantes.

[**ecoturismo** s.m. Turismo en contacto con el medio ambiente.

ectoplasma s.m. [1 En una célula, parte exterior del citoplasma. 2 Sustancia que emite un médium durante su comunicación con espíritus o fuerzas ocultas, y con la que se forman apariencias de seres vivos o de objetos. ☐ ETIMOL. Del griego *ektós* (fuera) y *plásma* (formación).

ecu s.m. Unidad monetaria de la Unión Europea (organización que agrupa a países europeos de régimen democrático y economía de mercado) hasta 1995. ☐ ETIMOL. Es un acrónimo que procede de la sigla de *European Currency Unit* (unidad monetaria europea).

ecuación s.f. En matemáticas, igualdad que contiene una o más incógnitas: *La expresión matemática '3x = 6' representa una ecuación*. ☐ ETIMOL. Del latín *aequatio*, y éste de *aequare* (igualar).

ecuador s.m. En geografía, círculo máximo imaginario que está a igual distancia de los dos polos terrestres; línea equinoccial. ☐ ETIMOL. Del latín *ae-*

quator, y éste de *aequare* (igualar). ☐ USO Se usa más como nombre propio. ✺ globo

ecualizador s.m. En un equipo de alta fidelidad, dispositivo que sirve para ajustar las frecuencias del sonido.

ecuánime adj. Que tiene ecuanimidad o que se manifiesta de manera equilibrada o imparcial: *Te pido una opinión ecuánime y objetiva*. ☐ MORF. Invariable en género.

ecuanimidad s.f. Imparcialidad de opinión o de juicio. ☐ ETIMOL. Del latín *aequaminitas*, y éste de *aequus* (igual).

ecuatorial adj. Del Ecuador o relacionado con este círculo imaginario de la Tierra. ☐ ETIMOL. Del antiguo *ecuator* (ecuador). ☐ MORF. Invariable en género.

ecuatoriano, na adj./s. De Ecuador (país suramericano) o relacionado con él.

ecuestre adj. 1 Del caballo o relacionado con él. 2 En arte, referido esp. a una figura, que está representada montada a caballo: *retrato ecuestre*. ☐ ETIMOL. Del latín *aequester*. ☐ MORF. Invariable en género.

ecuménico, ca adj. Universal o que se extiende al mundo entero. ☐ ETIMOL. Del griego *oikumenikós*, y éste de *oikuméne* (la tierra habitada).

ecumenismo s.m. Movimiento religioso que pretende restaurar la unidad entre todas las iglesias cristianas.

eczema s.m. → eccema.

edad s.f. 1 Tiempo de vida desde el nacimiento: *Tengo treinta años de edad*. 2 Cada uno de los períodos de la vida humana: *Cada edad tiene su encanto*. 3 Antigüedad o duración de algo desde el inicio de su existencia: *Los científicos tratan de fijar la edad del mundo*. 4 Cada uno de los grandes períodos de tiempo en los que se divide tradicionalmente la historia. 5 ‖de edad; entrado en años. ‖edad antigua; período histórico anterior a la Edad Media, que abarca desde la aparición de la escritura hasta el fin del Imperio Romano. ‖edad contemporánea; período histórico posterior a la Edad Moderna, que abarca aproximadamente desde finales del siglo XVIII hasta nuestros días. ‖edad de los metales; período prehistórico posterior a la Edad de Piedra, durante el cual el hombre empezó a usar los metales: *La Edad de los Metales se divide en las edades del cobre, del bronce y del hierro, y abarca aproximadamente desde el año 4000 a. C. al 500 a. C.* ‖edad de merecer; col. Aquella en la que se considera que ya se está preparado para formar pareja. ‖edad de oro; tiempo de mayor esplendor: *Los siglos XVI y XVII constituyen la edad de oro de la literatura española*. ‖edad de piedra; período prehistórico anterior al uso de los metales: *La Edad de Piedra se considera dividida en paleolítico, mesolítico y neolítico, y abarca desde la aparición del hombre hasta la utilización del metal por los distintos grupos humanos*. ‖edad del bronce; segundo período de la Edad de los Metales, anterior a la Edad del Hierro y posterior a la Edad del Cobre, que se caracteriza por el uso del bronce en la fabricación de armas y herramientas: *La Edad del Bronce abarca aproximadamente el milenio II a. C.* ‖edad del cobre; primer período de la Edad de los Metales, anterior a la Edad del Bronce, que se caracteriza por el uso del cobre en la fabricación de armas y herramientas:

La Edad del Cobre abarca aproximadamente desde el año 4000 a. C. al 1700 a. C. ‖**edad del hierro**; tercer período de la Edad de los Metales, posterior a la Edad del Bronce, que se caracteriza por el uso del hierro en la fabricación de armas y herramientas: *La Edad del Hierro abarca desde el año 1000 a. C. hasta la aparición de los primeros testimonios escritos.* ‖**edad del pavo**; *col.* La que marca el paso a la adolescencia. ‖**edad media**; período histórico anterior a la Edad Moderna y posterior a la Edad Antigua, que abarca aproximadamente desde el siglo V hasta el siglo XV; medievo. ‖**edad mental**; grado de desarrollo intelectual de una persona. ‖ **edad moderna**; período histórico anterior a la Edad Contemporánea y posterior a la Edad Media, que abarca aproximadamente desde finales del siglo XV hasta principios del siglo XIX. ‖**mayor de edad**; referido a una persona, que ha llegado a la edad fijada por la ley para poder ejercer todos sus derechos civiles. ‖**menor de edad**; referido a una persona, que no ha llegado a la mayoría de edad. ‖**tercera edad**; ancianidad o período de la vida de una persona que se inicia alrededor de los sesenta y cinco años. ☐ ETIMOL. Del latín *aetas* (vida, tiempo que se vive). ☐ SEM. *Edad Antigua* es dist. de *Antigüedad* (época de la historia que corresponde a la época antigua de los pueblos situados en torno al Mediterráneo). ☐ USO En la acepción 4 y en sus locuciones, se usa más como nombre propio.

edecán s.m. **1** En el ejército, antiguo ayudante de campo. **2** *col.* Persona que acompaña o presta ayuda, apoyo o servicio a otra, generalmente a un superior con quien se comporta de manera servil. **[3** En zonas del español meridional, bedel. ☐ ETIMOL. Del francés *aide de camp* (ayuda de campo). ☐ USO La acepción 2 tiene un matiz despectivo o irónico.

[edelweis (germanismo) s.m. Planta herbácea de flores blancas en forma de estrella, que crece en zonas de alta montaña y es muy apreciada por su belleza. ☐ PRON. [edelváis].

edema s.m. En medicina, acumulación y retención patológicas de líquido en un órgano o en el tejido subcutáneo: *edema pulmonar.* ☐ ETIMOL. Del griego *óidema* (hinchazón, tumor). ☐ ORTOGR. Dist. de *enema*.

edén s.m. Según la Biblia, paraíso terrenal, en el que vivieron Adán y Eva (primer hombre y primera mujer) hasta que cometieron el pecado original. ☐ ETIMOL. Del hebreo *éden* (huerto delicioso).

edénico, ca adj. Del edén o con las características que se consideran propias de éste.

edición s.f. **1** Impresión o reproducción de una obra para su publicación. **2** Conjunto de ejemplares de una obra, producidos a partir del mismo molde, en una o varias impresiones: *La primera edición.* **3** Texto de una obra preparado con criterios filológicos. **4** Celebración de una exposición, de un festival o de otro acontecimiento semejante, que se repiten periódicamente: *la presente edición del festival de cine.* **5** ‖**edición princeps**; la primera de una obra. ☐ ETIMOL. Del latín *editio* (parto, publicación). ☐ PRON. En la acepción 5, [prínceps] o [prínkeps]. ☐ USO En las acepciones 1 y 2, es innecesario el uso del anglicismo *editing*.

edicto s.m. **1** Mandato o decreto publicados por una autoridad competente: *Un edicto judicial ordena la busca y captura del peligroso criminal.* **2** Avi-

so o notificación públicos que se hacen para los ciudadanos en general: *El edicto del alcalde anunciaba restricciones de agua.* ☐ ETIMOL. Del latín *edictum*, y éste de *edicere* (proclamar).

edificable adj. Que se puede edificar. ☐ MORF. Invariable en género.

edificación s.f. **1** Construcción de un edificio. **[2** Edificio o conjunto de edificios: *En el casco viejo se conservan 'edificaciones' muy antiguas.*

[edificante adj. Que da ejemplo e inspira sentimientos nobles y virtuosos; edificativo. ☐ MORF. Invariable en género. ☐ USO Aunque la RAE sólo registra *edificativo*, en la lengua actual se usa más *'edificante'.*

edificar v. **1** Referido a un edificio, construirlo o mandarlo construir: *En estos terrenos van a edificar un complejo deportivo.* **[2** Referido esp. a una entidad o a una sociedad, establecerlas, fundarlas o levantarlas: *'Edificó' un gran imperio económico partiendo de la nada.* **3** Referido a una persona, darle ejemplo e infundir en ella sentimientos de piedad y de virtud: *Su vida de entrega a los demás nos edifica a todos.* ☐ ETIMOL. Del latín *aedificare*, y éste de *aedes* (casa, edificio, templo) y *facere* (hacer). ☐ ORTOGR. La *c* se cambia en *qu* delante de *e* →SACAR.

edificativo, va adj. Que da ejemplo e inspira sentimientos nobles y virtuosos; edificante. ☐ USO Aunque la RAE sólo registra *edificativo*, en la lengua actual se usa más *'edificante'.*

edificio s.m. Construcción hecha con ladrillos o con otros materiales resistentes, y destinada generalmente a servir de vivienda o de espacio para una actividad. ☐ ETIMOL. Del latín *aedificium*.

edil, -a s. En un concejo o ayuntamiento, persona que tiene un cargo de gobierno; concejal. ☐ ETIMOL. Del latín *aedilis*. ☐ SEM. **1**. Dist. de *alcalde* (quien preside el Ayuntamiento o un término municipal). **2**. El uso de la expresión **primer edil* para designar al alcalde es incorrecto, aunque está muy extendido.

[edípico, ca adj. De Edipo (héroe legendario griego que mató a su padre y se casó con su madre), o relacionado con él.

editar v. Referido esp. a un libro, publicarlo por medio de la imprenta o por otro procedimiento de reproducción: *De este libro han editado más de trescientos mil ejemplares.* ☐ ETIMOL. Del francés *éditer.*

editor, -a ▮ s. **1** Persona o entidad que editan o publican una obra por medio de la imprenta o de otros procedimientos de reproducción, multiplicando el número de ejemplares. **2** Persona que se ocupa de la preparación de un texto para su publicación siguiendo criterios filológicos. ▮ s.m. **[3** En informática, programa que permite crear, modificar, visualizar e imprimir textos.

editorial ▮ adj. **1** Del editor, de la edición, o relacionado con ellos. ▮ s.m. **2** Artículo periodístico de fondo, generalmente sobre un tema de actualidad, que suele aparecer sin firmar y en el que se refleja la opinión de la dirección de la publicación. ▮ s.f. **3** Empresa que se dedica a la edición o publicación de obras. ☐ MORF. Como adjetivo es invariable en género.

editorialista s. Persona encargada de redactar los editoriales o artículos de fondo periodísticos. ☐ MORF. Es de género común: *el editorialista, la editorialista.*

editorializar v. Expresar algo mediante un editorial. ☐ ORTOGR. La *z* se cambia en *c* delante de *e* →CAZAR.

edredón s.m. Colcha o cobertor de cama rellenos de plumas de ave, de algodón o de otros materiales de abrigo. ☐ ETIMOL. Del francés *édredon*, y éste del sueco *eiderdun* (plumón de éider, pato salvaje).

educación s.f. **1** Desarrollo o perfeccionamiento de las facultades intelectuales y morales de una persona: *La educación de los niños es competencia de los padres.* **2** Enseñanza o adoctrinamiento que se da a alguien para conseguir este desarrollo: *Quiere dar a sus hijos una educación religiosa.* **3** Urbanidad y cortesía. **4** Instrucción por medio de la enseñanza docente: *la educación universitaria.* **5** ‖ [educación especial; la que se destina a personas disminuidas física o psíquicamente. ‖educación física; conjunto de disciplinas y ejercicios encaminados a lograr el desarrollo corporal. ‖ [educación infantil; etapa de escolarización que abarca de los cero a los seis años de edad. ‖ [(educación) primaria; etapa de escolarización obligatoria, que abarca de los seis a los doce años de edad. ‖ [(educación) secundaria (obligatoria); etapa de escolarización que abarca de los doce a los dieciséis años de edad. ☐ ETIMOL. Del latín *educatio*.

educacional adj. De la educación o relacionado con ella. ☐ MORF. Invariable en género.

educado, da adj. Que tiene buena educación o modales correctos.

educador, -a s. Persona que se dedica profesionalmente a la enseñanza. ☐ ETIMOL. Del latín *educator*.

educando, da adj./s. Que está recibiendo educación, esp. referido al alumno de un colegio.

educar v. **1** Referido a una persona, hacer que desarrolle o perfeccione sus facultades intelectuales y morales: *A un hijo hay que educarlo, además de alimentarlo y vestirlo.* **2** Referido a una persona, enseñarle las normas de urbanidad y de cortesía: *Debes educar mejor a tus hijos, y enseñarles a no comer con la boca abierta.* **3** Referido esp. a un sentido, desarrollarlo, perfeccionarlo o afinarlo: *Si quieres llegar a cantante, tendrás que educar la voz.* **4** Dirigir, encaminar u orientar, esp. en una doctrina: *Desde niño lo educaron en el respeto a los mayores.* ☐ ETIMOL. Del latín *educare*. ☐ ORTOGR. La *c* se cambia en *qu* delante de *e* →SACAR.

educativo, va adj. **1** De la educación o relacionado con ella; educacional. **2** Que educa o sirve para educar: *juego educativo.*

edulcorante s.m. Sustancia que edulcora o endulza alimentos o medicamentos.

edulcorar v. Endulzar con azúcar o con otra sustancia. ☐ ETIMOL. Del latín *edulcorare*, y éste de *dulcor* (dulzura).

efe s.f. Nombre de la letra *f*.

efebo s.m. Muchacho joven o adolescente. ☐ ETIMOL. Del latín *ephebus*, y éste del griego *éphebos* (adolescente).

efectismo s.m. **1** Tendencia a buscar o producir un efecto o una impresión muy fuertes en el ánimo: *El efectismo en un periodista puede restar objetividad a su relato.* **2** Efecto causado por un procedimiento o por un recurso empleados para impresionar fuertemente el ánimo: *El efectismo de un número de magia es mayor cuanto mayor sea la habilidad del mago.*

efectista adj. Que tiene intención de producir un fuerte efecto o impresión en el ánimo. ☐ MORF. Invariable en género.

efectividad s.f. **1** Capacidad de producir efecto: *Estas pastillas son de gran efectividad.* **2** Realidad, validez o carácter verdadero: *Un justificante que no esté firmado carece de efectividad.*

efectivo, va ‖ adj. [**1** Que produce efecto: *Pedirle las facturas es la única forma 'efectiva' de controlar sus gastos.* **2** Real, verdadero o válido: *El nombramiento no será efectivo hasta mañana.* ‖ s.m. **3** Dinero en moneda o en billetes: *¿Va a pagar con tarjeta o en efectivo?* ‖ pl. **4** Totalidad de las fuerzas militares o policiales que se hallan bajo un solo mando y que desempeñan una misión: *Efectivos de la policía nacional disolvieron la manifestación.* **5** ‖hacer efectivo; referido a una cantidad de dinero o a los documentos que lo representan, pagarlos o cobrarlos: *El banco hará efectivo el crédito hoy.* ☐ ETIMOL. Del latín *effectivus*. ☐ MORF. En la acepción 4, es incorrecto su uso en singular para referirse a los miembros de ese conjunto de fuerzas. ☐ SEM. En la acepción 4, designa no sólo personas sino también el material. ☐ USO En la acepción 3, es innecesario el uso del anglicismo *cash*.

efecto ‖ s.m. **1** Lo que es consecuencia de una causa: *Se desmayó por efecto del dolor.* **2** Impresión producida en el ánimo: *Sus palabras causaron muy mal efecto.* **3** Fin para el que se hace algo: *Los que quieran solicitar un préstamo deberán presentarse en el banco a tal efecto.* **4** Documento o valor mercantiles: *Las letras del Tesoro y los cheques son efectos bancarios.* **5** Movimiento giratorio que se da a algo al lanzarlo, y que lo hace desviarse de su trayectoria normal: *El balón llevaba efecto y no rodó en línea recta.* **6** En algunos espectáculos, truco o artificio utilizados para provocar determinadas impresiones en los espectadores: *En las películas de ciencia ficción se utilizan efectos especiales.* ‖ pl. **7** Bienes, enseres o pertenencias: *Cuando salió en libertad, la policía le devolvió sus efectos personales.* **8** ‖a efectos de algo; con la finalidad de conseguirlo o de aclararlo: *Pasó por el banco a efectos de cobrar un cheque.* ‖ [efecto dominó; el que se manifiesta porque afecta en cadena a una serie de elementos. ‖efecto invernadero; elevación de la temperatura de la atmósfera, producida por un exceso de óxidos de carbono procedentes de las combustiones industriales. ‖ [efecto mariposa; el que es consecuencia de un proceso que no tiene linealidad, y que se sabe cómo empieza, pero no puede saberse cómo acabará: *Cuando un hecho irrelevante tiene consecuencias de enorme importancia y totalmente imprevistas, se dice que es por el 'efecto mariposa'.* ‖en efecto; efectivamente o realmente: *Cuando le pregunté si se iba de vacaciones, respondió: −En efecto.* ‖surtir efecto; dar el resultado deseado. ☐ ETIMOL. Del latín *effectus*, y éste de *efficere* (producir un efecto). ☐ MORF. Las acepciones 4 y 6 se usan más en plural.

efectuar ‖ v. **1** Realizar, ejecutar o llevar a cabo: *El tren va a efectuar su salida.* ‖ prnl. **2** Cumplirse o hacerse real o efectivo: *El intercambio de prisioneros se efectuó esta madrugada.* ☐ ETIMOL. Del latín *effectus* (efecto). ☐ ORTOGR. La *u* lleva tilde en los presentes, excepto en las personas *nosotros* y *vosotros* →ACTUAR.

efeméride ❚ s.f. **1** Acontecimiento muy importante que se recuerda en cualquier aniversario del mismo: *Cada año los españoles celebran la efeméride de la aprobación de la Constitución.* **2** Conmemoración de este aniversario: *El 12 de octubre tiene lugar la efeméride del Descubrimiento de América.* ❚ pl. **3** Conjunto de acontecimientos importantes ocurridos en el día de la fecha, pero en años anteriores: *Este periódico tiene un sección de efemérides.* ☐ ETIMOL. Del griego *ephemerís* (memorial diario).

efervescencia s.f. **1** Desprendimiento de burbujas gaseosas a través de un líquido. **2** Agitación o excitación grandes: *un ambiente de efervescencia política.*

efervescente adj. Que está o puede estar en efervescencia: *pastillas efervescentes.* ☐ ETIMOL. Del latín *effervescens* (que empieza a hervir). ☐ MORF. Invariable en género.

efesio, sia adj./s. De Éfeso (antigua ciudad de Asia Menor) o relacionado con ella. ☐ ETIMOL. Del latín *Ephesius*.

eficacia s.f. Capacidad para obrar o para producir el efecto deseado: *Es un medicamento de gran eficacia para bajar la fiebre.* ☐ SEM. Se usa referido esp. a cosas, frente a *eficiencia*, que se prefiere para personas.

eficaz adj. Que produce el efecto al que está destinado: *un tratamiento eficaz.* ☐ ETIMOL. Del latín *efficax.* ☐ MORF. Invariable en género. ☐ SEM. Se usa referido esp. a cosas, frente a *eficiente*, que se prefiere para personas.

eficiencia s.f. Capacidad para realizar satisfactoriamente la función a la que se está destinado. ☐ SEM. Se usa referido esp. a personas, frente a *eficacia*, que se prefiere para cosas.

eficiente adj. Que realiza satisfactoriamente la función a la que está destinado. ☐ ETIMOL. Del latín *efficiens*, y éste de *efficere* (producir un efecto). ☐ MORF. Invariable en género. ☐ SEM. Se usa referido esp. a personas, frente a *eficaz*, que se prefiere para cosas.

efigie s.f. Imagen o representación de una persona: *Esta moneda lleva la efigie del rey.* ☐ ETIMOL. Del latín *effigies* (representación, imagen).

efímero, ra adj. Pasajero o que dura poco tiempo. ☐ ETIMOL. Del griego *ephémeros* (que sólo dura un día).

efluvio s.m. Emisión de vapores o de partículas muy pequeñas desprendidos por un cuerpo: *De la bodega salían efluvios del alcohol.* ☐ ETIMOL. Del latín *effluvium* (acto de manar).

efusión s.f. **1** Exteriorización e intensidad en los afectos o en los sentimientos alegres: *Se abrazaron con gran efusión.* **2** Derramamiento de un líquido, esp. de sangre: *Le hicieron un torniquete para detener la efusión de sangre.* ☐ ETIMOL. Del latín *effusio* (acción de derramar).

[efusividad s.f. Exteriorización exagerada de un sentimiento de afecto o de alegría.

efusivo, va adj. Que siente o manifiesta efusión: *aplausos efusivos.*

egipciaco, ca, egipcíaco, ca o **egipciano, na** adj./s. De Egipto (país africano) o relacionado con él; egipcio.

egipcio, cia ❚ adj./s. **1** De Egipto (país africano), o relacionado con él. ❚ s.m. **2** Antigua lengua de

esta zona. ☐ SEM. Es sinónimo de *egipciaco*, *egipcíaco* y *egipciano*.

égloga s.f. Composición poética y bucólica, caracterizada por ofrecer una visión idealizada de la naturaleza y de la vida en el campo. ☐ ETIMOL. Del latín *ecloga*, y éste del griego *eklogé* (selección).

ego s.m. [Valoración excesiva de uno mismo: *Si no tuvieras tanto 'ego', verías que hay más problemas que los tuyos.* ☐ ETIMOL. Del latín *ego* (yo).

egocéntrico, ca adj. Que se cree el centro de la atención o de la actividad generales.

egocentrismo s.m. Exaltación y valoración exageradas de la propia personalidad. ☐ ETIMOL. Del latín *ego* (yo) y *centro*.

egoísmo s.m. Amor excesivo hacia uno mismo, que lleva a prestar una atención desmedida a los propios intereses sin ocuparse de los ajenos. ☐ ETIMOL. Del francés *égosme*.

egoísta ❚ adj. **1** Del egoísmo o relacionado con este sentimiento. ❚ adj./s. **2** Que tiene o manifiesta egoísmo: *No seas tan egoísta y dame un poco de lo que te sobra.* ☐ MORF. **1.** Como adjetivo es invariable en género. **2.** Como sustantivo es de género común: *el egoísta, la egoísta.*

ególatra adj./s. Que tiene o manifiesta adoración o estimación excesiva de sí mismo. ☐ MORF. **1.** Como adjetivo es invariable en género. **2.** Como sustantivo es de género común: *el ególatra, la ególatra.*

egolatría s.f. Estimación o adoración excesivas de uno mismo. ☐ ETIMOL. Del latín *ego* (yo) y *-latría* (adoración).

egolátrico, ca adj. De la egolatría o relacionado con esta consideración de uno mismo.

egregio, gia adj. Ilustre o destacado por su categoría o por su fama. ☐ ETIMOL. Del latín *egregius* (que se destaca del rebaño).

eh interj. Expresión que se usa para llamar la atención, preguntar, advertir o reprender: *¡Eh, tú, no tires el papel al suelo!* ☐ ORTOGR. Dist. de *e* y *he.*

einstenio s.m. Elemento químico, metálico y artificial, de número atómico 99, radiactivo, y que pertenece al grupo de los actínidos. ☐ ETIMOL. De *Einstein*, físico alemán. ☐ ORTOGR. Su símbolo químico es *Es*.

eje s.m. **1** En un cuerpo o en una superficie, línea que divide su ancho por la mitad: *La línea pintada en el eje de la carretera separa los dos sentidos de la circulación.* **2** En un cuerpo giratorio, barra que lo atraviesa y le sirve de sostén en su movimiento: *Se partió uno de los ejes de las ruedas del carro.* [**3** En un cuerpo, línea imaginaria que pasa por su centro geométrico: *El 'eje' de rotación de la Tierra es la recta imaginaria alrededor de la cual gira nuestro planeta.* **4** En geometría, recta fija alrededor de la cual se considera que gira una línea para engendrar una superficie, o una superficie para engendrar un cuerpo geométrico: *Un cono es un cuerpo geométrico engendrado por una recta que gira en torno a un eje, unida a él por uno de sus extremos.* **5** Idea fundamental, tema predominante o punto de apoyo principal de algo: *el eje argumental de una película.* **6** Lo que se considera el centro de algo, en torno al cual gira todo lo demás: *Mis hijos son el eje de mi vida.* **7** En una máquina, pieza mecánica que transmite el movimiento de rotación: *El camión no anda porque se ha roto el eje de transmisión.* **8** ‖eje de abscisas; en matemáticas, en un sistema de coordenadas, la coordenada horizontal. ‖**eje de coordenadas**; **1** En matemáticas, cada una de las dos rectas perpendiculares que se cortan en un punto de un plano, y que se toman como referencia para determinar la posición de los demás puntos del mismo plano: *La ordenada y la abscisa son los dos ejes de coordenadas.* **2** En matemáticas, cada una de las tres rectas que resultan de la intersección de dos planos perpendiculares, y que se toman como referencia para determinar la posición de un punto en el espacio. ‖**eje de ordenadas**; en matemáticas, en un sistema de coordenadas, la coordenada vertical. ☐ ETIMOL. Del latín *axis*.

ejecución s.f. **1** Acción o realización de algo: *El público aplaudió al torero tras la ejecución del pase de pecho.* **2** Acto de dar muerte a una persona en cumplimiento de una condena. **3** Interpretación de una pieza musical: *Tu ejecución de la sonata al piano fue impecable.* ☐ USO En la acepción 2, está muy extendido su uso eufemístico para referirse a asesinatos.

ejecutante s. **1** Persona que reclama el cumplimiento de lo ordenado en una sentencia. **2** Persona que ejecuta o interpreta una pieza musical. ☐ MORF. Es de género común: *el ejecutante, la ejecutante.*

ejecutar v. **1** Hacer, realizar o llevar a cabo: *Su empresa ejecutará las obras de remodelación.* **2** Referido a una persona, darle muerte en cumplimiento de una condena; ajusticiar: *Un pelotón de fusilamiento ejecutó a los rebeldes.* **3** Referido a una pieza musical, tocarla o interpretarla: *La orquesta ejecutó una sinfonía.* ☐ ETIMOL. Del latín *exsequi* (seguir hasta el final).

ejecutivo, va ∎ adj. **1** Que no admite espera ni permite que se aplace la ejecución: *Las órdenes del capitán son ejecutivas.* **2** Referido esp. a un organismo, que tiene la facultad o la misión de ejecutar o de llevar a cabo algo, esp. tareas de gobierno: *El Gobierno de una nación ejerce el poder ejecutivo.* ∎ s. **3** Persona que ocupa un cargo directivo en una empresa. ∎ s.f. **4** Junta directiva de una entidad o de una sociedad: *La ejecutiva aprobó la integración de la empresa en una multinacional.* ☐ SEM. En la acepción 2, se usa mucho como sustantivo masculino para designar al poder ejecutivo o Gobierno de un país: *La oposición criticó las últimas medidas del ejecutivo.*

ejecutorio, ria ∎ adj. **1** En derecho, firme o invariable: *No se puede pedir recurso contra una sentencia ejecutoria.* ∎ s.f. **2** En derecho, sentencia que ha alcanzado el carácter de firme y que no puede ser recurrida: *La ejecutoria que ha dictado el Tribunal es inapelable.* **3** En derecho, documento público en el que consta una sentencia de este tipo. **4** Documento en el que consta legalmente la nobleza de una persona o de una familia: *una ejecutoria de hidalguía.*

ejem interj. Expresión que se usa para llamar la atención o para dejar en suspenso lo que se estaba diciendo: *El otro día me encontré con..., ejem, disimula, que acaba de entrar.*

ejemplar ∎ adj. **1** Que es digno de ser tomado como modelo: *Fue una mujer ejemplar.* **2** Que sirve o debe servir de escarmiento: *castigo ejemplar.* ∎ s.m. **3** Copia o reproducción sacadas de un mismo original o modelo: *La revista tiene una tirada de cien mil ejemplares.* **4** Original o muestra prototípica o representativa: *El perro premiado era todo un ejem-*

plar de pastor alemán. **5** Individuo de una especie, de una raza o de un género: *Esa ballena es uno de los pocos ejemplares que quedan de su especie.* ☐ ETIMOL. Las acepciones 1 y 2, del latín *exemplaris.* Las acepciones 3-5, del latín *exemplar.* ☐ MORF. **1**. Como adjetivo es invariable en género. **2**. En la acepción 2, la RAE lo registra como sustantivo masculino.

ejemplaridad s.f. Carácter de lo que resulta ejemplar por ser modélico o por servir de escarmiento.

ejemplarizar v. Dar ejemplo. ☐ ORTOGR. La *z* se cambia en *c* delante de *e* →CAZAR.

ejemplificación s.f. Demostración, ilustración o respaldo de algo por medio de ejemplos.

ejemplificar v. Demostrar, ilustrar o respaldar con ejemplos: *Ejemplificaré la explicación para que se entienda mejor.* ☐ ORTOGR. La *c* se cambia en *qu* delante de *e* →SACAR.

ejemplo s.m. **1** Lo que se propone para ser imitado o evitado, según se considere bueno o malo respectivamente: *Su error debe servirnos de ejemplo a todos.* **2** Lo que es digno de ser imitado: *Su honestidad es un ejemplo para todos.* **3** Lo que se cita para ilustrar o respaldar lo que se dice: *Para que lo entendiéramos bien, nos puso unos ejemplos.* **4** ‖**dar ejemplo**; incitar con las propias obras a ser imitado: *Pórtate bien y da ejemplo a los más pequeños.* ‖**por ejemplo**; expresión que se usa para introducir un dato que ilustre o respalde lo que se está diciendo. ☐ ETIMOL. Del latín *exemplum* (ejemplo, modelo).

ejercer v. **1** Referido a una profesión, practicarla o desempeñar las funciones que le son propias: *Ejerce la medicina en un pequeño pueblo. Le llegó la edad de jubilación y ya no ejerce.* **2** Referido esp. a una acción o a una influencia, realizarlas o producirlas: *Los dibujos animados ejercen fascinación en los niños.* **3** Referido esp. a un derecho, practicarlo o hacer uso de él: *Ejerce tu derecho como ciudadano y vota en las elecciones.* ☐ ETIMOL. Del latín *exercere* (agitar, hacer trabajar sin descanso, practicar). ☐ ORTOGR. La *c* se cambia en *z* delante de *a, o* →VENCER.

ejercicio ∎ s.m. **1** Práctica o uso que se hace de una facultad o de un derecho: *La dueña entró en la finca haciendo ejercicio de sus derechos.* **2** Ocupación en una actividad o dedicación a un arte o a una profesión: *El ejercicio de la cirugía le ha dado mucha fama.* **3** Movimiento corporal repetido y destinado a conservar la salud o a recobrarla. [**4** Actividad que se hace para desarrollar una facultad: *Aprender algún poema es un buen 'ejercicio' para la memoria.* **5** Prueba que hay que superar para obtener un grado académico o una plaza por oposición: *Suspendí el ejercicio práctico.* **6** Tarea práctica que sirve de complemento a la enseñanza teórica en el aprendizaje de ciertas disciplinas: *ejercicios de gramática.* [**7** Período de tiempo, generalmente de un año, en que se divide la actividad de una empresa o de una institución: *Cerramos el último 'ejercicio' con ganancias.* ∎ pl. **8** Movimientos y evoluciones militares con que los soldados y mandos se ejercitan y adiestran: *ejercicios de maniobras.* **9** ‖**ejercicios (espirituales)**; los que se practican durante algunos días, retirándose de las ocupaciones del mundo y dedicándose a la oración. ‖**en ejercicio**; que ejerce su profesión o su cargo. ☐ ETIMOL. Del latín *exercitium.*

ejercitación s.f. Ocupación en una actividad o práctica reiterada de ella, generalmente para adquirir destreza o habilidad.

ejercitar v. **1** Referido esp. a un arte o a una profesión, practicarlos o dedicarse a su ejercicio: *Ejercita la pintura en un taller.* **2** Referido a una actividad, adiestrar en ella: *Mi padre me ejercitó para ser un buen carpintero. El futbolista se ejercita en el lanzamiento a portería.* [**3** Usar reiteradamente con el fin de hacer adquirir destreza o habilidad: *Aprende poesías para 'ejercitar' la memoria.* □ ETIMOL. Del latín *exercitare.* □ SINT. Constr. de la acepción 2: *ejercitar* EN *algo.*

ejército s.m. **1** Conjunto de las fuerzas aéreas o terrestres de una nación: *Hizo el servicio militar en el Ejército de Tierra.* [**2** Conjunto de las fuerzas armadas de una nación: *La misión fundamental del 'ejército' es la defensa de la patria.* **3** Gran unidad militar formada por varios cuerpos agrupados bajo las órdenes de un alto mando: *Cuando el ejército sitió la ciudad, la gente se preparó para resistir el asedio.* **4** Colectividad numerosa, esp. si está organizada o se ha agrupado para un fin: *un ejército de fans.* □ ETIMOL. Del latín *exercitus* (cuerpo de gente instruida militarmente). □ USO En la acepción 1, se usa más como nombre propio.

el, la art.determ. Se usa antepuesto a un nombre para indicar que el objeto al que éste se refiere es ya conocido por el hablante y por el oyente: *He traído un libro, pero no es el que me pediste.* □ ETIMOL. Del latín *ille, illa* (aquel, aquella). □ ORTOGR. Dist. de *él.* □ MORF. 1. El plural de *el* es *los.* 2. *El* se usa ante sustantivo femenino que empieza por *a* o *ha* tónicas o acentuadas: *el águila.*

él, ella pron.pers. Forma de la tercera persona del singular que corresponde a la función de sujeto, de predicado nominal o de complemento precedido de preposición: *Nada más irte tú, llegó ella. Es ella la que mejor lo pasa en sus fiestas. Se han portado muy bien con él.* □ ETIMOL. Del latín *ille* (aquel). □ ORTOGR. Dist. de *el.* □ MORF. El plural de *él* es *ellos.*

elaboración s.f. **1** Preparación, transformación o producción de algo por medio del trabajo adecuado. **2** Invención, diseño o creación de algo complejo, esp. de un proyecto.

elaborado, da adj. **1** Trabajado, preparado o dispuesto para un fin y no improvisado: *un discurso elaborado.* [**2** Referido a un producto, que ha sufrido un proceso de elaboración industrial.

elaborar v. **1** Referido esp. a un producto, prepararlo, transformarlo o producirlo por medio del trabajo adecuado; fabricar. **2** Referido a algo complejo, esp. a un proyecto, trazarlo o idearlo: *Los presos elaboraron un plan para escapar.* □ ETIMOL. Del latín *elaborare.*

elasticidad s.f. **1** Propiedad que presenta un cuerpo sólido de poder recuperar su forma y su extensión cuando cesa la fuerza que la comprimía o estiraba: *Los objetos de goma se caracterizan por su elasticidad.* **2** Capacidad para acomodarse o adaptarse fácilmente a distintas situaciones o circunstancias.

elástico, ca ∎ adj. **1** Referido a un cuerpo, que es capaz de recuperar su forma y extensión cuando cesa la fuerza que lo comprimía o estiraba. **2** Que se acomoda o adapta fácilmente a distintas situaciones o circunstancias. **3** Que admite muchas interpretaciones o que resulta discutible: *Eso de que un subordinado deba estar siempre de acuerdo con su jefe es una afirmación muy elástica.* ∎ s.m. **4** Cinta, cordón o tejido con elasticidad, esp. los que se ponen en algunas prendas de vestir para que ajusten o den de sí. □ ETIMOL. Del griego *elastós* (dúctil, que puede ser empujado o dirigido).

[**elastina** s.f. Proteína que forma los tejidos conjuntivos, óseos y cartilaginosos y de la que depende la elasticidad de la piel. □ ETIMOL. De *elástico.*

elativo s.m. Adjetivo en grado superlativo absoluto: *'Altísimo' es el elativo de 'alto'.*

ele ∎ s.f. **1** Nombre de la letra *l.* ∎ interj. **2** *col.* Expresión que se usa para indicar aprobación: *¡Ele, así se habla!*

elección ∎ s.f. **1** Selección que se hace para un fin en función de una preferencia: *¡Qué buena elección has hecho inclinándote por ese coche!* **2** Nombramiento o designación de una persona, generalmente mediante votación. **3** Capacidad o posibilidad de elegir. ∎ pl. **4** Emisión de votos para elegir cargos políticos.

electivo, va adj. Referido esp. a un cargo, que se da o se consigue por elección. □ ETIMOL. Del latín *electivus.*

electo, ta adj./s. Referido a una persona, que ha sido elegida para desempeñar un cargo, pero aún no ha tomado posesión de él. □ ETIMOL. Del latín *electus,* y éste de *eligere* (escoger). □ MORF. La RAE sólo lo registra como sustantivo masculino.

elector, -a adj./s. Que tiene la capacidad o el derecho de elegir, esp. en unas elecciones políticas. □ ETIMOL. Del latín *elector.*

electorado s.m. Conjunto de los electores.

electoral adj. De los electores, de las elecciones o relacionado con ellos. □ MORF. Invariable en género.

electoralismo s.m. Consideración de razones puramente electorales en el ejercicio de la política: *Esas promesas que hacen los políticos sabiendo que no podrán cumplirlas son una clara muestra de electoralismo.*

electoralista adj. Que tiene claros fines de propaganda electoral: *Según la oposición, la aprobación ahora de créditos que antes se habían negado responde a razones electoralistas.* □ MORF. Invariable en género.

electorero, ra ∎ adj. **1** Que las intrigas o maniobras electorales, o relacionado con ellas. ∎ s. **2** Persona que actúa concertando tratos o intrigando en unas elecciones. □ USO Es despectivo.

electricidad s.f. **1** Forma de energía presente en la materia y derivada del movimiento de los electrones y de los protones que forman los átomos. [**2** *col.* Corriente eléctrica: *Tienen que contratar la 'electricidad' con la empresa suministradora.* **3** Parte de la física que estudia los fenómenos eléctricos. [**4** *col.* Tensión o nerviosismo. **5** ‖ **electricidad estática**; la que aparece en un cuerpo cuando existen en él cargas eléctricas en reposo: *La electricidad estática de algunos cuerpos hace que al tocarlos den calambre.* □ ETIMOL. De *eléctrico.* □ MORF. Cuando se antepone a otra palabra para formar compuestos, adopta la forma *electro-.*

electricista ∎ adj. **1** Referido a una persona, que es experta en las aplicaciones técnicas y mecánicas de la electricidad: *un ingeniero electricista.* ∎ s. **2** Persona especializada en instalaciones eléctricas: *Un*

electricista nos arregló el timbre de la puerta. □
MORF. **1.** Como adjetivo es invariable en género. **2.**
Como sustantivo es de género común: *el electricista,*
la electricista.

eléctrico, ca adj. De la electricidad, con electricidad o relacionado con ella. □ ETIMOL. Del griego
élektron (ámbar), por la propiedad que tiene el ámbar de atraer cosas eléctricamente al frotarlo. □
MORF. Cuando se antepone a otra palabra para formar compuestos adopta la forma *electro-.*

electrificación s.f. **1** Dotación o provisión de
energía eléctrica a un lugar. **2** Transformación o
preparación de una instalación o de una máquina
para que funcionen con energía eléctrica.

electrificar v. **1** Referido a un lugar, dotarlo o proveerlo de energía eléctrica: *Ya han electrificado to-*
das las aldeas de la montaña. **2** Referido esp. a una
instalación o a una máquina, hacer que funcionen por
medio de energía eléctrica: *A medida que se fue elec-*
trificando el ferrocarril, fueron desapareciendo los
viejos trenes de vapor. □ ORTOGR. **1.** Dist. de *elec-*
trizar. 2. La *c* se cambia en *qu* delante de *e* →SACAR.

electrización s.f. **1** Producción o comunicación de
electricidad en un cuerpo. **2** Exaltación, avivamiento o producción de entusiasmo.

[*electrizante* adj. Que electriza: *ambiente 'electri-*
zante'. □ MORF. Invariable en género.

electrizar v. **1** Referido a un cuerpo, producir electricidad en él o comunicársela: *Puedes electrizar un*
bolígrafo frotándolo con un trozo de lana. **2** Exaltar
o producir entusiasmo: *Las palabras del conferen-*
ciante electrizaron al auditorio, que no dejaba de
aplaudir. □ ORTOGR. **1.** Dist. de *electrificar.* 2. La *z*
se cambia en *c* delante de *e* →CAZAR.

[*electro* s.m. *col.* →**electrocardiograma**.

electro- Elemento compositivo que significa 'electricidad' o 'eléctrico': *electroimán, electromagnético,*
electroterapia, electrocardiograma. □ ETIMOL. Del
griego *élektron* (ámbar), por la propiedad que tiene
el ámbar de atraer cosas eléctricamente al frotarlo.

electrocardiograma s.m. Gráfico en el que se
registran las corrientes eléctricas producidas por la
actividad del músculo cardíaco. □ MORF. En la lengua coloquial se usa mucho la forma abreviada *elec-*
tro.

electrochoque s.m. Tratamiento médico de enfermedades o perturbaciones mentales, consistente
en la aplicación de una descarga eléctrica al cerebro. □ USO Es innecesario el uso del anglicismo
electro-shock.

electrocución s.f. Muerte producida por medio de
una corriente o de una descarga eléctricas.

electrocutar v. Matar por medio de una descarga
eléctrica: *Si tocas un cable de alta tensión, puedes*
electrocutarte. □ ETIMOL. Del inglés *to electrocute.*

electrodo o **eléctrodo** s.m. En física, extremo de
un conductor en contacto con un medio, al que lleva
o del que recibe una corriente eléctrica. □ ETIMOL.
De *electro-* (eléctrico) y el griego *hodós* (camino). □
USO Aunque la RAE prefiere *eléctrodo,* se usa más
electrodo.

electrodoméstico s.m. Aparato eléctrico que se
utiliza en el hogar. 🔧 electrodoméstico

electroencefalograma s.m. Gráfico en el que
se registran las corrientes eléctricas producidas por
la actividad del encéfalo. □ MORF. Se usa mucho la
forma abreviada *encefalograma.*

electrógeno, na ‖ adj. **1** Que produce electricidad. ‖ s.m. **2** Generador eléctrico. □ ETIMOL. De
electro- (electricidad) y *-geno* (que produce).

electroimán s.m. En electricidad, imán cuyo campo
magnético se produce mediante una corriente eléctrica.

electrólisis s.f. Reacción química consistente en la
descomposición de un electrólito al pasar por él una
corriente eléctrica: *Se puede obtener oxígeno e hi-*
drógeno por electrólisis del agua. □ ETIMOL. De *elec-*
tro- (eléctrico) y el griego *lýsis* (disolución). □ PRON.
Aunque la pronunciación correcta es [electrólisis],
en círculos especializados se usa más [electrolísis].
□ MORF. Invariable en número.

electrolítico, ca adj. De la electrólisis o relacionado con esta reacción química.

electrólito s.m. En química, sustancia que, en estado líquido o en disolución, conduce la corriente
eléctrica con transporte de materia, por contener iones libres. □ ETIMOL. De *electro-* (electricidad) y el
griego *lytós* (soluble). □ PRON. Aunque la pronunciación correcta es [electrólito], en círculos especializados se usa más [electrolíto].

electrolizar v. Referido a una sustancia, descomponerla mediante una corriente eléctrica o reacción de
electrólisis: *Se ha desarrollado un catalizador ex-*
cepcional para electrolizar el agua en hidrógeno y
oxígeno. □ ORTOGR. La *z* se cambia en *c* delante de
e →CAZAR.

electromagnético, ca adj. Referido a un fenómeno, que presenta campos eléctricos y magnéticos relacionados entre sí: *ondas electromagnéticas.*

electromagnetismo s.m. Parte de la física que
estudia la interacción de los campos eléctricos y
magnéticos. □ ETIMOL. De *electro-* (electricidad) y
magnetismo.

electrometalurgia s.f. Parte de la metalurgia
que se ocupa de la obtención, aprovechamiento y
refinamiento de los metales mediante procedimientos eléctricos. □ ETIMOL. De *electro-* (electricidad) y
metalurgia.

electrón s.m. En un átomo, partícula elemental de
la corteza, que tiene carga eléctrica negativa. □ ETI-
MOL. Del griego *élektron* (ámbar), por la propiedad
que tiene el ámbar de atraer cosas eléctricamente
al frotarlo.

electrónico, ca ‖ adj. **1** Del electrón, de la electrónica o relacionado con ellos. ‖ s.f. **2** Parte de la
física que estudia los fenómenos originados por el
movimiento de los electrones libres en el vacío, en
gases o en semiconductores, cuando dichos electrones están sometidos a la acción de campos electromagnéticos. **3** Técnica que aplica los conocimientos
de esta parte de la física a la industria.

electroscopio s.m. En física, instrumento que permite detectar si un cuerpo está electrizado, y que
consiste en una varilla terminada en una esfera por
uno de sus extremos y en dos laminillas de oro o de
aluminio por el otro. □ ETIMOL. De *electro-* (electricidad) y *-scopio* (instrumento para ver).

[*electroshock* s.m. →**electrochoque**. □ PRON.
[electrochóc], con *ch* suave. □ USO Es un anglicismo
innecesario.

electrostático, ca ‖ adj. **1** De la electrostática o
relacionado con esta parte de la física. ‖ s.f. **2** Parte
de la física que estudia los fenómenos relacionados
con la electricidad estática o debidos a cargas eléc-

ELECTRODOMÉSTICO

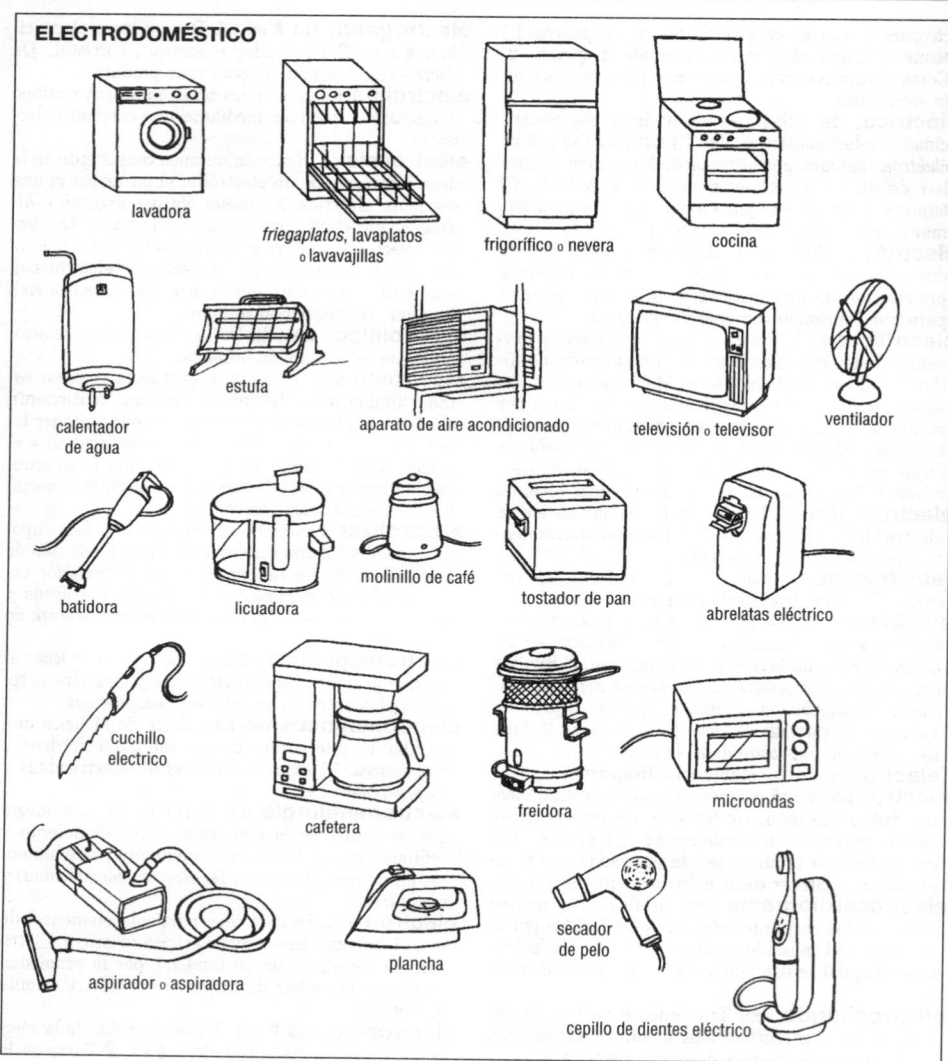

lavadora

friegaplatos, lavaplatos o lavavajillas

frigorífico o nevera

cocina

calentador de agua

estufa

aparato de aire acondicionado

televisión o televisor

ventilador

batidora

licuadora

molinillo de café

tostador de pan

abrelatas eléctrico

cuchillo electrico

cafetera

freidora

microondas

aspirador o aspiradora

plancha

secador de pelo

cepillo de dientes eléctrico

tricas en reposo. □ ETIMOL. La acepción 2, de *electro-* (eléctrico) y *-stática* (equilibrio).

[*electrotrén* s.m. Tren eléctrico.

elefante, ta s. **1** Mamífero de gran tamaño, de piel grisácea, rugosa y dura, con cuatro extremidades terminadas en pezuñas, cabeza y ojos pequeños, grandes orejas colgantes, la nariz y el labio superior unidos y prolongados en forma de una larga trompa que le sirve de mano, y dos grandes colmillos macizos. **2** ‖**elefante marino**; [mamífero carnicero, parecido a la foca pero de mayor tamaño, cuyo macho presenta una nariz extensible y en forma de trompa. □ ETIMOL. Del latín *elephas*. □ SEM. Aunque la RAE considera *elefante marino* sinónimo de *morsa*, en círculos especializados no lo es.

elefantiasis s.f. Aumento enorme de algunas partes del cuerpo, esp. de las extremidades inferiores y de los órganos genitales externos, debida fundamentalmente a una obstrucción en el sistema linfático. □ ETIMOL. Del latín *elephantiasis*, y éste del griego *elephantíasis*, porque el aspecto de la piel es similar al de la de un elefante. □ MORF. Invariable en número.

elegancia s.f. **1** Gracia, sencillez o distinción: *vestir con elegancia.* **2** Proporción adecuada, o buen gusto: *Sus esculturas gustan por la elegancia y sobriedad de sus líneas.* **3** Corrección, adecuación y moderación, esp. en la forma de actuar: *Rechazó mi oferta con tal elegancia, que no pude ofenderme.*

elegante adj. **1** Que tiene gracia, sencillez y nobleza o distinción. **2** Bien proporcionado, airoso o de buen gusto. **3** Referido esp. a la forma de actuar, que resulta apropiada y correcta. □ ETIMOL. Del latín *elegans*. □ MORF. Invariable en género.

[**elegantoso, sa** adj. *col*. En zonas del español meridional, elegante.

elegía s.f. Composición poética de carácter lírico en la que se lamenta un hecho desgraciado, esp. la muerte de una persona. ☐ ETIMOL. Del latín *elegia*.

elegíaco, ca o **elegíaco, ca** adj. 1 De la elegía o relacionado con esta composición poética. 2 De carácter triste o lastimoso. ☐ USO *Elegiaco* es el término menos usual.

elegir v. 1 Escoger o preferir para un fin: *Después de mucho pensarlo, eligió el más grande*. 2 Nombrar o designar mediante elección: *Sus compañeras la han elegido delegada de curso*. ☐ ETIMOL. Del latín *eligere* (escoger). ☐ ORTOGR. La *g* se cambia en *j* delante de *a, o*. ☐ MORF. Irreg.: 1. Tiene un participio regular (*elegido*), que se usa en la conjugación, y otro irregular (*electo*), que se usa como adjetivo o sustantivo. 2. →ELEGIR.

elemental adj. 1 Fundamental, básico o primordial: *conocimientos elementales*. 2 Evidente, sencillo o fácil de entender. ☐ MORF. Invariable en género.

elemento ∎ s.m. 1 Parte o pieza integrante y constitutiva de un todo. 2 Fundamento o base de algo: *No tengo suficientes elementos de juicio para opinar*. 3 Principio físico o químico que entra en la composición de los cuerpos: *En la Antigüedad se creía que los cuatro elementos fundamentales de la vida eran la tierra, el agua, el aire y el fuego*. 4 En química, sustancia formada por átomos que tienen el mismo número de protones nucleares, independientemente del número de neutrones; cuerpo simple: *tabla periódica de los elementos*. 5 Medio en el que se desarrolla y habita un ser vivo: *El agua dulce es el elemento de muchos peces*. 6 Individuo valorado positiva o negativamente: *¡Menudo elemento está hecho tu hermano!* ∎ pl. 7 Fuerzas de la naturaleza capaces de alterar las condiciones atmosféricas o climáticas. 8 Medios o recursos: *Yo te proporcionaré los elementos necesarios para este trabajo*. 9 ‖ **estar** alguien **en su elemento**; hallarse en una situación que le resulta cómoda o acorde con sus gustos e inclinaciones. ☐ ETIMOL. Del latín *elementum* (principios, conocimientos rudimentarios). ☐ MORF. En la acepción 6, se usa también el femenino coloquial *elementa*.

elenco s.m. 1 Conjunto de artistas que forman una compañía teatral. [2 Conjunto de personas que trabajan juntas o que constituyen un grupo representativo. ☐ ETIMOL. Del latín *elenchus* (apéndice de un libro).

[**elepé** s.m. *col*. Disco de larga duración. ☐ ETIMOL. Es un acrónimo que procede de la sigla de *long play* (larga duración). ☐ USO Es innecesario el uso del anglicismo *long play*.

elevación s.f. 1 Levantamiento, movimiento hacia arriba o impulso de algo hacia lo alto. 2 Colocación de una persona en un puesto o en una categoría de consideración: *Su elevación al cargo de director fue acogida favorablemente por todos*. 3 Altura o encumbramiento: *Una colina es una elevación del terreno*.

elevado, da adj. 1 De gran categoría, o de una elevación moral o intelectual extraordinarias: *pensamientos elevados*. 2 Alto o levantado a gran altura.

elevador, -a ∎ s. 1 Aparato destinado a subir, bajar o desplazar mercancías, generalmente en almacenes y construcciones. ∎ s.m. 2 En zonas del español meridional, ascensor.

[**elevalunas** s.m. En un automóvil, mecanismo que sirve para subir o bajar los cristales de las ventanillas. ☐ MORF. Invariable en número.

elevar v. 1 Alzar, levantar, mover hacia arriba, o colocar en un nivel más alto: *El avión se elevó por encima de los 3.000 metros*. 2 Referido esp. a la mirada o al espíritu, dirigirlos o impulsarlos hacia lo alto: *Caído en el suelo, elevó la mirada buscando una mano que lo ayudase*. 3 Referido esp. al ánimo, fortalecerlo o darle vigor o empuje: *Aquel reconocimiento a su esfuerzo le elevó la moral*. 4 Referido a una persona, colocarla en un puesto honorífico o mejorar su condición social o política: *Tras años de servicio, me elevaron a la dirección de la empresa*. 5 Referido a un escrito o a una petición, dirigirlos a una autoridad: *Los vecinos elevaron una solicitud de mejora del alumbrado en el barrio*. [6 En matemáticas, referido a una cantidad, efectuar su potencia o multiplicarla por sí misma un número determinado de veces: *El resultado de 'elevar' 4 al cuadrado es 16*. ☐ ETIMOL. Del latín *elevare*. ☐ SEM. En las acepciones 2 y 3, es sinónimo de *levantar*.

elfo s.m. En la mitología escandinava, genio o deidad que vive en los bosques. ☐ ETIMOL. Del inglés *elf*.

elidir v. 1 En gramática, referido a una vocal, suprimirla cuando es final de palabra y la palabra siguiente empieza por otra vocal: *La contracción 'al' se forma porque se elide la 'e' del artículo*. [2 En gramática, referido a una palabra, omitirla en una oración cuando se sobrentiende: *En 'Tú tomaste un helado y yo otro', en la segunda parte de la frase se 'ha elidido' el verbo 'tomé'*. ☐ ETIMOL. Del latín *elidere* (expulsar golpeando). ☐ ORTOGR. Dist. de *eludir*.

eliminación s.f. 1 Supresión, separación o desaparición de algo. 2 Exclusión o alejamiento de una persona, generalmente respecto a un grupo o de un asunto. 3 En matemáticas, desaparición de la incógnita en una ecuación mediante el cálculo. 4 En medicina, expulsión de una sustancia por parte del organismo.

eliminar v. 1 Quitar, separar o hacer desaparecer: *Este producto elimina el mal aliento. Los problemas no se eliminan solos si no te ocupas de ellos*. 2 Referido esp. a una persona, excluirla o alejarla, generalmente de un grupo o de un asunto: *Me eliminaron en el primer ejercicio de las oposiciones*. 3 En matemáticas, referido a una incógnita de una ecuación, hacerla desaparecer mediante el cálculo: *Mediante esta operación, eliminamos la 'x' de la ecuación*. 4 En medicina, referido a una sustancia, expulsarla o hacerla salir del organismo: *El cuerpo humano elimina toxinas a través de la orina y del sudor*. ☐ ETIMOL. Del latín *eliminare* (hacer salir, expulsar).

eliminatorio, ria ∎ adj. 1 Que elimina o que sirve para eliminar. ∎ s.f. 2 En una competición o en un concurso, prueba que sirve para seleccionar a los participantes.

elipse s.f. En geometría, curva cerrada y plana, que resulta de cortar un cono circular con un plano oblicuo a su eje y que afecte a todas sus generatrices: *Una elipse tiene forma de círculo achatado*. ☐ ETIMOL. Del latín *ellipsis*, y éste del griego *élleipsis* (insuficiencia). ☐ ORTOGR. Distinto de *elipsis*.

elipsis s.f. En gramática, supresión de una o de más

palabras necesarias para la correcta construcción gramatical de una oración, pero no para la claridad de su sentido: *En 'Yo lo sé y tú no', hay elipsis de 'lo sabes'.* □ ETIMOL. Del latín *ellipsis*, y éste del griego *élleipsis* (insuficiencia). □ ORTOGR. Dist. de *elipse.* □ MORF. Invariable en número.

elíptico, ca adj. **1** De la elipse o con forma semejante a la de esta curva. **2** En gramática, de la elipsis o relacionado con esta supresión de palabras.

elíseo, a o **elisio, sia** adj. Del Elíseo (lugar paradisíaco al que, según la mitología grecolatina, iban a parar las almas que merecían este premio) o relacionado con él. □ USO *Elisio* es el término menos usual.

elisión s.f. En gramática, supresión de una vocal cuando es final de palabra y la palabra siguiente empieza por otra vocal: *La contracción 'del' se forma por elisión de la 'e' de la preposición.* □ ORTOGR. Dist. de *alusión.*

elite s.f. Minoría selecta y destacada en un campo o en una actividad. □ ETIMOL. Del francés *élite.* □ PRON. Aunque la pronunciación correcta es [elíte], está muy extendida [élite].

elitismo s.m. Sistema que favorece la aparición de elites o minorías selectas en perjuicio de otras capas sociales.

elitista adj./s. De la elite, del elitismo, o relacionado con ellos. □ MORF. **1.** Como adjetivo es invariable en género. **2.** Como sustantivo es de género común: *el elitista, la elitista.*

élitro s.m. Ala anterior de algunos insectos, esp. de los coleópteros, que se ha endurecido y ha quedado convertida en una gruesa lámina córnea que sirve para proteger el ala posterior: *Los élitros de las mariquitas son de color rojo con puntos negros.* □ ETIMOL. Del griego *élytron* (envoltorio, estuche).

elixir s.m. **1** Líquido compuesto de sustancias medicinales, generalmente disueltas en alcohol. **2** Medicamento o remedio con propiedades maravillosas. □ ETIMOL. Del árabe *al-iksir* (medicamento seco, polvo que transmuta los metales, piedra filosofal).

ella pron.pers. de *él.* □ ETIMOL. Del latín *illa* (aquella).

elle s.f. Nombre que se daba a la doble *l* en español.

ello pron.pers. Forma de la tercera persona del singular que corresponde a la función de sujeto, de predicado nominal o de complemento precedido de preposición: *Si él no quiere visitarte, ello no impide que lo visites tú a él. ¡Vamos, a ello, que tú puedes!* □ ETIMOL. Del latín *illud* (aquello). □ MORF. No tiene plural.

ellos, ellas pron.pers. Forma de la tercera persona del plural que corresponde a la función de sujeto, de predicado nominal o de complemento precedido de preposición: *Si ellas lo dicen, será verdad. He traído estos bombones para ellos.*

elocución s.f. Modo de hablar o de usar las palabras para expresar los conceptos. □ ETIMOL. Del latín *elocutio.* □ ORTOGR. Dist. de *alocución* y *locución.*

elocuencia s.f. Eficacia para persuadir o conmover que tienen las palabras, los gestos u otras acciones con las que se da a entender algo con viveza.

elocuente adj. Que tiene elocuencia o hace uso de esta capacidad al expresarse. □ ETIMOL. Del latín *eloquens*, y éste de *eloqui* (decir, pronunciar). □ MORF. Invariable en género.

elogiar v. Alabar o ensalzar con elogios: *Siempre elogia los pasteles y exquisiteces que hace su madre.* □ ORTOGR. La *i* nunca lleva tilde.

elogio s.m. Alabanza de las cualidades o de los méritos de algo. □ ETIMOL. Del latín *elogium* (epitafio, sentencia breve).

elogioso, sa adj. Que elogia, alaba o contiene elogios.

elote s.m. En zonas del español meridional, mazorca tierna de maíz.

elucidar v. Explicar o poner en claro: *Antes de seguir leyendo, intentemos elucidar el sentido de lo leído.* □ ETIMOL. Del latín *elucidare* (anunciar, revelar).

elucubración s.f. **1** Pensamiento, reflexión o trabajo que se llevan a cabo en obras de creación o en producciones de la mente. **2** Imaginación sin mucho fundamento. □ ETIMOL. Se admite también *lucubración.* □ USO Aunque la RAE prefiere *lucubración*, se usa más *elucubración.*

elucubrar v. **1** Pensar, reflexionar o trabajar con empeño en obras de creación o en producciones de la mente: *El autor del libro elucubra y argumenta sobre las posibilidades de vida en otros planetas. Elucubró hipótesis que se adelantaban a la ciencia de su tiempo.* **2** Imaginar sin mucho fundamento: *Le gusta elucubrar sobre cómo habría sido su vida si se hubiese casado con aquella chica. ¡Deja de elucubrar cosas imposibles y abre los ojos a la realidad!* □ ETIMOL. Del latín *elucubrare.* □ ORTOGR. admite también *lucubrar.* □ SINT. Se usa más como verbo intransitivo. □ USO Aunque la RAE prefiere *lucubrar*, se usa más *elucubrar.*

eludir v. **1** Referido esp. a una dificultad o a un problema, esquivarlos, rechazarlos o no aceptarlos: *Eludió toda responsabilidad en el asunto.* **2** Evitar con habilidad o astucia: *Salió por la puerta trasera para eludir a los periodistas.* □ ETIMOL. Del latín *eludere* (escapar jugando). □ ORTOGR. Dist. de *elidir.*

emanación s.f. **1** Desprendimiento, salida o emisión de algo, esp. de sustancias volátiles: *emanación de gas.* **2** Derivación o procedencia de un origen o de un principio: *Desde su mentalidad científica, le parece imposible que el mundo haya aparecido por emanación de un ser superior.*

emanar v. **1** Proceder, derivar o venir originariamente: *De la pereza emanan muchos otros vicios.* **2** Referido a una sustancia volátil, desprenderse o salir de un cuerpo: *El gas emanaba peligrosamente de la bombona por un pequeño orificio.* **3** Emitir o desprender de sí: *Las rosas emanan un agradable perfume.* □ ETIMOL. Del latín *emanare.*

emancipación s.f. Liberación de la autoridad legal paterna, de la tutela, de la servidumbre o de otro tipo de subordinación o dependencia.

emancipar v. Liberar de la autoridad legal paterna, de la tutela, de la servidumbre o de otro tipo de subordinación o dependencia: *La guerra de Secesión norteamericana sirvió para emancipar a los esclavos negros. No puede emanciparse de sus padres porque aún no es mayor de edad.* □ ETIMOL. Del latín *emancipare*, y éste de *ex* (fuera), *manus* (potestad) y *capere* (coger).

emascular v. Referido a un animal macho, castrarlo con un emasculador quitándole o extirpándole los órganos genitales: *Van a emascular a los cerdos pe-*

queños para acelerar el proceso de engorde. ☐ ETIMOL. Del latín *emasculare* (castrar).

embadurnar v. Untar, manchar o pintarrajear: *Se ofreció a pintarme la pared y lo que hizo fue embadurnarla.*

embajada s.f. **1** Residencia y oficinas en las que tiene su sede la representación diplomática del Gobierno de un país en otro extranjero. **2** Cargo de embajador. **3** Mensaje o comunicación sobre un asunto de importancia, esp. referido a los que se intercambian los jefes de Estado o de Gobierno por medio de sus embajadores. **4** col. Proposición o exigencia impertinentes. ☐ ETIMOL. Del provenzal antiguo *ambaissada* (encargo). ☐ SINT. La acepción 4 se usa más con los verbos *salir, venir* o equivalentes, y en expresiones exclamativas.

embajador, -a s. **1** Diplomático que representa oficialmente al Gobierno de su país en el extranjero. [**2** Representante de algo fuera de su ámbito: *Ese modisto se ha convertido en 'embajador' de la moda española en el mundo.*

embalaje s.m. **1** Empaquetado o colocación de un objeto dentro de envolturas para protegerlo durante su transporte: *Están muy atareados con el embalaje de lo que se tienen que llevar.* **2** Caja o envoltura con que se protege un objeto para transportarlo.

embalar ▌v. **1** Referido a un objeto, empaquetarlo o colocarlo convenientemente dentro de envolturas para protegerlo durante su transporte: *Embaló todos sus libros y pertenencias en cajas.* **2** Adquirir gran velocidad o hacer que se adquiera: *En cuanto ve una recta, embala el coche de una manera que da miedo. Se embaló en la cuesta abajo.* ▌prnl. **3** Dejarse llevar por un impulso, esp. por un empeño o por un sentimiento: *Cuando empezó la discusión, se embaló y soltó todo lo que había callado durante años.* ☐ ETIMOL. La acepción 1, de *bala* (fardo). Las acepciones 2 y 3, del francés *emballer*. ☐ MORF. La acepción 2 se usa más como pronominal.

embaldosado s.m. **1** Revestimiento que se hace de un suelo con baldosas. **2** Pavimento o suelo revestidos de esta manera.

embaldosar v. Referido a un suelo, revestirlo o cubrirlo con baldosas: *Un albañil nos embaldosó la cocina.*

embalsamador, -a adj./s. Que embalsama.

embalsamamiento s.m. Preparación de un cadáver con determinadas sustancias o con diversas operaciones para evitar su corrupción.

embalsamar v. **1** Referido a un cadáver, prepararlo con determinadas sustancias o realizando en él diversas operaciones para evitar su corrupción: *El cuerpo del presidente fallecido será expuesto después de ser embalsamado.* **2** Perfumar o aromatizar: *Se embalsama con unos perfumes tan fuertes que marean.* ☐ ETIMOL. De *bálsamo.*

embalsar v. Referido esp. al agua, recogerla o acumularla en un embalse o en un hueco del terreno: *Los nuevos embalses permitirán embalsar agua y aumentar las reservas para períodos de sequía.*

embalse s.m. **1** Depósito artificial en el que se recoge y retiene el agua de un río o de un arroyo, generalmente cerrando la boca de un valle con un dique o con una presa, para su posterior aprovechamiento. **2** Recogida o acumulación de agua en uno de estos depósitos o en un hueco del terreno: *La construcción de un muro en la garganta del valle*

permitiría el embalse del agua que baja de las cumbres.

embarazada adj./s.f. Referido a una mujer, que está preñada. ☐ SEM. Como adjetivo es sinónimo de *encinta.*

embarazar ▌v. **1** col. Referido a una mujer, hacer que quede preñada: *Al poco tiempo de casarse, la embarazó y tuvieron un hijo varón. Le gustaría embarazarse y tener familia pronto.* ▌prnl. **2** Quedar imposibilitado o frenado por algún obstáculo, por falta de soltura o por un sentimiento de embarazo: *En cuanto tiene que hablar en público, se embaraza y no puede evitar que se le trabe la lengua.* ☐ ETIMOL. Del portugués *embaraçar* (estorbar). ☐ ORTOGR. La *z* se cambia en *c* delante de *e* →CAZAR.

embarazo s.m. **1** Estado en el que se encuentra una mujer embarazada. **2** Encogimiento, turbación o falta de soltura en lo que se hace.

embarazoso, sa adj. Que embaraza e incomoda o turba.

embarcación s.f. Construcción que flota y se desliza por el agua y se usa como medio de transporte; nave. ☐ SEM. Aunque la RAE lo considera sinónimo de *barco*, en la lengua actual no se usa como tal. embarcación

embarcadero s.m. Lugar destinado al embarque de mercancías o de personas.

embarcar v. **1** Subir o introducir en una embarcación, en un avión o en un tren: *Después de embarcar el equipaje, podemos tomar un café en el bar del aeropuerto. Los pasajeros del vuelo a París embarcarán por la puerta 8.* **2** Referido a una persona, hacerla intervenir en una empresa difícil, arriesgada o que ocasiona molestias: *Me he embarcado en un negocio que no sé si va a salir bien.* ☐ ETIMOL. De *barco.* ☐ ORTOGR. La *c* se cambia en *qu* delante de *e* →SACAR.

embargar v. **1** En derecho, referido a un bien, retenerlo por orden de una autoridad judicial o administrativa, quedando sujeto al resultado de un juicio o de un procedimiento: *Si no pagas tus deudas con Hacienda, pueden embargarte el sueldo.* **2** Referido esp. a una persona, causarle gran admiración o arrebato, una sensación o un sentimiento: *La pena lo embargaba y le impedía hablar.* ☐ ETIMOL. Del latín **imbarricare* (estorbar). ☐ ORTOGR. La *g* se cambia en *gu* delante de *e* →PAGAR.

embargo s.m. **1** En derecho, retención o inmovilización de bienes por orden de una autoridad judicial o administrativa. **2** Prohibición del comercio y transporte de algo, esp. de armas o útiles para la guerra, decretada por un Gobierno. **3** ‖**sin embargo**; enlace gramatical coordinante con valor adversativo: *No quería y, sin embargo, accedió porque yo se lo pedí.* ☐ ORTOGR. *Sin embargo* va siempre aislado del resto de la frase por medio de comas.

embarque s.m. Subida o introducción de personas o de mercancías a una embarcación, en un avión o en un tren para su transporte.

embarrada s.f. En zonas del español meridional, plan o acción engañosos.

embarrancar v. Referido a una embarcación, encallar o quedar detenida al chocar violentamente con arena o con rocas del fondo: *El petrolero embarrancó en los arrecifes. El casco del barco resultó dañado al embarrancarse en la costa.* ☐ ETIMOL. De *barran-*

EMBARCACIÓN

estribor

calado

línea de flotación

proa · babor · popa

EMBARCACIONES MENORES

canoa · *kayak* · batel, bote o lancha · motora

piragua · góndola

balsa · barcaza

trainera · lancha neumática

BARCOS DE VELA

galera egipcia · trirreme romana · *dragón* vikingo · gabarra

junco · falucho · chalupa

galeón · goleta

carabela · bergantín · yate

jabeque · corbeta o fragata ligera

463

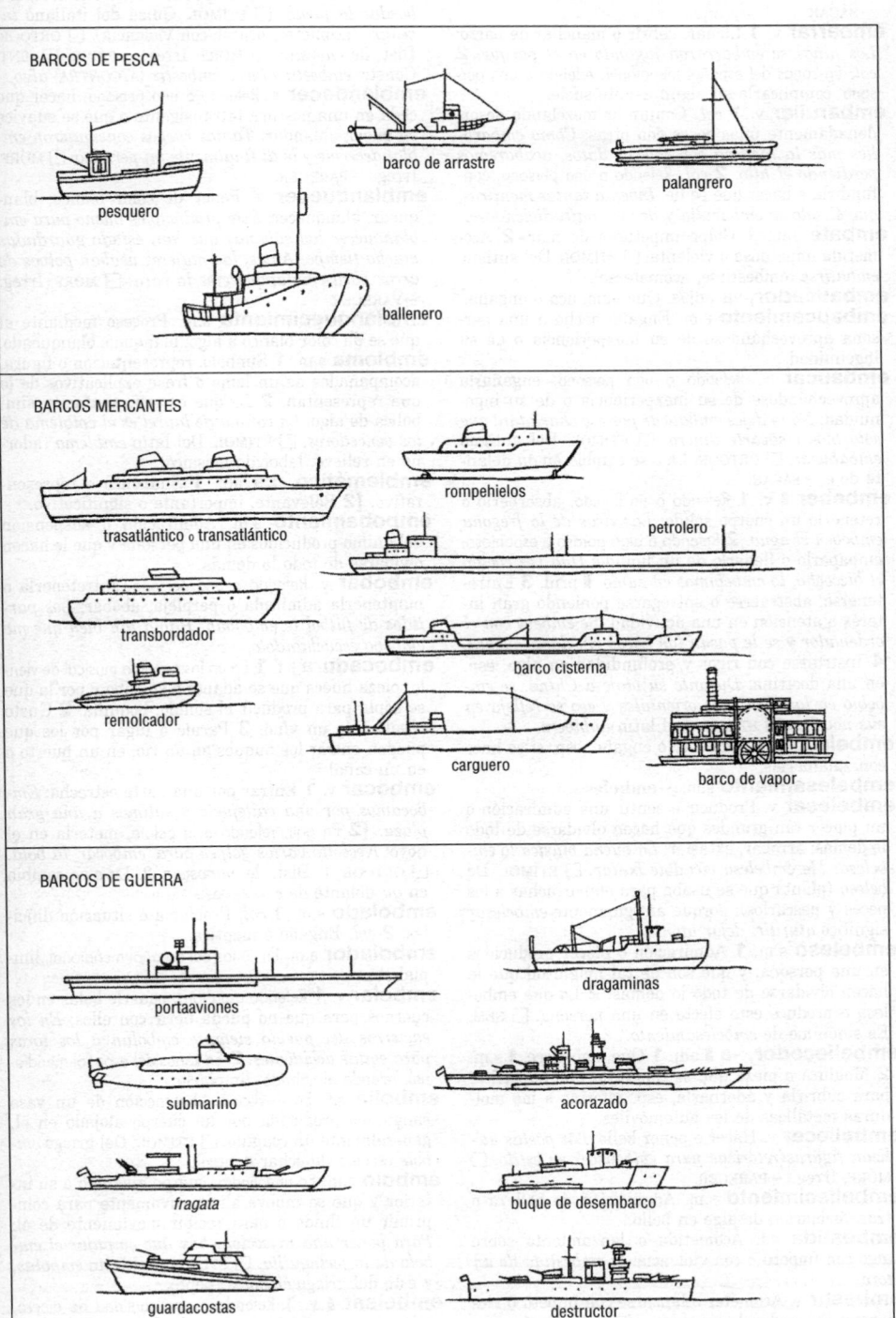

BARCOS DE PESCA

barco de arrastre

palangrero

pesquero

ballenero

BARCOS MERCANTES

rompehielos

trasatlántico o transatlántico

petrolero

transbordador

barco cisterna

remolcador

carguero

barco de vapor

BARCOS DE GUERRA

portaaviones

dragaminas

submarino

acorazado

fragata

buque de desembarco

guardacostas

destructor

co. □ ORTOGR. La *c* se cambia en *qu* delante de *e* →SACAR.

embarrar v. **1** Llenar, cubrir o manchar de barro: *Los niños se embarraron jugando en el parque.* **2** *col.* En zonas del español meridional, referido a una persona, complicarla en algún asunto sucio.

embarullar v. **1** *col.* Confundir mezclando desordenadamente unas cosas con otras: *Como embarulles más la historia con nuevos datos, acabaremos perdiendo el hilo.* **2** *col.* Referido a una persona, confundirla o hacer que se líe: *Inventa tantas mentiras, que él solo se embarulla y acaba contradiciéndose.*

embate s.m. **1** Golpe impetuoso de mar. **2** Acometida impetuosa o violenta. □ ETIMOL. Del antiguo *embatirse* (embestirse, acometerse).

embaucador, -a adj./s. Que embauca o engaña.

embaucamiento s.m. Engaño hecho a una persona aprovechándose de su inexperiencia o de su ingenuidad.

embaucar v. Referido a una persona, engañarla aprovechándose de su inexperiencia o de su ingenuidad: *No te dejes embaucar por ese charlatán, que sólo busca sacarte dinero.* □ ETIMOL. Del antiguo *embabucar.* □ ORTOGR. La *c* se cambia en *qu* delante de *e* →SACAR.

embeber ▌ v. **1** Referido a un líquido, absorberlo o retenerlo un cuerpo sólido: *Las tiras de la fregona embeben el agua.* **2** Referido a algo poroso o esponjoso, empaparlo o llenarlo de un líquido: *Una vez cocido el bizcocho, lo embebimos en zumo.* ▌ prnl. **3** Entretenerse, abstraerse o entregarse poniendo gran interés o atención en una actividad: *Se embebe con el ordenador y se le pasan las horas sin darse cuenta.* **4** Instruirse con rigor y profundidad en algo, esp. en una doctrina: *Durante su viaje a China, se embebió en las doctrinas orientales y eso se refleja en sus novelas.* □ ETIMOL. Del latín *imbibere.*

embeleco s.m. Embuste o engaño, esp. si se hace con zalamerías.

embelesamiento s.m. →embeleso.

embelesar v. Producir o sentir una admiración o un placer tan grandes que hacen olvidarse de todo lo demás; arrobar, extasiar: *La buena música lo embelesa. Me embeleso viéndote bailar.* □ ETIMOL. De *belesa* (planta que se usaba para emborrachar a los peces y pescarlos), porque antiguamente *embelesar* significó *aturdir, dejar atónito.*

embeleso s.m. **1** Admiración o placer producidos en una persona, y que son de tal magnitud que le hacen olvidarse de todo lo demás. **2** Lo que embelesa o produce este efecto en una persona. □ SEM. Es sinónimo de *embelesamiento.*

embellecedor, -a ▌ adj. **1** Que embellece. ▌ s.m. **2** Moldura o pieza que se coloca en una superficie para cubrirla y adornarla, esp. referido a las molduras metálicas de los automóviles.

embellecer v. Hacer o poner bello: *Los poetas utilizan figuras retóricas para embellecer su estilo.* □ MORF. Irreg. →PARECER.

embellecimiento s.m. Adquisición de belleza o transformación de algo en bello.

embestida s.f. Acometida o lanzamiento sobre algo con ímpetu o con violencia: *la embestida de un toro.*

embestir v. Acometer o lanzarse con ímpetu o violencia: *En medio de la niebla, el transatlántico embistió a un pesquero e hizo que naufragara. Si el*

animal no embiste, poco puede hacer el torero para bordar la faena. □ ETIMOL. Quizá del italiano *investire* (acometer, atacar con violencia). □ ORTOGR. Dist. de *envestir.* □ MORF. Irreg. →PEDIR. □ SINT. Constr. *embestir algo o embestir {A/CONTRA} algo.*

emblandecer v. Referido a una persona, hacer que ceda en una postura intransigente o que se suavice su enojo; ablandar: *Tantos ruegos consiguieron emblandecerme y le di finalmente mi permiso.* □ MORF. Irreg. →PARECER.

emblanquecer v. Poner de color blanco; blanquear, blanquecer: *Este producto es bueno para emblanquecer las sábanas que han estado guardadas mucho tiempo. Antes, las mujeres usaban polvos de arroz para emblanquecerse la cara.* □ MORF. Irreg. →PARECER.

emblanquecimiento s.m. Proceso mediante el que se da color blanco a algo; blanqueo, blanqueado.

emblema s.m. **1** Símbolo, representación o figura, acompañados de un lema o frase explicativos de lo que representan. **2** Lo que es representación simbólica de algo: *La corona de laurel es el emblema de los vencedores.* □ ETIMOL. Del latín *emblema* (adorno en relieve, labor de mosaico).

emblemático, ca adj. **1** Simbólico o representativo. **[2** Relevante, importante o significativo.

embobamiento s.m. Admiración o suspensión del ánimo producidos en una persona y que le hacen olvidarse de todo lo demás.

embobar v. Referido a una persona, entretenerla o mantenerla admirada o perpleja; abobar: *Los partidos de fútbol te emboban. Habla tan bien que me embobo escuchándolo.*

embocadura s.f. **1** En un instrumento musical de viento, pieza hueca que se adapta a su tubo y por la que se sopla para producir el sonido; boquilla. **2** Gusto o sabor de un vino. **3** Paraje o lugar por los que pueden entrar los buques en un río, en un puerto o en un canal.

embocar v. **1** Entrar por una parte estrecha: *Embocamos por una callejuela y salimos a una gran plaza.* **[2** En golf, referido a la pelota, meterla en el hoyo: *Necesitó varios golpes para 'embocar' la bola.* □ ORTOGR. **1.** Dist. de *emboscar.* **2.** La *c* se cambia en *qu* delante de *e* →SACAR.

embolado s.m. **1** *col.* Problema o situación difíciles. **2** *col.* Engaño o mentira.

embolador s.m. En zonas del español meridional, limpiabotas.

embolar v. **1** Referido a un toro, ponerle bolas en los cuernos para que no pueda herir con ellos: *En los encierros del pueblo siempre embolan a los toros para evitar accidentes.* **2** En zonas del español meridional, referido al calzado, limpiarlo.

embolia s.f. En medicina, obstrucción de un vaso sanguíneo producida por un cuerpo alojado en él, generalmente un coágulo. □ ETIMOL. Del griego *embolé* (acción de echar dentro).

émbolo s.m. En un cilindro, cuerpo ajustado a su interior que se mueve alternativamente para comprimir un fluido o para recibir movimiento de él: *Para poner una inyección, hay que empujar el émbolo de la jeringuilla.* □ ETIMOL. Del latín *embolus,* y éste del griego *émbolos* (pene).

embolsar ▌ v. **1** Referido a una cantidad de dinero, cobrarla o percibirla de quien la debe: *Si las ventas responden a lo que se espera, la empresa embolsará* *una buena suma.* **2** Guardar en una bolsa: *Embolsó las monedas en un saquito.* ▌ prnl. **3** Obtener como ganancia, esp. en el juego o en un negocio: *El que gane esta baza, se embolsará el premio.*

emboquillar v. Referido a un cigarrillo, ponerle boquilla o filtro: *En las fábricas de tabaco tienen máquinas que emboquillan automáticamente los cigarrillos.*

emborrachar v. **1** Causar embriaguez o poner borracho: *El vino emborracha. Fueron a celebrar el aprobado y se emborracharon todos.* **2** Atontar, adormecer o perturbar: *Usa un perfume tan fuerte que emborracha. Si empiezas a triunfar en los negocios, procura no emborracharte de éxito.* **3** Referido esp. a un bizcocho, empaparlo en vino, en licor o en almíbar: *La tarta me quedó muy jugosa porque emborraché el bizcocho con almíbar.*

emborronar v. **1** Referido a un papel, llenarlo de borrones o garabatos: *Se me cayó la tinta y se me emborronó toda la carta.* **2** Escribir deprisa, con desorden o con poca meditación: *Se las da de escritor, cuando lo que hace no es más que emborronar hojas.*

emboscada s.f. **1** Ocultación de una o de varias personas en un lugar retirado para llevar a cabo un ataque por sorpresa. **2** Trampa o engaño para perjudicar o dañar a una persona.

emboscar ▌ v. **1** En el ejército, referido a un grupo de personas, ponerlas en un lugar oculto para llevar a cabo una operación militar, esp. un ataque por sorpresa: *El capitán emboscó a sus soldados en un recodo del camino para sorprender al enemigo cuando pasara por allí.* ▌ prnl. **2** Adentrarse u ocultarse entre el ramaje: *Se emboscaron en la maleza para darnos un susto.* ☐ ETIMOL. De *bosque.* ☐ ORTOGR. La *c* se cambia en *qu* delante de *e* →SACAR.

embotamiento s.m. Debilitamiento o pérdida de actividad y de eficacia de un sentido o de una facultad.

embotar v. Referido esp. a un sentido o a una facultad, debilitarlos o hacerlos menos activos y eficaces: *El miedo embotaba sus sentidos y le impedía moverse. Su inteligencia se embotó por el abuso de alcohol.* ☐ ETIMOL. De *boto* (necio).

embotellado s.m. Introducción de un líquido en botellas; embotellamiento.

embotellador, -a ▌ adj./s. **1** Que embotella. ▌ s.f. **2** Máquina que sirve para embotellar líquidos. [**3** Fábrica en la que se embotellan líquidos.

embotellamiento s.m. **1** →embotellado. **2** Densidad alta del tráfico; atasco.

embotellar ▌ v. **1** Referido a un líquido, meterlo en botellas: *Cuando visitamos la bodega, nos enseñaron cómo embotellan el vino.* ▌ prnl. **2** Referido a un lugar de tráfico, congestionarse por exceso de vehículos: *Al comienzo de vacaciones, se embotellan las carreteras de salida de las grandes ciudades.*

embozar v. **1** Referido al rostro, cubrirlo por la parte inferior hasta la nariz o hasta los ojos: *El bandido embozó su cara con un pañuelo. Como hacía frío, el caballero se embozó en la capa.* **2** Ocultar o disfrazar con palabras o con acciones: *Emboza sus malas intenciones con palabras bonitas y engañosas.* ☐ ORTOGR. La *z* se cambia en *c* delante de *e* →CAZAR.

embozo s.m. **1** En la sábana de una cama, parte que se dobla hacia afuera por el lado que toca la cara. **2** Lo que se usa para cubrirse el rostro. **3** Cautela, astucia o disimulo con que se hace o dice algo.

embragar v. En algunos vehículos, conectar dos ejes en rotación para transmitir el movimiento de uno al movimiento de otro: *Al pisar el pedal del embrague no se embraga, sino que se desembraga.* ☐ ETIMOL. Del francés *embrayer.* ☐ ORTOGR. La *g* se cambia en *gu* delante de *e* →PAGAR.

embrague s.m. **1** En algunos vehículos, mecanismo dispuesto para que un eje participe, o no, en el mecanismo de otro: *El embrague permite cambiar de marcha.* **2** Pedal o pieza con que se acciona este mecanismo.

embravecer v. Referido esp. al mar o al viento, enfurecerlo o alterarlo mucho: *El viento embraveció el mar.* ☐ MORF. Irreg. →PARECER.

embriagador, -a adj. Que embriaga.

embriagar v. **1** Causar embriaguez o turbar las capacidades físicas o mentales a causa de un consumo excesivo de bebidas alcohólicas: *Ese licor es tan fuerte que embriaga sólo con olerlo. Bebieron hasta embriagarse.* **2** Producir atontamiento o perturbar los sentidos: *Ese perfume huele tanto que embriaga. Se embriaga con el riesgo y es capaz de las mayores temeridades.* **3** Extasiar hasta sacar fuera de sí o hacer perder la razón: *Es un melómano empedernido y la música lo embriaga. Se embriagó con la felicidad de haber obtenido el primer premio.* ☐ ETIMOL. Del antiguo *embriago* (borracho), y éste del latín *ebriacus.* ☐ ORTOGR. La *g* se cambia en *gu* delante de *e* →PAGAR.

embriaguez s.f. **1** Turbación o trastorno temporal de las capacidades físicas o mentales, producidos por un consumo excesivo de bebidas alcohólicas o por una intoxicación de gas o de otra sustancia. **2** Trastorno o alteración del ánimo. ☐ SEM. Es sinónimo de *ebriedad.*

embridar v. **1** Referido a una caballería, ponerle la brida: *Antes de montar el caballo, lo embridó y lo ensilló.* **2** Referido esp. a un sentimiento, someterlo, refrenarlo o contenerlo: *Intentó embridar sus celos, pero la pasión se lo impidió.*

embrión s.m. **1** En biología, primera fase del desarrollo del huevo o cigoto: *En los mamíferos, al embrión se le llama 'feto' cuando tiene ya las características de su especie.* **2** En botánica, esbozo de la futura planta que se encuentra dentro de la semilla. ☐ ETIMOL. Del griego *émbryon* (feto, recién nacido).

embrionario, ria adj. Del embrión o relacionado con él.

embrollar v. Enredar, confundir, complicar o crear una situación de embrollo: *Si me fotocopias los apuntes, no me los embrolles, que luego es un follón ordenarlos.* ☐ ETIMOL. Del francés *embrouiller,* y éste de *brouiller* (confundir, mezclar).

embrollo s.m. **1** Situación confusa, agitada o embarazosa, esp. si va acompañada de gran alboroto y tumulto. **2** Conjunto desordenado, revuelto o enredado. **3** Mentira disfrazada con habilidad; embuste. ☐ SEM. En las acepciones 1 y 2, es sinónimo de *lío.*

embromado, da adj. col. En zonas del español meridional, difícil o molesto.

embromar v. col. Referido a una persona, molestarla o gastarle bromas por diversión: *Es mejor no embromarle, porque hoy no está de humor para aguantar nada.*

embrujamiento s.m. Fascinación o trastorno del juicio y de la salud, esp. si se causan mediante prácticas mágicas o sobrenaturales.

embrujar v. Hechizar, fascinar o trastornar el juicio y la salud, esp. mediante prácticas mágicas o sobrenaturales: *La maga del cuento embrujó a los niños y no volvieron a hablar.* □ ORTOGR. Conserva la *j* en toda la conjugación.

embrujo s.m. **1** Fascinación o atracción misteriosa y oculta. **2** Hechizo o trastorno del juicio y de la salud, esp. si se causan mediante prácticas mágicas o sobrenaturales.

embrutecer v. Volver bruto, entorpecer o reducir la capacidad de razonar: *Esa vida de apoltronamiento que llevas acabará por embrutecerte.* □ MORF. Irreg. →PARECER.

embrutecimiento s.m. Entorpecimiento o pérdida de la capacidad de razonar.

embuchado, da ∎ adj. **1** Embutido en una tripa: *lomo embuchado.* ∎ s.m. **2** Tripa rellena, generalmente con carne de cerdo picada y aderezada con condimentos: *embuchado de lomo.* **3** *col.* Frase o palabras que un actor improvisa e introduce en su papel en el momento de la representación; morcilla.

embuchar v. **1** Referido a la carne, embutirla picada en una tripa: *Para hacer chorizo, embuchan carne de cerdo mezclada con especias.* **2** Referido a un ave, introducirle comida o líquido en el buche: *En esa granja embuchan patos para obtener hígados buenos para la elaboración de paté.* **3** En encuadernación, meter pliegos o cuadernillos impresos dentro de otros: *Hubo que embuchar un pliego en color en las páginas centrales del libro.*

embudo s.m. **1** Utensilio hueco de forma cónica, terminado por su parte más estrecha en un tubo, y que sirve para pasar líquidos de un recipiente a otro. ⚗️ química [**2** Tramo final de una situación en el que se produce un estrechamiento que da lugar a acumulaciones que dificultan la salida. □ ETIMOL. Del latín *traiectorium imbutum* (conducto lleno de líquido).

embuste s.m. Mentira disfrazada con habilidad; embrollo.

embustero, ra adj./s. Que dice embustes. □ ETIMOL. Quizá del francés antiguo *empousteur*.

embutido s.m. **1** Tripa rellena con carne picada o con otro relleno semejante. **2** Introducción de una cosa dentro de otra, apretándola o encajándola en ella: *El embutido de la carne en la tripa es una de las tareas más laboriosas de la matanza.*

embutir v. **1** Referido a una cosa, meterla dentro de otra apretándola o encajándola en ella: *Embutieron más lana en el colchón para que quedase más mullido.* **2** Referido a un embutido, hacerlo o fabricarlo: *Para embutir chorizo, utilizan tripas naturales.* □ ETIMOL. Del antiguo *embotir*, y éste de *boto* (odre).

eme s.f. Nombre de la letra *m*. □ USO Se usa como sustitución eufemística de *mierda*: *¡Vete a la eme, imbécil!*.

emergencia s.f. **1** Suceso o accidente imprevistos o de necesidad. **2** Salida a la superficie del agua o de otro líquido: *Se dio la orden de emergencia en el submarino.* □ SEM. No debe emplearse con el significado de 'urgencia' (anglicismo): *Aterrizaje de {*emergencia > urgencia}.*

emerger v. **1** Salir a la superficie del agua o de otro líquido: *El submarino emergió para repostar.* [**2** Destacar o salirse de un medio o ambiente: *La nueva generación 'emerge' y trae ideas y proyectos distintos.* □ ETIMOL. Del latín *emergere* (salir a la

superficie). □ ORTOGR. La *g* se cambia en *j* delante de *a*, *o* →COGER.

emeritense adj./s. De Mérida (ciudad extremeña), o relacionado con ella. □ MORF. **1.** Como adjetivo es invariable en género. **2.** Como sustantivo es de género común: *el emeritense, la emeritense.*

emérito, ta adj. [Referido a un profesor universitario, que se ha jubilado, pero aún puede seguir dando clases como reconocimiento a sus méritos. □ ETIMOL. Del latín *emeritus*, y éste de *emereri* (ganarse el retiro, terminar el servicio).

emersión s.f. En astronomía, salida de un astro por detrás de otro que lo ocultaba: *Al final del eclipse, vimos la emersión del Sol.* □ ETIMOL. Del latín *emersio*.

emético, ca adj./s.m. En medicina, referido esp. a una sustancia, que estimula el vómito; vomitivo, vomitorio. □ ETIMOL. Del latín *emeticus*, y éste del griego *emetikós* (vomitivo).

emigración s.f. Movimiento de población que consiste en la salida de personas de un lugar para establecerse en otro. □ SEM. **1.** En la acepción 1, es dist. de *inmigración* y *migración* →**emigrar**. **2.** En la acepción 1, aunque la RAE la considera sinónimo de *migración*, éste se ha especializado para el desplazamiento cuyo fin es cambiar de residencia.

emigrado, da s. Persona que reside fuera de su país por razones políticas. □ SEM. Dist. de *emigrante* (persona que sale de su país para establecerse en otro).

emigrante s. Persona que sale de un lugar para establecerse en otro. □ MORF. Es de género común: *el emigrante, la emigrante.* □ SEM. Dist. de *emigrado* (persona que reside fuera de su país por razones políticas) y de *inmigrante* (persona que llega a un lugar para establecerse en él).

emigrar v. **1** Salir de un lugar para establecerse en otro: *Muchos habitantes de países pobres emigran en busca de una vida mejor. Algunas especies de aves emigran en cada cambio de estación.* [**2** *col.* Marcharse: *Si veo que las cosas se ponen feas, yo 'emigro'.* □ ETIMOL. Del latín *emigrare* (cambiar de casa, expatriarse). □ SEM. En la acepción 1, dist. de *inmigrar* (llegar a un lugar para establecerse en él) y de *migrar* (desplazarse para cambiar el lugar de residencia).

emigratorio, ria adj. De la emigración o relacionado con ella. □ SEM. Dist. de *inmigratorio* y *migratorio* →**emigrar**.

eminencia s.f. **1** Tratamiento honorífico que corresponde a los cardenales católicos. **2** Persona que sobresale o destaca en un campo o en una actividad. □ ORTOGR. Dist. de *inminencia*. □ USO La acepción 1 se usa más en la expresión {*Su/Vuestra*} *Eminencia*.

eminente adj. Que sobresale o destaca en un campo o en una actividad. □ ETIMOL. Del latín *eminens* (elevado, saliente, prominente). □ ORTOGR. Dist. de *inminente*. □ MORF. Invariable en género.

eminentísimo, ma adj. Tratamiento honorífico que corresponde a los cardenales católicos.

emir s.m. Príncipe o jefe político y militar de una comunidad árabe. □ ETIMOL. Del árabe *amir* (jefe).

emirato s.m. **1** Título o cargo de emir. **2** Tiempo durante el que un emir ejerce su cargo. **3** Territorio sobre el que un emir ejerce su autoridad o su gobierno.

misario, ria ▮ s. **1** Mensajero que se envía para acer averiguaciones sobre un asunto o para comunicar o tratar algo. ▮ s.m. **2** Conducto para dar alida a las aguas residuales. □ ETIMOL. Del latín *missarius*.

misión s.f. **1** Expulsión o producción de algo hacia el exterior: *La emisión de calor de este radiador s muy baja porque tiene poca potencia.* **2** Producción y puesta en circulación de papel moneda o de fectos públicos, bancarios o comerciales. **3** Manifestación de una opinión o de un juicio: *La emisión e la sentencia tendrá lugar al día siguiente del juicio.* **4** Transmisión hecha lanzando ondas hertzianas para hacer oír señales o programas: *La emisión elevisiva se cerrará a las doce de la noche.* □ ETIMOL. Del latín *emissio*.

misor, -a ▮ adj./s. **1** Que emite. ▮ s. **2** En lingüística, persona que enuncia un mensaje en un acto de omunicación. ▮ s.m. **3** Aparato productor de ondas ertzianas: *emisores de radio.* ▮ s.f. **4** Estación en a que está instalado este aparato: *emisora de radio.*

misora s.f. Véase **emisor, -a.**

mitir v. **1** Arrojar, producir o echar hacia fuera: *os faros de la costa suelen emitir una luz interitente. Este pájaro emite un sonido muy agudo.* **2** eferido esp. al papel moneda o a efectos públicos o banarios, producirlos y ponerlos en circulación: *El Bano Central de un país es el encargado de emitir moeda.* **3** Referido esp. a una opinión, darlas o manifesarlas: *En las últimas elecciones, emitieron su voto nás de la mitad de los ciudadanos censados.* **4** 'ransmitir lanzando ondas hertzianas para hacer ír señales o programas: *La televisión emitirá un nformativo sobre la sesión parlamentaria. La nueva misora de radio emite en onda media.* □ ETIMOL. Del latín *emittere*.

mmenthal (galicismo) s.m. Queso de leche de aca, de pasta dura y grandes agujeros, originario e Emmenthal (valle suizo).

moción s.f. Agitación del ánimo, producida por mpresiones, ideas o sentimientos intensos. □ ETIMOL. Del francés *émotion.* □ SEM. Dist. de *emotividad* (capacidad de producir emoción, o sensibilidad las emociones).

mocional adj. **1** De la emoción o relacionado con ste estado anímico. **[2** Que se deja llevar por las mociones. □ MORF. Invariable en género.

mocionante adj. Que emociona. □ MORF. Invariable en género.

mocionar v. Conmover o causar emoción: *Sus alabras de agradecimiento me emocionaron. Siemre me emociono cuando escucho esa canción.*

moliente adj./s.m. Referido a un medicamento, que irve para ablandar durezas, tumores o zonas inflanadas. □ ETIMOL. Del latín *emolliens* (que ablanda). □ MORF. Como adjetivo es invariable en género.

molumento s.m. Remuneración que corresponde un cargo o a un empleo. □ ETIMOL. Del latín *emolumentum* (utilidad, retribución). □ MORF. Se usa nás en plural.

motividad s.f. **1** Capacidad de producir emoción: *El acto fue de una gran emotividad.* **2** Sensibilidad las emociones: *No pudo controlar su emotividad y e le saltaron las lágrimas.* □ SEM. Dist. de *emoción* (agitación del ánimo).

motivo, va adj. **1** Relacionado con la emoción. **2** Que produce emoción. **3** Sensible a las emociones.

empacadora s.f. Máquina que sirve para empacar.

empacar v. **1** Empaquetar o meter en cajas: *Estas máquinas empacan la paja en grandes fardos.* **2** En zonas del español meridional, hacer el equipaje. □ ETIMOL. De *paca* (fardo). □ ORTOGR. La *c* se cambia en *qu* delante de *e* →SACAR.

empachar v. **1** Causar o sufrir indigestión: *No comas más, que los dulces empachan. Se empachó de golosinas y luego no quería comer.* **2** Molestar, cansar o hartar: *Ese niño tan pesado acaba por empachar a cualquiera.* □ ETIMOL. Del francés *empêcher* (impedir).

empacho s.m. **1** Indigestión de comida. **[2** Hartazgo, cansancio o molestia producidos por algún exceso. **3** Vergüenza, cortedad o turbación.

empachoso, sa adj. Que causa empacho.

empadrarse v.prnl. Referido a un niño, encariñarse excesivamente con su padre o con sus padres: *Con tantos mimos, la niña se ha empadrado y llora cada vez que sus padres se van.*

empadronamiento s.m. Inscripción de una persona en el padrón o registro de los habitantes de una localidad.

empadronar v. Referido a una persona, inscribirla en el padrón o registro en el que constan los habitantes de una localidad: *Al nacer un niño, hay que empadronarlo en el Ayuntamiento en el que vivirá con sus padres. Cuando se empadronó dio los datos mal, y ahora no puede votar.*

empalagamiento s.m. →**empalago.**

empalagar v. **1** Referido a una comida, desagradar o producir hartazgo o repugnancia, esp. su sabor excesivamente dulce: *Estos caramelos tan dulces empalagan. No me gusta el chocolate porque me empalaga.* **2** Hartar, aburrir o molestar por exceso: *Tantos elogios, más que halagarme me empalagan.* □ ETIMOL. De *empelargare* (internarse demasiado en el mar, comprometerse excesivamente). □ ORTOGR. La *g* se cambia en *gu* delante de *e* →PAGAR.

empalago s.m. **1** Desagrado, hartazgo o repugnancia causados por una comida, esp. por ser demasiado dulce. **2** Hartazgo, aburrimiento o molestia producidos por una persona o por su forma de actuar, esp. por sus excesivas atenciones y muestras de afecto. □ SEM. Es sinónimo de *empalagamiento.*

empalagoso, sa ▮ adj. **1** Referido a un alimento, que empalaga. ▮ adj./s. **2** Referido a una persona, que molesta por su afectación y excesivas muestras de cariño; pegajoso.

empalamiento s.m. Introducción de un palo por el ano de una persona o de un animal hasta atravesarlos.

empalar v. Referido a una persona o a un animal, atravesarlos con un palo, introduciéndoles éste por el ano: *El conde Drácula empalaba a sus prisioneros.*

empalidecer v. →**palidecer.**

empalizada s.f. Valla hecha de palos o de estacas clavados en el suelo.

empalmar v. **1** Referido a dos cosas, juntarlas acoplando una con otra o entrelazándolas: *El fontanero empalmó las dos tuberías y luego las soldó.* **2** Referido esp. a planes o a ideas, ligarlas o combinarlas: *Oírte hablar me encanta, porque empalmas muy bien temas muy distintos.* **3** Seguir o suceder a otra cosa sin que se produzca interrupción o desviación: *Su nuevo libro empalma con el anterior e insiste en* *el mismo tema.* **4** Referido esp. a un camino o a un medio de transporte, unirse o combinarse con otro: *El tren va sólo hasta Burgos, pero allí empalma con otro que va hasta Bilbao.* **[5** *vulg.* Referido a un hombre o a un animal macho, excitarse sexualmente, con erección del pene: *Es un obseso que sólo piensa en 'empalmarse'.* □ ETIMOL. De *empalomar* (atar con bramante). □ MORF. En la acepción 5, se usa más como pronominal.

empalme s.m. **1** Unión de dos cosas acoplando una con otra. **2** Combinación de un medio de transporte con otro; enlace. **3** Punto en el que se empalma.

empanada s.f. **1** Comida compuesta de dos capas de pan o de hojaldre rellenas y cocidas. **2** En zonas del español meridional, comida hecha doblando una masa de pan sobre sí misma y metiéndole relleno. **3** *col.* Ocultación o enredo engañoso de un asunto. **4** ‖ [empanada (mental); *col.* Confusión o lío mental.

empanadilla s.f. Especie de pastel pequeño, que se hace doblando una masa de pan sobre sí misma, cubriendo con ella un relleno y friéndolo después.

empanar v. Referido a un alimento, rebozarlo con pan rallado para freírlo: *Para empanar los filetes, primero tienes que pasarlos por el batido de huevo y después untarlos en pan rallado.*

empantanar v. **1** Referido a un terreno, llenarlo de agua hasta inundarlo y dejarlo hecho un pantano: *Las fuertes lluvias han empantanado las huertas.* **[2** *col.* Desordenar o revolver: *¿Quién 'ha empantanado' la cocina?*

empañamiento s.m. **1** Pérdida o privación de la claridad, del brillo o del resplandor de algo. **2** Oscurecimiento de la fama o del mérito de una persona.

empañar v. **1** Quitar la claridad, el brillo o el resplandor: *Cuando guiso, el vapor empaña los cristales de la cocina. Se me empañaron los ojos en lágrimas cuando me enteré de su muerte.* **2** Referido esp. a la fama o al mérito, mancharlos u oscurecerlos: *Intentaron empañar su buen nombre con calumnias.* □ ETIMOL. De *paño*, porque *empañar* significó *cubrir con una tela*.

empapamiento s.m. Proceso de humedecer algo poroso, hasta dejarlo totalmente penetrado por un líquido.

empapar I v. **1** Referido a algo poroso, humedecerlo tanto que quede totalmente penetrado por un líquido: *Me gusta empapar el pan en la salsa de la carne. Si tiendes y empieza a llover, la ropa se empapará.* **2** Referido a un líquido, absorberlo dentro de los poros o de los huecos de algo, esp. de un cuerpo poroso o esponjoso: *Después de ducharte, empapa el agua del suelo con la fregona.* **I** prnl. **3** Enterarse bien o llenarse completamente, esp. de una doctrina o de un afecto: *Hizo un curso intensivo para empaparse de las últimas tendencias.* □ SINT. Constr. de la acepción 3: *empaparse DE algo.*

empapelado s.m. **1** Recubrimiento de una pared o de otra superficie con papel. **2** Papel que se utiliza para este recubrimiento.

empapelar v. **1** Referido a una superficie, esp. a una pared, cubrirla con papel: *Elige un papel bonito para empapelar la habitación.* **2** *col.* Referido a una persona, procesarla o abrirle expediente: *Lo empapelaron por estafa pública.*

empapuciar, empapujar o **empapuzar** *col.* Referido a una persona, forzarla a comer demas[í] do: *Si no tiene hambre, no lo empapuces, que le [ ] a sentar mal.* □ ORTOGR. 1. En *empapuciar*, la [ ] nunca lleva tilde. 2. *Empapujar* conserva la *j* [ ] toda la conjugación. 3. En *empapuzar*, la *z* se ca[ ] bia en *c* delante de *e* →CAZAR.

empaque s.m. **1** *col.* En una persona, aspecto exte[ ] no. **2** Seriedad o gravedad acompañadas de cier[ ] afectación. □ ETIMOL. De *empacarse* (obstinar[se] turbarse), y éste de *paco* (roedor), por la obstinaci[ ] con que se enfrenta este animal.

empaquetado s.m. Formación de paquetes o e[ ] voltura en paquetes; empaquetadura.

empaquetadura s.f. →empaquetado.

empaquetar v. Hacer paquetes o envolver en p[ ] quetes: *En una mudanza, hay que empaquetar[ ] todo para trasladarlo.*

emparedado s.m. Bocadillo hecho con pan [ ] molde; sándwich.

emparedamiento s.m. Encierro u ocultación [ ] algo entre paredes.

emparedar v. Referido a una persona, encerrarla e[n]tre paredes dejándola sin comunicación con el e[ ]terior: *Antiguamente, emparedaban a la gente co[n] método de tortura.*

emparejamiento s.m. Unión de dos para form[ar] pareja.

emparejar v. **1** Juntar o unir formando parej[ ] *Antes de guardar los calcetines, emparéjalos. ¿Qui[ ] te ha dicho a ti que me gustaría emparejarme co[ ] tigo?* **2** Ser igual o ser pareja de otra cosa: *Te h[ ] equivocado y me has dado unos guantes que no s[ ] parejan.* □ ORTOGR. 1. Dist. de *aparejar*. 2. Conse[ ] va la *j* en toda la conjugación.

emparentar v. **1** Contraer parentesco por vía [ ] matrimonio: *Se casó sin estar enamorado, para e[ ]parentar con la nobleza.* **2** Relacionar algo [ ] descubriendo lazos de parentesco o de afinidad: *U[ ] experto en heráldica emparentó nuestro apellido c[ ] una ilustre familia.* □ ORTOGR. Antiguamente e[ ] irregular y la *e* final de la raíz diptongaba en *ie* [ ] los presentes, excepto en las personas *nosotros* y v[ ] *sotros* →PENSAR, pero hoy se usa como regular.

emparrado s.m. Parra o conjunto de tallos y hoj[ ] de parras que se entrelazan sobre un armazón [ ] forman una cubierta.

empastar v. **1** Referido esp. a un diente, rellenar [ ] huecos producidos en él por la caries: *Si la mue[ ] está picada, te la tendrás que empastar.* **2** En zon[ ] del español meridional, encuadernar.

empaste s.m. **1** Relleno de los huecos producid[ ] en un diente o en una muela por la caries. **2** Pas[ ] con que se hace este relleno.

empatar v. **1** En una votación o en una confrontaci[ ] obtener dos o más contrincantes el mismo núme[ ] de votos o de puntos: *Los dos equipos empataron [ ] cero. Si dos partidos empatan la votación, amb[ ] obtendrán el mismo número de diputados. Nos ba[ ] ta con empatar este encuentro para ponernos a [ ] cabeza de la clasificación.* **2** En zonas del español m[ ] ridional, empalmar o unir. □ ETIMOL. Del italian[ ] *impattare* (terminar iguales).

empate s.m. **1** En una votación o en una confrontaci[ ] obtención del mismo número de votos o de punt[ ] por parte de dos o más contrincantes. **2** En zonas d[ ]

spañol meridional, empalme o unión de una cosa con
:ra.

npatía s.f. Sentimiento de participación afectiva
e una persona en una realidad ajena a ella, esp.
n los sentimientos de otra persona: *A él no le ha
isado nada, pero se siente triste por empatía con
is afectados.* □ ETIMOL. Del griego *empátheia.*

npecer v. Ser impedimento u obstáculo: *Tu
bandono no empece para que nosotros sigamos ade-
ente.* □ ETIMOL. Del latín **impediscere,* y éste de
npedire* (entorpecer, estorbar). □ MORF. 1. Se usa
iás en tercera persona y en las formas no perso-
ales (infinitivo, gerundio y participio). 2. Irreg.
→PARECER. □ SINT. Constr. *empecer* PARA *hacer
lgo.* □ USO Se usa más en expresiones negativas.

npecinado, da adj. Obstinado o terco.

npecinamiento s.m. Obstinación o empeño
rande.

npecinarse v.prnl. Obstinarse, encapricharse o
mpeñarse con mucho afán: *Cuando se empecina en
na idea, no hay quien le haga cambiar de opinión.*
] ETIMOL. Por alusión a Juan Martín Díaz, *el Em-
ecinado,* que fue un guerrillero muy tenaz. □ SINT.
onstr. *empecinarse* EN *algo.*

npedernido, da adj. Referido a una persona, que
s muy persistente o incorregible en el manteni-
iento de una actitud, de una costumbre o de un
icio, por tenerlos muy arraigados. □ ETIMOL. De
npedernir* (hacerse duro de corazón).

npedrado, da ▌ adj. 1 Referido al cielo, que está
ibierto de nubes pequeñas y muy juntas. ▌ s.m. 2
uelo revestido o cubierto de piedras. 3 Revesti-
iento de piedras.

npedrar v. Referido a un suelo, cubrirlo con pie-
ras que se ajustan entre sí: *Antiguamente, las ca-
es se empedraban.* □ MORF. Irreg. →PENSAR.

npeine s.m. 1 En un pie, parte superior, desde su
nión con la pierna hasta los dedos. ✄ pie 2 En
n calzado, parte que cubre esta zona del pie. □ ETI-
IOL. Quizá del latín *pectem* (peine), porque la forma
e los cinco dedos del pie recuerda a la de un peine.

npellón s.m. Empujón fuerte que se da con el
ierpo a algo para desplazarlo. □ ETIMOL. Del anti-
uo *empellar* (empujar).

npeñar ▌ v. 1 Referido esp. a un objeto, entregarlo
omo garantía de un préstamo: *Para conseguir diero, empeñó su abrigo de visón.* 2 Referido esp. al
onor, comprometerlo, involucrarlo o utilizarlo como
iediador para conseguir algo: *He empeñado mi pa-
ibra para sacarte del apuro.* [3 Referido a un período
e tiempo, dedicarlo a una actividad: *'Empeñó' seis
ños de su vida en escribir este libro.* ▌ prnl. 4 In-
istir en algo con tenacidad: *Aunque no corre prisa,
e ha empeñado en terminar hoy el trabajo.* 5 Lle-
arse de deudas; endeudarse: *Se ha empeñado has-
a las cejas para comprarse un coche nuevo.* □ ETI-
IOL. Del antiguo *peños* (prenda). □ SINT. Constr. de
a acepción 4: *empeñarse* EN *algo.*

npeño s.m. 1 Deseo o afán intensos por realizar
conseguir algo. 2 Esfuerzo, constancia o insisten-
ia en lo que se hace. 3 Entrega de algo como ga-
antía de un préstamo: *casa de empeños.* 4 Com-
romiso o utilización de algo, esp. del propio honor,
omo mediador para conseguir un fin: *El empeño de
ii palabra me obliga a cumplir lo prometido.* 5 In-
o o propósito de realizar algo, aunque no se ten-

ga la certeza de conseguirlo: *Está dispuesto a morir
en el empeño, si es preciso.*

empeoramiento s.m. Cambio para peor.

empeorar v. 1 Pasar o hacer pasar de un estado
a otro peor: *Si la economía del país empeora, aumentará el paro. La falta de lluvias empeora cada
día los problemas del campo.* 2 Perder la salud: *Se
encontraba bien, pero de pronto empeoró y tuvieron
que ingresarlo.* 3 Referido al tiempo atmosférico, hacerse más desagradable: *Si empeora el día, suspende-
remos la excursión.*

empequeñecer v. Hacer más pequeño o menos
importante: *Es tan envidioso, que empequeñece los
éxitos de los demás para que resalten los suyos.* □
MORF. Irreg. →PARECER.

empequeñecimiento s.m. Reducción o disminución de algo o de su importancia.

emperador s.m. 1 En un imperio, soberano y jefe
del Estado. 2 Pez marino, con piel sin escamas, áspera y negruzca por el lomo y blanca por el vientre,
con cabeza apuntada y mandíbula superior en forma de espada de dos cortes, y cuya carne es muy
apreciada para la alimentación; pez espada. ✄
pez □ ETIMOL. Del latín *imperator* (el que manda,
general). □ MORF. 1. En la acepción 1, su femenino
es *emperatriz.* 2. En la acepción 2, es un sustantivo
epiceno: *el emperador macho, el emperador hembra.*

emperatriz s.f. de **emperador.** □ ETIMOL. Del latín *imperatrix.*

emperejilar v. *col.* Referido a una persona, adornarla
con esmero o en exceso; emperifollar: *Cada vez que
va a salir de casa, se emperejila durante más de una
hora.* □ ETIMOL. De *perejiles* (adorno excesivo).

emperifollar v. Referido a una persona, adornarla
con esmero o en exceso; emperejilar: *No emperifolles
tanto al niño, que parece un muñeco.* □ ETIMOL. De
perifollo.

empero conj. Enlace gramatical coordinante con
valor adversativo: *Dijo el rey:* —No estoy muy seguro de vos, empero, os otorgaré la mano de mi hijo.*
□ USO Su uso es característico del lenguaje culto.

emperramiento s.m. *col.* Obstinación o empeño
en algo.

emperrarse v.prnl. *col.* Obstinarse o empeñarse:
*Se emperró en le comprara ese juguete y no dejó
de darme la lata hasta que lo consiguió.* □ SINT.
Constr. *emperrarse* EN *algo.*

empezar v. 1 Tener principio: *Mi calle empieza en
una plaza.* 2 Dar principio: *La cantante esperó a
que todo el público estuviera sentado para empezar
la actuación.* 3 Referido esp. a un producto, iniciar su
uso o su consumo: *Si se acaba ese paquete de
jabón, empieza otro.* □ ETIMOL. De *pieza,* porque
empezar significó *cortar un pedazo de alguna cosa
y comenzar a usarla.* □ ORTOGR. La *z* se cambia en
c delante de *e.* □ MORF. Irreg. →EMPEZAR. □ SEM.
En las acepciones 1 y 2, es sinónimo de *comenzar.*

empiece s.m. *col.* Comienzo.

empinado, da adj. Referido esp. a un camino, que
tiene mucha pendiente o una cuesta muy pronunciada.

empinar ▌ v. 1 Referido a algo horizontal o tumbado,
enderezarlo o ponerlo vertical: *Empinamos las estacas que había derribado el viento. Por esa parte,
la calle se empina y cuesta subirla.* 2 Levantar y
sostener en alto: *¡Empíname, papá, que no veo con
ese señor tan alto! La mesa tiene las patas desigua-

les y, si te apoyas por ese lado, se empina por el otro.
3 Referido a una jarra o a otro recipiente, inclinarlos
mucho, levantándolos en alto, para beber: *Para be-*
ber a chorro, tienes que empinar el porrón. **4** col.
Beber alcohol en gran cantidad: *Como vuelvas a em-*
pinar no salgo más contigo. ∎ prnl. **5** Referido a una
persona, ponerse sobre las puntas de los pies y alzarse: *Si no me empino, no alcanzo para descolgar*
las cortinas. **6** Referido a una montaña o a otra cosa
elevada, alcanzar gran altura: *Al fondo se empina la*
torre de la iglesia. ☐ ETIMOL. De *pino* (derecho). ☐
SINT. La acepción 4 se usa más en la expresión *em-*
pinar el codo.
empingorotado, da adj. col. Referido a una persona, que tiene una posición social ventajosa, esp. si
presume de ello.
empingorotarse v. col. Adquirir una posición social elevada y mostrarse engreído por ello: *Mucha*
gente se empingorota en cuanto gana más dinero
que el vecino. ☐ ETIMOL. De *pingorote* (punta).
empírico, ca ∎ adj. **1** De la experiencia, fundado
en ella o relacionado con ella: *conocimientos empí-*
ricos. ∎ adj./s. **2** Que procede basándose en la experiencia: *método empírico.* ☐ ETIMOL. Del latín *em-*
piricus, y éste del griego *empeirikós* (que se guía por
la experiencia).
empirismo s.m. Procedimiento o método basados
en la práctica o en la experiencia.
empirista adj./s. Partidario o seguidor del empirismo. ☐ MORF. 1. Como adjetivo es invariable en género. 2. Como sustantivo es de género común: *el em-*
pirista, la empirista.
empitonar v. En tauromaquia, referido esp. a un torero,
cogerlo el toro con los pitones: *El segundo toro de*
la corrida empitonó a un banderillero.
[emplaste s.m. Pasta, generalmente de yeso, que
se endurece rápidamente.
emplastecer v. Referido a una superficie, igualarla
llenando sus desigualdades con emplaste o con otro
material para poder pintar sobre ella: *Antes de pin-*
tar, hay que emplastecer la pared para tapar los
agujeros. ☐ MORF. Irreg. → PARECER.
emplasto s.m. **1** Preparado medicinal, sólido, moldeable y adhesivo, que se fabrica con materias grasas y se aplica externamente. ✍ medicamento **[2**
Cosa blanda, apelmazada y de mal aspecto. ☐ ETI-
MOL. Del latín *emplastrum*, y éste del griego
émplastron, de *emplásso* (yo modelo).
emplazamiento s.m. **1** Colocación o situación en
un determinado lugar. **2** Concesión de un plazo a
una persona para la ejecución de algo. **3** Citación a
una persona en un tiempo y en un lugar determinados, generalmente para que dé razón de algo o
para presentarse ante un juez. ☐ SEM. En la acepción 1, dist. de *enclave* (territorio incluido en otro
más extenso).
emplazar v. **1** Colocar o situar en un determinado
lugar: *Emplazar bien los cañones es fundamental*
para que su ataque sea eficaz. **2** Referido a una persona, darle un plazo para la ejecución de algo: *El*
presentador emplazó a la invitada a continuar su
conversación en un próximo programa. **3** Referido a
una persona, citarla en un tiempo y en un lugar determinados, esp. para que dé razón de algo o para
que se presente ante un juez: *Lo emplazaron el pró-*
ximo día 17, a las 10 horas, en el juzgado de lo
penal, para declarar ante el juez. ☐ ETIMOL. La

acepción 1, de *plaza.* Las acepciones 2 y 3 de *plaz*
☐ ORTOGR. La *z* se cambia en *c* delante de *e* → c
ZAR. ☐ SINT. Constr. de la acepción 2: *emplazar*
hacer algo.
empleado, da s. **1** Persona que desempeña u
trabajo a cambio de un sueldo. **2** ‖ **dar** algo **p**
bien empleado; col. Conformarse gustosamen
con ello, a pesar de lo desagradable que haya sid
por las consecuencias favorables que se derivan
ello. ‖ **empleado de hogar**; el que desempeña tr
bajos domésticos o ayuda en ellos. ‖ **estar bien e**
pleado; col. Referido esp. a algo, tenerlo merecido:
te han suspendido, te está bien empleado, por vag
emplear v. **1** Hacer servir como instrumento pa
un fin; usar: *Empleó todo tipo de trucos para inte*
tar engañarme. **2** Referido a una persona, ocuparla
una actividad o darle un empleo o puesto de tr
bajo: *Esta empresa emplea a unos doscientos tr*
bajadores. Se empleó como vendedor en una inm
biliaria. **3** Gastar, consumir o invertir: *Empleas d*
masiado tiempo en cosas muy poco prácticas. ‖
ETIMOL. Del francés *employer*, y éste del latín *im*
plicare (meter a alguno en alguna actividad).
empleo s.m. **1** Utilización de algo como instr
mento para un fin: *El empleo del ordenador nos f*
cilita mucho el trabajo. **2** Ocupación de una perso
como empleado o para una actividad: *El Gobier*
pretende fomentar el empleo. **3** Puesto de trabajo.
Gasto, consumo o inversión que se hacen en ur
actividad. **5** En el ejército, jerarquía o categoría pe
sonal.
emplomadura s.f. En zonas del español meridion
empaste.
emplomar v. **1** Cubrir, soldar o asegurar con pl
mo: *Emplomó la tubería para reforzarla y evitar e*
capes de agua. **2** Precintar con sellos de plomo:
mandas esas cajas en el barco debes emplomarla
3 En zonas del español meridional, empastar.
emplumar v. **1** Poner plumas: *En aquella películ*
del Oeste, los indios emplumaban sus flechas.
col. Condenar, arrestar o sancionar: *Lo han 'empl*
mado' por robar. **3** Referido a un ave, echar pluma
Cuando los pollos de algunas aves empiezan a er
plumar están muy feos.
empobrecedor, -a adj. Que empobrece.
empobrecer v. Hacer pobre o más pobre: *El pa*
ha empobrecido este barrio. Era rico pero se emp
breció. Con el nuevo alcalde, la oferta cultural se h
empobrecido. ☐ MORF. Irreg. → PARECER.
empobrecimiento s.m. Transformación en pob
o en más pobre.
[empollado, da adj. col. Referido a una person
que está muy enterada o tiene muchos conocimie
tos en una materia. ☐ SINT. Constr. 'empollado' E
una materia.
empollar v. **1** Referido a un huevo de ave, calentar
para que se desarrolle el embrión y salga el poll
Las aves cubren con su cuerpo los huevos que pone
para empollarlos. Los huevos de gallina se empolla
durante veintiún días. **2** col. Estudiar mucho: *Sac*
buenas notas porque se pasa el día empollando. ☐
ETIMOL. De *pollo.*
empollón, -a adj./s. col. Referido a un estudiante, que
estudia mucho, esp. si destaca más por su aplica
ción que por su inteligencia. ☐ USO Tiene un mati
despectivo.
empolvar v. **1** Cubrir de polvo: *El paso de tant*

amiones empolvó los cristales. Le da rabia que al *poco tiempo de limpiar el polvo se empolve todo otra *ez. **2** Referido esp. a una persona, echarle polvos de *ocador: Fue al baño a empolvarse la nariz. Cuando *e empolva y se pinta, parece mucho más joven.*

mponzoñar v. **1** Dar ponzoña o infectar con al-*una ponzoña o sustancia nociva: El asesino empon-*oñó la bebida con cianuro. El agua de la fuente se *a emponzoñado y no se puede beber.* **2** Corromper, *añar o echar a perder: Consiguió emponzoñar a *oda la directiva mediante sobornos. Su vieja amis-*ad se emponzoñó por prestar oídos a habladurías *nalintencionadas.*

mporio s.m. **1** Lugar que constituye un centro de *omercio al que acuden comerciantes de diversas *aciones.* **2** Lugar notable o destacado por su flo-*ecimiento en algún campo o actividad: emporio cul-*ural.* □ ETIMOL. Del latín *emporium*, y éste del *riego empórion* (mercado).

mporrarse v. En el lenguaje de la droga, ponerse *o estar bajo los efectos del porro: Nunca se ha 'em-*orrado' porque no fuma.*

mpotrar v. **1** Meter en la pared o en el suelo, *generalmente asegurando la colocación con trabajos *e albañilería: Queremos hacer algunas obras en la *asa y empotrar armarios en todas las habitaciones.* **2** Encajar o meter en una superficie, generalmente *al chocar contra ella: La conductora perdió el con-*rol y 'empotró' su coche contra un árbol. En el ac-*idente, el coche 'se empotró' contra el camión.* □ *TIMOL. Quizá del francés antiguo *empoutrer*, y *ste de *poutre* (viga).

mprendedor, -a adj. Referido a una persona, que *iene iniciativa y decisión para emprender acciones *ue entrañan dificultad o que resultan arriesgadas.*

mprender v. **1** Referido a una actividad, iniciar su *jecución: El Rey emprenderá viaje al país vecino *sta tarde.* **2** ‖ **emprenderla con** alguien; col. *Adoptar una actitud hostil frente a él, generalmen-*e molestándolo o buscando riña: Se enfadó y la em-*rendió a tortas con el que tenía más cerca.* □ ETI-*MOL. Del latín *in* (en) y *prendere* (coger).

mpresa s.f. **1** Acción o tarea que entrañan difi-*cultad y cuya ejecución requiere decisión y esfuerzo.* **2** En comercio, entidad integrada por el capital y el *rabajo como factores de la producción, y dedicada *a actividades industriales, mercantiles o de presta-*ión de servicios, generalmente con el fin de obtener *eneficios económicos.*

mpresariado s.m. Conjunto de las empresas o *e los empresarios.*

mpresarial adj. De la empresa, del empresario o *elacionado con ellos.* □ MORF. Invariable en género.

mpresario, ria s. **1** Propietario o directivo de *una empresa, de una industria o de un negocio.* **2** *Persona que se encarga de la explotación de un es-*ectáculo público.*

mpréstito s.m. **1** Préstamo que recibe el Estado *o una corporación o empresa, esp. si está represen-*ado por bonos, pagarés, obligaciones u otro tipo de *títulos negociables o al portador.* **2** Cantidad pres-*ada de esta manera.* □ ETIMOL. Del latín *in* (en) y *raestitus.

mpujar v. **1** Referido esp. a un objeto, hacer fuerza *contra él para moverlo, sostenerlo o rechazarlo: No *ne empujes que me vas a tirar.* **2** Presionar o in-*luir, generalmente para conseguir un fin o para im-

pulsar a otro a hacer algo: Su insistencia me empujó a contárselo todo. **[3** vulg. →**copular.** □ ETIMOL. Quizá del latín *impulsare*. □ ORTOGR. Conserva la *j* en toda la conjugación.

empuje s.m. **1** Fuerza que se aplica sobre algo para moverlo, sostenerlo o rechazarlo: Según el principio de Arquímedes, todo cuerpo que se sumerge en un fluido experimenta un empuje hacia arriba equivalente al peso del fluido desalojado. **2** Presión o influencia que se ejercen generalmente para conseguir un fin o para impulsar a otro a hacer algo: El empuje que recibió de los suyos la ayudó a llegar hasta el fin. **3** Arranque, resolución o brío para emprender acciones o para conseguir propósitos. **4** Fuerza producida por el peso de una construcción o de una carga sobre las paredes que la sostienen: Fuertes muros soportan el empuje de la bóveda.

empujón s.m. **1** Impulso que se da con fuerza a algo para apartarlo o para moverlo. **2** Avance rápido y considerable que se da a lo que se está haciendo, trabajando con mayor dedicación y empeño en ello.

empuñadura s.f. En algunos objetos, esp. en un arma blanca, puño o parte por las que se agarran o sujetan con la mano.

empuñar v. Referido a un objeto con empuñadura, cogerlo o sujetarlo por ésta: Empuñó el cuchillo de forma amenazadora.

[empurar v. col. Castigar o sancionar: El sargento 'empuró' al soldado por ir mal afeitado.

emputecer v. col. Prostituir: La sociedad debe ayudar a las personas que se emputecen. □ MORF. Irreg. →PARECER.

emulación s.f. **1** Imitación de las acciones de una persona, intentando igualarlas o superarlas. **[2** En informática, imitación que un dispositivo hace del funcionamiento de otro de otra clase.

emular v. Referido a una persona, imitarla en sus acciones, intentando igualarlas o superarlas: Estudia mucho porque quiere emular a su hermano y llegar tan lejos como él. Intentaba emularse con el ilustre poeta, pero sus obras no estaban a la misma altura. □ ETIMOL. Del latín *aemulari*. □ SINT. Constr. como pronominal: emularse CON alguien.

émulo, la s. Persona que compite con algo o que intenta aventajarlo. □ ETIMOL. Del latín *aemulus* (el que trata de imitar o igualar a otro).

emulsión s.f. **1** Mezcla de dos líquidos insolubles entre sí, de tal manera que uno de ellos se distribuye en pequeñísimas partículas en el otro. **2** En fotografía, suspensión de bromuro de plata en gelatina, que forma la capa sensible a la luz de las películas y otros materiales fotográficos. □ ETIMOL. Del latín *emulsus* (ordeñado), porque las emulsiones tienen un aspecto lácteo.

emulsionar v. Referido a una sustancia, esp. si es grasa, hacer que adquiera el estado de emulsión, mezclándola con un líquido en el que no llega a disolverse: Se puede emulsionar el aceite en agua, removiendo con fuerza.

emulsivo, va adj. Referido a una sustancia, que sirve para hacer emulsiones.

en prep. **1** Indica el lugar en el que se realiza la acción del verbo: Nací en Madrid. ¿Están en tu casa? **2** Indica el tiempo durante el que se realiza la acción del verbo: En primavera, el campo se llena de flores. **3** Indica el modo en el que se realiza la acción del verbo: *Apareció en pijama.* **4** Indica el medio o el instrumento con el que se realiza la acción del verbo: *Suele viajar en avión.* **5** Indica la forma o el formato que algo tiene: *La película está rodada en 16 milímetros.* **6** Indica el término de un movimiento: *¿Entramos en casa?* **7** Sobre o encima de: *La cazuela está en el fuego.* **8** Introduce un complemento del verbo, esp. si es de materia: *Me he especializado en electrónica.* **9** Con un verbo de percepción y seguido de un sustantivo, indica causa: *Se lo noté en la voz. Te conocí en los andares.* **10** En combinación con la preposición de, indica paso o transcurso por fases sucesivas: *La noticia corrió de boca en boca.* **11** En combinación con la preposición de, y seguidas ambas de un mismo numeral, indica grupos de ese número de unidades: *Bajó los escalones de tres en tres.* ☐ ETIMOL. Del latín *in* (en, dentro de). ☐ SEM. No debe usarse en expresiones temporales con el significado de 'dentro de': *regreso {*en > dentro de} quince minutos.*

enagua s.f. **1** Prenda de ropa interior femenina, semejante a una falda, y que se lleva debajo de ésta. **2** Prenda de ropa interior femenina, semejante a ésta, pero que cubre también el torso. ☐ ETIMOL. Del antiguo *naguas*, vocablo de Santo Domingo (faldas de algodón hasta las rodillas que llevaban las indias). ☐ MORF. La acepción 1 en plural tiene el mismo significado que en singular.

enagüillas s.f.pl. Especie de falda corta, que se pone a algunas imágenes de Cristo crucificado o que forma parte de algunos trajes tradicionales masculinos.

enajenación s.f. **1** Transmisión a otra persona del dominio o de otro derecho que se tienen sobre algo. **2** Acción de sacar a una persona fuera de sí o de trastornarle la razón o los sentidos. **3** Distracción, falta de atención o embeleso que hace olvidarse de todo lo demás. **4** ∥**enajenación mental**; perturbación de las facultades mentales; locura. ☐ SEM. Es sinónimo de *enajenamiento*.

enajenamiento s.m. →**enajenación**.

enajenar v. **1** Referido al dominio o a otro derecho sobre algo, pasarlos o transmitirlos a otra persona: *Durante su gobierno, enajenó bienes que pertenecían a la corona.* **2** Referido a una persona, sacarla fuera de sí o trastornarle la razón o los sentidos; alienar: *La ira lo enajenó y no pudo controlarse. Se enajenó cuando perdió a su hijo en un accidente.* ☐ ETIMOL. Del latín *in* (en) y *alienare* (perder el juicio).

enaltecer v. **1** Engrandecer o exaltar: *Tanta generosidad te enaltece. Los ánimos se enaltecieron cuando vieron tan cerca la victoria.* **2** Alabar o elogiar: *Siempre enaltece el trabajo de sus compañeros. Aprovecha cualquier situación para enaltecerse ante los demás.* ☐ ETIMOL. De *alto*. ☐ MORF. Irreg. →PARECER. ☐ SEM. Es sinónimo de *ensalzar*.

enaltecimiento s.m. **1** Engrandecimiento o exaltación de algo. **2** Alabanza o elogio. ☐ SEM. Es sinónimo de *ensalzamiento*.

enamoradizo, za adj. Inclinado a enamorarse con facilidad.

enamorado, da adj./s. **1** Que tiene o siente amor. **2** Muy aficionado a algo.

enamoramiento s.m. Aparición o excitación en una persona del sentimiento del amor.

enamorar ∎ v. **1** Referido a una persona, despertar o excitar en ella el sentimiento del amor: *Con tantos*

regalos y palabras dulces, terminó por enamorar[**2** Atraer, aficionar o hacer sentir entusiasmo: *[casa nos enamoró nada más verla. Cada día q[paso aquí, me enamoro más de la vida en el camp[* ∎ prnl. **3** Referido a una persona, empezar a sen[amor por otra: *Me enamoré por primera vez a l[quince años.* ☐ SINT. 1. Constr. como pronomina[enamorarse DE algo. 2. En la acepción 2, aunque [RAE sólo lo registra como pronominal, se usa tar[bién como verbo transitivo.

enamoriscarse v.prnl. *col.* Enamorarse super[cialmente o de forma poco intensa: *Reconoce q[sólo estás enamoriscado, pero que no la quieres [verdad.* ☐ ORTOGR. La *c* se cambia en *qu* delante [*e* →SACAR.

enanismo s.m. Trastorno patológico del crecimi[to, caracterizado por una estatura inferior a la q[se considera normal en los individuos de la mism[especie y edad.

enano, na ∎ adj. **1** Diminuto en su clase o en s[especie. ∎ s. **2** Persona de muy baja estatura o [extraordinaria pequeñez, esp. si padece enanism[[**3** *col.* Niño. [**4** En la tradición popular, ser fantásti[con figura humana, de estatura muy baja y que su[le estar dotado de poderes extraordinarios. ∥ [**como un enano**; *col.* Mucho o intensamente: *F[trabajado 'como un enano'.* ☐ ETIMOL. Del latín *n[nus.* ☐ MORF. En la acepción 4, se usa mucho [diminutivo *enanito.*

enarbolado s.m. Estructura de madera que form[la armadura de una torre, de una bóveda o de oti[construcción semejante.

enarbolar v. Referido esp. a una bandera o a un e[tandarte, levantarlos en alto; arbolar: *Los manife[tantes de la primera fila enarbolaban banderas [pancartas.* ☐ ETIMOL. De *árbol* (palo de un buque[

enarcar v. Dar o adquirir forma de arco; arquea[*Enarcó las cejas en señal de asombro.* ☐ ORTOG[La *c* se cambia en *qu* delante de *e* →SACAR.

enardecer v. Referido esp. a una pasión o a una di[puta, excitarlas o avivarlas: *Aquellas ofensas ena[decieron su orgullo y lo impulsaron a la pelea. S[enardece cuando habla de sus hazañas.* ☐ ETIMO[Del latín *inardescere.* ☐ MORF. Irreg. →PARECER.

enardecimiento s.m. Excitación o avivamient[esp. de una pasión o una disputa.

enarenar v. Cubrir de arena; arenar: *Enarenaro[las aceras para que la gente no se resbalase con e[hielo caído.*

encabalgamiento s.m. En métrica, distribución e[versos o en hemistiquios contiguos de una palabr[o de una frase que normalmente forman una unida[fonética y léxica o sintáctica: *Se produce un enca[balgamiento cuando una pausa del verso no coin[cide con una pausa de la frase.*

encabalgar v. **1** Descansar o apoyarse sobre alg[*Algunas tiras del parqué están mal colocadas, por[que encabalgan sobre las de al lado.* **2** En métric[distribuir en versos o en hemistiquios contiguos un[palabra o una frase que normalmente forman un[unidad fonética y léxica o sintáctica: *En los verso[de Antonio Machado 'Yo voy soñando caminos / d[la tarde. ¡Las colinas', el primer verso encabalga e[el segundo.* ☐ ORTOGR. La *g* se cambia en *gu* delant[de *e* →PAGAR.

encabestrar ∎ v. **1** Referido a un animal, ponerle u[cabestro o correa para conducirlo o sujetarlo: *En[

abestra el caballo para sacarlo de la cuadra. **2** Referido a una res brava, hacer que siga a los cabestros o bueyes mansos para conducirla hasta donde se quiere: *Cuando un toro no sirve para la lidia, lo ncabestran para sacarlo de la plaza.* **3** Referido a una persona, atraerla o seducirla para que haga lo que otra desea: *No paró hasta que lo encabestró y lo tuvo a su entera disposición.* ❚ prnl. **4** Referido a un animal, enredarse una pata en el cabestro o cuerda con que está atado: *El mulo se encabestró y no dejaba de dar coces para soltarse.* ☐ USO En la acepción 3, es despectivo.

ncabezamiento s.m. Fórmula que se pone al principio de un escrito.

ncabezar v. **1** Referido esp. a una lista, iniciarla o abrirla: *Nuestro equipo encabeza la clasificación.* **2** Referido a un escrito, ponerle un encabezamiento: *Encabecé la carta con un 'Muy señor mío'.* **3** Referido esp. a un movimiento o a una protesta, presidirlos, dirigirlos o ponerse al frente de ellos: *Los generales que encabezaron la rebelión fueron detenidos.* **4** Referido a un vino, mezclarlo con otro más fuerte, con aguardiente o con alcohol: *Al encabezar un vino se aumenta su graduación.* ☐ ORTOGR. La z se cambia en c delante de e →CAZAR.

ncabritarse v. **1** Referido a un caballo, ponerse sobre las patas traseras y levantando las manos: *La yegua se encabritó al oír los disparos.* **2** Referido esp. a un vehículo, levantarse de repente su parte delantera: *La barca cogió mucha velocidad y se encabritó.* **3** col. Enojarse o enfadarse: *Tu amigo por poca cosa 'se encabrita'.* ☐ ETIMOL. De cabrito.

ncabronar v. vulg.malson. →**enojar**.

ncadenación s.f. →**encadenamiento**.

ncadenado, da ❚ adj. **1** Referido a una estrofa, que empieza con un verso que repite total o parcialmente el último de la estrofa precedente. **2** Referido a un verso, que comienza repitiendo la última palabra del verso anterior. ❚ s.m. [**3** En cine, vídeo o televisión, efecto que consiste en la desaparición gradual de una imagen que se sustituye progresiva y simultáneamente por otra.

ncadenamiento s.m. **1** Atadura o sujeción con cadenas. **2** Conexión y enlace de unas cosas con otras. ☐ SEM. Es sinónimo de encadenación.

ncadenar v. **1** Atar o sujetar con cadenas: *Encadena la moto a una farola para que no te la roben. Varios presos se encadenaron a las rejas en señal de protesta.* **2** Unir o enlazar, relacionando unas cosas con otras: *Al redactar hay que encadenar bien los pensamientos que se expresan. Los acontecimientos se encadenaron precipitadamente y dieron lugar a un desenlace fatal.*

ncajable adj. Que se puede encajar. ☐ MORF. Invariable en género.

ncajar ❚ v. **1** Referido a un objeto, meterlo dentro de otro, de manera que queden ajustados: *Encaja esta pieza en su agujero y ponle un tope para que no se vuelva a salir. Ese mueble es demasiado ancho y no encaja en este hueco.* **2** col. Referido a algo que se dice, introducirlo en una conversación o en un discurso: *Se hable de lo que se hable, él siempre se las ingenia para encajar las anécdotas de sus viajes.* **3** col. Referido a algo molesto o desagradable, recibirlo o aceptarlo: *Encajó muy bien la enfermedad de su madre.* **4** col. Ser apropiado o adaptarse al lugar o a la situación en la que se encuentra: *La nueva em-*

pleada ha encajado bien en la empresa. **5** col. Coincidir o estar de acuerdo: *Las declaraciones de los dos testigos no encajaban, porque uno de ellos mentía.* ☐ ETIMOL. De caja. ☐ ORTOGR. Conserva la j en toda la conjugación. ☐ SINT. La acepción 4 se usa más con los adverbios bien, mal o equivalentes.

encaje s.m. **1** Tejido hecho con calados que forman dibujos. **2** Ajuste o introducción de un objeto en otro, haciendo coincidir sus partes. **3** Sitio o hueco en el que se encaja algo.

encajonamiento s.m. **1** Introducción, colocación o encierro dentro de cajones. **2** Introducción en un sitio estrecho. [**3** Colocación de alguien en una situación apretada y difícil.

encajonar ❚ v. **1** Meter o guardar dentro de un cajón: *Ha encajonado todos los libros para hacer la mudanza.* **2** Introducir en un sitio estrecho: *Nos encajonaron a los cuatro en el asiento trasero del coche.* **3** En tauromaquia, referido a un toro, encerrarlo en cajones para su traslado: *Van a encajonar los toros de la corrida para llevarlos a la plaza.* ❚ prnl. **4** Referido a una corriente de agua, correr por un lugar estrecho: *El río se encajona en un profundo cañón.*

encalado s.m. o **encaladura** s.f. Revestimiento o blanqueo hechos con cal. ☐ USO Aunque la RAE prefiere encaladura, se usa más encalado.

encalar v. Cubrir o blanquear con cal: *En muchos pueblos andaluces es costumbre encalar las casas y dejarlas completamente blancas.*

encalladura s.f. Tropiezo de una embarcación con un obstáculo, esp. con piedras o con arena, de forma que quede en ellas sin poder moverse.

encallar v. Referido a una embarcación, tropezar con un obstáculo, esp. piedras o arena, quedando en él sin movimiento: *El pesquero encalló en un banco de arena. El velero se encalló en las rocas de la costa.* ☐ ETIMOL. De calle (camino estrecho entre dos paredes). ☐ SINT. Constr. encallar(se) EN algo.

encallecer v. **1** Referido a la piel o a una parte del cuerpo, endurecerse o criar callos: *Sus manos encallecieron de manejar el azadón.* **2** Endurecer o hacer insensible, esp. por efecto de la costumbre o la reiteración: *Los sufrimientos encallecieron su alma. Tuvo que encallecerse para poder soportar tantas atrocidades.* ☐ MORF. Irreg. →PARECER.

encallejonar v. Meter o hacer entrar por un callejón o por un lugar largo y estrecho: *En los encierros, encallejonan los toros por calles muy estrechas.*

encamado, da adj. Referido esp. a un enfermo, que tiene que guardar cama durante un largo período de tiempo.

encamarse v.prnl. Echarse o meterse en la cama, esp. si es por causa de una enfermedad: *Con esa fiebre, cualquier médico te mandaría encamarte.*

encaminar v. **1** Dirigir o conducir hacia un punto determinado: *Encaminaron sus pasos hacia el lugar de la cita. Cuando acabó la reunión, cada uno se encaminó hacia su casa.* **2** Poner en camino o enseñar por dónde se ha de ir: *Estaba desorientado y un taxista me encaminó hacia la carretera.*

encamotarse v.prnl. col. En zonas del español meridional, enamorarse.

encampanarse v.prnl. **1** Enorgullecerse o presumir: *Te encampanas mucho cuando hablas de las notas de tu hijo.* **2** En tauromaquia, referido a un toro, levantar la cabeza en actitud desafiante cuando está parado: *Al vernos, el toro dejó de pastar y se encampanó.* ☐ ETIMOL. De *campana*.

encanallar v. →acanallar.

encandilar v. **1** Deslumbrar, alucinar o producir una admiración o placer que hacen olvidarse de todo lo demás: *La encandiló con aquellas historias, pero todo era inventado. Se encandila con todo lo que sea arte.* **2** Referido a una persona, despertar o excitar en ella el sentimiento o el deseo amorosos: *Sus tiernas miradas me encandilaban. Se encandila cada vez que la ve pasar.* ☐ ETIMOL. Quizá de *candela* (fuego), porque el que mira fijamente la lumbre, se deslumbra.

encanecer v. Poner cano o envejecer: *Encaneció muy joven y todo el mundo le echaba más edad de la que tenía. Se te han encanecido las sienes.* ☐ MORF. Irreg. →PARECER.

encanecimiento s.m. Coloración blanca que toma el cabello cuando encanece. ☐ MORF. La RAE sólo lo registra en plural.

encanijar v. Referido esp. a un niño, ponerlo débil, flaco y enfermizo: *La falta de una alimentación adecuada ha encanijado a la población infantil tercermundista. Se encanijó cuando cogió aquella infección y le costó mucho recuperarse.* ☐ ETIMOL. De *canijo*. ☐ ORTOGR. Conserva la *j* en toda la conjugación.

encantado, da adj. [Satisfecho o muy contento.

encantador, -a ∎ adj. **1** Que produce una impresión muy grata. ∎ s. **2** Persona que se dedica a hacer encantamientos.

encantamiento s.m. **1** Sometimiento de algo a poderes mágicos, esp. para producir su conversión en algo diferente. **2** Atracción de la voluntad de una persona, conseguidos generalmente con atractivos naturales.

encantar v. **1** Someter a poderes mágicos, esp. para producir una conversión en algo diferente: *El hada encantó al príncipe con su varita mágica y lo convirtió en rana.* **2** Referido a una persona, atraer o ganar su voluntad, generalmente con atractivos naturales: *Me encantó con su mirada y no pude dejar de pensar en él. El bailarín encantó al público con su arte.* [**3** Gustar o atraer mucho: *Me 'encanta' pasear por el campo.* ☐ ETIMOL. Del latín *incantare* (pronunciar fórmulas mágicas).

encanto ∎ s.m. **1** Lo que cautiva los sentidos o causa admiración. ∎ pl. **2** Atractivo de una persona, esp. el físico. ☐ USO Se usa como apelativo: *No te vayas todavía, encanto.*

encañonar v. **1** Apuntar con un arma de fuego: *Los atracadores encañonaron al cajero con sus pistolas.* **2** Dirigir para hacer pasar por un cañón o paso estrecho: *Han cavado surcos para encañonar el agua de las lluvias. El río se encañona al pasar entre esas montañas.*

encapotadura s.f. o **encapotamiento** s.m. [Cubrimiento del cielo con nubes oscuras. ☐ USO *Encapotadura* es el término menos usual.

encapotarse v.prnl. Referido al cielo, cubrirse de nubes oscuras: *Cuando el cielo se encapota de esa manera, es que va a haber tormenta.* ☐ MORF. Verbo unipersonal: se usa sólo en tercera persona del singular y en las formas no personales (infinitivo, gerundio y participio).

[**encaprichamiento** s.m. Empeño en conseguir un capricho.

encapricharse v.prnl. **1** Referido a algo que se co(n)sidera un capricho, empeñarse en conseguirlo: *Se e? caprichó con una moto y dio la lata hasta que se l comparon.* [**2** Enamorarse de forma poco seria: *'? ha encaprichado' de esa chica.* ☐ SINT. Constr. e? *capricharse* {CON/DE} *algo*.

encapuchado, da adj./s. Referido a una person? que va cubierta con capucha.

encapuchar v. Cubrir o tapar con capucha: *E? capucharon al prisionero para que no viera dónc estaba.*

encarado, da ∎ {bien/mal} encarado; referido una persona, de buen o mal aspecto, o de bellas feas facciones.

encaramar v. **1** Subir o poner en un lugar alto difícil de alcanzar: *Encaramó la pecera en lo al? del armario para que no la alcanzara el gato. S? encaramó a un árbol para ver mejor el paisaje.* col. Elevar a una posición importante o a un pues? honorífico: *Su capacidad para las relaciones púb? cas lo encaramó a un importante cargo diplomátic? Ya con su primer disco, se encaramó en los primer? puestos de listas de éxitos.* ☐ ETIMOL. Quizá d? *incamarare*, y éste de *camera* (bóveda).

encarar ∎ v. **1** Poner cara a cara o frente a frent? *Encara las mangas para ver si están igual de la? gas.* **2** Referido esp. a una dificultad, hacerle frent? *Sabe encarar sus problemas sin ponerse nervios? Está decidido a encararse con lo que se le ponga p? delante con tal de conseguir su propósito.* ∎ prnl. ? Referido a una persona o a un animal, colocarse frent? a otro en actitud violenta o agresiva: *Se encaró c? un chico para defender a su hermano.* ☐ SIN? Constr. como pronominal: *encararse* CON *algo*.

encarcelación s.f. o **encarcelamiento** s.m.? Encierro o reclusión de una persona en la cárcel. ☐? USO *Encarcelación* es el término menos usual.

encarcelar v. Referido a una persona, meterla en ? cárcel: *Encarcelaron al ladrón por orden judicial.*

encarecer v. **1** Hacer más caro o subir de preci? *La mano de obra encarece el producto. Es alarman? cómo ha encarecido la vivienda. La gasolina se e? careció por la crisis del petróleo.* **2** Alabar mucho exagerar: *Me encareció tanto este hotel, que vinim? directamente sin mirar otros. La presidenta del j? rado encareció las virtudes y méritos del premiad? **3** Recomendar, encargar o pedir con empeño: *? algo me pasara a mí, te encarezco y te suplico qu? cuides del niño.* ☐ MORF. Irreg. →PARECER.

encarecimiento s.m. **1** Aumento o subida d? precio de algo. **2** Exageración o alabanza muy gran? de de algo. **3** Insistencia o empeño con que se pid? o se ruega algo.

encargado, da ∎ s. **1** Persona que tiene a su carg? un establecimiento, un negocio o un trabajo, en re? presentación del dueño o del interesado. **2** ‖encar? gado de negocios; diplomático de categoría infe? rior a la de embajador, al cual puede reemplazar e? el desempeño de sus funciones.

encargar ∎ v. **1** Referido esp. a un asunto o a un? tarea, mandar o confiar su realización: *Me encarg? que te diera recuerdos de su parte. Siempre me en? cargan los trabajos más difíciles.* **2** Referido esp. ? una compra, pedir que se haga llegar desde otro siti? *Si no tienen el libro en la librería, encárgalo.* ∎ prnl. **3** Hacerse cargo u ocuparse: *¿Te encargas tú de re? servar mesa?* ☐ ETIMOL. De *cargar.* ☐ ORTOGR. L?

g se cambia en *gu* delante de *e* →PAGAR. □ SINT. Constr. de la acepción 3: *encargarse DE algo*.

ncargo s.m. **1** Acción de mandar o de confiar la realización de algo. **2** Petición de que se haga llegar algo, esp. una compra, desde otro sitio. **3** Lo que se encarga.

ncariñarse v.prnl. Referido a algo, tomarle cariño: *Los niños se han encariñado contigo y lloran cuando e vas. Se encariñó con la casa y le costó mucho dejarla*. □ SINT. Constr. *encariñarse CON algo*.

ncarnación s.f. **1** Adopción de una forma carnal o material por parte de una idea o de un ser espiritual. **2** Personificación o representación de un concepto abstracto.

ncarnado, da adj./s.m. De color más o menos rojo. □ SEM. Como adjetivo es sinónimo de *colorado*.

ncarnadura s.f. Facilidad que tienen los tejidos del cuerpo para cicatrizar o para curar las heridas; carnadura.

ncarnar ▋ v. **1** Referido a una idea o a un ser espiritual, tomar forma material: *Según la mitología, Júpiter encarnó en un toro para raptar a la ninfa Europa. El Hijo de Dios se encarnó y se hizo Hombre por obra del Espíritu Santo*. **2** Referido a un concepto abstracto, personificarlo o representarlo: *Ese amigo tuyo encarna la bondad*. **3** Referido a un personaje, representarlo en una obra dramática o de ficción: *Ese actor encarnó a don Quijote*. ▋ prnl. **4** Referido a una uña, introducirse, al crecer, en las partes blandas que la rodean produciendo alguna molestia: *Le duele el dedo porque se le ha encarnado la uña*. □ ETIMOL. Del latín *incarnare*. □ MORF. En la acepción 1, se usa más como pronominal.

ncarnizado, da adj. Referido esp. a un enfrentamiento, que es muy cruel, duro o violento.

ncarnizamiento s.m. **1** Adopción de una actitud cruel con otra persona, persiguiéndola o perjudicándola en su reputación o en sus intereses. **2** Crueldad con la que alguien se ceba en el daño de otro. **3** Ensañamiento de un animal con su víctima.

ncarnizarse v.prnl. **1** Referido a una persona, mostrarse cruel con otra, persiguiéndola o perjudicándola en su reputación o en sus intereses: *Se encarniza contigo porque sabe que no puedes defenderte*. **2** Referido a un animal, cebarse o ensañarse en su víctima: *El tigre se encarnizaba con la gacela*. □ ETIMOL. De *carniza* (carne muerta). □ ORTOGR. La z se cambia en *c* delante de *e* →CAZAR. □ SINT. Constr. *encarnizarse CON alguien*.

ncarrilar v. **1** Referido a un tren o a un vehículo semejante, colocarlos sobre los carriles o rieles: *Tuvieron que emplear grúas para volver a encarrilar el tren que había descarrilado*. **2** Dirigir por el buen camino o por el rumbo que conduce al acierto: *Procura encarrilar a tu hijo para que llegue a ser un hombre de bien. Las conversaciones de paz se han encarrilado y pronto se firmará el tratado*.

ncartar v. **1** Referido a una persona, incluirla entre las que van a ser juzgadas en un proceso: *Los dos arquitectos fueron encartados por el derrumbamiento del edificio*. **2** En algunos juegos de naipes, echar carta de un palo que otro jugador tiene que seguir: *Me encartaste porque tengo cartas del palo que tú acabas de echar*. □ ETIMOL. De *carta*.

ncarte s.m. [Hoja o folleto que se introduce entre las hojas de un libro o de una publicación periódica, generalmente para repartirlos con éstos.

[encasillamiento s.m. Clasificación permanente y con criterios poco flexibles dentro de unas mismas características.

encasillar v. **1** Clasificar distribuyendo en los sitios que corresponden, generalmente en función de un criterio fijado: *Hizo un examen para determinar su grado de conocimiento de inglés y lo encasillaron en el nivel intermedio*. **2** Referido a una persona, considerarla o declararla, generalmente sin razones fundadas, como adicta a un partido o a una ideología: *Dijo una vez que no le gustaba el ejército y ya lo han encasillado como objetor de conciencia*. **3** Clasificar con criterios poco flexibles o simplistas: *Rechazó protagonizar otra película como galán, porque no quiere que lo encasillen en ese papel*.

encasquetar v. **1** Referido a un sombrero o a una prenda semejante, encajarlos bien en la cabeza: *Me encasqueté el sombrero de tal manera, que luego no me lo podía sacar*. **2** Referido esp. a una idea sin fundamento, metérsela a alguien en la cabeza: *¿Quién te ha encasquetado esa idea tan absurda?* **3** Referido esp. a una charla molesta, hacerla oír: *Cada vez que me encuentra, me encasqueta el mismo rollo de siempre*. [**4** Referido a algo que estorba o supone una carga, endosarlo o hacer que alguien se haga cargo de ello: *Me 'encasquetó' a sus hijos para que los cuidara justo cuando yo pensaba salir*. □ ETIMOL. De *casquete*.

encasquillarse v.prnl. **1** Referido a un arma de fuego, atascarse con el casquillo de la bala al disparar: *Se le encasquilló la pistola y no pudo seguir disparando*. [**2** Referido a un mecanismo, atascarse o quedarse sin posibilidad de movimiento: *'Se ha encasquillado' la cerradura y no puedo abrir la puerta*. [**3** col. Referido a una persona, atascarse al hablar o al razonar: *Si estás nerviosa, habla más despacio para no 'encasquillarte'*.

encastrar v. Encajar, empotrar o meter dentro de otra cosa, generalmente de forma que quede ajustada la colocación: *Hemos encastrado el armario en el hueco que quedaba entre la pared y la chimenea*. □ ETIMOL. Del latín **incastrare*.

[encausado, da adj./s. Referido a una persona, que tiene contra sí un proceso judicial.

encausar v. Referido a una persona, formarle causa o proceder judicialmente contra ella: *Lo encausaron por fraude*.

encauzamiento s.m. **1** Conducción de una corriente de agua por un cauce. **2** Orientación o dirección de algo por buen camino.

encauzar v. **1** Referido a una corriente de agua, conducirla por un cauce o dotarla de cauce para que discurra por él: *Encauzaron el río para evitar nuevos desbordamientos*. **2** Encaminar o dirigir por buen camino: *Han encauzado muy bien las conversaciones y pronto firmarán el acuerdo*. □ ORTOGR. La z se cambia en *c* delante de *e* →CAZAR.

encebollado s.m. Comida aderezada con mucha cebolla.

encefálico, ca adj. Del encéfalo o relacionado con este conjunto de órganos.

encéfalo s.m. En el sistema nervioso de un vertebrado, conjunto de órganos contenidos en la cavidad del cráneo: *El encéfalo está formado fundamentalmente por el cerebro, el cerebelo y el bulbo raquídeo*. □ ETIMOL. Del griego *enképhalon*.

[encefalograma s.m. →**electroencefalograma**.

encelar ▌ v. 1 Dar celos: *Te gusta encelar a tus amigos enseñándoles los regalos que te hace tu padre.* ▌ prnl. 2 Sentir celos: *Mi amigo se enceló cuando le dije que no podía salir con él porque ya había quedado.* 3 Referido a un animal, entrar en celo: *Cuando los gatos se encelan, lanzan maullidos por las noches que parecen llantos de niños.*

encenagarse v.prnl. 1 Meterse en el cieno o lodo y ensuciarse con él: *Las ruedas del carro se encenagaron y no pudimos continuar camino.* 2 Entregarse a un vicio o meterse en asuntos sucios: *Te has encenagado en el tráfico de drogas y no quiero volver a verte.* □ ORTOGR. 1. Incorr. *encenegarse. 2. La *g* se cambia en *gu* delante de *e* →PAGAR. □ SINT. Constr. de la acepción 2: *encenagarse* EN *algo.*

encendedor s.m. Aparato que sirve para encender una materia combustible.

encender ▌ v. 1 Hacer arder, incendiar o prender fuego, generalmente para proporcionar luz o calor: *Encendió una vela para bajar al sótano. Si la leña está húmeda, tardará más en encenderse.* 2 Referido a un aparato o a un circuito eléctricos, conectarlos o ponerlos en funcionamiento: *Enciende la luz, que no se ve bien. Al motor del coche le cuesta más encenderse cuando está frío.* 3 Referido a una guerra o a otro enfrentamiento, suscitarlos u ocasionarlos: *Las disputas fronterizas encendieron la guerra entre las dos naciones. El enfrentamiento entre las dos familias se encendió con el reparto de la herencia.* 4 Referido esp. a un sentimiento o a una pasión, excitarlos, enardecerlos o hacerlos sentir intensamente: *Los éxitos de su rival encendieron su envidia. Se enciende de ira cuando le llevan la contraria.* ▌ prnl. 5 Ruborizarse o ponerse colorado: *Su rostro se encendía de timidez cada vez que le hablaba una persona mayor.* □ ETIMOL. Del latín *incendere* (quemar, incendiar). □ MORF. Irreg. →PERDER.

encendido, da ▌ adj. 1 De color rojo muy intenso o subido. 2 Enardecido o muy excitado. ▌ s.m. 3 En algunos motores de explosión, inflamación del carburante por medio de una chispa eléctrica. 4 En un motor de explosión, conjunto formado por la instalación eléctrica y los aparatos destinados a producir la chispa que da lugar a esta inflamación.

encerado s.m. Superficie de material duro, de color generalmente negro o verde, que se utiliza para escribir en ella con tiza y poder borrar con facilidad, y que suele colgarse de una pared; pizarra.

encerador, -a ▌ s. 1 Persona que se dedica profesionalmente a encerar pavimentos o suelos. ▌ s.f. 2 Máquina eléctrica que hace girar uno o varios cepillos para dar cera y brillo a los pavimentos.

encerar v. Referido esp. a un suelo, cubrirlo con cera o aplicársela: *Después de limpiar el suelo del salón, lo encero para que brille más.* □ ETIMOL. Del latín *incerare.*

encerrar v. 1 Meter en una parte o en un lugar, impidiendo la salida fuera de ellos; cerrar: *Encerraron a los prisioneros en el calabozo. Se encierra en su despacho para trabajar con más tranquilidad.* 2 Incluir, contener o llevar implícito: *La película encierra un mensaje muy profundo que hay que saber entender.* 3 Referido a algo escrito, ponerlo dentro de ciertos signos, generalmente para separarlo del resto del texto: *Encierra esa oración entre paréntesis.* 4 En algunos juegos de tablero, referido al contrario, ponerlo en situación de no poder mover sus piezas: *Si*

mueves esa ficha, me encerrarás y la partida te minará en tablas. □ ETIMOL. De *cerrar.* □ MOF Irreg. →PENSAR.

encerrona s.f. Situación, preparada de anteman en la que se coloca a una persona para obligarla hacer algo contra su voluntad.

encestador, -a s. En baloncesto, jugador que e cesta, esp. si lo hace con facilidad.

encestar v. En baloncesto, referido esp. al balón, i troducirlo por el aro de la cesta o canasta contr rias: *Encestó sólo uno de los dos tiros libres de q disponía. El equipo local encestó en el último segu do y ganó.*

enceste s.m. En baloncesto, introducción del bal a través del aro de la canasta; canasta.

encharcamiento s.m. 1 Cubrimiento parcial un terreno por el agua. 2 Acumulación excesiva un líquido en un órgano del cuerpo.

encharcar v. 1 Referido a un terreno, cubrirlo pa cialmente de agua, formando charcos en él: *Abr las compuertas para encharcar el arrozal. El cam de fútbol se encharcó por causa de la tormenta.* Referido a un órgano, llenarlo de un líquido: *La sa gre ha encharcado sus pulmones.*

enchilada s.f. Tortilla de maíz enrollada o dobl da, frita y con un relleno variado, que se cubre c una salsa de chile.

enchilar ▌ v. 1 Untar con chile: *Primero tienes q dejar secar la carne y luego enchilarla.* 2 En zon del español meridional, sentir picor. ▌ prnl. 3 *col.* E zonas del español meridional, molestarse o enfadars

enchinar v. 1 En zonas del español meridional, riza 2 *col.* En zonas del español meridional, poner la piel c gallina.

enchinchar v. *col.* En zonas del español meridion molestar o hacer enfadar.

enchiquerar v. Referido a un toro, encerrarlo en chiquero de la plaza, generalmente antes de come zar la corrida: *Los toros que serán lidiados esta ta de ya han sido enchiquerados.*

enchironar v. *col.* Encarcelar o meter en chirona *Lo enchironaron por robo.*

enchispar v. Referido a una persona, ponerla ca ebria o borracha; achispar: *No suelo beber alcoho y con una cerveza me enchispo.*

enchuecar v. 1 *col.* En zonas del español meridiona curvar. 2 *col.* En zonas del español meridional, compl car. □ ORTOGR. La *c* se cambia en *qu* delante de →SACAR.

enchufado, da s. Persona que ha conseguido u empleo o un beneficio por enchufe y no por mérito propios.

enchufar v. 1 Referido a un aparato eléctrico, cone tarlo a la red, encajando las dos piezas del enchuf *Enchufa la plancha.* 2 Referido esp. a un tubo o a un pieza, conectarlos o ajustarlos por su extremo otros: *Enchufa la manguera a la boca de riego, q tenemos que regar el césped.* [3 *col.* Referido esp. algo que lanza un chorro de agua o de luz, dirigirlo hacia un punto determinado: '*Enchufa' aquí la lin terna, que no veo nada.* 4 *col.* Referido a una person proporcionarle un empleo o un beneficio por med de influencias y recomendaciones, esp. si dicha per sona no tiene méritos para ello: *En época de crisi aquí no se contrata a nadie, a menos que lo enchuf alguien importante.* □ ETIMOL. De origen onomato péyico.

nchufe s.m. **1** Dispositivo que sirve para conectar un aparato eléctrico a la red y que consta generalmente de una parte fija, colocada en el terminal de a red, y de otra móvil, unida al cable del aparato. **2** Recomendación o influencia para conseguir un empleo o un beneficio sin hacer valer méritos propios.

nchufismo s.m. Práctica o costumbre de conceder empleos o beneficios atendiendo a influencias y recomendaciones, y no a los méritos propios. □ USO Tiene un matiz despectivo.

nchufista s. col. Persona que consigue empleos o beneficios a través de influencias y recomendaciones y no por méritos propios. □ MORF. Es de género común: *el enchufista, la enchufista.* □ USO Tiene un matiz despectivo.

ncía s.f. Tejido que cubre interiormente las mandíbulas y protege la dentadura. □ ETIMOL. Del latín *gingiva.*

ncíclica s.f. En la iglesia católica, carta solemne que el Papa dirige a todos los obispos y fieles, para tratar algún tema que afecta a la religión. □ ETIMOL. Del griego *enkýklios* (circular).

nciclopedia s.f. **1** Obra en la que se expone una gran cantidad de conocimientos sobre una ciencia o materia, o sobre todas ellas. **2** Diccionario en el que, además de las definiciones de los términos de una lengua, se incluye información sobre distintas materias, personajes o lugares; diccionario enciclopédico. □ ETIMOL. Del griego *en kýkloi paidéia* (educación en círculo, panorámica).

nciclopédico, ca adj. De la enciclopedia o relacionado con ella.

nciclopedismo s.m. Conjunto de ideas defendidas por los autores y seguidores de la 'Enciclopedia' (obra francesa publicada en el siglo XVIII), y caracterizadas por su defensa de la razón y la ciencia por encima de la autoridad impuesta y de el dogmatismo religioso.

nciclopedista adj./s. Partidario o seguidor del enciclopedismo. □ MORF. 1. Como adjetivo es invariable en género. 2. Como sustantivo es de género común: *el enciclopedista, la enciclopedista.*

ncierro s.m. **1** Introducción en un lugar, impidiendo la salida fuera de él, esp. si se realiza en señal de protesta o para reclamar un derecho. **2** Lugar en el que se encierra. **3** Fiesta popular en la que los toros son conducidos por un recorrido fijado hasta el lugar en el que se serán lidiados.

ncima adv. **1** En una posición o parte superior, o en una altura más elevada: *El plato está encima de la mesa. Sólo hay dos jefes por encima de ella.* **2** Por si fuera poco: *La comida de ese restaurante es mala y, encima, cara.* **3** Sobre sí o sobre la propia persona: *No sé cómo puedes cargar tantos kilos encima.* [**4** Muy cerca o muy próximo: *¡Ya tenemos 'encima' la fecha del viaje!* **5** ‖**echarse encima** algo; sobrevenir u ocurrir antes de lo que se esperaba o antes de haberse preparado para afrontarlo: *Tienes que estudiar, que los exámenes se echan encima.* ‖**echarse encima de** alguien; acosarlo, asediarlo o acometerlo: *Después de una larga persecución, la policía se echó encima de los ladrones.* ‖ **estar encima de** algo; vigilarlo o atenderlo con mucho cuidado: *Si quieres tener ganancias, tienes que estar encima del negocio.* ‖**por encima de** algo; a pesar de ello o sin tenerlo en consideración:

Llegó a ser lo que quería, pero para ello tuvo que pasar por encima de su familia. ‖**por encima**; referido a la forma de hacer algo, superficialmente o sin profundizar: *Nos explicó el tema muy por encima.* □ ETIMOL. De *en* (preposición) y *cima.* □ ORTOGR. Dist. de *enzima.* □ SINT. Su uso seguido de un adjetivo posesivo es incorrecto: *Siéntate encima {*mío/de mí}.*

encimero, ra ‖ adj. **1** Que está o se pone encima: *sábana encimera.* ‖ s.f. [**2** Superficie plana, generalmente de un material resistente, que cubre la parte superior de los muebles de una cocina formando una especie de mostrador.

encina s.f. **1** Árbol de tronco grueso y corteza grisácea, que se divide en varios brazos que forman una copa grande y redonda, con hojas verdes por el haz y blanquecinas por el envés, y cuyo fruto es la bellota. **2** Madera de este árbol. □ ETIMOL. Del latín *ilicina.* □ SEM. Es sinónimo de *encino.*

encino s.m. →**encina.**

encinta adj. Referido a una mujer, que está preñada; embarazada. □ ETIMOL. Del latín *incinta* (desceñida). □ ORTOGR. Incorr. **en cinta.*

encizañar v. →**cizañar.**

enclaustramiento s.m. **1** Entrada o encierro en un claustro o en un convento, generalmente como religioso. **2** Apartamiento de la vida social, generalmente para llevar una vida retirada.

enclaustrar ‖ v. **1** Meter o encerrar en un claustro o en un convento, generalmente como religioso: *Hoy ya ningún padre enclaustra a su hija si sabe que ésta no tiene vocación. Decidió enclaustrarse y dedicar su vida a la oración.* ‖ prnl. **2** Apartarse de la vida social, generalmente para llevar una vida retirada: *Se ha enclaustrado para preparar la oposición. Cuando le preocupa algo, se enclaustra en sí mismo y no hay quien lo saque de ahí.* □ SEM. Es sinónimo de *inclaustrar.*

enclavado, da adj. Referido a un lugar, que está o situado dentro del área de otro: *El camping está enclavado en uno de los parajes más hermosos de la sierra.*

enclavar v. [Colocar, situar o emplazar: *El museo 'se enclava' en una zona céntrica de la ciudad.*

enclave s.m. Territorio o grupo humano incluidos en otros más extensos y de características diferentes: *Treviño es un enclave burgalés situado en la provincia de Álava.* □ SEM. Dist. de *emplazamiento* (colocación o situación en un lugar).

enclenque adj./s. Débil, enfermizo o muy flaco. □ ETIMOL. De origen incierto. □ PRON. Incorr. **[enkéncle].* □ MORF. 1. Como adjetivo es invariable en género. 2. Como sustantivo es de género común: *el enclenque, la enclenque.*

enclítico, ca adj. En gramática, referido a una partícula o a una parte de la oración, que se une con la palabra precedente, formando con ella una unidad léxica: *pronombres enclíticos.* □ ETIMOL. Del griego *enklitikós* (inclinado).

encocorar v. col. Irritar, fastidiar o molestar en exceso: *¡No te encocores por esas tonterías!* □ ETIMOL. De *cócora* (persona molesta e impertinente).

encofrado s.m. **1** Molde o armazón, generalmente de madera o de metal, que sirve para contener y dar forma al hormigón mientras fragua y se endurece. **2** En una mina o en una galería subterránea, estructura de madera o de metal que actúa como revestimiento y elemento de contención de paredes para evitar el derrumbamiento de éstas.

encofrador, -a s. Persona que se dedica profesionalmente a trabajar con encofrados. □ MORF. La RAE sólo registra el masculino.

encofrar v. **1** Referido esp. a una parte de una construcción, colocar su encofrado para verter en él el hormigón: *Ya han encofrado los pilares de la planta baja.* **2** Referido esp. a una galería de una mina, colocarle un encofrado para contener las tierras: *Están encofrando una parte de la mina como medida de seguridad.* □ ETIMOL. De *cofre.*

encoger ▌ v. **1** Disminuir de tamaño: *El vestido encogió al lavarlo con agua caliente. El cuero se encogió por tenerlo al sol.* **2** Referido al cuerpo o a una de sus partes, recogerlos o retirarlos contrayéndolos: *Encogió las piernas para dejarme pasar. Se encogió de hombros y dio a entender que no sabía nada.* ▌ prnl. **3** Acobardarse o carecer de coraje; arrugarse: *Cuando me gritan, me encojo y no respondo.* □ ETIMOL. De *coger.* □ ORTOGR. La g se cambia en j delante de a, o →COGER.

encogimiento s.m. **1** Disminución de tamaño. **2** Recogimiento o movimiento de contracción del cuerpo o de una de sus partes. **3** Escasez o cortedad de ánimo.

encolado s.m. **1** Operación de pegar con cola. **2** Aplicación de cola en una superficie, generalmente para pegar algo sobre ella o para pintarla al temple.

encolar v. **1** Pegar con cola: *Encoló la pieza rota con cola de contacto.* **2** Referido a una superficie, darle cola, generalmente para pegar algo sobre ella o para pintarla al temple: *Los empapeladores encolaron las paredes para que el papel quede bien fijado.*

encolerizar v. Poner colérico o hacer enfadar mucho: *Se encoleriza cuando alguien le desordena sus papeles.* □ ORTOGR. La z se cambia en c delante de e →CAZAR. □ SEM. Aunque la RAE lo considera sinónimo de *enrabietarse,* en la lengua actual no se usa como tal.

encomendar ▌ v. **1** Referido a una acción, encargar su realización: *He encomendado a mi madre que me solucione las gestiones del banco.* **2** Entregar y poner bajo el cuidado o bajo la responsabilidad de alguien: *Mientras estoy fuera, te encomiendo a mi hijo. Encomendé los documentos a mi abogado. Antes de morir, encomendó su alma a Dios.* ▌ prnl. **3** Confiarse a alguien buscando su protección o su amparo: *Al iniciar un viaje, se encomienda a san Cristóbal, patrón de viajeros y caminantes.* □ ETIMOL. Del latín *commendare* (confiar algo, recomendar). □ MORF. Irreg. →PENSAR.

[encomiable adj. Digno de encomio o elogio. □ MORF. Invariable en género.

encomiar v. Elogiar o alabar encendidamente: *Siempre encomiaré su espíritu de sacrificio.* □ ORTOGR. La i nunca lleva tilde.

encomiástico, ca adj. Que alaba o que contiene alabanza o encomio. □ ETIMOL. Del griego *enkomiastikós.*

encomienda s.f. **1** Encargo de la realización de algo. **2** Durante el imperio colonial español, institución por la que se concedía a un colonizador el tributo o el trabajo de un grupo de indios, a cambio de que se comprometiera a protegerlos y evangelizarlos. **3** Beneficio o renta vitalicia que se concedían sobre

un lugar o territorio. **4** En zonas del español meridi▮ nal, paquete postal.

enconado, da adj. Referido a un enfrentamiento, q▮ es muy violento o encendido.

enconar v. Irritar o enfurecer contra alguien: *T▮ ofensas consiguieron enconarme. Hay que evitar q▮ los ánimos de los que tienen que colaborar se enc▮ nen.* □ ETIMOL. Del latín *inquinare* (manchar, c▮ rromper).

encono s.m. Enemistad o rencor muy arraigad▮ en el ánimo.

encontradizo, za ‖ **hacerse el encontradiz▮** salir al encuentro de otro sin que parezca que se h▮ hecho intencionadamente.

encontrado, da adj. Opuesto, contrario o enfre▮ tado.

encontrar ▌ v. **1** Referido a algo que se busca, h▮ llarlo o dar con ello: *Lo encontré donde me dijis▮ que podría estar. No encuentro la forma de decírse▮ sin que se moleste.* **2** Referido a algo que no se busc▮ descubrirlo o dar con ello inesperadamente: *Me e▮ contré a tus padres en la calle y estuvimos charlan▮ do un rato. Hago la tesis sobre un manuscrito q▮ encontré en la Biblioteca Nacional.* [**3** Considera▮ juzgar o valorar: *No lo 'encuentro' tan interesan▮ como dices.* ▌ prnl. **4** Estar o hallarse en la circun▮ tancia que se indica: *El Museo del Prado se encuentr▮ en Madrid. Me encuentro enfermo y tengo algo d▮ fiebre.* **5** Referido a dos o más personas, reunirse o ju▮ tarse en un mismo lugar: *Si quedamos mañan▮ ¿dónde nos encontramos?* **6** Referido esp. a dos o m▮ actitudes, coincidir o estar de acuerdo: *Perseguimo▮ fines distintos y nuestras formas de ver la vida n▮ se encuentran.* **7** Referido esp. a dos o más actitude▮ oponerse o enfrentarse: *Nos llevamos muy bie▮ aunque en temas religiosos nuestras opiniones se e▮ cuentran.* **8** Coincidir o confluir en un punto: *Esta▮ cuatro calles se encuentran en la plaza de allí abaj▮* **9** ‖ **encontrarse con** algo; descubrirlo o hallarl▮ por sorpresa: *Fui a ver la exposición y me encontr▮ con que el museo estaba cerrado.* □ ETIMOL. Del la▮ tín *in contra.* □ MORF. Irreg. →CONTAR.

encontronazo s.m. col. Choque o golpe violent▮ entre dos cosas que se encuentran.

[encoñarse v.prnl. vulg. Referido a un hombre, ser▮ tirse atraído sexualmente y de forma obsesiva po▮ una mujer.

encopetado, da adj. Que presume demasiado d▮ sí mismo o de su alto copete o linaje.

encorajinar v. Encolerizar o hacer enfadar: *Hiz▮ una pifia conduciendo que encorajinó al conducto▮ del coche de atrás. Me encorajino cuando te veo ha▮ cer el vago de esa manera.* □ ETIMOL. De *carajina*

[encorbatarse v.prnl. col. Ponerse corbata: *'S▮ encorbató' para ir a recoger el premio.*

encordar ▌ v. **1** Referido esp. a un instrumento music▮ o a una raqueta, ponerles las cuerdas: *Llevé la ra▮ queta a encordar y ha quedado como nueva.* ▌ prn▮ **2** En algunos deportes de montaña, atarse a la cuerd▮ de seguridad: *Los alpinistas se encordaron para in▮ ciar el ascenso.* □ MORF. Irreg. →CONTAR.

encorsetar v. [Limitar, oprimir o someter a una▮ normas excesivamente rígidas: *La excesiva cortesí▮ 'encorseta' su espontaneidad.* □ ETIMOL. De *corsé.*

encorvar ▌ v. **1** Doblar dando forma curva; curva▮ *No he podido encorvar la barra de hierro.* ▌ prnl. **2** Referido a una persona, doblarse por la edad o po▮

enfermedad: *A su edad, lo normal es que se vaya encorvando.* ☐ ETIMOL. Del latín *incurvare.*

ncrespar ∎ v. **1** Referido esp. al cabello, rizarlo o hacerle bucles: *El aire encrespó su flequillo. Con la humedad del mar, se me encrespa el pelo.* **2** Referido esp. al pelo o al plumaje, erizarlo por alguna impresión fuerte, esp. por el miedo: *Los gallos de pelea encrespan las plumas del cuello para intimidar al contrario. Al entrar en esa casa deshabitada, se me encrespó el vello.* **3** Enfurecer, irritar o inquietar: *Encrespa a cualquiera con sus impertinencias. Los ánimos se encresparon y la reunión acabó en pelea.* **4** Referido al mar, agitarlo o levantar sus olas; alborotar: *El fuerte viento encrespó el mar.* ∎ prnl. **5** Referido esp. a un asunto, enredarse y dificultarse: *La negociación se encrespó y fue difícil llegar al acuerdo.* ☐ ETIMOL. Del latín *incrispare.* ☐ MORF. La acepción 2 se usa más como pronominal.

ncristalar v. →**acristalar.**

ncrucijada s.f. **1** Lugar en el que se cruzan varios caminos. **2** Situación en la que resulta difícil decidir. **3** Trampa o engaño con intención de hacer daño.

ncuadernación s.f. **1** Operación de coser o unir las hojas que van a formar un libro, y de ponerles una cubierta. **2** Cubierta o tapas que se ponen en esta operación para resguardar las hojas del libro.

ncuadernador, -a s. Persona que se dedica profesionalmente a la encuadernación.

ncuadernar v. Referido a un libro o a las hojas que lo van a formar, coser o unir éstas y ponerles una cubierta: *Voy a encuadernar todas esas fotocopias para que no se me pierda ninguna.*

ncuadrar v. **1** Meter en un cuadro o marco: *Compró un marco dorado para encuadrar el dibujo.* **2** Incluir o encajar dentro de unos límites: *Las luchas sociales del siglo XIX encuadran la protesta sindical. La nueva ley se encuadra en el programa de reforma de la función pública.* ☐ SEM. Es sinónimo de *enmarcar.*

ncuadre s.m. En cine, vídeo y fotografía, espacio que capta en cada toma el objetivo de una cámara.

ncubierto, ta part. irreg. de **encubrir.** ☐ MORF. Incorr. **encubrido.*

ncubridor, -a adj./s. Que encubre.

ncubrimiento s.m. Ocultación que se hace de algo, esp. de un delito, para impedir que quede de manifiesto o que llegue a descubrirse.

ncubrir v. **1** Referido a algo que no se quiere mostrar, ocultarlo o no manifestarlo; celar: *Su sonrisa encubría oscuras intenciones.* **2** Referido esp. a un delincuente o a su delito, esconderlos o impedir que lleguen a descubrirse: *La familia encubrió al asesino la noche del crimen. Fue acusado de encubrir varias estafas.* ☐ MORF. Su participio es *encubierto.*

ncuentro s.m. **1** Coincidencia de dos o más personas en un lugar. **2** Coincidencia en un punto de dos o más cosas, generalmente chocando una contra otra. **3** Reunión o entrevista entre dos o más personas, generalmente para tratar un asunto. **4** Competición deportiva.

ncuesta s.f. **1** Recogida de datos obtenidos mediante la formulación de preguntas a un cierto número de personas sobre un tema determinado, generalmente para conocer el estado de opinión sobre él. [**2** Cuestionario en el que se recogen estas preguntas.] ☐ ETIMOL. Del francés *enquête.*

encuestador, -a s. Persona que realiza encuestas, esp. si ésta es su profesión.

encuestar v. Referido a una persona, interrogarla para una encuesta: *Encuestaron a personas de todas las edades y condiciones para analizar cómo variaba la opinión en función de estas circunstancias.*

encumbramiento s.m. Ensalzamiento o engrandecimiento de una persona, generalmente colocándola en puestos elevados.

encumbrar v. Referido a una persona, ensalzarla o engrandecerla, generalmente colocándola en puestos elevados: *Desconfía de la objetividad de quien sólo encumbra a sus amigos y censura a sus enemigos. Se encumbró hasta la dirección de la empresa por sus propios méritos.* ☐ ETIMOL. De *cumbre.* ☐ SINT. Constr. como pronominal: *encumbrarse {A/ HASTA} un lugar.*

encurtido s.m. Fruto o legumbre que se han conservado en vinagre. ☐ ETIMOL. De *encurtir* (conservar en vinagre). ☐ MORF. Se usa más en plural.

encurtir v. Referido a algunos frutos y hortalizas, meterlos en vinagre para conservarlos: *Encurtimos pepinillos que luego tomamos como aperitivo.* ☐ ETIMOL. De *curtir.*

ende ‖**por ende**; por tanto. ☐ ETIMOL. Del latín *inde* (de allí). ☐ USO Su uso es característico del lenguaje culto.

endeble adj. Débil o escaso de fuerza o de solidez. ☐ ETIMOL. Del latín *indebilis* (flojo). ☐ MORF. **1.** Invariable en género. **2.** Su superlativo es *endeblísimo;* incorr. **endebilísimo.*

endeblez s.f. Debilidad o escasez de fuerza o de solidez.

endecágono, na adj./s.m. En geometría, referido a un polígono, que tiene once lados y once ángulos. ☐ ETIMOL. Del griego *héndeka* (once) y *-gono* (ángulo).

endecasílabo, ba ∎ adj. **1** Con endecasílabos o compuesto por este tipo de versos. ∎ adj./s.m. **2** De once sílabas, esp. referido a un verso. ☐ ETIMOL. Del griego *héndeka* (once) y *syllabé* (sílaba).

endecha s.f. Canción triste o de lamento. ☐ ETIMOL. Del latín *indicta* (cosas proclamadas).

endemia s.f. Enfermedad que afecta a una comunidad de manera habitual o en fechas fijas. ☐ ETIMOL. Del griego *endemía* (que afecta a un país). ☐ SEM. Dist. de *epidemia* (afecta de forma temporal y a gran número de individuos).

endémico, ca adj. **1** Referido esp. a una enfermedad, que afecta a una comunidad de manera habitual o en fechas fijas. **2** Referido esp. a un acto o a un suceso, que está muy extendido o que se repite frecuentemente. **3** Referido a una especie animal o vegetal, que es propia o exclusiva de una zona determinada.

endemoniado, da ∎ adj. **1** col. Sumamente malo, perverso o nocivo; endiablado. ∎ adj./s. **2** Poseído por el demonio; demoniaco, demoníaco.

endemoniar v. **1** Referido a una persona, introducirle demonios en el cuerpo: *Dicen que a ése lo endemoniaron en un ritual satánico.* **2** col. Irritar, enfadar o encolerizar: *Vas a endemoniar a tus padres si les cuentas eso.* ☐ ORTOGR. La *i* nunca lleva tilde. ☐ MORF. En la acepción 2, se usa más como pronominal.

enderechar v. →**enderezar.**

enderezamiento s.m. Modificación de la dirección de algo torcido o inclinado, para ponerlo recto o vertical.

enderezar v. **1** Referido a algo torcido o inclinado, ponerlo recto: *Endereza el alambre para que llegue hasta la pared. Enderézate y no vayas tan encogido.* **2** Corregir, dirigir por buen camino o poner en buen estado: *La nueva directora intentará enderezar la marcha de la empresa. ¡Ya te enderezaré yo a ti, sinvergüenza!* □ ETIMOL. Del antiguo *derezar* (encaminar). □ ORTOGR. La *z* se cambia en *c* delante de *e* →CAZAR. □ SEM. Es sinónimo de *enderechar*.

endeudar v. Llenar de deudas: *Se endeudó para comprar una casa.* □ SINT. La RAE sólo lo registra como pronominal. □ SEM. Es sinónimo de *empeñarse.*

endiablado, da adj. **1** *col.* Sumamente malo, perverso o nocivo; endemoniado. **2** *col.* Que resulta desagradable o desproporcionado.

endiablar v.prnl. *col.* Irritarse, enfadarse o encolerizarse demasiado: *Aguanto mucho pero, cuando me endiablo, pierdo el control.*

endibia s.f. Hortaliza de sabor amargo, de la que se consume el cogollo de hojas puntiagudas, lisas y blanquecinas. □ ETIMOL. De origen incierto. □ ORTOGR. Se admite también *endivia.*

endilgar v. *col.* Referido a algo que supone una carga o una molestia, hacer que alguien lo acepte o se haga cargo de ello; colocar, endosar: *Cuando no están mis padres en casa, mi hermana me endilga las tareas más desagradables.* □ ETIMOL. De origen incierto. □ ORTOGR. La *g* se cambia en *gu* delante de *e* →PAGAR.

endiñar v. *col.* Referido esp. a un golpe, darlo o propinarlo: *Le endiñó tal bofetón, que lo tiró al suelo.* □ ETIMOL. De origen gitano.

endiosamiento s.m. Altivez o soberbia exageradas.

endiosar ∎ v. **1** Elevar a la categoría de dios: *Más que admirarlos, endiosa a sus ídolos deportivos.* ∎ prnl. **2** Referido a una persona, volverse altiva, soberbia o vanidosa: *Tantos premios terminarán por endiosarlo. Se ha endiosado y se cree superior a los demás.*

endivia s.f. →endibia.

endo- Elemento compositivo que significa 'dentro de' o 'en el interior': *endovenoso, endoscopia, endoesqueleto, endosfera.* □ ETIMOL. Del griego *éndon.*

endocardio s.m. En anatomía, tejido que tapiza las cavidades del corazón. □ ETIMOL. De *endo-* (dentro de, en el interior) y el griego *kardía* (corazón). □ ORTOGR. Dist. de *endocarpio.*

endocarpio o **[endocarpo** s.m. En botánica, en un fruto carnoso, parte más interna del pericarpio o envoltura externa: *En el melocotón, el endocarpio es el hueso.* □ ETIMOL. De *endo-* (dentro de, en el interior) y el griego *karpós* (fruto). □ ORTOGR. Dist. de *endocardio.*

endocrino, na ∎ adj. **1** De las hormonas o relacionado con estas sustancias o con las glándulas que las producen. ∎ s. **[2** →endocrinólogo. □ ETIMOL. De *endo-* (dentro de, en el interior) y el griego *kríno* (yo separo).

endocrinología s.f. Parte de la medicina que estudia las glándulas endocrinas, la naturaleza de las sustancias que segregan y el efecto que éstas producen en el organismo. □ ETIMOL. De *endocrino* y *-logía* (estudio).

endocrinológico, ca adj. De la endocrinología o relacionado con esta parte de la medicina.

endocrinólogo, ga s. Médico especialista en en-docrinología. □ MORF. Se usa mucho la forma abr[e]viada *endocrino.*

endodoncia s.f. **[1** Parte de la odontología qu[e] estudia las enfermedades de la pulpa de los diente[s] **2** Tratamiento de estas enfermedades: *Me han h[e]cho una endodoncia para matarme el nervio d[el] diente.* □ ETIMOL. De *endo-* (dentro) y el griego *odu[s]* (diente).

endogamia s.m. **1** En biología, cruce entre indiv[i]duos que pertenecen a un mismo grupo, aislado d[e] otras poblaciones de la misma especie. **2** Práctic[a] social consistente en contraer matrimonio persona[s] que tienen una ascendencia común o que son na[-]turales de una población o de una comarca pequ[e]ñas. □ ETIMOL. De *endo-* (dentro de) y el grieg[o] *gaméo* (me caso).

endogámico adj. De la endogamia o relacionad[o] con este comportamiento.

endometrio s.m. Capa mucosa que recubre el i[n]terior de la cavidad uterina. □ ETIMOL. De *end[o-]* (dentro de) y el griego *métra* (matriz).

endomingarse v.prnl. Vestirse o arreglarse co[n] la ropa de fiesta: *Se ha endomingado para ir al te[a]tro.* □ ORTOGR. La *g* se cambia en *gu* delante de [*e*] →PAGAR.

endosar v. **1** *col.* Referido a algo que supone una ca[r]ga o una molestia, hacer que alguien lo acepte o s[e] haga cargo de ello; colocar, endilgar: *¡Siempre m[e] endosan a mí lo que no quiere hacer nadie!* **2** Ref[e]rido a un documento de crédito, cederlo su titular e[n] favor de otro, haciéndolo constar en el dorso: *Al en[-]dosar un cheque, el titular tiene que firmar por de[-]trás.* □ ETIMOL. Del francés *endosser.*

endoscopia s.f. En medicina, exploración visual de[l] interior de una cavidad corporal o de un órgan[o] hueco, mediante un endoscopio. □ ETIMOL. De *endo[-]* (dentro de) y *-scopia* (exploración).

endoscopio s.m. En medicina, instrumento óptic[o] generalmente en forma de tubo, dotado de un sis[-] tema de iluminación y que se utiliza para ver e[l] interior de una cavidad corporal o de un órgan[o] hueco. □ ETIMOL. De *endo-* (dentro de) y *-scopi[o]* (instrumento para ver).

[endosfera s.f. Capa más interna de la Tierra, s[i]tuada bajo la mesosfera y compuesta posiblement[e] por hierro y níquel.

endovenoso, sa adj. Que se localiza, se aplica [o] ocurre en el interior de una vena; intravenoso. □ [.] ETIMOL. De *endo-* (dentro de) y *venoso.*

endrina s.f. Fruto del endrino, de pequeño tamañ[o] de color negro azulado y forma redondeada, que tie[-]ne un sabor áspero y que se utiliza para aromatiza[r] algunos licores. □ ETIMOL. Del latín *ater* (negro).

endrino s.m. Arbusto de hojas alargadas de colo[r] verde mate, con flores blancas y espinas en las ra[-]mas, y cuyo fruto es la endrina: *El endrino es u[n] tipo de ciruelo.*

endrogar v. *col.* En zonas del español meridional, en[-]deudar. □ ORTOGR. La *g* se cambia en *gu* delant[e] de *e* →PAGAR.

endulzar v. **1** Poner dulce o quitar el sabor amar[-]go: *Endulza el café con un poco de azúcar. Metió l[a] fruta en almíbar para que se endulzara.* **2** Referid[o] a algo desagradable, suavizarlo o hacerlo más lleva[-]dero: *Las visitas de su familia endulzan su estanci[a] en el hospital.* □ ORTOGR. La *z* se cambia en *c* de[-]lante de *e* →CAZAR.

81 enfatizar

endurecedor s.m. Producto que sirve para endurecer.

endurecer v. 1 Poner duro: *El aire ha endurecido el pan y no hay quien lo coma. Si la arcilla se endurece, no podrás modelarla.* 2 Referido a un cuerpo o a una de sus partes, robustecerlos o acostumbrarlos a la fatiga: *Ir en bicicleta endurece las piernas. El cuerpo se endurece con el ejercicio físico.* 3 Hacer severo o exigente: *Las dos partes endurecieron sus posturas y acabaron rompiendo las negociaciones. La profesora se ha endurecido y suspende a mucha gente.* 4 Volver cruel, riguroso o insensible: *Las desgracias que se sufren endurecen el corazón. La vida me ha endurecido y ya no lloro por nada.* □ MORF. Irreg. →PARECER.

endurecimiento s.m. 1 Transformación por la que algo adquiere mayor dureza. 2 Fortalecimiento del cuerpo o de una de sus partes. 3 Obstinación, tenacidad o aumento de exigencia o de rigor.

ene s.f. Nombre de la letra *n*.

enea s.f. Planta de tallos cilíndricos y sin nudos, hojas largas y estrechas y flores en forma de espiga vellosa, que crece en lugares pantanosos: *Las hojas de la enea se usan para fabricar cestos y sillas.* □ ORTOGR. Se admite también *anea*. □ USO Aunque la RAE prefiere *anea*, se usa más *enea*.

eneágono, na adj./s.m. En geometría, referido a un polígono, que tiene nueve lados y nueve ángulos; nonágono. □ ETIMOL. Del griego *enneá* (nueve) y -*gono* (ángulo).

eneal s.m. Terreno poblado de eneas.

eneasílabo, ba adj./s.m. De nueve sílabas, esp. referido a un verso. □ ETIMOL. Del griego *enneá* (nueve) y *syllabé* (sílaba).

enebrina s.f. Fruto del enebro, muy pequeño, de forma ovalada o redondeada y de color negro azulado: *La enebrina se usa en la fabricación de ginebra.*

enebro s.m. 1 Arbusto conífero, de abundantes ramas y copa espesa, hojas en grupos de tres, rígidas y punzantes, flores en espigas y de color pardo rojizo, que tiene por fruto bayas esféricas y cuya madera es fuerte, rojiza y olorosa; junípero. 2 Madera de este arbusto. □ ETIMOL. Del latín *iiniperus*. □ ORTOGR. Dist. de *enhebro* (del verbo *enhebrar*).

eneldo s.m. Planta herbácea de tallo ramoso, flores amarillas y semillas planas, que se usa como condimento y para infusiones digestivas.

enema s.m. 1 Líquido que se introduce en el recto a través del ano, generalmente con fines terapéuticos o laxantes, o para facilitar una operación de diagnóstico. 2 Instrumento manual que se utiliza para aplicar este líquido. 🔬 medicamento □ ETIMOL. Del latín *enema*, éste del griego *énema*, y éste de *eníemi* (yo echo adentro, yo inyecto). □ ORTOGR. Dist. de *edema*. □ SEM. Es sinónimo de *lavativa* y de *ayuda*.

enemigo, ga ∎ adj. 1 Que se opone a algo; contrario. ∎ s. 2 Respecto de una persona, otra que tiene inclinación desfavorable hacia ella o que le desea o hace algún mal. ∎ s.m. 3 En una guerra, bando contrario. □ ETIMOL. Del latín *inimicus*. □ SINT. Constr. de la acepción 1: *enemigo DE algo*.

enemistad s.f. Aversión u odio entre personas. □ ETIMOL. Del latín *inimicitas*.

enemistar v. Referido esp. a dos o más personas, convertirlas en enemigas o hacer que pierdan su amistad: *El reparto de la herencia enemistó a los herederos. Los dos países se enemistaron por disputas territoriales.*

eneolítico, ca ∎ adj. 1 Del eneolítico o relacionado con esta etapa prehistórica. ∎ adj./s.m. 2 Referido a una etapa del neolítico, que es la última de este período y que se caracteriza por el uso de útiles de piedra pulimentada, de cobre y de otros metales. □ ETIMOL. Del latín *aeneus* (de bronce) y el griego *lithikós* (de piedra). □ SEM. Es sinónimo de *calcolítico*.

energético, ca adj. 1 De la energía o relacionado con ella. 2 Que produce energía.

energía s.f. 1 Eficacia o poder para obrar: *Está enfermo y no tiene energía para moverse.* 2 Fuerza de voluntad, vigor y tesón para llevar a cabo una actividad: *La oradora habló con energía.* 3 En física, causa capaz de transformarse en trabajo mecánico. □ ETIMOL. Del latín *energia*, y éste del griego *enérgeia* (fuerza en acción).

enérgico, ca adj. Con energía o relacionado con ella.

energúmeno, na s. Persona furiosa, alborotada o sin educación. □ ETIMOL. Del griego *energúmenos* (influido por un mal espíritu).

enero s.m. Primer mes del año, entre diciembre y febrero. □ ETIMOL. Del latín *ienuarius*.

[enervante] adj. Que enerva. □ MORF. Invariable en género.

enervar v. 1 Poner nervioso: *La falta de puntualidad me enerva.* 2 Debilitar o quitar las fuerzas: *La fiebre alta enerva al enfermo. Después de varios días en huelga de hambre, sus músculos empezaban a enervarse.* □ ETIMOL. Del latín *enervare*.

enésimo, ma adj. 1 Que se ha repetido un número indeterminado de veces. 2 En matemáticas, que ocupa un lugar indeterminado en una serie: *enésima potencia.* □ ETIMOL. De *ene* (cantidad indeterminada). y -*ésimo* (terminación numeral).

enfadar v. Causar o sentir enfado: *Si llegas tarde, enfadarás a tus padres. Se enfada cuando las cosas no salen como él quisiera.* □ ETIMOL. Quizá del gallegoportugués *fado* (destino, esp. el desfavorable).

enfado s.m. Enojo o disgusto, generalmente contra alguien.

enfadoso, sa adj. Que causa enfado.

enfangar ∎ v. 1 Cubrir de fango o meter en él: *La inundación ha enfangado la ciudad. Al meterse en la charca, se enfangó las botas.* ∎ prnl. 2 col. Mezclarse en actividades o negocios sucios: *Me contó que se había enfangado en un negocio ilegal y que la policía le seguía los pasos.* □ ORTOGR. La g se cambia en *gu* delante de *e* →PAGAR.

énfasis s.m. 1 Fuerza en la expresión o en la entonación para realzar lo que se dice. **[2** Intensidad, relieve o importancia que se conceden a algo.** □ ETIMOL. Del latín *emphasis*, y éste del griego *émphasis* (demostración, explicación). □ MORF. Invariable en número.

enfático, ca adj. Que se expresa con énfasis, que lo denota o que lo implica.

enfatizar v. 1 Destacar o resaltar poniendo énfasis: *La alcaldesa enfatizó los esfuerzos que estaba llevando a cabo la corporación.* 2 Expresarse con énfasis: *Los actores tienen que aprender a enfatizar cuando declaman un texto.* □ ORTOGR. La z se cambia en *c* delante de *e* →CAZAR.

[*enfebrecido, da* adj. *col.* Muy entusiasmado o exaltado.

enfermar v. Poner o ponerse enfermo: *Cuando enferma de la garganta, se queda completamente afónico. Enfermaron los frutales y apenas recogimos fruta. Intento ser paciente con los niños, pero me enferman sus pataletas.* ☐ MORF. En zonas del español meridional se usa como pronominal.

enfermedad s.f. **1** En un ser vivo, alteración de su buena salud. **2** Lo que daña o altera el estado o el buen funcionamiento de algo. **3** ‖ [(**enfermedad de) Alzheimer**; atrofia cerebral que da lugar a un tipo de demencia senil. ☐ ETIMOL. Del latín *infirmitas.* ☐ PRON. Enfermedad de [alsáimer] o [alzéimer].

enfermería s.f. **1** Lugar o dependencia donde se atiende a enfermos y heridos, esp. donde se prestan primeros auxilios. [**2** Conjunto de disciplinas básicas relacionadas con la asistencia a enfermos y heridos. ☐ SEM. En la acepción 1, dist. de *botiquín* (lugar o recipiente donde se guarda lo necesario para prestar primeros auxilios).

enfermero, ra s. Persona que se dedica profesionalmente a la asistencia de enfermos y heridos, esp. la que actúa como ayudante del médico.

enfermizo, za adj. **1** Que tiene poca salud o que enferma con frecuencia. **2** Capaz de causar enfermedades. **3** Propio de un enfermo.

enfermo, ma adj./s. Que padece una enfermedad o un trastorno patológico. ☐ ETIMOL. Del latín *infirmus* (débil, endeble).

enfervorizar v. **1** Despertar un entusiasmo o un interés intensos: *En sus discursos sabía enfervorizar al auditorio. El público se enfervorizaba cuando su ídolo salía al escenario.* **2** Infundir fervor o devoción religiosos: *El sermón del sacerdote enfervorizó a los fieles.* ☐ ORTOGR. La *z* se cambia en *c* delante de *e* →CAZAR.

enfilar v. **1** Referido a un camino o a un punto de llegada, tomar su dirección: *El corredor enfiló la última recta con decisión. El barco se enfiló hacia alta mar.* **2** Dirigir u orientar: *Cuando se cansó de vagar, enfiló sus pasos hacia su casa.* **3** Referido a un punto, ponerlo en línea con el punto de vista: *Para apuntar, enfila la mira de la escopeta y el blanco y, después, dispara.* [**4** col. Referido a una persona, tomarle gran antipatía o ponerse en contra suya: *El jefe me 'enfiló' el primer día y me hace la vida imposible.*

enfisema s.m. Infiltración gaseosa en el tejido pulmonar, en el celular o en la piel. ☐ ETIMOL. Del griego *emphýsema* (hinchazón).

enflaquecer v. **1** Poner flaco o más delgado: *Desde que empezó el régimen, ha enflaquecido mucho. La enfermedad y los disgustos me han hecho enflaquecer.* **2** Debilitar o perder fuerza: *Su voluntad fue enflaqueciendo con los años.* ☐ MORF. Irreg. →PARECER.

enflaquecimiento s.m. **1** Disminución o pérdida de peso. **2** Debilidad o pérdida de fuerza.

enfocar v. **1** Referido a una imagen, hacer que se vea clara y nítidamente: *Antes de hacer la foto, enfoca la imagen en el visor de la cámara.* **2** Referido a un cuerpo o a un lugar, proyectar sobre ellos un haz de luz: *El vigilante nos enfocó con la linterna.* **3** Referido a un asunto, plantearlo o estudiarlo: *No eres capaz de solucionar el problema porque no lo enfocas*

bien. ☐ ORTOGR. *La c se cambia en qu delante de* →SACAR.

enfoque s.m. **1** Ajuste de una imagen para que se vea de forma clara y nítida. **2** Planteamiento o estudio de un asunto.

enfoscado s.m. **1** Capa de una masa compuesta principalmente por arena, conglomerante y agu con la que se reviste un muro. **2** Revestimiento d un muro con esta masa.

enfoscar ‖ v. **1** Referido a un muro, revestirlo co una masa formada principalmente con arena, con glomerante y agua: *Han venido los albañiles a en foscar las paredes del edificio.* ‖ prnl. **2** Referido cielo, cubrirse de nubes: *El cielo se ha enfoscado.* ☐ ETIMOL. Del latín *fuscus* (oscuro). ☐ ORTOGR. La se cambia en *qu* delante de *e* →SACAR.

enfrascar ‖ v. **1** Meter en frascos: *Enfrasco lo tomates para hacer conservas.* ‖ prnl. **2** Dedicars con mucha intensidad o atención a una actividad *Cuando se enfrasca en el trabajo, no oye nada.* ☐ ETIMOL. La acepción 1, de *frasco.* La acepción 2, qu zá del italiano *infrascarsi* (internarse en la vegeta ción, enredarse). ☐ ORTOGR. La *c* se cambia en *q* delante de *e* →SACAR. ☐ SINT. Constr. de la acepció 2: *enfrascarse EN algo.*

enfrentamiento s.m. Lucha o discusión.

enfrentar v. **1** Poner frente a frente: *Ese asunt ha enfrentado a los dos amigos. Si enfrentas do espejos, se reflejarán uno en otro infinitas veces.* Hacer frente, desafiar u oponerse: *Los púgiles se er frentarán mañana. Me enfrenté a él y le exigí lo qu era mío.* ☐ SINT. Constr. de la acepción 2: *enfren tarse {A/CON} algo.* ☐ SEM. No debe usarse con e significado de 'afrontar': *El Gobierno {*enfrenta afronta} una difícil situación.*

enfrente adv. **1** En la parte opuesta o en la part que está delante: *Vivo enfrente del colegio. Estuv jugando con mis vecinos de enfrente.* **2** En contra en lucha: *No quiero tener enfrente a una person tan poderosa.* ☐ ORTOGR. Se admite también e *frente.* ☐ SINT. Su uso seguido de un adjetivo po sesivo es incorrecto: *Está enfrente {*tuyo > de ti}.*

enfriamiento s.m. **1** Disminución de la tempera tura. **2** Disminución de la intensidad, la actividad o la fuerza. **3** Catarro o enfermedad ligeros ocasi nados por frío.

enfriar ‖ v. **1** Disminuir o hacer que disminuya l temperatura: *Puso el café en la ventana para en friarlo. Si tardas, se te enfriará la sopa.* **2** Referid esp. a un sentimiento, disminuir su intensidad o s fuerza: *La distancia no enfrió su amistad. A travé de la política monetaria el Gobierno está intentand enfriar la economía.* **3** Referido esp. a una person templar o suavizar su pasión: *El gol del contrari enfrió al equipo. El espectáculo era tan monótonc que el público se iba enfriando.* ‖ prnl. **4** Acata rrarse o ponerse enfermo debido al frío: *Me empap con la lluvia y me he enfriado.* ☐ ETIMOL. Del latí *infrigidare.* ☐ ORTOGR. La *i* lleva tilde en los pre sentes, excepto en las personas *nosotros* y *vosotro* →GUIAR.

enfundar ‖ v. **1** Meter en una funda: *Después d la pelea, enfundó el arma y se fue.* ‖ prnl. [**2** Referid a una prenda de vestir, esp. si es ajustada, ponérsela cubrirse con ella: *El día de la fiesta, 'se enfundc unos guantes hasta el codo.*

enfurecer ‖ v. **1** Poner furioso: *Tu falta de pun*

tualidad *me enfurece. Cuando lo echaron del equipo, se enfureció.* ▮ prnl. **2** Alborotarse, agitarse o alterarse, esp. referido al mar: *Con la tormenta, el mar se enfureció.* ☐ MORF. Irreg. →PARECER.

enfurecimiento s.m. Irritación o agitación muy grandes.

enfurruñamiento s.m. *col.* Enfado ligero.

enfurruñarse v.prnl. *col.* Enfadarse un poco: *Cuando se enfurruña, frunce el ceño.* ☐ ETIMOL. Quizá del francés antiguo *enfrogner* (poner mala cara).

engalanar v. Adornar o embellecer, generalmente de forma vistosa y con la intención de agradar: *Para las fiestas del pueblo engalanan las calles. Se engalanó con su mejor traje para ir al concierto.*

engallarse v.prnl. Adoptar una actitud arrogante o retadora: *Se engalló conmigo porque le llevé la contraria.* ☐ ETIMOL. De *gallo.*

[enganchada s.f. *col.* Discusión, riña o pelea, esp. si se llega al enfrentamiento físico.

enganchar ▮ v. **1** Agarrar o prender con un gancho u objeto semejante, o colgar de ellos: *El vagón se enganchó a la locomotora. Los corchetes de la blusa no enganchaban bien.* **[2** *col.* Coger o atrapar: *Huyó, pero la policía lo volvió a 'enganchar' enseguida.* **3** Referido esp. a un caballo, sujetarlo al carruaje para que tire de él: *El cochero enganchó caballos frescos para continuar el viaje.* **4** En tauromaquia, referido esp. a una persona, cogerla el toro y levantarla con los cuernos: *En un descuido del banderillero, lo enganchó el toro y lo volteó.* **5** *col.* Referido a una persona, atraerla o ganarse su afecto o su voluntad: *Su única obsesión es enganchar un novio rico.* **[6** *col.* Referido esp. a una enfermedad, contraerla o adquirirla: *Este invierno 'enganché' un resfriado que me duró dos semanas.* ▮ **[7** Hacerse adicto o aficionarse mucho: *'Se enganchó' a la heroína muy joven.* **8** Alistarse voluntariamente como soldado: *Se enganchó en infantería cuando terminó el bachillerato.* ☐ SINT. Constr. de la acepción 7: 'engancharse' A algo.

enganche s.m. **1** Agarre que se hace por medio de un gancho o de un objeto semejante. **2** Colocación de un animal de tiro, sujetándolo al carruaje del que ha de tirar. **[3** *col.* Adición o afición desmedida. **4** Alistamiento como soldado. **5** Pieza o mecanismo que sirve para enganchar.

enganchón s.m. Desgarrón o roto producidos por un enganche.

engañabobos ▮ s. **1** *col.* Persona que engaña a otra aprovechándose de su ingenuidad para obtener un beneficio. ▮ s.m. **2** Lo que engaña con su apariencia. ☐ MORF. 1. Invariable en número. 2. En la acepción 1, es de género común: *el engañabobos, la engañabobos.* 3. En la acepción 2, la RAE lo registra como sustantivo de género común.

engañar ▮ v. **1** Referido a una persona, hacerle creer como cierto algo que no lo es: *Me juró que me quería, pero ahora veo que me engañaba.* **2** Producir una ilusión o una falsa impresión: *La cuesta parece suave, pero engaña. El balón llevaba tal efecto que engañó al portero.* **3** Referido esp. a una necesidad, distraerla o calmarla momentáneamente: *Tomamos un aperitivo para engañar el hambre.* **4** Referido a una persona, ganar su voluntad mediante halagos y mentiras para conseguir algo; engatusar: *A ver a quién engaño para que me regale este caprichito.* **5** Referido

a un compañero sentimental, serle infiel: *Su marido la engañaba con otra mujer.* ▮ prnl. **6** No querer reconocer la verdad, por resultar más grata la mentira: *Deja de engañarte a ti mismo y admite que no vales para eso.* **7** Equivocarse o no acertar: *Me engañé contigo cuando te creí una persona de confianza.* ☐ ETIMOL. Del latín **ingannare* (escarnecer, burlarse de alguien).

engañifa s.f. Engaño artificioso con apariencia de utilidad.

engaño s.m. **1** Falta de verdad en algo para que no parezca falso. **2** Ilusión o falsa impresión. **3** Distracción o calma momentánea de una necesidad. **4** Obtención de la voluntad de alguien mediante mentiras o falsedades. **5** Infidelidad sentimental. **6** Equivocación o falta de acierto. **[7** Lo que sirve para engañar. **8** En tauromaquia, muleta o capa que utiliza el torero para que el toro embista.

engañoso, sa adj. Que engaña o da ocasión a engañarse.

engarce s.m. **1** Unión de una cosa con otra para formar una cadena. **2** Encaje o introducción de un objeto en otro, esp. de una piedra preciosa en una montura de metal. **3** Montura o armadura de metal que rodea y asegura la piedra preciosa engarzada. ☐ SEM. En las acepciones 2 y 3, es sinónimo de *engaste.*

engarrotar v. En zonas del español meridional, agarrotar.

engarzar v. **1** Referido a una cosa, unirla con otra u otras para formar una cadena: *Está engarzando eslabones para hacerse una pulsera. Los nervios me impedían engarzar ordenadamente las ideas.* **2** Referido esp. a una piedra preciosa, encajarla en una superficie; engastar: *Encargó que le engarzaran un rubí en el anillo.* ☐ ETIMOL. Quizá del mozárabe **engarar*, y éste del latín *incastrare* (insertar). ☐ ORTOG. La *z* cambia en *c* delante de *e* →CAZAR.

engastar v. Referido esp. a una piedra preciosa, encajarla en una superficie; engarzar: *La joyera engastó pequeños diamantes en la diadema.* ☐ ETIMOL. Del latín **incastrare* (insertar, articular).

engaste s.m. **1** Encaje o introducción de un objeto en otro, esp. de una piedra preciosa en una montura de metal. **2** Montura o armadura de metal que rodea y asegura la piedra preciosa engastada. ☐ SEM. Es sinónimo de *engarce.*

engatillarse v.prnl. Referido a un arma de fuego portátil, fallarle el mecanismo de disparo o atascársele: *Cuando fue a disparar se le engatilló el fusil.*

engatusamiento s.m. *col.* Utilización del halago y de la mentira para ganar la voluntad y la confianza de una persona.

engatusar v. *col.* Referido a una persona, ganar su voluntad mediante halagos y mentiras para conseguir algo; engañar: *No te dejes engatusar por ese liante.* ☐ ETIMOL. Quizá del antiguo *engaratusar*, por influencia de *engatar* (engañar con halagos).

engendrar v. **1** Referido a un ser humano o animal, producirlos un ser de su misma especie por medio de la reproducción: *Mi abuela engendró nueve hijos.* **2** Causar u originar: *Las guerras engendran odio.* ☐ ETIMOL. Del latín *ingenerare* (hacer nacer, crear).

engendro s.m. **1** Persona muy fea. **2** Plan u obra intelectual absurdos o mal concebidos. ☐ USO Es despectivo.

englobar v. Referido a una o a varias cosas, incluirlas

o considerarlas reunidas en una sola: *Esta cantidad engloba todos los gastos de la semana.*

engolado, da adj. **1** Referido al modo de hablar, que es exageradamente grave o enfático. **2** Referido a una persona, que es engreída o presuntuosa.

engolamiento s.m. **1** Seriedad o énfasis excesivos que se muestran en el habla o en la actitud. **2** Dotación de resonancia gutural a la voz.

engolar v. Referido a la voz, darle resonancia gutural: *Algunos cantantes de ópera engolan la voz.*

engolosinar ∎ v. **1** Referido a una persona, despertarle el deseo con algo atractivo: *No le gusta su trabajo pero le engolosina el sueldo.* ∎ prnl. **2** Aficionarse a algo o tomar gusto por ello: *Se engolosinó con los sellos y tiene una colección enorme.* □ ETIMOL. De *golosina.*

engomar v. Untar de cola o de pegamento: *Antes de colocar el papel, engómalo bien para que no se despegue.*

engominarse v.prnl. Darse gomina o fijador de cabello: *Se engominó para que no se le deshiciera el peinado.*

[engordaderas s.f.pl. *col.* Granos pequeños que les salen en la cara a los bebés que se alimentan sólo de leche.

engordar v. **1** Cebar o dar de comer mucho para poner gordo: *Estoy engordando los pavos para el día de Navidad.* **2** Aumentar mucho de peso o ponerse gordo: *En vacaciones siempre engordo un poco.* **[3** Aumentar o hacer crecer para dar una apariencia mejor o más importante: *La periodista 'engordó' una noticia de escasa importancia.*

engorde s.m. Alimentación excesiva de un animal para engordarlo.

engorro s.m. Fastidio, impedimento o molestia. □ ETIMOL. Del antiguo *engorrar* (fastidiar, ser molesto).

engorroso, sa adj. Que resulta fastidioso, molesto o difícil.

[engrampadora s.f. En zonas del español meridional, grapadora.

[engrampar v. En zonas del español meridional, grapar.

engranaje s.m. **1** Encaje entre sí de los dientes de varias piezas dentadas. **2** Enlace o trabazón de ideas, de circunstancias o de hechos. **3** Sistema de piezas dentadas que engranan entre sí. **4** Conjunto de los dientes de este sistema de piezas. **[5** Conjunto de los elementos de un grupo y de las relaciones que tienen entre sí: *El 'engranaje' político del Gobierno está empezando a fallar.*

engranar v. **1** Referido esp. a dos o más piezas dentadas, encajar los dientes de una en los de la otra: *El reloj no funciona porque las ruedas de su mecanismo no engranan bien.* **2** Referido esp. a dos o más ideas, enlazarlas y relacionarlas entre sí: *Supo engranar las ideas de su exposición brillantemente.* □ ETIMOL. Del francés *engrener.*

engrandecer v. **1** Hacer grande o más grande: *La nueva disposición de los muebles engrandece el salón. Su fama se engrandeció tras conseguir el premio Nobel.* **2** Exaltar o elevar a una categoría o dignidad superiores: *La historia de la humanidad se ha engrandecido con vuestras hazañas.* □ MORF. Irreg. →PARECER.

engrandecimiento s.m. **1** Aumento del tamaño

de algo. **2** Exaltación o elevación a una categoría superior.

engrapadora s.f. En zonas del español meridional, grapadora.

engrapar v. En zonas del español meridional, grapar.

engrasar v. Untar con grasa, con aceite o con otra sustancia lubricante, generalmente para disminuir el rozamiento: *Engrasó las bisagras de la puerta para que no chirriaran.*

engrase s.m. Aplicación de aceite o de otra sustancia lubricante para disminuir el rozamiento.

engreído, da adj./s. Referido a una persona, que está demasiado convencida de su valía. □ MORF. La RAE sólo lo registra como adjetivo.

engreimiento s.m. Envanecimiento u opinión excesivamente orgullosa de uno mismo.

engreír v. **1** Infundir soberbia, vanidad o presunción; envanecer: *Las continuas alabanzas le han engreído. Muchos que empiezan a conseguir triunfos acaban por engreírse.* **2** En zonas del español meridional, malcriar. □ ETIMOL. Del antiguo *encreerse*, y éste de *creer* (creerse superior). □ MORF. Irreg. →REÍR.

[engripado, da adj. En zonas del español meridional, griposo.

engrosar v. Aumentar o hacer más numeroso: *Recibiremos refuerzos para engrosar nuestras filas. Los fondos de la biblioteca se han engrosado con numerosas donaciones.* □ MORF. 1. Irreg. →CONTAR. 2. Puede usarse también como regular.

engrudo s.m. Masa pegajosa, hecha generalmente con harina o con almidón cocidos en agua, y que se usa para pegar papeles y otras cosas ligeras. □ ETIMOL. Del latín *glus* (cola, goma).

enguachinar v. Llenar de agua o mezclar con mucha agua: *El café que preparas no sabe a nada porque lo enguachinas.*

enguantar v. Referido a una mano, cubrirla con un guante: *El caballero se enguantó al subir al caballo.*

[enguarrar v. *col.* Ensuciar o emborronar: *No borres tanto porque estás 'enguarrando' el dibujo.*

engullir v. Tragar con ansia y sin masticar: *En cinco minutos, engulló toda la comida y se fue.* □ ETIMOL. Del latín *gula* (garganta). □ MORF. Irreg. →PLAÑIR.

engurruñar v. Arrugar o encoger: *Le sentó tan mal la carta, que la engurruñó y la tiró. Guarda bien el cheque, que si se engurruña no sirve.*

enharinar v. Manchar o cubrir de harina: *Antes de freír el pescado, tienes que enharinarlo.*

enhebrar v. **1** Referido esp. a una aguja o a una cuenta, pasar una hebra por su agujero: *No veo bien y no puedo enhebrar la aguja.* **2** *col.* Referido esp. a una serie de dichos o de ideas, encadenarlos o enlazarlos sin orden; ensartar: *A lo largo de toda la conversación, fue enhebrando mentira tras mentira.*

enhiesto, ta adj. Levantado o derecho. □ ETIMOL. Quizá del latín *infestus* (levantado).

enhorabuena ∎ s.f. **1** Manifestación de la satisfacción que alguien siente por algún suceso feliz que le ha ocurrido a otra persona; felicitación. ∎ adv. **2** Con bien o con felicidad: *Los invitados decían al recién casado: –¡Que sea enhorabuena!* □ ORTOGR. Como adverbio, admite también las formas *en hora buena* y *en buena hora.* □ SEM. Es sinónimo de *norabuena.* □ USO La acepción 1 se usa para expresar una felicitación: *¡Enhorabuena por tu aprobado!*

enigma s.m. Lo que resulta difícil de entender o de interpretar. ☐ ETIMOL. Del latín *aenigma*, y éste del griego *áinigma* (frase equívoca u oscura).

enigmático, ca adj. Que encierra un enigma o que resulta difícil de comprender.

enjabonado s.m. o **enjabonadura** s.f. Aplicación de jabón y de agua para lavar o limpiar. ☐ SEM. Es sinónimo de *jabonada, jabonado y jabonadura*.

enjabonar v. Lavar o limpiar con jabón y agua; jabonar: *Aclara bien la ropa después de enjabonarla.* ☐ USO Aunque la RAE prefiere *jabonar*, se usa más *enjabonar*.

enjaezar v. Referido a una caballería, ponerle los jaeces o adornos: *Enjaezó su yegua alazana para ir a la feria.* ☐ ORTOGR. La *z* se cambia en *c* delante de *e* →CAZAR.

enjalbegar v. Referido a una pared, blanquearla con cal, yeso o tierra blanca; jalbegar: *En las ciudades andaluzas, es una tradición enjalbegar las paredes exteriores de las casas.* ☐ ETIMOL. Del latín **exalbicare* (blanquear). ☐ PRON. Incorr. **[enjabelgar].* ☐ ORTOGR. La *g* se cambia en *gu* delante de *e* →PAGAR.

enjalma s.f. Especie de aparejo o almohadilla rellena de paja que se coloca en el lomo de la caballería de carga. ☐ ETIMOL. Del latín *salma*.

enjambre s.m. 1 Conjunto de abejas con su reina, que salen juntas de la colmena para formar otra nueva. 2 Conjunto numeroso de personas, animales o cosas que van juntos. ☐ ETIMOL. Del latín *examen*.

enjaretar v. 1 Referido a una cinta o a un cordón, hacerlos pasar por una jareta o doblez: *Enjaretó la cinta para poder ceñir el vestido.* 2 col. Referido a un hecho o a un dicho, hacerlos o decirlos de manera precipitada: *Aunque le cogieron de improviso pudo enjaretar un pequeño discurso.* 3 col. Referido a algo molesto o inoportuno, endosárselo a alguien: *Enjaretó las tareas más difíciles a su auxiliar.* [4 col. Referido a un golpe, propinarlo: *'Enjaretó' al niño un buen coscorrón.*

enjaular v. 1 Meter dentro de una jaula: *Enjaularon animales para llevarlos a un circo.* 2 col. Encarcelar: *Lo enjaularon por cometer un atraco.*

enjerir v. 1 Unir a una rama o al tronco de una planta un trozo de otra provisto de yemas para que brote: *Hemos enjerido varias ramas al rosal.* 2 En medicina, referido a una porción de tejido vivo, implantarla en una parte lesionada para que se produzca una unión orgánica: *A ese chico le han enjerido piel en algunas zonas del cuerpo.* 3 Meter una cosa en otra: *La bibliotecaria enjerió papeles en los libros.* 4 Referido a un texto, introducir en él una palabra, texto o nota: *Me gusta enjerir comentarios en las páginas de los libros.* ☐ ETIMOL. Del latín *inserere* (introducir, insertar, intercalar, injertar). ☐ SEM. En las acepciones 1 y 2, es sinónimo de *injertar*.

enjoyar v. Adornar con joyas: *Me parece ridículo enjoyar de esa manera a un niño. Se enjoyó para acudir a la recepción.*

enjuagar v. 1 Referido a algo enjabonado, aclararlo con agua clara y limpia: *Después de enjabonarlos, enjuagó los platos y los puso a escurrir.* 2 Referido esp. a la boca, limpiarla con agua o con un líquido adecuado: *La dentista me dijo que me enjuagara la boca. Enjuágate con este elixir después de lavarte los dientes.* 3 Lavar ligeramente: *Si ya has bebido, enjuaga el vaso.* ☐ ETIMOL. Del antiguo *enxaguar*, y

éste del latín **exaquare* (lavar con agua). ☐ ORTOGR. La *g* se cambia en *gu* delante de *e* →PAGAR. ☐ SEM. Dist. de *enjugar* (quitar la humedad).

enjuagatorio s.m. →**enjuague**.

enjuague s.m. 1 Aclarado o lavado ligero con agua. 2 Limpieza de la boca y de la dentadura utilizando agua o un líquido adecuado. 3 Agua o líquido que sirve para enjuagarse la boca o la dentadura; enjuagatorio.

enjugar v. 1 Referido esp. a algo húmedo, quitarle la humedad superficial, absorbiéndola con un paño o con algo semejante: *Enjugó el agua caída en el suelo con una fregona. Toma un pañuelo y enjúgate esas lágrimas.* 2 Referido a una deuda o a un déficit, cancelarlos o hacerlos desaparecer: *Las buenas ventas de los últimos meses enjugaron el déficit de la empresa. Si no dejas de gastar, nunca se enjugarán tus deudas.* ☐ ETIMOL. Del latín *exsucare* (dejar sin jugo). ☐ ORTOGR. La *g* se cambia en *gu* delante de *e* →PAGAR. ☐ SEM. En la acepción 1, dist. de *enjuagar* (lavar con agua).

enjuiciamiento s.m. 1 Sometimiento de una cuestión a examen, a discusión o a juicio para dar un opinión sobre ella. 2 En derecho, sometimiento de una persona a juicio; enjuagatorio.

enjuiciar v. 1 Referido a una cuestión, someterla a examen, discusión y juicio: *Después del partido, el periodista enjuició la labor del árbitro.* 2 En derecho, referido a una persona, someterla a juicio: *Enjuiciaron a un empresario por estafa.* ☐ ORTOGR. La *i* nunca lleva tilde.

enjundia s.f. Lo que es más sustancioso e importante de algo inmaterial: *Es un libro entretenido y sin mucha enjundia.* ☐ ETIMOL. Del latín *axungia* (grasa de cerdo).

enjundioso, sa adj. Que tiene mucha enjundia o mucha importancia.

enjuto, ta adj. Flaco o muy delgado. ☐ ETIMOL. Del latín *exsuctus* (secado).

enlace s.m. 1 Atadura, ligazón o unión de elementos distintos. 2 Unión, conexión o relación de una cosa con otra; cohesión. [3 Lo que enlaza una cosa con otra. 4 Combinación de un medio de transporte con otro; empalme. 5 Casamiento o boda. 6 Persona que actúa como intermediaria entre otras, esp. dentro de una organización; contacto. 7 En química, unión entre átomos o grupos de átomos de un compuesto químico, producida por la existencia de una fuerza de atracción entre ellos. ☐ SEM. Es sinónimo de *enlazamiento*.

enladrillado s.m. 1 Suelo revestido o cubierto con ladrillos. [2 Revestimiento con ladrillos.

enladrillar v. Revestir o cubrir con ladrillos: *Decidieron enladrillar una parte del jardín.*

[**enlatado, da**] adj. col. Que no se emite en directo.

enlatar v. Meter o envasar en latas: *En esa fábrica se enlatan todo tipo de alimentos.*

enlazamiento s.m. →**enlace**.

enlazar v. 1 Unir, trabar o poner en relación: *Van a enlazar la carretera comarcal con la autopista. Aquel verano, sus vidas se enlazaron para siempre.* 2 Referido a un animal, atraparlo o aprisionarlo con un lazo: *El vaquero enlazó la res.* 3 Referido a un medio de transporte colectivo, empalmar o combinarse con otro: *El tren de Madrid enlaza en Toledo con el rápido.* ☐ ORTOGR. La *z* se cambia en *c* delante de *e* →CAZAR.

enloquecedor, -a adj. Que hace enloquecer.

enloquecer v. Volver o volverse loco: *Tantas preocupaciones acabarán por enloquecerte. Don Quijote enloqueció leyendo libros de caballería. Se enloquece de gusto cada vez que piensa en las vacaciones.* ☐ MORF. Irreg. →PARECER.

enloquecimiento s.m. Pérdida del juicio o fuerte alteración del ánimo o de los nervios.

enlosado s.m. Suelo revestido o cubierto con losas.

enlosar v. Referido a un suelo, revestirlo o cubrirlo con losas: *Quiero enlosar el cuarto de baño con baldosas blancas.*

enlucido s.m. **1** Capa de yeso, argamasa u otro material semejante, con la que se reviste un muro o un techo para alisarlos. [**2** Revestimiento que se hace con este material.

enlucir v. **1** Referido a un muro o a un techo, revestirlos o cubrirlos con una capa de yeso, argamasa u otro material semejante: *Levantaron un muro de ladrillos y luego procedieron a enlucirlo.* **2** Referido a una superficie, esp. si es metálica, limpiarla y sacarle brillo: *Para enlucir la plata, frótala con este producto.* ☐ MORF. Irreg. →LUCIR.

enmaderar v. Cubrir con madera: *Han enmaderado las paredes del salón.*

enmadrarse v.prnl. Referido a una persona, esp. a un niño, encariñarse excesivamente con su madre: *Cuanto más lo mimes, más se enmadrará.*

enmarañar v. **1** Enredar o convertir en una maraña: *Cuando se me enmaraña el pelo, tardo horas en desenredarlo.* **2** Hacer más confuso o complicado: *Tantas intrigas enmarañaron la situación. El argumento de la película se enmaraña demasiado.*

enmarcar v. **1** Meter en un marco o cuadro: *Enmarqué unas láminas para colgarlas en la habitación.* [**2** Incluir o encajar dentro de unos límites: *La crítica 'enmarca' su obra dentro de los movimientos de vanguardia. El tratado 'se enmarca' en el ámbito de las colaboraciones que vienen manteniendo ambos países.* ☐ ORTOGR. La *c* se cambia en *qu* delante de *e* →SACAR. ☐ SEM. Es sinónimo de *encuadrar.*

enmascarado, da s. Persona que va disfrazada; máscara.

enmascaramiento s.m. Cubrimiento de algo para disimularlo o disfrazarlo.

enmascarar v. **1** Referido esp. al rostro, cubrirlo con una máscara: *Todos los asistentes al baile enmascaraban sus rostros. Los atracadores se enmascararon para no ser reconocidos.* **2** Disimular o disfrazar: *Enmascara su ambición de poder diciendo que todo lo hace por el bien del país.*

enmendar v. **1** Referido esp. a un error o a quien lo comete, corregirlo o eliminar sus faltas: *Mi máquina de escribir tiene una cinta correctora para enmendar los errores. Después de aquella reprimenda, se enmendó.* **2** Referido a un daño, repararlo o compensarlo: *Quiso enmendar el daño que nos había causado dándonos dinero.* ☐ ETIMOL. Del latín *emendare.* ☐ MORF. Irreg. →PENSAR.

enmienda s.f. **1** Corrección o eliminación de errores. **2** Propuesta de modificación de algo, esp. de un texto legal.

enmohecer ▮ v. **1** Cubrir o cubrirse de moho: *La humedad ha enmohecido las bisagras de las ventanas. En las zonas costeras, los muros enmohecen con más facilidad. La fruta se ha enmohecido.* ▮ prnl. **2**

Inutilizarse o caer en desuso: *Piensas tan poco que se te va a enmohecer el cerebro.* ☐ MORF. Irreg. →PARECER.

enmohecimiento s.m. **1** Aparición de moho sobre una superficie. **2** Inutilización o pérdida de la capacidad de uso.

enmoquetar v. Cubrir con moqueta: *Dudamos entre enmoquetar el suelo o poner parqué.* ☐ USO Aunque la RAE sólo registra *enmoquetar*, se usa también *moquetar.*

enmudecer v. **1** Hacer callar: *La vergüenza me enmudeció.* **2** Quedar mudo o perder el habla: *Enmudeció cuando era niño a consecuencia de una lesión cerebral.* **3** Dejar de producir sonido: *Al atardecer, las campanas enmudecieron.* ☐ ETIMOL. Del latín *immutescere.* ☐ MORF. Irreg. →PARECER.

enmudecimiento s.m. Pérdida del habla o interrupción de la emisión de sonidos.

ennegrecer v. Poner de color negro o más oscuro: *El humo ha ennegrecido las paredes. El cielo se ennegreció y estalló la tormenta. La pintura ennegrece con el tiempo.* ☐ MORF. Irreg. →PARECER.

ennegrecimiento s.m. Oscurecimiento o adquisición de un color negro.

ennoblecer v. **1** Hacer noble: *Tu actitud humanitaria te ennoblece.* **2** Dar realce o comunicar esplendor y distinción: *Ese traje tan elegante ennoblece tu figura. Nuestra ciudad se ennoblece con su presencia.* ☐ MORF. Irreg. →PARECER.

ennoblecimiento s.m. **1** Mejora en la dignidad o adquisición de esplendor. **2** Enriquecimiento o adorno distinguido.

[ennoviarse v.prnl. col. Echarse novio: *Desde que 'te ennoviaste', no te hemos visto.*

enojar v. Causar o sentir enojo: *Tu falta de educación me enoja. Se enojó con nosotros porque no la esperamos.* ☐ ETIMOL. Del latín *inodiare* (inspirar asco u horror). ☐ ORTOGR. Conserva la *j* en toda la conjugación.

enojo s.m. **1** Sentimiento que causa ira, disgusto o enfado contra alguien. **2** Molestia, trastorno o trabajo.

enojoso, sa adj. Que causa enojo.

enología s.f. Conjunto de conocimientos sobre el vino, esp. los relacionados con su elaboración. ☐ ETIMOL. Del griego *ôinos* (vino) y *-logía* (estudio, ciencia). ☐ ORTOGR. Dist. de *etnología.*

enológico, ca adj. De la enología o relacionado con este conjunto de conocimientos sobre el vino. ORTOGR. Dist. de *etnológico.*

enólogo, ga s. Persona especializada en enología. ☐ ORTOGR. Dist. de *etnólogo.* ☐ SEM. Dist. de *catador* y de *catavinos* (persona que cata los vinos para informar de su calidad y propiedades).

enorgullecer v. Llenar de orgullo: *¡Quién no se enorgullecería de un hijo así!* ☐ MORF. Irreg. →PARECER. ☐ SINT. Constr. como pronominal: *enorgullecerse DE algo.*

enorme adj. **1** Desproporcionado, excesivo o mucho mayor de lo normal. [**2** col. Espléndido, muy bueno o admirable. ☐ ETIMOL. Del latín *enormis.* ☐ MORF. Invariable en género.

enormidad s.f. **1** Tamaño, cantidad o calidad excesivos o desmedidos. **2** ‖ **[una enormidad**; col. Muchísimo.

[enquistamiento s.m. **1** Transformación en un quiste. **2** col. Estancamiento o estacionamiento de un proceso o de una situación. [3 En biología, formación de una envoltura dura que sirve de protección a un organismo cuando hay condiciones exteriores adversas.

enquistarse v.prnl. 1 Transformarse en un quiste: *El grano que tenía en el cuello se me ha enquistado.* 2 Incrustarse profundamente: *Una espina se me enquistó en la planta del pie.* [3 *col.* Estancarse, estacionarse o mantenerse sin solución: *Si nadie cede, las negociaciones 'se enquistarán' y será muy difícil llevarlas a buen puerto.*

enrabietarse v.prnl. Coger una rabieta: *Los niños mimados se enrabietan si no les das lo que piden.* □ SEM. Aunque la RAE lo considera sinónimo de *encolerizar*, en la lengua actual no se usa como tal.

enracimarse v.prnl. →arracimarse.

enraizar v. Arraigar o echar raíces: *El abeto ha enraizado muy bien en el jardín. El odio se enraizó en su corazón.* □ ORTOGR. 1. La z se cambia en c delante de e. 2. La i lleva tilde en los presentes, excepto en las personas *nosotros* y *vosotros* →ENRAIZAR.

enranciar v. Poner o hacer rancio: *El tocino se ha enranciado con el paso del tiempo.* □ ORTOGR. La i nunca lleva tilde.

enrarecer v. 1 Referido a un cuerpo gaseoso, dilatarlo haciéndolo menos denso: *La altitud puede enrarecer el aire atmosférico.* [2 Referido esp. al aire que se respira, contaminarlo o disminuir el oxígeno que hay en él: *Me lloran los ojos porque el humo de los cigarrillos 'ha enrarecido' el ambiente. En los bares muy cerrados, el aire 'se enrarece' rápidamente.* Referido esp. a una situación, turbarla, deteriorarla o hacer que disminuyan la cordialidad y entendimiento que había en ella: *Las luchas por los ascensos enrarecen el clima de trabajo. Desde que te fuiste tú, las relaciones aquí se enrarecieron mucho.* □ ETIMOL. Del latín *rarescere.* □ MORF. Irreg. →PARECER.

enrarecimiento s.m. 1 Dilatación de un cuerpo gaseoso que produce una disminución de su densidad. [2 Falta de oxígeno en el aire que se respira. 3 Turbación o deterioro de una situación o de la relación que mantiene un grupo de personas.

enrasar v. 1 Referido a dos o más cosas con distinta altura, igualarlas para que estén al mismo nivel: *El albañil enrasó la pared nueva y la tapia vieja del jardín.* 2 Referido a una superficie, dejarla lisa y plana: *Van a enyesar el techo para enrasarlo.*

enredadera adj./s.f. Referido a una planta, que tiene los tallos largos, nudosos y trepadores, y las flores en campanilla: *La hiedra y la madreselva son enredaderas.*

enredar ∎ v. 1 Referido a una cosa, revolverla, entrelazarla o liarla con otra de forma desordenada: *Has enredado el cable de la antena con el del enchufe. Se enredaron los hilos de las bobinas.* 2 Referido a una persona, hacerla participar en un asunto, esp. si es peligroso o si se la convence con engaño: *Me enredó para ir a la playa.* 3 Referido a una persona, hacerle perder el tiempo o entretenerla: *Me enredé con tonterías y al final no hice nada.* 4 Complicar o hacer más difícil: *La declaración del testigo enredó aún más la situación. Las cosas se enredaron y decidimos que era mejor terminarlo.* 5 Intrigar o crear discordias: *Por delante nos pone buena cara, pero por detrás enreda todo lo que puede.* 6 Hacer travesuras o manejar algo sin un fin determinado:

El niño no paró de enredar en toda la tarde. ¡Deja de enredar con el bolígrafo, que me estás poniendo nerviosa! ∎ prnl. 7 Hacerse un lío: *El gato se ha enredado entre la maleza.* 8 *col.* Establecer una relación amorosa o sexual sin llegar a formalizarla; liarse: *Se ha enredado con un chico bastante mayor que ella.* □ ETIMOL. De *red*, porque *enredar* antiguamente significaba *envolver en redes.*

enredo s.m. 1 Lío que resulta de entrelazarse objetos flexibles, esp. los hilos o los cabellos. 2 Complicación o problema difíciles de solucionar. 3 Confusión de ideas o falta de claridad de ellas. 4 Intriga, mentira o engaño que ocasionan problemas. 5 En una obra narrativa o dramática, conjunto de sucesos entrelazados que preceden al desenlace. 6 *col.* Relación amorosa o sexual considerada ilícita por la sociedad; lío.

enredoso, sa adj. Que tiene muchos enredos, dificultades o complicaciones.

enrejado s.m. Conjunto de rejas.

enrejar v. Tapar o cercar con rejas o con algo semejante: *Los vecinos del primero enrejaron las ventanas.* □ ORTOGR. Conserva la j en toda la conjugación.

enrevesado, da adj. 1 Confuso o difícil de entender. 2 Que tiene muchas vueltas o rodeos: *un camino enrevesado.*

enriquecedor, -a adj. Que enriquece.

enriquecer v. 1 Hacer rico: *La instalación de la fábrica enriqueció a toda la comarca. Se enriqueció gracias a su negocio de transportes.* 2 Referido a una cosa, mejorar o aumentar sus propiedades: *Aquella experiencia enriqueció su espíritu. El estilo literario se enriquece con el empleo de recursos expresivos.* □ MORF. Irreg. →PARECER.

enriquecimiento s.m. 1 Aumento de la riqueza. 2 Mejora o aumento de las propiedades de algo.

enrocar ∎ v. 1 En el juego del ajedrez, mover al mismo tiempo el rey y una torre del mismo bando, trasladando al rey dos casillas hacia la torre y poniendo la torre al lado del rey saltando por encima de él: *No se puede enrocar el rey si ha sido movido anteriormente.* ∎ prnl. 2 Referido a un objeto relacionado con la pesca, trabarse en las rocas del fondo del mar: *Se me enrocó el anzuelo y tuve que cambiarlo por otro.* □ ETIMOL. La acepción 1, de *roque* (torre del ajedrez). La acepción 2, de *roca.* □ ORTOGR. La c se cambia en qu delante de e →SACAR.

enrojecer v. 1 Poner de color rojo: *Enrojeció sus labios con carmín. Sus mejillas se enrojecieron por el esfuerzo.* 2 Referido a una persona, ponérsele el rostro de color rojo, esp. si es por un sentimiento de vergüenza; ruborizarse, sonrojarse: *Enrojeció al oír los halagos.* □ MORF. Irreg. →PARECER.

enrojecimiento s.m. 1 Coloración de rojo o adopción de este color. 2 Coloración del rostro tomando un color rojo, esp. por un sentimiento de vergüenza.

enrolar ∎ v. 1 Referido a una persona, inscribirla en la lista de tripulantes de un barco: *Lo han enrolado como cocinero. Se enroló en un barco mercante.* ∎ prnl. 2 Inscribirse o alistarse en una organización, esp. en el ejército: *Se enroló en la marina.* □ ETIMOL. De *rol* (lista, nómina).

enrollado, da adj. 1 En forma de rollo. [2 *col.* Ocupado en algo o dedicado plenamente a ello. [3 *col.* Que tiene facilidad para relacionarse con otras personas o para llegar a ellas.

enrollar ∎ v. **1** Poner o colocar en forma de rollo: *Enrolla la cinta métrica para guardarla.* **[2** *col.* Convencer o confundir: *Me 'ha enrollado' con su palabrería para que la llevase al cine.* **[3** *col.* Gustar o interesar mucho: *Esa película 'enrolla' cantidad.* ∎ prnl. **4** Extenderse demasiado al hablar o al escribir: *No te enrolles tanto y acaba ya el examen.* **[5** *col.* Entretenerse o distraerse sin darse cuenta: *'Me enrollé' con las facturas y me acosté muy tarde.* **[6** *col.* Establecer relaciones amorosas o sexuales superficiales y pasajeras; ligar: *Anoche se enrollaron y hoy ni siquiera se hablan.* **[7** *col.* Tener facilidad para encajar en un ambiente o para entablar trato con la gente: *Tus amigos me caen bien porque saben 'enrollarse'.*
[enrolle s.m. **1** *col.* Interés hacia algo o dedicación intensa a ello. **2** *col.* Charla excesiva.
enronquecer v. Poner o dejar ronco: *El frío de la noche me enronqueció. Enronqueces con frecuencia porque hablas muy alto. Se enronqueció de tanto gritar animando a su equipo.* ☐ MORF. Irreg. →PARECER.
enronquecimiento s.m. Afección de la laringe que produce el cambio del timbre de la voz a otro más áspero o grave y poco sonoro; ronquera.
enroque s.m. En el juego del ajedrez, movimiento simultáneo del rey y de una torre del mismo bando, según determinadas reglas.
enroscar v. **1** Colocar en forma de rosca: *Enroscaron serpentinas en las columnas del salón. La serpiente se enroscó bajo un matorral.* **2** Referido a un objeto, introducirlo a vuelta de rosca o haciéndolo girar sobre sí mismo: *Enrosca el tornillo en su tuerca. Este tapón no se enrosca bien en esta botella.* ☐ ORTOGR. La *c* se cambia en *qu* delante de *e* →SACAR.
ensabanado, da adj. Referido a un toro, que tiene la piel blanca.
ensaimada s.f. Bollo formado por una tira alargada de pasta hojaldrada que se enrolla en espiral. ☐ ETIMOL. Del catalán *ensamada*, y éste de *sam*, variante mallorquina de *saí* (grasa).
ensalada s.f. **1** Comida fría compuesta por una mezcla de distintas hortalizas crudas, troceadas y aderezadas generalmente con aceite, sal y vinagre. **2** Mezcla confusa de objetos que no guardan relación. **3** ‖**ensalada de frutas**; postre de frutas troceadas en almíbar; macedonia. ‖ **ensalada rusa**; en zonas del español meridional, ensaladilla.
ensaladera s.f. Fuente honda en la que se sirve la ensalada.
ensaladilla s.f. Comida fría preparada con trozos de patata cocida, atún, zanahoria, guisantes y otros ingredientes, que va cubierta por salsa mayonesa. ☐ USO Se usa más la expresión *ensaladilla rusa*.
ensalmo s.m. **1** Oración o práctica a las que se atribuyen poderes curativos o beneficiosos. **2** ‖**(como) por ensalmo**; con gran rapidez y de forma desconocida.
ensalzamiento s.m. **1** Engrandecimiento o exaltación de algo. **2** Alabanza o elogio. ☐ SEM. Es sinónimo de *enaltecimiento*.
ensalzar v. **1** Engrandecer o exaltar: *Escritores de su calidad ensalzan la literatura.* **2** Alabar o elogiar: *El sacerdote ensalzó las virtudes del fallecido. No pierde ocasión de ensalzarse a sí mismo.* ☐ ETIMOL. Del latín **exaltiare.* ☐ ORTOGR. La *z* se cambia

en *c* delante de *e* →CAZAR. ☐ SEM. Es sinónimo de *enaltecer*.
ensamblador s.m. **[**En informática, programa que traduce un lenguaje simbólico a otro que pueda ser entendido por un ordenador. ☐ ETIMOL. Del inglés *assembler*.
ensambladura s.f. o **ensamblaje** s.m. Unión o acoplamiento de dos o más piezas, esp. si son de madera; ensamble.
ensamblar v. Referido esp. a dos o más piezas de madera, unirlas o acoplarlas, generalmente haciendo que encajen: *Para montar la estantería, sólo tienes que ensamblar las tablas.* ☐ ETIMOL. Del francés antiguo *ensembler* (juntar, reunir).
ensamble s.m. →ensambladura.
ensanchamiento s.m. Aumento de la anchura o de la amplitud; ensanche.
ensanchar ∎ v. **1** Hacer más ancho o más amplio: *Como he engordado, me han tenido que ensanchar los pantalones. La calle se ensancha a partir de ese cruce.* ∎ prnl. **2** Mostrarse satisfecho u orgulloso: *Se ensancha cuando le dicen que juega muy bien al tenis.* ☐ ETIMOL. Del latín *examplare.*
ensanche s.m. **1** En una población, terreno dedicado a nuevas edificaciones en las afueras, y conjunto de edificios allí construidos. **[2** →**ensanchamiento.**
ensangrentar v. Manchar o teñir de sangre: *El terrorismo ensangrentó la ciudad. Me cambié la venda porque la que llevaba se había ensangrentado.* ☐ MORF. Irreg. →PENSAR.
ensañamiento s.m. Deleite o placer en causar el mayor daño o dolor posibles a quien no está en condiciones de defenderse.
ensañarse v.prnl. Deleitarse o complacerse en causar el mayor daño y dolor posibles a quien no está en condiciones de defenderse: *Es cruel ensañarse con los más débiles.* ☐ ETIMOL. Del latín *insaniare* (enfurecer). ☐ SINT. Constr. *ensañarse CON alguien.*
ensartar v. **1** Referido a un objeto con un agujero, pasarle un hilo u otro filamento por dicho agujero: *Ensartó las cuentas para hacerse un collar.* **2** Referido a un cuerpo, atravesarlo con un objeto puntiagudo: *Para hacer el pincho moruno, ensarta trozos de carne en una varilla, y luego los asas.* **3** Referido esp. a una serie de dichos o de ideas, encadenarlos o enlazarlos sin orden; enhebrar: *Cuando bebe, empieza a ensartar disparates y no para.* **4** *col.* En zonas del español meridional, engañar.
ensayar v. **1** Referido a un espectáculo, preparar su montaje y ejecución antes de ofrecerlo al público: *Antes del estreno, ensayaron la obra durante meses. Esta tarde tengo que ensayar con el coro.* **2** Referido a una actuación, prepararla y hacer la prueba, generalmente para comprobar sus resultados o para adquirir soltura en su realización: *Ensayó ante el espejo la reverencia que debía hacer al rey.* **3** Referido esp. a un material, someterlo a determinadas pruebas para determinar su calidad o comportamiento: *Están ensayando un nuevo medicamento para combatir el sida.*
ensayista s. Escritor de ensayos. ☐ MORF. Es de género común: *el ensayista, la ensayista.*
ensayístico, ca adj. Del ensayo, del ensayismo o relacionado con ellos.
ensayo s.m. **1** Preparación de una actuación como

prueba para comprobar sus resultados o para adquirir mayor soltura en su realización. **2** Preparación del montaje y de la ejecución de un espectáculo, antes de ofrecerlo al público. **3** Escrito en prosa, generalmente breve y de carácter didáctico, en el que se exponen los pensamientos y meditaciones del autor sobre un tema, sin la extensión ni la precisión que requiere un tratado completo sobre la misma materia. **[4** Género literario constituido por estos escritos. **5** Prueba o conjunto de pruebas para determinar la calidad o la eficacia de algo, esp. de un material. **[6** En rugby, acción del jugador que consigue apoyar el balón contra el suelo tras la línea de marca contraria, ya sea con las manos, con los brazos o con el tronco. **7** ‖ **ensayo general**; representación completa de una obra dramática antes de presentarla al público. □ ETIMOL. Del latín *exagium* (acto de pesar).

enseguida adv. Inmediatamente después, en el tiempo o en el espacio. □ ORTOGR. Se admite también *en seguida*. □ USO Aunque la RAE prefiere *en seguida*, se usa más *enseguida*.

ensenada s.f. Entrada del mar en la tierra, menor que una bahía. □ ETIMOL. De *seno* (concavidad, ensenada).

enseña s.f. Estandarte o insignia, esp. los que representan a una colectividad. □ ETIMOL. Del latín *insignia*, y éste de *insignis* (que se distingue por alguna señal).

enseñante s. Persona que se dedica profesionalmente a la enseñanza. □ MORF. Es de género común: *el enseñante, la enseñante*.

enseñanza ‖ s.f. **1** Comunicación de conocimientos, de habilidades o de experiencias para que sean aprendidos. **2** Lo que sirve como experiencia, ejemplo o advertencia: *Aprende a sacar enseñanzas de los fracasos.* **3** Conjunto de medios, personal y actividades destinados a la educación. **4** Sistema y método utilizado para enseñar o para aprender. ‖ pl. **5** Conjunto de principios, ideas o conocimientos que una persona transmite o enseña a otra. **6** ‖ **enseñanza media** o **segunda enseñanza**; la intermedia entre la primera y la superior, y que comprende los estudios de cultura general. ‖ **(enseñanza) primaria** o **primera enseñanza**; la elemental y obligatoria. ‖ **enseñanza superior**; la que comprende los estudios especializados de cada profesión o carrera.

enseñar ‖ v. **1** Referido esp. a un conocimiento, comunicarlo para que sea aprendido: *La profesora de lengua nos enseña a escribir correctamente.* **2** Servir de ejemplo o de advertencia: *Esa caída te enseñará a ser más prudente.* **3** Indicar o dar señas: *Te enseñaré el camino.* **4** Mostrar o dejar ver, voluntaria o involuntariamente: *Nos enseñó su nueva casa. Abróchate la blusa, que vas enseñando la camiseta.* □ ETIMOL. Del latín *insignare* (marcar, designar). □ SINT. Constr. de las acepciones 1 y 2: *enseñar A hacer algo.*

enseñorearse v.prnl. Hacerse dueño y señor: *Las tropas invasoras se enseñorearon de la región.* □ SINT. Constr. *enseñorearse DE algo.*

enseres s.m.pl. Útiles, muebles o instrumentos necesarios que hay en una casa o que son convenientes para una actividad. □ ETIMOL. De *estar en ser* o *tener en ser*, porque estas locuciones solían emplearse en inventarios para distinguir los objetos

encontrados de hecho, de los que debían haber estado.

ensillar v. Referido esp. a un caballo, ponerle la silla de montar: *Ensilló el caballo poco antes de iniciar la excursión.*

ensimismamiento s.m. Concentración en los propios pensamientos, aislándose del mundo exterior.

ensimismarse v.prnl. Sumirse o concentrarse en los propios pensamientos, aislándose del mundo exterior: *Se ensimismó mirando al techo.* □ ETIMOL. De *sí mismo.*

ensoberbecimiento s.m. Aparición de la soberbia en el carácter de una persona.

ensombrecer v. **1** Oscurecer o cubrir de sombra: *Los edificios ensombrecen el callejón. El día se ha ensombrecido y amenaza lluvia.* **2** Poner triste o melancólico: *La noticia de su enfermedad nos ensombreció a todos. Su rostro se ensombrece cuando le hablan del pasado.* □ MORF. Irreg. →PARECER. □ SINT. En la acepción 2, la RAE sólo lo registra como pronominal.

ensoñación s.f. →**ensueño**.

ensoñar v. Tener ensueños o ilusiones: *Es una persona muy aficionada a ensoñar.* □ MORF. Irreg. →CONTAR.

ensopar v. col. En zonas del español meridional, mojar o empapar.

ensordecedor, -a adj. Referido esp. a un sonido, que es muy intenso.

ensordecer v. **1** Causar sordera o quedarse sordo: *Ensordeció cuando era ya anciano.* **2** Incapacitar para oír momentáneamente: *El ruido de motores nos ensordeció.* **3** Referido a un sonido o a un ruido, disminuir su intensidad o hacerlos menos perceptibles: *La sordina ensordece los sonidos del piano.* □ MORF. Irreg. →PARECER.

ensordecimiento s.m. Pérdida o disminución de la capacidad de oír.

ensortijar ‖ v. **1** Referido esp. al pelo, rizarlo o darle forma de anillo: *Con la humedad se me ensortija el pelo.* ‖ prnl. **[2** Ponerse sortijas o joyas: *Le gusta 'ensortijarse' y arreglarse bien para ir a las fiestas.* □ ORTOGR. Conserva la *j* en toda la conjugación.

ensuciar ‖ v. **1** Manchar o cubrir de suciedad: *Las calumnias ensuciaron el honor de la familia. Si te pones ya el traje de la fiesta, procura no ensuciarte.* ‖ prnl. **2** Expulsar los excrementos de forma involuntaria o sin poderlo controlar: *Acabo de ponerle el pañal y ya ha vuelto a ensuciarse.* □ ORTOGR. La *i* nunca lleva tilde.

ensueño s.m. **1** Ilusión o fantasía. **2** ‖ **[de ensueño**; fantástico o magnífico. □ ETIMOL. Del latín *insomnium.* □ SEM. Es sinónimo de *ensoñación.*

entablado, da s.m. **1** Armazón hecho con tablas. **2** Suelo formado por tablas.

entablamento s.m. En arquitectura, conjunto de elementos horizontales que sirven como remate de una estructura y que están generalmente sostenidos por columnas o pilares.

entablar v. Referido esp. a una conversación, a una relación o a una disputa, iniciarlas o darles comienzo: *Es tan charlatán, que entabla conversación con cualquiera.*

entablillar v. Referido a un miembro fracturado del cuerpo, sujetarlo o inmovilizarlo con unas tablillas y un vendaje: *Le entablillaron el brazo roto.*

entalegar v. **1** Meter en un talego o en una talega: *Yo me subiré al árbol y te daré las manzanas para que tú las entalegues.* [**2** col. Encarcelar: *Espero que pillen pronto al ladrón y lo 'entaleguen'.* □ ORTOGR. La *g* se cambia en *gu* delante de *e* →PAGAR.
entallar v. Referido a una prenda de vestir, ajustarla al talle o a la cintura: *Si me entallas un poco el vestido, no me quedará tan holgado.*
entarimado, da s.m. Suelo formado por tablas ensambladas.
entarimar v. Referido esp. al suelo, cubrirlo con tablas o con tarima: *Acaban de entarimar el suelo y no se puede pisar.*
ente s.m. **1** Lo que es, lo que existe o lo que puede existir. **2** Organismo, institución o empresa. □ ETIMOL. Del latín *ens* (ser).
entelar v. [Referido esp. a una pared, cubrirla con tela: *'He entelado' mi cuarto, porque así queda más acogedor.*
entelequia s.f. Lo que es irreal y sólo existe en la imaginación. □ ETIMOL. Del griego *entelékheia*, y éste de *entelés* (acabado, perfecto) y *ékho* (yo tengo).
entendederas s.f.pl. col. Entendimiento.
entendedor, -a adj./s. Que entiende.
entender ▌ v. **1** Comprender o percibir el sentido: *Entendió bien mis explicaciones. Para un español, el italiano se entiende bien.* **2** Referido esp. a una persona, conocer sus motivos, sus intenciones o su forma de ser: *Te entiendo perfectamente.* **3** Saber o tener conocimientos: *No entiendo nada de fútbol.* **4** Creer, opinar o deducir: *Entiendo que éste no es momento de discusiones.* **5** Tener autoridad o competencia para intervenir en un asunto: *La Audiencia Nacional entiende en temas de delitos de narcotráfico.* [**6** col. Ser homosexual: *A este local suele ir gente que 'entiende'.* ▌ prnl. **7** Referido a una persona, llevarse bien con otra o ponerse fácilmente de acuerdo con ella: *Se entiende muy bien con su primo y se pasan el día jugando.* **8** Mantener una relación amorosa oculta o irregular: *Se entiende con el marido de su mejor amiga.* **9** ‖ a {mi/tu/...} **entender**; según la opinión o el modo de pensar de la persona que se indica: *A mi modesto entender, estás equivocado.* ‖ **entenderse con** algo; hacerse cargo de ello para manejarlo o sacarle rendimiento: *Entiéndete tú con el nuevo ordenador.* ‖ **entenderse con** alguien; tratar con él: *Yo haré el informe y tú te entiendes con el delegado.* ‖ [**entendérselas**; col. Saber desenvolverse en una situación y resolver con tino los problemas: *Allá 'se las entienda', que a mí no me importa su vida.* □ ETIMOL. Del latín *intendere* (extender, dirigir hacia algo, esp. aplicado a la mente). □ MORF. Irreg. →PERDER. □ SINT. 1. Constr. de la acepción 3: *entender DE algo.* 2. Constr. de la acepción 5: *entender EN algo.* 3. Constr. de las acepciones 7 y 8: *entenderse CON alguien.*
entendido, da adj./s. Referido a una persona, que es especialista o experta en algo.
entendimiento s.m. **1** Facultad de conocer, comprender y formar juicios nuevos a partir de otros conocidos. **2** Razón humana o sentido común. **3** Acuerdo o relación amistosa, esp. entre pueblos o gobiernos. □ USO En la acepción 3, es innecesario el uso del anglicismo *entente*.
[entente (galicismo) s.f. Acuerdo o pacto, esp. entre estados o gobiernos. □ USO Su uso es innecesario y

puede sustituirse por una expresión como *entendimiento* o *acuerdo.*
[enter (anglicismo) s.m. En el teclado de un ordenador, tecla de retorno de carro. □ PRON. [énter].
enterado, da adj./s. Especialista, entendido o buen conocedor de algo. □ MORF. La RAE lo registra sólo como adjetivo.
enterar ▌ v. **1** Informar, hacer conocer o poner al corriente: *No entera a su madre de nada. Me enteré de tu boda por una amiga.* ▌ prnl. [**2** Notar o darse cuenta o llegar a saber: *Hoy no 'me entero de nada' porque tengo mucho sueño.* □ ETIMOL. Del latín *integrare* (reparar, rehacer), y éste de *integer* (entero, íntegro). □ SINT. Constr. como pronominal: *enterarse DE algo.*
entereza s.f. **1** Fortaleza de ánimo o de carácter, esp. para soportar las desgracias. **2** Firmeza, rectitud o severidad.
enterizo, za adj. **1** De una sola pieza: *carne enteriza.*
enternecedor, -a adj. Que enternece.
enternecer v. Causar o sentir ternura: *La sonrisa de un bebé enternece a cualquiera. Se enterneció al verla llorar.* □ ETIMOL. Del latín *tenerescere* (ponerse tierno). □ MORF. Irreg. →PARECER.
enternecimiento s.m. Sentimiento de ternura.
entero, ra ▌ adj. **1** Con todas las partes y sin que falte ningún trozo. **2** Referido a una cosa, que tiene entereza y fuerza de ánimo. **3** Sano o en perfecto estado. ▌ s.m. **4** →**número entero.** [**5** En economía, centésima parte del valor nominal de una acción: *Las acciones de nuestra compañía han subido cinco 'enteros'.* □ ETIMOL. Del latín *integer* (intacto).
enterrador, -a s. Persona que se dedica profesionalmente a abrir sepulturas y a enterrar cadáveres; sepulturero. □ MORF. La RAE sólo registra el masculino.
enterramiento s.m. **1** Hecho de enterrar un cadáver; entierro. **2** Construcción generalmente de piedra y levantada sobre el suelo en la que se da sepultura a uno o varios cadáveres; sepulcro. **3** Lugar en el que se entierra un cadáver; sepultura.
enterrar v. **1** Poner bajo tierra: *Los piratas enterraron el tesoro en algún lugar de la isla.* **2** Referido a un cadáver, darle sepultura: *Murió el día 3 y lo enterramos el día 4.* **3** Referido a una cosa, hacerla desaparecer bajo otras: *Creo que has enterrado las cartas debajo de esos libros.* **4** Olvidar o arrinconar en el olvido: *Enterremos nuestras diferencias.* □ MORF. Irreg. →PENSAR.
entibación s.f. Apuntalamiento o sostenimiento con maderos o armazones de las paredes o del techo de una excavación.
entibar v. En una excavación, referido a las paredes o al techo, apuntalarlos o sostenerlos con maderos o armazones: *Ya se puede pasar por el túnel porque está entibado.* □ ETIMOL. Del latín *instipare* (compactar).
entibiar v. **1** Poner tibio o templado: *La leche estaba tan caliente que la cambié de taza para entibiarla.* **2** Referido esp. a un sentimiento, moderarlo o suavizarlo: *Su odio se entibió con el paso de los años.* □ ORTOGR. La segunda *i* nunca lleva tilde.
entidad s.f. **1** Valor o importancia. **2** Colectividad o empresa que se consideran como una unidad: *entidad bancaria.* □ ETIMOL. Del latín *entitas*, y éste de *ens* (ser).

entierro s.m. **1** Hecho de enterrar a un cadáver; enterramiento. **2** Grupo formado por un cadáver y por las personas que lo van a enterrar. **3** ‖ **entierro de la sardina**; fiesta de carnaval consistente en un entierro burlesco que simboliza el paso a la cuaresma.
entoldado s.m. **1** Conjunto de toldos colocados para dar sombra o para proteger de la intemperie. **2** Lugar cubierto con toldos.
entoldar v. Cubrir con un toldo: *Pensamos entoldar la terraza para comer a la sombra en verano.*
entomología s.f. Parte de la zoología que estudia los insectos. □ ETIMOL. Del griego *éntomon* (insecto) y *-logía* (estudio, ciencia).
entomológico, ca adj. De la entomología o relacionado con esta parte de la zoología.
entomólogo, ga s. Persona especializada en el estudio de los insectos.
entonación s.f. **1** Variación del tono de la voz según el sentido de lo que se dice, la emoción que expresa y el estilo o el acento con los que se habla. **2** En lingüística, secuencia sonora de los tonos con que se emite el discurso oral, y que puede contribuir al significado de éste; tonalidad. **3** Canto ajustado al tono.
entonar ‖ v. **1** Cantar con el tono adecuado o afinando la voz: *Entonaré una canción de despedida. No te han admitido en el coro porque no entonas bien.* **2** Empezar a cantar para dar el tono a los demás: *La directora del coro entonó las primeras notas y el coro la siguió.* **3** Referido esp. al organismo, darle tensión o vigor; tonificar: *Este caldo caliente te entonará. La gimnasia ayuda a entonar los músculos.* ‖ prnl. **[4** col. Emborracharse ligeramente: *Con un par de cervezas ya 'se entona'.*
entonces adv. **1** En aquel tiempo o en aquella ocasión: *Entonces no había tantos coches como ahora.* **2** En tal caso o siendo así: *Si no querías verme, ¿a qué has venido entonces?* **3** ‖ **(pues) entonces**; expresión que se usa para indicar a otra persona que no se queje por las consecuencias de sus actos: *¿No fuiste tú quien se empeñó en venir? ¡Pues entonces...!* □ ETIMOL. Del latín **intunce.* □ USO En la acepción 1, equivale a *en aquel entonces, para entonces* o *por aquel entonces.*
entontecer v. Volver o volverse tonto; atontar, atontolinar: *El golpe en la cabeza lo ha entontecido. Deja de ver tanta tele, si no quieres entontecer. Acabará por entontecerse con tanto jugar con el ordenador.* □ MORF. Irreg. →PARECER.
entontecimiento s.m. Pérdida del entendimiento o de la inteligencia.
entorchado s.m. Cuerda o hilo de seda cubiertos por otro de metal para darles consistencia, y que suelen usarse en los bordados y para la fabricación de cuerdas de instrumentos musicales.
☞ pasamanería
entorilar s.m. Referido a un toro, meterlo en el toril: *Entorilaron a los toros hasta que los lidiaron por la tarde.*
entornar v. **1** Referido a una puerta o a una ventana, volverlas hacia donde se cierran sin cerrarlas completamente: *Entorna la ventana para que no entre tanto aire.* **2** Referido a los ojos, cerrarlos a medias: *Acaricia al gato y verás cómo entorna los ojos.* □ ETIMOL. De *tornar.*
entorno s.m. Ambiente o conjunto de circunstan-

cias, de personas o de cosas que rodean algo. □ ORTOGR. Dist. de *en torno.* □ SEM. Dist. de *contorno* (territorio que rodea algo).
entorpecer v. **1** Volver torpe física o intelectualmente: *El alcohol entorpece el entendimiento. Los músculos se entorpecen si no los ejercitas.* **2** Retardar o dificultar: *El camión mal aparcado entorpecía el paso. Las negociaciones se entorpecerán con tantas protestas.* □ MORF. Irreg. →PARECER.
entorpecimiento s.m. **1** Pérdida de agilidad. **2** Retraso o aumento de la dificultad en el desarrollo de algo.
entrada s.f. Véase **entrado, da.**
entradilla s.f. En radio y televisión, conjunto de las primeras frases de una información que resumen lo más importante.
entrado, da ‖ adj. **1** Referido a un período de tiempo, que ya ha transcurrido en parte: *No llegaron hasta bien entrada la mañana.* ‖ s.f. **2** Paso hacia el interior: *En esta exposición hay entrada libre.* **3** Espacio por el que se accede a un lugar. **[4** En un edificio o en una vivienda, vestíbulo o parte cercana a la puerta principal. **5** Ingreso de una persona en un grupo determinado. **6** Afluencia de público a un espectáculo: *El concierto no tuvo mucha aceptación y sólo hubo media entrada.* **7** Dinero que se recauda en un espectáculo. **8** Billete que da derecho a la asistencia a un espectáculo o a la visita de un lugar. **9** Señal que se hace a una persona que tiene que hablar o actuar en público para que inicie su intervención. **10** Conjunto de los primeros días de un período de tiempo, esp. de una estación: *La entrada de esta primavera ha sido algo fría.* **11** En un diccionario o en una enciclopedia, término que encabeza cada artículo y que es lo que se define; lema. **12** En la cabeza de una persona, zona lateral y superior que ha perdido el cabello. **13** En algunos deportes, esp. en fútbol, hecho de obstaculizar el movimiento de un contrario para quitarle el balón. **14** En una interpretación musical, comienzo de la intervención de un intérprete o de un instrumento: *Uno de los violines hizo su entrada a destiempo.* **15** En una comida, plato que se sirve antes del principal. **16** Cantidad de dinero que se adelanta o que se entrega al formalizar una compra, un alquiler o una inscripción. **17** Caudal o ingresos que entran en una caja o en un registro de cuentas. **[18** En informática, dato o programa que puede ser introducido en el ordenador. **19** ‖ **de entrada**; para empezar o en primer lugar.
entramado s.m. **1** Armazón o esqueleto de una obra de albañilería. **2** Conjunto de cosas entrelazadas o relacionadas entre sí y que forman un todo: *La policía desmontó un entramado golpista.*
entrambos, bas indef.pl. ant. →**ambos.** □ ETIMOL. De *entre ambos.*
entrampar ‖ v. **1** Referido a un animal, hacer que caiga en una trampa: *El conejo se entrampó en el cepo.* ‖ prnl. **2** Empeñarse o contraer deudas de dinero: *Me he entrampado comprando el piso.*
entrante ‖ adj. **1** Que entra. ‖ s.m. **[2** En una comida, plato ligero que se toma en primer lugar. **3** Entrada del borde de una cosa hacia el interior de otra. □ MORF. Como adjetivo es invariable en género.
entraña ‖ s.f. **1** Órgano contenido en una de las principales cavidades del cuerpo; víscera. **2** Lo más íntimo o esencial: *Si llegas a la entraña del proble-*

ma, te será más fácil solucionarlo. ∎ pl. **3** Lo más oculto y escondido: *las entrañas de la selva.* **4** Lo que está en medio o en el centro: *las entrañas de la Tierra.* **5** Sentimientos o voluntad de ánimo de una persona, esp. si son positivos: *El crimen lo cometió una persona sin entrañas.* ☐ ETIMOL. Del latín *interanea* (intestinos). ☐ MORF. La acepción 1 se usa más en plural.

entrañable adj. Íntimo o muy afectuoso. ☐ MORF. Invariable en género.

entrañar v. Contener, implicar o llevar dentro de sí: *El oficio de bombero entraña muchos riesgos.* ☐ ETIMOL. De *entraña.*

entrar v. **1** Ir o pasar de fuera adentro o al interior: *Según la policía, el ladrón entró por la ventana.* **2** Penetrar o introducirse: *Tuve que hacer fuerza para que la broca del taladro entrara en la pared.* **3** Encajar o poderse meter: *En este autobús entran sesenta pasajeros.* **4** Estar incluido, tener cabida o formar parte integrante: *En el precio del viaje no entran las excursiones. Entre los componentes de un óxido entra siempre el oxígeno.* **5** Ingresar o empezar a ser miembro: *No podía entrar en ese colegio porque no vivía en la zona.* **6** Intervenir o tomar parte: *Prefiero no entrar en discusiones.* **7** Seguido de una expresión que indica estado o circunstancia, empezar a estar en ellos: *Tras la victoria, la afición entró en un estado de euforia colectiva.* **8** En algunos juegos de cartas, aceptar una apuesta; ir, jugar: *Esta vez no entro porque tengo unas cartas muy malas.* **9** En una interpretación musical, referido a un intérprete o a un instrumento, empezar su intervención: *En el tercer compás entran los violines.* **10** Referido a un período de tiempo, esp. a una estación, empezar o tener principio: *Cuando entra la primavera, empiezo a tener alergia.* **11** Referido esp. a una sensación o a una enfermedad, sobrevenir o empezar a dejarse sentir: *La película tiene escenas tan tiernas, que entran ganas de llorar.* **[12** Referido a una comida o a una bebida, ser agradable de tomar: *Cuando hace calor, un helado 'entra' estupendamente.* **13** Referido esp. a una prenda de vestir, resultar suficientemente amplia para podérsela poner: *Si esa falda no te entra, pide una talla mayor.* **14** Meter o introducir en el interior: *Entra la ropa tendida para plancharla.* **15** Referido a un toro, acometer o embestir: *El toro entró al torero por el pitón izquierdo y lo volteó.* **16** Referido a una persona o a un asunto, abordarlos o empezar a tratarlos: *Me quiere pedir un favor y no sabe cómo entrarme.* **17** En algunos deportes, referido a un jugador, interceptarlo un adversario para quitarle el balón: *El defensa entró al delantero para evitar que marcara un gol.* **18** ‖ **no entrar (ni salir) en un asunto**; col. Mantenerse al margen o no hacer consideraciones sobre ello: *Eso es asunto tuyo y yo ahí ni entro ni salgo.* ☐ ETIMOL. Del latín *intrare.* ☐ SINT. 1. Constr. de las acepciones 5, 6 y 7: *entrar EN algo.* 2. Su uso como transitivo es incorrecto aunque está muy extendido: **entra esto en casa > mete esto en casa.*

entre prep. **1** Indica situación, estado o punto intermedios: *Me senté entre mis dos hermanos. Te espero en casa entre las cinco y las seis.* **2** Indica cooperación de dos o más personas o cosas: *Terminamos el ejercicio entre mi amigo y yo.* **3** Indica pertenencia a un grupo o a una colectividad: *Entre actores, el amarillo es el color de la mala suerte.* ☐

ETIMOL. Del latín *inter.* ☐ SINT. En la acepción 1, pese a ser preposición puede ir seguida de las formas pronominales *yo* y *tú* cuando el otro elemento es también un pronombre: *entre{*tú > ti} y tu hermana,* pero *entre {*ti > tú} y ella.* ☐ USO Se usa para indicar la operación matemática de la división: *Diez entre dos son cinco.*

entre- Prefijo que indica situación intermedia (*entrecejo, entreguerras, entreacto*), cualidad o estado intermedios (*entrecano, entrefino*) o acción realizada a medias o de forma imperfecta (*entreabrir, entrever*). ☐ ETIMOL. De *entre.*

entreabierto, ta part. irreg. de **entreabrir.**

entreabrir v. Abrir un poco o a medias: *El niño dormía pero entreabrió los ojos cuando salí.* ☐ MORF. Su participio es *entreabierto.*

entreacto s.m. En un espectáculo, esp. en una representación dramática, pausa o intermedio entre dos partes. ☐ ETIMOL. De *entre-* (situación intermedia) y *acto.*

entrecano, na adj. **1** Referido al cabello o a la barba, que está a medio encanecer. **2** Referido a una persona, que tiene el cabello de esta manera. ☐ ETIMOL. De *entre-* (situación intermedia) y *cano.*

entrecejo s.m. Espacio que separa las dos cejas; ceño. ☐ ETIMOL. Del latín *intercilium.*

entrecerrar v. Cerrar a medias: *Entrecerró la puerta para que no nos oyeran.*

entrechocar v. Referido a una cosa, chocar con otra, esp. si es de forma repetida: *El fuerte viento hacía entrechocar las ramas de los árboles.* ☐ ORTOGR. La *c* se cambia en *qu* delante de *e* →SACAR.

entrecomillado s.m. Lo que está escrito entre comillas.

entrecomillar v. Referido a una o a más palabras, escribirlas entre comillas: *Si escribes palabras no admitidas por la Real Academia Española, debes entrecomillarlas.*

entrecortado, da adj. Referido esp. a la voz o a un sonido, que se emiten con interrupciones.

entrecortar v. **1** Cortar sin acabar de dividir: *Entrecorta el trozo de carne para que se ase bien por dentro.* **[2** Referido a la voz o a un sonido, interrumpirlos o hacer que se emitan con intermitencias: *'Se le entrecorta' la voz debido a su timidez.*

entrecot s.m. Filete grueso, generalmente de carne de vacuno, esp. el que se corta de entre dos costillas. ☐ ETIMOL. Del francés *entrecôte.*

entrecruzar v. Referido a dos o más cosas, cruzarlas entre sí: *Todas las líneas se entrecruzan y el dibujo parece un laberinto.* ☐ ORTOGR. La *z* se cambia en *c* delante de *e* →CAZAR.

entredicho s.m. Duda que pesa sobre algo o alguien, esp. sobre su honradez o su veracidad. ☐ ETIMOL. Del latín *interdictus* (prohibido). ☐ USO Se usa más en la expresión *poner en entredicho.*

entredós s.m. Tira bordada o de encaje que se cose entre dos telas. ☐ ETIMOL. Traducción del francés *entre-deux.* 🕸 pasamanería

entrega s.f. **1** Puesta de algo a disposición de una persona: *Los secuestradores exigieron la entrega de un rescate.* **2** Dedicación completa a algo. **3** Cada uno de los cuadernos que forman un libro publicado por partes o una serie coleccionable, y que salen a la venta periódicamente de forma independiente; fascículo. **4** Parte de un todo que se da de una vez:

Recibirás el millón de pesetas en dos entregas de quinientas mil.

entregar ❚ v. **1** Dar o poner en poder de una persona: *La presidenta del tribunal me entregó el diploma. Es mejor que te entregues a la policía antes de que te detengan.* ❚ prnl. **2** Dedicarse enteramente a algo: *Se entrega a su profesión como si en ello le fuera la vida.* **3** Dejarse dominar por algo, esp. por un vicio o por un sentimiento: *Se entregó a la bebida y está totalmente alcoholizado.* **4** Rendirse o declararse vencido o sin fuerzas para continuar: *Cuando vio que su ejército no podía resistir, decidió entregarse.* ☐ ETIMOL. Del latín *integrare* (reparar, rehacer). ☐ ORTOGR. La *g* se cambia en *gu* delante de *e* →PAGAR. ☐ SINT. Constr. como pronominal: *entregarse A algo.*

entreguerras ‖ **de entreguerras**; referido a un período de tiempo, que transcurre en paz entre dos guerras consecutivas, esp. entre la primera guerra mundial y la segunda. ☐ ORTOGR. Incorr. **de entre guerras.*

entrelazar v. Referido a dos o más cosas, enlazarlas cruzándolas entre sí: *Los dos novios entrelazaron sus manos con cariño.* ☐ ORTOGR. La *z* se cambia en *c* delante de *e* →CAZAR.

entremedias adv. Entre dos o más momentos, lugares o cosas. ☐ ETIMOL. De *entre-* (situación intermedia) y *medio.*

entremés s.m. **1** Plato variado y generalmente frío, que se sirve como aperitivo o antes de los platos fuertes. **2** Pieza teatral breve, en un solo acto, de carácter cómico o burlesco, en la que intervienen personajes populares, y que solía representarse entre los actos de una comedia o de una obra seria más extensa con la que no guardaba relación argumental. ☐ ETIMOL. Del francés antiguo *entremès.* ☐ MORF. La acepción 1 se usa más en plural.

entremeter ❚ v. **1** Referido a una cosa, meterla entre otras: *Entremetió el dinero en la ropa que llevaba en la maleta.* ❚ prnl. **2** →**entrometerse.**

entremetido, da adj./s. →**entrometido.**

entremetimiento s.m. →**entrometimiento.**

entremezclar v. Referido a cosas distintas, mezclarlas sin que formen un todo homogéneo: *Entremezcló varios hilos de colores para hacer la cinta. En ese local se entremezcla todo tipo de gentes.*

entrenador, -a s. Persona que se dedica al entrenamiento de personas o de animales, esp. si ésta es su profesión.

entrenamiento s.m. Adiestramiento o preparación que se hacen para realizar una actividad, esp. para la práctica de algún deporte. ☐ USO 1. Es innecesario el uso del anglicismo *training.* 2. Aunque la RAE sólo registra *entrenamiento*, en la lengua coloquial se usa también *entreno.*

entrenar v. Adiestrar, preparar o prepararse, esp. si es para la práctica de un deporte: *Entrena a los galgos para las carreras. Nos entrenamos todos los días en el polideportivo.* ☐ ETIMOL. Del francés *entraîner.* ☐ SINT. La RAE sólo lo registra como transitivo o como pronominal: *ella me entrena, yo me entreno.*

entrenervio s.m. En un libro, cada uno de los espacios comprendidos entre los nervios del lomo. ☐ MORF. La RAE sólo lo registra en plural. 𝕏 libro

[entreno s.m. →**entrenamiento.**

entrepaño s.m. **1** En una pared, parte comprendida entre dos pilastras, entre dos columnas o entre dos huecos. **2** En una estantería o en un armario, tabla horizontal que sirve para colocar objetos sobre ella. ☐ ETIMOL. De *entre-* (situación intermedia) y *paño.*

entrepierna s.f. **1** Parte interior de los muslos. **2** En un pantalón, parte que cubre esta zona de la pierna. **[3** col. En una persona, órganos genitales. **4** ‖ **pasarse** algo **por la entrepierna**; vulg. Despreciarlo o ignorarlo. ☐ ETIMOL. De *entre-* (situación intermedia) y *pierna.*

entreplanta s.f. Planta construida entre otras dos, quitando parte de la altura de una de ellas. ☐ SEM. Dist. de *entresuelo* (planta situada entre el bajo y el principal; planta baja situada a más de un metro del nivel del suelo).

entresacar v. **1** Sacar de entre otras cosas: *Voy a entresacar las frases más importantes de la lección.* **2** Referido al pelo, cortar algunas mechones para que resulte menos espeso: *Tiene tanto pelo, que el peluquero suele entresacárselo un poco para que no abulte tanto.* ☐ ORTOGR. La *c* se cambia en *qu* delante de *e* →SACAR.

entresijo s.m. **1** Lo que está escondido o en el interior. **2** col. Repliegue membranoso del peritoneo, que une el intestino a la pared del abdomen; mesenterio, redaño. ☐ ETIMOL. De origen incierto.

entresuelo s.m. **1** En algunos edificios, planta situada entre el bajo y el principal. **2** En algunos edificios, planta baja situada a más de un metro sobre el nivel del suelo, y que debajo tiene sótanos o cuartos abovedados. **[3** En un cine o en un teatro, planta situada sobre el patio de butacas. ☐ SEM. Dist. de *entreplanta* (planta que se construye quitando parte de la altura de otra).

entretanto ❚ s.m. **1** Tiempo de espera: *Tardaré un poco en llegar a comer, así que en el entretanto ve poniendo la mesa.* ❚ adv. **2** Mientras o durante un tiempo indeterminado; en tanto: *Tú ve haciendo la comida y, entretanto, yo pondré la mesa.* ☐ ORTOGR. Se admite también *entre tanto.*

entretecho s.m. En zonas del español meridional, desván.

entretejer v. **1** Referido a un hilo, mezclarlo o meterlo en una tela para hacer un adorno: *Entreteje hilos de distintos colores en la colcha para hacer los dibujos.* **2** Referido a una cosa, trabarla y enlazarla con otra: *Entretejía juncos para hacer un canasto.*

entretela s.f. **1** Tejido que se pone como refuerzo entre la tela y el forro de algunas partes de una prenda de vestir. ❚ pl. **2** col. Lo más íntimo y profundo del corazón.

entretener v. **1** Divertir o proporcionar entretenimiento: *Entretuvo a sus amigos con trucos de magia. La niña se entretenía con sus juguetes.* **2** Referido a una persona, distraerla o retenerla impidiendo que haga algo o que continúe su camino: *Su compinche entretuvo al policía mientras él escapaba. Llegó tarde a la cita porque se entretuvo hablando con unos amigos.* **3** Hacer menos molesto y más llevadero: *Entretenía la espera viendo la televisión.* ☐ MORF. Irreg. →TENER. ☐ SINT. Constr. como pronominal: *entretenerse {CON/EN} algo.*

entretenido, da s. Persona a la que su amante paga los gastos. ☐ MORF. La RAE sólo registra el femenino.

entretenimiento s.m. **1** Diversión o distracción

con la que alguien pasa el tiempo. **2** Lo que sirve para divertirse.
entretiempo s.m. Tiempo de primavera o de otoño cercano al verano y de temperatura suave.
entrever v. **1** Ver de manera confusa: *El capitán pudo entrever el puerto desde el barco. Desde la colina apenas se entreveía el pueblo.* **2** Referido a algo futuro, sospecharlo o adivinarlo: *Se entreveía hacía tiempo el fracaso de ese matrimonio.* □ MORF. Irreg.: 1. Su participio es *entrevisto.* 2. →VER.
entreverar ▌ v. **1** Referido a una cosa, mezclarla o meterla en otra u otras: *Entreveré la carne con huevo y jamón.* ▌ prnl. **2** *col.* En zonas del español meridional, mezclarse en un lío o en un desorden. □ ETIMOL. Del latín *inter* (entre) y *variare* (variar).
entrevero s.m. *col.* En zonas del español meridional, lío o desorden.
entrevía s.f. Espacio que queda entre los dos raíles de una vía férrea. □ ETIMOL. De *entre-* (situación intermedia) y *vía.*
entrevista s.f. **1** Reunión de dos o más personas para tratar sobre un asunto determinado. **2** Conversación con una persona, en la que se le hacen una serie de preguntas encaminadas a informar al público sobre ella o sobre sus opiniones. □ ETIMOL. Del francés *entrevue.*
entrevistador, -a s. Persona que realiza una entrevista.
entrevistar ▌ v. **1** Referido a una persona, hacerle una serie de preguntas encaminadas a informar al público sobre ella o sobre sus opiniones; interviuvar: *Tres periodistas entrevistarán al presidente.* ▌ prnl. **2** Referido a dos o más personas, reunirse para mantener una conversación o para tratar algún asunto: *La ministra de Asuntos Exteriores se entrevistará con su homólogo británico.*
entrevisto part. irreg. de *entrever.*
entripado s.m. **1** *col.* Dolor de tripa, esp. el producido por un empacho. **2** *col.* Enojo o sentimiento disimulados para que nadie los note.
entristecedor, -a adj. Que entristece.
entristecer v. **1** Poner triste: *La muerte del cantante entristeció a todos sus seguidores. Se entristeció al oír aquellas críticas.* **2** Dar un aspecto triste: *La tormenta entristeció el día.* □ MORF. Irreg. →PARECER.
entrometerse v.prnl. Inmiscuirse o meterse en un asunto ajeno sin tener motivo o permiso para ello: *No te entrometas en mi vida y déjame en paz.* □ ORTOGR. Se admite también *entremeterse.* □ SINT. Constr. *entrometerse EN algo.* □ USO Aunque la RAE prefiere *entremeterse,* se usa más *entrometerse.*
entrometido, da adj./s. Que tiende a meterse en asuntos ajenos sin tener motivo o permiso para ello. □ ORTOGR. Se admite también *entremetido.* □ USO Aunque la RAE prefiere *entremetido,* se usa más *entrometido.*
entrometimiento s.m. Intervención en un asunto ajeno sin tener motivo o permiso para ello; intromisión. □ ORTOGR. Se admite también *entremetimiento.* □ USO Aunque la RAE prefiere *entremetimiento,* se usa más *entrometimiento.*
[entromparse v.prnl. *col.* Emborracharse: *Se fue de copas con los amigos y 'se entrompó'.*
entronar v. →entronizar.
entroncamiento s.m. **1** Existencia de una rela-

ción o dependencia. **2** Existencia de una relación de parentesco.
entroncar v. **1** Tener una relación o dependencia: *Las ideas del Renacimiento entroncan con las de la Antigüedad clásica.* **2** Tener parentesco o contraerlo: *Su familia entronca con una de las ramas aristocráticas más importantes del país. Con esa boda, entroncarás con una familia noble.* □ ORTOGR. La c se cambia en *qu* delante de *e* →SACAR. □ SINT. Constr. *entroncar CON algo.*
entronización s.f. **1** Colocación de una persona en un trono. **2** Ensalzamiento o colocación de una persona en una posición muy elevada. [**3** Colocación de una imagen en un altar para adorarla.
entronizar v. **1** Referido a una persona, colocarla en el trono: *A la muerte del rey, entronizaron a su hijo.* **2** Referido a una persona, ensalzarla o colocarla en una posición muy elevada: *Sus éxitos teatrales entronizaron a uno de los primeros lugares entre los actores europeos.* [**3** Referido a una imagen, colocarla en una altar para adorarla: *En la iglesia de mi pueblo 'entronizaron' una nueva imagen del santo patrón.* □ ORTOGR. La z se cambia en *c* delante de *e* →CAZAR. □ SEM. Es sinónimo de *entronar.*
entronque s.m. Relación de parentesco entre personas que tienen un origen común.
entropía s.f. **1** En física, magnitud termodinámica que expresa el grado de desorden molecular de un sistema: *La entropía da un criterio para determinar cuáles son los estados inicial y final de una evolución termodinámica.* [**2** *col.* Desorden caótico de algo. □ ETIMOL. Del griego *entropía* (giro, vuelta hacia atrás).
entubar v. **1** Poner tubos: *Están entubando las calles del barrio para la conducción del gas.* **2** →intubar.
entuerto ▌ s.m. **1** Daño o perjuicio que se causa a alguien. ▌ pl. **2** Dolores de vientre que suelen sobrevenir a las mujeres después de haber parido. □ ETIMOL. Del latín *intortus.*
entumecer v. Referido esp. a un miembro del cuerpo, impedir o entorpecer su movimiento: *El frío me entumeció los pies y las manos. Si no haces ejercicio, se te entumecerán los músculos.* □ ETIMOL. Del latín *intumescere* (hincharse). □ MORF. Irreg. →PARECER.
entumecimiento s.m. Entorpecimiento o disminución de la capacidad de movimiento de una parte del cuerpo.
entumirse v.prnl. Referido esp. a un miembro del cuerpo, entumecerse o perder movilidad por haber estado encogido o por tener comprimido algún nervio: *Los músculos se entumen a veces por la falta de movimiento.* □ ETIMOL. Del latín *intumere.*
enturbiar v. **1** Hacer o poner turbio: *No muevas el café, que tiene muchos posos y lo vas a enturbiar. El agua de los ríos se enturbia con las tormentas.* **2** Oscurecer, alterar o dar un aspecto desfavorable: *Los celos enturbiaron su amor. No dejes que tu tranquilidad se enturbie por cosas insignificantes.* □ ORTOGR. La i nunca lleva tilde.
entusiasmar v. Producir o sentir entusiasmo, admiración apasionada o vivo interés: *La orquesta entusiasmó al público. No te entusiasmes tan pronto, que luego vienen las decepciones.*
entusiasmo s.m. **1** Exaltación y emoción del ánimo, producidas por algo que se admira. **2** Adhesión e interés que llevan a apoyar una causa o a trabajar

en un empeño. ☐ ETIMOL. Del griego *enthusiasmós* (arrobamiento, éxtasis).

entusiasta adj. **1** Del entusiasmo, con entusiasmo o relacionado con él; entusiástico. **2** adj./s. Que siente entusiasmo o que se entusiasma con facilidad. ☐ ETIMOL. Del francés *entousiaste*. ☐ MORF. 1. Como adjetivo es invariable en género. 2. Como sustantivo es de género común: *el entusiasta, la entusiasta*.

entusiástico, ca adj. Del entusiasmo, con entusiasmo o relacionado con él; entusiasta.

enumeración s.f. **1** Exposición sucesiva y ordenada de las partes que forman un todo. **2** Cálculo o cuenta numeral de algo. **3** Figura retórica consistente en referir de manera rápida y ágil, generalmente mediante sustantivos o adjetivos, varias ideas o distintas partes de un concepto o de un pensamiento general.

enumerar v. Exponer haciendo una enumeración: *Me enumeró una por una las razones de su comportamiento.* ☐ ETIMOL. Del latín *enumerare*. ☐ ORTOGR. Dist. de *numerar*.

enunciación s.f. **1** Exposición breve y sencilla de una idea. **2** Planteamiento de un problema y exposición de los datos que permiten su resolución. ☐ SEM. Es sinónimo de *enunciado*.

enunciado s.m. **1** →**enunciación**. **2** En lingüística, conjunto de palabras emitidas en un acto de comunicación: *En la oración 'Yo corro', 'yo' designa distintas personas según quién emita ese enunciado.*

enunciar v. **1** Referido a una idea, expresarla o exponerla de manera breve y sencilla: *No desarrolló su programa, sino que se limitó a enunciar sus principios básicos.* **2** Referido a un problema, plantearlo y exponer los datos cuyo conocimiento permitirá su resolución: *Muchos problemas de matemáticas se enuncian con esta fórmula: 'Dado..., averiguar...'.* ☐ ETIMOL. Del latín *enuntiare*. ☐ ORTOGR. La *i* nunca lleva tilde.

enunciativo, va adj. Que enuncia o expresa una idea de forma breve y sencilla: *oración enunciativa.*

enuresis s.f. En medicina, incapacidad de controlar la expulsión de orina. ☐ ETIMOL. Del griego *en* (sobre) y *ouréo* (orinar). ☐ MORF. Invariable en número. ☐ SEM. Dist. de *diuresis* (secreción de orina).

envainar v. **1** Referido a un arma blanca, enfundarla o meterla en su vaina: *Después de herir a su adversario, envainó su espada.* **2** Ceñir o envolver a modo de vaina: *Las hojas del trigo envainan el tallo.* ☐ ETIMOL. Del latín *invaginare*.

envalentonar ▌ v. **1** Infundir valentía y arrogancia: *Saber que sus hijos estaban presentes lo envalentonó para contestar a aquellos insultos.* ▌ prnl. **2** Mostrarse valiente y desafiante: *El torero se envalentonó delante del toro.*

envanecer v. Infundir soberbia, vanidad o presunción; engreír: *Un éxito tan notorio envanece a cualquiera. No te envanezcas, porque los que ahora te alaban después te criticarán.* ☐ ETIMOL. Del latín *in* (en) y *vanescere* (desvanecerse). ☐ MORF. Irreg. →PARECER.

envanecimiento s.m. Adopción de una postura soberbia, vanidosa o presuntuosa.

envarado, da adj./s. Referido a una persona, que es orgullosa o que adopta una actitud de superioridad con respecto a los demás.

envaramiento s.m. **1** Entorpecimiento del movimiento de un miembro del cuerpo. **2** Adopción de una actitud de gran soberbia.

envarar ▌ v. **1** Referido a un miembro del cuerpo, entorpecerlo o impedir su movimiento: *De estar sin moverme se me han envarado las piernas.* ▌ prnl. **2** col. Sentir gran soberbia: *Se envaró tras conseguir aquel importante triunfo.*

envasado s.m. Proceso por el que un producto se distribuye en envases para su conservación o transporte.

envasar v. Referido esp. a un producto, echarlo en un envase para su conservación o transporte: *En esa planta envasan la leche en botellas de cristal.*

envase s.m. Recipiente que se usa para guardar, conservar o transportar un producto.

envejecer v. Hacer o hacerse viejo: *El paso del tiempo nos envejece a todos. Las buenas películas no envejecen nunca. Desde que se quedó viudo, se envejeció mucho.* ☐ MORF. Irreg. →PARECER.

envejecimiento s.m. Transformación que hace más viejo o más antiguo.

[envenenado, da] adj. Con intención de molestar o de perjudicar: *preguntas 'envenenadas'.*

envenenamiento s.m. **1** Administración o aplicación de veneno, o efecto causado por ello. **2** Corrupción, daño o deterioro de algo.

envenenar v. **1** Referido esp. a una persona o a un producto, administrarles o poner en ellos veneno: *Envenenaron el agua del río con sustancias tóxicas. El suicida se envenenó con arsénico.* **2** Corromper, dañar o echar a perder: *Las malas compañías lo envenenaron. Nuestras relaciones fueron envenenándose por culpa de la cizaña que nos metían.*

envergadura s.f. **1** En un ave, distancia entre las puntas de sus alas cuando están completamente abiertas. **2** En un avión, distancia entre los extremos de sus alas. **3** En una persona, distancia entre los extremos de sus brazos cuando están completamente extendidos en cruz. **4** En un barco, ancho de la vela en la parte por la que va unida a la verga del mástil. **5** Importancia, alcance o categoría de algo. ☐ ETIMOL. De *envergar* (atar las velas a las vergas).

envés s.m. En una hoja vegetal, cara inferior. ☐ ETIMOL. Del latín *inversus* (invertido).

envestir v. →**investir**. ☐ ETIMOL. Del latín *investire*. ☐ ORTOGR. Dist. de *embestir*.

enviado, da s. Persona que, por encargo de otra, lleva un mensaje o un recado.

enviar v. Hacer ir o hacer llegar; despachar: *Envió a un emisario a la corte. Envía una postal a tus padres.* ☐ ETIMOL. Del latín *inviare* (recorrer un camino). ☐ ORTOGR. La *i* de la raíz lleva tilde en los presentes, excepto en las personas *nosotros* y *vosotros* →GUIAR.

enviciar ▌ v. **1** Referido a una persona, hacer que adquiera un vicio: *Las malas compañías te están enviciando. Se ha enviciado con el tabaco.* ▌ prnl. **2** Aficionarse demasiado o darse con exceso a algo: *Se envició en el juego de las máquinas tragaperras.* ☐ ORTOGR. La *i* nunca lleva tilde. ☐ SINT. Constr. como pronominal: *enviciarse {CON/EN} algo.*

envidar v. En algunos juegos de cartas, apostar o hacer un envite: *Envidó todo su dinero en la jugada y lo perdió.* ☐ ETIMOL. Del latín *invitare* (invitar).

envidia s.f. **1** Tristeza, dolor o pesar que produce en alguien el bien ajeno. **2** Deseo de algo que no se

posee. □ ETIMOL. Del latín *invidia*, y éste de *invidere* (mirar con malos ojos).
envidiable adj. Que se puede envidiar o desear. □ MORF. Invariable en género.
envidiar v. **1** Referido a una persona, tener o sentir envidia hacia ella: *Envidia a su vecino porque tiene una casa mejor.* **2** Referido a algo ajeno, desearlo o apetecerlo: *Envidio tu inteligencia y tu belleza.* □ ORTOGR. La *i* nunca lleva tilde.
envidioso, sa adj./s. Que tiene o siente envidia.
envilecer v. Hacer vil y despreciable: *Las malas compañías te están envileciendo. Una mujer de su integridad es difícil que se envilezca.* □ MORF. Irreg. →PARECER.
envilecimiento s.m. **1** Adopción de un carácter vil y despreciable. **2** Descenso o reducción del valor de una moneda, de un producto o de una acción de bolsa.
envío s.m. **1** Acción de mandar, de hacer ir o de hacer llegar a un lugar. **2** Lo que se envía.
envite s.m. **1** En algunos juegos de cartas, apuesta que se hace en una jugada y que permite ganar tantos extraordinarios. **2** Ofrecimiento que se hace de algo. **3** Empujón, impulso o golpe brusco hacia adelante. **4** ||al primer envite; *col.* De buenas a primeras o sin pensarlo dos veces. □ ETIMOL. Del catalán *envit*.
enviudar v. Quedarse viudo: *Enviudó al año y medio de casarse.*
[envoltijo o **envoltorio** s.m. **1** Lío desordenado que se hace de algo, generalmente de ropa. **2** Lo que envuelve o cubre algo exteriormente; envoltura.
envoltura s.f. Lo que envuelve o cubre algo exteriormente; envoltijo, envoltorio.
envolvente adj. Que envuelve o rodea algo. □ MORF. Invariable en género.
envolver v. **1** Cubrir total o parcialmente, rodeando y ciñendo con algo: *Le envolvieron el pescado en papel de periódico. Una densa bruma envolvía el puerto. Se tumbó en el sofá y se envolvió en una manta.* **2** Referido a una persona, acorralarla en una conversación utilizando argumentos que la dejen sin saber qué responder: *Me envolvió con su palabrería y terminé dándole la razón.* **3** Referido a una persona, mezclarla o complicarla en un asunto, haciéndole tomar parte en él: *Envolvieron al empresario en un negocio ilegal. De repente, me di cuenta de que me había envuelto en un asunto de contrabando.* **[4** Referido a una cosa, incluir o contener otra: *Sus amables palabras 'envolvían' una amenaza.* □ ETIMOL. Del latín *involvere*. □ MORF. Irreg.: 1. Su participio es *envuelto*. 2. →VOLVER.
envuelto, ta part. irreg. de **envolver**.
enyesado s.m. **1** Operación de cubrir o tapar con yeso. **2** Colocación de un vendaje endurecido con yeso o escayola para sostener en posición conveniente un hueso roto o dislocado.
enyesar v. **1** Cubrir o tapar con yeso: *El albañil enyesó la pared para igualarla.* **2** Referido esp. a un miembro fracturado o dislocado, ponerle un vendaje endurecido con yeso o escayola, para sostener en posición conveniente los huesos afectados; escayolar: *Se rompió un brazo y se lo tuvieron que enyesar.*
enzarzar ∎ v. **1** Meter o implicar en una disputa: *Enzarzó a su amigo en la pelea. Los dos políticos se enzarzaron en una discusión.* ∎ prnl. **2** Meterse o enredarse en un asunto complicado: *Se enzarzó en un negocio que la llevó a la ruina.* **3** Enredarse en

las zarzas o en los matorrales: *Un pajarillo se enzarzó entre las matas.* □ ORTOGR. La *z* cambia en *c* delante de *e* →CAZAR. □ SINT. Constr. como pronominal: *enzarzarse EN algo.*
enzima s. Molécula de gran tamaño producida por las células vivas y que actúa como catalizadora en las reacciones químicas del organismo. □ ETIMOL. Del griego *en-* (en, dentro de) y *zýme* (fermento). □ ORTOGR. Dist. de *encima*. □ MORF. Es de género ambiguo: *el enzima digestivo, la enzima digestiva.*
enzimático adj. De la enzima o relacionado con esta molécula.
eñe s.f. Nombre de la letra *ñ*.
eoceno, na ∎ adj. **1** En geología, del segundo período de la era terciaria o cenozoica, o relacionado con él. ∎ adj./s.m. **2** En geología, referido a un período, que es el segundo de la era terciaria o cenozoica. □ ETIMOL. Del griego *eós* (aurora) y *kainós* (nuevo).
eólico, ca ∎ adj. **1** Del viento, producido por el viento, o relacionado con él. ∎ adj./s. **2** De la Eolia (antigua región de la costa occidental de Asia Menor), o relacionado con ella. □ ETIMOL. La acepción 1, de *Eolo*, dios griego del viento. □ MORF. En la acepción 2, la RAE sólo lo registra como adjetivo. □ SEM. Como adjetivo, es sinónimo de *eolio*.
eolio, ia adj. →eólico.
epa interj. Expresión que se usa para indicar advertencia o precaución: *¡Epa, que se me cae!*
epanadiplosis s.f. Figura retórica consistente en empezar y terminar una frase o uno de sus miembros con la misma palabra. □ ETIMOL. Del griego *epanadíplosis* (duplicación, reiteración). □ MORF. Invariable en número. □ SEM. Aunque la RAE lo considera sinónimo de *epanalepsis*, en círculos especializados no lo es.
epanalepsis s.f. Figura retórica consistente en repetir una palabra o un grupo de palabras para dar mayor fuerza a la expresión. □ ETIMOL. Del griego *epanálepsis* (repetición). □ MORF. Invariable en número. □ SEM. Aunque la RAE la considera sinónimo de *epanadiplosis*, en círculos especializados no lo es.
[epatar v. Asombrar o sorprender: *Nos quiso 'epatar' con su vestuario pero no lo consiguió.* □ ETIMOL. Del francés *épater*. □ USO Su uso es innecesario.
epéntesis s.f. Adición de un sonido en el interior de una palabra: *La pronunciación [ingalatérra] en lugar de [inglatérra] es un ejemplo de epéntesis.* □ ETIMOL. Del griego *epénthesis* (acción de agregar en medio). □ MORF. Invariable en número.
epentético, ca adj. Referido a un sonido, que se añade por epéntesis en el interior de una palabra.
epi- Prefijo que significa 'sobre': *epidermis, epicentro.* □ ETIMOL. Del griego *epí.*
[epicardio s.m. En anatomía, tejido que rodea el corazón. □ ETIMOL. De *epi-* (sobre) y el griego *kardía* (corazón). □ ORTOGR. Dist. de *epicarpio.*
epicarpio s.m. En botánica, en un fruto carnoso, parte externa del pericarpio o envoltura externa: *El epicarpio del melocotón es su piel.* □ ETIMOL. De *epi-* (sobre) y *-carpio* (fruto). □ ORTOGR. Dist. de *epicardio.*
epiceno adj./s.m. En gramática, referido a un sustantivo, que designa seres cuya diferencia de sexo se señala mediante la oposición *macho/hembra*: *'Búho' es un sustantivo epiceno porque su género gramatical es masculino, pero la diferencia de sexo se marca mediante la oposición 'el búho macho, el búho hem-*

bra'. ☐ ETIMOL. Del latín *epicoenus*, y éste del griego *epíkoinos* (común).

epicentro s.m. En geología, punto o zona de la superficie terrestre que constituye el centro de un terremoto y que está situada encima de su hipocentro. ☐ ETIMOL. De *epi-* (sobre) y *centro*. ☐ SEM. Dist. de *hipocentro* (zona interior de la corteza terrestre donde se origina un terremoto).

épico, ca ▌ adj. **1** De la épica, relacionado con ella o con rasgos propios de este género literario. [**2** *col*. Digno de figurar en un poema de este tipo, por el esfuerzo, la dedicación o el heroísmo que supone. ▌ adj./s. **3** Referido a un poeta, que cultiva la poesía épica. ▌ s.f. **4** Género literario al que pertenecen las epopeyas y la poesía heroica. ☐ ETIMOL. Del griego *epikós*, y éste de *épos* (verso, esp. el épico).

epicureísmo s.m. **1** Doctrina filosófica expuesta por Epicuro (filósofo griego del siglo IV a. C.), que considera que la felicidad humana consiste en disfrutar de los placeres evitando los sufrimientos. **2** Actitud del que busca el placer y evita cualquier dolor.

epicúreo, a ▌ adj. **1** De Epicuro o relacionado con este filósofo griego. **2** Sensual, voluptuoso o entregado a los placeres. ▌ adj./s. **3** Que sigue o defiende el epicureísmo.

epidemia s.f. **1** Enfermedad que ataca a un gran número de personas de una población, simultánea y temporalmente. [**2** Lo que se extiende de manera rápida, esp. si se considera negativo. ☐ ETIMOL. Del griego *epidemía* (residencia en un lugar o país). ☐ SEM. 1. En la acepción 1, dist. de *endemia* (afecta habitualmente o en fechas fijas). 2. Su uso con el significado de *epizootia* es incorrecto aunque está muy extendido.

epidémico, ca adj. De la epidemia o relacionado con ella.

epidemiología s.f. Estudio de las epidemias. ☐ ETIMOL. De *epidemia* y *-logía* (ciencia, estudio).

epidemiológico, ca adj. De la epidemiología o relacionado con ella.

epidemiólogo, ga s. Especialista en epidemiología.

epidérmico, ca adj. De la epidermis o relacionado con ella.

epidermis s.f. **1** Capa más externa de la piel; cutícula. **2** En botánica, membrana transparente e incolora, formada por una sola capa de células, que cubre el tallo y las hojas de algunas plantas. ☐ ETIMOL. Del griego *epidermís*, y éste de *epi-* (sobre) y el griego *derma* (piel). ☐ MORF. Invariable en número.

epidural adj./s.f. →**anestesia epidural**. ☐ MORF. Invariable en género.

epífisis s.f. **1** En anatomía, estructura nerviosa situada en la base del encéfalo, y que tiene función endocrina; glándula pineal: *La epífisis regula el desarrollo de los caracteres sexuales.* **2** En anatomía, parte final de los huesos largos que, durante el período de crecimiento, está separada del cuerpo de éstos por un cartílago que les permite crecer. ☐ ETIMOL. Del griego *epíphysis* (excrecencia). ☐ MORF. Invariable en número. ☐ SEM. En la acepción 1, dist. de *hipófisis* (glándula de la base del cráneo, que es el principal centro productor de hormonas). En la acepción 2, dist. de *apófisis* (parte saliente de un hueso).

epifonema s.m. Figura retórica consistente en una exclamación con la que se comenta y cierra enfáticamente lo que anteriormente se ha dicho. ☐ ETIMOL. Del griego *epiphónema* (interjección). ☐ MORF. La RAE lo registra como femenino.

epigástrico, ca adj. En anatomía, del epigastrio o relacionado con la región superior del abdomen.

epigastrio s.m. En anatomía, región superior del abdomen, que se extiende desde la punta del esternón hasta cerca del ombligo, y que está limitada a ambos lados por las costillas falsas. ☐ ETIMOL. Del griego *epigástrion*, y éste de *epi-* (sobre) y *gastér* (vientre).

epiglotis s.f. En anatomía, cartílago elástico de forma ovalada, cubierto por una membrana mucosa y sujeto a la parte posterior de la lengua, que cubre la glotis durante el paso de los alimentos desde la boca al estómago. ☐ ETIMOL. Del griego *epiglottís*, y éste de *epi-* (sobre) y *glottis* (lengua). ☐ PRON. Incorr. *[epíglotis]. ☐ MORF. Invariable en número.

epígono s.m. Persona que sigue las huellas de otra, esp. referido al seguidor de la escuela o del estilo de una generación anterior. ☐ ETIMOL. Del griego *epígonos* (nacido después).

epígrafe s.m. **1** En un texto, título o rótulo que lo encabezan. ⫘ libro **2** En un escrito, resumen o texto breve que figura en su encabezamiento, generalmente precediendo cada capítulo o apartado. **3** Inscripción grabada sobre piedra, metal u otro material semejante. ☐ ETIMOL. Del griego *epigraphé* (inscripción, título).

epigrama s.m. **1** Composición poética breve en la que se expresa con precisión y agudeza un pensamiento, generalmente de carácter festivo o satírico. **2** Pensamiento expresado de forma breve e ingeniosa, generalmente satírico. **3** Inscripción grabada sobre piedra o sobre metal. ☐ ETIMOL. Del latín *epigramma* (inscripción, pequeña composición en verso), y éste del griego *epígrapho* (yo inscribo).

epigramático, ca ▌ adj. **1** Del epigrama, con epigramas o con la agudeza que caracteriza a estos poemas. ▌ adj./s. **2** Referido a una persona, que compone o emplea epigramas. ☐ MORF. En la acepción 2, la RAE sólo lo registra como adjetivo y como sustantivo masculino.

epilepsia s.f. Enfermedad del sistema nervioso que se manifiesta generalmente por medio de ataques repentinos con pérdida de conciencia y convulsiones. ☐ ETIMOL. Del latín *epilepsia*, y éste del griego *epilepsía* (interrupción brusca).

epiléptico, ca ▌ adj. **1** De la epilepsia o relacionado con esta enfermedad. ▌ adj./s. **2** Que padece epilepsia.

epílogo s.m. **1** En algunas obras, parte final, desligada en cierto modo de las anteriores, y en la que se representa una acción o se refieren sucesos que son consecuencia de la acción principal o que están relacionados con ella. **2** En un discurso o en una obra literaria, recapitulación o resumen de lo dicho en ellos. [**3** Lo que es final, consecuencia o prolongación de algo. ☐ ETIMOL. Del griego *epílogos*, y éste de *epilégo* (añadir algo a lo dicho).

episcopado s.m. **1** Cargo de obispo. **2** Tiempo durante el que un obispo ejerce su cargo. **3** Conjunto de obispos. ☐ ETIMOL. Del latín *episcopatus*.

episcopal adj. Del obispo o relacionado con este cargo eclesiástico; obispal. ☐ ETIMOL. Del latín *epis-*

copalis, y éste de *episcopus* (obispo). □ MORF. Invariable en género.

[**episcopaliano, na** adj./s. Que admite la autoridad de la asamblea de obispos, pero no la autoridad papal.

episódico, ca adj. 1 Del episodio o relacionado con él. [2 Que es pasajero o que resulta poco importante.

episodio s.m. 1 En una obra narrativa o dramática, acción secundaria o incorporada a la principal y enlazada con ella. 2 En una narración, esp. en una serie de radio o de televisión, parte diferenciada o dotada de autonomía. 3 Suceso enlazado con otros con los que forma un todo, esp. si se considera por separado o si tiene poca trascendencia: *Aquella relación fue sólo un episodio en su vida.* [4 Suceso imprevisto y muy accidentado o complicado. □ ETIMOL. Del griego *epeisódion* (parte de un drama entre otras dos, entrada del coro).

epistemología s.f. Parte de la filosofía que estudia los fundamentos y los métodos del conocimiento científico. □ ETIMOL. Del griego *epistéme* (ciencia) y *-logía* (ciencia, estudio).

epistemológico, ca adj. De la epistemología o relacionado con esta parte de la filosofía.

epístola s.f. Carta o misiva que se escribe a alguien. □ ETIMOL. Del latín *epistula*, y éste del griego *epistolé* (mensaje escrito, carta). □ USO Su uso es característico del lenguaje culto.

epistolar adj. De la epístola o con sus características. □ MORF. Invariable en género.

epistolario s.m. Libro en el que se recoge una colección de epístolas o cartas, de uno o de varios autores y escritas generalmente a distintas personas sobre materias diversas.

epitafio s.m. Texto o inscripción dedicados a un difunto y que generalmente se pone sobre su sepulcro. □ ETIMOL. Del latín *epitaphium*, y éste del griego *epitáphios* (sobre una tumba).

epitalamio s.m. Composición poética hecha para celebrar una boda. □ ETIMOL. Del griego *epithalámion* (relativo a las nupcias). □ SEM. Dist. de *hipotálamo* (parte del encéfalo).

epitelial adj. Del epitelio o relacionado con él. □ MORF. Invariable en género.

epitelio s.m. En anatomía, tejido que recubre las estructuras y cavidades del organismo. □ ETIMOL. Del griego *epi-* (encima de) y *thelé* (pezón).

epíteto s.m. En gramática, adjetivo que expresa una cualidad característica del nombre al que acompaña: *En 'nieve blanca' o 'noche oscura', 'blanca' y 'oscura' son epítetos.* □ ETIMOL. Del griego *epítheton* (puesto de más, añadido).

epítome s.m. Resumen o compendio de una obra extensa. □ ETIMOL. Del griego *epitomé* (corte, resumen).

época s.f. 1 Espacio de tiempo que se considera en su conjunto por estar caracterizado de determinada manera. 2 Espacio de tiempo que se distingue por algún suceso o acontecimiento histórico importantes. 3 ‖de época; ambientado en un tiempo pasado: *coches de época.* ‖hacer época; tener mucha resonancia: *Ha sido un robo de los que hacen época.* □ ETIMOL. Del griego *epoké* (período, era).

epónimo, ma adj./s.m. Referido esp. a un personaje ilustre, que da nombre a algo, generalmente a un lugar o a una época: *Atenea es la diosa epónima de*

la ciudad de Atenas. □ ETIMOL. Del griego *epónymos,* y éste de *epí* (sobre) y *ónoma* (nombre). □ MORF. La RAE sólo lo registra como adjetivo.

epopeya s.f. 1 Poema narrativo extenso, de estilo elevado, que ensalza los hechos bélicos o gloriosos protagonizados por un pueblo o por sus héroes y en los que generalmente intervienen elementos fantásticos o sobrenaturales. 2 Conjunto de estos poemas que forman la tradición épica de un pueblo. 3 Conjunto de hechos heroicos o gloriosos, dignos de ser cantados en estos poemas. [4 Acción que se lleva a cabo con grandes sufrimientos o venciendo grandes dificultades. □ ETIMOL. Del griego *epopoiía* (composición de un poema épico).

épsilon s.f. En el alfabeto griego clásico, nombre de la quinta letra: *La grafía de la épsilon es ε.*

equi- Elemento compositivo que significa 'igual': *equidistar, equivaler.* □ ETIMOL. Del latín *aequus.*

equidad s.f. Justicia e imparcialidad para tratar a las personas o para dar a cada una lo que se merece de acuerdo con sus méritos o condiciones. □ ETIMOL. Del latín *aequitas.*

equidistancia s.f. Igualdad de distancia entre varios puntos u objetos.

[**equidistante** adj. Que equidista. □ MORF. Invariable en género.

equidistar v. Referido esp. a uno o a varios puntos, hallarse a la misma distancia de otro punto, o distar lo mismo entre sí: *El centro de un segmento equidista de los dos extremos.* □ ETIMOL. De *equi-* (igual) y *distar.*

équido ‖ adj./s.m. 1 Referido a un mamífero, que es herbívoro y tiene las patas largas y terminadas en un solo dedo muy desarrollado y provisto de pezuña: *El caballo es un équido.* ‖ s.m.pl. 2 En zoología, familia de estos mamíferos. □ ETIMOL. Del latín *equus* (caballo).

equilátero, ra adj. En geometría, que tiene lados iguales. □ ETIMOL. Del latín *aequilaterus.*

equilibrado, da ‖ adj. 1 Imparcial, prudente o sensato. ‖ s.m. [2 Colocación de un cuerpo en estado de equilibrio: *el 'equilibrado' de las ruedas del coche.*

equilibrar v. 1 Referido a un cuerpo, ponerlo en equilibrio: *Si no equilibras bien la estantería, volcará. Al sentarse dos niños de igual peso en cada extremo del balancín, éste se equilibra.* 2 Referido a una cosa, disponerla de modo que no exceda ni supere a otra y se mantenga en una relación de igualdad con ella: *El déficit se mantendrá si conseguimos equilibrar el volumen de importaciones y el de exportaciones. Al final, las fuerzas se equilibraron y el partido resultó muy reñido.* □ ETIMOL. Del latín *aequilibrare.*

equilibrio ‖ s.m. 1 Estado de un cuerpo sometido a dos o más fuerzas que se contrarrestan: *La balanza permanece en equilibrio porque las pesas que hay en cada plato pesan lo mismo.* 2 Situación de un cuerpo que, a pesar de tener poca base de sustentación, se mantiene en una posición sin caerse: *La malabarista mantiene veinte copas en equilibrio sobre su dedo.* 3 Armonía entre cosas diversas: *En esta ciudad hay un gran equilibrio entre zonas edificadas y zonas verdes.* 4 Imparcialidad, prudencia o sensatez en la forma de pensar o de actuar: *Sabe mantener el equilibrio y la serenidad en las situaciones difíciles.* ‖ pl. 5 Lo que se hace para sostener una situación difícil: *¡Cuántos equilibrios para poder llegar a fin de mes!* □ ETIMOL. Del latín *aequilibrium*, y éste de *aequus* (igual) y *libra* (balanza). □ SINT. La acepción 5 se usa más con el verbo *hacer*.

quilibrismo s.m. Actividad que consiste en realizar juegos o ejercicios difíciles sin perder el equilibrio.

quilibrista adj./s. Referido a una persona, que realiza con destreza ejercicios de equilibrismo, esp. si ésta es su profesión. □ MORF. 1. Como adjetivo es invariable en género. 2. Como sustantivo es de género común: *el equilibrista, la equilibrista*.

equilicuá interj. Expresión que se usa para indicar que se ha encontrado la solución a un problema o que se ha acertado en alguna cuestión. □ ETIMOL. Del italiano *eccolo quá* (helo aquí).

quimosis s.f. En medicina, mancha amoratada o amarillenta que se produce en la piel, o en los órganos internos, esp. por efecto de un golpe o de una fuerte presión; cardenal. □ ETIMOL. Del griego *ekkhýmosis* (extravasación de sangre). □ MORF. Invariable en número.

quino, na ▌ adj. **1** Del caballo o relacionado con este animal. ▌ s.m. **2** Caballo o mamífero que se domestican fácilmente y que se suelen emplear como montura o como animales de carga. **3** En arte, en un capitel dórico, moldura saliente y de forma convexa que forma su cuerpo principal, y que lo separa del fuste. □ ETIMOL. Las acepciones 1 y 2, del latín *equinus*. La acepción 3, del latín *echinus* (erizo). □ MORF. En la acepción 2, es un sustantivo epiceno: *el equino macho, el equino hembra*.

quinoccial adj. Del equinoccio o relacionado con esta época del año. □ MORF. Invariable en género.

quinoccio s.m. Época del año en que la duración de los días y de las noches es la misma en toda la Tierra, porque el Sol, en su trayectoria aparente, corta el plano del Ecuador: *El equinoccio de primavera se produce entre el 20 y el 21 de marzo.* □ ETIMOL. Del latín *aequinoctium*, y éste de *aequus* (igual) y *nox* (noche).

quinodermo ▌ adj./s.m. **1** Referido a un animal, que es marino, tiene un cuerpo con simetría radiada, la piel gruesa formada por placas calcáreas a veces provistas de espinas, y numerosos orificios o canales por los que circula el agua del mar: *La estrella de mar es un equinodermo.* ▌ s.m.pl. **2** En zoología, tipo de estos animales, perteneciente al reino de los metazoos. □ ETIMOL. Del griego *ekhînos* (erizo) y *dérma* (piel).

quipaje s.m. Conjunto de cosas que se llevan en los viajes. □ ETIMOL. De *equipar*. 🔍 equipaje

quipamiento s.m. **1** Suministro de lo necesario para una actividad o para una función determinadas. **2** Conjunto de servicios e instalaciones necesarios para desarrollar una determinada actividad. □ SEM. No debe emplearse referido al equipo material (anglicismo): *El {*equipamiento > equipo} de este hospital está anticuado.*

quipar v. Proveer de lo necesario para una actividad o para una función determinadas: *Han equipado el buque de guerra con modernos torpedos. Los soldados se equiparon con uniformes de campaña.* □ ETIMOL. Del francés *équiper*, y éste del escandinavo antiguo *skipa* (equipar un barco). □ SINT. Constr. *equipar {DE/CON} algo*.

equiparable adj. Que se puede equiparar. □ MORF. Invariable en género.

equiparación s.f. Consideración de dos o más cosas como iguales o equivalentes.

equiparar v. Referido a dos o más cosas, considerarlas iguales o equivalentes: *Su talento se puede equiparar con el de cualquier intelectual del momento. El muy engreído, cree que nadie puede equipararse a él.* □ ETIMOL. Del latín *aequiparare*, y éste de *aequus* (igual) y *parare* (disponer). □ SINT. Constr. *equiparar una cosa {A/CON} otra*.

equipo s.m. **1** Conjunto de objetos materiales necesarios para realizar una actividad o una función determinadas. **2** Grupo de personas organizadas para realizar una actividad determinada. **3** Conjunto de ropas y otros objetos materiales para el uso particular de una persona. **4** En algunos deportes, cada uno de los grupos que se disputan el triunfo. **5** ‖ **caerse con todo el equipo**; *col.* Fracasar o equivocarse totalmente. ‖ **en equipo**; en colaboración o coordinadamente entre varios.

equis ▌ adj. **1** Referido a una cantidad, que es desconocida o que resulta indiferente. ▌ s.f. **2** Nombre de la letra *x*. □ MORF. 1. Como adjetivo es invariable en género. 2. Invariable en número.

equitación s.f. Arte o práctica de montar a caballo. □ ETIMOL. Del latín *equitatio*.

equitativo, va adj. Que tiene equidad o que demuestra justicia e imparcialidad.

equivalencia s.f. Igualdad en la estimación, en el valor o en la eficacia de dos o más cosas.

equivalente adj./s.m. Que es igual en estimación, en valor o en eficacia. □ ETIMOL. Del latín *aequivalens*. □ MORF. Como adjetivo es invariable en género.

equivaler v. Ser igual en estimación, en valor o en eficacia: *Un kilómetro equivale a mil metros.* □ ETI-

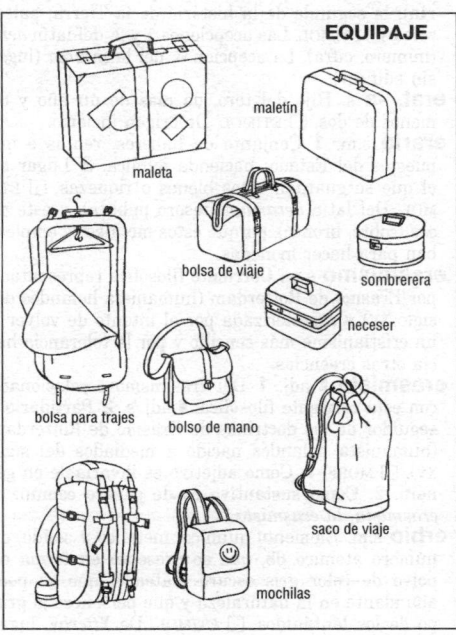

EQUIPAJE

maleta

maletín

bolsa de viaje

sombrerera

neceser

bolsa para trajes

bolso de mano

saco de viaje

mochilas

MOL. Del latín *aequivalere*. ☐ MORF. Irreg. →VALER. ☐ SINT. Constr. *equivalar A algo*.

equivocación s.f. **1** Confusión de una cosa por otra, debido a un descuido, al desconocimiento o a un error; equívoco. **2** Hecho o dicho equivocados.

equivocar v. **1** *Referido esp. a una cosa*, tomarla o tenerla por otra, debido a un descuido, al desconocimiento o a un error: *Equivoqué el camino y por eso tardé tanto. Si crees que me has convencido, te equivocas.* **[2** *Referido a una persona*, confundirla o hacerle caer en un equívoco: *Fue la lectura de tu carta la que me 'equivocó' y me hizo pensar lo que no era.* ☐ ORTOGR. La *c* se cambia en *qu* delante de *e* →SACAR. ☐ MORF. En la acepción 1, se usa más como pronominal.

equívoco, ca ▌ adj. **1** Que puede entenderse o interpretarse de varias maneras. ▌ s.m. **2** →**equivocación. 3** Figura retórica consistente en el empleo de palabras que pueden entenderse en varios sentidos. ☐ ETIMOL. Del latín *aequus* (igual) y *vocare* (llamar).

era s.f. **1** Período histórico extenso, caracterizado por un gran cambio en las formas de vida y de cultura, y que generalmente comienza con un suceso importante, a partir del cual se cuentan los años: *era cristiana.* **2** En geología, espacio de tiempo de gran duración en la evolución del mundo, esp. de la Tierra, y que a su vez se subdivide en períodos. **3** Espacio de tierra limpia y llana, que se utiliza para realizar distintas labores del campo, esp. para trillar la mies o el cereal maduro. **4** ‖era {antropozoica/cuaternaria/neozoica}; la quinta de la historia de la Tierra; cuaternario, neozoico. ‖era arcaica; la primera de la historia de la Tierra; arcaico. ‖era {cenozoica/terciaria}; la cuarta de la historia de la Tierra; cenozoico, terciario. ‖era {mesozoica/secundaria}; la tercera de la historia de la Tierra; mesozoico. ‖era {paleozoica/primaria}; la segunda de la historia de la Tierra; paleozoico. ☐ ETIMOL. Las acepciones 1 y 2, del latín *aera* (número, cifra). La acepción 3, del latín *area* (lugar sin edificar).

eral, -a s. Hijo del toro, de más de un año y de menos de dos. ☐ ETIMOL. De origen incierto.

erario s.m. **1** Conjunto de haberes, rentas e impuestos del Estado; hacienda pública. **2** Lugar en el que se guardan estos bienes o riquezas. ☐ ETIMOL. Del latín *aerarium* (tesoro público), y éste de *aes* (cobre, bronce), porque estos metales se empleaban para hacer monedas.

erasmismo s.m. Corriente filosófica representada por Erasmo de Rotterdam (humanista holandés del siglo XV) y caracterizada por el intento de volver a un cristianismo más sencillo y por la tolerancia hacia otras creencias.

erasmista ▌ adj. **1** Del erasmismo o relacionado con esta corriente filosófica. ▌ adj./s. **2** Partidario o seguidor de las doctrinas de Erasmo de Rotterdam (humanista holandés nacido a mediados del siglo XV). ☐ MORF. 1. Como adjetivo es invariable en género. 2. Como sustantivo es de género común: *el erasmista, la erasmista.*

erbio s.m. Elemento químico, metálico y sólido, de número atómico 68, que se presenta en forma de polvo de color gris oscuro plateado, que es poco abundante en la naturaleza y que pertenece al grupo de los lantánidos. ☐ ETIMOL. De *Ytterby*, lugar

de Suecia donde fue encontrado. ☐ ORTOGR. Su sí bolo químico es *Er.*

ere s.f. Nombre de la letra *r* en su sonido suave. SEM. Dist. de *erre* (nombre de la letra *r* en su soni fuerte).

erección s.f. Levantamiento o adquisición de ri, dez, esp. los producidos en un órgano por la aflue cia de sangre. ☐ ETIMOL. Del latín *erectio.*

eréctil adj. Que puede levantarse, enderezarse ponerse rígido. ☐ MORF. Invariable en género.

erecto, ta adj. Levantado, enderezado o rígido. ETIMOL. Del latín *erectus* (levantado).

eremita s.m. **1** Persona que vive en una ermita que cuida de ella. **2** Persona que vive en soledad. ETIMOL. Del griego *eremítes*, y éste de *éremos* (c sierto). ☐ SEM. Es sinónimo de *ermitaño.*

eremítico, ca adj. Del eremita o ermitaño, o r lacionado con él.

erg s.m. **1** Denominación internacional del erg **[2** Extensa superficie arenosa formada por un cc junto de dunas.

ergio s.m. En el sistema cegesimal, unidad de energ que equivale a 10^{-7} julios; erg. ☐ ETIMOL. Del grie *érgon* (trabajo).

ergo (latinismo) conj. Por tanto o pues: *Esto es* ▌ *ejemplo de silogismo: 'Los españoles son europee Juan es español, ergo Juan es europeo'.* ☐ USO ? uso es característico del lenguaje filosófico.

ergonomía s.f. Estudio de la capacidad y de psicología humanas en relación con el ambiente ✦ trabajo y con el equipo que maneja el trabajador. ETIMOL. Del inglés *ergonomics*, y éste del griego é *gon* (trabajo) y la terminación de *economics.*

ergonómico, ca adj. De la ergonomía o relaci nado con ella.

erguir ▌ v. **1** *Referido esp. a la cabeza o a una pa* del cuerpo, levantarla y ponerla derecha: *Oyó un ru do y erguió rápidamente la cabeza.* ▌ prnl. **2** Leva tarse, ponerse derecho o sobresalir sobre lo que ha alrededor: *Estaba agachado y al erguirse se mare Esas montañas se yerguen sobre el valle.* **3** Engre! se o llenarse de soberbia, de vanidad o de orgull *No te yergas tanto por haber conseguido el puest porque tu suerte puede cambiar en cualquier m mento.* ☐ ETIMOL. Del latín *erigere.* ☐ MORF. Irre →ERGUIR.

erial adj./s.m. *Referido a un terreno*, que no está cu tivado. ☐ ETIMOL. De *ería* (yermo, despoblado). ☐ MORF. Como adjetivo es invariable en género.

erigir v. **1** Levantar, fundar o instituir: *Mandó er gir un templo para conmemorar la victoria.* **2** El var a una categoría o a una condición que antes ▌ se tenía: *Tras su victoria electoral, la erigieron e caldesa. Se erigió en portavoz de la familia.* ☐ E! MOL. Del latín *erigere.* ☐ ORTOGR. 1. Incorr. **eregi 2. La *g* se cambia en *j* delante de *a, o* →DIRIGIR. ☐ SINT. Constr. de la acepción 2: *erigirse EN algo.*

erisipela s.f. Infección de la piel que se manifies por su enrojecimiento y, generalmente, por la apa rición de fiebre. ☐ ETIMOL. Del griego *erysípelas*, é éste de *eréuthos* (yo enrojezco) y *pélas* (cerca), por I propagación paulatina de esta infección. ☐ ORTOG Incorr. **irisipela.*

eritema s.m. **1** Inflamación superficial de la pi que se caracteriza por la aparición de manchas rc jas. **2** ‖eritema solar; el producido por los rayo solares. □ ETIMOL. Del griego *erýthema* (color roji-zo).

ritrocito s.m. Célula de la sangre de los vertebrados que contiene hemoglobina y cuya misión es transportar oxígeno a todo el organismo; glóbulo rojo, hematíe. □ ETIMOL. Del griego *erythrós* (rojo) y *kýtos* (célula).

rizado, da adj. Que está cubierto de púas o espinas.

rizamiento s.m. Levantamiento ligero del pelo.

rizar v. Referido esp. al pelo, levantarlo o ponerlo rígido: *El pánico me erizó el cabello. Cuando escucha esta música, se le eriza el vello.* □ ETIMOL. De *erizo*. □ ORTOGR. La *z* se cambia en *c* delante de *e* →CAZAR.

erizo s.m. 1 Mamífero insectívoro nocturno, con el dorso y los costados cubiertos de púas, de cabeza pequeña y hocico afilado. 2 En la castaña y en otros frutos, corteza espinosa que los recubre. 3 *col.* Persona de carácter áspero y difícil de tratar. 4 ‖erizo {de mar/marino}; animal marino con el cuerpo en forma de esfera aplanada y cubierto con una concha caliza llena de púas. □ ETIMOL. Del latín *ericius*. □ MORF. En la acepción 1, es un sustantivo epiceno: *el-erizo macho, el erizo hembra.*

ermita s.f. Capilla o iglesia pequeña, situada generalmente en un lugar despoblado o a las afueras de un pueblo, y en la que no suele haber culto permanente. □ ETIMOL. De *eremita.*

ermitaño, ña ‖ s. 1 Persona que vive en una ermita y que cuida de ella. 2 Persona que vive en soledad. ▮ s.m. 3 →cangrejo ermitaño. □ MORF. En la acepción 2, la RAE sólo registra el masculino. □ SEM. En las acepciones 1 y 2, como masculino es sinónimo de *eremita.*

erógeno, na adj. Que produce excitación sexual o que es sensible a ella. □ ETIMOL. Del griego *éros* (amor) y *-geno* (que genera o produce).

eros s.m. Conjunto de impulsos y tendencias sexuales de la personalidad humana. □ ETIMOL. Del griego *éros* (amor). □ MORF. Invariable en número.

erosión s.f. 1 En una superficie, esp. en la terrestre, desgaste producido por la acción de agentes externos, esp. por el agua y el viento. 2 Desgaste o disminución de la importancia, del prestigio o de la influencia de algo inmaterial. □ ETIMOL. Del latín *erosio* (roedura).

erosionar v. 1 Referido a un cuerpo, producir su erosión: *Las corrientes de agua erosionan su cauce. Los agentes atmosféricos hacen que rocas y montañas se erosionen.* 2 Referido esp. a algo inmaterial, desgastarlo o disminuir su prestigio, su influencia o su importancia: *Ese turbio asunto puede erosionar su imagen pública. Su fortaleza se ha ido erosionando.*

erosivo, va adj. De la erosión o relacionado con ella.

erótico, ca ▮ adj. 1 Del erotismo o relacionado con este tipo de amor. 2 Que excita el deseo sensual. 3 Referido a una obra artística, que describe o muestra temas sexuales o amorosos. ▮ s.f. 4 Atracción de una intensidad semejante a la sexual. □ ETIMOL. Del griego *erotikós*, y éste de *éros* (amor).

erotismo s.m. 1 Amor sensual. 2 Carácter de lo que tiene la capacidad de excitar el deseo sensual. 3 Expresión del amor físico en el arte. □ SEM. En la acepción 3, dist. de *pornografía* (obscenidad o fal-

ta de pudor en la expresión de lo relacionado con el sexo).

[erotizar v. Dar carácter erótico o comunicar erotismo: *La publicidad 'erotiza' la presentación de sus productos para estimular su venta.* □ ORTOGR. La *z* se cambia en *c* delante de *e* →CAZAR.

errabundo, da adj. Que anda vagando de una parte a otra sin tener lugar fijo. □ ETIMOL. Del latín *errabundus*, y éste de *errare* (vagar).

erradicación s.f. Extracción de raíz o eliminación total de algo, esp. de lo que está extendido y se considera negativo.

erradicar v. Arrancar de raíz o eliminar por completo: *Se dictó una ley para erradicar los castigos corporales de las escuelas.* □ ETIMOL. Del latín *eradicare*, y éste de *radix* (raíz). □ ORTOGR. 1. Dist. de *radicar.* 2. La *c* se cambia en *qu* delante de *e* →SACAR.

errante adj. Que va de un lugar a otro. □ MORF. Invariable en género.

errar v. 1 Fallar, no acertar o equivocarse en lo que se hace: *El cazador erró el tiro. Erró en su elección y ahora se arrepiente.* 2 Andar vagando de una parte a otra: *El mendigo llevaba años errando por las calles.* 3 Referido esp. al pensamiento o a la atención, divagar o pasar de una cosa a otra: *Dejaba errar su imaginación y escribía lo que se le iba ocurriendo.* □ ETIMOL. Del latín *errare* (vagar, vagabundear, equivocarse). □ ORTOGR. Dist. de *herrar.* □ MORF. Irreg. →ERRAR.

errata s.f. Error material cometido en la escritura o en la impresión de un texto. □ ETIMOL. Del latín *errata* (cosas erradas).

errático, ca adj. Que vaga sin rumbo ni destino fijos.

errátil adj. Que va errante o que sigue un rumbo incierto o variable. □ ETIMOL. Del latín *erratilis.* □ MORF. Invariable en género.

erre s.f. 1 Nombre de la letra *r* en su sonido fuerte. 2 ‖erre que erre; *col.* De manera insistente u obstinada: *Le dije que no, pero él siguió erre que erre hasta que me convenció.* □ SEM. Dist. de *ere* (nombre de la letra *r* en su sonido suave).

erróneo, a adj. Que contiene error.

error s.m. 1 Concepto equivocado o juicio falso. 2 Equivocación o desacierto. [3 En una medida o en un cálculo, diferencia entre el valor real o exacto y el resultado obtenido. □ ETIMOL. Del latín *error.*

[ertzaina (del vasco) s. Miembro de la policía autónoma vasca. □ PRON. [ercháina]. □ MORF. Es de género común: *el 'ertzaina', la 'ertzaina'.*

[ertzaintza (del vasco) s.f. Policía autónoma vasca. □ PRON. [ercháncha].

eructar v. Expulsar por la boca y haciendo ruido los gases del estómago: *Eructar en público es de mala educación.* □ ETIMOL. Del latín *eructare* (eructar, vomitar). □ PRON. Incorr. *[eruptar].

eructo s.m. Expulsión por la boca y haciendo ruido de los gases del estómago; regüeldo. □ PRON. Incorr. *[erupto].

erudición s.f. Conocimiento amplio y profundo adquirido mediante el estudio, esp. el relacionado con temas literarios o históricos y basado en el examen de fuentes y documentos.

erudito, ta adj./s. Que tiene o demuestra erudición. □ ETIMOL. Del latín *eruditus*, y éste de *erudire* (quitar la rudeza, enseñar).

erupción s.f. **1** En medicina, aparición en la piel de granos, manchas u otras lesiones, generalmente por efecto de una enfermedad o como reacción del organismo. **2** Conjunto de estos granos y lesiones de la piel. **3** En geología, emisión o salida a la superficie, generalmente de manera repentina y violenta, de materias sólidas, líquidas o gaseosas procedentes del interior de la tierra. [**4** Salida violenta de algo que estaba contenido. □ ETIMOL. Del latín *eruptio*, y éste de *errumpere* (precipitarse fuera).

esa demos. de *ese*.

esbeltez s.f. Altura y delgadez, o proporción airosa y elegante en la figura.

esbelto, ta adj. Alto y delgado, o de figura proporcionada, airosa y elegante. □ ETIMOL. Del italiano *svelto*.

esbirro s.m. **1** Persona pagada por otra para llevar a cabo los actos violentos o abusivos que ésta le ordena. **2** Persona encargada de ejecutar las órdenes de una autoridad, esp. si para ello tiene que emplear la violencia. □ ETIMOL. Del italiano *sbirro*.

esbozar v. **1** Referido a una obra de creación, hacer un primer proyecto de modo provisional, con los elementos esenciales y sin mucha precisión: *En dos minutos, esbozó mi retrato*. **2** Referido esp. a una idea o a un plan, explicarlos brevemente y de un modo general y vago: *En la rueda de prensa, sólo esbozó el tema de su próxima novela*. **3** Referido esp. a un gesto, insinuarlo, iniciarlo o hacerlo levemente: *Cuando me vio, esbozó una sonrisa*. □ ORTOGR. La z se cambia en c delante de e →CAZAR. □ SEM. En las acepciones 1 y 2, es sinónimo de *bosquejar*.

esbozo s.m. **1** Primer plan o proyecto, hecho de modo provisional, sólo con los elementos esenciales y sin mucha precisión. **2** Explicación breve, general y vaga, habitualmente acerca de una idea o de un plan. **3** Insinuación de un gesto: *el esbozo de una sonrisa*. □ ETIMOL. Del italiano *sbozzo*. □ SEM. En las acepciones 1 y 2, es sinónimo de *bosquejo*.

escabechar v. **1** Referido a un alimento, ponerlo en escabeche: *Escabecha las sardinas para que se conserven más tiempo*. **2** col. Matar violentamente, esp. si es con arma blanca: *El atracador decía que, si no le daba la cartera, lo escabechaba*.

escabeche s.m. **1** Salsa hecha con aceite, ajo, hojas de laurel, pimienta en grano y vinagre. **2** Alimento conservado en esta salsa. □ ETIMOL. Del árabe *sabkbay* (guiso de carne con vinagre).

escabechina s.f. **1** col. Abundancia de suspensos en un examen. **2** col. Daño, ruina o destrozo.

escabel s.m. Tarima pequeña que se usa para apoyar los pies en ella mientras se está sentado. □ ETIMOL. Del catalán antiguo *escabell*.

escabrosidad s.f. **1** Desigualdad, irregularidad o aspereza de un terreno. [**2** Dificultad que presenta un asunto para manejarlo o resolverlo, de modo que requiere gran cuidado al tratarlo. **3** Proximidad a lo que se considera inconveniente, inmoral u obsceno.

escabroso, sa adj. **1** Referido esp. a un terreno, que es desigual, irregular o muy accidentado. [**2** Referido esp. a un asunto, que es difícil de manejar o de resolver, y que requiere mucho cuidado al tratarlo. **3** Que está al borde de lo que se considera inconveniente, inmoral u obsceno. □ ETIMOL. Del latín *scabrosus* (desigual, áspero, tosco).

escabullirse v. **1** Salir o escaparse de un sitio sin que se note en el momento: *Conseguí escabullir de la fiesta y volver a casa*. **2** Irse o escaparse entre las manos: *El conejo se escabulló entre los m torrales*. □ ETIMOL. Quizá del latín *excapulare* (caparse de un lazo). □ MORF. Irreg. →PLAÑIR.

escacharrar v. col. Romper, estropear o malogr Dio tal golpe al despertador, que lo escacharró. ha escacharrado la radio. □ ORTOGR. Se adm también *descacharrar*.

escachifollar v. col. Estropear o averiar: *Es chifolló la moto al chocarse con la farola*.

escafandra s.f. **1** Equipo formado por un traje i permeable y un casco perfectamente cerrado, q está provisto de unos orificios y tubos por los q se renueva el aire necesario para respirar, y que utiliza para permanecer un tiempo prolongado bajo del agua. [**2** col. Traje utilizado por los ast nautas para salir al espacio. □ ETIMOL. Del franc *escaphandre*, y éste del griego *skáphe* (barco pequ ño) y *andrós* (de un hombre).

escafoides s.m. →**hueso escafoides**. □ ETIMO Del griego *skáphe* (bote) y *-oides* (semejanza). MORF. Invariable en número.

escagarruzarse v.prnl. vulg. Expulsar los exc mentos involuntariamente: *Cambia los pañales niño, que ha vuelto a escagarruzarse*. □ ORTOGR. z se cambia en c delante de e →CAZAR.

escala s.f. **1** Serie ordenada de cosas distintas la misma especie, esp. si su orden responde a criterio: *la escala de salarios*. **2** Graduación o di sión que tienen algunos instrumentos de medida: *escala de un termómetro*. **3** En una representación gr fica o tridimensional de un objeto, proporción entre dimensiones reales del objeto y las de la reprodu ción: *la escala de un mapa*. **4** Tamaño o proporci en que se desarrolla un plan o una idea: *venta gran escala*. **5** Escalera portátil formada por d cuerdas laterales en las que se encajan los trav saños que sirven de escalones. **6** Lugar en el q un barco o un avión hacen una parada en su tr yecto. **7** En música, sucesión de notas en alturas s cesivas. **8** En el ejército, escalafón o lista jerarquiza de sus componentes. **9** ‖ [**escala (de) Richter**; que mide la intensidad de un terremoto. ‖ **esca técnica**; la que se efectúa por necesidades de la n vegación: *Era un vuelo muy largo y tuvimos que h cer una escala técnica para repostar*. □ ETIMOL. D latín *scala* (escalón, escalera). *Escala Richter*, alusión a Charles F. Richter, geofísico norteamer cano que la creó.

escalabrar v. →**descalabrar**.

escalada s.f. **1** Subida o ascenso por una pendie te o hasta una gran altura. **2** Aumento o intensi cación rápidos y generalmente alarmantes de un f nómeno. **3** Ascenso rápido a un cargo o a un pues más elevados.

escalador, -a s. [**1** Deportista que practica la e calada. [**2** Ciclista especializado en pruebas c montaña.

escalafón s.m. Lista de los individuos de una co poración clasificados según un criterio, generalme te según la importancia de su cargo o su antigü dad.

escalar ‖ adj. **1** Referido a una magnitud física, qu carece de dirección o que se expresa sólo por u número: *La temperatura es una magnitud escala* ‖ v. **2** Referido a algo de gran altura, subir o trepa por ello o hasta su cima: *Un equipo de montañeros escaló aquel pico*. **3** Referido a un cargo o a una posición elevados, ascender hasta ellos: *Empezó siendo botones y fue escalando hasta llegar a presidente*. □ MORF. Como adjetivo es invariable en género.

•scaldado, da adj. *col.* Receloso o escarmentado.

•scaldar v. **1** Bañar con agua hirviendo: *En la granja escaldan los pollos para desplumarlos*. **2** Abrasar o quemar con fuego o con algo muy caliente: *¿Es que quieres escaldarnos sirviéndonos la comida tan caliente? No tomes todavía la sopa, que te escaldarás*. □ ETIMOL. Del latín *excaldare*.

•scaleno, na adj. **1** Referido a un triángulo, que tiene los tres lados desiguales. **2** Referido a un cono o a una pirámide, que tienen su eje oblicuo a la base. □ ETIMOL. Del latín *scalenus*, y éste del griego *skalenós* (cojo, oblicuo). □ MORF. La RAE sólo lo registra en masculino.

•scalera s.f. **1** Serie de peldaños colocados uno a continuación de otro y a diferente altura, que sirve para subir y bajar y para comunicar pisos o niveles. **2** Armazón, generalmente de madera o de metal, con travesaños paralelos entre sí, y que se usa para alcanzar sitios altos. **3** Reunión de cartas de valor correlativo. **4** ‖ **escalera de caracol**; la de forma en espiral. ‖ **escalera de color**; la formada por cartas del mismo palo. □ ETIMOL. Del latín *scalaria* (peldaños).

•scalerilla s.f. Escalera de pocos escalones, esp. la móvil que se usa para subir o bajar de un avión.

•scaléxtric s.m. **1** Juego de coches en miniatura, que se controlan con un mando a distancia y se hacen correr por unas pistas de plástico con curvas, puentes y pendientes. **2** Sistema de cruces de carreteras a distintos niveles. □ ETIMOL. La acepción 1 es extensión del nombre de una marca comercial. □ ORTOGR. Se usa también *scalextric*. □ USO En la acepción 2, su uso es innecesario y puede sustituirse por una expresión como *paso elevado*.

•scalfar v. Referido a un huevo, cocerlo sin cáscara en un líquido hirviendo: *Se tarda más en escalfar un huevo que en freírlo*. □ ETIMOL. Del latín **calfare*, y éste de *calefacere* (calentar).

•scalinata s.f. Escalera amplia y artística, generalmente de un solo tramo, construida en el exterior o en el vestíbulo de un edificio. □ ETIMOL. Del italiano *scalinata*, y éste de *scalino* (escalón).

•scalofriante adj. Terrible, asombroso o sorprendente. □ MORF. Invariable en género.

•scalofrío s.m. Sensación de frío, generalmente repentina, acompañada de contracciones musculares, y producida por la fiebre o por el miedo. □ ETIMOL. De *calor* y *frío*.

•scalón s.m. **1** En una escalera, cada una de las partes que sirve para apoyar el pie al subir o bajar por ella; paso, peldaño. **2** Grado o rango, esp. en un empleo. **3** Paso o medio con que se avanza en la consecución de un fin.

•scalonado, da adj. Con forma de escalón. □ MORF. La RAE sólo registra el masculino.

•scalonamiento s.m. **1** Colocación o disposición de algo de trecho en trecho. **2** Distribución o reparto de las diversas partes de una serie en tiempos sucesivos: *El escalonamiento de las vacaciones de los empleados permitirá que la empresa no cierre en agosto*.

•scalonar v. **1** Situar ordenadamente de trecho

en trecho: *Escalonaron teléfonos de socorro a lo largo de toda la autopista. Los soldados se escalonaron para cubrir toda la zona*. **2** Referido a las partes de una serie, distribuirlas o repartirlas en tiempos sucesivos: *Antes venía a diario, pero luego empezó a escalonar sus visitas*.

escalonia s.f. Bulbo o tallo subterráneo, parecido al ajo o a la cebolla, de color rojizo y que se usa como condimento; chalota, chalote. □ ETIMOL. Del latín *ascalonia* (cebolla de Ascalón, ciudad palestina).

escalope s.m. Filete de carne de ternera o de vaca, empanado y frito. □ ETIMOL. Del francés *escalope*.

escalpelo s.m. Instrumento de cirugía en forma de cuchillo pequeño, de hoja estrecha y puntiaguda, y que se usa para hacer disecciones y autopsias. □ ETIMOL. Del latín *scalpellum*, y éste de *scalprum* (escoplo, buril). □ ORTOGR. Dist. de *escarpelo*.

escama s.f. **1** Cada una de las pequeñas placas duras y ovaladas que recubren el cuerpo de algunos animales, esp. de los peces y de los reptiles. **2** Laminilla formada por células epidérmicas, unidas y muertas, que se desprenden de la piel. □ ETIMOL. Del latín *squama*.

escamar v. **1** *col.* Referido a una persona, hacer que entre en recelo o en desconfianza: *Me escamó que me dijera aquello. ¿No te escamaste cuando te dijo que no pasaba nada?* **2** Referido a un pez, quitarle las escamas; descamar: *Antes de cocinar la merluza hay que escamarla*.

escamoso, sa adj. Con escamas.

escamotear v. **1** Suprimir de forma intencionada o arbitraria: *No escamoteó elogios hacia todos los asistentes*. **2** Hacer desaparecer de la vista por ilusión o por artificio: *La prestidigitadora escamoteó la paloma ante la admiración del público*. **3** Robar con agilidad y con astucia: *Me escamotearon la cartera en el autobús*. □ ETIMOL. Del francés *escamoter*.

escampar v. Aclararse el cielo nublado y dejar de llover: *Llovió toda la mañana, pero por la tarde escampó*. □ ETIMOL. De *campo*. □ ORTOGR. Se admite también *descampar*. □ MORF. Es unipersonal.

escanciador, -a adj./s. Que escancia.

escanciar v. Referido al vino o a la sidra, servirlos o echarlos en los vasos: *Una camarera escanciaba el vino en las copas de los comensales. La sidra natural se escancia desde muy arriba para que se oxigene*. □ ETIMOL. Del germánico *skankjan* (dar de beber). □ ORTOGR. La *i* nunca lleva tilde.

escandalera s.f. *col.* Escándalo, jaleo o alboroto.

escandalizar ∎ v. **1** Referido a una persona, causarle escándalo: *Nos escandalizó verlo tirado en la calle y borracho. Si la película tiene escenas eróticas, seguro que hay quien se escandaliza*. **∎** prnl. **2** Mostrarse indignado u horrorizado por algo: *Me escandalicé al ver cómo había subido todo de precio*. □ ORTOGR. La *z* se cambia en *c* delante de *e* →CAZAR.

escándalo s.m. **1** Hecho o dicho considerados contrarios a la moral social y que producen indignación, desprecio o habladurías maliciosas. **2** Situación producida por uno de estos hechos. **3** Alboroto, tumulto o ruido grande. □ ETIMOL. Del latín *scandalum*, y éste del griego *skándalon* (trampa u obstáculo para que alguien caiga). □ SINT. La acepción 3 se usa más con el verbo *armar* o equivalentes.

escandaloso, sa ▌adj. **1** Que causa escándalo. ▌adj./s. **2** Que es ruidoso o revoltoso.

escandinavo, va adj./s. De Escandinavia (región del norte europeo), o relacionado con ella.

escandio s.m. Elemento químico, metálico y sólido, de número atómico 21, de color gris plateado, de escasa dureza y muy estable frente a la corrosión. ☐ ETIMOL. Del latín *Scandia* (nombre latino de Escandinavia). ☐ ORTOGR. Su símbolo químico es *Sc.*

[escanear v. Referido a un cuerpo o a un objeto, pasarlos por un escáner: *Si 'escaneas' la foto, la podrás recuperar en la pantalla y modificarla.*

escáner s.m. **1** Aparato de rayos X que se usa para exploraciones médicas y que, con la ayuda de un ordenador, permite obtener la imagen completa de varias secciones transversales de la zona explorada. **[2** Aparato que, conectado a un ordenador, sirve para seccionar y analizar una imagen, o para explorar el interior de un objeto. **[3** Estudio, trabajo o exploración hechos con estos aparatos. ☐ ETIMOL. Del inglés *scanner* (el que explora o registra). ☐ SEM. Es sinónimo de *escanógrafo.* ☐ USO Es innecesario el uso del anglicismo *scanner.*

escanógrafo s.m. →**escáner.**

escanograma s.f. Radiografía obtenida mediante el escáner. ☐ ETIMOL. De *escáner* y *-grama* (representación).

escaño s.m. En una cámara parlamentaria, asiento, puesto o cargo de cada uno de sus miembros. ☐ ETIMOL. Del latín *scamnum* (banco).

escapada s.f. **1** Salida que se hace deprisa o a escondidas. **2** col. Viaje o salida breves que se realizan para divertirse o para descansar de las ocupaciones habituales. **[3** En algunos deportes, adelantamiento de un deportista respecto del grupo en que está corriendo.

escapar ▌v. **1** Salir o irse deprisa o a escondidas: *El ladrón escapó por la puerta del jardín. Si puedo, me escapo un momento y te llevo al aeropuerto.* **2** Salir o librarse de un peligro o de un encierro: *En el accidente, escapó de la muerte por casualidad. El león se escapó de su jaula.* **3** Referido esp. a un asunto, quedar fuera del dominio, de la influencia o del alcance: *Ese problema porque escapa de mi competencia.* **4** Referido esp. a una oportunidad, pasar o alejarse sin ser aprovechada: *Dejó escapar la ocasión de su vida. Se me escapó la oportunidad de realizar el viaje.* ▌prnl. **5** Referido esp. a un error, pasar inadvertido: *Se le escaparon varias faltas de ortografía al corregir el escrito.* **6** Referido esp. a un medio de transporte, alejarse sin que sea alcanzado: *¡Corre, que se nos escapa el tren!* **7** Referido a un fluido contenido en un recipiente, salirse por algún resquicio: *Anuda bien el globo para que no se escape el aire.* **8** Referido a algo que está sujeto, soltarse: *Agarra bien al perro, que no se te escape.* **9** En algunos deportes, referido a una persona, adelantarse al grupo en el que está corriendo: *La corredora se escapó del pelotón.* **10** ║**escaparse** algo a alguien; **1** Decirlo o emitirlo involuntariamente: *Te lo cuento si después no se te escapa el secreto.* **[2** No alcanzar a entenderlo: *'Se me escapa' lo que me quiso decir con ese gesto.* ☐ ETIMOL. Del latín **excappare* (salir de un obstáculo). ☐ SINT. Constr. de la acepción 2: *escapar DE algo.*

escaparate s.m. **1** Espacio acristalado que sirve para exponer mercancías y que se encuentra generalmente en la fachada del establecimiento en el que éstas se venden. **[2** col. Medio de promoción de lucimiento: *La feria será un 'escaparate' para país ante el mundo entero.* **3** En zonas del espaí meridional, aparador. ☐ ETIMOL. Del holandés *sch prade* (armario, esp. el de cocina).

[escaparatismo s.m. Arte o técnica de adornar colocar los escaparates de un establecimiento.

escaparatista s. Persona que se dedica profesi nalmente a la ornamentación y colocación de los e caparates de un establecimiento. ☐ MORF. Es de g nero común: *el escaparatista, la escaparatista.*

escapatoria s.f. Salida, excusa o recurso para e capar de una situación de apuro.

escape s.m. **1** Salida o vía de solución a una s tuación, esp. si ésta es complicada o peligrosa. **2** Salida o fuga de un fluido por algún resquicio d recipiente que lo contiene: *escape de gas.* **3** En motor de explosión, salida de los gases quemad *tubo de escape.* **[4** En el teclado de un ordenador, tec que permite salir del programa. **5** ║**a escape**; m deprisa o rápidamente. ☐ PRON. En la acepción está muy extendida la pronunciación anglicista [e kéip.

[escapismo s.m. Tendencia a esquivar los probl mas o a evadirse de la realidad.

[escapista adj./s. Que tiende a esquivar los pr blemas o a evadirse de la realidad. ☐ MORF. Como adjetivo es invariable en género. 2. Como su tantivo es de género común: *el 'escapista', la 'esc pista'.*

escápula s.f. Cada uno de los dos huesos ancho casi planos y de forma triangular, situados a uno otro lado de la espalda, donde se articulan los h meros y las clavículas; omoplato, omóplato. ☐ E MOL. Del latín *scapula* (hombro, omóplato).

escapulario s.m. Cinta de tela que se coloca modo que cuelgue sobre el pecho y la espalda, y q se usa como distintivo de algunas órdenes religios o para sujetar una insignia religiosa. ☐ ETIMOL. D latín *scapularis* (que cuelga sobre los hombros).

escaquearse v.prnl. col. Escabullirse o evita una obligación o una situación comprometida: *E vago siempre se escaquea cuando hay trabajo.* SINT. Constr. *escaquearse DE algo.*

[escaqueo s.m. col. Hecho de escabullirse de ur obligación o de evitar una situación comprometid

escara s.f. Costra de color oscuro en una cicatri

escarabajo s.m. **1** Insecto coleóptero, esp. el c cuerpo grande y patas cortas. insecto **[2** co Cierto coche utilitario de formas redondeadas y f bricado por Volkswagen (firma alemana de coches ☐ ETIMOL. Del latín **scarabaius.* ☐ MORF. En acepción 1, es un sustantivo epiceno: *el escaraba macho, el escarabajo hembra.*

escaramujo s.m. **1** Planta leñosa, de tallo liso c espinas alternas, cuyo fruto es una baya ovalad que, cuando está madura, tiene color rojo. **2** Fru de esta planta: *Los escaramujos se utilizan en m dicina.* ☐ ETIMOL. De origen incierto.

escaramuza s.f. **1** Combate de poca importanci esp. el sostenido por las avanzadas de los ejércit **2** Riña o discusión de poca importancia.

escarapela s.f. Adorno o distintivo en forma d disco o de roseta y hecho con plumas o con cinta ☐ ETIMOL. Del antiguo *escarapelarse* (reñir arañá dose), porque en las escarapelas hay desacuerdo separación entre los colores.

•**scarbadientes** s.m. Utensilio de pequeño tamaño, delgado y rematado en punta, que se utiliza para limpiar los restos de comida que quedan entre los dientes; mondadientes. ☐ MORF. 1. Invariable en número. 2. En zonas del español meridional se usa también *escarbadiente.*

•**scarbar** v. 1 Referido esp. a la tierra, arañar, rasgar o remover su superficie ahondando un poco en ella: *El perro escarbó el suelo del jardín para enterrar el hueso. Es de mala educación escarbarse en los dientes con un palillo.* 2 Investigar con el fin de hacer averiguaciones o descubrimientos: *Por más que escarbé, no logré enterarme de lo que pasó.* ☐ ETIMOL. De origen incierto.

•**scarcela** s.f. En una armadura, parte que caía desde la cintura y cubría el muslo. ☐ ETIMOL. Del italiano *scarsella* (bolsa). ✂ armadura

•**scarceo** s.m. 1 Prueba o tentativa antes de iniciar una acción o de dedicarse a una actividad. ‖ **escarceo (amoroso)**; aventura amorosa superficial o que está en sus inicios.

•**scarcha** s.f. Rocío de la noche congelado. ☐ ETIMOL. De origen incierto.

•**scarchar** v. 1 Formarse escarcha o congelarse el rocío que cae en las noches frías: *Esta noche ha escarchado.* 2 Referido esp. a una fruta, prepararla de forma que el azúcar cristalice en su superficie: *Hemos escarchado melocotones y peras para Navidad.* ☐ MORF. En la acepción 1, es unipersonal.

•**scardar** v. Referido a un terreno sembrado, arrancarle los cardos y las malas hierbas: *El agricultor escardó el trigal.*

•**scardilla** s.f. o **escardillo** s.m. Herramienta semejante a una azada pequeña, con dos puntas en el extremo opuesto al corte, y que se usa para escardar la tierra y para trasplantar plantas pequeñas. ✂ apero

•**scarlata** adj./s. De color rojo intenso, más brillante que el granate. ☐ ETIMOL. Del árabe *'iskirlata* (tejido de seda bordado de oro). ☐ MORF. 1. Como adjetivo es invariable en género. 2. Como sustantivo, aunque la RAE lo registra como femenino, se usa más como masculino.

•**scarlatina** s.f. Enfermedad infecciosa y contagiosa, propia de la infancia, y cuyos síntomas son fiebre alta, anginas y aparición de manchas de color rojo escarlata en la piel. ☐ ETIMOL. De *escarlata.*

•**scarmentar** v. 1 Extraer una enseñanza de errores ajenos o pasados, que sirva de advertencia para evitar repetirlos: *Desde el accidente, he escarmentado y conduzco con más prudencia. ¡Fíjate en lo que me ha pasado y escarmienta en cabeza ajena!* 2 Referido a una persona, reprenderla duramente o aplicarle una sanción para que no repita los errores o faltas cometidos; castigar: *Mi madre me prohibió salir durante un mes para escarmentarme.* ☐ MORF. Irreg. →PENSAR. ☐ SINT. Constr. de la acepción 1: *escarmentar* CON *algo* o *escarmentar* EN *alguien.*

•**scarmiento** s.m. 1 Enseñanza que se extrae de errores ajenos o pasados y que sirve de advertencia para evitar repetirlos. 2 Castigo que se da a una persona por los errores o faltas cometidos para evitar que lo repita. ☐ ETIMOL. Del antiguo *escarnir* (hacer burla de otro).

•**scarnecer** v. Referido a una persona, hacer escarnio de ella o insultarla de manera humillante: *Ese cobarde escarnece a los que son más débiles que él.* ☐ ETIMOL. Del antiguo *escarnir* (hacer burla de otro). ☐ MORF. Irreg. →PARECER.

escarnecimiento o **escarnio** s.m. Burla o muestra de desprecio groseras y muy humillantes. ☐ USO *Escarnecimiento* es el término menos usual.

escarola s.f. Hortaliza semejante a la lechuga, de hojas abundantes, recortadas y muy rizadas, y que se suele comer en ensalada. ☐ ETIMOL. Del catalán y del provenzal *escarola.*

escarolado, da adj. Rizado de forma que recuerda las hojas de una escarola.

escarpado, da adj. 1 Referido a un terreno, con una gran pendiente. 2 Referido a un lugar, de acceso muy difícil.

escarpe s.m. En una armadura, pieza que cubre el pie. ☐ ETIMOL. Del italiano *scarpa* (zapato). ✂ armadura

escarpelo s.m. Herramienta de carpintería o de escultura, semejante a una lima dentada, que se usa para limpiar y raspar superficies. ☐ ETIMOL. Del latín *scalpellum*, y éste de *scalprum* (escoplo). ☐ ORTOGR. Dist. de *escalpelo.*

escarpia s.f. Clavo en forma de ele mayúscula, que se utiliza para colgar cosas; alcayata. ☐ ETIMOL. De origen incierto.

escarpín s.m. 1 Zapato ligero y flexible, de una pieza o con una sola suela y con una sola costura. ✂ calzado 2 Prenda de abrigo para los pies, que se suele poner encima del calcetín o de la media. [3 Zapato de tacón alto que tiene el escote redondeado. ☐ ETIMOL. Del italiano *scarpino*, y éste de *scarpa* (zapato).

escasear v. Haber en cantidad escasa o insuficiente: *En el Tercer Mundo escasean los alimentos.*

escasez s.f. 1 Falta o poca cantidad. 2 Pobreza o falta de lo necesario para vivir. ☐ SEM. En plural se usa con el significado de 'apuros económicos': *En la guerra pasamos muchas 'escaseces'.*

escaso, sa adj. 1 Poco, pequeño o insuficiente en cantidad o en número. 2 Que le falta un poco para estar justo o completo: *Mido dos metros escasos.* ☐ ETIMOL. Del latín **excarsus* (entresacado).

escatimar v. Referido a algo que se da, darlo en la menor cantidad posible: *Si quieres que el trabajo salga bien, no escatimes medios.* ☐ ETIMOL. De origen incierto.

escatología s.f. [1 Conjunto de expresiones o manifestaciones groseras y relacionadas con excrementos y suciedades. 2 Conjunto de creencias y de doctrinas relacionadas con la vida de ultratumba. ☐ ETIMOL. La acepción 1, del griego *skór* (excremento) y *-logía* (estudio, ciencia). La acepción 2, del griego *éskhatos* (último) y *-logía* (estudio, ciencia).

escatológico, ca adj. 1 De los excrementos y suciedades o relacionado con ellos. 2 De la escatología o relacionado con este conjunto de creencias y de doctrinas.

escavar v. Referido a una tierra, cavarla superficialmente para ahuecarla y quitarle la maleza. ☐ SEM. Dist. de *excavar* (hacer un hoyo o una perforación en un terreno).

[**escay** s.m. →skay.

escayola s.f. [1 Vendaje endurecido con yeso y destinado a sostener en posición conveniente los huesos rotos o dislocados. 2 Material hecho con yeso y que, amasado con agua, se emplea para hacer moldes o para modelar figuras. [3 Escultura realizada con este material. ☐ ETIMOL. Del italiano *scagliuola* (especie de estuco de yeso, adhesivo y resistente).

escayolar v. Referido esp. a un miembro fracturado o dislocado, ponerle un vendaje endurecido con yeso o escayola, para sostener en posición conveniente los huesos afectados; enyesar: *Me escayolaron una pierna y llevo muletas.*

escayolista s. Persona que se dedica profesionalmente a la realización o a la instalación de molduras de escayola para la decoración de las casas. ☐ MORF. Es de género común: *el escayolista, la escayolista.*

escena s.f. **1** En un teatro, parte en la que se representa el espectáculo. **2** En una obra teatral, cada una de las partes en las que se divide un acto y en la que generalmente intervienen los mismos personajes. **3** En una película, parte de la acción que tiene unidad en sí misma y que se desarrolla en un mismo lugar y con unos mismos personajes. **4** Suceso de la vida real que llama la atención o que conmueve. **5** Actuación que pretende impresionar y que parece teatral o fingida: *una escena de celos.* **[6** Plano en el que se refleja lo más destacado o visible de una actividad: *Desapareció de la 'escena' política.* **7** Arte de la interpretación. **8** Teatro o literatura dramática. **9** ‖ **poner en escena**; referido esp. a una obra teatral, prepararla y representarla. ☐ ETIMOL. Del latín *scaena* (escenario, teatro). ☐ SEM. Dist. de *secuencia* (sucesión de escenas).

escenario s.m. **1** En un local de espectáculos, parte en la que se realiza la representación de dicho espectáculo. **2** Lugar en el que ocurren o se desarrollan un hecho o una escena. **3** Ambiente o conjunto de circunstancias que rodean a una persona o un suceso. ☐ SEM. Su uso con el significado de 'contexto o panorama' es un anglicismo innecesario: **Mejorarán los escenarios económicos del año próximo* > *Mejorará el panorama económico del año próximo.*

escénico, ca adj. De la escena o relacionado con ella.

escenificación s.f. Representación o puesta en escena, generalmente de una obra dramática.

escenificar v. **1** Referido a una obra teatral, representarla o ponerla en escena: *Escenificarán la obra en la fiesta de fin de curso.* **2** Referido a una obra literaria, darle forma dramática para ponerla en escena: *Escenificar esa novela es muy difícil.* **[3** Representar o interpretar en público: *Cuando 'escenifica' los chistes, nos partimos de risa.* ☐ ORTOGR. La *c* se cambia en *qu* delante de *e* →SACAR.

escenografía s.f. **1** Arte de proyectar o de realizar decorados para las representaciones escénicas. **2** Conjunto de decorados que se preparan o se utilizan para una representación. **3** Conjunto de circunstancias que rodean un hecho o una actuación. ☐ ETIMOL. Del griego *skenographía.*

escenógrafo, fa s. Persona que se dedica a la escenografía, esp. si ésta es su profesión.

escepticismo s.m. Incredulidad, desconfianza o duda sobre la verdad o la eficacia de algo.

escéptico, ca adj./s. Que no cree o que finge no creer en determinadas cosas. ☐ ETIMOL. Del griego *skeptikós* (que observa sin afirmar).

escindir v. **1** Separar o dividirse: *Escindieron su asociación y cada uno siguió por su cuenta. En el partido había dos tendencias tan distintas, que aca-*

baron por escindirse. **2** En física, referido a un núc atómico, romperlo en dos porciones aproximadame te iguales, con la consiguiente liberación de energ *Es posible escindir un núcleo mediante un bomb deo con neutrones.* ☐ ETIMOL. Del latín *scinde* (rasgar, rajar, dividir).

escisión s.f. Separación o división. ☐ ETIMOL. I latín *scissio* (corte, división).

esclarecedor, -a adj. Que esclarece.

esclarecer v. **1** Referido a un asunto, ponerlo en c ro o dilucidarlo: *Los investigadores se proponen clarecer el misterio.* **2** Referido esp. al entendimie iluminarlo o ilustrarlo: *Las buenas lecturas esc recen la mente.* **3** Empezar a amanecer: *Al escla cer el día, iniciaron la marcha.* ☐ ETIMOL. Del lat *clarescere* (hacerse claro). ☐ MORF. 1. Irreg. → RECER. 2. En la acepción 3, es unipersonal.

esclarecido, da adj. Claro, ilustre o insigne.

esclarecimiento s.m. Puesta en claro o dilu dación de un asunto.

esclava s.f. Véase **esclavo, va.**

esclavina s.f. Capa corta que se ata al cuello y q cubre los hombros. ☐ ETIMOL. Del griego *sklavin* (esclavo), por la vestidura que llevaban los esclav en peregrinación a Roma y a Santiago de Compe tela.

esclavista adj./s. Partidario de la esclavitud. MORF. 1. Como adjetivo es invariable en género. Como sustantivo es de género común: *el esclavis la esclavista.*

esclavitud s.f. **1** Situación y condición social d esclavo que carece de libertad por estar bajo el d minio de otra. **[2** Fenómeno social basado en existencia de esclavos. **3** Sometimiento o sujeci excesiva a algo.

esclavizar v. Referido a una persona, hacerla escla o someterla a esclavitud: *En América esclavizar a muchos africanos para utilizarlos como mano obra. Entregarte así a tus ocupaciones es esclaviza te a ti mismo.* ☐ ORTOGR. La *z* se cambia en *c* d lante de *e* →CAZAR.

esclavo, va ■ adj./s. **1** Referido a una persona, q carece de libertad por estar bajo el dominio de otr **2** Sometido o dominado excesivamente por algo. s.f. **3** Pulsera de eslabones que tiene en su par central una pequeña placa en la que se suele grab un nombre de persona; nomeolvides. 🔸 joya ETIMOL. Del latín *sclavus* (esclavo).

esclerosis s.f. Endurecimiento patológico de u tejido orgánico o de un órgano, generalmente debi a un aumento anormal de tejido conjuntivo. ☐ E MOL. Del griego *sklérosis* (endurecimiento). ☐ MOR Invariable en número.

esclerótico, ca ■ adj. **1** De la esclerosis o rel cionado con esta enfermedad. ■ s.f. **2** Membran dura, opaca y de color blanquecino, que cubre el gl bo del ojo. ☐ ETIMOL. La acepción 2, del griego *skl rós* (duro).

esclusa s.f. En un canal de navegación, recinto con truido entre dos tramos de diferente nivel y provis de compuertas de entrada y salida que permiten a mentar o disminuir el nivel del agua para así fac litar el paso de los barcos. ☐ ETIMOL. Del latín *e clusa* (agua separada de la corriente).

escoba s.f. **1** Utensilio formado por un manojo d ramas flexibles o de filamentos de otro materi atados al extremo de un palo, y que sirve para b rrer. **2** Juego de cartas que consiste en intentar sumar quince puntos siguiendo ciertas reglas. [**3** Medio empleado para recoger a quienes se quedan rezagados en una competición: *coche 'escoba'.* □ ETIMOL. Del latín *scopa*. □ SINT. En la acepción 3, se usa en aposición, pospuesto a un sustantivo.

escobajo s.m. Raspa que queda del racimo de uvas después de quitadas éstas.

escobazo s.m. **1** Golpe dado con una escoba. **2** Barrido superficial hecho con una escoba.

escobero s.m. Armario o lugar en el que se guardan utensilios de limpieza, esp. escobas o cepillos.

escobilla s.f. **1** Escoba o cepillo de pequeño tamaño, esp. si están hechos de cerdas o de alambres: *la escobilla del váter.* **2** En una máquina eléctrica, pieza que sirve para mantener el contacto entre una parte fija y otra móvil. [**3** En un vehículo, pieza de caucho que forma parte del limpiaparabrisas. **4** ‖ [escobilla de dientes; en zonas del español meridional, cepillo de dientes.

escobillón s.m. **1** Cepillo unido al extremo de un mango largo, que se usa para barrer. **2** Utensilio formado por un palo largo que tiene en uno de sus extremos un cilindro con cerdas, y que se utiliza esp. para limpiar el interior del cañón de un arma de fuego. □ ETIMOL. Del francés *ecouvillon*.

escobón s.m. Escoba de palo largo y que se usa para barrer o para deshollinar.

escocedura s.f. **1** Irritación o enrojecimiento de una parte del cuerpo, esp. por efecto del sudor o del roce. **2** Producción de escozor. □ SEM. Es sinónimo de *escocimiento*.

escocer ‖ v. **1** Producir escozor o sensación de picor doloroso: *Cuando me curan la herida, me escuece.* **2** Producir una impresión amarga o dolorosa en el ánimo: *Sé que mis críticas te escuecen, pero te las hago por tu bien.* ‖ prnl. **3** Referido esp. a una parte del cuerpo, irritarse o enrojecerse, generalmente por efecto del sudor o del roce: *Al niño se le escuecen los muslos con el calor. Los bebés se escuecen si no les cambias los pañales a menudo.* □ ETIMOL. Del latín *excoquere*. □ ORTOGR. La *c* se cambia en *z* delante de *a*, *o*. □ MORF. Irreg. →COCER.

escocés, -a ‖ adj. **1** Referido a una tela o a una prenda de vestir, con un dibujo a cuadros de distintos colores y generalmente de lana. ‖ adj./s. **2** De Escocia (región británica), o relacionado con ella.

escocimiento s.m. Irritación o enrojecimiento de una parte del cuerpo; escocedura. □ SEM. Aunque la RAE lo considera sinónimo de *escozor*, en la lengua actual no se usa como tal.

escofina s.f. Lima con los dientes gruesos y triangulares, que se usa esp. para quitar las partes más bastas de algo que se va a labrar. □ ETIMOL. Del latín **scoffina*.

escoger v. Referido a una persona o a una cosa, tomarlas de entre otras: *Escogió las peras más maduras para hacer la compota.* □ ETIMOL. Del latín *ex-* (fuera) y *colligere* (coger). □ ORTOGR. La *g* se cambia en *j* delante de *a*, *o* →COGER.

escogido, da adj. Que o se considera lo mejor en relación con algo de la misma especie o clase; selecto.

escolanía s.f. Conjunto de niños que en algunos monasterios son educados para el canto y para ayudar al culto.

escolapio, pia adj./s. De las Escuelas Pías (orden

religiosa fundada en 1597 por san José de Calasanz), o relacionado con ellas; calasancio. □ MORF. La RAE sólo lo registra como sustantivo.

escolar ‖ adj. **1** Del estudiante o de la escuela. ‖ s. **2** Alumno que cursa estudios en una escuela, esp. referido a los estudiantes de enseñanza obligatoria. □ ETIMOL. Del latín *scholaris*. □ MORF. 1. Como adjetivo es invariable en género. 2. Como sustantivo es de género común: *el escolar, la escolar.*

escolaridad s.f. Período de tiempo durante el que se asiste a un centro de enseñanza, esp. para cursar los estudios de enseñanza obligatoria. □ SEM. Dist. de *escolarización* (dotación de escuela para recibir enseñanza).

escolarización s.f. Dotación de escuela para recibir una enseñanza, esp. la obligatoria. □ SEM. Dist. de *escolaridad* (tiempo que se asiste a un centro de enseñanza).

escolarizar v. **1** Referido a un niño, proporcionarle escuela para que reciba la enseñanza obligatoria: *El Ministerio de Educación se propone escolarizar a todos los menores de catorce años.* [**2** Referido a una persona, proporcionarle cualquier enseñanza incluida dentro del sistema académico oficial: *Con el programa de alfabetización de adultos, se consiguió 'escolarizar' a muchos analfabetos funcionales.* □ ORTOGR. La *z* se cambia en *c* delante de *e* →CAZAR.

escolasticismo s.m. →escolástica.

escolástico, ca ‖ adj. **1** De la escolástica o relacionado con esta escuela filosófica medieval. ‖ adj./s. **2** Partidario o seguidor de esta escuela filosófica medieval. ‖ s.f. **3** Escuela o corriente filosófica medieval que intenta sintetizar la doctrina de la Iglesia con la filosofía griega, esp. con la de origen aristotélico; escolasticismo. □ ETIMOL. Las acepciones 1 y 2, del griego *skholastikós*, y éste de *skholé* (ocio, estudio, escuela). □ USO En la acepción 3, aunque la RAE prefiere *escolasticismo*, se usa más *escolástica*.

escoliosis s.f. En medicina, desviación lateral de la columna vertebral. □ ETIMOL. Del griego *skoliós* (oblicuo, torcido). □ MORF. Invariable en número.

escollera s.f. Obra hecha con grandes piedras o bloques de cemento, que protege contra la acción del mar y que se construye para formar diques de defensa contra el oleaje, para servir de cimiento a un muelle o para resguardar el pie de otra obra.

escollo s.m. **1** Roca o peñasco poco visibles en la superficie del agua, que suponen un peligro para las embarcaciones. **2** Dificultad, obstáculo o riesgo. □ ETIMOL. Del italiano *scoglio*.

escolopendra s.f. Animal invertebrado de respiración traqueal, cuyo cuerpo alargado, brillante y dividido en anillos alcanza los veinte centímetros de largo, con numerosas patas dispuestas por parejas y dos uñas venenosas en la cabeza que pueden producir dolorosas picaduras. □ ETIMOL. Del latín *scolopendra*, y éste del griego *skolópendra* (ciempiés). □ MORF. Es un sustantivo epiceno: *la escolopendra macho, la escolopendra hembra.* □ SEM. Dist. de *oropéndola* (pájaro).

escolta ‖ s. **1** Persona que acompaña o conduce algo o a alguien para protegerlo o custodiarlo. [**2** En baloncesto, jugador que ayuda al base en la organización del juego y que a veces desempeña las funciones del alero. ‖ s.f. **3** Acompañamiento o conducción de algo o de alguien para protegerlos, custodiarlos u honrarlos. **4** Conjunto de personas, de vehículos o de fuerzas militares destinados a realizar esta función. □ ETIMOL. Del italiano *scorta* (acompañamiento). □ MORF. 1. En las acepciones 1 y 2, es de género común: *el escolta, la escolta*. 2. En la acepción 1, la RAE sólo lo registra como femenino.

escoltar v. **1** Referido a una persona o a una cosa, acompañarlas o conducirlas para protegerlas o para custodiarlas: *Dos policías escoltaban el furgón blindado*. **2** Acompañar en señal de honra o de respeto: *Familiares y amigos escoltaban el féretro*.

escombrar v. →**desescombrar**. □ ETIMOL. Del latín **excomborare* (sacar estorbos).

escombrera s.f. Lugar en el que se tiran los escombros.

escombro s.m. Material de desecho que queda de una obra de albañilería o del derribo de un edificio. □ ETIMOL. De *escombrar* (quitar estorbos y escombros). □ MORF. Se usa más en plural.

esconder v. **1** Poner en un lugar secreto o en el que es difícil ser encontrado: *Escondió los documentos en la caja fuerte. Se escondió detrás del armario*. **2** Incluir o guardar en el interior: *Su carácter malhumorado esconde un corazón de oro. En sus palabras se esconde una visión angustiada de la vida*. **3** Tapar o no dejar ver: *Los árboles esconden la pradera que hay tras ellos. Una hermosa visión se escondía detrás de aquella cortina*. □ ETIMOL. Del latín *abscondere*.

escondido, da adj. [**1** Fuera o lejos de los sitios frecuentados. **2** ‖**a escondidas**; sin ser visto u ocultándose.

escondite s.m. **1** Lugar apropiado para esconder algo o para esconderse. **2** Juego de niños que consiste en que uno de ellos busque a los otros, que previamente se han escondido.

escondrijo s.m. Lugar apropiado para esconderse o para esconder o guardar algo en él.

[escoñar ‖ v. **1** *vulg.malson*. →**estropear**. **2** *vulg.malson*. →**agotar**. ‖ prnl. **3** *vulg.malson*. →**caerse**.

escopeta s.f. Arma de fuego portátil, con uno o dos cañones largos montados sobre una pieza de madera, y que se usa generalmente para cazar. □ ETIMOL. Del italiano *schioppetto*. ⚔ arma

[escopetado, da adj. *col.* Con mucha prisa o muy rápido.

escopetazo s.m. **1** Disparo hecho con una escopeta. **2** Noticia o suceso repentinos e inesperados, esp. si son desagradables.

escoplo s.m. Herramienta formada por una barra de hierro acerado terminada en un corte oblicuo y generalmente unida a un mango de madera, que se utiliza para hacer cortes en la madera o para labrar la piedra. □ ETIMOL. Del latín *scalprum* (buril, podadera).

escora s.f. **1** Inclinación hacia un lado que toma una embarcación, generalmente producida por la fuerza del viento. **2** Puntal o pieza de material resistente que sostiene el costado de una embarcación que está fuera del agua o que aún está en construcción. □ ETIMOL. Del francés antiguo *escore*.

escorar ‖ v. **1** Referido a una embarcación, inclinarse de costado: *El transatlántico escoró tanto, que los pasajeros se asustaron. La nave se escoró por el peso de la carga*. ‖ prnl. **[2** Inclinarse hacia un lado o hacia una determinada posición: *Acusan al partido*

de centro de estar 'escorándose' hacia la derecha. ETIMOL. De *escora* (madero con que se apuntala un embarcación).

escorbuto s.m. Enfermedad producida por la c rencia de ciertas vitaminas, esp. de la vitamina y que se manifiesta con debilidad muscular, hem rragias, encías sangrantes y manchas amoratad en la piel. □ ETIMOL. Del francés *scorbut*.

escoria s.f. **1** Lo que se considera peor, más de preciable o más indigno. **2** Sustancia de aspecto v treo formada por las impurezas de los metales y qu flota cuando éstos se funden. **3** Materia que de prende el hierro candente al ser golpeado con u martillo. **4** Residuo voluminoso que queda tras l combustión del carbón. **5** Lava ligera y voluminos de los volcanes. □ ETIMOL. Del latín *scoria*, éste d griego *skoría*, y éste de *skór* (excremento).

escoriación s.f. Levantamiento de la piel con apa rición de escamas. □ ORTOGR. Se admite tambié *excoriación*.

escoriar v. Referido esp. a una zona del cuerpo, e camarla y levantarle la piel, esp. la capa más su perficial: *El roce con la pared le escorió el codo. L piel muy reseca se escoria fácilmente*. □ ETIMOL. D latín *excoriare* (desollar). □ ORTOGR. 1. Se admi también *excoriar*. 2. La *i* nunca lleva tilde.

[escornarse v.prnl. **1** *col.* Darse un golpe mu fuerte: *Átate los zapatos, que te vas a 'escornar'*. *vulg*. →**descornarse**. □ MORF. Irreg. →CONTAR.

escorpio adj./s. Referido a una persona, que ha n cido entre el 24 de octubre y el 22 de noviembr aproximadamente; escorpión. □ ETIMOL. Del latí *scorpius*. □ MORF. 1. Como adjetivo es invariable e género. 2. Como sustantivo es de género común: *el escorpio, la escorpio*.

escorpión ‖ adj./s. **1** →**escorpio**. ‖ s.m. **2** Anima arácnido que tiene el abdomen prolongado en un cola dividida en segmentos y terminada en un agu jón venenoso en forma de gancho; alacrán. □ ET MOL. Del latín *scorpio*. □ MORF. 1. En la acepció 1, como adjetivo es invariable en género; como su tantivo es de género común: *el escorpión, la escor pión*. 2. En la acepción 2, es un sustantivo epicen *el escorpión macho, el escorpión hembra*.

escorzar v. Referido a una figura, representarla o d bujarla en escorzo: *El dibujo de la sala de la sensació de profundidad porque se han escorzado sus líneas* □ ETIMOL. Del italiano *scorciare* (acortar). □ OR TOGR. La *z* se cambia en *c* delante de *e* →CAZAR.

escorzo s.m. **1** Representación de una figura qu se extiende en sentido perpendicular u oblicuo a plano de la superficie sobre la que se pinta, acor tando sus líneas de acuerdo con las reglas de l perspectiva. **2** Figura o parte de la misma repre sentada de este modo.

escotado, da adj. [Con escote, esp. si es grande

escotadura s.f. **1** En una prenda de vestir, corte abertura que se hace en la parte del cuello o de la mangas. **2** En un teatro, abertura grande que se hac en el tablado del escenario para las tramoyas.

escotar v. **1** Referido a una prenda de vestir, hacer un escote en ella: *Me voy a escotar un poco más est vestido*. **2** Referido a una cantidad de dinero, pagarl cada miembro de un grupo que ha hecho un gast en común: *No me importa adelantar el dinero, pero después cada uno escota su parte*. □ ETIMOL. L acepción 1, quizá de *cota* (jubón). La acepción 2, d *escote* (cuota que corresponde a cada uno por un gasto común).

•scote s.m. **1** En una prenda de vestir, corte o abertura hechos en la parte del cuello y que dejan al descubierto parte del pecho o de la espalda. **2** Parte del busto que queda descubierta por esta abertura. **3** ‖ **a escote**; pagando cada persona la parte que le corresponde de un gasto común. ☐ ETIMOL. Las acepciones 1 y 2, de *escotar* (cortar un cuerpo de vestido por la parte del cuello y de los hombros). La acepción 3, del francés antiguo *escot*.

•scotilla s.f. **1** En un barco, cada una de las aberturas que hay en la cubierta. **[2** En un carro de combate, abertura que permite acceder a su interior. ☐ ETIMOL. De origen incierto.

•scotillón s.m. **1** Puerta o trampilla que hay en el suelo. **2** En el escenario de un teatro, parte de su piso que puede levantarse para dejar una abertura por la que salgan a escena o desaparezcan de ella personas u objetos.

•scozor s.m. **1** Sensación de picor doloroso, parecida a la que produce una quemadura. **2** Sentimiento causado por un disgusto o por una ofensa.

•scriba s.m. En algunos pueblos de la Antigüedad, persona que copiaba textos o que los escribía al dictado. ☐ ETIMOL. Del latín *scriba*.

•scribanía s.f. **1** Escritorio o mueble para guardar papeles. **[2** Juego de escritorio formado por un soporte sobre el que van colocadas varias piezas, generalmente una pluma, un tintero y un secante. **3** En zonas del español meridional, notaría.

•scribano, na ‖ s. **1** Persona que escribe con muy buena letra. **2** En zonas del español meridional, notario. **‖** s.m. **3** Antiguamente, funcionario público que estaba autorizado para dar fe de las escrituras, de los documentos y de los demás actos que pasaban ante él. ☐ ETIMOL. Del latín *scriba*. ☐ MORF. La RAE sólo registra el masculino.

•scribiente s. Persona que se dedicaba profesionalmente a la copia o a la escritura de lo que se le dictaba. ☐ MORF. Es de género común: *el escribiente, la escribiente*.

•scribir v. **1** Representar por medio de letras o de otros signos gráficos convencionales: *Escribe tu nombre en esta hoja*. **2** Referido a un texto o a una obra musical, componerlos o crearlos: *Escribió su ópera inspirándose en una leyenda medieval*. **3** Comunicar por escrito: *En la carta me escribe las últimas novedades. Ellos se escriben tres veces por semana*. ☐ ETIMOL. Del latín *scribere*. ☐ MORF. Su participio es *escrito*.

•scrito, ta ‖ 1 part. irreg. de escribir. **‖** s.m. **2** Carta, documento o cualquier otro papel manuscrito, mecanografiado o impreso. **3** Obra o composición científicas o literarias. **4** ‖ **estar escrito** algo; estar dispuesto por el destino: *Me tocó la lotería porque estaba escrito*. ‖ **por escrito**; por medio de la escritura. ☐ MORF. En la acepción 1, incorr. **escribido*.

•scritor, -a s. Persona que se dedica a escribir obras literarias o científicas, esp. si ésta es su profesión.

•scritorio s.m. Mueble con cajones y un tablero para escribir y guardar papeles, y que normalmente se puede cerrar. ☐ ETIMOL. Del latín *scriptorium*.

•scritura s.f. **1** Representación de palabras o de ideas por medio de letras o de otros signos gráficos convencionales. **2** Sistema utilizado para escribir: *escritura alfabética*. **3** Manera de escribir: *Su escritura es poco clara*. **4** En derecho, documento en el que se hace constar una obligación o un acuerdo, y en el que firman los interesados.

[escrituración s.f. Expedición de un documento legal en el que consta un acuerdo o una obligación.

escriturar v. En derecho, hacer constar mediante escritura pública o de forma legal: *Mañana escrituraremos la compraventa de la finca*.

escroto s.m. En anatomía, bolsa de piel que cubre los testículos. ☐ ETIMOL. Del latín *scrotum*.

escrúpulo s.m. **1** Duda o recelo que se tiene sobre si una acción es buena, moral o justa. **2** Asco o repugnancia hacia algo, esp. por temor a la suciedad o al contagio. **3** Exactitud en la averiguación o en el cumplimiento de algo. ☐ ETIMOL. Del latín *scrupulus* (piedrecilla), porque las piedrecillas que se meten en los zapatos producen cierta preocupación o molestia. ☐ MORF. Las acepciones 1 y 2 se usan más en plural.

escrupulosidad s.f. Exactitud en el examen y en la averiguación de algo, y perfecta ejecución de lo que se emprende o desempeña.

escrupuloso, sa ‖ adj. **1** Que hace o cumple con exactitud y cuidado sus deberes. **‖** adj./s. **2** Que padece o que tiene escrúpulos.

escrutar v. **1** Referido esp. a los votos de una elección, reconocerlos y contarlos: *Aún no han terminado de escrutar todos los votos*. **2** Explorar, indagar o examinar con mucha atención: *Me escrutó con la mirada, intentando recordar dónde me había visto antes*. ☐ ETIMOL. Del latín *scrutari* (escudriñar, explorar).

escrutinio s.m. **1** Reconocimiento y recuento de los votos de una elección o de los boletos de una apuesta. **2** Examen y averiguación exactas y cuidadosas de algo. ☐ ETIMOL. Del latín *scrutinium* (acción de escudriñar o de visitar).

escuadra s.f. **1** Instrumento con figura de triángulo rectángulo o compuesto solamente por dos reglas que forman ángulo recto. ⬈ medida **2** Lo que tiene la forma de este instrumento: *la escuadra de la portería*. **3** Conjunto de barcos de guerra que participan en una determinada misión bajo el mismo mando; armada. **4** Grupo de soldados a las órdenes de un cabo. ☐ ETIMOL. De *escuadrar*. ☐ SEM. No debe emplearse con el significado de 'equipo de fútbol' (italianismo): *{*Ambas escuadras > Ambos equipos}* ofrecieron un gran partido.

escuadrilla s.f. **1** Conjunto de aviones que realizan un mismo vuelo dirigidos por un jefe. **2** Escuadra o conjunto de barcos de pequeño tamaño.

escuadrón s.m. **1** En el ejército, unidad de caballería, mandada normalmente por un capitán. **2** En el Ejército del Aire, unidad equiparable en importancia y en jerarquía al batallón o grupo terrestre. **3** Unidad aérea formada por un número importante de aviones. ☐ ETIMOL. De *escuadra*.

escualidez s.f. Flaqueza o delgadez extremas.

escuálido, da adj. Flaco, delgado o esquelético. ☐ ETIMOL. Del latín *squalidus* (tosco, áspero, descuidado).

escualo s.m. Pez con el cuerpo en forma de huso y con la boca muy grande situada en la parte inferior de la cabeza: *El tiburón es un escualo*. ☐ ETIMOL. Del latín *squalus*.

escucha s.f. **1** Percepción de sonidos, esp. si es

atenta. **2** ‖ **a la escucha**; atento o dispuesto para escuchar. ‖ [**escucha telefónica**; percepción y grabación de las llamadas de teléfono de una persona sin que ella se dé cuenta. ☐ SINT. *A la escucha se usa más con los verbos* estar *y* ponerse *o equivalentes.*

escuchar v. **1** Referido a algo que se oye, prestarle atención: *Te oigo, pero prefiero no escuchar lo que me dices.* **2** Referido esp. a un consejo, atenderlo o hacer caso de él: *Escucha mis consejos, o te arrepentirás.* **3** Aplicar el oído para oír: *No escuches, que lo que están hablando es privado.* ☐ ETIMOL. Del latín **ascultare.* ☐ SEM. En la acepción 1, dist. de *oír* (percibir los sonidos sin intención deliberada).

escuchimizado, da adj. Muy flaco y débil. ☐ ETIMOL. De origen incierto.

escudar ▮ v. **1** Proteger o defender de un peligro que amenaza: *Si buscas siempre quien te escude, nunca aprenderás a valerte por ti mismo.* ▮ prnl. **2** Valerse de algún medio para justificarse o para librarse de un riesgo o de un peligro: *Se escuda en que está enfermo para no trabajar.* ☐ SINT. Constr. como pronominal: *escudarse* EN *algo.*

escudería s.f. En una competición automovilista o motociclista, conjunto de vehículos, pilotos y personal técnico que forman parte de un mismo equipo.

escudero s.m. **1** Antiguamente, criado que servía y asistía a una persona distinguida en determinadas ocasiones. **2** Paje o sirviente que llevaba el escudo y otras armas del caballero. **3** Persona que por su sangre es noble o distinguida. ☐ ETIMOL. Del latín *scutarius.*

escudilla s.f. Vasija ancha y en forma de media esfera en la que se suele servir la sopa. ☐ ETIMOL. Del latín *scutella* (copita, bandeja).

escudo s.m. **1** Arma defensiva que se lleva sujeta por un brazo para cubrir y proteger el cuerpo. **2** Amparo, defensa o protección. **3** Unidad monetaria portuguesa. **4** Antigua moneda española. [**5** Antigua moneda chilena. **6** ‖ **escudo** (**de armas**); en heráldica, superficie u objeto con la forma de esta arma, donde se pintan las figuras o piezas que son distintivos de un reino, de una ciudad, de un linaje o de una persona; armas, blasón. ☐ ETIMOL. Del latín *scutum.*

escudriñar v. Examinar o indagar para averiguar detalles: *Escudriñó detenidamente el problema.* ☐ ETIMOL. Del latín **scrutiniare,* y éste de *scrutinium* (acción de escudriñar o de visitar).

escuela s.f. **1** Establecimiento público en el que se imparte enseñanza primaria. **2** Establecimiento público en el que se imparte cualquier tipo de instrucción. **3** Enseñanza que se da o que se adquiere. **4** Conjunto de discípulos, seguidores o imitadores de una persona, de una doctrina, de un estilo o de un arte. **5** Lo que de alguna manera enseña o da ejemplo y experiencia: *En su padre tuvo una buena escuela para los negocios.* ☐ ETIMOL. Del latín *schola* (lección, escuela).

escuerzo s.m. col. Persona flaca y enclenque.

escueto, ta adj. Referido esp. al lenguaje, que es breve, sin rodeos o sin detalles superfluos e innecesarios. ☐ ETIMOL. De origen incierto.

escuincle, cla adj./s. col. En zonas del español meridional, muy joven o muy niño. ☐ MORF. La RAE sólo lo registra como sustantivo.

esculcar v. En zonas del español meridional, registrar y

☐ ETIMOL. Del germánico **skulkan* (espiar, ac char). ☐ ORTOGR. La *c* se cambia en *qu* delante *e* →SACAR.

esculpir v. **1** Labrar a mano, esp. en piedra, madera o en metal: *La escultora esculpió en mármo la imagen del alcalde.* **2** Grabar o labrar en hue o en relieve: *Mandó esculpir en la lápida un sencill epitafio.* ☐ ETIMOL. Del latín *sculpere.*

escultismo s.m. Movimiento juvenil internaci nal, fundado a principios del siglo XX por Bade Powell (oficial británico), que pretende facilitar formación integral de los jóvenes mediante activ dades de grupo, realizadas generalmente en conta to con la naturaleza: *A los miembros del escultism se les llama 'scouts'.* ☐ ETIMOL. Del inglés *scout* (e plorar), con influencia del catalán *ascoltar.*

escultor, -a s. Persona que se dedica al arte de escultura. ☐ ETIMOL. Del latín *sculptor.*

escultórico, ca adj. De la escultura o relacionad con ella.

escultura s.f. **1** Arte o técnica de modelar, de ta llar o de esculpir figuras en cualquier material. Obra hecha según este arte. ☐ ETIMOL. Del lati *sculptura.*

escultural adj. Con las proporciones o los rasgo de belleza propios de una escultura. ☐ MORF. In variable en género.

escupidera s.f. Pequeño recipiente que se us para escupir en él.

escupir v. **1** Arrojar saliva por la boca: *Escupir e la calle es de mala educación.* **2** Despedir o echa fuera de sí, esp. si se hace violentamente: *El volcá aún escupe lava.* **3** Referido a algo que se tiene en l boca, echarlo fuera de ella: *La cereza estaba mala la escupí.* **4** vulg. Referido a algo que se sabe, contarl o confesarlo: *Escupió todo lo que sabía.* ☐ ETIMOL Del latín **exconspuere.*

escupitajo o **escupitinajo** s.m. Saliva, flema sangre que se escupen o se expulsan por la boca esputo.

escurialense adj. Del monasterio madrileño de San Lorenzo de El Escorial, con sus característica o relacionado con él. ☐ ORTOGR. Incorr. **escorialen se.* ☐ MORF. Invariable en género.

escurreplatos s.m. Utensilio o mueble de cocin en los que se colocan los platos y vasijas fregado para que escurran; escurridor. ☐ MORF. Invariabl en número.

escurridizo, za adj. **1** Que se escurre o se desliz con facilidad. **2** Que hace escurrirse o deslizarse. Que se escapa o se escabulle con facilidad.

escurrido, da adj. Referido a una persona, que e muy delgada y de formas poco pronunciadas.

escurridor s.m. **1** Colador de agujeros grandes. Utensilio o mueble de cocina en los que se colocar los platos y vasijas fregados para que escurran; es curreplatos.

escurrir ▮ v. **1** Referido a algo mojado, quitarle hacer que pierda el líquido que lo empapa: *Antes d tender la blusa, escúrrela bien.* **2** Referido a un líquid contenido en un recipiente, verterlo hasta sus última gotas: *Escurre bien el aceite de la botella antes d tirarla.* **3** Deslizar, resbalar o correr por encima d una superficie: *La suela de estos zapatos escurre. A andar en calcetines por estas baldosas te escurres* **4** Referido a algo empapado, soltar el líquido que con tiene: *Las sábanas lavadas escurrían en el tende* *dero.* ▌ prnl. **5** Referido a una cosa, deslizarse o escaparse de entre otras que la sujetan, esp. de las manos: *La anguila se me escurrió de las manos y volvió al río.* [**6** Marcharse o escaparse con disimulo o con habilidad: *'Me escurrí' de la fiesta cuando llegaban sus tíos.* ☐ ETIMOL. Del latín *excurrere.*

escusado, da ▌ adj. **1** Referido a un lugar, que es de carácter reservado o separado del uso común. ▌ s.m. **2** Lugar para evacuar excrementos, esp. en establecimientos públicos. ☐ ETIMOL. De *escuso* (escondido). ☐ ORTOGR. 1. En la acepción 1, se admite también *excusado.*

[escúter s.f. Motocicleta o moto de pequeña cilindrada que lleva en su parte delantera una plancha que protege las piernas y pies del que la conduce. ☐ ETIMOL. Del inglés *scooter.*

esdrújulo, la adj. **1** Referido a una palabra, que lleva el acento en la antepenúltima sílaba: *'Régimen', como todas las palabras esdrújulas, lleva tilde.* **2** Referido a un verso, que termina en palabra acentuada en la antepenúltima sílaba. ☐ ETIMOL. Del italiano *sdrucciolo.* ☐ ORTOGR. Para la acepción 1 →APÉNDICE DE ACENTUACIÓN. ☐ SEM. Es sinónimo de *proparoxítono.*

ese, sa demos. **1** Designa lo que está cerca, en el espacio o en el tiempo, de la persona a la que se habla: *En esa casa de mi infancia volvería a vivir yo. Ése da ahí es mi nuevo coche. Necesito unos zapatos como ésos.* **2** Representa y señala lo ya mencionado o sobrentendido: *Tengo que ver esa película de la que hablabais. Esos que te insultan ahora te elogiarán cuando triunfes.* ☐ ORTOGR. Cuando funciona como pronombre se puede escribir con tilde para facilitar la comprensión del enunciado: *Ese libro está viejo, y ése, nuevo.* ☐ MORF. El plural de *ese* es *esos.* ☐ USO Pospuesto a un sustantivo precedido del artículo determinado suele tener un matiz despectivo: *No soporto a la niña esa.*

ese s.f. **1** Nombre de la letra *s.* **2** Lo que tiene la forma de esta letra.

esencia s.f. **1** Naturaleza de las cosas: *Muchos filósofos han intentado definir la esencia humana y la divina.* **2** Lo característico y más importante de algo: *La amistad es la esencia de su relación.* **3** Extracto líquido y concentrado de una sustancia, generalmente aromática. **4** Sustancia volátil y de olor intenso que se extrae de ciertos vegetales: *esencia de trementina.* **5** ‖**quinta esencia;** →**quintaesencia.** ☐ ETIMOL. Del latín *essentia.*

esencial adj. **1** Que forma parte de la naturaleza de algo, o que es una de sus características inherentes: *La razón es esencial en el ser humano.* **2** De importancia tal que resulta imprescindible. **3** De la esencia de una sustancia, esp. de las plantas. ☐ MORF. Invariable en género.

esfenoides s.m. →**hueso esfenoides.** ☐ ETIMOL. Del griego *sphenoeidés* (de forma de cuña), y éste de *sphén* (cuña) y *êidos* (figura). ☐ MORF. Invariable en número.

esfera s.f. **1** Cuerpo geométrico limitado por una superficie curva cuyos puntos están todos a la misma distancia del punto interior llamado centro: *Una bola de billar es una esfera.* **2** En un reloj o en un objeto semejante, círculo o superficie en los que giran las manecillas. **3** Clase, rango o ámbito social: *altas esferas.* **4** Espacio o ámbito a los que se extiende la acción o la influencia de algo o de alguien. **5** ‖**es-**

fera armilar; representación de la esfera celeste en la que se representan las trayectorias de los astros mediante circunferencias o aros concéntricos y en cuyo centro suele colocarse la Tierra. ‖ **esfera celeste;** superficie ideal, curva, cerrada y concéntrica a la Tierra, en la que se mueven aparentemente los astros. ‖ **esfera {terráquea/terrestre};** representación de la Tierra con su misma forma en la que figura la disposición de sus tierras y de sus mares; globo terráqueo, globo terrestre. ☐ ETIMOL. Del latín *sphaera,* y éste del griego *sphâira* (pelota).

esférico, ca ▌ adj. **1** De la esfera o con la forma de este cuerpo geométrico. ▌ s.m. **2** En el lenguaje del deporte, balón.

esferográfico o **[esferógrafo** s.m. En zonas del español meridional, bolígrafo. ☐ MORF. 1. La RAE lo registra como sustantivo masculino y femenino. 2. Se usa mucho la forma abreviada *esfero.*

esferoide s.m. Cuerpo geométrico de forma parecida a la de la esfera. ☐ ETIMOL. Del griego *sphairoeidés,* y éste de *sphâira* (esfera) y *êidos* (figura).

esfinge s.f. Animal fabuloso, con cabeza, cuello y pecho humanos, y cuerpo y pies de león. ☐ ETIMOL. Del latín *sphinx,* y éste del griego *sphínx.* 🜊 mitología

esfínter s.m. En anatomía, músculo o conjunto de músculos que regulan la apertura o el cierre de algunos orificios del cuerpo. ☐ ETIMOL. Del griego *sphinktér* (lazo).

esforzado, da adj. Valiente, animoso o de gran corazón.

esforzar ▌ v. **1** Dar fuerza o someter a un esfuerzo: *Si lees con poca luz, tienes que esforzar la vista.* ▌ prnl. **2** Hacer un esfuerzo físico, intelectual o moral para conseguir algo: *Nos esforzamos en terminar el trabajo para la fecha prevista.* ☐ ORTOGR. La *z* se cambia en *c* delante de *e.* ☐ MORF. Irreg. →FORZAR. ☐ SINT. Constr. de la acepción 2: *esforzarse {EN/POR} algo.*

esfuerzo s.m. **1** Empleo enérgico de la fuerza física o intelectual. **2** Utilización de medios superiores a los normales para conseguir algo: *un esfuerzo económico.*

esfumar ▌ v. **1** En pintura, referido esp. al color, extenderlo restregándolo con el difumino: *Esfuma el color azul del cielo para que quede más uniforme.* **2** En pintura, reducir la intensidad de los contornos o del color: *He esfumado estas figuras para que parezca que están en un segundo plano.* ▌ prnl. **3** Desaparecer poco a poco: *A medida que bajábamos la montaña, la niebla se iba esfumando.* **4** col. Marcharse o irse de un lugar con rapidez o con disimulo: *Cuando empezó la pelea, se esfumó.* ☐ ETIMOL. Del italiano *sfumare.*

esfuminar v. →**difuminar.**

esfumino s.m. →**difumino.** ☐ ETIMOL. Del italiano *sfumino.*

esgrafiado s.m. **1** Arte o técnica de esgrafiar. **2** Obra realizada con esa técnica.

esgrafiar v. Trazar dibujos en una superficie con dos capas o colores superpuestos, rascando en la capa externa para que aparezca el color de la interior: *Para esgrafiar hace falta un punzón especial.* ☐ ETIMOL. Del italiano *sgraffiare.* ☐ ORTOGR. La *i* lleva tilde en los presentes, excepto en las personas *nosotros* y *vosotros* →GUIAR.

esgrima s.f. Deporte en el que dos personas combaten manejando la espada, el sable o el florete, y que se practica con un traje especial para proteger el cuerpo y la cara de posibles heridas. □ ETIMOL. De *esgrimir*.

esgrimir v. **1** Referido a un arma, esp. a un arma blanca, sostenerla o empuñarla con intención de atacar o de defenderse: *Esgrimían sus espadas esperando la orden de ataque.* **2** Referido esp. a algo inmaterial, emplearlo como arma o medio para atacar o para defenderse: *Se retrasó y esgrimió la excusa de siempre.* □ ETIMOL. Del alemán *skirmyan* (proteger).

esguince s.m. Lesión producida por la tensión violenta, a veces con rotura, de un ligamento de una articulación. □ ETIMOL. Del latín **exquintrare* (rasgar, desgarrar).

[eskay s.m. →skay.

eslabón s.m. **1** Cada uno de los aros o piezas que, enlazados unos con otros, forman una cadena. **2** Elemento imprescindible para el enlace de una sucesión de cosas, esp. de hechos o de ideas: *El hombre es el último eslabón en la evolución de las especies animales.* **3** Hierro acerado que suelta chispas al chocar con un pedernal. □ ETIMOL. Del antiguo *esclavón* (esclavo), porque los eslabones, como los esclavos, no podían separarse de su cadena.

eslalon s.m. Competición de esquí en la que los deportistas siguen un trazado con pasos obligados. □ ETIMOL. Del noruego *slalom.* □ ORTOGR. Incorr. **eslálom.* □ USO Es innecesario el uso del término noruego *slalom.*

eslavo, va ‖ adj./s. **1** De un antiguo grupo de pueblos indoeuropeos que ocupó el nordeste y centro europeos, o relacionado con él. ‖ adj./s.m. **2** Del grupo de lenguas indoeuropeas de esta zona.

[eslip s.m. →slip.

eslogan s.m. Frase publicitaria breve, ingeniosa y fácil de recordar. □ ETIMOL. Del inglés *slogan.* □ MORF. Su plural es *eslóganes.* □ SEM. Dist. de *lema* (expresa una intención o una regla de conducta). □ USO Es innecesario el uso del anglicismo *slogan.*

eslora s.f. Longitud de un barco de proa a popa medida sobre la cubierta principal. □ ETIMOL. Del holandés *sloerie.*

eslovaco, ca ‖ adj./s. **1** De la República Eslovaca (país centroeuropeo), o relacionado con ella. ‖ s.m. **2** Lengua eslava de este país. □ SEM. Dist. de *esloveno* (de Eslovenia).

esloveno, na ‖ adj./s. **1** De Eslovenia (país centroeuropeo), o relacionado con ella. ‖ s.m. **2** Lengua eslava de este país. □ SEM. Dist. de *eslovaco* (de la República Eslovaca).

[esmachar v. En algunos deportes, dar un mate: *Esa jugadora de tenis suele 'esmachar' muy bien.* □ ETIMOL. Del inglés *smash.* □ USO Su uso es innecesario.

esmaltar v. **1** Cubrir con esmalte: *En el taller aprendió a esmaltar porcelana.* **2** Adornar o embellecer: *Le gusta esmaltar sus frases con todo tipo de recursos expresivos.*

esmalte s.f. **1** Barniz o pasta brillante y dura, que se obtiene fundiendo polvo de vidrio coloreado con óxidos metálicos, y que se aplica generalmente sobre cerámica o metal. **2** Objeto cubierto o adornado con este barniz. **3** Materia dura y blanca que cubre la parte de los dientes que está fuera de las encías. **4** ‖ **esmalte (de uñas)**; cosmético que sirve para

colorear las uñas y darles brillo; pintaúñas. □ ET MOL. Del germánico *smalts.*

esmerado, da adj. Hecho con esmero.

esmeralda ‖ adj./s.m. **1** De color verde azula brillante. ‖ s.f. **2** Piedra preciosa de este color. ETIMOL. Del latín *smaragdus.* □ MORF. Como adj tivo es invariable en género.

esmerarse v.prnl. Poner el máximo cuidado en que se hace, prestando especial atención a los ma mínimos detalles: *Se esmeró para que todo quedar perfecto.* □ ETIMOL. Del latín **exmerare* (limpiar).

esmeril s.m. **1** Roca negruzca que se utiliza pa pulimentar metales. [**2** Piedra artificial, áspera dura, que se usa para afilar herramientas metálica y para desgastar el hierro. □ ETIMOL. Del grieg *smerí.*

esmerilar v. Referido a una superficie, pulirla o al sarla con esmeril: *En ese taller esmerilan cristales*

esmero s.m. Máximo cuidado que se pone en que se hace, prestando especial atención a los ma mínimos detalles.

esmirriado, da adj. Muy flaco o poco desarroll do. □ ORTOGR. Se admite también *desmirriado.*

esmoquin s.m. Chaqueta masculina de etiquet con cuello largo y generalmente de seda. □ ETIMO Del francés *smoking*, y éste del inglés *smoking-ja ket* (chaqueta de etiqueta). □ MORF. Su plural e *esmóquines.*

esmorecer v. En zonas del español meridional, de fallecer o perder el aliento, esp. a causa del llant o de la risa. □ MORF. Se usa más como pronomina

esnifar v. Referido a una droga en polvo, esp. a la co caína, absorberla o aspirarla por la nariz: *Desde qu se desintoxicó, no ha vuelto a esnifar cocaína.* □ ET MOL. Del inglés *to sniff* (aspirar por la nariz).

esnob adj./s. Referido a una persona, que, por dars tono, sigue todo lo que está de moda o adopta cos tumbres, modas e ideas que considera distinguidas □ ETIMOL. Del inglés *snob.* □ MORF. **1.** Como adje tivo es invariable en género. **2.** Como sustantivo e de género común: *el esnob, la esnob.* □ USO **1.** Tien un matiz despectivo. **2.** Es innecesario el uso de anglicismo *snob.*

esnobismo s.m. Exagerada admiración por tod lo que está de moda o inclinación a adoptar costum bres, modas e ideas porque se consideran distingui das. □ USO Tiene un matiz despectivo.

eso ‖ pron.demos. s.m. **1** Designa objetos o situa ciones señalándolos sin nombrarlos: *Eso que est encima de la mesa es para ti. Eso de que me ha llamado hoy no te lo crees ni tú.* ‖ s.f. [**2** col. En e sistema educativo español, nivel de educación secun daria obligatoria: *La 'eso' cubre la enseñanza desd los doce hasta los dieciséis años.* □ ETIMOL. La acep ción 2 es un acrónimo que procede de la sigla d *Educación Secundaria Obligatoria.* □ ORTOGR Nunca lleva tilde. □ MORF. No tiene plural.

esófago s.m. En el sistema digestivo, conducto que va desde la faringe al estómago. □ ETIMOL. Del grieg *oisophágos*, y éste de *óiso* (yo llevaré) y *éphagon* (yo comí).

esos demos. pl. de *ese.*

esotérico, ca adj. **1** Oculto, secreto o reservado **2** Que es incomprensible o de difícil acceso para la mente. □ ETIMOL. Del griego *esoterikós* (reservado para los adeptos). □ SEM. Dist. de *exotérico* (común accesible o fácil de comprender).

esoterismo s.m. Lo que está oculto o resulta incomprensible para la mente.

esotro, tra demos. *ant.* Ese otro.

espabilar v. **1** Despertar del todo o sacudir el sueño o la pereza: *La luz que entraba por la ventana me espabiló. Espabílate, que ya está preparado el desayuno.* **2** Quitar la torpeza o la excesiva ingenuidad: *Tienes que espabilar a este niño para que no le tomen el pelo. Ya se espabilará cuando crezca.* **3** Aligerar o darse prisa: *¡Espabila, que llegas tarde!* □ ORTOGR. Se admite también *despabilar*.

espachurramiento s.m. →**despachurramiento**.

espachurrar v. Referido esp. a algo blando, aplastarlo o reventarlo apretando con fuerza: *Le gusta espachurrar los garbanzos antes de comérselos. Los tomates se espachurraron en el camino.* □ ORTOGR. Se admite también *despachurrar*. □ SEM. Sinónimo de *apachurrar* y *destripar*.

espaciado, da s.m. Separación espacial o temporal entre dos o más cosas: *Al espaciado de líneas se le llama 'interlineado'.*

espaciador s.m. En el teclado de una máquina de escribir o de un ordenador, barra o tecla que se pulsan para dejar espacios en blanco.

espacial adj. Del espacio o relacionado con él. □ MORF. Invariable en género.

espaciar v. **1** Referido esp. a dos o más cosas, separarlas o poner espacio entre ellas: *Espacia más las líneas para que sea más fácil leerlas.* **2** Referido esp. a dos o más acciones, aumentar el espacio de tiempo que transcurre entre ellas: *Ha espaciado sus visitas y ya sólo viene una vez al mes.* □ ORTOGR. La *i* nunca lleva tilde.

espacio s.m. **1** Extensión en la que está contenida toda la materia existente: *No conocemos los límites del espacio.* **2** Parte de esta extensión situada más allá de los límites de la atmósfera terrestre: *Los astronautas viajan al espacio.* **3** Porción delimitada de aquella extensión: *Tiene fobia a los espacios cerrados.* **4** Extensión que ocupa un cuerpo o que queda entre dos cuerpos: *Este armario ocupa demasiado espacio.* **5** Intervalo o porción de tiempo. **6** En física, distancia que recorre un móvil en un tiempo determinado. **7** En música, separación que hay entre las rayas del pentagrama. **[8** En un texto escrito a máquina, separación entre sus líneas o porción de página correspondiente a una pulsación de teclado. **[9** En radio o televisión, programa o parte de la programación. **10** ∥**espacio aéreo**; parte de la atmósfera destinada al tráfico aéreo y sometida a la jurisdicción de un Estado. ∥**espacio vital**; territorio o medio necesario para la vida y el desarrollo. □ ETIMOL. Del latín *spatium* (campo para correr, extensión, espacio).

espaciosidad s.f. Extensión de un lugar, esp. cuando es superior a lo habitual.

espacioso, sa adj. Amplio o grande.

espada I s.m. **1** En tauromaquia, torero o matador. **2** →**espadachín. I** s.f. **3** Arma blanca larga y delgada, recta y afilada, con empuñadura; hoja. 🗡️ arma **4** En la baraja española, carta del palo que se representa con una o varias de estas armas. **I** s.f.pl. **5** En la baraja española, palo que se representa con una o varias de esas armas. 🗡️ baraja **6** ∥**entre la espada y la pared**; *col.* En situación comprometida por tener que decidir entre dos opciones, sin posible escapatoria. ∥**espada de Damocles**; amenaza constante de un peligro. □ ETIMOL. Del latín *spatha* (espada ancha y larga, espátula). □ MORF. En la acepción 2, la RAE lo registra como sustantivo femenino. □ USO En la acepción 4, *una espada* designa a cualquier carta de espadas y *la espada* designa al as.

espadachín s.m. Persona que sabe manejar bien la espada; espada. □ ETIMOL. Del italiano *spadaccino* (espadín).

espadaña s.f. **1** Campanario formado por una sola pared con huecos en los que se colocan las campanas. **2** Planta herbácea de hojas en forma de espada y un tallo largo con una mazorca cilíndrica en el extremo, que suelta una especie de pelusa blanca cuando está seca: *Las hojas de la espadaña se emplean para hacer asientos de sillas.* □ ETIMOL. De *espada*.

espadín s.m. Espada de hoja muy estrecha que se usa como complemento de algunos uniformes.

espadista s. *col.* Ladrón que utiliza llaves falsas o ganzúas para robar en las casas. □ MORF. Es de género común: *el espadista, la espadista.*

espadón s.m. *col.* En algunas agrupaciones, esp. en el ejército, persona de elevada jerarquía. □ USO Tiene un matiz despectivo.

espagueti s.m. Pasta alimenticia en forma de cilindro largo y delgado hecha de harina de trigo. □ ETIMOL. Del italiano *spaghetti.* □ MORF. Se usa más en plural. □ USO Es innecesario el uso del italianismo *spaghetti.*

espalda s.f. **1** En una persona, parte posterior de su cuerpo comprendida entre los hombros y la cintura. **2** En una prenda de vestir, parte que se corresponde con esa parte del cuerpo. **3** Parte posterior de algo. **4** En natación, estilo que consiste en nadar boca arriba, haciendo movimientos circulares con los brazos y pendulares de arriba abajo con las piernas. **5** ∥**a espaldas de** alguien; en ausencia suya o a escondidas de él. ∥**[dar la espalda** a alguien; retirarle la confianza o el apoyo. ∥**[espalda mojada**; persona que intenta entrar ilegalmente en un país. ∥**guardar las espaldas** a alguien; protegerlo o defenderlo. □ ETIMOL. Del latín *spatula* (omóplato). □ MORF. **1.** La acepción 1 en plural tiene el mismo significado que en singular. **2.** En la acepción 3, la RAE sólo lo registra en plural.

espaldarazo s.m. **1** Golpe dado en la espalda con una espada o con la mano. **2** Reconocimiento de la habilidad o del mérito de alguien en su profesión o en la actividad que realiza: *Con su última novela, ha conseguido el espaldarazo definitivo de la prensa.* **[3** Ayuda o empuje que se da a alguien para conseguir un objetivo.

espalderas s.f.pl. En gimnasia, aparato que se fija a una pared y que está formado por varias barras de madera horizontales. □ MORF. Invariable en número. 🗡️ gimnasio

espaldilla s.f. En algunos cuadrúpedos, cuarto delantero; paletilla. 🗡️ carne

espaldista s. Nadador especializado en el estilo espalda. □ MORF. Es de género común: *el 'espaldista', la 'espaldista'.*

[espanglish] s.m. →**spanglish**.

espantada s.f. Huida o abandono rápidos y repentinos de un lugar, generalmente por el miedo.

espantadizo, za adj. Que se espanta o se asusta con facilidad.

espantajo s.m. **1** Lo que se pone para espantar o asustar. **2** col. Persona de aspecto despreciable y estrafalario. □ ETIMOL. De *espanto*.

espantapájaros s.m. Muñeco, generalmente hecho de trapo y de paja, que se coloca en los sembrados y en los árboles para ahuyentar a los pájaros. □ MORF. Invariable en número.

espantar v. **1** Causar o sentir espanto: *Es de un feo que espanta. Con sus gritos nos espantó a todos. Me espanté al ver el accidente.* **2** Echar de un lugar: *Espanta las moscas para que no se posen en el pan.* □ ETIMOL. Del latín **expaventare*.

espanto s.m. **1** Terror, asombro o turbación del ánimo. **[2** col. Lo que resulta muy molesto o desagradable. **3** ‖**estar curado de** {espanto/espantos}; col. No sorprenderse ante algo por estar ya acostumbrado a ello.

espantoso, sa adj. **1** Que causa espanto. **2** Muy grande: *un hambre espantosa.*

español, -a ∎ adj./s. **1** De España (país europeo), o relacionado con ella; hispano. ∎ s.m. **2** Lengua románica de este y otros países. □ MORF. Cuando se antepone a una palabra para formar compuestos, adopta la forma *hispano-*. □ SEM. En la acepción 1, como adjetivo es sinónimo de *hispánico*.

españolada s.f. Lo que exagera o falsea el carácter español: *Esa película era una auténtica españolada.* □ USO Es despectivo.

españolear v. col. Hacer una propaganda exagerada de lo español. □ USO Es despectivo.

españolismo s.m. **1** Admiración o simpatía por todo lo español. **2** En lingüística, palabra, significado o construcción sintáctica del español empleados en otra lengua; hispanismo. **3** Carácter propio de los españoles.

españolista adj./s. **1** Que siente admiración o simpatía por todo lo español. **[2** Del Español (club deportivo barcelonés) o relacionado con él. □ MORF. 1. Como adjetivo es invariable en género. 2. Como sustantivo es de género común: *el 'españolista', la 'españolista'.*

españolizar v. Dar o adquirir características que se consideran propias de lo español o del español; hispanizar: *Los misioneros españolizaron amplias zonas americanas. La palabra francesa 'chauffeur' se españolizó en 'chófer'.* □ ORTOGR. La z se cambia en c delante de e →CAZAR.

esparadrapo s.m. Tira de tela o de papel con una de sus caras adhesiva, que se utiliza generalmente para sujetar vendajes. □ ETIMOL. Quizá del italiano antiguo *sparadrappo*, y éste de *sparare* (rajar) y *drappo* (trapo).

esparaván s.m. Ave rapaz diurna, de plumaje gris azulado y pardo, de alas redondeadas y cola larga, y que se alimenta de pequeños mamíferos y de otras aves; gavilán. □ ETIMOL. De origen incierto. □ MORF. Es un sustantivo epiceno: *el esparaván macho, el esparaván hembra.* 🔊 rapaz

esparavel s.m. Red redonda para pescar en los ríos y parajes de poco fondo. □ ETIMOL. Del provenzal *esparvier* (gavilán). 🔊 pesca

esparcimiento s.m. **1** Diversión o distracción. **2** Separación y extensión de algo que estaba junto. **3** Divulgación de una noticia.

esparcir v. **1** Referido a algo que está junto, separarlo y extenderlo: *Esparce las lentejas para ver si ha alguna piedrecita. Al caerse el azucarero, el azúca se esparció por la mesa.* **2** Referido a una noticia, d vulgarla o extenderla: *La radio esparció enseguia la noticia. El rumor se esparció rápidamente.* **3** Divertir o distraer: *Después del trabajo, es bueno e parcir un poco el ánimo. Voy a pasear un rato po que necesito esparcirme.* □ ETIMOL. Del latín *spa gere*. □ ORTOGR. La c se cambia en z delante de o →ZURCIR.

esparragal s.m. Terreno plantado de espárragos

espárrago s.m. **1** Planta herbácea de flores de c lor blanco verdoso y fruto redondeado de color roj de cuyo tallo, horizontal y subterráneo, crecen un brotes comestibles; esparraguera. **2** Brote comest ble de la raíz de esta planta, que es delgado, rec y de color blanquecino. **3** ‖**espárrago triguero;** silvestre que generalmente brota en los trigale ‖**mandar a freír espárragos** algo; col. Rechazar o desentenderse de ello. □ ETIMOL. Del latín *asp ragus* (brote, tallito).

esparraguera s.f. Planta herbácea de flores d color blanco verdoso y fruto redondeado de col rojo, de cuyo tallo, horizontal y subterráneo, crece unos brotes comestibles; espárrago.

esparramar v. col. →**desparramar**.

[esparrin s.m. →**sparring**.

espartal s.m. Terreno plantado de espartos.

espartano, na ∎ adj. **1** Austero y severo. ∎ adj./ **2** De Esparta (antigua ciudad griega), o relacionad con ella. □ ETIMOL. La acepción 1, de *Esparta*, ant gua ciudad griega que se caracterizaba por tene una organización social rígida y militarizada.

esparto s.m. **1** Planta herbácea de flores en p noja, semillas muy pequeñas y hojas largas, enre lladas sobre sí mismas y de gran resistencia. **2** Hoj de esta planta que se utiliza para la fabricación d sogas, esteras y otros objetos. □ ETIMOL. Del lat spartum.

espasmo s.m. Contracción brusca e involuntari de los músculos. □ ETIMOL. Del latín *spasmus*.

espasmódico, ca adj. Del espasmo o que s acompaña de este síntoma.

espatarrarse v.prnl. col. →**despatarrarse**.

espátula s.f. Paleta, generalmente pequeña, co los bordes afilados y el mango largo. □ ETIMOL. D latín *spatula* (omóplato).

especia s.f. Sustancia vegetal aromática que s usa principalmente para sazonar las comidas: *E clavo, el laurel y la pimienta son especias.* □ ET MOL. Del latín *species* (artículo comercial, mercar cía). □ ORTOGR. Dist. de *especie*.

especial adj. **1** Particular o que se diferencia d lo normal o de lo general. **2** Muy adecuado o propi para algo: *Este arroz es especial para paellas.* □ ETIMOL. Del latín *specialis*. □ MORF. Invariable en género.

especialidad s.f. **1** Rama de una ciencia, de u arte o de una actividad que se dedica de forma es pecífica a una parte limitada de las mismas, y sobr la que se poseen conocimientos o habilidades mu precisos. **2** Respecto de una persona o de un lugar, pr ducto o confección en cuya elaboración destacan.

especialista ∎ adj./s. **1** Que cultiva una especia lidad determinada de un arte o de una ciencia, que sobresale en ella. **[2** Que hace algo con habi lidad. ∎ s. **3** En cine y televisión, persona que suel sustituir a los actores principales en las escenas peligrosas o que requieren cierta habilidad. □ MORF. **1.** Como adjetivo es invariable en género. **2.** Como sustantivo es de género común: *el especialista, la especialista.*

especialización s.f. **1** Adiestramiento o preparación específica en una determinada rama de una ciencia, de un arte o de una actividad. **2** Limitación a un uso o a un fin determinado.

especializar v. **1** Adiestrar o preparar de manera específica en una rama determinada de una ciencia, de un arte o de una actividad: *Esta escuela especializa a los alumnos en la reparación de ordenadores. Muchos abogados se especializan en Derecho Administrativo.* **2** Limitar a un uso o a un fin determinado: *La actividad que realiza el topo y el medio en el que vive han especializado sus extremidades para cavar.* □ ORTOGR. La *z* se cambia en *c* delante de *e* →CAZAR.

especie s.f. **1** Conjunto de cosas con caracteres comunes: *Si él es tacaño, tú eres de su misma especie.* **2** En biología, en la clasificación de los seres vivos, categoría superior a la de raza e inferior a la de género: *La mayor parte de las especies de arañas son terrestres.* **3** ‖ **en especie(s)**; en productos o en géneros y no en dinero: *pagar en especie.* ‖ **especies (sacramentales)**; en el cristianismo, el pan y el vino que se han convertido en el cuerpo y la sangre de Jesucristo, una vez consagrados. ‖ **una especie de** algo; algo parecido a ello. □ ETIMOL. Del latín *species* (tipo, aspecto, apariencia). □ ORTOGR. Dist. de *especia.* □ SEM. Dist. de *raza* (categoría inferior a la de especie).

especiero, ra ∎ s. **1** Persona que se dedica a la compra o a la venta de especias. ∎ s.m. **2** Armarito o estantería en el que se guardan las especias.

especificación s.f. **1** Determinación de algo de forma precisa. **2** Explicación detallada de algo.

especificar v. **1** Fijar o determinar de modo preciso: *No especificó el día de su llegada. El adjetivo demostrativo 'este' especifica al sustantivo al que acompaña indicando su proximidad respecto del hablante.* **2** Explicar detalladamente: *El contrato especifica todas las condiciones de la compraventa de la casa.* □ ORTOGR. La *c* se cambia en *qu* delante de *e* →SACAR.

especificativo, va adj. Que especifica o que determina de modo preciso: *En 'mira los pájaros que vuelan', 'que vuelan' es una oración de relativo especificativa.*

especificidad s.f. **1** Conjunto de propiedades que caracterizan y distinguen una especie o un elemento de otros. [**2** Adecuación de algo para el fin específico al que se destina.

específico, ca adj. **1** Que es propio de algo y lo caracteriza y distingue de otra especie o de otro elemento. **2** Referido a un medicamento, que es apropiado para tratar una determinada enfermedad. □ ETIMOL. Del latín *specificus.*

espécimen s.m. Modelo o ejemplar, generalmente con las características de su especie muy definidas. □ ETIMOL. Del latín *specimen* (prueba, indicio, muestra). □ PRON. Aunque la pronunciación correcta es [especimen], está muy extendida [espécimen]. □ MORF. Su plural es *especímenes.*

espectacular adj. **1** Aparatoso, exagerado o im-

presionante. **2** Con características propias de un espectáculo público. □ MORF. Invariable en género.

espectacularidad s.f. **1** Aparatosidad, exageración o capacidad de impresionar. **2** Propiedad de lo que tiene características propias de un espectáculo público.

espectáculo s.m. **1** Función o diversión públicas. **2** Lo que atrae la atención y conmueve el ánimo de quien lo presencia. **3** Lo que causa gran extrañeza o escándalo. □ ETIMOL. Del latín *spectaculum*, y éste de *spectare* (contemplar, mirar). □ SINT. La acepción 3 se usa más con el verbo *dar.*

espectador, -a adj./s. **1** Que mira con atención. **2** Que asiste a un espectáculo público. □ ETIMOL. Del latín *spectator*, de *spectare* (contemplar, mirar). □ MORF. En la acepción 1, la RAE sólo lo registra como adjetivo.

espectral adj. Del espectro o relacionado con él. □ MORF. Invariable en género.

espectro s.m. **1** Fantasma horrible o imagen estremecedora. **2** En física, resultado de la dispersión de fenómenos ondulatorios, de forma que resulten separados de los de distinta frecuencia: *En fonética experimental se estudian los espectros de los sonidos.* **3** En medicina, conjunto de especies de microorganismos que constituyen el campo sobre el que es capaz de actuar terapéuticamente una sustancia, esp. un antibiótico. [**4** Banda que abarca toda una serie ordenada de elementos: *Este partido ocupa el centro del 'espectro' político.* **5** ‖ **espectro (luminoso)**; banda de colores que resulta de la descomposición de la luz blanca al atravesar un prisma u otro cuerpo refractante. □ ETIMOL. Del latín *spectrum* (simulacro, aparición).

especulación s.f. **1** Meditación o reflexión que se hace sobre algo. **2** Suposición o cábala hechas sin base real. **3** Realización de operaciones comerciales, consistentes generalmente en adquirir bienes cuyo precio se espera que suba a corto plazo, con el único objetivo de vender en el momento oportuno y obtener un beneficio.

especulador, -a s. Persona que especula o compra algo para venderlo pasado cierto tiempo aprovechando la subida de los precios.

especular ∎ adj. **1** Del espejo o relacionado con él: *Veía su rostro reflejado en la superficie especular del lago.* **2** En óptica, referido a una imagen, que está reflejada en un espejo: *La imagen especular de un objeto aparece invertida.* ∎ v. **3** Meditar o reflexionar sobre algo: *Los filósofos seguidores de Aristóteles especulaban sobre el origen del conocimiento.* **4** Hacer cábalas o suposiciones sin base real: *En vez de especular sobre lo que pueda pensar o no pensar él, pregúntale directamente.* **5** Efectuar operaciones comerciales, generalmente adquiriendo bienes cuyo precio se espera que suba a corto plazo, con el único objetivo de vender en el momento oportuno y obtener un beneficio: *Unos especulan en bolsa, otros con pisos y terrenos edificables.* **6** Valerse de algún recurso para obtener provecho o ganancias fuera del campo comercial: *Me parece inmoral que especules con información obtenida por confidencias personales para ascender en la empresa.* □ ETIMOL. Las acepciones 3-6, del latín *speculari* (observar, acechar). □ MORF. Como adjetivo es invariable en género. □ SINT. **1.** En la acepción 4, es incorrecto su uso como transitivo, aunque está muy extendido:

{*especuló que > especuló con que} iban a destituir al director. Constr. de las acepciones 5 y 6: *especular* CON algo.

especulativo, va adj. **1** De la especulación o relacionado con ella. **2** Que procede de un conocimiento teórico y no ha sido reducido a la práctica. **3** Muy pensativo o inclinado a la especulación o a la reflexión.

espéculo s.m. En medicina, instrumento que se utiliza para examinar algunas cavidades del organismo. □ ETIMOL. Del latín *speculum* (espejo).

espejismo s.m. **1** Ilusión óptica debida a la reflexión total de la luz cuando atraviesa capas de aire de distinta densidad, y por la cual los objetos lejanos dan imágenes engañosas en cuanto a su posición y a su situación. **2** Ilusión de la imaginación. □ ETIMOL. De *espejo*.

espejo s.m. **1** Lámina de vidrio cubierta de mercurio por la parte posterior para que se refleje en ella lo que hay delante. **2** Lo que reproduce algo fielmente. **3** Lo que se toma como modelo o es digno de imitación. **4** ‖ **(espejo) retrovisor**; el pequeño que va colocado en la parte delantera de un vehículo y permite al conductor ver la parte del camino que deja detrás de sí. □ ETIMOL. Del latín *speculum*.

espejuelo s.m. Yeso cristalizado en láminas brillantes.

espeleología s.f. **[1** Deporte que consiste en la exploración de cavidades naturales subterráneas. **2** Ciencia que estudia la naturaleza, origen y formación de las cavernas, así como su fauna y su flora. □ ETIMOL. Del griego *spélaion* (caverna) y *-logía* (estudio, ciencia).

espeleológico, ca adj. De la espeleología o relacionado con esta ciencia o con este deporte.

espeleólogo, ga s. Persona que se dedica a la espeleología, esp. si ésta es su profesión.

espeluznante adj. Que espeluzna o espanta. □ MORF. Invariable en género.

espeluznar v. Espantar o causar horror: *Me espeluzna ver imágenes sangrientas.*

espera s.f. **1** Permanencia en un lugar, aguardando la llegada de alguien o de algo. **2** Plazo que se señala o se concede para ejecutar una acción o cumplir con una obligación. **3** ‖ **estar {a la/en} espera** de algo; estar a la expectativa o en observación de que ocurra.

esperanto s.m. Idioma creado artificialmente para que pudiese servir como lengua universal. □ ETIMOL. Por alusión a Esperanto, seudónimo del doctor L. Zamenhof, creador de este idioma.

esperanza s.f. **1** Confianza en que ocurra o en que se logre lo que se desea. **[2** Lo que sustenta que ocurra lo que se desea: *Tú eres mi última 'esperanza' y, si no me ayudas, estoy perdido.* **3** En el cristianismo, virtud teologal por la que se espera que Dios conceda los bienes prometidos. **4** ‖ **dar esperanza(s)** a alguien; darle a entender que puede lograr lo que desea. ‖ **[esperanza de vida**; media de edad de vida que se alcanza en una población o en un tiempo determinado.

esperanzador, -a adj. Que da esperanza o que hace concebirla.

esperanzar v. Dar o concebir esperanza: *Tus palabras de ánimo me han esperanzado. Me esperancé cuando leí tu carta.* □ ORTOGR. La *z* se cambia en *c* delante de *e* →CAZAR.

esperar v. **1** Referido a algo que se desea, tener esperanza de conseguirlo: *Espero aprobar todo en junio.* **2** Referido a un suceso o a una acción, creer que va a suceder o que se va a producir: *Esta jugarreta no me la esperaba de ti.* **3** Referido a una persona o a un suceso, aguardar su llegada en el lugar donde se cree que se producirá: *Espérame en la puerta.* **4** Detenerse o no empezar a actuar hasta que suceda algo: *El autobús esperó a que estuviésemos todos para arrancar.* **5** Referido esp. a algo desagradable, ser inminente o estar a punto de suceder: *Cuando llegue a casa me espera una buena regañina. Se esperan fuertes lluvias.* **6** ‖ **[de aquí te espero**; col. Extraordinario o muy grande: *Me pegó un susto 'de aquí te espero'.* ‖ **esperar sentado**; expresión que se utiliza para indicar que lo que se dice tardará mucho o no sucederá nunca: *Si crees que voy a ir yo, puedes esperar sentado, que no me pienso mover.* □ ETIMOL. Del latín *sperare* (tener esperanza). □ SINT. Constr. de la acepción 4: *esperar {A/HASTA} que suceda algo.*

esperma ▌ s.m. **1** Líquido que contiene los espermatozoides que se producen en el aparato genital masculino de los animales y del hombre; semen. ▌ s.f. **2** Sustancia grasa que se usa para hacer velas. □ ETIMOL. Del latín *sperma*, y éste del griego *spérma* (simiente, semilla). □ MORF. La RAE lo registra como sustantivo de género ambiguo.

espermafito, ta adj./s.f. Referido a una planta, que se reproduce mediante semillas; fanerógamo. □ ETIMOL. De *esperma* y el griego *phytón* (vegetal).

espermatozoide s.m. En los animales, célula sexual masculina que se forma en los testículos. □ ETIMOL. Del griego *spérma* (semilla), *zôion* (animal) y *-oide (semejanza).*

espermicida adj./s.m. Referido a una sustancia, que es de uso local y que destruye los espermatozoides. □ MORF. Como adjetivo es invariable en género.

esperpéntico, ca adj. Del esperpento o con los rasgos grotescos, absurdos o de otro tipo característicos de este género literario.

esperpento s.m. **1** col. Lo que se considera muy feo, ridículo, o de mala apariencia. **2** Género literario teatral creado por Ramón María del Valle-Inclán (escritor español de finales del siglo XIX y principios del XX) y que se caracteriza por buscar una deformación sistemática de la realidad, intensificando sus rasgos grotescos y absurdos, y por una degradación de los valores literarios consagrados. □ ETIMOL. De origen incierto.

[espesante s.m. Sustancia que se añade a un barniz o a una pintura para darles cuerpo.

espesar v. **1** Referido a un líquido, hacerlo espeso o más espeso: *Has espesado poco la crema. No sé qué les pasa a estas natillas, que no espesan. El chocolate se espesó demasiado.* **2** Referido esp. a un todo, hacerlo más cerrado o tupido, uniendo y apretando los elementos que lo forman: *Utilizaron más hilos para espesar la tela y evitar que se claree. Por esa parte del monte, el bosque se espesa y apenas pasa luz entre los árboles.*

espeso, sa adj. **1** Referido a un líquido o a un gas, que es muy denso o que está muy condensado. **2** Formado por elementos que están juntos y apretados. **3** Grueso, macizo o con mucho cuerpo. □ ETIMOL. Del latín *spissus* (apretado, compacto).

espesor s.m. **1** Grosor o anchura de un cuerpo só-

lido. **2** Densidad o condensación de un fluido o de una masa.
espesura s.f. **1** Densidad o alta condensación de un líquido o de un gas. **2** Carácter de lo que está formado por elementos muy juntos o apretados. **3** Grosor, corpulencia o carácter macizo de algo. **[4** Complicación, densidad o dificultad para ser comprendido. **5** Lugar muy poblado de árboles y matorrales.
espetar v. *col.* Referido a algo sorprendente o molesto, decirlo, esp. si se hace con brusquedad: *Se levantó y me espetó que le debía dinero.* □ ETIMOL. Del antiguo *espeto* (hierro largo y delgado), porque *espetar* significaba *clavar en la punta del hierro del asador.*
espetera s.f. **1** Soporte con ganchos en el que se cuelgan utensilios de cocina y alimentos. **2** Conjunto de utensilios de cocina metálicos que se cuelgan en este soporte. **3** *col.* Pecho de una mujer.
espetón s.m. Hierro largo, delgado y generalmente terminado en punta, que se utiliza para empujar, para mover o para pinchar algo con su extremo. □ ETIMOL. Del antiguo *espeto* (hierro largo y delgado).
espía s. **1** Persona que observa o que escucha con atención y disimulo lo que otros hacen o dicen para comunicarlo a quien desea saberlo. **2** Persona que trata de obtener información secreta, esp. si trabaja al servicio de una potencia extranjera. □ ETIMOL. Del gótico **spahía.* □ MORF. Es de género común: *el espía, la espía.* □ SINT. Se usa en aposición, pospuesto a un sustantivo.
espiar v. **1** Referido a lo que otros hacen o dicen, observarlo o escucharlo con atención y disimulo: *¡Deja de espiarme y métete en tus asuntos!* **2** Referido esp. a un enemigo o a un contrario, tratar de obtener información secreta sobre él y sobre sus actividades: *Camuflaron a un agente secreto para que espiara a sus altos mandos.* □ ORTOGR. 1. Dist. de *expiar.* 2. La *i* lleva tilde en los presentes, excepto en las personas *nosotros* y *vosotros* →GUIAR.
espichar v. *col.* Morir: *Le dio algo al corazón y espichó.* □ ETIMOL. De *espiche* (arma puntiaguda). □ SINT. Se usa más en la expresión *espicharla.*
espiche s.m. *col.* **[**En zonas del español meridional, perorata. □ ETIMOL. Del inglés *speech.*
[espídico, ca adj. *col.* Nervioso o con mucha energía.
espiga s.f. **1** En botánica, inflorescencia formada por un conjunto de flores colocadas a lo largo de un tallo común. 🌾 inflorescencia **2** En un objeto, esp. en una herramienta o en un madero, parte cuyo espesor se ha disminuido para que encaje en la ranura de otra pieza. □ ETIMOL. Del latín *spica.*
espigado, da adj. Referido a una persona, que es alta y delgada.
espigar ▌ v. **1** Referido a un terreno ya segado, recoger las espigas que han quedado en él: *Tras la siega, se espigan los trigales.* **2** Referido a un cereal, empezar a echar espiga: *Este año el trigo ha espigado muy pronto.* **3** Referido a una serie de datos, tomarlos de una o varias fuentes de información, rebuscando aquí y allá: *Para su estudio, espigó noticias en los periódicos.* ▌ prnl. **4** Referido a una persona, crecer mucho: *Tu hija se ha espigado mucho.* □ ORTOGR. La *g* se cambia en *gu* delante de *e* →PAGAR.
espigón s.m. Muro que se construye en la orilla de un río o del mar y que sirve generalmente para

proteger esta orilla o para modificar la dirección de la corriente. □ ETIMOL. De *espiga.*
espiguilla s.f. En un tejido, dibujo que semeja una espiga y que está formado por una línea que hace de eje y otras cuantas laterales, oblicuas a este eje y paralelas entre sí.
espina s.f. **1** En una planta o en su fruto, pincho generalmente formado por la transformación de una hoja o de un brote. **2** En un pez, cada una de las piezas óseas que forman parte de su esqueleto, esp. si son largas y puntiagudas. **3** Astilla pequeña y puntiaguda. **4** Parte saliente, larga y delgada de un hueso. **5** Pesar o tristeza íntima y duradera. **6** ||**dar mala espina** algo; *col.* Hacer pensar o sospechar que puede ocurrir algo malo o desagradable. || **[espina bífida**; malformación congénita de la columna vertebral que da lugar a una mala soldadura de los arcos posteriores de las vértebras. ||**espina dorsal**; columna vertebral. □ ETIMOL. Del latín *spina.*
espinaca s.f. Hortaliza con hojas verdes, estrechas y suaves, que nacen de la raíz y se utilizan para la alimentación. □ ETIMOL. Del árabe hispánico **ispinab.*
espinal adj. De la médula o de la columna vertebral. □ ETIMOL. Del latín *spinalis.* □ MORF. Invariable en género.
espinar s.m. Terreno poblado de espinos.
espinazo s.m. **1** Columna vertebral. **2** ||**doblar el espinazo**; *col.* **[1** Trabajar o esforzarse. *col.* **2** Humillarse y someterse de forma servil. □ ETIMOL. De *espina.*
espingarda s.f. **1** Escopeta de chispa, con el cañón muy largo, y muy usada entre los moros. **2** Antiguo cañón de artillería que lanzaba bolas de hierro o de plomo. □ ETIMOL. Del francés antiguo *espingarde.*
espinilla s.f. **1** Parte delantera de la tibia o hueso de la pierna. **2** Grano de pequeño tamaño que aparece en la piel por la obstrucción del conducto secretor de las glándulas sebáceas.
espinillera s.f. Pieza generalmente acolchada que protege la pierna por la espinilla.
espino s.m. **1** Arbusto con ramas espinosas, hojas sin pelo, flores blancas u olorosas, madera dura, y cuya corteza se usa en tintorería. **2** ||**espino (artificial)**; alambrada con pinchos, esp. la que se utiliza como cerca. □ ETIMOL. Del latín *spinus.*
espinoso, sa adj. **1** Referido esp. a una planta, que tiene espinas. **2** Delicado, comprometido, o que presenta grandes dificultades.
espionaje s.m. **1** Actividad encaminada a obtener información secreta, esp. si se hace para servir a una potencia extranjera. **[2** Organización y medios dedicados a obtener información secreta. □ ETIMOL. Del francés *spionnage*, y éste de *spion* (espía).
espiración s.f. Expulsión del aire de los pulmones. □ ORTOGR. Dist. de *expiración.*
espiral ▌ adj **1** Referido a una cosa con la forma de esta línea curva. ▌ s.f. **2** En geometría, línea curva que gira alrededor de un punto alejándose de éste un poco más en cada vuelta. **[3** Lo que tiene la forma de esta línea curva. **[4** Proceso que aumenta de una forma rápida, progresiva y no controlable: *'espiral' de violencia.* □ MORF. Como adjetivo es invariable en género.
espirar v. **1** Referido al aire o a una sustancia gaseosa,

expulsarla de los pulmones: *Cuando hacemos de-porte, es conveniente espirar el aire por la boca. Si aspiras y espiras lentamente, te relajarás.* **2** Referido a un olor, despedirlo o exhalarlo: *Las rosas espiran una suave fragancia.* □ ETIMOL. Del latín *spirare.* □ ORTOGR. Dist. de *expirar.*

espiratorio, ria adj. De la espiración o relacionado con ella.

espiritismo s.m. **1** Creencia según la cual los espíritus de los muertos pueden entrar en comunicación con los vivos. [**2** Conjunto de prácticas encaminadas a establecer comunicación con los espíritus de los muertos.

espiritista ▮ adj. **1** Del espiritismo. ▮ adj./s. **2** Referido a una persona, que defiende y practica el espiritismo. □ MORF. **1.** Como adjetivo es invariable en género. **2.** Como sustantivo es de género común: *el espiritista, la espiritista.*

espirituoso, sa adj. [Referido esp. a una bebida, que contiene bastante alcohol. □ ORTOGR. Se admite también *espirituoso.*

espiritrompa s.f. Aparato chupador de algunos insectos que consiste en un tubo largo que se enrolla en forma de espiral y que sirve para chupar el néctar de las flores.

espíritu s.m. **1** En una persona, parte inmaterial de la que dependen los sentimientos y las facultades intelectivas. [**2** Alma de una persona muerta. **3** Ser inmaterial dotado de inteligencia. [**4** col. Persona, generalmente considerada en cuanto a su inteligencia. **5** Ánimo, valor o fortaleza, esp. para actuar. **6** Idea principal, carácter íntimo o esencia de algo. **7** Demonio infernal o ser sobrenatural maligno. ‖ **el espíritu {inmundo/maligno}**; el diablo. ‖ **espíritu de contradicción**; tendencia de una persona a decir o a hacer lo contrario de lo que hacen los demás o de lo que se espera de ella. ‖ **pobre de espíritu**; tímido o apocado. □ ETIMOL. Del latín *spiritus* (soplo, aire). □ MORF. La acepción 7 se usa más en plural.

espiritual ▮ adj. **1** Del espíritu, con espíritu, o relacionado con él. **2** Referido esp. a una persona, que es muy sensible y que tiene mayor interés por los sentimientos, los pensamientos y las cuestiones de religión, que por lo material. ▮ s.m. [**3** Canto religioso originario de la población negra del sur estadounidense. □ MORF. Como adjetivo es invariable en género.

espiritualidad s.f. **1** Propiedad de lo que es espiritual o manifiesta las características del espíritu. **2** Sensibilidad e inclinación de una persona hacia los sentimientos, los pensamientos y las cuestiones religiosas, más que hacia lo material. **3** Conjunto de creencias y ejercicios relacionados con la vida espiritual.

espiritualismo s.m. **1** Doctrina filosófica que afirma la existencia de una realidad distinta a la material y, generalmente, superior a ésta. **2** Corriente filosófica que, frente al materialismo, defiende la esencia espiritual y la inmortalidad del alma. [**3** Inclinación hacia lo que se considera propio del espíritu.

espiritualista ▮ adj. [**1** Del espiritualismo o relacionado con esta doctrina o corriente filosófica. ▮ adj./s. **2** Que defiende o sigue la doctrina del espiritualismo. □ MORF. **1.** Como adjetivo es invariable

en género. **2.** Como sustantivo es de género común: *el espiritualista, la espiritualista.*

espiritualizar v. Referido a algo que es corpóreo, considerarlo como espiritual, o dotarlo de las características que se consideran propias del espíritu: *En sus descripciones espiritualiza el paisaje para convertirlo en un símbolo de pureza.* □ ORTOGR. La *z* se cambia en *c* delante de *e* →CAZAR.

espirituoso, sa adj. →**espiritoso.**

[**espiroidal**] adj. Con forma de espiral. □ MORF. Invariable en género.

espita s.f. **1** En una cuba o en un recipiente semejante, canuto que se introduce en su agujero, generalmente provisto de una llave, para que salga por él el líquido. **2** Dispositivo semejante a este canuto que regula el paso de un fluido, esp. a través de un conducto. □ ETIMOL. Del gótico **spitus* (asador).

esplendidez s.f. Abundancia, grandiosidad o gran generosidad.

espléndido, da adj. **1** Magnífico o maravilloso. **2** Generoso o desprendido. □ ETIMOL. Del latín *splendidus* (resplandeciente).

esplendor s.m. **1** Grandeza, hermosura o riqueza. **2** Situación de lo que ha alcanzado un punto muy alto de su desarrollo o en sus cualidades. **3** Brillo o resplandor. □ ETIMOL. Del latín *splendor.*

esplendoroso, sa adj. **1** Que impresiona por su belleza o por su riqueza. **2** Que brilla o resplandece.

espliego s.m. **1** Arbusto de tallos leñosos, hojas estrechas y grisáceas, y flores azules en espiga y muy aromáticas. **2** Semilla de este arbusto, que suele usarse para dar humo aromático. □ ETIMOL. Del latín *spiculum*, y éste de *spicum* (espiga), porque el espliego suele venderse en ramilletes.

espolear v. **1** Referido a una caballería, picarla el jinete con la espuela para que ande u obedezca: *El bandolero espoleó su caballo y huyó velozmente.* **2** Referido a una persona, estimularla o animarla a hacer algo; pinchar: *El éxito de su primera película sirvió para espolearla en su carrera.* □ SEM. Es sinónimo de *picar.*

espoleta s.f. En un artefacto con carga explosiva, dispositivo que se coloca para producir la explosión de dicha carga. □ ETIMOL. Del italiano *espoletta.*

espoliación s.f. →**expoliación.**

espoliar v. →**expoliar.**

espolín s.m. Espuela que está fija en el tacón de la bota.

espolio s.m. →**expolio.**

espolón s.m. **1** En algunas aves, esp. en un gallo, saliente óseo que aparece en el tarso o parte más delgada de sus patas. **2** En una caballería, saliente córneo en la parte posterior y baja de las patas. **3** Muro que se construye en la orilla de un río o del mar para contener las aguas, o al borde de un barranco o de un precipicio para asegurar el terreno. **4** En una embarcación, punta que remata la proa, esp. si es de hierro, puntiaguda y saliente, y que se utiliza para embestir barcos enemigos. **5** En un puente, construcción curva o en forma de ángulo que se añade en los pilares de cara a la corriente de agua para cortarla y disminuir su empuje; tajamar. □ ETIMOL. De *espuela.*

espolvorear v. Referido a una sustancia con consistencia de polvo, esparcirla sobre algo: *Espolvorea coco rallado sobre la tarta. Espolvoreó el pastel con azúcar glaseada.*

espondeo s.m. En métrica grecolatina, pie formado por dos sílabas largas. ☐ ETIMOL. Del latín *spondeus*.

espongiario ▌ adj./s.m. **1** Referido a un animal, que es invertebrado, acuático, con forma de saco o tubo con una sola abertura, y que tiene la pared del cuerpo reforzada por pequeñas piezas calcáreas o silíceas o por fibras cruzadas entre sí, y atravesada por numerosos conductos que se abren al exterior: *La esponja de mar es un espongiario.* ▌ s.m.pl. **2** En zoología, grupo de estos animales. ☐ ETIMOL. Del latín *spongia* (esponja).

esponja s.f. **1** Animal perteneciente al tipo de los espongiarios. **2** Esqueleto de algunos de estos animales, formado por fibras córneas cruzadas entre sí, cuyo conjunto da lugar a una masa elástica llena de agujeros y que absorbe fácilmente los líquidos. **3** Cuerpo con la elasticidad, la porosidad y la suavidad de estos esqueletos, y que se utiliza como utensilio de limpieza. ☐ ETIMOL. Del latín *spongia*.

esponjamiento s.m. Ahuecado de un cuerpo.

esponjar ▌ v. **1** Referido a un cuerpo, ahuecarlo o hacerlo más poroso: *Para esponjar la masa del pan, se le echa levadura. A medida que vaya cociendo el bizcocho, irá esponjándose.* ▌ prnl. **2** Envanecerse o ponerse orgulloso: *Se esponja cuando le hablan bien de su hijo.* ☐ ORTOGR. Conserva la *j* en toda la conjugación.

esponjosidad s.f. Suavidad, ligereza y porosidad que presenta un cuerpo.

esponjoso, sa adj. Referido a un cuerpo, que es muy poroso, hueco y ligero.

esponsales s.m.pl. Promesa mutua que se hacen un hombre y una mujer de casarse el uno con el otro. ☐ ETIMOL. Del latín *sponsalis* (relativo a la promesa de casamiento).

[espónsor s.m. →**sponsor**.

[esponsorizar v. →**patrocinar**. ☐ ETIMOL. Del inglés *sponsor*.

espontaneidad s.m. Naturalidad y sinceridad o ausencia de artificio en la forma de actuar.

espontáneo, a ▌ adj. **1** Natural, sincero y sin premeditación, esp. en la forma de actuar. **2** Referido esp. a una planta, que se produce sin cultivo y sin cuidado del hombre. ▌ s. **3** Persona que asiste a un espectáculo público, esp. a una corrida de toros, como espectador y que, en un momento dado, interviene en él por propia iniciativa. ☐ ETIMOL. Del latín *spontaneus*, y éste de *sponte* (voluntariamente).

[espóntex s.f. →**spontex**.

espora s.f. Célula reproductora de algunos organismos con reproducción asexual. ☐ ETIMOL. Del griego *sporá* (semilla).

esporádico, ca adj. Ocasional o sin relación con otros casos. ☐ ETIMOL. Del griego *sporadikós* (disperso).

esporangio s.m. En algunos organismos con reproducción asexual, órgano que produce o contiene las esporas o células reproductoras. ☐ ETIMOL. De *sporá* (semilla) y *ángos* (vaso).

esportilla s.f. Espuerta pequeña.

esposar v. Referido esp. a un detenido, ponerle las esposas para que no pueda mover las manos: *La policía esposó a los atracadores.* ☐ ORTOGR. Dist. de *desposar*.

esposas s.f.pl. Véase **esposo, sa**.

esposo, sa ▌ s. **1** Respecto de una persona, otra que

está casada con ella. ▌ s.f.pl. **2** Conjunto de dos aros de metal unidos por una cadena, que se utilizan para sujetar a los detenidos por las muñecas. ☐ ETIMOL. La acepción 1, del latín *sponsus* (prometido). La acepción 2, de *esposa*, porque se dice tópicamente que la esposa nunca se separa del marido.

[espot s.m. →**spot**.

[espray s.m. →**aerosol**. ☐ ETIMOL. Del inglés *spray*.

[esprèsso s.m. Café exprés. ☐ USO Es un italianismo innecesario.

[esprín o **[esprint** s.m. →**sprint**.

[esprintar v. Realizar un sprint: *En los últimos metros el ciclista 'esprintó' y ganó la etapa.* ☐ ETIMOL. Del inglés *sprint*.

espuela s.f. **1** Arco de metal, con una pieza alargada y terminada en una pequeña rueda dentada, que se ajusta al talón del jinete y se usa para picar a la cabalgadura. **2** En zonas del español meridional, espolón de algunas aves. ☐ ETIMOL. Del gótico **spaúra*.

espuerta s.f. **1** Cesta de esparto, de palma o de otra materia, con dos asas pequeñas. **2** ‖**a espuertas**; a montones o en gran cantidad. ☐ ETIMOL. Del latín *sporta*.

espulgar v. Limpiar de pulgas o de piojos: *Compramos un insecticida para espulgar al perro.* ☐ ORTOGR. 1. Dist. de *expurgar*. 2. La *g* se cambia en *gu* delante de *e* →**PAGAR**.

espuma s.f. **1** Conjunto de burbujas que se forman en la superficie de los líquidos. **[2** Producto cosmético con consistencia semejante a la de estas burbujas: *'espuma' de afeitar.* **[3** Tejido muy ligero y esponjoso: *medias de 'espuma'.* **[4** col. →**gomaespuma**. ☐ ETIMOL. Del latín *spuma*.

espumadera s.f. Utensilio de cocina en forma de paleta agujereada y con un mango largo.

espumajear v. Arrojar o echar espumarajos o saliva abundante por la boca: *El perro estaba rabioso y espumajeaba.*

espumajo s.m. →**espumarajo**.

espumar v. **1** Referido a un líquido, quitarle la espuma: *Espumó la sopa antes de servirla.* **2** Hacer o producir espuma: *Este jabón espuma mucho.* ☐ ORTOGR. Se admite también *despumar*.

espumarajo s.m. **1** Saliva arrojada en gran cantidad por la boca; espumajo. **2** ‖**echar espumarajos por la boca**; col. Estar colérico o muy enfadado.

[espumeante adj. Que hace o que forma espuma. ☐ MORF. Invariable en género.

espumillón s.m. **[Tira con flecos, muy ligera y de colores vivos y brillantes, que se utiliza como adorno en las fiestas navideñas.

espumoso, sa adj. Que tiene o hace mucha espuma.

espurio, ria adj. Falso, adulterado o no auténtico. ☐ ETIMOL. Del latín *spurio* (bastardo, ilegítimo). ☐ PRON. Incorr. **[espúreo].

espurrear o **espurriar** v. Rociar con agua o con otro líquido arrojados por la boca: *Si el niño no quiere comer, no le obligues, que nos va a espurrear a todos.* ☐ ORTOGR. La *i* de *espurriar* lleva tilde en los presentes, excepto en las personas *nosotros* y *vosotros* →**GUIAR**.

esputar v. Referido a flemas o a otras secreciones de las vías respiratorias, arrancarlas y arrojarlas por la boca: *Está acatarrado y toma un jarabe para espu-tar las flemas.*

esputo s.m. Saliva, flema o sangre que se escupen o se expulsan de una vez por la boca. ☐ ETIMOL. Del latín *sputum*, y éste de *spuere* (escupir). ☐ SEM. Es sinónimo de *escupitajo, escupitinajo* y *lapo.*

esqueje s.m. Tallo o brote de una planta que se injerta en otra o que se introduce en la tierra para que nazca una planta nueva. ☐ ETIMOL. Del latín *schidiae*, y éste del griego *skhídia* (astillas).

esquela s.f. Aviso o notificación de la muerte de una persona, esp. los que aparecen en los periódi-cos. ☐ ETIMOL. Quizá del latín *scheda* (hoja de pa-pel).

esquelético, ca adj. Muy flaco o muy delgado.

esqueleto s.m. **1** Conjunto de piezas duras y re-sistentes, generalmente trabadas o articuladas en-tre sí, que da consistencia al cuerpo de los animales, sosteniendo o protegiendo sus partes blandas. **2** Ar-mazón que sostiene algo. **3** Esquema o conjunto de líneas básicas sobre los que se monta o hace algo. **4** En zonas del español meridional, formulario. **5** ‖ [(menear/mover) **el esqueleto**; *col.* Bailar, ge-neralmente con música moderna. ☐ ETIMOL. Del griego *skeletós* (esqueleto, momia).

esquema s.m. **1** Resumen de una cosa atendiendo a sus ideas o caracteres más significativos. **2** Re-presentación gráfica y simbólica de cosas materiales o inmateriales. [**3** *col.* Estructura que constituye la base de algo. **4** ‖ [**romper los esquemas**; *col.* Des-concertar o desorientar: *Su forma de actuar 'me rompió los esquemas'.* ☐ ETIMOL. Del latín *schema* (figura geométrica).

esquemático adj. **1** Explicado o hecho de una manera simple, a rasgos generales y sin entrar en detalles. [**2** Que tiene capacidad para elaborar es-quemas.

esquematismo s.m. Tendencia a utilizar esque-mas, esp. en la exposición de doctrinas.

esquematización s.f. Representación de algo en forma esquemática o con rasgos generales.

esquematizar v. Representar de forma esque-mática o con rasgos generales: *La profesora esque-matizó en un dibujo el funcionamiento del motor de explosión.* ☐ ORTOGR. La *z* se cambia en *c* delante de *e* →CAZAR.

esquí s.m. **1** Especie de patín formado por una ta-bla alargada que sirve para deslizarse sobre la nie-ve o sobre el agua. **2** Deporte que se practica des-lizándose sobre la nieve con estos patines. **3** ‖ **es-quí acuático**; deporte que consiste en deslizarse rápidamente sobre el agua con estos patines y arrastrado por una lancha motora. ☐ ETIMOL. Del francés *ski*, y éste del noruego *ski* (leño, tronco cor-tado). ☐ MORF. Su plural es *esquís.* ☐ SEM. Es si-nónimo de *ski.* ☐ USO Es innecesario el uso del an-glicismo *ski.*

esquiador, -a s. Persona que practica el esquí, esp. si ésta es su profesión.

esquiar v. Deslizarse con esquís sobre la nieve o sobre el agua: *Hice un curso para aprender a es-quiar.* ☐ ORTOGR. La *i* lleva tilde en los presentes, excepto en las personas *nosotros* y *vosotros* →GUIAR.

esquife s.m. Bote que se lleva en un navío y que se usa esp. para saltar a tierra. ☐ ETIMOL. Del ale-mán *skif.*

[**esquijama** s.m. Pijama cerrado que se ciñe al cuerpo, hecho de tejido de punto y que se usa ge-neralmente en invierno.

esquila s.f. **1** Cencerro pequeño en forma de cam-pana. **2** Corte del pelo o de la lana de un animal, esp. de una oveja; esquileo. ☐ ETIMOL. La acepción 1, del gótico **skilla.* La acepción 2, de *esquilar.*

esquilador, -a ‖ s. **1** Persona que se dedica pro-fesionalmente a esquilar el ganado. ‖ s.f. **2** Máqui-na que sirve para esquilar el ganado.

esquilar v. Referido a un animal, esp. a una oveja, cor-tarle el pelo o la lana; trasquilar: *Después de es-quilarla, la oveja abultaba la mitad.* ☐ ETIMOL. Del gótico **skaíran.*

esquileo s.m. **1** Corte del pelo o de la lana de un animal, esp. de una oveja; esquila. **2** Tiempo du-rante el que se corta el pelo o la lana de estos ani-males.

esquilmar v. **1** Referido esp. a una fuente de riqueza, agotarla o hacer que disminuya por explotarla más de lo debido: *Los pescadores furtivos han esquil-mado esta parte del río y ya casi no hay peces.* [**2** Referido a una persona, empobrecerla o sacarle el di-nero abusivamente: *'Esquilmó' a su padre para pa-gar sus deudas.* **3** Referido a un terreno, absorber con exceso los elementos nutritivos que contiene: *Los eucaliptos esquilman el suelo.* ☐ ETIMOL. Del anti-guo *esquimar* (dejar un árbol sin ramas).

esquimal ‖ adj./s. **1** De un pueblo que habita en las regiones árticas americanas y asiáticas, o rela-cionado con él. ‖ s.m. [**2** Grupo de lenguas de este pueblo. ☐ MORF. **1**. Como adjetivo es invariable en género. **2**. Como sustantivo es de género común: *el esquimal, la esquimal.*

esquina s.f. Arista o parte exterior del lugar en que se juntan dos lados de algo, esp. las paredes de un edificio. ☐ ETIMOL. Quizá del germánico **skina* (barrita, tibia, espinazo).

esquinado, da adj. *col.* Referido a una persona, que es de trato difícil o áspero.

esquinar v. **1** Hacer o formar esquina: *Su casa esquina con la mía.* **2** Poner en esquina: *Si esquinas un poco la televisión, la veremos también desde aquí.*

esquinazo s.m. **1** Esquina de un edificio. **2** ‖ **dar esquinazo**; *col.* Referido a una persona, rehuirla, evi-tarla o abandonarla.

esquinera s.f. **1** Mueble de forma apropiada para ser colocado en un rincón; rinconera. **2** *col.* Prosti-tuta que suele colocarse en las esquinas. ☐ USO En la acepción 2, es despectivo.

esquirla s.f. Astilla desprendida de algo duro, esp. de un hueso fracturado. ☐ ETIMOL. De origen in-cierto.

esquirol s.m. Persona que trabaja cuando hay huelga, o que sustituye a un huelguista. ☐ ETIMOL. Del catalán *esquirol* (ardilla), que significó *hombre-cillo, porque se mueve mucho y sin motivo,* y de ahí *persona insignificante, sin carácter.* ☐ USO Es des-pectivo.

esquivar v. Evitar o rehusar con habilidad: *El bo-xeador esquivaba los golpes de su rival.* ☐ ETIMOL. Del germánico *skiuhan* (tener miedo).

esquivo, va adj. Que rehúye las atenciones, las muestras de afecto o el trato de otras personas.

esquizofrenia s.f. En psiquiatría, enfermedad men-tal que se caracteriza por una pérdida de contacto con la realidad y por alteraciones de la personalidad. □ ETIMOL. Del griego *skhízo* (yo parto, yo disocio) y *phrén* (inteligencia).

esquizofrénico, ca ∎ adj. **1** De la esquizofrenia o relacionado con esta enfermedad. ∎ adj./s. **2** Que padece esquizofrenia.

esquizoide adj./s. Referido esp. a una persona, que tiene tendencia a sufrir esquizofrenia o está predispuesto a ella. □ ETIMOL. Del griego *skhízo* (yo parto, yo disocio) y *-oide* (semejanza). □ MORF. 1. Como adjetivo es invariable en género. 2. Como sustantivo es de género común: *el esquizoide, la esquizoide*. 3. La RAE sólo lo registra como adjetivo.

esta demos. f. de **este**.

estabilidad s.f. **1** Permanencia o duración en el tiempo, esp. si se produce sin cambios esenciales. **2** Firmeza o seguridad, esp. en el espacio, en la posición o en el rumbo. [**3** Propiedad de un cuerpo o de un sistema de volver a su posición de equilibrio después de haber sido separados de ella. [**4** Situación meteorológica que se caracteriza por la resistencia a que se desarrollen cambios. □ ETIMOL. Del latín *stabilitas*.

estabilísimo, ma superlat. irreg. de estable. □ MORF. Incorr. *establísimo*.

estabilización s.f. Concesión o adquisición de un carácter estable.

estabilizador, -a ∎ adj./s. **1** Que estabiliza. ∎ s.m. **2** Mecanismo que se añade a un vehículo para evitar su balanceo y aumentar su estabilidad.

[**estabilizante** s.m. Sustancia que se añade a una disolución para impedir que precipite.

estabilizar v. Hacer estable: *El Banco de España intervendrá para intentar estabilizar la peseta. Pasó una temporada muy nervioso, pero ha ido estabilizándose.* □ ORTOGR. La z se cambia en c delante de e →CAZAR.

estable adj. **1** Constante, firme, permanente o duradero en el tiempo. [**2** En química, referido esp. a una sustancia, que no resulta fácil de descomponer por la acción de la temperatura o de agentes químicos. □ ETIMOL. Del latín *stabilis*. □ MORF. 1. Invariable en género. 2. Su superlativo es *estabilísimo*.

establecer ∎ v. **1** Fundar, instituir o crear, generalmente con un propósito de continuidad: *Las dos naciones establecieron relaciones diplomáticas.* **2** Ordenar, mandar o decretar: *El código de la circulación establece que las bicicletas no pueden circular por las autopistas.* **3** Referido a un pensamiento, expresarlo o demostrar su valor general: *Newton estableció que todos los cuerpos de la Tierra están sometidos a la acción de la fuerza de la gravedad.* ∎ prnl. **4** Fijar la residencia: *No nací en esta ciudad, pero me establecí aquí al acabar los estudios.* **5** Abrir un negocio por cuenta propia: *Antes trabajaba aquí de dependiente, pero ahora se ha establecido en otro barrio.* □ ETIMOL. Del latín **stabiliscere*. □ MORF. Irreg. →PARECER.

establecimiento s.m. **1** Fundación, institución o creación de algo, generalmente con un propósito de continuidad. **2** Lugar en el que habitualmente se desarrolla una industria, una profesión o una actividad comercial. **3** Colonia fundada en un país por naturales de otro. **4** Fijación de la residencia o del trabajo en un lugar.

[**establishment** (anglicismo) s.m. Grupo social dominante que controla algún sector, esp. el político y económico. □ PRON. [estáblishment]. □ USO Su uso es innecesario y puede sustituirse por una expresión como *grupo dominante*.

establo s.m. Lugar cubierto en el que se encierra o se guarda el ganado. □ ETIMOL. Del latín *stabulum*.

estabulación s.f. Cría y mantenimiento de los ganados en establo.

estabular v. Referido al ganado, criarlo y mantenerlo en establos: *Ha estabulado su ganado.* □ ETIMOL. Del latín *stabulare*.

estaca s.f. **1** Palo acabado en punta para que pueda ser clavado. **2** Palo grueso que puede manejarse como un bastón. □ ETIMOL. Del gótico **staka* (palo).

estacada ‖ **dejar en la estacada** a alguien; abandonarlo en un peligro o en una situación difícil.

estacazo s.m. **1** Golpe dado con una estaca. **2** Golpe o choque muy fuertes.

estación s.f. **1** Cada uno de los cuatro grandes períodos de tiempo en que se divide el año. **2** Período de tiempo señalado por una actividad o por ciertas condiciones climáticas: *Estamos en la estación de la fresa.* **3** Sitio en el que habitualmente hace parada un medio de transporte público, esp. el tren o el metro, para recoger o dejar viajeros o mercancías durante el recorrido de su línea. **4** Conjunto de edificios y de instalaciones con un servicio de transporte público: *estación de autobuses.* **5** Conjunto de instalaciones y de aparatos necesarios para realizar una actividad determinada: *estación de esquí.* **6** En el vía crucis, cada una de las catorce escenas que representan la Pasión de Jesucristo. **7** Conjunto de oraciones que se rezan ante cada una de estas escenas. **8** En zonas del español meridional, emisora de radio o de televisión. **9** ‖ **estación de servicio**; la que está provista de productos y servicios necesarios para el aprovisionamiento de los automovilistas y de sus vehículos. □ ETIMOL. Del latín *statio* (permanencia, lugar de estancia).

estacional adj. Propio y característico de una estación del año. □ MORF. Invariable en género.

estacionamiento s.m. **1** Detención de un vehículo en un lugar, en el que se deja parado y generalmente desocupado. **2** Lugar donde puede estacionarse un vehículo, esp. referido a los recintos dispuestos para ello. **3** Estancamiento o estabilización en una situación, sin que se produzcan avances ni retrocesos.

estacionar ∎ v. **1** Referido esp. a un vehículo, pararlo y dejarlo, generalmente desocupado, en un lugar: *Estacionó el camión a la puerta del mercado. Temo que me pongan una multa por estacionarme en zona prohibida.* ∎ prnl. **2** Estancarse o estabilizarse en una situación, sin experimentar avance ni retroceso: *Su enfermedad se ha estacionado.*

estacionario, ria adj. Que permanece en el mismo estado o situación, sin avance ni retroceso.

estada o **estadía** s.f. Estancia o permanencia durante cierto tiempo en un lugar determinado. □ ETIMOL. *Estada*, de estar. *Estadía*, del latín *stativa*. □ USO *Estada* es el término menos usual.

estadio s.m. **1** Recinto con gradas para los espectadores y destinado generalmente a albergar competiciones deportivas. **2** En un proceso, cada una de sus etapas o fases. □ ETIMOL. Del latín *stadium*, y éste del griego *stádion* (medida determinada), porque los estadios debían tener esta medida como longitud fija.

estadista s. **1** Persona especializada en asuntos de Estado. [**2** Jefe de Estado. ☐ MORF. Es de género común: *el estadista, la estadista*.

estadístico, ca ▮ adj. **1** De la estadística o relacionado con esta ciencia. ▮ s. **2** Persona que se dedica profesionalmente a la estadística. ▮ s.f. **3** Ciencia que se ocupa de la recogida y obtención de datos, y de su tratamiento para expresarlos numéricamente y poder extraer conclusiones a partir de ellos. **4** Conjunto de estos datos. ☐ ETIMOL. Del alemán *statistik*.

estado s.m. **1** Situación, circunstancia o condición en la que se encuentra algo sujeto a cambios. **2** Clase o condición a la que está sujeta la vida de una persona: *estado religioso*. **3** Estamento o grupo social en que se divide la sociedad. **4** En física, cada uno de los grados o de los modos de agregación o de unión de las moléculas de un cuerpo: *estado sólido*. **5** Conjunto de los órganos de gobierno de un país soberano. **6** Territorio y población de cada país independiente. **7** En un sistema federal, cada uno de los territorios que se rigen por leyes propias, aunque sometidos en determinados asuntos al Gobierno general. **8** Inventario, resumen o relación, generalmente por escrito, de las partidas o de los conceptos que permiten determinar la situación de algo: *Pidió al banco el estado de su cuenta corriente*. **9** En la Edad Media o en la Edad Moderna, país o dominio bajo la autoridad de un príncipe o de un señor feudal. **10** ‖ **de estado**; referido a una persona, que tiene aptitud reconocida para dirigir los asuntos de una nación. ‖ **en estado (de buena esperanza/interesante)**; referido a una mujer, embarazada. ‖ **estado (civil)**; condición de cada persona en relación con los derechos y obligaciones civiles. ‖ **[estado de derecho**; aquel en el que los propios poderes públicos están sometidos a las leyes. ‖ **estado de excepción**; en un territorio, situación declarada oficialmente como grave para el mantenimiento del orden público y que supone la suspensión de garantías constitucionales. ‖ **estado de sitio**; el que se da en una población en tiempo de guerra cuando se suspenden las garantías constitucionales y se sustituyen las autoridades civiles por las militares. ‖ **[estado del bienestar**; el de una población con un nivel de vida aceptable. ‖ **estado federal**; el que está formado por territorios particulares y en el que los poderes regionales gozan de autonomía e incluso de soberanía para su vida interna; federación. ‖ **estado llano** o **[tercer estado**; en la sociedad europea medieval, el formado por burgueses y campesinos. ‖ **estado mayor**; en el ejército, cuerpo de oficiales encargados de informar técnicamente a los jefes superiores, de distribuir las órdenes y de procurar y vigilar su cumplimiento. ☐ ETIMOL. Del latín *status*. ☐ USO La acepción 5 se usa más como nombre propio.

estadounidense adj./s. De los Estados Unidos de América o relacionado con este país norteamericano. ☐ PRON. Incorr. *[estadounidénse]. ☐ MORF. 1. Como adjetivo es invariable en género. 2. Como sustantivo es de género común: *el estadounidense, la estadounidense*. ☐ SEM. Dist. de *norteamericano* (tb. de Canadá).

estafa s.f. **1** Privación hecha con engaño de una cantidad de dinero o de algo valioso. **2** En derecho, realización de alguno de los delitos que tienen como

fin el lucro y que utilizan como medio el engaño o el abuso de confianza.

estafador, -a s. Persona que comete estafas.

estafar v. **1** Referido a una cantidad de dinero o a algo valioso, quitárselo a su dueño con engaño: *Estafó a su socio un millón de pesetas*. **2** En derecho, cometer alguno de los delitos que tienen como fin el lucro y que utilizan como medio el engaño o el abuso de confianza: *Denunciaron a la empresa por estafar a sus clientes vendiéndoles productos de calidad inferior*. ☐ ETIMOL. Del italiano *staffare* (sacar el pie del estribo), porque el estafado queda si apoyo económico, de la misma manera que el jinete queda sin apoyo en el estribo.

estafeta s.f. Oficina del servicio de correos, esp. si es sucursal de la central. ☐ ETIMOL. Del italiano *staffetta*, y éste de *corrier a staffetta* (correo especial que viaja a caballo).

estafilococo s.m. Bacteria de forma redondeada, que se agrupa en racimos. ☐ ETIMOL. Del griego *staphylé* (racimo) y *kókkos* (grano).

estalactita s.f. En geología, formación calcárea, generalmente con forma de cono irregular y con la punta hacia abajo, que cuelga del techo de cavernas naturales. ☐ ETIMOL. Del griego *stalaktós* (que gotea). ☐ SEM. Dist. de *estalagmita* (con la punta hacia arriba).

estalagmita s.f. En geología, formación calcárea, generalmente con forma de cono irregular y con la punta hacia arriba, que se forma en el suelo de cavernas naturales. ☐ ETIMOL. Del griego *stalagmós* (efecto de gotear). ☐ SEM. Dist. de *estalactita* (con la punta hacia abajo).

estaliniano, na adj. →**estalinista**.

estalinismo s.m. Teoría y práctica políticas propugnadas por Stalin (político y militar soviético de los siglos XIX y XX), y que se caracterizan principalmente por la rígida jerarquización de la vida social y por su dogmatismo.

estalinista ▮ adj. **1** Del estalinismo o relacionado con esta teoría y práctica políticas. ▮ adj./s. **2** Partidario del estalinismo. ☐ MORF. 1. Como adjetivo es invariable en género. 2. Como sustantivo es de género común: *el estalinista, la estalinista*. ☐ SEM. Como adjetivo, es sinónimo de *estaliniano*.

estallar v. **1** Romperse o reventar de golpe y con gran ruido: *La bomba que estalló causó varios heridos*. [**2** Referido esp. a algo cerrado, abrirse o romperse debido a la presión o a la tirantez que soporta: *Al sentarme, la cremallera del pantalón 'estalló'*. **3** Referido a un suceso, sobrevenir u ocurrir de manera violenta: *Un motín de presos estalló en la cárcel*. **4** Referido a una persona, sentir y manifestar de manera repentina y violenta una pasión o un afecto: *Estalló de alegría cuando supo que había ganado*. ☐ ETIMOL. Del antiguo **astellar* (hacerse astillas). ☐ SINT. 1. Constr. de la acepción 4: *estallar* DE *algo*. 2. En las acepciones 1 y 2, es incorrecto su uso como verbo transitivo aunque está muy extendido: *vas a {*estallar > hacer estallar} la falda*. ☐ SEM. No debe emplearse con el significado de 'explosionar': *La policía {*estalló > explosionó} la bomba*.

estallido s.m. **1** Rotura o explosión producidas por golpe y con gran ruido. **2** Producción de un suceso de manera violenta. **3** Sentimiento y manifestación repentinos y violentos de una pasión o de un afecto.

4 Ruido seco que produce un látigo o una honda al sacudirlos en el aire con fuerza.

estambre s.m. **1** En botánica, en algunas flores, órgano reproductor masculino, situado en el centro de éstas, protegido por la corola, formado por una antera en la que se produce el polen, y sostenido generalmente por un filamento. 🌸 flor **2** Hilo de lana. **3** Tejido hecho con este hilo. ☐ ETIMOL. Del latín *stamen* (urdimbre).

estamental adj. Del estamento, estructurado en estamentos, o relacionado con este grupo social. ☐ MORF. Invariable en género.

estamento s.m. **1** En la sociedad europea medieval y hasta la Revolución Francesa, cada uno de los grupos que la constituían y que se caracterizaban por tener una función social y una condición jurídica definidas. **2** Cada uno de los grupos sociales formados por las personas que tienen un estilo de vida común o una función determinada dentro de la sociedad. ☐ ETIMOL. Del latín *stamentum*.

estampa s.f. **1** Imagen o figura impresas, esp. referido a las ilustraciones de una publicación. **2** Papel o tarjeta con la reproducción de una imagen, esp. si es de tema religioso. **3** Aspecto o figura total de una persona o de un animal. **4** *ant.* Imprenta o impresión. **5** ‖**maldecir la estampa de** alguien; *col.* Maldecirlo: *Cuando supe la faena que me había hecho, maldije su estampa.* ‖**ser la (viva) estampa de** alguien; *col.* Parecérsele mucho.

estampación s.f. →estampado.

estampado, da ∎ adj. **1** Referido esp. a un tejido, que tiene diferentes labores o dibujos. ∎ s.m. **2** Impresión, esp. de dibujos o de letras y generalmente sobre tela o sobre papel; estampación.

estampar v. **1** Referido esp. a dibujos o a letras, imprimirlos, generalmente sobre papel o tela: *Estamparon varias ilustraciones en el libro. Las últimas palabras de su padre se estamparon en su mente.* [**2** Referido a una firma o a un sello, ponerlos, generalmente al pie de un documento: *'Estampó' su firma en el contrato.* **3** Referido a una cosa, señalarla o imprimirla en otra: *Estampó su pie en el cemento blando.* **4** *col.* Referido esp. a un objeto, arrojarlo con violencia haciéndolo chocar contra algo: *Estampó la copa de vino contra el suelo.* [**5** Referido esp. a un golpe o a un beso, darlos con mucha fuerza: *Le 'estampó' tal bofetada, que lo tiró al suelo.* ☐ ETIMOL. Del francés *estamper* (aplastar, machacar).

estampía ‖**de estampía**; de repente o de manera rápida e impetuosa. ☐ ETIMOL. De *estampida*. ☐ ORTOGR. Incorr. **de estampía*.

estampida s.f. Huida rápida e impetuosa, esp. de un grupo de personas o de animales. ☐ ETIMOL. Del provenzal *estampida* (disputa ruidosa).

estampido s.m. Ruido fuerte y seco.

estampilla s.f. **1** Sello que permite estampar sobre un documento el letrero o la firma que lleva grabados. **2** En zonas del español meridional, sello de correos.

estancación s.f. o **estancamiento** s.m. Detención o suspensión del curso de algo. ☐ USO *Estancación* es el término menos usual, aunque la RAE lo prefiere a *estancamiento*.

estancar v. **1** Referido a un líquido, detener y parar su curso: *Los embalses permiten estancar agua y almacenarla como reserva. Las alcantarillas estaban obstruidas y el agua de lluvia se estancó en las ca-*

lles. **2** Referido a un asunto, suspenderlo o detener su curso: *La subida de precios estancó la venta de coches. El proceso judicial se estancó por falta de pruebas.* ☐ ETIMOL. De origen incierto. ☐ ORTOGR. La *c* se cambia en *qu* delante de *e* →SACAR.

estancia s.f. **1** Permanencia en un lugar durante cierto tiempo. **2** Aposento o habitación de una vivienda. **3** En métrica, estrofa formada por una combinación variable de versos heptasílabos y endecasílabos, que riman generalmente en consonante al gusto del poeta, y cuya estructura se repite a lo largo del poema. **4** En zonas del español meridional, finca ganadera.

estanciero s.m. En zonas del español meridional, dueño de una estancia o finca ganadera.

estanco, ca ∎ adj. **1** Completamente cerrado y sin comunicación. ∎ s.m. **2** Establecimiento en el que se vende tabaco, sellos y otros productos con los que está prohibido comerciar libremente y cuya venta se concede a determinadas personas o entidades. ☐ ETIMOL. De *estancar*.

estándar ∎ adj. **1** Que sigue un modelo o que copia y repite un patrón muy extendido. ∎ s.m. **2** Tipo, modelo o patrón que se consideran un ejemplo digno de ser imitado. ☐ ETIMOL. Del inglés *standard*. ☐ MORF. 1. Como adjetivo es invariable en género y en número. 2. Como sustantivo, su plural es *estándares*. ☐ USO Es innecesario el uso del anglicismo *standard*.

estandarización s.f. Adaptación de varias cosas semejantes a un tipo, a un modelo o a una norma comunes; normalización, tipificación.

estandarizar v. Referido a varias cosas semejantes, adaptarlas a un tipo, a un modelo o a una norma comunes; normalizar, tipificar: *La Real Academia Española se encarga de estandarizar nuestro idioma. La influencia de los medios de comunicación hace que las costumbres se estandaricen.* ☐ ORTOGR. La *z* se cambia en *c* delante de *e* →CAZAR.

estandarte s.m. **1** Insignia o bandera de una corporación civil, militar o religiosa, consistente en un trozo de tela generalmente cuadrado, que pende de un asta o sobre la que figura un escudo u otro distintivo. [**2** Lo que se convierte en representación o símbolo de un movimiento o de una causa. ☐ ETIMOL. Del francés antiguo *estandart*.

estanque s.m. Depósito artificial de agua, que se construye con fines prácticos u ornamentales. ☐ ETIMOL. De *estancar*.

estanquero, ra s. Persona que se dedica a la venta de tabaco y otros productos de estanco.

estanquillo s.m. En zonas del español meridional, tienda pequeña en la que se venden productos de uso común.

estante s.m. En un armario o en una estantería, tabla horizontal sobre la que se colocan las cosas; anaquel, balda. ☐ ETIMOL. Del latín *stans* (que está fijo).

estantería s.f. Mueble formado por estantes.

estantigua s.f. **1** Fantasma o procesión de fantasmas que se ven por la noche y que causan miedo. **2** *col.* Persona muy alta y delgada, que va mal vestida. ☐ ETIMOL. Del antiguo *hueste antigua* (aplicado al diablo o a un ejército de demonios o de almas condenadas), y éste del latín *hostis antiquus* (el viejo enemigo), porque los padres de la iglesia aplicaron este nombre al demonio. □ USO En la acepción 2, tiene un matiz despectivo.

estaño s.m. Elemento químico, metálico y sólido, de número atómico 50, blanco, más duro, dúctil y brillante que el plomo, que cruje cuando se dobla y que, al frotarlo, despide un olor particular. □ ETIMOL. Del latín *stagnum*. □ ORTOGR. Su símbolo químico es *Sn*.

estar ■ v. **1** Existir o hallarse en un lugar, en un tiempo, en una situación o en una condición: *España está en Europa. Para eso están los amigos.* **2** Permanecer o hallarse con cierta estabilidad en un lugar, en un tiempo, en una situación o en una condición: *Estaré siempre a tu lado.* **3** Seguido de una expresión que indica cualidad o condición, tener o sentir éstas en el momento actual: *La casa está sucia. Estoy que no me tengo de cansancio.* **4** Consistir o radicar: *El mérito no está en parecer honrado, sino en serlo.* **5** Referido a una prenda de vestir, quedar o sentar: *Esa falda te está ancha.* **6** Seguido de *al* y de un infinitivo, estar a punto de ocurrir lo que éste expresa: *Espéralo aquí, que debe de estar al llegar.* ■ prnl. **7** Detenerse, entretenerse o quedarse: *Se estuvo dos horas para pintarse las uñas.* **8** ‖ **estar a un precio**; costarlo: *¿A cuánto está la carne?* ‖ **estar al caer** algo; *col.* Estar a punto de llegar o de producirse: *Las vacaciones ya están al caer.* ‖ **estar con** alguien; **1** Vivir en su compañía: *Estoy con dos chicos en un piso del centro.* **2** Verse o reunirse con él: *Enseguida estoy contigo.* ‖ **estar {con/por}** algo; estar de acuerdo con ello o a su favor: *Estoy con los que creen en la justicia.* ‖ **estar de**; **1** Seguido de un sustantivo, encontrarse realizando la acción expresada por éste: *Estamos de matanza en el pueblo.* **2** Seguido de un término con el que se asocian determinadas funciones, desempeñar éstas: *Hoy está ella de jefa.* ‖ **estar en un asunto**; atenderlo u ocuparse de él: *No he terminado tu encargo, pero estoy en ello.* ‖ **estar en un hecho**; tener la convicción de que ocurrirá o de que será cierto: *Estoy en que no vendrá.* ‖ **estar para** algo; tener disposición para ello: *No estoy para bromas.* ‖ **[estar por** alguien; *col.* Sentirse muy atraído por él: *Sé que 'estás por ella', porque te pones colorado cuando te mira.* ‖ **estar por ver** algo; no haber certeza de que ocurra o de que sea cierto: *Está por ver que seas capaz de hacer lo que dices.* ‖ **(ya) estar bien de** algo; ser suficiente: *Nos pareció que ya estaba bien de tanto trabajar y nos fuimos.* □ ETIMOL. Del latín *stare* (estar en pie, estar firme, estar inmóvil). □ MORF. Irreg. →ESTAR. □ SINT. **1.** Constr. de la acepción 4: *estar EN algo.* **2.** La perífrasis *estar + gerundio* indica duración: *¿Todavía estás comiendo?.* □ USO **1.** Se usa mucho en forma interrogativa para pedir conformidad al oyente o para dar por terminada una cuestión: *He dicho que no, ¿estamos?* **2.** La expresión *estamos a*, conjugada en los distintos tiempos, se usa para indicar fechas o temperaturas: *Estamos a 9 de mayo.*

estasis s.f. En medicina, estancamiento de sangre o de otro líquido en alguna parte del cuerpo. □ ETIMOL. Del griego *stásis* (detención). □ ORTOGR. Dist. de *éxtasis.* □ MORF. Invariable en número.

estatal adj. Del Estado o relacionado con él o con sus órganos de gobierno. □ MORF. Invariable en género.

[estatalizar v. Referido esp. a una empresa o a un

servicio privados, ponerlos bajo la administración o intervención del Estado; estatificar: *Un partido propuso 'estatalizar' las televisiones privadas.* □ ORTOGR. La *z* se cambia en *c* delante de *e* →CAZAR. □ USO Aunque la RAE sólo registra *estatificar*, se usa más 'estatalizar'.

estático, ca ■ adj. **1** Que permanece en un mismo estado sin sufrir cambios. ■ s.f. **2** Parte de la física mecánica que estudia las leyes del equilibrio de los cuerpos. □ ETIMOL. Del griego *statikós* (relativo al equilibrio de los cuerpos). □ ORTOGR. Dist. de *extático.* □ SEM. En la acepción 2, dist. de *dinámica* (estudio del movimiento de los cuerpos en relación con las fuerzas que los producen).

estatificar v. Referido esp. a una empresa o a un servicio privados, ponerlos bajo la administración o intervención del Estado; estatalizar: *En esta legislatura estatificarán el servicio público de transportes.* □ ORTOGR. La *c* se cambia en *qu* delante de *e* →SACAR. □ USO Aunque la RAE sólo registra *estatificar*, se usa más *estatalizar*.

estatismo s.m. Inmovilidad de lo que permanece en el mismo estado o posición.

estatua s.f. Escultura labrada a imitación del natural y hecha generalmente en piedra o en mármol. □ ETIMOL. Del latín *statua.*

estatuario, ria ■ adj. **1** Adecuado para una estatua, o que posee alguna de las características de ésta. **2** De la estatuaria o relacionado con este arte o técnica. ■ s.f. **3** Arte o técnica de hacer estatuas. □ ORTOGR. Dist. de *estatutario.*

estatura s.f. **1** Altura de una persona desde los pies hasta la cabeza. **[2** Mérito o valor. □ ETIMOL. Del latín *statura.*

[estatus s.m. →status.

estatutario, ria adj. Relacionado con un estatuto o que ha sido concertado a través de él. □ ORTOGR. Dist. de *estatuario.*

estatuto s.m. **1** Reglamento, ordenanza o conjunto de normas legales que regulan el funcionamiento de una entidad o de una colectividad. **2** ‖ **estatuto de autonomía**; en el Estado español, norma institucional básica de cada comunidad autónoma, que forma parte del cuerpo legislativo español. □ ETIMOL. Del latín *statutum.*

este, ta ■ demos. **1** Designa lo que está más cerca, en el espacio o en el tiempo, de la persona que habla: *Ponte esta falda que acabo de planchar. Éstos pueden ser nuestros últimos momentos juntos.* **2** Representa y señala lo ya mencionado o lo sobrentendido: *No conozco yo a esta cantante de la que habláis.* **3** En oposición a *aquel*, designa un término del discurso que se nombró en último lugar: *Quedaron con mi hermano y con Juan; éste llegó tarde y aquél no llegó nunca.* ■ s.m. **4** Punto cardinal que cae hacia donde sale el Sol. **5** Respecto de un lugar, otro que cae hacia este punto. **6** Viento que sopla o viene de dicho punto. **7** ‖ **a todo esto**; expresión que se usa para introducir un comentario al margen de la conversación o relacionado con algo que se acaba de decir: *... y me vine en taxi; a todo esto, ¿tú cómo regresaste?* ‖ **en esto**; entonces, o durante el transcurso de un hecho: *Me estaba contando lo ocurrido, pero en esto llamaron a la puerta y tuvimos que dejarlo.* □ ETIMOL. Las acepciones 1-3, del latín *iste, ista* (ese). Las acepciones 4-6, del anglosajón *east.* □ ORTOGR. Como demostrativo, cuando funciona como pronombre se puede escribir con tilde para facilitar la comprensión del enunciado: *Este hombre de bien*, frente a *éste, hombre de bien*. □ MORF. 1. El plural de *este* es *estos*. 2. En la acepción 4, la RAE lo registra como nombre propio. □ SINT. En las acepciones 4-6, se usa mucho en aposición, pospuesto a un sustantivo: *La entrada de servicio está en la fachada Este*. □ SEM. En las acepciones 4-6, es sinónimo de *levante*. □ USO 1. Como demostrativo, pospuesto a un sustantivo precedido del artículo determinado suele tener un matiz despectivo: *El niño este no deja de darme la lata*. 2. En la acepción 4, se usa más como nombre propio.

[estegosaurio s.m. Reptil del grupo de los dinosaurios que existió en la era secundaria, herbívoro, con el dorso encorvado y cubierto de placas óseas sobresalientes, y con una larga cola terminada en dos pares de espinas. □ ETIMOL. Del griego *stégos* (techo) y *saurio*.

estela s.f. **1** Señal o rastro que deja tras de sí en el agua o en el aire un cuerpo en movimiento. **2** Rastro o huella que deja un suceso. **3** Monumento conmemorativo, generalmente de piedra, que se levanta sobre el suelo y que está adornado con inscripciones o con bajorrelieves. □ ETIMOL. Las acepciones 1 y 2, del latín *aestuaria*, y éste de *aestuarium* (agitación del mar). La acepción 3, del griego *stéle*, y éste de *hístemi* (yo coloco).

estelar adj. **1** De las estrellas o relacionado con ellas. **2** Extraordinario o de gran categoría. □ ETIMOL. Del latín *stellaris*. □ MORF. Invariable en género.

estenotipia s.f. **1** Taquigrafía a máquina. **[2** Máquina de escribir con taquigrafía, cuyo teclado permite imprimir, con una sola pulsación, sílabas y palabras completas en una forma fonética simplificada. □ ETIMOL. Del griego *stenós* (estrecho) y *typos* (impresión, molde, huella).

estentóreo, a adj. Referido a un sonido, esp. a la voz, que es muy fuerte y ruidoso o que retumba. □ ETIMOL. Del latín *stentoreus*, y éste del griego *stentóreios* (relativo a Sténtor, héroe de la Ilíada, cuya voz era tan potente como la de cincuenta hombres juntos). □ SEM. Dist. de *ostentoso* (aparatoso, lujoso).

estepa s.f. Gran extensión de tierra llana y no cultivada, esp. si es de terreno seco con poca vegetación. □ ETIMOL. Del francés *steppe*, y éste del ruso *step*.

estepario, ria adj. De la estepa o propio de ella.

estera s.f. Tejido grueso hecho de esparto, de junco o de otro material semejante, y que se utiliza generalmente para cubrir el suelo de las habitaciones. □ ETIMOL. Del latín *storea*.

estercolero s.m. **1** Lugar en el que se recoge y se amontona el estiércol o la basura. **2** Lugar muy sucio o falto de limpieza.

estéreo adj. *col.* →**estereofónico**. □ MORF. Invariable en género. □ USO Es innecesario el uso del anglicismo *stereo*.

estereofonía s.f. Técnica de grabación y de reproducción del sonido por medio de dos o más canales que se reparten los tonos agudos y los graves, de modo que dan una sensación de relieve acústico. □ ETIMOL. Del griego *stereós* (sólido) y *phoné* (voz).

estereofónico, ca adj. De la estereofonía o relacionado con esta técnica de grabación y reproduc-

ción del sonido. □ MORF. En la lengua coloquial se usa mucho la forma abreviada *estéreo*.

estereotipado, da adj. Referido esp. a una expresión, que se repite sin variación.

estereotipar v. **1** Referido a un molde formado por caracteres móviles, fundirlo en una plancha, por medio del vaciado: *Hay que estereotipar la composición de esta página*. **2** Imprimir con esta plancha: *Hay que estereotipar la revista*. **3** Referido esp. a un gesto, una frase o un procedimiento artístico, fijarlos al repetirlos frecuentemente: *El cine ha estereotipado los ademanes de ese famoso actor*.

estereotipia s.f. **1** Procedimiento para reproducir una composición tipográfica que consiste en oprimir contra los tipos móviles un cartón especial o una lámina de otra materia, de forma que este cartón o esta lámina sirvan de molde para fundir en ellos el metal, y así obtener la plancha de imprimir. **2** Lugar donde se lleva a cabo este procedimiento. **3** Máquina de estereotipar. **4** En psicología, repetición involuntaria e incontrolada de un gesto, de una acción o de una palabra. □ ETIMOL. Del griego *stereós* (sólido, robusto) y *typos* (impresión, molde).

estereotipo s.m. Imagen o idea aceptadas comúnmente por un grupo o por una sociedad con carácter fijo e inmutable. □ ETIMOL. Del griego *stereós* (sólido) y *typos* (impresión, molde).

estéril adj. **1** Que no da fruto o que no produce nada. **2** Referido a un ser vivo, que no puede reproducirse. **3** Libre de gérmenes que puedan causar enfermedades. □ ETIMOL. Del latín *sterilis*. □ MORF. Invariable en género. □ SEM. En la acepción 2, dist. de *impotente* (que no puede realizar el acto sexual completo).

esterilidad s.f. **1** Incapacidad de fecundar en el macho y de concebir en la hembra. **2** Ausencia de gérmenes que puedan causar enfermedades.

esterilización s.f. **1** Transformación de alguien o de algo en estéril. **2** Sometimiento de algo a un proceso de destrucción de gérmenes causantes de enfermedades.

esterilizador s.m. Aparato que esteriliza utensilios o instrumentos destruyendo los gérmenes causantes de enfermedades.

esterilizar v. **1** Hacer infecundo o estéril: *Quieren esterilizar a la perra para que no tenga más cachorros*. **2** Limpiar de gérmenes causantes de enfermedades: *En las centrales lecheras esterilizan la leche*. □ ORTOGR. La *z* se cambia en *c* delante de *e* →CAZAR.

esterilla s.f. Estera pequeña, esp. la que se utiliza para tumbarse a tomar el sol.

[esternocleidomastoideo s.m. Músculo del cuello que permite el giro y la inclinación lateral de la cabeza. □ ETIMOL. De *esterno-* (esternón), el griego *kléis* (clavícula) y *mastoideo* (de la apófisis mastoides).

esternón s.m. Hueso plano con forma alargada y terminado en punta, situado en la parte delantera del pecho, y en el cual se articulan los primeros siete pares de costillas. □ ETIMOL. Del francés antiguo *sternon*.

estero s.m. **1** Zona costera o terreno inmediato a la orilla, que se inunda al subir la marea. **2** En zonas del español meridional, arroyo. **3** En zonas del español meridional, terreno pantanoso que suele cubrirse con vegetación acuática. □ ETIMOL. Del latín *aestuarium*.

esteroide s.m. Sustancia que tiene una estructura molecular formada por varios anillos y de la que se derivan compuestos como las hormonas. □ ETIMOL. Del griego *stereós* (sólido, duro, robusto) y *-oide* (semejanza).

estertor s.m. Respiración jadeante y que se realiza con dificultad, que produce un sonido ronco o silbante y que es propia de los moribundos. □ ETIMOL. Del latín *stertere* (roncar).

esteta s. 1 Persona que concede más importancia a la belleza que a otros de los aspectos que caracterizan una obra artística o una faceta de la vida. [2 Persona entendida en la manifestación de la belleza en las cosas. □ ETIMOL. Del griego *aisthetés* (que percibe por los sentidos). □ MORF. Es de género común: *el esteta, la esteta*.

esteticismo s.m. Actitud caracterizada por conceder una importancia primordial a la belleza, anteponiéndola a los aspectos intelectuales, sociales, morales o de otra índole, esp. al crear o al valorar una obra literaria o artística.

esteticista s. Persona que se dedica profesionalmente a cuidar y embellecer el cuerpo humano. □ MORF. Es de género común: *el esteticista, la esteticista*. □ USO Para el femenino, es innecesario el uso del galicismo *esthéticienne*.

estético, ca ∎ adj. 1 De la estética, de la belleza o relacionado con ellas. 2 Artístico o de bello aspecto. ∎ s.f. 3 Rama de la filosofía que trata de la belleza y de la teoría fundamental y filosófica del arte. [4 Apariencia que algo presenta atendiendo a su belleza. □ ETIMOL. Del griego *aisthetikós* (que se puede percibir por los sentidos).

estetoscopio s.m. Instrumento médico utilizado para auscultar el pecho y otras partes del cuerpo. □ ETIMOL. Del griego *stéthos* (pecho) y *-scopio* (aparato para ver).

estevado, da adj./s. Referido esp. a una persona, que tiene las piernas torcidas en arco, de forma que estando los pies juntos quedan separadas las rodillas. □ ETIMOL. De *esteva*, por la semejanza con la curvatura de ésta.

[esthéticienne s.f. →esteticista. □ PRON. [esteticién]. □ USO Es un galicismo innecesario.

estiba s.f. 1 Distribución adecuada de los pesos o de la carga de un barco. 2 Carga que se agrupa en un espacio de un barco, esp. en la bodega.

estibador, -a s. Persona que se dedica profesionalmente a la carga, descarga y distribución adecuada de las mercancías de los barcos. □ ETIMOL. De *estibar* (cargar o descargar un buque). □ MORF. La RAE sólo registra el masculino.

estibar v. 1 Referido a las mercancías de un barco, cargarlas, descargarlas o distribuir convenientemente sus pesos: *Van a empezar a estibar el azúcar del buque mercante.* 2 Referido a una serie de objetos, colocarlos de forma que ocupen el menor espacio posible: *Cuando se ensaca la lana hay que estibarla bien.* □ ETIMOL. Del latín *stipare* (meter de forma compacta, amontonar). □ ORTOGR. Dist. de *estribar*.

estiércol s.m. 1 Materia orgánica en descomposición que resulta de la mezcla de excrementos de animales con materias vegetales, y que se usa como abono. 2 Excremento de animal. □ ETIMOL. Del latín *stercus*. □ SEM. Es sinónimo de *fimo* y *ciemo*.

estigma s.m. 1 Marca o señal en el cuerpo. 2 Motivo de deshonra o de mala fama. 3 En el cuerpo de algunos santos, huella o marca impresa de forma sobrenatural; llaga. 4 En una flor, parte superior del pistilo, que recibe el polen en la fecundación. 🢒 flor 5 En algunos animales con respiración traqueal, pequeña abertura de su abdomen por la que penetra el aire en su aparato respiratorio. □ ETIMOL. Del latín *stigma* (marca hecha con hierro candente, señal de infamia).

estigmatizar v. Marcar con un estigma: *En la ceremonia de iniciación, estigmatizaban a los nuevos miembros de la secta.* □ ORTOG. La z se cambia en c delante de e →CAZAR.

estilar v. Usar, acostumbrar o estar de moda: *Ya no se estilan esas faldas tan cortas.* □ ETIMOL. De *estilo*. □ MORF. Se usa más como pronominal.

estilete s.m. 1 Puñal de hoja muy estrecha y aguda. 🢒 arma 2 Punzón que se usaba antiguamente para escribir sobre tablas enceradas; estilo. 3 En medicina, instrumento que sirve para reconocer ciertas heridas. □ ETIMOL. Del francés *stylet*.

estilista s. 1 Escritor u orador que se distinguen por la cuidado y elegante de su estilo. [2 Persona responsable de todo lo relacionado con el estilo y la imagen, esp. en revistas de moda y en espectáculos. □ ORTOG. Dist. de *estilita*. □ MORF. Es de género común: *el estilista, la estilista*.

estilístico, ca ∎ adj. 1 Del estilo de un escritor o de un orador, o relacionado con él. ∎ s.f. 2 Estudio del estilo o de la expresión lingüística.

estilita adj./s. Referido a un anacoreta, que, además de vivir de forma solitaria y entregado a la meditación, vivía sobre una columna, para mayor austeridad. □ ETIMOL. Del griego *stylítes* (anacoreta que vivía sobre una columna). □ ORTOG. Dist. de *estilista*. □ MORF. 1. Como adjetivo es invariable en género. 2. Como sustantivo es de género común: *el estilita, la estilita*.

estilización s.f. Adelgazamiento de la silueta corporal.

estilizar v. 1 *col.* Referido a la silueta corporal, adelgazarla: *Este traje estiliza tu silueta. Desde que empezó el régimen, se le ha estilizado mucho la figura.* 2 Referido esp. a un objeto, representarlo convencionalmente, haciendo sus rasgos más finos y delicados: *Los pintores realistas representan la realidad en toda su crudeza y evitando estilizarla.* □ ORTOG. La z se cambia en c delante de e →CAZAR.

estilo s.m. 1 Manera o forma de hacer algo. 2 Carácter propio de algo. 3 Conjunto de rasgos que distinguen y caracterizan a un artista, a una obra o a un período artístico. [4 Clase, elegancia o personalidad. 5 Forma de practicar un deporte. 6 En botánica, en una flor, estructura en forma de tubo que parte del ovario y que sostiene al estigma. 🢒 flor 7 →estilete. 8 En un reloj de sol, indicador de las horas. 9 ‖por el estilo; parecido o de la misma manera. □ ETIMOL. Del latín *stilus* (arte de escribir, punzón para escribir).

estilográfica s.f. →pluma estilográfica. □ ETIMOL. Del inglés *stylographic*, y éste del latín *stilus* (punzón para escribir) y el griego *grápho* (yo escribo). □ MORF. La RAE sólo la registra como adjetivo.

estilógrafo s.m. En zonas del español meridional, pluma estilográfica.

estima s.f. Aprecio, afecto o consideración que se tienen hacia algo.

estimabilísimo, ma superlat. irreg. de **estimable**. □ MORF. Incorr *estimablísimo.

estimable adj. Digno de cariño, de consideración o de afecto. □ MORF. 1. Invariable en género. 2. Su superlativo es *estimabilísimo*.

estimación s.f. 1 Aprecio o valoración que se hace de algo. 2 Juicio o consideración sobre algo. □ SEM. Su uso con el significado de 'cálculo' es un anglicismo innecesario: *Según {*las últimas estimaciones > los últimos cálculos}.

estimar v. 1 Apreciar o valorar: *Me molesta que no estimen mi trabajo. Te estimas en poco, porque estás acomplejado.* 2 Referido a una persona, sentir cariño o afecto por ella: *Estimo mucho a mis amigos.* 3 Juzgar o considerar: *Estimo que la situación económica es difícil.* □ ETIMOL. Del latín *aestimare* (evaluar, apreciar). □ SEM. Su uso con el significado de 'calcular' es un anglicismo innecesario: *Los daños {*se estiman > se calculan} en varios millones de pesetas.

estimativo, va adj. Que estima, valora o aprecia.

estimulación s.f. Incitación o excitación para iniciar o para avivar una actividad.

estimulante adj./s.m. Referido a una sustancia, esp. a un medicamento, que excita la actividad funcional de los órganos. □ MORF. Como adjetivo es invariable en género.

estimular ▌ v. 1 Animar o incitar a hacer algo; aguzar, aguijar: *Tus consejos me estimularon para seguir estudiando.* 2 Referido esp. a un órgano o a una función orgánica, excitarlos para iniciar o para avivar su actividad: *El ejercicio al aire libre estimula el apetito.* ▌ prnl. 3 Administrarse una droga o un estimulante para aumentar la propia capacidad de acción: *Se estimula con café para aguantar toda la noche trabajando.* □ ETIMOL. Del latín *stimulare* (pinchar, aguijonear).

estímulo s.m. 1 Lo que estimula o incita a hacer algo; aguijón. 2 Agente o causa que provocan una reacción en un organismo o en una parte de él. □ ETIMOL. Del latín *stimulus* (aguijón).

estío s.m. Estación del año entre la primavera y el otoño, y que en el hemisferio norte transcurre aproximadamente entre el 21 de junio y el 21 de septiembre; verano. □ ETIMOL. Del latín *aestiuum tempus* (estación veraniega). □ SEM. En el hemisferio sur, transcurre entre el 21 de diciembre y el 21 de marzo.

estipendio s.m. Cantidad de dinero que se paga a una persona por el trabajo realizado o por los servicios prestados. □ ETIMOL. Del latín *stipendium* (contribución pecuniaria, sueldo).

estipulación s.f. 1 Convenio verbal. 2 Cada una de las disposiciones de un documento público o privado, esp. de un contrato o de un testamento; cláusula.

estipular v. Convenir, concertar o decidir de común acuerdo: *No estás cumpliendo con lo que se estipuló en la reunión.* □ ETIMOL. Del latín *stipulari* (hacer prometer algo de forma verbal aunque solemnemente).

estirado, da adj. Referido a una persona, que se da mucha importancia en el trato con los demás.

estiramiento s.m. 1 Hecho de alisar o de eliminar las arrugas o los pliegues. 2 Extensión de los miembros del cuerpo, generalmente para desentumecerlos o para quitarse la pereza.

estirar ▌ v. 1 Referido a un objeto, alargarlo, esp. si se hace tirando de sus extremos con fuerza para que dé de sí: *Si estiras tanto la goma se va a romper. El jersey se ha estirado.* 2 Alisar o planchar ligeramente para quitar las arrugas: *Si no haces la cama, al menos estira las sábanas. Lo propio de la piel es que se arrugue con el tiempo, no que se estire.* 3 Referido a una cantidad de dinero, gastarla con moderación para que dé más de sí: *Si quiero llegar a fin de mes, tengo que estirar el sueldo.* 4 Alargar más de lo debido: *Estiró la reunión hasta la hora de la cena.* 5 Referido a una persona, esp. a un niño, crecer: *Cuando tienen fiebre, los niños suelen estirar.* ▌ prnl. 6 Extender los miembros del cuerpo para desentumecerse o quitarse la pereza; desperezarse: *Lo primero que hago cuando me levanto es estirarme.* □ ETIMOL. De *tirar.*

estirón s.m. 1 Movimiento para estirar o arrancar algo con fuerza. 2 Crecimiento rápido y fuerte de una persona.

estirpe s.f. Conjunto de ascendientes y descendientes de una persona. □ ETIMOL. Del latín *stirps* (base del tronco de un árbol).

estival adj. Del estío o relacionado con esta estación del año. □ ETIMOL. Del latín *aestivalis*. □ MORF. Invariable en género.

esto pron.demos. 1 Designa objetos o situaciones cercanos, señalándolos sin nombrarlos: *Sólo necesito esto para apretar bien el tornillo. Ya me temía yo que iba a pasar esto.* 2 ‖**esto es**; expresión que se usa para introducir una explicación a lo anteriormente dicho: *El día 25, esto es, el próximo lunes, me voy de vacaciones.* □ ETIMOL. Del latín *istud* (eso). □ ORTOGR. Nunca lleva tilde. □ MORF. No tiene plural.

estocada s.f. Golpe o corte dados con un estoque o espada.

[estock s.m. →**stock**.

estofa s.f. Clase, género o condición. □ ETIMOL. Del francés antiguo *estofe* (materiales de cualquier clase). □ USO Tiene un matiz despectivo.

estofado s.m. Guiso que se hace cociendo en crudo y a fuego lento un alimento, generalmente carne, y condimentándolo con aceite, vino o vinagre, ajo, cebolla y diversas especias.

estofar v. Referido a un alimento, esp. a la carne, cocerlo en crudo y a fuego lento, con aceite, vino o vinagre, ajo, cebolla y diversas especias: *Al estofar la carne, se te fue la mano con la sal.* □ ETIMOL. Del antiguo *estufar* (calentar como en una estufa).

estoicismo s.m. 1 Fortaleza de carácter y dominio de los sentimientos ante las dificultades. 2 Doctrina filosófica que afirma que el bien moral de las personas consiste en vivir de acuerdo con la naturaleza.

estoico, ca adj./s. 1 Que muestra entereza y dominio de los sentimientos ante las dificultades. 2 Del estoicismo o relacionado con esta doctrina filosófica. □ ETIMOL. Del latín *stoicus*, éste del griego *stoikós*, y éste de *stoá* (pórtico), que era el lugar de Atenas donde se reunían los filósofos del estoicismo. □ MORF. La RAE sólo lo registra como adjetivo.

estola s.f. 1 Prenda femenina de abrigo o de adorno, consistente en una tira generalmente de piel, y que se pone alrededor del cuello o sobre los hombros. **2** Banda larga y estrecha que el sacerdote se pone alrededor del cuello y dejando caer las puntas sobre el pecho. ☐ ETIMOL. Del latín *stola* (vestido largo).

estolidez s.f. Falta de entendimiento y de razón.

estólido, da adj. Corto de entendimiento. ☐ ETIMOL. Del latín *stolidus*.

estomacal adj. Del estómago o relacionado con él. ☐ MORF. Invariable en género.

[estomagante adj. *col.* Que resulta antipático o fastidioso. ☐ MORF. Invariable en género.

estomagar v. *col.* Causar fastidio o resultar insoportable: *Sus bromas pesadas me estomagan.* ☐ ORTOGR. La *g* se cambia en *gu* delante de *e* →PAGAR.

estómago s.m. **1** En el sistema digestivo, órgano en forma de bolsa, situado entre el esófago y el intestino, en el que se digieren o descomponen los alimentos para ser asimilados por el organismo. **[2** *col.* En el cuerpo de una persona, parte exterior que se corresponde con dicho órgano, esp. si está ligeramente abultada. **3** Capacidad para hacer o para soportar cosas desagradables o humillantes. ☐ ETIMOL. Del latín *stomachus* (esófago, estómago).

estomatología s.f. Parte de la medicina que se ocupa de las enfermedades de la boca. ☐ ETIMOL. Del griego *stóma* (boca) y *-logía* (ciencia, estudio).

estomatólogo, ga s. Médico especialista en estomatología.

estoniano, na adj. →estonio.

estonio, nia ▮ adj./s. **1** De Estonia (país báltico europeo), o relacionado con ella. ▮ s.m. **2** Lengua de este país. ☐ SEM. En la acepción 1, como adjetivo es sinónimo de *estoniano*.

estopa s.f. Parte basta y gruesa del lino o del cáñamo, que se usa generalmente para la fabricación de telas y de cuerdas. ☐ ETIMOL. Del latín *stuppa*.

estoque s.m. **1** Espada estrecha que hiere sólo por la punta. **2** En tauromaquia, espada que se usa para matar a los toros en las corridas. ☐ ETIMOL. Del francés antiguo *estoc* (punta de una espada).

estoquear v. Referido a un toro, matarlo con el estoque, o herirlo para matarlo: *El torero estoqueó al toro y lo mató a la primera.*

estor s.m. **1** Cortina de una sola pieza y que se recoge verticalmente gracias al mecanismo que lleva incorporado. **2** ‖ **[estor veneciano**; el que se recoge verticalmente formando ondulaciones y pliegues muy ampulosos, y que está decorado al estilo de los palacios venecianos. ☐ ETIMOL. Del francés *store*. ☐ USO Es innecesario el uso del galicismo *store*.

estorbar v. **1** Molestar o incomodar: *Me estorba el bolso y estoy deseando soltarlo. Me voy para no estorbar.* **2** Referido esp. a una acción o un propósito, ponerles obstáculos o dificultades: *Esta silla estorba el paso.* ☐ ETIMOL. Del latín *exturbare*.

estorbo s.m. Lo que estorba, molesta u obstaculiza.

estornino s.m. Pájaro de cabeza pequeña, plumaje negro con reflejos metálicos, pico cónico y amarillento, y que puede aprender a reproducir sonidos. ☐ ETIMOL. Del latín *sturnus*. ☐ MORF. Es un sustantivo epiceno: *el estornino macho, el estornino hembra.*

estornudar v. Expulsar violenta y ruidosamente por la nariz y por la boca el aire contenido en los

pulmones: *Estoy acatarrada y no paro de estornudar.* ☐ ETIMOL. Del latín *sternutare*.

estornudo s.m. Expulsión violenta y ruidosa por la nariz y por la boca del aire contenido en los pulmones.

estos demos. pl. de **este**.

[estrábico, ca adj./s. Referido a una persona, que padece estrabismo y tiene los ojos desviados respecto a su posición normal. ☐ SEM. Es sinónimo de *bisojo* y *bizco*.

estrabismo s.m. En medicina, desviación de un ojo respecto a su posición normal; bizquera. ☐ ETIMOL. Del griego *strabismós*, y éste de *strabós* (bizco).

estrado s.m. En la sala donde se celebra un acto, lugar de honor, formado por una tarima o por otra cosa elevada, donde se coloca un trono o se sitúa la presidencia. ☐ ETIMOL. Del latín *stratum* (cama pobre, cubierta de la cama).

estrafalario, ria adj./s. **1** *col.* Desaliñado o descuidado en el aspecto o en la indumentaria. **2** *col.* Extravagante o raro en el modo de pensar o de actuar. ☐ ETIMOL. Del italiano *strafalario* (persona despreciable, desaliñada).

estragar v. Estropear o deteriorar: *Las comidas picantes me estragan el estómago.* ☐ ETIMOL. Del latín **stragare* (asolar, devastar). ☐ ORTOGR. La *g* se cambia en *gu* delante de *e* →PAGAR.

estrago s.m. Daño, ruina o destrozo, esp. los causados por una guerra o por una catástrofe. ☐ MORF. Se usa más en plural.

estragón s.m. Planta herbácea de tallos delgados y con abundantes ramas, hojas enteras en forma de lanza y flores amarillentas, que se usa como condimento. ☐ ETIMOL. Del francés *estragon*.

estrambote s.m. Conjunto de versos que se añaden al final de una combinación métrica, esp. de un soneto. ☐ ETIMOL. De origen incierto.

estrambótico, ca adj. *col.* Extravagante, irregular o sin orden.

estrangulación s.f. →estrangulamiento.

estrangulador, -a ▮ adj./s. **1** Que estrangula. ▮ s.m. **2** En un vehículo con motor de explosión, mecanismo que regula la entrada de aire al carburador; starter.

estrangulamiento s.m. **1** Asfixia producida por la opresión del cuello hasta impedir la respiración; estrangulación. **2** Estrechamiento de una vía o de un conducto, que impide o dificulta el paso por éstos.

estrangular v. **1** Ahogar oprimiendo por el cuello hasta impedir la respiración: *El asesino estranguló a su víctima con las manos. Se suicidó estrangulándose con una cuerda.* **2** Referido a una vía o a un conducto, dificultar o impedir el paso por ellos: *Las obras estrangulan la calle.* **3** En medicina, referido esp. a la circulación sanguínea, detenerla en una parte del cuerpo por medio de una ligadura o de presión: *El médico me ató una cinta al brazo para estrangular la vena y poder extraerme la sangre.* ☐ ETIMOL. Del latín *strangulare*.

estraperlista s. Persona que se dedica al estraperlo. ☐ MORF. Es de género común: *el estraperlista, la estraperlista.*

estraperlo s.m. Comercio ilegal de productos, esp. de los que están sujetos a una tasa o de aquellos cuya venta está restringida al Estado. ☐ ETIMOL. De *Straperlo* (especie de ruleta ideada por Strauss y Perlo), que era una ruleta ilegal, que podía ser manipulada por la banca.

estratagema s.f. **1** Acción de guerra destinada a conseguir un objetivo mediante el engaño o la astucia. **2** Engaño hecho con astucia o con habilidad. ☐ ETIMOL. Del latín *strategema*, y éste del griego *stratégema* (maniobra militar).

estratega s. Véase estratego, ga.

estrategia s.f. **1** Técnica de proyectar y dirigir operaciones militares. **2** Plan o técnica para dirigir un asunto o para conseguir un objetivo. ☐ ETIMOL. Del griego *strategía* (generalato, aptitudes de general).

estratégico, ca adj. **1** De la estrategia o relacionado con ella. **2** Referido esp. a un lugar, que es clave o tiene una importancia decisiva para el desarrollo de algo.

estratego, ga s. Persona especializada en estrategia. ☐ MORF. La RAE registra *estratega* como sustantivo de género común (*el estratega, la estratega*), aunque admite también *estratego* como forma del masculino.

estratificación s.f. Disposición en estratos o en capas.

estratificar v. Disponer en estratos o en capas: *Las diferencias socioeconómicas estratifican la sociedad. El suelo terrestre ha ido estratificándose a lo largo de las distintas eras geológicas.* ☐ ORTOGR. La *c* se cambia en *qu* delante de *e* →SACAR.

estrato s.m. **1** Masa mineral en forma de capa que forma los terrenos sedimentarios. **2** Clase o nivel social. **3** Conjunto de elementos que, con determinados caracteres comunes, se ha integrado con otros conjuntos previos o posteriores para formar un producto histórico. **4** Nube baja con forma de banda paralela al horizonte. 🔊 nube ☐ ETIMOL. Del latín *stratus* (manta).

[estratocúmulo s.m. Capa continua de nubes que cubre una gran extensión del cielo.

estratosfera s.f. En la atmósfera terrestre, zona que se extiende entre los diez y los cincuenta kilómetros de altura aproximadamente, y que está situada entre la troposfera y la mesosfera. ☐ ETIMOL. Del latín *stratus* (extendido) y *sphaera*.

estraza s.f. Trapo, pedazo o desecho de ropa basta. ☐ ETIMOL. Del antiguo *estrazar* (despedazar, romper).

estrechamiento s.m. **1** Reducción o disminución de la anchura. **2** Apretón que se da como señal de afecto. **3** Profundización o intensificación de una relación.

estrechar ▌ v. **1** Referido esp. a un objeto o a un lugar, reducir su anchura: *Me han estrechado el pantalón porque he adelgazado. La calle se estrecha más adelante.* **2** Referido esp. a una relación, aumentar su intensidad o hacerla más íntima: *El encuentro entre los presidentes estrechó los lazos entre nuestras naciones. Nuestra amistad se estrechó aquel verano.* **3** Apretar con los brazos o con la mano en señal de afecto o de cariño: *Me estrechó entre sus brazos y me dijo que me quería.* ▌ prnl. **4** Apretarse o encogerse: *Si nos estrechamos, cabremos todos.*

estrechez s.f. **1** Escasez de anchura. **2** Falta de amplitud intelectual o moral. **3** Escasez de recursos económicos o austeridad de vida. **4** Unión o enlace íntimos. ☐ MORF. La acepción 3 se usa más en plu-

ral. ☐ SEM. En las acepciones 1, 3 y 4, es sinónimo de *estrechura*.

estrecho, cha ▌ adj. **1** Que tiene poca anchura o menos anchura de la normal. **2** Ajustado o apretado. **3** Rígido, riguroso o estricto. **4** Referido esp. a una relación, que es muy íntima o que se asienta en fuertes vínculos. ▌ adj./s. **[5** *col.* Referido a una persona, que está reprimida sexualmente o que tiene ideas muy rígidas sobre las relaciones sexuales. ▌ s.m. **6** En el mar, extensión de agua que separa dos costas próximas y que comunica dos mares. ☐ ETIMOL. Del latín *strictus*, y éste de *stringere* (apretar, comprimir). ☐ USO En la acepción 5 es despectivo.

estrechura s.f. →**estrechez**.

estregar v. Referido a un objeto, frotarlo con otro: *Estregó los ceniceros de cobre con un paño para darles brillo.* ☐ ETIMOL. Quizá del latín **stricare*. ☐ ORTOGR. Aparece una *u* después de la *g* cuando le sigue *e*. ☐ MORF. Irreg. →REGAR.

estrella s.f. **1** Cuerpo celeste que brilla con luz propia. **2** Figura que consta de un punto central del que parten varias líneas que pueden o no formar picos entre sí. **3** En el ejército, insignia o emblema de esta forma, que indica la graduación de jefes y oficiales. **4** En un establecimiento hotelero, signo con esta forma y que indica su categoría. **5** Suerte o destino, esp. si es favorable. **6** Persona que sobresale en su profesión o que es muy popular, esp. referido a un actor de cine; astro. **[7** Lo que destaca en un lugar o en un grupo. **8** ‖**estrella de mar**; animal marino invertebrado con forma de estrella, generalmente con cinco brazos, con el cuerpo aplanado y un esqueleto exterior calizo. ‖**estrella fugaz**; la que suele verse repentinamente en el cielo y se mueve y desaparece a gran velocidad. ‖**ver** alguien **las estrellas**; *col.* Sentir un dolor físico muy intenso. ☐ ETIMOL. Del latín *stella*. ☐ USO En la acepción 6, es innecesario el uso del anglicismo *star*.

estrellado, da adj. **1** Con estrellas. **2** Con forma de estrella.

estrellar ▌ v. **1** *col.* Referido a un objeto, arrojarlo violentamente contra otro haciéndolo pedazos: *Lleno de ira, estrellé el jarrón contra la pared. Una copa se cayó y se estrelló contra el suelo.* ▌ prnl. **2** Referido al cielo, llenarse de estrellas: *Se hizo de noche y el cielo se estrelló.* **3** Sufrir un choque violento: *El conductor iba bebido y se estrelló contra un árbol.* **4** Fracasar por tropezar con dificultades insalvables: *Se estrelló con ese negocio.* ☐ ETIMOL. Las acepciones 1, 3 y 4 del antiguo *astellar* (hacer astillas). La acepción 2, de *estrella*.

estrellato s.m. Situación de una persona cuando es muy famosa o se ha convertido en una estrella.

estremecedor, -a adj. Que estremece.

estremecer ▌ v. **1** Conmover, alterar o hacer temblar: *El terremoto estremeció la ciudad. Los cimientos de la civilización se estremecen al contemplar tanta barbarie.* **2** Impresionar u ocasionar una alteración en el ánimo: *La noticia de su muerte nos estremeció. Me estremezco de miedo al pensar en fantasmas.* ▌ prnl. **3** Temblar con movimiento agitado y repentino: *Me he estremecido porque tengo frío.* ☐ ETIMOL. Del latín *tremiscere* (comenzar a temblar). ☐ MORF. Irreg. →PARECER.

estremecimiento s.m. **1** Conmoción o temblor. **2** Alteración en el ánimo. **3** Temblor del cuerpo con movimiento agitado y repentino.

estrenar v. **1** Usar por primera vez: *El domingo estrenaré la camisa que me acabo de comprar.* **2** Referido a un espectáculo público, representarlo, proyectarlo o ejecutarlo por primera vez en un lugar: *Este año se han estrenado muchas obras de teatro interesantes.* ☐ ETIMOL. Del antiguo *estrena*, y éste del latín *strena* (regalo que se hace en alguna solemnidad).

estreno s.m. **1** Uso de algo por primera vez. **2** Primera representación, proyección o ejecución que se hacen de un espectáculo público en un lugar. ☐ USO En la acepción 2, es innecesario el uso del galicismo *première*.

estreñido, da adj./s. Que padece estreñimiento. ☐ MORF. La RAE sólo lo registra como adjetivo.

estreñimiento s.m. Retención de los excrementos y dificultad para expulsarlos.

estreñir v. Causar o padecer estreñimiento: *El arroz estriñe.* ☐ ETIMOL. Del latín *stringere* (estrechar). ☐ MORF. Irreg. →CEÑIR.

estrépito s.m. Estruendo o ruido fuerte. ☐ ETIMOL. Del latín *strepitus*, y éste de *strepere* (hacer ruido, resonar).

estrepitoso, sa adj. **1** Que causa estrépito. **[2** Muy grande o espectacular.

estreptococo s.m. Bacteria de forma redondeada que se agrupa en forma de cadena. ☐ ETIMOL. Del griego *streptós* (trenzado redondeado) y *kókkos* (grano).

estreptomicina s.f. Antibiótico de gran eficacia para combatir enfermedades como la tuberculosis. ☐ ETIMOL. Del griego *streptós* (trenzado) y *mýke* (hongo).

estrés s.m. Estado próximo a la enfermedad que presenta un organismo o una de sus partes por haberles exigido un rendimiento muy superior al normal. ☐ ETIMOL. Del inglés *stress*. ☐ MORF. Su plural es *estreses*. ☐ USO Es innecesario el uso del anglicismo *stress*.

estresante adj. Que estresa. ☐ MORF. Invariable en género.

[estresar v. Causar o sentir estrés: *Las tensiones en el trabajo me 'estresan'. Cuando 'se estresa', no hay quien lo aguante.*

estría s.f. **1** En una superficie, surco o hendidura. **2** En la piel, línea más clara que aparece cuando la piel ha sufrido un estiramiento excesivo y más o menos rápido. ☐ ETIMOL. Del latín *stria*.

estriar v. Referido esp. a una superficie, formar estrías en ella: *Se me ha estriado la piel.* ☐ ORTOGR. La *i* final de la raíz lleva tilde en los presentes, excepto en las personas *nosotros* y *vosotros* →GUIAR.

estribación s.f. En una cordillera, conjunto de montañas laterales que derivan de ella y que son generalmente más bajas. ☐ MORF. Se usa más en plural.

estribar v. Fundarse o apoyarse: *La importancia de este invento estriba en la amplitud de sus aplicaciones.* ☐ ETIMOL. De *estribo*. ☐ ORTOGR. Dist. de *estibar*. ☐ SINT. Constr. *estribar EN algo*.

estribillo s.m. En algunas composiciones líricas, verso o conjunto de versos que se repiten después de cada estrofa y con los que a veces se abre también la composición. ☐ ETIMOL. De *estribo*.

estribo s.m. **1** En una silla de montar, cada una de las dos piezas que cuelgan a ambos lados y en las que el jinete apoya los pies. ✺ arreos **2** En algunos

vehículos, escalón que sirve para subir o para bajar de ellos. ✺ alpinismo **[3** Pieza en la que se apoyan los pies. **4** En anatomía, hueso del oído medio que se articula con el yunque. ✺ oído **5** ‖**perder los estribos**; perder la paciencia o el dominio de uno mismo. ☐ ETIMOL. De origen incierto.

estribor s.m. En una embarcación, lado derecho, según se mira de popa a proa. ☐ ETIMOL. Del francés antiguo *estribord*. ☐ SINT. Constr. {A/POR} *estribor*. ☐ SEM. Dist. de *babor* (lado izquierdo). ✺ embarcación

estricnina s.f. Sustancia tóxica que se extrae de algunos vegetales y que puede utilizarse como estimulante cardíaco. ☐ ETIMOL. Del griego *strýkhnos* (nombre de varias plantas venenosas).

estricto, ta adj. Riguroso o que se ajusta completamente a la necesidad o a la ley y que no admite otra interpretación. ☐ ETIMOL. Del latín *strictus*, y éste de *stringere* (apretar, comprimir).

estridencia s.f. **1** Sonido estridente. **2** Violencia al expresarse o al actuar.

estridente adj. **1** Referido a un sonido, que es agudo, desapacible y chirriante. **2** Que causa una sensación llamativa y molesta por su exageración o por su contraste. ☐ ETIMOL. Del latín *stridens*, y éste de *stridere* (chillar, producir un ruido estridente). ☐ MORF. Invariable en género.

[estriptis s.m. →striptease.

[estriguin s.m. →streaking.

estrofa s.f. En algunas composiciones poéticas, unidad estructural formada por un conjunto de versos, generalmente dispuestos según un esquema fijado, y cuya estructura suele repetirse a lo largo de la composición. ☐ ETIMOL. Del latín *stropha*, y éste del griego *strophé* (vuelta, evolución del coro en escena).

estrófico, ca adj. **1** De la estrofa o relacionado con ella. **2** Que está dividido en estrofas.

estrógeno s.m. Hormona sexual femenina que interviene en la formación y en el desarrollo de los órganos sexuales y de los caracteres sexuales secundarios. ☐ ETIMOL. De *estro* (período de celo) y -*geno* (que genera o produce).

estroncio s.m. Elemento químico, metálico y sólido, de número atómico 38, de color amarillo, que puede ser deformado fácilmente y que se disuelve en los ácidos. ☐ ETIMOL. Del inglés *strontian* (óxido de estroncio). ☐ ORTOGR. Su símbolo químico es *Sr*.

estropajo s.m. Trozo de un tejido o de una materia generalmente ásperos y que se utiliza para fregar. ☐ ETIMOL. Quizá del latín *stuppa* (estopa).

estropajoso, sa adj. **1** *col.* Con la sequedad, aspereza y rugosidad propias del estropajo. **2** *col.* De aspecto desaseado y andrajoso. **3** *col.* Referido a la forma de hablar, con una pronunciación confusa o deficiente; trapajoso.

estropear v. **1** Maltratar, deteriorar o poner en malas condiciones: *Con esos golpes vas a estropear el juguete. El televisor se estropeó y no pudimos ver la película.* **[2** Afear o quitar calidad: *La central nuclear ahí en medio 'estropea' el paisaje.* **3** Referido esp. a un proyecto, malograrlo o echarlo a perder: *La lluvia estropeó nuestro plan de ir al campo. El negocio se estropeará por culpa de tu intransigencia.* ☐ ETIMOL. Del italiano *stroppiare*.

estropicio s.m. **1** *col.* Rotura o destrozo ruidosos, generalmente hechos sin premeditación. **2** Daño o trastorno de escasas consecuencias.

structura s.f. **1** Distribución u orden que tienen las partes que forman un todo. **2** En un edificio, armazón generalmente de acero o de hormigón armado y que, fijado al suelo, sirve para sustentarlo. ☐ ETIMOL. Del latín *structura* (construcción, fábrica, arreglo).

structuración s.f. Distribución u ordenación de las partes que forman un todo.

structural adj. De la estructura o relacionado con ella. ☐ MORF. Invariable en género.

structuralismo s.m. Teoría y método científico que considera un conjunto de datos como una estructura o sistema de interrelaciones.

structuralista ▌ adj. **1** Del estructuralismo o relacionado con esta teoría científica. ▌ adj./s. **2** Seguidor del estructuralismo. ☐ MORF. 1. Como adjetivo es invariable en género. 2. Como sustantivo es de género común: *el estructuralista, la estructuralista*.

structurar v. Referido a un todo, distribuir sus partes u ordenarlas: *He estructurado mi discurso para que resulte más claro. Su libro se estructura en diez capítulos.*

struendo s.m. Ruido grande. ☐ ETIMOL. Del antiguo *atruendo*.

struendoso, sa adj. Ruidoso o estrepitoso.

strujamiento s.m. Presión fuerte que se hace sobre algo. ☐ SEM. Aunque la RAE lo considera sinónimo de *estrujón*, en la lengua actual no se usa como tal.

strujar v. **1** Referido a algo que contiene líquido, apretarlo con fuerza para extraérselo: *He tenido que estrujar tres naranjas para hacer el zumo.* **2** Apretar y comprimir con fuerza y violencia: *Cuando vio la factura, la estrujó y la tiró a la papelera.* **3** col. Sacar todo el partido posible; exprimir: *En esa fábrica estrujan a los trabajadores y les pagan un sueldo mísero.* ☐ ETIMOL. Del latín **extorculare* (prensar). ☐ ORTOGR. Conserva la *j* en toda la conjugación.

strujón s.m. Compresión fuerte y violenta. ☐ SEM. Aunque la RAE lo considera sinónimo de *estrujamiento*, en la lengua actual no se usa como tal.

stuario s.m. Desembocadura de un río caudaloso en el mar, caracterizada por tener forma de embudo cuyos lados van apartándose en el sentido de la corriente. ☐ ETIMOL. Del latín *aestuarium* (desembocadura de un gran río).

stucado s.m. Operación que consiste en dar estuco a una superficie o colocar sobre ella piezas de estuco.

stucar v. Referido esp. a una superficie, darle estuco o colocar sobre ella piezas de estuco: *El albañil levantó el muro y lo estucó, pero ahora hay que pintarlo.* ☐ ORTOGR. La *c* se cambia en *qu* delante de *e* →SACAR.

stuchar v. Referido esp. a un producto industrial, meterlo en un estuche: *Mi trabajo en la pastelería consiste en estuchar bombones.*

stuche s.m. Caja o envoltura que se usan para guardar o para proteger algo. ☐ ETIMOL. Del provenzal *estug*.

stuco s.m. Mezcla de distintos materiales que al secarse se endurece, y que se utiliza para revestir paredes interiores y para hacer molduras y reproducciones de figuras o de relieves. ☐ ETIMOL. Del italiano *stucco*.

estudiante s. Persona que cursa estudios en un centro de enseñanza; discente. ☐ MORF. Aunque es de género común (el estudiante, la estudiante), se usa mucho el femenino coloquial *estudianta*.

estudiantil adj. De los estudiantes o relacionado con ellos. ☐ MORF. Invariable en género.

estudiantina s.f. Grupo de estudiantes, generalmente universitarios, que forman un grupo musical y que salen por las calles tocando instrumentos y cantando.

estudiar v. **1** Ejercitar el entendimiento para investigar, comprender o aprender: *Dedica dos horas al día a estudiar. Los actores tienen que estudiarse los guiones.* **2** Cursar estudios en un centro de enseñanza: *Estudia en un instituto público.* **3** Observar o examinar detenidamente: *Cuando le hagas la pregunta, estudia atentamente su reacción.* ☐ ORTOGR. La *i* nunca lleva tilde.

estudio ▌ s.m. **1** Esfuerzo y ejercicio del entendimiento para comprender o para aprender algo, esp. una ciencia o un arte. **2** Obra en la que se estudia o se investiga una cuestión. **3** En una casa, sala en la que se trabaja o en la que se estudia. **4** Lugar de trabajo de un artista o de otros profesionales. **5** Dibujo o pintura que se hacen como preparación o como ensayo, antes de hacer los definitivos. **6** Composición musical escrita generalmente con fines didácticos. **7** Conjunto de edificios, locales e instalaciones que se utilizan para el rodaje de películas cinematográficas o para la realización de programas y grabaciones audiovisuales. **8** Apartamento de pequeñas dimensiones. ▌ pl. **9** Conjunto de materias que se estudian para obtener una titulación. ☐ ETIMOL. Del latín *studium* (aplicación, celo, diligencia).

estudioso, sa ▌ adj. **1** Que estudia mucho o fácilmente. ▌ s. **2** Persona que se dedica al estudio de algo.

estufa s.f. **1** Aparato que se utiliza para calentar espacios cerrados. 🔲 electrodoméstico **2** ‖ **[estufa catalítica]**; la que funciona con gas butano. ☐ ETIMOL. Del latín **estufare* (escaldar).

estulticia s.f. Necedad, estupidez o tontería.

estulto, ta adj./s. Necio o tonto. ☐ ETIMOL. Del latín *stultus* (necio). ☐ MORF. La RAE sólo lo registra como adjetivo.

estupefacción s.f. Admiración, sorpresa o asombro muy grandes. ☐ ETIMOL. Del latín *stupefactio*, y éste de *stupefacere* (causar estupor).

estupefaciente adj./s.m. Referido a una sustancia, que es narcótica, hace perder la sensibilidad y produce un estado de bienestar. ☐ MORF. 1. Como adjetivo es invariable en género. 2. La RAE sólo lo registra como sustantivo.

estupefacto, ta adj. Sorprendido o asombrado hasta el extremo de no saber cómo actuar.

estupendo, da adj. Admirable o extraordinariamente bueno. ☐ ETIMOL. Del latín *stupendus* (sorprendente). ☐ SINT. *Estupendo* se usa también como adverbio de modo con el significado de 'muy bien': *En las últimas vacaciones lo pasamos estupendo.*

estupidez s.f. **1** Hecho o dicho propios de un estúpido. **2** Torpeza grande para comprender las cosas.

estúpido, da ▌ adj. **1** Propio de una persona de escasa inteligencia o sin sentido común. ▌ adj./s. **2** Muy torpe para comprender las cosas. ☐ ETIMOL.

estupor

5

Del latín *stupidus* (aturdido, estupefacto). ☐ USO Se usa como insulto.
estupor s.m. Sorpresa, pasmo o asombro muy grandes. ☐ ETIMOL. Del latín *stupor*.
estuprar v. Cometer estupro o violación de un menor: *Lo acusaron de estuprar a una niña de trece años*.
estupro s.m. Relación sexual mantenida con una persona menor de edad mediante el engaño o valiéndose de la superioridad que se tiene sobre ella. ☐ ETIMOL. Del latín *stuprum*.
esturión s.m. Pez marino comestible, de color gris con pintas negras en el lomo, con el esqueleto cartilaginoso, el cuerpo cubierto de placas óseas, la cabeza pequeña y la mandíbula superior muy prominente, y de cuyas huevas se obtiene el caviar. ☐ ETIMOL. Del latín *sturio*. ☐ MORF. Es un sustantivo epiceno: *el esturión macho, el esturión hembra*. ⟡ pez
esvástica s.f. Cruz que tiene los cuatro brazos doblados en ángulo recto, y que es el emblema de los pueblos arios y de los movimientos nazis; cruz gamada. ☐ ETIMOL. Del sánscrito *svastika*. ☐ ORTOGR. Se admite también *swástica*.
[et alia (latinismo) ‖ En una enumeración de cosas, expresión que se usa para sustituir la parte final y evitar detallarlas todas: *En el inventario, la lista de libros, discos, fotografías 'et alia' era innumerable*.
[et alii (latinismo) ‖ En una enumeración de coautores, expresión que se usa para sustituir los nombres de algunos de ellos y evitar detallarlos todos: *Este libro fue escrito por Juan Pérez 'et alii'*.
eta s.f. En el alfabeto griego clásico, nombre de la séptima letra: *La grafía de la eta es* η.
etano s.m. Hidrocarburo natural gaseoso, incoloro y combustible, que se encuentra en el gas natural y en el petróleo, y que se utiliza en la producción de otros hidrocarburos. ☐ ETIMOL. De *éter*.
etapa s.f. 1 Trecho de camino que se recorre entre dos puntos. 2 Época o fase en el desarrollo de una acción o de un proceso. ☐ ETIMOL. Del francés *étape* (lugar donde duermen las tropas, distancia que se debe recorrer para llegar a él).
etarra ∎ adj. 1 De ETA (organización terrorista 'Euskadi ta Askatasuna', que significa 'Patria vasca y libertad'), o relacionado con ella. ∎ adj./s. 2 Que es miembro de esta organización. ☐ ETIMOL. Del vasco *etarra*. ☐ MORF. 1. Como adjetivo es invariable en género. 2. Como sustantivo es de género común: *el etarra, la etarra*.
etcétera s.m. En una enumeración, expresión que se usa para sustituir su parte final y evitar detallarla: *En la verdulería venden acelgas, lechugas, tomates, etcétera*. ☐ ETIMOL. Del latín *et cetera* (y las demás cosas). ☐ ORTOGR. Su abreviatura es *etc*. ☐ MORF. La RAE lo registra como sustantivo ambiguo. ☐ USO Incorr. *y etcétera*.
[eteno s.m. →**etileno**.
éter s.m. Compuesto químico orgánico, que contiene un átomo de oxígeno unido a dos radicales de hidrocarburos. ☐ ETIMOL. Del latín *aether*, y éste del griego *aithér* (cielo).
etéreo, a adj. 1 Sutil, vago o sublime. 2 Del éter o relacionado con esta sustancia.
eternal adj. *poét*. Que no tiene fin. ☐ ETIMOL. Del latín *aeternalis*. ☐ MORF. Invariable en género.
eternidad s.f. 1 Duración o perpetuidad sin prin-

cipio, sin sucesión y sin fin. 2 *col*. Espacio de tie po excesivamente largo. 3 En algunas religiones, v del alma humana después de la muerte.
eternizar ∎ v. 1 Prolongar o hacer durar muc tiempo: *Hablas tan despacio, que eternizas la h toria más corta. Se me eternizó la película porq era muy aburrida*. 2 Perpetuar o hacer perdurar el tiempo: *Las obras artísticas eternizan a sus a tores*. ∎ prnl. [3 Tardar mucho: *No 'te eternices' h blando por teléfono*. ☐ ORTOGR. La *z* se cambia *c* delante de *e* →CAZAR.
eterno, na adj. 1 Que no tiene principio ni fin. Permanente o que dura mucho tiempo. 3 Que se repite con frecuencia e insistentemente. ☐ ETIM Del latín *aeternus*. ☐ MORF. No admite grados: corr. **más eterno*.
ético, ca ∎ adj. 1 De la ética o relacionado con es parte de la filosofía. ∎ s.f. 2 Parte de la filosofía q estudia la moral y las obligaciones del hombre. Conjunto de reglas morales que regulan la conduc y las relaciones humanas. ☐ ETIMOL. Del latín *hicus*, y éste del griego *ethikós* (moral, relativo carácter).
etileno s.m. Hidrocarburo gaseoso, con un doble e lace, incoloro, muy inflamable y de sabor dulce, c que se obtiene el etanol; eteno.
etílico, ca adj. [Del etanol, de sus efectos, o rel cionado con este hidrocarburo presente en las l bidas alcohólicas.
etilismo s.m. Intoxicación aguda o crónica debi a la ingestión excesiva de bebidas alcohólicas.
etilo s.m. Radical químico que forma parte del cohol etílico y de otros compuestos orgánicos. ☐ E MOL. De *éter* y el griego *hýle* (materia).
[etilómetro s.m. Aparato que se utiliza para m dir el nivel de alcohol en la sangre.
étimo s.m. Raíz o palabra de la que derivan otra ☐ ETIMOL. Del griego *étymon* (sentido verdadero).
etimología s.m. 1 Origen de las palabras y moti de su existencia, de su significado y de su forma. Parte de la lingüística que estudia estos aspectos las palabras. ☐ ETIMOL. Del latín *etymologia* (orig de una palabra), éste del griego *etymología* (senti verdadero de una palabra), y éste de *étymos* (ve dadero, real) y *lógos* (palabra).
etimológico, ca adj. De la etimología o relaci nado con ella.
etiología s.f. Estudio de las causas de algo. ☐ E MOL. Del latín *aetiologia*, éste del griego *aitiologí y éste de *aitía* (causa) y *lógos* (tratado). ☐ ORTOC Dist. de *etología*.
etíope adj./s. De Etiopía o relacionado con este pa africano. ☐ MORF. 1. Como adjetivo es invariable género. 2. Como sustantivo es de género común: *etíope, la etíope*.
etiqueta s.f. 1 Trozo de papel o de otro materi que se pega en un objeto para anotar sus caract rísticas o sus referencias. 2 Calificación que se a a una persona para identificarla o caracterizarla. Ceremonial o conjunto de reglas que se siguen e los actos públicos, en los solemnes o en el trato c personas con las que no se tiene confianza. [4 informática, nombre que se da a una unidad de a macenamiento. 5 ‖ **de etiqueta; 1** Referido o un act que es solemne y exige que se asista a él vesti adecuadamente. 2 Referido a una prenda de vestir, q es adecuada para asistir a un acto de este tipo. [

ETIMOL. Del francés *étiquette* (rótulo), que se aplicaba esp. al rótulo que se ponía donde se guardaban los procesos judiciales, y que Carlos V extendió al protocolo escrito donde se ordenaba la etiqueta de corte.

tiquetado s.m. Colocación de una etiqueta en un producto.

etiquetaje s.m. Colocación de etiquetas en un producto.

tiquetar v. 1 Referido esp. a un producto, colocarle una etiqueta: *Una vez envasado el producto, se etiqueta.* 2 Referido a una persona, ponerle un calificativo que lo identifique o que lo caracterice: *Lo etiquetaron de tacaño porque una vez se negó a hacer un préstamo.* □ SINT. Constr. de la acepción 2: *etiquetar DE algo.*

tmoides s.m. →**hueso etmoides.** □ ETIMOL. Del griego *ethmoeidés* (parecido a una criba), de *ethmós* (criba) y *êidos* (forma). □ MORF. Invariable en número.

tnia s.f. Grupo de personas que pertenecen a un mismo pueblo o que comparten una misma cultura. □ ETIMOL. Del griego *éthnos* (pueblo). □ SEM. Dist. de *raza* (categoría dentro de la clasificación de los seres vivos).

tnico adj. De una nación o una etnia, o relacionado con ellas. □ ETIMOL. Del griego *ethnikós* (perteneciente a las naciones).

tno- Elemento compositivo que significa 'raza' o 'pueblo': *etnografía, etnología, etnolingüística.* □ ETIMOL. Del griego *éthnos.*

tnografía s.f. Ciencia que estudia y describe los grupos étnicos y los pueblos. □ ETIMOL. De *etno-* (raza, pueblo) y *-grafía* (descripción).

tnográfico, ca adj. De la etnografía o relacionado con esta ciencia.

tnógrafo, fa s. Persona que se dedica profesionalmente al estudio y descripción de los distintos grupos étnicos, o que está especializada en etnografía.

tnología s.f. Ciencia que estudia los grupos étnicos y los pueblos en todos sus aspectos y relaciones. □ ETIMOL. De *etno-* (raza, pueblo) y *-logía* (estudio, ciencia). □ ORTOGR. Dist. de *etología* y de *enología.*

tnológico, ca adj. De la etnología o relacionado con esta ciencia. □ ORTOGR. Dist. de *etológico.*

tnólogo, ga s. Persona que se dedica profesionalmente al estudio de los grupos étnicos en todos sus aspectos, o que está especializada en etnología. □ ORTOGR. Dist. de *enólogo.*

tolio, lia adj./s. De Etolia (región de la antigua Grecia, al norte del golfo de Corinto), o relacionado con ella.

tología s.f. Ciencia que estudia el comportamiento y las costumbres de los animales, y sus relaciones con el medio ambiente. □ ETIMOL. Del griego *éthos* (costumbre) y *-logía* (ciencia, estudio). □ ORTOGR. Dist. de *etnología* y de *etiología.*

topeya s.f. En retórica, descripción del carácter, de los rasgos morales y de las acciones de una persona. □ ETIMOL. Del latín *ethopoeia*, y éste del griego *ethopoiía* (descripción del carácter).

trusco, ca ▌ adj./s. 1 De la antigua Etruria (territorio del noroeste de la península italiana), o relacionado con ella; tirreno. ▌ s.m. 2 Lengua hablada por este pueblo.

eubeo, a adj./s. De Eubea (isla griega situada en el mar Egeo), o relacionado con ella.

eucalipto s.m. 1 Árbol de tronco recto que alcanza gran altura, de copa cónica, hojas lanceoladas muy olorosas y de color verde plateado. 2 Madera de este árbol. □ ETIMOL. Del griego *eu* (bien) y *kalyptós* (cubierto), por la forma capsular de su fruto. □ MORF. Incorr. *eucaliptus.*

eucaristía s.f. 1 En el cristianismo, sacramento en el que, a través de las palabras que el sacerdote pronuncia en la consagración, el pan y el vino se convierten en el cuerpo y la sangre de Jesucristo. 2 Ceremonia en la que se celebra el sacrificio del cuerpo y la sangre de Jesucristo bajo las apariencias de pan y vino; misa. □ ETIMOL. Del griego *eukharistía* (acción de gracias), y éste de *eukháristos* (agradecido).

eucarístico, ca adj. De la eucaristía o relacionado con este sacramento.

euclidiano, na adj. De Euclides (matemático griego del siglo III a. C.), de su método matemático o relacionado con ellos.

eufemismo s.m. Palabra o expresión suave con la que se sustituye otra que se considera violenta, grosera o malsonante. □ ETIMOL. Del griego *euphemismós*, de *euphemós* (que habla bien).

eufemístico, ca adj. Del eufemismo o relacionado con él.

eufonía s.f. Efecto acústico agradable que resulta de la combinación de los sonidos de las palabras. □ ETIMOL. Del griego *euphonía* (voz hermosa, sonidos armoniosos) y éste de *eu* (bien) y *phoné* (sonido). □ SEM. Dist. de *cacofonía* (efecto acústico desagradable).

eufónico, ca adj. Con eufonía.

euforia s.f. Sensación intensa de alegría o de bienestar, producida generalmente por un buen estado de salud o por la administración de una droga. □ ETIMOL. Del griego *euphoría* (fuerza para llevar o soportar algo).

eufórico, ca adj. De la euforia, con euforia o relacionado con esta sensación.

eunuco s.m. Hombre al que le han extirpado los órganos genitales. □ ETIMOL. Del latín *eunuchus*, éste del griego *eunûkhos*, y éste de *euné* (lecho) y *ékho* (yo guardo).

eurasiático, ca adj./s. →**euroasiático.**

eureka interj. Expresión que se usa para indicar que se ha encontrado o descubierto lo que se buscaba con afán. □ ETIMOL. Del griego *eureka* (he hallado), interjección que se atribuye a Arquímedes cuando descubrió el peso específico de los cuerpos.

euro s.m. [1 Unidad monetaria de la Unión Europea. 2 *poét.* Viento del Este. □ ETIMOL. La acepción 2, del latín *eurus.*

euro- Elemento compositivo que significa 'europeo': *euroasiático, eurocomunismo, eurodiputado.*

euroasiático, ca ▌ adj. 1 Referido a una persona, que ha nacido de un europeo y de un asiático. ▌ adj./s. 2 De los continentes europeo y asiático o relacionado con ellos. □ ORTOGR. Se admite también *eurasiático.*

eurocomunismo s.m. Tendencia del movimiento comunista defendida por los partidos que actúan en los países capitalistas y que rechazan el modelo soviético.

eurocomunista adj./s. Partidario o seguidor del

eurocomunismo. □ MORF. 1. Como adjetivo es invariable en género. 2. Como sustantivo es de género común: *el eurocomunista, la eurocomunista.* 3. La RAE sólo lo registra como sustantivo.

eurodiputado, da s. Diputado del parlamento de la Unión Europea (organización que agrupa a países europeos de régimen democrático y economía de mercado).

eurodivisa s.f. Divisa extranjera negociada o invertida en el ámbito europeo.

europeidad s.f. **1** Carácter o conjunto de características que se consideran propios de lo europeo. **2** Pertenencia a Europa.

europeísmo s.m. Defensa de la unificación de los estados europeos.

europeísta adj./s. **1** Partidario de la unidad europea o de su hegemonía o dominio en el mundo. **2** Que simpatiza con todo lo europeo. □ MORF. 1. Como adjetivo es invariable en género. 2. Como sustantivo es de género común: *el europeísta, la europeísta.*

europeización s.f. Difusión o adopción de la cultura o de las costumbres europeas.

europeizar v. Dar o adquirir características que se consideran propias de lo europeo: *La influencia política y económica de Europa ha contribuido a europeizar otros continentes. Los países norteafricanos se están europeizando cada vez más.* □ ORTOGR. 1. La z se cambia en c delante de e. 2. La i lleva tilde en los presentes, excepto en las personas *nosotros* y *vosotros* →ENRAIZAR.

europeo, a adj./s. De Europa (uno de los cinco continentes), o relacionado con ella. □ MORF. Cuando se antepone a una palabra para formar compuestos, adopta la forma *euro-*.

europio s.m. Elemento químico, metálico y sólido, de número atómico 63, cuyas sales son de color rosa pálido, y que pertenece al grupo de los lantánidos. □ ETIMOL. De *Europa.* □ ORTOGR. Su símbolo químico es *Eu.*

[eurotúnel s.m. Túnel que une el continente europeo con las islas británicas.

[euroventanilla s.f. Servicio de asesoramiento creado por el Estado para ayudar a las pequeñas y medianas empresas que desean establecer relaciones comerciales con países de la Unión Europea (organización que agrupa a países europeos de régimen democrático y economía de mercado).

eurovisión s.f. Conjunto de circuitos de imagen y sonido que permiten el intercambio de programas, de comunicaciones y de informaciones entre varios países europeos asociados.

euscalduna o **[euskaldún, -a** adj./s. Referido a una persona, que habla vasco. □ ETIMOL. *Euscalduna,* del vasco *euskalduna.* □ MORF. *Euscalduna* como adjetivo es invariable en género, y como sustantivo es de género común: *el euscalduna, la euscalduna.* □ USO Aunque la RAE sólo registra *euscalduna,* en la lengua actual se usa más '*euskaldún*'.

[euskaldunización s.f. Difusión y adopción de la lengua vasca y de las características que se consideran propias de los vascos.

euskera o **eusquera ∎** adj. **1** De la lengua vasca o relacionado con ella. ∎ s.m. **2** Lengua del País Vasco y de Navarra (comunidades autónomas) y del

territorio vascofrancés; vasco, vascuence. □ ETIM‹ Del vasco *euskera.*

eutanasia s.f. Acortamiento voluntario de la v‹ de quien sufre una enfermedad incurable, para ‹ ner fin a sus sufrimientos. □ ETIMOL. Del gri‹ *euthanasía,* y éste de *eu* (bien) y *thánatos* (muer‹

evacuación s.m. **1** Desocupación o desalojo de ‹ lugar o de sus ocupantes. **2** Expulsión de los exc‹ mentos o de otras secreciones del organismo.

evacuar v. **1** Referido esp. a un lugar, desocuparl‹ desalojarlo: *Las tropas enemigas evacuaron los ‹ rritorios que iban ocupando.* **2** Referido a una perso‹ desalojarla o hacerla salir de un lugar, generalme‹ te para evitar algún daño: *Los bomberos han er‹ cuado a los inquilinos del edificio.* **3** Referido a ‹ excrementos o a otras secreciones, expulsarlos del ‹ ganismo: *Estoy estreñido y no consigo evacuar. U‹ infección en la vejiga hace que me resulte dolora‹ evacuar la orina.* **4** Referido esp. a una gestión o ‹ trámite, cumplirlos o realizarlos: *Prolongó su hora‹ de trabajo para evacuar los asuntos pendientes.* ‹ ETIMOL. Del latín *evacuare.* □ ORTOGR. La u nun‹ lleva tilde.

evacuatorio s.m. **1** Urinario público. **2** Sustan‹ que facilita la evacuación de excrementos.

evadir ∎ v. **1** Referido esp. a una dificultad inminen‹ evitarla, esp. si se hace con habilidad y astuc‹ *Está buscando la forma de evadir el pago de s‹ deudas.* [**2** Referido al dinero o a otros bienes, sacar‹ del país ilegalmente: '*Evadió' grandes sumas de ‹ nero para no pagar impuestos.* ∎ prnl. **3** Fugars‹ escaparse: *Los presos se evadieron de la cárcel.* ‹ ETIMOL. Del latín *evadere* (escapar).

evaluación s.f. **1** Determinación o cálculo del v‹ lor de algo. **2** Valoración de los conocimientos, ‹ la actitud o del rendimiento de un alumno.

evaluar v. **1** Valorar o calcular el valor: *Un peri‹ ha evaluado los desperfectos de la avería.* **2** Referi‹ a un alumno, valorar sus conocimientos, su actitud‹ su rendimiento: *La profesora evaluó a los alumno‹* □ ETIMOL. Del francés *évaluer.* □ ORTOGR. 1. La ‹ lleva tilde en los presentes, excepto en las person‹ *nosotros* y *vosotros* →ACTUAR. 2. Dist. de *valuar.*

evanescencia s.f. Capacidad de algo para d‹ vanecerse o esfumarse.

evanescente adj. Que se desvanece o se esfum‹ □ ETIMOL. Del latín *evanescere* (desvanecerse). ‹ MORF. Invariable en género.

evangélico, ca adj. **1** Del evangelio o relaciona‹ con él. **2** Referido a ciertas iglesias, que han surgido ‹ la reforma del siglo XVI.

evangelio s.m. **1** Historia de la vida, doctrina ‹ milagros de Jesucristo, contenida en los cuatro ‹ bros que llevan el nombre de los cuatro evangelist‹ y que componen el primer libro del Nuevo Test‹ mento (segunda parte de la Biblia). **2** Anuncio ‹ mensaje de Jesucristo. □ ETIMOL. Del latín *eva‹ gelium,* y éste del griego *euangélium* (la buena nu‹ va, las palabras de Jesucristo). □ ORTOGR. La ace‹ ción 1 se usa mucho como nombre propio.

evangelista s.m. Cada uno de los cuatro discípu‹ los de Jesucristo, con cuyo nombre se designan l‹ cuatro evangelios.

evangelización s.f. Predicación y propagació‹ del evangelio y de la fe cristiana en un lugar.

evangelizador, -a adj./s. Que evangeliza.

evangelizar v. Referido esp. a un lugar, predicar

dar a conocer en él el evangelio y la fe cristiana: *Los misioneros se ocupan de evangelizar los países donde no se conocen las enseñanzas de Jesús.* ☐ ORTOGR. La *z* se cambia en *c* delante de *e* →CAZAR.

vaporación s.f. **1** Conversión de un líquido en vapor. **2** Desaparición o desvanecimiento de algo.

vaporar ❚ v. **1** Referido a un líquido, convertirlo en vapor: *El calor ha evaporado el agua de los charcos. El alcohol se ha evaporado.* **2** Desvanecer o desaparecer: *Aquel fracaso terminó por evaporar sus ilusiones. El dinero se evapora en sus manos.* ❚ prnl. **3** col. Fugarse o desaparecer sin ser notado: *Los detenidos se evaporaron en las mismas narices de los vigilantes.* ☐ ETIMOL. Del latín *evaporare.*

vaporización s.f. →**vaporización**.

vaporizar v. →**vaporizar**. ☐ ORTOGR. la *z* se cambia en *c* delante de *e* →CAZAR.

evasé adj. Referido esp. a un vestido, que tiene vuelo y no se pega al cuerpo. ☐ ETIMOL. Del francés *evasée.* ☐ MORF. Invariable en género.

vasión s.f. **1** Fuga o huida. **2** Rechazo hábil y astuto que se hace de algo, esp. de una dificultad inminente. **3** ‖ [de evasión; referido esp. a una obra literaria o cinematográfica, que tiene como finalidad principal divertir o entretener. ‖ [evasión de capital; transferencia ilegal de bienes, esp. de dinero, de un país a otro. ☐ ETIMOL. Del latín *evasio.*

vasivo, va ❚ adj. **1** Que trata de evitar una dificultad, un daño o un peligro. ❚ s.f. **2** Recurso o medio para evitar una dificultad, un daño o un peligro.

vasor, -a adj./s. Que evade o se evade. ☐ MORF. La RAE sólo lo registra como adjetivo.

vento s.m. Suceso, esp. el imprevisto o el que no es seguro que ocurra. ☐ ETIMOL. Del latín *eventus* (resultado, acontecimiento).

ventual ❚ adj. **1** Que no es seguro o regular, o que se realiza en función de las circunstancias. ❚ adj./s. **2** Referido a un trabajador, que no forma parte de la plantilla de una empresa y sólo trabaja en ella temporalmente. ☐ MORF. 1. Como adjetivo es invariable en género. 2. Como sustantivo es de género común: *el eventual, la eventual.*

ventualidad s.f. **1** Falta de seguridad o dependencia de las circunstancias que presenta algo. **2** Hecho o circunstancia cuya realización es incierta o se basa en suposiciones.

videncia s.f. **1** Certeza absoluta, tan clara y manifiesta que no admite duda. **2** ‖ en evidencia; en ridículo o en una situación comprometida. ☐ SINT. La expresión *en evidencia* se usa más con los verbos *estar, poner, quedar* o equivalentes. ☐ SEM. No debe emplearse con el significado de 'prueba': *No tenemos {*evidencia > prueba} alguna de que sea el asesino.*

videnciar v. Hacer evidente, claro y manifiesto: *Ese comportamiento evidencia su falta de educación.*

vidente adj. Que se percibe claramente como cierto y no se puede poner en duda; indudable. ☐ ETIMOL. Del latín *evidens.* ☐ MORF. Invariable en género. ☐ USO Se usa para indicar asentimiento o conformidad: *Le pregunté si estaba a gusto y contestó: —Evidente.*

vitación s.f. Prevención o impedimento de un daño o de una situación desagradable.

vitar v. **1** Referido a un daño o a una situación desagradable, apartarlos, prevenirlos o impedir que sucedan: *La familia quería evitar el escándalo.* **2** Re-

ferido esp. a una acción, rehuir hacerla: *Los días de lluvia, evito salir de casa.* **3** Referido a una persona, rehuirla o apartarse de su comunicación: *Me evita para no tener que darme explicaciones.* ☐ ETIMOL. Del latín *evitare* (huir).

evocación s.f. **1** Representación en la memoria o en la imaginación. **2** Llamada a un espíritu para que acuda y se haga perceptible.

evocador, -a adj. Que evoca.

evocar v. Traer a la memoria o a la imaginación: *Cuando se reunían, evocaban los felices tiempos de su juventud.* ☐ ETIMOL. Del latín *evocare* (llamar para que algo salga). ☐ ORTOGR. La *c* se cambia en *qu* delante de *e* →SACAR.

evolución s.f. **1** Desarrollo o cambio por el que se pasa gradualmente de un estado a otro. **2** Movimiento que hacen las tropas, los barcos o los aviones para pasar de unas formaciones a otras. **3** Desplazamiento que se hace describiendo curvas. ☐ ETIMOL. Del latín *evolutio* (acción de desenrollar, desenvolver, desplegar). ☐ MORF. La acepción 3 se usa más en plural.

evolucionar v. **1** Desarrollarse o cambiar pasando gradualmente de un estado a otro: *La niña ha evolucionado mucho y ahora es más responsable.* **2** Referido a una tropa o a un grupo de barcos o de aviones, hacer evoluciones o movimientos para pasar de una formación a otra: *En las exhibiciones aéreas, los aviones evolucionan describiendo dibujos en el aire.* **3** Desplazarse describiendo líneas curvas: *Los patinadores evolucionan sobre el hielo.*

evolucionismo s.m. Teoría que sostiene que los seres vivos actuales proceden, por evolución y a través de cambios más o menos lentos, de antecesores comunes.

evolucionista adj./s. Partidario o seguidor del evolucionismo. ☐ MORF. 1. Como adjetivo es invariable en género. 2. Como sustantivo es de género común: *el evolucionista, la evolucionista.*

evolutivo, va adj. De la evolución o relacionado con ella.

ex ❚ s. [**1** Persona que ha dejado de ser pareja de otra. ❚ prep. **2** Antepuesto a un nombre o a un adjetivo, indica que ya no se es lo que éstos significan: *ex ministro.* ☐ ETIMOL. Del latín *ex.* ☐ MORF. En la acepción 1, es de género común: *el 'ex', la 'ex'.* ☐ SEM. En la acepción 2, no siempre es sustituible por el adjetivo *antiguo: un antiguo colaborador* es distinto que *un ex colaborador.*

[ex aequo] (latinismo) ‖Con el mismo mérito: *Los dos políticos recibieron el premio 'ex aequo'.* ☐ PRON. [exsékuo].

ex cátedra o **ex cáthedra** ‖**1** En la iglesia católica, expresión que se usa para designar los actos solemnes propios del magisterio extraordinario del Papa. **2** col. En tono magistral y con firmeza. ☐ ETIMOL. Del latín *ex cathedra* (desde la cátedra, con tono doctoral). ☐ USO La RAE prefiere *ex cáthedra.*

ex libris (latinismo) ‖Etiqueta o sello grabado que se estampan generalmente en el reverso de la tapa de los libros para indicar el nombre de su dueño o el de la biblioteca a la que pertenecen. ☐ MORF. Invariable en número.

ex profeso (latinismo) ‖Expresamente o a propósito. ☐ ORTOGR. Incorr. **exprofeso.* ☐ SINT. Incorr. **de ex profeso.*

exabrupto s.m. Dicho o gesto bruscos e inconvenientes y manifestados con viveza. ☐ ETIMOL. Del latín *ex abrupto* (de repente).

exacción s.f. **1** Exigencia del pago de un impuesto, de una multa, de una deuda o de algo semejante. **2** Cobro injusto y violento. ☐ ETIMOL. Del latín *exactio* (cobro). ☐ SEM. Dist. de *exención* (liberación de una carga o de una obligación).

exacerbar v. **1** Irritar o causar gran enfado: *Las medidas de la directiva exacerbaron el ánimo de los trabajadores. Me exacerbé cuando me dijeron que el viaje se suspendía.* **2** Referido esp. a un sentimiento o a una enfermedad, agravarlos o hacerlos más vivos: *Los ruidos de la calle exacerbaban su dolor de cabeza. Tu envidia se exacerba cada vez que yo consigo un logro.* ☐ ETIMOL. Del latín *exacerbare*.

exactitud s.f. Precisión, fidelidad o completo ajuste con otra cosa.

exacto, ta adj. Preciso, fiel o ajustado en todo a otra cosa. ☐ ETIMOL. Del latín *exactus* (cumplido, perfecto). ☐ SINT. *Exacto* se utiliza también como adverbio de afirmación con el significado de 'de forma exacta': *Le pregunté si era por eso por lo que estaba enfadada y me dijo: 'Exacto'.*

exageración s.f. Aumento desmedido o atribución de proporciones excesivas a algo.

exagerado, da ▮ adj. **1** Que es excesivo o que incluye en sí una exageración. ▮ adj./s. **2** Referido a una persona, que exagera.

exagerar v. Aumentar mucho o dar proporciones excesivas: *La prensa exageró la gravedad del accidente. ¡No exageres, que no es para tanto!* ☐ ETIMOL. Del latín *exaggerare* (amplificar, engrosar).

exagonal adj. →**hexagonal.** ☐ MORF. Invariable en género.

exágono, na adj. →**hexágono.** ☐ MORF. La RAE sólo lo registra en masculino.

exaltación s.f. **1** Alabanza excesiva, generalmente de una persona o de sus cualidades. **2** Entusiasmo o excitación del que se deja llevar por los sentimientos.

exaltar ▮ v. **1** Realzar o alabar en exceso: *El general exaltó en su discurso el heroísmo de su compañía.* [2 Referido esp. a un sentimiento, aumentarlo o avivarlo: *Sus palabras 'exaltaban' la ira de los asistentes.* ▮ prnl. **3** Dejarse llevar por un sentimiento perdiendo la moderación y la calma: *Se exalta cuando habla de política.* ☐ ETIMOL. Del latín *exaltare*.

examen s.m. **1** Prueba que se hace para valorar los conocimientos de una persona sobre una materia, o sus aptitudes para realizar determinada actividad. **2** Investigación o estudio minucioso de las cualidades y de las circunstancias de algo. **3** ‖**examen de conciencia**; meditación sobre la propia conducta con el fin de valorarla. ☐ ETIMOL. Del latín *examen* (fiel de la balanza, acción de pesar). ☐ ORTOGR. Incorr. **exámen*.

examinador, -a s. Persona que examina.

examinando, da s. Persona que se presenta para ser examinada.

examinar v. **1** Referido a una persona, someterla a un examen para comprobar sus conocimientos sobre una materia o sus aptitudes para determinada actividad: *Hoy examino a los alumnos que suspendieron en junio. Los opositores se examinarán mañana.* **2** Indagar, investigar o estudiar con minuciosidad y cuidado: *La abogada examinó el contrato antes de*

darnos su opinión. ☐ ETIMOL. Del latín *examina* (pesar, examinar).

exangüe adj. **1** Desangrado o con poca sangre. Sin fuerzas o destruido por completo. **3** Muerto sin vida. ☐ ETIMOL. Del latín *exsanguis*, y éste *ex-* (privación) y *sanguis* (sangre). ☐ MORF. Invari ble en género.

exánime adj. **1** Que no da señales de vida, o q está sin vida; inánime. **2** Muy debilitado o desm yado. ☐ ETIMOL. Del latín *exanimis*. ☐ MORF. I variable en género.

exasperación s.f. Irritación o enfurecimien grandes.

exasperar v. Irritar, enfurecer o dar motivo gran enojo: *Tu falta de puntualidad me exasper Se exaspera cuando las cosas no salen como quie* ☐ ETIMOL. Del latín *exasperare*.

excarcelación s.f. Puesta en libertad de un pre por mandamiento judicial.

excarcelar v. Referido a un preso, ponerlo en libe tad por mandamiento judicial; desencarcelar: *Lo e carcelarán sin acabar de cumplir su condena, p buena conducta.*

excavación s.f. **1** Ahondamiento o perforación d terreno. [2 Hoyo o cavidad abiertos en un terrer

excavadora s.f. Máquina que sirve para excav y que está formada por una gran pala mecánic montada sobre un vehículo de gran potencia.

excavar v. **1** Referido esp. a un terreno, hacer un ho o una cavidad en él: *Un equipo de arqueólogos e cavó la zona y encontró unas ruinas romanas.* **2** R ferido a un hoyo o a una cavidad, hacerlos en una s perficie sólida: *El conejo excava su madriguera ent los arbustos.* ☐ ETIMOL. Del latín *excavare*. ☐ SE Dist. de *escavar* (cavar superficialmente la tierra

excedencia s.f. Situación del trabajador, esp. es funcionario público, que deja de ejercer sus fu ciones temporalmente.

[excedentario, ria] adj. Que excede a la cantida necesaria.

excedente ▮ adj./s. **1** Referido a un trabajador, esp. un funcionario, que deja de trabajar o de ejercer su funciones temporalmente. ▮ s.m. **2** Lo que excede sobra. **3** ‖**excedente (de cupo)**; joven que que libre de hacer el servicio militar porque al sorte saca un número superior al del cupo establecido. MORF. 1. Como adjetivo es invariable en género. En la acepción 1, como sustantivo es de género c mún: *el excedente, la excedente.* ☐ USO En la ace ción 2, está muy extendido el uso eufemístico de expresión *excedente empresarial* con el significa de *beneficios empresariales.*

exceder v. **1** Superar o aventajar en algo: *Es niña excede en inteligencia a todos los de su edad* **2** Sobrepasar cierto límite o ir más allá de lo qu se considera lícito o razonable: *Firmar los chequ es una función que excede de tus obligaciones. N conviene excederse en la bebida.* ☐ ETIMOL. Del lat *excedere* (salir).

excelencia s.f. **1** Superioridad en la calidad o e la bondad de algo. **2** Tratamiento de cortesía qu se da a determinadas personas. **3** ‖**por exceler cia**; expresión que se utiliza para indicar que nombre común con el que se designa a una perso o un objeto les corresponde a éstos con más propi dad que a las otras personas o los otros objetos los que también se les puede aplicar: *Santiago*

Compostela es la ciudad monumental gallega por excelencia. □ ETIMOL. Del latín *excellentia.* □ USO La acepción 2 se usa más en la expresión {*Su / Vuestra*} *Excelencia.*

xcelente adj. Que sobresale por sus buenas cualidades, esp. por su bondad o por su mérito. □ ETIMOL. Del latín *excellens* (sobresaliente). □ MORF. Invariable en género.

xcelentísimo, ma adj. Tratamiento de cortesía que, antepuesto a *señor* o *señora*, se da a la persona a la que corresponde el tratamiento de excelencia.

xcelso, sa adj. De gran superioridad o de elevada categoría. □ ETIMOL. Del latín *excelsus.*

xcentricidad s.f. Rareza o extravagancia de una persona.

xcéntrico, ca ∎ adj. **1** En geometría, que está fuera del centro o que tiene un centro diferente. ∎ adj./s. **2** Que tiene un carácter raro, extravagante o fuera de lo habitual.

xcepción s.f. **1** Exclusión de algo que se aparta de la generalidad o de una regla común. **2** Lo que se aparta de la regla o condición generales. **3** ‖ **de excepción**; extraordinario o fuera de lo normal. □ ETIMOL. Del latín *exceptio.*

xcepcional adj. **1** Que se aparta de la norma o condición generales. **2** Extraordinario o muy bueno. □ MORF. Invariable en género.

xcepto adv. A excepción de; menos. □ ETIMOL. Del latín *exceptus* (retirado, sacado).

xceptuar v. Excluir de la generalidad o de una regla común: *He dicho que salgáis todos y no exceptúo a nadie.* □ ETIMOL. Del latín *exceptus* (retirado, sacado). □ ORTOGR. La *u* lleva tilde en los presentes, excepto en las personas *nosotros* y *vosotros* →ACTUAR.

xcesivo, va adj. Que excede o va más allá de lo que se considera normal o razonable.

xceso s.m. **1** Superación de los límites de lo ordinario o de lo debido. **2** Abuso, delito o crimen. **3** ‖ **en exceso**; más de lo normal o de lo debido. ‖ **por exceso**; referido a una expresión que indica error o inexactitud, que éstos se producen por sobrepasar los límites de lo justo: *Prefiero equivocarme por exceso que por defecto.* □ ETIMOL. Del latín *excessus* (salida). □ MORF. La acepción 2 se usa más en plural.

xcipiente s.m. Sustancia, generalmente inactiva, que se mezcla con los medicamentos para darles la consistencia, la forma u otras cualidades convenientes para su uso. □ ETIMOL. Del latín *excipiens*, y éste de *excipere* (recibir, sostener).

xcitabilidad s.f. Capacidad o facilidad para ser excitado.

xcitable adj. Que se excita con facilidad. □ MORF. Invariable en género.

xcitación s.f. Estimulación o intensificación de la actividad o del sentimiento.

xcitante s.m. Lo que produce excitación o estimula la actividad de un sistema orgánico.

xcitar v. **1** Referido esp. a un sentimiento, estimularlo, motivarlo o provocarlo: *El discurso excitó la ira de los asistentes.* **2** Referido a un órgano o a un organismo, producir, mediante un estímulo, un aumento de su actividad: *Nos ponemos morenos porque los rayos del Sol excitan las células productoras de melanina. Al excitarse las terminaciones nerviosas, envían impulsos nerviosos al cerebro.* [**3** Provocar deseo sexual: *¿Qué es lo que más te 'excita' de una persona?* □ ETIMOL. Del latín *excitare* (despertar).

exclamación s.f. **1** Palabra o expresión que se pronuncian con vehemencia y que indican una emoción o un sentimiento intensos. [**2** En ortografía, signo gráfico de puntuación que se coloca al principio y, en posición invertida, al final de una expresión exclamativa; admiración: *La 'exclamación' se representa con los signos '¡!'.* □ ORTOGR. Para la acepción 2 →APÉNDICE DE SIGNOS DE PUNTUACIÓN.

exclamar v. Decir o hablar con vehemencia para expresar la intensidad de lo que se siente: *El público exclamaba indignado: —¡Fuera! Al oírlos exclamar, me acerqué a ver qué pasaba.* □ ETIMOL. Del latín *exclamare.*

exclamativo, va o **exclamatorio, ria** adj. Que implica, expresa o permite formular una exclamación. □ USO *Exclamatorio* es el término menos usual, aunque la RAE lo prefiere a *exclamativo.*

exclaustración s.f. Abandono autorizado u ordenado por un superior de la obligación de vivir en una congregación religiosa.

exclaustrar v. Referido a un religioso, permitirle u obligarle a vivir fuera de la congregación: *La autoridad eclesiástica exclaustró a varios religiosos.* □ ETIMOL. Del latín *ex-* (fuera de) y *claustro.*

excluir ∎ v. **1** Dejar fuera o quitar del lugar que se ocupaba: *No me excluyas de tu grupo de amigos. Con tu comportamiento, tú solo te excluiste de la herencia.* **2** Referido esp. a una posibilidad, descartarla, negarla o rechazarla: *El resultado de los análisis excluye la posibilidad de una enfermedad grave.* ∎ prnl. **3** Ser incompatible: *Piensa que trabajar y estudiar a la vez no se excluyen.* □ ETIMOL. Del latín *excludere* (cerrar afuera, cerrar la puerta). □ MORF. Irreg. →HUIR.

exclusión s.f. Eliminación o rechazo de algo, dejándolo fuera de su grupo. □ ETIMOL. Del latín *exclusio.*

exclusiva s.f. Véase **exclusivo, va**.

exclusive adv. Indica que no se tienen en cuenta los límites que se citan: *Las vacaciones durarán del 15 al 30 ambos exclusive, es decir, el 15 y el 30 se trabaja.* □ MORF. Incorr. **exclusives.*

exclusividad s.f. Inexistencia de algo igual.

exclusivismo s.m. **1** Adhesión exagerada a algo, sin prestar atención a lo que debe ser tenido en cuenta. [**2** Actitud de alguien que no desea que determinadas personas formen parte de un grupo.

exclusivista ∎ adj. **1** Del exclusivismo o relacionado con él. ∎ adj./s. **2** Referido a una persona, que muestra exclusivismo. □ MORF. 1. Como adjetivo es invariable en género. 2. Como sustantivo es de género común: *el exclusivista, la exclusivista.*

exclusivo, va ∎ adj. **1** Único, solo o sin igual. **2** Que excluye o que tiene capacidad para excluir algo. ∎ s.f. **3** Noticia o reportaje que se publican por un solo medio informativo, reservándose éste los derechos de difusión. **4** Privilegio por el que una persona o una entidad pueden hacer algo prohibido a las demás.

excluyente adj. Que excluye, deja fuera o rechaza. □ MORF. Invariable en género.

excomulgar v. En la iglesia católica, referido a un fiel, apartarlo o excluirlo la jerarquía eclesiástica de su comunidad y del derecho a recibir los sacramentos: *El Papa excomulgó a varios herejes.* □ ETIMOL. Del latín *excommunicare*. □ ORTOGR. La *g* se cambia en *gu* delante de *e* →PAGAR.

excomunión s.f. En la iglesia católica, exclusión a la que la jerarquía eclesiástica somete a un fiel, apartándolo de su comunidad y del derecho a recibir los sacramentos; anatema.

excoriación s.f. →**escoriación**.

excoriar v. →**escoriar**. □ ORTOGR. La *i* nunca lleva tilde.

excrecencia s.f. Abultamiento que afecta a los tejidos de un organismo animal o vegetal y que altera la textura normal de su superficie. □ ETIMOL. Del latín *excrescentia*.

excreción s.f. Expulsión de los excrementos. □ ETIMOL. Del latín *excretio*.

excremento s.m. Residuos del alimento que, tras haberse hecho la digestión, elimina el organismo por el ano. □ ETIMOL. Del latín *excrementum* (secreción).

excretar v. **1** Expulsar los excrementos: *Los laxantes ayudan a excretar*. **2** Eliminar del cuerpo las sustancias elaboradas por la glándulas: *Algunos fármacos se excretan en la leche materna*. □ ETIMOL. Del latín *excretus* (separado, purgado).

excretor, -a adj. Referido a un órgano o a un conducto, que sirven para excretar.

exculpación s.f. Liberación de una culpa.

exculpar v. Descargar de una culpa: *La juez exculpó al acusado del cargo de robo*. □ ETIMOL. Del latín *ex culpa* (sin culpa).

exculpatorio, ria adj. Que libera de una culpa.

excursión s.f. Viaje o salida a un lugar, generalmente como diversión, por deporte o con objeto de estudiar algo. □ ETIMOL. Del latín *excursio*, y éste de *excurrere* (correr fuera).

excursionismo s.m. Ejercicio o práctica que consiste en hacer excursiones con un fin científico, artístico o deportivo.

excursionista s. Persona que hace excursiones. □ MORF. Es de género común: *el excursionista, la excursionista*.

excusa s.f. **1** Motivo o pretexto que se alegan para eludir una obligación o para disculpar una falta. **2** Descargo o justificación de una acción. □ SEM. *Pedir excusas* es una expresión incorrecta, aunque está muy extendida.

excusable adj. **1** Que admite excusa o que es digno de ella. **2** Que se puede omitir o evitar. □ MORF. Invariable en género.

excusado, da adj./s.m. →**escusado**.

excusar v. **1** Referido a una persona, alegar razones para justificarla por una culpa o para librarla de ella: *Excusó a uno de sus invitados diciendo que estaba enfermo. Se excusó ante todos por no llegar a tiempo a la cena*. **2** Referido a algo molesto o innecesario, evitarlo o impedir que suceda: *Si nos vemos luego, excuso decirte más cosas por teléfono*. **3** Eximir o liberar, generalmente del pago de un impuesto o de la prestación de un servicio: *Por problemas de salud, lo excusaron de hacer el servicio militar*. **4** Seguido de un infinitivo, poder evitar o poder dejar de hacer lo que se indica: *Si no has ido todavía, excusas ir, porque ya es tarde*. □ ETIMOL. Del latín *excusare* (disculpar). □ SINT. Constr. de la acepción 3: *excusar DE algo*.

execrable adj. Digno de duras críticas y de fuerte

reprobación. □ ETIMOL. Del latín *exsecrabilis*. MORF. Invariable en género.

execrar v. **1** Criticar o reprobar con severida *Execró el cruel comportamiento de algunas person con los animales*. **2** Referido a algo que se consid censurable, sentir aversión o repugnancia hacia el *Es una persona sabia que execra los bienes mater les*. □ ETIMOL. Del latín *exsecrari* (maldecir, lanz imprecaciones). □ SEM. En la acepción 2, aunque RAE lo considera sinónimo de *aborrecer*, en la le gua actual no se usa como tal.

execratorio, ria adj. Que sirve para execrar o c ticar duramente.

exegesis o **exégesis** s.f. Explicación o interpr tación de un texto, esp. del bíblico. □ ETIMOL. D griego *exégesis* (interpretación). □ MORF. Invar bles en número. □ USO *Exegesis* es el término n nos usual.

exegeta o **exégeta** s. Persona que explica o i terpreta un texto. □ MORF. Es de género común: {*exegeta/exégeta*}, la {*exegeta/exégeta*}. □ USO *E geta* es el término menos usual.

exegético, ca adj. De la exégesis o relaciona con esta explicación o interpretación de los texto

exención s.f. Liberación de una carga o de u obligación. □ SEM. Dist. de *exacción* (exigencia pago).

exento, ta adj. Libre de algo, generalmente de u carga, o no sometido a ello. □ ETIMOL. Del lat *exemptus*. □ SINT. Constr. *exento DE algo*. □ SE No debe usarse con el significado de 'falto' o 'care te': *El partido estuvo {*exento > libre} de emoció

exequias s.f.pl. Conjunto de los oficios solemn que se celebran por un difunto algunos días despu del entierro o en cada aniversario de su muerte; neral. □ ETIMOL. Del latín *exsequiae*, y éste de e *sequi* (seguir el entierro).

exfoliación s.f. **1** Separación en láminas o en e camas. **2** Pérdida o caída de la epidermis en forr de escamas.

[exfoliante] adj./s.m. Referido a un cosmético, q limpia la piel de células muertas. □ MORF. Con adjetivo es invariable en género.

exfoliar v. Dividir en láminas o en escamas: *La fo ta de humedad exfolia la piel. La corteza del árb se exfolió*. □ ETIMOL. Del latín *exfoliare* (deshoja □ ORTOGR. La *i* nunca lleva tilde.

exhalación s.f. **1** Lanzamiento de un suspiro o una queja. **2** ‖ **[como una exhalación**; muy ráp do.

exhalar v. **1** Referido esp. a un gas o a un olor, de pedirlos o echarlos: *Las rosas exhalan un suave pe fume*. **2** Referido esp. a una queja o a un suspiro, la zarlos o echarlos fuera: *Nunca le he oído exhalo una queja*. □ ETIMOL. Del latín *exhalare*.

[exhaustividad] s.f. Profundidad en la forma c hacer algo.

exhaustivo, va adj. Hecho de manera completa muy a fondo. □ MORF. No admite grados; incor *más exhaustivo*.

exhausto, ta adj. Completamente agotado. □ ET MOL. Del latín *exhaustus* (agotado).

exhibición s.f. Muestra o presentación en públic

exhibicionismo s.m. **1** Comportamiento sexua que consiste en mostrar los órganos genitales en pu blico. **2** Deseo de exhibirse.

exhibicionista adj./s. Que practica el exhibici

nismo. ☐ MORF. 1. Como adjetivo es invariable en género. 2. Como sustantivo es de género común: *el exhibicionista, la exhibicionista.* 3. La RAE sólo lo registra como sustantivo.

exhibir ▌ v. 1 Mostrar, enseñar o presentar en público: *Las modelos exhibieron la moda del próximo verano.* ▌ prnl. [2 Dejarse ver en público con el fin de llamar la atención: *'Se exhibió' por toda la ciudad con una rubia explosiva.* ☐ ETIMOL. Del latín *exhibere*, y éste de *habere* (tener).

exhortación s.f. 1 Incitación por medio de palabras, de razones o de ruegos a hacer algo. 2 Sermón breve y familiar.

exhortar v. Referido a una persona, incitarla con palabras, razones o ruegos a hacer algo: *Mi maestra me exhortaba a estudiar constantemente.* ☐ ETIMOL. Del latín *exhortari*, y éste de *hortari* (animar, estimular). ☐ SINT. Constr. *exhortar A hacer algo.*

exhortativo, va o **exhortatorio, ria** adj. Que implica, expresa o permite formular una exhortación. ☐ USO *Exhortatorio* es el término menos usual, aunque la RAE lo prefiere a *exhortativo.*

exhorto s.m. En derecho, comunicación de un juez o de un tribunal a otros de la misma categoría, para que ordenen dar cumplimiento de lo que se pide. ☐ ETIMOL. De *yo exhorto* (fórmula que los jueces emplean en algunos despachos).

exhumación s.f. Desenterramiento de un cadáver o de algo enterrado. ☐ SEM. Dist. de *inhumación* →**exhumar**.

exhumar v. 1 Referido esp. a un cadáver, desenterrarlo: *Exhumaron el cadáver del escritor para trasladarlo a su ciudad natal.* 2 Referido a algo largo tiempo olvidado, traerlo a la memoria o a la actualidad; desenterrar: *Exhumaron juntos los viejos recuerdos de la juventud.* ☐ ETIMOL. Del latín *exhumare* (desenterrar). ☐ SEM. En la acepción 1, dist. de *inhumar* (enterrar un cadáver).

exigencia s.f. 1 Petición imperiosa o enérgica de algo. 2 Requerimiento o necesidad forzosa. 3 Pretensión caprichosa o desmedida. ☐ MORF. La acepción 3 se usa más en plural.

exigente adj./s. Que exige de manera caprichosa y autoritaria. ☐ MORF. 1. Como adjetivo es invariable en género. 2. Como sustantivo es de género común: *el exigente, la exigente.*

exigible adj. Que se puede o se debe exigir. ☐ MORF. Invariable en género.

exigir v. 1 Referido a algo a lo que se tiene derecho, pedirlo imperiosamente: *No pido justicia, la exijo.* 2 Necesitar, precisar o requerir forzosamente: *Esta difícil situación exige una decisión inmediata.* ☐ ETIMOL. Del latín *exigere.* ☐ ORTOGR. La g se cambia en j delante de a, o →DIRIGIR. ☐ SEM. En la acepción 1, sólo puede exigir quien posee alguna fuerza para alcanzar su demanda.

exiguo, gua adj. Escaso o insuficiente. ☐ ETIMOL. Del latín *exiguus* (de pequeña talla, corto).

exiliado, da adj./s. Que vive fuera de su patria, generalmente por motivos políticos. ☐ ORTOGR. Incorr. **exilado.* ☐ SEM. Dist. de *refugiado* (que busca refugio fuera de su país huyendo de una guerra o de un desastre).

exiliar ▌ v. 1 Expulsar de un territorio: *Durante la dictadura, lo exiliaron a causa de su militancia política.* ▌ prnl. 2 Abandonar la patria, generalmente por motivos políticos: *Después de la guerra civil,* *muchos españoles se exiliaron a Francia.* ☐ ORTOGR. 1. La i nunca lleva tilde. 2. Incorr. **exilar.* ☐ SINT. Constr. de la acepción 2: *exiliarse A un lugar.*

exilio s.m. 1 Abandono que una persona hace de su patria, generalmente por motivos políticos. 2 Situación o estado de la persona exiliada. 3 Lugar en el que vive la persona exiliada. ☐ ETIMOL. Del latín *exsilium*, y éste de *exsilire* (saltar afuera).

eximente ▌ adj./s.m. 1 Que exime o libera de algo. ▌ s.f. 2 →**circunstancia eximente.** ☐ MORF. 1. Como adjetivo es invariable en género. 2. En la acepción 1, la RAE sólo lo registra como adjetivo. 3. En la acepción 2, su uso como sustantivo masculino es incorrecto, aunque está muy extendido.

eximio, mia adj. Que es muy ilustre o que sobresale por alguna cualidad. ☐ ETIMOL. Del latín *eximius* (privilegiado, sacado de lo corriente).

eximir v. Librar de una carga, de una obligación o de algo semejante: *La ley exime del servicio militar a las personas no aptas físicamente. La ignorancia de la ley no exime de su cumplimiento.* ☐ ETIMOL. Del latín *eximere* (sacar fuera). ☐ MORF. Tiene un participio regular (*eximido*), que se usa en la conjugación, y otro irregular (*exento*), que se usa como adjetivo. ☐ SINT. Constr. *eximir DE algo.*

existencia ▌ s.f. 1 Hecho o circunstancia de existir. 2 Vida humana. ▌ pl. 3 Conjunto de productos de los que aún no se ha hecho uso y que permanecen almacenados para su venta o para su consumo posteriores.

existencial adj. De la existencia o relacionado con ella. ☐ MORF. Invariable en género.

existencialismo s.m. Corriente filosófica que trata de establecer el conocimiento de toda realidad sobre la experiencia inmediata de la existencia propia.

existencialista ▌ adj. 1 Del existencialismo o relacionado con esta corriente filosófica. ▌ adj./s. 2 Partidario o seguidor del existencialismo. ☐ MORF. 1. Como adjetivo es invariable en género. 2. Como sustantivo, es de género común: *el existencialista, la existencialista.*

existir v. 1 Tener un ser real y verdadero: *Descubrió que los Reyes Magos no existen.* 2 Tener vida o estar vivo: *Sus padres ya no existen.* 3 Haber, estar o hallarse: *En esa biblioteca existen libros muy antiguos.* ☐ ETIMOL. Del latín *exsistere* (salir, nacer, aparecer).

éxito s.m. 1 Resultado feliz o muy bueno de algo. 2 Buena aceptación que algo tiene. [3 Lo que tiene buena aceptación. ☐ ETIMOL. Del latín *exitus* (resultado, salida).

exitoso, sa adj. Que tiene éxito.

exo- Elemento compositivo que significa 'fuera de' o 'en el exterior': *exoesqueleto.* ☐ ETIMOL. Del griego *exo.*

exocrino, na adj. Referido esp. a una glándula, que segrega sustancias que se expulsan al exterior o al tubo digestivo. ☐ ETIMOL. De *exo-* (fuera de) y el griego *kríno* (yo segrego).

éxodo s.m. Emigración de un pueblo o de una muchedumbre. ☐ ETIMOL. Del griego *éxodos* (salida).

exoneración s.f. 1 Privación o destitución de una persona de su cargo o de su empleo. 2 Alivio o descarga de un peso o de una obligación.

exonerar v. Aliviar o descargar de un peso o de una obligación: *Me han exonerado del pago de la* *multa.* □ ETIMOL. Del latín *exonerare* (descargar de un peso). □ SINT. Constr. *exonerar* DE *algo*.

exorbitante adj. Que es excesivo o que sobrepasa lo que se considera normal. □ MORF. Invariable en género.

[exorbitar v. Exagerar mucho o dar proporciones excesivas: *La prensa 'exorbitó' los acontecimientos.* □ ETIMOL. Del latín *exorbitare* (salirse del camino, separarse).

exorcismo s.m. Conjunto de palabras o de expresiones que se pronuncian para expulsar a un espíritu maligno de algún sitio. □ ETIMOL. Del latín *exorcismus*, y éste del griego *exorkismós* (acción de hacer prestar juramento).

exorcista ▮ s. **1** Persona que se dedica a hacer exorcismos. ▮ s.m. **2** En la iglesia católica, eclesiástico que tiene la potestad para exorcizar. □ MORF. En la acepción 1, es de género común: *el exorcista, la exorcista.*

exorcizar v. Someter a exorcismos para expulsar a un espíritu maligno: *El sacerdote exorcizó la casa que estaba endemoniada.* □ ORTOGR. La *z* se cambia en *c* delante de *e* →CAZAR.

exordio s.m. **1** Introducción o preámbulo de una obra literaria o de un discurso. **2** Introducción a un razonamiento o a una conversación. □ ETIMOL. Del latín *exordium*, y éste de *exordiri* (empezar a tejer una tela).

exosfera s.f. En la atmósfera terrestre, zona más exterior, que se encuentra entre los quinientos y los mil kilómetros de altura aproximadamente, y que es de densidad muy pequeña. □ ETIMOL. De *exo-* (en el exterior) y *atmósfera.*

exotérico, ca adj. **1** Común, conocido o accesible. **2** Que es fácil de comprender. □ ETIMOL. Del griego *exoterikós* (externo, extranjero, público). □ SEM. Dist. de *esotérico* (oculto o secreto; difícil de comprender; doctrina que sólo se comunica a los iniciados en ella).

exótico, ca adj. **1** Extranjero, esp. si es de un país lejano y desconocido. **2** Extraño o raro. □ ETIMOL. Del latín *exoticus*, y éste del griego *exotikós* (de fuera, externo).

exotismo s.m. **1** Procedencia de un país lejano o desconocido, o semejanza con ello. **2** Tendencia a asimilar las formas y estilos artísticos de un país o de una cultura distintos del propio.

expandir v. Extender, difundir o dilatar: *Expandieron la noticia por todo el pueblo. Los pulmones se expanden para tomar aire.* □ ETIMOL. Del latín *expandere* (extender, desplegar). □ MORF. Incorr. **expander.*

expansión s.f. **1** Propagación, extensión o dilatación de algo. **2** Manifestación o desahogo efusivos de un afecto o de un pensamiento. **3** Recreo o diversión. □ ETIMOL. Del latín *expansio.*

expansionar ▮ v. **1** Expandir, dilatar o ensanchar: *La baja presión expansiona los gases. La empresa creció y se expansionó por todo el país.* ▮ prnl. **2** Desahogarse o manifestar pensamientos o sentimientos íntimos: *Se expansiona conmigo y me cuenta todas sus penas.* **3** Divertirse o distraerse: *Mañana voy a la playa para expansionarme un poco.*

[expansionismo s.m. Tendencia de un pueblo o de un país a extender su dominio político y económico a otros.

[expansionista adj./s. Del expansionismo o relacionado con esta tendencia. □ MORF. **1**. Como adjetivo es invariable en género. **2**. Como sustantivo es de género común: *el 'expansionista', la 'expansionista'.*

expansivo, va adj. **1** Que tiende a extenderse a dilatarse, ocupando mayor espacio. **2** Que es comunicativo o que manifiesta fácilmente su pensamiento.

expatriación s.f. Abandono de la propia patria.

expatriado, da adj./s. Que vive fuera de su patria.

expatriar v. Hacer salir de la patria o abandonarla: *El Gobierno expatrió a varios opositores políticos. Tuvo que expatriarse para salvar su vida.* □ ETIMOL. De *ex-* (en el exterior) y *patria.* □ USO La puede llevar tilde o no en los presentes, excepto en las personas *nosotros* y *vosotros*, en las que no lleva nunca →AUXILIAR.

expectación s.f. Espera, generalmente curiosa o tensa, de un acontecimiento que despierta interés. □ ETIMOL. Del latín *expectatio*, y éste de *exspectare* (esperar).

expectante adj. Que espera observando, esp. si con curiosidad o con tensión. □ MORF. Invariable en género.

expectativa s.f. **1** Esperanza o posibilidad de conseguir algo. **2** ‖ **a la expectativa**; sin actuar ni tomar una determinación hasta que qué sucede.

expectoración s.f. En medicina, extracción y expulsión por la boca de las flemas y de las secreciones que se depositan en las vías respiratorias.

expectorante s.m. Sustancia o medicamento que hace expectorar.

expectorar v. En medicina, referido a las flemas y secreciones de las vías respiratorias, arrancarlas y expulsarlas por la boca: *Este jarabe te ayudará a expectorar las flemas de la garganta. Tose mucho y no consigue expectorar.* □ ETIMOL. Del latín *expectorare*, y éste de *ex* (fuera de) y *pectus* (pecho).

expedición s.f. **1** Envío de una carta, de una mercancía o de algo semejante. **2** Realización por escrito de un documento, con las formalidades acostumbradas. **3** Marcha o viaje que se realizan con un fin determinado, esp. si es científico o militar. Conjunto de personas que realizan este viaje. □ ETIMOL. Del latín *expeditio.*

expedicionario, ria adj./s. Que forma parte de una expedición.

expedidor, -a adj./s. Que expide.

expedientar v. Referido a una persona, someterla a un expediente: *Me expedientaron por participar en la huelga.*

expediente s.m. **1** Conjunto de los servicios prestados, de las incidencias ocurridas o de las calificaciones obtenidas en una carrera profesional o de estudios. **2** Conjunto de informes y documentos sobre un asunto o un negocio determinados. **3** Procedimiento administrativo en el que se enjuicia la actuación de alguien. □ ETIMOL. Del latín *expediens*, y éste de *expedire* (soltar, dar curso).

expedir v. **1** Enviar, remitir o mandar: *Para expedir paquetes certificados por correo hay que rellenar un impreso.* **2** Referido esp. a un documento, extenderlo o ponerlo por escrito con las formalidades acostumbradas: *Me expidieron el carné de identidad en una comisaría.* □ ETIMOL. Del latín *expedire* (desentorpecer, despachar). □ ORTOGR. Dist. de *expen-der*. □ MORF. Irreg. →PEDIR.

expeditivo, va adj. Que tiene facilidad o rapidez para dar salida a un asunto sin detenerse ante los obstáculos o inconvenientes. □ SEM. Dist. de *expedito* (rápido en actuar).

expedito, ta adj. **1** Libre o sin estorbos ni obstáculos. **2** Rápido en actuar. □ ETIMOL. Del latín *expeditus*. □ SEM. Dist. de *expeditivo* (que tiene facilidad para dar salida a un asunto).

expeler v. **1** Hacer salir del organismo: *Cuando respiras, expeles el aire por la boca.* **2** Arrojar o lanzar, generalmente con fuerza: *Un volcán en erupción puede expeler ceniza incandescente.* □ ETIMOL. Del latín *expellere*, y éste de *pellere* (empujar).

expendedor, -a s. Persona que se dedica a la venta de productos al por menor, esp. tabaco, sellos, billetes o entradas.

expendeduría s.f. Establecimiento donde se venden al por menor productos que tienen prohibida la venta libre, generalmente tabaco y sellos, y cuya concesión se otorga a determinadas personas o entidades.

expender v. **1** Vender al por menor o por encargo del dueño de la mercancía: *Este producto sólo se expende en farmacias.* **2** Referido esp. a una entrada o a un billete, despacharlos: *En la estación de tren han puesto máquinas que expenden billetes.* □ ETIMOL. Del latín *expendere* (pagar, pesar). □ ORTOGR. Dist. de *expedir*.

expensas ‖*a expensas de* algo; por cuenta suya o a costa suya. □ ETIMOL. Del latín *expensa pecunia* (dinero gastado). □ SEM. No debe emplearse con el significado de 'a la espera de' o 'a la expectativa': *El jugador está {*a expensas > a la espera} de lo que le diga el juez.*

experiencia s.f. **1** Enseñanza que se adquiere con el uso, con la práctica o con las propias vivencias. **2** Operación para descubrir, comprobar o determinar fenómenos o principios, generalmente científicos. **3** Prueba práctica. □ ETIMOL. Del latín *experientia*. □ SEM. En las acepciones 2 y 3, es sinónimo de *experimento*.

[experienciar v. Vivir distintas experiencias: *En aquel viaje experienciamos un montón de cosas.* □ SEM. Dist. de *experimentar* (hacer experimentos; probar y examinar con la práctica).

experimentación s.f. **1** Método científico de investigación que se basa en la producción intencionada de fenómenos para ser estudiados o comprobados. **2** Sometimiento de algo a experimentos para probar y examinar sus características.

experimentado, da adj. Que tiene experiencia.

experimental adj. **1** Que se basa en la experiencia o en los experimentos. **2** Que sirve de experimento con vistas a posibles perfeccionamientos o aplicaciones y a su posterior difusión. □ MORF. Invariable en género.

[experimentalismo s.m. Preferencia por el uso de métodos o técnicas experimentales.

experimentar v. **1** Hacer experimentos: *En su empresa experimentan para conseguir materiales de construcción más baratos.* **2** Probar y examinar con la práctica: *Experimentó la nueva batidora y se dio cuenta de que no funcionaba.* **3** Referido esp. a una sensación, notarla o sentirla en uno mismo: *Al verlo, experimenté una gran alegría.* **4** Referido esp. a un

cambio, sufrirlo o padecerlo: *El precio de la gasolina experimentará una subida.* □ SEM. Dist. de *experienciar* (vivir distintas experiencias).

experimento s.m. **1** Operación para descubrir, comprobar o demostrar fenómenos o principios, generalmente científicos. **2** Prueba práctica. □ ETIMOL. Del latín *experimentum* (ensayo, prueba por la experiencia). □ SEM. Es sinónimo de *experiencia*.

experto, ta ‖ adj./s. **1** Que tiene gran experiencia o habilidad en una actividad. ‖ s. **2** Persona especialista en una materia. □ ETIMOL. Del latín *expertus* (que tiene experiencia).

expiación s.f. **1** Reparación de una culpa mediante el sacrificio o la penitencia. **2** Cumplimiento de la pena impuesta por un delito.

expiar v. **1** Referido a una culpa, borrarla mediante el sacrificio o la penitencia: *Reza para expiar sus pecados.* **2** Referido a un delito, sufrir o cumplir la pena que ha sido impuesta por él: *Expió su crimen pasando 30 años en la prisión.* □ ETIMOL. Del latín *expiare*. □ ORTOGR. 1. Dist. de *espiar*. 2. La *i* lleva tilde en los presentes, excepto en las personas *nosotros* y *vosotros* →GUIAR.

expiatorio, ria adj. Que sirve para expiar una culpa.

expiración s.f. Fin o término de la vida o de un período de tiempo. □ ORTOGR. Dist. de *espiración*.

expirar v. **1** Dejar de vivir; morir: *La enferma expiró a última hora de la tarde.* **2** Referido esp. a un período de tiempo, acabar o concluir: *El plazo de matrícula expira mañana.* □ ETIMOL. Del latín *exspirare* (exhalar). □ ORTOGR. Dist. de *espirar*.

explanada s.f. Espacio de terreno llano o allanado. □ ETIMOL. De *explanar* (allanar).

explanar v. **1** Referido a un terreno o a una superficie, ponerlos llanos o darles la nivelación deseada: *Explanaron el solar para utilizarlo como aparcamiento.* **2** Declarar o explicar: *Escribió un tratado para explanar sus ideas científicas.* □ ETIMOL. Del latín *explanare*.

explayar ‖ v. **1** Referido esp. al pensamiento o a la mirada, extenderlos o ensancharlos: *Explayaba su mirada por los campos de trigo. Su pensamiento se explayaba por lejanos horizontes.* ‖ prnl. **2** Extenderse demasiado al expresarse: *Se explayó tanto en su discurso que los demás oradores no pudieron intervenir.* **3** Divertirse o distraerse: *Iremos al campo con los niños para que se explayen.* □ ETIMOL. De *playa*, por el sentido de extenderse rápida y fácilmente como hace la marea por una playa llana.

expletivo, va adj. Referido a una palabra o a una expresión, que no es necesaria para el sentido de la frase, aunque añade valores expresivos: *En la oración 'Nunca jamás lo haré', 'jamás' es un adverbio expletivo.* □ ETIMOL. Del latín *explere* (rellenar).

explicable adj. Que se puede explicar. □ MORF. Invariable en género.

explicación s.f. **1** Expresión o exposición claras o ejemplificadas de algo para hacerlo comprensible. **2** Justificación que se ofrece como disculpa. **3** Dato que aclara la razón o el motivo de algo. □ MORF. La acepción 2 se usa mucho en la expresión {dar/pedir} *explicaciones*.

explicar ‖ v. **1** Referido esp. a algo de difícil comprensión, exponerlo de forma clara para hacerlo comprensible: *La profesora nos explica la lección.* **2** Declarar, manifestar o dar a conocer: *Explícame qué*

explicativo, va

54

te pasa y no llores. **3** Dar clase en un centro de enseñanza: *Explica química.* **4** Justificar ofreciendo una disculpa: *Sigo esperando que me expliques tu actitud.* ∎ prnl. **5** Llegar a comprender la razón de algo: *Ahora me explico por qué reaccionaste así.* **6** Hacerse entender: *Se explica bastante mal en español.* ☐ ETIMOL. Del latín *explicare* (desplegar, desenredar). ☐ ORTOGR. 1. Dist. de *explicitar.* 2. La *c* se cambia en *qu* delante de *e* →SACAR.

explicativo, va adj. Que explica o que introduce una explicación.

explicitar v. Hacer explícito: *El contrato explicita que los gastos de comunidad debe abonarlos el inquilino.* ☐ ORTOGR. Dist. de *explicar.*

explícito, ta adj. Que está claramente expreso, o que expresa algo con claridad. ☐ ETIMOL. Del latín *explicitus.* ☐ SEM. Dist. de *implícito* (incluido sin necesidad de ser expresado).

explicotear v. *col.* Explicar con desenvoltura y expresividad: *Da gusto ver cómo se explicotea ya mi hija de ocho años.* ☐ MORF. La RAE sólo lo registra como pronominal.

exploración s.f. Examen o reconocimiento minuciosos o exhaustivos.

explorador, -a s. **1** Persona que explora un territorio lejano y poco conocido. **2** Miembro de una asociación educativa y deportiva que realiza actividades al aire libre.

explorar v. **1** Referido esp. a un territorio, examinarlo o recorrerlo para tratar de descubrir lo que hay en él: *Antes de plantar la tienda de campaña, vamos a explorar la zona.* **2** Referido esp. a una parte del organismo, examinarla a fondo: *La oftalmóloga me exploró el ojo y dijo que todo estaba bien.* ☐ ETIMOL. Del latín *explorare* (observar, examinar).

exploratorio, ria adj. Que sirve para explorar, esp. referido al instrumental médico.

explosión s.f. **1** Liberación brusca de una gran cantidad de energía encerrada en un volumen relativamente pequeño, que produce un incremento grande y rápido de la presión, con desprendimiento de calor, luz y gases, y que va acompañada de estruendo y rotura violenta del recipiente que la contiene. **2** Dilatación repentina de un gas contenido en un dispositivo mecánico con el fin de producir un movimiento. **3** Manifestación o desarrollo violentos o repentinos de algo. ☐ ETIMOL. Del latín *explosio* (abucheo, acción de expulsar ruidosamente).

explosionar v. **1** Provocar una explosión: *Los artificieros de la policía explosionaron un paquete bomba.* **2** Hacer explosión; explotar: *La bomba explosionó en manos del terrorista que pretendía instalarla.*

explosivo, va ∎ adj. **1** Que hace o que puede hacer explosión. **[2** Que impresiona o que llama la atención. **3** En fonética y fonología, referido esp. a una consonante, que forma sílaba con la vocal que la sigue: *La 's' de 'seta' es explosiva.* ∎ adj./s.m. **4** Referido a una sustancia, que se incendia con explosión. ∎ adj./s.f. **5** En fonética y fonología, referido a un sonido consonántico oclusivo, que se articula con una abertura súbita final: *En 'entonar', la 't' es explosiva.*

explotación s.f. **1** Conjunto de instalaciones destinadas a explotar un negocio o una industria. **2** Aprovechamiento u obtención del beneficio o de las riquezas de algo. **3** Utilización abusiva y en pro-

vecho propio de las cualidades o de los sentimient de los demás.

explotador, -a adj./s. Que explota a los demás se aprovecha de ellos.

explotar v. **1** Hacer explosión; explosionar: *Ur bombona de butano explotó a primeras horas de mañana.* **[2** Manifestarse violenta o repentiname te: *Yo soy muy paciente, pero como 'explote', te v a enterar de lo que es bueno.* **3** Referido a algo q reporta beneficios, sacar utilidad o provecho de ell *Van a volver a explotar esa antigua mina de carbó* **4** Referido esp. a una persona, utilizar sus cualidad o sus sentimientos en provecho propio, generalme te de forma abusiva: *Explota a sus empleados p gándoles un sueldo mísero.* ☐ ETIMOL. La acepci 1, de *explosión.* Las acepciones 3 y 4, del franc *exploiter* (sacar partido, esquilmar). ☐ SINT. En l acepciones 1 y 2, es incorrecto su uso como transi tivo aunque está muy extendido: *el niño {*explo > hizo explotar} el globo.*

expoliación s.f. Apropiación injusta o violenta lo que pertenece a otro. ☐ ORTOGR. Se admite tar bién *espoliación.* ☐ SEM. Es sinónimo de *espolio* *expolio.*

expoliador, -a adj./s. Que expolia o que favore la expoliación.

expoliar v. Despojar con injusticia o con violenci *Unos bandidos expoliaron el pueblo abandonado.* ETIMOL. Del latín *exspoliare,* y éste de *spoliare* (de pojar, saquear). ☐ ORTOGR. 1. Se admite tambié *espoliar.* 2. La *i* nunca lleva tilde.

expolio s.m. **1** Apropiación injusta o violenta de que pertenece a otro. **[2** *col.* Alboroto, jaleo o bro ca. ☐ ORTOGR. Se admite también *espolio.* ☐ SEI En la acepción 1, es sinónimo de *espoliación* y e *poliación.*

exponencial adj. Referido esp. a un crecimiento, qt tiene un ritmo que aumenta cada vez más rápid mente. ☐ MORF. Invariable en género.

exponente s.m. **1** En una potencia matemática, n mero o expresión algebraica que se coloca en la pa te superior derecha de otro número o de otra e presión, e indica el número de veces que éstos ha de multiplicarse por sí mismos. **2** Prototipo o ejen plo representativo de algo.

exponer v. **1** Mostrar al público y presentar par ser visto: *Esta pintora expone su obra en una im portante galería de arte.* **2** Decir para dar a conoce *Me expuso sus planes con todo lujo de detalles.* Arriesgar o poner en peligro: *Conduciendo tan d prisa expones tu vida.* **4** Referido esp. a un objeto, c locarlo para que reciba la acción o la influencia d algo: *No expongas este medicamento al calor.* ☐ ET MOL. Del latín *exponere.* ☐ MORF. Irreg.: 1. Su pa ticipio es *expuesto.* 2. →PONER.

exportación s.f. **1** Venta o envío de un product nacional a un país extranjero. **2** Conjunto de biene exportados. ☐ SEM. Dist. de *importación* (introdu ción en un país de algo extranjero).

exportador, -a adj./s. Que exporta.

exportar v. **1** Referido a un producto nacional, ver derlo o enviarlo a un país extranjero: *España e porta naranjas a muchos países de Europa. L franceses exportaron sus ideas revolucionarias.* **2** En informática, referido a un fichero, grabar la infoı mación que contiene con un formato determinad para que pueda ser leído por un programa o ap cación: *Voy a 'exportar' este fichero para poder utilizarlo en el nuevo programa.* □ ETIMOL. Del latín *exportare* (sacar fuera). □ SEM. Dist. de *importar* (introducir algo en un sitio).

exposición s.f. **1** Exhibición y presentación al público de algo para que sea visto. **2** Conjunto de los objetos que se exponen. **3** Explicación de un tema o de unas ideas para darlos a conocer. **4** Colocación de manera que se reciba la acción o la influencia de algo. **5** En fotografía, tiempo durante el que se expone a la luz un soporte fotográfico para que se impresione. □ ETIMOL. Del latín *expositio*.

expositivo, va adj. Que expone, declara o interpreta.

expósito, ta adj./s. Referido esp. a un recién nacido, que ha sido abandonado en algún lugar o confiado a un establecimiento benéfico. □ ETIMOL. Del latín *expositus* (expuesto), porque se solía abandonar a los niños en las puertas de las iglesias, de las casas o de otros lugares públicos.

expositor, -a ■ adj./s. **1** Referido a una persona o una entidad, que exhibe algo en una exposición. ■ s.m. **[2** Mueble en el que se coloca lo que se expone.

exprés ■ adj. **1** Referido a algunos electrodomésticos, que funcionan con rapidez utilizando una gran presión. **2** Referido a un café, que está preparado en una cafetera de este tipo. **[3** Referido esp. al correo, que se entrega con rapidez. ■ s.m. **4** →**tren exprés.** □ MORF. Como adjetivo es invariable en género y número. □ USO En la acepción 2, es innecesario el uso del italianismo *esprèsso*.

expresar ■ v. **1** Referido a algo que se quiere dar a conocer, manifestarlo con palabras, miradas, gestos o dibujos: *Me expresó su agradecimiento. A veces se expresan mejor la cosas con un gesto.* **2** Referido esp. a un estado de ánimo, mostrarlo o hacerlo ver con viveza y exactitud: *Esos cuadros expresan la angustia que sentía el pintor.* ■ prnl. **3** Darse a entender por medio de la palabra: *Tu hijo se expresa muy bien.* □ ETIMOL. De *expreso* (claro). □ MORF. Tiene un participio regular (*expresado*), que se usa en la conjugación, y otro irregular (*expreso*), que se usa sólo como adjetivo o sustantivo.

expresión s.f. **1** Declaración de lo que se quiere dar a conocer. **2** Palabra o conjunto de palabras. **3** Forma o modo de expresarse. **4** Viveza y exactitud con que se manifiestan los sentimientos o las sensaciones. **5** En matemáticas, conjunto de términos que representa una cantidad.

expresionismo s.m. Movimiento artístico de origen europeo surgido en los últimos años del siglo XIX como reacción al impresionismo, y que se caracteriza por la intensidad de la expresión de los sentimientos y de las sensaciones, aun a costa del equilibrio formal.

expresionista ■ adj. **1** Del expresionismo o con rasgos propios de este movimiento artístico. ■ adj./s. **2** Que defiende o sigue el expresionismo. □ MORF. 1. Como adjetivo es invariable en género. 2. Como sustantivo es de género común: *el expresionista, la expresionista*. 3. En la acepción 2, la RAE sólo lo registra como sustantivo.

expresividad s.f. Capacidad para manifestar o mostrar con viveza un pensamiento, un sentimiento o una sensación.

expresivo, va adj. Que manifiesta o muestra con

viveza un pensamiento, un sentimiento o una sensación.

expreso, sa ■ adj. **1** Claro, patente o especificado. ■ adj./s.m. **2** →**tren expreso.** □ ETIMOL. Del latín *expressus*.

expreso adv. Expresamente o a propósito.

exprimidor s.m. Aparato que se usa para sacar el zumo a las frutas.

exprimir v. **1** Referido esp. a una fruta, sacarle el zumo estrujándola o retorciéndola: *Para hacer zumo exprimiré tres naranjas.* **2** Referido a una persona, explotarla o aprovecharse de ella en beneficio propio: *En ese trabajo te están exprimiendo, porque te pagan muy poco.* **3** Sacar todo el partido posible; estrujar: *Por más que se exprima el cerebro, no dará con la solución.* □ ETIMOL. Del latín *exprimere* (exprimir, estrujar, expresar).

expropiación s.f. **1** Desposeimiento o privación de una propiedad, que se hace legalmente y por motivos de interés público. **2** Lo que se expropia.

expropiar v. Referido a una propiedad, quitársela legalmente a su propietario por motivos de interés público y generalmente a cambio de una indemnización: *El Ministerio de Obras Públicas expropiará unos terrenos para construir la autopista.* □ ETIMOL. De *ex-* (en el exterior) y *propio.* □ ORTOGR. La *i* nunca lleva tilde.

expuesto, ta ■ **1** part. irreg. de **exponer.** ■ adj. **2** Peligroso o arriesgado. □ ETIMOL. Del latín *expositus.* □ MORF. Incorr. **exponido.*

expugnar v. Referido a una posición o a una plaza militar, conquistarlas por las armas: *Nuestras tropas expugnaron la fortaleza venciendo al enemigo.* □ ETIMOL. Del latín *expugnare.*

expulsar v. Hacer salir de un lugar o del interior de algo: *El maestro me expulsó de clase por charlatán.* □ ETIMOL. Del latín *expulsare.*

expulsión s.f. **1** Apartamiento o abandono obligatorio de un lugar o de un grupo. **2** Salida o lanzamiento hacia fuera.

expulsor, -a adj./s.m. Que echa fuera algo o que sirve para echar fuera algo.

expurgación s.f. **1** Limpieza o purificación de algo. **2** Censura o corrección de algunas partes de un escrito, hechas por orden de una autoridad competente. □ SEM. Es sinónimo de *expurgo.*

expurgar v. **1** Limpiar o purificar: *Expurgué mi biblioteca y tiré algunos folletos sin interés.* **2** Referido esp. a un escrito, censurar o corregir alguna de sus partes por orden de la autoridad competente, sin prohibir la lectura del resto: *'El Buscón' de Quevedo fue expurgado, porque algunos de sus fragmentos se consideraron inmorales.* □ ETIMOL. Del latín *expurgare.* □ ORTOGR. 1. Dist. de *espulgar.* 2. La *g* se cambia en *gu* delante *e* →PAGAR.

expurgo s.m. →**expurgación.**

exquisitez s.f. **1** Calidad, primor o gusto extraordinarios o singulares. **[2** Lo que resulta exquisito.

exquisito, ta adj. De singular y extraordinaria calidad, primor o gusto. □ ETIMOL. Del latín *exquisitus*, y éste de *exquirere* (rebuscar).

extasiar v. Producir o sentir una admiración o un placer tan grandes que hacen olvidarse de todo lo demás; arrobar, embelesar: *La belleza del retablo extasía a los que la contemplan. Me extasié con la música de Bach.* □ ETIMOL. De *éxtasis.* □ ORTOGR.

La *i* lleva tilde en los presentes, excepto en las personas *nosotros* y *vosotros*. →GUIAR.

éxtasis s.m. **1** En algunas religiones, estado en el que el alma alcanza una unión mística con Dios por medio de la contemplación y del amor; arrebato. **2** Estado de la persona cautivada por visiones o sensaciones extremadamente bellas, agradables o placenteras. **[3** Droga sintética de efectos alucinógenos y afrodisíacos. □ ETIMOL. Del griego *ékstasis* (desviación). □ ORTOGR. Dist. de *estasis*. □ MORF. Invariable en número. □ SEM. En las acepciones 1 y 2, es sinónimo de *arrebatamiento, arrobamiento* y *arrobo*.

extático, ca adj. Que está en éxtasis, o que pasa por esta experiencia con frecuencia. □ ORTOGR. Dist. de *estático*.

extemporáneo, a adj. **1** Impropio del tiempo. **2** Inoportuno o inconveniente. □ ETIMOL. Del latín *extemporaneus* (improvisado).

extender ∎ v. **1** Referido a algo material, hacer que aumente su superficie o que ocupe más espacio: *Extiende bien el betún en los zapatos. La mancha de petróleo se extendió por el mar.* **2** Referido a algo que está junto o amontonado, esparcirlo o desparramarlo: *Extendió los papeles por toda la mesa. Los garbanzos se cayeron y se extendieron por el suelo.* **3** Referido esp. a una noticia o a una influencia, propagarlas o hacer que llegue a muchos lugares: *Los apóstoles extendieron el evangelio por el mundo. Empezó como una manía, y ahora se ha extendido hasta convertirse en una moda.* **4** Referido esp. a un documento, ponerlo por escrito y en la forma acostumbrada: *Extendió un cheque por valor del mil pesetas.* ∎ prnl. **5** Ocupar una cantidad de espacio o de terreno: *La llanura se extiende kilómetros y kilómetros.* **6** Durar cierto tiempo: *La entrevista se extendió durante casi dos horas.* □ ETIMOL. Del latín *extendere*. □ MORF. Irreg. →PERDER.

extensible adj. Que se puede extender. □ MORF. Invariable en género.

extensión s.f. **1** Aumento del espacio que ocupa algo. **2** Acción consistente en desplegar o estirar algo. 🗫 bíceps **3** Difusión o propagación de una noticia, de una influencia o de algo semejante. **4** Superficie, dimensión o espacio ocupado. **5** Cada una de las líneas telefónicas conectadas a una centralita. **6** ‖ **en toda la extensión de la palabra**; en su sentido más amplio. □ ETIMOL. Del latín *extensio*.

extensivo, va adj. Que se puede extender, comunicar o aplicar a otras cosas.

extenso, sa adj. **1** Con extensión o con más extensión de lo normal. **2** ‖ **por extenso**; con mucho detalle.

extenuación s.f. Debilitamiento o cansancio máximos.

extenuar v. Debilitar o cansar al máximo: *Este último esfuerzo me ha extenuado. Se extenuó al subir la cuesta corriendo.* □ ETIMOL. Del latín *extenuare*. □ ORTOGR. La *u* lleva tilde en los presentes, excepto en las personas *nosotros* y *vosotros* →ACTUAR.

exterior ∎ adj. **1** Que está fuera o en la parte de afuera. **2** Que se desarrolla fuera de un país o que se establece con otros países. ∎ adj./s. **[3** Referido a una vivienda o a sus dependencias, que tiene ventanas que dan a la calle. ∎ s.m. **4** Parte de fuera de una cosa, esp. de un edificio o de sus dependencias. **5** Aspecto o porte de alguien. ∎ s.m.pl. **6** En cine, vídeo

y televisión, espacios al aire libre en los que se ru dan o se graban escenas. **7** En cine, vídeo y televisió escenas rodadas en estos espacios. □ ETIMOL. D latín *exterior*. □ MORF. Como adjetivo es invariab en género.

exteriorización s.f. Manifestación o expresión ha cia el exterior.

exteriorizar v. Mostrar al exterior o hacer pate te: *Es muy introvertido y no exterioriza sus sent mientos.* □ ORTOGR. La *z* se cambia en *c* delante d *e* →CAZAR.

exterminar v. **1** Referido a algo existente, acabar p completo con ello: *Exterminamos todas la ratas d garaje con un veneno eficaz.* **2** Destruir o arrasa con las armas: *El ejército invasor exterminó la p blación aborigen.* □ ETIMOL. Del latín *exterminare*

exterminio s.m. Destrucción o desaparición tot de algo.

[externalizar v. Referido esp. a un compromiso de ur empresa, hacerlo externo o ajeno: *Esta empresa hiz un plan para 'externalizar' sus planes de pensione*

externo, na ∎ adj. **1** Que está, actúa, se manifie ta o se desarrolla en el exterior. ∎ adj./s.m. **2** Ref rido a una persona, esp. un alumno, que no vive en lugar en el que trabaja o en el que estudia. □ ET MOL. Del latín *externus*.

extinción s.f. **1** Hecho de sofocar un fuego o alg semejante. **2** Terminación total de algo que ha id disminuyendo poco a poco. □ ETIMOL. Del latín e tinctio.

extinguir ∎ v. **1** Referido esp. a un fuego, apagarlo hacer que cese: *Los bomberos extinguieron el incer dio.* **2** Acabar totalmente después de haber dism nuido poco a poco: *La distancia contribuyó a extir guir su amistad. Cuando la luz del día se exting entraremos en casa.* ∎ prnl. **3** Referido esp. a un plaz acabar o concluir: *El contrato se ha extinguido si que ninguna de las partes pida su renovación.* □ ETIMOL. Del latín *extinguere* (apagar). □ ORTOGR. L *gu* se cambia en *g* delante de *a, o* →DISTINGUIR. □ MORF. 1. En la acepción 2, se usa más como pr nominal.

extinto, ta ∎ **1** part. irreg. de **extinguir**. ∎ s. ¿ Difunto o muerto. □ USO La acepción 1 se usa má como adjetivo o sustantivo, frente al participio *ex tinguido*, que se usa más en la conjugación.

extintor s.m. Aparato que se usa para extinguir u fuego, y que contiene un líquido o un fluido que d ficulta la combustión.

extirpación s.f. Eliminación total de algo, par que deje de existir.

extirpar v. **1** Arrancar de cuajo o seccionar por l base: *Me operaron para extirparme un quiste de ovario.* **2** Referido esp. a algo fuertemente arraigad acabar con ello del todo, de forma que cese de exis tir: *Hay que extirpar de nuestra sociedad el racismo* □ ETIMOL. Del latín *exstirpare* (desarraigar, arran car).

extorsión s.f. Usurpación de algo por la fuerza con intimidación. □ ETIMOL. Del latín *extorsio*, ¿ éste de *extorquere* (sacar algo por la fuerza, arran cándolo).

extorsionar v. Usurpar o arrebatar por la fuerza o con intimidación: *Extorsiona a un líder polític mediante el soborno y lo amenaza con divulgar una cartas comprometedoras.*

extra ∎ adj. **1** Extraordinario, o de calidad superio

a la normal. ▌ adj./s.m. **2** Que se da o se hace por añadidura o como complemento. ▌ s. **3** En una representación teatral o cinematográfica, persona que interviene como figurante o parte del acompañamiento, sin tener una actuación destacada. ▌ s.m. **4** col. →**extraordinario.** ▌ s.f. **[5** col. →**paga extraordinaria.** □ ETIMOL. Del latín *extra.* □ MORF. **1.** Como adjetivo es invariable en género. **2.** En la acepción 3, es de género común: *el extra, la extra.* **3.** La acepción 4 se usa más en plural.

extra- Prefijo que significa 'fuera de' (*extrajudicial, extraterrestre, extracorpóreo*) o 'en grado sumo' (*extraplano, extrafino, extraligero*). □ ETIMOL. Del latín *extra.*

extracción s.f. **1** Colocación de algo fuera del lugar en el que estaba metido, incluido o situado. **2** Obtención de un valor o de un resultado. **3** Obtención de una sustancia por haberla separado del cuerpo o del compuesto que la contenía. **4** Origen o linaje de una persona. □ ETIMOL. Del latín *extractio.*

extracorpóreo, a adj. Que está situado fuera del cuerpo, o que ocurre fuera de él. □ ETIMOL. De *extra-* (fuera de) y *corpóreo.*

extractar v. Reducir a un extracto: *Extractó una lección de veinte páginas en apenas dos folios.*

extracto s.m. **1** Resumen de algo, esp. de un escrito, que expresa con términos precisos sólo lo más importante. **2** Sustancia muy concentrada y generalmente sólida que se obtiene por evaporación de algunos líquidos. □ ETIMOL. Del latín *extractus*, y éste de *extrahere* (extraer, sacar).

extractor s.m. Aparato que se usa para extraer o sacar fuera.

extradición s.f. Entrega de una persona refugiada o detenida en un país a las autoridades de otro que la reclama.

extraditar v. Referido a un refugiado o a un detenido en un país, entregarlo a las autoridades de otro país que lo reclama: *El Gobierno francés extraditará a varios terroristas.*

extraer v. **1** Referido a algo, ponerlo fuera del lugar en que está contenido o encerrado; sacar: *La dentista me extrajo la muela del juicio.* **2** Deducir o sacar como consecuencia: *A partir de los hechos, extrae tus propias conclusiones.* **3** Referido a una raíz matemática, averiguar su valor o su resultado: *Extrae la raíz cuadrada de 1.248.* **4** Referido esp. a una sustancia, obtenerla separándola del cuerpo o del compuesto que la contiene: *El mosto se extrae de la uva.* □ ETIMOL. Del latín *extrahere.* □ MORF. Irreg. →TRAER.

[extraescolar adj. Referido a una actividad, que se desarrolla fuera de la escuela y fuera del horario lectivo, pero que está dentro del programa de educación del alumno. □ ETIMOL. De *extra-* (fuera de) y *escolar.* □ MORF. Invariable en género.

extralimitarse v.prnl. Ir más allá del límite debido: *El portero se extralimitó en sus funciones cuando te prohibió la entrada en mi casa.* □ ETIMOL. De *extra-* (fuera de) y *límite.*

[extramarital adj. Que tiene lugar fuera del matrimonio. □ ETIMOL. De *extra-* (fuera de) y *marital.* □ MORF. Invariable en género.

extramuros adv. Fuera del recinto de una población. □ ETIMOL. Del latín *extra muros* (fuera de las murallas). □ SINT. Incorr. {**en el extramuro > extramuros*}.

extranjería s.f. **1** Condición y situación legal de un extranjero que reside en un país y que no se ha nacionalizado en él. **2** Conjunto de normas reguladoras de la condición, los actos y los intereses de los extranjeros residentes en un país.

extranjerismo s.m. En lingüística, palabra, significado o construcción sintáctica de una lengua empleados en otra.

extranjerizar v. Dar características que se consideran propias de lo extranjero: *Ha vivido dos décadas en distintos países europeos y se ha extranjerizado.* □ ORTOGR. La *z* se cambia en *c* delante de *e* →CAZAR.

extranjero, ra ▌ adj./s. **1** De una nación que no es la propia. ▌ s.m. **2** País o conjunto de países distintos del propio. □ ETIMOL. Del francés antiguo *estrangier*, y éste de *estrange* (extraño).

extranjis ‖ **de extranjis**; col. En secreto, ocultamente o clandestinamente.

extrañamiento s.m. **1** En derecho, pena que consiste en la expulsión de un condenado del territorio nacional. **[2** Actitud del investigador que ha de enfrentarse con objetividad al objeto de estudio.

extrañar v. **1** Producir o causar sorpresa, admiración o extrañeza: *Me extraña que te lo haya contado ella, porque no creo que lo sepa. Se extrañó de que me hubieran dado el premio a mí y no a ti.* **2** Echar de menos o echar en falta: *Te extraño mucho cuando estás lejos de mí.* **3** Referido a un objeto, considerarlo nuevo, raro o distinto de lo normal: *No duermo bien en los hoteles porque extraño la cama.* **4** En derecho, referido a un condenado, expulsarlo del territorio nacional: *La condena del juez consistió en extrañar a los presos.* □ ETIMOL. Del latín *extraneare.*

extrañeza s.f. **1** Conjunto de características que hacen que algo resulte extraño, raro o anómalo. **2** Sorpresa, admiración o asombro.

extraño, ña ▌ adj. **1** Raro o distinto de lo normal. **2** De una naturaleza o condición distinta a la de la cosa de la que forma parte. ▌ adj./s. **3** De otra nación, de otra familia o de otra profesión. ▌ s.m. **4** Movimiento súbito, inesperado o sorprendente. □ ETIMOL. Del latín *extraneus* (exterior, ajeno, extranjero).

extraoficial adj. Oficioso o no oficial. □ ETIMOL. De *extra-* (fuera de) y *oficial.* □ MORF. Invariable en género.

extraordinario, ria ▌ adj. **1** De tamaño, cantidad o calidad mayores de lo ordinario o de lo normal. **2** Añadido a lo ordinario o a lo normal. ▌ s.m. **3** Número especial de una publicación periódica. **4** Gasto añadido al presupuesto normal o previsto. ▌ s.f. **[5** →**paga extraordinaria.** □ ETIMOL. Del latín *extraordinarius.* □ MORF. En las acepciones 4 y 5, se usa mucho la forma abreviada *extra.*

extrapolación s.f. **1** Aplicación de las conclusiones que se obtienen en un campo a otro diferente. **[2** Extracción de una frase o de una palabra de su contexto.

extrapolar v. **1** Referido a una conclusión, aplicarla a un campo diferente a aquel en el que ha sido obtenida: *No se pueden extrapolar los resultados de unas elecciones municipales para decir quién será el vencedor en las generales.* **[2** Referido esp. a una expresión, sacarla de su contexto: *'Extrapolaron' una frase de la entrevista para cambiar el sentido de lo* *que dijo.* □ ETIMOL. De *extra-* (fuera de) y la terminación de *interpolar.*

extrarradio s.m. Parte o zona exterior que rodea el casco urbano de una población. □ ETIMOL. De *extra-* (fuera de) y *radio.*

extraterrestre ▮ adj. 1 Del espacio exterior a la Tierra, relacionado con él o procedente de él. ▮ adj./s. 2 Que procede de otro planeta; alienígena. □ ETIMOL. De *extra-* (fuera de) y *terrestre.* □ MORF. 1. Como adjetivo es invariable en género. 2. Como sustantivo es de género común: *el extraterrestre, la extraterrestre.*

extrauterino, na adj. Que está situado fuera del útero o que ocurre fuera él. □ ETIMOL. De *extra-* (fuera de) y *uterino.*

extravagancia s.f. Rareza que resulta extraña porque se aparta de lo considerado normal o razonable.

extravagante adj./s. Raro y fuera de lo común, por ser excesivamente peculiar u original. □ ETIMOL. Del latín *extravagans.* □ MORF. 1. Como adjetivo es invariable en género. 2. Como sustantivo es de género común: *el extravagante, la extravagante.*

extraversión s.f. →extroversión.

extravertido, da adj./s. →extrovertido. □ MORF. La RAE sólo lo registra como adjetivo.

extraviar v. 1 Referido a una cosa, perderla, no encontrarla en su sitio o no saber dónde está: *Me han extraviado una maleta en el aeropuerto. ¡No me digas que se te han extraviado esos documentos!* 2 Desviar del camino o perderlo: *Tantas indicaciones sólo sirven para extraviar a los automovilistas. Se extraviaron en el bosque.* 3 Referido a la vista o a la mirada, no fijarla en un objeto determinado: *A muchos desequilibrados se les extravía la mirada.* □ ETIMOL. Del latín *extra-* (fuera de) y *via* (camino). □ ORTOGR. La *i* lleva tilde en los presentes, excepto en las personas *nosotros* y *vosotros* →GUIAR.

extravío s.m. 1 Pérdida de algo que no se encuentra o que no se sabe dónde está. 2 Mal comportamiento o conducta desordenada. □ MORF. La acepción 2 se usa más en plural.

extremado, da adj. Exagerado o destacado hasta el punto de salirse de lo normal o de llamar la atención.

extremar ▮ v. 1 Llevar al extremo o al grado máximo: *Cuando conduce de noche, extrema su prudencia.* ▮ prnl. 2 Poner el esmero o el cuidado máximos: *Se extremó en los preparativos, y la fiesta resultó un éxito.* □ SINT. Constr. de la acepción 2: *extremarse EN algo.*

extremaunción s.f. En la iglesia católica, sacramento que se administra a fieles gravemente enfermos ungiéndoles o haciéndoles el signo de la cruz el sacerdote con óleo sagrado. □ ETIMOL. De *extrema* (última) y *unción.* □ ORTOGR. Incorr. **extrema unción.* □ MORF. Se usa mucho la forma abreviada *unción.*

extremeño, ña adj./s. De Extremadura (comunidad autónoma), o relacionado con ella.

extremidad s.f. 1 En una persona, cada uno de los brazos y piernas. 2 Parte extrema o última de una cosa. □ ETIMOL. Del latín *extremitas.* □ MORF. En la acepción 1, la RAE registra sólo el plural.

extremismo s.m. Tendencia a adoptar ideas o actitudes extremas o exageradas.

extremista adj./s. Que adopta ideas o actitudes extremas o exageradas. □ MORF. 1. Como adjetivo es

invariable en género. 2. Como sustantivo es de g nero común: *el extremista, la extremista.*

extremo, ma ▮ adj. 1 Excesivo, enorme, o con grado máximo de intensidad. 2 Que se encuent en el límite de algo. 3 Lejano o apartado en el e pacio o en el tiempo; distante. ▮ s.m. 4 Parte q está al principio o al final de una cosa. 5 Asunt punto o cuestión que se discute o se estudia. 6 fútbol y otros deportes, jugador que tiene la misión jugar por las bandas y crear ocasiones de gol. Punto último o límite a los que puede llegar ur cosa. 8 ‖**en extremo**; muchísimo o excesivament ‖ **en último extremo**; en último caso, o si no ha otro remedio. □ ETIMOL. Del latín *extremus.*

extremoso, sa adj. Que no se modera ni tie término medio en sus sentimientos o en sus acci nes.

extrínseco, ca adj. Que no es propio o caract rístico de algo, o que es externo a él. □ ETIMOL. D latín *extrinsecus.* □ SEM. Dist. de *intrínseco* (que propio y característico).

extroversión s.f. Comportamiento del individu abierto al mundo exterior, que es locuaz y sociab y que tiene tendencia a manifestar sus sentimie tos. □ ORTOGR. Se admite también *extraversión.* [USO Aunque la RAE prefiere *extraversión,* se us más *extroversión.*

extrovertido, da adj./s. Referido a una persona, q tiene un carácter abierto, locuaz y sociable, y q tiende a manifestar sus sentimientos. □ ORTOGR. S admite también *extravertido.* □ MORF. La RAE só lo registra como adjetivo. □ USO Aunque la RAE pr fiere *extravertido,* se usa más *extrovertido.*

exuberancia s.f. Abundancia o desarrollo extrao dinarios de algo.

exuberante adj. Abundante o desarrollado e traordinariamente. □ ETIMOL. Del antiguo *exubera* (ser muy abundante). □ MORF. Invariable en géner

exudación s.f. Salida de un líquido poco a poco través de los poros o las grietas del cuerpo que l contiene.

exudado s.m. En medicina, líquido o sustancia qu resulta de la exudación.

exudar v. Salir un líquido poco a poco fuera d cuerpo que lo contiene: *Esas paredes exudan hu medad. Cuando vio que la herida exudaba fue médico.* □ ETIMOL. Del latín *exudare.*

exultar v. Mostrar gran alegría, satisfacción o ex citación: *Exultaba de alegría porque había ganad el primer premio.* □ ETIMOL. Del latín *exultare.*

exvoto s.m. En algunas religiones, ofrenda dedicada Dios, a los santos o a alguna divinidad como agra decimiento por algún favor o beneficio recibidos. [ETIMOL. Del latín *ex voto* (a consecuencia del voto

eyaculación s.f. Expulsión potente y rápida d contenido de un órgano, de una cavidad o de u depósito, esp. del semen.

eyacular v. Referido esp. al contenido de un órgan de una cavidad o de un conducto, lanzarlo fuera co rapidez y con fuerza: *Cuando el macho eyacula, te mina el acto sexual. Al eyacular el semen, los esper matozoides inician el recorrido hacia el óvulo fe menino.* □ ETIMOL. Del latín *eiaculare,* y éste de *io culare* (arrojar).

eyaculatorio, ria adj. De la eyaculación o rela cionado con ella.

[eye liner (anglicismo) s.m. Perfilador de ojos. □ PRON. [ai láiner]. □ SEM. Su uso es innecesario.

F f

f s.f. Sexta letra del abecedario. □ PRON. Representa el sonido consonántico labiodental fricativo sordo.

fa s.m. En música, cuarta nota de la escala de do mayor. □ ETIMOL. De la primera sílaba de la palabra *famuli*, que aparece en el himno de San Juan Bautista, de donde se sacó el nombre de todas las notas musicales. □ MORF. Su plural es *fas*.

fabada s.f. Guiso que se prepara con alubias, tocino, morcilla y otros ingredientes. □ ETIMOL. De *faba* (judía).

fábrica s.f. **1** Lugar con las instalaciones necesarias para fabricar u obtener un producto: *una fábrica de coches*. **2** Construcción hecha de sillares o de ladrillos y argamasa o mortero: *Los muros del jardín son de fábrica*. □ ETIMOL. Del latín *fabrica* (taller, fragua, oficio de artesano).

fabricación s.f. **1** Producción en serie y generalmente por medios mecánicos. **2** Construcción, preparación o creación de algo.

fabricante s. Persona o sociedad que se dedica a la fabricación de productos. □ MORF. Es de género común: *el fabricante, la fabricante*.

fabricar v. **1** Producir en serie, generalmente por medios mecánicos: *Esta empresa fabrica tractores*. **2** Referido esp. a un producto, prepararlo, transformarlo o producirlo por medio del trabajo adecuado; elaborar: *Los gusanos fabrican seda para hacer los capullos*. **3** Levantar, construir, crear o dar forma: *En pocos años ha fabricado una fortuna*. □ ETIMOL. Del latín *fabricare* (componer, modelar, confeccionar). □ ORTOGR. La *c* se cambia en *qu* delante de *e* → SACAR.

fábula s.f. **1** Composición literaria de carácter narrativo, generalmente breve y en verso, cuyos personajes suelen ser animales, y en la que se desarrolla una ficción con la que se pretende dar una enseñanza útil o moral, frecuentemente sintetizada en una moraleja final. **2** Relato falso o sin fundamento. **3** Mito o relato mitológico. **4** ‖ **[de fábula]** col. Muy bueno o muy bueno: *Ven a bañarte, que el agua hoy está 'de fábula'*. □ ETIMOL. Del latín *fabula* (conversación, relato, cuento). □ SEM. En la acepción 1, aunque la RAE lo considera sinónimo de *apólogo*, *fábula* se ha especializado para los apólogos protagonizados por animales y escritos generalmente en verso.

fabulación s.f. Invención o imaginación de una historia.

fabulador, -a s. **1** → **fabulista**. **2** Persona con facilidad para inventar historias fabulosas. □ ETIMOL. Del latín *fabulator*.

fabular v. Referido a una historia, inventarla o imaginarla: *A partir de un suceso real, fabuló un cuento de terror. Fabulas tan bien que tus novelas resultan muy amenas*.

fabulista s. Persona que escribe fábulas literarias; fabulador. □ MORF. Es de género común: *el fabulista, la fabulista*.

fabuloso, sa adj. Maravilloso, fantástico, extraordinario o con las características propias de una fábula. □ ETIMOL. Del latín *fabulosus*. □ SINT. En la lengua coloquial *fabuloso* se usa también como adverbio de modo con el significado de 'muy bien': *Este fin de semana me lo he pasado 'fabuloso'*.

faca s.f. Cuchillo grande y con punta, esp. si tiene la hoja curva. □ ETIMOL. Quizá del portugués *faca* (cuchillo).

facción s.f. **1** Bando de personas que se separa de un grupo, generalmente por tener ideas diferentes: *Una facción del ejército rebelde asaltó el palacio presidencial*. **2** Cada una de las partes del rostro humano: *Aunque eres europeo, tienes facciones orientales*. □ ETIMOL. Del latín *factio* (manera de hacer, corporación, partido). □ MORF. La acepción 2 se usa más en plural.

faccioso, sa adj./s. Que pertenece a una facción o que causa disturbios y perturba la paz pública. □ ETIMOL. Del latín *factiosus*. □ SEM. Dist. de *facineroso* (delincuente habitual o persona malvada).

faceta s.f. Cada uno de los aspectos que se pueden considerar en un asunto. □ ETIMOL. Del francés *facette*.

facha ▌ adj./s. **[1** col. → **fascista**. ▌ s.f. **2** col. Aspecto o traza, esp. los de una persona: *Cámbiate de vestido porque con esa facha se van a reír de ti*. □ ETIMOL. La acepción 2, del italiano *faccia* (rostro). □ MORF. 1. Como adjetivo es invariable en género. 2. En la acepción 1, como sustantivo es de género común: *el 'facha', la 'facha'*. □ USO En la acepción 1, tiene un matiz despectivo.

fachada s.f. **1** En un edificio, muro exterior, esp. el principal. **2** Aspecto externo. □ ETIMOL. Del italiano *facciata*.

fachoso, sa adj. col. Con mal aspecto o poco cuidado.

facial adj. De la cara o relacionado con ella. □ ETIMOL. Del latín *facialis*. □ MORF. Invariable en género.

fácil ▌ adj. **1** Que se puede hacer sin mucho trabajo o sin mucha dificultad: *La profesora nos puso un problema muy fácil*. **2** Que tiene mucha probabilidad de suceder: *Con este catarro, es fácil que mañana no puedas ir a clase*. **3** Referido a una persona, que se deja seducir sin oponer mucha resistencia: *Cree que podrá ligar con él porque tiene fama de hombre fácil*. **4** Dócil, manejable o que no presenta problemas: *El profesor estaba contento porque le había tocado un curso fácil*. ▌ adv. **5** Sin esfuerzo o con facilidad: *Esto es muy sencillo y se aprende fácil*. □ ETIMOL. Del latín *facilis* (que puede hacerse). □ MORF. Como adjetivo es invariable en género. □ SEM. No debe emplearse con el significado de 'hábil': *Es un jugador {*fácil > hábil} para el remate*. □ USO En la acepción 3, tiene un matiz despectivo.

facilidad ▌ s.f. **1** Disposición o aptitud para hacer algo sin trabajo o sin dificultad: *Tiene mucha facilidad para la música*. **2** Ausencia de dificultad o de esfuerzo en la realización de algo: *El manejo de los electrodomésticos se aprende con facilidad*. ▌ pl. **3** Medios que hacen fácil o posible conseguir algo: *Nos dieron un préstamo con facilidades*.

facilitación s.f. **1** Disminución de dificultades en la realización de algo o posibilitación de su realización. **2** Entrega o suministro de lo que se necesita.

[**facilitador**, **-a**] adj./s. Que facilita algo, haciéndolo posible o proporcionándolo.

facilitar v. **1** Hacer fácil o posible: *La nueva autopista facilitará el transporte por carretera.* **2** Proporcionar o entregar: *Yo puedo facilitarte las herramientas que necesitas.*

[**facilongo, ga**] adj. *col.* Muy fácil.

facineroso, sa adj./s. Delincuente habitual. ☐ ETIMOL. Del latín *facinorosus*, y éste de *facinus* (hazaña, crimen). ☐ SEM. Dist. de *faccioso* (que pertenece a una facción o que ocasiona disturbios).

facistol s.m. Atril de gran tamaño donde se ponen los libros para cantar en las iglesias. ☐ ETIMOL. Del germánico *faldestol* (sillón). ☐ ORTOGR. Incorr. **fascistol.*

facón s.m. En zonas del español meridional, faca con la hoja recta.

facsímil adj./s.m. →**facsímile**. ☐ MORF. 1. Como adjetivo es invariable en género. 2. La RAE sólo lo registra como sustantivo. 3. Su plural es *facsímiles.*

facsimilar adj. Referido esp. a una edición, que reproduce exactamente el original. ☐ MORF. Invariable en género.

facsímile adj./s.m. Referido esp. a una edición o a una reproducción, que copia o reproduce exactamente el original: *Tengo dos ediciones facsímiles de libros medievales.* ☐ ETIMOL. Del latín *fac simile* (haz una cosa semejante). ☐ ORTOGR. Se admite también *facsímil.* ☐ MORF. 1. Como adjetivo es invariable en género. 2. La RAE sólo lo registra como sustantivo.

factible adj. Que se puede hacer. ☐ ETIMOL. Del latín *factibilis.* ☐ MORF. Invariable en género. ☐ SEM. No debe emplearse con el significado de 'posible' ni de 'susceptible': *Es {*factible > posible} que llueva esta tarde. Este trabajo es {*factible > susceptible} de mejora.*

fáctico, ca adj. **1** Basado en hechos o limitado a ellos: *Aunque no lo hayan firmado, entre las dos empresas hay un acuerdo fáctico de cooperación.* **2** De los hechos o relacionado con ellos: *Ejército, banca y clero son poderes fácticos aunque en teoría no tienen poder político.* ☐ ETIMOL. Del latín *factum* (hecho).

factor s.m. **1** Elemento o circunstancia que contribuyen a producir un resultado: *La suerte es uno de los factores del éxito.* **2** En una multiplicación matemática, cada una de las cantidades que se multiplican para calcular su producto: *Los factores de una multiplicación son el multiplicando y el multiplicador.* **3** En matemáticas, número que está contenido exactamente dos o más veces en otro; divisor, submúltiplo: *El 3 es factor de 6 porque éste lo contiene dos veces.* **4** Empleado que en las estaciones de tren se ocupa de la recepción y la entrega de los equipajes, mercancías y animales transportados. ☐ ETIMOL. Del latín *factor.*

factoría s.f. **1** Fábrica o complejo industrial. **2** Antiguamente, establecimiento comercial, esp. el situado en una colonia: *Los fenicios crearon factorías en las costas mediterráneas.*

factorial s. En matemáticas, producto de todos los números naturales que anteceden a un número, incluido él mismo: *El factorial de 3 es 3 x 2 x 1, o sea, 6.* ☐ MORF. Aunque la RAE lo registra como femenino, en círculos especializados se usa más como masculino. ☐ SINT. Constr. *factorial DE un número.*

factótum s. **1** *col.* Persona que en una casa o en el trabajo se encarga de todo. **2** Persona de confianza que se encarga de asuntos importantes por delegación de otra. ☐ ETIMOL. Del latín *fac* (haz) y *totum* (todo). ☐ MORF. Aunque la RAE lo registra como masculino, en la lengua actual es de género común: *el factótum, la factótum.*

factura s.f. **1** En una operación comercial, cuenta en la que se detallan las mercancías adquiridas o los servicios recibidos, y su importe. **2** Ejecución o modo de hacer algo. **3** ‖ **pasar factura**; *col.* **1** Pedir un favor en correspondencia por otro que se había hecho. col. [**2** Traer consecuencias negativas. ☐ ETIMOL. Del latín *factura.*

facturación s.f. **1** Entrega y registro de un equipaje o de una mercancía para que sean enviados a su destino. **2** Elaboración y tramitación de una factura.

facturar v. **1** Referido al equipaje o a una mercancía, entregarlos y registrarlos para que sean enviados a su destino: *Hay que llegar al aeropuerto con tiempo para facturar el equipaje.* **2** Referido a una cantidad de dinero, extender o hacer las facturas correspondientes a su importe: *Esa empresa factura varios millones de pesetas al año.*

facultad s.f. **1** Capacidad, aptitud o potencia física o moral. **2** Poder, derecho o autorización. **3** En una universidad, sección que corresponde a una de las ramas del saber y en la que se estudian las carreras correspondientes. ☐ ETIMOL. Del latín *facultas* (facilidad, facultad).

facultar v. Conceder o dar facultad, autorización o poder: *Este título me faculta para ejercer mi profesión en toda España.*

facultativo, va ■ adj. **1** De la facultad o poder para hacer algo, o que depende de ellos. **2** Referido a un acto, que no es necesario, sino que libremente se puede hacer u omitir; potestativo. **3** Indicado, realizado o emitido por un médico. ■ adj./s. **4** Referido esp. a una persona, que ha realizado estudios superiores o universitarios y desempeña funciones al servicio del Estado. ■ s. **5** Persona que ejerce la medicina o la cirugía. ☐ MORF. En la acepción 5, la RAE sólo registra el masculino.

facundia s.f. Facilidad en el hablar; afluencia.

facundo, da adj. Que tiene facilidad para hablar. ☐ ETIMOL. Del latín *facundus* (hablador). ☐ ORTOGR. Dist. de *fecundo.*

fado s.m. Canción popular portuguesa de aire melancólico. ☐ ETIMOL. Del portugués *fado*, y éste del latín *fatum* (destino).

faena s.f. **1** Trabajo, ocupación o tarea que han de hacerse. **2** Hecho que causa un perjuicio, esp. si es malintencionado. **3** En una corrida de toros, labor del torero durante la lidia, esp. en el último tercio. [**4** En zonas del español meridional, cuadrilla de obreros. **5** ‖ **meterse en faena**; *col.* Comenzar a hacer un trabajo o una actividad. ☐ ETIMOL. Del catalán antiguo *faena* (quehacer, trabajo). ☐ SINT. La acepción 2 se usa mucho en la expresión *hacer una faena.*

faenar v. **1** Pescar y hacer los trabajos de la pesca marina: *Estos barcos faenan en las costas del norte de Europa.* **2** Trabajar la tierra: *Madruga para ir a faenar al campo.*

faenero, ra adj. [Que faena en el mar.

faetón s.m. Carruaje descubierto, de cuatro ruedas, alto y ligero. ☐ ETIMOL. Por alusión a Faetón, hijo del Sol según la mitología griega, que gobernó el carro de su padre. ✎ carruaje

fagocitar v. Referido a algunas células, digerir o destruir partículas rodeándolas con los seudópodos: *Algunos leucocitos tienen la capacidad de fagocitar bacterias perjudiciales para el organismo.*

fagocito s.m. En la sangre o en algunos tejidos animales, célula móvil capaz de apoderarse de partículas nocivas o inútiles para el organismo, y de digerirlas. ☐ ETIMOL. Del griego *phágos* (comilón) y *-cito* (célula).

fagot s.m. Instrumento musical de viento formado por un tubo de unos siete centímetros de grueso y de más de un metro de largo, con agujeros y llaves, y con una boquilla de caña por la que se sopla para hacerlo sonar. ☐ ETIMOL. Del francés antiguo *fagot* (haz de leña), porque el instrumento musical se podía desmontar en varias piezas. ☐ MORF. Su plural es *fagotes*; incorr. **fagots*. ✎ viento

[fair play (anglicismo) ‖ Participación honesta o que sigue las reglas, esp. en deporte. ☐ PRON. [férplei]. ☐ USO Su uso es innecesario y puede sustituirse por una expresión como *juego limpio*.

faisán s.m. Ave del tamaño de un gallo, con un penacho de plumas en la cabeza y cola muy larga y tendida, cuyo macho tiene el plumaje de vistosos colores. ☐ ETIMOL. Del provenzal *faisan*. ☐ MORF. Aunque la RAE registra como forma de femenino *faisana*, en la lengua actual *faisán* es un sustantivo epiceno: *el faisán macho, el faisán hembra.*

faja s.f. **1** Prenda de ropa interior confeccionada con un material elástico, que cubre desde la cintura hasta las nalgas o hasta la parte superior del muslo. **2** Tira larga y estrecha de un material delgado y flexible que sujeta algo; banda. **3** Trozo largo y estrecho de tela o de punto que se utiliza para rodear la cintura, dando varias vueltas. **4** Superficie o trozo mucho más largos que anchos. ☐ ETIMOL. Del latín *fascia* (venda).

fajar ‖ v. **1** Rodear o envolver con una faja: *En el almacén hay una persona que se encarga de fajar los libros.* **2** En zonas del español meridional, golpear o atacar. ‖ prnl. **[3** En boxeo, esquivar y resistir bien los golpes: *El vencedor del combate de ayer supo 'fajarse' bien.* ☐ ORTOGR. Conserva la *j* en toda la conjugación.

fajín s.m. Faja de seda que usaban algunos cargos militares como distintivo.

fajo s.m. Conjunto de cosas, generalmente largas y estrechas, puestas unas sobre otras y atadas. ☐ ETIMOL. Del latín *fascis* (haz).

fajón s.m. →arco fajón.

falacia s.f. Engaño, fraude o mentira, esp. los que se utilizan para dañar a alguien. ☐ ETIMOL. De latín *fallacia.*

falange s.f. **1** Cada uno de los huesos de los dedos, esp. el primero o más cercano a la muñeca. **2** Cuerpo numeroso de tropas. ☐ ETIMOL. Del latín *phalanx*, y éste del griego *phálanx* (garrote, rodillo, línea de batalla).

falangeta s.f. Falange tercera de los dedos.

falangina s.f. Falange segunda o media de los dedos.

falangismo s.m. Movimiento político y social caracterizado por su tendencia nacionalista y por propugnar la desaparición de los partidos políticos y la protección oficial de la tradición religiosa española.

falangista ‖ adj. **1** Del falangismo o relacionado con este movimiento político y social. ‖ adj./s. **2** Que defiende o sigue este movimiento. ☐ MORF. **1.** Como adjetivo es invariable en género. **2.** Como sustantivo es de género común: *el falangista, la falangista.*

falaz adj. **1** Embustero, falso o mentiroso. **2** Que halaga y atrae con falsas apariencias. ☐ ETIMOL. Del latín *fallax* (engañoso). ☐ MORF. Invariable en género.

falconiforme ‖ adj./s.m. **1** Referido a un ave, que tiene el pico fuerte y ganchudo, las patas robustas y terminadas en garras, y que se alimenta de animales que cazan. ‖ s.m.pl. **2** En zoología, orden de estas aves. ☐ ETIMOL. Del latín *falco* (halcón) y *-forme* (con forma). ☐ MORF. **1.** Como adjetivo es invariable en género. **2.** Aunque la RAE sólo registra el femenino, en círculos especializados se usa más el masculino.

falda ‖ s.f. **1** Prenda de vestir, generalmente femenina, que cae desde la cintura. **2** En una prenda de vestir, parte que cae desde la cintura hacia abajo. ✎ armadura **3** En una mesa camilla, cobertura que la reviste y que suele llegar hasta el suelo. **4** En un monte o en una sierra, parte baja o inferior. **5** En una res, carne que cuelga desde las agujas sin pegarse al hueso ni a las costillas. ✎ carne ‖ pl. **6** *col.* Mujeres. **7** ‖ **estar pegado a las faldas** de una persona; *col.* Depender demasiado de ella. ☐ ETIMOL. Del germánico **falda* (falda, pliegue). ☐ MORF. La acepción 3 se usa más en plural.

faldellín s.m. Falda corta, que se pone generalmente sobre otra.

faldero, ra ‖ adj. **1** De la falda o relacionado con ella. **2** Aficionado a estar entre mujeres. ‖ s.m. **3** →perro faldero.

faldón s.f. **1** En algunas prendas de tela, parte inferior que cuelga. **[2** Falda larga y suelta que se pone a los bebés. **3** En una silla de montar, pieza de cuero que evita el roce de las piernas del jinete con los flancos del caballo. ✎ arreos

faldriquera s.f. →faltriquera. ☐ ETIMOL. De *faldica* (diminutivo de *falda*).

fálico, ca adj. Del falo o relacionado con esta parte de los órganos sexuales masculinos.

falla ‖ s.f. **1** En un terreno, fractura de un estrato producida por movimientos geológicos que ocasionan el desplazamiento de uno de los bloques con respecto al otro. **2** Defecto material de algo. **3** Figura o conjunto de figuras de cartón piedra que representan de forma satírica y humorística personajes o escenas generalmente de actualidad, y que se construyen para ser quemadas en las calles durante las fiestas valencianas. **4** En zonas del español meridional, fallo. ‖ pl. **5** Fiestas valencianas que se celebran el 19 de marzo y durante las que se queman estas figuras. ☐ ETIMOL. La acepción 1, del francés *faille*. Las acepciones 2 y 4, del latín *falla* (defecto). Las acepciones 3 y 5, del catalán *falla*, y éste del latín *facula* (antorcha).

fallar v. **1** No acertar o no conseguir lo que se espera: *Si fallas esta vez, no tendrás otra oportunidad. Falló tres de las cinco preguntas y suspendió.* **2** Referido esp. a un proceso judicial o a un premio, decidir su sentencia o su resultado el tribunal correspondiente: *El tribunal falló a mi favor la sentencia. Mañana se falla el premio de poesía.* **3** Dejar de aguantar o de servir, o no dar el servicio esperado:

A sus años, es normal que le falle la memoria. □ ETIMOL. Las acepciones 1 y 3, de *falla* (defecto). La acepción 2, del latín *afflare* (soplar, oler, encontrar). □ SINT. La RAE sólo lo registra como verbo intransitivo.

falleba s.f. Vara larga y delgada, de hierro y doblada en sus extremos, que sirve para cerrar y asegurar ventanas o puertas. □ ETIMOL. Del árabe *jallaba* (palo de madera para cerrar puertas y ventanas).

fallecer v. Dejar de vivir; morir: *El enfermo falleció esta mañana.* □ ETIMOL. Del latín *fallere* (engañar, faltar). □ MORF. Irreg. →PARECER.

fallecimiento s.m. Muerte o terminación de la vida de una persona.

fallero, ra ∎ adj. **1** De las fallas valencianas o relacionado con ellas. ∎ s. **2** Persona que se dedica a la construcción de las fallas valencianas, esp. si ésta es su profesión. **3** Persona que participa en estas fiestas.

fallido, da adj. Frustrado, fracasado o que no da el resultado pretendido. □ ETIMOL. Del antiguo verbo *fallir* (faltar, engañar).

fallo s.m. **1** Falta, imperfección o error. **2** Defecto o mal funcionamiento. **3** Sentencia o decisión definitivas, esp. las que toma un tribunal.

falo s.m. Órgano genital masculino que permite la cópula y que forma parte del último tramo del aparato urinario; pene. □ ETIMOL. Del latín *phallus*, y éste del griego *phallós* (emblema de la reproducción que se llevaba en las fiestas báquicas).

falsario, ria adj./s. **1** Que falsea o falsifica algo. **2** Que miente o no dice la verdad. □ ETIMOL. Del latín *falsarius*.

falseador, -a adj. Que falsea.

falseamiento s.m. Adulteración o alteración de algo, esp. de la verdad.

falsear v. Referido esp. a algo verdadero, deformarlo o adulterarlo: *El testigo falseó los hechos, porque sólo contó parte de la verdad.*

falsedad s.f. Falta de verdad o de autenticidad.

falseo s.m. Alteración o corrupción de algo que es verdadero o auténtico.

falsete s.m. Voz más aguda que la natural, que se produce al hacer vibrar las cuerdas vocales superiores de la laringe. □ ETIMOL. Del francés *fausset*.

falsificación s.f. Copia que se hace de algo para hacerla pasar por verdadera o auténtica.

falsificador, -a adj./s. Que falsifica.

falsificar v. Referido a algo auténtico, realizar una copia de ello para que pase por verdadera: *Falsificó la firma de su padre para hacer un justificante de ausencia.* □ ETIMOL. Del latín *falsificare*. □ ORTOGR. La *c* se cambia en *qu* delante de *e* →SACAR.

falsilla s.f. Hoja con líneas muy marcadas, que se pone debajo del papel en el que se va a escribir para que sirva de guía. □ ETIMOL. De *falso*.

falso, sa ∎ adj. **1** Contrario a la verdad. **2** Engañoso, fingido, simulado o no auténtico. ∎ adj./s. **3** Que acostumbra a mentir o a simular la verdad. **4** ‖ **en falso**; **1** Con una intención contraria a la que se da a entender. **2** Sin la debida seguridad o resistencia. □ ETIMOL. Del latín *falsus*. □ MORF. En la acepción 3, la RAE sólo lo registra como adjetivo. □ SEM. No debe emplearse con el significado de 'torpe, inadecuado o equivocado' (galicismo): *El conduc-*

tor hizo una {*falsa > inadecuada} maniobra y chocó contra la farola.

falta s.f. Véase **falto, ta**.

faltar v. **1** No existir donde sería necesario, o haber menos de lo que debiera: *Desde que te fuiste, en esta casa falta alegría.* **2** No acudir a un sitio o a una obligación: *No me gusta faltar a clase.* **3** No estar en el lugar acostumbrado o debido: *Buscan a dos niños que faltan de su casa desde hace un mes.* **4** No cumplir con lo que se debe o con lo que se espera: *Me prometió que vendría, pero faltó a su palabra y no apareció.* **5** Referido a una persona, tratarla con desconsideración o sin el debido respeto: *Empezó a discutir y a faltarme sin motivo.* **6** Referido a un período de tiempo, tener que transcurrir para que se realice o suceda algo: *Faltan sólo quince minutos para que comience el partido.* **[7** Referido esp. a una acción, quedar por hacer o por realizar: *Sólo 'falta' cambiar la rueda y el coche estará listo.* **8** ‖ **no faltaba más** o **(no) faltaría más**; **1** col. Expresión que se usa para enfatizar una afirmación: *¡Tú no sales esta noche, rica, pues no faltaba más!* **2** col. Desde luego y sin duda: *Cuando le pregunté si podía llevarme a casa, contestó: −¡No faltaba más!* □ ETIMOL. De *falta*.

falto, ta ∎ adj. **1** Escaso o necesitado de algo. ∎ s.f. **2** Carencia o privación de algo, esp. de algo necesario o útil. **3** Infracción o incumplimiento de una norma o de una obligación: *falta de ortografía.* **4** Ausencia de una persona. **5** Imperfección o defecto. **6** Ausencia de la menstruación en la mujer, generalmente durante el embarazo. **7** En derecho, infracción voluntaria de la ley que se sanciona con pena leve. **8** ‖ **a falta de** algo; careciendo de ello o en sustitución suya. ‖ **echar en falta** algo; echarlo de menos o notar su ausencia. ‖ **hacer falta**; ser preciso o necesario. ‖ **sin falta**; puntualmente o con seguridad. □ ETIMOL. La acepción 1, de *faltar*. Las acepciones 2-7, del latín **fallita*, y éste de **fallitus* (faltado). □ SINT. Constr. como adjetivo: *falto DE algo.*

faltón, -a adj./s. **1** col. Que falta con frecuencia a sus deberes y obligaciones. **[2** Que falta al respeto a los demás. □ MORF. La RAE sólo lo registra como adjetivo.

faltriquera s.f. Pequeño bolso que se lleva atado a la cintura. □ ETIMOL. De *faldriquera*. □ ORTOGR. Se admite también *faldriquera*.

falúa o **faluca** s.f. Pequeña embarcación que se emplea en los puertos, esp. para llevar a alguna autoridad. □ ETIMOL. Quizá del árabe *faluka* (embarcación pequeña).

falucho s.m. Embarcación costera de poca categoría, que tiene una vela latina o triangular. 🚢 embarcación.

fama s.f. **1** Situación o estado de lo que es muy conocido y apreciado por sus cualidades. **2** Juicio u opinión que se tienen sobre alguien o sobre algo. □ ETIMOL. Del latín *fama* (rumor, voz pública).

famélico, ca adj. **1** Que tiene mucha hambre. **[2** Excesivamente delgado. □ ETIMOL. Del latín *famelicus*.

familia s.f. **1** Grupo de personas emparentadas entre sí y que viven juntas bajo la autoridad de una de ellas. **2** Conjunto de ascendientes, descendientes y demás personas emparentadas directa o indirectamente entre sí. **3** Conjunto de hijos o descendientes de una persona. **4** Conjunto de personas o de cosas unidas por una característica o por una condición comunes. **5** En biología, en la clasificación de los seres vivos, categoría superior a la de subfamilia e inferior a la de orden. **6** ‖**en familia**; en la intimidad o sin gente extraña. ‖ **[familia numerosa**; la que tiene cuatro o más hijos menores de edad, o mayores pero incapacitados para el trabajo. ◻ ETIMOL. Del latín *familia*. ◻ SEM. No debe emplearse con el significado de ‘familiar’ o ‘pariente’: *Ese chico es* {**familia > familiar*} *mío*.

familiar ▮ adj. **1** De la familia o relacionado con ella. **2** Que se tiene muy sabido o que resulta conocido. **3** Referido esp. al trato, llano, sencillo y sin ceremonia. **4** Referido esp. al lenguaje, que se emplea en la conversación normal y corriente. **[5** Referido a un producto de consumo, que tiene un tamaño grande o adecuado para el uso de una familia. ▮ s.m. **6** Pariente o persona de la misma familia. **7** Ministro de la Inquisición (tribunal eclesiástico español que desde el siglo XV perseguía los delitos contra la fe). ◻ ETIMOL. Del latín *familiaris*. ◻ MORF. Como adjetivo es invariable en género.

familiaridad ▮ s.f. **1** Llaneza, sencillez y confianza en el trato. ▮ pl. **[2** Confianzas excesivas o inadecuadas en el trato.

familiarizar ▮ v. **1** Acostumbrar o hacer que algo resulte familiar: *La televisión nos familiariza con lugares y costumbres muy lejanos.* ▮ prnl. **2** Llegar a tener trato familiar con alguien: *En dos días se familiarizó con todos.* ◻ ORTOGR. La *z* se cambia en *c* delante de *e* →CAZAR.

famoso, sa adj./s. Que tiene fama o que es muy conocido. ◻ ETIMOL. Del latín *famosus*. ◻ SEM. Como adjetivo es sinónimo de *célebre* y de *afamado*.

[fan (anglicismo) s. Admirador entusiasta e incondicional de una persona o de una cosa. ◻ USO Su uso es innecesario y puede sustituirse por una expresión como *seguidor*.

fanal s.m. **1** Farol grande que se coloca en los puertos o en los barcos para que su luz sirva de señal. **2** Campana de cristal que sirve para resguardar lo que se cubre con ella del polvo, del aire o de la luz. ◻ ETIMOL. Del italiano *fanale*.

fanático, ca adj./s. **1** Que defiende apasionadamente creencias, ideas u opiniones, esp. las religiosas o las políticas. **2** Preocupado o entusiasmado ciegamente por algo. ◻ ETIMOL. Del latín *fanaticus* (inspirado, exaltado, frenético). ◻ MORF. En la acepción 2, la RAE sólo lo registra como adjetivo.

fanatismo s.m. Admiración y entrega apasionadas y desmedidas a una creencia, a una causa o a una persona. ◻ ETIMOL. Del francés *fanatisme*.

fanatizar v. Provocar o causar fanatismo: *Sus discursos fanatizaban a los que le escuchaban.* ◻ ORTOGR. La *z* se cambia en *c* delante de *e* →CAZAR.

fandango s.m. **1** Composición musical en compás de tres por cuatro o de seis por ocho que se acompaña con guitarra, cante y castañuelas y es de movimiento vivo y apasionado. **2** Baile que se ejecuta al compás de esta música. ◻ ETIMOL. De origen incierto.

fanega s.f. **1** Unidad de capacidad para granos, legumbres y otros frutos secos que equivale aproximadamente a 55,5 litros. **2** ‖**fanega (de tierra)**; unidad agraria de superficie que equivale aproximadamente a 6.460 metros cuadrados. ◻ ETIMOL.

Del árabe *faniqa* (medida para áridos). ◻ USO Es una medida tradicional española.

fanerógamo, ma adj./s.f. Referido a una planta, que se reproduce mediante semillas; espermafito. ◻ ETIMOL. Del griego *phanerós* (manifiesto) y *gámos* (cópula, matrimonio).

fanfarria s.f. **1** Conjunto musical ruidoso, esp. el de instrumentos de metal. **2** Música interpretada por este conjunto.

fanfarrón, -a adj./s. col. Que presume o que hace alarde de lo que no es. ◻ ETIMOL. De origen onomatopéyico.

fanfarronada s.f. →**fanfarronería**.

fanfarronear v. Hablar con arrogancia de lo que se tiene o presumir de lo que no se es: *Le gusta fanfarronear y dárselas de valiente, pero es un cobarde.*

fanfarronería s.f. **1** Modo de hablar y actitud propios de un fanfarrón. **2** Hecho o dicho propios de un fanfarrón; fanfarronada.

fango s.m. **1** Lodo pegajoso y espeso que se forma generalmente en los terrenos donde hay agua detenida. **2** Mala fama, deshonra o indignidad. ◻ ETIMOL. Del catalán *fang*.

fangoso, sa adj. Lleno de fango o con características de éste.

fantasear v. Imaginar o dejar volar la fantasía: *Le gusta fantasear sobre cómo sería su vida en un palacio.*

fantasía s.f. **1** Capacidad de la mente para imaginar cosas pasadas, lejanas o inexistentes. **2** Imagen o ficción formadas por esta capacidad mental. **3** En música, composición instrumental libre. **4** ‖**de fantasía**; **1** Referido esp. a una prenda de vestir, que lleva muchos adornos o está hecha de manera imaginativa y poco corriente. **2** Referido esp. a un adorno, que no es de material noble o que imita a una joya. ◻ ETIMOL. Del griego *phantasía* (aparición, espectáculo, imaginación). ◻ MORF. La acepción 2 se usa más en plural.

fantasioso, sa adj./s. Que tiene mucha fantasía o que se deja llevar por la imaginación. ◻ MORF. La RAE sólo lo registra como adjetivo.

fantasma ▮ adj. **1** Inexistente, dudoso o poco preciso. **[2** Referido esp. a un lugar, que está abandonado o deshabitado. ▮ adj./s. **3** Referido a una persona, que presume de méritos, hazañas o posesiones que generalmente no tiene. ▮ s.m. **4** Imagen de una persona muerta que se aparece a los vivos. **[5** Amenaza o existencia de algo negativo. **6** Visión o sentimiento imaginarios o irreales. **[7** En zonas del español meridional, poste pequeño y luminoso en los márgenes de las carreteras. **[8** col. En zonas del español meridional, interferencia en un televisor. ◻ ETIMOL. Del griego *phántasma* (aparición, imagen). ◻ MORF. 1. Como adjetivo es invariable en género. 2. En la acepción 3, aunque la RAE sólo lo registra como sustantivo masculino, en la lengua actual es de género común: *el fantasma, la fantasma*.

[fantasmada s.f. col. Hecho o dicho propios de una persona que presume de algo que generalmente no posee.

fantasmagórico, ca adj. De la fantasmagoría o relacionado con ella.

fantasmal adj. Del fantasma o relacionado con esta imagen irreal. ◻ MORF. Invariable en género.

fantástico, ca adj. **1** De la fantasía, producido

por ella o relacionado con ella. **2** *col.* Magnífico, estupendo o maravilloso. □ ETIMOL. Del griego *phantastikós.* □ SINT. En la lengua coloquial se usa también como adverbio de modo con el significado de 'muy bien': *Lo pasamos fantástico ayer.*

fantochada s.f. Hecho o dicho propios de un fantoche o de una persona presumida o ridícula.

fantoche s.m. **1** Persona de aspecto ridículo o grotesco. **2** Persona informal o que presume sin fundamento o con vanidad. □ ETIMOL. Del francés *fantoche.*

[fanzine (anglicismo) s.m. Revista hecha por aficionados y generalmente con pocos medios. □ PRON. [fancíne].

faquir s.m. **1** En algunos países orientales, persona generalmente musulmana o hindú que lleva una vida de oración, vive de la limosna y realiza actos de gran austeridad y sacrificio. **2** Artista de circo que realiza números espectaculares con objetos que pueden dañar su cuerpo, sin sufrir daño ni sentir dolor. □ ETIMOL. Del árabe *faqir* (pobre), aplicado a los santones mahometanos de la India.

farad o **faradio** s.m. En el Sistema Internacional, unidad básica de capacidad eléctrica que equivale a la capacidad de un condensador entre cuyas armaduras aparece una diferencia de potencial de un voltio, cuando está cargado con una cantidad de electricidad igual a un culombio. □ ETIMOL. Por alusión a M. Faraday, químico y físico inglés. □ ORTOGR. *Farad* es la denominación internacional del *faradio.*

faralá s.m. Volante que adorna un vestido u otra ropa, esp. el del típico traje femenino andaluz. □ ETIMOL. Del francés *falbala.* □ MORF. 1. Su plural es *faralaes.* 2. Se usa más en plural.

farallón s.m. Roca alta y cortada verticalmente que sobresale en el mar o en la costa. □ ETIMOL. Del catalán *faralló.* □ ORTOGR. Se admite también *farellón.*

farándula s.f. Profesión y ambiente de los actores y comediantes. □ ETIMOL. Quizá del provenzal *farandoulo* (danza rítmica ejecutada por un grupo de personas).

faraón s.m. Rey del antiguo Egipto (país africano).

faraónico, ca adj. **1** Del faraón o relacionado con él. **2** Grandioso o fastuoso.

fardar v. **1** *col.* Presumir mucho o darse importancia: *Vive en un chalé y está siempre fardando de casa.* **[2** *col.* Resultar vistoso o causar admiración: *Tu nueva moto 'farda' mucho.* □ ETIMOL. De *fardo.* □ SINT. Constr. de la acepción 1: *fardar* DE *algo.*

[farde s.m. *col.* Lo que farda o luce mucho.

fardo s.m. Lío o paquete grande y muy apretado de ropa o de otra mercancía. □ ETIMOL. De origen incierto.

fardón, -a ▮ adj. **[1** *col.* Que farda o resulta vistoso y atractivo. **▮** adj./s. **2** *col.* Referido a una persona, que alardea o presume de algo.

farellón s.m. →**farallón.**

farero, ra s. Persona que se dedica profesionalmente al mantenimiento y vigilancia de un faro.

fárfara s.f. En el huevo de un ave, piel delgada y delicada que recubre la parte interior de la cáscara; binza. □ ETIMOL. De origen incierto.

farfolla s.f. **1** Envoltura de las panojas o mazorcas del maíz, del mijo y de otros cereales. **2** Lo que tiene mucha apariencia, pero poca entidad o valor.

farfullar v. *col.* Hablar muy deprisa y de manera

atropellada o confusa: *Farfulló una disculpa que apenas entendí, y se fue.* □ ETIMOL. De origen expresivo.

faria s. Cigarro puro, de fabricación peninsular, hecho con hebras largas y más barato que los cubanos. □ ETIMOL. Extensión del nombre de una marca comercial. □ MORF. Es de género ambiguo: *el faria encendido, la faria encendida.*

farináceo, a adj. Con las características de la harina o que se parece a ella. □ ETIMOL. Del latín *farinaceus.*

faringe s.f. En el sistema digestivo de algunos vertebrados, conducto de paredes generalmente musculosas, situado a continuación de la boca, que comunica las fosas nasales con la laringe y con el esófago. □ ETIMOL. Del griego *phárynx.* □ SEM. Dist. de *laringe* (órgano del sistema respiratorio).

faríngeo, a adj. De la faringe o relacionado con ella.

faringitis s.f. Inflamación de la faringe. □ ETIMOL. De *faringe* e *-itis* (inflamación). □ MORF. Invariable en género.

[fario ║ mal fario; mala suerte.

farisaico, ca adj. De los fariseos o con sus características.

fariseísmo s.m. Fingimiento de cualidades, de ideas o de sentimientos contrarios a los que verdaderamente se tienen; hipocresía.

fariseo, a ▮ adj./s. **1** Hipócrita, esp. en lo religioso o en lo moral. **▮** s.m. **2** Miembro de una secta judía de los tiempos de Jesucristo caracterizada por su rigor y austeridad en el cumplimiento de la letra de la ley y en la atención a los aspectos externos de los preceptos religiosos. □ MORF. La RAE sólo lo registra como sustantivo masculino.

[farla o **[farlopa** s.f. *col.* En el lenguaje de la droga, cocaína.

farmacéutico, ca ▮ adj. **1** De la farmacia o relacionado con ella. **▮** s. **2** Persona legalmente autorizada para ejercer la farmacia.

farmacia s.f. **1** Ciencia que trata de la preparación de medicamentos y de las propiedades de sus componentes como remedio contra las enfermedades o para conservar la salud. **2** Lugar en el que se elaboran y se venden medicinas; botica. □ ETIMOL. Del griego *pharmakéia* (uso de los medicamentos).

fármaco s.m. Sustancia que sirve para prevenir, curar o aliviar una enfermedad o para reparar sus secuelas; medicamento, medicina. □ ETIMOL. Del griego *phármakon* (medicamento). ⚙ medicamento

farmacología s.f. Parte de la medicina que estudia los medicamentos, su composición y sus propiedades. □ ETIMOL. De *fármaco* y *-logía* (ciencia, estudio).

farmacológico, ca adj. De la farmacología, de los fármacos o relacionado con ellos.

farmacopea s.f. **1** Libro que trata de las sustancias medicinales más comunes y del modo de prepararlas y de combinarlas. **2** Repertorio que publica oficialmente cada Estado como norma legal para todo lo relacionado con los medicamentos. □ ETIMOL. Del griego *pharmakopoiía,* y éste de *phármakon* (medicamento) y *poiéo* (yo hago).

faro s.m. **1** En las costas, torre alta que tiene en su parte superior una luz potente para que sirva de señal a los navegantes. **2** Proyector de luz potente, esp. el que llevan los vehículos en su parte delantera. 🔷 alumbrado ☐ ETIMOL. Del latín *pharus*, y éste del griego *Pharos*, nombre de una isla en Alejandría, famosa por su faro.

farol s.m. **1** Caja de cristal o de otro material transparente con una luz en su interior para que alumbre. 🔷 alumbrado **2** Hecho o dicho exagerados o sin fundamento, con los que se pretende engañar, desconcertar o presumir. **3** En un juego de *cartas*, jugada o envite falsos hechos para desorientar. **[4** En zonas del español meridional, farola. ☐ ETIMOL. De *faro*. ☐ SINT. La acepción 2 se usa más con los verbos *marcarse* o *tirarse*.

farola s.f. Farol grande, puesto en alto sobre un pie o sobre un poste, y que se usa para el alumbrado público. 🔷 alumbrado

farolero, ra ∎ adj./s. **1** *col.* Que fanfarronea o presume de forma ostentosa. ∎ s. **2** Persona que se dedicaba profesionalmente al cuidado de los faroles del alumbrado público. ☐ MORF. En la acepción 2, la RAE sólo registra el masculino.

farolillo s.m. **1** Farol de papel, celofán o plástico de colores, que se utiliza como adorno, generalmente en fiestas y verbenas. **2** ‖**farolillo rojo**; *col.* En algunos deportes, persona o equipo que ocupan el último lugar en la clasificación.

farra s.f. Juerga o diversión animadas y ruidosas. ☐ ETIMOL. Quizá de origen onomatopéyico.

fárrago s.m. Conjunto de objetos o de ideas desordenados, inconexos o innecesarios. ☐ ETIMOL. Del latín *farrago*.

farragoso, sa adj. Desordenado, confuso y con cosas o ideas sin relación.

farruco, ca adj. *col.* [Obstinado, insolente o con una actitud desafiante. ☐ ETIMOL. Diminutivo popular de Francisco en Galicia y Asturias, porque se decía que los gallegos y asturianos eran tercos y valientes. ☐ USO Se usa más en la expresión *ponerse 'farruco'*.

farsa s.f. **1** Obra teatral, esp. la breve y de carácter cómico. **2** Enredo o trampa ingeniosos para ocultar algo o engañar; mascarada. ☐ ETIMOL. Del francés *farce* (pieza cómica breve).

farsante, ta ∎ adj./s. **1** *col.* Referido a una persona, que finge lo que no siente o que se hace pasar por lo que no es. ∎ s. **2** Persona que se dedicaba profesionalmente a la representación de farsas o de comedias. ☐ ETIMOL. Del italiano *farsante*.

fas ‖**por fas o por nefas**; *col.* Por una cosa o por otra. ☐ ETIMOL. Del latín *fas atque nefas* (lo lícito y lo ilícito).

fasciculado, da adj. En biología, que está formado por elementos agrupados en haces. 🔷 raíz

fascículo s.m. Cada uno de los cuadernos que forman un libro publicado por partes o una serie coleccionable, y que salen a la venta periódicamente de forma independiente; entrega. ☐ ETIMOL. Del latín *fasciculus* (hacecillo).

fascinación s.f. Atracción irresistible.

fascinante adj. Asombroso o sumamente atractivo. ☐ MORF. Invariable en género.

fascinar v. Atraer, seducir o gustar de forma irresistible: *Su forma de cantar fascina al público.* ☐ ETIMOL. Del latín *fascinare* (embrujar).

fascismo s.m. **1** Movimiento político y social de carácter totalitario y nacionalista, fundado por el político italiano Benito Mussolini tras la Primera Guerra Mundial. **2** Doctrina de este movimiento político italiano y de otros similares en otros países. ☐ ETIMOL. Del italiano *fascismo*.

fascista ∎ adj. **1** Del fascismo o relacionado con él. ∎ adj./s. **2** Partidario de esta doctrina o movimiento social. ☐ MORF. 1. Como adjetivo es invariable en género. 2. Como sustantivo es de género común: *el fascista, la fascista*. 3. En la lengua coloquial se usa mucho la forma abreviada 'facha'.

[fascistoide adj./s. Que tiende al fascismo o que tiene alguna de sus características. ☐ MORF. 1. Como adjetivo es invariable en género. 2. Como sustantivo es de género común: *el 'fascistoide', la 'fascistoide'*. ☐ USO Es despectivo.

fase s.f. **1** Cada uno de los estados sucesivos que presenta algo en proceso de desarrollo o de evolución. **2** En astronomía, cada una de las diversas apariencias que presentan la Luna y algunos planetas según los ilumina el Sol. 🔷 fase ☐ ETIMOL. Del griego *phásis* (aparición de una estrella).

[fast food ‖ →**comida rápida**. ☐ PRON. [fas fud]. ☐ USO Es una españolización innecesaria.

[fastidiado, da adj. *col.* Enfermo o mal de salud.

fastidiar ∎ v. **1** Enfadar, molestar o disgustar: *Me fastidia que llames para esas tonterías.* **2** *col.* Estropear o dañar material o moralmente: *El mal tiempo fastidió la excursión.* ∎ prnl. **3** Aguantarse o sufrir con paciencia un contratiempo inevitable; chincharse: *Si llegas tarde, te fastidias y te quedas sin ver la película.* **4** *col.* En zonas del español meridional, cansarse o aburrirse. ☐ ORTOGR. La *i* nunca lleva tilde.

fastidio s.m. **[1** *col.* Disgusto o molestia causados por un contratiempo de poca importancia. **2** Enfado, cansancio o aburrimiento. ☐ ETIMOL. Del latín *fastidio* (asco, repugnancia).

FASES DE LA LUNA

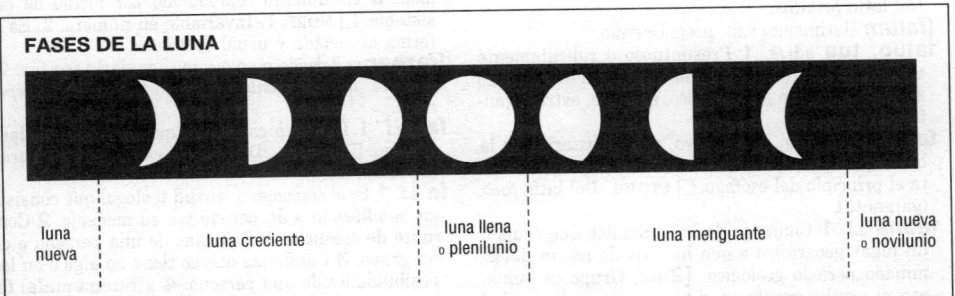

| luna nueva | luna creciente | luna llena o plenilunio | luna menguante | luna nueva o novilunio |

fastidioso, sa adj. Que causa fastidio.

fasto s.m. Lujo, pompa o esplendor extraordinarios. ☐ ETIMOL. Del latín *fastus* (orgullo, soberbia). ☐ ORTOGR. Dist. de *fausto*.

fastuosidad s.f. Lujo, riqueza u ostentación.

fastuoso, sa adj. Hecho con lujo y riqueza. ☐ ETIMOL. Del latín *fastuosus*.

fatal adj. **1** Desgraciado, infeliz o muy negativo. **2** Muy malo o poco acertado. **3** Inevitable o determinado por el destino. ☐ ETIMOL. Del latín *fatalis*, y éste de *fatum* (destino). ☐ MORF. Invariable en género. ☐ SINT. Se usa también como adverbio de modo con el significado de 'muy mal': *Abuchearon al equipo porque jugó fatal.* ☐ SEM. No debe emplearse con el significado de 'mortal': *Por suerte, el accidente no ha sido {*fatal > mortal}.*

fatalidad s.f. **1** Desgracia, desdicha o infelicidad. **[2** Destino o fuerza desconocida que determina lo que ha de ocurrir.

fatalismo s.m. **1** Doctrina según la cual todos los acontecimientos son inevitables y han sido predeterminados por el destino. **[2** Actitud de la persona que considera inevitables todos los acontecimientos y que se somete a ellos sin intentar modificarlos. ☐ ETIMOL. De *fatal* (inevitable).

fatalista ▪ adj. **[1** Del fatalismo o relacionado con esta actitud. ▪ adj./s. **2** Seguidor de la doctrina del fatalismo. **[3** Que acepta todo lo que le depara el destino. ☐ MORF. 1. Como adjetivo es invariable en género. 2. Como sustantivo es de género común: *el fatalista, la fatalista.*

fatídico, ca adj. **1** Que anuncia el porvenir, esp. el que traerá desgracias. **[2** Desgraciado, nefasto o muy malo. ☐ ETIMOL. Del latín *fatidicus* (lo que anuncia el destino).

fatiga s.f. **1** Sensación de cansancio, generalmente ocasionada por un esfuerzo físico o mental. **2** Molestia o dificultad al respirar. **3** Penalidad, sufrimiento o trabajo intensos. **4** *col.* Miramiento, reparo o escrúpulo. ☐ MORF. La acepción 3 se usa más en plural. ☐ SINT. La acepción 4 se usa más con el verbo *dar* o equivalentes.

fatigar v. Causar fatiga o cansancio: *Estoy tan gordo que me fatigo por subir tres escaleras. ¡Cuánto fatigan los niños pequeños!* ☐ ETIMOL. Del latín *fatigare* (agotar, extenuar, torturar). ☐ ORTOGR. La *g* se cambia en *gu* delante de *e* →PAGAR.

fatigoso, sa adj. **1** Que causa fatiga. **2** Referido esp. a la respiración, que es difícil o agitada.

fatuidad s.f. **1** Presunción, superficialidad o vanidad ridícula. **2** Falta de razón o de entendimiento. **3** Hecho o dicho imprudente o ignorante. ☐ ETIMOL. Del latín *fatuitas*.

[fatum (latinismo) s.m. *poét.* Destino.

fatuo, tua adj./s. **1** Presuntuoso o ridículamente engreído. **2** Carente de razón o de entendimiento. ☐ ETIMOL. Del latín *fatuus* (soso, insípido, extravagante).

fauces s.f.pl. En un mamífero, parte posterior de la boca, que se extiende desde el velo del paladar hasta el principio del esófago. ☐ ETIMOL. Del latín *faux* (garganta).

fauna s.f. **1** Conjunto de los animales que ocupan un lugar geográfico o que han vivido en un determinado período geológico. **[2** *col.* Grupo de gente, esp. si resulta peculiar o si hay una gran diversidad

entre sus componentes. ☐ ETIMOL. Por alusión a Fauna, diosa grecolatina de la fecundidad.

fauno s.m. En la mitología romana, divinidad que ha bitaba en los campos y en las selvas. ☐ ETIMOL. Del latín *faunus*. ✎ mitología

fausto, ta ▪ adj. **1** Feliz o afortunado. ▪ s.m. **2** Lujo extraordinario o gran ornato y pompa exterior ☐ ETIMOL. Del latín *faustus*. ☐ ORTOGR. Dist. de *fausto*.

[fauvismo s.m. →**fovismo**. ☐ ETIMOL. Del francés *fauvisme*. ☐ PRON. Se usa mucho la pronunciación galicista [fovísmo].

[fauvista ▪ adj. **1** Del fovismo o relacionado con este movimiento pictórico. ▪ adj./s. **2** Seguidor de fovismo. ☐ PRON. Se usa mucho la pronunciación galicista [fovísta]. ☐ MORF. 1. Como adjetivo es in variable en género. 2. Como sustantivo es de género común: *el 'fauvista', la 'fauvista'*.

favela s.f. Chabola o barraca brasileñas. ☐ ETIMOL. Del portugués *favela*.

favor ▪ s.m. **1** Ayuda o socorro que se conceden. **2** Confianza, apoyo o beneficio. **3** Primer lugar o preferencia en la gracia o en la confianza de una persona, esp. si ésta es de elevada condición. ▪ pl. **[4** Consentimiento de una persona para mantener con ella una relación amorosa o sexual. **5** ‖{a/en} favor (de} algo; **1** En su misma dirección. **2** En beneficio o utilidad suya: *Votaré a favor vuestro.* ‖**hacer e**l **favor de** hacer algo o **por favor**; expresión de cortesía que se usa para pedir algo. ☐ ETIMOL. Del latín *favor* (simpatía, favor, aplauso).

favorable adj. **1** Que favorece o que beneficia. **2** Inclinado a hacer algo o a conceder lo que se le pide. ☐ MORF. Invariable en género.

favorecedor, -a adj./s. Que favorece.

favorecer v. **1** Ayudar, beneficiar o apoyar: *Si la suerte nos favorece, lo lograremos.* **2** Referido esp. a un adorno, sentar bien o mejorar la apariencia: *Ese peinado te favorece y te hace más joven.* ☐ MORF. Irreg. →PARECER.

favoritismo s.m. Preferencia injusta por algo o por alguien, al margen de sus méritos.

favorito, ta ▪ adj./s. **1** Preferido o más estimado. **2** Referido a un participante en una competición, que es el que tiene mayores probabilidades de ganar. ▪ s. **3** Persona que goza de preferencia en la gracia o en la confianza de una persona distinguida, esp. de un rey. ☐ ETIMOL. Del francés *favori*. ☐ MORF. En la acepción 1, la RAE sólo lo registra como adjetivo.

fax s.m. **1** Sistema de transmisión que permite enviar información escrita a través del teléfono. **[2** Aparato que permite realizar este tipo de transmisión. **3** Documento reproducido por medio de ese sistema. ☐ MORF. 1. Invariable en número. 2. Es la forma abreviada y usual de *telefax*.

[faxear v. Referido a un mensaje, enviarlo por fax: *Te 'faxearé' la documentación cuando la tenga preparada.*

faz s.f. **1** Rostro o cara. **2** Superficie, vista o lado de algo. ☐ ETIMOL. Del latín *facies* (forma general, aspecto, rostro).

fe s.f. **1** En el cristianismo, virtud teologal que consiste en la adhesión a Jesucristo y a su mensaje. **2** Conjunto de creencias y doctrinas de una persona o de un grupo. **3** Confianza que se tiene en algo o en las posibilidades de una persona. **4** ‖{buena/mala} fe; buena o mala intención. ‖**fe de erratas**; en un texto, lista de las erratas que aparecen en él y de las correcciones correspondientes. ‖ [**fe de errores**; en un texto, lista de los errores que aparecen en él y de las correcciones correspondientes. □ ETIMOL. Del latín *fides* (fe, confianza). □ ORTOGR. Incorr. *fé.

fealdad s.f. Conjunto de características que hacen que algo resulte feo.

febrero s.m. Segundo mes del año, entre enero y marzo. □ ETIMOL. Del latín *februarius*.

febrífugo, ga adj./s.m. Que hace desaparecer o disminuir la fiebre, esp. la intermitente. □ ETIMOL. Del latín *febris* (fiebre) y -*fugo* (que hace desaparecer).

febril adj. **1** De la fiebre o relacionado con ella. **2** Muy agitado, desasosegado o intenso. □ MORF. Invariable en género.

fecal adj. Del excremento intestinal o relacionado con él. □ ETIMOL. Del latín *faex* (hez, excremento). □ MORF. Invariable en género.

fecha s.f. **1** Tiempo en que se hace o en que sucede algo. **2** Indicación del lugar y del tiempo en que se hace o sucede algo, esp. la que se pone al principio o al final de un escrito; data. □ ETIMOL. Del antiguo participio de *hacer*, que se usaba con *carta* para fechar los documentos.

fechar v. **1** Referido esp. a un escrito, poner la fecha en él: *Tiene la costumbre de fechar y firmar todo lo que escribe*. **2** Referido esp. a una obra o a un suceso, determinar su fecha: *Fecharon el poema en torno a la segunda mitad del siglo XIV*.

fechoría s.f. Travesura o mala acción. □ ETIMOL. Del antiguo *fechor* (el que hace algo).

fécula s.f. Hidrato de carbono que se encuentra como sustancia de reserva en las células vegetales de semillas, tubérculos y raíces de algunas plantas, y que se utiliza como alimento o con fines industriales. □ ETIMOL. Del latín *faecula* (sal que se forma en las paredes donde fermenta el vino).

fecundación s.f. **1** En biología, unión de un elemento reproductor masculino y uno femenino para dar origen a un nuevo ser; fertilización. **2** ‖ **fecundación artificial**; procedimiento que posibilita la unión de una célula sexual femenina con otra masculina utilizando el instrumental adecuado; inseminación artificial. ‖ [**fecundación in vitro**; la que se realiza mediante técnicas de laboratorio, habiendo extraído previamente el óvulo del ovario; fertilización in vitro.

fecundar v. En biología, referido a un elemento reproductor masculino, unirse a otro femenino para dar origen a un nuevo ser: *En la mayoría de las especies animales el macho fecunda a la hembra. Los óvulos de las flores se fecundan con el polen*. □ ETIMOL. Del latín *fecundare*.

fecundidad s.f. **1** Capacidad reproductora de un ser vivo. **2** Capacidad productiva o creadora.

fecundizar v. Fertilizar o hacer productivo: *Las crecidas del río Nilo fecundizan sus orillas*. □ ORTOGR. La *z* se cambia en *c* delante de *e* →CAZAR.

fecundo, da adj. **1** Que puede ser fecundado o que se reproduce por medios naturales. **2** Fértil, abundante o que produce en abundancia. □ ETIMOL. Del latín *fecundus* (fértil, abundante). □ ORTOGR. Dist de *facundo*.

fedatario, ria s. Funcionario con autoridad y competencia para asegurar la verdad o la autenticidad de algo. □ ETIMOL. De *fe* (confianza, palabra dada)

y *datario* (que da). □ MORF. La RAE sólo registra el masculino.

[**fedayin** (arabismo) s.m.pl. Combatientes palestinos. □ PRON. [fedayín]. □ MORF. El singular es *fedai*.

federación s.f. **1** Unión entre varios por alianza, liga o pacto. **2** Organismo o entidad que resulta de esta alianza o de esta unión. **3** Estado formado por territorios particulares, en el que los poderes regionales gozan de autonomía e incluso de soberanía para su vida interna; estado federado: *Alemania es una federación*. □ ETIMOL. Del latín *foederatio* (alianza).

federal ‖ adj. **1** →federativo. ‖ adj./s. **2** →federalista. [**3** En la guerra de Secesión estadounidense, partidario de los estados del norte; nordista. □ MORF. 1. Como adjetivo es invariable en género. 2. Como sustantivo es de género común: *el federal, la federal*.

federalismo s.m. **1** Sistema de organización de una comunidad a través de la federación de distintas corporaciones o estados. **2** Doctrina que defiende este sistema político.

federalista ‖ adj. **1** →federativo. ‖ adj./s. **2** Partidario del federalismo; federal. □ MORF. 1. Como adjetivo es invariable en género. 2. Como sustantivo es de género común: *el federalista, la federalista*.

federar ‖ v. **1** Unir por alianza, liga, o pacto: *Los tres dirigentes son partidarios de federar sus partidos para presentarse juntos a las elecciones. Varios pequeños estados independientes estudian la posibilidad de federarse*. ‖ prnl. [**2** Inscribirse en una federación: *Nuestro club de fútbol 'se federó' el año pasado*. □ ETIMOL. Del latín *foederare* (unir por medio de una alianza).

federativo, va ‖ adj. **1** De la federación o relacionado con ella. **2** Referido esp. a un sistema político o a un Estado, que está formado por varios estados con leyes propias, pero sujetos en algunos casos y circunstancias a las decisiones de un gobierno central. ‖ s.m. [**3** Miembro dirigente de una federación, esp. de las deportivas. □ SEM. En las acepciones 1 y 2, es sinónimo de *federal* y *federalista*.

[**feedback** (anglicismo) s.m. Conjunto de observaciones o respuestas a una acción o a un proceso y enviadas a la persona o a la máquina responsables de ellos para que se cambie lo que sea necesario. □ PRON. [fídbac]. □ ORTOGR. Dist. de *flashback*. □ USO Su uso es innecesario y puede sustituirse por una expresión como *retroalimentación*.

[**feeling** (anglicismo) s.m. Sentimiento, intuición o sensación. □ PRON. [fílin]. □ USO Su uso es innecesario.

fehaciente adj. Digno de fe o que puede creerse como verdad. □ MORF. Invariable en género.

[**felación** o [**felatio** s.f. Práctica sexual que consiste en la excitación de los órganos sexuales masculinos con la boca. □ ETIMOL. Del latín *fellatio*, y éste de *fellare* (chupar, mamar).

feldespato s.m. Mineral compuesto principalmente por silicato de aluminio, de color blanco, amarillento o rojizo, brillo nacarado y gran dureza. □ ETIMOL. Del alemán *feldspat*, y éste de *feld* (campo) y *spat* (espato).

felicidad s.f. **1** Estado de ánimo del que se encuentra contento y satisfecho con las circunstancias de la vida; ventura. **2** Satisfacción, gusto o contento. □ ETIMOL. Del latín *felicitas*. □ SEM. Es sinónimo de *dicha*. □ USO En plural se usa para expresar una felicitación: *'¡Felicidades!', iban diciendo los invitados a los novios.*

felicitación s.f. **1** Manifestación de la satisfacción que alguien siente por algún suceso feliz que le ha ocurrido a otra persona. **2** Palabras o tarjeta con las que se felicita.

felicitar v. **1** Referido a una persona, manifestarle la satisfacción que se siente con motivo de algún suceso feliz para ella: *Te felicito por ese sobresaliente.* **2** Referido a una persona, expresarle el deseo de que sea feliz: *Este año no me felicitaste el día de mi santo.* □ ETIMOL. Del latín *felicitare* (hacer feliz).

félido ∎ adj./s.m. **1** Referido a un mamífero, que se caracteriza por ser carnívoro y por tener la cabeza redondeada, el hocico corto, las patas anteriores con cinco dedos y las posteriores con cuatro, y uñas grandes que generalmente puede sacar o esconder. ∎ s.m.pl. **2** En zoología, familia de estos mamíferos. □ ETIMOL. Del latín *feles* (gato). □ SEM. Dist. de *felino* (tipo de félido).

feligrés, -a s. **1** Persona que pertenece a una determinada parroquia. **[2** col. Cliente de un establecimiento, esp. si es habitual. □ ETIMOL. Del latín *fili eclesiae* (hijo de la iglesia).

feligresía s.f. **1** Conjunto de feligreses de una parroquia. **2** Territorio que está bajo la jurisdicción espiritual de un párroco. **3** Parroquia rural, compuesta de diferentes barrios. □ SEM. En las acepciones 1 y 2, es sinónimo de *parroquia*.

felino, na ∎ adj. **1** Del gato, característico de él o relacionado con él. ∎ adj./s.m. **2** Referido a un animal, que pertenece a la familia de los félidos. 🐾 felino □ ETIMOL. Del latín *felinus*, y éste de *feles* (gato). □

FELINO

gato

ocelote

gato montés

lince ibérico

onza, gatopardo o guepardo

puma

jaguar o yaguar

leopardo

tigre

león

pantera

leona

SEM. Dist. de *félido* (grupo al que pertenecen los felinos).

feliz adj. **1** Con felicidad o dicha. **2** Que causa felicidad o dicha. **3** Referido a algo que se piensa o que se expresa, que es oportuno, acertado o eficaz. □ ETIMOL. Del latín *felix*. □ SEM. Es sinónimo de *dichoso*.

felón, -a adj./s. Que comete felonía o traición. □ ETIMOL. Del francés *félon* (desleal).

felonía s.f. Deslealtad, traición o mala acción.

felpa s.f. Tejido de tacto suave con pelo por una de sus caras. □ ETIMOL. De origen incierto.

felpar v. col. [En zonas del español meridional, morir.

felpudo s.m. **1** Alfombrilla que suele colocarse en la entrada de las casas. **[2** vulg. →**vulva**.

femenino, na ∎ adj. **1** De la mujer, relacionado con ella, o con rasgos que se consideran propios de ella. **2** Referido a un ser vivo, que está dotado de órganos de reproducción para ser fecundados. **3** De este tipo de seres vivos o relacionado con ellos. ∎ adj./s.m. **4** En lingüística, referido a la categoría gramatical del género, que es la de los nombres que significan seres vivos de sexo femenino y la de otros seres inanimados. □ ETIMOL. Del latín *femeninus* (propio de hembra).

fementido, da adj. Falso y engañoso. □ ETIMOL. De *fe* y *mentido*.

fémina s.f. Persona de sexo femenino; mujer. □ ETIMOL. Del latín *femina*.

femineidad s.f. Conjunto de características que tradicionalmente se han considerado propias de la mujer, como la dulzura, la comprensión y el instinto maternal. □ ETIMOL. De *femíneo* (femenino).

feminidad s.f. Conjunto de las características propias de la mujer o de lo femenino.

feminismo s.m. Doctrina y movimiento social que defienden a la mujer y le reconocen capacidades y derechos antes sólo reservados a los hombres. □ ETIMOL. Del latín *femina* (mujer).

feminista ∎ adj. **1** Del feminismo o relacionado con esta doctrina o movimiento social. ∎ adj./s. **2** Partidario del feminismo. □ MORF. 1. Como adjetivo es invariable en género. 2. Como sustantivo es de género común: *el feminista, la feminista.*

feminización s.f. **1** Transformación de un nombre que no tiene forma o género femeninos en uno que sí los tenga. **2** Desarrollo de los caracteres sexuales femeninos.

femoral adj. Del fémur o relacionado con este hueso. □ MORF. Invariable en género.

fémur s.m. En un vertebrado, hueso de la pierna que por un lado se articula con la cadera y, por el otro, con la tibia y el peroné. □ ETIMOL. Del latín *femur* (muslo).

fenecer v. **1** Dejar de vivir; morir: *Sus padres fenecieron en un accidente de coche.* **2** Acabarse, terminarse o tener fin: *Todas las culturas acaban por fenecer en favor de otras.* □ ETIMOL. Del antiguo *fenir* o *finir* (terminar). □ MORF. Irreg. →PARECER.

fenicio, cia ∎ adj./s. **1** De Fenicia (antiguo país asiático), o relacionado con ella. **[2** col. Referido a una persona, que es capaz de comerciar con cualquier cosa y de sacar el máximo beneficio de lo que vende a costa de lo que sea. ∎ s.m. **[3** Antigua lengua de Fenicia. □ USO En la acepción 2, es despectivo.

fénix s.m. Ave fabulosa, semejante a un águila, que cada vez que se quemaba en una hoguera renacía de sus propias cenizas. ☐ ETIMOL. Del latín *phoenix*. ☐ MORF. Invariable en número. ✖ mitología

fenomenal ∎ adj. **1** *col.* Estupendo, admirable o muy bueno. **2** Tremendo o muy grande. ∎ adv. **3** Muy bien. ☐ MORF. Como adjetivo es invariable en género.

fenómeno, na ∎ adj. **1** *col.* Muy bueno o magnífico. ∎ s.m. **2** Manifestación o apariencia que se produce, tanto en el orden material como en el espiritual. **3** Lo que es extraordinario y sorprendente. **4** Persona que sobresale en algo. **5** *col.* Monstruo. ☐ ETIMOL. Del latín *phainomenon*, y éste del griego *phacnómenon* (cosa que aparece). ☐ SINT. Se usa también como adverbio de modo con el significado de 'muy bien': *El día de tu cumpleaños lo pasamos fenómeno.*

fenomenología s.f. En filosofía, teoría y método que se centra en el estudio de los fenómenos o manifestaciones de algo. ☐ ETIMOL. De *fenómeno* y *-logía* (estudio, ciencia). ☐ SEM. Es incorrecto su uso con el significado de 'conjunto de fenómenos', aunque está muy extendido: {*la fenomenología atmosférica > los fenómenos atmosféricos*}.

fenotipo s.m. En biología, manifestación externa de un genotipo en un determinado ambiente. ☐ ETIMOL. De *pháino* (yo brillo, yo aparezco) y *týpos* (tipo, modelo).

feo, a ∎ adj. **1** Que carece de belleza y hermosura. **2** Con aspecto malo o desfavorable. **3** Que causa horror o rechazo, o que se considera negativo. ∎ s.m. **4** *col.* Desaire o desprecio manifiestos. **5** ‖ **[tocarle** a alguien **bailar con la más fea**; *col.* Tocarle la peor parte en un asunto. ☐ ETIMOL. Del latín *foedus* (vergonzoso, repugnante, feo).

féretro s.m. Caja, generalmente de madera, en la que se coloca un cadáver para enterrarlo; ataúd, caja. ☐ ETIMOL. Del latín *feretrum* (instrumento para llevar).

feria s.f. **1** Mercado que se celebra en un lugar público al aire libre y en determinadas fechas, para la compra y venta de productos agrícolas y ganaderos. **2** Conjunto de instalaciones recreativas y de puestos de venta que se montan con ocasión de alguna fiesta. **3** Instalación en la que se exhiben cada cierto tiempo productos de un determinado ramo industrial o comercial para su promoción y venta. **[4** Fiesta popular que se celebra todos los años en una fecha determinada. ☐ ETIMOL. Del latín *feria* (día de fiesta).

feriado s.m. En zonas del español meridional, día festivo.

ferial adj. De la feria o relacionado con ella. ☐ MORF. Invariable en género.

feriante adj./s. Que va a una feria para la compra o la venta de algo o para el establecimiento de un negocio. ☐ MORF. **1.** Como adjetivo es invariable en género. **2.** Como sustantivo es de género común: *el feriante, la feriante.*

fermentación s.f. Proceso bioquímico por el que una sustancia orgánica se transforma por la acción de microorganismos o de sistemas de enzimas.

fermentar v. Producir o experimentar fermentación: *La levadura fermenta la masa del pan y hace que ésta crezca y se esponje. Para que el zumo de uvas se haga vino, tiene que fermentar.*

fermento s.m. **1** Sustancia orgánica soluble en agua que interviene en diversos procesos bioquími-

cos sin haberse alterado al final de la reacción. **2** Causa o motivo de la excitación o alteración de los ánimos. ☐ ETIMOL. Del latín *fermentum*.

fermio s.m. Elemento químico, metálico y artificial, de número atómico 100, radiactivo y que pertenece al grupo de las tierras raras. ☐ ETIMOL. Por alusión al físico italiano E. Fermi. ☐ ORTOGR. Su símbolo químico es *Fm*.

fernandino, na ∎ adj. **1** De Fernando VII (rey español del siglo XIX) o relacionado con él. ∎ adj./s. **2** Partidario de este rey.

ferocidad s.f. Fiereza, dureza o crueldad. ☐ ETIMOL. Del latín *ferocitas*.

[feromona s.f. Sustancia química que excretan algunos animales y que influye sobre el comportamiento de otros de su especie. ☐ ETIMOL. Del latín *ferre* (llevar) y *hormona*.

feroz adj. **1** Que obra con fiereza y dureza. **[2** Cruel, violento o terrorífico. **[3** *col.* Muy grande o intenso. ☐ ETIMOL. Del latín *ferox*. ☐ MORF. Invariable en género.

férreo, a adj. **1** Muy duro, tenaz o resistente. **2** Del ferrocarril o relacionado con él. **3** De hierro o con sus características. ☐ ETIMOL. Del latín *ferreus*.

ferretería s.f. Establecimiento en el que se venden principalmente herramientas, cacharros y otros objetos de metal.

ferretero, ra s. Propietario o encargado de una ferretería. ☐ ETIMOL. Del catalán *ferreter*.

férrico, ca adj. En química, referido a un compuesto del hierro, que tiene hierro con valencia tres. ☐ ETIMOL. Del latín *ferrum* (hierro).

ferrocarril s.m. **1** Medio de transporte que circula sobre raíles, formado por varios vagones arrastrados por una locomotora; tren. **2** Conjunto de instalaciones, vehículos y equipos que constituyen este medio de transporte. ☐ ETIMOL. Del latín *ferrum* (hierro) y *carril*.

ferroso, sa adj. En química, referido a un compuesto, que contiene hierro con valencia dos: *óxido ferroso.* ☐ ETIMOL. Del latín *ferrum* (hierro).

ferrovial adj. →**ferroviario**. ☐ MORF. Invariable en género.

ferroviario, ria ∎ adj. **1** Del ferrocarril, de las vías férreas o relacionado con ellos; ferrovial. ∎ s. **2** Persona que trabaja en una compañía de ferrocarril. ☐ ETIMOL. Del italiano *ferroviario*. ☐ MORF. En la acepción 2, la RAE sólo registra el masculino.

ferruginosa, sa adj. Que contiene hierro. ☐ ETIMOL. Del latín *ferrugo* (herrumbre).

[ferry o **[ferry-boat** (anglicismo) s.m. Buque transbordador que se utiliza para el transporte de materiales, de vehículos y de pasajeros, esp. entre las orillas de un río o de un estrecho. ☐ PRON. [férri], [férri bóut]. ☐ USO Su uso es innecesario y puede sustituirse por una expresión como *transbordador.*

fértil adj. **1** Que produce mucho. **2** Referido a una persona o a un animal, que pueden reproducirse. **3** Referido a un período de tiempo, que es muy productivo. ☐ ETIMOL. Del latín *fertilis*, y éste de *ferre* (producir frutos). ☐ MORF. Invariable en género.

fertilidad s.f. **1** Capacidad para producir mucho. **2** Capacidad para reproducirse.

[fertilización s.f. **1** En biología, unión de un elemento reproductor masculino con otro femenino de forma que den origen a un nuevo ser; fecundación.

2 Procedimiento para hacer fértil o productiva la tierra. **3** ‖ [**fertilización in vitro**; la que se realiza mediante técnicas de laboratorio, habiendo extraído previamente el óvulo del ovario; fecundación in vitro.

fertilizante s.m. Sustancia que fertiliza o que hace productiva la tierra.

fertilizar v. Referido esp. a la tierra, hacerla fértil o productiva: *Fertilizaron el terreno con abono*. ☐ ORTOGR. La *z* se cambia en *c* delante de *e* →CAZAR.

férula s.f. **1** Aparato resistente,. rígido o flexible, que sirve para inmovilizar un miembro del cuerpo que se ha fracturado. **2** Autoridad o poder abusivos. ☐ ETIMOL. Del latín *ferula* (palmeta).

ferviente adj. Que tiene o muestra fervor o gran entusiasmo; fervoroso. ☐ MORF. Invariable en género.

fervor s.m. **1** Sentimiento religioso muy intenso y activo. **2** Entusiasmo e interés intensos. ☐ ETIMOL. Del latín *fervor*.

fervoroso, sa adj. Que tiene o muestra fervor o gran entusiasmo; ferviente.

festejar v. **1** Celebrar con fiestas: *Festejó su santo con sus familiares y amigos*. **2** Referido a una persona, hacer festejos o fiestas en su honor: *En su ciudad natal, festejaron al campeón por todo lo alto*. ☐ ETIMOL. Del catalán *festejar*. ☐ ORTOGR. Conserva la *j* en toda la conjugación.

festejo ∎ s.m. **1** Fiesta que se realiza para celebrar algo. ∎ pl. **2** Actos públicos que tienen ocasión durante las fiestas de una población.

festín s.m. Banquete espléndido, esp. el que se hace con motivo de una celebración y en el que suele haber baile o música. ☐ ETIMOL. Del francés *festin*.

festival s.m. **1** Conjunto de actuaciones o de manifestaciones dedicadas a un arte o a un artista. **2** Fiesta, esp. musical. [**3** Lo que resulta un gran espectáculo. ☐ ETIMOL. Del inglés *festival*.

[**festivalero, ra**] adj. Característico de un festival. ☐ USO Tiene un matiz despectivo.

festividad s.f. Fiesta o solemnidad con las que se celebra algo, esp. las fijadas por la Iglesia para celebrar un misterio o a un santo.

festivo, va ∎ adj. **1** Alegre, divertido o chistoso. ∎ s.m. [**2** →**día festivo**. ☐ ETIMOL. Del latín *festivus*.

festón s.m. Bordado, dibujo o recorte en forma de ondas o de puntas que adorna el borde de algo. ☐ ETIMOL. Del italiano *festone*, y éste de *festa* (fiesta), porque el festón se empleaba en las festividades como adorno.

festoneado, da adj. Con el borde en forma de festón o de onda.

festonear v. **1** Referido a una tela o a una prenda de vestir, bordarla con festones: *La costurera festoneó los bajos del vestido*. [**2** Formar un borde ondulado: *Las almenas 'festoneaban' las murallas*.

fetal adj. Del feto o relacionado con él. ☐ MORF. Invariable en género.

fetén adj. *col*. Estupendo, excelente o auténtico. ☐ MORF. Invariable en género. ☐ SINT. En la lengua coloquial se usa también como adverbio de modo con el significado de 'muy bien': *Lo pasamos fetén en la fiesta*.

fetiche s.m. **1** Ídolo u objeto de culto al que se atribuyen poderes sobrenaturales. [**2** Objeto al que se atribuye la capacidad de traer buena suerte. ☐ ETIMOL. Del francés *fétiche*.

fetichismo s.m. Culto a los fetiches.

fetichista ∎ adj. **1** Del fetichismo o relacionado con él. ∎ adj./s. **2** Referido a una persona, que practica el fetichismo. ☐ MORF. **1**. Como adjetivo es invariable en género. **2**. Como sustantivo es de género común: *el fetichista, la fetichista*. **3**. En la acepción 2, la RAE sólo lo registra como sustantivo.

fetidez s.f. Olor desagradable y penetrante.

fétido, da adj. Que desprende un olor muy desagradable; hediondo. ☐ ETIMOL. Del latín *foetidus*.

feto s.m. **1** En algunos animales mamíferos, embrión desde que se fija en el útero hasta el momento de su nacimiento. [**2** *col*. Persona muy fea. ☐ ETIMOL. Del latín *fetus* (producto de un parto). ☐ USO En la acepción 2 es despectivo.

[**fettuccini** (italianismo) s.m. Pasta alimenticia en forma de cilindro largo y grueso hecha de harina de trigo. ☐ PRON. [fetuchíni].

feudal adj. Del feudo, del feudalismo o relacionado con ellos. ☐ MORF. Invariable en género.

feudalismo s.m. **1** En la Edad Media, sistema de gobierno y forma de organización política, económica y social, basados en la obligación de los vasallos de guardar fidelidad a sus señores a cambio de tierras o de rentas dadas en usufructo. **2** Época en la que rigió este sistema.

feudo s.m. **1** En el feudalismo, contrato mediante el cual el rey y los grandes señores concedían tierras o rentas en usufructo, obligando al súbdito o al vasallo que las recibía a guardar fidelidad y a prestar determinados servicios. **2** Tributo o renta que se pagaban para obtener este contrato. **3** Territorio concedido en usufructo por este contrato. **4** Propiedad, zona o parcela en las que se ejercen una influencia o un poder exclusivos. ☐ ETIMOL. Del latín *feudum*.

fez s.m. Gorro de fieltro rojo, con forma de cubilete, muy usado por moros y turcos. ☐ ETIMOL. Por alusión a Fez, ciudad de Marruecos donde se fabrican. 🔾sombrero

[**fi** s.f. →**phi**.

fiabilidad s.f. **1** Confianza que inspira una persona. **2** Probabilidad de buen funcionamiento de algo.

fiable adj. **1** Referido a una persona, que es digna de confianza. **2** Referido a un objeto, que ofrece seguridad. ☐ MORF. Invariable en género.

fiador, -a adj./s. Que fía. ☐ MORF. La RAE sólo lo registra como sustantivo.

fiambre s.m. **1** Carne o pescado curados o que se comen fríos después de asados o cocidos. **2** *col*. Cadáver. ☐ ETIMOL. De *friambre*, y éste de *frío*.

fiambrera s.f. Recipiente que cierra herméticamente y que se usa para llevar la comida.

fianza s.f. **1** Lo que se deja como garantía del cumplimiento de una obligación. **2** Obligación que una persona contrae cuando se compromete a responder por otra.

fiar ∎ v. **1** Vender sin exigir el pago inmediato del importe y aplazándolo para más adelante: *No me fían en ningún sitio porque saben que no tengo dinero*. ∎ prnl. **2** Referido a una persona, tener confianza en ella: *No te fíes de él, porque te engañará en cuanto pueda*. **3** ‖ **ser de fiar**; ser merecedor de confianza: *Puedes hablar delante de ella, porque es de fiar*. ☐ ETIMOL. Del latín **fidare*. ☐ ORTOGR. La *i* de la raíz lleva tilde en los presentes, excepto en las

personas *nosotros* y *vosotros* →GUIAR. ☐ SINT.
Constr. de la acepción 2: *fiarse* DE *alguien*.

fiasco s.m. **1** Chasco o fracaso. **[2** Fraude o estafa.
☐ ETIMOL. Del italiano *fiasco*.

fibra s.f. **1** Filamento largo y delgado que forma
parte de algunos tejidos orgánicos o que se halla
presente en algunos minerales. **2** Hilo que se obtiene de forma artificial y que se usa en la elaboración
de telas. **[3** En zonas del español meridional, rotulador.
4 ‖**fibra óptica**; filamento de un material de gran
eficiencia para transmitir señales luminosas gracias
a la reflexión interna. ☐ ETIMOL. Del latín *fibra* (filamento de las plantas).

fibrilar adj. [De la fibra o relacionado con ella. ☐
MORF. 1. Invariable en género. 2. La RAE sólo lo registra como verbo.

fibroma s.m. Tumor benigno formado por tejido fibroso. ☐ ETIMOL. De *fibra* y *-oma* (tumor).

[fibrosis s.f. En medicina, formación patológica de
tejido fibroso en un órgano. ☐ ETIMOL. De *fibra* y
-osis (enfermedad). ☐ MORF. Invariable en número.

fibroso, sa adj. Con mucha fibra.

fíbula s.f. Hebilla o broche, parecidos a un imperdible, que se usaban para sujetar las prendas de
vestir. ☐ ETIMOL. Del latín *fibula*. ✍ joya

ficción s.f. **1** Invención, esp. si es literaria. **2** Presentación como verdadero o real de algo que no lo
es. ☐ ETIMOL. Del latín *fictio*. ☐ SEM. No debe emplearse con el significado de 'novela' (anglicismo):
*Escribe hermosas {*ficciones > novelas} de aventu-
ras.*

ficha s.f. **1** Pieza pequeña, generalmente delgada y
plana, a la que se asigna un valor convencional
para emplearla con distintos usos. **2** Hoja de papel
o de cartulina que sirve para anotar datos y poder
archivarlos o clasificarlos después con otros anotados de la misma forma. **3** Tarjeta o pieza semejante
que se utiliza para contabilizar el tiempo que ha
estado trabajando un empleado. **[4** En zonas del español meridional, persona peligrosa o de poco fiar. ☐
ETIMOL. Del francés *fiche* (estaca, taco).

fichaje s.m. **1** Contratación de una persona, esp.
de un deportista. **[2** *col.* Persona contratada, esp.
si es un deportista.

fichar v. **1** Referido a una persona o a un objeto, anotar
en una ficha o cartulina datos útiles para su clasificación: *He fichado más de dos mil libros de la biblioteca.* **2** Referido a una persona, esp. a un deportista,
contratarla: *Nuestro equipo ha fichado a dos delanteros extranjeros.* **3** *col.* Referido a una persona, considerarla con prevención y desconfianza: *Algo habrás hecho, para que todos te tengan fichado.* **4** Referido a una persona, entrar a formar parte de una
empresa o de una entidad deportiva: *Nuestro antiguo entrenador ha fichado por un equipo regional.*
5 Introducir una ficha en un aparato que permite
contabilizar el tiempo que un empleado ha estado
trabajando: *Hay que fichar a la entrada y a la salida del trabajo.* ☐ SINT. Constr. de la acepción 4:
fichar POR *una entidad.*

fichero s.m. **1** Lugar donde se clasifican y se guardan ordenadamente las fichas. **[2** Conjunto ordenado de fichas. **3** En informática, conjunto de informaciones o de instrucciones, grabadas como una
sola unidad de almacenamiento que puede manejarse en bloque; archivo.

ficticio, cia adj. **1** Fingido, falso o irreal. **2** Aparente o convencional. ☐ ETIMOL. Del latín *fictitius*.

[ficus s.m. Árbol con hojas grandes, fuertes y ovaladas, que puede cultivarse como planta de interior.
☐ MORF. Invariable en número.

fidecomiso s.m. →**fideicomiso**.

fidedigno, na adj. Digno de fe o de ser creído. ☐
ETIMOL. Del latín *fide dignus* (digno de fe). ☐ PRON.
Incorr. *[fideligno].

fideicomiso s.m. Disposición testamentaria por la
cual una persona deja encomendada a otra una herencia para que la transmita a un tercero o para
que haga con ella lo que se le encarga. ☐ ETIMOL.
Del latín *fidei commissum* (confiado a la fe). ☐ OR-
TOGR. Se admite también *fidecomiso*.

fidelidad s.f. **1** Lealtad o constancia en las ideas,
en los afectos o en las obligaciones. **2** Exactitud o
precisión en la ejecución de algo. **3** ‖**alta fidelidad**; sistema de grabación o reproducción de sonidos con un gran nivel de perfección. ☐ USO Es innecesario el uso del anglicismo *hi-fi* en lugar de *alta
fidelidad*.

fidelísimo, ma adj. superlat. irreg. de **fiel.** ☐
MORF. Incorr. *fielísimo.

[fidelización s.f. Atracción o captación de un
cliente de forma que se convierta en consumidor habitual de los productos de una empresa.

[fidelizar v. Referido esp. a un cliente, conseguir una
empresa que éste sea consumidor habitual de sus
productos: *Con las tarjetas de compra, los grandes
almacenes pretenden 'fidelizar' a la clientela.* ☐ OR-
TOGR. La *z* se cambia en *c* delante de *e* →CAZAR.

fideo s.m. **1** Pasta alimenticia en forma de hilo
grueso y hecha con harina de trigo. **2** *col.* Persona
muy delgada. ☐ ETIMOL. Quizá del antiguo *fidear*
(crecer, rebosar), porque aumentan de tamaño al co-
cerlos. ☐ MORF. La acepción 1 se usa más en plural.

[fideua s.f. Guiso hecho con fideos, pescado y marisco, que se cocina en una paella. ☐ ETIMOL. Del
catalán *fideua*. ☐ PRON. [fideuá].

fiduciario, ria ▌adj. **1** Que tiene un valor ficticio
que depende del crédito y de la confianza que merece la entidad emisora de dicho valor. ▌adj./s. **2**
Referido a una persona, que ha recibido una herencia
a través de un testamento para que la transmita a
alguien o para que haga con ella lo que se le encarga. ☐ ETIMOL. Del latín *fiduciarius*.

fiebre s.f. **1** Aumento anormal de la temperatura
del cuerpo, que es síntoma de algún trastorno o enfermedad; calentura. **2** Enfermedad infecciosa cuyo
síntoma fundamental es un aumento anormal de la
temperatura. **3** Ansiedad o agitación con que se lleva a cabo una actividad. **4** ‖**fiebre aftosa**; enfermedad del ganado producida por un virus y que se
manifiesta fundamentalmente por el desarrollo de
ampollas en la boca y entre las pestañas. ‖**fiebre
amarilla**; enfermedad infecciosa y fácilmente contagiosa, producida por un virus, que es propia de
algunos países tropicales y que causa graves epidemias. ‖**fiebre de Malta**; enfermedad infecciosa
transmitida al hombre por algunos animales, y caracterizada por fiebres muy altas, cambios bruscos
de temperatura y sudores abundantes; brucelosis.
‖**fiebre del heno**; alergia que se presenta al aproximarse la primavera o el verano y que está producida por la inhalación del polen de algunas plantas. ‖**(fiebre) tifoidea**; enfermedad infecciosa muy

contagiosa, causada por una bacteria, y que afecta al intestino delgado. □ ETIMOL. Del latín *febris*. □ MORF. La acepción 2 se usa más en plural.

fiel ∎ adj. **1** Referido a una persona, que es constante en sus ideas, afectos u obligaciones y que no defrauda la confianza depositada en ella. **2** Exacto o conforme a la verdad. **3** Adecuado para la función que se le asigna. ∎ adj./s. **4** Referido a un creyente, esp. a un cristiano, que acata las normas de su iglesia. ∎ s.m. **5** En una balanza, aguja que marca el peso. □ ETIMOL. Del latín *fidelis*. □ MORF. 1. Como adjetivo es invariable en género. 2. En la acepción 4, como sustantivo es de género común: *el fiel, la fiel*. 3. Su superlativo es *fidelísimo*. □ SINT. Constr. de las acepciones 1, 2 y 3: *fiel A algo*.

fieltro s.m. Paño que no está tejido, sino que resulta de conglomerar lana o pelo. □ ETIMOL. Del germánico *filt*.

fiera s.f. Véase **fiero, ra**.

fiereza s.f. Carácter fiero, violento o agresivo.

fiero, ra ∎ adj. **1** De las fieras o relacionado con estos animales. **2** Áspero, cruel o de difícil trato. **3** Grande, intenso o excesivo. ∎ s.f. **4** Animal salvaje. **5** Persona cruel o de carácter violento. **6** ‖**fiera corrupia**; **1** Figura de animal, deforme y de aspecto espantoso, que suele hacerse desfilar en fiestas populares. col. [**2** Persona cruel o de muy mal carácter. ‖**hecho una fiera**; *col.* Muy irritado. ‖**ser una fiera** {en/para} **una actividad**; *col.* Destacar en ella. □ ETIMOL. Del latín *ferus* (silvestre). □ SINT. La expresión *hecho una fiera* se usa más con los verbos *estar, ponerse* o equivalentes.

fierro s.m. **1** En zonas del español meridional, hierro. [**2** En zonas del español meridional, arma blanca. □ ETIMOL. Del latín *ferrum* (hierro).

fiesta s.f. **1** Reunión de personas para divertirse o para celebrar algún acontecimiento. **2** Día en que no se trabaja por celebrarse alguna conmemoración religiosa o civil. **3** En la iglesia católica, día que se celebra con mayor solemnidad que otros, o que está dedicado a la memoria de un santo. **4** Conjunto de actos organizados para la diversión del público, esp. como celebración de un acontecimiento o de una fecha señalada. **5** Alegría, diversión o regocijo. **6** Muestra de afecto que se hace a alguien para ganar su voluntad o expresarle cariño. **7** ‖**fiesta de** {guardar/precepto}; día en que es obligatorio oír misa y descansar. ‖{guardar/santificar} **las fiestas**; emplearlas en el culto a Dios y no dedicarlas al trabajo. ‖**hacer fiesta**; tomar como festivo un día laborable. □ ETIMOL. Del latín *festa*. □ MORF. Las acepciones 4 y 6 se usan más en plural.

[*fifty-fifty* (anglicismo) ‖Expresión que se utiliza para indicar que algo se reparte en dos partes iguales. □ PRON. [fífti-fífti]. □ USO Su uso es innecesario y puede sustituirse por expresiones como *a medias* o *al cincuenta por ciento*.

figle s.m. Instrumento musical de viento que consta de un tubo largo de latón doblado por la mitad y provisto de llaves o pistones. □ ETIMOL. Del francés *bugle*. ↳ viento

figón s.m. Establecimiento de poca categoría donde se servían comidas. □ ETIMOL. De *figo* (tumor anal), porque figón significó *sodomita pasivo*, y más tarde se aplicó como insulto a los dueños de algunos establecimientos de este tipo.

figura s.f. **1** Forma exterior de un cuerpo que per-

mite diferenciarlo de otro. **2** Estatua, pintura o representación de algo, esp. de una persona o de un animal. **3** En geometría, espacio cerrado por líneas o por superficies. **4** Personaje de ficción, esp. el que representa un tipo o una serie de características. **5** Persona que destaca en una actividad. **6** En retórica, procedimiento lingüístico o estilístico que se aparta del modo común de hablar y que generalmente busca dar mayor expresividad al lenguaje: *El hipérbaton es una figura retórica*. **7** En música, representación gráfica de una nota, que es indicativa de su duración. **8** Naipe que representa a una persona o a un animal. □ ETIMOL. Del latín *figura*. □ MORF. En la acepción 5, se usa también como sustantivo de género común: *el figura, la figura*.

figuración s.f. Suposición, imaginación o representación de algo en la mente.

figurado, da adj. Referido esp. al significado de una palabra o de una expresión, que no se corresponde con el originario o literal.

figurante adj./s. **1** En algunos espectáculos, referido a una persona, que forma parte del acompañamiento o que tiene un papel poco importante o sin texto. [**2** Referido a una persona, que desempeña un papel poco importante en un asunto o en un grupo. □ MORF. 1. Como adjetivo es invariable en género. 2. Como sustantivo es de género común: *el figurante, la figurante*.

figurar ∎ v. **1** Aparentar, fingir o simular: *El general figuró una retirada de las tropas para engañar al enemigo*. **2** Estar presente en algún sitio o formar parte de un número determinado de personas o de cosas: *Tu examen figura entre los mejores*. **3** col. Referido esp. a una persona, destacar, brillar o sobresalir: *Va a todas las fiestas porque le encanta figurar y dejarse ver*. ∎ prnl. **4** Referido a algo que no se conoce, imaginarlo o suponerlo: *Me figuro cuál habrá sido su reacción*. □ ETIMOL. Del latín *figurare* (dar forma, representar).

figurativo, va adj. **1** Que representa o figura otra cosa. **2** Referido al arte o a un artista, que representan figuras y realidades concretas y reconocibles.

figurín s.m. **1** Dibujo que sirve como modelo para confeccionar prendas de vestir y adornos. [**2** Revista que contiene estos dibujos. **3** col. Persona joven que cuida mucho su aspecto y sigue rigurosamente la moda. □ ETIMOL. Del italiano *figurino*.

figurón s.m. **1** col. Hombre presumido y al que le gusta exhibirse y aparentar. **2** En el teatro español del siglo XVII, protagonista de la llamada 'comedia de figurón', caracterizado por su personalidad ridícula o extravagante. **3** ‖**figurón de proa**; en el casco de una embarcación, figura que se coloca en la proa como adorno; mascarón de proa. □ USO En la acepción 1, es despectivo.

fijación s.f. **1** Colocación de un objeto sobre otro de forma que quede sujeto a éste. **2** Estabilización de algo. **3** Determinación o establecimiento de algo de forma exacta. [**4** Obsesión o manía permanente. [**5** Pieza que se coloca encima de los esquís y que sirve para fijar y enganchar las botas. □ MORF. La acepción 5 se usa más en plural.

fijador s.m. Producto que se utiliza para fijar.

fijar ∎ v. **1** Referido a un objeto, asegurarlo o sujetarlo a otro: *Prohibido fijar carteles*. **2** Hacer fijo o estable: *Fijaré mi domicilio en la capital*. **3** Determinar o establecer de forma exacta: *Ayer fijaron la fecha* *del examen. Te has fijado unas metas demasiado difíciles.* **4** Referido esp. a la atención o a la mirada, dirigirlas, centrarlas o aplicarlas intensamente sobre algo: *El niño fijó su atención en las láminas de colores.* ∎ prnl. **5** Darse cuenta de algo o prestarle atención: *¿Te has fijado en las ojeras que tiene?* ☐ ORTOGR. 1. Conserva la *j* en toda la conjugación. 2. Dist. de *fisgar*. ☐ MORF. Tiene un participio regular (*fijado*), que se usa en la conjugación, y otro irregular (*fijo*), que se usa como adjetivo. ☐ SINT. Constr. de la acepción 5: *fijarse EN algo*. ☐ USO El uso de *fíjate* como una interjección está muy gramaticalizado: *¡Fíjate en la pinta que llevas!*

fijeza s.f. Persistencia, firmeza o continuidad.

fijo, ja adj. **1** Firme, asegurado o inmóvil. **2** Permanente o que no está expuesto a ningún cambio o alteración. ☐ ETIMOL. Del latín *fixus* (clavado, fijo).

fijo adv. **1** Con certeza o con seguridad. **2** ‖ **de fijo**; seguro o sin duda.

fila ∎ s.f. **1** Línea formada por personas o por objetos colocados uno detrás de otro o uno al lado de otro. **2** Línea formada por letras o signos colocados ordenadamente uno al lado de otro. ∎ pl. **3** Ejército o servicio militar. **4** Colectivo o agrupación de personas, esp. si es de carácter político: *De joven militó en las filas de un partido revolucionario.* **5** ‖ **[cerrar filas**; referido a un grupo, mostrar unión para defenderse ante una situación difícil. ‖ **fila india**; la formada por varias personas colocadas una detrás de otra. ‖ **[romper filas**; deshacer una formación militar. ☐ ETIMOL. Del francés *file*.

filamento s.m. **1** Cuerpo o elemento en forma de hilo. **2** En una flor, parte del estambre que sujeta la antera. 🌾 flor ☐ ETIMOL. Del latín *filamentum*.

filantropía s.f. Amor al género humano. ☐ ETIMOL. Del griego *philanthropía* (sentimiento de humanidad), y éste de *philéo* (yo amo) y *ánthropos* (hombre, persona). ☐ SEM. Dist. de *misantropía* (rechazo hacia el trato con los demás).

filántropo, pa s. Persona que se caracteriza por su amor hacia el género humano y por su inclinación a realizar obras en favor de los demás. ☐ SEM. Dist. de *misántropo* (persona que siente gran rechazo hacia el trato con los demás).

filarmonía s.f. Pasión por la música.

filarmónico, ca adj. Que siente pasión por la música. ☐ ETIMOL. De *filo-* (amigo) y *armonía*.

filatelia s.f. Afición a coleccionar o a estudiar los sellos de correos. ☐ ETIMOL. De *filo-* (amigo) y el griego *atelés* (gratuito, exento de pago), porque el sello indicaba que el envío debía hacerse sin otro cobro.

filatélico, ca adj. De la filatelia o relacionado con esta afición.

filatelista adj./s. Referido a una persona, que es aficionada a coleccionar o a estudiar los sellos de correos. ☐ MORF. Es de género común: *el filatelista, la filatelista.*

filete s.m. **1** Loncha de carne magra o pieza de pescado sin espinas. **2** En arquitectura, moldura pequeña y de sección recta, con forma de lista larga y estrecha, que separa generalmente otras dos; listel. **3** Línea fina y alargada que sirve de adorno, esp. la que se coloca en los bordes de algo. **4** ‖ **[darse el filete**; *vulg.* Referido a una pareja, besuquearse y toquetearse. ☐ ETIMOL. Del francés *filet*.

filfa s.f. *col.* Lo que resulta falso o engañoso.

[filia s.f. Afición o simpatía hacia algo. ☐ ETIMOL. Del griego *philía* (amistad).

filiación s.f. **1** Dependencia de una persona o de una cosa con respecto a otras. **2** Afiliación a una corporación o dependencia de una doctrina.

filial ∎ adj. **1** Del hijo o relacionado con él. ∎ adj./ s.f. **2** Referido esp. a una empresa, que depende de otra principal que posee una participación mayoritaria de sus acciones. ☐ ETIMOL. Del latín *filialis*. ☐ MORF. Como adjetivo es invariable en género.

filibustero s.m. En el siglo XVII, pirata que operaba en el mar de las Antillas (región insular centroamericana). ☐ ETIMOL. Del francés *flibustier*.

filigrana s.f. **1** Dibujo o adorno de hilos de oro o de plata, unidos con perfección y delicadeza. **2** Lo que se hace con delicadeza o con habilidad. ☐ ETIMOL. Del italiano *filigrana*.

filípica s.f. Reprimenda o represión duras contra alguien. ☐ ETIMOL. Del latín *philippica oratio*, (discurso relativo a Filipo, en memoria de los pronunciados por Demóstenes contra el rey de Macedonia).

filipino, na adj./s. De Filipinas o relacionado con este país asiático.

filisteo, a adj./s. De un antiguo pueblo que habitaba el oeste palestino y que era enemigo de los israelitas, o relacionado con él.

filloa s.f. Torta hecha con harina, yemas de huevo, sal y leche. ☐ ETIMOL. Del gallego *filloa*.

film s.m. **1** →*filme*. **[2** Película o capa muy fina de algo. ☐ ETIMOL. Del inglés *film*.

filmación s.f. Registro o impresión de imágenes en una película cinematográfica.

filmar v. Registrar en película cinematográfica o impresionar ésta con imágenes; cinematografiar: *El padre de la novia filmó la boda con una cámara de vídeo. En cuanto lleguen los actores, empezaremos a filmar.*

filme s.m. Película cinematográfica; film. ☐ ETIMOL. Del inglés *film*. ☐ ORTOGR. Aunque se admite también *film*, su plural es siempre *filmes*.

fílmico, ca adj. Del filme o relacionado con él.

filmina s.f. Fotografía sacada en película transparente y directamente en positivo, sin invertir los colores; diapositiva. ☐ SEM. Aunque la RAE lo considera sinónimo de *transparencia*, en la lengua actual no se usa como tal.

filmografía s.f. Relación o conjunto de películas cinematográficas con una característica común, esp. la de la participación en ellas de un director o de un actor determinados. ☐ ETIMOL. De *film* (película) y *-grafía* (descripción, tratado).

filmoteca s.f. **1** Local en el que se conserva una colección organizada de filmes, generalmente ya apartados de los circuitos comerciales, para poder ser estudiados o vistos por los usuarios. **[2** Local en el que se proyectan este tipo de filmes. **3** Colección de filmes, generalmente ordenada y que consta de un número considerable. ☐ ETIMOL. De *film* (película) y el griego *théke* (caja para depositar algo). ☐ SEM. Es sinónimo de *cinemateca*.

filo s.m. **1** Borde agudo o afilado de algo, esp. de un instrumento cortante. **[2** En zonas del español meridional, cima. **3** ‖ **al filo de** algo; muy cerca o alrededor de ello. ☐ ETIMOL. Del latín *filum* (hilo).

filo- Elemento compositivo que significa 'amigo o amante de'. ☐ ETIMOL. Del griego *philéo* (yo amo).

filología s.f. Ciencia que estudia una cultura a través de su lengua y de su literatura, apoyándose fundamentalmente en los textos escritos.

filológico, ca adj. De la filología o relacionado con esta ciencia.

filólogo, ga s. Persona que se dedica al estudio de una cultura a través de sus lenguas y de su literatura, esp. si es licenciada en filología. □ ETIMOL. Del griego *philólogos* (aficionado a las letras o a la erudición), y éste de *fileo* (yo amo) y *lógos* (obra literaria, lenguaje).

filón s.m. 1 Masa mineral que rellena una grieta o fisura de las rocas de un terreno. 2 Lo que resulta provechoso o da grandes ganancias. □ ETIMOL. Del francés *filon*.

filoso, sa adj. En zonas del español meridional, afilado.

filosofar v. 1 Discurrir o reflexionar con razonamientos filosóficos: *En este libro, la autora filosofa sobre el sentido de la vida.* 2 col. Meditar o hacer reflexiones para uno mismo: *¡Deja de filosofar y de dar vueltas al asunto!*

filosofía s.f. 1 Saber que trata sobre la esencia, las propiedades, las causas y los efectos de las cosas naturales. [2 Forma de pensar o de entender las cosas. 3 Tranquilidad o serenidad del ánimo ante las dificultades de la vida. □ SEM. No debe emplearse con el significado de 'fundamento, motivo, finalidad': *El ministro expuso {*la filosofía > los fundamentos, los motivos} de las nuevas medidas.*

filosófico, ca adj. De la filosofía o relacionado con ella.

filósofo, fa s. 1 Persona que se dedica al estudio de la filosofía. 2 Persona con afición a filosofar. □ ETIMOL. Del griego *philósophos* (el que gusta de un arte o ciencia), y éste de *phileo* (yo amo) y *sophía* (sabiduría, ciencia).

filoxera s.f. Insecto parecido al pulgón, con aparato bucal en forma de trompa y pico articulado, que ataca a las hojas y a los filamentos de las raíces de las vides. □ ETIMOL. Del griego *phýllon* (hoja) y *xerós* (seco). □ MORF. Es un sustantivo epiceno: *la filoxera macho, la filoxera hembra.*

filtración s.f. 1 Paso de un líquido o de otro elemento a través de un filtro. 2 Penetración de un líquido o de otro elemento en un cuerpo, a través de los poros o de pequeñas aberturas de éste. 3 Divulgación o comunicación indebidas de una información reservada.

filtrado s.m. 1 Paso de un líquido por un filtro. 2 Líquido que ha pasado a través de un filtro.

filtrador, -a ▌ adj./s. 1 Que filtra. ▌ s.m. 2 Filtro o aparato que se utiliza para depurar un líquido.

filtrante adj./s.m. Que filtra o que sirve de filtro. □ MORF. 1. Como adjetivo es invariable en género. 2. La RAE sólo lo registra como adjetivo.

filtrar v. 1 Referido a un líquido, hacerlo pasar por un filtro: *Antes de beber el café de puchero, hay que filtrarlo. Si la depuradora no filtra bien, habrá que llamar al técnico.* 2 Referido esp. a un dato, seleccionarlo para configurar una información: *Filtramos todas las llamadas de nuestros oyentes.* 3 Referido a una información reservada, divulgarla o comunicarla indebidamente: *Filtró a la prensa el nombre de los implicados en el negocio.* 4 Referido esp. a un líquido, penetrar en un cuerpo a través de los poros o de pequeñas aberturas de éste: *Algunos terrenos filtran*

el agua de la lluvia. La luz se filtra por las rendija de la persiana.

filtro s.m. 1 Materia porosa que se utiliza para eli minar las impurezas de las sustancias que se hace pasar a través de ella. 2 Pantalla que se interpon al paso de la luz y que sirve para eliminar deter minados rayos y dejar pasar otros. 3 En electrónico dispositivo que sirve para eliminar determinada frecuencias en la corriente que lo atraviesa. [4 col Procedimiento o sistema que permite seleccionar l que se considera mejor o más interesante. 5 Bebid a la que se atribuye la propiedad mágica de des pertar el amor de quien la toma. □ ETIMOL. La acepciones 1-4, del latín *filtrum* (fieltro), porque lo filtros se podían hacer de este material. La acepció 5, del griego *phíltron*, y éste de *phileo* (yo amo).

filudo, da adj. En zonas del español meridional, afi lado.

fimo s.m. 1 Materia orgánica en descomposició que resulta de la mezcla de excrementos de ani males con materias vegetales, y que se usa com abono. 2 Excremento de animal. □ ETIMOL. Del la tín *fimus* (estiércol). □ SEM. Es sinónimo de *cien y estiércol.*

fimosis s.f. En medicina, estrechez del orificio de prepucio que impide la salida del glande. □ ETIMOL Del griego *phímosis*, y éste de *phimóo* (yo amordaze con bozal). □ MORF. Invariable en número.

fin s.m. 1 Término de algo. 2 Objetivo o motivo po los que se realiza una acción. 3 ‖a fin de cuentas o al fin y {a la postre/al cabo}; [después de todo ‖a fin de hacer algo; para o con objeto de hacerlo ‖a {fin/fines} de un período de tiempo; hacia su final. ‖en fin; en resumen o en definitiva. ‖fin de semana; 1 Período de tiempo que comprende el sá bado y el domingo. [2 Maleta pequeña o bolso en los que cabe lo necesario para un viaje corto. ‖sin fin; gran cantidad. □ ETIMOL. Del latín *finis* (límite, fin). □ MORF. La RAE lo registra como sus tantivo de género ambiguo. □ USO Es innecesario el uso del anglicismo *week-end* en lugar de *fin de semana.*

finado, da s. Persona muerta.

final ▌ adj. 1 Que termina, remata o pone fin. 2 Que expresa finalidad. ▌ s.m. 3 Fin o terminación de algo. ▌ s.f. 4 En una competición deportiva o en un concurso, última fase. □ ETIMOL. Del latín *finalis*. □ MORF. Como adjetivo es invariable en género.

[final four (anglicismo) ‖En algunos deportes, fase final de una competición. □ PRON. [finál for] o [fái nal for]. □ USO Su uso es innecesario.

finalidad s.f. Fin que se persigue y por el que se hace algo.

[finalísima s.f. En una competición eliminatoria, últi ma fase, en la que se decide el vencedor.

finalista adj./s. En un campeonato o en un concurso, referido a un participante, que ha llegado a la fase fi nal. □ MORF. 1. Como adjetivo es invariable en gé nero. 2. Como sustantivo es de género común: *el fi nalista, la finalista.*

[finalización s.f. Conclusión o extinción de algo.

finalizar v. 1 Referido a una obra o a una acción, con cluirlas, acabarlas o darles fin: *Contrataron a más trabajadores para finalizar las obras en un plazo menor.* 2 Extinguirse, acabarse o llegar al fin: *Las vacaciones del colegio finalizan con el verano.* □ OR TOGR. La *z* se cambia en *c* delante de *e* →CAZAR.

ɪanciación s.f. Aportación del dinero necesario ara una actividad, o pago de los gastos que genera.

ɪanciar v. Referido esp. a una actividad, sufragar ɪus gastos: *El banco financiará las obras de amɪliación del local.* ☐ ETIMOL. Del francés *financer.* ☐ ɪRTOGR. La *i* nunca lleva tilde.

ɪanciero, ra ▌adj. **1** De las finanzas o relacioɪado con ellas. ▌adj./s. [**2** Referido esp. a una entidad, ɪue financia. ▌s. **3** Persona especializada en finanɪas o actividades relacionadas con la inversión del ɪinero.

ɪnancista s. En zonas del español meridional, finanɪiero. ☐ MORF. Es de género común: *el 'financista', ɪ 'financista'.*

ɪnanzas s.f.pl. [**1** Conjunto de actividades relacioɪadas con la inversión de dinero. **2** Capitales o bieɪes de los que se dispone. **3** Hacienda pública.

ɪnar v. *poét.* Morir: *Finó tras una larga enfermeɪad.*

ɪnca s.f. Propiedad inmueble en el campo o en la ɪiudad. ☐ ETIMOL. Del antiguo *fincar* (permanecer, ɪuedar).

ɪncar v. [En zonas del español meridional, construir ɪna casa: *Mis tíos compraron un terreno y comienɪan a 'fincar' el próximo mes.* ☐ ORTOGR. La *c* se ɪambia en *qu* delante de *e* →SACAR.

ɪnés, -a ▌adj./s. **1** De Finlandia (país europeo), o ɪelacionado con ella. ▌s.m. **2** Lengua de este país.

ɪneza s.f. **1** Delicadeza o cuidado puestos en la reaɪización de algo. **2** Hecho o dicho con el que una ɪersona manifiesta su amor o su cariño a otra. ☐ ɪTIMOL. De *fino.*

ɪnger (anglicismo) s.m. Tubo extensible que perɪite el acceso directo desde una terminal de aeroɪuerto a un avión. ☐ PRON. [fínguer].

ɪngimiento s.m. Simulación de algo que no es ɪierto.

ɪngir v. Referido esp. a algo que no es cierto, darlo a ɪntender, simularlo o aparentarlo; afectar: *Fingió ɪolor por lo ocurrido, pero en el fondo no le afectó ɪo más mínimo. Se fingió enfermo para no acudir a ɪa cita. ¡Deja de fingir y muéstrate como eres por ɪna vez en tu vida!* ☐ ETIMOL. Del latín *fingere* ɪamasar, modelar, inventar). ☐ ORTOGR. La *g* se ɪambia en *j* delante de *a, o* →DIRIGIR.

ɪniquitar v. **1** Referido esp. a una cuenta o a una deuɪa, pagarlas o liquidarlas completamente: *Con este ɪago, finiquito la última letra de la lavadora.* **2** col. ɪerminar o dar por acabado: *Finiquitamos la reuɪión con un apretón de manos.*

ɪniquito s.m. Pago o liquidación, esp. de una cuenɪa o de una deuda. ☐ ETIMOL. De *fin y quito* (libre).

ɪnisecular adj. Del final de un siglo o relacionado ɪon él. ☐ MORF. Invariable en género.

ɪnito, ta adj. Que tiene fin o límite. ☐ ETIMOL. Del ɪatín *finitus* (acabado, finalizado).

ɪnitud s.f. Existencia de final o de límites.

ɪnlandés, -a adj./s. De Finlandia o relacionado ɪon este país del norte europeo.

ɪno, na ▌adj. **1** Delgado, sutil o de poco grosor. **2** Referido esp. a una persona o a sus modales, que son ɪorteses y muy educados. **3** Referido a un sentido corɪoral, que es agudo o rápido en percibir las sensaɪiones. **4** Suave, terso o sin asperezas. **5** Delicado ɪ y de buena calidad. **6** Astuto, sagaz o hábil. **7** Reɪerido a un metal, que está muy depurado o sin mezɪla. ▌adj./s.m. **8** Referido al jerez, que es muy seco,

de color claro, delicado y transparente. ☐ ETIMOL. De *fin* (lo sumo, lo perfecto).

finolis adj./s. *col.* Referido a una persona, que muestra una finura y una delicadeza exageradas. ☐ MORF. **1.** Como adjetivo es invariable en género. **2.** Como sustantivo es de género común: *el finolis, la finolis.* **3.** Invariable en número. ☐ USO Tiene un matiz despectivo.

finta s.f. En algunos deportes, movimiento rápido y ágil que se hace con intención de engañar al adversario. ☐ ETIMOL. Del italiano *finta* (ficción).

fintar v. En algunos deportes, hacer fintas o movimientos rápidos para engañar a alguien: *El extremo fintó al defensa que lo cubría y metió un gol.*

finura s.f. **1** Delgadez o escaso grosor. **2** Cortesía y buena educación de una persona. **3** Delicadeza y calidad de algo. **4** Agudeza de un sentido corporal. **5** Suavidad, tersura o ausencia de asperezas.

fiordo s.m. Valle glaciar rodeado por montañas escarpadas e invadido por el mar. ☐ ETIMOL. Del noruego *fjord.*

firma s.f. **1** Nombre y apellidos de una persona, generalmente acompañados de rúbrica, que se suelen poner al pie de un documento o de otro escrito. **2** Acto de firmar un conjunto de documentos. **3** Empresa o denominación legal que tiene. [**4** Estilo o marca característica de algo. ☐ SEM. Dist. de *rúbrica* (trazos que acompañan al nombre en una firma).

firmamento s.m. Espacio en el que se mueven los astros y que, visto desde la Tierra, parece formar sobre ella una cubierta arqueada; bóveda celeste, cielo. ☐ ETIMOL. Del latín *firmamentum* (fundamento, apoyo).

[firmante adj./s. Que firma. ☐ MORF. Invariable en género.

firmar v. Poner o escribir la firma: *Firmé el contrato de trabajo para los próximos seis meses.* ☐ ETIMOL. Del latín *firmare* (afirmar, dar fuerza).

firme ▌adj. **1** Estable, fuerte o que no se mueve. **2** Que permanece constante y sin dejarse dominar ni abatir. ▌s.m. **3** Capa de piedras pequeñas que sirve para consolidar el pavimento de una carretera. **4** Capa de terreno sólida sobre la que se puede edificar. ▌adv. **5** Con entereza o con constancia. **6** ‖**de firme**; **1** Con constancia o sin parar. **2** Con solidez o con seguridad. **3** Con fuerza o con violencia. ‖**en firme**; referido a la forma de concertar una operación comercial, con carácter definitivo. ☐ ETIMOL. Del latín *firmis.* ☐ MORF. Como adjetivo es invariable en género.

firmeza s.f. **1** Estabilidad o fortaleza. **2** Entereza o constancia del que no se deja dominar ni abatir.

fiscal ▌adj. **1** Del fisco o hacienda pública, o relacionado con él. **2** Del fiscal o relacionado con esta persona. ▌s. **3** Persona legalmente autorizada para acusar de los delitos ante los tribunales de justicia. ☐ ETIMOL. Del latín *fiscalis* (referente al fisco). ☐ MORF. **1.** Como adjetivo es invariable en género. **2.** Como sustantivo, aunque la RAE sólo lo registra como masculino, en la lengua actual es de género común: *el fiscal, la fiscal.*

fiscalía s.f. **1** Profesión de fiscal. **2** Oficina de un fiscal.

[fiscalidad s.f. Conjunto de los impuestos o de los tributos que deben pagar los ciudadanos y las empresas al Estado.

fiscalización s.m. Sometimiento de una persona

o de una entidad a una inspección fiscal para comprobar si pagan sus impuestos.

fiscalizar v. **1** Referido a una persona o a sus acciones, investigarlas, criticarlas o enjuiciarlas: *¡Deja de fiscalizar mi vida y métete en tus asuntos!* **2** Referido a una persona o una entidad, someterlas a una inspección fiscal: *El Estado fiscalizará a todo sospechoso de defraudar al fisco.* □ ORTOGR. La z se cambia en c delante de e →CAZAR.

fisco s.m. [**1** Estado, como recaudador de impuestos y tributos. **2** Tesoro público o conjunto de bienes y de riquezas de un Estado. □ ETIMOL. Del latín *fiscus* (tesoro público).

fisga s.f. Arpón con varias puntas o dientes, que sirve para pescar peces grandes. □ ETIMOL. De *fisgar*. 🖾 pesca

fisgar v. Indagar, curiosear o investigar disimuladamente: *Ese entrometido todo lo tiene que fisgar y de todo se tiene que enterar. Si pillo a alguien fisgando entre mis papeles, lo echo de una patada.* □ ETIMOL. Del latín **fixicare* (clavar). □ PRON. En zonas del español meridional no debe confundirse con *fijar*. □ ORTOGR. La g se cambia en gu delante de e →PAGAR. **2.** Dist. de *fijar*.

fisgón, -a adj./s. Que tiene por costumbre fisgar o curiosear los asuntos ajenos. □ USO Es despectivo.

fisgonear v. Indagar o investigar por costumbre, y con disimulo o maña; curiosear: *A la portera de mi edificio le gusta fisgonear la vida de los vecinos. No me gusta la gente que anda siempre fisgoneando.*

fisgoneo s.m. Indagación o investigación disimuladas que se hacen por costumbre. □ USO Es despectivo.

físico, ca ∎ adj. **1** De la física o relacionado con esta ciencia. **2** De la constitución y naturaleza de un cuerpo o de la materia, o relacionado con ellas. ∎ s. **3** Persona que se dedica profesionalmente al estudio de la materia, de la energía y de los fenómenos que las rigen, o que está especializada en física. ∎ s.m. **4** Aspecto externo de una persona. ∎ s.f. **5** Ciencia que estudia la materia, la energía, sus propiedades y los fenómenos y leyes que las rigen y caracterizan. □ ETIMOL. Del latín *physicus* (relativo a las ciencias naturales).

fisiocracia s.f. Doctrina económica que atribuía el origen de la riqueza a la naturaleza, esp. a la agricultura. □ ETIMOL. Del griego *phýsis* (naturaleza) y *-cracia* (poder, dominio).

[fisioculturismo s.m. Práctica sistemática de ejercicios gimnásticos y de pesas que, combinados con un determinado régimen alimenticio, desarrollan los músculos del cuerpo humano; culturismo.

fisiología s.f. Ciencia que estudia las funciones de los seres vivos. □ ETIMOL. Del griego *physiología* (estudio de la naturaleza).

fisiológico, ca adj. De la fisiología o relacionado con esta ciencia.

fisiólogo, ga s. Persona que se dedica profesionalmente al estudio de las funciones de los seres vivos, o que está especializada en fisiología.

fisión s.f. División del núcleo de un átomo en dos o más fragmentos, acompañada de la liberación de una gran cantidad de energía. □ ETIMOL. Del inglés *fission*. □ SEM. Dist. de *fusión* (conversión de un sólido en líquido; unión de varias cosas en una sola).

fisionomía s.f. →fisonomía.

fisioterapeuta s. Persona especializada en la aplicación de la fisioterapia. □ ETIMOL. Del grie *phýsis* (naturaleza) y *terapeuta*. □ MORF. Es de ✱ nero común: *el fisioterapeuta, la fisioterapeuta.*

fisioterapia s.f. Tratamiento de enfermedades de incapacidades físicas con técnicas basadas en empleo de agentes y procedimientos naturales, e✱ masajes, gimnasia y aplicación de agua o de cal✱ □ ETIMOL. Del griego *phýsis* (naturaleza) y *-terap* (curación).

fisonomía s.f. **1** Aspecto característico del rost de una persona. **2** Aspecto externo de algo. □ E✱ MOL. De *fisónomo*, y éste del griego *physiognóm* (el que sabe juzgar la naturaleza de una perso✱ por sus facciones). □ ORTOGR. Se admite tambi✱ *fisionomía.*

fisonómico, ca adj. De la fisonomía o relac✱ nado con ella.

fisonomista adj./s. Referido a una persona, que tie✱ facilidad para recordar y distinguir a las person✱ por el aspecto de su rostro. □ PRON. Incorr. *[fis✱ nomista]. □ MORF. **1.** Como adjetivo es invaria✱ en género. **2.** Como sustantivo es de género comú✱ *el fisonomista, la fisonomista.*

fístula s.f. Conducto anormal, estrecho, que se a✱ en la piel o en las membranas mucosas y que no✱ cierra espontáneamente. □ ETIMOL. Del latín *fistu* (caño de agua, tubo).

fisura s.f. **1** Grieta, raja o hendidura entre cuy✱ bordes sólo hay una ligera separación. [**2** Lo q✱ impide o debilita la unión o la cohesión de algo. □ ETIMOL. Del latín *fissura.*

[fitness (anglicismo) s.m. Tipo de gimnasia pa✱ mantenerse en forma. □ PRON. [fítnes]. □ USO ✱ uso es innecesario.

fito- Elemento compositivo que significa 'planta' 'vegetal'. □ ETIMOL. Del griego *phytón.*

fitoplancton s.m. Plancton marino formado p✱ algas y otros organismos vegetales.

flaccidez s.f. →flacidez.

fláccido, da adj. →flácido.

flacidez s.f. **1** Blandura, falta de consistencia o fa✱ ta de fuerza. **2** Debilidad muscular o flojedad. ■ ORTOGR. Se admite también *flaccidez.*

flácido, da adj. Blando, sin consistencia o s✱ fuerza. □ ETIMOL. Del latín *flaccidus.* □ ORTOGR. ✱ admite también *fláccido.*

flaco, ca adj. **1** Delgado y con pocas carnes. **2** D✱ bil, frágil o sin fuerza. □ ETIMOL. Del latín *flacc✱* (flojo, flácido).

flagelación s.f. Azote reiterado con un flagelo.

flagelado, da adj./s.m. Referido a una célula o a ✱ microorganismo, que está provisto de flagelos.

flagelar v. **1** Azotar o golpear con un flagelo: *L✱ soldados romanos flagelaron a Jesucristo antes ✱ crucificarlo. En la procesión, un penitente se flag✱ laba como penitencia.* **2** Censurar, reprender o cr✱ ticar con dureza: *Deja de flagelar a tus subordin✱ dos y procura motivarlos positivamente.*

flagelo s.m. **1** Instrumento que se usa para azot✱ y que generalmente está compuesto de un palo y d✱ unas tiras largas. **2** En algunos microorganismos y c✱ lulas, prolongación o extremidad fina y muy móv✱ que les sirve para moverse. □ ETIMOL. Del latín *fl✱ gellum* (látigo, azote). □ SEM. En la acepción 1, di✱ de *cilicio* (cinturón con cerdas o con púas que s✱ ciñe al cuerpo como penitencia o sacrificio).

flagrante adj. **1** Que está sucediendo o se está ej✱

:utando actualmente. **2** Que es claro y evidente, o jue no necesita pruebas. □ ETIMOL. Del latín *fla-jrans* y éste de *flagrare* (arder). □ ORTOGR. Dist. de *'ragante*. □ MORF. Invariable en género.

amante adj. **1** Resplandeciente o con muy buen aspecto, esp. por ser nuevo o recién estrenado. **2** Nuevo o reciente. □ ETIMOL. Del italiano *fiamman-e*. □ MORF. Invariable en género.

'lambear v. Referido a un alimento, someterlo a la acción de la llama de un líquido inflamable: *Roció la carne con coñac para luego 'flambearla'.* □ ETIMOL. Del francés *flamber*.

amear v. **1** Despedir llamas: *Una antorcha flameaba en la oscuridad de la gruta.* **2** Referido esp. a una vela o a una bandera, ondear al viento: *Las banderas flameaban a las puertas del edificio.* □ ETIMOL. Del catalán *flamejar*.

amenco, ca ■ adj./s. **1** De Flandes (antigua región del norte europeo que se extendía por parte del actual territorio belga), o relacionado con ella. **2** *col.* Referido a una persona, esp. a una mujer, que tiene aspecto robusto, saludable y desenvuelto. **3** *col.* Referido a una persona, que es pedante, presumida e insolente. ■ adj./s.m. **4** Referido esp. a un cante o a un baile, que es de origen andaluz, popular y agitanado. ■ s.m. **5** Variedad lingüística emparentada con el neerlandés y que se habla en la región belga de Flandes y en parte de Bruselas (capital belga). **6** Ave palmípeda y zancuda, de pico encorvado, patas y cuello largos, plumaje blanco, rosado y rojo, y que vive en grupos en las marismas. 🔍 ave □ MORF. En la acepción 6, es un sustantivo epiceno: *el flamenco macho, el flamenco hembra*.

amencología s.f. Estudio o conjunto de conocimientos sobre el cante y el baile flamencos. □ ETIMOL. De *flamenco* y *-logía* (estudio).

amenquería s.f. **1** Gracia o desenfado. **2** Actitud insolente o pretenciosa.

amígero, ra adj. **1** *poét.* Que despide llamas. **2** Que tiene forma de llama. □ ETIMOL. Del latín *flammiger*, y éste de *flamma* (llama) y *gerere* (llevar).

an s.m. **1** Dulce elaborado con huevos, leche y azúcar, que se cuaja poniéndolo al baño María en un molde generalmente con forma de cono truncado, y que se suele tomar como postre. **2** ‖ **{como/hecho} un flan**; *col.* Tembloroso o muy nervioso. □ ETIMOL. Del francés *flan*.

anco s.m. **1** Cada una de la dos partes laterales de un cuerpo visto de frente. **2** Lado o costado de una embarcación o de una formación militar. □ ETIMOL. Del francés *flanc* (costado).

'lanera s.f. o **flanero** s.m. Molde en el que se cuaja el flan.

'lanquear v. **1** Estar colocado a los flancos o a los lados: *Dos centinelas flanquean la entrada al palacio.* **2** Proteger o atacar el flanco o lado: *El plan era flanquear al enemigo por la izquierda.* □ ORTOGR. Dist. de *franquear*.

flaquear v. **1** Ir perdiendo fuerza; flojear: *La memoria flaquea con los años.* **2** Desanimarse o aflojar en una actividad: *No podemos flaquear ahora que llegamos a la cima.*

flaqueza s.f. **1** Debilitamiento o falta de carnes en el cuerpo. **2** Debilidad o falta de fuerza, de vigor o de resistencia. **3** Acción cometida por esta debilidad.

flas s.m. **1** En fotografía, dispositivo luminoso con un destello breve e intenso, que se utiliza cuando la luz ambiental es insuficiente. **2** Resplandor provocado por este dispositivo. **3** En periodismo, avance muy breve o de última hora de una noticia importante. **[4** *col.* Impresión fuerte o sorprendente. **[5** *col.* Sensación intensa de bienestar o de euforia, esp. si es producida por una droga o por un estimulante. □ ETIMOL. Del inglés *flash* (destello). □ USO Es innecesario el uso del anglicismo *flash*.

[flash s.m. →**flas**. □ PRON. [flas]. □ USO Es un anglicismo innecesario.

[flashback (anglicismo) s.m. En una película cinematográfica o en una narración, secuencia o pasaje que suponen una vuelta atrás en el tiempo del relato y que se intercalan en la acción rompiendo su desarrollo lineal. □ PRON. [flásbac]. □ ORTOGR. Dist. de *feedback*.

flato s.m. Acumulación de gases en el tubo digestivo. □ ETIMOL. Del latín *flatus* (soplo, flatulencia).

flatulencia s.f. Indisposición o molestia que produce la acumulación de gases en el tubo digestivo.

flatulento, ta ■ adj. **1** Que produce flatos. ■ adj./s. **2** Que padece flato.

flauta ■ s. **1** Persona que toca el instrumento del mismo nombre. ■ s.f. **2** Instrumento musical de viento formado por un tubo con embocadura y provisto de agujeros, que produce diversos sonidos cuando éstos se tapan o se destapan. 🔍 viento **3** ‖ **flauta {dulce/[de pico}**; la que tiene la embocadura en forma de boquilla. ‖ **flauta travesera**; la que tiene la embocadura lateral, cerca de un extremo y en forma de agujero ovalado, y que se toca colocándola horizontalmente, por lo general sobre el lado derecho de la cara. ‖ **sonar la flauta**; *col.* Ocurrir algo de manera casual o haber un golpe de suerte. □ ETIMOL. Quizá del provenzal *flauta*. □ MORF. 1. En la acepción 1, es de género común: *el flauta, la flauta*. 2. En la acepción 1, la RAE sólo registra el masculino.

flautín s.m. Flauta pequeña, de tono agudo y penetrante. 🔍 viento

flautista ■ s. Músico que toca la flauta. □ MORF. Es de género común: *el flautista, la flautista*.

flebitis s.f. En medicina, inflamación de las venas. □ ETIMOL. Del griego *phléps* (vena) e *-itis* (inflamación). □ MORF. Invariable en número.

flecha s.f. **1** Arma arrojadiza formada por una varilla delgada y ligera con una punta triangular y afilada en su vértice, que se dispara con un arco; saeta. **2** Signo con esta forma que se usa para indicar una dirección. **3** En arquitectura, distancia comprendida entre el vértice de un arco y la línea de arranque. 🔍 arco **[4** En zonas del español meridional, intermitente de un vehículo. □ ETIMOL. Del francés *flèche*.

[flechado, da adj. *col.* Muy deprisa o a gran velocidad.

flechazo s.m. **1** Lanzamiento de una flecha. **2** Corte o herida hechos con esta arma. **3** *col.* Enamoramiento repentino.

fleco s.m. **1** Adorno compuesto por una serie de hilos o cordoncillos colgantes. 🔍 pasamanería **2** Borde deshilachado de una tela. **[3** Lo que falta por solucionar. **4** En zonas del español meridional, flequillo.

flema

□ ETIMOL. Del latín *floccus* (copo de lana). □ MORF. En las acepciones 1-3, se usa más en plural.
flema s.f. **1** Mucosidad de las vías respiratorias que se expulsa por la boca. **2** Impasibilidad, calma excesiva o frialdad en la forma de actuar. □ ETIMOL. Del latín *phlegma*, y éste del griego *phlégma* (mucosidad).
flemático, ca adj. Que actúa con flema o con una serenidad imperturbable.
flemón s.m. Inflamación aguda y acompañada de infección en el tejido conjuntivo, esp. en el de la encía. □ ETIMOL. Del griego *phlegmoné*, y éste de *phlégo* (inflamar).
flequillo s.m. Mechón de cabello recortado que se deja caer sobre la frente. □ ETIMOL. De *fleco*. ✗ peinado
[fletán s.m. Pez marino comestible, plano y muy voraz. □ MORF. Es un sustantivo epiceno: *el 'fletán' macho, el 'fletán' hembra*.
fletar ▌ v. **1** Referido a un vehículo, alquilarlo o contratarlo, generalmente para el transporte de personas o de mercancías: *Cuando el equipo tiene que viajar, suelen fletar un avión para ellos solos*. **2** Referido a mercancías o a personas, embarcarlas para su transporte: *Fletaron alimentos y medicinas para las víctimas del terremoto*. ▌ prnl. **3** *col.* En zonas del español meridional, hacer algo que no resulta agradable. □ ETIMOL. De *flete* (precio estipulado por el alquiler de un barco).
flete s.m. **1** Precio que se paga por el alquiler de algunos vehículos o de parte de ellos. **2** Carga de una embarcación. □ ETIMOL. Del francés *fret*.
flexibilidad s.f. **1** Capacidad para doblarse fácilmente, sin llegar a romperse. **2** Facilidad para adaptarse a las circunstancias o para ceder ante los deseos de otros. □ USO Está muy extendido el uso eufemístico de *flexibilidad de plantillas* con el significado de *facilidades de despido*.
flexibilizar v. Hacer flexible o dar mayor flexibilidad: *Al final flexibilizó su postura y permitió a su hijo ir de campamento*. □ ORTOGR. La *z* se cambia en *c* delante de *e* →CAZAR.
flexible adj. **1** Que se dobla con facilidad, sin llegar a romperse. **2** Que se adapta a las circunstancias o que cede ante los deseos de otros. □ ETIMOL. Del latín *flexibilis*, y éste de *flectare* (doblar, encorvar). □ MORF. Invariable en género.
flexión s.f. **1** Movimiento que consiste en doblar o en torcerse lo que estaba derecho, esp. el cuerpo o alguno de sus miembros. ✗ bíceps **2** En gramática, variación o alteración que experimenta una palabra para expresar mediante desinencias sus distintas funciones o relaciones de dependencia: *Las variaciones de los sustantivos debidas al género y al número constituyen la flexión nominal*. □ ETIMOL. Del latín *flexio*.
flexionar v. Referido al cuerpo o a uno de sus miembros, doblarlos hasta encorvarlos: *Al agacharnos flexionamos las piernas*.
flexivo, va adj. **1** De la flexión gramatical o relacionado con ella. **2** Que tiene flexión gramatical.
flexo s.m. Lámpara de mesa con brazo flexible o articulado. □ ETIMOL. Del latín *flexus* (curvado). ✗ alumbrado
[flipar ▌ v. **1** *col.* Entusiasmar o gustar mucho: *Tu cazadora me 'flipa' cantidad, tío*. ▌ prnl. **2** *col.* Drogarse o entrar en un estado de euforia por efecto de

la droga: *'Se flipó' con un canuto y no paraba de reír*.
[flipe s.f. **1** *col.* Lo que flipa o gusta mucho. **2** *col.* Estado producido por el consumo de una droga.
[flipper (anglicismo) s.m. Máquina electrónica de juego, en forma de mesa y con un circuito por el que pasa una bola que se impulsa y se controla por medio de unos resortes laterales. □ PRON. [flíper].
[flirt s.m. →ligue. □ PRON. [flirt] o [flert]. □ USO Es un anglicismo innecesario.
flirtear v. *col.* Mantener una relación pasajera y superficial, generalmente de carácter amoroso. □ ETIMOL. Del inglés *to flirt* (coquetear).
flirteo s.m. Juego amoroso superficial o pasajero.
flojear v. **1** Ir perdiendo fuerza; flaquear: *Después de aquella desgracia, su buen humor flojea día a día*. **2** Actuar con pereza y desgana, esp. en el trabajo: *No debes flojear en la última evaluación, porque te juegas el curso*.
flojedad s.f. **1** Flaqueza o debilidad. **2** Pereza, descuido y falta de interés en lo que se hace. □ SEM. Es sinónimo de *flojera*.
flojera s.f. *col.* →flojedad.
flojo, ja adj. **1** Mal atado, poco apretado o poco tirante. **2** Que tiene poca actividad o poca fuerza. **3** Descuidado o con poco interés. **4** Perezoso y vago. □ ETIMOL. Del latín *fluxus* (flojo, suelto).
[floppy disk ‖ →disquete. □ PRON. [flópi disk]. □ USO 1. Es un anglicismo innecesario. 2. Se usa también *floppy*.
flor s.f. **1** En una planta, parte en la que se encuentran los órganos reproductores y que suele tener formas y colores vistosos. ✗ flor **2** Alabanza o piropo. **3** Lo mejor o lo más selecto de algo. **[4** En zonas del español meridional, alcachofa de una ducha o de una regadera. **5** ‖a **flor de piel**; muy impresionable o muy cercano a la superficie. ‖ **flor de canela**; *col.* Lo que es muy bueno o excelente. ‖ **(flor de) lis**; en heráldica, figura parecida a un lirio. ‖ **[flor de Pascua**; planta tropical con pequeñas flores amarillas rodeadas de grandes hojas rojas. ‖ **la flor y nata**; lo mejor o lo más destacado en su especie. ‖ **[ni flores**; *col.* Ni idea o nada en absoluto. □ ETIMOL. Del latín *flos*. □ MORF. La acepción 2 se usa más en plural. □ USO El uso de *la crème de la crème* en lugar de *la flor y nata* es un galicismo innecesario.
flora s.f. **1** Conjunto de las plantas de un determinado territorio o de una determinada época. **2** Conjunto de bacterias y otros microorganismos que están adaptados a un medio determinado: *flora intestinal*. □ ETIMOL. Por alusión a Flora, diosa de las plantas según la mitología latina.
floración s.f. **1** Abertura de los capullos de una planta; florescencia. **[2** Época en la que florecen las

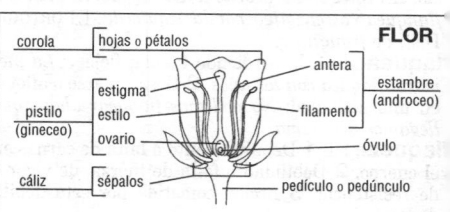

FLOR
corola — hojas o pétalos
estigma — antera
pistilo — estilo — estambre (androceo)
(gineceo) — ovario — filamento
cáliz — sépalos — óvulo
— pedículo o pedúnculo

plantas. **3** Tiempo que duran abiertas las flores de las plantas de una misma especie.

oral adj. **1** De flores. **2** En botánica, de la flor o relacionado con ella. □ MORF. Invariable en género.

oreado, da adj. Adornado con flores.

orear v. Tocar dos o tres cuerdas de la guitarra con tres dedos sucesivamente y sin parar, logrando así un sonido continuo.

orecer v. **1** Referido a una planta, echar flores: *La mayoría de las plantas florecen en primavera.* **2** Prosperar o crecer: *En la baja Edad Media floreció mucho el comercio europeo.* **3** Referido esp. a una persona o a un suceso importantes, existir o desarrollarse en un tiempo o lugar determinados: *El movimiento barroco floreció en Europa en el siglo XVII.* □ ETIMOL. Del latín *florescere.* □ MORF. Irreg. →PARECER.

oreciente adj. Favorable, que proporciona beneficios o que está en pleno desarrollo. □ MORF. Invariable en género.

orecimiento s.m. **1** Aparición de flores en una planta. **2** Desarrollo, prosperidad o crecimiento.

orentino, na adj./s. De Florencia (ciudad italiana y ciudad colombiana) o relacionado con ella.

orería s.f. Establecimiento donde se venden flores y plantas de adorno; floristería.

orero s.m. Recipiente para poner flores; búcaro.

orescencia s.f. Apertura de los capullos de una planta; floración. □ ORTOGR. Dist. de *fluorescencia.*

oresta s.f. Terreno frondoso y agradable, poblado de árboles. □ ETIMOL. Del francés *forêt* (selva).

orete s.m. Espada de hoja estrecha y sin filo cortante que se utiliza en competiciones de esgrima. □ ETIMOL. Del italiano *fioretto.* ✺ arma

oricultor, -a s. Persona que se dedica a la floricultura.

oricultura s.f. Cultivo de las flores. □ ETIMOL. Del latín *flos* (flor) y *-cultura* (cultivo).

orido, da adj. **1** Con flores. **2** Referido esp. al lenguaje o al estilo, muy adornado o con muchos recursos retóricos. **3** ‖**lo más florido** de algo; lo mejor y más escogido de ello.

orilegio s.m. Colección de fragmentos literarios seleccionados. □ ETIMOL. Del latín *flos* (flor) y *legere* (escoger).

orín s.m. **1** Unidad monetaria de los Países Bajos (país europeo). [**2** Unidad monetaria de distintos países. **3** Antigua moneda de oro de la Corona de Aragón (reino español). □ ETIMOL. Del italiano *fiorino* (moneda florentina con el lirio de los Médicis).

oripondio s.m. **1** Adorno de mal gusto, esp. si está formado por una flor o por un conjunto de flores grandes. **2** Planta con hojas grandes y flores blancas muy olorosas en forma de embudo. □ ETIMOL. De *flor* y un segundo elemento de origen incierto.

orista s. Persona que se dedica a la venta de flores y plantas, y a la confección de adornos florales. □ MORF. Es de género común: *el florista, la florista.*

oristería s.f. Establecimiento donde se venden flores y plantas de adorno; florería.

oritura s.f. Adorno o añadido accesorios, esp. en el canto. □ ETIMOL. Del italiano *fioritura* (adorno en el canto).

orón s.f. Adorno con forma de flor grande o de conjunto de hojas, muy utilizado en pintura y en arquitectura. ✺ libro

ota s.f. **1** Conjunto de barcos pertenecientes a un mismo dueño, a una entidad o a una nación, esp. si están destinados a una actividad común. **2** Conjunto de vehículos de un mismo tipo, esp. de aviones, pertenecientes a una empresa o a una nación. □ ETIMOL. Del francés *flotte.*

flotación s.f. Sostenimiento de un cuerpo en equilibrio sobre la superficie de un líquido.

flotador s.m. **1** Pieza hecha de un material flotante que se sujeta al cuerpo de una persona para evitar que se hunda en el agua. ✺ pesca **2** Cuerpo que se hace flotar sobre un líquido con alguna finalidad, esp. para medir el nivel de dicho líquido o para regular su salida.

flotante adj. Que no está fijo o estable, o que está sometido a variación. □ MORF. Invariable en género.

flotar v. **1** Referido a un cuerpo, sostenerse en equilibrio sobre la superficie de un líquido: *El corcho flota en el agua.* **2** Referido a un cuerpo, mantenerse en suspensión en un medio gaseoso: *El humo de los cigarrillos flotaba sobre las cabezas de los asistentes.* **3** Referido a algo inmaterial, estar en el ambiente o dejarse notar: *La desconfianza flotaba entre ellos e hizo imposible el acuerdo.* □ ETIMOL. Del francés *flotter.*

flote ‖**a flote; 1** Flotando o en equilibrio sobre la superficie de un líquido. **2** A salvo de algún peligro o de algún apuro. [**3** A la luz o a la vista.

flotilla s.f. Flota de barcos pequeños que se utilizan para un mismo fin.

fluctuación s.f. Crecimiento y disminución alternativos de la intensidad, del valor o de la cantidad de algo; oscilación.

fluctuar v. Referido al valor de algo, crecer y disminuir alternativamente con más o menos regularidad; oscilar: *La especulación del terreno ha hecho fluctuar mucho el precio de los pisos.* □ ETIMOL. Del latín *fluctuari* (agitar el mar). □ ORTOGR. La *u* lleva tilde en los presentes, excepto en las personas *nosotros* y *vosotros* →ACTUAR.

fluidez s.f. **1** Facilidad y naturalidad en el lenguaje o en el estilo. **2** Facilidad para discurrir o marchar sin ser obstaculizado. **3** Propiedad de la sustancia que tiene las moléculas con poca o con ninguna cohesión y cuya forma se adapta a la del recipiente que la contiene.

fluido, da ▌adj. **1** Referido al lenguaje o al estilo, que es fácil y natural. **2** Que marcha o discurre con facilidad y sin obstáculos. ▌adj./s.m. **3** Referido a una sustancia, que tiene las moléculas con poca o con ninguna cohesión, y su forma se adapta a la del recipiente que la contiene. ▌s.m. **4** col. Corriente eléctrica. □ ORTOGR. Incorr. **fluído.*

fluir v. **1** Referido a un líquido o a un gas, correr por algún lugar o brotar de él: *La sangre de nuestro cuerpo fluye por venas y arterias.* [**2** Marchar o discurrir con facilidad y sin obstáculos: *Hoy el tráfico 'fluye' con normalidad.* **3** Referido esp. a las palabras o a las ideas, brotar o aparecer con facilidad: *En cuanto le propusieron el proyecto, miles de ideas comenzaron a fluir de su mente.* □ ETIMOL. Del latín *fluere* (manar). □ MORF. Irreg. →HUIR.

flujo s.m. **1** Brote de un líquido o de un gas al exterior, o movimiento de éstos a través de un lugar. [**2** Movimiento de personas o de cosas de un lugar a otro. **3** Movimiento ascendente de la marea. □ ETIMOL. Del latín *fluxus* (acción de manar un líquido). □ SEM. 1. En la acepción 1, dist. de *aflujo* (llegada de una mayor cantidad de líquido orgánico a una determinada zona del organismo). 2. En la acepción 3, dist. de *reflujo* (movimiento descendiente de la marea).

flúor s.m. Elemento químico no metálico, gaseoso, de número atómico 9, de color amarillento, que ataca a casi todos los metales y que es muy tóxico: *Los compuestos de flúor se emplean para reforzar el esmalte dental.* ☐ ETIMOL. Del latín *fluor* (flujo). ☐ ORTOGR. Su símbolo químico es *F*.

[fluoración s.f. Tratamiento para que las piezas dentales tengan más flúor.

[fluorado, da adj. Que contiene flúor.

fluorescencia s.f. Luminosidad que tienen algunas sustancias mientras reciben la acción de ciertas radiaciones. ☐ ETIMOL. De *fluorita*, porque en este mineral se observó el fenómeno por primera vez. ☐ ORTOGR. Dist. de *florescencia*. ☐ SEM. Dist. de *fosforescencia*.

fluorescente ▌ adj. **1** De la fluorescencia o relacionado con este tipo de luminosidad. ▌ s.m. **2** Tubo de cristal que emite luz mediante el uso de una sustancia que posee este tipo de luminosidad. ✕▲ alumbrado ☐ PRON. Incorr. **florescente*. ☐ MORF. Como adjetivo es invariable en género.

fluvial adj. De los ríos o relacionado con ellos. ☐ ETIMOL. Del latín *fluvialis*, y éste de *fluvius* (río). ☐ MORF. Invariable en género.

[fluviómetro s.m. Aparato que sirve para medir el nivel del agua de un río. ☐ ETIMOL. Del latín *fluvius* (río) y *-metro* (medidor).

fobia s.f. **1** Temor angustioso y obsesivo a algo. **2** Odio o antipatía hacia algo. ☐ ETIMOL. Del griego *phobéomai* (yo temo).

[fóbico, ca adj./s. Que padece una fobia o temor angustioso.

foca s.f. **1** Mamífero carnívoro adaptado a la vida acuática, con el cuerpo redondeado y alargado, pelaje corto, una gruesa capa de grasa bajo la piel que lo protege del frío y con las extremidades modificadas en aletas; lobo marino. **[2** col. Persona muy gruesa. ☐ ETIMOL. Del latín *phoca*. ☐ MORF. En la acepción 1, es un sustantivo epiceno: *la foca macho, la foca hembra.*

focal adj. Del foco o relacionado con él. ☐ MORF. Invariable en género.

[focalizar v. Referido a cosas de distinta procedencia, reunirlas en un foco o en un centro comunes: *Los nuevos directores 'han focalizado' su interés en una joven promesa de cine.* ☐ ORTOGR. La *z* se cambia en *c* delante de *e* →CAZAR.

foco s.m. **1** Punto, aparato o cuerpo de donde parte un haz de rayos luminosos o caloríficos. **2** Lámpara eléctrica de luz muy potente. **3** Lugar en el que se desarrolla algo con gran intensidad y desde el cual se propaga o se ejerce influencia: *foco de cultura.* **4** En zonas del español meridional, bombilla. **[5** En zonas del español meridional, farola. **[6** En zonas del español meridional, faro de un vehículo. ☐ ETIMOL. Del latín *focus* (hoguera, brasero).

fofo, fa ▌ adj. **1** Blando y con poca consistencia. ▌ s. **[2** col. Persona que se dedica profesionalmente a la formación de formadores. ☐ ETIMOL. 1. La acepción 1, de origen expresivo. 2. La acepción 2, es un acrónimo que procede de la sigla de *formador de formadores*. ☐ MORF. En la acepción 2, es de género

común: *el 'fofo', la 'fofo'.* ☐ USO En la acepción tiene un matiz humorístico.

fogata s.f. Fuego, generalmente hecho con leñ que levanta mucha llama.

fogón s.m. **1** En una cocina, esp. en las antiguas leña o de carbón, sitio adecuado para hacer fueg guisar. **2** En la caldera de una máquina de vapor o un horno, lugar donde se quema el combustible. ETIMOL. Del catalán *fogó*.

fogonazo s.m. **1** Llama instantánea que algun materias producen al inflamarse. **[2** Luz mome tánea y muy fuerte.

fogonero, ra s. Persona que se dedica profes nalmente al cuidado del fogón de las calderas, es en las máquinas de vapor. ☐ MORF. La RAE sólo gistra el masculino.

fogosidad s.f. Viveza, ímpetu o apasionamier en lo que se hace.

fogoso, sa adj. Que tiene o muestra gran ard viveza o apasionamiento. ☐ ETIMOL. De *fuego*.

foguear v. **1** Referido a una persona o a un anim acostumbrarlos al fuego o al ruido de la pólvor *Antiguamente, fogueaban los caballos de los escu drones antes de entrar en combate.* **2** Referido a u persona, acostumbrarla a las dificultades de un tr bajo de una situación: *Las adversidades la f guearon y ahora tiene un corazón de piedra.*

fogueo s.m. ‖**de fogueo**; Disparos con los que acostumbra a las tropas y a los caballos al fuego al ruido de la pólvora.

[foie-gras (galicismo) s.m. Pasta comestible que elabora con el hígado de algunos animales. ☐ PRO [fuagrás].

folclor o **folclore** s.m. **1** Conjunto de tradicion de un pueblo. **[2** col. Juerga o jaleo. ☐ ETIMOL. D inglés *folklore*. ☐ USO 1. *Folclor* es el término m nos usual. 2. Es innecesario el uso del anglicism *folklore*.

folclórico, ca ▌ adj. **1** Del folclore o relaciona con él. ▌ s. **2** Persona que se dedica al baile o cante flamencos o a otros semejantes, esp. si és es su profesión. ☐ ORTOGR. Incorr. **folklórico*.

fólder s.m. En zonas del español meridional, carpeta. ▌ ETIMOL. Del inglés *folder*.

folía ▌ s.f. **1** Composición musical popular de l islas Canarias (comunidad autónoma), con un ritm lento. **2** Baile que se ejecuta al compás de esta m sica. ▌ pl. **3** Baile de origen portugués que se bai entre muchas personas. ☐ ETIMOL. Del francés *foli*

foliáceo, a adj. **1** De las hojas de las plantas relacionado con ellas. **2** Que tiene estructura o di posición en láminas. ☐ ETIMOL. Del latín *foliace* (de las hojas).

foliación s.f. **1** Numeración de los folios o de l hojas de un libro o cuaderno. **2** Aparición de l hojas de una planta. **[3** Época en que se produce brote de las hojas de las plantas.

foliar ▌ adj. **1** De la hoja o relacionado con ella. v. **2** Referido a un libro o a un cuaderno, numerar s folios o sus hojas: *Esa fábula se encontró en un me nuscrito sin foliar.* ☐ ORTOGR. Como verbo, la *i* nu ca lleva tilde. ☐ MORF. Como adjetivo es invariabl en género.

folicular adj. Con forma de folículo. ☐ MORF. I variable en género.

folículo s.m. **1** En anatomía, estructura en forma d pequeño saco, esp. la que está situada en el espeso de la piel o de las mucosas. **2** En botánica, fruto sencillo y seco, que se abre por un solo lado y que tiene una cavidad que normalmente encierra varias semillas. ☐ ETIMOL. Del latín *folliculus* (saquito).

olio s.m. **1** Hoja de papel de 31,5 centímetros de largo por 21,5 de ancho. **2** Hoja de un libro o de un cuaderno. ☐ ETIMOL. Del latín *folium* (hoja).

oliolo o **folíolo** s.m. En una planta, cada una de las hojas que forman parte de una hoja compuesta; hojuela. ☐ ETIMOL. Del latín *foliolum* (hoja pequeña).

[**folk** (anglicismo) s.m. Género musical que tiene sus raíces en las canciones populares. ☐ SINT. Se usa en aposición, pospuesto a un sustantivo.

[**folklore** s.m. →**folclore**. ☐ USO Es un anglicismo innecesario.

follaje s.f. Conjunto de ramas y hojas de los árboles y otras plantas, esp. si es abundante; verde. ☐ ETIMOL. Del provenzal *follatge*.

follar v. →**copular**.

folletín s.m. **1** Escrito que aparece en una publicación periódica, bien en la parte inferior de sus páginas, bien como cuadernillo, que trata de materias ajenas al objeto principal de dicha publicación, y que suele constituir una novela por entregas. **2** Relato u obra de otro género con características similares a las de las novelas publicadas de esta manera, esp. un argumento complicado, con mucha intriga, tono marcadamente sentimental y poco verosímil. **3** Situación o suceso insólitos y que poseen características propias de estos relatos.

folletinesco, ca adj. Del folletín o con las características propias de este tipo de relato.

folleto s.m. Obra impresa, no periódica, que consta de más de cuatro páginas y de menos de cincuenta. ☐ ETIMOL. Del italiano *foglietto*.

follón s.m. **1** Situación confusa, agitada o embarazosa, esp. si va acompañada de gran alboroto y tumulto. **2** Conjunto desordenado, revuelto y enredado. ☐ ETIMOL. De *hollar*. ☐ SEM. Es sinónimo de *lío*.

[**follonero, ra** adj./s. *col.* Que se divierte armando follones o metiéndose en ellos.

fomentar v. Promover, impulsar, avivar o aumentar la intensidad: *Hay que fomentar la lectura entre los jóvenes. Con tu actitud fomentas las habladurías.*

fomento s.m. [Promoción, impulso o aumento de la intensidad de una actividad. ☐ ETIMOL. Del latín *fomentum* (calmante, bálsamo).

fonación s.f. Emisión de la voz o de la palabra. ☐ ETIMOL. Del griego *phoné* (voz).

[**fonador, -a** adj. Referido esp. a un órgano corporal, que interviene en la emisión de la voz. ☐ ETIMOL. Del griego *phoné* (voz).

fonda s.f. **1** Establecimiento público en el que se da hospedaje y se sirven comidas. **2** En zonas del español meridional, restaurante pequeño y económico. ☐ ETIMOL. De origen incierto.

fondear v. Referido esp. a una embarcación, sujetarla por medio de anclas que se agarren al fondo del agua o de grandes pesos que descansen en él: *Los muchachos fondearon la barca cerca de la orilla. El pesquero fondeó en la ría.*

fondillos s.m.pl. Parte trasera de los calzones o de los pantalones.

fondista s. Deportista que participa en carreras de

largo recorrido. ☐ MORF. Es de género común: *el fondista, la fondista.*

fondo s.m. **1** En algo hueco o cóncavo, parte inferior. **2** Distancia que hay entre esta parte inferior y su borde superior; hondura, profundidad. **3** Parte opuesta a la entrada de un lugar o a la posición en que se encuentra la persona que habla. **4** Distancia que hay entre esta parte y la posición desde la que se considera. **5** Referido esp. al mar o a un lago, superficie sólida sobre la cual está el agua; lecho. **6** Base sobre la que se destaca algo. **7** Índole o carácter natural propios de una persona. **8** Lo principal y esencial de algo. **9** Conjunto de dinero o de bienes que se poseen o que se destinan para un fin concreto. **10** Conjunto de libros, de documentos o de obras de arte que posee una entidad, esp. una biblioteca o un museo. **11** En deporte, resistencia física para soportar esfuerzos prolongados. [**12** En deporte, referido a un tipo de competición, que se basa en esta capacidad de resistencia y que consiste generalmente en carreras de largo recorrido: *carrera de 'fondo'.* **13** En zonas del español meridional, combinación. **14** ‖ **a fondo**; enteramente o hasta el límite de las posibilidades. ‖ **bajos fondos**; barrios o sectores de las grandes ciudades en los que actúan o viven delincuentes. ‖ **fondo perdido**; capital que ha sido prestado con la condición de que sean pagados sólo los intereses. ‖ **tocar fondo**; llegar al punto más bajo o a la fase final. ☐ ETIMOL. Del latín *fundus*. ☐ MORF. Las acepciones 9 y 10 se usan más en plural.

fondón, -a adj. *col.* Referido a una persona, que ha perdido agilidad y rapidez de movimientos por haber engordado.

[**fondue** (galicismo) s.f. **1** Comida, generalmente de queso fundido o de carne, que se prepara en el momento de comerla en un hornillo especial. **2** Hornillo con el que se prepara este plato. ☐ PRON. [fondí].

fonema s.m. En lingüística, unidad fonológica mínima que en el sistema de una lengua puede oponerse a otras unidades en contraste distintivo: *El fonema /t/ se opone al fonema /l/ y nos permite distinguir 'pata' de 'pala'.* ☐ ETIMOL. Del griego *phónema* (sonido de la voz).

fonemático, ca ▌ adj. **1** Del fonema, del sistema fonológico, o relacionado con ellos. ▌ s.f. **2** Parte de la fonología que estudia los fonemas.

[**fonendo** s.m. →**fonendoscopio**.

fonendoscopio s.m. Aparato utilizado en medicina para auscultar y que, por medio de dos tubos con auriculares que se introducen en los oídos, permite oír los sonidos del organismo amplificados. ☐ ETIMOL. Del griego *phoné* (voz), *éndon* (adentro) y *skopéo* (yo examino). ☐ MORF. Se usa mucho la forma abreviada *fonendo*.

fonético, ca ▌ adj. **1** De la fonética, de los sonidos del lenguaje o relacionado con ellos. **2** Referido a un sistema de escritura, que se caracteriza porque sus letras o símbolos representan los sonidos de cuya combinación resultan las palabras. ▌ s.f. **3** Parte de la lingüística que estudia los sonidos de una lengua describiendo sus características fisiológicas y acústicas. **4** Conjunto de sonidos de una lengua. ☐ ETIMOL. Del griego *phonetikós* (relativo al sonido). ☐ SEM. En las acepciones 3 y 4, aunque la RAE lo considera sinónimo de *fonología*, en círculos especializados no lo es.

fonetista s. Lingüista especializado en fonética. □ MORF. Es de género común: *el fonetista, la fonetista*.

foniatra s. Médico especializado en foniatría. □ MORF. Es de género común: *el foniatra, la foniatra*.

foniatría s.f. Parte de la medicina que trata las enfermedades que afectan a los órganos fonadores. □ ETIMOL. Del griego *phoné* (voz) e *iatreía* (curación, tratamiento).

fónico, ca adj. De la voz o del sonido.

fono- Elemento compositivo que significa 'voz' o 'sonido'. □ ETIMOL. Del griego *phoné*.

fonógrafo s.m. Aparato que registra y reproduce las vibraciones de la voz humana o de cualquier otro sonido. □ ETIMOL. De *fono-* (voz) y *-grafo* (que escribe).

fonología s.f. Parte de la lingüística que estudia los fonemas atendiendo a su valor funcional dentro del sistema propio de cada lengua. □ ETIMOL. De *fono-* (voz) y *-logía* (ciencia). □ SEM. Aunque la RAE lo considera sinónimo de *fonética*, en círculos especializados no lo es.

fonológico, ca adj. De la fonología o relacionado con esta parte de la lingüística.

fonómetro s.f. Aparato que se usa para medir un sonido.

fonoteca s.f. **1** Colección de discos y otros documentos sonoros que consta de un número considerable de ejemplares. **[2** Local en el que se conserva esta colección para poder ser consultada o escuchada por los usuarios. □ ETIMOL. De *fonó-* (voz) y *théke* (caja para guardar algo). □ SEM. En la acepción 1, dist. de *discoteca* (colección sólo de discos).

fontana s.f. Fuente o manantial de agua. □ ETIMOL. Del italiano *fontana*, y éste del latín *fontana* (agua, agua de fuente).

fontanela s.f. Cada uno de los espacios membranosos que hay en el cráneo de un recién nacido antes de que se osifique por completo. □ ETIMOL. Del francés *fontanelle*.

fontanería s.f. **1** Profesión de fontanero. **2** Conjunto de conductos y aparatos necesarios para la canalización de agua o para la colocación de instalaciones sanitarias. **3** Establecimiento en el que se venden estos conductos y aparatos. **[4** Servicio que se ocupa de arreglar de forma discreta asuntos difíciles o poco claros.

fontanero, ra s. **1** Persona que se dedica profesionalmente a la colocación, mantenimiento y reparación de conducciones de agua y de instalaciones y aparatos sanitarios. **[2** Persona que, de forma discreta, se ocupa de arreglar asuntos difíciles o poco claros. □ ETIMOL. De *fontana*.

[footing s.m. Ejercicio físico que consiste en correr a ritmo moderado y constante. □ ETIMOL. Del francés *footing*, y éste del inglés *foot* (pie). □ PRON. [fútin].

foque s.m. En una embarcación, vela triangular, esp. la principal de la proa. □ ETIMOL. Del neerlandés *fok*, y éste de *fokken* (izar una vela).

forajido, da adj./s. Referido a una persona, que comete delitos y vive fuera de los lugares poblados huyendo de la justicia. □ ETIMOL. De *fuera exido* (salido afuera).

foral adj. De los fueros o relacionado con ellos. □ MORF. Invariable en género.

[foralismo s.m. Tendencia que defiende el mantenimiento de los fueros.

foráneo, a adj. Que es de fuera o de otro lugar. □ ETIMOL. Del latín *foraneus*.

forastero, ra adj./s. Que es o que viene de otro lugar. □ ETIMOL. Del catalán *foraster*.

forcejear v. **1** Hacer fuerza para vencer una resistencia o para desprenderse de una sujeción: *El prisionero forcejeó para desatarse las ligaduras de las muñecas*. **2** Oponerse con fuerza o contradecir tenazmente: *Los representantes sindicales forcejearon con el empresario para conseguir mejoras laborales*. □ ETIMOL. De *forcejo* (acción de forcejear).

forcejeo s.m. **1** Uso de la fuerza hecho para vencer una resistencia o para desprenderse de una sujeción. **2** Acción de oponerse con fuerza o de contradecir tenazmente.

fórceps s.m. Instrumento médico con forma de tenazas que se usa para facilitar la salida del bebé en un parto difícil. □ ETIMOL. Del latín *forceps* (tenazas). □ MORF. Invariable en número.

forense ∎ adj. **1** De los tribunales y administración de justicia, o relacionado con ellos. ∎ s. **2** →**médico**-**forense**. □ ETIMOL. Del latín *forensis*. □ MORF. Como adjetivo es invariable en género. 2. Como sustantivo es de género común: *el forense, la forense*.

forestación s.f. Plantación de un terreno con plantas forestales.

forestal adj. De los bosques o relacionado con ellos. □ ETIMOL. De *foresta* (terreno con plantas). □ MORF. Invariable en género.

forestar v. Referido a un terreno, poblarlo con plantas forestales: *Forestarán con encinas los terrenos que ya no se cultivan*.

[forfait (galicismo) s.m. Abono o vale de precio invariable que permite disfrutar de un número indefinido de actividades en un tiempo limitado. □ PRON. [forfáit].

forja s.f. **1** Trabajo del metal para darle forma, generalmente a golpes y en caliente. **2** Taller en el que se forjan y trabajan los metales. **3** Creación o formación de algo.

forjado, da s.m. En construcción, armazón o entramado con el que se rellenan los huecos existentes entre las vigas para hacer las separaciones entre los pisos de un edificio.

forjar v. **1** Referido a un metal, darle forma, generalmente a golpes y en caliente: *El herrero forja el hierro para hacer rejas*. **2** Crear y formar: *Con años de trabajo consiguió forjar una fortuna. Su férreo carácter se forjó a fuerza de disciplina*. **3** Imaginar, inventar, o fingir: *Forjó una historia increíble para justificar su ausencia*. □ ETIMOL. Del francés *forger*. □ ORTOGR. Conserva la *j* en toda la conjugación.

forma ∎ s.f. **1** Figura o conjunto de características exteriores de algo: *Las naranjas tienen forma esférica*. **2** Modo o manera de ser, de hacer o de suceder algo: *Indique la forma de pago que prefiera*. **[3** Estado físico o mental de una persona: *baja 'forma'*. **4** Hoja delgada y redonda de pan ázimo o sin levadura que el sacerdote consagra y los fieles comulgan en el sacrificio de la misa; hostia. **[5** En zonas del español meridional, formulario. ∎ pl. **6** Maneras o modo de comportarse según las conveniencias sociales: *guardar las formas*. **7** ‖ **dar forma**; concretar con precisión y organización. ‖ **de forma que**; enlace gramatical subordinante con valor consecuti-

‖ [de todas formas; a pesar de todo. ‖ en forma; en buenas condiciones físicas o mentales. ☐ ETIMOL. Del latín *forma* (figura, forma, imagen). ☐ USO *De todas formas* se usa mucho para retomar un tema que ya ha salido en la conversación.

ormación s.f. 1 Configuración de las características exteriores de algo: *formación del relieve terrestre.* 2 Creación o constitución. 3 Instrucción, educación o enseñanza. 4 Colocación o disposición ordenada de personas en filas uniformes. 5 Conjunto de personas así colocadas. 6 En geología, conjunto de rocas o masas minerales con caracteres geológicos o paleontológicos comunes: *formación rocosa.*

ormador, -a s. Persona que se dedica a formar o instruir a otros.

ormal adj. 1 De la forma o relacionado con ella. 2 Referido a una persona, que tiene formalidad o que es seria y responsable. 3 Que cumple con los requisitos o formalidades establecidos. ☐ ETIMOL. Del latín *formalis* (referente a la forma). ☐ MORF. Invariable en género.

ormalidad s.f. 1 Seriedad, buen comportamiento o responsabilidad en el cumplimiento de lo que se debe hacer. 2 Requisito necesario para la realización de algo. ☐ MORF. La acepción 2 se usa más en plural.

ormalismo s.m. 1 Tendencia a cumplir o a aplicar de forma rigurosa las normas, las tradiciones o el método recomendados. [2 Corriente crítica que estudia la obra artística atendiendo principalmente a sus rasgos formales.

ormalista ▌ adj. 1 Del formalismo o relacionado con él. ▌ adj./s. 2 Partidario o seguidor del formalismo. ☐ MORF. 1. Como adjetivo es invariable en género. 2. Como sustantivo es de género común: *el formalista, la formalista.*

ormalización s.f. 1 Concesión de un carácter de seriedad y estabilidad a lo que antes no lo tenía. 2 Concesión de un carácter legal o reglamentario, cumpliendo con los requisitos necesarios.

ormalizar v. 1 Dar carácter serio o estable: *Formalizaron su relación y al poco tiempo se casaron.* 2 Dar carácter legal o reglamentario, cumpliendo con los requisitos necesarios: *Mañana formalizaremos ante notario el contrato de compraventa.* ☐ ORTOGR. La *z* se cambia en *c* delante de *e* →CAZAR.

ormar v. 1 Dar forma: *Formamos un gran muñeco de nieve. La personalidad del individuo se forma a lo largo de los años.* 2 Crear o constituir: *Formamos una asociación de antiguos alumnos. Se formaron nubes y el sol dejó de lucir.* 3 Instruir, educar o enseñar: *El profesor pretende formar a sus alumnos. Se formó con un gran maestro de canto.* 4 Referido esp. a un grupo de personas, colocarlo en formación o disponerlo en determinado orden: *El sargento formó a los reclutas en el patio del cuartel. Los soldados formaron para iniciar el desfile.* ☐ ETIMOL. Del latín *formare.*

ormatear v. Referido esp. a un disco informático, prepararlo dándole una estructura utilizable por el ordenador.

formateo s.m. Preparación de un disco informático dándole una estructura utilizable por el ordenador.

ormativo, va adj. Que forma o que sirve para formar.

ormato s.m. Tamaño de un libro, de una fotografía

o de otros objetos semejantes. ☐ ETIMOL. Del francés *format* o del italiano *formato.*

[formenterano, na adj./s. De Formentera (isla balear) o relacionado con ella.

formero s.m. →**arco formero.**

formica s.f. Lámina plástica, resistente y brillante, con la que se forran o protegen algunas maderas. ☐ ETIMOL. Extensión del nombre de una marca comercial.

formidable adj. De tamaño, cantidad o calidad mayores de lo normal; extraordinario. ☐ ETIMOL. Del latín *formidabilis* (temible, pavoroso). ☐ MORF. Invariable en género.

formol s.m. Líquido de olor fuerte y penetrante, que se usa como desinfectante y para conservar en él seres orgánicos muertos y evitar su descomposición.

formón s.m. Herramienta de carpintería, parecida al escoplo, pero más ancha y menos gruesa. ☐ ETIMOL. De *forma.*

fórmula s.f. 1 Modo práctico propuesto para resolver algo discutido o difícil. 2 Manera establecida de redactar o de expresar algo. 3 Receta o escrito con las indicaciones necesarias para preparar algo, esp. un medicamento. 4 Expresión de una ley física o matemática mediante signos: *La fórmula del área de la circunferencia es 2πr.* 5 En química, expresión de la composición de una molécula mediante los símbolos de los cuerpos simples que la componen y de otros signos: *La fórmula del agua es 'H₂O'.* [6 En automovilismo, cada una de las categorías en las que se dividen las competiciones: *carrera de 'fórmula' 1.* 7 ‖ **fórmula magistral;** medicamento que sólo se prepara por prescripción facultativa. ☐ ETIMOL. Del latín *formula* (marco, regla).

formulación s.f. 1 Expresión o manifestación de algo, esp. si se hace en términos claros y precisos. [2 Expresión de algo por medio de una fórmula.

formular v. 1 Expresar o manifestar, esp. si se hace en términos claros y precisos: *El libro formula una nueva tesis sobre el origen de la vida. Los condenados a muerte tienen derecho a formular un último deseo.* [2 Expresar por medio de una fórmula: *Para aprender a 'formular' en química tienes que conocer el símbolo de cada elemento.*

formulario, ria ▌ adj. 1 De la fórmula o relacionado con ella. ▌ s.m. 2 Impreso con espacios en blanco que deben rellenarse.

formulismo s.m. 1 Seguimiento estricto de las fórmulas o de las maneras establecidas en la resolución o en la realización de algo. 2 Tendencia a preferir la apariencia externa de las cosas frente a su esencia.

formulista adj./s. Partidario o seguidor del formulismo. ☐ MORF. 1. Como adjetivo es invariable en género. 2. Como sustantivo es de género común: *el formulista, la formulista.*

fornicación s.f. Mantenimiento de relaciones sexuales fuera del matrimonio.

fornicar v. Mantener una relación sexual fuera del matrimonio: *Se acusó ante su confesor de haber fornicado.* ☐ ETIMOL. Del latín *fornicare* (tener relaciones sexuales con una prostituta). ☐ ORTOGR. La *c* se cambia en *qu* delante de *e* →SACAR.

fornido, da adj. Fuerte, robusto o de gran corpulencia. ☐ ETIMOL. Del antiguo *fornir* (abastecer, proveer).

foro s.m. **1** En las antiguas ciudades romanas, plaza pública donde se celebraban reuniones y donde tenían lugar algunos juicios. **2** Coloquio o reunión en los que se habla sobre un tema ante un auditorio que puede intervenir en la discusión. **3** En el escenario de un teatro, fondo o parte más alejada de los espectadores. ☐ ETIMOL. Del latín *forum*. ☐ USO En la acepción 2, aunque la RAE sólo registra *foro*, se usa también *forum*.

[forofo, fa s. Seguidor incondicional o entusiasta, esp. de una actividad deportiva.

forraje s.f. Pasto o hierba con los que se alimenta al ganado. ☐ ETIMOL. Del francés *fourrage* (hierba de prados que se emplea como pienso).

forrajero, ra adj. Referido a una planta, que se usa como forraje para el ganado.

forrar ∎ v. **1** Cubrir con forro: *Forré el libro con plástico para que no se estropeara*. **[2** col. Referido a una persona, darle una paliza: *Tuvieron que llevarlo al hospital porque lo 'forraron' a palos*. ∎ prnl. **3** col. Hacerse muy rico: *En pocos años se forró con los negocios*. ☐ ETIMOL. Del francés antiguo *forrer* o del catalán *folrar*. ☐ SINT. Constr. de la acepción 2: *forrar a alguien A golpes*.

forro s.m. **1** Cubierta con la que se protege el exterior o el interior de un objeto. **2** ‖ **[forro {ártico/polar}**; tejido que protege mucho del frío y que se utiliza en la confección de ropa de abrigo. ‖ **ni por el forro**; col. Ni por asomo o en absoluto.

fortachón, -a adj. col. Referido a una persona, que es físicamente muy fuerte o robusta.

fortalecer v. Hacer más fuerte o vigoroso: *El ejercicio fortalece los músculos. Las relaciones entre los dos países se fortalecieron con la firma del tratado*. ☐ MORF. Irreg. →PARECER.

fortalecimiento s.m. Aumento de la fuerza o del vigor.

fortaleza s.f. **1** Fuerza o capacidad para vencer las contrariedades. **2** Recinto fortificado, esp. si está amurallado como un castillo; alcázar. **[3** En bolsa, estabilidad de una moneda. ☐ ETIMOL. Del provenzal *fortalessa*.

forte (italianismo) s.m. **[1** En música, grado de intensidad alto con que se ejecuta un sonido o un pasaje. **[2** En una composición musical, pasaje que se ejecuta con esta intensidad.

fortificación s.f. **1** Aumento de la fuerza o del vigor. **2** Protección de un lugar construyendo alguna obra para su defensa. **3** Conjunto de obras hechas para esta protección.

fortificar v. **1** Dar fuerza o vigor, material o moralmente: *El apoyo de los amigos fortificó su alma*. **2** Referido a un lugar, protegerlo o hacerlo más fuerte construyendo alguna obra para su defensa: *El ejército fortificó la aldea con fosos y alambradas*. ☐ ETIMOL. Del latín *fortificare*. ☐ ORTOGR. La c se cambia en *qu* delante de *e* →SACAR.

fortín s.m. Fortaleza o fuerte pequeño.

fortísimo, ma superlat. irreg. de **fuerte**.

[fortran (anglicismo) s.m. En informática, lenguaje de programación que se utiliza principalmente para resolver problemas científicos o técnicos. ☐ ETIMOL. Es un acrónimo que procede de la sigla de *Formula Translator* (traductor de fórmulas). ☐ PRON. [fórtran].

fortuito, ta adj. Que sucede casualmente o sin esperarlo. ☐ ETIMOL. Del latín *fortuitus*.

fortuna s.f. **1** Circunstancia o causa indetermina_ a la que se atribuye un suceso bueno o malo. **2** Bu_ na suerte. **3** Hacienda o gran cantidad de posesi_ nes y riquezas. **4** Éxito o rápida aceptación. ☐ E_ MOL. Del latín *fortuna* (suerte, fortuna, azar).

[forum (latinismo) s.m. →foro. ☐ SINT. Se usa m_ en aposición, pospuesto a un sustantivo: *Asistim_ a una sesión de cine 'forum'*.

forúnculo s.m. Abultamiento de la piel, pequeñ_ puntiagudo y doloroso, con pus en su interior; d_ vieso. ☐ ETIMOL. Del latín *furunculus*. ☐ ORTOG_ Se admite también *furúnculo*. ☐ USO Aunque la R_ prefiere *furúnculo*, en círculos especializados se u_ más *forúnculo*.

forzado, da adj. Poco natural o sin espontane_ dad.

forzamiento s.m. **1** Operación que consiste en h_ cer ceder un objeto mediante la fuerza o la viole_ cia. **2** Mantenimiento por la fuerza de una relaci_ sexual con otra persona. **[3** Intento de que algo oc_ rra de forma distinta a la natural o a la prevista_

forzar v. **1** Referido a un objeto, esp. a un mecanism_ hacerlo ceder o vencer su resistencia utilizando_ fuerza: *forzar una cerradura*. **2** Referido a una pe_ sona, obligarla a hacer algo contra su voluntad: *N_ quiero forzarte a comer si no te gusta*. **3** Referido _ una persona, obligarla a mantener una relación s_ xual utilizando la fuerza o la violencia: *La jove_ dijo que los agresores la forzaron en un descamp_ do*. **[4** Referido esp. a una situación, someterla a un_ presión para intentar que sea o que evolucione d_ forma distinta a como la haría normalmente: *_ 'fuerzas' la situación, se podría desencadenar un_ crisis*. ☐ ETIMOL. Del latín **fortiare*. ☐ ORTOGR. _ z se cambia en c delante de e. ☐ MORF. Irreg. →FO_ ZAR. ☐ SINT. Constr. de la acepción 2: *forzar a a_ guien A hacer algo*.

forzoso, sa adj. Obligatorio, necesario o inevit_ ble.

forzudo, da adj. Que tiene mucha fuerza física.

fosa s.f. **1** Hoyo cavado en la tierra para enterra_ uno o más cadáveres. **2** En el cuerpo humano o en_ de algunos animales, cavidad o hueco. **3** En geolog_ zona hundida de la corteza terrestre o del fondo ma_ rino. **4** ‖ **fosa común**; lugar en el que se entierra_ los cadáveres que no pueden enterrarse en una s_ pultura particular. ☐ ETIMOL. Del latín *fossa* (ex_ cavación, fosa, tumba).

fosca s.f. Véase **fosco, ca**.

fosco, ca ∎ adj. **1** Referido al pelo, que está alb_ rotado o ahuecado. ∎ s.f. **2** Oscuridad del ambient_

fosfatado, da adj. Que tiene fosfato.

[fosfatar v. **1** Referido a una sustancia, combinarl_ con fosfato: *Hay compuestos que 'se fosfatan' par_ ser usados como abonos*. **2** Referido a una tierra _ cultivo, echarle fosfato: *Los agricultores suelen 'fos_ fatar' las tierras en primavera*.

[fosfatina ‖ **[estar hecho fosfatina**; col. Referid_ a una persona, estar muy cansada, abatida o enfer_ ma. ‖ **[hacer fosfatina**; col. Estropear, perjudica_ o causar un gran daño.

fosfato s.m. Sal formada por la combinación de_ ácido fosfórico con una o más bases. ☐ ETIMOL. D_ *fósforo*.

fosforecer v. →fosforescer. ☐ MORF. Irreg. →PA_ RECER.

fosforero, ra ∎ adj. **1** Del fósforo, de los fósforo_

o relacionado con ellos. ▮ s.f. **[2** Fábrica de cerillas o fósforos.

osforescencia s.f. Propiedad de emitir una luz muy débil que persiste cuando desaparece su causa. □ SEM. Dist. de *fluorescencia* (propiedad de una sustancia para emitir luz mientras recibe una radiación).

[fosforescente adj. Que tiene o produce un brillo luminoso que lo hace visible en la oscuridad. □ MORF. Invariable en género. □ SEM. En la lengua coloquial se usa mucho la forma *fosforito*.

fosforescer v. Manifestar fosforescencia o emitir una luz débil que persiste cuando ha desaparecido la causa que la produce: *Las sustancias que fosforescen emiten, con una longitud de onda distinta, las radiaciones electromagnéticas que han absorbido.* □ ORTOGR. Se admite también *fosforecer*. □ MORF. Irreg. →PARECER.

fosfórico, ca adj. Que contiene fósforo.

[fosforito adj. **1** *col.* Fosforescente. **2** ‖ **[ser un fosforito**; *col.* Enfadarse con facilidad. □ MORF. Invariable en género.

fósforo s.m. **1** Elemento químico no metálico y sólido, de número atómico 15, que luce en la oscuridad sin desprendimiento apreciable de calor, y que es muy combustible y venenoso: *El fósforo se encuentra en los huesos y en otros componentes del organismo animal.* **2** Palito de madera, papel encerado u otro material, con un extremo recubierto de esta sustancia que se prende al frotarlo con ciertas superficies; cerilla. □ ETIMOL. Del griego *phosphóros* (que lleva la luz). □ ORTOGR. En la acepción 1, su símbolo químico es *P*.

fósil adj./s.m. Referido a una sustancia de origen orgánico, que está más o menos petrificada en las capas terrestres y que pertenece a una época geológica anterior. □ ETIMOL. Del latín *fossilis* (que se saca cavando la tierra). □ MORF. Como adjetivo es invariable en género.

fosilización s.f. **1** Conversión en fósil de un cuerpo orgánico. **2** Encasillamiento o estancamiento de una persona o de una actividad.

fosilizarse v.prnl. Convertirse en fósil: *Se siguen encontrando restos de animales que se fosilizaron hace millones de años.* □ ORTOGR. La *z* se cambia en *c* delante de *e* →CAZAR.

foso s.m. **1** Hoyo grande y generalmente de forma alargada. **2** Excavación profunda y alargada que rodea una fortaleza. **3** En un teatro, zona situada debajo del escenario y en la que suele colocarse la orquesta. **4** En un garaje o en un taller mecánico, cavidad desde la que se arregla o se limpia más cómodamente la máquina colocada encima. **[5** En deporte, lugar donde caen los saltadores de longitud y de triple salto después de realizar su ejercicio. □ ETIMOL. Del italiano *fosso*. □ SEM. En la acepción 1, aunque la RAE lo considera sinónimo de *hoyo*, en la lengua actual no se usa como tal.

foto s.f. **1** *col.* →**fotografía**. **2** ‖ **[foto fija**; imagen o representación de algo en un momento dado.

foto- Elemento compositivo que significa 'luz' (*fotofobia, fotosensible, fotoquímica, fotómetro*) o indica relación con la fotografía (*fotogénico, fotocomposición, fotonovela*). □ ETIMOL. Del griego *photo-*, y éste de *phós* (luz).

[foto finish ‖ →**photofinish**. □ PRON. [fotofínis].

fotocomposición s.f. Técnica de componer tex-

tos, basada en un proceso fotográfico y en la que se prescinde de los tipos metálicos. □ ETIMOL. De *foto-* (fotografía) y *composición*.

fotocopia s.f. Reproducción que se hace de forma instantánea y sobre papel, mediante un procedimiento fotoeléctrico. □ ETIMOL. De *foto-* (luz) y *copia*.

fotocopiadora s.f. Máquina que sirve para hacer fotocopias.

fotocopiar v. Reproducir mediante fotocopiadora: *Voy a fotocopiar tus apuntes de clase.* □ ORTOGR. La *i* nunca lleva tilde.

[fotodegradable adj. Referido esp. a un material, que puede degradarse o descomponerse por la acción de la luz. □ ETIMOL. De *foto-* (fotografía) y *degradable*. □ MORF. Invariable en género.

fotoeléctrico, ca adj. **1** De la acción de la luz en ciertos fenómenos eléctricos, o relacionado con ella. **2** Referido a un aparato, que utiliza esta acción. □ ETIMOL. De *foto-* (luz) y *eléctrico*.

fotofobia s.f. Temor o aversión a la luz. □ ETIMOL. De *foto-* (luz) y *-fobia* (aversión).

fotogénico, ca adj. Que tiene buenas condiciones para ser fotografiado o para salir favorecido en las fotografías. □ ETIMOL. De *foto-* (fotografía) y el griego *gennáo* (yo produzco).

fotograbado s.m. **1** Arte o técnica de grabar, mediante la acción química de la luz, en planchas metálicas que sirven para imprimir. **2** Plancha para imprimir que se obtiene por este procedimiento. **3** Grabado obtenido por este procedimiento. □ ETIMOL. De *foto-* (luz) y *grabado*.

fotografía s.f. **1** Arte o técnica de fijar y reproducir, por medio de reacciones químicas y en una superficie sensible a la luz, las imágenes que son recogidas en el fondo de una cámara oscura. **2** Reproducción obtenida por medio de esta técnica. **3** Representación o descripción hecha con mucho detalle y exactitud. □ ETIMOL. De *foto-* (luz) y *-grafía* (representación gráfica). □ USO En la acepción 2, en la lengua coloquial se usa mucho la forma abreviada *foto*.

fotografiar v. Reproducir por medio de la fotografía. □ ORTOGR. La *i* lleva tilde en los presentes, excepto en las personas *nosotros* y *vosotros* →GUIAR.

fotográfico, ca adj. **1** De la fotografía o relacionado con ella. **[2** Con la precisión de imagen u otras características propias de la fotografía.

fotógrafo, fa s. Persona que se dedica a hacer fotografías, esp. si ésta es su profesión.

fotograma s.f. Cada una de las imágenes que se suceden en una película cinematográfica. □ ETIMOL. De *foto-* (fotografía) y *-grama* (representación).

fotólisis s.f. Descomposición química de una sustancia por la acción de la luz. □ ETIMOL. De *foto-* (luz) y el griego *lýsis* (disolución). □ PRON. Aunque la pronunciación correcta es [fotólisis], está muy extendida [fotolísis]. □ MORF. Invariable en número.

fotolito s.m. Cliché fotográfico de un original que se utiliza en algunas formas de impresión, esp. en el huecograbado. □ ETIMOL. Por acortamiento de *fotolitografía*.

fotomatón s.m. Cabina equipada convenientemente para hacer fotografías, generalmente de pequeño formato, y entregarlas en pocos minutos. □ ETIMOL. Extensión del nombre de una marca comercial.

fotomecánica s.f. **1** Procedimiento de reproducción de imágenes que utiliza generalmente clichés fotográficos. **[2** Taller o lugar donde se lleva a cabo este procedimiento. □ ETIMOL. De *foto-* (fotografía) y *mecánica.*

fotómetro s.m. Instrumento que se utiliza para medir la intensidad de la luz.

fotomontaje s.f. Composición fotográfica en la que se utilizan diversas fotografías para hacer una nueva imagen. □ ETIMOL. De *foto-* (relacionado con la fotografía) y *montaje.*

fotón s.m. Partícula mínima de energía luminosa que se propaga en el vacío a la velocidad de la luz. □ ETIMOL. Del griego *phós* (luz) y la terminación de *electrón.*

fotonovela s.f. Relato, generalmente de tema amoroso, formado por una sucesión de fotografías acompañadas de texto breve o de diálogos que permiten seguir el argumento.

fotoquímico, ca ▮ adj. **1** De la fotoquímica o relacionado con esta parte de la química. ▮ s.f. **2** Parte de la química que estudia la interacción de las radiaciones luminosas con las moléculas, y los cambios físicos o químicos que resultan de ella. □ ETIMOL. De *foto-* (luz) y *química.*

[fotorrobot s.f. Retrato de una persona elaborado a partir de los detalles fisonómicos descritos por otras personas. □ ETIMOL. De *foto-* (relacionado con la fotografía) y *robot.*

fotosensible adj. Sensible a la luz. □ ETIMOL. De *foto-* (luz) y *sensible.* □ MORF. Invariable en género.

fotosfera s.f. Zona luminosa y más interna de la envoltura gaseosa del Sol. □ ETIMOL. De *foto-* (luz) y el griego *sphâira* (pelota, esfera).

fotosíntesis s.f. Proceso metabólico de algunos organismos vegetales por el que éstos sintetizan y elaboran sus propias sustancias orgánicas a partir de otras inorgánicas, utilizando la energía luminosa. □ ETIMOL. De *foto-* (luz) y *síntesis.* □ MORF. Invariable en número. □ SEM. Dist. de *quimiosíntesis* (proceso metabólico realizado por algunos microorganismos, utilizando la energía derivada de procesos químicos).

fototipia s.f. **1** Procedimiento para reproducir clichés fotográficos sobre una superficie de cristal o de cobre cubierta por una capa de gelatina adecuadamente preparada. **2** Lámina obtenida por este procedimiento. □ ETIMOL. De *foto-* (relacionado con la fotografía) y el griego *týpos* (tipo, modelo, carácter grabado).

[fotovoltaico, ca adj. Que puede transformar la energía luminosa en otro tipo de energía, esp. eléctrica. □ ETIMOL. De *foto-* (luz) y *voltaico.*

[foul (anglicismo) s.m. En zonas del español meridional, falta. □ PRON. [fául] o [ful].

[foulard s.m. →*fular.* □ PRON. [fulár]. □ USO Es un galicismo innecesario.

fovismo s.m. Movimiento pictórico que se desarrolló en París (capital francesa) a comienzos del siglo XX y que se caracteriza principalmente por la exaltación del color puro; fauvismo. □ ETIMOL. Del francés *fauvisme.* □ USO Aunque la RAE sólo registra *fovismo*, se usa más *fauvismo.*

[fox-trot (anglicismo) s.m. **1** Composición musical en compás de cuatro por cuatro, de ritmo cortado y alegre. **2** Baile de pareja que se ejecuta al compás de esta música y que consta de pasos rápidos y lentos.

foxterrier (anglicismo) adj./s. Referido a un perro, d la raza que se caracteriza por tener poca altura, ▮ cráneo ancho, la cara pequeña, orejas lacias y pelaj generalmente de color blanco con manchas negra y castañas. □ MORF. 1. Como adjetivo es invariabl en género. 2. Como sustantivo es de género comúr *el foxterrier, la foxterrier.* 3. La RAE sólo lo registr como adjetivo. ✍ perro

frac s.m. Prenda masculina de etiqueta, semejant a una chaqueta, que por delante termina en dos p cos y llega hasta la cintura y por detrás se prolong en dos largos faldones, y que suele combinarse co un pantalón del mismo color. □ ETIMOL. Del francé *frac.* □ MORF. Su plural es *fraques.* □ SEM. Dist. d *chaqué* (prenda que a la altura de la cintura se abr por delante y se prolonga hacia atrás).

fracasado, da adj./s. Referido a una persona, qu está desprestigiada a causa de sus fracasos o qu ha tenido fracasos en los aspectos importantes d su vida.

fracasar v. **1** Tener un resultado adverso en lo qu se hace: *Fracasó en los negocios y se arruinó.* **2** Re ferido a una pretensión, frustrarse o salir mal: *El pro yecto fracasó por falta de medios económicos.* □ ETI MOL. Del italiano *fracassare* (destrozar).

fracaso s.m. Resultado adverso en lo que se hac o en lo que se intenta.

fracción s.f. **1** Cada una de las partes en que s divide un todo y que se consideran de forma sepa rada. **2** En matemáticas, expresión que indica las par tes en que se ha dividido la unidad y las que se har tomado de ella; número fraccionario, número que brado. □ ETIMOL. Del latín *fractio* (acción de rom per).

fraccionamiento s.m. División en partes o er fracciones.

fraccionar v. Dividir en fracciones o partes: *Lo intereses particulares acabarán fraccionando la uni dad del grupo. El bloque de piedra se ha fraccio nado en tres grandes trozos.*

fraccionario, ria ▮ adj. **1** De la fracción o rela cionado con ella. ▮ s.m. **2** →**número fraccionario**

fractura s.f. Rotura de un material sólido y resis tente, esp. de un hueso. □ ETIMOL. Del latín *frac tura,* y éste de *frangere* (romper).

fracturar v. Referido a algo duro y resistente, esp. a ur hueso, romperlo con violencia o con brusquedad: *Lo cambios de temperatura pueden fracturar una roca Al caerse, se le fracturó el fémur.*

fragancia s.f. Olor suave y agradable.

fragante adj. Que tiene o despide fragancia; bie noliente. □ ETIMOL. Del latín *fragans,* y éste de *fra gare* (echar olor). □ ORTOGR. Dist. de *flagrante.* □ MORF. Invariable en género.

fragata s.f. **[1** Barco de guerra menor que el des tructor y destinado generalmente a dar escolta. ✍ embarcación **2** Barco de vela de tres palos, con pla taformas en su parte alta y vergas o palos horizon tales para sujetar las velas en todos ellos. **3 ‖ fra gata ligera**; antiguo barco de guerra con tres palos y vela cuadrada, semejante a éste, pero de menor tamaño; corbeta. ✍ embarcación □ ETIMOL. Del italiano *fregata.*

frágil adj. **1** Que se quiebra o se rompe con facili dad. **2** Débil, poco resistente o que se estropea con facilidad. □ ETIMOL. Del latín *fragilis.* □ MORF. In variable en género.

agilidad s.f. **1** Facilidad para romperse. **2** Debilidad, escasez de resistencia o facilidad para estropearse.

agmentación s.f. División en fragmentos o en trozos pequeños.

agmentar v. Dividir en fragmentos o en partes pequeñas: *He mandado fragmentar el rubí para hacer con él dos pendientes. Algunas piedras arcillosas se fragmentan con facilidad.*

agmentario, ria adj. **1** Del fragmento o relacionado con él. **2** Incompleto o no acabado.

agmento s.m. Trozo fragmentado o separado de un todo. □ ETIMOL. Del latín *fragmentum.*

agor s.m. Ruido o estruendo esp. si es fuerte y prolongado. □ ETIMOL. Del latín *fragor* (ruido de algo que se rompe, estruendo).

agoroso, sa adj. Que produce estruendo o mucho ruido.

agosidad s.f. **1** Aspereza y espesura de los montes. **2** Camino o terreno abruptos e irregulares.

agoso, sa adj. **1** Referido esp. a un terreno, que es abrupto y está formado por zonas quebradas e irregulares. **2** De mucho ruido o estrepitoso. □ ETIMOL. Del latín *fragosus* (quebrado y ruidoso).

agua s.f. Fogón o lugar donde se hace fuego y se calientan los metales para forjarlos. □ ETIMOL. De *fravga*, y éste del latín *fabrica* (arte del herrero, fábrica).

aguar v. **1** Referido a una pieza de metal, forjarla o darle forma: *Los talleres toledanos fraguan hermosas espadas ornamentales.* **2** Referido esp. a un proyecto, idearlo o planearlo: *En aquella reunión se fraguó el proyecto de expansión comercial.* [**3** Referido esp. a una idea, tener éxito o ser aceptada: *Sus ideas innovadoras no podían 'fraguar' en una sociedad tan conservadora.* **4** Referido al cemento o a una masa semejante, trabarse y endurecerse de forma consistente en la obra en que han sido empleados: *Cuando fragüe la masa pondremos otra hilera de ladrillos.* □ ETIMOL. Del latín *fabricari* (modelar). □ ORTOGR. 1. La *u* lleva diéresis cuando la sigue *e*. 2. La *u* permanece siempre átona →AVERIGUAR.

aile s.m. Miembro de algunas órdenes religiosas. □ ETIMOL. Del provenzal *fraire* (hermano). □ MORF. Ante nombre propio de persona se usa la apócope *fray.*

ailecillo s.m. Ave de plumaje negro en el dorso y blanco en el pecho, con el pico grande, comprimido lateralmente y de color rojo, azul y amarillo, y que se alimenta de peces, crustáceos y moluscos. □ MORF. Es un sustantivo epiceno: *el frailecillo macho, el frailecillo hembra.*

ambuesa s.m. Fruto parecido a la fresa, pero un poco velloso, de color rojo más oscuro y sabor agridulce. □ ETIMOL. Del francés *framboise.*

ambueso s.m. Planta de tallos delgados y espinosos, con hojas verdes por el haz y blancas por el envés, flores blancas, y cuyo fruto es la frambuesa.

ancachela s.f. *col.* Reunión de personas para comer y divertirse de forma ruidosa y desordenada. □ ETIMOL. De origen incierto.

ancés, -a ▌ adj./s. **1** De Francia (país europeo), o relacionado con ella. ▌ s.m. **2** Lengua románica de este y de otros países. [**3** *col.* Práctica sexual que consiste en la estimulación de los órganos sexuales masculinos con la boca. **4** ‖ **a la francesa**; referido a la forma de marcharse, sin despedirse. □ MORF.

Cuando se antepone a otra palabra para formar compuestos, adopta la forma *franco-* o *galo-*.

francesada s.f. Lo que refleja los rasgos típicos franceses. □ USO Es despectivo.

franchute, ta s. *col.* Francés. □ USO Tiene un matiz despectivo y humorístico.

francio s.m. Elemento químico metálico y líquido, de número atómico 87, radiactivo, y cuyo núcleo es muy inestable. □ ETIMOL. De *Francia*, donde se descubrió. □ ORTOGR. Su símbolo químico es *Fr.*

franciscano, na ▌ adj. **1** Con la paciencia, la humildad u otras características que se consideran propias de san Francisco de Asís (religioso italiano). ▌ adj./s. **2** De la orden de San Francisco de Asís (religioso italiano que fundó dicha orden a principios del siglo XIII), o relacionado con ella.

francmasón, -a s. Miembro de la asociación secreta de la francmasonería; masón. □ ETIMOL. Del francés *francmaon*, y éste del inglés *free mason* (albañil libre), porque los francmasones se cobijaron al principio bajo los privilegios concedidos a la corporación de los albañiles.

francmasonería s.f. Sociedad secreta de personas unidas por principios de fraternidad y de ayuda mutuas, que se organizan o reúnen en entidades o en grupos llamados *logias*; masonería.

francmasónico, ca adj. De la francmasonería o relacionado con esta sociedad secreta; masónico.

franco, ca ▌ adj. **1** Sincero, patente, claro o que no ofrece duda. **2** Sin obstáculos o impedimentos: *En esta casa siempre hubo entrada franca para los amigos.* **3** En economía, libre de impuestos o de contribución. ▌ adj./s. **4** De los pueblos germánicos que conquistaron la Galia (región del Imperio Romano) y dieron nombre a la actual Francia (país europeo), o relacionado con ellos. ▌ s.m. **5** Unidad monetaria francesa. **6** Unidad monetaria de distintos países. □ ETIMOL. Del germánico *frank* (franco). □ MORF. Es la forma que adopta *francés* cuando se antepone a otra palabra para formar compuesto: *francófilo, francocanadiense.*

francófilo, la adj./s. Que siente gran admiración y simpatía por todo lo francés. □ ETIMOL. De *franco* (francés) y *-filo* (amigo, amante de). □ MORF. La RAE sólo lo registra como adjetivo.

[**francófono, na** adj./s. De habla francesa. □ ETIMOL. De *franco* (francés) y *-fono* (sonido, hablante).

francotirador, -a s. Persona que dispara sobre un blanco con gran precisión y desde un lugar oculto y alejado. □ ETIMOL. Del francés *franc-tireur.*

franela s.f. **1** Tejido fino de lana o de algodón, ligeramente cardado por una de sus caras. [**2** En zonas del español meridional, gamuza. □ ETIMOL. Del francés *flanelle.*

franja s.f. Superficie más larga que ancha y que se distingue del resto. □ ETIMOL. Del francés *frange.*

[**franjirrojo, ja** adj./s. *col.* De cualquier equipo deportivo cuya camiseta esté cruzada por una franja roja.

franquear v. **1** Referido esp. a algo que sigue un curso, abrirle paso o apartar lo que estorbe o impida dicho curso: *Varios soldados se adelantaron para franquear el avance de las tropas.* **2** Referido esp. a un lugar, pasar al otro lado de él o atravesarlo, esp. si se hace con esfuerzo o venciendo una dificultad: *Para llegar hasta la frontera, tuvieron que franquear las posiciones del enemigo.* **3** Referido a un envío postal, ponerle los sellos para enviarlo: *Para mandar una carta por correo, hay que franquearla primero.* □ ETIMOL. De *franco*. □ ORTOGR. Dist. de *flanquear*.

franqueo s.m. **1** Colocación a un envío postal de los sellos necesarios para mandarlo por correo. **2** Cantidad que se paga por estos sellos.

franqueza s.f. Sinceridad, claridad o falta de duda.

franquicia s.f. **1** Privilegio que se concede a una persona o a una entidad para que quede libre del pago de impuestos por introducir o sacar mercancías o por el aprovechamiento de un servicio público. **[2** Contrato mediante el que una empresa autoriza a una persona a utilizar su marca y a vender sus productos, bajo determinadas condiciones. **[3** Establecimiento que está bajo las condiciones de este contrato. □ ETIMOL. De *franco*.

[franquiciado, da adj./s. Que tiene una franquicia o ha firmado un contrato de uso de marca y venta de productos.

[franquiciador, -a adj./s. Que concede franquicias o cede sus derechos de uso de marca y de venta de sus productos.

franquismo s.m. Régimen político de carácter totalitario, implantado en el territorio español por el general Francisco Franco (militar que ejerció el poder entre 1939 y 1975).

franquista I adj. **1** Del franquismo o relacionado con este régimen político. **I** adj./s. **2** Que defiende o sigue el franquismo. □ MORF. 1. Como adjetivo es invariable en género. 2. Como sustantivo es de género común: *el franquista, la franquista*.

[frappé adj. →**granizado**. □ MORF. Invariable en género. □ USO Es un galicismo innecesario.

frasca s.f. Recipiente de vidrio, con la base cuadrangular y el cuerpo bajo, que se usa para el vino.

frasco s.m. Recipiente de cuello estrecho, más pequeño que una botella. □ ETIMOL. Del gótico **flasko* (funda de mimbres para una botella).

frase s.m. **1** Conjunto de palabras que tiene sentido. **2** ‖**frase hecha**; la que se usa coloquialmente y tiene una forma fija: ‘A vivir, que son dos días’ y ‘que si quieres arroz, Catalina’ son frases hechas. □ ETIMOL. Del latín *phrasis* (dicción, estilo).

fraseología s.f. **1** Conjunto de los modos de expresión propios de una lengua, de una persona, de una época o de una colectividad. **2** Conjunto de expresiones rebuscadas, pretenciosas o inútiles. □ ETIMOL. Del inglés *phraseology*.

fraternal adj. Con el afecto, la confianza u otras características que se consideran propias de hermanos. □ MORF. Invariable en género.

fraternidad s.f. Buena relación o afecto entre hermanos o entre los que se tratan como tales.

fraternizar v. Establecer una relación de afecto y confianza, como la que hay entre hermanos: *Estudiaron juntos tantos años que terminaron por fraternizar.* □ ORTOGR. La *z* se cambia en *c* delante de *e* →CAZAR.

fraterno, na adj. De los hermanos o relacionado con ellos. □ ETIMOL. Del latín *fraternus*.

fratricida adj./s. Que mata a un hermano. □ ETIMOL. Del latín *fratricida*, y éste de *frater* (hermano) y *caedere* (cortar). □ PRON. Incorr. *[fraticida]. □ MORF. 1. Como adjetivo es invariable en género. 2. Como sustantivo es de género común: *el fratricida, la fratricida*.

fratricidio s.m. Muerte dada a un hermano. □ PRON. Incorr. *[fraticidio].

fraude s.m. Engaño con el que se perjudica a ot para beneficiarse uno mismo. □ ETIMOL. Del lat *fraus* (mala fe, engaño).

fraudulento, ta adj. Que es engañoso o que s pone un fraude.

fray s.m. →**fraile**. □ MORF. Apócope de *fraile* an nombre propio de persona.

frazada s.f. Manta de cama con mucho pelo. □ E MOL. Del catalán *flassada*.

freático, ca adj. **1** Referido al agua, que está ac mulada en el subsuelo sobre una capa impermeab y que puede aprovecharse por medio de pozos. Referido a una capa de subsuelo, que contiene est aguas. □ ETIMOL. Del griego *phréar* (pozo).

frecuencia s.f. **1** Repetición de un acto o de u suceso. **2** Número de veces que algo se repite en u período de tiempo determinado. **3** En física, en un m vimiento periódico, número de ciclos completos rea zados en una unidad de tiempo: *La unidad de fr cuencia es el hercio, que equivale a un ciclo por s gundo.* **4** ‖ **[frecuencia modulada**; en una emisi radiofónica, tipo de modulación de las ondas sonor con una alta calidad de sonido. □ ETIMOL. Del lat *frequentia*.

frecuentar v. **1** Referido a un lugar, ir a él con fr cuencia: *Suele frecuentar los locales de moda.* [Referido a una persona, tratarla con frecuencia: *Desc que nos conoció, no ha dejado de ‘frecuentarnos’.*

frecuentativo, va adj. En lingüística, que indic una acción que se repite; iterativo: *‘Pisotea’ es u verbo frecuentativo porque significa ‘pisar repetid veces’.*

frecuente adj. **1** Que se repite a menudo o de m nera habitual. **2** Que es usual, común o normal. □ ETIMOL. Del latín *frequens* (numeroso, frecuentad populoso). □ MORF. Invariable en género.

[free lance (anglicismo) ‖Que trabaja indepen dientemente y por su cuenta, para después vende su trabajo. □ PRON. [fri lans].

[freezer (anglicismo) s.m. En zonas del español me dional, congelador. □ PRON. [fríser].

fregadero s.m. Pila provista de grifo y desagü generalmente instalada en la cocina, y que se ut liza para fregar.

fregado, da I adj. **1** *col.* En América, molesto o pe sado. **[2** *col.* En zonas del español meridional, referido una persona, fastidiada. **I** s.m. **3** Limpieza que s hace restregando con un estropajo u otro utensili empapados en agua y jabón o en otra sustancia. **4** *col.* Asunto complicado o difícil.

fregar v. **1** Limpiar restregando con un estropajo otro utensilio empapados en agua y jabón o en otr sustancia limpiadora: *Mientras tú friegas los platos yo friego el suelo.* **2** *col.* En zonas del español meridic nal, molestar. □ ETIMOL. Del latín *fricare* (frotar restregar). □ ORTOGR. Aparece una *u* después de l *g* cuando la sigue *e*. □ MORF. Irreg. →REGAR.

fregona s.f. **1** Utensilio formado por un mango lar go con un manojo de tiras de un tejido absorbent en uno de sus extremos, y que se usa para frega el suelo. **2** Criada que se ocupa de la cocina *y* de fregar. □ USO En la acepción 2, tiene un matiz des pectivo.

fregotear v. *col.* Fregar deprisa y de cualquier ma

nera: *Quedaron restos de grasa en los platos porque los fregoteó en dos minutos.*

regoteo s.m. Fregado que se hace deprisa y de cualquier manera.

reidora s.f. Electrodoméstico que sirve para freír productos alimenticios. □ PRON. Incorr. *[freidera]. ✑ electrodoméstico

reiduría s.f. Establecimiento en el que se fríen alimentos, esp. pescado, para su venta.

freír ∎ v. **1** Referido a un alimento, cocinarlo poniéndolo al fuego en aceite o grasa hirviendo: *Fríe el filete en la sartén y con poco aceite.* [**2** col. Referido a una persona, acribillarla o matarla a tiros: *Los soldados rodearon a los indios y los 'frieron'.* **3** col. Mortificar o molestar mucho a alguien: *Los periodistas freían a la ministra a preguntas.* ∎ prnl. [**4** col. Pasar mucho calor: *A esta hora, en la playa 'te fríes'.* □ ETIMOL. Del latín *frigere*. □ MORF. **1.** Tiene un participio irregular (*frito*) que es el usual, y uno regular (*freído*) que se usa a veces en la conjugación. **2.** →REÍR. □ SINT. Constr. de la acepción 3: *freír a alguien A algo.*

fréjol s.m. **1** Planta leguminosa, con tallos delgados de unos tres metros de longitud, hojas grandes compuestas y acorazonadas, flores blancas y fruto en vainas verdes y aplastadas, terminadas en dos puntas. **2** Fruto comestible de esta planta. **3** Semilla de este fruto, que tiene forma de riñón. □ ETIMOL. De *fríjol*. □ ORTOGR. Se admite también *fríjol* o *fríjol*. □ SEM. Es sinónimo de *judía*.

frenado s.m. Moderación o detención del movimiento de un vehículo con el freno.

frenar v. **1** Referido a un vehículo, moderar su marcha o pararlo con el freno: *El conductor no pudo frenar el coche y se salió de la curva. Frena un poco, que vamos demasiado deprisa.* **2** Referido esp. a una persona o a sus actos, moderarlos, contenerlos o detenerlos: *Frénate y no le digas nada, que es el jefe. Con la edad ha aprendido a frenar sus impulsos.* □ ETIMOL. De *freno*.

frenazo s.m. Moderación de la marcha o detención bruscas, esp. las de un vehículo al echar el freno.

frenesí s.m. **1** Exaltación violenta de una pasión o de un sentimiento. **2** Locura o delirio exaltados. □ ETIMOL. Del latín *phrenesis*. □ MORF. Aunque su plural en la lengua culta es *frenesíes*, se usa mucho *frenesís*.

frenético, ca adj. **1** Delirante, enloquecido o poseído de frenesí. **2** Furioso, rabioso o muy enfadado. □ ETIMOL. Del latín *phreneticus*.

frenillo s.m. Membrana que se forma en determinados puntos del organismo y que limita el movimiento de algún órgano. □ ETIMOL. De *freno*.

freno s.m. **1** Dispositivo que se usa para moderar o parar un movimiento. **2** Lo que modera o detiene algo, esp. un proceso o un impulso. **3** Instrumento de hierro que se ajusta a la boca de un caballo para sujetarlo y dirigirlo; bocado. ✑ arreos □ ETIMOL. Del latín *frenum* (freno, bocado).

[frenopático s.m. col. Manicomio.

frente ∎ s.f. **1** Parte superior de la cara, desde las cejas hasta el inicio del cuero cabelludo. ∎ s.m. **2** Parte delantera de algo. **3** Zona o franja de terreno en las que luchan los ejércitos; línea. **4** En meteorología, línea teórica que separa dos masas de aire de diferentes características en su superficie, esp. en cuanto a la temperatura. **5** En política, coalición en-

tre partidos u organizaciones: *frente democrático.* **6** ‖ **al frente**; **1** Al mando o en la dirección. **2** Hacia adelante. ‖ **con la frente muy alta**; sin avergonzarse o con la conciencia tranquila. ‖ **de frente**; **1** Con ímpetu o sin rodeos. **2** Hacia adelante. ‖ **en frente**; →**enfrente**. ‖ **frente a**; **1** Ante o enfrente de. **2** En oposición a, o en contra de. ‖ **frente a frente**; **3** De manera abierta y directa. **4** En presencia y delante de otro. ‖ **hacer frente** a algo; enfrentarse, oponerse o resistirse a ello. □ ETIMOL. Del latín *frons*. □ MORF. En la acepción 2, la RAE lo registra como sustantivo femenino. □ USO Es innecesario el uso del galicismo *tête à tête* en lugar de *frente a frente*.

fresa ∎ adj./s.m. **1** De color rojo, semejante al del fruto de la fresa. ∎ s.f. **2** Planta herbácea, de tallos rastreros, hojas compuestas y flores blancas o amarillas, que da un fruto rojo, comestible y muy sabroso, formado por una agrupación de pequeños granos. **3** Fruto de esta planta. **4** Herramienta con una serie de cuchillas y buriles que, al girar, perforan, alisan o labran piezas de metal. □ ETIMOL. Las acepciones 1-3, del francés *fraise*. La acepción 4, de *fresar* (labrar metales). □ MORF. Como adjetivo es invariable en género.

fresador, -a ∎ s. **1** Persona que se dedica profesionalmente al manejo de las máquinas que se usan para fresar o trabajar las piezas de metal. ∎ s.f. **2** Máquina que se usa para perforar, alisar o labrar piezas de metal.

fresal s.m. Terreno plantado de fresas.

fresar v. Referido a una pieza de metal, perforarla, alisarla o labrarla con la fresa o con la fresadora: *Fresaremos esta plancha de metal para hacer en ella agujeros.* □ ETIMOL. Del francés *fraiser*.

fresca s.f. Véase **fresco, ca**.

frescales s. col. Fresco o descarado. □ MORF. **1.** Es de género común: *el frescales, la frescales.* **2.** Invariable en número.

fresco, ca ∎ adj. **1** Que tiene una temperatura moderada o agradablemente fría. **2** Referido esp. a un alimento, que acaba de ser obtenido o que no está curado. **3** Referido a un alimento, que no está congelado. **4** Referido esp. a una prenda de vestir o a una tela, que no da calor o que es ligera y delgada. [**5** Referido esp. a un olor, que es suave y refrescante. [**6** Referido esp. a una pintura, que aún no se ha secado. **7** Referido esp. a un acontecimiento, que acaba de suceder o que es inédito. [**8** Espontáneo o sin artificio. [**9** Que es joven y sano y no ha empezado a deteriorarse físicamente. **10** Referido a una persona, que está descansada y no da muestras de fatiga. **11** Referido a una persona, que está tranquila y que no se inmuta. ∎ adj./s. **12** Referido a una persona, que es descarada o desvergonzada. ∎ s.m. **13** Frío moderado. **14** Pintura que se hace en paredes y techos con colores disueltos en agua de cal y extendidos sobre una capa de estuco sin secar. ∎ s.f. **15** Frío moderado y agradable de las primeras o de las últimas horas del día. **16** col. Lo que se dice con descaro o insolencia y resulta molesto u ofensivo. **17** ‖ **al fresco**; a la intemperie durante la noche. ‖ **estar fresco**; col. Expresión que se usa para indicar que alguien tiene esperanzas que no se van a realizar. ‖ **traerle** a alguien algo **al fresco**; col. No importarle. □ ETIMOL. Del germánico *frisk* (nuevo, joven).

frescor s.m. Temperatura moderada o agradablemente fría.

frescura s.f. **1** Temperatura moderada o agradablemente fría. **[2** Aspecto joven y sano, que no ha empezado a deteriorarse. **3** Propiedad de los alimentos que están recién obtenidos o sin curar. **[4** Aroma suave y refrescante. **5** Descaro, desvergüenza o desenfado.

fresno s.m. Árbol con abundantes ramas, de hojas caducas, tronco grueso y corteza grisácea, cuya madera blanca es muy apreciada por su elasticidad. □ ETIMOL. Del latín *fraxinus*.

fresón s.m. Fruto parecido a una fresa, de mayor tamaño y de sabor más ácido.

fresquera s.f. Mueble o espacio situados en un lugar fresco y ventilado, en los que se conservan los alimentos.

fresquilla s.f. Variedad del melocotón, generalmente más pequeña y más jugosa que éste.

freudiano, na ▌ adj. **1** De Freud (psiquiatra austriaco nacido a mediados del siglo XIX), de sus doctrinas, o relacionado con ellos. ▌ adj./s. **[2** Partidario o seguidor de las doctrinas de este psiquiatra. □ PRON. [froidiano].

frezar v. Referido a las hembras de los peces o de los anfibios, soltar sus huevos; desovar: *Hay veda de truchas porque las hembras frezan en esta época del año*. □ ETIMOL. Del latín **frictiare* (rozar, restregar). □ ORTOGR. La *z* se cambia en *c* delante de *e* →CAZAR.

frialdad s.f. **1** Sensación que proviene de la falta de calor. **2** Indiferencia o falta de interés o de reacción en la forma de actuar.

fricativo, va ▌ adj. **1** En lingüística, referido a un sonido consonántico, que se articula de forma que el aire pasa rozando el canal de la boca: *En español, el sonido de la ese y de la jota son fricativos*. ▌ s.f. **2** Letra que representa este sonido: *La 'f' es una fricativa*. □ ETIMOL. Del latín *fricare* (restregar, frotar).

fricción s.f. **1** Frotamiento de una superficie repetidas veces y con fuerza. **2** Roce de dos superficies en contacto. **3** Enfrentamiento o desacuerdo entre personas. □ ETIMOL. Del latín *frictio*. □ MORF. 1. La acepción 3 se usa más en plural. 2. En la acepción 3, la RAE sólo lo registra en plural.

friccionar v. Frotar o dar friegas: *El masajista le friccionó los músculos con alcohol para relajarlos*.

friega s.f. Fricción o masaje dados sobre una parte del cuerpo, generalmente con alguna sustancia y con fines curativos. □ ETIMOL. De *fregar* (restregar).

[friegaplatos s.m. *col.* Lavavajillas. □ MORF. Invariable en número. 🔩 electrodoméstico

frigidez s.f. **1** Ausencia anormal de excitación y de satisfacción al realizar el acto sexual. **2** *poét.* Frialdad.

frígido, da adj. Insensible a la excitación o la satisfacción sexuales, esp. referido a una mujer. □ ETIMOL. Del latín *frigidus* (frío).

frigio, gia adj./s. De la antigua Frigia (región situada en el noroeste asiático), o relacionado con ella.

frigoría s.f. Unidad calorífica empleada para medir el frío y que equivale a la absorción de una kilocaloría.

frigorífico, ca ▌ adj. **1** Que produce frío o que mantiene algo frío. ▌ s.m. **2** Electrodoméstico que

sirve para conservar fríos los alimentos y las beb das; nevera. 🔩 electrodoméstico □ ETIMOL. D latín *frigorificus* (que enfría).

frijol o **fríjol** s.m. →**fréjol**. □ ETIMOL. Del latí *faseolus*.

frío, a ▌ adj. **1** Con temperatura inferior a la no mal o a la conveniente. **[2** Que produce sensació de frialdad o que no conserva el calor. **3** Referido una persona, que es poco afectuosa o que se muestr indiferente ante estímulos y sensaciones. **[4** *col.* Si pasión o sin mostrar emoción o afecto. **[5** Referido un color, que tiene como base el azul. **[6** *col.* En es del español meridional, referido a una persona, que est muerta. ▌ s.m. **7** Sensación que experimenta e cuerpo con una bajada de temperatura. **8** Tempe ratura ambiental baja. ▌ interj. **9** Expresión que s usa para indicar a alguien que está lejos de encon trar lo que busca. **10** ‖ **en frío**; **1** Sin estar bajo l presión del momento o de las circunstancias. *col.* **[** Sin preparación. ‖ **[frío industrial**; el que se uti liza para la conservación de productos perecedero o para su aplicación a algunos procesos industria les. ‖ **quedarse frío**; quedarse sorprendido o sin ca pacidad de reacción. □ ETIMOL. Del latín *frigidus*.

friolento, ta adj. En zonas del español meridiona friolero.

friolera s.f. Véase **friolero, ra**.

friolero, ra ▌ adj. **1** Muy sensible al frío. ▌ s.f. **2** *col.* Gran cantidad de algo, esp. de dinero.

[friqui s.m. En fútbol, lanzamiento directo, a baló parado en castigo por una falta hecha cerca de área. □ ETIMOL. Del inglés *free kick*.

frisar v. Referido a una edad, acercarse o aproximars a ella: *Su padre frisa los sesenta, aunque parec más joven*.

friso s.m. **1** En la arquitectura clásica, franja decora tiva horizontal que forma parte del entablamento que está situada entre el arquitrabe y la cornisa. **2** Banda o franja horizontal que suele instalarse pintarse en la parte inferior de las paredes; rodapié zócalo. □ ETIMOL. De origen incierto.

fritanga s.f. Conjunto de alimentos fritos, esp. si s han cocinado con mucha grasa. □ USO Tiene un ma tiz despectivo.

fritar v. En zonas del español meridional, freír.

frito, ta ▌ **1** part. irreg. de **freír**. ▌ adj. **2** *col.* Pro fundamente dormido. **3** *col.* Muerto. **4** *col.* En zona del español meridional, referido a una persona, que est en mala situación. ▌ s.m. **5** Alimento cocinado a fuego con aceite o grasa hirviendo. □ MORF. La acepciones 2 y 3 se usan más con los verbos *que darse* y *estar*. □ USO En la acepción 1, se usa má como adjetivo, frente al participio regular *freído* que se usa más en la conjugación.

fritura s.f. Conjunto de alimentos fritos; fritada.

frivolidad s.f. Ligereza o falta de profundidad y de seriedad, esp. en el comportamiento.

frívolo, la ▌ adj. **1** Ligero, superficial o de poca importancia. ▌ adj./s. **[2** Referido a una persona o a su comportamiento, que manifiestan inconstancia, des preocupación o ligereza. □ ETIMOL. Del latín *frivo lus* (insignificante).

fronda s.f. Conjunto de hojas o de ramas que for man una espesura. □ ETIMOL. Del latín *frons* (folla je, fronda). □ SEM. No debe emplearse con el sig nificado de 'arboleda': *Dimos un paseo por la {*fron da > arboleda} del pueblo*.

frondosidad s.f. Abundancia de hojas y ramas.

frondoso, sa adj. 1 Referido a una planta, esp. a un árbol, abundante en hojas y ramas. 2 Referido a un lugar, que tiene gran abundancia de árboles que forman espesura.

frontal I adj. 1 De la frente o relacionado con ella. 2 Del frente o parte delantera de algo, o relacionado con él. [3 Referido esp. a un enfrentamiento, que se produce de forma abierta y directa. I s.m. 4 →hueso frontal. □ MORF. Como adjetivo es invariable en género.

[frontenis s.m. Deporte que se juega en un frontón y en el que se utilizan raquetas y pelotas semejantes a las del tenis.

frontera s.f. 1 Límite entre dos estados. 2 Límite o fin de algo. □ ETIMOL. Del antiguo *fronte* (frente). □ MORF. La acepción 2 se usa más en plural.

fronterizo, za adj. 1 De la frontera o relacionado con ella. 2 Referido a un lugar, esp. a un país, que tiene frontera con otro.

frontis s.m. Fachada o parte delantera de algo. □ ETIMOL. Abreviación de *frontispicio*. □ MORF. Invariable en número.

frontispicio s.m. 1 Fachada o parte delantera de algo, esp. de un edificio. 2 Frontón o remate triangular de una fachada. □ ETIMOL. Del latín *frons* (frente) y *spicere* (ver, examinar).

frontón s.m. 1 En arquitectura, remate triangular o curvo que se coloca sobre fachadas, pórticos, puertas o ventanas. 2 Lugar dispuesto para jugar a la pelota vasca y a otros juegos semejantes. [3 Actividad deportiva que se practica con raqueta o pala en este lugar. □ ETIMOL. Del antiguo *fronte* (frente).

frotación, frotadura s.f. o **frotamiento** s.m. Pasada de algo sobre una superficie, repetidamente y con fuerza; frote.

frotar v. Referido a una superficie, pasar algo sobre ella repetidas veces y con fuerza: *Frótame la espalda con la esponja.* □ ETIMOL. Del francés *frotter*.

frote s.m. →frotación.

fructífero, ra adj. Que produce fruto. □ ETIMOL. Del latín *fructifer*, y éste de *fructus* (fruto) y *ferre* (llevar).

fructificación s.f. Producción de fruto. □ ETIMOL. Del latín *fructus* (fruto) y *facere* (hacer).

fructificar v. 1 Referido a una planta, dar fruto: *El peral ya ha fructificado y pronto podremos coger las peras.* 2 Producir utilidad o dar buenos resultados: *Si las conversaciones de paz fructifican, pronto acabará la guerra.* □ ETIMOL. Del latín *fructificare*. □ ORTOGR. La *c* se cambia en *qu* delante de *e* →SACAR.

[fructosa s.f. Azúcar que se encuentra principalmente en la miel y en las frutas.

fructuoso, sa adj. Que da fruto o que produce provecho o utilidad.

frugal adj. 1 Moderado en la comida y en la bebida. 2 Moderado o poco abundante, esp. referido a la comida. □ ETIMOL. Del latín *frugalis* (sobrio). □ MORF. Invariable en género.

frugalidad s.f. Moderación en la comida y en la bebida.

frugívoro, va adj. Referido a un animal, que se alimenta de frutos. □ ETIMOL. Del latín *frux* (fruto de la tierra) y *-voro* (que come). 🐦 pico

fruición s.f. Goce o placer intenso. □ ETIMOL. Del latín *fruitio*.

frunce o **fruncido** s.m. Pliegue o conjunto de pliegues pequeños y paralelos que se hacen en una superficie, esp. en una tela o en un papel.

fruncir v. 1 Referido esp. a la frente o a las cejas, arrugarlas en señal de sorpresa, de enfado o de preocupación: *Cuando la regañan, frunce el entrecejo y se va a su cuarto sin decir nada.* 2 Referido esp. a una tela o a un papel, hacerles frunces o pliegues pequeños y paralelos: *Frunce la parte de abajo de las mangas para que te queden ajustadas al brazo.* □ ETIMOL. Quizá del francés *froncer*. □ MORF. La *c* cambia en *z* delante de *a*, o →ZURCIR.

fruslería s.f. Lo que se considera sin importancia o de poco valor; tontería. □ ETIMOL. Del antiguo *fruslera* (latón de poca consistencia).

frustración s.f. 1 Fracaso en el intento de obtener determinado resultado. [2 En psicología, situación personal causada por la imposibilidad de satisfacer una necesidad física o espiritual.

[frustrante adj. Que frustra. □ MORF. Invariable en género.

frustrar v. 1 Referido a una persona, dejarla sin lo que esperaba o producirle un sentimiento de frustración: *Cada propuesta que me niegas me frustra un poco más. Inténtalo de nuevo y no te frustres tan pronto.* 2 Referido esp. a un proyecto, hacer que fracase o malograrlo: *La lluvia frustró nuestros planes de salir al campo. El atraco se frustró por la llegada de la policía.* □ ETIMOL. Del latín *frustrari* (engañar).

fruta s.f. 1 Fruto comestible de algunas plantas. 2 ‖**fruta de sartén**; dulce hecho con una masa que se fríe. ‖**fruta seca**; [en zonas del español meridional, fruto seco. □ ETIMOL. Del latín *fructa*.

frutal I adj. [1 De la fruta o relacionado con ella. I adj./s.m. 2 Referido a una planta, esp. a un árbol, que produce fruta. □ MORF. Como adjetivo es invariable en género.

frutería s.f. Establecimiento donde se vende fruta.

frutero, ra I s. 1 Persona que se dedica a la venta de frutas. I s.m. 2 Recipiente para colocar o para servir la fruta.

frutícola adj. De la fruta, de su cultivo y comercialización, o relacionado con ellos. □ ETIMOL. De *fruto* y *-cola* (que cultiva). □ MORF. Invariable en género.

fruticultura s.f. 1 Cultivo de las plantas que producen fruta. 2 Técnica de este cultivo. □ ETIMOL. De *fruto* y *-cultura* (cultivo).

frutilla s.f. En zonas del español meridional, fresa o fresón.

fruto s.m. 1 Producto del desarrollo del ovario fecundado de una flor, en el que están contenidas las semillas, y que está formado por envolturas protectoras de diversos tipos. 2 Respecto de una pareja o de una mujer, su hijo. 3 Producto de las plantas y de la tierra. 4 Producto o resultado obtenido. 5 Utilidad y provecho. 6 ‖**fruto prohibido**; lo que no está permitido hacer o usar. ‖**fruto seco**; el que carece de jugo, naturalmente o por haber sido desecado para favorecer su conservación, esp. referido a los que tienen cáscara dura y no son carnosos. □ ETIMOL. Del latín *fructus* (producto).

fu ‖**ni fu ni fa**; *col.* Expresión que se utiliza para indicar que algo resulta indiferente o que no se considera ni bueno ni malo.

fucsia I adj./s.m. 1 De color rosa fuerte. I s.f. 2 Arbusto con hojas ovales y flores colgantes en forma de campanillas que tienen este color. ☐ ETIMOL. Por alusión a L. Fuchs, botánico alemán. ☐ MORF. Como adjetivo es invariable en género.

fuego s.m. **1** Calor y luz que se desprenden de la combustión de un cuerpo. **2** Materia en combustión que arde con o sin llama. **3** Esta materia, cuando es de grandes proporciones y destruye lo que no está destinado a arder; incendio. **4** Disparo de un arma de fuego. **5** Ardor, pasión o entusiasmo de un sentimiento. **6** En una cocina moderna, cada uno de los puntos que da lumbre. [**7** En zonas del español meridional, calentura. **8** ‖abrir fuego; empezar a disparar. ‖alto el fuego; suspensión momentánea o definitiva de las acciones militares en un enfrentamiento bélico. ‖{atizar/[avivar} el fuego; col. Fomentar una contienda o una discordia. ‖echar fuego por los ojos; manifestar gran furor o ira. ‖entre dos fuegos; en medio de dos bandos enfrentados o con opiniones distintas. ‖[fuego cruzado; disparos que se intercambian dos bandos enemigos. ‖fuego fatuo; resplandor que se ve a poca distancia de la tierra, procedente de la combustión de ciertas materias que se desprenden de las sustancias orgánicas en descomposición. ‖fuegos {artificiales/[de artificio}; cohetes y otros artificios de pólvora que producen detonaciones y luces de colores, y que se hacen como espectáculo. ‖jugar con fuego; realizar, por diversión, algo peligroso o que puede causar un daño. ☐ ETIMOL. Del latín *focus* (hoguera, brasero). ☐ USO En el ejército se usa para mandar a la tropa disparar las armas de fuego: *Los soldados dispararon cuando el sargento gritó: '¡Fuego!'*

fuel s.m. Producto combustible líquido, obtenido por refinado y destilación del petróleo natural, y que generalmente se utiliza para la calefacción y en las centrales térmicas. ☐ ETIMOL. Del inglés *fuel* (combustible). ☐ USO 1. Aunque la RAE sólo registra *fuel*, se usa mucho *fuelóleo*. 2. Es innecesario el uso del anglicismo *fuel oil*.

[fuel oil s.m. →**fuel**. ☐ PRON. [fuelóil]. ☐ USO Es un anglicismo innecesario.

fuelle s.m. **1** Utensilio que sirve para aspirar el aire del exterior y expulsarlo con fuerza en una dirección determinada, y que generalmente está formado por una caja de laterales flexibles o plegados: *Aviva el fuego de la chimenea con el fuelle.* **2** En algunos instrumentos musicales, dispositivo que produce y gradúa la presión del aire para hacer vibrar los elementos sonoros: *el fuelle del acordeón.* **3** col. Capacidad respiratoria y de resistencia física de una persona: *Este jugador no es muy rápido, pero tiene mucho fuelle y aguanta bien todo el partido.* ☐ ETIMOL. Del latín *follis* (fuelle para el fuego).

[fuelóleo s.m. →**fuel**.

fuente s.f. **1** Manantial de agua que brota de la tierra. **2** Construcción que permite hacer salir el agua por uno o más caños: *En los jardines había preciosas fuentes escultóricas.* **3** Principio, fundamento u origen de algo: *El carbón y el petróleo son fuentes de energía.* **4** Documento, material o medio que proporcionan información o inspiración: *Para hacer su tesis ha consultado numerosas fuentes.* **5** Recipiente grande, generalmente de forma ovalada, que se usa para servir los alimentos. [**6** Tipo y familia de letra: *En este diccionario, la 'fuente' utilizada en los lemas es distinta de la 'fuente' utilizada*

en definiciones y ejemplos. **7** ‖[fuente de soda; en zonas del español meridional, cafetería. ☐ ETIMOL. Del latín *fons*. ☐ MORF. La acepción 4 se usa más en plural.

fuer ‖a fuer de; ant. En razón de, en virtud de, a manera de: *A fuer de nuestra amistad, he de decirte lo que pienso.* ☐ ETIMOL. Por acortamiento de *fuero*.

fuera ▪ adv. **1** Hacia la parte exterior o en el exterior: *Has dejado la leche fuera de la nevera.* **2** No comprendido entre unos límites o no incluido en cierta actividad: *Presentó la instancia fuera de plazo y no se la admitieron.* ▪ interj. **3** Expresión que se usa para ordenar a alguien retirarse de un lugar: *afuera: ¡Fuera, que nadie me moleste!* **4** ‖fuera de; con excepción de: *Fuera de esos pequeños fallos, todo estaba bien.* ‖fuera de sí; referido a una persona, sin control sobre sí misma o muy alterada. ☐ ETIMOL. Del latín *foras* (fuera). ☐ SINT. 1. Precedido de la preposición *a*, se escribe como una sola palabra: *Id a jugar afuera.* 2. A diferencia de *afuera*, *fuera* no admite gradación; incorr. **más fuera.* ☐ USO En la acepción 3, lo usa el público en espectáculos y reuniones para expresar desaprobación: *Los espectadores gritaban al árbitro: '¡Fuera!, ¡fuera!'*

fueraborda ▪ s.m. **1** Motor provisto de una hélice, que se coloca en la parte posterior y exterior de una embarcación. ▪ s.f. [**2** Embarcación provista de este tipo de motor. ☐ MORF. La RAE no lo registra como sustantivo de género ambiguo. ☐ SINT. Se usa en aposición, pospuesto a un sustantivo.

fuero s.m. **1** En la Edad Media, ley que el monarca otorgaba a un territorio o a una localidad. **2** Conjunto de privilegios y de derechos concedidos a un territorio o a una persona: *Los diputados y senadores gozan de un fuero que prohíbe que sean juzgados sin autorización del Congreso o del Senado.* **3** Obra que reúne una serie de leyes. **4** Territorio o poder al que corresponde juzgar un caso: *Los casos de divorcio deben someterse al fuero civil y los de nulidad de matrimonio, al fuero eclesiástico.* **5** ‖fuero {interior/interno} de alguien; [su propia conciencia: *No lo reconoce, pero en su 'fuero interno' sabe que se equivocó.* ☐ ETIMOL. Del latín *forum* (los tribunales de justicia).

fuerte ▪ adj. **1** Que es robusto, corpulento y con mucha fuerza: *El muy presumido dice que no está gordo, sino fuerte.* **2** Que es resistente y no se daña ni se estropea con facilidad: *Para andar por el monte utilizo un calzado fuerte.* **3** Que tiene ánimo o valentía: *Tienes que ser fuerte y no rendirte ante las adversidades.* **4** De características o efectos muy intensos, vivos o eficaces: *un dolor fuerte; colores fuertes.* **5** Asombroso, excesivo o que tiene gran importancia: *Me dijo cosas muy fuertes que me dolieron. Maneja fuertes sumas de dinero.* **6** Que tiene solidez, poder o autoridad: *Su posición en la empresa es muy fuerte y, si te enfrentas a ella, saldrás mal parado.* **7** Firme, sujeto o apretado de forma que no se puede quitar, o que es difícil de mover: *No puedo deshacer el nudo porque está muy fuerte.* [**8** Que tiene capacidad de impactar, esp. por reflejar con gran realismo situaciones inmorales o violentas: *La película tenía escenas tan 'fuertes' que tenía que taparme los ojos.* **9** Referido al carácter de una persona, que se irrita y se enfada con facilidad. **10** Referido a un lugar, que está protegido con obras de defensa para resistir los ataques del enemigo: *plaza fuerte.*

11 Referido a un material, que es duro y difícil de labrar o de trabajar. ❚ s.m. **12** Lugar o recinto fortificados: *Los indios atacaban el fuerte de los soldados.* **13** Actividad o conocimiento en el que destaca una persona: *Su fuerte son las matemáticas.* ❚ adv. **14** Con fuerza o con intensidad: *Está lloviendo fuerte.* **15** Mucho o con exceso: *Almorzad fuerte porque volveremos tarde a casa.* **16** ‖ **estar muy fuerte en** algo; saber mucho de ello: *Está muy fuerte en ortografía y rara vez comete una falta.* ‖ **hacerse** alguien **fuerte**; **1** Protegerse en un lugar construyendo obras de defensa: *Los guerrilleros se hicieron fuertes en las montañas.* **2** Resistirse a ceder en algo: *La dueña se ha hecho fuerte y no hay quien la convenza para que nos venda la casa.* ◻ ETIMOL. Del latín *fortis.* ◻ MORF. Como adjetivo: 1. Es invariable en género. 2. Sus superlativos son *fuertísimo* y *fortísimo.*

fuerza ❚ s.f. **1** Capacidad para realizar un esfuerzo, para soportar una presión o para mover algo que ofrezca resistencia: *El motor de un camión tiene mucha fuerza. Cuando estuvo enfermo, se quedó sin fuerzas.* **2** Aplicación de esta capacidad: *Tira de la soga con fuerza. Tuve que hacer fuerza para abrir la puerta, porque se había encajado.* **3** En física, causa capaz de modificar la forma o el estado de reposo o de movimiento de un cuerpo. **4** Violencia física: *Si no me das buenas razones, por la fuerza no conseguirás nada.* **5** Capacidad para impactar o para producir un efecto: *Escribe artículos muy interesantes y con mucha fuerza.* **6** Intensidad con que se manifiesta algo: *la fuerza del amor.* **[7** Energía eléctrica aplicada a usos industriales o domésticos: *Si vas a instalar tantos ordenadores, necesitas contratar más 'fuerza'.* ❚ pl. **8** Conjunto de tropas militares y de su equipamiento: *El ejército desplegará más fuerzas de ataque en la frontera.* **[9** Conjunto de personas que comparten y defienden unidas una misma ideología o unos mismos intereses: *las 'fuerzas' políticas.* **10** ‖ **a fuerza de**; seguido de un sustantivo o de un verbo, empleando con insistencia lo que éstos indican: *Todo lo ha conseguido a fuerza de mucho trabajo.* ‖ **a la fuerza** o **por fuerza**; **1** Violentamente o contra la voluntad de alguien: *Yo no quería, pero me hicieron venir a la fuerza.* **2** Por necesidad: *Tienes que aceptar por fuerza, ya que no hay otra opción.* ‖ **fuerza bruta**; la que se aplica sin derecho o sin inteligencia: *Si usaras más la cabeza y menos la fuerza bruta, todo te resultaría más fácil.* ‖ **[fuerza de voluntad**; capacidad de una persona para imponerse esfuerzos y obligaciones. ‖ **fuerza electromotriz**; magnitud física que se manifiesta por la diferencia de potencial que origina entre los extremos de un circuito abierto o por la corriente que produce en un circuito cerrado. ‖ **fuerza mayor**; la que, por no poderse prever o vencer, excusa del cumplimiento de una obligación: *Faltó al trabajo por razones de fuerza mayor.* ‖ **fuerza pública** o **[fuerzas de orden (público)**; conjunto de agentes de la autoridad destinados a mantener el orden. ‖ **fuerzas armadas**; conjunto formado por los Ejércitos de Tierra y del Aire y por la Armada de un país. ‖ **fuerzas de choque**; unidades militares que, por sus cualidades, instrucción o armamento, se suelen utilizar para el ataque. ‖ **fuerzas vivas**; **1** Conjunto de las personas y grupos sociales que impulsan la actividad y la prospe-

ridad en un país o en una localidad. **2** Conjunto de las personas y grupos sociales más representativos de un lugar por la autoridad o por la influencia que ejercen sobre él: *Las fuerzas vivas de la ciudad se oponen a la demolición del histórico edificio.* ‖ **írsele** a alguien **la fuerza por la boca**; *col.* Decir con altivez o con presunción cosas que luego no se respaldan con hechos: *Se te va la fuerza por la boca y, a la hora de la verdad, no cumples ni la mitad de tus promesas.* ‖ **sacar fuerzas de flaqueza**; hacer un esfuerzo extraordinario: *En la recta final, sacó fuerzas de flaqueza para conseguir llegar a la meta.* ◻ ETIMOL. Del latín *fortia.*

[fuet (catalanismo) s.m. Embutido parecido al salchichón pero más estrecho, típico de la región catalana.

[fuete s.m. En zonas del español meridional, látigo. ◻ ETIMOL. Del francés *fouet.*

fuga s.f. **1** Huida o abandono de un lugar, generalmente de forma apresurada. **2** Salida de un líquido o de un gas por un orificio o abertura producidos accidentalmente en el recipiente o en el conducto que los contenía: *una fuga de butano.* **3** Composición musical basada en la repetición sucesiva de un mismo tema por las distintas voces. ◻ ETIMOL. Del latín *fuga.*

fugacidad s.f. Duración breve o paso y desaparición veloces de algo: *la fugacidad de la vida.* ◻ ETIMOL. Del latín *fugacitas.*

fugarse v.prnl. Escaparse o huir, esp. si es de forma inadvertida: *Se fugó de su casa porque se sentía incomprendido.* ◻ ETIMOL. Del latín *fugare.* ◻ ORTOGR. La *g* se cambia en *gu* delante de *e* →PAGAR.

fugaz adj. **1** Que pasa y desaparece con velocidad: *estrella fugaz.* **2** Que dura muy poco. ◻ ETIMOL. Del latín *fugax.* ◻ MORF. Invariable en género.

fugitivo, va adj./s. Que huye o se esconde. ◻ ETIMOL. Del latín *fugitivus.*

[führer (germanismo) s.m. Dictador o persona autoritaria. ◻ ETIMOL. Por alusión al *Führer,* título del dictador alemán A. Hitler. ◻ PRON. [fiúrer]. ◻ USO Es despectivo.

ful adj./s.f. *col.* Falso, sin el resultado esperado, o de mala calidad: *El trabajo de mi primo es una ful.* ◻ ETIMOL. De origen gitano. ◻ MORF. 1. Invariable en género y en número. 2. La RAE sólo lo registra como adjetivo. ◻ USO Se suele utilizar también la expresión *'ful de Estambul'.*

fulano, na ❚ s. **1** Una persona cualquiera. **2** Persona cuya identidad se ignora o no se quiere decir; individuo: *Se presentó un fulano diciendo que te conocía.* ❚ s.f. **3** *col.* Prostituta. ◻ ETIMOL. Del árabe *fulan* (un tal). ◻ USO En la acepción 1, se usa más como nombre propio y en la expresión *Fulano, Mengano, Zutano y Perengano.*

fular s.m. Bufanda o pañuelo largo para el cuello, de tela muy fina. ◻ ETIMOL. Del francés *foulard.* ◻ USO Es innecesario el uso del galicismo *foulard.*

fulero, ra adj. **1** *col.* Chapucero o poco útil. **2** *col.* Referido a una persona, que es falsa, embustera, o que habla mucho y sin pensar. ◻ ETIMOL. De *ful.*

fulgente o **fúlgido, da** adj. *poét.* Brillante o que resplandece: *rayos fulgentes.* ◻ MORF. *Fulgente* es invariable en género.

fulgir v. *poét.* Resplandecer o brillar con mucha intensidad: *La armadura del caballero fulgía en medio de la batalla.* ◻ ETIMOL. Del latín *fulgere* (re-

fulgor

lampaguear). □ ORTOGR. La *g* se cambia en *j* delante de *a*, o →DIRIGIR.

fulgor s.m. Resplandor o brillo intenso. □ ETIMOL. Del latín *fulgor* (relámpago, brillantez, resplandor).

fulgurante adj. [Muy rápido o muy intenso. □ MORF. Invariable en género.

fulgurar v. Brillar o resplandecer intensamente: *Las estrellas fulguran en la noche.* □ ETIMOL. Del latín *fulgurare* (relampaguear), y éste de *fulgor* (relámpago).

[full (anglicismo) s.m. En el póquer, combinación de una pareja y un trío. □ PRON. [ful].

[full contact (anglicismo) s.m. ‖ Deporte mezcla de boxeo, de tae kwon do y de kárate, en el que se puede golpear con los puños y con los pies por encima de la cintura. □ PRON. [ful-cóntac].

[full time (anglicismo) ‖ Referido al modo de trabajar, a tiempo completo o en régimen de dedicación exclusiva. □ PRON. [ful táim]. □ USO Su uso es innecesario.

fullería s.f. 1 Trampa y engaño que se cometen en el juego. 2 Astucia con que se pretende engañar.

fullero, ra adj./s. Que hace trampas o engaños, esp. en el juego. □ ETIMOL. De origen incierto.

fulminante adj. Muy rápido y de efecto inmediato. □ MORF. Invariable en género.

fulminar v. 1 Dañar, destruir o causar la muerte, esp. si se hace con un rayo o con un arma, o de forma muy rápida: *Un rayo fulminó al hombre en un segundo.* 2 Referido a una persona, dejarla abatida o muy impresionada, esp. con una mirada intensa o airada: *Cuando hizo aquella impertinente pregunta, le eché una mirada de desprecio y lo fulminé.* □ ETIMOL. Del latín *fulminare* (lanzar el rayo).

fumadero s.m. Local o sitio destinado a fumar.

fumado, da ▮ adj. [1 *col.* Que ha fumado hachís o marihuana y está bajo sus efectos. ▮ s.f. [2 *col.* Reunión para fumar droga.

fumador, -a adj./s. 1 Que tiene costumbre de fumar. 2 ‖ [fumador pasivo; el que no fuma, pero respira habitualmente el humo de personas fumadoras que están a su alrededor.

fumar ▮ v. 1 Aspirar y despedir el humo del tabaco o de otras sustancias: *Le gusta fumar en pipa. De joven fumaba marihuana.* ▮ prnl. 2 *col.* Gastar o consumir rápida o indebidamente: *Se fumó la herencia en menos de dos años.* 3 *col.* Referido a una obligación, faltar a ella o dejar de hacerla: *Se fumaba las clases de lengua porque no soportaba al profesor.* □ ETIMOL. Del francés *fumer*.

fumarola s.f. Emisión de gases y vapores a elevada temperatura, procedentes de un conducto volcánico o de un flujo de lava. □ ETIMOL. Del italiano *fumarola*.

[fumata (italianismo) s.f. Columna de humo que procede de la combustión de las papeletas de votación de un cónclave o asamblea de cardenales que se reúnen para elegir papa.

[fumeteo s.m. *col.* Consumo de tabaco o de alguna droga que se fuma.

fumigación s.f. Desinfección por medio de humo, gas, vapores, o de productos adecuados, esp. para combatir las plagas de insectos o de otros organismos nocivos.

fumigar v. Desinfectar por medio de humo, gas, vapores u otros productos, esp. para combatir las plagas de insectos y organismos nocivos: *El Ayunta-*

miento ordenó fumigar la casa para alejar el peligro de contagio. □ ETIMOL. Del latín *fumigare*. □ ORTOGR. La *g* se cambia en *gu* delante de *e* →PAGAR.

fumista s. Persona que se dedica profesionalmente a arreglar o limpiar cocinas, chimeneas o estufas, generalmente antiguas. □ ETIMOL. Del francés *fumiste.* □ MORF. 1. Es de género común: *el fumista, la fumista.* 2. La RAE sólo lo registra como sustantivo masculino.

funambulesco, ca adj. Que resulta muy raro, grotesco o extravagante.

funámbulo, la s. Persona que hace ejercicios sobre la cuerda floja o sobre el alambre. □ ETIMOL. Del latín *funambulus* (el que anda en la maroma), y éste de *funis* (cuerda) y *ambulare* (andar).

función s.f. 1 Acción o actividad propias de algo o del cargo o la profesión que se tienen: *La función de las pestañas es impedir que entren partículas extrañas en los ojos.* 2 Representación, proyección o puesta en escena de una película o de un espectáculo: *En este cine hay tres funciones diarias.* 3 En gramática, papel que desempeña un elemento morfológico, léxico o sintáctico dentro de la estructura de la oración: *Un sintagma nominal puede desempeñar la función de sujeto.* 4 En matemáticas, relación entre dos magnitudes de manera que a cada valor de una de ellas corresponde determinado valor de la otra: *Una función puede expresarse como 'y=f(x)'.* 5 ‖ en función de algo; dependiendo de ello o de acuerdo con ello: *Las decisiones se tomarán en función de lo que decida la mayoría.* ‖ en funciones; en sustitución del titular del cargo: *En ausencia del presidente, el vicepresidente actúa como presidente en funciones.* ‖ [función pública; conjunto de los órganos de administración del Estado. □ ETIMOL. Del latín *functio* (cumplimiento, ejecución).

funcional adj. 1 De las funciones, esp. de las biológicas o psíquicas, o relacionado con ellas. 2 Que ha sido concebido atendiendo principalmente a la utilidad, a la facilidad de uso o a la adecuación a unos fines: *mueble funcional.* □ MORF. Invariable en género.

[funcionalidad s.f. Conjunto de características como la utilidad, la comodidad o la facilidad de manejo, que hacen que algo sea funcional.

funcionalismo s.m. 1 Método de análisis y estudio lingüístico que estudia la estructura del lenguaje atendiendo a la función que desempeñan sus elementos. [2 Corriente arquitectónica que da prioridad a las funciones de una construcción y que considera la estética subordinada a dichas funciones.

funcionalista ▮ adj. [1 Del funcionalismo o relacionado con él. ▮ adj./s. 2 Seguidor o partidario del funcionalismo. □ MORF. 1. Como adjetivo es invariable en género. 2. Como sustantivo es de género común: *el funcionalista, la funcionalista.*

funcionamiento s.m. Realización de la función que se tiene como propia: *Desde que me arreglaron el reloj, su funcionamiento es perfecto.*

funcionar v. 1 Realizar o desempeñar la función que es propia: *El ascensor no funcionaba y tuve que subir andando.* [2 *col.* Marchar o resultar bien: *Nuestra relación ya no 'funcionaba' y preferimos separarnos.*

[funcionariado s.m. Conjunto de funcionarios.

funcionarial adj. Del empleo del funcionario o relacionado con él. □ MORF. Invariable en género.

funcionario, ria s. Persona que desempeña un empleo en uno de los cuerpos de la Administración pública. □ ETIMOL. Del francés *fonctionnaire*.

funda s.f. **1** Cubierta con la que se envuelve algo para protegerlo o conservarlo. **2** ‖ **[funda nórdica**; la que tiene un relleno de plumas que se utiliza como sustituto de la colcha. □ ETIMOL. Del latín *funda* (bolsa).

fundación s.f. **1** Establecimiento, edificación o creación de algo, esp. de una ciudad o de una empresa. **2** Institución creada con fines benéficos, culturales o religiosos, y que continúa y cumple la voluntad de su fundador.

fundacional adj. De la fundación o relacionado con ella. □ MORF. Invariable en género.

fundamental adj. Básico, principal o que constituye un fundamento. □ MORF. **1.** Invariable en género. **2.** No admite grados: incorr. **más fundamental.*

[fundamentalismo s.m. **1** Integrismo religioso, esp. el islámico. **2** Actitud radical e intransigente. □ SEM. Dist. de *integrismo* (tendencia al mantenimiento estricto de la tradición).

[fundamentalista ‖ adj. **1** Del fundamentalismo o relacionado con él. ‖ adj./s. **2** Partidario o seguidor del fundamentalismo. **3** Radical e intransigente. □ MORF. **1.** Como adjetivo es invariable en género. **2.** Como sustantivo es de género común: *el 'fundamentalista', la 'fundamentalista'.* □ SEM. Dist. de *integrista* (partidario del mantenimiento estricto de la tradición).

fundamentar v. Establecer, asegurar y hacer firme: *Empleó todo tipo de datos para fundamentar su tesis. Su buena relación se fundamenta en el profundo conocimiento que tienen el uno del otro.*

fundamento s.m. **1** Principio o base sobre los que se apoya o afianza algo: *los fundamentos de la física.* **2** Seriedad o formalidad de una persona: *Yo no me fiaría de él, porque es una persona sin fundamento.* □ ETIMOL. Del latín *fundamentum.*

fundar v. **1** Referido esp. a una ciudad o a una empresa, establecerlas, edificarlas o crearlas: *Los conquistadores fundaron varias ciudades junto a la costa.* **2** Referido esp. a una opinión, apoyarla con fundamentos, razones o argumentos: *Funda su teoría en datos irrebatibles. Su afirmación se funda en un sólido conocimiento del caso.* □ ETIMOL. Del latín *fundare* (poner los fundamentos).

fundición s.f. **1** Derretimiento y transformación en líquido de un cuerpo sólido, esp. de un metal. **2** Lugar en el que se funden los metales.

fundir ‖ v. **1** Referido a un cuerpo sólido, esp. a un metal, derretirlos y convertirlos en líquidos: *En esta empresa siderúrgica funden hierro. Los metales se funden a temperaturas muy altas.* **2** Referido a dos o más cosas diferentes, reducirlas o unirlas en una sola: *Decidieron fundir sus intereses para tener más fuerza. Se fundieron en un abrazo.* **[3** col. Referido a una cantidad de dinero, gastarla o despilfarrarla: *'Fundió' todo su dinero en las fiestas.* ‖ prnl. **[4** Referido esp. a un aparato eléctrico, estropearse o quemarse, generalmente por un exceso de corriente o por un cortocircuito: *La bombilla 'se fundió' y nos quedamos a oscuras.* □ ETIMOL. Del latín *fundere* (derretir, fundir).

fundo s.m. Finca rústica. □ ETIMOL. Del latín *fundus.*

fúnebre adj. **1** Relacionado con los difuntos. **2** Muy triste, o que produce pena o dolor. □ ETIMOL. Del latín *funebris.* □ MORF. Invariable en género.

funeral ‖ adj. **1** Del entierro de una persona o de las ceremonias relacionadas con él; funerario. ‖ s.m. **2** Conjunto de los oficios solemnes que se celebran por un difunto algunos días después del entierro o en cada aniversario de su muerte; exequias. □ ETIMOL. Del latín *funeralis.* □ MORF. **1.** Como adjetivo es invariable en género. **2.** La acepción 2 en plural tiene el mismo significado que en singular.

funerala ‖ a la funerala; en el ejército, referido a la forma de llevar las armas los militares, con las bocas o las puntas hacia abajo, en señal de duelo.

funerario, ria ‖ adj. **1** Del entierro de una persona o de las ceremonias relacionadas con él; funeral. ‖ s.f. **2** Empresa encargada de facilitar los ataúdes, coches fúnebres y otros elementos necesarios para un entierro.

funesto, ta adj. Triste, desgraciado o de consecuencias dramáticas. □ ETIMOL. Del latín *funestus* (funerario).

fungible adj. Que se consume con el uso. □ ETIMOL. Del latín *fungi* (consumir). □ MORF. Invariable en género.

fungicida o **funguicida** adj./s.m. Referido a una sustancia o un producto, que sirve para destruir los hongos. □ ETIMOL. *Fungicida*, del latín *fungus* (hongo) y *-cida* (que mata). □ MORF. Como adjetivo es invariable en género. □ USO *Funguicida* es el término menos usual.

funicular adj./s.m. Referido a un vehículo o a una cabina, que se desplazan arrastrados por una cuerda, un cable o una cadena. □ ETIMOL. Del latín *funiculus* (cordón, cuerdecita). □ MORF. Como adjetivo es invariable en género.

[funk o **[funky** (anglicismo) s.m. Música moderna popular, parecida al jazz y de ritmo fuerte. □ PRON. [fank], [fánki].

furcia s.f. col. Prostituta. □ USO Es despectivo.

furgón s.m. **1** Vehículo cerrado, de cuatro ruedas, que se usa para el transporte, generalmente de equipajes o de mercancías: *furgón policial.* **2** En un tren, vagón destinado al transporte de la correspondencia, de equipajes o de mercancías. **3** ‖ furgón de cola; último vagón del tren. □ ETIMOL. Del francés *fourgon.*

furgoneta s.f. Vehículo cubierto, más pequeño que un camión, destinado al reparto de mercancías. □ ETIMOL. Del francés *fourgonnette.*

furia s.f. **1** Ira o enfado exaltados. **2** Persona muy irritada o colérica: *Se puso hecho una furia.* **3** Violencia o gran agitación con que se produce algo: *la furia del viento.* **4** Ímpetu, fuerza y velocidad en lo que se hace: *El equipo atacó con furia.* □ ETIMOL. Del latín *furia* (delirio furioso, violencia).

furibundo, da adj. **1** Airado o inclinado a enfurecerse. **2** Que expresa furor o ira: *mirada furibunda.* **3** Muy entusiasta o partidario de algo: *Es una furibunda seguidora de ese político.* □ ETIMOL. Del latín *furibundus.*

furioso, sa adj. **1** Lleno de furia. **2** Terrible o violento.

furor s.m. **1** Cólera o ira exaltada. **2** Actividad y violencia con las que se produce algo: *el furor de las olas.* **3** Rapidez e ímpetu en lo que se hace: *Trabaja con furor.* **4** Momento en el que una moda o una costumbre se manifiestan con mayor intensidad: *En los años sesenta asistimos al furor de la minifalda.* **5** ‖**furor uterino**; deseo sexual irrefrenable en la mujer. ‖**hacer furor**; estar muy de moda: *Este modelo de pantalones hizo furor el pasado verano.* □ ETIMOL. Del latín *furor*.

furriel o **furrier** s.m. En el ejército, militar, esp. un cabo, encargado de distribuir el material y de repartir los servicios a los soldados de su compañía. □ ETIMOL. Del francés *fourrier* (oficial encargado de la distribución del forraje). □ USO *Furrier* es el término menos usual.

furtivo, va ‖ adj. **1** Que se hace a escondidas: *Los enamorados se citaron para un encuentro furtivo.* ‖ adj./s. **2** Que actúa a escondidas, esp. referido a la persona que caza o pesca sin permiso o en un coto vedado. □ ETIMOL. Del latín *furtivus*. □ MORF. En la acepción 2, la RAE sólo lo registra como adjetivo.

furúnculo s.m. →**forúnculo**. □ SEM. Es sinónimo de *divieso*.

fusa s.f. En música, nota que dura la mitad de una semicorchea y que se representa con un círculo relleno, una barrita vertical pegada a uno de sus lados y tres pequeños ganchos en el extremo de ésta. □ ETIMOL. Del italiano *fusa*.

fuselaje s.m. En un avión, cuerpo o parte donde van los pasajeros y las mercancías. □ ETIMOL. Del francés *fuselage* (cuerpo de avión de figura fusiforme).

fusible ‖ adj. **1** Que puede fundirse. ‖ s.m. **2** En una instalación eléctrica, hilo o chapa metálicos que se funden con facilidad y que se colocan para que interrumpan la corriente cuando ésta sea excesiva. □ ETIMOL. De *fundir*. □ MORF. Como adjetivo es invariable en género.

fusil s.m. **1** Arma de fuego portátil, con un cañón de hierro o de acero montado en una culata de madera, y provista de un mecanismo con el que se disparan las balas. ⚔ arma **2** ‖ [**fusil submarino**; el que sirve para lanzar arpones a gran velocidad bajo la superficie del agua. ⚔ pesca □ ETIMOL. Del francés *fusil*.

fusilamiento s.m. Muerte dada a una persona con una descarga de fusil.

fusilar v. **1** Referido a una persona, matarla con una descarga de fusil: *Fusilaron al condenado al amanecer.* **2** col. Referido a una obra o a una idea ajenas, copiarlas sin citar el nombre de su autor: *Denunciará por plagio al que fusiló una de sus canciones.*

fusión s.f. **1** Conversión de un sólido en líquido. **2** Unión de dos o más cosas en una sola: *La coalición responde a la fusión de los intereses de ambas partes.* [**3** Tipo de música que mezcla el jazz y el rock. □ ETIMOL. Las acepciones 1 y 2, del latín *fusio*. La acepción 3, del inglés *fusion*. □ MORF. En la acepción 3, se usa mucho en aposición, pospuesto a un sustantivo: *música 'fusión'.* □ SEM. Dist. de *fisión* (división del núcleo de un átomo).

fusionar v. Referido a dos o más cosas, unirlas en una sola: *Fusionaron las dos compañías para hacer frente a la competencia. Los dos partidos se fusionarán para presentarse a las elecciones.*

fusta s.f. Vara flexible con una correa redonda sujeta a uno de sus extremos, que se utiliza para castigar o estimular a las caballerías. □ ETIMOL. Del latín *fustis* (bastón, garrote).

fuste s.m. **1** En una columna, parte situada entre el capitel y la basa. **2** Importancia, entidad o valor □ ETIMOL. Del latín *fustis* (bastón, garrote).

fustigar v. **1** Azotar o golpear, esp. con una fusta: *La amazona fustigaba al caballo para que corriera más.* **2** Censurar o criticar con dureza: *La autora del artículo fustiga sin piedad a los políticos.* □ ETIMOL. Del latín *fustigare*, y éste de *fustis* (palo). □ ORTOGR. La *g* se cambia en *gu* delante de *e* →PAGAR

[futbito s.m. Modalidad de fútbol sala.

futbol s.m. En zonas del español meridional, fútbol. □ ETIMOL. Del inglés *football*.

fútbol s.m. **1** Deporte que se juega entre dos equipos de once jugadores y en el que éstos intentan introducir un balón en la portería del equipo contrario sin tocarlo con las manos; balompié. **2** ‖ [**fútbol americano**; deporte popular estadounidense, parecido al rugby, y que se practica entre dos equipos de once jugadores. ‖ [**fútbol sala**; el que se juega entre dos equipos de cinco jugadores y en un campo reducido. □ ETIMOL. Del inglés *football*. □ USO Es innecesario el uso del anglicismo *soccer*.

futbolero, ra adj./s. col. Que es aficionado al fútbol o que practica este deporte.

futbolín s.m. Juego que imita un partido de fútbol, que se juega sobre un tablero que representa el campo de juego, y en el que, mediante unas barras, se mueven unas figuras que representan a los jugadores y que golpean la bola. □ ETIMOL. Extensión del nombre de una marca comercial.

futbolista s. Persona que practica el fútbol, esp. si ésta es su profesión. □ MORF. Es de género común: *el futbolista, la futbolista.*

futbolístico, ca adj. Del fútbol; balompédico.

fútil adj. De poca importancia o seriedad. □ ETIMOL. Del latín *futilis* (frívolo). □ MORF. Invariable en género.

futilidad s.f. **1** Poca o ninguna importancia. [**2** Lo que no tiene importancia o tiene muy poca: *Sólo sabe hablar de 'futilidades'.*

[futón s.m. Colchoneta plegable que se utiliza como cama y se apoya directamente sobre el suelo.

futurible ‖ adj./s. [**1** Referido a una persona, que puede ser nombrada para ocupar determinado cargo. ‖ adj./s.m. **2** Que ocurrirá en un futuro si se dan determinadas condiciones, esp. referido a un acontecimiento o a un suceso. □ ETIMOL. Del latín *futuribilis*. □ MORF. 1. Como adjetivo es invariable en género. 2. En la acepción 1, como sustantivo es de género común: *el futurible, la futurible.*

futurismo s.m. Movimiento ideológico y artístico vanguardista, de origen italiano, surgido a principios del siglo XX, que destaca todo lo relacionado con el mundo moderno e industrial.

futurista ‖ adj. **1** Del futurismo o relacionado con él. ‖ adj./s. **2** Partidario o seguidor del futurismo. □ MORF. 1. Como adjetivo es invariable en género. 2. Como sustantivo es de género común: *el futurista, la futurista.*

futuro, ra ‖ adj. **1** Que está por llegar o por suceder. ‖ adj./s.m. **2** En gramática, referido a un tiempo verbal, que indica que la acción del verbo no se ha realizado aún. ‖ s.m. **3** Lo que está por llegar o por suceder. □ ETIMOL. Del latín *futurus*.

G g

g s.f. Séptima letra del abecedario. □ PRON. 1. Ante *e*, *i* representa el sonido consonántico velar fricativo sordo, y se pronuncia como [j]: *gente*. 2. Ante *a*, *o*, *u*, y formando parte de grupos consonánticos, representa el sonido consonántico velar fricativo sonoro: *gota*, *gusto*, *grande*. 3. Este mismo sonido ante *e*, *i* se representa con la grafía *gu*, con *u* muda: *guerra*, *guitarra*. 4. En las grafías *güe*, *güi*, se pronuncia la *u*: *cigüeña*.

gabacho, cha adj./s. *col.* Francés. □ ETIMOL. Del provenzal *gavach* (montañés, grosero). □ USO Es despectivo.

gabán s.m. Abrigo, esp. el de tela fuerte. □ ETIMOL. Del árabe *qaba* (túnica de hombre con mangas).

gabardina s.f. 1 Prenda de vestir amplia y generalmente larga, hecha de tela impermeable. 2 Tela de tejido diagonal, muy tupido, con la que se hace esta y otras prendas de vestir. [3 *col.* Envoltura, generalmente de harina o de pan rallado, con la que se rebozan algunos pescados o mariscos. □ ETIMOL. De *gabán*, por cruce con *tabardina* (diminutivo de *tabardo*).

gabarra s.f. Barco pequeño de forma achatada, que se utiliza para la carga y descarga en los puertos. □ ETIMOL. Del vasco *gabarra*. 🗨 embarcación

gabinete s.m. 1 Habitación destinada al estudio o a recibir visitas. 2 Cuerpo de ministros de un Estado. 3 Departamento que atiende determinados asuntos del gobierno de un Estado; ministerio. 4 Despacho o local que se utiliza para el ejercicio de una profesión: *gabinete de psicólogos*. □ ETIMOL. Del francés antiguo *gabinet*. □ USO En las acepciones 2 y 3 se usa mucho como nombre propio.

gacela s.f. Mamífero herbívoro muy ágil, de color marrón claro en el dorso y blanco en el vientre, de cabeza pequeña con cuernos encorvados en forma de lira, y con ojos grandes y negros. □ ETIMOL. Del árabe *gazala*. □ MORF. Aunque la RAE registra el masculino *gacel*, en la lengua actual *gacela* se usa como sustantivo epiceno: *la gacela macho, la gacela hembra*. 🗨 rumiante

gaceta s.f. Publicación periódica en la que se dan noticias, generalmente no políticas. □ ETIMOL. Del italiano *gazzetta*.

gacetilla s.f. Noticia corta publicada en un periódico. □ ETIMOL. De *gaceta* (periódico).

gachas s.f.pl. Véase **gacho, cha.**

gachí s.f. *col.* Mujer. □ ETIMOL. De *gachó.* □ MORF. Su plural es *gachís.*

gacho, cha ∎ adj. 1 Encorvado o inclinado hacia la tierra: *Se fue con la cabeza gacha.* ∎ s.f.pl. 2 Comida hecha de harina cocida con agua y sal, que se puede condimentar con leche, con miel o con otro aliño. □ ETIMOL. La acepción 1, de *agachar*. La acepción 2, de origen incierto.

gachó s.m. *col.* Hombre. □ ETIMOL. De origen gitano. □ MORF. Su plural es *gachós.*

gachupín, -a s. *col.* En zonas del español meridional, español. □ MORF. La RAE sólo registra el masculino. □ USO Es despectivo.

gaditano, na adj./s. De Cádiz o relacionado con esta provincia española o con su capital. □ ETIMOL. Del latín *Gaditanus.*

gadolinio s.m. Elemento químico, metálico y sólido, de número atómico 64, de color blanco plateado, fácilmente deformable y que pertenece al grupo de los lantánidos. □ ETIMOL. Por alusión a Gadolin, químico finlandés. □ ORTOGR. Su símbolo químico es *Gd.*

gaélico, ca adj./s.m. Referido a una lengua, que pertenece al grupo de lenguas célticas que se hablan en ciertas comarcas irlandesas y escocesas.

gafar v. *col.* Transmitir mala suerte: *Aquella intervención tan inoportuna me gafó el negocio.* □ ETIMOL. De *gafe.*

gafas s.f.pl. 1 Conjunto formado por dos lentes o cristales, generalmente graduados, montados en una armadura que se coloca delante de los ojos apoyada en la nariz y sujeta a las orejas con unas patillas. [2 Lo que se usa para proteger los ojos o para ver mejor: *gafas de bucear.* □ ETIMOL. De origen incierto. □ MORF. Incorr. su uso en singular: **gafa.* 🗨 gafas

gafe adj./s. Que lleva consigo la mala suerte. □ ETIMOL. De origen incierto. □ MORF. 1. Como adjetivo es invariable en género. 2. Como sustantivo es de género común: *el gafe, la gafe.*

gafete s.m. [En zonas del español meridional, tarjeta de identificación que va sujeta a la ropa o colgada del cuello.

[**gafotas** s. *col.* Persona que usa gafas. □ MORF. 1. Es de género común: *el 'gafotas', la 'gafotas'.* 2. Invariable en número. □ USO Tiene un matiz despectivo.

[**gafudo, da** adj./s. *col.* Que usa gafas. □ USO Tiene un matiz despectivo.

[**gag** (anglicismo) s.m. Representación de una situación cómica o graciosa.

[**gagá** adj. *col.* Referido a una persona, que está muy achacosa o que chochea. □ MORF. Invariable en género.

gaita s.f. 1 Instrumento musical de viento formado por un fuelle o bolsa de cuero que contiene el aire y que tiene acoplados tres tubos, cada uno de ellos con una función. 🗨 viento 2 *col.* Lo que resulta molesto, fastidioso o importuno; incordio. 3 ∥**templar gaitas**; *col.* Ceder o interceder para que alguien no se enfade o se moleste. □ ETIMOL. Quizá del gótico *gaits* (cabra), porque de su pellejo se hacía el fuelle de las gaitas.

gaitero, ra s. Músico que toca la gaita.

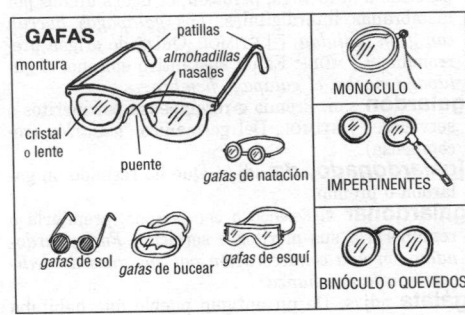

GAFAS — montura, patillas, almohadillas nasales, cristal o lente, puente, gafas de natación — MONÓCULO — IMPERTINENTES — gafas de sol, gafas de bucear, gafas de esquí — BINÓCULO O QUEVEDOS

gaje ‖**gajes del oficio**; *col.* Molestias o inconvenientes que lleva consigo un cargo, un empleo o una profesión. □ ETIMOL. Del francés *gaje* (prenda, sueldo).

gajo s.m. **1** Cada una de las partes en las que está dividido naturalmente el interior de algunos frutos, esp. los cítricos: *gajo de naranja*. **2** Cada uno de los grupos de uvas en que se divide un racimo. □ ETIMOL. Del latín *galleus* (semejante a una agalla de roble o de encina).

[gal s. Miembro de la organización terrorista GAL (Grupo antiterrorista de liberación). □ MORF. Es de género común: *el 'gal', la 'gal'*.

gala s.f. Véase **galo, la.**

galáctico, ca adj. De una galaxia o relacionado con ella. □ ETIMOL. Del griego *galaktikós* (lechoso).

galaico, ca adj. De Galicia (comunidad autónoma), o relacionado con ella.

[galaicoportugués, -a adj./s.m. →**gallegoportugués.**

galán ▌ adj. **1** →**galano. ▌** s.m. **2** Hombre apuesto y atractivo. **3** Actor que representa un papel principal, generalmente de hombre joven y atractivo. **4** Hombre que pretende a una mujer. **5** ‖**galán de noche**; [perchero con pie en el que se colocan prendas de vestir, esp. las masculinas. □ ETIMOL. Del francés *galant*.

galano, na adj. **1** Adornado de forma vistosa. **2** Que viste bien o que cuida mucho su aspecto. **3** Elegante y gallardo. □ ETIMOL. De *galán*. □ SEM. Es sinónimo de *galán*.

galante adj. **1** Amable, atento y cortés, esp. en el trato con las mujeres. **2** Referido esp. a un tipo de literatura, que trata con picardía un tema amoroso. □ ETIMOL. Del francés *galant*. □ MORF. Invariable en género.

galantear v. Referido a una mujer, tratarla un hombre de forma amable y cortés, esp. si es para seducirla o para iniciar una relación sentimental; cortejar: *La muchacha era galanteada por varios jóvenes*.

galanteo s.m. Trato amable y cortés que recibe una mujer de un hombre, esp. cuando éste intenta seducirla o iniciar una relación sentimental.

galantería s.f. Hecho o dicho amables, atentos o corteses.

[galantina s.f. Carne de ternera o de ave, deshuesada y cocinada con gelatina, que se come en fiambre. □ ETIMOL. Del francés *galantine*.

galanura s.f. Gracia, gentileza y elegancia: *galanura de movimientos*.

galápago s.m. Reptil quelonio de vida acuática, parecido a la tortuga, pero con los dedos unidos por membranas interdigitales: *Los galápagos bucean con gran agilidad*. □ ETIMOL. Quizá de origen prerromano. □ MORF. Es un sustantivo epiceno: *el galápago macho, el galápago hembra*.

galardón s.m. Premio o recompensa por méritos o servicios. □ ETIMOL. Del germánico *widarlón* (recompensa).

[galardonado, da adj./s. Que ha recibido un galardón o premio.

galardonar v. Referido a una persona, premiarla o remunerarla sus méritos o servicios: *Fue galardonada con una condecoración por sus años de dedicación a la enseñanza*.

gálata adj./s. De un antiguo pueblo que habitaba en Asia Menor. □ MORF. **1.** Como adjetivo es invariable en género. **2.** Como sustantivo es de género común: *el gálata, la gálata*.

galaxia s.f. Sistema formado por estrellas, polvo interestelar, gas y partículas que giran alrededor de un núcleo central: *La Vía Láctea es una galaxia*. □ ETIMOL. Del griego *galaxías* (relativo a la leche).

galbana s.f. *col.* Pereza, desidia o pocas ganas de hacer algo. □ ETIMOL. Del árabe *galbana* (tristeza, descontento, desánimo).

galena s.f. Mineral compuesto de azufre y plomo, blando, de color gris y de brillo intenso. □ ETIMOL. Del latín *galena*.

galeno s.m. *col.* Médico. □ ETIMOL. Por alusión a Galeno, célebre médico griego.

galeón s.m. Antigua embarcación grande de vela con tres o cuatro palos. □ ETIMOL. Del antiguo *galea* (galera). 🖾 embarcación

galeote s.m. Antiguamente, persona condenada a remar en las galeras.

galera ▌ s.f. **1** Embarcación antigua de vela y remo. 🖾 embarcación **2** En zonas del español meridional, chistera. **▌** pl. **3** Antiguamente, condena que consistía en remar en las galeras reales y que se imponía a ciertos delincuentes. □ ETIMOL. Del griego *galéa* (tiburón), porque se comparó esta embarcación con la rapidez y agilidad de este pez.

galerada s.f. En imprenta, prueba de la composición de un texto que se saca para hacer sobre ella las correcciones oportunas. □ ETIMOL. De *galera*, que significó *tabla con listones para poner las líneas de letras que compone el cajista*.

galería ▌ s.f. **1** Habitación larga y espaciosa con muchas ventanas, sostenida por columnas o pilares, que se usa generalmente para pasear por ella o para colocar cuadros y otros objetos de adorno. **2** Corredor que da luz a las habitaciones interiores: *la galería de un claustro*. **3** Camino subterráneo, generalmente largo y estrecho: *galerías de una mina*. **4** Público o gente en general: *Vive de cara a la galería*. **5** Pasaje interior con varios establecimientos comerciales. **6** En zonas del español meridional, anfiteatro de un cine o de un teatro. **▌** pl. **7** Tienda o almacén de cierta importancia. **8** ‖**galería de arte**; establecimiento comercial en el que se exponen y se venden cuadros, esculturas y otros objetos de arte. □ ETIMOL. Del latín *galilaea* (atrio o claustro), y éste de *Galilea*, porque se comparó esta región pagana de Palestina con el pórtico o galería de una iglesia, que era donde permanecía el pueblo por convertir, mientras el coro se comparaba con Judea. □ MORF. En la acepción 5, la RAE sólo registra el plural.

[galerista s. Persona que dirige una galería de arte o que es su propietaria. □ MORF. Es de género común: *el 'galerista', la 'galerista'*.

galerna s.f. Viento súbito y borrascoso que suele soplar en la costa norte de España con dirección oeste o noroeste. □ ETIMOL. Del francés *galerne* (viento del Noroeste). □ SEM. No debe usarse para describir ese fenómeno atmosférico en otras zonas geográficas distintas de la costa norte de España.

galés, -a ▌ adj./s. **1** De Gales (región británica), o relacionado con ella. **▌** s.m. **2** Lengua céltica de este país.

galgo, ga ▌ adj./s. **1** Referido a un perro, de la raza que se caracteriza por tener el cuerpo delgado, la cabeza pequeña y el cuello, las patas y la cola largos. **perro** ∎ s.f. **2** Piedra grande que se desprende y cae rodando desde lo alto de una cuesta. □ ETIMOL. La acepción 1, del latín *canis Gallicus* (perro de Galia). La acepción 2, de *galgo*, porque se compara su movimiento rápido con el de estas piedras.

gálibo s.m. Figura que marca las dimensiones máximas autorizadas para que un vehículo con carga pueda pasar por un túnel o bajo un paso elevado. □ ETIMOL. Del árabe *qalib* (molde).

galicismo s.m. En lingüística, palabra, significado o construcción sintáctica del francés empleados en otro idioma. □ SEM. Dist. de *galleguismo* (del gallego).

galicista adj. **1** Del galicismo, con galicismos o relacionado con él. **2** Que emplea frecuentemente galicismos. □ MORF. Invariable en género. □ SEM. Dist. de *galleguista* (del gallego).

gálico, ca adj. De la Galia (zona que se correspondía aproximadamente con el actual territorio francés), o relacionado con ella; galo. □ ETIMOL. Del latín *Gallicus*.

galimatías s.m. col. Lo que resulta confuso, desordenado e incomprensible. □ ETIMOL. Del francés *galimatias* (discurso o escrito embrollado). □ MORF. Invariable en número.

galio s.m. Elemento químico, metálico y sólido, de número atómico 31, de color gris azulado o blanco brillante, fácilmente fusible, muy usado en odontología. □ ETIMOL. De *Galia* (Francia), donde se descubrió. □ ORTOGR. Su símbolo químico es *Ga*.

galladura s.f. En un huevo de gallina, pequeño coágulo de sangre que indica que está fecundado.

gallardear v. Mostrar gallardía y desenvoltura en la forma de actuar: *Le gusta gallardear delante de las chicas para que lo miren.*

gallardete s.m. Bandera estrecha y de forma triangular que se suele colocar en los mástiles de los barcos como insignia, adorno o señal. □ ETIMOL. Del provenzal antiguo *galhardet* (banderola de adorno).

gallardía s.f. **1** Valor y decisión en la forma de actuar; bizarría. **2** Elegancia y garbo, esp. en el movimiento.

gallardo, da adj. **1** Que actúa con valor, con ánimo y con decisión; bizarro, valiente. **2** Que resulta elegante y galán, o que actúa con desenvoltura. □ ETIMOL. Del francés *gaillard* (vigoroso).

gallear v. **1** col. Mostrarse presuntuoso ante los demás y alardear para intentar sobresalir: *Gallea mucho delante de todos, pero es un cobarde.* **2** Referido a una gallina, fecundarla el gallo: *Ese gallo negro gallea a todas las gallinas del corral.* □ ORTOGR. En la acepción 2, se admite también *gallar*.

gallego, ga ∎ adj./s. **1** De Galicia (comunidad autónoma) o relacionado con ella. **2** col. En zonas del español meridional, español. ∎ s.m. **3** Lengua románica de Galicia. □ USO En la acepción 2, tiene un matiz despectivo.

[**gallegohablante** adj./s. Que habla el gallego sin dificultad, esp. si ésta es su lengua materna. □ MORF. 1. Como adjetivo es invariable en género. 2. Como sustantivo es de género común: el *'gallegohablante'*, la *'gallegohablante'*.

gallegoportugués, -a ∎ adj. **1** Del gallegoportugués o relacionado con esta lengua medieval. ∎

s.m. **2** Lengua medieval romance de la región que comprende el actual territorio gallego y parte del norte portugués. □ USO Aunque la RAE sólo registra *gallegoportugués*, se usa mucho *galaicoportugués*.

galleguismo s.m. **1** En lingüística, palabra, significado o construcción sintáctica del gallego empleados en otra lengua. [**2** Movimiento que defiende los valores históricos y culturales gallegos y generalmente es partidario de la autonomía política gallega. □ SEM. Dist. de *galicismo* (del francés).

[**galleguista** adj./s. Partidario o seguidor del galleguismo como movimiento. □ MORF. 1. Como adjetivo es invariable en género. 2. Como sustantivo es de género común: el *'galleguista'*, la *'galleguista'*. □ SEM. Dist. de *galicista* (del francés).

[**galleguizar** v. Dar características que se consideran propias de lo gallego o del gallego: *Cuando habla castellano, 'galleguiza' algunos tiempos verbales.* □ ORTOGR. La *z* se cambia en *c* delante de *e* → CAZAR.

gallera s.f. Véase **gallero, ra**.

gallero, ra ∎ s. **1** Persona que se dedica a la cría de gallos de pelea. ∎ s.f. **2** Lugar en el que se crían gallos de pelea o en el que se celebran este tipo de peleas. **3** Jaula en la que se transporta a los gallos de pelea. □ MORF. En la acepción 1, la RAE sólo registra el masculino.

galleta s.f. **1** Pasta delgada y seca, compuesta de harina, azúcar y otros ingredientes, y cocida al horno. **2** col. Golpe dado con la palma de la mano, esp. en la cara. [**3** col. Golpe fuerte o violento. **4** ‖ [**galleta maría**; la de forma redonda. □ ETIMOL. Del francés *galette*. La expresión *galleta maría* es extensión del nombre de una marca comercial. □ USO En la acepción 1, es innecesario el uso del galicismo *biscuit*.

galletero s.m. Recipiente que se utiliza para conservar y servir las galletas.

galliforme ∎ adj./s.f. **1** Referido a un ave, que tiene el pico corto y algo curvado, patas robustas, alas cortas y costumbres terrestres: *La perdiz y la gallina son aves galliformes.* ∎ s.f.pl. **2** En zoología, orden de estas aves. □ MORF. Como adjetivo es invariable en género.

gallina ∎ adj./s. **1** col. Referido a una persona, que es cobarde, apocada o tímida. ∎ s.f. **2** Hembra del **gallo**. **3** ‖ **gallina ciega**; juego infantil en el que una persona con los ojos vendados trata de coger a alguien y de adivinar quién es. ‖ **la gallina de los huevos de oro**; col. Fuente inagotable de grandes beneficios. □ ETIMOL. Del latín *gallina*. La expresión *la gallina de los huevos de oro*, por alusión a un cuento popular. □ MORF. 1. Como adjetivo es invariable en género. 2. En la acepción 1, como sustantivo es de género común: el *gallina*, la *gallina*. 3. En la acepción 1, la RAE sólo lo registra como sustantivo.

gallináceo, a ∎ adj./s.f. **1** De la gallina, con sus características o relacionado con ella: *El pavo es una gallinácea.* ∎ s.f.pl. **2** En zoología, grupo de estas aves. □ MORF. En la acepción 1, la RAE sólo lo registra como adjetivo.

gallinaza s.f. Excremento o estiércol de las gallinas.

gallinazo s.m. Buitre americano con el plumaje negro que se alimenta de carroña.

gallinejas s.f.pl. Comida hecha de tripas de gallina o de otros animales.

gallinero s.m. **1** Lugar en el que duermen las aves de corral. **2** *col.* Lugar en el que hay mucho ruido y jaleo. **3** *col.* En algunos teatros, conjunto de asientos del piso más alto.

gallo s.m. **1** Ave doméstica de plumaje abundante y lustroso, pico corto y curvado, que posee una cresta roja y erguida, un par de carnosidades pendientes a ambos lados de la cara y patas armadas con potentes espolones: *Los gallos cantan al amanecer.* **2** Pez marino comestible, parecido al lenguado pero de carne menos sabrosa. **3** *col.* Nota falsa y chillona emitida por una persona al hablar o al cantar. **[4** *col.* Timador que da la cara. **5** En zonas del español meridional, serenata. **6** ∥**en menos que canta un gallo**; *col.* En muy poco tiempo. ∥**otro gallo cantaría** u **otro gallo** {me/te/...}**cantara**; *col.* Otra cosa sería o sucedería: *Si lo hubiéramos sabido a tiempo, otro gallo cantaría.* □ ETIMOL. Del latín *gallus.* □ MORF. 1. En la acepción 1, la hembra se designa con el sustantivo femenino *gallina.* 2. En la acepción 2, es un sustantivo epiceno: *el gallo macho, el gallo hembra.*

galo, la ∎ adj./s. **1** De la Galia (zona que se correspondía aproximadamente con el actual territorio francés), o relacionado con ella. ∎ s.m. **2** Antigua lengua de esta zona. ∎ s.f. **3** Vestido elegante, lucido y lujoso. **4** Fiesta o ceremonia que, por su carácter solemne, requiere este tipo de vestuario. **5** Ceremonia o actuación artística de carácter excepcional. ∎ pl. **6** Trajes, joyas y demás complementos de lujo. **7** ∥**de gala**; referido a una prenda de vestir, que es adecuada para asistir a esta fiesta o ceremonia. ∥**hacer gala de** algo; **1** Presumir de ello. **[2** Mostrarlo o lucirlo: *'Hizo gala de' su educación y no contestó a sus críticas.* ∥**tener a gala** algo; presumir en exceso de ello. □ ETIMOL. Las acepciones 3-6, del francés antiguo *gale* (placer, diversión). □ MORF. Es la forma que adopta *francés* cuando se antepone a otra palabra para formar compuestos: *galorromano, galofobia, galófilo.* □ SEM. En la acepción 1, como adjetivo es sinónimo de *gálico.*

galón s.m. **1** Tejido fuerte y estrecho, semejante a una cinta, que se usa generalmente como adorno en una prenda de vestir. **2** Distintivo que llevan en la bocamanga o en el brazo las diferentes graduaciones del ejército o de otra organización jerarquizada: *Los galones de sargento son tres cintas de tela amarilla.* pasamanería **3** En el sistema anglosajón, unidad de capacidad que equivale aproximadamente a 4,5 litros. □ ETIMOL. Las acepciones 1 y 2, del francés *galon.* La acepción 3, del inglés *gallon.*

galopada s.f. Carrera a galope.

galopante adj. Referido esp. a una enfermedad, que avanza y se desarrolla muy rápidamente. □ MORF. Invariable en género.

galopar v. Ir a galope: *La yegua galopaba con elegancia. El jinete cayó del caballo mientras galopaba.*

galope s.m. Modo de marchar de una caballería, más rápido que el trote. □ ETIMOL. Del francés *galop.*

galopín s.m. Muchacho travieso o pícaro. □ ETIMOL. Del francés *galopin* (muchacho recadero).

galpón s.m. En zonas del español meridional, cobertizo.

galvanismo s.m. **1** Electricidad producida por el contacto de dos metales diferentes entre los que se ha interpuesto un líquido. **2** Propiedad de excitar los nervios y los músculos mediante corrientes eléctricas: *El galvanismo se utiliza con fines terapéuticos.* □ ETIMOL. De Galvani, físico italiano.

galvanización s.f. **1** Cubrimiento de un metal con una capa de otro, empleando el galvanismo. **2** Reactivación súbita de una actividad humana. □ SEM. Es sinónimo de *galvanizado.*

galvanizado s.m. →**galvanización.**

galvanizar v. **1** Referido a un metal, cubrirlo con una capa de otro utilizando el galvanismo para ello: *Ha galvanizado el alambre con cinc para que no se oxide.* **2** Referido esp. a una actividad, reactivarla súbitamente: *Este entrenador sabe cómo galvanizar el juego de su equipo.* □ ORTOGR. La *z* se cambia en *c* delante de *e* →CAZAR.

gama s.f. **1** Escala musical: *El teclado abarca una gama de cuatro octavas.* **2** Escala o gradación de colores: *gama de ocres.* **[3** Serie o conjunto de cosas distintas, pero de la misma clase: *'gama' de modelos.* □ ETIMOL. De *gamma*, nombre de la letra griega con que se designó la nota más baja de la moderna escala musical. □ SEM. En la acepción 3, no debe emplearse con el significado de *conjunto, clase, cantidad o serie: Los ciudadanos tendrán acceso a una amplia {*gama/cantidad} de servicios.*

gamba s.f. **1** Crustáceo marino comestible parecido al langostino, pero de menor tamaño. marisco **2** ∥**[meter la gamba**; *col.* Hacer o decir algo poco acertado. □ ETIMOL. La acepción 1, del catalán *gamba.* La acepción 2, del italiano *gamba* (pierna). □ MORF. En la acepción 1, es un sustantivo epiceno: *la gamba macho, la gamba hembra.*

gamberrada s.f. Hecho o dicho propios de un gamberro.

[gamberrear v. *col.* Hacer gamberradas: *En lugar de 'gamberrear' toda la tarde, deberías dedicarte a estudiar.*

gamberrismo s.m. Conducta propia de un gamberro.

gamberro, rra adj./s. Referido esp. a una persona, que es grosera o poco cívica. □ ETIMOL. De origen incierto.

gambito s.m. En el ajedrez, jugada que consiste en sacrificar alguna pieza al principio de la partida para lograr una posición favorable. □ ETIMOL. Del italiano *gambetto* (zancadilla).

[game (anglicismo) s.m. En tenis, cada una de las partes en que se divide un set. □ PRON. [geim]. □ USO Es un anglicismo innecesario, y puede sustituirse por *juego.*

gameto s.m. Célula sexual masculina o femenina de una planta o de un animal. □ ETIMOL. Del griego *gameté* (esposa) o *gametés* (esposo).

[gamín s.m. En zonas del español meridional, niño vagabundo.

gamma s.f. En el alfabeto griego clásico, nombre de la tercera letra: *La grafía de la gamma es γ.*

gammaglobulina s.f. Proteína del suero sanguíneo que actúa en los procesos inmunitarios.

gamo s.m. Mamífero rumiante que tiene el pelaje rojizo oscuro con pequeñas manchas blancas, los cuernos en forma de pala y las nalgas y la parte inferior de la cola blancas. □ ETIMOL. Del latín *gammus.* □ MORF. Aunque la RAE registra el femenino *gama*, en la lengua actual *gamo* se usa como sustantivo epiceno: *el gamo macho, el gamo hembra.* 🔄 rumiante

gamonal s.m. En zonas del español meridional, cacique.

gamusino s.m. Animal imaginario con el que generalmente se gastan bromas a cazadores novatos. □ USO Tiene un matiz humorístico.

gamuza s.f. **1** Mamífero rumiante del tamaño de una cabra, que tiene las astas negras, lisas y sólo curvadas en sus extremos, patas largas, gran agilidad para los saltos, y que habita en zonas de rocas escarpadas; rebeco. 🔄 rumiante **2** Piel curtida de este animal, caracterizada por ser muy flexible, tener aspecto aterciopelado y ser de color amarillo pálido. **3** Tejido o paño de aspecto semejante a esta piel, usado para la limpieza. □ ETIMOL. Del latín *camox*. □ MORF. En la acepción 1, es un sustantivo epiceno: *la gamuza macho, la gamuza hembra.*

gana s.f. **1** Deseo, apetito o voluntad de algo. **2** *col.* Hambre o apetito. **3** ‖ [con ganas; *col.* Con intensidad: *Eres malo 'con ganas'.* ‖ dar a alguien la (real) gana de algo; *col.* Querer hacerlo por deseo propio, con razón o sin ella: *Si lo hace mal es porque le da la gana.* ‖ de {buena/mala} gana; *col.* Con buena o mala disposición: *Lo hizo de mala gana.* ‖ tener ganas a alguien; *col.* Desear tener la oportunidad de perjudicarlo o hacerle daño: *Desde que discutimos sé que me tiene unas ganas...* □ ETIMOL. De origen incierto. □ MORF. 1. En plural tiene el mismo significado que en singular. 2. Se usa más en plural. □ SINT. Constr. *gana DE algo.*

ganadería s.f. **1** Crianza de ganado para su comercio o su explotación. **2** Raza especial de ganado, esp. la que pertenece a un ganadero.

ganadero, ra ▌ adj. **1** Del ganado, de la ganadería o relacionado con ellos. ▌ s.m. **2** Propietario de ganado. **3** Persona que cuida del ganado.

ganado s.m. **1** Conjunto de animales cuadrúpedos que pastan juntos y se crían para la explotación. **2** *col.* Grupo numeroso de personas. **3** ‖ ganado de cerda; el formado por cerdos. □ ETIMOL. De *ganar*, primitivamente relacionado sólo con *ganancia* o *bienes*, por la importancia de la riqueza pecuaria en la economía. □ USO En la acepción 2, es despectivo.

ganador, -a adj./s. Que gana.

ganancia s.f. **1** Beneficio o provecho que se obtienen de algo, esp. el económico. **2** ‖ no arrendar la ganancia a alguien; no envidiar su posición por entenderse que saldrá perjudicado de ella. □ MORF. Se usa más en plural.

ganancial ▌ adj. **1** De la ganancia o relacionado con ella. ▌ s.m.pl. **2** →bienes gananciales. □ MORF. Como adjetivo es invariable en género.

ganapán s.m. *col.* Hombre rudo y tosco.

ganar ▌ v. **1** Referido a un bien o a una riqueza, adquirirlos o aumentarlos: *Trabajando seriamente ha ganado dinero y fama.* **2** Referido a un sueldo, cobrarlo en un trabajo: *El primer sueldo que gané me lo gasté en regalos para mi familia.* **3** Referido a algo que está en juego, obtenerlo o lograrlo: *Ganó una buena cantidad de dinero en la lotería. No consiguió ganar la plaza por oposición, pero entró como interina.* **4** Referido esp. a un sentimiento ajeno, obtenerlo o atraerlo: *Con sus palabras, logró ganar la atención del auditorio. Se ganó el cariño de todos nosotros.* **5** Referido a una persona, conseguir u obtener su afecto o su confianza: *Lo ganaron para la causa en aquella*

reunión. *Se ganó a mis padres desde el primer día.* **6** Referido a un territorio, conquistarlo o tomarlo: *Los romanos ganaron Numancia después de un fuerte asedio.* **7** Referido al lugar de destino, llegar a él: *El náufrago ganó la costa a nado.* **8** Referido a una persona, aventajarla, superarla o excederla: *Nos gana a todos en eficacia.* **9** Mejorar o cambiar favorablemente: *Cuando te maquillas, ganas mucho.* ▌ prnl. **10** Conseguir por propio merecimiento: *Te has portado tan bien que te has ganado un helado.* □ ETIMOL. Del germánico *waidanjan* (cosechar, ganar). □ SINT. En la acepción 3, incorr. *ganar {de > por} tres puntos.*

ganchillo s.m. **1** Aguja de unos veinte centímetros de largo, que tiene uno de sus extremos más delgado y terminado en gancho, y que se usa para hacer labores de punto; aguja de gancho. 🔄 aguja **2** Labor que se hace con este tipo de aguja; croché.

[ganchito s.m. Aperitivo ligero y crujiente hecho con patata, maíz u otros ingredientes, y que tiene forma alargada o de gancho.

gancho s.m. **1** Instrumento o pieza curvos y generalmente puntiagudos, que sirven para coger, sujetar o colgar algo: *El carnicero cuelga sus piezas de carne en unos ganchos. Colgó su chaqueta en el gancho que hay detrás de la puerta. En la tintorería cogen las perchas colgadas del techo con un palo terminado en un gancho.* **2** *col.* Compinche de un vendedor ambulante o de un estafador, que se mezcla entre el público y anima a la gente a que compre o a que caiga en el engaño. **3** *col.* Atractivo que cautiva. **4** Puñetazo que se da con el brazo doblado. **5** En baloncesto, tiro a canasta que se realiza arqueando el brazo sobre la cabeza. [**6** En zonas del español meridional, grapa. **7** En zonas del español meridional, horquilla. [**8** En zonas del español meridional, pinza de la ropa. [**9** En zonas del español meridional, percha. **10** [gancho (de nodriza); en zonas del español meridional, imperdible. □ ETIMOL. De origen incierto. □ MORF. En la acepción 6, se usa mucho el diminutivo *ganchito.*

ganchudo, da adj. Con forma de gancho.

gandul, -a adj./s. *col.* Que es un holgazán y no tiene honradez ni vergüenza. □ ETIMOL. Del árabe *gandur* (fatuo, ganapán).

gandulear v. Vivir como un gandul: *Estás todo el día ganduleando y vas a suspender todo.*

[gang (anglicismo) s.m. Banda de delincuentes o de malhechores. □ USO Es innecesario y puede sustituirse por una expresión como *banda de criminales.*

ganga s.f. **1** Ave parecida a la perdiz, con el cuerpo negro y pardo, y un lunar rojo en la pechuga. **2** Lo que es apreciable y se adquiere de forma ventajosa o sin esfuerzo; chollo. **3** Materia inútil que se separa de los minerales. □ ETIMOL. La acepción 1, de origen onomatopéyico. La acepción 2 deriva de la 1, porque la ganga era difícil de cazar y dura de comer, y se decía en sentido irónico. La acepción 3, del francés *gangue*, y éste del alemán *gang* (filón metálico). □ MORF. En la acepción 1, es un sustantivo epiceno: *la ganga macho, la ganga hembra.*

ganglio s.m. Pequeño abultamiento que se encuentra en el trayecto de las vías linfáticas o en un nervio. □ ETIMOL. Del latín *ganglion.*

gangosidad s.f. Forma de hablar caracterizada por las resonancias nasales.

gangoso, sa adj./s. Que habla con resonancias

nasales, generalmente como consecuencia de un defecto en los conductos de la nariz. ☐ ETIMOL. De origen onomatopéyico.

gangrena s.f. Muerte del tejido orgánico de una persona o de un animal producida por una lesión, por la infección de una herida o por la falta de riego sanguíneo. ☐ ETIMOL. Del latín *gangraena.*

gangrenarse v.prnl. Referido a un tejido orgánico, padecer gangrena: *Se le gangrenó la pierna y tuvieron que amputársela.*

gangrenoso, sa adj. Con gangrena.

gángster s.m. Miembro de una banda organizada de malhechores o delincuentes que tiene negocios clandestinos y actúa en las grandes ciudades. ☐ ETIMOL. Del inglés *gangster.* ☐ ORTOGR. Dist. de *hámster.*

gansada s.f. Hecho o dicho propios de una persona gansa.

gansear v. *col.* Hacer o decir gansadas.

ganso, sa ▌ adj./s. **1** Referido a una persona, que es patosa, torpe o descuidada. **2** Referido a una persona, que presume de chistosa o de aguda. **[3** *col.* Grande o de proporciones desmesuradas. **▮ s. 4** Ave palmípeda con la parte superior del cuerpo de color ceniciento, los bordes de las alas y de las plumas más claros y la parte inferior blanca, que se alimenta de vegetales y vive en zonas pantanosas; ánsar, oca. ☐ ETIMOL. Del gótico **gans.*

ganzúa s.f. Alambre fuerte doblado por un extremo, que se utiliza para abrir cerraduras en lugar de hacerlo con la llave. ☐ ETIMOL. Del vasco *gantzua.*

gañán s.m. **1** Mozo de labranza. **2** Hombre rudo o tosco. ☐ ETIMOL. Quizá del francés antiguo *gaaignant* (labrador).

gañido s.m. Quejido característico del perro.

gañir v. **1** Referido a un perro, dar gañidos o emitir quejidos. **2** Referido a un ave, graznar, dar graznidos o emitir su voz característica. ☐ ETIMOL. Del latín *gannire* (gañir, aullar el zorro). ☐ MORF. Irreg. →PLAÑIR.

gañote s.m. *col.* Parte interior de la garganta; gaznate. ☐ ETIMOL. Del antiguo *cañón* (tráquea), por influencia de *gaznate.*

garabatear v. Hacer garabatos o trazos irregulares: *Garabateó su firma en el documento. Su madre lo regañó por garabatear en la pared.*

garabato s.m. Trazo irregular que se hace con cualquier instrumento que sirva para escribir, esp. el hecho por los niños pequeños sin que represente nada. ☐ ETIMOL. De origen prerromano.

garaje s.m. **1** Local, generalmente cubierto, destinado a guardar automóviles. **[2** Taller en el que se reparan automóviles. ☐ ETIMOL. Del francés *garage.* ☐ ORTOGR. Incorr. **garage.*

garante adj./s. Que da garantía: *La directora de personal fue la garante del cumplimiento del convenio.* ☐ ETIMOL. Del francés *garant.* ☐ MORF. 1. Como adjetivo es invariable en género. 2. Como sustantivo es de género común: *el garante, la garante.*

garantía s.f. **1** Seguridad que se da del cumplimiento o realización de algo estipulado o convenido. **2** Fianza o prenda. **3** Lo que asegura o protege contra un riesgo o una necesidad. **4** Compromiso, generalmente temporal, por el que un fabricante o un vendedor se obligan a reparar gratuitamente algo

vendido. **5** Documento que acredita este compromiso. ☐ ETIMOL. Del francés *garantie.*

garantizar v. Dar garantía: *Las lluvias garantizan el abastecimiento de agua. Te garantizo que se portará bien.* ☐ ORTOGR. La *z* se cambia en *c* delante de *e* →CAZAR.

garañón s.m. Caballo o asno destinados a la reproducción. ☐ ETIMOL. Del germánico *wranjo* (caballo semental).

garapiña s.f. →**garrapiña.**

garapiñar v. →**garrapiñar.**

garbanzo s.m. **1** Planta herbácea de tallo duro y abundante en ramas, con hojas compuestas de bordes aserrados, flores blancas o rojas, y semilla comestible. **2** Semilla de esta planta, de aproximadamente un centímetro de diámetro, de color amarillento y de forma redonda con una pequeña hendidura en uno de sus polos; *col.* Buscar y encontrar los medios económicos suficientes para vivir. ‖ **garbanzo negro**; en un grupo, persona mal considerada por sus condiciones morales. ☐ ETIMOL. De origen incierto.

garbeo s.m. *col.* Paseo. ☐ SINT. Se usa más con el verbo *dar.*

garbo s.m. Desenvoltura, gracia o buena disposición, esp. en la forma de actuar o de andar. ☐ ETIMOL. Del italiano *garbo* (plantilla, modelo, forma).

garboso, sa adj. Que tiene garbo o desenvoltura.

[garçon (galicismo) ‖ **a lo garçon**; referido a un peinado de mujer, con el pelo corto y la nuca despejada. ☐ PRON. [a lo garsón]. 🗝️ peinado

gardenia s.f. **1** Arbusto de tallos espinosos que llegan a medir unos dos metros de altura, de hojas lisas, grandes y ovaladas, de color verde brillante y con flores blancas y olorosas de pétalos gruesos. **2** Flor de este arbusto. ☐ ETIMOL. Por alusión a Garden, naturalista escocés a quien se debió esta planta.

garduño, ña ▌ s. **1** *col.* Ratero o ladrón que roba con habilidad y con disimulo cosas de poco valor. **▮** s.f. **2** Mamífero carnicero de cabeza pequeña, orejas redondas, cuello largo y patas cortas, que busca alimento durante la noche destruyendo crías de muchos animales. ☐ ETIMOL. La acepción 1, de *garduña.* La acepción 2, de origen prerromano. ☐ MORF. En la acepción 2, es un sustantivo epiceno: *la garduña macho, la garduña hembra.*

garete ‖ **irse al garete**; *col.* Referido esp. a un proyecto, fracasar o malograrse. ☐ ETIMOL. De origen incierto.

garfio s.m. Gancho o instrumento curvo y puntiagudo, generalmente de hierro, que sirve para agarrar o sujetar algo: *El pirata tenía un brazo de palo que terminaba en un garfio.* ☐ ETIMOL. Del latín *graphium* (punzón para escribir).

gargajo s.m. Saliva o flema que se escupe o se expulsa por la boca. ☐ ETIMOL. De origen onomatopéyico.

garganta s.f. **1** En el cuerpo de una persona o de un animal, parte anterior o delantera del cuello. **2** En el cuerpo de una persona o de un animal, espacio interno comprendido entre el velo del paladar y la entrada del esófago y de la laringe. **3** Paso estrecho entre montes, ríos y otros parajes. ☐ ETIMOL. De origen onomatopéyico.

gargantilla s.f. Collar corto que rodea el cuello. 🗝️ joya

[**gargantúa** (galicismo) s. Persona comilona, glotona, muy grande y gorda. □ ETIMOL. Por alusión al personaje literario de un gigante muy voraz creado por el escritor francés Rabelais. □ MORF. Es de género común: *el 'gargantúa', la 'gargantúa'*.

gárgara s.f. **1** Acción de mantener un líquido en la garganta, con la boca hacia arriba, sin tragarlo, y expulsando el aire para moverlo. **2** ‖**mandar a hacer gárgaras** algo; *col.* Rechazarlo o desentenderse de ello. □ ETIMOL. De origen onomatopéyico. □ MORF. Se usa más en plural.

gargarismo s.m. **1** Acción de hacer gárgaras. **2** Líquido medicinal que se usa para hacer gárgaras. □ ETIMOL. Del griego *gargarismós*.

gárgola s.f. En un tejado o en una fuente, parte final del canal de desagüe o del caño, esp. la que está esculpida en forma de figura humana o animal. □ ETIMOL. Del francés antiguo *gargoule*, y éste de *gargouiller* (producir un ruido como el de un líquido en un tubo).

garita s.f. Torrecilla, caseta o cuarto que sirve de resguardo o de protección a personas que vigilan. □ ETIMOL. Del francés antiguo *garite* (refugio, garita de centinela).

garito s.m. **1** Casa de juego no autorizada. [**2** *col.* Establecimiento público de diversión, esp. si no tiene buena reputación. □ ETIMOL. De *garita*.

garnacha ▌ adj./s.f. **1** Referido a la uva, de la variedad que se caracteriza por ser muy fina y dulce, y tener un color rojizo que tira a morado. ▌ s.f. **2** Vino que se obtiene de esta uva. **3** En zonas del español meridional, tortilla de maíz gruesa que se toma con salsas y otros alimentos. □ ETIMOL. Del italiano *vernaccia* (quizá del pueblo de Vernazza, en Liguria, comarca famosa por sus vinos). □ MORF. 1. Como adjetivo es invariable en género. 2. En la acepción 1, la RAE sólo lo registra como sustantivo.

garra ▌ s.f. **1** En algunos animales vertebrados, mano o pie con dedos terminados en uñas fuertes, curvas y cortantes: *las garras del águila*. [**2** Cada una de las uñas fuertes, curvas y afiladas de estos animales: *El león tiene 'garras' muy afiladas*. **3** *col.* En una persona, mano. **4** Fuerza o atractivo: *Esta novela tiene garra*. ▌ pl. **5** Influencia o poder que se consideran negativos y perjudiciales: *Cayó en las garras de un estafador*. [**6** En peletería, piel que corresponde a las patas del animal y que es poco apreciada. □ ETIMOL. De origen incierto. □ MORF. La acepción 2 se usa más en plural. □ SINT. 1. La acepción 4 se usa más con el verbo *tener*. 2. La acepción 5 se usa más con los verbos *caer*, *sacar*, *estar* o equivalentes. □ USO En la acepción 3, tiene un matiz despectivo.

garrafa s.f. **1** Vasija esférica de cuello largo y estrecho, generalmente con asa. **2** En zonas del español meridional, bombona. **3** ‖ [**de garrafa**; *col.* Referido a una bebida alcohólica, que se distribuye a granel y es de mala calidad. □ ETIMOL. De origen incierto.

garrafal adj. Referido a una falta, enorme o muy grave. □ MORF. Invariable en género. □ SINT. Se usa también como adverbio de modo: *No es que hiciera el examen mal, es que lo hice 'garrafal'*.

garrafón s.m. Vasija redondeada para contener líquidos, generalmente de vidrio, con el cuello corto y protegida por un revestimiento.

garrapata s.f. Artrópodo de unos seis milímetros de largo, de forma ovalada y con patas terminadas en dos uñas mediante las cuales se agarra al cuerpo de ciertos mamíferos o aves sobre los que vive parásito y a los que chupa la sangre. □ ETIMOL. De *caparra* (garrapata).

garrapatear v. Escribir las letras muy mal: *Sobre el contrato garrapateó una firma ilegible*.

garrapatos s.m.pl. Letras o rasgos mal hechos.

garrapiña s.f. Estado del líquido que se solidifica formando grumos. □ ORTOGR. Se admite también *garapiña*. □ USO Aunque la RAE prefiere *garapiña*, se usa más *garrapiña*.

garrapiñado, da adj. Referido esp. a una almendra, que está recubierta o bañada con una capa de azúcar hecha caramelo.

garrapiñar v. Referido esp. a una almendra, recubrirla o bañarla con un líquido, normalmente almíbar, que se solidifica formando grumos: *En Alcalá de Henares garrapiñan muy bien las almendras*. □ ETIMOL. Del latín **carpiniare*, que primero significó *arrancar*, *arañar*, *desgarrar*, luego *formar bultos en la piel* y finalmente *formar grumos*. □ ORTOGR. Se admite también *garapiñar*. □ USO Aunque la RAE prefiere *garapiñar*, se usa más *garrapiñar*.

garrido, da adj. Gallardo, elegante, hermoso o bien parecido. □ ETIMOL. Quizá de *garrir*, y éste del latín *garrire* (charlar, parlotear).

garrocha s.f. **1** Vara larga, esp. la terminada en punta que se usa para picar toros. **2** En zonas del español meridional, pértiga. □ ETIMOL. De *garra*.

garrochista s. Caballista que usa la garrocha para acosar a los toros. □ MORF. Es de género común: *el garrochista, la garrochista*.

garrota s.f. **1** Palo grueso y fuerte que puede manejarse como un bastón; garrote. **2** Bastón cuyo extremo superior es curvo. □ SEM. En la acepción 2, es sinónimo de *cachava*, *cachavo* y *cayado*.

garrotazo s.m. Golpe dado con un garrote.

garrote s.m. **1** Palo grueso y fuerte que puede manejarse como un bastón; garrota. **2** Instrumento de tortura que consistía en un palo aplicado a una cuerda que, al ser retorcida, comprimía un miembro del cuerpo. **3** ‖**garrote (vil)**; **1** Pena de muerte o procedimiento para ejecutar a un condenado estrangulándolo mediante una soga retorcida por un palo o mediante un instrumento mecánico de similar efecto. **2** Este instrumento. □ ETIMOL. De origen incierto.

garrotillo s.m. *col.* Antiguamente, cierta enfermedad respiratoria, como la difteria.

garrotín s.m. Baile popular andaluz que estuvo de moda a finales del siglo XIX y principios de XX.

garrucha s.f. Rueda que gira alrededor de un eje y que tiene un canal o hundimiento en su perímetro por el que se hace pasar una cuerda, que sirve para disminuir el esfuerzo necesario para mover un cuerpo; polea: *Se ha roto la garrucha del tendedero*. □ ETIMOL. Del antiguo *carrucha* (polea).

garrulería s.f. **1** Charla de persona gárrula. [**2** Torpeza, basteza o tosquedad.

[**gárrulo, la** adj./s. Referido a una persona, que es torpe o que actúa con tosquedad. □ ORTOGR. Dist. de *gárrulo*.

gárrulo, la adj. Referido a una persona, que es muy habladora o charlatana. □ ETIMOL. Del latín *garrulus*. □ ORTOGR. Dist. de *garrulo*.

garúa s.f. En zonas del español meridional, llovizna. □ ETIMOL. Del portugués *caruja* (niebla).

garza s.f. Véase **garzo, za**.

garzo, za ∎ adj. **1** De color azulado, esp. referido a los ojos o a la persona que los tiene de este color. ∎ s.f. **2** Ave zancuda que vive en las orillas de ríos y pantanos, de cabeza pequeña con moño largo y gris, pico prolongado, cuello alargado y cuerpo de color grisáceo o pardo. **[3** En zonas del español meridional, cerveza que se sirve en un vaso alto, con forma de cono invertido. **4** ‖**garza real**; la de moño negro y brillante, manchas negruzcas en el pecho, pico largo y amarillo más oscuro en la punta, que abunda en la península Ibérica. ☐ ETIMOL. De origen incierto. ☐ MORF. En la acepción 2, es un sustantivo epiceno: *la garza macho, la garza hembra*.

gas ∎ s.m. **1** Fluido que tiende a expandirse indefinidamente y que se caracteriza por su baja densidad: *El aire es un gas*. **2** Combustible en este estado: *bombona de gas*. **3** col. Velocidad, fuerza o intensidad: *Nuestro equipo perdió gas en la segunda parte*. ∎ pl. **4** Restos gaseosos producidos en el aparato digestivo: *Las judías me producen gases*. **5** ‖**gas ciudad**; el que se suministra por tuberías para uso doméstico o industrial. ‖ **[gas mostaza**; el tóxico que ataca los ojos y las vías respiratorias, empleado con fines bélicos. ‖**gas natural**; el que procede de depósitos subterráneos naturales. ‖ **[(gas) sarín**; el tóxico y altamente venenoso, que se emplea como arma química. ☐ ETIMOL. Del latín *chaos* (caos).

[gas-oil s.m. →**gasóleo**. ☐ PRON. [gasóil]. ☐ USO Es un anglicismo innecesario.

gasa s.f. **1** Tela muy ligera y transparente, generalmente de seda o de hilo. **2** Tejido poco tupido y generalmente de algodón, esp. el que se usa para poner vendas o hacer curas. ☐ ETIMOL. De origen incierto.

gascón, -a adj./s. De Gascuña (antigua región del sudoeste francés), o relacionado con ella.

gasear v. **1** Referido o un líquido, esp. al agua, hacer que absorba cierta cantidad de gas: *Esa empresa gasea y embotella agua mineral*. **2** Someter a la acción de un gas tóxico o dañino: *Los manifestantes fueron gaseados con gases lacrimógenos para dispersarlos*.

gaseoso, sa ∎ adj. **1** Que se encuentra en estado de gas. **2** Que contiene o desprende gases. ∎ s.f. **3** Bebida refrescante, efervescente y sin alcohol.

[gasfitería s.f. En zonas del español meridional, fontanería.

gasificación s.f. **1** Conversión o paso de un líquido o de un sólido a estado de gas. **[2** Disolución de gas carbónico en un líquido.

gasificar v. **1** Referido a un cuerpo sólido o líquido, convertirlo en gas, aumentando su temperatura o sometiéndolo a reacciones químicas: *Haciendo el vacío se pueden gasificar los gasóleos*. **[2** Referido a un líquido, aplicarle gas carbónico: *En esta planta 'gasifican' el agua mineral procedente de un manantial cercano*. ☐ ORTOGR. La *c* se cambia en *qu* delante de *e* →SACAR.

gasoducto s.m. Tubería muy gruesa y de gran longitud que se usa para conducir a largas distancias un gas combustible. ☐ ETIMOL. De *gas*, y del latín *ductus* (conducción). ☐ ORTOGR. Incorr. *gaseoducto*.

gasógeno s.m. Aparato que produce gas combustible combinando materiales sólidos o líquidos con aire, oxígeno o vapor. ☐ ETIMOL. De *gas* y -*geno* (que produce).

gasóleo s.m. Mezcla de hidrocarburos líquidos obtenida por la destilación del petróleo crudo que se purifica especialmente para eliminar el azufre y que se usa como combustible: *Los motores Diesel funcionan con gasóleo*. ☐ ETIMOL. Del inglés *gasoil*. ☐ USO Es innecesario el uso del anglicismo *gas-oil*.

gasolina s.f. Mezcla de hidrocarburos líquidos obtenida generalmente por la destilación del petróleo crudo, que es inflamable, se evapora con facilidad y se usa como combustible en motores de combustión. ☐ ETIMOL. Del francés *gazoline*.

gasolinera s.f. Establecimiento en el que se vende gasolina y otros combustibles.

gastador, -a ∎ adj./s. **1** Que gasta mucho dinero. ∎ s.m. **2** Soldado encargado de cavar trincheras o de abrir paso en las marchas.

gastar v. **1** Referido al dinero, emplearlo en algo: *Gastó una fortuna en esa casa. Es poco ahorrador y siempre está gastando*. **2** Consumir, acabar o deteriorar por el uso o por el paso del tiempo: *Este coche gasta mucha gasolina. Se me ha gastado la punta del lápiz*. **3** Usar, emplear o llevar habitualmente: *Mi abuelo gasta sombrero. No me gusta que gastes esas bromas*. **4** Referido esp. a una actitud negativa, tenerla habitualmente: *Gasta unos aires de grandeza insoportable*. **5** ‖**gastarlas**; col. Proceder o comportarse: *No sé de qué te extrañas, si ya te advertí que aquí las gastamos así*. ☐ ETIMOL. Del latín *vastare* (arruinar, devastar).

gasterópodo ∎ adj./s.m. **1** Referido a un molusco, que tiene una cabeza provista de tentáculos sensoriales y un pie carnoso con el cual se arrastra, y generalmente está protegido por una concha de una pieza: *El caracol es un gasterópodo*. ∎ s.m.pl. **2** En zoología, clase de estos moluscos. ☐ ETIMOL. Del griego *gastér* (estómago) y -*podo* (pie).

gasto s.m. **1** Empleo de dinero en algo. **2** Consumo o deterioro por el uso o por el paso del tiempo. **3** Lo que se gasta.

gástrico, ca adj. En medicina, del estómago o relacionado con él. ☐ ETIMOL. Del griego *gastér* (estómago, vientre).

gastritis s.f. En medicina, inflamación de las mucosas del estómago. ☐ ETIMOL. Del griego *gastér* (estómago) e -*itis* (inflamación). ☐ MORF. Invariable en número.

gastroentérico, ca adj. Del estómago y los intestinos, o relacionado con estos órganos; gastrointestinal.

gastroenteritis s.f. En medicina, inflamación simultánea de la membrana mucosa del estómago y de la del intestino. ☐ ETIMOL. Del griego *gastér* (estómago) y *enteritis*. ☐ MORF. Invariable en número.

gastrointestinal adj. Del estómago y los intestinos o relacionado con estos órganos; gastroentérico. ☐ MORF. Invariable en género.

gastronomía s.f. **1** Arte o técnica de preparar una buena comida. **2** Afición a comer bien. ☐ ETIMOL. Del griego *gastronomía* (tratado de la glotonería).

gastronómico, ca adj. De la gastronomía o relacionado con este arte de cocinar o comer.

gastrónomo, ma s. **1** Especialista en gastronomía. **2** Persona aficionada a comer bien.

gatear v. **1** col. Andar a gatas: *El bebé ya gatea*. **2** Trepar como lo hacen los gatos: *El niño gateó por el tronco y alcanzó el nido*.

gatera s.f. En una pared, un tejado o una puerta, agujero para diversos usos, esp. el hecho para que entren y salgan los gatos.
gatillazo s.m. **1** Golpe que da el gatillo de un arma de fuego, esp. cuando no sale el tiro. **2** ||**dar gatillazo**; col. **1** Malograrse la esperanza puesta en alguien o algo: *El proyecto dio gatillazo y se perdió todo el dinero invertido*. col. **[2** Fracasar el hombre en la realización del acto sexual.
gatillo s.m. En un arma de fuego, pieza que se presiona con el dedo para disparar. ☐ ETIMOL. De *gato*.
gato, ta ∎ s. **1** Mamífero felino y carnicero, doméstico, de cabeza redonda, lengua muy áspera y pelaje espeso y suave, que es muy hábil cazando ratones. felino ∎ s.m. **2** Máquina compuesta de un engranaje, que sirve para levantar grandes pesos a poca altura: *Para cambiar la rueda pinchada hay que levantar el coche con el gato*. **3** col. Persona que ha nacido en la ciudad de Madrid. **4** ||**a gatas**; col. Apoyando las manos y las rodillas en el suelo. ||**cuatro gatos**; poca gente. ||**dar gato por liebre**; col. Engañar dando una cosa de poca calidad por otra mejor. ||**gato de Angora**; el de la raza que se caracteriza por tener el pelo muy largo. ||**gato montés**; mamífero felino y carnicero, de mayor tamaño que el gato doméstico, de color gris con rayas más oscuras. ||**haber gato encerrado**; col. Haber algo oculto o secreto. ||**llevarse el gato al agua**; col. En un enfrentamiento, triunfar o salir victorioso. ☐ ETIMOL. Del latín *cattus* (gato silvestre). ☐ USO *Cuatro gatos* tiene un matiz despectivo.
gatopardo s.m. Mamífero felino y carnicero domesticable, de pelaje claro con manchas oscuras, que vive en algunos desiertos asiáticos y africanos; guepardo, onza. ☐ ETIMOL. Del italiano *gattopardo*. ☐ MORF. Es un sustantivo epiceno: *el gatopardo macho, el gatopardo hembra*. felino
gatuno, na adj. Del gato, con sus características, o relacionado con este animal.
gauchada s.f. col. En zonas del español meridional, favor.
gauchesco, ca adj. De los gauchos o relacionado con ellos.
gaucho, cha ∎ adj. **1** Del gaucho o relacionado con este campesino. ∎ s.m. **2** Campesino de las llanuras de Argentina, Uruguay y Brasil (países suramericanos).
gaveta s.f. **1** En algunos muebles, cajón corredizo que se utiliza para guardar lo que se quiere tener a mano. **2** Mueble que tiene uno o varios de estos cajones. ☐ ETIMOL. Del latín *gavata* (vasija).
gavia s.f. En algunas embarcaciones, vela que se coloca en algunos mástiles. ☐ ETIMOL. Del latín *cavea* (jaula, cavidad).
gavilán s.m. Ave rapaz diurna, de plumaje gris azulado y pardo, de alas redondeadas y cola larga, y que se alimenta de pequeños mamíferos y de otras aves; esparaván. ☐ ETIMOL. De origen incierto. ☐ MORF. Es un sustantivo epiceno: *el gavilán macho, el gavilán hembra*. rapaz
gavilla s.f. Conjunto de cañas, ramas o cosas semejantes, colocadas longitudinalmente y atadas por el centro. ☐ ETIMOL. De origen incierto.
gaviota s.f. Ave acuática palmípeda, con el plumaje blanco y gris, el pico anaranjado y las patas rojizas, que se alimenta de peces. ☐ ETIMOL. Del latín *ga-*

via. ☐ MORF. Es un sustantivo epiceno: *la gaviota macho, la gaviota hembra*. ave
[gay (anglicismo) adj./s.m. Referido a un hombre, que es homosexual. ☐ PRON. Se usa mucho la pronunciación anglicista [guéi]. ☐ MORF. Como adjetivo es invariable en género. ☐ USO Su uso es innecesario y puede sustituirse por una expresión como *homosexual*.
[gayumbos s.m.pl. col. Calzoncillo.
gazapo s.m. **1** Cría del conejo. **2** col. Yerro o equivocación que se comete al hablar o al escribir. ☐ ETIMOL. De origen incierto. ☐ MORF. En la acepción 1, es un sustantivo epiceno: *el gazapo macho, el gazapo hembra*.
gazmoñería s.f. Actitud de quien finge devoción, escrúpulos o virtudes que no posee.
gazmoño, ña adj./s. Que finge devoción, escrúpulos o virtudes que no posee.
gaznápiro, ra adj./s. Que es simple, torpe o corto de entendimiento. ☐ ETIMOL. De origen incierto.
gaznate s.m. col. Parte interior de la garganta; gañote. ☐ ETIMOL. De origen incierto.
gazpacho s.m. Sopa que se toma fría y cuyos ingredientes principales son pan, aceite, vinagre, tomate, ajo y cebolla. ☐ ETIMOL. De origen incierto.
gazuza s.f. col. Hambre. ☐ ETIMOL. De origen incierto.
ge s.f. Nombre de la letra *g*.
géiser s.m. Fuente natural intermitente de agua caliente, en forma de surtidor. ☐ ETIMOL. Del islandés *geysir*.
[geisha (del japonés) s.f. Cantante y danzarina japonesa. ☐ PRON. [guéisa].
gel s.m. **1** Estado de una materia en el que la parte sólida se separa de la líquida formando partículas: *Una materia en estado de gel tiene un aspecto semejante al de la gelatina*. **2** Producto que tiene una consistencia parecida. **3** Jabón líquido; gel de baño.
gelatina s.f. **1** Sustancia sólida, incolora y transparente, que se obtiene de la cocción del tejido conjuntivo, de los huesos y de los cartílagos. **[2** Preparado alimenticio que tiene esa consistencia. ☐ ETIMOL. Del italiano *gelatina*.
gelatinoso, sa adj. Con gelatina o con sus características.
gélido, da adj. Helado o muy frío: *viento gélido; un saludo gélido*. ☐ ETIMOL. Del latín *gelidus*.
gema s.f. Piedra preciosa. ☐ ETIMOL. Del latín *gemma*.
gemación s.f. **1** En una planta, desarrollo de una yema para la formación de una rama, de una hoja o de una flor. **2** Reproducción asexual de algunas plantas y de algunos animales inferiores en la que el nuevo individuo se desarrolla a partir de una yema o de un grupo de células del cuerpo del progenitor: *Las hidras y los corales se reproducen por gemación*.
gemebundo, da adj. Que gime profundamente. ☐ ETIMOL. Del latín *gemebundus*.
gemelo, la ∎ adj. **1** Referido a dos o más elementos, que son iguales, esp. si colocados por pares cooperan para un mismo fin. ∎ adj./s. **2** Que ha nacido del mismo parto y se ha originado del mismo óvulo. ∎ s.m. **3** Adorno compuesto de dos piezas unidas por una cadenita, que se usa para cerrar el puño de la camisa sustituyendo al botón. **4** Cada uno de los dos músculos que forman la pantorrilla. ∎ s.m.pl. **5**

Aparato óptico formado por dos tubos que contienen en su interior una combinación de lentes, y que sirve para mirar por los dos ojos y ver ampliados los objetos lejanos; anteojos. ▪ s.f. **[6** Apuesta que se hace sobre dos carreras de caballos, y que consiste en elegir a los que se cree que serán los dos primeros clasificados de cada carrera. ☐ ETIMOL. Del latín *gemellus*. ☐ SEM. 1. En la acepción 2, aunque la RAE lo registra como sinónimo de *mellizo*, en el lenguaje médico no lo es. 2. En la acepción 5, dist. de *binoculares* (cualquier aparato formado por dos tubos con lentes).

gemido s.m. Sonido o voz lastimeros que expresan pena o dolor.

geminación s.f. **1** Duplicación o repetición de un elemento. **2** En lingüística, repetición inmediata, en la pronunciación o en la escritura, de un sonido, de una palabra o de otro elemento lingüístico. ☐ ETIMOL. Del latín *geminatio*.

geminado, da adj. **1** Que está repetido o duplicado: *En la frase 'Dilo, dilo, no tengas miedo', hay una construcción geminada.* **2** Que está partido o dividido: *una ventana geminada.*

geminar v. Repetir o multiplicarse algo de forma que sea doble: *Las células se geminan para reproducirse.* ☐ ETIMOL. Del latín *geminare*, y éste de *geminus* (duplicado, repetido).

géminis adj./s. Referido a una persona, que ha nacido entre el 22 de mayo y el 21 de junio aproximadamente. ☐ ETIMOL. Del latín *Geminis* (hermanos gemelos) que es el tercer signo zodiacal. ☐ MORF. 1. Como adjetivo es invariable en género. 2. Como sustantivo es de género común: *el géminis, la géminis.* 3. Invariable en número.

gemir v. **1** Emitir gemidos: *Acongojaba verlo gemir de pena.* **2** Aullar o emitir un sonido semejante al gemido humano: *El viento gimió durante toda la noche.* ☐ ETIMOL. Del latín *gemere*. ☐ MORF. Irreg. → PEDIR.

gen s.m. En un cromosoma, fragmento de ácido desoxirribonucleico que constituye la más pequeña unidad funcional: *Los genes son los responsables de la transmisión hereditaria de los caracteres.* ☐ ETIMOL. Del latín *genus*.

gendarme s.m. En Francia (país europeo) y en otros países, agente de policía destinado a mantener la seguridad y el orden públicos. ☐ ETIMOL. Del francés *gendarme*, y éste de *gens d'armes* (gente de armas).

gendarmería s.f. **1** Cuartel o puesto de gendarmes. **2** Cuerpo de tropa de los gendarmes.

genealogía s.f. Serie de progenitores y ascendientes de una persona o de un animal. ☐ ETIMOL. Del griego *genealogía*, y éste de *geneá* (generación) y *lógos* (tratado).

genealógico, ca adj./s. De la genealogía o relacionado con ella.

generación s.f. **1** Conjunto de las personas que, por haber nacido en fechas próximas y haber recibido una educación o una influencia social semejante, se comportan de una forma parecida o comparten características comunes: *'Generación del 98'.* **2** Conjunto de todos los seres vivientes contemporáneos. **3** Serie de descendientes en línea directa: *En mi casa vivimos tres generaciones.* **4** Producción de seres de la misma especie por medio de la reproducción. **5** Producción o creación. ☐ ETIMOL. Del latín *generatio* (reproducción).

generacional adj. De una generación de contemporáneos o relacionado con ella. ☐ MORF. Invariable en género.

generador, -a ▪ adj. **1** Que genera. ▪ s.m. **2** En una máquina, parte que produce la fuerza o la energía. ☐ MORF. En la acepción 1, admite también la forma del femenino *generatriz.*

general ▪ adj. **1** Que es común a todos los individuos que forman un todo: *opinión general.* **2** Que ocurre o se utiliza con mucha frecuencia o de forma usual: *De forma general, como fuera de casa.* **[3** Referido esp. a una explicación, que no entra en detalles o que no especifica. **[4** Referido a una persona, que es el responsable máximo de la dirección de un organismo, de una empresa o de una sección: *directora 'general'.* ▪ s.m. **5** En los Ejércitos de Tierra y del Aire y en algunos cuerpos de la Armada, persona cuya categoría militar es superior a la de coronel. **6** Prelado máximo de una orden religiosa. **7** ‖ {en/por lo} **general**; **1** Con frecuencia o por lo común. **2** Sin especificar o sin dar detalles: *En general, la película está bien.* ☐ ETIMOL. Del latín *generalis.* ☐ MORF. Como adjetivo es invariable en género. ☐ SEM. Como adjetivo es dist. de *genérico* (común a muchas especies y relacionado con el género gramatical).

generala s.f. En el ejército, toque de corneta, de tambor o de clarín para que las fuerzas de una guarnición o de una plaza se preparen y formen con las armas.

generalato s.m. **1** En los Ejércitos de Tierra y del Aire, empleo o cargo del general. **2** Conjunto de generales de uno o de varios ejércitos.

generalidad ▪ s.f. **1** Mayoría o conjunto que comprende a casi todos los componentes de una clase. **2** Vaguedad o falta de precisión en lo que se dice o escribe. ▪ pl. **3** Conocimientos generales relacionados con una ciencia.

[generalista adj./s. Referido a una persona, que tiene conocimientos generales de muchas materias. ☐ MORF. 1. Como adjetivo es invariable en género. 2. Como sustantivo es de género común: *el 'generalista', la 'generalista'.*

generalización s.f. **1** Extensión o propagación de algo. **2** Aplicación a una generalidad de lo que es propio de un individuo.

generalizar v. **1** Extender, propagar o hacer público o común: *La cultura generaliza las medidas de higiene entre la población. La práctica del deporte se ha generalizado.* **2** Aplicar a una generalidad de lo que es propio de un individuo: *Es injusto que el profesor generalice y diga que todos somos malos alumnos.* ☐ ORTOGR. La *z* se cambia en *c* delante de *e* → CAZAR.

generar v. Producir, originar o causar: *Los problemas raciales generan odios.* ☐ ETIMOL. Del latín *generare*, y éste de *genus* (origen, nacimiento).

generativo, va adj. Que es capaz de generar, engendrar u originar.

generatriz adj.f./s.f. En matemáticas, referido a una línea o a una figura, que engendran una figura o un sólido geométrico respectivamente. ☐ ETIMOL. Del latín *generatrix.*

genérico, ca adj. **1** Común a los elementos de un conjunto: *'Árbol' es una palabra genérica que incluye al pino, al manzano, al cerezo y a otros.* **2** Del género o relacionado con él: *En la palabra 'perro',* *a desinencia genérica es '-o'.* □ SEM. Dist. de *general* (común a todos los individuos, frecuente, usual).

énero s.m. **1** Conjunto de seres que tienen uno o varios caracteres comunes: *género humano.* **2** Forma o modo de hacer algo: *No me gusta el género de vida que llevas.* **3** Naturaleza o índole; clase: *No tengo dudas de ningún género sobre esto.* **4** Clase de tela: *Los géneros de algodón son muy frescos.* **5** En el comercio, cualquier mercancía: *Esta carnicería tiene un género muy bueno.* **6** En biología, en la clasificación de los seres vivos, categoría superior a la de especie e inferior a la de subfamilia: *El género 'Felis' comprende a los gatos salvajes y a los domésticos.* **7** En arte y literatura, categoría en la que se agrupan las obras que tienen rasgos comunes de forma y de contenido: *Los tres géneros literarios clásicos son la lírica, la dramática y la épica.* **8** En gramática, categoría gramatical propia del nombre, del pronombre y del artículo, que está fundada en la distinción natural de los sexos, o en una distinción puramente convencional: *Las lenguas indoeuropeas tienen tres formas de género: masculino, femenino y neutro.* **9** ‖ **[género ambiguo**; el de los nombres que se emplean como masculinos o femeninos sin que varíe su significado: *'Mar' es un sustantivo de 'género ambiguo' porque se puede decir 'el mar está tranquilo' o 'la mar está tranquila'.* ‖ **género chico**; clase de obras teatrales ligeras, generalmente musicales y de carácter popular, a la que pertenecen sainetes, comedias y zarzuelas de uno o de dos actos. ‖ **[género común**; el de los nombres que exigen concordancia en masculino o en femenino para señalar la diferencia de sexo: *'Artista' es un sustantivo de 'género común' porque se dice 'el artista' y 'la artista'.* □ ETIMOL. Del latín *genus* (linaje, especie, género).

generosidad s.f. **1** Inclinación a dar lo que se tiene sin buscar el propio interés. **2** Nobleza o grandeza del ánimo.

generoso, sa adj. **1** Inclinado a dar lo que tiene sin buscar el propio interés. **2** Que muestra nobleza y grandeza de ánimo. **3** Excelente en relación con algo de la misma especie o clase: *Heredé unas tierras generosas que dan abundantes cosechas.* □ ETIMOL. Del latín *generosus* (linajudo, noble).

genesiaco, ca o **genesíaco, ca** adj. De la génesis o relacionado con ella. □ SEM. Dist. de *genésico* (de la generación o relacionado con ella).

génesis s.f. **1** Origen o principio de algo. **2** Serie encadenada de hechos y de causas que conducen a un resultado. □ ETIMOL. Del griego *génesis* (creación). □ MORF. Invariable en número.

genético, ca ∎ adj. **1** De la genética o relacionado con esta parte de la biología. **[2** De los genes o relacionado con ellos. **3** De la génesis u origen de algo, o relacionado con ellos. ∎ s.f. **4** Parte de la biología que estudia la herencia o la naturaleza y los mecanismos de transmisión de los caracteres hereditarios de los organismos. □ ETIMOL. Del griego *gennetikós* (propio de la generación). □ ORTOGR. Dist. de *genésico*.

genial ∎ adj. **1** Que posee genio creador o que lo manifiesta: *'El Quijote' es una novela genial.* **2** Muy bueno, estupendo o extraordinario: *idea genial.* ∎ adv. **3** Muy bien o de forma extraordinaria. □ MORF. Como adjetivo es invariable en género.

genialidad s.f. **1** Propiedad de lo que posee genio

creador o lo manifiesta. **2** Propiedad de lo que es muy bueno, estupendo o extraordinario. **[3** Hecho o dicho geniales. □ USO La acepción 3 se usa mucho con un sentido irónico.

genio s.m. **1** Índole o inclinación que guía generalmente el comportamiento de alguien: *Es una persona agradable y de genio tranquilo.* **2** Estado de ánimo habitual o pasajero: *Su buen genio le permite aceptar bien las bromas.* **3** Firmeza de ánimo, energía o temperamento; carácter: *Tiene mucho genio.* **4** Disposición o habilidad para la realización de algo: *Mozart tuvo un extraordinario genio musical.* **5** Facultad o fuerza intelectual para crear o inventar cosas nuevas y admirables. **6** Persona que posee esta facultad. **7** En la mitología grecolatina, divinidad creadora, esp. la que presidía el nacimiento de una persona y tenía como misión esencial acompañarla a lo largo de su vida y velar por ella. **[8** Ser fantástico que aparece en leyendas y cuentos. □ ETIMOL. Del latín *genius* (deidad que velaba por cada persona y se identificaba con su suerte).

genital ∎ adj. **1** Que sirve para la generación: *Los órganos genitales masculinos son diferentes de los femeninos.* ∎ s.m.pl. **2** Órganos sexuales externos. □ ETIMOL. Del latín *genitalis.* □ MORF. Como adjetivo es invariable en género.

genitivo s.m. →**caso genitivo.** □ ETIMOL. Del latín *genitivus* (natural, de nacimiento, caso genitivo).

genízaro, ra s.m. →**jenízaro.**

genocidio s.m. Exterminio o eliminación sistemática de un grupo social por motivos raciales, políticos o religiosos. □ ETIMOL. Del griego *génos* (estirpe) y *-cidio* (acto de matar).

genoma s.f. Conjunto de los cromosomas de una célula. □ ETIMOL. De *gen* y *cromosoma.*

genotipo s.m. En biología, conjunto de los genes existentes en cada uno de los núcleos celulares de los individuos que pertenecen a una determinada especie vegetal o animal. □ ETIMOL. De *gen* y *tipo.*

gente s.f. **1** Conjunto de personas. **2** Cada una de las clases o grupos sociales que pueden distinguirse en la sociedad. **3** *col.* Familia o parentela. **4** *col.* Precedido de algunos adjetivos, individuo o persona: *Confío en él, porque es buena gente.* **5** ‖ **gente de bien**; la que es honrada y actúa con buena intención. ‖ **[gente de la calle**; la que no tiene especial relevancia social, ni especial significación en relación con el asunto de que se trata. ‖ **[gente guapa**; *col.* La adinerada, famosa y moderna. ‖ **gente menuda**; *col.* Los niños. □ ETIMOL. Del latín *genus* (raza, familia, tribu). □ SEM. 1. No debe usarse el plural *gentes* con el significado de 'personas': *Son {*gentes > personas} extrañas.* 2. Es un nombre colectivo; incorr. *un grupo de {*gente > personas}.*

gentil ∎ adj. **1** Amable o cortés. **2** Elegante, gracioso o de buena presencia. ∎ adj./s. **3** Que adoraba ídolos o deidades diferentes de los considerados verdaderos, esp. referido a los que tenían una religión diferente de la cristiana. □ ETIMOL. Del latín *gentilis* (propio de una familia, pagano, perteneciente a la nación). □ MORF. 1. Como adjetivo es invariable en género. 2. Como sustantivo es de género común: *el gentil, la gentil.*

gentileza s.f. **1** Amabilidad, cortesía o atención. **2** Gracia o desenvoltura para hacer algo. **3** Lo que se hace o se ofrece por cortesía.

gentilhombre s.m. Antiguamente, persona que servía en la corte o que acompañaba a un personaje importante. □ ETIMOL. Del francés *gentilhomme*. □ ORTOGR. Se admite también *gentil hombre*.

gentilicio adj./s.m. Referido a un adjetivo o a un sustantivo, que expresa el origen o la patria: '*Abulense*' *es el gentilicio que se aplica a los oriundos de Ávila*.

gentío s.m. Aglomeración de gente.

[gentleman (anglicismo) s.m. Hombre que se caracteriza por su distinción, elegancia y comportamiento educado. □ PRON. [yéntelman].

gentuza s.f. Gente despreciable. □ USO Es despectivo.

genuflexión s.f. Flexión de una rodilla, bajándola hacia el suelo, que se hace generalmente en señal de reverencia. □ ETIMOL. Del latín *genus flexio* (flexión de rodilla).

genuino, na adj. Puro, natural, o que conserva sus características propias: *genuino caldo gallego*. □ ETIMOL. Del latín *genuinus* (auténtico, natural, innato).

[geo s.m. Miembro de un grupo especial de la policía preparado para operaciones de alto riesgo. □ ETIMOL. Es un acrónimo que procede de la sigla de *Grupo Especial de Operaciones*. □ MORF. Es de género común: *el 'geo', la 'geo'*.

geo- Elemento compositivo que significa 'tierra', o 'la Tierra' (*geografía, geocéntrico, geopolítica*). □ ETIMOL. Del griego *gê*.

geocéntrico, ca adj. 1 Del centro de la Tierra o relacionado con él. 2 Referido a un sistema astronómico, que considera que la Tierra es el centro del universo. □ ETIMOL. De *geo-* (tierra) y *céntrico*.

[geocentrismo s.m. Teoría astronómica que sostenía que la Tierra era el centro del universo y que los planetas giraban alrededor de ella.

geoda s.f. Hueco de una roca cubierto por una sustancia mineral, generalmente cristalizada. □ ETIMOL. Del griego *geódes* (terroso, semejante a la tierra).

geofísico, ca ▮ adj. 1 De la geofísica o relacionado con esta parte de la geología. ▮ s.f. 2 Parte de la geología que estudia la física terrestre. □ ETIMOL. De *geo-* (tierra) y *física*.

geografía s.f. 1 Ciencia que se ocupa de la descripción de la Tierra y de la distribución en el espacio de los diferentes elementos y fenómenos que se desarrollan sobre la superficie terrestre. [2 Territorio, zona o región: *La 'geografía' de este país es muy montañosa*. □ ETIMOL. Del griego *geographía*.

geográfico, ca adj. De la geografía o relacionado con esta ciencia.

geógrafo, fa s. Persona que se dedica profesionalmente al estudio de la geografía o que está especializada en esta ciencia.

geología s.f. Ciencia que estudia la forma interior y exterior del globo terrestre, la naturaleza de las materias que lo componen, su formación, su transformación y su disposición actual. □ ETIMOL. De *geo-* (tierra) y *-logía* (ciencia, estudio).

geológico, ca adj. De la geología o relacionado con esta ciencia.

geólogo, ga s. Persona que se dedica profesionalmente al estudio de la geología o que está especializada en esta ciencia.

geometría s.f. Parte de las matemáticas que estudia las propiedades y medidas de puntos, líneas, planos y volúmenes, y las relaciones que entre ellos se establecen. □ ETIMOL. Del griego *geometría* (medición de la tierra), y éste de *gê* (tierra) y *métron* (medida).

geométrico, ca adj. De la geometría o relacionado con esta parte de las matemáticas.

geopolítico, ca ▮ adj. 1 De la geopolítica o relacionado con esta ciencia. ▮ s.f. 2 Disciplina que estudia las relaciones de la política nacional o internacional con los factores geográficos, económicos y raciales. □ ETIMOL. De *geo-* (tierra) y *política*.

georgiano, na ▮ adj./s. 1 De Georgia o relacionado con este país asiático. ▮ s.m. [2 Lengua hablada en Georgia (país asiático).

geórgico, ca ▮ adj. 1 Del campo o relacionado con él. ▮ s.f. 2 Obra, generalmente literaria, que trata de la agricultura o de la vida en el campo. □ ETIMOL. Del latín *georgico*, y éste del griego *georg* (agricultor). □ MORF. La acepción 2 se usa más en plural.

geotropismo s.m. Respuesta de un organismo ante el estímulo de la fuerza de la gravedad. □ ETIMOL. De *geo-* (tierra) y *tropismo*.

geranio s.m. 1 Planta que tiene hojas de borde ondeado, generalmente grandes, flores de vivos y variados colores reunidas en umbelas, y que se utiliza como adorno. 2 Flor de esta planta. □ ETIMOL. Del griego *geránion* (pico de grulla), porque sus componentes formaron sus formas.

gerencia s.f. 1 Cargo de gerente. 2 Tiempo durante el que un gerente ejerce su cargo. 3 Oficina del gerente.

gerente s. Persona que dirige los negocios y lleva la gestión en una sociedad o empresa mercantil, de acuerdo con lo establecido en la constitución de la misma. □ ETIMOL. Del latín *gerens* (el que gestiona o lleva a cabo). □ MORF. Es de género común: *gerente, la gerente*.

geriatra s. Médico especializado en geriatría. □ MORF. Es de género común: *el geriatra, la geriatra*.

geriatría s.f. Parte de la medicina que estudia la vejez y sus enfermedades. □ ETIMOL. Del griego *gêras* (vejez) e *-iatría* (medicina).

[geriátrico, ca ▮ adj. 1 De la geriatría o relacionado con esta parte de la medicina. ▮ adj./s.m. Referido a un sanatorio o una residencia, que acoge personas ancianas y se ocupa de su cuidado.

gerifalte s.m. *col*. Persona que destaca o que sobresale en una actividad. □ ETIMOL. Del francés antiguo *girfalt*.

germanía s.f. 1 Variedad lingüística o jerga que usan entre sí ladrones y rufianes y que se compone de voces del idioma a las que se les ha cambiado su significado, y de otros vocablos de orígenes muy diversos. 2 En el antiguo reino de Valencia, hermandad o reino. □ ETIMOL. Del latín *germanus* (hermano).

germánico, ca ▮ adj. 1 De Germania (antigua zona centroeuropea ocupada por pueblos de origen indoeuropeo), de los germanos o relacionado con ellos. 2 De Alemania (país europeo), o relacionado con ella. ▮ adj./s.m. 3 Referido a una lengua, que pertenece a un grupo de lenguas indoeuropeas que eran habladas por los pueblos germanos: *El alemán, el inglés y el neerlandés son lenguas germánicas*.

germanio s.m. Elemento químico, semimetálico sólido, de número atómico 32, de color blanco, que se oxida a temperaturas muy elevadas y es resi tente a los ácidos y a las bases. □ ETIMOL. Del latín *Germania* (Alemania), donde se descubrió. □ ORTOGR. Su símbolo químico es *Ge*.

germanismo s.m. En lingüística, palabra, significado o construcción sintáctica del alemán o de las lenguas habladas por los germanos, empleados en otra lengua.

germanista s. Persona especializada en el estudio de la lengua y de la cultura alemanas o germánicas. □ MORF. Es de género común: *el germanista, la germanista.*

germanización s.f. Difusión o adopción de las características que se consideran propias de lo alemán o de lo germánico.

germanizar v. Dar características que se consideran propias de lo alemán o de lo germánico: *Su educación en Alemania lo ha germanizado.* □ ORTOGR. La *z* se cambia en *c* delante de *e* →CAZAR.

germano, na adj./s. **1** De la antigua Germania (zona centroeuropea ocupada por pueblos de origen indoeuropeo). **2** De Alemania (país europeo), o relacionado con ella; alemán. □ MORF. Es la forma que adopta *alemán* cuando se antepone a una palabra para formar compuestos: *germanófilo, germanofobia, germanoespañol.*

germanoespañol, -a adj./s. De Alemania y España (países europeos) conjuntamente.

germen s.m. **1** Célula o conjunto de células que dan origen a un nuevo ser orgánico. **2** Parte de la semilla de la que se forma la planta. **3** Primer tallo que brota de una semilla. **4** Principio u origen de algo. **5** ‖**germen (patógeno)**; microorganismo que puede causar o propagar una enfermedad. □ ETIMOL. Del latín *germen* (yema de planta).

germicida adj./s.m. Que destruye gérmenes, esp. los dañinos. □ ETIMOL. De *germen* y *-cida* (que mata). □ MORF. Como adjetivo es invariable en género.

germinación s.f. **1** Inicio del desarrollo de la semilla de un vegetal. **2** Brote y comienzo del crecimiento de una planta. **3** Desarrollo o comienzo de las manifestaciones de algo no material.

germinal adj. Del germen o relacionado con él. □ MORF. Invariable en género.

germinar v. **1** Referido a una semilla, comenzar a desarrollarse: *Para que estas semillas germinen, necesitan calor.* **2** Referido a una planta, brotar y comenzar a crecer: *El trigo ya está empezando a germinar.* **3** Referido a algo no material, desarrollarse o empezar a manifestarse: *Las ideas más geniales germinaban continuamente en su mente.* □ ETIMOL. Del latín *germinare* (brotar).

germinativo, va adj. **[1** De la germinación o relacionado con ella. **2** Que puede germinar o causar germinación.

germinicida adj./s.m. Referido a un producto químico, que es capaz de destruir la capacidad germinativa de las semillas. □ MORF. Como adjetivo es invariable en género.

gerontocracia s.f. Sistema de gobierno en el que el poder reside en las personas ancianas. □ ETIMOL. Del griego *géron* (anciano) y *-cracia* (dominio, poder).

gerontología s.f. Ciencia que estudia la vejez y los fenómenos que la caracterizan. □ ETIMOL. Del griego *géron* (anciano) y *-logía* (estudio, ciencia).

gerontólogo, ga s. Persona especializada en gerontología.

gerundense adj./s. De Gerona o relacionado con esta provincia española o con su capital. □ MORF. **1.** Como adjetivo es invariable en género. **2.** Como sustantivo es de género común: *el gerundense, la gerundense.*

gerundio s.m. Forma no personal del verbo, que presenta la acción en su curso de desarrollo y que generalmente tiene una función adverbial: '*Habiendo comido*' es el gerundio compuesto del verbo '*comer*'. □ ETIMOL. Del latín *gerundium*, y éste de *gerundus* (el que se debe llevar a cabo).

gerundivo s.m. Participio latino de futuro pasivo que posee flexión casual: *El gerundivo latino termina en '-ndus', '-nda' o '-ndum'.* □ ETIMOL. Del latín *gerundivus.*

gesta s.f. Conjunto de hazañas o de hechos memorables de una persona o de un pueblo. □ ETIMOL. Del latín *gesta* (hechos señalados).

gestación s.f. **1** Desarrollo del feto dentro del cuerpo de la madre. **2** Desarrollo o formación de algo no material. □ ETIMOL. Del latín *gestatio* (acción de llevar).

gestante adj./s.f. Referido a una mujer, que está embarazada. □ MORF. Como adjetivo es invariable en género.

gestar ▌ v. **1** Referido a una hembra, llevar y alimentar en el vientre al feto hasta el momento del parto: *Las mujeres gestan a sus hijos durante nueve meses.* ▌ prnl. **2** Referido a algo no material, formarse o desarrollarse: *El alzamiento popular se gestó en reuniones clandestinas.* □ ETIMOL. Del latín *gestare* (llevar encima).

gesticulación s.f. Realización de gestos.

gesticular v. Hacer gestos: *Al hablar gesticula mucho con las manos.* □ ETIMOL. Del latín *gesticulari.*

gestión s.f. **1** Realización de las acciones oportunas para conseguir el logro de un asunto o de un deseo. **[2** Cada una de estas acciones. **3** Organización y dirección de algo, esp. de una empresa o de una institución. □ ETIMOL. Del latín *gestio* (acción de llevar a cabo).

gestionar v. Referido a un fin, realizar las gestiones oportunas para conseguir su resolución: *Ha gestionado su traslado a una ciudad más pequeña.*

gesto s.m. **1** Movimiento del rostro o de las manos con el que se expresa algo. **2** Movimiento exagerado del rostro que se hace por hábito o por enfermedad. **3** Rostro o semblante. **4** Acción que se realiza obedeciendo a un impulso o sentimiento: *Felicitar a un rival por su victoria es un gesto que le honra.* **5** ‖**torcer el gesto**; col. Mostrar enfado o enojo en el rostro. □ ETIMOL. Del latín *gestus* (actitud o movimiento del cuerpo).

gestor, -a ▌ adj./s. **1** Que gestiona. ▌ s. **2** Miembro de una sociedad mercantil que participa en su administración. **3** ‖**gestor (administrativo)**; el que se dedica profesionalmente a solucionar asuntos particulares o de sociedades en las oficinas públicas. □ ETIMOL. Del latín *gestor* (administrador).

gestoría s.f. Oficina de un gestor.

gestual adj. **1** De los gestos o relacionado con ellos. **2** Que se hace con gestos. □ MORF. Invariable en género.

[ghetto s.m. →**gueto.** □ USO Es un italianismo innecesario.

giba s.f. **1** Corvadura anómala de la columna vertebral, del pecho o de ambos a la vez. **2** Bulto dorsal de algunos animales, esp. el de los camellos y los dromedarios, en el que almacenan grasa. □ ETIMOL. Del latín *gibba.* □ SEM. Es sinónimo de *joroba.*

gibar v. *col.* Fastidiar o molestar: *¡No te giba, ahora dice que no le apetece salir de casa!* □ ETIMOL. De *giba.*

gibón s.m. Mono que habita en los árboles, camina erguido, tiene los brazos muy largos y carece de cola. □ ETIMOL. Del inglés *gibbon.* □ MORF. Es un sustantivo epiceno: *el gibón macho, el gibón hembra.* ⚥ primate

gibosidad s.f. Abultamiento en forma de giba: *Los camellos tienen dos gibosidades.*

giboso, sa adj./s. Que tiene giba.

gibraltareño, ña adj./s. De Gibraltar o relacionado con esta población.

giga s.f. **1** Composición musical en compás de seis por ocho, con movimiento acelerado. **2** Baile popular que se ejecuta al compás de esta música. □ ETIMOL. Del francés antiguo *gigue.* □ ORTOGR. Se admite también *jiga.*

giga- Elemento compositivo que significa 'mil millones': *gigavatio.* □ ETIMOL. Del griego *gígas* (gigante).

gigante, ta ∎ s. **1** Persona de estatura mucho mayor que la normal. **2** Figura que representa a una persona de gran altura y que suele desfilar en algunos festejos populares; gigantón. ∎ s.m. **3** Persona que destaca por actuar de modo extraordinario o por poseer alguna cualidad en grado muy alto. **[4** Empresa que destaca por su tamaño económico y por su liderazgo. □ ETIMOL. Del latín *gigas.* □ MORF. En la acepción 2, la RAE sólo registra el masculino.

gigante o **gigantesco, ca** adj. **1** Excesivo, muy sobresaliente o de dimensiones muy superiores a las normales; ciclópeo. **2** Con características que se consideran propias de un gigante. □ MORF. *Gigante* es invariable en género.

gigantismo s.m. Trastorno del crecimiento caracterizado por una estatura mayor a la que se considera normal en los individuos de la misma especie y de la misma edad.

gigantón, -a s. Figura que representa a una persona de gran altura y que suele desfilar en algunos festejos populares; gigante.

[gigatón s.m. o **[gigatonelada** s.f. Unidad de medida de energía de una bomba nuclear, que equivale a mil millones de toneladas de trilita.

gigavatio s.m. En el Sistema Internacional, unidad de potencia que equivale a mil millones de vatios.

gigoló s.m. Hombre joven que tiene relaciones sexuales con una mujer de más edad que lo mantiene. □ ETIMOL. Del francés *gigolo.* □ PRON. [yigoló].

gil, -a s. *col.* [En zonas del español meridional, tonto.

gilí adj./s. *col.* →**gilipollas.** □ MORF. 1. Como adjetivo es invariable en género. 2. Como sustantivo es de género común: *el gilí, la gilí.* 3. Su plural es *gilís.* □ USO Se usa como insulto.

[gilipollada s.f. *vulg.malson.* →**tontería.**

gilipollas adj./s. *vulg.malson.* Tonto, de poco valor o de poca importancia. □ MORF. 1. Como adjetivo es invariable en género. 2. Como sustantivo es de gé-

nero común: *el gilipollas, la gilipollas.* 3. Invariable en número. 4. En la lengua coloquial se usa mucho la forma abreviada *gilí.* □ USO Es despectivo y se usa como insulto.

gilipollez s.f. *vulg.malson.* →**tontería.**

[gilipuertas adj./s. *euf.* →**gilipollas.** □ MORF. Como adjetivo es invariable en género. 2. Como sustantivo es de género común: *el 'gilipuertas', la 'gilipuertas'.* 3. Invariable en número.

[gilitonto, ta adj./s. *euf.* →**gilipollas.**

[gillete (anglicismo) s.f. Maquinilla desechable para afeitarse. □ ETIMOL. Extensión del nombre de una marca comercial. □ PRON. [yilét]. □ USO Su uso es innecesario y puede sustituirse por una expresión como *maquinilla desechable.*

[gim-jazz (anglicismo) s.m. Tipo de gimnasia que se practica con música de jazz. □ PRON. [yím-yás]

gimnasia s.f. **1** Conjunto de ejercicios que se realizan para desarrollar, fortalecer y dar flexibilidad al cuerpo o a alguna parte de él. **2** Práctica o ejercicio que adiestra en cualquier actividad. **3** ‖ **[gimnasia pasiva**; la que se hace con máquinas diseñadas para mover cada parte del cuerpo. ‖ **gimnasia rítmica**; la que se hace acompañada de música, pasos de danza y, a veces, de algunos accesorios. ‖ **gimnasia sueca**; la que se hace sin aparatos.

gimnasio s.m. Local provisto de las instalaciones y de los aparatos adecuados para practicar gimnasia y otros deportes. □ ETIMOL. Del latín *gymnasium,* éste del griego *gymnásion,* y éste de *gymnázo* (hago ejercicio físico). ⚥ gimnasio

gimnasta s. Deportista que practica algún tipo de gimnasia. □ MORF. Es de género común: *el gimnasta, la gimnasta.*

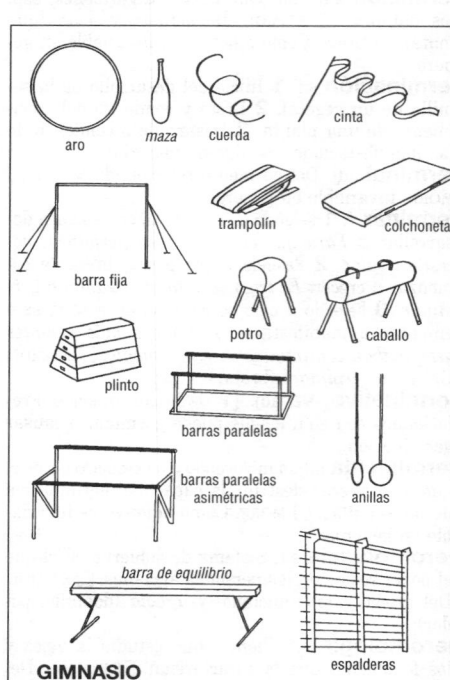

aro   maza   cuerda   cinta
trampolín   colchoneta
barra fija
potro   caballo
plinto
barras paralelas
barras paralelas asimétricas   anillas
barra de equilibrio
GIMNASIO   espalderas

imnástico, ca adj. De la gimnasia o relacionado con ella.

imnospermo, ma ▌ adj./s.f. **1** Referido a una planta, que tiene flores sólo masculinas o sólo femeninas, y las semillas al descubierto: *El pino, el ciprés y el cedro son árboles gimnospermos.* ▌ s.f.pl. **2** En botánica, división de estas plantas, pertenecientes al reino de las metafitas. ☐ ETIMOL. Del griego *gymnós* (desnudo) y *spérma* (simiente).

imotear v. Llorar sin fuerza y por una causa leve, o simular un llanto débil sin llegar a llorar de verdad: *Aunque gimotees así, no te voy a comprar el osito de peluche.*

imoteo s.m. Llanto débil, o gemido leve e insistente.

jin (anglicismo) s.m. **1** →ginebra. **2** ‖ [gin tonic; combinado de tónica y ginebra. ☐ PRON. [yin]. ☐ USO Es un anglicismo innecesario.

inebra s.f. Bebida alcohólica, transparente, obtenida de semillas y aromatizada con las bayas del enebro. ☐ ETIMOL. Del francés *genièvre* (enebro). ☐ USO Es innecesario el uso del anglicismo *gin*.

ineceo s.m. **1** En una flor, pistilo o parte femenina. ⤴ flor **2** En la antigua Grecia, parte de la casa destinada a las mujeres. ☐ ETIMOL. Del latín *gynaeceum*, éste del griego *gynaikêion*, y éste de *gyné* (mujer).

inecología s.f. Parte de la medicina que estudia los órganos sexuales y reproductores de la mujer, las enfermedades de éstos y sus tratamientos. ☐ ETIMOL. Del griego *gyné* (mujer) y *-logía* (estudio, ciencia).

inecológico, ca adj. De la ginecología o relacionado con esta parte de la medicina.

inecólogo, ga s. Médico especializado en ginecología.

ineta s.f. →jineta. ☐ MORF. Es un sustantivo epiceno: *la gineta macho, la gineta hembra.*

ginger ale (anglicismo) ‖ Bebida efervescente elaborada con jengibre y que generalmente se mezcla con otras bebidas. ☐ PRON. [yínyer éil].

ingival adj. De las encías o relacionado con ellas. ☐ ETIMOL. Del latín *gingiva* (encía). ☐ MORF. Invariable en género.

gingivitis s.f. Inflamación de las encías. ☐ ETIMOL. Del latín *gingiva* (encía) e *-itis* (inflamación). ☐ MORF. Invariable en número.

ginséng (del japonés) s.m. Arbusto originario de Asia, a cuya raíz tuberculosa se atribuyen propiedades curativas. ☐ PRON. [yinsén].

jira s.f. **1** Serie de actuaciones sucesivas de un artista o de una compañía artística en diferentes lugares. **2** Viaje o excursión por distintos sitios volviendo al lugar de partida. ☐ ORTOGR. Dist. de *jira*. ☐ USO En la acepción 1, es innecesario el uso del galicismo *tournée*.

giradiscos s.m. En un tocadiscos, pieza circular giratoria sobre la que se coloca el disco; plato. ☐ MORF. Invariable en número.

jiralda s.f. Veleta con figura humana o de animal, que se coloca sobre una torre.

jirar v. **1** Mover sobre un eje o un punto, o dar vueltas sobre ellos: *No gires el volante todavía. La Tierra gira alrededor del Sol. Gírate para que pueda verte la cara.* **2** Referido a una cantidad de dinero, enviarla por giro telegráfico o postal: *Si necesitas dinero, llámame y te giro lo que necesites.* **3** Referido

esp. a una letra de cambio, extenderla y enviarla a la persona a cargo de la cual se ha emitido: *Nuestra empresa gira letras de cambio a noventa días para pagar a los proveedores.* **4** Desviar o cambiar la dirección inicial: *En el cruce tienes que girar a la derecha. El camino giraba antes de lo que me habías dicho.* ☐ ETIMOL. Del latín *gyrare*.

girasol s.m. **1** Planta herbácea de tallo largo, de hojas alternas y acorazonadas, con flores grandes de color amarillo, y cuyo fruto tiene muchas semillas negruzcas comestibles: *Los girasoles se cultivan para obtener aceite y pipas.* **2** Flor de esta planta. ☐ ETIMOL. De *girar* y *sol*, porque su flor gira siguiendo la dirección del sol. ☐ SEM. Es sinónimo de *mirasol*.

giratorio, ria adj. Que gira o se mueve alrededor de algo.

[girl scout (anglicismo) ‖ →scout. ☐ PRON. [guerl escáut], con *r* suave.

giro s.m. **1** Movimiento circular o sobre un eje o un punto. **2** Dirección que se da a una conversación o a un asunto. **3** Envío de una cantidad de dinero que se hace por medio del servicio de correos o de telégrafos. **4** En lingüística, estructura especial u ordenación de las palabras de una frase: *Cuando habla español emplea giros muy ingleses.* **5** Extensión y envío de un recibo, factura o letra de cambio. **6** ‖ giro copernicano; cambio muy marcado o acentuado. ☐ ETIMOL. Del latín *gyrus*, y éste del griego *gŷros* (círculo, circunferencia).

girola s.f. En una iglesia, nave de forma semicircular, que rodea por detrás el altar y que da acceso a pequeñas capillas. ☐ ETIMOL. Del francés antiguo *charole*.

gis s.m. En zonas del español meridional, tiza. ☐ ETIMOL. Del latín *gypsum* (yeso).

gitanada s.f. Lo que se considera propio de los gitanos. ☐ USO Es despectivo.

gitanear v. Tratar de engañar en una compra o en una venta: *Una cosa es saber regatear el precio y otra, gitanear.* ☐ USO Es despectivo.

gitanería s.f. **1** Hecho o dicho que se consideran propios de un gitano. **2** Reunión o conjunto de gitanos. ☐ USO En la acepción 1, tiene un matiz despectivo.

gitano, na ▌ adj. **1** De los gitanos o con las características de éstos. ▌ adj./s. **2** De una etnia o pueblo de origen hindú que se extendió por grandes zonas europeas y africanas, que mantiene en gran parte su nomadismo y que conserva sus rasgos físicos y culturales propios. **3** Referido a una persona, esp. a una mujer, que tiene gracia y arte para ganarse a los demás. **4** col. Que estafa o que actúa con engaño. ▌ s.m. **5** Lengua del pueblo gitano. **6** ‖ que no se lo salta un gitano; col. Expresión que se utiliza para alabar o ponderar el carácter extraordinario de algo: *Se comió un plato de judías que no se lo salta un gitano.* ☐ ETIMOL. De *egiptano* (de Egipto), porque se creyó que procedían de este país. ☐ USO En la acepción 4, es despectivo.

glaciación s.f. En geología, invasión de hielo producida en extensas zonas del globo terráqueo debida a un descenso acusado de las temperaturas.

glacial adj. **1** Extremadamente frío o helado: *tiempo glacial; saludo glacial.* **2** Referido a una zona, que está situada en los círculos polares. ☐ ETIMOL. Del

latín *glacialis*, y éste de *glacies* (hielo). □ ORTOGR.
Dist. de *glaciar*. □ MORF. Invariable en género.
glaciar ▌ adj. **1** Del glaciar o relacionado con esta
masa de hielo. ▌ s.m. **2** Masa de hielo acumulada
en las zonas de las cordilleras por encima del límite
de las nieves perpetuas y cuya parte inferior se desliza muy lentamente como si fuera un río. ✕◈✚
montaña □ ETIMOL. Del francés *glacier*. □ ORTOGR.
Dist. de *glacial*. □ MORF. Como adjetivo es invariable en género.
gladiador s.m. En la antigua Roma, hombre que luchaba contra otro o contra una fiera en el circo. □
ETIMOL. Del latín *gladiator*, y éste de *gladius* (espada).
gladiolo o **gladíolo** s.m. **1** Planta de terrenos
húmedos, con hojas en forma de espada que nacen
de la raíz, y con flores en espiga muy larga. [**2** Flor
de esta planta. □ ETIMOL. Del latín *gladiolus* (espada pequeña), porque las hojas verdes de los gla-
diolos tienen forma de espada. □ SEM. Aunque la
RAE prefiere *gladíolo*, se usa más *gladiolo*.
[*glamour* (anglicismo) s.m. Atractivo, encanto o
fascinación. □ ETIMOL. Del inglés *glamour*, y éste
del francés. □ PRON. [glamúr]. □ USO Su uso es innecesario y puede sustituirse por una expresión
como *encanto*.
glande s.m. En el órgano genital masculino, parte final
de forma abultada; balano, bálano. □ ETIMOL. Del
latín *glans* (bellota).
glándula s.f. **1** En una planta o en un animal, órgano
unicelular o pluricelular que segrega sustancias de
diversos tipos. **2** ‖ **glándula endocrina**; la que elabora hormonas que se incorporan a la sangre.
‖ **glándula exocrina**; la que segrega sustancias
que se expulsan al exterior o al tubo digestivo.
‖ **(glándula) paratiroides**; la que está situada cerca del tiroides y es de secreción interna. ‖ **glándula
pineal**; en anatomía, estructura nerviosa situada en
la base del encéfalo, y que tiene función endocrina;
epífisis. ‖ **glándula pituitaria**; en anatomía, la de
secreción interna que está situada en la base del
cráneo y que es el principal centro productor de hormonas; hipófisis. ‖ **(glándula) tiroides**; la que está
situada debajo y a los lados de la tráquea y que
produce una hormona que actúa sobre el metabolismo e influye en el crecimiento. □ ETIMOL. Del latín
glandula (amígdala).
glandular adj. De la glándula, con sus características o relacionado con ella. ✕◈✚ MORF. Invariable en
género.
glasear v. [En pastelería, recubrir con una mezcla
de almíbar y azúcar derretido que, al secarse, queda
como una capa brillante: *Una vez cocido el bizcocho,
lo glaseé para darle un aspecto más vistoso.* □ ETI-
MOL. De *glasé*.
glaucoma s.m. Enfermedad de los ojos que se caracteriza por un aumento de la presión intraocular,
dureza del globo del ojo, atrofia de la retina y del
nervio óptico y pérdida de la visión. □ ETIMOL. Del
griego *glaúkoma*, y éste de *glaukós* (verde claro).
gleba s.f. **1** Montón de tierra que se levanta con el
arado. **2** Tierra o campo, esp. los cultivados: *siervos
de la gleba.* □ ETIMOL. Del latín *gleba*.
glicerina s.f. Líquido incoloro, espeso, con sabor
dulce, que se encuentra en todos los lípidos como
base de su composición: *La glicerina se usa en farmacia, en perfumería y en la fabricación de explo-*

sivos. □ ETIMOL. Del griego *glykerós* (de sabor d▮
ce).
global adj. **1** Que se toma en conjunto, sin dividir
en partes: *visión global.* [**2** Mundial o que se refie
a todo el planeta. □ MORF. Invariable en género.
[*globalización* s.f. Integración de una serie ▮
datos o de hechos en un planteamiento global o g
neral.
[*globalizar* v. Referido a una serie de datos o de h
chos, integrarlos en un planteamiento global o g
neral: *'Globalizó' los datos de sus estudios para h
llar una hipótesis de trabajo.* □ ORTOGR. La z
cambia en c delante de e →CAZAR.
globo s.m. **1** Especie de bolsa de goma o de ot
material flexible que se llena de aire o de un g▮
ligero y que se utiliza generalmente para jugar
para adornar. **2** Objeto de forma más o menos e
férica, generalmente de cristal, con el que se cub
una luz como adorno o para que no moleste. [**3**
un dibujo, texto enmarcado por una línea, que e
presa lo que dice o piensa el personaje al que s
ñala; bocadillo. [**4** En algunos deportes, trayectoria se
micircular que describe la pelota al ser lanza▮
muy alto. [**5** *col.* Mentira. **6** ‖ **globo (aerostático**
aeronave formada por una gran bolsa, más o men▮
esférica, llena de un gas de menor densidad que
aire atmosférico, de la que cuelga una barquilla ▮
cesto en la que van los viajeros y la carga. ‖ **glob**
celeste; esfera en cuya superficie se representa
las constelaciones principales con una situación s▮
mejante a la que ocupan en el espacio. ‖ **(glob**
dirigible; aeronave formada por una gran bolsa c▮
forma de huso y que lleva una o dos barquillas c▮
motores y hélices para impulsarlo y un timón pa▮
dirigirlo. ‖ **globo ocular**; en anatomía, el ojo, de▮
provisto de los músculos y de los demás tejidos q▮
lo rodean. ‖ **globo sonda**; el globo aerostático p▮
queño y no tripulado que lleva aparatos registr▮
dores y que se eleva generalmente a gran altur▮
*Los globos sonda se utilizan para estudios mete▮
rológicos.* ‖ **globo (terráqueo/terrestre)**; **1** Tierr▮
o planeta en el que vivimos. **2** Representación de ▮
Tierra con su misma forma en la que figura la di▮
posición de sus tierras y de sus mares; esfera terr▮
quea, esfera terrestre. □ ETIMOL. Del latín *globu*
(bola, esfera, montón). □ MORF. El plural de *glob*
sonda es *globos sonda*. □ USO Aunque la RAE só▮
registra *globo dirigible*, en círculos especializados s▮
usa mucho *zepelín*. ✕◈✚ globo
globular adj. **1** Con forma de glóbulo. **2** Que est▮
compuesto de glóbulos. □ MORF. Invariable en g▮
nero.
globulina s.f. Proteína insoluble en agua y solubl▮
en disoluciones salinas, que forma parte del suer▮
sanguíneo. □ ETIMOL. De *glóbulo*.
glóbulo s.m. **1** Cuerpo pequeño de forma esféric▮
o redondeada. **2** ‖ **glóbulo blanco**; célula globosa
incolora de la sangre de los vertebrados con un n▮
cleo y un citoplasma que puede ser granular o n▮
leucocito. ‖ **glóbulo rojo**; célula de la sangre de l▮
vertebrados que contiene hemoglobina y cuya m▮
sión es transportar oxígeno a todo el organismo; er▮
trocito, hematíe. □ ETIMOL. Del latín *globulus*.
gloria ▌ s.m. **1** En la iglesia católica, oración o cántic▮
de la misa que empieza con la palabra *gloria.* **2** ▮
la iglesia católica, oración que empieza con la palabr▮
gloria y que se reza después de otras oraciones.

GLOBO

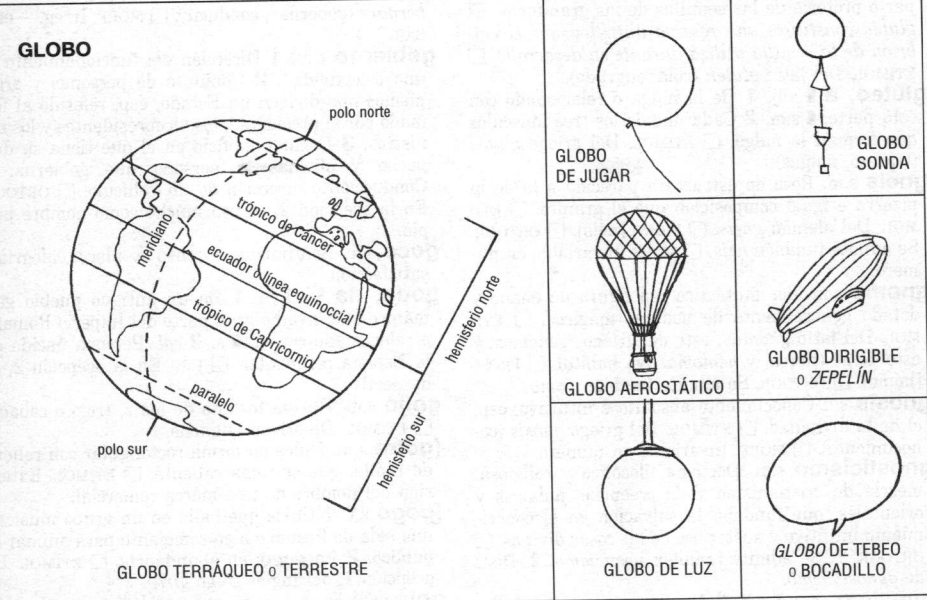

polo norte

meridiano

trópico de Cáncer

ecuador o línea equinoccial

trópico de Capricornio

paralelo

polo sur

hemisferio norte

hemisferio sur

GLOBO TERRÁQUEO o TERRESTRE

GLOBO DE JUGAR

GLOBO SONDA

GLOBO AEROSTÁTICO

GLOBO DIRIGIBLE o *ZEPELÍN*

GLOBO DE LUZ

GLOBO DE TEBEO o BOCADILLO

s.f. **3** Goce eterno que disfrutan las almas en presencia de Dios; bienaventuranza, cielo. **4** Reputación o fama que se alcanzan por las buenas acciones o por los méritos. **5** Lo que ennoblece o hace conseguir más reputación o fama: *Velázquez es una de las glorias de la pintura española.* **6** Gusto, placer o satisfacción: *Iba tan limpio y tan arreglado que daba gloria verlo.* **7** Majestad, grandeza o esplendor. **8** ‖ **en la gloria**; *col.* Muy a gusto. ‖ **saber a gloria** algo; *col.* Gustar mucho o ser muy agradable. ◻ ETIMOL. Del latín *gloria.*

gloriar ∎ v. **1** Alabar o ensalzar; glorificar: *Gloriaba a Dios por las gracias que le había otorgado.* ∎ prnl. **2** Preciarse o presumir demasiado de algo: *No debes gloriarte de tus éxitos delante de los demás.* ◻ ORTOGR. La *i* lleva tilde en los presentes, excepto en las personas *nosotros* y *vosotros* →GUIAR. ◻ SINT. Constr. como pronominal: *gloriarse DE algo.*

glorieta s.f. Plaza en la que desembocan varias calles o alamedas. ◻ ETIMOL. Del francés *gloriette.*

glorificación s.f. Proclamación y reconocimiento de las buenas acciones o de los méritos de algo.

glorificar v. **1** Dar gloria, honor o fama: *Sus poemas glorifican el nombre de la patria.* **2** Alabar o ensalzar; gloriar: *Este salmo glorifica la grandeza de Dios.* ◻ ETIMOL. Del latín *glorificare.* ◻ ORTOGR. La *c* se cambia en *qu* delante de *e* →SACAR.

glorioso, sa adj. **1** Digno de gloria, de honor y de alabanza. **2** En la iglesia católica, de la gloria eterna o relacionado con ella.

glosa s.f. **1** Explicación o comentario de un texto oscuro o difícil de entender. **2** Composición poética de extensión variable, elaborada a partir de un texto breve en verso que se desarrolla, amplifica y comenta a lo largo de varias estrofas. ◻ ETIMOL. Del latín *glossa* (palabra de sentido oscuro y explicación de la misma).

glosar v. **1** Añadir glosas o explicaciones a un texto oscuro o difícil: *Algunos traductores medievales glosaban en romance textos latinos que no se entendían.* **2** Referido a palabras propias o ajenas, comentarlas ampliándolas: *Los periodistas glosaron en sus artículos la conferencia del profesor.*

glosario s.m. Catálogo de palabras oscuras, desusadas o técnicas, con definición o explicación de cada una de ellas. ◻ ETIMOL. Del latín *glossarium.* ◻ SEM. Dist. de *léxico* (conjunto de palabras de una lengua; inventario de palabras de un idioma con definición).

glotis s.f. Orificio o abertura superior de la laringe: *Cuando respiramos de una forma normal, la glotis está ampliamente abierta.* ◻ ETIMOL. Del griego *glottís* (úvula). ◻ MORF. Invariable en número.

glotón, -a adj./s. Que come con exceso y con ansia. ◻ ETIMOL. Del latín *glutto.*

glotonear v. Comer mucho y con ansia: *Te atragantas porque glotoneas y no te da tiempo a respirar.*

glotonería s.f. Afán desmedido y ansioso por comer.

glucemia s.f. Cantidad de glucosa que hay en la sangre. ◻ ETIMOL. Del francés *glycémie.*

[glúcido s.m. Compuesto orgánico formado por carbono, hidrógeno y oxígeno, en el que el hidrógeno está en doble proporción que el oxígeno; hidrato de carbono, sacárido. ◻ ETIMOL. Del griego *glykýs* (dulce) y *éidos* (forma).

glucosa s.f. Hidrato de carbono de color blanco, cristalizable, de sabor muy dulce, muy soluble en agua y poco soluble en alcohol, que se halla presente en la miel, en la fruta y en la sangre de los animales. ◻ ETIMOL. Del francés *glucose*, y éste del griego *glykús* (dulce).

gluten s.m. Conjunto de sustancias que forman la

parte proteica de las semillas de las gramíneas: *El gluten constituye una reserva nutritiva que el embrión de la semilla utiliza durante su desarrollo.* □ ETIMOL. Del latín *gluten* (cola, engrudo).

glúteo, a ▌ adj. **1** De la nalga o relacionado con esta parte. ▌ s.m. **2** Cada uno de los tres músculos que forman la nalga. □ ETIMOL. Del griego *glutós* (trasero, nalgas).

gneis s.m. Roca de estructura parecida a la de la pizarra e igual composición que el granito. □ ETIMOL. Del alemán *gneis*. □ PRON. [néis]. □ ORTOGR. Se admite también *neis*. □ MORF. Invariable en número.

gnomo s.m. Ser fantástico con figura de enano y dotado generalmente de poderes mágicos. □ ETIMOL. Del latín *gnomus*, éste del griego **genómos*, y éste de *gê* (tierra) y *némomai* (yo habito). □ PRON. [nómo]. □ ORTOGR. Se admite también *nomo*.

gnosis s.f. Conocimiento absoluto e intuitivo, esp. el de la divinidad. □ ETIMOL. Del griego *gnôsis* (conocimiento). □ MORF. Invariable en número.

gnosticismo s.m. Doctrina filosófica y religiosa, mezcla de cristianismo y de creencias judaicas y orientales, que fundaba la salvación en el conocimiento intuitivo y misterioso de las cosas divinas. □ ORTOGR. 1. Se admite también *nosticismo*. 2. Dist. de *agnosticismo*.

gnóstico, ca ▌ adj. **1** Del gnosticismo o relacionado con esta doctrina. ▌ adj./s. **2** Partidario o seguidor del gnosticismo. □ ETIMOL. Del griego *gnostikós*, y éste de *gignósko* (yo conozco). □ ORTOGR. 1. Se admite también *nóstico*. 2. Dist. de *agnóstico*.

[goal average (anglicismo) ‖ En algunos deportes, promedio que se establece entre los goles hechos y los goles recibidos. □ PRON. [gol averách], con *ch* suave. □ ORTOGR. Se usa también *gol average*.

[gobernabilidad s.f. Facilidad para ser gobernado.

gobernación s.f. **1** Dirección del funcionamiento de una colectividad con autoridad. **2** Conducción o dirección de un vehículo.

gobernador, -a s. **1** En una provincia o un territorio, jefe superior. **2** En una entidad pública, representante del gobierno.

gobernalle s.m. Timón de un barco. □ ETIMOL. Del catalán *governall*.

gobernante, ta ▌ adj./s. **1** *col.* Referido a una persona, que se mete a gobernar incluso aquello que no le corresponde. ▌ s.f. **2** En un establecimiento hotelero, mujer encargada del servicio, de la limpieza y del orden. **3** En una casa o una institución, mujer encargada de la administración. □ MORF. En la acepción 1, la RAE sólo lo registra como sustantivo masculino.

gobernante s. Persona que gobierna un país o que forma parte de un gobierno. □ MORF. Es de género común: *el gobernante, la gobernante*.

gobernar ▌ v. **1** Referido a una colectividad, regirla o dirigir su funcionamiento con autoridad: *Este presidente gobierna un Estado democrático.* **2** Referido a una persona, guiarla o influir en ella: *No se deja gobernar por nadie. Te gobiernas de acuerdo con unas normas morales demasiado rígidas.* **3** Referido a un vehículo, conducirlo o dirigirlo: *El timonel gobierna el barco.* ▌ prnl. **4** *col.* Manejarse o administrarse: *Se gobierna muy mal, a pesar de que lleva varios años viviendo solo.* □ ETIMOL. Del latín *gu-*

bernare (gobernar, conducir). □ MORF. Irreg. → PE[N]SAR.

gobierno s.m. **1** Dirección del funcionamiento d[e] una colectividad. **2** Conjunto de personas y orga[...] nismos que dirigen un Estado, esp. referido al fo[...] mado por el presidente, los vicepresidentes y los m[i] nistros. **3** Lugar o edificio en el que tiene su des[...] pacho y oficinas la persona que gobierna. **4** Conducción o dirección de un vehículo. □ ORTOG[R.] En la acepción 2, se usa mucho como nombre pr[o]pio.

goce s.m. Sentimiento intenso de placer, alegría [o] satisfacción.

godo, da ▌ adj./s. **1** De un antiguo pueblo ge[r]mánico que invadió gran parte del Imperio Roman[o] o relacionado con él. ▌ s. **2** *col.* Persona nacida e[n] la España peninsular. □ USO En la acepción 2, e[s] despectivo.

gofio s.m. Harina tostada de maíz, trigo o cebad[a.] □ ETIMOL. De origen guanche.

[gofre s.m. Dulce en forma rectangular con reliev[e] de rejilla, que se toma caliente. □ ETIMOL. Exten[...] sión del nombre de una marca comercial.

[gogó s.f. **1** Chica que baila en un grupo musica[l] una sala de fiestas o algo semejante para animar a[l] público. **2** ‖ **a gogó**; en abundancia. □ ETIMOL. L[a] acepción 1, del inglés *go-go girl*.

gol s.m. **1** En un deporte, esp. en el fútbol, introducció[n] del balón en la portería. **2** ‖ **[gol average**; −goa[l] **average**. ‖ **[meter un gol** a alguien; *col.* Consegui[r] un triunfo sobre alguien que no lo espera, esp. me[...] diante algún engaño: *No leí bien el contrato y m[e] 'metieron un gol'.* □ ETIMOL. Del inglés *goal*; [...] (meta) *goal average*.

gola s.f. **1** Adorno que se ponía alrededor del cuell[o] y que generalmente estaba hecho de tela plegada [...] rizada. **2** En una armadura, pieza que protegía la gar[...] ganta. ⚔ armadura **3** En arquitectura, moldura qu[e] tiene un perfil ondulado en forma de *S*. □ ETIMOL. Del latín *gula* (garganta).

goleada s.f. En un deporte, esp. en el fútbol, gran can[...] tidad de goles que un equipo marca al otro.

goleador, -a adj./s. Referido esp. a un jugador de fú[t]bol, que marca muchos goles o que tiene facilida[d] para ello.

golear v. En un deporte, esp. en el fútbol, marcar u[n] gol o marcar varios goles: *Nos golearon y ganaro[n] por seis a cero.*

goleta s.f. Embarcación de vela con dos o tres más[...] tiles, ligera y con bordes poco elevados. □ ETIMOL. Del francés *goélette* (golondrina de mar). ⚔ em[...] barcación

golf s.m. Deporte que consiste en introducir una pe[...] queña pelota en unos hoyos muy separados y situa[...] dos correlativos golpeándola con un bastón, y que se juega en un extenso terreno cubierto nor[...] malmente de césped. □ ETIMOL. Del inglés *golf*.

golfante s.m. Golfo o sinvergüenza.

golfear v. Vivir o portarse como un golfo: *¿Cuándo vas a dejar de golfear?*

golfería s.f. Hecho propio de un golfo.

golfista s. Persona que practica el golf, esp. si ést[e] es su profesión. □ MORF. Es de género común: *e[l] golfista, la golfista.*

golfo, fa ▌ adj./s. **1** Referido a una persona, que vive de forma desordenada, que actúa en contra de las normas sociales o que es deshonesta en su compor[...]

tamiento sexual. ∎ s.m. **2** Entrante grande del mar en la tierra entre dos cabos. ∎ s.f. **3** *col.* Prostituta. ☐ ETIMOL. Las acepciones 1 y 3, del antiguo *golfín* (salteador, bribón), y éste de *golfín* (delfín, pez), porque se comparó la aparición brusca de los salteadores con los saltos de los delfines. La acepción 2, del latín *colphus* (ensenada grande), y éste del griego *kólpos* (seno de una persona).

goliardo s.m. En la época medieval, clérigo o estudiante que llevaba una vida desordenada, licenciosa y generalmente vagabunda. ☐ ETIMOL. Del francés antiguo *gouliard*, y éste del latín *gens Goliae* (gente del demonio).

gollería s.f. **1** Comida exquisita y delicada. **[2** *col.* Lo que es innecesario y supone un exceso de delicadeza o de refinamiento. ☐ ETIMOL. De origen incierto.

golletazo s.m. **1** Golpe que se da en el cuello o gollete de una botella para romperla y sacar su contenido. **2** En tauromaquia, estocada que se da en la parte baja del cuello del toro, de forma que penetra el pecho y atraviesa los pulmones.

gollete s.m. **1** Parte superior de la garganta por donde se une a la cabeza. **2** En una vasija, esp. en una botella, cuello o estrechamiento superior. ☐ ETIMOL. Del francés *goulet* (paso estrecho).

golondrina s.f. **1** Pájaro de pico negro y corto, cuerpo negro azulado por encima y blanco por debajo, alas largas y puntiagudas y cola en forma de horquilla, que vive en países de clima templado. ◁ ave **2** Pequeña embarcación con motor que se utiliza para el transporte de pasajeros en trayectos cortos y que generalmente suele llevar un toldo. ☐ ETIMOL. Del latín *hirundo*. ☐ MORF. En la acepción 1, es un sustantivo epiceno: *la golondrina macho, la golondrina hembra*.

golondrino s.m. **1** Cría de la golondrina. **2** Bulto en la axila producido por la inflamación de una glándula sudorípara. ☐ MORF. En la acepción 1, es un sustantivo epiceno: *el golondrino macho, el golondrino hembra*.

golosina s.f. Alimento delicado, generalmente dulce, que se suele comer sin necesidad y sólo para dar gusto al paladar.

goloso, sa ∎ adj. **[1** Muy apetecible o muy codiciable: *No pensaba vender la casa, pero le han hecho una oferta muy 'golosa'.* ∎ adj./s. **2** Aficionado a comer golosinas. ☐ ETIMOL. Del latín *gulosus*. ☐ ORTOGR. Dist. de *guloso*.

golpe s.m. **1** Encuentro brusco y violento de un cuerpo contra otro: *Vi un golpe terrible entre un coche y un camión, pero no hubo heridos. Se dio un golpe contra la mesa.* **2** Efecto producido por este encuentro: *El golpe que me di contra la puerta todavía me duele.* **3** Disgusto o contrariedad repentinos: *La muerte de su padre fue un duro golpe para ellos.* **4** Robo o atraco: *Los ladrones estuvieron dos meses planeando el golpe.* **5** Fuerte impresión o gran sorpresa: *Ese romance va a ser un auténtico golpe para la sociedad.* **6** Ocurrencia graciosa y oportuna en el curso de una conversación: *Parece serio, pero tiene unos golpes buenísimos.* **7** Ataque, acceso o aparición repentina y muy fuerte de algo, esp. de un estado físico o moral: *un golpe de tos.* **8** En algunos deportes, esp. en golf, lanzamiento de la pelota por parte de un jugador: *Empleó tres golpes para llegar al hoyo.* **9** ‖**dar el golpe**; causar sor-

presa o admiración: *Se vistió de una forma tan llamativa que dio el golpe en la fiesta.* ‖**de golpe**; de repente o de una vez: *De golpe me di cuenta de lo ocurrido.* ‖**de golpe y porrazo**; *col.* De forma inesperada o brusca: *De golpe y porrazo se levantó y abandonó el banquete.* ‖**de un golpe**; de una sola vez o en una sola acción: *¿Por qué no invitamos a todos de un golpe y nos evitamos tantas cenas?* ‖**golpe bajo**; **1** En boxeo, el dado por debajo de la cintura. **2** Hecho o dicho malintencionados y no admitidos socialmente, esp. si con ellos se perjudica a alguien: *Tus críticas a mis espaldas han sido un golpe bajo.* ‖**golpe de efecto**; acción inesperada que sorprende o impresiona: *Decir que iba a dimitir fue un golpe de efecto para conseguir el apoyo a su propuesta.* ‖**golpe de Estado**; toma ilegal y por la fuerza del gobierno de un país. ‖**golpe de {fortuna/suerte}**; suceso muy favorable que ocurre de forma repentina: *Sólo con un golpe de suerte podrá pagar las deudas y continuar con su negocio.* ‖**golpe de gracia**; **1** El que se da para rematar al que está gravemente herido: *Dio al caballo el golpe de gracia para evitarle sufrimientos innecesarios.* **2** Lo que completa la desgracia o la ruina de una persona: *El desahucio fue el golpe de gracia para ese desgraciado.* ‖**golpe de mano**; acción violenta, rápida e inesperada que altera una situación en provecho de quien la realiza: *Dio un golpe de mano y logró arrebatarle el negocio.* ‖**golpe de mar**; ola de gran tamaño o muy fuerte que rompe contra un buque, un peñasco o una costa. ‖**golpe de pecho**; gesto de arrepentimiento, esp. el que hace una persona golpeándose el pecho con el puño: *Deja de lamentarte y de darte golpes de pecho, y haz algo para arreglar tu vida.* ‖**[golpe de timón**; cambio de la dirección o de una forma repentina o brusca: *La entrada del nuevo directivo supuso un 'golpe de timón' en la trayectoria de la empresa.* ‖**golpe de vista**; percepción rápida de algo: *El mecánico localizó la avería al primer golpe de vista.* ‖**[golpe franco**; en fútbol, penalización con que se castiga la obstrucción de una jugada en las proximidades del área de penalti, y que permite el tiro directo a gol. ‖**no {dar/pegar} golpe**; *col.* No trabajar nada: *Se pasa el día de cháchara y no da golpe.* ☐ ETIMOL. Del latín *colaphus* (puñetazo).

golpear v. Dar uno o más golpes: *Golpeó la puerta con los nudillos. La vida me ha golpeado duramente.*

golpetazo s.m. Golpe fuerte.

golpetear v. Dar varios golpes poco fuertes: *La lluvia golpeteaba contra los cristales de la ventana.*

golpeteo s.m. Serie de golpes poco fuertes.

golpismo s.m. **1** Actitud favorable al golpe de Estado. **2** Actividad de los que preparan o ejecutan golpes de Estado.

golpista ∎ adj. **1** Del golpe de Estado o relacionado con él. ∎ adj./s. **2** Que participa en un golpe de Estado o que lo apoya. ☐ MORF. 1. Como adjetivo es invariable en género. 2. Como sustantivo es de género común: *el golpista, la golpista.*

[golpiza] s.f. *col.* En zonas del español meridional, paliza.

goma s.f. **1** Sustancia viscosa que se extrae de algunas plantas, y que después de seca es soluble en agua e insoluble en alcohol y éter. **[2** Pegamento líquido, esp. el fabricado a partir de esta sustancia

vegetal. **3** Tira o hilo elástico que se usa generalmente para sujetar cosas: *Lleva la coleta sujeta con
una goma.* [**4** *col.* Manguera. [**5** *col.* Preservativo.
[**6** *col.* En el lenguaje de la droga, hachís de buena
calidad. [**7** En zonas del español meridional, laca. **8**
|| **goma arábiga**; la que se obtiene a partir de una
acacia africana y que se emplea en farmacia y para
la fabricación de pegamentos. || [**de goma**; *col.* Muy
ágil: *Esos gimnastas son 'de goma'.* || [**goma 2**; ex-
plosivo plástico, impermeable e insensible a los gol-
pes y al fuego. || **goma (de borrar)**; utensilio hecho
de caucho o goma elástica que se usa para borrar
la tinta o el lápiz, esp. de un papel; borrador.
|| [**goma de mascar**]; golosina que se mastica pero
no se traga, de sabor agradable; chicle. || **goma
(elástica)**; sustancia elástica, impermeable, resistente a la abrasión y a las corrientes eléctricas, que
se obtiene por procedimientos químicos o a partir
del látex o jugo lechoso de algunas plantas tropicales; caucho. ☐ ETIMOL. Del latín *gumma*. ☐ SINT.
De goma se usa más con los verbos *ser*, *parecer* o
equivalentes.
[**gomaespuma** s.f. Caucho natural o sintético caracterizado por su esponjosidad y elasticidad. ☐
MORF. En la lengua coloquial se usa mucho la forma
abreviada *espuma*.
gomero, ra ∎ adj./s. **1** De la isla canaria de La
Gomera o relacionado con ella. ∎ s.m. **2** En zonas del
español meridional, recolector de caucho. **3** En América,
árbol del caucho.
gomina s.f. Producto cosmético que se usa para fijar el cabello. ☐ ETIMOL. De *goma*. ☐ SEM. Dist. de
brillantina (para dar brillo al cabello).
gomoso, sa adj. Que contiene goma o que se parece a ella.
gónada s.f. Glándula sexual masculina o femenina
que produce los gametos o células sexuales. ☐ ETI-
MOL. Del griego *goné* (generación).
góndola s.f. **1** Embarcación con la popa y la proa
salientes y puntiagudas, movida por un solo remo
colocado generalmente en la popa, y que es característica de la ciudad italiana de Venecia. ⚓ embarcación **2** En el lenguaje comercial, estantería en la
que se sitúan los productos destinados a la comercialización en los establecimientos de venta al público. **3** En zonas del español meridional, autobús. ☐
ETIMOL. Del italiano *gondola*.
gondolero, ra s. Persona que se dedica profesionalmente a conducir una góndola. ☐ MORF. La RAE
registra sólo el masculino.
gong o **gongo** s.m. Instrumento de percusión formado por un disco que, suspendido de un soporte,
resuena fuertemente al ser golpeado por una maza;
batintín. ☐ ETIMOL. Del inglés *gong*, y éste del malayo *gong*. ⚓ percusión
gongorino, na ∎ adj. **1** De Luis de Góngora (poeta español de los siglos XVI y XVII) o con características de sus obras. ∎ adj./s. **2** Partidario o seguidor
del estilo de este poeta.
goniómetro s.m. Instrumento que sirve para medir ángulos. ☐ ETIMOL. Del griego *gonía* (ángulo) y
-metro (medidor).
gonorrea s.f. Flujo mucoso patológico de la uretra.
☐ ETIMOL. Del griego *gonórroia* (flujo seminal), y
éste de *gónos* (esperma) y *rhéo* (yo fluyo).
gorda s.f. Véase **gordo, da**.
gordal adj. Que excede en gordura a las cosas de

su especie: *aceitunas gordales.* ☐ MORF. Invariab.
en género.
[**gordinflas** adj./s. *col.* Gordo. ☐ MORF. 1. Como a
jetivo es invariable en género. 2. Como sustantiv
es de género común: *el 'gordinflas', la 'gordinflas*
3. Invariable en número.
gordinflón, -a adj./s. *col.* Gordo. ☐ USO Tiene u
matiz humorístico.
gordo, da ∎ adj. **1** Grueso, abultado o voluminos
un jersey gordo. **2** Grave, importante o fuera de l
corriente: *un problema gordo.* ∎ adj./s. **3** Referido
una persona o a un animal, que tiene muchas carne
o grasas. ∎ s.m. **4** →**premio gordo**. **5** *col.* Gras
de la carne animal: *Dejó el gordo del filete en e
plato.* ∎ s.f. **6** En zonas del español meridional, tortill
de maíz más gruesa y más pequeña que la comú
7 || **armarse la gorda**; *col.* Organizarse un alb
roto: *Cuando vino el jefe y vio que el trabajo no es
taba hecho, se armó la gorda.* || **caer gordo**; *co
Referido a una persona, resultar antipática: *No sé p
qué, pero me cae gordo.* || [**ni gorda**; *col.* Nada
casi nada: *Sin gafas no veo 'ni gorda'.* ☐ ETIMOL
Del latín *gurdus* (embotado). ☐ MORF. 1. En la acep
ción 3, la RAE sólo lo registra como adjetivo. 2. E
la acepción 6, se usa mucho el diminutivo *gordita*
gordura s.f. **1** Exceso o abundancia de carnes
grasas en una persona o en un animal. [**2** En zon
del español meridional, nata de la leche.
[**gore** (anglicismo) adj. Referido a una película, qu
tiene muchas escenas sangrientas. ☐ PRON. [góre
☐ USO Es un anglicismo innecesario y puede sus
tituirse por una expresión como *sangrienta*.
[**goretex** s.m. Material formado por una mezcla d
microfibras que permite el paso de la transpiració
sin que penetre el agua. ☐ ETIMOL. Extensión d
nombre de una marca comercial.
gorgojo s.m. Insecto coleóptero, con la cabeza ova
lada y prolongada en un pico o una trompa en cuy
extremo se encuentran las mandíbulas, y que se ali
menta de vegetales. ☐ ETIMOL. Del latín *gurgulio*.
gorgorito s.m. *col.* Quiebro que se hace con la vo
en la garganta, esp. al cantar. ☐ ETIMOL. De orige
onomatopéyico. ☐ MORF. Se usa más en plural.
gorgotear v. Referido a un líquido o a un gas, hace
ruido al moverse en el interior de una cavidad: *E
agua de la calefacción gorgotea al pasar por eso
tubos.*
gorgoteo s.m. Ruido producido por un líquido o u
gas al moverse en el interior de una cavidad.
gorigori s.m. *col.* Canto fúnebre de un entierro.
gorila s.m. **1** Mono de estatura semejante a la de
hombre, cuerpo velludo, pies prensiles y patas cor
tas, que no es arborícola y se alimenta de vegetales
⚓ primate **2** *col.* Guardaespaldas. [**3** *col.* En zona
del español meridional, alto jefe militar que intervien
en la política de un país. ☐ ETIMOL. Del griego
gorílla, palabra con la que el viajero cartaginé
Hannón denominó a los miembros de una tribu afri
cana cuyos cuerpos estaban cubiertos de vello. ☐
MORF. En la acepción 1, es un sustantivo epiceno
el gorila macho, el gorila hembra.
gorjear v. Referido a un pájaro o a una persona, hace
quiebros o cambios de voz con la garganta; trinar
Al amanecer, se oye gorjear a los pájaros. ☐ ETIMOL
De *gorja* (garganta).
gorjeo s.m. **1** Quiebro o cambio de voz hecho co

la garganta. **2** Canto o voz de algunos pájaros; trino.

gorra s.f. **1** Prenda de vestir que se usa para cubrir la cabeza, sin copa ni alas, y generalmente con visera. 🔲 sombrero **2** ‖ **[con la gorra**; *col.* Fácilmente o sin esfuerzo: *Esa plaza que hay vacante la sacas tú 'con la gorra'.* ‖ **de gorra**; *col.* Gratis o a costa ajena: *Comí de gorra porque fui a casa de mi hermano.* ‖ **gorra de plato**; la de visera que tiene una parte cilíndrica de poca altura y sobre ella otra más ancha y plana. □ ETIMOL. De origen incierto.

gorrinada o **gorrinería** s.f. **[1** Hecho que causa un perjuicio, esp. si es malintencionado; faena. **2** Lo que está sucio o mal hecho. **3** Lo que se considera indecoroso o contrario a la moral establecida. □ SEM. En las acepciones 2 y 3, es sinónimo de *guarrada.*

gorrino, na ▮ adj./s. **1** Sucio o falto de limpieza. **2** Referido a una persona, que tiene mala intención o carece de escrúpulos. ▮ s. **3** Cerdo, esp. el que no llega a cuatro meses. □ ETIMOL. De origen onomatopéyico. □ SEM. En las acepciones 1 y 2, es sinónimo de *cerdo.*

gorrión, -a s. Pájaro de plumaje pardo o castaño con manchas negras o rojizas, pico fuerte, cónico y algo doblado en la punta, que no emigra en invierno y es muy común en la península Ibérica. □ ETIMOL. De origen incierto. 🔲 ave

gorro s.m. **1** Prenda de vestir que se usa para cubrir y abrigar la cabeza, esp. la que tiene forma redonda y carece de alas y visera. 🔲 sombrero **[2** *col.* En baloncesto, tapón. **3** ‖ **estar hasta el gorro**; *col.* Estar harto o no aguantar más. ‖ **gorro frigio**; el que es semejante al que usaban los frigios y fue considerado como emblema de la libertad por los revolucionarios franceses en 1793.

gorrón, -a adj./s. Referido a una persona, que gorronea. □ ETIMOL. De *vivir de gorra,* por lo mucho que un gorrón saluda, quitándose el sombrero o la gorra.

gorronear v. **[1** Referido a algo ajeno, usarlo o consumirlo para no gastar dinero propio: *'Gorronea' tabaco a los amigos para no comprarse un paquete.* **2** Comer o vivir a costa ajena: *¿Cuándo vas a dejar de gorronear a tus amigos y te vas a poner a trabajar?*

gorronería s.f. Lo que se considera propio de un gorrón.

[gospel (anglicismo) s.m. Estilo musical religioso propio de las comunidades negras estadounidenses. □ PRON. [góspel].

gota ▮ s.f. **1** Partícula de un líquido que adopta una forma parecida a la de una esfera: *gotas de sudor.* **2** *col.* Trozo o cantidad muy pequeñas; pizca: *Para que esté a mi gusto, a la sopa le falta una gota de sal.* **3** Enfermedad producida por un exceso de ácido úrico en el organismo y caracterizada por la inflamación dolorosa de algunas articulaciones. ▮ pl. **4** Sustancia líquida medicinal que se toma o aplica en muy pequeñas cantidades. 🔲 medicamento **5** ‖ **cuatro gotas**; lluvia escasa y breve: *Las cuatro gotas que han caído no han servido para aliviar la sequía.* ‖ **gota a gota**; **1** En medicina, método para administrar lentamente una solución por vía intravenosa: *Para las transfusiones sanguíneas se utiliza el gota a gota.* **2** Aparato para aplicar este método. ‖ **gota fría**; en meteorología, masa de aire muy frío

que provoca el desplazamiento en altura y el enfriamiento del aire cálido, y que causa una gran perturbación atmosférica. ‖ **ni gota**; *col.* Nada: *Sin las gafas no veo ni gota.* ‖ **[ser la gota que colma el vaso** o **ser la última gota**; *col.* Ser lo que colma la paciencia. ‖ **sudar la gota gorda**; *col.* Esforzarse mucho. □ ETIMOL. Del latín *gutta.*

gotear v. **1** Referido a un líquido, caer o dejarlo caer gota a gota: *Puse un barreño para recoger el agua que goteaba del techo. La bolsa está rota y gotea.* **2** Caer gotas pequeñas y espaciadas cuando empieza a llover o cuando deja de hacerlo: *Coge el paraguas, que está empezando a gotear.* □ MORF. En la acepción 2, es unipersonal.

[gotelé s.m. Técnica para pintar paredes que consiste en esparcir pintura espesa sobre ellas para que queden rugosas o granuladas.

goteo s.m. **1** Caída de un líquido gota a gota. **2** Lo que se da o se recibe en pequeñas cantidades y de forma intermitente: *Las reparaciones de este coche viejo son un constante goteo de dinero.*

gotera s.f. **1** Filtración de agua en un techo: *Tenemos una gotera porque la teja está rota.* **2** Grieta por la que se filtra el agua. **3** Señal que deja el agua que se filtra. **4** *col.* Achaque propio de la vejez. □ MORF. La acepción 4 se usa más en plural.

goterón s.m. Gota grande de agua de lluvia.

gótico, ca ▮ adj. **1** De los godos o relacionado con ellos. **2** Del gótico o con rasgos propios de este estilo. **3** Referido esp. a un tipo de letra, que se usaba antiguamente y que tiene formas rectilíneas y angulosas. ▮ s.m. **4** Estilo artístico que se desarrolló en el occidente europeo desde el siglo XII hasta el Renacimiento. **5** Antigua lengua germánica hablada por el pueblo godo. **6** ‖ **gótico {flamígero/florido}**; el del último período, que se caracteriza por la decoración exuberante y por los adornos en forma de llama.

[gouache s.m. →**guache**. □ PRON. [guách], con *ch* suave. □ USO Es un galicismo innecesario.

[gouda (del holandés) s.m. Queso de leche de vaca con forma de rueda y originario de Gouda (ciudad holandesa). □ PRON. [góuda] o [gúda].

[gourmet (galicismo) s. Persona entendida en comida y en vinos. □ PRON. [gurmé]. □ MORF. Es de género común: *el 'gourmet', la 'gourmet'.* □ SEM. Dist. de *gourmand* (comilón).

goyesco, ca adj. **1** De Goya (pintor español de los siglos XVIII y XIX) o relacionado con él. **2** Con las características propias de la pintura de Goya: *Para carnavales me vestiré de maja goyesca.*

gozada s.f. *col.* Goce o placer intensos: *Es una gozada no tener que madrugar mañana.*

gozar v. **1** Sentir placer o alegría; disfrutar: *Se nota que gozas oyendo buena música.* **2** Referido a algo positivo, tenerlo, poseerlo o disfrutarlo: *A pesar de su avanzada edad, goza de una salud envidiable.* **3** Referido a una persona, realizar el acto sexual con ella: *El muy canalla la gozó y la abandonó.* **4** ‖ **gozarla**; *col.* Pasarlo bien o disfrutar: *La gozamos anoche en la fiesta.* □ ORTOGR. La *z* se cambia en *c* delante de *e* →CAZAR. □ SINT. Constr. de la acepción 2: *gozar* DE *algo.*

gozne s.m. Mecanismo metálico articulado que une las hojas de las puertas o de las ventanas al quicio para que se abran y se cierren girando sobre él. □ ETIMOL. Del antiguo *gonce* (pernio, gozne).

gozo ▌ s.m. **1** Sentimiento de placer o de alegría causado por algo agradable o apetecible. ▌ pl. **2** Composición poética que alaba a la Virgen María (madre de Jesucristo) o a los santos, que se divide en coplas, seguidas cada una por un estribillo. □ ETIMOL. Del latín *gaudium* (placer, contento).

gozoso, sa adj. **1** Que siente gozo. **2** Que produce gozo. **3** En la iglesia católica, de determinados episodios de la vida de la Virgen María o relacionado con ellos.

grabación s.f. **1** Recogida e impresión de imágenes, de sonidos o de informaciones, generalmente en un disco o en una cinta magnética. [**2** Disco o cinta magnética que contienen esta impresión.

grabado s.m. **1** Arte o técnica de grabar una imagen o una superficie: *Este artista está experimentando el grabado en materiales plásticos.* **2** Procedimiento para grabar: *En el grabado al agua fuerte, se echa ácido nítrico sobre una lámina.* **3** Estampa que se produce mediante la impresión de láminas grabadas.

grabador, -a ▌ s. **1** Persona que se dedica profesionalmente al grabado. **2** Persona que se dedica profesionalmente a grabar datos, generalmente por procedimientos informáticos. ▌ s.f. **3** Aparato capaz de grabar y de reproducir sonidos en una cinta magnética; magnetofón, magnetófono.

grabar v. **1** Señalar mediante incisiones, o labrar en hueco o en relieve: *Quiere grabar la pulsera con su nombre.* **2** Referido esp. a imágenes, sonidos o informaciones, recogerlos e imprimirlos mediante un disco, una cinta magnética u otro procedimiento para poderlos reproducir: *Este cantante ha grabado ya muchos discos.* **3** Referido esp. a un recuerdo o a un sentimiento, fijarlos profundamente en el ánimo: *Se me ha grabado la imagen del accidente y no consigo quitármela de la cabeza.* □ ETIMOL. Del francés *graver*. □ ORTOGR. Dist. de *gravar*.

gracejo s.m. Gracia al hablar o al escribir. □ ETIMOL. De *gracia*.

gracia ▌ s.f. **1** Lo que resulta divertido o hace reír: *Nadie se ríe de sus gracias, porque es bastante grosero.* **2** Capacidad de divertir, de hacer reír o de sorprender: *Los chistes de este humorista tienen mucha gracia.* **3** En el cristianismo, don gratuito que Dios da a las personas para que puedan alcanzar la gloria. **4** Conjunto de características que hacen agradable a una persona o a las cosas que las poseen: *La gracia y bondad de su carácter le han granjeado muchas amistades.* **5** Garbo, donaire y soltura al hacer algo: *Desde pequeña baila con mucha gracia.* **6** En los rasgos de la cara de una persona, atractivo independiente de la hermosura: *No es guapo, pero tiene cierta gracia.* **7** Lo que resulta molesto e irritante: *Que se nos averiara el coche ayer fue una gracia.* **8** Perdón o indulto de una pena que concede el jefe del Estado o el poder público competente. **9** Beneficio, don o favor que se otorgan sin merecimiento: *Dios me ha dado la gracia de la inteligencia.* **10** Nombre de una persona: *El funcionario de la ventanilla me preguntó cuál era mi gracia.* ▌ pl. **11** Divinidades mitológicas que personificaban la belleza y la armonía físicas y espirituales. □ ETIMOL. Del latín *gratia*, y éste de *gratus* (agradable, agradecido).

gracias interj. **1** Expresión que se usa para expresar agradecimiento. **2** ‖ **dar** {gracias/las gracias};

manifestar agradecimiento por un beneficio recibi do. ‖ **gracias a** algo; por causa de algo que produc(un bien o evita un mal: *Gracias a sus horas de es tudio, aprobó todas las asignaturas.* ‖ **gracias ɑ Dios**; expresión que se usa para indicar alegría po algo que se esperaba con ansia, o alivio al desapa recer un temor o un peligro. □ SEM. Es inadecuado el uso de *gracias a* para referirse a algo que se con sidera negativo: *Murió* {*gracias a > a causa de*} ur infarto.

grácil adj. Delgado, delicado o menudo. □ ETIMOL Del latín *gracilis* (delgado, flaco). □ MORF. Invaria ble en género. □ SEM. Dist. de *gracioso* (con graci o con garbo).

gracilidad s.f. Delgadez o delicadeza.

gracioso, sa ▌ adj. **1** Que tiene gracia. **2** Trata miento honorífico que se da a los reyes de Gran Bretaña (país europeo): *Su Graciosa Majestad pasc revista a las tropas.* ▌ s.m. **3** En el teatro español de los siglos XVI y XVII, personaje que se caracteriza po su ingenio y su socarronería. □ SEM. Dist. de *gráci* (delgado, delicado o menudo). □ USO La acepción 2 se usa más en la expresión *Su Graciosa Majestad.*

grada s.f. **1** Asiento en forma de escalón largo (seguido. **2** En algunos lugares públicos, conjunto de es tos asientos: *las gradas del estadio.* □ ETIMOL. De *grado* (graduación, rango, escalón).

gradación s.f. **1** Disposición o ejecución de algo en grados sucesivos, ascendentes o descendentes. **2** Serie ordenada gradualmente o por grados: *una gradación de grises.* **3** Figura retórica consistente en juntar palabras o frases que van ascendiendo o descendiendo en cuanto a su significado, de modo que cada una de ellas exprese algo más o algo me nos que la anterior. □ ETIMOL. Del latín *gradatio*. □ ORTOGR. Dist. de *graduación.*

gradería s.f. Conjunto o serie de gradas.

graderío s.m. **1** Conjunto de gradas, esp. en un campo de deporte o en una plaza de toros. **2** Público que ocupa este conjunto de gradas.

grado s.m. **1** Voluntad o gusto: *Lo haré encantada y de buen grado.* **2** Cada uno de los estados, valores o calidades que, de menor a mayor, puede tener algo: *una quemadura de tercer grado.* **3** Cada una de las generaciones que marcan el parentesco entre las personas: *Somos primos en segundo grado.* **4** En las enseñanzas secundaria y superior, título que se ob tiene al superar determinados niveles de estudio: *Tiene el grado de licenciado.* **5** En algunas escuelas, cada una de las secciones en las que se agrupan los alumnos según la edad y sus conocimientos: *Los alumnos de segundo grado salen al recreo más tar de.* **6** En un escalafón, grupo constituido por personas de saber o de condiciones similares; jerarquía: *Los tenientes pertenecen al grado de los oficiales.* **7** Cada lugar que este grupo ocupa en el escalafón: *La tropa es el primer grado en la jerarquía militar.* **8** En una ecuación matemática o en un polinomio en for ma racional y entera, exponente más alto de una va riable: *En las ecuaciones de segundo grado el ex ponente más alto es el dos.* **9** Unidad de ángulo pla no que equivale a la nonagésima parte de un ángulo recto: *La circunferencia tiene 360 grados.* **10** En gra mática, forma de expresar la intensidad relativa de los adjetivos: *'Alto' es un adjetivo en grado positivo, frente a 'altísimo', que está en grado superlativo.* **11** ‖ **grado** {centígrado/Celsius}; el de la escala de temperatura que marca con 0 el punto de fusión del hielo y con 100 el punto de ebullición del agua. ‖ **[grado Fahrenheit**; el de la escala de temperatura que marca con 32 el punto de fusión del hielo y con 212 el punto de ebullición del agua. ☐ ETIMOL. La acepción 1, del latín *gratum* (agradecimiento). Las acepciones 2-11, del latín *gradus* (peldaño, graduación, paso, marcha).

graduación s.f. **1** Control del grado o de la calidad que corresponde a algo: *Este mando sirve para la graduación del sonido de la radio.* **2** División u ordenación en grados o estados correlativos: *Sin una adecuada graduación del esfuerzo, no llegarás al final de una carrera tan larga.* **3** Señalización de los grados en que se divide algo, esp. un objeto: *El termómetro es tan viejo que ya no se lee la graduación.* **4** Medición de la calidad o del grado de algo: *graduación de la vista.* **5** Cantidad proporcional de alcohol que contienen las bebidas alcohólicas. **6** Categoría profesional de un militar: *Los oficiales de menor graduación deben saludar a los de graduación mayor.* **7** Obtención de un grado o de un título. ☐ ORTOGR. Dist. de *gradación.*

graduado ‖ **graduado escolar**; título que se obtiene al cursar con éxito los estudios primarios exigidos por la ley.

gradual adj. Por grados o de grado en grado. ☐ MORF. Invariable en género.

graduar v. **1** Dar el grado o la calidad que corresponde: *Gradúa la temperatura del radiador para que haga menos calor.* **2** Dividir u ordenar en grados o estados correlativos: *La entrenadora graduó los ejercicios para que hiciéramos los más suaves al principio y los más fuertes al final.* **3** Dar u obtener un grado o un título: *Graduaron a su padre de comandante. Se graduó en derecho en una famosa universidad extranjera.* **4** Referido esp. a un objeto, señalar los grados en que se divide: *Al graduar el mapa vimos que España está aproximadamente a 42° latitud Norte.* **5** Referido a la calidad o al grado de algo, medirlos o evaluarlos: *La oculista me ha graduado la vista.* ☐ ORTOGR. La *u* lleva tilde en los presentes, excepto en las personas *nosotros* y *vosotros* → ACTUAR.

[graffiti (italianismo) s.m.pl. → **grafito.** ☐ PRON. [grafíti], aunque está muy extendida la pronunciación anglicista [gráfiti]. ☐ MORF. Es un plural italiano, y su singular es *graffito*: incorr. ***un graffiti.**

grafía s.f. Letra o conjunto de letras con que se representa un sonido en la escritura. ☐ ETIMOL. Del griego *graphé* (escritura).

gráfica s.f. Véase **gráfico, ca.**

gráfico, ca ‖ adj. **1** De la escritura y de la imprenta o relacionado con ellas. **2** Referido a la forma de expresarse, que es clara o fácil de comprender. ‖ adj./s. **3** Que se representa por medio de figuras o de signos: *Los organigramas son gráficos que representan la organización jerárquica de una entidad.* ‖ s. **4** Representación de datos numéricos por medio de líneas que hacen visible la relación que guardan entre sí estos datos: *la gráfica de una ecuación.* ☐ETIMOL. Del latín *graphicus*, y éste del griego *graphikós* (referente a la escritura).

grafismo s.m. **1** Conjunto de características gráficas de la letra de una persona. **2** Diseño gráfico o forma de disponer los elementos gráficos de un li-

bro, de un anuncio, o de algo semejante. ☐ ETIMOL. Del griego *grápho* (yo dibujo, escribo).

[grafitero, ra s. Persona que se dedica a hacer pintadas.

grafito s.m. **1** Variedad de carbono cristalizado, compacto, opaco, de color negro y de brillo metálico: *Las minas de los lápices son de grafito.* **2** Letrero o conjunto de letreros murales de carácter popular, escritos o pintados a mano. ☐ ETIMOL. La acepción 1, del griego *grápho* (yo dibujo, escribo). La acepción 2, del italiano *graffito.* ☐ USO En la acepción 2, aunque la RAE sólo registra *grafito*, se usa más el plural italiano *graffiti.*

grafología s.f. Arte y técnica de averiguar las cualidades psicológicas de una persona por su letra. ☐ ETIMOL. Del griego *grápho* (yo escribo) y *-logía* (estudio, ciencia).

grafológico, ca adj. De la grafología o relacionado con esta técnica.

grafólogo, ga s. Persona que se dedica profesionalmente a la grafología.

gragea s.f. Porción pequeña y generalmente redondeada de una sustancia medicinal, que está recubierta de una capa de una sustancia de sabor agradable. ☐ ETIMOL. Del francés *dragée.* 🗲 medicamento

grajilla s.f. Ave parecida a la graja, pero de plumaje negro con la parte posterior de la cabeza gris, y que forma grandes bandadas. ☐ MORF. Es un sustantivo epiceno: *la grajilla macho, la grajilla hembra.*

grajo, ja s. Ave parecida al cuervo, pero de menor tamaño, que tiene el plumaje negro irisado, la cara blancuzca y el pico negro y afilado. ☐ ETIMOL. Del latín *graculus.*

[gramaje s.m. Peso en gramos de un papel por metro cuadrado.

gramatical adj. **1** De la gramática o relacionado con esta ciencia. **2** Que respeta las reglas de la gramática: *'Los niños juegan en el parque' es una oración gramatical.* ☐ MORF. Invariable en género.

gramaticalidad s.f. Cualidad de la oración que se ha formado respetando las reglas de la gramática.

[gramaticalizarse v.prnl. Referido a una expresión, fijar su uso en la lengua: *La interjección 'vaya' es un ejemplo de cómo una forma del verbo 'ir' 'se ha gramaticalizado'.*

gramático, ca ‖ s. **1** Persona que se dedica al estudio de la gramática, esp. si ésta es su profesión. ‖ s.f. **2** Ciencia que estudia los elementos de una lengua y sus combinaciones. **[3** Libro en el que se contienen estos conocimientos de una lengua. **4** Conjunto de normas y de reglas para hablar y escribir correctamente una lengua. **5** Obra en la que se enseña este arte. **6** ‖ **gramática estructural**; modelo gramatical que considera que la lengua es una estructura o un sistema de interrelaciones. ‖ **gramática generativa**; modelo gramatical que trata de generar o producir todas las oraciones posibles y aceptables de un idioma a partir de un número finito de elementos. ‖ **gramática parda**; *col.* Habilidad para desenvolverse en la vida. ‖ **gramática tradicional**; la que recoge las ideas que sobre el lenguaje y su estudio aportaron los griegos y que siguió desarrollándose en los siglos posteriores hasta la primera mitad del siglo XX. ☐ ETIMOL. Del latín *grammaticus*, y éste del griego *grammatikós* (gramático, crítico literario, escritor). ☐ USO *Gramática parda* tiene un matiz despectivo.

gramíneo, a ∎ adj./s.f. **1** Referido a una planta, que tiene el tallo cilíndrico y generalmente hueco, hojas alternas que lo abrazan, flores sencillas en espiga o en panoja, y cuyo fruto tiene un solo cotiledón: *El maíz es una gramínea.* ∎ s.f.pl. **2** En botánica, familia de estas plantas, perteneciente a la clase de las monocotiledóneas. ☐ ETIMOL. Del latín *gramineus*, y éste de *gramen* (hierba, césped).

gramo s.m. En el Sistema Internacional, unidad de masa que equivale a la milésima parte de un kilogramo. ☐ ETIMOL. Del francés *gramme*, y éste del griego *grámma* (peso).

gramófono s.m. Aparato que reproduce las vibraciones de cualquier sonido, inscritas previamente en un disco giratorio. ☐ ETIMOL. Extensión del nombre de una marca comercial.

gramola s.f. **1** Gramófono portátil que lleva la bocina en el interior. **2** Gramófono eléctrico en el que al introducir una moneda se hace sonar el disco seleccionado. ☐ ETIMOL. Es extensión del nombre de una marca comercial.

grampa s.f. En zonas del español meridional, grapa.

gran adj. **1** →**grande**. **2** Referido a un cargo, principal o primero en una jerarquía: *Llegó a ser gran maestre de la orden.* ☐ MORF. 1. En la acepción 1, es apócope de *grande* ante sustantivo singular. 2. Invariable en género.

grana ∎ adj./s.f. **1** De color rojo oscuro. ∎ s.f. **2** Formación y crecimiento del grano de los frutos en algunas plantas: *Con la grana, los campos empiezan a cubrirse de espigas verdes.* **3** Tiempo en el que se produce esta formación y crecimiento del grano. ☐ ETIMOL. Del latín *grana* (semilla de los vegetales), que se aplicó a la *grana de la coscoja*, que es una agalla o bulto producido por un insecto en este tipo de arbusto y del que se extraía una sustancia de color rojo que se usaba para teñir.

granada s.f. Véase **granado, da.**

granadero s.m. **1** Soldado de infantería armado con granadas de mano. **[2** En zonas del español meridional, miembro de un cuerpo especial de la policía.

granadino, na ∎ adj./s. **1** De Granada o relacionado con esta provincia española o con su capital. ∎ s.f. **2** Refresco hecho con zumo de granada. **3** Variedad del cante andaluz propia de la provincia de Granada.

granado, da ∎ adj. **1** Notable, señalado o principal: *En la fiesta estaba lo más granado de la ciudad.* ∎ s.m. **2** Árbol que alcanza los seis metros de altura, con tronco liso y tortuoso, ramas delgadas, hojas brillantes y flores grandes de color rojo. ∎ s.f. **3** Fruto de este árbol, con forma redondeada, de color amarillo rojizo y que encierra numerosos granos comestibles de color rojo. **4** Artefacto explosivo de pequeño tamaño, lleno de pólvora, que dispone de una espoleta o dispositivo para provocar la explosión de la carga. ☐ ETIMOL. La acepción 1, de *granar*. La acepción 2, de *granada*. Las acepciones 3 y 4, del latín *granatum* (fruto con granos).

granar v. Formarse y crecer el grano de los frutos en algunas plantas: *Las espigas de trigo ya empiezan a granar.*

granate ∎ adj./s.m. **1** De color rojo oscuro. ∎ s.m. **2** Mineral de silicato de aluminio y de otros metales

y de colores muy diversos. ☐ ETIMOL. Del provenzal antiguo *granat*. ☐ MORF. Invariable en género.

[grand prix (galicismo) s.m. ‖ Competición deportiva que consiste en una carrera, generalmente de automóviles, motocicletas o caballos. ☐ PRON. [gran pri]. ☐ USO Su uso es innecesario y puede sustituirse por una expresión como *gran premio*.

grande ∎ adj. **1** De mayor tamaño, importancia, cualidad o intensidad que algo de su misma especie: *una casa muy grande; una pena muy grande.* **[2** De dimensiones mayores a las necesarias o convenientes: *Esta falda te queda muy 'grande'.* **[3** col. Referido a una persona, de edad adulta: *Cuando sea 'grande' quiere ser médico'.* ∎ s.m. **4** Persona de elevada jerarquía o nobleza: *Se han reunido los grandes de Europa para decidir sobre el futuro comunitario.* ‖ **a lo grande**; con mucho lujo: *Celebró su aniversario a lo grande.* ‖ **en grande**; col. [Muy bien: *Estas vacaciones lo hemos pasado 'en grande'.* ‖ **grande de de España**; persona que tiene el grado máximo de la nobleza española. ☐ ETIMOL. Del latín *grandis* (grandioso, de edad avanzada). ☐ MORF. Como adjetivo: 1. Invariable en género. 2. Ante sustantivo singular se usa la apócope *gran*. 3. Su comparativo de superioridad es *mayor*. 4. Sus superlativos son *grandísimo* y *máximo*.

grandeza s.f. **1** Importancia en el tamaño, en la intensidad o en la cualidad de algo: *Nadie sabe la grandeza de su fortuna.* **2** Excelencia, elevación o nobleza de espíritu: *Aceptó la derrota con grandeza de ánimo.* **3** Poder y majestad: *La grandeza de su reinado quedó recogida por los cronistas de la época.* **4** Dignidad nobiliaria de grande de España: *Gracias a sus victorias militares accedió a la grandeza.* **5** Conjunto de los grandes de España.

grandilocuencia s.f. **1** Gran capacidad para deleitar, conmover o persuadir mediante el uso eficaz de la palabra. **2** Estilo sublime o muy elevado. ☐ PRON. Incorr. *[grandielocuencia].

grandilocuente adj. Que habla o escribe con grandilocuencia. ☐ ETIMOL. Del latín *grandis* (grande) y *loquens* (que habla). ☐ PRON. Incorr. *[grandielocuente]. ☐ MORF. Invariable en género.

grandiosidad s.f. Grandeza admirable, magnificencia o capacidad que algo tiene para impresionar por sus grandes dimensiones o por sus cualidades.

grandioso, sa adj. Magnífico, o que destaca o impresiona por su tamaño o por sus cualidades.

grandullón, -a adj./s. col. Referido esp. a un muchacho, que está muy crecido para su edad.

granear v. Referido a una materia, esp. a la pólvora, convertirla en grano.

granel ‖ **a granel**; **1** Referido a un producto, sin envase o sin empaquetar. **2** En gran cantidad o en abundancia. ☐ ETIMOL. Del catalán *granell.*

granero s.m. Lugar en el que se guarda el grano.

granítico, ca adj. Del granito o que tiene semejanza con esta roca.

granito s.m. Roca plutónica o consolidada en el interior de la corteza terrestre, que está compuesta fundamentalmente de feldespato, cuarzo y mica. ☐ ETIMOL. Del italiano *granito.*

granívoro, ra adj. Referido a un animal, que se alimenta de grano: *La mayoría de los pájaros son granívoros.* ☐ ETIMOL. Del latín *granivorus*, y éste de *granum* (grano) y *vorare* (comer). ✦ pico

granizado, da ∎ adj./s. **1** Referido a un refresco, que

gratitud

está hecho con hielo picado y alguna bebida, esp. zumo de frutas. ▌ s.f. **2** Caída o precipitación de granizo. **3** Gran número de cosas que caen o se manifiestan de forma continua y abundante: *una granizada de balas*. ☐ USO En la acepción 1, es innecesario el uso del galicismo *frappé*.

granizar v. Caer granizo. ☐ ORTOGR. La *z* se cambia en *c* delante de *e* →CAZAR. ☐ MORF. Es unipersonal.

granizo s.m. Agua congelada que se desprende de las nubes y que cae con fuerza sobre la superficie terrestre en forma de granos de hielo. ☐ ETIMOL. De *grano*.

granja s.f. **1** Finca de campo con una casa y edificios dependientes para la gente y el ganado. ⚓ vivienda **2** Conjunto de instalaciones dedicadas a la cría de animales domésticos. [**3** Establecimiento dedicado a la venta de leche y sus derivados. **4** ‖ **[granja escuela**; la que se utiliza para enseñar y hacer actividades de convivencia en el campo. ☐ ETIMOL. Del francés *grange* (casa de campo, granja).

granjearse v. Referido esp. a un sentimiento ajeno, captarlo, atraerlo o lograrlo: *Con su trabajo se granjeó el respeto de todos*. ☐ ETIMOL. De *granja*.

granjero, ra s. Persona que posee una granja o que cuida de ella.

grano s.m. **1** Semilla y fruto de los cereales y de otras plantas: *El grano del trigo se muele para obtener la harina*. **2** Cada uno de los frutos o semillas que con otros iguales forman un racimo: *Termínate el racimo de uvas y no lo dejes con cuatro granos*. **3** Parte muy pequeña de algo: *un grano de arena*. **4** Bulto muy pequeño que aparece sobre la piel. **5** Cada una de las pequeñas partículas que se aprecian en la masa o en la superficie de algo: *Tienes que lijar más la madera porque aún tiene granos*. **6** ‖ **grano de arena**; ayuda pequeña con la que alguien contribuye a una obra o a un fin determinados: *Yo también aporté mi granito de arena poniendo la mesa*. ‖ **ir al grano**; *col.* Atender a lo fundamental de un asunto sin dar rodeos: *Ve al grano y déjate de rollos*. ☐ ETIMOL. Del latín *granum*.

granuja adj./s. Referido a una persona, que no tiene honradez y que engaña a otra en provecho propio. ☐ ETIMOL. De *grano* (uva desgranada), de ahí *conjunto de personas sin importancia*, y de ahí *pícaro*. ☐ MORF. 1. Como adjetivo es invariable en género. 2. Como sustantivo es de género común: *el granuja, la granuja*. 3. La RAE sólo lo registra como sustantivo.

granujada s.f. Hecho propio de un granuja; granujería.

granujería s.f. **1** Conjunto de granujas. **2** Hecho propio de un granuja; granujada.

granulación s.f. Desmenuzamiento en granos muy pequeños.

granulado, da ▌ adj. **1** Referido a una sustancia, que tiene una masa formada por granos pequeños; granuloso. ▌ s.m. **2** Preparado farmacéutico presentado en forma de granos.

granular ▌ adj. **1** Referido esp. a una sustancia, que está formada por granos o por porciones muy pequeñas. ▌ v. **2** Desmenuzar en granos muy pequeños: *El estaño y el plomo son metales que se pueden granular*. ☐ MORF. Como adjetivo es invariable en género.

gránulo s.m. **1** Grano o bola muy pequeños. **2** Pe-

queña bola de alguna sustancia que aglutina una dosis muy pequeña de medicamento. ☐ ETIMOL. Del latín *granulum*.

granuloso, sa adj. Referido a una sustancia, que tiene una masa formada por granos pequeños; granulado.

grao s.m. Playa que sirve de desembarcadero. ☐ ETIMOL. Del catalán *grau*, y éste del latín *gradus* (peldaño).

grapa s.f. **1** Pieza de metal cuyos dos extremos, doblados y acabados en punta, se clavan y se cierran para unir o sujetar varios objetos. [**2** En zonas del español meridional, aguardiente. ☐ ETIMOL. La acepción 1, del germánico *krappa* (gancho). La acepción 2, del italiano *grappa*.

grapadora s.f. Utensilio que sirve para grapar.

grapar v. Sujetar o unir con grapas: *Grápame estos folios para que no se pierdan*.

[grapo s. Miembro de la organización GRAPO (Grupo de resistencia antifascista primero de octubre). ☐ MORF. Es de género común: *el 'grapo', la 'grapo'*.

grasa s.f. Véase **graso, sa**.

grasiento, ta adj. Con mucha grasa.

graso, sa ▌ adj. **1** Que tiene grasa o que está formado por ella: *Tienes la piel muy grasa*. ▌ s.f. **2** Sustancia orgánica existente en ciertos tejidos animales y vegetales, formada por la combinación de glicerina y algunos ácidos, y que generalmente forma las reservas energéticas de los seres vivos. **3** Sustancia utilizada para engrasar. ☐ ETIMOL. La acepción 1, del latín *crassus* (gordo). Las acepciones 2 y 3, del latín *crassa*, y éste de *crassus* (gordo). ☐ SEM. Dist. de *magro* (con poca grasa).

grasoso, sa adj. Impregnado de grasa.

[gratén s.m. Forma de cocinar un alimento, de manera que su parte superior se recubre con una capa de salsa, de pan rallado o de queso, que se dora en el horno: *Me gustan las pastas al 'gratén'*. ☐ ETIMOL. Del francés *gratin*. ☐ USO Es innecesario el uso del galicismo *gratin*.

gratificación s.f. Lo que se da para agradecer o recompensar algo, esp. un servicio eventual: *gratificación económica*.

gratificador, -a o **[gratificante** adj. Que gratifica. ☐ MORF. *Gratificante* es invariable en género.

gratificar v. **1** Referido a una persona, recompensarla con una gratificación: *Si colaboras en esto, serás generosamente gratificado*. **2** Gustar o complacer: *A tus padres les gratifica que estudies con tanto empeño*. ☐ ETIMOL. Del latín *gratificari* (mostrarse agradable, generoso). ☐ ORTOGR. La *c* se cambia en *qu* delante de *e* →SACAR.

[gratin s.m. →**gratén**. ☐ USO Es un galicismo innecesario.

gratinar v. Referido a un alimento, tostarlo por encima en el horno: *He metido los canelones en el horno para que se gratinen*. ☐ ETIMOL. Del francés *gratiner*.

gratis ▌ adj. [**1** *col.* Que no cuesta dinero; gratuito. ▌ adv. **2** Sin pagar o sin cobrar nada: *Entré gratis al teatro*. ☐ ETIMOL. Del latín *gratis*, y éste de *gratiis* (por las gracias, gratuitamente). ☐ MORF. Como adjetivo es invariable en género y en número. ☐ SINT. Incorr. **de gratis*.

gratitud s.f. Sentimiento que obliga a estimar un

favor o un beneficio que se ha hecho y a corresponder a él de alguna manera; reconocimiento.

grato, ta adj. Que produce gusto o agrado: *Tuvimos una grata conversación.* □ ETIMOL. Del latín *gratus* (agradable, agradecido).

gratuidad s.f. **1** Concesión o uso de algo sin tener que pagar nada por ello: *En todos los países se tiende a la gratuidad de la enseñanza obligatoria.* **2** Falta de base o de fundamento: *Me enfadó la gratuidad de sus críticas.*

gratuito, ta adj. **1** Que no cuesta dinero; gratis. **2** Sin base o sin fundamento: *Eso es una acusación gratuita.* □ ETIMOL. Del latín *gratuitus.*

grava s.f. **1** Conjunto de piedras pequeñas, esp. si proceden de la erosión de otras rocas. **2** Piedra machacada que se utiliza para cubrir y allanar el suelo o para hacer hormigón. □ ETIMOL. Del céltico *grava* (arena gruesa).

gravamen s.m. Carga o impuesto sobre un inmueble o sobre un caudal.

gravar v. Imponer un gravamen o impuesto: *Esta casa está gravada con una fuerte hipoteca.* □ ETIMOL. Del latín *gravare.* □ ORTOGR. Dist. de *agravar* y *grabar.*

grave adj. **1** Que tiene mucha entidad o importancia. **2** Serio o que causa respeto. **3** Referido a una persona, que está muy enferma. **4** Referido a una palabra, que lleva el acento en la penúltima sílaba: '*Toro' y 'ángel' son palabras graves.* **5** Referido a un verso, que termina en palabra acentuada en la penúltima sílaba. **6** Referido esp. a una obra artística o a su estilo, de carácter serio y elevado. **7** Referido a un sonido, a una voz o a un tono musical, que tienen una frecuencia de vibraciones pequeña; bajo. □ ETIMOL. Del latín *gravis* (grave, pesado). □ ORTOGR. Para la acepción 4 →APÉNDICE DE ACENTUACIÓN. □ MORF. Invariable en género. □ SEM. En las acepciones 4 y 5, es sinónimo de *llano* y *paroxítono.*

gravedad s.f. **1** Importancia que algo tiene. **2** Seriedad y compostura en la forma de hablar o de actuar. **3** En física, manifestación de la atracción que ejercen entre sí dos cuerpos con masa, esp. la que ejercen la Tierra y los cuerpos que están sobre su superficie o próximos a ella. □ ETIMOL. Del latín *gravitas.*

gravidez s.f. Embarazo de la mujer.

grávido, da adj. **1** Lleno, cargado o abundante: *El poeta cantaba con el pecho grávido de amor a su dama.* **2** Referido a una mujer, que está embarazada. □ ETIMOL. Del latín *gravidus.* □ USO El uso de la acepción 1 es característico del lenguaje poético y del científico.

gravitación s.f. **1** En física, fenómeno de atracción mutua que ejercen entre sí dos masas separadas por una determinada distancia. **2** Movimiento de un cuerpo por la atracción gravitatoria de otro.

gravitar v. **1** Referido a un cuerpo, esp. a un astro, moverse por la atracción gravitatoria de otro: *La Tierra gravita alrededor del Sol.* **2** Referido a un cuerpo, descansar o hacer fuerza sobre otro: *Todo el peso de la casa gravita sobre los muros de carga.* □ ETIMOL. Del latín *gravitas* (peso).

gravitatorio, ria adj. De la gravitación o relacionado con este fenómeno.

gravoso, sa adj. **1** Que ocasiona mucho gasto: *Mantener a la población de parados resulta gravoso para la economía de un país.* **2** Molesto, pesado o

incómodo: *¿Te importaría hacerme este favor, si no te resulta muy gravoso?* □ ETIMOL. De *grave* (pesado).

graznar v. Referido a algunas aves, dar graznidos o emitir su voz característica: *¿Oyes graznar a los cuervos?* □ ETIMOL. Del latín **gracinare.*

graznido s.m. Voz característica de algunas aves: *Los graznidos de los grajos me resultan muy desagradables.*

greba s.f. En una armadura, pieza que cubre la pierna desde la rodilla hasta el comienzo del pie. □ ETIMOL. Del francés antiguo *greve* (saliente que la tibia forma en la parte anterior de la pierna). 🗡 armadura

greca s.f. Véase **greco, ca.**

greco, ca ▌ adj./s. **1** De Grecia. ▌ s.f. **2** Adorno formado por una franja en la que se repite la misma combinación de elementos decorativos, esp. la compuesta por líneas rectas que vuelven sobre sí mismas y forman ángulos rectos. □ ETIMOL. La acepción 2, de *greco.* □ MORF. Es la forma que adopta *griego* cuando se antepone a una palabra para formar compuestos: *grecolatino, grecorromano.*

grecolatino, na adj. De las culturas griega y latina, o relacionado con ellas.

grecorromano, na adj. De los pueblos griego y romano, o relacionado con ellos.

[green (anglicismo) s.m. En golf, espacio con césped muy cuidado situado alrededor de cada hoyo. □ PRON. [grin].

gregal adj. Agrupado con otros de su misma especie, esp. referido a los animales que viven en rebaño. □ ETIMOL. Del latín *gregalis* (de rebaño). □ MORF. Invariable en género.

gregario, ria ▌ adj. **1** Referido a un animal, que vive en rebaño o en manada. **2** Referido a una persona, que sigue fielmente las ideas e iniciativas ajenas, porque no las tiene propias. ▌ s.m. **3** En ciclismo, corredor encargado de ayudar al jefe de equipo o a otro ciclista de categoría superior a la suya. □ ETIMOL. Del latín *gregarius.*

gregarismo s.m. **1** Tendencia de algunos animales a vivir en sociedad. **2** Seguimiento fiel de las ideas e iniciativas ajenas, porque no se tienen propias.

gregoriano, na ▌ adj. **1** De alguno de los papas llamados Gregorio o relacionado con ellos. ▌ s.m. **2** →**canto gregoriano.** □ MORF. En la acepción 2, la RAE sólo lo registra como adjetivo.

greguería s.f. Agudeza o imagen expresadas brevemente y en prosa, en las que se plasma una visión de la realidad sorprendente y con frecuencia crítica o humorística, y cuyo modelo fue inventado por Ramón Gómez de la Serna (escritor español del siglo XX): '*La pistola es el grifo de la muerte' es una greguería.*

greguescos o **gregüescos** s.m.pl. En los siglos XVI y XVII, prenda de vestir parecida a un pantalón bombacho que llegaba hasta debajo de la rodilla. □ ETIMOL. De *griego,* porque el vestido nacional de los griegos tiene esta forma.

[greifrut s.m. o **[greifruta** s.f. En zonas del español meridional, pomelo. □ ETIMOL. Del inglés *grapefruit.*

grelo s.m. Hoja o brote de la planta del nabo, que se caracteriza por ser tierna y comestible. □ ETIMOL. Del gallego *grelo.*

gremial adj. De un gremio o relacionado con un oficio o profesión. ☐ MORF. Invariable en género.

gremio s.m. **1** Agrupación formada por personas que tienen el mismo oficio o profesión, en sus distintas categorías, y regida por un estatuto especial. **2** Conjunto de personas que están en la misma situación o que tienen la misma profesión o estado social: *Afortunadamente, ya no estoy en el gremio de los parados.* ☐ ETIMOL. Del latín *gremium* (regazo, seno).

greña s.f. **1** Pelo revuelto o mal arreglado. **2** ‖ **andar a la greña**; referido a dos o más personas, reñir o estar siempre en disposición de hacerlo. ☐ ETIMOL. De origen incierto.

greñudo, da adj. Con greñas.

gres s.m. Pasta cerámica de arcilla plástica y arena que contiene cuarzo, con la que se fabrican objetos que, cocidos a temperaturas muy elevadas, son resistentes, impermeables y soportan bien el calor; gresite: *Las baldosas de la cocina son de gres.* ☐ ETIMOL. Del francés *grès* (arenisca). ☐ USO Aunque la RAE sólo registra *gres*, se usa mucho *gresite*.

gresca s.f. Alboroto, riña o discusión. ☐ ETIMOL. Del latín *graeciscus* (griego), porque los griegos de la República romana tuvieron fama de libertinos.

[gresite s.m. →**gres**.

grey s.f. **1** Rebaño o ganado. **2** Conjunto de fieles cristianos agrupados bajo la dirección de un sacerdote. ☐ ETIMOL. Del latín *grex* (rebaño).

grial s.m. Vaso o copa que, según los libros de caballería medievales, sirvió a Jesucristo durante la Última Cena para instituir el sacramento de la eucaristía. ☐ ETIMOL. De origen incierto. ☐ SEM. Se usa más como nombre propio.

griego, ga ‖ adj./s. **1** De Grecia (país europeo), o relacionado con ella; heleno. ‖ s.m. **2** Lengua indoeuropea de este y otros países. **[3** *col.* Coito anal realizado a una mujer. **4** ‖ **(griego) demótico**; modalidad del griego, de origen popular y apartada de la lengua culta, que se ha convertido en lengua oficial de Grecia. ☐ MORF. Cuando se antepone a una palabra para formar compuestos, adopta la forma *greco-*. ☐ SEM. Como adjetivo es sinónimo de *helénico*.

grieta s.f. **1** Abertura larga y estrecha. **[2** Lo que amenaza la estructura o la solidez de algo: *La falta de cohesión puede ser la 'grieta' que inicie la crisis.* ☐ ETIMOL. Del latín **crepta*.

grifa s.f. Marihuana, esp. la de origen marroquí. ☐ ETIMOL. De *grifo* (intoxicado con la marihuana).

grifería s.f. Conjunto de grifos y llaves que sirven para regular el paso del agua.

[grifero, ra s. En zonas del español meridional, empleado de una gasolinera.

grifo s.m. **1** Utensilio o dispositivo que sirve para abrir, cerrar o regular el paso de un líquido contenido en un depósito. **2** Animal fabuloso con cabeza y alas de águila y cuerpo de león. 🔯 mitología **[3** En zonas del español meridional, gasolinera. **4** ‖ **[{cerrar/cortar} el grifo**; *col.* Referido al dinero, dejar de darlo: *Su padre se cansó de comprarles todos los caprichos y decidió 'cerrar el grifo'.* ☐ ETIMOL. Del latín *gryphus*, y éste del griego *grýs* (grifo, animal fabuloso); la acepción 1 se explica por la costumbre de adornar las bocas de agua de las fuentes, con cabezas de personas o de animales.

[grill s.m. **1** →**parrilla**. **2** En algunos hornos, dispo-

sitivo situado en la parte superior para gratinar o dorar los alimentos. ☐ PRON. [gril]. ☐ USO En la acepción 1, es un anglicismo innecesario.

[grilla s.f. Véase **grillo, lla**.

grillarse v.prnl. *col.* Volverse loco o perder el juicio. ☐ ORTOGR. Se admite también *guillarse*.

grillete s.m. Arco de metal casi semicircular, con dos agujeros, uno en cada extremo, por los que se hace pasar una pieza alargada metálica, y que se utilizaba esp. para asegurar una cadena en el tobillo de un presidiario. ☐ ETIMOL. De *grillos* (cadenas para los presos).

grillo, lla ‖ s. **1** Insecto de unos tres centímetros, de color negro rojizo, cabeza redonda y ojos prominentes, cuyo macho, cuando está tranquilo, sacude y roza los élitros o alas interiores produciendo un sonido agudo y monótono. 🔯 insecto ‖ s.m.pl. **2** Conjunto de dos grilletes unidos por una cadena, que se colocaba en los pies de los presidiarios para impedirles andar. ‖ s.f. **[3** *col.* En zonas del español meridional, acuerdo o discusión entre varias personas de un grupo. ☐ ETIMOL. Del latín *gryllus*; la acepción 2 se explica por comparación del ruido metálico que producen los grillos del preso cuando anda, con el ruido agudo del insecto.

grima s.f. **1** Desazón, irritación o disgusto producidos por algo. **[2** Sensación desagradable que se nota en los dientes, esp. cuando se oyen chirridos o cuando se toman sustancias agrias; dentera. ☐ ETIMOL. Quizá del gótico *grimms* (horrible).

gringo, ga s. Persona nacida en los Estados Unidos de América. ☐ ETIMOL. De origen incierto. ☐ USO Es despectivo.

[gripa s.f. En zonas del español meridional, gripe.

gripal adj. De la gripe o relacionado con esta enfermedad. ☐ MORF. Invariable en género.

[gripar v. Referido a un motor, engancharse en alguna de sus piezas internas, generalmente por falta de lubricante: *El motor 'se gripó' y tuve que llevarlo al taller.* ☐ ETIMOL. Del francés *gripper*.

gripe s.f. Enfermedad infecciosa aguda, producida por un virus y cuyos síntomas más frecuentes son la fiebre, el catarro y el malestar generalizado; influenza. ☐ ETIMOL. Del francés *grippe*.

griposo, sa adj. Que padece gripe o que tiene síntomas parecidos a los de esta enfermedad.

gris ‖ adj. **1** Que no destaca ni se distingue: *Es un hombre gris.* **2** Referido al tiempo atmosférico, sin sol, frío o lluvioso: *Me gustan las tardes grises de otoño.* ‖ adj./s.m. **3** Del color que resulta de mezclar el blanco con el negro o el azul. ‖ s.m. **4** *col.* Miembro de la Policía Nacional, cuando ésta llevaba un uniforme de este color. **5** ‖ **(gris) marengo**; el oscuro, cercano al negro. ‖ **gris perla**; el claro, cercano al blanco. ☐ ETIMOL. Quizá del provenzal antiguo *gris*. ☐ MORF. Como adjetivo es invariable en género.

grisáceo, a adj. De color semejante al gris o con tonalidades grises.

grisear v. Tomar un color gris.

[grisoso, sa adj. En zonas del español meridional, grisáceo.

grisú s.m. En una mina de carbón, mezcla de gases, compuesta principalmente por metano, que se desprende espontáneamente y que se inflama al mezclarse con el aire. ☐ ETIMOL. Del francés *grisou*. ☐ MORF. Aunque su plural en la lengua culta es *grisúes*, la RAE admite también *grisús*.

gritar v. **1** Levantar la voz más de lo acostumbrado, esp. si se hace para regañar a alguien o para manifestar desagrado: *No grites, que no soy sorda. No soporto que nadie me grite por algo que no es culpa mía.* **2** Dar uno o varios gritos: *Me asustaron y grité.* □ ETIMOL. Del latín *quiritare.*

griterío s.m. Conjunto de voces altas y desentonadas que producen mucho ruido; vocerío.

grito s.m. **1** Sonido que se emite fuerte y violentamente: *Se asustó y dio un grito enorme. El herido lanzaba gritos de dolor.* **2** Palabra o expresión breve que se emite de esta forma: *Mantuvo siempre el recuerdo del grito de los espectadores diciendo: —¡Bravo, bravo!* **3** ǁ **a grito** {limpio/pelado}; dando voces: *Lo llamamos a grito pelado, pero no nos oyó.* ǁ **el último grito**; lo más moderno o lo último: *Este disco es el último grito en música moderna.* ǁ **pedir a gritos**; necesitar urgentemente: *Esta puerta pide a gritos una mano de pintura.* ǁ **poner el grito en el cielo**; mostrar gran enfado o indignación.

gritón, -a adj./s. *col.* Que grita mucho.

grogui adj. **1** *col.* Atontado o casi dormido. **2** En algunos deportes de combate, esp. en boxeo, tambaleante o aturdido a consecuencia de los golpes. □ ETIMOL. Del inglés *groggy.* □ MORF. Invariable en género.

grosella ǁ adj./s.m. **1** De color rojo vivo. ǁ s.f. **2** Fruto en baya de este color y de sabor agridulce y cuyo jugo es medicinal. □ ETIMOL. Del francés *groseille.* □ MORF. Como adjetivo es invariable en género.

grosellero s.m. Arbusto de tronco abundante en ramas, hojas alternas y divididas en cinco lóbulos con festones en el margen, flores de color amarillo verdoso en racimos y cuyo fruto es la grosella.

grosería s.f. Descortesía o falta de educación o delicadeza.

grosero, ra adj./s. Que es descortés o que no demuestra educación ni delicadeza. □ ETIMOL. De *grueso.*

grosísimo, ma superlat. irreg. de **grueso.** □ MORF. Es la forma culta de *gruesísimo.*

grosor s.m. Anchura o espesor de un cuerpo.

grosso modo (latinismo) ǁ Aproximadamente, a grandes rasgos, o poco más o menos: *Cuéntame grosso modo lo que pasó.* □ SINT. Incorr. *a grosso modo.*

grotesco, ca adj. Que resulta ridículo, extravagante o de mal gusto. □ ETIMOL. Del italiano *grottesco* (adorno que imita lo tosco de las grutas).

[groupie (anglicismo) s.f. Joven admiradora de un grupo o un cantante de rock, a los que sigue incondicionalmente. □ PRON. [grúpi].

grúa s.f. **1** Máquina que consta de una estructura metálica con un brazo del que cuelgan cables y poleas, y que se usa para elevar grandes pesos y transportarlos a distancias cortas. **2** Vehículo automóvil con una estructura similar a la de esta máquina, que se usa para remolcar otros vehículos. □ ETIMOL. Del latín *grua* (grulla), porque se comparó la forma de la grúa con el aspecto de una grulla al levantar el pico del agua.

grueso, sa ǁ adj. **1** Corpulento y abultado, esp. porque tiene muchas carnes o grasas. **2** Que excede de lo normal: *Obtuvo gruesos beneficios.* ǁ s.m. **3** Grosor de una cosa. **4** Parte principal o más importante de un todo: *El grueso del batallón inició la retirada.* **[5** En zonas del español meridional, rudo o grosero. □ ETIMOL. Del latín *grossus.* □ MORF. Sus superlativos son *gruesísimo* y *grosísimo.*

grulla s.f. Ave zancuda de gran tamaño, de pico cónico y prolongado, cuello largo y negro, alas grandes y redondas, cola pequeña y plumaje de color gris, que suele mantenerse sobre un solo pie cuando se posa. □ ETIMOL. De origen incierto. □ MORF. Es un sustantivo epiceno: *la grulla macho, la grulla hembra.*

grumete s.m. Muchacho que aprende el oficio de marinero ayudando a la tripulación en sus faenas. □ ETIMOL. De origen incierto.

grumo s.m. En una masa líquida, parte que se coagula o se hace más compacta. □ ETIMOL. Del latín *grumus* (montoncito de tierra).

grumoso, sa adj. Lleno de grumos.

[grunge (anglicismo) adj./s. Referido esp. a la moda, que es de apariencia pobre y descuidada, pero no es barata. □ PRON. [grúnch], con *ch* suave.

gruñido s.m. **1** Voz característica del cerdo. **2** Voz ronca del perro o de otros animales cuando amenazan. **3** Sonido no articulado y ronco, o palabra que emite una persona como señal de protesta o de mal humor.

gruñir v. **1** Referido a un cerdo, dar gruñidos o emitir su voz característica. **2** Referido esp. a un perro, dar gruñidos o emitir una voz ronca en señal de advertencia. **3** Referido a una persona, mostrar disgusto, quejarse o protestar, esp. si lo hace murmurando entre dientes: *No gruñas tanto y pon buena cara, mujer.* □ ETIMOL. Del latín *grunnire.* □ MORF. Irreg. →PLAÑIR.

gruñón, -a adj./s. *col.* Que gruñe con frecuencia. □ MORF. La RAE sólo lo registra como adjetivo.

grupa s.f. Parte superior y posterior de una caballería. □ ETIMOL. Del francés *croupe.*

grupo s.m. **1** Conjunto de personas, animales o cosas que están o se consideran juntas: *Un grupo de jubilados charlaba en la plaza.* **2** En pintura o escultura, conjunto de figuras. **3** Unidad del ejército compuesta de varios escuadrones o baterías, y mandada generalmente por un comandante. **4** En química, cada una de las columnas del sistema periódico que contiene elementos de propiedades semejantes. **5** ǁ **grupo electrógeno**; conjunto formado por un motor de explosión y un generador de electricidad, que se usa en algunos establecimientos para suplir la falta de corriente procedente de las centrales. ǁ **grupo sanguíneo**; cada uno de los tipos en que se clasifica la sangre en función de los antígenos y de los anticuerpos presentes en los glóbulos rojos sanguíneos. □ ETIMOL. Del italiano *gruppo.*

grupúsculo s.m. Organización, generalmente política, formada por un reducido número de miembros, esp. si son agitadores y radicales.

gruta s.f. En peñas o lugares subterráneos, cavidad natural más o menos profunda. □ ETIMOL. Del napolitano o siciliano *grutta,* éste del latín *crupta,* y éste del griego *krýte* (cripta, bóveda subterránea).

gruyer s.m. Queso suave, de color amarillo pálido y con agujeros en su interior, elaborado con leche de vaca y cuajo triturado, y originario de Gruyère (región suiza).

gua s.m. **1** Juego de las canicas. **2** En el juego de las canicas, hoyo pequeño que se hace en el suelo. □ ETIMOL. De origen incierto.

guacamaya s.f. o **guacamayo** s.m. Ave de origen americano, parecida al papagayo, que se caracteriza por tener una cola muy vistosa y un plumaje de variados y vivos colores. □ MORF. Son sustantivos epicenos: {el guacamayo / la guacamaya} macho, {el guacamayo / la guacamaya} hembra.

guacamole s.m. Ensalada de aguacate molido o picado, con cebolla, tomate y otros ingredientes.

guache s.m. Técnica pictórica que se caracteriza por el empleo de colores que se diluyen en agua sola o en agua mezclada con goma arábiga, miel u otras sustancias, y que son más espesos y más opacos que los de la acuarela; aguada. □ ETIMOL. Del francés gouache. □ PRON. [guach], con ch suave. □ USO Es innecesario el uso del galicismo gouache.

guadalajareño, ña adj./s. De Guadalajara o relacionado con esta provincia española o con su capital.

guadaña s.f. Herramienta formada por un mango largo al que se sujeta una cuchilla curva, larga y puntiaguda por un extremo, y que se utiliza para segar a ras de tierra. ✍ apero

guadarnés s.m. **1** Lugar en el que se guardan las sillas, las guarniciones y otros objetos relacionados con las caballerías. **2** Persona que cuida de estos objetos. □ ETIMOL. De guardar y arnés.

guagua s.f. **1** En zonas del español meridional, autobús. **[2** En zonas del español meridional, bebé.

guajira s.f. Véase **guajiro, ra**.

guajiro, ra ▌ s. **1** Campesino cubano. ▌ s.f. **2** Canto popular de los campesinos cubanos.

guajolote s.m. En zonas del español meridional, pavo.

gualdo, da adj. De color amarillo dorado.

gualdrapa ▌ s. **[1** Referido a una persona, que es descuidado en su aspecto. ▌ s.f. **2** Cobertura larga que cubre y adorna las ancas de las caballerías. □ ETIMOL. De origen incierto. □ MORF. En la acepción 1, es de género común: el 'gualdrapa', la 'gualdrapa'.

guanaco s.m. Mamífero rumiante parecido a la llama pero de mayor tamaño, que vive salvaje en la zona andina suramericana, y cuya lana es muy apreciada. □ MORF. Es un sustantivo epiceno: el guanaco macho, el guanaco hembra.

guanche ▌ adj./s. **1** Del antiguo pueblo que habitaba las islas Canarias cuando fueron conquistadas por los españoles en el siglo XV, o relacionado con ellos. ▌ s.m. **[2** Lengua hablada por este pueblo. □ MORF. 1. En la acepción 1, como adjetivo es invariable en género; como sustantivo es de género común: el guanche, la guanche. 2. En la acepción 1, se usa también la forma de femenino guancha.

guano s.m. **1** Materia formada por la acumulación de excrementos de aves marinas, que se encuentra en gran cantidad en las costas de Perú y del norte de Chile (países suramericanos) y que se usa como abono. **2** Abono mineral fabricado a imitación de esta materia.

guantada s.f. o **guantazo** s.m. **1** Golpe dado con la mano abierta. **[2** col. Golpe fuerte o violento.

guante s.m. **1** Prenda para cubrir o para proteger la mano, que suele tener una funda para cada dedo. **2** ‖**arrojar el guante** a alguien; desafiarlo o provocarlo para que luche o compita. ‖**colgar los guantes**; retirarse de una actividad, esp. del boxeo. ‖**como un guante**; col. Muy dócil u obediente.

‖**[de guante blanco**; referido esp. a un ladrón, que actúa sin violencia y con gran corrección. □ ETIMOL. Del germánico want.

guantelete s.m. En una armadura, pieza que cubre y protege la mano; manopla. □ ETIMOL. Del francés gantelet. ✍ armadura

guantera s.f. En un automóvil, espacio cerrado situado en el salpicadero y que sirve para guardar objetos.

[guaperas adj./s. col. Guapo, esp. si presume de ello. □ MORF. 1. Como adjetivo es invariable en género. 2. Como sustantivo es de género común: el 'guaperas', la 'guaperas'. 3. Invariable en número.

guapetón, -a adj./s. col. Referido a una persona, que es muy guapa.

guapo, pa ▌ adj. **1** Referido a una persona, que es físicamente atractiva o que tiene una cara bella. **2** Bien vestido o arreglado. **[3** col. Bonito, bueno o que resulta interesante. ▌ adj./s. **4** col. Persona decidida y valiente: ¿Quién es el guapo que se atreve a pedirle un aumento al jefe? □ ETIMOL. Del latín vappa (bribón, granuja).

guapura s.f. col. Belleza o buen aspecto físico.

guaraní ▌ adj./s. **1** De un pueblo amerindio suramericano que se extendía, dividido en diferentes grupos, entre el río Amazonas y el Río de la Plata, o relacionado con él. ▌ s.m. **2** Lengua americana de este pueblo, hablada hoy en Paraguay (país americano) y en otras regiones limítrofes. **3** Unidad monetaria paraguaya. □ MORF. 1. En la acepción 1, como adjetivo es invariable en género; como sustantivo es de género común: el guaraní, la guaraní. 2. Aunque su plural en la lengua culta es guaraní, la RAE admite también guaranís.

guarda ▌ s. **1** Persona que tiene a su cargo el cuidado o la conservación de algo. ▌ s.f. **2** Cuidado, conservación o defensa de algo. **3** Autoridad legal que se concede a una persona adulta para que cuide de un menor o de una persona legalmente incapacitada; tutela. **4** En un libro encuadernado, cada una de las dos hojas que se ponen al principio y al final. ✍ libro **5** ‖**guarda jurado**; el que jura su cargo y sus responsabilidades ante la autoridad, pero puede ser contratado por empresas particulares. □ ETIMOL. Quizá del germánico warda (acto de buscar con la vista). □ ORTOGR. Dist. de guardia. □ MORF. 1. En la acepción 1, es de género común: el guarda, la guarda. 2. La acepción 4 se usa más en plural.

guardabarrera s. En las líneas de ferrocarril, persona encargada de la vigilancia de un paso a nivel. □ MORF. Es de género común: el guardabarrera, la guardabarrera.

guardabarros s.m. En algunos vehículos, pieza curva que está situada sobre cada una de sus ruedas para evitar las salpicaduras; aleta. □ MORF. Invariable en número.

guardabosque o **[guardabosques** s. Persona que cuida y vigila los bosques. □ MORF. 1. Aunque la RAE sólo lo registra en masculino, en la lengua actual es de género común: el {guardabosque / 'guardabosques'}, la {guardabosque / 'guardabosques'}. 2. 'Guardabosques' es invariable en número. □ USO Aunque la RAE sólo registra guardabosque, se usa más 'guardabosques'.

guardacoches s. Persona que aparca y vigila los automóviles en un aparcamiento. □ MORF. 1. Aunque la RAE sólo lo registra como masculino, en la lengua actual es de género común: *el guardacoches, la guardacoches.* 2. Invariable en número.

guardacostas s.m. Barco pequeño destinado a la vigilancia de las costas, esp. el dedicado a la persecución del contrabando. ☐ MORF. Invariable en número. 🚢 embarcación

guardaespaldas s. Persona que se dedica profesionalmente a acompañar a otra para protegerla. ☐ MORF. 1. Es de género común: *el guardaespaldas, la guardaespaldas.* 2. Invariable en número.

guardameta s. En algunos deportes de equipo, jugador que debe evitar que el balón entre en la portería; portero. ☐ MORF. 1. Es de género común: *el guardameta, la guardameta.* 2. Se usa mucho la forma abreviada *meta.*

guardamuebles s.m. Local destinado a guardar muebles. ☐ MORF. Invariable en número.

guardapolvo s.m. **1** Prenda de vestir amplia, larga y con mangas, hecha de tela ligera, que se pone sobre el traje para que no se ensucie. **2** Funda con que se cubre algo para evitar que se llene de polvo.

guardar ∎ v. **1** Cuidar, vigilar o defender: *El perro ayuda al pastor a guardar el ganado.* **2** Colocar en un lugar seguro o apropiado: *Guardó el dinero en la caja fuerte.* **3** Conservar o retener: *Guardo un buen recuerdo de ellos.* **4** Referido a algo a lo que se está obligado, cumplirlo o acatarlo: *Todos tenemos que guardar las normas de nuestra comunidad.* **5** Ahorrar o no gastar: *Guarda parte de su asignación semanal para comprarse una moto.* ∎ prnl. **6** Referido a algo que encierra un daño o un peligro, precaverse de ello: *Guárdate de los falsos amigos, porque se traicionarán.* **7** Referido a una acción, dejar de hacerla o evitar su realización: *Me guardaré muy bien de asistir a esa reunión.* **8** ‖**guardársela** a alguien; *col.* Esperar el momento oportuno para vengarse de él: *Ésta se la guardo, y algún día me pagará la faena que me ha hecho.* ☐ ETIMOL. Del germánico *wardon* (montar guardia, aguardar). ☐ SINT. Constr. como pronominal: *guardarse DE algo.*

guardarropa s.m. **1** En un local público, habitación donde se dejan los abrigos y otros objetos. **2** Conjunto de prendas de vestir de una persona.

guardería s.f. Centro en el que se cuida a niños pequeños que aún no están en edad escolar.

guardés, -a s. Persona encargada de guardar una casa o una finca. ☐ SEM. Dist. de *guardia* (persona que pertenece a algún cuerpo encargado de la defensa o de la vigilancia) y de *guardián* (persona que guarda algo y cuida de ello).

guardia ∎ s. **1** Persona que pertenece a alguno de los cuerpos encargados de determinadas funciones de vigilancia o de defensa. ∎ s.f. **2** Cuidado, vigilancia, protección o defensa. **3** Conjunto de personas armadas que se encargan de la defensa o vigilancia de una persona o de un lugar. **4** Cuerpo encargado de determinadas funciones de vigilancia o de defensa. **5** Servicio de defensa o de vigilancia: *Durante la noche haremos guardias para vigilar el campamento.* **6** Servicio especial que se presta fuera del horario de trabajo obligatorio. **7** Postura y actitud de defensa. **8** ‖**bajar la guardia**; descuidar la defensa o la vigilancia. ‖**guardia civil**; cuerpo de seguridad español destinado principalmente a mantener el orden público en las zonas rurales y a vigilar las costas, las fronteras, las carreteras y los ferrocarriles. ‖**guardia de Corps**; la destinada a

proteger al Rey. ‖**guardia marina**; →**guardiamarina**. ‖**[guardia suiza**; la que da escolta al Papa y se ocupa del mantenimiento del orden en la ciudad del Vaticano. ‖**poner en guardia** a alguien; llamarle la atención sobre un posible riesgo o peligro. ‖**[vieja guardia**; en una organización, esp. en un partido político, sector que se aferra a la ideología originaria y se resiste a admitir cambios. ☐ ETIMOL. Del gótico *wardja* (el que monta la guardia, centinela, vigía). ☐ ORTOGR. Dist. de *guarda.* ☐ MORF. 1. En la acepción 1, es de género común y exige concordancia en masculino o en femenino para señalar la diferencia de sexo: *el guardia, la guardia.* 2. En la acepción 1, la RAE sólo lo registra como masculino. 3. El plural de *guardia civil* es *guardias civiles.* ☐ SEM. Dist. de *guardés* (persona encargada de guardar una casa o una finca) y de *guardián* (persona que guarda algo y cuida de ello).

guardiamarina s. Alumno que cursa los dos últimos años en una escuela naval militar. ☐ ORTOGR. Se admite también *guardia marina.* ☐ MORF. 1. Es de género común: *el guardiamarina, la guardiamarina.* 2. La RAE sólo lo registra como masculino.

guardián, -a s. Persona que guarda algo y cuida de ello. ☐ ETIMOL. Del gótico *wardjan,* y éste de *wardja* (centinela, vigía). ☐ SEM. Dist de *guardés* (persona encargada de guardar una casa o una finca) y de *guardia* (persona que pertenece a algún cuerpo encargado de la defensa o de la vigilancia).

guardilla s.f. →**buhardilla**.

guarecer ∎ v. **1** Proteger de un daño o peligro: *La vieja choza nos guareció de la tormenta.* ∎ prnl. **2** Refugiarse en un lugar para librarse de un daño o peligro: *Nos guarecimos en los soportales hasta que pasó la lluvia.* ☐ ETIMOL. Del antiguo *guarir* (resguardar, proteger, curar). ☐ ORTOGR. Dist. de *guarnecer.* ☐ MORF. Irreg. →PARECER.

guarida s.f. **1** Lugar resguardado en el que se refugian los animales. **2** Refugio o lugar oculto al que acude una persona para librarse de un daño o peligro. ☐ ETIMOL. Del antiguo *guarir* (resguardar).

guarismo s.m. **1** Signo con que se representa un número; cifra: *El número 980 está formado por tres guarismos.* **2** Expresión de una cantidad con dos o más de estos signos: *Una docena se expresa numéricamente con el guarismo 12.*

guarnecer v. **1** Poner guarnición: *Guarneció los puños de la blusa con unos encajes.* **2** Referido a un lugar, protegerlo o defenderlo: *La tropa que guarnecía el castillo fue aniquilada por el enemigo.* **3** Referido a una pared, revocarla o revestirla: *Después de poner los ladrillos debes guarnecer la pared con yeso.* ☐ ETIMOL. Del antiguo *guarnir.* ☐ ORTOGR. Dist. de *guarecer.* ☐ MORF. Irreg. →PARECER.

guarnición ∎ s.f. **1** Alimento o conjunto de alimentos que se sirven como complemento con la carne y el pescado. **2** Adorno, esp. el que se pone sobre una prenda de vestir o sobre una colgadura. **3** Tropa que protege o defiende un lugar. **4** En un arma blanca, esp. en una espada, defensa que se pone junto al puño para proteger la mano. ∎ pl. **5** Conjunto de correas y otros objetos que se ponen a las caballerías para que tiren de un carruaje, para montarlas o para cargarlas. ☐ ETIMOL. Del antiguo *guarnir* (guarnecer).

guarrada s.f. **[1** Hecho que causa un perjuicio, esp. si es malintencionado; faena. **2** Lo que está sucio o mal hecho. **3** Lo que se considera indecoroso o contrario a la moral establecida. □ SEM. En las acepciones 2 y 3, es sinónimo de *cerdada, cochina-da, gorrinada, guarrería* y *marranada*.

guarrazo s.m. *col.* Golpe que se da alguien al caer.

guarrear v. [Manchar, ensuciar o hacer guarre-rías: *A todos los niños les encanta jugar 'guarrean-do' con el barro*.

guarrería s.f. **1** →guarrada. **2** Suciedad o basura; porquería.

[guarrindongo, ga adj./s. *col.* Guarro.

guarro, rra ▌ adj./s. **1** *col.* Sucio o falto de limpie-za. **2** *col.* Referido a una persona, que tiene mala in-tención o carece de escrúpulos. **▌** s. **3** Mamífero do-méstico de cuerpo grueso, cola en forma de espiral, patas cortas y cabeza grande con un hocico casi ci-líndrico, que se cría para aprovechar su carne. **4** ‖ **[no tener ni guarra;** *vulg.* No saber absoluta-mente nada. □ ETIMOL. De origen onomatopéyico. □ SEM. En las acepciones 1, 2, y 3, es sinónimo de *cerdo*.

guasa s.f. *col.* Broma, burla o intención burlesca.

guasearse v.prnl. Burlarse o tomarse a guasa: *Me sienta muy mal que se guasee de mi timidez delante de todos*. □ SINT. Constr. *guasearse DE algo*.

guasón, -a adj./s. Que tiene guasa o que es aficio-nado a hacer uso de bromas.

guata s.f. **1** Lámina gruesa de algodón preparada para servir como acolchado o como material de re-lleno. **2** *col.* En zonas del español meridional, barriga. □ ETIMOL. La acepción 1, del árabe *wadd'a* (poner entretela o forro en el vestido).

[guateado, da adj. Que está relleno con guata.

[guatear v. Rellenar con guata: *Voy a 'guatear' esta bata para que me abrigue más*.

guatemalteco, ca adj./s. De Guatemala o rela-cionado con este país centroamericano.

guateque s.m. Fiesta particular, celebrada gene-ralmente en una casa, en la que se come y se baila.

guau interj. [Expresión que se usa para indicar ad-miración o alegría.

guay adj. *col.* [Muy bueno o excelente. □ MORF. In-variable en género y en número. □ SINT. Se usa también como adverbio de modo: *Estas vacaciones lo hemos pasado 'guay'*.

guayaba s.f. Fruto comestible del guayabo, que tiene un tamaño parecido al de una pera, sabor dul-ce y la carne llena de semillas pequeñas.

guayabera s.f. Chaqueta o camisa sueltas y de tela ligera, cuyas faldas suelen llevarse por encima del pantalón.

guayabo s.m. **1** Árbol americano que tiene el tron-co torcido y con muchas ramas, hojas puntiagudas, ásperas y gruesas, y flores blancas y olorosas. **2** Mujer joven y atractiva.

gubernamental adj. **1** Del gobierno del Estado. **2** Partidario del Gobierno o favorecedor del princi-pio de autoridad. □ MORF. Invariable en género.

gubernativo, va adj. Referido esp. a una orden o a una normativa, que proceden del Gobierno.

gubia s.f. Herramienta formada por una barra de hierro acerado, con la punta en bisel, que se utiliza para labrar superficies curvas. □ ETIMOL. Del latín *gubia* (formón).

guedeja s.f. **1** Mechón de pelo. **2** Cabellera larga. **3** Melena del león. □ ETIMOL. Del latín *viticula* (vid

pequeña), que pasó a significar *zarcillo de vid*, y de ahí *tirabuzón o rizo en espiral*.

guepardo s.m. Mamífero felino y carnicero do-mesticable, de pelaje claro con manchas oscuras, que vive en algunos desiertos asiáticos y africanos; gatopardo, onza. □ ETIMOL. Del francés *guépard*. □ MORF. Es un sustantivo epiceno: *el guepardo macho, el guepardo hembra*. 🐾 felino

güero, ra adj. →huero.

guerra s.m. **1** Lucha armada entre naciones o en-tre grupos contrarios. **2** Pugna o lucha, esp. la que se produce entre dos o más personas. **3** ‖ dar gue-rra; *col.* Causar molestia, esp. referido a un niño. ‖ [de antes de la guerra; *col.* Muy antiguo. ‖ gue-rra civil; la que se produce entre los habitantes de un mismo pueblo o nación. ‖ [guerra {de nervios/ psicológica}; la que se desarrolla sin violencia fí-sica entre los adversarios y sólo recurre a procedi-mientos para desmoralizar al contrario. ‖ guerra fría; situación de hostilidad y de tensión entre dos naciones o grupos de naciones, esp. la que surgió entre los bloques capitalista y socialista tras la Segunda Guerra Mundial. ‖ guerra santa; la que se hace por motivos religiosos, esp. la que hacen los musulmanes contra los que no lo son. ‖ guerra sin cuartel; aquella en la que los contendientes están dispuestos a luchar hasta morir. ‖ [guerra sucia; conjunto de acciones violentas que se realizan contra la población civil, sin tener en cuenta el derecho establecido. □ ETI-MOL. Del germánico *werra* (pelea, tumulto).

guerrear v. Hacer la guerra: *Los señores feudales guerreaban unos contra otros*.

guerrera s.f. Véase **guerrero, ra**.

guerrero, ra ▌ adj. **1** De la guerra o relacionado con ella; bélico. **2** *col.* Travieso o revoltoso, esp. re-ferido a un niño. **▌** s. **3** Persona que lucha en la gue-rra. **▌** s.f. **4** Chaqueta ajustada y abrochada desde el cuello que forma parte de algunos uniformes mi-litares.

guerrilla s.f. Grupo de personas armadas no per-tenecientes al ejército que, al mando de un jefe par-ticular y aprovechando su conocimiento del terreno y su facilidad de maniobra, luchan contra el ene-migo mediante ataques por sorpresa.

guerrillero, ra s. Persona que sirve en una gue-rrilla o que es jefe de ella. □ MORF. La RAE sólo registra el masculino.

gueto s.m. [**1** Minoría de personas con un mismo origen, que vive marginada del resto de la sociedad. **2** Barrio en el que vive esta minoría de personas. □ ETIMOL. Del italiano *ghetto*. □ USO Es innecesario el uso del italianismo *ghetto*.

guía ▌ s. Persona que conduce a otras, les mues-tra algo o da explicaciones sobre ello, esp. si está legalmente autorizada para realizar este trabajo. **▌** s.f. **2** Lo que dirige, encamina o sirve de orienta-ción. **3** Tratado en el que se marcan determinadas pautas de comportamiento. **4** Lista impresa de da-tos o noticias referentes a una determinada mate-ria. □ MORF. En la acepción 1, es de género común: *el guía, la guía*. □ SINT. En la acepción 2, se usa mucho en aposición, pospuesto a un sustantivo: *li-bro guía, palabra guía*.

guiar ▌ v. **1** Ir delante mostrando el camino: *La tradición cuenta que una estrella guió a los Reyes Magos hasta el portal de Belén*. **2** Dirigir mediante enseñanzas y consejos: *Siempre me ha guiado el*

buen ejemplo de mis padres. **3** Referido esp. a un vehículo, conducirlo: *Si no sabes guiar una bicicleta de
carreras no la cojas.* ▮ prnl. **4** Dejarse dirigir o llevar: *Es muy intuitiva y se guía por corazonadas.* □
ETIMOL. De origen incierto. □ ORTOGR. La *i* lleva
tilde en los presentes, excepto en las personas *nosotros* y *vosotros* →GUIAR. □ SINT. Constr. como pronominal: *guiarse POR algo.*
guija s.f. **1** Piedra lisa y pequeña que se encuentra
en las orillas y cauces de los ríos. **2** Planta herbácea
con el tallo ramoso, hojas en forma de punta de lanza, flores moradas y blancas, y cuyo fruto es una
legumbre. **3** Fruto o semilla de esta planta. □ ETI-
MOL. De origen incierto. □ SEM. En las acepciones
2 y 3, es sinónimo de *almorta, muela* y *tito.*
guijarro s.m. Piedra pequeña y lisa desgastada por
la erosión.
guillarse v.prnl. **1** *col.* →**grillarse. 2** *col.* Fugarse
o irse: *Dos de los rehenes se guillaron durante la
noche.* □ ETIMOL. De *guiñarse* (irse, huir), con influencia del catalán *esquitllarse* (escabullirse). □
SINT. La acepción 2 se usa mucho en la expresión
guillárselas.
guillotina s.f. **1** Máquina compuesta por una cuchilla que resbala por un armazón de madera, y que
se usaba para cortar la cabeza a los condenados a
muerte. **2** En imprenta, instrumento utilizado para
cortar papel. □ ETIMOL. Del francés *guillotine*, y
éste de *Guillotin*, nombre del inventor de esta máquina.
guillotinar v. **1** Referido a una persona, decapitarla
o cortarle la cabeza con la guillotina: *El rey de
Francia Luis XVI fue guillotinado.* **2** Cortar de forma parecida a como lo hace la guillotina: *Guillotinó
las hojas para que quedaran del mismo tamaño.*
guinche s.m. En zonas del español meridional, grúa. □
ETIMOL. Del inglés *winch.*
guinda s.f. **1** Fruto comestible del guindo, de forma
redonda, pequeño y generalmente de sabor ácido.
[2 *col.* Lo que remata, culmina o colma algo. □ ETI-
MOL. De origen incierto.
guindar v. *col.* [Robar: *Le 'guindó' el reloj mientras
estaba despistado.*
guindilla s.f. **1** Variedad de pimiento, de tamaño
pequeño y muy picante. **2** *col.* Policía municipal. □
USO En la acepción 2, tiene un matiz despectivo o
humorístico.
guindo s.m. **1** Árbol frutal que tiene las hojas dentadas de color oscuro y las flores blancas, y cuyo
fruto es la guinda. **2** ‖ [caerse alguien del guindo;
col. Darse cuenta de lo que sucede.
guinea s.f. Antigua moneda inglesa de oro. □ ETI-
MOL. Del inglés *guinea* (moneda que se hacía con
oro procedente de Guinea).
guineano, na adj./s. De Guinea o relacionado con
este país africano.
guiñapo s.m. **1** Trapo o prenda de vestir rotos, sucios, arrugados o estropeados. **2** Persona débil, enfermiza o decaída moralmente. □ ETIMOL. Del antiguo *gañipo*, con influencia de *harapo.*
guiñar v. **1** Referido a un ojo, cerrarlo brevemente
mientras el otro permanece abierto: *Guiñar el ojo a
otra persona suele ser signo de complicidad.* **[2** Referido a los ojos, cerrarlos ligeramente, esp. por efecto
de la luz o por mala visión: *Ponte las gafas y deja
de 'guiñar' los ojos.* □ ETIMOL. De origen expresivo.
guiño s.m. **1** Cierre breve de un ojo mientras el

otro permanece abierto. **[2** Mensaje que no se expresa claramente.
guiñol s.m. Representación teatral por medio de
muñecos o títeres manejados por una persona que
introduce su mano en el interior de los mismos y
que se oculta tras el escenario. □ ETIMOL. Del francés *guignol.*
guión s.m. **1** Escrito esquemático en el que se
apuntan de forma breve y ordenada algunas ideas
y que sirve como ayuda o como guía para algo, esp.
para desarrollar un tema. **2** Texto que contiene los
diálogos, las indicaciones técnicas y los detalles necesarios para la realización de una película o de un
programa de radio o de televisión. **3** En ortografía,
signo gráfico de puntuación formado por una pequeña raya horizontal que se coloca a la altura del
centro de la letra y que se usa generalmente para
partir palabras al final de un renglón o como separación de fechas o de componentes de palabras
compuestas. □ ETIMOL. Quizá del antiguo francés
guion (el que guía). □ ORTOGR. Para la acepción 3
→APÉNDICE DE SIGNOS DE PUNTUACIÓN.
guionista s. Persona que se dedica a escribir guiones de películas o de programas de radio o televisión, esp. si ésta es su profesión. □ MORF. Es de
género común: *el guionista, la guionista.*
guipar v. *vulg.* Ver o descubrir: *Aunque me hice el
tonto, lo guipé rápidamente.*
[guipur s.m. Tejido de encaje de malla gruesa. □
ETIMOL. Del francés *guipure.*
guipuzcoano, na adj./s. De Guipúzcoa o relacionado con esta provincia española.
guiri s. **[1** *col.* Extranjero. **2** *vulg.* Miembro de la
guardia civil. □ ETIMOL. La acepción 2, del vasco
Guiristino (cristino, partidario de la regente María
Cristina), porque los vascos carlistas consideraban
extranjeros a los españoles cristinos. □ MORF. 1. Es
de género común: *el guiri, la guiri.* 2. La RAE sólo
lo registra como masculino. □ USO Tiene un matiz
despectivo.
guirigay s.m. *col.* Alboroto, lío o follón. □ ETIMOL.
De origen onomatopéyico. □ MORF. Su plural es *gui-
rigáis.*
guirlache s.m. Dulce o pasta comestible hechos
con almendras tostadas y caramelo; crocante. □
ETIMOL. Quizá del francés antiguo *grillage* (manjar
tostado).
guirnalda s.f. Tira hecha con flores, hojas u otras
cosas entretejidas, que se usa como adorno. □ ETI-
MOL. Del antiguo *guirlanda.*
guisa s.f. Modo, manera o semejanza con algo. □
ETIMOL. Del germánico *wisa.*
guisado s.m. Plato preparado generalmente con
trozos de carne, patatas, verduras u otros ingredientes, cocidos y con salsa; guiso.
guisante s.m. **1** Planta trepadora, cuya semilla
está dentro de una vaina, es de forma casi esférica
y muy apreciada para la alimentación humana. **2**
Semilla de esta planta, que es de color verde. □
ETIMOL. Del mozárabe *bissáut*, con influencia de
guisar y de *guija* (almorta).
guisar ▮ v. **1** Referido a un alimento, prepararlo sometiéndolo a la acción del fuego, esp. si se hace cociéndolo en una salsa después de rehogarlo: *Guisa
muy bien la carne. Cuando se pone a guisar, se pasa
toda la mañana en la cocina.* ▮ prnl. **2** Disponer,
preparar u organizar: *Intuyo que aquí se está gui-*

sando un negocio que me interesa. □ ETIMOL. De *guisa* (forma de hacer algo).

guiso s.m. **1** Plato preparado generalmente con trozos de carne, patatas, verduras u otros ingredientes, cocidos y con salsa; guisado. **[2** Modo de cocinar que consiste en añadir una salsa al plato que se está cocinando.

güisqui s.m. →whisky. □ ETIMOL. Del inglés *whisky.*

guita s.f. **1** Cuerda delgada de cáñamo. **2** *vulg.* Dinero. □ ETIMOL. De origen incierto.

guitarra s.f. **1** Instrumento musical de cuerda que se compone de una caja de madera en forma de ocho, con un agujero central y seis cuerdas sujetas a un puente fijo que se prolongan por un brazo o mástil en cuyo extremo superior se sitúan seis clavijas con las que se tensan las cuerdas. **2** ‖**guitarra eléctrica**; aquella en la que la vibración de las cuerdas se recoge y amplifica mediante un equipo electrónico. □ ETIMOL. Del árabe *quitara*, y éste del griego *khitára* (cítara). ⊠ cuerda

guitarreo s.m. Toque de guitarra repetido y monótono.

guitarrista s. Músico que toca la guitarra. □ MORF. Es de género común: *el guitarrista, la guitarrista.*

güito s.m. Hueso más o menos redondeado, esp. el de las aceitunas o el de frutas como el albaricoque.

gula s.f. Exceso en la comida o en la bebida. □ ETIMOL. Del latín *gula* (garganta).

[*gulag] (del ruso) s.m. Campo de concentración soviético. □ PRON. [gulág], con la *g* final suave.

[*gulasch] s.m. Estofado de carne y hortalizas hecho con una especia que le da un sabor muy picante. □ ETIMOL. Del húngaro *gulyás.* □ PRON. [gulách], con *ch* suave.

guloso, sa adj./s. Que tiene gula. □ ORTOGR. Dist. de *goloso.*

gumía s.f. Arma blanca, de hoja ancha, corta y ligeramente curva, muy usada por los moros. □ ETIMOL. Del árabe *kummiyya* (faca, cuchillo de punta curva). ⊠ arma

gurí, sa s. *col.* En zonas del español meridional, niño o muchacho.

guripa s.m. *col.* Soldado o guardia. □ ETIMOL. Quizá de *gura* (la justicia).

gurriato s.m. *col.* Cría del gorrión. □ ETIMOL. De *gorrión.* □ MORF. Es un sustantivo epiceno: *el gurriato macho, el gurriato hembra.*

gurruño s.m. Lo que está arrugado o encogido; burruño. □ ETIMOL. De *gurruñar* (arrugar, encoger).

[*gurú] s.m. **1** Jefe o director espiritual de un grupo religioso de inspiración oriental, esp. si es hinduista. **2** Persona que, en determinadas actividades profesionales, predice lo que va a ocurrir. □ ETIMOL. De origen sánscrito.

[*gusa] s.f. *col.* Hambre.

gusanillo s.m. **1** Hilo, alambre o plástico enrollado en espiral. **2** *col.* Hambre. **[3** *col.* Intranquilidad o desazón.

gusano s.m. **1** Animal de cuerpo alargado, cilíndrico, blando, sin esqueleto ni extremidades, de vida libre o parásito, y que se desplaza contrayendo y estirando el cuerpo: *La tenia y la lombriz son gusanos.* **2** Larva de algunos insectos u oruga de ciertas mariposas. **[3** *col.* Persona despreciable o mala.

4 *col.* Persona insignificante, humilde o abatida. **[5** Espiral de alambre o de plástico que une las hojas de algunos cuadernos. **[6** *col.* En zonas del español meridional, refugiado cubano. **7** ‖**gusano de seda**; oruga de la mariposa de seda. □ ETIMOL. De origen incierto. □ MORF. En las acepciones 1 y 2, es un sustantivo epiceno: *el gusano macho, el gusano hembra.* □ USO En las acepciones 3, 4 y 6, es despectivo.

gusarapo s.m. Animal con forma de gusano que se cría en los líquidos. □ ETIMOL. De origen incierto.

gustar v. **1** Resultar agradable o atractivo, o parecer bien: *La fruta que más me gusta es el melocotón. ¿Te gustaría ir de excursión?* **2** Sentir agrado o afición por algo: *Gusta de leer hasta altas horas de la noche.* **3** Referido esp. a un alimento, probarlo o percibir su sabor: *Gusté una pizca para ver si estaba en su punto.* **4** Probar o experimentar: *Se marchó de casa para gustar emociones fuertes.* □ ETIMOL. Del latín *gustare* (catar, probar). □ SINT. Constr. de la acepción 2: *gustar de algo.* □ SEM. En forma interrogativa se usa como fórmula de cortesía para ofrecer a alguien de lo que se está comiendo o bebiendo.

gustativo, va adj. Del sentido del gusto o relacionado con él.

gustazo s.m. *col.* Satisfacción o placer muy grandes que alguien se da a sí mismo haciendo algo no habitual. □ USO Se usa mucho en la expresión *darse el gustazo.*

gustillo s.m. **1** Ligero sabor que queda en la boca después de comer algo o que acompaña a otro sabor más fuerte. **[2** Sensación o impresión dejadas por algo.

gusto s.m. **1** Sentido corporal que permite percibir y distinguir los sabores. **2** Sabor de las cosas que se percibe a través de este sentido. **3** Placer o deleite que se experimenta con algún motivo o que se recibe de algo. **4** Voluntad, decisión o determinación propias. **5** Forma propia que tiene una persona de apreciar las cosas. **6** Capacidad que tiene alguien para sentir o apreciar lo bello y lo feo. **7** Cualidad que hace bella o fea una cosa. **8** Estilo o tendencia artísticos. **9** ‖**a gusto**; bien, cómodamente o sin problemas. ‖**al gusto**; referido a un alimento, condimentado según la preferencia de quien lo va a consumir. ‖**con mucho gusto**; expresión de cortesía que se usa para acceder a una petición. □ ETIMOL. Del latín *gustus* (acción de catar, sabor de una cosa). □ SEM. La expresión *tanto gusto* se usa mucho como fórmula de cortesía para corresponder a una presentación: *—Tanto gusto, señorita, —dijo el anciano cuando le fui presentada.*

gustoso, sa adj. Referido a una persona, que hace algo con gusto.

gutural adj. **1** De la garganta o relacionado con ella. **2** En lingüística, referido a un sonido, que se articula acercando el dorso de la lengua a la parte posterior del velo del paladar y formando una estrechez por la que pasa el aire espirado: *[g], [j] y [k] son sonidos guturales.* □ ETIMOL. Del latín *guttur* (garganta). □ MORF. Invariable en género.

[*gymkhana] (anglicismo) s.f. Competición o prueba en la que los participantes deben salvar obstáculos y dificultades, esp. la que se realiza con un vehículo automovilístico. □ PRON. [yincána].

H h

h s.f. Octava letra del abecedario. □ PRON. 1. No representa ningún sonido, excepto en algunas palabras extranjeras o de origen extranjero, en las que se aspira: *hippy, hall.* 2. En algunas zonas del español está muy extendida su pronunciación aspirada, aunque la norma culta la rechace.

haba s.f. 1 Planta herbácea anual con tallo de aproximadamente un metro, con hojas de color verde azulado y flores amariposadas blancas o rosáceas. 2 Fruto de esta planta, en forma de vaina grande y aplastada, que se consume como alimento. 3 Semilla de este fruto. 4 ‖ **ser habas contadas**; *col.* 1 Ser escaso o quedar en muy poca cantidad: *Las becas que concedieron eran habas contadas.* col. 2 Ser cierto y claro: *¡O trabajas o te despido, son habas contadas!* □ ETIMOL. Del latín *faba.* □ MORF. Por ser un sustantivo femenino que empieza por *a* tónica o acentuada, va precedido de *el, un, algún, ningún* y de las formas femeninas del resto de los determinantes.

habanero, ra ∎ adj./s. 1 De La Habana (capital cubana), o relacionado con ella. ∎ s.f. 2 Composición musical de compás binario y ritmo cadencioso. 3 Baile que se ejecuta al compás de esta música.

habano s.m. Cigarro puro elaborado en Cuba (isla caribeña). □ ORTOGR. Dist. de *abano.*

hábeas corpus ‖ En derecho, procedimiento por el que todo detenido que se considera ilegalmente privado de libertad solicita ser llevado ante un juez para que éste decida su ingreso en prisión o su puesta en libertad. □ ETIMOL. Del latín *habeas corpus ad subiiciendum* (que tengas el cuerpo de alguien para que comparezca), que es la frase con que comienza el auto de comparecencia.

haber ∎ s.m. 1 Conjunto de posesiones y riquezas; hacienda: *Entre sus haberes destaca una colección de cuadros.* 2 Dinero que se cobra periódicamente por la realización de un trabajo o por la prestación de un servicio: *El abogado recibe sus haberes cada primero de mes.* 3 En una cuenta, parte en la que se apuntan las cantidades o ingresos a favor del titular: *Ya han incluido en mi haber el dinero del premio.* 4 Lista imaginaria donde se lleva cuenta de los aciertos o méritos de alguien: *Tiene en su haber muchas virtudes.* ∎ v. 5 Ocurrir, tener lugar o producirse: *Ayer hubo un apagón en todo el barrio. Hoy hay concierto en el auditorio.* 6 Estar presente o encontrarse: *En la fiesta sólo había veinte personas.* 7 Existir: *Había razones de peso que apoyaban mi decisión. Tiene un genio que no hay quien lo aguante.* 8 poét. Referido a un período de tiempo, haber transcurrido; hacer: *Cinco años ha que dejó estas tierras para no volver.* 9 ‖ **de lo que no hay** o **como hay pocos**; excepcional o con una cualidad, generalmente negativa, en alto grado: *Tiene un hijo de lo que no hay, que siempre lo estropea todo.* ‖ **habérselas con** alguien; tratar o enfrentarse con él: *Si quiere ese puesto, tendrá que habérselas conmigo primero.* ‖ **no haber tal**; no ser cierto: *Me acusa de haberlo engañado, pero no hay tal.* ‖ **no hay de qué**; expresión que se usa para corresponder a un agradecimiento: *Le di las gracias por su regalo y me dijo: 'No hay de qué'.* ‖ **[qué hay**; expresión que se usa como saludo: *¡Hola, 'qué hay'!* ‖ **todo lo habido y por haber**; muchas cosas y de todo tipo: *Me contó lo habido y por haber de su vida.* □ ETIMOL. Las acepciones 1-4, del verbo *haber.* Las acepciones 5-9, del latín *habere* (tener, poseer). □ ORTOGR. Dist. de *a ver.* □ MORF. 1. Las acepciones 1 y 2 se usan más en plural. 2. Excepto cuando actúa como auxiliar, es unipersonal; incorr. {**Hubieron > Hubo*} *muchas personas en la reunión.* {**Habían > Había*} *varios coches aparcados.* 3. Irreg. →HABER. □ SINT. 1. En la perífrasis *haber + participio,* se usa como auxiliar para formar los tiempos compuestos de los verbos correspondientes: *He venido sola.* 2. La perífrasis *haber + de + infinitivo* indica obligación o necesidad: *Has de terminar enseguida.* 3. La perífrasis *haber + que + infinitivo* indica obligación, necesidad o conveniencia; *haber* debe ir en tercera persona del singular: *Hay que tener cuidado al cruzar la calle.* □ SEM. En las acepciones 3 y 4, dist. de *debe* (apunte de las cantidades que debe el titular; lista de los fallos o deudas de alguien). □ USO La acepción 8, fuera del lenguaje poético, se considera un arcaísmo.

habichuela s.f. 1 Planta leguminosa, con tallos delgados de unos tres metros de longitud, hojas grandes compuestas y acorazonadas, flores blancas y fruto en vainas verdes y aplastadas, terminadas en dos puntas. 2 Fruto de esta planta, que es comestible. 3 Semilla de este fruto, que tiene forma de riñón. 4 En zonas del español meridional, judía verde. □ SEM. Es sinónimo de *judía.*

hábil adj. 1 Que tiene capacidad para hacer algo con facilidad: *Es muy hábil en los juegos de cartas.* 2 Que resulta apropiado, útil o adecuado para algo: *Usó una hábil estratagema para engañarnos.* 3 Que es legalmente apto para algo: *Los domingos, las fiestas nacionales y las fiestas comarcales no son días hábiles.* □ ETIMOL. Del latín *habilis* (manejable, bien adaptado, apto). □ MORF. Invariable en género.

habilidad s.f. 1 Capacidad o destreza para hacer algo bien o con facilidad. 2 Lo que alguien realiza con facilidad, gracia y destreza.

habilidoso, sa adj. Que tiene habilidad.

habilitación s.f. 1 Capacitación o adecuación para determinado fin: *Se llevó a cabo la habilitación de unos viejos locales para oficinas.* 2 En derecho, autorización que se concede a una persona para realizar un acto jurídico, otorgándole capacidad de obrar: *Se acordó la habilitación del abogado a petición del cliente ante el juzgado.* 3 Concesión del dinero necesario para determinado fin hecha por la Administración pública: *Se dio luz verde a la habilitación de los créditos necesarios para la construcción de autopistas.* 4 Conversión de un día festivo en laborable a efectos jurídicos, a petición de las partes de los juzgados y tribunales, por razones de urgencia: *Se hizo necesaria la habilitación del día de la fiesta nacional para acabar el juicio.*

habilitado, da s. Persona legalmente autorizada para gestionar y efectuar el pago de cantidades asignadas por el Estado.

habilitar v. 1 Referido a una persona o a una cosa,

hacerla apta o capaz para lo que antes no lo era: *Habilitó ese viejo garaje como sala de juegos.* **2** En derecho, reconocer legalmente apto o capacitar para determinado fin: *Pidió que la habilitaran para su nuevo cargo.* **3** En economía, referido a una cantidad de dinero, darla o concederla la Administración pública para un fin determinado: *Se habilitarán los créditos necesarios para las nuevas viviendas.* □ ETIMOL. De *hábil.*

habiloso, sa adj. *col.* [En zonas del español meridional, despierto e inteligente.

habitabilidad s.f. Capacidad para ser habitado.

habitable adj. Que se puede habitar porque reúne las condiciones necesarias. □ MORF. Invariable en género.

habitación s.f. En una vivienda, cada uno de los espacios o departamentos en que está dividida, esp. los destinados a dormir; cuarto.

habitáculo s. **1** Edificio o lugar destinados a ser habitados. [**2** En un vehículo, parte que ocupan el conductor y los viajeros.

habitante s.m. Individuo que forma parte de la población de un lugar.

habitar v. Referido a un lugar, ocuparlo y hacer vida en él: *El oso habita su cueva durante todo el invierno. Yo habito en un pueblo, pero nací en una ciudad.* □ ETIMOL. Del latín *habitare* (ocupar un lugar, vivir en él).

hábitat s.m. Área geográfica con unas condiciones naturales determinadas y en la que vive una especie animal o vegetal. □ ETIMOL. Del latín *habitat* (habita). □ MORF. Su plural es *hábitats.* □ SEM. Dist. de *biótopo* (área en la que vive una comunidad de varias especies).

hábito s.m. **1** Modo de actuar adquirido por la frecuente práctica de un acto; costumbre: *Tengo el hábito de levantarme temprano.* **2** Facilidad para realizar algo adquirida con la práctica: *Tengo hábito de estudio y no me cuesta concentrarme.* **3** Vestidura característica de los miembros de una corporación, esp. si es una orden religiosa o militar. **4** En medicina, situación de dependencia respecto de ciertas drogas: *Puede ser difícil dejar de fumar porque la nicotina crea hábito.* □ ETIMOL. Del latín *habitus* (manera de ser, aspecto externo, vestido).

habitual adj. Que se hace por hábito o que es frecuente, ordinario o usual. □ MORF. Invariable en género.

habituar v. Acostumbrar o hacer adquirir un hábito: *Mi madre me habituó a dormir siete horas diarias.* □ ETIMOL. Del latín *habituare.* □ ORTOGR. La *u* lleva tilde en los presentes, excepto en las personas *nosotros* y *vosotros* →ACTUAR.

habla s.f. **1** Facultad o capacidad de hablar o de comunicarse con palabras: *El habla nos permite exteriorizar nuestras ideas.* **2** Expresión lingüística del pensamiento o emisión de palabras: *La escritura es la realización escrita del habla.* **3** En lingüística, utilización individual que los hablantes hacen de la lengua. **4** En un sistema lingüístico, variedad propia de una comunidad, caracterizada por determinados rasgos peculiares o diferenciales: *El habla de la zona norte de esta región es distinta del habla de la zona sur.* **5** ‖ **al habla**; expresión que se usa al contestar una llamada telefónica para indicar que se está preparado para escuchar. □ ETIMOL. Del latín *fabula* (conversación, cuento). □ MORF. Por ser un

sustantivo femenino que empieza por *a* tónica o acentuada, va precedido de *el, un, algún, ningún* y de las formas femeninas del resto de los determinantes.

hablador, -a adj./s. Que habla demasiado.

habladuría s.f. Dicho o rumor sin fundamento. □ MORF. Se usa más en plural.

hablante s.m. Persona que habla, esp. referido al usuario de una determinada lengua. □ MORF. Aunque la RAE sólo lo registra como masculino, en la lengua actual es de género común: *el hablante, la hablante.*

hablar v. **1** Pronunciar o decir palabras para comunicarse: *El niño ya habla bastante bien.* **2** Mantener una conversación; conversar: *Hablé con mi madre de ese asunto.* **3** Referido a una lengua, conocerla lo suficiente como para usarla: *Hablo francés, alemán e inglés.* **4** Pronunciar un discurso: *En el mitin de ayer habló la presidenta del partido.* **5** Referido a un asunto, concertarlo o ponerse de acuerdo sobre él: *Antiguamente los padres hablaban las bodas de sus hijos.* **6** Manifestar o expresar una opinión: *A mis amigos y a mí nos encanta hablar de literatura. Me tiene tanta envidia que siempre habla mal de mí.* **7** Dirigir la palabra: *Desde que repartieron la herencia no habla a su hermano. Ya se hablaron a voces.* **8** Comunicarse mediante signos distintos de la palabra: *Los sordomudos hablan con las manos.* **9** Dar a entender algo del modo que sea: *La expresión de su cara habla de su gran paciencia.* **10** [**hablar mal**; decir palabras malsonantes. ‖ **hablar por** alguien; rogar o interceder por él. ‖ **ni hablar**; expresión que se usa para indicar que no se acepta algo. ‖ **no se hable más**; expresión que se usa para dar por terminado un asunto: *No saldrás por la noche, y no se hable más.* □ ETIMOL. Del latín *fabulari* (conversar, hablar). □ SINT. Constr. de la acepción 6: *hablar {DE / SOBRE} algo.*

hablilla s.f. Rumor o mentira que se difunde entre la gente.

habón s.m. Bulto que se forma en la piel a causa de una alergia o de la picadura de un insecto; roncha.

hacedero, ra adj. Que se puede hacer.

hacedor, -a adj./s. Que hace algo, esp. en las religiones cristianas y referido a Dios como creador del mundo. □ USO Como sustantivo, y referido a Dios, se usa como nombre propio.

hacendado, da adj./s. **1** Que tiene fincas y tierras en cantidad. ▮ s.m. **2** En zonas del español meridional, dueño de una hacienda.

hacendista s. Persona especializada en la administración y en la hacienda pública. □ MORF. Es de género común: *el hacendista, la hacendista.*

hacendístico, ca adj. De la hacienda pública o relacionado con ella.

hacendoso, sa adj. Que hace de buena gana y con cuidado las tareas de la casa. □ ETIMOL. De *hacienda.*

hacer ▮ v. **1** Crear o dar existencia: *Según la Biblia, Dios hizo el cielo y las estrellas.* **2** Fabricar, construir o dar forma: *En ese solar harán casas. El carácter se hace ante los problemas.* **3** Componer o formar, esp. referido a un producto de la mente: *El poeta hace versos. No te hagas ilusiones.* **4** Causar o producir: *El zapato le hizo una herida. Sus críticas me hacen daño.* **5** Conseguir, ganar o generar: *Su abue-*

lo hizo una fortuna en América. **6** Ejecutar o llevar a cabo: *Hace lo que quiere.* **7** Disponer, preparar o arreglar: *Yo hago las camas y tú el salón.* **8** Acostumbrar o amoldar: *No consigo hacerme al nuevo horario.* **9** Aparentar o dar a entender: *Hace que trabaja, pero no da ni golpe.* **10** Volver o transformar: *Lo que me dices me hace feliz. El jarrón se cayó y se hizo añicos.* **[11** Referido esp. a una edad, cumplirla: *Pronto 'haré' treinta años.* **[12** Referido a una velocidad, alcanzarla: *Esta moto 'hace' una media de 120 km / h.* **13** Referido a un espectáculo, actuar en él o representarlo: *Hizo una película como protagonista.* **14** Referido a una actividad, esp. a un deporte, dedicarse a ella u practicarla: *Está tan fuerte porque hace pesas. Empezó a hacer teatro en el colegio.* **15** Referido esp. a un curso académico, cursarlo: *Este año hago segundo de inglés.* **16** Referido a una parte del cuerpo, ejercitarla: *Se ha apuntado a un gimnasio para hacer músculos.* **[17** Referido a una distancia o a un camino, recorrerlos: *'Hace' todos los días varios kilómetros para estar en forma.* **[18** Referido a un alimento, cocerlo, asarlo o freírlo: *¿Puedes 'hacer' un poco más la carne?* **19** Referido a una persona, suponerla en las circunstancias o en el estado que se indica: *Yo la hacía en casa, pero llamé y no estaba.* **20** Referido a excrementos, expulsarlos: *Papá, quiero hacer caca.* **21** Actuar o proceder: *Haces bien tomando precauciones.* **[22** Hacer parecer: *Este traje te 'hace' gordo.* **23** Importar o concernir: *Por lo que hace a ese asunto, no tengo más que decir.* **[24** col. Agradar, apetecer o convenir: *¿'Hacen' unas cañitas?* **25** Referido a dos o más cantidades, sumar o dar como resultado: *Tres más dos hacen cinco.* **26** Referido al tiempo atmosférico, presentarse como se indica: *Hace frío. Mañana hará buen día.* **27** Referido a un período de tiempo, haber transcurrido: *Hace años que no nos hablamos.* **28** Seguido de un sustantivo, realizar la acción expresada por éste: *Siempre está haciendo bromas. Los indios hacen señales de humo.* **[29** Seguido de una expresión que reproduce un sonido, emitirlo o producirlo: *El gallo 'hace' 'kikirikí'.* **30** Seguido de un sustantivo con el que se identifica determinado comportamiento, tenerlo o fingirlo: *Estáte quieto y no hagas el bestia. Se hace la sorda, pero se entera de todo.* **[31** Seguido de un numeral, ocupar esa posición dentro de una serie: *'Hace' el décimo de cincuenta.* **[32** Seguido de una expresión de lugar, apartar o retirar hacia él: *El camión 'se hizo' un poco a la derecha para que pudiera adelantarlo.* **[33** Dirigir el cuerpo en una dirección determinada: *'Hazte' para allá para que quepamos todos.* ▮ prnl. **34** Llegar a ser o convertirse: *Se hizo pastor. ¿Un actor nace o se hace?* **35** Referido a un organismo, crecer o desarrollarse: *Con las últimas lluvias, las mieses se harán antes.* **36** ‖**hacer** alguien **de las suyas**; actuar como es propio de él, esp. si lo que hace resulta censurable: *Como me hagas otra de las tuyas, te vas a enterar.* ‖**hacer de menos**; menospreciar: *Ser rico no te da derecho a hacer de menos a nadie.* ‖**hacer de**; seguido de un término que designa un papel o un oficio, desempeñarlos o ejercerlos, esp. con carácter temporal: *Hizo de galán en la última función.* ‖**hacer por** hacer algo; procurarlo o intentarlo: *Haré por llegar a tiempo.* ‖ **[hacer y deshacer**; referido a una persona, obrar según su criterio o su voluntad y sin tener en cuenta otras opiniones: *Desde que es jefa, 'hace y deshace' sin dar explicaciones.*

‖**hacerla (buena)**; col. Realizar algo que se considera perjudicial, equivocable o censurable: *¡Buena la hicimos comprando ese trasto!* ‖**hacerse con** algo; **1** Proveerse de ello o apropiárselo: *Los excursionistas se hicieron con víveres para el camino.* **2** Dominarlo o controlarlo: *No pudo hacerse con el coche y se estrelló.* ‖**hacerse con** alguien; ganarse su admiración o su favor. ‖**hacerse fuerte**; mantenerse o resistir frente a los ataques: *Se hace fuerte en sus decisiones y no hay quien le haga rectificar.* ‖**hacérsele** a alguien algo; en zonas del español meridional, imaginarse algo o suponerlo: *Se me hace que me engaña.* ‖**qué le {voy/vas/...} a hacer**; expresión que se usa para indicar resignación. □ ETIMOL Del latín *facere*. □ MORF. Irreg.: 1. Su participio es *hecho*. 2. →HACER. 3. En las acepciones 23 y 24, es verbo defectivo: sólo se usa en tercera persona y en las formas no personales (infinitivo, gerundio y participio). 4. En las acepciones 26 y 27, es unipersonal; incorr. {**Hacen > Hace*} treinta grados centígrados bajo cero. □ SINT. 1. Seguido de infinitivo o de una oración introducida por *que* indica que el sujeto no realiza la acción por sí mismo sino que ordena o provoca que otros la realicen: *La presidenta hizo desalojar la sala. Hizo que todo estuviera preparado para su llegada.* 2. Incorr. *hacer {*de rabiar > rabiar}.* □ USO El empleo abusivo de las acepciones 2, 3, 4 y 28 en lugar del verbo correspondiente indica pobreza de lenguaje.

hacha s.f. **1** Herramienta formada por un mango al que se sujeta una hoja metálica ancha y fuerte, con corte por uno de sus lados, y que se utiliza generalmente para cortar leña. **2** Vela gruesa de cera con cuatro pabilos, esp. si la mecha es de esparto y alquitrán; hachón. **3** ‖**[desenterrar el hacha de guerra**; col. Declarar abierto un enfrentamiento o una enemistad. ‖**ser un hacha**; col. Destacar o sobresalir en una actividad: *Es un hacha en natación y ha ganado tres medallas.* □ ETIMOL. La acepción 1, del francés *hache*. La acepción 2, del latín *facula* (antorcha pequeña). □ MORF. Por ser un sustantivo femenino que empieza por a tónica o acentuada, va precedido de *el, un, algún, ningún* y de las formas femeninas del resto de los determinantes.

hachazo s.m. **1** Golpe dado con un hacha o corte producido con ésta. **[2** col. En algunos deportes, golpe que un jugador da a un contrario intencionadamente.

hache s.f. **1** Nombre de la letra *h*. **2** ‖**por hache o por be**; col. Por una u otra razón: *Por hache o por be, siempre vamos donde tú dices.* □ MORF. A pesar de ser un sustantivo femenino que empieza por a tónica o acentuada, va precedido de *la, una, ninguna y alguna* y del resto de las formas femeninas de los determinantes.

hachear v. **1** Referido a un madero, rasparlo o labrarlo con el hacha: *El leñador ha hacheado el tronco.* **2** Dar golpes con el hacha: *Lleva todo el día hacheando en el jardín.*

hachís s.f. Sustancia obtenida a partir de las flores del cáñamo índico y que, mezclada con otros productos, se utiliza como estupefaciente: *El hachís es una droga que se fuma.* □ ETIMOL. Del árabe *hasis* (hierba seca). □ PRON. Está muy extendida la pronunciación [hachís], con *h* aspirada. □ MORF. Invariable en número.

hachón s.m. Vela gruesa de cera con cuatro pabi-

los, esp. si la mecha es de esparto y alquitrán; hacha.

hacia prep. **1** Indica la dirección de un movimiento
con respecto al punto de su término; para: *Voy hacia tu casa. Mira hacia la cámara.* **2** Indica tiempo
o lugar aproximado: *Llegaron a casa hacia las seis
de la mañana. Mi casa está hacia allá.* □ ETIMOL.
Del antiguo *faze a* (cara a). □ SINT. Incorr. *hacia
{*bajo > abajo).*

hacienda s.f. **1** Finca agrícola. **2** Conjunto de posesiones y riquezas. [**3** En zonas del español meridional, finca ganadera. **4** En zonas del español meridional,
ganado vacuno. **5** ‖**hacienda pública**; conjunto de
haberes, rentas e impuestos del Estado; erario. □
ETIMOL. Del latín *facienda* (cosas por hacer).

hacinamiento s.m. Aglomeración de un número
de personas o de animales que se considera excesivo
en un mismo lugar.

hacinar v. Amontonar o acumular: *Hacinó la leña
en el cobertizo. En el metro los viajeros se hacinan
en el vagón durante las horas punta.*

[hacker (anglicismo) s. Persona con una afición
desmedida por los ordenadores, que puede llegar a
actuar ilegalmente en programas o sistemas informáticos. □ PRON. [háker], con *h* aspirada. □ MORF.
Es de género común: *el 'hacker', la 'hacker'.*

hada s.f. Ser fantástico con forma de mujer y dotado de poderes mágicos. □ ETIMOL. Del latín *fata*,
y éste de *fatum* (destino). □ MORF. Por ser un sustantivo femenino que empieza por *a* tónica o acentuada, va precedido de *el, un, algún, ningún* y de
las formas femeninas del resto de los determinantes.

hado s.m. *poét.* Destino. □ ETIMOL. Del latín *fatum*
(destino). □ MORF. Se usa más en plural.

[hadopelágico, ca adj. **1** Referido a una zona marina, que tiene una profundidad de cinco mil metros
o más. **2** De esta zona marina o relacionado con
ella.

hafnio s.m. Elemento químico, metálico y sólido, de
número atómico 72, fácilmente deformable y poco
abundante en la corteza terrestre. □ ETIMOL. De
Hafnia (nombre latino de Copenhague), porque el
hafnio se descubrió en este lugar. □ ORTOGR. Su
símbolo es *Hf.*

hagiografía s.f. Historia o relato de la vida de un
santo. □ ETIMOL. Del griego *hágios* (santo) y *-grafía*
(descripción).

hagiográfico, ca adj. De la hagiografía.

[haiga s.f. *vulg.* Coche lujoso y de gran tamaño.

haitiano, na adj./s. De Haití (país centroamericano), o relacionado con él.

hala interj. Expresión que se usa para indicar sorpresa, extrañeza o disgusto, o para dar ánimos. □
ETIMOL. De origen expresivo. □ ORTOGR. 1. Dist. del
sustantivo *ala*. 2. Se admiten también *alá, ale* y
hale.

halagar v. **1** Dar motivo para satisfacer el orgullo
y la vanidad: *Me halaga que vengas desde tan lejos
para verme.* **2** Referido a una persona, adularla o decirle interesadamente cosas que le agraden: *Hala-
gué a mi tía hasta que conseguí que me llevara de
viaje con ella.* □ ETIMOL. Del árabe *jalaqa* (mentir,
pulir una cosa). □ ORTOGR. 1. Dist. de *alagar*. 2. La
g se cambia en *gu* delante de *e* →PAGAR.

halago s.m. **1** Demostración de afecto. **2** Adulación
o alabanza con un fin interesado.

halagüeño, ña adj. **1** Que da motivos de satisfacción: *Son unas perspectivas muy halagüeñas.* **2**
Que lisonjea o adula: *palabras halagüeñas.*

halar v. **1** Referido a un cabo, a una lona o a un remo,
tirar de ellos: *El capitán ordenó halar los cabos de
las velas.* **2** En zonas del español meridional, tirar. □
ETIMOL. Del francés *haler* (tirar algo por medio de
un cabo). □ PRON. La acepción 2 se pronuncia [ja-
lar]. □ ORTOGR. 1. Dist. de *alar*. 2. En la acepción
2, se admite también *jalar.*

halcón s.m. **1** Ave rapaz diurna, de casi un metro
de envergadura, con pico fuerte y curvo y con alas
puntiagudas, que puede ser domesticada para la
caza de cetrería. 🦅 rapaz [**2** Persona que es partidaria de la línea dura en un partido u organismo.
□ ETIMOL. Del latín *falco*. □ MORF. En la acepción
1, es un sustantivo epiceno: *el halcón macho, el halcón hembra.*

hale interj. **1** →**hala**. **2** ‖**[hale hop**; expresión que
se usa para indicar que algo ocurre repentinamente:
*El niño no dejaba de chillar, pero en cuanto saqué
los caramelos, 'hale hop', paró en seco.* □ PRON. [ha-
lehóp], con *h* aspirada.

hálito s.m. **1** Aire que sale de la boca al respirar;
aliento. **2** *poét.* Soplo suave y apacible del aire. □
ETIMOL. Del latín *halitus* (vapor, aliento, respiración).

halitosis s.f. Mal olor del aliento. □ ETIMOL. Del
latín *halitus* (soplo) y *-osis* (enfermedad). □ MORF.
Invariable en número.

[hall s.m. →**vestíbulo**. □ PRON. [hol], con *h* aspirada. □ USO Es un anglicismo innecesario.

hallado, da ‖**bien hallado**; expresión que se usaba para saludar a alguien y manifestarle la alegría
que producía su encuentro: *A mí ¡Bienvenido!, contestó –¡Bien hallado!* □ USO Solía usarse para corresponder al saludo de ¡*bienvenido!*

hallar ‖ v. **1** Referido a algo, encontrarlo o verlo, esp.
si se está buscando: *Hallé el libro debajo de tu
cama. No pararé hasta hallar lo que busco.* **2** Descubrir por medio del ingenio y de la meditación, o
por casualidad: *Los médicos no han hallado el medicamento para acabar con esa enfermedad.* **3** Ver
o notar: *Hallé a tu padre muy cambiado después de
tanto tiempo.* **4** Conocer o entender tras una reflexión: *Por más que pienso en el problema, no lo hallo.*
‖ prnl. **5** Estar o encontrarse: *Me hallo en la mejor
época de mi vida.* **6** ‖**no hallarse** alguien; no encontrarse a gusto: *Aunque lo he intentado todo, en
este trabajo no me hallo.* □ ETIMOL. Del latín *afflare*
(soplar), porque se aplica esp. al perro que rastrea la pieza. □ ORTOGR. Dist. de *haya, hayas, hayan*, etc. (del verbo *haber*).

hallazgo s.m. **1** Descubrimiento, encuentro o averiguación, generalmente de algo que se está buscando: *Comuniqué en comisaría el hallazgo de dos millones de pesetas.* **2** Lo que se descubre o se encuentra, esp. si es muy conveniente: *Los hallazgos
arqueológicos han sido trasladados al museo.*

halo s.m. **1** Fenómeno atmosférico luminoso que a
veces aparece rodeando algunos cuerpos celestes,
esp. la Luna y el Sol; cerco. **2** Resplandor, disco o
círculo luminoso que se representa detrás de la cabeza de las imágenes de los santos; aureola, auréola, corona. **3** Fama o prestigio que rodea a una persona o a un ambiente: *A esa familia la rodea un*

halo maldito. □ ETIMOL. Del latín *halos.* □ SEM. En las acepciones 1 y 2, es sinónimo de *corona.*

halo- Elemento compositivo que significa 'sal'. □ ETIMOL. Del griego *háls.*

halófilo, la adj. En botánica, referido a una planta, que necesita altas concentraciones de sal para vivir. □ ETIMOL. De *halo-* (sal) y *-filo* (aficionado, amigo). □ SEM. Dist. de *halófito* (que puede vivir en terrenos salinos).

halógeno, na adj./s. **1** Referido a un elemento químico, que pertenece al grupo séptimo de la clasificación periódica y que forma sales al combinarse directamente con un metal: *El flúor y el cloro son halógenos.* [**2** Referido a una luz eléctrica, que utiliza uno de estos elementos químicos o que lo contiene en forma de gas. □ ETIMOL. De *halo-* (sal) y el *-geno* (que produce). □ ORTOGR. Dist. de *alógeno.*

[**haltera** ∎ s. **1** *col.* Persona que practica la halterofilia; halterófilo. ∎ s.f. **2** Barra que se usa en halterofilia y a cuyos extremos se acoplan discos de metal de diversos pesos. □ MORF. En la acepción 1, es de género común: *el 'haltera', la 'haltera'.*

halterofilia s.f. Deporte que consiste en el levantamiento de unos pesos dispuestos de forma equilibrada a ambos lados de una barra. □ ETIMOL. Del griego *altéres* (pesos de plomo en los extremos de una barra) y *-filia* (afición, gusto).

[**halterófilo, la** ∎ adj. **1** De la halterofilia o relacionado con este deporte. ∎ s. **2** Persona que practica la halterofilia; haltera.

hamaca s.f. **1** Rectángulo de red o de tela resistentes que, colgado de sus extremos, se utiliza como cama o como columpio. **2** Asiento que consta de un armazón graduable, generalmente en tijera, en el que se sujeta una tela que sirve de asiento y de respaldo.

hambre s.f. **1** Sensación producida por la necesidad de comer. **2** Escasez de alimentos esenciales: *Hay que buscar soluciones para paliar el hambre en el mundo.* **3** Deseo intenso de algo: *Su hambre de libertad hizo que se escapara de allí.* **4** ‖**hambre canina**; ganas de comer exageradas. ‖**más listo que el hambre**; *col.* Muy listo. □ ETIMOL. Del latín **famen.* □ MORF. Por ser un sustantivo femenino que empieza por *a* tónica o acentuada, va precedido de *el, un, algún, ningún* y de las formas femeninas del resto de los determinantes. 2. Incorr. su uso como masculino: *Pasamos {*mucho > mucha} hambre.*

hambrear v. [En zonas del español meridional, referido a una persona, explotarla.

hambriento, ta adj./s. Con hambre, deseo o necesidad de algo.

hambrón, -a adj./s. *col.* Muy hambriento.

hambruna s.f. Hambre o escasez de alimentos generalizadas.

hamburguesa s.f. **1** Filete de carne picada y forma redondeada. [**2** Bocadillo hecho con un pan redondo y muy blando, generalmente relleno con esta carne. □ ETIMOL. Del inglés americano *hamburger.*

[**hamburguesera** s.f. Electrodoméstico que sirve para hacer hamburguesas.

hamburguesería s.f. Establecimiento en el que se sirven hamburguesas y otro tipo de comida rápida. □ USO Es innecesario el uso del anglicismo *burger.*

hampa s.f. Conjunto de maleantes, pícaros y rufianes que viven al margen de la ley o que se dedican a cometer delitos. □ ETIMOL. De origen incierto. □ MORF. Por ser un sustantivo femenino que empieza por *a* tónica o acentuada, va precedido de *el, un, algún, ningún* y de las formas femeninas del resto de los determinantes.

hampón ∎ adj. **1** Que muestra valentía o bravura sin tenerlas. ∎ adj./s.m. **2** Que vive al margen de la ley. □ ETIMOL. De *hampa.* □ USO Tiene una matiz despectivo.

[**hámster** s.m. Mamífero roedor parecido a un ratón, pero de cuerpo macizo, rechoncho y con la cola corta, que se suele utilizar como animal de laboratorio. □ ETIMOL. Del alemán *Hamster.* □ PRON. [hámster], con *h* aspirada. □ ORTOGR. Dist. de *gángster.* □ MORF. Es un sustantivo epiceno: *el 'hámster' macho, el 'hámster' hembra.* 🐹 roedor

[**handicap** (anglicismo) s.m. **1** →**obstáculo.** **2** Prueba deportiva, esp. si es hípica, en la que algunos participantes reciben una ventaja para igualar las condiciones de la competición. □ PRON. [hándicap], con *h* aspirada. □ USO En la acepción 1, su uso es innecesario.

hangar (galicismo) s.m. Cobertizo grande, generalmente utilizado para guardar, revisar o reparar aviones. □ PRON. Incorr. **[hángar].*

haploide adj. Referido a un organismo o a su fase de desarrollo, que tiene una dotación simple de cromosomas. □ ETIMOL. Del griego *haplûs* (simple) y *-oide* (relación, semejanza). □ MORF. Invariable en género.

[**happening** (anglicismo) s.m. Manifestación, generalmente artística, en forma de espectáculo y caracterizada por la participación espontánea de los asistentes. □ PRON. [hápenin], con *h* aspirada.

[**happy hour** (anglicismo) ‖Hora durante la que se ofrece gratis la segunda consumición en un bar. □ PRON. [hápi áuer], con *h* aspirada. □ USO Su uso es innecesario y puede sustituirse por una expresión como *hora feliz.*

haragán, -a adj./s. Que evita trabajar y pasa el tiempo sin hacer nada que se considere provechoso. □ ETIMOL. De origen incierto.

haraganear v. Dejar pasar el tiempo sin hacer nada que se considere provechoso y evitando trabajar: *No estudia nada y está todo el día haraganeando.*

haraganería s.f. Actitud del que evita el trabajo o no hace nada que se considere provechoso.

[**harakiri** (del japonés) s.m. →**haraquiri.** □ PRON. [arakíri].

harapiento, ta adj./s. Lleno de harapos. □ MORF. La RAE sólo lo registra como adjetivo.

harapo s.m. Trozo desgarrado de ropa muy usado y muy viejo; andrajo. □ ETIMOL. Del antiguo *harpar* (desgarrar).

haraposo, sa adj. Andrajoso o lleno de harapos.

haraquiri s.m. Suicidio ritual de origen japonés que consiste en abrirse el vientre con algo cortante. □ ETIMOL. Del japonés *hara-kiri.* □ PRON. Incorr. **[jaraquiri].* □ ORTOGR. Aunque la RAE sólo registra *haraquiri,* se usa también *harakiri.*

[**hardware** (anglicismo) s.m. Conjunto de elementos físicos que constituyen un equipo informático. □ PRON. [hárdgüer], con *h* aspirada y con la *e* muy abierta.

[**harekrisna** (del sánscrito) s. Persona que sigue el

Hare Krisna (doctrina religiosa de origen hinduista que se basa en la invocación a Krisna, séptimo avatar o encarnación del dios Visnú). □ PRON. [harecrísna], con *h* aspirada. □ MORF. Es de género común: *el 'harekrisna', la 'harekrisna'*.

harem o **harén** s.m. **1** En la cultura musulmana, conjunto de mujeres que viven bajo la dependencia de un mismo jefe de familia. **2** En las viviendas musulmanas, parte reservada a las mujeres; serrallo. □ ETIMOL. Del árabe *harim* (lugar vedado, gineceo).

harina s.f. **1** Polvo que resulta de moler el trigo u otras semillas. **2** Polvo al que quedan reducidas algunas materias sólidas: *La harina de pescado se utiliza en la alimentación animal.* **3** ‖**estar metido en harina**; col. Estar entregado o dedicado a un asunto por completo. ‖**ser** algo **harina de otro costal**; col. Ser muy distinto o resultar ajeno al asunto que se trata: *Ahora no me hables de eso, que es harina de otro costal.* □ ETIMOL. Del latín *farina*.

harinoso, sa adj. **1** Que tiene mucha harina. **2** Con características propias de la harina.

harmonía s.f. →armonía.

harmónico, ca adj. →armónico.

harmonio s.m. →armonio.

harmonioso, sa adj. →armonioso.

harnero s.m. Utensilio formado por un aro de madera al que se fijan un cuero o una plancha metálica agujereados o una malla metálica, y que se utiliza para cribar o limpiar de impurezas el trigo u otras semillas o para separar las partes menudas de las gruesas; criba. □ ETIMOL. Del latín *cribum farinarium* (cribo de harina). ⚒ apero

harpa s.f. →arpa.

harpía s.f. →arpía.

harpillera s.f. →arpillera.

harre interj. →arre.

hartar v. **1** Saciar en exceso el hambre o la sed: *El perro está tumbado porque lo han hartado de comida. Beberé agua hasta hartarme.* **2** Referido esp. a un deseo, saciarlo o satisfacerlo por completo: *Dijo que le gustaba el campo y lo han hartado de paseos. Es incansable y no se harta de bailar.* **3** Molestar, cansar o aburrir: *Creo que tus mimos hartan al gato. Ya me he hartado de prestarte dinero.* **4** Dar o recibir en abundancia: *Han hartado al animalito de besos. El día de mi cumpleaños me hartaron de libros.* □ SINT. 1. En la acepción 4, aunque la RAE sólo lo registra como verbo transitivo, en la lengua actual se usa también como pronominal. 2. Constr. *hartar* DE *algo*.

hartazgo o **hartazón** s.m. Satisfacción completa o excesiva, esp. de un deseo o de una necesidad, que suele causar molestias, cansancio o aburrimiento; hartón, hartura. □ USO *Hartazón* es el término menos usual.

harto, ta adj. **1** Bastante, sobrado o grande: *Tengo hartos motivos para protestar.* **2** Molesto, cansado o aburrido en exceso: *Estoy harta de hacer siempre lo mismo.* □ ETIMOL. Del latín *fartus* (relleno).

harto adv. Muy o bastante.

hartón s.m. col. →hartazgo.

hartura s.f. **1** →hartazgo. **2** Abundancia excesiva.

hasta ‖ prep. **1** Indica el término o el límite de lugares, acciones, cantidades y tiempo: *Fui hasta la puerta de la iglesia. Me puedo gastar hasta mil pesetas.* **[2** Indica que el dato que a continuación se aporta se considera sorprendente; incluso: *'Hasta*

mi padre se divierte con este juego. ‖ conj. **3** Seguida de *cuando* o de un gerundio, enlace gramatical coordinante copulativo con valor incluyente: *Habla hasta durmiendo. Trabaja hasta cuando está de vacaciones.* **4** Seguida de *que*, enlace gramatical coordinante copulativo con valor excluyente: *El bebé llora hasta que come.* **5** ‖**hasta** {**ahora/después/luego**}; expresión que se usa como despedida si la ausencia va a ser breve: *Cuando se fue a comprar el periódico dijo:* −*Hasta ahora.* ‖**hasta** {**más ver/otra**}; expresión que se usa como despedida de alguien a quien se espera volver a ver: *Me lo pasé tan bien con ellos que me despedí diciendo:* −*Hasta otra.* ‖**hasta nunca**; expresión que denota enfado y que se usa como despedida violenta de alguien a quien no se desea volver a ver: *Hemos terminado, ¡hasta nunca!* ‖ **[hasta siempre**; expresión que se usa como despedida de alguien a quien se quiere demostrar que siempre será bien recibido: *Mientras se alejaba en el tren, me decía:* −*Hasta siempre.* □ ETIMOL. Del árabe *hatta*. □ ORTOGR. Dist. de *asta*.

hastiar v. Causar hastío o provocar aburrimiento o repugnancia: *Me hastían las películas largas en las que no ocurre nada.* □ ORTOGR. La *i* lleva tilde en los presentes, excepto en las personas *nosotros* y *vosotros* →GUIAR.

hastío s.m. Aburrimiento, cansancio o repugnancia. □ ETIMOL. Del latín *fastidium* (asco, repugnancia).

hatajo s.m. Grupo o conjunto; atajo: *Ha dicho un hatajo de bobadas sin sentido.* □ SEM. Su uso como sinónimo de *atajo* con el significado de 'camino más corto' es incorrecto. □ USO Tiene un matiz despectivo.

hatillo s.m. Pequeño paquete formado por ropa y útiles personales envueltos en un paño.

hato s.m. **1** Ropa y objetos personales, esp. si está liada o recogida en un envoltorio. **2** En zonas del español meridional, finca ganadera. □ ETIMOL. De origen incierto. □ ORTOGR. Dist. de *ato* (del verbo *atar*).

[hawaiano, na adj./s. De Hawai o relacionado con este archipiélago del océano Pacífico. □ PRON. [hauaiáno], con *h* aspirada.

haya s.f. **1** Árbol de gran altura, con tronco grueso y liso, ramas altas que forman una copa redonda y espesa, hojas alargadas, de punta aguda y borde dentado. **2** Madera de este árbol. □ ETIMOL. Del latín *materia fagea* (madera de haya). □ ORTOGR. Dist. de *halla* (del verbo *hallar*) y de *aya* □ MORF. Por ser un sustantivo femenino que empieza por *a* tónica o acentuada, va precedido de *el, un, algún, ningún* y de las formas femeninas del resto de los determinantes.

hayal o **hayedo** s.m. Terreno poblado de hayas.

hayuco s.m. Fruto del haya.

haz ‖ s.m. **1** Conjunto de cosas alargadas, esp. mieses, leña o lino, colocadas longitudinalmente y atadas. **2** Conjunto de rayos luminosos que proceden de un mismo punto: *Un haz de luz iluminó la cara del actor.* **[3** En biología, conjunto de células alargadas o de fibras que se agrupan en disposición paralela. **4** En geometría, conjunto de rectas que pasan por un punto o de planos que concurren en una misma recta. ‖ s.f. **5** En una hoja vegetal, cara superior. □ ETIMOL. Las acepciones 1-4, del latín *fascis* (porción atada de leña). La acepción 5, del latín *facies* (cara). □ MORF. En la acepción 5, por ser un sustantivo femenino que empieza por *a* tónica o acentuada, va precedido de *el*, *un*, *algún*, *ningún* y de las formas femeninas del resto de los determinantes.

hazaña s.f. Hecho importante, esp. el que requiere mucho valor y esfuerzo. □ ETIMOL. Quizá del árabe *hasana* (buena obra).

hazmerreír s.m. *col.* Persona o conjunto de personas que son objeto de burla, esp. por su aspecto o su comportamiento ridículos. □ USO Se usa sólo en singular, esp. en la expresión *ser el hazmerreír*.

he ▌ adv. **1** Expresión que se usa delante de un adverbio de lugar, y combinada a veces con un pronombre átono, para señalar o presentar lo que se dice después: *He ahí la respuesta a tu pregunta.* ▌ interj. **2** Expresión que se usa para llamar a alguien. □ ETIMOL. Del árabe *he* (he aquí). □ ORTOGR. Dist. de *e* y *eh*.

[head-hunter s. →**cazatalentos.** □ PRON. [hedhánter], con las dos *h* aspiradas. □ USO Es un anglicismo innecesario.

[heavy (anglicismo) ▌ adj./s. **1** Del 'heavy', con sus características o relacionado con él. ▌ s.m. **2** Movimiento juvenil que se caracteriza por la actitud agresiva y rebelde de sus miembros. □ PRON. [hébi], con *h* aspirada. □ MORF. En la acepción 1, como adjetivo es invariable en género y como sustantivo es de género común: *el 'heavy'*, *la 'heavy'*.

hebilla s.f. En una correa, en un cinturón o en otro tipo de cintas, pieza que sirve para unir sus extremos o para ajustar la cinta que pasa por ella. □ ETIMOL. Del latín **fibella*.

hebillaje s.m. Conjunto de hebillas, esp. las que forman parte de un vestido o de un adorno.

hebra s.f. **1** Porción de hilo, que suele utilizarse para coser. ✂ costura **2** Filamento de una materia textil: *Las hebras de esta tela son de distintos colores.* **3** Porción de materia vegetal o animal, de forma delgada y alargada semejante a un hilo: *Cuando cortes las judías verdes, quítales las hebras.* **4** ‖**pegar la hebra**; *col.* Entablar conversación y mantenerla prolongadamente. □ ETIMOL. Del latín *fibra* (filamento de las plantas).

hebraico, ca adj. →**hebreo.**

hebraísmo s.m. **1** Religión basada en la ley de Moisés (profeta israelita), que se caracteriza por el monoteísmo y por la espera de la llegada del Mesías (según la Biblia, el Hijo de Dios); judaísmo. **2** En lingüística, palabra, significado o construcción sintáctica del hebreo empleados en otra lengua.

hebreo, a ▌ adj. **1** Del hebraísmo o relacionado con esta religión. ▌ adj./s. **2** De un antiguo pueblo semita que conquistó y habitó Palestina (territorio situado en el oeste asiático), o relacionado con él. **3** Que tiene como religión el hebraísmo. ▌ s.m. **4** Lengua semítica de ese pueblo. □ SEM. 1. Como adjetivo es sinónimo de *hebraico*. 2. En las acepciones 1, 2 y 3, es sinónimo de *israelita* y *judío*.

hecatombe s.f. Desastre, catástrofe o suceso en el que hay muchos daños o muchos perjudicados. □ ETIMOL. Del griego *hecatómbe* (sacrificio de cien reses vacunas), y éste de *hekatón* (ciento) y *bûs* (buey).

hechicería s.f. Conjunto de conocimientos y poderes sobrenaturales con los que se pretende dominar los acontecimientos y las voluntades.

hechicero, ra ▌ adj. **1** Que atrae irresistiblemen-

te; brujo: *Unos labios hechiceros han apresado mi corazón.* ▌ adj./s. **2** Referido a una persona, que utiliza conocimientos y poderes supuestamente sobrenaturales para intentar dominar los acontecimientos y las voluntades.

hechizar v. **1** Ejercer una influencia sobrenatural, esp. si es dañina o maléfica, mediante poderes mágicos: *La bruja hechizó a Blancanieves con una manzana.* **2** Despertar una atracción que provoca afecto, admiración, fascinación o deseo: *La bailarina hechizó al público con su arte.* □ ORTOGR. La *z* se cambia en *c* delante de *e* →CAZAR.

hechizo s.m. **1** Lo que se utiliza o lo que se hace para conseguir un fin por medios sobrenaturales o mágicos. **2** Atracción que provoca admiración o fascinación: *Esa cantante ejerce gran hechizo sobre su público.* □ ETIMOL. Del latín *facticius*.

hecho, cha ▌ **1** part. irreg. de hacer. ▌ adj. **2** Que ha alcanzado el desarrollo completo, que está terminado o que ha llegado a la madurez: *Hasta finales de verano estas peras no estarán hechas. Nos pagan según el trabajo hecho.* ▌ s.m. **3** Acción u obra: *Menos palabras y más hechos.* **4** Lo que ocurre o sucede: *Los hechos tuvieron lugar al atardecer.* **5** Asunto o materia: *El hecho es que no sé cómo hacerlo.* **6** ‖**de hecho**; **1** En realidad: *Te prometí que vendría y de hecho aquí estoy.* **2** En derecho, sin ajustarse a una norma: *Aunque no nos hemos casado, somos marido y mujer de hecho.* ‖ **[hecho a sí mismo**; referido a una persona, que se ha hecho rica o famosa por sus propios méritos y esfuerzos. ‖ **[hecho y derecho**; referido a una persona, que es adulta y se comporta como tal. □ ORTOGR. Dist. de *echo* (del verbo *echar*). □ MORF. En la acepción 1, incorr. **hacido*. □ USO *Hecho* se usa para indicar que se concede o se acepta lo que se pide o propone: *-¿Quieres que te cuide los niños esta noche? -¡Hecho!*

hechura s.f. **1** Confección o realización de una prenda de vestir. **2** Referido a una persona o a un animal, configuración o disposición de su cuerpo: *El quinto toro de la tarde era un animal de buenas hechuras.* □ MORF. La acepción 2 se usa más en plural.

hectárea s.f. Unidad de superficie que equivale a diez mil metros cuadrados. □ ETIMOL. De *hecto-* (cien) y *área*.

hecto- Elemento compositivo que significa 'cien': *hectogramo*. □ ETIMOL. Del griego *hekatón*.

hectogramo s.m. En el Sistema Internacional, unidad de masa que equivale a cien gramos. □ ETIMOL. De *hecto-* (cien) y *gramo*. □ PRON. Incorr. [**hectógramo*].

hectolitro s.m. Unidad de volumen que equivale a cien litros. □ ETIMOL. De *hecto-* (cien) y *litro*. □ PRON. Incorr. [**hectólitro*].

hectómetro s.m. En el Sistema Internacional, unidad de longitud que equivale a cien metros. □ ETIMOL. De *hecto-* (cien) y *metro*. □ PRON. Incorr. [**hectómetro*].

[hectovatio s.m. En el Sistema Internacional, unidad de potencia que equivale a cien vatios. □ ETIMOL. De *hecto-* (cien) y *vatio*.

heder v. Despedir muy mal olor. □ ETIMOL. Del latín *foetere*. □ MORF. Irreg. →PERDER.

hediento, ta adj. →**hediondo.**

hediondez s.f. **1** Olor desagradable y penetrante.

2 Lo que resulta muy molesto, repugnante o desagradable.

hediondo, da adj. **1** Que desprende un olor muy desagradable; fétido. **2** Que resulta repugnante por su suciedad o por su obscenidad. **3** Que resulta muy molesto o intolerable. ☐ ETIMOL. Del latín *foetibundus*, y éste de *foetere* (heder). ☐ SEM. Es sinónimo de *hediento*.

hedónico, ca adj. Del hedonismo o de los hedonistas; hedonístico.

hedonismo s.m. Concepción filosófica que considera que la felicidad obtenida a través del placer es el fin último de la vida. ☐ ETIMOL. Del griego *hedoné* (placer).

hedonista ∎ adj. **1** Del hedonismo o relacionado con esta concepción filosófica. ∎ adj./s. **2** Que busca el placer o que defiende el hedonismo. ☐ MORF. 1. Como adjetivo es invariable en género. 2. Como sustantivo es de género común: *el hedonista, la hedonista*.

hedonístico, ca adj. Del hedonismo o de los hedonistas; hedónico.

hedor s.m. Olor desagradable y penetrante, generalmente producido por materia orgánica en descomposición. ☐ ETIMOL. Del latín *foetor*.

hegelianismo s.m. Sistema filosófico fundado por Hegel (alemán del siglo XIX), según el cual, lo Absoluto o Idea se manifiesta necesariamente como naturaleza y espíritu, en un proceso dialéctico. ☐ PRON. [heguelianísmo], con *h* aspirada.

hegeliano, na ∎ adj. **1** Del hegelianismo o relacionado con este sistema filosófico. ∎ adj./s. **2** Partidario o seguidor del hegelianismo. ☐ PRON. [hegueliáno], con *h* aspirada.

hegemonía s.f. Supremacía o dominio, esp. los que un Estado ejerce sobre otros. ☐ ETIMOL. Del griego *hegemonía* (dirección, jefatura).

hegemónico, ca adj. De la hegemonía o relacionado con ella.

hégira o **héjira** s.f. En la cronología musulmana, era o fecha desde la cual se empiezan a contar los años (por ser la fecha de la huida del profeta Mahoma de la ciudad de La Meca hacia la ciudad de Medina). ☐ ETIMOL. Del árabe *hiyra* (emigración). ☐ USO La RAE prefiere *hégira*.

helada s.f. Véase **helado, da**.

heladera s.f. Véase **heladero, ra**.

heladería s.f. Establecimiento en el que se fabrican o se venden helados.

heladero, ra ∎ s. **1** Persona que vende o fabrica helados. ∎ s.f. **2** En zonas del español meridional, nevera.

helado, da ∎ adj. **1** Muy frío, con desdén o distante. ∎ s.m. **2** Dulce hecho generalmente con leche, azúcar y zumos o esencias de frutos, cuyos ingredientes están en cierto grado de congelación. ∎ s.f. **3** Fenómeno atmosférico que consiste en la congelación del agua por un descenso persistente de la temperatura.

heladora s.f. [Máquina para hacer helados.

helar ∎ v. **1** Referido esp. a un líquido, congelarlo o convertirlo en sólido por la acción del frío, esp. el agua en hielo: *El frío heló la nieve que cayó esta mañana. Hace tanto frío que se han helado los charcos*. **2** Referido a una persona, sobrecogerla o dejarla sorprendida o pasmada: *La noticia de su muerte me dejó helada*. **3** Referido esp. al ánimo, frustrarlo o hacerlo decaer: *Su negativa heló mis ilusiones*. **4** Referido a una planta o a sus frutos, dañarlos o secarlos el frío por congelación de su savia y de sus jugos: *El frío ha helado los brotes de los árboles. Este invierno se han helado los geranios*. **5** Hacer una temperatura ambiental inferior a cero grados, con lo que se congelan los líquidos: *Esta noche ha helado*. ∎ prnl. **6** Pasar mucho frío o ponerse muy frío: *Me voy a helar esperando en la parada del autobús*. ☐ ETIMOL. Del latín *gelare*. ☐ MORF. 1. Irreg. →PENSAR. 2. En la acepción 5, es unipersonal.

helecho s.m. Planta herbácea, sin flores, con el tallo subterráneo horizontal del que nacen por un lado numerosas raíces y por el otro hojas verdes, grandes, perennes y ramificadas, en cuya cara inferior se forman las esporas, en dos filas paralelas al nervio medio. ☐ ETIMOL. Del latín *filictum* (matorral de helechos).

helénico, ca adj. **1** De Grecia (país europeo), o relacionado con ella; griego, heleno. **2** De la antigua Grecia o Hélade, o de sus habitantes. ☐ SEM. En la acepción 1, se usa referido esp. a cosas, frente a *heleno*, que se prefiere para personas.

helenismo s.m. **1** Período de la cultura y de la civilización griegas que abarca desde la muerte de Alejandro Magno (rey macedonio) en el siglo IV hasta la dominación romana en el siglo I a. C. **2** Influencia ejercida por la cultura griega clásica en otras civilizaciones. **3** En lingüística, palabra, significado o construcción sintáctica del griego, esp. los empleados en otra lengua.

helenista s. Persona especializada en el estudio de la lengua y de la cultura griegas. ☐ MORF. Es de género común: *el helenista, la helenista*.

helenístico, ca adj. Del helenismo, de los helenistas o relacionado con ellos.

helenización s.f. Adopción de la cultura y de la civilización griegas.

helenizarse v.prnl. Adoptar la cultura y la civilización griegas: *Los conquistadores romanos terminaron por helenizarse*. ☐ ORTOGR. La *z* se cambia en *c* delante de *e* →CAZAR.

heleno, na ∎ adj./s. **1** De Grecia (país europeo) o relacionado con ella; griego. ∎ s. **2** Persona perteneciente a los pueblos aqueo, dorio, jonio o eolio, cuya instalación en diversas zonas del litoral mediterráneo dio lugar a la civilización griega antigua. ☐ SEM. Como adjetivo es sinónimo de *helénico* y se usa referido esp. a personas, frente a *helénico*, que se prefiere para cosas.

helero s.m. En una montaña, masa de hielo o de nieve situada en una zona inferior a la de las nieves perpetuas.

hélice s.f. Instrumento formado por dos o más aletas o aspas curvas que giran alrededor de un eje movidas por un motor, y que se utiliza como propulsor de barcos y aviones. ☐ ETIMOL. Del latín *helix*, y éste del griego *hélix* (espiral). ☐ MORF. Cuando se antepone a una palabra para formar compuestos, adopta la forma *helico-*.

helicoidal adj. En forma de hélice. ☐ ETIMOL. Del griego *hélix* (espiral, objeto en espiral). ☐ MORF. Invariable en género.

helicón s.m. **1** Instrumento musical de viento, de la familia de los metales, de gran tamaño, y en forma de tubo circular que se coloca alrededor del cuerpo del músico apoyándolo sobre su hombro. **2**

poét. Lugar fantástico en el que reside la inspiración poética. ☐ ETIMOL. Quizá del griego *helikós* (torcido, sinuoso). La acepción 2, por alusión al monte Helicón, lugar donde vivían las musas. ☐ MORF. En la acepción 2, la RAE lo registra como nombre propio.

helicóptero s.m. Aeronave que se eleva y se sostiene en el aire gracias a una gran hélice de eje vertical movida por un motor y situada en la parte superior. ☐ ETIMOL. Del griego *hélix* (espiral) y *-ptero* (ala).

helio s.m. Elemento químico, no metálico y gaseoso, de número atómico 2, muy ligero, incoloro, insípido y de poca actividad química: *El helio es un gas noble.* ☐ ETIMOL. Del griego *hélios* (sol). ☐ ORTOGR. Su símbolo químico es *He.*

helio- Elemento compositivo que significa 'sol'. ☐ ETIMOL. Del griego *hélios.*

heliocéntrico, ca adj. En astronomía, referido a un sistema, que considera el Sol como centro del universo. ☐ ETIMOL. De *helio-* (sol) y *céntrico.*

[heliocentrismo s.m. Teoría que considera que el Sol es el centro del universo.

heliotropismo s.m. Fenómeno que se produce en las plantas cuando orientan sus tallos, sus flores o sus hojas hacia la luz del Sol. ☐ ETIMOL. De *helio-* (sol) y *tropismo.*

heliotropo s.m. Planta de jardín con tallo leñoso de muchas ramas, hojas rugosas y alternas y flores pequeñas de color blanco o azulado en forma de espiga, y olor a vainilla. ☐ ETIMOL. De *helio-* (sol) y el griego *trépo* (doy vueltas).

helipuerto s.m. Pista destinada al aterrizaje y despegue de helicópteros. ☐ ETIMOL. De *helicóptero* y *aeropuerto.*

helmintiasis s.f. Enfermedad producida por la existencia de gusanos parásitos en el organismo. ☐ ETIMOL. Del griego *hélmins* (gusano, lombriz) e *iázo* (yo tengo). ☐ MORF. Invariable en número.

helminto s.m. Gusano, esp. el que es parásito del hombre y de los animales: *La tenia y la triquina son helmintos.* ☐ ETIMOL. Del griego *hélmins* (gusano, lombriz).

helvecio, cia o **helvético, ca** adj./s. **1** De la antigua Helvecia (zona que se corresponde aproximadamente con el actual territorio suizo) o relacionado con ella. **2** De Suiza (país europeo) o relacionado con ella; suizo.

[hemático, ca adj. De la sangre o relacionado con ella.

hematíe s.m. Célula de la sangre de los vertebrados que contiene hemoglobina y cuya misión es transportar oxígeno a todo el organismo; eritrocito, glóbulo rojo. ☐ ETIMOL. Del griego *hâima* (sangre). ☐ SEM. Dist. de *hematites* (mineral de hierro oxidado).

hematites s.f. Mineral de hierro oxidado, de color rojizo o pardo, y de gran dureza. ☐ ETIMOL. Del griego *haimatítes* (sanguíneo). ☐ MORF. Invariable en número. ☐ SEM. Dist. de *hematíe* (célula de la sangre).

hemato- Elemento compositivo que significa 'sangre'. ☐ ETIMOL. Del griego *hâima.*

[hematocrito s.m. En medicina, índice que señala el volumen de glóbulos respecto al volumen total de sangre.

hematología s.f. Estudio de la sangre y de los órganos que la producen. ☐ ETIMOL. De *hemato-* (sangre) y *-logía* (estudio, ciencia). ☐ USO Aunque la RAE sólo registra *hematología,* se usa también *hemología.*

hematológico, ca adj. De la hematología o relacionado con esta parte de la medicina.

hematólogo, ga s. Médico especializado en el estudio de la sangre, esp. si ésta es su profesión.

hematoma s.m. Acumulación de sangre en un tejido debida a un derrame. ☐ ETIMOL. De *hemato-* (sangre) y *-oma* (tumor).

hematosis s.f. Conversión de la sangre venosa en sangre arterial. ☐ ETIMOL. Del griego *aimátosis* (cambio en sangre o conversión en sangre). ☐ MORF. Invariable en número.

hematuria s.f. Presencia de sangre en la orina. ☐ ETIMOL. Del griego *hâima* (sangre) y *ûron* (orina).

hembra s.f. **1** Animal de sexo femenino: *Las hembras de los caballos son las yeguas.* **2** En las plantas que tienen los órganos reproductores masculinos y femeninos en individuos distintos, el que tiene los femeninos. **3** *col.* Mujer. **4** En un objeto que consta de dos piezas encajables, la que tiene el orificio por el que la otra se introduce. ☐ ETIMOL. Del latín *femina.* ☐ SINT. En la acepción 1, se usa en aposición, pospuesto a un sustantivo, para designar el sexo femenino de los sustantivos epicenos: *el gorila hembra.*

hembrilla s.f. Pieza pequeña en que otra se introduce o asegura: *Los corchetes se abrochan enganchando una de sus partes a la hembrilla.*

[hemerálope adj./s. Referido a una persona, que pierde total o parcialmente la vista cuando disminuye la luz ambiente. ☐ MORF. 1. Como adjetivo es invariable en género. 2. Como sustantivo es de género común: *el 'hemerálope', la 'hemerálope'.*

[hemeralopía s.f. Defecto de la visión consistente en la pérdida total o parcial de la vista cuando disminuye la luz ambiente. ☐ ETIMOL. Del griego *heméra* (día) y *óps* (vista).

hemeroteca s.f. Local en el que se conserva una colección organizada de diarios y de otras publicaciones periódicas para poder ser consultados, estudiados o leídos por los usuarios. ☐ ETIMOL. Del griego *heméra* (día) y *théke* (depósito).

hemi- Elemento compositivo que significa 'medio'. ☐ ETIMOL. Del griego *hémi.*

hemiciclo s.m. **1** Espacio semicircular provisto de gradas, esp. el de la sala de sesiones del Congreso de los Diputados. **2** En geometría, cada una de las dos mitades del círculo separadas por un diámetro; semicírculo. ⚸ círculo ☐ ETIMOL. Del latín *hemicyclium.*

hemiplejia o **hemiplejía** s.f. Parálisis de un lado del cuerpo, generalmente producida por una lesión en el encéfalo o en la médula espinal. ☐ ETIMOL. Del griego *hemiplegés* (medio herido), y éste de *hémi-* (medio) y *plésso* (yo hiero). ☐ USO Aunque la RAE prefiere *hemiplejía,* se usa más *hemiplejia.*

hemipléjico, ca ▪ adj. **1** De la hemiplejia o con características de este tipo de parálisis. ▪ adj./s. **2** Referido a una persona, que padece hemiplejia.

hemíptero ▪ adj./s.m. **1** Referido a un insecto, que tiene pico articulado, chupador o perforador, generalmente con cuatro alas, y que se forma a partir de una metamorfosis sencilla: *La cigarra y el pulgón son insectos hemípteros.* ▪ s.m.pl. **2** En zoología, orden de estos insectos, perteneciente al tipo de los artrópodos. □ ETIMOL. De *hemi-* (medio) y *-ptero* ala).

emisférico, ca adj. Del hemisferio o con forma de éste.

emisferio s.m. **1** En geografía, mitad de la esfera terrestre dividida por un círculo máximo imaginario. globo **2** En geometría, cada una de las dos mitades de una esfera dividida por un plano que pasa por su centro; semiesfera. [**3** En anatomía, cada una de las dos mitades laterales en que se dividen el cerebro o el cerebelo. □ ETIMOL. Del griego *hemispháirion*, y éste de *hémi-* (medio) y *sphâira* (bola).

emistiquio s.m. En un verso, cada una de las dos divisiones métricas determinadas por la pausa interna. □ ETIMOL. Del griego *hemistíkhion*, y éste de *hémi-* (medio) y *stíkhos* (verso).

emo- Elemento compositivo que significa 'sangre'. □ ETIMOL. Del griego *hâima*.

hemoderivado s.m. Sustancia derivada de la sangre o de su plasma. □ ETIMOL. De *hemo-* (sangre) y *derivado*.

hemodiálisis s.f. En medicina, técnica terapéutica que consiste en eliminar artificialmente las sustancias nocivas de la sangre, haciéndola pasar a través de una membrana semipermeable. □ ETIMOL. De *hemo-* (sangre) y *diálisis*. □ MORF. 1. Invariable en número. 2. En la lengua coloquial se usa mucho la forma abreviada *diálisis*.

hemofilia s.f. Enfermedad hereditaria que se caracteriza por la dificultad de coagulación de la sangre. □ ETIMOL. De *hemo-* (sangre) y *-filia* (afición, amor).

hemofílico, ca ▌ adj. **1** De la hemofilia o relacionado con esta enfermedad. ▌ adj./s. **2** *Referido a una persona,* que padece esta enfermedad.

hemoglobina s.f. Pigmento contenido en los hematíes o en el plasma sanguíneo, que transporta el oxígeno a las células y que da a la sangre su color rojo característico. □ ETIMOL. De *hemo-* (sangre) y la raíz de *glóbulo*.

[hemología s.f. →**hematología.**

hemorragia s.f. Salida de la sangre de los vasos sanguíneos, esp. cuando se produce en grandes cantidades. □ ETIMOL. Del griego *haimorrhagía*, y éste de *hâima* (sangre) y *rhégnymi* (yo broto).

hemorroide s.f. Pequeño tumor sanguíneo que se forma en el ano o en la parte final del recto por una excesiva dilatación de las venas en esa zona; almorrana. □ ETIMOL. Del griego *haimorrhoís*, de *hâima* (sangre) y *rhéo* (yo fluyo). □ MORF. Incorr. su uso como masculino {*los > las} hemorroides.*

hemostático, ca adj./s.m. *Referido esp. a un medicamento,* que sirve para detener una hemorragia.

henar s.m. Terreno plantado de heno.

henchidura s.f. Llenado de un espacio vacío, esp. si con ello aumenta su volumen.

henchir ▌ v. **1** *Referido a un espacio vacío,* llenarlo con algo, esp. si al hacerlo aumenta su volumen: *Aprovechaos y henchid vuestros pulmones de aire puro.* ▌ prnl. **2** Hartarse de comida o de bebida: *Comimos dulces hasta henchirnos.* □ ETIMOL. Del latín *implere.* □ MORF. Irreg. →PEDIR.

hendedura s.f. →**hendidura.**

hender v. →**hendir.** □ ETIMOL. Del latín *findere.* □ MORF. Irreg. →PERDER.

hendido, da adj. **1** *Referido al labio o a la pezuña*

de algunos animales, que tienen una abertura que no llega a dividirlos del todo. **2** *Referido a una hoja vegetal,* que tiene el limbo dividido en lóbulos irregulares.

hendidura s.f. **1** En un cuerpo sólido, abertura o corte profundos que no llega a dividirlo en dos: *Las poleas tienen una hendidura por la que pasa la cuerda.* **2** En una superficie, grieta más o menos profunda: *Ha aparecido una hendidura en la pared.* □ ORTOGR. Se admite también *hendedura.*

hendija s.f. Rendija o hendidura pequeña.

hendimiento s.m. Aparición de aberturas o de grietas en una superficie.

hendir v. **1** Hacer una hendidura: *Hendió con su espada la armadura del caballero que le había ofendido.* **2** *Referido a un fluido,* atravesarlo o cortar su superficie algo que se mueve avanzando: *El halcón hendía el aire.* □ ORTOGR. Se admite también *hender.* □ MORF. Irreg. →DISCERNIR. □ USO Aunque la RAE prefiere *hender,* se usa más *hendir.*

henil s.m. Lugar donde se guarda el heno.

heno s.m. **1** Planta gramínea, con tallo herbáceo en forma de caña, hojas estrechas y cortas, flores en espiga abierta, y con una arista en la cascarilla que envuelve el grano. **2** Hierba segada y seca que se utiliza para alimento del ganado. □ ETIMOL. Del latín *fenum.*

henrio o **henry** s.m. En el Sistema Internacional, unidad básica de inductancia: *La inductancia de este circuito es de dos henrios.* □ ETIMOL. Por alusión a J. Henry, físico estadounidense que estudió la inducción electromagnética. □ ORTOGR. *Henry* es la denominación internacional del *henrio.*

hepático, ca ▌ adj. **1** Del hígado. ▌ adj./s. **2** *Referido a una persona,* que tiene problemas en esta víscera. □ ETIMOL. Del latín *hepaticus,* éste del griego *hepatikós,* y éste de *hépar* (hígado).

hepatitis s.f. Inflamación del hígado. □ ETIMOL. Del griego *hêpar* (hígado) e *-itis* (inflamación). □ MORF. Invariable en número.

hepato- Elemento compositivo que significa 'hígado'. □ ETIMOL. Del griego *hépatos* (hígado). □ MORF. Ante vocal adopta la forma *hepat-: hepatitis.*

hepta- Elemento compositivo que significa 'siete'. □ ETIMOL. Del griego *heptá.*

heptacordo s.m. **1** Escala musical compuesta de las siete notas *do, re, mi, fa, sol, la, si.* **2** Intervalo de una nota a la séptima ascendente o descendente en la escala musical. □ ETIMOL. Del griego *heptákhordos,* y éste de *heptá* (siete) y *khordé* (cuerda). □ ORTOGR. Incorr. **heptacordio.*

heptaedro s.m. Cuerpo geométrico limitado por siete polígonos o caras. □ ETIMOL. De *hepta-* (siete) y *-edro* (cara).

heptagonal adj. Con forma de heptágono. □ MORF. Invariable en género.

heptágono s.m. En geometría, polígono que tiene siete lados y siete ángulos. □ ETIMOL. Del griego *heptágonos,* y éste de *heptá* (siete) y *gonía* (ángulo).

heptámetro adj./s. *Referido a un verso,* que consta de siete pies métricos. □ ETIMOL. De *hepta-* (siete) y *-metro* (medidor).

heptasilábico, ca adj. Del heptasílabo, en heptasílabos o relacionado con este tipo de verso.

heptasílabo, ba adj./s.m. De siete sílabas, esp. referido a un verso. □ ETIMOL. De *hepta-* (siete) y *sílaba.*

heráldico, ca ∎ adj. **1** De la heráldica o relacionado con este arte. ∎ s.f. **2** Arte de explicar y describir los escudos de armas.

heraldista s. Persona especialista en la heráldica o arte de explicar y describir los escudos de armas. ☐ MORF. Es de género común: *el heraldista, la heraldista.*

heraldo s.m. **1** En las cortes medievales, caballero que transmitía los mensajes, ordenaba las grandes ceremonias y llevaba los registros de la nobleza. **[2** Lo que anuncia con su presencia la llegada de algo: *El presidente volvió a su país como un 'heraldo' de paz.* ☐ ETIMOL. Del francés *heraut.*

herbáceo, a adj. Con la naturaleza o las cualidades propias de la hierba. ☐ ETIMOL. Del latín *herbaceus.*

herbario s.m. Colección de plantas secas y clasificadas, generalmente fijadas a hojas de papel, que se usa para el estudio de la botánica.

herbicida adj./s.m. Referido a un producto químico, que destruye las hierbas o impide su desarrollo. ☐ ETIMOL. Del latín *herba* (hierba) y *-cida* (que mata).

herbívoro, ra adj./s.m. Referido a un animal, que se alimenta de vegetales, esp. de hierbas. ☐ ETIMOL. Del latín *herba* (hierba) y *-voro* (que come).

herbolario, ria ∎ s. **1** Persona que se dedica a recoger y vender hierbas y plantas medicinales. **2** Persona que tiene un establecimiento en el que vende hierbas y plantas medicinales. ∎ s.m. **3** Establecimiento en el que se venden hierbas y plantas medicinales; herboristería. ☐ ETIMOL. Del latín *herbola* (hierbecita). ☐ USO En las acepciones 1 y 2, aunque la RAE sólo registra *herbolario*, se usa también *herborista.*

[herborista s. →**herbolario.**

herboristería s.f. Establecimiento en el que se venden hierbas y plantas medicinales; herbolario.

herboso, sa adj. Que está poblado de hierba.

herciano, na adj. →**hertziano.**

hercio s.m. En el Sistema Internacional, unidad de frecuencia que equivale a una vibración por segundo; hertz: *Esta emisora se sintoniza en la longitud de onda de 9 metros y 1.200 hercios.* ☐ ETIMOL. De *hertz.*

hercúleo, a adj. De Hércules (héroe de las mitologías griega y romana al que se le atribuía mucha fuerza), relacionado con él o con sus características.

hércules s.m. Hombre con mucha fuerza. ☐ ETIMOL. Por alusión a Hércules, héroe de la mitología romana que tenía una gran fuerza. ☐ MORF. Invariable en número.

heredad s.f. **1** Terreno cultivado que pertenece a un solo dueño. **2** Conjunto de fincas y otras posesiones que pertenecen a una persona o entidad. ☐ ETIMOL. Del latín *hereditas* (acción de heredar, herencia). ☐ MORF. La acepción 2 en plural tiene el mismo significado que en singular.

heredar v. **1** Referido a los bienes, obligaciones y derechos de una persona, recibirlos por ley o por testamento al morir ésta: *Al morir sus padres heredó todo el patrimonio familiar. Heredé el título de nobleza de mi tío.* **2** Referido esp. a un carácter biológico, recibirlo por vía genética: *Ha heredado los ojos azules de su abuela.* **[3** Recibir de los antepasados o de una situación anterior: *El nuevo comité de empresa 'ha heredado' los problemas que no solucionó el anterior.* **[4** col. Referido a las pertenencias de otra perso-

na, recibirlas para uso propio: *La hermana pequeñ 'hereda' la ropa de la mayor.* ☐ ETIMOL. Del lati *hereditare.*

heredero, ra adj./s. **1** Referido a una persona, qu tiene derecho a una herencia o que disfruta de ell **2** Que tiene las mismas cualidades o característica que sus ascendientes o antepasados. **[3** Que recib una característica procedente de una situación o u estado anteriores: *Este músico es el 'heredero' de técnica de su maestra.* ☐ ETIMOL. Del latín *hered tarius* (referente a la herencia).

hereditario, ria adj. De la herencia o adquirido través de ella. ☐ ETIMOL. Del latín *hereditarius* (r ferente a la herencia).

hereje s. **1** Cristiano que en materia de fe, defiend doctrinas u opiniones que se apartan de los dogma de la iglesia católica. **[2** Respecto de una religión, pe sona que se aparta de alguno de sus dogmas, o qu es creyente de otra religión distinta. **3** col. Person desvergonzada o atrevida, esp. si su comportamier to denota falta de respeto. ☐ ETIMOL. Del provenza *eretge.* ☐ MORF. Es de género común: *el hereje, l hereje.* ☐ SEM. En las acepciones 1 y 2, dist. de *após tata* (que abandona o niega sus ideas o creencias)

herejía s.f. **1** Doctrina u opinión que en materia d fe se aparta de los dogmas de la iglesia católica. **2** Posición que se aparta de los principios aceptado en cualquier cuestión, ciencia o arte. **3** col. Dispa rate o hecho o dicho sin sentido común. **4** Daño cau sado injustamente a una persona o a un animal.

herencia s.f. **1** Derecho de heredar: *La casa m corresponde por herencia.* **2** Conjunto de biene obligaciones y derechos que se heredan a la muert de una persona. **[3** En biología, transmisión de ca racteres genéticos de una generación a la siguiente *Las unidades de 'herencia' biológica son los genes* **4** En biología, conjunto de caracteres de los seres vi vos que se transmiten de esta manera: *El pelo blan co de este perro es herencia de su madre.* **5** Lo qu se transmite a los descendientes o a los continua dores: *Su actitud intransigente es herencia familiar* ☐ ETIMOL. Del latín *haerentia* (pertenencias).

heresiarca s.m. Autor de una herejía. ☐ ETIMOL Del griego *hairesiárkhes*, y éste de *háiresis* (secta herejía) y *árkho* (yo comienzo).

herético, ca adj. De la herejía, del hereje o rela cionado con ellos. ☐ ETIMOL. Del latín *haereticus*, y éste del griego *hairetikós* (partidista, sectario).

[hereu (catalanismo) s.m. En Cataluña, hijo primo génito que recibe la herencia de sus padres.

herida s.f. Véase **herido, da.**

herido, da ∎ adj./s. **1** Con heridas. ∎ s.f. **2** En e tejido de los seres vivos, perforación o desgarro, gene ralmente sangrantes, producidos por un golpe o po un corte. **3** Pena o daño producidos en el ánimo esp. por una ofensa.

herir v. **1** Referido a un ser vivo o a una parte de s organismo, dañarlos por algún medio violento, esp con un golpe o con un corte: *Lo hirieron con un dis paro de bala.* **2** Referido esp. a una persona o a su ánimo, conmoverlos o causarles un fuerte sentimien to, esp. si es doloroso: *Su dramática historia hirió la sensibilidad de los oyentes.* **3** Referido esp. a una persona, ofenderla o agraviarla: *Aquel desprecio me hirió en lo más hondo.* **4** Referido a un sentido, esp. a la vista o al oído, causar una impresión o un efecto desagradable en él: *Esta música atronadora* *nis oídos.* **5** *poét.* Referido esp. a las cuerdas de un instrumento musical, hacerlas sonar o pulsarlas para producir sonido: *Sus manos herían las cuerdas del arpa y la sala se llenaba de música.* **6** *poét.* Referido esp. al aire, atravesarlo velozmente y produciendo un zumbido: *Una flecha hería el aire de aquella cálida mañana.* □ ETIMOL. Del latín *ferire.* □ MORF. Irreg. →SENTIR.

ermafrodita ▌ adj. **1** Que tiene los órganos reproductores de los dos sexos, más o menos desarrollados. **2** En botánica, referido a una planta o a su flor, que tiene reunidos en ésta los estambres y el pistilo. **3** En zoología, referido a un animal, que tiene los dos sexos. ▌ adj./s. **4** Referido a una persona, que tiene rasgos propios de los dos sexos, esp. si ello se debe a que sus órganos genitales están formados por tejido masculino y femenino. □ ETIMOL. Del latín *Hermaphroditus,* y éste del griego *Hermaphróditos* (personaje de la mitología griega que tenía ambos sexos). □ MORF. 1. Como adjetivo es invariable en género. 2. Como sustantivo es de género común: *el hermafrodita, la hermafrodita.*

ermafroditismo s.m. En biología, en un ser vivo, presencia de órganos reproductores masculinos y femeninos o manifestación conjunta de rasgos propios de los dos sexos.

ermanamiento s.m. **1** Unión armónica: *Su gran ilusión es el hermanamiento de todas las razas.* **2** Consideración de hermano en sentido espiritual. **[3** Vinculación institucional entre dos localidades.

ermanar v. **1** Unir con armonía o juntar haciendo compatible: *En una ciencia deben hermanarse teoría y práctica.* **2** Referido a una persona, hacerla hermana de otra en sentido espiritual: *Al hacer sus votos se hermanó con todos los miembros de la comunidad.* **[3** Referido a dos localidades, establecer institucionalmente un vínculo entre ellas: *Los alcaldes 'hermanaron' las dos ciudades con un acto simbólico.* □ SINT. Constr. como pronominal: *hermanarse CON algo.*

ermanastro, tra s. Respecto de una persona, otra que tiene sólo el mismo padre o sólo la misma madre.

ermandad s.f. **1** Parentesco que existe entre hermanos. **2** Relación caracterizada por el afecto y la solidaridad propios de hermanos; confraternidad: *Se ha celebrado un acto por la hermandad de los pueblos.* **3** Asociación autorizada que algunos devotos forman con fines piadosos; cofradía. **4** Asociación de personas con unos mismos intereses, esp. si éstos son profesionales o altruistas: *hermandad de pescadores.*

ermano, na s. **1** Respecto de una persona, otra que tiene sus mismos padres o sólo el mismo padre o la misma madre. **2** Persona que vive en una comunidad religiosa o pertenece a ella sin tener ninguna de las órdenes clericales. **[3** Respecto de una persona, otra a la que está unida por algún vínculo ideológico o espiritual: *Los cristianos son 'hermanos' en Cristo.* **4** Miembro de una hermandad, de una cofradía o de una comunidad religiosa. **5** Respecto de una cosa, otra a la que es semejante: *No encuentro el hermano de este calcetín.* **6** ‖**hermano de leche**; respecto de una persona, hijo de la nodriza que lo amamantó, y viceversa. ‖ **[hermano de sangre**; **1** Hermano carnal. col. **2** Amigo íntimo. ‖ **(hermanos) siameses**; los gemelos que nacen unidos por alguna parte de

su cuerpo. ‖**medio hermano**; respecto de una persona, otra que tiene sólo el mismo padre o sólo la misma madre. □ ETIMOL. Del latín *frater germanus* (hermano carnal). □ SEM. En la acepción 2, el femenino *hermana* es sinónimo de *sor.*

hermeneuta s. Persona que se dedica a la hermenéutica o arte de interpretación de textos. □ MORF. Es de género común: *el hermeneuta, la hermeneuta.*

hermenéutico, ca ▌ adj. **1** De la hermenéutica o relacionado con este arte de interpretar textos. ▌ s.f. **2** Arte o técnica de interpretar textos, esp. si son textos sagrados, para fijar su verdadero sentido. □ ETIMOL. Del griego *hermeneutikós* (relativo a la interpretación).

hermético, ca adj. **1** Que se cierra de modo que no permite el paso de gases ni de líquidos. **2** Impenetrable, cerrado o muy difícil de entender. □ ETIMOL. Del latín *hermeticus* (relacionado con la Alquimia, por alusión a Hermes Trismegistos, personaje egipcio fabuloso supuestamente autor de estas doctrinas), porque *hermético* se aplicó al cerramiento que impedía el paso del aire, por efectuarse mediante un procedimiento químico.

hermetismo s.m. Carácter de lo que es impenetrable, cerrado o difícil de entender.

hermoso, sa adj. **1** Que resulta bello o agradable al ser percibido por la vista o por el oído; precioso. **2** Grande o abundante: *Su casa tiene un hermoso salón.* **3** Noble, excelente o digno de elogio: *Ayudar a los necesitados es una hermosa acción.* **4** col. Referido a una persona, que está sana, fuerte o robusta: *Después de dar el estirón, tu hijo se ha puesto muy hermoso.* □ ETIMOL. Del latín *formosus.*

hermosura s.f. **1** Conjunto de cualidades bellas o agradables para la vista o el oído. **2** Lo que destaca por ser hermoso.

hernia s.f. Tumor blando que se produce por la salida de una víscera o de otra parte blanda fuera de su cavidad natural. □ ETIMOL. Del latín *hernia.*

herniarse v.prnl. **1** Causarse o sufrir una hernia: *Se hernió al hacer un esfuerzo brusco.* **[2** col. Trabajar demasiado: *Ayúdame, que no vas a 'herniarte' por echarme una mano.* □ ORTOGR. La *i* nunca lleva tilde.

héroe s.m. **1** Persona famosa y admirada por sus hazañas o por sus méritos: *Ese deportista es un héroe nacional.* **2** Persona que realiza una acción heroica: *Al salvar a los tres niños del incendio, se convirtió en un héroe.* **3** En una obra de ficción, personaje principal o protagonista, esp. el que está dotado de cualidades positivas. **4** En la Antigüedad clásica, hijo de una divinidad y de un ser humano. □ ETIMOL. Del latín *heros,* y éste del griego *héros* (semidiós). □ MORF. En las acepciones 1, 2 y 3, su femenino es *heroína.*

heroicidad s.f. **1** Carácter extraordinario, admirable o digno de admiración: *La heroicidad de su comportamiento provocó la admiración de todos.* **2** Acción admirable o extraordinaria por el valor que requiere.

heroico, ca adj. **1** Admirable, famoso o extraordinario por el valor que requiere o por sus méritos. **2** En literatura, esp. referido a la poesía, que narra o canta sucesos admirables o memorables. □ ETIMOL. Del griego *heroikós*.

heroína s.f. **1** s.f. de héroe. **2** Droga derivada de la morfina, de aspecto semejante al azúcar pero con sabor amargo, que tiene acción analgésica y crea fácilmente adicción.

heroinómano, na adj./s. Referido a una persona, que es adicta a la heroína. □ ETIMOL. De *heroína-* y *-mano* (adicto).

heroísmo s.m. Valor extraordinario o conjunto de cualidades propias de un héroe.

herpe o **herpes** s. Erupción en la piel, generalmente acompañada de escozor, causada por un virus y debida al agrupamiento de pequeñas ampollas que, al romperse, rezuman un humor que forma costras cuando se seca. □ ETIMOL. Del latín *herpes*, éste del griego *hérpes*, y éste de *hérpo* (yo me arrastro), por ser una enfermedad que se extiende a flor de piel. □ MORF. **1.** Es de género ambiguo: *el {herpe/herpes} doloroso, la {herpe/herpes} dolorosa*. **2.** Se usa más como masculino. **3.** *Herpes* es invariable en número. □ USO *Herpe* es el término menos usual.

herradero s.m. **1** Operación de marcar la piel del ganado con un hierro candente. **2** Lugar en el que se realiza esta operación. **3** Época en la que se realiza esta operación. [**4** col. En tauromaquia, corrida en la que la lidia de los toros transcurre con desorden y abandono. □ USO En la acepción 4, es despectivo.

herrador, -a s. Persona que se dedica profesionalmente a poner herraduras a las caballerías. □ MORF. La RAE sólo lo registra como masculino.

herradura s.f. Pieza en forma de 'U' que se clava a las caballerías en los cascos para que no se dañen al marchar.

herraje s.m. Conjunto de piezas de hierro o de acero con las que se decora, se refuerza o se asegura un objeto.

herramienta s.f. Objeto con el que se desempeña un oficio o con el que se realiza un trabajo manual. □ ETIMOL. Del latín *ferramenta*.

herrar v. **1** Referido esp. a una caballería, ponerle herraduras: *Han herrado mal este caballo, y cojea*. **2** Referido esp. al ganado, marcarle la piel con un hierro candente: *En una tarde herraron cien vacas*. □ ETIMOL. De *hierro*. □ ORTOGR. Dist. de *errar*. □ MORF. Irreg. →PENSAR.

[herreño, ña adj./s. De la isla canaria de El Hierro o relacionado con ella.

herrería s.f. **1** Taller o tienda del herrero. **2** Oficio del herrero. **3** Taller o fábrica en que se funde y se forja el hierro.

herreriano, na adj. **1** De Juan de Herrera (arquitecto español del siglo XVI) o con características de sus obras. [**2** De Fernando de Herrera (poeta español del siglo XVI) o con características de sus obras.

herrerillo s.m. Pájaro insectívoro de pequeño tamaño y plumaje de colores. □ ETIMOL. De *herrero*, por el sonido metálico del canto del ave. □ MORF. Es un sustantivo epiceno: *el herrerillo macho, el herrerillo hembra*.

herrero, ra s. Persona que se dedica profesionalmente a trabajar el hierro. □ ETIMOL. Del latín *ferrarius*. □ MORF. La RAE sólo registra el masculino.

herrete s.m. Remate de metal que se pone en los extremos de una cinta o de un cordón para que pa sen mejor por un agujero. □ ETIMOL. Del franc *ferret*.

herrumbre s.f. **1** Óxido de hierro, esp. el que s forma en algunos metales al estar expuestos al air o a la humedad. **2** Gusto o sabor a hierro. □ ET MOL. Del latín *ferrumen*.

herrumbroso, sa adj. Con herrumbre o con ca racterísticas de este óxido.

hertz s.m. Denominación internacional del herci □ ETIMOL. De *E. R. Hertz*, físico alemán, que fue s inventor.

hertziano, na adj. Referido a una onda electroma nética, que se usa en la comunicación radiofónica. [ORTOGR. Se admite también *herciano*. □ USO Au que la RAE prefiere *herciano*, se usa más *hertzian*

hervidero s.m. Conjunto abundante y ruidoso d personas o de animales, esp. si están en movimier to.

hervidor s.m. Aparato que sirve para hervir líqu dos.

hervir v. **1** Referido a un líquido, moverse agitada mente y formando burbujas por efecto de la alt temperatura o de la fermentación; bullir: *El agu hierve a distinta temperatura que el aceite*. **2** Ref rido a una persona, sentir un afecto o una pasión co intensidad y vehemencia: *Tu hermana hierve de er vidia al verme*. **3** Tener en abundancia: *Este puebl hierve en cotilleos*. **4** Referido a un líquido, hacer qu alcance la temperatura de ebullición: *¿Has hervid ya el agua para el biberón del bebé?* **5** Referido es a un alimento, cocerlo o someterlo a la acción de u líquido en ebullición: *Herví el arroz con un poquit de laurel*. □ ETIMOL. Del latín *fervere*. □ MOR Irreg. →SENTIR. □ SINT. **1.** Constr. de la acepción hervir DE algo. **2.** Constr. de la acepción 3: *hervir EN algo*.

hervor s.m. Movimiento agitado y con burbujas qu se produce en un líquido al elevarse su temperatur o al ser sometido a fermentación; ebullición. □ ET MOL. Del latín *fervor*.

hespérico, ca adj. **1** De las penínsulas Ibérica Itálica: *Para los antiguos griegos, las tierras hes péricas eran las occidentales*. **2** De la antigua Hes peria (actuales España e Italia) o relacionado co ella; hesperio.

hespérides s.f.pl. [En la mitología griega, ninfas qu guardaban el jardín de las manzanas de oro. □ ETI MOL. Del latín *Hesperides*, y éste del griego *Hespe rídes* (hijas de Atlas y Hésperis). □ MORF. La RA lo registra como nombre propio.

hesperio, ria adj./s. De la antigua Hesperia (ac tuales España e Italia) o relacionado con ella; hes périco.

hetaira o **hetera** s.f. **1** En la antigua Grecia, dam cortesana de elevada condición. **2** Prostituta. □ ETI MOL. Del griego *hetaíra* (compañera, amiga, corte sana).

[hetero adj./s. col. →heterosexual.

hetero- Elemento compositivo que significa 'otro (*heterodoxo, heterónimo, heterosexual*) o 'desigual (*heterogéneo*). □ ETIMOL. Del griego *héteros*.

heterodoxia s.f. **1** Disconformidad con la doctrina de la religión de que se trata o con alguno de sus dogmas. **2** Oposición o disconformidad con una doc trina o práctica aceptadas mayoritariamente.

eterodoxo, xa adj./s. **1** Que está en desacuerdo con la doctrina de la religión de que se trata o con alguno de sus dogmas. **2** Que se opone a una doctrina o práctica aceptadas mayoritariamente. □ ETIMOL. Del griego *heteródoxos* (que piensa de otro modo), y éste de *héteros* (otro) y *dóxa* (opinión).

eterogeneidad s.f. Composición o mezcla en un todo de partes de diversa naturaleza o de elementos diferentes.

eterogéneo, a adj. Formado por partes de diversa naturaleza o por elementos diferentes. □ ETIMOL. Del latín *heterogeneus*, éste del griego *heterogenés*, y éste de *héteros* (desigual) y *génos* (género).

eteronimia s.f. En lingüística, fenómeno por el que palabras de gran proximidad semántica proceden de étimos diferentes: *Un caso de heteronimia es el par 'caballo-yegua'.*

eterónimo s.m. **1** En lingüística, palabra de gran proximidad semántica con otra pero de étimo diferente: *'Toro' y 'vaca' son heterónimos.* **2** Nombre con el que un autor firma parte de su obra cuando adopta una personalidad fingida. □ ETIMOL. De *hetero-* (otro) y la terminación de *homónimo*. □ SEM. En la acepción 2, dist. de *seudónimo* (nombre falso utilizado por un autor para encubrir su nombre real).

eterónomo, ma adj. Que depende de algún poder ajeno que impide su desarrollo natural: *El sistema autonómico permite que las regiones dejen de ser heterónomas.* □ ETIMOL. De *hetero* (otro) y el griego *nómos* (ley, costumbre).

eterosexual ▌ adj. **1** De la heterosexualidad o relacionado con esta inclinación sexual. ▌ adj./s. **2** Que siente atracción sexual por individuos del sexo opuesto. □ ETIMOL. De *hetero-* (otro) y *sexual.* □ MORF. 1. Como adjetivo es invariable en género. 2. Como sustantivo es de género común: *el heterosexual, la heterosexual.* 3. En la lengua coloquial se usa también la forma abreviada *hetero.*

eterosexualidad s.f. **1** Atracción sexual hacia individuos del sexo opuesto. **2** Práctica de relaciones sexuales con individuos del sexo opuesto.

eterótrofo, fa adj./s. Referido a un organismo, que es incapaz de elaborar su propia materia orgánica a partir de sustancias inorgánicas. □ ETIMOL. De *hetero-* (otro) y el griego *trophós* (alimenticio). □ MORF. La RAE sólo lo registra como adjetivo.

eurístico, ca ▌ adj. **1** De la heurística o relacionado con este arte o esta búsqueda. ▌ s.f. **2** Búsqueda o investigación de documentos o fuentes históricas. **3** Arte de inventar o descubrir: *La heurística es habitual en la elaboración de los principios matemáticos.* □ ETIMOL. Del griego *heurísko* (hallo, descubro).

exa- Elemento compositivo que significa 'seis'. □ ETIMOL. Del griego *héxa.*

exaedro s.m. Cuerpo geométrico limitado por seis polígonos o caras. □ ETIMOL. De *hexa-* (seis) y *-edro* (cara).

exagonal adj. Con forma de hexágono. □ ORTOGR. Se admite también *exagonal.* □ MORF. Invariable en género.

exágono s.m. En geometría, polígono que tiene seis lados y seis ángulos. □ ETIMOL. Del griego *hexágonos*, y éste de *héxa* (seis) y *gonía* (ángulo). □ ORTOGR. Se admite también *exágono.*

exápodo adj./s.m. Referido a un animal, que tiene seis patas. □ ETIMOL. De *hexa-* (seis) y *-podo* (pie).

hexasílabo, ba adj./s.m. De seis sílabas, esp. referido a un verso. □ ETIMOL. De *hexa-* (seis) y *sílaba.*

hez ▌ s.f. **1** Sedimento o parte de desperdicio de un preparado líquido que queda depositada en el fondo de un recipiente: *Apuró la copa de vino hasta las heces.* **2** Lo más vil y despreciable: *Esos delincuentes son la hez de esta ciudad.* ▌ pl. **3** Excrementos que expulsa el cuerpo por el ano. □ ETIMOL. Del latín *fex* (poso, impurezas). □ USO En la acepción 1, se usa más en plural.

[hi-fi →**alta fidelidad.** □ ETIMOL. Es un acrónimo que procede de la sigla de *High Fidelity* (alta fidelidad). □ USO Es un anglicismo innecesario.

hiato s.m. **1** Contacto de dos vocales que forman sílabas distintas: *En 'tranvía' hay un hiato.* **2** En métrica, licencia que consiste en pronunciar separadas la vocal final de una palabra y la inicial de la palabra siguiente. □ ETIMOL. Del latín *hiatus*, de *hiare* (rajarse, separarse). □ ORTOGR. →APÉNDICE DE ACENTUACIÓN. □ SEM. 1. En la acepción 1, dist. de *diptongo* (conjunto de dos vocales que se pronuncian en una misma sílaba). 2. En la acepción 2, dist. de *sinalefa* (pronunciación en una misma sílaba de la vocal final de una palabra y la inicial de la palabra siguiente).

hibernación s.f. **1** En ciertos animales, estado que se presenta como adaptación al invierno y que consiste en un descenso de la temperatura corporal y de la actividad metabólica. **2** En una persona, estado semejante que se consigue de modo artificial mediante el frío y el uso de ciertos fármacos.

hibernal adj. →**invernal.** □ MORF. Invariable en género.

hibernar v. **1** Referido a un animal, pasar el invierno en estado de hibernación: *El lirón hiberna en los meses fríos.* **[2** Referido a un organismo, conservarlo artificialmente mediante su enfriamiento progresivo y el uso de ciertos fármacos: *En su testamento pidió que lo 'hibernaran', por si en un futuro era posible hacerlo vivir de nuevo.* □ ETIMOL. Del latín *hibernare.* □ ORTOGR. Dist. de *invernar.*

híbrido, da adj./s.m. **1** Referido a un animal o a un vegetal, que procede del cruce de dos individuos de distinto género o distinta especie. **2** Que es producto de elementos de distinta naturaleza o está formado por ellos. □ ETIMOL. Del latín *hybrida* (producto del cruce de dos animales diferentes).

hidalgo, ga ▌ adj. **1** Del hidalgo o relacionado con este miembro de la baja nobleza. **2** Noble y generoso: *Con su hidalgo comportamiento ha resuelto las situaciones más delicadas.* ▌ s. **3** Persona que por su sangre es de una clase noble y distinguida. □ ETIMOL. De *fijo dalgo* (hijo de hombre de dinero o de persona acomodada).

hidalguía s.f. **1** Condición social del hidalgo. **2** Nobleza y generosidad de carácter.

hidatídico, ca adj. De la hidátide, esp. referido al quiste formado por esta larva.

hidra s.f. Animal cuyo cuerpo, parecido a un tubo, contiene una sola cavidad que comunica con el exterior por un solo orificio rodeado de tentáculos que le sirve de boca y de ano, y que vive en charcas adherido a las plantas acuáticas. □ ETIMOL. Del griego *hýdra* (serpiente acuática).

hidratación s.f. **1** Combinación de un cuerpo o de un compuesto químico con agua. **2** Restablecimiento del grado de humedad normal de la piel.

[*hidratante* adj./s.f. Referido a una sustancia o a un producto, que hidrata la piel. □ MORF. Como adjetivo es invariable en género.
hidratar v. 1 Referido a un cuerpo, combinarlo con agua: *Cuando se hidrata la cal viva, desprende calor.* 2 Restablecer el grado de humedad normal de la piel: *Esta crema broncea e hidrata.* [3 Referido esp. al organismo, aumentar la proporción de agua que contiene: *Cuando hagas deporte, bebe mucho líquido para 'hidratar' el organismo.* □ ETIMOL. Del radical de *hidrógeno.*
hidrato s.m. 1 Compuesto químico que resulta de combinar una sustancia con una o varias moléculas de agua. 2 ‖**hidrato de carbono**; compuesto orgánico formado por carbono, hidrógeno y oxígeno, en el que el hidrógeno está en doble proporción que el oxígeno; glúcido, sacárido. □ ETIMOL. Del radical de *hidrógeno.*
hidráulico, ca ▌ adj. 1 De la hidráulica o relacionado con ella. 2 Que se mueve o funciona por medio del agua o de otro líquido: *frenos hidráulicos.* ▌ s.f. 3 Parte de la física que estudia el equilibrio y el movimiento del agua y otros fluidos. 4 Técnica de conducir, contener, elevar y aprovechar las aguas: *Los acueductos son muestras del gran desarrollo de la hidráulica en la época romana.* □ ETIMOL. Del griego *hydraulikós,* y éste de *hydraulís* (órgano musical movido por el agua).
hídrico, ca adj. Del agua o relacionado con ella. □ ETIMOL. Del griego *hýdor* (agua).
hidro- Elemento compositivo que significa 'agua'. □ ETIMOL. Del griego *hýdor-.*
hidroavión s.m. Avión que lleva unos flotadores que le permiten posarse en el agua o despegar de ella; hidroplano. □ ETIMOL. De *hidro-* (agua) y *avión.*
hidrocarburo s.m. Compuesto químico formado por carbono e hidrógeno: *La gasolina es un hidrocarburo.* □ ETIMOL. De *hidro-* (agua) y *carburo.*
hidrocefalia s.f. En medicina, acumulación anormal de líquido cefalorraquídeo en las cavidades cerebrales. □ ETIMOL. De *hidro-* (agua) y el griego *kephalé* (cabeza). □ PRON. Incorr. *[hidrocefalía].
hidrocéfalo, la adj. Que padece hidrocefalia.
hidrodinámico, ca ▌ adj. 1 De la hidrodinámica o relacionado con esta parte de la física. ▌ s.f. 2 Parte de la física que estudia el movimiento de los fluidos y de los cuerpos sumergidos en ellos. □ ETIMOL. De *hidro-* (agua) y *dinámica.*
hidroeléctrico, ca adj. De la energía eléctrica obtenida por la fuerza del agua en movimiento o relacionado con ella. □ ETIMOL. De *hidro-* (agua) y *eléctrico.*
hidrófilo, la adj. 1 Referido a una sustancia, que absorbe el agua con facilidad. [2 Referido a un organismo, que vive en ambientes húmedos. □ ETIMOL. De *hidro-* (agua) y *-filo* (aficionado, amigo).
hidrofobia s.f. 1 Temor enfermizo al agua. 2 Enfermedad infecciosa producida por un virus, que padecen algunos animales y que se transmite al hombre o a otros animales por mordedura; rabia. □ ETIMOL. De *hidro-* (agua) y *-fobia* (aversión).
hidrófobo, ba adj./s. Que padece hidrofobia.
[*hidrofoil* (anglicismo) s.m. Embarcación que se desplaza sobre el agua sustentado por una capa de aire a presión que se genera por una turbina. □ PRON. [idrofóil].

hidrófugo, ga adj./s.m. Referido a una sustancia, que evita la humedad o las filtraciones. □ ETIMOL. D *hidro-* (agua) y *-fugo* (que hace desaparecer).
[*hidrogenar* v. Referido a una sustancia, combinarl con hidrógeno.
hidrógeno s.m. Elemento químico, no metálico gaseoso, de número atómico 1, y que combinado co el oxígeno forma el agua. □ ETIMOL. De *hidro* (agua) y *-geno* (que produce). □ ORTOGR. Su símbol químico es *H.*
hidrografía s.f. 1 Parte de la geografía que trat de la descripción de los mares, de los lagos y de la corrientes de agua. 2 Conjunto de los lagos y de la corrientes de agua de un territorio. □ ETIMOL. D *hidro-* (agua) y *-grafía* (representación gráfica).
hidrográfico, ca adj. De la hidrografía o relacio nado con ella.
hidrólisis s.f. En química, división o descomposició de un compuesto producidos por la acción del agua de un ácido o de un fermento. □ ETIMOL. De *hidr* (agua) y el griego *lýsis* (disolución). □ PRON. Incorr *[hidrolísis].* □ MORF. Invariable en número.
[*hidrolizado, da* adj. Referido a un compuesto, qu ha sido desdoblado o descompuesto por la acción de agua, de un ácido o de un fermento: *cereales 'hidro lizados'.*
[*hidrolizar* v. Efectuar la hidrólisis: *Los cereales 's hidrolizan' para que su digestión sea más fácil.* □ ORTOGR. La *z* se cambia en *c* delante de *e* →CAZAF
[*hidromasaje* s.m. Masaje que se efectúa con cho rros de agua caliente y de aire. □ ETIMOL. De *hidr* (agua) y *masaje.*
hidromel s.m. →hidromiel.
hidrómetro s.m. Aparato que sirve para medir e caudal, la velocidad o la fuerza de los líquidos e movimiento. □ ETIMOL. De *hidro-* (agua) y *-metr* (medidor).
hidromiel s.m. Bebida hecha con agua y mie¹ aguamiel. □ ETIMOL. De *hidro-* (agua) y *miel.* □ OF TOGR. Se admite también *hidromel.*
[*hidroneumático, ca* adj. Que funciona median te agua y aire. □ ETIMOL. De *hidro-* (agua) y *neu mático.*
hidropesía s.f. Acumulación anormal de líquid segregado por algunas membranas en cualquier ca vidad o tejido del organismo. □ ETIMOL. Del latí *hydropisia.*
hidrópico, ca ▌ adj. 1 Sediento en exceso. ▌ adj./s 2 Que padece hidropesía o acumulación anormal d líquido seroso. □ ETIMOL. Del griego *hydropikós, :* éste de *hýdrops* (hidropesía) y *óps* (aspecto).
hidroplano s.m. 1 Embarcación provista de una aletas que, por efecto de la reacción que el agu ejerce contra ellas, levantan ligeramente la nave con lo que disminuye el frotamiento y se puede al canzar gran velocidad. 2 Avión que lleva unos flo tadores que le permiten posarse en el agua o des pegar de ella; hidroavión. □ ETIMOL. De *hidro* (agua) y la terminación de *aeroplano.*
hidrosfera s.f. Capa de la Tierra, situada entre la atmósfera y la litosfera, que está compuesta po el conjunto de todas las aguas terrestres. □ ETIMOL De *hidro-* (agua) y el griego *sfaira* (esfera). □ PRON Incorr. *[hidrósfera].*
hidrosoluble adj. Que se disuelve en el agua. □ ETIMOL. De *hidro-* (agua) y *soluble.* □ MORF. Inva riable en género.

33   higienizar

idrostático, ca ∎ adj. **1** De la hidrostática o relacionado con esta parte de la física. ∎ s.f. **2** Parte de la física que estudia el equilibrio de los fluidos y de los cuerpos sumergidos en ellos. □ ETIMOL. De *hidro-* (agua) y *estática.*

idróxido s.m. Compuesto químico inorgánico que contiene el hidroxilo o radical formado por un átomo de hidrógeno y otro de oxígeno. □ ETIMOL. De *hidro-* (agua) y *óxido.*

idroxilo s.m. Radical químico formado por un átomo de hidrógeno y otro de oxígeno. □ ETIMOL. De *hidro-* (agua) y el griego *hýle* (materia).

hidrozoo ∎ adj./s.m. **1** Referido a un animal, que carece de esqueleto, tiene la cavidad gástrica sencilla, y pasa por las fases de pólipo y de medusa: *La hidra de agua dulce es un animal 'hidrozoo'.* ∎ s.m.pl. **2** En zoología, clase de estos animales, perteneciente al tipo de los celentéreos. □ ETIMOL. De *hidro-* (agua) y *zôion* (animal).

iedra s.f. Planta trepadora, siempre verde, de flores verdosas en umbela, frutos negros, y de cuyos troncos y ramas nudosos brotan pequeñas raíces que se adhieren a las superficies en las que se apoyan. □ ETIMOL. Del latín *hedera.* □ ORTOGR. Se admite también *yedra.*

iel ∎ s.f. **1** En el sistema digestivo de algunos animales, líquido viscoso de color verdoso o amarillento que es segregado por el hígado y que interviene en la digestión junto con el jugo pancreático. **2** Sentimiento de irritación o de amargura: *Esas críticas tan duras son pura hiel.* ∎ pl. **3** Circunstancias desagradables o adversas: *Para triunfar tuvo que soportar antes las hieles de los entrenamientos.* □ ETIMOL. Del latín *fel.* □ SEM. En las acepciones 1 y 2, es sinónimo de *bilis.*

ielo s.m. **1** Agua solidificada a causa de un descenso suficiente de la temperatura. **2** Indiferencia o frialdad en los sentimientos: *mirada de hielo.* **3** ∥{quebrar/romper} el hielo; col. En una relación, romper la reserva, el recelo, el embarazo o la frialdad existentes. □ ETIMOL. Del latín *gelu.*

iena s.f. **1** Mamífero carnívoro propio de los continentes asiático y africano, de pelo áspero y grisáceo, que se alimenta fundamentalmente de carroña. **2** Persona cruel y de malos instintos. □ ETIMOL. Del latín *hyaena.* □ MORF. En la acepción 1, es un sustantivo epiceno: *la hiena macho, la hiena hembra.*

ierático, ca adj. **1** Referido a un estilo artístico, que es de rasgos rígidos y majestuosos: *La antigua escultura egipcia era hierática.* **2** Referido a un gesto, que no deja ver ningún sentimiento. □ ETIMOL. Del griego *hieratikós* (sacerdotal).

ieratismo s.m. Rigidez, majestuosidad o severidad en el aspecto exterior.

ierba ∎ s.f. **1** Planta anual, de pequeño tamaño y que carece de tallo leñoso persistente. **2** Conjunto de estas plantas que crecen en un terreno, esp. el que sirve de alimento al ganado: *El valle estaba cubierto de hierba y flores.* **3** En el lenguaje de la droga, marihuana. ∎ pl. **[4** col. Conjunto de plantas usadas como condimento, para hacer infusiones o para la elaboración de algunos productos. **5** ∥como la mala hierba; col. Referido a algo perjudicial o desagradable, muy deprisa: *Aquellos rumores crecieron como la mala hierba y no hubo modo de pararlos.* ∥ **[finas hierbas**; las que se pican muy menudas y se usan como condimento. ∥ **hierba buena**; →hier-

babuena. ∥(hierba) luisa; la de olor agradable, cuyas hojas se toman como infusión tónica, estomacal y digestiva. □ ETIMOL. Del latín *herba.* □ ORTOGR. Se admite también *yerba.* □ SINT. *Como la mala hierba se usa más con los verbos crecer, extenderse* o equivalentes.

hierbabuena s.f. Planta herbácea de olor agradable que se emplea como condimento. □ ORTOGR. Se admite también *hierba buena.* □ SEM. Aunque la RAE lo registra como sinónimo de *menta,* en la lengua actual no se usa como tal.

hiero s.m. →yero.

hierro s.m. **1** Elemento químico, metálico y sólido, de número atómico 26, dúctil, maleable y de color gris azulado, muy utilizado en la industria y en el arte. **2** Arma, instrumento o pieza hechos con este metal. **[3** En tauromaquia, ganadería de toros de lidia. **4** ∥ de hierro; dotado de gran fortaleza y resistencia, esp. referido a la salud o al carácter de una persona. ∥quitar hierro; col. Referido a algo que parece grave, exagerado o peligroso, quitarle importancia: *Quitó hierro al problema.* □ ETIMOL. Del latín *ferrum.* □ ORTOGR. 1. Dist. de *yerro.* 2. En la acepción 1, su símbolo químico es *Fe.*

[hifa s.f. En un hongo, filamento blanco y ramificado que se encuentra en el interior de la tierra y que forma el micelio o aparato vegetativo. □ ETIMOL. Del griego *hyphé* (tejido).

higa s.f. **1** Amuleto con figura de puño con el dedo pulgar asomando entre el índice y el corazón. **2** Gesto que se hace cerrando la mano y mostrando el dedo pulgar entre el índice y el corazón. **3** ∥ **[una higa**; Muy poco o nada: *Me importa 'una higa' que no me salude.* □ ETIMOL. De *higo,* y éste de *fica* (nombre de la vulva en varias lenguas), porque se compara su forma con la de la vulva. □ SINT. La acepción 3 se usa más con los verbos *importar, valer* o equivalentes, y en expresiones negativas.

higadilla s.f. o **higadillo** s.m. Hígado de los animales de pequeño tamaño, esp. el de las aves. □ USO *Higadilla* es el término menos usual.

hígado s.m. **1** En el sistema digestivo de los animales vertebrados, órgano glandular, situado en la parte anterior derecha del abdomen, que produce la bilis y que desempeña funciones metabólicas importantes. **2** En el sistema digestivo de algunos animales invertebrados, glándula parecida a este órgano. **3** col. Ánimo o valor: *Hay que tener muchos hígados para llevar uno solo tanta responsabilidad.* **4** ∥echar los hígados; col. Realizar un gran esfuerzo: *Echó los hígados para ganar la carrera.* □ ETIMOL. Del latín *ficatum,* y éste de *iecur* (hígado) y *ficatum* (alimentado con higos), porque antiguamente se alimentaba con higos a los animales cuyo hígado se comía. □ MORF. La acepción 3 se usa más en plural. □ SEM. En la acepción 1, aunque la RAE lo considera sinónimo de *asadura,* en la lengua actual no se usa como tal.

higiene s.f. Aseo o limpieza que tiene por objeto la conservación de la salud y la prevención de enfermedades. □ ETIMOL. Del francés *hygiène,* y éste del griego *hygieinón* (salud, salubridad).

higiénico, ca adj. De la higiene o relacionado con ella.

higienización s.f. Dotación de condiciones higiénicas.

higienizar v. Dotar de condiciones higiénicas: *Hay*

que higienizar los establecimientos públicos. □ OR-TOGR. La *z* se cambia en *c* delante de *e* →CAZAR.
higo s.m. **1** Fruto de la higuera, blando, dulce, de carne blanca o más o menos rojiza y con muchas semillas, cuya piel es de color verde, violáceo o negro según las especies. [**2** *vulg.* →**vulva**. **3** ‖de **higos a brevas**; *col.* Con poca frecuencia: *Sólo vienes a verme de higos a brevas.* ‖**hecho un higo**; *col.* Estropeado o arrugado: *Dobló mal los jerséis y ahora están hechos un higo.* ‖**higo chumbo**; fruto de la chumbera. ‖**un higo**; Muy poco o nada: *Me importa un higo que vengas o no.* □ ETIMOL. Del latín *ficus* (higo, higuera). □ SINT. *Un higo* se usa más con los verbos *importar, valer* o equivalentes, y en expresiones negativas.
higro- Elemento compositivo que significa 'humedad'. □ ETIMOL. Del griego *hygrós*.
higrómetro s.m. Instrumento que sirve para medir la humedad del aire atmosférico. □ ETIMOL. De *higro-* (humedad) y *-metro* (medidor). 🔍 medida
higuana s.f. →**iguana**. □ MORF. Es un sustantivo epiceno: *la higuana macho, la higuana hembra*.
higuera s.f. **1** Árbol frutal de savia lechosa, con hojas grandes de color verde brillante y cuyos frutos son los higos. **2** ‖**estar en la higuera**; *col.* Estar distraído o ajeno a lo que sucede alrededor: *No te has enterado de la conversación porque estabas en la higuera.* ‖**(higuera) breval**; árbol cuyos frutos son las brevas y los higos. ‖**higuera chumba**; planta muy carnosa, con tallos a modo de hojas y en forma de paletas ovales con espinas, y cuyo fruto es el higo chumbo; chumbera, nopal.
hijastro, tra s. Respecto de una persona, hijo o hija que su cónyuge ha tenido en una unión anterior. □ ETIMOL. De *hijo*.
hijo, ja ▪ s. **1** Respecto de una persona, otra engendrada por ella. **2** Respecto de un suegro, su nuera o su yerno: *Al anciano le emociona ver la buena pareja que hacen sus hijos.* **3** Respecto de una persona, miembro de las generaciones que descienden de ella: *Según la Biblia, todos somos hijos de Adán y Eva.* **4** Respecto de un lugar geográfico, persona nacida en él. **5** Lo que es resultado de algo: *Su destreza es hija de la experiencia.* ▪ s.m. **6** Respecto de un ser, esp. de una planta, lo que nace o brota de él. **7** ‖**hijo {de confesión/espiritual}**; respecto de un director espiritual, persona a la que éste guía en materia de religión y de conciencia. ‖**hijo de leche**; respecto de un ama de cría, persona que ha sido amamantada por ella. ‖**hijo de papá**; *col.* Persona que satisface sus necesidades y deseos gracias al respaldo paterno y sin hacer esfuerzos o merecimientos propios. ‖**hijo de {[perra/puta}**; *vulg.malson.* Persona a la que se considera malvada o despreciable. ‖**hijo de {su madre/tal}**; *euf.* Hijo de puta. ‖**hijo de vecino**; *col.* Persona normal y corriente: *Se las da de noble, pero es un hijo de vecino como tú y como yo.* ‖**hijo ilegítimo**; el no reconocido legalmente. ‖**hijo legítimo**; el reconocido legalmente. ‖**hijo natural**; el ilegítimo, esp. el de padres que están libres para contraer matrimonio. ‖**[hijo pródigo**; el que regresa al hogar de los padres después de haberlo abandonado. □ ETIMOL. Del latín *filius*. La expresión 'hijo pródigo', por alusión a la parábola bíblica del mismo nombre. □ MORF. La acepción 3 se usa más en plural. □ USO 1. Se usa como apelativo: *Mi hermana me dijo: '¡Ay, hija, no sé cómo lo aguantas!'.* 2. Las

expresiones *hijo de {'perra'/puta}* e *hijo de {su madre/tal}* son despectivas y se usan como insulto.
hijodalgo s.m. *ant.* →**hidalgo**. □ MORF. Su plural es *hijosdalgo*.
hijuela s.f. **1** Documento en el que se detallan los bienes que corresponden a cada uno de los herederos de una herencia. **2** Conjunto de estos bienes. **:** Lo que depende de algo central o principal o está subordinado a ellos: *Esta sección es hijuela del departamento administrativo.* **4** En zonas del español meridional, finca rústica que se forma a partir de la división de otra mayor. □ ETIMOL. De *hija*, porque *hijuela* significó primero *reguero pequeño*, y de ahí *finca rústica*, que se forma por subdivisión.
hilacha s.f. o **hilacho** s.m. **1** En una tela, hilo que se ha desprendido y cuelga de ella. **2** Resto o porción insignificante: *Aún quedan por hacer algunas hilachas del trabajo.*
hilada s.f. Conjunto de elementos colocados en línea; hilera.
hilado s.m. Transformación de una materia textil en hilo.
hilador, -a ▪ adj./s. **1** Referido a una máquina o a una herramienta, que se usan para hilar. ▪ s. **2** Persona que se dedica a hilar, esp. la que hila seda.
hilandería s.f. **1** Arte o técnica de hilar. **2** Fábrica de hilados.
hilandero, ra s. Persona que se dedica profesionalmente a hilar.
hilar v. **1** Referido a una materia textil, transformarla en hilo: *Aún quedan artesanos que hilan con rueca. Con la lana que hilaron hicieron varios ovillos.* **2** Referido a cosas sin relación aparente, relacionarlas de modo que se llegue a una deducción a partir de ellas: *Después de hilar todos los datos, se dio cuenta de lo que realmente sucedía.* **3** Referido a un animal, esp. a una araña o a un gusano de seda, producir o segregar una hebra de hilo: *El gusano de seda hila para formar el capullo. La araña hila una sustancia líquida con la que teje sus telas.* **4** ‖**hilar {delgado/fino}**; proceder con exactitud, minuciosidad o sutileza, esp. en las apreciaciones subjetivas: *Cuando le expongas tus críticas tendrás que 'hilar fino' para no ofenderla.* □ ETIMOL. Del latín *filare*.
hilarante adj. Que produce gran alegría o ganas de reír. □ ETIMOL. Del latín *hilarans*, y éste de *hilarare* (alegrar). □ MORF. Invariable en género.
hilaridad s.f. Risa ruidosa y prolongada que se provoca en una reunión.
hilaza s.f. Porción de materia textil transformada en hilo; hilado.
hilemorfismo s.m. Concepción filosófica defendida por Aristóteles (filósofo griego del siglo IV a. C.), según la cual toda sustancia está constituida por dos principios esenciales, que son la materia y la forma. □ ETIMOL. Del griego *hýle* (materia) y *morphé* (forma). □ ORTOGR. Se admite también *hilomorfismo*.
hilera ▪ s.f. **1** Conjunto de elementos colocados en línea; hilada: *una hilera de libros.* **2** En metalurgia o en orfebrería, máquina o instrumento para reducir los metales a hilos o alambres. ▪ pl. **3** En una araña o en otro animal hilador, conjunto de apéndices o abultamientos agrupados alrededor del ano y en los que se localizan las glándulas productoras del líquido con el que forman los hilos. □ ETIMOL. De *hilo*.
hilo s.m. **1** Fibra o conjunto de fibras retorcidas,

largas y delgadas que se obtienen de una materia textil, esp. las que se usan para coser. ⚹ costura **2** Tela confeccionada con esta fibra. **3** Hebra que segregan algunos animales, esp. las arañas y los gusanos de seda. **4** Filamento o alambre muy delgados y flexibles: *Los cables de la luz llevan hilos de cobre.* **5** Cable transmisor: *hilo telefónico.* **6** Chorro muy delgado de un líquido: *un hilo de sangre.* **7** Lo que da continuidad a lo que se dice o a lo que ocurre, esp. a una conversación: *Estaba tan cansada que a ratos perdía el hilo de la película.* **8** ‖{**colgar/pender**} **de un hilo**; estar en situación de gran inseguridad o riesgo: *En manos de esos malhechores, la vida de los rehenes pende de un hilo.* ‖ [**hilo conductor**; asunto que otorga sentido y unidad a un discurso o a un argumento: *En esa película, el 'hilo conductor' es la búsqueda de la identidad del protagonista.* ‖**hilo de voz**; voz muy débil o apagada. ‖**hilo musical**; sistema de transmisión del sonido que permite escuchar programas a través de un receptor conectado al cable telefónico y sin impedir el uso del teléfono. ☐ ETIMOL. Del latín *filum.*

hilomorfismo s.m. →**hilemorfismo.**

hilván s.m. **1** Costura provisional de puntadas largas, con la que se unen y preparan las telas para su cosido definitivo. **2** Cada una de esas puntadas. **3** Hilo o hebra con los que se hace esa costura.

hilvanado s.m. Cosido provisional hecho con puntadas largas.

hilvanar v. **1** Referido a una tela, coserla con hilvanes para preparar su cosido definitivo: *Hilvana la camisa y pruébatela.* **2** Referido esp. a ideas o a palabras, enlazarlas y coordinarlas: *Si hilvanas bien todos los datos, podrás sacar conclusiones acertadas.* **3** *col.* Preparar con precipitación o de manera imprecisa: *El consejo sólo hilvanó un plan que ahora deben desarrollar los expertos.* ☐ ETIMOL. De *hilo vano* (hilo distanciado o ralo).

himen s.m. En una mujer o en las hembras de algunos animales, repliegue membranoso que cierra parcialmente el orificio externo de la vagina y que se desgarra en la primera relación sexual; virgo. ☐ ETIMOL. Del latín *hymen,* y éste del griego *hymén* (membrana).

himeneo s.m. **1** *poét.* Boda. **2** Composición lírica destinada a ser cantada en una boda. ☐ ETIMOL. Del latín *hymenaeus,* y éste del griego *hyménaios* (canto nupcial, bodas).

himenóptero ‖ adj./s.m. **1** Referido a un insecto, que se caracteriza por tener un aparato bucal masticador, con frecuencia adaptado también para lamer y chupar, y por disponer normalmente de dos pares de alas membranosas: *Las hormigas son insectos himenópteros.* ‖ s.m.pl. **2** En zoología, orden de estos insectos, perteneciente al tipo de los artrópodos. ☐ ETIMOL. Del griego *hymén* (membrana) y *-ptero* (ala).

himno s.m. Composición poética o musical de alabanza o de exaltación, de tono solemne, esp. la que se hace en honor de la divinidad o para representar a una colectividad. ☐ ETIMOL. Del latín *hymnus.*

hincapié ‖**hacer hincapié en** algo; *col.* Recalcarlo o insistir especialmente en ello: *El médico hizo mucho hincapié en que debes descansar.*

hincar ‖ v. **1** Referido esp. a algo con punta, clavarlo o introducirlo en otra cosa mediante presión: *Hincó el tenedor en el filete y se lo echó en su plato.* **2** Apoyar con fuerza o con firmeza en algo: *El acróbata hincó sus manos en el suelo y empezó a andar boca abajo.* ‖ prnl. **3** Arrodillarse: *El sacerdote se hincó ante el altar mayor.* ☐ ETIMOL. Del latín **figicare.* ☐ ORTOGR. La *c* se cambia en *qu* delante de *e* →SACAR.

hincha ‖ s. **1** Partidario entusiasta o apasionado de alguien, esp. de un equipo deportivo o de una persona famosa. ‖ s.f. **2** *col.* Sentimiento de odio o de rechazo contra alguien: *Desde que me hizo aquella faena, le tengo una hincha que no lo puedo ver.* ☐ ETIMOL. La acepción 1, de *hinchar.* La acepción 2, del latín *inflare.* ☐ MORF. En la acepción 1, es de género común: *el hincha, la hincha.* ☐ USO En la acepción 1, es innecesario el uso del anglicismo *supporter.*

hinchable adj. Que se puede hinchar. ☐ MORF. Invariable en género.

hinchada s.f. Véase **hinchado, da.**

hinchado, da ‖ adj. **1** Referido esp. al lenguaje o al estilo, que abunda en palabras y expresiones afectadas y exageradas. ‖ s.f. **2** Conjunto de hinchas.

hinchamiento s.m. **1** Aumento de volumen, generalmente por efecto de un golpe o de la introducción de una sustancia. **2** Exageración o ampliación, esp. si resultan afectadas y poco naturales: *Un estilo sencillo no requiere hinchamientos ni afectación.*

hinchar ‖ v. **1** Referido a un cuerpo, llenarlo o hacer que aumente su volumen introduciendo en él una sustancia, esp. un fluido: *Hincha más el balón para que bote mejor. Comimos hasta hincharnos.* **2** Referido esp. a un suceso, exagerarlo o ampliarlo: *La radio hinchó el incidente y lo presentó como un escándalo.* ‖ prnl. **3** Referido a una parte del cuerpo, aumentar su volumen, esp. por efecto de una herida, de un golpe o de una acumulación de líquido: *Después del golpe se me hinchó el codo.* **4** *col.* Referido a una actividad, hacerla en exceso: *Me he hinchado a trabajar y estoy agotado.* **5** Mostrarse presuntuoso u orgulloso de las propias cualidades y obras: *Cuando habla de sus estudios se hincha.* ☐ ETIMOL. Del latín *inflare* (soplar dentro de algo). ☐ SINT. Constr. de la acepción 4: *hincharse* {A/DE} *algo.* ☐ SEM. En las acepciones 1, 2, 4 y 5, es sinónimo de *inflar.*

hinchazón s.f. Aumento de volumen de una parte del cuerpo, esp. el que se produce por efecto de una herida, de un golpe o de una acumulación de líquido; intumescencia, tumefacción.

hindi s.m. Lengua indoeuropea de la India (país asiático). ☐ PRON. Aunque la pronunciación correcta es [índi], está muy extendida la pronunciación [indí]. ☐ ORTOGR. Dist. de *hindú.*

hindú adj./s. **1** Que tiene como religión el hinduismo; hinduista. **2** De la India (país asiático), o relacionado con ella; indio. ☐ ORTOGR. Dist. de *hindi.* ☐ MORF. 1. Como adjetivo es invariable en género. 2. Como sustantivo es de género común: *el hindú, la hindú.* 3. Aunque su plural en la lengua culta es *hindúes,* se usa mucho *hindús.*

hinduismo s.m. Religión mayoritaria en la India (país asiático), en la que se engloba un conjunto poco unificado de ritos y cultos que responden a creencias comunes determinantes de una cultura y una actitud vital.

hinduista ‖ adj. **1** Del hinduismo o relacionado con esta religión. ‖ adj./s. **2** Que tiene como religión el hinduismo; hindú. ☐ MORF. 1. Como adjetivo es invariable en género. **2.** Como sustantivo es de género común: *el hinduista, la hinduista.* **3.** En la acepción 2, la RAE sólo lo registra como sustantivo.

hiniesta s.f. Planta con numerosas ramas largas, delgadas y flexibles, hojas escasas y pequeñas, flores amarillas y fruto en vaina; retama. □ ETIMOL. Del latín *genesta.*

hinojo s.m. **1** Planta herbácea aromática, de hasta dos metros de altura, de hojas recortadas y flores amarillas agrupadas, muy usada en medicina por sus propiedades digestivas y como condimento por su sabor dulce y anisado. **2** ‖ **de hinojos**; de rodillas: *Cayó de hinojos a sus pies y le imploró perdón.* □ ETIMOL. La acepción 1, del latín *fenuculum,* y éste de *fenum* (heno). La acepción 2, del latín *genuculum* (rodilla).

hioides s.m. →**hueso hioides.** □ ETIMOL. Del griego *hyoeidés* (que tiene forma de U). □ MORF. Invariable en número.

hipar v. **1** Tener hipo: *Le di un susto para que dejara de hipar.* **2** Llorar con sollozos semejantes al hipo: *El niño hipaba porque quería irse con su padre.* □ ETIMOL. De origen onomatopéyico.

[híper s.m. *col.* →**hipermercado.** □ MORF. Invariable en número.

hiper- Elemento compositivo que significa 'con exceso' *(hiperrealismo, hipersensible, hipertensión, hipervitaminosis) o 'muy grande' (hipermercado).* □ ETIMOL. Del griego *hypér.* □ USO Su uso con el significado de 'muy' es propio de la lengua coloquial: *hipercontento, hiperrápido, hiperlejos.*

[hiperactividad s.f. Actividad excesiva.

[hiperactivo, va adj./s. Que tiene una actividad excesiva.

hipérbaton s.m. Figura retórica consistente en la alteración del orden lógico o normal de las palabras o de las oraciones. □ ETIMOL. Del latín *hyperbaton,* y éste del griego *hyperbáton* (transposición). □ MORF. Su plural es *hipérbatos.*

hipérbola s.f. En geometría, curva plana y simétrica que resulta de cortar una superficie cónica por un plano paralelo a su eje. □ ETIMOL. Del griego *hyperbolé.* □ ORTOGR. Dist. de *hipérbole.*

hipérbole s.f. Figura retórica consistente en exagerar aquello de lo que se habla. □ ETIMOL. Del griego *hyperbolé.* □ ORTOGR. Dist. de *hipérbola.*

hiperbólico, ca adj. **1** En literatura, de la hipérbole, con hipérboles o relacionado con esta figura retórica. **2** En geometría, de la hipérbola o con la forma de esta curva.

hiperbolizar v. Utilizar hipérboles o exageraciones: *Sus relatos resultan poco creíbles por su tendencia a hiperbolizar demasiado.* □ ORTOGR. La *z* se cambia en *c* delante de *e* →CAZAR.

hiperclorhidria s.f. En medicina, exceso de ácido clorhídrico en el jugo gástrico. □ ETIMOL. De *hiper-* (con exceso) y *clorhídrico.*

[hiperespacio s.m. *col.* En ciencia ficción, espacio de más de tres dimensiones. □ ETIMOL. De *hiper-* (muy grande) y *espacio.*

hiperestesia s.f. En medicina, sensibilidad excesiva, patológica y molesta; hipersensibilidad. □ ETIMOL. De *hiper-* (con exceso) y el griego *áisthesis* (sensibilidad).

hiperestésico, ca adj. En medicina, de la hiperestesia o relacionado con esta patología de la sensibilidad; hipersensible.

hipermercado s.m. Establecimiento de grandes dimensiones, en el que la venta se realiza por autoservicio y generalmente a precios bajos, que suele estar situado en las afueras de las ciudades y que dispone de grandes aparcamientos para sus clientes. □ ETIMOL. De *hiper-* (muy grande) y *mercado.* □ MORF. En la lengua coloquial se usa mucho la forma abreviada *híper.*

hipermétrope adj./s. Referido a una persona, que padece de hipermetropía. □ ETIMOL. Del griego *hypérmetros* (desmesurado) y *óps* (vista). □ MORF. **1.** Como adjetivo es invariable en género. **2.** Como sustantivo es de género común: *el hipermétrope, la hipermétrope.*

hipermetropía s.f. Defecto de la visión consistente en ver de manera confusa lo que está cerca, por formarse la imagen de los objetos más allá de la retina.

[hiperrealismo s.m. **1** Movimiento artístico de origen estadounidense, desarrollado en la segunda mitad del siglo XX y caracterizado por la reproducción fiel y minuciosa de la realidad. **2** Forma de ver las cosas con rasgos propios de este movimiento: *Describió el accidente con un 'hiperrealismo' que nos puso los pelos de punta.* □ ETIMOL. De *hiper-* (con exceso) y *realismo.*

[hiperrealista ‖ adj. **1** Del hiperrealismo o con rasgos propios de este movimiento artístico. ‖ adj./s. **2** Que defiende o sigue el hiperrealismo. □ MORF. **1.** Como adjetivo es invariable en género. **2.** Como sustantivo es de género común: *el 'hiperrealista', la 'hiperrealista'.*

hipersensibilidad s.f. **1** Sensibilidad muy acentuada a los estímulos afectivos o a las emociones. **2** En medicina, sensibilidad excesiva, patológica y molesta; hiperestesia.

hipersensible adj. **1** Referido a una persona, que es muy sensible a los estímulos afectivos o a las emociones. **2** En medicina, de la hiperestesia o relacionado con esta patología de la sensibilidad; hiperestésico. □ ETIMOL. De *hiper-* (con exceso) y *sensible.* □ MORF. Invariable en género.

[hipersónico, ca adj. Referido a una velocidad o a una aeronave, que puede superar los seis mil kilómetros por hora.

hipertensión s.f. En medicina, tensión sanguínea excesivamente alta. □ ETIMOL. De *hiper-* (con exceso) y *tensión.* □ SEM. Dist. de *hipotensión* (tensión sanguínea excesivamente baja).

hipertenso, sa adj./s. Que tiene la tensión alta. □ SEM. Dist. de *hipotenso* (que tiene la tensión baja).

[hipertexto s.m. En informática, sistema que permite acceder a toda la información escrita contenida en el ordenador y manipularla según se necesite: *Con el 'hipertexto' se puede buscar la misma palabra en todos los documentos que se hayan archivado.*

hipertiroidismo s.m. En medicina, aumento de la actividad de la glándula tiroides. □ ETIMOL. De *hiper-* (muy grande, con exceso) y *tiroides.* □ SEM. Dist. de *hipotiroidismo* (insuficiencia en la actividad de la glándula tiroides).

hipertrofia s.f. **1** En medicina, aumento excesivo del volumen de un órgano o de un tejido orgánico. **2** Desarrollo excesivo, esp. si tiene efectos perjudiciales: *La hipertrofia de la burocracia, lejos de mejorar* *el servicio, lo complica y entorpece.* □ ETIMOL. De *hiper-* (con exceso) y el griego *trophós* (alimenticio). □ SEM. Dist. de *atrofia* (falta de desarrollo o disminución de tamaño).

hipertrofiar v. Producir hipertrofia o un desarrollo excesivo: *El ejercicio excesivo hipertrofia los músculos. A los tenistas se les hipertrofia el brazo con el que cogen la raqueta.* □ ORTOGR. La *i* nunca lleva tilde. □ SINT. Aunque la RAE sólo lo registra como pronominal, se usa también como verbo transitivo. □ SEM. Dist. de *atrofiar* (impedir el desarrollo).

hípico, ca ▌ adj. **1** Del caballo o relacionado con él. ▌ s.f. **2** Deporte que se practica a caballo y cuyas pruebas presentan distintas modalidades. □ ETIMOL. Del griego *hippikós* (perteneciente al caballo).

hípido s.m. Gimoteo leve e insistente. □ PRON. Está muy extendida la pronunciación [hipído], con *h* aspirada.

hipnosis s.f. Estado semejante al sueño, producido artificialmente por medio de la sugestión y caracterizado por el sometimiento de la voluntad a las órdenes de quien lo produce. □ ETIMOL. Del griego *hýpnos* (sueño). □ MORF. Invariable en número. □ SEM. Dist. de *hipnotismo* (método para producir la hipnosis).

hipnótico, ca ▌ adj. **1** Del hipnotismo o relacionado con él. ▌ adj./s.m. **2** Referido esp. a un medicamento, que produce sueño. □ ETIMOL. Del griego *hypnotikós* (somnoliento).

hipnotismo s.m. Conjunto de teorías y procedimientos que se ponen en práctica para producir hipnosis. □ SEM. Dist. de *hipnosis* (estado producido por el hipnotismo).

hipnotización s.f. Aplicación del método del hipnotismo.

hipnotizador, -a s. Persona que se dedica a producir hipnosis.

hipnotizar v. **1** Producir hipnosis: *El mago hipnotizó a un grupo de espectadores.* **2** Producir gran fascinación o asombro: *Su presencia me hipnotiza y no me deja pensar en otra cosa.* □ ORTOGR. La *z* se cambia en *c* delante de *e* →CAZAR.

hipo s.m. **1** Movimiento convulsivo involuntario del diafragma, que produce un ruido característico debido a la expulsión interrumpida y brusca del aire de los pulmones. **2** ‖**quitar el hipo**; *col.* Sorprender o asombrar, generalmente a causa de la belleza o de las buenas cualidades: *Es una película de quitar el hipo.* □ ETIMOL. De origen onomatopéyico.

hipo- Elemento compositivo que significa 'debajo de' (*hipocentro, hipodermis, hipogeo*), 'escaso' (*hipoalergénico, hipotensión, hipofunción*) o 'caballo' (*hipódromo, hipogrifo, hipología*). □ ETIMOL. Del griego *hypó* (debajo) e *hippós* (caballo).

[hipoalergénico, ca o **[hipoalérgico, ca** adj. Con bajo riesgo de producir reacciones alérgicas. □ ETIMOL. *Hipoalergénico*, de *hipo-* (escaso) y *alergénico*. *Hipoalérgico*, de *hipo-* (escaso) y *alérgico*.

[hipocalórico, ca adj. Que contiene o que proporciona un bajo número de calorías. □ ETIMOL. De *hipo-* (debajo) y *calórico*.

hipocampo s.m. Pez marino que nada en posición vertical y tiene la cabeza semejante a la del caballo; caballito de mar. □ ETIMOL. Del griego *hippókampos*, y éste de *hippós* (caballo) y *kampé* (curvatura).

□ MORF. Es un sustantivo epiceno: *el hipocampo macho, el hipocampo hembra.* ✕ pez

hipocentro s.m. En geología, punto o zona interior de la corteza terrestre donde se origina un terremoto. □ ETIMOL. De *hipo-* (debajo de) y *centro*. □ SEM. Dist. de *epicentro* (zona de la superficie terrestre que cae encima del hipocentro).

hipocondría s.f. En medicina, depresión anímica caracterizada por una preocupación obsesiva por la propia salud y por el convencimiento de estar padeciendo graves enfermedades. □ ETIMOL. De *hipocondrio*, porque se creía que esta enfermedad se originaba en los hipocondrios. □ PRON. Incorr. *[hipocóndria].

hipocondriaco, ca o **hipocondríaco, ca** ▌ adj. **1** De la hipocondría o relacionado con esta depresión anímica. ▌ adj./s. **2** Que padece hipocondría.

hipocondrio s.m. En anatomía, cada una de las dos partes situadas en la región del abdomen, debajo de las costillas falsas. □ ETIMOL. Del griego *hypokhóndrion*, y éste de *hypó* (debajo) y *khóndros* (cartílago).

hipocorístico, ca adj./s.m. En gramática, referido esp. a un nombre, que se usa de forma cariñosa y familiar o eufemística: *'Concha' es un hipocorístico de 'Concepción'.* □ ETIMOL. Del griego *hypokoristikós* (que acaricia), diminutivo de *hypokorízomai* (yo hablo a la manera de los niños). □ MORF. La RAE sólo lo registra como adjetivo.

hipocrático, ca adj. De Hipócrates (médico de la antigua Grecia), de sus doctrinas médicas o relacionado con ellas.

hipocresía s.f. Fingimiento de cualidades, de ideas o de sentimientos contrarios a los que verdaderamente se tienen; fariseísmo. □ ETIMOL. Del griego *hypokrisía* (acción de desempeñar un papel teatral).

hipócrita adj./s. Que finge cualidades, ideas o sentimientos contrarios a los que verdaderamente tiene. □ ETIMOL. Del latín *hypocrita*, y éste del griego *hypokrités* (actor teatral). □ MORF. **1.** Como adjetivo es invariable en género. **2.** Como sustantivo es de género común: *el hipócrita, la hipócrita.*

hipodérmico, ca adj. Que está o se pone debajo de la piel: *aguja hipodérmica.* □ ETIMOL. De *hipo-* (debajo de) y el griego *dérma* (piel).

[hipodermis s.f. Capa más profunda de la piel, situada bajo la dermis. □ MORF. Invariable en número.

hipódromo s.m. Lugar destinado a la celebración de carreras de caballos. □ ETIMOL. Del griego *hippódromos*, y éste de *hippós* (caballo) y *édramon* (yo corrí).

hipófisis s.f. En anatomía, glándula de secreción interna que está situada en la base del cráneo y que es el principal centro productor de hormonas; glándula pituitaria. □ ETIMOL. Del griego *hypóphysis* (excrecencia por debajo). □ MORF. Invariable en número. □ SEM. Dist. de *epífisis* (pequeña glándula situada en el encéfalo, relacionada con el desarrollo de los caracteres sexuales).

hipofunción s.f. En medicina, disminución de la actividad normal de un órgano, esp. de una glándula. □ ETIMOL. De *hipo-* (escaso) y *función*.

hipogástrico, ca adj. Del hipogastrio o relacionado con esta parte del abdomen.

hipogastrio s.m. En anatomía, parte inferior del ab-

domen. □ ETIMOL. Del griego *hypogástrion*, y éste de *hipó* (debajo) y *gastér* (estómago, vientre).

hipogénico, ca adj. En geología, referido a un terreno o a una roca, que se ha formado en el interior de la Tierra.

hipogeo, a ∎ adj. **1** Referido a una planta o a alguno de sus órganos, que se desarrolla bajo tierra. ∎ s.m. **2** Sepultura subterránea abovedada en la que antiguamente se conservaban los cadáveres sin quemarlos. **3** Capilla o edificio subterráneos. □ ETIMOL. Del griego *hypó* (debajo) y *gê* (tierra).

hipoglucemia s.f. En medicina, disminución de la cantidad normal de glucosa contenida en la sangre. □ ETIMOL. De *hipo-* (escaso) y *glucemia*.

hipogrifo s.m. Animal fabuloso que se representaba mitad caballo y mitad grifo con alas. □ ETIMOL. Del italiano *ippogrifo*. □ PRON. Incorr. *[hipógrifo].

hipología s.f. Estudio general del caballo. □ ETIMOL. De *hipo-* (caballo) y *-logía* (estudio).

hipopótamo s. Mamífero de gran tamaño, con patas cortas, cabeza y boca grandes y la piel gruesa y negruzca, que suele vivir en los grandes ríos del continente africano. □ ETIMOL. Del griego *hippopótamos*, y éste de *hippós* (caballo) y *potamós* (río). □ MORF. Es un sustantivo epiceno: *el hipopótamo macho, el hipopótamo hembra.* 🐾 ungulado

hiposo, sa adj. Que tiene hipo.

hipotálamo s.m. En el encéfalo, parte que está situada en la base del cerebro y que desempeña un papel importante en la regulación de la vida vegetativa. □ ETIMOL. De *hipo-* (debajo de) y el griego *thálamos* (tálamo). □ SEM. Dist. de *epitalamio* (composición poética).

[hipotaxis s.f. Relación gramatical que se establece entre dos oraciones cuando una depende de la otra y ésta funciona como principal; subordinación. □ ETIMOL. Del griego *hypótaxis* (dependencia). □ MORF. Invariable en número. □ SEM. Dist. de *hipóstasis* (cada una de las tres personas de la Santísima Trinidad).

hipoteca s.f. En derecho, contrato o derecho real que grava determinados bienes o recae sobre ellos, esp. sobre los inmuebles, como garantía para el cumplimiento de una obligación. □ ETIMOL. Del griego *hypothéke* (prenda, fundamento).

hipotecar v. **1** En derecho, referido esp. a bienes inmuebles, gravarlos como garantía para el cumplimiento de una obligación: *Hipotecó sus fincas para pagar sus deudas.* **2** Condicionar, obstaculizar o poner limitaciones: *Hipotecó su vida al aceptar aquel trabajo.* □ ORTOGR. La *c* se cambia en *qu* delante de *e* →SACAR.

hipotecario, ria adj. De la hipoteca o relacionado con ésta.

hipotensión s.f. En medicina, tensión sanguínea excesivamente baja. □ ETIMOL. De *hipo-* (escaso) y *tensión.* □ SEM. Dist. de *hipertensión* (tensión sanguínea excesivamente alta).

hipotenso, sa adj./s. Que tiene la tensión baja. □ SEM. Dist. de *hipertenso* (que tiene la tensión alta).

hipotenusa s.f. En un triángulo rectángulo, lado opuesto al ángulo recto. □ ETIMOL. Del latín *hypotenusa.*

hipótesis s.f. Suposición o afirmación no demostrada a partir de las cuales se extrae una conclusión

o una consecuencia. □ ETIMOL. Del griego *hypóthesis* (suposición). □ MORF. Invariable en número.

hipotético, ca adj. De la hipótesis, que la expresa o que está basado en ella.

hipotiroidismo s.m. En medicina, descenso de la actividad de la glándula tiroides. □ ETIMOL. De *hipo-* (escaso, debajo de) y *tiroides.* □ SEM. Dist. de *hipertiroidismo* (actividad excesiva de la glándula tiroides).

[hippie (anglicismo) adj./s. →**hippy.** □ PRON. [hípi], con *h* aspirada.

[hippioso, sa adj./s. col. Con características propias del movimiento hippy o relacionado con él. □ PRON. [hipióso], con *h* aspirada.

[hippy (anglicismo) ∎ adj. **1** Referido a un movimiento cultural, que surgió en los años sesenta y se caracteriza por el inconformismo y por la defensa del pacifismo, de la vida en comunas y de la vuelta a la naturaleza. ∎ adj./s. **2** De este movimiento o relacionado con él. □ PRON. [hípi], con *h* aspirada. □ MORF. **1.** Como adjetivo es invariable en género. **2** Como sustantivo es de género común: *el 'hippy', la 'hippy'.* **3.** Se usa mucho el plural inglés *'hippies'.*

[hiriente adj. Que hiere. □ MORF. Invariable en género.

hirsuto, ta adj. **1** Referido al pelo, que es duro y áspero. **2** Que está cubierto por este tipo de pelo o por púas o por espinas: *pecho hirsuto.* □ ETIMOL. Del latín *hirsutus.*

hisopar o **hisopear** v. En algunas ceremonias de la religión católica, echar el sacerdote agua bendita con el hisopo sobre alguien o sobre algo; asperger, asperjar: *El sacerdote hisopeó los ramos de olivo de sus feligreses.*

hisopo s.m. **1** Planta con hojas pequeñas en forma de punta de lanza, tallos leñosos y flores en espiga, que se utiliza en medicina y en perfumería. **2** Instrumento utilizado en el culto religioso católico, formado por un palo corto y redondo en uno de cuyos extremos hay una bola hueca agujereada que, al ser agitada, deja salir el agua bendita. □ ETIMOL. Del latín *hisopum* (hisopo, planta); la acepción 2, se explica porque se empleaban pequeños ramos de hisopo para esparcir el agua bendita.

hispalense adj./s. Sevillano, esp. de la antigua Híspalis (ciudad romana correspondiente a la actual Sevilla andaluza). □ MORF. **1.** Como adjetivo es invariable en género. **2.** Como sustantivo es de género común: *el hispalense, la hispalense.*

hispánico, ca adj. **1** De España (país europeo), o relacionado con ella; español. **2** De Hispania (nombre dado por los romanos a la península Ibérica), relacionado con ella o con sus habitantes. □ SEM. Es sinónimo de *hispano.*

hispanidad s.f. **1** Conjunto de países o pueblos de cultura o de lengua hispánicas. **2** Conjunto de características comunes de estos países o pueblos.

hispanismo s.m. **1** Estudio de la lengua y de la cultura hispánicas. **2** En lingüística, palabra, significado o construcción sintáctica del español empleados en otra lengua; españolismo.

hispanista s. Persona especializada en el estudio de la lengua y de la cultura hispánicas. □ MORF. Es de género común: *el hispanista, la hispanista.*

hispanizar v. Dar o adquirir características que se consideran propias de lo español o del español; españolizar: *Las misiones españolas hispanizaron las* *tribus americanas. Se hispanizó durante su estancia en España.* □ ORTOGR. La *z* se cambia en *c* delante de *e* →CAZAR.

hispano, na ❚ adj. **1** De Hispania (nombre dado por los romanos a la península Ibérica), relacionado con ella o con sus habitantes: *'Híspalis' es el nombre hispano de la ciudad andaluza de Sevilla.* ❚ adj./s. **2** De España (país europeo) o relacionado con ella; español. **3** De las naciones americanas que tienen como lengua oficial el español, o relacionado con ellas; hispanoamericano. □ MORF. 1. En la acepción 3, la RAE sólo lo registra como adjetivo. 2. Es la forma que adopta la forma *español* cuando se antepone a una palabra para formar compuestos: *hispanofrancés, hispanohablante, hispanófilo.* □ SEM. En las acepciones 1 y 2, como adjetivo es sinónimo de *hispánico.*

hispanoamericano, na ❚ adj. **1** De los españoles y los americanos o con elementos propios de ambos. ❚ adj./s. **2** De las naciones americanas que tienen como lengua oficial el español o relacionado con ellas; hispano. □ SEM. Dist. de *iberoamericano* (de los países americanos de habla española o portuguesa) y de *latinoamericano* (de los países americanos con lenguas de origen latino).

hispanoárabe adj./s. De la España musulmana o relacionado con ella. □ MORF. 1. Como adjetivo es invariable en género. 2. Como sustantivo es de género común: *el hispanoárabe, la hispanoárabe.*

[hispanofrancés, -a adj. De España y de Francia conjuntamente.

hispanohablante adj./s. Que tiene como lengua materna u oficial el español, o que habla esta lengua. □ MORF. 1. Como adjetivo es invariable en género. 2. Como sustantivo es de género común: *el hispanohablante, la hispanohablante.*

[hispanomusulmán, -a adj./s. De los musulmanes establecidos antiguamente en la península Ibérica.

[histamina s.f. Compuesto orgánico que interviene en algunos procesos biológicos, como la producción del jugo gástrico o las reacciones alérgicas. □ ETIMOL. Del griego *histós* (tejido) y *amina* (compuesto químico).

[histamínico, ca adj. De la histamina o relacionado con este compuesto orgánico.

[histerectomía s.f. Operación quirúrgica que consiste en la extirpación total o parcial del útero y que se realiza por vía abdominal o por vía vaginal. □ ETIMOL. Del griego *hystéra* (matriz) y *ektomé* (corte, extirpación).

histeria s.f. →histerismo.

histérico, ca adj./s. Que padece o tiene histeria o histerismo. □ ETIMOL. Del latín *hystericus,* y éste del griego *hysterikós* (relativo a la matriz y a sus enfermedades), porque se atribuía a la matriz la causa del histerismo.

histerismo s.m. **1** Enfermedad nerviosa que se caracteriza por frecuentes cambios emocionales, ansiedad y, a veces, ataques convulsivos. **2** Estado de gran excitación nerviosa producido por una situación anómala o irregular. □ SEM. Es sinónimo de *histeria.*

histología s.f. Parte de la anatomía que estudia los tejidos orgánicos. □ ETIMOL. Del griego *histós* (tejido) y *-logía* (estudio, ciencia).

histológico, ca adj. De la histología o relacionado con esta parte de la anatomía.

histólogo, ga s. Persona que se dedica a la histología o estudio de los tejidos orgánicos.

historia s.f. **1** Narración o exposición de acontecimientos pasados y hechos memorables. **2** Conjunto de sucesos o acontecimientos pasados. **3** Ciencia o disciplina que estudia estos acontecimientos. **4** Narración de cualquier suceso, esp. si es inventado. **5** Cuento, enredo o chisme, esp. si no tienen fundamento y sirven de pretexto: *Déjate de historias y cuéntame de verdad por qué lo hiciste.* **6** ‖ [hacer historia; marcar un hito: *Esos atletas 'hicieron historia' en los campeonatos mundiales.* ‖ **historia clínica**; conjunto de datos relativos a un paciente. ‖ **historia natural**; estudio de los reinos animal, vegetal y mineral. ‖ **historia {sacra/sagrada}**; conjunto de narraciones bíblicas. ‖ **pasar a la historia**; **1** Tener mucha importancia: *Escucha atentamente, que lo que dice pasará a la historia.* **2** Perder actualidad o interés: *No sé por qué me lo recuerdas, si sabes que eso ya ha pasado a la historia.* □ ETIMOL. Del latín *historia,* y éste del griego *historía* (búsqueda, averiguación, relato).

historiado, da adj. Recargado de adornos o de colores mal combinados.

historiador, -a s. Persona que se dedica a escribir historia, esp. si ésta es su profesión.

historial s.m. Conjunto de datos y circunstancias referentes a la actividad de una persona o de una entidad: *historial académico.*

historiar v. Referido a un suceso real o inventado, escribirlo o narrarlo de forma ordenada y detallada: *Historió las guerras civiles europeas del siglo XX.* □ ORTOGR. La *i* nunca lleva tilde.

historicidad s.f. Existencia real y verdadera de algo pasado.

historicismo s.m. Tendencia filosófica que interpreta los hechos y los acontecimientos humanos como producto de la historia y que trata de establecer las leyes del desarrollo histórico para predecir los acontecimientos futuros: *El historicismo defiende el carácter histórico de toda realidad, especialmente de la realidad humana.*

historicista ❚ adj. **1** Del historicismo o relacionado con esta tendencia filosófica. ❚ adj./s. **2** Que defiende o sigue el historicismo. □ MORF. 1. Como adjetivo es invariable en género. 2. Como sustantivo es de género común: *el historicista, la historicista.*

histórico, ca adj. **1** De la historia o relacionado con ella. **2** Acontecido, cierto o sucedido en la realidad: *hechos históricos.* **3** Digno de formar parte de la historia: *Si nos entrenamos a fondo, podemos conseguir un triunfo histórico.* **4** Referido a una obra literaria o cinematográfica, que tiene el argumento centrado en una época pasada y recrea su ambiente, sus ideales y alguno de sus personajes.

historieta s.f. **1** Historia desarrollada por medio de viñetas o dibujos. **2** Narración o relato cortos que describen hechos de poca importancia.

historiografía s.f. **1** Técnica o arte de escribir la historia. **2** Estudio bibliográfico y crítico de escritos que tratan sobre historia y sus fuentes, y de los autores que han tratado estas materias.

histrión s.m. **1** En el teatro grecolatino, actor que representaba disfrazado. **2** Actor de teatro, esp. el que actúa de forma exagerada. **3** Persona que se expresa de forma teatral, exagerada y ridícula: *Eres un histrión y no me creo que te haya hecho tanto daño.* ☐ ETIMOL. Del latín *histrio* (comediante, actor, mimo). ☐ MORF. Su femenino es *histrionisa.*

histriónico, ca adj. Del histrión o con características de este tipo de actor.

histrionisa s.f. de **histrión.**

histrionismo s.m. Afectación o exageración expresiva que caracterizan a un histrión.

[hit (anglicismo) s.m. **1** En el mundo del espectáculo, obra o producto de éxito. **2** ‖ **[hit-parade**; lista en la que figuran los más destacados de estos productos por orden de popularidad. ☐ PRON. [hit], [hit-paréid], con *h* aspirada. ☐ USO Su uso es innecesario y puede sustituirse por una expresión como *éxito* o *lista de éxitos,* respectivamente.

hitita ▌ adj./s. **1** De un antiguo pueblo indoeuropeo que constituyó un gran imperio en Anatolia (región asiática turca). ▌ s.m. **2** Lengua indoeuropea de este pueblo. ☐ MORF. En la acepción 1, como adjetivo es invariable en género y como sustantivo es de género común: *el hitita, la hitita.*

hitleriano, na adj. De Hitler (gobernante y líder nazi alemán del siglo XX), o relacionado con él. ☐ PRON. [hitleriáno], con *h* aspirada.

hitlerismo s.m. Movimiento o doctrina política que sigue las teorías de Hitler (gobernante y líder nazi alemán del siglo XX), de ideas totalitaristas y antisemitas que proclaman la superioridad del pueblo ario. ☐ PRON. [hitlerísmo], con *h* aspirada.

hito s.m. **[1** Acontecimiento o hecho importantes. **2** ‖ **mirar de hito en hito**; mirar con atención y sin perder detalle: *Los dos rivales se miraron de hito en hito.*

[hobby (anglicismo) s.m. Afición o entretenimiento preferidos para pasar el tiempo libre. ☐ PRON. [hóbi], con *h* aspirada. ☐ USO Su uso es innecesario y puede sustituirse por una expresión como *afición* o *pasatiempo.*

hocicar v. Mover y levantar la tierra con el hocico, esp. referido al cerdo o al jabalí; hociquear, hozar: *El cerdo hocicaba buscando bellotas.* ☐ ETIMOL. De *hozar.* ☐ ORTOGR. La segunda *c* se cambia en *qu* delante de *e* →SACAR.

hocico s.m. **1** En la cabeza de algunos animales, parte más o menos abultada en la que se encuentran la boca y los orificios nasales; morro. **2** *vulg.* En una persona, boca, esp. si tiene los labios muy abultados: *No seas guarro y límpiate esos hocicos.* **3** ‖ **meter el hocico en** algo; *vulg.* Curiosear o cotillear: *Estoy harta de que siempre metas el hocico en mis asuntos.* ☐ USO En la acepción 2, tiene un matiz despectivo.

hocicón, -a u **hocicudo, da** adj. Que tiene el hocico muy abultado o la boca muy saliente. ☐ USO La RAE prefiere *hocicudo.*

hociquear v. →hocicar.

[hockey (anglicismo) s.m. Deporte que se juega entre dos equipos rivales y que consiste en intentar introducir una bola o un disco en la portería contraria, con ayuda de un bastón curvo en uno de sus extremos. ☐ PRON. [hókei], con *h* aspirada. ☐ SEM. Dist. de *jockey, yóquey* y *yoqui* (jinete profesional).

hogaño adv. *ant.* En este año o en esta época: 'Ya en los nidos de antaño no hay pájaros de hogaño' fueron las palabras de don Quijote antes de morir.* ☐ ETIMOL. Del latín *hoc anno* (en este año). ☐ OR-

TOGR. Se admite también *ogaño.* ☐ SEM. Dist. de *antaño* (en un tiempo pasado).

hogar s.m. **1** Lugar donde se vive, esp. si es acogedor. **2** En una casa o en una cocina, sitio en el que se hace lumbre; lar. **3** Familia o conjunto de personas con las que se vive, esp. si la convivencia es agradable. **4** ‖ **[hogar del pensionista**; lugar de recreo y esparcimiento para jubilados. ☐ ETIMOL. Del latín *focaris,* y éste de *focus* (fuego).

hogareño, ña adj. **1** Del hogar o relacionado con él. **2** Referido a una persona, que es amante del hogar o de la vida en familia.

hogaza s.f. Pan grande de forma redondeada. ☐ ETIMOL. Del latín *focacia* (panecillos cocidos bajo la ceniza del hogar). ✖ pan

hoguera s.f. Fuego con mucha llama, esp. el que se hace en el suelo al aire libre. ☐ ETIMOL. Del latín *focaria,* y éste de *focarius* (del fuego).

hoja s.f. **1** En una planta, parte que nace de su tallo o de sus ramas y que generalmente es verde, delgada y plana. **2** Conjunto de estas partes de una planta: *La hoja del pino es perenne.* **3** En una flor, cada una de las láminas de colores que forman la corola; pétalo. ✖ flor **4** En un libro o en un cuaderno, cada una de las partes iguales que resultan al doblar el papel para formar el pliego. ✖ libro **5** Lámina delgada de cualquier material: *Esta mesa es de contrachapado, con una fina hoja de madera por encima.* **6** En una herramienta o en un arma blanca, cuchilla. ✖ cuchillo **7** Arma blanca larga y delgada, recta y afilada, con empuñadura; espada. **8** En una puerta o en una ventana, parte movible que se abre y se cierra; batiente. **9** ‖ **de hoja caduca**; referido a un árbol, que pierde sus hojas al llegar el otoño; caducifolio. ‖ **de hoja perenne**; referido a un árbol, que cambia sus hojas gradualmente; perennifolio. ‖ **[hoja bipinnada**; la que es compuesta y dos veces pinnada o con el peciolo ramificado en peciolillos a su vez ramificados en foliolos u hojuelas. ‖ **hoja compuesta**; la que tiene más de un limbo. ‖ **hoja de afeitar**; lámina de acero muy fina que corta generalmente por dos de sus lados y que, colocada en una maquinilla, se usa para afeitar. ‖ **[hoja de cálculo**; programa informático que permite realizar con mucha rapidez operaciones matemáticas de distinta complejidad. ‖ **hoja de lata**; →hojalata. ‖ **hoja de ruta**; documento que justifica un transporte o un viaje. ‖ **hoja de servicios**; documento en el que se recogen todos los datos profesionales de un funcionario público y las incidencias en el ejercicio de su profesión. ‖ **hoja entera**; la que tiene el borde del limbo continuo y sin recortes. ‖ **hoja envainadora**; la que no tiene peciolo y rodea completamente al tallo envolviéndolo como una vaina. ‖ **[hoja hendida**; la que tiene el limbo dividido en partes desiguales. ‖ **[hoja imparipinnada**; la que es compuesta y pinnada, y que tiene un número impar de foliolos u hojuelas. ‖ **[hoja palmado-compuesta**; la que es compuesta y sus foliolos u hojuelas nacen de un punto común y se separan como los dedos de una mano abierta. ‖ **[hoja palminervia**; la que tiene las nerviaciones principales que parten del punto de unión entre el limbo y el peciolo. ‖ **[hoja paralelinervia**; la que tiene las nerviaciones paralelas entre sí. ‖ **[hoja paripinnada**; la que es compuesta y pinnada, y tiene un número par de foliolos u hojuelas. ‖ **[hoja partida**; la que tiene el

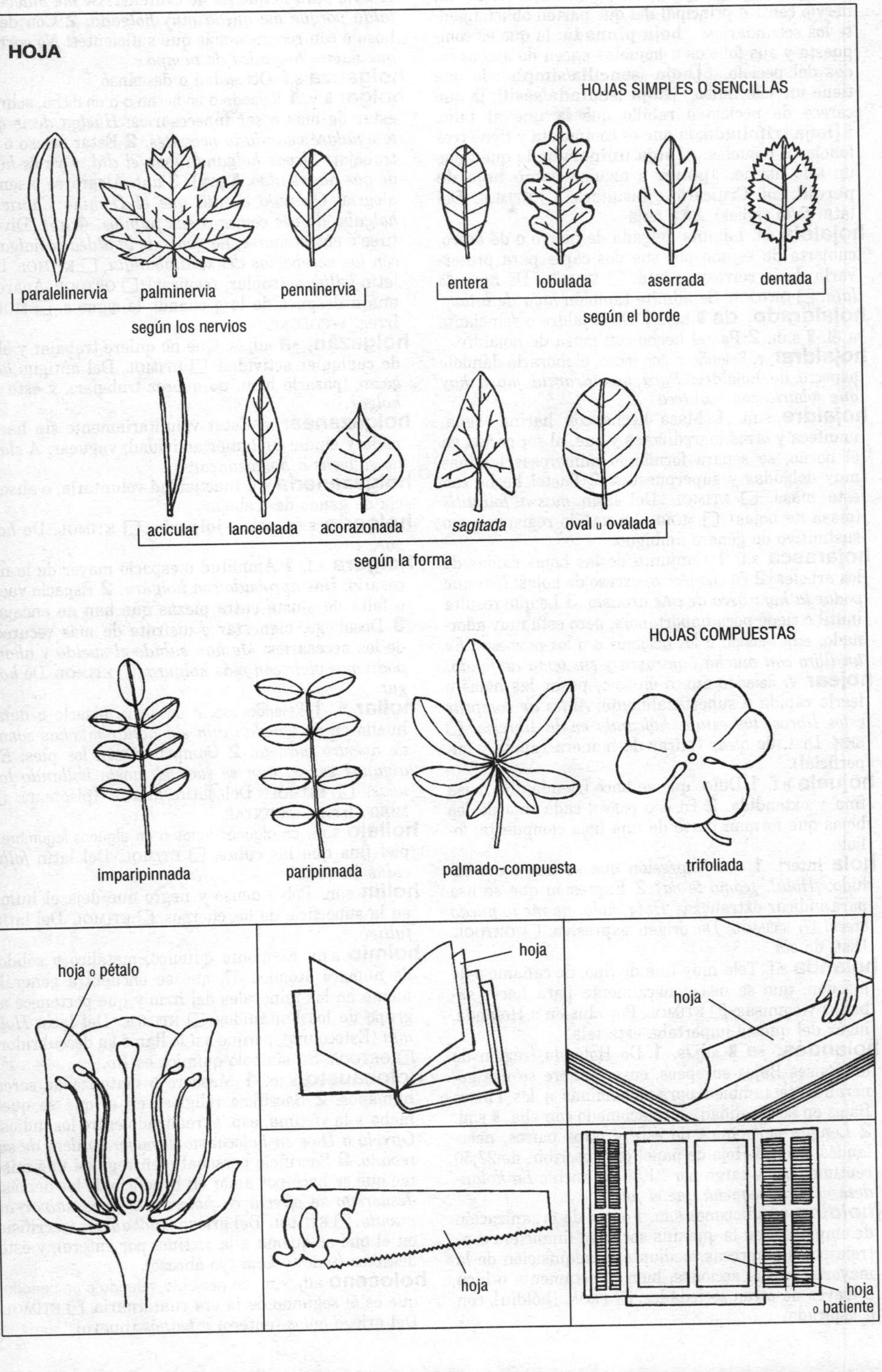

HOJA

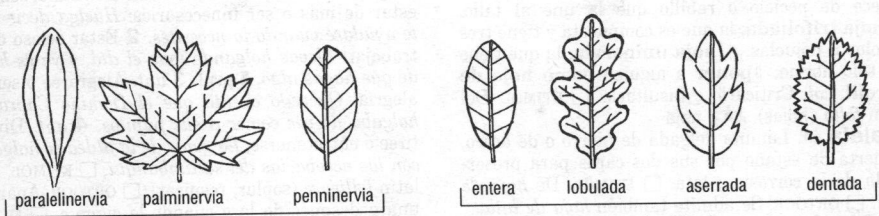

HOJAS SIMPLES O SENCILLAS

paralelinervia	palminervia	penninervia

según los nervios

entera	lobulada	aserrada	dentada

según el borde

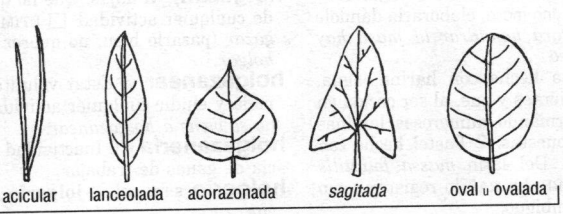

acicular	lanceolada	acorazonada	*sagitada*	oval u ovalada

según la forma

HOJAS COMPUESTAS

imparipinnada	paripinnada	palmado-compuesta	trifoliada

hoja o pétalo

hoja

hoja

hoja

hoja

hoja o batiente

borde del limbo con hendiduras que llegan al nervio principal. ‖ [**hoja penninervia**; la que tiene un nervio central principal del que parten oblicuamente los secundarios. ‖ **hoja pinnada**; la que es compuesta y sus foliolos u hojuelas nacen de ambos lados del peciolo. ‖ [**hoja {sencilla/simple}**; la que tiene un solo limbo. ‖ **hoja {sentada/sésil}**; la que carece de peciolo o rabillo que la une al tallo. ‖ [**hoja trifoliada**; la que es compuesta y tiene tres foliolos u hojuelas. ‖ [**hoja uninervia**; la que tiene un solo nervio. ‖ **poner** a alguien **como hoja de perejil**; *col.* Criticarlo e insultarlo. □ ETIMOL. Del latín *folia* (hojas). ⚚ hoja

hojalata s.f. Lámina delgada de hierro o de acero, cubierta de estaño por sus dos caras para preservarla de la corrosión; lata. □ ETIMOL. De *hoja de lata*. □ ORTOGR. Se admite también *hoja de lata*.

hojaldrado, da ■ adj. **1** De hojaldre o semejante a él. ■ s.m. **2** Pastel hecho con masa de hojaldre.

hojaldrar v. Referido a una masa, elaborarla dándole aspecto de hojaldre: *Para hojaldrar la masa hay que sobarla con manteca.*

hojaldre s.m. **1** Masa hecha con harina, agua, manteca y otros ingredientes y que, al ser cocida en el horno, se separa formando numerosas láminas muy delgadas y superpuestas. **2** Pastel hecho con esta masa. □ ETIMOL. Del latín *massa foliatilis* (masa de hojas). □ MORF. La RAE lo registra como sustantivo de género ambiguo.

hojarasca s.f. **1** Conjunto de las hojas caídas de los árboles. **2** En una planta, exceso de hojas: *Hay que podar la hojarasca de este arbusto.* **3** Lo que resulta inútil o tiene poca importancia, pero está muy adornado, esp. referido a las palabras o a las promesas: *Es un libro con mucha hojarasca y sin tema de fondo.*

hojear v. Referido esp. a un libro, pasar las hojas o leerlo rápida y superficialmente: *Antes de comprar estos libros, los estuve hojeando en la librería.* □ SEM. Dist. de *ojear* (mirar de manera rápida y superficial).

hojuela s.f. **1** Dulce que se hace friendo una masa fina y extendida. **2** En una planta, cada una de las hojas que forman parte de una hoja compuesta; foliolo.

hola interj. **1** *col.* Expresión que se usa como saludo: *¡Hola!, ¿cómo te va?* **2** Expresión que se usa para indicar extrañeza: *¡Hola, hola, no me lo puedo creer!* □ ETIMOL. De origen expresivo. □ ORTOGR. Dist. de *ola*.

holanda s.f. Tela muy fina de lino, de cáñamo o de algodón, que se usa generalmente para hacer sábanas y camisas. □ ETIMOL. Por alusión a Holanda, lugar del que se importaba esta tela.

holandés, -a ■ adj./s. **1** De Holanda (región de los Países Bajos europeos, cuyo nombre se usa generalmente también para denominar a los Países Bajos en su totalidad), o relacionado con ella. ■ s.m. **2** Lengua germánica de este y otros países; neerlandés. ■ s.f. **3** Hoja de papel para escribir, de 27,50 centímetros de largo por 21,50 de ancho: *La holandesa es más pequeña que el folio.*

[holding (anglicismo) s.m. Forma de organización de empresas, en la que una sociedad financiera controla otras empresas mediante la adquisición de la mayoría de sus acciones, bien directamente o bien a través de otras sociedades. □ PRON. [hóldin], con *h* aspirada.

holgado, da adj. **1** Ancho o más amplio de lo necesario para lo que ha de contener: *Se me mueve l falda porque me queda muy holgada.* **2** Con desa hogo o con recursos más que suficientes: *No corras que vamos holgados de tiempo.*

holganza s.f. Ociosidad o descanso.

holgar ■ v. **1** Referido a un hecho o a un dicho, sobrar estar de más o ser innecesarios: *Huelga decir qu te ayudaré cuando lo necesites.* **2** Estar ocioso o n trabajar: *Llevas holgando todo el día, y ya es hor de que hagas algo.* ■ prnl. **3** *ant.* Alegrarse o senti alegría: *Quevedo cuenta que el Dómine Cabra s holgaba de ver comer a sus pupilos.* **4** *ant.* Diver tirse o entretenerse: *La gente de la aldea se holgab con las acrobacias del saltimbanqui.* □ ETIMOL. De latín *follicare* (soplar, respirar). □ ORTOGR. Aparec una *u* después de la *g* cuando le sigue *e*. □ MORF Irreg. →COLGAR.

holgazán, -a adj./s. Que no quiere trabajar y elu de cualquier actividad. □ ETIMOL. Del antiguo *hol gazar* (pasarlo bien, no querer trabajar), y éste d *holgar.*

holgazanear v. Estar voluntariamente sin hace nada y eludir cualquier actividad; vaguear: *A clas no se viene a holgazanear.*

holgazanería s.f. Inactividad voluntaria, o ausen cia de ganas de trabajar.

holgorio s.m. *col.* →**jolgorio**. □ ETIMOL. De *hol gar.*

holgura s.f. **1** Amplitud o espacio mayor de lo ne cesario: *Has aprobado con holgura.* **2** Espacio vací o falta de ajuste entre piezas que han de encajar **3** Desahogo, bienestar o disfrute de más recursos de los necesarios: *Me han subido el sueldo y ahora podremos vivir con más holgura.* □ ETIMOL. De *hol gar.*

hollar v. **1** Referido esp. a un lugar, pisarlo o dejar huella en él: *Quedan aún sin hollar muchas zonas de nuestro planeta.* **2** Comprimir con los pies: *En algunas zonas, aún se saca el mosto hollando las uvas.* □ ETIMOL. Del latín *fullare* (pisotear). □ MORF. Irreg. →CONTAR.

hollejo s.m. En algunas frutas o en algunas legumbres, piel fina que las cubre. □ ETIMOL. Del latín *folli culus* (saquito).

hollín s.m. Polvo denso y negro que deja el humo en la superficie de los cuerpos. □ ETIMOL. Del latín *fulligo.*

holmio s.m. Elemento químico, metálico y sólido, de número atómico 67, que se encuentra generalmente en los minerales del itrio y que pertenece al grupo de los lantánidos. □ ETIMOL. Del latín *Hol mia* (Estocolmo), porque así lo llamó su descubridor. □ ORTOGR. Su símbolo químico es *Ho.*

holocausto s.m. **1** Masacre o matanza de seres humanos. **2** Sacrificio religioso en el que se quemaba a la víctima, esp. el realizado entre los judíos: *Ofreció a Dios en holocausto el mejor cordero de su rebaño.* **3** Sacrificio personal o entrega de uno mismo que se hace por amor en beneficio de los demás: *Jesucristo se ofreció en holocausto para salvar al mundo.* □ ETIMOL. Del griego *holókaustos* (sacrificio en el que se quema a la víctima por entero), y éste de *hólos* (todo) y *káio* (yo abraso).

holoceno adj./s.m. En geología, referido a un período, que es el segundo de la era cuaternaria. □ ETIMOL. Del griego *hólos* (entero) y *kainós* (nuevo).

holografía s.f. **1** Técnica fotográfica que consiste en la utilización del rayo láser para reproducir una imagen, y con la que se logra un efecto óptico tridimensional. **[2** Imagen óptica tridimensional que se obtiene mediante esta técnica; holograma. □ ETIMOL. Del griego *hólos* (entero) y *-grafía* (representación gráfica).

holográfico, ca adj. De la holografía o relacionado con esta técnica fotográfica o con este tipo de imagen.

holograma s.m. **1** Placa fotográfica que se obtiene mediante la técnica holográfica. **2** Imagen óptica tridimensional que se obtiene mediante la técnica holográfica; holografía. □ ETIMOL. Del griego *holós* (entero) y *-grama* (representación).

holoturia s.f. Animal equinodermo con el cuerpo blando y alargado, y los extremos redondeados. □ ETIMOL. Del griego *holothúria*.

hombrada s.f. Acción que se considera propia de un hombre valiente y animoso.

hombre ▮ s.m. **1** Miembro de la especie humana: *Los hombres formamos la especie animal más evolucionada de la Tierra.* **2** Persona de sexo masculino; varón. **3** Persona adulta de sexo masculino. **4** Respecto de una mujer, compañero sentimental. ▮ interj. **5** Expresión que se usa para indicar extrañeza, sorpresa, admiración o disgusto: *¡Hombre, cuánto tiempo sin verte!* **6** ‖ **[de hombre a hombre**; de igual a igual, francamente o con sinceridad: *Habla con su hijo 'de hombre a hombre'.* ‖ **gentil hombre**; →**gentilhombre.** ‖ **[hombre anuncio**; persona vestida expresamente para hacer publicidad. ‖**hombre bueno**; en derecho, mediador en actos de conciliación. ‖ **[hombre de Cromañón**; tipo humano que vivió en el paleolítico superior y que se caracteriza por andar totalmente erguido y por tener el mentón bien desarrollado y la frente recta. ‖ **[hombre de Neanderthal**; tipo humano que vivió en el paleolítico medio y que se caracteriza por andar erguido pero con las rodillas algo flexionadas y por tener poco mentón y la frente inclinada hacia atrás. ‖ **hombre de paja**; el que actúa según el dictado de otro al que no le interesa figurar en un primer plano. ‖ **hombre de pelo en pecho**; *col.* El que es fuerte y osado. ‖ **hombre del saco**; en la tradición popular, personaje imaginario que se lleva en un saco a los niños que no se portan bien. ‖ **[hombre del tiempo**; el que aparece en la noticias televisivas dando la previsión del tiempo. ‖ **[hombre fuerte**; en un grupo, el más representativo: *Es el nuevo 'hombre fuerte' del partido.* ‖ **[hombre objeto**; *col.* El considerado sólo como un objeto que produce placer. ‖ **[hombre orquesta**; persona que lleva encima varios instrumentos musicales y puede tocarlos al mismo tiempo. ‖ **hombre rana**; buzo que puede permanecer de forma autónoma bajo el agua. ‖ **muy hombre**; *col.* Con las características que tradicionalmente se han considerado propias de las personas de sexo masculino. □ ETIMOL. Del latín *homo.* □ MORF. 1. En las acepciones 2 y 3, su femenino es *mujer.* 2. El plural de las locuciones formadas por *hombre + sustantivo* se forma añadiendo una *s* a la palabra *hombre: hombres rana;* incorr. **hombres ranas.* □ USO Se usa como apelativo: *No se ponga usted así, buen hombre, e intentemos arreglar las cosas con calma.*

hombrera s.f. **1** Pieza que se adapta al hombro y

que se usa para realzarlo o como protección. ◉ armadura **2** En algunas prendas de ropa, cinta o tira de tela con que se suspenden de los hombros. **3** En un uniforme militar, cordón, franja o pieza de paño o metal que, sobrepuesta a los hombros, sirve generalmente de adorno o de sujeción para correas o cordones, o como indicación de la jerarquía.

hombría s.f. Conjunto de características que se consideran positivas y propias de un hombre.

hombro s.m. **1** En algunos vertebrados, parte en la que se une el tórax con las extremidades superiores o las extremidades delanteras. **2** En una prenda de vestir, parte que cubre la zona en la que nace el brazo. **3** ‖{a/en} **hombros**; sobre los hombros o sobre la espalda: *Los jugadores pasearon en hombros a su entrenador.* ‖**{arrimar/poner} el hombro**; ayudar, esp. si se trabaja intensamente. ‖**cargado de hombros**; referido a una persona, con la parte superior de la columna vertebral más curvada de lo normal. ‖**encoger los hombros** o **encogerse de hombros**; moverlos en señal de indiferencia o de extrañeza. ‖**hombro {a/con} hombro**; conjuntamente o a la vez: *Mi jefa y yo, hombro con hombro, pusimos al día las estadísticas.* ‖**mirar por encima del hombro**; *col.* Desdeñar a alguien por considerarlo inferior. □ ETIMOL. Del latín *humerus.* □ SEM. *En* hombros se usa referido esp. a personas, frente a a *hombros,* que se usa tanto para personas como para cosas.

hombruno, na adj. Que tiene las características que se consideran propias del varón.

[*homeless* (anglicismo) s. Persona que vive en la calle y que suele mantenerse de la mendicidad. □ PRON. [hómles], con *h* aspirada. □ MORF. Es de género común: *el 'homeless', la 'homeless'.* □ USO Se usa más en plural. Es innecesario y puede sustituirse por una expresión como *sin techo.*

homenaje s.m. **1** Acto celebrado en honor o en memoria de alguien. **2** Muestra de respeto, veneración o sumisión. **3** Juramento solemne de fidelidad, que un vasallo hacía a su rey o a su señor. □ ETIMOL. Del provenzal antiguo *homenatge,* y éste de *home* (hombre con el sentido de vasallo).

homenajear v. Rendir homenaje: *Homenajearemos a nuestro viejo profesor.*

homeo- Elemento compositivo que significa 'semejante' o 'parecido': *homeopatía, homeotermia.* □ ETIMOL. Del griego *hómoios.*

homeópata adj./s. Especialista en el método curativo de la homeopatía. □ MORF. 1. Como adjetivo es invariable en género. 2. Como sustantivo es de género común: *el homeópata, la homeópata.*

homeopatía s.f. Método curativo que consiste en administrar a un enfermo una pequeña cantidad de sustancias que, tomadas en mayores cantidades, producirían a cualquier individuo sano los síntomas que se pretenden combatir. □ ETIMOL. De *homeo-* (semejante, parecido) y *-patía* (medicina).

homeopático, ca adj. De la homeopatía o relacionado con este método curativo.

[*homeostasia, homeostasis* u homeóstasis s.f. Tendencia de un sistema biológico a mantener un equilibrio dinámico mediante la actuación de mecanismos reguladores: *Por la homeostasia, los mamíferos mantienen una temperatura estable en el cuerpo.* □ ETIMOL. *Homeostasis* y *homeóstasis,* de *homeo-* (semejante, parecido) y el griego *stásis* (po-

sición, estabilidad). □ MORF. *Homeostasis* y *homeós-tasis* son invariables en número. □ USO Aunque la RAE prefiere *homeóstasis*, se usa más *homeostasis*.
homérico, ca adj. De Homero (poeta griego clásico) o con características de sus obras.
homicida adj./s. Que ocasiona la muerte de una persona. □ ETIMOL. Del latín *homicida*, y éste de *homo* (hombre) y *caedere* (matar). □ MORF. 1. Como adjetivo es invariable en género. 2. Como sustantivo es de género común: *el homicida, la homicida*. □ SEM. Dist. de *asesino* (que mata con premeditación o con otras circunstancias agravantes).
homicidio s.m. Muerte causada a una persona por otra. □ ETIMOL. Del latín *homicidium*. □ SEM. Dist. de *asesinato* (muerte causada con premeditación o con otras circunstancias agravantes).
homilía s.f. En la misa católica, explicación o discurso dirigido a los fieles sobre temas religiosos. □ ETIMOL. Del griego *homilía* (reunión, conversación familiar).
homínido ▌ adj./s.m. **1** Referido a un primate, que tiene postura erguida, las extremidades anteriores liberadas y gran capacidad craneana: *El único homínido que pervive es el hombre actual.* ▌ s.m.pl. **[2** En zoología, familia de estos primates, perteneciente a la clase de los mamíferos. □ ETIMOL. Del latín *homo* (hombre).
[homo adj./s. col. →**homosexual**.
homo- Elemento compositivo que significa 'igual': *homogéneo, homonimia, homófono, homólogo.* □ ETIMOL. Del griego *homós*.
[homo erectus (latinismo) ‖Tipo humano que vivió en el paleolítico inferior, y que se caracterizaba por caminar erguido, por tener la cara prominente y la frente inclinada hacia atrás, y por carecer de mentón. □ USO Se usa más como nombre propio.
[homo sapiens (latinismo) ‖Tipo humano que corresponde al hombre actual y que también incluye al hombre de Neanderthal y al hombre de Cromañón. □ USO Se usa más como nombre propio.
homofonía s.f. Identidad de sonidos: *Entre 'basto' y 'vasto' hay homofonía.* □ ETIMOL. Del griego *homophonía*, y éste de *homós* (igual) y *phoné* (sonido).
homófono, na adj. **1** Referido a un signo gráfico, que representa el mismo fonema que otro: *'B' y 'v' son letras homófonas, porque ambas representan el fonema /b/.* **2** Referido a una palabra, que se pronuncia igual que otra de significado distinto: *'Baca' y 'vaca' son palabras homófonas.* **3** Referido a una música o a un canto, que tiene todas sus voces con el mismo sonido.
homogeneidad s.f. **1** Igualdad o semejanza en la naturaleza, la condición o el género de varios elementos. **2** Referido a una sustancia o a una mezcla, uniformidad de su composición o de su estructura.
homogeneización s.f. **1** Hecho de dar carácter homogéneo. **2** Tratamiento al que son sometidos algunos líquidos para evitar la separación de sus componentes.
homogeneizar v. Referido a un compuesto o a una mezcla de elementos diversos, hacerlos homogéneos por medios físicos o químicos: *La leche se homogeneiza para evitar la separación de sus componentes.* □ ORTOGR. La *z* se cambia en *c* delante de *e* →CAZAR.
homogéneo, a adj. **1** Formado por partes de igual naturaleza o por elementos iguales. **2** Referido

a una sustancia o a una mezcla, que tienen una composición o una estructura uniformes. □ ETIMOL. Del latín *homogeneus*, y éste del griego *homogenés*, de *homós* (igual) y *génos* (linaje, género).
homógrafo, fa adj. Referido a una palabra, que se escribe igual que otra de significado distinto: *'Cazo', del verbo 'cazar' y 'cazo', como recipiente, son palabras homógrafas.* □ ETIMOL. De *homo-* (igual) y -*grafo* (que escribe).
homologación s.f. **1** En derecho, equiparación de una cosa a otra: *La homologación de sus salarios con los del resto de los trabajadores de la empresa fue difícil.* **2** En deporte, registro y confirmación del resultado de una prueba por parte de un organismo autorizado. **3** Verificación por parte de la autoridad oficial del cumplimiento de determinadas características: *homologación de estudios.*
homologar v. **1** Referido a una cosa, ponerla en relación de igualdad o de semejanza con otra: *Hemos de homologar nuestros medios de transporte con los de los países más avanzados.* **2** Referido a un objeto o a una acción, verificar la autoridad oficial, que cumple determinadas características: *El Ministerio de Educación homologó mi colegio el año pasado.* **3** En deporte, referido al resultado de una prueba, registrarlo y confirmarlo el organismo autorizado: *Para que este salto sea homologado, su realización debe cumplir ciertas normas.* □ ORTOGR. La *g* cambia en *gu* delante de *e* →PAGAR.
homólogo, ga ▌ adj. **1** En un ser vivo, referido a una parte del cuerpo o a un órgano, que son semejantes a los de otros por su origen embrionario o por su estructura, aunque su aspecto y función sean diferentes: *Las alas de las aves y las extremidades anteriores de los mamíferos son homólogas.* **2** En una figura geométrica, referido esp. a uno de sus lados, que está colocado en el mismo orden o posición que otro en otra figura semejante: *Las hipotenusas de dos triángulos rectángulos son homólogas entre sí.* **3** En lógica, referido a un término, que significa lo mismo que otro: *El término 'Sócrates es hombre' es homólogo de 'Sócrates es mortal'.* ▌ adj./s. **4** Referido a una persona, que desempeña funciones semejantes a otra: *El presidente se entrevistó con su homólogo francés.* □ ETIMOL. Del griego *homólogos*, y éste de *homós* (igual) y *légo* (yo digo).
homonimia s.f. **1** En lingüística, identidad ortográfica o de pronunciación entre palabras con distinto significado y distinto origen: *La homonimia puede ser total ('haya', nombre de árbol o forma del verbo 'haber') o parcial ('halla', 'haya' y 'aya').* **2** Identidad de nombres: *Entre el nombre del país de México y el de su capital hay homonimia.* □ SEM. Dist. de *polisemia* (pluralidad de significados de una misma palabra) y de *sinonimia* (coincidencia de significado en varias palabras).
homónimo, ma ▌ adj. **1** Referido a una persona o a una cosa, que tienen el mismo nombre que otra. ▌ adj./s.m. **2** Referido a una palabra, que tiene la misma forma que otra de significado y origen etimológico distintos. □ ETIMOL. Del griego *homónymos*, y éste de *homós* (igual) y *ónoma* (nombre). □ SEM. En la acepción 1, cuando se refiere a personas es sinónimo de *tocayo*.
homosexual ▌ adj. **1** De la homosexualidad o relacionado con esta inclinación sexual. ▌ adj./s. **2** Que siente atracción sexual por individuos de su

mismo sexo. ☐ ETIMOL. De *homo-* (igual) y *sexual.* ☐ MORF. 1. Como adjetivo es invariable en género. 2. Como sustantivo es de género común: *el homosexual, la homosexual.* En la lengua coloquial se usa también la forma abreviada *homo.* ☐ USO Es innecesario el uso del anglicismo *gay.*

homosexualidad s.f. **1** Atracción sexual por individuos del mismo sexo. **2** Práctica de relaciones sexuales con individuos del mismo sexo.

honda s.f. Véase **hondo, da.**

hondear v. **1** Referido a un fondo acuático, reconocerlo con la sonda o con el sonar: *Los investigadores hondearon el fondo del mar desde el barco.* **2** Disparar la honda: *Hondeó con puntería y dio con la piedra en el blanco.* ☐ ETIMOL. La acepción 1, de *hondo.* ☐ ORTOGR. Dist. de *ondear.*

hondo, da ▌ adj. **1** Referido a un recipiente o a una cavidad, con el fondo muy distante del borde superior: *La sopa se toma en plato hondo.* **2** Referido a un terreno, que tiene la parte inferior mucho más abajo que lo circundante: *Esa parte de la poza es tan honda que no se puede tocar el fondo.* **3** Que penetra mucho o va hasta muy adentro: *El corte fue muy hondo y la herida tardará mucho en cicatrizar.* **4** Difícil de penetrar o de comprender: *Se me sinceró y me contó sus hondos pensamientos.* ▌ s.f. **5** Tira de cuero o de otro material semejante que se usa para tirar piedras con violencia. ☐ ETIMOL. Las acepciones 1-4, del latín *fundus.* La acepción 5, del latín *funda.* ☐ SEM. En las acepciones 1, 2, 3 y 4, es sinónimo de *profundo.*

hondonada s.f. Espacio de terreno que está más bajo que todo lo que lo rodea.

hondura s.f. **1** Distancia que hay entre el fondo de algo y su borde superior; fondo: *Los cimientos de un edificio alto deben tener mucha hondura.* **2** Intensidad o sinceridad de un sentimiento: *La hondura de su pena se refleja en su expresión.* **3** Viveza o capacidad de penetración del pensamiento: *Es muy inteligente y es innegable la hondura de sus ideas.* **4** ‖**meterse en honduras**; *col.* Tratar de temas difíciles y complicados: *Si no estás bien enterado, mejor será que no te metas en honduras sobre un tema tan peliagudo.* ☐ SEM. Es sinónimo de *profundidad.*

hondureño, ña adj./s. De Honduras o relacionado con este país centroamericano.

honestidad s.f. **1** Respeto de los principios morales y seguimiento de lo que se consideran buenas costumbres. **2** Decencia, rectitud y justicia en las personas o en su manera de actuar.

honesto, ta adj. **1** Que respeta los principios morales, que sigue lo que se consideran buenas costumbres o que no hiere el pudor de los demás. **2** Que actúa con rectitud y justicia. **3** Que actúa con honradez. **4** Que se realiza de forma honrosa: *trabajo honesto.* ☐ ETIMOL. Del latín *honestus* (honorable, honesto). ☐ SEM. 1. En las acepciones 3 y 4, es sinónimo de *honrado.* 2. No debe emplearse con el significado de 'franco' o 'claro': *Te hablaré de forma {*honesta > clara}.*

hongo ▌ s.m. **1** Organismo que no tiene clorofila, no forma tejidos, es incapaz de transformar la materia inorgánica en orgánica y tiene reproducción asexual y sexual, generalmente alternadas: *Algunos hongos, como el champiñón o el níscalo, son comestibles.* ▌**2** Lo que tiene forma de seta: *El 'hongo' de*

la explosión de la bomba atómica se vio a muchos kilómetros de distancia. **3** →**sombrero hongo.** 🎩 sombrero **4** En zonas del español meridional, seta. ▌ pl. **5** En botánica, reino de estos organismos. ☐ ETIMOL. Del latín *fungus.*

honor ▌ s.m. **1** Actitud moral que impulsa a las personas a cumplir con sus deberes. **2** Gloria, prestigio o buena reputación adquiridos por un mérito, una virtud o una acción heroica: *Cedió el dinero del premio porque sólo le interesa el honor de vencer.* **3** Referido a una mujer, honestidad, recato y buena opinión que estas cualidades producen en los demás. **4** Dignidad, cargo o empleo: *Aspira a los más altos honores dentro de la empresa.* **5** Lo que hace que una persona se sienta enaltecida, alabada o elogiada: *Tu visita es un honor para mí.* ▌ pl. **6** Ceremonia con que se celebra a una persona por cortesía o como reconocimiento a sus méritos: *La banda de música rindió honores al presidente.* **7** ‖**en honor de** alguien; como obsequio o como alabanza hacia esa persona: *Se celebró una fiesta en su honor.* ‖**[hacer honor a** algo; *col.* Ponerlo de manifiesto o dejarlo en buen lugar: *Hizo honor a su fama de generosa y nos invitó.* ‖**hacer los honores; 1** En una fiesta, agasajar a los invitados. **2** Referido a la comida o a la bebida, alabarlas y apreciarlas. ☐ ETIMOL. Del latín *honor.* ☐ MORF. La acepción 4 se usa más en plural.

honorabilidad s.f. Condición de la persona que es digna de ser honrada o respetada.

honorable adj. **1** Que es digno de ser honrado o respetado. **[2** Tratamiento honorífico que corresponde a determinados cargos: *El presidente de la Generalitat de Cataluña recibe el tratamiento de'honorable'.* ☐ ETIMOL. Del latín *honorabilis.* ☐ MORF. Invariable en género.

honorario, ria ▌ adj. **1** Que sirve para honrar: *cargo honorario.* **2** Referido a una persona, que tiene los honores de una dignidad o de un empleo pero no su propiedad: *Me han nombrado presidenta honoraria de un club deportivo.* ▌ s.m. **3** En las profesiones liberales y en algún arte, remuneración que se da por la realización de un trabajo. ☐ MORF. La acepción 3 se usa más en plural.

honorífico, ca adj. Que da honor, mérito o fama.

honoris causa (latinismo) ‖Referido a un título académico, esp. al doctorado, que se concede de manera honorífica como reconocimiento de grandes méritos: *Esta investigadora es doctora honoris causa por varias universidades extranjeras.*

honra ▌ s.f. **1** Respeto o estima de la propia dignidad: *Esa familia defiende su honra por encima de todo.* **2** Reconocimiento público o demostración de aprecio que se hace de alguien por su virtud o sus méritos: *La honra de haber sido invitado a esta ceremonia me llena de orgullo.* **3** Buena opinión o fama adquirida por un mérito o una virtud: *La honra hay que ganarla.* **4** Referido a una mujer, pudor y recato, esp. en lo concerniente a cuestiones sexuales: *El conde juró matar al hombre que hizo perder la honra a su hija.* ▌ pl. **5** Oficio solemne que se celebra por los difuntos algunos días después del entierro o en cada aniversario de su muerte: *Toda la familia acudió a las honras del anciano.* **6** ‖**tener** algo **a mucha honra**; *col.* Presumir y enorgullecerse de ello: *Tiene a mucha honra haber sacado adelante a sus hijos.*

honradez s.f. Respeto de unos valores morales, rectitud de ánimo e integridad en la forma de actuar; probidad.

honrado, da adj. **1** Que actúa con honradez. **2** Que se realiza de forma honrosa: *trabajo honrado*. □ SEM. Es sinónimo de *honesto*.

honrar ‖ v. **1** Referido a una persona, respetarla: *Debes honrar siempre a tus padres*. **2** Referido a una persona, reconocer o premiar su mérito: *Me honraron con un homenaje por mis años de trabajo*. **3** Dar honor, celebridad o fama o ser motivo de orgullo: *Las grandes hazañas honran a los que las realizan*. ‖ prnl. **4** Sentirse orgulloso o tener como motivo de orgullo: *Me honro en presentaros a este gran escritor*. □ ETIMOL. Del latín *honorare*. □ SINT. Constr. como pronominal: *honrarse {CON/EN} algo*.

honrilla s.f. Vergüenza o amor propio que impulsan a una persona a actuar por la opinión que de ello puedan tener los demás. □ ETIMOL. De *honra*.

honroso, sa adj. Que da honra y estimación.

[hooligan (anglicismo) s. Hincha inglés que se caracteriza por sus actos vandálicos y violentos. □ PRON. [húligan], con *h* aspirada. □ MORF. Es de género común: el 'hooligan', la 'hooligan'.

hora ‖ s.f. **1** En el Sistema Internacional, unidad de tiempo que equivale a sesenta minutos. **2** Momento oportuno y determinado para algo: *¡Ya era hora de que vinieras!* **3** Momento determinado del día: *¿Qué hora es? ¡Vaya hora de venir!* **4** Últimos instantes de la vida: *En la cama del hospital le llegó su hora*. ‖ pl. **5** Libro o devocionario que contiene el oficio o los rezos consagrados a la Virgen (según la Biblia, la Madre de Dios) y a otras devociones religiosas: *libro de horas*. **6** Este oficio o rezo: *Por la noche, reza las horas en su habitación*. **7** ‖ **a buena hora** o **a buenas horas mangas verdes**; *col.* Expresión que se usa para indicar que algo resulta inútil porque llega fuera de tiempo: *¡A buena hora me lo traes, si ya no me hace falta!* ‖ **a última hora**; en el último momento o cuando está a punto de finalizar un plazo: *Entrega los trabajos a última hora porque lo deja todo para el final*. ‖ **en hora buena** o **en buena hora**; con bien o con felicidad; enhorabuena: *¡Que la boda sea en buena hora y si no, que no llegue!* ‖ **en hora mala** o **en mala hora**; expresión que se usa para indicar desaprobación o disgusto por algo: *En mala hora se juntó con esos maleantes*. ‖ **[entre horas**; entre las horas de las comidas: *Lo que más engorda es comer 'entre horas'*. ‖ **hacer horas**; trabajar al margen de la jornada laboral. ‖ **hacerse hora de** algo; llegar el momento oportuno para realizarlo: *Se está haciendo hora de irnos a dormir*. ‖ **[hora H**; la fijada para realizar algo complicado o arriesgado, esp. una acción militar. ‖ **hora punta**; aquella en la que se produce un mayor uso de un servicio público. ‖ **hora suprema**; *poét.* La de la muerte. ‖ **horas canónicas**; conjunto de las partes en que se divide el oficio o rezo diario al que están obligados los eclesiásticos y que se distribuyen en distintas horas del día. ‖ **horas muertas**; tiempo que transcurre y que se dedica a una actividad sin tener conciencia de su paso: *Se pasa las horas muertas viendo la televisión*. ‖ **la hora de la verdad**; *col.* Momento decisivo: *Promete muchas cosas pero, a la hora de la verdad, nunca cumple nada*. ‖ **poner en hora**; referido a un reloj, hacer que marque la misma hora que otro que se toma como

patrón. ‖ **[sonar la hora**; *col.* Ser o llegar el momento oportuno: *Cuando 'suene la hora' de mi muerte, espero estar tranquilo con mi conciencia*. □ ETIMOL. Del latín *hora*, y éste del griego *hóra* (rato, división del día). □ ORTOGR. Dist. de *ora*. □ MORF. El plural de *hora punta* es *horas punta*; incorr. **horas puntas*. □ SINT. La acepción 4 se usa más con el verbo *llegar*. □ SEM. No debe emplearse *de buena hora* con el significado de 'temprano' (galicismo): *Llegó a la cita {*de buena hora > temprano}*.

horaciano, na adj. De Horacio (poeta latino del siglo I a. C.), o con características de sus obras.

horadar v. Hacer agujeros atravesando de parte a parte: *Cogí el taladro para horadar la madera*. □ ETIMOL. Del latín *foratus* (perforación).

horario, ria ‖ adj. **1** De las horas: *señales horarias*. ‖ s.m. **2** Cuadro que indica las horas en que deben realizarse determinados actos. **[3** Distribución o reglamentación de las horas de una jornada laboral: *Lo despidieron por no cumplir el 'horario' de trabajo*.

horca s.f. **1** Mecanismo con el que se ejecuta a una persona colgándola del cuello con una cuerda. **2** Instrumento de labranza formado por una vara terminada en dos o más puntas por uno de sus extremos, que se utiliza generalmente para hacinar y remover las mieses y la paja. 𝕏 apero **3** Instrumento formado por una vara terminada en dos puntas, que se utiliza para sostener, colgar o descolgar algo; horquilla: *Sujeta la rama con una horca para que no se parta con el peso de la fruta*. **4** Antiguo instrumento de tortura en el que se introduce el cuello de un condenado para pasearlo por las calles antes de su ejecución. □ ETIMOL. Del latín *furca* (horca del labrador). □ ORTOGR. Dist. de *orca*.

horcajada ‖ **a horcajadas**; referido a la manera de sentarse, con una pierna a cada lado del objeto en el que se está sentado.

horcajo s.m. **1** Unión o confluencia de dos ríos. **2** Punto de unión entre dos montañas o cerros. □ ETIMOL. De *horca*.

horchata s.f. Bebida refrescante de color blanco hecha con chufas machacadas y disueltas en agua con azúcar. □ ETIMOL. Del catalán *orxata*, y éste del latín *hordeata* (hecha con cebada), porque la horchata solía hacerse con agua de cebada.

horchatería s.f. Establecimiento donde se elabora o se vende horchata.

horchatero, ra s. Persona que se dedica profesionalmente a la venta o a la elaboración de horchata.

horco s.m. →orco.

horda s.f. **1** Conjunto de personas de pueblos sin civilizar y de vida primitiva, que viven en comunidad y sin morada fija. **2** Grupo de personas que actúa sin control y sin disciplina. **[3** Grupo armado que no forma parte de un ejército regular. □ ETIMOL. Del francés *horde*, y éste del tártaro *urdu* (campamento).

horizontal adj./s.f. **1** Paralelo al horizonte o que tiene todos sus puntos a la misma altura. **2** ‖ **[coger la horizontal**; *col.* Acostarse o dormir. □ MORF. Como adjetivo es invariable en género.

horizontalidad s.f. Posición paralela a la línea del horizonte.

horizonte s.m. **1** Línea límite de la superficie terrestre que alcanza la vista, y en la que la tierra o el mar parecen que se juntan con el cielo. **2** Espacio circular de la superficie terrestre encerrado en esta línea: *Había muchas nubes de tormenta en el horizonte*. **3** Conjunto de posibilidades o de perspectivas: *El cambio de trabajo me abrió nuevos horizontes*. □ MORF. La acepción 3 se usa más en plural.

horma s.f. **1** Instrumento que sirve de molde para dar forma a un objeto, esp. a zapatos y sombreros. **2** ‖**encontrar** alguien **la horma de su zapato**; *col.* Hallar lo que le conviene, esp. si es otra persona que entienda sus mañas o que sepa hacerle frente. □ ETIMOL. Del latín *forma* (forma, figura, configuración).

hormiga s.f. **1** Insecto de pequeño tamaño con el cuerpo de color oscuro o rojizo dividido, por dos estrechamientos, en cabeza, tórax y abdomen, que vive en hormigueros o galerías subterráneas. insecto **2** ‖**ser una** {**hormiga/hormiguita**}; *col.* Ser trabajador y ahorrativo. □ ETIMOL. Del latín *formica*. □ MORF. Es un sustantivo epiceno: *la hormiga macho, la hormiga hembra*.

hormigón s.m. **1** Masa compacta de gran dureza y resistencia que se usa en la construcción y que está formada por un conglomerado de grava, piedras pequeñas, arena, agua y cemento o cal. **2** ‖**hormigón armado**; el que está reforzado con varillas de acero o con tela metálica; cemento armado. □ ETIMOL. De *hormigos* (plato hecho con almendras o avellanas machacadas y miel) porque el hormigón tiene un aspecto parecido a él.

hormigonera s.f. Máquina que se utiliza para mezclar los materiales con que se fabrica el hormigón.

hormiguear v. **1** Referido a una parte del cuerpo, experimentar una sensación molesta de picor o de cosquilleo: *Me hormiguean los pies por el cansancio*. **2** Referido a una multitud de personas o de animales, moverse de un lado para otro, esp. si es de forma agitada: *La gente hormigueaba en el mercadillo*. □ SEM. No debe emplearse con el significado de 'abundar' (galicismo): *En ese barrio {*hormiguean > abundan} los emigrantes*.

hormigueo s.m. **1** Sensación molesta en una parte del cuerpo, esp. si es de picor o cosquilleo: *Se me ha dormido la pierna y siento un hormigueo*. **2** Movimiento bullicioso y desordenado de una multitud de personas o animales.

hormiguero s.m. **1** Lugar en el que habitan las hormigas. **[2** Conjunto de hormigas que habitan en este lugar. **3** Lugar en el que hay mucha gente en movimiento.

hormona s.f. Sustancia segregada por determinados órganos y que, transportada por la sangre en algunos animales y por la savia en las plantas, regula la actividad de otros órganos. □ ETIMOL. Del griego *hormôn*.

hormonal adj. De las hormonas o relacionado con ellas. □ MORF. Invariable en género.

hornacina s.f. En un muro, cavidad en forma de arco, generalmente usada para colocar una escultura u objeto decorativo. □ ETIMOL. Del latín *fornicina, y éste de *fornix* (roca agujereada).

hornada s.f. **1** Cantidad de pan o de otras cosas que se cuecen de una vez en el horno. **2** *col.* Conjunto de personas que acaban los estudios o consiguen un trabajo o un cargo al mismo tiempo.

hornazo s.m. Rosca o torta adornada con huevos,

que se cuece en el horno y suele estar rellena de chorizo y jamón; mona.

hornear v. Meter en el horno para asar o cocer; ahornar: *Después de preparar la carne, hornéala durante diez minutos*. □ ORTOGR. Incorr. *hornar.

hornilla s.f. **[**En zonas del español meridional, quemador de una cocina.

hornillo s.m. Horno pequeño, manual y generalmente portátil, esp. el empleado para cocinar.

horno s.m. **1** Aparato o construcción de albañilería fabricados para generar calor, que se utilizan para caldear, cocer o fundir una materia que se introduce en su interior. **2** En una cocina, aparato que se usa para asar los alimentos. **3** Establecimiento donde se cuece y se vende el pan; panificadora, tahona. **4** *col.* Lugar donde hace mucho calor: *En verano, esta habitación es un horno*. **5** ‖**alto horno**; en metalurgia, el que está destinado para fundir minerales de hierro. ‖**horno crematorio**; el que está destinado a la incineración de cadáveres. ‖**no estar el horno para bollos**; *col.* No ser el mejor momento para algo: *Déjame en paz, que hoy no está el horno para bollos*. □ ETIMOL. Del latín *furnus*.

horóscopo s.m. **1** Predicción del futuro que los astrólogos realizan y deducen de la posición de los astros del sistema solar en relación con los signos zodiacales en un momento dado. **2** Escrito que recoge estas predicciones. **[3** Cada uno de los signos zodiacales: *¿Qué 'horóscopo' eres?* □ ETIMOL. Del griego *horóskopos* (que observa la hora).

horqueta s.f. En un árbol, parte donde una rama se junta con el tronco, formando un ángulo agudo.

horquilla s.f. **1** Pequeña pieza de peluquería, generalmente formada por un alambre doblado por el medio, que se utiliza para sujetar el pelo. **2** Instrumento formado por una vara terminada en dos puntas, que se utiliza para sostener, colgar o descolgar algo; horca: *Toma la horquilla para descolgar la lámpara*. apero **[3** En una bicicleta o en una motocicleta, tubo que va desde la rueda delantera hasta el manillar. **[4** Espacio comprendido entre dos cantidades o medidas: *Los precios de estos productos de importación deberán estar dentro de la 'horquilla' de máximos y mínimos que establece el Gobierno*. □ ETIMOL. De *horca*.

horrendo, da adj. **1** Que causa horror: *crimen horrendo*. **2** *col.* Muy feo, muy malo o muy desagradable: *un traje horrendo*. **[3** *col.* Muy grande o muy intenso: *un frío 'horrendo'*. □ ETIMOL. Del latín *horrendus* (que hace erizar los cabellos). □ SEM. Es sinónimo de *horroroso* y *horrible*.

hórreo s.m. Construcción, generalmente de madera, sostenida por pilares, que se usa para guardar el grano y otros productos agrícolas. □ ETIMOL. Del latín *horreum* (granero).

horribilísimo, ma superlat. irreg. de horrible. □ MORF. Incorr. *horriblísimo.

horrible adj. **1** Que causa horror. **2** *col.* Muy feo, muy malo o muy desagradable: *Es horrible tener que madrugar tanto*. **[3** *col.* Muy grande o muy intenso: *Tengo un hambre 'horrible'*. □ ETIMOL. Del latín *horribilis*. □ MORF. 1. Invariable en género. 2. Su superlativo es *horribilísimo*. □ SEM. Es sinónimo de *horrendo* y *horroroso*.

horripilante adj. **1** Que causa horror. **2** Muy feo. □ MORF. Invariable en género.

horripilar v. Causar horror; horrorizar: *Me horri-*

pila pensar en el accidente. □ ETIMOL. Del latín *horripilare* (hacer erizar los cabellos), y éste de *horror* (erizamiento) y *pilus* (pelo).

horrísono, na adj. Que causa horror o molestia con su sonido. □ ETIMOL. Del latín *horrisonus*.

horror s.m. **1** Miedo muy intenso. **2** Sentimiento de temor, antipatía, aversión o repugnancia. **3** Lo que produce una fuerte impresión, esp. si es de miedo, temor, antipatía, aversión o repugnancia: *Este libro describe los horrores de la guerra.* **4** ‖ **un horror**; *col.* Gran cantidad: *Tengo un horror de deudas.* □ ETIMOL. Del latín *horror* (erizamiento, estremecimiento). □ SINT. En la lengua coloquial, en plural y en la expresión *un horror* se usa mucho como adverbio de cantidad con el significado de 'mucho': *El cine me gusta 'horrores'. Me he cansado 'un horror'.*

horrorizar v. Causar horror; horripilar: *Me horroriza pensar que este año no tengo vacaciones. Se horrorizó cuando vio los precios de las camisas.* □ ORTOGR. La *z* se cambia en *c* delante de *e* →CAZAR.

horroroso, sa adj. **1** Que causa horror. **2** *col.* Muy feo, muy malo o muy desagradable: *un tiempo horroroso.* [**3** *col.* Muy grande o muy intenso: *¡Qué calor más 'horroroso'!* □ SEM. Es sinónimo de *horrendo* y *horrible.*

hortaliza s.f. Planta comestible que se cultiva en una huerta: *La lechuga y la zanahoria son hortalizas.* □ ETIMOL. De *huerto.*

hortelano, na ■ adj. **1** De la huerta o relacionado con este terreno de cultivo. ■ s. **2** Persona que se dedica profesionalmente al cultivo de una huerta. □ ETIMOL. Del latín *hortulanus*, y éste de *hortulus* (huertecillo). □ SEM. Dist. de *huertano* (habitante de una huerta o comarca de regadío).

hortense adj. De las huertas. □ MORF. Invariable en género.

hortensia s.f. **1** Arbusto ornamental de jardín, con hojas de color verde brillante y flores agrupadas que pierden poco a poco su color rosa o azulado hasta quedar casi blancas. **2** Flor de esta planta. □ ETIMOL. Por alusión a Hortense, dama francesa a quien se le dedicó esta planta.

hortera adj./s. Que se considera feo y de mal gusto por su carácter vulgar y ordinario. □ ETIMOL. De origen incierto. □ MORF. 1. Como adjetivo es invariable en género. 2. Como sustantivo es de género común: *el hortera, la hortera.*

horterada s.f. Lo que se considera feo y de mal gusto por su carácter vulgar y ordinario.

hortícola adj. De la horticultura o relacionado con ella. □ ETIMOL. Del latín *hortus* (huerto). □ MORF. Invariable en género.

horticultor, -a s. Persona que se dedica a la horticultura.

horticultura s.f. **1** Cultivo de las huertas y de los huertos. **2** Técnica de este tipo de cultivo. □ ETIMOL. Del latín *hortus* (huerto) y *-cultura* (cultivo).

[**hortofrutícola**] adj. De las hortalizas y de los árboles frutales o relacionado con su cultivo. □ MORF. Invariable en género.

[**hortofruticultura**] s.f. **1** Cultivo de las hortalizas y de los árboles frutales. **2** Técnica de este tipo de cultivo.

hosanna s.m. **1** En la liturgia católica, himno de alabanza a Dios que se canta el Domingo de Ramos (último domingo de cuaresma). **2** En la liturgia católica, exclamación o expresión de júbilo. □ ETIMOL. Del latín *hosanna*, y éste del hebreo *hosi'anna* (sálvanos).

hosco, ca adj. **1** Poco sociable, o desagradable y áspero en el trato con los demás. **2** Referido al tiempo o a un lugar, que resultan desagradables, amenazadores o poco acogedores. □ ETIMOL. Del latín *fuscus* (oscuro). □ ORTOGR. Dist. de *osco.*

hospedaje s.m. **1** Alojamiento y asistencia que se prestan a una persona que vive en un lugar de forma temporal. **2** Dinero que se paga por un alojamiento temporal.

hospedar v. Dar o tomar alojamiento, esp. si es de forma temporal; alojar: *Busco una casa en la que hospeden estudiantes. Me hospedé en casa de mis tíos.* □ ETIMOL. Del latín *hospitare.*

hospedería s.f. **1** Establecimiento donde se admiten huéspedes que pagan por su alojamiento y asistencia. **2** En algunas comunidades religiosas, conjunto de habitaciones destinadas al alojamiento de viajeros o de peregrinos.

hospiciano, na adj./s. Que está o ha estado interno en un hospicio.

hospicio s.m. **1** Institución donde se recoge a niños huérfanos, abandonados o pobres para su cuidado y educación. **2** Establecimiento destinado a albergar a peregrinos y pobres. □ ETIMOL. Del latín *hospitium* (alojamiento).

hospital s.m. **1** Establecimiento donde se diagnostica y se trata a los enfermos. **2** ‖ **hospital de (primera) sangre**; en una guerra, lugar donde se hace la primera cura a los heridos. □ ETIMOL. Del latín *hospitalis* (albergue).

hospitalario, ria adj. **1** Referido a una persona o a un grupo, que acoge o socorre con amabilidad a forasteros o a necesitados. **2** Referido a un lugar, que resulta agradable y acogedor. **3** Del hospital o relacionado con él.

hospitalidad s.f. Asistencia y acogida que se proporciona a los forasteros y necesitados, dándoles alojamiento y ayuda.

hospitalización s.f. Ingreso de un paciente en un hospital.

hospitalizar v. Referido a una persona, ingresarla en un hospital o una clínica: *Me han hospitalizado para hacerme unas pruebas.* □ ORTOGR. La *z* cambia en *c* delante de *e* →CAZAR.

hosquedad s.f. **1** Aspereza o falta de amabilidad en el trato con los demás. **2** Carácter desagradable, amenazador o poco acogedor de un lugar o del tiempo atmosférico.

hostal s.m. Establecimiento público donde se da comida o alojamiento a cambio de dinero; hostería. □ ETIMOL. Del latín *hospitalis* (habitación para huésped). □ USO Aunque la RAE prefiere *hostería*, se usa más *hostal.*

hostelería s.f. Conjunto de servicios que proporcionan principalmente comida y alojamiento a huéspedes y viajeros, a cambio de dinero.

hostelero, ra ■ adj. **1** De la hostelería o relacionado con ella. ■ s. **2** Persona que tiene a su cargo un hostal. □ ETIMOL. Del francés *hôtelier.*

hostería s.f. Establecimiento público donde se da comida o alojamiento a cambio de dinero; hostal. □ ETIMOL. Del italiano *osteria.*

hostia s.f. **1** Hoja delgada y redonda de pan ázimo o sin levadura que el sacerdote consagra y los fieles comulgan en el sacrificio de la misa; forma. **2** *vulg.malson.* →**golpe. 3** ||**ser la hostia**; *vulg.malson.* [→**ser el colmo.** ☐ ETIMOL. Del latín *hostia* (víctima de un sacrificio religioso). ☐ USO Se usa mucho como palabra comodín en expresiones vulgares malsonantes.

hostia u [***hostias*** interj. *vulg.malson.* Expresión que se usa para indicar extrañeza, sorpresa, admiración o disgusto.

[***hostiar*** v. *vulg.malson.* Dar una paliza o pegar violentamente.

hostigamiento s.m. **1** Azote o golpe dado con un látigo, con una vara o con algo parecido. **2** Acoso o molestia continuados que se hacen a una persona, generalmente con el fin de conseguir algo.

hostigar v. **1** Azotar con un látigo, con una vara o con algo parecido: *Hostigó al caballo para que corriera más rápido.* **2** Referido esp. a una persona, molestarla o acosarla, esp. si es con el fin de conseguir que haga algo: *Las guerrillas hostigaban al ejército oficial.* **3** En zonas del español meridional, empalagar. ☐ ETIMOL. Del latín *fustigare* (azotar con bastón). ☐ ORTOGR. La *g* se cambia en *gu* delante de *e* →PAGAR.

hostil adj. Que muestra oposición o enemistad. ☐ ETIMOL. Del latín *hostilis*. ☐ MORF. Invariable en género.

hostilidad s.f. **1** Enemistad, oposición o animadversión. **2** Cualquier acción u operación desde la declaración de guerra a la iniciación de la lucha hasta la firma de la paz: *No sé si cesarán las hostilidades entre israelíes y palestinos.* **3** ||**romper las hostilidades**; iniciar la guerra con un ataque al enemigo, invadiendo su territorio.

[***hot dog*** || →**perrito caliente.** ☐ PRON. [hot dog], con *h* aspirada.

[***hot line*** (anglicismo) ||Línea telefónica de servicio público y que suele ser atendida por voluntarios: *Esta asociación tiene un servicio de 'hot line' para atender a mujeres maltratadas.* ☐ PRON. [hótlain], con *h* aspirada. ☐ USO Su uso es innecesario y puede sustituirse por una expresión como *línea caliente.*

hotel s.m. **1** Establecimiento público destinado a alojar personas a cambio de dinero. **2** Vivienda unifamiliar aislada total o parcialmente de otras viviendas, generalmente rodeada de un terreno ajardinado. ☐ ETIMOL. Del francés *hôtel*, y éste del latín *hospitale* (habitación para huéspedes). ☐ MORF. En la acepción 2, se usa mucho el diminutivo *hotelito.*

hotelero, ra ∎ adj. **1** Del hotel o relacionado con este establecimiento de hostelería. ∎ s. **2** Persona que posee un hotel o que lo dirige.

hotentote, ta adj./s. De un pueblo indígena que habitó la zona sudoeste del continente africano.

[***hovercraft*** u [***hoverfoil*** (anglicismo) s.m. Vehículo que puede desplazarse a gran velocidad sobre la tierra o sobre el agua al ir sustentado por una capa de aire a presión. ☐ PRON. [overcráf], [overfóil].

hoy ∎ s.m. **[1** Tiempo actual: *Hay que aprender a vivir el 'hoy' sin olvidarse ni del mañana ni del ayer.* ∎ adv. **2** En el día actual: *Hoy me he levantado temprano.* **3** En esta época o en la actualidad: *Hoy hay más comodidades que en el siglo pasado.* **4** ||**de hoy** {a/para} **mañana**; de manera rápida y en poco tiempo: *Son muy eficientes y te lo resuelven todo de hoy para mañana.* ||**hoy (en) día**; en la época actual: *Hoy en día es fácil salir al extranjero.* ||**hoy por hoy**; en el momento actual: *Hoy por hoy no se puede viajar a través del tiempo.* ☐ ETIMOL. Del latín *hodie.*

hoya s.f. **1** Concavidad u hondura grandes en la tierra. **2** Concavidad que se hace en la tierra para enterrar un cadáver. **3** Llanura extensa rodeada de montañas. ☐ ETIMOL. Del latín *fovea* (hoyo, excavación). ☐ ORTOGR. Dist. de *olla.* ☐ SEM. En la acepción 2, es sinónimo de *hoyo, huesa* y *sepultura.*

hoyo s.m. **1** En una superficie, esp. en la tierra, concavidad formada natural o artificialmente. **2** Concavidad que se hace en la tierra para enterrar un cadáver. ☐ SEM. 1. En la acepción 1, aunque la RAE lo considera sinónimo de *foso*, en la lengua actual no se usa como tal. 2. En la acepción 2, es sinónimo de *hoya, huesa* y *sepultura.*

hoyuelo s.m. Hoyo que tienen algunas personas en el centro de la barbilla o que se forma en las mejillas al reír.

hoz s.f. **1** Herramienta que sirve para segar, formada por un mango y una hoja curva afilada o dentada en su parte cóncava. 🗝 apero **2** Angostura o paso estrecho que forma un valle profundo o un río que corre entre dos sierras. ☐ ETIMOL. La acepción 1, del latín *falx.* La acepción 2, del latín *faux* (garganta).

hozadero s.m. Lugar donde van a hozar los animales, esp. los cerdos o los jabalíes.

hozadura s.f. Hoyo o señal que deja un animal al hozar.

hozar v. Mover y levantar la tierra con el hocico, esp. referido al cerdo o al jabalí; hocicar: *Los cerdos hozan para encontrar trufas.* ☐ ETIMOL. Del latín *fodiare* (cavar). ☐ ORTOGR. La *z* se cambia en *c* delante de *e* →CAZAR.

huachafo, fa adj. *col.* En zonas del español meridional, cursi.

[***huasipungo*** s.m. Pedazo de tierra que un hacendado proporciona a un indio para que la cultive.

hucha s.f. Recipiente cerrado, con una ranura estrecha por la que se mete dinero para guardarlo y ahorrar. ☐ ETIMOL. Del francés *huche* (cofre para guardar harina).

hueco, ca ∎ adj. **1** Vacío o sin relleno. **2** Referido esp. al lenguaje o al estilo, que es pedante o expresa conceptos vanos y triviales. **3** Referido a una persona, que manifiesta una actitud presumida u orgullosa: *Cuando me felicitaron me puse más hueca...* **4** Referido a un sonido, que es retumbante y profundo. **5** Que es mullido, esponjoso o ahuecado: *Me voy a cardar el pelo para que me quede más hueco.* [**6** Que no está ajustado o pegado a lo que hay en su interior: *Déjate la camisa más 'hueca'.* ∎ s.m. **7** Abertura o cavidad: *Se le cayeron las llaves por el hueco del ascensor.* **8** *col.* Lugar no ocupado: *Busco un hueco para aparcar.* **9** Intervalo de tiempo: *Si tengo un hueco esta tarde, te llamo, ¿vale?* **10** ||**hacer (un) hueco**; correrse en un asiento para hacer sitio: *Hicieron hueco y pude sentarme.* ☐ ETIMOL. Del latín *occare* (rastrillar la tierra para que quede mullida y lisa).

huecograbado s.m. **1** Procedimiento de grabado mediante el cual las figuras o los trazos quedan en hueco en una plancha o en un cilindro de cobre, de forma que, al llenarlos de tinta, se plasman sobre el papel. **2** Imagen obtenida por este procedimiento.

huelga s.f. **1** Interrupción del trabajo hecha de común acuerdo para conseguir mejoras laborales. **2** || **[huelga a la japonesa**; la que se hace trabajando más horas de las establecidas en la jornada laboral para crear un excedente de producción en la empresa. || **huelga de brazos caídos**; la que se lleva a cabo en el lugar de trabajo. || **huelga de celo**; la que se hace aplicando literalmente todas las disposiciones y requisitos laborales para que disminuya el rendimiento y se retrasen los servicios. || **huelga de hambre**; abstinencia total de alimentos que se impone una persona para demostrar que está dispuesta a morir si no consigue lo que pretende. || **huelga general**; la que se plantea al mismo tiempo en todos los oficios de un país o de una localidad. || **huelga revolucionaria**; la que se hace por motivos políticos más que por motivos laborales. || **[huelga salvaje**; la que no cumple los servicios mínimos. □ ETIMOL. De *holgar* (descansar).

huelguista s. Persona que participa en una huelga. □ MORF. Es de género común: *el huelguista, la huelguista.*

huella s.f. **1** En una superficie, marca que queda después del contacto con algo: *Seguimos las huellas de las ruedas del coche.* **2** Rastro o vestigio que deja algo: *Su cara mostraba las huellas del llanto.* **3** Impresión profunda y duradera que deja algo en una persona: *Las enseñanzas de la profesora dejaron huella en sus alumnos.* **4** || **seguir las huellas** de alguien; seguir su ejemplo. □ De *hollar*. □ MORF. La acepción 2 se usa más en plural.

huérfano, na ∎ adj. **1** Falto de algo necesario, esp. de protección o de ayuda: *Esos niños están huérfanos de amor y cariño.* ∎ adj./s. **2** Referido a una persona de poca edad, que ya no tiene padre, madre o ninguno de los dos, porque han muerto. □ ETIMOL. Del latín *orphanus.*

huero, ra adj. **1** Referido a un huevo, que no produce cría por no estar fecundado por el macho. **2** Que no tiene contenido o sustancia: *un discurso, huero y aburrido.* □ ETIMOL. Del castellano dialectal *gorar* (empollar, incubar). □ ORTOGR. Se admite también *güero.*

huerta s.f. **1** Terreno en el que se cultivan legumbres, verduras y árboles frutales. **2** Tierra de regadío. □ SEM. Dist. de *huerto* (más pequeño y con más árboles que verdura).

huertano, na adj./s. Que vive en la huerta o comarca de regadío. □ SEM. Dist. de *hortelano* (persona que se dedica al cultivo de una huerta).

huerto s.m. **1** Terreno de pequeñas dimensiones en el que se cultivan legumbres, verduras y árboles frutales. **2** || **[llevarse** a alguien **al huerto**; *col.* **1** Engañarlo: *En esta tienda 'te llevan al huerto' en cuanto te despistas.* *vulg.* **2** Conseguir una relación sexual: *Presume de 'habérsela llevado al huerto'.* □ ETIMOL. Del latín *hortus* (jardín, huerto). □ SEM. Dist. de *huerta* (más grande y con más verduras que árboles).

huesa s.f. Concavidad que se hace en la tierra para enterrar un cadáver. □ ETIMOL. Del latín *fossa* (fosa). □ SEM. Es sinónimo de *hoya, hoyo* y *sepultura.*

huesillo s.m. Melocotón secado al sol.

hueso ∎ s.m. **1** Cada una de las piezas duras y blanquecinas que forman parte del esqueleto de los vertebrados. **2** En algunos frutos, parte interna, dura y leñosa, dentro de la cual se encuentra la semilla. **3** *col.* Profesor que suspende mucho. **4** *col.* Lo que causa asignatura es un hueso y me cuesta mucho aprobarla. **5** *col.* Persona difícil de tratar y de carácter desagradable. **[6** Color blanco amarillento. ∎ s.m.pl. **7** *col.* Cuerpo de una persona: *El vagabundo dio con sus huesos en el parque.* **8** || **{calado/empapado} hasta los huesos**; *col.* Muy mojado. || **{dar/pinchar} en hueso**; *col.* Fallar en el intento de lograr algo: *Si intentas convencerlo, darás en hueso.* || **en los huesos**; *col.* Muy delgado. || **hueso cuadrado**; en una persona, el situado en la segunda fila del carpo o de la muñeca. || **(hueso) cuboides**; en el pie, el situado en el borde externo del tarso. || **(hueso) cuneiforme**; en el pie, cada uno de los tres situados en la parte anterior de la segunda fila del tarso. || **hueso de santo**; dulce de mazapán en forma de rollito, generalmente relleno de yema. || **(hueso) escafoides**; **1** El situado en la parte externa de la primera fila del carpo o de la muñeca. **2** En el pie, el situado en la parte interna media del tarso: *El hueso escafoides se encuentra cerca del talón.* || **(hueso) esfenoides**; el situado en el cráneo y que forma parte de las fosas nasales y de las órbitas de los ojos. || **(hueso) etmoides**; el que forma parte de la base del cráneo, de las fosas nasales y de las órbitas de los ojos. || **(hueso) frontal**; el que forma la parte anterior y superior del cráneo. || **hueso ganchudo**; el que tiene figura de gancho y forma parte del carpo o de la muñeca. || **(hueso) hioides**; el situado en la base de la lengua y encima de la laringe. || **(hueso) malar**; el que forma la parte saliente de las mejillas; pómulo. || **(hueso) maxilar**; cada uno de los tres que forman parte de las mandíbulas superior e inferior. || **(hueso) occipital**; el que forma parte del cráneo y lo une a las vértebras del cuello. || **hueso orbital**; el que forma parte de las órbitas de los ojos. || **(hueso) parietal**; el que forma la parte media y lateral del cráneo. || **hueso piramidal**; el que tiene figura de pirámide y forma parte del carpo o de la muñeca. || **(hueso) pisiforme**; el cuarto de la primera fila del carpo o de la muñeca. || **(hueso) sacro**; el situado en la parte inferior de la columna vertebral y que está formado por vértebras soldadas. || **[(hueso) semilunar**; el segundo de la primera fila del carpo o de la muñeca. || **(hueso) temporal**; el del cráneo que está situado en la región del oído. || **(hueso) trapecio**; el primero de la segunda fila del carpo o de la muñeca. || **(hueso) trapezoide**; el segundo de la segunda fila del carpo o de la muñeca. || **la sin hueso**; *col.* La lengua: *Es un charlatán y siempre le está dando a la sin hueso.* □ ETIMOL. Del latín *ossum.* □ ORTOGR. *La sin hueso* admite también la forma *la sinhueso.* □ SINT. En la acepción 6, se usa más en aposición, pospuesto a un sustantivo.

huésped, -a s. **1** Persona que se aloja en un hotel o en casa ajena. **2** En biología, referido a un organismo, que sirve de base para la vida de un parásito. □ ETIMOL. Del latín *hospes* (hospedador, hospedado). □ MORF. Aunque el femenino es *huéspeda*, está muy extendido su uso como sustantivo de género común: *el huésped, la huésped.*

hueste s.f. Conjunto de los partidarios o defensores

de una misma causa. ☐ ETIMOL. Del latín *hostis* (enemigo, especialmente el que hace la guerra). ☐ MORF. Se usa más en plural.

huesudo, da adj. Con mucho hueso o con los huesos muy marcados.

hueva s.f. En algunos peces, masa que forman los huevecillos dentro de una bolsa oval. ☐ ETIMOL. Del latín *ova* (huevos). ☐ MORF. Se usa más en plural.

[huevazos adj./s.m. *vulg.malson.* →**calzonazos.**☐ MORF. Invariable en número. ☐ USO Es despectivo.

huevera s.f. Véase huevero, ra.

huevería s.f. Establecimiento en el que se venden huevos.

huevero, ra ∎ s. **1** Persona que se dedica a la venta de huevos. ∎ s.f. **2** Utensilio con forma de copa pequeña que se utiliza para colocar el huevo cocido o pasado por agua. **3** Recipiente que se utiliza para transportar o guardar huevos.

huevo s.m. **1** En biología, célula procedente de la unión del gameto masculino con el femenino en la reproducción sexual de animales y plantas: *La división celular del huevo produce el embrión.* 🔎 metamorfosis **2** Cuerpo en forma más o menos esférica, resultado de la fecundación de un óvulo por un espermatozoide y que contiene el germen del individuo y las sustancias con las que se alimenta durante las primeras fases de su desarrollo: *Las hembras de las aves y de los reptiles ponen huevos.* **3** Referido a algunos animales, esp. a los peces y a los anfibios, óvulo que es fecundado por los espermatozoides del macho después de haber salido del cuerpo de la hembra. **4** *vulg.malson.* →**testículo. 5** ‖**a huevo**; de la mejor manera posible o de forma que resulte fácil conseguir algo: *Te he dejado la partida a huevo para que puedas ganarla.* ‖**huevo de {Colón/Juanelo}**; *col.* Lo que parece difícil pero no lo es: *No te quejes, anda, que lo que me estás contando es el huevo de Colón.* ‖**huevo de zurcir**; utensilio duro en forma ovalada que se utiliza para zurcir medias y calcetines. 🔎 costura ‖**huevo duro**; el que se cuece con cáscara en agua hirviendo hasta que se cuajen completamente la yema y la clara. ‖**huevo estrellado**; el que se fríe sin batirlo antes y sin tostarlo por arriba. ‖**huevo hilado**; el que se mezcla con azúcar y se sirve en forma de hilos: *Adornó la fuente de fiambre con huevo hilado.* ‖**huevo pasado por agua**; el que se cuece con cáscara en agua hirviendo sin que cuajen completamente la clara y la yema. ‖**huevos al plato**; los que están cocidos con calor suave, sin cáscara y sin batir, y se sirven en el mismo recipiente en el que se han cocinado. ‖**huevos revueltos**; los que se fríen sin batirlos, con poco aceite y revolviéndolos hasta que se cuajen. ‖**parecerse como un huevo a una castaña**; *col.* Diferenciarse mucho: *Te pareces a tu primo como un huevo a una castaña.* ‖**pisando huevos**; *col.* Referido a la forma de andar, muy despacio y con cierto cuidado: *Va pisando huevos y siempre llega tarde.* ☐ ETIMOL. Del latín *ovum.* ☐ USO En la acepción 4, se usa mucho como palabra comodín en expresiones vulgares malsonantes.

huevón, -a adj./s. **1** *vulg.malson.* Referido a una persona, que es excesivamente tranquila y perezosa. **2** *vulg.malson.* En zonas del español meridional, imbécil. ☐ USO En la acepción 2, se usa como insulto.

hugonote, ta adj./s. Seguidor francés de las doctrinas protestantes calvinistas. ☐ ETIMOL. Del francés *huguenot.*

huida s.f. Véase huido, da.

huidizo, za adj. Que huye o que tiende a huir.

huido, da ∎ adj./s. **1** Referido a una persona, que se ha escapado de un lugar en el que está recluida. ∎ s.f. **2** Alejamiento rápido de lo que se considera molesto o perjudicial, para evitar un daño, un disgusto o una molestia: *El incendio del bosque provocó la huida de los animales.* **3** Paso rápido del tiempo: *La huida de los años pesa sobre mi ánimo.*

huir v. **1** Apartarse deprisa de lo que se considera molesto o perjudicial, para evitar un daño, un disgusto o una molestia: *El ladrón huyó entre la multitud. Debes huir de los vicios.* **2** Referido a una persona, esquivarla o evitarla: *Cuando me ve, me huye.* **3** Referido al tiempo, pasar rápidamente: *Los días huyen sin que me dé cuenta.* ☐ ETIMOL. Del latín *fugere.* ☐ MORF. Irreg. →HUIR. ☐ SINT. Constr. de la acepción 1: *huir DE algo.*

hujier s.m. →ujier.

[hula-hoop (anglicismo) s.m. Aro que se hace girar alrededor de la cintura al hacer movimientos circulares. ☐ ETIMOL. Extensión del nombre de una marca comercial. ☐ PRON. [hulahóp], con las dos *h* aspiradas.

hule s.m. **1** Caucho o goma elástica. **2** Cierto árbol americano del que se extrae este tipo de caucho. **3** Tela recubierta por una de sus caras con un material plástico o pintada con óleo y barnizada para hacerla flexible e impermeable: *mantel de hule.* ☐ ETIMOL. De origen incierto.

hulla s.f. Carbón mineral de color negro intenso y gran poder calorífico, que se utiliza como combustible y para la obtención de gas ciudad y alquitrán. ☐ ETIMOL. Del francés *houille.*

humanidad ∎ s.f. **1** Conjunto de todos los seres humanos. **2** Sensibilidad, compasión o comprensión hacia los demás; humanitarismo. **3** *col.* Corpulencia o gordura: *Tropezó y dio con su humanidad en el suelo.* ∎ pl. **4** Conjunto de disciplinas que giran en torno al hombre y que no tienen aplicación práctica inmediata; letras: *La literatura, la historia y la filosofía son parte de las humanidades.* **5** ‖**[oler a humanidad**; *col.* Referido a un recinto cerrado, oler de forma desagradable por la escasa ventilación y la presencia de gente. ☐ ETIMOL. Del latín *humanitas.*

humanismo s.m. **1** Movimiento cultural que se desarrolló en Europa entre los siglos XIV y XVI y que se caracterizó por su consideración del hombre como centro de todas las cosas y por su defensa de un ideal de formación integral apoyada en el conocimiento de los modelos grecolatinos: *El humanismo actuó como impulsor del Renacimiento.* **2** Formación intelectual obtenida a partir del estudio de las humanidades y que potencia el desarrollo de las cualidades esenciales del hombre.

humanista ∎ adj. **[1** Del humanismo o con características propias de este movimiento cultural: *'cultura humanista'.* ∎ adj./s. **2** Que se dedica al estudio de las humanidades. ☐ ETIMOL. Quizá del italiano *umanista.* ☐ MORF. 1. Como adjetivo es invariable en género. 2. Como sustantivo es de género común: *el humanista, la humanista.* 3. En la acepción 2, la RAE sólo lo registra como sustantivo.

humanístico, ca adj. Del humanismo o de las disciplinas que giran en torno al hombre.

humanitario, ria adj. **1** Que busca el bien de todos los seres humanos. **2** Bondadoso y caritativo. □ ETIMOL. Del francés *humanitaire*. □ SEM. Dist. de *humano (del hombre o de la mujer)*.

humanitarismo s.m. Sensibilidad, compasión o comprensión hacia los demás; humanidad.

humanizar v. Hacer más humano, más agradable, menos cruel o menos duro: *Un poco más de educación humanizaría la vida en las ciudades. Era muy inflexible, pero con la edad se ha humanizado.* □ ORTOGR. La *z* se cambia en *c* delante de *e* →CAZAR.

humano, na ▌ adj. **1** Del hombre o con las características que se consideran propias de él: *Llorar es muy humano.* **2** Que posee o manifiesta buenos sentimientos, o que se muestra solidario y comprensivo con los demás. ▌ s.m. **3** Persona o individuo perteneciente al conjunto de los hombres: *Los humanos debemos cuidar nuestro entorno.* □ ETIMOL. Del latín *humanus* (relativo al hombre, humano). □ MORF. En la acepción 3, la RAE sólo lo registra en plural. □ SEM. Dist. de *humanitario (altruista, filantrópico)*.

humarada o **humareda** s.f. Abundancia de humo. □ USO *Humarada* es el término menos usual.

humear v. **1** Desprender humo o vapor: *La sopa debe de quemar, porque humea mucho.* **2** Referido a algo pasado, estar vivo o no haberse olvidado del todo: *Su vieja enemistad todavía humea, y discuten por el menor motivo.*

humectante adj. Que humedece. □ MORF. Invariable en género.

humedad s.f. **1** Presencia de agua o de otro líquido en un cuerpo o en el aire. **2** Agua que impregna un cuerpo o está mezclada en el aire: *Hay que volver a pintar las paredes porque tienen manchas de humedad.* **[3** En meteorología, cantidad de vapor de agua de la atmósfera. □ ETIMOL. Del latín *umiditas*.

humedecer v. Poner húmedo o mojar ligeramente: *Para planchar las sábanas es conveniente humedecerlas.* □ ETIMOL. De *húmedo.* □ MORF. Irreg. →PARECER.

húmedo, da adj. **1** Del agua o con características propias de ella. **2** Que está ligeramente mojado: *No te pongas la falda, porque aún está húmeda.* **[3** Referido esp. a la atmósfera o al ambiente, que están cargados de vapor de agua. **4** Referido a un lugar o a un clima, con abundantes lluvias y con un alto grado de humedad en el aire. **5** ‖ **[la húmeda]**; *col.* La lengua: *No le des tanto a 'la húmeda' y ponte a trabajar.* □ ETIMOL. Del latín *humidus*.

húmero s.m. Hueso largo que está entre el hombro y el codo. □ ETIMOL. Del latín *umerus* (hombro).

humidificador s.m. Aparato que contiene agua y que, al hacer que ésta se evapore, sirve para mantener húmedo el ambiente.

humidificar v. Referido a un ambiente, aumentar su grado de humedad: *Estos helechos crecen bien en casa porque humidifico el ambiente.* □ ORTOGR. La *c* se cambia en *qu* delante de *e* →SACAR.

humildad s.f. **1** Actitud derivada del conocimiento de las propias limitaciones y que lleva a obrar sin orgullo. **2** Condición baja o inferioridad de algo, esp. de la clase social: *Llegó a lo más alto y nunca se avergonzó de la humildad de su cuna.* □ ETIMOL. Del latín *humilitas*.

humilde adj. **1** Que tiene humildad. **2** Que no pertenece a la nobleza. □ ETIMOL. Del latín *humilis*. □ MORF. Invariable en género.

humillación s.f. Hecho por el cual se pierde la dignidad o el orgullo.

humilladero s.m. Lugar que suele haber a la entrada de los pueblos o en los caminos, y que generalmente está marcado por una cruz sobre un pedestal.

humillar ▌ v. **1** Referido a una persona, hacerle perder el orgullo o la dignidad: *Lo humilló delante de todos señalando su error en público.* **2** Referido a una parte del cuerpo, inclinarla en señal de acatamiento o de sumisión: *Humilló la cabeza ante el rey.* **3** En tauromaquia, referido a un toro, bajar la cabeza como precaución defensiva: *Cuando el toro humilló, el torero entró a matar.* ▌ prnl. **4** Hacer un acto de humildad, esp. si éste se considera excesivo: *No entiendo que te humilles por ese cretino.* □ ETIMOL. Del latín *humiliare*.

humo ▌ s.m. **1** Producto gaseoso que se desprende de la combustión incompleta de una materia. **2** Vapor que desprende un líquido al hervir o un cuerpo en una reacción química. ▌ pl. **3** Orgullo, vanidad o presunción: *No va a soportar ese desprecio porque tiene muchos humos.* **4** ‖ **bajar los humos** a alguien; *col.* Refrenar su orgullo. ‖ **echar** alguien **humo**; *col.* Estar muy enfadado: *Desde que lo despidieron está que echa humo.* ‖ **hacerse humo**; *col.* Desaparecer: *A los pocos meses su herencia se había hecho humo.* ‖ **irse todo en humo**; desvanecerse lo que encerraba grandes esperanzas. ‖ **subírsele los humos** a alguien; *col.* Envanecerse o enorgullecerse. □ ETIMOL. Del latín *fumus*.

humor s.m. **1** Estado de ánimo, esp. si se manifiesta ante los demás: *Su humor es muy variable y tan pronto lo ves contento como triste.* **2** Buena disposición de una persona para hacer algo: *No estoy de humor para aguantar tonterías.* **3** Capacidad para ver o para mostrar las cosas desde el punto de vista gracioso o ridículo: *No le gastes bromas porque no tiene sentido del humor.* **4** Expresión o estilo que manifiesta lo cómico o lo divertido de las cosas; humorismo: *Tómate la vida con más humor.* **5** Antiguamente, cualquiera de los líquidos del cuerpo del hombre o del animal. **6** ‖ **buen humor**; inclinación a mostrar un carácter alegre y complaciente. ‖ **humor {ácueo/acuoso}**; en el globo del ojo, líquido incoloro y transparente que se halla delante del cristalino. ‖ **[humor blanco]**; el que no resulta ofensivo para nadie. ‖ **humor de perros**; inclinación a mostrar un carácter desagradable e irritable. ‖ **humor negro**; capacidad para descubrir aspectos graciosos en lo que de por sí es triste o trágico. ‖ **humor vítreo**; en el globo del ojo, sustancia de aspecto gelatinoso que se encuentra detrás del cristalino. ‖ **mal humor**; →**malhumor.** □ ETIMOL. Del latín *humor* (líquido).

humorado, da s.f. **1** Hecho o dicho chistoso o extravagante con el que alguien pretende hacer reír. **2** ‖ **bien humorado**; referido a una persona, que tiene buen humor. ‖ **mal humorado**; →**malhumorado.**

humorismo s.m. **1** Expresión o estilo que manifiesta lo cómico o lo divertido de las cosas; humor.

[2 Actividad profesional enfocada hacia la diversión del público.

humorista s. Persona que se dedica profesionalmente a divertir o a hacer reír al público; cómico. □ MORF. Es de género común: *el humorista, la humorista.*

humorístico, ca adj. **1** Del humor o relacionado con este estilo o esta forma de expresión. **[2** Que expresa o contiene humor: *Las caricaturas son dibujos 'humorísticos'.*

humus s.m. Materia orgánica formada por restos descompuestos de vegetales y de animales, que ocupa la capa superior del suelo y se utiliza como abono; mantillo. □ ETIMOL. Del latín *humus* (tierra). □ MORF. Invariable en número. □ USO Su uso es característico del lenguaje científico.

hundimiento s.m. **1** Introducción de algo en un líquido o en otra materia hasta que quede cubierto o hasta que llegue al fondo. **2** Agobio o pérdida del ánimo o de la fuerza física: *Tanta presión en el trabajo está provocando mi hundimiento.* **3** Derrota o fracaso: *Las crisis producen el hundimiento de muchos negocios.* **4** Destrucción o derrumbamiento de una construcción. **[5** Deformación de una superficie hacia dentro.

hundir v. **1** Referido esp. a un cuerpo, meterlo en un líquido o en otra cosa hasta que quede cubierto o llegue al fondo: *Hundió el puñal en su pecho. Las ruedas del carro se hundieron en el barro.* **2** Agobiar, abrumar o hacer perder el ánimo o la fuerza física: *No dejes que los problemas te hundan.* **3** Derrotar o vencer, esp. si es con razones: *Me hunde la moral que nadie me publique lo que escribo.* **4** Referido a una construcción, destruirla o derrumbarla: *La riada hundió el puente. El edificio se hundió porque no tenía cimientos profundos.* **5** Hacer fracasar o arruinarse: *La crisis económica hundió su negocio. La empresa se hundió cuando dimitió el director.* **[6** Referido esp. a una superficie, deformarla desde fuera hacia adentro: *'Has hundido' el capó del coche por subirte encima.* □ ETIMOL. Del latín *fundere* (derramar, fundir).

húngaro, ra ▪ adj./s. **1** De Hungría (país europeo), o relacionado con ella. **▪** s.m. **2** Lengua de este país y otras regiones; magiar.

huno, na adj./s. De un antiguo pueblo nómada de origen asiático. □ ORTOGR. Dist. de *uno.*

huracán s.m. **1** Viento muy fuerte que gira en grandes círculos como un torbellino; ciclón. **2** Viento extraordinariamente fuerte.

huracanado, da adj. Con la fuerza o con las características propias de un huracán.

huraño, ña adj./s. Que se esconde de la gente o evita su trato. □ ETIMOL. Del latín *foraneus* (forastero), por influencia de *hurón* (animal muy arisco). □ MORF. Rara vez lo registra como adjetivo.

hurgar v. **1** Tocar repetidamente o remover con los dedos o con un utensilio: *Deja de hurgar en la herida, que se te va a infectar. Es de mala educación hurgarse en la nariz.* **2** Revolver entre varias cosas: *Hurgué dentro del bolso hasta encontrar las llaves.* **3** Curiosear y fisgar en los asuntos de los demás: *Ese cotilla se pasa el día hurgando en la vida de sus vecinos.* □ ETIMOL. Quizá del latín *furicare.* □ ORTOGR. La *g* se cambia en *gu* delante de *e* → PAGAR.

hurí s.f. En el Corán (libro fundamental del islamismo), mujer de gran belleza que habita en el paraíso. □

ETIMOL. Del persa *huri*, y éste del árabe *hawra* (la de ojos muy hermosos). □ MORF. Aunque su plural en la lengua culta es *huríes*, la RAE admite también *hurís.*

hurón, -a ▪ s. **1** Mamífero carnicero de pequeño tamaño, con el cuerpo alargado y flexible y las patas cortas, que despide un olor desagradable y que se emplea para cazar conejos. **▪** s.m. **2** *col.* Persona muy hábil en descubrir lo escondido y lo secreto. **3** *col.* Persona huraña que huye del trato con los demás. □ ETIMOL. Del latín *furo*, y éste de *fur* (ladrón), porque el hurón roba los conejos.

hurra interj. Expresión que se usa para indicar alegría y satisfacción. □ ETIMOL. Del inglés *hurrah.*

hurraca s.f. → **urraca.**

hurtadillas ‖a hurtadillas; referido a la forma de hacer algo, a escondidas y sin que nadie se entere: *Me pescó fumando a hurtadillas.*

hurtar v. **1** Referido a bienes ajenos, tomarlos o retenerlos en contra de la voluntad de su dueño y sin violencia ni fuerza: *Le hurtaron el monedero en el autobús.* **2** Apartar, esconder o desviar de lo que se considera molesto o peligroso: *Hurtó su cuerpo de las miradas de la gente. Se hurtó tras una cortina para no ser visto.* **3** Referido al mar o a un río, llevarse tierras: *El río va hurtando poco a poco el terreno de sus orillas.*

hurto s.m. **1** Apropiación de objetos sin usar la violencia ni la fuerza. **2** Lo que ha sido sustraído sin el uso de la violencia o de la fuerza. □ ETIMOL. Del latín *furtum* (robo). □ SEM. Dist. de *robo* (violencia o fuerza por parte del que roba).

húsar s.m. Antiguo soldado de caballería ligera de origen húngaro. □ ETIMOL. Del francés *housard.*

[husky (anglicismo) s.m. **1** Prenda de vestir parecida a un anorak y que está acolchada en forma de rombos. **2 ‖husky (siberiano)**; perro de una raza que se caracteriza por tener las orejas en punta, los ojos pardos o azules y el pelaje suave y muy espeso, generalmente de color blanco y gris. □ ETIMOL. La acepción 1 es extensión del nombre de una marca comercial. □ PRON. [háski], con *h* aspirada. □ MORF. En la acepción 2 es epiceno: el *'husky siberiano' macho, el 'husky siberiano' hembra.*

husmear v. **1** Rastrear o buscar con el olfato: *El perro husmeaba dentro del cubo de basura.* **2** *col.* Referido a una persona, indagar o investigar con disimulo y con maña: *Le gusta husmear la vida de los demás.* □ ETIMOL. Del griego *osmáomai* (yo huelo, husmeo).

huso s.m. **1** Instrumento de forma redondeada y alargada, más estrecho en los extremos, que se utiliza en el hilado a mano para enrollar en él la hebra hilada. **2** En una máquina de hilar, pieza que lleva el carrete o bobina. **3 ‖huso horario**; cada una de las veinticuatro partes imaginarias e iguales en que se divide la superficie terrestre, y en las cuales rige la misma hora. □ ETIMOL. Del latín *fusus.* □ ORTOGR. Dist. de *uso* (del verbo *usar*).

[hutu adj./s. De un grupo étnico que habita en Ruanda y Burundi (países africanos) o relacionado con él. □ MORF. 1. Como adjetivo es invariable en género. 2. Como sustantivo es de género común: *el 'hutu', la 'hutu'.*

huy interj. Expresión que se usa para indicar extrañeza, sorpresa, admiración o disgusto.

I i

i s.f. **1** Novena letra del abecedario. **2** ‖i griega; nombre de la letra 'y'; ye. ‖ [i (latina); nombre de la letra 'i'. ☐ PRON. En la acepción 1, representa el sonido vocálico anterior o palatal y de abertura mínima. ☐ MORF. Aunque su plural en la lengua culta es *íes*, la RAE admite también *is*.

i- →**in-**. ☐ ORTOGR. Es la forma que adopta el prefijo *in-* cuando se antepone a palabras que empiezan por *l* o *r*: *irreconocible, ilegal, ilógico, irreconciliable.*

ibérico, ca adj. **1** De la península Ibérica (territorio peninsular hispano-portugués) o relacionado con ella. **2** De la antigua Iberia (zona que se correspondía aproximadamente con el actual territorio peninsular hispano-portugués o con el litoral mediterráneo español), o relacionado con ella; ibero, íbero.

ibero, ra o **íbero, ra** ‖ adj./s. **1** De la antigua Iberia (zona que se correspondía aproximadamente con el actual territorio peninsular hispano-portugués o con el litoral mediterráneo español), o relacionado con ella. ‖ s.m. **2** Antigua lengua de esta zona. ☐ SEM. En la acepción 1, como adjetivo es sinónimo de *ibérico.*

iberoamericano, na adj./s. **1** De Iberoamérica (conjunto de países americanos de habla española y portuguesa), o relacionado con ella. **2** De la colectividad formada por estos países junto con España y Portugal (países europeos), o relacionado con ella. ☐ SEM. Dist. de *hispanoamericano* (de los países americanos de habla española) y de *latinoamericano* (de los países americanos con lenguas de origen latino).

ibicenco, ca adj./s. De Ibiza (isla balear), o relacionado con ella.

ibídem adv. En una nota a pie de página, allí mismo o en el mismo lugar. ☐ ETIMOL. Del latín *ibidem.*

ibis s.m. Ave zancuda de pico largo, delgado y curvo, que vive en zonas pantanosas y que se alimenta principalmente de moluscos fluviales. ☐ ETIMOL. Del latín *ibis.* ☐ MORF. 1. Es un sustantivo epiceno: *el ibis macho, el ibis hembra.* 2. Invariable en número.

iceberg s.m. Masa de hielo que se ha desprendido de un glaciar y que flota en el mar arrastrada por las corrientes. ☐ ETIMOL. Del inglés *iceberg.* ☐ MORF. Su plural es *icebergs.*

icónico, ca adj. Del icono o relacionado con él.

icono s.m. **1** Imagen religiosa pintada al estilo bizantino. **2** Signo que tiene alguna relación de semejanza con lo que representa: *Algunas señales de tráfico, como la que indica una curva a la derecha, son iconos.* ☐ ETIMOL. Del griego *eikón* (imagen). ☐ SEM. Dist. de *ídolo* (representación de un ser al que se rinde culto; lo amado y admirado).

iconoclasta adj./s. **1** Que rechaza el culto a las imágenes sagradas. **2** Que no respeta las normas o los valores admitidos por la tradición. ☐ ETIMOL. Del griego *eikón* (imagen) y *kláo* (yo rompo). ☐ MORF. 1. Como adjetivo es invariable en género. 2. Como sustantivo es de género común: *el iconoclasta, la iconoclasta.*

iconografía s.f. **1** En arte, estudio descriptivo de los temas, los signos y las imágenes de las artes figurativas. **2** En arte, colección de imágenes y otras representaciones figurativas. ☐ ETIMOL. Del latín *iconographia,* y éste del griego *eikón* (imagen) y *grápho* (yo dibujo, yo describo). ☐ SEM. Dist. de *iconología* (representación simbólica o figurativa).

iconográfico, ca adj. De la iconografía o relacionado con ella.

iconolatría s.f. Adoración de las imágenes. ☐ ETIMOL. Del griego *eikón* (imagen) y *-latría* (adoración). ☐ SEM. Dist. de *idolatría* (adoración de un ídolo o de una divinidad).

iconología s.f. **1** En arte, representación simbólica de temas morales o naturales por medio de figuras humanas. [**2** En arte, estudio del significado de las imágenes o de las formas teniendo en cuenta su valor simbólico o alegórico. ☐ ETIMOL. Del griego *eikonología,* de *eikón* (imagen) y *légo* (yo digo). ☐ SEM. Dist. de *iconografía* (descripción de las representaciones simbólicas o figurativas).

iconológico, ca adj. De la iconología o relacionado con ella.

icosaedro s.m. Cuerpo geométrico limitado por veinte polígonos o caras. ☐ ETIMOL. Del griego *éikosi* (veinte) y *hédra* (costado).

ictericia s.f. En medicina, coloración amarillenta de la piel o de las membranas mucosas, que suele ser síntoma de algunas enfermedades hepáticas. ☐ ETIMOL. De *ictérico* (que padece ictericia), éste del latín *ictericus,* y éste del griego *íkteros* (ictericia).

ictiófago, ga adj./s. Que se alimenta de peces; piscívoro. ☐ ETIMOL. Del griego *ikhtyophágos* (que se alimenta de peces). ✕✚ pico

ictiología s.f. Rama de la zoología que estudia los peces. ☐ ETIMOL. Del griego *ikhthýs* (pez, pescado) y *-logía* (ciencia, estudio).

ictus s.m. Accidente vascular en el cerebro que da lugar a un cuadro de apoplejía. ☐ ETIMOL. Del latín *ictus* (golpe). ☐ MORF. Invariable en número.

[id est (latinismo) ‖Es decir, o esto es: *La abreviatura de 'id est' en notas bibliográficas o en textos es 'i.e.'.*

ida s.f. Véase **ido, da.**

idea s.f. **1** Conocimiento abstracto de algo: *Convénceme con hechos y no con ideas.* **2** Imagen o representación que se forman en la mente: *Antiguamente, se tenía la idea errónea de que el mundo era plano y no redondo.* **3** Intención o propósito de hacer algo: *Mi idea es salir el sábado.* **4** Plan o esquema mental para la realización de algo: *No estoy de acuerdo con vuestra idea para la distribución del producto.* **5** Opinión o juicio formados sobre algo: *Tienes una idea equivocada de él.* **6** Creencia o convicción: *Defendió firmemente sus ideas.* **7** ‖**hacerse a la idea de** algo; aceptarlo o resignarse a ello. ‖ [**idea de bombero;** la que resulta descabellada. ‖**mala idea;** intención de hacer daño. ‖ [**no tener (ni) idea;** *col.* No saber absolutamente nada. ☐ ETIMOL. Del griego *idéa* (forma, apariencia). ☐ MORF. La acepción 6 se usa más en plural.

ideal ‖ adj. **1** De las ideas o relacionado con ellas: *La existencia de los unicornios es sólo ideal.* **2** Que es o que se considera perfecto. ‖ s.m. **3** Prototipo o modelo de perfección: *El ideal de belleza ha ido cambiando a lo largo de la historia.* **[4** Aquello a lo que se tiende o a lo que se aspira por considerarlo positivo para una persona o para la colectividad: *Mi 'ideal' es irme a vivir al campo.* □ MORF. Como adjetivo es invariable en género.

idealismo s.m. **1** Disposición que se tiene para idealizar o mejorar la realidad al describirla o al representarla: *Tu visión del matrimonio es puro idealismo.* **2** Tendencia a actuar guiado más por ideales que por consideraciones prácticas. **3** Índole o naturaleza de los sistemas filosóficos que consideran la idea como principio del ser o del conocer.

idealista adj./s. **1** Que tiende a idealizar la realidad o que actúa guiado más por ideales que por consideraciones prácticas. **2** Partidario o seguidor de la doctrina filosófica del idealismo. □ MORF. 1. Como adjetivo es invariable en género. 2. Como sustantivo es de género común: *el idealista, la idealista.*

idealización s.f. Consideración o presentación de algo como mejor o más bello de lo que en realidad es.

idealizar v. Referido a algo real, considerarlo o presentarlo mejor o más bello de lo que en realidad es: *Si idealizas a las personas, te decepcionarán.* □ ORTOGR. La *z* cambia en *c* delante de *e* →CAZAR.

idear v. **1** Referido a ideas, formarlas o darles forma en la mente: *Ideó su teoría y la plasmó en su mejor obra.* **2** Referido esp. a un proyecto, inventarlo, crearlo o trazarlo: *El mecanismo que ideó ha sido utilizado por la industria.*

ideario s.m. Repertorio de las principales ideas de un autor o de una colectividad referentes a uno o varios temas.

ídem adv. Lo mismo: *Si tú vas a la piscina, yo ídem. En una nota a pie de página, 'ídem' se utiliza para evitar repetir el autor citado inmediatamente antes.* □ ETIMOL. Del latín *ídem.*

idéntico, ca adj. Igual o muy parecido. □ ETIMOL. De *ídem.*

identidad s.f. **1** Conjunto de características o de datos que permiten individualizar, identificar o distinguir algo: *Se desconoce la identidad del ladrón.* **2** Igualdad o alto grado de semejanza: *No existe identidad de criterios entre ellos.* **3** En matemáticas, igualdad que se cumple siempre, independientemente del valor que tomen sus variables: '$x^2 = x \cdot x$' *es una identidad.* □ ETIMOL. Del latín *identitas,* y éste de *ídem* (igual).

identificación s.f. **1** Consideración de dos o más cosas distintas como si fueran la misma: *No se debe hacer una identificación entre mendicidad y delincuencia.* **2** Reconocimiento de algo como lo que se supone o lo que se busca: *Ayer se produjo la identificación del arma homicida.* **[3** Referido a una persona, hecho o circunstancia de darse a conocer, esp. con algún documento que lo acredite: *Procedí a mi 'identificación' ante el guardia de seguridad.* **[4** Documento de identidad: *El policía me pidió la 'identificación'.*

identificar ▌v. **1** Referido a dos o más cosas distintas, hacer que parezcan idénticas o considerarlas como la misma: *Aunque identifiques el atractivo con la belleza, son cosas diferentes.* **2** Referido a algo supuesto o buscado, reconocer que es lo que se supone o lo que se busca: *Identificaron al asesino por sus huellas.* ▌prnl. **[3** Dar los datos personales necesarios para ser reconocido, esp. mediante algún documento que lo acredite: *Para que me permitieran entrar 'me identifiqué' ante el portero.* **4** Estar de acuerdo o solidarizarse: *Me identifico plenamente con tu forma de ver la vida.* □ ETIMOL. De *idéntico.* □ ORTOGR. La *c* se cambia en *qu* delante de *e* →SACAR. □ SINT. Constr. de la acepción 4: *identificarse CON algo.*

ideograma s.m. En algunos sistemas de escritura, símbolo que representa un morfema, una palabra o una frase: *La escritura china y la japonesa utilizan ideogramas.* □ ETIMOL. Del griego *idéa* (forma, apariencia) y *-grama* (escrito).

ideología s.f. Conjunto de ideas o valores que caracterizan una forma de pensar o que marcan una línea de actuación. □ ETIMOL. Del griego *idéa* (forma, apariencia) y *-logía* (estudio).

ideológico, ca adj. De la ideología o relacionado con este conjunto de valores.

[ideologización s.f. Implantación o influencia excesiva de una ideología.

[ideologizado, da adj. Que está impregnado de una determinada ideología.

ideólogo, ga s. Persona que se dedica a la elaboración o a la difusión de una ideología.

idílico, ca adj. Agradable, hermoso y tranquilo. □ SEM. Dist. de *idóneo* (oportuno, adecuado).

idilio s.m. Relación amorosa, esp. si es romántica y muy intensa. □ ETIMOL. Del latín *idyllium,* y éste del griego *eidýllion* (obrita), que en el Renacimiento tomó el sentido de obra amorosa entre pastores.

idiolecto s.m. En lingüística, modo característico que cada hablante tiene de emplear su lengua. □ ETIMOL. Del griego *ídios* (propio, peculiar) y la terminación de *dialecto.* □ SEM. Dist. de *dialecto* (modalidad lingüística propia de una colectividad).

idioma s.m. Lengua de un pueblo o nación. □ ETIMOL. Del latín *idioma,* y éste del griego *idíoma* (propiedad privada).

idiomático, ca adj. Que se considera propio y peculiar de un idioma determinado.

idiosincrasia s.f. Manera de ser propia y distintiva de un individuo o de una colectividad. □ ETIMOL. Del griego *idiosynkrasía,* y éste de *ídios* (propio) y *sýnkrasis* (temperamento).

idiosincrásico, ca adj. De la idiosincrasia o relacionado con ella.

idiota adj./s. Que manifiesta ignorancia o poca inteligencia. □ ETIMOL. Del griego *idiótes* (profano, ignorante). □ MORF. 1. Como adjetivo es invariable en género. 2. Como sustantivo es de género común: *el idiota, la idiota.* □ USO Se usa como insulto.

idiotez s.f. **1** Hecho o dicho propios de un idiota. **2** Anormalidad originada por un deficiente desarrollo de la capacidad intelectual que provoca un comportamiento psíquico correspondiente a una edad inferior a los tres años; idiotismo.

idiotismo s.m. **1** Expresión propia de una lengua, pese a ser contraria a sus reglas gramaticales; modismo: *'A ojos vista' es un idiotismo del español, y significa 'claramente'.* **2** En medicina, anormalidad originada por un deficiente desarrollo de la capacidad intelectual que provoca un comportamiento psíquico correspondiente al de una edad inferior a los tres años; idiotez. **3** *col.* Ignorancia o poca inteligencia. □ ETIMOL. Del latín *idiotismus* (locución propia de una lengua), y éste del griego *idiotismós* (habla del vulgo).

idiotizar v. Volver idiota o atontar: *Te estás idiotizando de ver la tele a todas horas.* □ ORTOGR. La *z* se cambia en *c* delante de *e* →CAZAR.

ido, da ▮ adj. **1** Referido a una persona, que tiene disminuidas sus facultades mentales o que está muy distraída. ▮ s.f. **2** Desplazamiento de un lugar a otro: *Vive lejos y pierde mucho tiempo entre idas y venidas.*

idólatra adj./s. Que adora o admira a un ídolo, como si fuera un dios. □ ETIMOL. Del griego *eidololátres*, y éste de *éidolon* (imagen) y *latréuo* (yo sirvo). □ MORF. 1. Como adjetivo es invariable en género. 2. Como sustantivo es de género común: *el idólatra, la idólatra.*

idolatrar v. **1** Referido a un ídolo, rendirle culto o adorarlo: *Muchos pueblos antiguos idolatraban estatuillas de sus dioses.* **2** Amar o admirar con exceso: *Idolatra a su esposa y siente por ella auténtica adoración.*

idolatría s.f. **1** Adoración de la representación de una divinidad, esp. si se trata de una deidad considerada falsa. **2** Amor o admiración excesivos hacia algo. □ SEM. Dist. de *iconolatría* (adoración de las imágenes).

idolátrico, ca adj. De la idolatría o relacionado con ella.

ídolo s.m. **1** Representación o imagen de una divinidad, a la que se rinde culto o adoración. **2** Lo que es amado o admirado con exceso. □ ETIMOL. Del latín *idolum*, y éste del griego *éidolon* (imagen). □ SEM. Dist. de *icono* (imagen religiosa; signo semejante a lo que representa).

idoneidad s.f. Reunión de las condiciones necesarias para determinada función. □ ETIMOL. Del latín *idoneitas.*

idóneo, a adj. Oportuno y adecuado, o con las condiciones necesarias para algo: *Este valle es el lugar idóneo para acampar.* □ ETIMOL. Del latín *idoneus* (adecuado, apropiado). □ SEM. Dist. de *idílico* (hermoso, tranquilo).

idos o **idus** s.m.pl. En el antiguo calendario romano y en el eclesiástico, día quince de los meses de marzo, mayo, julio y octubre, y día 13 del resto de los meses. □ ETIMOL. Del latín *idus.* □ USO *Idos* es el término menos usual.

iglesia s.f. **1** Comunidad formada por todos los cristianos que viven la fe de Jesucristo. **2** Cada una de las confesiones cristianas: *La iglesia ortodoxa sigue el rito griego.* **3** Conjunto de fieles cristianos de una época o de una zona geográfica determinadas: *La Iglesia española ha crecido en los últimos años.* **4** Edificio destinado al culto cristiano. □ ETIMOL. Del latín *ecclesia*, y éste del griego *ekklesía* (asamblea). □ USO En las acepciones 1 y 3, se usa más como nombre propio.

iglú s.m. Vivienda de forma semiesférica propia de los esquimales, construida con bloques de hielo. □ ETIMOL. De origen esquimal. □ MORF. Aunque su plural en la lengua culta es *iglúes*, la RAE admite también *iglús.* ☞ vivienda

ígneo, a adj. **1** De fuego o con sus características. **2** En geología, referido a una roca volcánica, que procede de la masa en fusión que hay en el interior de la Tierra. □ ETIMOL. Del latín *igneus*, y éste de *ignis* (fuego).

ignición s.f. Iniciación de la combustión de una sustancia. □ ETIMOL. Del latín *ignire* (encender).

ignífugo, ga adj. Referido esp. a una sustancia, que protege contra el fuego. □ ETIMOL. Del latín *ignis* (fuego) y *-fugo* (que ahuyenta o hace desaparecer).

ignominia s.f. Situación o estado de quien ha perdido el respeto de los demás, generalmente por su conducta o por sus actos vergonzosos. □ ETIMOL. Del latín *ignominia* (mal nombre).

ignominioso, sa adj. Que produce ignominia o que hace perder el respeto de los demás.

ignorancia s.f. **1** Falta general de instrucción o educación. **2** Desconocimiento de una materia o de un asunto: *No puedo asegurarte nada porque mi ignorancia en ese asunto es total.*

ignorante adj./s. Que carece de instrucción o que desconoce una materia o un asunto. □ MORF. 1. Como adjetivo es invariable en género. 2. Como sustantivo es de género común: *el ignorante, la ignorante.*

ignorar v. **1** Referido a un asunto, desconocerlo o no tener noticia de él: *Ignoro cuál es su nuevo trabajo.* **[2** No hacer caso o no prestar atención: *Me 'ignoró' durante toda la fiesta.* □ ETIMOL. Del latín *ignorare* (no saber).

ignoto, ta adj. Desconocido o sin descubrir. □ ETIMOL. Del latín *ignotus* (desconocido).

igual ▮ adj. **1** Referido a una cosa, que tiene la misma naturaleza, cantidad o cualidad que otra. **2** Muy parecido, semejante o con las mismas características: *Tu hija es igual que su padre.* **3** Proporcionado o que está en adecuada relación: *La empresa quebró porque las pérdidas no eran iguales a los beneficios, sino mayores.* ▮ adj./s. **4** Referido a una persona, que es de la misma clase social, de la misma condición o de la misma categoría que otra: *El muy clasista sólo se relaciona con sus iguales.* ▮ s.m. **5** En matemáticas, signo gráfico formado por dos rayas horizontales paralelas y que se utiliza para indicar la equivalencia entre dos cantidades o dos funciones. ▮ adv. **6** *col.* Quizá: *No lo sé todavía, pero igual me acerco a verte.* **7** ‖ **sin igual**; único o extraordinario: *Esta alumna tiene una inteligencia sin igual.* □ ETIMOL. Del latín *aequalis* (del mismo tamaño o edad). □ MORF. 1. Como adjetivo es invariable en género. 2. En la acepción 4, como sustantivo es de género común: *el igual, la igual.* □ SINT. 1. En expresiones comparativas, es incorrecto el uso de **igual como*: *Es igual {*como > que} su hermano.* 2. En la lengua coloquial, se usa también como adverbio de modo: *Los dos se mueven igual.* □ USO La expresión *igual a* se usa para indicar una igualdad matemática: *Dos más tres igual a cinco.*

iguala s.f. **1** Contrato de un servicio, esp. si es sanitario, mediante una cantidad establecida y para un período de tiempo determinado. **2** Cantidad que se paga por este contrato. **3** En construcción, listón de madera que se usa para comprobar la llanura de una superficie.

igualación s.f. **1** Consecución de la igualdad, la uniformidad o la semejanza entre varias cosas. **2** Equiparación de algo con respecto a otra cosa.

igualado, da s.f. **[1** En tauromaquia, referido al toro, postura que adopta con las cuatro extremidades perpendiculares y paralelas entre sí. **[2** *col.* En deporte, empate.

igualar v. **1** Referido a dos o más personas o cosas,

hacerlas de la misma naturaleza, cantidad o cualidad: *Nos han igualado los sueldos y ahora todos cobramos lo mismo. En este país el burgués y el noble ya se han igualado.* **2** Referido a una superficie de tierra, ponerla llana o lisa: *Hay que igualar el camino antes de echarle alquitrán.*

igualatorio, ria adj. Que establece igualdad o tiende a crearla. □ SEM. Dist. de *igualitario* (que contiene igualdad).

igualdad s.f. **1** Semejanza o correspondencia de una cosa con otra: *La igualdad de derechos es esencial en nuestra sociedad.* **2** En matemáticas, expresión de la relación de equivalencia entre dos cantidades o dos funciones: *La expresión matemática 'x − y = z' es una igualdad.*

igualitario, ria adj. Que contiene igualdad o tiende a ella, esp. referido a cuestiones sociales. □ SEM. Dist. de *igualatorio* (que establece igualdad o tiende a crearla).

igualitarismo s.m. Tendencia política que defiende la igualdad entre las personas que integran una sociedad.

iguana s.f. Reptil con el cuerpo cubierto de escamas, cuatro extremidades, una papada muy grande, párpados móviles y una cresta espinosa desde la cabeza hasta el final de la cola, que se alimenta de vegetales. □ ETIMOL. Del araucano de las Antillas. □ ORTOGR. Se admite también *higuana*. □ MORF. Es un sustantivo epiceno: *la iguana macho, la iguana hembra.*

iguanodonte s.m. Reptil herbívoro del grupo de los dinosaurios que existió en la era secundaria, tenía una larga cola, las extremidades con tres dedos y se erguía sobre las extremidades posteriores, mucho más largas que las delanteras. □ ETIMOL. De *iguana* y la terminación de *mastodonte.*

ijada s.f. **1** Cada uno de los dos espacios situados simétricamente entre las últimas costillas y los huesos de las caderas, esp. en un animal. **2** En un pez, parte anterior e inferior del cuerpo. □ ETIMOL. Del latín **iliata* (el bajo vientre).

ijar s.m. En una persona y en algunos mamíferos, ijada o cada uno de los dos espacios simétricos que quedan entre las últimas costillas y los huesos de las caderas. □ ETIMOL. Del latín *ilia* (bajo vientre).

[ikastola (del vasco) s.f. Escuela de carácter popular en la que las clases se imparten en vasco.

[ikebana (del japonés) s.m. Arte y técnica de colocar las flores de forma decorativa. □ PRON. [ikebána].

[ikurriña (del vasco) s.f. Bandera oficial del País Vasco (comunidad autónoma).

ilación s.f. **1** En un discurso, coherencia y relación entre las ideas o entre las distintas partes que lo componen. **2** En lógica, enlace entre una proposición consiguiente y las premisas que la han originado. □ ETIMOL. Del latín *illatio.*

ilativo, va adj. Que expresa ilación o consecuencia lógica, o que tiene relación con ella: *En la frase 'pienso, luego existo', 'luego existo' es una expresión ilativa.* □ ETIMOL. Del latín *illativus.*

ilegal adj. Que no es legal. □ ETIMOL. De *in-* (negación) y *legal.* □ MORF. Invariable en género.

ilegalidad s.f. **1** Falta de legalidad. **2** Acción ilegal que se contraria a la ley o se aparta de ella.

[ilegalizar v. Declarar ilegal: *Si se 'ilegaliza' un*

partido, su funcionamiento pasa a ser un delito. □ ORTOGR. La *z* se cambia en *c* delante de *e* →CAZAR.

ilegible adj. Que no puede leerse. □ ORTOGR. Incorr. **ileíble.* □ MORF. Invariable en género.

ilegítimo, ma adj. Que no es legítimo. □ ETIMOL. Del latín *illegitimus.*

íleon s.m. Parte final del intestino delgado de los mamíferos, que termina donde comienza el intestino grueso. □ ETIMOL. Del griego *eileós*, y éste de *eiléo* (yo retuerzo, yo enrollo). □ SEM. Aunque la RAE lo registra también como sinónimo de *ilion*, en la lengua actual no se usa como tal.

ilerdense adj./s. De Lérida o relacionado con esta provincia española o con su capital; leridano. □ MORF. **1.** Como adjetivo es invariable en género. **2.** Como sustantivo es de género común: *el ilerdense, la ilerdense.*

ileso, sa adj. Referido a una persona o a un animal, que no ha sufrido ninguna lesión. □ ETIMOL. Del latín *ilaesus.*

iletrado, da adj./s. **1** Referido a una persona, que no sabe leer ni escribir. **2** Referido a una persona, que no tiene cultura. □ ETIMOL. De *in-* (negación) y *letrado.* □ MORF. La RAE sólo lo registra como adjetivo. □ SEM. Es sinónimo de *analfabeto.*

ilícito, ta adj. Que no es lícito o no está permitido legal ni moralmente. □ ETIMOL. Del latín *illicitus.*

ilimitado, da adj. Que no tiene límites. □ ETIMOL. Del latín *illimitatus.*

ilion s.m. En anatomía, cada uno de los dos huesos que en los vertebrados forman la parte anterior de la pelvis y, en la especie humana, la parte superior. □ ETIMOL. Del latín *ilum* (ijar). □ PRON. [ílion]. □ SEM. Aunque la RAE lo registra como sinónimo de *íleon*, en la lengua actual no se usa como tal.

[ilocalizable adj. Imposible de localizar. □ MORF. Invariable en género.

ilógico, ca adj. Que no tiene lógica.

iluminación s.f. **1** Proyección o dotación de luz. **2** Cantidad de luz que hay en un lugar.

iluminado, da adj./s. **1** Partidario o seguidor del movimiento religioso español del siglo XVI llamado *iluminismo*; alumbrado. **2** Referido a una persona, que pertenecía a una sociedad secreta fundada en el siglo XVIII que defendía un sistema moral contrario al establecido en cuanto a la religión, la propiedad y la familia. **[3** Referido a una persona, que cree poseer un poder sobrenatural que le permite hacer algo que los demás no pueden. □ MORF. Las acepciones 1 y 2 se usan más en plural. □ USO En la acepción 1, aunque la RAE sólo admite *iluminado*, se usa también *iluminista.*

iluminador, -a s. **1** Persona que se dedica profesionalmente a la iluminación o a la disposición de luces, esp. para crear ambientes. **2** Persona que ilumina o colorea las letras y los dibujos de un escrito.

iluminar v. **1** Alumbrar, dar luz o bañar de resplandor: *El Sol ilumina la Tierra durante el día.* **2** Adornar con luces: *En época navideña, el Ayuntamiento ilumina las calles de la ciudad.* **3** Clarificar o explicar y facilitar la comprensión o el conocimiento: *Ese ejemplo ilumina muy bien tu teoría. De repente, una imagen iluminó la mente y lo entendí todo.* **4** Referido esp. a un libro, dar color a sus figuras o a sus letras: *Los monjes iluminaban los manuscritos.* **5** En zonas del español meridional, colorear. **[6** Subrayar, esp. si se hace con rotuladores fosforescentes: *Cuando estudio, 'ilumino' con fosforito lo más importante.* □ ETIMOL. Del latín *illuminare*.

iluminaria s.f. →**luminaria**. □ MORF. Se usa más en plural.

iluminativo, va adj. Que ilumina o que es capaz de iluminar.

iluminismo s.m. **1** Movimiento religioso español del siglo XVI que defendía la posibilidad de llegar a un estado de total perfección mediante la oración, sin necesidad de practicar rito alguno. **[2** Creencia en la posesión de un poder sobrenatural.

[iluminista adj./s. →**iluminado**. □ MORF. **1.** Como adjetivo es invariable en género. **2.** Como sustantivo es de género común: *el 'iluminista', la 'iluminista'.*

ilusión s.f. **1** Falsa representación de la realidad provocada en la mente por la imaginación o por una interpretación errónea de los datos que aportan los sentidos. **2** Esperanza generalmente sin fundamento real. **3** Sentimiento de alegría y de satisfacción. □ ETIMOL. Del latín *illusio* (engaño).

ilusionar v. **1** Crear ilusiones o esperanzas, generalmente con poco fundamento real: *El nacimiento de su primer hijo los ilusionó mucho. Me ilusiona oírte hablar de proyectos.* **2** Crear satisfacción o alegría: *Tu regreso le ilusiona enormemente. Se ilusiona con cualquier cosa.*

ilusionismo s.m. Técnica de producir efectos ilusorios o aparentemente sobrenaturales mediante trucos.

ilusionista s. Persona que se dedica a la práctica del ilusionismo, esp. si ésta es su profesión. □ MORF. Es de género común: *el ilusionista, la ilusionista*.

iluso, sa adj./s. **1** Que se deja engañar con facilidad. **2** Que se ilusiona con cosas imposibles. □ ETIMOL. Del latín *illusus*, y éste de *illudere* (burlar).

ilusorio, ria adj. Engañoso, irreal o que no tiene ningún valor.

ilustración s.f. **1** Decoración de un texto o de un impreso por medio de dibujos o láminas: *Este libro tiene una ilustración muy buena.* libro **2** Cada uno de estos dibujos o láminas. **3** Esclarecimiento o aclaración de un tema: *La ilustración de esa teoría científica con ejemplos la hace más comprensible.* **4** Movimiento cultural europeo del siglo XVIII que defendía que la razón, la ciencia y la educación eran elementos esenciales para el progreso. □ USO En la acepción 4, se usa más como nombre propio.

ilustrado, da adj./s. De la Ilustración o relacionado con este movimiento cultural.

ilustrador, -a s. Persona que se dedica profesionalmente a la ilustración de textos o de impresos.

ilustrar v. **1** Referido a un texto o a un impreso, adornarlo con dibujos o láminas, generalmente relacionados con él: *Ilustró el trabajo con fotografías de periódicos.* **2** Referido a un tema, esclarecerlo dando información sobre él: *Ilustró su explicación con datos estadísticos.* **3** Referido a una persona, proporcionarle conocimiento o cultura: *En clase disfruta ilustrando a sus alumnos. Ha hecho un largo viaje al extranjero para ilustrarse.* □ ETIMOL. Del latín *illustrare*.

ilustrativo, va adj. Que ilustra.

ilustre adj. **1** Que tiene un origen distinguido. **2** Célebre o famoso. **3** Tratamiento honorífico que corresponde a determinados cargos: *Se entrevistó con la ilustre presidenta del Colegio de Abogados.* □ ETIMOL. Del latín *illustris*. □ MORF. Invariable en género.

ilustrísimo, ma adj. **1** Tratamiento honorífico que corresponde a determinados cargos: *A la inauguración del curso asistió el ilustrísimo señor decano.* s.f. **2** Tratamiento honorífico que correspondía a los obispos: *Su Ilustrísima recibió a los canónigos de la diócesis.* □ USO La acepción 2 se usa más en la expresión {*Su/Vuestra*} *Ilustrísima*.

im- →**in-**. □ ORTOGR. Es la forma que adopta el prefijo *in-* cuando se antepone a palabras que empiezan por *b* o *p* (*imborrable, impensable*).

imagen s.f. **1** Figura o representación de algo, esp. si es de una divinidad o de un personaje sagrado. **2** Apariencia, aspecto o consideración ante los demás: *La imagen de esa actriz se deterioró mucho después del escándalo.* **3** Recurso expresivo que consiste en reproducir o suscitar una intuición o visión poética por medio del lenguaje: *Las imágenes de los poetas surrealistas son muy expresivas.* **4** En física, reproducción de la figura de un objeto por la combinación de los rayos de luz: *En la retina del ojo se representan las imágenes de los objetos.* **5** ‖**ser la viva imagen** de alguien; *col.* Parecérsele mucho. □ ETIMOL. Del latín *imago* (representación, retrato).

imaginación s.f. **1** Facultad de representar algo real o irreal en la mente. **2** Apreciación falsa de algo que no existe: *Nadie te odia, sólo son imaginaciones tuyas.* **3** Facilidad para formar nuevas ideas o crear nuevos proyectos. □ MORF. La acepción 2 se usa más en plural.

imaginar v. **1** Inventar o representar en la mente: *Imaginó la forma de salir de casa sin ser visto. Imagínate que nos toca la lotería.* **2** Sospechar o suponer, teniendo como base indicios o hechos reales: *Imagino que no irás al cine, con todo el trabajo que tienes. Me imaginé lo que pasaba al verte tan nervioso.* □ ETIMOL. Del latín *imaginari*.

imaginaria s.m. **1** Soldado que vigila durante la noche en cada dormitorio de un cuartel. s.f. **2** Guardia de reserva nombrada para sustituir en un servicio a otra que no puede desempeñarlo. **[3** Servicio de vigilancia por turnos que se hace en los dormitorios de un cuartel durante la noche.

imaginario, ria adj. **1** Que sólo existe en la imaginación. s.m. **[2** Conjunto de imágenes y estereotipos propios de un grupo social: *El 'imaginario' social suele mantener los valores más tradicionales.*

imaginativo, va adj. **1** De la imaginación o relacionado con ella. s.f. **2** Capacidad o facultad de imaginar.

imaginería s.f. Arte y técnica de tallar o de pintar imágenes religiosas.

imaginero, ra s. Persona que se dedica profesionalmente a la talla o a la pintura de imágenes, esp. si son religiosas.

imam s.m. →**imán**. □ ETIMOL. Del árabe *imam* (el que está delante, el que preside, jefe).

imán s.m. **1** Mineral u otra materia que tiene la propiedad de atraer determinados metales. **2** En una persona, lo que atrae la voluntad o el interés de los demás: *Su simpatía es un imán para sus compañeros de oficina.* **3** En la religión musulmana, guía o jefe religioso, o persona que preside la oración pública. □ ORTOGR. En la acepción 3, se admite también *imam*.

manación s.f. →imantación.

manar v. →imantar. □ ETIMOL. De *imán*.

mantación s.f. Comunicación de las propiedades del imán a un cuerpo; imanación, magnetización.

mantar v. Referido a un cuerpo, comunicarle las propiedades del imán; imanar, magnetizar: *Se han imantado la agujas del reloj y ahora no funciona bien.* □ ETIMOL. Del francés *aimanter*.

mbatibilidad s.f. Inexistencia de derrotas en un determinado período de tiempo.

mbatible adj. Que no puede ser batido, derrotado o superado. □ MORF. Invariable en género.

[imbatido, da adj. Que no ha sido batido, derrotado o superado.

[imbebible adj. Que no se puede beber. □ MORF. Invariable en género.

mbécil adj./s. *col.* Referido a una persona o a su comportamiento, que resultan simples, con poca inteligencia o con poco juicio. □ ETIMOL. Del latín *imbecillis* (muy débil). □ MORF. 1. Como adjetivo es invariable en género. 2. Como sustantivo es de género común: *el imbécil, la imbécil.* □ USO Se usa como insulto.

imbecilidad s.f. **1** Falta o escasez de inteligencia o de juicio. **2** Hecho o dicho propios de un imbécil.

imberbe adj./s.m. Que todavía no tiene barba o que tiene poca, esp. referido a un joven. □ ETIMOL. Del latín *imberbis*. □ MORF. Como adjetivo es invariable en género. □ SEM. Dist. de *barbilampiño* (varón adulto sin barba o con poca).

imborrable adj. Que no se puede borrar. □ ETIMOL. De *in-* (negación) y *borrar*. □ MORF. Invariable en género.

imbricación s.f. Superposición parcial de unas piezas sobre otras: *Para que no haya goteras, la imbricación de las tejas debe estar bien hecha.*

imbricado, da adj. **1** Referido a escamas, a hojas o a semillas, que están sobrepuestas parcialmente unas sobre otras. **2** Referido a una concha, que tiene la superficie ondulada. □ ETIMOL. Del latín *imbricatus* (dispuesto a manera de tejas).

imbricar v. Referido a un conjunto de cosas iguales, superponerlas parcialmente de forma semejante a las escamas de los peces: *Imbricó las cartas de la baraja para hacernos un truco de magia.* □ ORTOGR. La *c* se cambia en *qu* delante de *e* →SACAR.

imbuir v. Referido a una idea o a un sentimiento, inculcarlos o infundirlos: *No sé quién ha podido imbuirte tantas tonterías. Se imbuyó de las nuevas tendencias artísticas.* □ ETIMOL. Del latín *imbuere* (inculcar). □ MORF. Irreg. →HUIR. □ SINT. Constr. como pronominal: *imbuirse DE algo*.

imitable adj. Que se puede imitar o es digno de ser imitado. □ ETIMOL. Del latín *imitabilis*. □ MORF. Invariable en género.

imitación s.f. **1** Representación o realización de algo a semejanza de un modelo: *Esa humorista hace muy buenas imitaciones de cantantes famosos.* **2** Lo que guarda gran parecido o semejanza con otra cosa: *Mi pañuelo es una imitación de una marca conocida.* □ SINT. Constr. *imitación DE algo*; incorr. *imitación {*a > de*} algo*.

imitador, -a adj./s. Que imita.

[imitamonas o **[imitamonos** adj./s. Referido a una persona, que imita a otra en todo lo que hace o

dice. □ MORF. 1. Como adjetivo es invariable en género. 2. Como sustantivo es de género común: *el {'imitamonas'/'imitamonos'}, la {'imitamonas'/'imitamonos'}.* 3. Invariable en número. □ USO Tiene un matiz despectivo.

imitar v. **1** Referido a una acción, realizarla a semejanza de un modelo: *El cómico imitó la forma de hablar de un político famoso.* **2** Referido a algo inanimado, parecerse en el aspecto: *El tapizado de estas sillas imita al cuero.* □ ETIMOL. Del latín *imitari* (reproducir, representar).

impaciencia s.f. Falta de paciencia o intranquilidad producidas por algo que molesta o que no acaba de llegar. □ ETIMOL. Del latín *impatientia*.

impacientar ▌ v. **1** Causar intranquilidad o nerviosismo: *Me impacienta su tardanza.* ▌ prnl. **2** Perder la paciencia: *No te impacientes, que ya voy.*

impaciente ▌ adj. **1** Referido a una persona, que está intranquila por el desconocimiento de algo que no acaba de llegar: *Está impaciente por conocerte.* ▌ adj./s. **2** Referido a una persona, que no tiene paciencia. □ MORF. 1. Como adjetivo es invariable en género. 2. Como sustantivo es de género común: *el impaciente, la impaciente.* 3. La RAE lo registra sólo como adjetivo.

[impactante adj. Que impacta. □ MORF. Invariable en género.

impactar v. **1** Referido a un objeto, chocar violentamente contra otro: *La bala impactó en el muro de la finca.* **2** Referido a un acontecimiento, causar una gran impresión o un gran desconcierto: *La llegada del hombre a la Luna impactó al mundo.*

impacto s.m. **1** Choque violento de un objeto con otro, esp. si es un proyectil: *El impacto de la piedra rompió el cristal.* **2** Huella o señal que deja este choque. **3** Fuerte impresión producida en el ánimo por una noticia, un acontecimiento o un suceso sorprendentes. □ ETIMOL. Del latín *impactus* (acción de chocar).

impagable adj. **1** Que no se puede pagar. **2** Que tiene tanto valor que no se puede pagar con nada. □ MORF. Invariable en género.

impagado, da adj. Referido esp. a una deuda, que no ha sido pagada.

impago s.m. En economía, omisión del pago de una deuda. □ ETIMOL. De *in-* (privación) y *pago*.

impala s.m. Mamífero africano de la familia de los bóvidos, con pelaje castaño rojizo, y cuyos cuernos, en los machos, están dispuestos en forma de lira: *Los impalas son un tipo de antílopes.* □ MORF. Es un sustantivo epiceno: *el impala macho, el impala hembra.* 🐾 rumiante

impalpable adj. **1** Que no produce sensación al tacto o que produce muy poca: *El humo es impalpable.* **2** Ligero, sutil o difícil de apreciar: *Las diferencias que existen entre ambos son tan impalpables, que no hay quien los distinga.* □ ETIMOL. De *in-* (negación) y *palpable*. □ MORF. Invariable en género.

impar s.m. →número impar. □ ETIMOL. Del latín *impar*.

imparable adj. Imposible de parar o muy difícil de detener. □ MORF. Invariable en género.

imparcial ▌ adj. **1** Que posee imparcialidad o independencia de cualquier opinión. ▌ adj./s. **2** Que juzga o procede con imparcialidad o con independencia de cualquier opinión. **3** Que no se identifica con ninguna ideología o con ninguna opinión. □ ETI-MOL. De *in-* (negación) y *parcial*. □ MORF. 1. Como adjetivo es invariable en género. 2. Como sustantivo es de género común: *el imparcial, la imparcial*.

imparcialidad s.f. Ausencia de prejuicios e independencia de opinión.

imparisílabo, ba adj. 1 Referido esp. a una palabra o a un verso, que tiene un número impar de sílabas. 2 En latín o en griego, referido a un nombre, que tiene algunos casos con más sílabas que en el nominativo: *'Dux' es un nombre latino imparisílabo porque su acusativo es 'ducem'*.

impartir v. Repartir, comunicar o transmitir entre los demás: *Los jueces imparten justicia. La profesora imparte clases*. □ ETIMOL. Del latín *impartiri* (repartir, conceder).

impasibilidad s.f. 1 Indiferencia o ausencia de alteración. 2 Incapacidad para padecer o sufrir.

impasible adj. Que permanece indiferente o sin manifestar ninguna alteración. □ ETIMOL. Del latín *impassibilis*, y éste de *in-* (negación), y *passus*, de *pati* (sufrir). □ MORF. Invariable en género. □ SEM. Dist. de *impávido* (tranquilo y sereno de ánimo).

[impasse (galicismo) s.m. Situación sin salida: *Las negociaciones de paz están en un 'impasse' y no avanzan*. □ PRON. [impás]. □ SEM. Su uso es innecesario y puede sustituirse por una expresión como *punto muerto*.

impavidez s.f. Valor y serenidad de ánimo ante los peligros.

impávido, da adj. Sin miedo o con serenidad de ánimo ante un peligro. □ ETIMOL. Del latín *impavidus*. □ SEM. Dist. de *impasible* (sin alteración).

impecable adj. Que no tiene ningún defecto o imperfección: *un traje impecable*. □ ETIMOL. Del latín *impeccabilis*, y éste de *in-* (negación) y un derivado de *peccare* (tropezar). □ MORF. Invariable en género.

impedido, da adj./s. Referido a una persona, que no puede usar alguno de sus miembros. □ SINT. Constr. *impedido DE un miembro del cuerpo*.

impedimenta s.f. Equipo que lleva el ejército y que le impide moverse con rapidez. □ ETIMOL. Del latín *impedimenta* (impedimentos).

impedimento s.m. Obstáculo o estorbo que imposibilita la realización de algo.

impedir v. Referido a una acción, estorbarla, dificultarla o imposibilitarla: *Se puso delante y me impidió salir*. □ ETIMOL. Del latín *impedire* (estorbar, trabar por los pies a alguien). □ MORF. Irreg. →PEDIR.

impeler v. 1 Dar empuje de modo que se produzca un movimiento; impulsar: *La tormenta impelía los barcos contra las rocas*. 2 Incitar o estimular: *Con sus palabras lo impelía a trabajar*. □ ETIMOL. Del latín *impellere*.

impenetrable adj. 1 Imposible de penetrar o de entender. 2 Referido a una persona o a su comportamiento, que no deja ver lo que sabe, lo que cree o lo que siente. □ ETIMOL. Del latín *impenetrabilis*. □ MORF. Invariable en género.

impenitente adj. Que se obstina en algo, esp. si se considera negativo, e insiste en ello sin arrepentirse ni intentar corregirse: *Tiene mal el hígado y, aun así, es un bebedor impenitente*. □ ETIMOL. Del latín *impaenitens*, y éste de *in-* (negación) y *paenitens* (penitente). □ MORF. Invariable en género.

impensable adj. 1 Que racionalmente no puede

pensarse por ser ilógico o absurdo. [2 Imposible ó realizar. □ MORF. Invariable en género.

impensado, da adj. Que sucede sin haber pei sado en ello o de manera inesperada. □ ETIMOL. D *in-* (negación) y *pensado*.

impepinable adj. *col.* Que no admite duda ni di cusión. □ MORF. Invariable en género.

imperante adj. En astrología, referido a un signo zc diacal, que domina durante el año. □ MORF. Inva riable en género.

imperar v. Mandar, dominar o predominar: *El mie do imperaba en la ciudad ocupada*. □ ETIMOL. De latín *imperare* (mandar, ordenar).

imperativo, va ∎ adj./s.m. 1 Que manda o qu expresa mandato u obligación: *'Ven aquí' es un oración imperativa*. ∎ s.m. 2 →**modo imperative [3** Mandato, imposición u obligación: *No estaba ò acuerdo con ese decreto, pero tuvo que acatarlo pc ser 'imperativo' legal*.

imperceptible adj. Imposible de percibir. [MORF. Invariable en género.

imperdible s.m. Alfiler doblado que se abroch metiendo uno de sus extremos en un gancho o e un cierre para que no pueda abrirse fácilmente. xe costura

imperdonable adj. Imposible de perdonar. [MORF. Invariable en género.

imperecedero, ra adj. Que no perece ni acaba

imperfección s.f. 1 Falta de perfección. 2 Defect o falta moral de carácter leve. □ ETIMOL. Del latí *imperfectio*.

[imperfectivo, va adj. En lingüística, que expres la acción en su desarrollo, sin haberse terminade *El pretérito imperfecto es un tiempo 'imperfectivo'*.

imperfecto, ta ∎ adj. 1 Sin perfección. ∎ s.m. ∶ →**pretérito imperfecto**. □ ETIMOL. Del latín *im perfectus*.

imperial adj. Del emperador, del imperio o relacio nado con ellos. □ MORF. Invariable en género.

imperialismo s.m. 1 Teoría política y económic que defiende la extensión del dominio de un paí sobre otros por medio de la fuerza. 2 Teoría polític que defiende el régimen imperial. □ ETIMOL. De inglés *imperialism*.

imperialista ∎ adj. 1 Del imperialismo o con ca racterísticas de esta teoría. ∎ adj./s. 2 Que defiend o practica esta teoría. □ MORF. 1. Como adjetivo e invariable en género. 2. Como sustantivo es de gé nero común: *el imperialista, la imperialista*.

impericia s.f. Falta de pericia o de habilidad. [ETIMOL. Del latín *imperitia*.

imperio s.m. 1 Forma de organización de un Es tado que domina a otros pueblos sometidos a él co mayor o menor independencia. 2 Nación que tien gran importancia política y económica. 3 Tiemp durante el que gobierna un emperador. 4 Períod histórico durante el que gobernaron los emperado res de un territorio: *Durante el imperio bizantino s sucedieron numerosos emperadores*. 5 Conjunto de estados bajo el dominio de un emperador o de un país: *El Imperio español fue muy extenso en el sigl XVI*. 6 Gobierno o dominio hecho con autoridad: *E mundo moderno se basa en el imperio de la razón*. □ ETIMOL. Del latín *imperium* (orden, soberanía, gc bierno imperial).

imperioso, sa adj. [1 *col.* Forzoso, necesario · urgente: *Siento la necesidad 'imperiosa' de salir ò*

tomar el aire. 2 Que contiene autoritarismo o que abusa de autoridad: *Me habló en un tono imperioso.* □ ETIMOL. Del latín *imperiosus,* y éste de *imperium* (imperio).

impermeabilidad s.f. Imposibilidad de ser penetrado por un líquido, esp. por el agua.

impermeabilización s.f. Preparación de algo para evitar que un líquido, esp. el agua, pueda atravesarlo.

impermeabilizante adj. Que impermeabiliza o evita que se filtre un líquido, esp. el agua. □ MORF. Invariable en género.

impermeabilizar v. Hacer impermeable: *Impermeabilizaron el tejado para evitar las goteras.* □ ORTOGR. La *z* se cambia en *c* delante de *e* →CAZAR.

impermeable ▌ adj. **1** Que no puede ser atravesado por el agua o por otros líquidos. ▌ s.m. **2** Prenda de vestir amplia y generalmente larga, hecha con un material que impide el paso del agua, y que se pone sobre la ropa. □ ETIMOL. De *in-* (negación) y *permeable.* □ MORF. Como adjetivo es invariable en género. □ SEM. En la acepción 2, aunque la RAE lo considera sinónimo de *chubasquero,* éste se ha especializado para un tipo de impermeable muy fino, corto y con capucha.

impersonal adj. **1** Que no tiene personalidad propia ni originalidad. **2** Que no se dirige a nadie en particular: *Habló a toda la clase de forma impersonal, sin mirar a nadie.* **3** En gramática, referido esp. a una oración, que tiene un sujeto indeterminado: *La oración 'Se vive bien aquí' es impersonal porque no tiene sujeto* . Se llama *'verbo impersonal' al que no admite sujeto, como por ejemplo, 'llover' o 'nevar'.* □ ETIMOL. Del latín *impersonalis,* y éste de *in-* (negación) y *personalis* (personal). □ MORF. Invariable en género.

impersonalidad s.f. Falta de personalidad.

impertérrito, ta adj. Que no se altera ni se asusta ante situaciones difíciles o peligrosas. □ ETIMOL. Del latín *imperterritus.*

impertinencia s.f. Hecho o dicho impertinente o molesto.

impertinente ▌ adj./s. **1** Que molesta porque resulta inadecuado o poco oportuno. ▌ s.m.pl. **2** Anteojos con una varilla lateral larga y delgada para colocarlos delante de los ojos. 👓 **gafas** □ ETIMOL. Del latín *impertinens* (impertinente). □ MORF. En la acepción 1, como adjetivo es invariable en género; como sustantivo es de género común: *el impertinente, la impertinente.*

imperturbabilidad s.f. Ausencia de perturbación o alteración de ánimo.

imperturbable adj. Que no se perturba ni altera. □ ETIMOL. Del latín *imperturbabilis.* □ MORF. Invariable en género.

ímpetu o **impetuosidad** s.f. Fuerza, energía o violencia. □ ETIMOL. *Ímpetu,* del latín *impetus* (acción de dirigirse hacia algo).

impetuoso, sa ▌ adj. **1** Que tiene ímpetu o violencia. ▌ adj./s. **2** Referido a una persona, que actúa de forma precipitada o irreflexiva. □ MORF. La RAE sólo lo registra como adjetivo.

impiedad s.f. Falta de piedad o de devoción religiosa. □ ETIMOL. Del latín *impietas.*

impío, a adj./s. **1** Que no tiene piedad ni compasión. **2** Que no tiene religión o no guarda el respeto debido a la religión. □ ETIMOL. Del latín *impius.*

implacable adj. Que no se puede aplacar o moderar. □ ETIMOL. Del latín *implacabilis.* □ MORF. Invariable en género.

implantación s.f. **1** Establecimiento de una innovación para que empiece a funcionar o a regir. **2** En medicina, colocación por medios quirúrgicos de un órgano o de una pieza artificial en un ser vivo.

implantar v. **1** Referido a una innovación, establecerla y hacer que empiece a funcionar o a regir: *Las nuevas generaciones implantan nuevas costumbres.* **2** En medicina, referido a un órgano o a una pieza artificial, colocarlos en un ser vivo por medios quirúrgicos: *Sigo vivo gracias a que me implantaron el riñón de un donante recién fallecido.* □ ETIMOL. Del latín *in-* (hacia adentro) y *plantar.* **[implante** s.m. Pieza u órgano que se implanta en un ser vivo.

implementar v. En informática, referido a algo que se quiere realizar, facilitar los medios necesarios para llevarlo a cabo: *Esta empresa va a implementar todo el material necesario para la mejora del servicio informático en mi oficina.*

implemento s.m. **1** Utensilio, instrumento o herramienta. **[2** En algunas escuelas lingüísticas, función sintáctica de complemento directo: *En 'Compré un coche', 'un coche' es el implemento.* □ ETIMOL. Del inglés *implement.* □ MORF. La acepción 1 se usa más en plural.

implicación s.f. **1** Participación, enredo o complicación en un asunto, esp. en un delito: *Las fotos demuestran tu implicación en el atraco.* **2** Repercusión o consecuencia: *La declaración del testigo tuvo graves implicaciones para el acusado.* **[3** Participación activa en algo: *La reunión fue un éxito gracias a la 'implicación' de todos los participantes.*

implicar v. **1** Conllevar, significar o tener como consecuencia: *Estudiar una carrera universitaria implica mucho esfuerzo.* **2** Referido a una persona, enredarla en un asunto o involucrarla en él: *Lo implicaron para que organizara el curso. Me implicué en el asunto sin darme cuenta.* **[3** Hacer participar activamente en algo: *Nos implicó a todos en la tarea.* □ ETIMOL. Del latín *implicare* (envolver en pliegues). □ ORTOGR. La *c* se cambia en *qu* delante de *e* →SACAR. □ SINT. Constr. de la acepción 2: *implicar EN algo.*

implicatorio, ria adj. Que implica o conlleva una implicación.

implícito, ta adj. Referido esp. a una información, que está incluida sin necesidad de ser expresada. □ ETIMOL. Del latín *implicitus* (implicado). □ SEM. 1. Dist. de *explícito* (que es claramente expresado). 2. No debe emplearse con los significados de *implicado* o *metido: Mi equipo está {*implícito > metido, implicado} en un bache desde que empezó la temporada.*

implorar v. Pedir con ruegos o con lágrimas: *Imploraba la caridad de la gente en la puerta de la iglesia.* □ ETIMOL. Del latín *implorare,* y éste de *in-* (consecuencia) y *plorare* (lamentarse).

implosión s.f. **1** En fonética y fonología, primer momento en la articulación de una consonante oclusiva, en el que los órganos salen de su estado de reposo y alcanzan la posición requerida para pronunciar ese sonido: *El momento de implosión de la 'b' es el instante en que los labios se aproximan y se unen.* **2** Rotura de las paredes de una cavidad, que se produce de manera estruendosa y hacia dentro cuando la presión interior es inferior a la del exterior. □ ETIMOL. De *explosión*, con cambio de prefijo.

implosivo, va ∎ adj. **1** En fonética y fonología, referido esp. a una consonante, que está situada en final de sílaba: *La 's' de 'abstracto' es implosiva.* ∎ adj./s.f. **2** En fonética y fonología, referido a un sonido consonántico oclusivo, que se articula sin la abertura súbita final que le es característica: *En 'acto', la 'c' es implosiva por ser final de sílaba.*

impoluto, ta adj. Limpio y sin mancha. □ ETIMOL. Del latín *impollutus*, éste de *impolluere*, y éste de *in-* (negación) y *polluere* (ensuciar).

imponderable ∎ adj. **1** Que no se puede pesar, medir o precisar. **2** Que excede a toda ponderación o alabanza por ser de gran valor: *Tu colaboración en este trabajo ha resultado imponderable.* ∎ s.m. **3** Factor o elemento imprevisibles o de difícil evaluación que intervienen en el desarrollo normal de un asunto: *Ciertos imponderables de última hora impidieron su presencia en la rueda de prensa.* □ ETIMOL. De *in-* (negación) y *ponderable.* □ MORF. **1.** Como adjetivo es invariable en género. **2.** La acepción 3 se usa más en plural.

imponente ∎ adj. **1** Formidable o extraordinario. ∎ adj./s. **2** Que impone. □ MORF. **1.** Como adjetivo es invariable en género. **2.** Como sustantivo es de género común: *el imponente, la imponente.*

imponer ∎ v. **1** Hacer obligatorio, hacer aceptar o hacer cumplir: *Impuso silencio antes de empezar a hablar. Me impuse la tarea de estudiar todos los días.* **2** Producir respeto, miedo o asombro: *Saltar en paracaídas me impone un gran respeto.* [**3** Referido a un nombre, asignárselo a una persona: *Al recién nacido le 'impusieron' el nombre de su abuelo.* [**4** Colocar o asignar: *Le 'impusieron' la medalla al mérito militar. El primer miércoles de Cuaresma 'se impone' la ceniza a los católicos.* ∎ prnl. **5** Prevalecer o hacer valer la autoridad o la superioridad: *Su poderío físico le ayudó a imponerse en la carrera.* **6** Predominar o destacar: *El rojo se ha impuesto como color de moda este año.* □ ETIMOL. Del latín *imponere* (poner encima). □ MORF. **1.** Su participio es *impuesto.* **2.** Irreg. →PONER.

imponible adj. En economía, que se puede gravar con un impuesto o con un tributo: *Todos estos gastos los debes deducir de tus ingresos para hallar la base imponible.* □ ETIMOL. De *imponer.* □ MORF. Invariable en género.

impopular adj. Que no gusta o no agrada a la multitud o a una mayoría. □ ETIMOL. De *in-* (negación) y *popular.* □ MORF. Invariable en género.

impopularidad s.f. Falta de aceptación o falta de conformidad que algo produce en una mayoría.

importación s.f. **1** Introducción en un país de un producto extranjero. **2** Conjunto de productos importados. □ SEM. Dist. de *exportación* (envío de un producto nacional a un país extranjero).

importador, -a adj./s. Que importa de fuera.

importancia s.f. **1** Valor, interés o influencia: *Tu cariño es para mí lo que más importancia tiene.* **2** Referido a una persona, categoría o influencia sociales: *Es una persona de gran importancia en el mundo de los negocios.* **3** ‖**darse** alguien **importancia**; creerse superior.

importante adj. Que tiene importancia. □ MORF. Invariable en género.

importar v. **1** Ser conveniente o tener valor, interés o influencia: *No te preocupes, no importó que no vinieras.* **2** Referido esp. a un producto extranjero, introducirlo en un país: *Los países europeos importan petróleo de los países árabes.* [**3** En informática, leer la información contenida en un fichero para que pueda ser utilizado por un programa o aplicación: *'He importado' el fichero de datos bancarios y puedo usarlo en mis programas.* □ ETIMOL. Del latín *importare* (introducir, llevar dentro). □ SEM. En la acepción 2, dist. de *exportar* (enviar un producto nacional al extranjero).

importe s.m. Cantidad de dinero o cuantía de un precio, de un crédito, de una deuda o de algo semejante.

importunación s.f. Petición molesta y obstinada.

importunar v. Molestar con peticiones insistentes o inoportunas: *Los periodistas me importunaron con preguntas indiscretas.*

importunidad s.f. **1** Molestia o incomodidad causadas por una petición. **2** →**inoportunidad.** □ ETIMOL. Del latín *importunitas.*

importuno, na adj./s. →**inoportuno.** □ ETIMOL. Del latín *importunus.* □ SEM. La RAE sólo lo registra como adjetivo.

imposibilidad s.f. Falta de posibilidad para existir o para ser realizado: *Ante la imposibilidad de ser recibido en su despacho, la llamé por teléfono a su casa.* □ ETIMOL. Del latín *impossibilitas.*

imposibilitado, da adj. Referido a una persona o un miembro de su cuerpo, que están privados de movimiento; tullido.

imposibilitar v. Referido a una acción, quitar la posibilidad de realizarla: *El accidente la imposibilitó para el trabajo.* □ ETIMOL. De *in-* (negación) y *posibilitar.*

imposible ∎ adj. **1** col. Inaguantable o intratable: *Este niño se pone imposible cuando tiene sueño.* ∎ adj./s.m. **2** No posible o sumamente difícil: *Con esta nevada es imposible que lleguen a la cima de la montaña.* **3** ‖**hacer lo imposible**; col. Agotar todos los medios para lograr algo. □ MORF. Como adjetivo es invariable en género. □ SINT. La acepción 1 se usa más con los verbos *estar* o *ponerse.*

imposición s.f. **1** Establecimiento de algo que debe ser aceptado o cumplido obligatoriamente: *imposición de sanciones.* **2** Exigencia desmedida que se obliga a realizar: *Tengo tantos derechos como tú, así que no te admito imposiciones.* **3** Ingreso de dinero en una entidad bancaria. **4** Colocación de una cosa sobre otra: *La alcaldesa asistió al acto de imposición de medallas.* **5** Impuesto o tributo que se impone: *Se ha publicado la nueva normativa sobre imposición indirecta.* □ ETIMOL. Del latín *impositio.*

impositivo, va adj. **1** Que se impone. **2** Del impuesto público o relacionado con él.

impositor, -a adj./s. [Que ingresa dinero en una cuenta bancaria.

imposta s.f. Hilada de sillares o piedras labradas sobre la que se inicia la curvatura de un arco o de una bóveda y que sobresale ligeramente del muro. □ ETIMOL. Del italiano *imposta.* **≫** arco

impostar v. En música, referido a la voz, hacer que salga con un sonido uniforme sin vacilación ni temblor: *Para impostar bien la voz debes saber llevar el aire a las cuerdas vocales.* □ ETIMOL. Del italiano *impostare.*

impostergable adj. Que no se puede postergar ni aplazar. ☐ MORF. Invariable en género.

impostor, -a adj./s. **1** Que engaña con apariencia de verdad. **2** Referido a una persona, que se hace pasar por lo que no es. **3** Que atribuye falsamente algo a alguien. ☐ ETIMOL. Del latín *impostor*, y éste de *imponere* (engañar).

impostura s.f. **1** Imputación o acusación falsa y maliciosa. **2** Fingimiento o engaño con apariencia de verdad. ☐ ETIMOL. Del latín *impostura*.

impotencia s.f. **1** Falta de potencia, de fuerza o de poder para hacer algo. **2** En un hombre, incapacidad de realizar el acto sexual completo.

impotente ∎ adj. **1** Que no tiene potencia, fuerza o poder para hacer algo. ∎ adj./s.m. **2** Referido a un hombre, que no es capaz de realizar el acto sexual completo. ☐ MORF. Como adjetivo es invariable en género. ☐ SEM. En la acepción 2, dist. de *estéril* (que no puede tener hijos).

impracticable adj. **1** Que no se puede poner en práctica ni llevar a cabo: *La debilidad del enfermo hizo que la operación fuera impracticable.* **2** Referido a un camino o a un lugar, que son de difícil paso o están en mal estado. ☐ ETIMOL. De *in-* (negación) y *practicable*. ☐ MORF. Invariable en género.

imprecación s.f. Palabra o expresión que manifiesta vivamente el deseo de que alguien reciba algún daño. ☐ SEM. Dist. de *increpación* (represión o advertencia severas).

imprecar v. Referido a una persona, dirigirle palabras con las que se expresa vivamente el deseo de que reciba algún daño: *Imprecaron e insultaron al que estuvo a punto de atropellarlos.* ☐ ETIMOL. Del latín *imprecari* (desear). ☐ ORTOGR. La *c* se cambia en *q* delante de *e* →SACAR. ☐ SEM. Dist. de *increpar* (reprender o reñir duramente).

imprecatorio, ria adj. Que implica o expresa el deseo de que alguien reciba algún daño.

imprecisión s.f. Falta de precisión.

impreciso, sa adj. Que no es preciso, no es exacto o es poco definido.

impredecible adj. Que no se puede predecir o que no se anuncia antes de que suceda. ☐ MORF. Invariable en género.

impregnación s.f. **1** Empapamiento de una cosa porosa con un líquido hasta que no admita más. **2** Influencia profunda o presencia marcada. **3** En biología, proceso de aprendizaje de los animales jóvenes, desarrollado durante un período corto de receptividad, y del que resulta una forma estereotipada de reacción ante un objeto; impronta: *El canto en algunas especies de aves es un ejemplo de impregnación.*

impregnar v. **1** Referido a algo poroso, empaparlo o mojarlo con un líquido hasta que no admita más: *Impregna la mecha con alcohol para que prenda fuego. La arcilla aumenta su volumen al impregnarse de agua.* **2** Influir profundamente o tener una presencia marcada: *Estas nuevas tendencias de la moda impregnan todo el panorama cultural.* ☐ ETIMOL. Del latín *impraegnare* (preñar).

impremeditado, da adj. **1** No premeditado o no pensado previamente. **2** Que se hace o se dice sin reflexionar en las consecuencias; irreflexivo.

imprenta s.f. **1** Arte o técnica de reproducir textos o ilustraciones por medio de presión mecánica u otros procedimientos; tipografía. **2** Taller o lugar en el que se imprime; prensa. ☐ ETIMOL. Del catalán *emprenta* (huella de un sello, de un pie o de otra cosa).

imprescindible adj. Que es muy necesario o que no puede prescindirse de ello. ☐ MORF. Invariable en género.

imprescriptible adj. Referido esp. a un derecho o a una responsabilidad legal, que no puede prescribir o desaparecer. ☐ MORF. Invariable en género.

impresentable adj./s. Que no es digno de ser presentado. ☐ MORF. 1. Como adjetivo es invariable en género. 2. Como sustantivo es de género común: *el impresentable, la impresentable.* 3. La RAE sólo lo registra como adjetivo.

impresión s.f. **1** Reproducción de un texto o de una ilustración aplicando los procedimientos de la imprenta u otros similares; tirada, tiraje. **2** Estampación o huella producidas por medio de presión: *La impresión del matasellos en la carta era muy clara.* **3** Calidad gráfica y forma de letra con las que se imprime una obra. **4** Efecto o alteración causados en una persona o en un animal: *El agua fría le produjo tal impresión que salió rápidamente de la piscina.* **5** Opinión o idea formadas sobre algo: *Tu comportamiento hizo que me llevara una mala impresión de ti.* ☐ ETIMOL. Del latín *impressio*.

impresionable adj. Que se impresiona con facilidad. ☐ MORF. Invariable en género.

impresionante adj. Que impresiona. ☐ MORF. Invariable en género.

impresionar v. **1** Causar una impresión o una emoción profundas: *El libro sobre los marginados sociales me impresionó. ¡Te impresionas con cada tontería...!* **2** Fijar sonidos o imágenes en una superficie convenientemente tratada para que puedan ser reproducidos por medios fonográficos o fotográficos: *La cámara de fotos está estropeada y la película no se impresionó.*

impresionismo s.m. **1** Movimiento artístico de origen europeo y de finales del siglo XIX que se caracteriza por la reproducción de impresiones subjetivas de manera imprecisa y sugerente. **2** Forma de expresión con rasgos propios de este movimiento.

impresionista ∎ adj. **1** Del impresionismo o con rasgos propios de este movimiento artístico. ∎ adj./s. **2** Que defiende o sigue el impresionismo. ☐ ETIMOL. Del francés *impressioniste*, porque así se tituló una crítica despectiva basada en el cuadro de Monet *Impression soleil levant.* ☐ MORF. 1. Como adjetivo es invariable en género. 2. Como sustantivo es de género común: *el impresionista, la impresionista.*

impreso, sa ∎ **1** part. irreg. de **imprimir**. ∎ s.m. **2** Libro, folleto u hoja suelta reproducidos con los procedimientos de la imprenta. **3** Formulario que hay que rellenar para realizar un trámite. **4** ‖impreso (postal); el que cumple determinados requisitos para ser enviado por correo en condiciones especiales de distribución y franqueo. ☐ USO La acepción 1 se usa más como adjetivo, frente al participio regular *imprimido*, que se usa más en la conjugación.

impresor, -a ∎ s. **1** Propietario de una imprenta. **2** Persona que se dedica profesionalmente a la impresión de textos o de ilustraciones. ∎ s.f. **3** En informática, máquina que se conecta a un ordenador y que reproduce en papel la información que recibe de éste.

imprevisible 66

imprevisible adj. Que no se puede prever. □ MORF. Invariable en género.
imprevisto, ta adj./s.m. Que no está previsto o que resulta inesperado.
imprimar v. Referido a algo que va a ser pintado o teñido, prepararlo con los ingredientes necesarios: *Voy a imprimar la mesa con un aceite especial antes de darle el barniz.* □ ETIMOL. Del francés *imprimer* (imprimir).
imprimátur s.m. Licencia de la autoridad eclesiástica para imprimir un escrito. □ ETIMOL. Del latín *imprimatur*, y éste de *imprimere* (imprimir), en la tercera forma del singular del presente del subjuntivo pasivo. □ MORF. Invariable en número.
imprimir v. **1** Referido a un texto o a una ilustración, reproducirlos aplicando los procedimientos de la imprenta u otros similares: *En las modernas imprentas se imprime por medios informáticos.* **2** Referido a una obra impresa, confeccionarla: *En este taller imprimen libros de texto.* **3** Referido esp. a una característica o a un aspecto, darlos o proporcionarlos: *Ese traje imprime un aire de seriedad a su aspecto.* □ ETIMOL. Del latín *imprimere* (hacer presión, marcar una huella). □ MORF. Tiene un participio regular (*imprimido*), que se usa más en la conjugación, y otro irregular (*impreso*), que se usa más como adjetivo o sustantivo.
improbabilidad s.f. Falta de probabilidad.
improbable adj. **1** Que no es probable, no es verosímil ni es demostrable. **2** Que es muy difícil que ocurra. □ MORF. Invariable en género.
ímprobo, ba adj. Referido esp. a un esfuerzo, que es excesivo o continuado. □ ETIMOL. Del latín *improbus* (malo, extraordinario, muy fuerte).
improcedencia s.f. **1** Falta de conformidad con la ley o con la norma. **2** Falta de conveniencia o de oportunidad. □ ETIMOL. De *in-* (privación) y *procedencia*.
improcedente adj. **1** Sin conformidad con la ley o con la norma: *despido improcedente.* **2** Que no es conveniente o es inoportuno. □ MORF. Invariable en género.
improductivo, va adj. Que no produce o que no produce lo suficiente.
improlongable adj. Que no se puede prolongar. □ MORF. Invariable en género.
impronta s.f. **1** Marca o huella que quedan en algo: *En ti reconozco la impronta de tus maestros.* **2** Aprendizaje de los animales jóvenes, desarrollado durante un período corto de receptividad, y del que resulta una forma estereotipada de reacción ante un objeto; impregnación: *La memoria del lugar de nacimiento de algunas aves es un caso de impronta.* □ ETIMOL. Del italiano *impronta*.
impronunciable adj. **1** Imposible de pronunciar. **2** Que no debe ser dicho para no ofender o herir. □ MORF. Invariable en género.
improperio s.m. Injuria o insulto grave de palabra, esp. si se dice para ofender o acusar. □ ETIMOL. Del latín *improperium*. □ PRON. Incorr. *[imprompério].
impropiedad s.f. **1** Imprecisión o falta de propiedad en el uso de las palabras. **2** Falta de conveniencia o de oportunidad. □ ETIMOL. Del latín *improprietas*.
impropio, pia adj. **1** Falto de las cualidades que se consideran convenientes según las circunstan-

cias: *Llevaba un traje impropio para una boda tan elegante.* **2** Que es extraño, ajeno o no parece propio: *Es tan serio que es impropio de él contar chistes.*
improrrogable adj. Que no se puede prorrogar. □ MORF. Invariable en género.
improvisación s.f. Acción repentina, sin ninguna preparación previa y que se realiza valiéndose sólo de los medios de que se dispone.
improvisar v. Hacer o realizar en el momento, sin un plan previo y valiéndose sólo de los medios de que se dispone: *Le pidieron que hablara e improvisó unas palabras de agradecimiento.* □ ETIMOL. Del francés *improviser*.
improviso ‖ **de improviso**; de manera repentina o inesperada. □ ETIMOL. Del latín *de improviso*.
imprudencia s.f. **1** Falta de prudencia. **2** Hecho o dicho imprudentes. **3** ‖ **imprudencia temeraria**; en derecho, la que lleva a ejecutar hechos que pueden constituir falta o delito según el resultado que tengan.
imprudente adj./s. Que no tiene prudencia. □ ETIMOL. Del latín *imprudens*. □ MORF. **1.** Como adjetivo es invariable en género. **2.** Como sustantivo es de género común: *el imprudente, la imprudente.*
impúber o **impúbero, ra** adj./s. Que no ha llegado aún a la pubertad. □ ETIMOL. Del latín *impubes*. □ MORF. Como adjetivo, *impúber* es invariable en género, y como sustantivo es de género común: *el impúber, la impúber.* □ USO *Impúbero es la forma menos usual.*
impublicable adj. Que no se puede publicar.
impudicia s.f. Descaro o falta de vergüenza o de pudor.
impúdico, ca adj./s. Que no tiene pudor. □ ETIMOL. Del latín *impudicus*. □ MORF. La RAE sólo lo registra como adjetivo.
impudor s.m. **1** Falta de pudor. **2** Cinismo o falta de vergüenza al defender o realizar cosas censurables.
impuesto, ta ▪ **1** part. irreg. de **imponer**. ▪ s.m. **2** Tributo o cantidad de dinero que se paga al Estado, a las comunidades autónomas o a los ayuntamientos de manera obligatoria para contribuir al sostenimiento del gasto público. **3** ‖ **[impuesto de sociedades**; el impuesto directo que se aplica sobre los beneficios de las empresas. ‖ **impuesto directo**; el que se aplica sobre la renta o el patrimonio. ‖ **impuesto indirecto**; el que se aplica sobre los intercambios de productos o sobre la retribución de servicios, repercutiendo después en el consumidor: *El IVA es un impuesto indirecto.* ‖ **[impuesto revolucionario**; cantidad de dinero que exige un grupo terrorista mediante amenazas. ‖ **[impuesto sobre la renta**; el que se aplica sobre los ingresos del contribuyente, tras las deducciones oportunas. □ MORF. En la acepción 1, incorr. **imponido.*
impugnación s.f. Rechazo o solicitud de anulación de algo, esp. de una decisión oficial.
impugnar v. Referido esp. a una decisión oficial, combatirla o solicitar su invalidación: *Impugnaron el testamento de la abuela alegando locura.* □ ETIMOL. Del latín *impugnare* (atacar).
impugnativo, va adj. Que impugna o que sirve para combatir algo, esp. una decisión oficial, o para solicitar su invalidación.
impulsar v. **1** Dar empuje de modo que se produz-

ca un movimiento; impeler: *Súbete al columpio, que yo te impulso.* **2** Referido a una acción o a una actividad, estimularla o promoverla: *Tus consejos me impulsaron a acabar los estudios.* □ ETIMOL. Del latín *impulsare* (empujar). □ SINT. Constr. de la acepción 2: *impulsar A algo.*

impulsividad s.f. Comportamiento o actitud de quien se deja llevar por sus impulsos y actúa de forma irreflexiva o impremeditada.

impulsivo, va adj./s. Referido a una persona o a su forma de actuar, que es irreflexiva y obedece a impulsos.

impulso s.m. **1** Empuje o fuerza con el que se produce un movimiento: *El impulso de las olas acercó la barca a la playa.* **2** Fuerza que lleva algo que se mueve, crece o se desarrolla: *Llevaba tanto impulso que no pude frenar al dar la curva.* **3** Motivo afectivo o deseo que lleva a actuar de manera súbita o irreflexiva: *Me pones tan nervioso que no sé si podré contener el impulso de darte una bofetada.* **4** ‖**tomar impulso**; correr antes de dar un salto o de realizar un lanzamiento, con el fin de llegar más lejos.

impulsor, -a adj./s. Que impulsa o que estimula una acción o una actividad.

impune adj. Que queda sin castigo. □ ETIMOL. Del latín *impunis*. □ ORTOGR. Dist. de *inmune*. □ MORF. Invariable en género.

impunidad s.f. Falta de castigo. □ ORTOGR. Dist. de *inmunidad.*

impuntual adj. Que no es puntual. □ ETIMOL. De *in-* (negación) y *puntual*. □ MORF. Como adjetivo es invariable en género.

[impuntualidad s.f. Falta de puntualidad.

impureza s.f. **1** Materia extraña a un cuerpo que suele deteriorar alguna de sus cualidades. **2** Falta de pureza o castidad.

impurificar v. Hacer impuro: *Fumar impurifica el ambiente.* □ ORTOGR. La *c* se cambia en *qu* delante de *e* →SACAR.

impuro, ra adj./s. Que no es puro o no está limpio. □ ETIMOL. Del latín *impurus*. □ MORF. La RAE sólo lo registra como adjetivo.

imputación s.f. Atribución de una culpa, de un delito o de una acción.

imputar v. Referido esp. a una culpa o a un delito, atribuírselo o achacárselo a alguien: *La policía ha imputado el atentado a un grupo terrorista.* □ ETIMOL. Del latín *imputare* (inscribir en una cuenta).

[in adj. Que está de moda o de actualidad: *Va a los bares más 'in' de su ciudad.* □ MORF. Invariable en género y número. □ USO Es un anglicismo innecesario.

in- Prefijo que indica negación (*increíble, inacabable, inalterable, inconfesable*) o privación (*injusticia, inexpresivo, infidelidad, inactividad*). □ ORTOGR. Ante *b* o *p* adopta la forma *im-* (*imposible, impagable, imborrable*), y ante *l* o *r* adopta la forma *i-* (*ilegalizar, ilimitado, irracional, irrealizable*).

in albis (latinismo) ‖En blanco o sin comprender: *No te enteras de qué hablo porque estás en albis.* □ USO Se usa más con los verbos *dejar, estar* y *quedarse.*

in artículo mortis ‖En derecho, en ocasión de muerte, en el último extremo o en el trance final. □ ETIMOL. Del latín *in articulo mortis.* □ ORTOGR. Incorr. *en artículo mortis.*

in extremis (latinismo) ‖En los últimos momentos de la vida o en una situación peligrosa y comprometida.

in fraganti (latinismo) ‖ →**infraganti**.

in illo témpore ‖En otro tiempo o hace mucho tiempo. □ ETIMOL. Del latín *in illo tempore.* □ PRON. [in ílo témpore].

[in medias res (latinismo) ‖En medio de la acción: *Algunas narraciones comienzan 'in medias res', para sorprender y mantener la atención del lector.*

in memóriam ‖En memoria o en recuerdo de: *Cada autor ha escrito un texto in memóriam para homenajear al investigador desaparecido.* □ ETIMOL. Del latín *in memoriam.* □ SINT. Incorr. **in memóriam de*: *Homenaje {*in memóriam de > in memóriam}* Valle-Inclán.

[in mente (latinismo) ‖En la mente o en el pensamiento.

in sécula o **in sécula seculorum** ‖Por los siglos de los siglos. □ ETIMOL. Del latín *in saecula o in saecula saeculorum.*

in situ (latinismo) ‖En el sitio o en el lugar.

[in vitro (latinismo) ‖En el vidrio o tubo de ensayo, y no por procedimientos naturales: *fecundación 'in vitro'.*

inabarcable adj. Que no se puede abarcar. □ MORF. Invariable en género.

inabordable adj. Que no se puede abordar. □ MORF. Invariable en género.

inacabable adj. Que no se puede acabar o que parece que no se acaba. □ MORF. Invariable en género.

inaccesibilidad s.f. Imposibilidad de acceder a algo o a alguien. □ ETIMOL. Del latín *inaccessibilitas.*

inaccesible adj. Que no resulta accesible. □ ETIMOL. Del latín *inaccessibilis.* □ MORF. Invariable en género. □ SEM. Dist. de *inasequible* (que no se puede conseguir o alcanzar).

inacción s.f. Falta de acción.

inacentuado, da adj. Referido a una vocal, a una sílaba o a una palabra, que se pronuncian sin acento de intensidad; átono.

inaceptable adj. Que no se puede aceptar. □ MORF. Invariable en género.

inactividad s.f. Falta de actividad.

inactivo, va adj. Que no tiene acción, no tiene actividad o no tiene movimiento.

inadaptable adj. Que no se puede adaptar. □ MORF. Invariable en género.

inadaptación s.f. Falta de adaptación.

inadaptado, da adj./s. Que no se adapta a una serie de condiciones o circunstancias.

inadecuación s.f. Falta de adecuación.

inadecuado, da adj. Que no es adecuado.

inadmisible adj. Que no se puede admitir. □ MORF. Invariable en género.

inadvertencia s.f. Falta de advertencia o de atención.

inadvertido, da adj. **1** Sin ser advertido ni notado. **2** Referido a una persona, que no se da cuenta de cosas que debería advertir: *La estudiante, inadvertida, fue a hacer la matrícula cuando ya había finalizado el plazo.* □ SINT. La acepción 1 se usa más con el verbo *pasar.* □ USO El uso de *inapercibido* en lugar de *inadvertido* es un galicismo innecesario.

inagotable adj. Que no se agota. ☐ MORF. Invariable en género.

inaguantable adj. Que no se puede aguantar o sufrir. ☐ MORF. Invariable en género.

inalámbrico, ca adj./s.m. Referido a un sistema de comunicación eléctrica, que no tiene alambres o hilos conductores: *teléfono inalámbrico.*

inalcanzable adj. Que no se puede alcanzar. ☐ MORF. Invariable en género.

inalienable adj. En derecho, que no se puede enajenar o transmitir a otra persona, esp. referido a un derecho o a algo que está fuera del ámbito comercial. ☐ MORF. Invariable en género.

inalterable adj. Que no se puede alterar o que no manifiesta alteración. ☐ MORF. Invariable en género. ☐ SEM. Dist. de *inalterado* (que no tiene alteración).

inalterado, da adj. Que no tiene alteración. ☐ SEM. Dist. de *inalterable* (que no se puede alterar).

inamovible adj. Que no puede ser movido: *una resolución inamovible.* ☐ MORF. Invariable en género.

inane adj. Inútil, sin valor o sin importancia. ☐ ETIMOL. Del latín *inanis* (vacío). ☐ MORF. Invariable en género.

inanición s.f. Debilidad extrema producida generalmente por la falta de alimento. ☐ ETIMOL. Del latín *inanición*, y éste de *inanire* (vaciar, agotar).

inanidad s.f. Inutilidad o condición de lo que carece de valor o de importancia. ☐ ETIMOL. Del latín *inanitas.*

inanimado, da adj. Que no tiene alma o que no tiene vida.

inánime adj. Que no da señales de vida, o que está sin vida; exánime. ☐ ETIMOL. Del latín *inanimis*, y éste de *in-* (negación) y *ánima* (aliento, alma). ☐ MORF. Invariable en género.

inapelable adj. **1** Referido esp. a una sentencia, que no se puede apelar o recurrir. **2** Irremediable o inevitable. ☐ MORF. Invariable en género.

[inapercibido, da adj. →**inadvertido.**

inapetencia s.f. Falta de apetito o de ganas de comer.

inapetente adj. Que no tiene apetencia o ganas de comer. ☐ ETIMOL. De *in-* (negación) y el latín *appetens* (que apetece). ☐ MORF. Invariable en género.

inaplazable adj. Que no se puede aplazar. ☐ MORF. Invariable en género.

inapreciable adj. **1** Que se considera muy valioso. **2** Que no se puede apreciar o percibir, generalmente por su pequeñez. ☐ MORF. Invariable en género.

inaprensible adj. **1** Que no se puede coger. **2** Imposible de comprender o entender; incomprensible. ☐ MORF. Invariable en género.

[inapropiado, da adj. Que no es apropiado.

inaprovechado, da adj. Que no está aprovechado.

inarrugable adj. Que no se arruga. ☐ MORF. Invariable en género.

inarticulado, da adj. **1** Que no está articulado: *un conjunto de datos inarticulados.* **2** Referido a sonidos de la voz, que no forman palabras.

inasequible adj. Que no se puede conseguir o alcanzar. ☐ MORF. Invariable en género. ☐ SEM. Dist. de *inaccesible* (de entrada o de trato difíciles).

inasible adj. Que no se puede asir o coger: *Es una impresión tan sutil que me resulta inasible.* ☐ MORF. Invariable en género.

inatención s.f. Falta de atención.

inatento, ta adj. Que no es atento.

inaudible adj. Que no se puede oír. ☐ MORF. In variable en género.

inaudito, ta adj. Sorprendente, increíble o nunca oído, esp. si es por su carácter atrevido o escanda loso. ☐ ETIMOL. Del latín *inauditus.* ☐ SEM. Dist. de *insólito* (poco frecuente, no común o fuera de lo ha bitual).

inauguración s.f. **1** Inicio de una actividad, esp si se hace con un acto solemne. **2** Apertura al pú blico por primera vez, esp. de un establecimiento. ☐ PRON. Incorr. *[inaguración].

inaugural adj. De la inauguración o relacionada con ella. ☐ PRON. Incorr. *[inagurál]. ☐ MORF. In variable en género.

inaugurar v. **1** Dar inicio, esp. si es con un act solemne: *Con unas palabras de bienvenida, la rec tora inauguró el curso.* **2** Referido esp. a un establecie miento, abrirlo al público por primera vez: *Mañana se inaugura una exposición de esculturas al aire li bre.* ☐ ETIMOL. Del latín *inaugurare* (observar lo agüeros), porque cuando se inauguraba algo se in terpretaban determinadas señales para adivinar e futuro. ☐ PRON. Incorr. *[inagurár].

inca adj./s. De un antiguo pueblo indígena que se estableció en el oeste suramericano o relacionada con él. ☐ MORF. **1.** Como adjetivo es invariable en género. **2.** Como sustantivo es de género común: *e inca, la inca.*

incaico, ca adj. De los incas o relacionado con este antiguo pueblo.

incalculable adj. **1** Que no se puede calcular. **[2** Muy grande: *Este cuadro es de un valor 'incalcula ble'.* ☐ MORF. Invariable en género.

incalificable adj. **1** Que no se puede calificar: *La película era tan mala que es incalificable.* **2** Referid esp. a una forma de actuar, que se considera despre ciable o rechazable. ☐ MORF. Invariable en género.

incandescencia s.f. Estado de un cuerpo, esp. s es de metal, al ponerse rojo o blanco por la acción del calor.

incandescente adj. Referido a un cuerpo, esp. si es metálico, que está rojo o blanco por la acción del ca lor; candente. ☐ ETIMOL. Del latín *incandescere* (po nerse incandescente). ☐ MORF. Invariable en géne ro.

incansable adj. Que no se cansa o que resiste mu cho sin cansarse; infatigable. ☐ MORF. Invariable en género.

incapacidad s.f. **1** Falta de capacidad o aptitud: *Tiene una incapacidad en las piernas que le obliga a utilizar muletas.* **2** En derecho, falta de capacidad o aptitud legales para ejecutar algunos actos, para ejercer determinados derechos civiles o para desem peñar un cargo público: *incapacidad laboral.* ☐ ETI MOL. Del latín *incapacitas.*

incapacitación s.f. **1** Privación legal de la capa cidad para ejercer determinados derechos o para de sempeñar determinados cargos públicos. **[2** Priva ción o pérdida de alguna capacidad.

incapacitado, da adj./s. Referido a una persona, que tiene disminuidas sus facultades físicas o psí quicas, esp. si se reconoce de manera legal.

incapacitar v. **[1** Hacer incapaz o privar de una capacidad: *La pérdida de la mano lo 'ha incapaci tado' para realizar los trabajos domésticos.* **2** En derecho, referido a una persona mayor de edad, decretar su falta de capacidad legal para ejercer determinados derechos civiles: *Una juez la incapacitó para administrar su herencia debido a su estado psíquico.* **3** En derecho, referido a una persona, decretar su falta de capacidad para desempeñar un cargo público: *La ley incapacita a los militares para ser diputados.*

incapaz ▌ adj. **1** Falto de capacidad o aptitud: *Es incapaz de concentrarse en el estudio dos horas seguidas.* **2** En derecho, referido a una persona, que carece de capacidad o aptitud legales para ejercer determinados derechos civiles o para desempeñar un cargo público. ▌ s. **[3** Persona considerada inútil o necia. □ ETIMOL. Del latín *incapax*. □ MORF. 1. Como adjetivo es invariable en género. 2. Como sustantivo es de género común: *el 'incapaz', la 'incapaz'.* □ SINT. Constr. de la acepción 1: *incapaz DE hacer algo.* □ USO En la acepción 3, es despectivo.

incautación s.f. Toma de posesión de mercancías o de bienes por parte de la autoridad competente.

incautarse v.prnl. Referido a mercancías o a bienes, apoderarse de ellos la autoridad competente: *La policía se ha incautado de un alijo de heroína.* □ ETIMOL. Del latín *incautare* (fijar una pena en dinero). □ SINT. 1. Constr. *incautarse DE algo.* 2. Su uso como transitivo es incorrecto, aunque está muy extendido: *La guardia civil {*incautó > se incautó de} un cargamento de armas.*

incauto, ta adj./s. Sin cautela, sin malicia y fácil de engañar. □ MORF. La RAE sólo lo registra como adjetivo.

incendiar v. Referido a algo que no está destinado a arder, prenderle fuego: *Un pirómano ha incendiado el bosque. El edificio se ha incendiado a causa de un cortocircuito.* □ ORTOGR. La *i* nunca lleva tilde.

incendiario, ria ▌ adj. **1** Que sirve para incendiar o que puede causar un incendio. ▌ adj./s. **2** Que provoca un incendio voluntariamente.

incendio s.m. Fuego de grandes proporciones que destruye lo que no está destinado a arder; fuego. □ ETIMOL. Del latín *incendium.*

incensario s.m. Recipiente hondo, circular y con tapa, que cuelga de cadenas y que se usa para quemar incienso y esparcir su aroma, esp. en ceremonias religiosas. □ USO Aunque la RAE lo considera sinónimo de *botafumeiro*, éste se ha especializado para referirse al incensario grande de una iglesia.

incentivar v. **1** Referido a una persona, estimularla con gratificaciones para la obtención de mejores rendimientos: *Las posibilidades de ascenso incentivan a los empleados.* **2** Referido a una actividad, impulsarla o promover su realización mediante gratificaciones: *El Gobierno incentiva el ahorro y la creación de empresas.*

incentivo, va ▌ adj./s.m. **1** Que impulsa o estimula la realización de una actividad o la mejora de los rendimientos. ▌ s.m. **2** Lo que resulta gratificante e impulsa a hacer o a desear algo; acicate: *Leer es uno de los incentivos del fin de semana.* □ ETIMOL. Del latín *incentivum.* □ MORF. En la acepción 1, la RAE sólo lo registra como sustantivo.

incertidumbre s.f. Duda o falta de certeza, esp. si provoca ansiedad o inquietud.

incertísimo, ma superlat. irreg. de **incierto**.

incesante adj. **1** Que no cesa. **[2** Repetido y frecuente. □ MORF. Invariable en género.

incesto s.m. Relación sexual entre familiares que están emparentados en línea directa. □ ETIMOL. Del latín *incestus.*

incestuoso, sa adj. Del incesto o relacionado con este tipo de relación sexual.

incidencia s.f. **1** Suceso que se produce en el transcurso de un asunto y que no es parte esencial de él: *Llámame y te contaré las incidencias del fin de semana.* **2** En estadística, número de casos ocurridos, generalmente expresados en tanto por ciento: *La incidencia de la gripe este año ha sido del sesenta por ciento.* **3** Influencia o repercusión de un fenómeno. □ ETIMOL. Del latín *incidentia.*

incidental adj. **1** Que constituye un incidente. **2** De poca importancia o no esencial. □ MORF. Invariable en género.

incidente s.m. **1** Suceso que repercute en el transcurso de un asunto del que no forma parte: *En el aeropuerto se produjeron algunos incidentes que retrasaron el vuelo.* **2** Pelea, disputa o riña, esp. si son de poca importancia. □ SEM. Dist. de *accidente* (acción casual que resulta dañina para alguien).

incidir v. **1** Referido esp. a una falta o a un error, caer en ellos: *Espero que esta vez no incidas en el error de dejarlo todo para el último día.* **[2** Recalcar o hacer hincapié: *Los pedagogos 'inciden' en la importancia de los padres en la educación infantil.* **3** Influir, causar efecto o tener trascendencia en algo posterior; repercutir: *La subida de los salarios incidirá en el aumento de los precios.* **4** Caer sobre una superficie: *La luz incidía en el espejo.* □ ETIMOL. Del latín *incidere.* □ SINT. Constr. *incidir EN algo.*

incienso s.m. Resina gomosa y aromática que se extrae de diversos árboles originarios de los continentes asiático y africano y que se utiliza generalmente como perfume en ceremonias religiosas. □ ETIMOL. Del latín *incensum.*

incierto, ta adj. **1** Poco seguro. **2** Desconocido, ignorado o poco claro. □ MORF. Su superlativo es *incertísimo.*

incineración s.f. Quema de algo, esp. de un cadáver, hasta reducirlo a cenizas.

incinerador, -a adj./s. Referido a un aparato o a una instalación, que sirve para incinerar o quemar hasta reducir a cenizas, esp. cadáveres.

incinerar v. Referido esp. a un cadáver, quemarlo hasta reducirlo a cenizas: *Cuando muera, no quiero que me entierren, sino que me incineren.* □ ETIMOL. Del latín *incinerare* (volver cenizas). □ SEM. Dist. de *inhumar* (enterrar un cadáver).

incipiente adj. Que está empezando. □ ETIMOL. Del latín *incipiens*, y éste de *incipere* (emprender). □ MORF. Invariable en género.

íncipit s.m. En una descripción bibliográfica, término con que se designan las primeras palabras del texto propiamente dicho de un manuscrito o impreso antiguos. □ ETIMOL. Del latín *incipere* (empezar), tercera persona del singular del presente de indicativo. □ MORF. Invariable en número.

incircunciso, sa adj. Que no está circuncidado. □ ETIMOL. Del latín *incircumcisus.*

incisión s.f. Corte o hendidura que se hace en algunos cuerpos con un instrumento cortante. □ ETIMOL. Del latín *incisio.*

incisivo, va ▌ adj. **1** Que sirve para abrir o cortar. **2** Que critica de forma hiriente e ingeniosa. ▌ s.m. **3** →**diente incisivo.** 🔊 dentadura

inciso s.m. **1** Relato o comentario que se intercala en un discurso o en una conversación y que tiene poca relación con el tema central. **2** En una oración, miembro intercalado que va generalmente entre comas o paréntesis y que encierra un sentido parcial: *En la oración 'Tú, dicho en honor a la verdad, nunca me has fallado', 'dicho en honor a la verdad' es un inciso.* □ ETIMOL. Del latín *incisus*, y éste de *incidere* (hacer un corte).

incitación s.f. Provocación o estímulo para hacer algo: *El discurso del líder se consideró como una incitación a la revuelta.* □ SINT. Constr. *incitación A algo.*

incitante adj. **1** Que incita o impulsa a realizar una acción. **2** Que es atractivo o que estimula. □ MORF. Invariable en género.

incitar v. Referido a una acción, impulsar a realizarla: *Esa película ha sido muy criticada porque incita a la violencia.* □ ETIMOL. Del latín *incitare*. □ SINT. Constr. *incitar A algo.*

[incívico, ca adj. Que actúa contra las normas mínimas de convivencia social; incivil.

incivil adj. Que actúa contra las normas mínimas de convivencia social; incívico. □ ETIMOL. Del latín *incivilis.* □ MORF. Invariable en género. □ SEM. Aunque la RAE lo considera sinónimo de *inciviliza-do*, en la lengua actual no se usa como tal.

incivilidad s.f. Falta de civismo, de educación, o actitud del que actúa contra las normas mínimas de convivencia social.

incivilizado, da adj. Que está sin civilizar o que actúa contra las normas mínimas de convivencia social. □ SEM. Aunque la RAE lo considera sinónimo de *incivil*, en la lengua actual no se usa como tal.

[incivismo s.m. Falta de civismo.

inclasificable adj. Que no se puede clasificar. □ MORF. Invariable en género.

inclaustración s.f. Ingreso en una orden monástica. □ ETIMOL. Del latín *in* (hacia adentro) y *claustro.*

inclaustrar v. →**enclaustrar.**

inclemencia s.f. **1** Referido al tiempo atmosférico, fenómeno que resulta desagradable por su rigor o intensidad: *En el invierno este abrigo me ayuda a soportar las inclemencias del tiempo.* **2** Falta de clemencia.

inclemente adj. Referido esp. al tiempo atmosférico, que resulta duro, desapacible o desagradable por su rigor. □ ETIMOL. Del latín *inclemens.* □ MORF. Invariable en género.

inclinación s.f. **1** Desviación de la posición vertical u horizontal. **2** Tendencia o propensión hacia algo. **3** Afición o cariño especial. **4** Reverencia que se hace inclinando la cabeza o el cuerpo hacia adelante.

inclinar ▌ v. **1** Desviar de la posición vertical u horizontal: *El peso del abrigo ha inclinado el perchero hacia la derecha. Los invitados al baile se inclinaron al entrar el rey.* **2** Referido a una persona, persuadirla para que diga o haga algo sobre lo que antes dudaba: *El testimonio del último testigo inclinó al juez a absolver al acusado.* ▌ prnl. **3** Mostrar tendencia, afición o propensión hacia algo: *Me inclino a pensar que todo ha sido una farsa. Se inclinó*

por el azul. □ ETIMOL. Del latín *inclinare* (aparta: de la posición vertical).

ínclito, ta adj. Ilustre o famoso. □ ETIMOL. Del latín *inclitus.* □ USO Su uso es característico del len guaje culto.

incluir v. **1** Poner dentro de algo o hacer forma: parte de ello: *Incluyó una carta en el paquete que me envió. Me incluyo entre tus amigos íntimos.* **2** Referido a una parte, comprenderla un todo: *La penín sula Ibérica incluye España y Portugal.* **3** Contener o llevar implícito: *El precio del coche incluye todos los impuestos.* □ ETIMOL. Del latín *includere* (ence rrar dentro de algo). □ MORF. La *i* final de la raíz se cambia en *y* delante de *a, e, o* →HUIR.

inclusa s.f. Véase **incluso, sa.**

inclusero, ra adj./s. *col.* Que se cría o se ha criado en una inclusa.

inclusión s.f. Introducción de algo en una cosa c conversión de algo en parte de un todo.

inclusive adv. Indica que se tienen en cuenta los límites que se citan: *Estaré de vacaciones del 1 al 15, ambos inclusive.* □ ETIMOL. Del latín *inclusive* (con inclusión). □ MORF. Incorr. **inclusives.*

inclusivo, va adj. Que incluye o que tiene capacidad para incluir algo.

incluso, sa ▌ **1** part. irreg. de **incluir.** ▌ s.f. **2** Institución donde se recoge para su cuidado y edu cación a niños abandonados, huérfanos o con padres incapacitados. □ ETIMOL. *Inclusa* del nombre de *Nuestra Señora de la Inclusa*, que era una imagen de la Virgen que se trajo de la isla holandesa de *L'Écluse* y que se colocó en la casa de expósitos de Madrid.

incluso ▌ adv. **1** Con inclusión de: *El concierto gus tó a todos, incluso a los más jóvenes.* ▌ prep. **2** In dica que el dato que a continuación se aporta se considera sorprendente; hasta: *Me gustó incluso a mí, que odio ese tipo de espectáculos.* **3** En una com paración, indica énfasis: *Si ayer hizo bueno, hoy hace mejor, incluso.* **4** En una gradación, indica un grado más: *Estás muy pálida, incluso amarilla.* ▌ conj. **5** Enlace gramatical con valor concesivo; aun: *Incluso sabiéndolo, no te dirá nada.* □ SINT. Como preposi ción, cuando precede a los pronombres de primera y segunda persona de singular, éstos no toman las formas *mí, ti, sino yo, tú.*

[incluyente adj. Que incluye. □ MORF. Invariable en género.

incoación s.f. En derecho, inicio de una actuación oficial. □ ORTOGR. Incorr. **incohación, *incoacción.*

incoar v. En derecho, referido a una actuación oficial, iniciarla: *Las denuncias obligaron al Ayuntamiento a incoar expediente.* □ ETIMOL. Del latín *incohare* (empezar).

incoativo, va adj. En lingüística, que indica el inicio de una acción, esp. si es progresiva: *'Anochecer' es un verbo incoativo porque significa 'empezar a ha cerse de noche'.*

incoercible adj. Que no puede ser coercido o con tenido: *ira incoercible.* □ ORTOGR. Incorr. **incoher cible.* □ MORF. Invariable en género. □ USO Su uso es característico del lenguaje culto.

incógnita s.f. Véase **incógnito, ta.**

incógnito, ta ▌ adj. **1** No conocido: *Anduvo erran te por incógnitos lugares.* ▌ s.f. **2** En una ecuación matemática, cantidad desconocida cuyo valor hay que determinar y que se representa con una letra. **3** Lo que se desconoce: *Su decisión es una incógnita para mí*. **4** ‖ **de incógnito**; sin darse a conocer u ocultando la verdadera identidad: *Viaja de incógnito para despistar a los periodistas*. ☐ ETIMOL. La acepción 1, del latín *incognitus*, y éste de *in-* (negación) y *cognitus* (conocido). Las acepciones 2 y 3, del latín *incognita*, y éste de *incognitus* (incógnito).

incognoscible adj. Que no se puede conocer. ☐ ETIMOL. Del latín *incognoscibilis*. ☐ MORF. Invariable en género.

incoherencia s.f. **1** Falta de coherencia. **2** Hecho o dicho falto de coherencia o carente de sentido.

incoherente adj. Sin coherencia o carente de sentido. ☐ ETIMOL. Del latín *incohaerens*. ☐ MORF. Invariable en género.

incoloro, ra adj. Sin color.

incólume adj. Que no ha sufrido daño o deterioro. ☐ ETIMOL. Del latín *incolumis*. ☐ MORF. Invariable en género.

incombustibilidad s.f. Propiedad de lo que no se puede quemar.

incombustible adj. **1** Que no se puede quemar; calorífugo. [**2** Referido a una persona, que no se agota a pesar del tiempo o de las dificultades. ☐ MORF. Invariable en género.

incomible adj. Que no se puede comer, esp. por estar mal cocinado o condimentado. ☐ MORF. Invariable en género.

incomodar v. Molestar o causar o sentir enfado: *Las preguntas personales incomodaron al entrevistado. Incomodarse cuando te dicen una verdad es propio de una persona inmadura*. ☐ ETIMOL. Del latín *incommodare*.

incomodidad s.f. Molestia o falta de comodidad; incomodo.

incomodo s.m. Molestia o falta de comodidad; incomodidad.

incómodo, da adj. **1** Que no es o no resulta cómodo. **2** Que incomoda, molesta o disgusta: *Es incómodo estar con dos personas que se llevan mal entre ellas*.

incomparable adj. Que no tiene o no admite comparación. ☐ ETIMOL. Del latín *incomparabilis*. ☐ MORF. Invariable en género.

incomparecencia s.f. Falta de asistencia a un acto o a un lugar en que se debe estar presente.

incompatibilidad s.f. **1** Incapacidad para unirse o para existir conjuntamente: *incompatibilidad de caracteres*. **2** Imposibilidad o desautorización legal para ejercer dos o más cargos al mismo tiempo: *ley de incompatibilidades*. ☐ ETIMOL. De *in-* (negación) y *compatibilidad*.

incompatible adj. Que no es compatible o sin posibilidad de existir, hacerse u ocurrir con otro. ☐ MORF. Invariable en género. ☐ SINT. Constr. *incompatible CON algo*.

incompetencia s.f. Falta de competencia, aptitud o capacidad legal.

incompetente adj./s. Que no es competente. ☐ ETIMOL. Del latín *incompetens*. ☐ MORF. **1.** Como adjetivo es invariable en género. **2.** Como sustantivo es de género común: *el incompetente, la incompetente*.

incompleto, ta adj. Que no está completo. ☐ ETIMOL. Del latín *incompletus*.

incomprendido, da adj./s. Referido a una persona, mal comprendida, esp. si no cuenta con el reconocimiento o la valoración de su mérito.

incomprensible adj. Imposible de comprender o entender; inaprensible. ☐ MORF. Invariable en género.

incomprensión s.f. Falta de comprensión hacia los demás.

incomprensivo, va adj. Referido a una persona, que es incapaz de comprender los sentimientos o la conducta de los demás o que es intolerante. ☐ ETIMOL. De *in-* (privación) y *comprensivo*.

incomunicable adj. **1** Referido a un lugar o a una persona, que no se pueden comunicar o permanecen aislados de su entorno. **2** Referido esp. a ideas, experiencias o sentimientos, que no se pueden transmitir o dar a conocer a otros. ☐ MORF. Invariable en género.

incomunicación s.f. **1** Aislamiento o falta de comunicación. **2** En derecho, aislamiento temporal, esp. de un detenido o de un testigo, que ha sido ordenado por un juez.

incomunicar v. Aislar o privar de comunicación: *Han incomunicado a los tres presos que se pelearon ayer*. ☐ ORTOGR. La *c* se cambia en *qu* delante de *e* →SACAR.

inconcebible adj. Que no se puede concebir, imaginar o comprender, debido esp. a su carácter asombroso. ☐ MORF. Invariable en género.

inconciliable adj. Que no se puede conciliar o armonizar. ☐ MORF. Invariable en género.

inconcluso, sa adj. Que no está concluido.

inconcreto, ta adj. Impreciso o que no es concreto.

incondicional ❚ adj. **1** Absoluto o sin limitaciones ni condiciones: *Ya sabes que mi amistad es incondicional y que puedes contar conmigo para lo que quieras*. ❚ adj./s. **2** Partidario o seguidor de algo sin limitación ni condición alguna: *Este candidato sólo cuenta con los votos de sus incondicionales*. ☐ MORF. **1.** Como adjetivo es invariable en género. **2.** Como sustantivo es de género común: *el incondicional, la incondicional*.

inconexión s.f. Falta de conexión. ☐ ETIMOL. Del latín *inconnexio*.

inconexo, sa adj. Que no tiene conexión. ☐ ETIMOL. Del latín *inconnexus*.

inconfesable adj. Que no se puede confesar o declarar, esp. por ser vergonzoso o deshonroso. ☐ MORF. Invariable en género.

inconfeso, sa adj. Referido esp. a un presunto culpable, que no confiesa el delito del que se le acusa. ☐ ETIMOL. Del latín *inconfesus*.

inconforme adj./s. **1** Que no está conforme; desconforme, disconforme. **2** →**inconformista**. ☐ MORF. **1.** Como adjetivo es invariable en género. **2.** Como sustantivo es de género común: *el inconforme, la inconforme*.

inconformidad s.f. Desacuerdo o falta de conformidad.

inconformismo s.m. **1** Actitud consistente en la falta de conformismo o de aceptación de lo establecido. **2** Actitud consistente en la falta de conformidad o de acuerdo.

inconformista adj./s. Que tiene o muestra inconformismo; inconforme. ☐ MORF. **1.** Como adjetivo es invariable en género. **2.** Como sustantivo es de género común: *el inconformista, la inconformista*.

inconfundible adj. Que se distingue claramente o que no se puede confundir. ☐ MORF. Invariable en género.

incongruencia s.f. **1** Falta de congruencia, de relación o de correspondencia. **[2** Hecho o dicho falto de congruencia o carente de sentido.

incongruente adj. Sin congruencia o sin sentido. ☐ ETIMOL. Del latín *incongruens*. ☐ MORF. Invariable en género.

inconmensurable adj. **1** Que no se puede conmensurar o medir. **2** col. Inmenso, enorme o grandísimo: *Es generoso y con una bondad inconmensurable.* ☐ ETIMOL. Del latín *incommensurabilis.* ☐ MORF. Invariable en género.

inconmutable adj. **1** Que no se puede conmutar o sustituir: *La pena que le han impuesto es inconmutable.* **2** →**inmutable.** ☐ ETIMOL. Del latín *incommutabilis.* ☐ MORF. Invariable en género.

inconquistable adj. Imposible de conquistar. ☐ MORF. Invariable en género.

inconsciencia s.f. **1** Falta de consciencia. **[2** Hecho o dicho falto de consciencia. ☐ ETIMOL. Del latín *inconscientia.*

inconsciente ∎ adj./s. **1** No consciente. ∎ s.m. **[2** En psicología, conjunto de procesos mentales del individuo que escapan a la consciencia. ☐ MORF. En la acepción 1, como adjetivo es invariable en género; como sustantivo es de género común: *el inconsciente, la inconsciente.*

inconsecuencia s.f. **1** Falta de consecuencia en lo que se hace o dice. **[2** Hecho o dicho inconsecuente o que no se corresponde con lo que se hace o dice.

inconsecuente ∎ adj. **1** Que no es deducible. ∎ adj./s. **2** Referido esp. a una persona, que no procede en consecuencia o de acuerdo con sus ideas. ☐ ETIMOL. Del latín *inconsequens.* ☐ MORF. 1. Como adjetivo es invariable en género. 2. Como sustantivo es de género común: *el inconsecuente, la inconsecuente.*

inconsistencia s.f. Falta de consistencia.

inconsistente adj. Sin consistencia: *Si no aportas pruebas, lo que dices es inconsistente.* ☐ MORF. Invariable en género.

inconsolable adj. Imposible de consolar. ☐ ETIMOL. Del latín *inconsolabilis.* ☐ MORF. Invariable en género.

inconstancia s.f. Falta de constancia.

inconstante adj. Que no es constante. ☐ ETIMOL. Del latín *inconstans.* ☐ MORF. Invariable en género.

inconstitucional adj. Referido esp. a una ley o a un decreto, que no es conforme o no se ajusta a la Constitución o leyes fundamentales del Estado. ☐ MORF. Invariable en género. ☐ SEM. Dist. de anticonstitucional (contrario a la Constitución).

inconstitucionalidad s.f. Falta de constitucionalidad.

incontable adj. Imposible de contar, debido esp. a su carácter desagradable o a su gran número. ☐ SEM. Invariable en género.

incontaminado, da adj. Que no está contaminado. ☐ ETIMOL. Del latín *incontaminatus.*

incontenible adj. Imposible de contener. ☐ MORF. Invariable en género.

incontestable adj. Que no admite contestación o discusión. ☐ MORF. Invariable en género.

incontinencia s.f. **1** Falta de continencia, de moderación en los deseos y pasiones o de abstinencia sexual. **2** En medicina, trastorno que consiste en la expulsión involuntaria de heces u orina.

incontinente ∎ adj. **1** Incapaz de reprimir sus deseos o pasiones. ∎ adj./s. **2** En medicina, que padece incontinencia. ☐ ETIMOL. Del latín *incontines*, éste de *in-* (negación) y *continens*, y éste de *continere* (contener). ☐ MORF. 1. Como adjetivo es invariable en género. 2. Como sustantivo es de género común: *el incontinente, la incontinente.*

incontrastable adj. **1** Que no se puede contrastar. **2** Que no se puede negar o impugnar con fundamento: *La abogada presentó pruebas incontrastables en el juicio.* ☐ MORF. Invariable en género.

incontrolable adj. Que no se puede controlar. ☐ MORF. Invariable en género.

incontrolado, da adj./s. Que actúa o funciona sin control.

incontrovertible adj. Que no admite duda o discusión. ☐ MORF. Invariable en género.

inconveniencia s.f. **1** Falta de conveniencia. **2** Hecho o dicho inconveniente o inoportuno. ☐ ETIMOL. Del latín *inconvenientia.*

inconveniente ∎ adj. **1** Que no es conveniente. ∎ s.m. **2** Impedimento o dificultad que existe en la realización de algo. **3** Daño o perjuicio que resulta de la realización de algo.

incordiar v. col. Molestar, fastidiar o importunar: *Con sus gritos incordia a toda la vecindad.* ☐ ORTOGR. La *i* nunca lleva tilde.

incordio s.m. col. Lo que resulta molesto, fastidioso o importuno. ☐ ETIMOL. Del latín *antecordium*, y éste de *ante* (delante) y *cor* (corazón), porque originalmente un incordio era un tumor en el pecho de los caballos.

incorporación s.f. **1** Agregación o integración en un todo. **2** Levantamiento de la cabeza o de la parte superior del cuerpo. **[3** Comienzo de las actividades en un puesto de trabajo.

incorporal adj. →**incorpóreo.** ☐ ETIMOL. Del latín *incorporalis.* ☐ MORF. Invariable en género.

incorporar ∎ v. **1** Agregar o integrar en un todo: *He incorporado ejercicios prácticos en cada tema. Grupos ecologistas se han incorporado a la protesta de los trabajadores.* **2** Levantar o erguir la cabeza o la parte superior del cuerpo: *El perro incorporó la cabeza cuando oyó a su amo. El enfermo se ha incorporado en la cama para comer.* ∎ prnl. **[3** Referido a una persona, presentarse en su puesto de trabajo para tomar posesión de su cargo o para empezar a desempeñar sus funciones: *El capitán 'se incorporó' al regimiento al que había sido destinado.* ☐ ETIMOL. Del latín *incorporare.* ☐ SINT. 1. Constr. de la acepción 1: *incorporar {A/EN} algo.* 2. Constr. de la acepción 3: *'incorporarse' A una actividad.*

incorporeidad s.f. Falta de corporeidad.

incorpóreo, a adj. **1** Que no tiene cuerpo ni consistencia: *Según la religión católica, los ángeles son incorpóreos.* **2** Que no tiene materia: *Es difícil definir el amor porque es incorpóreo.* ☐ ETIMOL. Del latín *incorporens.* ☐ SEM. Es sinónimo de *incorporal.*

incorrección s.f. **1** Falta de corrección. **2** Hecho o dicho incorrectos.

incorrecto, ta adj. Que no es correcto. ☐ ETIMOL. Del latín *incorrectus.*

incorregible adj. **1** Imposible de corregir. **2** Que

no quiere enmendarse. □ ETIMOL. Del latín *incorrigibilis*. □ MORF. Invariable en género.
incorruptible adj. Que no puede corromperse. □ MORF. Invariable en género.
incorrupto, ta adj. Que permanece sin corrupción. □ ETIMOL. Del latín *incorruptus*.
incredulidad s.f. **1** Imposibilidad o dificultad para creer algo. **2** Falta de fe y de creencias religiosas.
incrédulo, la adj./s. **1** Que no cree fácilmente. **2** Que no tiene fe ni creencias religiosas. □ ETIMOL. Del latín *incredulus*. □ MORF. En la acepción 2, la RAE sólo lo registra como adjetivo.
increíble adj. Imposible de creer. □ ETIMOL. Del latín *incredibilis*. □ MORF. Invariable en género.
incrementar v. Aumentar o hacer mayor: *Las lluvias han incrementado el caudal del río. Las ventas se incrementan en épocas navideñas.*
incremento s. Crecimiento en tamaño, en cantidad, en cualidad o en intensidad; aumento. □ ETIMOL. Del latín *incrementum*, y éste de *increscere* (acrecentarse).
increpación s.f. Represión o advertencia severas. □ SEM. Dist. de *imprecación* (palabra o expresión que manifiesta el deseo de que alguien sufra algún daño).
increpar v. Referido a una persona, reprenderla o reñirla duramente: *Su madre lo increpó por haberle cogido el coche sin permiso.* □ ETIMOL. Del latín *increpare*. □ SEM. Dist. de *imprecar* (dirigir palabras en las que se expresa el deseo de que alguien sufra algún daño).
incriminar v. Referido a una persona, acusarla de un delito o una falta graves: *Lo han incriminado de un asesinato.* □ ETIMOL. Del latín *incriminare* (acusar).
incruento, ta adj. Que no es sangriento o que se produce sin derramamiento de sangre. □ ETIMOL. Del latín *incruentus*.
incrustación s.f. **1** Introducción de materiales en una superficie lisa y dura para adornarla. **2** Penetración violenta de un cuerpo en otro o fuerte adhesión a él. **3** Lo que se incrusta: *Se me perdió una de las incrustaciones del broche.*
incrustar v. **1** Referido esp. a piedras, metales o maderas, introducirlas en una superficie lisa y dura para adornarla: *Para adornar la caja han incrustado trozos de nácar en la tapa.* **2** Referido a un cuerpo o a una sustancia, hacer que penetre en algo con violencia o que quede adherido a ello: *Disparó e incrustó la bala en la pared. La suciedad se ha incrustado en el suelo y no hay quien quite la mancha.* □ ETIMOL. Del latín *incrustare* (clavar en la corteza).
incubación s.f. **1** Proceso en el que se calientan los huevos de los animales ovíparos, esp. de las aves, mediante calor natural o artificial para que se desarrolle el embrión. **2** En medicina, desarrollo de una enfermedad infecciosa hasta que se manifiestan sus efectos. **3** Desarrollo oculto de algo, esp. de una tendencia o de un movimiento social, hasta su plena manifestación.
incubadora s.f. **1** Máquina o lugar utilizados para incubar huevos de modo artificial, esp. los de las aves domésticas. **2** Cámara acondicionada para facilitar el desarrollo de los niños prematuros o nacidos en circunstancias anormales.
incubar ▌ v. **1** Referido a los huevos que pone un animal ovíparo, empollarlos o calentarlos durante el tiempo necesario para que se desarrolle el embrión: *La gallina incuba los huevos durante veintiún días.* **2** Referido a una enfermedad, desarrollarla desde que se contagian los gérmenes nocivos hasta que se manifiestan sus efectos: *Creo que estoy incubando la gripe, porque empiezo a sentirme mal.* ▌ prnl. **3** Referido esp. a una tendencia o un movimiento social, iniciarse su desarrollo de forma oculta hasta su plena manifestación: *La revolución se fue incubando durante la larga crisis económica.* □ ETIMOL. Del latín *incubare* (estar acostado sobre algo).
incuestionable adj. Que no es cuestionable o discutible. □ MORF. Invariable en género.
inculcar v. Referido esp. a un sentimiento o a una idea, fijarlos firmemente en el ánimo o en la memoria: *La profesora inculcó a sus alumnos el sentido del deber.* □ ETIMOL. Del latín *inculcare* (meter algo apteándolo, hacer penetrar). □ ORTOGR. La *c* se cambia en *qu* delante de *e* →SACAR. □ SEM. Dist. de *conculcar* (quebrantar una ley).
inculpabilidad s.f. Falta de culpabilidad.
inculpación s.f. Acusación o atribución de un delito.
inculpado, da s. Persona que ha sido acusada de un delito.
inculpar v. Referido a una persona, acusarla o atribuirle un delito: *Lo inculpan de varios hurtos y estafas.* □ ETIMOL. Del latín *inculpare*.
incultivable adj. Que no se puede cultivar. □ MORF. Invariable en género.
inculto, ta ▌ adj. **1** Que no está cultivado. ▌ adj./s. **2** Referido a una persona o a un grupo, que no tienen cultura. □ ETIMOL. Del latín *incultus*, éste de *in-* (negación) y *cultus* (cultivado). □ MORF. La RAE sólo lo registra como adjetivo.
incultura s.f. Falta de cultura o de cultivo.
*[*inculturación*]* s.f. Integración en otra cultura.
incumbencia s.f. Función u obligación que corresponde a una persona o entidad, generalmente por su cargo o su situación; competencia.
incumbir v. Referido esp. a un asunto o una obligación, estar a cargo de alguien: *El bienestar social incumbe al Estado. Tus problemas no me incumben.* □ ETIMOL. Del latín *incumbere* (dejarse caer sobre algo, inclinarse, dedicarse a algo). □ MORF. Verbo defectivo: sólo se usa en las terceras personas de cada tiempo y en las formas no personales (infinitivo, gerundio y participio).
incumplimiento s.m. Falta de cumplimiento.
incumplir v. Referido a algo legislado o acordado, no cumplirlo: *Si pasas con el semáforo en rojo incumples un artículo del código de la circulación.*
incunable adj./s.m. Referido a un texto impreso, que está hecho en el período que va desde la invención de la imprenta hasta principios del siglo XVI. □ ETIMOL. Del francés *incunable*, y éste del latín *incunabula* (cuna, pañales). □ MORF. Como adjetivo es invariable en género.
incurable ▌ adj. **1** Que no se puede corregir o moderar: *Es un lector incurable de novelas románticas.* ▌ adj./s. **2** Imposible de curar. □ ETIMOL. Del latín *incurabilis*. □ MORF. 1. Como adjetivo es invariable en género. 2. Como sustantivo es de género común: *el incurable, la incurable.*
incuria s.f. Negligencia, dejadez o falta de cuidado. □ ETIMOL. Del latín *incuria*.

incurrir v. Referido a una falta o a un delito, cometerlos: *Incurrió en el error de reprochar la actuación de su jefa.* ☐ ETIMOL. Del latín *incurrere* (correr hacia, meterse en). ☐ MORF. Tiene un participio regular (*incurrido*), que se usa más en la conjugación, y otro irregular (*incurso*), que se usa más como adjetivo. ☐ SINT. Constr. *incurrir EN algo.*

incursión s.f. **1** Penetración de un ejército o de parte de él en un territorio para realizar un ataque. [**2** Penetración en un terreno o en un ámbito desconocido o nuevo: *La 'incursión' de este poeta en la novela ha resultado un éxito.*

incurso, sa part. irreg. de **incurrir.** ☐ USO Se usa más como adjetivo, frente al participio regular *incurrido*, que se usa más en la conjugación.

indagación s.f. Investigación hecha para descubrir algo desconocido.

indagador, -a adj./s. Que indaga.

indagar v. Referido a algo desconocido, tratar de llegar a su conocimiento mediante razonamientos o suposiciones: *La policía indagaba el paradero del ladrón.* ☐ ETIMOL. Del latín *indagare* (seguir la pista de un animal). ☐ ORTOGR. La *g* se cambia en *gu* delante de *e* →PAGAR.

indagatorio, ria ▮ adj. **1** Que sirve para indagar. ▮ s.f. **2** Declaración sin juramento que se toma al procesado sobre el delito que se está investigando.

[**indalo** s.m. Representación prehistórica que se grababa en los hogares para ahuyentar los maleficios.

indebido, da adj. Que no se debe hacer por considerarse ilícito, injusto o desconsiderado.

indecencia s.f. **1** Falta de decencia. **2** Hecho o dicho indecente. ☐ ETIMOL. Del latín *indecentia.*

indecente adj./s. Que no cumple lo que se considera decente o decoroso. ☐ MORF. **1.** Como adjetivo es invariable en género. **2.** Como sustantivo es de género común: *el indecente, la indecente.* **3.** La RAE sólo lo registra como adjetivo.

indecible adj. Que no se puede decir o explicar. ☐ MORF. Invariable en género.

indecisión s.f. Falta de decisión.

indeciso, sa adj./s. Referido a una persona, que duda o que no se decide fácilmente. ☐ ETIMOL. De *in-* (negación) y el latín *decisus* (decidido). ☐ MORF. La RAE sólo lo registra como adjetivo.

indeclinable adj. **1** Que no se puede rehusar o rechazar. **2** En gramática, que no se declina. ☐ ETIMOL. Del latín *indeclinabilis.* ☐ MORF. Invariable en género.

indecoroso, sa adj. Que no tiene dignidad ni honradez o que atenta contra ellas: *un comportamiento indecoroso.* ☐ ETIMOL. Del latín *indecorosus.*

indefectible adj. Que no puede faltar o dejar de ser: *Llegó el invierno con su indefectible mal tiempo.* ☐ MORF. Invariable en género.

indefendible adj. Imposible de defender. ☐ MORF. Invariable en género.

indefensión s.f. Falta de defensa o situación del que está indefenso.

indefenso, sa adj./s. Sin defensa o sin protección. ☐ ETIMOL. Del latín *indefensus.* ☐ MORF. La RAE sólo lo registra como adjetivo.

indefinible adj. Imposible de definir. ☐ MORF. Invariable en género. ☐ SEM. Dist. de *indefinido* (que no está definido).

[**indefinición** s.f. Falta de definición o de claridad.

indefinido, da ▮ adj. **1** Que no está definido o precisado: *Lleva una camisa vieja de un color in* definido. **2** Que no tiene término o límite determi nado: *Le dejé mi casa por un tiempo indefinido.* s.m. **3** →**pretérito indefinido. 4** →**pronombr** indefinido. ☐ ETIMOL. Del latín *indefinitus.* ☐ SEM Dist. de *indefinible* (imposible de definir).

indeformable adj. Imposible de deformar. [MORF. Invariable en género.

indeleble adj. Que no se puede borrar o quitar. [ETIMOL. Del latín *indelebilis,* que es el negativo d *delere* (borrar). ☐ MORF. Invariable en género.

indemne adj. Libre de daños o de perjuicios: *Sali indemne del accidente.* ☐ ETIMOL. Del latín *indem nis* (que no ha sufrido daño). ☐ MORF. Invariable e género.

indemnización s.f. **1** Compensación por el dañ recibido. **2** Cosa con que se indemniza o se compen sa el daño recibido.

indemnizar v. Referido a una persona, compensarl por los daños que ha sufrido: *Indemnizarán a lo heridos en el accidente.* ☐ ETIMOL. Del francés *in demniser.* ☐ ORTOGR. La *z* se cambia en *c* delant de *e* →CAZAR.

indemostrable adj. Que no se puede demostrar ☐ ETIMOL. Del latín *indemonstrabilis.* ☐ MORF. In variable en género.

independencia s.f. **1** Falta de dependencia: *Har lo que considere oportuno, con independencia de l que piensen los demás.* **2** Libertad o autonomía d actuación: *El coche me da independencia.* **3** En po lítica, condición de un Estado que se gobierna autó nomamente y no está sometido a otro.

independentismo s.m. Movimiento político que defiende o exige la independencia de un territorio.

independentista ▮ adj. **1** Del independentismo relacionado con este movimiento político. ▮ adj./s. **2** Que defiende o sigue el independentismo. ☐ MORF **1.** Como adjetivo es invariable en género. **2.** Como sustantivo es de género común: *el independentista, la independentista.*

independiente ▮ adj. **1** Que tiene independencia. ▮ adj./s. **2** Referido a una persona, que actúa con li bertad y autonomía, sin dejarse presionar. ▮ adv. **3** Con independencia: *Independiente de las condicio nes atmosféricas, se dará la salida de la carrera.* ☐ MORF. **1.** Como adjetivo es invariable en género, y como sustantivo es de género común y exige con cordancia en masculino o en femenino para señalar la diferencia de sexo: *el independiente, la indepen diente.* **2.** En la acepción 2, la RAE sólo lo registra como adjetivo.

independizar v. Hacer independiente: *Hizo un ta bique en el salón para independizarlo del comedor. Me he independizado y ya no vivo con mis padres.* ☐ ORTOGR. La *z* se cambia en *c* delante de *e* →CA ZAR.

indescifrable adj. Imposible de descifrar. ☐ MORF. Invariable en género.

indescriptible adj. Imposible de describir. ☐ MORF. Invariable en género.

indeseable ▮ adj. **1** Imposible de ser deseado. ▮ adj./s. **2** Referido a una persona, que es considerada indigna de trato por sus condiciones morales. **3** Re ferido a una persona, esp. a un extranjero, que es con siderada no deseable en un país a causa de las cir cunstancias políticas. ☐ MORF. **1.** Como adjetivo es invariable en género. 2. Como sustantivo es de género común: *el indeseable, la indeseable.*

indeseado, da adj. Que no es querido ni deseado.

indesmallable adj. Referido a un tejido, que no se rompe o es difícil que se rompa, si se suelta algún punto. □ ETIMOL. Del francés *indémaillable*, y éste de *in-* (negación) y *démailler* (deshacer los puntos de una malla). □ MORF. Invariable en género.

indestructible adj. Imposible de destruir. □ MORF. Invariable en género.

indeterminable adj. Que no se puede determinar. □ ETIMOL. Del latín *indeterminabilis*. □ MORF. Invariable en género.

indeterminación s.f. Falta de determinación, de resolución o de decisión.

indeterminado, da adj. **1** Que no está determinado o no implica determinación: *En un momento indeterminado de mi vida dejé de jugar con muñecos.* **2** Poco concreto o poco definido: *Lleva una chaqueta de un color indeterminado entre marrón y verde.* □ ETIMOL. Del latín *indeterminatus*.

indexación s.f. En informática, indización o elaboración de índices.

indexar v. En informática, referido a un conjunto de datos, indizarlo u ordenarlo y elaborar un índice de ellos: *Este programa informático indexa automáticamente las palabras utilizadas.*

indiano, na ∎ adj. **1** De las Indias occidentales (costa atlántica del continente americano que fue española), o relacionado con este territorio. ∎ adj./s. **2** Referido a una persona, que se hizo rica en la zona americana que fue española y vuelve a España.

indicación s.f. **1** Explicación, demostración o comunicación con indicios y señales: *Por la indicación que me hizo, deduje que quería que fuera con ellos.* **2** Lo que sirve para indicar. **3** Receta o recomendación hechas por un médico sobre el tratamiento que se debe seguir.

indicado, da adj. Que es bueno, conveniente o adecuado para algo.

indicador, -a ∎ adj./s. **1** Que indica. ∎ s.m. **2** Dispositivo o señal que sirven para poner de manifiesto un hecho: *Los intermitentes de un vehículo son los indicadores de dirección.* **3** ‖ [indicador económico]; el que refleja los principales rasgos de la situación económica en un momento concreto.

indicar v. **1** Dar a entender con indicios y señales: *Un niño me indicó dónde estaba la parada del autobús.* **2** Referido esp. a un médico, aconsejar o recetar un remedio: *La doctora le indicó que no comiera dulces.* □ ETIMOL. Del latín *indicare*. □ ORTOGR. La *c* se cambia en *qu* delante de *e* →SACAR.

indicativo, va ∎ adj. **1** Que indica o que sirve para indicar. ∎ s.m. **2** →modo indicativo.

índice s.m. **1** →dedo índice. **2** Indicio o señal de algo, esp. de intensidad o de importancia: *La inflación es un índice de la crisis económica.* **3** Lista ordenada de capítulos, libros, autores o materias. **4** Número que se obtiene de la relación entre dos o más dimensiones o cantidades: *El índice de natalidad expresa la relación entre los nacidos vivos y el total de la población.* **5** En matemáticas, en una raíz, número o letra que indica su grado. □ ETIMOL. Del latín *index* (indicador). Se aplica al dedo porque es el que se usa para señalar.

indicio s.m. **1** Hecho que permite conocer o deducir la existencia de otro que es desconocido: *El humo*

es indicio de que hay fuego. **2** Cantidad muy pequeña o restos: *Murió envenenado, porque se encontraron indicios de veneno en las vísceras.* □ ETIMOL. Del latín *indicium* (indicación, signo, prueba).

índico, ca adj. De la India (país asiático), del sudeste asiático o relacionado con estos territorios.

indiferencia s.f. Falta de interés, de sentimientos o de preferencias.

indiferenciado, da adj. Que no se diferencia o que no tiene caracteres diferentes: *Muchos animales en su primera etapa tienen los órganos sexuales indiferenciados.*

[indiferenciar] v. Hacer desaparecer las características diferenciales: *La masificación 'indiferencia' a las personas.* □ ORTOGR. La *i* nunca lleva tilde.

indiferente adj. **1** Que no despierta interés o afecto. **2** Que puede ser o hacerse de varios modos, sin que importe cuál: *El orden de la suma es indiferente, porque no altera el resultado.* □ ETIMOL. Del latín *indifferens*, y éste de *in-* (negación) y *differens* (diferente). □ MORF. Invariable en género.

indígena adj./s. Originario o propio de un lugar. □ ETIMOL. Del latín *indigena*, y éste de *inde* (de allí) y *genus* (origen, nacimiento). □ MORF. **1.** Como adjetivo es invariable en género. **2.** Como sustantivo es de género común: *el indígena, la indígena.*

indigencia s.f. Falta de medios para subsistir o situación del que no los tiene.

indigenismo s.m. **1** Estudio de los pueblos indígenas iberoamericanos que hoy forman parte de las naciones en las que predomina la civilización europea. **2** Movimiento que apoya reivindicaciones políticas, sociales y económicas para los indígenas y mestizos de los países iberoamericanos.

indigenista ∎ adj. **1** Del indigenismo o relacionado con este estudio o con este movimiento: *El movimiento indigenista pretende la igualdad de oportunidades para los indígenas.* ∎ adj./s. **2** Que defiende o sigue el indigenismo. □ MORF. **1.** Como adjetivo es invariable en género; como sustantivo es de género común: *el indigenista, la indigenista.* **2.** En la acepción 2, la RAE sólo lo registra como sustantivo.

indigente adj./s. Referido a una persona, que no tiene los medios suficientes para subsistir. □ ETIMOL. Del latín *indigens*, y éste de *indigere* (carecer). □ ORTOGR. Dist. de *ingente*. □ MORF. **1.** Como adjetivo es invariable en género. **2.** Como sustantivo es de género común: *el indigente, la indigente.*

[indigerible] adj. **1** col. Indigesto: *No pienso volver a ese restaurante, porque dan una comida 'indigerible'.* **2** col. Imposible o muy difícil de entender o de aguantar. □ MORF. Invariable en género.

indigestarse v.prnl. **1** Referido a una comida, sentar mal: *Se le indigestaron los pasteles porque los comió muy deprisa.* **2** col. Resultar molesto y desagradable: *Se me ha indigestado la física y no podré aprobarla.*

indigestible adj. →**indigesto.** □ ETIMOL. Del latín *indigestibilis*. □ MORF. Invariable en género.

indigestión s.f. Digestión anómala que produce un trastorno en el organismo.

indigesto, ta adj. Imposible de digerir; indigestible. □ ETIMOL. Del latín *indigestus*.

indignación s.f. Irritación o enfado violentos por un hecho que se considera reprochable.

[*indignante adj. Que indigna. ☐ MORF. Invariable en género.
indignar v. Irritar o enfadar intensamente: *Indignó a sus padres cuando los desobedeció. Me indigné cuando oí sus falsas acusaciones.* ☐ ETIMOL. Del latín *indignari* (indignarse, irritarse).
indignidad s.f. **1** Degradación, falta de mérito o calidad. **2** Hecho o dicho indigno.
indigno, na adj. **1** Referido a un hecho o a un dicho, que no se corresponde con la categoría social o moral de la persona que lo hace o que lo dice: *Esas palabras son indignas de una persona con una educación tan esmerada.* **2** Que degrada o humilla: *Estoy harta de tus mentiras indignas.* **3** Sin mérito o calidad suficientes para algo: *Después de lo que has hecho eres indigno de mi confianza.* ☐ ETIMOL. Del latín *indignus.* ☐ SINT. Constr. de las acepciones 1 y 3: *indigno DE algo.*
índigo ∎ adj./s.m. **[1** De color azul intenso con tonalidades violetas. ∎ s.m. **2** Arbusto de flores rojizas en espiga, de cuyas hojas y tallo se obtiene una sustancia de color azul oscuro muy utilizada como colorante. ☐ ETIMOL. Del latín *Indicus* (de la India), porque de ahí se traía esta sustancia.
indio, dia ∎ adj./s. **1** De la India (país asiático), o relacionado con ella; hindú. **2** De la antigua población indígena del continente americano y de sus descendientes. ∎ s.m. **3** Elemento químico, metálico y sólido, de número atómico 49, maleable y fácilmente deformable. **4** ‖**hacer el indio**; *col.* Hacer tonterías para divertirse o divertir a los demás. ☐ ETIMOL. La acepción 3, del latín *indicum* (índigo), porque el indio tiene dos líneas de color índigo en su espectro. ☐ ORTOGR. En la acepción 3, su símbolo químico es *In.* ☐ MORF. En la acepción 2, cuando se antepone a una palabra para formar compuestos, adopta la forma *indo-.* ☐ USO La acepción 4 tiene un matiz despectivo.
indirecto, ta ∎ adj. **1** Que no va directamente a su fin, sino dando un rodeo: *preguntas indirectas.* **2** Que se hace a través de un intermediario o de forma no directa: *Me enteré de manera indirecta al oír a unos vecinos.* ∎ s.f. **3** Medio que se utiliza para dar a entender algo sin expresarlo con claridad: *Su mirada fue una indirecta para decirme que nos fuéramos de allí.* ☐ ETIMOL. Del latín *indirectus.*
indisciplina s.f. Falta de disciplina. ☐ ETIMOL. Del latín *indisciplina.*
indiscreción s.f. **1** Falta de discreción. **2** Hecho o dicho carente de discreción. ☐ ORTOGR. Incorr. **indiscrección.*
indiscreto, ta ∎ adj. **1** Que se hace sin discreción o que no la tiene: *una pregunta indiscreta.* ∎ adj./s. **2** Referido a una persona, que actúa sin discreción. ☐ ETIMOL. Del latín *indiscretus.*
[*indiscriminado, da adj. Que no hace discriminación o distinción: *Disparó de forma 'indiscriminada' contra la multitud.* ☐ ETIMOL. Del inglés *indiscriminate.*
indiscutible adj. Que no se puede discutir por ser evidente. ☐ MORF. Invariable en género.
[*indisociable adj. Que no se puede disociar o separar. ☐ MORF. Invariable en género.
indisolubilidad s.f. Imposibilidad de ser disuelto o desunido.
indisoluble adj. Que no se puede disolver o desunir: *De acuerdo con la religión católica, el matri-*

monio es indisoluble. ☐ ETIMOL. Del latín *indissolubilis,* y éste de in- (negación) y *dissolubilis* (soluble). ☐ MORF. Invariable en género.
indispensable adj. Absolutamente necesario o imprescindible. ☐ MORF. Invariable en género.
indisponer v. **1** Referido a una persona, ponerla mal con otra o procurarle el menosprecio de ésta; malmeter, malquistar: *Va hablando mal de ti para indisponerte con todo el mundo. Los dos amigos se indispusieron por culpa de una chica.* **2** Referido a una persona, producirle o experimentar un malestar o una enfermedad leves y pasajeros: *Los viajes en barco me indisponen. La cena era tan fuerte que nos indispusimos todos.* ☐ MORF. Irreg.: **1.** Su participio es *indispuesto.* **2.** →PONER. **3.** La acepción 2 se usa más como pronominal. ☐ SINT. Constr. de la acepción 1: *indisponer a una persona {CON/CONTRA} otra.*
indisposición s.f. Malestar o enfermedad leves y pasajeros.
indispuesto, ta part. irreg. de **indisponer.** ☐ MORF. Incorr. **indisponido.*
indistinto, ta adj. **1** Que no se distingue o diferencia de otra cosa: *Después de tantos años juntos sus gustos son indistintos, por no decir idénticos.* **2** Que no se distingue o percibe con claridad: *Sin gafas sólo veo bultos y figuras indistintas.* **[3** Indiferente o que no ofrece motivo de preferencia: *Con tal de salir, me es 'indistinto' ir al cine o al teatro.* **[4** Referido a una cuenta o a un depósito bancarios, que están a nombre de dos o más personas y cualquiera de ellas puede disponer por igual de sus fondos. ☐ ETIMOL. Del latín *indistinctus.*
individual adj. **1** Del individuo o relacionado con él. **2** Para una sola persona: *una ración individual.* **3** Particular y característico de un individuo: *Sus rasgos individuales más destacados son la bondad y la inteligencia.* ☐ MORF. Invariable en género.
individualidad s.f. **1** Propiedad por la que algo es conocido como tal y puede ser distinguido: *Cuenta con un equipo homogéneo en el que nadie destaca por su individualidad.* **[2** Persona brillante o que destaca por su valía.
individualismo s.m. **1** Tendencia a pensar y a actuar al margen de los demás o sin atenerse a las normas generales. **2** Tendencia a anteponer el propio interés al de los demás.
individualista adj./s. Que tiende a pensar y a actuar al margen de los demás o sin atenerse a las normas generales. ☐ MORF. **1.** Como adjetivo es invariable en género. **2.** Como sustantivo es de género común: *el individualista, la individualista.*
[*individualización s.f. Diferenciación que se hace atribuyendo características distintivas.
individualizar v. Referido a una ser, diferenciarlo atribuyéndole características distintivas: *Su talento y su inteligencia lo individualizan de todos sus compañeros.* ☐ ORTOGR. La z se cambia en c delante de e →CAZAR.
individuo, dua ∎ s. **1** Persona cuya identidad se ignora o no se quiere decir. **2** Persona a la que se considera despreciable. ∎ s.m. **3** Persona considerada en sí misma e independientemente de los demás: *Todo individuo tiene derecho a una vida digna.* **4** Ser organizado o elemento que pertenece a una especie o a una clase y se diferencia de sus semejantes: *Se declararán protegidas las especies*

animales de las que queden pocos individuos. ☐ ETI-MOL. Del latín *individuus* (individual, persona). ☐ MORF. En la acepción 2, la RAE sólo registra el femenino. ☐ USO En la acepción 2 es despectivo.

indivisibilidad s.f. Imposibilidad de ser dividido.

indivisible adj. Que no puede ser dividido. ☐ ETI-MOL. Del latín *indivisibilis*. ☐ MORF. Invariable en género.

indiviso, sa adj. Que se mantiene unido y sin dividir, aun siendo divisible. ☐ ETIMOL. Del latín *indivisus*.

indización s.f. Elaboración de índices.

indizar v. **1** Referido esp. a un texto, dotarlo de índice: *Sólo faltaba indizar el libro antes de su publicación.* **2** Referido a un conjunto de datos o de informaciones, ordenarlo y elaborar un índice de ellos: *Indizó todos los datos que tenía sobre el tema para manejarlos con comodidad.* ☐ ORTOGR. La *z* se cambia en *c* delante de *e* → CAZAR.

[indoario, ria adj./s.m. Del grupo de lenguas indoeuropeas que comprende las familias índica e irania; indoiranio.

indoblegable adj. Imposible de someter o de doblegar, esp. la voluntad o la opinión. ☐ MORF. Invariable en género.

indócil adj. Que no es dócil. ☐ ETIMOL. Del latín *indocilis*. ☐ MORF. Invariable en género.

indocilidad s.f. Falta de docilidad. ☐ ETIMOL. Del latín *indocilitas*.

indocumentado, da ▌ adj. **1** Que no ha sido documentado o respaldado con documentación. ▌ adj./s. **2** Referido a una persona, sin documentación oficial. **3** Ignorante o poco enterado. ☐ MORF. En la acepción 2, la RAE sólo lo registra como adjetivo.

indoeuropeo, a ▌ adj./s. **1** De un conjunto de antiguos pueblos de origen asiático que, a finales del neolítico, se extendieron desde el actual territorio indio hasta el occidente europeo. ▌ adj./s.m. **2** De la lengua hipotética de la que descenderían las lenguas de estos pueblos, la mayoría de las actuales europeas y algunas de las asiáticas; indogermánico.

indogermánico, ca adj./s.m. De la lengua hipotética de la que descenderían las lenguas de los pueblos indoeuropeos, la mayoría de las actuales europeas y algunas de las asiáticas; indoeuropeo. ☐ MORF. La RAE sólo la registra como adjetivo.

[indoiranio, nia adj./s.m. Del grupo de lenguas indoeuropeas que comprende las familias índica e irania; indoario.

índole s.f. **1** Carácter o inclinación natural propios de una persona: *Me gustan las personas de índole tranquila y bondadosa.* **2** Naturaleza o rasgo característico: *Sus problemas son de índole sentimental.* ☐ ETIMOL. Del latín *indoles* (disposición natural de un individuo). ☐ MORF. Es siempre femenino: incorr. *problemas de índole {*político > política}.*

indolencia s.f. **1** Insensibilidad o incapacidad para conmoverse o para sentir dolor. **2** Pereza, dejadez o tendencia a evitar cualquier esfuerzo. ☐ ETI-MOL. Del latín *indolentia* (insensibilidad).

indolente adj./s. Perezoso, dejado o que evita cualquier esfuerzo. ☐ ETIMOL. Del latín *indolens* (insensible). ☐ MORF. 1. Como adjetivo es invariable en género. 2. Como sustantivo es de género común: *el indolente, la indolente.* 3. La RAE sólo lo registra como adjetivo.

indoloro, ra adj. Que no produce dolor.

indomable adj. **1** Que no se puede domar. **2** Que no se deja someter, dominar o trabajar. ☐ ETIMOL. Del latín *indomabilis*. ☐ MORF. Invariable en género.

indomeñable adj. Que no se puede domeñar o someter. ☐ MORF. Invariable en género.

indomesticable adj. Que no se puede domesticar. ☐ MORF. Invariable en género.

indómito, ta adj. **1** Que no está domado o que no se puede domar. **2** Difícil de someter o de dominar. ☐ ETIMOL. Del latín *indomitus*.

indonesio, sia adj./s. De Indonesia o relacionado con este país asiático.

indostánico, ca adj. Del Indostán (región india).

indubitable adj. Que no admite duda. ☐ ETIMOL. Del latín *indubitabilis*. ☐ MORF. Invariable en género.

inducción s.f. **1** Provocación para hacer algo. **2** Método de razonamiento que consiste en partir del estudio y análisis de datos particulares conocidos y avanzar lógicamente hasta alcanzar un principio general desconocido. **3** En física, producción de un fenómeno eléctrico que un cuerpo electrizado causa en otro situado a cierta distancia de él: *bobinas de inducción.* ☐ SEM. En la acepción 2, dist. de *deducción* (método que, partiendo de un principio general, alcanza una conclusión particular).

inducido s.m. En una máquina eléctrica, parte o circuito giratorios y acoplados al inductor en los que, por efecto de la rotación, se produce una fuerza electromotriz capaz de originar corrientes eléctricas.

inducir v. **1** Referido a una acción, provocar o mover a realizarla: *Su socio lo indujo al delito.* **2** Referido a un principio general, alcanzarlo por medio de la inducción: *Para inducir una ley no basta con observar los hechos, sino que hay que seguir un método riguroso.* ☐ ETIMOL. Del latín *inducere*. ☐ MORF. Irreg. → CONDUCIR. ☐ SINT. 1. Constr. de la acepción 1: *inducir A algo.* 2. Constr. de la acepción 2: *inducir una cosa DE otra.* ☐ SEM. En la acepción 2, dist. de *deducir* (alcanzar una conclusión particular a partir de un principio general).

inductancia s.f. Propiedad de un circuito eléctrico para generar corrientes inducidas. ☐ ETIMOL. Del francés *inductance*.

inductivo, va adj. De la inducción o relacionado con este método de razonamiento.

inductor, -a ▌ adj./s. **1** Que induce a algo, esp. a cometer un delito. ▌ s.m. **2** En una máquina eléctrica, parte fija que produce una fuerza electromotriz sobre el inducido.

indudable adj. Que se percibe claramente como cierto y no puede ponerse en duda; evidente. ☐ ETI-MOL. Del latín *indubitabilis*. ☐ MORF. Invariable en género.

indulgencia s.f. **1** Buena disposición para perdonar o tolerar faltas o para conceder gracias. **2** En la iglesia católica, perdón que concede la autoridad eclesiástica de las penas correspondientes a los pecados cometidos. **3** ‖**indulgencia plenaria**; aquella por la que se perdona toda la pena. ☐ ETIMOL. Del latín *indulgentia* (miramiento, complacencia).

indulgente adj. Tolerante con las faltas o inclinado a conceder gracias. ☐ ETIMOL. Del latín *indulgens*, y éste de *indulgere* (mostrarse benévolo). ☐ MORF. Invariable en género.

indultar v. Referido a una persona, perdonarla o conmutarle la pena legal que le fue impuesta quien tiene autoridad para ello: *Si el Consejo de Ministros lo indulta, su pena se reducirá a quince años de cárcel.*

indulto s.m. Perdón total o parcial de una pena, o conmutación de la misma, que la autoridad competente concede a una persona. ☐ ETIMOL. Del latín *indultus* (concesión, perdón). ☐ SEM. Dist. de *amnistía* (perdón total que se concede a todo el que cumple una pena).

indumentaria s.f. Conjunto de prendas de vestir que se llevan puestas o que se poseen. ☐ ETIMOL. Del latín *indumentum* (vestido).

industria s.f. **1** Actividad económica consistente en realizar operaciones de obtención, transformación o transporte de productos. **2** Empresa o fábrica dedicadas a esa actividad. **3** Conjunto de estas empresas con una característica común, esp. si constituyen un ramo: *industria siderometalúrgica.* **4** ‖ **[industria ligera**; la que trabaja con pequeñas cantidades de materia prima y elabora productos destinados directamente al consumo: *La elaboración de productos alimenticios es propia de la 'industria ligera'.* ‖ **industria pesada**; la que trabaja con grandes cantidades de materia prima pesada y fabrica productos semielaborados o bienes de equipo: *La construcción de maquinaria es una actividad característica de la industria pesada.* ☐ ETIMOL. Del latín *industria* (actividad, asiduidad).

industrial ▌ adj. **1** De la industria o relacionado con ella: *polígono industrial.* ▌ s. **2** Empresario o propietario de una industria. **3** Persona que se dedica profesionalmente al comercio o a otra actividad industrial. ☐ MORF. 1. Como adjetivo es invariable en género. 2. Como sustantivo, aunque la RAE sólo lo registra como masculino, en la lengua actual es de género común: *el industrial, la industrial.*

industrialización s.f. **1** Creación o desarrollo de industrias con carácter predominante en la economía de un país. **2** Sometimiento a un proceso industrial o aplicación de métodos industriales.

industrializar v. **1** Referido a un lugar, crear o desarrollar en él industrias de manera preponderante: *El Gobierno aprobó un plan para industrializar el país.* **2** Referido a una actividad o a un producto, someterlos a un proceso industrial o aplicarles los métodos de la industria: *Razones de rentabilidad han obligado a industrializar muchos procesos artesanales. La producción lechera se ha industrializado para hacerse más competitiva.* ☐ ORTOGR. La *z* se cambia en *c* delante de *e* →CAZAR.

industriar v.prnl. **1** Ingeniarse o procurarse algo con habilidad: *No sé cómo ha conseguido industriarse un libro que lleva años agotado.* **2** ‖ **[industriárselas**; col. Encontrar uno mismo la solución a un problema o el modo de salir adelante en la vida: *Si surge algún inconveniente, ya 'se las industriará' él para superarlo.* ☐ ETIMOL. De *industria.* ☐ ORTOGR. La *i* nunca lleva tilde.

industrioso, sa adj. **1** Muy laborioso o trabajador. **2** Que hace las cosas con ingenio y habilidad.

[inecuación s.f. Desigualdad matemática entre unas cantidades conocidas y otras desconocidas o incógnitas: *La expresión '$5x-5 > 0$' es una 'inecuación'.*

inédito, ta ▌ adj. **1** Referido a un escritor, que no ha publicado nada. **2** Nuevo o desconocido: *Practica una técnica quirúrgica inédita en el país.* ▌ adj./s.m. **3** Referido a un escrito, que no ha sido publicado. ☐ ETIMOL. Del latín *ineditus*, y éste de *in-* (negación) y *editus* (publicado). ☐ SEM. No debe emplearse con el significado de 'inactivo', 'imbatido': *el portero quedó {*inédito > imbatido} en el partido.*

inefabilidad s.f. Imposibilidad de ser explicado con palabras. ☐ ETIMOL. Del latín *ineffabilitas.*

inefable adj. Que no se puede explicar con palabras; inenarrable. ☐ ETIMOL. Del latín *ineffabilis*, y éste de *-in* (negación) y *effabilis* (expresable). ☐ MORF. Invariable en género. ☐ SEM. Dist. de *infalible* (que no puede fallar o equivocarse; cierto, seguro).

ineficacia s.f. Falta de eficacia.

ineficaz adj. Que no es eficaz. ☐ ETIMOL. Del latín *inefficax.* ☐ MORF. Invariable en género.

[ineficiencia s.f. Falta de eficiencia.

[ineficiente adj. Que no es eficiente. ☐ MORF. Invariable en género.

inelegancia s.f. Falta de elegancia, esp. en el comportamiento.

inelegante adj. Que no es elegante, esp. en el comportamiento. ☐ MORF. Invariable en género.

ineluctable adj. Que no se puede evitar. ☐ ETIMOL. Del latín *ineluctabilis.* ☐ MORF. Invariable en género.

ineludible adj. Que no se puede eludir o evitar. ☐ MORF. Invariable en género.

inenarrable adj. Que no se puede explicar con palabras; inefable. ☐ ETIMOL. Del latín *inenarrabilis.* ☐ MORF. Invariable en género.

ineptitud s.f. Falta de aptitud.

inepto, ta adj./s. Referido a una persona, que no tiene aptitud o no sirve para nada. ☐ ETIMOL. Del latín *ineptus.*

inequívoco, ca adj. Que no admite duda o equivocación. ☐ ETIMOL. De *in-* (negación) y *equívoco.*

inercia s.f. **1** Pereza o tendencia a continuar una actividad sin introducir cambios que supongan un esfuerzo. **2** Resistencia que opone un cuerpo a variar su estado de reposo o a cambiar las condiciones de su movimiento: *Cuando vas en coche y frenas bruscamente, el cuerpo tiende a ir hacia adelante por inercia.* ☐ ETIMOL. Del latín *inertia.*

inerme adj. Sin armas o sin defensas. ☐ ETIMOL. Del latín *inermis.* ☐ ORTOGR. Dist. de *inerte.* ☐ MORF. Invariable en género.

inerte adj. **[1** Sin vida o sin movimiento. **2** En química, referido a un cuerpo, que es inactivo o carece de capacidad para reaccionar al combinarse con otro. ☐ ETIMOL. Del latín *iners* (inactivo, sin capacidad, sin talento). ☐ ORTOGR. Dist. de *inerme.* ☐ MORF. Invariable en género.

inescrutable adj. Que no se puede saber ni averiguar. ☐ ETIMOL. Del latín *inscrutabilis.* ☐ ORTOGR. Incorr. **inexcrutable.* ☐ MORF. Invariable en género.

inesperado, da adj. Que no es esperado o que no está previsto.

inestabilidad s.f. **1** Falta de estabilidad, de firmeza o de equilibrio. **2** ‖ **inestabilidad atmosférica**; en meteorología, situación caracterizada por la superposición de aire frío sobre aire caliente y por el desarrollo de movimientos verticales que provocan lluvias y cambios bruscos en el tiempo.

inestable adj./s. Que no tiene estabilidad, firmeza o equilibrio. □ MORF. 1. Como adjetivo es invariable en género. 2. Como sustantivo es de género común: *el inestable, la inestable.*

inestimable adj. Que no se puede estimar o valorar debidamente, esp. por ser de gran valor. □ ETIMOL. Del latín *inaestimabilis.* □ MORF. Invariable en género.

inestimado, da adj. 1 Sin valorar o sin tasar. 2 No estimado debidamente o como merece. □ ETIMOL. Del latín *inaestimatus.*

inevitable adj. Que no se puede evitar. □ ETIMOL. Del latín *inevitabilis.* □ MORF. Invariable en género.

inexactitud s.f. 1 Falta de exactitud. [2 Hecho o dicho faltos de exactitud.

inexacto, ta adj. Sin exactitud. □ ETIMOL. De *in-* (privación) y *exacto.*

inexcusable adj. 1 Que no se puede excusar o disculpar. 2 Que no se puede eludir o dejar de hacer. □ ETIMOL. Del latín *inexcusabilis.* □ MORF. Invariable en género.

inexistencia s.f. Falta de existencia.

inexistente adj. Sin existencia. □ MORF. Invariable en género.

inexorabilidad s.f. 1 Imposibilidad de compadecerse o dejarse convencer por ruegos. 2 Condición de lo que ocurrirá o continuará con certeza y a pesar de la resistencia que se le oponga.

inexorable adj. 1 Que no se compadece o no se deja convencer por ruegos. 2 Que sucederá o continuará con certeza y a pesar de la resistencia que se oponga. □ ETIMOL. Del latín *inexorabilis.* □ MORF. Invariable en género.

inexperiencia s.f. Falta de experiencia.

inexperto, ta adj./s. Falto de experiencia. □ ETIMOL. Del latín *inexpertus.*

inexplicable adj. Que no se puede explicar, comprender ni justificar. □ ETIMOL. Del latín *inexplicabilis.* □ MORF. Invariable en género.

inexplicado, da adj. Sin la debida explicación.

inexplorado, da adj. Que no está explorado. □ ETIMOL. Del latín *inexploratus.*

inexpresable adj. Que no se puede expresar. □ MORF. Invariable en género.

inexpresivo, va adj. Sin expresión o sin expresividad.

inexpugnable adj. 1 Que no se puede expugnar o conquistar por las armas. 2 Que no se deja vencer ni persuadir. [3 Que impide o dificulta mucho el acceso. □ ETIMOL. Del latín *inexpugnabilis.* □ MORF. Invariable en género.

inextinguible adj. 1 Que no se puede extinguir, acabar o hacer desaparecer. 2 Eterno o muy duradero. □ ETIMOL. Del latín *inextinguibilis.* □ MORF. Invariable en género.

inextricable adj. Muy enredado o difícil de desenredar o de entender. □ ETIMOL. Del latín *inextricabilis.* □ MORF. Invariable en género.

infalibilidad s.f. Imposibilidad de fallar o de equivocarse.

infalible adj. 1 Que no puede fallar o equivocarse. 2 Seguro o cierto. □ ETIMOL. De *in-* (negación) y *falible* (que puede fallar). □ MORF. Invariable en género. □ SEM. Dist. de *inefable* (inexplicable con palabras).

infamar v. Referido esp. a una persona, quitarle la buena fama, la honra y la estimación: *No pierde*

ocasión de calumniar e infamar a sus enemigos. Te infamas tú mismo contando esas mentiras. □ ETIMOL. Del latín *infamare,* y éste de *in-* (negación) y *fama* (fama).

infamatorio, ria adj. Que infama, ofende o deshonra.

infame ❚ adj. 1 Muy malo en su tipo: *un día infame.* ❚ adj./s. 2 Que carece de buena fama, de honra o de estimación. □ ETIMOL. Del latín *infamis,* y éste de *in-* (negación) y *fama* (buena fama). □ MORF. 1. Como adjetivo es invariable en género. 2. Como sustantivo es de género común: *el infame, la infame.*

infamia s.f. 1 Deshonra, descrédito o pérdida de la buena fama o de la estimación. 2 Hecho o dicho infames o despreciables.

infancia s.f. 1 Primer período de la vida de una persona, desde que nace hasta la adolescencia; niñez. 2 Conjunto de los niños. □ ETIMOL. Del latín *infantia.*

infantado o **infantazgo** s.m. [1 Título de infante. 2 Territorio sobre el que un infante real ejercía su autoridad.

infante, ta ❚ s. 1 En España y en Portugal (países europeos), hijo legítimo del rey que no tiene la condición de príncipe heredero. 2 Pariente del rey que, por gracia real, obtiene un infantado meramente honorífico y que no conlleva autoridad sobre un territorio. 3 Niño que aún no ha cumplido los siete años. ❚ s.m. 4 Soldado o miembro del arma de infantería. 5 En la Edad Media, hijo primogénito del rey. □ ETIMOL. Del latín *infans* (niño pequeño).

infantería s.f. Arma del ejército que tiene como misión ocupar el terreno durante la ofensiva y mantenerlo cuando se está en situación defensiva. □ ETIMOL. De *infante* (soldado de a pie).

infanticida adj./s. Que mata a un niño. □ ETIMOL. Del latín *infans* (infante) y *-cida* (que mata). □ MORF. 1. Como adjetivo es invariable en género. 2. Como sustantivo es de género común: *el infanticida, la infanticida.*

infanticidio s.m. Muerte dada a un niño, esp. a un recién nacido. □ ETIMOL. Del latín *infans* (niño) y *-cidio* (acción de matar).

infantil ❚ adj. 1 De la infancia o relacionado con ella. 2 Con la inocencia, la candidez o el comportamiento propios de la infancia. ❚ adj./s. [3 Referido a un deportista, que, por edad, pertenece a la categoría posterior a la de alevín y anterior a la de cadete. □ ETIMOL. Del latín *infantilis.* □ MORF. 1. Como adjetivo es invariable en género. 2. Como sustantivo es de género común: *el infantil, la infantil.*

infantilismo s.m. Persistencia de los caracteres físicos y mentales propios de la infancia en adolescentes o adultos.

[**infantilizar** v. Dar o adquirir características que se consideran propias de la infancia: *Ese corte de pelo te 'infantiliza' la cara.* □ ORTOGR. La *z* se cambia en *c* delante de *e* →CAZAR.

[**infantiloide** adj./s. Con las características que se consideran propias de un niño. □ MORF. 1. Como adjetivo es invariable en género. 2. Como sustantivo es de género común: *el infantiloide, la infantiloide.* □ USO Es despectivo.

infanzón, -a s. En la Edad Media, noble hidalgo que en sus propiedades tenía un poder limitado y sometido a una autoridad superior. ☐ ETIMOL. Del latín *infantio* (joven noble ya crecido).

[**infartado, da** adj./s. Que ha sufrido un infarto: *ganglio 'infartado'*.

infartar v. En medicina, referido esp. a un órgano o a una parte del cuerpo, provocarle un infarto: *La ruptura de una arteria puede infartar el órgano que riega.*

infarto s.m. **1** Muerte de un tejido o de un órgano provocada por la falta de riego sanguíneo que deriva de la obstrucción de la arteria correspondiente. **2** Aumento del tamaño de un órgano: *Pueden producirse infartos de ganglios o de hígado.* ☐ ETIMOL. Del latín *infartus* (lleno, atiborrado).

infatigable adj. Que no se fatiga o que resiste mucho sin fatigarse; incansable. ☐ ETIMOL. Del latín *infatigabilis*. ☐ MORF. Invariable en género.

infausto, ta adj. Referido a un acontecimiento, desdichado o que conlleva o produce una desgracia. ☐ ETIMOL. Del latín *infaustus*.

infección s.f. **1** Transmisión o desarrollo de gérmenes que infectan o contaminan. [**2** Enfermedad o trastorno producido por gérmenes. ☐ ETIMOL. Del latín *infectio*.

infeccioso, sa adj. De la infección o que la produce.

infectar ∎ v. **1** Causar infección o contaminar con gérmenes de una enfermedad; inficionar: *Una caries me ha infectado la encía. Se infectó de sida cuando le hicieron una transfusión.* [**2** En informática, referido a un ordenador, contaminarlo con un virus informático: *Mi ordenador se ha 'infectado' con un virus.* ∎ prnl. [**3** Referido a una lesión, desarrollar gérmenes infecciosos: *La herida 'se ha infectado'.* ☐ ETIMOL. Del latín *infectare*. ☐ ORTOGR. Dist. de *infestar*.

infecto, ta adj. Que está infectado o corrompido por gérmenes o por influencias nocivas. ☐ ETIMOL. Del latín *infectus*, y éste de *inficere* (infectar).

[**infectocontagioso, sa** adj. En medicina, referido a un proceso patológico, que es infeccioso y fácilmente contagioso.

infecundidad s.f. Falta de fecundidad o de fertilidad. ☐ ETIMOL. Del latín *infecunditas*.

infecundo, da adj. Que no es fecundo o que no es fértil. ☐ ETIMOL. Del latín *infecundus*.

infelicidad s.f. Desgracia, suerte adversa o falta de felicidad.

infeliz adj./s. **1** No feliz o de suerte adversa. **2** *col.* De carácter débil y bondadoso o sin malicia: *Soy una infeliz y me creo todo lo que me cuentan.* [**3** En zonas del español meridional, malvado. ☐ ETIMOL. Del latín *infelix*, de *in-* (negación) y *felix* (feliz). ☐ MORF. 1. Como adjetivo es invariable en género. 2. Como sustantivo es de género común: *el infeliz, la infeliz.*

inferencia s.f. Deducción de un juicio desconocido a partir de otro conocido: *'Estoy despierto, luego esto no es un sueño' es una inferencia.*

inferior ∎ adj. **1** comp. de superioridad de **bajo. 2** Que es menor en calidad o en cantidad. **3** Referido a un ser vivo, que tiene una organización más sencilla y que se supone es más primitivo que otro. ∎ adj./s. **4** Referido a una persona, que está subordinada a otra. ☐ ETIMOL. Del latín *inferior* (que se halla más abajo). ☐ MORF. 1. Como adjetivo es invariable en género. 2. Como sustantivo es de género común: *el inferior, la inferior.* ☐ SINT. 1. Incorr. {*más inferior > inferior}. 2. Constr. *inferior A algo*.

inferioridad s.f. Estado de lo que es más bajo en cantidad o en calidad.

inferir v. **1** Referido a una conclusión o a un resultado, extraerlos o alcanzarlos por medio del razonamiento; deducir: *De tu herida en la rodilla infiero que te has dado un golpe.* **2** Referido a un daño, hacerlo o causarlo: *Con tales palabras le infirió una grave ofensa.* ☐ ETIMOL. Del latín *inferre* (llevar a una parte, formular un razonamiento). ☐ MORF. Irreg. →SENTIR. ☐ SINT. Constr. *inferir DE algo*.

infernal adj. **1** Del infierno o relacionado con él. **2** *col.* Muy malo, perjudicial, desagradable o que causa disgusto o enfado. ☐ ETIMOL. Del latín *infernalis*. ☐ MORF. Invariable en género.

infernillo s.m. →**infiernillo**.

[**infértil** adj. Que no es fértil.

[**infertilidad** s.f. Falta de fertilidad.

infestación s.f. **1** En medicina, invasión de animales parásitos. **2** Invasión masiva de personas, de animales o de cosas. **3** Corrupción con malas doctrinas o con malos ejemplos.

infestar v. **1** Referido a un lugar, llenarlo o invadirlo gran cantidad de personas, de animales o de cosas: *Los periodistas infestaban el lugar del accidente.* **2** Referido a un lugar, invadirlo o causarle daños los animales o las plantas perjudiciales: *Las langostas infestaron los campos de maíz.* **3** Corromper con malas doctrinas o con malos ejemplos: *Mi abuelo dice que las ideas revolucionarias infestan a la juventud. Al principio se resistió a las herejías, pero al final se infestó de ellas.* ☐ ETIMOL. Del latín *infestare*. ☐ SINT. Constr. *infestar DE algo*. ☐ SEM. Su uso como sinónimo de *infectar* ('contaminar con los gérmenes de una enfermedad') es incorrecto.

inficionar v. **1** Corromper con malas doctrinas o con malos ejemplos: *Las malas compañías lo inficionaron.* **2** Causar infección o contaminar con gérmenes de una enfermedad; infectar: *Limpia bien la herida para que no se inficione con la suciedad.* ☐ ETIMOL. Del antiguo *infición* (infección).

infidelidad s.f. Falta de fidelidad. ☐ ETIMOL. Del latín *infidelitas*.

infidelísimo, ma superlat. irreg. de **infiel**. ☐ MORF. Incorr. *infielísimo*.

infiel ∎ adj. **1** Falto de exactitud. **2** Desleal o falto de fidelidad. ∎ adj./s. **3** Que no profesa o no tiene la fe que se considera verdadera. ☐ ETIMOL. Del latín *infidelis*. ☐ MORF. 1. Su superlativo es *infidelísimo*. 2. Como adjetivo es invariable en género. 3. Como sustantivo es de género común: *el infiel, la infiel.*

infiernillo s.m. Aparato portátil productor de calor por medio de una resistencia eléctrica. ☐ ORTOGR. Se admite también *infernillo*.

infierno s.m. **1** Lugar en el que, según la tradición cristiana, penan los que han muerto en pecado mortal. **2** En mitología, lugar donde iban las almas de los muertos; averno. **3** Lugar o situación donde hay alboroto, desorden, desacuerdo o malestar. **4** ∥ [**al infierno con** algo; *col.* Expresión que se usa para indicar el enfado o la impaciencia que causa. ∥ [**irse al infierno un asunto**; *col.* Fracasar. ∥**mandar al infierno** algo; *col.* Rechazarlo o desentenderse de ello. ☐ ETIMOL. Del latín *infernum* (estancia de los dioses subterráneos, infierno).

infijo, ja adj./s.m. En lingüística, referido a un morfema, que se introduce en el interior de una palabra o de su raíz para formar derivados o palabras compuestas: *El infijo '-ar-' forma derivados como 'humareda' y 'polvareda'*. □ SEM. 1. Como sustantivo es sinónimo de *interfijo*. 2. Dist. de *prefijo* (que se une por delante) y de *sufijo* (que se une por detrás).

infiltración s.f. 1 Introducción secreta de una persona en algún lugar o en alguna organización, esp. si se hace para averiguar lo que se mantiene oculto. 2 Introducción de una idea o de una doctrina en la mente de una persona o de un grupo, esp. si se hace de manera encubierta o poco clara. 3 Penetración de un líquido entre los poros de un sólido.

infiltrado, da adj./s. Referido a una persona, que se ha introducido en un lugar o en una organización de manera oculta o a escondidas, esp. si lo hace para averiguar lo que se mantiene en secreto.

infiltrar ■ v. 1 Referido a un líquido, introducirlo entre los poros de un sólido: *Me han infiltrado calmantes en el pie para evitar el dolor. El agua se infiltra por las paredes.* 2 Referido a una idea, introducirla en la mente de una persona o de un grupo, esp. si se hace de manera encubierta o poco clara: *El líder infiltró sus ideas entre los más jóvenes. Las ideas liberales se infiltraron en los escritores románticos.* ■ prnl. 3 Referido a una persona, penetrar en algún lugar o en alguna organización de manera oculta o a escondidas, esp. si se hace para averiguar lo que se mantiene en secreto: *Dos policías se infiltraron en la banda de narcotraficantes.* □ ETIMOL. Del latín *in-* (hacia dentro) y *filtrar*.

ínfimo, ma 1 superlat. irreg. de **malo**. 2 superlat. irreg. de **bajo**. □ ETIMOL. Del latín *infimus* (lo que está más abajo de todo, lo más humilde). □ SINT. Incorr. *más ínfimo* o *infimísimo*.

infinidad s.f. Gran cantidad o multitud: *En el concierto había infinidad de personas.* □ ETIMOL. Del latín *infinitas*, y éste de *infinitus* (infinito).

infinitesimal adj. Referido a una cantidad, que es infinitamente pequeña o que está muy próxima a 0. □ ETIMOL. Del francés *infinitésimal*. □ MORF. Invariable en género.

infinitivo s.m. Forma no personal del verbo, que expresa la acción sin matiz temporal: *'Pensar', 'hacer' y 'dormir' son infinitivos.*

infinito, ta ■ adj. 1 Que no tiene límites o que no tiene fin. 2 Muy numeroso o muy grande y enorme. ■ s.m. 3 En matemáticas, signo gráfico con forma de ocho tendido que expresa un valor mayor que cualquier cantidad: *El signo de infinito es* ∞. [4 Lugar indefinido y lejano: *Disfruto paseando por el campo mirando al 'infinito'.* □ ETIMOL. Del latín *infinitus*, y éste de *in-* (negación) y *finitus* (acabado, finalizado). □ MORF. Como adjetivo no admite grados: incorr. *más infinito*.

infinito adv. col. Muchísimo o en exceso: *Lamento infinito no poder ayudarte.*

infinitud s.f. Ausencia o carencia de límites.

inflación s.f. Subida del nivel general de precios que produce una disminución del valor del dinero: *La inflación ocasiona un desequilibrio económico difícil de solucionar.* □ ETIMOL. Del latín *inflatio*. □ PRON. Incorr. *[inflacción].* □ ORTOGR. Dist. de *infracción*. □ SEM. Dist. de *deflación* (descenso del nivel de los precios).

inflacionario, ria adj. De la inflación monetaria o relacionado con ella; inflacionista. □ USO Aunque la RAE prefiere *inflacionario*, se usa más *inflacionista*.

[inflacionismo s.m. Tendencia a la inflación económica.

inflacionista adj. De la inflación monetaria, o relacionado con ella; inflacionario. □ MORF. Invariable en género.

inflamable adj. Que se enciende con facilidad y desprende llamas de forma inmediata: *La gasolina y el alcohol son sustancias inflamables.* □ MORF. Invariable en género. □ SEM. Dist. de *combustible* (que arde fácilmente).

inflamación s.f. 1 Alteración de una parte del organismo, caracterizada generalmente por dolor, enrojecimiento, hinchazón y aumento de la temperatura. 2 Combustión repentina y con llamas de una sustancia inflamable.

inflamar ■ v. 1 Referido a una sustancia, arder o hacer que arda bruscamente y desprendiendo llamas: *Una chispa inflamó el bidón de gasóleo. El butano se inflamó y todo saltó por los aires.* 2 Referido a una persona o a un grupo, estimular o avivar sus ánimos: *El político inflama a las masas con promesas de justicia. Se inflamó de rabia y salió gritando.* ■ prnl. 3 Referido a una parte del cuerpo, producirse una inflamación en ella: *Se le inflamó el tobillo derecho a consecuencia de la caída.* □ ETIMOL. Del latín *inflammare*.

inflamatorio, ria adj. 1 Que causa o produce inflamación. 2 Que procede de una inflamación.

inflar ■ v. 1 Referido a un cuerpo, llenarlo o hacer que aumente su volumen introduciendo en él una sustancia, esp. un fluido: *Ínflame el flotador.* 2 col. Referido esp. a un suceso, exagerarlo o ampliarlo: *A este periódico le gusta inflar las noticias.* [3 col. Referido a una persona, fastidiarla o hartarla: *Me estás 'inflando' con tanto lloriqueo.* ■ prnl. [4 col. Referido a una actividad, hacerla en exceso: *Durante las vacaciones 'me inflo' a leer.* 5 Mostrarse presuntuoso u orgulloso de las propias cualidades y obras: *Cuando habla de su triunfo, se infla.* □ ETIMOL. Del latín *inflare* (hinchar). □ SINT. Constr. de la acepción 4: *'inflarse' A hacer algo.* □ SEM. En las acepciones 1, 2, 4 y 5, es sinónimo de *hinchar*.

inflexibilidad s.f. 1 Imposibilidad de algo para doblarse. 2 Constancia y firmeza para no conmoverse ni doblegarse.

inflexible adj. 1 Que no se puede torcer ni doblar. 2 Que no se conmueve, no se doblega o no rectifica. □ ETIMOL. Del latín *inflexibilis*. □ MORF. Invariable en género.

inflexión s.f. 1 Variación que experimenta la entonación al pasar de un tono a otro. 2 En matemáticas, punto en el que una curva pasa del valor máximo al mínimo. □ ETIMOL. Del latín *inflexio* (dobladura).

infligir v. Referido a una pena o a un castigo, imponerlos, aplicarlos o causarlos: *Lo denunciaron por infligir castigos crueles a sus hijos.* □ ETIMOL. Del francés *infliger*, y éste del latín *infligere* (herir, golpear). □ ORTOGR. La *g* se cambia en *j* delante de *a*, *o* →DIRIGIR. □ SEM. Dist. de *infringir* (desobedecer o quebrantar una ley o una orden).

inflorescencia s.f. En botánica, conjunto de flores nacidas sobre un mismo eje. □ ETIMOL. Del latín *inflorescens*. ✕✕ inflorescencia

influencia s.f. **1** Efecto producido: *El clima tiene gran influencia sobre la vegetación.* **2** Poder, autoridad o dominio: *Tus amigos tienen una enorme influencia en tus decisiones.* **[3** Contacto o relación capaces de proporcionar algo: *Ha conseguido la licencia gracias a sus 'influencias' en el Ayuntamiento.* □ MORF. La acepción 3 se usa más en plural. □ SEM. En las acepciones 1 y 2 es sinónimo de *influjo*.

influenciar v. Referido a una persona, ejercer influencia sobre ella: *No te dejes influenciar por las malas personas.* □ ORTOGR. La *i* nunca lleva tilde.

□ SEM. Aunque la RAE lo considera sinónimo de *influir*, *influenciar* se ha especializado para indicar la influencia que se ejerce sobre las personas.

influenza s.f. Enfermedad infecciosa aguda, producida por un virus y cuyos síntomas más frecuentes son la fiebre, el catarro y el malestar generalizado; gripe. □ ETIMOL. Del italiano *influenza*.

influir v. Causar o producir un efecto o un cambio: *El calor influye en el comportamiento animal.* □ ETIMOL. Del latín *influere* (desembocar en). □ MORF. Irreg. →HUIR. □ SEM. Aunque la RAE lo considera sinónimo de *influenciar*, éste se ha especializado para indicar la influencia producida a las personas.

influjo s.m. →**influencia**. □ ETIMOL. Del latín *influxus*.

influyente adj. Que tiene influencia o poder. □ MORF. Invariable en género.

[infografía s.f. Arte o técnica que consiste en la aplicación de la informática al diseño gráfico y a la animación. □ ETIMOL. De *informática* y *-grafía* (reproducción, imagen).

[infopista s.f. Sistema o red que permiten poner en contacto, mediante un *modem*, una serie de ordenadores por todo el mundo; autopista de información.

información s.f. **1** Noticia o conjunto de noticias o de datos. **2** Transmisión o recepción de una noticia o de un informe. **3** Lugar o establecimiento donde se consiguen datos generales o referencias sobre algo.

informador, -a s. Persona que se dedica profesionalmente a la difusión o comunicación de la información; periodista.

informal ∎ adj. **1** Que no sigue las normas establecidas o no tiene solemnidad. ∎ adj./s. **2** Referido a una persona, que no cumple con sus obligaciones o con sus compromisos. □ ETIMOL. De *in-* (negación) y *formal*. □ MORF. 1. Como adjetivo es invariable en género. 2. Como sustantivo es de género común: *el informal, la informal.*

informalidad s.f. **1** Incumplimiento de las normas establecidas o falta de solemnidad. **2** Incumplimiento de las obligaciones o de los compromisos.

informante adj./s. Referido a una persona, que informa. □ MORF. 1. Como adjetivo es invariable en género. 2. Como sustantivo es de género común: *el informante, la informante.*

informar v. **1** Referido esp. a una noticia o a un dato, transmitirlos o recibirlos: *Los periódicos informan de la actualidad. ¿Dónde puedo informarme de las bases del concurso?* **2** Referido a un órgano o a una persona competente, opinar, hacer un juicio o dictaminar: *Este consejo informa favorablemente la petición solicitada.* □ ETIMOL. Del latín *informare* (dar forma, describir). □ SINT. Constr. de la acepción 1: *informar DE algo.*

informático, ca ∎ adj. **1** De la informática o relacionado con esta forma de tratamiento de la información. ∎ adj./s. **2** Referido a una persona, que se dedica a la investigación o al trabajo en la informática, esp. si ésta es su profesión. ∎ s.f. **3** Conjunto de conocimientos científicos y técnicos que posibilitan el tratamiento automático de la información mediante el uso de ordenadores. □ ETIMOL. La acepción 3, del francés *informatique*, y éste de *information* y la terminación de *électronique* o *mathématique*.

informativo, va ∎ adj. **1** Que informa. ∎ s.m. **2** En radio y televisión, programa dedicado a transmitir información de actualidad o de interés general.

informatización s.f. Aplicación de medios informáticos a un sistema de organización.

informatizar v. Referido a la información, organizarla por medios informáticos: *Informatizó la contabilidad de la empresa.* □ ORTOGR. La *z* cambia en *c* delante de *e* →CAZAR.

informe ∎ adj. **1** Que no tiene una forma bien determinada. ∎ s.m. **2** Noticia o conjunto de datos. **3** Exposición, generalmente ordenada y exhaustiva, sobre un tema o sobre el estado de una cuestión, esp. si es objetiva o si se basa en hechos documentados o probados. □ ETIMOL. La acepción 1, del latín *informis*, y éste de *in-* (negación) y *forma* (forma). Las acepciones 2 y 3, de *informar*. □ MORF. 1. Como adjetivo es invariable en género. 2. La acepción 2 se usa más en plural.

informidad s.f. Falta de forma determinada y precisa. □ ETIMOL. Del latín *informitas*.

infortunado, da adj. Sin fortuna o con mala suerte.

infortunio s.m. Suerte, hecho o suceso desgraciados o situación que padece. □ ETIMOL. Del latín *infortunium*, y éste de *in-* (negación) y *fortuna*.

[infovía s.f. Red de comunicación de ámbito nacional para ordenadores, a la que se accede a través

INFLORESCENCIA

racimo

racimo compuesto

corimbo

umbela

umbela compuesta

cabezuela o capítulo

espiga

espiga compuesta

cima *bípara* o dicótoma

cima escorpioidea

del servicio telefónico, y que permite el intercambio de información entre los usuarios.

infra- Elemento compositivo que significa 'debajo' (*infrascrito*, *infraestructura*) o que indica un nivel inferior a un determinado límite (*infrahumano*, *infravalorar*, *infrautilizar*). □ ETIMOL. Del latín *infra* (debajo).

infracción s.f. Desobediencia o incumplimiento de algo establecido, esp. de una ley, de una orden o de una norma. □ ETIMOL. Del latín *infractio*. □ ORTOGR. Dist. de *inflación*.

infractor, -a adj./s. Que desobedece o no cumple algo establecido, esp. una ley, una orden o una norma.

infraestructura s.f. Conjunto de medios o instalaciones que son necesarios para la creación y funcionamiento de una organización, una actividad o un servicio. □ ETIMOL. De *infra-* (debajo) y *estructura*.

infraganti adv. En el momento en que se está cometiendo un delito o una acción censurables: *Los pillaron infraganti cuando estaban robando.* □ ETIMOL. Del latín *in flagranti crimine*. □ ORTOGR. Se admite también *in fraganti*.

infrahumano, na adj. Que no es conveniente para los seres humanos o que no se considera digno de ellos. □ ETIMOL. De *infra-* (debajo) y *humano*.

infranqueable adj. Imposible de franquear o atravesar. □ ETIMOL. De *in-* (negación) y *franqueable*. □ MORF. Invariable en género.

infrarrojo, ja adj./s.m. Referido a una radiación, que se encuentra más allá del rojo visible y se caracteriza por tener efectos caloríficos pero no luminosos ni químicos. □ ETIMOL. De *infra-* (debajo) y *rojo* (color del espectro luminoso). □ MORF. La RAE sólo lo registra como adjetivo.

infrascrito, ta ▌ adj. **1** Dicho debajo o después de un escrito. ▌ adj./s. **2** Referido a una persona, que firma al final de un escrito. □ ETIMOL. De *infra-* (debajo) y *escrito*. □ ORTOGR. Incorr. *infraescrito*.

[infrautilizar v. Utilizar por debajo de las capacidades o de las posibilidades: *No 'infrautilices' tu ordenador utilizándolo sólo para jugar.* □ ETIMOL. De *infra-* (debajo) y *utilizar*. □ ORTOGR. La *z* cambia en *c* delante de *e* →CAZAR.

infravalorar v. Dar menor valor del que tiene o del que merece: *Me infravaloras si crees que no podré hacerlo.* □ ETIMOL. De *infra-* (debajo) y *valorar*.

[infravivienda s.f. Vivienda que no reúne las condiciones mínimas para ser habitada.

infrecuente adj. Que no es frecuente. □ ETIMOL. Del latín *infrequens*. □ MORF. Invariable en género.

infringir v. Referido a algo establecido, esp. a una ley, a una orden o a una norma, desobedecerlas o no cumplirlas: *Le retiraron el carné de conducir por infringir gravemente las normas de circulación.* □ ETIMOL. Del latín *infringere*. □ ORTOGR. La *g* se cambia en *j* delante de *a*, *o* →DIRIGIR. □ SEM. Dist. de *infligir* (imponer, aplicar o causar una pena o un castigo).

infructuoso, sa adj. Que no produce los resultados esperados. □ ETIMOL. Del latín *infructuosus*, y éste de *in-* (negación) y *fructuosus* (que da utilidad).

infrutescencia s.f. Conjunto de frutos agrupados de forma que parecen uno solo, y que se desarrolla

a partir de una inflorescencia: *La frambuesa, el higo y la mora son infrutescencias.*

ínfulas s.f.pl. **1** Presunción o soberbia. **2** ▌ **[darse ínfulas**; *col.* Darse importancia. □ ETIMOL. Del latín *infulae*. □ ORTOGR. Dist. de *ínsula*.

infumable adj. Imposible de aprovecharse o de mala calidad, esp. referido al tabaco. □ MORF. Invariable en género.

infundado, da adj. Sin fundamento real o racional.

infundio s.m. Mentira, rumor o noticia falsa, esp. si se difunde con mala intención.

infundir v. **1** Referido esp. a un sentimiento, producirlo o inspirarlo: *Con esa cara tan seria infundes respeto.* **2** En teología, referido a un don o a una gracia, comunicarlos Dios al alma: *Dios infundió una gracia especial a Adán.* □ ETIMOL. Del latín *infundere* (echar un líquido en un recipiente).

infusión s.f. **1** Introducción en agua hirviendo de plantas, esp. de hojas o de semillas, para extraer sus principios activos. **2** Líquido que resulta de esta operación: *una infusión de tila.* □ ETIMOL. Del latín *infusio*, y éste de *infundere* (echar un líquido en un recipiente).

infuso, sa part. irreg. de **infundir**. □ SEM. Se usa sólo referido a gracias y dones que Dios infunde en el alma. □ USO Se usa sólo como adjetivo, frente al participio regular *infundido*, que se usa en la conjugación.

ingeniar v. **1** Idear o inventar utilizando la facultad del ingenio: *Ha ingeniado un sistema de alarma antirrobo para coches.* **2** ▌ **[ingeniárselas**; encontrar el modo de solucionar uno mismo un problema o de salir adelante en la vida: *No sé cómo 'te las ingenias' para salir de todos los apuros.* □ ORTOGR. La *i* misma lleva tilde.

ingeniería s.f. **1** Conjunto de conocimientos y técnicas que permiten aplicar el saber científico a los recursos naturales para aprovecharlos en beneficio del hombre: *Gracias a la ingeniería se puede aprovechar la energía.* **2** ▌ **[ingeniería financiera**; en economía, conjunto de técnicas que permiten una mejora de los resultados financieros. ▌ **[ingeniería genética**; conjunto de técnicas que permiten la manipulación de los genes y la creación de material genético nuevo.

ingeniero, ra s. Persona que se dedica profesionalmente a la ingeniería, esp. si es licenciado. □ ETIMOL. De *ingenio* (máquina o artificio mecánico).

ingenio s.m. **1** Facultad mental para discurrir, crear o inventar con rapidez. **2** Invento o creación, esp. si son mecánicos. **3** Habilidad, gracia o maña para realizar algo. □ ETIMOL. Del latín *ingenium* (cualidades innatas).

ingenioso, sa adj. Que tiene o que manifiesta ingenio.

ingente adj. Muy grande. □ ETIMOL. Del latín *ingens*. □ ORTOGR. Dist. de *indigente*. □ MORF. Invariable en género.

ingenuidad s.f. **1** Sinceridad, inocencia o ausencia de malicia. **[2** Hecho o dicho que demuestra inocencia o falta de malicia.

ingenuo, nua adj./s. Sincero, inocente o sin malicia. □ ETIMOL. Del latín *ingenuus* (noble, generoso). □ MORF. La RAE sólo lo registra como adjetivo.

ingerir v. Referido esp. a comida o a un medicamento, introducirlos en el estómago a través de la boca: *La* *doctora le ha dicho que no debe ingerir bebidas alcohólicas.* ☐ ETIMOL. Del latín *ingerere*, y éste de *in-* (hacia dentro) y *gerere* (llevar). ☐ MORF. Irreg. →SENTIR.

[*ingesta* s.f. Introducción en el estómago de alimentos, medicamentos u otras sustancias a través de la boca; ingestión.

ingestión s.f. Introducción en el estómago de alimentos, medicamentos u otras sustancias a través de la boca; ingesta.

ingle s.f. En el cuerpo de algunos animales, esp. en el humano, cada una de las dos partes en las que se unen los muslos con el vientre. ☐ ETIMOL. Del latín *inguen*.

inglés, -a ∎ adj./s. **1** De Inglaterra (región británica), o relacionado con ella. ∎ s.m. **2** Lengua germánica de esta región y de otros países. ☐ SEM. En la acepción 1, dist. de *británico* (del Reino Unido de Gran Bretaña e Irlanda del Norte).

[*ingobernabilidad* s.f. Imposibilidad o dificultad para gobernar.

ingobernable adj. Imposible de gobernar. ☐ MORF. Invariable en género.

ingratitud s.f. Falta de gratitud o de reconocimiento por los beneficios recibidos; desagradecimiento. ☐ ETIMOL. Del latín *ingratitudo*.

ingrato, ta ∎ adj. **1** Que resulta desagradable o causa disgusto y malestar. **2** Referido a una tarea o a un trabajo, que no se corresponde con la recompensa o gratificación recibida. ∎ adj./s. **3** Que no agradece los beneficios recibidos o no corresponde a ellos; desagradecido. ☐ ETIMOL. Del latín *ingratus*.

ingravidez s.f. **1** Estado de un cuerpo material que no está sometido a un campo de gravedad: *Los astronautas se preparan para resistir la ingravidez del espacio interplanetario.* **2** Ligereza, poco peso o poca sustancia.

ingrávido, da adj. **1** Referido a un cuerpo material, que no pesa porque no está sometido a ningún campo de gravedad. **2** Ligero, con poco peso o con poca sustancia. ☐ ETIMOL. De *in-* (negación) y *grave* (que pesa).

ingrediente s.m. **1** Sustancia que forma parte de un compuesto. **2** Elemento que contribuye a caracterizar una situación o un hecho. ☐ ETIMOL. Del latín *ingrediens*, y éste de *ingredi* (entrar en).

ingresar v. **1** Referido a una persona, entrar a formar parte de un grupo, de una sociedad o de una corporación, generalmente después de haber cumplido algún requisito: *Ingresó en la universidad el año pasado.* **2** Referido a una persona, entrar en un centro sanitario para someterse a un tratamiento: *El enfermo ingresó en el hospital con quemaduras leves.* **3** Referido esp. al dinero, depositarlo en una entidad, esp. si es bancaria: *He ingresado el cheque en mi cuenta corriente.* ☐ SINT. Constr. *ingresar EN un sitio*.

ingresivo, va adj. En lingüística, referido a un verbo, que presenta una acción es su momento inicial: *La construcción perifrástica 'se echó a reír' tiene un valor ingresivo.* ☐ ETIMOL. Del latín *ingressus* (entrada, inicio).

ingreso ∎ s.m. **1** Entrada en un grupo, en una corporación o en un centro sanitario, generalmente para formar parte de ellos. **2** Acto de ser admitido como miembro en algunas sociedades. **3** Depósito de dinero en una entidad, esp. si es bancaria. ∎ pl.

4 Cantidad de dinero que se recibe regularmente. ☐ ETIMOL. Del latín *ingressus* (entrada). ☐ SINT. Constr. *ingreso EN un sitio*.

íngrimo, ma adj. En zonas del español meridional, solo o abandonado. ☐ ETIMOL. Del portugués *íngreme*.

inguinal o **inguinario, ria** adj. De la ingle o relacionado con esta parte del cuerpo humano. ☐ ETIMOL. *Inguinal*, del latín *inguinalis*. *Inguinario*, del latín *inguinarius*. ☐ MORF. *Inguinal* es invariable en género. ☐ USO *Inguinario* es el término menos usual.

inhábil adj. **1** Falto de habilidad o de aptitud. **2** Referido a un período de tiempo, que no es laborable salvo por disposición expresa. ☐ ETIMOL. Del latín *inhabilis*. ☐ MORF. Invariable en género.

inhabilidad s.f. Falta de habilidad.

inhabilitación s.f. **1** Incapacitación para realizar una función determinada. **2** En derecho, pena grave que inhabilita para el ejercicio de ciertos derechos o empleos durante un período de tiempo determinado.

inhabilitar v. **1** En derecho, referido a una persona, declararla no apta para desempeñar cargos públicos o para ejercer sus derechos civiles o políticos: *La condena inhabilita al acusado para ejercer la medicina durante siete años.* **2** Referido a una persona o a una cosa, incapacitarla para realizar una función determinada: *La parálisis lo inhabilita para conducir.* ☐ ETIMOL. De *in-* (privación) y *habilitar*. ☐ SINT. Constr. *inhabilitar A alguien PARA algo*.

inhabitable adj. Que no es habitable. ☐ ETIMOL. Del latín *inhabitabilis*. ☐ MORF. Invariable en género.

inhabitado, da adj. Que nunca ha sido habitado. ☐ SEM. Dist. de *deshabitado* (que estuvo habitado y ya no lo está).

inhalación s.f. Aspiración de un gas, de un vapor o de una sustancia pulverizada, esp. si se hace con fines medicinales.

inhalador s.m. Aparato que se usa para hacer inhalaciones.

inhalar v. Referido a un gas, a un vapor o a una sustancia pulverizada, aspirarlos, esp. si se hace con fines medicinales: *Cuando estoy resfriado, inhalo vapores de eucalipto para descongestionarme.* ☐ ETIMOL. Del latín *inhalare*.

inherencia s.f. Unión inseparable por su naturaleza o sólo separable mentalmente: *La inherencia del bien y del mal en el hombre es estudiada en muchas filosofías.*

inherente adj. Propio o característico de algo o que está unido a ello de manera que no se puede separar: *rasgo inherente.* ☐ ETIMOL. Del latín *inhaerens*, y éste de *inhaerere* (estar adherido a). ☐ MORF. Invariable en género. ☐ SINT. Constr. *inherente A algo*. ☐ SEM. Dist. de *inmanente* (propio de la naturaleza de un ser) y de *innato* (que no es aprendido y se tiene desde el nacimiento).

inhibición s.f. **1** Represión o impedimento en la realización o en el desarrollo de algo, esp. de una acción o de un impulso. **2** Abstención de actuar o de intervenir en una actividad. **3** En medicina, suspensión o disminución de una función o de una actividad del organismo mediante un estímulo.

[*inhibidor, -a* adj./s. En medicina, que inhibe o produce suspensión de alguna función orgánica.

inhibir ❚ v. **1** Referido esp. a una acción o a un impulso, impedir o reprimir su realización o su desarrollo: *Nunca inhibe sus deseos de venganza. Me inhibo mucho cuando estoy con desconocidos*. **2** En medicina, referido a una función o a una actividad orgánica, suspenderlas o disminuirlas mediante un estímulo: *Este compuesto inhibe algunas reacciones en las que intervienen enzimas*. ❚ prnl. **3** Dejar de actuar o abstenerse de intervenir: *Prefiere inhibirse de todo y dejar que sus padres decidan por él*. ☐ ETIMOL. Del latín *inhibere* (mantener dentro, impedir). ☐ SINT. Constr. como pronominal: *inhibirse {DE/EN} algo*.

inhibitorio, ria adj./s.f. En derecho, referido esp. a un documento, que decreta que un juez no prosiga con una causa por no ser de su competencia.

inhóspito, ta adj. **1** Referido esp. a un lugar, poco grato, incómodo o desagradable. **2** Que no ofrece seguridad ni protección; inhospitalario. ☐ ETIMOL. Del latín *inhospitus*, y éste de *in-* (negación) y *hospes* (huésped).

inhumación s.f. Enterramiento de un cadáver. ☐ SEM. Dist. de *exhumación* →**inhumar**.

inhumanidad s.f. Crueldad o falta de humanidad. ☐ ETIMOL. Del latín *inhumanitas*.

inhumano, na adj. Falto de humanidad, muy duro, cruel o insoportable.

inhumar v. Referido a un cadáver, enterrarlo: *El cadáver fue inhumado en el cementerio del pueblo*. ☐ ETIMOL. Del latín *inhumare*, éste de *in-* (consecuencia) y *humare*, y éste de *humus* (tierra). ☐ SEM. Dist. de *exhumar* (desenterrar un cadáver) y de *incinerar* (quemar un cadáver).

iniciación s.f. **1** Comienzo de algo. **2** Primeros conocimientos que se aportan o que se adquieren. **3** Admisión de una persona en las prácticas o en el conocimiento de algo secreto.

iniciado, da adj./s. Referido a una persona, que participa de las prácticas o de los conocimientos de algo, esp. si es secreto.

iniciador, -a adj./s. Que inicia.

inicial ❚ adj. **1** Del origen o del comienzo de algo. ❚ s.f. **2** Letra con la que empieza una palabra. ☐ MORF. Como adjetivo es invariable en género.

[inicializar v. **1** En informática, referido a una variable de un programa informático, asignarle un valor inicial: *El programa falló porque había una variable sin 'inicializar'*. **2** En informática, referido a un programa informático, preparar o configurar sus elementos técnicos para que pueda trabajar con él: *El ordenador no me permite iniciar el programa porque al 'inicializarlo' no pusimos los parámetros adecuados*. ☐ ETIMOL. Del inglés *initialize*.

iniciar v. **1** Comenzar o empezar: *La presidenta inició la sesión parlamentaria. La fiesta se inició cuando dejó de llover*. **2** Referido a una persona, aportarle los primeros conocimientos sobre algo: *Su madre lo inició en la lectura cuando era muy pequeño. Me inicié en la medicina con una enciclopedia médica*. **3** Referido a una persona, admitirla en las prácticas de algo, esp. si es o se considera oculto, o introducirla en sus secretos: *Algunas tribus conservan ritos para iniciar a los adolescentes en la madurez*. ☐ ETIMOL. Del latín *initiare* (empezar). ☐ ORTOGR. La *i* nunca lleva tilde. ☐ SINT. **1**. Constr. como pronominal: *iniciarse EN algo*. **2**. Constr. de las acepciones **2** y **3**: *iniciar A alguien EN algo*.

[iniciático, ca adj. Que inicia o que da a conocer lo que es desconocido o secreto: *ritos 'iniciáticos'*.

iniciativo, va ❚ adj. **1** Que da inicio o comienzo a algo. ❚ s.f. **2** Propuesta o idea que inicia algo. **3** Capacidad para idear, inventar o empezar algo. **4** ‖**tomar la iniciativa**; anticiparse una persona a las demás en la realización de algo.

inicio s.m. Principio o comienzo con el que algo se inicia. ☐ ETIMOL. Del latín *initium*, y éste de *inire* (empezar).

inicuo, cua adj. **1** Injusto o no equitativo. **2** Malvado o cruel. ☐ ETIMOL. Del latín *iniquus*. ☐ MORF. Su superlativo es *iniquísimo*. ☐ SEM. Dist. de *inocuo* (que no hace daño).

inigualable adj. Que no puede ser igualado. ☐ MORF. Invariable en género.

inimaginable adj. Imposible de imaginar. ☐ MORF. Invariable en género.

inimitable adj. Que no puede imitarse. ☐ ETIMOL. Del latín *inimitabilis*. ☐ MORF. Invariable en género.

ininteligibilidad s.f. Imposibilidad de ser entendido o interpretado.

ininteligible adj. Imposible de entender o de interpretar. ☐ ETIMOL. Del latín *inintelligibilis*. ☐ MORF. Invariable en género.

ininterrumpido, da adj. Continuo o sin interrupciones.

iniquidad s.f. Injusticia o crueldad grandes. ☐ ETIMOL. Del latín *iniquitas*.

iniquísimo, ma superlat. irreg. de **inicuo**. ☐ MORF. Incorr. **inicuísimo*. ☐ USO Su uso es característico del lenguaje culto.

injerencia s.f. Intromisión o intervención de una persona en un asunto ajeno.

injerirse v.prnl. Entrometerse o intervenir en un asunto ajeno: *Deja a tu hermana y no te injieras en su vida*. ☐ ETIMOL. Del latín *ingerere* (introducir, llevar). ☐ MORF. Irreg. →SENTIR. ☐ SINT. Constr. *injerirse EN algo*.

injertar v. **1** Unir a una rama o al tronco de una planta un trozo de otra provisto de yemas para que brote: *Ha injertado los naranjos para mejorar la calidad de los frutos*. **2** En medicina, referido a una porción de tejido vivo, implantarla en una parte lesionada para que se produzca una unión orgánica: *Le han injertado piel de un brazo en la mano que se quemó*. ☐ ETIMOL. Del latín *insertare*. ☐ MORF. Tiene un participio regular (*injertado*), que se usa más en la conjugación, y otro irregular (*injerto*), que se usa sólo como sustantivo. ☐ SEM. Es sinónimo de *enjerir*.

injerto s.m. **1** Unión del fragmento de una planta provisto de yemas a una rama o al tronco de otra para que brote. **2** Planta o fruto que es resultado de esta operación. **3** Fragmento de una planta provisto de yemas, que se une a una rama o al tronco de otra para que brote. **4** En medicina, implantación de una porción de tejido vivo en una parte lesionada para que se produzca una unión orgánica. ☐ ETIMOL. Del latín *insertus* (introducido).

injuria s.f. Ofensa contra el honor de una persona que se hace con palabras o con hechos, esp. si son injustos. ☐ ETIMOL. Del latín *iniuria* (injusticia, ofensa). ☐ SEM. Dist. de *calumnia* (acusación falsa).

injuriar v. **1** Ofender o insultar gravemente, esp. con acusaciones injustas; denigrar: *Se injuriaron de* *forma despiadada.* **2** Dañar, estropear o menoscabar: *Con las acusaciones que me haces no conseguirás injuriar mi reputación.* □ ORTOGR. La *i* nunca lleva tilde. □ SEM. Dist. de *calumniar* (atribuir falsamente palabras, actos o malas intenciones; acusar falsamente de un delito).

injurioso, sa adj. Que causa ofensa o daño graves.

injusticia s.f. **1** Falta de justicia. **2** Dicho o hecho contrarios a la justicia. □ ETIMOL. Del latín *iniustitia.*

injustificable adj. Que no se puede justificar. □ ETIMOL. De *in-* (negación) y *justificable.* □ MORF. Invariable en género.

injustificado, da adj. Que no está justificado.

injusto, ta adj./s. Que no es justo. □ ETIMOL. Del latín *iniustus.*

inmaculado, da adj. Sin mancha o sin tacha. □ ETIMOL. Del latín *immaculatus,* de *in-* (negación) y *maculatus* (manchado).

inmadurez s.f. Falta de madurez.

inmaduro, ra adj./s. Falto de madurez. □ ETIMOL. De *in-* (privación) y *maduro.*

inmanencia s.f. Unión inseparable por ser propia de una naturaleza y no dependiente de algo externo: *Es innegable la inmanencia de las emociones en las personas.*

inmanente adj. Inherente a un ser o propio de su naturaleza y no dependiente de algo externo. □ ETIMOL. Del latín *immanens,* y éste de *immanere* (permanecer). □ MORF. Invariable en género. □ SINT. Constr. *inmanente A algo.* □ SEM. Dist. de *inherente* (propio o característico de algo o unido a ello de manera inseparable) y de *innato* (que no es aprendido y se tiene desde el nacimiento).

inmarcesible o **inmarchitable** adj. Imposible de marchitarse. □ ETIMOL. *Inmarcesible,* del latín *inmarcescibilis.* □ MORF. Invariables en género. □ USO *Inmarcesible* es característico del lenguaje literario.

inmaterial adj. Que no tiene materia. □ MORF. Invariable en género.

inmaterialidad s.f. Carencia de materia.

inmediaciones s.f.pl. Terrenos que rodean un lugar: *En las inmediaciones de la casa había un riachuelo.*

inmediatez s.f. Proximidad en el espacio o en el tiempo.

inmediato, ta adj. **1** Que sucede enseguida. **2** Que está justo al lado. **3** ‖ **de inmediato**; enseguida o cuanto antes. ‖ **[la inmediata**; la primera reacción, rápida y sin pensar. □ ETIMOL. Del latín *immediatus.* □ SINT. Constr. *inmediato A algo.* □ SEM. No debe emplearse con el significado de 'reciente': *La historia {*inmediata > reciente} es la de esta última década.*

inmejorable adj. Imposible de mejorar. □ MORF. Invariable en género.

inmemorable o **inmemorial** adj. Tan antiguo que no se recuerda cuándo comenzó. □ ETIMOL. *Inmemorable,* del latín *immemorabilis. Inmemorial,* del latín *immemorialis.* □ MORF. Invariables en género. □ USO *Inmemorable* es el término menos usual.

inmensidad s.f. **1** Extensión tan grande que no tiene principio ni fin. **2** Cantidad o número muy grandes.

inmenso, sa adj. Muy grande o muy difícil de medir. □ ETIMOL. Del latín *immensus* (no medido).

inmensurable adj. Imposible de medir. □ ETIMOL. Del latín *immensurabilis.* □ MORF. Invariable en género.

inmerecido, da adj. Que no es merecido.

inmersión s.f. **1** Introducción total en un líquido, esp. en agua. **[2** Profundización en un campo del conocimiento. □ ETIMOL. Del latín *immergere* (meter en el agua).

inmerso, sa adj. **1** Sumergido en algo, esp. en un líquido, o cubierto totalmente por él. **2** Concentrado o abstraído en un asunto o en una materia. □ SINT. Constr. *inmerso EN algo.*

inmigración s.f. Movimiento de población que consiste en la llegada de personas a un lugar para establecerse en él. □ SEM. Dist. de *emigración* y de *migración* →**inmigrar.**

inmigrante s. Persona que llega a un lugar para establecerse en él. □ MORF. Es de género común: *el inmigrante, la inmigrante.* □ SEM. Dist. de *emigrante* →**inmigrar.**

inmigrar v. Llegar a un lugar para establecerse en él: *Los países ricos acogen a gente que inmigra de zonas menos desarrolladas.* □ ETIMOL. Del latín *immigrare* (introducirse). □ SEM. Dist. de *emigrar* (salir de un lugar) y de *migrar* (desplazarse para cambiar de lugar de residencia).

inmigratorio, ria adj. De la inmigración o relacionado con este movimiento de población. □ SEM. Dist. de *emigratorio* y *migratorio* →**inmigrar.**

inminencia s.f. Proximidad de un suceso, esp. de un riesgo. □ ORTOGR. Dist. de *eminencia.*

inminente adj. Que está próximo a suceder o a punto de ocurrir. □ ETIMOL. Del latín *imminens,* y éste de *imminere* (amenazar). □ ORTOGR. Dist. de *eminente.* □ MORF. Invariable en género.

inmiscuirse v.prnl. Meterse en temas o asuntos ajenos sin tener razón o autoridad para ello: *No me gusta inmiscuirme en la vida de los demás.* □ ETIMOL. Del latín *immiscuere.* □ MORF. Irreg. →HUIR. □ SEM. Dist. de *involucrarse* (verse complicado en un asunto).

inmisericorde adj. Que no tiene misericordia. □ MORF. Invariable en género.

inmobiliario, ria ▮ adj. **1** De los inmuebles o edificios, o relacionado con ellos. ▮ s.f. **2** Empresa o sociedad que construye, vende, arrienda y administra viviendas.

inmoderación s.f. Falta de moderación. □ ETIMOL. Del latín *immoderatio.*

inmoderado, da adj. Falto de moderación.

inmodestia s.f. Falta de modestia.

inmodesto, ta adj./s. Falto de modestia. □ ETIMOL. Del latín *immodestus.* □ MORF. La RAE sólo lo registra como adjetivo.

inmodificable adj. Que no se puede modificar. □ MORF. Invariable en género.

inmolación s.f. **1** Sacrificio de una víctima degollándola como ofrenda a una divinidad. **2** Sacrificio hecho en beneficio de una persona o de una causa.

inmolar ▮ v. **1** Referido a una víctima, sacrificarla degollándola, esp. si es como ofrenda a una divinidad: *Antiguamente inmolaban animales a los dioses.* ▮ prnl. **2** Sacrificarse o dar la vida, generalmente por una causa o por una persona: *Se inmoló en medio de la plaza para protestar por tanta injusticia.* □

ETIMOL. Del latín *immolare*, y éste de *mola* (harina con que se espolvoreaban las víctimas antes de sacrificarlas).

inmoral adj./s. Que se opone a la moral o a lo que se consideran buenas costumbres. ☐ ETIMOL. De *in-* (negación) y *moral*. ☐ MORF. 1. Como adjetivo es invariable en género. 2. Como sustantivo es de género común: *el inmoral, la inmoral*. ☐ SEM. Dist. de *amoral* (que carece de sentido o de propósito moral).

inmoralidad s.f. 1 Falta de moralidad o incumplimiento de lo que se consideran buenas costumbres. 2 Hecho o dicho inmoral.

inmortal ∎ adj. 1 Que dura un tiempo indefinido. ∎ adj./s. 2 Que no es mortal: *un ser inmortal*. ☐ ETIMOL. Del latín *immortalis*. ☐ MORF. 1. Como adjetivo es invariable en género. 2. Como sustantivo es de género común: *el inmortal, la inmortal*. 3. La RAE sólo lo registra como adjetivo.

inmortalidad s.f. 1 Duración indefinida o ilimitada en la memoria de los hombres. 2 Imposibilidad de morir. ☐ ETIMOL. Del latín *immortalitas*.

inmortalizar v. Hacer perdurar en la memoria de los hombres a través de los tiempos: *El pintor inmortalizó a la modelo en un magnífico cuadro. Esa escritora se inmortalizó con sus obras.* ☐ ORTOGR. La *z* se cambia en *c* delante de *e* →CAZAR.

inmóvil adj. Sin movimiento. ☐ ETIMOL. De *in-* (negación) y *móvil*. ☐ MORF. Invariable en género.

inmovilidad s.f. Falta de movimiento. ☐ ETIMOL. Del latín *immobilitas*.

inmovilismo s.m. Oposición a todo cambio que afecte a lo ya establecido.

inmovilista adj./s. Que defiende o sigue el inmovilismo. ☐ MORF. 1. Como adjetivo es invariable en género. 2. Como sustantivo es de género común: *el inmovilista, la inmovilista*.

inmovilización s.f. Hecho de imposibilitar un movimiento.

inmovilizado s.m. En economía, conjunto de bienes patrimoniales permanentes de una empresa: *El inmovilizado material comprende activos como los terrenos, edificios o instalaciones.*

inmovilizar v. Imposibilitar el movimiento: *Una hemiplejía le inmovilizó el lado izquierdo del cuerpo.* ☐ ORTOGR. La *z* se cambia en *c* delante de *e* →CAZAR.

inmueble s.m. Casa o edificio. ☐ ETIMOL. Del latín *immobilis*, y éste de *in-* (negación) y *mobilis* (que se mueve).

inmundicia s.f. Suciedad, porquería o basura.

inmundo, da adj. 1 Muy sucio, asqueroso o repugnante. 2 Muy impuro. ☐ ETIMOL. Del latín *immundus* (impuro).

inmune adj. 1 Referido a un ser vivo, que no es atacable por una determinada enfermedad. 2 Que está libre de ciertos cargos u obligaciones. [3 Referido a una persona, que no se resiente de la acción de algo que se considera negativo. ☐ ETIMOL. Del latín *immunis* (libre de cualquier cosa). ☐ ORTOGR. Dist. de *impune*. ☐ MORF. Invariable en género. ☐ SINT. Constr. *inmune A algo*.

inmunidad s.f. 1 Estado del organismo que lo hace resistente a una determinada enfermedad. 2 Privilegio por el que determinadas personas o determinados lugares quedan libres de ciertas obligaciones, penas o cargos. ☐ ORTOGR. Dist. de *impunidad*.

inmunitario, ria adj. En medicina, de la inmunidad o relacionado con este estado. ☐ SEM. Dist. de *inmunológico* (de la inmunología o relacionado con esta ciencia).

inmunización s.f. Dotación de inmunidad u obtención del carácter inmune.

inmunizar v. Hacer inmune: *Hay que vacunar a los niños para inmunizarlos frente a la poliomielitis. Ha padecido tanto que se ha inmunizado contra cualquier sufrimiento.* ☐ ORTOGR. La *z* se cambia en *c* delante de *e* →CAZAR.

inmunodeficiencia s.f. Estado que se caracteriza por la disminución de las defensas inmunitarias de un organismo. ☐ ETIMOL. De *inmune* y *deficiencia*.

[inmunodeficiente adj./s. Que padece inmunodeficiencia. ☐ MORF. 1. Como adjetivo es invariable en género. 2. Como sustantivo es de género común: *el 'inmunodeficiente', la 'inmunodeficiente'*.

[inmunodepresor, -a adj./s.m. Referido a una sustancia o a un método, que disminuyen o anulan las reacciones inmunitarias de un organismo. ☐ ETIMOL. De *inmune* y *depresor*.

inmunología s.f. Parte de la medicina que estudia las reacciones inmunitarias del organismo. ☐ ETIMOL. De *inmune* y *-logía* (ciencia, estudio).

inmunológico, ca adj. De la inmunología o relacionado con esta parte de la medicina. ☐ SEM. Dist. de *inmunitario* (de la inmunidad o relacionado con este estado).

inmunólogo, ga s. Persona especializada en inmunología.

inmutabilidad s.f. Imposibilidad de cualquier cambio o alteración. ☐ ETIMOL. Del latín *immutabilitas*.

inmutable adj. Que no se inmuta o que no cambia; inconmutable. ☐ ETIMOL. Del latín *inmutabilis*. ☐ MORF. Invariable en género.

inmutación s.f. Manifestación de un cambio, esp. de una emoción.

[inmutado, da adj. Sin alteración. ☐ SEM. Dist. del participio del verbo *inmutar*.

inmutar v. Alterar o mostrar alteración, esp. en el semblante o en la voz: *El miedo no inmuta a los valientes. Recibió la noticia de su despido sin inmutarse.* ☐ ETIMOL. Del latín *inmutare*, y éste de *in* (en) y *mutare* (mudar, transformar). ☐ USO Se usa más en expresiones negativas.

innatismo s.m. Doctrina filosófica que defiende que las ideas en su totalidad o algunas de ellas no son aprendidas sino que nacen con el individuo.

innato, ta adj. Que no es aprendido y se tiene desde el nacimiento: *Tiene una facilidad innata para el dibujo.* ☐ ETIMOL. Del latín *innatus* (que ya estaba al nacer). ☐ SEM. Dist. de *inherente* (propio o característico de algo o unido a ello de manera inseparable) y de *inmanente* (propio de la naturaleza de un ser).

innavegable adj. Referido a un mar, a un río o a un lago, que no son navegables. ☐ ETIMOL. Del latín *innavigabilis*. ☐ MORF. Invariable en género.

innecesario, ria adj. Que no es necesario.

innegable adj. Que no se puede negar. ☐ ETIMOL. De *in-* (negación) y *negable*. ☐ MORF. Invariable en género.

innegociable adj. Que no se puede negociar. ☐ MORF. Invariable en género.

innoble adj. Que no es noble. □ ETIMOL. De *in-* (negación) y *noble*. □ MORF. Invariable en género.
innocuidad s.f. →inocuidad.
innocuo, cua adj. →inocuo. □ ETIMOL. Del latín *innocuus*.
[innombrable o **innominable** adj. Que no se puede nombrar. □ MORF. Invariables en género.
innominado, da adj. Que no tiene un nombre particular. □ ETIMOL. Del latín *innominatus*.
innovación s.f. Cambio que supone una novedad.
innovador, -a adj./s. Que innova.
innovar v. Referido a algo ya establecido, introducirle un cambio que supone una novedad: *Los vanguardistas innovan las artes al usar nuevas técnicas.* □ ETIMOL. Del latín *innovare*.
innumerable o **innúmero, ra** adj. **1** Imposible de contar. **2** Abundante o muy numeroso. □ ETIMOL. *Innumerable*, del latín *innumerabilis*. *Innúmero*, del latín *innumerus*, y éste de *in-* (negación) y *numerus* (número). □ MORF. 1. *Innumerable* es invariable en género. 2. *Innumerable* sólo se usa en singular con sustantivos colectivos: *innumerable ejército, innumerables soldados.* □ USO *Innúmero* es el término menos usual.
[inobjetable adj. Que no admite objeción. □ MORF. Invariable en género.
inobservancia s.f. Falta de observancia o cumplimiento de una norma.
inocencia s.f. **1** Simplicidad o falta de malicia. **2** Falta de culpabilidad.
inocentada s.f. Broma o engaño en los que se cae por descuido o por falta de malicia, esp. las que se gastan el 28 de diciembre (día de los Santos Inocentes). □ ETIMOL. Por alusión a la festividad de los Santos Inocentes, que se celebra el día 28 de diciembre para conmemorar la matanza de niños, paradigma de seres inocentes, ordenada por el rey judío Herodes.
inocente ∎ adj. **1** Que no produce daño porque no tiene malicia. ∎ adj./s. **2** Libre de culpa o de pecado. **3** Simple, falto de malicia o fácil de engañar. **4** Referido a un niño, que no ha llegado aún a la edad de la razón. □ ETIMOL. Del latín *innocens*. □ MORF. 1. Como adjetivo es invariable en género. 2. Como sustantivo es de género común: *el inocente, la inocente.*
inocuidad s.f. Incapacidad de hacer daño. □ ORTOGR. Se admite también *innocuidad*.
inoculación s.f. Introducción de una sustancia en un organismo.
inocular v. **1** Referido a una sustancia, introducirla artificialmente en un organismo: *En el laboratorio inoculan sustancias a ratones.* **[2** Referido a una sustancia, esp. a un veneno, introducirla de forma natural en un organismo el animal que la posee: *Al morderle, la víbora le 'inoculó' el veneno. No es cierto que ese arácnido 'se inocule' su propio veneno clavándose el aguijón.* □ ETIMOL. Del latín *inolulare* (injertar).
inocuo, cua adj. Que no hace daño. □ ORTOGR. Se admite también *innocuo*. □ SEM. Dist. de *inicuo* (injusto, cruel).
inodoro, ra ∎ adj. **1** Que no tiene olor. ∎ s.m. **2** Recipiente conectado con una tubería y provisto de una cisterna con agua, que sirve para evacuar los excrementos; retrete, váter. □ ETIMOL. Del latín

inodorus, y éste de *in-* (negación) y *odorus* (que emi te olor).
inofensivo, va adj. Que no puede causar daño n molestia.
inolvidable adj. Imposible de olvidarse. □ MORF Invariable en género.
inoperante adj. Ineficaz o que no sirve para lo qu se quería. □ MORF. Invariable en género.
inopia ‖ **estar en la inopia**; *col.* Estar distraído ajeno a lo que sucede alrededor. □ ETIMOL. Del latí *inopia*.
inopinado, da adj. Inesperado o que sucede si haber pensado en ello.
inoportunidad s.f. Falta de oportunidad o de con veniencia; importunidad.
inoportuno, na adj./s. Que no es oportuno; im portuno. □ ETIMOL. Del latín *inopportunus*.
inorgánico, ca adj. **1** Que no tiene vida ni ór ganos para la vida. **[2** En química, referido a un com puesto de origen mineral, que no es orgánico o que n tiene el carbono como elemento fundamental. **3** Ma organizado y sin orden: *Ese libro es un conjunt inorgánico de capítulos sin relación.* □ ETIMOL. D *in-* (negación) y *orgánico.*
inoxidable adj. Que no se oxida: *acero inoxidable* □ ETIMOL. De *in-* (negación) y *oxidable.* □ MORF Invariable en género.
[input (anglicismo) s.m. **1** En informática, términ que se utiliza para introducir datos desde un peri férico. **2** En economía, producto, elemento o facto productivo que se usan en un determinado proces de producción: *El 'input' principal de la industri de salazones es la sal.* □ PRON. [ímput].
inquebrantable adj. Que no puede quebrantarse □ ETIMOL. De *in-* (negación) y *quebrantable.* □ MORF. Invariable en género.
[inquietante adj. Que inquieta. □ MORF. Invaria ble en género.
inquietar v. Quitar la tranquilidad o el sosiego: *E accidente del padre inquietó a toda la familia. Se inquieta por cualquier problema.* □ ETIMOL. Del la tín *inquietare.*
inquieto, ta adj. **1** Que no puede estar quieto. **2** Agitado, sin tranquilidad ni reposo. **3** Interesado por descubrir o conocer cosas nuevas.
inquietud s.f. **1** Falta de quietud o de sosiego. **2** Inclinación o interés de tipo intelectual, esp. en el campo artístico. □ MORF. La acepción 2 se usa más en plural.
inquilino, na s. Persona que ha alquilado una casa o parte de ella para habitarla. □ ETIMOL. Del latín *inquilinus*, y éste de *incolere* (habitar).
inquina s.f. Antipatía o mala voluntad hacia al guien. □ ETIMOL. De origen incierto.
inquirir v. Indagar o investigar para conseguir una información: *La policía inquiría las causas del asesinato.* □ ETIMOL. Del latín *inquirere.* □ MORF. Irreg. →ADQUIRIR. □ SEM. No debe emplearse con el significado de 'preguntar': *Me {*inquirió > preguntó} la solución.*
inquisición s.f. Indagación o investigación hechas para conseguir información.
inquisidor, -a ∎ adj./s. **1** Que indaga o investiga para conseguir información, esp. si lo hace de forma apremiante o exigente. ∎ s.m. **2** Antiguamente, en el Tribunal de la Santa Inquisición (institución eclesiástica dedicada a la persecución de la herejía), juez que instruía

y sentenciaba los procesos de herejía, asistía a los tormentos y predicaba la fe.

inquisitivo, va adj. Que indaga o averigua de forma apremiante o exigente.

inquisitorial adj. **1** Del inquisidor o de la Inquisición (antigua institución eclesiástica que perseguía la herejía) o relacionado con ellos. **2** Referido a un procedimiento investigador, que tiene las características que se consideran propias del tribunal de la Inquisición, como la dureza, la severidad y la agresividad. □ MORF. Invariable en género.

inquisitorio, ria adj. Que puede inquirir o indagar.

inri ‖ **[para más inri**; *col.* Por si fuera poco; encima. □ ETIMOL. Por acortamiento de *Iesus Nazarenus Rex Iudaeorum* (Jesús de Nazaret, rey de los judíos), inscripción irónica que Pilatos puso en la cruz donde murió Jesús.

insaciabilidad s.f. Imposibilidad de satisfacción.

insaciable adj. Imposible de saciar o satisfacer. □ ETIMOL. Del latín *insatiabilis*. □ MORF. Invariable en género.

insaculación s.f. Introducción de papeletas, de números o de algo semejante en un saco o en una urna, para sacar uno o varios al azar.

insacular v. Referido a una papeleta, a un número o a algo semejante, meterlos en un saco o en una urna para sacar uno o varios por azar: *Insaculó los papeles con nuestros nombres y el primero que sacó fue el ganador.* □ ETIMOL. Del latín *insacculare*, y éste de *in* (en) y *sacculus* (saquito).

insalivación s.f. Mezcla de los alimentos con la saliva en la boca.

insalivar v. Referido a un alimento, mezclarlo con la saliva en la boca: *La primera fase de la digestión consiste en masticar e insalivar.* □ ETIMOL. Del latín *in* (en) y *saliva*.

insalubre adj. Perjudicial para la salud. □ ETIMOL. Del latín *insalubris*. □ MORF. Invariable en género.

insalubridad s.f. Falta de salubridad o de las condiciones necesarias para conservar la salud.

insalvable adj. Imposible de salvar o de superar. □ MORF. Invariable en género.

insania s.f. Locura.

insano, na adj. Que no es sano. □ ETIMOL. Del latín *insanus*. □ SEM. No debe emplearse con el significado de 'enfermo': *Estoy {*insana > enferma} y por eso no me encuentro bien.*

insatisfacción s.f. Falta de satisfacción.

insatisfactorio, ria adj. Que no produce satisfacción.

insatisfecho, cha adj. Que no está satisfecho.

inscribir v. **1** Incluir en una lista para un determinado fin: *Inscribió a su hijo para participar en el concurso. Se inscribió en una excursión a la montaña.* **2** Grabar en metal, piedra u otra materia: *La autora de la escultura inscribió su nombre en ella.* **3** Tomar nota de los actos y de los documentos en un registro público, generalmente para legalizarlos: *Inscribieron sus nombres en el registro civil.* **4** Referido a una figura geométrica, trazarla en el interior de otra de manera que estén las dos en contacto en varios de los puntos de su contorno: *Inscribió un triángulo en una circunferencia.* □ ETIMOL. Del latín *inscribere*. □ MORF. Su participio es *inscrito*.

inscripción s.f. **1** Inclusión de un nombre en una lista para un determinado fin. **2** Escrito que está grabado en metal, en piedra o en otra materia. **3** Anotación que se toma de los actos y de los documentos en un registro público, generalmente para legalizarlos.

inscrito, ta part. irreg. de **inscribir**. □ MORF. Incorr. **inscribido.*

insecticida adj./s.m. Referido a una sustancia o a un producto, que sirven para matar insectos. □ ETIMOL. De *insecto* y *-cida* (que mata). □ MORF. Como adjetivo es invariable en género.

insectívoro, ra ▮ adj./s. **1** Referido a un ser vivo, que se alimenta de insectos. 🔊 pico ▮ adj./s.m. **2** Referido a un mamífero, que se caracteriza por apoyar toda la planta del pie en el suelo y por tener el cuerpo pequeño, las garras con los dedos terminados en uñas y los dientes especializados para masticar insectos: *El topo es un insectívoro.* ▮ s.m.pl. En zoología, orden de estos mamíferos. □ ETIMOL. Del latín *insectus* (insecto) y *-voro* (que come).

insecto ▮ adj./s.m. **1** Referido a un animal artrópodo, que tiene respiración por tráqueas, el cuerpo dividido en cabeza, tórax y abdomen, seis patas y dos o cuatro alas: *La mosca y la hormiga son insectos.* ▮ s.m.pl. **2** En zoología, clase de estos artrópodos, perteneciente al reino de los metazoos. **3** ‖ **[insecto palo**; el que es largo y delgado, de color pardo y de cuerpo cilíndrico, que parece un tallo cortado. □ ETIMOL. Del latín *insectus*, y éste de *insecare* (hacer una incisión), por las incisiones que tienen los cuerpos de los insectos. 🔊 insecto

inseguridad s.f. Falta de seguridad.

inseguro, ra adj. Falto de seguridad.

inseminación s.f. **1** Llegada del semen del macho al óvulo de la hembra para fecundarlo. **2** ‖ **inseminación artificial**; procedimiento que posibilita la unión de una célula sexual femenina con otra masculina utilizando el instrumental adecuado; fecundación artificial. □ ETIMOL. De *in-* (adentro) y el latín *seminatio* (fecundación). □ ORTOGR. Dist. de *diseminación*.

inseminar v. En biología, hacer llegar el semen del macho al óvulo de la hembra para fecundarlo: *Esta mujer pidió que se la inseminara artificialmente.* □ ORTOGR. Dist. de *diseminar*.

insensatez s.f. **1** Falta de sensatez. **2** Hecho o dicho faltos de sensatez.

insensato, ta adj./s. Falto de sensatez. □ ETIMOL. Del latín *insensatus*.

insensibilidad s.f. Falta de sensibilidad.

*[***insensibilización***]* s.f. Pérdida o desaparición de la sensibilidad.

insensibilizar v. Referido a algo sensible, quitarle la sensibilidad: *La anestesia insensibilizó la zona que iba a ser operada.* □ ETIMOL. De *in-* (privación) y *sensibilis* (sensible). □ ORTOGR. La *z* se cambia en *c* delante de *e* →CAZAR.

insensible ▮ adj. **1** Imposible de percibir. ▮ adj./s. **2** Que no tiene sensibilidad. □ MORF. 1. Como adjetivo es invariable en género. 2. Como sustantivo es de género común: *el insensible, la insensible.* 3. La RAE sólo lo registra como adjetivo.

inseparable adj. **1** Imposible de separar. **2** Referido a una persona, que está unida a otra por una relación de amor o de amistad. □ ETIMOL. Del latín *inseparabilis*. □ MORF. Invariable en género.

insepulto, ta adj. Referido esp. a un cadáver, que no está sepultado. □ ETIMOL. Del latín *insepultus*.

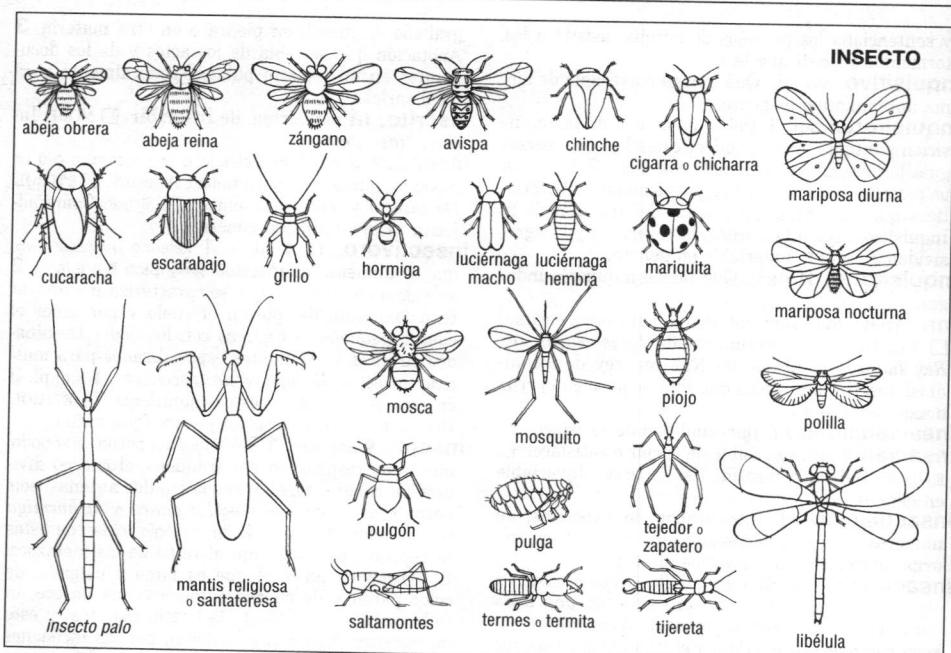

INSECTO

abeja obrera · abeja reina · zángano · avispa · chinche · cigarra o chicharra · mariposa diurna · cucaracha · escarabajo · grillo · hormiga · luciérnaga macho · luciérnaga hembra · mariquita · mariposa nocturna · mosca · piojo · polilla · mosquito · pulgón · pulga · tejedor o zapatero · mantis religiosa o santateresa · insecto palo · saltamontes · termes o termita · tijereta · libélula

inserción s.f. **1** Introducción de una cosa en otra. **2** Unión de un órgano en otro, esp. de un músculo en un hueso.

insertar ❚ v. **1** Referido a una cosa, incluirla en otra, esp. un texto en otro: *El texto que insertaron en el artículo salió con otra letra.* ❚ prnl. **2** Referido a un órgano, introducirse entre las partes de otro, o adherirse a su superficie: *Los músculos se insertan en los huesos.* ☐ ETIMOL. Del latín *insertare* (injerir). ☐ MORF. Irreg.: Tiene un participio regular (*insertado*), que se usa más en la conjugación, y otro irregular (*inserto*), que se usa más como adjetivo.

inserto, ta part. irreg. de **insertar.** ☐ USO Se usa más como adjetivo, frente al participio regular *insertado*, que se usa más en la conjugación.

inservible adj. Que no sirve. ☐ MORF. Invariable en género.

insidia s.f. Engaño para perjudicar; asechanza. ☐ ETIMOL. Del latín *insidiae* (emboscada). ☐ MORF. Se usa más en plural.

insidioso, sa adj. Malicioso o dañino pese a su apariencia inofensiva.

insigne adj. Célebre o famoso. ☐ ETIMOL. Del latín *insignis* (señalado, distinguido). ☐ MORF. Invariable en género.

insignia s.f. Imagen, medalla o símbolo distintivos. ☐ ETIMOL. Del latín *insignia*, y éste de *insignis* (señalado). ⚔ joya

insignificancia s.f. Pequeñez, escaso valor o falta de importancia.

insignificante adj. Pequeño o de poca importancia. ☐ ETIMOL. De *in-* (negación) y *significante*. ☐ MORF. Invariable en género.

insinuación s.f. **1** Indicación disimulada y sutil. **2** *col.* Demostración indirecta del deseo de entablar relaciones amorosas.

[insinuante adj. Que insinúa. ☐ MORF. Invariable en género.

insinuar ❚ v. **1** Dar a entender de manera sutil o disimulada: *Insinué que su libro no era bueno, pero no lo critiqué abiertamente.* ❚ prnl. **2** *col.* Mostrar de manera indirecta el deseo de entablar relaciones amorosas: *Se insinuó a la chica que le gustaba dándole su número de teléfono.* ☐ ETIMOL. Del latín *insinuare* (introducir en el interior). ☐ ORTOGR. La *u* lleva tilde en los presentes, excepto en las personas *nosotros* y *vosotros* →ACTUAR. ☐ SINT. Constr. de la acepción 2: insinuarse {A/CON} alguien.

insipidez s.f. **1** Falta de sabor. **2** Falta de gracia o de viveza.

insípido, da ❚ adj. **1** Sin sabor o con poco sabor. ❚ adj./s. **2** Sin gracia o sin viveza. ☐ ETIMOL. Del latín *insipidus*, y éste de *in-* (negación) y *sapidus* (que tiene sabor). ☐ MORF. 1. Incorr. *insaboro. 2. La RAE sólo lo registra como adjetivo.

insistencia s.f. Repetición reiterada y firme: *Llamé con insistencia, pero nadie abrió.*

[insistente adj. Que insiste. ☐ MORF. Invariable en género.

insistir v. **1** Repetir una petición o una acción varias veces: *Insiste hasta que te oigan.* **2** Hacer hincapié: *Los pediatras insisten sobre la importancia de la medicina preventiva.* **3** Mostrar firmeza: *Insistía en su postura y no escuchaba otras opciones.* ☐ ETIMOL. Del latín *insistere.* ☐ SINT. Constr. *insistir* {EN/SOBRE} algo.

insobornable adj. Que no puede ser sobornado. ☐ MORF. Invariable en género.

insociabilidad s.f. Comportamiento que se caracteriza por evitar el trato o la relación con los demás.

insociable adj. Que evita el trato o la relación con

los demás. ☐ ETIMOL. Del latín *insociabilis*. ☐
MORF. Invariable en género.

insolación s.f. Malestar o trastorno producidos
por una prolongada exposición a los rayos solares;
tabardillo.

insolencia s.f. **1** Atrevimiento o falta de respeto
en el trato. **2** Hecho o dicho ofensivos o insultantes.

insolentarse v.prnl. Mostrarse insolente con alguien tratándolo sin respeto ni consideración: *Al no
prestarle el dinero se insolentó conmigo y me llamó
tacaño.*

insolente adj./s. Que ofende o molesta por ser
irrespetuoso, atrevido, insultante o soberbio. ☐ ETI-
MOL. Del latín *insolens* (desacostumbrado, excesivo).
☐ MORF. 1. Como adjetivo es invariable en género.
2. Como sustantivo es de género común: *el insolente,
la insolente.*

[insolidaridad s.f. Falta de solidaridad.

insolidario, ria adj./s. Que no se solidariza.

insólito, ta adj. Poco frecuente, no común o fuera
de lo habitual. ☐ ETIMOL. Del latín *insolitus*, y éste
de *in-* (negación) y *solitus* (acostumbrado). ☐ SEM.
Dist. de *inaudito* (increíble o nunca oído por ser
atrevido o escandaloso).

insolubilidad s.f. **1** Imposibilidad de disolverse o
de diluirse. **2** Imposibilidad de resolución o de aclaración.

insoluble adj. **1** Que no se puede disolver ni diluir. **2** Imposible de solucionar. ☐ ETIMOL. Del latín
insolubilis. ☐ MORF. Invariable en género.

insolvencia s.f. Situación del que no puede hacer
frente a una obligación, esp. a una deuda. ☐ ETI-
MOL. De *in-* (negación) y *solvencia*.

insolvente adj./s. Que no puede hacer frente a una
obligación, esp. a una deuda. ☐ MORF. 1. Como adjetivo es invariable en género. 2. Como sustantivo
es de género común: *el insolvente, la insolvente.*

insomne adj. Sin sueño o sin dormir. ☐ ETIMOL.
Del latín *insomnis*, y éste de *in-* (negación) y *somnus* (sueño). ☐ MORF. Invariable en género.

insomnio s.m. Dificultad para conciliar el sueño
cuando se debe dormir.

insondable adj. Imposible de averiguar o de conocer a fondo. ☐ MORF. Invariable en género.

insonorización s.f. **1** Acondicionamiento de un
lugar para aislarlo de sonidos o de ruidos. **2** Amortiguación de un sonido.

insonorizar v. **1** Referido a un lugar, acondicionarlo
para aislarlo de sonidos o de ruidos: *Insonoricé el
local antes de poner el bar.* **2** Referido a una máquina,
hacer que funcione con el menor ruido posible: *Tengo que insonorizar la moto porque hace demasiado
ruido.* ☐ ORTOGR. La *z* se cambia en *c* delante de *e*
→CAZAR.

insonoro, ra adj. Que no produce o no transmite
el sonido. ☐ ETIMOL. De *in-* (negación) y *sonoro*.

insoportable adj. Imposible de soportar. ☐ MORF.
Invariable en género.

insoslayable adj. Que no se puede soslayar o elu-
dirse. ☐ MORF. Invariable en género.

insospechable adj. Imposible de sospechar. ☐
MORF. Invariable en género.

insospechado, da adj. No sospechado.

insostenible adj. **1** Que no se puede sostener. **2**
col. Que no se puede defender con razones. ☐ MORF.
Invariable en género.

inspección s.f. **1** Examen o reconocimiento rea-

lizados con atención y detenimiento. **2** Profesión de
inspector. **3** Lugar de trabajo de un inspector. ☐
ETIMOL. Del latín *inspectio*, y éste de *inspicere* (mirar adentro).

inspeccionar v. Examinar o reconocer con atención: *La policía inspeccionó el lugar del crimen buscando huellas.*

inspector, -a s. Persona legalmente autorizada
para examinar y vigilar las actividades que se realizan dentro del campo al que pertenece.

inspiración s.f. **1** Aspiración o introducción de
aire en los pulmones. **2** Estímulo o influencia que
permite la creación artística. **3** Iluminación o movimiento sobrenatural que Dios transmite al ser humano. **4** Lo que ha sido inspirado.

inspirar v. **1** Referido esp. al aire, aspirarlo para introducirlo en los pulmones: *Inspiró profundamente
la brisa marina.* **2** Referido esp. a un sentimiento, producirlo en el ánimo: *Tu sonrisa me inspira confianza.* **3** Sugerir o producir ideas para la creación artística: *La belleza de este lugar inspiró a muchos pintores. Este poeta se inspira en la literatura
medieval.* ☐ ETIMOL. Del latín *inspirare* (soplar dentro de algo, infundir ideas). ☐ SINT. Constr. de la
acepción 3: *inspirarse EN algo.*

inspirativo, va adj. Que produce inspiración.

[inspiratorio, ria adj. De la inspiración respiratoria, que la permite o con que se efectúa.

instalación s.f. **1** Colocación en el lugar y forma
adecuados para una función: *¿Quién se encarga de
la instalación de los altavoces?* **2** Colocación de los
instrumentos y servicios necesarios para poder utilizar un lugar: *Han tardado dos días en hacer la
instalación del polideportivo.* **3** Establecimiento o
acomodo de una persona, esp. si es para fijar su
residencia. **4** Conjunto de cosas instaladas: *instalación eléctrica.* **[5** Recinto o lugar acondicionados
con todo lo necesario para realizar un servicio o una
función: *'instalación' deportiva.*

instalador, -a s. Persona que se dedica profesionalmente a la instalación o puesta en funcionamiento de algo.

instalar v. **1** Colocar en el lugar y forma adecuados
para una función: *¿Han venido a instalar el teléfono?* **2** Referido a un lugar, esp. a un edificio, colocar los
instrumentos y los servicios necesarios para poder
ser utilizado: *Han instalado una nueva tienda al
otro lado de la calle.* **3** Referido a una persona, colocarla o acomodarla, esp. si es para fijar su residencia: *Instalaron a los prisioneros en barracones.
¿Dónde piensas instalarte hasta que encuentres
piso?* ☐ ETIMOL. Del francés *installer.*

instancia s.f. **1** Petición solicitada por escrito según determinadas fórmulas, esp. la que se hace a
una autoridad. **2** Documento en que figura esta petición. **3** Cada uno de los grados jurisdiccionales
que la ley tiene establecidos para examinar y sentenciar juicios y pleitos: *En el orden civil y penal
existen dos instancias.* **4** ‖**a instancia(s)** de alguien; por sus ruegos o por su petición. ‖**en última
instancia**; como último recurso o en definitiva: *En
última instancia siempre puedes pedírselo a tu padre.* ☐ ETIMOL. Del latín *instancia.* ☐ SEM. No debe
emplearse en plural con el significado de 'dirigentes
u organismos de alto grado': *Ha llegado una orden
de {*las altas instancias > la dirección}.*

instantáneo, a ∎ adj. **[1** Que se produce o se prepara en el momento. **2** Que sólo dura un instante. ∎ s.f. **3** Fotografía que se obtiene en el momento.

instante s.m. **1** Porción de tiempo que se considera muy breve, esp. en relación con otra; momento. **2** ‖ **(a) cada instante**; con frecuencia o continuamente. ‖ **al instante**; enseguida o inmediatamente. □ ETIMOL. Del latín *instans* (lo presente).

instar v. Referido a una acción, insistir en su rápida ejecución: *Me instaban a que entregara el informe en el tiempo señalado.* □ ETIMOL. Del latín *instare* (estar encima). □ SINT. Constr. *instar A algo.*

instauración s.f. Establecimiento, fundación, creación o institución de algo, esp. de leyes, de costumbres o de formas de gobierno.

instaurar v. Referido esp. a una ley, a una costumbre o a una forma de gobierno, establecerlas, fundarlas, crearlas o instituirlas: *Esa ministra instauró el plan de estudios que tenemos ahora.* □ ETIMOL. Del latín *instaurare.*

instigación s.f. Incitación o provocación para hacer algo, esp. si es negativo.

instigador, -a adj./s. Que instiga.

instigar v. Referido a una acción, esp. si es negativa, incitar o inducir a realizarla: *Le instigaban a que robara los mapas secretos del ejército.* □ ETIMOL. Del latín *instigare* (incitar, estimular). □ ORTOGR. La *g* se cambia en *gu* delante de *e* →PAGAR. □ SINT. Constr. *instigar A algo.*

instilar v. **1** Referido a un líquido, verterlo gota a gota: *Mi madre me instiló colirio en los ojos.* **2** Referido a un sentimiento o a una idea, infundirlos o causarlos en el ánimo de manera imperceptible: *La madre instiló en su hijo un sentimiento de fraternidad hacia los demás.* □ ETIMOL. Del latín *instillare*, y éste de *in* (en) y *stilla* (gota).

instintivo, va adj. Que se hace por instinto o sin que aparentemente intervenga la razón.

instinto s.m. **1** En un animal o en una persona, conducta innata, hereditaria y no aprendida, que los lleva a actuar de igual manera ante los mismos estímulos y que es común a todos los individuos de una misma especie. **2** Impulso interior que origina una acción o un sentimiento y que obedece a una razón que desconoce quien lo siente: *instinto maternal.* □ ETIMOL. Del latín *instinctus* (provocación, instigación).

institución s.f. **1** Establecimiento o fundación de algo. **2** Lo que se ha establecido o fundado. **3** Organismo que desempeña una función de interés público, esp. benéfico o de enseñanza. **4** En un Estado, una nación o una sociedad, cada una de sus organizaciones o sus leyes fundamentales. **5** ‖ **ser** alguien **una institución**; gozar de un prestigio largamente reconocido. □ ETIMOL. Del latín *institutio.*

institucional adj. De una institución, relacionado con ella o con características que le son propias. □ MORF. Invariable en género.

institucionalidad s.f. Carácter institucional o carácter legal.

institucionalización s.f. Concesión de carácter institucional.

institucionalizar v. **1** Convertir en institucional: *Los intelectuales quieren volver a institucionalizar las tertulias. Con el tiempo, algunas costumbres se institucionalizan.* **2** Dar carácter legal o de institución: *Algunos gobiernos han institucionalizado el*

divorcio. □ ORTOGR. La *z* se cambia en *c* delante de *e* →CAZAR.

instituir v. **1** Referido esp. a algo de interés público fundarlo, establecerlo o crearlo: *La alcaldesa anterior instituyó un premio de poesía juvenil.* □ Referido a un cargo, a una ley o a una costumbre, establecerlos de nuevo o por primera vez: *La nueva directora ha instituido un horario más cómodo.* □ ETIMOL. Del latín *instituere.* →HUIR.

instituto s.m. **1** Centro estatal de enseñanza donde se siguen los estudios de enseñanza secundaria. **2** Corporación científica, benéfica, social o cultural: *Instituto de la Mujer.* **3** Establecimiento público en el que se presta un tipo específico de servicios o de cuidados: *instituto de belleza.* **4** Cierto cuerpo militar o cierta asociación y congregación religiosa: *La guardia civil es un instituto militar armado.* □ ETIMOL. Del latín *institutum.*

institutriz s.f. Mujer que se dedica a la educación y formación de uno o varios niños en el hogar de éstos. □ ETIMOL. Del francés *intitutrice* (maestra de primeras letras).

instrucción ∎ s.f. **1** Enseñanza de los conocimientos necesarios para una actividad. **2** Conjunto de conocimientos adquiridos. **3** En derecho, curso o desarrollo que sigue un proceso o un expediente: *la instrucción de un sumario.* ∎ pl. **4** Indicaciones o reglas para conseguir un fin: *manual de instrucciones.* **5** Órdenes que se dictan a los agentes diplomáticos o a los jefes de las fuerzas navales. **6** ‖ **instrucción (militar)**; conjunto de enseñanzas y de prácticas que se llevan a cabo para la formación del soldado. □ ETIMOL. Del latín *instructio.*

instructivo, va adj. Que instruye o sirve para enseñar.

instructor, -a s. Persona que se dedica profesionalmente a la enseñanza de algún tipo de actividad, esp. deportiva o militar.

instruido, da adj. Que ha adquirido gran cantidad de conocimientos.

instruir v. **1** Proporcionar conocimientos teóricos o prácticos: *El teniente instruía a los soldados en el manejo de las armas. Antes de comprar el coche, me instruí sobre mecánica.* **2** Informar o comunicar algo, esp. reglas de conducta: *Los viajes instruyen mucho. Se instruyó en un colegio bilingüe.* **3** En derecho, referido a un proceso o a un expediente, realizar todas las actuaciones necesarias encaminadas a conocer la inocencia o la culpabilidad de un encausado: *Se instruyó una causa contra mi vecino por tráfico de drogas.* □ ETIMOL. Del latín *instruere* (enseñar, informar). □ MORF. Irreg. →HUIR. □ SINT. Constr. *instruir {EN/SOBRE} algo.*

instrumentación s.f. **1** Arreglo de una composición musical para que sea interpretada por varios instrumentos. [**2** Estudio de los instrumentos musicales en función de sus características y posibilidades. [**3** Disposición de un plan o de una solución con los medios necesarios para su ejecución: *Los sindicatos exigen la 'instrumentación' inmediata de un plan para la mejora de la enseñanza.*

instrumental ∎ adj. **1** Del instrumento, esp. del musical, o relacionado con él. **2** Que sirve de instrumento o que tiene la función de éste. ∎ s.m. **3** Conjunto de instrumentos, esp. los destinados a un fin determinado. □ MORF. Como adjetivo es invariable en género.

instrumentalizar v. Referido a una persona o a una cosa, utilizarlas como instrumento para conseguir un fin: *Me parece censurable que 'instrumentalices' a las personas.* □ ORTOGR. La *z* se cambia en *c* delante de *e* →CAZAR.

instrumentar v. **1** Referido a una composición musical, arreglarla para que sea interpretada por varios instrumentos o añadir a su partitura las partes correspondientes a éstos: *Instrumentó para piano y flauta un concierto escrito para guitarra.* **[2** Referido esp. a un plan o a una solución, disponerlos y poner los medios para su ejecución: *El Gobierno 'instrumentará' medidas para combatir el paro.* **3** En tauromaquia, realizar las diferentes suertes de la lidia: *El torero instrumentó unos naturales estupendos con la mano derecha.*

instrumentista s. **1** Músico que toca un instrumento. **2** Fabricante de instrumentos. □ MORF. Es de género común: *el instrumentista, la instrumentista.*

instrumento s.m. **1** Objeto simple o formado por una combinación de piezas, y que es adecuado para un uso concreto, esp. para la realización de operaciones manuales técnicas o delicadas: *instrumentos médicos.* **2** Lo que sirve como medio para conseguir un fin: *Tu hermano fue sólo un instrumento para que yo entrara en su empresa.* **3** Objeto adecuado para producir sonidos musicales. **4** ‖**instrumento de cuerda**; el que suena al pulsar, golpear o frotar las cuerdas tensadas que posee: *La guitarra y el violín son instrumentos de cuerda.* ‖**instrumento de percusión**; el que suena al golpearlo, generalmente por medio de badajos, baquetas o varillas: *El bombo y el triángulo son instrumentos de percusión.* ‖**instrumento de viento**; el que suena al pasar el aire a través de él: *El oboe y la trompeta son instrumentos de viento.* □ ETIMOL. Del latín *instrumentum.*

insubordinación s.f. Sublevación o falta de subordinación a los superiores.

insubordinado, da adj./s. Referido a una persona, que falta a la obediencia debida a sus superiores.

insubordinar ∎ v. **1** Referido a un subordinado, hacer que desobedezca a sus superiores o que se subleve: *Las malas condiciones laborales insubordinaron a los empleados.* ∎ prnl. **2** Quebrantar la subordinación a los superiores o sublevarse: *La tripulación se insubordinó ante el racionamiento de comida.*

insubstancial adj. →**insustancial.** □ ETIMOL. Del latín *insusbstantialis.* □ MORF. Invariable en género.

insubstancialidad s.f. →**insustancialidad.**

insubstituible adj. →**insustituible.** □ MORF. Invariable en género.

insuficiencia s.f. **1** Escasez o carencia. **2** En medicina, incapacidad de un órgano para realizar adecuadamente las funciones que le corresponden. **3** Falta de suficiencia o de inteligencia. □ ETIMOL. Del latín *insufficientia.*

insuficiente ∎ adj. **1** Que no es suficiente. ∎ s.m. **[2** Calificación académica que indica que no se ha superado el nivel mínimo exigido.

insuflar v. **1** Referido a un gas, a un líquido o a una sustancia pulverizada, introducirlos a soplos o inyectarlos en un órgano o en una cavidad: *La respiración artificial se hace insuflando aire en los pul-*

mones. **[2** Referido esp. a un estímulo, aportarlo o transmitirlo: *Sus palabras nos 'insuflaron' ánimo para seguir adelante.* □ ETIMOL. Del latín *insufflare* (soplar adentro).

insufrible adj. Imposible de sufrir o de soportar. □ ETIMOL. De *in-* (negación) y *sufrible.* □ MORF. Invariable en género.

ínsula s.f. *poét.* Isla. □ ETIMOL. Del latín *insula* (isla). □ MORF. Dist. de *ínfulas.*

insular adj./s. De una isla o relacionado con ella; isleño. □ ETIMOL. Del latín *insularis*, y éste de *insula* (isla). □ MORF. **1.** Como adjetivo es invariable en género. **2.** Como sustantivo es de género común: *el insular, la insular.* □ SEM. *Isleño* se prefiere para referirse a lo que es característico de una isla.

[insularidad s.f. Conjunto de características propias de una isla.

insulina s.f. **1** Hormona producida por el páncreas y encargada de regular la cantidad de glucosa de la sangre. **2** Medicamento preparado con esta hormona, y que se emplea en el tratamiento contra la diabetes. □ ETIMOL. Del latín *ínsula* (isla), porque la insulina se extrae de las isletas de Langerhans, que se encuentran en el páncreas.

insulsez s.f. **1** Falta de gracia, de viveza o de interés. **2** Lo que es o resulta insulso.

insulso, sa ∎ adj. **1** Soso o falto de sabor. ∎ adj./s. **2** Falto de gracia, de viveza o de interés. □ ETIMOL. Del latín *insulsus* (sin sal). □ MORF. La RAE sólo lo registra como adjetivo.

insultante adj. Que insulta. □ MORF. Invariable en género.

insultar v. Ofender, esp. si es por medio de palabras agresivas: *Me insultó delante de todos.* □ ETIMOL. Del latín *insultare* (saltar contra, ofender).

insulto s.m. Lo que se dice o se hace para ofender a una persona, esp. si son palabras agresivas.

insumisión s.f. **1** Falta de sumisión o de obediencia. **[2** Negativa a realizar el servicio militar o cualquier otro servicio social que lo sustituya.

insumiso, sa adj./s. **1** Que no se somete o que no obedece. **[2** Que se niega a realizar el servicio militar o cualquier servicio social sustitutorio. □ MORF. La RAE sólo lo registra como adjetivo. □ SEM. En la acepción 2, dist. de *objetor* (que se niega a realizar el servicio militar, pero no a prestar otro servicio sustitutorio).

insuperable adj. Imposible de superar, generalmente por la dificultad o por la calidad. □ ETIMOL. Del latín *insuperabilis.* □ MORF. Invariable en género.

insurgente adj./s. Que se subleva o se rebela. □ ETIMOL. Del antiguo *insurgir* (sublevarse). □ MORF. **1.** Como adjetivo es invariable en género. **2.** Como sustantivo es de género común: *el insurgente, la insurgente.*

insurrección s.f. Sublevación o levantamiento de una colectividad contra la autoridad.

insurrecto, ta adj./s. Sublevado o levantado contra la autoridad. □ ETIMOL. Del latín *insurrectus*, y éste de *insurgere* (alzarse, sublevarse).

insustancial adj. Falto de sustancia, de interés o de sabor. □ ORTOGR. Se admite también *insubstancial.* □ MORF. Invariable en género.

insustancialidad s.f. **1** Falta de sustancia o de interés. **2** Lo que está falto de sustancia o de interés. ☐ ORTOGR. Se admite también *insubstanciali-dad.*

insustituible adj. Imposible de sustituir, esp. por su valor. ☐ ORTOGR. Se admite también *insubstituible.* ☐ MORF. Invariable en género.

intachable adj. Que no admite tacha o reproche. ☐ MORF. Invariable en género.

intacto, ta adj. **1** Que no ha sido tocado. **2** Que no ha sido alterado, dañado o estropeado. ☐ ETIMOL. Del latín *intactus*, y éste de *in-* (negación) y *tactus* (tocado).

intangibilidad s.f. **1** Imposibilidad de ser tocado, esp. por no tener realidad física. **2** Inconveniencia o prohibición de ser modificado o atacado: *La ley establece la intangibilidad del derecho a la libertad.*

intangible adj. Que no se puede tocar: *Los sentimientos son intangibles.* ☐ ETIMOL. De *in-* (negación) y *tangible.* ☐ MORF. Invariable en género.

integérrimo, ma superlat. irreg. de **íntegro.**

integración s.f. **1** Formación o composición de un todo: *La entrenadora decidirá cuál será la integración del equipo.* **2** Incorporación o unión a un todo, esp. si se consigue la adaptación a él: *integración social.*

integracionista adj./s. Partidario o defensor de la integración social de una comunidad en otra. ☐ MORF. **1.** Como adjetivo es invariable en género. **2.** Como sustantivo es de género común: *el integracionista, la integracionista.* **3.** La RAE sólo lo registra como adjetivo.

integral ❚ adj. **1** Completo o global: *educación integral.* **2** Referido a un alimento, esp. al pan, que está elaborado con harina rica en salvado. ❚ s.f. **3** En matemáticas, operación por medio de la cual se obtiene una función cuya derivada es la función dada. ☐ ETIMOL. Del latín *integralis.* ☐ MORF. Como adjetivo es invariable en género.

integrante adj./s. Que integra algo o lo constituye. ☐ MORF. **1.** Como adjetivo es invariable en género. **2.** Como sustantivo es de género común: *el integrante, la integrante.* **3.** La RAE sólo lo registra como adjetivo.

integrar v. **1** Referido a un todo, formarlo o componerlo: *Cinco jugadores integran el equipo.* **2** Referido esp. a una persona, incorporarla o unirla a un todo, esp. si se consigue su adaptación a él: *Es necesario integrar en nuestra sociedad a las minorías étnicas. Su origen aristocrático le impide integrarse en ambientes populares.* ☐ ETIMOL. Del latín *integrare*, y éste de *integer* (íntegro).

integridad s.f. Honradez y rectitud en la forma de actuar.

integrismo s.m. Tendencia al mantenimiento estricto de la tradición y oposición a toda evolución o apertura. ☐ SEM. Dist. de *fundamentalismo* (integrismo religioso islámico).

integrista ❚ adj. **1** Del integrismo o relacionado con esta tendencia. ❚ adj./s. **2** Partidario o seguidor del integrismo. ☐ MORF. **1.** Como adjetivo es invariable en género. **2.** Como sustantivo es de género común: *el integrista, la integrista.* ☐ SEM. Dist. de *fundamentalista* (integrista religioso islámico).

íntegro, gra adj. **1** Entero o con todas sus partes. **2** Honrado y recto en la forma de actuar. ☐ ETIMOL. Del latín *integer* (intacto, entero). ☐ MORF. Sus superlativos son *integrísimo* e *integérrimo.*

intelectivo, va adj. Del intelecto o relacionado con esta facultad humana.

intelecto s.m. Facultad humana de comprender, conocer y razonar. ☐ ETIMOL. Del latín *intellectus.*

intelectual ❚ adj. **1** Del intelecto o relacionado con esta facultad. ❚ adj./s. **2** Referido a una persona, que se dedica profesionalmente al estudio o a actividades que requieren un empleo prioritario de la inteligencia. ☐ MORF. **1.** Como adjetivo es invariable en género. **2.** Como sustantivo es de género común: *el intelectual, la intelectual.*

intelectualidad s.f. *col.* Conjunto de los intelectuales.

intelectualizar v. **1** Dar características intelectuales o adquirirlas: *La nueva ministra se propone intelectualizar el país.* **2** Interpretar o analizar desde un punto de vista predominantemente racional: *Intelectualizas hasta tus sentimientos.* ☐ ORTOGR. La *z* se cambia en *c* delante de *e* →CAZAR.

[intelectualoide adj./s. Intelectual. ☐ MORF. **1.** Como adjetivo es invariable en género. **2.** Como sustantivo es de género común: *el 'intelectualoide', la 'intelectualoide'.* ☐ USO Es despectivo.

inteligencia s.f. **1** Facultad de comprender, conocer y razonar. **2** Habilidad o acierto: *Juega al tenis con una inteligencia y unos reflejos sorprendentes.* **3** →**servicio de inteligencia. 4** ‖**inteligencia artificial**; aplicación de los conocimientos sobre la inteligencia humana al desarrollo de sistemas informáticos que reproduzcan o aventajen su funcionamiento. ☐ ETIMOL. Las acepciones 1 y 2, del latín *intelligentia.*

inteligente adj. **1** Dotado de la facultad de la inteligencia. **2** Que tiene o manifiesta mucha inteligencia. **[3** Referido a algo que ofrece un servicio, que está dotado de mecanismos, generalmente electrónicos o informáticos, que determinan su funcionamiento en función de las circunstancias. ☐ ETIMOL. Del latín *intelligens* (el que entiende, perito). ☐ MORF. Invariable en género.

inteligibilidad s.f. Posibilidad de ser entendido con claridad.

inteligible adj. Que puede ser entendido. ☐ MORF. Invariable en género.

intemerata s.f. *col.* Gran cantidad de cosas, hechos o datos hasta resultar una exageración: *Conseguir terminar este trabajo nos va a costar la intemerata.* ☐ ETIMOL. Del latín *intemerata* (no deshonrada) que es el comienzo de un himno que se cantaba en honor a la Virgen y que resultaba extremadamente largo.

intemperancia s.f. Falta de templanza o de moderación. ☐ ETIMOL. Del latín *intemperantia.*

intemperante adj. Sin templanza o sin moderación. ☐ MORF. Invariable en género.

intemperie ‖**a la intemperie**; al aire libre, sin ningún techado o protección. ☐ ETIMOL. Del latín *intemperies* (mal tiempo, rigor atmosférico).

intempestivo, va adj. Que está fuera de tiempo o es inoportuno o inconveniente: *¿Cómo se te ocurre venir a estas horas intempestivas?* ☐ ETIMOL. Del latín *intempestivus.*

intemporal adj. Que no está dentro de límites temporales o que es independiente del paso del tiempo: *El instinto de supervivencia en los animales es intemporal.* ☐ ETIMOL. Del latín *intemporalis.* ☐ MORF. Invariable en género.

ntemporalidad s.f. Independencia del paso del tiempo o de límites temporales.

ntención s.f. **1** Propósito o pensamiento de hacer algo. **2** Malicia con que se habla o se actúa porque se da a entender algo distinto de lo que se dice o se hace: *Me dijo unas palabras llenas de intención.* **3** ||{segunda/doble} **intención**; *col.* Propósito o finalidad ocultos y generalmente malévolos. ☐ ETIMOL. Del latín *intentio.* ☐ SEM. Dist. de *intencionalidad* (premeditación o clara intención).

ntencionado, da adj. **1** Que tiene una intención determinada, esp. si está disimulada. **[2** Realizado a propósito.

ntencional adj. **1** Deliberado, premeditado o hecho a propósito. **2** De la intención o relacionado con ella. ☐ MORF. Invariable en género.

ntencionalidad s.f. Premeditación o clara intención con las que se realiza algo. ☐ SEM. Dist. de *intención* (propósito o voluntad de hacer algo).

ntendencia s.f. **1** En el ejército, cuerpo encargado del abastecimiento de las tropas y del servicio de caudales y ordenación de pagos. **2** Dirección, control y administración de algún servicio o del abastecimiento de una colectividad: *Una joven se encarga de la intendencia del campamento.* **3** Cargo de intendente. **4** Lugar de trabajo u oficina del intendente.

ntendente, ta ▌ s. **[1** En el ejército, militar que pertenece al cuerpo de intendencia. **2** En la Administración pública, jefe superior de algunos servicios económicos o de empresas dependientes del Estado. **3** En zonas del español meridional, gobernador o alcalde. **[4** En una colectividad, persona encargada del abastecimiento. ▌ s.m. **5** En el ejército, jefe superior de los servicios de administración militar. ☐ ETIMOL. Del francés *intendant.*

ntensidad s.f. **1** Energía o fuerza con la que se manifiesta un fenómeno o se realiza una acción: *Fue un terremoto de escasa intensidad.* **2** Referido a un estado anímico, vehemencia, apasionamiento o profundidad con que se manifiesta: *No dudo de la intensidad de tu amor.* **3** Cantidad de electricidad que circula por un conductor durante un segundo. **4** Propiedad de un fenómeno sonoro que determina sus condiciones de audición y que depende de la amplitud de sus ondas.

intensificación s.f. Aumento de intensidad.

[intensificador, -a adj. Que intensifica.

intensificar v. Aumentar la intensidad: *Intensifica el azul del cielo para diferenciarlo del mar. Su enfado se intensificaba por momentos.* ☐ ORTOGR. La c se cambia en *qu* delante de *e* →SACAR.

intensivo, va adj. **1** Que intensifica o hace adquirir mayor intensidad: *El adjetivo 'ultrarrápido' tiene un matiz intensivo.* **[2** Que se realiza de forma intensa o en un espacio de tiempo inferior a lo normal: *un curso 'intensivo'.*

intenso, sa adj. Con intensidad, energía o fuerza. ☐ ETIMOL. Del latín *intensus.*

intentar v. Referido a una acción, hacer todo lo posible para realizarla aunque no se tenga la certeza de conseguirlo: *Intenta adelgazar siguiendo una dieta.* ☐ ETIMOL. Del latín *intentare.*

intento s.m. **1** Propósito o intención de realizar algo aunque no se tenga la certeza de conseguirlo. **2** Lo que se intenta. ☐ ETIMOL. Del latín *intentus* (acción de tender hacia algo).

intentona s.f. *col.* Intento que conlleva peligro o imprudencia, esp. si resulta frustrado.

inter- Prefijo que significa 'entre' e indica situación intermedia (*intertropical, intervocálico, intercelular, interdental, interdigital*) o relación recíproca entre varios (*interactivo, internacional, intercomunicación, interprofesional, intercambiar, intercontinental, interdisciplinario*). ☐ ETIMOL. Del latín *inter.*

inter nos (latinismo) ||Entre nosotros o en confianza: *Esto debe quedar inter nos, sin que lo sepa nadie más.* ☐ PRON. [inter nós].

[inter-rail s.m. **1** Billete de tren que permite viajar durante un mes por la mayoría de los países europeos. **2** Viaje que se realiza utilizando este tipo de billete. ☐ ETIMOL. De *internacional* y el inglés *rail* (ferrocarril).

interacción s.f. Acción o influencia recíprocas: *La interacción entre algunos medicamentos disminuye su eficacia.* ☐ ETIMOL. De *inter-* (entre) y *acción.*

[interactividad s.f. Posibilidad de relación recíproca entre varias cosas que se complementan.

interactivo, va adj. **1** Que puede relacionarse de forma recíproca con varias cosas que se complementan: *Este medicamento puede ser interactivo con otros y perder su efectividad.* **2** En informática, referido a un sistema, que permite el intercambio o el diálogo entre la máquina y el usuario a través del teclado o de la pantalla.

[interactuar v. Relacionarse de forma recíproca con varias cosas, esp. si es entre un ordenador y su usuario: *En algunos programas informáticos, el usuario puede 'interactuar' con los elementos que se le ofrecen en pantalla.* ☐ ORTOGR. La u lleva tilde en las personas presentes, excepto en las personas *nosotros* y *vosotros* →ACTUAR.

interamericano, na adj. Entre dos o más países americanos o que los relaciona.

[interbancario, ria adj. Entre dos o más bancos, o que los relaciona.

intercalación o **intercaladura** s.f. Colocación de una cosa entre otras.

intercalar v. Referido a un elemento, ponerlo entre otros, esp. si forman una serie: *Intercaló la foto entre las demás.* ☐ ETIMOL. Del latín *intercalare.*

intercambiable adj. Que se puede intercambiar. ☐ MORF. Invariable en género.

[intercambiador s.m. Lugar o instalación que permite a un pasajero cambiar de un medio de transporte a otro.

intercambiar v. Cambiar entre sí: *Los componentes de los dos equipos se intercambiaron las camisetas después del partido.* ☐ ORTOGR. La i nunca lleva tilde.

intercambio s.m. **1** Cambio mutuo: *intercambio de opiniones.* **2** Reciprocidad de servicios o actividades entre organismos, entidades o países: *El intercambio cultural entre España y Francia fue un éxito.* ☐ ETIMOL. De *inter-* (entre) y *cambio.*

interceder v. Referido a una persona, mediar en su favor: *Mi hermana mayor siempre intercedía ante mis padres para que no me castigaran.* ☐ ETIMOL. Del latín *intercedere* (ponerse en medio, intervenir). ☐ SINT. Constr. *interceder* ANTE *una persona* POR *otra.*

[intercepción o **interceptación** s.f. **1** Detención, apropiación o destrucción de algo, esp. de un

objeto, antes de llegar a su destino. **2** Obstrucción de un lugar, esp. de una vía de comunicación.
interceptar v. **1** Referido esp. a un objeto, detenerlo, apoderarse de él o destruirlo antes de que llegue a su destino: *Los servicios de espionaje interceptaban su correspondencia.* **2** Referido a esp. a una vía de comunicación, obstruirla de forma que se dificulte o se impida el paso: *Unos bultos interceptaban la salida del garaje.* □ ETIMOL. Del latín *interceptus*, y éste de *intercipere* (quitar, interrumpir). □ SEM. No debe emplearse referido a personas: *La policía {*interceptó a los traficantes > interceptó un alijo de armas}.*
interceptor, -a adj./s. Que intercepta o que impide o dificulta el movimiento o la comunicación.
intercesión s.f. Intervención en favor de alguien. □ ORTOGR. Dist. de *intersección*.
intercesor, -a adj./s. Que intercede o media en favor de alguien.
[intercity s.m. Tren rápido de largo recorrido que une ciudades. □ PRON. [intercíti].
intercomunicación s.f. **1** Comunicación recíproca. **2** Comunicación interna, esp. la telefónica.
intercomunicador s.m. Aparato que sirve para la comunicación interna en un lugar.
intercomunicar v. **1** Comunicar de forma recíproca: *Quieren intercomunicar estos dos pueblos.* **2** Referido esp. a las diferentes dependencias de un edificio, dotarlas de comunicación telefónica: *Están intercomunicando todos los despachos de mi empresa.* □ ORTOGR. La *c* se cambia en *qu* delante de *e* →SACAR.
intercontinental adj. Entre dos o más continentes o que los relaciona. □ MORF. Invariable en género.
intercostal adj. Que está entre dos costillas. □ ETIMOL. De *inter-* (entre) y *costal* (de las costillas). □ MORF. Invariable en género.
interdental █ adj. 1 En lingüística, referido a un sonido, que se pronuncia colocando la punta de la lengua entre los incisivos superiores y los inferiores: *La letra 'z' representa un sonido interdental en español.* █ s.f. **2** Letra que representa este sonido: *La 'z' es una interdental en español.* □ MORF. Como adjetivo es invariable en género.
interdependencia s.f. Dependencia recíproca.
[interdependiente adj. De la interdependencia o relacionado con ella. □ MORF. Invariable en género.
interdicción s.f. **1** Prohibición o privación de algún derecho, esp. por orden judicial. **2** ‖ **interdicción civil**; en derecho, privación definida por la ley de un derecho civil. □ ETIMOL. Del latín *interdictio*.
interdicto s.m. En derecho, juicio breve y de trámites sencillos en el que se decide provisionalmente la posesión de algo o la reclamación de un daño inminente.
interdigital adj. Que está entre los dedos. □ MORF. Invariable en género.
[interdisciplinar adj. →**interdisciplinario**. □ MORF. Invariable en género.
interdisciplinariedad s.f. Relación entre varias disciplinas.
interdisciplinario, ria adj. Entre varias disciplinas o con su colaboración. □ USO Aunque la RAE sólo registra *interdisciplinario*, se usa mucho *interdisciplinar*.
interés █ s.m. **1** Provecho o utilidad que se pueden obtener: *Sé que lo dices por mi propio interés.* **2** Valor o importancia que tiene algo en sí mismo o

para alguien. **3** Inclinación, curiosidad o afición ha cia algo. **4** Ganancia que produce un capital: *E cuentas a plazo fijo obtendrás un mayor interés.* Cantidad que se paga por el uso de un dinero r cibido como préstamo: *Pedimos un préstamo en banco y pagamos unos 'intereses' bastante altos.* pl. **6** Bienes y propiedades que se poseen: *Ese n gociante tiene intereses en el extranjero.* **7** Conv niencias o necesidades de una persona o de un c lectivo. □ ETIMOL. Del latín *interesse* (interesar, in portar). □ SINT. Constr. de la acepción 3: *intere {EN/POR} algo.*
interesado, da adj./s. **1** Que tiene interés o qu lo muestra. **2** Que actúa sólo por interés y buscanc su propio beneficio.
interesante adj. **1** Que interesa o que tiene int rés. **2** ‖ **hacerse {el/la} interesante**; col. Compo tarse de una forma especial para llamar la atenció□ MORF. Invariable en género.
interesar █ v. **1** Producir interés o cautivar atraer la atención o el ánimo: *Le interesa mucho l política. Ese chico me interesa.* **2** Despertar interé *Trato de interesar a mis hijos en la lectura.* **3** Se motivo de interés: *Ese asunto no interesa nada. ¿7 interesa venir?* █ prnl. **4** Mostrar interés o inclina ción: *Se interesa mucho por el futuro de su sobrinc*
interestatal adj. Entre dos o más estados o qu los relaciona. □ MORF. Invariable en género.
interestelar adj. Referido al espacio, que está con prendido entre dos o más astros; intersideral. □ MORF. Invariable en género.
[interface s.m. →**interfaz**. □ PRON. [interféis]. USO Es un anglicismo innecesario.
interfaz s.f. En informática, dispositivo que transfor ma las señales generadas por un aparato en señale comprensibles por otro: *La impresora tiene una in terfaz para comunicarse con el ordenador.* □ ETI MOL. Del inglés *interface* (superficie de contacto). □ USO Es innecesario el uso del anglicismo *interface*
interfecto, ta █ adj./s. **1** En derecho, referido a un persona, que ha muerto de forma violenta, esp. si ha sido víctima de una acción delictiva. █ s. **[2** col. Per sona de la que se está hablando. □ ETIMOL. Del la tín *interfectus*, y éste de *interficio* (matar).
interferencia s.f. **1** Alteración del curso norma de algo en desarrollo o en movimiento por la inter posición de un obstáculo. **2** Introducción de una se ñal extraña o perturbadora en la recepción de otr señal y perturbación resultante. **3** En física, acció reciproca de las ondas, que a veces tiene como con secuencia un aumento, una disminución o una neu tralización del movimiento ondulatorio. □ ETIMOL Del inglés *interference* (inmiscuirse, entrometerse).
interferir v. **1** Referido esp. a algo en desarrollo, al terar su curso normal por la interposición de un obstáculo: *Los manifestantes iban por la carretera para interferir el tráfico.* **2** Producir una interferen cia: *Un radioaficionado interfirió una transmisión policial.* **3** Referido a una señal, introducirse en la re cepción de otra señal, perturbándola: *Una emisión pirata está interfiriendo nuestro programa.* □ MORF Irreg. →SENTIR.
[interferón s.m. Proteína producida por células animales que, al entrar en contacto con un virus, actúa impidiendo su proliferación. □ ETIMOL. Del inglés *interferon*.
interfijo s.m. →**infijo**.

nterfoliar v. Referido a una hoja en blanco, intercalarla entre las hojas impresas de un libro: *El editor ha interfoliado una hoja delante de cada ilustración.* ☐ ETIMOL. De *inter-* (entre) y el latín *folium* (hoja). ☐ ORTOGR. La *i* nunca lleva tilde.

interfono s.m. Sistema telefónico que se utiliza para las comunicaciones internas. ☐ ETIMOL. De *interior* y *teléfono.*

ntergaláctico, ca adj. Entre galaxias.

nterin s.m. **1** Intervalo de tiempo que transcurre entre dos hechos. **2** Tiempo que dura el desempeño de un cargo sustituyendo al titular. ☐ ETIMOL. Del latín *interim* (mientras tanto). ☐ PRON. En zonas del español meridional, [interín].

nterinato s.m. En zonas del español meridional, interinidad.

nterinidad s.f. **1** Tiempo en el que una persona desempeña una función sustituyendo a otra. **2** En la Administración pública, cargo de la persona que ocupa el puesto de un funcionario de carrera sin serlo. **3** Tiempo durante el que un interino ejerce su cargo.

interino, na ▌ adj./s. **1** Referido a una persona, que sustituye temporalmente a otra en una función. ▌ s. **2** En la Administración pública, persona que cubre una plaza de funcionario de carrera sin serlo, debido a una urgente necesidad del órgano administrativo. ☐ ETIMOL. De *ínterin* (interinidad).

interinsular adj. Entre dos o más islas, o que las relaciona. ☐ MORF. Invariable en género.

interior ▌ adj. **1** Que está en la parte de dentro o que está dentro de algo. **2** Que es espiritual o que sólo se desarrolla en la conciencia de una persona. **3** Que se desarrolla dentro de una zona geográfica o de un lugar determinado. ▌ adj./s.m. **4** Referido a una vivienda o a sus dependencias, que no tiene ventanas que den a la calle. ▌ s.m. **5** Parte de dentro de una cosa, esp. de un edificio o de sus dependencias. **6** Ánimo, conciencia o pensamientos íntimos de alguien. **7** En un lugar, esp. en un país, parte central que se opone a las zonas costeras o fronterizas. **8** En algunos deportes, esp. en el fútbol, jugador que se coloca entre el delantero centro y el extremo. [**9** En zonas del español meridional, calzoncillo. ▌ s.m.pl. **10** En cine, vídeo y televisión, escenas que se ruedan o se graban en un estudio o en un escenario natural cerrado. ☐ ETIMOL. Del latín *interior.* ☐ MORF. Como adjetivo es invariable en género. ☐ SEM. En las acepciones 1, 2 y 3, es sinónimo de *interno.*

interioridad s.f. **1** Situación o desarrollo de algo en la parte interna o central. **2** Intimidad o conjunto de asuntos privados y generalmente secretos de una persona o de una corporación. ☐ MORF. En la acepción 2, la RAE sólo lo registra en plural.

[**interiorismo** s.m. Estudio de la organización espacial y de la decoración de espacios interiores.

[**interiorista** s. Persona que se dedica a la decoración y organización de interiores, esp. si ésta es su profesión. ☐ MORF. Es de género común: *el 'interiorista', la 'interiorista'.*

[**interiorización** s.f. **1** Hecho de no manifestar un sentimiento. **2** Asentamiento en la conciencia de un pensamiento o de una creencia. **3** En psicología, proceso de asimilación de las percepciones o de las formas del lenguaje y del pensamiento.

[**interiorizar** v. **1** Referido esp. a un sentimiento, no manifestarlo: *No se desahoga porque 'interioriza' sus penas.* **2** Referido esp. a un pensamiento o a una

creencia, hacerlos muy íntimos o asentarlos en la conciencia: *Para consolidar el aprendizaje hay que 'interiorizar' lo aprendido.* ☐ ORTOGR. La *z* se cambia en *c* delante de *e* →CAZAR.

interjección s.f. En gramática, parte invariable de la oración que equivale a una oración completa y que, dotada de la entonación apropiada, sirve para expresar un estado de ánimo o para llamar la atención del oyente: *'¡Ay!', '¡olé!' y '¡canastos!'* son interjecciones. ☐ ETIMOL. Del latín *interiectio* (intercalación). ☐ ORTOGR. Las interjecciones deben escribirse entre signos de admiración.

interjectivo, va adj. **1** De la interjección o relacionado con ella. **2** En gramática, que funciona como una interjección: *'¡Ay de mí!' es una locución interjectiva.*

interlínea s.f. Espacio que queda entre dos líneas escritas o impresas.

interlineado s.m. Conjunto de las interlíneas o espacios que quedan entre dos líneas de un texto.

interlineal adj. Que está entre dos líneas. ☐ MORF. Invariable en género.

interlinear v. **1** Escribir en las interlíneas o espacios que quedan entre dos líneas de un texto: *Cuando leo un libro, me gusta interlinear comentarios.* **2** En imprenta, poner espacios entre los renglones de un texto: *Antes se utilizaban regletas para interlinear los párrafos.* ☐ ETIMOL. De *inter-* (entre) y *línea.*

interlocución s.f. Diálogo o conversación entre dos o más personas.

interlocutor, -a s. Persona que interviene en una conversación. ☐ ETIMOL. Del latín *interloqui* (interrumpir mutuamente).

interlocutorio, ria adj./s.m. En derecho, referido a un auto o a una sentencia, que se da antes de la definitiva y que sólo decide sobre cuestiones secundarias.

interludio s.m. Composición musical breve y generalmente de carácter coral, que sirve como introducción o que se inserta entre dos piezas de mayor duración o entre dos actos, esp. si son operísticos o teatrales. ☐ ETIMOL. Del latín *interludere* (jugar a ratos).

interlunio s.m. En astronomía, tiempo en el que no se ve la Luna desde la Tierra como resultado del movimiento de este astro. ☐ ETIMOL. Del latín *interlunium.*

[**intermediación** s.f. **1** Mediación entre dos o más partes que están en conflicto. **2** En economía, función desempeñada por los intermediarios financieros que consiste en la canalización de dinero de unidades excedentes económicamente hacia unidades necesitadas de financiación.

[**intermediador, -a** adj. Referido a una empresa, que media en los mercados financieros.

intermediar v. **1** Interponerse entre dos o más partes en conflicto para intentar que se reconcilien o que lleguen a un acuerdo: *El ministro intermedió en el conflicto.* **2** Estar entre dos o más cosas: *Entre las dos casas intermedia un jardín.* ☐ ORTOGR. La *i* nunca lleva tilde. ☐ SEM. Es sinónimo de *mediar.*

intermediario, ria adj./s. **1** Que media entre dos o más partes en conflicto para intentar que se reconcilien o que lleguen a un acuerdo. **2** Que hace llegar las mercancías desde el productor hasta el consumidor a cambio de un beneficio.

intermedio, dia ❚ adj. **1** Que está situado entre dos o más cosas o entre los extremos de una gradación. ❚ s.m. **2** Espacio que hay entre dos acciones o entre dos tiempos. **3** En un espectáculo, una representación o un programa, espacio de tiempo que los interrumpe; descanso. ☐ ETIMOL. Del latín *intermedius* (que está en el medio).

[intermezzo (italianismo) s.m. **1** Composición musical de carácter instrumental que se interpreta al comienzo o en el entreacto de una ópera antes de levantar el telón. **2** Composición musical de concierto, breve y de carácter independiente. **3** Ópera cómica, de corta duración y en un solo acto, que en el siglo XVIII se representaba en los entreactos de una ópera seria.

interminable adj. Que no tiene o que no parece tener término. ☐ ETIMOL. Del latín *interminabilis*. ☐ MORF. Invariable en género.

intermitencia s.f. Interrupción y continuación sucesivas, y generalmente a intervalos regulares.

intermitente ❚ adj. **1** Que se interrumpe y prosigue, generalmente a intervalos regulares. ❚ s.m. **2** En un automóvil, luz lateral que se enciende y se apaga sucesivamente para indicar un cambio de dirección o una avería. ☐ ETIMOL. Del latín *intermittens*. ☐ MORF. Como adjetivo es invariable en género.

internacional ❚ adj. **1** Entre dos o más naciones, que les corresponde o que las relaciona. ❚ adj./s. **2** Referido a un deportista, que participa en competiciones entre distintas naciones representando a su país. ☐ MORF. 1. Como adjetivo es invariable en género. 2. Como sustantivo es de género común: *el internacional, la internacional*.

internacionalidad s.f. **1** Pertenencia a distintas naciones. **2** Condición del deportista que participa representando a su país en una competición entre distintas naciones.

internacionalización s.f. **1** Sometimiento a la autoridad conjunta de varias naciones. **[2** Extensión de un asunto determinado a otras naciones.

internacionalizar v. **1** Someter a la autoridad conjunta de varias naciones: *Van a internacionalizar el canal para que lo controlen los tres países que limitan con él*. **[2** Hacer internacional o afectar a varias naciones: *Se teme que el conflicto bélico se 'internacionalice'*. ☐ ORTOGR. La *z* se cambia en *c* delante de *e* →CAZAR.

[internada s.f. En algunos deportes, esp. en fútbol, acción individual de un jugador que se adentra en el campo contrario, esp. en el área, sorteando a sus rivales.

internado s.m. **1** Centro en el que residen personas internas, esp. alumnos; pensionado. **2** Estado y régimen de una persona interna, esp. de un alumno. **3** Conjunto de alumnos internos.

internamiento s.m. **1** Avance hacia el interior de un lugar. **2** Traslado o reclusión de una persona en un lugar, esp. en una institución, para que viva o permanezca allí.

internar ❚ v. **1** Conducir o trasladar al interior de un lugar: *La policía internó a los perros en el bosque para que buscaran al desaparecido. Llegué en tren a la frontera y me interné en el país andando*. **2** Referido esp. a una persona, dejarla o meterla en un lugar, esp. en una institución, para que viva o per-

manezca allí: *Internó a su hijo en un colegio. S internó en una clínica para adelgazar*. ❚ prnl. **3** R ferido esp. a una materia o al conocimiento de una pe sona, profundizar en ellos: *Se internó en el estud de la época medieval*. ☐ ETIMOL. De *interno*. ☐ SIN Constr. *internar EN algo*.

[internauta s. Persona que utiliza una red mun dial de comunicación. ☐ ETIMOL. De *internet* y *nau ta* (navegante). ☐ MORF. Es de género común: *el 'in ternauta', la 'internauta'*.

[internet s.f. Conjunto de redes de comunicación a que se puede acceder desde un ordenador y que per mite el intercambio de información entre todos lo usuarios. ☐ ETIMOL. Es un acrónimo que procede d *International Network*. ☐ PRON. [internét]. ☐ SIN Se usa mucho en aposición, pospuesto a un sustan tivo: *red 'internet'*.

internista adj./s. Referido a un médico, que está e pecializado en el estudio y en el tratamiento de la enfermedades que afectan a los órganos internos. ☐ MORF. 1. Como adjetivo es invariable en género. 2 Como sustantivo es de género común: *el internista la internista*.

interno, na ❚ adj. **1** Que está en la parte de dentr o que está dentro de algo. **2** Espiritual o que sól se desarrolla en la conciencia de una persona. **3** Que se desarrolla dentro de una zona geográfica de un lugar determinados. ❚ adj./s. **4** Referido a persona, esp. a un alumno, que vive en el lugar en e que trabaja o en el que estudia. **5** Referido esp. a u médico, que realiza su especialización o sus prácti cas en una cátedra o en un hospital. ❚ s. **[6** Person que cumple condena en un establecimiento peniten ciario. ☐ ETIMOL. Del latín *internus*. ☐ SEM. 1. E las acepciones 1, 2 y 3, es sinónimo de *interior*. E las acepciones 2 y 3, aunque la RAE lo consider sinónimo de *intestino*, *interno* no lleva asociada l idea de oposición o lucha.

[interoperativo, va adj. Que puede funcionar e distintos sistemas informáticos.

interpelación s.f. **1** Exigencia o petición de ex plicaciones, esp. si se hace con autoridad o con de recho. **2** En un parlamento, planteamiento por part de uno de sus miembros de una discusión ajena los proyectos de ley o de las proposiciones.

interpelar v. **1** Pedir explicaciones o exigirlas, esp si se hace con autoridad o con derecho: *El inspector interpeló a toda la familia, pero nadie confesó*. **2** E un parlamento, plantear uno de sus miembros una discusión ajena a los proyectos de ley o a las pro posiciones: *La diputada interpeló al Gobierno sobre el adelanto de las elecciones*. ☐ ETIMOL. Del latí *interpellare*.

[interpersonal adj. Que se produce entre perso nas. ☐ MORF. Invariable en género.

interplanetario, ria adj. Entre dos o más pla netas.

interpolación s.f. Situación o colocación de una cosa entre otras, esp. de palabras o de frases en un texto ajeno.

interpolar v. Referido a una cosa, esp. a palabras frases, ponerlas o situarlas entre otras: *El copista interpoló frases propias al copiar el manuscrito*. ☐ ETIMOL. Del latín *interpolare* (cambiar, alterar).

interponer v. **1** Poner entre dos cosas o entre per sonas: *Han interpuesto la estantería entre tu mesa y la mía. Se interpuso entre los dos para evitar que *se pegaran.* **2** Referido a una persona, ponerla como mediadora entre otras: *El Gobierno ha interpuesto un delegado para negociar.* **3** En derecho, referido a un recurso, formalizarlo por medio de un escrito que se presenta ante un juez: *Los acusados interpusieron un recurso tras la sentencia.* ☐ ETIMOL. Del latín *interponere*, y éste de *inter* (entre) y *ponere* (poner). ☐ MORF. Irreg.: 1. Su participio es *interpuesto*. 2. →PONER.

interposición s.f. **1** Situación de una persona o de una cosa entre otras. **2** Situación de una persona como mediadora entre otras. **3** En derecho, formalización de un recurso por medio de un escrito que se presenta ante un juez.

interpretación s.f. **1** Explicación del sentido o del significado de algo. **2** Concepción o expresión personal. **3** Representación de un papel o de un texto dramáticos. **4** Ejecución de una composición musical o de un baile.

interpretar v. **1** Referido a algo, explicar su significado o darle un sentido: *Cada escritor interpreta la realidad a su manera.* **2** Referido a un dicho o a un hecho, concebirlos o realizarlos una persona según los deseos de otra: *El programador informático interpretó muy bien mis necesidades.* **3** Referido a un papel o a un texto dramáticos, representarlos: *Esa actriz interpreta muy bien el papel de ingenua.* **4** Referido a una composición musical o a un baile, ejecutarlos: *La orquesta interpretó dos obras de Falla.* ☐ ETIMOL. Del latín *interpretare*.

interpretativo, va adj. De la interpretación o relacionado con ella.

intérprete s. **1** Persona que se dedica a la interpretación de textos, de papeles dramáticos o de composiciones musicales, esp. si ésta es su profesión. **2** Persona que se dedica profesionalmente a traducir para otros de forma oral y simultánea. ☐ ETIMOL. Del latín *interpres* (mediador, intérprete). ☐ MORF. Es de género común: *el intérprete, la intérprete.*

[interprofesional adj. Que afecta a varias profesiones. ☐ MORF. Invariable en género.

interpuesto, ta part. irreg. de **interponer**. ☐ MORF. Incorr. **interponido.*

[interracial adj. Que se produce entre diferentes razas. ☐ MORF. Invariable en género.

interregno s.m. **1** Período de tiempo en el que un Estado no tiene soberano. **2** ‖ **interregno parlamentario**; intervalo de tiempo desde que se interrumpen hasta que se reanudan las sesiones de las Cortes. ☐ ETIMOL. Del latín *interregnum.*

interrelación s.f. Relación entre dos o más personas o cosas de forma que se condicionan recíprocamente.

[interrelacionar v. Referido a dos o más cosas, relacionarlas entre sí: *Las redes informáticas mundiales permiten 'interrelacionar' a todos los usuarios.*

interrogación s.f. **1** Formulación de una cuestión o demanda de información; pregunta. **2** En ortografía, signo gráfico de puntuación que se coloca al principio o, en posición invertida, al final de una expresión interrogativa: *La interrogación se representa con los signos '¿ ?'.* ☐ ORTOGR. 1. No debe omitirse el signo inicial de una interrogación. 2. →APÉNDICE DE SIGNOS DE PUNTUACIÓN.

interrogador, -a adj./s. Que interroga.

interrogante ‖ adj. **1** Que interroga. ‖ s. **2** Cues-

tión dudosa o no aclarada. ☐ MORF. Es de género ambiguo: *el interrogante angustioso, la interrogante angustiosa.* **2.** Se usa más como masculino.

interrogar v. Referido a una persona, hacerle preguntas, esp. con intención de esclarecer un asunto: *La policía interrogó a los detenidos. Interrógate sobre lo sucedido, y después me das una explicación.* ☐ ETIMOL. Del latín *interrogare.* ☐ ORTOGR. La *g* se cambia en *gu* delante de *e* →PAGAR.

interrogativo, va adj. Que implica, expresa o permite formular una interrogación.

interrogatorio s.m. Formulación de preguntas, generalmente con la intención de esclarecer un asunto.

interrumpir v. **1** Referido esp. a una acción, impedirlo o suspender su continuación: *Los árboles derribados sobre la carretera interrumpían el paso. La carretera se interrumpe a la altura del puente.* **2** Cortar una conversación porque se habla cuando lo está haciendo otra persona: *No me interrumpas, porque todavía no he terminado de hablar.* ☐ ETIMOL. Del latín *interrumpere.*

interrupción s.f. Suspensión o detención de la continuación de algo.

interruptor, -a ‖ adj. **1** Que interrumpe. ‖ s.m. **2** Aparato que se utiliza para abrir o cerrar el paso de corriente eléctrica en un circuito. ☐ ETIMOL. Del latín *interruptor.*

intersección s.f. **1** En geometría, encuentro de dos líneas, dos planos o dos volúmenes que se cortan: *Un punto es el lugar de intersección entre dos rectas.* **2** Punto o lugar en el que se cortan dos líneas, dos planos o dos volúmenes: *La intersección de dos superficies es una línea.* **[3** En matemáticas, conjunto formado por los elementos comunes de varios conjuntos: *Entre el conjunto de los números pares y el de los números naturales menores de 5, la 'intersección' es el 2 y el 4.* ☐ ETIMOL. Del latín *intersectio.* ☐ ORTOGR. Dist. de *intercesión.*

[intersideral adj. Referido al espacio, que está comprendido entre dos o más astros; interestelar. ☐ MORF. Invariable en género.

[intersindical adj. Que está formado por varios sindicatos, o que afecta a varios sindicatos. ☐ MORF. Invariable en género.

intersticio s.m. Espacio pequeño entre dos cuerpos o entre las partes de un mismo cuerpo. ☐ ETIMOL. Del latín *interstitium* (intervalo, distancia).

interurbano, na adj. Entre dos o más ciudades, o entre dos o más barrios, que les corresponde o que los relaciona.

intervalo s.m. **1** Espacio o distancia que hay entre dos momentos o entre dos puntos. **2** Conjunto de valores que toma una magnitud entre dos límites dados: *El intervalo de mi termómetro es de 7,5 °C.* **3** En música, distancia de tono existente entre dos notas y que se mide por el número de notas correlativas y de tonos y semitonos que median entre ellas en la escala, ambas incluidas. ☐ ETIMOL. Del latín *intervallum.*

intervención s.f. **1** Participación o actuación en un asunto. **2** Vigilancia y control de algo por parte de la autoridad. **3** Oficina del interventor. **4** Operación quirúrgica. **[5** Apropiación por parte de la policía de una mercancía ilegal que estaba en poder de alguien. **6** En zonas del español meridional, ocupación militar de un país.

intervencionismo s.m. **1** Política internacional basada en la intervención habitual en asuntos internos de otros países. **2** Sistema político que propugna la actuación del Estado en la economía y en la realidad social.

intervencionista ▌adj. **1** Del intervencionismo o relacionado con él. ▌adj./s. **2** Partidario o seguidor del intervencionismo. □ MORF. 1. Como adjetivo es invariable en género. 2. Como sustantivo es de género común: *el intervencionista, la intervencionista*.

intervenir v. **1** Tomar parte en un asunto: *Intervino en la conversación para apoyar mis ideas.* **2** Referido a una persona o a una entidad, interponer su autoridad en un asunto: *Tuvo que intervenir la policía para disolver la manifestación.* **3** Interceder o mediar por alguien: *Intervino para que me ascendieran.* **4** Referido a una comunicación privada o a un teléfono, controlarlos o vigilarlos la autoridad: *Intervinieron el teléfono del traficante.* **5** Referido a un paciente, practicarle una operación quirúrgica; operar: *Lo intervinieron de urgencia porque estaba muy grave.* [**6** Referido a una mercancía ilegal, apoderarse de ella la autoridad: *La policía 'ha intervenido' un cargamento de tabaco de contrabando.* □ ETIMOL. Del latín *intervenire*. □ MORF. Irreg. →VENIR.

interventor, -a s. **1** Persona que controla y autoriza las cuentas u otras operaciones para que se hagan con legalidad. **2** En unas elecciones, persona designada por el candidato para vigilar y autorizar, junto a los demás miembros de la mesa, el resultado de la votación. [**3** Persona que comprueba y controla los billetes en el tren. □ ETIMOL. Del latín *interventor*.

interviú s. Entrevista periodística. □ ETIMOL. Del inglés *interview*. □ MORF. 1. Se usa más como femenino. 2. Su plural es *interviús*.

interviuvar v. Referido a una persona, hacerle una serie de preguntas encaminadas a informar al público sobre ella o sobre sus opiniones; entrevistar: *La periodista interviuvó a un conocido político.* □ ETIMOL. De *interviú*.

intervocálico, ca adj. Que está entre dos vocales.

intestado, da adj./s. En derecho, que muere sin hacer testamento válido. □ ETIMOL. Del latín *intestatus*.

intestinal adj. Del intestino o relacionado con este conducto. □ MORF. Invariable en género.

intestino, na ▌adj. **1** Que está o se desarrolla en el interior. ▌s.m. **2** En el aparato digestivo de muchos animales, conducto membranoso que se extiende desde el estómago hasta el ano y en el que se completa la digestión y se absorben los productos útiles resultantes de la misma. **3** ∥**intestino delgado**; en los mamíferos, el que comienza en el estómago y termina en el intestino grueso y en el que se realiza la digestión intestinal y la absorción de la mayor parte de las sustancias útiles. ∥**intestino grueso**; en los mamíferos, el que, teniendo mayor diámetro que el intestino delgado, comienza al acabar este y termina en el ano. □ ETIMOL. Del latín *intestinus* (interior). □ SEM. En la acepción 1, aunque la RAE lo considera sinónimo de *interno*, *intestino* se asocia con la idea de oposición o de lucha.

[**intifada** s.f. Rebelión popular palestina. □ ETIMOL. Del árabe *intifada* (sublevación).

intimar v. Entablar una amistad íntima: *En la mili intimó con los compañeros.* □ ETIMOL. Del latín *intimare* (llevar adentro de algo, dar a conocer). [SEM. Dist. de *intimidar* (infundir miedo).

intimidación s.f. Provocación o inspiración d miedo.

intimidad ▌s.f. **1** Amistad íntima o muy estrech **2** Parcela privada de la vida de una persona. [Carácter privado o reservado. ▌pl. [**4** Asuntos sentimientos de la vida privada de una persona. [En una persona, órganos sexuales externos.

intimidar v. Causar o infundir miedo: *Tu serieda intimida a los niños y no te quieren.* □ ETIMOL. D latín *intimidare*. □ SEM. Dist. de *intimar* (entabla una amistad íntima).

[**intimidatorio, ria** adj. Que causa o infunde mi do.

intimismo s.m. Tendencia que muestra predilec ción por asuntos de la vida íntima o familiar.

intimista adj. Referido a una obra artística, que expre sa temas de la vida íntima o familiar. □ MORF. In variable en género. □ SEM. No debe emplearse co el significado de 'íntimo': *Sus sentimientos más {*in timistas > íntimos} no se los cuenta a nadie.*

íntimo, ma ▌adj. **1** De la intimidad o relacionad con ella. **2** Profundo, interno o reservado. ▌s. ; Amigo de confianza. □ ETIMOL. Del latín *intimu* (de más adentro de todo).

intocable ▌adj. **1** Que no se puede tocar. ▌adj./s **2** Referido a una persona, que pertenece a alguna d las castas inferiores de la sociedad india. □ MORI 1. Como adjetivo es invariable en género. 2. Com sustantivo es de género común: *el intocable, la in tocable*.

intolerable adj. Que no se puede tolerar. □ ET MOL. Del latín *intolerabilis*. □ MORF. Invariable e género.

intolerancia s.f. Falta de tolerancia, esp. haci ideas u opiniones ajenas. □ ETIMOL. Del latín *into lerantia*.

intolerante adj./s. Referido a una persona, que no e tolerante con los demás. □ MORF. 1. Como adjetiv es invariable en género. 2. Como sustantivo es d género común: *el intolerante, la intolerante*.

intonso, sa adj. **1** Que no tiene cortado el pelo **2** Referido a un libro, que se encuaderna sin habe cortado los pliegos de que se compone. □ ETIMOI Del latín *intonsus*.

intoxicación s.f. Envenenamiento o trastorno pro ducido por una sustancia tóxica.

intoxicar v. Envenenar o administrar una sustan cia tóxica: *El humo del incendio intoxicó a un bom bero. Me intoxiqué por beber agua del río.* □ ETIMOL De *in-* (en) y el latín *toxicum* (veneno). □ ORTOGR La *c* se cambia en *qu* delante de *e* →SACAR.

intra- Prefijo que significa 'dentro de' o 'en el inte rior': *intramuros, intracelular, intramuscular, intra venoso.* □ ETIMOL. Del latín *intra*.

intradós s.m. En un arco o en una bóveda, superfici cóncava que queda a la vista por su parte interior □ ETIMOL. Del francés *intrados*. arco

intraducible adj. Que no se puede traducir de ur idioma a otro. □ ETIMOL. De *in-* (negación) y *tra ducible*. □ MORF. Invariable en género.

[**intragable** adj. col. Que no se puede tragar, acep tar o tolerar. □ MORF. Invariable en género.

intrahistoria s.f. Vida cotidiana que sirve de fond y de marco a los acontecimientos históricos.

intramuros adv. Dentro de las murallas de una ciudad, de una villa o de un lugar. □ ETIMOL. De *intra-* (entre) y el latín *muros* (murallas).

intramuscular adj. Que se localiza, se aplica u ocurre en el interior de una masa muscular. □ MORF. Invariable en género.

intranquilidad s.f. Inquietud o falta de tranquilidad.

intranquilizador, -a adj. Que intranquiliza.

intranquilizar v. Quitar o perder la tranquilidad: *Aunque intento evitarlo, cuando tardas me intranquilizo.* □ ORTOGR. La *z* se cambia en *c* delante de *e* →CAZAR.

intranquilo, la adj. Falto de tranquilidad.

intransferible adj. Que no puede ser transferido o traspasado. □ MORF. Invariable en género.

intransigencia s.f. Falta de transigencia o de tolerancia.

intransigente adj./s. Que no transige o no cede en su postura. □ MORF. 1. Como adjetivo es invariable en género. 2. Como sustantivo es de género común: *el intransigente, la intransigente.* 3. La RAE sólo lo registra como adjetivo.

intransitable adj. Referido a un lugar, que no puede ser transitado o recorrido. □ MORF. Invariable en género.

intransitividad s.f. Falta o ausencia de transitividad.

intransitivo, va adj. En lingüística, referido esp. a un verbo o a una oración, que se construye sin complemento directo: *El verbo 'ir' es intransitivo.* □ ETIMOL. Del latín *intransitivus.*

intransmutable adj. Que no se puede transmutar o convertir en otra cosa. □ MORF. Invariable en género.

intrascendencia s.f. Falta de trascendencia, de importancia o de consecuencias.

intrascendental adj. Que no es trascendental o que no tiene importancia. □ MORF. Invariable en género.

intrascendente adj. Sin trascendencia o sin consecuencias. □ MORF. Invariable en género.

intratable adj. Que no puede ser tratado. □ ETIMOL. Del latín *intractabilis.* □ MORF. Invariable en género.

intravenoso, sa adj. Que se localiza, se aplica u ocurre en el interior de una vena; endovenoso.

intrepidez s.f. Valor y arrojo ante el peligro o ante las dificultades.

intrépido, da adj. Que no se detiene ante el peligro o ante las dificultades. □ ETIMOL. Del latín *intrepidus*, y éste de *in-* (negación) y *trepidus* (trémulo).

intricar v. →**intrincar.** □ ETIMOL. Del latín *intricare* (enmarañar, enredar). □ ORTOGR. La *c* se cambia en *qu* delante de *e* →SACAR.

intriga s.f. **1** Acción que se ejecuta con astucia y de forma oculta para conseguir un fin: *Sus intrigas le han permitido subir al poder.* **2** Enredo o lío: *¡Menudas intrigas te traes para preparar la fiesta!* **[3** En una narración, conjunto de acontecimientos que constituyen la trama o el nudo, esp. si despiertan o mantienen vivo el interés. **[4** Interés o intensa curiosidad que produce algo.

intrigante adj./s. Que intriga o que participa en una intriga. □ MORF. 1. Como adjetivo es invariable

en género. 2. Como sustantivo es de género común: *el intrigante, la intrigante.*

intrigar v. **1** Actuar con astucia y de forma oculta para conseguir un fin: *Intrigó con las potencias extranjeras hasta lograr derrocar al presidente.* **2** Producir interés o intensa curiosidad: *Su extraño comportamiento de estos días me intriga.* □ ETIMOL. Del italiano *intrigare* (enmarañar, embrollar). □ ORTOGR. La *g* se cambia en *gu* delante de *e* →PAGAR.

intrincado, da adj. Enredado, difícil o confuso.

intrincar v. Enredar o hacer difícil y complicado: *El camino se intrincaba a medida que avanzábamos.* □ ETIMOL. De *intricar.* □ ORTOGR. 1. La *c* se cambia en *qu* delante de *e* →SACAR. 2. Se admite también *intricar.*

intríngulis s.m. col. Dificultad o complicación que presenta una cosa. □ ETIMOL. De origen incierto. □ MORF. Invariable en número.

intrínseco, ca adj. Propio y característico de algo por sí mismo y no por causas exteriores. □ ETIMOL. Del latín *intrinsecus* (interiormente). □ SEM. Dist. de *extrínseco* (que no es propio o característico).

introducción s.f. **1** Colocación en el interior de algo o entre varias cosas. **2** Aceptación de una persona en un ambiente o en un grupo social. **3** Aparición de algo que no había o de algo nuevo. **4** Lo que sirve de preparación, de explicación o de inicio.

introducir v. **1** Meter o hacer entrar en el interior de algo o entre varias cosas: *Introdujo la moneda en el teléfono y marcó el número. Se ha introducido agua en el reloj.* **2** Referido a una persona, acompañarla o conducirla al interior de un lugar: *El acomodador introdujo al muchacho en el cine. Me introduje en su casa cuando no había nadie.* **3** Referido a una persona, meterla o incorporarla a un ambiente o a un grupo social: *Introduje a mi primo en la sociedad de la que formo parte. Se ha introducido en el mundo de la moda.* **4** Referido a algo no conocido o no extendido, ponerlo en uso: *Gracias a la publicidad pudo introducir sus productos en el mercado. Esa costumbre se introdujo en España en los años sesenta.* □ ETIMOL. Del latín *introducere.* □ MORF. Irreg. →CONDUCIR.

introductor, -a adj./s. Que introduce.

introductorio, ria adj. Que sirve para introducir. □ ETIMOL. Del latín *introductorius.*

introito s.m. **1** Principio de un escrito. **2** En el teatro antiguo, prólogo en el que se solía explicar el argumento de la obra y se pedía el favor del público. □ ETIMOL. Del latín *introitus* (entrada).

intromisión s.f. Intervención en un asunto ajeno sin tener motivo o permiso para ello; entrometimiento. □ ETIMOL. Del latín *intromissus* (entrometerse).

introspección s.f. Observación y análisis de la propia conciencia o de los propios pensamientos y sentimientos. □ ETIMOL. Del latín *introspicere* (mirar en el interior).

introspectivo, va adj. De la introspección o relacionado con ella.

introversión s.f. Tendencia a concentrarse en el propio mundo interior y a evitar exteriorizarlo.

introvertido, da adj./s. Referido a una persona, que tiende a concentrarse en su mundo interior y a evitar exteriorizarlo.

intrusión s.f. Acción de introducirse sin derecho en un cargo, en una jurisdicción o en un oficio.

intrusismo s.m. Ejercicio de una actividad profesional por parte de alguien que no está legalmente autorizado para ello.

intruso, sa adj./s. Que se ha introducido sin derecho, sin autorización o sin consentimiento. □ ETIMOL. Del latín *intrusus*, y éste de *intrudere* (introducir).

intubación s.f. En medicina, introducción de un tubo en una cavidad orgánica, esp. en la tráquea, para permitir la entrada de aire en los pulmones.

intubar v. En medicina, referido a una persona, introducirle un tubo en una cavidad orgánica, esp. en la tráquea, para permitir la entrada de aire en los pulmones: *Tiene problemas respiratorios y lo han tenido que intubar.* □ ORTOGR. Se admite también *entubar.*

intuición s.f. **1** Conocimiento claro y directo de una idea o de una realidad sin necesidad de razonamientos. **2** *col.* Capacidad para comprender algo rápidamente o para darse cuenta de ello antes que los demás. □ ETIMOL. Del latín *intuitio* (imagen, mirada), que en el latín escolástico tomó un sentido filosófico.

intuir v. **1** Percibir o comprender mediante la intuición: *Intuyó que era un buen negocio y por eso se arriesgó.* **[2** Presentir o tener la impresión: *'Intuyo' que hoy me van a llamar por teléfono.* □ MORF. Irreg. → HUIR.

intuitivo, va adj. **1** De la intuición o relacionado con ella. **2** Referido a una persona, que actúa llevada más por la intuición que por el razonamiento.

intumescencia s.f. En medicina, aumento de volumen de una parte del cuerpo, esp. por efecto de una herida, de un golpe o de una acumulación de líquido; hinchazón, tumefacción.

intumescente adj. Que se va hinchando. □ ETIMOL. Del latín *intumescens.* □ MORF. Invariable en género.

inundación s.f. **1** Cubrimiento de un lugar con agua. **2** Invasión o afluencia masiva de algo.

inundar v. **1** Referido a un lugar, cubrirlo el agua; anegar: *La crecida del río inundó el valle. Se salió el agua de la lavadora y se inundó la cocina.* **2** Referido a un lugar, llenarlo completamente: *Los turistas inundan las playas. La habitación se inunda de sol al amanecer.* □ ETIMOL. Del latín *inundare.*

inusitado, da adj. Extraño o poco habitual. □ ETIMOL. Del latín *inusitatus*, y éste de *in-* (negación) y *usitare* (emplear con frecuencia).

[inusual adj. Que no es usual. □ MORF. Invariable en género.

inútil adj./s. **1** Que no resulta útil o que no sirve para aquello a lo que está destinado. **2** Referido a una persona, que no puede trabajar o valerse por sí misma a causa de un impedimento físico. □ ETIMOL. Del latín *inutilis.* □ MORF. 1. Como adjetivo es invariable en género. 2. Como sustantivo es de género común: *el inútil, la inútil.*

inutilidad s.f. **1** Falta de utilidad. **2** Imposibilidad de trabajar o de valerse por uno mismo a causa de un impedimento físico. **[3** Persona torpe o no apta para realizar una actividad.

inutilización s.f. Privación o pérdida de la utilidad de algo.

inutilizar v. Referido a algo, hacer que ya no sirva para lo que estaba destinado: *El rayo que cayó ha*

inutilizado la instalación eléctrica. □ ORTOGR. La *se* cambia en *c* delante de *e* → CAZAR.

invadir v. **1** Referido a un lugar, entrar en él por la fuerza y ocuparlo: *El ejército invadió el país vecin y se ha declarado la guerra.* **2** Referido a algo del mitado, traspasar su límite: *La actriz no pudo evita que los fotógrafos invadieran su intimidad.* **3** Referido a una sensación o a un estado de ánimo, sobreve nirle a alguien dominándolo por completo: *Despué de comer, me invade una sensación de modorra.* **[4** Llenar u ocupar todo ocasionando molestias: *Los ba ñistas 'invaden' la playa cada verano.* □ ETIMO Del latín *invadere* (penetrar violentamente).

invalidación s.f. Privación de la validez o anula ción del valor o del efecto.

invalidar v. Quitar la validez o dar por nulo: *Lo jueces han invalidado la carrera porque hubo irre gularidades.*

invalidez s.f. Incapacidad de una persona par realizar ciertas actividades a causa de una deficien cia física o psíquica. □ USO Tiene un matiz despec tivo, y por ello resulta preferible el término *disca pacidad.*

inválido, da adj./s. Referido a una persona, que tien una deficiencia física o psíquica que le impide l realización de ciertas actividades. □ ETIMOL. Del la tín *invalidus.* □ USO Es despectivo, y resulta pre ferible la expresión *persona con discapacidad.*

invariabilidad s.f. Falta de variación o imposibi lidad de sufrir cambios.

invariable adj. Que no sufre variación. □ ETIMO De *in-* (negación) y *variable.* □ MORF. Invariable e género.

invariante s.f. En un sistema, parte a la que no afec tan las variaciones que dicho sistema admite e otras partes: *Aunque haya cambiado la situación económica, el paro se mantiene como una invarian te.*

invasión s.f. **1** Entrada en un lugar por la fuerz y ocupación del mismo. **2** Traspaso y violación d los límites establecidos. **[3** Ocupación total de u lugar de forma que se ocasionan molestias.

invasor, -a adj./s. Que invade un lugar entrand en él por la fuerza, traspasando sus límites o lle gando a ocuparlo por completo.

invectiva s.f. Discurso o escrito crítico y violent contra algo. □ ETIMOL. Del latín *oratio invectiv* (discurso violento contra alguien). □ ORTOGR. Dist de *inventiva.*

invencible adj. Que no puede ser vencido. □ ETI MOL. Del latín *invincibilis.* □ MORF. Invariable e género.

invención s.f. **1** Creación o descubrimiento de algo nuevo o desconocido por medio del ingenio y la me ditación o por casualidad. **2** Lo que es creado o des cubierto de esta manera. **3** Fingimiento o presen tación como real de algo falso. **4** Hecho o dicho fal sos que se fingen o se presentan como reales. □ SEM. Es sinónimo de *invento.*

invendible adj. Que no puede ser vendido. □ ETI MOL. Del latín *invendibilis.* □ MORF. Invariable er género.

inventar v. **1** Referido a algo nuevo o desconocido crearlo o descubrirlo por medio del ingenio y la me ditación o por casualidad: *Los novelistas inventan historias. Me he inventado un modo de combatir la calvicie.* **2** Referido a algo falso, fingirlo o presentarlo como real: *Todos los días inventa una excusa para explicar su retraso. Se inventó una historia increíble para que no lo castigaran.* ☐ ETIMOL. De *invento.*

inventariar v. Hacer inventario: *Tuve que inventariar el género del almacén.* ☐ ORTOGR. La segunda *i* lleva tilde en los presentes, excepto en las personas *nosotros* y *vosotros* →GUIAR.

inventario s.m. **1** Relación ordenada y detallada del conjunto de bienes y demás cosas pertenecientes a una persona, una entidad o una comunidad: *No voy a hacer ahora el inventario de tus errores.* **2** Documento en el que está escrita esta relación. ☐ ETIMOL. Del latín *inventarium* (lista de lo hallado).

inventiva s.f. Capacidad o facilidad que se tiene para inventar. ☐ ORTOGR. Dist. de *invectiva.*

invento s.m. **1** Creación o descubrimiento de algo nuevo o desconocido por medio del ingenio y la meditación o por casualidad. **2** Lo que es creado o descubierto de esta manera. **3** Fingimiento o presentación como real de algo falso. **4** Hecho o dicho falsos que se fingen o se presentan como reales. ☐ ETIMOL. Del latín *inventum* (invención). ☐ SEM. Es sinónimo de *invención.*

inventor, -a adj./s. Que inventa o que se dedica a inventar.

invernáculo s.m. Lugar cubierto en el que se crean las condiciones ambientales adecuadas para el cultivo de plantas fuera de su ámbito natural; invernadero. ☐ ETIMOL. Del latín *hibernaculum.*

invernadero s.m. Lugar cubierto en el que se crean las condiciones ambientales adecuadas para el cultivo de plantas fuera de su ámbito natural; invernáculo.

invernal adj. Del invierno o relacionado con él; hibernal. ☐ MORF. Invariable en género.

invernar v. Pasar el invierno en un lugar: *Muchas aves europeas invernan en el norte de África.* ☐ ETIMOL. Del latín *hibernare.* ☐ ORTOGR. Dist. de *hibernar.* ☐ MORF. Se usa como regular, aunque es irregular y la *e* debiera diptongar en *ie* en los presentes, excepto en las personas *nosotros* y *vosotros* →PENSAR.

inverosímil adj. Que no es verosímil o que no tiene apariencia de verdad. ☐ ETIMOL. De *in-* (negación) y *verosímil.* ☐ MORF. Invariable en género.

inverosimilitud s.f. Falta de verosimilitud o de apariencia de verdad.

inversión s.f. **1** Alteración del orden, de la dirección o del sentido de algo. **2** Empleo de una cantidad de dinero con la intención de obtener beneficios. **3** Ocupación de un período de tiempo: *En un proyecto a largo plazo siempre hay una gran inversión de tiempo.*

inversionista adj./s. Referido a una persona, que invierte una cantidad de dinero. ☐ MORF. 1. Como adjetivo es invariable en género. 2. Como sustantivo es de género común: *el inversionista, la inversionista.*

inverso, sa adj. **1** Alterado o contrario en el orden, la dirección o el sentido. **2** ‖ **a la inversa**; al contrario.

inversor, -a adj./s. Que invierte, esp. referido a la persona que invierte una cantidad de dinero.

invertebrado, da ∎ adj. **1** Sin consistencia o sin estructura interna. ∎ adj./s.m. **2** Referido a un animal, que no tiene columna vertebral: *El gusano es un*

invertebrado. ∎ s.m.pl. **3** En zoología, grupo de estos animales.

invertido adj./s.m. Referido a un hombre, que siente atracción sexual por individuos de su mismo sexo. ☐ MORF. La RAE sólo lo registra como sustantivo. ☐ USO Tiene un matiz despectivo.

invertir v. **1** Referido al orden, a la dirección o al sentido de algo, trastornarlos o alterarlos: *Si inviertes el orden del abecedario, la primera letra es la 'z'.* **2** Referido a una cantidad de dinero, emplearla con la intención de obtener beneficios; colocar: *Invirtió todo su capital en la compra de un piso.* **3** Referido a un período de tiempo, ocuparlo en algo: *Invirtió dos años de su vida en ese trabajo de investigación.* ☐ ETIMOL. Del latín *invertere.* ☐ MORF. 1. Tiene un participio regular (*invertido*), que se usa en la conjugación, y otro irregular (*inverso*), que se usa sólo como adjetivo. 2. Irreg. →SENTIR. ☐ SINT. Constr. *invertir algo EN algo.*

investidura s.f. Concesión de una dignidad o de un cargo importante.

investigación s.f. **1** Empleo de los medios necesarios para aclarar o descubrir algo. **2** Trabajo en un campo de estudio con el fin de aclarar o descubrir ciertas cuestiones.

investigador, -a adj./s. Que investiga.

investigar v. **1** Referido a algo desconocido, hacer lo necesario para aclararlo o descubrirlo: *Varios policías investigan el crimen.* **2** Referido a un campo de estudio, trabajar en él a fondo con el fin de aclarar o descubrir determinadas cuestiones: *Les han concedido una ayuda económica para investigar sobre el cáncer.* ☐ ETIMOL. Del latín *investigare* (seguir la pista o la huella). ☐ ORTOGR. La *g* se cambia en *gu* delante de *e* →PAGAR.

investir v. Referido a una persona, concederle o asignarle una dignidad o un cargo importante: *Invistió al ex ministro con el título de marqués.* ☐ ETIMOL. Del latín *investire* (revestir). ☐ ORTOGR. Se admite también *envestir.* ☐ MORF. Irreg. →PEDIR. ☐ SINT. Constr. *investir a alguien {DE/CON} algo.*

inveterado, da adj. Muy antiguo o arraigado.

inviabilidad s.f. Imposibilidad de ser llevado a cabo.

inviable adj. **1** Que no tiene posibilidades de ser llevado a cabo. **2** Referido a un embrión, a un feto o a un recién nacido, que no tiene capacidad de vivir. ☐ ETIMOL. Del francés *inviable.* ☐ MORF. Invariable en género.

invicto, ta adj./s. Que no ha sido vencido. ☐ ETIMOL. Del latín *invictus* (no vencido).

invidencia s.f. Falta del sentido de la vista.

invidente adj./s. Privado de la vista; ciego. ☐ MORF. 1. Como adjetivo es invariable en género. 2. Como sustantivo es de género común: *el invidente, la invidente.*

invierno s.m. Estación del año entre el otoño y la primavera, y que en el hemisferio norte transcurre aproximadamente entre el 21 de diciembre y el 21 de marzo. ☐ ETIMOL. Del latín *hibernum*, y éste de *tempus hibernum* (estación invernal). ☐ SEM. En el hemisferio sur transcurre aproximadamente entre el 21 de junio y el 21 de septiembre.

inviolabilidad s.f. **1** Carácter de lo que no puede o no debe ser violado o profanado. **2** ‖ **inviolabilidad parlamentaria**; privilegio de que gozan los diputados y los senadores con respecto a las opiniones manifestadas en el ejercicio de sus funciones.

inviolable adj. Que no se debe o no se puede violar o profanar. ☐ ETIMOL. Del latín *inviolabilis*. ☐ MORF. Invariable en género.

invisibilidad s.f. Imposibilidad de ser visto.

invisible adj. Que no puede ser visto. ☐ ETIMOL. Del latín *invisibilis*. ☐ MORF. Invariable en género.

invitación s.f. **1** Ofrecimiento para participar en una celebración o en un acontecimiento. **2** Pago de lo que otros consumen. **3** Incitación a hacer algo. **4** Tarjeta o escrito con los que se invita.

invitado, da s. Persona que recibe una invitación.

invitar v. **1** Comunicar el deseo de que se participe en una celebración o en un acontecimiento: *Me han invitado al acto de presentación del libro.* **2** Pagar lo que otros consumen: *Guarda el dinero, que hoy invito yo.* **3** Referido a una acción, incitar o estimular a hacerla: *Este calor invita a ir a la piscina.* **4** col. Referido a una acción, mandar o pedir con firmeza y educación que se haga: *El portero invitó a los gamberros a salir de la discoteca.* ☐ ETIMOL. Del latín *invitare*. ☐ SINT. Constr. *invitar a alguien A algo.*

invocación s.f. **1** Llamada o apelación mediante ruegos, esp. las que se dirigen a una divinidad o a un espíritu. **2** Mención que se hace de algo con autoridad para ampararse o respaldarse en ello. **3** Palabra o conjunto de palabras con las que se invoca.

invocar v. **1** Referido esp. a una divinidad, llamarla o dirigirse a ella con ruegos: *Invocó la ayuda de Dios antes de decidirse.* **2** Referido a una autoridad legal o ética, mencionarla para ampararse o respaldarse en ella: *Invocó sus años de matrimonio para solicitar comprensión.* ☐ ETIMOL. Del latín *invocare* (llamar a un lugar). ☐ ORTOGR. La *c* se cambia en *qu* delante de *e* →SACAR.

involución s.m. Retroceso en la marcha o en la evolución de un proceso. ☐ ETIMOL. Del latín *involutio* (acción de volver).

involucionar v. Referido a un proceso, retroceder o volver atrás: *La situación política del país involucionó a raíz del golpe de Estado.*

[involucionismo s.m. Tendencia a frenar o a hacer retroceder el desarrollo de un proceso.

involucionista ▮ adj. **1** De la involución, del involucionismo o relacionado con ellos: involutivo. ▮ adj./s. **2** Partidario o seguidor del involucionismo. ☐ MORF. 1. Como adjetivo es invariable en género. 2. Como sustantivo es de género común: *el involucionista, la involucionista.*

involucrar v. Referido a una persona, complicarla en un asunto o comprometerla en él: *Involucró a su hermano en la estafa. No se involucró en aquel negocio.* ☐ ETIMOL. Del latín *involucrum* (envoltura). ☐ SINT. Constr. *involucrar a alguien EN algo.* ☐ SEM. Como pronominal, dist. de *inmiscuirse* (entrometerse sin razón o autoridad).

involuntariedad s.f. Falta de voluntariedad.

involuntario, ria adj. Que sucede independientemente de la voluntad.

involutivo, va adj. De la involución o relacionado con ella.

invulnerabilidad s.f. Imposibilidad de ser herido o de ser afectado por algo.

invulnerable adj. Que no puede ser herido o que no puede ser afectado por algo. ☐ ETIMOL. Del latín *invulnerabilis*. ☐ MORF. Invariable en género.

inyección s.f. **1** Introducción a presión de un sustancia, esp. de un fluido, en un cuerpo o en un cavidad: *motor de inyección.* **2** Sustancia que se in yecta. 🜄 medicamento **[3** Aportación que pued servir de estímulo. ☐ ETIMOL. Del latín *iniectio*, éste de *iniicere* (echar en algo). ☐ SEM. En la acep ción 2, dist. de *jeringa* y de *jeringuilla* (instrumen tos que sirven para inyectar).

inyectable adj./s.m. Referido a una sustancia, que h sido preparada para poder ser inyectada. ☐ MORI Como adjetivo es invariable en género.

[inyectado, da adj. Referido a los ojos, que está enrojecidos por la afluencia de sangre.

inyectar v. **1** Referido a una sustancia, esp. a un fluido introducirla a presión en un cuerpo o en una cavi dad: *Los albañiles inyectaron hormigón a los muro para reforzarlos. Yo sola me inyecto la vacuna.* **[2** Referido a algo que pueda servir de estímulo, aportarl o transmitirlo: *Los nuevos mercados 'han inyectado capital a la empresa.* ☐ ETIMOL. Del latín *iniectare*

inyector s.m. Dispositivo que permite introducir a presión un fluido en una cavidad.

[iodo s.m. →**yodo.**

ion s.m. Átomo o agrupación de átomos que tienen carga eléctrica por la pérdida o por la ganancia d electrones y que resultan de la descomposición d moléculas. ☐ ETIMOL. Del griego *ión* (que va), por que los iones se separan de las sustancias. ☐ OR TOGR. Incorr. **ión.*

[iónico, ca adj. De los iones o relacionado co ellos.

ionización s.f. **1** En química, transformación de u átomo o de una molécula en ion por pérdida o po ganancia de electrones. **2** ▮**ionización atmosfé rica;** [en meteorología, estado de algunas zonas d la atmósfera que, por la presencia de gran cantida de iones, son conductoras de electricidad.

ionizar v. En física y química, referido a un átomo o molécula, transformarlos en ion por pérdida por ganancia de electrones: *La radiación solar e capaz de ionizar moléculas de algunas capas de la atmósfera.* ☐ ORTOGR. La *z* se cambia en *c* delante de *e* →CAZAR.

ionosfera s.f. En la atmósfera, zona que, a partir de los ochenta kilómetros de altitud aproximadamente se caracteriza por la abundancia de iones a causa de la radiación solar. ☐ ETIMOL. De *ion* y la terminación de *atmósfera.*

iota s.f. En el alfabeto griego clásico, nombre de la novena letra: *La grafía de la iota es ι.*

ípsilon s.f. En el alfabeto griego clásico, nombre de la vigésima letra: *La grafía de la ípsilon es υ.*

ipso facto (latinismo) ▮De manera inmediata, en el acto o por el mismo hecho: *Entré en la oficina y me atendieron ipso facto.*

ir ▮ v. **1** Dirigirse a un lugar o moverse de un lugar a otro: *Voy a mi casa andando. Se fue al hotel en taxi.* **2** Asistir a un lugar o frecuentarlo: *Éste es el último año que voy al colegio.* **[3** col. Funcionar o marchar: *Tu reloj 'va' retrasado.* **4** Actuar o desenvolverse: *¿Qué tal vas en el trabajo?* **5** Arreglarse, vestirse o llevar como adorno: *Siempre voy con falda.* **6** Estar o hallarse en el estado o en la situación que se expresa: *Esto va al lado de aquello.* **7** Alcanzar el estado que se expresa: *El negocio se fue a la quiebra.* **8** Corresponder o tener relación: *Este sobre va con esta carta, no te confundas.* **9** Ser adecuado, acomodarse o armonizar: *No te va nada ese peinado.* **10** Convenir o gustar: *Me va mucho eso de pasear en bici.* **11** Importar: *¿Qué te va a ti en eso?* **12** Existir diferencia entre dos términos que se comparan: *Del 3 al 7 van 4.* **13** En algunos juegos de cartas, aceptar una apuesta; entrar, jugar: *Siempre que juego al mus y me envidan, yo voy con cinco más.* **14** Referido a un asunto, desarrollarse como se indica: *Sus amenazas iban en serio.* **15** Referido esp. a un camino, llevar determinada dirección: *¿Adónde va este sendero?* **16** Referido a un espacio comprendido entre dos puntos, extenderse entre ellos: *Esta costa va desde mi pueblo hasta el tuyo.* **17** Referido a algo que se fija de antemano, apostarlo: *¿Cuánto va a que corro más que tú?* ∎ prnl. **18** Abandonar un lugar por decisión propia; marcharse: *Me fui de aquel trabajo porque no lo aguantaba más.* [**19** Desaparecer o borrarse: *La mancha de tinta 'se fue' al echarle leche.* **20** Morirse: *Cuando vimos que el abuelo se nos iba, rompimos a llorar.* **21** Gastarse o consumirse: *El dinero se me va en tonterías.* **22** *euf.* Ventosear o expulsar los excrementos involuntariamente: *¿Quién se ha ido, que huele fatal?* **23** ∥el no va más; *col.* Lo mejor que puede existir, imaginarse o desearse: *Se ha comprado una casa que es el no va más.* ∥ ir alguien **a lo suyo**; *col.* Ocuparse sólo de sus asuntos: *Es una egoísta y sólo va a lo suyo.* ∥ ir con; ser partidario de: *Yo voy con este equipo.* ∥ ir de; *col.* Seguido de una expresión que identifica determinado comportamiento, tenerlo o adoptarlo: *Va de guapo, pero a mí no me gusta nada.* ∥ ir {de/sobre}; tratar o versar: *¿De qué va ese libro?* ∥ ir {detrás de/por} algo; *col.* Inclinarse o mostrar inclinación hacia ello: *Mi hermano va detrás de un coche.* ∥ ir lejos; *col.* Llegar a una situación extrema: *Las cosas han ido demasiado lejos.* ∥ ir para; seguido de una profesión, estar aprendiéndola: *Mi primo va para militar.* ∥ qué va; *col.* Expresión que se usa para negar lo que otro afirma: *¡Qué va, no fui yo!* ☐ ETIMOL. Del latín *ire.* ☐ MORF. 1. Irreg. →IR. 2. En el imperativo, incorr. {*Ves > Ve} a casa de tu tía. 3. En las acepciones 9, 10 y 11, es verbo unipersonal y defectivo. ☐ SINT. La perífrasis *ir + a + infinitivo* tiene valor incoativo, es decir, indica intención de realizar la acción que se expresa o inicio de ésta: *Ya va a empezar la película.* 2. La perífrasis *ir + gerundio* indica la actual ejecución de la acción que se expresa: *Ya voy estando cansada.* 3. Seguido de *y + un verbo*, sirve para poner de relieve la acción expresada por éste: *Ahora va y se pone a llover.*

ira s.f. **1** Enfado o sentimiento de indignación violentos. **2** *poét.* Furia o violencia de los elementos de la naturaleza: *El viento soplaba con ira antes de la tormenta.* ☐ ETIMOL. Del latín *ira.*

iracundia s.f. **1** Inclinación a la ira. **2** Cólera, enfado o enojo muy violentos. ☐ ETIMOL. Del latín *iracundia.*

iracundo, da adj./s. Inclinado a la ira o que está dominado por ella. ☐ ETIMOL. Del latín *iracundus.*

iraní adj./s. De Irán (país del sudoeste asiático), o relacionado con él. ☐ MORF. 1. Como adjetivo es invariable en género. 2. Como sustantivo es de género común: *el iraní, la iraní.* 3. Aunque su plural en la lengua culta es *iraníes*, se usa mucho *iranís.*

iranio, nia adj. Del Irán antiguo (país asiático), o relacionado con él.

iraquí adj./s. De Irak (país del sudoeste asiático), o

relacionado con él. ☐ MORF. 1. Como adjetivo es invariable en género. 2. Como sustantivo es de género común: *el iraquí, la iraquí.* 3. Aunque su plural en la lengua culta es *iraquíes*, se usa mucho *iraquís.*

irascibilidad s.f. Facilidad para enfadarse mucho.

irascible adj. Que se irrita o se enfada fácilmente. ☐ MORF. Invariable en género.

[**iridiado, da** adj. Mezclado con iridio.

iridio s.m. Elemento químico, metálico y sólido, de número atómico 77, quebradizo y que se funde muy difícilmente. ☐ ETIMOL. Del griego *íris* (arco iris), porque los compuestos del iridio tienen colores variados. ☐ ORTOGR. Su símbolo químico es *Ir.*

iris s.m. **1** En el ojo, disco membranoso situado entre la córnea y el cristalino, que puede tener distintas coloraciones y en cuyo centro está la pupila. **2** →arco iris. ☐ ETIMOL. Del latín *iris.*

irisación s.f. Reflejo de luz con los colores del arco iris o con alguno de ellos.

irisado, da adj. Que brilla o destella como los colores del arco iris.

irisar v. **1** Presentar franjas o reflejos de luz con los colores del arco iris: *La cascada del río irisaba cuando le daba el sol.* [**2** Hacer adquirir los colores del arco iris: *La luz del sol 'irisa' el cristal después de la lluvia.*

irlandés, -a adj./s. **1** De Irlanda (isla europea del océano Atlántico), o relacionado con ella. ∎ s.m. **2** Lengua céltica de Irlanda (país europeo). ☐ MORF. Dist. de *islandés.*

ironía s.f. **1** Burla ingeniosa y disimulada. **2** Tono con que se dice esta burla. [**3** Lo que resulta ilógico o inesperado y parece una broma pesada: *Fue una 'ironía' de la vida que se fuera cuando más la necesitaba.* **4** Figura retórica consistente en dar a entender lo contrario de lo que se dice. ☐ ETIMOL. Del latín *ironia*, y éste del griego *eironéia* (disimulo), pregunta fingiendo ignorancia.

irónico, ca adj. Que muestra, expresa o implica ironía.

ironizar v. Ridiculizar o hablar con ironía: *Este novelista ironiza las costumbres de sus contemporáneos. No ironices sobre la situación, porque es bastante triste.* ☐ ORTOGR. La *z* se cambia en *c* delante de *e* →CAZAR.

iroqués, -a adj./s. De un pueblo indígena del norte de América (uno de los cinco continentes), o relacionado con él.

irracional adj. **1** Que no razona o que carece de capacidad para razonar. **2** Opuesto o ajeno a la razón. ☐ ETIMOL. Del latín *irrationalis.* ☐ MORF. Invariable en género.

irracionalidad s.f. **1** Falta de racionalidad. [**2** Hecho o dicho irracional u opuesto o ajeno a la razón.

irradiación s.f. **1** Emisión y propagación de luz, de calor o de otro tipo de energía. **2** Transmisión, difusión o propagación de algo, esp. si se trata de sentimientos o de pensamientos. ☐ SEM. Es sinónimo de *radiación.*

irradiar v. **1** Referido a la luz, el calor u otro tipo de energía, despedirlos o emitirlos un cuerpo: *El hombre aprovecha la energía que irradia el Sol.* **2** Referido esp. a un sentimiento o a un pensamiento, transmitirlos, difundirlos o propagarlos: *Estaba tan sonriente que irradiaba optimismo a sus compañeros.* ☐

ETIMOL. Del latín *irradiare*. ☐ ORTOGR. La *i* nunca lleva tilde.

irrazonable adj. Que no es razonable. ☐ ETIMOL. Del latín *irrationabilis*. ☐ MORF. Invariable en género.

irreal adj. Que no es real o que está falto de realidad. ☐ MORF. Invariable en género.

irrealidad s.f. Falta de realidad.

irrealizable adj. Imposible de realizar. ☐ ORTOGR. Incorr. **inrealizable*. ☐ MORF. Invariable en género.

irrebatible adj. Que no se puede rebatir o rechazar. ☐ ORTOGR. Incorr. **inrebatible*. ☐ MORF. Invariable en género.

irreconciliable adj. 1 Referido a una persona, que no quiere reconciliarse o que no puede hacerlo. [2 Referido esp. a una idea, que no es compatible con otra o que no puede darse a la vez que otra. ☐ ETIMOL. Del latín *irreconciliabilis*. ☐ ORTOGR. Incorr. **inreconciliable*. ☐ MORF. Invariable en género.

[irreconocible adj. Imposible de reconocer. ☐ ORTOGR. Incorr. **inreconocible*. ☐ MORF. Invariable en género.

irrecuperable adj. Imposible de recuperar. ☐ ETIMOL. Del latín *irrecuperabilis*. ☐ ORTOGR. Incorr. **inrecuperable*. ☐ MORF. Invariable en género.

irrecusable adj. Que no se puede recusar o rechazar justificadamente: *Esta juez es irrecusable, ya que se ha probado su honestidad e imparcialidad.* ☐ ETIMOL. Del latín *irrecusabilis*. ☐ MORF. Invariable en género.

irredentismo s.m. Corriente política que pretende la anexión de un territorio que considera suyo, generalmente por razones históricas o culturales.

irredentista adj./s. Del irredentismo o relacionado con este movimiento político. ☐ MORF. 1. Como adjetivo es invariable en género. 2. Como sustantivo es de género común: *el irredentista, la irredentista*.

irredento, ta adj. 1 Referido a un territorio, que es reclamado por una nación como suyo, generalmente por razones históricas. 2 No redimido: *Jesucristo vino a salvar a los hombres irredentos.* ☐ ETIMOL. Del italiano *irredento* (no redimido).

irreducible adj. →*irreductible*. ☐ MORF. Invariable en género.

irreductible adj. Que no se puede reducir; irreducible. ☐ MORF. Invariable en género.

irreemplazable adj. Que no se puede reemplazar o sustituir. ☐ ORTOGR. Incorr. *irremplazable*. ☐ MORF. Invariable en género.

irreflexión s.f. Falta de reflexión.

irreflexivo, va ▮ adj. 1 Que se hace o se dice sin reflexionar en las consecuencias; impremeditado. ▮ adj./s. 2 Que no reflexiona.

irrefragable adj. Que no se puede contrarrestar o resistir. ☐ ETIMOL. Del latín *irrefragabilis*, y éste de *refragari* (oponerse a alguno). ☐ MORF. Invariable en género.

irrefrenable adj. Imposible de refrenar o contener. ☐ ETIMOL. Del latín *irrefrenabilis*. ☐ MORF. Invariable en género.

irrefutable adj. Que no se puede refutar o rebatir. ☐ ETIMOL. Del latín *irrefutabilis*. ☐ MORF. Invariable en género.

irregular adj. 1 Que no es regular: *'Ser' y 'sentir' son verbos irregulares. Llevo un horario de comidas muy irregular.* 2 No conforme a la ley, a la regla o a un uso establecido: *Se ha enriquecido de una for-*

ma un tanto irregular. 3 Que no ocurre ordinariamente. ☐ ETIMOL. Del latín *irregularis*. ☐ MORF. Invariable en género.

irregularidad s.f. 1 Falta de regularidad. 2 L₄ que es irregular.

irrelevancia s.f. Falta de relevancia o de importancia.

irrelevante adj. Sin relevancia o importancia. ☐ MORF. Invariable en género.

irreligioso, sa adj. 1 Contrario al espíritu de la religión. 2 Sin religión. ☐ ETIMOL. Del latín *irreligiosus*.

irremediable adj. Que no se puede remediar. ☐ ETIMOL. Del latín *irremediabilis*. ☐ MORF. Invariable en género.

irremisible adj. Que no se puede perdonar. ☐ ETIMOL. Del latín *irremisibilis*. ☐ MORF. Invariable en género.

irreparable adj. Que no se puede reparar. ☐ ETIMOL. Del latín *irreparabilis*. ☐ MORF. Invariable en género.

irrepetible adj. Que no se puede repetir. ☐ MORF. Invariable en género.

irreprensible adj. Que no merece represión o censura. ☐ ETIMOL. Del latín *irreprehensibilis*. ☐ MORF. Invariable en género.

irrepresentable adj. 1 Referido esp. a una obra teatral, que no se puede escenificar. [2 Que no se puede representar en la imaginación ni fuera de ella. ☐ MORF. Invariable en género.

irreprimible adj. Imposible de reprimir. ☐ MORF. Invariable en género.

irreprochable adj. Que no puede ser reprochado. ☐ MORF. Invariable en género.

irresistible adj. 1 Que no se puede aguantar o dominar. 2 Que ejerce una atracción a la que es imposible resistirse. ☐ MORF. Invariable en género.

irresoluble adj. Imposible o muy difícil de resolver. ☐ ETIMOL. Del latín *irresolubilis*. ☐ MORF. Invariable en género.

irrespetuoso, sa adj. Que no es respetuoso.

irrespirable adj. 1 Que no se puede respirar o que es difícilmente respirable. 2 Referido a un entorno o a un ambiente social, que hace que alguien se encuentre a disgusto o sienta repugnancia. ☐ ETIMOL. Del latín *irrespirabilis*. ☐ MORF. Invariable en género.

irresponsabilidad s.f. 1 Falta de responsabilidad. [2 Acto irresponsable.

irresponsable ▮ adj. 1 Referido a un acto, que resulta de una falta de previsión o de meditación. ▮ adj./s. 2 Referido a una persona, que actúa sin reflexión o sin medir las consecuencias de lo que hace. 3 Referido a una persona, que no puede responder de sus actos por sus condiciones personales. ☐ MORF. 1. Como adjetivo es invariable en género. 2. Como sustantivo es de género común: *el irresponsable, la irresponsable*.

irreverencia s.f. 1 Falta de reverencia o respeto. 2 Hecho o dicho irreverentes.

irreverente adj./s. Sin la reverencia o el respeto debidos. ☐ ETIMOL. Del latín *irreverens*. ☐ MORF. 1. Como adjetivo es invariable en género. 2. Como sustantivo es de género común: *el irreverente, la irreverente*.

irreversible adj. Que no es reversible: *Es una si-*

tuación irreversible a la que no veo salida. □ MORF. Invariable en género.

irrevocable adj. Que no se puede revocar o anular. □ ETIMOL. Del latín *irrevocabilis.* □ MORF. Invariable en género.

irrigación s.f. **1** Riego de un terreno. [**2** En medicina, aporte de sangre a los tejidos orgánicos. **3** En medicina, introducción de un líquido en una cavidad, esp. en el intestino, a través del ano. **4** En medicina, líquido introducido de esta manera.

irrigar v. **1** Referido a un terreno, regarlo: *Instaló un nuevo sistema para irrigar mejor la huerta.* [**2** En medicina, referido a un tejido orgánico, aportarle sangre los vasos sanguíneos: *Las venas y las arterias 'irrigan' los tejidos del cuerpo.* **3** En medicina, introducir un líquido en una cavidad, esp. en el intestino a través del ano: *La enfermera irrigó a la paciente antes de hacerle la radiografía.* □ ETIMOL. Del latín *irrigare* (regar, rociar). □ ORTOGR. La *g* se cambia en *gu* delante de *e* →PAGAR.

irrisión s.f. *col.* Lo que provoca o mueve a risa y burla. □ ETIMOL. Del latín *irrisio,* y éste de *irridere* (burlarse).

irrisorio, ria adj. **1** Que provoca risa y burla. **2** Referido esp. a una cantidad de dinero, insignificante o muy pequeña.

irritabilidad s.f. Facilidad para irritarse.

irritable adj. Que se irrita con facilidad. □ MORF. Invariable en género.

irritación s.f. **1** Enfado o enojo. **2** Reacción de un órgano o de una parte del cuerpo, que se caracteriza por enrojecimiento, escozor o dolor.

irritar v. **1** Causar ira o sentirla: *Su falta de responsabilidad me irrita. Se irrita cuando llego tarde a casa.* **2** Referido a un órgano o a una parte del cuerpo, provocarle una reacción caracterizada por enrojecimiento, escozor o dolor: *Los gases irritan los ojos. Cuando estoy resfriada, se me irrita la nariz.* □ ETIMOL. Del latín *irritare.*

irrogar v. Referido a un daño o perjuicio, ocasionarlo o causarlo: *Son muchos los perjuicios que se irrogan de tu actuación irresponsable.* □ ETIMOL. Del latín *irrogare.*

irrompible adj. Imposible de romper. □ MORF. Invariable en género.

irrumpir v. **1** Entrar violentamente o con ímpetu en un lugar: *Los alborotadores irrumpieron en el bar y causaron varios destrozos.* [**2** Aparecer con fuerza o de repente: *Esa moda 'irrumpió' en nuestro país a principios de los ochenta.* □ ETIMOL. Del latín *irrumpere.* □ SINT. Constr. *irrumpir EN algo.* □ SEM. Dist. de *prorrumpir* (exteriorizar un sentimiento violenta o repentinamente).

irrupción s.f. **1** Invasión o entrada violenta o impetuosa de algo en un lugar. **2** Aparición que se produce con fuerza o de repente. □ ETIMOL. Del latín *irruptio.*

isa s.f. **1** Composición musical popular de las islas Canarias (comunidad autónoma) en compás de tres por cuatro. **2** Baile que se ejecuta al compás de esta música.

isabelino, na adj. De cualquiera de las reinas españolas o inglesas que se llamaron Isabel, o relacionado con ellas.

ísatis s.m. Zorro de pelo blanco en invierno y pardo en verano y que habita en zonas frías; zorro ártico. □ ETIMOL. De origen incierto. □ PRON. Aunque la

pronunciación correcta es [ísatis], está muy extendida [isátis]. □ MORF. 1. Es un sustantivo epiceno: *el ísatis macho, el ísatis hembra.* 2. Invariable en número.

[**isidrada** s.f. Conjunto de corridas de toros que se celebran en la ciudad de Madrid durante las fiestas de San Isidro (patrón de esta ciudad).

isla s.f. **1** Porción de tierra rodeada de agua por todas partes. **2** En un lugar, zona o parte claramente delimitadas o diferenciadas de lo que las rodea: *Frente al jaleo que hay en el edificio, la biblioteca es una isla de paz.* □ ETIMOL. Del latín *insula.*

islam s.m. **1** →**islamismo**. **2** Conjunto de los pueblos que tienen como religión el islamismo. □ ETIMOL. Del árabe *islam* (entrega a la voluntad de Dios).

islámico, ca adj. Del islam o relacionado con esta religión. □ SEM. Dist. de *árabe* (referente a la cultura).

islamismo s.m. Religión monoteísta cuyos dogmas y preceptos fueron predicados por Mahoma (profeta árabe de finales del siglo VI y principios del VII) y recogidos en el libro sagrado del Corán; islam, mahometismo.

islamita ▮ adj. **1** De Mahoma (profeta árabe), o relacionado con su religión. ▮ adj./s. **2** Que tiene como religión el islamismo. □ MORF. 1. Como adjetivo es invariable en género. 2. Como sustantivo es de género común: *el islamita, la islamita.* □ SEM. Es sinónimo de *musulmán.*

islamizar v. **1** Convertir a la religión islámica: *Han islamizado a los países que están bajo su influencia política.* **2** Dar características que se consideran propias de la cultura islámica: *En cuanto emigró a Oriente, islamizó su forma de vestir.* □ ORTOGR. La *z* se cambia en *c* delante de *e* →CAZAR.

islandés, -a ▮ adj./s. **1** De Islandia o relacionado con este país europeo. ▮ s.m. **2** Lengua germánica de este país. □ MORF. Dist. de *irlandés.*

isleño, ña adj./s. De una isla o relacionado con ella; insular. □ SEM. Se usa referido esp. a lo que es característico de una isla.

isleta s.f. [En una calzada, zona delimitada que generalmente sirve para determinar la dirección de los vehículos o como refugio para los peatones.

islote s.m. **1** Isla pequeña y despoblada. **2** Peñasco grande que sobresale en el mar o en otra superficie.

iso- Elemento compositivo que significa 'igual': *isomorfo, isocromático, isosilábico, isotermo.* □ ETIMOL. Del griego *ísos.*

isobara o **isóbara** s.f. En un mapa meteorológico, línea que une los puntos de la Tierra que tienen la misma presión atmosférica. □ ETIMOL. De *iso-* (igual) y el griego *báros* (pesadez). □ USO La RAE prefiere *isóbara.*

isobárico, ca adj. **1** En un mapa meteorológico, referido a una línea, que une lugares que tienen la misma presión atmosférica media. **2** Referido a dos o más lugares, que tienen la misma presión atmosférica media. □ SEM. Es sinónimo de *isóbaro.*

isóbaro, ra adj. →**isobárico**. □ ETIMOL. De *iso-* (igual) y el griego *báros* (pesadez).

isoglosa s.f. En un mapa lingüístico, línea imaginaria que señala los límites de una determinada peculiaridad fonética, gramatical o léxica. □ ETIMOL. De *iso-* (igual) y el griego *glóssa* (lenguaje).

isomorfo, fa adj. En mineralogía, referido a un cuerpo, que tiene distinta composición química e igual forma cristalina que otro y que puede cristalizar asociado a él. □ ETIMOL. De *iso-* (igual) y *-morfo* (forma).

isósceles adj. Referido a una figura geométrica, que tiene sólo dos lados iguales. □ ETIMOL. Del griego *isoskelés*, y éste de *ísos* (igual) y *skélos* (pierna). □ MORF. Invariable en género y en número.

isosilabismo s.m. **1** Igualdad en el número de sílabas, esp. entre dos versos. **2** Sistema de versificación que se apoya en este principio de igualdad.

isotérmico, ca adj. Referido a un proceso, que tiene una temperatura constante durante su desarrollo.

isotermo, ma ∎ adj. **1** De igual temperatura. **[2** Referido esp. a un contenedor o a un recipiente, que están aislados térmicamente: *La leche se transporta en tanques 'isotermos' para mantenerla a temperatura constante.* ∎ adj./s.f. **3** En un mapa meteorológico, referido a una línea, que une los puntos de igual temperatura media anual. □ ETIMOL. De *iso-* (igual) y el griego *thermós* (caliente). □ MORF. En la acepción 3, la RAE sólo lo registra como sustantivo.

isotónico, ca adj. Referido a dos soluciones químicas, que ejercen la misma presión osmótica una con respecto a la otra. □ ETIMOL. Del griego *isótonos* (de igual tensión).

isótopo s.m. Átomo que tiene el mismo número atómico que otro, y por tanto pertenecen al mismo elemento químico, pero distinta masa atómica. □ ETIMOL. De *iso-* (igual) y el griego *tópos* (lugar).

isotropía s.f. En física, cualidad de un sistema según la cual éste presenta las mismas propiedades, independientemente de la dirección en que se midan.

isquemia s.f. En medicina, falta de riego sanguíneo en una parte del cuerpo causada por una alteración de las arterias que irrigan esa zona. □ ETIMOL. Del griego *ískho* (yo detengo) y *-emia* (sangre).

isquion s.m. En anatomía, cada uno de los dos huesos que en los vertebrados forman la porción posterior de la pelvis y, en la especie humana, la parte inferior de ésta. □ ETIMOL. Del griego *iskhíon*. □ PRON. Incorr. *[iskión].

israelí adj./s. De Israel o relacionado con este país asiático. □ MORF. 1. Como adjetivo es invariable en género. 2. Como sustantivo es de género común: *el israelí, la israelí.* 3. Aunque su plural en la lengua culta es *israelíes*, se usa mucho *israelís*. □ SEM. Dist. de *israelita* (del judaísmo o relacionado con esta religión).

israelita ∎ adj. **1** Del judaísmo o relacionado con esta religión. ∎ adj./s. **2** De un antiguo pueblo semita que conquistó y habitó Palestina (territorio situado en el oeste asiático), o relacionado con él. **3** Que tiene como religión el judaísmo. **4** Del antiguo reino de Israel o relacionado con éste. □ MORF. Como adjetivo es invariable en género; como sustantivo es de género común: *el israelita, la israelita.* □ SEM. 1. Dist. de *israelí* (de Israel o relacionado con este país asiático). 2. En las acepciones 1, 2 y 3, es sinónimo de *hebreo* y *judío*.

istmo s.m. Franja de tierra que une dos continentes o una península y un continente. □ ETIMOL. Del latín *isthmus*.

italianismo s.m. En lingüística, palabra, significado o construcción sintáctica del italiano empleados en otra lengua.

italiano, na ∎ adj./s. **1** De Italia o relacionado con este país europeo. ∎ s.m. **2** Lengua románica de este y otros países. □ MORF. Cuando se antepone a una palabra para formar compuestos, adopta la forma *italo-*.

itálico, ca ∎ adj. **1** Italiano, esp. de la Italia antigua. ∎ s.f. **2** −letra itálica.

ítalo, la adj./s. *poét.* Italiano.

ítem s.m. **1** Cada uno de los artículos o capítulos en que se divide un documento. **[2** Cada uno de los elementos o partes de que se compone un cuestionario o test. **3** Lo que se añade a algo para completarlo: *Hay que incluir las aclaraciones en un ítem al final del documento.* □ ETIMOL. El latín *item* (también, del mismo modo). □ MORF. Aunque su plural es *ítemes*, se usa mucho *ítems*.

iterativo, va adj. En lingüística, que indica una acción que se repite; frecuentativo. □ ETIMOL. Del latín *iterativus*, y éste de *iterare* (repetir).

iterbio s.m. Elemento químico, metálico y sólido, de número atómico 70, brillante, fácilmente deformable y que pertenece al grupo de los lantánidos. □ ETIMOL. Por alusión a Ytterby, población sueca donde fue descubierto este elemento. □ ORTOGR. Su símbolo químico es *Yb*.

itinerante adj. Que va de un lugar a otro sin establecerse en un sitio fijo. □ MORF. Invariable en género. □ SEM. Aunque la RAE no la considera sinónimo de *ambulante*, en la lengua actual no se usa como tal.

itinerario s.m. **1** Descripción detallada de las características de un camino, de una ruta o de un viaje. **2** Trayecto que se sigue para llegar a un lugar; ruta. □ ETIMOL. Del latín *itinerarius*, y éste de *iter* (camino).

itrio s.m. Elemento químico, metálico y sólido, de número atómico 39, inflamable y que se descompone con el agua. □ ETIMOL. Por alusión a Ytterby, población sueca donde fue descubierto este elemento. □ ORTOGR. Su símbolo químico es *Y*.

izar v. Referido esp. a una bandera o a una vela de barco, hacerla subir tirando del cabo de la que está sujeta: *Los soldados izaron la bandera mientras sonaba la corneta.* □ ETIMOL. Del francés *hisser*. □ ORTOGR. La *z* se cambia en *c* delante de *e* →CAZAR.

izquierda s.f. Véase **izquierdo, da**.

izquierdista ∎ adj. **1** De la izquierda o relacionado con estas ideas políticas. ∎ adj./s. **2** Partidario o seguidor de estas ideas políticas. □ MORF. 1. Como adjetivo es invariable en género. 2. Como sustantivo es de género común: *el izquierdista, la izquierdista.*

izquierdo, da ∎ adj. **1** Referido a una parte del cuerpo, que está situada en el lado del corazón. **2** Que está situado en el mismo lado que el corazón del observador. **3** Referido a un objeto, que, respecto de su parte delantera, está situado en el mismo lado que correspondería al del corazón de un hombre. ∎ s.f. **4** Mano o pierna que están situadas en el lado del corazón. **5** Dirección o situación correspondiente al lado izquierdo. **6** Conjunto de personas o de organizaciones políticas de tendencias contrarias a las ideas conservadoras. **7** ∥ **[extrema izquierda**; la más radical y extremista en sus ideas. □ ETIMOL. Quizá del vasco *ezquerra*. □ MORF. Precedido del número de planta de un edificio, se usa siempre la forma femenina: *Vivo en el segundo izquierda.*

[izquierdoso, sa adj./s. *col.* Izquierdista.

J j

j s.f. Décima letra del abecedario. ☐ PRON. 1. Representa el sonido consonántico velar fricativo sordo. 2. En Extremadura, en Andalucía, en Canarias y en determinadas zonas de Hispanoamérica se pronuncia como la *h* aspirada.

jabalí s.m. Mamífero salvaje parecido al cerdo, de cabeza aguda y hocico prolongado, con orejas tiesas, pelaje muy tupido y fuerte, y colmillos grandes que le sobresalen de la boca. ☐ ETIMOL. Del árabe *yabali* (montaraz). ☐ MORF. 1. La hembra se designa con el femenino *jabalina*. 2. Aunque su plural en la lengua culta es *jabalíes*, se usa mucho *jabalís*.

jabalina s.f. 1 Hembra del jabalí. 2 En atletismo, vara que se usa en una de las pruebas deportivas de lanzamientos. ☐ ETIMOL. Del francés *javeline*, y éste de *javelot* (pica empleada en la guerra).

jabato, ta ▮ adj./s. 1 *col.* Valiente o atrevido. ▮ s.m. 2 Cría del jabalí. ☐ MORF. En la acepción 2, es un sustantivo epiceno: *el jabato macho, el jabato hembra.*

jábega s.f. 1 Embarcación pesquera más pequeña que el jabeque. 2 Red de pesca, muy larga y compuesta de un saco y dos bandas, de las cuales se tira desde tierra por medio de dos cabos muy largos; bol. 🖾 pesca ☐ ETIMOL. La acepción 1, de *jabeque* (embarcación). La acepción 2, del árabe *sabaka* (red).

jabeque s.m. Embarcación con tres palos y velas triangulares o latinas, con la que también se podía navegar a remo. ☐ ETIMOL. Del árabe *sabbak* (barco para pescar con red).

jabón s.m. 1 Producto que se usa para lavar con agua y que resulta de la combinación de un álcali con grasas o aceites. 2 ‖ **dar jabón** a alguien; *col.* Adularlo o elogiarlo con fines interesados. ‖ **jabón de olor**; el que se usa para el aseo personal. ‖ **jabón de sastre**; pastilla hecha con una variedad de talco y que se utiliza para marcar en las telas el lugar por donde éstas se han de cortar o coser; jaboncillo. ☐ ETIMOL. Del latín *sapo*.

jabonada s.f. o **jabonado** s.m. →enjabonado.

jabonadura s.f. 1 →enjabonado. 2 Espuma que se forma al mezclar el agua con jabón.

jabonar v. →enjabonar.

jaboncillo s.m. Pastilla hecha con una variedad de talco y que se utiliza para marcar en las telas el lugar por donde éstas se han de cortar o coser; jabón de sastre.

jabonera s.f. Véase **jabonero, ra.**

jabonero, ra ▮ adj. 1 Relacionado con el jabón. 2 Referido a un toro, que tiene la piel de color blanco sucio. ▮ s.f. 3 Recipiente en el que se pone o se guarda el jabón que se utiliza para el aseo personal.

jabonoso, sa adj. Con jabón o con características de éste.

[jabugo s.m. Jamón de muy buena calidad originario de Jabugo (pueblo onubense).

jaca s.f. 1 Hembra del caballo; yegua. 2 Caballo o yegua de poca alzada. ☐ ETIMOL. Del francés antiguo *haque.*

jácara s.f. 1 Composición poética, generalmente con forma de romance o de entremés, en la que se narran, en tono alegre y en lenguaje picaresco, he-

chos relacionados con la vida de los pícaros. 2 Música y danza popular con que se acompaña la recitación de estas composiciones. ☐ ETIMOL. Quizá de *jácaro* (valentón, perdonavidas).

jacarandá s.f. Árbol tropical americano, frondoso y con flores de color azul y morado. ☐ PRON. Está muy extendida la pronunciación [jacaránda].

jacarandoso, sa adj. *col.* Con donaire, alegría o desenvoltura. ☐ ETIMOL. Del antiguo *jacarando* (valentón).

jacetano, na adj./s. De un antiguo pueblo indígena prerromano que habitaba la zona de la actual Jaca (ciudad de la provincia de Huesca), o relacionado con él. ☐ ETIMOL. Del latín *Iacetanus.*

jacinto s.m. 1 Planta herbácea con tallo subterráneo en forma de bulbo, hojas largas y lustrosas, flores olorosas agrupadas en racimo, y fruto en forma de cápsula. 2 Flor de esta planta. ☐ ETIMOL. Del latín *hyacinthus.*

jaco s.m. 1 Caballo de mal aspecto. [2 *col.* En el lenguaje de la droga, heroína.

jacobeo, a adj. Relacionado con el apóstol Santiago (discípulo de Jesús). ☐ SEM. Dist. de *jacobino* (partidario de la doctrina política del jacobinismo).

jacobinismo s.m. Corriente política surgida durante la Revolución Francesa, y que defendía el radicalismo revolucionario y violento.

jacobino, na adj./s. Partidario o seguidor del jacobinismo. ☐ ETIMOL. Del francés *jacobin*, porque los jacobinos se reunían en la calle parisina de San Jacobo. ☐ SEM. Dist. de *jacobeo* (relacionado con el apóstol Santiago)

[jacquard (galicismo) s.m. Adorno de algunos tejidos que consiste en la repetición de motivos geométricos de diferentes colores. ☐ PRON. [yacuár].

jactancia s.f. Presunción o alabanza excesiva de algo que se posee o se disfruta.

jactancioso, sa adj./s. Que presume o se alaba con exceso.

jactarse v.prnl. Referido a algo que se posee o se disfruta, presumir excesivamente de ello: *Nunca te jactes de nada si no quieres ser tachado de engreído.* ☐ ETIMOL. Del latín *iactare* (alabar). ☐ SINT. Constr. *jactarse DE algo.*

jaculatoria s.f. Oración breve. ☐ ETIMOL. Del latín *iaculari* (arrojar).

[jacuzzi (del japonés) s.m. Baño con un sistema de corrientes de agua caliente que se utiliza para hidromasajes. ☐ PRON. [yacúdsi].

jade s.m. Mineral muy duro, de aspecto jabonoso y color blanquecino o verdoso, muy estimado en joyería. ☐ ETIMOL. Del francés *jade*, y éste del castellano *piedra de la ijada*, porque los conquistadores de América aplicaban el jade contra el cólico nefrítico o dolor de la ijada.

jadear v. Respirar trabajosamente o con dificultad, generalmente a causa del cansancio; acezar: *No digas que estás en forma si no puedes subir diez escalones sin jadear.* ☐ ETIMOL. De *ijadear* (mover las ijadas al respirar aceleradamente por cansancio).

jadeo s.m. Respiración que se realiza con dificultad, generalmente a causa del cansancio.

jaez s.m. 1 Adorno que se pone a las caballerías,

esp. referido a las cintas con las que se trenzan las crines. **2** Clase, género o condición: *Despreciaban a las personas de ese jaez.* □ ETIMOL. Del árabe *yahaz* (aparejo, equipo). □ MORF. La acepción 1 se usa más en plural. □ USO En la acepción 2, es despectivo.

jaguar s.m. Mamífero felino y carnicero, de gran tamaño, con cabeza redondeada y hocico corto, de piel amarilla con manchas circulares de color negro. □ ORTOGR. Se admite también *yaguar.* □ MORF. Es un sustantivo epiceno: *el jaguar macho, el jaguar hembra.* ✿ felino

[jai alai (del vasco) ‖ Juego de pelota vasca. □ USO Su uso es innecesario y puede sustituirse por una expresión como *pelota vasca* o *frontón.*

[jaimitada s.f. Gamberrada o tontería que se hacen para que se rían los demás. □ ETIMOL. Por alusión a Jaimito, que es un personaje típico de chistes verdes y de gamberradas.

jalar v. **1** col. Comer con mucho apetito: *Estás tan gordo porque jalas mucho. Se jaló todo lo que le pusieron.* **2** col. En zonas del español meridional, correr o andar muy deprisa. **3** col. Tirar o atraer: *No me jales los cabellos.* □ ETIMOL. De *halar,* y éste del francés *haler* (tirar de algo por medio de un cabo). □ ORTOGR. En la acepción 3, se admite también-halar.

jalbegar v. →enjalbegar. □ ORTOGR. 1. Incorr. **jabelgar.* 2. La *g* se cambia en *gu* delante de *e* →PAGAR.

jalea s.f. **1** Conserva dulce de aspecto gelatinoso, hecha con el zumo de algunas frutas. **2** ‖**jalea real**; sustancia segregada por las glándulas salivales de las abejas para alimentar a las larvas y a las reinas. □ ETIMOL. Del francés *gelée* (gelatina).

jalear v. **1** Animar con palmadas y gritos: *El público jaleaba a los atletas. Los guitarristas jaleaban a los bailaores.* **2** Referido a un perro, animarlo con voces a continuar la caza: *Los ojeadores jaleaban a sus perros durante la cacería.* □ ETIMOL. De *¡hala!* (interjección).

jaleo s.m. **1** col. Situación confusa, agitada o embarazosa, esp. si va acompañada de gran alboroto o tumulto. **[2** col. Conjunto desordenado, revuelto y enredado. □ SEM. Es sinónimo de *lío.*

jalón s.m. **1** Hecho o situación importantes que sirven de punto de referencia en la vida de alguien o en el desarrollo de algo. **2** Vara con punta metálica que se clava en la tierra para señalar puntos fijos cuando se traza el plano de un terreno. **3** En zonas del español meridional, tirón. □ ETIMOL. Las acepciones 1 y 2, del francés *jalon.*

jalonar v. **1** Señalar con jalones: *El topógrafo midió y jalonó el terreno.* **2** Referido a un hecho o a una situación importantes, marcar una etapa en la vida de alguien o en el desarrollo de algo: *Diversos éxitos jalonan su carrera artística.*

[jamacuco s.m. col. Indisposición repentina y de poca gravedad.

jamaicano, na adj./s. De Jamaica o relacionado con este país centroamericano.

jamar v. col. Comer: *Jamó la tortilla rápidamente. Se jamó el filete en un momento.* □ ETIMOL. Quizá de origen gitano.

jamás adv. En ningún momento; nunca. □ ETIMOL. Del latín *iam magis* (ya más). □ SEM. En las expresiones *nunca jamás, siempre jamás* o *jamás de los jamases* tiene un matiz intensivo.

jamba s.f. En una puerta o ventana, cada una de las dos piezas laterales que sostienen el dintel. □ ETIMOL. Del francés *jambe* (pierna).

jamelgo s.m. col. Caballo flaco y de mal aspecto. □ ETIMOL. Del latín *famelicus* (hambriento).

jamón s.m. **[1** Pata trasera del cerdo: *Compró un 'jamón' para asarlo.* **2** Carne curada de esta parte del cerdo. ✿ carne **[3** col. Parte superior de la pierna o del brazo de una persona, esp. si es gruesa: *Está acomplejada por sus 'jamones'.* **4** ‖**estar jamón** alguien; col. Ser físicamente atractivo. ‖**[jamón de pata negra**; el del cerdo criado en el campo y alimentado con bellotas. ‖**[jamón {de York/york}**; el cocido y preparado como fiambre. ‖**jamón en dulce**; el cocido con vino blanco y preparado como fiambre. ‖**[jamón serrano**; el curado y no cocido. ‖**un jamón (con chorreras)**; col. Expresión que se usa para indicar negación o rechazo: *Le dijo que fuera a comprar el pan y le contestó: —¡Y un jamón!* □ ETIMOL. Del francés *jambon.*

jamona adj./s.f. col. Referido a una mujer, que es gruesa y de edad madura.

[jamonería s.f. Establecimiento donde se venden jamones.

jansenismo s.m. Movimiento religioso, basado en las teorías de Cornelio Jansen (teólogo y obispo holandés del siglo XVII), que defiende que la salvación del hombre sólo puede alcanzarse con la intervención de la gracia divina.

jansenista ∎ adj. **1** Del jansenismo o con características de este movimiento religioso. ∎ adj./s. **2** Partidario o seguidor del jansenismo. □ MORF. 1. Como adjetivo es invariable en género. 2. Como sustantivo es de género común: *el jansenista, la jansenista.*

japonés, -a ∎ adj./s. **1** Del Japón (país asiático) o relacionado con él; nipón. ∎ s.m. **2** Lengua de este país.

japuta s.f. Pez marino, de cabeza pequeña, boca redonda con dientes finos y largos, cuerpo aplastado y de forma ovalada, que vive en aguas mediterráneas; palometa. □ ETIMOL. Del árabe *sabbut.* □ MORF. Es un sustantivo epiceno: *la japuta macho, la japuta hembra.*

jaque s.m. **1** En el juego del ajedrez, jugada en la que se amenaza con una pieza al rey o a la reina del contrario. **2** ‖**(jaque) mate**; el que supone el final de la partida porque el rey amenazado no puede escapar ni protegerse. ‖**{poner/tener/traer} en jaque**; perturbar, inquietar o intranquilizar. □ ETIMOL. Del persa *sah* (rey).

jaqueca s.f. Dolor intenso de cabeza que sólo afecta a un lado o a una parte de ella; migraña. □ ETIMOL. Del árabe *šaqiqa* (migraña).

jara s.f. Arbusto de ramas de color pardo rojizo, hojas pegajosas, flores grandes con corola blanca y fruto en cápsula, muy abundante en la zona mediterránea. □ ETIMOL. Del árabe *sa'ra'* (mata).

jarabe s.m. **1** Preparado medicinal, líquido y pegajoso, generalmente de sabor dulce. ✿ medicamento **2** Bebida cuya base se hace cociendo azúcar en agua hasta que se espese. **3** Bebida muy dulce. **[4** Baile popular típico de diversos pueblos americanos. **5** ‖**jarabe de palo**; col. Paliza que se da como medio de disuasión o de castigo. □ ETIMOL. Del árabe *sarab* (bebida).

jarana s.f. **1** col. Juerga o diversión animada y ruidosa en la que intervienen varias personas. **2** *col.* Riña o pelea. **[3** En zonas del español meridional, guitarra pequeña. **[4** En zonas del español meridional, música, canción y baile populares. □ ETIMOL. De origen incierto.

jaranero, ra adj. Aficionado a las jaranas.

[jarcha s.f. Estrofa breve, de carácter popular y escrita en mozárabe, que aparece como parte final de una composición de carácter culto escrita en árabe o hebreo y llamada *moaxaja*.

jarcia s.f. Conjunto de aparejos y cabos de un barco. □ ETIMOL. Del griego *exártia*, plural de *exártion* (aparejos de un buque). □ MORF. Se usa más en plural.

jardín s.m. **1** Terreno en el que se cultivan plantas ornamentales. **2** ∥**jardín botánico**; lugar destinado al cultivo de plantas que son objeto de estudio por parte de los investigadores. ∥**jardín de infancia**; centro escolar para niños pequeños, a los que todavía no se enseña a leer o a escribir. □ ETIMOL. Del francés *jardin*. □ USO En la acepción 2, es innecesario el uso del germanismo *kindergarten*.

jardinera s.f. Véase **jardinero, ra**.

jardinería s.f. Arte o técnica de cultivar los jardines.

jardinero, ra ∎ s. **1** Persona que se dedica al cuidado y al cultivo de un jardín, esp. si ésta es su profesión. ∎ s.f. **2** Recipiente o soporte en el que se cultivan plantas de adorno o en el que se colocan las macetas donde éstas se cultivan.

jareta s.f. **1** En una prenda de vestir, doblez cosido con un pespunte paralelo, que generalmente sirve de adorno. **2** En una tela, dobladillo hueco por el que se puede meter una cinta, una goma o algo semejante. □ ETIMOL. Del árabe *sarit* (cuerda, cinta, trenza).

jaretón s.m. Dobladillo muy ancho: *La sábana lleva bordados en el jaretón del embozo.*

jarra s.f. **1** Recipiente de cuello y boca anchos, con una o más asas, que se usa para contener un líquido. **2** ∥(de/en) **jarras**; con las manos en la cintura y los codos separados del cuerpo. □ ETIMOL. Del árabe *yarra* (vasija de barro para agua).

jarrear v. Llover con fuerza y de forma abundante: *Llegaron empapados, porque estaba jarreando.* □ MORF. Es unipersonal.

jarrete s.m. En una persona o en un animal, parte alta y carnosa de la pantorrilla. □ ETIMOL. Del francés *jarret* (corva, corvejón).

jarro s.m. **1** Jarra con una sola asa, esp. si es de barro o de loza. **2** Unidad de capacidad para el vino, que equivale aproximadamente a 0,24 litros. **3** ∥**echar un jarro de agua fría** a alguien; *col.* Quitarle de manera repentina una esperanza o una ilusión: *Me echó un jarro de agua fría cuando me dijo que no iría conmigo de viaje.* ∥**llover a jarros**; *col.* Llover con fuerza y de forma abundante. □ USO La acepción 2 es una medida tradicional española.

jarrón s.m. Recipiente más alto que ancho, que se usa como objeto decorativo o para contener flores.

jaspe s.m. Variedad de cuarzo, opaca, de grano fino y color generalmente rojo, amarillo o pardo, que se usa en ornamentación. □ ETIMOL. Del latín *iaspis*.

jaspeado, da adj. Con vetas o manchas parecidas a las del jaspe.

jaspear v. Pintar imitando las vetas del jaspe: *Mi padre ha jaspeado los azulejos de la terraza.*

jato, ta s. Cría de la vaca; choto, ternero.

jauja s.f. Lugar o situación ideales en los que se cumplen todos los deseos: *No pidas un coche para tu cumpleaños porque esto no es jauja.* □ ETIMOL. Por alusión a Jauja, pueblo y provincia peruanos, célebres por su buen clima y su riqueza.

jaula s.f. **1** Caja hecha con listones o barrotes separados entre sí, que sirve para encerrar o transportar animales. **2** *col.* Cárcel. **3** ∥**jaula de grillos**; lugar en el que hay un ruido intenso que resulta molesto. □ ETIMOL. Del francés antiguo *jaole* (calabozo).

jauría s.f. Conjunto de perros que participan juntos en una cacería. □ ETIMOL. De origen incierto.

jazmín s.m. **1** Arbusto con tallos trepadores, verdes, delgados y flexibles, con hojas alternas y compuestas, y flores en forma de embudo con cinco pétalos, blancas o amarillas y muy olorosas. **2** Flor de este arbusto. □ ETIMOL. Del árabe *yasimin*.

[jazz (anglicismo) s.m. →**yaz**. □ PRON. [yas].

[jeans s.m.pl. →**pantalón vaquero**. □ PRON. [yins]. □ USO Es un anglicismo innecesario.

jebe s.m. **[**En zonas del español meridional, goma elástica.

[jeep (anglicismo) s.m. Vehículo ligero y resistente que se adapta a todo tipo de terreno y se emplea para el transporte. □ PRON. [yip]. □ USO Su uso es innecesario y puede sustituirse por una expresión como *todoterreno*.

jefatura s.f. **1** Cargo de jefe. **2** Oficina o edificio donde están instalados determinados organismos oficiales.

jefe, fa ∎ s. **1** Persona que manda o dirige a un grupo. **2** Representante o líder de un grupo. **[3** *col.* Padre o madre. **[4** *col.* Tratamiento que se da a una persona que tiene algún tipo de autoridad. ∎ s.m. **5** En los ejércitos de Tierra y del Aire, persona cuya categoría militar es superior a la de oficial e inferior a la de general. **6** En la Armada, persona cuya categoría militar es superior a la de oficial e inferior a la de almirante. **7** ∥**jefe de Estado**; autoridad superior de un país. ∥**jefe de Gobierno**; persona que preside y dirige el Consejo de Ministros. ∥**jefe de producto**; persona responsable de un producto o de una línea de productos desde su creación hasta su comercialización. □ ETIMOL. Del francés *chef*, y éste del latín *caput* (cabeza).

[jemer ∎ adj./s. **1** Del pueblo que habita en Camboya (país del sudeste asiático) o relacionado con él. ∎ s.m. **2** Lengua de este pueblo. □ USO Es innecesario el uso del término del hindi *khmer*.

jengibre s.m. Planta herbácea con hojas lanceoladas, flores en espiga de color púrpura, y un rizoma muy aromático y de sabor picante del que nacen las raíces. □ ETIMOL. Del latín *zingiber*.

jenízaro s.m. Antiguo soldado de infantería turco que pertenecía a la guardia del sultán. □ ETIMOL. Del turco *yeniyeri[k]* (tropa nueva). □ ORTOGR. Se admite también *genízaro*.

jeque s.m. En los países musulmanes, jefe que gobierna un territorio. □ ETIMOL. Del árabe *saij* (anciano, señor, jefe).

jerarca s. En una agrupación, persona que tiene una categoría elevada. □ MORF. Es de género común: *el jerarca, la jerarca.*

jerarquía s.f. **1** Clasificación u organización en rangos de distinta categoría: *La jerarquía de la sociedad medieval era muy rígida.* **2** En un escalafón, grupo constituido por personas de saber o de condiciones similares; grado: *El Ejército está compuesto por cinco jerarquías: tropa, suboficiales, oficiales, jefes y generales.* **3** Persona importante dentro de una organización. □ ETIMOL. Del latín *hierarchia* (jerarquía eclesiástica), y éste del griego *hierós* (sagrado) y *árkhomai* (yo mando).

jerárquico, ca adj. De la jerarquía o relacionado con ella.

jerarquizar v. Clasificar u organizar en rangos de distinta categoría: *El dinero es lo que realmente jerarquiza la sociedad actual en distintos grupos.* □ ORTOGR. La *z* se cambia en *c* delante de *e* →CAZAR.

jeremiada s.f. Lamentación exagerada de dolor. □ ETIMOL. Por alusión al profeta Jeremías, célebre por sus lamentaciones.

jerez s.m. Vino blanco, seco, de fina calidad y de alta graduación alcohólica, originario de Jerez de la Frontera (ciudad gaditana).

jerga s.f. **1** Variedad de lengua que usan entre sí las personas pertenecientes a un mismo grupo profesional o social; argot. **2** En zonas del español meridional, bayeta. □ ETIMOL. La acepción 1, del francés *jargon.* La acepción 2, de origen incierto. □ SEM. En la acepción 1, *jerga* se aplica esp. al lenguaje de grupos profesionales, frente a *argot,* que se prefiere para el lenguaje que usan ciertos grupos sociales con intención de no ser entendidos por los demás o de diferenciarse de ellos. Aunque la RAE lo registra también como sinónimo de *jerigonza,* en la lengua actual no se usa como tal.

jergal adj. De la jerga o relacionado con esta forma de lenguaje. □ MORF. Es invariable en género.

jergón s.m. Colchón de paja, hierba o esparto, sin bastas o ataduras que mantengan el relleno repartido y sujeto. □ ETIMOL. De *jerga* (tela gruesa y tosca).

jeribeque s.m. Gesto o movimiento exagerado. □ MORF. Se usa más en plural.

jerigonza s.f. Lenguaje difícil de entender. □ ETIMOL. Del provenzal *gergons.* □ ORTOGR. Se admite también *jeringonza.* □ SEM. Aunque la RAE lo registra también como sinónimo de *argot* y *jerga* con el significado de 'lenguaje que usan los miembros de un grupo social o profesional', en la lengua actual no se usa como tal.

jeringa s.f. Instrumento formado por un tubo con un émbolo en su interior y estrechado por un extremo, que se utiliza para aspirar o expulsar líquidos o materias blandas. □ ETIMOL. Del latín *syringa* (jeringa, lavativa). □ SEM. Dist. de *inyección* (sustancia que se inyecta). 🖐 medicamento

jeringar v. **1** col. Molestar o enfadar: *Me jeringan las preguntas impertinentes.* **2** Inyectar con una jeringa: *Mi abuelo me contó que, cuando era joven, tuvo que jeringarse una vez para purgarse el intestino.* □ ORTOGR. La *g* se cambia en *gu* delante de *e* →PAGAR.

jeringonza s.f. →jerigonza.

jeringuilla s.f. Jeringa pequeña que se usa para inyectar sustancias medicamentosas en los tejidos orgánicos. □ SEM. Dist. de *inyección* (sustancia que se inyecta).

jeroglífico, ca ∎ adj. **1** Referido a un sistema de escritura, que se caracteriza por representar las palabras con figuras o símbolos, y no con signos fonéticos o alfabéticos. ∎ s.m. **2** Símbolo o figura empleados en este tipo de escritura. **3** Pasatiempo o juego de ingenio que consiste en un conjunto de signos y figuras de los cuales hay que deducir una palabra o una frase. **4** Lo que es difícil de entender o de interpretar. □ ETIMOL. Del latín *hieroglyphicus,* y éste del griego *hierós* (sagrado) y *glýpto* (yo grabo), porque los sacerdotes egipcios eran quienes utilizaban los jeroglíficos.

jerónimo, ma adj./s. Referido a un religioso, que pertenece a la orden de San Jerónimo (fundada en el siglo XIV por unos ermitaños).

jersey s.m. Prenda de vestir, generalmente de punto y con manga larga, que cubre el cuerpo desde el cuello hasta más abajo de la cintura; suéter. □ ETIMOL. Del inglés *jersey.* □ MORF. Su plural es *jerséis.*

jesuita ∎ adj./s.m. **1** Referido a un religioso, que pertenece a la Compañía de Jesús (orden fundada por el santo español Ignacio de Loyola en el siglo XVI). ∎ s. **2** col. Hipócrita y astuto. □ MORF. 1. Como adjetivo es invariable en género. 2. En la acepción 2, es de género común: *el jesuita, la jesuita.* □ USO En la acepción 2, es despectivo.

jesuítico, ca adj. **1** De la Compañía de Jesús (orden fundada por el santo español Ignacio de Loyola en el siglo XVI), o relacionado con ella. **2** col. Referido a la forma de actuar, hipócrita o poco clara. □ USO En la acepción 2, es despectivo.

jesuitina adj.f./s.f. Referido a una religiosa o a una congregación, que pertenece a la Compañía de las Hijas de Jesús (orden fundada en el siglo XIX).

jet (anglicismo) ∎ s.m. **1** Reactor o avión de reacción. ∎ s.f. **2 3** ‖jet (set); grupo internacional de personas ricas, famosas y con éxito, que viajan mucho y llevan una vida placentera. □ PRON. [yet] y [yet set].

jet-foil (anglicismo) s.m. Vehículo que puede desplazarse a gran velocidad sobre la tierra o sobre el agua al ir sustentado por una capa de aire a presión; hovercraft. □ PRON. [yetfóil].

jet lag (anglicismo) ‖Desfase temporal de las funciones físicas y psíquicas del cuerpo humano tras haber realizado un largo viaje en avión con varios cambios horarios. □ PRON. [yétlag].

jeta ∎ adj./s. **[1** col. Referido a una persona, que es fresca, desvergonzada o cínica. ∎ s.f. **[2** col. Desfachatez, descaro o cinismo. **3** col. Cara o parte anterior de la cabeza. **4** En un cerdo, hocico. □ ETIMOL. Del árabe *jatm* (hocico, pico, nariz). □ MORF. En la acepción 1, como adjetivo es invariable en género y como sustantivo es de género común: *el 'jeta', la 'jeta'.*

ji s.f. En el alfabeto griego clásico, nombre de la vigésima segunda letra: *La grafía de la ji es* χ.

jíbaro, ra adj./s. **1** De un pueblo indígena de Ecuador y de Perú (países suramericanos), o relacionado con él. **2** En zonas del español meridional, campesino blanco. □ ETIMOL. De origen incierto.

jibia s.f. **1** Molusco cefalópodo marino, de cuerpo oval y con diez tentáculos, parecido al calamar; sepia. **2** Concha caliza que se encuentra en el interior de este molusco. □ ETIMOL. Del latín *sepia.* □ MORF. Es un sustantivo epiceno: *la jibia macho, la jibia hembra.*

jícara s.f. **1** Taza pequeña, generalmente utilizada para tomar chocolate. **2** En zonas del español meridional, vasija pequeña para beber.

jienense o **jiennense** adj./s. De Jaén o relacio-

nado con esta provincia española o con su capital. □
MORF. 1. Como adjetivo es invariable en género. 2.
Como sustantivo es de género común: *el {jienense /
jiennense}, la {jienense/jiennense}*. 3. *Jienense* la
RAE sólo lo registra como adjetivo.

jiga s.f. →**giga**.

jijona s.m. Turrón blando y grasiento, hecho de almendras molidas y miel, de color ocre y originario
de Jijona (ciudad alicantina).

jilguero, ra s. Pájaro cantor muy vistoso, con el
plumaje pardo, amarillo y negro, y la cabeza blanca
con una mancha roja en torno al pico y otra negra
en lo alto. □ ETIMOL. Del antiguo *sirguero*, y éste
de *sirgo* (paño de seda), porque los colores del pájaro recuerdan los de este tejido.

[jincho, cha s. *col.* Drogadicto.

jineta s.f. Mamífero carnívoro de cabeza pequeña,
patas cortas y pelaje de color blanco en la garganta,
pardo amarillento con manchas en fajas negras por
el cuerpo, y anillos blancos y negros en la cola. □
ETIMOL. Del árabe *yarnait* (variedad del gato de algalia). □ ORTOGR. Se admite también *gineta*. □
MORF. Es un sustantivo epiceno: *la jineta macho, la
jineta hembra*. □ SEM. Dist. de *amazona* (mujer que
monta a caballo).

jinete s.m. Hombre que monta a caballo, esp. si es
diestro en la equitación. □ ETIMOL. Del árabe *zeneti*
(individuo de Zeneta, tribu bereber famosa por su
caballería ligera). □ MORF. Su femenino es *amazona*.

[jinetera s.f. En zonas del español meridional, prostituta. □ USO Es despectivo.

[jiñar v. *vulg.* Defecar: *Sal del váter, tío, que me
'jiño'*.

jipa s.f. En zonas del español meridional, jipijapa.

jipiar v. *col.* [Ver: *Desde la azotea 'jipiaban' todo lo
que pasaba en la calle*. □ ORTOGR. La segunda *i*
lleva tilde en los presentes, excepto en las personas
nosotros y *vosotros* →GUIAR.

jipido s.m. →**jipío**.

jipijapa s.m. Sombrero de ala ancha hecho con un
tejido de paja muy fino y flexible. □ ETIMOL. Por
alusión a Jipijapa, ciudad de Ecuador donde se fabrican estos sombreros.

jipío s.m. En el cante flamenco, grito, quejido o lamento característico que se intercala en la copla. □
ORTOGR. Se admite también *jipido*.

jira s.f. **1** Comida o merienda campestre entre amigos, que se desarrolla con regocijo y bulla. **2** Trozo
grande y largo que se corta o que se rasga de una
tela. □ ETIMOL. La acepción 1, del francés antiguo
chiere (comida de calidad), y éste de la locución *faire
bone chiere* (dar bien de comer). La acepción 2, de
jirón. □ ORTOGR. Dist. de *gira*.

jirafa s.f. **1** Mamífero rumiante de gran altura, con
el cuello muy largo, la cabeza pequeña con dos cuernos acabados en forma redondeada, y con el pelaje
de color amarillento con manchas oscuras. **2** En cine,
vídeo y televisión, brazo articulado que permite mover
un micrófono y ampliar su alcance. [**3** *col.* Persona
muy alta. □ ETIMOL. Del árabe *zurafa*. □ MORF. En
la acepción 1, es un sustantivo epiceno: *la jirafa
macho, la jirafa hembra*. 🐾 rumiante

jirón s.m. **1** Trozo desgarrado de una prenda de
vestir o de una tela. **2** Parte pequeña de un todo:
*Esa guerra significó la pérdida de los últimos jiro-
nes coloniales de este país*. **3** En zonas del español me-

ridional, calle. □ ETIMOL. Del francés antiguo *giron*
(pedazo de un vestido cortado en punta).

jitomate s.m. En zonas del español meridional, tomate.

[jiu-jitsu (del japonés) s.m. Deporte de origen japonés que procede de un sistema de lucha basado
en dar golpes sin utilizar armas. □ PRON. [yíu
yítsu].

jo interj. *col.* [Expresión que se usa para indicar extrañeza, sorpresa, admiración o disgusto: *¡Jo', qué
rabia no poder ir contigo! ¡Jo', menudo sitio has
elegido!* □ ETIMOL. Eufemismo por *joder*.

[jobar interj. *col.* Expresión que se usa para indicar
extrañeza, sorpresa, admiración o disgusto.

[jockey (anglicismo) s.m. →**yóquey**. □ PRON. [yó-
kei]. □ SEM. Dist. de *hockey* (un deporte).

jocosidad s.f. **1** Facilidad o capacidad para hacer
reír. **2** Hecho o dicho graciosos o chistosos.

jocoso, sa adj. Gracioso o chistoso. □ ETIMOL. Del
latín *iocosus*.

jocundo, da adj. Alegre, agradable y apacible. □
ETIMOL. Del latín *iocundus*.

joder ▌ v. **1** *vulg.malson.* →**copular. 2** *vulg.malson.*
Fastidiar o molestar mucho. ▌ interj. **3** *vulg.malson.*
Expresión que se usa para indicar extrañeza, sorpresa, admiración o disgusto. □ ETIMOL. Del latín
futuere.

[jodido, da adj. **1** *vulg.malson.* Difícil o complicado. **2** *vulg.malson.* Enfermo, achacoso o muy cansado.

[jodienda s.f. *vulg.malson.* Incomodidad, engorro
o incordio.

jofaina s.f. Vasija de gran diámetro y de poca profundidad, que se utiliza esp. para lavarse la cara y
las manos; palancana, palangana. □ ETIMOL. Del
árabe *yufaina* (platillo hondo, escudilla).

[jogging (anglicismo) s.m. Ejercicio físico que consiste en correr a ritmo moderado y constante. □
PRON. [yóguin].

[joint venture (anglicismo) ‖ Grupo de empresas
que se asocia y comparte los riesgos. □ PRON. [yoin
vénchur], con *ch* suave.

[jojoba s.f. **1** Arbusto americano de semillas comestibles de las que se extrae aceite. [**2** Semilla de
este arbusto. □ PRON. [yoyóba]. □ ORTOGR. Se usa
también *yoyoba*.

jojoto s.m. En zonas del español meridional, maíz tierno.

[joker (anglicismo) s.m. En la baraja francesa, comodín o carta sin valor fijo. □ PRON. [yóker]. □ USO
Su uso es innecesario y puede sustituirse por *comodín*. 🂠 baraja

jolgorio s.m. *col.* Animación o diversión alegre y
ruidosa. □ ORTOGR. Se admite también *holgorio*.

[jolín o **[jolines** interj. *col.* Expresión que se usa
para indicar extrañeza, sorpresa, admiración o disgusto.

jónico, ca ▌ adj. **1** De Jonia (región de la antigua
Grecia), o relacionado con ella; jonio. **2** En arte, del
orden jónico. ▌ s.m. **3** →**orden jónico**.

jonio, nia adj./s. De Jonia (región de la antigua
Grecia), o relacionado con ella. □ MORF. La RAE sólo
lo registra como adjetivo. □ SEM. Como adjetivo es
sinónimo de *jónico*.

[jopé interj. Expresión que se usa para indicar extrañeza, sorpresa, admiración o disgusto.

[jordano, na adj./s. De Jordania, o relacionado
con este país asiático.

jornada s.f. **1** Tiempo dedicado al trabajo diario o semanal: *Mi jornada es de siete horas.* **[2** Período de tiempo de 24 horas aproximadamente: *Éstas son las noticias más importantes de la 'jornada'.* **3** Distancia que se puede recorrer normalmente en un día: *El siguiente pueblo está a tres jornadas a caballo.* **4** En una obra de teatro clásico español, acto o parte en que se divide su desarrollo, esp. la que abarca un día en la vida de los personajes. **5** ‖ **[jornada de reflexión**; día anterior a unas elecciones generales. ‖ **[jornada intensiva**; la que se realiza en un horario continuado y sin parar para comer. □ ETIMOL. Quizá del provenzal *jornada*, éste de *jorn* (día), y éste del latín *diurnus* (diurno, que ocurre durante el día).

jornal s.m. Salario que recibe el trabajador por cada día de trabajo. □ ETIMOL. Del provenzal *jornal*, y éste de *jorn* (día).

jornalero, ra s. Persona que trabaja a jornal o por un salario diario, esp. si lo hace en el campo.

joroba ∎ s.f. **1** Corvadura anómala de la columna vertebral, del pecho, o de ambos a la vez. **2** Bulto dorsal de algunos animales, esp. el de los camellos y los dromedarios, en el que almacenan grasa; giba. **∎** interj. **[3** col. Expresión que se usa para indicar extrañeza, sorpresa, admiración o disgusto. □ ETIMOL. Del árabe *huduba* (chepa). □ SEM. En la acepción 1, es sinónimo de *chepa, corcova y giba.*

jorobado, da adj./s. Que tiene joroba o corcova; corcovado.

jorobar v. *col.* Molestar o fastidiar: *Me joroba tener que madrugar. Si está mal, tendremos que jorobarnos y repetirlo.*

josefino, na adj./s. **1** Referido a una persona, que pertenece a alguna de las congregaciones devotas de San José (según la Biblia, padre terrenal de Jesucristo). **2** Partidario de José I Bonaparte (rey impuesto a España por Napoleón).

jota s.f. **1** Nombre de la letra *j*. **2** Composición musical popular de varias provincias españolas. **3** Baile que se ejecuta al compás de esta música. **4** ‖**ni jota**; nada o casi nada: *No entiendo ni jota.* □ ETIMOL. Las acepciones 2 y 3, del antiguo *sotar* (bailar).

jotero, ra s. Persona que compone, canta o baila jotas.

joule s.m. Denominación internacional del **julio**. □ ETIMOL. De J. P. Joule, físico inglés. □ PRON. [yul].

joven ∎ adj. **[1** Con las características que se consideran propias de la juventud: *moda 'joven'.* **2** De poca edad o que se encuentra en las primeras etapas de su existencia o de su desarrollo: *un árbol joven.* **∎** adj./s. **3** Referido a una persona, que está en la juventud o en la etapa intermedia entre la niñez y la edad adulta; mozo. □ ETIMOL. Del latín *iuvenis.* □ MORF. **1.** Como adjetivo es invariable en género. **2.** Como sustantivo es de género común: *el joven, la joven.* **3.** Su superlativo es *jovencísimo.*

jovenzuelo, la adj./s. *col.* Joven. □ MORF. La RAE sólo lo registra como adjetivo. □ USO Tiene un matiz despectivo.

jovial adj. Alegre, de buen humor o inclinado a la diversión. □ ETIMOL. Del latín *Iovialis* (perteneciente a Júpiter), porque Júpiter era el planeta que se creía que influía positivamente en los nacidos bajo su signo. □ MORF. Invariable en género.

jovialidad s.f. Alegría, buen humor o inclinación a la diversión.

joya s.f. **1** Objeto de adorno personal, hecho con piedras y metales preciosos. ✦ joya **2** Lo que es de gran valía o tiene excelentes cualidades: *Este hombre es una verdadera joya.* □ ETIMOL. Del francés antiguo *joie.* □ SEM. Es sinónimo de *alhaja.*

joyería s.f. **1** Establecimiento en el que se fabrican o se venden joyas. **2** Arte, técnica o industria de fabricar joyas.

joyero, ra ∎ s. **1** Persona que se dedica profesionalmente a la fabricación o a la venta de joyas. **∎** s.m. **2** Caja en la que se guardan joyas.

[joystick (anglicismo) s.m. Palanca de control de algunos mecanismos electrónicos: *El 'joystick' de mi consola de videojuegos está estropeado.* □ PRON. [yóistic].

juan lanas ‖*col.* Hombre de poco carácter que se presta con facilidad a todo lo que se quiere hacer de él.

juanete s.m. Deformación o inflamación crónica en la base del hueso del dedo gordo del pie. □ ETIMOL. De *Juanete*, y éste de *Juan*, que era el nombre que se le daba a la gente rústica, de la que se decía que tenía juanetes en los pies.

jubilación s.f. **1** Retirada definitiva de un trabajo, generalmente por haber cumplido la edad determinada por la ley o por sufrir una incapacidad física. **2** Cantidad de dinero que cobra un jubilado.

jubilado, da adj./s. Referido a una persona, que está retirada definitivamente del trabajo, generalmente por haber cumplido la edad determinada por la ley o por sufrir una incapacidad física.

jubilar ∎ adj. **1** Del jubileo o relacionado con éste. **∎** v. **2** Referido a una persona, retirarla de su trabajo,

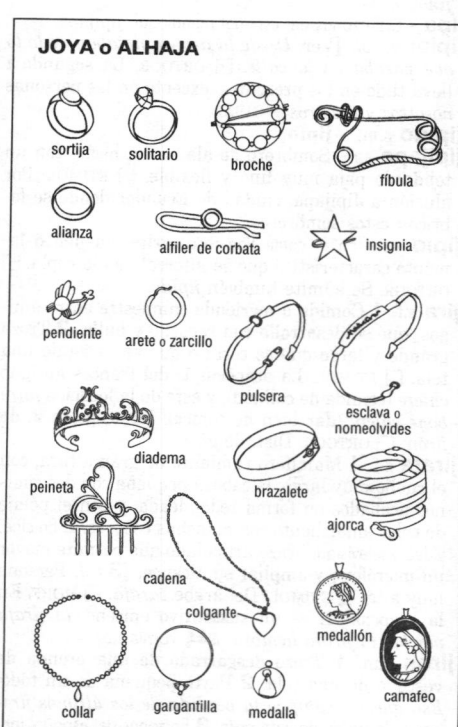

JOYA o ALHAJA

sortija · solitario · broche · fíbula · alianza · alfiler de corbata · insignia · pendiente · arete o zarcillo · pulsera · esclava o nomeolvides · diadema · peineta · brazalete · ajorca · cadena · colgante · collar · gargantilla · medalla · medallón · camafeo

generalmente por haber cumplido la edad determinada por la ley o por sufrir una incapacidad física, dándole una pensión de por vida: *Jubilaron a dos compañeros que llevaban muchos años en la empresa. Me jubilé a los sesenta y cinco años.* **3** *col.* Referido a un objeto, desecharlo por inservible: *Hay que jubilar este frigorífico, porque ya no enfría.* □ ETIMOL. Las acepciones 2 y 3, del latín *iubilare* (lanzar gritos de júbilo). □ MORF. Como adjetivo es invariable en género.

jubileo s.m. **1** En el cristianismo, indulgencia plenaria, solemne y universal, concedida por el Papa en determinados momentos. **2** Entrada y salida de mucha gente en un lugar: *La oficina de reclamaciones era un jubileo.* □ ETIMOL. Del latín *iubilaeus* (solemnidad judía celebrada cada cincuenta años).

júbilo s.m. Alegría intensa, esp. si se manifiesta con signos exteriores. □ ETIMOL. Del latín *iubilum*.

jubiloso, sa adj. Lleno de júbilo o de alegría.

jubón s.m. Antigua prenda de vestir ajustada al cuerpo, que cubría desde los hombros hasta la cintura.

judaico, ca adj. De los judíos o relacionado con ellos.

judaísmo s.m. Religión basada en la ley de Moisés (profeta israelita), que se caracteriza por el monoteísmo y por la espera de la llegada del Mesías (según la Biblia, el Hijo de Dios); hebraísmo. □ ETIMOL. Del latín *Iudaismus*.

judaizante adj./s. Que practica los ritos y las ceremonias del judaísmo.

judaizar v. Practicar los ritos y las ceremonias del judaísmo: *La Inquisición condenó a muchas personas que judaizaban.* □ ORTOGR. **1.** La *z* se cambia en *c* delante de *e* →CAZAR. □ SEM. Dist. de *hebraizar* (utilizar palabras, significados o construcciones sintácticas del hebreo en otra lengua).

judas s.m. Persona malvada y traidora. □ ETIMOL. Por alusión a Judas, discípulo que vendió a Jesucristo. □ MORF. Invariable en número.

[judeocristiano, na adj. Referido esp. a la cultura o a la moral, que deriva de la tradición judía y de la cristiana.

judeoespañol, -a ▮ adj. **1** De los sefardíes o judíos españoles, o relacionado con ellos. ▮ s.m. **2** Variedad del español hablada por estos judíos. □ ORTOGR. Se admite también *judeo-español*.

judería s.f. En una ciudad, barrio en el que habitaban los judíos.

judía s.f. Véase **judío, a.**

judiada s.f. Acción malintencionada o perjudicial. □ USO Tiene un matiz despectivo.

judicatura s.f. **1** Cargo o profesión de juez. **2** Tiempo durante el que un juez ejerce su cargo. **3** Cuerpo o conjunto de los jueces de un país. □ ETIMOL. Del latín *iudicatura*.

judicial adj. Del juicio, de la administración de justicia o de la judicatura: *poder judicial.* □ ETIMOL. Del latín *iudicialis*. □ MORF. Invariable en género.

judío, a ▮ adj. **1** Del judaísmo o relacionado con esta religión. ▮ adj./s. **2** Que tiene como religión el judaísmo. **3** De un antiguo pueblo semita que habitó Palestina (territorio situado en el oeste asiático), o relacionado con él. **4** De Judea (antiguo país asiático), o relacionado con él. ▮ s. **[5** *col.* Usurero. ▮ s.f. **6** Planta leguminosa, con tallos delgados, hojas grandes compuestas y acorazonadas, flores blancas y fruto en vainas de color verde y aplastadas, que terminan en dos puntas. **7** Fruto de esta planta, que es comestible: *judías verdes.* **8** Semilla de este fruto, que tiene forma de riñón: *judías blancas.* □ ETIMOL. Las acepciones 1-5, del latín *Iudaeus.* Las acepciones 6-8, de origen incierto. □ SEM. **1.** En las acepciones 1, 2 y 3, es sinónimo de *hebreo* e *israelita.* **2.** En las acepciones 6, 7 y 8, es sinónimo de *alubia, fréjol, frijol, fríjol* y *habichuela.* □ USO En la acepción 5, es despectivo.

judión s.m. Variedad de judía, de hoja mayor y más redonda, y con vainas más anchas, cortas y fibrosas.

judo (del japonés) s.m. Deporte de origen japonés en el que se enfrentan dos personas, y cuya finalidad es el derribo y la inmovilización del adversario sin el uso de armas. □ PRON. [yúdo]. □ ORTOGR. Se admite también *yudo.* □ USO Aunque la RAE prefiere *yudo*, en la lengua escrita se usa más *judo.*

[judoca (del japonés) s. →**yudoca.** □ PRON. [yudóca]. □ MORF. Es de género común: *el 'judoca'*, *la 'judoca'.*

juego ▮ s.m. **1** Acción que se realiza como diversión o entretenimiento: *A los niños les encanta el juego.* **2** Actividad recreativa que se realiza bajo determinadas reglas: *juegos de mesa.* **3** Práctica de actividades recreativas en las que se realizan apuestas: *El juego ha arruinado a mucha gente.* **4** Participación en una diversión, en un entretenimiento o en un deporte: *Sin entrenamiento no se puede tener buen juego.* **5** Participación en un sorteo o en un juego de azar con el fin de ganar dinero: *Hagan juego, señores, la ruleta se va a poner en movimiento.* **6** Conjunto de elementos que se usan o se combinan juntos para un determinado fin: *juego de llaves.* **7** Combinación de elementos que generalmente produce un efecto estético: *juego de luces.* **8** Disposición con la que dos elementos están unidos de manera que puedan tener movimiento sin separarse: *Esa puerta tiene roto el juego del gozne.* **9** Movimiento que tienen estos elementos: *La inflamación del tendón no me permite el juego de la rodilla.* **10** Plan, esp. si es secreto, para conseguir algo. **[11** En un deporte o en una actividad recreativa, cada una de las partes en que se divide un partido o una partida. **12** En una partida de cartas, conjunto de éstas que se reparten a cada jugador: *Con el juego que me has dado, pierdo seguro.* ▮ pl. **13** En la Antigüedad clásica, fiestas y espectáculos públicos que se celebraban en los circos o lugares destinados para ellos. **14** ‖ **[a juego**; en buena combinación o en armonía: *Las cortinas van 'a juego' con la colcha.* ‖ **crear juego**; en algunos deportes de equipo, esp. en fútbol, proporcionar un jugador a sus compañeros oportunidades de atacar y conseguir tantos. ‖ **dar juego** alguien o algo; **[1** Ofrecer muchas posibilidades o dar buen resultado. **2** Dar lugar a muchos comentarios. ‖ **en juego**; **3** En acción o en marcha: *Puso en juego sus influencias para conseguirle un trabajo.* **4** En una situación arriesgada o en peligro: *Está en juego tu vida si no pagas tus deudas.* ‖ **fuera de juego**; en algunos deportes de equipo, esp. en fútbol, posición antirreglamentaria de un jugador, que se sanciona con falta a su equipo. ‖ **hacer el juego** a alguien; favorecer sus intereses, esp. si es de forma involuntaria: *Esa huelga está haciendo el juego a la oposición porque crea descontento en la población.* ‖ **hacer juego**; combinar bien o armonizar. ‖ **juego de**

{azar/suerte}; el que no se basa en la destreza ni en la inteligencia del jugador sino en el azar o en la suerte. ‖**juego de manos**; el que se realiza para hacer aparecer o desaparecer algo mediante la agilidad de las manos. ‖**juego de niños**; actividad o asunto que no tiene dificultad ni importancia. ‖**juego de palabras**; figura retórica o procedimiento del lenguaje consistente en un uso ingenioso de las palabras basado, bien en el doble y equívoco sentido de alguna de ellas, bien en el parecido formal entre varias. ‖ **[juego de rol]**; el que consiste en desempeñar el papel de un personaje con unas características determinadas en el transcurso de una aventura o de una historia novelada. ‖ **[juego de sociedad]**; el que se realiza en reuniones sociales como mero entretenimiento. ‖**juego malabar**; ejercicio de agilidad y destreza que consiste en mantener algunos objetos en equilibrio o en lanzarlos al aire y recogerlos de diversas formas. ‖**juegos florales**; concurso poético en el que el vencedor recibe como premio simbólico una flor. □ ETIMOL. Del latín *iocus* (broma, diversión). □ SINT. *En juego* se usa más con los verbos *andar, entrar, estar y poner* o equivalentes. □ USO 1. El uso de *offside* en lugar de *fuera de juego* es un anglicismo innecesario. 2. El uso de *orsay* en lugar de *fuera de juego* es innecesario.

juerga s.f. **1** Diversión ruidosa y muy animada en la que suele cometerse algún exceso. **2** ‖**correrse** alguien **una juerga**; col. Participar en ella: *En las fiestas de mi pueblo nos corrimos una buena juerga.* □ ETIMOL. De *huelga*.

juerguista adj./s. Aficionado a la juerga. □ MORF. 1. Como adjetivo es invariable en género. 2. Como sustantivo es de género común: *el juerguista, la juerguista.*

jueves s.m. **1** Cuarto día de la semana, entre el miércoles y el viernes. **2** ‖**no ser** algo **nada del otro jueves**; col. No ser extraordinario. □ ETIMOL. Del latín *Iovis dies* (día consagrado a Júpiter). □ MORF. Invariable en número.

juez, -a s. **1** Persona legalmente autorizada para juzgar, sentenciar y hacer ejecutar la sentencia. **2** En un certamen público, esp. si es literario, persona autorizada para vigilar y cuidar las bases que lo rigen y para distribuir los premios. **3** Persona elegida para resolver una duda o una discusión: *Tú, eres una persona objetiva, serás la juez en nuestra discusión.* **4** En una competición deportiva, persona que posee la máxima autoridad y que tiene diferentes funciones y atribuciones según sea su especialidad. **5** ‖**juez de instrucción**; el que instruye los asuntos penales que le atribuye la ley. ‖**juez de línea**; en algunos deportes, esp. en el fútbol, auxiliar del árbitro principal, encargado de controlar el juego desde fuera de las bandas del campo; linier. ‖**juez de paz**; [persona legalmente autorizada para instruir asuntos penales y civiles de menor importancia en los municipios en los que no existen juzgados de primera instancia ni de instrucción. ‖**juez de primera instancia**; el que conoce de los asuntos civiles que le atribuye la ley. ‖**[juez de silla]**; en algunos deportes de red, esp. en tenis o en voleibol, el que hace cumplir las reglas de la competición. ‖**juez ordinario**; el que conoce en primera instancia las causas y los pleitos. ‖ **[ser juez y parte]**; juzgar algo ante lo que no se puede ser neutral: *No eres objetivo porque 'eres juez y parte' en la disputa.* □

ETIMOL. Del latín *iudex*. □ MORF. La RAE registra *juez* como sustantivo de género común, aunque admite también *jueza* como forma del femenino (menos usual).

jugada s.f. **1** En un juego, intervención de un jugador cuando le toca su turno: *Estuvo tres jugadas sin tirar el dado.* **2** Lance o circunstancia notable del juego: *No repitieron la jugada del gol.* **3** Hecho o dicho malintencionados que causan un perjuicio; faena.

jugador, -a s. **1** Persona que se dedica profesionalmente a jugar, esp. si es en deporte. **2** Persona muy aficionada a los juegos de azar o muy hábil en ellos.

jugar ‖ v. **1** Hacer algo para divertirse o entretenerse: *¡Deja de jugar y cómete el bocadillo! Está jugando en la calle.* **2** Enredar o hacer travesuras: *No juegues con cerillas, que te quemarás.* **3** Referido a un juego o a un deporte, participar en ellos: *Jugaron a policías y ladrones en el patio del colegio. Me gusta mucho jugar al baloncesto.* **4** Referido a un sorteo o a un juego de azar, participar en ellos con el fin de ganar dinero: *Juega a la lotería todas las semanas.* **5** Referido a algo serio o importante, tomarlo a broma o quitarle importancia: *Detesto a los que juegan con los sentimientos de los demás.* **6** Referido a una persona, no tomarla en consideración o burlarse de ella: *No juegues conmigo o lo lamentarás.* **7** En el desarrollo de un juego, intervenir por ser el turno: *Tira el dado, que te toca jugar.* **8** En algunos juegos de cartas, aceptar una apuesta; entrar, ir: *Yo juego y doblo la apuesta.* **9** Referido a las cartas de una baraja o a las fichas de un juego, utilizarlas: *Jugué la reina y di jaque mate al rey.* **10** Referido a un juego o a una competición, llevarlos a cabo; echar: *Jugó un mus con los amigos.* ‖ prnl. **11** Arriesgar o poner en peligro: *Te juegas la vida cada vez que se lanzas en paracaídas.* **[12** Referido a algo que se fija de antemano, apostarlo: *'Me juego' lo que quieras a que llego antes que tú.* **13** ‖**jugar fuerte**; arriesgar grandes cantidades de dinero. ‖**jugar limpio**; no hacer trampas ni engaños. ‖**jugar sucio**; utilizar trampas y engaños. ‖ **[jugársela]** a alguien; col. Gastarle una mala pasada: *Yo creía que me lo decía de buena fe, pero 'me la jugó'.* □ ETIMOL. Del latín *iocari* (bromear). □ ORTOGR. Aparece una *u* después de la *g* cuando le sigue *e.* □ MORF. Irreg. →JUGAR. □ SINT. 1. Constr. de las acepciones 3 y 4: *jugar A algo.* 2. En la acepción 3, incorr. *jugar {*a > al} fútbol, jugar {*a > al} tenis.* 3. Constr. de las acepciones 5 y 6: *jugar CON algo.* □ SEM. No debe emplearse con el significado de 'desempeñar, representar o llevar a cabo' (galicismo): *En su empresa {*juega > desempeña} un papel importante.*

jugarreta s.f. col. Hecho o dicho malintencionados que causan un perjuicio; faena.

juglar s.m. **1** En la Edad Media, artista ambulante que divertía al público con bailes, juegos, interpretaciones u otras habilidades. **2** En la Edad Media, artista con cierta preparación cultural, que sabía tocar un instrumento y que actuaba en ambientes cortesanos, recitando o cantando poemas épicos o trovadorescos. □ ETIMOL. Del latín *iocularis* (gracioso, risible). □ MORF. Su femenino es *juglaresa.*

juglaresa s.f. de juglar.

juglaresco, ca adj. Del juglar, característico de él o relacionado con él.

juglaría s.f. Actividad u oficio de juglar.

jugo s.m. **1** Líquido que se extrae de sustancias animales o vegetales por presión, cocción o destilación: *Hemos hecho carne en su jugo. Extrajo el jugo de la naranja.* **2** En zonas del español meridional, zumo. **3** En biología, líquido orgánico que segrega una célula o una glándula: *jugo gástrico.* **4** Utilidad o provecho: *Es un libro muy interesante y con mucho jugo.* **5** ‖**sacar (el) jugo**; obtener toda la utilidad y el provecho posibles: *Si queremos ganar dinero hay que sacarle el jugo a este negocio.* □ ETIMOL. Del latín *sucus* (jugo o savia de los vegetales).

jugosidad s.f. **1** Abundancia de jugo o de sustancia. **2** Cantidad o valor importantes.

jugoso, sa adj. **1** Que tiene jugo. **2** Referido a un alimento, que es sustancioso. **3** Valioso, estimable o abundante: *Hizo jugosos comentarios.*

juguete s.m. **1** Objeto, generalmente infantil, que sirve para jugar. **2** Persona u objeto dominado o manejado por una fuerza material o moral superior: *La barca era juguete de las olas en medio de la tormenta.* **3** Pieza musical o teatral breve y ligera.

juguetear v. Entretenerse jugando de forma intrascendente: *Mientras hablaba conmigo jugueteaba con las llaves.*

juguetería s.f. **1** Establecimiento en el que se venden juguetes. **2** Industria o actividad relacionada con los juguetes.

juguetero, ra ∎ adj. **[1** De los juguetes o relacionado con ellos. ∎ s. **2** Persona que se dedica profesionalmente a la fabricación o a la venta de juguetes.

juguetón, -a adj. Que juega y retoza con frecuencia.

juicio s.m. **1** Facultad mental de distinguir y valorar racionalmente: *El juicio y la inteligencia distinguen al hombre de los animales.* **2** Opinión o valoración que se forman o emiten sobre algo: *A mi juicio, ésta es la mejor novela de la autora. Si te fías de la primera impresión, puedes formarte un juicio equivocado.* **3** Sensatez o cordura en la forma de actuar: *Si tuvieras un poco de juicio no harías esos disparates.* **4** En derecho, proceso que se celebra ante un juez o ante un tribunal y en el que éstos intentan esclarecer unos hechos y dictan sentencia sobre ellos. **5** En lógica, relación que se establece entre dos conceptos afirmando o negando el uno al otro, y que suele expresarse en forma de proposición: *En un juicio se distinguen el sujeto, el predicado que se afirma de él y la cópula que los relaciona.* **6** ‖**estar** alguien **en su sano juicio**; estar en plena posesión de sus facultades mentales y actuar en consecuencia y de manera sensata. ‖**juicio de faltas**; el que versa sobre transgresiones leves del código penal. ‖**juicio ⟨declarativo/ordinario⟩**; el de carácter civil que trata sobre hechos dudosos o discutibles y que debe terminar con una declaración inequívoca del juez al respecto. ‖**juicio ⟨final/universal⟩**; en el cristianismo, el que realizará Dios en el fin de los tiempos para juzgar a los vivos y a los muertos. ‖**juicio sumario**; el de carácter civil en el que se prescinde de algunas formalidades para limitar las actuaciones de los abogados para hacerlo más rápido. ‖ **[juicio sumarísimo**; el de carácter militar, que se celebra con gran rapidez por juzgarse en él delitos muy claros o especialmente graves.

‖**perder el juicio**; volverse loco. □ ETIMOL. Del latín *iudicium.*

juicioso, sa adj./s. Con juicio o sensatez.

[jula, [julandrón o **[julay** s.m. **1** *vulg.* Persona tonta, incauta o muy fácil de engañar. **2** *vulg.* Persona homosexual. □ USO 1. Son despectivos. 2. *Jula* es el término menos usual.

julepe s.m. **1** Juego de cartas en el que se reparten cinco a cada jugador, una se deja de triunfo, y ganan los que consiguen, al menos, dos bazas. **2** *col.* Esfuerzo o trabajo excesivo para una persona: *Menudo julepe me di haciendo la limpieza general.* **3** Bebida medicinal elaborada con agua destilada, jarabes y otras sustancias. □ ETIMOL. Del árabe *yullab* (agua de rosas, jarabe).

julio s.m. **1** Séptimo mes del año, entre junio y agosto. **2** En el Sistema Internacional, unidad de trabajo y de energía que equivale al trabajo producido por una fuerza de un newton, cuyo punto de aplicación se desplaza un metro en la dirección de la fuerza; joule. □ ETIMOL. La acepción 1, del latín *Iulius* (mes dedicado a Julio César). La acepción 2, del inglés *joule,* por alusión al físico inglés J. P. Joule.

[jumbo (anglicismo) s.m. Tipo de avión de pasajeros de grandes dimensiones. □ PRON. [yúmbo].

jumento, ta s. Mamífero cuadrúpedo, doméstico, más pequeño que el caballo, con largas orejas, pelo áspero y normalmente grisáceo, y que se suele emplear como montura o como animal de carga o de tiro; asno. □ ETIMOL. Del latín *iumentum* (bestia de carga).

[jumilla s.m. Vino de alta graduación, mezcla de seco y dulce, y originario de Jumilla (comarca de la provincia de Murcia).

[jumper (anglicismo) s.m. En informática, pieza pequeña usada para hacer una conexión eléctrica o un puente. □ PRON. [yámper].

juncáceo, a ∎ adj./s.f. **1** Referido a una planta, que es herbácea, tiene hojas alternas que envuelven el tallo, largo y cilíndrico, y flores poco visibles: *El junco es una juncácea.* ∎ s.f.pl. **2** En botánica, familia de estas plantas, perteneciente a la clase de las monocotiledóneas. □ ETIMOL. Del latín *iuncus* (junco).

juncal adj. Esbelto, gallardo o airoso. □ MORF. Invariable en género.

junco s.m. **1** Planta herbácea con tallos largos, lisos, cilíndricos y flexibles, de color verde oscuro por fuera y blancos y esponjosos en el interior, hojas reducidas a vainas delgadas, y que abunda en lugares húmedos; junquera. **2** Tallo de esta planta. **3** Embarcación pequeña y ligera, con velas rectangulares reforzadas con listones de bambú, y que es utilizada esp. en el sudeste asiático. 🚢 embarcación □ ETIMOL. Las acepciones 1 y 2, del latín *juncus.* La acepción 3, del portugués *junco,* y éste del malayo *jung.*

jungla s.f. **1** Terreno cubierto de espesa y exuberante vegetación y que es propio de zonas de clima tropical de tierras americanas y del sudeste asiático. **[2** Lugar caótico o lleno de peligros y dificultades y en el que la ley de la fuerza se impone a la de la razón o el orden. □ ETIMOL. Del inglés *jungle.*

junio s.m. Sexto mes del año, entre mayo y julio. □ ETIMOL. Del latín *Iunius* (mes dedicado a Junio Bruto).

júnior ∎ adj. **[1** Referido a una persona, que es más joven que otra de su familia con el mismo nombre.

■ adj./s. [2 Referido a un deportista, que, por edad, pertenece a la categoría posterior a la de juvenil y anterior a la de sénior. **■ s. 3** Religioso joven que, aunque ya ha hecho el noviciado, todavía no ha profesado o no tiene los votos definitivos. □ ETIMOL. Las acepciones 1 y 2, del inglés *junior*, y éste del latín *iunior* (el más joven). La acepción 3, del latín *iunior* (el más joven). □ PRON. Las acepciones 1 y 2 se pronuncian [yúnior]. □ MORF. 1. La RAE sólo lo registra como sustantivo masculino. 2. Como adjetivo es invariable en género. 3. Como sustantivo es de género común: *el júnior, la júnior.* 4. En la acepción 3, se usa también la forma de femenino *'juniora'.*

[juniorado s.m. Período intermedio entre el noviciado y la profesión solemne o la toma de los votos definitivos. □ PRON. Incorr. *[yuniorádo].

junípero s.m. Arbusto conífero, de tronco abundante en ramas y copa espesa, hojas en grupos de tres, rígidas y punzantes, flores en espigas y de color pardo rojizo, que tiene por fruto bayas esféricas y cuya madera es fuerte, rojiza y olorosa; enebro. □ ETIMOL. Del latín *iuniperus.*

junquera s.f. Planta herbácea con tallos largos, lisos, cilíndricos y flexibles, de color verde oscuro por fuera y blancos y esponjosos en el interior, hojas reducidas a vainas delgadas, y que abunda en lugares húmedos; junco.

junquillo s.m. Moldura delgada y de forma redondeada. □ ETIMOL. De *junco.*

junta s.f. Véase **junto, ta.**

juntar ■ v. 1 Agrupar o poner de manera que se forme un conjunto: *Junta toda la ropa sucia para echarla a lavar.* **2** Referido a dos o más cosas, acercarlas entre sí o ponerlas contiguas: *Junta las sillas para que quede más espacio libre. Si os juntáis un poco, cabrá una persona más en el sofá.* **3** Acumular o reunir en gran cantidad: *En pocos años juntó mucho dinero.* **4** Reunir en un mismo sitio o hacer acudir a él: *Juntó a toda la familia el día de su boda. Se juntaron en el bar para discutir el asunto.* **■ prnl. 5** Relacionarse o mantener amistad: *Ahora se junta con las hijas del médico.* **6** Referido a una persona, vivir con otra con la que mantiene relaciones sexuales sin estar casada con ella; amancebarse: *Se ha juntado con su novia.* □ ETIMOL. De *junto.* □ MORF. Tiene un participio regular *(juntado)*, que se usa más en la conjugación, y otro irregular *(junto)*, que se usa sólo como adjetivo o adverbio. □ SINT. Constr. de las acepciones 5 y 6: *juntarse CON alguien.*

junto, ta ■ adj. 1 Unido, cercano, agrupado o reunido: *Tienes que coser juntos estos dos bordes. Me agobia ver a tanta gente junta en un local cerrado.* **2** En compañía, en colaboración o a un tiempo: *Les gusta trabajar juntos.* **■ s.f. 3** Reunión de personas para tratar un asunto: *junta de vecinos.* **4** Conjunto de personas elegidas para dirigir los asuntos de una colectividad: *junta directiva.* **[5** Lugar en el que se reúne este grupo de personas. **6** Parte o lugar en el que se juntan y unen dos o más cosas: *Está soldando la junta de las tuberías.* **7** Pieza que se coloca entre dos tubos o dos partes de un aparato para efectuar su unión: *Se ha roto la junta de goma del grifo y no puedo cerrarlo.* **8** En construcción, espacio, generalmente relleno de mortero o de yeso, que queda entre dos sillares o ladrillos contiguos de una

pared: *En las juntas de dilatación se sustituye el mortero por un material elástico.* **9** En construcción, superficie de este espacio: *Cuando el muro esté acabado, pintaremos los ladrillos de un color y las juntas de otro.* □ ETIMOL. Las acepciones 1 y 2, del latín *iunctus*, y éste de *iungere* (juntar). Las acepciones 3-9, de *juntar.* □ SEM. En la acepciones 6 y 7, es sinónimo de *juntura.*

junto adv. **1** En una posición próxima o inmediata: *Tengo una casa junto a la playa.* **2** Al mismo tiempo o a la vez: *No sé cómo puedes hacer junto tantas cosas. Junto con el libro, me mandó una carta.* □ SINT. 1. Constr. de la acepción 1: *junto A algo.* 2. Constr. de la acepción 2: *junto CON algo.*

juntura s.f. **1** Parte o lugar en el que se juntan y unen dos o más cosas. **[2** Pieza que se coloca entre dos tubos o dos partes de un aparato para efectuar su unión. □ ETIMOL. Del latín *iunctura.* □ SEM. Es sinónimo de *junta.*

jura s.f. **1** Compromiso solemne, y con juramento de fidelidad y obediencia, de cumplir con las obligaciones o exigencias que conllevan un cargo o unos principios. **2** Ceremonia en la que se realiza este compromiso. □ ETIMOL. De *jurar.*

jurado, da ■ adj. 1 Que ha prestado juramento para desempeñar su cargo o su función: *intérprete jurado.* **■ s.m. 2** En un proceso judicial, tribunal formado por ciudadanos y cuya función es determinar la culpabilidad o la inocencia del acusado. **3** En un concurso o en una competición, tribunal formado por un grupo de personas competentes en una materia y cuya función es examinar y calificar algo.

juramentar ■ v. 1 Referido a una persona, tomarle juramento: *Hoy se procederá a juramentar a los nuevos ministros.* **■ prnl. 2** Referido a varias personas, comprometerse u obligarse mediante juramento a hacer algo: *Nos hemos juramentado para acabar con esta injusticia.*

juramento s.m. **1** Afirmación o promesa rotundas, esp. las que se hacen de forma solemne y poniendo por testigo algo sagrado o valioso. **2** Blasfemia o palabra ofensiva y malsonante. □ ETIMOL. Del latín *iuramentum.*

jurar v. **1** Afirmar o prometer rotundamente, esp. si se hace de forma solemne y poniendo por testigo algo sagrado o valioso: *Te juro que se lo diré. Me juró por su honor que él no había sido.* **2** Referido esp. a un cargo o a unos principios, comprometerse solemnemente y con juramento de fidelidad y obediencia a cumplir con las obligaciones o exigencias que éstos conllevan: *El presidente ha jurado hoy el cargo. Los diputados electos juraron la Constitución.* **3** Decir palabras ofensivas: *¿Quieres dejar de jurar y de decir tacos?* **4** ‖ **{jurársela/jurárselas}** a alguien; *col.* Prometer venganza contra él: *Me la ha jurado porque dice que ofendí a su familia.* □ ETIMOL. Del latín *iurare*, y éste de *ius* (derecho, ley).

jurásico, ca ■ adj. 1 En geología, del segundo período de la era secundaria o mesozoica, o de los terrenos que se formaron en él. **■ adj./s.m. 2** En geología, referido a un período, que es el segundo de la era secundaria o mesozoica. □ ETIMOL. De *Jura* (región de Francia) y la terminación de *triásico.*

jurel s.m. Pez marino, de cuerpo rollizo y de color azul o verdoso por el lomo y blanco rojizo por el vientre, cabeza corta, escamas pequeñas y muy unidas a la piel, excepto a lo largo de los costados, donde son fuertes y agudas, con dos aletas dorsales provistas de grandes espinas y una cola extensa y en forma de horquilla; chicharro. ☐ ETIMOL. Del catalán *sorell*. ☐ MORF. Es un sustantivo epiceno: *el jurel macho, el jurel hembra*.

jurídico, ca adj. Que se refiere al derecho o a las leyes, o que se ajusta a ellos. ☐ ETIMOL. Del latín *iuridicus*, y éste de *ius* (derecho) y *dicere* (decir).

jurisconsulto, ta s. **1** Persona que, con el debido título, se dedica a la ciencia del derecho. **2** Persona especializada en cuestiones legales, esp. en derecho civil y canónico, aunque no participe en los pleitos; jurisperito. ☐ ETIMOL. Del latín *iurisconsultus*, y éste de *ius* (derecho, ley) y *consulere* (pedir consejo).

jurisdicción s.f. **1** Autoridad, poder o competencia para gobernar y para hacer cumplir las normas, esp. las legales. **2** Territorio o demarcación administrativos, esp. los que están sometidos a la competencia de una autoridad: *jurisdicción municipal*. ☐ ETIMOL. Del latín *iurisdictio* (acto de decir el derecho).

jurisdiccional adj. De la jurisdicción. ☐ MORF. Invariable en género.

jurisperito, ta s. Persona especializada en cuestiones legales, esp. en derecho civil y canónico, aunque no participe en los pleitos; jurisconsulto. ☐ ETIMOL. Del latín *iuris peritus* (perito en derecho).

jurisprudencia s.f. **1** Ciencia del derecho. **2** Conjunto de sentencias de los tribunales. **3** Doctrina o enseñanza que se desprende de este conjunto de sentencias, esp. de las del Tribunal Supremo. **4** Criterio o norma sobre un problema jurídico, establecidos por una serie de sentencias concordes o relacionadas: *Las omisiones de la ley ante nuevos delitos se suplen con la jurisprudencia*.

jurista s. Persona que se dedica al estudio o a la interpretación de las leyes o del derecho, esp. si ésta es su profesión. ☐ MORF. Es de género común: *el jurista, la jurista*.

justa s.f. Véase **justo, ta**.

justedad o **justeza** s.f. Rectitud, equidad o precisión en las acciones. ☐ USO *Justedad* es el término menos usual.

justicia s.f. **1** Inclinación a dar y reconocer a cada uno lo que le corresponde: *Actuó con justicia y sin dejarse llevar de favoritismos*. **2** Lo que debe hacerse según el derecho o la razón: *El pueblo espera justicia de sus gobernantes*. **3** Organismo o autoridad encargada de aplicar las leyes y de castigar su incumplimiento: *El delincuente cayó en manos de la justicia*. **4** ‖ **administrar justicia**; dictar sentencia aplicando las leyes en un juicio y hacer que se cumpla. ‖ **hacer justicia a alguien**; tratarlo como le corresponde por sus propios méritos o condiciones. ‖ **justicia de Aragón**; [defensor del pueblo en Aragón (comunidad autónoma). ‖ **ser de justicia**; ser como corresponde según el derecho o la razón: *Es de justicia que la Administración te devuelva lo que te cobró de más*. ‖ **[tomarse** alguien **la justicia por su mano**; aplicar él mismo el castigo que cree justo. ☐ ETIMOL. Del latín *iustitia*. ☐ USO *Justicia de Aragón* se usa más como nombre propio.

justicialismo s.m. Movimiento político argentino relacionado con el populismo latinoamericano y de carácter nacionalista, fundado por el general Juan Domingo Perón (presidente argentino entre 1946 y 1955).

justicialista ∎ adj. **1** Del justicialismo o relacionado con este movimiento político. ∎ adj./s. **2** Partidario del justicialismo. ☐ MORF. 1. Como adjetivo es invariable en género. 2. Como sustantivo es de género común: *el justicialista, la justicialista*.

justiciero, ra adj. Que acata y hace acatar estrictamente la justicia, esp. en lo relacionado con el castigo de los delitos.

justificable adj. Que se puede justificar. ☐ MORF. Invariable en género.

justificación s.f. **1** Aportación de razones para hacer parecer una acción oportuna, válida o adecuada: *Estoy esperando una justificación de tu actitud*. **2** Demostración por medio de pruebas: *Si no presentas la justificación de los gastos no te pagaré lo que dices que te debo*. **3** Argumento, motivo o prueba que justifican: *El recibo sirve como justificación de que te has matriculado*. **4** En tipografía, igualación del largo de las líneas de un texto impreso.

justificado, da ∎ adj. **1** Con motivos o razones válidos o justos. ∎ s.m. [**2** En tipografía, hecho de igualar la longitud de las líneas de un texto impreso.

justificante s.m. Documento o prueba que justifica.

justificar v. **1** Referido a una acción, aportar razones para hacerla parecer oportuna, válida o adecuada: *Que estuviera borracho no justifica su actitud*. **2** Demostrar con pruebas, esp. con razones, con testigos o con documentos: *Los gastos de empresa se justifican con facturas*. **3** Referido a una persona, defenderla o demostrar su inocencia: *Siempre justifica al niño ante su padre. Se justificó diciendo que él no sabía lo que iba a ocurrir*. **4** En tipografía, referido a las líneas de un texto impreso, igualar su longitud: *Ese procesador de textos justifica automáticamente por la derecha*. ☐ ETIMOL. Del latín *iustificare*. ☐ ORTOGR. La *c* se cambia en *qu* delante de *e* →SACAR.

justificativo, va adj. Que sirve para justificar.

justipreciar v. Valorar o tasar con rigor: *Los peritos se encargaron de justipreciar sus bienes antes de subastarlos*. ☐ ETIMOL. De *justo* y *precio*. ☐ ORTOGR. La *i* nunca lleva tilde.

justiprecio s.m. Valor o tasa que se determinan de forma rigurosa.

justo, ta ∎ adj. **1** Como debe ser según la justicia, el derecho o la razón: *El tribunal dictó una sentencia justa e irreprochable. Es justo que se te reconozcan tus méritos*. **2** Exacto en medida o en número: *Las medidas justas del cuadro son 15 x 20 cm. Me queda el dinero justo para llegar a fin de mes*. **3** Preciso, atinado o adecuado: *Dio con la solución justa a mis problemas*. **4** Apretado o ajustado: *Desde que engordé, la ropa me queda muy justa*. ∎ adj./s. **5** Que obra con justicia. **6** En el cristianismo, que tiene la gracia de Dios y que vive según su ley. ∎ s.f. **7** En la Edad Media, combate en el que dos contendientes se enfrentaban a caballo y con lanza, esp. si se hacía como exhibición y para amenizar las fiestas. **8** Certamen o competición literaria, esp. la de carácter poético. ☐ ETIMOL. Las acepciones 1-6, del latín *iustus* (conforme a derecho). Las acepciones 7 y 8, del antiguo *justar* (pelear). ☐ SEM. En la acepción 2, en plural equivale a 'el número exacto o necesario': *Me quedan los clavos justos para sujetar el cuadro. Estamos los justos para echar una partida*.

justo adv. Exactamente o en el preciso momento o lugar: *Llegó justo cuando yo salía. Estoy justo en medio de la calle.*

juvenil ∎ adj. **1** De la juventud o relacionado con esta fase del desarrollo del ser vivo. ∎ adj./s. **[2** Referido a un deportista, que, por edad, pertenece a la categoría posterior a la de cadete y anterior a la de júnior. □ ETIMOL. Del latín *iuvenilis.* □ MORF. **1.** Como adjetivo es invariable en género. **2.** Como sustantivo es de género común: *el juvenil, la juvenil.*

juventud ∎ s.f. **1** Período de la vida de una persona que media entre la niñez y la edad adulta. **2** Conjunto de las características físicas y mentales, esp. la energía y la frescura, que caracterizan este período de la vida humana: *Sus cincuenta años aún están llenos de juventud.* **3** Conjunto de los jóvenes: *La juventud actual está mejor preparada académicamente.* **4** Primeros tiempos o etapas del desarrollo de algo: *Sus novelas de juventud las escribió con cuarenta años.* ∎ pl. **[5** Organización juvenil de un partido político. □ ETIMOL. Del latín *iuventus.*

juzgado s.m. **1** Lugar en el que se celebran juicios. **2** Órgano judicial constituido por un solo juez: *He recibido una citación del juzgado para declarar.* **3** Territorio bajo la jurisdicción o competencia de este juez. **4** Conjunto de jueces que dictan una sentencia: *Los juzgados de causas especiales suelen estar formados por eminentes juristas.* **5** ‖ **[de juzgado de guardia**; *col.* Intolerable o contrario a lo que debe hacerse en justicia.

juzgar v. **1** Creer o considerar: *Se fue del pueblo porque juzgó que allí no tenía futuro. Te juzgo capaz de todo.* **2** Referido esp. a una persona, valorar sus acciones o sus condiciones y emitir dictamen o sentencia sobre ellas quien tiene autoridad para ello: *La magistrada que juzgó al sospechoso lo declaró culpable. Tú no eres el más indicado para juzgar lo que hago.* **3** ‖ **[a juzgar por** algo; según se deduce de ello: *'A juzgar por' la letra, el que escribió esto estaba muy nervioso.* □ ETIMOL. Del latín *iudicare.* □ ORTOGR. La *g* se cambia en *gu* delante de *e* → PAGAR.

K k

k s.f. Undécima letra del abecedario. □ PRON. Representa el sonido consonántico velar oclusivo sordo.

ka s.f. Nombre de la letra *k*.

[kabuki (del japonés) s.m. Modalidad de teatro japonés, de carácter tradicional y popular, en la que se combinan el recitado, el canto y el baile, y cuyos intérpretes son actores masculinos.

[kafkiano, na adj. Referido a una situación, que resulta angustiosa y absurda. □ ETIMOL. Por alusión al mundo opresivo e irreal que el escritor checo Kafka describe en sus novelas.

káiser s.m. Emperador del II Reich (imperio germánico de finales del siglo XIX y principios del XX). □ ETIMOL. Del alemán *Kaiser*.

[kamikaze (del japonés) adj./s. →**camicace**. □ USO Su uso es innecesario.

kan s.m. Jefe o príncipe de los tártaros o de los persas. □ ETIMOL. Del turco antiguo *jan* (título usado en distintos países ha designado al soberano). □ ORTOGR. Se admite también *can*.

kantiano, na adj./s. De Kant (filósofo alemán de finales del siglo XVIII), o de su sistema filosófico.

kantismo s.m. Sistema filosófico creado por Kant (filósofo alemán de finales del siglo XVIII) y que parte del sometimiento de la razón a un juicio crítico como requisito para hacer posible el conocimiento científico.

kappa s.f. En el alfabeto griego clásico, nombre de la décima letra: *La grafía de la kappa es κ.* □ ORTOGR. Se admite también *cappa*.

[karaoke (del japonés) s.m. Local público donde los clientes pueden acceder a un pequeño escenario y cantar canciones con un acompañamiento musical grabado.

kárate s.m. Deporte de origen japonés en el que se enfrentan dos luchadores que intentan derribarse mediante golpes secos dados con las manos, con los codos o con los pies. □ ETIMOL. De origen japonés.

[karateca o **[karateka** (del japonés) s. Persona que practica el kárate. □ MORF. Es de género común: *el 'karateca', la 'karateca'*.

[karma s.m. En el hinduismo, creencia según la cual los actos que un ser realiza en una vida influirán en sus vidas sucesivas.

[karst s.m. Relieve típico de terrenos con rocas calizas o fácilmente solubles y caracterizado por la abundancia de grietas, galerías y formas originadas por la acción erosiva o disolvente del agua. □ ETIMOL. Por alusión a Karst, región de la antigua Yugoslavia en que se da este relieve. □ ORTOGR. Se usa también *carst*.

[kárstico, ca adj. Del karst o con características de este tipo de relieve; cárstico. □ SEM. Aunque la RAE sólo registra *cárstico*, se usa más *'kárstico'*.

[kart (anglicismo) s.m. Coche de carreras de una sola plaza, de pequeña cilindrada y sin carrocería ni sistema de suspensión.

[karting (anglicismo) s.m. **1** Carrera de karts. **2** Deporte consistente en competir en estas carreras. □ PRON. [kártin].

[kasbah (arabismo) s.f. Casco antiguo de una ciudad árabe. □ PRON. [kásba].

[kastán s.m. Turbante turco.

[katiuska (del ruso) s.f. Bota de goma impermeable que llega hasta media pierna o hasta la rodilla. ✍ calzado

[kayak (anglicismo) s.m. **1** Embarcación muy ligera, formada por un armazón de madera recubierto con un tejido impermeable, larga, estrecha y casi cerrada, con una abertura para el tripulante. ✍ embarcación **2** Deporte de competición que se practica con estas embarcaciones y con remos provistos de palas a ambos lados. □ PRON. [kayák].

[kazaco, ca adj./s. Del Kazajstán (país asiático), relacionado con éste, o del grupo étnico mayoritario del mismo.

[kebab s.m. Comida que se prepara asando trozos pequeños de carne y de verduras ensartados en una varilla. □ PRON. [kebáb].

kéfir s.m. Leche fermentada artificialmente, de fuerte sabor agridulce. □ ETIMOL. De origen caucásico.

[keirin (del japonés) s.m. Competición deportiva de ciclismo de pista. □ PRON. [kéirin].

kelvin o **kelvinio** s.m. En el Sistema Internacional, unidad básica de temperatura termodinámica: *Una diferencia de temperatura puede expresarse en grados Kelvin o en grados Celsius.* □ ETIMOL. Por alusión a Kelvin, físico irlandés que formuló la escala absoluta de temperaturas. □ ORTOGR. *Kelvin* es la denominación internacional del *kelvinio*.

[kendo (del japonés) s.m. Deporte de origen japonés, semejante a la esgrima, que se practica con espadas de madera.

[keniano adj./s. De Kenia o relacionado con este país africano.

[kepí o **[kepis** s.m. →**quepis**. □ MORF. '*Kepis*' es invariable en número. ✍ sombrero

kermes s.m. →**quermes**. □ ORTOGR. Dist. de *kermés*.

kermés s.f. Fiesta popular que se celebra al aire libre, con bailes, rifas y otras diversiones, y generalmente con fines benéficos. □ ETIMOL. Del francés *kermesse*. □ ORTOGR. 1. Dist. de *kermes*. 2. Se admite también *quermés*.

[kerosén o **[kerosene** s.m. En zonas del español meridional, queroseno.

[ketchup (anglicismo) s.m. Salsa de tomate condimentada con vinagre, azúcar y especias; catsup. □ PRON. [kétchup].

[khmer (del hindi) adj./s. →**jemer**. □ PRON. [jémer] o [jemér].

[kibbutz (del hebreo) s.m. Granja agraria israelí, de propiedad estatal, que el Estado arrienda a una comunidad para su explotación en régimen de cooperativa. □ PRON. [kibúz].

[kick boxing (anglicismo) s.m. ‖Modalidad de arte marcial, en la que, además de usar los puños con guantes, está permitido golpear con los pies desnudos y con las espinillas. □ PRON. [kic bóxin].

kif s.m. →**quif**.

[kiko s.m. Maíz tostado. □ ETIMOL. Extensión del nombre de una marca comercial.

[kilim s.m. **1** Tela típicamente oriental, de vivos colores y decorada con motivos geométricos. **2** Alfombra o tapiz de pequeñas dimensiones confeccionados con esta tela. □ PRON. [kílim].

kilo s.m. **1** →**kilogramo. 2** col. Millón de pesetas.

kilo- Forma compositiva que significa 'mil': *kilocaloría, kilohercio, kilolitro, kilovatio.* □ ETIMOL. Del griego *khílion.* □ MORF. Puede adoptar la forma *quilo-: quilogramo, quilolitro, quilómetro.*

[kilobyte (anglicismo) s.m. En informática, unidad de almacenamiento de información que equivale a mil bytes aproximadamente. □ PRON. [kilobáit].

kilocaloría s.f. Unidad de energía calorífica que equivale a mil calorías. □ ETIMOL. De *kilo-* (mil) y *caloría.*

kilogramo s.m. **1** En el Sistema Internacional, unidad básica de masa: *Un kilogramo equivale a la masa de mil centímetros cúbicos de agua destilada a cuatro grados centígrados al nivel del mar.* **2** ‖**kilogramo fuerza**; unidad de fuerza que equivale a la atracción que la Tierra ejerce sobre la masa de un kilogramo sometido a una aceleración de la gravedad al nivel del mar; kilopondio: *Un kilogramo fuerza equivale a 9,80665 newtons.* □ ETIMOL. De *kilo-* (mil) y *gramo.* □ ORTOGR. Se admite también *quilogramo.* □ MORF. Se usa mucho la forma abreviada *kilo.*

kilohercio s.m. En el Sistema Internacional, unidad de frecuencia que equivale a mil hercios. □ ETIMOL. De *kilo-* (mil) y *hercio.*

kilolitro s.m. Unidad de volumen que equivale a mil litros. □ ETIMOL. De *kilo-* (mil) y *litro.* □ ORTOGR. Se admite también *quilolitro.*

[kilometraje s.f. **1** Medida de una distancia en kilómetros, esp. si se hace marcando el límite de éstos con postes, mojones u otras señales. **2** Número de kilómetros recorridos.

[kilometrar v. Referido a una distancia, medirla en kilómetros, esp. si se hace marcando los límites de éstos con postes, mojones u otras señales: *'Han kilometrado' el nuevo tramo de la carretera con postes reflectantes.*

kilométrico, ca adj. **1** Del kilómetro o relacionado con esta unidad de longitud. **2** col. Muy largo. □ ORTOGR. Se admite también *quilométrico.*

kilómetro s.m. **1** En el Sistema Internacional, unidad de longitud que equivale a mil metros. **2** ‖**kilómetro cuadrado**; en el Sistema Internacional, unidad de superficie que equivale a un millón de metros cuadrados. □ ETIMOL. De *kilo-* (mil) y *metro.* □ ORTOGR. Se admite también *quilómetro.*

kilopondio s.m. Unidad de fuerza que equivale a la atracción que la Tierra ejerce sobre la masa de un kilogramo sometido a una aceleración de la gravedad al nivel del mar; kilogramo fuerza. □ ETIMOL. De *kilo-* (mil) y el latín *pondus* (peso).

kilovatio s.m. **1** En el Sistema Internacional, unidad de potencia que equivale a mil vatios. **2** ‖**kilovatio hora**; unidad de trabajo o energía que equivale a la energía producida o consumida por una potencia de un kilovatio durante una hora. □ ETIMOL. De *kilo-* (mil) y *vatio.*

[kilovoltio s.m. En el Sistema Internacional, unidad de tensión eléctrica, de potencial eléctrico y de fuerza electromotriz que equivale a mil voltios. □ ETIMOL. De *kilo-* (mil) y *voltio.*

[kilt (anglicismo) s.m. Falda de tela de cuadros, corta y con pliegues, que usan los hombres escoceses como parte de su traje nacional.

[kimono (del japonés) s.m. →**quimono.** □ USO Su uso es innecesario.

[kínder s.m. En zonas del español meridional, escuela para niños de cuatro a seis años. □ ETIMOL. Del alemán *kindergarten.*

[kindergarten s.m. →**jardín de infancia.** □ PRON. [kindergárten]. □ USO Es un germanismo innecesario.

[kinésica s.f. →**cinésica.**

kiosco s.m. →**quiosco.**

[kipá (del hebreo) s.f. Bonete semiesférico que usan los judíos para las ceremonias religiosas.

[kirguizo, za adj./s. Del Kirguizistán (país asiático), relacionado con éste, o del grupo étnico mayoritario del mismo.

kirie s.m. Parte de la misa en la que se hace una invocación al Señor con esta palabra griega.

[kirsch (germanismo) s.m. Aguardiente elaborado con cerezas amargas fermentadas. □ PRON. [kirs].

[kit (anglicismo) s.m. **1** Equipo formado por un conjunto de artículos destinados a un uso determinado: *Le regalaron un 'kit' de oficina, con grapadora, bote de lápices y un montón de cosas más.* **2** Conjunto de las piezas de un objeto que se venden con instrucciones para que puedan ser fácilmente montadas: *He comprado un 'kit' de rejilla para hacerme una estantería.* □ USO En la acepción 1, su uso es innecesario y puede sustituirse por una expresión como *lote* o *equipo.*

[kitsch (germanismo) ∎ adj. **1** Referido esp. a un objeto decorativo, que resulta cursi o de mal gusto. ∎ s.m. **2** Estilo o tendencia estética caracterizados por la mezcla de elementos que se consideran desfasados y de mal gusto. □ PRON. [kich]. □ MORF. Como adjetivo es invariable en género.

kiwi s.m. **1** Arbusto trepador de flores blancas o amarillas y frutos en forma de huevo, de piel parda y peluda y pulpa verde. **2** Fruto comestible de este arbusto. **3** Ave nocturna, corredora, de pico largo y curvado, patas fuertes, plumaje pardo oscuro y alas poco desarrolladas que no le permiten volar. □ PRON. [kívi]. □ MORF. En la acepción 3, es un sustantivo epiceno: *el kiwi macho, el kiwi hembra.* □ SEM. En las acepciones 1 y 2 es sinónimo de *quivi.* □ USO En las acepciones 1 y 2, aunque la RAE prefiere *quivi,* en la lengua actual se usa más *kiwi.*

[kleenex (anglicismo) s.m. Pañuelo de papel. □ ETIMOL. Extensión del nombre de una marca comercial. □ PRON. [klínex]. □ USO Su uso es innecesario y puede sustituirse por una expresión como *pañuelo de papel.*

[knock out ‖Fuera de combate: *El boxeador dejó 'knock out' a su contrincante. Aquel descubrimiento me dejó 'knock out'.* □ PRON. [nocáut]. □ MORF. Se usa mucho la sigla inglesa *K.O.,* pronunciada [káo]. □ USO Es un anglicismo innecesario.

[know-how (anglicismo) s.m. Procedimientos o tecnología que una empresa tiene para fabricar o gestionar. □ PRON. [nóu-háu], con *h* aspirada.

[koala s.m. Mamífero trepador australiano de pequeño tamaño, que carece de cola, tiene orejas grandes y hocico ancho, corto y de color oscuro, pelaje gris rojizo y cuya hembra tiene una especie de bolsa en la espalda en donde transporta a sus crías los seis primeros meses de vida. □ ORTOGR. Se admite también *coala.* □ MORF. Es un sustantivo epiceno: *el 'koala' macho, el 'koala' hembra.*

koiné s.f. →**coiné.**
[kopek (del ruso) s.m. →**cópec.** □ PRON. [kópek]. □ USO Su uso es innecesario.
[koré (del griego) s.f. En el arte griego antiguo, escultura de mujer joven y vestida. □ MORF. Se usa mucho el plural griego *korai*.
krausismo s.m. Doctrina filosófica de Krause (filósofo alemán del siglo XIX), de carácter marcadamente ético y conciliador entre el racionalismo y la moral religiosa.
krausista ▌ adj. **1** Del krausismo o relacionado con esta doctrina filosófica. ▌ adj./s. **2** Partidario o seguidor del krausismo. □ MORF. **1.** Como adjetivo es invariable en género. **2.** Como sustantivo es de género común: *el krausista, la krausista.*
kril s.m. Conjunto de pequeños crustáceos que forman parte del plancton marino. □ ETIMOL. Del inglés *krill*, y éste del noruego *krill* (alevín). □ USO Es innecesario el uso del anglicismo *krill*.
[krill s.m. →**kril.** □ USO Es un anglicismo innecesario.
[kuchen s.m. En zonas del español meridional, tarta. □ ETIMOL. Del alemán *Kuchen.* □ PRON. [kújen].
[kufía (del árabe) s.f. Tocado masculino típico de los países árabes.

[kulak (del ruso) s.m. En la sociedad eslava tradicional, campesino rico propietario de la tierra que trabajaba. □ PRON. [kulák].
[kung fu (del chino) s.m. ‖Arte marcial de origen chino que consiste en luchar cuerpo a cuerpo, con una gran concentración mental y usando las manos y los pies. □ PRON. [kunfú].
kurdo, da ▌ adj./s. **1** Del Kurdistán (región asiática), o relacionado con él. ▌ s.m. **[2** Lengua indoeuropea de esta región. □ ORTOGR. Se admite también *curdo.* □ USO Aunque la RAE prefiere *curdo*, se usa más *kurdo.*
[kurós (del griego) s.m. En el arte griego antiguo, escultura de hombre joven y desnudo. □ MORF. Se usa mucho el plural griego *kuroi*.
[kuru s.m. Enfermedad detectada en los años cincuenta entre unas tribus de lugares remotos de Papúa Nueva Guinea (isla del continente oceánico), y cuyos síntomas son la demencia y la pérdida de coordinación.
[kuwaití adj./s. De Kuwait (país asiático) o relacionado con él. □ MORF. **1.** Como adjetivo es invariable en género. **2.** Como sustantivo es de género común: *el 'kuwaití', la 'kuwaití'.* **3.** Aunque su plural en la lengua culta es *'kuwaitíes'*, se usa mucho *'kuwaitís'.*

L l

l s.f. Duodécima letra del abecedario. ☐ PRON. 1. Representa el sonido alveolar lateral sonoro. 2. La grafía *ll* representa el sonido lateral palatal sonoro (llama, calle), aunque está muy extendida su pronunciación fricativa como [y] →**yeísmo**. ☐ ORTOGR. 1. La grafía *ll* es indivisible al final de línea: incorr. *cal-le* > ca-lle. 2. La grafía mayúscula de *ll* es *Ll*: incorr. *LLoro* > Lloro.

la ■ 1 pron.pers. f. de **lo**. 2 art.determ. s.f. de **el**. ■ s.m. 3 En música, sexta nota de la escala de do mayor. ☐ ETIMOL. Las acepciones 1 y 2, del latín *illa*. La acepción 3, de la primera sílaba de la palabra *labii*, que aparece en el himno de San Juan Bautista, de donde se sacó el nombre de todas las notas musicales. ☐ SINT. También en la acepción 3 su plural es *las*.

[la crème de la crème (galicismo) ‖Lo mejor de lo mejor: *A la fiesta asistió 'la crème de la crème' de la sociedad*. ☐ PRON. [la crém de la crém]. ☐ USO Su uso es innecesario y puede sustituirse por una expresión como 'la flor y nata'.

laberíntico, ca adj. 1 Del laberinto o relacionado con él. 2 Confuso o enredado.

laberinto s.m. 1 Lugar formado por numerosos caminos cruzados entre sí o dispuestos de forma que es difícil encontrar la salida. 2 Lo que es confuso y está enredado. 3 En los vertebrados, conjunto de canales y cavidades que forman el oído interno. ☐ ETIMOL. Del griego *labýrinthos* (construcción llena de rodeos y encrucijadas donde es muy difícil orientarse).

labia s.f. *col.* Facilidad de palabra y gracia al hablar; parla. ☐ ETIMOL. Del latín *labia* (labios).

labiado, da ■ adj. 1 Referido a una flor o a su corola, que están divididas en dos partes, una superior formada por dos pétalos, y una inferior formada por tres: *La flor del tomillo es labiada*. ■ adj./s.f. 2 Referido a una planta, que tiene esta flor. ■ s.f.pl. 3 En botánica, familia de estas plantas, perteneciente a la clase de las dicotiledóneas.

labial ■ adj. 1 De los labios. 2 En lingüística, referido a un sonido consonántico, que se articula con los labios. ■ s.f. 3 Letra que representa este sonido: *Algunas labiales en castellano son la 'b', la 'p' y la 'f'*. ☐ MORF. Como adjetivo es invariable en género.

labializar v. En lingüística, referido a un sonido, darle carácter labial: *Las 'aes' de 'baba' se hallan labializadas*. ☐ ORTOGR. La *z* se cambia en *c* delante de *e* →CAZAR.

lábil adj. 1 Que resbala o que se desliza fácilmente. 2 Que es frágil, caduco o débil. 3 Referido a un compuesto químico, que es fácil de transformar en otro más estable: *El monóxido de carbono es un contaminante lábil porque evoluciona fácilmente a dióxido de carbono*. ☐ ETIMOL. Del latín *labilis* (resbaladizo). ☐ MORF. Invariable en género.

labio s.m. 1 En una persona o en algunos animales, cada uno de los bordes carnosos y movibles de la boca. 2 Borde exterior de una abertura o de algunas cosas, esp. si tienen la forma de éste: *Engánchalo bien con los labios del clip*. 3 ‖**labio leporino**; el superior cuando tiene una malformación congénita consistente en una fisura o hendidura parecida a la del labio de la liebre. ‖**morderse los labios**; *col.* Contenerse o hacer esfuerzos para no hablar o no reírse. ‖**no despegar los labios**; *col.* No hablar o mantenerse callado. ‖**sellar los labios**; impedir hablar o que se diga algo. ☐ ETIMOL. Del latín *labium*.

labiodental ■ adj. 1 En lingüística, referido a un sonido consonántico, que se articula acercando el labio inferior al borde de los incisivos superiores: *El fonema /f/ es labiodental*. ■ s.f. 2 Letra que representa este sonido: *La 'f' es una labiodental*. ☐ MORF. Como adjetivo es invariable en género.

labor s.f. 1 Trabajo, tarea u ocupación. 2 Trabajo agrícola, esp. el destinado a la preparación o al cultivo de la tierra. 3 Obra o trabajo que se hacen a mano o a máquina con alguna materia textil, esp. si son de costura o de bordado. 4 ‖**estar por la labor**; estar dispuesto a hacer algo. ‖**sus labores**; expresión que se usa para designar la dedicación exclusiva y no remunerada de la mujer a las tareas domésticas de su hogar. ☐ ETIMOL. Del latín *labor* (trabajo, tarea). ☐ USO 'Estar por la labor' se usa más en expresiones negativas.

laborable ■ adj. 1 Que se puede laborar o trabajar. ■ s.m. 2 →**día laborable**. ☐ MORF. Como adjetivo es invariable en género.

laboral adj. Del trabajo o relacionado con él, esp. en sus aspectos económico, jurídico y social. ☐ MORF. Invariable en género.

laboralista adj./s. Que se dedica profesionalmente al derecho laboral o que está especializado en él. ☐ MORF. 1. Como adjetivo es invariable en género. 2. Como sustantivo es de género común: *el laboralista, la laboralista*.

laborar v. 1 Referido a la tierra, trabajarla o faenar en ella: *Cada día hay menos gente que labora los campos*. 2 Esforzarse para conseguir algo: *Es una organización humanitaria que labora en beneficio de los más pobres*. ☐ ETIMOL. Del latín *laborare* (trabajar).

laboratorio s.m. Lugar equipado con los instrumentos, los aparatos y los productos necesarios para realizar una investigación científica o un trabajo técnico. ☐ ETIMOL. Del latín *laboratore* (trabajar).

laborear v. 1 Trabajar la tierra: *Mucha gente del pueblo se dedica a laborear los campos*. 2 Hacer excavaciones en una mina: *Al laborear han encontrado una veta de plata*.

laboreo s.m. 1 Cultivo del campo. 2 Técnica de explotación de minas haciendo en ellas las labores o excavaciones necesarias.

laboriosidad s.f. 1 Dedicación, constancia y cuidado en el trabajo. [2 Dificultad o complejidad.

laborioso, sa adj. 1 Que es muy trabajador, o que es constante y cuidadoso en el trabajo. 2 Que cuesta o causa mucho trabajo. ☐ ETIMOL. Del latín *laboriosus*.

laborismo s.m. En Gran Bretaña (país europeo) y en algunas de sus antiguas colonias, doctrina y movimiento político, de carácter moderado y socialista.

laborista ■ adj. 1 Del laborismo o relacionado con él. ■ adj./s. 2 Partidario o seguidor del laborismo. ☐

MORF. 1. Como adjetivo es invariable en género. 2. Como sustantivo es de género común: *el laborista, la laborista.*

abrado s.m. Trabajo que se hace de una materia para darle forma o para grabarla o decorarla.

abrador, -a adj./s. Que se dedica a las tareas agrícolas, esp. si cultiva tierras de su propiedad.

abranza s.f. 1 Cultivo de los campos: *aperos de labranza.* 2 Tierra de cultivo.

abrar v. 1 Referido a una materia, trabajarla para darle forma o para grabarla o decorarla: *Labra la madera con una navaja y hace todo tipo de figuras con ella. Labrar la piedra con un cincel es un trabajo muy laborioso.* 2 Cultivar la tierra: *Como llevo varios años labrando esta finca, este año la voy a dejar en barbecho.* 3 Hacer surcos en la tierra para sembrarla después; arar: *Actualmente casi nadie labra con arado.* 4 Conseguir o preparar: *Debes trabajar duro para labrarte un buen futuro. Con esa conducta se está labrando su ruina.* □ ETIMOL. Del latín *laborare* (trabajar).

abriego, ga s. Persona que cultiva la tierra y que vive en el medio rural.

aca s.f. 1 Sustancia semejante a la resina, obtenida de algunos árboles asiáticos, y que se usa para la fabricación de barnices y colorantes. 2 Barniz duro y brillante que se fabrica con esta y otras sustancias. 3 Objeto barnizado con este producto, esp. si es artístico. 4 Cosmético que se aplica sobre el cabello para fijar el peinado. 5 ‖**laca de uñas**; cosmético que se usa para dar color o brillo a las uñas. □ ETIMOL. Del árabe *lakk* (sustancia que tiñe de rojo).

lacar v. Pintar o barnizar con laca: *'Ha lacado' la librería del salón.* □ ORTOGR. La *c* se cambia en *qu* delante de *e* →SACAR. □ USO Aunque la RAE sólo registra *laquear*, en la lengua actual se usa más *'lacar'*.

acayo s.m. 1 Antiguo criado vestido con librea cuya principal ocupación era acompañar a su amo. [2 col. Persona servil y aduladora. □ ETIMOL. De origen incierto.

acedemonio, nia adj./s. De Lacedemonia (ciudad y comarca de la antigua Grecia), o relacionado con ella.

[lacerante adj. Que lacera o hiere. □ MORF. Invariable en género.

acerar v. 1 Herir, lastimar o magullar: *Se laceró las rodillas al caerse.* 2 Dañar o producir un perjuicio o un daño: *El escándalo laceró su reputación.* □ ETIMOL. Del latín *lacerare* (desgarrar, despedazar, torturar).

acería s.f. [En arte, adorno geométrico consistente en una serie de molduras o de líneas que se enlazan y se cruzan entre sí alternativamente formando figuras estrelladas y con forma de polígono.

acero, ra s. 1 Persona que maneja hábilmente el lazo para atrapar animales. 2 Cazador, generalmente furtivo, que captura animales de caza menor con una trampa de lazo. 3 Empleado municipal que se encarga de recoger perros vagabundos atrapándolos con un lazo. □ MORF. La RAE sólo lo registra como masculino.

acetano, na adj./s. De la antigua Lacetania (zona que comprendía parte de las actuales provincias de Barcelona, Lérida y Tarragona), o relacionado con ella.

lacio, cia adj. 1 Referido al cabello, que es liso y cae sin formar ondas ni rizos. 2 Marchito o mustio. 3 Flojo, débil o sin fuerza. □ ETIMOL. Del latín *flaccidus* (flojo, caído, lánguido).

lacón s.m. Parte de la pata delantera del cerdo, esp. cuando está cocida o salada y curada. □ ETIMOL. Del latín *lacca* (tumor en las patas de las caballerías).

lacónico, ca adj. 1 Breve o conciso: *estilo lacónico.* 2 Referido a una persona, que habla o que escribe de esta manera. □ ETIMOL. Del latín *Laconicus* (propio de Laconia), porque los hablantes de esta región de Grecia preferían el habla concisa.

laconio, nia ∎ adj./s. 1 De Laconia (región de la antigua Grecia), o relacionado con ella. ∎ s.m. [2 Antiguo dialecto de esta zona.

laconismo s.m. Carácter breve o conciso.

lacra s.f. 1 Señal que deja en alguien una enfermedad o un daño físico. 2 Defecto, tara o vicio. □ ETIMOL. De origen incierto.

lacrar v. Cerrar con lacre: *Lacró el sobre para que nadie pudiera leer la carta.*

lacre s.m. Pasta sólida hecha con goma, laca y trementina y que, derretida, se utiliza para cerrar o sellar documentos, sobres o paquetes. □ ETIMOL. Del portugués *lacre.*

lacrimal adj. De las lágrimas o relacionado con ellas. □ ORTOGR. Dist. de *lagrimal.* □ MORF. Invariable en género.

lacrimógeno, na adj. 1 Referido esp. a un gas, que produce lágrimas. 2 Referido esp. a una narración, que pretende tocar la fibra sensible del lector, espectador u oyente, y que incita a llorar. □ ETIMOL. Del latín *lacrima* (lágrima) y *-geno* (que genera o produce). □ ORTOGR. Incorr. **lagrimógeno.*

lacrimoso, sa adj. 1 Con lágrimas. 2 Que incita a llorar; lagrimoso. 3 Que llora o se lamenta con facilidad. □ ETIMOL. Del latín *lacrimosus.*

lactancia s.f. 1 Acción de mamar. 2 Primer período de la vida de los mamíferos, durante el que se alimentan de leche, esp. de la producida por las glándulas mamarias de sus madres. [3 Forma de alimentación durante este período: *'lactancia' materna.*

lactante s. Niño que se halla en el período de lactancia. □ MORF. Es de género común: *el lactante, la lactante.*

lactar v. 1 Referido esp. a un bebé, amamantarlo o criarlo con la propia leche: *Mi madre lactó a todos sus hijos.* 2 Referido a un bebé o a un cachorro, mamar o alimentarse con leche, esp. cuando la toma del seno de su madre: *Tiene ocho meses pero todavía lacta.* □ ETIMOL. Del latín *lactare.*

lacteado, da adj. Mezclado con leche.

lácteo, a adj. De la leche o derivado de ella. □ ETIMOL. Del latín *lacteus.*

láctico, ca adj. En química, de la leche o relacionado con ésta: *ácido láctico.*

lactosa s.f. Hidrato de carbono, de sabor dulce, que abunda en la leche.

lacustre adj. De los lagos o relacionado con ellos. □ ETIMOL. Del latín *lacus* (lago) y la terminación de *palustre.* □ MORF. Invariable en género.

ladear v. Inclinar o torcer hacia un lado: *Ladea el cuadro un poco hacia la derecha, que está torcido. No quiso saludarnos y, al vernos, ladeó la cabeza. Se ladeó para dejarme pasar.*

ladeo

ladeo s.m. Inclinación o torcimiento hacia un lado.

ladera s.f. Pendiente de una montaña por cualquiera de sus lados. ⟶ montaña

ladilla s.f. Insecto chupador, sin alas, de pequeño tamaño y que vive parásito en la zonas vellosas de los órganos genitales de las personas. ☐ ETIMOL. Del latín *latus* (ancho), porque las ladillas tienen forma achatada.

ladillo s.m. En imprenta, anotación en el margen de un texto, esp. cuando explica el contenido de éste. ☐ ETIMOL. De *lado*.

ladino, na ∎ adj. **1** Que actúa con astucia y disimulo para conseguir lo que quiere. ∎ s.m. **2** Lengua religiosa de los sefardíes. **3** Lengua románica de Suiza (país europeo). ☐ ETIMOL. Del latín *latinus* (latino), que se aplicaba a la lengua romance para contraponerla a la árabe y a las obras literarias escritas en lengua culta. ☐ SEM. En la acepción 3, es sinónimo de *retorromano, rético* y *romanche*.

lado s.m. **1** En una persona o en un animal, costado o parte del cuerpo comprendida entre el brazo y el hueso de la cadera. **2** En un cuerpo simétrico, costado o mitad derecha o izquierda. **3** En un espacio delimitado o en un cuerpo, zona o parte próximas a los extremos: *La cama estaba situada en el lado de la ventana.* **4** Referido o algo con bordes o con límites, zona contigua a ellos por la derecha o por la izquierda: *El lado derecho del río está cultivado.* **5** Respecto de un lugar o de un cuerpo, zona diferenciada que forma parte de su entorno: *Los caballos se acercaban por el lado norte del campamento.* **6** En un cuerpo plano, cada una de sus caras: *Me gusta más la tela por este lado.* **7** Sitio o lugar: *¿Quieres que vayamos a otro lado?* **8** Aspecto que se destaca en la consideración de algo o punto de vista que se adopta en ello: *Es mejor mirar el lado positivo de las cosas.* **9** Vía o camino que se toman, esp. para alcanzar un propósito: *Si no me admiten en la Universidad, seguiré por otro lado.* **10** Rama o línea de parentesco: *Es primo mío por el lado materno.* **11** En geometría, cada una de las líneas que limitan y forman un ángulo, un polígono o la cara de un poliedro regular: *Un cuadrado tiene cuatro lados iguales.* ⟶ ángulo **12** ‖ **al lado** de algo; **1** Muy cerca de ello o junto a ello. ‖ **[2** En comparación con ello: *'A tu lado', ese chico no vale nada.* ‖ **dar de lado** a alguien; *col.* Rechazarlo, ignorarlo o apartarse de su trato o compañía. ‖ **[de (medio) lado;** ladeado o torcido. ‖ **[de un lado para otro;** sin parar o en continua actividad. ‖ **dejar {a un lado/de lado};** prescindir o no tomar en cuenta: *La dejaron a un lado en el negocio.* ‖ **{estar/[ponerse} del lado de** algo; ser partidario suyo o estar a su favor. ‖ **ir** alguien **por su lado;** *col.* Seguir su camino sin ponerse de acuerdo a ellos con otro: *No conseguiremos hacer una labor de equipo si cada uno va por su lado.* ‖ **[ir de lado;** *col.* Estar muy equivocado o ir descaminado en un propósito: *Si crees que contándome esas historias voy a tener miedo, 'vas de lado'.* ‖ **mirar de (medio) lado;** mirar con desprecio o con disimulo. ☐ ETIMOL. Del latín *latus*.

ladrador, -a adj. Que ladra.

ladrar v. **1** Referido a un perro, dar ladridos o emitir su voz característica. **2** *col.* Referido a una persona, hablar o expresarse de una forma desagradable, esp. si se hace gritando: *No soporto que me des las órdenes ladrando.* **3** *col.* Amenazar, sin llegar a actuar: *Mi madre ladra mucho pero, a la hora de verdad, es incapaz de hacer daño a nadie.* ☐ ETIMOL. Del latín *latrare*.

ladrido s.m. **1** Voz característica del perro. **[2** *co[...]* Lo que se dice gritando o de forma desagradable.

ladrillo s.m. **1** Pieza de arcilla cocida en forma d[...] prisma rectangular que se usa en construcción, es[...] para hacer muros o tabiques. **2** *col.* Lo que resul[...] pesado, aburrido o difícil de soportar. ☐ ETIMOL. D[...] latín *later*.

ladrón, -a ∎ adj./s. **1** Que roba o que hurta. ∎ s.[...] **2** *col.* Enchufe que, al ser colocado en una toma d[...] corriente, permite que sean enchufados a la vez va[...] rios aparatos. **3** En un río o en una acequia, portill[...] que se hace en el cauce para extraer el agua o par[...] desviarla. ☐ ETIMOL. Del latín *latro* (bandido, l[...] drón en cuadrilla).

ladronzuelo, la s. Persona, esp. un niño, qu[...] hurta con astucia cosas de poco valor.

[lady (anglicismo) s.f. En algunos países, esp. en Gra[...] Bretaña, título nobiliario o tratamiento honorífic[...] que se otorga a una mujer. ☐ PRON. [léidi].

lagaña s.f. En zonas del español meridional, legaña.

lagar s.m. **1** Recipiente en el que se pisa la uv[...] para obtener el mosto, se prensa la aceituna par[...] obtener el aceite o se machaca la manzana para o[...] tener la sidra. **2** Edificio o lugar destinados a esa[...] labores. ☐ ETIMOL. Del latín *lacus* (depósito de l[...] quidos).

lagartija s.f. Reptil de pequeño tamaño, con cuatr[...] extremidades cortas, mandíbula con dientes, cola [...] cuerpo largos, muy ágil y espantadizo, que se alli[...] menta de invertebrados, vive esp. en los huecos d[...] las paredes y que abunda en la península Ibérica. ☐ MORF. Es un sustantivo epiceno: *la lagartija mach[...] la lagartija hembra.*

lagarto, ta ∎ adj./s. **1** *col.* Referido a una person[...] que es pícara o astuta. ∎ s.m. **2** Reptil con cuatr[...] extremidades cortas, mandíbula con dientes, cola [...] cuerpo largos, de color verdoso, y piel cubierta d[...] escamas. ∎ s.f. **[3** *col.* Mujer de vida licenciosa. ☐ ETIMOL. Del latín **lacartus*. ☐ MORF. En la acepció[...] 2, es un sustantivo epiceno: *el lagarto macho, el la[...] garto hembra.* ☐ USO 1. *Lagarto* se usa para ahu[...] yentar la mala suerte: *Cuando empezamos a habla[...] del diablo, la abuela, que es muy supersticiosa, dijo [...] '¡Lagarto, lagarto!'.* 2. En la acepción 3, es despec[...] tivo.

[lager (anglicismo) adj./s.f. Referido a la cerveza, qu[...] es de un tipo suave y ha sido envejecida a baja[...] temperaturas. ☐ PRON. [láguer].

lago s.m. Gran masa de agua, generalmente dulce[...] depositada en una depresión del terreno. ☐ ETIMOL[...] Del latín *lacus* (estanque, lago).

lagomorfo ∎ adj./s. **1** Referido a un mamífero, que e[...] de pequeño tamaño, herbívoro y parecido a los roe[...] dores, pero con dos pares de incisivos superiores: *E[...] conejo es un mamífero lagomorfo.* ∎ s.m.pl. **2** En zoo[...] logía, orden de estos mamíferos. ☐ ETIMOL. Del grie[...] go *lagós* (liebre) y *-morfo* (forma). ☐ MORF. En l[...] acepción 1, la RAE sólo lo registra como adjetivo.

lágrima ∎ s.f. **1** Cada una de las gotas acuosas se[...] gregadas por las glándulas situadas entre el glob[...] ocular y la órbita. **2** Lo que tiene la forma de est[...] gota acuosa: *Al limpiar la araña del salón, he rot[...] una lágrima de cristal.* **3** Cantidad muy pequeñ[...] de licor. ∎ pl. **4** Penas, dolores o sufrimientos: *M[...]*

costó muchas lágrimas despedirme de mi familia. **5** ||**lágrimas de cocodrilo**; las que se derraman fingiendo dolor o pena. ||**llorar a lágrima viva**; *col.* Llorar mucho y desconsoladamente. ||**saltársele** a alguien **las lágrimas**; enternecerse o emocionarse hasta asomar éstas a los ojos. □ ETIMOL. Del latín *lacrima*. □ MORF. La acepción 1 se usa más en plural.

agrimal ▮ adj. **1** Que segrega o expele lágrimas: *glándula lagrimal.* ▮ s.m. **2** Extremidad del ojo próxima a la nariz. □ ORTOGR. Dist. de *lacrimal.* □ MORF. Como adjetivo es invariable en género.

lagrimear v. Segregar lágrimas con facilidad o involuntariamente: *El ojo derecho no me paraba de lagrimear, y fui al oftalmólogo.*

lagrimeo s.m. Flujo o secreción persistente de lágrimas, generalmente motivado por causas patológicas.

lagrimoso, sa adj. **1** Referido a los ojos, que presentan un aspecto húmedo y brillante. **2** Referido a una persona o a un animal, que tiene los ojos en este estado. **3** Que incita a llorar; lacrimoso. □ ETIMOL. Del latín *lacrimosus.*

laguna s.f. **1** Masa de agua depositada de forma natural en una depresión del terreno, y generalmente de menor extensión que un lago. **2** En un impreso o en una exposición, lo que falta o se omite: *Las lagunas que presenta el manuscrito impiden conocer con exactitud toda la historia.* [**3** Lo que se desconoce o no se recuerda. **4** En un conjunto o en una serie, espacio vacío o sin ocupar: *Mi biblioteca tiene grandes lagunas, sobre todo en materia filosófica y científica.* □ ETIMOL. Del latín *lacuna* (hoyo, agujero).

lagunoso, sa adj. Con muchas lagunas.

laicado s.m. **1** Estado o situación de los laicos o fieles de la Iglesia que no han recibido órdenes religiosas. **2** Conjunto de estos fieles.

[**laicalizar** v. →**laicizar**. □ ORTOGR. La *z* se cambia en *c* delante de *e* →CAZAR. □ USO Su uso es innecesario.

laicismo s.m. Doctrina o tendencia que defiende la independencia individual, social o estatal respecto de la influencia religiosa o eclesiástica.

laicista adj./s. Partidario o seguidor del laicismo. □ MORF. 1. Como adjetivo es invariable en género. 2. Como sustantivo es de género común: *el laicista, la laicista.* 3. La RAE sólo lo registra como adjetivo.

laicización s.f. Ruptura de la dependencia de toda influencia religiosa.

laicizar v. Hacer laico o romper con toda influencia religiosa: *Al suprimir la asignatura de religión, se pretende laicizar la enseñanza. Un pueblo no se laiciza desde el poder.* □ ORTOGR. La *z* se cambia en *c* delante de *e* →CAZAR. □ USO Es innecesario el uso de *laicalizar.*

laico, ca ▮ adj. **1** Independiente de la influencia religiosa: *colegio laico; Estado laico.* ▮ adj./s. **2** Que no ha recibido órdenes religiosas o que no tiene estado religioso; seglar. □ ETIMOL. Del latín *laicus* (que no es clérigo).

laísmo s.m. En gramática, uso de las formas femeninas del pronombre personal de tercera persona *la* y *las* como complemento indirecto, en lugar de *le* y *les*: *En la oración 'dila que me llame' hay un caso de laísmo.*

laísta adj./s. Que hace uso del laísmo. □ MORF. 1.

Como adjetivo es invariable en género. 2. Como sustantivo es de género común: *el laísta, la laísta.*

laja s.f. Piedra lisa y de poco grosor, de origen natural; lancha, lastra: *La pizarra es una piedra que se presenta en lajas.* □ ETIMOL. Quizá del portugués *lage* o *laja.*

lama ▮ s.m. **1** Sacerdote o monje del budismo tibetano. ▮ s.f. **2** Barro blando, pegajoso y de color oscuro que se halla en el fondo del mar o de los ríos, o en lugares en los que ha habido agua durante largo tiempo. **3** Lámina, tira de un material duro o plancha de metal: *Se ha roto una de las lamas de la persiana.* □ ETIMOL. La acepción 1, del tibetano *blama.* La acepción 2, del latín *lama* (lodo, charco). La acepción 3, del francés *lame.*

lamaísmo s.m. Rama del budismo propia de la zona del Tíbet (región del sudoeste chino).

lamaísta ▮ adj. **1** Del lamaísmo o relacionado con esta rama del budismo. ▮ adj./s. **2** Que tiene como religión el budismo tibetano. □ MORF. 1. Como adjetivo es invariable en género. 2. Como sustantivo es de género común: *el lamaísta, la lamaísta.*

[**lambada** s.f. Baile de pareja, de origen brasileño, que se ejecuta con movimientos sensuales.

lambda s.f. En el alfabeto griego clásico, nombre de la undécima letra: *La grafía de la lambda es* λ.

lamber v. **1** En zonas del español meridional, lamer. [**2** En zonas del español meridional, adular.

lambiscón, -a adj./s. *col.* En zonas del español meridional, adulador. □ MORF. La RAE sólo lo registra como adjetivo.

lameculos s. *vulg.* Persona aduladora y servil. □ MORF. 1. Es de género común: *el lameculos, la lameculos.* 2. Invariable en número. □ USO Es despectivo.

lamelibranquio ▮ adj./s.m. **1** Referido a un molusco, que es acuático, de concha con dos valvas, cabeza no diferenciada, branquias laterales en forma de láminas y que vive enterrado en el limo o fijo en las rocas: *La ostra es un lamelibranquio.* ▮ s.m.pl. **2** En zoología, clase de estos moluscos. □ ETIMOL. Del latín *lamella* (laminilla) y *branquia.*

lamentable adj. **1** Digno de ser lamentado o que merece causar pena o disgusto. **2** Estropeado, deplorable o que produce mala impresión. □ MORF. Invariable en género.

lamentación s.f. **1** Queja acompañada de llanto o de otras muestras de dolor; lamento. **2** Expresión de dolor, pena o sentimiento; queja. □ MORF. Se usa más en plural.

lamentar ▮ v. **1** Referido a un hecho, sentir pena, contrariedad o disgusto por él: *Lamento mucho la muerte de tu abuelo. Lamentarás la faena que me has hecho.* ▮ prnl. **2** Quejarse o expresar pena, contrariedad o disgusto: *¿De qué sirve lamentarse ahora?* □ ETIMOL. Del latín *lamentari* (gemir, lamentarse). □ SINT. Constr. como pronominal: *lamentarse {DE/POR} algo.*

lamento s.m. Queja acompañada de llanto o de otras muestras de dolor; lamentación. □ ETIMOL. Del latín *lamentum* (gemido, lamento).

lamer v. **1** Pasar la lengua repetidas veces sobre algo: *El perro se lame la herida de la pata.* **2** Tocar o rozar suavemente: *Las olas lamen la arena de la playa con su vaivén.* □ ETIMOL. Del latín *lambere.*

[**lametada** s.f. o [**lametazo** s.m. →**lametón**.

lametón s.f. Cada una de las pasadas de la lengua

al lamer, esp. si se hacen con fuerza o ansia; lametada, lametazo.

lamido, da adj. **1** Referido a una persona o a una parte de su cuerpo, que es excesivamente delgada. **2** Afectado o excesivamente aseado o esmerado, esp. en los modales; relamido. **3** Desgastado por el uso o por el roce. [**4** Referido al cabello, que cae liso, sin volumen y pegado a la cara. ☐ USO En la acepción 2, tiene un matiz despectivo.

lámina s.f. **1** Pieza o porción plana y delgada de una materia. **2** Plancha, esp. de metal, en la que se ha grabado un dibujo para estamparlo o reproducirlo después. **3** Estampa, grabado o figura impresos. **4** Aspecto o figura total de una persona o de un animal; estampa. ☐ ETIMOL. Del latín *lamina* (hoja o plancha de metal).

laminación s.f. o **laminado** s.m. **1** Reducción de un material a láminas. **2** Cubrimiento con láminas.

laminador, -a s. Máquina compuesta esencialmente de dos cilindros que giran en sentido contrario y que comprimen los metales u otras sustancias maleables para convertirlas en láminas.

laminar ▮ adj. **1** Con forma de lámina. **2** Referido a la estructura de un cuerpo, que está formada por láminas o capas sobrepuestas y paralelamente colocadas. ▮ v. **3** Referido a un material, reducirlo a láminas o transformarlo en ellas: *En esa fábrica laminan acero y hierro.* **4** Cubrir con láminas: *En el colegio laminábamos en estaño las cajas de cerillas.* ☐ MORF. Como adjetivo, es invariable en género.

laminoso, sa adj. Referido a un cuerpo, que tiene textura laminar: *La masa de hojaldre es laminosa.*

lámpara s.f. **1** Aparato o utensilio destinados a producir luz artificial. ✍ alumbrado **2** Aparato que sirve de soporte a los que producen luz. **3** En un aparato de radio o de televisión, dispositivo electrónico parecido a una bombilla. **4** *col.* Mancha en la ropa, esp. si es de grasa. ☐ ETIMOL. Del latín *lampas* (antorcha). ☐ MORF. En la acepción 4, se usa mucho el aumentativo *lamparón*.

lamparilla s.f. **1** Mecha sujeta a un trozo de corcho que flota sobre aceite; mariposa: *Encendió unas lamparillas ante la imagen de la Virgen.* **2** Recipiente en el que se pone esta mecha. [**3** En zonas del español meridional, bombilla.

[lamparita s.f. En zonas del español meridional, bombilla.

lamparón s.m. Mancha en la ropa, esp. si es de grasa. ☐ MORF. Es aumentativo de *lámpara*.

lampazo s.m. [En zonas del español meridional, trapo para limpiar.

lampiño, ña adj. **1** Referido a un hombre, que no tiene barba. **2** Que tiene poco pelo o vello. **3** En botánica, referido esp. a la hoja o al tallo, que no tiene pelos. ☐ ETIMOL. De origen incierto.

lampista s. *col.* [Fontanero. ☐ MORF. Es de género común: *el 'lampista', la 'lampista'.*

lamprea s.f. Pez de cuerpo alargado y cilíndrico, piel sin escamas, boca desprovista de mandíbulas y en forma de ventosa, que vive asido a las rocas y que tiene una carne muy apreciada en gastronomía. ☐ ETIMOL. Del latín *naupreda*, alterado en *lampreda*, quizá por influencia de *lambere* (lamer), porque las lampreas se adhieren a las rocas y a los barcos con la boca. ☐ MORF. Es un sustantivo epiceno: *la lamprea macho, la lamprea hembra.* ✍ pez

lana s.f. **1** Pelo que cubre el cuerpo de algunos animales, esp. de la oveja y del carnero, y que se usa como materia textil. **2** Hilo elaborado a partir de este pelo. **3** Tejido confeccionado con este hilo. [**4** *col.* Cabello, esp. si es largo y está revuelto. **5** *col.* En zonas del español meridional, dinero. **6** ‖ **cardarle la lana** a alguien; *col.* Reprenderlo severamente. ☐ ETIMOL. Del latín *lana*. ☐ USO La acepción 4 se usa más en plural.

lanar adj. Referido esp. al ganado, que tiene lana. ☐ MORF. Invariable en género.

lance s.m. **1** Suceso o acontecimiento interesante o importantes que ocurren en la vida real o en la ficción: *Te gustarán los lances cómicos de la novela.* **2** Momento o situación difícil. **3** Pelea o riña. **4** En un juego, esp. si es de cartas, cada una de las acciones o jugadas importantes que se producen en su transcurso. **5** En tauromaquia, pase que el torero da al toro con la capa. **6** ‖ **de lance**; que se compra a buen precio, aprovechando una ocasión especial. ‖ **lance de fortuna**; casualidad o accidente inesperado ‖ **lance de honor**; desafío hecho para solucionar una cuestión de honor.

lanceado, da adj. →lanceolado.

lancear v. **1** Dar lanzadas o herir con la lanza: *Los caballeros medievales lanceaban a sus enemigos en las batallas.* [**2** En tauromaquia, referido al torero, ejecutar cualquier acto de la lidia, esp. con la capa: *El torero mostró su buen estilo al 'lancear' el toro.* ☐ ORTOGR. En la acepción 1, se admite también *alancear*.

lanceolado, da adj. Referido esp. a la hoja de una planta, que tiene forma semejante a la punta de una lanza; lanceado: *El eucalipto tiene hojas lanceoladas.* ☐ ETIMOL. Del latín *lanceola* (lanza pequeña).

lancero s.m. **1** Soldado armado con lanza. **2** Persona que se dedica profesionalmente a hacer lanzas. ☐ ETIMOL. Del latín *lancearius*.

lanceta s.f. **1** Instrumento quirúrgico de acero, con hoja triangular con corte por ambos lados y punta muy aguda, que se utiliza para hacer pequeñas incisiones. [**2** En zonas del español meridional, aguijón. ☐ ETIMOL. De *lanza*.

lancha s.f. **1** Barca grande, generalmente de motor, que se utiliza para los servicios auxiliares en buques, puertos y costas. **2** Embarcación pequeña, sin cubierta y con unas tablas atravesadas que sirven de asiento; bote, batel. ✍ embarcación **3** Embarcación pequeña que se usa para navegar, pescar o llevar mercancías, generalmente en un río o cerca de la costa; barca. **4** Piedra lisa y de poco grosor, de origen natural; laja, lastra. ☐ ETIMOL. Las acepciones 1-3, del portugués *lancha*. La acepción 4, de origen incierto.

lancinante adj. Referido a un dolor, que es punzante y agudo, como producido por una lanza. ☐ ETIMOL. Del antiguo *lacinar*, y éste del latín *lacinare* (punzar, desgarrar). ☐ MORF. Invariable en género.

[land rover (anglicismo) ‖ Automóvil preparado para la circulación por el campo. ☐ ETIMOL. Extensión del nombre de una marca comercial. ☐ PRON. [lanróber]. ☐ USO Su uso es innecesario y puede sustituirse por una expresión como *todoterreno*.

landa s.f. Gran extensión de terreno llano en la que abundan las plantas silvestres. ☐ ETIMOL. Del gótico **landa* (lugar llano y despejado).

landó s.m. Carruaje de cuatro ruedas tirado por caballos, con una capota plegable por delante y por detrás que puede unirse para que quede cubierto. □ ETIMOL. Del francés *landau*, y éste de *Landau* (ciudad alemana donde se fabricaba). 🗡 carruaje

langosta s.f. **1** Crustáceo marino con cinco pares de patas terminadas en pequeñas uñas, cuatro antenas, ojos prominentes, cuerpo alargado y casi cilíndrico, cola larga y gruesa, y cuya carne es muy apreciada en gastronomía. 🗡 marisco **2** Insecto saltador, masticador, que se alimenta de vegetales y se multiplica con tal rapidez que puede llegar a formar plagas de efectos devastadores para la agricultura. □ ETIMOL. Del latín *locusta* (saltamontes). □ MORF. Es un sustantivo epiceno: *la langosta macho, la langosta hembra.*

langostino s.m. Crustáceo marino con cinco pares de patas, dos antenas, cefalotórax con tres crestas longitudinales, cuerpo alargado y comprimido lateralmente, caparazón poco consistente y cuya carne es muy apreciada en gastronomía. □ MORF. Es un sustantivo epiceno: *el langostino macho, el langostino hembra.* 🗡 marisco

languidecer v. **1** Debilitarse o perder fuerza o intensidad: *El fuego de la chimenea languidecía según iba transcurriendo la noche.* **2** Desanimarse o perder el ánimo, el valor o la alegría: *Mi abuelo languideció rápidamente cuando lo trajeron a vivir a la ciudad.* □ MORF. Irreg. →PARECER.

languidez s.f. **1** Falta de ánimo, de valor o de alegría. **2** Flaqueza, debilidad o falta de fuerzas.

lánguido, da adj. **1** Falto de ánimo, de valor o de alegría. **2** Flaco, débil o sin fuerzas. □ ETIMOL. Del latín *languidus* (debilitado, enfermizo).

lanilla s.f. **1** Pelillo que tiene el paño por el derecho: *La lanilla del vestido me ha puesto perdido el abrigo.* **2** Tejido poco consistente hecho con lana fina.

lanolina s.f. Sustancia grasa que se obtiene de la lana de las ovejas y que se utiliza en perfumería y en farmacia. □ ETIMOL. Del inglés *lanoline*.

lanoso, sa adj. Que tiene mucha lana o mucho vello, o que posee sus características; lanudo.

lantánido ▌ adj./s.m. **1** Referido a un elemento químico, que tiene un número atómico comprendido entre el 57 y el 71, ambos inclusive. ▌ s.m.pl. **2** Grupo formado por estos elementos químicos: *El holmio pertenece a los lantánidos.* □ ETIMOL. De *lantano*.

lantano s.m. Elemento químico, metálico y sólido, de número atómico 57, de color plomizo, que arde al contacto con el aire y que pertenece al grupo de los lantánidos. □ ETIMOL. Del griego *lantháno* (yo estoy oculto), porque el lantano es un elemento muy escaso. □ ORTOGR. Su símbolo químico es La.

lanudo, da adj. Que tiene mucha lana o mucho vello, o que posee sus características; lanoso.

lanza ▌ s. **1** col. En zonas del español meridional, ratero. ▌ s.f. **2** Arma ofensiva formada por una barra larga en cuyo extremo está sujeta una punta aguda y cortante. **3** En un carruaje, vara de madera que va unida por uno de sus extremos a la parte delantera y que sirve para darle dirección. **4** ‖**con la lanza en ristre**; preparado para acometer un asunto. ‖**romper una lanza por** algo; salir en su defensa o en su apoyo. □ ETIMOL. Del latín *lancea*. □ MORF. En la acepción 1, es de género común: *el 'lanza', la 'lanza'.*

[lanzacargas s.m. Máquina para lanzar cargas de profundidad o explosivos con los que destruir submarinos sumergidos. □ MORF. Invariable en número.

lanzacohetes adj./s.m. Que sirve para lanzar cohetes. □ MORF. **1.** Invariable en número. **2.** Como adjetivo es invariable en género.

lanzadera s.f. **1** Instrumento con un carrete de hilo en su interior que utilizan los tejedores para fabricar tejidos. **2** Aeronave espacial que se utiliza para transportar una carga al espacio, y que puede regresar al punto de partida.

lanzado, da ▌ adj. **1** col. Muy rápido. ▌ adj./s. **2** col. Decidido, impetuoso o atrevido. ▌ s.f. **3** Golpe dado con una lanza, o corte producido por ésta; lanzazo. □ MORF. En la acepción 2, la RAE sólo lo registra como adjetivo.

lanzador, -a s. **1** Deportista que practica algún tipo de lanzamiento: *lanzador de jabalina.* **[2** En ciclismo, corredor que prepara la llegada al sprint de un compañero de equipo, llevándolo a rueda hasta llegar a pocos metros de la línea de meta.

lanzagranadas s.m. Arma portátil que consiste en un tubo abierto en los dos extremos, que se apoya en el hombro y se usa para lanzar proyectiles, generalmente contra los carros de combate; bazooka, bazuca. □ MORF. Invariable en número. 🗡 arma

lanzallamas s.m. Arma portátil que se usa para lanzar a corta distancia un chorro de líquido inflamado. □ MORF. Invariable en número.

lanzamiento s.m. **1** Impulso que se da a algo de modo que salga despedido con fuerza en una dirección. **[2** Anuncio o propaganda que se hace de algo, esp. si es una novedad: *El 'lanzamiento' del nuevo coche deportivo no tuvo éxito.* **3** En atletismo, prueba que consiste en lanzar un determinado objeto: *El lanzamiento de peso, el de disco, el de martillo y el de jabalina son deportes olímpicos.*

[lanzamisiles adj./s.m. Que sirve para lanzar misiles. □ MORF. **1.** Invariable en número. **2.** Como adjetivo es invariable en género.

lanzar ▌ v. **1** Referido a un objeto, darle impulso para soltarlo después, de modo que salga despedido con fuerza en una dirección; arrojar: *Le lanzó una lata a la cabeza y le produjo una herida. El atleta lanzó la jabalina con fuerza.* **[2** Referido esp. a un cohete espacial, hacerlo partir: *El satélite 'fue lanzado' desde una aeronave espacial.* **3** Referido esp. a un sonido o a una palabra, pronunciarlos, decirlos o dirigirlos contra alguien: *Lanzó insultos airados contra sus enemigos. El boxeador lanzó una mirada de odio a su adversario.* **[4** Referido esp. a una novedad, hacerle propaganda con una gran campaña publicitaria: *'Lanzaron' al mercado una nueva marca de colonia.* **5** En zonas del español meridional, referido a una persona, desahuciarla. ▌ prnl. **6** Empezar o emprender una acción con ánimo, con valentía o con irreflexión: *Se lanzaron a protestar a la calle.* **[7** Dirigirse o precipitarse contra algo, esp. si es de manera rápida o violenta: *Los aviones 'se lanzaron' en picado para destruir el objetivo militar.* □ ETIMOL. Del latín *lanceare* (manejar la lanza). □ ORTOGR. La z se cambia en c delante de e →CAZAR. □ SINT. Constr. de la acepción 6: *lanzarse A hacer algo.*

[lanzaroteño, ña adj./s. col. De Lanzarote (isla canaria), o relacionado con ella.

lanzatorpedos adj./s.m. Que sirve para lanzar

torpedos. ☐ MORF. 1. Invariable en número. 2. Como adjetivo es invariable en género. 3. La RAE sólo lo registra como adjetivo.

lanzazo s.m. Golpe dado con una lanza, o corte producido por ésta; lanzada.

laña s.f. Grapa o pieza de metal que se usa para unir o sujetar dos piezas o dos superficies. ☐ ETIMOL. De origen incierto.

lapa s.f. **1** Molusco marino comestible, de concha cónica lisa o con estrías, que vive adherido a las rocas de las costas. **2** *col.* Persona muy insistente, inoportuna y pesada. **[3** Bomba que se coloca en los bajos de un coche. ☐ ETIMOL. De origen incierto.

laparoscopia s.f. En medicina, exploración directa de la cavidad abdominal, mediante la introducción de un laparoscopio. ☐ ETIMOL. Del griego *lapára* (costado, lado del vientre) y *-scopia* (exploración).

laparoscopio s.m. En medicina, instrumento óptico que se introduce en la cavidad abdominal a través de un pequeño corte, para explorar directamente la zona. ☐ ETIMOL. Del griego *lapára* (costado, lado del vientre) y *-scopio* (instrumento para ver).

laparotomía s.f. En medicina, operación quirúrgica que consiste en abrir las paredes abdominales y el peritoneo. ☐ ETIMOL. Del griego *lapára* (costado, lado del vientre) y *-tomía* (corte o incisión).

lapicera s.f. **[1** En zonas del español meridional, bolígrafo. **2** ‖**lapicera (fuente)**; en zonas del español meridional, pluma estilográfica.

lapicero s.m. →**lápiz**.

lápida s.f. Piedra llana en la que ordinariamente se pone una inscripción conmemorativa: *En las sepulturas se coloca una lápida con el nombre de las personas allí enterradas.* ☐ ETIMOL. Del latín *lapis* (piedra).

lapidación s.f. Lanzamiento de piedras contra alguien hasta conseguir su muerte.

lapidar v. Matar a pedradas; apedrear: *Antiguamente, en algunas civilizaciones se lapidaba a los criminales.* ☐ ETIMOL. Del latín *lapidare*.

lapidario, ria ▌ adj. **1** Referido esp. a una frase, que parece digna de ser la inscripción de una lápida por su solemnidad y concisión. **2** De las piedras preciosas o relacionado con ellas. ▌ s. **3** Persona que se dedica profesionalmente a la talla de piedras preciosas o al comercio de éstas. **4** Persona que se dedica profesionalmente a la fabricación y grabación de lápidas. ▌ s.m. **[5** Libro que trata de las piedras preciosas, sus características y sus propiedades.

lapislázuli s.m. Mineral de color azul intenso, que se usa mucho en objetos de adorno. ☐ ETIMOL. Del italiano *lapislazzuli*.

lápiz s.m. **1** Cilindro o prisma de madera que contiene una barra de grafito en su interior y que, convenientemente afilado por uno de sus extremos, sirve para escribir y dibujar; lapicero. **2** Barrita de diferentes formas y colores que se usa para maquillar: *lápiz de ojos; lápiz de labios.* **3** ‖ **[lápiz óptico**; dispositivo electrónico con esta forma, capaz de captar una señal y transmitirla a una pantalla de vídeo, de ordenador o de un aparato semejante. ☐ ETIMOL. Del italiano *lapis*, y éste del latín *lapis* (piedra), porque los lápices se hacen con grafito y otras sustancias minerales.

lapo s.m. *col.* [Saliva, flema o sangre que se escupe o se expulsa de una vez por la boca; esputo.

lapón, -a adj./s. De Laponia (región europea más septentrional), o relacionado con ella.

lapso s.m. **1** Transcurso de un período de tiempo: *En el lapso de una semana, resolverán su petición de divorcio.* **2** →**lapsus**. ☐ ETIMOL. Del latín *lapsu* (deslizamiento, caída).

lapsus (latinismo) s.m. **1** Equivocación que se comete por descuido; lapso. **2** ‖**lapsus linguae**; equivocación que se comete al hablar. ☐ MORF. Invariable en número. ☐ SEM. No debe emplearse con el significado de 'lapso de tiempo': *Dejamos un {*lapsus > lapso} para publicidad.*

laquear v. →**lacar**.

lar ▌ s.m. **1** En la mitología romana, divinidad menor fundadora del hogar y protectora de la familia, esp. en lo referente a la casa material, en cuyos umbrales y puertas permanecía. **2** En una casa o en una cocina, sitio en el que se hace lumbre; hogar. ▌ p[?] **3** *poét.* Casa propia u hogar: *¡Cuánto honor, dignarte a visitar mis lares!* ☐ ETIMOL. Del latín *la* (dios familiar, hogar doméstico). ☐ MORF. La acepción 1 se usa más en plural.

larga s.f. Véase largo, ga.

largar ▌ v. **1** *col.* Decir de forma inoportuna, inconveniente o pesada: *Me largó una sarta de insultos. Nos largó un discurso de más de dos horas.* **2** Referido a un golpe, darlo o propinarlo: *Le largó un puñetazo que lo tumbó en el suelo.* **[3** *col.* Referido a una persona, echarla, expulsarla o despedirla de un lugar, empleo u ocupación: *Hace un mes me 'largaron' del trabajo y ahora estoy en el paro.* **4** En náutica, referido esp. a amarras o cabos, aflojarlos o irlos soltando poco a poco: *Los marineros largaron amarras para que zarpase el barco.* **[5** *col.* Hablar mucho, esp. si es con indiscreción: *Me amenazaron diciendo: —Como 'largues' más de la cuenta te vamos a rajar.* ▌ prnl. **6** *col.* Marcharse: *Discutimos y se largó dando un portazo. Me largué de allí en cuanto pude.* ☐ ETIMOL. De *largo*. ☐ ORTOGR. La *g* se cambia en *gu* delante de *e* →PAGAR.

largo, ga ▌ adj. **1** Que tiene mucha longitud o más de la normal o de la necesaria: *Después de la curva hay una recta muy larga.* **2** Dilatado o extenso: *El relato me resultó largo y aburrido.* **3** Referido a una cantidad, que es más de lo que indica: *La camisa le costó dos mil pesetas largas.* **4** Referido a una persona generosa o dadivosa: *Es larga en invitar a los amigos.* **5** Referido a una prenda de vestir, que llega hasta los pies. ▌ s.m. **6** En una superficie, dimensión más grande: *El largo de una sábana es mayor que el de la cama.* **7** En natación, recorrido del lado mayor de una piscina. **[8** Referido a un tejido, trozo de una determinada longitud: *Para la falda necesitas dos 'largos' de cincuenta centímetros.* **9** En música, aire o velocidad muy pausados con que se ejecutan una composición o un pasaje; lento. **10** En música, composición o pasaje que se ejecutan con este aire. ▌ s.f. **[11** En un automóvil, luz de mayor alcance: *Las 'largas' pueden deslumbrar a los otros conductores.* **12** En tauromaquia, lance que consiste en sacar al toro del caballo con el capote extendido en toda su longitud. **13** ‖**a la larga**; después de haber pasado algún tiempo: *Si estudias, a la larga, tendrás un gran futuro profesional.* ‖**a lo largo**; en sentido longitudinal; longitudinalmente: *Corta la tabla a lo largo.* ‖**a lo largo de**; durante, o en el transcurso de: *A lo largo de mi vida he visto muchas cosas.*

‖**dar largas**; retrasar de manera intencionada: *El Ayuntamiento da largas a su proyecto.* ‖**de largo**; 1 Con vestidura hasta los pies. 2 Desde hace mucho tiempo: *Ese problema viene de largo.* ‖**para largo**; para dentro de mucho tiempo: *No te impacientes, porque eso va para largo.* □ ETIMOL. Las acepciones 1-11, del latín *largus* (abundante, generoso, ancho). La acepción 12 de *largo* (adverbio). □ SEM. Como adjetivo, en plural y seguido de una expresión de tiempo, equivale a 'muchos': *Viví largos años en el extranjero.*

largo ∎ adv. 1 Sin escasez o con abundancia: *Nos reímos largo de sus tonterías.* **[2** *vulg.* Lejos o situado a distancia: *Tu casa está muy 'largo' de la mía.* ∎ interj. 3 Expresión que se usa para echar bruscamente a alguien de un lugar: *¡Largo de aquí!* 4 ‖**largo y tendido**; durante mucho tiempo: *Hablamos largo y tendido sobre la situación actual.*

largometraje s.m. Película cinematográfica que sobrepasa los sesenta minutos de duración.

larguero s.m. 1 En una obra de carpintería, cada uno de los dos palos que se colocan a lo largo de ella: *Se rompió un larguero de la cama y me caí al suelo.* 2 En una portería deportiva, palo superior y horizontal que une los dos postes; travesaño. □ ETIMOL. De *largo.*

largueza s.f. Generosidad o desprendimiento, esp. si llevan a dar algo sin esperar recompensa; liberalidad.

larguirucho, cha adj./s. *col.* Demasiado largo respecto a su anchura o de su grosor. □ MORF. La RAE sólo lo registra como adjetivo. □ USO Tiene un matiz despectivo.

largura s.m. En una superficie, longitud o dimensión mayor: *La largura de los vestidos es lo que más cambia con las modas.*

laringe s.f. En el sistema respiratorio de algunos vertebrados, órgano en forma de tubo, constituido por varios cartílagos, que se sitúa entre la faringe y la tráquea. □ ETIMOL. Del griego *lárynx* (parte superior de la tráquea). □ MORF. Cuando se antepone a una palabra para formar compuestos, adopta la forma *laringo-.* □ SEM. Dist. de *faringe* (órgano del sistema digestivo).

laríngeo, a adj. De la laringe o relacionado con ella.

laringitis s.f. Inflamación de la laringe. □ ETIMOL. De *laringe* e *-itis* (inflamación). □ MORF. Invariable en número.

laringología s.f. Parte de la medicina que estudia las enfermedades de la laringe y su tratamiento. □ ETIMOL. Del griego *lárynx* (laringe) y *-logía* (ciencia, estudio).

laringólogo, ga s. Persona especializada en el estudio y tratamiento de las enfermedades de la laringe, esp. si ésta es su profesión.

larva s.f. En zoología, animal joven en estado de desarrollo cuando ha salido del huevo y es muy diferente del adulto: *El renacuajo es la larva de la rana.* □ ETIMOL. Del latín *larva* (fantasma).

larvado, da adj. 1 Referido a una enfermedad, que se presenta con síntomas que no permiten determinar su verdadera naturaleza. 2 Que no se manifiesta de forma externa: *un odio larvado.*

larvario, ria adj. De las larvas, de sus fases o relacionado con ellas.

las 1 art.determ. s.f.pl. de **el**. 2 pron.pers. pl. de **la**. □ ETIMOL. Del latín *illas.*

lasaña s.f. Comida elaborada con sucesivas capas de carne o pescado, besamel y queso, separadas por finas láminas de pasta de forma cuadrada o rectangular. □ ETIMOL. Del italiano *lasagna.*

lasca s.f. Trozo pequeño y plano desprendido de una piedra. □ ETIMOL. De origen incierto.

lascivia s.f. Inclinación de una persona habitualmente dominada por un deseo sexual exagerado.

lascivo, va adj./s. Con lascivia o dominado exageradamente por el deseo sexual. □ ETIMOL. Del latín *lascivus* (juguetón, petulante).

láser s.m. 1 Aparato electrónico que genera haces luminosos intensos y de un solo color debido a la emisión estimulada de radiación por parte de las moléculas del gas que contiene en su cavidad: *Han equipado el hospital con un láser para tratar tumores cancerosos.* 2 Haz de luz que genera este aparato: *Durante el concierto, el láser se movía al ritmo de la música.* 3 ‖**[láser disc**; aparato reproductor de los discos compactos que tienen imagen y sonido digital. □ ETIMOL. Es un acrónimo que procede de la sigla de *Light Amplification by Stimulated Emission of Radiation* (luz amplificada por la emisión estimulada de radiación). □ SINT. En la acepción 2, se usa mucho en aposición, pospuesto a un sustantivo.

lasitud s.f. Debilidad, cansancio o falta de fuerza extremados. □ ETIMOL. Del latín *lassitudo*, y éste de *lassus* (cansado). □ ORTOGR. Dist. de *laxitud.*

laso, sa adj. 1 Cansado, desfallecido o decaído. 2 Referido al pelo, lacio y sin rizos. □ ETIMOL. Del latín *lassus.* □ ORTOGR. Dist. de *laxo.*

lástima ∎ s.f. 1 Sentimiento de compasión que se tiene hacia los que sufren desgracias o males. 2 Lo que produce este sentimiento. ∎ interj. 3 Expresión que se usa para indicar pena por algo que no sucede tal como se esperaba. 4 ‖**hecho una lástima**; muy estropeado o muy dañado. □ SINT. La acepción 1 se usa más en la expresión *dar lástima.*

lastimar v. 1 Herir o hacer daño físico: *Una pedrada le lastimó el brazo. Me lastimé una pierna cuando me caí por las escaleras.* 2 Referido a una persona, agraviarla u ofenderla: *Me han lastimado mucho tus críticas.* □ ETIMOL. Del latín *blastemare*, y éste del griego *blasteméo* (digo blasfemias).

lastimero, ra adj. Que inspira lástima o compasión; lastimoso.

lastimoso, sa adj. 1 Que inspira lástima o compasión; lastimero. **[2** *col.* Con un aspecto deplorable y muy estropeado.

lastra s.f. Piedra lisa y de poco grosor, de origen natural; losa, lancha. □ ETIMOL. De origen incierto.

lastrar v. 1 Referido a una embarcación, ponerle peso para que se hunda en el agua lo necesario para ser estable: *El oleaje hizo volcar la lancha porque no la habían lastrado.* **[2** Referido a algo que está en desarrollo, obstaculizarlo: *La incompetencia de mis ayudantes 'está lastrando' el trabajo.*

lastre s.m. 1 En una embarcación, peso que se coloca en su fondo para que se hunda en el agua lo suficiente como para conseguir estabilidad. 2 En un globo aerostático, peso que se lleva en la barquilla para ascender con más rapidez al soltarlo. 3 Impedimento para llevar algo a buen fin; rémora. □ ETIMOL. De origen germánico.

lata s.f. Véase lato, ta.

latencia s.f. **1** Período de incubación de una enfermedad: *Una enfermedad en estado de latencia no presenta síntomas.* **2** Existencia de lo que permanece oculto y sin manifestarse: *La revolución estalló tras un largo período de latencia.*

latente adj. Referido a algo existente, que está oculto y escondido, o que no se manifiesta de forma visible: *odio latente.* ☐ ETIMOL. Del latín *latens*, y éste de *latere* (estar escondido). ☐ MORF. Invariable en género. ☐ SEM. Dist. de *patente* (manifiesto, visible).

lateral ▪ adj. **1** Que está situado en un lado: *palco lateral.* **[2** Con una importancia menor: *Olvida ahora las cuestiones 'laterales' y hablemos de lo esencial.* **3** Que no viene por línea directa: *parentesco lateral.* **4** En lingüística, referido a un sonido, que se articula de modo que el aire salga por los lados de la lengua: *El sonido [l] es un sonido lateral.* ▪ s.m. **5** En un lugar o en un objeto, parte que está próxima a cada extremo: *En los laterales del campo había dos filas de gradas.* **[6** En algunos deportes, esp. en el fútbol, jugador que cubre una de las bandas del campo con función generalmente defensiva. ▪ s.f. **7** Letra que representa un sonido articulado de modo que el aire sale por los lados de la lengua: *La 'll' es una lateral.* ☐ ETIMOL. Del latín *lateralis.* ☐ MORF. Como adjetivo es invariable en género.

látex s.m. Líquido de aspecto lechoso que se obtiene de los cortes hechos a diferentes plantas: *El látex, al coagularse, produce sustancias como el caucho.* ☐ ETIMOL. Del latín *latex* (líquido, licor). ☐ MORF. Invariable en número.

latido s.m. Cada uno de los golpes producidos por el movimiento rítmico de contracción y dilatación del corazón contra la pared del pecho, o de las arterias contra los tejidos que las cubren.

latifundio s.m. Finca agraria de gran extensión, propiedad de un solo dueño. ☐ ETIMOL. Del latín *latifundium*, y éste de *latus* (ancho) y *fundus* (propiedad rústica). ☐ SEM. Dist. de *minifundio* (finca de reducida extensión).

latifundismo s.m. Sistema de explotación agraria basado en la distribución de la propiedad de la tierra en grandes latifundios.

latifundista ▪ adj. **1** Del latifundismo o relacionado con este sistema de explotación agraria. ▪ s. **2** Persona que posee uno o varios latifundios. ☐ MORF. 1. Como adjetivo es invariable en género. 2. Como sustantivo es de género común: *el latifundista, la latifundista.*

latigazo s.m. **1** Golpe dado con un látigo. **2** Chasquido o sonido producido al agitar el látigo en el aire. **3** Dolor brusco, breve y agudo. **4** Hecho o dicho impensado e inesperado que hiere o produce dolor. **5** *col.* Trago de bebida alcohólica; lingotazo, pelotazo.

látigo s.m. **1** Instrumento formado por una vara en cuyo extremo va sujeta una cuerda o correa, y que se utiliza para avivar la marcha de las caballerías o para azotar. **2** Atracción de feria formada por una serie de coches o de vagonetas que recorren un circuito eléctrico, aumentando su velocidad en las curvas para producir bruscas sacudidas. **3** ‖ **[usar el látigo;** *col.* Actuar con mucha dureza o severidad. ☐ ETIMOL. De origen incierto.

latiguillo s.m. **1** En una conversación, palabra o expresión que, de tanto repetirse, pierden su fuerza expresiva; muletilla. **[2** Tubo delgado y flexible, generalmente con una rosca en sentido inverso en cada extremo, que sirve para comunicar una cosa con otra; racor: *Enrosca el 'latiguillo' de la bomba de aire en la válvula y empieza a inflar la rueda.* ☐ SEM. En la acepción 1, dist. de *coletilla* (añadido a lo que se dice o se escribe).

latín s.m. **1** Lengua indoeuropea hablada en el antiguo Imperio Romano y de la que derivan el español y las demás lenguas romances. **2** ‖ **saber (mucho** latín; *col.* Ser listo, astuto y despierto.

[latin lover (anglicismo) ‖ Amante apasionado considerado como muy atractivo. ☐ PRON. [látin lóver].

latinajo s.m. *col.* Palabra o construcción latina empleadas en castellano. ☐ MORF. Se usa más en plural. ☐ USO Tiene un matiz despectivo.

latinismo s.m. En lingüística, palabra, significado o construcción sintáctica del latín, esp. los empleados en otra lengua.

latinista ▪ adj. **1** Con las características propias del latín. ▪ s. **2** Persona especializada en el estudio de la lengua, la literatura y la cultura latinas. ☐ MORF. 1. Como adjetivo es invariable en género. 2. Como sustantivo es de género común, *el latinista, la latinista.*

latinizar v. **1** Referido a un término o a un texto no latinos, darles forma latina: *Hoy en día, resulta pedante que alguien latinice su vocabulario para parecer más culto.* **2** Dar o adquirir características que se consideran propias de la cultura latina: *Los romanos latinizaron las culturas de los pueblos a los que vencieron. Algunos territorios se latinizaron bajo la dominación romana.* ☐ ORTOGR. La z se cambia en *c* delante de *e* →CAZAR.

latino, na ▪ adj. **1** Del latín o con características propias de esta lengua. ▪ adj./s. **2** De los países en los que se hablan lenguas derivadas del latín o relacionado con ellos. **3** Del Lacio (región central italiana), de los pueblos italianos que formaron parte del Imperio Romano, o relacionado con ellos.

latinoamericano, na ▪ adj. **1** De los países americanos que fueron colonizados por España, Portugal o Francia (países europeos). ▪ adj./s. **2** De Latinoamérica (conjunto de países americanos con lenguas de origen latino). ☐ SEM. Dist. de *hispanoamericano* (de los países americanos de habla española) y de *iberoamericano* (de los países americanos de habla española o portuguesa).

latir v. **1** Referido esp. al corazón o a las arterias, dar latidos: *Su corazón empezó a latir aceleradamente.* **[2** Estar vivo o presente pero sin manifestarse de forma evidente: *Aunque nadie lo diga, entre los empleados 'late' el descontento.* ☐ ETIMOL. Del latín *glattire* (lanzar ladridos agudos).

latitud s.f. **1** Distancia que existe desde un punto de la superficie terrestre hasta el paralelo del Ecuador, y que se mide en grados, en minutos y en segundos a lo largo de un meridiano. **[2** *col.* Lugar, zona o región, esp. si se considera en relación con su distancia al paralelo del Ecuador: *¡Cuánto tiempo sin verte por estas 'latitudes'!* **3** Extensión de un lugar tanto de ancho como de largo. **4** En astronomía distancia en grados que existe a cualquier punto al norte y al sur del círculo máximo de la esfera celeste: *La latitud de la estrella Polar respecto al polo* *es variable.* □ ETIMOL. Del latín *latitudo.* □ MORF. La acepción 2 se usa más en plural.

latitudinal adj. Que se extiende a lo ancho. □ MORF. Invariable en género.

lato, ta ∎ adj. **1** Extenso, dilatado: *La llanura se extiende por un lato territorio.* ∎ s.f. **2** Lámina delgada de hierro o de acero, cubierta de estaño por sus dos caras para preservarla de la corrosión; hojalata: *Los botes de cerveza están hechos de lata.* **3** Recipiente hecho de este material: *Compro el atún en lata.* **4** *col.* Lo que resulta molesto, fastidioso o importuno; incordio: *Es una lata que tengamos que volvernos tan pronto.* **5** ‖ **dar la lata**; *col.* Molestar, fastidiar o importunar. ‖ **en sentido lato**; en un sentido más amplio del que correspondería exacta, literal o rigurosamente: *Esas afirmaciones las hizo en sentido lato y sin precisar.* □ ETIMOL. Del latín *latus* (ancho).

latón s.m. Aleación de cobre y de cinc, maleable, fácil de pulir y de abrillantar y resistente a la corrosión atmosférica. □ ETIMOL. Del árabe *latun.*

latoso, sa adj./s. Molesto, pesado o fastidioso.

latrocinio s.m. Robo o fraude, esp. el que se comete contra los intereses públicos. □ ETIMOL. Del latín *latrocinium.*

laucha s.f. En zonas del español meridional, ratón.

laúd s.m. **1** Instrumento musical de cuerda, parecido a la guitarra pero con el cuerpo ovalado y con un número variable de cuerdas que se agrupan por pares. 🔍 cuerda **2** Embarcación de vela, pequeña y con dos palos. □ ETIMOL. Del árabe *al-'ud.*

laudable adj. Digno de alabanza; loable. □ ETIMOL. Del latín *laudabilis.* □ MORF. Invariable en género.

laudatorio, ria adj. Que alaba o que contiene alabanza.

laudes s.m.pl. En la iglesia católica, segunda de las horas canónicas. □ ETIMOL. Del latín *laudis* (alabanzas). □ ORTOGR. Dist. de *laúdes* (pl. de *laúd*).

laudo s.m. En derecho, fallo o resolución que dictan los árbitros en un conflicto. □ ETIMOL. De *laudar* (dictar sentencia).

lauráceo, a ∎ adj./s.f. **1** Referido a una planta, que tiene hojas sencillas, duras y persistentes y flores generalmente amarillas: *El laurel y el aguacate son árboles lauráceos.* ∎ s.f.pl. **2** En botánica, familia de estas plantas, perteneciente a la clase de las dicotiledóneas. □ ETIMOL. De *lauro* (laurel).

laureado, da ∎ adj./s. **1** Referido a un militar, que ha sido recompensado con honor y gloria por su comportamiento, esp. si ha sido condecorado con la cruz de San Fernando. ∎ s.f. **2** Insignia con la que se condecora a estos militares: *La laureada es una cruz rodeada por una corona de laurel.*

laurear v. **1** Coronar con laurel: *En el fresco aparece un personaje desconocido laureando al dios Apolo.* **2** Premiar o distinguir con un galardón: *Se celebró un acto solemne para laurear al gran poeta.* □ ETIMOL. De *lauro* (laurel).

laurel s.m. **1** Árbol de corteza delgada y lisa, fruto carnoso de color negro y hojas alternas verde oscuras muy empleadas como condimento por sus propiedades aromáticas; lauro. **2** Premio o gloria obtenidos por un éxito o por un triunfo. **3** ‖ **dormirse en los laureles**; *col.* Reducir el esfuerzo por confiarse en el éxito ya obtenido. □ ETIMOL. Del provenzal *laurier.* □ MORF. La acepción 2 se usa más en plural.

[laurencio s.m. →**lawrencio**.

láureo, a adj. De laurel o con hojas de laurel.

lauro s.m. →**laurel**.

laus Deo (latinismo) ‖ Expresión que significa 'Gloria a Dios', y que suele encontrarse al final de códices y libros.

lava s.f. Material fundido e incandescente vertido por un volcán en erupción, y que, al enfriarse, se solidifica y forma rocas. □ ETIMOL. Del italiano *lave*, y éste del latín *labes* (caída).

lavable adj. Referido esp. a un tejido, que no se encoge ni pierde sus colores al lavarlo. □ MORF. Invariable en género.

lavabo s.m. **1** Pila provista de grifo y desagüe, generalmente instalada en el cuarto de baño, y que se utiliza para el lavado personal de manos y cara. **2** Cuarto con una de estas pilas y destinado al aseo corporal. □ ETIMOL. Del latín *lavabo* (yo lavaré), que era el comienzo del salmo que pronuncia el oficiante cuando se lava las manos después del ofertorio.

lavacoches s. Persona que trabaja lavando coches. □ MORF. 1. Es de género común: *el lavacoches, la lavacoches.* 2. Invariable en número.

lavada s.f. En zonas del español meridional, lavado.

lavadero s.m. **1** Lugar o recipiente en los que se lava, esp. el preparado para lavar ropa. **2** En una mina, conjunto de instalaciones para el lavado o la preparación de minerales.

lavado s.m. **1** Limpieza que se hace con agua o con otro líquido. **2** Limpieza o reparación de ofensas, faltas u otras manchas morales: *lavado de conciencia.* **3** ‖ **[lavado de cara**; modificación de la apariencia externa de algo sin cambiar su contenido. ‖ **[lavado de cerebro**; anulación o modificación profunda de la mentalidad de una persona: *El 'lavado de cerebro' es un tipo de manipulación psicológica.* ‖ **[lavado de dinero**; transformación del dinero negro o ilegal en dinero legal.

lavadora s.f. Electrodoméstico que sirve para lavar ropa. 🔍 electrodoméstico

lavafrutas s.m. Recipiente que se saca con agua a la mesa para lavar la fruta. □ MORF. Invariable en número.

lavamanos s.m. **1** Recipiente o depósito con agua que se utiliza para lavarse las manos o los dedos. **[2** En zonas del español meridional, lavabo. □ MORF. Invariable en número.

lavanda s.f. **1** Arbusto de tallos leñosos, hojas estrechas y grisáceas y con flores azules en espiga muy aromáticas. **2** Perfume que se obtiene de este arbusto. □ ETIMOL. Del francés *lavande* o del italiano *lavanda.*

lavandería s.f. Establecimiento donde se lava ropa.

lavandero, ra ∎ s. **1** Persona que se dedica profesionalmente a lavar ropa. ∎ s.f. **2** Pájaro terrestre de colores variados, larga cola, pico y patas muy finos, y que corre y anda con gran viveza.

lavandina s.f. En zonas del español meridional, lejía.

lavaplatos s.m. **1** *col.* Electrodoméstico que sirve para lavar platos o útiles de cocina; lavavajillas. 🔍 electrodoméstico **2** En zonas del español meridional, fregadero. □ MORF. La RAE lo registra como sustantivo de género ambiguo. 2. Invariable en número.

lavar v. **1** Referido a algo sucio, limpiarlo mojándolo con agua o con otro líquido: *Lava la ropa con deter-*

gente. Está prohibido lavar el coche en la vía pública. Se lavó la cara y las manos. Utiliza un producto especial para lavar las manchas de grasa. **2** Referido esp. al honor o a la conciencia, limpiarlos de ofensas, faltas u otras manchas: *Con esa noble acción lavó su honor y recuperó su buena fama.* **[3** Referido al dinero, blanquearlo: *Se descubrió que el negocio era una tapadera para lavar dinero.* **4** En arte, referido a un dibujo, darle color o sombra con aguadas o con tinta diluida en agua: *Lavó el dibujo para difuminar los contornos de las figuras.* **5** col. Referido a un tejido, resistir el lavado: *Llevaré esta chaqueta a la tintorería porque no lava bien.* ☐ ETIMOL. Del latín *lavare.*

lavativa s.f. **1** Líquido que se introduce en el recto a través del ano, generalmente con fines terapéuticos o laxantes, o para facilitar una operación de diagnóstico. **2** Instrumento manual que se utiliza para aplicar este líquido. 🐾 medicamento ☐ SEM. Es sinónimo de *enema.*

lavatorio s.m. **1** En la iglesia católica, ceremonia que se celebra en los oficios del Jueves Santo y en la que el sacerdote lava los pies a doce personas, en recuerdo del acto semejante que Jesucristo realizó con sus apóstoles la víspera de su muerte. **2** En zonas del español meridional, lavabo. ☐ ETIMOL. Del latín *lavatorium.*

lavavajillas s.m. **1** Electrodoméstico que sirve para lavar platos o útiles de cocina; lavaplatos. 🐾 electrodoméstico **[2** Detergente que se usa para lavar la vajilla. ☐ MORF. 1. En la acepción 1, la RAE lo registra como sustantivo de género ambiguo. 2. Invariable en número.

lavotear v. col. Lavar aprisa y de cualquier manera: *¡Lo lavotea todo en un momento, y así le luce!*

lavoteo s.m. Lavado que se hace aprisa y de cualquier manera.

[lawrencio s.m. Elemento químico, metálico, artificial y radiactivo, de número atómico 103, que pertenece al grupo de las tierras raras. ☐ PRON. [laurénció]. ☐ ORTOGR. 1. Se usa también *laurencio.* 2. Su símbolo químico es Lw o Lr.

laxante s.m. Medicamento o producto que facilita la defecación o evacuación del vientre.

laxar v. **1** Referido esp. al vientre, aflojarlo o facilitar la defecación por medio de sustancias que producen este efecto: *Por las mañanas toma unas hierbas para laxar el vientre. Si sigues tan estreñido necesitarás laxarte.* **2** Referido a algo tenso, aflojarlo, relajarlo o disminuir su tensión: *Un masaje te ayudará a laxar los músculos.* ☐ ETIMOL. Del latín *laxare* (ensanchar, aflojar, relajar).

laxitud s.f. **1** Flojedad o falta de tensión. **2** Falta de severidad y de firmeza o excesiva relajación moral. ☐ ORTOGR. Dist. de *lasitud.*

laxo, xa adj. **1** Flojo o sin la tensión que le correspondería. **2** Referido esp. a la actitud moral, que es excesivamente relajada o poco estricta. ☐ ETIMOL. Del latín *laxus* (flojo, laxo). ☐ ORTOGR. Dist. de *laso.*

laya s.f. Clase, género o condición: *Todos los hermanos son de la misma laya.* ☐ ETIMOL. Quizá del portugués *laia.* ☐ USO Tiene un matiz despectivo.

lazada s.f. **1** Lazo que se deshace con facilidad tirando de uno de sus cabos. **2** Lazo de adorno.

lazareto s.m. **1** Lugar destinado a la observación de individuos que pueden tener una enfermedad contagiosa o que presentan los síntomas de ésta. **2** Hospital de leprosos; leprosería. ☐ ETIMOL. Del italiano *lazzaretto,* y éste del nombre de Santa María de Nazaret (isla veneciana donde había un hospita de leprosos en el siglo XVI), con influencia de *Lázaro.*

lazarillo s.m. Persona o animal que guían a un cie go o a una persona necesitada. ☐ ETIMOL. Por alu sión a Lazarillo de Tormes, personaje de una novela picaresca española publicada en el siglo XVI.

lázaro s.m. **1** Mendigo u hombre muy pobre y an drajoso. **2** ‖ **estar hecho un lázaro**; estar lleno d llagas. ☐ ETIMOL. Por alusión a Lázaro, mendig que aparece en una parábola evangélica.

lazo s.m. **1** Atadura que se hace con una cinta con un cordón, esp. la que se hace para sujetar para adornar y se deshace con facilidad tirando d uno de sus cabos. **2** Lo que tiene la forma de est atadura: *Me gustan los lazos de hojaldre con mucho miel.* **3** Cinta o cordón empleados para hacer esas ataduras, esp. los que se ponen en la cabeza como adorno o para sujetar el pelo. **4** Cuerda con un nud corredizo en uno de sus extremos y que se utiliza para sujetar o atrapar animales. **[5** Corbata consis tente en una cinta que se anuda con dos lazadas en el cierre del cuello. **6** Vínculo u obligación contraí dos: *Nos unen fuertes lazos de amistad.* **7** col. En gaño o trampa que se tiende. **8** En arte, dibujo o motivo decorativo que se repite encadenadamente y forma una lacería. **9** ‖ **[echar el lazo** a alguien col. Atraparlo o ganarse su voluntad: *Dijiste que no te casarías nunca, pero al final te 'han echado el lazo'.* ☐ ETIMOL. Del latín *laqueus.* ☐ MORF. La acepción 6 se usa más en plural.

le pron.pers. Forma de la tercera persona que corresponde a la función de complemento indirecto sin preposición: *A mi hija le dieron un premio. Diles que tengan mucho cuidado. Déjales a tus hermanas el libro de cuentos.* ☐ ETIMOL. Del latín *illi.* ☐ MORF 1. No tiene diferenciación de género. 2. Su plural es *les.*

[lead (anglicismo) s.m. En un periódico, entradilla o primer párrafo de una noticia. ☐ PRON. [lid]. ☐ USO Su uso es innecesario y puede sustituirse por una expresión como *entradilla* o *encabezamiento.*

leal ‖ adj. **1** Referido a una persona, que es fiel o digna de confianza en su forma de actuar porque nunca engaña ni traiciona. **2** Referido a un animal, que obedece o sigue fielmente a su amo. ‖ adj./s. **3** Partidario fiel e incondicional. ☐ ETIMOL. Del latín *legalis* (leal). ☐ MORF. 1. Como adjetivo es invariable en género. 2. Como sustantivo es de género común: *el leal, la leal.*

lealtad s.f. **1** Referido a una persona, fidelidad y sentido del honor en la forma de actuar. **2** Referido a un animal, obediencia o fidelidad incondicionales hacia su amo.

[leandra s.f. col. Peseta.

[leasing (anglicismo) s.m. Régimen de financiación, generalmente de bienes de equipo, por el que se dispone de éstos durante un período de tiempo en el que se paga una cuota y al final del cual se suele tener opción de compra. ☐ PRON. [lísin].

lebeche s.m. Viento cálido y seco procedente del sudoeste, que sopla en el litoral mediterráneo. ☐ ETIMOL. Del árabe *labay* (viento entre poniente y ábrego).

lebrato s.m. Cría de la liebre o liebre todavía no adulta. ☐ MORF. Es un sustantivo epiceno: *el lebrato macho, el lebrato hembra*.

lebrel adj./s.m. Referido a un perro, de la raza que se caracteriza por ser de gran tamaño y tener el labio superior y las orejas caídos, el lomo largo y recto, y las patas retiradas hacia atrás. ☐ ETIMOL. Del catalán *llebrer*. ☐ MORF. Como adjetivo es invariable en género.

lección s.f. **1** Exposición o explicación, generalmente orales, que se hacen sobre un tema. **2** Conjunto de conocimientos teóricos o prácticos que un maestro imparte de una vez: *Aprendió a conducir con pocas lecciones*. **3** En un libro de texto, cada una de las partes en que se divide, generalmente numeradas y con semejanza formal. **4** Parte de una materia que se estudia o que se aprende de una vez: *Tengo mucha lección para mañana*. **5** Lo que enseña o escarmienta: *El accidente fue una lección para él*. **6** ‖**dar la lección**; decirla el alumno al profesor. ‖**dar una lección**; **1** Hacer comprender una falta, de manera hábil o dura. [**2** Dar buen ejemplo. ‖**lección inaugural**; la de carácter solemne, con la que se inicia un curso académico. ‖**lección magistral**; la de carácter solemne, que se pronuncia con motivo de una conmemoración. ‖**tomar la lección**; oírla el maestro al alumno, para ver si se la sabe. ☐ ETIMOL. Del latín *lectio* (acción de leer).

lechada s.f. **1** En construcción, masa líquida formada por agua y algún material conglomerante, muy usada para blanquear paredes o para dar uniformidad y protección a las juntas o a otras superficies. **2** Líquido que tiene en disolución cuerpos insolubles muy divididos: *El joyero preparó la lechada de magnesia para pulir la plata*.

lechal adj./s.m. Referido a un animal, esp. a un cordero, que todavía mama. ☐ MORF. Como adjetivo es invariable en género.

lechazo s.m. Cordero lechal.

leche ▌s.f. **1** Líquido blanco y opaco que se forma en las mamas de la hembra de un mamífero y es usado por ésta para alimentar a sus crías. **2** Jugo blanco segregado por algunos tipos de plantas, frutos o semillas: *leche de almendra*. [**3** Cosmético en forma de crema líquida: *'leche' limpiadora*. [**4** *vulg.* →**golpe**. [**5** *vulg.* Lo que resulta molesto, fastidioso o importuno; incordio. ▌interj. [**6** *vulg.* Expresión que se usa para indicar extrañeza, sorpresa, admiración o disgusto. **7** ‖[**a toda leche**; *vulg.* A toda velocidad. ‖**de leche**; referido a la cría de un mamífero, que aún mama. ‖**leche condensada**; la mezclada con azúcar y sometida a un proceso de evaporación por el que pierde el agua. ‖**leche de paloma**; secreción del epitelio del buche de las palomas, que sirve para criar a los pichones. ‖[**leche entera**; la que, después de tratada, conserva su grasa y sus sustancias nutritivas. ‖**leche frita**; dulce elaborado con una masa de leche y harina que se fríe rebozada. ‖**leche merengada**; bebida refrescante elaborada con leche, azúcar, canela y clara de huevo. ‖**mala leche**; *vulg.* Mala intención. ‖[**ser la leche**; *vulg.* Ser el colmo. ☐ ETIMOL. Del latín *lac*. ☐ USO Se usa mucho como palabra comodín en expresiones vulgares malsonantes.

lechera s.f. Véase **lechero, ra**.

lechería s.f. Establecimiento en el que se vende leche.

lechero, ra ▌adj. **1** *col.* De la leche o relacionado con ella. **2** Referido a un mamífero hembra, que se cría para aprovechar su leche: *vaca lechera*. ▌s. **3** Persona que se dedica profesionalmente a la venta o al reparto de la leche. ▌s.f. **4** Recipiente para transportar, guardar o servir leche. [**5** *col.* Furgoneta de la policía.

lecho s.m. **1** Cama con la ropa necesaria para descansar o para dormir. **2** Lugar preparado para que el ganado descanse o duerma. **3** Referido a un río, cauce o lugar por donde corren sus aguas. **4** Referido esp. al mar o a un lago, superficie sólida sobre la cual está el agua; fondo. **5** Superficie plana sobre la que se asienta algo: *Sirvió la carne sobre un lecho de lechuga*. ☐ ETIMOL. Del latín *lectus* (cama).

lechón, -a ▌s. **1** Cerdo adulto. ▌s.m. **2** Cerdo que todavía mama. ☐ ETIMOL. De *leche*.

lechosa s.f. Véase **lechoso, sa**.

lechoso, sa ▌adj. **1** Que tiene la apariencia de la leche. **2** Referido a una planta o a un fruto, que desprende un jugo semejante a la leche. ▌s.m. **3** Árbol americano de flores amarillas. ▌s.f. **4** En zonas del español meridional, papaya.

[lechucear v. *col.* Estar continuamente comiendo golosinas: *Deja de 'lechucear', que ya vamos a cenar*.

lechuga s.f. **1** Hortaliza de hojas verdes que se agrupan alrededor de un tronco, y que se suele comer en ensalada. **2** ‖**como una lechuga**; *col.* Con aspecto fresco y saludable. ☐ ETIMOL. Del latín *lactuca*.

lechuguino, na s. *col.* Persona joven que se arregla o se acicala en exceso. ☐ USO Es despectivo.

lechuza s.f. Véase **lechuzo, za**.

lechuzo, za ▌adj./s.m. **1** *col.* Tonto. ▌s.f. **2** Ave rapaz nocturna, de plumaje blanco y dorado con manchas pardas, cabeza redonda, ojos grandes y pico corto y curvo. 🦅 rapaz ☐ ETIMOL. La acepción 1, de *lechuza*. La acepción 2, del antiguo *nechuza*. ☐ MORF. En la acepción 2, es un sustantivo epiceno: *la lechuza macho, la lechuza hembra*.

[lecitina s.f. Lípido que se encuentra en los tejidos animales y vegetales, que suele usarse con fines terapéuticos: *'lecitina' de soja*.

lectivo, va adj. Referido a un período de tiempo, destinado a impartir clases en los centros de enseñanza.

[lectoescritura s.f. Enseñanza y aprendizaje de la lectura y la escritura.

lector, -a ▌adj./s. **1** Que lee o es aficionado a la lectura. ▌s. **2** Profesor que enseña su lengua materna en el extranjero, generalmente en una universidad o en un instituto de segunda enseñanza. **3** En una editorial, persona encargada de leer originales para asesorar sobre su posible publicación. ▌s.m. **4** Aparato que capta las señales o marcas grabadas en un soporte y las transforma a su reproduce: *El nuevo lector de discos compactos ya está en el mercado*. **5** ‖[**lector óptico**; aparato electrónico que permite identificar e interpretar marcas y caracteres escritos de acuerdo con cierto código: *En las cajas de los hipermercados usan 'lectores ópticos' para leer los códigos de barras*. ☐ ETIMOL. Del latín *lector*.

lectorado s.m. Cargo del profesor que enseña su lengua materna en el extranjero.

lectura s.f. **1** Actividad consistente en comprender un texto escrito o impreso después de haber pasado la vista o el tacto por él. **2** Lo que se lee o lo que se debe leer: *Las novelas policíacas son su lectura favorita.* **3** Interpretación del sentido de un texto: *Esa frase tiene una lectura distinta de la que le han dado los periodistas.* [**4** Comprensión o interpretación de cualquier tipo de signo. **5** Exposición ante un tribunal de un ejercicio redactado o escrito previamente. [**6** En informática, acceso a alguna de las unidades de almacenamiento de un ordenador para recuperar o visualizar la información contenida en ella. **7** ‖ [**lectura activa**; la que se realiza mediante libros en los que se fomenta la participación directa del lector mediante diversos juegos.

leer v. **1** Referido a signos escritos o impresos, pasar la vista o el tacto por ellos para entender su significado: *Siempre leo un rato antes de dormir. Leyó el poema en voz alta. Cuando se quedó ciego aprendió a leer en braille.* [**2** Referido a cualquier tipo de signo, comprender su significado: *Los adivinos 'leen' las rayas de la mano. Es sordo, pero sabe 'leer' los movimientos de los labios.* **3** Referido a lo que ocurre en el interior de una persona, llegar a conocerlo: *En tu cara leo que eres feliz.* **4** Referido a un texto, entenderlo o interpretarlo: *Me escribió una carta de amor pero yo leí un reproche.* **5** Realizar ante un tribunal la lectura de un ejercicio redactado o escrito previamente: *Los opositores cuyo apellido empieza por 'M' leen mañana. Leerá la tesis el mes que viene.* [**6** En informática, referido a un ordenador, acceder a alguna de sus unidades de almacenamiento para recuperar o visualizar información contenida en ella: *No teclees nada ahora, porque 'está leyendo'.* □ ETIMOL. Del latín *legere*. □ ORTOGR. En las formas cuya desinencia contiene un diptongo *ie, io*, esta *i* se cambia en *y* →LEER.

legación s.m. **1** Cargo o facultad representativa del legado de una autoridad, esp. los del representante de un Gobierno ante otro Gobierno extranjero. **2** Misión o mensaje que lleva este legado. **3** Conjunto de empleados a las órdenes de dicho legado. **4** Sede o conjunto de oficinas de una representación diplomática, esp. de una embajada. □ ETIMOL. Del latín *legatio*.

legado s.m. **1** Lo que se deja en herencia o se dona a través de un testamento. **2** Lo que se deja o transmite a los sucesores o a la posteridad: *legado cultural.* **3** Persona enviada por una autoridad civil o eclesiástica para que la represente o actúe en su nombre.

legajo s.m. Conjunto de papeles atados o reunidos por guardar relación con un mismo asunto. □ ETIMOL. De *ligar* (atar).

legal adj. **1** De la ley, del derecho o relacionado con ellos. **2** Establecido por la ley o de acuerdo con ella. **3** Referido a la persona que desempeña un cargo, que cumple recta y fielmente sus funciones. [**4** col. Referido a una persona, que es leal o digna de confianza. □ ETIMOL. Del latín *legalis*. □ MORF. Invariable en género.

legalidad s.f. **1** Conjunto o sistema de leyes que rigen la vida de un país. **2** Adecuación o conformidad con lo que establece la ley.

legalista adj./s. Que antepone a cualquier otra consideración la aplicación estricta de la ley. □ MORF. 1. Como adjetivo es invariable en género. 2. Como

sustantivo es de género común: *el legalista, la legalista.*

legalización s.f. **1** Concesión del estado o carácter legales. **2** Certificación de la autenticidad de una firma o de un documento.

legalizar v. **1** Dar estado o carácter legal: *Han decidido casarse para legalizar su unión.* **2** Referido a una firma o a un documento, certificar su autenticidad o legitimar: *Un notario legalizó el contrato de compraventa.* □ ORTOGR. La *z* se cambia en *c* delante de *e* →CAZAR.

légamo s.m. Barro que se forma en el fondo de las aguas; limo. □ ETIMOL. Quizá de la raíz céltica *leg-* (estar mojado, formar una capa).

legaña s.f. Sustancia procedente de la secreción de las glándulas de los párpados y que se seca en los bordes y ángulos internos de los ojos, generalmente durante el sueño. □ ETIMOL. De origen incierto. □ MORF. Se usa más en plural.

legañoso, sa adj./s. Con muchas legañas; pitañoso.

legar v. **1** Referido a los bienes de una persona, dejarlos en herencia por medio de un testamento o de un codicilo: *Ha legado todos sus bienes a una institución benéfica.* **2** Referido esp. a ideas o a costumbres, transmitirlas a los que siguen en el tiempo: *Las culturas clásicas nos legaron su forma de entender el mundo.* **3** Referido a una persona, enviarla como legado o representante: *La presidenta legó a su secretario para que la sustituyera en la reunión.* □ ETIMOL. Del latín *legare* (enviar, delegar, dejar en testamento). □ ORTOGR. La *g* se cambia en *gu* delante de *e* →PAGAR.

legatario, ria s. En derecho, persona o grupo de personas favorecidas en un testamento o en un codicilo.

[legato (italianismo) s.m. →ligado. □ PRON. [legáto].

legendario, ria ‖ adj. **1** De las leyendas, con sus características o relacionado con ellas. [**2** col. Que ha alcanzado gran fama y popularidad. ‖ s.m. **3** Libro que reúne varias leyendas.

legibilidad s.f. Posibilidad de ser leído, esp. por tener la suficiente claridad.

legible adj. Que se puede leer. □ MORF. Invariable en género.

legión s.f. **1** En el ejército, cuerpo de elite formado por soldados profesionales y esp. adiestrados para actuar como fuerza de choque. **2** En el ejército de la antigua Roma, formación muy variable integrada por tropas de infantería y de caballería. **3** Multitud de personas o de animales. □ ETIMOL. Del latín *legio* (cuerpo de tropa romana), y éste de *legere* (reclutar).

legionario, ria ‖ adj. **1** De la legión. ‖ s.m. **2** Soldado de una legión.

[legionella (latinismo) s.f. **1** Bacteria que puede causar una enfermedad que se caracteriza por la presencia de fiebre, congestión, neumonía y a veces por producir la muerte. **2** Enfermedad causada por esta bacteria. □ PRON. [legionéla].

legislación s.f. **1** Conjunto de leyes por las que se gobierna un Estado o por las que se rige una actividad o una materia. **2** Ciencia o estudio de las leyes. [**3** Elaboración o establecimiento de leyes.

legislador, -a adj./s. Que legisla. □ ETIMOL. Del latín *legislator*, y éste de *legis*, que es el genitivo de *lex* (ley), y *lator* (el que lleva).

legislar v. Dar, elaborar o establecer leyes: *En los regímenes democráticos los parlamentos son los encargados de legislar.*

legislativo, va adj. **1** De la legislación, de los legisladores, o relacionado con ellos. **2** Referido esp. a un organismo, que tiene la facultad o la misión de elaborar o establecer leyes.

legislatura s.f. **1** Período de tiempo que transcurre desde que se constituyen el poder ejecutivo y los órganos legislativos del Estado hasta que se disuelven, generalmente entre dos elecciones, y durante el cual desarrollan sus actividades. [**2** Conjunto de los órganos legislativos que desarrollan sus actividades durante este período.

legitimación s.f. **1** Concesión del carácter legítimo. **2** Demostración o certificación de la autenticidad de un documento o de un acto, de su certeza o de su correspondencia con lo que indica la ley. **3** Capacitación que se otorga a una persona para desempeñar una función o un cargo. **4** Reconocimiento como legítimo de un hijo que no lo era.

legitimar v. **1** Dar carácter legítimo: *El régimen democrático legitimó los partidos prohibidos durante la dictadura.* **2** Referido esp. a un acto o a una persona, probar o certificar su certeza o su correspondencia con lo que indica la ley: *Un notario legitimó la renuncia del candidato al puesto.* **3** Referido a una firma o a un documento, certificar su autenticidad; legalizar: *El notario legitimó las firmas de los contratantes.* **4** Referido a una persona, capacitarla o dotarla de legítima autoridad para desempeñar una función o un cargo: *Legitimó a su abogado para que actuase en su nombre.* **5** Referido a un hijo ilegítimo, reconocerlo como legítimo: *Legitimó al hijo que su esposa tuvo de soltera.*

legitimario, ria ∎ adj. **1** De la legítima o relacionado con esta parte de una herencia. ∎ adj./s. **2** Referido a un heredero, que tiene derecho a esta parte de la herencia.

legitimidad s.f. **1** Conformidad con la ley. [**2** Derecho que, de acuerdo con la ley, tiene un poder político para ejercer su autoridad. **3** Carácter de lo que es justo desde el punto de vista de la razón o de la moral. **4** Autenticidad o carácter verdadero.

legitimista adj./s. Partidario o defensor de determinada dinastía o de uno de sus miembros frente a la dinastía o a la persona reinantes, por considerar que los derechos al trono de los primeros son legítimamente superiores. □ MORF. 1. Como adjetivo es invariable en género. 2. Como sustantivo es de género común: *el legitimista, la legitimista.*

legítimo, ma ∎ adj. **1** De acuerdo con la ley. **2** Justo, desde el punto de vista de la razón o de la moral; lícito. **3** Auténtico o verdadero. ∎ s.f. **4** Parte de la herencia de la que la persona que hace testamento no puede disponer libremente porque la ley la asigna a determinados herederos forzosos. □ ETIMOL. Del latín *legítimus.*

lego, ga ∎ adj./s. **1** Referido a una persona, que carece de formación o de conocimientos. ∎ adj./s.m. **2** En un convento, referido a un religioso, que siendo profeso no tiene opción a recibir las órdenes sagradas. ∎ adj./s.f. **3** En un convento, referido a una monja, que se dedica a las tareas caseras. □ ETIMOL. Del latín *laicus* (no es clérigo). □ MORF. En la acepción 1, la RAE sólo lo registra como adjetivo, y en las acepciones 2 y 3, como sustantivo.

legrado s.m. Operación quirúrgica consistente en raspar una zona del organismo, esp. la cavidad uterina o un hueso, para limpiarlos de sustancias adheridas o para obtener muestras de éstas; raspado.

legrar v. En medicina, referido a una zona del organismo, rasparla para limpiarla de sustancias adheridas o para obtener muestras de ella: *Después de un aborto, hay que legrar la matriz para eliminar los restos de placenta.* □ ETIMOL. De *legra* (instrumento de cirugía).

legua s.f. **1** Unidad de longitud que equivale a 5.572,7 metros. **2** ∥ **a la legua** o **a cien leguas**; *col.* Desde muy lejos o de forma clara o evidente. ∥ **legua (marina/marítima)**; unidad marítima de longitud que equivale a 5.555,55 metros. □ ETIMOL. Del latín *leuga.* □ SINT. Las expresiones *a la legua* y *a cien leguas* se usan más con los verbos *ver, notar* o equivalentes. □ USO En la acepción 1, es una medida tradicional española.

legui s.m. Polaina de cuero o de tela, de una sola pieza. □ ETIMOL. Del inglés *legging* (polaina). □ MORF. Se usa más en plural.

leguleyo, ya s. Persona que se ocupa de cuestiones legales sin tener el conocimiento o la especialización suficientes. □ ETIMOL. Del latín *leguleius.* □ USO Es despectivo.

legumbre s.f. **1** Fruto en forma de vaina, característico de las plantas leguminosas: *Las judías verdes son legumbres.* **2** Grano o semilla que se cría en esta vaina: *Los guisantes, las habas y los garbanzos son legumbres.* □ ETIMOL. Del latín *legumen.*

[legúmina s.f. Proteína vegetal que se extrae de las semillas de algunas leguminosas: *La 'legúmina' se extrae del guisante.*

leguminoso, sa ∎ adj./s.f. **1** Referido a una planta, que tiene flores amariposadas, hojas generalmente alternas y compuestas, y frutos en vaina o legumbre con varias semillas en su interior: *El garbanzo es una leguminosa.* ∎ s.f.pl. **2** En botánica, familia de estas plantas, perteneciente a la clase de las dicotiledóneas. □ ETIMOL. Del latín *leguminosus.*

[lehendakari (del vasco) s.m. Presidente del Gobierno autónomo vasco. □ PRON. [leendakári]. □ ORTOGR. Se usa también *lendakari.*

leído, da ∎ adj. **1** Referido a una persona, que tiene una gran cultura y erudición por haber leído mucho. ∎ s.f. **3** *col.* Actividad consistente en leer un texto escrito o impreso después de haber pasado la vista o el tacto por él; lectura: *La abuela solía dar dos leídas al periódico cada día.*

leísmo s.m. En gramática, uso de las formas del pronombre de tercera persona *le* y *les* como complemento directo, en lugar de *lo, la, los, las*: *En la oración 'A tus hermanos les vi en el cine' hay un caso de leísmo. La Real Academia Española admite el leísmo cuando 'le' hace referencia a una persona masculina.*

leísta adj./s. Que hace uso del leísmo. □ MORF. 1. Como adjetivo es invariable en género. 2. Como sustantivo es de género común: *el leísta, la leísta.*

[leitmotiv (germanismo) s.m. **1** Idea central o que se repite insistentemente en una obra, en una conversación o en el transcurso de un hecho. **2** En una composición musical, tema característico, que se asocia a una idea extramusical y que se repite insistentemente. ☐ PRON. [leitmotív]. ☐ MORF. Se usa como invariable en número.

lejanía s.f. **1** Parte remota o distante de un lugar, de un paisaje o de una vista panorámica. **[2** *col.* Distancia: *En la 'lejanía', los problemas se ven con otra perspectiva.*

lejano, na adj. **1** Que está a gran distancia o apartado. **[2** Referido esp. a una relación o a un parentesco, que se asientan sobre lazos débiles o indirectos: *primos 'lejanos'.*

lejía s.f. Producto líquido que se obtiene de la disolución en agua de sales alcalinas, sosa cáustica u otras sustancias semejantes, y que se utiliza para blanquear la ropa y para destruir los gérmenes. ☐ ETIMOL. Del latín *aqua lixiva* (agua de lejía), y éste de *lixivus* (que se emplea en la colada de ceniza), porque antiguamente se blanqueaba con agua con ceniza.

lejísimos superlat. irreg. de **lejos**.

lejos adv. **1** A gran distancia o en un punto apartado. **2** ‖{a lo/de/desde} lejos; a larga distancia o desde ella. ‖**lejos de;** seguido de infinitivo, sirve para introducir una expresión que indica que se hace o sucede lo contrario de lo expresado por dicho infinitivo: *Lejos de enfadarse, agradeció sus críticas.* ☐ ETIMOL. Del latín *laxius* (de forma más dispersa o más separada). ☐ MORF. Su superlativo es *lejísimos*. ☐ SINT. Su uso seguido de un pronombre posesivo es incorrecto: *Queda muy lejos {*tuyo > de ti}.*

lelo, la adj./s. Referido a una persona, que está atontada o que tiene poca viveza de entendimiento. ☐ ETIMOL. De origen expresivo. ☐ USO Se usa como insulto.

lema s.m. **1** Frase que expresa una intención o una regla de conducta. **2** En un emblema, en un escudo o en un estandarte, leyenda o letrero que figura en ellos. **3** Tema de un discurso. **4** En una obra literaria, texto breve que aparece al principio como resumen de su argumento o de su idea central. **[5** En un diccionario o en una enciclopedia, término que encabeza cada artículo y que es lo que se define; entrada. **6** En un concurso, palabra, texto o cualquier combinación de caracteres que se utiliza como contraseña en los trabajos presentados para mantener oculto el nombre de su autor. ☐ ETIMOL. Del latín *lemma* (título, epígrafe). ☐ SEM. En la acepción 1, dist. de *eslogan* (frase publicitaria).

lempira s.f. Unidad monetaria de Honduras (país centroamericano).

lémur s.m. Mamífero de extremidades acabadas en cinco dedos, cola larga y ancha, dientes incisivos en la mandíbula inferior inclinados hacia delante y hocico alargado, y que se alimenta de frutos. ☐ ETIMOL. Del latín *lemures.* ☐ PRON. Incorr. *[lemúr]. ☐ MORF. Es un sustantivo epiceno: *el lémur macho, el lémur hembra.*

lencería s.f. **1** Ropa interior femenina. **2** Ropa de cama, de baño o de mesa. **3** Establecimiento o sección en los que se vende este tipo de ropa. **4** Industria y comercio de esta clase de ropa.

lencero, ra s. Persona que se dedica profesionalmente a la confección o a la venta de productos de lencería.

lendakari s.m. →**lehendakari.**

lendrera s.f. Peine con púas muy finas y muy juntas. ☐ ETIMOL. De *liendre.*

lengua s.f. **1** En las personas o en algunos animales, órgano muscular movible situado en el interior de la boca, que participa en la masticación y deglución de los alimentos y en la articulación de sonidos. carne **2** Lo que tiene la forma estrecha y alargada de este órgano: *Aquello que ves a lo lejos es una lengua de tierra que se adentra en el mar.* **3** Sistema de signos orales que utiliza una comunidad humana para comunicarse: *Después de vivir varios años allí, llegó a dominar la lengua del país.* **4** Variedad lingüística característica de ciertos hablantes o de ciertas situaciones: *La lengua del poeta barroco Góngora es rica en latinismos.* **5** En una campana, badajo. **6** ‖andar en lenguas; *col.* Ser objeto de murmuraciones. ‖**atar la lengua** a alguien; obligarle a callar o impedirle revelar algo. ‖**con la lengua afuera;** *col.* Con gran cansancio o atropelladamente debido al esfuerzo realizado. ‖**darle a la lengua;** *col.* Hablar mucho. ‖**hacerse lenguas de** algo; *col.* Alabarlo mucho. ‖**irse de la lengua;** *col.* Hablar o decir más de lo debido, esp. si se hace de forma involuntaria. ‖**lengua de {estropajo/trapo}** o **media lengua;** *col.* La de la persona que pronuncia mal o de manera deficiente, esp. la de los niños que aún no hablan bien. ‖**lengua de gato;** chocolatina o pequeño bizcocho duro de forma semejante a la lengua de un gato. ‖**(lengua de) oc;** conjunto de dialectos romances que en la época medieval se hablaban en la zona sur francesa; occitano, provenzal. ‖**(lengua de) oíl;** conjunto de dialectos romances que se hablaban en la zona francesa del norte del río Loira. ‖**lengua {de víbora/viperina};** la de la persona murmuradora que acostumbra a hablar mal de los demás. ‖**lengua madre;** la que al evolucionar ha dado lugar a otras: *El latín es la lengua madre de las lenguas románicas.* ‖**lengua {materna/natural};** **1** La del país en el que ha nacido una persona. **2** La primera o primeras que aprende un niño. ‖**lengua muerta;** la que ya no se habla. ‖**[lengua oficial;** la que puede ser utilizada en todo el territorio de un Estado, a todos los efectos y por todos los ciudadanos. ‖**lengua viva;** la que es utilizada por una comunidad de hablantes: *Durante el Imperio Romano, el latín era una lengua viva.* ‖**lenguas hermanas;** las que proceden de un tronco común: *El catalán, el castellano y el gallego son lenguas hermanas.* ‖**malas lenguas;** *col.* Gente que murmura y habla mal de cuestiones ajenas. ‖**morderse la lengua;** contenerse para no decir lo que se tiene en mente. ‖**[segunda lengua;** la que se adquiere además de la que se aprendió de los padres. ‖**[tener la lengua muy larga;** *col.* Tener tendencia a hablar más de lo debido o a decir inconveniencias. ‖**tirar de la lengua** a alguien; *col.* Provocarlo para sonsacarle información o hacerle decir lo que no quiere. ‖**trabarse la lengua;** pronunciar mal o con dificultad ciertas combinaciones de palabras o de sonidos. ☐ ETIMOL. Del latín *lingua.*

lenguado s.m. Pez marino de cuerpo casi plano y más largo que ancho, que tiene los dos ojos y las mandíbulas en un solo lado del cuerpo, y que vive siempre echado del mismo lado. ☐ ETIMOL. De *lengua,* porque el lenguado tiene esa forma. ☐ MORF. Es un sustantivo epiceno: *el lenguado macho, el lenguado hembra.*

lenguaje s.m. **1** Facultad humana que permite la comunicación y la expresión del pensamiento. **2** Sistema utilizado por una colectividad para comunicarse, esp. referido al conjunto de sonidos articulados empleados por el ser humano: *Está haciendo estudios sobre el lenguaje de las abejas.* **3** Modo particular de hablar, característico de ciertos hablantes o de ciertas situaciones: *lenguaje médico.* **4** En informática, conjunto de símbolos o caracteres que, ordenados de acuerdo con unas reglas, permite dar instrucciones a un ordenador. **5** ‖**lenguaje de alto nivel**; el de programación que facilita la comunicación con un ordenador porque utiliza signos y estructuras similares a los del lenguaje humano. ‖**lenguaje (de) máquina**; el que está formado por unos y ceros, de modo que el ordenador lo entiende directamente. ‖ **[lenguaje natural]**; el utilizado por las personas: *La lengua escrita es una convención creada a partir del lenguaje natural.*

lenguaraz adj./s. Referido a una persona, que habla con descaro y desvergüenza. ☐ MORF. 1. Como adjetivo es invariable en género, y como sustantivo es de género común: *el lenguaraz, la lenguaraz.* 2. La RAE sólo lo registra como adjetivo.

lengüeta s.f. **1** En un instrumento musical de viento, lámina fina y pequeña situada en la boquilla, hecha generalmente de caña o de metal, y cuya vibración con el paso del aire produce el sonido. **2** En un zapato de cordones, tira que refuerza la parte del empeine. **3** Pieza, moldura o instrumento con forma de lengua. ☐ ETIMOL. De *lengua.*

lengüetada s.f. o **lengüetazo** s.m. Movimiento de la lengua para lamer o para coger algo con ella.

lenidad s.f. Blandura para castigar las faltas o para exigir el cumplimiento de los deberes. ☐ ETIMOL. Del latín *lenitas,* y éste de *lenis* (suave, liso, templado).

lenificación s.f. Suavización o aplacamiento, esp. referido a un sufrimiento o a un exceso de rigor.

lenificar v. Referido esp. a un sufrimiento o a un exceso de rigor, suavizarlos o aplacarlos: *Esta pomada lenifica el picor que produce la urticaria.* ☐ ETIMOL. Del latín *lenificare.* ☐ ORTOGR. La *c* se cambia en *qu* delante de *e* →SACAR.

leninismo s.m. **1** Teoría política aportada al marxismo por Lenin (político y teórico ruso de finales del siglo XIX y comienzos del siglo XX), que constituyó la rama más ortodoxa del comunismo soviético. **2** Conjunto de los partidarios de esta teoría política.

leninista ‖ adj. **1** Del leninismo, o relacionado con esta teoría política. ‖ adj./s. **2** Partidario del leninismo. ☐ MORF. 1. Como adjetivo es invariable en género. 2. Como sustantivo es de género común: *el leninista, la leninista.*

lenitivo, va ‖ adj./s.m. **1** Referido esp. a un medicamento, que sirve para aplacar o aliviar un dolor. ‖ s.m. **2** Lo que sirve para aliviar un sufrimiento o una inquietud. ☐ ETIMOL. Del latín *lenire* (suavizar, calmar).

lenocinio s.m. Mediación o intervención de una tercera persona en el establecimiento de relaciones amorosas o sexuales entre un hombre y una mujer. ☐ ETIMOL. Del latín *lenocinium* (oficio de alcahuete).

lente ‖ s. **1** Pieza de cristal o de otro material transparente, limitada por dos caras de las que al menos una es cóncava o convexa, y con la que se consigue un determinado efecto óptico. 🔍 gafas **2** Cristal graduado e instalado sobre una armadura

para facilitar su manejo: *lente de aumento.* ‖ pl. **3** Cristales graduados instalados sobre una armadura que permite sujetarlos con la mano o en la nariz. **4** ‖**lente de contacto**; disco pequeño con graduación óptica, cóncavo por un lado y convexo por el otro, que se aplica directamente sobre la córnea del ojo; lentilla, microlentilla. ☐ ETIMOL. Del latín *lens* (lenteja), porque las lentes tienen esa forma. ☐ MORF. Es de género ambiguo: *el lente graduado, la lente graduada.*

lenteja s.f. **1** Planta herbácea anual con flores blancas y fruto en vaina. **2** Fruto de esta planta, cuyas semillas, en forma de disco pequeño y de color oscuro, se emplean como alimento. ☐ ETIMOL. Del latín *lenticula* (lentejita).

lentejuela s.f. Pequeña lámina redonda de material brillante, que se cose a la ropa como adorno. ☐ ETIMOL. De *lenteja.*

lenticular ‖ adj. **1** Que tiene la forma de una lenteja. ‖ **2** Referido a la rueda de una bicicleta, que tiene tres piezas planas a modo de radios. ‖ s.m. **3** En anatomía, hueso del oído medio, de pequeño tamaño, que se articula con el yunque y con el estribo. ☐ MORF. Como adjetivo es invariable en género.

lentificar v. Referido a un proceso, darle lentitud o disminuir su velocidad; ralentizar: *La oposición lentificó la aprobación de la nueva normativa.* ☐ ORTOGR. La *c* se cambia en *qu* delante de *e* →SACAR.

lentilla s.f. Disco pequeño con graduación óptica, cóncavo por un lado y convexo por el otro, que se aplica directamente sobre la córnea del ojo; lente de contacto. ☐ ETIMOL. Del francés *lentille.* ☐ USO Aunque la RAE sólo recoge *lentilla,* se usa mucho *microlentilla.*

lentisco s.m. Arbusto de hoja perenne, de hojas compuestas y flores pequeñas, de madera rojiza y dura muy empleada en ebanistería, característico de zonas calcáreas de la región mediterránea. ☐ ETIMOL. Del latín *lentiscus.*

lentitud s.f. Tardanza con la que ocurre un suceso o se ejecuta una acción: *Me exaspera la lentitud con que lo haces todo.*

lento, ta ‖ adj. **1** Tardo o pausado en el movimiento o en la acción. **2** Poco enérgico o poco eficaz: *Asa las manzanas a fuego lento.* ‖ s.m. **3** En música, aire o velocidad muy pausados con que se ejecutan una composición o un pasaje; largo. **4** En música, composición o pasaje que se ejecutan con este aire. ☐ ETIMOL. Del latín *lentus.* ☐ SINT. En la lengua coloquial, *lento* se usa también como adverbio de modo: *Los acompañantes caminaban 'lento' detrás de los novios.*

leña s.f. **1** Madera de árboles y matas que, cortada en trozos, se emplea para hacer fuego. **2** col. Castigo, paliza o golpes. **3** ‖{añadir/echar} leña al fuego; col. Dar más motivos para continuar o acrecentar un mal o una pasión. ‖ dar leña; col. En deporte, jugar duro y de forma violenta. ☐ ETIMOL. Del latín *ligna,* plural de *lignum* (madero, madera).

leñador, -a s. Persona que se dedica profesionalmente a cortar o vender leña.

leñazo s.m. **1** Golpe fuerte, esp. si se da con un palo o algo parecido. **2** col. Colisión o choque fuertes. ☐ ETIMOL. De *leño.*

[leñe] interj. col. Expresión que se usa para indicar extrañeza, sorpresa, admiración o disgusto.

leñero, ra ‖ adj./s. **1** En algunos deportes, referido a un jugador, que es agresivo en su forma de juego. ∎ s.f. **2** Lugar en el que se guarda leña. □ MORF. En la acepción 2, se usa también en masculino.

leño s.m. **1** Trozo de árbol cortado y limpio de ramas. [**2** En las plantas superiores, conjunto de vasos leñosos. **3** En un árbol, parte sólida y fibrosa debajo de su corteza; madera. **4** col. Persona torpe o de poco talento. **5** col. Lo que resulta pesado, insufrible o inaguantable. **6** ‖ **como un leño**; referido a la forma de dormir, profundamente o sin moverse. □ ETIMOL. Del latín *lignum* (madero, madera).

leñoso, sa adj. **1** Referido esp. a una planta o a una de sus partes, que tienen la dureza y la consistencia de la madera. **2** Referido esp. a un vaso que forma parte de un tejido vegetal, que conduce la savia bruta o ascendente.

leo adj./s. Referido a una persona, que ha nacido entre el 23 de julio y el 22 de agosto aproximadamente. □ ETIMOL. Del latín *Leo* (quinto signo zodiacal). □ MORF. 1. Como adjetivo es invariable en género. 2. Como sustantivo es de género común: *el leo, la leo*.

león, -a s. **1** Mamífero felino y carnicero de pelaje amarillo rojizo, cola larga y dientes y uñas fuertes, cuyo macho presenta una larga melena en la nuca y en el cuello, y que es propio de África. 🐾 felino **2** Persona valiente y atrevida. **3** ‖ **león marino**; mamífero marino de cuerpo en forma de huso, extremidades transformadas en aletas, que generalmente se alimenta de peces. □ ETIMOL. Del latín *leo*. □ MORF. En la acepción 3, es un sustantivo epiceno: *el león marino macho, el león marino hembra*.

leonera s.f. **1** Habitación o casa con mucho desorden. **2** Lugar en el que se tiene encerrados a los leones.

leonés, -a ∎ adj./s. **1** De León o relacionado con esta provincia española o con su capital. **2** Del antiguo reino de León o relacionado con él. ∎ s.m. **3** Dialecto romance que se hablaba en zonas que actualmente corresponden a León y Asturias; asturleonés.

leonino, na adj. **1** De los leones o con características de éstos. **2** Referido a un contrato, que no es equitativo porque favorece a una de las partes.

leontina s.f. Cadena de reloj de bolsillo. □ ETIMOL. Del francés *léontine*.

leopardo s.m. Mamífero felino y carnicero, de pelaje amarillento con manchas negras regularmente distribuidas, propio de los continentes africano y asiático. □ ETIMOL. Del latín *leopardus*. □ MORF. Es un sustantivo epiceno: *el leopardo macho, el leopardo hembra*. □ SEM. Aunque la RAE lo considera sinónimo de *pantera*, *pantera* es uno de los tipos de leopardo. 🐾 felino

leotardo s.m. **1** Prenda de ropa interior que se ajusta a las piernas y las cubre desde la cintura a los pies. [**2** En zonas del español meridional, body. □ ETIMOL. Por alusión a J. Léotard, acróbata francés. □ MORF. En la acepción 1, en plural tiene el mismo significado que en singular.

lepidóptero ∎ adj./s.m. **1** Referido a un insecto, que tiene cuatro alas cubiertas de escamas, boca chupadora en forma de tubo en espiral, un par de antenas y un par de ojos compuestos: *La mariposa es un lepidóptero*. ∎ s.m.pl. **2** En zoología, orden de estos insectos, perteneciente al tipo de los artrópodos. □ ETIMOL. Del griego *lepís* (escama) y *-ptero* (ala).

[lepórido ∎ adj./s.m. **1** Referido a un mamífero, que

tiene el cuerpo alargado, el labio superior partido en dos y las patas traseras más desarrolladas que las delanteras: *La liebre es un 'lepórido'*. ∎ s.m.pl. **2** En zoología, familia de estos mamíferos, perteneciente al orden de los lagomorfos.

lepra s.f. **1** Enfermedad infecciosa causada por una bacteria y caracterizada por lesiones cutáneas y nerviosas. [**2** Mal que se considera contagioso y difícilmente controlable. □ ETIMOL. Del latín *lepra*.

leprosería s.f. Hospital de leprosos; lazareto.

leproso, sa adj./s. Que padece lepra.

lerdo, da adj./s. Referido a una persona, que es lenta y torpe para comprender o para hacer algo. □ ETIMOL. De origen incierto. □ USO Es despectivo y se usa como insulto.

leridano, na adj./s. De Lérida o relacionado con esta provincia española o con su capital; ilerdense.

les pron.pers. pl. de **le**. □ ETIMOL. Del latín *illis*.

lesbianismo s.m. Homosexualidad femenina.

lesbiano, na ∎ adj. **1** Del lesbianismo o relacionado con esta inclinación sexual; lésbico. ∎ adj./s.f. **2** Referido a una mujer, que siente atracción por individuos de su mismo sexo.

lésbico, ca adj. Del lesbianismo o relacionado con esta inclinación sexual; lesbiano. □ ETIMOL. De *Lesbos* (isla griega), porque en este lugar vivió la poetisa Safo, de quien se decía que era lesbiana.

[lesera s.f. col. En zonas del español meridional, tontería. □ USO Se usa más en plural.

lesión s.f. **1** Daño corporal causado por una herida, por un golpe o por una enfermedad. **2** Cualquier daño o perjuicio. □ ETIMOL. Del latín *laesio*, y éste de *laedere* (herir).

lesionar v. Causar o producir lesión o daño: *Ese contrato lesionó su economía. Me lesioné el tobillo jugando al tenis*.

lesivo, va adj. Que causa o puede causar lesión, daño o perjuicio.

leso, sa adj. En derecho, que ha sido agraviado, ofendido o lastimado. □ ETIMOL. Del latín *laesus* (herido, ofendido).

letal adj. Que ocasiona o puede ocasionar la muerte física; mortífero. □ ETIMOL. Del latín *letalis* (mortal). □ MORF. Invariable en género. □ SEM. Se aplica esp. a sustancias tóxicas.

letanía s.f. **1** Oración formada por una serie de invocaciones o súplicas que recita una persona y que son repetidas o contestadas por las demás. **2** col. Enumeración, lista o retahíla larga e interminable. □ ETIMOL. Del latín *litania*, y éste del griego *litanéia* (plegaria). □ MORF. En la acepción 1, se usa más en plural.

letárgico, ca adj. Del letargo o relacionado con este estado.

letargo s.m. **1** En medicina, estado de profunda somnolencia o pesadez y torpeza de los sentidos motivado por el sueño, y que es síntoma de ciertas enfermedades nerviosas, infecciosas o tóxicas. [**2** Sueño artificial provocado por sugestión o por medio de fármacos. **3** Estado de sopor o de inactividad y de reposo en que viven algunos animales durante determinadas épocas. **4** col. Modorra, sopor o inactividad. □ ETIMOL. Del griego *léthargos* (letárgico, olvidadizo, perezoso).

letón, -a ∎ adj./s. **1** De Letonia (país báltico europeo), o relacionado con ella. ∎ s.m. **2** Lengua indoeuropea de este país.

letra ∎ s.f. **1** Signo gráfico con que se representa un sonido del lenguaje. **2** Forma de este signo o modo particular de escribirlo: *Escribes con letra muy pequeña.* **3** En imprenta, pieza con este u otro signo en relieve para que pueda estamparse; tipo. **4** En una composición musical, conjunto de palabras que se cantan. **5** Sentido propio y no figurado de las palabras de un texto: *No puedes quedarte con la letra de la noticia, tienes que profundizar en ella.* [**6** En un diccionario, conjunto de los artículos que empiezan por el mismo signo gráfico: *'Uso' y 'huso' no están en la misma 'letra' del diccionario.* ∎ pl. **7** Conjunto de disciplinas que giran en torno al hombre y que no tienen aplicación práctica inmediata; humanidades. **8** ‖**a la letra**; literalmente: *Cumplió su promesa a la letra.* ‖**atarse a la letra**; ceñirse al sentido literal de un texto. ‖**girar una letra**; en economía, expedirla o extenderla para que sea pagada. ‖**(letra) {bastardilla/cursiva/itálica}**; la que es inclinada a la derecha e imita a la manuscrita: *Este ejemplo está escrito en letra cursiva.* ‖**letra (de cambio)**; en economía, documento mercantil por el que una persona o entidad extiende una orden de pago a cargo de otra por un importe concreto que ha de efectuarse en una fecha y en un lugar determinados. ‖**letra de imprenta**; [la mayúscula escrita a mano. ‖**letra de molde**; la impresa. ∎ [**letra del tesoro**; título de deuda pública hasta un año emitido por el Banco de España para obtener recursos financieros y por el que se remunera al comprador con unos intereses fijados en su compra. ‖**letra doble**; dígrafo de dos signos que representa un sonido o un fonema; dígrafo, digrama: *La 'll' es una letra doble.* ‖**letra historiada**; la mayúscula con adornos y figuras. ‖**(letra) {mayúscula/versal}**; la que tiene figura propia y tamaño grande y se utiliza al principio de nombre propio y después de punto. ‖**letra {menuda/[pequeña}**; en un documento, parte que está escrita en un tipo menor y que pasa inadvertida. ‖**(letra) minúscula**; la que tiene figura propia y tamaño pequeño y se utiliza comúnmente: *Las letras de esta frase son todas minúsculas excepto la primera.* ‖**(letra) {negrilla/negrita}**; la que es de trazo grueso y se utiliza para destacar: *Las locuciones de este diccionario están escritas en negrilla.* ‖**letra por letra**; enteramente, sin quitar ni poner nada. ‖**(letra) {redonda/redondilla}**; la que es derecha y circular: *Las definiciones de este diccionario están escritas con letra redonda.* ‖**(letra) versalita**; la mayúscula del mismo tamaño que la minúscula: *'CASA' está escrito en versalitas.* ‖**primeras letras**; primeros estudios, esp. de lectura y de escritura. ‖**protestar una letra**; en economía, requerir ante notario a la persona a cuyo nombre está emitida y que no quiere aceptarla o pagarla, para recobrar su importe. ‖**ser letra muerta**; referido esp. a una norma o a una ley, haber dejado de cumplirse o de tener efecto. ☐ ETIMOL. Del latín *littera.*

letrado, da ∎ adj. **1** Referido a una persona, que es culta o instruida. ∎ s. **2** Persona legalmente autorizada para defender a sus clientes en los juicios o aconsejarlos sobre cuestiones legales; abogado.

letrero s.m. Escrito que se coloca en un lugar determinado para dar a conocer algo: *Pusieron un letrero luminoso con el nombre de la tienda.*

letrilla s.f. Composición poética estrófica, de versos octosílabos o hexasílabos, con un estribillo que se repite al final de cada estrofa, y de tema generalmente burlesco o satírico.

letrina s.f. **1** Lugar para evacuar excrementos, esp. en cuarteles o en campamentos. **2** *col.* Cosa o lugar sucio y asqueroso. ☐ ETIMOL. Del latín *latrina* (retrete).

leucemia s.f. Enfermedad que se caracteriza por el aumento anormal del número de leucocitos o glóbulos blancos que circulan por la sangre. ☐ ETIMOL. Del griego *leukós* (blanco) y *-emia* (sangre).

leucocito s.m. Célula globosa e incolora de la sangre de los vertebrados con un núcleo y con un citoplasma que puede ser granular o no; glóbulo blanco. ☐ ETIMOL. Del griego *leukós* (blanco) y *-cito* (célula).

leucoma s.m. En medicina, mancha u opacidad blanca en la córnea del ojo. ☐ ETIMOL. Del griego *leukós* (blanco) y *-oma* (tumor).

[lev s.m. Unidad monetaria búlgara.

leva s.f. **1** Reclutamiento de personas para un servicio estatal, esp. para el militar. **2** Partida de las embarcaciones del puerto. **3** En mecánica, pieza que gira alrededor de un punto que no es su centro y que transforma el movimiento circular continuo en rectilíneo alternativo. ☐ ETIMOL. De *levar.*

levadizo, za adj. Que se puede levantar: *puente levadizo.*

levadura s.f. **1** En botánica, hongo unicelular que provoca la fermentación alcohólica de los hidratos de carbono. **2** Sustancia constituida por estos hongos y que es capaz de hacer fermentar el cuerpo con el que se la mezcla: *Para que la tarta suba hay que echar levadura a la masa.* ☐ ETIMOL. De *levar* (levantar).

levantador, -a adj./s. Que levanta: *levantador de pesas.*

levantamiento s.m. **1** Movimiento de abajo hacia arriba o colocación en un nivel más alto. **2** Sublevación o movimiento de protesta en contra de una autoridad. **3** Construcción de una edificación o de un monumento. **4** Supresión de una prohibición o de una pena por parte de quien tiene autoridad para ello. **5** Retirada y traslado de algo montado: *el levantamiento de un campamento.* **6** En geología, elevación de la corteza terrestre en una zona más o menos grande. **7** En topografía, conjunto de operaciones necesarias para trazar un plano o un mapa. **8** ‖ [**levantamiento del cadáver**; trámite que llevan a cabo un médico forense y un juez y que consiste en el reconocimiento y orden de traslado de un cadáver en el mismo lugar en el que ha sido encontrado.

levantar ∎ v. **1** Mover de abajo hacia arriba: *Los que estéis de acuerdo conmigo levantad la mano. Si tiras de la cuerda, una bandera se levanta.* **2** Poner en un nivel más alto: *El paquete pesaba tanto que no fui capaz de levantarlo del suelo. La empresa se levantó gracias al esfuerzo de todos.* **3** Referido esp. a algo caído o en posición horizontal, ponerlo derecho o en posición vertical: *Levanta la papelera, que se ha volcado. La cabecera de la cama se levanta girando la manivela.* **4** Referido esp. a la mirada o al espíritu, dirigirlos o impulsarlos hacia lo alto: *Las* *lecturas religiosas levantan el alma hacia Dios.* **5** Referido a algo que descansa sobre otra cosa o que está adherido a ella, separarlo o desprenderlo de ésta: *La humedad levanta el papel de la pared del salón. Hay que arreglar estos baldosines que se han levantado.* **6** Referido a algo que tapa o cubre otra cosa, quitarlo para que ésta quede visible: *Levanté las faldas de la mesa para ver cómo era.* **7** Referido esp. a una edificación o a un monumento, hacerlos o construirlos: *Levantaron una estatua al alcalde en mitad de la plaza.* **8** Producir o dar lugar: *Sus continuos viajes levantaban sospechas. La música tan alta me levanta dolor de cabeza. Cuando me quemé, se me levantaron ampollas.* **9** Crear o fundar: *Entre todos los hermanos levantaron un gran negocio.* **10** Sublevar o provocar un estado de revolución: *La grave situación levantará al pueblo contra el Gobierno.* **11** Referido a una prohibición o a una pena, suprimirlos o ponerles fin quien tiene autoridad para ello: *Me han levantado el castigo.* **12** Referido a algo montado o instalado, desmontarlo para retirarlo o para trasladarse con lo que había en ello: *Hay que madrugar para levantar el campamento antes de la excursión. Harto de la ciudad, levantó la casa y se fue a vivir al campo.* **13** Referido a la voz, emitirla con mayor intensidad o hacer que suene más: *No levantes la voz porque están durmiendo.* **14** Referido esp. al ánimo, fortalecerlo o darle vigor o empuje: *Tus palabras me levantan la moral.* **15** Referido a algo falso, atribuírselo a alguien o difundirlo: *Todo esto es consecuencia de las calumnias que han levantado mis enemigos.* **16** Referido a la caza, hacer que salga del sitio en que estaba: *En esta zona, la liebre se levanta con ojeadores.* **17** Referido a un plano o un mapa, realizarlos o trazarlos: *Hay que levantar el plano de esta zona.* **18** Referido a la baraja con la que se juega, cortarla o dividirla en dos o más partes: *Si no te fías de mí, levanta la baraja y así no habrá trampas.* **19** Referido a una carta echada en el juego, echar otra que le gane: *¡A ver si puedes levantar mi as!* **[20** Referido esp. al día o a las nubes, aclararse o mejorar atmosféricamente: *Si no 'levantan' las nubes, no habrá luz para hacer la foto.* **[21** col. Robar: *Me 'han levantado' la cartera en el metro.* ▌ prnl. **22** Sobresalir en altura sobre una superficie o sobre un plano: *Estas montañas se levantan sobre la llanura.* **23** Dejar la cama después de haber dormido o tras una enfermedad: *Todos los días me levanto a las ocho.* **24** Referido esp. al viento o al oleaje, empezar a producirse: *Por las tardes se levanta una suave brisa.* □ ETIMOL. De *levante,* y éste de *levar* (levantar). □ SINT. En la acepción 20, aunque la RAE sólo lo registra como pronominal, se usa también como verbo intransitivo. □ SEM. 1. En las acepciones 1 y 7, es sinónimo de *alzar.* 2. En las acepciones 4 y 14, es sinónimo de *elevar.*

levante s.m. Este: *Al levante de estas regiones reina siempre un clima envidiable. El barco era azotado por un fuerte levante.* □ ETIMOL. De *levar* (levantar), porque es por el levante por donde el Sol se eleva. □ SINT. Se usa mucho en aposición, pospuesto a un sustantivo: *Se empezó a sentir un viento levante muy cálido.*

levantisco, ca adj. De genio inquieto, indómito o rebelde. □ ETIMOL. De *levantar* (amotinar).

levar v. Referido a un ancla, arrancarla del fondo y

subirla: *El capitán ordenó levar anclas.* □ ETIMOL. Del latín *levare* (levantar).

leve adj. **1** De poco peso. **2** Sin importancia o poca gravedad: *falta leve.* **3** Suave o de poca intensidad: *una leve sonrisa.* □ ETIMOL. Del latín *levis* (ligero). □ ORTOGR. Dist. de *aleve.* □ MORF. Invariable en género. □ SEM. 1. Es sinónimo de *ligero.* 2. En las acepciones 1 y 2, es sinónimo de *liviano.*

levedad s.f. **1** Poco peso; ligereza. **2** Poca importancia o poca gravedad. **3** Suavidad o poca intensidad. □ SEM. En las acepciones 1 y 2, es sinónimo de *liviandad.*

leviatán s.m. [Lo que es de gran tamaño o difícil de controlar: *Aquel inmenso transatlántico era un 'leviatán' más que un barco...* □ ETIMOL. Por alusión a un monstruo marino bíblico inhumano y destructor.

levita s.f. Antigua prenda de abrigo masculina, ajustada al talle y con faldones largos que llegaban a cruzarse por delante. □ ETIMOL. Del francés *lévite,* por parecerse a la prenda que llevaban los levitas (israelitas) en las representaciones teatrales.

levitar v. Elevarse y mantenerse en el aire sin ayuda de agentes físicos conocidos: *Aquel místico en estado de éxtasis religioso levitaba. Un mago hacía levitar los objetos que miraba.*

lexema s.m. En lingüística, unidad léxica mínima que posee significado propio, definible por el diccionario y no por la gramática: *El lexema de la palabra 'perro' es 'perr' y el de 'descorchar' es 'corch'.* □ ETIMOL. Del griego *léxis* (palabra). □ SEM. Dist. de *morfema* (unidad mínima con significado gramatical).

lexicalizar v. **1** Referido a una expresión, convertirla en una unidad léxica capaz de funcionar gramaticalmente como una sola palabra: *El uso ha lexicalizado 'hombre rana' porque funciona igual que 'submarinista'. El signo onomatopéyico 'tictac' se ha lexicalizado y se usa a veces como sustantivo.* **2** Referido a una metáfora de origen individual, incorporarla al sistema general de la lengua: *Los medios de comunicación ayudan a lexicalizar expresiones personales.* □ ORTOGR. La *z* se cambia en *c* delante de *e* →CAZAR.

léxico, ca ▌ adj. **1** Del vocabulario de una lengua o región, o relacionado con él. ▌ s.m. **2** Conjunto de palabras que componen una lengua o que pertenecen a una región, a una persona o a un campo determinados; vocabulario. **3** Inventario en el que se recogen y definen las palabras de un idioma, generalmente por orden alfabético; diccionario. □ ETIMOL. Del griego *lexikós,* y éste de *léxis* (palabra). □ SEM. Como sustantivo, dist. de *glosario* (conjunto de palabras desusadas o de palabras técnicas, y sus definiciones).

lexicografía s.f. **1** Técnica de composición de diccionarios o de léxicos. **2** Parte de la lingüística que estudia los principios teóricos para la elaboración de diccionarios. □ ETIMOL. Del griego *lexikón* (léxico) y *-grafía* (descripción, tratado). □ SEM. Dist. de *lexicología* (estudio del léxico).

lexicográfico, ca adj. De la lexicografía o relacionado con la técnica de elaboración de los diccionarios. □ SEM. Dist. de *lexicológico* (del estudio del léxico).

lexicógrafo, fa s. Persona especializada en la lexicografía o estudio y elaboración de diccionarios. □ SEM. Dist. de *lexicólogo* (estudioso del léxico).

lexicología s.f. Parte de la lingüística que se dedica al estudio de las unidades léxicas y de las relaciones que se establecen entre ellas. □ ETIMOL. Del griego *lexikón* (léxico) y *-logía* (estudio). □ SEM. Dist. de *lexicografía* (estudio y elaboración de diccionarios).

lexicológico, ca adj. De la lexicología o relacionado con esta parte de la lingüística que estudia las unidades léxicas. □ SEM. Dist. de *lexicográfico* (del estudio y la elaboración de diccionarios).

lexicólogo, ga s. Persona especializada en la lexicología o estudio del vocabulario. □ SEM. Dist. de *lexicógrafo* (especializado en el estudio y la elaboración de diccionarios).

lexicón s.m. Léxico o diccionario, esp. si es de una lengua antigua.

ley s.f. **1** Regla o norma constante e invariable de las cosas que está determinada por sus propias cualidades o condiciones o por su relación con otras cosas: *ley de la oferta y la demanda.* **2** Norma, precepto o conjunto de ellos establecidos por una autoridad para regular, prohibir o mandar algo. **3** Conjunto de normas éticas obligatorias. **4** En un régimen constitucional, disposición votada por las Cortes y sancionada por el jefe del Estado. **5** Religión o culto dado a la divinidad: *ley judía.* **6** ‖ **con todas las de la ley**; con todos los requisitos necesarios. ‖ **de {buena/mala} ley**; de buenas o de malas condiciones morales o materiales. ‖ **de ley**; **1** Como se considera que debe ser o debe hacerse. **2** Referido a una persona, que tiene cualidades morales que se consideran positivas. **3** Referido a un metal precioso, que tiene la cantidad de éste fijada por las normas legales: *oro de ley.* ‖ **ley antigua**; en el cristianismo, la que Dios dio a Moisés (profeta bíblico); mosaísmo. ‖ **ley de Dios**; lo que se atiene a la voluntad de Dios. ‖ **[ley de la ventaja**; en algunos deportes, ventaja que da el árbitro a un equipo cuando éste tiene el control del balón, no pitando una falta que se ha cometido a alguno de sus jugadores. ‖ **ley del embudo**; *col.* La que se emplea con desigualdad y se aplica estrictamente a unos y ampliamente a otros. ‖ **ley fundamental**; la que sirve de fundamento de todas las otras. ‖ **ley marcial**; la que rige durante el estado de guerra. ‖ **ley natural**; la que emana de la razón. ‖ **ley nueva**; la que Cristo dejó en el Nuevo Testamento. ‖ **ley orgánica**; la dictada para desarrollar los derechos fundamentales reconocidos en la Constitución de un Estado. ‖ **ley sálica**; la que excluía del trono a las mujeres y a sus descendientes. ‖ **ley seca**; la que prohíbe el tráfico y el consumo de bebidas alcohólicas. ‖ **[{tener/tomar} ley** a alguien; tenerle afecto o ser leal o fiel. □ ETIMOL. Del latín *lex.*

leyenda s.f. **1** Narración de sucesos fabulosos o imaginarios, generalmente basados en un hecho real. **[2** *col.* Lo que se considera inalcanzable, o persona que es considerada un ídolo. **3** Inscripción que acompaña a una imagen: *Leyó emocionado la leyenda de la medalla que acababa de recibir.* **4** ‖ **leyenda negra**; [opinión negativa generalizada que se tiene de algo, normalmente infundada. □ ETIMOL. Del latín *legenda* (cosas que deben leerse, que se leen).

lía s.f. Cuerda gruesa de esparto que sirve para atar, esp. fardos o cargas.

liado, da adj. [Muy atareado u ocupado.

liana s.f. Planta de la selva tropical, de tallo largo, delgado y flexible, que trepa sobre los árboles hasta las zonas altas, en las que se ramifica: *Tarzán se desplazaba por la selva colgándose de las lianas.* □ ETIMOL. Del francés *liane.*

[liante adj./s. *col.* Referido a una persona, que lía y enreda a otra en algún asunto. □ MORF. **1.** Como adjetivo es invariable en género. **2.** Como sustantivo es de género común: *el 'liante', la 'liante'.* **3.** Se usa mucho el femenino coloquial *'lianta'.*

liar ‖ v. **1** Referido a un fardo o a una carga, atarlos o asegurarlos con lías u otras cuerdas: *Lió los libros para poderlos llevar mejor.* **2** Envolver con papeles, cuerdas o algo semejante: *Lió el bocadillo muy deprisa y salió hacia el colegio.* **3** Referido a un cigarrillo, hacerlo envolviendo la picadura en un papel de fumar: *Mi abuelo lía los cigarrillos con gran habilidad.* **4** *col.* Referido a una persona, convencerla por medio de la persuasión, de la insistencia o del engaño: *Lió a mi hermano para que lo acompañara. Me liaron y al final accedí a organizar la fiesta. La próxima vez no me lías para esto.* **[5** Enrollar dando vueltas sucesivas: *'Lía' la lana y haz un ovillo.* **[6** Mezclar de manera desordenada: *No lo entiendes porque 'has liado' los conceptos. Los hilos 'se han liado' y no encuentro los cabos.* **[7** *col.* Confundir o complicar, por estar las ideas poco claras o por haber demasiados detalles: *No 'líes' al niño con tantos datos. Quería que entendiéramos el problema pero al final 'nos liamos'.* ‖ prnl. **8** Referido a una actividad, ejecutarla con ímpetu o con violencia: *Se lió a trabajar y sólo salió de la habitación para cenar.* **9** Referido a golpes, darlos: *Se liaron a patadas y nadie podía separarlos.* **10** Establecer una relación amorosa o sexual sin llegar a formalizarla: *Pidió el divorcio cuando se enteró de que su marido se había liado con otra.* **11** ‖ **liarla**; *col.* Realizar algo que se considera perjudicial, equivocado o censurable: *Como la líes otra vez, nos echarán y no nos dejarán volver.* □ ETIMOL. Del latín *ligare* (atar). □ ORTOGR. La *i* de la raíz lleva tilde en los presentes, excepto en las personas de *nosotros* y *vosotros* →GUIAR. □ SINT. **1.** Constr. de las acepciones 8 y 9: *liarse A algo.* **2.** Constr. de la acepción 10: *liarse CON alguien.*

libación s.f. **1** Succión suave de un jugo. **2** En la Antigüedad, ceremonia que consistía en llenar un vaso con un licor y derramarlo después de haberlo probado. **3** Prueba o degustación de un licor. □ USO La acepción 3 suele tener un matiz humorístico.

libanés, -a adj./s. Del Líbano (país asiático), o relacionado con él.

libar v. **1** Referido a un insecto, chupar el néctar de las flores: *Me gusta ver cómo las abejas liban el néctar de las flores. Una abeja estaba libando en una rosa.* **2** En la Antigüedad, referido esp. al vino, beberlo ritualmente el sacerdote: *El sacerdote libó el vino como sacrificio a los dioses.* **3** *poét.* Referido a un licor, probarlo o degustarlo: *Os invito a libar esta exótica bebida que he traído de mi viaje a Oriente.* □ ETIMOL. Del latín *libare* (probar, ofrecer en libación a los dioses). □ USO La acepción 3, en la lengua coloquial suele tener un matiz humorístico.

libelo s.m. Escrito que contiene difamaciones e injurias, en el que se critica algo duramente. □ ETIMOL. Del latín *libellus* (librillo, escrito breve).

libélula s.f. Insecto de vuelo rápido con cuatro alas

estrechas, cuerpo cilíndrico muy fino y largo, que suele vivir junto a estanques y ríos. □ ETIMOL. Del latín científico *libellula*, éste de *libella*, y éste de *libra* (balanza), porque la libélula se mantiene en equilibrio en el aire. □ MORF. Es un sustantivo epiceno: *la libélula macho, la libélula hembra.* 🐞 insecto

líber s.m. En las plantas superiores, conjunto de los vasos liberianos. □ ETIMOL. Del latín *liber* (parte interior de la corteza de las plantas).

liberación s.f. **1** Puesta en libertad o fin de un sometimiento o de una dependencia. **2** En economía, cancelación de las hipotecas y de las cargas impuestas sobre un inmueble.

liberado, da adj./s. [Referido a un miembro de una asociación, que tiene dedicación exclusiva a ella y recibe una remuneración a cambio.

liberador, -a adj./s. Que libera.

liberal ▮ adj. **1** Que actúa con liberalidad o generosamente. **2** Referido a una profesión, que requiere principalmente el ejercicio intelectual o la creatividad. ▮ adj./s. **3** Que defiende o sigue el liberalismo. [**4** Tolerante o respetuoso con las ideas y prácticas de los demás. [**5** Que tiene costumbres libres y abiertas. □ ETIMOL. Del latín *liberalis* (propio de quien es libre, noble). □ MORF. 1. Como adjetivo es invariable en género. 2. Como sustantivo es de género común: *el liberal, la liberal.*

liberalidad s.f. **1** Generosidad o desprendimiento, esp. si llevan a dar algo sin esperar recompensa; largueza. [**2** Respeto y consideración de las ideas nuevas o de las ideas distintas a las propias.

liberalismo s.m. **1** Corriente intelectual que proclama la libertad de los individuos, esp. la política, y la mínima intervención del Estado en la vida social y económica. [**2** Actitud del que es liberal o de mente abierta y tolerante.

liberalización s.f. Transformación que hace más liberal o más abierto, esp. en el orden político o económico.

liberalizar v. Hacer más liberal o más abierto, esp. en el orden político o económico: *Ha liberalizado sus costumbres y ya no es tan estricto. Al liberalizarse la política han surgido nuevos partidos.* □ ORTOGR. La *z* se cambia en *c* delante de *e* →CAZAR.

liberar v. **1** Poner en libertad o dejar libre: *¿Por qué no liberas al pájaro? Consiguió liberarse cortando las cuerdas con una navaja.* **2** Librar de una atadura moral, de una obligación o de una carga: *Me liberó de la promesa que le había hecho. Le costó liberarse de la responsabilidad de dirigir la empresa.* [**3** Desprender o dejar escapar: *La energía que 'libera' esta reacción química se aprovecha para producir calor. Están en alerta porque 'se han liberado' unos gases tóxicos.* □ ETIMOL. Del latín *liberare.* □ SINT. Constr. de la acepción 2: *liberar DE algo.*

liberatorio, ria adj. Que libera o exime, esp. de alguna obligación: *Este examen es liberatorio y, si lo apruebo, no volveré a examinarme de estas lecciones.*

liberiano, na ▮ adj. [**1** Referido a un vaso que forma parte de un tejido vegetal, que conduce la savia elaborada o descendente. ▮ adj./s. **2** De Liberia (país africano), o relacionado con ella.

líbero s.m. [→**libre.** □ USO Es un italianismo innecesario.

libérrimo, ma superlat. irreg. de **libre.** □ MORF. Incorr. *librísimo.*

libertad ▮ s.f. **1** Facultad natural de las personas para obrar o no obrar o para elegir la forma de hacerlo. **2** Condición o situación del que no es esclavo, no está preso o no está sometido. **3** Permiso para realizar algo. **4** Derecho para ejercer una actividad libremente y sin intervención de la autoridad: *libertad de expresión.* **5** Confianza o familiaridad en el trato: *Háblame con toda libertad.* **6** Desenvoltura o naturalidad en los movimientos: *Los pantalones me dan libertad de movimiento.* ▮ pl. **7** Familiaridades excesivas e inadecuadas: *Se tomó demasiadas libertades con nosotros.* **8** ‖ [**libertad bajo palabra**; la provisional que se le concede a un procesado bajo la garantía de su declaración de comparecer ante la autoridad correspondiente siempre que sea citado. ‖ [**libertad condicional**; la que se puede conceder a los penados que están cumpliendo los últimos períodos de su condena. ‖ [**libertad de cátedra**; la que tiene un profesor para expresarse y enseñar lo que él considera la verdad, sin temor a recibir represalias. ‖ [**libertad provisional**; la que se puede conceder a los procesados y les permite no estar sometidos a prisión preventiva durante la causa. □ ETIMOL. Del latín *libertas.*

libertador, -a adj./s. Que libera.

libertar v. **1** Soltar o poner en libertad: *¿Han libertado ya a los rehenes?* **2** Dejar libre de una atadura moral o de una obligación: *Debes libertar tu conciencia de ese absurdo sentimiento de culpa.*

libertario, ria adj./s. Que defiende la libertad absoluta y la supresión de los gobiernos y de las leyes. □ MORF. La RAE sólo lo registra como adjetivo.

libertinaje s.m. **1** Abuso de la propia libertad sin tener en cuenta la de los demás. **2** Falta de respeto a la religión y a las leyes.

libertino, na adj./s. Que actúa con libertinaje o abusando de la propia libertad en perjuicio de los derechos de los demás. □ ETIMOL. Del francés *libertin.*

liberto, ta s. Persona libre que antes fue un esclavo. □ ETIMOL. Del latín *libertus.*

libidinoso, sa adj./s. Que tiene propensión exagerada a los placeres sexuales.

libido s.f. En psicología, deseo sexual. □ ETIMOL. Del latín *libido* (deseo, apetito desordenado, sensualidad). □ PRON. Incorr. **líbido.* □ ORTOGR. Dist. de *lívido.*

libio, bia adj./s. De Libia (país norteafricano), o relacionado con ella.

[libor (anglicismo) s.m. Precio del dinero o tipo de interés básico en el mercado interbancario de Londres (capital británica). □ ETIMOL. Es un acrónimo que procede de la sigla de *London Interbanking Offered Rate* (tipo de interés ofertado en el mercado interbancario de Londres). □ PRON. [líbor].

libra ▮ adj./s. **1** Referido a una persona, que ha nacido entre el 23 de septiembre y el 23 de octubre aproximadamente. ▮ s.f. **2** Unidad monetaria de distintos países: *libra chipriota.* **3** Unidad de peso que tenía distinto valor según las zonas: *La libra castellana equivalía a 460 gramos.* **4** Unidad de capacidad que contenía ese mismo líquido: *una libra de aceite.* [**5** En el sistema anglosajón, unidad básica de peso que equivale aproximadamente a 453,6 gramos. [**6** col. Cien pesetas. **7** ‖ [**libra es-**

terlina; unidad monetaria británica. □ ETIMOL. La acepción 1, del latín *Libra* (séptimo signo zodiacal). Las acepciones 2-6, del latín *libra* (libra de peso, balanza). □ MORF. En la acepción 1, como adjetivo es invariable en género, y como sustantivo es de género común: *el libra, la libra*. □ USO En las acepciones 3 y 4, es una medida tradicional española.

librado, da s. **1** En economía, persona o entidad a cargo de las cuales se libra o emite una letra de cambio, un cheque o documentos semejantes: *La letra de cambio vencía a los treinta días y el librado no tenía fondos para pagarla.* **2** ‖ [salir {bien/mal} librado; *col.* Obtener un resultado positivo o negativo.

librador, -a s. En economía, persona o entidad que expiden o giran una letra de cambio, un cheque o documentos semejantes: *Los principales libradores de recibos siguen siendo las compañías eléctricas y las de seguros.* □ MORF. La RAE sólo lo registra como masculino.

libramiento s.m. o **libranza** s.f. Orden de pago que se da a alguien, generalmente por escrito, para que pague con fondos del que la expide: *¿Sabes si se ha procedido ya al libramiento de la letra de cambio?*

librar v. **1** Sacar o preservar de lo que se considera desagradable o negativo: *Me libró de los trabajos pesados. Salí antes de que empezara la tormenta y me libré de la lluvia.* **2** En derecho, referido esp. a una sentencia, darla, expedirla o comunicarla: *La juez libró la sentencia el martes pasado.* **3** En economía, referido esp. a una orden de pago, expedirla o emitirla: *He librado todos los cheques a cargo del mismo banco.* [**4** Referido a algo que implique lucha, sostenerla: *Después de 'librar' una dura batalla contra el enemigo, regresaron a la base.* **5** *col.* Referido a un trabajador, tener el día libre: *En mi nuevo empleo, trabajo los domingos y libro los martes.* □ ETIMOL. Del latín *liberare* (libertar, despachar). □ SINT. Constr. de la acepción 1: *librar DE algo.*

libre adj. **1** Que tiene libertad para obrar o no obrar o para elegir la forma de hacerlo. [**2** Que no está sometido a ninguna condición, a ninguna presión ni a ninguna prohibición: *entrada 'libre'; barra 'libre'.* **3** Que no es esclavo, no está preso o no está sometido. **4** Referido a una persona, que está soltera y sin compromiso. **5** Exento de una culpa, un daño o una obligación: *Pocas personas están totalmente libres de culpa. El premio de la lotería es dinero libre de impuestos.* **6** Referido a los sentidos o a los miembros del cuerpo, que pueden ejercer sus funciones sin ningún obstáculo: *Si tienes las manos libres coge la bandeja.* [**7** Referido esp. a un alumno, que tiene un tipo de matrícula que no lo obliga a asistir a clases. **8** Referido a un lugar, que no está ocupado o no ofrece obstáculos para ser utilizado: *asiento libre; taxi libre.* **9** Referido esp. a un espacio de tiempo, que no está dedicado al trabajo: *un rato libre.* [**10** Que no sigue ninguna norma o ninguna regla: *Tiene una forma de vestir muy 'libre' y desenfadada.* [**11** Referido a una traducción, que no se ciñe completamente al texto original. [**12** Referido a una prueba de una competición, que no tiene una forma de realización obligatoria: *Cuando nado los cien metros 'libres' elijo el estilo más rápido.* [**13** En fútbol, jugador de la defensa que no tiene encomendados ni marcaje ni posición fijos. **14** ‖ [por libre; *col.* De forma

independiente o sin contar con la opinión de los demás. □ ETIMOL. Del latín *liber.* □ MORF. **1.** Invariable en género. **2.** Su superlativo es *libérrimo.* □ SINT. **1.** Constr. de la acepción 5: *libre DE hacer algo.* **2.** 'Por libre' se usa más con los verbos *actuar, andar* e *ir.* □ USO En la acepción 13, es innecesario el uso del italianismo *líbero.*

librea s.f. **1** Uniforme de gala usado por algunos trabajadores, generalmente ujieres, porteros y conserjes. **2** Pelaje o plumaje de algunos animales. □ ETIMOL. Del francés *livrée* (cosa entregada al criado).

librecambio s.m. Sistema económico basado en la libre circulación de las mercancías entre los distintos países. □ ORTOGR. Se admite también *libre cambio.*

librecambismo s.m. Doctrina que defiende el sistema económico del librecambio.

librecambista ‖ adj. **1** Del librecambio o relacionado con este sistema. ‖ adj./s. **2** Que defiende o sigue el librecambio. □ MORF. **1.** Como adjetivo es invariable en género. **2.** Como sustantivo es de género común: *el librecambista, la librecambista.*

librepensador, -a adj./s. Referido a una persona, que defiende o sigue el librepensamiento.

librepensamiento s.m. Doctrina que se basa en la independencia de la razón individual frente al pensamiento dogmático. □ ETIMOL. Del francés *libre pensée* (pensamiento libre).

librería s.f. **1** Establecimiento comercial en el que se venden libros. **2** Mueble o estantería para colocar libros; biblioteca.

librero, ra ‖ s. **1** Persona que se dedica profesionalmente a la venta de libros. ‖ s.m. **2** En zonas del español meridional, estantería.

libresco, ca adj. Inspirado o basado en los libros. □ USO Tiene un matiz despectivo.

libreta s.f. **1** Cuaderno pequeño que se utiliza generalmente para hacer anotaciones. **2** Pieza de pan de forma redondeada que pesa aproximadamente una libra. ✂ pan **3** ‖ libreta (de ahorros); la expedida por una entidad bancaria al titular de una cuenta de ahorros. □ ETIMOL. La acepción 1, de *libro.* La acepción 2, de *libra.*

libreto s.m. Texto de una obra musical operística o de carácter vocal; libro. □ ETIMOL. Del italiano *libretto.*

librillo s.m. **1** Conjunto de hojas de papel de fumar enganchadas entre sí. **2** En el estómago de los rumiantes, parte que se encuentra entre la redecilla y el cuajar, en la que se reabsorben los líquidos; libro.

libro s.m. **1** Conjunto de hojas, generalmente impresas, cosidas o pegadas, que están encuadernadas y que forman un volumen. ✂ libro **2** Obra científica o literaria con la suficiente extensión para formar un volumen: *un libro de cuentos.* **3** En algunas obras escritas de gran extensión, cada una de las partes en las que suelen dividirse: *Lee el primer párrafo del segundo libro de esta obra.* **4** En el estómago de los rumiantes, parte que se encuentra entre la redecilla y el cuajar, en la que se reabsorben los líquidos; librillo. **5** Texto de una obra musical operística o de carácter vocal; libreto. **6** ‖ como un libro (abierto); referido a la forma de expresarse, con corrección y claridad. ‖ [de libro; con las características que se consideran típicas: *Cometió un penalti*

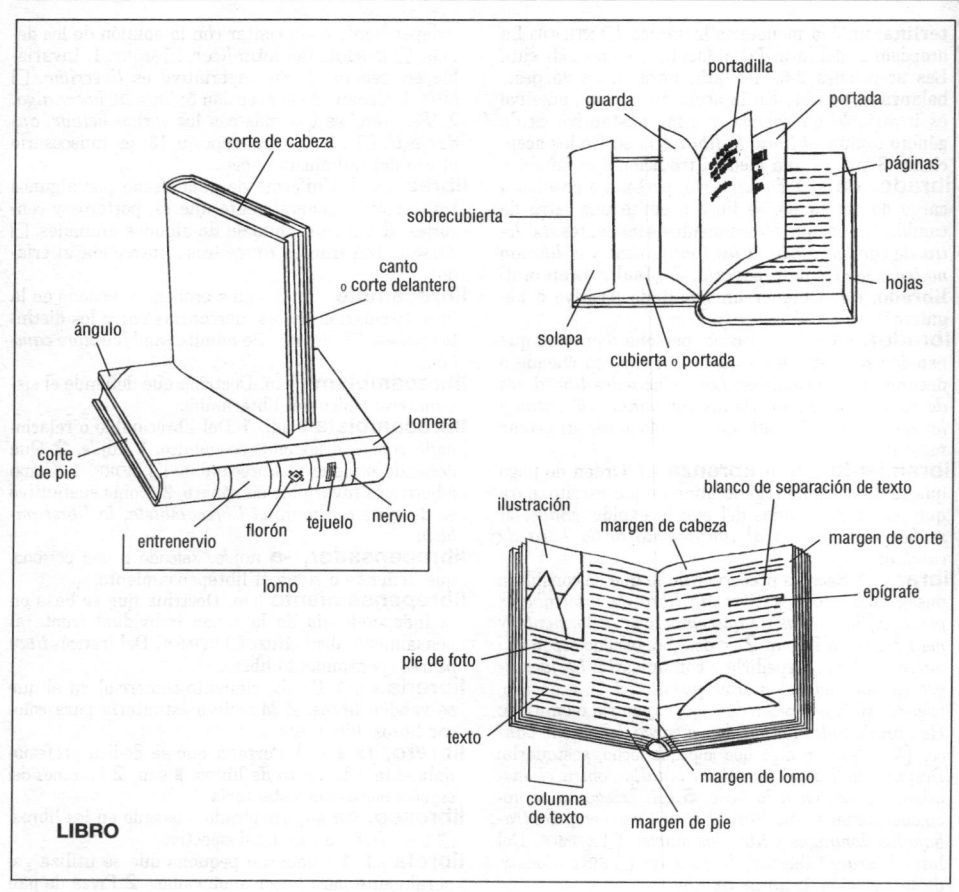

LIBRO

'de libro' y no se lo pitaron. ‖**libro blanco;** [proyecto o propuesta elaborados sobre un tema concreto para su posterior discusión. ‖**libro de caballerías**; el que cuenta las aventuras de los antiguos caballeros andantes; novela de caballerías. ‖**libro de cabecera; 1** El que se prefiere. **2** El que se tiene como guía intelectual o moral. ‖**libro de coro;** el de gran tamaño, con las hojas generalmente de pergamino, que contiene la letra y la música de los himnos religiosos que se cantaban en las iglesias, y que solía colocarse sobre un atril en el coro; cantoral. ‖**libro {de escolaridad/[escolar};** el que recoge las calificaciones obtenidas por el alumno en cada curso. ‖ [**libro de estilo**; el que contiene las normas editoriales de una empresa: *El 'libro de estilo' de este periódico recoge muchas palabras nuevas.* ‖**libro de familia;** el que tiene anotados los nacimientos, los cambios de estado y las defunciones que suceden a los miembros de una familia. ‖ **libro de horas**; el que contiene los rezos correspondientes a las horas canónicas. ‖**libro de oro;** [el que tiene las dedicatorias firmadas de las personalidades que visitan un lugar. ‖**(libro de) texto**; el que se usa en las aulas como guía de estudio. □ ETIMOL. Del latín *liber.* □ SINT. *Como un libro*

(abierto) se usa más con los verbos *explicarse, expresarse* o *hablar.*

[**librojuego** s.m. Libro infantil en el que se fomenta la participación directa del lector mediante diversos juegos.

licantropía s.f. [**1** Transformación de una persona en lobo. **2** Enfermedad que se caracteriza porque el enfermo se imagina que está transformado en lobo. □ ETIMOL. Del griego *lýkos* (lobo) y *ánthropos* (hombre, persona).

licántropo, pa adj./s. Referido a una persona, que está afectada de licantropía.

licencia ∎ s.f. **1** Permiso o autorización, esp. si son legales, para hacer algo. [**2** Permiso temporal para estar ausente de un empleo. **3** Documento en el que consta uno de estos permisos. [**4** En un libro, texto preliminar en el que se declara expresamente la autorización para ser publicado por no atentar contra los principios eclesiásticos y civiles. **5** Libertad excesiva: *Mi abuelo dice que la licencia de la juventud de hoy no conduce a nada bueno.* ∎ pl. **6** En la iglesia católica, permisos que los superiores dan a los eclesiásticos para que puedan realizar sus funciones. **7** ‖**licencia (absoluta)**; la que se concede a los militares liberándolos completa y permanentemente del servicio. ‖ **[licencia fiscal**; impuesto directo que debían pagar las empresas por el hecho de ejercer sus actividades. ‖ **licencia poética**; la que puede permitirse un autor literario contra las leyes del lenguaje o del estilo, por exigencia de la métrica o por necesidades expresivas. ‖ **tomarse la licencia de** algo; hacerlo sin pedir permiso. □ ETIMOL. Del latín *licentia* (libertad, facultad).

licenciado, da s. **1** Persona que tiene el título universitario de licenciatura. **2** Soldado que ha obtenido la licencia y deja el servicio activo para volver a la vida civil. □ SINT. Constr. de la acepción 1: *licenciado EN una carrera*.

licenciar v. **1** En el ejército, conceder u obtener la licencia absoluta o temporal: *Lo licenciaron sin acabar el servicio militar porque le descubrieron un problema óseo. Dentro de un mes se licencia.* **2** Conceder u obtener el título académico de licenciatura: *El Ministerio de Educación y Ciencia ha licenciado este año a más estudiantes que el año pasado. Se ha licenciado en biología.* □ ORTOGR. La segunda *i* nunca lleva tilde. □ SINT. Constr. de la acepción 2: *licenciar EN una carrera*.

licenciatura s.f. **1** Título universitario que se obtiene después de estudiar una carrera de más de tres años. **2** Acto en el que se recibía este título.

licencioso, sa adj. Que no cumple lo que se considera moralmente aceptable, esp. en el terreno sexual.

liceo s.m. **1** Cierta sociedad cultural o de recreo. **2** En algunos países, instituto de enseñanza media. □ ETIMOL. Del latín *Lyceum*, y éste del griego *Lýkeion* (escuela donde enseñaba Aristóteles).

licitación s.m. Oferta que se hace en una subasta pública, esp. de un contrato de obra o de servicio.

licitador, -a s. Persona que licita en una subasta.

licitar v. Ofrecer precio en una subasta: *Se llevó el cuadro la persona que licitó la cantidad más elevada.*

lícito, ta adj. **1** Que está permitido por la ley. **2** Justo, desde el punto de vista de la razón o de la moral; legítimo. □ ETIMOL. Del latín *licitus* (permitido).

licitud s.f. Conformidad o acuerdo con la ley, la razón o la moral.

licor s.m. Bebida alcohólica obtenida por destilación: *El anís es un licor.* □ ETIMOL. Del latín *liquor* (líquido).

licorera s.f. **1** Botella artísticamente decorada en la que se guardan o se sirven los licores. **2** Mueble o lugar que sirve para guardar bebidas alcohólicas.

[licra s.f. →**lycra**. □ ETIMOL. Extensión del nombre de una marca comercial.

licuación s.f. **1** col. Transformación de un cuerpo sólido o gaseoso en un líquido. **2** En química, paso de un cuerpo en estado gaseoso a estado líquido; licuefacción.

[licuado s.m. En zonas del español meridional, batido.

licuadora s.f. Electrodoméstico que sirve para licuar alimentos, esp. frutas y verduras. 🔌 electrodoméstico

licuar v. **1** Referido a un cuerpo sólido o gaseoso, convertirlo en líquido: *Me he comprado una licuadora para licuar la fruta.* **2** En química, referido a un cuerpo en estado gaseoso, hacerlo pasar a estado líquido: *Para extraer oxígeno de la atmósfera hay que licuar*

el aire. □ ETIMOL. Del latín *liquare* (tornar líquido). □ ORTOGR. La *u* nunca lleva tilde.

licuefacción s.f. ant. →**licuación**. □ ETIMOL. Del latín *liquefactum*.

lid ∎ s.f. **1** Lucha, combate o enfrentamiento; liza. ∎ pl. **[2** Asuntos, actividades u ocupaciones: *No se me da bien vender porque no soy experta en estas 'lides'.* **3** ‖ **en buena lid**; por medios lícitos. □ ETIMOL. Del latín *lis* (disputa, pleito). □ USO El uso de la acepción 1 es característico del lenguaje literario.

líder s. **1** En un grupo, persona que lo dirige o que tiene influencia sobre él. **2** En una clasificación, persona o entidad que ocupa el primer puesto. □ ETIMOL. Del inglés *leader* (guía). □ MORF. **1.** Es de género común: *el líder, la líder.* **2.** La RAE sólo lo registra como masculino. □ SINT. Se usa mucho en aposición, pospuesto a un sustantivo: *la empresa líder.*

liderar v. **1** Referido a un grupo, dirigirlo o influir en él: *Este prestigioso político ha liderado varios partidos.* **2** Referido esp. a una clasificación, ocupar la primera posición en ella: *Está orgulloso de liderar la carrera ciclista durante tantas etapas.*

liderato s.m. Condición de líder, o ejercicio de las actividades propias de éste; liderazgo.

liderazgo s.m. **1** Condición de líder, o ejercicio de las actividades propias de éste; liderato. **2** Situación de dominio ejercido en un ámbito determinado.

lidia s.f. Conjunto de acciones que se realizan para esquivar al toro, siguiendo las reglas del toreo, hasta darle muerte.

lidiar v. **1** Referido a un toro, esquivarlo siguiendo las reglas del toreo, hasta darle muerte: *Lidiaron seis toros de una buena ganadería.* **2** Luchar o reñir para conseguir algo: *Estuvo lidiando con su madre para poder volver más tarde a casa.* □ ETIMOL. Del latín *litigare* (disputar, pelearse con palabras). □ ORTOGR. La segunda *i* nunca lleva tilde. □ SINT. Constr. de la acepción 2: *lidiar CON alguien.*

liebre s.f. **1** Mamífero parecido al conejo, de largas orejas, pelo suave y carne apreciada, que tiene las extremidades posteriores más largas que las anteriores y suele vivir en terrenos llanos sin hacer madrigueras. **[2** En atletismo, corredor encargado de imponer un ritmo rápido en la carrera. **3** En zonas del español meridional, microbús. **4** ‖ **levantar la liebre**; col. Llamar la atención sobre algo oculto. □ ETIMOL. Del latín *lepus*. □ MORF. En la acepción 1, es un sustantivo epiceno: *la liebre macho, la liebre hembra.*

liendre s.f. Huevo de algunos parásitos, esp. del piojo. □ ETIMOL. Del latín *lendis*.

lienzo s.m. **1** Tejido fuerte que está preparado para pintar sobre él: *He comprado un lienzo para pintar un bodegón al óleo.* **2** Pintura hecha sobre este tejido. **3** Tela que se fabrica con lino, con cáñamo o con algodón: *un pañuelo de lienzo.* □ ETIMOL. Del latín *linteum* (tela de lino). □ SEM. En las acepciones 1 y 2, es sinónimo de *tela.*

[liftado adj./s.m. En tenis, referido a un golpe, que es liso, rasante y rápido.

[lifting (anglicismo) s.m. Operación de cirugía estética que consiste en estirar la piel para eliminar las arrugas. □ PRON. [líftin].

liga s.f. **1** Cinta o tira elástica que sirve para sujetar algo, esp. las medias o los calcetines a la pierna. **2** Unión o asociación entre personas, grupos o entidades que tienen algo en común. **3** Competición deportiva en la que cada uno de los participantes debe jugar sucesivamente con todos los demás de su categoría: *Este equipo nunca ha ganado la liga.* **4** Sustancia pegajosa que contienen las semillas de algunos vegetales, con la que se untan las trampas para cazar pájaros: *La liga se obtiene frecuentemente del muérdago.* ☐ ETIMOL. De *ligar*.

ligado s.m. **1** Unión o enlace de las letras al escribir. **2** En música, modo de ejecutar un pasaje encadenando sus notas y sin interrupción del sonido entre ellas. ☐ USO Aunque la RAE sólo registra *ligado*, en círculos especializados se usa más el italianismo *legato*.

ligadura s.f. **1** Sujeción hecha con una cuerda o algo parecido, que sirve para atar. **[2** Cuerda, correa u otro material que sirve para atar. **3** Impedimento, obligación o compromiso moral que hacen difícil la realización de algo. **4** En medicina, atadura que consiste en anudar un vaso sanguíneo o un órgano hueco con un hilo de sutura: *No podrá tener más hijos porque le hicieron una ligadura de trompas.*

ligamento s.m. En medicina, cordón fibroso que une los huesos de las articulaciones.

ligar v. **1** Tener fuerza o autoridad suficientes para imponer lo que se ordena; obligar: *El contrato liga a las partes que lo firman.* **2** Unir, enlazar o relacionar: *La amistad liga a las personas. Los recuerdos me ligan a esta ciudad.* **3** Referido a las cartas de una baraja, reunir las que sean adecuadas para conseguir una buena jugada: *En esta partida no he podido ligar nada.* **4** Referido a dos o más metales, alearlos o mezclarlos fundiendo sus componentes: *Ligaron cobre con plata para hacer este anillo.* **5** En tauromaquia, ejecutar los pases de manera continuada y sin interrupción: *Consiguió dos orejas después de ligar una gran faena.* **[6** Referido a varias sustancias, conseguir que formen una masa homogénea: *Para hacer ricos pasteles debes 'ligar' bien los ingredientes. Bate el azúcar, la leche y los huevos hasta que 'liguen'.* **7** col. Establecer relaciones amorosas o sexuales superficiales y pasajeras: *Se pasa el día ligando.* **8** ‖ **[ligarla** o **[ligársela;** *col.* En algunos juegos infantiles, ser el encargado de perseguir, buscar o atrapar a los demás: *Se cansó de jugar al escondite porque siempre 'la ligaba'. ¿Quién 'se la liga'?* ☐ ETIMOL. Del latín *ligare* (atar). ☐ ORTOGR. La *g* se cambia en *gu* delante de *e* →PAGAR.

ligazón s.f. Unión o relación muy estrechas de una cosa con otra.

ligereza s.f. **1** Poco peso; levedad, liviandad. **2** Rapidez o agilidad de movimientos. **3** Hecho o dicho irreflexivo o poco meditados. **4** Falta de seriedad en la forma de actuar.

ligero, ra ❚ adj. **1** De poco peso. **2** Sin importancia o de poca gravedad: *un ligero resfriado.* **3** Suave o de poca intensidad: *comida ligera.* **4** Rápido o ágil de movimientos. **[5** Referido a un tejido o a una prenda de vestir, que abriga poco. **[6** Referido al armamento, que es de poco peso o que resulta fácil de desplazar. **7** col. Referido a una persona, que es inconstante y poco formal en sus opiniones y actitudes. ❚ adv. **[8** En zonas del español meridional, rápidamente. **9** ‖ **a la ligera;** sin pensar ni reflexionar. ☐ ETIMOL. Del francés *léger* (leve, poco pesado). ☐ SEM. **1.** En las

acepciones 1, 2 y 3, es sinónimo de *leve.* **2.** En las acepciones 1 y 2, es sinónimo de *liviano.*

[light (anglicismo) adj. **1** Referido a alimentos, con menos calorías de lo habitual. **2** Suave, ligero y con rasgos menos marcados que lo habitual: *cigarrillos 'light'.* ☐ PRON. [láit]. ☐ USO Su uso es innecesario y puede sustituirse por expresiones como *bajo en calorías, ligero* o *suave.*

lignito s.m. Carbón mineral, poco compacto, de escaso poder calorífico, que se utiliza como combustible. ☐ ETIMOL. Del latín *lignum* (madera).

ligón, -a adj./s. col. Que intenta establecer relaciones amorosas superficiales y pasajeras.

[ligotear v. col. Intentar establecer relaciones amorosas o sexuales superficiales y pasajeras: *¿Quieres dejar de 'ligotear' con todo el que se pone por delante?*

[ligoteo s.m. col. Intento de establecer relaciones amorosas o sexuales superficiales y pasajeras.

ligue s.m. **1** col. Relación amorosa superficial y pasajera. **2** col. Persona con la que se establece esta relación amorosa. ☐ USO Es innecesario el uso del anglicismo *flirt.*

liguero, ra ❚ adj. **1** De una liga deportiva o relacionado con esta competición. ❚ s.m. **2** Prenda de ropa interior femenina que consiste en una faja estrecha que se coloca alrededor de la cintura, de la que cuelgan dos o más cintas con enganches para sujetar el extremo superior de las medias.

[liguilla s.f. En una competición deportiva, fase en la que intervienen pocos participantes o equipos y en la que juegan todos contra todos.

ligur adj./s. De Liguria (región del norte italiano, cercana al golfo de Génova), o de un antiguo pueblo europeo que vivía en esta zona. ☐ MORF. **1.** Como adjetivo es invariable en género. **2.** Como sustantivo es de género común: *el ligur, la ligur.*

ligustro s.m. Arbusto de hojas lisas, brillantes y de forma ovalada, que tiene las flores blancas y pequeñas y el fruto negro y redondeado; alheña, aligustre. ☐ ETIMOL. Del latín *ligustrum.*

lija s.f. **1** Papel fuerte que por una de sus caras tiene pegados materiales ásperos y abrasivos, y que se usa para alisar y pulir materiales duros: *Antes de pintar la silla, tienes que quitar la pintura vieja con la lija.* **2** Pez marino, carnicero y muy voraz, con una piel áspera sin escamas cubierta de granillos muy duros. ☐ ETIMOL. De origen incierto. ☐ MORF. En la acepción 2, es un sustantivo epiceno: *la lija macho, la lija hembra.*

lijado s.m. Operación de alisar o de pulir un objeto con lija o con cualquier otro material abrasivo.

[lijadora s.f. Máquina que sirve para lijar o pulir.

lijar v. Referido a un objeto, alisarlo y pulirlo con lija o con cualquier otro material abrasivo: *Hay que lijar la puerta antes de pintarla, para quitar los restos de pintura vieja.* ☐ ORTOGR. Conserva la *j* en toda la conjugación.

lila ❚ adj./s. col. **1** De color morado claro. **2** col. Tonto y fácil de engañar. ❚ s.f. **3** Flor del lilo: *Las lilas son pequeñas, olorosas y de color morado o blanco.* ☐ ETIMOL. Del francés *lilas.* ☐ MORF. Como adjetivo es invariable en género. ☐ USO En la acepción 2, es despectivo.

liliáceo, a ❚ adj./s. **1** Referido a una planta, que tiene la raíz tuberculosa o bulbosa, flores generalmente en racimo y fruto capsular: *Las cebollas y los tuli-*

panes son plantas liliáceas. ▌ s.f.pl. **2** En botánica, familia de estas plantas, perteneciente a la clase de las monocotiledóneas. ☐ ETIMOL. Del latín *liliaceus* (del lirio).

liliputiense adj./s. Referido a una persona, de estatura muy baja. ☐ ETIMOL. Por alusión a los diminutos habitantes de Liliput descritos por Swift en su obra 'Los viajes de Gulliver'. ☐ MORF. **1.** Como adjetivo es invariable en género. **2.** Como sustantivo es de género común: *el liliputiense, la liliputiense.*

[lilo s.m. Arbusto de flores pequeñas y olorosas moradas o blancas.

lima s.f. **1** Herramienta, generalmente de acero, con la superficie estriada o rayada en uno o en dos sentidos, que sirve para desgastar o alisar metales y otras materias duras: *lima de uñas.* **2** Hecho de desgastar, pulir o alisar una superficie con esta herramienta. **[3** *col.* Persona que come mucho. **4** Corrección y remate final de una obra: *El artículo que escribiste necesita la lima de nuestros correctores.* **5** Árbol frutal de flores blancas, pequeñas y olorosas, y de hojas aserradas y duras; limero. **6** Fruto de este árbol. **[7** Bebida hecha con este fruto. ☐ ETIMOL. Las acepciones 1-4, del latín *lima.* Las acepciones 5-7, del árabe *lima.*

[limado s.m. →**limadura**.

limadura ▌ s.f. **1** Hecho de alisar o pulir con la lima o con cualquier otro material abrasivo. ▌ pl. **2** Partículas o restos menudos que se desprenden al limar. ☐ USO Aunque la RAE sólo registra *limadura*, su usa mucho *limado*.

limar v. **1** Referido a un objeto, alisarlo o pulirlo con la lima o con cualquier otro material abrasivo: *Limó los barrotes de la ventana de la cárcel para escaparse. En el salón de belleza me han limado las uñas de las manos.* **2** Referido a una obra, pulirla o perfeccionarla: *Tengo ya una idea para la novela, pero aún tengo que limarla un poco.* **3** Referido a un fallo o un defecto, debilitarlo o eliminarlo: *La entrenadora limó los pequeños defectos que tenía el equipo.* ☐ ETIMOL. Del latín *limare.*

limbo s.m. **1** En la tradición cristiana, lugar al que se decía que iban las almas de los niños que morían sin bautizar. **2** En botánica, parte ensanchada y aplanada de las hojas de los vegetales: *El color verde del limbo se debe a la clorofila.* **3** ‖**estar** alguien **en el limbo**; *col.* Estar distraído, sin enterarse de lo que ocurre alrededor. ☐ ETIMOL. Del latín *limbus* (lugar apartado en el otro mundo).

limeño, ña adj./s. De Lima (capital peruana), o relacionado con ella.

[limerick (anglicismo) s.m. Composición poética de cinco versos y de tono generalmente humorístico. ☐ PRON. [límerik].

limero s.m. Árbol frutal, de flores blancas, pequeñas y olorosas, y de hojas aserradas y duras; lima.

[liminal adj. En psicología, que se halla dentro de los límites de lo que se puede percibir: *Muchos mensajes publicitarios no son 'liminales' sino subliminales, porque escapan al ámbito de lo consciente.* ☐ ETIMOL. Del inglés *liminal*, y éste del latín *limen* (umbral). ☐ MORF. Invariable en género.

liminar adj. →**preliminar**. ☐ MORF. Invariable en género.

limitación s.f. **1** Establecimiento o fijación de límites. **2** Acortamiento o restricción. **[3** Impedimen-

to que dificulta el desarrollo de algo o impide su perfección.

limitar ▌ v. **1** Poner límites, esp. referido a un terreno: *He limitado la finca con unas vallas.* **2** Acortar, ceñir o restringir: *La profesora limitó el tiempo del examen porque tenía prisa.* **3** Referido esp. a la jurisdicción, autoridad, derechos y facultades de alguien, fijarles los límites máximos: *El Parlamento limitó los poderes militares del ministro de Defensa.* **4** Referido esp. a lugares, tener un límite común o estar contiguos: *España limita al norte con Francia.* ▌ prnl. **5** Referido esp. a una acción, ceñirse a ella: *Limítate a hacer lo que te dije.* ☐ ETIMOL. Del latín *limitare* (rodear de fronteras). ☐ SINT. **1.** Constr. de la acepción 4: *limitar* CON *algo.* **2.** Constr. de la acepción 5: *limitarse* A *algo.*

límite ▌ adj./s. **[1** Referido a una persona, que está en la frontera entre la normalidad y la subnormalidad. ▌ s.m. **2** En un terreno, línea o borde que lo delimita; linde, lindero. **3** Fin, extremo o punto máximo al que puede llegar algo: *Estoy al límite de mis fuerzas y no aguanto más.* **4** En matemáticas, valor fijo al que se aproximan los términos de una sucesión infinita de magnitudes: *El límite de los números naturales 1, 1/2, 1/3... es 0.* ☐ ETIMOL. Del latín *limes* (sendero entre dos campos, frontera). ☐ MORF. En la acepción 1, como adjetivo es invariable en género y número, y como sustantivo es de género común: *el 'límite', la 'límite'.* ☐ SINT. Se usa mucho en aposición, pospuesto a un sustantivo.

limítrofe adj. Referido esp. a un lugar, que limita con otro: *España y Portugal son países limítrofes.* ☐ ETIMOL. Del latín *limitrophus* (campo que se daba a los soldados de las fronteras para atender a su subsistencia), y éste del latín *limes* (frontera, límite) y el griego *trépho* (yo alimento). ☐ MORF. Invariable en género.

limo s.m. Barro que se encuentra en el fondo de las aguas o que se forma en el suelo con la lluvia. ☐ ETIMOL. Del latín *limus.*

limón s.m. **1** Árbol frutal de hoja perenne, espinoso, de flores olorosas, y con un fruto comestible de sabor ácido; limonero. **2** Fruto de este árbol: *El limón es amarillo y tiene un sabor ácido.* **[3** Refresco hecho con este fruto. ☐ ETIMOL. Del árabe *laimun.* ☐ SEM. En las acepciones 1 y 2, es sinónimo de *citrón.*

limonada s.f. Bebida refrescante hecha con agua, azúcar y zumo de limón.

limonar s.m. Terreno plantado de limoneros.

limoncillo s.m. Árbol tropical con hojas que huelen a limón y cuya madera es muy empleada en ebanistería.

limonero, ra ▌ adj. **[1** Del limón o relacionado con este fruto. ▌ s. **2** Persona que se dedica a la producción o a la venta de limones. ▌ s.m. **3** Árbol frutal de hoja perenne, espinoso, de flores olorosas, y con un fruto comestible de sabor ácido; limón.

limosna s.f. **1** Lo que se da por caridad, generalmente dinero. **[2** Cantidad de dinero pequeña o insuficiente que se da para pagar un trabajo. ☐ ETIMOL. Del latín *eleemosyna.*

limosnero, ra adj. Referido esp. a una persona, que da limosna con frecuencia.

[limousine s.f. →**limusín**. ☐ PRON. [limusín]. ☐ USO Es un galicismo innecesario.

limpia ▌ s. **1** *col.* →**limpiabotas**. ▌ s.f. **2** Véase limpio, a. ☐ MORF. En la acepción 1, aunque la RAE sólo lo registra como masculino en la lengua coloquial es de género común: *el limpia, la limpia.*

limpiabotas s. Persona que se dedica profesionalmente a limpiar y a dar brillo a las botas y a los zapatos. ☐ MORF. 1. Aunque la RAE lo registra como masculino, en la lengua actual es de género común: *el limpiabotas, la limpiabotas.* 2. Invariable en número. 3. En la lengua coloquial se usa mucho la forma abreviada *limpia.*

limpiador, -a ▮ adj./s. 1 Que limpia. ▮ s.m. 2 Producto o instrumento que sirve para limpiar.

limpiaparabrisas s.m. En un vehículo, aparato formado por unas varillas articuladas que limpia automáticamente los cristales. ☐ MORF. Invariable en número.

limpiar v. 1 Referido a la suciedad, quitarla o eliminarla: *Este detergente limpia muy bien la grasa.* 2 Purificar o dejar sin lo que estorba o resulta perjudicial: *La policía limpió de rateros las calles del centro.* 3 col. Dejar sin dinero o sin riquezas mediante engaño, arte o violencia: *Me limpiaron jugando a las cartas.* ☐ ORTOGR. La *i* nunca lleva tilde.

limpidez s.f. *poét.* Limpieza, claridad o transparencia: *La limpidez del día les animó a realizar una excursión.*

límpido, da adj. *poét.* Limpio, claro o transparente. ☐ ETIMOL. Del latín *limpidus* (claro, límpido).

limpieza s.f. 1 Ausencia de mancha, de suciedad, de mezcla o de accesorios. 2 Eliminación de la suciedad, de lo perjudicial o de lo impuro. 3 col. Pérdida o robo de bienes. 4 Destreza, precisión o perfección con las que se realiza una acción. 5 En el juego y en el deporte, cumplimiento de las reglas que se imponen. 6 ▮limpieza de sangre; antiguamente, estado en el que estaba una familia por no haberse mezclado con otra que perteneciera a un grupo social distinto y considerado inferior o impuro: *Los cristianos viejos presumían de su limpieza de sangre.* ▮limpieza en seco; la que se efectúa por medio de un procedimiento en el que no se usa agua ni líquidos acuosos, sino una mezcla de hidrocarburos o compuestos químicos altamente disolventes de la grasa. ▮ [limpieza étnica; *euf.* Intento, por parte de una población, de acabar con otra, en razón de las diferencias sociales y culturales existentes entre ambas.

limpio, pia ▮ adj. 1 Que no tiene mancha o suciedad. 2 Referido esp. a una persona, que es aseada y cuidadosa con su higiene, con su aspecto y con sus cosas. 3 Referido esp. al grano, que no tiene mezcla de otra cosa: *Para que el arroz quede limpio hay que quitarle la cascarilla.* [4 Libre de lo accesorio, de lo superfluo o de lo inútil. 5 col. Referido a una persona, sin dinero, generalmente porque lo ha perdido. [6 col. Referido a una cantidad de dinero, libre de los descuentos que le corresponden: *Al mes gano casi cien mil pesetas 'limpias'.* 7 Libre de impurezas o de lo que daña y perjudica. 8 Honrado y decente. 9 Claro, bien definido o bien delimitado; neto: *En la niebla, los contornos no son limpios.* 10 col. Referido a una persona, que carece de conocimientos sobre una materia: *No le hagas preguntas de filosofía, porque está limpio.* ▮ s.f. [11 Eliminación o sustracción de algo hasta el punto de hacerlo disminuir notablemente: *Tiró mucha ropa vieja después de la*

'limpia' que hizo en los armarios. 12 ▮en limpio; 1 Una vez separados los gastos y los descuentos de una cantidad de dinero: *Con el negocio ganó una enorme cantidad de dinero en limpio.* 2 Sin enmiendas ni tachones: *No tengo los apuntes en limpio.* ▮ [pasar a limpio; referido a un texto, redactarlo o copiarlo en su forma definitiva y sin tachaduras. ▮ [sacar en limpio; obtener ideas o conclusiones claras y concretas de algo: *Después de hablar con él, 'saqué en limpio' que necesitaba mi dinero.* ☐ ETIMOL. Del latín *limpidus* (claro, límpido). ☐ SINT. En expresiones adverbiales como *a tiro limpio* o *a grito limpio,* tiene un valor intensivo o de cantidad y equivale a *con muchos tiros* y *con muchos gritos,* respectivamente.

limpio adv. Con limpieza o con corrección.

[limusín o **[limusina** s.f. 1 Automóvil lujoso de gran tamaño, generalmente con un cristal de separación entre los asientos delanteros y los asientos traseros. 2 Antiguo carruaje cerrado para los asientos traseros y abierto para los asientos del conductor. ☐ ETIMOL. Del francés *limousine.* ☐ USO Es innecesario el uso del galicismo *limousine.*

linaje s.m. 1 Conjunto de antepasados y descendientes de una persona, esp. de la que tiene un título de nobleza. 2 Clase, condición o especie: *Aquí vive gente de los más variados linajes.* ☐ ETIMOL. Del catalán *llinatge.*

linajudo, da adj./s. Que pertenece a un alto linaje o que presume de ello.

linaza s.f. Semilla del lino: *aceite de linaza.*

lince ▮ adj./s. 1 col. Referido a una persona, que es astuta y sagaz. ▮ s.m. 2 Mamífero felino o carnicero, de pelaje gris rojizo, con manchas oscuras en el cuello y en la cabeza y con las orejas puntiagudas terminadas en un mechón de pelos negros. ▮ felino. ☐ ETIMOL. Del latín *lynx.* ☐ MORF. 1. En la acepción 1, como adjetivo es invariable en género y como sustantivo es de género común: *el lince, la lince.* 2. En la acepción 2, es un sustantivo epiceno: *el lince macho, el lince hembra.*

linchamiento s.m. Muerte con la que una muchedumbre castiga a una persona sospechosa sin un juicio previo.

linchar v. Referido a una persona, castigarla una muchedumbre, generalmente con la muerte y sin juicio previo: *La policía impidió que la multitud linchase al asesino.* ☐ ETIMOL. Del inglés *lynch,* y éste de *Lynch* (hacendado francés de Virginia que instituyó tribunales privados para juzgar a los criminales).

lindante adj. Que linda. ☐ MORF. Invariable en género.

lindar v. 1 Referido esp. a lugares, tener una linde común o estar contiguos: *Ese campo de fútbol linda con las pistas de tenis.* 2 Estar muy cerca de lo que se expresa: *Tus duras palabras lindan con la mala educación.* ☐ ETIMOL. Del latín *limitare* (limitar). ☐ SINT. Constr. *lindar* CON *algo.*

linde s. En un terreno, línea o borde que lo delimita; límite, lindero. ☐ ETIMOL. Del latín *limes* (sendero entre dos campos, límite, frontera). ☐ MORF. Es de género ambiguo: *el linde marcado, la linde marcada,* pero se usa más el femenino.

lindero, ra ▮ adj. 1 Que linda o limita. ▮ s.m. 2 →linde.

lindeza s.f. 1 Belleza que resulta agradable a la vista. 2 Hecho o dicho agradables o elogiosos. 3 Dicho ofensivo o desagradable contra alguien. ☐ USO En la acepción 3, tiene un matiz irónico.

lindo, da adj. **1** Que resulta bello o hermoso al ser percibido por la vista. [**2** En zonas del español meridional, bueno o entretenido. **3** ‖ **de lo lindo**; *col.* Mucho o en exceso: *Nos divertimos de lo lindo en el parque de atracciones.* ☐ ETIMOL. Del latín *legitimus* (legítimo, puro).

línea s.f. **1** Sucesión continua de puntos en el espacio. ✍ línea **2** Extensión geométrica considerada sólo en longitud: *La línea discontinua de una carretera indica que está permitido adelantar.* **3** Trazo o marca delgados y alargados; raya. **4** En un escrito, conjunto de palabras o de caracteres comprendidos en una horizontal; renglón. **5** Raya real o imaginaria que señala un límite o un término. **6** En algunos deportes de equipo, conjunto de jugadores que suelen desempeñar una función semejante: *línea delantera.* **7** Serie de personas o de cosas situadas una detrás de otra o una al lado de otra. **8** Servicio o ruta regulares de transporte. **9** Serie de individuos enlazados por parentesco: *línea materna.* [**10** En una persona, figura armoniosa, esbelta o delgada. **11** Contorno o diseño de un objeto: *La línea aerodinámica de este coche hace que sea más rápido.* **12** En un cuadro, dibujo o trazado de los contornos. **13** Conducta, comportamiento o dirección que se siguen: *Si no cambias esa línea tan agresiva, vas a tener problemas.* **14** Orientación, tendencia o estilo: *Esos proyectos no entran en mi línea de pensamiento.* **15** Conjunto de los aparatos y de los hilos que conducen la energía eléctrica o permiten la comunicación telefónica o la telegráfica. [**16** Comunicación telefónica o telegráfica: *No puedo llamar a casa porque no hay 'línea'.* [**17** En televisión, conjunto de puntos elementales alineados en que se descompone una imagen para su codificación. **18** Categoría, clase u orden de valor: *Es un escritor de tercera línea.* [**19** Serie de productos con características comunes o semejantes y que ofrece una cierta variedad: *'línea' de cosméticos.* **20** Formación de tropas en orden de batalla. **21** Zona o franja de terreno en las que luchan los ejércitos; frente. **22** ‖ [**en líneas generales**; esquemáticamente o sin pormenorizar. ‖ **en toda la línea**; del todo o completamente. ‖ **leer entre líneas**; suponer, a partir de lo que se dice, lo que intencionadamente se calla.

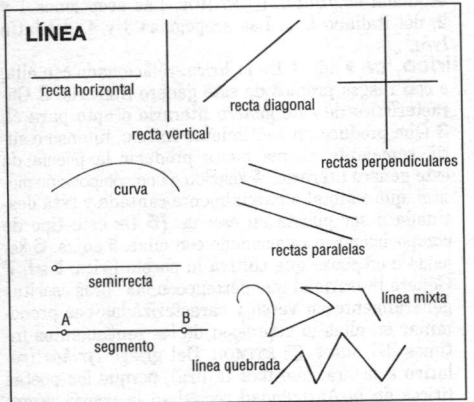

LÍNEA

recta horizontal
recta diagonal
recta vertical
rectas perpendiculares
curva
rectas paralelas
semirrecta
línea mixta
A   B
segmento
línea quebrada

‖ [**línea blanca**; industria de electrodomésticos. ‖ [**línea caliente**; *col.* La telefónica que ofrece determinados servicios e informaciones, esp. si éstos son de atención al cliente o de carácter erótico. ‖ **línea** {**colateral/transversal**}; la que viene de un ascendiente común, pero que no va de padres a hijos. ‖ [**línea de fuego**; posición o situación de las tropas que hacen fuego sobre el enemigo y soportan el de éste. ‖ **línea de tiro**; prolongación del eje de un arma cuando está dispuesta para efectuar un disparo. ‖ **línea** {**directa/recta**}; orden y sucesión de generaciones de padres a hijos. ‖ **línea equinoccial**; en geografía, círculo máximo imaginario que está a igual distancia de los dos polos de la Tierra; ecuador. ✍ globo ‖ **línea mixta**; la formada por rectas y curvas. ‖ **línea quebrada**; la que, sin ser recta, está formada por varias rectas: *La letra 'M' es una línea quebrada.* ☐ ETIMOL. Del latín *linea* (raya, rasgo). ☐ USO Es innecesario el uso del anglicismo *hot line* en lugar de *línea caliente*.

lineal ∎ adj. **1** De la línea, con líneas o relacionado con ellas. **2** Que se desarrolla en una sola dirección o en una sola dimensión. **3** Con forma semejante a una línea. ∎ s.m. [**4** Expositor en grandes superficies. ☐ ETIMOL. Del latín *linealis*. ☐ MORF. Como adjetivo es invariable en género.

linfa s.f. Líquido orgánico claro e incoloro con gran cantidad de glóbulos blancos, que recorre los vasos linfáticos. ☐ ETIMOL. Del latín *lympha* (agua).

linfático, ca ∎ adj. **1** De la linfa o relacionado con este líquido orgánico. ∎ adj./s. [**2** Referido a una persona, sin energía y excesivamente pasiva.

linfocito s.m. Leucocito o glóbulo blanco que se caracteriza por su movilidad y por su gran núcleo, y que es producido principalmente en la médula ósea. ☐ ETIMOL. Del latín *lympha* (agua) y *-cito* (célula).

lingotazo s.m. *col.* Trago de bebida alcohólica; latigazo, pelotazo.

lingote s.m. Trozo o barra de metal en bruto fundido, esp. si es de oro, plata o platino. ☐ ETIMOL. Del francés *lingot*.

lingual adj. De la lengua o relacionado con este órgano muscular. ☐ ETIMOL. Del latín *lingua* (lengua). ☐ MORF. Invariable en género.

lingüista s. Persona que se dedica al estudio del lenguaje y de las lenguas, esp. si ésta es su profesión. ☐ ETIMOL. Del latín *lingua* (lengua). ☐ MORF. Es de género común: *el lingüista, la lingüista.*

lingüístico, ca ∎ adj. **1** De la lingüística o relacionado con esta ciencia. **2** De la lengua o relacionado con este sistema de signos. ∎ s.f. **3** Ciencia que estudia el lenguaje y las lenguas. **4** ‖ [**lingüística del texto**; la que considera el texto como la unidad mínima de análisis.

linier s.m. →**juez de línea**.

linimento s.m. Medicamento de uso externo compuesto por aceites y por bálsamos y que se aplica dando masajes. ☐ ETIMOL. Del latín *linimentum* (acto de embadurnar).

lino s.m. **1** Planta herbácea anual, de raíz fibrosa, con tallos rectos y huecos y con flores azuladas. **2** Fibra que se extrae de los tallos de esta planta. **3** Tela confeccionada con esta fibra. ☐ ETIMOL. Del latín *linum*.

linóleo s.m. Material impermeable de origen orgánico, muy utilizado en forma de láminas para cubrir suelos, por su gran resistencia. ☐ ETIMOL. Del inglés *linoleum*, y éste del latín *linum* (lino) y *oleum* (aceite).

linotipia s.f. **1** En imprenta, máquina que se utilizaba para componer textos de modo que cada línea salía en una sola pieza. **2** Arte o técnica de componer textos con esta máquina. □ ETIMOL. Del inglés *linotype*, y éste de *line of type* (línea de composición tipográfica).

linotipista s. Persona que se dedica profesionalmente al manejo de la linotipia. □ MORF. Es de género común: *el linotipista, la linotipista*.

linterna s.f. **1** Utensilio manual y portátil provisto de una bombilla, que funciona con pilas eléctricas y que sirve para proyectar luz. ✺ alumbrado **2** En arquitectura, construcción con ventanas que remata una cúpula, una torre o una cubierta, y que sirve para iluminar o para ventilar el espacio interior. □ ETIMOL. Del latín *lanterna*.

linyera s.m. *col.* En zonas del español meridional, vagabundo. □ ETIMOL. Del italiano *lingera*.

lío s.m. **1** Situación confusa, agitada o embarazosa, esp. si va acompañada de gran alboroto y tumulto; tremolina. **2** Conjunto desordenado, revuelto y enredado. **3** Conjunto de cosas atadas, esp. de ropa. **4** *col.* Mentira. **5** *col.* Relación amorosa o sexual considerada ilícita por la sociedad. □ ETIMOL. De *liar*. □ SEM. 1. En las acepciones 1 y 2, es sinónimo de *embrollo, jaleo, alboroto, cacao, follón, bulla, bullicio*. 2. En la acepción 5, aunque la RAE lo considera sinónimo de *amancebamiento*, en la lengua actual no se usa como tal.

liofilización s.f. Método de deshidratación que consiste en congelar una sustancia y hacer pasar su agua a vapor sometiéndola a presiones cercanas al vacío, para obtener un material fácilmente soluble.

liofilizar v. Referido a una sustancia previamente congelada, deshidratarla haciendo que su agua pase a vapor mediante presiones cercanas al vacío: *El café instantáneo ha sido liofilizado*. □ ORTOGR. La *z* se cambia en *c* delante de *e* →CAZAR.

lioso, sa ▌adj. **1** Complicado, enredado o confuso. ▌adj./s. **2** Chismoso o con tendencia a enredar las cosas o a indisponer a unas personas con otras. □ MORF. La RAE sólo lo registra como adjetivo.

lípido s.m. Sustancia orgánica insoluble en agua que generalmente forma las reservas energéticas de los seres vivos.

lipo- Elemento compositivo que significa 'grasa'. □ ETIMOL. Del griego *lípos*.

[lipoescultura s.f. Técnica para modelar y adelgazar el cuerpo.

lipoma s.m. Tumor benigno formado por acumulación de tejido adiposo o grasa. □ ETIMOL. Del griego *lípos* (grasa) y *-oma* (tumor).

[liposoluble adj. Soluble en las grasas. □ MORF. Invariable en género.

[liposoma s.m. Pequeño órgano membranoso con forma de bolsa en el que se acumulan determinados compuestos químicos, generalmente proteínas, enzimas o medicamentos.

[liposucción s.f. Técnica para succionar la grasa existente debajo de la piel.

lipotimia s.f. Pérdida súbita y pasajera del sentido y del movimiento. □ ETIMOL. Del griego *lipothymía*, de *léipo* (yo dejo) y *thymós* (ánimo).

liquen ▌s.m. **1** Organismo formado por la simbiosis de un hongo y de un alga, y que vive en terrenos

húmedos. ▌pl. **[2** En botánica, tipo de estos organismos perteneciente al reino de los protistas. □ ETIMOL. Del latín *lichen*.

liquidación s.f. **1** Pago de una cuenta o de una deuda por entero. **2** Venta de las existencias de un comercio a un precio muy rebajado. **3** Conversión en dinero efectivo de algún bien. **4** Finalización o terminación definitivas. **[5** Dinero que se paga a un empleado o trabajador cuando deja de prestar sus servicios.

liquidar v. **1** Terminar, poner fin o acabar: *Liquidaron sus diferencias y son amigos otra vez*. **2** Referido a una cuenta o a una deuda, saldarlas o pagarlas enteramente: *Ya he liquidado lo que le debía al sastre*. **3** Gastar o consumir por completo: *Liquidó el sueldo de un mes en un solo día de compras*. **4** *col.* Matar: *El jefe de la banda mandó liquidar al soplón*. **5** Referido a las existencias de un comercio, venderlas a un precio rebajado: *Se liquidan todos los artículos por cambio de negocio*. □ ETIMOL. De *líquido*.

liquidez s.f. **1** En economía, capacidad de hacer frente de forma inmediata a las obligaciones financieras. **2** En una sustancia, falta de cohesión entre sus moléculas y posibilidad de adaptación de su forma a la del recipiente que la contenga.

líquido, da ▌adj. **1** Referido a una cantidad de dinero, libre de los descuentos que le corresponden; neto. **2** En lingüística, referido a un sonido consonántico, que tiene a la vez carácter consonántico y vocálico: *La palabra 'lira' tiene dos consonantes líquidas*. ▌adj./s.m. **3** Referido a una sustancia, que tiene las moléculas con poca cohesión y se adapta a la forma del recipiente que la contiene. **4** En economía, referido a un saldo o a una cantidad, que resultan de comparar el debe con el haber. **[5** Referido a una cantidad de dinero, disponible porque no está invertida. ▌s.f. **6** Letra que representa un sonido consonántico que tiene a la vez carácter consonántico y vocálico: *En la primera sílaba de 'brazo' hay una bilabial, una líquida y una vocal*. □ ETIMOL. Del latín *liquidus*.

lira s.f. **1** Unidad monetaria italiana. **2** Unidad monetaria de distintos países. **3** Antiguo instrumento musical de cuerda, con forma de 'U', que se tocaba pulsando las cuerdas con ambas manos o con una púa. ✺ cuerda **4** En métrica, estrofa formada por cinco versos, endecasílabos el primero y el quinto y heptasílabos los demás, de rima consonante y cuyo esquema es *aBabB*. □ ETIMOL. Las acepciones 1 y 2, del italiano *lira*. Las acepciones 3 y 4, del latín *lyra*.

lírico, ca ▌adj. **1** De la lírica, relacionado con ella, o con rasgos propios de este género literario. **2** Característico de este género literario o apto para él. **3** Que produce un sentimiento íntimo, intenso o sutil, semejante al que busca producir la poesía de este género literario. **4** Referido a una composición musical, que es total o parcialmente cantada y está destinada a ser puesta en escena. **[5** De este tipo de composiciones o relacionado con ellas. ▌adj./s. **6** Referido a un poeta, que cultiva la poesía lírica. ▌s.f. **7** Género literario al que pertenecen las obras escritas generalmente en verso y caracterizadas por predominar en ellas la expresión de los sentimientos íntimos del autor. □ ETIMOL. Del griego *lyrikós* (relativo a la lira, que toca la lira), porque los poetas líricos en la Antigüedad recitaban la poesía acompañados de una lira. □ MORF. En la acepción 6, la RAE sólo lo registra como adjetivo.

lirio s.m. **1** Planta de jardín, herbácea, con tallos largos y verdes, hojas que salen de la base y flores grandes y de colores vistosos; lis. [**2** Flor de esta planta. **3** ∥**lirio de agua**; **1** Planta ornamental con una piña alargada de flores amarillas que sale del centro de una hoja blanca en forma de cucurucho. [**2** Flor de esta planta. □ ETIMOL. Del latín *lilium*. □ SEM. *Lirio de agua* es sinónimo de *cala*.

lirismo s.m. Carácter de lo que es lírico o de lo que tiene capacidad para inspirar un sentimiento íntimo, intenso o sutil.

lirón s.m. **1** Mamífero roedor de pequeño tamaño, muy parecido al ratón, que se alimenta esp. de los frutos de los árboles. roedor **2** col. Persona dormilona o que duerme mucho; marmota. □ ETIMOL. Del latín *glis*. □ MORF. En la acepción 1, es un sustantivo epiceno: *el lirón macho, el lirón hembra*.

lis s.f. **1** Planta de jardín, herbácea, con tallos largos y verdes, hojas que salen de la base y flores grandes y de colores vistosos; lirio. **2** En heráldica, figura parecida a un lirio; flor de lis. □ ETIMOL. Del francés *lis*, y éste del latín *lilium* (lirio). □ MORF. La RAE lo registra como sustantivo de género ambiguo.

lisa s.f. Véase **liso, sa**.

lisboeta adj./s. De Lisboa (capital portuguesa), o relacionado con ella. □ MORF. 1. Como adjetivo es invariable en género. 2. Como sustantivo es de género común: *el lisboeta, la lisboeta*. 3. La RAE sólo lo registra como adjetivo.

lisiado, da adj./s. Referido a una persona, que padece una lesión permanente, esp. en las extremidades. □ USO Tiene un matiz despectivo.

lisiar v. Producir una lesión en alguna parte del cuerpo, esp. si es permanente: *Lo lisiaron en la guerra y no puede trabajar*. □ ETIMOL. Del latín *laesio*, y éste de *laedere* (herir). □ ORTOGR. La *i* nunca lleva tilde.

liso, sa ∥ adj. **1** Sin desigualdades, sin desniveles, sin arrugas o sin obstáculos. **2** Sin adornos, sin decoración o de un solo color. [**3** Referido al pelo, que es lacio y sin rizos. ∥ adj./s. **4** En zonas del español meridional, grosero. ∥ s.f. **5** Pez marino, de cuerpo alargado, cabeza aplastada y labios muy gruesos, que abunda en aguas mediterráneas y es muy apreciado como alimento; mújol. □ ETIMOL. De origen incierto. □ MORF. En la acepción 5, es un sustantivo epiceno: *la lisa macho, la lisa hembra*.

lisonja s.f. Alabanza que se hace interesada e hipócritamente para ganarse la voluntad de alguien. □ ETIMOL. Del provenzal antiguo *lauzenja*.

lisonjear v. Referido a una persona, decirle o hacerle de manera intencionada y generalmente desmedida lo que se cree que puede agradarle; adular: *Aunque te pases el día lisonjeándome, no vas a conseguir nada de mí*.

lisonjero, ra ∥ adj. **1** Que agrada o satisface. ∥ adj./s. **2** Que lisonjea, adula o halaga.

lista s.f. Véase **listo, ta**.

listado, da ∥ adj. **1** Con listas o líneas de varios colores. ∥ s.m. **2** En informática, información obtenida por cualquiera de los dispositivos de salida de información de un ordenador.

listar v. [En informática, referido a los datos o a un programa, obtenerlos por cualquiera de los dispositivos de salida de información de un ordenador: *Tengo que 'listar' estos ficheros para revisarlos en casa.*

listel s.m. En arquitectura, moldura pequeña y de sección recta, con forma de lista larga y estrecha, que separa generalmente otras dos; filete. □ ETIMOL. Del francés antiguo *listel*.

listeza s.f. **1** Capacidad para asimilar las cosas con facilidad y comprenderlas bien. **2** Habilidad para hacer algo o para saber ver lo que le conviene y sacar provecho de ello.

[listillo, lla adj./s. col. Referido a una persona, que presume de saber mucho. □ USO Tiene un matiz despectivo.

listín s.m. Lista de teléfonos o de direcciones.

listo, ta ∥ adj. **1** Que asimila las cosas con facilidad y las comprende rápidamente. **2** Dispuesto o preparado para hacer algo. ∥ adj./s. **3** Referido a una persona, hábil para hacer algo, o capaz de ver lo que le conviene y de sacar provecho de ello. ∥ s.f. **4** Relación o enumeración de personas, de cosas o de sucesos, hecha generalmente en forma de columna. **5** Línea de color distinto, esp. en una tela. **6** Trozo largo y estrecho de un material delgado y flexible; tira. **7** ∥{estar/ir} **listo**; col. Estar muy equivocado o ir descaminado en un propósito. ∥**lista de boda**; la que contiene los objetos elegidos por los novios para que se les regalen sus invitados. ∥**lista negra**; la que contiene las personas o las cosas contra las que se tiene algo. ∥**pasar lista**; leer en voz alta una relación de nombres de personas para comprobar si se hallan presentes. ∥**pasarse de listo**; col. Equivocarse en lo que no se conoce pero que se cree conocer. □ ETIMOL. Las acepciones 1-3, de origen incierto. Las acepciones 4-6, del germánico *lista* (tira). □ USO 1. En la acepción 4, es innecesario el uso del anglicismo *ranking*. 2. *Listo* se usa para indicar que algo ya está terminado o preparado: *¡Listo!, ya te he arreglado la bicicleta.*

listón s.m. **1** Moldura de sección cuadrada y poco saliente. **2** Trozo de tabla estrecho. **3** En deporte, barra colocada horizontalmente sobre dos soportes y que marca la altura que se debe sobrepasar en las pruebas de salto. **4** En zonas del español meridional, cinta de seda. **5** ∥[**poner el listón alto**; col. Exigir demasiado o marcar un límite difícil de superar.

lisura s.f. **1** Ausencia de desigualdades, de desniveles, de arrugas o de obstáculos. **2** En zonas del español meridional, grosería. **3** En zonas del español meridional, descaro o desfachatez.

litera s.f. [**1** Mueble formado por dos o más camas superpuestas. **2** Cada una de las camas, generalmente estrechas y sencillas, que forman este mueble. **3** Vehículo antiguo para una o dos personas, formado por una especie de cabina con dos varas delante y dos detrás para ser llevado por hombres o por caballerías. □ ETIMOL. Del catalán *llitera*, y éste de *llit* (cama).

literal adj. **1** Que sigue el sentido exacto y propio de las palabras. **2** Que sigue o respeta fielmente las palabras del original. □ ETIMOL. Del latín *litteralis*. □ MORF. Invariable en género.

literalidad s.f. Respeto absoluto al sentido exacto de las palabras o a las palabras de un original.

literario, ria adj. De la literatura o relacionado con este arte.

literato, ta s. Persona que se dedica al ejercicio de

la literatura o que está especializada en su estudio, esp. si ésta es su profesión.

literatura s.f. **1** Arte o técnica cuyo medio de expresión es la palabra, esp. la escrita. **2** Conjunto de obras o de escritos creados según este arte, esp. si tienen una característica común. **3** Teoría que estudia estas obras y sus autores. **4** Conjunto de las obras escritas sobre una materia o un asunto específicos. **5** ‖ [hacer literatura; *col.* Hablar con mucha palabrería sobre un tema sin tocarlo a fondo. ◻ ETIMOL. Del latín *litteratura*.

litiasis s.f. Presencia o formación de cálculos en una cavidad o conducto del organismo, esp. en las vías urinarias y biliares. ◻ ETIMOL. Del griego *lithíasis*, y éste de *líthos* (piedra). ◻ MORF. Invariable en número.

lítico, ca adj. De la piedra o relacionado con ella. ◻ ETIMOL. Del griego *lithikós*, y éste de *líthos* (piedra).

litigante adj./s. Que litiga. ◻ MORF. **1.** Como adjetivo es invariable en género. **2.** Como sustantivo es de género común: *el litigante, la litigante.*

litigar v. **1** Pleitear o disputar en un juicio: *Litigó la cuestión de la herencia hasta que consiguió que le reconocieran su parte.* **2** Discutir, debatir o contender: *No me gusta litigar sobre ese asunto contigo porque tú eres parte interesada en él.* ◻ ETIMOL. Del latín *litigare* (disputar, pelearse con palabras).

litigio s.m. **1** Pleito o disputa en juicio; causa. **2** Discusión, riña o contienda. ◻ ETIMOL. Del latín *litigium*.

litio s.m. Elemento químico, metálico y sólido, de número atómico 3, de color blanco, blando y muy ligero. ◻ ETIMOL. Del griego *lithíon* (piedrecita). ◻ ORTOGR. Su símbolo químico es *Li*.

lito- Elemento compositivo que significa 'piedra'. ◻ ETIMOL. Del griego *líthos* (piedra).

litófago, ga adj./s.m. Referido a un molusco, que perfora las rocas para vivir en ellas. ◻ ETIMOL. De *lito-* (piedra) y *-fago* (que come). ◻ MORF. La RAE sólo lo registra como adjetivo.

litogenesia o [**litogénesis** s.f. Parte de la geología que estudia la formación de las rocas. ◻ ETIMOL. De *lito-* (piedra) y el griego *génesis* (origen). ◻ USO Aunque la RAE sólo recoge *litogenesia*, en círculos especializados se usa más '*litogénesis*'.

litografía s.f. **1** Arte o técnica de imprimir imágenes previamente grabadas en una piedra calcárea o en una plancha metálica. **2** Reproducción obtenida mediante esta técnica. **3** Taller donde se realizan estas reproducciones. ◻ ETIMOL. De *lito-* (piedra) y *-grafía* (representación gráfica).

litográfico, ca adj. De la litografía o relacionado con esta técnica de impresión.

litoral ∎ adj. **1** De la orilla del mar o de su costa. ∎ s.m. **2** Franja de terreno que toca con el mar. ◻ ETIMOL. Del latín *litoralis* (costeño). ◻ MORF. Como adjetivo es invariable en género.

litosfera s.f. Capa exterior sólida de la Tierra, situada entre la atmósfera y la astenosfera, que está compuesta principalmente por silicatos. ◻ ETIMOL. De *lito-* (piedra) y la terminación de *atmósfera*.

litote, litotes o **lítotes** s.f. Figura retórica consistente en no manifestar expresamente todo lo que se quiere dar a entender, generalmente negando lo contrario de lo que se quiere afirmar. ◻ ETIMOL. Del latín *litotes*, éste del griego *litótes*, y éste de *litós*

(tenue). ◻ MORF. *Litotes* y *lítotes* son invariables en número. ◻ USO *1. Lítotes* es el término menos usual, aunque la RAE lo prefiere a *litote.*

litotricia s.f. En medicina, destrucción de los cálculos renales para posibilitar su eliminación por la orina. ◻ ETIMOL. De *lito-* (piedra) y el latín *tritium*, y éste de *terere* (triturar).

[**litri** adj. *col.* Referido a una persona, que es pedante, excesivamente pulcra o cursi. ◻ MORF. Invariable en género.

litro s.m. **1** Unidad de volumen que equivale al contenido de un decímetro cúbico. **2** Cantidad de líquido que cabe en esta unidad de capacidad. ◻ ETIMOL. Del francés *litre*, y éste de *litron* (medida para el grano).

[**litrona** s.f. *col.* Botella de cerveza de un litro.

lituano, na ∎ adj./s. **1** De Lituania (país báltico europeo), o relacionado con ella. ∎ s.m. **2** Lengua indoeuropea de este país.

liturgia s.f. Orden y forma interna de los oficios y ritos con que cada religión rinde culto a su divinidad. ◻ ETIMOL. Del latín *liturgia*, y éste del griego *leiturgía* (servicio del culto).

litúrgico, ca adj. De la liturgia o relacionado con ella.

liturgista adj./s. **1** Referido a una persona, que estudia y enseña la liturgia, o que la conoce bien. [**2** Partidario de seguir estrictamente la liturgia. ◻ MORF. **1.** Como adjetivo es invariable en género. **2.** Como sustantivo es de género común: *el liturgista, la liturgista.*

liviandad s.f. **1** Poco peso; ligereza. **2** Inconstancia o facilidad para el cambio. **3** Poca importancia o poca gravedad. **4** Hecho o dicho livianos. ◻ SEM. En las acepciones 1 y 3, es sinónimo de *levedad.*

liviano, na ∎ adj. **1** De poco peso. **2** Sin importancia o de poca gravedad. **3** Inconstante o que cambia con facilidad. ∎ s.m. **4** Pulmón, esp. el de la res destinada al consumo. ◻ ETIMOL. Del latín **levianus*, y éste de *levis* (ligero); en la acepción 4, por el poco peso que tienen los pulmones. ◻ MORF. La acepción 4 se usa más en plural. ◻ SEM. En las acepciones 1 y 2, es sinónimo de *leve* y de *ligero.*

lividez s.f. **1** En una persona, palidez extrema. **2** Coloración parecida al morado o con tonos morados.

lívido, da adj. **1** Referido a una persona, que está muy pálida. **2** De color rojo amoratado. ◻ ETIMOL. Del latín *lividus* (azulado negruzco, de color plomizo). ◻ ORTOGR. Dist. de *libido.*

[**living** (anglicismo) s.m. En zonas del español meridional, cuarto de estar. ◻ PRON. [lívin].

liza s.f. **1** Campo preparado para un combate. **2** Lucha, combate o enfrentamiento; lid. ◻ ETIMOL. Del francés *lice.* ‖ Véase II.

llaga s.f. **1** En el cuerpo de una persona o de un animal, herida abierta o sin cicatrizar; úlcera. **2** Daño o desgracia que causan sufrimiento o dolor moral. **3** En el cuerpo de algunos santos, huella o marca impresa de forma sobrenatural; estigma. ◻ ETIMOL. Del latín *plaga* (herida, golpe).

llagar v. Producir llagas: *Tres meses en la cama han llagado su cuerpo. Iba descalza y se llagó los pies por la caminata.* ◻ ORTOGR. La *g* se cambia en *gu* delante de *e* →PAGAR.

llama s.f. **1** Masa gaseosa que arde y se eleva desprendiendo luz y calor. **2** Referido esp. a un sentimiento, viveza o intensidad. **3** Mamífero rumiante con pelaje de color marrón claro y orejas largas y erguidas, que se utiliza como animal de carga y del que se obtiene leche, carne y lana. 🐫 rumiante ☐ ETIMOL. Las acepciones 1 y 2, del latín *flamma*. La acepción 3, del quechua *llama*. ☐ MORF. En la acepción 3, es un sustantivo epiceno: *la llama macho, la llama hembra*.

llamada s.f. **1** Captación de la atención de una persona o de un animal, generalmente por medio de la voz o de los gestos, para establecer una comunicación. **[2** Establecimiento de una comunicación telefónica. **3** Voz, gesto, sonido o señal con los que se intenta atraer la atención de una persona o de un animal. **4** En un texto, señal que se pone para remitir al lector a otro lugar de la misma obra, en el que generalmente se facilitan explicaciones o datos complementarios; reclamo. **5** Atracción que algo ejerce sobre una persona. **6** En el ejército, toque de corneta reglamentario que se da generalmente para que la tropa tome las armas y se ponga en formación.

llamado s.m. **1** En zonas del español meridional, llamamiento. **2** En zonas del español meridional, llamada telefónica.

llamador s.m. **1** Utensilio que se coloca en una puerta y que se utiliza para llamar. **2** Botón de un timbre eléctrico.

llamamiento s.m. Convocatoria, petición o incitación.

llamar v. **1** Referido esp. a una persona o a un animal, dirigirse a ellos, esp. por medio de la voz o de gestos, para captar su atención o para establecer comunicación: *Lo llamé por señas pero no me vio. Llama al perro, a ver si te hace caso*. **[2** Telefonear o solicitar una comunicación telefónica: *Te 'llamé', pero estuviste comunicando toda la tarde*. **3** Convocar, citar o hacer ir o venir: *Ayer me llamaron a filas. Levanta la mano para llamar un taxi*. **4** Invocar o pedir ayuda: *¡Llama a un guardia, que me roban! Si necesita llamar a la enfermera, pulse el timbre*. **5** Nombrar, dar nombre o tenerlo: *¿Cómo vas a llamar al perro? Yo no me llamo así*. **6** Designar con una palabra: *Me ha llamado tonta. ¿Cómo llaman a esto en tu pueblo?* **7** Atraer o gustar: *Si al chico no le llama el estudio, déjalo. Hoy no me llama la comida*. **8** Golpear una puerta o hacer funcionar un dispositivo que sirva de aviso, esp. un timbre: *Sal a abrir, que están llamando. Llamen antes de entrar*. ☐ ETIMOL. Del latín *clamare* (gritar, clamar, exclamar).

llamarada s.f. **1** Llama grande que surge de forma repentina y se apaga rápidamente. **2** Enrojecimiento repentino y momentáneo de la cara, generalmente producido por un sentimiento de vergüenza. **3** Manifestación repentina y pasajera de un sentimiento.

llamativo, va adj. Que llama mucho la atención.

llamear v. Echar llamas: *El fuego de la chimenea llameaba al arder la leña seca*.

llaneador, -a s. **[**Ciclista que corre muy bien por terrenos llanos.

llanear v. **1** Andar por un terreno llano evitando las pendientes y las irregularidades: *Cuando salimos de marcha, me gusta más llanear que subir a las cumbres*. **[2** Correr con facilidad por terrenos llanos: *Los ciclistas que 'llanean' tienen ventaja hoy porque la etapa es llana*.

llanero, ra s. Persona que habita en las llanuras.

llaneza s.f. **1** Sencillez, moderación o familiaridad en el trato con otras personas. **2** Sencillez y naturalidad de estilo.

llano, na ▌ adj. **1** Liso, igual, sin desniveles o sin desigualdades. **2** Referido a una palabra, que lleva el acento en la penúltima sílaba: *'Azúcar' y 'antes' son palabras llanas*. **3** Referido a un verso, que termina en palabra acentuada en la penúltima sílaba. **4** Referido a un grupo social, que tiene poca importancia o que no goza de privilegios. **5** Sencillo, accesible, natural, sin presunción o sin adornos. **6** Claro, fácil de entender o que no presenta dificultades. ▌ adj. **7** Extensión de terreno sin desniveles. ▌ s.f. **8** Herramienta de albañilería formada por una plancha metálica sujeta a un asa, que se utiliza para extender el yeso o la argamasa. **9** ‖**dar de llana**; pasar esta herramienta sobre el yeso o la argamasa para extenderlos. ☐ ETIMOL. Del latín *planus* (plano). ☐ ORTOGR. Para la acepción 2 →APÉNDICE DE ACENTUACIÓN. ☐ SEM. En las acepciones 2 y 3, es sinónimo de *grave* y *paroxítono*.

llanta s.f. **[1** En una rueda neumática, cerco exterior, generalmente metálico, sobre el que se montan los neumáticos. **2** En una rueda, esp. la de un carro, cerco metálico exterior para la protección. **[3** En zonas del español meridional, **rueda**. **[4** En zonas del español meridional, neumático. **[5** En zonas del español meridional, flotador. **[6** col. En zonas del español meridional, michelín. ☐ ETIMOL. Quizá del francés *jante* (cada uno de los trozos de madera que formaban las ruedas de los carros).

llantera o **llantina** s.f. col. Llanto fuerte y persistente; llorera.

llanto s.m. Derramamiento de lágrimas, generalmente acompañado de lamentos o de sollozos; lloro. ☐ ETIMOL. Del latín *planctus* (lamentación).

llanura s.f. **1** Extensión de terreno muy grande y sin desniveles. **2** Igualdad en la superficie. ☐ ETIMOL. De *llano*.

llave s.f. **1** Utensilio, generalmente metálico y de forma alargada, que se utiliza para abrir o cerrar una cerradura. **2** Utensilio que sirve para dar cuerda a un mecanismo. **3** Herramienta que sirve para apretar o aflojar tuercas o tornillos. **4** Mecanismo que sirve para facilitar o para impedir el paso de un fluido o de la electricidad. **5** En un instrumento musical de viento, pieza que abre o cierra el paso del aire para producir distintos sonidos. **6** En algunos deportes, movimiento con el que se consigue inmovilizar o derribar al adversario. **7** En un texto escrito, signo gráfico que tiene la forma de paréntesis con un pico en el centro, y que se coloca al principio y, en posición invertida, al final de un texto, cuyo contenido es generalmente la clasificación o el desarrollo de lo que se escribe al otro lado de este signo: *Los signos { } son llaves*. **8** Lo que permite el acceso. **9** Medio para conseguir o para saber algo. **10** ‖**bajo llave** o **bajo siete llaves**; encerrado, bien guardado u oculto. ‖**echar la llave**; cerrar con ella. ‖ **[llave de contacto**; la que pone en funcionamiento un mecanismo, esp. un vehículo. ‖**llave (de paso)**; la que se intercala en una tubería para regular el paso de un fluido, esp. del agua. ‖ **[llave en mano**; referido a una vivienda, que es de nueva construcción y está totalmente terminada y preparada para ser habitada cuando se compra. ‖**llave**

falsa; la que se hace a escondidas para utilizarla sin permiso. ‖**llave inglesa**; la que tiene un dispositivo que permite adaptarla a tuercas de distintos tamaños. ‖**llave maestra**; la que sirve para distintas cerraduras. ☐ ETIMOL. Del latín *clavis*.

llavero s.m. Utensilio en el que se guardan y se llevan las llaves.

llegada s.f. **1** Aparición o entrada en un lugar; arribo. **[2** Comienzo o inicio. **[3** Lugar en el que termina una carrera deportiva; meta.

llegar ▮ v. **1** Empezar a estar en un lugar o aparecer en él: *Hoy he llegado tarde al trabajo. Tus padres han llegado ya.* **2** Alcanzar el final de un recorrido: *El tren llegará a su destino mañana.* **3** Referido a un momento determinado, durar hasta él: *Como sigas así, no llegas a cumplir los treinta.* **4** Empezar, producirse o tener lugar: *Llegó la hora de decirle la verdad.* **5** Referido esp. a un objetivo, conseguirlo o lograrlo: *Aquel chico llegó a ser ministro. No llego a entenderlo.* **6** Referido esp. a una situación o a una cantidad, alcanzarla o estar muy cerca de ella: *Si sigues derrochando, llegarás a la miseria. La factura no llegó a mil pesetas.* **7** Referido esp. a una profesión o a un cargo, conseguir serlo: *Estudia y llegarás a catedrático.* **8** Referido a un punto determinado, tocarlo o extenderse hasta él: *El agua me llega por la cintura. La cola del cine llega hasta la esquina.* **9** Ser suficiente: *Ese dinero no te llega para nada. Los caramelos no llegaron para todos.* **[10** Causar una gran impresión en el ánimo, esp. si es positiva, y conseguir interesar: *La novela no me 'llega', porque trata problemas que desconozco.* **11** Referido a una acción, conseguir hacerla aunque parezca increíble: *Se enfadó tanto que llegó a decir que me odiaba. Perdóname que llegara a creer esas mentiras.* **▮** prnl. **12** Referido a un punto, acercarse a él o alcanzarlo: *Llégate hasta la fuente y trae agua.* **13** ‖**llegar** alguien **lejos**; alcanzar el éxito en lo que se ha propuesto: *Sé que tú llegarás lejos.* ☐ ETIMOL. Del latín *plicare*, o *applicare* (arrimar). ☐ ORTOGR. La *g* se cambia en *gu* delante de *e* →PAGAR. ☐ MORF. En la acepción 4, es unipersonal. ☐ SINT. 1. Constr. de las acepciones 5, 6 y 7: *llegar A algo.* 2. Constr. de la acepción 10: *llegar A alguien.*3. Constr. de la acepción 11: *llegar A hacer algo.*

llenar ▮ v. **1** Referido a un espacio vacío o a un recipiente, ocuparlos total o parcialmente: *El público llenaba la sala. Este autobús se llena en las horas punta.* **2** Referido esp. a muestras de aprecio o de desprecio, darlas o dispensarlas en abundancia; colmar: *Me llenó de ofensas sin que yo le diera motivo. Nos llenó de regalos.* **3** Satisfacer plenamente: *La película no me llenó demasiado.* **[4** Referido esp. a un impreso, escribir los datos que se solicitan en los espacios destinados para ello; rellenar: *'Llena' el impreso y entrégalo en la ventanilla.* **5** Reunir lo necesario para ocupar con dignidad un lugar o un empleo: *Tú no llenas ese puesto porque te faltan muchos conocimientos.* **▮** prnl. **6** col. Hartarse de comida o de bebida: *Me he llenado con el asado.* ☐ SINT. Constr. de la acepción 2: *llenar DE algo.*

lleno, na ▮ adj. **1** Ocupado total o parcialmente por algo, o con abundancia de ello. **2** Referido a una persona, que está un poco gorda. **3** Satisfecho o harto de comida o de bebida. **▮** s.m. **4** Asistencia de público a un espectáculo de forma que se ocupan todas las localidades. **5** ‖**de lleno**; entera o total-

mente. ☐ ETIMOL. Del latín *plenus*. ☐ MORF. 1. En la acepción 2, se usa mucho el diminutivo *llenito*. 2. En la acepción 4, se usa mucho el aumentativo *llenazo*. ☐ SINT. La acepción 3 se usa más con los verbos *estar, sentirse* o equivalentes.

llevadero, ra adj. Fácil de sufrir o de tolerar.

llevar ▮ v. **1** Transportar o trasladar a otro lugar: *Te llevo en coche hasta casa. Llévate todos tus libros.* **2** Conducir o dirigir hacia un determinado lugar, hacia una opinión o hacia una circunstancia: *Este sendero lleva al pueblo. ¿No te das cuenta de que te lleva por donde quiere? Tus palabras me llevan a pensar que no me crees.* **3** Vestir o lucir: *¿Qué vestido llevabas ayer? Lleva una flor en la solapa.* **4** Tener, poseer o contener: *Llevo mil pesetas en el bolso.* **5** Cortar o amputar violentamente: *La segadora le llevó el brazo.* **6** Tolerar, sufrir o soportar: *Lleva muy bien sus cincuenta años.* **7** Dar o aportar: *Tu presencia llevará alegría a tu familia. El padre y la madre son los que llevan dinero a casa.* **8** Necesitar, consumir o exigir: *La instalación del aparato llevó dos horas. El vestido llevará más tela de la que crees.* **9** col. En una operación aritmética, referido a las decenas, reservarlas para agregarlas al resultado del orden superior inmediato: *5 por 4, 20, y llevas 2.* **10** Referido a una actividad, esp. si conlleva una responsabilidad, encargarse de ella, dirigirla o administrarla: *Una excelente contable lleva las cuentas de la empresa.* **11** Referido a un medio de transporte, conducirlo o guiarlo: *Ya llevas muy bien el coche.* **12** Referido esp. al ritmo, seguirlo, mantenerlo o acomodarse a él: *Llevaban el ritmo dando palmas. Cuando oigo música, me gusta llevar el compás con el pie.* **[13** Referido esp. a una persona, tratarla o forma adecuada: *Un buen profesor debe saber 'llevar' a los alumnos conflictivos.* **14** Referido a una cantidad de dinero, cobrarla: *¿Cuánto me lleva por cortarme el pelo?* **15** Referido a una cantidad de tiempo, haber pasado ésta haciendo algo: *Lleva tres años en esta empresa.* **16** Referido a una cantidad, exceder o sobrepasar en ella: *Mi padre lleva dos años a mi madre.* **[17** Referido esp. a una trayectoria, seguirla, mantenerla o sostenerla: *'Lleva' camino de ser famoso. 'Llevo' una vida un tanto desordenada.* **18** Seguido del participio de un verbo transitivo, haber realizado la acción que éste indica: *Llevo contadas quince mariposas.* **▮** prnl. **[19** Referido a una emoción o un sentimiento, experimentarlos: *'Se llevó' una sorpresa cuando nos vio allí.* **20** Estar de moda: *Este año se lleva el rojo.* **21** Referido a dos o más personas, congeniar o tratarse y entenderse: *No me llevo bien con sus amigos. Todos los hermanos nos llevamos muy bien.* **22** Obtener o conseguir: *Tu cuento se ha llevado la mejor puntuación.* **23** ‖**llevar adelante** algo; conseguir realizarlo o continuarlo: *No cejaré hasta llevar adelante mis planes.* ‖**llevar las de {[ganar/perder}**; col. Estar frente a otros en una situación favorable o desfavorable, respectivamente: *Está tranquila porque sabe que 'lleva las de ganar'. No te enfrentes a ese matón, que llevas las de perder.* ‖**[llevarse a matar**; col. Tener muy malas relaciones: *Que no venga ése, porque él y yo 'nos llevamos a matar'.* ‖**llevarse por delante** algo; col. Arrastrarlo con fuerza, atropellarlo o matarlo: *El viento se llevó por delante la antena de la televisión. Un coche se la llevó por delante.* ‖**lo {llevo/llevas/...}** **claro**; col. Tener muy pocas posibilidades de conseguir algo: '*Lo llevas claro*' *si piensas que el banco te va a dar un préstamo.* ‖ **no llevarlas todas consigo**; *col.* Tener algún recelo o temor: *Aunque me diga que no me engaña, no las llevo todas conmigo.* ☐ ETIMOL. Del latín *levare* (levantar, desembarazar).

llorar v. **1** Derramar lágrimas: *Esta vez lloraba de alegría.* . **2** Referido a un suceso desgraciado, lamentarlo o sentirlo profundamente: *Toda la ciudad lloró la muerte de la alcaldesa.* **3** Referido esp. a una adversidad, exagerarla generalmente buscando algún interés: *Siempre está llorando sus desdichas para provocar nuestra compasión.* ☐ ETIMOL. Del latín *plorare.*

llorera s.f. *col.* Llanto fuerte y persistente; llantera, llantina.

llorica s. *col.* Persona que llora con frecuencia y por cualquier motivo. ☐ MORF. Es de género común: *el llorica, la llorica.* ☐ USO Tiene un matiz despectivo.

lloriquear v. Simular un llanto débil sin llorar de verdad: *No lloriquees más, porque te he dicho que no, y es que no.* ☐ USO Tiene un matiz despectivo.

lloriqueo s.m. Llanto sin fuerza y sin motivo suficiente.

lloro s.m. **1** Derramamiento de lágrimas, generalmente acompañado de lamentos o de sollozos; llanto. **2** Lamento o sentimiento triste y profundo motivado por un suceso desgraciado. **3** *col.* Exageración de las adversidades o de las necesidades, generalmente buscando algún interés: *Sus lloros me ablandaron y le di el dinero que me pedía.*

llorón, -a ‖ adj. **1** Del llanto, que lo denota o con sus características. ‖ adj./s. **2** Referido a una persona, que llora mucho y con facilidad, o que se queja con frecuencia.

lloroso, sa adj. **1** Con señales de haber llorado o de estar a punto de llorar. **2** Que causa llanto o tristeza.

llover ‖ v. **1** Caer agua de las nubes en forma de gotas: *En otoño llueve bastante aquí. Cuando hay mucho polvo en el ambiente parece que llueve barro.* **2** Caer o sobrevenir en abundancia: *Tiene mucha suerte y le llueven los trabajos.* ‖ prnl. **3** Referido esp. a un techo u otra cubierta, calarse con la lluvia: *El techo se llueve, así que hay que arreglarlo.* **4** ‖ **como llovido (del cielo)**; de forma inesperada e imprevista: *No invité a nadie pero aparecieron todos como llovidos.* ‖ **[como quien oye llover**; *col.* Sin prestar atención o sin hacer caso: *Me escucha 'como quien oye llover', así que es la última vez que le doy mi opinión.* ‖ **haber llovido mucho**; *col.* Haber transcurrido mucho tiempo: *Ha llovido mucho desde que nos vimos la última vez.* ‖ **llover sobre mojado**; **1** Sobrevenir algo que agrava una situación ya desagradable o molesta: *Me dices que no es para tanto, pero es que llueve sobre mojado.* **2** Repetirse algo que resulta enojoso o molesto: *No es la primera vez que discutimos, y en realidad, llueve sobre mojado.* ☐ ETIMOL. Del latín *pluere.* ☐ MORF. 1. Irreg. →MOVER. 2. En la acepción 1, es unipersonal.

llovizna s.f. Lluvia muy fina que cae de forma suave.

lloviznar v. Llover de forma suave con gotas muy finas: *Llévate el paraguas, que está lloviznando.* ☐ MORF. Es unipersonal.

lluvia s.f. **1** Caída o precipitación de gotas de agua de las nubes. **2** Agua o gotas de agua que caen de las nubes. **3** *col.* Gran cantidad o abundancia. **[4** En zonas del español meridional, alcachofa de la ducha. **5** ‖**lluvia ácida**; la que presenta un alto contenido de sustancias contaminantes, esp. ácido sulfúrico, como consecuencia de las emanaciones que producen algunos procesos industriales. ‖ **lluvia de estrellas**; aparición momentánea de muchas estrellas fugaces en una zona del cielo. ‖ **lluvia meona**; la que tiene las gotas muy finas. ☐ ETIMOL. Del latín *pluvia.*

lluvioso, sa adj. Con lluvias frecuentes. ☐ ORTOGR. Se admite también *pluvioso.*

lo, la pron.pers. Forma de la tercera persona que corresponde a la función de complemento directo sin preposición: *Lo vi cuando salíamos de mi casa. La visité en el hospital. Lee esta poesía y coméntala. Si te gustan estos pantalones, cómpralos. Estas cuestiones de fonética las estudié el año pasado.* ☐ MORF. Su plural es *los, las.*

lo ‖ pron.pers. **1** Forma de la tercera persona del singular que corresponde a la función de complemento directo sin preposición y de predicado nominal: *¡Ya lo creo que es listo! Lo que me dijiste lo sabía él antes que tú. Adivínalo.* −*¿Esa muchacha es lista?* −*Sí, lo es.* ‖ art.determ. n. **2** Se usa para sustantivar un sintagma adjetivo, un sintagma adverbial o un sintagma preposicional: *Lo mejor fue la cara de susto que puso. ¡Hay que ver lo bien que te conservas! Lo de tu trabajo es un escándalo.* ☐ ETIMOL. Del latín *illum.* ☐ MORF. No tiene plural.

loa s.f. **1** Elogio, alabanza o reconocimiento público de méritos o de cualidades. **2** En el teatro español de los siglos XVI y XVII, composición dramática breve con la que se abría la representación teatral y que servía como introducción o preludio a la comedia o al poema dramático. **3** Composición poética, generalmente breve, en la que se alaba a una persona o se celebra un acontecimiento.

loable adj. Digno de alabanza; laudable. ☐ ETIMOL. Del latín *laudabilis.* ☐ MORF. Invariable en género.

loar v. Elogiar, reconocer o dar muestras de admiración; alabar: *El discurso loaba el valor de los soldados.* ☐ ETIMOL. Del latín *laudare* (alabar).

[lob (anglicismo) s.m. En tenis, pelota bombeada que pasa por encima del adversario. ☐ USO Su uso es innecesario.

lobagante s.m. Crustáceo marino comestible, con cuerpo alargado y de gran tamaño, y cinco pares de patas con pinzas grandes y fuertes en el primer par; bogavante, lubigante. ☐ ETIMOL. Quizá del latín **lucopante*, variación de *lucuparta* (lobagante). ☐ MORF. Es un sustantivo epiceno: *el lobagante macho, el lobagante hembra.*

lobanillo s.m. **1** Tumor superficial, generalmente indoloro, que se forma en algunas partes del cuerpo. **2** En el tronco o en las ramas de un árbol, abultamiento leñoso cubierto de corteza. ☐ ETIMOL. Del latín *lupus* (lobo), porque se comparó el destrozo causado por un animal voraz con el lobanillo cuando se extendía, ya que se creía que éste podía degenerar en cáncer.

lobato s.m. Cría del lobo; lobezno. ☐ MORF. Es un sustantivo epiceno: *el lobato macho, el lobato hembra.*

[*lobby* (anglicismo) s.m. Grupo de personas influyentes que tienen capacidad de presión, generalmente en cuestiones políticas. □ PRON. [lóbi]. □ USO Su uso es innecesario y puede sustituirse por una expresión como *grupo de presión.*

lobezno s.m. **1** Cría del lobo; lobato. **2** Lobo pequeño. □ ETIMOL. Del latín *lupicinus,* y éste de *lupus* (lobo). □ MORF. Es un sustantivo epiceno: *el lobezno macho, el lobezno hembra.*

lobo, ba s. **1** Mamífero carnicero salvaje, de aspecto parecido al de un perro grande, con hocico alargado, orejas cortas y larga cola, que vive formando grupos y se suele reunir en manadas para cazar. **2** ‖**lobo de mar;** *col.* Marinero veterano y con experiencia en su profesión. ‖**lobo marino;** mamífero carnívoro adaptado a la vida acuática, con el cuerpo redondeado y alargado, pelaje corto, una gruesa capa de grasa bajo la piel que lo protege del frío y con las extremidades modificadas en aletas; foca. ‖ **lobos de {una/la misma} camada;** *col.* Personas que tienen en común opiniones o intereses que les llevan a defenderse unos a otros. ‖**menos lobos;** *col.* Expresión que se usa para indicar que se exagera en lo que se cuenta. □ ETIMOL. Del latín *lupus.* □ MORF. *Lobo marino* es epiceno y la diferencia de sexo se señala mediante la oposición *el lobo marino {macho/hembra}.*

lóbrego, ga adj. **1** Oscuro, sombrío o tenebroso. **2** Triste o melancólico. □ ETIMOL. Del latín *lubricus* (resbaladizo).

lobreguez o **lobregura** s.f. **1** Oscuridad o falta de luz. **2** En un bosque, densidad sombría. □ USO *Lobregura* es el término menos usual.

lobulado, da adj. **1** Con forma de lóbulo o semejante a ella. **2** Con lóbulos. □ SEM. Es sinónimo de *lobular.*

[*lobular* adj. **1** Del lóbulo o relacionado con él. **2** →**lobulado.** □ MORF. Invariable en género.

lóbulo s.m. **1** En un objeto, parte con forma redondeada que sobresale: *Las hojas del trébol están formadas por tres lóbulos.* **2** En un órgano de un ser vivo, parte redondeada y saliente, generalmente separada de las demás por un pliegue o por una hendidura: *Los pendientes se llevan en los lóbulos de las orejas.* □ ETIMOL. De *lobo* (lóbulo).

[*loca* s.f. Véase **loca, ca.**

locación s.f. Cesión o adquisición de algo para usarlo durante cierto tiempo, a cambio del pago de una cantidad de dinero; arrendamiento, arriendo. □ ETIMOL. Del latín *locatio* (acto de alquilar).

local ▪ adj. **1** Propio o característico de un lugar. **2** De un territorio, de un municipio, de una región o relacionado con ellos. **3** Que pertenece o que afecta sólo a una parte de un todo. ▪ s.m. **4** Lugar cubierto y cerrado, generalmente situado en la parte baja de un edificio. □ ETIMOL. Del latín *localis.* □ MORF. Como adjetivo es invariable en género.

localidad s.f. **1** Lugar poblado. **2** En un local destinado a espectáculos públicos, plaza o asiento para un espectador. **3** Billete que da derecho a ocupar una de estas plazas.

localismo s.m. **1** Interés o preferencia por lo que es característico de un determinado lugar. **2** Palabra o expresión propias de un lugar o de una localidad determinados.

localista ▪ adj. **1** Del localismo o relacionado con él. ▪ adj./s. **2** Referido esp. a un artista, que se interesa por temas locales o los refleja en sus obras. **[3** Que muestra interés o preferencia por lo que es característico de un determinado lugar. □ MORF. 1. Como adjetivo es invariable en género. 2. Como sustantivo es de género común y exige concordancia en masculino o en femenino para señalar la diferencia de sexo: *el localista, la localista.*

localización s.f. **1** Averiguación o determinación del lugar en el que algo se halla. **2** Reducción a una extensión, a un punto o a unos límites determinados.

localizar v. **1** Referido a algo o a alguien en paradero desconocido, averiguar o determinar el lugar en el que se halla: *Ya han localizado a los náufragos.* **2** Fijar o reducir a una extensión, a un punto o a unos límites determinados: *Han conseguido localizar la epidemia para que no se extienda.* □ ORTOGR. La *z* se cambia en *c* delante de *e* →CAZAR.

locatario, ria adj./s. Que recibe algo en arrendamiento o en alquiler; arrendatario. □ ETIMOL. Del latín *locatarius.* □ MORF. La RAE sólo lo recoge como sustantivo.

locatis adj./s. *col.* Referido a una persona, que es alocada o que tiene poco juicio. □ MORF. 1. Como adjetivo es invariable en género, y como sustantivo es de género común: *el locatis, la locatis.* 2. Invariable en número.

locativo, va s.m. →**caso locativo.**

loción s.f. **1** Lavado o masaje dado sobre una parte del cuerpo con una sustancia medicinal o un cosmético. **2** Líquido o sustancia que se usa para el cuidado de la piel y del cabello. □ ETIMOL. Del latín *lotio* (acción de lavar).

[*lock-out* (anglicismo) s.m. Cierre de una empresa por parte de la patronal, o despido masivo de los obreros como forma de presión y respuesta a las reivindicaciones de los trabajadores o a una huelga de éstos. □ PRON. [locáut]. □ USO Su uso es innecesario y puede sustituirse por una expresión como *cierre patronal.*

loco, ca ▪ adj. **1** *col.* Muy grande o que excede a lo normal. **[2** Muy ajetreado o movido. **3** Referido a un mecanismo o a una parte de él, que no funciona bien. **4** Referido esp. a una persona, llena, colmada o henchida: *loco de contento.* **[5** Referido esp. a una persona, con mucho interés o con mucho afecto: *Sigue 'loca' por ese chico.* ▪ adj./s. **6** Referido a una persona que no tiene sanas sus facultades mentales. **7** Imprudente o poco juicioso. ▪ s.m. **8** Molusco de carne sabrosa y dura, con una concha casi oval y gruesa. ▪ s.f. **[9** *col.* Hombre homosexual muy afeminado **10** ‖a lo loco; sin pensar o sin reflexionar. ‖ **[hacer el loco;** *col.* Divertirse armando mucho escándalo. ‖ **[hacerse el loco;** *col.* Fingir que no se ha advertido algo. ‖ **[ni loco;** *col.* De ninguna manera. ‖**volver loco** a alguien; **1** *col.* Gustar mucho. **2** *col.* Molestarlo o aturdirlo. □ ETIMOL. De **laucu,* y éste de origen incierto. □ SINT. 1. Constr. de la acepción 4: *loco DE algo.* 2. Constr. de la acepción 5: *loco POR algo.* □ USO En la acepción 9, es despectivo.

locomoción s.f. **1** Traslación o movimiento de un lugar a otro. **[2** En algunos seres vivos, esp. en los animales, facultad de trasladarse de un lugar a otro. □ ETIMOL. Del latín *locus* (lugar) y *motio* (movimiento).

locomotor, -a ▪ adj. **1** De la locomoción, que la

produce o que la permite. ∎ s.f. **2** En un *tren, vagón* en el que está montado el motor, que arrastra o mueve los demás vagones enganchados a él; máquina. ☐ ETIMOL. Del inglés *locomotive.* ☐ MORF. Como adjetivo admite también la forma de femenino *locomotriz.*

ocomotriz adj. f. de locomotor.

ocuacidad s.f. Tendencia o inclinación a hablar mucho; charlatanería.

ocuaz adj. Que habla mucho o demasiado. ☐ ETIMOL. Del latín *loquax* (hablador). ☐ MORF. Invariable en género.

ocución s.f. **1** Modo de hablar. **2** Combinación fija de palabras que forman un solo elemento oracional y cuyo significado no es siempre el de la suma de significados de sus miembros: *La expresión 'lobo de mar' es una locución.* ☐ ORTOGR. Dist. de *alocución* y de *elocución.*

ocuela s.f. Véase **locuelo, la.**

ocuelo, la ∎ adj./s. **1** *col.* Travieso y alocado. ∎ s.f. **2** Modo particular de hablar de cada uno. ☐ ETIMOL. La acepción 1, de *loco*; la acepción 2, del latín *loquela* (habla).

ocura s.f. **1** Perturbación de las facultades mentales; enajenación mental. **2** Hecho o dicho imprudente o insensato. **3** Afecto, interés, entusiasmo o intensidad muy grandes. **4** ‖**de locura**; *col.* Extraordinario o fuera de lo normal.

ocutor, -a s. Persona que se dedica profesionalmente a transmitir noticias o sucesos, en la radio o en la televisión, hablando a los oyentes por medio de un micrófono. ☐ ETIMOL. Del latín *locutor* (el que habla). ☐ USO Es innecesario el uso del anglicismo *speaker.*

ocutorio s.m. **1** En una cárcel o en un convento, habitación en la que se reciben las visitas y que generalmente tiene una reja o un cristal que separa a los interlocutores. **2** Departamento o cabina en los que hay teléfonos públicos destinados al uso individual. [**3** En una emisora de radio, habitación acondicionada para realizar la emisión de programas. ☐ ETIMOL. Del latín *locutor* (el que habla).

odazal o **lodazar** s.m. Terreno lleno de lodo. ☐ USO *Lodazar* es el término menos usual.

[**loden** (germanismo) s.m. Abrigo confeccionado con un tejido grueso de lana que impide el paso del agua. ☐ PRON. [lóden].

odo s.m. Barro que se forma al mezclarse agua, esp. de la lluvia, con la tierra del suelo. [**2** Deshonra o mala reputación. ☐ ETIMOL. Del latín *lutum* (barro).

[**loess** (germanismo) s.m. Depósito de materiales, arcillosos o calcáreos muy finos y de color amarillento que han sido transportados por el viento. ☐ PRON. [lóes].

ogarítmico, ca adj. De los logaritmos o relacionado con ellos.

ogaritmo s.m. Exponente a que se debe elevar un número o base positivos para obtener una cantidad determinada: *El logaritmo de 100 en base 10 es el número 2.* ☐ ETIMOL. Del griego *lógos* (relación) y *arithmós* (número).

ogia s.f. **1** Asamblea o agrupación de masones. **2** Local donde se reúne esta asamblea o esta agrupación. ☐ ETIMOL. Del italiano *loggia.*

lógico, ca ∎ adj. **1** De la lógica, relacionado con

ella o conforme con sus planteamientos. **2** Normal o natural, por ser conforme a la razón o al sentido común. [**3** Referido a una persona, que razona y estructura todos sus pensamientos y sus acciones. ∎ adj./s. **4** Referido a una persona, que se dedica al estudio de la lógica o que es especialista en esta ciencia. ∎ s.f. **5** Ciencia que se ocupa de las leyes, los modos y las formas del conocimiento humano y científico. [**6** Razonamiento, método o sentido común. **7** ‖**lógica matemática**; la que emplea el método y los símbolos de las matemáticas; logística. ☐ ETIMOL. Del latín *logicus*, y éste del griego *logikós* (relativo al razonamiento).

logístico, ca ∎ adj. **1** De la logística o relacionado con ella. ∎ s.f. **2** Parte del arte militar que se ocupa de la situación, del movimiento y de la alimentación de las tropas en campaña. [**3** Método, organización o medios necesarios para llevar algo a cabo. **4** Lógica que emplea el método y los símbolos de las matemáticas; lógica matemática. ☐ ETIMOL. Las acepciones 2-4, del francés *logistique.*

[**logo** s.m. *col.* →**logotipo.**

logogrifo s.m. Pasatiempo que consiste en adivinar una palabra a partir de otras palabras que tiene letras en común. ☐ ETIMOL. Del griego *lógos* (palabra) y *gríphos* (red, enigma).

logopeda s. Persona especializada en logopedia. ☐ MORF. Es de género común: *el logopeda, la logopeda.*

logopedia s.f. Conjunto de conocimientos que tratan de conseguir la corrección de los defectos de pronunciación y otros trastornos del lenguaje. ☐ ETIMOL. Del griego *lógos* (palabra) y *-pedia* (educación).

[**logos** (del griego) s.m. En la filosofía griega, esp. en la platónica, razón o cualquiera de sus manifestaciones.

logotipo s.m. Distintivo o emblema formado generalmente por letras y gráficos. ☐ ETIMOL. Del griego *lógos* (palabra) y *tipo.* ☐ MORF. Se usa mucho la forma abreviada *logo.*

logrado, da adj. Bien hecho.

lograr ∎ v. **1** Referido a algo que se intenta o se desea, conseguirlo: *Por fin logró disfrutar de unas buenas vacaciones.* ∎ prnl. **2** Alcanzar la perfección o llegar a desarrollarse: *¡A ver si hay suerte y se nos logra lo que queremos!* ☐ ETIMOL. Del latín *lucrari* (ganar).

logro s.m. **1** Obtención de lo que se desea o pretende. [**2** Éxito o realización perfecta.

logroñés, -a adj./s. De Logroño o relacionado con esta ciudad riojana.

loísmo s.m. En gramática, uso de las formas masculinas del pronombre personal de tercera persona *lo* y *los* como complemento indirecto, en lugar de *le* y *les*: *En la oración 'Lo dieron una patada' hay un caso de loísmo.*

loísta adj./s. Que hace uso del loísmo. ☐ MORF. **1.** Como adjetivo es invariable en género. **2.** Como sustantivo es de género común: *el loísta, la loísta.*

[**lolita** s.f. Mujer adolescente, atractiva y que provoca el deseo sexual. ☐ ETIMOL. Por alusión al personaje de una novela de Nabokov.

loma s.f. Elevación pequeña y prolongada de un terreno. ☐ ETIMOL. De *lomo.*

lombardero s.m. Soldado que disparaba las lombardas.

lombardo, da ▌ adj./s. **1** De un antiguo pueblo germánico establecido en el norte de Italia (país europeo), o relacionado con él; longobardo. ▌ s.f. **2** Planta herbácea comestible, de forma redondeada y de color morado, muy parecida al repollo.

[lombricida adj./s.m. Referido a una sustancia o a un producto, que mata las lombrices. ☐ ETIMOL. De *lombriz* y *-cida* (que mata).

lombriz s.f. **1** Gusano con el cuerpo blando y casi cilíndrico, alargado y con anillos transversales, de color blanco o rojizo, y con múltiples y pequeñísimos pelos rígidos en la parte inferior que le sirven para desplazarse. **2** ‖ **lombriz (intestinal)**; parásito parecido a un gusano, de cuerpo cilíndrico, que vive en el intestino del hombre y de otros animales; ascáride. ☐ ETIMOL. Del latín *lumbrix*. ☐ MORF. En la acepción 2, es un sustantivo epiceno: *la lombriz intestinal macho, la lombriz intestinal hembra.*

lomo s.m. **1** En un cuadrúpedo, parte superior del cuerpo, comprendida entre el cuello y las patas traseras. **2** Carne de esta parte del animal, esp. si es un cerdo. ⟿ carne **3** col. En una persona, espalda, esp. si es la parte inferior y central. **4** En un libro, parte opuesta al corte de las hojas, en la que van cosidos o pegados los pliegos. ⟿ libro **5** En un instrumento cortante, parte opuesta al filo. **6** ‖ **a lomo(s) de** un animal; sobre esta parte del animal. ☐ ETIMOL. Del latín *lumbus*. ☐ SINT. *A lomos de* se usa más con los verbos *traer*, *llevar* o equivalentes.

lomera s.f. En algunas encuadernaciones, pieza generalmente de piel o de tela, que se coloca en el lomo del libro.

lona s.f. **1** Tela fuerte e impermeable, generalmente de algodón o cáñamo. **2** En algunos deportes, esp. en boxeo o en lucha libre, piso o suelo sobre el que se disputa una competición. ☐ ETIMOL. De *Olonne*, ciudad francesa donde se fabricaba esta tela.

loncha s.f. Pieza ancha, alargada y de poco grosor que se separa o se corta de otra pieza mayor.

[lonchería s.f. En zonas del español meridional, bar o cafetería. ☐ ETIMOL. Del inglés *lunch* (comida).

londinense adj./s. De Londres (capital británica), o relacionado con ella. ☐ MORF. 1. Como adjetivo es invariable en género. 2. Como sustantivo es de género común: *el londinense, la londinense.*

loneta s.f. Tejido resistente más delgado que la lona.

[long play ‖ →elepé. ☐ PRON. [lóngpléi], con *g* suave. ☐ USO Es un anglicismo innecesario.

longanimidad s.f. Entereza o firmeza de ánimo ante las adversidades. ☐ ETIMOL. Del latín *longanimitas.*

longánimo, ma adj. Entero y firme de ánimo ante las adversidades.

longaniza s.f. Embutido con forma alargada y delgada, elaborado con carne de cerdo picada y adobada. ☐ ETIMOL. Del latín *lucanicia*, porque se hacía en Lucania, en el sur de Italia.

longevidad s.f. Larga duración de la vida.

longevo, va adj. Muy anciano, de larga edad o que puede vivir mucho tiempo. ☐ ETIMOL. Del latín *longaevus* (de larga vida), de *longus* (largo) y *aevus* (edad). ☐ SEM. *Edad longeva* es una expresión redundante e incorrecta, aunque está muy extendida.

longitud s.f. **1** En una superficie o en un cuerpo planos, dimensión mayor: *Esta piscina tiene veinticinco metros de longitud y diez de anchura.* **2** Distancia que existe desde un punto de la superficie terrestre hasta el meridiano cero y que se mide sobre la línea ecuatorial en grados, en minutos y en segundos. [¿ col. Distancia entre dos puntos o magnitud de una línea. **4** ‖**longitud de onda**; distancia entre dos puntos que corresponden a una misma fase en dos ondas consecutivas. ☐ ETIMOL. Del latín *longitudo*.

longitudinal adj. **1** De la longitud o relacionado con esta dimensión o distancia. **2** Hecho o colocado en el sentido de la longitud. ☐ MORF. Invariable en género.

longobardo, da ▌ adj./s. **1** De un antiguo pueblo germánico establecido en el norte de Italia (país europeo), o relacionado con él; lombardo. ▌ s.m. **2** Lengua de este pueblo.

longui o **longuis** ‖**hacerse el longui(s)**; col. Hacerse el distraído.

lonja s.f. **1** Edificio en el que se realizan transacciones comerciales, esp. ventas al por mayor. [**2** col. En zonas del español meridional, michelín. ☐ ETIMOL. La acepción 1, del catalán *llotja*.

lontananza s.f. **1** Parte de un cuadro que está más alejada del plano principal. **2** ‖**en lontananza**; a lo lejos o en la lejanía. ☐ ETIMOL. Del italiano *lontananza*, y éste de *lontano* (lejano).

[look (anglicismo) s.m. Aspecto, imagen exterior o estilo personal. ☐ PRON. [luk]. ☐ USO Su uso es innecesario y puede sustituirse por una expresión como *imagen* o *aspecto*.

[looping (anglicismo) s.m. **1** Acrobacia, esp. si es aérea, en la que se realiza en el aire un círculo completo en sentido vertical. ⟿ acrobacia **2** En una montaña rusa, círculo que describen los raíles. ☐ PRON. [lúpin].

loor s.m. **1** Alabanza, elogio o reconocimiento públicos de méritos y cualidades. **2** Conjunto de palabras con las que se expresa esta alabanza. ☐ ETIMOL. De *loar*.

[loqueras adj./s. col. Alocado, insensato o imprudente. ☐ MORF. 1. Como adjetivo es invariable en género, y como sustantivo es de género común: *el 'loqueras', la 'loqueras'.* 2. Invariable en número.

loquero, ra ▌ s. **1** col. Persona que se dedica profesionalmente a cuidar de los locos. ▌ s.m. [**2** col. En zonas del español meridional, manicomio.

lora s.f. En zonas del español meridional, loro.

lord s.m. En algunos países, esp. en Gran Bretaña, título nobiliario o tratamiento honorífico. ☐ ETIMOL. Del inglés *lord* (señor). ☐ MORF. Su plural es *lores*.

loriga s.f. Armadura formada por láminas pequeñas sobrepuestas parcialmente unas sobre otras. ☐ ETIMOL. Del latín *lorica*, y éste de *lorum* (cuero), porque las corazas antiguas se hacían de este material. ☐ PRON. Incorr. *[lóriga].

loro s.m. **1** Ave tropical trepadora, con el pico fuerte, grueso y encorvado, patas prensoras y plumaje de colores vistosos, que se alimenta de semillas y frutos y que aprende a repetir palabras y frases; papagayo. **2** col. Persona fea y de aspecto estrafalario. [**3** col. Persona muy habladora; cotorra. [**4** col. Aparato de radio o radiocasete. **5** ‖**[al loro]** col. Expresión que se utiliza para llamar la atención del interlocutor. ‖**[estar al loro]**; col. Estar informado o al corriente. ☐ MORF. En la acepción 1, es un sustantivo epiceno: *el loro macho, el loro hembra.*

orza s.f. En una tela, esp. en una prenda de vestir, jareta o doblez cosido con un pespunte paralelo, y que generalmente sirve de adorno.

os 1 art.determ. s.m.pl. de **el**. **2** pron.pers. pl. de **lo**. □ ETIMOL. Del latín *illos*.

osa s.f. **1** Piedra delgada y plana que sirve generalmente para pavimentar o cubrir el suelo. **[2** *col.* Lo que supone una dura carga difícil de soportar. □ ETIMOL. De origen incierto.

loseta s.f. Pieza fina hecha con un material duro, de forma generalmente cuadrangular, que se usa para cubrir suelos; baldosa.

lote s.m. **1** Conjunto de cosas que tienen características similares. **2** Cada una de las partes en las que se divide un todo. **3** En zonas del español meridional, parcela o solar. **4** ‖ {**darse/pegarse**} **el lote**; *vulg.* Referido a una pareja, besuquearse y toquetearse. □ ETIMOL. Del francés *lot* (parte que toca a cada uno en un reparto).

lotería s.f. **1** Juego público de azar en el que se premian los billetes cuyos números coinciden con otros extraídos de unos bombos. **[2** Participación con que se juega a esto. **3** Asunto en el que intervienen la suerte o la casualidad. **4** ‖ {**caer/tocar**} a alguien **la lotería**; sucederle algo muy beneficioso. ‖ **lotería (nacional)**; la administrada por el Estado y en la que el premio máximo se obtiene cuando los cinco números del billete coinciden con los extraídos de los bombos. ‖ **(lotería) primitiva**; la administrada por el Estado y en la que el premio máximo se obtiene cuando los seis números marcados en la papeleta coinciden con los extraídos del bombo; loto. □ ETIMOL. De *lote*.

lotero, ra s. Persona que vende lotería, esp. si tiene a su cargo un despacho de billetes.

loto s.m. **1** Planta acuática de grandes hojas y fruto globoso, que abunda en las orillas del Nilo (río egipcio). **2** Flor de esta planta. **3** Fruto de esta planta. **[4** s.f →**lotería primitiva**. □ ETIMOL. Las acepciones 1-3, del latín *lotus*.

loza s.f. **1** Barro fino, cocido y barnizado con el que se fabrican vajillas. **2** Conjunto de los objetos fabricados con este barro. □ ETIMOL. Del latín *lautia* (ajuar).

lozanía s.f. **1** Referido a una persona o a un animal, vigor o aspecto saludable. **2** Referido a una planta, verdor y abundancia de ramas y de hojas.

lozano, na adj. **1** Referido a una persona, que tiene vigor o muestra un aspecto saludable. **2** Referido a una planta, que está verde y frondosa. □ ETIMOL. Quizá del latín **lautianus*, y éste de *lautia* (ajuar), con influencia de *lautus* (suntuoso).

lubigante s.m. Crustáceo marino comestible, con cuerpo alargado y de gran tamaño, y cinco pares de patas con pinzas grandes y fuertes en el primer par; bogavante, lobagante. □ MORF. Es un sustantivo epiceno: *el lubigante macho, el lubigante hembra*.

lubina s.f. Pez marino, de cuerpo alargado y color plateado, que vive en las costas rocosas de la desembocadura de los ríos, comestible y de carne muy apreciada; róbalo. □ ETIMOL. De *lobina*, y éste de *lobo* (pez). □ MORF. Es un sustantivo epiceno: *la lubina macho, la lubina hembra*. 🐟 pez

lubricación s.f. Aplicación de una sustancia para disminuir el rozamiento; lubrificación.

lubricante s.m. Sustancia que se utiliza para lubricar o hacer resbaladizo; lubrificante.

lubricar v. **1** Hacer resbaladizo: *Para la cucaña hay que lubricar el palo*. **2** Referido a un mecanismo, aplicarle una sustancia para disminuir el rozamiento entre sus piezas: *Si no lubricas bien el motor, el rozamiento hará que aumente el desgaste de sus piezas*. □ ETIMOL. Del latín *lubricare* (hacer resbaladizo). □ ORTOGR. La *c* se cambia en *qu* delante de *e* →SACAR. □ SEM. Es sinónimo de *lubrificar*.

lubricativo, va adj. Que sirve para lubricar.

lubricidad s.f. **1** Propensión a la lujuria o provocación de este deseo sexual. **2** Capacidad de deslizamiento, esp. mediante la aplicación de una sustancia resbaladiza.

lúbrico, ca adj. **1** Propenso a la lujuria o que la provoca. **2** Que resbala o se escurre fácilmente; resbaladizo. □ ETIMOL. Del latín *lubricus* (resbaladizo).

lubrificación s.f. →**lubricación**.

lubrificante s.m. →**lubricante**.

lubrificar v. →**lubricar**. □ ORTOGR. La *c* se cambia en *qu* delante de *e* →SACAR.

lucense adj./s. De Lugo o relacionado con esta provincia española o con su capital. □ MORF. 1. Como adjetivo es invariable en género. 2. Como sustantivo es de género común: *el lucense, la lucense*.

lucerna s.f. Abertura alta que sirve para dar luz y ventilación a una habitación. □ ETIMOL. Del latín *lucerna* (candil, lámpara).

lucero s.m. **1** Astro que aparece grande y brillante en el firmamento. **2** *poét.* Ojo. **3** En algunos animales, lunar grande y blanco en la frente. **4** ‖ **lucero {del alba/de la mañana/de la tarde}**; segundo planeta del sistema solar. □ ETIMOL. De *luz*.

lucha s.f. **1** Combate en el que generalmente se utilizan la fuerza o las armas. **2** Trabajo o esfuerzo para conseguir algo. **3** Oposición o enfrentamiento, esp. entre ideas o fuerzas. **4** ‖ **lucha de clases**; la que tiene lugar entre la clase obrera y la capitalista. ‖ **lucha grecorromana**; deporte en el que pelean sin armas dos personas y el vencedor es el que consigue que su adversario mantenga la espalda en contacto con el suelo durante unos segundos. ‖ **lucha libre**; deporte en el que pelean sin armas dos personas utilizando llaves y golpes, y que termina cuando uno de los contrincantes se rinde.

luchador, -a s. Deportista que practica algún tipo de lucha.

luchar v. **1** Pelear o combatir, generalmente utilizando la fuerza o las armas: *Los ejércitos luchaban a las puertas de la ciudad. En mi cabeza luchan la angustia y el coraje*. **2** Afanarse, trabajar o esforzarse mucho para conseguir algo, generalmente venciendo dificultades u oposiciones: *Varios equipos luchan para conseguir el campeonato. En la vida hay que luchar mucho*. □ ETIMOL. Del latín *luctari*. □ SINT. Su uso como transitivo es anticuado, aunque está muy extendido. *El jugador {*luchó un balón al > luchó por un balón con} el defensa del equipo contrario*.

lucidez s.f. Claridad mental.

lucido, da adj. Con lucimiento. □ ORTOGR. Dist. de *lúcido*.

lúcido, da adj. **1** Claro en el razonamiento. **2** Capaz de razonar con facilidad y con rapidez. □ ETIMOL. Del latín *lucidus*. □ ORTOGR. Dist. de *lucido*.

luciérnaga s.f. Insecto volador que despide una

luz verdosa, y cuya hembra carece de alas, tiene las patas cortas y el abdomen formado por anillos. ☐ ETIMOL. Del latín *lucerna* (lámpara, candil). ☐ MORF. Es un sustantivo epiceno: *la luciérnaga macho, la luciérnaga hembra.* ✖ insecto

lucífero, ra adj. *poét.* Que da luz. ☐ ETIMOL. Del latín *lucifer* (portador de luz).

lucimiento s.m. **1** Exhibición o muestra de cualidades, esp. si se hace para presumir. **2** Buena impresión o rendimiento brillante. **3** Brillo o esplendor.

lucio s.m. Pez de cuerpo alargado, carne grasa, boca picuda, que vive en los ríos y en los lagos, y que se alimenta de otros peces, de ranas y de sapos. ☐ ETIMOL. Del latín *lucius.* ☐ Es un sustantivo epiceno: *el lucio macho, el lucio hembra.* ✖ pez

lucir ❚ v. **1** Brillar suavemente: *Las estrellas aparecen como pequeños puntos que lucen en el cielo.* **2** Dar luz y claridad: *Cambiaré la bombilla para que la lámpara luzca bien.* **3** Referido esp. a un esfuerzo, rendir o dar el resultado correspondiente: *Tus malas notas muestran que no te lucen las horas de estudio.* **4** Destacar o sobresalir, esp. si es aventajando a otros: *Mi hermana era la que más lucía en la fiesta.* **5** Dar importancia o prestigio: *En algunos ambientes luce mucho tener un coche deportivo.* **6** Exhibir o mostrar presumiendo: *Va a las fiestas para lucir las joyas. Le gusta lucirse ante las personas que todavía no lo conocen.* **7** Referido a una pared, blanquearla con yeso; enlucir: *Al lucir las paredes del patio, entra más luz en la casa.* ❚ prnl. **8** Quedar muy bien o causar buena impresión: *Cocino tan bien que siempre me luzco cuando doy una cena.* ☐ ETIMOL. Del latín *lucere.* ☐ MORF. Irreg. →LUCIR. ☐ SEM. No debe emplearse con el significado de 'llevar': *El corredor {*luce > lleva} el dorsal número 3.* ☐ USO La acepción 8 se usa mucho con un sentido irónico.

lucrarse v.prnl. Obtener un beneficio de un negocio o de un encargo: *No me parece ético que la gente se meta en política con el único afán de lucrarse.* ☐ ETIMOL. Del latín *lucrari* (ganar).

lucrativo, va adj. Que produce ganancias o beneficios.

lucro s.m. Ganancia o beneficio que se obtiene en un asunto, esp. en un negocio. ☐ ETIMOL. Del latín *lucrum* (ganancia).

luctuoso, sa adj. Que produce tristeza o pena. ☐ ETIMOL. Del latín *luctuosus.*

lucubración s.f. →elucubración.

lucubrar v. →elucubrar. ☐ ETIMOL. Del latín *lucubrare.*

ludibrio s.m. Mofa, burla o desprecio crueles, que se hacen con palabras o acciones. ☐ ETIMOL. Del latín *ludibrium* (burla, irrisión).

lúdico, ca o **lúdicro, cra** adj. Del juego, del tiempo libre o relacionado con ellos. ☐ ETIMOL. Del latín *ludus* (juego). ☐ USO *Lúdicro* es el término menos usual.

[ludópata s. Persona que padece ludopatía o adicción patológica al juego. ☐ MORF. Es de género común: *el ludópata, la ludópata.*

[ludopatía s.f. Adicción patológica al juego. ☐ ETIMOL. Del latín *ludus* (juego) y *-patía* (enfermedad).

[ludoteca s.f. Lugar en el que se conserva una colección de juegos y de juguetes para poder ser uti-

lizados por los usuarios. ☐ ETIMOL. Del latín *ludu* (juego) y el griego *théke* (caja para depositar algo).

luego ❚ adv. **1** En un lugar o en un tiempo posteriores; después: *En la lista de clase, primero voy y y luego tú.* **2** *col.* En zonas del español meridional, pronto. ❚ conj. **3** Enlace gramatical subordinante con valor consecutivo: *Hay muchas nubes, luego va a llover.* **4** ‖ **desde luego**; expresión que se utiliza para indicar asentimiento, conformidad o entendimiento. ‖ **hasta luego**; expresión que se utiliza como seña de despedida. ☐ ETIMOL. Del latín *loco.*

luengo, ga adj. *ant.* →largo. ☐ ETIMOL. Del latín *longus* (largo).

lugar s.m. **1** Espacio ocupado o que puede ser ocupado; sitio. **2** Paraje, sitio, terreno adecuado para algo, o parte de un espacio. **3** Población pequeña. **4** Ocasión o momento oportunos para realizar o conseguir algo. **5** En una serie ordenada, posición o sitio ocupados. **6** ‖ **dar lugar a** algo; causarlo o motivarlo. ‖ **[en {buen/mal} lugar**; bien o mal considerado. ‖ **en lugar de** algo; en su sustitución o en vez de ello. ‖ **estar fuera de lugar**; ser inoportuno. ‖ **lugar común**; **1** Expresión trivial o muy utilizada. **2** Tópico literario. ‖ **no ha lugar**; en derecho, expresión que indica que no se accede a lo pedido. ‖ **[sin lugar a dudas**; de manera evidente. ‖ **tener lugar**; ocurrir o suceder. ☐ ETIMOL. Del latín *localis* (local, del lugar).

lugareño, ña adj./s. De una población pequeña o de sus habitantes, o relacionado con ellos.

lugarteniente s. Persona capacitada para sustituir a otra en un cargo o en un empleo. ☐ ETIMOL. Del latín *locum tenens* (el que ocupa el lugar de otro). ☐ MORF. **1.** Es de género común: *el lugarteniente, la lugarteniente.* **2.** La RAE sólo lo registra como masculino.

lúgubre adj. **1** Triste o melancólico. **2** Fúnebre o relacionado con la muerte. ☐ ETIMOL. Del latín *lugubris*, y éste de *lugere* (llorar, lamentarse). ☐ MORF. Invariable en género.

luisa s.f. →hierba luisa.

lujo s.m. **1** Abundancia o exhibición de riqueza o de comodidad. **2** Lo que pone de manifiesto abundancia de tiempo, de dinero o de cosas semejantes. **3** Abundancia de cosas que adornan o enriquecen pero que no son necesarias. **4** ‖ **lujo asiático**; *col.* El excesivo. ☐ ETIMOL. Del latín *luxus* (exceso).

lujoso, sa adj. Con lujo manifiesto.

lujuria s.f. Deseo o actividad sexuales inmoderados. ☐ ETIMOL. Del latín *luxuria* (vida voluptuosa).

lumbago s.m. o **[lumbalgia** s.f. Dolor en la región lumbar. ☐ ETIMOL. *Lumbago*, del latín *lumbago. Lumbalgia*, de *lumbago* y *-algia* (dolor). ☐ USO Aunque la RAE sólo registra *lumbago*, en círculos especializados se usa más 'lumbalgia'.

lumbar adj. De la zona o región del cuerpo que está situada en la parte baja de la espalda, entre las últimas costillas y la cresta ilíaca. ☐ MORF. Invariable en género.

lumbre s.f. **1** Fuego encendido voluntariamente, generalmente para hacer la comida o calentarse. **2** Materia combustible encendida, con o sin llama; candela. ☐ ETIMOL. Del latín *lumen* (cuerpo que despide luz).

lumbrera o **[lumbreras** s.f. *col.* Persona que destaca por su inteligencia o por su saber. ☐ MORF. *'lumbreras'* es invariable en número.

umen s.m. En el Sistema Internacional, unidad de flujo luminoso. □ ETIMOL. Del latín *lumen* (luz).

lumi o **lumia** s.f. *vulg.* Prostituta. □ USO *Lumia* es el término menos usual.

uminaria s.f. **1** Luz que se coloca en balcones, calles y monumentos como adorno para fiestas y ceremonias públicas. **2** En una iglesia, luz que arde continuamente delante del Santísimo Sacramento (Jesucristo en la eucaristía). □ ETIMOL. Del latín *luminaria*. □ ORTOGR. En la acepción 1, se admite también *iluminaria*.

umínico, ca adj. De la luz o relacionado con esta forma de energía. □ ETIMOL. Del latín *lumen* (luz).

luminiscencia s.f. Propiedad de emitir una luz débil y visible casi exclusivamente en la oscuridad, sin elevación de temperatura.

luminiscente adj. Que emite luz sin elevar la temperatura o sin llegar a la incandescencia. □ MORF. Invariable en género.

luminosidad s.f. **1** Emisión o abundancia de luz. **2** Claridad o brillantez.

luminoso, sa adj. **1** Que despide luz. **[2** Que tiene mucha luz natural. **3** Referido esp. a una idea, acertada, clara o brillante. **[4** *col.* Alegre o vivo.

luminotecnia s.f. Arte o técnica de la iluminación con luz artificial, generalmente para fines industriales o artísticos. □ ETIMOL. Del latín *lumen* (luz) y el griego *tékhne* (arte, habilidad).

luminotécnico, ca ∎ adj. **1** De la luminotecnia o relacionado con esta técnica de iluminación. ∎ s. **2** Persona que se dedica profesionalmente a la luminotecnia.

[lumpen (germanismo) s.m. Grupo social urbano que está formado por las personas socialmente más marginadas y sin los mínimos recursos económicos. □ PRON. [lúmpen].

luna s.f. **1** Cuerpo celeste que gira alrededor de un planeta; satélite. 🔍 eclipse **2** Luz del Sol reflejada por la Luna, que se percibe por la noche. **3** Período de tiempo comprendido entre una conjunción de la Luna con el Sol y la siguiente. **4** Lámina de cristal. **5** ‖ **a la luna de Valencia**; *col.* Sin haber podido cumplir lo que se esperaba. ‖ **en la luna**; *col.* Distraído o ajeno a lo que sucede alrededor. ‖ **ladrar a la Luna**; *col.* Manifestar inútilmente ira o enojo. ‖ **luna creciente**; fase lunar durante la cual la Luna se percibe desde la Tierra como medio disco iluminado, en forma de 'D'. 🔍 fase ‖ **luna de miel**; **1** Primera etapa de un matrimonio, generalmente de especial intimidad y armonía. **[2** Viaje que hacen los recién casados después de la boda. ‖ **luna llena**; fase lunar durante la cual la Luna se percibe desde la Tierra como un disco completo iluminado; plenilunio. 🔍 fase ‖ **luna menguante**; fase lunar durante la cual la Luna se percibe desde la Tierra como un medio disco iluminado, en forma de 'C'. 🔍 fase ‖ **luna nueva**; fase lunar durante la cual la Luna no se percibe desde la Tierra; novilunio. 🔍 fase ‖ **media luna**; →**medialuna**. ‖ **pedir la Luna**; *col.* Pedir algo imposible. □ ETIMOL. Del latín *luna*. □ ORTOGR. En la acepción 1, referido al satélite de la Tierra, es nombre propio. □ SINT. *A la luna de Valencia* se usa más con los verbos *dejar, estar, quedar* o equivalentes. □ USO *Pedir la Luna* se usa también con los verbos *ofrecer, prometer, querer* o equivalentes.

lunar ∎ adj. **1** De la Luna o relacionado con este satélite terrestre. ∎ s.m. **2** En la piel humana, pequeña mancha redondeada y de color oscuro producida por acumulación de pigmentos. **3** Dibujo o mancha en forma de círculo que destaca del fondo. □ ETIMOL. Las acepciones 2 y 3, de *luna*, porque los lunares se atribuían al influjo de la Luna o porque tenían su forma. □ MORF. 1. Como adjetivo es invariable en género. 2. La acepción 3 se usa más en plural.

lunático, ca adj./s. Referido a una persona, que tiene cambios bruscos de carácter o sufre ataques de locura; alunado. □ ETIMOL. Del latín *lunaticus*, porque la locura de los lunáticos se atribuía al influjo de la luna.

[lunch (anglicismo) s.m. Comida ligera o refrigerio que se ofrece a los invitados a una ceremonia. □ PRON. [lanch].

lunes s.m. Primer día de la semana, entre el domingo y el martes. □ ETIMOL. Del latín *dies lunae* (día consagrado a la luna). □ MORF. Invariable en número.

luneta s.f. **[1** En un automóvil, cristal de la ventana trasera. **2** ‖ **[luneta térmica**; la preparada con unos hilos conductores de modo que, mediante el calor, se elimine el vaho.

lunfardo s.m. Jerga propia de los barrios bajos y de los delincuentes de Buenos Aires (capital de Argentina).

lúnula s.f. En una uña, parte inferior, semicircular y blanquecina de la base. □ ETIMOL. Del latín *lunula* (lunita). 🔍 mano

lupa s.f. **1** Lente de aumento, generalmente provista de un soporte o un mango adecuados para su uso. **2** ‖ **[con lupa**; referido al modo de hacer algo, detenidamente o a conciencia, esp. si se hace con intención de encontrar el más mínimo defecto. □ ETIMOL. Del francés *loupe*. □ SINT. *'Con lupa'* se usa más con el verbo *mirar* o equivalentes.

lupanar s.m. Establecimiento público en el que se ejerce la prostitución; prostíbulo. □ ETIMOL. Del latín *lupanar*, y éste de *lupa* (cortesana).

lúpulo s.m. Planta herbácea trepadora, cuyo fruto desecado se utiliza en la fabricación de la cerveza para aromatizarla y darle sabor amargo. □ ETIMOL. Del latín *lupulus*.

[lusista ∎ adj./s. **1** Partidario o defensor de lo portugués. ∎ s. **2** Persona que estudia la lengua y la cultura portuguesas. □ MORF. 1. Como adjetivo es invariable en género. 2. Como sustantivo es de género común: *el 'lusista', la 'lusista'.*

lusitano, na adj./s. **1** De un antiguo pueblo prerromano establecido en la franja comprendida entre los ríos Duero y Tajo del actual Portugal (país europeo) y de las provincias españolas de Cáceres y Badajoz, o relacionado con él. **2** De la antigua Lusitania (provincia romana que agrupó a este pueblo), o relacionado con ella. **3** De Portugal (país europeo), o relacionado con él; luso, portugués. □ MORF. En la acepción 2, la RAE sólo lo registra como adjetivo.

luso, sa adj./s. De Portugal (país europeo), o relacionado con él; lusitano, portugués. □ MORF. Es la forma que adopta *portugués* cuando se antepone a una palabra para formar compuestos: *lusofrancés*.

lustrabotas o **lustrador** s.m. En zonas del español meridional, limpiabotas. □ MORF. *Lustrabotas* es invariable en número.

lustrar v. Referido a una superficie, darle brillo frotándola con insistencia: *Me lustré bien los zapatos y quedaron relucientes.* □ ETIMOL. Del latín *lustrare* (iluminar).

lustre s.m. **1** En una superficie, brillo, esp. el que se consigue después de limpiarla o frotarla con insistencia. **2** Esplendor o aspecto brillante. **3** Prestigio o distinción.

lustrín s.m. **1** En zonas del español meridional, limpiabotas. [**2** En zonas del español meridional, cajón de limpiabotas.

lustro s.m. Período de tiempo de cinco años; quinquenio. □ ETIMOL. Del latín *lustrum* (sacrificio expiatorio), porque las purificaciones rituales se cumplían cada cinco años.

lustroso, sa adj. **1** Con lustre o brillo. [**2** De aspecto sano y saludable, esp. por el color y tersura de la piel.

lutecio s.m. Elemento químico, metálico y sólido, de número atómico 71, de color rojo y que pertenece al grupo de los lantánidos. □ ETIMOL. De *Lutetia* (nombre latino de París), porque en esta ciudad nació G. Urbain, descubridor del lutecio. □ ORTOGR. Su símbolo químico es *Lu.*

luteranismo s.m. **1** Doctrina religiosa protestante, basada en las teorías de Lutero (reformador religioso alemán del siglo XVI). **2** Comunidad o conjunto de personas que siguen esta doctrina.

luterano, na ▌ adj. **1** De Lutero (reformador religioso alemán del siglo XVI), del luteranismo o relacionado con ellos. ▌ adj./s. **2** Que defiende o sigue el luteranismo.

[luthier (galicismo) s.m. Persona que se dedica profesionalmente a la fabricación o a la reparación de instrumentos musicales de cuerda. □ PRON. [lutié].

luto s.m. **1** Signo exterior de tristeza o de dolor por la muerte de una persona, esp. los que se ponen en ropas, adornos u objetos. **2** Ropa de color negro que se usa como señal de dolor por la muerte de una persona cercana. [**3** Período de tiempo que dura la manifestación social de este dolor. **4** Tristeza o dolor moral. **5** ‖**aliviar el luto**; vestirse de medio luto. ‖**medio luto**; el que no es riguroso. □ ETIMOL. Del latín *luctus*, y éste de *lugere* (llorar, lamentarse).

lux s.m. En el Sistema Internacional, unidad de iluminación. □ ETIMOL. Del latín *lux* (luz).

luxación s.f. En medicina, resultado de dislocarse un hueso. □ ETIMOL. Del latín *luxatio.*

luxar v. En medicina, referido a un hueso, dislocarlo o sacarlo de su sitio. □ ETIMOL. Del latín *luxare* (dislocar un hueso).

luxemburgués, -a ▌ adj./s. **1** De Luxemburgo (país y capital europeos), o relacionado con él. ▌ s.m. [**2** Lengua germánica de este país.

luz ▌ s.f. **1** Forma de energía que ilumina y hace posible la visión. **2** Claridad o destello que despiden algunos cuerpos. **3** Aparato que sirve para alumbrar, o dispositivo que pone en marcha este aparato [**4** Corriente eléctrica. **5** Modelo que sirve de ejemplo o de guía. **6** Aclaración o ayuda. **7** *col.* Iluminación. **8** En construcción, cada una de las ventanas o troneras por donde se da luz a un edificio. **9** En construcción, referido a un vano, a un arco o a una habitación, su dimensión horizontal interior. ▌ pl. **10** Claridad mental. **11** ‖**a la luz de** algo; teniéndolo en cuenta. ‖**a todas luces**; de cualquier forma o sin ninguna duda. ‖**dar a luz**; parir. ‖ [**hacer luz de gas**; *col.* Confundir o desconcertar. ‖**luz cenital**; la que entra por el techo. ‖ [**luz {corta/de cruce}**; en un vehículo, la que puede iluminar de manera eficaz unos cuarenta metros de camino. ‖**luz de Bengala**; artefacto con pólvora, que se usa como señal luminosa en operaciones de búsqueda, salvamento o semejantes; bengala. ‖ [**luz {de carretera/larga}**; en un vehículo, la que puede iluminar de manera eficaz unos cien metros de camino. ‖ [**luz de posición**; en un vehículo, la que sirve para que éste sea visto en lugares poco iluminados. ‖**luz natural**; la del Sol. ‖ [**luz roja**; prohibición o señal de alarma. ‖**luz verde**; *col.* Permiso o libertad de actuación. ‖**sacar a la luz**; hacer público. ‖**salir a (la) luz**; hacerse público. ‖**ver la luz**; nacer. □ ETIMOL. Del latín *lux.* La expresión 'hacer luz de gas', por alusión al título de una película en la que el protagonista intentaba volver loca a su mujer. □ SINT. La acepción 7 se usa más con los verbos *arrojar, echar* o equivalentes.

[lycra (galicismo) s.f. Tejido sintético, muy elástico y brillante, usado para prendas de vestir. □ ETIMOL. Extensión del nombre de una marca comercial. □ PRON. [lícra]. □ ORTOGR. Se usa también *licra.*

M m

m s.f. Decimotercera letra del abecedario. □ PRON. Representa el sonido consonántico bilabial nasal sonoro.

[ma non troppo (italianismo) ‖ Acotación musical complementaria que significa 'pero no demasiado'.

macabro, bra adj. Relacionado con la muerte en su aspecto más feo y repulsivo. □ ETIMOL. Del francés *macabre*, y éste de *danse macabre* (danza de la muerte).

macaco, ca s. **1** Mono de costumbres diurnas, ágil y de pelaje amarillento, que habita en los bosques europeos, africanos y asiáticos. 🐒 primate **[2** Persona insignificante física o moralmente. □ ETIMOL. Del portugués *macaco*. □ USO En la acepción 2, referido a niños, tiene un matiz cariñoso.

macana s.f. **1** *col.* En zonas del español meridional, mentira o disparate. **[2** *col.* En zonas del español meridional, situación que ocasiona peligros o complicaciones. **3** En zonas del español meridional, porra.

macanear v. *col.* En zonas del español meridional, decir o hacer macanas.

macanudo, da adj. *col.* Admirable o extraordinariamente bueno. □ SINT. *Macanudo* se usa también como adverbio de modo con el significado de 'muy bien': *Lo pasamos macanudo con esa gente tan divertida.*

[macarra ‖ adj./s. **1** Vulgar y de mal gusto. **2** *col.* Que resulta agresivo y chulo en su aspecto o en su comportamiento. ‖ s.m. **3** *vulg.* Hombre que trafica con prostitutas y vive de sus ganancias; chulo. □ MORF. En las acepciones 1 y 2, como adjetivo es invariable en género; como sustantivo es de género común: *el 'macarra', la 'macarra'.*

macarrón s.m. **1** Pasta alimenticia en forma de canuto hecha de harina de trigo. **2** Tubo fino flexible y resistente, generalmente de plástico, que sirve para recubrir algo o conducir fluidos. □ ETIMOL. Del italiano *maccherone*. □ MORF. La acepción 1 se usa más en plural.

macarrónico, ca adj. Referido esp. a una lengua, que se usa de forma defectuosa o incorrecta. □ ETIMOL. Del italiano *maccheronico*.

macasar s.m. **[**Tapete, generalmente de encaje o de tela, que se coloca en el respaldo y en los brazos de los asientos, esp. de los tapizados, para protegerlos del roce.

macedonia s.f. Véase **macedonio, nia**.

macedónico, ca adj. →**macedonio**.

macedonio, nia ‖ adj./s. **1** De Macedonia (antigua región balcánica que se extendía por los actuales territorios griego y búlgaro), o relacionado con ella. ‖ s.m. **[2** Lengua eslava de la antigua Yugoslavia (país europeo). ‖ s.f. **3** Postre de frutas troceadas en almíbar; ensalada de frutas. □ SEM. En la acepción 1, como adjetivo, es sinónimo de *macedónico*.

maceración s.f. o **maceramiento** s.m. Ablandamiento de una sustancia sólida golpeándola o sumergiéndola en un líquido. □ USO *Maceramiento* es el término menos usual.

macerar v. **1** Ablandar estrujando o golpeando: *Macera bien el pulpo antes de cocerlo para que no* quede duro. **2** Referido a una sustancia sólida, mantenerla sumergida en un líquido a temperatura ambiente para ablandarla o para extraer sus partes solubles: *Para hacer licor con las cerezas, tienes que macerarlas en aguardiente durante un tiempo.* □ ETIMOL. Del latín *macerare*.

maceta s.f. **1** Recipiente, generalmente de barro cocido y más ancho por la boca que por el fondo, que sirve para cultivar plantas. **[2** Conjunto formado por este recipiente y la tierra y la planta que contiene. □ ETIMOL. Quizá del italiano *mazzetto* (ramillete). □ SEM. Es sinónimo de *tiesto*.

macetero s.m. **1** Soporte para colocar macetas. **[2** *col.* Jarrón con doce litros de cerveza.

[macfarlán o **[macferlán** s.m. Prenda de abrigo sin mangas y con una capa corta que cubre los hombros. □ ETIMOL. Por alusión a MacFarlane, presunto creador escocés de esta prenda.

mach s.m. En aeronáutica, unidad de velocidad que equivale a la del sonido. □ ETIMOL. Por alusión al físico austriaco E. Mach. □ PRON. [mac]. □ ORTOGR. Dist. de *match* (enfrentamiento entre dos jugadores o dos equipos en un deporte). □ MORF. Invariable en número.

machaca s. **1** *col.* Persona pesada que molesta con su conversación aburrida e insistente. **[2** *col.* Persona que trabaja muchísimo. □ MORF. Es de género común: *el machaca, la machaca.* □ USO En la acepción 1, es despectivo.

machacante s.m. *col.* Duro o moneda de cinco pesetas.

machacar v. **1** Deshacer o aplastar a golpes: *Si no tienes pimienta molida, machaca la que está en grano.* **[2** *col.* Destruir, derrotar o vencer de forma arrolladora: *Nuestro equipo 'machacó' al contrario con un seis a cero.* **[3** *col.* Estudiar con insistencia: *'Machaca' bien las matemáticas, porque es la asignatura en la que peores notas sacas.* **4** *col.* Referido a un asunto o a un tema, insistir mucho sobre ellos: *No sigas machacando el tema de las vacaciones, que me tienes mareado.* **[5** *col.* Cansar o agotar: *Trabajar tantas horas seguidas 'machaca' a cualquiera.* **[6** En baloncesto, meter el balón en la canasta con ímpetu y empujándolo hacia abajo. □ ETIMOL. De *machar* (golpear para quebrar algo). □ ORTOGR. La *c* se cambia en *qu* delante de *e* →SACAR. □ SEM. Es sinónimo de *machucar*.

machacón, -a adj./s. Referido esp. a una persona, que insiste con pesadez o que se repite mucho.

machaconería s.f. *col.* Insistencia o pesadez.

machada s.f. *col.* Acción valiente.

[machaque o **machaqueo** s.m. **1** Aplastamiento o destrucción de algo a base de golpes repetidos. **2** Insistencia que se pone en un tema o en la realización de algo. **3** Derrota arrolladora. **4** Agotamiento o cansancio intensos. □ SEM. Aunque la RAE sólo registra *machaqueo*, se usa más 'machaque'.

machetazo s.m. Golpe dado con un machete o corte producido con él.

machete s.m. **1** Cuchillo grande y fuerte que sirve para eliminar la maleza, para cortar la caña de azúcar y para otros usos. **2** Arma blanca, más corta que la espada y más larga que el puñal, pesada, de hoja ancha y de un solo filo. ☐ ETIMOL. Quizá de *macho* (mazo grande). ⟶ arma

machetero, ra ▌ adj./s. **[1** *col.* En zonas del español meridional, referido a una persona, que estudia mucho pero no entiende. ▌ s. **2** Persona que abre caminos con el machete. **3** Persona que trabaja cortando cañas de azúcar en una plantación. **[4** En zonas del español meridional, persona que trabaja cargando cosas. ☐ MORF. La RAE sólo lo registra como sustantivo masculino.

[machicha s.f. Baile propio de Brasil que se puso de moda a principios del siglo XX.

machismo s.m. Actitud o tendencia discriminatoria que considera al hombre superior a la mujer.

machista ▌ adj. **1** Del machismo o relacionado con esta actitud discriminatoria. ▌ adj./s. **2** Referido a una persona, que considera al hombre superior a la mujer. ☐ MORF. 1. Como adjetivo es invariable en género. 2. Como sustantivo es de género común: *el machista, la machista.*

macho ▌ adj. **1** Con la fuerza, el vigor, la valentía u otras características consideradas tradicionalmente como propias del sexo masculino. ▌ s.m. **2** Animal de sexo masculino. **3** Planta que fecunda a otra de su especie con el polen de sus estambres. **4** En un objeto que consta de dos piezas encajables, la que se introduce en la otra. **5** Mazo grande. **6** ‖{apretarse/[atarse} los machos;** *col.* Prepararse para afrontar o para soportar una situación o un asunto difíciles. ‖ **macho cabrío**; el que es la pareja de la cabra; cabrón. ☐ ETIMOL. Las acepciones 1-4, del latín *masculus* (del sexo masculino). La acepción 5, de origen incierto. ☐ SINT. En la acepción 2, se usa como aposición, pospuesto a un sustantivo, para designar el sexo masculino. ☐ USO Se usa como apelativo: *Venga, macho, invítame a una copita.*

machón s.m. En construcción, pilar que sostiene un techo o un arco o que se pega o se incrusta en una pared para reforzarla. ☐ ETIMOL. De *macho.*

machorra s.f. **1** Hembra estéril. **[2** *vulg.* Mujer que tiene aspecto o modales que se consideran masculinos; marimacho. ☐ SEM. Es sinónimo de *machota.* ☐ USO Es despectivo.

machote, ta ▌ adj./s. **1** *col.* Referido a una persona, fuerte y valiente. ▌ s.f. **2** *col.* Mujer con aspecto o modales que se consideran masculinos; machorra, marimacho.

machucar v. ⟶**machacar.** ☐ ORTOGR. La *c* se cambia en *qu* delante de *e* ⟶SACAR. ☐ MORF. En zonas del español meridional, se usa mucho como pronominal.

macilento, ta adj. Delgado, pálido o triste. ☐ ETIMOL. Del latín *macilentus.*

macillo s.m. En un piano, pieza de madera parecida a un mazo que, al pulsar una tecla, es impulsada por ésta y golpea la cuerda correspondiente haciéndola vibrar y sonar.

macizo, za ▌ adj. **1** *col.* Referido a una persona, que tiene la carne y los músculos duros. **2** Que no tiene huecos en su interior. ▌ adj./s. **[3** *col.* Referido a una persona, que tiene un cuerpo que se considera sexualmente atractivo. ▌ s.m. **4** En un terreno, elevación generalmente rocosa o grupo de montañas. **5** En un jardín, agrupación de plantas que sirve como decoración. **6** En una pared, parte entre dos vanos o hue-

cos. ☐ ETIMOL. Del latín *massa* (masa, amontonamiento).

macramé s.m. Tejido hecho a mano con hilos muy gruesos trenzados o anudados. ☐ ETIMOL. Del francés *macramé.*

[macro s.f. ⟶**macrofunción.**

macro- Elemento compositivo que significa 'grande': *macroconcierto.* ☐ ETIMOL. Del griego *makrós-.*

macrobiótico, ca ▌ adj. **1** Que posibilita una vida duradera o que está relacionado con ella. ▌ adj./s. **[2** Que practica o que sigue la alimentación macrobiótica. ▌ s.f. **[3** Alimentación basada en el consumo de vegetales y de productos elaborados a partir de ellos para intentar conseguir una vida más duradera. ☐ ETIMOL. De *macro-* (grande) y el griego *biotiké* (relativo a la vida).

macrocefalia s.f. Condición del animal que tiene la cabeza de un tamaño mayor de lo normal.

macrocéfalo, la adj./s. Referido a un animal, que tiene la cabeza de un tamaño mayor de lo normal. ☐ ETIMOL. De *macro-* (grande) y el griego *kephalé* (cabeza). ☐ MORF. Incorr. **macrocefálico.*

macrocosmo o **macrocosmos** s.m. El universo, entendido como un ser semejante al hombre. ☐ ETIMOL. De *macro-* (grande) y el griego *kósmos* (mundo). ☐ MORF. *Macrocosmos* es invariable en número.

macroeconomía s.f. Estudio de los sistemas económicos de una zona como un conjunto, empleando magnitudes colectivas o globales como la renta nacional, el empleo, la inversión o el consumo. ☐ SEM. Dist. de *microeconomía* (estudio de la economía de los individuos, de pequeños grupos individuales o de empresas tomadas individual o sectorialmente).

[macroestructura s.f. Estructura general que engloba otras estructuras.

[macrofunción s.f. En informática, conjunto de comandos que se pueden ejecutar de una vez y consecutivamente con sólo hacer una referencia. ☐ MORF. Está muy extendido el uso de la forma abreviada *macro.*

mácula s.f. Mancha. ☐ ETIMOL. Del latín *macula.* ☐ USO Su uso es característico del lenguaje culto.

macuto s.m. Mochila, esp. la que llevan los soldados. ☐ ETIMOL. De origen incierto.

madama s.f. *col.* **[**Dueña o encargada de un prostíbulo. ☐ ETIMOL. Del francés *madame* (señora).

madeja s.f. **1** Hilo recogido en vueltas iguales y generalmente grandes para que se puedan hacer ovillos fácilmente. ⟶ costura **2** ‖{enredar/[liar} la madeja**; complicar un asunto. ☐ ETIMOL. Del latín *mataxa* (hilo, seda cruda).

madera s.f. **1** En un árbol, parte sólida y fibrosa debajo de su corteza; leño. **2** Esta materia, utilizada en carpintería. **3** *col.* Capacidad o aptitud naturales que tiene una persona para realizar determinada actividad. **[4** En música, en una orquesta, conjunto de los instrumentos de viento hechos generalmente de ese material y que se tocan soplando a través de una boquilla o de una o dos lengüetas. **5** ‖**tocar madera**; expresión que se usa cuando se teme que algo traiga mala suerte o salga mal. ☐ ETIMOL. Del latín *materia* (madera de árbol). ☐ MORF. La acepción 4 en plural tiene el mismo significado que en singular.

maderero, ra adj. De la madera o relacionado con ella.

madero s.m. **1** Pieza larga de madera, esp. la utilizada en carpintería. [**2** col. Miembro del cuerpo español de policía. ☐ ETIMOL. La acepción 2, por alusión al color marrón del antiguo uniforme de la policía. ☐ USO La acepción 2 tiene un matiz despectivo.

madona s.f. En arte, imagen o representación de la Virgen María (madre de Jesucristo). ☐ ETIMOL. Del italiano *madonna*.

madrastra s.f. **1** Respecto de los hijos llevados por un hombre al matrimonio, actual mujer de éste. [**2** Madre que trata mal a sus hijos. ☐ MORF. En la acepción 1, su masculino es *padrastro*.

madraza s.f. col. Madre muy buena y cariñosa con sus hijos. ☐ MORF. Su masculino es *padrazo*.

madre s.f. **1** Respecto de un hijo, hembra que lo ha parido. **2** Hembra que ha parido. **3** Causa u origen de donde algo proviene. **4** Tratamiento que se da a las religiosas de determinadas congregaciones. [**5** col. Persona muy buena con los demás. **6** Referido a un río o a un arroyo, cauce por donde corren sus aguas. **7** ‖[**de puta madre**; Muy bueno o muy bien. ‖**la madre del cordero**; col. La razón real de un hecho o de un suceso. ‖**la madre que {me/te/...} parió**; col. Expresión que se usa para indicar enfado con alguien. ‖[**madre de alquiler**; mujer que desarrolla un embarazo iniciado por fecundación artificial para dar su hijo en adopción. ‖**madre de leche**; mujer que ha amamantado a un niño sin ser suyo. ‖**madre (mía)** o {**mi/tu/su**} **madre**; col. Expresión que se usa para indicar extrañeza, sorpresa, admiración o disgusto. ‖**mentar la madre** a alguien; nombrarla de manera injuriosa para insultar a su hijo. ‖**sacar de madre** a alguien; col. Irritarlo o hacerle perder la paciencia. ‖**salirse** alguien **de madre**; col. Excederse o pasarse de lo acostumbrado o de lo normal. ☐ ETIMOL. Del latín *mater*. ☐ MORF. En las acepciones 1 y 2, su masculino es *padre*. ☐ SINT. En la acepción 3, se usa mucho en aposición, pospuesto a un sustantivo. ☐ SEM. *Madre de leche* es sinónimo de *ama de cría*, *ama de leche* y *nodriza*.

madreña s.f. →*almadreña*. ☐ ETIMOL. De *maderueña*, y éste de *madera*. ☐ SEM. Es sinónimo de *zueco*.

madreperla s.f. Molusco marino de concha casi circular, que se pesca para recoger las perlas que suele tener en su interior y aprovechar el nácar de la concha.

madrépora s.f. Pólipo o animal celentéreo propio de los mares cálidos, que vive en colonias, y cuyo esqueleto exterior calcáreo, cuando se solidifica, llega a formar escollos o islas de coral en forma de árbol. ☐ ETIMOL. Del italiano *madrepora*.

madreselva s.f. **1** Arbusto trepador, de tallos largos, hojas opuestas y flores olorosas. [**2** Flor de este arbusto. ☐ ETIMOL. De *madre* y *selva*, porque con sus ramas abraza otras plantas.

[**madridista** adj./s. Del Real Madrid Club de Fútbol (club deportivo madrileño) o relacionado con él. ☐ MORF. 1. Como adjetivo es invariable en género. 2. Como sustantivo es de género común: *el 'madridista', la 'madridista'*.

madrigal s.m. **1** En literatura, composición poética generalmente breve, de tema amoroso o de sentimientos delicados, formada por una combinación de versos heptasílabos y endecasílabos rimados y distribuidos en estrofas libremente. **2** En música, composición, generalmente para varias voces, con o sin acompañamiento instrumental, sobre un texto lírico de carácter profano y en lengua vernácula. ☐ ETIMOL. Del italiano *madrigale*.

madriguera s.f. **1** Cueva pequeña y estrecha en la que viven algunos animales. **2** col. Lugar en que se esconden los delincuentes. ☐ ETIMOL. Del latín *matricaria*.

madrileño, ña adj./s. De Madrid o relacionado con esta comunidad autónoma, con su provincia o con su capital.

madrina s.f. **1** Respecto de una persona, mujer que la presenta o la asiste al recibir ciertos sacramentos o algún honor. **2** Mujer que patrocina o preside ciertos actos y ceremonias. ☐ MORF. Su masculino es *padrino*.

madrinazgo s.m. Función o cargo de madrina.

madroño s.m. **1** Arbusto de hojas simples en forma lanceolada, y con flores generalmente blancas que nacen en ramilletes. **2** Fruto de este arbusto. ☐ ETIMOL. De origen incierto.

madrugada s.f. **1** Momento inicial del día, en que aparece la primera luz antes de salir el Sol. [**2** Período de tiempo comprendido entre la medianoche y el alba. **3** ‖**de madrugada**; al amanecer o al comienzo de un nuevo día. ☐ SEM. En la acepción 1, es sinónimo de *alba*, *amanecer* y *amanecida*.

madrugador, -a ▪ adj. [**1** col. Que tiene lugar muy pronto. ▪ adj./s. **2** Que tiene costumbre de madrugar; tempranero.

madrugar v. **1** Levantarse al amanecer o muy temprano: *Madrugo todos los días para ir a trabajar*. **2** col. Anticiparse o adelantarse a los demás en la ejecución o en la solicitud de algo: *Si quieres conseguir que se firmen ese contrato, tendrás que madrugar más que nadie*. [**3** Ocurrir o tener lugar muy pronto o al principio de algo: *El primer premio de la lotería 'madrugó' mucho en el sorteo de ayer*. ☐ ETIMOL. Del latín **maturicare*, y éste de *maturare* (darse prisa, hacer madurar). ☐ ORTOGR. La *g* se cambia en *gu* delante de *e* →*PAGAR*.

madrugón s.m. col. Acción de levantarse muy temprano.

maduración s.f. Desarrollo total, referido esp. a un fruto, a una persona o a una idea. ☐ SEM. Se usa referido esp. al desarrollo físico, frente a *madurez*, que se prefiere para el desarrollo moral.

madurar v. **1** Referido a un fruto, adquirir la madurez o el desarrollo completo: *Esas naranjas todavía no han madurado*. **2** Referido a una persona, crecer y desarrollarse física, intelectual y emocionalmente: *No madurarás nunca si no eres capaz de asumir tus propias decisiones*. **3** Referido a un fruto, hacer que adquiera la madurez o el desarrollo completo: *El calor madura las frutas*. **4** Referido esp. a una idea, meditarla: *Tienes que madurar el proyecto un poco más*. ☐ ETIMOL. Del latín *maturare*.

madurativo, va adj. Que madura o hace madurar.

madurez s.f. **1** Desarrollo físico, intelectual y emocional de una persona, caracterizado generalmente por el buen juicio a la hora de actuar. **2** Período de la vida de una persona, desde el final de la juventud hasta el principio de la vejez. ☐ SEM. Se usa referido esp. al desarrollo moral, frente a *maduración*, que se prefiere para el desarrollo físico.

maduro, ra adj. **1** Referido a un fruto, que ha alcanzado su desarrollo completo. **2** Referido a una persona, entrada en años. **3** Referido a una persona, sensata o experimentada. **[4** Referido esp. a una idea, muy meditada. ☐ ETIMOL. Del latín *maturus*.

maese s.m. Tratamiento de respeto que se daba antiguamente a los hombres que tenían determinados oficios. ☐ ETIMOL. Del latín *magister* (jefe, director). ☐ SINT. Se usaba antepuesto a un nombre propio de persona.

maestranza s.f. **1** Conjunto de talleres e instalaciones donde se construyen y se reparan las piezas de artillería y otros armamentos. **2** Conjunto de personas que trabajan en estos talleres e instalaciones.

maestrazgo s.m. **1** En una orden militar, cargo de maestre. **2** Territorio sobre el que antiguamente un maestre ejercía su autoridad.

maestre s.m. **1** En una orden militar, superior o jefe. **2** ‖ **maestre de campo**; antiguamente, oficial de grado superior que mandaba un número determinado de tropas y cuya graduación equivale en la actualidad a la de coronel. ☐ ETIMOL. Del catalán y del provenzal antiguo *maestre*, y éstos del latín *magister* (jefe, director).

maestresala ‖ s. **1** En los comedores de hoteles y en algunos restaurantes, jefe de camareros que dirige el servicio de las mesas. ‖ s.m. **2** Antiguamente, criado principal que servía la mesa de un señor. ☐ MORF. En la acepción 1, es de género común: *el maestresala, la maestresala*.

maestrescuela s.m. Antiguamente, persona que se dedicaba a enseñar las ciencias eclesiásticas en las catedrales.

maestría s.f. **1** Destreza o habilidad para enseñar o para hacer algo. **2** Título u oficio de maestro, esp. en una profesión manual.

maestro, tra ‖ adj. **1** Referido a un elemento arquitectónico, que es el principal en su clase: *una viga maestra*. **2** Referido esp. a una obra de creación, que destaca entre las de su clase por ser de gran perfección: *una pieza maestra*. ‖ s. **3** Profesor de educación infantil o primaria. **4** Persona que enseña una ciencia, un arte o un oficio, esp. si está titulada para ejercerlo. **5** Persona que ha adquirido gran experiencia, habilidad o conocimiento en un arte, en una actividad o en una materia: *Es un maestro en evitar situaciones comprometidas*. **6** Persona que dirige las operaciones de una actividad o el desarrollo de un acto: *maestro de ceremonias*. **7** Que instruye, alecciona o enseña: *La experiencia es la mejor maestra*. ‖ s.m. **8** Músico o director de orquesta. **[9** En tauromaquia, matador de toros. ☐ ETIMOL. Del latín *magister* (el que enseña). ☐ MORF. 1. En la acepción 6, la RAE sólo registra el masculino. 2. En la acepción 7, la RAE sólo registra el femenino.

mafia s.f. **1** Organización criminal clandestina surgida en Sicilia (ciudad italiana), que impone su propia ley mediante la violencia. **2** Grupo que emplea métodos ilegítimos o que no deja participar a otros en una actividad. ☐ ETIMOL. Del italiano *maffia*. ☐ USO En la acepción 1, se usa más como nombre propio.

mafioso, sa adj./s. De la mafia o relacionado con ella.

magacín o **magazín** s.m. **1** Revista ilustrada de información general. **2** Programa de televisión o de

radio en el que se combinan entrevistas, reportaje[y variedades. ☐ ETIMOL. Del inglés *magazine*. ☐ USO 1. La RAE prefiere *magacín*. 2. Es innecesari[el uso del anglicismo *magazine*.

[*magazine* s.m. →**magacín**. ☐ PRON. [magasín].☐ USO Es un anglicismo innecesario.

magdalena s.f. Bollo pequeño hecho con harina[aceite, leche y huevo y que se cuece generalment[en moldes de papel. ☐ ETIMOL. Quizá por alusión [santa Magdalena, que siempre se representa co[lágrimas en el rostro, porque al mojar una magda lena, gotea como si llorara. ☐ PRON. Incorr. *[ma daléna].

[*magenta* (italianismo) s.m. Color rosa oscur[fuerte. ☐ SINT. Se usa más en aposición, pospuest[a un sustantivo.

magia s.f. **1** Conjunto de conocimientos y práctica[que permiten la manipulación de las fuerzas oculta[de la naturaleza o la invocación de espíritus par[conseguir fenómenos sobrenaturales. **[2** Habilida[para hacer algo maravilloso e irreal mediante tru cos. **3** Encanto o atractivo irresistibles, esp. si p[recen irreales o no se sabe bien en qué consisten. **4** ‖ **magia {blanca/natural}**; la que por medio d[causas naturales produce efectos que parecen so brenaturales pero no son nunca negativos. ‖ **magi[negra**; la que invoca a los espíritus del mal, esp. a[diablo, para conseguir fenómenos sobrenaturales nigromancia, nigromancía. ☐ ETIMOL. Del latín *ma gia*.

magiar ‖ adj./s. **1** De un grupo étnico que habit[en Hungría (país europeo) y Transilvania (regió[rumana), o relacionado con él. ‖ s.m. **2** Lengua d[Hungría (país europeo) y de otras regiones; hún garo. ☐ MORF. 1. Como adjetivo es invariable en gé nero. 2. En la acepción 1, como sustantivo es d[género común: *el magiar, la magiar*.

mágico, ca adj. **1** De la magia o relacionado co[ella: *pócima mágica*. **2** Maravilloso, estupendo [fascinante: *noche mágica*. ☐ ETIMOL. Del latín *ma gicus*.

magín s.m. *col.* Imaginación o capacidad para pen sar o para imaginar cosas. ☐ ETIMOL. Del antiguo *maginar* (imaginar).

magisterio s.m. **1** Profesión de maestro. **2** Conjunto de estudios que se realizan para la obtenció[del título de maestro de enseñanza infantil o pri maria. **3** Enseñanza, autoridad e influencia mora[e intelectual que alguien ejerce sobre sus discípulos. ☐ ETIMOL. Del latín *magisterium* (función de maes tro, jefatura).

magistrado, da ‖ s. **1** Miembro de un tribuna[colegiado. ‖ s.m. **2** Superior en el orden civil, esp los ministros de Justicia. ☐ ETIMOL. Del latín *ma gistratus* (magistratura, funcionario público). ☐ MORF. En la acepción 1, la RAE sólo registra el mas culino.

magistral adj. Hecho con maestría. ☐ ETIMOL. De[latín *magistralis*. ☐ MORF. Invariable en género.

magistratura s.f. **1** Cuerpo o conjunto de magis trados. **2** Cargo o profesión de magistrado. **3** Tiem po durante el que un magistrado ejerce su cargo. **4** ‖ **[llevar a magistratura**; referido esp. a un conflict[de tipo laboral, denunciarlo ante este tribunal de jus ticia.

[*maglia rosa* (italianismo) ‖ Camiseta rosa qu[

luce el primer clasificado en el Giro (carrera ciclista italiana). □ PRON. [málla rósa].

magma s.m. En geología, masa de rocas fundidas existente en el interior de la Tierra y sometida a presión y temperatura muy elevadas. □ ETIMOL. Del griego *mágma* (pasta, ungüento).

magnanimidad s.f. Generosidad y grandeza de espíritu, esp. para perdonar las ofensas recibidas.

magnánimo, ma adj. Generoso y con grandeza de espíritu, esp. en el perdón de las ofensas recibidas. □ ETIMOL. Del latín *magnanimus*, de *magnus* (grande) y *animus* (ánimo).

magnate s. Persona que tiene un alto cargo y mucho poder en el mundo de los negocios, de la industria o de las finanzas. □ MORF. 1. Es de género común: *el magnate, la magnate*. 2. La RAE sólo lo registra como masculino.

magnesia s.f. Sustancia terrosa, alcalina, de color blanco, que, combinada con determinados ácidos, forma sales muy usadas en medicina. □ ETIMOL. Del griego *Magnesía líthos* (piedra de Magnesia). □ ORTOGR. Dist. de *magnesio*.

magnésico, ca adj. Del magnesio o relacionado con este elemento químico.

magnesio s.m. Elemento químico, metálico y sólido, de número atómico 12, de color blanco plateado, fácilmente deformable y ligero, que arde con facilidad y produce una luz clara y brillante. □ ETIMOL. De *magnesia*, porque el magnesio se obtiene de esta piedra. □ ORTOGR. 1. Su símbolo químico es *Mg*. 2. Dist. de *magnesia*.

magnético, ca adj. Del imán o con características de éste. □ ETIMOL. Del latín *magneticus*, y éste del griego *magnetikós* (relativo al imán).

magnetismo s.m. 1 Agente físico por cuya acción los imanes y las corrientes eléctricas producen un conjunto de fenómenos magnéticos. 2 Fuerza de atracción del imán. 3 Atractivo o poder que posee una persona para atraer la voluntad o el interés de los demás.

[**magnetita**] s.f. Mineral de hierro muy pesado que tiene la propiedad de atraer determinados metales; calamita.

magnetización s.f. Comunicación de las propiedades del imán a un cuerpo; imantación.

magnetizar v. 1 Referido a un cuerpo, comunicarle las propiedades del imán; imantar: *Magnetizó el hierro poniéndolo en contacto con un imán*. 2 Referido a una persona, atraerla o fascinarla: *Con su encanto me magnetizó*. □ ORTOGR. La *z* se cambia en *c* delante de *e* →CAZAR.

magneto- Elemento compositivo que significa 'magnetismo'. □ ETIMOL. Del griego *mágnes* (imán).

[**magnetofón**] s.m. *col.* →**magnetófono**. □ ETIMOL. Extensión del nombre de una marca comercial.

magnetofónico, ca adj. Del magnetófono o relacionado con este aparato.

magnetófono s.m. Aparato capaz de grabar y de reproducir sonidos de una cinta magnética; grabadora. □ USO Se usa también *magnetofón*.

magnetoscopio s.m. Aparato capaz de grabar y de reproducir imágenes y sonidos de la televisión en una cinta magnética; vídeo. □ ETIMOL. Del griego *mágnes* (imán) y *-scopio* (aparato para ver).

magnicida adj./s. Referido a una persona, que asesina a otra que es importante por su cargo o por su poder. □ MORF. 1. Como adjetivo es invariable en

género. 2. Como sustantivo es de género común: *el magnicida, la magnicida*.

magnicidio s.m. Asesinato de una persona muy importante por su cargo o por su poder. □ ETIMOL. Del latín *magnus* (grande) y *-cidio* (acción de matar).

magnificar v. Ensalzar o elogiar en exceso: *El crítico magnificó la representación teatral*. □ ETIMOL. Del latín *magnificare*. □ ORTOGR. La *c* se cambia en *qu* delante de *e* →SACAR.

magníficat s.m. Cántico que dirigió a Dios la Virgen María (madre de Jesucristo) en la visita a su prima Isabel, y que se reza o canta al final de las vísperas. □ ETIMOL. Del latín *magnificat* (alaba, magnifica), que es la palabra con que comienza este canto.

magnificencia s.f. 1 Grandiosidad, ostentación o abundancia de lujo. 2 Generosidad o buena disposición para realizar grandes gastos o prestarse a grandes empresas. □ ETIMOL. Del latín *magnificentia*. □ ORTOGR. Incorr.: **magnificiencia*.

magnífico, ca adj. 1 Muy bueno o con grandes cualidades. 2 Espléndido, grandioso o con gran lujo. 3 Tratamiento honorífico que corresponde a los rectores universitarios. □ ETIMOL. Del latín *magníficus*, y éste de *magnus* (grande) y *facere* (hacer).

magnitud s.f. 1 Tamaño o importancia de algo. 2 Lo que puede ser objeto de medida, esp. referido a una propiedad física. □ ETIMOL. Del latín *magnitudo*.

magno, na adj. *poét.* Grande. □ ETIMOL. Del latín *magnus*.

magnolia s.f. 1 Árbol de copa ancha, tronco de corteza lisa, grandes hojas correosas y persistentes y flores blancas muy olorosas; magnolio. 2 Flor de este árbol. □ ETIMOL. Por alusión a P. Magnol, botánico francés a quien se dedicó este árbol.

magnoliáceo, a ■ adj./s. 1 Referido a un árbol o a un arbusto, que tiene hojas alternas y sencillas, flores terminales grandes y olorosas y frutos en cápsula con semillas de albumen carnoso. ■ s.f.pl. 2 En botánica, familia de estas plantas, perteneciente a la clase de las dicotiledóneas.

magnolio s.m. →**magnolia**.

mago, ga s. 1 Persona que practica la magia. 2 Persona que tiene especial habilidad para realizar una actividad. 3 En zonas del español meridional, campesino. □ ETIMOL. Del latín *magus*.

magrear v. *vulg.* Sobar o manosear con intención sexual: *Pero guapo, ¿tú quién te has creído que eres para intentar magrearme?*

[**magrebí**] adj./s. Del Magreb (región africana que se extiende aproximadamente por Marruecos, Argelia y Túnez), o relacionado con él. □ ORTOGR. Se usa también *mogrebí*. □ MORF. 1. Como adjetivo es invariable en género. 2. Como sustantivo es de género común: *el 'magrebí', la 'magrebí'*. 3. Aunque su plural en la lengua culta es *'magrebíes'*, se usa mucho *'magrebís'*.

magreo s.m. *vulg.* Manoseo o toqueteo de una persona con intención sexual.

magro, gra ■ adj. 1 Con poca grasa o sin ella. ■ s.m. 2 Carne de cerdo sin grasa y próxima al lomo. □ ETIMOL. Del latín *macer* (delgado). □ SEM. Dist. de *graso* (con grasa).

maguer o maguera conj. *ant.* →**aunque**. □ ETIMOL. Del griego *makárie* (feliz, bienaventurado), porque *maguer* o *maguera* significó primero *ojalá*, y luego tomó un valor concesivo como fingimiento a favor de lo que el interlocutor objeta.

maguey s.m. En zonas del español meridional, pita.

magulladura s.f. o **magullamiento** s.m. Daño que sufre una parte del cuerpo al haber sido comprimida o golpeada violentamente.

magullar v. **1** Referido esp. a una parte del cuerpo, dañarla sin llegar a herirla al comprimirla o golpearla violentamente; contusionar: *Al asirme tan fuerte del brazo, me lo magulló. Se magulló cuando se cayó rodando.* **[2** En zonas del español meridional, referido a una fruta, apretarla para ver si está madura. □ ETIMOL. Del latín *maculare* (manchar, tocar), por cruce con *abollar.*

[mahatma s.m. Título honorífico que se da en la India a una autoridad espiritual. □ PRON. [mahátma], con *h* aspirada.

mahometano, na ▮ adj. **1** De Mahoma (profeta árabe), o relacionado con su religión. ▮ adj./s. **2** Que tiene como religión el islamismo. □ SEM. Es sinónimo de *musulmán.*

mahometismo s.m. Religión monoteísta cuyos dogmas y preceptos fueron predicados por Mahoma (profeta árabe de finales del siglo VI y principios del VII) y recogidos en el libro sagrado del Corán; islam, islamismo.

mahometista adj./s. Que tiene como religión el islamismo; musulmán. □ MORF. 1. Como adjetivo es invariable en género. 2. Como sustantivo es de género común: *el mahometista, la mahometista.*

mahonesa s.f. →**mayonesa.**

[mai s.m. *col.* Cigarrillo de hachís, marihuana u otra droga.

maicena s.f. Harina fina de maíz. □ ETIMOL. Extensión del nombre de una marca comercial.

[mailing s.m. Envío de información o de propaganda por correo a partir de una lista, lo más amplia posible, de personas que pudieran estar interesadas. □ PRON. [méilin]. □ USO Su uso es innecesario y puede sustituirse por una expresión como *envío postal.*

maillot (galicismo) s.m. Prenda de vestir deportiva, elástica y fina, que se ajusta a una o varias partes del cuerpo. □ PRON. Está muy extendida [mallót].

mainel s.m. En arquitectura, elemento vertical, largo y estrecho, que divide un vano en dos partes; parteluz.

maitines s.m.pl. En la iglesia católica, primera de las horas canónicas. □ ETIMOL. Del catalán *maitines,* y éste del latín *matutinum tempus* (hora de la mañana).

[maître (galicismo) s.m. En un restaurante, jefe de comedor. □ PRON. [métre].

maíz s.m. **1** Cereal de tallo alto y recto, hojas grandes, alargadas y alternas, flores masculinas en racimo y femeninas en mazorcas con granos gruesos y amarillos muy nutritivos. ✿ cereal **2** Grano de este cereal.

maizal s.m. Terreno plantado de maíz.

majada s.f. Lugar en el que se recoge el ganado por la noche y se refugian los pastores. □ ETIMOL. Quizá del latín **maculata,* y éste de *macula* (tejido de mallas), porque el lugar donde duerme el ganado está rodeado de redes.

majadería s.f. **1** Hecho o dicho propios de un majadero. **[2** En zonas del español meridional, grosería.

majadero, ra adj./s. **1** Referido esp. a una persona, tonta, necia o molesta por su pedantería o por su falta de oportunidad. **[2** En zonas del español meridional, grosero. □ ETIMOL. De *majar* (machacar), porque un majadero es machacón como la mano del almirez. □ USO Es despectivo. Se usa como insulto.

majar v. Referido esp. a un fruto, machacarlo: *Hay que majar las almendras para mezclarlas con la masa de la tarta.* □ ETIMOL. Del latín **malleare,* y éste de *malleus* (martillo). □ ORTOGR. Conserva la *j* en toda la conjugación.

[majara o **majareta** adj./s. *col.* Loco o con las facultades mentales un poco trastornadas. □ MORF. 1. Como adjetivos son invariables en género. 2. Como sustantivos son de género común: *el {maja-ra'/majareta} , la {majara'/majareta}.*

majestad s.f. **1** Grandeza o distinción que infunden admiración y respeto. **2** Expresión que se aplica como título honorífico a Dios, a los emperadores y a los reyes. □ ETIMOL. Del latín *maiestas.* □ USO La acepción 2 se usa más en la expresión *{Su/Vuestra} Majestad.*

majestuosidad s.f. Carácter distinguido y grandioso que impone admiración y respeto.

majestuoso, sa adj. Que tiene majestad o que infunde admiración o respeto por la grandeza y distinción de su aspecto o de su forma de actuar.

majo, ja ▮ adj. **1** *col.* Que resulta agradable por poseer alguna cualidad destacada. ▮ s. **[2** Persona que vivía en ciertos barrios populares madrileños a finales del siglo XVIII y principios del XIX y que se caracterizaba por sus trajes vistosos y sus modales graciosos y desenvueltos. □ ETIMOL. De origen incierto.

majorero, ra adj./s. De Fuerteventura (isla canaria), o relacionado con ella.

[majorette (anglicismo) s.f. Mujer que desfila en los festejos públicos moviendo rítmicamente un bastón y generalmente vestida con un uniforme vistoso. □ PRON. [mayorét].

majuela s.f. Fruto del majuelo.

majuelo s.m. **1** Arbusto espinoso, con pequeñas flores blancas y olorosas en ramillete, fruto rojo, y que se usa esp. como seto: *El majuelo es parecido al rosal.* **2** Viña nueva. □ ETIMOL. La acepción 2, quizá del latín *malleolus* (sarmiento de viña cortado para ser plantado).

[maketo, ta (del vasco) adj./s. →**maqueto.** □ USO Su uso es innecesario.

mal ▮ adj. **1** →**malo.** ▮ s.m. **2** Lo contrario del bien o lo que se aparta de lo lícito y honesto. **3** Daño moral o físico. **4** Enfermedad o dolencia. **5** Desgracia o calamidad. ▮ adv. **[6** Referido al estado de una persona, sin salud o con aspecto poco saludable. **7** De mala manera, contrariamente a lo que es debido, correcto o agradable. **8** Contrariamente a lo previsto o a lo deseado. **9** Poco o insuficientemente. **10** Con grandes dificultades. **11** ‖**de mal en peor;** con menos acierto cada vez o empeorando de forma progresiva. ‖ **[estar a mal;** estar enemistado o en malas relaciones. ‖ **[mal de la piedra;** forma gradual de desmoronamiento y destrucción de la piedra por efecto de la humedad y la contaminación atmosférica. ‖ **mal de {montaña/[las alturas};** malestar producido en las grandes alturas por la disminución de la presión atmosférica. ‖ **mal de ojo;** daño o perjuicio que se cree que una persona puede causar a otra mirándola de determinada manera.

‖ **mal** {**francés**/**[gálico**)}; *euf. col.* Sífilis. ‖ **[mal menor**; el mejor de los males posibles. ‖ **mal que bien**; de una manera o de otra, o venciendo las dificultades. ‖ **[mal que le pese** a alguien; aunque no quiera, aunque le cueste o aunque le disguste. ‖ **menos mal**; expresión que se usa para indicar alivio. □ ETIMOL. Las acepciones 2-5, del latín *malus*. □ MORF. 1. En la acepción 1, es apócope de *malo* ante sustantivo masculino singular. 2. Se combina con otras unidades léxicas como un prefijo, y a veces llega a formar con ellas una sola palabra: *maleducado, maldecir*.

malabarismo ∎ s.m. **1** Arte o técnica de realizar ejercicios de agilidad y destreza que consisten en mantener algunos objetos en equilibrio y recogerlos de diversas formas. ∎ pl. **[2** Lo que se hace con gran habilidad a pesar de su dificultad o de su complicación. □ SINT. La acepción 2 se usa más en la expresión *hacer 'malabarismos'*.

malabarista s. Persona que realiza juegos malabares. □ MORF. Es de género común: *el malabarista, la malabarista*.

malaconsejado, da adj./s. Que actúa equivocadamente llevado por malos consejos.

[malacostumbrar v. Acostumbrar mal, esp. si es por exceso de mimo: *'Malacostumbró' a su hijo de pequeño, y ahora está sufriendo las consecuencias*.

málaga s.m. Vino dulce y de color oscuro que se elabora con uva de Málaga (provincia andaluza).

malagueño, ña ∎ adj./s. **1** De Málaga o relacionado con esta provincia española o con su capital. ∎ s.f. **2** Cante flamenco originario de Málaga (provincia andaluza), de carácter popular y compuesto por coplas de cuatro versos octosilábicos. **[3** Canto y baile típicos canarios.

[malaisio, sia adj./s. Ciudadano de Malaisia (estado federal del sudeste asiático). □ SEM. Dist. de *malayo* (una lengua y una cultura).

malaje adj./s. *col.* Referido a una persona, malvada, malintencionada o desagradable. □ MORF. 1. Como adjetivo es invariable en género. 2. Como sustantivo es de género común: *el malaje, la malaje*.

malaleche s. *vulg.* Persona de mal carácter o de mala intención. □ MORF. Es de género común: *el malaleche, la malaleche*. □ USO Se usa como insulto.

malandrín, -a adj./s. Malvado o perverso. □ ETIMOL. Del italiano *malandrino* (salteador). □ USO Aunque antiguamente se usaba como insulto, hoy tiene un sentido humorístico.

malaquita s.f. Mineral de cobre, de color verde, pesado y frágil, y que se usa como piedra ornamental. □ ETIMOL. Del griego *maláche* (malva), porque la malaquita tiene colores parecidos.

malar ∎ adj. **1** De la mejilla. ∎ s.m. **2** →**hueso malar**. □ ETIMOL. Del latín *mala* (mejilla). □ MORF. Como adjetivo es invariable en género.

malaria s.f. Enfermedad caracterizada por fiebres altas e intermitentes, transmitida por la picadura del mosquito anofeles hembra; paludismo. □ ETIMOL. Del italiano *malaria* (mal aire).

malasangre adj./s. Referido a una persona, que tiene un carácter rencoroso y malintencionado. □ MORF. 1. Como adjetivo es invariable en género. 2. Como sustantivo es de género común: *el malasangre, la malasangre*.

malasombra s. Persona desagradable, esp. la que

presume de ser chistosa y aguda, sin serlo. □ ORTOGR. Dist. de *mala sombra*. □ MORF. Es de género común: *el malasombra, la malasombra*. □ USO Es despectivo.

malaventura s.f. Desventura, desgracia o infortunio.

malaventurado, da adj./s. Referido a una persona, que es desafortunada o infeliz. □ MORF. La RAE sólo lo registra como adjetivo.

malaventuranza s.f. Infelicidad o desdicha.

malayo, ya ∎ adj./s. **1** Del grupo étnico caracterizado por tener pequeña estatura, piel morena, pelo liso y nariz aplastada, o relacionado con él. **[2** De Malasia (archipiélago situado entre Asia y Oceanía). ∎ s.m. **3** Lengua hablada por los habitantes de Malaisia (estado federal del sudeste asiático). □ SEM. Dist. de *malaisio* (ciudadano de la federación de Malaisia).

malbaratar v. Referido a las posesiones de una persona, malgastarlas, disiparlas o malvenderlas: *Malbarató su fortuna y se arruinó en menos de un año*. □ ETIMOL. De *mal* y el antiguo *baratar* (hacer negocios).

malcarado, da adj. **1** Que provoca desconfianza, temor o repugnancia, por su cara o por su aspecto. **[2** *col.* Que tiene cara de enfado.

malcomer v. Comer escasamente, mal o sin hambre: *Malcomimos en un horrible restaurante de carretera*.

malcriado, da adj./s. Descortés o sin educación. □ ORTOGR. Se admite también *mal criado*. □ MORF. La RAE sólo lo registra como adjetivo.

malcriar v. Referido esp. a un niño, educarlo mal por permitirle hacer lo que quiere y por satisfacer todos sus caprichos: *No quiero dejar al niño con mi madre porque lo malcría*. □ ORTOGR. La *i* lleva tilde en los presentes, excepto en las personas *nosotros* y *vosotros* →GUIAR.

maldad s.f. **1** Carácter de lo que es malo o malintencionado. **2** En una persona, inclinación natural a hacer el mal. **3** Acción mala o maliciosa. □ ETIMOL. Del latín *malitas*.

maldecir v. **1** Decir maldiciones o condenar con maldiciones: *¿Quieres calmarte y dejar de maldecir? Maldice el día en que me conoció*. **2** Quejarse o criticar con mordacidad: *Maldice de sus hermanos porque no lo apoyan en sus locuras*. □ ETIMOL. Del latín *maledicere*. □ MORF. Irreg.: 1. Tiene un participio regular (*maldecido*), que se usa más en la conjugación, y otro irregular (*maldito*), que se usa más como adjetivo. 2. →BENDECIR. □ SINT. Constr. de la acepción 2: *maldecir DE algo*.

maldiciente adj./s. Inclinado a maldecir o a hablar mal de los demás. □ MORF. 1. Como adjetivo es invariable en género. 2. Como sustantivo es de género común: *el maldiciente, la maldiciente*. 3. Incorr. **maleciente*.

maldición ∎ s.f. **1** Deseo expreso de que a alguien le sobrevenga un mal. **2** Expresión insultante o injuriosa que resulta del enfado o la ira de un momento. **[3** Castigo que se considera provocado u ordenado por una fuerza o ser sobrenatural. ∎ interj. **4** Expresión que se usa para indicar disgusto, desaprobación o contrariedad. □ ETIMOL. Del latín *maledictio*.

maldito, ta ∎ ∎ **1** part. irreg. de **maldecir**. ∎ adj. **2** *col.* Que causa enfado o molestia: *Estoy harto de tus* *malditos consejos.* ▌ adj./s. **3** Malvado o perverso: *Para llevar a cabo sus planes, se rodeó de gente maldita.* **4** Que ha recibido una maldición o que ha sido condenado por la justicia divina: *El joven estaba maldito y nadie quería tener relación con él.* **[5** Referido esp. a un artista, que es rechazado o condenado por la sociedad o por la autoridad: *Se le considera un pintor 'maldito', sólo entendido por las minorías.* **6** ‖ **maldita sea;** *col.* Expresión que se usa para indicar enfado o disgusto: *¡Maldita sea, voy a llegar tarde!* ☐ SEM. En expresiones como *malditas las ganas que tengo* o *eso no me hace maldita la gracia,* equivale a 'ninguno'.

maleabilidad s.f. **1** Propiedad que tienen algunos metales de poder ser extendidos o descompuestos en planchas o láminas. **[2** Docilidad de carácter.

maleable adj. **1** Referido esp. a un metal, que puede extenderse o descomponerse en planchas o láminas. **[2** Referido a una persona, que es dócil y se deja influenciar con facilidad. ☐ ETIMOL. Quizá del francés *malléable.* ☐ MORF. Invariable en género.

maleante adj./s. Que actúa al margen de la ley, esp. si comete delitos menores. ☐ MORF. 1. Como adjetivo es invariable en género. 2. Como sustantivo es de género común: *el maleante, la maleante.* 3. La RAE sólo lo registra como sustantivo masculino.

malear v. **1** Referido esp. a una persona, pervertirla, corromperla o hacer que adquiera malas costumbres: *Parecía un buen chico, pero los amigotes lo han maleado. Se maleó con las malas compañías.* **2** Dañar, estropear o echar a perder: *El granizo maleó la cosecha. Con este tiempo se malearán los cultivos.* ☐ ETIMOL. De *malo.*

malecón s.m. **1** Muro o terraplén que se construye para defenderse de las aguas o para elevar el nivel de la vía del ferrocarril. **2** En un puerto, muro que se construye adentrado en el mar para proteger de las aguas la parte que queda entre él y la tierra firme; rompeolas. ☐ ETIMOL. De origen incierto.

maledicencia s.f. Difamación o acción de maldecir y hablar mal de los demás. ☐ ETIMOL. Del latín *maledicentia.*

maleducado, da adj./s. Sin educación o grosero.

maleducar v. Referido esp. a un niño, educarlo mal, esp. si se le mima o consiente demasiado: *Los padres a menudo maleducan a sus hijos.* ☐ ORTOGR. La *c* se cambia en *qu* delante de *e* →SACAR.

maleficio s.m. **1** Daño causado por hechicería. **2** Hechizo que se emplea para causar este daño.

maléfico, ca adj. **1** Que perjudica con maleficios. **2** Que ocasiona o puede ocasionar daño. ☐ ETIMOL. Del latín *maleficus,* y éste de *male* (mal) y *facere* (hacer).

malentendido s.m. Mala interpretación o entendimiento erróneo de algo. ☐ MORF. Su plural es *malentendidos;* incorr. **malosentendidos.*

malestar s.m. Estado o sensación de disgusto o de incomodidad indefinibles.

maleta ▌ s. **1** *col.* Persona que practica con torpeza y desacierto su profesión, esp. referido a un torero o a un deportista. ▌ s.f. **2** Especie de caja con cerradura y con una o varias asas, que se usa para llevar ropa y objetos personales en los viajes; valija. ☒ equipaje ☐ ETIMOL. La acepción 2, del francés antiguo *malete,* y éste de *malle* (baúl). ☐ MORF. En la acepción 1, es de género común: *el maleta, la maleta.*

maletero, ra s.m. **1** En un vehículo, espacio desti-

nado al equipaje. **2** En una vivienda, lugar destinad‹ a guardar las maletas y otros objetos de uso no co‹ tidiano. **3** En zonas del español meridional, mozo qu‹ lleva las maletas o el equipaje.

maletilla s.m. Joven que aspira a abrirse camin‹ en el toreo y que procura intervenir en capeas, be‹ cerradas y otros espectáculos taurinos semejantes ☐ ORTOGR. Dist. de *muletilla.*

maletín s.f. **[1** Caja rectangular, con cerradura y asa, que se usa generalmente para llevar docume‹ tos u objetos de uso profesional. **2** Maleta pequeñ‹ ☐ USO En la acepción 1, es innecesario el uso de‹ galicismo *attaché.* ☒ equipaje

malevolencia s.f. Mala voluntad, mala intención‹ o mala disposición hacia los demás.

malevolente adj. Con mala voluntad, con mal‹ intención o con mala disposición hacia los demás. ☐ MORF. Invariable en género.

malévolo, la adj./s. Con intención de hacer daño‹ ☐ ETIMOL. Del latín *malevolus,* y éste de *male* (mal y *velle* (querer).

maleza s.f. Conjunto abundante de hierbas inútiles‹ o dañinas que crecen en un terreno sembrado. ☐ ETIMOL. Del latín *malitia.*

malformación s.f. Deformidad o defecto de naci‹ miento en alguna parte del organismo.

malgastar v. Gastar mucho o de forma inadecua‹ da: *No malgastes tu tiempo en tonterías.*

malhablado, da adj./s. Que habla con poca edu‹ cación o utilizando palabras malsonantes.

malhechor, -a s. Persona que comete delitos ha‹ bitualmente. ☐ ETIMOL. Del latín *malefactor.*

malherir v. Herir gravemente: *Fue malherido por unos malhechores.* ☐ ORTOGR. Incorr. **mal herir.* ☐ MORF. Irreg. →SENTIR.

malhumor s.m. Estado de ánimo en el que se tien‹ de a mostrar un carácter desagradable e irritable. ☐ ORTOGR. Se admite también *mal humor.*

malhumorado, da adj. Enfadado, irritado o con‹ malhumor. ☐ ORTOGR. Se admite también *mal humorado.*

malhumorar v. Poner de mal humor: *Me malhumoró oír aquellos comentarios.*

malicia s.f. **1** Mala intención o inclinación a lo malo. **2** Forma solapada de actuar, ocultando la verdadera intención. **3** Astucia, picardía o agudeza de entendimiento. ☐ ETIMOL. Del latín *malitia* (maldad).

maliciar v. Sospechar con malicia: *Malició que lo iban a traicionar. Me malicié que me estaba engañando.* ☐ ORTOGR. La segunda *i* nunca lleva tilde.

malicioso, sa ▌ adj. **1** Con malicia. ▌ adj./s. **2** Referido a una persona, inclinada a pensar mal de los demás.

malignidad s.f. **1** Naturaleza dañina o perniciosa. **2** Inclinación a pensar u obrar mal. **3** Carácter de una enfermedad de evolución desfavorable o de pronóstico muy grave.

maligno, na ▌ adj. **1** De naturaleza dañina o perjudicial. **2** Referido esp. a una enfermedad, que no evoluciona favorablemente o que es tan grave que puede llegar a producir la muerte. ▌ adj./s. **3** Inclinado a pensar u obrar mal. ▌ s.m. ‖ **el maligno;** el diablo. ☐ ETIMOL. Del latín *malignus.* ☐ ORTOGR. En la acepción 4, se usa mucho como nombre propio.

malintencionado, da adj./s. Con mala intención. □ ORTOGR. Se admite también *mal intencio-nado.*

[**malinterpretar** v. Interpretar errónea o equivo-cadamente: *'Malinterpretó' mis palabras y creyó que lo estaba amenazando.*

malla s.f. **1** Tejido de estructura semejante a la de una red. **2** Tejido formado por la unión de pequeños anillos metálicos enlazados entre sí. **3** Prenda de vestir, generalmente deportiva, elástica y fina, que se ajusta mucho al cuerpo. **4** En zonas del español meridional, bañador. **[5** En zonas del español meridional, correa del reloj. **6** ‖ [**malla (entera)**; en zonas del español meridional, bañador de mujer. □ ETIMOL. Del francés *maille.* □ ORTOGR. Dist. de *maya.* □ MORF. En la acepción 3, en plural tiene el mismo signifi-cado que en singular.

mallorquín, -a ■ adj./s. **1** De Mallorca (isla ba-lear), o relacionado con ella. ■ s.m. **2** Variedad del catalán que se habla en esta isla.

malmandado, da adj./s. Que no obedece o que obedece de mala gana.

malmaridada adj./s.f. Referido a una mujer, que ha realizado un matrimonio infeliz. □ ETIMOL. De *mal* y *maridar* (casarse).

malmeter v. Referido a una persona, ponerla a mal con otra o procurarle el menosprecio de ésta; indis-poner, malquistar: *Le gusta malmeter a los demás contando chismes.* □ ETIMOL. De *mal* y *meter.* □ SINT. Constr. *malmeter a una persona* CON *otra.*

[**malnutrición** s.f. Nutrición desequilibrada cau-sada por una alimentación incompleta.

malo, la adj. **1** Que no tiene las cualidades propias de su naturaleza o de su función: *Estos guantes son de mala calidad y se te van a romper pronto.* **2** Que no es como conviene o como gusta que sea: *Hace un día tan malo que prefiero no salir.* **3** Perjudicial, nocivo o con consecuencias negativas: *Las heladas son malas para los cultivos.* **4** Referido a una persona, que no tiene cualidades morales que se consideran positivas, esp. en el trato con los demás: *Es una mala persona y nunca te hará un favor.* **5** col. En-fermo: *Está malo y no puede ir al colegio.* **6** Referido esp. a un alimento, que está estropeado y no se puede aprovechar: *Esta leche debe de estar mala, porque huele fatal.* **7** Difícil o que ofrece dificultad: *Es una herida mala de curar.* **8** Que anuncia una desgracia o un daño: *Esa tos tan persistente es mala señal.* **9** col. Travieso, inquieto o revoltoso: *No seas un niño malo y cómete la sopa.* **10** ‖ **a malas**; en actitud de hostilidad o enemistad: *Está a malas con sus veci-nos y no los saluda.* ‖ **de malas**; de mal humor o con una actitud poco complaciente: *Cuando estás de malas no hay quien te soporte.* ‖ [**{estar/ponerse} mala**; col. Tener la menstruación: *'Me he puesto mala' y he tenido que entrar en una farmacia a com-prar compresas.* ‖ [**poner malo**; col. Molestar o irri-tar: *'Me pongo mala' cada vez que llegas tarde.* ‖**por las malas**; [**1** Enfadado u obligado por las circunstancias: *Te advierto que yo, 'por las malas', puedo ser implacable.* **2** A la fuerza: *Si no quieres hacerlo por las buenas, te obligaré y tendrás que ha-cerlo por las malas.* □ ETIMOL. Del latín *malus.* □ MORF. **1.** Ante sustantivo masculino singular se usa la apócope *mal.* **2.** Su comparativo de superioridad es *peor.* **3.** Sus superlativos son *malísimo, ínfimo* y *pésimo.* □ SINT. **1.** Constr. de la acepción 7: *malo* DE *hacer.* **2.** *A malas* se usa más con los verbos *an-*

dar, estar, ponerse o equivalentes. □ USO *Malo* se usa para indicar desaprobación o desconfianza ante algo: *Cuando viene con esa cara, ¡malo!.*

malograr ■ v. **1** Referido esp. a una oportunidad, de-saprovecharla o dejarla pasar: *Con esta torpeza, has malogrado la ocasión de ascender en la empresa.* ■ prnl. **2** Referido a lo que se espera o desea, frustrarse o no conseguirse: *El viaje se malogró, porque me puse enferma.* **3** No alcanzar el desarrollo o el per-feccionamiento completos: *La cosecha se ha malo-grado.* □ ETIMOL. De *mal* y *lograr* (aprovecharse o valerse de algo).

maloliente adj. Que despide un olor desagradable. □ MORF. Invariable en género.

malparado, da adj. Muy perjudicado o dañado en cualquier aspecto. □ ETIMOL. De *mal* y *parar* (poner en tal o cual estado).

malparido, da adj./s. *vulg.* [Referido a una persona, que es mala o indeseable. □ MORF. La RAE sólo re-gistra el femenino. □ USO Se usa como insulto.

malpensado, da adj./s. Referido a una persona, que tiende a imaginar maldad en los demás o a inter-pretar negativamente sus palabras o sus acciones. □ ORTOGR. Se admite también *mal pensado.*

malqueda s. *col.* Persona que no cumple su pala-bra o que falta a su deber. □ MORF. Es de género común: *el malqueda, la malqueda.*

malquerencia s.f. Mala voluntad contra una per-sona o cosa. □ ETIMOL. De *mala* y *querencia.*

malquistar v. Referido a una persona, ponerla a mal con otra o procurarle el menosprecio de ésta; indis-poner, malmeter: *Ha intentado malquistarme con mi mejor amiga. Se malquistó con un vecino por cul-pa de las habladurías de otro.* □ SINT. Constr. *mal-quistar a una persona* CON *otra.*

malquisto, ta adj. Referido a una persona, que está mal considerada por los demás. □ ETIMOL. De *mal* y *quisto* (antiguo participio de *querer*).

malsano, na adj. Dañino o perjudicial para la sa-lud o para la moral.

malsonante adj. Referido esp. a una palabra o a una expresión, que molesta por su grosería. □ MORF. In-variable en género.

malta s.f. **1** Cereal germinado artificialmente y tos-tado, que se utiliza para la fabricación de bebidas alcohólicas. **2** Cebada germinada, tostada y molida, con la que se elabora una bebida semejante al café. □ ETIMOL. Del inglés *malt.*

malteado, da ■ adj. [**1** Mezclado con malta. ■ s.m. **2** Proceso de transformación de los granos de cebada en malta.

maltés, -a ■ adj./s. **1** De Malta (estado insular eu-ropeo situado al sur de Sicilia), o relacionado con ella. ■ s.m. [**2** Lengua semítica de este Estado.

maltosa s.f. Hidrato de carbono formado por la asociación de dos moléculas de glucosa. □ ETIMOL. De *malta.*

maltraer ‖{**llevar/traer**} a alguien **a maltraer**; *col.* Importunarlo, molestarlo o hacerle sufrir de manera continua: *Esa niña me lleva a maltraer con sus continuas diabluras.* □ ETIMOL. De *mal* y *traer*, porque *maltraer* significó reprender, maltratar.

maltratar v. Tratar mal con palabras o con accio-nes: *Se novelista ha sido maltratado por la crítica.*

maltrato s.m. Trato que ocasiona daño o perjuicio. □ ETIMOL. Su plural es *maltratos.*

maltrecho, cha adj. Que está en mal estado físico o moral a consecuencia del daño o el mal trato recibidos. ☐ ETIMOL. De *maltrecho* (participio del antiguo *maltraer*, que significó *maltratar, reprender*).

maltusianismo s.m. Teoría política y económica de Malthus (economista británico de la segunda mitad del siglo XVIII y principios del XIX), basada en la opinión de que la población crece en progresión geométrica mientras que los alimentos lo hacen en progresión aritmética.

maltusiano, na ∎ adj. [**1** Del maltusianismo o relacionado con esta teoría política y económica. ∎ adj./s. **2** Partidario o defensor del maltusianismo.

malva ∎ adj./s.m. **1** De color violeta pálido. ∎ s.f. **2** Planta herbácea de tallo casi erguido y flores reunidas en grupos irregulares, abundante y muy usada en medicina. [**3** Flor de esta planta, de color rosáceo o violeta pálido. **4** ‖ {criar/estar criando} **malvas**; *col.* Estar muerto y enterrado. ‖ **malva loca**; planta herbácea de tallo erguido y flores grandes de color rojo, blanco o rosado; malvarrosa. ‖ **una malva**; *col.* Persona dócil, apacible o bondadosa. ☐ ETIMOL. Del latín *malva*. ☐ ORTOGR. Incorr. **malvaloca*, en lugar de *malva loca*. ☐ MORF. Como adjetivo es invariable en género.

malváceo, a ∎ adj./s.f. **1** Referido a una planta, que tiene hojas alternas y flores de cinco pétalos con los estambres unidos formando un tubo que cubre el ovario. ∎ s.f.pl. **2** En botánica, familia de estas plantas, perteneciente a la clase de las dicotiledóneas. ☐ ETIMOL. Del latín *malvaceus*.

malvado, da adj./s. Referido a una persona, que es perversa o muy mala. ☐ ETIMOL. Del latín *malifatius* (desgraciado), y éste de *malus* (malo) y *fatum* (destino).

malvarrosa s.f. Planta herbácea de tallo erguido y flores grandes de color rojo, blanco o rosado; malva loca. ☐ ORTOGR. Incorr. **malvarosa*.

malvasía s.f. **1** Uva dulce y aromática de origen griego. **2** Vino dulce que se hace de esta uva. [**3** Pato de unos cuarenta y cinco centímetros de longitud, de cabeza grande, cuerpo regordete y larga cola tiesa que suele mantener en posición vertical. ☐ ETIMOL. Las acepciones 1 y 2, de *Malvasía*, nombre romance de *Monembasía* (ciudad griega). ☐ MORF. En la acepción 3, es sustantivo epiceno: *la 'malvasía' macho, la 'malvasía' hembra*.

malvavisco s.m. Planta herbácea de hojas ovales y blanquecinas, cuyas flores, de color rosa pálido, están dispuestas en grupos de tres. ☐ ETIMOL. Del latín *malva* (malva) e *hibiscum* (malvavisco).

malvender v. Vender a bajo precio sin obtener apenas beneficio: *Ha malvendido sus tierras para poder pagar las deudas*.

malversación s.f. Utilización indebida de fondos administrados por cuenta ajena, esp. si son públicos, en usos distintos de aquellos a los que están destinados.

malversador, -a adj./s. Que malversa el dinero ajeno.

malversar v. Referido a los fondos administrados por cuenta ajena, utilizarlos de forma no debida en usos distintos de aquellos a los que están destinados: *Lo acusaron de malversar fondos del ministerio*. ☐ ETIMOL. De *mal* y el latín *versari* (hacer girar).

malvivir v. Vivir con estrecheces, con apuros eco-

nómicos o con dificultades: *Dilapidó su fortuna y ahora malvive como puede*.

mama s.f. **1** En anatomía, órgano glandular de los mamíferos que en las hembras segrega la leche que sirve para alimentar a las crías; teta. **2** *col.* Madre. ☐ ETIMOL. Del latín *mamma* (madre, teta). ☐ USO . **1**. En la acepción 1, es característico del lenguaje científico. **2**. En la acepción 2, tiene un matiz cariñoso.

mamá s.f. *col.* Madre. ☐ ETIMOL. Del francés *maman*. ☐ USO Tiene un matiz cariñoso.

mamadera s.f. En zonas del español meridional, biberón.

mamado, da ∎ adj. **1** *vulg.* Borracho. ∎ s.f. [**2** *vulg.malson.* →**felación**.

mamar ∎ v. **1** Referido a la leche materna, chuparla y extraerla de las mamas con la boca: *Despierta al bebé, que ya es su hora de mamar*. **2** Aprender en la infancia: *Esa costumbre la ha mamado de sus mayores*. ∎ prnl. **3** *vulg.* Emborracharse: *Se mamó en la fiesta y nos dio la noche*. ☐ ETIMOL. Del latín *mammare* (amamantar).

mamario, ria adj. De las mamas de las hembras o de las tetillas de los machos.

mamarrachada s.f. *col.* Hecho o dicho ridículos y extravagantes.

mamarracho s.m. **1** *col.* Persona que no merece ningún respeto. **2** *col.* Lo que tiene un aspecto ridículo y extravagante. ☐ ETIMOL. Del árabe *muharray* (risible, bufón).

[mambo s.m. **1** Composición musical de origen cubano. **2** Baile que se ejecuta al compás de esta música.

mameluco s.m. **1** Soldado de la milicia creada como guardia personal de los sultanes musulmanes egipcios. **2** En zonas del español meridional, mono o prenda de vestir de una sola pieza. [**3** En zonas del español meridional, mono de trabajo. ☐ ETIMOL. Del árabe *mamluk* (esclavo).

mamey s.m. **1** Árbol americano con hojas elípticas, flores blancas y olorosas y fruto casi redondo de pulpa amarilla y aromática. **2** Árbol americano de tronco grueso y copa cónica, hojas lanceoladas, flores de color blanco rojizo y fruto ovoide de pulpa roja y suave. **3** Fruto de estos árboles.

[mami s.f. *col.* Madre. ☐ USO Su uso es característico del lenguaje infantil.

mamífero, ra ∎ adj./s.m. **1** Referido a un vertebrado, con un embrión cuyo desarrollo tiene lugar casi siempre dentro del cuerpo materno y cuyas hembras alimentan a sus crías con la leche de sus mamas. ∎ s.m.pl. **2** En zoología, clase de estos vertebrados, perteneciente al tipo de los cordados. ☐ ETIMOL. Del latín *mamma* (teta) y *-fero* (llevar).

mamila s.f. **1** Mama de la hembra, excepto el pezón. **2** Tetilla del hombre. ☐ ETIMOL. Del latín *mamilla*.

[mamitis s.f. *col.* Apego desmesurado a la madre. ☐ MORF. Invariable en número. ☐ USO Tiene un matiz humorístico.

mamografía s.f. Radiografía de la mama. ☐ ETIMOL. Del latín *mamma* (tela) y *grafía-* (imagen).

[mamógrafo s.m. Aparato que sirve para realizar mamografías o radiografías de la mama.

mamón, -a adj./s. *vulg.* Referido a una persona, que se considera despreciable o aprovechada. ☐ USO Se usa como insulto.

mamotreto s.m. **1** *col.* Libro o legajo voluminoso, esp. si tiene un aspecto deforme. **2** Objeto grande y pesado, esp. si es poco útil. ☐ ETIMOL. Del latín *mammothreptus*, y éste del griego *mammóthreptos* (criado por su abuela, que más tarde significó gordinflón, abultado).

mampara s.f. Especie de tabique, generalmente hecho de madera o cristal, que se utiliza para dividir espacios en una habitación o para aislar parte de la misma. ☐ ETIMOL. Del antiguo *mamparar* (amparar).

mamporro s.m. *col.* Golpe, esp. el de poca importancia, dado con la mano. ☐ ETIMOL. De *mano* y *porra.*

mampostería s.f. Obra o construcción de albañilería que se hace con piedras sin labrar o poco labradas, de distintos tamaños, colocadas unas sobre otras sin orden determinado y unidas generalmente con argamasa o con cemento; calicanto. ☐ ETIMOL. De *mampostero*, y éste de *mampuesto* (piedra que se coloca con la mano).

mampuesto, ta ∎ adj. **1** Referido a un material de construcción, que se utiliza en las obras de mampostería. ∎ s.m. **2** Piedra sin labrar o poco labrada que se utiliza en las obras de mampostería. ☐ ETIMOL. De *mano* y *puesto*, porque el mampuesto significó *piedra que se coloca con la mano.*

mamut s.m. Mamífero fósil parecido al elefante pero de mayor tamaño, con la piel cubierta por doble pelo, largos colmillos curvados hacia arriba, y que vivió en zonas de clima frío durante el período cuaternario. ☐ ETIMOL. Del francés *mamouth*. ☐ MORF. Es un sustantivo epiceno: *el mamut macho, el mamut hembra.*

maná s.m. En la Biblia, alimento milagroso que Dios envió al pueblo hebreo cuando atravesaba el desierto. ☐ ETIMOL. Del latín *manna*, y éste del hebreo *man* (manjar milagroso bíblico).

manada s.f. **1** Referido a animales, esp. a cuadrúpedos, conjunto de ejemplares de la misma especie que viven o se desplazan juntos. **2** *col.* Grupo numeroso de personas. ☐ ETIMOL. De *mano* (lo que cabe en una mano).

[management (anglicismo) s.m. Técnica de dirección y gestión de empresas. ☐ PRON. [mánáyement]. ☐ USO Su uso es innecesario y puede sustituirse por una expresión como *dirección y gestión de empresas.*

[manager (anglicismo) s. Persona que se ocupa de los intereses profesionales y económicos de un artista o de un deportista, esp. si ésta es su profesión. ☐ PRON. [mánayer]. ☐ MORF. Es de género común: *el 'manager', la 'manager'*. ☐ USO Su uso es innecesario y puede sustituirse por una expresión como *representante.*

manantial ∎ adj. **1** Referido al agua, que mana o brota. ∎ s.m. **2** Corriente de agua que brota de la tierra o de las rocas de forma natural. ☐ ETIMOL. De *manar.*

manar v. **1** Referido a un líquido, salir de alguna parte: *Se desmayó cuando vio que de la herida manaba sangre*. **[2** Salir o surgir de forma espontánea y abundante: *Terribles insultos 'manaron' de su boca ante aquel agravio*. ☐ ETIMOL. Del latín *manare*. ☐ SINT. Constr. *manar DE un lugar.*

manatí s.m. Mamífero herbívoro acuático, con cuerpo grueso y piel grisácea de gran espesor, labio superior muy desarrollado, extremidades anteriores transformadas en dos aletas y las posteriores unidas en una sola, y cuya carne y grasa son muy estimadas; buey marino, vaca marina. ☐ MORF. **1.** Es un sustantivo epiceno: *el manatí macho, el manatí hembra*. **2.** Aunque su plural en la lengua culta es *manatíes*, la RAE admite también *manatís.*

manazas s. *col.* Persona torpe y sin habilidad en las labores manuales. ☐ MORF. Es de género común: *el manazas, la manazas*. **2.** Invariable en número.

mancebía s.f. *ant.* →**prostíbulo.**

mancebo, ba ∎ s. **1** Muchacho o persona joven. ∎ s.m. **2** Dependiente o empleado de poca categoría, esp. el ayudante de farmacia. ∎ s.f. **3** →**concubina.** ☐ ETIMOL. Del latín *mancipus* (esclavo). ☐ MORF. En la acepción 1, la RAE sólo registra el masculino.

mancha s.f. **1** En una superficie, señal de suciedad dejada por algo. **2** En un todo, parte que se diferencia o destaca por su color o por su aspecto. **3** Lo que deshonra o desprestigia; mancilla. ☐ ETIMOL. Del latín *macula.*

manchar v. **1** Ensuciar con manchas: *Has manchado de tinta los folios. El suelo se ha manchado de pintura*. **2** Referido esp. al honor o a la buena fama, perjudicarlos o dañarlos; mancillar: *Con esa mentira has manchado tu reputación*. **[3** Referido a un líquido, añadirle una pequeña cantidad de otro que cambie su color: *'Mánchame' la leche con un poco de café, por favor.*

manchego, ga adj./s. De La Mancha (región española), o relacionada con ella.

mancilla s.f. Lo que deshonra o desprestigia; mancha.

mancillar v. Referido esp. al honor o a la buena fama, perjudicarlos o dañarlos; manchar: *No mancilles el buen nombre de nuestra familia casándote con ese rufián. Su honor se mancilló cuando se descubrió el engaño*. ☐ ETIMOL. Del latín **macellare* (manchar, ensangrentar).

manco, ca ∎ adj. **1** Incompleto o que carece de algún elemento necesario: *Si no cuentas ese dato, el relato queda manco*. ∎ adj./s. **2** Falto de uno o ambos brazos, de una o ambas manos, o con ellos inutilizados. **3** ∥{no ser/[no quedarse} manco alguien; *col.* Ser hábil o no quedarse corto: *Ese tipo no es manco en el arte de timar al prójimo*. ☐ ETIMOL. Del latín *mancus* (lisiado, manco).

mancomunar v. Referido esp. a personas, a fuerzas, a intereses o a bienes, unirlos para conseguir un fin: *El Ayuntamiento quiere mancomunar esfuerzos para mejorar sus servicios*. ☐ ETIMOL. De *mancomún* (de acuerdo o en unión de dos o más personas).

mancomunidad s.f. **1** Asociación de personas o de entidades, o unión de fuerzas, de intereses o de bienes, para conseguir un fin. **2** Corporación y entidad legalmente constituidas por la agrupación de municipios o de provincias para la resolución de problemas comunes.

manda s.f. En zonas del español meridional, voto o promesa hecha a Dios o a un santo.

mandadero, ra s. Persona que hace los mandados o los recados.

mandado, da ∎ adj. **[1** En zonas del español meridional, grosero o poco delicado. ∎ s. **2** Persona que se limita a cumplir las órdenes recibidas y que no tiene autoridad para decidir por cuenta propia. ∎ s.m. **3** Comisión o encargo que se confía a una per-

sona. **[4** En zonas del español meridional, compra del
día o de la semana.

mandamás adj./s. *col.* Referido a una persona, que
desempeña funciones de mando o que ostenta demasiado su autoridad. □ MORF. 1. Como adjetivo es
invariable en género. 2. Como sustantivo es de género común: *el mandamás, la mandamás.* 3. La RAE
sólo lo registra como sustantivo. □ USO Tiene un
matiz irónico.

mandamiento s.m. **1** Cada uno de los diez preceptos de la ley de Dios y de los cinco de la iglesia
católica. **2** Orden que da un juez por escrito para
la realización de algo.

mandanga ▌ s.f. **1** *col.* Calma o despreocupación
excesivas en la forma de actuar. **[2** *col.* En el lenguaje
de la droga, marihuana. **▌ pl. 3** *col.* Tonterías, cuentos o historias.

mandante s. En derecho, persona que confía a otra
su representación personal, o la gestión o el desempeño de algún negocio. □ MORF. Es de género común: *el mandante, la mandante.*

mandar v. **1** Ordenar o imponer como obligación o
como tarea: *Mandó llamar a todos los empleados.* **2**
Gobernar o dirigir: *Ahora que manda tu partido,
estarás contento.* **3** Enviar, hacer ir o hacer llegar:
Mándame el paquete con un mensajero. □ ETIMOL.
Del latín *mandare* (encargar, dar una misión, encomendar).

mandarín s.m. **1** En algunos países asiáticos, esp. en
la China imperial, alto funcionario civil o militar. **2**
Dialecto chino hablado en el norte de China (país
asiático). □ ETIMOL. Del portugués *mandarim*, y
éste del malayo *mantari.*

mandarina s.f. Fruto del mandarino, parecido a la
naranja pero de menor tamaño, muy dulce, y con
una cáscara que se separa con facilidad. □ ETIMOL.
Quizá de *mandarín* (cargo político en la antigua
China), porque el traje representativo de este cargo
es de color naranja. □ PRON. Incorr. *[mondarina].

[mandarinero o **[mandarino** s.m. Árbol frutal
de hoja perenne que tiene flores blancas y perfu-
madas y cuyo fruto es la mandarina.

mandatario, ria s. Gobernante o alto cargo político. □ ETIMOL. Del latín *mandatarius.* □ MORF. La
RAE sólo registra el masculino.

mandato s.m. **1** Orden dada por un superior o por
una autoridad. **2** Encargo o representación que se
concede a un político cuando es elegido en unas
elecciones: *Los diputados son depositarios de un
mandato popular.* **3** Tiempo que dura el ejercicio
del mando por una autoridad de alta jerarquía. □
ETIMOL. Del latín *madatum.*

mandíbula s.f. **1** En los animales vertebrados, cada
una de las dos piezas óseas o cartilaginosas que forman la cavidad de la boca y en la que están im-
plantados los dientes. 𝕏 dentadura **[2** Hueso maxilar inferior. **3** En algunas especies animales, pieza
dura situada a los lados o alrededor de la boca y
que sirve para triturar o asir los alimentos, o para
defenderse. **4 ∥reír a mandíbula batiente**; *col.*
Reír a carcajadas. □ ETIMOL. Del latín *mandibula*,
y éste de *mandere* (masticar).

mandil s.m. Prenda que, colgada generalmente del
cuello, se ata a la cintura y se pone encima de la
ropa para protegerla; delantal. □ ETIMOL. Del latín
mantele (toalla).

mandinga adj./s. De un grupo étnico que habita

principalmente en Malí, Guinea y Senegal (países
africanos). □ MORF. 1. Como adjetivo es invariable
en género, y como sustantivo es de género común:
el mandinga, la mandinga. 2. Invariable en número.

mandioca s.f. **1** Arbusto originario de las zonas
tropicales americanas, de flores amarillas en racimo
y de cuya gruesa raíz se extrae almidón, harina y
tapioca. **2** Harina fina que se extrae de la raíz de
este arbusto; tapioca: *He hecho una sopa con mandioca.* □ ETIMOL. Del guaraní *mandióg.*

mando s.m. **1** Autoridad y poder para mandar que
tiene un superior sobre sus subordinados. **2** Persona, conjunto de personas u organismo con autoridad
y poder para mandar, esp. en el ámbito militar y
policial. **3** Botón, palanca o dispositivo con los que
se dirige y controla el funcionamiento de un mecanismo o de un aparato. **4 ∥al mando de** alguien;
bajo su mando o bajo su autoridad. □ MORF. La
acepción 2 se usa más en plural.

mandoble s.m. **1** Golpe o bofetada. **2** Cuchillada
o golpe fuerte que se da sujetando el arma con las
dos manos. □ ETIMOL. Del antiguo *man* (mano) y
doble.

mandolina s.f. Instrumento musical de cuerda parecido al laúd pero más pequeño, y normalmente
con cuatro pares de cuerdas que se tocan pulsándolas con una púa o con una pieza semejante. 𝕏
cuerda

mandón, -a adj./s. *col.* Referido a una persona, que
hace un uso excesivo de su autoridad y manda más
de lo que debe.

[mandorla (italianismo) s.f. En el arte medieval, esp.
en el románico, óvalo o marco con forma de almendra
que rodeaba algunas imágenes religiosas.

mandrágora s.f. Planta herbácea con hojas grandes y ovaladas que brotan todas juntas desde el suelo, flores blancas y rojizas, y gruesa raíz que toma
distintas formas y de la que se extraen sustancias
narcóticas. □ ETIMOL. Del latín *mandragora.*

mandria adj./s. Infeliz, apocado y de poco ánimo. □
ETIMOL. Quizá del italiano *mandria* (rebaño), que se
empleaba para aludir a la gente que se deja llevar
como a un rebaño. □ MORF. 1. Como adjetivo es invariable en género. 2. Como sustantivo es de género
común: *el mandria, la mandria.* □ USO Tiene un
matiz despectivo.

mandril s.m. **1** Mono africano de gran tamaño, con
el hocico largo, cabeza grande, nariz roja y chata
con rayas azules a ambos lados, cola corta y nalgas
de color rojo, que es omnívoro y vive formando grupos muy numerosos. 𝕏 primate **2** Herramienta
que se utiliza para perforar metales o para agrandar o redondear un agujero abierto en un metal. □
ETIMOL. La acepción 1, del inglés *mandrill*, de *man*
(hombre) y *drill* (variedad de mono del Oeste africano). La acepción 2, quizá del inglés *mandril*, y éste del francés *mandrin.* □ MORF. En la
acepción 1, es un sustantivo epiceno: *el mandril macho, el mandril hembra.*

[manduca s.f. *col.* Comida.

manducar v. *col.* Comer: *¿Qué vamos a manducar
hoy?* □ ETIMOL. Del latín *manducare* (masticar). □
ORTOGR. La *c* se cambia en *qu* delante de *e* →SACAR.

manecilla s.f. En un reloj o en otro instrumento de precisión, varilla delgada y alargada que marca una
medida; aguja.

manejable adj. Que se maneja con facilidad. □
MORF. Invariable en género.
manejar ∎ v. **1** Usar o utilizar, esp. si se hace con
las manos: *Este sastre maneja muy bien las tijeras.*
2 Gobernar o dirigir: *Maneja con mano de hierro
todos los negocios familiares.* **3** En zonas del español
meridional, conducir. ∎ prnl. **4** Desenvolverse o moverse con agilidad, esp. después de haber tenido un
impedimento: *Aún no estoy recuperada, pero ya me
manejo bastante bien.* **5** ‖**manejárselas**; col. Encontrar el modo de solucionar uno mismo un problema o de salir adelante en la vida: *Se las maneja
muy bien para estudiar y trabajar a la vez.* □ ETI-
MOL. Del italiano *maneggiare.* □ ORTOGR. Conserva
la *j* en toda la conjugación.
manejo s.m. **1** Uso o utilización de algo, esp. si se
hace con las manos: *Tengo que aprender el manejo
del nuevo vídeo.* **2** Desenvolvimiento en la dirección
de un asunto: *Demostró un manejo y un control de
la situación sorprendentes.* **3** Treta, intriga o enredo. **4** En zonas del español meridional, conducción. □
MORF. La acepción 3 se usa más en plural.
manera s.f. **1** Forma particular de ser, de hacer o
de suceder algo: *¡Vaya manera de nevar!* **2** Comportamiento y conjunto de modales de una persona:
*Nos dejó impresionados con aquellas maneras tan
refinadas.* **3** ‖**a manera de**; como o como si fuera:
Se puso una toalla a manera de turbante. ‖**de
cualquier manera**; sin cuidado o sin interés. ‖**de
manera que**; enlace gramatical subordinante con
valor consecutivo: *Es culpa tuya, de manera que
ahora no te quejes.* ‖**de ninguna manera**; expresión que se usa para negar de forma enérgica y tajante. ‖**[de todas maneras**; a pesar de todo: *'De
todas maneras' no me apetecía ir.* ‖**[en cierta manera**; expresión que se usa para matizar o quitar
importancia a una situación o a un suceso: *'En cierta manera' tienes razón, pero no estoy totalmente de
acuerdo.* ‖**en gran manera** o **sobre manera**; mucho o en alto grado: *Esos hermanos se parecen sobre
manera.* □ ETIMOL. Del latín *manuaria.* □ ORTOGR.
Sobre manera admite también la forma *sobremanera.* □ MORF. La acepción 2 se usa más en plural.
□ USO *De todas maneras* se usa mucho para retomar un tema que ya ha salido en la conversación.
manes s.m.pl. En la antigua Roma, almas de los
muertos las que se rendía culto como divinidades
menores protectoras del hogar y de la familia. □
ETIMOL. Del latín *manes.*
manga s.f. **1** En una prenda de vestir, parte que cubre
de manera total o parcial el brazo. **2** Tubo largo de
un material flexible e impermeable, que por un extremo toma un líquido de una bomba o de un depósito y por el otro lo expulsa; manguera. **[3** En una
competición, esp. si es deportiva, parte o serie en que
puede dividirse. **4** Utensilio de cocina, de forma cónica y provisto de una boquilla de metal u otro material, con el que se da forma a una masa, una pasta o una crema. **5** Filtro de tela, de forma cónica,
que sirve para colar líquidos. **6** Anchura máxima
de un barco. **7** Variedad del mango: *La manga es
un fruto tropical.* **8** ‖**en mangas de camisa**; en
camisa. ‖**manga ancha**; col. Tolerancia para las
faltas propias o ajenas. ‖**manga de agua**; lluvia
repentina, abundante y de poca duración, acompañada de fuerte viento; turbión. ‖**[manga japonesa**; la ancha que no está cortada en el hombro y

que tiene una sola costura que arranca de la axila.
‖**manga por hombro**; col. En desorden. ‖**(manga) {raglán/ranglan}**; la que empieza en el cuello
y cubre el hombro. ‖**sacar algo de la manga**; col.
Inventarlo, decirlo o hacerlo de manera improvisada
o sin tener ningún fundamento para ello: *Tú te has
sacado de la manga que voy a dejar este trabajo.*
‖**tener algo en la manga**; col. Tenerlo oculto y
preparado para utilizarlo cuando llegue el momento
oportuno. □ ETIMOL. Las acepciones 1-6 y 8, del latín *manica,* de *manus* (mano). La acepción 7, del
portugués *manga.* □ SINT. *Tener en la manga* se
usa también con los verbos *traer, llevar* y *guardar.*
manganesa o **manganesia** s.f. Mineral de
manganeso, semejante al yeso, de color pardo, negro
o gris azulado, que se usa en la industria para la
obtención de oxígeno y cloro y para la fabricación
de otros materiales; pirolusita. □ ETIMOL. *Manganesa,* del francés *manganèse.* □ ORTOGR. Dist. de
manganeso (elemento químico).
manganeso s.m. Elemento químico, metálico y
sólido, de número atómico 25, color grisáceo brillante, duro y quebradizo, resistente al fuego y muy oxidable. □ ETIMOL. De *manganesa,* porque el manganeso se obtiene de la manganesa. □ ORTOGR. **1.**
Su símbolo químico es *Mn.* **2.** Dist. de *manganesa*
o *manganesia* (mineral de manganeso).
mangante s. Persona descarada y desvergonzada,
hábil en el engaño. □ MORF. Es de género común:
el mangante, la mangante. □ USO Tiene un matiz
despectivo.
mangar v. col. Robar: *Me mangaron la cartera sin
que me diese cuenta.* □ ETIMOL. Del gitano *mangar*
(pedir, mendigar). □ ORTOGR. La *g* se cambia en *gu*
delante de *e* →PAGAR.
manglar s.m. Marisma o terreno costero propios de
zonas tropicales, que suelen estar inundados por las
aguas del mar y en los que se desarrolla una vegetación fundamentalmente arbórea y adaptada al
medio salino.
mango s.m. **1** En un instrumento o en un utensilio, par-
te estrecha y alargada por la que se agarra. 🖐 cuchillo **2** Árbol de tronco recto, corteza negra y rugosa, hojas alternas, pequeñas flores amarillentas y
fruto en forma ovalada también amarillo. **3** Fruto
comestible de este árbol, que es muy aromático y
tiene la piel lisa: *El mango es una fruta carnosa y
dulce.* □ ETIMOL. La acepción 1, del latín *manicus,*
y éste de *manica* (manga). La acepción 2 y 3, del
inglés *mango,* y éste del portugués *manga.*
mangonear v. **1** col. Entrometerse o intervenir en
asuntos ajenos con intención de imponer la voluntad propia: *No mangonees en mi vida y déjame tomar mis propias decisiones.* **2** col. Referido a una persona, manejarla o dominarla: *No pretendas mango-
nearme, porque tengo mi propio criterio.* □ ETIMOL.
Del latín *mango* (traficante).
mangoneo s.m. col. Entrometimiento o intervención en asuntos ajenos con intención de imponer la
voluntad propia.
mangosta s.f. Mamífero carnívoro de pequeño tamaño, pelaje rojizo o gris, cuerpo alargado, patas
cortas, cola muy desarrollada y hocico apuntado. □
ETIMOL. Del portugués *mangús* o del francés *man-
gouste.* □ MORF. Es un sustantivo epiceno: *la mangosta macho, la mangosta hembra.*
manguera s.f. Tubo largo de un material flexible

e impermeable, que por un extremo toma un líquido de una bomba o de un depósito y por el otro lo expulsa; manga. □ ETIMOL. De *manga*.

mangueta s.f. En un retrete, tubo que une el sifón con la tubería de desagüe. □ ETIMOL. Del catalán *manigueta*.

[mangui s. *col.* Ladrón. □ MORF. Es de género común: *el 'mangui', la 'mangui'*.

manguito s.m. **1** Prenda de abrigo femenina, generalmente de piel, en forma de rollo o de tubo y que se usa para proteger las manos del frío. **2** Media manga que cubre desde el codo hasta la muñeca, esp. la que se pone encima de la ropa para protegerla de la suciedad.

maní s.m. **1** Planta de tallo rastrero, hojas alternas lobuladas y flores amarillas cuyos pedúnculos se alargan y se introducen en el suelo para que madure el fruto, el cual está compuesto de una cáscara dura y varias semillas, comestibles después de tostadas. **2** Fruto de esta planta. □ MORF. Su plural es *manises*. □ SEM. Es sinónimo de *cacahué* y *cacahuete*.

manía s.f. **1** Trastorno mental caracterizado por una obsesión o por una idea fija enfermizas. **2** Costumbre extravagante o poco corriente, o preocupación injustificada por algo. **3** *col.* Antipatía o mala voluntad que se tienen contra alguien; ojeriza. **4** ‖**manía persecutoria**; la que sufre una persona que cree ser objeto de persecución o de la mala voluntad de alguien. □ ETIMOL. Del griego *manía* (locura).

maniaco, ca o **maníaco, ca** s. Persona que sufre una manía enfermiza o un trastorno mental. □ SEM. Dist. de *maniático* (que tiene manías).

maniatar v. Referido a una persona, atarle las manos: *El atracador maniató a la dueña de la tienda.* □ SEM. *Maniatar las manos* y *maniatar de pies y manos* son expresiones redundantes e incorrectas, aunque están muy extendidas.

maniático, ca adj./s. Referido a una persona, que tiene manías, obsesiones o costumbres extravagantes. □ SEM. Dist. de *maniaco* y *maníaco* (que padece una manía enfermiza).

manicomio s.m. Sanatorio o residencia para enfermos mentales. □ ETIMOL. Del griego *manía* (locura) y *koméo* (yo cuido).

manicura s.f. Véase **manicuro, ra**.

manicuro, ra ‖ s. **1** Persona que se dedica profesionalmente a cuidar y embellecer las manos y las uñas. ‖ s.f. **2** Hecho de cuidar y embellecer las manos y las uñas. □ ETIMOL. De *mano* y el latín *curo* (cuidar).

manido, da adj. Referido a un asunto, que ha sido muy tratado y resulta por ello demasiado común y falto de originalidad. □ ETIMOL. Del participio del antiguo *manere* (permanecer).

manierismo s.m. Estilo artístico y literario desarrollado en el continente europeo en el siglo XVI y caracterizado por el amaneramiento, la afectación y la ruptura del equilibrio renacentista. □ ETIMOL. Del italiano *manierismo*. □ USO Se usa más como nombre propio.

manierista ‖ adj. **1** Del manierismo o con rasgos propios de este estilo. ‖ adj./s. **2** Que defiende o sigue el Manierismo. □ MORF. 1. Como adjetivo es invariable en género. 2. Como sustantivo es de género común: *el manierista, la manierista*.

manifestación s.f. **1** Declaración o expresión públicas de una idea, una opinión o un pensamiento. **2** Muestra o reflejo de algo. **3** Concentración pública de un conjunto numeroso de personas para expresar una demanda o una opinión.

manifestante s. Persona que participa en una manifestación pública. □ MORF. Es de género común: *el manifestante, la manifestante*.

manifestar ‖ v. **1** Declarar o expresar de manera pública: *Manifestó su decisión de marcharse del partido. Se manifestó contrario a la política armamentista.* **2** Mostrar, dejar ver o hacer patente: *Manifestó su amor a los niños dando su vida por ellos. Su bondad se manifiesta en sus obras de caridad.* ‖ prnl. **3** Hacer una manifestación pública o tomar parte en ella: *Los agricultores se manifestaron ante el ministerio.* □ ETIMOL. Del latín *manifestare*. □ MORF. Irreg.: 1. Tiene un participio regular (*manifestado*), que se usa en la conjugación, y otro irregular (*manifiesto*), que se usa como adjetivo o sustantivo. 2. →PENSAR.

manifiesto, ta ‖ adj. **1** Muy claro o patente: *Es un hecho manifiesto que no estás de acuerdo con ellos.* ‖ s.m. **2** Escrito, generalmente de carácter político o estético, que se dirige a la opinión pública para exponer una concepción ideológica o un programa. □ ETIMOL. Del latín *manifestus*.

manigua s.f. o **manigual** s.m. Terreno húmedo, frecuentemente pantanoso, cubierto de espesa maleza, y propio de zonas tropicales americanas.

manija s.f. **1** En un utensilio o en un instrumento, empuñadura o manivela que sirve para facilitar su manejo. **2** En una puerta o en una ventana, dispositivo para accionar su cerradura y que sirve, al mismo tiempo, de agarrador o tirador. **[3** En zonas del español meridional, asa. □ ETIMOL. Del latín *manicula*. □ SEM. En las acepciones 1 y 2 es sinónimo de *manilla*.

manilla s.f. **1** En un reloj, aguja que marca el paso del tiempo. **2** En un utensilio o en un instrumento, empuñadura o manivela que sirve para facilitar su manejo. **3** En una puerta o en una ventana, dispositivo para accionar su cerradura y que sirve, al mismo tiempo, de agarrador o tirador. □ ETIMOL. Del catalán *manilla*. □ SEM. En las acepciones 2 y 3 es sinónimo de *manija*.

manillar s.m. En una bicicleta o en otro vehículo de dos ruedas, pieza metálica horizontal sobre cuyos extremos, en forma de mango, se apoyan las manos para controlar la dirección.

maniobra ‖ s.f. **1** Operación o conjunto de operaciones que se realizan, esp. para dirigir o controlar la marcha de un vehículo. **2** Lo que se hace con habilidad y astucia, y generalmente de manera poco limpia, para conseguir un fin. ‖ pl. **3** En el ejército, conjunto de operaciones y ejercicios que se realizan para adiestrar a la tropa, generalmente simulando un combate. □ ETIMOL. De *mano* y *obra*. □ MORF. En la acepción 1, la RAE sólo lo registra en plural.

maniobrar v. Realizar maniobras, esp. con un vehículo: *Tendrás que maniobrar mucho para aparcar en ese hueco. El batallón maniobró en el campo de entrenamiento.*

manipulación s.f. **1** Manejo en provecho propio, mediante la astucia o por medios ilícitos: *El político denunció la manipulación de sus declaraciones por parte de la oposición.* **2** Trabajo con las manos o mediante instrumentos. **3** Manejo de un aparato científico o delicado: *La manipulación de un aparato eléctrico debe hacerse con las manos secas.*

manipulador, -a adj./s. Que manipula.

manipular v. **1** Manejar en provecho propio mediante la astucia o por medios ilícitos: *Su habilidad para manipular al electorado casi asegura su victoria.* **2** Trabajar o manejar con las manos o mediante instrumentos: *En el laboratorio se ponen guantes especiales para manipular sustancias tóxicas.* **3** Referido a un aparato, manejarlo o maniobrar en él: *La bomba explosionó mientras el artificiero la manipulaba para desactivarla.* □ ETIMOL. Del latín *manipulus* (puñado, manojo).

maniqueísmo s.m. **1** Doctrina de Manes (teólogo persa del siglo III) que defiende la existencia de dos principios creadores contrarios entre sí, uno para el bien y otro para el mal. **2** Tendencia a interpretar la realidad según una valoración en la que todo es bueno o malo, sin grados intermedios.

maniqueo, a ▮ adj. **1** Del maniqueísmo o relacionado con esta doctrina o con esta tendencia. ▮ adj./s. **2** Partidario o seguidor del maniqueísmo.

maniquí ▮ s. **1** Persona que se dedica profesionalmente al pase o exhibición de modelos de vestir. ▮ s.m. **2** Figura articulada o armazón con forma de persona, esp. los que se usan para probar o exhibir prendas de vestir. 🔎 costura **[3** Persona muy arreglada y elegante. □ ETIMOL. Del francés *mannequin*, y éste del holandés *mannekijn* (hombrecito). □ MORF. 1. En la acepción 1, es de género común: *el maniquí, la maniquí.* 2. Aunque su plural en la lengua culta es *maniquíes*, se usa mucho *maniquís*.

manirroto, ta adj./s. Referido a una persona, que gasta en exceso y sin control.

manitas s. *col.* Persona muy habilidosa con las manos. □ MORF. 1. Es de género común: *el manitas, la manitas.* 2. Invariable en número.

manivela s.f. Pieza doblada en ángulo recto y unida a un eje sobre el que se la hace girar para accionar un mecanismo. □ ETIMOL. Del francés *manivelle*.

manjar s.m. Alimento o comida, esp. los que resultan apetitosos o están preparados de manera exquisita. □ ETIMOL. Del catalán o del provenzal antiguo *manjar* (comer).

mano ▮ s.f. **1** En el cuerpo de una persona, extremidad del brazo, que va desde la muñeca hasta la punta de los dedos, y sirve principalmente para agarrar. 🔎 mano **2** En algunos animales, parte final de la extremidad, cuyo dedo pulgar puede oponerse a los otros. **3** En un animal cuadrúpedo, extremidad delantera. **4** En una res de carnicería, extremo de la pata, cortado por debajo de la rodilla: *Hoy comeremos manos de cerdo.* 🔎 carne **5** Respecto de la situación de una persona o de una cosa, lado en que cae o está situada otra: *La calle que buscas está a mano izquierda.* **6** Habilidad, capacidad o destreza: *¡Qué buena mano tienes para la cocina!* **7** Poder, mando, influencia o facultad para hacer algo: *Si se lo dices tú, a ti te hará caso, porque tienes mucha mano sobre él.* **8** Intervención, actuación o participación: *Se nota la mano de un experto en la preparación de este trabajo.* **9** Auxilio, socorro o ayuda: *Necesito una mano para acabar hoy el trabajo, porque sola no puedo.* **10** Capa de pintura o de otra sustancia semejante que se da sobre una superficie: *Dio una mano de barniz a la puerta.* **11** Operación que se hace de una vez en un trabajo en el que se realizan varias: *Di varias manos de jabón a la ropa.* **12** Mazo de un mortero o de un almirez: *Machaca estos ajos con la mano del mortero.* **13** En algunos juegos de mesa, esp. en los de cartas, partida o conjunto de jugadas que se hacen cada vez que se reparte: *¿Quién ha repartido en esta mano?* **[14** En fútbol y en hockey sobre patines, falta que se produce cuando un jugador toca voluntariamente el balón con alguna parte del brazo o en el separado del cuerpo: *El árbitro pitó 'mano' cuando el defensa dio al balón con el antebrazo.* **15** En algunos juegos de mesa, esp. en los de cartas, jugador que está a la derecha del que reparte: *Empiezo yo, que soy mano.* ▮ pl. **16** Gente para trabajar o hacer un trabajo: *Faltaban manos para descargar los camiones.* **17** ‖ **a mano; 1** Referido al modo de hacer algo, manualmente o sin usar máquinas: *Este mantel está hecho a mano.* **2** Cerca: *Te llevo en coche, porque tu casa me queda a mano.* ‖ **a mano armada**; referido a un ataque o a un robo, que se efectúa con armas. ‖ **[a manos de** alguien; por su causa o por su acción: *Murió 'a manos de' sus enemigos.* ‖ **a manos llenas**; en abundancia o generosamente: *Los payasos repartían caramelos a manos llenas.* ‖ **abrir la mano**; disminuir el rigor o la dureza. ‖ **{alzar/levantar} la mano** a alguien; hacerlo en señal de amenaza o para golpearlo. ‖ **atar las manos**; *col.* Impedir la realización de algo o quitar la libertad de actuación. ‖ **bajo mano**; de manera oculta o secreta. ‖ **caerse** algo **de las manos**; *col.* Resultar insoportable, esp. por ser demasiado difícil o demasiado aburrido. ‖ **cambiar de manos**; cambiar de dueño o de propietario. ‖ **cargar la mano** en algo; excederse en ello. ‖ **con la mano en el corazón**; con sinceridad y con franqueza. ‖ **con las manos en la masa**; *col.* En plena realización de algo, esp. si es indebido. ‖ **con las manos vacías**; sin lograr lo que se pretendía. ‖ **con una mano detrás y otra delante**; *col.* Sin poseer nada. ‖ **{dar/estrechar} la mano**; ofrecerla o cogerla como señal de saludo: *Se estrecharon las manos en señal de saludo.* ‖ **de la mano**; agarrado o de la mano de otra persona: *Los novios paseaban de la mano.* ‖ **de mano**; que tiene un peso y un tamaño adecuados para poder ser llevado en la mano o para manejarse con las manos. ‖ **de primera mano; 1** Nuevo o sin estrenar: *Me he comprado un coche de primera mano.* **2** De la fuente original o sin intermediarios: *Sé la noticia de primera mano, porque me la dijo el interesado.* ‖ **de segunda mano**; usado o ya estrenado. ‖ **echar mano a** algo; *col.*

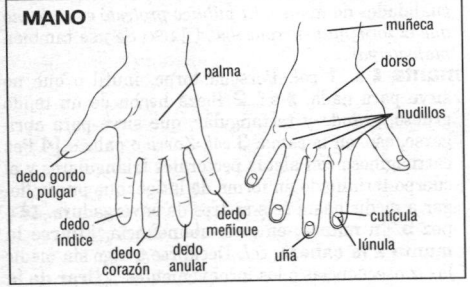

MANO — muñeca — palma — dorso — nudillos — dedo gordo o pulgar — dedo índice — dedo corazón — dedo anular — dedo meñique — uña — cutícula — lúnula

Cogerlo, agarrarlo o prenderlo: *Se enfadó con todos, así que echó mano al bolso y se marchó.* ‖**echar mano de** algo; *col.* Valerse de ello para un fin. ‖**echar una mano** o **tender {la/una} mano**; *col.* Ayudar. ‖**en buenas manos**; bajo la responsabilidad de alguien fiable. ‖ **[en mano**; referido a la entrega de algo, directa o personalmente. ‖**en manos de** alguien; bajo su control o su responsabilidad. ‖**estar** algo **en la mano de** alguien; depender de él. ‖**frotarse las manos**; *col.* Regocijarse o expresar satisfacción, esp. si es a causa de un mal ajeno. ‖**ganar por la mano** a alguien; anticipársele en hacer o en lograr algo. ‖ **[hacer manitas**; acariciarse las manos. ‖**irse de (entre) las manos**; escapar del control: *El asunto se le fue de las manos y quedó fuera de su control.* ‖**írsele la mano** a alguien; excederse: *Quería darle un golpecito, pero se me fue la mano y casi lo tiro.* ‖**lavarse las manos**; desentenderse de un asunto o de una responsabilidad. ‖**llegar a las manos**; reñir o discutir hasta llegar al enfrentamiento físico. ‖**llevarse las manos a la cabeza**; *col.* Asombrarse, asustarse o indignarse. ‖**mano a mano**; referido a la forma de hacer algo, entre dos personas que compiten o colaboran estrechamente. ‖**mano de obra**; **1** Trabajo manual, esp. el realizado por un obrero: *La mano de obra ha sido más cara que los repuestos.* **2** Conjunto de obreros: *En el sector industrial es fundamental la mano de obra.* ‖**mano de santo**; *col.* Lo que resulta muy eficaz o logra su efecto rápidamente. ‖**mano derecha**; respecto de una persona, otra que le es muy útil como ayudante o colaborador. ‖**mano {dura/[de hierro}**; *col.* Severidad, dureza o rigor en el trato con la gente o en la dirección de algo. ‖**mano izquierda**; tacto o astucia para tratar cuestiones difíciles. ‖ **[mano negra**; fuerza o poder que actúa de forma oculta. ‖**mano sobre mano**; sin trabajar o sin hacer nada: *¿No te da vergüenza estar mano sobre mano mientras los demás trabajamos?* ‖**manos a la obra**; expresión que se usa para animar a emprender o a continuar un trabajo. ‖**manos limpias**; ausencia de culpa. ‖**meter mano**; *vulg.* **1** Referido a una persona, tocarla con intenciones eróticas. **2** Referido esp. a una tarea o a un asunto, abordarlos o enfrentarse a ellos. ‖**pedir la mano de** una mujer; solicitar de su familia consentimiento para casarse con ella. ‖**poner la mano en el fuego por** algo; *col.* Asegurarlo o garantizarlo: *Pongo la mano en el fuego por él, porque sé que es inocente.* ‖**poner la mano encima** a alguien; *col.* Golpearlo. ‖**tener la mano larga**; *col.* Tener tendencia a golpear sin motivo. ‖**{tener/traer} algo entre manos**; *col.* Tramarlo o estar ocupado en ello. □ ETIMOL. Del latín *manus.* □ MORF. 1. En la acepción 15, la RAE lo registra como sustantivo de género común. 2. Cuando se antepone a otra palabra para formar compuestos, adopta la forma mani-: *manirroto.* □ SINT. *Mano a mano* se usa también como sustantivo: *Esta corrida es un mano a mano entre los dos mejores toreros de la temporada.*

manojo s.m. **1** Conjunto de cosas, esp. si son alargadas, que se pueden coger con la mano. **2** Conjunto, abundancia o gran cantidad. **3** ‖ **[{estar hecho/ser} un manojo de nervios**; *col.* Estar o ser muy nervioso. □ ETIMOL. Del latín *manuculus* (puñado).

[manoletina s.f. Zapato bajo, de punta redondeada, parecido al que usan los toreros.
manolo, la s. Persona que vivía en algunos barrios populares madrileños y que se caracterizaba por su traje y por su gracia y desenfado.
manómetro s.m. Instrumento que sirve para medir la presión de un fluido contenido en un recinto cerrado. □ ETIMOL. Del griego *manós* (raro, poco denso) y *-metro* (medidor). ✎ medida
manopla s.f. **1** Especie de guante sin separaciones para los dedos o con una para el pulgar. **2** En una armadura, pieza que cubre y protege la mano; guantelete. ✎ armadura **[3** En zonas del español meridional, guante de béisbol. □ ETIMOL. De origen incierto.
manosear v. **1** Tocar repetidamente con las manos: *No manosees la fruta.* **[2** *col.* Referido a un asunto, tratarlo o insistir demasiado en él: *No me parece un buen tema para una novela, porque está muy manoseado.* □ USO En la acepción 2, tiene un matiz despectivo.
manoseo s.m. **1** Hecho de tocar repetidamente con las manos. **[2** Tratamiento reiterado y excesivo de un asunto.
manotada s.f. o **manotazo** s.m. Golpe dado con la mano; manotón. □ USO *Manotada* es el término menos usual.
manotear v. Dar golpes con las manos o moverlas exageradamente al hablar: *A mi hija le encanta manotear en el agua. Los latinos manotean mucho al hablar.*
manoteo s.m. Movimiento exagerado de las manos.
manotón s.m. Golpe dado con la mano; manotada, manotazo.
mansalva ‖**a mansalva**; **[**en gran cantidad.
[mansarda s.f. Bohardilla, esp. la que sobresale en un tejado. □ ETIMOL. Del francés *mansarde.*
mansedumbre s.f. **1** Docilidad en la condición o en el trato. **2** Tranquilidad, serenidad y falta de brusquedad o violencia. □ ETIMOL. Del latín *mansuetudo.*
mansión s.f. Casa grande y señorial. □ ETIMOL. Del latín *mansio* (albergue, vivienda).
manso, sa ∎ adj. **1** Referido esp. a una persona, que es suave o dócil en la condición o en el trato. **2** Referido a un animal, que no es bravo o que no actúa con fiereza. **3** Referido esp. a algo insensible, apacible, tranquilo o que se mueve lenta y sosegadamente: *aguas mansas.* ∎ s.m. **4** En un rebaño, esp. si es de ganado bravo, buey que sirve de guía a las demás. □ ETIMOL. Del latín *mansus.*
[mansurrear v. →**mansurronear.**
mansurrón, -a adj. *col.* Excesivamente manso.
[mansurronear v. *col.* Referido a un toro, mostrar cualidades de manso: *El público protestó cuando vio que el toro 'mansurroneaba'.* □ USO Se usa también *mansurrear.*
manta ∎ s. **1** *col.* Persona torpe, inútil o que no sirve para nada. ∎ s.f. **2** Pieza hecha de un tejido grueso, grande y rectangular, que sirve para abrigarse, esp. en la cama. **3** *col.* Zurra o paliza. **[4** Pez cartilaginoso con aletas pectorales triangulares y el cuerpo terminado en forma de látigo, que puede llegar a medir hasta seis metros de envergadura. ✎ pez **5** ‖**a manta**; en gran abundancia. ‖**liarse la manta a la cabeza**; *col.* Decidirse a algo sin medir las consecuencias o los inconvenientes. ‖**tirar de la**

manta; *col.* Descubrir lo que se intentaba ocultar. ☐ ETIMOL. Las acepciones 1-3, de *manto*. ☐ MORF. 1. En la acepción 1, es de género común: *el manta, la manta.* 2. En la acepción 4, es un sustantivo epiceno: *la 'manta' macho, la 'manta' hembra.*

manteamiento s.m. Lanzamiento al aire de una persona impulsándola repetidas veces con una manta que sujetan entre varios; manteo.

mantear v. Referido a una persona, lanzarla al aire impulsándola repetidas veces con una manta sostenida entre varios: *Varios mozos de la venta mantearon a Sancho Panza.*

manteca s.f. **1** Grasa de algunos animales, esp. la del cerdo. **2** Sustancia grasa que se obtiene de la leche, esp. de la de vaca. **3** Sustancia grasa y consistente que se obtiene de algunos frutos, esp. de su semilla: *manteca de cacao.* ☐ ETIMOL. De origen incierto.

mantecada s.f. **1** Bollo pequeño elaborado con manteca de vaca, harina, huevos y azúcar, que se suele cocer en un molde cuadrado. **2** En zonas del español meridional, pan dulce y pequeño con un poco de manteca o mantequilla y que se hornea sobre un trozo de papel.

mantecado s.m. **1** Dulce elaborado con manteca de cerdo. **2** Sorbete hecho con leche, huevos y azúcar.

mantecoso, sa adj. Con manteca o con características de ésta.

manteísta s.m. Alumno universitario que asistía a las facultades vestido con sotana y manteo.

mantel s.m. Pieza de tela con que se cubre la mesa durante la comida. ☐ ETIMOL. Del latín *mantele* (toalla).

mantelería s.f. Conjunto formado por un mantel y varias servilletas haciendo juego.

manteleta s.f. Prenda de vestir femenina con forma de capa y con las puntas delanteras largas, que cubre desde los hombros hasta casi la cintura. ☐ ETIMOL. Del francés *mantelet.*

mantener ▌ v. **1** Sujetar o evitar la caída o la desviación: *Mantén las piernas en alto para que circule bien la sangre. Con esa borrachera, se mantiene en pie de milagro.* **2** Referido a un estado o a una circunstancia, conservarlos o evitar su desaparición o su degradación: *Este comercio mantiene su prestigio desde hace diez años. Se mantiene en forma haciendo ejercicio.* **3** Referido esp. a una acción, proseguir o continuar en ella: *Mantuve una conversación con la escritora.* **4** Defender o hacer permanecer: *El testigo mantiene que no ha visto nunca a ese hombre.* Referido esp. a una promesa o a un compromiso, cumplirlos o ser fiel a ellos: *Debes saber mantener tu palabra en los momentos difíciles.* **6** Alimentar, o procurar y costear el alimento u otras necesidades: *La hermana mayor mantiene con su sueldo a toda la familia. Se mantiene a base sólo de leche y de fruta.* ▌ prnl. **7** Persistir o perseverar en un estado o en una posición: *Se mantuvo firme en sus convicciones.* ☐ ETIMOL. Del latín *manu tenere* (tener con la mano). ☐ MORF. Irreg. →TENER.

mantenido, da s. *col.* Persona que vive a expensas de otra.

mantenimiento s.m. **1** Conservación, sujeción o defensa, esp. la que se hacen para evitar la desaparición o degradación de algo. **2** Conjunto de operaciones y cuidados necesarios para que unas instalaciones puedan seguir funcionando adecuadamente: *Cuando se estropeó el ascensor de la oficina, avisé al encargado del mantenimiento del edificio.* **3** Realización continuada de una acción o continuación en ella: *El mantenimiento de tus promesas te honra.* **4** Alimentación o provisión del alimento u otras necesidades, o pago de su coste.

manteo s.m. **1** Capa larga con cuello que utilizan los sacerdotes sobre la sotana y que antiguamente usaban los estudiantes. **2** Lanzamiento al aire de una persona impulsándola repetidas veces con una manta que sujetan entre varios; manteamiento. ☐ ETIMOL. La acepción 1, del francés *manteau*. La acepción 2, de *mantear*.

mantequería s.f. **1** Establecimiento en el que principalmente se vende mantequilla y otros productos lácteos. **2** Lugar en el que se fabrica la mantequilla.

mantequilla s.f. **1** Producto alimenticio de consistencia blanda que se obtiene de la grasa de la leche de vaca. **2** Manteca de la leche de vaca.

mantilla s.f. **1** Prenda femenina que se pone sobre la cabeza y cae sobre los hombros. **2** Prenda con la que se envuelve a los bebés para abrigarlos. **3** ‖ **estar en mantillas**; *col.* Estar en los comienzos o tener pocos conocimientos sobre un asunto.

mantillo s.m. **1** Materia orgánica formada por restos descompuestos de vegetales y de animales, que ocupa la capa superior del suelo y se utiliza como abono; humus. **2** Abono que se obtiene de la fermentación del estiércol.

mantis s.f. Insecto masticador, de cuerpo verdoso, patas anteriores erguidas y juntas cuando permanecen en reposo, cuya hembra suele devorar al macho después de la cópula; mantis religiosa, santateresa. ☐ MORF. 1. Es un sustantivo epiceno: *la mantis macho, la mantis hembra.* 2. Invariable en número. 🔍 insecto

manto s.m. **1** Prenda amplia parecida a la capa, que cubre desde la cabeza o desde los hombros hasta los pies. **2** Parte de la Tierra situada entre el núcleo y la corteza, y compuesta por rocas muy básicas. **3** Lo que cubre, protege u oculta algo. ☐ ETIMOL. Del latín *mantum* (manto corto).

mantón s.m. **1** Prenda de vestir femenina que generalmente se dobla en diagonal y que se echa sobre los hombros. **2** ‖ **mantón de Manila**; el de seda, bordado con colores brillantes y de origen chino.

[manu militari (latinismo) ‖ Por la fuerza de las armas.

manual ▌ adj. **1** Que se realiza o se maneja con las manos. ▌ s.m. **2** Libro en el que se recoge lo más importante de una materia. ☐ ETIMOL. Del latín *manualis.* ☐ MORF. Como adjetivo es invariable en género.

manualidad s.f. Trabajo realizado con las manos. ☐ MORF. Se usa más en plural.

manubrio s.m. **1** En un utensilio o en un instrumento, empuñadura, esp. la que tiene forma de manivela y, al girar, pone en funcionamiento un mecanismo. **2** En zonas del español meridional, manillar. **3** En zonas del español meridional, volante de automóvil. ☐ ETIMOL. Del latín *manubrium* (asa, mando).

manufactura s.f. **1** Obra hecha a mano o con ayuda de máquinas. **2** Fábrica o industria en las que se hacen estos productos. ☐ ETIMOL. Del latín *manu factura.*

manufacturar v. Fabricar o producir con medios mecánicos a partir de materias primas: *Cada año, en esta región se manufacturan muchos zapatos.*

manumisión s.f. Concesión de la libertad a un esclavo.

manumiso, sa ∎ **1** part. irreg. de **manumitir**. ∎ adj. **2** Referido a un esclavo, que ha recibido la libertad. ☐ USO Se usa como adjetivo, frente al participio regular *manumitido*, que se usa en la conjugación.

manumitir v. Referido a un esclavo, darle la libertad: *Algunos señores romanos manumitían a sus esclavos a cambio de dinero.* ☐ ETIMOL. Del latín *manumittere* (enviar los esclavos lejos del poder del dueño). ☐ MORF. Tiene un participio regular (*manumitido*), que se usa en la conjugación, y otro irregular (*manumiso*), que se usa como adjetivo.

manuscrito, ta ∎ adj. **1** Escrito a mano. ∎ s.m. **2** Libro o texto escrito a mano, esp. el que tiene algún valor histórico o literario. ☐ ETIMOL. Del latín *manus* (mano) y *scriptus* (escrito).

manutención s.f. Alimentación o provisión de lo necesario, esp. del alimento. ☐ ETIMOL. De *manutener* (mantener, amparar).

manzana s.f. **1** Fruto del manzano, comestible, de forma redondeada y carne blanca y jugosa. **2** Espacio urbano, generalmente cuadrangular, delimitado por calles por todos sus lados. **3** En zonas del español meridional, nuez de la garganta. **4** ‖ **manzana de Adán**; en América, nuez de la garganta. ‖ **[manzana golden**; la que es de color amarillo y tiene la piel tersa. ‖ **[manzana starking**; la que es de color rojo oscuro y tiene la piel brillante. ☐ ETIMOL. Del latín *mala mattiana* (variedad de manzanas), en memoria de Caius Matius, tratadista latino de agricultura.

manzanilla s.f. **1** Planta herbácea de flores olorosas en cabezuela, de color blanco y con el centro amarillo, que tiene propiedades medicinales. **2** Flor de esta planta. **3** Infusión que se hace con las flores secas de esta planta y que tiene propiedades digestivas. **4** Vino blanco, seco y aromático, que se elabora en algunas zonas andaluzas, esp. en la provincia gaditana. ☐ ETIMOL. De *manzana*, por la semejanza del botón de la manzanilla con una manzana. ☐ SEM. En las acepciones 1 y 2, es sinónimo de *camomila*.

manzano s.m. Árbol frutal, de hojas alternas, ovales y dentadas y flores rosáceas en umbela, cuyo fruto es la manzana.

maña s.f. Véase **maño, ña.**

mañana ∎ s.m. **1** Tiempo futuro. ∎ s.f. **2** Período de tiempo comprendido entre la medianoche y el mediodía, esp. el que transcurre después del amanecer. ∎ adv. **3** En el día que sigue inmediatamente al de hoy. **4** En un tiempo futuro. ∎ interj. **5** Expresión que se usa para negar de forma rotunda lo que se dice: *¡Mañana, pienso ayudar yo a ese tipo que siempre me ha despreciado!* **6** ‖ **de mañana**; al amanecer o en las primeras horas del día. ‖ **hasta mañana**; expresión que se utiliza como señal de despedida cuando al día siguiente se va a ver a la otra persona. ‖ **pasado mañana**; en el día que sigue inmediatamente al de mañana. ☐ ETIMOL. Del latín *hora *maneana* (en hora temprana).

mañanero, ra adj. De la mañana o relacionado con ella.

mañanita ∎ s.f. **1** Prenda de vestir con forma de capa corta que cubre desde los hombros hasta la cintura y que se suele utilizar para estar sentado mientras se está en la cama. ∎ pl. **[2** Canción popular mejicana que se interpreta, generalmente al alba, con motivo de una celebración familiar.

maño, ña ∎ adj./s. **1** col. Referido a una persona, que ha nacido en Aragón (comunidad autónoma). ∎ s.f. **2** Habilidad o destreza, esp. para las manualidades. **3** Ingenio o astucia para conseguir lo que se desea. **4** ‖ **darse maña**; tener habilidad. ☐ ETIMOL. Las acepciones 2 y 3, quizá del latín **mania* (habilidad manual). ☐ MORF. La acepción 3 se usa más en plural. ☐ SEM. En la acepción 1, dist. de *baturro* (aragonés del campo).

mañoso, sa adj. Que tiene habilidad o destreza, esp. para las manualidades.

maoísmo s.m. **1** Doctrina política elaborada por Mao Tse-Tung (fundador del partido comunista chino) en la que se adapta el marxismo leninismo a la realidad política y social china. **2** Movimiento político inspirado en esta doctrina.

maoísta ∎ adj. **1** Del maoísmo o relacionado con esta doctrina política. ∎ adj./s. **2** Partidario o seguidor del maoísmo. ☐ MORF. 1. Como adjetivo es invariable en género. 2. Como sustantivo es de género común: *el maoísta, la maoísta.*

maorí ∎ adj./s. **1** De un pueblo que habita en tierras neozelandesas o relacionado con él. ∎ s.m. **2** Lengua de este pueblo. ☐ MORF. 1. En la acepción 1, como adjetivo es invariable en género; como sustantivo es de género común: *el maorí, la maorí.* 2. Aunque su plural en la lengua culta es *maoríes*, la RAE admite también *maorís.*

mapa s.m. **1** Representación gráfica, sobre un plano y de acuerdo con una escala, de la superficie terrestre o de una parte de ella; carta. **2** ‖ **borrar del mapa**; col. Eliminar o hacer desaparecer. ☐ ETIMOL. Del latín *mappa* (pañuelo, servilleta), porque antiguamente para hacer mapas se empleaba un lienzo.

mapache s.m. Mamífero carnívoro americano de vida nocturna, de pelaje fino, tupido y grisáceo, larga cola con anillos blancos alternándose con otros de color oscuro, y con una mancha negra alrededor de los ojos a modo de antifaz. ☐ MORF. Es un sustantivo epiceno: *el mapache macho, el mapache hembra.*

mapamundi s.m. Mapa en el que se representa la superficie de la Tierra dividida en dos hemisferios. ☐ ETIMOL. Del latín *mappa mundi* (mapa del mundo). ☐ MORF. Su plural es *mapamundis*; incorr. **mapasmundi.*

mapuche ∎ adj./s. **1** De Arauco (región chilena) o relacionado con él. **2** De un pueblo indio que en la época de la conquista española habitaba la región centro-sur de Chile (país suramericano), o relacionado con él. ∎ s.m. **3** Lengua de este pueblo indio. ☐ MORF. 1. Como adjetivo es invariable en género. 2. Como sustantivo es de género común: *el mapuche, la mapuche.* ☐ SEM. En las acepciones 2 y 3, es sinónimo de *araucano.*

maqueta s.f. Véase **maqueto, ta.**

[maquetación s.f. Preparación de un modelo previo que sirve de guía, esp. en la composición de un texto impreso.

[maquetador, -a ∎ **1** adj/s.m. En informática, referido esp. a un programa, que permite elegir la forma en que puede salir la información. ∎ s. **2** →**maquetista.**

[**maquetar** v. Referido esp. a un texto que se va a imprimir, preparar o hacer su maqueta: *Hay que volver a 'maquetar' esta página, dejando más espacio para la ilustración.*

maquetista s. Persona que se dedica a hacer maquetas, esp. si ésta es su profesión. ☐ MORF. Es de género común: *el maquetista, la maquetista.* ☐ USO Aunque la RAE sólo registra *maquetista*, se usa mucho *maquetador.*

maqueto, ta ∎ adj./s. **1** Referido a una persona, que ha emigrado desde una región española y vive en el País Vasco. ∎ s.f. **2** Reproducción a escala reducida y en tres dimensiones. **3** Modelo previo que sirve de guía, esp. en la composición de un texto impreso. ☐ ETIMOL. Las acepciones 2 y 3, del italiano *macchietta* (boceto). ☐ USO 1. En la acepción 1, es despectivo. 2. En la acepción 1, es innecesario el uso del término vasco *maketo.*

maqui s. [→**maquis.** ☐ MORF. Es un sustantivo de género común: *el 'maqui', la 'maqui'.*

maquiavélico, ca adj. Astuto, inteligente, hábil y engañoso, o con otras características propias del maquiavelismo.

maquiavelismo s.m. **1** Teoría política de Maquiavelo (político y teórico italiano del siglo XVI), que defiende los intereses del Estado sobre cualquier consideración ética o moral. **2** Forma de actuar que se caracteriza por la astucia, la habilidad y el engaño para conseguir lo que se pretende.

maquillador, -a adj./s. Que maquilla.

maquillaje s.m. **1** Aplicación de productos cosméticos sobre la piel, esp. sobre la cara, para embellecer o para caracterizar. **2** Producto cosmético que se utiliza para maquillar.

maquillar v. **1** Aplicar productos cosméticos para embellecer o para caracterizar: *Maquillaron al actor para que pareciera una mujer. Todas las modelos se maquillan.* **2** Referido a la realidad, alterarla para que presente mejor apariencia: *Dicen que todos los políticos maquillan la verdad.* ☐ ETIMOL. Del francés *maquiller.*

máquina s.f. **1** Conjunto de piezas con movimientos combinados, que aprovecha una fuerza o una energía para producir otra o para realizar un trabajo: *máquinas de una fábrica.* 🖾 costura **2** En un tren, vagón en el que está montado el motor, y que arrastra o mueve los demás vagones enganchados a él; locomotora. **3** Conjunto de partes ordenadas entre sí y dirigidas a la formación de un todo: *máquina del Estado.* [**4** Aparato que generalmente se acciona con monedas para obtener algo de forma inmediata o automática: *'máquina' de tabaco.* [**5** Música de ritmo frenético, agresivo y repetitivo. **6** ‖ **a toda máquina**; a gran velocidad o con el máximo de esfuerzo. ‖ **máquina de vapor**; la que funciona por la fuerza que ejerce el vapor de agua al expandirse. ‖ **máquina herramienta**; la que hace funcionar una herramienta de forma mecánica en lugar de manualmente por un operario. ‖ [**máquina pisa pistas**; en una estación de esquí, la que sirve para aplastar la nieve de las pistas de esquí. ‖ [(**máquina) tragaperras**; la que da la posibilidad de conseguir un premio a cambio de una mo-

neda. ☐ ETIMOL. Del latín *machina*, y éste del griego *makhaná* (invención ingeniosa).

maquinación s.f. Preparación o trama de un plan de forma oculta, esp. si el plan es negativo.

maquinador, -a adj./s. Que maquina o trama a escondidas.

maquinal adj. Referido a una acción, que se realiza sin pensar o de forma involuntaria. ☐ MORF. Invariable en género.

maquinar v. Referido a un plan, esp. si es negativo, prepararlo o tramarlo ocultamente: *He maquinado la manera de salir de aquí sin ser vistos.* ☐ ETIMOL. Del latín *machinari.*

maquinaria s.f. Conjunto de máquinas que se utilizan para un fin determinado.

maquinilla s.f. **1** Utensilio que sirve para afeitar y está formado por un mango con un soporte para una cuchilla en uno de sus extremos. **2** ‖ [**maquinilla eléctrica**; aparato eléctrico que se usa para afeitar sin necesidad de espuma o jabón.

maquinista s. Persona que se dedica profesionalmente al manejo de una máquina, esp. de una locomotora. ☐ MORF. Es de género común: *el maquinista, la maquinista.*

maquinización s.f. En un sector de producción, empleo de máquinas que sustituyan o mejoren el trabajo del hombre.

maquinizar v. Sustituir el trabajo manual por máquinas que lo mejoren o lo hagan más rápido: *La industria y la agricultura se han maquinizado.* ☐ ORTOGR. La *z* se cambia en *c* delante de *e* →CAZAR.

maquis ∎ s. **1** Persona que se rebela y mantiene una oposición armada contra el sistema político establecido, y vive escondida en los montes. ∎ s.m. **2** Organización formada por estas personas. ☐ ETIMOL. Del francés *maquis* (monte bajo, denso e intrincado). ☐ MORF. 1. En la acepción 1, es de género común: *el maquis, la maquis.* 2. Invariable en número. ☐ USO En la acepción 1, se usa también *maqui.*

mar s. **1** Masa de agua salada que cubre la mayor parte de la superficie terrestre. **2** Cada una de las partes en que se considera dividida esta masa de agua y es más pequeña que el océano: *mar Cantábrico.* **3** Lago de gran extensión. [**4** En la superficie lunar, extensa llanura oscura. **5** ‖ **a mares**; *col.* Abundantemente. ‖ **alta mar**; parte que está a bastante distancia de la costa. ‖ [**estar hecho un mar de lágrimas**; *col.* Llorar mucho y desconsoladamente. ‖ **hacerse a la mar**; salir del puerto para navegar. ‖ **la mar de** algo; mucho o muy. ‖ **mar arbolada**; la que está agitada por olas que pasan de los seis metros de altura. ‖ **mar de fondo**; **1** En zonas costeras donde hace buen tiempo y no hay viento, agitación de las aguas debida a corrientes marinas profundas o a la actividad geológica de los fondos marinos. **2** Inquietud o agitación que subyacen en un asunto. ‖ **mar gruesa**; la que está agitada por olas que llegan hasta una altura de seis metros. ‖ [**mar montañosa**; la que está agitada por olas sin dirección determinada, de nueve a catorce metros de altura. ‖ **mar picada**; la que está alterada y tiene algo de oleaje. ‖ **mar rizada**; la que está ligeramente agitada por pequeñas olas. ‖ **un mar** de algo; gran cantidad. ☐ ETIMOL. Del latín *mare.* ☐ MORF. Es de género ambiguo: *el mar tranquilo, la mar tranquila*, pero en plural sólo *los mares.*

marabú s.m. Ave zancuda africana, parecida a la cigüeña, de pico largo y cola corta, con alas grandes y plumaje gris y blanco. □ ETIMOL. Del árabe *marbuf* (santo, ermitaño), porque el marabú se consideraba sagrado ya que devora muchos insectos y reptiles. □ MORF. 1. Aunque su plural en la lengua culta es *marabúes*, se usa mucho *marabús*. 2. Es un sustantivo epiceno: *el marabú macho, el marabú hembra.*

marabunta s.f. **1** Migración masiva de hormigas voraces que devoran a su paso todo lo comestible que encuentran. **2** *col.* Aglomeración de gente que produce mucho jaleo o ruido. □ SEM. En la acepción 2, dist. de *barahúnda* y *baraúnda* (desorden, ruido o gran confusión).

maraca s.f. Instrumento musical de percusión, de origen cubano, formado por un mango con una especie de bola hueca acoplada a uno de sus extremos y llena de semillas secas o materiales semejantes que suenan al agitarlo. □ MORF. Se usa más en plural. 🔊 percusión

maragato, ta adj./s. De la Maragatería, o relacionado con esta comarca leonesa.

[marajá s.m. Soberano de un principado indio. □ ETIMOL. Del inglés *maharajah*. □ MORF. Se usa mucho el femenino del hindi *maharani.*

maraña s.f. **1** Enredo de hilos, de cabellos o de cosas semejantes. **[2** Conjunto de elementos desordenados o revueltos. **3** Espesura de arbustos. □ ETIMOL. De origen incierto.

marasmo s.m. **1** Suspensión o paralización absolutas de la actividad. **2** En medicina, extrema debilidad, agotamiento o adelgazamiento del cuerpo humano. □ ETIMOL. Del griego *marasmós* (agotamiento).

maratón ▪ s. **1** Competición dura, prolongada o de resistencia: *maratón de baile.* **2** En atletismo, carrera de resistencia que consiste en correr una distancia de 42 kilómetros y 195 metros. ▪ s.m. **3** Actividad que se desarrolla en una sola sesión o que se realiza en menos tiempo del necesario: *Mi trabajo es un continuo maratón para entregar los expedientes a tiempo.* □ ETIMOL. Por alusión a la carrera realizada por un soldado griego desde Maratón hasta Atenas para anunciar la victoria sobre los persas. □ ORTOGR. Incorr. **marathón.* □ MORF. En las acepciones 1 y 2, es de género ambiguo: *el maratón largo, la maratón larga.*

maratoniano, na adj. Del maratón, con sus características o relacionado con él.

maravedí s.m. Antigua moneda española. □ ETIMOL. Del árabe *murabiti* (relativo a los almorávides). □ MORF. Aunque su plural en la lengua culta es *maravedíes* o *maravedises*, se usa mucho *maravedís.*

maravilla s.f. **1** Lo que causa admiración, esp. por ser extraordinario. **[2** Lo que se hace con gran habilidad a pesar de su dificultad o de su complicación. **[3** Pasta alimenticia para sopa en forma de grano de pequeño tamaño. **4** ‖ **a las mil maravillas** o **de maravilla**; muy bien o perfectamente. ‖ **decir maravillas de** algo; *col.* Hablar muy bien de ello. □ ETIMOL. Del latín *mirabilia* (cosas extrañas). □ SINT. La acepción 2 se usa más en la expresión *hacer 'maravillas'.*

maravillar v. Despertar admiración o asombro: *Me maravilla tu disciplina en el trabajo.*

maravilloso, sa adj. Que causa admiración, generalmente por resultar extraordinario.

marca s.f. **1** Señal que permite distinguir o reconocer algo. **2** Distintivo o nombre que un fabricante da a un producto para diferenciarlo de otros similares. **[3** Huella o señal dejadas por algo: *Está morena y se le nota la 'marca' del bañador.* **[4** Sello o estilo característicos: *Esta canción tiene la 'marca' de los años sesenta.* **5** En deporte, mejor resultado técnico homologado; plusmarca, récord. **6** ‖ **de marca (mayor)**; *col.* Que se sale de lo normal. ‖ **de marca**; [que está hecho por una fábrica cuyos productos están reconocidos como de buena calidad: *ropa de marca.* ‖ **[marca blanca**; tipo de productos que llevan la etiqueta del establecimiento de venta. □ ETIMOL. Del germánico *mark* (señal).

marcado, da adj. Que se percibe o se nota claramente.

marcador, -a ▪ adj./s. **1** Que marca. ▪ s.m. **2** En deporte, tablero en el que se anotan los tantos obtenidos por un jugador o un equipo; tanteador. **[3** En zonas del español meridional, rotulador.

marcaje s.f. En algunos deportes, defensa que hace un jugador a otro situándose cerca de él para dificultarle el juego.

marcapaso o **marcapasos** s.m. Aparato electrónico que sirve para estimular el corazón de forma que se mantenga el ritmo cardíaco. □ MORF. *Marcapasos* es invariable en número. □ USO *Marcapaso* es el término menos usual.

marcar ▪ v. **1** Señalar con signos distintivos para reconocer, destacar o distinguir: *Este ganadero marca sus reses con un hierro en forma de trébol.* **2** Golpear o herir dejando señal: *En una pelea, le marcaron la frente de un navajazo.* **3** Dejar impresa una señal o huella morales: *Esa enfermedad marcó su vida.* **4** Referido a una cantidad o a una magnitud, indicarlas un aparato: *El termómetro de la plaza marca 20 °C.* **5** Referido esp. a un número o a una clave, formarlos o señalarlos en un aparato para transmitirlos o registrarlos: *Marque su número personal de la tarjeta, por favor.* **6** Indicar, determinar o fijar: *Ese libro marca la línea que deben seguir sus partidarios.* **7** Hacer resaltar o mostrar destacadamente: *Se da el colorete marcando mucho los pómulos.* **8** Referido esp. a un movimiento o a una orden, señalarlos o darlos: *El más lento iba marcando el paso de la excursión.* **9** Peinar el cabello para darle forma: *En esta peluquería, por lavar, cortar y marcar te cobran muy poco.* **10** En algunos deportes, esp. en fútbol, conseguir un tanto metiendo la pelota en la meta contraria: *El equipo visitante fue el primero en marcar, aunque luego el partido terminó en empate.* **11** En algunos deportes, referido a un jugador, defenderlo otro situándose cerca de él para dificultarle el juego: *El defensa marcó tan bien al delantero que éste no pudo tocar el balón.* ▪ prnl. **[12** Hacer o decir: *Estaba tan contenta que 'se marcó' un baile que nos sorprendió a todos.* □ ORTOGR. La *c* se cambia en *qu* delante de *e* →SACAR.

marcear v. Hacer el tiempo propio del mes de marzo: *En marzo hizo muy buen tiempo, y ahora mayo marcea.* □ MORF. Es unipersonal.

marcha s.f. **1** Ida o desplazamiento a un lugar. **2** Salida o abandono de un lugar o de una situación por decisión propia. **3** Desarrollo o funcionamiento. **[4** *col.* Energía o alegría muy intensas. **[5** *col.* Ambiente, animación o diversión. **6** Desplazamiento de un conjunto de personas para un fin determinado: *Los secretarios de los sindicatos abrían la marcha en protesta por las reformas salariales.* **7** Movimiento que efectúan las tropas militares para trasladarse a un lugar utilizando sus propios medios. **8** Composición musical en compás binario o cuaternario, de ritmo regular y solemne, escrita para acompañar o marcar el paso de la tropa o del cortejo: *marcha nupcial.* **9** Movimiento en una dirección determinada o forma en que se hace este movimiento: *marcha atrás.* [**10** En atletismo, modalidad deportiva en la que el atleta debe andar muy deprisa pero manteniendo siempre un pie en contacto con el suelo. **11** En un vehículo, cada una de las posiciones del cambio de velocidades. **12** ‖ **a marchas forzadas**; referido a la forma de hacer algo, con prisa y con un ritmo muy intenso. ‖ **a toda marcha**; *col.* A gran velocidad. ‖ **sobre la marcha**; de forma improvisada o a medida que se va haciendo.

[**marchador, -a** s. Deportista que practica la marcha.

marchamo s.m. Marca que se pone a un producto o a un objeto después de haber sido analizado o revisado: *No compres embutidos que no lleven el marchamo del Ministerio de Sanidad.* ☐ ETIMOL. Del árabe *marsam.*

marchante, ta s. **1** Persona que se dedica al comercio, esp. al de cuadros u obras de arte. **2** En zonas del español meridional, vendedor con una clientela fija. **3** *col.* En zonas del español meridional, persona que compra habitualmente en el mismo mercado o mercadillo. ☐ ETIMOL. Del francés *marchand.* ☐ MORF. En la acepción 1 es de género común: *el marchante, la marchante.*

marchar ‖ v. **1** Caminar, viajar o ir a un lugar: *Marcharon hacia el pueblo nada más conocer la noticia. Márchate, haz el favor.* **2** Desarrollarse, funcionar o desenvolverse: *¿Cómo marchan las cosas entre vosotros dos?* **3** Referido a un mecanismo, funcionar; andar: *El coche está en el garaje porque el motor no marcha.* **4** Referido a la tropa, ir a caminar con cierto orden y compás en su paso: *Ese soldado marca el ritmo al que deben marchar sus compañeros.* ‖ prnl. **5** Abandonar un lugar por decisión propia; irse: *Me marcho, que me esperan en casa.* ☐ ETIMOL. Del francés *marcher.* ☐ SINT. En la acepción 5, es incorrecto su uso sin el pronombre, aunque está muy extendido: *Bueno, {*marcho > me marcho}, que ya es tarde.*

marchitamiento s.m. **1** Desaparición de la frescura, del verdor o de la frondosidad de una planta. **2** Desaparición de la viveza, el vigor o la vitalidad.

marchitar v. **1** Referido esp. a una planta, hacerle perder la frescura, el verdor o la abundancia de hojas: *El sol ha marchitado las rosas. Las lechugas se marchitaron por falta de riego.* **2** Hacer perder la viveza, el vigor o la vitalidad: *La vejez marchitará tu juventud. Sus ilusiones se han marchitado.* ☐ SEM. Es sinónimo de *mustiar.*

marchito, ta adj. Sin vigor, sin frescura, sin viveza o sin vitalidad. ☐ ETIMOL. Del latín *marcere* (marchitarse).

marchoso, sa adj./s. *col.* Alegre, animado o juerguista. ☐ ETIMOL. De *marcha.*

marcial adj. **1** Del ejército, de la guerra o relacionado con ellos. **2** Con las características que se con-

sideran propias de un militar. ☐ ETIMOL. Del latín *martialis*, y éste de *Marte* (dios de la guerra). ☐ MORF. Invariable en género.

marcialidad s.f. Energía y elegancia que se consideran propias de militares y soldados.

marciano, na ‖ adj. **1** De Marte (cuarto planeta del sistema solar), o relacionado con él. ‖ s. **2** Habitante del planeta Marte.

marco s.m. **1** Unidad monetaria alemana. [**2** Unidad monetaria de distintos países. **3** Moldura o encuadre en los que se encajan algunas cosas; cerco. **4** Ambiente o paisaje que rodean algo: *Eligió un marco muy romántico para declararle su amor.* **5** Lo que sirve para limitar o encuadrar una cuestión: *Se llama 'acuerdo marco' a un acuerdo de carácter general al que deben ajustarse otros acuerdos concretos.* [**6** En el lenguaje del deporte, portería. [**7** En zonas del español meridional, montura de gafas. ☐ ETIMOL. Del germánico *mark.*

mare mágnum ‖ Abundancia o multitud de cosas desordenadas. ☐ ETIMOL. Del latín *mare magnum* (mar grande). ☐ ORTOGR. Se admite también *maremagno.* ☐ MORF. Invariable en número: *los mare mágnum.*

marea s.f. **1** Movimiento periódico y alternativo de ascenso y descenso de las aguas del mar, que se origina por las atracciones combinadas del Sol y de la Luna. **2** Agua que efectúa este movimiento. **3** Multitud o gran cantidad. **4** ‖ [**marea negra**; masa líquida de petróleo o de aceites pesados vertida en el mar. ‖ **marea roja**; en el mar, acumulación de microorganismos y de toxinas que produce una coloración rojiza en las aguas. ☐ ETIMOL. Del francés *marée.* ☐ SEM. 1. *Marea alta* es dist. de *pleamar* (fin del movimiento ascendente). 2. *Marea baja* es dist. de *bajamar* (fin del movimiento descendente).

mareante adj. Que marea. ☐ MORF. Invariable en género.

marear v. **1** Producir o sentir un mareo o un malestar, que se manifiestan generalmente con vómitos y pérdida del equilibrio: *Leer en el coche me marea. Se mareó por una bajada de tensión.* **2** *col.* Cansar o fastidiar con molestias continuas: *Me marea oírte hablar siempre de las mismas cosas.* **3** *col.* Emborrachar ligeramente: *Este vino marea. No bebo cerveza porque me mareo.* ☐ MORF. En la acepción 1 y 3, la RAE sólo lo registra como pronominal.

marejada s.f. En el mar, agitación violenta de las aguas sin llegar a ser un temporal. ☐ ETIMOL. Del portugués *marejada.*

[**marejadilla** s.f. En meteorología, marejada poco intensa.

maremagno s.m. →**mare mágnum**.

maremoto s.m. Agitación violenta de las aguas del mar, que se produce por un movimiento sísmico en su fondo. ☐ ETIMOL. Del latín *mare* (mar) y *motus* (movimiento).

marengo s.m. →**gris marengo**.

mareo s.m. **1** Malestar físico que generalmente se manifiesta con náuseas, pérdida del equilibrio y sudor. **2** *col.* Cansancio o fastidio producidos por molestias reiteradas.

marfil s.m. **1** Material duro de color blanquecino que, cubierto de esmalte, forma los dientes de los vertebrados. [**2** Pieza tallada en este material. **3** Color blanco amarillento. ☐ ETIMOL. Del árabe *azm al-fil* (el hueso de elefante). ☐ SINT. En la acepción

3, se usa mucho en aposición, pospuesto a un sustantivo.

marfileño, ña adj. De marfil o con sus características.

margarina s.f. Sustancia grasa de consistencia blanda, fabricada con grasas vegetales y animales. ☐ ETIMOL. Del griego *márgaron* (perla), por que la margarina tiene un color parecido.

margarita ▮ s.m. [**1** Cóctel preparado con tequila, zumo de lima y licor de naranja. ▮ s.f. **2** Planta herbácea de tallo fuerte cuya flor es una inflorescencia en cabezuela, con el centro amarillo rodeado de pétalos generalmente blancos. **3** Inflorescencia de esta planta, compuesta por un conjunto de flores amarillas formando un círculo rodeado por una serie de pétalos generalmente blancos. [**4** En una máquina de escribir o en un aparato semejante, pieza en forma de disco con caracteres gráficos que sirve para imprimir. ☐ ETIMOL. Del latín *margarita*.

margen ▮ s.m. **1** Límite, orilla o extremo. **2** En una página, espacio en blanco que queda entre sus bordes y la parte escrita o impresa. 🗪 libro [**3** Diferencia que se supone o se tolera entre un límite y otro, esp. entre el cálculo de algo y lo que realmente es: *margen de error.* **4** Ocasión, motivo u oportunidad: *Dale margen para que te demuestre lo que es capaz de hacer.* **5** Beneficio que se obtiene en una venta, teniendo en cuenta el precio y el coste: *Las ventas dejaron mucho margen.* ▮ s.f. **6** Borde u orilla de un río. **7** ‖ al margen; de forma independiente y apartada. ☐ ETIMOL. Del latín *margo* (borde). ☐ MORF. La RAE lo registra como sustantivo de género ambiguo. ☐ SINT. *Al margen* se usa más con los verbos *dejar, quedar* o equivalentes.

marginación s.f. **1** Rechazo o aislamiento en condiciones de inferioridad, provocados por la falta de integración en un grupo o en la sociedad. **2** Exclusión, desestimación o colocación en un segundo plano.

marginado, da s. **1** Persona aislada en condiciones de inferioridad porque no está integrada en un grupo o en la sociedad. [**2** Persona sin recursos económicos ni medios para ganarse la vida.

marginal adj. Que está al margen. ☐ MORF. Invariable en género.

[marginalidad s.f. **1** Falta de integración en una colectividad, o alejamiento de las normas socialmente admitidas. **2** Carencia de importancia.

marginar v. **1** Referido esp. a un asunto, dejarlo al margen, apartado o sin examinarlo: *Marginaron sus viejas diferencias.* **2** Referido a una persona o a una colectividad, aislarlas del resto o ponerlas en condiciones sociales de inferioridad: *El Estado no debe marginar a ningún grupo social.* **3** Referido a una persona, no hacerle caso o apartarla a un segundo plano: *La nueva directora ha marginado a los asesores de su predecesor en el cargo.*

maría s.f. [**1** col. En el lenguaje de la droga, marihuana. [**2** col. Asignatura que se considera poco importante porque generalmente se aprueba con facilidad. [**3** col. Mujer sencilla y de poco nivel cultural, generalmente volcada en la limpieza de su hogar. ☐ USO En la acepción 3, tiene un matiz despectivo o humorístico.

mariachi o **mariachis** s.m. **1** Composición musical popular mejicana, de carácter alegre y bullicioso. **2** Baile que se ejecuta al compás de esta música. **3** Orquesta o conjunto instrumental que la ejecuta. **4** Componente de esta orquesta. ☐ MORF. *Mariachis* es invariable en número.

marianista adj./s. De la Compañía de María y de las Hijas de María Inmaculada (congregaciones religiosas fundadas por el padre Chaminade y la madre Adela de Trenquelléon a principios del siglo XIX) o relacionado con ellas. ☐ MORF. 1. Como adjetivo es invariable en género. 2. Como sustantivo es de género común: *el marianista, la marianista.*

mariano, na adj. En la iglesia católica, de la Virgen María o de su culto.

marica ▮ adj./s.m. **1** vulg. Referido a un hombre, que es afeminado. **2** vulg. Referido a un hombre, que es homosexual. ▮ s.f. **3** col. Urraca. ☐ ETIMOL. De *María* (nombre propio de mujer). ☐ MORF. 1. Como adjetivo es invariable en género. 2. La RAE sólo lo registra como sustantivo. ☐ USO 1. En las acepciones 1 y 2, se usan mucho el aumentativo *maricón* y el diminutivo *mariquita.* 2. En las acepciones 1 y 2 es despectivo.

maricastaña ‖ de Maricastaña; col. Pospuesto a una expresión de tiempo, se usa para indicar tiempo muy remoto o antiguo. ☐ ETIMOL. Personaje proverbial, símbolo de antigüedad muy remota.

maricón, -a adj./s. vulg. →**marica**. ☐ MORF. La RAE sólo lo registra como masculino. ☐ USO 1. Es despectivo. 2. Se usa como insulto.

mariconada s.f. **1** vulg. Hecho o dicho propios de un marica; mariconería. **2** vulg. Hecho que causa un perjuicio, esp. si es malintencionado; faena. [**3** vulg. Lo que se considera sin importancia o de poco valor; tontería. ☐ USO Es despectivo.

[mariconear v. **1** vulg. Comportarse como un hombre afeminado: *Me enfadé con ellos porque me dijeron que últimamente no hacía más que 'mariconear'.* **2** vulg. Hacer tonterías: *Deja de 'mariconear' con la pelota y ayúdame a fregar los platos.* ☐ USO Es despectivo.

mariconera s.f. Bolso de mano masculino.

mariconería s.f. **1** vulg. Conjunto de características que se consideran propias de un marica. **2** vulg. Hecho o dicho propios de un marica; mariconada. ☐ USO Es despectivo.

maridaje s.m. Unión, colaboración o correspondencia. ☐ ETIMOL. De *maridar* (casar).

maridar v. **1** Contraer matrimonio: *Mi abuela me contó que ella maridó al cumplir dieciocho años.* **2** Unir o enlazar: *La directora de esta película marida la crítica social con la diversión.* ☐ ETIMOL. Del latín *maritare.*

marido s.m. Respecto de una mujer, hombre que está casado con ella. ☐ ETIMOL. Del latín *maritus.*

mariguana o **marihuana** s.f. **1** Planta anual con tallo áspero y hueco y hojas compuestas con hojuelas lanceoladas que, fumadas como el tabaco, producen un efecto narcótico. [**2** Droga blanda elaborada con las hojas de esta planta. ☐ USO *Mariguana* es el término menos usual, aunque la RAE lo prefiere a *marihuana.*

marimacho adj./s.m. **1** col. Referido a una mujer, que tiene aspecto o modales que se consideran masculinos; machorra. [**2** vulg. →**lesbiana**. ☐ ETIMOL. De *María* y *macho.* ☐ MORF. La RAE sólo lo registra como sustantivo. ☐ SEM. En la acepción 1, como sustantivo es sinónimo de *machota.* ☐ USO Es despectivo.

marimandón, -a adj./s. *col.* Referido a una persona, que disfruta mandando o imponiendo su criterio. □ ETIMOL. De *María* y *mandón.* □ MORF. La RAE sólo registra el femenino.

marimba s.f. Instrumento musical de percusión de origen africano, semejante al xilófono, que consta de una serie de láminas de madera de distintas longitudes dispuestas en un armazón, con resonadores debajo de cada lámina. □ ETIMOL. De origen africano.

marimorena s.f. *col.* Alboroto, riña o discusión ruidosa. □ USO Se usa más en la expresión *armarse la marimorena.*

marina s.f. Véase **marino, na.**

marine (anglicismo) s.m. Soldado de infantería de las fuerzas navales británicas o estadounidenses.

marinería s.f. **1** Conjunto de marineros. **2** En la Armada, categoría militar inferior a la de suboficial.

marinero, ra ▌ adj. **1** De la marina, de los marineros o relacionado con ellos. [**2** Referido a una prenda de vestir, que es semejante a la ropa de los marineros o que tiene el cuello cuadrado por detrás: *vestido marinero.* ▌ s.m. En la Armada, persona cuya categoría militar es inferior a la de suboficial. **4** Persona que trabaja en las faenas de un barco. **5** ‖ **a la marinera**; referido a una manera de cocinar, con una salsa preparada básicamente con agua, aceite, ajo, cebolla y perejil. □ SEM. En las acepciones 3 y 4 es dist. de *marino* (con graduación; experto).

marino, na ▌ adj. **1** Del mar o relacionado con él. ▌ s.m. **2** Persona que tiene un grado militar o profesional en la marina de un país. ▌ s.f. **3** Conjunto de personas que prestan sus servicios en la Armada. **4** Conjunto de buques de una nación. **5** Terreno junto al mar. **6** En arte, pintura que representa un tema marítimo: *Sorolla atrapa en sus marinas el reflejo del sol en el agua.* **7** ‖ **marina mercante**; conjunto de buques de una nación que se emplean en el comercio. □ ETIMOL. Del latín *marinus.* □ SEM. 1. Como sustantivo masculino, dist. de *marinero* (sin graduación). 2. En la acepción 4, dist. de *armada* (conjunto de las fuerzas navales de un Estado).

mariología s.f. Parte de la teología que estudia lo relativo a la Virgen María (madre de Jesucristo). □ ETIMOL. De *María* (la Virgen) y *-logía* (estudio).

marioneta s.f. **1** Muñeco articulado que puede moverse por medio de hilos sujetos a un soporte. **2** Persona de escasa voluntad que se deja manejar fácilmente. □ ETIMOL. Del francés *marionnette.*

mariposa s.f. **1** Adulto de gran número de especies de insectos lepidópteros, que se caracteriza porque presenta dos pares de alas membranosas, generalmente de vistosos colores. 🔊 insecto, metamorfosis **2** Mecha sujeta a un trozo de corcho que flota sobre aceite; lamparilla. **3** En natación, estilo que consiste en hacer un movimiento circular hacia adelante con los dos brazos a la vez, mientras se impulsa el cuerpo con las piernas juntas. [**4** Tuerca con dos aletas laterales para poder enroscarla y desenroscarla con los dedos; palomilla. **5** *col.* Hombre afeminado u homosexual. □ ETIMOL. De las primeras palabras de *María pósate, descansa en el suelo,* que es una expresión de dichos y canciones infantiles.

mariposear v. **1** Cambiar con frecuencia de aficiones o de costumbres, esp. en lo relacionado con el amor: *Deja ya de mariposear con unas y con otras y busca una pareja estable.* **2** Andar insistentemente en torno a algo: *Me pone nervioso que mariposees a mi alrededor.* [**3** Actuar o comportarse de forma afeminada: *A ese actor le encanta 'mariposear' en público.* □ ETIMOL. De *mariposa,* por la inconstancia y ligereza del vuelo de este insecto. □ USO En la acepción 3, es despectivo.

mariposeo s.m. **1** Cambio frecuente de aficiones o de costumbres, esp. en lo relacionado con el amor. **2** Movimiento insistente en torno a algo. [**3** *col.* Comportamiento afeminado. □ USO En la acepción 3, es despectivo.

mariposón ▌ adj./s.m. **1** Referido a una persona, que no tiene constancia en sus aficiones o en sus costumbres, esp. en las relacionadas con el amor. **2** Referido a una persona, que anda constantemente alrededor de otra. ▌ s.m. **3** *vulg.* Hombre afeminado. □ MORF. En la acepción 2, la RAE sólo la registra como sustantivo. □ USO En la acepción 3, es despectivo.

mariquita ▌ adj./s.m. [**1** vulg. →**marica.** ▌ s.f. **2** Insecto coleóptero de forma ovalada y generalmente de color rojo o amarillo con puntos negros, con la boca dispuesta para masticar, dos alas y dos élitros que las protegen, y que se alimenta de pulgones. 🔊 insecto □ USO En la acepción 1, es despectivo y se usa como insulto.

marisabidillo, lla s. *col.* Persona que presume de lista o de bien informada. □ ETIMOL. De *María* y *sabidillo.* □ MORF. La RAE sólo registra el femenino. □ USO Tiene un matiz despectivo.

mariscada s.f. Comida cuyo principal componente son los mariscos.

mariscal s.m. En algunos países, persona que tiene el empleo militar de grado máximo. □ ETIMOL. Del francés antiguo *mariscal.*

mariscar v. Referido a un marisco, pescarlo: *El mejor momento para mariscar berberechos es cuando la marea está muy baja.* □ ORTOGR. La *c* se cambia en *qu* delante de *e* →SACAR.

marisco s.m. Animal marino invertebrado y comestible, esp. los crustáceos y los moluscos. □ ETIMOL. Del antiguo *marisco* (marino). 🔊 marisco

marisma s.f. Terreno más bajo que el nivel del mar, que se inunda con las aguas del mar o de los ríos. □ ETIMOL. Del latín *maritima ora* (costa del mar).

marismeño, ña adj. De la marisma o relacionado con ella.

marisqueo s.m. Recogida de marisco del lugar donde se cría.

marisquería s.f. Establecimiento en el que se venden o se consumen mariscos.

marisquero, ra ▌ adj. **1** Del marisco o relacionado con él. ▌ s. **2** Persona que se dedica a la recogida o a la venta de mariscos, esp. si ésta es su profesión.

marista adj./s. Referido a una persona, que pertenece a alguna de las congregaciones devotas de María (según la Biblia, madre de Dios). □ MORF. 1. Como adjetivo es invariable en género. 2. Como sustantivo es de género común: *el marista, la marista.*

marital adj. Del matrimonio o relacionado con él. □ ETIMOL. Del latín *maritabilis.* □ MORF. Invariable en género.

marítimo, ma adj. Del mar o relacionado con él. □ ETIMOL. Del latín *maritimus*.

marketing (anglicismo) s.m. **1** Conjunto de técnicas dirigidas a favorecer la comercialización de un producto o de un servicio; mercadotecnia. **2** ‖ **[marketing directo**; el que no utiliza intermediarios y se apoya en la publicidad directa y en la comunicación telefónica. ‖ **[marketing-mix**; combinación de los diferentes medios e instrumentos comerciales de que dispone una empresa para alcanzar los objetivos fijados. □ PRON. [márketin]. □ MORF. Invariable en número. □ USO Aunque la RAE prefiere *mercadotecnia*, se usa más *marketing*.

marmita s.f. Olla de metal con tapadera ajustada y una o dos asas. □ ETIMOL. Del francés *marmite* (olla).

[marmitako (del vasco) s.m. Guiso que se prepara con patatas y pescado, esp. atún o bonito.

mármol s.m. **1** Piedra caliza, de textura compacta y cristalina, generalmente de color blanco con vetas de otros colores, que puede ser pulida fácilmente y se usa como material ornamental o de construcción. **2** Obra artística hecha con este material. **3** ‖ **(mármol) brocatel**; el que tiene vetas y manchas de diversos colores. □ ETIMOL. Del latín *marmor*.

marmolillo s.m. *col.* Persona torpe y de poca inteligencia. □ ETIMOL. De *mármol*. □ USO Se usa como insulto.

marmolista s. Persona que se dedica profesionalmente a la talla o a la venta del mármol o de otras piedras semejantes. □ MORF. Es de género común: *el marmolista, la marmolista*.

marmóreo, a adj. De mármol o con sus características. □ ETIMOL. Del latín *marmoreus*.

marmota s.f. **1** Mamífero roedor herbívoro de patas cortas, orejas pequeñas y pelaje espeso, que pasa el invierno hibernando en su madriguera. roedor **2** Persona dormilona o que duerme mucho; lirón. □ ETIMOL. Del francés *marmotte*. □ MORF. En la acepción 1, es un sustantivo epiceno: *la marmota macho, la marmota hembra*.

maroma s.f. **1** Cuerda gruesa de fibra vegetal o sintética. **2** En zonas del español meridional, voltereta. □ ETIMOL. Del árabe *mabruma* (cuerda trenzada, retorcida). □ MORF. En la acepción 2, se usa mucho la forma coloquial *marometa*.

[maromo s.m. *col.* Hombre cuya identidad se ignora o no se quiere decir; individuo.

maronita adj./s. Católico de Líbano y Siria (países asiáticos occidentales), que conserva una liturgia propia y que reconoce la autoridad papal.

marqués, -a s. Persona que tiene un título nobiliario entre el de duque y el de conde. □ ETIMOL. Del provenzal antiguo *marqués* (jefe de un territorio fronterizo).

marquesado s.m. **1** Título nobiliario de marqués. **2** Territorio sobre el que antiguamente un marqués ejercía su autoridad.

marquesina s.f. Alero o cubierta de protección para resguardarse del sol, de la lluvia o del viento.

marquesita s.f. **[**Bizcocho pequeño de forma rectangular, que está metido en una cajita de papel y cubierto de azúcar en polvo. □ ETIMOL. Extensión del nombre de una marca comercial.

marquetería s.f. **1** Ebanistería o trabajo con maderas finas. **2** Trabajo decorativo que se hace incrustando piezas pequeñas, esp. de madera o de nácar, en una superficie. □ ETIMOL. Del francés *marqueterie*, y éste de *marqueté* (adornado con taracea).

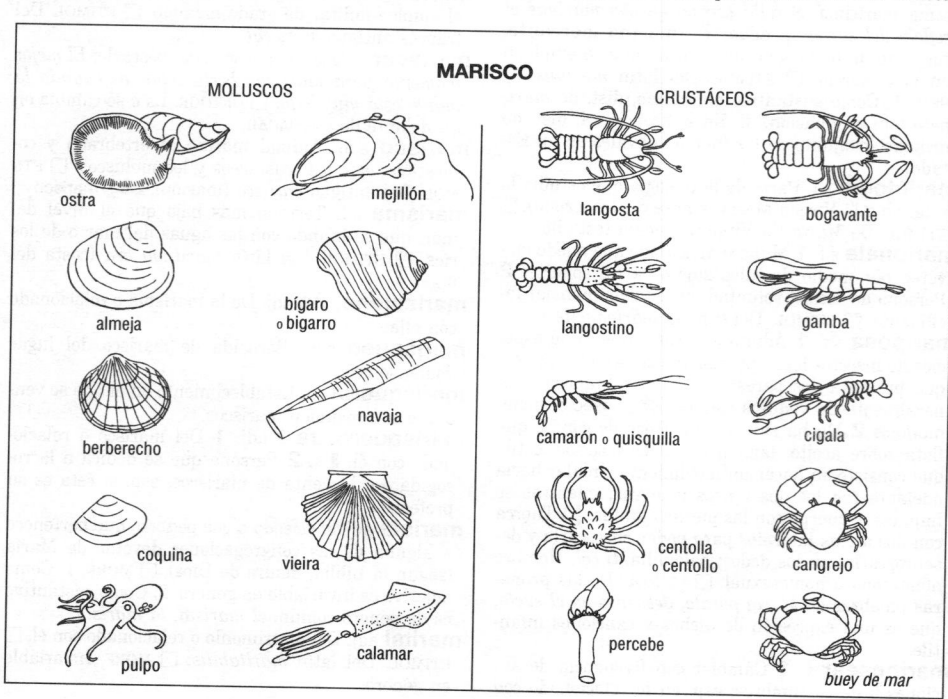

MARISCO

MOLUSCOS

ostra

mejillón

almeja

bígaro o bigarro

berberecho

navaja

coquina

vieira

pulpo

calamar

CRUSTÁCEOS

langosta

bogavante

langostino

gamba

camarón o quisquilla

cigala

centolla o centollo

cangrejo

percebe

buey de mar

marquismo s.m. Afición por llevar prendas de marca reconocida.

marrajo, ja ∎ adj. **1** Referido a un toro, que no embiste directamente. **2** Referido a una persona, astuta y con malas intenciones. ∎ s.m. **3** Tiburón de color gris azulado, con cinco pares de aberturas branquiales, y cuya carne es blanca y muy apreciada en gastronomía. ☐ ETIMOL. De origen expresivo. ☐ MORF. En la acepción 3, es un sustantivo epiceno: *el marrajo macho, el marrajo hembra.*

marranada s.f. **1** *col.* Lo que está sucio o mal hecho. **2** *col.* Lo que se considera indecoroso o contrario a la moral establecida. [**3** *col.* Hecho que causa un perjuicio, esp. si es malintencionado; faena. ☐ SEM. Es sinónimo de *marranería.* En las acepciones 1 y 2, es sinónimo de *guarrada.*

marranear v. *col.* Manchar o poner sucio: *Con esos borrones has marraneado el cuaderno.*

marranería s.f. →**marranada.**

marrano, na ∎ adj./s. **1** *col.* Sucio o falto de limpieza. **2** *col.* Referido a una persona, que tiene mala intención o carece de escrúpulos. **3** En la Baja Edad Media y en la Edad Moderna, judío converso español o portugués. ∎ s. **4** Mamífero doméstico de cuerpo grueso, cola en forma de espiral, patas cortas y cabeza grande con el hocico casi cilíndrico, que se cría para aprovechar su carne. **5** ‖ [**joder la marrana**; *vulg.malson.* Molestar mucho. ☐ ETIMOL. Del árabe *mahrán* (cosa prohibida). ☐ SEM. En las acepciones 1, 2 y 4, es sinónimo de *cerdo.* ☐ USO Las acepciones 1 y 2 se usan como insulto.

marrar v. Fallar o errar: *El cazador marró el disparo.* ☐ ETIMOL. Del germánico *marrjan* (frustrar, molestar).

marras ‖ **de marras**; *col.* De siempre o ya conocido: *Ayer casi me mordió un perro, y hoy me he enterado de que el perro de marras es tuyo.* ☐ ETIMOL. Del árabe *marra* (vez).

marrasquino s.m. Licor elaborado con zumo de una variedad de cerezas amargas y gran cantidad de azúcar. ☐ ETIMOL. Del italiano *maraschino* (licor de cereza amarga).

marrón ∎ adj./s.m. **1** Del color de la cáscara de la castaña con tonalidades castañas. ∎ s.m. [**2** *col.* Lo que resulta desagradable o molesto. ☐ ETIMOL. Del francés *marron* (castaña, de color castaño). ☐ MORF. Como adjetivo es invariable en género. ☐ SEM. En la acepción 1, no debe emplearse referido al pelo de las personas ni al pelaje de los animales (galicismo): *Mi hermana tiene el pelo {*marrón > castaño}.*

[**marron glacé** (galicismo) ‖ Castaña confitada y cubierta de azúcar transparente. ☐ PRON. [marrón glasé].

marroquí adj./s. De Marruecos (país norteafricano), o relacionado con él. ☐ MORF. 1. Como adjetivo es invariable en género. 2. Como sustantivo es de género común: *el marroquí, la marroquí.* 3. Aunque su plural en la lengua culta es *marroquíes,* se usa mucho *marroquís.*

marroquinería s.f. **1** Industria o fabricación de artículos de piel o de cuero. **2** Conjunto de artículos fabricados por esta industria, esp. si tienen alguna característica común.

marroquinero, ra s. Persona que se dedica profesionalmente a la fabricación de artículos de piel o de cuero.

marrullería s.f. Trampa o engaño que se hacen con astucia.

marrullero, ra adj./s. Que utiliza marrullerías o trampas para conseguir algo.

marsopa o **marsopla** s.f. Cetáceo parecido al delfín, pero más pequeño, con el hocico más chato y el cuerpo más grueso. ☐ ETIMOL. Del francés antiguo *marsoupe.* ☐ MORF. Es un sustantivo epiceno: *la {marsopa/marsopla} macho, la {marsopa/marsopla} hembra.* ☐ USO *Marsopla* es el término menos usual.

marsupial ∎ adj./s.m. **1** Referido a un mamífero, que se caracteriza porque las hembras tienen una bolsa en la que se hallan unas mamas primitivas y poco desarrolladas, y en la que permanecen las crías hasta que completan el desarrollo: *El canguro es un marsupial.* ∎ s.m.pl. **2** En zoología, orden de estos mamíferos. ☐ ETIMOL. Del latín *marsupium* (bolsa, saco). ☐ MORF. Como adjetivo es invariable en género.

marsupio s.m. En la hembra de un mamífero marsupial, bolsa situada en la parte delantera del cuerpo, y que sirve para llevar a las crías hasta que completan su desarrollo; bolsa marsupial. ☐ ETIMOL. Del latín *marsupium* (bolsa, saco).

marta s.f. **1** Mamífero carnicero de cuerpo alargado, pelaje espeso y suave, patas cortas y cabeza pequeña con el hocico afilado. **2** Piel de este animal. ☐ ETIMOL. Del francés *marte.* ☐ MORF. En la acepción 1, es un sustantivo epiceno: *la marta macho, la marta hembra.*

martes s.m. Segundo día de la semana, entre el lunes y el miércoles. ☐ ETIMOL. Del latín *dies Martis* (día consagrado a Marte). ☐ MORF. Invariable en número.

martillar v. Dar golpes con el martillo; martillear: *Llevas martillando toda la tarde y ya me duele la cabeza.*

martillazo s.m. Golpe fuerte dado con un martillo.

martillear v. **1** Dar golpes con el martillo; martillar: *Martilleaba la escarpia para clavarla en la pared.* [**2** Golpear de forma repetida: *La lluvia 'martilleaba' las tejas.* **3** Atormentar, oprimir o molestar: *Este dolor de cabeza me está martilleando las sienes.*

martilleo s.m. Golpeteo repetido, esp. si se hace con un martillo.

martillo s.m. **1** Herramienta formada por un mango con una cabeza metálica que se utiliza para golpear. 🜊 alpinismo **2** En anatomía, hueso del oído medio que es golpeado por el tímpano cuando éste vibra debido a las ondas sonoras. 🜊 oído **3** En atletismo, bola de hierro sujeta al extremo de una cadena, que se usa en una de las pruebas de lanzamiento. [**4** En algunas armas de fuego, pieza del mecanismo de percusión que golpea el percutor para que se inflame la carga del cartucho y se produzca la salida violenta de la bala. **5** ‖ **a macha martillo**; →**a machamartillo.** ☐ ETIMOL. Del latín *martellus.*

martín ‖ **llegarle** a alguien **su san Martín**; *col.* Llegarle el día en que tenga que sufrir y padecer: *A todo cerdo le llega su san Martín.* ‖ **martín pescador**; pájaro de plumaje verde y rojo, de cabeza gruesa y pico largo, recto y negro, que vive en las orillas de ríos y lagunas y que se alimenta de los peces que pesca. ☐ MORF. *Martín pescador* es un sustantivo epiceno: *el martín pescador macho, el martín pescador hembra.*

martinete s.m. Ave zancuda de cuerpo rechoncho, patas cortas, cabeza grande y pico fuerte y tan largo como la cabeza, que se alimenta fundamentalmente de peces. ☐ ETIMOL. De *martín del río* (ave zancuda). ☐ MORF. Es un sustantivo epiceno: *el martinete macho, el martinete hembra.*

[martini (italianismo) s.m. **1** *col.* Vermut. **2** Cóctel de vermut seco y ginebra. ☐ ETIMOL. Extensión del nombre de una marca comercial.

mártir s. **1** Persona que muere o padece sufrimientos en defensa de sus creencias, esp. si éstas son religiosas. **2** Persona que padece trabajos largos y penosos. ☐ ETIMOL. Del latín *martyr*, y éste del griego *mártys* (testigo), porque los mártires daban testimonio de la fortaleza de la fe. ☐ MORF. Es de género común: *el mártir, la mártir.*

martirio s.m. **1** Muerte o tormento sufridos por defender las creencias, esp. si éstas son religiosas. **2** Sufrimiento o trabajo largos y penosos. ☐ ETIMOL. Del latín *martyrium.*

martirizar v. **1** Quitar la vida o atormentar, esp. si es por razones religiosas: *Los romanos usaban leones para martirizar a los cristianos.* **2** Maltratar o producir sufrimiento o molestias: *No martirices a los invitados haciéndoles oír tus batallitas. Se martiriza con tristes recuerdos.* ☐ ORTOGR. La *z* se cambia en *c* delante de *e* →CAZAR.

[maruja s.f. *col.* Mujer dedicada exclusivamente a las tareas domésticas y al cuidado de la familia. ☐ USO Tiene un matiz despectivo o humorístico.

[marujear v. *col.* Cotillear o hacer lo que se considera propio de las mujeres que se dedican exclusivamente a las tareas domésticas y al cuidado de la familia: *Mi vecina 'marujea' constantemente.* ☐ USO Tiene un matiz despectivo o humorístico.

[marujeo s.m. Comportamiento considerado propio de las mujeres que se dedican exclusivamente a las tareas domésticas y al cuidado de la familia. ☐ USO Tiene un matiz despectivo o humorístico.

[marujil adj. Que se considera propio de las marujas o amas de casa. ☐ MORF. Invariable en género. ☐ USO Su uso tiene un matiz despectivo o humorístico.

marxismo s.m. **1** Doctrina filosófica creada por Marx y por Engels (filósofos alemanes del siglo XIX), que se basa en una concepción científica del mundo y defiende la transformación de los modos de producción a través de la lucha de clases. **2** Movimiento político opuesto al capitalismo y basado en la interpretación de esta doctrina filosófica.

marxista ▌adj. **1** Del marxismo o relacionado con esta doctrina filosófica. ▌adj./s. **2** Que sigue o que defiende el marxismo. ☐ MORF. 1. Como adjetivo es invariable en género. 2. Como sustantivo es de género común: *el marxista, la marxista.*

marzo s.m. Tercer mes del año, entre febrero y abril. ☐ ETIMOL. Del latín *Martius*, y éste de *Mars* (dios de la guerra), porque se le consagró este mes.

mas conj. Enlace gramatical coordinante con valor adversativo; pero: *Quiero ayudarte, mas no sé qué puedo hacer.* ☐ ETIMOL. Del latín *magis*. ☐ ORTOGR. Dist. de *más.*

más ▌s.m. **1** En matemáticas, signo gráfico formado por una pequeña cruz que se coloca entre dos cantidades para indicar suma o adición. ▌adv. **2** En

mayor cantidad o cualidad: *Ese árbol es más alt que este otro.* **3** Seguido de una cantidad, indica au mento indeterminado de ésta: *Llevo más de dos h ras esperando.* **4** Con el verbo querer o equivalente indica preferencia: *Más quiero salir de aquí sin d nero que no salir.* **5** En una exclamación de ponderac ción, muy o tan. **6** ▌a más no poder; todo lo p sible o en gran cantidad: *Comimos a más no pode y nos empachamos.* ▌a más y mejor; expresión qu indica intensidad o abundancia. ▌de más; de sobra ▌[es más; expresión que intensifica o que refuerz lo dicho anteriormente. ▌{los/las} más; la mayorí o la mayor parte: *Las más piensan que te has equ vocado.* ▌más bien; por el contrario. ▌más o me nos; de una manera aproximada. ▌por más que enlace gramatical subordinante con valor concesivo aunque. ▌sin más (ni más); sin motivo o de re pente: *Sin más ni más dijo que éramos tontos y s fue.* ▌sus más y sus menos; col. Dificultades, com plicaciones o altercados. ▌[todo lo más; col. Com mucho o como máximo. ☐ ETIMOL. Del latín *magis* ☐ ORTOGR. Dist. de *mas.* *De más*, dist. de *de más.* ☐ SINT. *Sus más y sus menos* se usa más con los verbos *haber* y *tener*. ☐ USO Se usa para indica la operación matemática de la suma: *Tres más tre son seis.*

masa s.f. **1** Mezcla espesa, blanda y consistente formada por la unión de un líquido con una materia generalmente en polvo: *masa para pegar ladrillos* **2** En física, cantidad de materia que posee un cuerpo **3** Cantidad de materia: *masas de agua.* **4** Conjunt numeroso de personas o de cosas. **[5** En zonas de español meridional, pastel de pequeño tamaño. **6** ▌e masa; en conjunto o con intervención de todos lo miembros de una colectividad: *Fuimos toda la fa milia en masa a ver el impacto de un meteorito* ▌[masa específica; cantidad de materia de u cuerpo por unidad de volumen: *La 'masa específica del agua es 1.* ☐ ETIMOL. Del latín *massa* (amon tonamiento, pasta). ☐ MORF. En la acepción 5, s usa mucho el diminutivo *masita.*

masacrar v. Cometer una matanza humana o u asesinato colectivo: *Los bombardeos masacraron a la población civil.* ☐ ETIMOL. Del francés *massacrer*

masacre s.f. Matanza de personas indefensas.

[masai adj./s. Del pueblo africano que habita en la actuales Kenia y Tanzania (países africanos), o re lacionado con él.

masaje s.m. Presión rítmica y de intensidad ade cuada, que se realiza sobre determinadas zonas de cuerpo con diversos fines. ☐ ETIMOL. Del francé *massage.*

[masajear v. *col.* Dar un masaje: *Si te duelen lo pies, 'masajéalos' un poco.*

masajista s. Persona que se dedica profesional mente a dar masajes. ☐ MORF. Es de género común *el masajista, la masajista.*

mascada s.f. Véase **mascado, da.**

mascado, da ▌adj. **1** *col.* Referido a algo que puede ser complicado, que está preparado para ser com prendido fácilmente. ▌s.f. **2** En zonas del español me ridional, pastilla de seda.

mascar ▌v. **1** Partir y desmenuzar con los dientes masticar: *Mascar chicle me calma los nervios.* **2** Re ferido esp. a las palabras, decirlas entre dientes o en voz baja o pronunciarlas mal; mascullar: *No mas ques insultos a mis espaldas.* ▌prnl. **3** *col.* Presen-

tirse como inminente: *Después de aquel mal nego-*
cio, en la empresa se mascaba el desastre. □ ETIMOL.
Del latín *masticare* (masticar). □ ORTOGR. La *c* se
cambia en *qu* delante de *e* →SACAR.

máscara s.f. **1** Pieza hecha de diversos materiales,
que representa generalmente un rostro humano o
animal y que se usa para ocultar la cara o parte de
ella. **2** Aparato que cubre el rostro o parte de él y
que se utiliza por motivos higiénicos o para evitar
la aspiración de gases tóxicos. **3** Traje, generalmente extravagante o llamativo, con el que alguien se
disfraza. **4** Persona que va disfrazada; enmascarado. **5** Lo que oculta o disimula la forma de ser de
alguien o sus propósitos; careta: *Quítate la máscara*
y demuestra que tienes sentimientos. □ ETIMOL. Del
italiano *maschera*, y éste del árabe *masjara* (bufonada, antifaz).

mascarada s.f. **1** Fiesta a la que asisten personas
disfrazadas con máscaras. **2** Enredo o trampa ingeniosos para ocultar algo o engañar; farsa. □ ETI-
MOL. Del francés *mascarada*, y éste del italiano
mascherata.

mascarilla s.f. **1** Máscara que cubre la nariz y la
boca para proteger de posibles agentes patógenos o
tóxicos. **[2** Aparato que se coloca sobre la boca y la
nariz para posibilitar la aspiración de ciertos gases,
esp. de los anestésicos. **3** Capa de productos cosméticos que se aplica sobre la cara durante cierto
tiempo, generalmente con fines estéticos. **4** ‖ **[mas-**
carilla (capilar); la que se aplica sobre el cabello
para hidratarlo o regenerarlo.

mascarón s.m. **1** Figura o cara deforme o fantás-
tica que se usa como adorno arquitectónico. **2**
‖ **mascarón (de proa)**; en el *casco de una embarca-*
ción, figura que se coloca en la proa como adorno;
figurón de proa.

[mascletà (del valenciano) s.f. Serie de petardos
que explotan uno tras otro y que son típicos de las
fiestas populares valencianas.

mascota s.f. **1** Lo que sirve como talismán para
traer buena suerte. **[2** Figura que representa a un
grupo o simboliza un acontecimiento. □ ETIMOL. Del
francés *mascotte* (amuleto).

masculinidad s.f. Conjunto de las características
propias del sexo masculino.

masculino, na ▌ adj. **1** Referido *a un ser vivo, que*
está dotado de órganos para fecundar. **2** De este ser
vivo o relacionado con él. **▌** adj./s.m. **3** En lingüística,
referido *a la categoría gramatical del género,* que es la
de los nombres que significan seres vivos de sexo
masculino y la de otros seres inanimados. □ ETI-
MOL. Del latín *masculinus*. □ MORF. En la acepción
3, la RAE sólo lo registra como adjetivo.

mascullar v. *col.* Referido esp. *a las palabras*, decirlas
entre dientes y en voz baja o pronunciarlas mal;
mascar: *Cuando algo no le sale bien, masculla ju-*
ramentos e insultos. □ ETIMOL. De *mascar*.

masetero s.m. →**músculo masetero**.

masía s.f. Casa de campo de carácter agrícola y ganadero, propia de la zona catalana. □ ETIMOL. Del
catalán *masia*. 🔎 vivienda

masificación s.f. **[1** Indiferenciación o desaparición de las características personales o individuales:
La falta de personalidad conlleva la 'masificación'
juvenil actual. **2** Ocupación o utilización masivas y
multitudinarias de algo.

masificar v. **[1** Indiferenciar o hacer desaparecer

las características personales o individuales: *Opina*
que la televisión 'masifica' los gustos de la gente.
Creo que la juventud 'se ha masificado' en la forma
de vestir. **[2** Referido esp. *a un lugar*, llenarlo u ocuparlo un gran número de individuos: *La emigración*
desde el campo 'ha masificado' las ciudades. Las
playas 'se masifican' en verano. **3** Referido esp. *a un*
servicio o a una prestación, utilizarlos o requerirlos un
gran número de individuos: *Dicen que la enseñanza*
es mala porque la 'han masificado'. Desde que 'se
masificó' el transporte público, voy en coche al tra-
bajo. □ ORTOGR. La *c* se cambia en *qu* delante de *e*
→SACAR.

masilla s.f. Pasta blanda y moldeable que se usa
generalmente para tapar agujeros o para sujetar
cristales.

masivo, va adj. **1** Que agrupa a un gran número
de individuos. **2** Que se aplica o que se hace en
gran cantidad. □ ETIMOL. Del francés *massif*.

[masoca adj./s. *col.* →**masoquista**. □ MORF. 1.
Como adjetivo es invariable en género. 2. Como sustantivo es de género común: *el 'masoca', la 'masoca'.*

masón, -a s. Miembro de la asociación secreta de
la masonería; francmasón. □ ETIMOL. Del francés
maon (albañil), porque la masonería se benefició al
principio de los privilegios de la corporación de los
albañiles.

masonería s.f. Sociedad secreta de personas unidas por principios de fraternidad y de ayuda mutuas, que se organizan o reúnen en entidades o en
grupos llamados *logias*; francmasonería. □ ETIMOL.
De *masón*.

masónico, ca adj. De la masonería o relacionado
con esta sociedad; francmasónico.

masoquismo s.m. **1** Tendencia sexual que consiste en obtener disfrute erótico al someterse alguien a los malos tratos o a las humillaciones de
otra persona. **2** Complacencia o disfrute con el propio sufrimiento o con lo desagradable. □ ETIMOL.
Por alusión a L. Sacher-Masoch, novelista austriaco.

masoquista ▌ adj. **1** Del masoquismo o relacionado con esta tendencia sexual: *He leído que las*
relaciones sexuales masoquistas pueden deberse a
un sentimiento de culpa. **▌** adj./s. **2** Referido *a una*
persona, que practica el masoquismo. □ MORF. 1.
Como adjetivo es invariable en género. 2. Como sustantivo es de género común: *el masoquista, la ma-*
soquista. 3. En la acepción 2, la RAE sólo lo registra
como sustantivo. □ USO En la lengua coloquial, se
usa mucho la forma *masoca*.

[mass media (anglicismo) ‖Medios de comunicación que llegan a un gran número de personas;
media. □ PRON. [mas média]. □ MORF. Es siempre
plural. □ USO Se usa mucho la forma abreviada *los*
media.

mastaba s.f. En el antiguo Egipto, tumba con forma
de pirámide truncada, de base rectangular y con
una cámara funeraria en la que se depositaba el
cadáver.

[mastectomía s.f. Operación quirúrgica que consiste en extirpar una mama. □ ETIMOL. Del griego
mastós (mama) y *ektomé* (corte, extirpación).

[master (anglicismo) s.m. **1** Curso especializado en
una determinada materia, generalmente dirigido a
licenciados. **2** Prototipo o maqueta de un producto,
anterior a su comercialización: *En los estudios de*

grabación, hemos realizado el 'master' de mi nuevo disco. □ PRON. [máster]. □ ORTOGR. Se usa mucho la forma castellanizada *máster.*

[**masters** (anglicismo) s.m. En algunos deportes, esp. en el tenis o en el golf, torneo en el que participan los jugadores de la más alta categoría. □ PRON. [másters]. □ USO Su uso es innecesario y puede sustituirse por una expresión como *torneo de maestros.*

masticador, -a ∎ adj./s. **1** Que mastica o que sirve para masticar. ∎ s.m. **2** Aparato que se usa para triturar la comida de las personas con dificultades para masticar.

masticar v. Partir y desmenuzar con los dientes; mascar: *No comas tan deprisa y mastica bien la comida.* □ ETIMOL. Del latín *masticare.* □ ORTOGR. La *c* se cambia en *qu* delante de *e* →SACAR.

mástil s.m. **1** En un barco, palo largo y vertical que sirve para sostener la vela. **2** Palo o poste colocado verticalmente, que sirve para sujetar o sostener algo. **3** En un instrumento musical de cuerda, pieza estrecha y larga sobre la que se tensan las cuerdas y que está recorrida a veces por trastes. □ ETIMOL. Del francés antiguo *mast.* □ ORTOGR. Dist. de *mástil.*

mastín, -a adj./s. Referido a un perro, de la raza que se caracteriza por ser robusto y de gran tamaño, y por tener el pelaje corto y la cabeza grande con orejas largas y caídas. □ ETIMOL. Del francés antiguo *mastin* (criado). 🐾 perro

mastitis s.f. Inflamación de una mama. □ ETIMOL. Del griego *mastós* (mama) e *-itis* (inflamación). □ MORF. Invariable en número.

mastodonte s.m. **1** col. Lo que es de gran tamaño o muy voluminoso. **2** Mamífero fósil parecido al elefante, con largos colmillos y molares de puntas redondeadas, que vivió en el período terciario. □ ETIMOL. Del griego *mastós* (mama) y *odús* (diente), por la forma de sus molares.

[**mastodóntico, ca** adj. col. De gran tamaño o muy voluminoso.

mastoides adj./s.m. Con forma de pezón, esp. referido a la parte saliente del hueso temporal de los mamíferos. □ ETIMOL. Del griego *mastós* (mama) e *-oides* (aspecto). □ MORF. **1.** Como adjetivo es invariable en género. **2.** Invariable en número.

mastuerzo s.m. Hombre torpe o terco. □ ETIMOL. Del antiguo *nastuerzo* (nariz torcida). □ USO Es despectivo y se usa como insulto.

masturbación s.f. Hecho de acariciarse o tocarse el cuerpo, esp. los órganos genitales, para obtener o producir placer sexual; onanismo.

masturbar v. Proporcionar placer sexual acariciando o tocando los órganos sexuales: *En el coloquio sobre sexualidad, los ponentes hablaron de los pros y los contras de masturbarse.* □ ETIMOL. Del latín *masturbari.*

mata s.f. **1** Planta de tallo bajo, ramificado y leñoso, que vive varios años: *El tomillo es una mata.* **2** Planta de poca altura. **3** ‖**mata de pelo**; porción abundante de cabello, esp. si es largo. □ ETIMOL. De origen incierto.

matacaballo ‖**a matacaballo**; muy deprisa y sin poner cuidado. □ ORTOGR. Se admite también *a mata caballo.*

matacán s.m. En un muro, en una torre o en una puerta fortificada, obra que sobresale en lo alto, con parapeto y aberturas en el suelo, construida con fines

defensivos. □ ETIMOL. De *matar* y *can*, porque des de el matacán se hostilizaba con piedras a los pe rros enemigos.

matacandelas s.m. Instrumento formado por una caperuza de metal y un palo largo, que sirve para apagar las velas que están colocadas en un lugar alto; apagavelas. □ MORF. Invariable en número. □ USO Aunque la RAE prefiere *matacandelas*, se usa más *apagavelas.*

matachín s.m. **1** Persona que se dedica profesio nalmente a matar y descuartizar reses; matarife. **2** col. Persona a la que le gusta buscar pelea.

matadero s.m. Lugar en el que se matan animales para el consumo público.

matador, -a ∎ adj. **1** col. Feo, ridículo o de mal gusto: *vestido matador.* ∎ s. **2** En tauromaquia, torero jefe de cuadrilla, que mata toros con espada; espada. ∎ s.m. [**3** →**bono matador.** □ MORF. En la acepción 2, la RAE sólo registra el masculino.

matadura s.f. **1** Llaga o herida que se le produce a una caballería por el roce de un aparejo: *La nueva silla le hizo mataduras al caballo.* [**2** Herida, ro zadura o golpe de poca importancia. □ ETIMOL. De *matar* (herir, llagar).

matalón, -a adj. Referido a una caballería, que está flaca, endeble y llena de mataduras.

matamoscas s.m. **1** Sustancia o producto que sir ve para matar insectos, esp. moscas y mosquitos. **2** Utensilio semejante a una paleta, formado por un mango largo y una rejilla en su extremo, que se utiliza para espantar o matar moscas u otros insec tos. □ MORF. Invariable en número.

matanza s.f. **1** Multitud de muertes producidas ge neralmente de forma violenta. **2** Tarea de matar el cerdo y preparar, adobar o embutir su carne. **3** Temporada en la que se realiza esta faena. **4** Con junto de productos que se obtienen del cerdo en esta faena.

mataquintos s.m. col. Cigarrillo de mala calidad y de sabor muy fuerte. □ MORF. Invariable en nú mero.

matar ∎ v. **1** Quitar la vida: *Mataron al caballo herido para que no sufriera. Se mató cortándose las venas.* **2** col. Referido al tiempo, pasarlo: *Mientras espero, mataré el tiempo viendo revistas.* **3** col. Referido esp. al hambre o a la sed, hacerlas desaparecer: *El agua es la mejor bebida para matar la sed.* **4** Referido esp. al brillo o al color, reducir su intensidad o su fuerza: *Para que ese cuadro tenga armonía debes matar los amarillos.* **5** Incomodar, cansar, molestar o hacer sufrir en gran medida: *Este dolor de estómago me está matando.* [**6** col. Decepcionar o sorprender por ser algo que no se espera: *Me 'has matado' con eso de que te vas del país para siempre.* **7** Referido esp. a algo no material, destruirlo o hacerlo desaparecer: *Un desengaño mató sus ilusiones.* **8** Referido a un sello postal, inutilizarlo en una oficina de correos: *En correos matan los sellos para que no puedan volver a ser utilizados.* **9** Referido esp. a una arista, a una punta o a un vértice, limarlos o redon dearlos: *El carpintero mató las esquinas de la mesa.* ∎ prnl. [**10** Morirse o perder la vida: *'Se mató' en un accidente aéreo.* **11** Trabajar o esforzarse mu cho: *Se mata cada día para que sus hijos tengan lo mejor.* [**12** En algunos deportes, dar un mate: *El ga nador del campeonato de frontón 'mataba' con mu cho estilo.* **13** ‖**a matar**; referido a la forma de relacionarse, con enemistad: *Se llevan a matar y han decidido no volver a verse.* ‖ **matarlas callando**; *col.* Hacer algo en secreto de manera indebida pero mostrando apariencia de bondad: *Aunque parece que nunca ha roto un plato, las mata callando.* ‖ **matarse a** hacer algo; hacerlo en exceso o de forma intensa: *Cuando llegan los exámenes, 'se mata a' estudiar.* ☐ ETIMOL. Del latín *mactare (sacrificar).*

matarife s.m. Persona que se dedica profesionalmente a matar y descuartizar reses; matachín.

matarratas s.m. Sustancia que sirve para matar ratas y ratones; raticida. ☐ MORF. Invariable en número.

matasanos s. *col.* Médico. ☐ MORF. 1. Invariable en número. 2. La RAE sólo registra el masculino. ☐ USO Tiene un matiz despectivo o humorístico.

matasellos s.m. Dibujo o marca que se hace con una estampilla con la que se inutilizan los sellos postales en las oficinas de correos. ☐ MORF. Invariable en número.

matasuegras s.m. Tubo de papel enrollado, cerrado en un extremo y con una boquilla en el otro por la que se sopla para que se desenrolle de golpe. ☐ MORF. Invariable en número.

[match (anglicismo) s.m. **1** En deporte, enfrentamiento entre dos jugadores o dos equipos. **2** ‖ **[match-ball**; en algunos deportes, esp. en tenis, punto o tanto que da la victoria a un jugador o a un equipo. ☐ PRON. [mach], [máchbol]. ☐ ORTOGR. Dist. de *mach* (unidad de velocidad en aeronáutica). ☐ USO Su uso es innecesario y puede sustituirse por expresiones como *partido* y *punto de partido*, respectivamente.

mate ‖ adj. **1** Sin brillo o amortiguado. ‖ s.m. **[2** En baloncesto, canasta que se consigue introduciendo el balón con fuerza de arriba abajo y desde muy cerca del aro. **[3** En algunos deportes de raqueta, golpe potente que se da a la pelota de arriba abajo, generalmente cerca de la red. **4** →**jaque mate**. **5** Infusión que se prepara con las hojas secas de la yerba mate. **6** Recipiente pequeño, generalmente hecho de calabaza, que se utiliza para tomar esta infusión. **7** ‖ **cebar el mate**; preparar esta infusión. ☐ ETIMOL. La acepción 1, del francés *mat* (marchito). Las acepciones 2-4, del persa árabe *sah mat* (el rey que murió). ☐ MORF. Como adjetivo es invariable en género.

matear v. Beber mate: *Me han dicho que los argentinos matean a todas horas.*

matemático, ca ‖ adj. **1** De la matemática o relacionado con esta ciencia. **2** Exacto o preciso: *puntualidad matemática.* ‖ s. **3** Persona que se dedica a los estudios matemáticos. ‖ s.f. **4** Ciencia que estudia las cantidades, sus relaciones y sus propiedades basándose exclusivamente en el razonamiento lógico. ☐ ETIMOL. Del latín *mathematicus.* ☐ MORF. En la acepción 4, se usa mucho en plural.

materia s.f. **1** Realidad espacial y perceptible por los sentidos que, con la energía, constituye el mundo físico: *Un ejemplo de transformación de materia en energía es la madera, que se transforma en luz y calor cuando se quema.* **2** Sustancia o material de los que están hechas las cosas. **3** Tema, asunto o punto sobre el que se trata algo. **4** Asignatura que se enseña en un centro educativo o que forma parte de un plan de estudios. **5** Lo opuesto al espíritu: *Dice que el cuerpo es materia y el alma, espíritu.* **6**

‖ **[materia gris**; *col.* Cerebro. ‖ **materia prima**; la que se utiliza en la fabricación de otros productos más elaborados. ☐ ETIMOL. Del latín *materia.*

material ‖ adj. **1** De la materia o relacionado con ella. **2** Opuesto a lo espiritual o perteneciente al cuerpo y a los sentidos. **[3** Referido a una persona, que realiza de manera directa y personal una acción. ‖ s.m. **4** Materia o conjunto de materias con las que se elabora algo. **5** Conjunto de utensilios, máquinas o instrumentos necesarios para desempeñar un servicio o ejercer una profesión. ☐ ETIMOL. Del latín *materialis.* ☐ MORF. Como adjetivo es invariable en género.

materialidad s.f. Apariencia física o calidad o naturaleza de lo que es material o se puede percibir por los sentidos.

materialismo s.m. **1** Doctrina filosófica que admite como única realidad la materia y niega la espiritualidad y la inmortalidad del alma, así como la causa primera y las leyes metafísicas. **2** Aprecio excesivo hacia todo lo que se considera un bien material.

materialista ‖ adj. **1** Del materialismo o relacionado con esta doctrina filosófica. ‖ adj./s. **2** Que defiende o sigue la doctrina filosófica del materialismo. **3** Que tiene o muestra excesivo aprecio por todo lo que se considera un bien material. ☐ MORF. 1. Como adjetivo es invariable en género. 2. Como sustantivo es de género común: *el materialista, la materialista.*

materialización s.f. **1** Realización de un proyecto, de una idea o de algo semejante. **2** Conversión de una persona en materialista.

materializar ‖ v. **1** Referido esp. a un proyecto, realizarlo o hacerlo realidad: *Si me toca la lotería materializaré mis sueños.* ‖ prnl. **2** Referido a una persona, hacerse materialista: *Se ha materializado y ahora sólo piensa en ganar dinero.* ☐ ORTOGR. La *z* se cambia en *c* delante de *e* →CAZAR.

maternal adj. **[Con** las características que se consideran propias de una madre, como la ternura, la comprensión y el cariño. ☐ MORF. Invariable en género.

maternidad s.f. **1** Estado o situación de la mujer que es madre. **2** Centro sanitario en el que se atiende a las mujeres que van a dar a luz.

maternizar v. Referido a la leche de vaca, dotarla de las propiedades que posee la de la mujer: *La leche se materniza en laboratorios especializados.* ☐ ORTOGR. La *z* se cambia en *c* delante de *e* →CAZAR.

materno, na adj. De la madre o relacionado con ella. ☐ ETIMOL. Del latín *maternus.*

matinal adj. De la mañana o relacionado con ella. ☐ MORF. Invariable en género.

matiné s.f. Acto social o espectáculo público que tienen lugar en las primeras horas de la tarde. ☐ ETIMOL. Del francés *matinée.*

matiz s.f. **1** Cada uno de los grados o tonos de un mismo color. **2** Rasgo o aspecto que proporciona determinado carácter. **3** Detalle o variante que no altera la esencia de una cosa: *Con algunos matices distintos, los dos estamos diciendo lo mismo.* ☐ SEM. No debe emplearse con el significado de 'matización': *Quiero hacer {*un matiz > una matización} a esa pregunta.*

matización s.f. **1** Combinación de diversos colores con la debida proporción. **2** Aportación de un determinado tono o matiz. **3** Explicación o aclaración de los matices o rasgos distintivos o característicos. **matizar** v. **1** Referido a un color, darle un tono determinado: *El sol matiza de forma especial los colores.* **2** Aclarar, señalar o hacer ver los matices o rasgos distintivos o característicos: *Tuvo que matizar sus declaraciones para no ser malentendido.* ☐ ETIMOL. De origen incierto. ☐ ORTOGR. La *z* se cambia en *c* delante de *e* →CAZAR.

matojo s.m. Mata de poca altura, muy espesa y poblada; tamojo.

matón, -a ∎ adj./s. **1** *col.* Referido a una persona, que presume de valiente, tiene un aspecto agresivo y disfruta buscando pelea. ∎ s.m. **[2** *col.* Persona que ofrece sus servicios a otra, generalmente para protegerla con la fuerza física. ☐ MORF. En la acepción 1, la RAE sólo lo registra como sustantivo masculino.

matorral s.m. Conjunto espeso de matas.

matraca ∎ s.f. **1** Instrumento formado por un tablero de madera y uno o varios mazos, que, al ser sacudido, produce un ruido desagradable. **2** *col.* Insistencia molesta en un tema o pretensión. ∎ pl. **[3** *col.* Matemáticas. ☐ ETIMOL. Del árabe *mitraqa* (martillo). ☐ USO La acepción 2 se usa más en la expresión *dar la matraca.*

matraquear v. **1** *col.* Hacer sonar la matraca: *Los niños iban matraqueando por las calles para anunciar el comienzo de los oficios de Semana Santa.* **2** *col.* Importunar o molestar: *Lleva matraqueando toda la tarde para que lo lleve al cine.*

matraqueo s.m. **1** *col.* Producción de ruido con la matraca. **2** *col.* Importunidad o molestia.

matraz s.m. Recipiente generalmente esférico y terminado en un cuello largo y estrecho, muy utilizado en laboratorios. ☐ ETIMOL. Del francés *matras.* química

matriarca s.f. Mujer que ejerce el mando en una sociedad o en un grupo. ☐ ETIMOL. Del latín *mater* y el griego *arkho* (yo gobierno).

matriarcado s.m. Predominio o mayor autoridad de la mujer en una sociedad o en un grupo. ☐ ETIMOL. De *matriarca* (mujer que ejerce el matriarcado).

matriarcal adj. Del matriarcado o relacionado con este predominio de la autoridad de la mujer. ☐ MORF. Invariable en género.

matricial adj. **1** En matemáticas, del cálculo hecho con matrices o relacionado con él. **[2** Referido a una impresora, que imprime mediante un sistema de agujas los textos almacenados en el ordenador. ☐ MORF. Invariable en género.

matricida adj./s. Referido a una persona, que ha matado a su madre. ☐ MORF. **1.** Como adjetivo es invariable en género. **2.** Como sustantivo, es de género común: *el matricida, la matricida.*

matricidio s.m. Asesinato de una madre por parte de su hijo. ☐ ETIMOL. Del latín *mater* (madre) y *-cidio* (asesinato).

matrícula s.f. **1** Inscripción en una lista o registro oficiales de personas, entidades o cosas que se realiza con un fin determinado; matriculación. **2** Documento que acredita esta inscripción. **3** Conjunto de personas, entidades o cosas inscritas en esta lista o registro: *matrícula de alumnos.* **4** En un automóvil, placa que se coloca delante y detrás de éste, en la que figura su número de matriculación. **5** ‖**matrícula (de honor)**; calificación académica

máxima que indica que se ha superado el nivel exigido. ☐ ETIMOL. Del latín *matricula.*

matriculación s.f. Inscripción en una lista o registro oficiales de personas, entidades o cosas que se realiza con un fin determinado; matrícula.

matricular v. Inscribir en una lista oficial o en un registro: *El concesionario en el que compres el coche se encarga de matricularlo. Me matriculé en la Facultad de Medicina.*

matrimonial adj. Del matrimonio o relacionado con él. ☐ MORF. Invariable en género.

[matrimonialista adj./s. Referido esp. a un abogado, que está especializado en los asuntos de derecho de familia. ☐ MORF. **1.** Como adjetivo es invariable en género. **2.** Como sustantivo es de género común: *el matrimonialista', la 'matrimonialista'.*

matrimoniar v. *ant.* →**casarse.** ☐ MORF. La nunca lleva tilde.

matrimonio s.m. **1** Unión de un hombre y de una mujer mediante determinados ritos o formalidades legales por los cuales ambos se comprometen a llevar una vida en común. **2** En la iglesia católica, sacramento por el cual un hombre y una mujer se comprometen para siempre a llevar una vida en común con arreglo a las prescripciones de la iglesia **3** *col.* Pareja formada por un hombre y una mujer casados entre sí. **4** ‖**consumar el matrimonio** mantener relaciones sexuales por primera vez tras la celebración del matrimonio. ☐ ETIMOL. Del latín *matrimonium.*

[matrioska (del ruso) s.f. Muñeca hueca y con el cuerpo dividido por la cintura en dos partes que encajan, que contiene dentro otra muñeca con las mismas características pero más pequeña, y así sucesivamente hasta llegar a la última, que es maciza.

matriz s.f. **1** En anatomía, órgano interno que forma parte del aparato reproductor de la hembra de los mamíferos y en el que se desarrolla el feto hasta su nacimiento. **2** Molde en el que se funden objetos que han de ser idénticos. **[3** En un texto impreso, cada uno de los caracteres y espacios en blanco. **4** En un talonario, parte que queda encuadernada tras cortar los talones o los recibos que lo componen. **5** En matemáticas, conjunto de números o de símbolos algebraicos distribuidos en líneas horizontales y verticales y dispuestos en forma de rectángulo. **6** Entidad o empresa principal de la que dependen otras. ☐ ETIMOL. Del latín *matrix.*

matrona s.f. **1** Enfermera especializada en la asistencia a parturientas y legalmente preparada para ello; comadrona. **2** Madre de familia, noble y respetable, esp. referido a las madres de la antigua Roma. **[3** Mujer madura y corpulenta. ☐ ETIMOL. Del latín *matrona* (dama, mujer casada).

matusalén s.m. Hombre muy viejo. ☐ ETIMOL. Por alusión a Matusalén, patriarca hebreo que, según la Biblia, vivió casi mil años.

matutino, na adj. **1** De la mañana o relacionado con ella. **2** Que tiene lugar o que se realiza por la mañana. ☐ ETIMOL. Del latín *matutinus.*

maula ∎ s. **1** *col.* Persona despreciable y poco fiable. ∎ s.f. **2** Persona u objeto inútil o viejo. ☐ ETIMOL. De *mau*, onomatopeya de la voz del gato. ☐ MORF. En la acepción 1, es de género común: *el maula, la maula.*

maullar v. Referido a un gato, dar maullidos o emitir su voz característica; mayar. ☐ ETIMOL. De origen onomatopéyico. ☐ ORTOGR. La *u* lleva tilde en los presentes, excepto en las personas *nosotros* y *vosotros* →ACTUAR.

maullido o **maúllo** s.m. Voz característica del gato; mayido. ☐ USO *Maúllo* es el término menos usual.

mauritano, na adj./s. De Mauritania o relacionado con este país africano.

máuser s.m. Fusil de repetición no automático. ☐ ETIMOL. Por alusión a los hermanos Máuser, inventores de este fusil. Es marca comercial.

mausoleo s.m. Sepulcro monumental y suntuoso. ☐ ETIMOL. Del latín *Mausoleum*, sepulcro de Mausolo, rey de Caria, antigua región de Asia Menor.

[maxi s.f. →**maxifalda**.

[maxi- col. Elemento compositivo que significa 'muy grande' (*maxiproblema*) o 'muy largo' (*maxifalda*).

[maxifalda s.f. Falda muy larga que cubre hasta los tobillos. ☐ MORF. En la lengua coloquial, se usa mucho la forma abreviada *maxi*.

maxilar ∎ adj. **1** De la mandíbula o relacionado con ella. ∎ s.m. **2** →**hueso maxilar**. ☐ ETIMOL. Del latín *maxilla* (mandíbula). ☐ MORF. Como adjetivo es invariable en género.

[maxilofacial adj. Del maxilar y de la cara o relacionado con ellos. ☐ ETIMOL. Del latín *maxilla* (mandíbula) y facial (de la cara). ☐ MORF. Invariable en género.

máxima s.f. Véase **máximo, ma**.

maximalismo s.m. Tendencia a defender las posiciones más extremas, esp. en política.

máxime adv. Con mayor motivo. ☐ ETIMOL. Del latín *maxime*.

maximizar v. **1** En matemáticas, referido a una función, encontrar su valor máximo: *Para obtener el resultado final, sólo queda maximizar esta función.* **[2** Hacer más grande: *Deberíamos 'maximizar' los beneficios. Algunos programas informáticos tienen la opción de 'maximizar' pantalla.* ☐ ORTOGR. La *z* se cambia en *c* delante de *e* →CAZAR.

máximo, ma ∎ **1** superlat. irreg. de **grande**. ∎ s.m. **2** Límite superior al que se puede llegar; máximum. ∎ s.f. **3** Frase breve que expresa un principio moral o una enseñanza: *'Haz bien y no mires a quién', es una máxima.* **4** Regla o principio fundamental admitidos por las personas que profesan una ciencia, una creencia o una ideología. **5** Norma o regla de conducta. **[6** Temperatura más alta alcanzada. ☐ ETIMOL. Las acepciones 3 y 4, del latín *maxima* (sentencia, regla).

máximum s.m. →**máximo**. ☐ ETIMOL. Del latín *maximum* (lo más grande).

[maxisingle (anglicismo) s.m. Disco grabado a cuarenta y cinco revoluciones por minuto, cuya duración es mayor que la del disco sencillo pero menor que la del disco de larga duración. ☐ PRON. [maxisíngel].

maya ∎ adj./s. **1** De un antiguo pueblo indio que se estableció en la península mejicana del Yucatán y en otras regiones próximas, o relacionado con él. ∎ s.m. **2** Lengua hablada por este pueblo. ∎ s.f. **3** Canción popular que se cantaba durante las fiestas de mayo. ☐ ETIMOL. La acepción 3, de *mayo*. ☐ ORTOGR. Dist. de *malla*. ☐ MORF. En la acepción 1, como adjetivo es invariable en género; como sustantivo es género común: *el maya, la maya*.

mayar v. Referido a un gato, dar maullidos o emitir su voz característica; maullar.

mayear v. Hacer el tiempo propio del mes de mayo: *Aquí empieza a mayear desde mediados de abril.* ☐ MORF. Es unipersonal.

mayestático, ca adj. Propio de la majestad o relacionado con ella. ☐ ETIMOL. Del alemán *majesttish*.

mayéutica s.f. Método de enseñanza en el que el maestro, mediante preguntas, hace que el alumno descubra nociones o llegue a conclusiones cuyo conocimiento se supone que ya poseía aunque no se fuera consciente de ello. ☐ ETIMOL. Del griego *maieutiké* (arte de hacer parir).

mayido s.m. Voz característica del gato; maullido, maúllo.

mayo s.m. Quinto mes del año, entre abril y junio. ☐ ETIMOL. Del latín *maius mensis* (mes de la diosa Maya).

mayonesa s.f. Salsa que se hace batiendo aceite y huevo. ☐ ETIMOL. Del francés *mayonnaise*, y éste de *Port Mahon* (Mahón). ☐ ORTOGR. Se admite también *mahonesa*. ☐ SEM. Dist. de *bayonesa* (pastel de hojaldre).

mayor ∎ adj. **1** comp. de superioridad de grande. **2** Referido a una persona, que tiene más edad que otra. **3** Referido a una persona, de edad avanzada: *Mis abuelos ya son muy mayores.* **4** Referido a un empleado, que tiene alguna autoridad sobre otros: *cocinero mayor* . **5** En música, referido al modo de una tonalidad, que presenta una distancia de dos tonos enteros entre la tónica o primer grado de la escala y la mediante o tercer grado: *re mayor*. ∎ adj./s. **6** Referido a una persona, que es adulta. ∎ s.m. **7** En algunos ejércitos, comandante. ∎ pl. **8** Progenitores o antepasados de una persona: *las enseñanzas de nuestros mayores.* **9** ‖al (por) mayor; referido esp. a la forma de comprar y de vender, en gran cantidad. ‖[ir/pasar] a mayores; adquirir más seriedad o gravedad. ‖ mayor que; en matemáticas, signo gráfico formado por un ángulo abierto hacia la izquierda y que se coloca entre dos cantidades para indicar que la primera es mayor que la segunda: *Un 'mayor que' se representa con el signo >.* ☐ ETIMOL. Del latín *maior*, comparativo de *magnus* (grande). ☐ MORF. 1. Como adjetivo es invariable en género. 2. En las acepciones 1 y 2, incorr. **más mayor*.

mayoral s.m. Capataz o jefe de una cuadrilla de trabajadores, esp. si son de campo. ☐ ETIMOL. De *mayor*.

mayorazgo, ga ∎ s. **1** Persona que posee bienes heredados por la institución del mayorazgo. **2** Hijo primogénito de una persona, esp. de la que posee estos bienes heredados. ∎ s.m. **3** Institución del derecho civil destinada a perpetuar en una familia la propiedad de ciertos bienes mediante el derecho de transmisión al hijo mayor. **4** Conjunto de estos bienes. ☐ ETIMOL. Del latín **maioraticus*, y éste de *maior* (mayor).

mayordomo, ma s. **1** Criado principal encargado del resto de la servidumbre o de la administración de una casa o de una hacienda. **2** En zonas del español meridional, cargo de honor que recibe una persona en ciertas agrupaciones religiosas. ☐ ETIMOL. Del latín *maior domus* (el mayor de la casa).

mayoreo s.m. Venta al por mayor o en grandes cantidades.

mayoría s.f. **1** Parte mayor de un todo, esp. la formada por personas: *La mayoría de los hogares del país tiene teléfono.* **2** En una votación, mayor número de votos a favor. **3** ‖ **mayoría absoluta**; la formada por más de la mitad de los votos válidos. ‖ **[mayoría de edad**; condición de la persona que ha alcanzado la edad fijada por la ley para poder ejercer los derechos civiles. ‖ **mayoría {relativa/[simple}**; la formada por el mayor número de votos con relación a otras opciones que se votan a la vez. ‖ **[mayoría silenciosa**; población que no manifiesta públicamente su opinión en cuestiones sociopolíticas.
mayorista ∎ adj. **1** Referido a un establecimiento, que vende al por mayor. ∎ s. **2** Persona que compra o que vende al por mayor. ☐ MORF. 1. Como adjetivo es invariable en género. 2. Como sustantivo es de género común: *el mayorista, la mayorista.*
mayoritario, ria adj. **1** De la mayoría o relacionado con ella. **2** Que ha obtenido el mayor número de votos. ☐ ETIMOL. Del francés *majoritaire.*
mayúsculo, la ∎ adj. **1** col. Muy grande. ∎ s.f. **2** →letra mayúscula. ☐ ETIMOL. Del latín *maiusculus*, y éste de *maior* (mayor).
maza s.f. **1** Antigua arma de hierro que tenía forma de bastón con una cabeza redonda y gruesa. **2** Utensilio parecido a esta antigua arma, que se utiliza generalmente para golpear o para machacar. **[3** En gimnasia rítmica o en algunos juegos de habilidad, instrumento formado por un palo que termina en una forma gruesa y alargada. 🖾 gimnasio ☐ ETIMOL. Del latín **mattea.*
mazacote s.m. Lo que resulta macizo, denso o pesado. ☐ ETIMOL. De origen incierto.
mazapán s.m. Dulce hecho con almendras molidas y azúcar en polvo. ☐ ETIMOL. De origen incierto.
mazazo s.m. **1** Golpe dado con una maza o con un mazo. **2** Impresión fuerte en el ánimo.
mazdeísmo s.m. Religión de los antiguos persas basada en la creencia de que existen dos principios divinos, uno bueno y creador del mundo, y otro malo y destructor; parsismo. ☐ ETIMOL. Del persa *Mazda* (sobrenombre del rey del cielo o principio del bien).
mazmorra s.f. Prisión subterránea o tenebrosa y oscura. ☐ ETIMOL. Del árabe *matmura* (caverna, calabozo).
mazo ∎ s.f. **1** Martillo grande de madera. **2** Conjunto de objetos que forman un grupo: *mazo de cartas.* **[3** Maza pequeña que sirve para machacar. **4** En zonas del español meridional, baraja. ∎ adv. **[5** *vulg.* Mucho. ☐ ETIMOL. De *maza.*
mazorca s.f. En algunas plantas, esp. en el maíz, fruto de forma alargada, que está compuesto por muchos granos juntos y dispuestos alrededor del eje.
mazurca s.f. **1** Composición musical de origen polaco, en compás de tres por cuatro. **2** Baile que se ejecuta al compás de esta música, con movimientos más moderados que los del vals y en el que es la mujer quien elige a su pareja. ☐ ETIMOL. Del polaco *mazurka* (perteneciente a Mazuria, región de la Prusia oriental).
me pron.pers. Forma de la primera persona del singular que corresponde a la función de complemento sin preposición: *Me golpeó sin querer con la raqueta.* ☐ ETIMOL. Del latín *me*, acusativo de *ego* (yo). ☐ MORF. No tiene diferenciación de género.
[mea culpa (latinismo) ‖ Expresión que se utiliza

para admitir una culpa como propia. ☐ PRON. [méa cúlpa]. ☐ USO Se usa mucho en la expresión *entonar el 'mea culpa'.*
meada s.f. *vulg.* Orina que se expulsa cada vez que se mea; meado.
meadero s.m. *vulg.* Lugar donde se orina.
meado s.m. →**meada.**
meandro s.m. Curva pronunciada que describe el recorrido de un río o de un camino. ☐ ETIMOL. Del latín *maeander*, y éste de *Meandros* (río de Asia Menor de curso muy sinuoso).
[meapilas s. *vulg.* Persona excesivamente beata o que muestra una virtud o una devoción religiosa exageradas. ☐ MORF. 1. Es de género común: *el 'meapilas', la 'meapilas'.* 2. Invariable en número. ☐ USO Es despectivo.
mear ∎ v. **1** *vulg.* →**orinar.** ∎ prnl. **2** *vulg.* Reírse mucho. ☐ ETIMOL. Del latín *meiare.*
meato s.m. Espacio u orificio en el que desemboca un conducto de un organismo. ☐ ETIMOL. Del latín *meatus* (camino, paso, curso).
meca s.f. Lugar que se considera el centro de una actividad. ☐ ETIMOL. Por alusión a la ciudad árabe de La Meca, centro religioso musulmán.
mecachis interj. *col.* Expresión que se utiliza para indicar extrañeza, sorpresa, admiración o disgusto: *¡Mecachis, se me ha olvidado comprar el pan!*
mecanicismo s.m. Teoría filosófica que explica los fenómenos naturales por medio de las leyes mecánicas.
mecánico, ca ∎ adj. **1** De la mecánica o relacionado con esta parte de la física. **2** De las máquinas o relacionado con ellas. **3** Que se realiza con máquinas. **4** En geología, referido esp. a un agente físico, que produce erosión sin modificar la composición química de la roca sobre la que actúa. **5** Que se hace sin pensar, esp. por haber sido realizado o visto otras muchas veces. ∎ s. **6** Persona que se dedica profesionalmente al arreglo o al manejo de máquinas. ∎ s.f. **7** Parte de la física que estudia el movimiento de los cuerpos, las fuerzas que lo producen y las condiciones de equilibrio. **8** Mecanismo que da movimiento a un artefacto o a una máquina. **[9** Proceso, desarrollo o transcurso. ☐ ETIMOL. Del griego *mekhanikós.*
mecanismo s.m. **1** Conjunto de piezas o de elementos combinados entre sí para producir un efecto. **[2** Modo práctico de realizarse o de producirse un fenómeno, una actividad o una función.
mecanización s.f. Implantación del uso de maquinaria o sometimiento a elaboración mecánica.
mecanizar v. Referido esp. a una actividad, implantarle el uso de máquinas o someterla a elaboración mecánica: *Para que la agricultura sea más avanzada hay que mecanizarla.* ☐ ORTOGR. La *z* se cambia en *c* delante de *e* →CAZAR.
mecano s.m. Juguete formado por una serie de piezas que pueden encajar unas en otras, con las que se pueden hacer diferentes construcciones. ☐ ETIMOL. Extensión del nombre de una marca comercial.
mecanografía s.f. Técnica de escribir a máquina. ☐ ETIMOL. Del griego *mekhané* (máquina) y *-grafía* (escritura).
mecanografiar v. Escribir a máquina: *Tengo que mecanografiar el cuento para mandarlo al concurso.*

☐ ORTOGR. La *i* lleva tilde en los presentes, excepto en las personas *nosotros* y *vosotros* →GUIAR.

mecanógrafo, fa s. Persona que se dedica profesionalmente a escribir a máquina. ☐ ETIMOL. Del griego *mekhané* (máquina) y *-grafo* (que escribe).

mecedora s.f. Silla cuyas patas se apoyan en dos arcos o terminan en forma circular, de forma que puede balancearse hacia adelante y hacia atrás.

mecenas s. Persona o institución que, con sus aportaciones económicas, protege o promueve las actividades artísticas o intelectuales: *Actualmente, los grandes mecenas son las fundaciones culturales.* ☐ ETIMOL. Por alusión a Cayo Mecenas, noble romano protector de las artes. ☐ MORF. 1. Es de género común: *el mecenas, la mecenas.* 2. Invariable en número.

mecenazgo s.m. Protección o ayuda que se da a las artes o a las letras.

mecer v. Mover suave y rítmicamente de un lado a otro: *Mece al bebé para que no llore. Se mece en la hamaca.* ☐ ETIMOL. Del latín *miscere* (mezclar, agitar). ☐ ORTOGR. La *c* se cambia en *z* delante de *a, o* →VENCER.

mecha s.f. 1 Cuerda retorcida de filamentos combustibles, que se prende con facilidad: *La mecha de la vela está húmeda y no prende.* 2 Tubo de papel o de algodón, relleno de pólvora, que sirve para encender los explosivos. 3 Mechón de pelo teñido de un color distinto del original. 4 ‖**a toda mecha**; *col.* A gran velocidad. ‖**aguantar mecha**; *col.* Sufrir con resignación. ☐ ETIMOL. Quizá del francés *mèche*. ☐ MORF. La acepción 3 se usa más en plural.

mechar v. Referido a la carne que se ha de cocinar, introducirle trozos pequeños de tocino o de otro ingrediente: *He mechado con jamón y huevo un trozo de carne para asar.*

mechero, ra ▌ adj./s.f. 1 Referido a un utensilio de cocina, que se utiliza para mechar o rellenar una carne con trozos de tocino u otros ingredientes. ▌ s. 2 Persona que roba en las tiendas. ▌ s.m. 3 Encendedor, generalmente el de bolsillo que funciona con gas o gasolina. [4 Utensilio provisto de mecha, que se utiliza para dar luz o calor. 5 En un aparato de alumbrado, pieza en la que se produce la llama. 6 ‖[**mechero (de) Bunsen**; el usado en los laboratorios, conectado a la instalación del gas, y en el que se puede variar la temperatura de la llama regulando la entrada de aire; bunsen. ✕ química ☐ MORF. En la acepción 2, la RAE sólo lo registra como femenino. ☐ SEM. En la acepción 1, aunque la RAE lo considera sinónimo de *chisquero*, éste se ha especializado para los encendedores que tienen mecha.

mechón s.m. Grupo de pelos, de hilos o de hebras separado de un conjunto de la misma clase. ☐ ETIMOL. De *mecha*, por comparación con ésta.

meconio s.m. Primer excremento expulsado por el recién nacido. ☐ ETIMOL. Del latín *meconium*.

medalla ▌ s. [1 En una competición deportiva, persona que ha conseguido uno de los tres primeros puestos. ▌ s.f. 2 Objeto de metal, plano y generalmente redondeado, con alguna figura o algún símbolo acuñados en sus caras. ✕ joya ☐ ETIMOL. Del italiano *medaglia*. ☐ MORF. En la acepción 1, es de género común: *el 'medalla', la 'medalla'.*

[medallero s.m. En una competición deportiva, relación de las medallas ganadas.

[medallista s. Deportista que ha conseguido al menos una medalla en una competición de gran importancia. ☐ MORF. Es de género común: *el 'medallista', la 'medallista'.*

medallón s.m. 1 En arte, elemento decorativo en bajo relieve, de forma circular u ovalada. 2 Joya redondeada, generalmente en forma de cajita, que se lleva colgada del cuello. ✕ joya [3 Rodaja redonda y gruesa de un alimento, esp. de carne o pescado.

médano s.m. 1 En un desierto o en una playa, colina de arena que forma y empuja el viento; duna. 2 En el mar, acumulación de arena que casi llega hasta la superficie del agua por ser una zona poco profunda. ☐ ETIMOL. De origen incierto.

media s.f. Véase medio, a.

mediación s.f. Intervención en un asunto ajeno, esp. si se tiene como objeto favorecer a alguien o pacificar una riña.

mediado, da adj. 1 Empezado pero no acabado porque está más o menos por la mitad. 2 ‖**a mediados** de un período de tiempo; hacia su mitad.

mediador, -a s. En una negociación o en un conflicto, persona encargada de hacer respetar los derechos de las dos partes o de defender sus intereses.

medialuna s.f. 1 Lo que tiene forma de luna en su fase creciente o menguante. 2 Pan o bollo con esta forma. [3 Recinto con forma semicircular en el que se realizan rodeos. [4 En zonas del español meridional, cruasán. ☐ ORTOGR. Se admite también *media luna*.

mediana s.f. Véase **mediano, na**.

medianía s.f. Persona que carece de cualidades relevantes.

mediano, na ▌ adj. 1 De calidad o de tamaño intermedios. 2 *col.* Mediocre o casi malo. ▌ s.f. 3 En un triángulo geométrico, segmento que une un vértice con el punto medio del lado opuesto. [4 En una vía pública, zona longitudinal que separa las calzadas y que no está destinada a la circulación. ☐ ETIMOL. Del latín *medianus* (del medio).

medianoche s.f. 1 Hora del día en la que el Sol está en el punto opuesto al de mediodía. 2 Bollo pequeño y ligeramente dulce, que tiene forma redondeada y suele partirse en dos mitades para rellenarlo de algún alimento. ☐ ORTOGR. En la acepción 1, se admite también *media noche*. ☐ MORF. En la acepción 2, su plural es *mediasnoches*.

mediante prep. Seguido de un sustantivo, indica que éste se utiliza como ayuda para realizar algo: *Logró el ascenso mediante una recomendación.* ☐ ETIMOL. De *mediar*.

[mediapunta s. En fútbol, jugador que ocupa en el campo una posición adelantada por detrás del delantero centro. ☐ MORF. Es de género común: *el 'mediapunta', la 'mediapunta'.*

mediar v. 1 Interceder por alguien: *Le agradecí que hubiera mediado por mí ante el director.* 2 Interponerse entre dos o más partes en conflicto para intentar que se reconcilien o que lleguen a un acuerdo: *Tuvo que mediar mi padre para que mi hermana y yo hiciéramos las paces.* 3 Estar entre dos o más cosas: *Entre las dos paredes media una cámara de aire.* ☐ ETIMOL. Del latín *mediare.* ☐ ORTOGR. La *i* nunca lleva tilde. ☐ SINT. Contr. de la acepción 1, *mediar por alguien.* ☐ SEM. En las acepciones 2 y 3, es sinónimo de *intermediar.*

[mediático, ca adj. De los medios de comunicación o relacionado con ellos.

mediatización s.f. Influencia que dificulta o impide la libertad de acción en el ejercicio de una actividad o de una función.

mediatizar v. Referido esp. a una persona o a una institución, influir en ellas impidiendo o dificultando su libertad de acción: *La situación económica de un país mediatiza a su Gobierno.* □ ORTOGR. La *z* se cambia en *c* delante de *e* →CAZAR.

mediato, ta adj. Referido a una cosa, que está próxima a otra en el tiempo, el lugar o el grado, pero separada por una tercera. □ ETIMOL. Del latín *mediatus*, y éste de *mediare* (mediar).

[mediatriz s.f. Recta perpendicular a un segmento en su punto medio.

medicable adj. Que se puede curar con medicinas. □ ETIMOL. Del latín *mediacabilis*. □ MORF. Invariable en género.

medicación s.f. **1** Administración metódica de uno o varios medicamentos con fines curativos. **2** Conjunto de medicamentos y medios curativos que sirven para un mismo fin. □ ETIMOL. Del latín *medicatio.*

medicamento s.m. Sustancia que sirve para prevenir, curar o aliviar una enfermedad o para reparar sus secuelas; fármaco, medicina. □ ETIMOL. Del latín *medicamentum.* 🔎 medicamento

medicamentoso, sa adj. Que sirve de medicamento.

medicar v. Referido esp. a un enfermo, recetarle medicinas o administrárselas; medicinar: *No soy partidaria de medicar a un paciente por un simple catarro. Se intoxicó por medicarse sin contar con el médico.* □ ORTOGR. La *c* se cambia en *qu* delante de *e* →SACAR.

medicina s.f. **1** Ciencia que trata de prevenir y curar las enfermedades humanas. **2** Sustancia que sirve para prevenir, curar o aliviar una enfermedad o para reparar sus secuelas; fármaco, medicamento. 🔎 medicamento **[3** *col.* Remedio o solución a un problema. □ ETIMOL. Del latín *medicina* (ciencia médica, remedio).

medicinal adj. Que tiene cualidades curativas o que sirve para conservar la salud. □ MORF. Invariable en género.

medicinar v. →**medicar.**

medición s.f. **1** Comparación de un todo con una unidad tomada como referencia para saber el número de veces que la contiene; medida: *medición de la temperatura.* **2** Determinación del número de sílabas métricas de un verso.

médico, ca ■ adj. **1** De la medicina o relacionado con ella. **2** De Media (antigua región indoeuropea del noroeste iraní), o relacionado con ella; medo. **■** s. **3** Persona legalmente autorizada para ejercer la medicina; doctor. **4** ∥**médico de cabecera**; el que atiende habitualmente al enfermo y no es el especialista. ∥**(médico) forense**; el oficialmente asignado a un juzgado de instrucción. □ ETIMOL. Del latín *medicus*, y éste de *mederi* (cuidar, curar).

medida s.f. **1** Comparación de un todo con una unidad tomada como referencia para saber el número de veces que la contiene; medición. 🔎 medida **2** Número que expresa el resultado de efectuar esta operación. **3** Cada una de las unidades que se emplean para medir longitudes, áreas o volúmenes. **4** Número de sílabas métricas de un verso. **5** Disposición o acción encaminadas a evitar que suceda algo: *Adoptaron medidas para que el río no se desbordara.* **6** Grado o intensidad: *No sabía en qué medida le iban a afectar los problemas de la empresa.* **7** Prudencia o buen juicio. **[8** Patrón por el que se mide una realidad. **9** ∥**a (la) medida**; que se ajusta bien a la persona o cosa a que está destinado. ∥**a medida que**; al mismo tiempo o a la vez. ∥**[en cierta medida**; de alguna manera o no del todo. □ SINT. En la acepción 5, se usa más con los verbos *adoptar, tomar* y equivalentes.

medidor, -a ■ adj./s.m. **1** Que mide o que sirve para medir algo. **■** s.m. **2** En zonas del español meridional, contador.

medieval adj. Del medievo o relacionado con este período histórico. □ MORF. Invariable en género.

medievalista s. Persona especializada en el estudio de lo medieval. □ MORF. Es de género común: *el medievalista, la medievalista.*

medievo s.m. Período histórico anterior a la edad moderna y posterior a la edad antigua, que abarca aproximadamente del siglo V hasta el XV; edad media. □ ETIMOL. Del latín *medium aevum* (Edad Media). □ USO Se usa más como nombre propio.

[medina s.f. Parte antigua de una ciudad árabe.

medio, dia ■ adj. **1** Referido a un todo, que es igual a su mitad. **2** Entre dos extremos o entre dos cosas. **3** Que representa las características generales que se consideran propias de un grupo, de una época o de algún tipo de agrupación. **4** Referido a un todo, gran parte de él. **■** adj./s.f. **5** En algunos deportes de equipo, referido a una línea de jugadores, que tiene la misión de promover jugadas. **■** s.m. **6** Punto o lugar que está a igual distancia de sus extremos: *Pon la vela en el medio de la tarta de cumpleaños.* **7** Momento o situación entre dos momentos, entre dos situaciones o entre dos cosas: *En medio de la conversación soltó una risotada. Quítate del medio, que estorbas.* **8** Lo que es útil o conveniente para conseguir un determinado fin. **9** Elemento en el que vive y se desarrolla un ser vivo: *medio acuático.* **10** Sector, círculo o ambiente social: *Después del escándalo, ese actor está mal visto en medios aristocráticos.* **■** s.m.pl. **11** Dinero o bienes que se poseen. **12** En una plaza de toros, tercio que corresponde

MEDICAMENTO, FÁRMACO o MEDICINA

pastillas
cápsula   tableta
gragea   píldora
jarabe   ampolla   sobre o papelillo
jeringa   inyección
pomada
polvos   cuentagotas
gotas
emplasto
supositorio   óvulo   ayuda, enema o lavativa

MEDIDA

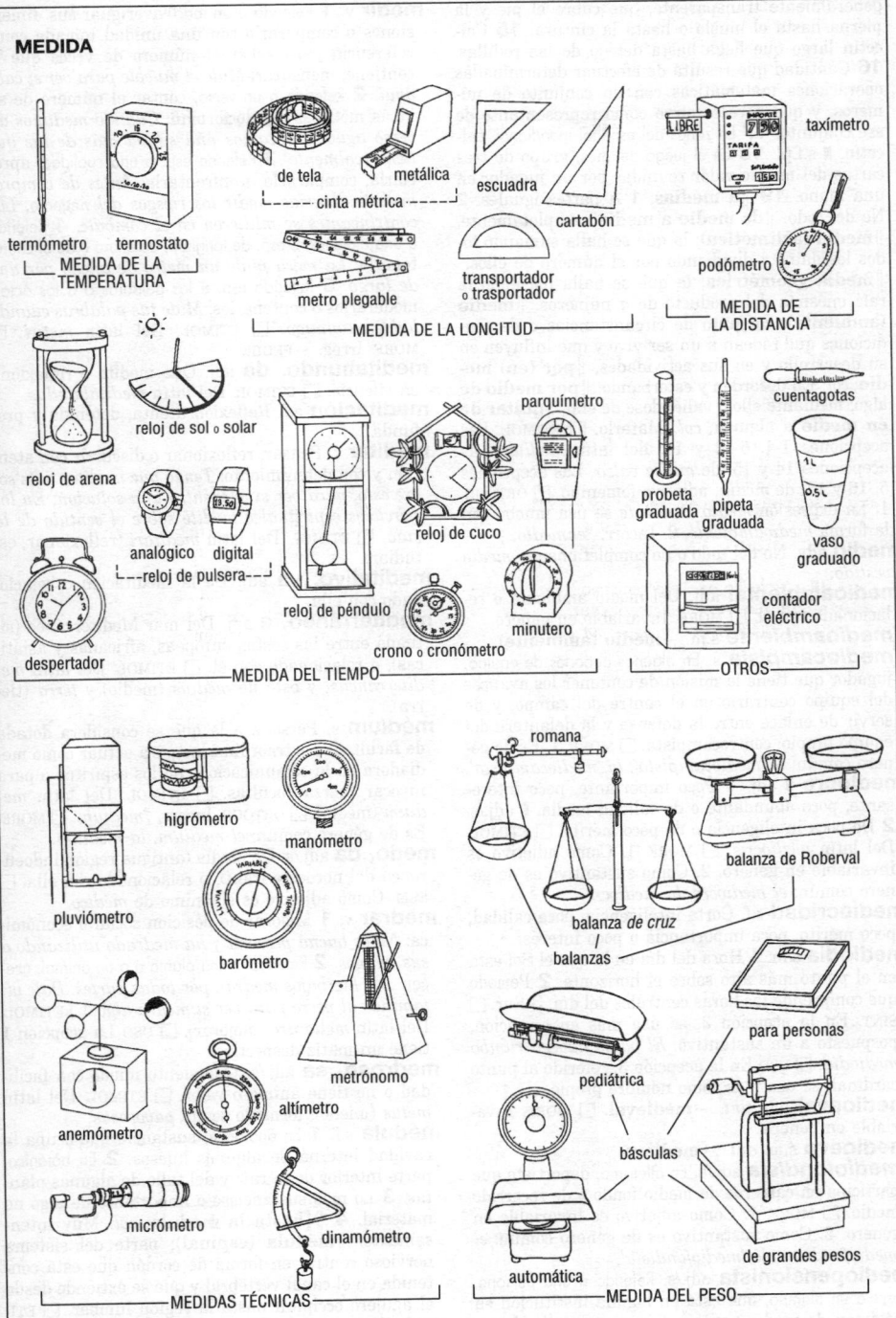

termómetro   termostato

MEDIDA DE LA TEMPERATURA

de tela   metálica

cinta métrica

metro plegable

escuadra

cartabón

transportador o trasportador

MEDIDA DE LA LONGITUD

taxímetro

podómetro

MEDIDA DE LA DISTANCIA

reloj de arena

reloj de sol o solar

analógico   digital

reloj de pulsera

despertador

reloj de cuco

reloj de péndulo

crono o cronómetro

minutero

MEDIDA DEL TIEMPO

parquímetro

probeta graduada

pipeta graduada

cuentagotas

vaso graduado

contador eléctrico

OTROS

higrómetro

pluviómetro

manómetro

barómetro

anemómetro

altímetro

metrónomo

micrómetro

dinamómetro

MEDIDAS TÉCNICAS

romana

balanza de cruz

balanzas

balanza de Roberval

pediátrica

para personas

básculas

automática

de grandes pesos

MEDIDA DEL PESO

centro del ruedo. **13** →**mass media**. ▌ s.f. **14** Prenda de ropa interior femenina, de tejido muy fino y generalmente transparente, que cubre el pie y la pierna hasta el muslo o hasta la cintura. **15** Calcetín largo que llega hasta debajo de las rodillas. **16** Cantidad que resulta de efectuar determinadas operaciones matemáticas con un conjunto de números, y que a veces sirve como representante de ese conjunto. **17** En zonas del español meridional, calcetín. ▌ s.f.pl. **18** En el juego del mus, grupo de tres cartas del mismo valor reunidas por un jugador en una mano. **19** ‖a medias; **1** A partes iguales. **2** No del todo. ‖de medio a medio; completamente. ‖media (aritmética); la que se halla sumando todos los datos y dividiéndolo por el número de ellos. ‖media geométrica; la que se halla haciendo la raíz enésima del producto de *n* números. ‖medio (ambiente); conjunto de circunstancias o de condiciones que rodean a un ser vivo y que influyen en su desarrollo y en sus actividades. ‖por (en) medio; *col.* En desorden y estorbando. ‖por medio de algo; mediante ello o valiéndose de ello. ‖quitar de en medio a alguien; *col.* Matarlo. ☐ ETIMOL. Las acepciones 1-4, 6-12 y 18, del latín *medius*. Las acepciones 14 y 15, de *media calza*. Las acepciones 5, 16 y 17, de *media*, adjetivo femenino. ☐ ORTOGR. 1. La expresión *medio ambiente* se usa mucho con la forma *medioambiente*. 2. Incorr. *enmedio*.
medio adv. No del todo o no completamente: *medio vestido*.
medioambiental adj. Del medio ambiente o relacionado con él. ☐ MORF. Invariable en género.
[medioambiente s.m. →**medio (ambiente)**.
[mediocampista s. En algunos deportes de equipo, jugador que tiene la misión de contener los avances del equipo contrario en el centro del campo, y de servir de enlace entre la defensa y la delantera del equipo propio; centrocampista. ☐ MORF. 1. Es de género común: *el 'mediocampista', la 'mediocampista'*.
mediocre ▌ adj. **1** Poco importante, poco interesante, poco abundante o de calidad media. ▌ adj./s. **2** De poca inteligencia o de poco mérito. ☐ ETIMOL. Del latín *mediocris*. ☐ MORF. 1. Como adjetivo es invariable en género. 2. Como sustantivo es de género común: *el mediocre, la mediocre*.
mediocridad s.f. Corta inteligencia, poca calidad, poco mérito, poca importancia o poco interés.
mediodía s.m. **1** Hora del día en la que el Sol está en el punto más alto sobre el horizonte. **2** Período que comprende las horas centrales del día. **3** Sur. ☐ SINT. En la acepción 3, se usa más en aposición, pospuesto a un sustantivo: *El barco navega rumbo mediodía*. ☐ USO En la acepción 3, referido al punto cardinal, se usa más como nombre propio.
medioeval adj. *ant.* →**medieval**. ☐ MORF. Invariable en género.
medioevo s.m. *ant.* →**medievo**.
[mediofondista adj./s. En atletismo, deportista que participa en carreras de medio fondo o de recorrido medio. ☐ MORF. 1. Como adjetivo es invariable en género. 2. Como sustantivo es de género común: *el 'mediofondista', la 'mediofondista'*.
mediopensionista adj./s. Referido a una persona, esp. a un alumno, que está en alguna institución en régimen de media pensión o que come allí al mediodía. ☐ MORF. 1. Como adjetivo es invariable en

género. **2.** Como sustantivo es de género común: *el mediopensionista, la mediopensionista*.
medir v. **1** Referido a un todo, averiguar sus dimensiones o compararlo con una unidad tomada como referencia para saber el número de veces que la contiene; mensurar: *Mide el mueble para ver si cabe aquí*. **2** Referido a un verso, contar el número de sílabas métricas que lo forman: *Cuando medimos un verso agudo, contamos una sílaba más de las que tiene realmente*. **3** Referido esp. a una cualidad, apreciarla, compararla o enfrentarla: *Antes de comprometerte deberías medir los riesgos del negocio. Los contrincantes se midieron en el combate*. **4** Referido a una dimensión, esp. de longitud, de altura o de anchura, tenerla: *La mesa mide un metro de ancho por uno de largo*. **5** Referido esp. a las palabras o a los actos, moderarlos o contenerlos: *Mide tus palabras cuando hables conmigo*. ☐ ETIMOL. Del latín *metiri*. ☐ MORF. Irreg. →PEDIR.
meditabundo, da adj. Que medita o reflexiona en silencio. ☐ ETIMOL. Del latín *meditabundus*.
meditación s.f. Reflexión atenta, detenida y profunda.
meditar v. Pensar, reflexionar o discurrir con atención y con detenimiento: *Tengo que meditar más sobre esto, para ver si encuentro una solución. En los ejercicios espirituales medité sobre el sentido de la vida*. ☐ ETIMOL. Del latín *meditari* (reflexionar, estudiar).
meditativo, va adj. De la meditación o relacionado con ella.
mediterráneo, a adj. Del mar Mediterráneo (situado entre las costas europeas, africanas y asiáticas), o relacionado con él. ☐ ETIMOL. Del latín *mediterraneus*, y éste de *medius* (medio) y *terra* (tierra).
médium s. Persona a la que se considera dotada de facultades extraordinarias para actuar como mediadora en la comunicación con los espíritus o para invocar fuerzas ocultas. ☐ ETIMOL. Del latín *medium* (medio). ☐ ORTOGR. Incorr. *medium*. ☐ MORF. Es de género común: *el médium, la médium*.
medo, da adj./s. De Media (antigua región indoeuropea del noroeste iraní), o relacionado con ella. ☐ SEM. Como adjetivo es sinónimo de *médico*.
medrar v. **1** Mejorar de posición social o económica: *No es buena persona y ha medrado utilizando a sus amigos*. **2** Referido a una planta o a un animal, crecer: *Los hierbajos medrán por todas partes. Dale vitaminas al perro para ver si medra algo*. ☐ ETIMOL. Del latín *meliorare* (mejorar). ☐ USO La acepción 1 tiene un matiz despectivo.
medroso, sa adj./s. Que siente miedo con facilidad o no tiene ánimo o valor. ☐ ETIMOL. Del latín *metus* (miedo), formado según *pavorosus*.
médula s.f. **1** En anatomía, sustancia que ocupa la cavidad interna de algunos huesos. **2** En botánica, parte interior de la raíz y del tallo de algunas plantas. **3** Lo más sustancioso o importante de algo no material. **4** ‖[hasta la médula; *col.* Muy intensamente. ‖médula (espinal); parte del sistema nervioso central en forma de cordón que está contenida en el canal vertebral y que se extiende desde el agujero occipital hasta la región lumbar. ☐ ETIMOL. Del latín *medulla* (meollo, médula). ☐ SEM. En las acepciones 1 y 2, es sinónimo de *tuétano*.

medular adj. De la médula o relacionado con ella. ☐ MORF. Invariable en género.

medusa s.f. Animal marino celentéreo en una fase de su ciclo biológico en la que la forma del cuerpo es semejante a una sombrilla con varios tentáculos. ☐ ETIMOL. Del griego *Médusa* (una de las tres Gorgonas, a quien se representaba con una abundante cabellera).

mefistofélico, ca adj. Diabólico, perverso o propio del demonio. ☐ ETIMOL. De *Mefistófeles*, personaje de la obra 'Fausto', del escritor alemán Goethe.

mega- Elemento compositivo que significa 'grande' (*megalito*) o 'un millón' (*megavatio, megaciclo, megatón*). ☐ ETIMOL. Del griego *mégas-*.

[*megabyte* (anglicismo) s.m. En informática, unidad de almacenamiento de información que equivale a un millón de bytes aproximadamente. ☐ PRON. [megabáit]

megaciclo s.m. Unidad de frecuencia que equivale a un millón de ciclos. ☐ ETIMOL. De *mega-* (un millón) y *ciclo*.

megafonía s.f. **1** Técnica que se ocupa de los aparatos e instalaciones precisos para aumentar el volumen del sonido. **2** Conjunto de los aparatos que aumentan el volumen del sonido.

megáfono s.m. Aparato que amplifica el volumen del sonido. ☐ ETIMOL. De *mega-* (grande) y *-fono* (sonido).

[*megahercio* s.m. En informática, unidad de velocidad de un microprocesador, que equivale a un millón de hercios; megahertz. ☐ ETIMOL. De *mega-* (un millón) y *hercio*.

[*megahertz* s.m. →**megahercio.**

megalítico, ca adj. Del megalito, con megalitos o relacionado con estos grandes bloques de piedra sin labrar.

megalito s.m. Monumento prehistórico construido con grandes piedras sin labrar. ☐ ETIMOL. De *mega-* (grande) y *-lito* (piedra).

megalomanía s.f. Actitud o manía enfermizas de las personas que se creen muy importantes o muy ricas, o que desean serlo. ☐ ETIMOL. De *mega-* (grande) y *manía* (manía). ☐ ORTOGR. Dist. de *melomanía*.

megalómano, na adj. Que padece megalomanía o que tiene aspiraciones de grandeza inalcanzables. ☐ ORTOGR. Dist. de *melómano*.

megalópolis s.m. Conjunto de áreas urbanizadas que se extienden a lo largo de cientos de kilómetros formando ciudades gigantescas. ☐ ETIMOL. Del inglés americano *megalopolis*, y éste del griego *mégas* (grande) y *pólis* (ciudad). ☐ MORF. Invariable en número.

megatón s.m. Unidad de medida de la energía de una bomba nuclear. ☐ ETIMOL. Del inglés *megatón* y éste del griego *mégas* (grande) y *ton* (tonelada).

[*megavatio* s.m. En el Sistema Internacional, unidad de potencia que equivale a un millón de vatios. ☐ ETIMOL. De *mega-* (un millón) y *vatio*.

[*mehari* s.m. **1** Vehículo de pequeño tamaño, descapotable, con un motor de escasa potencia y con una carrocería que suele ser de plástico. **2** Tipo de dromedario del norte africano, muy resistente a la fatiga y rápido en la carrera. ☐ ETIMOL. La acepción 1 es extensión de una marca comercial.

meigo, ga s. En algunas regiones, brujo.

[*meiosis* s.f. Proceso de división por el que una célula origina cuatro gametos o células sexuales con el número de cromosomas reducido a la mitad. ☐ MORF. Invariable en número.

mejicano, na adj./s. De México (país americano), o relacionado con él. ☐ ORTOGR. Se admite también *mexicano*.

mejilla s.f. Cada una de las dos partes carnosas y abultadas de la cara, debajo de los ojos; carrillo. ☐ ETIMOL. Del latín *maxilla* (mandíbula).

mejillón s.m. Molusco marino de carne comestible, con la concha compuesta por dos valvas negras y ovaladas, que vive pegado a las rocas. ☐ ETIMOL. Del portugués *mexilhao*. 🦪 marisco

mejillonero, ra ▌ adj. **1** Del mejillón o relacionado con este molusco. ▌ s.f. **2** Instalación para la cría del mejillón.

mejor ▌ adj. **1** comp. de superioridad de bueno. ▌ adv. **2** comp. de superioridad de bien. **3** Antes o preferiblemente. **4** ‖**a lo mejor**; expresión que se utiliza para indicar duda o posibilidad. ‖**mejor que** **mejor** o **tanto mejor**; expresión que se utiliza para indicar satisfacción o aprobación. ☐ ETIMOL. Del latín *melior*. ☐ MORF. 1. Como adjetivo es invariable en género. 2. Incorr. **más mejor*.

mejora s.f. **1** Cambio que se realiza para hacer algo mejor. **2** Progreso, aumento o adelantamiento. ☐ SEM. No debe emplearse con el significado de 'mejoría': *La enferma ha mostrado una gran {*mejora > mejoría}.*

mejoramiento s.m. Cambio para mejor; mejoría.

mejorana s.f. Planta herbácea de flores pequeñas, blancas o rosadas, en espiga, muy aromática y utilizada en medicina. ☐ ETIMOL. Del latín *maezurana*.

mejorar v. **1** Pasar o hacer pasar de un estado a otro mejor: *Sigue estudiando así, porque has mejorado mucho. La empresa ha mejorado la calidad de sus productos.* **2** Recobrar la salud, hacer que sea recobrada o poner mejor: *Tómate esta pastilla y verás cómo mejoras. ¡Que te mejores!* **[3** Superar o conseguir una mejor realización: *La atleta no consiguió 'mejorar' su marca personal.* **4** Referido al tiempo atmosférico, hacerse más agradable: *Si mañana mejora, iremos a la playa.* ☐ ETIMOL. Del latín *meliorare*.

mejoría s.f. **1** Alivio o disminución del dolor o de la intensidad de una enfermedad. **[2** Cambio para mejor; mejoramiento.

mejunje s.m. Líquido o sustancia formados por la mezcla de varios ingredientes con aspecto o sabor extraño y desagradable. ☐ ETIMOL. Del árabe *ma'yun* (amasado). ☐ ORTOGR. Se admiten también *menjunje* y *menjurje*.

melancolía s.f. Tristeza indefinida, sosegada, profunda y permanente. ☐ ETIMOL. Del latín *melancholia*, y éste del griego *melankholía* (mal humor, bilis negra).

melancólico, ca ▌ adj. **1** De la melancolía o relacionado con ella. ▌ adj./s. **2** Referido a una persona, que tiene melancolía o es propenso a ella.

melanina s.f. Pigmento de color negro o pardo negruzco que existe en algunos animales y que da su coloración a la piel, al pelo y a otras partes del cuerpo. ☐ ETIMOL. Del griego *mélas* (negro).

[*melanoma* s.m. Tumor formado por células que contienen abundante melanina. ☐ ETIMOL. Del griego *mélas* (negro) y *-oma* (tumor).

melatonina s.f. Sustancia hormonal segregada por la glándula pineal.

melaza s.f. Líquido más o menos espeso y muy dulce que queda como residuo de la fabricación del azúcar de caña o de remolacha. ☐ ETIMOL. De *miel*.

[melé s.f. En el rugby, jugada en la que varios jugadores de ambos equipos se colocan formando dos grupos compactos que se empujan mutuamente para apoderarse del balón que se lanza entre ellos. ☐ ETIMOL. Del francés *mêlée* (mezclada).

melena ▮ s.f. **1** Cabellera larga y suelta. ✂ peinado **2** Crin que rodea la cabeza del león. ▮ pl. [**3** Cabello desarreglado, despeinado o enredado. **4** ‖ **[soltarse la melena**; *col.* Lanzarse a hablar o a actuar de forma despreocupada y decidida. ☐ ETIMOL. De origen incierto.

melenudo, da adj./s. Que tiene el pelo largo o abundante, esp. si lo lleva suelto. ☐ USO Tiene un matiz despectivo.

melero, ra ▮ s.m. **1** Lugar en el que se guarda la miel. ▮ s. **2** Persona que se dedica a la venta de miel. ☐ ORTOGR. Incorr. **mielero*.

melifluo, flua adj. Dulce y tierno en el trato o en el modo de hablar. ☐ ETIMOL. Del latín *mellifluus* (que destila miel).

melillense adj./s. De Melilla (ciudad al norte del continente africano), o relacionado con ella. ☐ MORF. 1. Como adjetivo es invariable en género. 2. Como sustantivo es de género común: *el melillense, la melillense*.

melindre s.m. Delicadeza aparente o fingida en las palabras o en los modales; pamema. ☐ ETIMOL. De origen incierto.

[melindres s. Persona muy afectada en sus modales o muy escrupulosa. ☐ MORF. 1. Es de género común: *el 'melindres', la 'melindres'*. 2. Invariable en número.

melindroso, sa adj./s. Que finge o muestra una delicadeza exagerada; remirado.

mella s.f. **1** Rotura o hendidura en el borde de un objeto. **2** Vacío o hueco que deja algo en el lugar que ocupaba: *Cuando se le cayó el diente, al reírse se le veía la mella*. **3** ‖ **hacer mella**; **1** Causar efecto o impresionar. **2** Ocasionar daño o pérdida.

mellado, da adj./s. Falto de uno o más dientes.

mellar v. **1** Referido a un objeto, esp. si es cortante, romper o hendir su filo o su borde: *Has mellado el cuchillo. Tengo que afilar el hacha porque se ha mellado la hoja*. **2** Referido esp. a algo no material, deteriorar, dañar o mermar: *Aquel fracaso no logró mellar sus ilusiones*. ☐ ETIMOL. De origen incierto.

mellizo, za adj./s. Que ha nacido del mismo parto pero se ha originado de distinto óvulo. ☐ ETIMOL. Del latín **gemellicius*, y éste de *gemellus* (gemelo). ☐ SEM. Aunque la RAE lo considera sinónimo de *gemelo*, en el lenguaje médico no lo es.

melocotón s.m. **1** Fruto del melocotonero, de forma esférica, piel aterciopelada, pulpa jugosa y un hueso leñoso en el centro. [**2** *col.* Borrachera. ☐ ETIMOL. Del latín *malum cotonium* (membrillo), porque el melocotón se obtuvo mediante un injerto de durazno y membrillo.

melocotonero s.m. Árbol frutal de flores blancas o rosadas y de hojas lanceoladas, propio de climas templados, cuyo fruto es el melocotón.

melodía s.f. **1** En música, sucesión de sonidos de diferente entonación, ordenados según un diseño o

una idea musicales reconocibles, con independencia de su acompañamiento. **2** Parte de la teoría musical que trata de cómo han de elegirse y ordenarse en el tiempo los sonidos para componer estas sucesiones de manera que resulten gratas al oído. ☐ ETIMOL. Del latín *melodia*, éste del griego *meloidía*, y éste de *mélos* (canto acompañado de música) y *aeidō* (yo canto).

melódico, ca adj. De la melodía o relacionado con ella.

melodioso, sa adj. Dotado de melodía o dulce y agradable al oído.

melodista s. Persona que se dedica a la composición de melodías musicales, por lo general breves y sencillas y sin tener para ello especiales conocimientos técnicos. ☐ MORF. Es de género común: *el melodista, la melodista*.

melodrama s.m. **1** Obra literaria o cinematográfica, generalmente de carácter dramático, en la que se busca conmover fácilmente la sensibilidad del público mediante la exageración de los aspectos sentimentales, tristes y dolorosos y acentuando la división de los personajes en buenos y malos. **2** *col.* Suceso o relato caracterizados por una tensión y una emoción exageradas o lacrimógenas: *La despedida en la estación fue un melodrama*. ☐ ETIMOL. Del griego *mélos* (canto acompañado de música) y *drâma* (drama).

melodramático, ca adj. Del melodrama o con las características que se consideran propias de éste.

melomanía s.f. Pasión desmedida por la música. ☐ ETIMOL. Del griego *mélos* (canto acompañado de música) y *-manía* (afición desmedida). ☐ ORTOGR. Dist. de *megalomanía*.

melómano, na adj./s. Que siente una pasión desmedida por la música. ☐ ORTOGR. Dist. de *megalómano*. ☐ MORF. La RAE sólo lo registra como sustantivo.

melón, -a ▮ adj./s. **1** *col.* Torpe, necio o bobo. ▮ s.m. **2** Planta herbácea anual, con tallos trepadores o rastreros, flores solitarias amarillas y fruto comestible, grande y de color amarillo o verde claro, generalmente de forma ovalada, cuya pulpa es muy jugosa y dulce y contiene numerosas semillas. **3** Fruto de esta planta. [**4** *col.* Cabeza humana, esp. si está calva, rapada o con pelo muy corto. ☐ ETIMOL. Del latín *melo*, éste del griego *melopépon*, y éste de *pépon* (melón).

melonar s.m. Terreno plantado de melones.

meloncillo s.m. Mamífero carnicero diurno de cuerpo rechoncho, con patas cortas y cola larga, que se alimenta generalmente de roedores pequeños y de serpientes. ☐ MORF. Es un sustantivo epiceno: *el meloncillo macho, el meloncillo hembra*.

melonero, ra s. Persona que se dedica al cultivo o a la venta de melones.

melopea s.f. **1** *col.* Borrachera. **2** Canto monótono y repetitivo. [**3** *col.* Queja, petición o relato repetitivos. ☐ ETIMOL. Del griego *melopoiía* (melodía, música).

melosidad s.f. Suavidad o dulzura en la forma de actuar.

meloso, sa adj. Referido a una persona, excesivamente suave, blanda o dulce en su forma de actuar. ☐ ETIMOL. Del latín *mellosus*.

membrana s.f. **1** Tejido orgánico, en forma de lámina o de capa delgada, esp. el que envuelve un órgano o separa cavidades. **2** Lámina delgada, esp. la de pergamino, piel de becerro o plástico, que se hace vibrar golpeándola, frotándola o soplándola. **3** ‖**(membrana) mucosa**; la que reviste las cavidades y los conductos del cuerpo animal que se comunican con el exterior: *membrana mucosa.* ‖**(membrana) pituitaria**; la mucosa que reviste las fosas nasales y en la que existen terminaciones nerviosas que actúan como órgano del olfato. ‖ **(membrana) serosa**; la que reviste las cavidades interiores del cuerpo animal. ☐ ETIMOL. Del latín *membrana.*

membranoso, sa adj. Delgado, elástico, resistente o con las características propias de una membrana.

membrete s.m. Nombre, título o dirección de una persona o de una entidad que aparecen impresos en la parte superior del papel de escribir. ☐ ETIMOL. Quizá de *marbete* (etiqueta), por influencia del antiguo *membrar* (recordar).

membrillo s.m. **1** Árbol frutal de pequeño tamaño, con flores blancas o rosadas y fruto muy aromático, de color amarillo y carne áspera, que se utiliza para hacer confitura. **2** Fruto de este árbol. **3** Dulce de aspecto gelatinoso que se elabora con este fruto; carne de membrillo. ☐ ETIMOL. Del latín *melimelum* (especie de manzana muy dulce).

memento s.m. **1** En la misa católica, parte en la que se hace conmemoración de los fieles y de los difuntos. **[2** Recopilación recordatoria, esp. si es de legislación: *Han publicado un 'memento' práctico de legislación fiscal.* ☐ ETIMOL. Del latín *memento* (acuérdate).

memez s.f. **1** Simpleza o falta de juicio: *Su memez no le permite entender las cosas un poco complicadas.* **2** Hecho o dicho propios de un memo. **[3** Lo que se considera sin importancia o de poco valor; tontería.

memo, ma adj./s. Tonto, simple o necio. ☐ ETIMOL. De origen expresivo. ☐ USO Se usa como insulto.

memorable adj. Digno de ser recordado. ☐ MORF. Invariable en género.

memorando o **memorándum** s.m. **1** Informe diplomático, en el que se exponen hechos o razones que deberán tenerse en cuenta para un determinado asunto. **2** Resumen por escrito de las cuestiones más importantes de un asunto. ☐ ETIMOL. Del latín *memorandum* (cosa que debe recordarse). ☐ MORF. Su plural es *memorandos,* aunque se usa mucho como invariable en número: *Los memorándum.* ☐ USO *Memorando* es el término menos usual.

memorar v. poét. Recordar: *Estos versos memoran la juventud dorada del poeta.* ☐ ETIMOL. Del latín *memorare,* y éste de *memor* (el que se acuerda de algo).

memoria ‖ s.f. **1** Facultad que permite retener y recordar lo pasado. **2** Presencia en la mente de algo ya pasado; recuerdo. **3** Estudio o informe, generalmente por escrito, sobre hechos o motivos referentes a un asunto: *Me exigen que haga una memoria de mi experiencia como profesor.* **4** Relación objetiva de una serie de hechos o de actividades: *En la memoria anual de la empresa constan todos los gastos y la fecha en que se realizaron.* **5** En informática, dispositivo electrónico en el que se almacena información. ‖ pl. **6** Relato o escrito sobre los recuerdos

y acontecimientos de la vida de una persona. **7** ‖**de memoria**; utilizando exclusivamente la capacidad memorística, sin apoyo del razonamiento. ‖ **[memoria de elefante**; *col.* La que tiene una gran capacidad de retención y recuerdo. ‖ **[memoria RAM**; la que contiene información que puede ser modificada por el usuario y es de carácter efímero. ‖ **[memoria ROM**; la que contiene información que sólo puede ser leída y no puede ser cambiada. ☐ ETIMOL. Del latín *memoria.* En la acepción 8, *RAM* es un acrónimo que prodece de la sigla de *Random Access Memory* (memoria de acceso aleatorio) y *ROM* es un acrónimo que procede de la sigla de *Read Only Memory* (memoria sólo de lectura).

memorial s.m. Escrito en el que se pide algo alegando razones o méritos. ☐ ETIMOL. Del latín *memorialis.* ☐ SEM. No debe emplearse con el significado de 'monumento recordatorio' (anglicismo): *Para conmemorar el segundo aniversario se ha erigido un (*memorial > monumento) de mármol.*

memorialista s. Persona que se dedica a escribir por encargo memoriales y otros documentos, esp. si ésta es su profesión. ☐ MORF. Es de género común: *el memorialista, la memorialista.*

memorión s.m. Persona que tiene mucha memoria.

[memorístico, ca adj. Que se basa en la utilización de la memoria, dejando de lado el desarrollo del razonamiento.

memorización s.f. Fijación de algo en la memoria.

memorizar v. Fijar en la memoria: *En matemáticas se memorizan algunas operaciones y se razona a partir de ellas. Memoricé tu número de teléfono porque no tenía dónde apuntarlo.* ☐ ORTOGR. La *z* se cambia en *c* delante de *e* →CAZAR.

mena s.f. En un filón o en un yacimiento, parte o roca que contienen los minerales o metales de utilidad y que reportan beneficios económicos. ☐ ETIMOL. Del céltico *mena (mineral).

ménade s.f. **1** En mitología, sacerdotisa del dios Baco que, durante la celebración de los misterios, daba muestras de frenesí o de delirio. **2** Mujer descompuesta y frenética. ☐ ETIMOL. Del latín *maenas,* y éste del griego *mainás* (furiosa). La acepción 2, por alusión a estas sacerdotisas.

[ménage à trois (galicismo) ‖Práctica sexual en la que intervienen tres personas al mismo tiempo. ☐ PRON. [menách a truá], con *ch* suave.

menaje s.m. Conjunto de muebles, utensilios y demás accesorios de una casa. ☐ ETIMOL. Del francés *ménage* (administración doméstica).

menchevique adj./s. De la facción moderada de los socialdemócratas rusos o relacionado con éstos. ☐ ETIMOL. Del ruso *men'shevick* (uno de la minoría). ☐ MORF. 1. Como adjetivo es invariable en género. 2. Como sustantivo es de género común: *el menchevique, la menchevique.*

mención s.f. **1** Recuerdo que se hace de algo nombrándolo o citándolo. **2** ‖**mención honorífica**; en un concurso, distinción que se concede a un trabajo no premiado pero que se considera de mérito. ☐ ETIMOL. Del latín *mentio.* ☐ SINT. Constr. *hacer mención DE algo.*

mencionar v. Nombrar o citar al hablar o al escribir: *Nadie mencionó tu nombre durante la reunión.*

menda ∎ pron.pers. **1** *col.* Expresión que usa la persona que habla para designarse a sí misma. ∎ s. **2** *col.* Persona cuya identidad se ignora o no se quiere decir; individuo. ☐ ETIMOL. Del gitano *menda* (dativo del pronombre personal de primera persona). ☐ MORF. **1.** La acepción 1 se usa con el verbo en tercera persona del singular. **2.** En la acepción 2, la RAE lo registra como pronombre. **3.** Es de género común: *el menda, la menda.* ☐ SINT. En la acepción 1, suele usarse precedido del artículo determinado o del posesivo *mi.*

mendacidad s.f. **[1** Engaño o falsedad. **2** Hábito o costumbre de mentir. ☐ ETIMOL. Del latín *mendacitas.* ☐ ORTOGR. Dist. de *mendicidad.*

mendaz ∎ adj. **1** Que encierra engaño o falsedad. ∎ adj./s. **2** Referido a una persona, que tiene la costumbre de mentir. ☐ ETIMOL. Del latín *mendax*, y éste de *menda* (falta, error). ☐ MORF. **1.** Como adjetivo es invariable en género. **2.** Como sustantivo es de género común: *el mendaz, la mendaz.* ☐ SEM. Es sinónimo de *mentiroso.*

mendelevio s.m. Elemento químico, metálico y artificial, de número atómico 101, que se obtiene bombardeando el einstenio con partículas alfa y que pertenece al grupo de las tierras raras. ☐ ETIMOL. De *Mendeléyev*, químico ruso. ☐ ORTOGR. Su símbolo químico es *Md.*

mendelismo s.m. Conjunto de leyes sobre la transmisión hereditaria de los caracteres de los seres vivos basadas en los experimentos de Mendel (botánico austríaco del siglo XIX).

mendicante adj. Referido a una orden religiosa, que tiene instituido que sus miembros carecerán de pertenencias y deberán vivir de la limosna y del trabajo personal. ☐ ETIMOL. Del latín *mendicans.* ☐ MORF. Invariable en género.

mendicidad s.f. **1** Situación o estado del mendigo. **2** Petición de limosna. ☐ ETIMOL. Del latín *mendicitas.* ☐ ORTOGR. Dist. de *mendacidad.*

mendigar v. **1** Pedir limosna: *Tuvo que mendigar unas monedas para pagarse la posada. Un niño mendigaba a la entrada de la iglesia.* **2** Referido esp. a algún tipo de ayuda, suplicarla o solicitarla con importunidad o con humillación: *Es triste tener que mendigar un poco de afecto.* ☐ ETIMOL. Del latín *mendicare.* ☐ ORTOGR. La *g* se cambia en *gu* delante de *e* →PAGAR.

mendigo, ga s. Persona que habitualmente pide limosna; pobre. ☐ ETIMOL. Del latín *mendicus.*

mendrugo s.m. **1** *col.* Persona tonta, necia o poco inteligente. **2** Trozo de pan duro. ☐ ETIMOL. De origen incierto.

menear ∎ v. **1** Mover de una parte a otra: *El viento meneaba las hojas de los árboles. Está tan serena que ni se menea.* **2** Referido esp. a un asunto, activarlo o hacer gestiones para resolverlo: *Lo de la discusión del otro día es mejor no menearlo.* ∎ prnl. **3** *col.* Darse prisa al andar o actuar con rapidez: *Menéate o llegaremos tarde.* **[4** *col.* Contonearse o moverse de forma sensual: *Para ser modelo hay que saber 'menearse' con gracia.* **5** ‖[**de no te menees**; *col.* Muy grande o importante: *Me dio un susto 'de no te menees'.* ☐ ETIMOL. Del antiguo *manear* (manejar), y éste de *mano.*

meneo s.m. **1** Movimiento de una parte a otra. **2** *col.* Riña o paliza.

menester ∎ s.m. **1** Ocupación, trabajo o empleo. ∎

pl. **2** *col.* Herramientas o utensilios necesarios. **3** ‖{**haber/ser**} **menester** algo; ser necesario o imprescindible. ☐ ETIMOL. Del latín *ministerium* (servicio, empleo, oficio). ☐ MORF. La acepción 1 se usa más en plural.

menesteroso, sa adj./s. Carente o necesitado de algo, esp. de lo necesario para subsistir.

menestra s.f. Guiso preparado con verduras variadas y trozos de carne o de jamón. ☐ ETIMOL. Del italiano *minestra.*

menestral, -a s. Persona que desarrolla un oficio manual. ☐ ETIMOL. Del latín *ministerialis* (funcionario imperial).

mengano, na s. Una persona cualquiera. ☐ ETIMOL. Quizá del árabe *man kan* (quien sea, cualquiera). ☐ USO Se usa más como nombre propio, y en la expresión *Fulano, Mengano, Zutano y Perengano.*

mengua s.f. Disminución o reducción. ☐ ETIMOL. Del latín **minua*, y éste de *minuere* (disminuir, rebajar).

menguado, da ∎ adj./s. **1** Referido a una persona, que es tímida o cobarde. **2** Referido a una persona, que es tonta o que tiene poca inteligencia. ∎ s.m. **3** En una labor de punto o de ganchillo, punto que se disminuye.

menguante ∎ adj. **1** Que mengua. ∎ s.f. **2** Disminución del caudal de agua. **3** Descenso del nivel del mar por efecto de la marea. **4** Decadencia o disminución de algo: *La menguante de las ventas nos arrastró a la ruina.* ☐ MORF. Como adjetivo es invariable en género.

menguar v. **1** Disminuir o reducir: *Tantos gastos menguaron mis ahorros.* **2** Referido a la Luna, disminuir la parte iluminada que se ve desde la Tierra: *La Luna mañana empezará a menguar hasta que haya luna nueva.* **3** En una labor de punto o de ganchillo, reducir o quitar un punto: *Mengua dos puntos en cada vuelta para dar la forma de la sisa. Cuando hagas treinta vueltas, empieza a menguar.* ☐ ETIMOL. Del latín *minuare.* ☐ ORTOGR. **1.** La *u* lleva diéresis cuando la sigue *e.* **2.** La *u* permanece siempre átona →AVERIGUAR.

menhir s.m. Monumento prehistórico formado por una gran piedra alargada clavada verticalmente en el suelo. ☐ ETIMOL. Del francés *menhir*, y éste del bretón *men* (piedra) e *hir* (larga). ☐ SEM. Dist. de *dolmen* (formado por dos o más piedras verticales sobre las que descansan otras horizontales).

meninge s.f. Membrana que envuelve y protege el encéfalo y la médula espinal. ☐ ETIMOL. Del griego *mêninx* (membrana). ☐ USO Se usa más en plural.

meníngeo, a adj. De las meninges o relacionado con ellas.

meningitis s.f. Inflamación de las meninges. ☐ ETIMOL. De *meninge* e *-itis* (inflamación). ☐ MORF. Invariable en número.

meningococo s.m. Microorganismo que causa distintas enfermedades, esp. uno de los tipos de meningitis. ☐ ETIMOL. Del griego *mêninx* (membrana) y *kókkos* (grano).

menino, na s. En la corte española, persona de la nobleza que, desde pequeña, entraba a servir a la familia real. ☐ ETIMOL. Del portugués *menino* (niño).

menisco s.m. Cartílago con forma de media luna cuyo espesor es mayor en la periferia que en el centro, y que forma parte de algunas articulaciones, esp. de la rodilla. □ ETIMOL. Del griego *menískos* (luna pequeña, cuarto de luna).

menjunje o **menjurje** s.m. →mejunje.

menopausia s.f. **1** Cese natural de la menstruación de la mujer. **2** Período de la vida de una mujer en el que se produce este cese de la menstruación. □ ETIMOL. Del griego *mén* (mes) y *pâusis* (cesación).

[menopáusico, ca ▪ adj. **1** De la menopausia o relacionado con ella. ▪ adj./s.f. **2** Referido a una mujer, que está viviendo el período en el que se produce la menopausia.

menor ▪ adj. **1** comp. de superioridad de **pequeño**. **2** Referido a una persona, que tiene menos edad que otra. **3** En música, referido al modo de una tonalidad, que presenta una distancia de un tono y un semitono entre la tónica o primer grado de la escala y la mediante o tercer grado. ▪ adj./s. **4** Referido a una persona, que no tiene la edad que fija la ley para poder ejercer todos sus derechos civiles. **5** ‖(al) **por menor**; referido esp. a la forma de comprar y de vender, en pequeña cantidad. ‖ **menor que**; en matemáticas, signo gráfico formado por un ángulo abierto hacia la derecha y que se coloca entre dos cantidades para indicar que la primera es menor que la segunda. □ ETIMOL. Del latín *minor*. □ MORF. 1. Como adjetivo es invariable en género. 2. En las acepciones 1 y 2, incorr. **más menor*.

menorquín, -a adj./s. De Menorca (isla balear), o relacionado con ella.

menorragia s.f. Menstruación más abundante o de más duración de lo normal. □ ETIMOL. Del griego *mén* (mes) y *-rragia* (flujo, derramamiento).

menos ▪ s.m. **1** En matemáticas, signo gráfico formado por una pequeña raya horizontal que se coloca entre dos cantidades para indicar resta. ▪ adv. **2** En menor cantidad o cualidad. **3** Seguido de una cantidad, indica limitación indeterminada de ésta. **4** Con el verbo *querer* o equivalentes, indica idea opuesta a la preferencia: *Menos quiero enfrentarme a una mujer airada que a un caballero armado.* ▪ prep. **5** A excepción de; excepto. **6** ‖ **a menos que**; enlace gramatical subordinante con valor condicional negativo. ‖ {**al/a lo/cuando/por lo**} **menos; 1** Expresión que se usa para introducir una excepción o una salvedad. **2** Como mínimo. ‖ **de menos**; en una cantidad menor que la esperada. ‖ **lo menos**; expresión que se utiliza para establecer un límite mínimo: *Sabe lo menos tres idiomas.* ‖ **[los menos**; la minoría o la menor parte. ‖ **no ser para menos**; ser importante o digno de atención. ‖ **[ser lo de menos**; no tener importancia. □ ETIMOL. Del latín *minus*. □ USO Se usa para indicar la operación matemática de la resta: *Cinco menos tres son dos.*

menoscabar v. Disminuir, dañar, deteriorar, desprestigiar o quitar el lucimiento: *Esas acusaciones menoscaban mi reputación. El prestigio de este hotel se menoscaba día a día por su mala administración.* □ ETIMOL. Del latín **minuscapare*, y éste quizá de *minus caput* (persona privada de los derechos civiles).

menoscabo s.m. Disminución o deterioro de la honra, el valor, la importancia o el prestigio.

menospreciar v. Dar menos valor o menos importancia de lo que algo tiene: *No lo menosprecies como enemigo, porque es realmente temible.* □ETIMOL.-

De *menos* y *preciar* (apreciar). □ ORTOGR. La *i* nunca lleva tilde.

menospreciativo, va adj. Que tiene o que manifiesta menosprecio.

menosprecio s.m. Desprecio o indiferencia.

mensáfono s.m. Aparato electrónico que transmite señales acústicas y que se utiliza para recibir mensajes a distancia; buscapersonas. □ ETIMOL. De *mensaje* y *-fono* (sonido).

mensaje s.m. **1** Noticia, comunicación o información que se transmiten. **2** Idea profunda que se intenta transmitir, esp. a través de una obra artística. **3** Conjunto de señales, símbolos o signos construidos según unas reglas precisas y utilizados para transmitir una información. □ ETIMOL. Del provenzal *messatge*, y éste de *mes* (mensajero).

mensajería s.f. Servicio de reparto de mensajes y paquetes.

mensajero, ra ▪ adj. **1** Que anuncia algo, o que lleva o transmite un mensaje. ▪ adj./s. **2** Referido a una persona, que lleva mensajes o paquetes a sus destinatarios, esp. si ésta es su profesión.

menso, sa adj./s. *col.* En zonas del español meridional, tonto. □ USO Se usa como insulto.

menstruación s.f. En una mujer y en las hembras de los simios, eliminación periódica por vía vaginal de sangre y materia celular procedentes del útero. □ SEM. Es sinónimo de *menstruo, periodo, período* y *regla.*

menstrual adj. De la menstruación o relacionado con ella. □ MORF. Invariable en género.

menstruar v. Referido a una mujer o a las hembras de los simios, eliminar periódicamente sangre y materia celular procedentes del útero: *Durante el embarazo, la mujer no menstrúa.* □ ORTOGR. La *u* lleva tilde en los presentes, excepto en las personas *nosotros* y *vosotros* →ACTUAR.

menstruo s.m. →menstruación. □ ETIMOL. Del latín *menstruus*, y éste de *mensis* (mes).

mensual adj. **1** Que sucede cada mes. **2** Que dura un mes. □ ETIMOL. Del latín *mensualis*. □ MORF. Invariable en género.

mensualidad s.f. Cantidad de dinero que se cobra o que se paga cada mes; mes.

ménsula s.f. Elemento arquitectónico que sobresale de un plano vertical y que se usa como soporte. □ ETIMOL. Del latín *mensula* (mesa pequeña).

mensurar v. Referido a un todo, averiguar sus dimensiones o compararlo con una unidad tomada como referencia para saber el número de veces que la contiene; medir: *Esos extensísimos terrenos no se pueden mensurar.* □ ETIMOL. Del latín *mensurare.* □ USO Su uso es característico del lenguaje culto.

menta s.f. **1** Planta herbácea que suele medir unos cincuenta centímetros de altura, con hojas generalmente de color verde y flores lilas, que tiene propiedades medicinales. **[2** Infusión que se hace con las hojas de esta planta. **[3** Esencia o sustancia extraída de esta planta. □ ETIMOL. Del latín *menta.* □ SEM. En la acepción 1, aunque la RAE lo registra como sinónimo de *hierbabuena*, en la lengua actual no se usa como tal.

mentado, da adj. Referido a una persona, que es famosa o muy conocida.

mental adj. De la mente o relacionado con ella. □ ETIMOL. Del latín *mentalis*. □ MORF. Invariable en género.

mentalidad s.f. Modo de pensar que caracteriza a una persona o a un grupo social.

mentalización s.f. Toma de conciencia de un determinado hecho o de una determinada situación.

mentalizar v. Hacer tomar conciencia de un determinado hecho o de una determinada situación: *Hay que mentalizar a los niños de que la ciudad debemos cuidarla entre todos. Ya me he mentalizado para dejar de fumar.* □ ORTOGR. La *z* se cambia en *c* delante de *e* →CAZAR. □ SINT. Constr. *mentalizar A alguien DE algo.*

mentar v. Nombrar o mencionar: *No me mientes a esa estúpida.* □ ETIMOL. De *mente.* □ MORF. Irreg. →PENSAR. □ SEM. Expresiones como *mentarle la madre a alguien* indican que dicha mención se hace con intención de insultar: *Empezó mentándole la madre y acabaron a tortas.*

mente s.f. **1** Capacidad intelectual humana. **2** Pensamiento, imaginación o voluntad. **3** ‖ [{estar/quedarse} con la mente en blanco; estar o quedarse sin reaccionar o sin poder pensar. ‖ tener algo en mente; tener intención de realizarlo. □ ETIMOL. Del latín *mens.*

mentecatería o **mentecatez** s.f. **1** Necedad o falta de juicio. **2** Hecho o dicho propios de un mentecato. □ USO *Mentecatez* es el término menos usual.

mentecato, ta adj./s. Referido a una persona, que es tonta, falta de juicio o de corto entendimiento. □ ETIMOL. Del latín *mente captus* (falto de mente).

mentidero s.m. Lugar en el que se reúne la gente para conversar.

mentido, da adj. Falso, engañoso o ilusorio.

mentir v. **1** Decir o manifestar algo distinto de lo que se sabe, se cree o se piensa: *Me dice que sale con sus amigos, pero yo sé que miente.* **2** Inducir a error: *Sus palabras mienten y son engañosas.* □ ETIMOL. Del latín *mentiri.* □ MORF. Irreg. →SENTIR.

mentira s.f. **1** Expresión o manifestación de algo distinto de lo que se sabe, se cree o se piensa. **2** *col.* Mancha pequeña de color blanco que aparece a veces en las uñas. **3** ‖ [mentira piadosa; la que se dice para no causar disgusto o pesar. ‖ parecer mentira; ser extraño, sorprendente o admirable.

mentirijillas ‖ de mentirijillas; *col.* De mentira o de broma.

mentiroso, sa ∎ adj. **1** Que encierra engaño o falsedad. ∎ adj./s. **2** Referido a una persona, que tiene la costumbre de mentir. □ SEM. Es sinónimo de *mendaz.*

mentís s.m. Declaración o demostración con las que se desmiente o se contradice lo que ha dicho otra persona. □ ETIMOL. De la segunda persona plural del presente de indicativo del verbo *mentir.* □ MORF. Invariable en número. □ SINT. Se usa más con el verbo *dar.* □ SEM. Aunque la RAE lo considera sinónimo de *desmentido,* en la lengua actual no se usa como tal.

mentol s.m. Tipo de alcohol que se obtiene especialmente del aceite de menta y se usa en farmacia y como aromatizante.

mentolado, da adj. **1** Que contiene mentol. [2 Con sabor a menta.

mentón s.m. Extremo saliente de la mandíbula inferior; barbilla. □ ETIMOL. Del francés *menton.*

mentor, -a s. Persona que aconseja, orienta o guía a otra. □ ETIMOL. Por alusión a Méntor, instructor

del hijo de Ulises, protagonista del poema griego clásico 'La Ilíada'. □ MORF. La RAE sólo registra el masculino.

menú s.m. **1** Conjunto de platos que constituyen una comida. **2** En un *restaurante,* relación de comidas y bebidas que pueden ser consumidas. **3** En informática, lista de programas, procedimientos u opciones que aparece en la pantalla, entre los que el usuario puede elegir. □ ETIMOL. Del francés *menu.* □ MORF. Su plural es *menús*; incorr. **menúes.*

menuda s.f. Véase **menudo, da.**

menudear v. **1** Referido a una acción, hacerla a menudo: *Sospecho que quiere algo, porque últimamente menudea sus visitas.* **2** Suceder con frecuencia: *Este verano han menudeado las tormentas.* □ ETIMOL. De *menudo.*

menudencia s.f. Lo que se considera sin importancia o de poco valor; tontería.

menudeo s.m. **1** Repetición de una acción o de un suceso. **2** *col.* Venta al por menor.

menudillo ∎ s.m. **1** En un cuadrúpedo, articulación que se encuentra por encima del casco entre la caña y la cuartilla. ∎ pl. **2** Vísceras de un ave. □ ETIMOL. De *menudo.*

menudo, da ∎ adj. **1** De pequeño tamaño y de baja estatura. **2** Insignificante o de poca importancia. ∎ s.m. **3** Vientre, manos y sangre de una res sacrificada para su consumo. **4** Comida hecha con vientre y patas de res, chile, jitomate y otros ingredientes. ∎ s.m.pl. **5** Vísceras, pescuezo, pies y alones de un ave sacrificada para su consumo. ∎ s.f. **6** En zonas del español meridional, suelto o moneda fraccionaria. **7** ‖ a menudo; frecuentemente: *Viene por aquí a menudo.* □ ETIMOL. Del latín *minutus.* □ SEM. En frases exclamativas, antepuesto a un sustantivo, tiene un sentido intensificador: *¡En menudo lío nos hemos metido!*

meñique s.m. →dedo meñique. □ ETIMOL. Del antiguo *menino* (niño) por cruce con **margarique,* y éste del francés antiguo *margariz* (renegado, traidor), porque en muchas canciones infantiles y en muchos proverbios se le atribuye a este dedo la función de delator.

[*meódromo* s.m. *vulg.* →urinario.

meollo s.m. Lo más importante o lo esencial: *Ése no es el meollo de la cuestión, sino algo marginal.* □ ETIMOL. Del latín **medullum,* y éste de *medulla* (médula, meollo).

meón, -a adj./s. *col.* Que mea mucho o con mucha frecuencia.

mequetrefe s. *col.* Persona entrometida, bulliciosa y de poco juicio. □ ETIMOL. De origen incierto. □ MORF. 1. Es de género común: *el mequetrefe, la mequetrefe.* 2. La RAE sólo lo registra como masculino.

mercachifle s. **1** Comerciante de poca importancia. **2** Persona que concede demasiada importancia al aspecto económico de su profesión. □ MORF. Es de género común: *el mercachifle, la mercachifle.* □ USO Es despectivo.

mercadear v. **1** Comerciar o hacer tratos comerciales: *Es vendedora ambulante y mercadea de pueblo en pueblo.* [2 Hacer tratos que aportan beneficios: *Consiguieron dos concejalías 'mercadeando' con los votos.* □ ETIMOL. De *mercado.* □ SEM. La acepción 2 tiene un matiz despectivo.

mercader s.m. Comerciante o vendedor. □ ETI-

MOL. Del catalán *mercader*, y éste de *mercat* (mercado).

mercadería s.f. *ant.* →**mercancía**.

[*mercadillo* s.m. Mercado formado generalmente por puestos ambulantes en los que se venden géneros baratos, y que se celebra en días determinados.

mercado s.m. **1** Edificio o recinto destinados al comercio, generalmente con tiendas o puestos independientes. **2** Conjunto de operaciones de compra y venta. **3** Lugar ideal o territorio concreto en los que se puede desarrollar una actividad comercial. **[4** En zonas del español meridional, compra. **5** ‖**mercado negro**; el que es clandestino y está fuera de la ley. ‖ **[mercado sobre ruedas**; En zonas del español meridional, mercadillo. ☐ ETIMOL. Del latín *mercatus* (comercio, tráfico, mercado).

mercadotecnia s.f. Conjunto de técnicas dirigidas a favorecer la comercialización de un producto o de un servicio; marketing. ☐ ETIMOL. De *mercado* y el griego *tékhne* (industria).

mercadotécnico, ca adj./s. De la mercadotecnia o relacionado con esta técnica.

mercancía s.f. Lo que se compra o se vende. ☐ ETIMOL. Del italiano *mercanzia*.

mercancías s.m. Tren preparado para el transporte de mercancías. ☐ MORF. Invariable en número.

mercante ‖ adj. **1** Del comercio marítimo. ‖ s.m. **2** →**buque mercante**. ☐ ETIMOL. Quizá del italiano *mercante*. ☐ MORF. 1. Como adjetivo es invariable en género. 2. En la acepción 2, la RAE sólo lo registra como adjetivo.

mercantil adj. Del comercio, de la mercancía, de los comerciantes o relacionado con ellos. ☐ MORF. Invariable en género.

mercantilismo s.m. Sistema económico que se desarrolló en el continente europeo entre los siglos XVI y XVII, que tenía como objetivo que las exportaciones de un país superaran a las importaciones y que este excedente se mantuviera en forma de metales preciosos como signo de la riqueza del país.

mercantilista ‖ adj. **1** Del mercantilismo o relacionado con este sistema económico. ‖ adj./s. **2** Que defiende o sigue el mercantilismo. **3** Que se dedica profesionalmente al derecho mercantil o que está especializado en él. ☐ MORF. 1. Como adjetivo es invariable en género. 2. Como sustantivo es de género común: *el mercantilista, la mercantilista*.

[*mercantilización* s.f. Utilización comercial de cosas que no deben ser objeto de comercio.

mercantilizar v. Convertir en mercancía: *No tiene escrúpulos morales y mercantiliza hasta nuestra amistad.* ☐ ORTOGR. La *z* se cambia en *c* delante de *e* →CAZAR.

mercar v. *col.* Comprar: *Mercó un coche. ¡Vaya traje que te has mercado!* ☐ ETIMOL. Del latín *mercari*. ☐ ORTOGR. La *c* se cambia en *qu* delante de *e* →SACAR.

merced s.f. **1** Favor o recompensa. **2** Gracia o concesión que hacía un rey o un señor. **3** *ant.* Tratamiento de cortesía que se usaba para dirigirse a una persona considerada superior en algún sentido, y que equivale al actual *usted*: *¿Vuestra merced necesita algo más, o puedo retirarme?* **4** ‖**a merced de** algo; sometido a su dominio o a sus deseos. ☐ ETIMOL. Del latín *merces* (paga, recompensa). ☐ USO

La acepción 3 se usaba más en la expresión {*su / vuestra*} *merced*.

mercedario, ria adj./s. De la Merced (orden religiosa y militar fundada a principios del siglo XIII cuya principal misión fue liberar a prisioneros cristianos capturados por los musulmanes), o relacionado con ella. ☐ ORTOGR. Dist. de *mercenario*.

mercenario, ria adj./s. **1** Referido esp. *a un soldado*, que sirve voluntariamente en la guerra a cambio de dinero, y sin motivaciones ideológicas. **2** Que trabaja por dinero y sin ninguna otra motivación. ☐ ETIMOL. Del latín *mercenarius* (el que guerrea o trabaja por una paga). ☐ ORTOGR. Dist. de *mercedario*.

mercería s.f. **1** Establecimiento en el que se venden artículos para realizar labores de costura. **2** Conjunto de estos artículos y comercio que se hace con ellos. ☐ ETIMOL. Del catalán *merceria*, y éste del latín *merx* (mercancía).

[*merchandising* (anglicismo) s.m. En economía, conjunto de tareas encaminadas a mejorar la promoción o la comercialización de un producto. ☐ PRON. [merchandáisin].

merchante o **[*merchero, ra*** s. Persona que se dedica a la venta ambulante. ☐ ETIMOL. *Merchante*, del francés antiguo *merchant* (comerciante). ☐ MORF. *Merchante* es de género común: *el merchante, la merchante*.

[*mercromina* s.f. Líquido de color rojo, elaborado con mercurio y alcohol, que se usa como desinfectante para heridas superficiales; mercurocromo. ☐ ETIMOL. Extensión del nombre de una marca comercial.

mercúrico, ca adj. Del mercurio, relacionado con este elemento químico o que lo contiene.

mercurio s.m. Elemento químico, metálico y líquido, de número atómico 80, blanco, brillante y muy pesado: *El mercurio se usa en la fabricación de termómetros.* ☐ ETIMOL. Del latín *Mercurius* (dios romano Mercurio, mensajero de los dioses), porque la movilidad del mercurio se comparó con la de este dios. ☐ ORTOGR. Su símbolo químico es *Hg*.

[*mercurocromo* s.m. Líquido de color rojo, elaborado con mercurio y alcohol, que se usa como desinfectante para heridas superficiales; mercromina. ☐ ETIMOL. Extensión del nombre de una marca comercial.

merecedor, -a adj. Que es digno de recibir un premio o un castigo, o se hace digno de ello. ☐ SINT. Constr. *merecedor DE algo*. ☐ SEM. Dist. de *acreedor* (que tiene derecho a que se le pague una deuda; que tiene mérito para obtener algo).

merecer v. **1** Referido esp. *a un premio o a un castigo*, ser o hacerse digno de ellos: *Merece un premio por la labor realizada en estos años. Se merece un cachete.* **2** Valer o tener cualidades dignas de estimación: *Vamos a celebrarlo, porque la ocasión lo merece.* ☐ ETIMOL. Del latín **merescere*. ☐ MORF. Irreg. →PARECER.

merecido s.m. Castigo que se considera justo. ☐ SINT. Se usa precedido de un posesivo.

merecimiento s.m. **1** Esfuerzo o acción por los que se merece algo. **2** Lo que hace digna de aprecio a una persona. ☐ SEM. Es sinónimo de *mérito*.

merendar ‖ v. **1** Tomar la merienda o tomar como merienda: *Yo meriendo a las seis. Merendó leche con galletas.* ‖ prnl. **2** *col.* Vencer en una competición: *Se merendó a su rival en el segundo asalto.* **[3** *col.*

Terminar rápidamente: '*Se merendó' el periódico en diez minutos.* ☐ ETIMOL. Del latín *merendare.* ☐ MORF. Irreg. →PENSAR.

merendero s.m. **1** Lugar o instalación al aire libre destinados a comer. **2** En zonas del español meridional, lugar a las afueras de las ciudades donde se merienda.

merendola o **merendona** s.f. *col.* Merienda espléndida o abundante, con la que generalmente se celebra algo.

[merengar v. **1** Referido a la leche, batirla mezclada con clara de huevo, azúcar y canela hasta convertirla en merengue: *Después de 'merengar' la leche, la metió en el congelador.* **2** *vulg.* Fastidiar o estropear: *Se emborrachó, empezó a meterse con todo el mundo y nos 'merengó' la tarde.* ☐ ORTOGR. La *g* se cambia en *gu* delante de *e* →PAGAR.

merengue ▌ adj./s. **[1** *col.* Del Real Madrid Club de Fútbol (club deportivo madrileño), o relacionado con él. **▌** s.m. **2** Dulce que se elabora con clara de huevo y azúcar. **3** *col.* Persona débil y delicada. **4** Música de origen caribeño y de carácter melodioso y pegadizo. **5** Baile que se ejecuta al compás de esta música. ☐ ETIMOL. Quizá el francés *meringue.* ☐ MORF. En la acepción 1, como adjetivo es invariable en género, y como sustantivo es de género común: *el 'merengue', la 'merengue'.*

meretriz s.f. ☐ ETIMOL. Del latín *meretrix* (la que se gana la vida ella misma). ☐ USO Es despectivo y se usa como insulto.

meridiano, na ▌ adj. **1** Muy claro o muy luminoso: *razones meridianas.* **▌** s.m. **2** En geografía, círculo máximo de la esfera terrestre, que pasa por los dos polos y corta los paralelos perpendicularmente. 🔍 globo **3** En astronomía, círculo máximo de la esfera celeste, que pasa por los polos. ☐ ETIMOL. Del latín *meridianus* (referente al mediodía o al Sur).

meridional adj./s. Del sur o mediodía geográficos. ☐ ETIMOL. Del latín *meridionalis.* ☐ MORF. 1. Como adjetivo es invariable en género. 2. Como sustantivo es de género común: *el meridional, la meridional.*

merienda s.f. **1** Comida ligera que se hace por la tarde antes de la cena. **[2** Alimento que se toma durante esta comida. **3** ‖**merienda de negros**; *col.* Jaleo o desorden en los que nadie se entiende. ☐ ETIMOL. Del latín *merenda* (comida ligera que se toma a media tarde).

merino, na adj./s. Referido a una oveja, de la raza que se caracteriza por tener lana fina, corta, rizada y muy suave. ☐ ETIMOL. De origen incierto.

mérito s.m. **1** Esfuerzo o acción por los que se merece algo. **2** Lo que hace digna de aprecio a una persona. **3** Valor, esp. si merece reconocimiento. ☐ ETIMOL. Del latín *meritum.* ☐ SEM. En las acepciones 1 y 2, es sinónimo de *merecimiento.*

meritorio, ria ▌ adj. **1** Digno de premio o de elogio. **▌** s. **2** Persona que trabaja sin sueldo para aprender o para conseguir un puesto remunerado.

merluza s.f. Véase **merluzo, za.**

merluzo, za ▌ adj./s. **1** *col.* Referido a una persona, torpe o de escasa inteligencia. **▌** s.f. **2** Pez marino comestible, de cuerpo simétrico y alargado, con dos aletas dorsales y una anal, la barbilla muy corta y los dientes finos. **3** *col.* Borrachera. ☐ ETIMOL. De origen incierto. ☐ MORF. 1. En la acepción 2, es un sustantivo epiceno: *la merluza macho, la merluza hembra.* **2.** En la acepción 1, la RAE sólo lo registra como sustantivo masculino.

merma s.f. Disminución o pérdida.

mermar v. Disminuir en tamaño, cantidad o intensidad: *Su vitalidad no ha mermado con los años.* ☐ ETIMOL. Del latín **minimare* (disminuir, rebajar).

mermelada s.f. Conserva dulce que se elabora con fruta cocida y azúcar. ☐ ETIMOL. Del portugués *marmelada* (conserva de membrillos).

mero, ra ▌ adj. **1** Puro, simple o exclusivo. **▌** s.m. **2** Pez marino comestible, de cuerpo comprimido, ojos grandes y boca sobresaliente, que vive en los mares Mediterráneo y Cantábrico. ☐ ETIMOL. La acepción 1 del latín *merus* (puro, sin mezcla). La acepción 2, de origen incierto. ☐ MORF. En la acepción 2, es un sustantivo epiceno: *el mero macho, el mero hembra.*

merodear v. Vagar o andar por los alrededores de un lugar observando o curioseando, esp. si se hace con malas intenciones: *El día del crimen merodeó por la zona un tipo sospechoso.* ☐ ETIMOL. Del antiguo *merode* (merodeo), y éste del francés *maraude.*

merodeo s.m. Ronda o paseo por los alrededores de un lugar, observando o curioseando, esp. si se hace con malas intenciones.

merovingio, gia adj./s. De la dinastía de los primeros reyes francos que reinaron en la actual Francia (país europeo) entre los siglos V y VIII o relacionado con ella.

mes s.m. **1** Cada uno de los doce períodos de tiempo en que se divide un año y que dura cuatro semanas aproximadamente. **2** Período de tiempo comprendido entre un día y el mismo día del mes siguiente. **3** Cantidad de dinero que se cobra o que se paga cada uno de estos períodos; mensualidad. **4** ‖**el mes**; *col.* La menstruación. ☐ ETIMOL. Del latín *mensis.*

mesa s.f. **1** Mueble compuesto por un tablero en posición horizontal sostenido por una o varias patas. **2** Este mueble, cuando está preparado para comer. **3** Comida o alimentos. **4** Conjunto de personas que presiden o dirigen una reunión. **[5** Conjunto de personas sentadas alrededor de este mueble. **6** ‖**a mesa puesta**; sin preocupación, sin trabajo o sin gasto. ‖**de mesa**; propio para ser consumido durante las comidas. ‖**[mesa camarera**; la que tiene ruedas en las patas. ‖**(mesa) camilla**; la redonda, generalmente con cuatro patas y una tarima para colocar un brasero, que suele cubrirse con un tapete hasta el suelo. ‖**mesa de noche**; la pequeña, con uno o varios cajones, que se coloca junto a la cabecera de la cama; mesilla. ‖**[mesa de servicio**; en zonas del español meridional, mesa camarera. ‖**mesa redonda**; reunión de personas que dialogan sobre un tema. ‖**poner la mesa**; prepararla con todo lo necesario para comer. ‖**quitar la mesa**; quitar de ella, después de comer, todo lo que se ha puesto sobre ella. ‖**sobre mesa**; →**sobremesa**. ☐ ETIMOL. Del latín *mensa.*

mesalina s.f. *col.* Mujer poderosa de costumbres consideradas poco morales, esp. en lo referente al sexo. ☐ ETIMOL. Por alusión a Mesalina, esposa del emperador romano Claudio.

mesana ▌ s. **1** En una embarcación de tres mástiles, palo que está más a popa. **▌** s.f. **2** Vela atravesada que se coloca en dicho palo. ☐ ETIMOL. Del italiano *mezzana*, y éste de *mezzo* (medio). ☐ MORF. En la acepción 1, es de género ambiguo: *el mesana, la mesana.*

mesar v. Referido al pelo o a la barba, tirar de ellos o arrancárselos con fuerza en señal de dolor o de rabia: *Se mesaba la barba por haber sido el causante del accidente.* ☐ ETIMOL. Del latín *messare* (segar).

mescolanza s.f. *col.* →**mezcolanza.**

mesenterio s.m. En anatomía, repliegue membranoso del peritoneo, que une el intestino con la pared del abdomen; entresijo, redaño. ☐ ETIMOL. Del griego *mésos* (medio) y *énteron* (intestino).

meseta s.f. Planicie o llanura situada a una cierta altitud sobre el nivel del mar. ☐ ETIMOL. De *mesa.*

🔎 montaña

mesiánico, ca adj. Del mesianismo o relacionado con esta esperanza de un mesías o de un líder.

mesianismo s.m. Esperanza o confianza totales en la llegada de un mesías o de un líder.

mesías s.m. Persona en quien se ha puesto una confianza absoluta y de quien se espera la solución de todos los problemas. ☐ ETIMOL. Del latín *Messias*, y éste del hebreo *masih* (ungido).

mesilla s.f. Mesa pequeña, con uno o varios cajones, que se coloca junto a la cabecera de la cama; mesa de noche.

mesnada s.f. **1** En la Edad Media, conjunto de gente armada que generalmente estaba al servicio de un rey o de un noble. **2** Conjunto de personas partidarias de algo. ☐ ETIMOL. Del latín **mansionata*, y éste de *mansio* (casa), porque las mesnadas eran los hombres a sueldo de un señor y que vivían en su casa.

meso- Elemento compositivo que significa 'medio'. ☐ ETIMOL. Del griego *mésos.*

mesocarpio s.m. En botánica, en un fruto carnoso, parte intermedia de las tres que forman el pericarpio o envoltura que cubre la semilla. ☐ ETIMOL. De *meso-* (medio) y el griego *karpós* (fruto).

mesocracia s.f. **1** Forma de gobierno en la que el poder reside en la clase media. **2** Grupo social con poder, formado por personas de posición acomodada. ☐ ETIMOL. De *meso-* (medio) y *-cracia* (dominio, poder).

[**mesolítico, ca** ▌ adj. **1** Del mesolítico o relacionado con este período prehistórico. ▌ adj./s.m. **2** Referido a un período prehistórico, que es anterior al neolítico y posterior al paleolítico, y que se caracteriza por la aparición de la hoz como nueva herramienta de trabajo. ☐ ETIMOL. De *meso-* (medio) y el griego *líthos* (piedra).

mesón s.m. **1** Establecimiento generalmente decorado de manera tradicional y rústica, en el que se sirven comidas y bebidas. **2** Antiguamente, establecimiento en el que se daba alojamiento a los viajeros. [**3** En zonas del español meridional, barra de un bar. ☐ ETIMOL. Las acepciones 1 y 2, del latín *mansio* (permanencia, albergue, vivienda).

mesonero, ra s. Persona que posee un mesón o que lo dirige.

[**mesopelágico, ca** adj. **1** Referido a una zona marina, que tiene una profundidad entre doscientos y setecientos metros. **2** De esta zona marina.

mesopotámico, ca adj./s. De Mesopotamia (antigua región asiática central), o relacionado con ella.

[**mesosfera** s.f. **1** En la atmósfera terrestre, zona que se extiende entre los cuarenta y los ochenta kilómetros de altura aproximadamente, y que está situada entre la estratosfera y la ionosfera. **2** Capa de la Tierra situada entre la astenosfera y la endosfera. ☐ ETIMOL. De *meso-* (medio) y el griego *sphâira* (esfera).

mesozoico, ca ▌ adj. **1** En geología, de la era secundaria, tercera de la historia de la Tierra, o relacionado con ella; secundario. ▌ s.m. **2** →**era mesozoica.** ☐ ETIMOL. De *meso-* (medio) y el griego *zôion* (animal).

mester ‖**mester de clerecía**; en literatura, tipo de poesía culta cultivada en la Edad Media por los clérigos o personas con formación intelectual. ‖**mester de juglaría**; en literatura, tipo de poesía cultivada en la Edad Media por los juglares o cantores populares. ☐ ETIMOL. Del latín *ministerium* (servicio, empleo, oficio).

mestizaje s.m. **1** Mezcla de razas diferentes. **2** Mezcla de culturas distintas.

mestizo, za ▌ adj. **1** Que resulta del cruce de dos razas o de dos tipos diferentes. ▌ adj./s. **2** Referido a una persona, que ha nacido de padres de grupos étnicos diferentes, esp. si uno es blanco y otro es indio. **3** Referido a la cultura, que es resultado de la mezcla de varias culturas diferentes. ☐ ETIMOL. Del latín *misticius* (mezclado, mixto).

mesura s.f. Moderación, prudencia o serenidad. ☐ ETIMOL. Del latín *mensura* (medida).

mesurar v. Contener, moderar o suavizar: *Mesúrate en las discusiones y trata de no perder la calma.*

meta ▌ s.m. **1** →**guardameta.** ▌ s.f. **2** Lugar en el que termina una carrera deportiva; llegada. **3** En algunos deportes, portería. **4** Fin u objetivo que se pretende alcanzar. ☐ ETIMOL. Las acepciones 2-4, del latín *meta* (mojón).

meta- Elemento compositivo que significa 'junto a, después' (*metacarpo, metacentro*), 'más allá' (*metafísica, metalingüística*) o 'cambio' (*metamorfosis*). ☐ ETIMOL. Del griego *metá.*

metabólico, ca adj. Del metabolismo o relacionado con este conjunto de transformaciones celulares fisicoquímicas.

metabolismo s.m. Conjunto de transformaciones fisicoquímicas que se producen en las células del organismo vivo y que se manifiestan en las fases anabólica y catabólica. ☐ ETIMOL. Del griego *metabolé* (cambio).

[**metabolización** s.f. Transformación fisicoquímica de las sustancias introducidas o formadas en el organismo.

[**metabolizarse** v.prnl. Referido a una sustancia, transformarse en el organismo a través de una serie de cambios químicos y biológicos: *Hay fármacos que 'se metabolizan' más rápidamente que otros.*

metacarpo s.m. Conjunto de los huesos largos que forman parte del esqueleto de la mano o de los miembros anteriores de algunos animales, y que están articulados con los huesos del carpo por uno de sus extremos y con las falanges por el otro. ☐ ETIMOL. De *meta-* (junto a, después) y *carpo.*

metacrilato s.m. Material plástico transparente.

[**metadona** s.f. Sustancia con propiedades analgésicas parecidas a las de la morfina o a las de la heroína.

metafísico, ca ▌ adj. **1** De la metafísica o relacionado con esta rama de la filosofía. **2** *col.* Abstracto o difícil de comprender. ∎ s. **3** Persona especializada en los estudios metafísicos. ∎ s.f. **4** Rama de la filosofía que estudia la esencia del ser, sus propiedades, sus principios y sus causas primeras. □ ETIMOL. La acepción 4, del griego *metà tà physiká* (más allá de la física), porque la metafísica se refería a las obras que Aristóteles escribió después de su 'Física'.

[*metafita* ∎ adj./s.f. **1** Referido a una planta, que es pluricelular y posee tejidos que forman órganos, sistemas o aparatos: *El almendro es una planta 'metafita'*. ∎ s.f.pl. **2** En botánica, reino de estas plantas.

metáfora s.f. Figura retórica consistente en establecer una identidad entre dos términos y emplear uno con el significado del otro, basándose en una comparación no expresada entre las dos realidades que dichos términos designan: *En la poesía barroca, 'perlas' aparece como metáfora de 'dientes'*. □ ETIMOL. Del latín *metaphora*, y éste del griego *metaphorá* (traslado, transporte). □ SEM. Dist. de *comparación* y *símil* (figura en la que aparecen expresos el término comparado y aquel con el que se compara).

metafórico, ca adj. De la metáfora, con metáforas o relacionado con esta figura retórica.

metal s.m. **1** Elemento químico, con brillo, buen conductor del calor y de la electricidad, y que es sólido a temperatura normal, excepto el mercurio. **2** En música, en una orquesta o en una banda, conjunto de los instrumentos de viento hechos de este material, generalmente de cobre, a excepción de aquellos que se tocan soplando por ellos a través de una o dos lengüetas. **3** ‖**el vil metal**; *col.* El dinero. ‖**metal noble**; el que tiene una elevada resistencia a los agentes químicos. ‖**metal precioso**; el que por sus características es muy apreciado. □ ETIMOL. Quizá del catalán *metall*, y éste del latín *metallum* (mina). □ MORF. La acepción 2 en plural tiene el mismo significado que en singular.

metalenguaje s.m. En lingüística, lenguaje que se usa para describir, explicar o hablar del lenguaje mismo: *Si digo que 'casa' tiene cuatro letras, el uso de 'casa' es un ejemplo de metalenguaje*. □ ETIMOL. De *meta-* (más allá) y *lenguaje*.

metálico, ca adj. **1** De metal, del metal o relacionado con este elemento químico. **2** ‖**en metálico**; con dinero en efectivo.

metalífero, ra adj. Que contiene metal. □ ETIMOL. Del latín *metallifer*, y éste de *metallum* (metal) y *ferre* (llevar).

metalingüístico, ca adj. Del metalenguaje o relacionado con este uso del lenguaje. □ ETIMOL. De *meta-* (más allá) y *lingüístico*.

metalizado, da adj. [Referido esp. a un color, que brilla como el metal.

metalizar v. **1** Adquirir o hacer adquirir propiedades metálicas: *Para que se metalice ese material hay que someterlo a un proceso químico*. **2** Cubrir con una ligera capa de metal: *Metalizó una cara del cristal con estaño y mercurio para hacer un espejo*. □ ORTOGR. La *z* se cambia en *c* delante de *e* →CAZAR.

metaloide s.m. Elemento químico que tiene las características de un metal, pero que puede comportarse químicamente como un metal o como un no

metal. □ ETIMOL. Del latín *metallum* (metal) y *-oide* (semejanza).

metalurgia s.f. Técnica de extraer los metales de los minerales que los contienen, de tratarlos y de elaborarlos. □ ETIMOL. Del griego *méttalon* (metal) y *érgon* (trabajo).

metalúrgico, ca ∎ adj. **1** De la metalurgia o relacionado con esta técnica. ∎ s. **2** Persona que se dedica profesionalmente a la metalurgia.

metamorfismo s.m. En geología, conjunto de las transformaciones de las rocas como consecuencia de la presión y la elevada temperatura a que están sometidas, y que suponen una modificación de su estructura y composición mineral. □ ETIMOL. De *meta-* (cambio) y el griego *morphé* (forma).

metamorfosear v. **1** Cambiar de forma o de imagen, o convertir en algo distinto de lo que se era: *El renacuajo se metamorfoseaba en rana*. **2** Referido a una persona, cambiar o transformar su conducta o su actitud: *Cuando está con su familia, se metamorfosea y se vuelve más cariñoso*.

metamorfosis s.f. **1** En algunos animales, esp. en los insectos y en los anfibios, conjunto de transformaciones que se producen a lo largo de su desarrollo biológico. ✦ metamorfosis **2** Cambio o transformación de una cosa en otra. □ ETIMOL. Del latín *metamorphosis*, y éste del griego *metamórphosis* (transformación). □ MORF. Invariable en número.

metano s.m. Hidrocarburo gaseoso, incoloro e inodoro, poco soluble en agua y muy inflamable, producido por la descomposición de sustancias vegetales, que se utiliza como combustible y en la elaboración de productos químicos.

[*metanol* s.m. Hidrocarburo líquido, incoloro, soluble en agua, muy tóxico y que se usa para disolver aceites y como aditivo para combustibles líquidos: *El 'metanol' es muy dañino para el hombre y puede causar la ceguera o la muerte*.

metástasis s.f. Reproducción y extensión de una enfermedad, esp. de un tumor, en otras partes del organismo. □ ETIMOL. Del griego *metástasis* (cambio de lugar). □ ORTOGR. Dist. de *metátesis*. □ MORF. Invariable en número.

metatarso s.m. Conjunto de los huesos largos que forman parte del esqueleto del pie o de las extre-

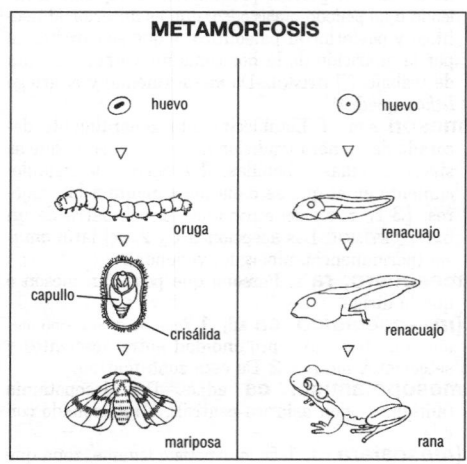

METAMORFOSIS

huevo
oruga
capullo
crisálida
mariposa

huevo
renacuajo
renacuajo
rana

midades posteriores de algunos animales, y que están articulados con los huesos del tarso por uno de sus extremos y con las falanges por el otro. □ ETIMOL. De *meta-* (junto a, después) y *tarso*.

metate s.m. Piedra que sirve para moler granos y semillas.

metátesis s.f. Fenómeno lingüístico que consiste en un cambio de lugar de uno o más sonidos en el interior de una palabra: *'Cocreta' es un vulgarismo de 'croqueta', que se produce por metátesis de la 'r'.* □ ETIMOL. Del griego *metáthesis* (transposición). □ ORTOGR. Dist. de *metástasis*. □ MORF. Invariable en número.

metazoo ▮ adj./s.m. **1** Referido a un animal, que tiene gran número de células diferenciadas, agrupadas en forma de tejidos, de órganos o de aparatos. ▮ s.m.pl. **2** En zoología, reino de estos animales. □ ETIMOL. De *meta-* (más allá) y el griego *zôion* (animal).

metedura s.f. Introducción o inclusión de una cosa dentro de otra, entre otras o en algún sitio.

metempsicosis o **metempsícosis** s.f. Doctrina religiosa y filosófica basada en la creencia de que, tras la muerte, las almas pasan a otros cuerpos según los merecimientos de cada una. □ ETIMOL. Del griego *metempsýkosis*, y éste de *metempsykhóo* (hago pasar un alma a otro cuerpo). □ MORF. Invariables en número.

meteórico, ca adj. **1** De los meteoros o relacionado con ellos. [**2** col. Muy rápido, esp. si es fugaz o dura poco.

meteorismo s.m. Acumulación de gases en el tubo digestivo. □ ETIMOL. Del griego *meteorismós* (acción de levantarse, hinchazón).

meteorito s.m. Fragmento de un cuerpo sólido procedente del espacio, que cae sobre la Tierra y que, al atravesar la atmósfera terrestre, se pone incandescente dando lugar a una estrella fugaz: *Los meteoritos suelen desintegrarse en la atmósfera antes de llegar al suelo.*

meteoro o **meteóro** s.m. En meteorología, fenómeno físico natural que se produce en la atmósfera terrestre. □ ETIMOL. Del griego *metéora* (fenómenos celestes).

meteorología s.f. Parte de la física que estudia los fenómenos naturales de la atmósfera terrestre y los factores que producen el tiempo atmosférico. □ ETIMOL. Del griego *meteorología* (ciencia de los fenómenos celestes). □ PRON. Incorr. *[metereología]. □ SEM. Dist. de *climatología* (ciencia que estudia el clima; conjunto de condiciones de un clima).

meteorológico, ca adj. De la meteorología, de los meteoros o relacionado con ellos. □ PRON. Incorr. *[metereológico].

meteorólogo, ga s. Persona que se dedica profesionalmente al estudio de la atmósfera o que está especializada en meteorología. □ PRON. Incorr. *[metereólogo]. □ SEM. Dist. de *climatólogo* (persona que estudia los climas).

metepatas s. col. Persona inoportuna o indiscreta que suele hacer o decir inconveniencias. □ MORF. 1. Es de género común: *el metepatas, la metepatas.* 2. Invariable en número.

meter ▮ v. **1** Introducir o incluir dentro de algo, entre varias cosas o en algún sitio: *Metió las llaves en el bolso. ¿Dónde se habrá metido tu padre?* **2** Referido a una cantidad de dinero, ingresarla en una entidad bancaria: *Yo meto lo que gano en una cuen-*

ta corriente. **3** Invertir, utilizar o dedicar: *Ha metido mucho dinero en el negocio.* **4** Referido a una persona, internarla en un centro o en una institución haciendo valer la autoridad que se tiene sobre ella: *Lo metieron en la cárcel por robar un coche.* **5** Referido a una persona, implicar, intervenir o hacer intervenir: *Mas has metido en un buen lío.* [**6** col. Referido a algo negativo, soportarlo, aguantarlo o aceptarlo: *Nos 'metió' un rollo que aburriría a cualquiera.* **7** Referido esp. a una emoción, ocasionarla, causarla o provocarla: *Métele prisa o llegará tarde.* **8** Referido esp. a una prenda de vestir, quitarle o doblarle un trozo de tela, generalmente en las costuras, para acortarla o estrecharla: *Le metió los pantalones porque le estaban largos.* **9** Referido esp. a algo falso, hacerlo creer o engañar con ello: *No sé cuándo pudieron meterme este billete falso.* **10** Referido a una cosa destinada a rodear a otra, ponerla de modo que esta última quede dentro: *Mete la tuerca en el tornillo y apriétalo bien.* [**11** col. Referido esp. a una herramienta, aplicarla o utilizarla con decisión: *'Mete' la tijera sin miedo y córtame bien el pelo.* [**12** Referido a las marchas de un automóvil, manejarlas: *Para arrancar, se 'mete' primera.* **13** Referido esp. a un golpe, darlo: *Métele una torta y verás cómo deja de insultarte.* [**14** col. Hacer comprender a fuerza de insistencia: *No hay quien le 'meta' que tiene que fijarse más en lo que hace.* ▮ prnl. **15** Provocar o molestar, esp. por medio de los insultos o las críticas: *No te metas con mi hermano.* **16** Introducirse en un lugar o participar en un asunto sin haber sido solicitado: *No te metas donde no te llaman.* **17** Dejarse llevar con pasión o compenetrarse: *Cuando va al cine, se mete mucho en la película.* **18** Referido esp. a una profesión, a un estado o a una actividad, seguirlos: *Quiere meterse monja.* **19** Referido esp. a un grupo de personas, frecuentarlo o formar parte de él: *Consiguió meterse en la junta directiva.* **20** Referido a una actividad, empezar a hacerla sin tener la preparación necesaria: *No te metas a hacer lo que no sabes.* [**21** col. Referido a una droga, consumirla: *Lleva años 'metiéndose' cocaína.* **22** ∥ **a todo meter**; con gran rapidez o con gran intensidad: *Salió de casa hacia el trabajo a todo meter.* ∥ **[meterse** algo alguien **donde le quepa**; vulg. Expresión que indica el enfado con que se rechaza algo: *No me prestó el libro cuando se lo pedí, así que ahora, que 'se lo meta donde le quepa'.* □ ETIMOL. Del latín *mittere* (enviar, soltar). □ SINT. 1. Constr. de la acepción 15: *meterse* CON *alguien*. 2. Constr. de la acepción 18: *meterse fraile* o *meterse* A *fraile*. 3. Constr. de la acepción 20: *meterse* A *hacer algo*.

meticón, -a adj./s. col. Referido a una persona, que es muy entrometida y se interesa por cosas que no tienen por qué importarle; metomentodo. □ ORTOGR. Se admite también *metijón*.

meticulosidad s.f. Cuidado, exactitud y detalle en la forma de hacer algo.

meticuloso, sa adj. **1** Referido a una persona, que actúa o que trabaja con cuidado, con exactitud y con detalle. **2** Hecho con cuidado, con exactitud y con detalle. □ ETIMOL. Del latín *meticulosus* (miedoso), porque los miedosos actúan con mucho cuidado.

metijón, -a adj./s. col. →**meticón**. □ SEM. Es sinónimo de *metomentodo*.

metilo s.m. Radical monovalente del metano constituido por un átomo de carbono y tres de hidrógeno. ☐ ETIMOL. Del griego *méthy* (vino) e *hýle* (madera).

metisaca s.m. En tauromaquia, estocada imperfecta en la que el torero clava el estoque y lo saca rápidamente sin soltarlo. ☐ MORF. La RAE lo registra como femenino.

metódico, ca adj. **1** Que se hace con método, con orden o con detalle. **2** Que actúa o trabaja con método o con orden.

metodismo s.m. Doctrina religiosa protestante surgida en el siglo XVIII, que se caracteriza por la rigidez de sus principios y la defensa de la oración personal frente a las formas de culto públicas y oficiales.

metodista ∎ adj. **1** Del metodismo o relacionado con esta doctrina religiosa. ∎ adj./s. **2** Que tiene como religión el metodismo. ☐ MORF. 1. Como adjetivo es invariable en género. 2. Como sustantivo es de género común: *el metodista, la metodista*.

método s.m. **1** Forma de actuar o de comportarse. **2** Conjunto de reglas, lecciones o ejercicios que contiene un libro para enseñar algo. **3** Procedimiento sistemático y ordenado para realizar algo. **4** Procedimiento científico que se sigue para descubrir la verdad y enseñarla. ☐ ETIMOL. Del griego *méthodos* (camino para llegar a un resultado).

metodología s.f. **1** Ciencia que estudia los métodos de adquisición de conocimientos. **2** Conjunto de los métodos seguidos en una investigación o en una demostración. ☐ ETIMOL. Del griego *méthodos* (método) y *-logía* (estudio, ciencia).

metodológico, ca adj. De la metodología o relacionado con ella.

metomentodo adj./s. *col.* Referido a una persona, que es muy entrometida y se interesa por cosas que no tienen por qué importarle; meticón, metijón. ☐ MORF. 1. Como adjetivo es invariable en género. 2. Como sustantivo es de género común: *el metomentodo, la metomentodo*.

metonimia s.f. Figura retórica consistente en designar una cosa con el nombre de otra con la que guarda una relación de causa a efecto, de autor a obra, o de algún otro tipo de contigüidad temporal, causal o espacial. ☐ ETIMOL. Del griego *metonymía*, y éste de *metá* (cambio) y *ónoma* (nombre).

metonímico, ca adj. De la metonimia, con metonimias o relacionado con esta figura retórica.

metopa s.f. En un friso dórico, espacio que existe entre dos triglifos o elementos arquitectónicos. ☐ ETIMOL. Del latín *metopa*, éste del griego *metópe*, y éste de *metá* (entre) y *opé* (agujero).

metraje s.f. Longitud expresada en metros, esp. referido a películas cinematográficas. ☐ ETIMOL. Del francés *métrage*.

metralla s.f. Conjunto de balines y fragmentos pequeños de metal con los que se rellenan algunos proyectiles o artefactos explosivos. ☐ ETIMOL. Del francés *mitraille*.

metralleta s.f. Arma de fuego automática y portátil, de peso ligero, de pequeño tamaño y calibre y que es capaz de disparar repetidamente en muy poco tiempo. ☐ ETIMOL. Del francés *mitraillette*. 🗡️ arma

métrico, ca ∎ adj. **1** Del metro, de la medida o relacionado con ellos. **2** Del metro o medida del verso, o relacionado con ellos. ∎ s.f. **3** Arte que trata de la medida y estructura de los versos, de sus cla-

ses y de las combinaciones que pueden formarse con ellos. ☐ ETIMOL. Las acepciones 1 y 2, del latín *metricus*, éste del griego *metrikós*, y éste de *métron* (medida).

metro s.m. **1** En el Sistema Internacional, unidad básica de longitud que equivale a la distancia que recorre la luz en el vacío durante 1/299792458 de segundo. **2** Utensilio marcado con las divisiones métricas, que se utiliza para medir longitudes. **3** Ferrocarril eléctrico, generalmente subterráneo, que se usa como medio de transporte en algunas grandes ciudades. **4** En métrica, medida peculiar de cada clase de verso. **5** ∥**metro cuadrado**; en el Sistema Internacional, unidad de superficie que equivale al área de un cuadrado que tiene un metro de lado. ∥**metro cúbico**; en el Sistema Internacional, unidad de volumen que equivale a un cubo que tiene un metro de arista. ☐ ETIMOL. Las acepciones 1, 2 y 4, del latín *metrum* (medida, especialmente la del verso), y éste del griego *métron* (medida). ☐ MORF. En la acepción 3, es la forma abreviada y usual de *metropolitano*.

metrónomo s.m. Aparato que sirve para medir el tiempo y marcar el compás en la interpretación de una composición musical. ☐ ETIMOL. Del griego *métron* (medida) y *nómos* (regla). 🗡️ medida

metrópoli o **metrópolis** s.f. **1** Ciudad principal o muy importante por su extensión o por su numerosa población. **2** Respecto de una colonia, país al que pertenece. **3** Iglesia arzobispal de la que dependen algunas diócesis. ☐ ETIMOL. Del griego *metrópolis*, y éste de *méter* (madre) y *pólis* (ciudad). ☐ MORF. *Metrópolis* es invariable en número. ☐ USO *Metrópolis* es el término menos usual.

metropolitano, na ∎ adj. **1** De la metrópoli o relacionado con ella. ∎ s.m. **2** →**metro**.

mexicano, na adj. →**mejicano**. ☐ PRON. [mejicáno].

[meyba s.m. Bañador masculino parecido a un pantalón corto. ☐ ETIMOL. Extensión del nombre de una marca comercial.

mezcal s.m. **1** Planta americana, variedad de la pita, que tiene los tallos carnosos, redondeados y cubiertos de tubérculos nudosos, no tiene hojas, y se usa como estimulante o para calmar desórdenes de tipo nervioso. **2** Bebida alcohólica obtenida de esta planta.

mezcla s.f. **1** Reunión, unión o incorporación. **2** Enlace o unión entre pueblos y familias diferentes, esp. si hay descendencia. **3** Agrupación de varias sustancias sin interacción química. **4** En cine, vídeo, televisión, operación por la que se combinan y se ajustan simultáneamente los diálogos, los efectos sonoros y la música que componen la banda sonora de una película. **5** Tejido hecho de hilos de diferentes clases y colores.

mezclador, -a ∎ s. **1** En cine, vídeo y televisión, persona que se dedica profesionalmente a mezclar las imágenes o el sonido que proceden de diversas cintas. ∎ s.f. **2** Máquina o aparato que sirve para mezclar. **3** En zonas del español meridional, hormigonera.

mezclar ∎ v. **1** Referido a una cosa, juntarla, unirla o incorporarla a otra hasta confundirlas: *Si necesitas pintura verde, mezcla la azul con la amarilla.* **2** Referido a algo ordenado, desordenarlo o revolverlo: *No mezcles las monedas con los billetes.* **3** Referido a una persona, meterla en un asunto que no le incumbe o no le interesa directamente: *A mí no me mezcles en tus líos. No te mezcles en negocios sucios.* ▌prnl. **4** Referido a una persona o a un animal, relacionarse con otros: *No te mezcles con esa gente.* **5** Referido esp. a una raza o a una familia, enlazarse con otra diferente, esp. si se tiene descendencia: *Esta camada es fruto de haberse mezclado un perro con una perra de distinta raza.* □ ETIMOL. Del latín **misculare.*

mezclilla s.f. **1** Tejido hecho de hilos de diferentes clases y colores, de menos cuerpo que la mezcla. [**2** En zonas del español meridional, tela muy resistente de algodón.

mezcolanza s.f. *col.* Mezcla extraña y confusa. □ ETIMOL. Del italiano *mescolanza.* □ ORTOGR. Se admite también *mescolanza.*

mezquindad s.f. **1** Avaricia, tacañería o ruindad. **2** Hecho o dicho mezquinos.

mezquino, na adj./s. **1** Muy avaro o muy tacaño. **2** Miserable, despreciable o ruin. □ ETIMOL. Del árabe *miskin* (pobre, desgraciado). □ MORF. La RAE sólo lo registra como adjetivo.

mezquita s.f. Edificio destinado al culto musulmán; aljama. □ ETIMOL. Del árabe *masyd* (templo u oratorio musulmán).

[mezzo o **[mezzosoprano]** (italianismo) s.f. En música, persona que tiene una voz de registro intermedio entre la de contralto y la de soprano. □ PRON. [métso], [metsosopráno].

mi ▌poses. **1** →mío. ▌s.m. **2** En música, tercera nota de la escala de do mayor. □ ETIMOL. La acepción 2, de la primera sílaba de la palabra *mira*, que aparece en el himno de San Juan Bautista, de donde se sacó el nombre de todas las notas musicales. □ ORTOGR. Dist. de *mí.* □ MORF. Como posesivo es invariable en género y es apócope de *mío* y de *mía* cuando preceden a un sustantivo determinándolo: *mi casa, mis mejores amigos.* 2. *En la acepción 2,* su plural es *mis.*

mí pron.pers. Forma de la primera persona del singular que corresponde a la función de complemento precedido de preposición: *Ese regalo es para mí. A mí también me ha llamado.* □ ETIMOL. Del latín *mihi*, dativo de *ego* (yo). □ ORTOGR. Dist. de *mi.* □ MORF. No tiene diferenciación de género.

miaja s.f. *col.* Migaja.

mialgia s.f. En medicina, dolor muscular. □ ETIMOL. Del griego *mýs* (músculo) y *-algia* (dolor).

miasma s.m. Olor o sustancia perjudiciales o malolientes que se desprenden de cuerpos enfermos, de materias corruptas o de aguas estancadas. □ ETIMOL. Del griego *míasma* (mancha, mancilla). □ MORF. **1.** En la lengua actual, se usa también como femenino. **2.** Se usa más en plural.

miau interj. *col.* [Expresión que se usa para indicar extrañeza, sorpresa, admiración o disgusto.

[mibor s.m. En economía, precio del dinero o tipo de interés básico en el mercado interbancario madrileño. □ ETIMOL. Es un acrónimo que procede de la sigla de *Madrid Interbank Offered Rate* (tipo de interés ofertado en el mercado interbancario de Madrid), por analogía con el *libor.* □ PRON. [míbor].

mica s.f. Véase **mico, ca.**

micáceo, a adj. **1** Que contiene mica. **2** Parecido a la mica o con sus características.

micado s.m. En Japón (país asiático), emperador e institución imperial. □ ETIMOL. Del japonés *mi* (su-

blime) y *cado* (puerta). □ ORTOGR. Se admite también *mikado.*

micción s.f. Expulsión de la orina. □ ETIMOL. Del latín *mictio.*

micelio s.m. En un hongo, aparato vegetativo que le sirve para nutrirse y que está constituido por un conjunto de células que forman filamentos. □ ETIMOL. Del griego *mýke* (hongo) y la terminación de *epitelio.*

micénico, ca adj./s. De Micenas (antigua ciudad griega), o relacionado con ella.

michelín s.m. *col.* Acumulación de grasa, en forma de rollo o de pliegue, que se tiene en determinadas partes del cuerpo, esp. en la cintura. □ ETIMOL. Por alusión a un muñeco con el mismo nombre, representativo de una marca comercial. □ MORF. Se usa más en plural.

michino, na s. *col.* Gato.

mico, ca ▌s. **1** Mono de cola larga. ▌s.m. **2** *col.* Persona pequeña en edad o en estatura. **3** *col.* Persona que se considera muy fea. ▌s.f. **4** Mineral del grupo de los silicatos en cuya composición entra el aluminio, y que cristaliza en láminas planas, brillantes y elásticas. **5** ‖ [volverse mico; *col.* Necesitar mucho tiempo, esfuerzo o ingenio para hacer o conseguir algo. □ ETIMOL. La acepción 4, del latín *mica* (miga), con influencia de *micare* (brillar). □ USO En la acepción 2, aplicado a un niño tiene un matiz cariñoso.

micología s.f. Parte de la botánica que estudia los hongos. □ ETIMOL. Del griego *mýke* (hongo) y *-logía* (estudio).

micólogo, ga s. Persona que se dedica al estudio de hongos y de levaduras.

micosis s.f. Infección producida por ciertos hongos. □ ETIMOL. Del griego *mýke* (hongo) y *-osis* (enfermedad). □ MORF. Invariable en número.

micra s.f. Unidad de longitud que equivale a una milésima parte del milímetro; micrón. □ ETIMOL. Del griego *mikrós* (pequeño).

[micro s.m. *col.* →micrófono.

micro- Elemento compositivo que significa 'pequeño' (*microbús, microelectrónica, microficha, microsurco*) o 'millonésima parte' (*microsegundo, micrómetro*). □ ETIMOL. Del griego *mikrós.*

microbiano, na adj. De los microbios, producido por microbios o relacionado con ellos.

microbicida adj. Que mata microbios. □ ETIMOL. De *microbio* y *-cida* (que mata). □ MORF. Invariable en género.

microbio s.m. **1** Organismo unicelular microscópico; microorganismo. [**2** *col.* Lo que es pequeño o enano. □ ETIMOL. Del griego *mikróbios*, y éste de *mikrós* (pequeño) y *bíos* (vida).

microbiología s.f. Parte de la biología que estudia los microorganismos o microbios. □ ETIMOL. De *microbio* y *-logía* (estudio).

microbús s.m. Autobús para un número reducido de pasajeros, generalmente empleado en el transporte urbano.

microcefalia s.f. Tamaño de la cabeza menor de lo que se considera normal. □ ETIMOL. De *micro-* (pequeño) y *-cefalia* (cabeza).

microcéfalo, la adj./s. Que tiene la cabeza de un tamaño inferior a lo normal. □ ETIMOL. De *micro-* (pequeño) y el griego *kephalé* (cabeza).

[*microchip*] (anglicismo) s.m. Chip de muy pequeño tamaño.

microcirugía s.f. Cirugía que se realiza sobre estructuras vivas muy pequeñas.

[*microcirujano, na*] s. Médico cirujano especializado en microcirugía.

[*microclima*] s.m. Conjunto de condiciones climáticas particulares de un espacio reducido y aislado del medio general.

microcosmo o **microcosmos** s.m. El hombre, entendido como un pequeño universo completo. □ ETIMOL. De *micro-* (pequeño) y el griego *kósmos* (mundo). □ MORF. *Microcosmos* es invariable en número.

microeconomía s.f. Estudio de la economía relacionada con los individuos, pequeños grupos individuales o empresas tomadas individual o sectorialmente. □ SEM. Dist. de *macroeconomía* (estudio de la economía de una zona como un conjunto, utilizando magnitudes colectivas o globales).

[*microestructura*] s.f. Estructura que forma parte de una estructura más amplia.

[*microfibra*] s.f. Tipo de tela que se usa mucho en tapicería.

[*microfilm*] s.m. →**microfilme.** □ USO Es un anglicismo innecesario.

microfilmar v. Reproducir en microfilme.

microfilme s.m. Película de tamaño reducido en la que se fijan documentos que después pueden ser ampliados en proyección o en fotografía. □ ETIMOL. Del inglés *microfilm*, y éste de *micro-* (pequeño) y *film* (película). □ USO Es innecesario el uso del anglicismo *microfilm*.

micrófono s.m. Aparato que transforma las ondas acústicas en ondas eléctricas para poder amplificarlas, transmitirlas o registrarlas. □ ETIMOL. De *micro-* (pequeño) y *-fono* (sonido). □ MORF. En la lengua coloquial, se usa mucho la forma abreviada *micro.*

[*microlentilla*] s.f. →**lentilla.**

micrómetro s.m. Instrumento que sirve para medir cantidades lineales o angulares muy pequeñas. □ ETIMOL. De *micro-* (pequeño) y *-metro* (medidor). ✿medida

micrón s.m. →**micra.** □ ETIMOL. Del griego *mikron*, forma neutra de *mikrós* (pequeño).

microonda s.f. Radiación electromagnética cuya longitud de onda está comprendida en el intervalo del milímetro al metro y cuya propagación puede realizarse por el interior de tubos metálicos.

microondas s.m. Horno que funciona con ondas electromagnéticas que calientan rápidamente los alimentos. □ MORF. Invariable en número. ✿ electrodoméstico

microorganismo s.m. Organismo unicelular microscópico; microbio. □ ORTOGR. Incorr. **microorganismo.*

microprocesador s.m. Circuito que está formado por numerosos transistores integrados, y que tiene diversas aplicaciones.

microscópico, ca adj. 1 Que sólo puede verse con un microscopio. 2 *col.* Muy pequeño.

microscopio s.m. Instrumento óptico formado por un sistema de lentes que amplía los objetos extremadamente pequeños para posibilitar su observación. □ ETIMOL. De *micro-* (pequeño) y *-scopio* (instrumento para ver). ✿ química

microsurco s.m. Disco en el que los surcos son muy finos y están muy próximos y que gira a treinta y tres revoluciones por minuto.

miedica adj./s. *col.* Miedoso o cobarde. □ MORF. 1. Como adjetivo es invariable en género. 2. Como sustantivo es de género común: *el miedica, la miedica.* □ USO Tiene un matiz despectivo.

mieditis s.f. *col.* Miedo. □ MORF. Invariable en número.

miedo s.m. 1 Sensación angustiosa causada por la presencia, la amenaza o la suposición de un riesgo o de un mal. 2 Temor o recelo de que suceda algo contrario a lo que se desea. 3 ‖**de miedo; 1** *col.* Extraordinario o muy bueno: *Este pastel está de miedo.* 2 col. Muy bien: *Lo pasé de miedo en la fiesta.* ‖**miedo cerval**; el grande o excesivo: *Al verse ante el león, un miedo cerval lo paralizó.* □ ETIMOL. Del latín *metus.*

miedoso, sa adj./s. Que siente miedo con facilidad.

miel ‖ s.f. 1 Sustancia pegajosa, amarillenta y muy dulce que producen las abejas. ‖ pl. [2 Satisfacción o sensación agradable proporcionadas por el éxito: *las 'mieles' del triunfo.* 3 ‖**dejar con la miel en los labios**; *col.* Privar de lo que gusta o empieza a disfrutarse. ‖**miel sobre hojuelas**; expresión que se usa para indicar que algo viene muy bien a otra cosa: *Si no llueve y además hace sol, miel sobre hojuelas para salir de excursión al campo.* □ ETIMOL. Del latín *mel.*

mielina s.f. Sustancia grasa y blanda de color blanco que rodea las prolongaciones de algunas neuronas. □ ETIMOL. Del griego *myelós* (médula).

mieloma s.m. Tumor en la médula ósea. □ ETIMOL. Del griego *myelós* (médula) y *-oma* (tumor). □ SEM. Dist. de *mioma* (tumor formado por elementos musculares).

miembro s.m. 1 Extremidad articulada con el cuerpo humano o animal. 2 En una colectividad, persona, grupo o entidad que forman parte de ella. 3 En un todo, parte unida con él: *El predicado es un miembro de la oración.* 4 En matemáticas, cada una de las expresiones de una ecuación o de una igualdad: *El primer miembro de '3x + 2 = 8' es '3x + 2'.* 5 ‖**miembro (viril)**; *euf.* →**pene.** □ ETIMOL. Del latín *membrum.*

miente s.f. Pensamiento o entendimiento. □ ETIMOL. Del latín *mens* (mente). □ USO Se usa más en plural.

mientras ‖ adv. 1 Durante el tiempo en el que algo sucede o se realiza: *Todos trabajaban, y mientras, él dormía la siesta.* ‖ conj. 2 Enlace gramatical subordinante con valor temporal: *Pon la mesa mientras yo preparo la comida.* 3 ‖**mientras que**; enlace gramatical coordinante con valor adversativo: *Yo sola he arreglado toda la casa, mientras que tú no has hecho nada para ayudarme.* □ ETIMOL. Del antiguo *dementras*, y éste del latín *dum* (mientras) e *interim* (entretanto). □ SINT. En la acepción 1, *mientras tanto* se usa con el mismo significado que *mientras.*

miércoles s.m. Tercer día de la semana, entre el martes y el jueves. □ ETIMOL. Del latín *dies Mercuri* (día de Mercurio). □ MORF. Invariable en número.

mierda ‖ s.f. 1 *vulg.* Excremento humano o animal que se expele por el ano. 2 *col.* Suciedad o basura. 3 *vulg.* Lo que se considera mal hecho, de poca calidad o de poco valor. [**4** *vulg.* Borrachera. ∎ interj. **5** *col.* Expresión que se usa para indicar disgusto, rechazo o contrariedad: *¡Mierda, he vuelto a fallar!* **6** ‖[**irse** algo **a la mierda**; *col.* Estropearse o echarse a perder. ‖**mandar a la mierda**; *col.* Rechazar de mala manera. ☐ ETIMOL. Del latín *merda.*

mies ∎ s.f. **1** Cereal maduro. ∎ pl. **2** Campos sembrados. ☐ ETIMOL. Del latín *messis* (conjunto de cereales cosechados o que están a punto de cosecharse).

miga ∎ s.f. **1** En el pan, parte blanda que está rodeada por la corteza. ✄ pan **2** Trozo o cantidad pequeños, esp. si son de pan; migaja. **3** *col.* Sustancia o contenido importante: *Es un hombre de mucha miga.* ∎ pl. **4** Guiso hecho con trozos de pan humedecidos con agua, que se fríen en aceite o grasa. **5** ‖**hacer {buenas/malas} migas**; referido a dos o más personas, entenderse bien o mal. ☐ ETIMOL. Del latín *mica* (partícula, migaja, grano de sal).

migaja s.f. **1** Trozo o cantidad pequeños, esp. si son de pan; miga. **2** Poca cosa o casi nada.

migajón s.m. En zonas del español meridional, miga del pan.

migar v. **1** Referido al pan, desmenuzarlo en trozos pequeños: *Migó un trozo de pan para echárselo a los peces.* **2** Referido a un líquido, echarle trozos de pan: *Siempre migo la leche para desayunar.* ☐ ORTOGR. La *g* se cambia en *gu* delante de *e* →PAGAR.

migración s.f. **1** Movimiento de población que consiste en el desplazamiento de personas de un lugar a otro para cambiar su lugar de residencia. **2** Viaje periódico de algunas especies animales: *En invierno se realiza la migración de los patos al sur.* ☐ SEM. 1. Dist. de *emigración* y de *inmigración* →**migrar**. 2. Aunque la RAE lo considera sinónimo de *emigración*, éste se ha especializado para la salida hacia un país distinto del de origen.

migraña s.f. Dolor intenso de cabeza que sólo afecta a un lado o a una parte de ella; jaqueca. ☐ ETIMOL. Del latín *hemicrania*, éste del griego *hemicranía*, y éste de *hemi-* (medio) y *cranion* (cráneo), porque las migrañas sólo afectan a una parte de la cabeza.

migrar v. **1** Referido a una persona, desplazarse para cambiar su lugar de residencia: *Con el desarrollo industrial, muchos campesinos migran del campo a las ciudades.* **2** Referido a un animal, hacer migraciones o viajes periódicos: *Las aves suelen migrar en otoño buscando un lugar más cálido.* ☐ ETIMOL. Del latín *migrare* (cambiar de estancia, partir). ☐ SEM. Dist. de *emigrar* (salir de un lugar) y de *inmigrar* (llegar a un lugar para establecerse en él).

migratorio, ria adj. De la migración o relacionado con este desplazamiento. ☐ SEM. Dist. de *emigratorio* y de *inmigratorio* →**migrar**.

mihrab (arabismo) s.m. En una mezquita, nicho que señala el lugar adonde deben mirar los que oran: *El mihrab está orientado a La Meca.* ☐ PRON. [mirráb].

mijo s.m. **1** Cereal de hojas anchas y vellosas, con espigas compactas y flores pequeñas en los extremos. **2** Semilla de este cereal, pequeña, redonda y de color blanco amarillento. ☐ ETIMOL. Del latín *milium*.

mikado s.m. →**micado**.

mil ∎ numer. **1** Número 1.000: *mil pesetas.* ∎ s.m. **2** Signo que representa este número: *Los romanos es-*

cribían el mil como 'M'. **3** Conjunto de 1.000 unidades. ☐ ETIMOL. Del latín *mille.* ☐ MORF. 1. Como numeral es invariable en género y en número. 2. La acepción 3 se usa más en plural.

milagrería s.f. **1** Tendencia a considerar milagros los hechos naturales. **2** Relato de sucesos fantásticos que se toman por milagros.

milagrero, ra adj. **1** Referido a una persona, que considera milagros los hechos naturales y los publica como tales. **2** *col.* Que hace milagros; milagroso.

milagro s.m. **1** Hecho que no puede ser explicado por las leyes de la ciencia o de la naturaleza y que se considera realizado por intervención divina o sobrenatural. **2** Lo que resulta raro, extraordinario o maravilloso: *Entre tanta gente, ha sido un milagro que nos hayamos visto.* **3** ‖**de milagro**; por poco o por casualidad. ☐ ETIMOL. Del latín *miraculum* (hecho admirable).

milagroso, sa adj. **1** Que no puede ser explicado por las leyes de la ciencia o de la naturaleza. **2** Extraordinario, maravilloso o sorprendente: *Es milagroso que no os hayáis perdido.* **3** Que hace milagros; milagrero: *agua milagrosa.*

milanesa s.f. **1** En zonas del español meridional, escalope de ternera. **2** ‖(**a la**) **milanesa**; referido a la carne, que está frita y rebozada en huevo y pan rallado.

milano s.m. Ave rapaz diurna, de plumaje marrón con tonos rojizos y con una larga cola en forma de horquilla. ☐ ETIMOL. Del latín **milanus*. ☐ MORF. Es un sustantivo epiceno: *el milano macho, el milano hembra.* ✄ rapaz

mildeu o **mildiu** s.m. Enfermedad de la vid producida por un hongo microscópico que se desarrolla en el interior de las hojas, en el tallo y en el fruto: *El mildiu se caracteriza por la presencia de manchas blancas que van secando los distintos órganos de la planta.* ☐ ETIMOL. Del inglés *mildew* (moho).

milenario, ria ∎ adj. **1** Del número 1.000 o del millar. **2** Que tiene alrededor de mil años. ∎ s.m. **3** Fecha en la que se cumplen uno o varios millares de años de un acontecimiento. ☐ ETIMOL. Del latín *millenarius.*

milenarismo s.m. **1** Creencia que afirma que Jesucristo reinará sobre la Tierra antes del juicio final durante un período de mil años: *El milenarismo se ha prolongado hasta hoy en algunas sectas.* **2** Antigua creencia que afirmaba que el fin del mundo tendría lugar en el año 1000 de la era cristiana. [**3** Creencia que pone una fecha límite en que tendrá lugar el fin del mundo.

milenarista ∎ adj. **1** Del milenarismo o relacionado con él. ∎ adj./s. **2** Partidario o seguidor del milenarismo. ☐ MORF. 1. Como adjetivo es invariable en género. 2. Como sustantivo es de género común: *el milenarista, la milenarista.*

milenio s.m. Período de tiempo de mil años.

milésimo, ma numer. **1** En una serie, que ocupa el lugar número mil. **2** Referido a una parte, que constituye un todo junto con otras novecientas noventa y nueve iguales a ella. ☐ ETIMOL. Del latín *millesimus*, y éste de *mille* (mil). ☐ MORF. 1. Cuando se antepone a otra palabra para formar compuestos, adopta la forma *mili-*.

milhojas s.m. Pastel con forma rectangular hecho con láminas de hojaldre entre las que se pone merengue, nata o crema. ☐ MORF. Invariable en número. ☐ USO Se usa mucho como sustantivo femenino.

milhombres s.m. *col.* Hombre de pocas fuerzas o no excesivamente robusto pero que presume de ser fuerte. ☐ MORF. Invariable en número.

mili s.f. *col.* Servicio que presta un ciudadano a su país actuando como soldado durante un período de tiempo determinado; servicio militar. ☐ MORF. Es la forma abreviada y usual de *milicia.*

mili- Elemento compositivo que significa 'milésima parte': *miliamperio, milibar, miligramo, mililitro, milímetro.* ☐ ETIMOL. Del latín *mille* (mil).

milibar o **milibaro** s.m. Unidad de presión atmosférica que equivale a una milésima de bar: *La presión atmosférica normal es de 1.013 milibares.* ☐ ETIMOL. *Milibar,* de *mili-* (milésima parte) y *bar* (unidad de presión). ☐ USO *Milibaro* es el término menos usual.

milicia s.f. **1** Conjunto de técnicas y de conocimientos que permiten preparar y entrenar a un ejército para la guerra. **2** →mili. **3** Conjunto de militares de un país. ☐ ETIMOL. Del latín *militia,* y éste de *miles* (soldado).

miliciano, na s. Persona que forma parte de una milicia.

milico s.m. *col.* En zonas del español meridional, soldado o policía. ☐ USO Es despectivo.

miligramo s.m. En el Sistema Internacional, unidad de masa que equivale a la milésima parte de un gramo: *Un gramo tiene mil miligramos.* ☐ ETIMOL. De *mili-* (milésima parte) y *gramo.* ☐ PRON. Incorr. *[milígramo].

mililitro s.m. Unidad de volumen que equivale a la milésima parte de un litro: *Un mililitro equivale a un centímetro cúbico.* ☐ ETIMOL. De *mili-* (milésima parte) y *litro.* ☐ PRON. Incorr. *[mililitro].

[milimetrado, da adj. Referido esp. al papel, graduado o dividido en milímetros.

[milimétrico, ca adj. **1** *col.* Del milímetro o relacionado con él. **2** *col.* Muy exacto o preciso.

milímetro s.m. En el Sistema Internacional, unidad de longitud que equivale a la milésima parte de un metro: *Un centímetro tiene diez milímetros.* ☐ ETIMOL. De *mili-* (milésima parte) y *metro.* ☐ PRON. Incorr. *milímetro.

militancia s.f. Pertenencia a un grupo o a una asociación, o servicio que se presta en ellos.

militante s. Persona que forma parte de un partido político o de una asociación. ☐ MORF. Es de género común: *el militante, la militante.*

militar ∎ adj. **1** De la milicia, de la guerra o relacionado con ellas. ∎ s. **2** Persona que sirve transitoria o permanentemente en el ejército. ∎ v. **3** Servir en el ejército o en una milicia: *De joven militó en el bando republicano.* **4** Formar parte de un partido político o de una asociación: *Milita en un partido radical desde hace años.* ☐ ETIMOL. Las acepciones 1 y 2, del latín *militaris* (perteneciente al soldado o a la guerra). Las acepciones 3 y 4, del latín *militare* (practicar el ejercicio de las armas). ☐ MORF. 1. Como adjetivo es invariable en género. 2. En la acepción 2, aunque la RAE sólo lo registra como masculino, en la lengua actual es de género común: *el militar, la militar.*

militarismo s.m. **1** Predominio del elemento mi-

litar en una nación. **2** Actitud que defiende este predominio militar.

militarista ∎ adj. **1** Del militarismo o relacionado con él. ∎ adj./s. **2** Partidario o seguidor del militarismo. ☐ MORF. 1. Como adjetivo es invariable en género. 2. Como sustantivo es de género común y exige concordancia en masculino o en femenino para señalar la diferencia de sexo: *el militarista, la militarista.*

militarización s.f. Sometimiento a la disciplina o a la jurisdicción militares.

militarizar v. Someter a la disciplina o a la jurisdicción militares. ☐ ORTOGR. La *z* se cambia en *c* delante de *e* →CAZAR.

militronche o **[militroncho** s.m. *col.* Militar.

milla s.f. **[1** En el sistema anglosajón, unidad de longitud que equivale aproximadamente a 1.609 metros. **2** ‖ **[milla atlética]** en atletismo, carrera de medio fondo en la que se recorre una distancia de esta longitud: *La 'milla atlética' de Nueva York es la más conocida.* ‖ **milla (náutica)**; unidad de navegación marítima y aérea que equivale a 1.852 metros. ☐ ETIMOL. Del latín *milia passuum* (miles de pasos).

millar s.m. **1** Conjunto de mil unidades. **2** Signo gráfico con forma de 'D' que se coloca detrás de una serie de números para indicar que éstos son unidades de mil. ☐ ETIMOL. Del latín *miliare.*

[millardo ∎ pron.numer. s.m. **1** Número 1.000.000.000: *Un 'millardo' son mil millones.* ∎ s.m. **2** Signo que representa este número: *El 'millardo' es un 1 seguido de nueve ceros.* ☐ SINT. Va seguido por *de* cuando lo sigue el nombre de aquello que se numera (un 'millardo' de pesetas), pero no cuando lo siguen uno o más numerales (un 'millardo' cien mil pesetas).

millón ∎ pron.numer. **1** Número 1.000.000: *Un millón son mil veces mil.* ∎ s.m. **[2** Signo que representa este número: *El 'millón' es un 1 seguido de seis ceros.* ☐ ETIMOL. Del francés *million.* ☐ SINT. Va seguido de *de* cuando lo sigue el nombre de aquello que se numera (un millón de pesetas), pero no cuando lo siguen uno o más numerales (un millón cien mil pesetas). ☐ USO Como pronombre, se usa mucho para indicar una cantidad grande e indeterminada: *Te he llamado millones de veces y nunca estabas.*

millonada s.f. Cantidad muy grande, esp. si es de dinero.

millonario, ria ∎ adj. **1** Referido esp. a una cantidad de dinero, que asciende a uno o más millones. ∎ adj./s. **2** Referido a una persona, que posee una fortuna de muchos millones.

millonésimo, ma numer. **1** En una serie, que ocupa el lugar número un millón. **2** Referido a una parte, que constituye un todo junto con otras 999.999 iguales a ella.

[millonetis s. *col.* Persona millonaria. ☐ MORF. 1. Es de género común: *el 'millonetis', la 'millonetis'.* 2. Invariable en número.

milmillonésimo, ma numer. **[1** En una serie, que ocupa el lugar número mil millones. **2** Referido a una parte, que constituye un todo junto con otras 999.999.999 iguales a ella.

milonga s.f. **1** Composición musical originaria del Río de la Plata (región argentina), de ritmo lento, que se canta acompañada de guitarra. **2** Baile que se ejecuta al compás de esta música. [**3** *col*. Engaño, mentira.

milord s.m. En España, tratamiento honorífico que se da a los nobles ingleses. □ ETIMOL. Del inglés *my lord* (mi señor). □ MORF. Su plural es *milores*.

milrayas s.m. Tejido con el fondo de color claro y multitud de rayas muy finas. □ ETIMOL. Del francés *mille-raies*. □ MORF. Invariable en número.

mimar v. **1** Mostrar afecto o voluntad de complacer: *A todos nos gusta que nos mimen*. **2** Referido o una persona, esp. a un niño, tratarla con excesiva consideración o consentimiento: *Es muy caprichoso porque sus padres lo miman demasiado*. [**3** Tratar con gran cuidado o delicadeza: *La ropa me dura mucho porque procuro 'mimarla'*.

[mimbar s.m. →**almimbar**.

mimbre s. **1** Arbusto que crece en las orillas de los ríos o en otros lugares húmedos y cuyo tronco se cubre desde el suelo de ramillas largas, muy delgadas y flexibles, de corteza grisácea fácilmente desprendible y madera blanca, muy usadas en cestería. **2** Rama o varita que produce este arbusto: *una cesta de mimbre*. □ ETIMOL. Del latín *vimes*. □ MORF. Es de género ambiguo: *el mimbre crecido, la mimbre crecida*. □ SEM. Es sinónimo de *mimbrera*.

mimbrera s.f. →**mimbre**.

mimesis o **mímesis** s.f. [**1** En la poética y estética clásicas, imitación de la naturaleza o de los grandes modelos, que constituye el objeto del arte. **2** Imitación que se hace de las palabras, de los gestos o del modo de actuar de otra persona, frecuentemente como burla. □ ETIMOL. Del griego *mímesis* (imitación). □ MORF. Invariable en número. □ USO Aunque la RAE prefiere *mimesis*, se usa más *mímesis*.

mimético, ca adj. **1** Del mimetismo o relacionado con esta propiedad o disposición: *La propiedad mimética de muchos animales actúa como mecanismo defensivo*. **2** De la mímesis o relacionado con este tipo de imitación.

mimetismo s.m. Propiedad de algunos animales y plantas que les permite adoptar el color o la forma de los seres u objetos entre los que viven y pasar así inadvertidos.

[mimetizarse v. Referido esp. a un animal o a una planta, adoptar el color o la apariencia de los seres u objetos de su entorno: *Si un animal 'se mimetiza' entre la maleza, es difícil descubrir su presencia*. □ ORTOGR. La *z* se cambia en *c* delante de *e* →CAZAR.

mímico, ca adj. **1** Del mimo o de su arte: *Las obras mímicas son uno de los pilares del teatro tradicional japonés*. **2** De la mímica. **s.f. 3** Arte o técnica de imitar, representar o expresarse por medio de gestos y de movimientos corporales.

mimo s.m. **1** Demostración expresiva de ternura y afecto. **2** Consentimiento excesivo en el trato, esp. el que se da a los niños. [**3** Cuidado o delicadeza con que se trata o se hace algo. **4** Representación, generalmente teatral, por medio de mímica y sin intervención de la palabra; pantomima. **5** Actor teatral que actúa utilizando única o fundamentalmente la mímica. □ ETIMOL. Del latín *mimus* (comediante, sainete, farsa popular). □ MORF. La acepción 1 se usa más en plural.

mimosa s.f. Véase **mimoso, sa**.

mimosáceo, a adj./s.f. **1** Referido a una planta, que es arbustiva o arbórea, con frutos en legumbre, hojas compuestas que suelen plegarse al desaparecer el Sol, y flores en forma de bolas muy pequeñas con numerosos estambres. **s.f.pl. 2** En botánica, familia de estas plantas, perteneciente a la clase de las dicotiledóneas: *Las mimosáceas son propias de zonas tropicales*.

mimoso, sa adj. **1** Con mucho mimo, o que disfruta dándolo o recibiéndolo. **s.f. 2** Arbusto del tipo de las acacias, con flores amarillas agrupadas en inflorescencias y con numerosos y largos estambres muy olorosos, y cuyas hojas suelen experimentar un cierto retraimiento o movimiento de contracción cuando se las toca o agita: *El fruto de la mimosa es una legumbre*.

mina s.f. **1** Yacimiento de minerales de explotación útil. **2** Excavación o conjunto de instalaciones realizadas en uno de estos yacimientos para extraer el mineral. **3** Lo que supone o puede proporcionar una gran abundancia o riqueza de algo que se considera valioso o beneficioso: *El abuelo es una mina de saber*. **4** Barrita de grafito o de un material semejante que llevan en su interior los lápices y otros utensilios de escritura y con cuya punta se escribe o se pinta. **5** Artefacto preparado para hacer explosión al ser rozado, y que suele colocarse enterrado o sumergido en una zona para defenderla del enemigo: *campo de minas*. **6** ‖[**mina antipersonal**; mina terrestre. □ ETIMOL. Del céltico **mina* (mineral).

minar v. **1** Referido a un lugar, colocar minas explosivas en él: *Minaron el edificio en ruinas para volarlo*. **2** Consumir, debilitar o destruir poco a poco: *Aquellos años de pobreza minaron su salud*.

minarete s.m. En una mezquita, torre desde la que el almuédano convoca a los musulmanes a la oración; alminar. □ ETIMOL. Del francés *minaret*.

mineral ■ adj. **1** Del grupo de los minerales o formado por estas sustancias. ■ s.m. **2** Sustancia originada por procesos naturales generalmente inorgánicos, que se encuentra en la corteza terrestre y que presenta una estructura homogénea y una composición química definida. □ ETIMOL. De *mina*. □ MORF. Como adjetivo es invariable en género.

mineralización s.f. **1** Transmisión a una sustancia de propiedades minerales, o transformación de la misma en mineral. **2** Adquisición de sustancias minerales por parte del agua.

mineralizar ■ v. **1** Referido a una sustancia, transmitirle propiedades minerales o transformarla en mineral: *Los residuos orgánicos pueden fosilizarse y mineralizarse por la falta de oxígeno*. ■ prnl. **2** Referido al agua, cargarse de sustancias minerales: *Muchas aguas subterráneas se mineralizan a lo largo de su curso*. □ ORTOGR. La *z* se cambia en *c* delante de *e* →CAZAR.

mineralogía s.f. Parte de la geología que estudia los minerales. □ ETIMOL. De *mineral* y *-logía* (estudio).

minería s.f. **1** Técnica o industria de trabajar o explotar las minas. **2** Conjunto de los mineros. **3** Conjunto de las minas y explotaciones mineras con una característica común.

minero, ra ■ adj. **1** De la minería o de las minas. ■ s. **2** Persona que se dedica profesionalmente al trabajo en las minas.

mineromedicinal adj. Referido al agua, que tiene disueltas sustancias minerales que la dotan de propiedades curativas. □ MORF. Invariable en género.

[*minestrone* (italianismo) s.f. Sopa cuyos ingredientes principales son pasta y verduras.

minga s.f. *vulg.* [→**pene**.

mingitorio, ria ▌ adj. **1** De la micción o expulsión de orina, o relacionado con ella. ▌ s.m. **2** Lugar destinado para orinar, esp. el de uso público; urinario. □ ETIMOL. Del latín *mingere* (mear).

[*mini* ▌ s.m. **1** Vaso de cerveza o de otra bebida de aproximadamente un litro. ▌ s.f. **2** →**minifalda**.

mini- Elemento compositivo que significa 'muy pequeño' (*minicadena, minibocadillo, minisueldo, minigolf*) o 'muy corto' (*minifalda, minipantalón, miniexcursión*). □ ETIMOL. Del latín *minimus* (muy pequeño). □ USO Se usa mucho en el lenguaje coloquial.

miniar v. Pintar o ilustrar con miniaturas: *Un artista anónimo minió el códice con escenas alusivas al texto.* □ ETIMOL. Del italiano *miniare* (pintar con minio). □ ORTOG. La *i* nunca lleva tilde.

miniatura s.f. **1** Pintura de pequeño tamaño y generalmente con mucho detalle, esp. la realizada para ilustrar manuscritos. [**2** Arte o técnica de hacer estas pinturas: *La 'miniatura' tuvo su momento de esplendor en la Edad Media.* [**3** Reproducción en tamaño muy pequeño. □ ETIMOL. Del italiano *miniatura* (dibujo pintado con minio), porque estos dibujos eran de muy pequeño tamaño y derivó este sentido a cualquier objeto pequeño.

miniaturista adj./s. Que pinta o hace miniaturas. □ MORF. **1.** Como adjetivo es invariable en género. **2.** Como sustantivo es de género común: *el miniaturista, la miniaturista.* **3.** La RAE sólo lo registra como sustantivo.

miniaturización s.f. Técnica de producir piezas y mecanismos en un tamaño muy pequeño.

[*minibar* s.m. Bar de reducidas dimensiones y que suele ocupar poco espacio.

[*minibasket* (anglicismo) s.m. Baloncesto infantil, que se practica en un campo más pequeño del habitual y con las canastas menos elevadas.

[*minicadena* s.f. Cadena de música de alta fidelidad cuyos componentes tienen un tamaño reducido, esp. si forman un conjunto compacto y no pueden separarse.

[*minicine* s.m. Sala de cine de pequeñas dimensiones.

minifalda s.f. Falda muy corta, que queda bastante por encima de las rodillas. □ MORF. En la lengua coloquial, se usa mucho la forma abreviada *mini*.

[*minifaldero, ra* adj. Con minifalda: *vestido 'minifaldero'*.

minifundio s.m. Finca agraria que, por su reducida extensión, no resulta por sí misma económicamente rentable. □ ETIMOL. De *mini-* (pequeño) y la terminación de *latifundio.* □ SEM. Dist. de *latifundio* (finca de gran extensión).

minifundismo s.m. Sistema de explotación agraria basado en una distribución de la propiedad de la tierra en la que predominan los minifundios.

minifundista ▌ adj. **1** Del minifundismo o relacionado con este sistema de explotación agraria. ▌ s. **2** Persona que posee un minifundio. □ MORF. **1.** Como adjetivo es invariable en género. **2.** Como sustantivo es de género común: *el minifundista, la minifundista.*

[*minigolf* (anglicismo) s.m. Juego parecido al golf,

que se practica en un campo o en una pista pequeños y con obstáculos artificiales.

[*mínima* s.f. Véase **mínimo, ma**.

[*minimalismo* s.m. Tendencia artística surgida en los años setenta en Estados Unidos (país norteamericano), caracterizada por la ausencia de decoración, el empleo de formas geométricas simples y otros rasgos que responden al intento de representar lo máximo con los mínimos elementos.

minimalista ▌ adj. **1** Del minimalismo o relacionado con él. ▌ adj./s. **2** Partidario o seguidor del minimalismo. □ MORF. **1.** Como adjetivo es invariable en género. **2.** Como sustantivo es de género común: *el 'minimalista', la 'minimalista'.*

minimizar v. **1** Reducir o quitar importancia: *No minimices tú un éxito reconocido por todos.* [**2** Reducir a lo mínimo o disminuir todo lo posible: *Algunos programas informáticos tienen la opción de 'minimizar' pantalla.* □ ORTOG. La *z* se cambia en *c* delante de *e* →CAZAR.

mínimo, ma ▌ **1** superlat. irreg. de **pequeño**. ▌ s.m. **2** Límite inferior al que se puede reducir algo; mínimum. ▌ s.f. [**3** Temperatura más baja alcanzada. □ ETIMOL. Del latín *minimus* (el más pequeño). □ SEM. La expresión *lo más mínimo* se usa para enfatizar una negación: *No me importa lo más mínimo lo que hagas.*

mínimum s.m. →**mínimo**. □ ETIMOL. Del latín *minimum* (la menor parte).

minino, na s. *col.* Gato. □ ETIMOL. De origen onomatopéyico.

minio s.m. Polvo de color rojo anaranjado, obtenido por oxidación del plomo y que, disuelto en aceite o en un ácido, es muy empleado en pintura y como antioxidante. □ ETIMOL. Del latín *minium* (bermellón).

[*minipimer* s.f. Batidora eléctrica. □ ETIMOL. Extensión del nombre de una marca comercial. □ PRON. [minipímer].

ministerial ▌ adj. **1** De un ministerio o de alguno de sus ministros. ▌ adj./s. **2** Referido a una persona, que apoya habitualmente a un ministro: *Los diputados ministeriales votaron a favor del proyecto de ley presentado por el Gobierno.* □ MORF. **1.** Como adjetivo es invariable en género. **2.** Como sustantivo es de género común: *el ministerial, la ministerial.*

ministerio s.m. **1** Departamento que atiende determinados asuntos del gobierno de un Estado; gabinete. **2** Edificio en el que se hallan las oficinas de este departamento. **3** Cargo o profesión de ministro: *El ministerio le ocupa mucho tiempo y tiene a la familia un poco abandonada.* **4** Tiempo durante el que un ministro ejerce su cargo: *Durante su ministerio aumentó el número de huelgas.* **5** Función, empleo u ocupación, esp. cuando se consideran nobles o elevados: *El ministerio sacerdotal exige una vida de servicio a los demás.* □ ETIMOL. Del latín *ministerium* (servicio, empleo, oficio). □ USO En la acepción 1, se usa mucho nombre propio.

ministrable adj. Referido a una persona, que tiene posibilidades de ser nombrada ministro: *diputados ministrables.* □ MORF. Invariable en género.

ministro, tra s. **1** Persona que está al frente de un ministerio o departamento de la administración del Estado. **2** Persona que desempeña una función determinada, esp. cuando se considera noble o elevada: *Los sacerdotes son ministros de Dios.* **3** Persona que ejecuta los mandatos de otra, esp. si es un enviado o un representante diplomático. **4** ‖**primer ministro**; jefe del Gobierno o presidente del Consejo de Ministros. □ ETIMOL. Del latín *minister* (servidor, oficial). □ MORF. En las acepciones 2 y 3, la RAE sólo registra el masculino. □ USO Es innecesario el uso del anglicismo *premier* en lugar de *primer ministro*.

minoico, ca adj. De Minos (antiguo nombre de Creta, isla griega mediterránea), o relacionado con ella: *Los palacios de Cnosos y Festos son restos del arte minoico.*

minorar v. →**aminorar**.

minoría s.f. **1** En un todo, parte menor de sus componentes o de sus miembros. **2** En una votación, conjunto de votos distintos de la mayoría: *Su partido obtuvo una minoría que es insuficiente para formar grupo parlamentario.* **3** ‖**minoría (de edad)**; condición de la persona que no ha alcanzado la edad fijada por la ley para poder ejercer los derechos civiles. □ ETIMOL. Del latín *minor* (menor).

minorista ▌ adj. **1** Referido a un establecimiento, que vende al por menor. ▌ s. **2** Persona que compra al mayorista y vende al por menor al público. □ MORF. 1. Como adjetivo es invariable en género. 2. Como sustantivo es de género común: *el minorista, la minorista.*

minoritario, ria adj. **1** De la minoría o relacionado con ella. **2** Que está en minoría numérica.

minucia s.f. Lo que tiene poco valor o escasa importancia. □ ETIMOL. Del latín *minutia* (pequeñez).

minuciosidad s.f. Detención o cuidado que se ponen en los menores detalles.

minucioso, sa adj. Que se detiene o requiere detenerse en los menores detalles; detenido.

minué s.m. **1** Composición musical de origen francés, en compás ternario y ritmo pausado. **2** Baile de pareja que se ejecuta al compás de esta música. **3** →**minueto**. □ ETIMOL. Del francés *menuet* (menudito), por sus movimientos delicados.

minuendo s.m. En una resta matemática, cantidad de la que debe restarse otra llamada *sustraendo* para obtener la diferencia: *En la resta '8 − 2 = 6', 8 es el minuendo.* □ ETIMOL. Del latín *minuendus* (que debe ser disminuido).

minueto s.m. Composición musical de carácter instrumental, en compás ternario y movimiento moderado, que se intercala como uno de los tiempos de una sonata, de una sinfonía o de otra composición extensa; minué. □ ETIMOL. Del italiano *minuetto*, y éste del francés *menuet*.

minúsculo, la ▌ adj. **1** De dimensiones o importancia muy pequeñas. ▌ s.f. **2** →**letra minúscula**. □ ETIMOL. Del latín *minusculus*, diminutivo de *minor* (menor).

minusvalía s.f. **1** Disminución del valor de algo, esp. de un bien: *La minusvalía de sus acciones en bolsa casi lo lleva a la ruina.* **[2** Situación desventajosa para un individuo, como consecuencia de una deficiencia o de una discapacidad, que limita o impide su normal desenvolvimiento. □ ETIMOL. Del latín *minus* (menos) y *valía.* □ SEM. En la acepción 1, dist. de *plusvalía* (aumento del valor).

minusvalidez s.f. Limitación de la capacidad de una persona para realizar ciertas actividades a causa de una deficiencia física o psíquica; discapacidad.

□ USO 1. Tiene un matiz despectivo. 2. Es preferible el uso del término *discapacidad.*

minusválido, da adj./s. Referido a una persona, que tiene una deficiencia física o psíquica que la limita para la realización de ciertas actividades; discapacitado. □ ETIMOL. Del latín *minus* (menos) y *válido.* □ USO 1. Tiene un matiz despectivo. 2. Es preferible el uso de *discapacitado.*

minusvalorar v. Subestimar o valorar menos de lo debido. □ ETIMOL. Del latín *minus* (menos) y *valorar.*

minuta s.f. **1** Factura o cuenta que presenta un profesional, esp. un abogado, con sus honorarios por un trabajo realizado. **2** Borrador que se hace de un documento, esp. de un contrato, antes de su escritura definitiva. □ ETIMOL. Del latín *minuta* (pequeña).

minutero s.m. En un reloj, aguja o dispositivo que señala los minutos. 🗲 medida

minuto s.m. **1** En el Sistema Internacional, unidad de tiempo que equivale a sesenta segundos: *Una hora tiene sesenta minutos.* **2** Unidad de ángulo plano que equivale a 1/60 grados: *Mide con un transportador los grados y minutos del ángulo.* □ ETIMOL. Del latín *minutus* (menudo).

mío, a poses. **1** Indica pertenencia a la primera persona del singular: *El retraso fue culpa mía. Ese coche es el mío. Cuando hablo de los míos me refiero a mi familia.* **2** ‖**la mía**; col. Expresión con que se indica que ha llegado la ocasión favorable para la persona que habla: *Ésta es la mía: si no dices dónde vamos, elijo yo el lugar.* □ ETIMOL. Del latín *meus.* □ MORF. Como posesivo se usa la forma apocopada *mi* cuando precede a un sustantivo determinándolo.

miocardio s.m. Tejido muscular del corazón: *El miocardio permite el bombeo de la sangre al resto del cuerpo.* □ ETIMOL. Del griego *mŷs* (músculo) y *kardía* (corazón).

mioceno, na adj. **1** En geología, del cuarto período de la era terciaria o cenozoica, o relacionado con él. ▌ adj./s.m. **2** Referido a un período, que es el cuarto de la era terciaria o cenozoica. □ ETIMOL. Del griego *mêion* (menos) y *kainós* (reciente, nuevo).

mioma s.m. Tumor formado por células musculares. □ ETIMOL. Del griego *mŷs* (músculo) y *-oma* (tumor). □ SEM. Dist. de *mieloma* (tumor en la médula ósea).

[miopatía s.f. En medicina, enfermedad o dolencia de carácter muscular. □ ETIMOL. Del griego *mŷs* (músculo) y *-patía* (enfermedad).

miope adj./s. **1** Que padece miopía. **2** col. Referido a una persona, que no se da cuenta de lo que pasa. □ ETIMOL. Del latín *myops*, éste del griego *mýops*, y éste de *mýo* (yo cierro) y *óps* (ojo). □ MORF. 1. Como adjetivo es invariable en género. 2. Como sustantivo es de género común: *el miope, la miope.* 3. En la acepción 2, la RAE sólo lo registra como adjetivo.

miopía s.f. Defecto de la visión producido por una incapacidad del cristalino para enfocar correctamente objetos lejanos.

[mir ▌ s. **1** Médico que trabaja en un hospital para realizar prácticas y obtener la especialización en alguna rama de la medicina: *La jefa de oftalmología pasa consulta acompañada de dos 'mir'.* ▌ s.m. **2** Examen que da acceso a un puesto de este tipo. □ ETIMOL. Es un acrónimo que procede de la sigla de *médico interno residente.* ☐ MORF. 1. En la acepción 1, es de género común: *el 'mir', la 'mir'.* 2. Invariable en número.

mira s.f. **1** En algunos instrumentos, pieza o dispositivo que permite enfocar, dirigir la vista a un punto o asegurar la puntería: *Este rifle tiene mira telescópica.* **2** Intención, objetivo o propósito que determinan la forma de actuar: *Estudia intensivamente, con la mira de aprobar todo.* **3** ‖ **con miras a** algo; con ese propósito: *Se ha sacado el carné de conducir con miras a comprarse un coche.*

mirada s.f. Véase **mirado, da.**

mirado, da ∎ adj. **1** Prudente, cauto o cuidadoso. **2** Pospuesto a *bien, mal, mejor* o *peor*, considerado de esa manera: *En esa familia, está muy mal mirado no hablar varios idiomas.* ∎ s.f. **3** Fijación de la vista: *No fue capaz de mantener la mirada.* **4** Vistazo u ojeada. **5** Modo o forma de mirar: *Contemplaba a su hijo con mirada serena.*

mirador s.m. **1** Corredor, galería o pabellón situados generalmente en la parte superior de un edificio, desde los que puede contemplarse el exterior. **2** Balcón cubierto y cerrado con cristales. **3** Construcción o lugar natural, generalmente elevados, desde los que se puede contemplar una vista o un paisaje.

miramiento s.m. Consideración, delicadeza o respeto.

miranda s.f. **1** En un terreno, lugar elevado y bien situado desde el que se ve una gran extensión. **2** ‖ **de miranda;** *col.* Sin hacer otra cosa que mirar, en vez de cumplir con el trabajo. ☐ ETIMOL. Del latín *miranda* (que han de admirarse).

mirar v. **1** Referido a algo que puede percibirse por los ojos, observarlo o fijar la vista en ello con atención: *Mira lo que pone aquí. Se miró en el espejo.* **2** Buscar o indagar: *Mira en el cajón, a ver si está allí.* **3** Registrar, revisar o examinar: *En la aduana me miraron todas las maletas.* **4** Considerar, valorar o tener en cuenta: *Mira bien lo que va a hacer.* **5** Respecto de una cosa, estar orientado hacia ella o situado frente a ella: *Veo amanecer porque mi ventana mira al Este.* **6** ‖ **de mírame y no me toques;** *col.* Frágil o poco resistente: *Este jarrón es de mírame y no me toques.* ‖ **mirar por** algo; protegerlo o intentar beneficiarlo. ☐ ETIMOL. Del latín *mirari* (admirar, asombrarse).

mirasol s.m. →**girasol.**

miria- Elemento compositivo que significa 'diez mil' (*miriámetro, miriagramo*) o 'muchos' (*miriápodo*). ☐ ETIMOL. Del griego *myriás.*

miríada s.f. Cantidad muy grande e indefinida: *Una miríada de estrellas cubría el cielo.* ☐ ETIMOL. Del latín *myrias*, éste del griego *myriás*, y éste de *myríoi* (innumerables, diez mil).

[miriagramo s.m. Unidad de masa que equivale a diez mil gramos: *Un 'miriagramo' son diez kilogramos.* ☐ ETIMOL. De *miria-* (diez mil) y *gramo.*

[mirialitro s.m. Unidad de volumen que equivale a diez mil litros. ☐ ETIMOL. De *miria-* (diez mil) y *litro.*

miriámetro s.m. Unidad de longitud que equivale a diez mil metros: *Un miriámetro son diez kilómetros.* ☐ ETIMOL. De *miria-* (diez mil) y *-metro* (medida).

miriápodo ∎ adj./s.m. **1** Referido a un animal artrópodo, que es de vida terrestre y respiración traqueal, tiene dos antenas y presenta el cuerpo alar-

gado y dividido en anillos con uno o dos pares de patas en cada uno: *El ciempiés es un animal miriápodo.* ∎ s.m.pl. **[2** En zoología, clase de estos artrópodos, perteneciente al reino de los metazoos. ☐ ETIMOL. Del griego *myriás* (cantidad muy grande) y *pús* (pie). ☐ ORTOGR. Se admite también *miriópodo.*

mirífico, ca adj. *poét.* Admirable, asombroso o maravilloso. ☐ ETIMOL. Del latín *mirificus.*

mirilla s.f. **1** En una pared o en una puerta, pequeña abertura hecha para poder ver a través de ellas el otro lado. **2** En un instrumento topográfico, pequeña ventanilla para dirigir visuales: *La carretera transcurre paralela a la visual entre la mirilla y la elevación más alta del terreno.*

miriñaque s.m. Prenda de tela rígida, a veces montada sobre aros, que usaban las mujeres debajo de la falda para darle vuelo. ☐ ETIMOL. De origen incierto.

miriópodo adj./s.m. →**miriápodo.**

mirlo s.m. **1** Pájaro de plumaje oscuro y pico amarillento, fácilmente domesticable, que se alimenta de frutos, semillas e insectos y que emite un canto melodioso y es capaz de imitar sonidos y voces. **2** ‖ **un mirlo blanco;** lo que se considera excepcional o de extraordinaria rareza: *Esa chica es un mirlo blanco, de lo que ya no hay.* ☐ ETIMOL. Del latín *merula.* ☐ MORF. Es un sustantivo epiceno: *el mirlo macho, el mirlo hembra.*

mirón, -a adj./s. **1** Que mira con especial curiosidad, interés o insistencia. **2** Que presencia lo que hacen otros sin tomar parte en ello.

mirra s.f. Resina gomosa, roja, brillante y amarga, procedente de un árbol que crece en zonas asiáticas y africanas, muy usada en perfumería por sus propiedades aromáticas. ☐ ETIMOL. Del latín *myrrha.*

mirtáceo, a ∎ adj./s.f. **1** Referido a una planta, que tiene flores blancas o rojas y hojas opuestas en las que, al igual que en la corteza, hay unas glándulas que segregan aceites esenciales que se usan en farmacia o en perfumería: *El eucalipto y el mirto son plantas mirtáceas.* ∎ s.f.pl. **2** En botánica, familia de estas plantas, perteneciente a la clase de las dicotiledóneas. ☐ ETIMOL. Del latín *myrtaceus.*

[mirtilo s.m. **1** Planta de hojas aserradas y alternas, y flores solitarias de color blanco verdoso o rosado, cuyo fruto es redondeado de color negruzco o azulado. **2** Fruto comestible de esta planta. ☐ SEM. Es sinónimo de *arándano.*

mirto s.m. Arbusto muy oloroso, con hojas de un verde intenso, flores blancas y frutos en baya de color negro azulado, muy empleado en jardinería para formar setos; arrayán: *Antiguamente, se coronaba con mirto a poetas y guerreros victoriosos.* ☐ ETIMOL. Del latín *myrtus.*

misa s.f. **1** Ceremonia en la que se celebra el sacrificio del cuerpo y la sangre de Jesucristo bajo las apariencias del pan y el vino; eucaristía. **[2** Composición musical escrita sobre las partes de esta ceremonia. **3** ‖ **cantar misa;** referido a un sacerdote, celebrarla por primera vez después de haberse ordenado. ‖ **[como si dicen misa;** *col.* Expresión que se usa para indicar indiferencia o despreocupación por los juicios o las reacciones que puedan tener los demás. ‖ **decir misa;** referido a un sacerdote, celebrarla. ‖ **ir algo a misa;** *col.* Ser completamente cierto, seguro o de obligado cumplimiento. ‖ **misa de campaña;** la que se celebra al aire libre para

tropas militares o para gran cantidad de gente. ‖
misa del gallo; la que se celebra a medianoche en
Nochebuena o de madrugada el día de Navidad. ‖
misas gregorianas; las que se dicen por el alma
de un difunto durante treinta días seguidos y generalmente inmediatos al entierro. ‖ **no saber de
la misa la {media/mitad}**; *col*. Ignorar o no entender gran parte del asunto de que se trata. ‖ **oír
misa**; asistir a ella. ☐ ETIMOL. Del latín *missa* (envío, despedida), por la fórmula final del oficio religioso *ite, missa est* con la que se despedía a los fieles.

misacantano s.m. Sacerdote que celebra su primera misa. ☐ ETIMOL. De *misa* y *cantar*.

misal s.m. Libro en el que se contiene el orden y el
modo de celebrar la misa. ☐ ETIMOL. Del latín *mis-
salis* (de misa).

misantropía s.f. Aversión o rechazo hacia el trato
con los demás. ☐ SEM. Dist. de *filantropía* (amor al
género humano).

misántropo, pa s. Persona que siente gran aversión o rechazo hacia el trato con los demás. ☐ ETI-
MOL. Del griego *misánthropos*, y éste de *miséo* (yo
odio) y *ánthropos* (persona). ☐ SEM. Dist. de *filántropo* (persona que siente amor por el género humano e inclinación a hacer obras en su favor).

misceláneo, a ‖ adj. **1** Compuesto de cosas distintas o variadas. ‖ s.f. **2** Mezcla de cosas distintas.
3 Obra o escrito en los que se tratan materias variadas e inconexas: *El informe era una miscelánea
sobre temas de actualidad.* **4** En zonas del español meridional, tienda de ultramarinos. ☐ ETIMOL. Del latín
miscellanens, y éste de *miscere* (mezclar).

miserable ‖ adj. **1** Desdichado, infeliz o lastimoso.
[**2** Insignificante por su escaso valor o cantidad. ‖
adj./s. **3** Malvado o perverso. **4** Avariento, tacaño o
mezquino. ☐ ETIMOL. Del latín *miserabilis* (digno de
conmiseración). ☐ MORF. 1. Como adjetivo es invariable en género. 2. Como sustantivo es de género
común: *el miserable, la miserable*. 3. Su superlativo
es *miserabilísimo*. ☐ SEM. En las acepciones 1 y 2 y
4, es sinónimo de *mísero*. ☐ USO Las acepciones 3
y 4 se usan como insulto.

miserere s.m. **1** Salmo bíblico que comienza por
la palabra latina *miserere*. **2** Canto solemne de este
salmo o ceremonia en la que se canta. ☐ ETIMOL.
De *Miserere mei Deus* (ten misericordia de mí Dios)
que es el comienzo de un salmo.

miseria s.f. **1** Pobreza o estrechez extremadas. **2**
Desgracia, penalidad o sufrimiento. **3** *col.* Lo que
resulta una insignificancia por su escaso valor o
cantidad. **4** Avaricia, tacañería o mezquindad. ☐
ETIMOL. Del latín *miseria* (desventura). ☐ MORF. La
acepción 2 se usa más en plural.

misericordia s.f. **1** Inclinación a compadecerse y
mostrarse comprensivo ante las miserias y sufrimientos ajenos. **2** En el cristianismo, atributo de Dios
por el cual perdona y remedia los pecados y miserias de los hombres. **3** En los asientos abatibles del coro
de las iglesias, pieza que sobresale por su parte inferior y que, cuando el asiento está levantado, permite descansar en ella disimuladamente mientras
se está de pie. ☐ ETIMOL. Del latín *misericordia*, y
éste de *miser* (desdichado) y *cor* (corazón).

misericordioso, sa adj./s. Que siente o muestra
misericordia.

mísero, ra ‖ adj. **1** Insignificante por su escaso

valor o cantidad. **2** Desdichado, infeliz o lastimoso.
‖ adj./s. **3** Avariento, tacaño o mezquino. ☐ ETIMOL.
Del latín *miser* (desdichado). ☐ MORF. Su superlativo es *misérrimo*. ☐ SEM. Es sinónimo de *miserable*.

misérrimo, ma superlat. irreg. de *mísero*.

misil o **mísil** s.m. Proyectil autopropulsado, provisto de una carga nuclear o altamente explosiva,
generalmente controlado por procedimientos electrónicos. ☐ ETIMOL. Del inglés *missile*, y éste del
latín *missilis* (arrojadizo). ☐ USO *Mísil* es el término
menos usual.

misión s.f. **1** Obligación moral o deber que alguien
tiene que cumplir. **2** Orden o encargo de hacer algo.
3 Encargo temporal dado por un gobierno para llevar a cabo determinada función. [**4** Expedición encargada de llevar a cabo esta orden o este encargo:
El ministro recibió a la 'misión' diplomática belga.
5 Tierra o lugar en los que se lleva a cabo la evangelización de personas no creyentes o que no conocen la religión cristiana. **6** Casa, iglesia o centro de
los misioneros en este lugar. ☐ ETIMOL. Del latín
missio (envío). ☐ MORF. La acepción 5 se usa más
en plural. ☐ SEM. En las acepciones 1 y 2, es sinónimo de *cometido*.

misionero, ra ‖ adj. **1** De la misión evangélica o
relacionado con ella. ‖ s. **2** Persona que enseña y
predica la religión cristiana en las misiones o en
tierras de no creyentes.

misiva s.f. Véase **misivo, va**.

misivo, va ‖ adj. **1** Que se envía o que constituye
un mensaje. ‖ s.f. **2** Carta que se envía. ☐ ETIMOL.
Del latín *mittere* (enviar).

mismo, ma adj. **1** Que es idéntico y no otro diferente: *En las ceremonias y actos solemnes siempre
lleva el mismo traje.* **2** Exactamente igual: *Tu vestido y el mío son del mismo color.* **3** Muy semejante
o de igual clase: *Tienes la misma forma de hablar
que tu padre.* **4** ‖ **por lo mismo**; por esa razón:
*Está enferma y, por lo mismo, no podrá asistir a la
reunión.* ☐ ETIMOL. Del latín *medipsimus*, y éste
de *met-* (forma para reforzar los pronombres personales) y de *ipsimus*, forma enfática de *ipse* (el
mismo). ☐ SINT. Precedido del artículo determinado,
se usa mucho para señalar lo anteriormente mencionado: *Prohibida la entrada a la obra a toda persona ajena a la misma.* ☐ SEM. Se usa mucho como
mero refuerzo significativo: *Yo misma se lo diré.
Ellos mismos se lo han buscado. Lo oí por esta misma radio.*

mismo adv. **1** Precisamente o exactamente: *Mañana mismo te envío el paquete.* **2** ‖ **así mismo**;
→ **asimismo**. ☐ SINT. Se usa siempre precedido de
un adverbio o de un complemento circunstancial de
lugar.

misoginia s.f. Aversión o rechazo hacia las mujeres.

misógino, na adj./s. Que siente aversión o rechazo
hacia las mujeres. ☐ ETIMOL. Del griego *misogýnes*,
y éste de *miséo* (yo odio) y *gyné* (mujer).

[miss (anglicismo) s.f. Ganadora de un concurso de
belleza. ☐ PRON. [mis].

[missing (anglicismo) adj. *col.* Referido a una persona, en paradero desconocido. ☐ PRON. [mísing]. ☐
USO 1. Su uso es innecesario y puede sustituirse por
el término *desaparecido*. 2. Tiene un matiz humorístico.

mistela s.f. Vino dulce que se elabora añadiendo

alcohol al mosto de la uva muy madura en cantidad suficiente para que no se produzca la fermentación. □ ORTOGR. Se admite también *mixtela*.

[*mister* (anglicismo) s.m. **1** *col.* En el lenguaje del fútbol, entrenador. **2** Ganador de un concurso de belleza masculina. □ PRON. [míster]. □ USO En la acepción 1, su uso es innecesario.

misterio s.m. **1** Asunto secreto o muy reservado. **2** Lo que está oculto, es muy difícil de comprender o de explicar, o no tiene una explicación lógica. **3** En el cristianismo, lo que no se comprende pero se cree por la fe: *En catequesis nos hablaron del misterio de la Santísima Trinidad.* **4** En el cristianismo, cada uno de los sucesos relevantes de la vida, de la pasión, de la muerte y de la resurrección de Jesucristo. **5** En el cristianismo, representación escultórica de estos sucesos. □ ETIMOL. Del latín *mysterium*, y éste del griego *mystérion* (secreto, misterio).

misterioso, sa adj. Que encierra o incluye misterio.

misticismo s.m. **1** Estado de perfección religiosa que consiste en la unión del alma con la divinidad por medio del amor, y que a veces se acompaña de éxtasis y de revelaciones. **2** Estado de la persona que se dedica fundamentalmente a Dios y a lo espiritual.

místico, ca ■ adj. **1** De la mística, del misticismo o relacionado con ellos. ■ adj./s. **2** Que centra su vida en el desarrollo del espíritu. ■ s.f. **3** Parte de la teología que trata de la vida espiritual y contemplativa y del conocimiento y dirección del espíritu. **4** Experiencia íntima con la divinidad. **5** Expresión literaria de esta experiencia. □ ETIMOL. Del griego *mystikós* (relativo a los misterios religiosos).

mistificar v. Falsear o falsificar: *Con tal de lograr sus fines, era capaz de mistificar la doctrina.* □ ETIMOL. Del francés *mystifier*. □ ORTOGR. 1. La *c* se cambia en *qu* delante de *e* →SACAR. 2. Se admite también *mixtificar*.

mistral s.m. Viento frío del noroeste que sopla en la costa mediterránea francesa. □ ETIMOL. Del provenzal *mistral*, y éste de *mestre* (dueño), porque el mistral es el viento dominante en la costa mediterránea francesa.

mistura s.f. →**mixtura**.

mitad s.f. **1** Cada una de las dos partes iguales en que se divide un todo. **2** En un todo, punto o lugar que está a igual distancia de sus extremos. □ ETIMOL. Del latín *medietas*.

mítico, ca adj. Del mito o relacionado con él.

mitificación s.f. **1** Conversión en mito. **2** Admiración y valoración excesivas.

mitificar v. **1** Convertir en mito. **2** Admirar y valorar excesivamente. □ ORTOGR. La *c* se cambia en *qu* delante de *e* →SACAR.

mitigación s.f. Moderación, disminución o conversión en más suave o en más soportable.

mitigar v. Moderar, disminuir o hacer más suave o más soportable: *No encuentro la forma de mitigar mi ansiedad.* □ ETIMOL. Del latín *mitigare* (suavizar, calmar). □ ORTOGR. La *g* se cambia en *gu* delante de *e* →PAGAR.

mitin s.m. **1** Acto público en el que uno o varios oradores pronuncian discursos de carácter político o social. **2** ‖ [dar el mitin; *col.* Sermonear. □ ETIMOL. Del inglés *meeting* (reunión).

mito s.m. **1** Fábula o relato alegórico, esp. el que refiere acciones de dioses y de héroes. **2** Lo que por su trascendencia o por sus cualidades se convierte en un modelo o en un prototipo o entra a formar parte de la historia. **3** Relato o historia que quieren hacerse pasar por verdaderos o que sólo existen en la imaginación. □ ETIMOL. Del griego *mŷthos* (fábula, leyenda).

[*mitocondria* s.f. En el citoplasma de las células con núcleo diferenciado, orgánulo encargado de la obtención de energía mediante la respiración celular. □ ETIMOL. Del griego *mítos* (filamento) y *khóndros* (cartílago).

mitología s.f. **1** Conjunto de relatos fabulosos de los dioses y los héroes de la Antigüedad. **2** Conjunto de mitos, esp. los de una cultura o pueblo. □ ETIMOL. Del griego *mythología*, y éste de *mŷthos* (fábula) y *logía* (tratado). ⟷ mitología

mitológico, ca adj. De la mitología o relacionado con ella.

mitomanía s.f. Inclinación desmedida a decir mentiras o a desfigurar la realidad, engrandeciéndola. □ ETIMOL. De *mito* y -*manía* (afición desmedida).

mitómano, na adj./s. Que tiene gran inclinación a mentir o a desfigurar la realidad, engrandeciéndola.

mitón s.m. **1** Guante de punto que deja al descubierto los dedos. [**2** En zonas del español meridional, manopla. □ ETIMOL. Del francés *miton*.

mitosis s.f. En biología, parte de la división celular a partir de la cual se originan dos núcleos iguales entre sí, con el mismo número de cromosomas y con la misma información genética; cariocinesis. □ ETIMOL. Del griego *mítos* (filamento). □ MORF. Invariable en número.

mitra s.f. **1** Gorro alto formado por dos piezas, una delantera y otra trasera, terminadas en punta, que utilizan los obispos y los arzobispos en las grandes celebraciones. ⟷ sombrero **2** Cargo de obispo o de arzobispo. □ ETIMOL. Del latín *mitra*, y éste del griego *mítra* (cinta para ceñir la cabeza).

mitrado, da ■ adj. **1** Referido a una persona, que puede usar mitra. ■ s.m. **2** Obispo o arzobispo.

mitral s.f. →**válvula mitral**.

[*miura* adj. Referido a un toro, que pertenece a la ganadería de los Miura.

[*mix* s.m. **1** Aleación de varios metales que se utiliza en la fabricación de otras aleaciones y en el revestimiento de piezas electrónicas: *Los cátodos incandescentes de estas lámparas están revestidos con un 'mix'.* **2** Disco compuesto de mezclas de diferentes músicas o canciones, generalmente muy bailables. □ MORF. Invariable en número.

mixomatosis s.f. Enfermedad de los conejos, causada por un virus y caracterizada por hinchazones en la piel y en las membranas. □ ETIMOL. Del griego *mýxa* (moco), -*oma* (tumor) y -*osis* (enfermedad). □ MORF. Invariable en número.

mixtela s.f. →**mistela**.

mixtificar v. →**mistificar**. □ ORTOGR. La *c* se cambia en *qu* delante de *e* →SACAR.

mixtilíneo, a adj. Referido esp. a una figura geométrica, que está formada por líneas rectas y curvas. □ ETIMOL. De *mixto* y *línea*.

mixto, ta ■ adj. **1** Formado por elementos de distinta naturaleza: *un colegio mixto.* ■ s.m. **2** Cerilla. □ ETIMOL. Del latín *mixtus* (mezclado).

mixtura s.f. Mezcla de varios elementos. □ ETIMOL.

MITOLOGÍA

dragón

unicornio

fénix

grifo

quimera

esfinge

sirena
o nereida

tritón

cancerbero

basilisco

centauro

arpía

cíclope

fauno

amazona

Del latín *mixtura.* □ ORTOGR. Se admite también *mistura.*

mízcalo s.m. →**níscalo.**

mnemotecnia s.f. Método que, mediante la utilización de recursos y técnicas, permite aumentar la capacidad de la memoria. □ ETIMOL. Del griego *mnémon* (el que se acuerda) y *tékhne* (arte). □ PRON. [nemotécnia]. □ ORTOGR. Se admite también *nemotecnia.*

mnemotécnico, ca adj. **1** De la mnemotecnia o relacionado con este método de memorización. **2** Que sirve para ayudar a la memoria. □ PRON. [nemotécnico]. □ ORTOGR. Se admite también *nemotécnico.*

moabita ▌ adj./s. **1** De Moab (antiguo reino del oeste asiático), o relacionado con él. ▌ s.m. [**2** Antigua lengua de este reino. □ MORF. 1. Como adjetivo es invariable en género. 2. En la acepción 1, como sustantivo es de género común: *el moabita, la moabita.*

[**moai** s.m. Estatua con forma de busto humano que se encuentra en la isla de Pascua (isla del océano Pacífico).

moaré s.m. Tela fuerte que está tejida formando aguas o reflejos brillantes. □ ETIMOL. Del francés *moiré*, y éste de *moirer* (labrar un paño de manera que forme aguas). □ ORTOGR. Se admite también *muaré.*

[**moaxaja** s.f. Composición poética culta, escrita en árabe o en hebreo, que termina con una estrofa breve de carácter popular, escrita en mozárabe y llamada *jarcha.*

mobiliario, ria ▌ adj. [**1** De los muebles o relacionado con ellos. ▌ s.m. **2** Conjunto de muebles con unas características comunes o que se destinan a un uso determinado; moblaje, mueblaje. □ ETIMOL. Del francés *mobiliaire.*

moblaje s.m. Conjunto de muebles con unas características comunes o que se destinan a un uso determinado; mobiliario, mueblaje.

moca ▌ s.m. **1** Café de muy buena calidad, originario de Moka (ciudad del sudoeste asiático). [**2** Crema hecha de café, mantequilla, azúcar y vainilla, que se utiliza para rellenar o para adornar dulces. ▌ s.f. [**3** col. →**moquita.** □ ORTOGR. En las acepciones 1 y 2, aunque la RAE sólo registra *moca*, se usa también *moka.* □ MORF. En las acepciones 1 y 2, se usa también como femenino.

mocasín s.m. **1** Calzado característico de los indios norteamericanos, hecho de piel sin curtir. **2** Calzado moderno sin cordones ni hebillas, de suela generalmente lisa y de poco tacón. ⚒ calzado □ ETIMOL. Del inglés *moccasin.*

mocedad s.f. En la vida de una persona, período que se desarrolla desde la pubertad hasta la edad adulta.

mocerío s.m. Conjunto de mozos o jóvenes.

mocetón, -a s. Persona joven, alta y robusta.

mocha s.f. Véase **mocho, cha.**

mochales adj. col. Referido a una persona, que está loca o lo parece. □ MORF. Invariable en género y en número. □ SINT. Se usa más con el verbo *estar.*

mochila s.f. Saco o bolsa hechos de tela fuerte para llevar a la espalda sujetos con correas. □ ETIMOL. Del antiguo *mochil* (mozo con recados), porque solía llevar una mochila. ⚒ alpinismo, equipaje

mocho, cha ▌ adj. **1** Que carece de punta o está sin terminar. ▌ s.m. **2** En un utensilio largo, remate grueso y sin punta: *el mocho de una escopeta.* [**3** col. Fregona. ▌ s.f. **4** col. Cabeza humana. □ ETIMOL. De origen incierto.

mochuelo s.m. **1** Ave rapaz nocturna de pequeño tamaño, que tiene la cabeza achatada, el plumaje de la parte superior con pequeñas motas y el de la parte inferior listado, y que se alimenta fundamentalmente de insectos y de pequeños roedores. ⚒ rapaz **2** col. Lo que resulta una carga o una tarea enojosa. **3** col. Responsabilidad o culpa que nadie quiere asumir. □ ETIMOL. De origen incierto. □ MORF. En la acepción 1, es un sustantivo epiceno: *el mochuelo macho, el mochuelo hembra.* □ SINT. Las acepciones 2 y 3 se usan más con los verbos *cargar, echar, sacudir* o equivalentes.

moción s.f. **1** Propuesta o petición que se hacen en una asamblea o en una junta. **2** ‖ [**moción de censura**; en un organismo representativo, esp. si es de carácter político, la que puede ser presentada por un número mínimo de sus miembros contra el equipo o el jefe de Gobierno, que incluye la proposición de un candidato que sustituya a éste y que debe ser aprobada por un número también prefijado para que se produzca esta sustitución. □ ETIMOL. Del latín *motio* (movimiento). □ USO Es incorrecto el uso de **moción de confianza*, aunque está muy extendido: {**moción > cuestión*} de confianza.

moco s.m. **1** Sustancia espesa y viscosa segregada por las glándulas de las membranas mucosas, esp. la que se elimina por la nariz. [**2** vulg. Borrachera. **3** ‖ **llorar a moco tendido**; col. Llorar mucho y desconsoladamente. ‖ **moco de pavo**; **1** Apéndice carnoso que le cuelga a los pavos sobre el pico. col. **2** Lo que reviste un grado insignificante o despreciable de importancia, de valor o de dificultad. ‖ [**tirarse el moco**; col. Presumir o darse importancia. □ ETIMOL. Del latín *mucus.* □ MORF. La acepción 1 se usa más en plural.

mocoso, sa ▌ adj. **1** Que tiene las narices llenas de mocos. ▌ adj./s. **2** col. Referido esp. a un niño, que muestra el atrevimiento o la inmadurez propios de su poca edad aunque intente comportarse como un adulto. □ USO En la acepción 2, aplicado a niños tiene un matiz cariñoso.

mocosuena adv. col. Referido al modo de hablar, teniendo más en cuenta el sonido que el significado.

[**mod** (anglicismo) adj./s. Referido a una persona, que es seguidora de un movimiento juvenil y urbano caracterizado por el modo de vestir y la afición a las motos y a la música pop. □ MORF. 1. Como adjetivo es invariable en género. 2. Como sustantivo es de género común: *el 'mod', la 'mod'.*

moda s.f. **1** Uso o costumbre, generalmente pasajeros, característicos de un período de tiempo por ser ampliamente aceptados: *A mi abuela no le gustan las modas de hoy.* **2** Conjunto de prendas de vestir y de complementos que responde a uno de estos usos: *Siempre viste moda italiana.* **3** ‖ **de moda**; de actualidad o de acuerdo con los usos o costumbres que se estilan. ‖ **pasar de moda**; quedar anticuado o haber dejado de estilarse. □ ETIMOL. Del francés *mode.*

modal ▌ adj. **1** Del modo, esp. del gramatical, o relacionado con él. ▌ s.m.pl. **2** Gestos y comportamiento externo de una persona que indican su buena o mala educación; ademanes. □ MORF. Como adjetivo es invariable en género.

modalidad s.f. Variante o modo particular en que una misma cosa puede presentarse o manifestarse.

[**modelación** s.f. →modelado.

modelado s.m. [1 Arte o técnica de modelar o hacer figuras con una materia blanda. 2 Realización de estas figuras. [3 Mejora de la forma del cuerpo o de alguna de sus partes; modelación.

modelar v. 1 Referido esp. a una materia blanda, darle forma o hacer una figura con ella: *Este escultor modela barro y esculpe granito.* 2 Referido esp. a una manera de ser, configurarla o hacer que adquiera unos rasgos determinados: *Una educación severa modeló su carácter.* [3 Referido al cuerpo o a una de sus partes, mejorar su forma: *Te enseñaré ejercicios para 'modelar' las piernas.*

modélico, ca adj. Que sirve o puede servir de modelo.

[**modelismo** s.m. Arte y técnica de construcción de objetos a escala reducida.

modelo ▌ s. 1 Persona, generalmente de buena figura, que se dedica profesionalmente a la exhibición de prendas de vestir y de complementos. 2 Persona que posa para ser copiada por un pintor o por un escultor, o para ser fotografiada. ▌ s.m. 3 Ejemplar o patrón que sirve de pauta en la realización de algo. 4 Lo que se considera un ejemplo a seguir por su perfección o por sus cualidades. 5 Representación de un objeto a escala reducida. 6 Objeto creado por un artista famoso: *Se ha comprado un modelo de un modisto francés.* 7 Cada producto industrial fabricado con arreglo a un diseño común, esp. si está patentado: *Aunque sea de la misma marca que el tuyo, mi coche es un modelo anterior.* 8 Esquema teórico de algo complejo, que se realiza para facilitar su comprensión: *modelo de declinación.* ☐ ETIMOL. Del italiano *modello*. ☐ MORF. En las acepciones 1 y 2, es de género común: *el modelo, la modelo.* ☐ SINT. En la acepción 4, se usa mucho en aposición, pospuesto a un sustantivo.

[**modem** (anglicismo) s.m. En informática, dispositivo que permite que dos ordenadores se comuniquen por vía telefónica o telegráfica. ☐ ETIMOL. Es un acrónimo que procede de la sigla de *modulator-demodulator* (modulador-demodulador). ☐ PRON. [módem].

moderación s.f. 1 Reducción o disminución de la intensidad de algo que se considera excesivo. 2 Prudencia o sobriedad en la forma de actuar.

moderado, da adj. 1 Que está en medio de los extremos. 2 Referido a personas o a partidos políticos, que tienen ideas no extremistas.

moderador, -a s. Persona que preside o que dirige un debate o una asamblea dando la palabra ordenadamente a quien corresponda.

moderar v. 1 Referido a algo que se considera excesivo, suavizar o disminuir su intensidad o su exageración: *En la carretera había guardias indicando que debíamos moderar nuestra velocidad. Ahora se modera más en las palabras y apenas dice tacos.* [2 Referido a un debate, presidirlo o dirigirlo dando la palabra al que la solicita: *La periodista que 'moderaba' el debate ordenaba el turno de las intervenciones de los invitados.* ☐ ETIMOL. Del latín *moderari* (reducir a medida). ☐ SINT. Constr. de la acepción 1 como pronominal: *moderarse EN algo.*

moderato (italianismo) s.m. [1 En música, aire o velocidad moderados con que se ejecutan una com-

posición o un pasaje. 2 En música, composición o pasaje que se ejecutan con este aire.

modernidad s.f. 1 Conjunto de características de lo que se considera moderno. [2 col. Conjunto de la gente que se considera moderna. ☐ SEM. Dist. de *modernismo* (afición excesiva a lo moderno; movimiento artístico y literario).

modernismo s.m. 1 Afición excesiva por lo moderno, esp. en arte o en religión. [2 En arte, movimiento de tendencia decorativa que se desarrolló a finales del siglo XIX y principios del XX, y que se caracteriza por la inspiración en la naturaleza y por la utilización de las líneas curvas y del color. 3 En literatura, movimiento hispanoamericano y español que se desarrolló a finales del siglo XIX y principios del XX, y que se caracteriza por su afán esteticista, su renovación del lenguaje, su refinamiento y su sensibilidad hacia culturas y temas exóticos. ☐ ORTOGR. En las acepciones 2 y 3, se usa más como nombre propio. ☐ SEM. Dist. de *modernidad* (características de lo que se considera moderno; gente que se considera moderna).

modernista ▌ adj. 1 Del Modernismo o relacionado con este movimiento artístico. ▌ adj./s. 2 Partidario o seguidor del modernismo. ☐ MORF. 1. Como adjetivo es invariable en género. 2. Como sustantivo es de género común: *el modernista, la modernista.*

modernización s.f. Transformación consistente en adoptar o conceder las características de lo que se considera moderno.

modernizar v. Dar características de lo que se considera moderno: *Han modernizado el mobiliario de la empresa. Decidió modernizarse un poco para entender mejor a sus hijos.* ☐ ORTOGR. La z se cambia en c delante de e →CAZAR.

moderno, na adj. 1 De la época presente o de un tiempo reciente. [2 Innovador, avanzado o conforme con las últimas tendencias o adelantos. [3 De la Edad Moderna (período histórico que empieza aproximadamente a finales del siglo XV y termina en la época contemporánea), o relacionado con ella. ☐ ETIMOL. Del latín *modernus*, y éste de *modo* (hace un momento, ahora mismo).

modestia s.f. 1 Humildad o falta de vanidad. 2 Sencillez, falta de lujo o escasez de medios.

modesto, ta adj. 1 Humilde y sin vanidad. 2 Sencillo, sin lujo o con pocos medios. ☐ ETIMOL. Del latín *modestus*.

módico, ca adj. Referido esp. a una cantidad de dinero, que es moderada o escasa. ☐ ETIMOL. Del latín *modicus*.

modificación s.f. 1 Cambio o transformación de algo sin alterar su naturaleza. 2 En gramática, determinación o limitación del sentido de una palabra.

modificador s.m. [En gramática, palabra que determina o limita el sentido de otra: *El artículo es un 'modificador' del nombre.*

modificar v. 1 Cambiar o transformar sin alterar en profundidad: *El ingeniero modificó los planos.* 2 En gramática, referido a una palabra, determinar o limitar su sentido: *En la expresión 'el niño alto', el adjetivo 'alto' modifica al sustantivo 'niño'.* ☐ ETIMOL. Del latín *modificare* (arreglar). ☐ ORTOGR. La c se cambia en qu delante de e →SACAR.

modificativo, va adj. Que modifica o que sirve para modificar; modificatorio.

modificatorio, ria adj. →modificativo.
modismo s.m. **1** Expresión propia de una lengua, con un significado unitario que no puede deducirse del significado de las palabras que la forman, y que no tiene traducción literal en otra lengua: *La expresión 'no dar pie con bola' es un modismo que significa 'equivocarse'.* **2** Expresión propia de una lengua, pese a ser contraria a sus reglas gramaticales; idiotismo: *'A tontas y a locas' es un modismo en español.*
modista s.f. Véase modisto, ta.
modistilla s.f. *col.* Aprendiza de modista.
modisto, ta ▪ s. **1** Persona que se dedica profesionalmente a la creación o al diseño de prendas de vestir. ▪ s.f. **2** Mujer que se dedica profesionalmente a la confección de prendas de vestir, esp. de mujer. □ MORF. En la acepción 1, la RAE registra modista como sustantivo de género común: *el modista, la modista.*
modo s.m. **1** Forma o manera en que algo se hace, se presenta o sucede: *Hay tres modos de hacerlo.* **2** En lingüística, categoría gramatical que expresa la actitud del hablante con respecto a la acción del verbo. **3** Educación o comportamiento: *Me contestó con malos modos.* **4** ‖**a modo de**; como o como si fuera. ‖**de cualquier modo**; sin cuidado o sin interés. ‖**de modo que**; enlace gramatical subordinante con valor consecutivo: *Has engordado mucho, de modo que tendrás que hacer un régimen estricto.* ‖**de ningún modo**; expresión que se usa para negar de forma enérgica y tajante. ‖ **[de todos modos**; a pesar de todo. ‖**en cierto modo**; expresión que se usa para matizar o quitar importancia a una situación o a un suceso: *En cierto modo, este pequeño fracaso te puede servir de lección.* ‖**modo de articulación**; en fonética y en fonología, disposición que adoptan los órganos fonadores y que constituye un obstáculo que se opone a la salida del aire para producir el sonido: *Según el modo de articulación, las consonantes pueden ser oclusivas, fricativas, africadas, etc.* ‖**(modo) imperativo**; el que expresa una orden, un ruego o un mandato: *La oración ¡Ven a casa!' está construida en modo imperativo.* ‖**(modo) indicativo**; el que indica que la acción expresada por el verbo se concibe como real y objetiva: *En 'Sé que vino', 'saber' y 'venir' están en modo indicativo.* ‖**(modo) subjuntivo**; el que indica que la acción expresada por el verbo se concibe como irreal, subjetiva o subordinada a otra acción: *En 'Quiero que vengas', el verbo 'venir' está en subjuntivo.* □ ETIMOL. Del latín modus (manera, género). □ MORF. La acepción 3 se usa más en plural. USO 1. *De todos modos se usa mucho para retomar un tema que ya ha salido en la conversación.* 2. Para el modo imperativo.
modorra s.f. Véase modorro, rra.
modorro, rra ▪ adj./s. **1** Que tiene o padece modorra. ▪ s.f. **2** Sueño muy pesado, ganas de dormir, o pesadez y torpeza causadas por el sueño. **3** Enfermedad parasitaria del ganado lanar causada por la presencia de larvas en el cerebro de las reses.
modoso, sa adj. Referido esp. a una persona, que es respetuosa y recatada.
modulación s.f. Variación armoniosa de la tonalidad, esp. al hablar o al cantar.
modulador s.m. En electrónica, dispositivo o aparato que sirve para modular una onda.

modular ▪ adj. **1** Del módulo o relacionado con él. ▪ v. **2** Referido a un sonido, variar su tonalidad de manera armoniosa, esp. al hablar o al cantar: *Es una cantante magnífica y modula su voz con gran maestría.* □ ETIMOL. La acepción 2, del latín modulari (someter a cadencia, regular).
módulo s.m. **1** Dimensión que se toma como unidad de medida y sirve de norma, modelo o patrón. **2** Pieza o conjunto unitario de piezas con un mismo estilo: *El mueble del salón tiene tres módulos.* **[3** En un todo, cada parte independiente: *Este curso está dividido en varios 'módulos' trimestrales.* □ ETIMOL. Del latín modulus, y éste de modus (medida para medir algo).
modus operandi (latinismo) ‖Manera especial de actuar o de trabajar para alcanzar el fin propuesto: *Su modus operandi no fue muy ético.*
modus vivendi (latinismo) ‖**1** Acuerdo o arreglo temporales entre dos partes que no han llegado a un pacto definitivo, esp. en las relaciones internacionales. **2** Manera de vivir.
mofa s.f. Burla hecha con desprecio. □ SINT. Se usa más en la expresión *hacer mofa de algo.*
mofarse v.prnl. Burlarse con desprecio: *Se mofa de los que son más débiles que ella.* □ ETIMOL. De origen expresivo. □ SINT. Constr. *mofarse DE algo.*
mofeta s.f. Mamífero carnívoro depredador, de tronco corto, orejas y ojos pequeños, cola larga, pelaje negro con bandas dorsales blancas, y que posee unas glándulas próximas al ano que segregan un líquido maloliente que expulsa para protegerse cuando es perseguido. □ ETIMOL. Del italiano moffetta. □ MORF. Es un sustantivo epiceno: *la mofeta macho, la mofeta hembra.*
moflete s.m. *col.* Mejilla muy abultada y carnosa. □ ETIMOL. Quizá del provenzal moflet (mullido, mofletudo).
mofletudo, da adj. Que tiene mofletes gordos.
mogol, -a adj./s. →mongol. □ MORF. La RAE sólo lo registra como adjetivo.
mogólico, ca adj. →mongólico.
mogollón s.m. **[1** *col.* Gran cantidad de algo, esp. si está en desorden. **[2** *col.* Lío o alboroto que se producen generalmente con la aglomeración de muchas personas. □ SINT. En la lengua coloquial se usa también como adverbio con el significado de 'mucho': *Me gustó 'mogollón'.*
[mogrebí adj./s. →magrebí. □ MORF. 1. Como adjetivo es invariable en género. 2. Como sustantivo es de género común: *el 'mogrebí', la 'mogrebí'.* 3. Aunque su plural en la lengua culta es 'mogrebíes', se usa mucho 'mogrebís'.
[mohair (anglicismo) s.m. Lana o tejido hechos con el pelaje de la cabra de Angora (ciudad turca). □ PRON. [moér].
[mohicano, na ▪ adj./s. **1** De un pueblo indígena americano que habitaba en el valle central del Hudson (río estadounidense) y en el actual estado norteamericano de Vermont, o relacionado con él. ▪ s.m. **2** Lengua de este pueblo.
mohín s.m. Gesto, esp. el hecho con la boca para expresar enfado o disgusto.
mohíno, na adj. Triste o disgustado. □ ETIMOL. De origen incierto.
moho s.m. Hongo pluricelular que se desarrolla sobre la materia orgánica y que produce su descomposición. □ ETIMOL. Quizá de origen expresivo.

mohoso, sa adj. Cubierto de moho.

moisés s.m. Cuna portátil para recién nacidos, hecha de un material ligero, sin patas y con dos asas. □ MORF. Invariable en número.

mojadura s.f. Baño de agua o de otro líquido hasta empapar algo; remojón.

mojama s.f. Carne de atún salada y seca. □ ETIMOL. Del árabe *musamma'* (secada).

mojar ∎ v. **1** Referido a un cuerpo, humedecerlo con agua u otro líquido o hacer que éstos penetren en él: *Moja la ropa para plancharla mejor. Me he mojado con la lluvia.* **2** Referido a un alimento, untarlo o bañarlo en otro alimento líquido: *Moja las galletas en el café.* **3** col. Celebrar invitando a beber: *Este aprobado hay que mojarlo.* **4** col. Referido a la ropa, esp. a la de cama, orinarse en ella: *Aunque tiene diez años, aún moja las sábanas.* ∎ prnl. **5** col. Tomar parte en un asunto o comprometerse con una opción clara en un asunto esp. conflictivo: *No me gustaría tener que mojarme en una cuestión tan peliaguda.* □ ETIMOL. Del latín *molliare* (reblandecer), porque lo que se moja se reblandece. □ ORTOGR. Conserva la *j* en toda la conjugación. □ SEM. En la acepción 1, aunque la RAE lo considera sinónimo de *duchar*, en la lengua actual no se usa como tal.

mojarra s.f. Pez marino, de fuertes dientes, cuerpo comprimido, escamas grandes de color gris plateado, y una franja transversal negra en el nacimiento de la cola, cuya carne es muy apreciada. □ ETIMOL. Quizá del árabe *muharrab* (aguzado). □ MORF. Es un sustantivo epiceno: *la mojarra macho, la mojarra hembra.*

moje s.m. Caldo o salsa de un guiso. □ ETIMOL. De *mojar.* □ SEM. Aunque la RAE lo considera sinónimo de *mojo*, en la lengua actual no se usa como tal.

mojicón s.m. **1** Bollo o bizcocho pequeño, esponjoso y poco sabroso. **2** col. Golpe dado en la cara con la mano. □ ETIMOL. De *mojar.*

mojiganga s.f. **1** Obra teatral breve, destinada a hacer reír y en la que intervienen personajes ridículos o extravagantes. **2** Lo que resulta ridículo, esp. si sirve para burlarse de una persona. □ ETIMOL. Quizá de *voxiga*, variante de *vejiga.*

mojigatería s.f. **1** Muestra exagerada de moralidad o facilidad para sentirse escandalizado. **2** Humildad o timidez que se aparentan para conseguir algún fin. **3** Hecho o dicho propios del mojigato.

mojigato, ta adj./s. **1** Que muestra una moralidad exagerada o que se escandaliza con facilidad. **2** Que aparenta humildad o timidez para lograr lo que pretende. □ ETIMOL. De **mojo* (gato) y *gato*, porque con esta repetición se indica apariencia humilde y mansa, pero en realidad astuta y traicionera como la del gato.

[mojito s.m. Cóctel elaborado con ron, azúcar, zumo de limón, gaseosa y hierbabuena.

mojo s.m. Salsa hecha fundamentalmente con aceite, vinagre y especias picantes y otras hierbas aromáticas. □ SEM. Aunque la RAE lo considera sinónimo de *moje*, en la lengua actual no se usa como tal.

mojón s.m. Poste que sirve para señalar la distancia y la dirección de un camino o los límites de un territorio. □ ETIMOL. Del latín **mutulo*, y éste de *mutulus* (modillón, cabeza sobresaliente de una viga).

[moka s.f. →**moca.**

mol s.m. En el Sistema Internacional, unidad básica de cantidad de sustancia, que, expresada en gramos, equivale a su peso molecular; molécula gramo: *Un mol de agua pesa dieciséis gramos.* □ ETIMOL. Por abreviación de *molécula.*

molar ∎ adj. **1** De la muela o relacionado con este diente. ∎ s.m. **2** →**diente molar.** 🗲 dentadura ∎ v. **[3** col. Gustar o agradar mucho: *Me 'mola' ese chico. Me 'mola' la música pop.* **[4** col. Presumir: *¡Cómo 'molas' con tu nueva moto, eh!* □ MORF. Como adjetivo es invariable en género.

[molaridad s.f. En química, concentración de una disolución expresada como el número de moles de soluto presentes en cada litro de disolución.

molcajete s.m. En zonas del español meridional, mortero.

moldavo, va adj./s. De Moldavia (país del este europeo), o relacionado con él.

molde s.m. Pieza hueca que se rellena de una materia que, al solidificarse, toma la forma de aquélla. □ ETIMOL. Del latín *modulus* (medida, módulo).

moldeable adj. Que puede ser moldeado. □ MORF. Invariable en género.

moldeado s.m. **1** Realización de un objeto por medio de un molde o de una figura con una materia blanda. **[2** →**moldeador.**

moldeador s.m. Ondulado del cabello hecho artificialmente y que dura mucho tiempo. □ ORTOGR. Se usa también *moldeado.*

moldear v. **1** Referido a un objeto, sacarle un molde: *Para hacer las reproducciones, antes es necesario moldear la figura original.* **2** Referido a un objeto, elaborarlo al dar forma a una sustancia blanda o fundida, generalmente echándola en un molde: *La escultora moldeó en barro el cuerpo de la modelo.* **[3** Referido esp. a una persona o su carácter, formarlos o modelarlos: *Una buena educación 'moldeó' su carácter.* **[4** Referido al cabello, ondularlo o rizarlo: *Cuando me lavo el pelo, me 'moldeo' las puntas con el secador.*

moldura s.f. **1** Parte saliente y continua, de perfil uniforme y generalmente de poca anchura, que sirve de adorno, unión o refuerzo en una obra arquitectónica, de carpintería y de otras artes: *El techo del salón tiene en los lados unas molduras de escayola.* **2** Marco de un cuadro.

moldurar v. Referido a una obra, hacerle o ponerle molduras: *Él mismo moldura los cuadros que pinta.*

mole ∎ s.m. **1** Pasta hecha con varios tipos de chile, semillas y especias. **2** Comida que se prepara con esta pasta y con carne de pollo, de guajolote o de cerdo. **[3** col. En zonas del español meridional, sangre. ∎ s.f. **4** Lo que es de gran tamaño y peso. **5** Corpulencia o gran volumen de un cuerpo. □ ETIMOL. Las acepciones 4 y 5, del latín *moles* (masa, volumen o peso grandes).

molécula s.f. **1** Conjunto de átomos, iguales o diferentes, unidos mediante enlaces químicos, que constituye la mínima cantidad de sustancia que mantiene todas sus propiedades químicas: *Una molécula de agua está formada por dos átomos de hidrógeno y uno de oxígeno.* **2** ‖**molécula gramo**; cantidad de sustancia que, expresada en gramos, coincide con su peso molecular; mol. □ ETIMOL. Del latín *moles* (masa, volumen o peso grandes).

molecular adj. De las moléculas o relacionado con ellas. □ MORF. Invariable en género.

moler v. **1** Referido a granos o a frutos, golpearlos o frotarlos hasta reducirlos a partes muy pequeñas o a polvo: *El molinillo sirve para moler el café.* **2** Maltratar o hacer daño: *Después de quitarle el dinero, lo molieron a palos.* **3** Cansar o fatigar mucho físicamente: *La lluvia y el frío molieron a los ciclistas.* **4** Aburrir o molestar mucho: *Este niño muele a cualquiera con tantas preguntas.* □ ETIMOL. Del latín *molere.* □ MORF. Irreg. →MOVER.

molestar v. **1** Causar molestia: *No molestes al perro. La música tan alta me molesta. Aunque era tarde, se molestó en acompañarme a casa.* [**2** Ofender ligeramente: *No era mi intención 'molestarte' con mis preguntas. 'Se molestó' cuando le dije que no me gustaba su peinado.* □ SINT. Constr. de la acepción 1 como pronominal: *molestarse EN algo.*

molestia s.f. **1** Perturbación del bienestar o de la tranquilidad de alguien, esp. la producida por la exigencia de un esfuerzo. **2** Lo que causa esta perturbación. **3** Dolor o malestar físico de poca intensidad. □ ETIMOL. Del latín *molestia.*

molesto, ta adj. **1** Que causa molestia. **2** Que siente molestia.

molestoso, sa adj. *col.* En zonas del español meridional, molesto.

molibdeno s.m. Elemento químico, metálico y sólido, de número atómico 42, de gran dureza y difícil de fundir. □ ETIMOL. Del griego *molýbdaina* (trocito de plomo). □ ORTOGR. Su símbolo químico es *Mo.*

molicie s.f. Excesiva comodidad en la forma de vivir. □ ETIMOL. Del latín *mollities,* y éste de *mollis* (blando).

molienda s.f. Operación que consiste en golpear o frotar un cuerpo, esp. granos o frutos, hasta reducirlo a partes muy pequeñas o a polvo. □ ETIMOL. Del latín *molenda* (cosas que se han de moler).

moliente ‖ **moliente y corriente;** →**corriente y moliente.**

molinero, ra s. Persona que tiene a su cargo un molino o que trabaja en él.

molinete s.m. **1** Rueda pequeña con aspas, que se coloca generalmente en un cristal y que sirve para renovar el aire del interior de una habitación. [**2** Aparato giratorio formado por un eje provisto de una serie de aspas o de brazos y que, colocado generalmente en una puerta, permite el paso de las personas de una en una. **3** Juguete compuesto de una varilla con una pequeña rueda de aspas de material ligero en su extremo, que gira con el viento; molinillo. **4** En *tauromaquia,* pase en el que el torero gira en sentido contrario al de la embestida del toro, rozándole el costillar con la muleta.

molinillo s.m. **1** Aparato de cocina que sirve para moler. 🔧 electrodoméstico [**2** Juguete compuesto de una varilla con una pequeña rueda de aspas de material ligero en su extremo, que gira con el viento; molinete. **3** En zonas del español meridional, utensilio de cocina que sirve para batir el chocolate.

molino s.m. **1** Máquina que se usa para moler, triturar o laminar. **2** Edificio en el que está instalada esta máquina. □ ETIMOL. Del latín *molinum.*

molla s.f. **1** En una pieza de carne, parte que tiene menos desperdicio o grasa. [**2** *col.* En una persona, acumulación de grasa en alguna parte del cuerpo; mollete. □ ETIMOL. Del catalán *molla* (meollo). □ MORF. La acepción 2 se usa más en plural.

mollar adj. Referido esp. a un fruto, blando y fácil de partir. □ ETIMOL. De *muelle* (blando). □ MORF. Invariable en género.

molleja s.f. **1** En las aves, estómago muscular en el que se trituran y ablandan los alimentos. **2** En las reses jóvenes, el timo y otros órganos productores de linfocitos. □ ETIMOL. De origen incierto. □ MORF. La acepción 2 se usa más en plural.

mollera s.f. *col.* Cabeza humana. □ ETIMOL. De *muelle* (blando), porque la cabeza es un lugar blando, especialmente en los niños.

mollete s.m. **1** Panecillo de forma ovalada, esponjoso, poco cocido y generalmente de color blanco. **2** *col.* En una persona, acumulación de grasa en alguna parte del cuerpo; molla. □ ETIMOL. De *muelle* (blando).

molón, -a adj. *col.* Que agrada o que gusta mucho.

molusco ▌ adj./s.m. **1** Referido a un animal, que tiene el cuerpo blando, no segmentado, con forma simétrica la mayoría de las veces, y generalmente protegido por una concha: *Las ostras y los calamares son moluscos.* ▌ s.m.pl. **2** En zoología, tipo de estos animales, perteneciente al reino de los metazoos. 🔧 marisco □ ETIMOL. Del latín *molluscus* (blando).

momentáneo, a adj. **1** Que se pasa enseguida o que dura poco tiempo. **2** Que se ejecuta pronto y sin tardanza. □ ETIMOL. Del latín *momentaneus.* □ SEM. Es incorrecto el uso del adverbio *momentáneamente* con el significado de 'por ahora' o 'por el momento': {*Momentáneamente > Por el momento*} *no tengo más que añadir.*

momento s.m. **1** Porción de tiempo que se considera muy breve, esp. en relación con otra; instante: *Comí en un momento para volver rápidamente al trabajo.* **2** Período de tiempo de duración indeterminada y caracterizado por algo: *Durante esos meses pasamos momentos inolvidables.* **3** Período de tiempo concreto en el que tiene lugar la existencia de una persona o de un suceso: *Asistieron las principales figuras poéticas del momento.* **4** Oportunidad u ocasión propicia: *Ten paciencia, que ya llegará tu momento.* **5** ‖ **(a) cada momento;** con frecuencia o continuamente: *No podía estudiar porque a cada momento sonaba el teléfono.* ‖ **al momento;** enseguida o inmediatamente: *No tuvimos que esperar porque nos recibió al momento.* ‖ **de momento** o **por el momento;** por ahora o provisionalmente: *De momento sólo puedes esperar.* ‖ **de un momento a otro;** muy pronto o sin tardanza: *Esperamos su llegada de un momento a otro.* ‖ **por momentos;** de forma continua y progresiva: *El fuego aumentaba por momentos.* □ ETIMOL. Del latín *momentum* (movimiento).

momia s.f. **1** Cadáver que se ha conservado sin descomponerse, ya sea de forma natural o por medios artificiales. **2** Persona muy delgada o demacrada. □ ETIMOL. Del árabe *mumiya* (amalgama con que los egipcios embalsamaban los cadáveres).

momificación s.f. Transformación de un cadáver en momia.

momificar v. Referido a un cadáver, transformarlo en momia: *Muchas civilizaciones antiguas momificaban los cadáveres.* □ ORTOGR. La *c* se cambia en *qu* delante de *e* →SACAR.

momio, mia ▌ adj. **1** Blando, flojo o sin consistencia. ▌ s.m. **2** *col.* Lo que se da gratis o lo que se obtiene con poco esfuerzo.

mona s.f. Véase **mono, na.**

monacal adj. De los monjes, de las monjas o relacionado con ellos. ☐ ETIMOL. Del latín *monachalis*. ☐ MORF. Invariable en género.

monacato s.m. **1** Estado o profesión del monje. **2** Conjunto de las instituciones de los monjes. ☐ ETIMOL. Del latín *monachus* (monje).

monada s.f. **1** Gesto o movimiento propio de los monos. **2** Gesto o gracia que hace un niño pequeño. **3** Gesto o acción de carácter ridículo o poco natural. **4** Halago, zalamería o muestra excesiva de cariño hacia alguien. **5** Lo que resulta bonito, gracioso o delicado. ☐ ORTOGR. Dist. de *mónada*. ☐ SEM. En las acepciones 1, 2, 4 y 5, es sinónimo de *monería*.

mónada s.f. En la filosofía de Leibniz (filósofo alemán de los siglos XVII y XVIII), cada una de las sustancias simples, indivisibles y dotadas de percepción y voluntad que componen el universo: *El alma humana es una mónada finita*. ☐ ETIMOL. Del griego *monás* (unidad). ☐ ORTOGR. Dist. de *monada*.

monago s.m. col. Monaguillo. ☐ ETIMOL. Del latín *monachus* (monje).

monaguillo s.m. Niño o muchacho joven que ayuda al sacerdote durante la celebración de la misa. ☐ ETIMOL. De *monago* (monaguillo).

monarca s.m. En una monarquía, soberano o persona que ejerce la autoridad suprema. ☐ ETIMOL. Del griego *monárkhes*, y éste de *mónos* (uno) y *árkho* (yo gobierno). ☐ SEM. No debe usarse en plural con el significado de 'el rey y la reina'.

monarquía s.f. **1** Sistema de gobierno en el que la jefatura del Estado reside en una sola persona, cuyo derecho es generalmente vitalicio y hereditario. **2** Estado que tiene este sistema de gobierno. **3** Tiempo durante el que ha estado vigente esta forma de gobierno en un país. **4** ‖ [monarquía absoluta; aquella en la que el poder del monarca está por encima de cualquier otro poder o ley. ☐ ETIMOL. Del griego *monarkhía*.

monárquico, ca ▌ adj. **1** De la monarquía, del monarca o relacionado con ellos. ▌ adj./s. **2** Partidario de la monarquía.

monarquismo s.m. Fidelidad o adhesión a la monarquía.

monasterio s.m. Edificio en el que viven en comunidad los monjes o las monjas de una orden religiosa, esp. si es de grandes dimensiones y está situado fuera de una población; cenobio. ☐ ETIMOL. Del griego *monastérion*.

monástico, ca adj. De los monjes, de su estado, del monasterio o relacionado con ellos.

monda s.f. Véase **mondo, da**.

mondadientes s.m. Utensilio de pequeño tamaño, delgado y rematado en punta, que se utiliza para limpiar los restos de comida que quedan entre los dientes; escarbadientes. ☐ MORF. Invariable en número.

mondadura s.f. Cáscara o desperdicio de lo que se monda; monda, peladura. ☐ MORF. Se usa más en plural.

mondar ▌ v. **1** Referido esp. a un fruto o a un tubérculo, quitarles la piel, la cáscara o la corteza; pelar: *¿Quién me ayuda a mondar patatas?* ▌ prnl. **2** Reírse mucho: *Nos mondamos con el chiste que contó*. ☐ ETIMOL. Del latín *mundare* (limpiar, purificar).

mondo, da ▌ adj. **1** Limpio o libre de cosas superfluas, mezcladas o añadidas: *Se le ha caído el pelo y tiene la cabeza totalmente monda*. ▌ s.f. **2** Eliminación de la piel o de la cáscara de frutos, tubérculos o verduras. **3** Cáscara o desperdicio de lo que se monda; mondadura, peladura. **4** ‖ [mondo y lirondo; col. Limpio y sin ningún tipo de añadido: *Vivo de mi sueldo mondo y lirondo*. ‖ ser la monda (lironda); col. [1 Ser muy divertido. col. 2 Ser extraordinario, raro o indignante. ☐ ETIMOL. Del latín *mundus* (limpio, elegante). ☐ MORF. La acepción 3 se usa más en plural.

mondongo s.m. En algunos animales, esp. en el cerdo, intestinos. ☐ ETIMOL. De origen incierto.

moneda s.f. **1** Pieza metálica, generalmente de forma redonda y grabada con algún símbolo del gobierno que la emite, que sirve de medida común para el cambio comercial. **2** Unidad monetaria. **3** ‖moneda corriente; la legal y usual. ‖moneda {divisionaria/fraccionaria}; la que equivale a una fracción exacta de la unidad monetaria legal. ‖pagar {con/en} la misma moneda; comportarse una persona con otra de la misma manera que ésta se ha portado con él. ‖ser moneda corriente; col. Ser habitual y no causar extrañeza. ☐ ETIMOL. Del latín *moneta*, sobrenombre de la diosa Juno, porque junto a su templo se instaló una fábrica de moneda.

monedero, ra ▌ s. **1** Persona que fabrica moneda. ▌ s.m. **2** Bolsa o cartera de pequeño tamaño que se utiliza para llevar el dinero, esp. las monedas. ‖ [monedero electrónico; tarjeta de crédito que permite pagar cantidades de dinero menores de mil pesetas. ☐ MORF. En la acepción 1, la RAE sólo registra el masculino.

monegasco, ca adj./s. De Mónaco (país europeo), o relacionado con él. ☐ MORF. Incorr. *monaguesco*.

monema s.m. En lingüística, unidad mínima que tiene significado: *Los monemas se clasifican en lexemas y morfemas*.

mónera ▌ s.f. **1** Organismo en cuya organización celular no existe la membrana que separa el núcleo del citoplasma: *Las bacterias son móneras*. ▌ pl. [2 En biología, reino de estos organismos. ☐ ETIMOL. Del griego *monéres* (peculiar, solitario).

monería s.f. **1** Gesto o movimiento propio de los monos. **2** Gesto o gracia que hace un niño pequeño. **3** Halago, zalamería o muestra excesiva de cariño hacia alguien. **4** Cosa de poca importancia, poco apreciada o que resulta molesta. [5 Lo que es bonito, gracioso o delicado. ☐ SEM. En las acepciones 1, 2, 3 y 5, es sinónimo de *monada*.

monetario, ria adj. De la moneda o relacionado con ella.

[monetarismo s.m. Doctrina económica que concede gran importancia al control del dinero en circulación y sostiene que los fenómenos monetarios determinan la economía de una nación.

monetizar v. **1** Referido a billetes de banco o a otros instrumentos de pago, darles curso legal como moneda: *El Banco de España monetizará dos nuevos tipos de billetes*. **2** Referido a una moneda, fabricarla con metal: *Se ha monetizado una colección de monedas alusivas a la Casa Real*. ☐ ETIMOL. Del latín *moneta* (moneda). ☐ ORTOGR. La *z* se cambia en *c* delante de *e* →CAZAR.

mongol, -a ▌ adj./s. **1** De Mongolia (país asiático), o relacionado con ella; mogol. ▌ s.m. **2** Lengua oficial de este país. ☐ SEM. En la acepción 1, como adjetivo es sinónimo de *mongólico*.

mongólico, ca ▌ adj. **1** De Mongolia (país asiático), o relacionado con ella; mogólico, mongol. ∎ adj./s. **2** Que padece mongolismo. □ USO La acepción 2 se usa como insulto.

mongolismo s.m. Malformación congénita producida por haberse triplicado total o parcialmente un cromosoma, que origina retraso mental y del crecimiento, y ciertas anomalías físicas; síndrome de Down. □ ETIMOL. De *mongol*, por la semejanza de los rasgos de las personas con esta malformación, con los rasgos de los mongoles.

mongoloide ∎ adj. [**1** Del grupo étnico propio del continente asiático y caracterizado por tener los ojos rasgados y la piel amarillenta. ∎ adj./s. **2** Referido a una persona, que tiene rasgos físicos que recuerdan los de los mongoles, esp. la forma oblicua de los ojos. □ MORF. **1.** Como adjetivo es invariable en género. **2.** Como sustantivo es de género común: *el mongoloide, la mongoloide*. □ USO La acepción 2 tiene un matiz despectivo.

monicaco, ca s. **1** Persona de malas apariencias o considerada de poca importancia. [**2** Persona pequeña en edad o en estatura. □ ETIMOL. De *monigote* por cruce con *macaco*. □ MORF. La RAE sólo registra el masculino.

monición s.f. [En algunas celebraciones litúrgicas, texto breve que en determinados momentos se lee como introducción o como explicación de lo que se va a hacer.

monigote s.m. **1** col. Muñeco o figura grotesca. **2** col. Persona ignorante y que se considera de poca valía. □ ETIMOL. Quizá derivado, despectivo de *monago*.

monipodio s.m. Reunión o asociación de personas para tratar negocios o actividades poco legales. □ ETIMOL. De *monopolio*.

monís s.m. col. Dinero. □ ETIMOL. Del inglés *money* (dinero). □ MORF. Se usa más en plural.

monismo s.m. Doctrina filosófica que reduce todos los seres y fenómenos del universo a una idea o sustancia única, de la que se deriva todo lo aparentemente diverso. □ ETIMOL. Del griego *mónos* (uno, solo).

monista ∎ adj. **1** Del monismo o relacionado con esta doctrina filosófica. ∎ adj./s. **2** Partidario o seguidor del monismo. □ MORF. **1.** Como adjetivo es invariable en género. **2.** Como sustantivo es de género común: *el monista, la monista*. **3.** En la acepción 2, la RAE sólo lo registra como sustantivo.

monitor, -a ∎ s. **1** Persona que guía o que dirige a otras en el aprendizaje o en la realización de una actividad, esp. si ésta es cultural o deportiva. ∎ s.m. **2** Aparato que aporta datos visuales o sonoros para facilitar el control de un proceso o de un sistema. □ ETIMOL. La acepción 1, del latín *monitor* (que advierte). La acepción 2, del inglés *monitor*.

monitorio, ria ∎ adj. **1** Que sirve para avisar. ∎ s.m. **2** Advertencia que las autoridades eclesiásticas dirigen a las fieles, esp. para averiguar ciertos hechos o para señalar normas de conducta. □ ETIMOL. Del latín *monitorius*, y éste de *monere* (amonestar).

[**monitorización** s.f. Control de la situación de un paciente a través de un monitor con un seguimiento continuo de sus constantes vitales.

[**monitorizar** v. Controlar a un paciente a través de un monitor con un seguimiento continuo de sus constantes vitales: *Tras la operación, el paciente 'fue monitorizado'*.

monja s.f. Mujer que pertenece a una orden o a una congregación religiosa. □ ETIMOL. De *monje*.

monje s.m. Individuo que pertenece a una orden monacal o a una congregación religiosa y que vive en comunidad sujeto a una regla y dedicado a la vida contemplativa. □ ETIMOL. Del provenzal antiguo *monge*.

monjil adj. Propio de las monjas o relacionado con ellas. □ MORF. Invariable en género.

mono, na ∎ adj. **1** col. Bonito, gracioso o atractivo. ∎ adj./s. **2** col. En zonas del español meridional, referido a una persona, que es rubia. ∎ s. **3** Mamífero muy ágil, que tiene la cara desprovista de pelo, cuatro extremidades con manos y pies prensiles y los dedos pulgares opuestos al resto, y que es capaz de andar a cuatro patas o erguido; simio. **4** Joven inmaduro, esp. si intenta adoptar modales de adulto. [**5** col. Persona muy fea, esp. si es muy velluda. ∎ s.m. **6** Prenda de vestir de una sola pieza que cubre el cuerpo, los brazos y las piernas, esp. si se utiliza como traje de faena. [**7** En el lenguaje de la droga, síndrome de abstinencia. [**8** col. Deseo o necesidad de algo que gusta mucho o que se necesita porque ya constituye una costumbre: *Tengo 'mono' de sol.* ∎ s.f. **9** col. Borrachera. **10** En tauromaquia, refuerzo que se ponen los picadores en la pierna derecha. **11** Rosca o torta adornada con huevos, que se cuece en el horno y suele estar rellena de chorizo o jamón; hornazo. **12** ‖ [**a freír monas**; col. Expresión que se usa para indicar rechazo o desinterés: *Vete 'a freír monas' y déjame en paz.* ‖ **el último mono**; col. La persona más insignificante o menos importante de un lugar. ‖ **mona (de Pascua)**; pastel con figuras de chocolate que se hace en las fechas próximas a la fiesta cristiana de Pascua de Resurrección. ‖ **mono sabio**; →**monosabio**. ‖ **tener monos en la cara**; col. Expresión que se usa para protestar ante las miradas impertinentes: *No me mires tanto, que no tengo monos en la cara.* □ ETIMOL. Las acepciones 1-10, de origen incierto. La acepción 11, del catalán *mona*. □ MORF. En la acepción 4, la RAE sólo registra el masculino. □ SINT. **1.** La acepción 7 se usa más con el verbo *tener* y equivalentes o en la expresión *estar con el mono*. **2.** La acepción 10 se usa más con los verbos *pillar, coger* y equivalentes. **3.** *Tener monos en la cara* se usa más en expresiones interrogativas o negativas. **4.** *A freír monas* se usa más con el verbo *mandar* o con los imperativos de *andar, ir* y equivalentes. □ USO En las acepciones 4 y 5 es despectivo.

mono- Elemento compositivo que significa 'único' o 'uno sólo'. □ ETIMOL. Del griego *mónos*.

[**monobikini** o [**monobiquini** s.m. Traje de baño femenino que consta sólo de una braga. □ USO Se usan también *monokini* y *monoquini*.

[**monobloc** o [**monobloque** adj. Referido a un mecanismo o utensilio, que está compuesto de una sola pieza. □ MORF. Invariable en género.

[**monocameralismo** s.m. Sistema parlamentario basado en una sola cámara u órgano legislativo.

[**monocarril** adj./s.m. Referido a un tren, que circula sobre un solo raíl; monorraíl. □ MORF. Como adjetivo es invariable en género.

[**monociclo** s.m. Vehículo formado por una barra vertical con un sillín en un extremo y una rueda en el otro, que se mueve mediante pedales.

[**monoclinal** adj./s.m. Referido a un plegamiento del

terreno, que se ha originado a causa de una tensión de la corteza terrestre, y tiene los estratos en la misma dirección. □ ETIMOL. De *mono-* (uno) y la terminación de *sinclinal*. □ MORF. Como adjetivo es invariable en género. □ SEM. Dist. de *anticlinal* (que tiene forma convexa) y de *sinclinal* (que tiene forma cóncava).

monocolor adj. **1** De un solo color; monocromático, monocromo. **2** En política, formado por miembros de un solo partido político. □ MORF. Invariable en género.

monocorde adj. **1** Referido esp. a un canto o a una sucesión de sonidos, que repiten una misma nota musical. **2** Monótono, insistente o sin variaciones. □ ETIMOL. Del francés *monocorde*. □ MORF. Invariable en género.

monocotiledóneo, a ▌ adj./s.f. **1** Referido a una planta, que tiene un embrión con un solo cotiledón. **▌** s.f.pl. **2** En botánica, clase de estas plantas, perteneciente a la división de las angiospermas. □ ETIMOL. De *mono-* (uno solo) y cotiledón.

monocromático, ca adj. De un solo color; monocolor, monocromo. □ ETIMOL. De *mono-* (uno solo) y *cromático*.

monocromo, ma adj. De un solo color; monocolor, monocromático. □ ETIMOL. Del griego *monóchromos*, y éste de *mónos* (uno) y *khróma* (color).

monóculo s.m. Lente para un solo ojo. □ ETIMOL. De *mono-* (uno solo) y el latín *oculus* (ojo). 🕶 gafas

monocultivo s.m. Sistema de explotación agrícola basado en el cultivo de una sola especie vegetal.

monódico, ca adj. De un canto que se interpreta a una sola voz y sin acompañamiento instrumental o relacionado con él. □ ETIMOL. De *mono-* (uno solo) y el griego *oidé* (canto).

monogamia s.f. **1** Estado o situación del hombre que está casado con una sola mujer o que sólo se ha casado una vez. **2** Régimen familiar que prohíbe tener varias esposas a la vez.

monógamo, ma ▌ adj. **[1** De la monogamia o relacionado con ella. **2** Referido a un animal, que se aparea con un solo individuo del otro sexo. **▌** adj./s.m. **3** Referido a un hombre, que sólo tiene una esposa. **▌** ETIMOL. De *mono-* (uno solo) y el griego *gámos* (matrimonio).

monografía s.f. Estudio o tratado que se ocupa de un único tema. □ ETIMOL. De *mono-* (uno solo) y *-grafía* (descripción, tratado).

monográfico, ca adj. De la monografía o relacionado con ella.

monograma s.f. Dibujo hecho con dos o más letras de un nombre, generalmente las iniciales, y que se emplea como abreviatura o como símbolo. □ ETIMOL. De *mono-* (único) y *-grama* (gráfico).

[monokini s.m. →**monobikini**. □ ETIMOL. De *bikini*, porque *bi-* se ha interpretado como *dos* y se ha cambiado por *mono-* (uno solo).

monolingüe adj. **1** Referido a un hablante o a una comunidad de hablantes, que utiliza una sola lengua. **2** Referido a un texto, que está escrito en un solo idioma. □ ETIMOL. De *mono-* (uno solo) y el latín *lingua* (lengua). □ MORF. Invariable en género.

monolítico, ca adj. **1** Del monolito o relacionado con él. **2** Que está hecho de una sola piedra.

monolito s.m. Monumento de piedra de una sola pieza. □ ETIMOL. Del griego *monólithos*, y éste de *mónos* (uno) y *líthos* (piedra).

monólogo s.m. **1** Discurso o reflexión en voz alta que hace una persona que habla a solas o consigo misma, esp. los de un personaje dramático; soliloquio. **2** ‖ **[monólogo interior**; en literatura, en un texto narrativo, reproducción de los pensamientos de un personaje en primera persona y tal y como surgen en su conciencia, respetando incluso su falta de coherencia sintáctica. □ ETIMOL. Del griego *monológos*, y éste de *mónos* (uno) y *légo* (yo hablo).

monomanía s.f. Preocupación o afición exageradas u obsesivas por algo. □ ETIMOL. De *mono-* (uno solo) y *-manía* (manía, obsesión).

monomaniaco, ca o **monomaníaco, ca** adj./s. Que padece monomanía.

monomio s.m. En matemáticas, término de una expresión algebraica en el que sus elementos están unidos por la multiplicación: *La expresión '2x' es un monomio*. □ ETIMOL. De *mono-* (uno solo) y la terminación de *binomio*.

[mononucleosis s.f. Aumento anormal del número de un determinado tipo de glóbulos blancos en la sangre. □ ETIMOL. De *mono-* (uno), *núcleo* y *-osis* (enfermedad). □ MORF. Invariable en número.

[monoparental adj. Con uno solo de los padres. □ MORF. Invariable en género.

[monopartidismo s.m. Sistema político en el que predomina un partido.

monopatín s.m. Plancha de madera u otro material, con ruedas en su parte inferior, que sirve para desplazarse y suele usarse como divertimento. □ USO Es innecesario el uso del anglicismo *skateboard*.

monoplaza adj./s.m. Referido a un vehículo, que tiene capacidad para una persona. □ MORF. Como adjetivo es invariable en género.

monopolio s.m. **1** Concesión otorgada por una autoridad competente a una empresa para que ésta tenga la exclusiva en la fabricación o en la comercialización de un producto o en la prestación de un servicio: *El Estado mejicano se reserva el monopolio de la producción de petróleo*. **2** Ejercicio, influencia o dominio exclusivos de una actividad: *Ese partido mayoritario tiene el monopolio del poder político*. **3** Uso o disfrute exclusivos o prioritarios: *El coche es de todos los hermanos, aunque el mayor tiene el monopolio*. □ ETIMOL. Del griego *monopólion*, y éste de *mónos* (uno) y *poléo* (yo vendo).

monopolista s. El que ejerce monopolio. □ MORF. Es de género común: *el monopolista, la monopolista*.

monopolización s.f. **1** Posesión o adquisición de la explotación exclusiva de un producto o de un servicio. **2** Acaparamiento o atracción en exclusiva.

monopolizador, -a adj./s. Que monopoliza.

monopolizar v. **1** Referido a un producto o a la prestación de un servicio, adquirirlos o tenerlos de forma exclusiva: *Esa empresa monopoliza el servicio de transportes nacionales*. **[2** Referido esp. a un servicio, disfrutar de él de forma exclusiva: *En verano, los niños 'monopolizan' la piscina*. **3** Acaparar o atraer: *Ese famoso actor monopoliza la atención del público*. □ ORTOGR. La *z* se cambia en *c* delante de *e* →CAZAR.

monoptongar v. Referido a un diptongo, fundirlo en una sola vocal: *La primera sílaba de 'poenam', en*

latín, se monoptonga en 'pena', en español. □ OR-
TOGR. La *g* se cambia en *gu* delante de *e* →PAGAR.

[monoquini s.m. →**monobiquini.** □ ETIMOL. De
biquini, porque *bi-* se ha interpretado como *dos* y
se ha cambiado por *mono-* (uno solo).

monorraíl adj./s.m. Referido a un tren, que circula
sobre un solo raíl; monocarril. □ MORF. Como adjetivo es invariable en género.

monorrimo, ma adj. Referido a un verso o a una
composición poética, de una sola rima: *La cuaderna
vía es una estrofa de cuatro versos monorrimos de
catorce sílabas y esquema 'AAAA'.* □ SEM. Dist. de
monorrítmico (un solo ritmo).

monorrítmico, ca adj. De un solo ritmo. □ SEM.
Dist. de *monorrimo* (con una sola rima).

monosabio s.m. En tauromaquia, mozo que ayuda
al picador en la plaza. □ ORTOGR. Se admite también *mono sabio*.

monosacárido s.m. Hidrato de carbono que no
puede descomponerse en hidratos de carbono más
sencillos: *La glucosa es un monosacárido.*

monosílabo, ba adj./s.m. Referido a una palabra,
que tiene una sola sílaba: *'Sí' y 'no' son dos adverbios monosílabos.* □ ETIMOL. Del latín *monosylla-
bus*, y éste del griego *monosýllabos.* □ ORTOGR.
→APÉNDICE DE ACENTUACIÓN.

monoteísmo s.m. Creencia religiosa que admite
la existencia de un solo dios. □ ETIMOL. De *mono-*
(único) y el griego *theós* (dios).

monoteísta ∎ adj. **1** Del monoteísmo o relacionado
con esta creencia. ∎ adj./s. **2** Que tiene como creencia el monoteísmo. □ MORF. **1**. Como adjetivo es invariable en género. **2**. Como sustantivo es de género
común: *el monoteísta, la monoteísta.*

monotipia s.f. o **monotipo** s.m. **1** Máquina de
imprimir que funde los caracteres uno a uno. **2** Arte
o técnica de componer textos con esta máquina. □
ETIMOL. *Monotipo*, de *mono-* (uno solo) y el griego
týpos (modelo, tipo).

monotonía s.f. **1** Uniformidad o igualdad de tono,
esp. en la voz o en la música. **2** Falta de variedad
o de cambios.

monótono, na adj. Que tiene monotonía. □ ETI-
MOL. Del griego *monótonos*, y éste de *mónos* (uno)
y *tónos* (tono, acento).

monovalente adj. Referido a un elemento químico,
que funciona con una sola valencia: *El calcio es monovalente.* □ MORF. Invariable en género.

[monovolumen s.m. Tipo de automóvil en el que
el motor, el espacio para pasajeros y el maletero
constituyen un solo volumen.

[monóxido s.m. En química, óxido cuya molécula
contiene un átomo de oxígeno: *El 'monóxido' de carbono es contaminante.*

monseñor s.m. Tratamiento honorífico que corresponde a determinados eclesiásticos. □ ETIMOL. Del
italiano *monsignore.*

monserga s.f. **1** Explicación, pretensión o petición
fastidiosas o pesadas. **[2** col. Lata, tabarra o tostón.
□ ETIMOL. De origen incierto. □ MORF. La acepción
1 se usa más en plural.

monstruo s.m. **1** Ser fantástico y extraño que generalmente asusta o espanta. **2** Lo que resulta muy
grande o extraordinario: *Esa cantante dará un recital monstruo en el verano.* **3** Persona o cosa de
enorme fealdad. **4** Persona muy cruel, malvada y
perversa. **5** col. Persona que tiene extraordinarias

cualidades para determinada actividad. **[6** Proyecto
de una publicación, previo a su edición, y consistente en el diseño de su formato y de su aspecto material. □ ETIMOL. Del latín *monstrum* (prodigio). □
SINT. En la acepción 2, se usa en aposición, pospuesto a un sustantivo.

monstruosidad s.f. **1** Desproporción, anormalidad o fealdad exageradas en lo físico o en lo moral.
2 Hecho o dicho monstruosos.

monstruoso, sa adj. **1** Excesivamente grande,
extraordinario o feo. **2** Abominable, horrible o vituperable. □ ETIMOL. Del latín *monstruosus.*

monta s.f. **1** Importancia o valor: *Tiene un negocio
de poca monta.* **2** Guía o conducción del caballo que
ejecuta el que lo monta. **3** Unión sexual de un animal macho con la hembra para fecundarla.

montacargas s.m. Ascensor para subir y bajar cosas pesadas. □ ETIMOL. Del francés *monte-charge.* □
MORF. Invariable en número.

montado, da ∎ adj. **1** Referido esp. a un soldado o
a un policía, que va a caballo. ∎ s.m. **2** Bocadillo pequeño.

montador, -a s. **1** Persona que se dedica profesionalmente al montaje de máquinas, de muebles o
de aparatos. **2** Persona que se dedica profesionalmente al montaje de películas de cine o de programas de radio o televisión.

montaje s.m. **1** Colocación o ajuste de las piezas
de un objeto en el lugar que les corresponde: *El
montaje de esta mesa es fácil.* **2** En cine, vídeo y televisión, selección y colocación del material ya filmado para construir la versión definitiva de una película o de un programa. **3** Organización o coordinación de los elementos de un espectáculo teatral
siguiendo el plan artístico de un director. **4** Lo que
se prepara para que parezca otra cosa de la que es
en realidad. **5** Ajuste y acoplamiento de las diversas
partes de un todo: *montaje fotográfico.*

montano, na adj. Del monte o relacionado con él.
□ ETIMOL. Del latín *montanus.*

montante s.m. **1** Suma, importe o cuantía: *el montante de una deuda.* **2** Ventana sobre la puerta de
una habitación. □ ETIMOL. De *montar.*

montaña s.f. **1** Gran elevación natural del terreno;
monte. montaña **2** Territorio en el que abundan estas elevaciones. **3** col. Gran número o cantidad de algo, esp. si forma un montón. **4** Dificultad,
obstáculo o problema: *No hagas una montaña de
esta tontería.* **5** ‖**montaña rusa**; en ferias y parques

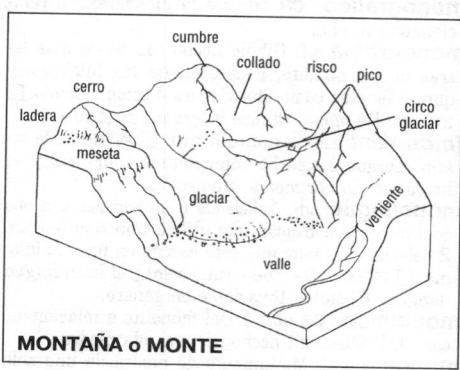

MONTAÑA o MONTE

de atracciones, **atracción** que consiste en unas vagonetas que circulan a gran velocidad por una vía con pendientes, curvas y vueltas muy pronunciadas. ☐ ETIMOL. Del latín *montanea.

montañero, ra ∎ adj. **1** De la montaña o relacionado con ella; montañés. ∎ s. **2** Persona que practica el montañismo.

montañés, -a ∎ adj. **1** De la montaña o relacionado con ella; montañero. ∎ adj./s. **2** Natural de una montaña.

montañismo s.m. [Deporte que consiste en realizar marchas a través de las montañas. ☐ SEM. Dist. de *alpinismo* (deporte que consiste en escalar montañas).

montañoso, sa adj. Referido a un territorio, que tiene muchas montañas.

[**montaplatos** s.m. Montacargas pequeño que sirve para subir y para bajar la comida desde la cocina al comedor, en hoteles y restaurantes. ☐ MORF. Invariable en número.

montar v. [**1** col. Organizar, armar o realizar: *Seis soldados 'montaron' guardia junto al campamento. No 'montéis' tanto jaleo.* **2** Referido a un objeto, armarlo o colocar y encajar las piezas en su sitio: *Tardamos dos horas en terminar de montar la estantería.* **3** Referido esp. a una vivienda, poner lo necesario para ocuparla o para vivir en ella: *Montaré el despacho con muebles de madera.* **4** Referido esp. a un negocio, establecerlo o instalarlo para que empiece a funcionar: *¿Dónde montarás la clínica?* **5** Referido esp. a una piedra preciosa, engastarla o engarzarla: *Yo te monto las perlas en oro con el diseño que tú elijas.* **6** Referido a la nata o a la clara del huevo, batirlas hasta ponerlas esponjosas y consistentes: *He traído nata para montar.* **7** Referido a un arma de fuego, ponerla en disposición de disparar: *El sargento enseñaba a los reclutas cómo montar el fusil.* **8** Referido a un espectáculo o a una exposición, disponer lo necesario para que puedan tener lugar: *Esta directora ha montado varias obras teatrales.* **9** Referido esp. a una película, hacer su montaje seleccionando y colocando el material filmado: *Cuando hayamos filmado todo, empezaremos a montar la película.* **10** Referido a un animal macho, unirse sexualmente a la hembra para fecundarla; cubrir: *El toro montaba a la vaca.* **11** Subir o ponerse encima de una cosa: *Monté al niño en el columpio. Móntate en el manillar y te doy un paseo.* **12** Ir a caballo o sobre otra cabalgadura: *Aprendió a montar con cinco años.* **13** Subir al caballo o a otra cabalgadura: *El piel roja montó de un salto y salió huyendo.* **14** Referido a un caballo, llevarlo como cabalgadura: *El jinete iba montando un potro precioso.* **15** Subir a un medio de transporte o utilizarlo: *Nunca he montado en avión. Se montó en un autobús equivocado.* [**16** Conducir o manejar un vehículo, esp. si es de dos ruedas: *¿Me enseñas a 'montar' en bici?* **17** Seguido de la preposición *en* y de términos que indican un estado de ánimo agresivo, manifestar con violencia lo que éstos significan: *Montó en cólera y rompió la mesa de un puñetazo.* **18** || [**montárselo**; col. Organizarse alguien sus propios asuntos de manera productiva o fácil: *Gana mucho dinero porque 'se lo ha montado' muy bien en su negocio.* ||**tanto monta**; es igual o vale lo mismo: *En mi casa, tanto monta mi marido como yo. Llévate el que quieras, tanto monta.* ☐ ETIMOL. Del francés *monter* (subir). ☐ SINT.

Constr. de las acepciones 15 y 16: *montar* EN *algo*. ☐ SEM. En las acepciones 12 y 14, es sinónimo de *cabalgar*.

montaraz adj. **1** Que vive en los montes o que se ha criado en ellos. **2** Rudo, tosco o grosero. ☐ ETIMOL. De *monte*. ☐ MORF. Invariable en género.

monte s.m. **1** Gran elevación natural del terreno; montaña. 🖘 montaña **2** Terreno sin cultivar poblado de árboles, arbustos y matas. **3** ||echarse al **monte**; huir para escapar de alguna situación comprometida o difícil. ||**monte alto**; **1** El poblado de árboles grandes. **2** Estos mismos árboles. ||**monte bajo**; **1** El poblado de arbustos, matas o hierbas y pequeños árboles. **2** Estas matas o hierbas. ||**monte (de piedad)**; establecimiento público en el que se conceden préstamos a bajo interés a cambio de empeños. ||**monte de Venus**; **1** euf. Pubis femenino. **2** En la palma de la mano, cada una de las pequeñas elevaciones situadas en la raíz de los dedos, esp. la del dedo pulgar. ☐ ETIMOL. Del latín *mons* (monte, montaña).

montea s.f. Búsqueda y persecución de la caza mayor en los montes.

montepío s.m. **1** Depósito de dinero, creado generalmente a partir de descuentos en el salario de los individuos de un cuerpo o sociedad, para poder conceder pensiones o ayudas a sus familias. **2** Pensión que se paga o que se recibe de este depósito. **3** Establecimiento público o privado fundado con este objeto. ☐ ETIMOL. De *monte* y *pío* (piadoso).

montería s.f. Caza o cacería de animales de caza mayor. ☐ ETIMOL. De *monte*.

montero, ra ∎ s. **1** Persona que busca y persigue la caza mayor en el monte. ∎ s.f. **2** Gorro que usan los toreros, generalmente de terciopelo negro. 🖘 sombrero ☐ ETIMOL. De *monte*.

montés adj. Que vive, está o se cría en el monte. ☐ MORF. Invariable en género.

montículo s.m. Montón pequeño, generalmente aislado, natural o hecho por el hombre o por los animales. ☐ ETIMOL. Del latín *monticulus*.

montilla s.m. Vino blanco de gran calidad, originario de Montilla (ciudad cordobesa).

monto s.m. Suma final de varias cantidades.

montón s.m. **1** Conjunto de cosas puestas unas sobre otras, generalmente sin orden; taco: *Tenía en la mesa un montón de papeles.* **2** col. Gran cantidad o abundancia: *un montón de gente.* **3** ||**del montón**; col. Corriente y vulgar. ☐ ETIMOL. De *monte*.

montuno, na adj. Del monte o relacionado con él.

montura s.f. **1** Animal sobre el que se puede montar o llevar carga; cabalgadura. **2** Conjunto de los arreos o guarniciones de una caballería, esp. la silla de montar. **3** Armazón sobre el que se coloca o se monta algo: *la montura de unas gafas.* 🖘 gafas ☐ ETIMOL. El francés *monture*.

monumental adj. **1** Del monumento o relacionado con él. **2** col. Muy grande, excelente o espectacular. ☐ MORF. Invariable en género.

monumentalidad s.f. Grandiosidad, espectacularidad y majestuosidad que se consideran propias de un monumento.

monumento s.m. **1** Obra pública, esp. arquitectónica o escultórica, de carácter conmemorativo. **2** Construcción que posee valor artístico, histórico o arqueológico. **3** Obra científica, artística o literaria que se hace memorable por su mérito excepcional.

4 En la iglesia católica, altar adornado en el que se deposita la hostia consagrada el Jueves Santo (día de la última cena de Jesús). **5** *col.* Persona muy guapa o con un cuerpo muy bonito. □ ETIMOL. Del latín *monumentum* (monumento conmemorativo).

monzón s.m. Viento periódico que sopla principalmente en el sudeste asiático y que es frío y seco en invierno y húmedo y cálido en verano. □ ETIMOL. Del portugués *mono*. □ MORF. La RAE lo registra como sustantivo de género ambiguo.

[**monzónico, ca** adj. **1** Del monzón o relacionado con este viento. **2** *Referido esp. a un clima,* que se caracteriza por las fuertes lluvias que se producen en verano.

moña s.f. **1** Lazo o adorno que suelen ponerse las mujeres en la cabeza. **2** *col.* Borrachera. [**3** *En zonas del español meridional,* moño. □ ETIMOL. La acepción 1, de *moño*.

[**moñiga** s.f. →**boñiga**.

[**moñigo** s.m. →**boñigo**.

[**moñito** s.m. →**corbata moñito**.

moño s.m. **1** Atado o recogido del cabello, que generalmente se hace enrollándolo sobre sí mismo y sujetándolo con horquillas. 🖾 peinado **2** *En algunas aves,* grupo de plumas de la cabeza que sobresalen: *La alondra tiene moño.* **3** *En zonas del español meridional,* lazo para el pelo. **4** ‖ **hasta el moño**; *col.* Muy harto. □ ETIMOL. Quizá de la raíz prerromana *munn-* (bulto).

moñudo, da adj. *Referido a un ave,* que tiene unas plumas que sobresalen en la cabeza.

[**mopa** s.f. Especie de bayeta o de cepillo hecho con hilos gruesos unidos a un mango muy largo, que se usa para quitar el polvo de los suelos. □ ETIMOL. Del inglés *mop*.

moquear v. Echar mocos: *Tengo la nariz irritada de tanto moquear.*

moqueo s.m. Secreción abundante de mocos.

moquero s.m. *col.* Pañuelo para limpiarse los mocos.

moqueta s.f. Tela fuerte que se utiliza para tapizar paredes o para alfombrar suelos. □ ETIMOL. Del francés *moquette*.

[**moquetar** v. →**enmoquetar**.

moquete s.m. *col.* Puñetazo. □ ETIMOL. De *moco*.

moquillo s.m. En algunos animales, esp. en el perro, enfermedad vírica contagiosa que generalmente produce fiebre, inflamación en las vías respiratorias y alteración del tejido nervioso. □ ETIMOL. De *moco*. □ SEM. Dist. de *moquita* (moco muy líquido).

moquita s.f. Moco muy líquido que fluye de la nariz. □ SEM. Dist. de *moquillo* (enfermedad vírica). □ USO Aunque la RAE sólo registra *moquita*, en la lengua actual se usa mucho *moca*.

mor ‖ **por mor de**; *ant.* A causa de o en consideración a: *No puedo callarme lo que sé, por mor de la verdad.* □ ETIMOL. Por acortamiento de *amor*.

mora s.f. Véase **moro, ra**.

[**moraco, ca** adj./s. Moro. □ USO Es despectivo.

morada s.f. Véase **morado, da**.

morado, da ‖ adj./s.m. **1** De color violeta oscuro. ‖ s.m. [**2** *col.* →**moratón**. ‖ s.f. **3** Lugar en el que alguien mora o reside. **4** ‖ **pasarlas moradas**; *col.* Encontrarse en una situación muy difícil o apurada. ‖ **ponerse morado**; hartarse, saciarse o disfrutar mucho: *Me puse morado de paella.* □ ETIMOL. Las

acepciones 1, 2 y 4, de *mora* (fruto). La acepción 3, de *morar*.

morador, -a adj./s. Que mora o habita en un lugar. □ USO Su uso es característico del lenguaje literario.

moradura s.f. Mancha amoratada o amarillenta que se produce en la piel, generalmente por efecto de un golpe. □ SEM. Es sinónimo de *cardenal* y *moratón*.

moral ‖ adj. **1** De las acciones o los caracteres humanos respecto a su bondad o a su maldad, o relacionado con ellos: *principios morales.* [**2** Que se considera bueno: *comportamiento 'moral'.* **3** Que atañe al espíritu o al respeto humanos, y no a lo material o jurídico: *obligación moral.* ‖ s.m. **4** Árbol de tronco grueso y recto, hojas ásperas, caducas y muy verdes, cuyo fruto es la mora, que, cuando está madura, es de color morado. ‖ s.f. **5** Ciencia que estudia el bien y las acciones humanas respecto a su bondad o su maldad. [**6** Cualidad de las acciones humanas que las hace buenas o aceptables; moralidad. **7** Conjunto de valores espirituales y normas de conducta de una persona o de una colectividad que se consideran buenos o aceptables. **8** Ánimo o confianza en uno mismo: *No piensa en el fracaso porque tiene mucha moral.* □ ETIMOL. Las acepciones 1-3 y 5-8, del latín *moralis*, y éste de *mos* (uso, costumbre). La acepción 4, de *mora* (fruto). □ MORF. Como adjetivo es invariable en género.

moraleja s.f. Lección o enseñanza provechosa, esp. las que se deducen de una lectura didáctica. □ ETIMOL. De *moral*.

moralidad s.f. **1** Conformidad o acuerdo con los valores morales establecidos. **2** Cualidad de las acciones humanas que las hace buenas o aceptables; moral.

moralina s.f. Moralidad falsa o inoportuna.

[**moralismo** s.m. Predominio de los valores morales o defensa exagerada de ellos.

moralista s. Persona que se dedica a la enseñanza o al estudio de la moral. □ MORF. Es de género común: *el moralista, la moralista.*

moralizador, -a adj./s. Que moraliza.

moralizar v. **1** Enseñar o defender lo que se consideran buenas costumbres: *Sus novelas son pesadas y aburridas porque moraliza en exceso.* **2** Reformar los valores morales que se consideran malos enseñando los buenos: *Hay que moralizar la vida pública y acabar con el tráfico de influencias.* □ ORTOGR. La *z* se cambia en *c* delante de *e* →**CAZAR**.

[**moranco, ca** adj./s. Moro. □ USO Es despectivo.

morar v. Residir o habitar: *En esta calle moraron dos famosos escritores.* □ ETIMOL. Del latín *morari* (entretenerse, permanecer). □ USO Su uso es característico del lenguaje literario.

moratón s.m. *col.* Mancha amoratada o amarillenta que se produce en la piel, generalmente por efecto de un golpe. □ SEM. Es sinónimo de *cardenal* y *moradura*. □ USO Aunque la RAE sólo registra *moratón*, se usa mucho *morado*.

moratoria s.f. Ampliación del plazo que se tiene para cumplir una obligación, esp. para pagar una deuda vencida. □ ETIMOL. Del latín *moratoria*, y éste de *moratorius* (dilatorio).

morbidez s.f. Suavidad, blandura y delicadeza. □ ETIMOL. Del italiano *morbidezza*.

mórbido, da adj. **1** Suave, blando y delicado. **2**

Que padece una enfermedad o que la ocasiona. □ ETIMOL. Del latín *morbidus*.

morbilidad s.f. Número de personas que enferman en una población o en un tiempo determinados, en relación con el total de la población. □ ETIMOL. Del inglés *morbility*. □ SEM. Dist. de *mortalidad* (número de muertes) y de *mortandad* (gran cantidad de muertes).

morbo s.m. *col.* Atracción y excitación que produce lo desagradable, lo cruel, lo prohibido o lo considerado inmoral.

morbosidad s.f. **1** Falta de moralidad o de licitud que hace que resulte atractivo o excitante lo que está prohibido, se considera inmoral o es desagradable o cruel. **2** Conjunto de los casos de enfermedades que caracterizan el estado sanitario de una población. **3** Capacidad para producir enfermedades.

morboso, sa ▌ adj. **1** De la enfermedad o relacionado con ella. ▌ adj./s. **2** Que produce o que siente morbo o atracción y excitación producidas por lo desagradable, lo cruel, lo prohibido o lo considerado inmoral. □ ETIMOL. Del latín *morbosus*.

morcilla s.f. **1** Embutido de sangre cocida y mezclada con cebolla y especias. **2** Frase o palabras que un actor improvisa e introduce en su papel en el momento de la representación; embuchado. **[3** *col.* Lo que resulta deforme o mal hecho. **4** ‖que {me/te/...} den morcilla(s);** *col.* Expresión que indica desprecio o desinterés: *Vete y que te den morcilla.* □ ETIMOL. De origen incierto.

morcillo s.m. En un animal bovino, parte alta y carnosa de las patas. ↘ carne

morcón s.m. **1** Tripa gruesa de algunos animales que se utiliza para hacer embutidos. **2** Embutido hecho con esta tripa. □ ETIMOL. Quizá de origen prerromano.

mordacidad s.f. Ironía o crítica agudas y malintencionadas.

mordaz adj. Que muestra, expresa o implica ironía y crítica agudas y malintencionadas. □ ETIMOL. Del latín *mordax*. □ MORF. Invariable en género.

mordaza s.f. Lo que sirve para tapar la boca e impedir hablar o gritar. □ ETIMOL. Del latín *mordacia*.

mordedor, -a ▌ adj. **1** Que muerde. ▌ s.m. **[2** Utensilio de goma o de plástico que utilizan los bebés para morder.

mordedura s.f. Aprisionamiento que se hace de algo clavándole los dientes.

mordente s.m. →**mordiente.** □ ETIMOL. Del italiano *mordente*.

morder v. **1** Clavar los dientes: *Un perro mordió a este niño. Los caramelos no se muerden, se chupan.* **2** *col.* Besar o dar mordiscos suaves o cariñosos: *Su madre no dejaba de morderle en las mejillas.* **3** *col.* Referido a una persona, manifestar o sentir gran enfado o rabia: *Le han negado el ascenso y está que muerde.* □ ETIMOL. Del latín *mordere*. □ MORF. Irreg. →MOVER.

mordida s.f. Véase **mordido, da.**

mordido, da ▌ adj. **1** Disminuido o deteriorado por efecto de una merma o desgaste. ▌ s.f. **2** *col.* Mordedura o mordisco. **3** *col.* Dinero que se acepta como soborno.

mordiente s.m. Sustancia química que sirve para fijar los colores o el pan de oro. □ ORTOGR. Se admite también *mordente*.

mordiscar v. →**mordisquear.** □ ORTOGR. La *c* se cambia en *qu* delante de *e* →SACAR.

mordisco s.m. **1** Mordedura, esp. la que se hace con los dientes y arrancando una pequeña porción. **2** Porción o pedazo que se saca de esta manera. **3** Parte o beneficio obtenidos en un reparto o en un negocio.

mordisquear v. **[1** Morder repetidamente y con poca fuerza o quitando pequeñas porciones: *Mordisqueaba' con desgana el bocadillo.* **2** Picar o punzar como mordiendo: *Mordisqueó la hoja de papel con una grapadora, porque no se dio cuenta de que no tenía grapas.* □ SEM. Es sinónimo de *mordiscar.*

morenez s.f. Color oscuro que tira más o menos a negro; morenura.

moreno, na ▌ adj./s. **1** Referido a un color o a un tono, que es oscuro y tira más o menos a negro. **2** Referido a una persona, que tiene el pelo castaño o negro. **3** Referido esp. a una persona, que tiene la piel oscura o bronceada. **4** *col.* Referido a una persona, que es mulata o de piel negra. ▌ s.f. **5** Pez marino con fuertes dientes y el cuerpo alargado, cuya carne es muy apreciada para la alimentación humana. □ ETIMOL. Las acepciones 1-4, de *moro.* La acepción 5, del latín *muraena.* □ ORTOGR. En la acepción 5, se admite también *murena.* □ MORF. En la acepción 5, es un sustantivo epiceno: *la morena macho, la morena hembra.* □ USO En la acepción 4, tiene un matiz humorístico.

morenura s.f. →**morenez.**

morera s.f. Árbol de tronco grueso y recto, de hojas ásperas, caducas y muy verdes, cuyo fruto es la mora de color blanco o rosado.

morería s.f. Barrio que habitaron los musulmanes.

morfema s.m. En una palabra, unidad mínima sin significado léxico, que sirve para derivar palabras nuevas o para dar forma gramatical a un lexema: *Las palabras 'niño' y 'niña' se diferencian por el morfema de género.* □ ETIMOL. Del griego *morphé* (forma) y *-ma* (resultado o efecto). □ SEM. Dist. de *lexema* (unidad mínima con significado léxico).

morfina s.f. Sustancia que se extrae del opio y cuyas sales, en dosis pequeñas, se emplean en medicina con fines anestésicos o sedantes. □ ETIMOL. Por alusión a Morfeo, dios griego del sueño, porque la morfina produce sopor.

morfinómano, na adj./s. Que es adicto a la morfina.

morfología s.f. **1** En lingüística, parte de la gramática que estudia la flexión, la composición y la derivación de las palabras. **2** En biología, parte que estudia la forma de los seres orgánicos y su evolución. **[3** En geología, parte que estudia las formas del relieve terrestre, su origen y su evolución. □ ETIMOL. Del griego *morphé* (forma) y *-logía* (estudio, ciencia).

morfológico, ca adj. De la morfología o relacionado con ella.

[morfosintaxis s.f. Parte de la lingüística que estudia la relación entre la morfología y la sintaxis. □ MORF. Invariable en número.

morganático, ca adj. **1** Referido a un matrimonio, que se realiza entre una persona de familia real y otra de linaje inferior, y en el que cada cónyuge conserva su condición anterior. **2** Referido a una persona, que contrae este matrimonio. □ ETIMOL. Del latín *matrimonium ad morganaticam*, boda en la que la esposa, de rango inferior al marido, renunciaba para sí y su descendencia a todos los bienes y títulos, excepto a la morganática (dádiva que el esposo entregaba a la esposa en la mañana del día de las nupcias).

[morgue (galicismo) s.f. *col.* Depósito de cadáveres. □ USO Su uso en innecesario.

moribundo, da adj./s. Que está muriendo o a punto de morir. □ ETIMOL. Del latín *moribundus*.

morigeración s.f. Moderación en las costumbres y el modo de vida. □ USO Su uso es característico del lenguaje culto.

morigerar v. Referido esp. a un afecto o a una pasión, moderarlos o evitar sus excesos: *La madurez morigera los impulsos. Debes morigerarte y olvidar tus ansias de venganza.* □ ETIMOL. Del latín *morigerare* (condescender), y éste de *morem gerere* (dar gusto).

moriles s.m. Vino de buena calidad y de poca graduación alcohólica, originario de Moriles (pueblo cordobés). □ MORF. Invariable en número.

morillo s.m. Caballete de hierro que se coloca en el hogar o en la chimenea para apoyar la leña. □ ETIMOL. De *moro*, porque el color de su piel se comparó con el de las cabezas que solían adornar los morillos y que acababan tiznándose por el uso.

morir v. **1** Dejar de vivir: *En el accidente murieron varias personas. Las plantas verdes se mueren si no tienen luz.* **2** Acabar, dejar de existir o extinguirse: *Cuando un día muere, otro comienza.* **3** Referido esp. a algo que sigue un curso, ir a parar o llegar a su fin: *De la casa sale un sendero que muere en las faldas de la montaña.* **4** ‖ **morir de** algo; referido esp. a una sensación o a un sentimiento, experimentarlos intensamente: *Muero de ganas de volver a verte. Cada vez que tiene que hablar en público, se muere de vergüenza.* ‖ **morir por** algo; sentir un gran amor, deseo o inclinación hacia ello: *Sus hijos lo admiran y mueren por él. Se muere por conseguir ese puesto.* □ ETIMOL. Del latín *mori*. □ MORF. Irreg.: 1. Su participio es *muerto*. 2. →MORIR.

morisco, ca ∎ adj. **1** De los moriscos o relacionado con estos musulmanes que vivían en reinos cristianos. ∎ adj./s. **2** Referido a un musulmán, que permaneció en España después de terminar la dominación musulmana y fue convertido a la fuerza al cristianismo.

morisqueta s.f. Gesto o mueca hechas con la cara.

morlaco s.m. Toro de lidia de gran tamaño. □ ETIMOL. De origen incierto.

mormón, -a ∎ adj. **[1** →**mormónico.** ∎ adj./s. **2** Que practica el mormonismo. □ ETIMOL. De *Mormón*, nombre del profeta al que aludía el fundador del mormonismo. □ MORF. En la acepción 2, la RAE sólo lo registra como sustantivo.

mormónico, ca adj. Del mormonismo o relacionado con este movimiento religioso. □ MORF. En la lengua coloquial, se usa mucho la forma abreviada *mormón.*

mormonismo s.m. Movimiento religioso estadounidense fundado en el siglo XIX, basado en las enseñanzas bíblicas.

moro, ra ∎ adj./s. **1** Del norte de África (uno de los cinco continentes) o relacionado con esta zona. **2** Referido a un musulmán, que vivió en España en la época comprendida entre los siglos VIII y XV. **3** *col.* Que tiene como religión el islamismo; musulmán. ∎ adj./s.m. **[4** *col.* Referido a un hombre, que intenta domi-

nar a su pareja por machismo y celos. ∎ s.f. **5** Fruto de la zarzamora, del moral y de la morera. **6** En derecho o en economía, dilación o tardanza en cumplir una obligación, esp. la de pagar una deuda vencida: *El banco está en dificultades por el elevado número de créditos en mora.* **7** ‖ **[al moro;** *col.* En el lenguaje de la droga, a Marruecos para conseguir droga, generalmente hachís: *Bajará 'al moro', porque tiene asegurada la venta de la mercancía.* ‖ **moros en la costa;** *col.* Alguien cuya presencia no conviene o resulta peligrosa: *Ya me lo contarás en otro momento, porque hoy hay moros en la costa.* □ ETIMOL. Las acepciones 1-4 y 7, del latín *Maurus* (habitante del noreste de África). La acepción 5, del latín *mora*. La acepción 6, del latín *mora* (dilación). □ SINT. *Moros en la costa* se usa más con el verbo *haber* o equivalentes. □ USO Las acepciones 1-4 tienen un matiz despectivo.

morosidad s.f. **1** Falta de puntualidad en el cumplimiento de un plazo. **2** Lentitud o tardanza.

moroso, sa adj./s. **1** Impuntual en un pago o en la devolución de algo. **2** Lento o con poca actividad. □ ETIMOL. Del latín *morosus*. □ MORF. La RAE sólo lo registra como adjetivo.

morrada s.f. Golpe fuerte, esp. el dado en la cara. □ USO Aunque la RAE sólo registra *morrada*, se usa más *morrazo.*

morral s.m. Saco o talego generalmente usado por cazadores, pastores o caminantes para llevar provisiones o ropas. □ ETIMOL. De *morro* (cualquier cosa redonda semejante a la cabeza), porque antiguamente el morral también se colgaba de la cabeza de las bestias para que comiesen.

morralla s.f. Conjunto o mezcla de cosas inútiles o de poco valor.

[morrazo s.m. *col.* →**morrada.**

[morrear v. *vulg.* Besarse en la boca durante largo tiempo: *Esos novios morrean en cualquier esquina.*

morrena s.f. Conjunto de piedras y barro acumulados y transportados por un glaciar.

morreo s.m. *vulg.* [Besuqueo continuado en la boca.

morrillo s.m. Parte carnosa y abultada que tienen las reses en la parte superior del cuello.

morriña s.f. *col.* Tristeza o melancolía, esp. las que se sienten por estar lejos de la tierra natal. □ ETIMOL. Del gallego y portugués *morrinha.*

morriñoso, sa adj. Que tiene o siente morriña.

morrión s.m. En una armadura, casco con los bordes levantados. 🔎 casco

morro s.m. **1** En la cabeza de algunos animales, parte más o menos abultada en la que se encuentran la boca y los orificios nasales; hocico: *morro de cerdo.* 🔎 carne **2** *vulg.* Labios. **3** Parte delantera que sobresale: *el morro del coche.* **[4** *vulg.* Cara dura: *Tienes mucho 'morro' y nunca pagas tú.* **5** ‖ **a morro;** *col.* Referido a una forma de beber, directamente del recipiente y sin vaso: *Me gusta beber la cerveza a morro.* ‖ **estar de morros;** *col.* Estar enfadado o fastidiado. ‖ **poner morros** o **torcer el morro;** *col.* Poner cara de mal humor o de enfado. □ ETIMOL. De origen incierto.

morrocotudo, da adj. *col.* Muy grande, muy importante o muy difícil.

morrón s.m. *col.* Golpe fuerte e inesperado. □ ETIMOL. De *morro.*

morrudo, da adj. **1** Referido a un animal, que tiene

el morro o el hocico grande y saliente. **2** *col.* Referido a una persona, que tiene los labios gruesos y salientes.

morsa s.f. Mamífero marino carnicero, parecido a la foca pero de mayor tamaño, que se caracteriza por el enorme desarrollo de sus caninos superiores. ☐ ETIMOL. Del francés *morse*. ☐ MORF. Es un sustantivo epiceno: *la morsa macho, la morsa hembra*. ☐ SEM. Aunque la RAE lo considera sinónimo de *elefante marino*, en círculos especializados no lo es.

morse s.m. →**código morse**. ☐ ETIMOL. Por alusión al nombre del inventor.

mortadela s.f. Embutido grueso hecho de carne muy picada, generalmente de cerdo o de vaca, tocino y especias. ☐ ETIMOL. Del italiano *mortadella*, y éste del latín *murtatum* (embutido sazonado con mirto).

mortaja s.f. Vestidura con la que se viste o se envuelve un cadáver para enterrarlo. ☐ ETIMOL. Del latín *mortualia* (vestidos de luto).

mortal ▌ adj. **1** Que ha de morir. **2** Que ocasiona o puede ocasionar la muerte física o espiritual: *El veneno de una víbora es mortal*. **3** Propio de un muerto o semejante a él. **4** Fatigoso o muy pesado: *un aburrimiento mortal*. **5** Referido a un sentimiento, que hace desear la muerte de otro. [**6** Muy fuerte o muy intenso: *un susto 'mortal'*. **7** Decisivo o determinante: *Esa desgracia fue un golpe mortal para su estabilidad mental*. ▌ s. **8** Persona o ser de la especie humana. ☐ ETIMOL. Del latín *mortalis*. ☐ MORF. 1. Como adjetivo es invariable en género, y como sustantivo es de género común: *el mortal, la mortal*. 2. La acepción 8 se usa más en plural.

mortalidad s.f. **1** Calidad de lo que ha de morir. **2** Número de muertes en una población o en un tiempo determinados, en relación con el total de la población. ☐ SEM. En la acepción 2, dist. de *morbilidad* (número de personas que enferman) y de *mortandad* (gran cantidad de muertes).

mortandad s.f. Gran número de muertes ocasionadas por una catástrofe. ☐ ETIMOL. De *mortalidad*. ☐ SEM. Dist. de *morbilidad* (número de personas que enferman) y de *mortalidad* (número proporcional de muertos).

mortecino, na adj. Con poca intensidad, fuerza o viveza. ☐ ETIMOL. Del latín *morticinus*.

mortero s.m. **1** Recipiente en el que se machacan con un mazo semillas, especias u otras sustancias. 🔬 química **2** Pieza de artillería de gran calibre y corto alcance, que se usaba para lanzar bombas y proyectiles que se describen trayectorias de curvas muy pronunciadas. **3** Masa formada por una mezcla de cemento o cal, arena y agua, que se usa en obras de albañilería. ☐ ETIMOL. Del latín *mortarium*. ☐ SEM. En la acepción 1, dist. de *almirez* (mortero pequeño y de metal).

mortífero, ra adj. Que ocasiona o puede ocasionar la muerte física; letal. ☐ ETIMOL. Del latín *mortiferus*, y éste de *mors* (muerte) y *ferro* (llevar).

mortificación s.f. **1** Producción de dolor, sufrimiento, disgusto o molestias. **2** Producción de sufrimiento físico para dominar las pasiones o los deseos considerados pecaminosos. **3** Lo que mortifica.

mortificar v. **1** Causar dolor, sufrimiento, disgusto o molestias: *Mortifica al caballo con la fusta*. **2** Causar sufrimiento físico o reprimir la voluntad para dominar las pasiones o los deseos considerados

pecaminosos: *Los santos mortificaban su carne con cilicios*. ☐ ETIMOL. Del latín *mortificare*. ☐ ORTOGR. La *c* se cambia en *qu* delante de *e* →SACAR.

mortuorio, ria adj. De una persona muerta, de las ceremonias que por ella se hacen o relacionado con ellos. ☐ ETIMOL. Del latín *mortuus* (muerto).

moruno, na adj. De los moros o relacionado con ellos.

mosaico ▌ adj. **1** De Moisés o relacionado con este personaje bíblico. ▌ s.m. **2** Obra artística hecha con piezas de diversos materiales o de diversos colores, encajadas o pegadas a una superficie para formar un dibujo. [**3** Lo que está formado por elementos diversos: *Este país es un 'mosaico' de partidos políticos*. **4** En botánica, enfermedad vírica de algunas plantas, cuyas hojas se cubren generalmente de manchas oscuras. ☐ ETIMOL. La acepción 1, del griego *Mosaikós* (relacionado con Moisés). Las acepciones 2-4, quizá del italiano *mosaico*, y éste del griego *múseios* (relacionado con las Musas, artístico).

mosca s.f. **1** Insecto con dos alas transparentes, seis patas largas con uñas y ventosas, cabeza elíptica y aparato bucal chupador en forma de trompa: *El pastel se ha llenado de moscas*. 🔬 insecto **2** Conjunto de pelos que nace entre el labio inferior y el comienzo de la barba. **3** *col.* Dinero. **4** ∥{**andar/estar**} **mosca**; *col.* **1** Estar prevenido o tener desconfianza. *col.* **2** Estar enfadado o molesto. ∥ **con la mosca** {**en/detrás de**} **la oreja**; *col.* Con recelo o con sospecha. ∥**mosca (artificial)**; aparato, parecido a la mosca, que se utiliza como cebo en la pesca con caña. ∥ [**mosca tsé-tsé**; insecto tropical, parecido a la mosca, que con su picadura transmite el microorganismo que produce la enfermedad del sueño. ∥ {**mosca/mosquita**} **muerta**; *col.* Persona apocada e inocente sólo en apariencia. ∥**por si las moscas**; *col.* Por si acaso o por lo que pueda pasar. ∥**qué mosca** {**me/te/...**} **ha picado**; *col.* Qué {me/te/...} pasa. ☐ ETIMOL. Del latín *musca*. ☐ MORF. En la acepción 1, es un sustantivo epiceno: *la mosca macho, la mosca hembra*.

moscarda s.f. Insecto de mayor tamaño que una mosca, que deposita los huevos en la carne muerta para que las larvas se alimenten de ella. ☐ ETIMOL. De *mosca*. ☐ MORF. Es un sustantivo epiceno: *la moscarda macho, la moscarda hembra*.

moscardón s.m. **1** Insecto más grande que la mosca, de color pardo oscuro y cuerpo muy velloso, que deposita sus huevos entre el pelo de los rumiantes. **2** Insecto de mayor tamaño que la mosca, que produce un gran zumbido y que deposita sus huevos en la carne fresca; moscón. **3** *col.* Persona que resulta molesta, pesada o impertinente. ☐ ETIMOL. De *moscarda*. ☐ MORF. En las acepciones 1 y 2, es un sustantivo epiceno: *el moscardón macho, el moscardón hembra*.

moscatel ▌ adj./s. **1** Referido a la uva o a su viñedo, de la variedad que se caracteriza por tener el grano redondo, generalmente blanco y de sabor muy dulce. ▌ s.m. **2** →**vino moscatel**. ☐ ETIMOL. Del catalán *moscatell*. ☐ MORF. 1. Como adjetivo es invariable en género. 2. En la acepción 1, como sustantivo es de género ambiguo: *el moscatel sabroso, la moscatel sabrosa*.

moscón s.m. **1** Insecto de mayor tamaño que una mosca, que produce un gran zumbido y que deposita los huevos en la carne fresca; moscardón. **2** *col.* Persona que resulta molesta, pesada e impertinente, esp. el hombre que intenta entablar una relación con una mujer. ☐ MORF. En la acepción 1, es un sustantivo epiceno: *el moscón macho, el moscón hembra.*

mosconear v. *col.* Molestar de manera insistente, esp. si se hace fingiendo ignorancia para lograr un propósito: *Mosconeas tanto cuando quieres algo, que todo el mundo acaba harto de ti.*

[moscoso s.m. Día de permiso, esp. para un funcionario público. ☐ ETIMOL. Por alusión al nombre de un ministro que instituyó estos días para los funcionarios.

moscovita adj./s. **1** De Moscú (capital rusa), o relacionado con ella. **2** De Moscovia (antiguo principado que se extendía por la zona europea del actual territorio ruso), o relacionado con ella. ☐ MORF. 1. Como adjetivo es invariable en género. 2. Como sustantivo es de género común: *el moscovita, la moscovita.*

mosén s.m. En algunas zonas, tratamiento que se da a los sacerdotes. ☐ ETIMOL. Del catalán *mossèn* (mi señor). ☐ SINT. Se usa antepuesto a un nombre de pila.

mosquear ▌ v. **[1** *col.* Desconfiar o hacer desconfiar: *Me 'mosqueó' que de repente se mostrara tan amable. En cuanto ve a su esposa hablando con otro hombre 'se mosquea'.* **2** *col.* Enfadar ligeramente o molestar: *Si sigues dándole la lata, conseguirás mosquearlo. Le dije que no y se mosqueó conmigo.* ▌ prnl. **[3** En zonas del español meridional, llenarse de moscas. ☐ ETIMOL. Las acepciones 1 y 2, de *mosca,* porque cuando alguien se mosquea, responde como si le hubiera picado una mosca. ☐ SINT. La RAE sólo lo registra como pronominal.

mosqueo s.m. **[1** *col.* Desconfianza o sospecha que se empiezan a sentir. **2** *col.* Enfado ligero.

mosquete s.m. Antigua arma de fuego, más larga y de mayor calibre que un fusil, que se cargaba por la boca y se disparaba apoyando el cañón en una horquilla clavada en la tierra. ☐ ETIMOL. Del italiano *moschetto.*

mosquetero s.m. Soldado armado con un mosquete.

mosquetón s.m. **1** Arma de fuego más corta y ligera que el fusil. **2** Anilla que se abre y se cierra mediante un muelle o resorte y que se usa en alpinismo para sujetar las cuerdas en las rocas. 🔖 alpinismo

mosquitera s.f. o **mosquitero** s.m. **1** Gasa que se coloca a modo de cortina alrededor de la cama para impedir el paso de mosquitos. **[2** Malla metálica o de otro material que se coloca en puertas y ventanas para impedir el paso de insectos.

mosquito s.m. Insecto de menor tamaño que la mosca, con dos alas transparentes, patas largas y finas y un aparato bucal chupador en forma de trompa con un aguijón final. ☐ ETIMOL. De *mosca.* ☐ MORF. Es un sustantivo epiceno: *el mosquito macho, el mosquito hembra.* 🔖 insecto

[mosso d'esquadra (catalanismo) s.m. Miembro de la policía autonómica catalana. ☐ PRON. [mósu dascuádra].

mostacho s.m. Bigote de una persona, esp. si es muy poblado. ☐ ETIMOL. Del italiano *mostaccio.* ☐ MORF. En plural tiene el mismo significado que en singular.

mostaza s.f. **1** Planta herbácea, de hojas grandes, alternas y dentadas, flores amarillas en racimo, frutos en forma de cápsula con dos valvas, y semillas negras muy pequeñas. **2** Salsa de color amarillento y sabor fuerte y picante, hecha con las semillas de esta planta. ☐ ETIMOL. De *mustum* (mosto), porque se le añadía a la mostaza para atenuar su sabor.

mosto s.m. Zumo que se obtiene de la uva antes de fermentar y hacerse vino. ☐ ETIMOL. Del latín *mustum.*

mostrador s.m. En un establecimiento comercial, mesa o mueble similar, generalmente alargado y cerrado por su parte exterior, sobre el que se muestran y despachan las mercancías o se sirven las consumiciones.

mostrar ▌ v. **1** Exponer a la vista o dejar ver: *La directora mostró a los asistentes el nuevo producto. En ese paraje, la naturaleza se muestra en todo su esplendor.* **2** Presentar o hacer ver: *Mi maestra me mostró cuál era el sentido de la vida.* **3** Indicar o enseñar mediante una explicación o una demostración: *El técnico le mostró cómo funcionaba la lavadora.* **4** Referido a un sentimiento o a una cualidad del ánimo, darlos a conocer o hacerlos patentes: *Mostró su valor cuando sacó al niño de entre las llamas.* ▌ prnl. **5** Comportarse o manifestarse en la forma de actuar: *Desde la muerte de su hijo se muestra deprimido.* ☐ ETIMOL. Del latín *mostrare.* ☐ MORF. Irreg. →CONTAR.

mostrenco, ca adj./s. **1** *col.* Ignorante o poco inteligente. **2** *col.* Muy gordo y pesado. ☐ ETIMOL. De *mesta,* por influencia de *mostrar,* porque el que encontraba animales sin dueño tenía la obligación de hacerlos manifestar por el pregonero o *mostrenquero,* y este significado de *animal sin dueño,* pasó a *sin valor.*

mota s.f. **1** Partícula pequeña de cualquier cosa. **2** Mancha, pinta o dibujo redondeados o muy pequeños. **[3** *col.* En zonas del español meridional, marihuana. ☐ ETIMOL. De origen incierto.

mote s.m. **1** Nombre que se da a una persona en sustitución del propio y que suele aludir a alguna condición o característica suyas; apodo. **2** Cereal entero, esp. el trigo, con el que se preparan varios guisos, postres y bebidas refrescantes. ☐ ETIMOL. La acepción 1, del provenzal o del francés *mot* (palabra, sentencia breve).

motear v. Referido esp. a una tela, ponerle motas de diferente color: *La diseñadora moteó de blanco la tela azul.*

motejar v. Referido a una persona, ponerle un mote o apodo como censura de sus acciones: *Lo motejaron de irascible debido a su mal carácter.* ☐ ORTOGR. 1. Dist. de *cotejar.* 2. Conserva la *j* en toda la conjugación. ☐ SINT. Constr. *motejar a alguien DE algo.*

motel s.m. Establecimiento público situado cerca de la carretera, en el que se da alojamiento, generalmente en apartamentos independientes. ☐ ETIMOL. Del inglés *motel,* y éste de *motor* y *hotel.*

motero, ra adj./s. **[Que es aficionado a las motos y a todo lo relacionado con el motociclismo.

motete s.m. Composición musical breve, de carácter religioso y destinada a ser cantada en las iglesias. ☐ ETIMOL. Del provenzal antiguo *motet.*

motilidad s.f. Capacidad de movimiento. ☐ ETIMOL. Del latín *motus* (movimiento) y la terminación de *movilidad.*

motilón, -a adj./s. **1** *col.* Que tiene poco pelo en la cabeza. **2** Que pertenece a un pueblo indígena que habita en zonas colombianas y venezolanas y que se caracteriza por un corte de pelo en forma de casquete alrededor de la cabeza.

motín s.m. Rebelión o levantamiento violento de una muchedumbre contra la autoridad establecida. ☐ ETIMOL. Del francés antiguo *mutin*.

motivación s.f. **1** Estimulación que suscita o despierta el interés. **2** Causa, razón o estímulo que impulsan a hacer algo o que lo determinan; motivo.

motivador, -a adj. Que motiva.

motivar v. **1** Referido esp. a una acción, dar motivo o razón para ella o ser motivo de ella: *La mala visibilidad motivó el accidente aéreo.* **2** Animar o estimular suscitando interés: *El entrenador motivó a sus jugadores para vencer en el partido.*

motivo s.m. **1** Causa, razón o estímulo que impulsan a hacer algo o que lo determinan; motivación. **2** En bellas artes o en decoración, tema o dibujo básicos: *motivos florales.* ☐ ETIMOL. Del latín *motivus* (relativo al movimiento).

moto s.f. **1** *col.* →**motocicleta**. **2** ‖**[como una moto**; *col.* **1** Muy inquieto o muy nervioso. col. **2** Muy loco. ‖**[moto náutica**; vehículo similar a una moto, pero sin ruedas, y que se desplaza por el agua. ‖**[vender la moto**; *col.* Convencer o camelar. ☐ ORTOGR. Incorr. **amoto*.

moto- Elemento compositivo que significa 'movido por motor: *motoazada, motobomba*'. ☐ ETIMOL. Del latín *motus* (movido).

motocarro s.m. Vehículo de tres ruedas y motor, que se utiliza para el transporte de cargas poco pesadas.

motocicleta s.f. Vehículo de dos ruedas que es impulsado por un motor de explosión. ☐ ETIMOL. Del francés *motocyclette*. ☐ MORF. En la lengua coloquial, se usa mucho la forma abreviada *moto*. ☐ SEM. Dist. de *ciclomotor* (con pedales y con motor de menor potencia).

motociclismo s.m. Deporte que se practica con una motocicleta y tiene diferentes competiciones y modalidades.

motociclista s. **1** Persona que conduce una motocicleta; motorista. **[2** Deportista que practica el motociclismo. ☐ MORF. Es de género común: *el motociclista, la motociclista*.

[motociclo s.m. Vehículo de dos ruedas con motor.

[motocross (anglicismo) s.m. Modalidad de motociclismo en la que los participantes corren en un circuito sin asfaltar y con desniveles y desigualdades. ☐ PRON. [motocrós].

[motocultivador o ***[motocultor*** s.m. Arado pequeño, provisto de motor y ruedas, que se conduce a pie por medio de un manillar y que suele usarse en jardinería o en labores agrícolas sencillas.

[motoesquí s.m. Moto de una o dos plazas que está provista de esquís y que sirve para deslizarse sobre la nieve. ☐ USO Se usa también como femenino.

[motonáutico, ca ▮ adj. **1** De la motonáutica o relacionado con este deporte. ▮ s.f. **2** Deporte que consiste en hacer carreras con embarcaciones con motor. ☐ ETIMOL. La acepción 2, de *moto-* (movido por motor) y *náutica*.

[motopropulsión s.f. Impulso producido por un motor.

motor, -a ▮ adj. **[1** En el sistema nervioso, referido a un nervio, que sale de la médula espinal y transmite los impulsos que producen las contracciones musculares. **2** Que produce movimiento: *El mecanismo motor de mi reloj es la cuerda.* ▮ adj./s.m. **[3** Que hace que algo funcione o se desarrolle: *En un negocio, el elemento 'motor' son las ganancias.* ▮ s.m. **4** Máquina que transforma en movimiento cualquier otra forma de energía: *Se estropeó el motor del coche.* ▮ s.f. **5** Embarcación de pequeño tamaño movida por esta máquina. embarcación **6** ‖**[motor de arranque**; el que en un automóvil engrana con el motor principal para el arranque. ‖**motor de explosión**; el que funciona con un combustible líquido que explosiona por la acción de una chispa o de un quemador. ‖**motor de reacción**; el que produce movimiento mediante la expulsión de los gases que él mismo produce; reactor. ‖**(motor) Diesel**; el de explosión en el que el carburante se inflama por la compresión a que se somete la mezcla de aire y carburante en la cámara de combustión sin necesidad de la chispa de las bujías; diesel. ‖**[(motor) turbodiesel**; el que tiene un turbocompresor o compresor movido por una turbina. ☐ ETIMOL. Del latín *motor* (que mueve). ☐ MORF. Como adjetivo admite también la forma de femenino *motriz: causa motriz, fuerza motriz*. ☐ SINT. Incorr. (galicismo): *motor {*a > de} vapor, motor {*a > de} gasolina*.

motorismo s.m. Deporte que se practica con un vehículo automóvil, esp. con una motocicleta.

motorista s. **1** Persona que conduce una motocicleta; motociclista. **[2** Agente de policía, esp. el de tráfico, que va en motocicleta. **3** En zonas del español meridional, conductor de un vehículo. ☐ MORF. Es de género común: *el motorista, la motorista*.

motorización s.f. **1** Dotación de maquinaria o de material con motor. **[2** *col.* Adquisición de un vehículo para uso propio.

motorizar ▮ v. **1** Dotar de maquinaria o de material con motor: *Los ejércitos modernos han motorizado sus unidades de infantería.* ▮ prnl. **[2** *col.* Adquirir un vehículo para uso propio: *Tengo que 'motorizarme' cuanto antes, porque trabajo en la otra punta de la ciudad.* ☐ ORTOGR. La *z* se cambia en *c* delante de *e* →CAZAR.

[motorola s.f. Teléfono portátil, esp. el que es para el automóvil. ☐ ETIMOL. Extensión del nombre de una marca comercial.

[motosierra s.f. Sierra provista de un motor y que sirve para cortar árboles y madera.

motoso, sa adj. **1** En zonas del español meridional, referido al pelo, muy rizado. **2** En zonas del español meridional, referido a una tela, que le han salido pelotillas.

[motricidad s.f. **1** Capacidad para moverse o producir movimiento. **2** Capacidad del sistema nervioso central o de algunos centros nerviosos para producir contracciones de los músculos ante determinados estímulos.

motriz adj. f. de **motor**.

motu proprio (latinismo) ‖De manera voluntaria o por propia voluntad: *Te he invitado motu proprio, nadie me ha obligado.* ☐ ORTOGR. Incorr. **motu propio*. ☐ SINT. Incorr. **de motu proprio*.

[*mountain bike* ‖ Bicicleta de ruedas gruesas y que se agarran bien al suelo, esp. diseñada para terrenos irregulares no asfaltados. ☐ PRON. [móntan baik]. ☐ USO Es un anglicismo innecesario y puede sustituirse por una expresión como *bicicleta de montaña*.

[*mousse* (galicismo) s.f. Crema muy esponjosa, esp. si es de chocolate, que suele tomarse como postre. ☐ PRON. [mus]. ☐ MORF. En zonas del español meridional se usa como masculino.

[*mouton* (galicismo) s.m. Piel de cordero, curtida y tratada, que se utiliza en la confección de prendas de abrigo. ☐ PRON. [mutón].

movedizo, za adj. Poco seguro o poco firme.

mover ‖ v. 1 Cambiar de posición o de lugar: *Tuvo que mover el armario para limpiar detrás. No te muevas, que te hago una foto.* 2 Menear o agitar: *Movió la cabeza para negar. La lavadora se mueve cuando hace el centrifugado.* 3 Referido esp. a un sentimiento o a una acción, dar motivo para ellos o impulsar a ellos: *El hambre y la miseria mueven a compasión.* [4 Referido a un asunto, hacer gestiones para que se solucione con rapidez y con eficacia: *El abogado que 'movía' el caso no le dio muchas esperanzas.* ‖ prnl. 5 Andar, caminar o desplazarse: *No me gusta moverme por el centro de la ciudad con el coche.* [6 col. Darse prisa: *'Muévete', o no acabarás nunca.* [7 Desenvolverse en un determinado ambiente o frecuentarlo: *'Se mueve' en círculos intelectuales.* [8 Preocuparse y hacer lo necesario para conseguir o resolver algo: *Si quiere un buen trabajo tendrá que 'moverse' mucho.* ☐ ETIMOL. Del latín *movere.* ☐ MORF. Irreg. →MOVER. ☐ SINT. Constr. de la acepción 3: *mover A algo.*

[*movida* s.f. Véase **movido, da.**

movido, da ‖ adj. 1 Ajetreado, activo o con mucha diversidad. 2 Referido esp. a una imagen, borrosa o poco nítida a causa de un movimiento. ‖ s.f. [3 col. Juerga, animación o ambiente de diversión. [4 col. Agitación con incidencias, generalmente producida por algún acontecimiento: *Mañana empieza la 'movida' electoral.*

móvil ‖ adj. 1 Que puede moverse o ser movido. ‖ s.m. 2 Motivo, causa o razón. [3 Objeto decorativo formado por figuras colgadas o en equilibrio, que se mueven con el aire o con un pequeño impulso. 4 En física, cuerpo en movimiento. [5 col. Teléfono portátil. ☐ ETIMOL. Del latín *mobilis* (movible). ☐ MORF. Como adjetivo es invariable en género.

movilidad s.f. Capacidad de poderse mover.

movilización s.f. 1 Puesta en actividad o en movimiento. 2 Llamada de nuevo a filas de los soldados licenciados o de los mandos en reserva por causa o temor de guerra.

movilizar v. 1 Poner en actividad o en movimiento: *Los sindicatos movilizarán a sus afiliados. Los bomberos de la zona se movilizaron para apagar el incendio.* 2 Referido a soldados licenciados y a mandos en reserva, llamarlos nuevamente a filas, esp. por causa o temor de guerra: *Si la guerra continúa, movilizarán a los que están en la reserva.* ☐ ETIMOL. Del francés *mobiliser.* ☐ ORTOGR. La *z* se cambia en *c* delante de *e* →CAZAR.

movimiento s.m. 1 Cambio de lugar o de posición. 2 Sacudida o agitación de un cuerpo. 3 Estado de un cuerpo cuando cambia de posición o de lugar: *Mientras el autobús esté en movimiento, no te bajes.*

4 Circulación, agitación o tráfico continuo de personas, animales o cosas. 5 Sublevación, alzamiento o rebelión. 6 Conjunto de manifestaciones religiosas, políticas, sociales, artísticas o de otro tipo que tienen características comunes y generalmente innovadoras. 7 Marcha real o aparente de los cuerpos celestes: *La Tierra tiene un movimiento de rotación y otro de traslación.* 8 Alteración, inquietud o conmoción: *No ha habido mucho movimiento en mi vida últimamente.* 9 Conjunto de alteraciones o novedades que se realizan en algunas actividades humanas: *Ha sido un año de escaso movimiento teatral.* 10 En los cálculos mercantiles, alteración numérica en la cuenta durante un tiempo determinado: *Solicité un extracto de los últimos movimientos de mi cuenta.* 11 En música, velocidad de ejecución en una composición o en un pasaje. 12 En música, en una composición extensa, parte dotada de cierta autonomía y diferenciada de las demás por poseer un tempo y una velocidad de ejecución propios. ☐ ETIMOL. De *mover.*

moviola s.f. 1 Máquina para regular el movimiento de las imágenes, usada en cine y televisión. [2 Imagen proyectada y manipulada con esta máquina. ☐ ETIMOL. La acepción 1 es extensión del nombre de una marca comercial.

mozalbete s.m. Mozo de pocos años. ☐ ETIMOL. De *mozo* y *albo* (blanco), por la falta de pelo en la cara de los mozos.

mozárabe ‖ adj. 1 Referido a un estilo arquitectónico, que se desarrolló en España entre los siglos X y XI, y se caracteriza por la mezcla de elementos visigodos y árabes. 2 De los mozárabes o relacionado con estos cristianos que vivían en territorio musulmán. ‖ adj./s. 3 Referido a un cristiano, que vivía en territorio musulmán durante la dominación musulmana en España, manteniendo su propia religión. ‖ s.m. 4 Antigua lengua romance hablada por estos cristianos. ☐ ETIMOL. Del árabe *musta'rab* (arabizado). ☐ MORF. 1. Como adjetivo es invariable en género. 2. En la acepción 3, como sustantivo es de género común: *el mozárabe, la mozárabe.* ☐ SEM. En la acepción 3, dist. de *mudéjar* (musulmán que vivía en territorio cristiano) y de *muladí* (cristiano convertido al islamismo).

mozo, za ‖ adj. 1 De la juventud o relacionado con ella. ‖ adj./s. 2 Referido a una persona, que está en la juventud o en la etapa intermedia entre la niñez y la edad adulta; joven. ‖ s.m. 3 Persona que presta servicios domésticos o públicos no especializados: *mozo de estación.* 4 Joven llamado al servicio militar, desde que ha sido alistado hasta que ingresa en la caja de reclutamiento. [5 En zonas del español meridional, camarero. ☐ ETIMOL. De origen incierto.

[*mozzarella* (italianismo) s.f. Queso de color pálido y sabor suave, elaborado con leche de búfala o de vaca. ☐ PRON. [motsaréla].

muaré s.m. →**moaré.**

mucamo, ma s. Sirviente o criado.

muceta s.f. Prenda de vestir que se pone sobre la ropa y cubre generalmente los hombros, y que es usada esp. por eclesiásticos, doctores o magistrados. ☐ ETIMOL. De *muza* (esclavina de religiosos).

muchachada o **muchachería** s.f. 1 Hecho o dicho propios de un muchacho y no de una persona adulta. 2 Conjunto de muchachos.

muchacho, cha ❚ s. **1** Niño o joven, esp. el adolescente. ❚ s.f. **2** Empleada del servicio doméstico; chacha, sirvienta. ☐ ETIMOL. Quizá de *mocho* (rapado), porque se tenía la costumbre de que los niños llevaran el pelo corto. ☐ MORF. En la acepción 1, se usa mucho como apelativo coloquial la forma abreviada *chacho*.

muchedumbre s.f. Abundancia o multitud de personas o cosas. ☐ ETIMOL. Del latín *multitudo*.

mucho, cha indef. Abundante, numeroso, o que sobrepasa considerablemente lo normal o lo necesario: *Hoy hace mucho calor.* ☐ ETIMOL. Del latín *multus*. ☐ MORF. Cuando *muchos* se antepone a otra palabra para formar compuestos, adopta la forma *multi-*.

mucho adv. **1** En cantidad o en grado muy elevados, o bastante más de lo normal o de lo necesario: *Sentí mucho no poder ir.* **2** Largo tiempo: *Hace mucho que no hablo con él.* **3** ‖**ni con mucho**; en una comparación, expresión que se usa para enfatizar el poco parecido o la distancia existentes entre lo que se compara: *Mi vestuario no es, ni con mucho, tan lujoso como el tuyo.* ‖**ni mucho menos**; expresión que se usa para replicar rotundamente o para enfatizar una negación: *Cuando le dije que así quedábamos en paz, me contestó: —¡Ni mucho menos!* ‖**por mucho que**; enlace gramatical subordinante con valor concesivo; aunque: *Por mucho que insistas, no me convencerás.* ☐ MORF. **1.** Antepuesto a una expresión adjetiva o adverbial, se usa la apócope *muy*, excepto ante *más, menos, antes, después* o los comparativos *mayor, menor, mejor* o *peor*: *Vámonos, que es muy tarde. Sale con un chico muy guapo.* **2.** Incorr. *muy mucho.

mucilago o **mucílago** s.m. **1** Sustancia viscosa que se encuentra en algunos vegetales y que tiene una función protectora. **2** Sustancia viscosa semejante a ésta y que se obtiene artificialmente de la disolución en agua de materias gomosas: *La goma arábiga es un mucílago.* ☐ ETIMOL. Del latín *mucilago* (mucosidad). ☐ USO *Mucilago* es el término menos usual.

[mucolítico, ca adj./s.m. Que disuelve o elimina el moco. ☐ ETIMOL. Del latín *mucus* (moco) y el griego *lýsis* (disolución).

mucosa s.f. Véase **mucoso, sa**.

mucosidad s.f. Sustancia viscosa y pegajosa de la misma naturaleza que el moco.

mucoso, sa ❚ adj. **1** Con la viscosidad o el aspecto del moco. **2** Con mucosidad, que la produce o que la segrega. ❚ s.f. **3** →**membrana mucosa**. ☐ ETIMOL. Del latín *muccosus*.

muda s.f. Véase **mudo, da**.

mudable adj. Que cambia o muda con facilidad. ☐ MORF. Invariable en género.

mudanza s.f. **1** Cambio, variación o transformación. **2** Traslado a otro lugar, esp. el que se hace con muebles y pertenencias cuando se cambia de residencia. **3** Inconstancia o cambio constante en la actitud, en los sentimientos o en las opiniones. **[4** En métrica, en un zéjel o en un villancico, estrofa que sigue al estribillo, presenta una rima distinta de la de éste y enlaza con un verso de vuelta que rima con él.**]**

mudar ❚ v. **1** Cambiar, variar o hacer distinto: *Ha mudado tanto su carácter que no parece el mismo.* **2** Transformar o convertir en algo distinto: *Las palabras del médico mudaron su temor en esperanza.* **3** Dejar y reemplazar por algo distinto: *Tómale la palabra antes de que mude de parecer.* **4** Trasladar o poner en otro lugar: *Mudaron la oficina a otro local más amplio.* **5** Cambiar de ropa, generalmente para poner otra limpia: *Aquí tienes sábanas limpias para que mudes la cama.* **6** Referido a la voz, cambiar su timbre infantil por el propio de la edad adulta: *Cuando mudó la voz, tuvo que abandonar el coro.* **7** Referido a la piel, al pelaje o al follaje, soltarlos o renovarlos su organismo: *¿Sabes en qué época mudan la piel las culebras?* ❚ prnl. **8** Cambiar de residencia: *Si encuentro un piso que me guste más, me mudo.* ☐ ETIMOL. Del latín *mutare* (cambiar). ☐ SINT. Constr. de la acepción 3: *mudar DE algo*.

mudéjar ❚ adj. **1** Referido a un estilo arquitectónico, que floreció en la península Ibérica entre los siglos XII y XV, y se caracteriza por el empleo de elementos del arte cristiano y del arte árabe. **2** De los mudéjares o relacionado con estos musulmanes en territorio cristiano. ❚ adj./s. **3** Referido a un musulmán, que vivía en territorio cristiano durante la dominación musulmana en España, manteniendo su religión, costumbres e instituciones propias. ☐ ETIMOL. Del árabe *mudayyan* (aquel a quien se ha permitido quedarse). ☐ MORF. **1.** Como adjetivo es invariable en género. **2.** Como sustantivo, es de género común: *el mudéjar, la mudéjar.* ☐ SEM. En la acepción 3, dist. de *mozárabe* (cristiano que vivía en territorio musulmán) y de *muladí* (cristiano convertido al islamismo).

mudez s.f. Incapacidad física para hablar.

mudo, da ❚ adj. **1** Sin palabras, sin voz o sin sonido. **2** Referido esp. a una letra, que no se pronuncia: *En español, la 'h' es una consonante muda.* ❚ adj./s. **3** Referido a una persona, que sufre una incapacidad que le impide hablar. ❚ s.f. **4** Conjunto de ropa, esp. la interior, que se muda de una vez. **5** En un ser vivo, renovación natural de la piel, del pelaje o del follaje. **6** Tiempo durante el que se produce esta renovación. ☐ ETIMOL. Las acepciones 1-3, del latín *mutus*. Las acepciones 4-6, de *mudar*.

mueblaje s.m. →**moblaje**. ☐ SEM. Es sinónimo de *mobiliario*.

mueble ❚ adj. **1** →**bienes muebles**. ❚ s.m. **2** Objeto que se puede mover, generalmente de formas rígidas y destinado a un uso concreto, y con el que se equipa o se decora un local, esp. una casa: *La cama, las sillas y las mesas son muebles.* ☐ ETIMOL. Del latín *mobilis*. ☐ MORF. Como adjetivo es invariable en género.

mueca s.f. Gesto o contracción del rostro, esp. el de carácter burlesco o expresivo. ☐ ETIMOL. Quizá de origen expresivo.

muecín s.m. →**almuecín**. ☐ ETIMOL. Del francés *muezzin*.

muela s.f. **1** En la dentadura de una persona o de un mamífero, cada uno de los dientes situados en la parte posterior de la boca después de los caninos, más anchos que los demás, y cuya función es trituradora. **2** En un molino tradicional, rueda de piedra que gira sobre otra fija para moler lo que se pone entre ambas; piedra de molino. **3** Planta herbácea con el tallo ramoso, hojas en forma de punta de lanza, flores moradas y blancas, y cuyo fruto es una legumbre. **4** Fruto o semilla de esta planta. **5** ‖**muela {cordal/del juicio}**; la que nace en la edad adulta en cada extremo de la mandíbula. □ ETIMOL. Del latín *mola* (piedra de molino), por comparación con la forma del diente molar. □ MORF. En la acepción 1, aunque la RAE lo considera sinónimo de *diente molar*, éste se ha especializado para las muelas de mayor tamaño que se encuentran detrás de los premolares. □ SEM. En la acepción 3, es sinónimo de *almorta, guija* y *tito*.

muelle ∎ adj. [1 Referido a un modo de vivir, cómodo y sin preocupaciones: *Lleva una vida 'muelle' y no se altera por nada.* ∎ s.m. 2 Pieza elástica, generalmente metálica, que se comprime y deforma cuando se aplica una presión sobre ella y que, cuando desaparece dicha presión, tiende a recuperar su forma, desarrollando al hacerlo una fuerza aprovechable para usos mecánicos; resorte: *Se han estropeado varios muelles del colchón.* 3 En un puerto o en una orilla de aguas navegables, construcción hecha junto al agua para facilitar el embarque y desembarco o el resguardo de las embarcaciones. 4 En una estación de tren o en un almacén, plataforma o andén elevados, situados a la altura del suelo de los vagones o de los camiones para facilitar las tareas de carga y descarga de mercancías. □ ETIMOL. Las acepciones 1 y 2, del latín *mollis* (flexible, blando). Las acepciones 3 y 4, del catalán *moll*. □ MORF. Como adjetivo es invariable en género.

muérdago s.m. Planta de tallo leñoso y corto, hojas gruesas de color verde y fruto en baya color blanco rosado, que vive parásita sobre los troncos y ramas de algunos árboles. □ ETIMOL. Del latín *mordicus* (mordedor).

muerdo s.m. *col.* Mordisco.

muermo s.m. [1 *col.* Estado de aburrimiento o somnolencia. [2 *col.* Lo que produce este estado. □ ETIMOL. Del latín *morbus* (enfermedad).

muerte s.f. 1 Final o terminación de la vida. 2 Figura que personifica este final de la vida y que suele representarse como un esqueleto humano con una guadaña. 3 Homicidio o asesinato. 4 Destrucción, finalización o ruina. 5 ‖ a muerte; 1 Referido a un enfrentamiento, que sólo termina con la muerte de uno de los enfrentados. 2 Con la máxima intensidad o sin conceder tregua o descanso. ‖ de mala muerte; *col.* Malo, despreciable o de poco valor. ‖ [muerte dulce; la que llega sin dolor ni sufrimiento. ‖ [muerte súbita; en algunos deportes, sistema de tanteo especial que se aplica cuando se ha llegado a un empate. □ ETIMOL. Del latín *mors*. □ USO El uso de *tie-break* en lugar de *muerte súbita* es un anglicismo innecesario.

muerto, ta ∎ 1 part. irreg. de **morir**. ∎ adj. 2 Apagado o falto de viveza, de vitalidad o de actividad: *Por la noche, la ciudad se queda muerta.* 3 *col.* Muy cansado o agotado. ∎ adj./s. 4 Sin vida. ∎ s.m. 5 *col.* Lo que resulta un estorbo, una carga o una tarea enojosa: *Me cargaron con el muerto de terminar el dichoso informe.* ∎ s.m.pl. [6 Respecto de una persona, sus familiares o compañeros fallecidos: *El ejército honra a sus 'muertos'.* 7 ‖ hacer el muerto; dejarse flotar boca arriba en el agua. □ MORF. En la acepción 1, incorr. **morido*. □ SINT. En el lenguaje escrito, está muy extendido el uso de la voz pasiva *ser muerto* en lugar de *morir*: {**Fue muerto > Murió*} *de un tiro en la sien.*

muesca s.f. Hueco o corte que se hacen como señal o para encajar algo en ellos. □ ETIMOL. Del latín *mosicare* (morder).

[muesli s.m. Alimento compuesto por cereales, frutas deshidratadas y frutos secos que se mezcla con la leche y que suele tomarse en el desayuno. □ ETIMOL. Del alemán de Suiza *müesli*. □ PRON. [músli].

muestra s.f. 1 Porción o pequeña cantidad de un producto, que sirve para dar a conocer las características de éste. 2 Parte que se extrae de un conjunto para analizarla o examinarla. 3 En estadística, parte que se selecciona de un conjunto como representativa del mismo y sobre la que se extraen conclusiones válidas para todo el conjunto. 4 Modelo que se toma para ser copiado o imitado. 5 Señal, prueba o demostración, esp. las que evidencian algo que no es visible. [6 Feria o exposición, esp. la destinada a exhibir productos industriales. 7 En caza, parada que hace el perro cuando encuentra la pieza, antes de levantarla. □ ETIMOL. Las acepciones 1-5 y 7, de *mostrar*. La acepción 6, del italiano *mostra*. □ SEM. No debe emplearse con el significado de 'festival cinematográfico o artístico' (italianismo): *La película se estrenó en {*una muestra > un festival} de cine de terror.*

muestrario s.m. 1 Conjunto de muestras de productos: *¿Puede enseñarme un muestrario de barras de labios?* [2 Conjunto de elementos diversos que constituyen un grupo completo: *Desde el más empollón hasta el más vago, en esa clase hay un completo 'muestrario' de estudiantes.*

muestreo s.m. Selección de una muestra representativa de un conjunto, que se hace para examinarla y sacar conclusiones aplicables a dicho conjunto.

[muflón s.m. Mamífero rumiante de las zonas montañosas europeas, semejante al carnero pero de mayor tamaño, de pelaje generalmente corto y castaño con la parte inferior blanca, y cuyo macho presenta grandes cuernos arqueados hacia atrás en forma de círculo y con estrías transversales. □ ETIMOL. Del italiano *muflone*. □ MORF. Es un sustantivo epiceno: *el 'muflón' macho, el 'muflón' hembra.* 🕮 rumiante

[mug (anglicismo) s.m. Taza cilíndrica y alta con un asa, hecha de un material cerámico. □ PRON. [mag] o [mug]. □ USO Su uso es innecesario y puede sustituirse por una expresión como *pote de cerámica.*

mugido s.m. Voz característica del toro o de la vaca.

mugir v. Referido a un toro o a una vaca, dar mugidos o emitir su voz característica. □ ETIMOL. Del latín *mugire*. □ ORTOGR. La *g* se cambia en *j* delante de *a, o* →DIRIGIR.

mugre s.f. Suciedad, esp. la grasienta. □ ETIMOL. Del latín *mucor* (moho). □ MORF. En zonas del español meridional se usa como masculino.

mugriento, ta o **mugroso, sa** adj. Muy sucio y lleno de mugre.

mujer s.f. 1 Persona de sexo femenino; fémina. 2 Persona adulta de sexo femenino. 3 Respecto de un hombre, la casada con él. 4 ‖ [de mujer a mujer; de igual a igual, francamente o con sinceridad. ‖mujer {de la calle/de la vida/pública}; *euf.* Prostituta. ‖ [mujer del tiempo; la que aparece en las noticias de televisión dando la previsión del tiempo. ‖mujer fatal; la que ejerce una atracción sexual irresistible y que acarrea un final desgraciado para ella misma o para quienes atrae. ‖ [mujer

objeto; *col.* La considerada sólo como un objeto que produce placer. ‖ [**muy mujer**; *col.* Con las características que tradicionalmente se han considerado propias de las personas de sexo femenino. ‖ **ser mujer**; tener o haber tenido la primera menstruación. □ ETIMOL. Del latín *mulier.* □ MORF. En las acepciones 1 y 2, su masculino es *hombre.* □ USO Se usa como apelativo: *No te asustes, mujer, que no pasa nada.*

mujeriego, ga adj./s.m. Referido esp. a un hombre, que es muy aficionado a las mujeres, esp. si va con unas y con otras buscando seducirlas y no se limita a la relación con una sola.

mujeril adj. De la mujer o relacionado con ella. □ MORF. Invariable en género.

mujerío s.m. Conjunto o multitud de mujeres.

mujerzuela s.f. *col.* Prostituta. □ USO Es despectivo.

[**mujik** (del ruso) s.m. Campesino ruso, esp. el de la sociedad anterior a la revolución soviética. □ PRON. [mújik] o [mujík].

mújol s.m. Pez marino, de cuerpo alargado, cabeza aplastada y labios muy gruesos, que abunda en aguas mediterráneas y es muy apreciado como alimento, tanto su carne como sus huevas; lisa. □ ETIMOL. Del latín *mugil.* □ MORF. Es un sustantivo epiceno: *el mújol macho, el mújol hembra.*

[**mula** s.f. Véase **mulo, la.**

muladar s.m. Lugar que se considera foco de suciedad o de corrupción. □ ETIMOL. De *muro*, antes *muradal* (lugar próximo al muro exterior de una casa o población, donde se arrojaban las inmundicias).

muladí adj./s. Referido a un cristiano, que se convirtió al islamismo durante la dominación musulmana en España. □ ETIMOL. Del árabe *muwalladí* (hijo de un árabe y una extranjera). □ MORF. 1. Como adjetivo es invariable en género. 2. Como sustantivo es de género común: *el muladí, la muladí.* 3. Aunque su plural en la lengua culta es *muladíes*, la RAE admite también *muladís.* □ SEM. Dist. de *mozárabe* (cristiano que vivía en territorio musulmán) y de *mudéjar* (musulmán que vivía en territorio cristiano).

mulato, ta adj./s. Referido a una persona, que ha nacido de padres de grupos étnicos diferentes, esp. si uno es negro y otro es blanco. □ ETIMOL. De *mulo* (cruce de burro y yegua), porque se comparó el cruce entre razas de animales con la mezcla de razas humanas.

mulero s.m. Persona encargada del cuidado de las mulas.

muleta s.f. Véase **muleto, ta.**

muletilla s.f. En una conversación, palabra o expresión que, de tanto repetirse, pierden su fuerza expresiva; latiguillo: *Me ha pegado su muletilla y ahora yo también repito '¿sabes?' a cada momento.* □ ETIMOL. De *muleta*, porque una muletilla sirve como apoyo para seguir hablando o para mantener la atención del que escucha. □ ORTOGR. Dist. de *maletilla.* □ SEM. Dist. de *coletilla* (añadido a lo que se dice o se escribe).

muleto, ta ▌ s. 1 Mulo de poca edad o sin domar. ▌ s.f. 2 Bastón con el extremo superior adaptado de modo que puedan apoyarse en él el antebrazo o la axila, y que utilizan para ayudarse a andar las personas que tienen dificultad para hacerlo. 3 En tauromaquia, paño de color rojo, sujeto a un palo por

uno de sus bordes, utilizado por el torero para engañar al toro, esp. cuando va a entrar a matar. □ ETIMOL. Las acepciones 2 y 3, de *mula*, porque la muleta soporta al que la lleva como la mula al jinete.

muletón s.m. Tela de lana o de algodón, gruesa, suave y parecida a la felpa, de mucho abrigo y baja calidad, y que suele usarse como protección debajo de las sábanas o de los manteles. □ ETIMOL. Del francés *molleton.*

mulillas s.f.pl. En tauromaquia, tiro o conjunto de mulas que arrastran y sacan de la plaza a los toros muertos en una corrida.

mullir v. 1 Referido esp. a algo apretado, esponjarlo para que quede blando y suave: *Sacude un poco la almohada para mullirla.* 2 Referido a la tierra, cavarla y removerla para ahuecarla: *Mulle la tierra para que el agua penetre con más facilidad.* □ ETIMOL. Del latín *mollire* (ablandar). □ MORF. Irreg. →PLAÑIR.

mulo, la ▌ adj./s. 1 *col.* Referido a una persona, que es fuerte, vigorosa o muy resistente para el trabajo. 2 *col.* Referido a una persona, que es tozuda, bruta o de corto entendimiento. ▌ s. 3 Animal, generalmente estéril, nacido del cruce de burro y yegua y que, por su fuerza y resistencia, se utiliza como animal de carga. ▌ s.f. [4 *col.* En el lenguaje de la droga, mujer que transporta o introduce la droga de un país a otro. [5 En zonas del español meridional, tráiler. □ ETIMOL. Del latín *mulus.*

multa s.f. 1 Sanción económica que impone una autoridad competente por haber cometido un delito o una falta. [2 Papel o documento donde consta o se notifica esta sanción. □ ETIMOL. Del latín *multa.*

multar v. Imponer una multa: *La ley otorga a los policías autoridad para multar. Nos multaron por circular a más velocidad de la permitida.*

multi- Elemento compositivo que significa 'muchos': *multicolor, multimillonario, multiuso.* □ ETIMOL. Del latín *multus* (mucho).

[**multicentro** s.m. Galería comercial que tiene en su interior muchas tiendas de muy diversos tipos.

[**multicine** s.m. Cine que tiene varias salas de proyección.

multicolor adj. De muchos colores. □ MORF. Invariable en género.

multicopista adj./s.f. Referido a una máquina, que reproduce originales, generalmente escritos, en numerosas copias de papel. □ MORF. Como adjetivo es invariable en género.

[**multicultural** adj. Que supone la existencia de varias culturas diferentes en una misma nación o en una misma realidad geográfica. □ MORF. Invariable en género.

[**multidisciplinar** o [**multidisciplinario, ria** adj. Que abarca varias disciplinas o materias. □ MORF. *Multidisciplinar* es invariable en género.

multiforme adj. Que tiene muchas o varias formas. □ ETIMOL. Del latín *multiformis*, y éste de *multus* (mucho) y *forma* (figura). □ MORF. Invariable en género.

[**multifuncional** adj. Que puede desempeñar diferentes funciones. □ MORF. Invariable en género.

[**multigrado** adj. Referido esp. a un aceite lubricante para motores, que no sufre alteración de sus propiedades con los cambios de temperatura. □ MORF. Invariable en género y en número.

multilateral adj. Con la intervención de varios lados o partes, o que afecta a las partes implicadas: *tratado multilateral.* ☐ MORF. Invariable en género.

[multimedia (anglicismo) s.m. Integración de soportes o de procedimientos tecnológicos que utilizan imágenes, sonido y texto para reproducir o difundir información, esp. si se orienta a un uso interactivo. ☐ MORF. Invariable en número. ☐ SINT. Se usa mucho en aposición, pospuesto a un sustantivo: *Su método de inglés 'multimedia' consta de vídeo, casete y libro de texto.*

multimillonario, ria ▮ adj. [1 De muchos millones de pesetas o de otro tipo de dinero. ▮ adj./s. 2 Referido a una persona, que posee una fortuna de muchos millones. ☐ MORF. La RAE sólo lo registra como adjetivo.

multinacional adj./s.f. Referido esp. a una empresa o a una sociedad mercantil, que tiene sus intereses y actividades repartidos en varios países. ☐ MORF. Como adjetivo es invariable en género. ☐ USO Se usa también *transnacional.*

multíparo, ra adj. Referido a un animal o a una especie, que tiene varias crías de un solo parto. ☐ ETIMOL. De *multi-*(muchos) y *-paro* (que pare). ☐ SEM. Dist. de *bíparo* (que tiene dos crías en cada parto) y de *uníparo* (que tiene una cría en cada parto).

múltiple adj. Complejo, de muchas maneras o con muchas partes. ☐ MORF. Invariable en género. ☐ SEM. En plural se usa con el significado de 'muchos' o 'varios': *Ha recibido múltiples ofertas y no sabe por cuál decidirse.*

multiplicación s.f. 1 Aumento en el que las dimensiones o el número de unidades crece varias veces o en un grado considerable. 2 En matemáticas, operación mediante la cual se calcula el producto de dos factores, equivalente a la suma de uno de ellos, llamado *multiplicando,* tantas veces como indica el otro, llamado *multiplicador.*

multiplicador s.m. En una multiplicación matemática, factor o cantidad que indica el número de veces que debe sumarse otro para obtener el producto de ambos: *En la operación 5 × 3 = 15, el multiplicador es 3.*

multiplicando s.m. En una multiplicación matemática, factor o cantidad que debe sumarse tantas veces como indica otro para obtener el producto de ambos: *En la operación 5 × 3 = 15, el multiplicando es el 5.*

multiplicar ▮ v. 1 Hacer varias veces mayor o aumentar considerablemente el número de unidades: *Tendrás que multiplicar tu esfuerzo. Con la campaña publicitaria se multiplicarán las ventas.* 2 En matemáticas, realizar la operación aritmética de la multiplicación: *El resultado de multiplicar 5 por 3 es 15.* ▮ prnl. 3 Referido a una especie de seres vivos, aumentar considerablemente el número de sus individuos, esp. por procreación: *Las ratas se multiplican con gran rapidez.* 4 col. Referido a una persona, esforzarse o arreglárselas para conseguir atender gran cantidad de ocupaciones: *Tiene que multiplicarse para poder asistir a clase, al trabajo y encargarse de la casa.* ☐ ETIMOL. Del latín *multiplicare.* ☐ ORTOGR. La c se cambia en *qu* delante de *e* →SACAR.

multiplicidad s.f. Variedad, diversidad o abundancia. ☐ ETIMOL. Del latín *multiplicitas.*

múltiplo adj./s.m. 1 Referido a un número o a una cantidad, que contienen a otro u otra un número exacto de veces: *El número 10 es múltiplo de 2 y de*

5. 2 ‖ **[mínimo común múltiplo**; el menor de los múltiplos comunes a dos o más números dados: *El 'mínimo común múltiplo' de 2 y 3 es 6.* ☐ ETIMOL. Del latín *multiplus.* ☐ MORF. Como adjetivo es invariable en género.

[multipropiedad s.f. 1 Sistema o régimen de utilización de un inmueble por diferentes personas, bajo determinadas condiciones, esp. la limitación del tiempo de uso. 2 Inmueble que se disfruta mediante este sistema.

[multipuesto adj. →**multiusuario.** ☐ MORF. Invariable en género.

[multirracial adj. Referido a una población, que está formada por muchas razas. ☐ MORF. Invariable en género.

[multirriesgo adj. Referido esp. a una póliza de seguros, que cubre gran variedad de accidentes. ☐ MORF. Invariable en género y número.

multitud s.f. Gran cantidad de personas, animales o cosas. ☐ ETIMOL. Del latín *multitudo.*

multitudinario, ria adj. 1 Que forma multitud. 2 De la multitud, con sus características o relacionado con ella.

[multiuso adj. Que sirve para varios usos. ☐ MORF. Invariable en género y número.

[multiusuario adj. Referido a un sistema informático, que puede tener al mismo tiempo varios usuarios que comparten el sistema operativo. ☐ MORF. Invariable en género. ☐ USO Se usa también *multipuesto.*

mundanal o **mundano, na** adj. 1 Del mundo o relacionado con él. 2 De lo que se considera la alta sociedad o relacionado con ella. ☐ MORF. *Mundanal* es invariable en género. ☐ USO El uso de *mundanal* es característico del lenguaje literario.

mundial ▮ adj. 1 Del mundo entero o relacionado con él. ▮ s.m. 2 Competición deportiva en la que pueden participar representantes de todas las naciones del mundo. ☐ MORF. Como adjetivo es invariable en género.

mundillo s.m. Conjunto limitado de personas con una misma posición social, profesión o afición.

mundo s.m. 1 Conjunto de todo lo creado o existente. 2 Parcela o ambiente diferenciados dentro de este conjunto: *el mundo de la aviación.* 3 Planeta o astro, esp. referido a la Tierra. 4 Conjunto o sociedad de los seres humanos. 5 Parte de la sociedad con una característica común. 6 Experiencia de la vida, esp. la que da desenvoltura y sabiduría para conducirse en la vida: *Es una mujer de mundo y sabe moverse en cualquier ambiente.* 7 Vida seglar y no monástica: *Cuando sintió la llamada de Dios, renunció al mundo.* 8 ‖ {**caérsele/venírsele**} a alguien **el mundo encima**; col. Deprimirse o abatirse, esp. por verse sometido a una gran carga. ‖ **desde que el mundo es mundo**; col. Desde siempre o desde hace mucho tiempo. ‖ **el otro mundo**; col. Lo que hay después de la muerte. ‖ **hacer un mundo de** algo; col. Darle demasiada importancia o atribuirle una gravedad que no tiene. ‖ **no ser nada del otro mundo**; col. No ser extraordinario, sino común y corriente. ‖ **ponerse** alguien **el mundo por montera**; col. Dejar de lado el qué dirán y las opiniones de los demás para actuar según la propia voluntad: *Harto del trabajo y de la vida de ciudad, se puso el mundo por montera y se fue a vivir al campo.* ‖ **tercer mundo**; conjunto de los países menos desarrollados económicamente: *El mundo rico vive ajeno a los problemas del Tercer Mundo.* ‖ **ver mundo**; viajar por distintos lugares y países. ☐ ETIMOL. Del latín *mundus.* ☐ SEM. En la acepción 1, es sinónimo de *cosmos, creación, orbe* y *universo.*

mundología s.f. *col.* Experiencia de la vida y habilidad para desenvolverse en ella o para tratar con la gente. ☐ ETIMOL. De *mundo* y -*logía* (estudio). ☐ USO Tiene un matiz humorístico.

[mundovisión s.f. En telecomunicación, red de televisión constituida por gran número de países para la transmisión de acontecimientos de interés general. ☐ ETIMOL. De *mundo* y la terminación de *televisión.*

munición s.f. **1** Conjunto de provisiones y de material de guerra necesario para sustentar un ejército. **2** Carga que se pone en las armas de fuego. ☐ ETIMOL. Del latín *munitio* (trabajo de fortificación, refuerzo). ☐ MORF. Se usa más en plural.

municipal ▌ adj. **1** Del municipio o relacionado con él. ▌ s. **2** Persona que pertenece a la guardia del municipio. ☐ MORF. 1. Como adjetivo es invariable en género. 2. Como sustantivo es de género común: *el municipal, la municipal.* 3. En la acepción 2, la RAE sólo lo registra como masculino.

municipalizar v. Referido esp. a un servicio público, asignarlo a un municipio o hacerlo depender de él: *El servicio de pompas fúnebres ha sido municipalizado.* ☐ ORTOGR. La *z* se cambia en *c* delante de *e* →CAZAR.

munícipe s. Habitante de un municipio. ☐ ETIMOL. Del latín *municeps.* ☐ MORF. Es de género común: *el munícipe, la munícipe.*

municipio s.m. **[1** En algunos países, división administrativa menor que está a cargo de un solo organismo. **2** Territorio que comprende esta división administrativa; término municipal. **3** Corporación compuesta por un alcalde y varios concejales, que dirige y administra este territorio. **4** Conjunto de habitantes de este territorio. ☐ ETIMOL. Del latín *municipium,* y éste de *munus* (oficio, obligación, tarea) y *capere* (tomar). ☐ SEM. En la acepción 3, sinónimo de *ayuntamiento, concejo* y *cabildo.*

munificencia s.f. Generosidad espléndida. ☐ ETIMOL. Del latín *munificentia,* y éste de *munificus* (liberal). ☐ USO Su uso es característico del lenguaje culto.

munificente o **munífico, ca** adj. Que demuestra munificencia o que actúa con mucha generosidad. ☐ ETIMOL. *Munifico,* del latín *munificus,* y éste de *minus* (regalo) y *facere* (hacer). ☐ MORF. *Munificente* es invariable en género. ☐ USO Su uso es característico del lenguaje culto.

muñeca s.f. Véase **muñeco, ca.**

muñeco, ca ▌ s. **1** Figura humana que se utiliza generalmente como adorno o como juguete. **[2** *col.* Niño o joven guapo y de aspecto dulce y delicado. ▌ s.m. **3** *col.* Hombre de poco carácter que se deja manejar por los demás. ▌ s.f. **4** Parte del brazo humano por donde se articula la mano con el antebrazo. 🖐 mano ☐ ETIMOL. De origen prerromano.

muñeira s.f. **1** Composición musical gallega de carácter popular, que se interpreta cantada con acompañamiento de gaitas, panderos y tamboriles. **2** Baile popular que se ejecuta al compás de esta música. ☐ ETIMOL. Del gallego *muiñeira* (molinera).

muñequera s.f. Tira o venda, generalmente elástica, con la que se aprieta la muñeca para sujetarla o para protegerla.

muñir v. **1** Referido a un asunto, disponerlo o arreglarlo, esp. si es mediante engaños o fraudes: *Todos creen que se ha muñido la votación y quieren invalidarla.* **2** Llamar o convocar a las juntas o a algo semejante: *Han muñido a todos los cofrades para asistir a una junta informativa.* ☐ ETIMOL. Del latín *monere* (amonestar, avisar). ☐ MORF. Irreg. →PLAÑIR. ☐ USO En la acepción 1, es despectivo.

muñón s.m. **1** Parte que queda unida al cuerpo tras la amputación de un miembro o de un órgano. **[2** Miembro del cuerpo que está atrofiado y no ha llegado a tomar la forma correspondiente o la ha perdido. ☐ ETIMOL. De origen prerromano.

mural ▌ adj. **1** Que se pone sobre un muro o pared y ocupa gran parte de él: *tapiz mural.* ▌ s.m. **2** Obra pictórica informativa o decorativa, de grandes dimensiones, que se coloca en un muro o pared. ☐ ETIMOL. Del latín *muralis.* ☐ MORF. Como adjetivo es invariable en género.

muralismo s.m. Arte o técnica de realizar pinturas murales.

muralista ▌ adj. **[1** Del muralismo o relacionado con este arte. ▌ adj./s. **2** Referido a un artista, que se dedica a la pintura mural. ☐ MORF. 1. Como adjetivo es invariable en género. 2. Como sustantivo es de género común: *el muralista, la muralista.* 3. En la acepción 2, la RAE sólo lo registra como sustantivo.

muralla s.f. **1** Obra defensiva que rodea un lugar o un territorio; muro. **[2** Lo que incomunica y es difícil de atravesar. ☐ ETIMOL. Del italiano *muraglia.*

murciano, na adj./s. De Murcia o relacionado con esta comunidad autónoma, con la provincia de esta comunidad o con su capital.

murciélago s.m. Mamífero volador de pequeño tamaño y de hábitos nocturnos, capaz de orientarse en la oscuridad al emitir ultrasonidos que le permiten captar determinados ecos. ☐ ETIMOL. Del latín *mus* (ratón) y *caecus* (ciego). ☐ MORF. Es un sustantivo epiceno: *el murciélago macho, el murciélago hembra.*

murena s.f. →**morena.** ☐ MORF. Es un sustantivo epiceno: *la murena macho, la murena hembra.*

murga s.f. **1** Grupo de músicos callejeros. **2** ‖**dar (la) murga**; *col.* Molestar o importunar. ☐ ETIMOL. De **musga,* y éste de *música.*

murmullo s.m. Sonido suave y confuso, esp. el producido por gente que habla. ☐ ETIMOL. Del latín *murmurium.*

murmuración s.f. Comentario malintencionado sobre alguien, esp. si no está presente.

murmurador, -a adj./s. Que murmura.

murmurar ▌ v. **1** Hablar mal de alguien, esp. si no está presente: *Tu vecino no hace más que murmurar de todo el mundo.* **2** Hablar bajo o entre dientes, esp. si se manifiesta una queja: *No murmures y dime con claridad de qué te quejas.* **3** Producir un sonido suave y apacible: *El arroyuelo murmuraba al pasar entre las piedras.* ▌ prnl. **[4** Referido a un rumor, difundirse entre la gente; rumorearse: *'Se murmuraba' que iba a haber un día más de vacaciones.* ☐ ETIMOL. Del latín *murmurare.*

☐ MORF. En la acepción 4, es unipersonal. ☐ SINT. Constr. de la acepción 1: *murmurar* DE *alguien*.

muro s.m. **1** Obra de albañilería vertical, generalmente gruesa, que se utiliza para cerrar un espacio o para sostener un techo. **2** Obra defensiva que rodea un lugar o un territorio; muralla. **[3** Lo que separa o impide la comunicación: *Después de la disputa, entre los dos se levantó un 'muro' de silencio.* ☐ ETIMOL. Del latín *murus* (muralla, pared).

murrio, rria ▌ adj. **1** *col.* Triste y melancólico. ▌ s.f. **2** *col.* Tristeza que produce melancolía. ☐ ETIMOL. De origen incierto.

mus s.m. **1** Juego de cartas que consta de cuatro fases de apuesta o de envite y que se practica por parejas. **2** En este juego, petición de descarte de los naipes que no interesan. ☐ ETIMOL. Del vasco *mux*, y éste del francés *mouche*.

musa s.f. **1** En la mitología clásica, cada una de las diosas que protegían las ciencias y las artes. **2** Inspiración de un artista. ☐ ETIMOL. Del latín *musa*, y éste del griego *mûsa*.

musaraña s.f. **1** Mamífero de unos seis centímetros de longitud, parecido a un ratón pero con el hocico más puntiagudo, que se alimenta generalmente de insectos. **2** ‖ ⟨mirar a/pensar en⟩ las **musarañas**; *col.* Estar distraído o ajeno a lo que sucede alrededor. ☐ ETIMOL. Del latín *mus araneus* (ratón araña), porque se creía que su mordedura era venenosa como la de la araña. ☐ MORF. En la acepción 1, es un sustantivo epiceno: *la musaraña macho, la musaraña hembra.*

[musculación s.f. Desarrollo de los músculos.

muscular adj. De los músculos, formado por ellos o relacionado con ellos. ☐ MORF. Invariable en género. ☐ SEM. Dist. de *musculoso* (que tiene los músculos desarrollados).

musculatura s.f. **1** Conjunto y disposición de los músculos del cuerpo. **[2** *col.* Grado de desarrollo y fortaleza musculares.

músculo s.m. **1** En algunos animales y en el hombre, tejido fibroso y elástico formado por células alargadas, en forma de huso, capaz de contraerse por la acción de estímulos nerviosos y que posibilita el movimiento. **2** ‖ (músculo) abductor; el que tiene como función mover una parte del cuerpo alejándola del eje del mismo. ‖ (músculo) aductor; el que tiene como función mover una parte del cuerpo acercándola al eje del mismo. ‖ (músculo) bíceps; el que tiene una de sus inserciones dividida en dos tendones: *Hace pesas y tiene los brazos muy anchos por el desarrollo de los músculos bíceps braquiales.* ‖ (músculo) cuádriceps; el que tiene cuatro vientres musculares y cuatro tendones: *El músculo cuádriceps tensa el muslo en su parte delantera.* ‖ (músculo) masetero; el que sirve para elevar la mandíbula inferior de los vertebrados. ‖ (músculo) sartorio; el que se extiende oblicuamente a lo largo de la cara anterior e interna del muslo. ‖ (músculo) tríceps; el que tiene una de sus inserciones dividida en tres tendones: *Al tensar el músculo tríceps, se estira el antebrazo.* ☐ ETIMOL. Del latín *musculus*.

musculoso, ca adj. **1** Referido a una parte del cuerpo, que tiene músculos. **2** Que tiene los músculos muy desarrollados. ☐ SEM. Dist. de *muscular* (relacionado con los músculos).

muselina s.f. Tela muy fina y transparente, generalmente de algodón o de seda. ☐ ETIMOL. Del francés *mousseline*.

museo s.m. Lugar en el que se guardan y se exponen objetos de valor artístico, científico o cultural para que puedan ser examinados. ☐ ETIMOL. Del latín *museum* (lugar dedicado a las musas).

museografía s.f. Conjunto de técnicas y prácticas relacionadas con el funcionamiento de un museo. ☐ ETIMOL. De *museo* y *-grafía* (descripción). ☐ ORTOGR. Dist. de *museología*.

museología s.f. Ciencia que estudia los museos, su historia, su influjo en la sociedad y las técnicas de catalogación y conservación. ☐ ETIMOL. De *museo* y *-logía* (ciencia). ☐ ORTOGR. Dist. de *museografía*.

muserola s.f. Correa de la brida que rodea el morro de una caballería y sirve para asegurar la posición del bocado. 🐎 arreos

musgo ▌ s.m. **1** Planta que carece de tejidos conductores, posee falsas raíces, tiene las hojas bien desarrolladas y cubiertas de pelos, y crece en lugares húmedos. **2** Capa de estas plantas que cubre una zona. ▌ pl. **3** En botánica, clase de estas plantas, perteneciente al reino de las metafitas. ☐ ETIMOL. Del latín *muscus*.

[music-hall (anglicismo) s.m. Espectáculo de variedades compuesto por números musicales, números cómicos y otras atracciones. ☐ PRON. [miúsic hol], con *h* aspirada.

música s.f. Véase **músico, ca**.

musical ▌ adj. **1** De la música, relacionado con ella o que la produce. ▌ adj./s.m. **2** Referido a una película o a un espectáculo, que tiene escenas cantadas o bailadas como elementos esenciales de su estructura. ☐ MORF. Como adjetivo es invariable en género. ☐

musicalidad s.f. Conjunto de características rítmicas o sonoras propias de la música y gratas al oído.

[musicar v. Referido a un texto, ponerle música: *En ese disco, 'han musicado' varios poemas famosos.* ☐ ORTOGR. La *c* se cambia en *qu* ante *e* →SACAR.

[musicasete s.f. Cajita de plástico que contiene una cinta magnética para la reproducción de música.

músico, ca ▌ adj. **1** De la música o relacionado con ella. ▌ s. **2** Persona que se dedica a la música o que sabe su arte, esp. si ésta es su profesión. ▌ s.f. **3** Arte de combinar sonidos vocales, instrumentales o ambos a un tiempo, de manera que produzcan un efecto estético o expresivo. **4** Composición creada según este arte. **[5** Conjunto de estas composiciones con una característica común. **6** Melodía o combinación agradable de sonidos. **7** Grupo o conjunto de músicos que tocan juntos. **8** ‖ **con la música a otra parte**; *col.* Expresión que se usa para alejar a alguien o que deje de molestar. ‖ **música celestial**; *col.* [Lo que se oye y resulta muy agradable. ‖ **[música de cámara**; la que es instrumental y ha sido compuesta para ser ejecutada por un número reducido de intérpretes en una sala pequeña. ‖ **[música enlatada**; *col.* La grabada, esp. referido a la que se escucha en un espectáculo en directo. ‖ **música instrumental**; la compuesta para ser interpretada sólo por instrumentos. ‖ **música ligera**; la que es muy melodiosa, pegadiza y fácil de recordar. ‖ **música vocal**; la compuesta para ser interpretada por voces, solas o con acompañamiento ins-

trumental. ☐ ETIMOL. Las acepciones 1 y 2, del latín *musicus*, y éste del griego *musikós* (poético). Las acepciones 3-8, del latín *musica*, y éste de *musa* (musa). ☐ SINT. 1. *Música celestial* se usa más en la expresión *sonar a música celestial*. 2. *Con la música a otra parte* se usa más con los verbos *mandar*, *marchar*, *enviar* o equivalentes.

musicología s.f. Estudio científico de la teoría y la historia de la música. ☐ ETIMOL. De *música* y *-logía* (estudio, ciencia).

musitar v. *col.* Hablar en voz muy baja produciendo un murmullo; bisbisar, bisbisear: *Musitó unas palabras de disculpa casi inaudibles. Musitó una oración.* ☐ ETIMOL. Del latín *mussitare*.

[muslamen s.m. *col.* Muslos de una persona, esp. los de una mujer si son gruesos o bien formados. ☐ USO Tiene un matiz humorístico.

[muslera s.f. Tira o venda de material elástico, que se coloca ciñendo el muslo para sujetarlo o para protegerlo.

muslim ∎ adj. 1 De Mahoma (profeta árabe) o relacionado con su religión. ∎ adj./s. 2 Que tiene como religión el islamismo. ☐ ETIMOL. Del árabe *muslim* (el que practica la entrega a Dios). ☐ MORF. 1. Como adjetivo es invariable en género. 2. Como sustantivo es de género común: *el muslim, la muslim*. ☐ SEM. Es sinónimo de *musulmán*.

muslo s.m. 1 En una persona o en un animal cuadrúpedo, parte de la pierna o de la pata que va desde la cadera hasta la rodilla y en la que se localiza el fémur. 🔸 carne [2 En un ave, parte más carnosa de la pata, en la que se localizan la tibia y el peroné. ☐ ETIMOL. Del latín *musculus* (músculo).

[mustélido ∎ adj./s.m. 1 Referido a un mamífero, que es carnívoro, tiene el cuerpo pequeño, alargado y muy flexible, y las patas cortas: *La nutria, la comadreja y el visón son animales 'mustélidos'.* ∎ s.m.pl. 2 En zoología, familia de estos mamíferos.

mustiar v. 1 Referido esp. a una planta, hacerle perder la frescura, el verdor o la abundancia de hojas: *El calor ha mustiado las flores.* 2 Hacer perder la viveza, el vigor o la vitalidad: *Las penalidades que pasó mustiaron su carácter.* ☐ ORTOGR. La *i* nunca lleva tilde. ☐ SEM. Es sinónimo de *marchitar*.

mustio, tia adj. 1 Referido esp. a una planta, que ha perdido su frescura, su verdor o su abundancia de hojas. 2 Melancólico o triste. 3 En zonas del español meridional, hipócrita o falso. ☐ ETIMOL. Quizá del latín *mustidus (viscoso, húmedo).

musulmán, -a ∎ adj. 1 De Mahoma (profeta árabe), o relacionado con su religión. ∎ adj./s. 2 Que tiene como religión el islamismo; agareno, mahometista. ☐ ETIMOL. Del francés *musulman*. ☐ SEM. Es sinónimo de *islamita*, *mahometano* y *muslim*.

mutabilidad s.f. Capacidad de mutar.

mutación s.f. 1 Alteración en el material genético de una célula, que se transmite a las siguientes generaciones. 2 Resultado visible de esta alteración. ☐ ETIMOL. Del latín *mutatio*.

mutante ∎ adj. [1 Que ha sufrido una mutación. ∎

s. 2 Individuo surgido de una mutación. 3 Descendencia de este individuo. ☐ MORF. 1. Como adjetivo es invariable en género. 2. Como sustantivo es de género común: *el mutante, la mutante*.

mutar v. 1 En biología, referido esp. al material genético de una célula, sufrir una alteración en su constitución, que se transmite a las siguientes generaciones: *El material genético puede mutar espontáneamente o de forma inducida.* 2 Cambiar, transformar o convertir en algo distinto: *Las costumbres tradicionales son difíciles de mutar.* ☐ ETIMOL. Del latín *mutare* (cambiar).

mutatis mutandis (latinismo) ‖ Cambiando lo que haya que cambiar.

mutilación s.f. Corte de una parte separándola o eliminándola del todo al que pertenece.

mutilado, da s. Persona que ha sufrido una mutilación en el cuerpo.

mutilar v. 1 Referido a una parte del cuerpo, cortarla o amputarla: *Lo arrolló un tren y le mutiló las piernas. Se mutiló un dedo con la cortadora de césped.* 2 Referido a un todo, cortarle alguna parte o quitársela: *El editor mutiló la novela porque resultaba demasiado larga.* ☐ ETIMOL. Del latín *mutilare*.

mutis s.m. En teatro, salida de la escena de un actor. ☐ ETIMOL. Quizá del provenzal *mutus*, y éste del latín *mutus* (mudo). ☐ MORF. Invariable en número. ☐ SINT. Se usa más en la expresión *hacer mutis*.

mutismo s.m. Silencio voluntario o impuesto. ☐ ETIMOL. Del latín *mutus* (mudo).

mutua s.f. Véase *mutuo, tua*.

mutualidad s.f. 1 Asociación destinada a prestar asistencia o determinados servicios a sus miembros y que se financia con las aportaciones periódicas de éstos. 2 Sistema o régimen de prestaciones mutuas en el que se basan estas asociaciones. ☐ MORF. En la acepción 1, se usa mucho la forma abreviada *mutua*.

mutualismo s.m. 1 Sistema basado en un régimen de mutualidad. [2 En biología, asociación entre dos individuos u organismos de distinta especie, que proporciona beneficios a ambos. ∎

mutualista ∎ adj. 1 De la mutualidad o relacionado con ella. ∎ s. 2 Miembro de una mutualidad. ☐ MORF. 1. Como adjetivo es invariable en género. 2. Como sustantivo es de género común: *el mutualista, la mutualista*.

mutuo, tua ∎ adj. 1 Que se hace o se produce entre dos de manera recíproca. ∎ s.f. 2 →**mutualidad**. ☐ ETIMOL. La acepción 1, del latín *mutuus* (recíproco, mutuo).

muy adv. →**mucho**. ☐ MORF. Es apócope de *mucho* ante expresiones adjetivas o adverbiales, excepto ante *más*, *menos*, *antes*, *después* o los comparativos *mayor*, *menor*, *mejor* o *peor*.

[muyahid (del árabe) s.m. Combatiente o guerrillero. ☐ PRON. [muyahíd], con *h* aspirada. ☐ MORF. Se usa mucho el plural árabe 'muyahidin'; incorr. *muyahidines.

my s.f. En el alfabeto griego clásico, nombre de la duodécima letra: *La grafía de la my es* μ.

N n

n s.f. **1** Decimocuarta letra del abecedario. **2** Exponente de una potencia indeterminada: *Para calcular 2 elevado a n, debes multiplicar 2 n veces.* [**3** col. Número indeterminado, pero muy alto: *Te he dicho 'n' veces que estés quieto.* □ PRON. En la acepción 1, representa el sonido consonántico nasal sonoro.

nabiza s.f. Hoja tierna del nabo, cuando empieza a crecer.

nabo s.m. **1** Planta de hojas dentadas, rizadas y de color verde azulado, con flores de pequeño tamaño que dan semillas negras y raíz con forma de huso y color blanco o amarillento. **2** Raíz de esta planta. [**3** *vulg.* →pene. □ ETIMOL. Del latín *napus.*

nácar s.m. Sustancia dura, blanca e irisada que forma la capa interna de las conchas de algunos moluscos y que se usa para fabricar objetos: *botón de nácar.* □ ETIMOL. Quizá del árabe *naqur* (caracola).

nacarado, da adj. De color blanco irisado, como el del nácar, o con su brillo.

nacáreo, a adj. Del nácar o con sus características; nacarino.

nacarino, na ▮ adj. **1** Del nácar o con sus características; nacáreo. ▮ s.f. [**2** Nácar artificial.

nacer ▮ v. **1** Referido a una persona o a un animal vivíparo, salir del vientre materno: *Es sietemesino porque nació a los siete meses.* **2** Referido a un animal ovíparo, salir del huevo: *Nada más nacer, el pollito empezó a piar.* **3** Referido a un vegetal, salir de su semilla: *De las diez semillas que planté, sólo han nacido cinco plantas.* **4** Salir o empezar a aparecer: *Se le cayó el pelo, pero ya le está volviendo a nacer. Al pollito todavía no le han nacido las plumas.* **5** Referido a un astro, empezar a verse en el horizonte: *El Sol nace por el Este.* **6** Brotar o surgir: *Este río nace en la montaña.* **7** Empezar, tener origen o tener principio: *La revolución nació del descontento popular. El miedo nace de la ignorancia. Mi amargura nace de aquel desengaño.* **8** Seguido de *para*, estar destinado para el fin que se indica o tener una inclinación natural hacia él: *Mi profesora de piano dice que he nacido para la música.* **9** Seguido de *a*, iniciarse en la actividad que se indica: *Nació a la literatura el día que le publicaron un cuento.* **10** col. Referido a una persona, seguir vivo después de haber salido de un peligro de muerte: *Tú naciste el día que te salvaron de morir ahogado.* ▮ prnl. **11** Referido esp. a una raíz o a una semilla, echar tallos al aire libre sin haber sido plantadas: *Las patatas que compraste se han nacido y algunas tienen hasta hojas.* □ ETIMOL. Del latín *nasci.* □ MORF. 1. Irreg. →PARECER. 2. Tiene un participio regular (*nacido*) que se usa en la conjugación y otro irregular (*nato*) que se utiliza como adjetivo. □ SEM. Expresiones como *no haber nacido ayer* se usan para negar una supuesta ingenuidad: *A mí no intentes engañarme, que no he nacido ayer.*

nacho s.m. [Aperitivo mejicano con forma de triángulo hecho con pasta de maíz frita.

nacido, da ▮ s. **1** Persona que existió en el pasado o que existe en el presente: *Los nacidos en 1950 tendrán cincuenta años en el año 2000.* ▮ s.m. **2** En zonas del español meridional, divieso. **3** ||**bien nacido**; referido a una persona, que actúa con nobleza y honradez. ||**mal nacido**; referido a una persona, que actúa con maldad y se comporta de modo indeseable. □ ORTOGR. Incorr. **malnacido.* □ MORF. La acepción 1 se usa más en plural. □ USO *Mal nacido* se usa como insulto.

naciente s.m. Este.

nacimiento s.m. **1** Comienzo de la vida de un nuevo ser: *el nacimiento de un hijo.* **2** Comienzo, aparición o principio: *el nacimiento del Sol.* **3** Lugar en el que brota una corriente de agua: *el nacimiento de un río.* **4** Representación con figuras de la natividad de Jesucristo (hijo de Dios en el cristianismo); belén, pesebre. □ SEM. Dist. de *natalicio* (día del nacimiento).

nación s.f. **1** Conjunto de habitantes de un país regido por un Gobierno central: *Durante la invasión, el presidente pidió a la nación que tuviera calma.* **2** Territorio de este país: *En su viaje visitó las naciones del norte de Europa.* **3** Conjunto de personas con un mismo origen étnico y que generalmente hablan un mismo idioma y tienen una tradición común: *La nación judía vive dispersa por todo el mundo.* □ ETIMOL. Del latín *natio* (raza).

nacional ▮ adj. **1** De una nación o relacionado con ella. **2** De la propia nación o relacionado con ella: *vuelos nacionales.* ▮ adj./s. [**3** En la guerra civil española, partidario del bando acaudillado por el general Franco. □ MORF. 1. Como adjetivo es invariable en género. 2. Como sustantivo es de género común: *el nacional, la nacional.*

[**nacionalcatolicismo** s.m. Doctrina política que se dio en la España franquista y que se caracterizaba por la estrecha relación entre el Estado y la iglesia católica.

nacionalidad s.f. Estado o situación de quien posee el derecho de ciudadanía de una nación: *Tengo nacionalidad española.*

nacionalismo s.m. **1** Doctrina política que exalta y que defiende lo que se considera propio de una nación. **2** Tendencia o movimiento de un pueblo para constituirse en Estado autónomo o independiente.

nacionalista adj./s. Que sigue o que defiende el nacionalismo. □ MORF. 1. Como adjetivo es invariable en género. 2. Como sustantivo es de género común: *el nacionalista, la nacionalista.*

nacionalización s.f. **1** Concesión u obtención de una nacionalidad que no es la de origen. **2** Paso a manos del Estado de bienes o empresas de personas individuales o colectivas.

nacionalizar v. **1** Referido a una persona, dar u obtener una nacionalidad que no es la de origen: *Las autoridades consintieron en nacionalizarlo tras tres años de trámites burocráticos. Al nacionalizarse adquirió los derechos y los deberes de su nuevo país.* **2** Referido a bienes o a empresas privados, hacer que pasen a manos del Estado: *El Gobierno nacionalizó los transportes públicos.* □ ORTOGR. La *z* se cambia en *c* delante de *e* →CAZAR.

[**nacionalsindicalismo** s.m. Doctrina política y social española que defendía el totalitarismo, el tradicionalismo nacionalista y militarista, y la sustitución de los sindicatos obreros por sindicatos comunes a trabajadores y a patronos.

[**nacionalsindicalista** ▮ adj. **1** Del nacionalsindicalismo o relacionado con esta doctrina política. ▮ adj./s. **2** Que defiende o sigue el nacionalsindicalismo. ☐ MORF. **1.** Como adjetivo es invariable en género. **2.** Como sustantivo es de género común: *el 'nacionalsindicalista', la 'nacionalsindicalista'*.

nacionalsocialismo s.m. →**nazismo**.

nacionalsocialista adj./s. →**nazi**. ☐ MORF. **1.** Como adjetivo es invariable en género. **2.** Como sustantivo es de género común: *el nacionalsocialista, la nacionalsocialista*.

nada ▮ pron.indef. **1** Ninguna cosa: *Nunca conseguí nada de él. Éste no sabe nada de español. Antes de nada, ¿me has traído el libro? No quiero nada más, gracias. Por nada me separaría yo de mis hijos. Con este calor, nada como darse un buen baño.* **2** Poco o muy poco: *Han estrenado esa película hace nada. No sé nada de tu hermano, sólo lo conozco de vista. No me lo agradezcas, porque yo apenas hice nada. Este niño no come nada. Me he caído de la bici, pero no ha sido nada.* ▮ s.f. **3** Ausencia o inexistencia de cualquier ser o de cualquier cosa: *Una gran guerra podría reducirnos a la nada.* ▮ adv. **4** En absoluto, de ninguna manera: *No lo estás haciendo nada bien. No lo vi nada animado.* **5** ‖ **de nada**; expresión que se utiliza para corresponder a un agradecimiento: *Niño, cuando te dan las gracias por algo hay que contestar 'De nada'.* ‖ **nada menos**; expresión que se utiliza para alabar la autoridad, la importancia o la excelencia de algo: *Me ha felicitado nada menos que la directora general.* ‖ [**para nada**; col. Expresión que se utiliza para expresar negación total o rechazo absoluto: *'Para nada' pienso aceptar la propuesta que me haces.* ☐ ETIMOL. Del latín *res nata* (cosa nacida), que se empleó con el sentido de *asunto en cuestión*. ☐ MORF. En las acepciones 1 y 2, no tiene diferenciación de género.

nadador, -a ▮ adj. **1** Que nada: *ave nadadora.* ▮ s. **2** Deportista que practica la natación.

nadar v. **1** Trasladarse en el agua impulsándose con movimientos del cuerpo: *Como aún no sabe nadar, se baña con flotador. Al nadar, los perros hacen los mismos movimientos que al andar.* **2** Flotar en un líquido: *La lechuga nada en aceite porque has echado demasiado.* **3** Tener en abundancia: *Nadan en dinero.* ☐ ETIMOL. Del latín *natare*. ☐ SINT. Constr. de la acepción 3: *nadar EN algo*.

nadería s.f. Lo que se considera sin importancia o de poco valor.

nadie pron.indef. **1** Ninguna persona: *No debe de haber nadie en tu casa, porque no me cogen el teléfono. Nadie sabe qué ha pasado. ¿Cómo te atreves a darme órdenes, si tú no eres nadie aquí?* **2** ‖ **ser un don nadie**; ser una persona de poca influencia, a la que no se reconoce ningún valor. ☐ ETIMOL. Del latín *nati* (los nacidos). ☐ MORF. No tiene diferenciación de género.

nado ‖ **a nado**; nadando: *Cruzar el río a nado.*

nafta s.f. **1** Fracción de hidrocarburos, obtenida por destilación directa del petróleo crudo, que se utiliza esp. como disolvente y para obtener gasolinas de alto índice de octano. **2** En zonas del español meridional, gasolina. ☐ ETIMOL. Del latín *naphtha*, y éste del griego *náphtha* (especie de petróleo o asfalto).

naftalina s.f. Hidrocarburo aromático y sólido que se obtiene del alquitrán de hulla y que se usa generalmente como insecticida.

nahua ▮ adj./s. **1** De un antiguo pueblo amerindio que habitó en la altiplanicie mejicana y en parte de América Central. ▮ s.m. **2** →**náhuatl**. ☐ MORF. **1.** Como adjetivo es invariable en género. **2.** Como sustantivo es de género común: *el nahua, la nahua.*

náhuatl s.m. Lengua indígena americana. ☐ ORTOGR. Se admite también *nahua*.

[**naif** ▮ adj. **1** Del 'naif' o relacionado con este movimiento artístico: *pintura 'naif'.* ▮ s.m. **2** Movimiento artístico, que se caracteriza por la ingenuidad, el uso de colores vivos, la espontaneidad y la composición sencilla de sus obras. ☐ ETIMOL. Del francés *naf.* ☐ MORF. Como adjetivo es invariable en género.

nailon s.m. Material sintético resistente y elástico, usado generalmente en la fabricación de cuerdas, plásticos y prendas de vestir: *medias de nailon.* ☐ ETIMOL. Del inglés *nylon.* Extensión del nombre de una marca comercial. ☐ ORTOGR. Se admite también *nilón.* ☐ USO Es innecesario el uso del anglicismo *nylon.*

naipe ▮ s.m. **1** Cada una de las cartulinas rectangulares que llevan en una de sus caras una figura o un número determinado de objetos y que forman parte de una baraja; carta. ▮ pl. **2** Conjunto de estas cartulinas, dividido en cuatro palos, que se usa en algunos juegos de azar; baraja. ☐ ETIMOL. De origen incierto.

nalga s.f. Parte abultada y carnosa en la que empieza la pierna humana. ☐ ETIMOL. Del latín *natica.* ☐ SEM. En plural equivale a *culo: Se cayó de nalgas.*

nana s.f. **1** Canción que se canta a los niños para dormirlos; canción de cuna. **2** En zonas del español meridional, niñera. ☐ ETIMOL. Voz infantil.

nanay interj. col. Expresión que se usa para indicar negación rotunda: *Cuando le pedí dinero, me contestó que nanay.*

nano- Elemento compositivo que significa 'milmillonésima parte': *nanómetro, nanosegundo.* ☐ ETIMOL. Del latín *nanus* (pequeñez excesiva).

nanómetro s.m. Milmillonésima parte de un metro.

nansa s.f. Arte o aparejo de pesca formado por un cilindro de red o de juncos entretejidos con aros de madera y con una de sus bases en forma de embudo; nasa. ☐ ETIMOL. Del latín *nassa.* 🐟 pesca

nao s.f. poét. Nave o embarcación. ☐ ETIMOL. Del catalán *nau.*

napa s.f. Piel de algunos animales, generalmente de cordero o de cabra, esp. después de curtida y preparada para diversos usos. ☐ ETIMOL. Del francés *nappe.*

[**napalm** s.m. Sustancia muy inflamable, de consistencia gelatinosa a temperatura ambiente, que se utiliza en la fabricación de bombas incendiarias. ☐ ETIMOL. Es marca comercial. ☐ PRON. [napálm].

napia s.f. col. Nariz. ☐ MORF. La RAE sólo registra la forma plural *napias.*

[**napiforme** adj. Con forma de nabo. ☐ MORF. Invariable en género. 🥕 raíz

napoleón s.m. Antigua moneda francesa de cinco francos que se usó en España (país europeo) durante la guerra de la Independencia.

napoleónico, ca adj. De Napoleón (emperador

francés de los siglos XVIII y XIX), de su imperio o relacionado con ellos.

napolitano, na ▌adj./s. **1** De Nápoles (ciudad italiana), o relacionado con ella. ▌s.f. **[2** Pastel de forma rectangular y aplanada, generalmente relleno de crema.

naranja ▌adj./s.m. **1** Del color que resulta de mezclar rojo y amarillo; anaranjado. ▌s.f. **2** Fruto de este color producido por el naranjo, que tiene forma redonda, piel ligeramente rugosa, pulpa dividida en gajos y sabor agridulce. **[3** Bebida hecha con este fruto. **4** ‖**media naranja**; respecto de una persona, otra que la complementa perfectamente: *Sigue soltero porque aún no ha encontrado a su media naranja.* ‖**(naranja) sanguina**; la que tiene la pulpa de color rojizo. □ ETIMOL. Del árabe *naranya.* □ MORF. En la acepción 1, la RAE sólo lo registra como sustantivo. □ USO En plural se usa como interjección o para expresar negación rotunda: *Me preguntó que si iba a ir a la fiesta y le dije que naranjas.*

naranjado, da ▌adj. **1** →**anaranjado.** ▌s.f. **2** Bebida con sabor a naranja o hecha con zumo de naranja.

naranjal s.m. Terreno plantado de naranjos.

naranjas interj. Expresión que se usa para indicar extrañeza, sorpresa, admiración, disgusto o negación rotunda. □ USO Se usa mucho la expresión *naranjas de la China.*

naranjero, ra ▌adj. **1** De la naranja o relacionado con esta fruta: *producción naranjera.* ▌s. **2** Persona que se dedica profesionalmente al cultivo o a la venta de naranjas. ▌s.m. **3** En algunas regiones, naranjo.

naranjo s.m. Árbol frutal de flores blancas y olorosas cuyo fruto es la naranja.

narcisismo s.m. Admiración excesiva hacia uno mismo.

narcisista adj./s. Referido a una persona, que siente una exagerada admiración por sí misma o que cuida en exceso su aspecto. □ ETIMOL. Por alusión al personaje mitológico Narciso, que se enamoró de sí mismo al verse reflejado en el agua. □ MORF. 1. Como adjetivo, es invariable en género. 2. Como sustantivo, es de género común: *el narcisista, la narcisista.* □ SEM. Como sustantivo masculino, es sinónimo de *narciso.*

narciso s.m. **1** Planta herbácea, con raíz en forma de bulbo y hojas lineales que nacen en la base del tallo, que da una única flor blanca o amarilla compuesta de dos partes, una posterior formada por pétalos y otra anterior en forma de copa o de campana. **2** Flor de esta planta. **3** Hombre que siente una exagerada admiración por sí mismo o que cuida en exceso su aspecto; narcisista. □ ETIMOL. Las acepciones 1 y 2, del latín *narcissus.* La acepción 3, por alusión a Narciso, personaje mitológico que se enamoró de sí mismo al verse reflejado en el agua.

[narco s. col. →**narcotraficante.** □ MORF. Es de género común: *el 'narco', la 'narco'.*

[narco- Elemento compositivo que significa 'droga' (*narcotráfico*) o 'sueño' (*narcoterapia*). □ ETIMOL. Del griego *nárke* (adormecimiento, entumecimiento).

narcótico, ca adj./s.m. Referido esp. a una sustancia, que produce sopor, relajación muscular y disminución de la sensibilidad o de la consciencia. □ ETIMOL. Del griego *narkotikós,* y éste de *nárke* (adormecimiento, entumecimiento).

narcotizar v. Adormecer mediante el uso de narcóticos: *La morfina narcotiza a quien la consume.* □ ORTOGR. La *z* se cambia en *c* delante de *e* →CAZAR.

narcotraficante adj./s. Que trafica en drogas tóxicas, esp. si lo hace en grandes cantidades. □ MORF. 1. Como adjetivo, es invariable en género. 2. Como sustantivo, es de género común: *el narcotraficante, la narcotraficante.* 3. Como sustantivo, se usa mucho la forma abreviada *narco.*

narcotráfico s.m. Tráfico y comercio de drogas tóxicas en grandes cantidades.

nardo s.m. **1** Planta de flores blancas muy olorosas, reunidas en espigas, que se cultiva en los jardines y se emplea en perfumería. **2** Flor de esta planta. □ ETIMOL. Del latín *nardus.*

narguile s.m. Pipa para fumar formada por un depósito lleno de agua del que sale un largo tubo flexible por el cual pasa el humo hasta la boca del fumador. □ ETIMOL. Del árabe *narayila* (nuez de coco), porque de ella se hace la cápsula que contiene el tabaco. □ PRON. Incorr. *[narguilé].

narices interj. col. Expresión que se usa para indicar extrañeza, sorpresa, admiración o disgusto: *¡Narices, me he quemado!*

narigón s.m. Nariz muy grande.

narigudo, da adj./s. Que tiene la nariz grande. □ ETIMOL. Del latín **naricutus.* □ SEM. Como adjetivo es sinónimo de *narizudo,* y como sustantivo es sinónimo de *narizotas.*

nariz s.f. **1** En la cara de una persona, parte que sobresale entre los ojos y la boca y forma la entrada del aparato respiratorio: *Las gafas se apoyan sobre la nariz.* **2** En muchos vertebrados, parte de la cabeza que tiene esta misma función y situación: *Los elefantes tienen una larguísima nariz.* **3** Sentido del olfato: *Estos perros de caza tienen mucha nariz.* ‖**asomar las narices**; col. Aparecer en un lugar, esp. si es para fisgar. ‖**dar en la nariz** algo a alguien; col. Sospechar o suponer: *Me da en la nariz que mañana no va a venir nadie.* ‖**darse de narices con** alguien; col. Tropezar o encontrarse bruscamente con él. ‖**[en las narices de** alguien; col. Referido al modo de hacer algo, en su vista o en su presencia. ‖**meter las narices**; col. Referido a una persona, entrometerse e intervenir en un asunto que no es de su incumbencia. ‖**nariz aguileña**; la que es delgada y está un poco curvada. ‖**[nariz griega**; la de perfil recto que no hace ángulo con la frente. ‖**nariz perfilada**; la perfecta y bien formada. ‖**no ver** alguien **más allá de sus narices**; col. Ser poco perspicaz o poco espabilado. ‖**{pasar/restregar}** algo **por las narices**; col. Decirlo o mostrarlo con insistencia o con intención de molestar. □ ETIMOL. Del latín *naricae.* □ USO *Narices* se usa mucho en la lengua coloquial como palabra comodín para formar locuciones eufemísticas: *estar hasta las narices* significa 'estar muy harto'.

narizotas s. Persona que tiene la nariz grande; narigudo. □ MORF. 1. Es de género común: *el narizotas, la narizotas.* 2. Invariable en número.

narizudo, da adj. col. →**narigudo.**

narración s.f. **1** Exposición de una historia o de un suceso. **2** Novela, cuento u obra literaria en la que se hace una exposición de este tipo. □ ETIMOL. Del latín *narratio.*

narrador, -a s. Persona o personaje que narra algo.

narrar v. Referido esp. a una historia o a un suceso, contarlos, referirlos o relatarlos: *La novelista narra los problemas de una familia de pueblo.* □ ETIMOL. Del latín *narrare*.

narrativo, va ∎ adj. **1** De la narración o relacionado con esta forma de exposición: *poema narrativo.* ∎ s.f. **2** Género literario en prosa constituido fundamentalmente por la novela y el cuento.

[narratología s.f. Estudio de la narrativa desde un punto de vista teórico, atendiendo a las fórmulas y esquemas de su funcionamiento y prescindiendo de un análisis histórico o evolutivo. □ ETIMOL. Del latín *narratio* (narración) y *-logía* (estudio).

nasa s.f. **1** Arte o aparejo de pesca formado por un cilindro de red o de juncos entretejidos con aros de madera y con una de sus bases en forma de embudo; nansa. 🐟 pesca **2** Cesta de boca estrecha que llevan los pescadores para echar la pesca. □ ETIMOL. Del latín *nassa*.

nasal ∎ adj. **1** De la nariz o relacionado con ella: *hueso nasal.* **2** En lingüística, referido a un sonido, que se articula dejando salir el aire total o parcialmente por la nariz: *La 'm', la 'n' y la 'ñ' son las consonantes nasales del español.* ∎ s.f. **3** Letra que representa este sonido. □ ETIMOL. Del latín *nasalis*, y éste de *nasus* (nariz). □ MORF. Como adjetivo es invariable en género. □ SEM. En la acepción 2, dist. de *oral* (el aire sale totalmente por la boca).

nasalidad s.f. En lingüística, pronunciación de un sonido dejando salir el aire total o parcialmente por la nariz: *La 'm', la 'n' y la 'ñ' se caracterizan por su nasalidad.*

nasalización s.f. En lingüística, articulación o pronunciación nasal de un sonido.

nasalizar v. En lingüística, referido a un sonido, hacerlo nasal o pronunciarlo como tal: *En francés, una consonante nasal nasaliza la vocal anterior. En 'cañón', la 'o' se nasaliza ligeramente.* □ ORTOGR. La *z* se cambia en *c* delante de *e* →CAZAR.

[nasciturus s.m. El que ha sido concebido pero aún no ha nacido. □ ETIMOL. Del latín *nasciturus* (lo que ha de nacer).

[násico s.m. Mono de pelaje brillante y de color pardo amarillento, cuyos machos adultos se caracterizan por poseer una nariz muy desarrollada. □ ETIMOL. Del latín *nasicus* (de gran nariz). □ MORF. Es un sustantivo epiceno: *el 'násico' macho, el 'násico' hembra.* 🐒 primate

nasofaríngeo, a adj. Que está situado en la faringe por encima del velo del paladar y bajo las fosas nasales.

[nasti ‖ **[nasti de plasti**; col. Nada de nada: *Mi jefa me dijo que de lo del dinero que me deben, 'nasti de plasti'.*

nata s.f. Véase **nato, ta.**

natación s.f. **1** Deporte o ejercicio que consiste en nadar. **2** ‖ **[natación sincronizada**; modalidad deportiva que consiste en la realización de una serie de ejercicios artísticos en el agua. □ ETIMOL. Del latín *natatio*.

natal adj. Del nacimiento, del lugar donde se nace o relacionado con ellos: *ciudad natal.* □ ETIMOL. Del latín *natalis*. □ MORF. Invariable en género.

natalicio, cia s.m. Día del nacimiento. □ SEM. Dist. de *nacimiento* (comienzo de la vida de un nuevo ser).

natalidad s.f. Número de nacimientos en una po-

blación o en un tiempo determinados, en relación con el total de la población. □ ETIMOL. De *natal.*

natatorio, ria adj. Que sirve para nadar: *Las aletas son los apéndices natatorios de los peces.*

natillas s.f.pl. Dulce elaborado con una mezcla de huevos, leche y azúcar que se cuece a fuego lento. □ ETIMOL. De *natas.*

natividad s.f. Nacimiento, esp. el de Jesucristo, el de la Virgen María y el de san Juan Bautista. □ ETIMOL. Del latín *nativitas*. □ USO Se usa más como nombre propio.

nativo, va ∎ adj. **1** Del lugar en que se ha nacido o relacionado con él: *Cuando estuvimos en su país, nos explicó las costumbres nativas.* ∎ adj./s. **2** Natural del lugar de que se trata, o nacido en él: *¿Viste el reportaje sobre los nativos de la selva amazónica?* □ ETIMOL. Del latín *nativus.*

nato, ta ∎ adj. **1** Referido esp. a una cualidad o a un defecto, que se tienen de nacimiento: *Encárgale la fiesta a esa chica, que es una organizadora nata.* ∎ s.f. **2** Sustancia espesa y cremosa, blanca o amarillenta, que forma una capa sobre la leche que se deja en reposo. **3** Crema de pastelería que se elabora batiendo y mezclando esta sustancia con azúcar. □ ETIMOL. La acepción 1, del latín *natus* (nacido). Las acepciones 2 y 3, quizá del latín *matta* (manta).

natura s.f. poét. Naturaleza: *La madre natura nos dio la vida y nos acogerá de nuevo en su seno.* □ ETIMOL. Del latín *natura* (lo natural, la naturaleza).

natural ∎ adj. **1** Producido por la naturaleza y no por el hombre: *La lluvia y la nieve son fenómenos naturales.* **2** De la naturaleza, o conforme a la cualidad o propiedad de las cosas: *ciencias naturales.* **3** Hecho sin mezcla, sin composición o sin alteración: *zumo natural.* **4** Ingenuo, espontáneo, sencillo y sin afectación: *Estás muy natural en esta foto, no parece que estés posando.* **5** Regular, lógico, normal y que sucede así comúnmente: *Llevo dos días sin dormir, así que es natural que tenga ojeras.* **6** Que se produce únicamente por las fuerzas de la naturaleza, sin intervención sobrenatural: *Los estudios dijeron que había sido una curación natural y no un milagro.* **7** En música, referido a una nota, que no está alterada por sostenido ni por bemol: *Has desafinado, porque has cantado ese do natural como si fuese bemol.* ∎ adj./s.m. **8** Nacido en un pueblo o en una nación: *Los gallegos son naturales de Galicia.* ∎ s.m. **9** Genio, índole, temperamento o inclinación propia de cada uno: *Su natural tímido hace que no tenga muchos amigos.* **[10** En tauromaquia, pase de muleta con el que el torero da la salida del toro por el mismo lado de la mano con la que sostiene la muleta. □ ETIMOL. Del latín *naturalis*. □ MORF. Como adjetivo es invariable en género.

naturaleza s.f. **1** Conjunto de los seres y de las cosas que forman el universo y en los cuales no ha intervenido el hombre: *Hay que proteger la naturaleza.* **2** Carácter, condición, temperamento o complexión: *Tanto el egoísmo como la ternura forman parte de la naturaleza humana.* **3** Género, clase o tipo: *No me gusta gastar bromas de esa naturaleza porque pueden hacer daño.* **4** Principio universal que se considera como la fuerza que ordena y dispone todas las cosas: *La naturaleza le ha dado fortaleza y valentía.* **5** ‖ **naturaleza muerta**; cuadro o pintura en los que se representan seres inanimados y objetos cotidianos; bodegón. ☐ ETIMOL. De *natural*.

naturalidad s.f. Sencillez y espontaneidad en el modo de proceder o actuar.

naturalismo s.m. **1** Corriente filosófica que considera la naturaleza como único principio de todo. **2** Movimiento literario de origen francés, surgido a finales del siglo XIX, que se caracteriza por presentar la realidad en sus aspectos más crudos. ☐ SEM. Dist. de *naturismo* (doctrina para la conservación de la salud). ☐ USO En la acepción 2, se usa más como nombre propio.

naturalista ▮ adj. **1** Del naturalismo o con rasgos propios de este movimiento literario o de esta corriente filosófica. ▮ adj./s. **2** Que sigue o que defiende el naturalismo. ▮ s. **3** Persona que se dedica al estudio de las ciencias naturales. ☐ MORF. 1. Como adjetivo es invariable en género. 2. Como sustantivo es de género común: *el naturalista, la naturalista.* ☐ SEM. Dist. de *naturista* (de una doctrina para la conservación de la salud).

naturalizar v. **1** Conceder o adquirir los derechos y privilegios de los naturales de un país: *Quieren naturalizar al jugador extranjero para que participe en las competiciones como español.* **2** Referido esp. a una costumbre de otro país, introducirla como natural en el país propio: *Los contactos con el continente americano naturalizaron en España el uso del tabaco.* ☐ ORTOGR. La z se cambia en c delante de e →CAZAR.

naturismo s.m. Doctrina que recomienda el empleo de los agentes naturales para conservar la salud y para curar las enfermedades. ☐ ETIMOL. De *natura*. ☐ SEM. Dist. de *naturalismo* (movimiento literario o corriente filosófica).

naturista adj./s. Partidario o seguidor del naturismo. ☐ MORF. 1. Como adjetivo es invariable en género. 2. Como sustantivo es de género común: *el naturista, la naturista.* ☐ SEM. Dist. de *naturalista* (del naturalismo).

[naturopatía s.f. Método curativo basado en el empleo de medios naturales.

naufragar v. **1** Referido esp. a una embarcación, irse a pique o hundirse: *El barco naufragó porque se hizo un agujero en el casco. Más de cien personas naufragaron por culpa de los arrecifes.* **2** Referido a un intento o a un negocio, salir mal o fracasar: *El negocio naufragó y me quedé en la ruina.* ☐ ORTOGR. La g se cambia en gu delante de e →PAGAR.

naufragio s.m. **1** Pérdida o ruina de una embarcación en un lugar navegable. **2** Pérdida, desgracia o desastre muy graves.

náufrago, ga s. Persona que ha padecido un naufragio. ☐ ETIMOL. Del latín *naufragus*, y éste de *navis* (barco) y *frangere* (romper).

náusea s.f. **1** Malestar que se siente en el estómago cuando se quiere vomitar; basca. **2** Repugnancia causada por algo. ☐ ETIMOL. Del latín *nausea* (mareo), y éste de *navis* (barco). ☐ MORF. Se usa más en plural.

nauseabundo, da adj. Que produce náuseas. ☐ ETIMOL. Del latín *nauseabundus*.

nauta s.m. *poét.* Marinero. ☐ ETIMOL. Del latín *nauta* (navegante).

náutico, ca ▮ adj. **1** De la navegación o relacionado con ella: *deporte náutico.* ▮ s.m. **[2** Zapato ligero, casi siempre de piel, flexible y con suela de goma, que suele tener un cordón alrededor que se ata en la parte delantera. ▮ s.f. **3** Ciencia o arte de navegar; navegación. ☐ ETIMOL. La acepción 1, del latín *nauticus*. La acepción 2 es extensión del nombre de una marca comercial.

nautilo s.m. Molusco cefalópodo con numerosos tentáculos sin ventosas, cubierto por una concha espiral dividida en varias celdas, en la última de las cuales se aloja el cuerpo del animal. ☐ ETIMOL. Del latín *nautilos* (marinero).

nava s.f. Terreno bajo, llano, situado generalmente entre dos montañas. ☐ ETIMOL. De origen prerromano.

navaja s.f. Véase **navajo, ja**.

navajazo s.m. Corte hecho con una navaja.

navajero, ra s. Delincuente que va armado con una navaja.

navajo, ja ▮ adj./s. **[1** De un pueblo indio norteamericano o relacionado con él. ▮ s.f. **2** Cuchillo cuya hoja puede plegarse para que el filo quede dentro del mango. 🗡 arma **3** Molusco marino con dos conchas simétricas rectangulares muy alargadas, cuya carne es comestible. 🗡 marisco **[4** En zonas del español meridional, cuchilla de afeitar. ☐ ETIMOL. Las acepciones 2-4, del latín *novacula*.

naval adj. De los barcos, de la navegación o relacionado con ellos. ☐ ETIMOL. Del latín *navalis*. ☐ MORF. Invariable en género.

navarro, rra adj./s. De la Comunidad Foral de Navarra (comunidad autónoma), de la provincia de esta comunidad o relacionado con ellas.

nave s.f. **1** Construcción que flota y se desliza por el agua y que se usa como medio de transporte; embarcación. **2** Vehículo que vuela por el aire o por el espacio. **3** En un edificio, esp. en un templo, espacio interior que se extiende a lo largo y que está delimitado por muros o por filas de columnas o de arcadas. **4** Construcción grande, generalmente de un solo piso, que se utiliza como almacén o como fábrica. **5** ‖**quemar las naves**; tomar una determinación acerca de algo de modo que sea imposible volverse atrás. ☐ ETIMOL. Del latín *navis*. La expresión *quemar las naves*, por alusión a las naves quemadas por Hernán Cortés al iniciar la conquista de México.

navegable adj. **1** Referido esp. a un río, a un canal o a un lago, que permiten la navegación. **[2** Referido a una imagen informática, que puede verse como si el observador se desplazara dentro de ella. ☐ MORF. Invariable en género.

navegación s.f. **1** Desplazamiento que realiza una nave. **2** Viaje que se hace en una nave. **3** Ciencia o arte de navegar; náutica. **[4** Uso de una red informática o desplazamiento a través de ella. ☐ ETIMOL. Del latín *navigatio*.

navegante adj./s. **1** Que navega. **[2** En una tripulación, miembro responsable de los aparatos de control y de navegación durante el vuelo. **[3** Que utiliza una red informática. ☐ MORF. 1. Como adjetivo es invariable en género. 2. Como sustantivo es de género común: *el navegante, la navegante.*

navegar v. **1** Viajar o ir en una nave: *Nos invitó a navegar en su yate. Los astronautas navegan por el espacio, camino de la Luna. El experto piloto navegaba seguro en medio de la tormenta.* **2** Referido a una nave, moverse o desplazarse: *El velero navega hacia la costa.* **[3** Referido esp. a una red informática, utilizarla o desplazarse a través de ella: *Mi tía se* *usuaria de una red informática internacional y se pasa horas 'navegando' por ella.* □ ETIMOL. Del latín *navigare.* □ ORTOGR. La *g* se cambia en *gu* delante de *e* →PAGAR. □ SEM. Dist. de *bogar* y *remar* (mover los remos en el agua).

navidad s.f. Período de tiempo en el que se celebra el nacimiento de Jesucristo (según la Biblia, hijo de Dios). □ ETIMOL. De *natividad*. □ MORF. En plural tiene el mismo significado que en singular. □ USO Se usa más como nombre propio.

navideño, ña adj. De la Navidad (celebración del nacimiento de Jesucristo y período de tiempo que comprende), o relacionado con ella.

naviero, ra ‖ adj. **1** De los barcos, de la navegación o relacionado con ellos: *empresa naviera.* ‖ s. **2** Persona o entidad propietarias de un navío: *Esa naviera ha renovado su flota de petroleros.*

navío s.m. Barco de grandes dimensiones, con una o varias cubiertas, esp. el utilizado para navegaciones de importancia. □ ETIMOL. Del latín *navigium*. □ SEM. Aunque la RAE no lo considera sinónimo de *buque*, en la lengua actual se usa como tal.

náyade s.f. En la mitología grecolatina, ninfa o divinidad de los ríos y de las fuentes. □ ETIMOL. Del latín *naias*, y éste del griego *naiás*.

nazareno s.m. Penitente que en las procesiones de Semana Santa (celebración de la pasión de Jesucristo) va vestido con túnica, generalmente de color morado. □ ETIMOL. Del latín *Nazarenus* (de Nazaret).

nazarí o **nazarita ‖** adj. **1** De la dinastía nazarí o relacionado con ella. ‖ adj./s. **2** Descendiente de Yúsuf ben Názar (fundador de la dinastía árabe que reinó en Granada desde el siglo XIII al XV). □ MORF. 1. Como adjetivo es invariable en género. 2. Como sustantivo es de género común: *el {nazarí / nazarita},la {nazarí / nazarita}*. 3. Aunque el plural de *nazarí* en la lengua culta es *nazaríes*, se usa mucho *nazarís*.

nazi ‖ adj. **1** Del nazismo o relacionado con esta doctrina política. ‖ adj./s. **2** Que defiende o sigue el nazismo. □ MORF. 1. Como adjetivo es invariable en género. 2. Como sustantivo es de género común: *el nazi, la nazi*. 3. Es la forma abreviada y usual de *nacionalsocialista.*

nazismo s.m. Doctrina política totalitaria, caracterizada por su expansionismo y su nacionalismo, formulada por Adolfo Hitler (gobernante alemán del siglo XX), que defiende la creencia en la superioridad del pueblo alemán y que culpaba a los judíos de la decadencia alemana. □ MORF. Es la forma abreviada y usual de *nacionalsocialismo.*

neblina s.f. Niebla poco espesa y baja.

neblinoso, sa adj. Que tiene mucha neblina.

nebulizador s.m. Aparato que se utiliza para pulverizar un líquido en partículas finísimas.

nebulizar v. Referido a un líquido, transformarlo en partículas finísimas que forman una especie de niebla: *Este frasco tiene un aparato especial para nebulizar la colonia.* □ ETIMOL. Del latín *nebula* (niebla). □ ORTOGR. La *z* se cambia en *c* delante de *e* →CAZAR.

nebulosa s.f. Véase **nebuloso, sa.**

nebulosidad s.f. **1** Abundancia de niebla o de nubes. **2** Falta de claridad o de lucidez: *La nebulosidad de tus razonamientos los hace incomprensibles.*

nebuloso, sa ‖ adj. **1** Con abundantes nubes, con niebla o cubierto por ellas. **2** Poco claro o difícil de comprender. ‖ s.f. **3** En astronomía, concentración de materia cósmica celeste, difusa y luminosa, que aparece en forma de grandes nubes, generalmente con un contorno impreciso. □ ETIMOL. Las acepciones 1 y 2, del latín *nebulosus*. La acepción 3, del latín *nebulosa*, femenino de *nebulosus* (que tiene mucha niebla).

necedad s.f. **1** Hecho o dicho propios de un necio. **2** Ignorancia, imprudencia o presunción.

necesario, ria adj. **1** Indispensable, que hace falta de forma inevitable para un fin: *El aire es necesario para la vida de las personas.* **2** Que inevitablemente ha de ser o suceder: *La muerte es necesaria para que la naturaleza esté en equilibrio.* **3** Referido esp. a una acción, que es obligada por algo: *Esta deducción es consecuencia necesaria de lo anteriormente expuesto.* □ SEM. En la acepción 2, dist. de *contingente* (que puede suceder o no).

neceser s.m. Estuche o bolsa que se usa para guardar objetos de aseo personal. □ ETIMOL. Del francés *nécessaire*. 𝔁𝔁 equipaje

necesidad s.f. **1** Lo que es imprescindible o necesario: *Vivir en una casa no es un lujo, sino una necesidad.* **2** Impulso irresistible: *Sentí la necesidad de abrazar al bebé.* **3** Falta de lo necesario para vivir, esp. de alimentos: *Con estos donativos se compran alimentos para las personas que pasan necesidades.* **4** Peligro o situación difícil que requieren una pronta ayuda: *En sus necesidades acudía a Dios por medio de la oración.* **5** euf. Evacuación de la orina o de los excrementos: *Fue al servicio a hacer sus necesidades.* **6 ‖de primera necesidad**; básico o imprescindible, esp. para una vida digna: *La leche, el azúcar y el pan son artículos de primera necesidad.* □ ETIMOL. Del latín *necessitas* (fatalidad, necesidad). □ MORF. La acepción 5 se usa más en plural.

necesitado, da adj./s. Pobre o falto de lo necesario para vivir: *Es misionera en una región muy necesitada de ese país americano.*

necesitar v. Referido a algo, tener necesidad de ello o exigirlo como requisito para un fin: *Las personas necesitamos comer y dormir para vivir. Para hacer ese pastel se necesitan dos huevos.* □ SINT. Constr. *necesitar algo o necesitar DE algo.* □ SEM. En construcciones impersonales, se usa para intensificar lo que se expresa a continuación: *Se necesita ser corto si no entiendes una cosa tan sencilla.*

necio, cia adj./s. Ignorante, imprudente o carente de razón o de lógica. □ ETIMOL. Del latín *nescius*, derivado negativo de *scire* (saber).

nécora s.f. Cangrejo de mar con diez patas, cuerpo liso y elíptico, y de unos diez centímetros de ancho.

necro- Elemento compositivo que significa 'muerto': *necrófilo, necrofagia, necrolatría, necrosis.* □ ETIMOL. Del griego *nekrós-*.

necrofagia s.f. Costumbre alimentaria de comer cadáveres o carroña. □ ETIMOL. De *necro-* (muerto) y *-fagia* (comer).

necrófago, ga adj./s. Referido esp. a un animal, que se alimenta de cadáveres o de carroña. □ ETIMOL. Del griego *nekrophágos*, y éste de *nekrós* (muerto) y *phágos* (comilón).

necrofilia s.f. **1** Afición o gusto por la muerte o por alguno de sus aspectos. **2** Atracción sexual hacia los cadáveres y su contacto. □ ETIMOL. De *necro-* (muerto) y *-filia* (afición).

necrófilo, la adj./s. De la necrofilia o relacionado con ella.

necrología s.f. Biografía o apunte biográfico de una persona muerta recientemente. □ ETIMOL. De *necro-* (muerto) y *-logía* (estudio).

necrológico, ca adj. De la necrología o relacionado con ella.

necrópolis s.f. Cementerio de gran extensión en el que abundan los monumentos fúnebres, esp. si es anterior a la era cristiana. □ ETIMOL. Del griego *nekrópolis* (ciudad de los muertos), y éste de *nekrós* (muerto) y *pólis* (ciudad). □ MORF. Invariable en número.

necrosis s.f. Muerte de células o de tejidos orgánicos. □ ETIMOL. Del griego *nékrosis* (mortificación). □ MORF. Invariable en número.

néctar s.m. **1** Jugo azucarado que producen las flores. **2** Bebida suave, delicada y sabrosa: *néctar de naranja.* □ ETIMOL. Del latín *nectar.*

nectarina s.f. Variedad de melocotón, de piel sin pelusa y carne no adherida al hueso, que es producto del injerto del ciruelo y del melocotonero. □ ETIMOL. Del inglés o del francés *nectarine.*

nectario s.m. En una flor, glándula que segrega el néctar.

neerlandés, -a ∎ adj./s. **1** De los Países Bajos o relacionado con este país europeo, más conocido como *Holanda.* ∎ s.m. **2** Lengua germánica de este y otros países; holandés.

nefando, da adj. Que repugna u horroriza, esp. en sentido moral. □ ETIMOL. Del latín *nefandus*, y éste de *fari* (hablar). □ ORTOGR. Dist. de *nefasto.*

nefasto, ta adj. Funesto, detestable, desgraciado o muy malo: *¿No ves que ejerce sobre ti una influencia nefasta?* □ ETIMOL. Del latín *nefastus* (que no es fasto, feliz). □ ORTOGR. Dist. de *nefando.*

nefrítico, ca adj. De los riñones o relacionado con ellos; renal: *cólico nefrítico.* □ ETIMOL. Del latín *nephriticus*, y éste del griego *nephritikós*, de *nephrós* (riñón).

nefritis s.f. En medicina, inflamación de los riñones. □ ETIMOL. Del latín *nephritis*, éste del griego *nephrîtis*, y éste de *nephrós* (riñón). □ MORF. Invariable en número.

nefro- Elemento compositivo que significa 'riñón': *nefrología, nefrólogo, nefrosis.* □ ETIMOL. Del griego *nephrós-.* □ MORF. Ante vocal adopta la forma *nefr-*: *nefritis, nefrítico.*

nefrología s.f. Rama de la medicina que estudia el riñón y sus enfermedades. □ ETIMOL. De *nefro-* (riñón) y *-logía* (ciencia, estudio).

nefrólogo, ga s. Médico especializado en nefrología.

nefrosis s.f. Enfermedad degenerativa del riñón. □ ETIMOL. Del griego *nephrós* (riñón) y *-osis* (enfermedad). □ MORF. Invariable en número.

negación s.f. **1** Rechazo de la existencia o de la veracidad de algo: *La negación de los delitos por parte del acusado ha complicado el caso.* **2** Respuesta negativa a una petición o a una pretensión: *Le pregunté y me hizo un gesto de negación con la cabeza.* **3** Prohibición o impedimento para la realización de algo: *La negación de la entrada a la fiesta se debe a que no eres socio.* **4** En gramática, palabra o expresión que se utilizan para negar. **5** Carencia

o ausencia total de algo: *Las dictaduras traen consigo la negación de la libertad.*

negado, da adj./s. Incapaz, torpe o absolutamente inepto para hacer algo.

negar ∎ v. **1** Referido a algo que se presupone cierto, decir que no existe, que no es verdad o que no es correcto: *El científico negó la existencia de los extraterrestres. El acusado negó las acusaciones del fiscal.* **2** Referido a algo que se pide o se pretende, no concederlo: *Le han vuelto a negar el crédito en el banco. Desde que discutimos, me niega hasta el saludo.* **3** Prohibir, impedir o estorbar: *Le negaron el derecho a dar su opinión.* ∎ prnl. **4** Referido a una acción, rechazarla o no querer hacerla: *Me niego a creer que seas capaz de eso.* **5** ∥ **negarse** alguien a **sí mismo**; sacrificar la propia voluntad en servicio de Dios o del prójimo: *Jesús dijo: −Si quieres ser perfecto, niégate a ti mismo y sígueme.* □ ETIMOL. Del latín *negare.* □ ORTOGR. Aparece una *u* después de *g* cuando le sigue *e*. □ MORF. Irreg. →REGAR. □ SINT. Constr. de la acepción 4: *negarse A algo.*

negativa s.f. Véase **negativo, va.**

negativo, va ∎ adj. **1** Que contiene o expresa negación: *Ya se lo pregunté y su respuesta fue negativa. Las oraciones negativas suelen poseer un adverbio de negación.* **[2** Referido esp. a una persona, que tiende a ver el lado más desfavorable de las cosas. **[3** Referido esp. a un análisis clínico, que no muestra rastro de lo que se busca o se espera encontrar. **4** En matemáticas, referido esp. a una cantidad, que tiene un valor menor que cero. **5** En electrónica, referido al polo o del generador, que posee menor potencial eléctrico. ∎ s.m. **6** Imagen fotográfica que reproduce invertidos los tonos claros y los oscuros. **[7** En algunos deportes, cantidad que se añade a la puntuación de un equipo en la clasificación, si empata o pierde en su propio estadio: *Después de perder este domingo, mi equipo se queda en decimoctava posición con doce puntos y dos 'negativos' más.* ∎ s.f. **8** Negación o rechazo de una petición o de una solicitud: *A esta ronda invito yo, y no acepto negativas.* □ ETIMOL. Las acepciones 1-5, del latín *negativus.* La acepción 8, del latín *negativa.*

[negligé (galicismo) s.m. Bata femenina de tela fina, esp. si es algo atrevida. □ PRON. [negliyé].

negligencia s.f. Falta de cuidado, de atención o de interés.

negligente adj./s. Que no pone cuidado, atención o interés. □ ETIMOL. Del latín *negligens* (que descuida). □ MORF. 1. Como adjetivo es invariable en género. 2. Como sustantivo es de género común: *el negligente, la negligente.*

negociable adj. Que se puede negociar. □ MORF. Invariable en género.

negociación s.f. **1** Gestión y realización de operaciones comerciales, esp. de compra, venta o intercambio, para obtener beneficios; negocio: *Es una experta en negociaciones inmobiliarias.* **2** Trato o resolución de un asunto, esp. si es por medio de la vía diplomática: *Continúan las negociaciones internacionales para reducir el armamento nuclear.* □ ETIMOL. Del latín *negotiatio.*

negociado s.m. En una organización administrativa, dependencia o sección encargada de un determinado tipo de asuntos.

negociador, -a adj./s. Que negocia.

negociante adj./s. **1** Referido a una persona, que se

dedica profesionalmente a los negocios o a las actividades comerciales, o que tiene facilidad para ellos. **[2** *col.* Referido a una persona, que tiene un afán excesivo por ganar dinero. ☐ ETIMOL. Del latín *negotians* (que negocia). ☐ MORF. 1. Como adjetivo es invariable en género. 2. Como sustantivo es de género común: *el negociante, la negociante*. 3. Se usa mucho el femenino coloquial *negocianta*. ☐ USO En la acepción 2, tiene un matiz despectivo.

negociar v. **1** Tratar y comerciar comprando, vendiendo o cambiando cosas para obtener beneficios: *Negocia con libros, comprándolos viejos y vendiéndolos a buen precio. Me parece inmoral negociar con la amistad.* **2** Referido a un asunto, tratarlo o resolverlo, esp. si es por medio de la vía diplomática: *La empresa y los trabajadores han negociado la subida de sueldos.* ☐ ETIMOL. Del latín *negotiari* (hacer negocios, comerciar). ☐ ORTOGR. La *i* nunca lleva tilde. ☐ SINT. Constr. de la acepción 1: *negociar CON algo*.

negocio s.m. **1** Ocupación, operación o actividad de las que se espera obtener un beneficio económico: *La mecánica es un negocio como otro cualquiera.* **2** Gestión y realización de operaciones comerciales, esp. de compra, venta o intercambio, para obtener beneficios; negociación: *Tengo negocios en la bolsa.* **3** Beneficio, provecho o interés obtenidos a partir de actividades comerciales: *¡No pensarás que comprar dos y pagar tres es un buen negocio!* **4** Establecimiento o local en el que se comercia: *He puesto un negocio de venta de ropa.* **5** Ocupación o asunto: *¿En qué negocios andas, que no te veo el pelo?* **6** ‖**hacer negocio**; obtener el máximo provecho con un interés propio: *Si no atiendes bien a tus clientes, vas a hacer poco negocio.* ☐ ETIMOL. Del latín *negotium* (ocupación, quehacer).

negrear v. Mostrar color negro u oscurecerse: *Estas paredes empiezan a negrear, así que tendremos que encalarlas de nuevo.*

negrero, ra s. **1** Persona que se dedica a la trata de negros. **2** *col.* Persona que explota a sus subordinados o que se comporta duramente con ellos. ☐ USO En la acepción 2, es despectivo.

negrilla s.f. →**letra negrilla**.

negrita s.f. →**letra negrita**.

negritud s.f. Conjunto de los valores históricos y culturales propios de los pueblos que se caracterizan por el color negro de su piel. ☐ ETIMOL. Del francés *négritude*.

negro, gra ‖ adj. **1** De color más oscuro en relación con algo de la misma especie o clase: *El pan negro está hecho con harina y salvado de trigo.* **2** Oscuro, oscurecido o deslucido: *Va a caer un chaparrón, porque las nubes están negras.* **3** *col.* Muy tostado o muy bronceado por el sol: *Cada vez que va a la playa vuelve negro.* **[4** *col.* Muy sucio: *¡Lávate las manos, que las tienes 'negras'!* **5** Triste, desgraciado o poco favorable: *Hoy ha sido un día negro y todo me ha salido mal.* **6** *col.* Molesto, enfadado o furioso: *Estoy negro, así que no me vengas con más tonterías.* **[7** Del grupo étnico que se caracteriza por el color oscuro de su piel: *música 'negra'.* **8** Referido esp. a una novela o al cine, que trata temas policíacos con realismo y crudeza. **[9** Referido a determinados ritos o celebraciones, que están relacionados con el diablo o con las fuerzas del mal: *misa 'negra'.* ‖ adj./s. **10** Referido a una persona, que pertenece al grupo étnico caracterizado, entre otros rasgos, por

el color oscuro de su piel y por la forma rizada y tiesa del cabello. ‖ adj./s.m. **11** Del color del carbón o de la oscuridad absoluta. **[12** Referido a un tipo de tabaco, que tiene un olor y un sabor fuertes. ‖ s. **13** *col.* Persona que realiza de forma anónima el trabajo de otra a la que después se reconocerán los méritos. ‖ s.f. **14** En música, nota que dura la mitad de una blanca y que se representa con un círculo relleno y una barrita vertical pegada a uno de sus lados. **15** ‖ {estar/ponerse} **negro** un asunto; ser o hacerse difícil de realizar: *Lo de las vacaciones está negro, porque tenemos poco dinero ahorrado.* ‖**pasarlas negras**; *col.* Pasarlo muy mal o estar en una situación difícil. ‖**tener la negra**; *col.* Tener mala suerte. ‖**verse** alguien **negro** o **[vérselas negras**; tener dificultades para realizar algo. ☐ ETIMOL. Del latín *niger*. ☐ MORF. 1. En la acepción 11, sus superlativos son *negrísimo* y *nigérrimo*. 2. En la acepción 13, la RAE sólo registra el masculino. ☐ USO La acepción 10 tiene un matiz despectivo.

[negroafricano, na ‖ adj. **1** Referido a una lengua, que pertenece a un grupo que se habla al sur del desierto africano del Sahara. ‖ adj./s. **2** De los pueblos africanos que viven al sur del desierto del Sahara y se caracterizan por el color negro de su piel y el pelo rizado.

negror s.m. o **negrura** s.f. Propiedad de ser o de parecer de color negro. ☐ ETIMOL. Del latín *negror*. ☐ USO *Negror* es el término menos usual.

negruzco, ca adj. De color oscuro semejante al negro, con tonalidades negras.

negus s.m. Soberano etíope. ☐ ETIMOL. De origen abisinio. ☐ MORF. Invariable en número.

neis s.m. →**gneis**.

nematelminto ‖ adj./s.m. **1** Referido a un gusano, que tiene el cuerpo sin segmentaciones y con forma cilíndrica y alargada, y que suele vivir como parásito de otros animales: *Las lombrices intestinales son gusanos nematelmintos.* ‖ s.m.pl. **2** En zoología, grupo de estos gusanos. ☐ ETIMOL. Del griego *nêma* (hilo) y *hélmis* (gusano, lombriz).

nematodo ‖ adj./s.m. **1** Referido a un gusano, que tiene el cuerpo sin segmentaciones y con forma de huso o cilíndrica y alargada, y que está provisto de un aparato digestivo formado por un tubo recto que va desde la boca al ano, y vive generalmente como parásito de otros animales: *La lombriz intestinal es un nematodo.* ‖ s.m.pl. **2** En zoología, tipo de estos gusanos, perteneciente al reino de los metazoos. ☐ ETIMOL. Del griego *nematódes* (filiforme).

nemoroso, sa adj. *poét.* Del bosque, con bosques o relacionado con ellos. ☐ ETIMOL. Del latín *nemorosus*, y éste de *nemus* (bosque).

nemotecnia s.f. →**mnemotecnia**.

nemotécnico, ca adj. →**mnemotécnico**.

nene, na s. Niño pequeño. ☐ ETIMOL. De origen expresivo. ☐ SEM. Precedido del artículo determinado y con el verbo en tercera persona del singular, se usa mucho en la lengua coloquial como expresión que emplea la persona que habla para designarse a sí misma: *El nene mañana no se piensa levantar hasta las doce.* ☐ USO Tiene un matiz cariñoso.

nenúfar s.m. Planta acuática de hojas grandes, enteras y casi redondas, y de flores blancas o amarillas, que flota sobre las aguas de poca corriente; ninfea. ☐ ETIMOL. Del árabe *nilufar* (loto azulado).

neo- Elemento compositivo que significa 'nuevo' o

'reciente': *neoclasicismo, neonazi, neoplatónico, neorrealismo.* ☐ ETIMOL. Del griego *néos.*

neocatolicismo s.m. **1** Doctrina político-religiosa que defiende el restablecimiento de las tradiciones católicas en la vida social y en el gobierno de un Estado. **[2** Tendencia a introducir en el catolicismo ideas progresistas.

neocatólico, ca adj./s. Del neocatolicismo o relacionado con esta doctrina o con esta tendencia.

neocelandés, -a adj. →**neozelandés.**

neoclasicismo s.m. Estilo artístico que triunfó en el continente europeo durante la segunda mitad del siglo XVIII y que se caracteriza por la recuperación del gusto y de las normas de la Antigüedad clásica grecolatina. ☐ USO Se usa más como nombre propio.

neoclásico, ca ▌ adj. **1** Del neoclasicismo o relacionado con este estilo artístico. **▌** adj./s. **2** Partidario o seguidor del neoclasicismo.

neocolonialismo s.m. Forma de dominio económico, cultural o político de una antigua metrópoli o de una nación poderosa sobre otra subdesarrollada.

neodimio s.m. Elemento químico, metálico y sólido, de número atómico 60, de color blanco plateado, cuyas sales son de color rosa y que pertenece al grupo de los lantánidos. ☐ ETIMOL. De *neo-* (nuevo, reciente) y la terminación de *praseodimio.* ☐ ORTOGR. Su símbolo químico es *Nd.*

[neofascismo s.m. Movimiento político y social que intenta restaurar los regímenes políticos fascistas.

[neofascista ▌ adj. **1** Del neofascismo o relacionado con él. **▌** adj./s. **2** Partidario o seguidor del neofascismo. ☐ MORF. **1.** Como adjetivo es invariable en género. **2.** Como sustantivo es de género común: *el 'neofascista', la 'neofascista'.*

neófito, ta s. Persona recién incorporada a una colectividad, esp. a una religión. ☐ ETIMOL. Del griego *neóphytos,* y éste de *néos* (nuevo) y *phýo* (yo llego a ser).

neógeno, na adj./s.m. Referido a una etapa geológica, que es la última de la era terciaria o cenozoica, en la que se engloban los períodos mioceno y plioceno. ☐ ETIMOL. De *neo-* (nuevo, reciente) y *-geno* (que produce).

neolatino, na adj. Que procede de los latinos o del latín.

neolítico, ca ▌ adj. **1** Del neolítico o relacionado con este período prehistórico. **▌** adj./s.m. **2** Referido a un período prehistórico, que es anterior a la edad de cobre y posterior al mesolítico, y que se caracteriza por la aparición de la agricultura y de la ganadería: *Durante el neolítico se utilizó la rueda.* ☐ ETIMOL. De *neo-* (nuevo) y *lítico* (de la piedra).

neologismo s.m. Palabra, significado o expresión nuevos en una lengua: *Los mecanismos de composición y de derivación de palabras son fuente de neologismos.* ☐ ETIMOL. De *neo-* (nuevo) y el griego *lógos* (palabra).

neón s.m. **1** Elemento químico, no metálico y gaseoso, de número atómico 10, inerte, inodoro e incoloro, y muy buen conductor de la electricidad: *El neón es un gas noble.* **[2** Aparato eléctrico luminoso formado por un tubo más o menos fino, lleno de este gas y cerrado herméticamente: *El anuncio de la farmacia suele ser un 'neón' de color verde formando*

una cruz. ☐ ETIMOL. Del griego *néos* (nuevo). ☐ ORTOGR. En la acepción 1, su símbolo químico es *Ne.*

[neonato, ta s. Niño recién nacido.

[neonatología s.f. Parte de la pediatría que se ocupa de los recién nacidos. ☐ ETIMOL. De *neonato* y *-logía* (estudio, ciencia).

[neonazi ▌ adj. **1** Del neonazismo o relacionado con él. **▌** adj./s. **2** Partidario o seguidor del neonazismo. ☐ MORF. **1.** Como adjetivo es invariable en género. **2.** Como sustantivo es de género común: *el 'neonazi', la 'neonazi'.*

[neonazismo s.m. Movimiento político y social que recoge los principios del nazismo.

[neoplastia s.f. En medicina, reparación de una zona del cuerpo humano destruida o dañada, mediante la aplicación de injertos. ☐ ETIMOL. De *neo-* y el griego *plastos* (modelado).

neoplatónico, ca ▌ adj. **1** Del neoplatonismo o relacionado con él. **▌** adj./s. **2** Partidario o seguidor del neoplatonismo.

neoplatonismo s.m. Doctrina filosófica que floreció en la ciudad de Alejandría durante los siglos II y III y que intenta renovar la filosofía platónica bajo la influencia del pensamiento oriental.

[neopreno s.m. Caucho sintético incombustible y muy resistente al frío. ☐ ETIMOL. Extensión del nombre de una marca comercial.

[neorrealismo s.m. Movimiento cinematográfico italiano desarrollado después de la Segunda Guerra Mundial, que trata con realismo los problemas sociales y utiliza personajes y escenarios cotidianos. ☐ ETIMOL. De *neo-* (nuevo) y *realismo.*

neoyorquino, na adj./s. De Nueva York (ciudad estadounidense), o relacionado con ella.

neozelandés, -a adj./s. De Nueva Zelanda (país oceánico) o relacionado con ella. ☐ ORTOGR. Se admite también *neocelandés.*

[neozoico, ca ▌ adj. **1** En geología, de la era cuaternaria, quinta de la historia de la Tierra, o relacionado con ella; antropozoico, cuaternario. **▌** s.m. **2** →**era neozoica.**

nepalés, -a o **[nepalí** adj./s. De Nepal (país asiático), o relacionado con él. ☐ MORF. **1.** *Nepalí* como adjetivo es invariable en género; como sustantivo es de género común: *el 'nepalí', la 'nepalí'* **2.** El plural de *'nepalí'* es *'nepalíes'.*

nepentáceo, a ▌ adj./s.f. **1** Referido a una planta, que tiene las hojas transformadas en bolsas con unas glándulas que segregan un líquido capaz de digerir los insectos que caen en ellas. **▌** s.f.pl. **2** En botánica, familia de estas plantas, perteneciente a la clase de las dicotiledóneas.

neperiano, na adj. Del método de logaritmos desarrollado por John Neper (matemático inglés del siglo XVII), de sus logaritmos o relacionado con ellos.

nepotismo s.m. Preferencia hacia los propios familiares o amigos cuando se otorga algún tipo de privilegio, esp. cargos o premios. ☐ ETIMOL. Del italiano *nepotismo.*

neptunio s.m. Elemento químico, metálico y artificial, de número atómico 93, radiactivo y de color plateado brillante, que pertenece al grupo de las tierras raras. ☐ ETIMOL. De *Neptuno* (dios de las aguas). ☐ ORTOGR. Su símbolo químico es *Np.*

nereida s.f. En la mitología grecolatina, ninfa o divinidad menor que vivía en el mar y que tenía forma de pez desde la cintura para abajo. ☐ ETIMOL. Del latín *Nereis*, y éste del griego *Nereîs* (hija de Nereo). 🖾 mitología

nerón s.m. Hombre muy cruel. ☐ ETIMOL. Por alusión a Nerón, emperador romano célebre por su crueldad.

neroniano, na adj. **1** De Nerón (emperador romano del siglo I) o relacionado con él. **2** Cruel o sanguinario: *matanza neroniana*. ☐ ETIMOL. La acepción 2, de *Nerón*, emperador romano del siglo I d. C. que destacó por su crueldad.

[nervado, da adj. Provisto de nervios: *El rosal tiene hojas 'nervadas'. Las alas de las moscas son 'nervadas'.*

nervadura o **[nervatura** s.f. **1** En arquitectura, arco que, al cruzarse con otro o con otros, forma la bóveda de crucería; nervio. **2** En una bóveda o en una hoja vegetal, conjunto de nervios: *La nervadura de las bóvedas góticas son muy decorativas. La nervadura de una hoja se aprecia mejor por el envés.* ☐ ETIMOL. Del italiano *nervatura*.

nervio ▌ s.m. **1** En una persona o en un animal, órgano conductor de los impulsos nerviosos, compuesto por un haz de fibras nerviosas: *El nervio auditivo está en el oído interno.* **2** Tendón o tejido orgánico duro, blanquecino y resistente: *He traído unos filetes de carne buenísimos, sin un solo nervio.* **3** En la hoja de una planta, fibra que la recorre por el envés: *Si pasas el dedo por el envés de una hoja, notarás los nervios.* **[4** En las alas de los insectos, fibra que forma su esqueleto: *Los 'nervios' de las alas de los insectos son de quitina.* **5** En arquitectura, arco que, al cruzarse con otro o con otros, forma la bóveda de crucería; nervadura: *El peso de las bóvedas góticas recae sobre los nervios.* **6** En un libro, cordón que se coloca en el lomo, al través, para unir los cuadernillos: *Si se rompe el nervio, se sueltan las hojas del libro.* 🖾 libro **7** Fuerza, vigor o carácter: *Tienes que correr con nervio si quieres llegar el primero.* ▌ pl. **[8** Estado psicológico tenso: *Los 'nervios' juegan malas pasadas en los exámenes.* **9** Equilibrio psicológico: *No pierdas los nervios, que todo tiene solución.* **10** ‖**(nervio) ciático**; el que pasa por los músculos posteriores del muslo, de las piernas y por la piel de las piernas y de los pies. ‖ **nervio óptico**; el que transmite las impresiones ópticas desde el ojo al cerebro. ‖ **poner los nervios de punta**; *col.* Alterar, irritar o exasperar en grado extremo. ‖ **ser puro nervio**; *col.* Ser muy activo e inquieto. ☐ ETIMOL. Del latín *nervium*.

nerviosismo s.m. Estado pasajero de excitación o inquietud.

nervioso, sa adj. **1** De los nervios o relacionado con ellos: *impulso nervioso.* **2** Referido a una persona, que resulta fácilmente excitable: *No me atrevo a contárselo porque es muy nervioso y temo su reacción.* **3** Inquieto, intranquilo o incapaz de permanecer en reposo: *Está nerviosa porque mañana tiene una entrevista de trabajo.*

nervudo, da adj. **1** Referido a una persona o a una parte de su cuerpo, que tiene muy marcados los tendones, las venas y los músculos. **2** Que tiene muchos nervios, o que tiene los nervios muy marcados y salientes: *Me puso un filete nervudo que fui incapaz de comer.*

neto, ta adj. **1** Limpio, puro, claro, bien definido o bien delimitado: *Aunque han pasado muchos años, tengo un neto recuerdo de aquello.* **2** Referido a una

cantidad de dinero, libre de los descuentos que le corresponden; líquido: *El sueldo neto es el que a ti te ingresan cada mes en el banco.* **3** Referido a un precio o a un peso, que se considera sin añadidos ni deducciones: *El peso neto que aparece en la lata de atún en aceite es el del atún, sin añadir el del aceite.* ☐ ETIMOL. Del francés o del catalán *net* (limpio).

neumático, ca ▌ adj. **1** Referido a un aparato, que funciona o se hincha con aire u otro gas: *una lancha neumática.* ▌ s.m. **2** Tubo de goma o de caucho lleno de aire que se monta sobre una llanta metálica y sirve como superficie de rodamiento: *el neumático de la bicicleta.* ☐ ETIMOL. Del griego *pneumatikós* (relativo al aire).

neumo- Elemento compositivo que significa 'pulmón' o 'sistema respiratorio': *neumología, neumólogo, neumopatía.* ☐ ETIMOL. Del griego *pneúmon.*

neumococo s.m. Microorganismo de forma esférica que produce algunos tipos de pulmonía. ☐ ETIMOL. De *neumo-* (pulmón, sistema respiratorio) y el griego *kókkos* (grano).

neumología s.f. Estudio de las enfermedades del aparato respiratorio. ☐ ETIMOL. De *neumo-* (pulmón, sistema respiratorio) y *-logía* (estudio).

neumólogo, ga s. Médico especializado en neumología.

neumonía s.f. En medicina, inflamación del pulmón o de una parte de él, causada generalmente por un microorganismo; pulmonía. ☐ ETIMOL. Del griego *pneumonía*, y éste de *pneúmon* (pulmón).

neumotórax s.m. **1** Lesión producida por la entrada de aire entre las dos pleuras. **2** ‖**neumotórax (artificial)**; introducción de aire o de otro gas entre las dos pleuras con fines terapéuticos. ☐ ETIMOL. De *neumo-* (pulmón) y *tórax.* ☐ MORF. Invariable en número.

[neura ▌ adj./s. **1** *col.* Nervioso, excitado o alterado: *¡Mira que eres 'neura'!, ¿no ves que tenemos tiempo de sobra?* ▌ s.f. **2** *col.* Manía, obsesión o excitación nerviosa: *¡Menuda 'neura' le ha entrado por el ciclismo desde que se compró la bicicleta!* ☐ MORF. 1. Como adjetivo es invariable en género. 2. En la acepción 1, como sustantivo es de género común: *el 'neura', la 'neura'.*

neuralgia s.f. En medicina, dolor continuo y agudo a lo largo de un nervio y de sus ramificaciones. ☐ ETIMOL. Del griego *nêuron* (nervio) y *-algia* (dolor).

neurálgico, ca adj. **1** De la neuralgia o relacionado con este dolor: *dolor neurálgico.* **2** Muy importante, fundamental o decisivo: *Sólo cuando descubrieron el centro neurálgico de la organización pudieron desarticularla.*

neurastenia s.f. Estado psicológico caracterizado generalmente por la tristeza, el cansancio, el temor y la emotividad. ☐ ETIMOL. Del griego *nêuron* (nervio) y *asthénia* (debilidad).

neurasténico, ca ▌ adj. **1** De la neurastenia o relacionado con este estado psicológico: *síntoma neurasténico.* ▌ adj./s. **2** Referido a una persona, que padece neurastenia: *Desde que está neurasténico le ha dado por no salir de casa.*

neurita s.f. Prolongación de una neurona, que generalmente termina en una ramificación y que está en contacto con otras células. ☐ ETIMOL. Del griego *nêuron* (nervio). ☐ SEM. Es sinónimo de *axón, cilindro eje* y *cilindroeje.*

neuro- Elemento compositivo que significa 'nervio'

o 'sistema nervioso': *neuroanatomía, neurobiología, neurocirujano, neurología.* ☐ ETIMOL. Del griego *nêuron-*.

[*neuroblastoma* s.m. Tumor maligno originado en las células embrionarias de las neuronas.

neurocirugía s.f. Cirugía especializada en el sistema nervioso.

neurocirujano, na s. Cirujano especializado en neurocirugía.

neuroendocrino, na adj. Relacionado con las influencias nerviosas y endocrinas, esp. con la interacción entre los sistemas nervioso y endocrino.

neuroendocrinología s.f. Ciencia que estudia las relaciones entre el sistema nervioso y las glándulas endocrinas.

neurología s.f. Parte de la medicina que estudia el sistema nervioso. ☐ ETIMOL. De *neuro-* (nervio) y *-logía* (estudio, ciencia).

neurólogo, ga s. Médico especializado en neurología.

neurona s.f. Célula que transmite o produce los impulsos nerviosos, formada por un cuerpo central y una serie de prolongaciones o ramificaciones a su alrededor. ☐ ETIMOL. Del griego *nêuron* (nervio).

neuronal adj. De la neurona o relacionado con ella. ☐ MORF. Invariable en género.

[*neuropsiquiatría* s.f. Parte de la medicina que estudia las enfermedades mentales y su tratamiento.

neurosis s.f. Trastorno del sistema nervioso sin que aparentemente existan lesiones en él. ☐ ETIMOL. Del griego *nêuron* (nervio) y *-osis* (enfermedad). ☐ MORF. Invariable en número.

neurótico, ca ▪ adj. **1** De la neurosis o relacionado con este trastorno nervioso. ▪ adj./s. **2** Referido a una persona, que padece neurosis: *Las personas neuróticas sienten ansiedad, desánimo y angustia frecuentes.* [**3** col. Con manías u obsesiones exageradas, o excesivamente nervioso: *Es un 'neurótico', y la víspera de un viaje no pega ojo en toda la noche.*

[*neurotizar* v. Referido a una persona, trastornarla mucho o ponerla muy nerviosa: *No puedo evitarlo, los atascos de tráfico me 'neurotizan'.* ☐ ORTOGR. La *z* se cambia en *c* delante de *e* →CAZAR.

neutral adj./s. **1** En un enfrentamiento, que no se inclina por ninguna de las partes que intervienen o que no beneficia a ninguna: *Los árbitros son neutrales.* **2** Referido esp. a un Estado o a una nación, que no intervienen en un conflicto armado ni ayudan a las partes enfrentadas en él. ☐ ETIMOL. Del latín *neutralis.* ☐ MORF. 1. Como adjetivo es invariable en género. 2. Como sustantivo es de género común: *el neutral, la neutral.*

neutralidad s.f. **1** Actitud o comportamiento del que no se inclina por ninguna de las dos partes que intervienen en un enfrentamiento ni las beneficia. **2** Situación del Estado o de la nación que no intervienen en un conflicto armado ni ayudan a las partes enfrentadas en éste.

neutralismo s.m. Tendencia a mantenerse neutral, esp. ante conflictos internacionales.

neutralista adj./s. Partidario o seguidor del neutralismo. ☐ MORF. 1. Como adjetivo es invariable en género. 2. Como sustantivo es de género común: *el neutralista, la neutralista.*

[*neutralizable* adj. Que se puede neutralizar. ☐ MORF. Invariable en género.

neutralización s.f. **1** Debilitamiento o anulación de un efecto o de una acción mediante la oposición de otros, generalmente contrarios: *Con antídotos se consigue la neutralización del efecto de los venenos.* **2** Reacción química en la que una disolución o una mezcla de carácter ácido o básico se convierte en neutra: *Para obtener la neutralización de un ácido necesitas una base.* [**3** En algunos deportes, consideración de un tiempo o de un tramo determinados sin valor en el resultado final: *La 'neutralización' de la etapa de montaña se debió a las malas condiciones climatológicas.*

neutralizar v. **1** Referido esp. a un efecto o a una acción, debilitarlos o anularlos mediante la oposición de otros, generalmente contrarios: *Gracias al antídoto, se neutralizó el efecto del veneno.* **2** En química, referido a una sustancia o a una disolución, hacerlas neutras: *Una base neutraliza a un ácido. El ácido clorhídrico se neutraliza con el bicarbonato.* [**3** En algunos deportes, considerar sin valor un tiempo o un tramo determinados en el resultado final: *'Neutralizaron' la prueba ciclista durante varios kilómetros debido al mal estado de la carretera.* ☐ ORTOGR. La *z* se cambia en *c* delante de *e* →CAZAR.

neutro, tra ▪ adj. [**1** Que no presenta ni una ni otra de dos características opuestas o muy diferentes: *Las cortinas serán de un color 'neutro' para que hagan juego con todo.* [**2** Que no muestra emoción ni sentimiento: *La locutora transmitió la noticia con voz 'neutra'.* **3** En química, referido a una disolución o a una mezcla, que no es ni ácida ni básica: *champú neutro.* **4** Referido a un cuerpo, que tiene igual cantidad de carga eléctrica positiva que negativa: *Un átomo en equilibrio tiene carga neutra.* ▪ adj./s.m. En lingüística, referido a la categoría gramatical del género, que no es ni la del masculino ni la del femenino: *En español hay restos del neutro en algunas formas pronominales y en el artículo 'lo'.* ☐ ETIMOL. Del latín *neuter* (ni el uno ni el otro). ☐ MORF. En la acepción 5, la RAE sólo la registra como adjetivo.

neutrón s.m. En un átomo, partícula elemental cuya carga eléctrica es nula. ☐ ETIMOL. De *neutro* y *electrón.*

nevada s.f. Véase **nevado, da.**

nevado, da ▪ adj. **1** Cubierto de nieve: *Desde la ventana se veían los tejados nevados.* ▪ s.f. **2** Caída de nieve: *La fuerte nevada dificultaba la visibilidad en carretera.* **3** Cantidad de nieve que cae en la tierra de una vez y sin interrupción: *La nevada de ayer se heló por la noche.*

nevar v. **1** Caer nieve: *Ayer nevó en toda la ciudad.* **2** Poner de color blanco: *El paso de los años nevó sus cabellos.* ☐ ETIMOL. Del latín *nivare.* ☐ MORF. 1. Irreg. →PENSAR. 2. En la acepción 1, es unipersonal.

nevasca s.f. Tormenta de nieve que va acompañada de fuerte viento.

nevera s.f. **1** Electrodoméstico que sirve para conservar fríos los alimentos y las bebidas; frigorífico. ⟡ electrodoméstico [**2** Recipiente parecido a una caja, acondicionado para mantener la temperatura interior. **3** col. Lugar muy frío: *Tuvieron que cerrar el colegio porque las clases eran neveras.* ☐ ETIMOL. Del latín *nivaria.* ☐ SINT. En la acepción 1, se usa en aposición, pospuesto a un sustantivo: *Mete los refrescos en la bolsa nevera.*

nevero s.m. En una montaña, lugar en el que se con-

serva la nieve todo el año. ☐ ETIMOL. Del latín *nivarius*.
nevisca s.f. Nevada corta de copos pequeños.
neviscar v. Nevar ligeramente o en poca cantidad: *Se está preparando una buena nevada aunque ahora sólo nevisque.* ☐ ORTOGR. La *c* se cambia en *qu* delante de *e* →SACAR. ☐ MORF. Verbo unipersonal: se usa sólo en tercera persona del singular y en las formas no personales (infinitivo, gerundio y participio).
nevoso, sa adj. Que tiene nieve con frecuencia. ☐ ETIMOL. Del latín *nivosus.* ☐ ORTOGR. Se admite también *nivoso.*
[new age (anglicismo) ‖Tipo de música suave y relajante que se desarrolló hacia los años ochenta. ☐ PRON. [niú éich], con *ch* suave.
[new look (anglicismo) ‖Imagen renovada o nuevo estilo que se adopta. ☐ PRON. [niú lúk]. ☐ USO Su uso es innecesario y puede sustituirse por una expresión como *nueva imagen.*
[new wave s.f. ‖ →**nueva ola.** ☐ PRON. [niú uéif], con *f* suave. ☐ USO Es un anglicismo innecesario.
newton s.m. En el Sistema Internacional, unidad de fuerza que equivale a la fuerza necesaria para comunicar a una masa de un kilogramo la aceleración de un metro por segundo cuadrado. ☐ ETIMOL. Por alusión al científico inglés Isaac Newton. ☐ PRON. [niúton].
nexo s.m. **1** Unión o relación de una cosa con otra: *Entre los dos hay un nexo de amistad.* **2** En lingüística, enlace gramatical que sirve para unir palabras u oraciones: *Las conjunciones son nexos.* ☐ ETIMOL. Del latín *nexus,* y éste de *nectere* (anudar).
ni conj. **1** Enlace gramatical coordinante con valor copulativo y negativo, que se usa generalmente detrás de otra negación: *Nunca he ido al fútbol ni al boxeo. Ni lo sé ni me importa.* **2** ‖**ni que**; expresión que se usa para introducir una exclamación con la que se expone una hipótesis que está lejos de ser cierta: *¡Ni que fueras novio, con la experiencia que tienes ya en esto!* ‖**ni (siquiera)**; expresión que se usa para negar enfáticamente o para indicar el colmo de algo; siquiera: *Eso a él ni siquiera se le pasa por la cabeza. ¡No lo quiero ni regalado!* ☐ ETIMOL. Del latín *nec.*
nicaragüense adj./s. De Nicaragua o relacionado con este país centroamericano. ☐ MORF. **1.** Como adjetivo es invariable en género. **2.** Como sustantivo es de género común: *el nicaragüense, la nicaragüense.*
nicho s.m. **1** En un muro, cavidad en forma de arco construida para albergar una escultura o un objeto decorativo, generalmente coronada por un cuarto de esfera. **2** Cavidad alargada hecha en un panteón o monumento funerario para albergar el ataúd del cadáver de una persona o sus cenizas. **3** ‖**[nicho de mercado**; en economía, parte de un mercado claramente diferenciada por el precio o por las características de la demanda de un producto: *Este nuevo producto ocupa un 'nicho de mercado' que ningún otro producto había ocupado.* ‖**[nicho ecológico**; papel que desempeña una especie animal en su hábitat. ☐ ETIMOL. Del italiano antiguo *nicchio.*
[nicki s.m. →**niqui.** ☐ PRON. [níki]. ☐ USO Es un anglicismo innecesario.
nicotina s.f. Sustancia incolora que se extrae de las hojas y raíces del tabaco y se oscurece en contacto

con el aire. ☐ ETIMOL. Del francés *nicotine*, éste de *nicotiane* (nombre culto del tabaco), y éste por alusión al embajador francés *Nicot*, que envió por primera vez el tabaco a Francia en 1560.
nicotinismo o **nicotismo** s.m. Conjunto de trastornos producidos en un organismo por el abuso del tabaco.
nictitante adj. En algunos animales, referido a una membrana, que es casi transparente y forma el tercer párpado: *Los reptiles y los anfibios tienen membrana nictitante.* ☐ ETIMOL. Del latín *nictatare,* y éste de *nictere (guiñar).* ☐ MORF. Invariable en género.
[nidación s.f. En biología, fijación del óvulo fecundado en la mucosa del útero. ☐ SEM. Dist. de *nidificación* (construcción de un nido).
nidada s.f. Conjunto de los huevos puestos en el nido o conjunto de polluelos nacidos de una misma puesta.
nidal s.m. Lugar en el que pone los huevos un ave doméstica; nido. ☐ ETIMOL. De *nido.*
[nidificación s.f. Construcción de un nido por parte de un ave. ☐ SEM. Dist. de *nidación* (fijación del óvulo fecundado en el útero).
nidificar v. Referido a un ave, hacer el nido o anidar: *En esta zona del parque natural es donde nidifica la mayor parte de las especies.* ☐ ETIMOL. Del latín *nidificare,* y éste de *nidus* (nido) y *facere* (hacer). ☐ ORTOGR. La *c* se cambia en *qu* delante de *e* →SACAR.
nido s.m. **1** Refugio que construyen las aves con hierbas, pajas, plumas u otros materiales blandos, para poner allí sus huevos y criar a sus crías. **2** Lugar en el que habitan y se reproducen algunos animales: *un nido de lagartijas.* **3** Lugar en el que pone los huevos un ave doméstica; nidal. **4** col. Lugar en el que habita una persona: *Te dejo las llaves de mi nido, pero no me rompas nada.* **5** Lugar en el que suele reunirse un grupo determinado de personas, generalmente de mala reputación: *Ese local es un nido de delincuentes.* **[6** Lugar en el que se agrupan determinados objetos materiales: *El capitán mandó instalar varios 'nidos' de ametralladoras.* **7** Lugar o circunstancia originarios de cosas inmateriales, esp. si resultan problemáticas o conflictivas: *Se queja de que su casa es un nido de discusiones.* **[8** En un hospital, lugar en el que se encuentran los recién nacidos. **9** ‖**[nido de abeja**; en una tela, bordado de adorno parecido a las celdillas de los panales de las abejas. ☐ ETIMOL. Del latín *nidus.*
niebla s.f. **1** Acumulación de nubes en contacto con la superficie terrestre. **2** Lo que dificulta el conocimiento de un asunto o su comprensión. **3** ‖**niebla meona**; la que desprende gotas pequeñas que no llegan a ser llovizna. ☐ ETIMOL. Del latín *nebula.*
nietastro, tra s. Respecto de una persona, hijo o hija de su hijastro o su hijastra.
nieto, ta s. Respecto de una persona, hijo o hija de su hijo o de su hija. ☐ ETIMOL. Nieta, del latín *nepta. Nieto,* de *nieta.*
nieve s.f. **1** Agua helada que se desprende de las nubes en cristales sumamente pequeños y que, agrupándose al caer, llegan a la superficie terrestre en forma de copos blancos. **2** Esta agua helada cuando ya ha caído: *Aunque nevó toda la noche, aún no hay nieve suficiente para poder esquiar.* **[3** En el lenguaje de la droga, cocaína. ☐ ETIMOL. Del latín *nix.*

[nif s.m. Clave identificadora de carácter obligatorio que permite realizar actividades mercantiles. □ ETIMOL. Es un acrónimo que procede de la sigla de *Número de identificación fiscal.*
[nife s.m. En la Tierra, núcleo central; barisfera. □ ETIMOL. De *Ni* (símbolo químico del níquel) y *Fe* (símbolo químico del hierro).
[nigeriano, na adj./s. **1** De Níger (país africano) o relacionado con él. **2** De Nigeria (país africano) o relacionado con ella.
nigérrimo, ma superlat. irreg. de **negro.**
[nightclub (anglicismo) s.m. Sala de fiestas nocturna. □ PRON. [náitclab]. □ USO Su uso es innecesario y puede sustituirse por una expresión como *sala de fiestas.*
nigromancia o **nigromancía** s.f. Conjunto de conocimientos y prácticas que permiten la invocación de los espíritus del mal, para conseguir fenómenos sobrenaturales; magia negra. □ ETIMOL. Del griego *nekromantéia* (adivinación por medio de los muertos), y éste de *nekrós* (muerto), por cruce con el latín *niger* (negro), y *mantéia* (adivinación). □ USO *Nigromancía* es el término menos usual.
nigromante s. Persona que practica la nigromancia. □ MORF. Es de género común: *el nigromante, la nigromante.*
[nihil obstat (latinismo) ∥En un libro, expresión que indica que tiene la aprobación eclesiástica: *Antiguamente, no se podía imprimir un libro que no tuviera el 'nihil obstat'.* □ PRON. [níil óbstat].
nihilismo s.m. **1** Doctrina filosófica que niega de forma radical la posibilidad del conocimiento y se basa en la negación de la existencia de algo permanente. **2** Negación de cualquier creencia o de cualquier valor moral, político, religioso o social. □ ETIMOL. Del latín *nihil* (nada).
nihilista ∎ adj. **1** Del nihilismo o relacionado con esta forma de pensamiento. ∎ adj./s. **2** Que sigue o que defiende el nihilismo. □ MORF. 1. Como adjetivo es invariable en género. 2. Como sustantivo es de género común: *el nihilista, la nihilista.*
nilón s.m. →**nailon.** □ ETIMOL. Del inglés *nylon.* Extensión del nombre de una marca comercial.
nimbar v. Referido a una imagen, rodearla con un nimbo luminoso o aureola: *El pan de oro se usa mucho en arte para nimbar imágenes de santos.*
nimbo s.m. **1** Aureola o círculo luminoso que rodea la cabeza de una imagen. **2** →**nimboestrato.** 🖎 nube □ ETIMOL. Del latín *nimbus* (nubarrón).
[nimboestrato s.m. Capa de nubes bajas de color grisáceo, generalmente muy oscuro, que tiene un aspecto difuso; nimbo. □ USO Aunque la RAE sólo registra *nimbo*, en círculos especializados se usa más 'nimboestrato'. 🖎 nube
nimiedad s.f. **1** Pequeñez, insignificancia o escasa importancia: *La nimiedad del error es tal que no me preocupa nada.* **2** Lo que es de poca importancia: *No me vengas con esas nimiedades, habiendo tantas otras cosas importantes que hacer.*
nimio, mia adj. Insignificante o sin importancia: *un detalle nimio.* □ ETIMOL. Del latín *nimius* (excesivo, demasiado), porque se interpretaron mal frases como *cuidado nimio.*
ninfa s.f. **1** En la mitología grecolatina, cada una de las divinidades menores, representadas por jóvenes muchachas, que habitaban bosques, selvas y aguas.

2 En zoología, insecto que está en una fase de su desarrollo intermedia entre la de larva y la de adulto. □ ETIMOL. Del griego *nýmphe* (divinidad de las fuentes).
ninfea s.f. Planta acuática, de hojas grandes, enteras y casi redondas y flores blancas o amarillas, que flota sobre las aguas de poca corriente; nenúfar. □ ETIMOL. Del latín *nymphaea.*
ninfómana adj./s.f. Referido a una mujer, que experimenta un deseo sexual violento e insaciable.
ninfomanía s.f. En una mujer, deseo sexual violento e insaciable. □ ETIMOL. Del griego *nýmphe* (clítoris) y *-manía* (afición desmedida).
ningún indef. →**ninguno.** □ MORF. 1. Apócope de *ninguno* ante sustantivo masculino singular. 2. Se usa ante sustantivo femenino que empieza por *a* o por *ha* tónicas o acentuadas.
ningunear v. Referido a una persona, no hacerle caso o menospreciarla: *No tienes derecho a ningunear a nadie.*
ninguno, na indef. Ni una sola persona o cosa: *No conozco a ninguna amiga suya. No tengo ningunas ganas de trabajar hoy. Aunque invité a varios amigos, no vino ninguno. He dado todas las fotos y no me queda ninguna.* □ ETIMOL. Del latín *nec unus* (ni uno). □ MORF. En masculino se usa la forma *ningún* cuando precede a un sustantivo determinándolo.
[ninja (anglicismo) s.m. Mercenario experto en artes marciales. □ PRON. [nínya].
[ninot (catalanismo) s.m. Muñeco o figura que forma parte de una falla valenciana. □ PRON. [ninót].
niñada s.f. Dicho o hecho propios de un niño por su falta de madurez.
niñato, ta ∎ adj./s. **1** Referido a una persona, que es joven y no tiene experiencia. ∎ s. **2** Persona joven muy presumida y presuntuosa. □ USO Tiene un matiz despectivo.
niñería s.f. **1** Dicho o hecho que parecen propios de un niño por su falta de madurez. **2** Lo que es de poca importancia.
niñero, ra ∎ adj. **1** Que disfruta estando con niños. ∎ s. **2** Persona empleada en una casa para cuidar a los niños. □ MORF. En la acepción 2, la RAE sólo registra el femenino. □ USO En la acepción 2, es innecesario el uso del anglicismo *nurse.*
niñez s.f. Primer período de la vida de una persona, desde que nace hasta la adolescencia; infancia.
niño, ña ∎ adj./s. **1** Referido a una persona, que está en la niñez o tiene pocos años: *Los niños se divertían jugando en el patio del colegio.* **2** Referido a una persona, que tiene poca experiencia: *No sabe nada de la vida porque aún es una niña.* **3** Referido a una persona, que mantiene un comportamiento infantil o actúa con poca reflexión: *¡No seas niño y compórtate como una persona adulta y madura!* ∎ s. **[4** col. Hijo, esp. si es de corta edad: *En su ficha consta que está casado y que tiene tres 'niñas'.* ∎ s.f. **5** En el ojo, círculo negro y pequeño que se encuentra en el centro del iris y que varía el diámetro según sea la intensidad de la luz que pase por él; pupila. **6** ∥**ni qué niño muerto**; col. Expresión que se usa para indicar desprecio o para reforzar una negación: *Con lo mal que te portas, qué bicicleta ni qué niño muerto quieres que te regale.* ∥ **[niño bonito**; col. Persona preferida por otra: *Tú siempre sacas buenas notas porque eres la 'niña bonita' de la profe-*

sora. ‖ **[niño burbuja**; el que necesita estar en un espacio desinfectado y aislado del exterior para evitar cualquier posible contaminación. ‖ **niño probeta**; el concebido mediante fecundación in vitro, es decir, mediante la fecundación del óvulo fuera de la madre. ‖ **[niño prodigio**; el que tiene unas facultades intelectuales mucho más desarrolladas de las que corresponden a su edad. □ ETIMOL. De origen expresivo. □ MORF. El plural de las locuciones formadas por *niño+sustantivo* se forma añadiendo una *s* a la palabra *niño*: *niños prodigio*; incorr. **niños prodigios*. □ USO La acepción 3 se usa como apelativo: *¡Mira, niño, la próxima vez te doy una torta!*.

niobio s.m. Elemento químico, metálico y sólido, de número atómico 41, de color gris, y resistente a los ácidos. □ ETIMOL. De *Niobe* (hija de Tántalo), porque suele hallarse en los minerales de tantalio. □ ORTOGR. Su símbolo químico es *Nb*.

nipón, -a adj./s. Del Japón (país asiático) o relacionado con él; japonés.

níquel s.m. Elemento químico, metálico y sólido, de número atómico 28, de color y brillo plateados, muy duro y difícil de fundir y de oxidar. □ ETIMOL. Del alemán *Nickel*. □ ORTOGR. Su símbolo químico es *Ni*.

niquelado s.m. Baño con una capa de níquel con la que se cubre un metal para que no se oxide.

niquelar v. Cubrir con un baño de níquel: *Niqueló los toalleros metálicos para que no se oxidaran*.

[niqui s.m. Prenda de vestir deportiva, de tejido ligero, que cubre el cuerpo desde el cuello hasta más abajo de la cintura, generalmente de manga corta, con cuello camisero y abotonada desde arriba y por delante hasta la mitad del pecho; polo. □ ETIMOL. Del inglés *nicki*. □ USO Es innecesario el uso del anglicismo *nicki*.

nirvana s.m. **1** En el budismo, estado de bienaventuranza o de felicidad total que se alcanza con la aniquilación total de la individualidad por medio de la contemplación. **[2** *col*. Estado de tranquilidad y serenidad grandes. ‖ **[estar en el nirvana**; *col*. Estar en una situación muy agradable y placentera. □ ETIMOL. Del sánscrito *nirvana* (destrucción, extinción).

níscalo s.m. Seta comestible con el sombrerillo de color marrón anaranjado; mízcalo. □ ETIMOL. De origen incierto. □ USO Aunque la RAE prefiere *mízcalo*, se usa más *níscalo*.

níspero s.m. **1** Árbol frutal de hojas ovales, grandes, duras y vellosas, ramas espinosas y flores blancas o rosadas, cuyo fruto es una baya de color anaranjado. **2** Fruto de este árbol, que tiene forma ovalada. □ ETIMOL. Del latín **nespirum*.

nitidez s.f. **1** Limpieza, claridad o transparencia. **2** Precisión, exactitud o falta de confusión.

nítido, da adj. **1** Limpio, claro o transparente: *El agua del río estaba tan nítida que se veían las piedras del fondo*. **2** Preciso, sin confusión o claro de percibir: *Nos dio una explicación nítida y todos la entendimos*. □ ETIMOL. Del latín *nitidus* (brillante, reluciente, grasiento).

nitración s.f. En química, introducción en un compuesto orgánico del grupo funcional positivo formado por un átomo de nitrógeno y dos de oxígeno.

nitrato s.m. **1** En química, sal derivada del ácido nítrico. **2** ‖ **nitrato de Chile**; en química, sustancia de color blanco, formada por nitrato de sodio proceden-

te de los excrementos de las aves marinas, y que se encuentra en grandes depósitos en el desierto de Atacama (desierto del norte chileno). □ ETIMOL. De *nitro* (nitrato potásico).

nítrico, ca adj. **1** Del nitrógeno o relacionado con este elemento químico. **2** De los compuestos oxigenados del nitrógeno en los que éste actúa con valencia 5, o relacionado con ellos.

nitrito s.m. En química, sal formada por la combinación del ácido nitroso con una base.

nitro s.m. En química, nitrato de potasio, que se encuentra en forma de agujas o de polvo blanquecino en la superficie de los terrenos húmedos y salados; salitre. □ ETIMOL. Del latín *nitrum*, y éste del griego *nítron*.

nitrobenceno s.m. Líquido incoloro o amarillento, aceitoso, tóxico, muy soluble en alcohol y en éter y poco soluble en agua, que se obtiene tratando benceno con un mezcla de ácido nítrico y ácido sulfúrico concentrados. □ ETIMOL. Del griego *nítron* (nitro) y *benceno*.

nitrogenado, da adj. Que contiene nitrógeno.

nitrógeno s.m. Elemento químico, gaseoso y no metálico, de número atómico 7, incoloro, transparente, insípido e inodoro. □ ETIMOL. Del griego *nítron* (nitrato potásico) y *gennáo* (yo engendro), porque el nitrógeno entra en la composición del nitro o salitre. □ ORTOGR. Su símbolo químico es *N*.

nitroglicerina s.f. Líquido aceitoso, inodoro, inflamable y explosivo, poco soluble en agua y muy soluble en alcohol y en éter, que se obtiene a partir de la glicerina. □ ETIMOL. Del griego *nítron* (nitro) y *glicerina*.

nitroso, sa adj. De los compuestos oxigenados del nitrógeno en los que éste actúa con valencia 3, o relacionado con ellos.

nivel s.m. **1** Altura a la que llega la superficie de un líquido o altura en la que algo está situado: *Ha subido el nivel del río. Mi ciudad está a 720 metros sobre el nivel del mar*. **2** Grado, categoría o situación que alcanzan ciertos aspectos de la vida social: *Su nivel económico es bajo. Tiene un buen nivel de inglés*. **3** Instrumento que se utiliza para averiguar la diferencia o la igualdad de altura entre dos puntos: *El albañil comprueba la horizontalidad del suelo con el nivel*. **4** ‖ **nivel de vida**; grado de bienestar, esp. económico o material, de una persona o de una colectividad: *Desde que cambió de trabajo ha mejorado su nivel de vida*. □ ETIMOL. Del latín **bellum*, diminutivo de *libra* (balanza). □ SEM. La expresión *a nivel de* sólo debe emplearse cuando existan diferentes grados o jerarquías en aquello a lo que se hace referencia.

nivelación s.f. **1** Allanamiento o igualación de una superficie hasta conseguir su horizontalidad. **2** Eliminación de diferencias o colocación en un mismo nivel.

nivelador, -a adj./s. Que nivela.

nivelar v. **1** Referido esp. a una superficie, allanarla o igualarla: *Las máquinas apisonadoras están nivelando el terreno en que se construirá la urbanización*. **2** Igualar o poner al mismo nivel: *Se han nivelado las diferencias económicas entre ambos*. **3** En construcción, comprobar con el nivel la horizontalidad de una superficie: *Nivela y te darás cuenta de que el suelo está inclinado*.

níveo, a adj. *poét*. De nieve o con sus características: *El poeta cantó la blancura de la nívea espuma del mar.* ☐ ETIMOL. Del latín *nivens.*

nivoso, sa adj. →nevoso.

no ∎ s.m. **1** Negación: *Deja de insistir, porque mi no es rotundo.* ∎ adv. **2** Expresa negación, esp. en respuesta a una pregunta: *No me gustó la película. No vino nadie a la fiesta. ¡No fumar! Aprobé, no sin esfuerzo.* **3** En contextos interrogativos, se usa cuando se espera una respuesta afirmativa o cuando se pide el consentimiento o la conformidad de alguien: *¿No te tomas una caña con nosotros? Puedo ir contigo, ¿no?* **4** ‖ **a que no...**; *col.* Expresión que se usa para indicar incredulidad, desafío o reto: *¿A que no te vienes? ¡A que no me coges!* ‖ **cómo no**; expresión de cortesía que se usa como respuesta afirmativa: *—¿Puedo acompañarte? —¡Cómo no!* ‖ **no bien**; enlace gramatical subordinante con valor temporal: *No bien hubo llegado, se sintió ofendido y se marchó.* ‖ **no más**; **1** Solamente: *Me engañó una vez no más, y no volverá a pillarme en otra.* **2** Basta de: *No más mentiras y excusas, por favor.* ☐ ETIMOL. Del latín *non.* ☐ MORF. **1.** Antepuesto a algunos sustantivos y adjetivos, expresa la carencia de lo que éstos indican y funciona como un prefijo: *Firmaron un pacto de no agresión. Es una decisión no fácil.* **2.** Como sustantivo, aunque su plural en la lengua culta es *noes*, la RAE admite también *nos.* ☐ USO En la acepción 3, se usa mucho como muletilla.

[nobel] s.m. →**premio Nobel.** ☐ PRON. Aunque la pronunciación correcta es [nobél], está muy extendida [nóbel]. ☐ ORTOGR. Dist. de *novel.*

nobelio s.m. Elemento químico, metálico y artificial, de número atómico 102, radiactivo. ☐ ETIMOL. Por alusión a *Nobel*, instituto donde se descubrió. ☐ ORTOGR. Su símbolo químico es *No.*

nobiliario, ria adj. De la nobleza o relacionado con ella. ☐ ETIMOL. Del latín *nobilis* (noble).

nobilísimo, ma superlat. irreg. de **noble.**

noble ∎ adj. **1** De linaje distinguido o de origen ilustre: *Es de familia noble.* **2** Honroso, estimable y digno de admiración y respeto: *Ayudar a quien lo necesita es una acción noble.* **3** Principal, de gran calidad, valor o estimación: *Las maderas nobles son muy apreciadas.* **4** Referido a un animal, que es fiel al hombre y no traicionero. **5** En química, referido a una sustancia, que es químicamente inactiva. ∎ adj./s. **6** Referido a una persona, que tiene un título otorgado por el rey en virtud de sus méritos o heredado de sus antepasados. ☐ ETIMOL. Del latín *nobilis* (conocido, ilustre, noble). ☐ MORF. **1.** Como adjetivo es invariable en género y como sustantivo es de género común: *el noble, la noble.* **2.** Su superlativo es *nobilísimo.*

nobleza s.f. **1** Grupo social privilegiado formado por las personas que tienen título de noble. **2** En la sociedad europea medieval, estamento privilegiado formado por estas personas. **3** Honradez o merecimiento de respeto: *Alabo la nobleza de tu comportamiento.* **4** Fidelidad o lealtad: *Este perro se caracteriza por su nobleza.* **5** Distinción o importancia del linaje u origen: *La nobleza de su familia es conocida desde siempre.*

[nobuk] s.m. Piel de vaca curtida y de aspecto aterciopelado. ☐ PRON. [nobúk].

noche s.f. **1** Período de tiempo en el que no hay luz solar: *Llegué de noche.* **[2** Horas destinadas a dormir durante este período de tiempo: *He pasado* una *'noche' fatal, no he pegado ojo.* **3** Oscuridad, tristeza o confusión: *La noche se irá y reaparecerá la esperanza.* **4** ‖ **buenas noches**; expresión que se usa como saludo cuando el Sol se ha puesto. ‖ **de la noche a la mañana**; de pronto o en poco tiempo: *De la noche a la mañana, se ha llenado esto de edificios nuevos.* ‖ **hacer noche**; detenerse para dormir: *Haremos noche aquí y al amanecer seguiremos camino.* ‖ **[la noche de los tiempos]**; tiempo remoto o anterior al tiempo conocido: *Los comienzos de la Edad Media se pierden en 'la noche de los tiempos'.* ‖ **media noche**; →**medianoche.** ‖ **noche buena**; →**nochebuena.** ‖ **noche cerrada**; la que tiene una oscuridad total: *Madrugué tanto que me levanté cuando todavía era noche cerrada.* ‖ **noche toledana**; *col.* La que se pasa sin dormir. ‖ **noche vieja**; →**nochevieja.** ‖ **noche y día**; constantemente y a todas horas. ‖ **pasar la noche en [blanco/claro]**; pasarla sin dormir. ‖ **[ser la noche y el día]**; ser completamente distintos: *Su hermana y ella 'son la noche y el día'.* ☐ ETIMOL. Del latín *nox.*

nochebuena s.f. En el cristianismo, noche en la que se conmemora el nacimiento de Jesucristo: *La nochebuena es el 24 de diciembre.* ☐ ORTOGR. Se admite también *noche buena.* ☐ USO Se usa más como nombre propio.

nocherniego, ga adj./s. Que disfruta haciendo vida nocturna. ☐ ETIMOL. Del latín *nocturnalis*, y éste de *nox* (noche).

nochevieja s.f. Última noche del año: *La nochevieja es el 31 de diciembre.* ☐ ORTOGR. Se admite también *noche vieja.* ☐ USO Se usa más como nombre propio.

noción s.f. **1** Idea, conocimiento o conciencia: *Cuando pinta, pierde la noción del tiempo.* **2** Conocimiento elemental o básico: *Tengo nociones de inglés, pero lo que domino es el francés.* ☐ ETIMOL. Del latín *notio* (conocimiento). ☐ MORF. La acepción 2 se usa más en plural.

nocividad s.f. Capacidad de producir un daño o perjuicio.

nocivo, va adj. Dañino, perjudicial o peligroso, esp. para la salud física o mental: *El tabaco es nocivo para la salud.* ☐ ETIMOL. Del latín *nocivus*, y éste de *nocere* (perjudicar).

noctambulismo s.m. **1** Forma de vida caracterizada por el desarrollo de las principales actividades durante la noche. **2** Inclinación a hacer vida nocturna. ☐ SEM. Dist. de *sonambulismo* (trastorno del sueño).

noctámbulo, la ∎ adj. **1** Que desarrolla sus principales actividades durante la noche: *ave noctámbula.* ∎ adj./s. **2** Referido a una persona, inclinada a hacer vida nocturna. ☐ ETIMOL. Del latín *nox* (noche) y *ambulare* (andar). ☐ MORF. La RAE sólo lo registra como adjetivo. ☐ SEM. Dist. de *sonámbulo* (que padece un trastorno del sueño).

nocturnidad s.f. **1** Calidad o condición de nocturno. **2** En derecho, circunstancia agravante que da al ocurrir un hecho durante la noche: *El robo fue cometido con nocturnidad y alevosía.*

nocturno, na ∎ adj. **1** De la noche o relacionado con ella: *oscuridad nocturna.* **2** Que ocurre o se desarrolla durante la noche: *clases nocturnas.* **3** Referido a un animal, que se oculta de día y busca alimento durante la noche. **4** Referido a una planta, con flores que sólo están abiertas durante la noche. ∎

s.m. **5** Composición musical de carácter instrumental o vocal, melodiosa, tranquila, generalmente corta y de estructura muy libre. □ ETIMOL. Del latín *nocturnus*.

nodo s.m. **1** En física, en un cuerpo vibrante, cada uno de los puntos que permanecen fijos. **2** En medicina, nódulo o abultamiento producidos por un depósito de ácido úrico en un hueso, en un tendón o en un ligamento. [**3** Noticiario y documental cinematográfico semanal que se creó en España en 1946 y duró hasta 1976. □ ETIMOL. Las acepciones 1 y 2, del latín *nodus* (nudo). La acepción 3, es un acrónimo que procede de la sigla de *noticiario documental*.

nodriza s.f. **1** Mujer que amamanta a un niño sin ser suyo. **2** Vehículo que suministra combustible a otro: *avión nodriza*. □ ETIMOL. Del latín *nutrix* (alimentadora, nodriza). □ SINT. En la acepción 2, se usa en aposición, pospuesto a un sustantivo. □ SEM. En la acepción 1, es sinónimo de *ama de cría*, *ama de leche* y *madre de leche*.

nódulo s.m. En medicina, acumulación de células que forma un bulto de pequeño tamaño. □ ETIMOL. Del latín *nodulus*.

nogal s.m. **1** Árbol de gran tamaño, de tronco y ramas robustas, copa grande y redondeada, de madera muy apreciada y cuyo fruto es la nuez. **2** Madera de este árbol. □ ETIMOL. Del latín *nucalis*, y éste de *nux* (nuez).

nogalina s.f. Colorante obtenido de la cáscara de la nuez, que se usa generalmente para teñir madera del color del nogal. □ ETIMOL. De *nogal*.

nómada ∎ adj. [**1** De las personas o de los animales que van de un lugar a otro sin vivir en un sitio de forma permanente: *vida 'nómada'*. ∎ adj./s. **2** Referido a una persona o a un animal, que van de un lugar a otro sin vivir en un sitio de forma permanente. □ ETIMOL. Del latín *nomas*, y éste del griego *nomás* (que se traslada buscando pastos). □ MORF. 1. Como adjetivo es invariable en género. 2. Como sustantivo es de género común: *el nómada*, *la nómada*.

nomadismo s.m. Forma de vida caracterizada por ir de un lugar a otro sin tener un sitio permanente para vivir.

nombrado, da adj. Famoso, célebre o muy conocido.

nombramiento s.m. **1** Designación para el desempeño de un empleo o de un cargo. **2** Documento o escrito que certifican una designación o una elección.

nombrar v. **1** Referido a una persona o a una cosa, decir su nombre: *Nombra dos cosas que empiecen por 'm'*. **2** Mencionar de forma honorífica: *En la lectura de la tesis nombró a todos sus maestros*. **3** Elegir, designar o proclamar para el desempeño de un empleo o de un cargo: *Cuando fue nombrado presidente tenía sesenta años*. □ ETIMOL. Del latín *nominare*.

nombre s.m. **1** Palabra o conjunto de palabras con las que se designa, se distingue o se representa algo: *Mi nombre es Paula. Hablé con franqueza y llamé a las cosas por su nombre, sin tapujos*. **2** Título o denominación: *El nombre de la revista es 'Transmitir'*. **3** Fama o prestigio: *Esa oftalmóloga tiene mucho nombre en nuestra ciudad*. **4** En gramática, parte de la oración que comprende el sustantivo y el adjetivo: *El nombre es el núcleo de un sintagma nominal*. **5** ‖ [dar una persona su nombre a otra; adoptarla o reconocerla como hijo: *Aunque permanece soltero, 'ha dado su nombre' a sus dos hijos*. ‖ en (el) nombre de alguien; en representación suya: *Firmará el abogado en nombre de su cliente*. ‖ no tener nombre algo; ser incalificable: *La faena que me has hecho no tiene nombre*. ‖ nombre abstracto; el sustantivo que no designa una cosa real sino una cualidad de los seres: *'Bondad' es un nombre abstracto*. ‖ nombre animado; el sustantivo que designa seres considerados vivientes. ‖ nombre {apelativo/común/genérico}; el sustantivo que se aplica a personas o cosas pertenecientes a un conjunto de seres que también pueden ser designados así porque poseer todos las mismas propiedades: *'Coche' es un nombre común que sirve para designar todos los coches que existen*. ‖ nombre colectivo; el sustantivo que en singular designa una colectividad: *'Rebaño' es un nombre colectivo*. ‖ nombre comercial; denominación distintiva de un establecimiento o de un producto. ‖ nombre concreto; el sustantivo que designa seres reales o seres que se pueden representar como tales. ‖ [nombre {contable/discontinuo}; el sustantivo que designa seres que se pueden contar. ‖ [nombre de guerra; el que adopta una persona en una actividad, esp. si ésta es clandestina. ‖ nombre de pila; el que se da a una persona cuando es bautizada. ‖ [nombre de religión; el que toma una persona al ingresar en una orden religiosa. ‖ nombre inanimado; el sustantivo que designa seres carentes de vida. ‖ [nombre {incontable/continuo}; el que designa seres que no se pueden contar, pero que se pueden pesar o medir. ‖ nombre propio; el sustantivo que designa sólo uno de los seres que pertenecen a una misma clase, diferenciándolo del resto. □ ETIMOL. Del latín *nomen*. □ SEM. Aunque la RAE lo considera sinónimo de *apodo*, en la lengua actual no se usa como tal.

nomenclador o **nomenclátor** s.m. Catálogo o lista de nombres que tienen algo en común: *El Ministerio de Educación publicó un nomenclátor de centros docentes de la provincia de Madrid*. □ ETIMOL. Del latín *nomenclator*, y éste de *nomen* (nombre) y *calare* (llamar). □ USO *Nomenclador* es el término menos usual.

nomenclatura s.f. Conjunto de términos técnicos y propios de una ciencia: *En la nomenclatura química, la sal común se denomina 'cloruro sódico'*. □ ETIMOL. Del latín *nomenclatura*.

nomeolvides ∎ s.f. **1** Flor de una planta herbácea de tallos angulares con pequeñas espinas vueltas hacia abajo: *La nomeolvides tiene color amarillo, pero después de la polinización se vuelve azul*. ∎ s.m. [**2** Pulsera de eslabones que tiene en su parte central una pequeña placa en la que se suele grabar un nombre de persona; esclava. ⬥ joya □ MORF. Invariable en número.

nómina s.f. **1** Lista de nombres: *Han colocado en el tablón de anuncios la nómina de los admitidos para el próximo curso*. **2** Relación de personas que deben percibir un sueldo fijo en una empresa: *La nómina de mi empresa supera los dos mil empleados*. **3** Sueldo o retribución: *Con su nómina puede permitirse tener algún que otro capricho*. [**4** Documento elaborado por una empresa en el que consta dicho sueldo. ☐ ETIMOL. Del latín *nomina* (nombres).

nominación s.f. [Propuesta o selección para la obtención de un premio. ☐ USO Es un anglicismo innecesario y puede sustituirse por una expresión como *propuesta como candidato*.

nominal adj. **1** Del nombre o relacionado con él: *Me ha presentado una relación nominal de contribuyentes*. **2** Que no tiene realidad y sólo existe de nombre: *El valor nominal de las acciones no se corresponde con el real*. **3** En gramática, que funciona como un nombre: *Una oración se compone de sintagma nominal sujeto y sintagma verbal predicado*. ☐ ETIMOL. Del latín *nominalis*. ☐ MORF. Invariable en género.

nominalismo s.m. Doctrina filosófica, surgida en la época medieval, que niega toda realidad a los términos genéricos, a favor de los términos particulares e individuales, que son reales. ☐ ETIMOL. De *nominal*.

nominalista ▌ adj. **1** Del nominalismo o relacionado con esta doctrina filosófica. ▌ adj./s. **2** Que defiende o sigue el nominalismo. ☐ MORF. 1. Como adjetivo es invariable en género. 2. Como sustantivo es de género común: *el nominalista, la nominalista*.

nominalización s.f. En lingüística, transformación en nombre o en sintagma nominal de una palabra o de un grupo de palabras mediante la aplicación de algún procedimiento morfológico o sintáctico: *El sustantivo 'correveidile' es un ejemplo de nominalización de una oración compuesta*.

nominalizar v. En lingüística, referido a una palabra o a un grupo de palabras, transformarlos en nombre o en sintagma nominal mediante algún procedimiento morfológico o sintáctico: *El sustantivo 'canto' es resultado de nominalizar el verbo 'cantar'*. ☐ ORTOGR. La z se cambia en c delante de e →CAZAR.

nominar v. [**1** Proponer o seleccionar para un premio: *Esta película 'ha sido nominada' para el premio a la mejor banda musical*. **2** Dar nombre: *No sé cómo nominar este nuevo artefacto que acabo de inventar*. ☐ USO En la acepción 1, es un anglicismo innecesario y puede sustituirse por una expresión como *proponer*.

nominativo, va ▌ adj. **1** Referido a un documento, esp. si es comercial o bancario, que lleva el nombre de la persona a favor de quien se extiende. ▌ s.m. **2** →**caso nominativo**. ☐ ETIMOL. Del latín *nominativus* (caso que sirve para nombrar a alguno).

nomo s.m. →**gnomo**.

non s.m. **1** →**número non**. **2** ‖ **de non**; sin pareja: *Fuimos cinco: dos parejas y yo, que estaba de non*.

nona s.f. Véase **nono, na**.

nonada s.f. Lo que se considera sin importancia: *No debes preocuparte por esa nonada*. ☐ ETIMOL. De *no* y *nada*.

nonagenario, ria adj./s. Que tiene más de noventa años y aún no ha cumplido los cien. ☐ ETIMOL. Del latín *nonagenarius*.

nonagésimo, ma numer. **1** En una serie, que ocupa el lugar número 90. **2** Referido a una parte, que constituye un todo junto con otras ochenta y nueve iguales a ella; noventavo. ☐ ETIMOL. Del latín *nonagesimus*. ☐ MORF. *Nonagésima primera* (incorr. *nonagésimo primera*), etc.

nonágono, na adj./s.m. En geometría, referido a un polígono, que tiene nueve lados y nueve ángulos;

eneágono. ☐ ETIMOL. Del latín *nonus* (noveno) y *-gono* (ángulo).

nonato, ta adj. **1** Referido a un hijo, no nacido naturalmente sino mediante cesárea. **2** Que no existe aún o que no ha sucedido: *una ley nonata*. ☐ ETIMOL. Del latín *non natus* (no nacido).

nones interj. Expresión que se usa para negar rotundamente: *Cuando le pedí a mi madre que me dejase llegar a las siete de la madrugada, me dijo que nones*.

noningentésimo, ma numer. **1** En una serie, que ocupa el lugar número novecientos. **2** Referido a una parte, que constituye un todo junto con otras ochocientas noventa y nueve iguales a ella. ☐ ETIMOL. Del latín *noningentesimus*.

nono, na ▌ numer. **1** *ant.* →**noveno**. ▌ s.f. **2** En la antigua Roma, última de las cuatro partes en que se dividía la parte del día en que hay luz solar, que comprendía desde media tarde hasta la puesta del Sol. **3** En la iglesia católica, sexta de las horas canónicas. ☐ ETIMOL. La acepción 1, del latín *nonus*. Las acepciones 2 y 3, del latín *hora nona* (hora novena del día). ☐ SINT. En la acepción 1, hoy sólo se usa pospuesto al nombre propio de algunos papas: *Pío IX es 'Pío nono'*.

nopal s.m. En zonas del español meridional, chumbera o higuera chumba.

[noquear v. En boxeo, dejar fuera de combate: *El púgil 'noqueó' a su contrincante al comienzo del quinto asalto*. ☐ MORF. Es un verbo formado a partir de un anglicismo (*knock out*).

norabuena s.f. →**enhorabuena**.

nordeste s.m. **1** Punto medio o lugar entre el Norte y el Este. **2** Viento que sopla o viene de este punto. ☐ ORTOGR. Se admite también *noreste*. ☐ SINT. Se usa mucho en aposición, pospuesto a un sustantivo: *Un viento nordeste hizo que el velero volcara*. ☐ USO En la acepción 1, se usa mucho como nombre propio.

nórdico, ca ▌ adj. **1** Del Norte o relacionado con él. ▌ adj./s. **2** De los pueblos y países del norte del continente europeo, o relacionado con ellos: *El sueco, el noruego y el danés son lenguas nórdicas*.

nordista adj./s. En la guerra de Secesión norteamericana, partidario de los estados del norte; federal. ☐ MORF. 1. Como adjetivo es invariable en género. 2. Como sustantivo es de género común: *el nordista, la nordista*.

[noreste s.m. →**nordeste**.

noria s.f. **1** Máquina que se utiliza para sacar agua, generalmente de un pozo, formada por dos grandes ruedas, una horizontal movida por una palanca de la que tira un animal y otra vertical, engranada en la anterior y provista de vasijas o cangilones en los que se introduce el agua. [**2** Atracción de feria que consiste en una gran rueda que gira verticalmente y que está provista de unas cabinas donde suben las personas. ☐ ETIMOL. Del árabe *na'ura* (rueda hidráulica).

norma s.f. **1** Regla que se debe seguir porque determina cómo debe ser algo o cómo debe realizarse: *Cada uno tiene sus propias normas de conducta*. **2** En derecho, precepto jurídico: *Han cerrado una fábrica porque no cumplía las normas higiénicas legales*. [**3** En lingüística, tradición de corrección gramatical que se considera como modelo: *La 'norma' del español dice que la forma 'andé', aunque regu-*

lar, es incorrecta, y que hay que decir '*anduve*'. □ ETIMOL. Del latín *norma* (escuadra). □ SEM. En la acepción 1, dist. de *normativa* (conjunto de normas).

normal ❚ adj. **1** Que se halla en su estado natural o que presenta características habituales: *Ése no es el comportamiento normal en un chico de tu edad.* **2** Que se ajusta a ciertas normas fijadas de antemano: *Si estás enfermo, es normal que venga a verte.* ❚ adj./s.f. **3** En geometría, referido a una línea recta o a un plano, que es perpendicular a otra recta o a otro plano. □ ETIMOL. Del latín *normalis*. □ MORF. Como adjetivo es invariable en género.

normalidad s.f. Conformidad con el propio estado natural o con las características habituales.

[normalización s.f. **1** Adaptación de varias cosas semejantes a un tipo, a un modelo o a una norma comunes; estandarización, tipificación. **2** Regularización, puesta en orden o establecimiento de la normalidad.

normalizar v. **1** Referido a varias cosas semejantes, adaptarlas a un tipo, a un modelo o a una norma comunes; estandarizar, tipificar: *Las televisiones autonómicas han contribuido a normalizar las lenguas propias de cada autonomía.* **2** Regularizar, poner en orden o hacer normal: *Los dos países han normalizado sus relaciones. Han reparado la avería y el servicio ferroviario se ha normalizado.* □ ORTOGR. La *z* se cambia en *c* delante de *e* →CAZAR.

normando, da adj./s. **1** De un conjunto de pueblos germánicos del norte europeo que durante la época medieval se extendieron por el Imperio Romano, o relacionado con ellos. **2** De Normandía (antigua región francesa) o relacionado con ella.

normativo, va ❚ adj. **1** Que sirve de norma, o que fija o determina normas: *gramática normativa.* ❚ s.f. **2** Conjunto de normas que se pueden aplicar a una determinada materia o actividad: *Hay una normativa para la admisión de alumnos en los centros públicos de enseñanza.* □ SEM. En la acepción 2, dist. de *norma* (sólo una).

noroeste s.m. **1** Punto medio o lugar entre el Norte y el Oeste. **2** Viento que sopla o viene de este punto. □ SINT. Se usa mucho en aposición, pospuesto a un sustantivo: *Viajamos en dirección noroeste.* □ USO En la acepción 1, se usa más como nombre propio.

norte s.m. **1** Punto cardinal que cae hacia el polo ártico y delante de un observador a cuya derecha esté el Este: *De noche puedes orientarte si sabes que la estrella Polar señala el Norte.* **2** Respecto de un lugar, otro que cae hacia este punto: *En el norte de España llueve más que en el sur.* **3** Viento que sopla o viene de dicho punto; aquilón: *En España, cuando sopla el norte, el cielo tiene un color azul más limpio.* **4** Dirección o guía: *Los fracasos han hecho que pierda el norte y no sepa qué hacer con su vida.* **5** ‖**norte magnético**; dirección que señala este punto del globo terrestre: *La aguja de la brújula siempre marca el norte magnético.* □ ETIMOL. Del inglés antiguo *north.* □ MORF. 1. En la acepción 1, la RAE lo registra como nombre propio. 2. Cuando se antepone a otra palabra para formar compuestos, adopta las formas *nor-* y *nord-*. □ SINT. En las acepciones 1, 2 y 3, se usa mucho en aposición, pospuesto a un sustantivo: *Un viento norte empuja la nave.* □ USO En la acepción 1, se usa más como nombre propio.

[norteafricano, na adj./s. De la zona norte del continente africano o relacionado con ella.

norteamericano, na adj./s. De la zona norte del continente americano, de los Estados Unidos de América (país de esta zona), o relacionado con ellos. □ SEM. Dist. de *estadounidense* (*sólo de Estados Unidos*).

norteño, ña adj./s. Del Norte, relacionado con este punto terrestre o situado en la parte norte de un país. □ MORF. La RAE sólo lo registra como adjetivo.

nortino, na adj./s. En zonas del español meridional, habitante de las provincias del Norte.

noruego, ga ❚ adj./s. **1** De Noruega (país del norte europeo) o relacionado con ella. ❚ s.m. **2** Lengua germánica de este país.

nos pron.pers. Forma de la primera persona del plural que corresponde a la función de complemento sin preposición: *Nos ha visto en el cine. Nos dieron la noticia nada más llegar a casa. Nos tiramos al agua todos juntos.* □ ETIMOL. Del latín *nos*, que es el plural de *ego* (yo). □ MORF. No tiene diferenciación de género.

nosotros, tras pron.pers. Forma de la primera persona del plural que corresponde a la función de sujeto, de predicado nominal o de complemento precedido de preposición: *Nosotras nunca estuvimos allí. Las de la derecha en la fotografía somos nosotras. A nosotros nadie nos ha avisado. ¿Vendrás con nosotros?* □ ETIMOL. De *nos* y *otros*.

nostalgia s.f. Sentimiento de pena o de tristeza motivado por el alejamiento o la ausencia de algo querido o por el recuerdo de un bien perdido. □ ETIMOL. Del griego *nóstos* (regreso) y *álgos* (dolor).

nostálgico, ca adj./s. De la nostalgia, con nostalgia o relacionado con ella.

nosticismo s.m. →**gnosticismo**.

nóstico, ca adj./s. →**gnóstico**.

nota s.f. **1** Escrito breve que sirve generalmente para comunicar, para explicar o para recordar algo: *Déjame una nota diciéndome dónde estáis.* **2** En un impreso o en un manuscrito, comentario o precisión de cualquier tipo que va fuera del texto: *El texto lleva unas notas explicativas a pie de página.* **3** Apunte o resumen breves y condensados de una cuestión o de una materia, para ampliarlas o recordarlas después: *Tomé algunas notas de lo que dijo el conferenciante.* **4** Calificación con la que se evalúa algo, esp. un examen o un ejercicio: *Si sacas malas notas, te quedarás sin vacaciones.* **5** Calificación alta en una prueba académica: *En el examen hay una pregunta para los que quieran nota.* **6** En música, signo gráfico que representa un sonido. **7** En música, sonido que se representa en el pentagrama por uno de estos signos y que tiene una altura precisa: *El 'do' es una nota más grave que el 're' de la misma octava.* **[8** Detalle o aspecto que caracteriza algo: *una 'nota' de distinción.* **9** Cuenta o factura de algún gasto: *Cuando el camarero traiga la nota, pagas y nos vamos.* **10** ‖**dar la nota**; col. Llamar la atención, esp. por un comportamiento inconveniente. ‖**mala nota**; mala fama: *un bar de mala nota.* ‖**tomar (buena) nota de** algo; fijarse bien en algo para tenerlo en cuenta: *Toma nota de ese fallo, y no vuelvas a repetirlo.* □ ETIMOL. Del latín *nota* (mancha, signo). □ MORF. La acepción 4 se usa más en plural. □ USO En la acepción 1, es despectivo.

notabilidad s.f. Importancia de lo que destaca por sus cualidades.

notabilísimo, ma superlat. irreg. de **notable**.

notable ∎ adj. **1** Que destaca por sus cualidades o por su importancia: *una notable escritora*. **2** Digno de atención o de cuidado: *Hay una notable diferencia de precios*. ∎ s.m. **3** Calificación académica que indica que se ha superado holgadamente el nivel exigido: *Mi 8,5 es un notable, pero está muy cerca del sobresaliente*. ∎ s.m.pl. **4** Personas más importantes de una determinada colectividad: *A la boda asistieron los notables de la ciudad*. ▢ ETIMOL. Del latín *notabilis*. ▢ MORF. 1. Como adjetivo es invariable en género. 2. Su superlativo es *notabilísimo*.

notación s.f. Sistema de signos convencionales que se utiliza en una disciplina determinada: *notación musical*. ▢ ETIMOL. Del latín *notatio*.

notar v. **1** Observar, advertir o darse cuenta: *Creyó que no me daba cuenta, pero noté que lloraba. Se nota que ya no eres una niña*. **2** Referido esp. a una sensación, percibirla o sentirla: *Ahora noto un poco de frío. Hoy te noto molesto conmigo*. **3** ‖ **hacer notar**; señalar o destacar: *Hay que hacer notar que siempre fue una excelente compañera*. ‖ **hacerse notar**; col. Distinguirse o llamar la atención: *Con esa forma de vestir tan estrafalaria, se hace notar en todas partes*. ▢ ETIMOL. Del latín *notare* (señalar, escribir, anotar). ▢ USO *Hacerse notar* tiene un matiz despectivo.

notaría s.f. **1** Oficio de notario. **2** Oficina donde ejerce su profesión el notario.

notarial adj. **1** Del notario o relacionado con él: *poder notarial*. **2** Hecho o autorizado por un notario: *Levantó un acta notarial de los desperfectos*. ▢ MORF. Invariable en género.

notario, ria s. **1** Funcionario público legalmente autorizado para dar fe o garantía de ciertos documentos o actos extrajudiciales, conforme a las leyes. **[2** Lo que testimonia o da cuenta de ciertos acontecimientos: *Como novelista, siempre fue fiel 'notario' de su tiempo*. ▢ ETIMOL. Del latín *notarius* (secretario).

noticia ∎ s.f. **1** Noción, información o conocimiento de algo: *¿Tienes noticias suyas?* **2** Acontecimiento o suceso, esp. si son recientes, que se divulgan o que se dan a conocer: *Me he enterado de la noticia por la radio*. ∎ pl. **[3** col. Boletín informativo o noticiario de radio o de televisión. ▢ ETIMOL. Del latín *notitia* (conocimiento, noticia).

noticiario s.m. En radio y televisión, programa de emisión periódica y horario fijo que se dedica a transmitir informaciones de actualidad.

noticiero s.m. En zonas del español meridional, informativo o programa de noticias.

notición s.m. col. Noticia extraordinaria o sensacionalista.

noticioso s.m. En zonas del español meridional, informativo o programa de noticias.

notificación s.f. **1** Comunicación de la resolución de una autoridad de manera oficial y siguiendo las formalidades oportunas. **2** Documento en el que consta esta comunicación o esta información.

notificado, da adj./s. En derecho, persona a la que se le ha hecho una notificación: *Si eres testigo notificado, tendrás que acudir al juicio*.

notificar v. **1** Referido a la resolución de una autoridad, comunicarla de manera oficial y siguiendo las for-

malidades oportunas: *Le notificaron que el día 3 de marzo tendría que declarar como testigo en el juicio*. **2** Referido a un suceso, dar noticia de él o hacerlo saber: *Me han notificado que he ganado un premio*. ▢ ETIMOL. Del latín *notificare*, y éste de *notus* (conocido) y *facere* (hacer). ▢ ORTOGR. La *c* se cambia en *qu* delante de *e* →SACAR.

notoriedad s.f. **[1** Prestigio o fama: *Desde que fue alcalde, goza de gran 'notoriedad' en la ciudad*. **2** Evidencia o claridad de algo: *Ella misma se sorprendió de la notoriedad de los resultados obtenidos*.

notorio, ria adj. **1** Evidente, claro o conocido por todos: *Últimamente muestra una notoria apatía por todo*. **[2** Que goza de gran prestigio o fama: *Es uno de los intelectuales más 'notorios' del país*. ▢ ETIMOL. Del latín *notorius*.

noúmeno s.m. En la filosofía de Kant (filósofo alemán de siglo XVIII), la realidad tal como es en sí misma y no como la conoce el sujeto. ▢ ETIMOL. Del griego *noúmenon* (cosa pensada).

[nova cançó (catalanismo) ‖Movimiento musical catalán surgido en 1961. ▢ PRON. [nóva cansó].

novatada s.f. **1** Broma, esp. si es pesada o humillante, que los antiguos miembros de una colectividad hacen a los recién incorporados. **2** Error o equivocación motivados por la falta de experiencia. ▢ ETIMOL. De *novato*.

novato, ta adj./s. Referido a una persona, que no tiene experiencia o que es nueva en una actividad; bisoño. ▢ ETIMOL. De *nuevo*.

[novecentismo s.m. Movimiento literario que surgió en España (país europeo) en el primer tercio del siglo XX como reacción contra la estética modernista, y que se caracterizó por su proyección política, social y cultural.

[novecentista ∎ adj. **1** Del novecentismo o relacionado con este movimiento literario. ∎ adj./s. **2** Partidario o seguidor del novecentismo. ▢ MORF. 1. Como adjetivo es invariable en género. 2. Como sustantivo es de género común: *el 'novecentista', la 'novecentista'*.

novecientos, tas ∎ numer. **1** Número 900: *novecientas monedas*. ∎ s.m. **2** Signo que representa este número: *Los romanos escribían el novecientos como 'CM'*. ▢ MORF. 1. Como numeral es invariable en número. 2. Incorr. *página* {**novecientos > novecientas*}.

novedad ∎ s.f. **1** Condición de lo que tiene una existencia reciente. **2** Diferencia con lo que existía o se conocía anteriormente: *El éxito de la película se debe a la novedad del tema*. **3** Lo que es nuevo o reciente: *En la tienda me enseñaron las últimas novedades en bicicletas de carreras*. **4** Cambio o transformación: *Su depresión sigue igual, sin novedad*. **5** Noticia, suceso o acontecimiento recientes: *Lo que cuentas no es una novedad para mí, porque ya lo sabía*. **6** Extrañeza o admiración que causan las cosas nuevas: *Todos están encantados con el nieto; ya se sabe, la novedad*. ∎ pl. **7** Artículos adecuados a la moda: *Ya están colocando en los escaparates las novedades de primavera*. ▢ ETIMOL. Del latín *novitas*.

novedoso, sa adj. Que tiene o que implica novedad.

novel adj./s. Referido a una persona, que comienza en una actividad o que tiene poca experiencia en ella: *Para ser obra de una escultora novel, tiene gran ca-*

lidad. □ ETIMOL. Del catalán *novell* (nuevo, novel). □ PRON. Incorr. *[nóvel]. □ ORTOGR. Dist. de *nobel*. □ MORF. 1. Como adjetivo es invariable en género. 2. Como sustantivo es de género común: *el novel, la novel.*

novela s.f. **1** Obra literaria en prosa, generalmente de larga extensión, en la que se narra una historia que suele ser ficticia en todo o en parte. [**2** Género literario formado por este tipo de obras. [**3** Conjunto de esas obras con una característica común: *La 'novela' de Galdós refleja la realidad española de su época.* **4** Conjunto de hechos interesantes de la vida real que parecen ficción: *Ha hecho tantas cosas que su vida es una novela.* **5** Ficción o mentira: *No me vengas con novelas para justificar tu suspenso.* [**6** En radio y en televisión, programa en el que se cuenta una historia ficticia en varios capítulos. **7** ‖ **novela bizantina**; la de carácter aventurero, desarrollada durante los siglos XVI y XVII a imitación de las antiguas novelas griegas, en la que se narran los múltiples y azarosos sucesos y peligros por los que pasa una pareja de enamorados por diversos lugares hasta que logran reunirse felizmente. ‖ **[novela de tesis**; la orientada principalmente a defender una postura ideológica del autor, en la que el argumento y los aspectos puramente novelescos están subordinados a este fin. ‖ **novela de caballerías**; la que cuenta las aventuras de los antiguos caballeros andantes; libro de caballerías. ‖ **[novela epistolar**; la que está escrita en forma de una sucesión de cartas que se intercambian sus protagonistas. ‖ **[novela griega**; la que se desarrolló en la antigua literatura griega, caracterizada por centrarse en el relato de aventuras y de viajes. ‖ **novela morisca**; la que se desarrolló en la literatura española durante el siglo XVI, que suele aparecer formando parte de obras más extensas y se caracteriza por su sencillez, su corta extensión y una visión idealista de la vida, y en la que se describe cómo moros y cristianos rivalizan en valor, sentimientos y cortesía. ‖ **novela pastoril**; la que se desarrolló durante los siglos XVI y XVII y narra las aventuras y desventuras amorosas de pastores idealizados. ‖ **(novela) picaresca**; la que se desarrolló durante los siglos XVI y XVII y relata, generalmente en primera persona, las desventuras y peripecias de un pícaro. ‖ **novela rosa**; la que narra los problemas de sus protagonistas y tiene un final feliz. ‖ **novela sentimental**; la que se desarrolló durante los siglos XV y XVI y se caracteriza por narrar una historia amorosa, a veces con personajes y lugares simbólicos, en la que se ofrece un minucioso análisis de los sentimientos de los enamorados y que suele tener un final trágico. □ ETIMOL. Del italiano *novella* (relato novelesco algo corto, noticia).

novelable adj. Que se puede novelar. □ MORF. Invariable en género.

[novelado, da adj. Con forma de novela.

novelar v. **1** Escribir novelas: *Aunque se le conoce como poeta, también novela muy bien.* **2** Referido a un suceso, darle forma y estructura de novela: *Ha novelado la vida de Napoleón.* **3** Publicar o contar cuentos y mentiras: *Es un periodista detestable que no hace más que novelar en sus artículos.*

novelería s.f. Conjunto de cuentos, fantasías o ficciones. □ ETIMOL. De *novelero*.

novelero, ra adj./s. **1** Aficionado a novelas, cuen-

tos y obras de ficción o inclinado a contar y a imaginar historias ficticias: *Eres un novelero, y de cualquier tontería haces un drama.* **2** Aficionado a todo tipo de novedades: *Es muy novelera y siempre se apunta a todo lo que le ofrezcas.*

novelesco, ca adj. **1** Propio de la novela o relacionado con ella: *personaje novelesco.* **2** Con las características que se consideran propias de la novela, como la ficción, la singularidad, el sentimentalismo o la fantasía: *una juventud novelesca.*

novelista s. Persona que escribe novelas, esp. si ésta es su profesión. □ MORF. Es de género común: *el novelista, la novelista.*

novelístico, ca ‖ adj. **1** De la novela o relacionado con este género literario: *producción novelística.* ‖ s.f. **2** Estudio histórico o preceptivo de la novela: *En la novelística se distinguen distintos tipos de narradores en función del punto de vista de la narración.* **3** Literatura novelesca, esp. si engloba novelas con una característica común: *Las novelas hispanoamericanas del 'realismo mágico' ocupan un lugar destacado dentro de la novelística actual.*

novelón s.m. col. [Novela de gran calidad, esp. si es extensa.

novena s.f. Véase **noveno, na.**

novenario s.m. **1** Espacio de nueve días esp. dedicados a la memoria de un difunto o al culto de un santo. **2** Oficio solemne que se celebra generalmente en el noveno día después de una defunción. □ ETIMOL. De *novena*.

noveno, na ‖ numer. **1** En una serie, que ocupa el lugar número nueve. **2** Referido a una parte, que constituye un todo junto con otras ocho iguales a ella. ‖ s.f. **3** En el catolicismo, conjunto de rezos y actos de devoción que se realizan durante nueve días y se dedican a Dios, a la Virgen o a los santos. **4** Conjunto de rezos, ofrendas u otros actos de devoción que se hacen en honor de un difunto durante uno o más días. □ ETIMOL. Las acepciones 1 y 2, del latín *novenus*. Las acepciones 3 y 4, del latín *novena*.

noventa ‖ numer. **1** Número 90: *noventa años.* ‖ s.m. **2** Signo que representa este número: *Los romanos escribían el noventa como 'XC'.* □ ETIMOL. Del latín *nonaginta*, por influencia de *novem* (nueve). □ MORF. Como numeral es invariable en género y en número.

noventavo, va numer. Referido a una parte, que constituye un todo junto con otras ochenta y nueve iguales a ella; nonagésimo. □ SEM. Su uso como numeral ordinal es incorrecto: *Llegué en {*noventava > nonagésima} posición.*

noventón, -a adj./s. col. Referido a una persona, que tiene más de noventa años y aún no ha cumplido los cien.

noviazgo s.m. Relación entre dos personas que tienen la intención de casarse o de vivir en pareja.

noviciado s.m. **1** Tiempo de prueba durante el cual se prepara un novicio antes de profesar en una orden o en una congregación religiosa. **2** Casa o lugar donde viven los novicios. **3** Conjunto de novicios.

novicio, cia ‖ adj./s. **1** Principiante en alguna actividad; nuevo. ‖ s. **2** Persona que se prepara para profesar en una orden o en una congregación religiosa. □ ETIMOL. Del latín *novitius*.

noviembre s.m. Undécimo mes del año, entre octubre y diciembre. □ ETIMOL. Del latín *november*, y éste de *novem* (nueve), porque era el noveno mes del año, antes de agregarse julio y agosto al calendario romano.

[noviero, ra adj. **1** *col.* Muy enamoradizo. **2** *col.* Que formaliza enseguida sus relaciones de pareja.

novillada s.f. **1** En *tauromaquia*, corrida en la que se lidian o torean novillos. **2** Conjunto de novillos.

novillero, ra s. **1** Persona que lidia o torea novillos. **2** *col.* Persona que hace novillos o deja de asistir a alguna clase.

novillo, lla s. **1** Hijo del toro, de dos a tres años. **2** ||**hacer novillos;** *col.* Referido esp. a un escolar, dejar de asistir a algún sitio al que se tiene obligación de ir. □ ETIMOL. Del latín *novellus* (nuevo, joven). □ SEM. En la acepción 1, en el lenguaje de los toros es sinónimo de *becerro*.

novilunio s.m. Fase lunar durante la cual la Luna no se percibe desde la Tierra; luna nueva. □ ETIMOL. Del latín *novilunium*, y éste de *novus* (nuevo) y *Luna* (Luna). 🐾 fase

novio, via s. **1** Persona que mantiene una relación amorosa con otra con quien tiene intención de casarse o de vivir en pareja. **2** Persona que está a punto de casarse o que está recién casada. **3** ||**quedarse** alguien **compuesto y sin novio;** *col.* No conseguir lo que esperaba o lo que deseaba: *Al final le dieron el trabajo a otra, y ella se quedó compuesta y sin novio.* □ ETIMOL. Del latín **novius*, y éste de *novus* (nuevo), que primero significó *casado nuevo* o *que está casándose.*

novísimo, ma superlat. irreg. de **nuevo.** □ SEM. Se usa más con el significado de 'de gran novedad', frente al superlativo regular *nuevísimo*, que se usa con el significado de 'que está muy nuevo'.

nubarrón s.m. **1** Nube grande, densa y oscura. **[2** *col.* Problema, dificultad o contratiempo.

nube s.f. **1** Acumulación de pequeñas gotas de agua o de partículas de hielo que se mantienen en suspensión en el aire y que forman una masa de color variable según su densidad o según la luz. 🐾 nube **2** Agrupación de partículas o de cosas que van por el aire y forman una masa parecida a esta acumulación de gotas de agua: *una nube de humo.* **3** Abundancia o gran cantidad de algo: *Una nube de seguidores aclamaba al presidente.* **4** En el ojo, mancha pequeña de color blanquecino que se forma en la capa exterior de la córnea y que impide o dificulta la visión. **5** Lo que oscurece o encubre algo, esp. si es de forma pasajera: *Durante unos segundos, una nube de tristeza cubrió su rostro.* **6** ||**caído de las nubes;** inesperado y repentino: *Apareció allí como caído de las nubes, cuando todos lo creíamos en el extranjero.* ||**en las nubes;** referido a una persona, despistada, pensando en cosas maravillosas o con la mente lejos de la realidad. ||**nube de vera-**

NUBE
cirros / estratos / cúmulos / nimbos o *nimboestratos* / nube de polvo

no; 1 La que suele aparecer en verano con lluvia fuerte y repentina, pero de poca duración. *col.* **2** Enfado o disgusto pasajeros: *Seguro que pronto hacen las paces, porque sólo ha sido una nube de verano.* ||**poner** algo {en/por/sobre} **las nubes;** alabarlo o hablar muy bien de ello. ||**por las nubes;** *col.* Muy caro: *El kilo de ternera está por las nubes.* □ ETIMOL. Del latín *nubes.*

núbil adj. Referido a una persona, esp. a una mujer, que ha llegado a la edad en la que ya puede procrear. □ ETIMOL. Del latín *nubilis* (que ya se puede casar). □ MORF. Invariable en género.

nubio, bia ■ adj./s. **1** De Nubia (región del nordeste africano) o relacionado con ella. ■ s.m. **2** Lengua de esta región.

nublado, da ■ adj. **1** Con nubes. ■ s.m. **2** Nube que amenaza tormenta.

nublar v. **1** Referido esp. al cielo, cubrirlo las nubes: *Esos nubarrones han nublado el cielo. Coge el paraguas, porque el día se ha nublado.* **2** Oscurecer, enturbiar, empañar o turbar: *Las lágrimas le nublaron los ojos. Su fama se nubló cuando descubrieron la estafa que había cometido.* □ ETIMOL. Del latín *nubilare.* □ ORTOGR. Se admite también *anublar.* □ USO Aunque la RAE prefiere *anublar*, se usa más *nublar.*

nubosidad s.f. Presencia de nubes en el cielo.

nuboso, sa adj. Cubierto de nubes.

nuca s.f. Parte posterior del cuello que corresponde a la zona de unión de la columna vertebral con la cabeza. □ ETIMOL. Quizá del latín *nucha* (médula espinal).

nuclear adj. **1** Del núcleo, esp. del de los átomos, o relacionado con él: *física nuclear.* **2** Que emplea la energía que se encuentra almacenada en los núcleos de los átomos; atómico: *central nuclear.* □ MORF. Invariable en género.

[nuclearización s.f. Instalación de centrales nucleares en un lugar.

[nuclearizar v. Referido a un lugar, instalar en él centrales nucleares para la obtención de energía eléctrica: *Uno de los proyectos futuros de desarrollo es 'nuclearizar' el país.* □ ORTOGR. La *z* se cambia en *c* delante de *e* →CAZAR.

nucleico adj. Referido a un ácido, que constituye el material genético de las células y se encuentra fundamentalmente en el citoplasma de éstas.

núcleo s.m. **1** Parte o punto centrales: *En geología, el núcleo es la parte más interna de la Tierra, y se supone que está formado por hierro y níquel.* **2** En un todo, parte primordial o principal: *La pregunta que le hice iba directamente al núcleo del problema.* **3** En una célula, parte que está separada del citoplasma por una membrana y que controla el metabolismo celular. **4** En un átomo, parte central, formada por neutrones y protones, que contiene la mayor proporción de masa y que posee una carga positiva. **5** En un astro, parte más densa y luminosa. **6** En un sintagma gramatical, elemento fundamental que rige sus elementos: *El núcleo de un sintagma verbal es un verbo.* **[7** Zona habitada y formada por una agrupación de viviendas: *'núcleo' urbano.* **[8** Agrupación de personas o de cosas materiales o inmateriales que tienen cierta unidad: *El mayor 'núcleo' de delincuencia se encuentra en el centro de la ciudad.* □ ETIMOL. Del latín *nucleus* (parte comestible de la nuez o de la almendra).

[**nucleolo** o **nucléolo** s.m. En el núcleo de una célula, orgánulo esférico compuesto fundamentalmente por proteínas. ☐ ETIMOL. Del latín *nucleolus*. ☐ ORTOGR. Aunque la RAE sólo registra *nucléolo*, en círculos especializados se usa más '*nucleolo*'.

nucleón s.m. En un átomo, cada una de las partículas elementales que forman el núcleo. ☐ ETIMOL. Denúcleo.

nudillo s.m. Parte exterior de la articulación por donde se doblan los dedos. ☐ ETIMOL. De *nudo*. ☐ MORF. Se usa más en plural. ✍ mano

nudismo s.m. Actitud o práctica que defiende la conveniencia de la desnudez total para alcanzar un perfecto equilibrio físico y moral; desnudismo. ☐ ETIMOL. Del latín *nudus* (desnudo).

nudista ∎ adj. [**1** Del nudismo o relacionado con esta actitud o con esta práctica. ∎ adj./s. **2** Referido a una persona, que practica el nudismo. ☐ MORF. 1. Como adjetivo es invariable en género. 2. Como sustantivo es de género común: *el nudista, la nudista*. ☐ SEM. Es sinónimo de *desnudista*.

nudo s.m. **1** Lazo que se aprieta y se cierra cuando se tira de sus dos cabos. **2** Lugar en el que se unen o se cruzan varias cosas, esp. vías de comunicación o cadenas montañosas. **3** Unión o relación estrecha entre personas. **4** Principal dificultad o duda. **5** En el desarrollo de una obra literaria o cinematográfica, complicación de la acción o trabazón de los sucesos que preceden al desenlace. **6** En una planta, parte del tronco o del tallo en la que salen las ramas o las hojas. [**7** En una superficie sólida, parte más dura o que sobresale; nudosidad: *Las telas de seda salvaje tienen 'nudos'*. **8** Unidad marítima de velocidad que equivale a una milla marina por hora. **9** Sensación de angustia, de aflicción o de congoja: *Estaba tan nerviosa que se me puso un nudo en el estómago*. **10** ‖**nudo marinero**; el que es muy seguro y fácil de deshacer a voluntad. ☐ ETIMOL. Del latín *nodus*. ☐ SEM. En la acepción 8, no debe emplearse con el significado de 'milla': *El barco iba a siete {*nudos > millas} por hora*.

nudosidad s.f. [**1** En una superficie sólida, parte más dura y sobresaliente; nudo: *Me han vendido barata esta madera porque está llena de 'nudosidades'*. **2** En medicina, abultamiento en forma de nudo: *Las nudosidades de sus manos se deben a la artrosis que padece*.

nudoso, sa adj. Que tiene nudos o nudosidades.

nuera s.f. Respecto de una persona, esposa de su hijo: *Yo soy la nuera de los padres de mi marido*. ☐ ETIMOL. Del latín *nora*. ☐ MORF. Su masculino es *yerno*.

nuestro, tra poses. **1** Indica pertenencia a la primera persona del plural: *Ésa es nuestra casa. No tomes ese desvío, el nuestro es el siguiente. Vuestras notas salieron ayer, y las nuestras saldrán mañana. Los nuestros han ganado las elecciones*. **2** ‖**la nuestra**; *col*. Expresión con que se indica que ha llegado la ocasión favorable para la persona que habla: *Ahora que la propuesta de los otros ha sido rechazada, es la nuestra para presentar nuestra idea*. ☐ ETIMOL. Del latín *noster*.

nueve ∎ numer. **1** Número 9: *nueve años*. ∎ s.m. **2** Signo que representa este número: *Los romanos escribían el nueve como 'IX'*. ☐ ETIMOL. Del latín *novem*. ☐ MORF. Como numeral es invariable en género y en número.

nuevo, va ∎ adj. **1** Recién hecho o fabricado: *He comprado un modelo nuevo de televisión que acaba de salir al mercado*. **2** Que se oye o se ve por primera vez: *Estos datos son nuevos para mí*. **3** Repetido y renovado: *Voy a hacerme fotos nuevas*. **4** Que se añade a lo que ya había: *Añadieron dos nuevos artículos a la revista antes de que se imprimiera*. **5** Distinto o diferente de lo que existía o de lo que se conocía anteriormente: *Es una nueva versión del mismo tema*. **6** Sin usar o poco usado: *No tires estos zapatos, que todavía están nuevos*. **7** Referido a un producto agrícola, que es de una cosecha reciente: *Ya hay en el mercado patatas nuevas*. [**8** *col*. Descansado y renovado: *Estaba muy cansada y la ducha me ha dejado 'nueva'*. ∎ adj./s. **9** Recién llegado a un lugar o a un grupo: *Es nuevo en esta ciudad y todavía no sabe orientarse*. **10** Principiante en alguna actividad; novicio: *Los nuevos tienen aún mucho que aprender*. ∎ s.f. **11** Noticia de un hecho no conocido: *Cuando me dieron la buena nueva, salté de alegría*. **12** ‖**de nuevas**; *col*. Desprevenido o sin saberlo: *Su despido nos pilló de nuevas y no supimos qué decirle*. ‖**de nuevo**; otra vez: *Me he caído de nuevo y ahora tengo dos chichones: el que me hice ayer y el que me he hecho hoy*. ☐ ETIMOL. Las acepciones 1-10, del latín *novus*. Las acepciones 11 y 12, de *nuevo*. ☐ MORF. Tiene un superlativo regular (*nuevísimo*) que se usa más con el significado de 'que está muy nuevo', y otro irregular (*novísimo*) que se usa más con el significado de 'de gran novedad'. ☐ SINT. *De nuevas* se usa más con los verbos *coger*, *pillar* o equivalentes.

nuez s.f. **1** Fruto del nogal, de forma redondeada y dividida en dos mitades duras y simétricas que encierran una semilla comestible y de sabor algo dulce. **2** Fruto de otros árboles parecido al del nogal por la dureza de su cáscara: *nuez de coco*. **3** En una persona, abultamiento de la laringe en la parte anterior del cuello; bocado de Adán. **4** ‖**nuez {de especia/moscada}**; semilla de cáscara dura, muy aromática, que se emplea como condimento y en farmacia. ‖**rebanar la nuez** a alguien; *col*. Cortarle el cuello. ☐ ETIMOL. Del latín *nux*.

nulidad s.f. **1** Falta de valor, de fuerza o de efecto, por resultar contrario a la ley o ser defectuoso en la forma: *Después de separarse, solicitaron que se les concediera la nulidad de su matrimonio*. **2** Incapacidad o ineptitud. **3** Persona incapaz o inepta.

nulo, la adj. **1** Sin valor, sin fuerza o sin efecto, por ser contrario a la ley o ser defectuoso en la forma: *Los votos nulos no pueden contabilizarse*. **2** Incapaz, inútil o no válido para algo. **3** En boxeo, referido a un combate, que termina en empate. ☐ ETIMOL. Del latín *nullus* (ninguno).

numantino, na adj. [Valiente y muy firme. ☐ ETIMOL. Por alusión al comportamiento heroico de los habitantes de la ciudad de Numancia ante el asedio romano.

numen s.m. Inspiración poética o artística. ☐ ETIMOL. Del latín *numen* (voluntad y poder divinos).

numerable adj. Que se puede numerar. ☐ ETIMOL. Del latín *numerabilis*. ☐ MORF. Invariable en género.

numeración s.f. **1** Recuento de los elementos de un conjunto siguiendo el orden de los números. **2** Marca hecha con números: *La numeración de los portales de las casas permite que los carteros las* *identifiquen.* **3** Sistema para expresar los números y las cantidades con una cantidad limitada de palabras o de signos: *Aunque ya sabe leer, es muy pequeño todavía para saber la numeración.* **4** ‖**numeración** {**arábiga/decimal**}; la introducida por los árabes, y que puede expresar cualquier cantidad mediante la combinación de diez signos. ‖ **numeración romana**; la que usaban los romanos y se expresa con siete letras del alfabeto latino. □ ETIMOL. Del latín *numeratio.*

numerador s.m. En un quebrado o en una fracción matemática, término que indica el número de partes que se toman del todo o de la unidad: *En 1/3, el numerador es 1.* □ ETIMOL. Del latín *numerator* (el que cuenta).

numeral ‖ adj. **1** Del número o relacionado con él. ▌ s.m. **2** →**pronombre numeral.** □ MORF. Como adjetivo es invariable en género.

numerar v. **1** Contar siguiendo el orden de los números: *La profesora numeró a los alumnos para ver si faltaba alguno.* **2** Marcar con números: *Numera las hojas del trabajo para que luego no nos hagamos un lío.* □ ETIMOL. Del latín *numerare.* □ ORTOGR. Dist. de *enumerar.*

numerario, ria adj./s. Referido a una persona, que pertenece con carácter fijo a una colectividad: *Aprobó las oposiciones y ya es profesor numerario.* □ ETIMOL. Del latín *numerarius.*

numérico, ca adj. **1** De los números o relacionado con ellos. **2** Compuesto o realizado con números.

número s.m. **1** Concepto matemático que expresa una cantidad con relación a una unidad: *En esta cuenta has sumado mal dos números.* **2** Signo o conjunto de signos que representan este concepto: *El 1 y el 2 son números arábigos, mientras que I y II son números romanos.* **3** Cantidad indeterminada: *Ha habido un escaso número de suspensos.* **4** En un espectáculo, cada uno de los actos o partes de que consta el programa: *Mi número de circo favorito es el de los trapecistas.* [**5** Medida de algunas cosas que se ordenan según su tamaño o por otra característica: *¿Qué 'número' calzas?* **6** En una publicación periódica, ejemplar o tirada de ejemplares que se puede identificar por la fecha de edición: *Compra el número anterior de esta revista.* **7** En la guardia civil o en otros cuerpos de seguridad, individuo sin graduación. **8** Billete para un sorteo. **9** En lingüística, categoría gramatical nominal y verbal que hace referencia a una sola persona o cosa o a más de una: '*Camión' es un sustantivo común en número singular.* **10** En la industria textil, relación entre la longitud y el peso de un hilo: *Ve a comprar un ovillo del número ocho.* [**11** En una serie ordenada, puesto que se ocupa: *Ve al médico y pide 'número' para mañana.* **12** Situación o hecho que llaman la atención: *Ha montado el número al emborracharse en la fiesta.* **13** ‖**de número**; referido a una persona, que es miembro de una corporación compuesta de una cifra limitada de individuos: *Mi tía es miembro de número de la academia de arte de su ciudad.* ‖ **en números rojos**; con saldo negativo en una cuenta bancaria: *No puedo gastar más dinero porque estoy en números rojos.* ‖ **hacer números**; col. Calcular las posibilidades de un negocio o de un asunto: *Antes de pedir el préstamo hice números para saber si me iba a resultar fácil pagarlo.* ‖ **número atómico**;

el que expresa la cantidad de protones del núcleo atómico. ‖ **(número) cardinal**; el que expresa la cantidad entera de elementos de un conjunto: *10 es un número cardinal.* ‖ **número complejo**; el formado por la suma de un número real y uno imaginario: *1 + 4i es un número complejo.* ‖ **(número) decimal**; el racional que es igual a una fracción cuyo denominador es una potencia de diez: *3,4 es un número decimal.* ‖ **(número) dígito**; el que puede representarse con un solo guarismo o cifra: *En la numeración decimal arábiga, son números dígitos los comprendidos entre el 0 y el 9, ambos inclusive.* ‖ [**número dos**; col. Persona que ocupa la segunda posición en una labor de mandato o de dirección: *Soy el 'número dos' de mi empresa, después de la directora general, y ella delega en mí muchas funciones importantes.* ‖ **(número) entero**; el que pertenece al conjunto de los números positivos y de los negativos: *6 y −9 son números enteros. Los números decimales no son enteros.* ‖ **(número)** {**fraccionario/quebrado**}; el que expresa las partes en que se ha dividido la unidad y las que se han tomado de ella; fracción. ‖ **número imaginario**; el que resulta de hacer la raíz cuadrada de un número negativo. ‖ **(número)** {**impar/non**}; el que no es exactamente divisible por dos. ‖ [**número irracional**; el real que no puede expresarse como cociente de dos enteros: *La raíz cuadrada de 3 es un 'número irracional'.* ‖ **número natural**; el entero positivo: *1, 22, 89, 509 y 1.352 son números naturales.* ‖ [**número negativo**; el que es menor que cero y va precedido por el signo −. ‖ **(número) ordinal**; el que expresa idea de orden o sucesión: *2.º y 9.º son números ordinales.* ‖ **(número) par**; el que es exactamente divisible por dos. ‖ [**número positivo**; el que es mayor que cero. ‖ **número primo**; el que sólo es divisible por él mismo y por la unidad: *5, 7 y 9 son números primos.* ‖ **número racional**; el real que puede expresarse como cociente de dos enteros: *6 y 2/3 son números racionales.* ‖ [**número real**; el que forma parte del conjunto formado por los números racionales y los irracionales. ‖ **número uno**; col. Persona o cosa que sobresale en algo y destaca sobre los demás: *Para mí, este cantante es el número uno.* ‖ **sin número**; en abundancia o en gran cantidad: *En la manifestación había gente sin número.* □ ETIMOL. Del latín *numerus.* □ MORF. El plural de *número uno* y de *número dos* es *números uno* y *números dos*, respectivamente.

numeroso, sa adj. Formado por gran número o gran cantidad de elementos: *familia numerosa.* □ SEM. En plural equivale a *muchos*: *La epidemia causó numerosas bajas.*

numerus clausus (latinismo) ‖ Número limitado de plazas: *Esa facultad tiene 'numerus clausus' porque había demasiadas solicitudes de matrícula.* □ PRON. [númerus cláusus]. □ MORF. Invariable en número.

numismático, ca ▌ adj. **1** De la numismática o relacionado con esta ciencia. ▌ s. **2** Persona que se dedica al estudio de las monedas y de las medallas. ▌ s.f. **3** Ciencia que estudia las medallas y las monedas, esp. si son antiguas. □ ETIMOL. Del latín *numisma* (moneda).

nunca adv. En ningún momento; jamás: *No la conozco y nunca he hablado con ella. No vienes nunca conmigo.* □ ETIMOL. Del latín *nunquam*, y éste de *ne* (no) y *umquam* (alguna vez). □ SEM. En las expresiones *nunca jamás* o *nunca más* tiene un matiz intensivo.

nunciatura s.f. **1** Cargo o dignidad de nuncio. **2** Vivienda y lugar de trabajo del nuncio.

nuncio s.m. Representante diplomático del Papa, que además ejerce determinadas funciones pontificias. □ ETIMOL. Del latín *nuntius* (emisario, anunciador).

nupcial adj. De las nupcias o casamiento, o relacionado con esta ceremonia. □ MORF. Invariable en género.

nupcialidad s.f. Número de nupcias o de casamientos en una población en un tiempo determinado, en relación con el total de la población.

nupcias s.f.pl. Ceremonia o acto en el que dos personas contraen matrimonio; boda, casamiento. □ ETIMOL. Del latín *nuptiae*, y éste de *nubere* (casarse).

[*nurse* s.f. →**niñera.** □ USO Es un anglicismo innecesario.

nutria s.f. **1** Mamífero carnicero, de pelaje espeso y suave, que tiene el cuerpo delgado y alargado, la cabeza ancha y aplastada, las orejas pequeñas y redondas, las patas cortas con los dedos de los pies unidos por una membrana y la cola larga. **2** Piel de este animal. □ ETIMOL. Del latín **nutria*. □ MORF. Es un sustantivo epiceno: *la nutria macho, la nutria hembra*.

nutricio, cia adj. **1** Capaz de nutrir: *La leche materna es el mejor alimento nutricio para los recién nacidos*. **2** Que da alimento a otra persona: *Como su madre murió en el parto, tuvo una madre nutricia que le amamantó*. □ ETIMOL. Del latín *nutricius*.

nutrición s.f. **1** Función por la cual se nutren los seres vivos: *El niño no crece lo debido porque tiene un trastorno de la nutrición*. **2** Suministro de las sustancias necesarias para aportar energía, para reponer las sustancias que se han perdido o para crecer: *Debes mantener una nutrición más equilibrada*.

[*nutricional* adj. De la nutrición o relacionado con ella. □ MORF. Invariable en género. □ SEM. Dist. de *nutritivo* (que nutre).

nutrido, da adj. Que tiene gran cantidad de algo: *Te suspendo porque has hecho un examen nutrido de errores*. □ SEM. En plural equivale a *muchos*: *Fue recibido con nutridos aplausos*.

[*nutriente* adj./s.m. Que nutre o alimenta. □ MORF. Como adjetivo es invariable en género.

nutrir v. **1** Proporcionar las sustancias necesarias para reponer las que se han perdido o para crecer: *Es importante nutrir el organismo con alimentos completos. Los animales herbívoros se nutren de vegetales*. **2** Aumentar o dar nuevas fuerzas: *Tu optimismo nutre mi moral*. **3** Proporcionar, abastecer o llenar: *Estos pozos nutren de agua a todo el pueblo. Este lago se nutre del agua de varios ríos*. □ ETIMOL. Del latín *nutrire*.

nutritivo, va adj. Que nutre. □ SEM. Dist. de *nutricional* (de la nutrición).

[*nutrólogo, ga* s. Especialista en nutrición o alimentación.

ny s.f. En el alfabeto griego clásico, nombre de la decimotercera letra: *La grafía de la ny es v*.

[*nylon* s.m. →**nailon.** □ PRON. [náilon]. □ USO Es un anglicismo innecesario.

Ñ ñ

ñ s.f. Decimoquinta letra del abecedario. □ PRON. Representa el sonido consonántico palatal nasal sonoro.

ñacurutú s.m. Ave nocturna, parecida a la lechuza, con plumas amarillentas y grises.

ñame s.m. **1** Planta herbácea trepadora, de hojas grandes y flores pequeñas y verdosas en espiga, que tiene una raíz comestible de corteza casi negra. **2** Raíz de esta planta.

ñandú s.m. Ave corredora americana, de aproximadamente un metro y medio de altura, que tiene el cuello y las patas largos, tres dedos en cada pie y el plumaje grisáceo. □ ETIMOL. Del guaraní *ñandú*. □ MORF. **1.** Es un sustantivo epiceno: *el ñandú macho, el ñandú hembra*. **2.** Aunque su plural culto es *ñandúes*, se usa mucho *ñandús*.

ñandutí s.m. Encaje muy fino típicamente paraguayo y del nordeste argentino.

[ñango, ga adj. **1** *col.* En zonas del español meridional, enclenque. **2** *col.* En zonas del español meridional, maltratado o con mal aspecto.

[ñáñaras s.f.pl. *col.* En zonas del español meridional, escalofríos de miedo.

ñato, ta adj. *col.* En zonas del español meridional, chato.

ñiquiñaque s.m. *col.* En zonas del español meridional, persona o cosa despreciable.

ñoñería s.f. Hecho o dicho propios de una persona ñoña; ñoñez.

ñoñez s.f. **1** Sosería o falta de sustancia. **2** Inseguridad, timidez o falta de ingenio. **3** Hecho o dicho propios de una persona ñoña; ñoñería.

ñoño, ña ▮ adj. **1** Referido a una cosa, sosa o de poca sustancia. ▮ adj./s. **2** *col.* Referido a una persona, que es insegura, tímida, apocada o de escaso ingenio. **[3** *col.* Referido a una persona, excesivamente escrupulosa y remilgada. □ ETIMOL. De origen expresivo.

ñoqui s.m. Pasta alimenticia cortada en trocitos y hecha con patatas mezcladas con harina de trigo, mantequilla, leche, huevo y queso rallado. □ ETIMOL. Del italiano *gnocchi*.

ñora s.f. Tipo de pimiento picante. □ ETIMOL. Quizá de *La Ñora*, pueblo murciano donde se cultiva.

[ñorda o **[ñórdiga** s.f. *vulg.* →**mierda**.

ñu s.m. Mamífero herbívoro de cola larga y pelaje de color pardo o grisáceo, más largo en la zona delantera, con cuernos curvados hacia arriba y hacia adentro, y que vive en las sabanas africanas. □ MORF. **1.** Es un sustantivo epiceno: *el ñu macho, el ñu hembra*. **2.** Aunque su plural en la lengua culta es *ñúes*, se usa mucho *ñus*.

O o

o ∎ s.f. **1** Decimosexta letra del abecedario. ∎ conj. **2** Enlace gramatical coordinante con valor disyuntivo que expresa alternativa, diferencia o separación: *¿Te espero o me voy?* **3** Enlace gramatical coordinante con valor explicativo: *El emperador, o pez espada, es un pescado riquísimo.* **4** ‖ **no saber hacer la o con un canuto**; *col.* Ser muy ignorante. ‖ **o sea**; expresión que se usa para introducir una explicación o lo anteriormente dicho: *Es orden del jefe, o sea, que hay que hacerlo.* ☐ PRON. En la acepción 1, representa el sonido vocálico posterior o velar y de abertura media. ☐ ORTOGR. Cuando pueda confundirse con el número cero, debe llevar tilde: *10 ó 100.* ☐ MORF. En la acepción 1, aunque su plural en la lengua culta es *oes*, la RAE admite también *os*. ☐ SINT. En la acepción 2, para enfatizar la contraposición existente entre los términos coordinados, se puede usar repetida y antepuesta a cada uno de ellos: *O es guapo o es feo, aclárate.* ☐ SEM. En la acepción 2, se usa entre dos numerales para indicar cálculo aproximado: *Por lo menos habría veinte o treinta personas allí.* ☐ USO Como conjunción, ante palabra que comienza por o- o por ho-, se usa la forma *u*.

oasis s.m. Lugar con vegetación y con agua que se encuentra aislado en medio del desierto. ☐ ETIMOL. Del latín *oasis.* ☐ MORF. Invariable en número.

obcecación s.f. Ofuscación tenaz y persistente que impide ver la realidad o razonar sobre ella.

obcecar ∎ v. **1** Impedir razonar con claridad: *El amor que sientes por él te obceca y no ves sus defectos.* ∎ prnl. **2** Insistir tenazmente de un modo que se considera negativo: *Se obcecó en que se llegaba antes por allí, y nos tuvo perdidos más de tres horas.* ☐ ETIMOL. Del latín *obcaecare.* ☐ ORTOGR. La *c* se cambia en *qu* delante de *e* →SACAR. ☐ SINT. Constr. de la acepción 2: *obcecarse EN algo.*

obedecer v. **1** Referido a una persona, hacer lo que ésta manda u ordena: *Obedece a tus padres, que sólo quieren tu bien. Es mejor que obedezcas enseguida.* **2** Referido a una orden o a una norma, cumplirlas: *Todos debemos obedecer las normas de tráfico.* **3** Referido a un animal, ceder con docilidad a las indicaciones que se le hacen: *Este perro sólo obedece a lo que le dice su dueño.* **4** Referido a una cosa inanimada, ceder al esfuerzo que se hace para cambiar su forma o su estado: *El volante no me obedecía, y estuvimos a punto de estrellarnos.* **5** Originarse o proceder de una causa: *¿A qué obedece esa actitud tan impertinente?* ☐ ETIMOL. Del latín *oboedire.* ☐ MORF. Irreg. →PARECER. ☐ SINT. Constr. de la acepción 5: *obedecer A un motivo.*

obediencia s.f. **1** Cumplimiento o realización de lo que se manda, de lo que se ordena o de lo que es normativo: *La obediencia a la ley es un deber que alcanza a todos los ciudadanos.* **2** Modo de ser de quien cumple lo que se le manda; docilidad: *La obediencia de estos niños es digna de elogio.* **3** ‖ **obediencia debida**; en derecho, la que se rinde al superior jerárquico y es circunstancia eximente de responsabilidad en los delitos.

obediente adj. Que obedece o cumple lo que se le manda; dócil. ☐ ETIMOL. Del latín *oboediens.* ☐ MORF. Invariable en género.

obelisco s.m. Monumento conmemorativo en forma de pilar muy alto, de cuatro caras iguales, más estrecho en la parte superior que en la base, y terminado en una punta con forma de pirámide. ☐ ETIMOL. Del griego *obeliskós*, y éste de *obelós* (asador), porque se comparaba al obelisco con un asador o brocheta.

obertura s.f. Pieza musical de carácter instrumental con la que se da principio a una obra extensa, esp. a una ópera o a un oratorio. ☐ ETIMOL. Del francés *ouverture.* ☐ ORTOGR. Dist. de *abertura.*

obesidad s.f. Gordura excesiva; adiposis.

obeso, sa adj./s. Excesivamente gordo. ☐ ETIMOL. Del latín *obesus* (el que ha comido mucho). ☐ MORF. La RAE sólo lo registra como adjetivo.

óbice s.m. Obstáculo, inconveniente o impedimento: *La lluvia no es óbice para que salgamos a pasear.* ☐ ETIMOL. Del latín *obex* (cerrojo, obstáculo). ☐ USO Se usa más en expresiones negativas.

obispado s.m. **1** Cargo de obispo. **2** Territorio o distrito asignado a un obispo para ejercer sus funciones y jurisdicción. **3** Local o edificio donde trabaja la curia episcopal.

obispal adj. Del obispo o relacionado con este cargo eclesiástico; episcopal. ☐ MORF. Invariable en género.

obispo s.m. Sacerdote que ha recibido la plenitud del sacramento del orden y que generalmente gobierna una diócesis o distrito eclesiástico. ☐ ETIMOL. Del latín *episcopus*, y éste del griego *epískopos* (guardián, protector, vigilante).

óbito s.m. Fallecimiento de una persona. ☐ ETIMOL. Del latín *obitus*, y éste de *obire* (fallecer). ☐ SEM. No debe emplearse con el significado de 'entierro': *El {*óbito > entierro} partirá a las seis de la iglesia parroquial.* ☐ USO Su uso es característico de los lenguajes jurídico y eclesiástico.

objeción s.f. **1** Razón que se presenta como reparo a lo que se ha dicho: *La única objeción que me puso fue que no podía hacerlo yo solo.* **2** ‖ **objeción (de conciencia)**; negativa a realizar determinados actos o a prestar determinados servicios, esp. el servicio militar, por razones éticas o religiosas. ☐ ETIMOL. Del latín *obiectio.*

objetar v. **1** Referido a una opinión o a un argumento, exponerlos como reparo a lo que se ha dicho: *No tengo nada que objetar a tu plan porque me parece perfecto.* **2** Negarse a realizar determinados actos o a prestar determinados servicios, esp. el servicio militar, por razones éticas o religiosas: *He objetado por mis convicciones pacifistas.* ☐ ETIMOL. Del latín *obiectare.*

objetivar v. Referido a un asunto, considerarlo de forma objetiva, sin seguir criterios o intereses personales y concibiéndolo como realidad externa al sujeto: *Si objetivas tus problemas, podrás decidir con más imparcialidad.*

objetividad s.f. Imparcialidad en la forma de considerar un asunto, sin seguir criterios o intereses personales y analizando la realidad como algo externo al sujeto.

objetivo, va ∎ adj. **1** Que no sigue criterios o intereses personales, y está marcado por la razón y la imparcialidad: *¿Puedes darme una versión objetiva de los hechos?* **2** En filosofía, que existe realmente, fuera del sujeto que lo conoce: *La ciencia presenta conocimientos objetivos, basados en la experiencia de la realidad.* **3** Del objeto o relacionado con él: *Las oraciones objetivas son las oraciones subordinadas sustantivas que funcionan como objeto directo.* ∎ s.m. **4** Fin o intento a los que se dirige o encamina una acción u operación; objeto: *Nuestro objetivo es acabar hoy el trabajo.* **5** En un instrumento óptico, lente o sistema de lentes colocado en la parte que se dirige hacia el objeto. **6** Blanco sobre el que se dispara un arma de fuego, esp. si es para ejercitarse en el tiro.

objeto s.m. **1** Lo que tiene entidad material e inanimada, esp. si no es de gran tamaño: *Tiene una tienda de antigüedades y de objetos de arte.* **2** Lo que sirve de materia o asunto al ejercicio de las facultades mentales o a una ciencia: *El objeto de la historia es la descripción y explicación de los hechos del pasado.* **3** En filosofía, lo que puede ser materia de conocimiento o de percepción sensible: *El sujeto es quien piensa o percibe, y el objeto, lo pensado o lo percibido.* **4** Fin o intento a los que se dirige o encamina una acción u operación; objetivo: *El objeto de esta reunión es llegar a un acuerdo.* **[5** En lingüística, denominación que en algunas escuelas recibe el complemento del verbo o constituyente sobre el que recae la acción de éste: *'objeto' directo.* **6** ∥ {al/con} objeto de que; para que: *Vine con objeto de que me aconsejases.* □ ETIMOL. Del latín *obiectus*, y éste de *obiicere* (oponer, proponer).

objetor s.m. Persona que se niega a realizar determinados actos o a prestar determinados servicios, esp. el servicio militar, por razones éticas o religiosas; objetor de conciencia. □ SEM. Dist. de *insumiso* (que se niega a realizar el servicio militar o cualquier servicio social que lo sustituya).

oblación s.f. Ofrenda y sacrificio que se hace a la divinidad: *En la misa católica, el pan y el vino son la oblación que presenta el sacerdote.*

oblato, ta s. Religioso de alguna de las congregaciones de este nombre. □ ETIMOL. Del latín *oblatus* (ofrecido).

oblea s.f. **1** Hoja delgada de pan ázimo o sin levadura de la que se sacan las hostias. **[2** Hoja delgada de harina, agua y azúcar cocida, esp. la que se coloca debajo de algunos dulces: *La 'oblea' del turrón duro parece un papel muy fino.* ✂ pan □ ETIMOL. Del francés *oblée* (hoja de pasta que se usa para hacer hostias y ofrecerlas al Señor).

oblicuo, cua ∎ adj. **1** Sesgado, inclinado o desviado de la horizontal y de la vertical: *Puso una tabla oblicua respecto de la puerta para que no pudieran abrirla.* **2** En geometría, referido a un plano o a una línea, que forma un ángulo que no es recto al cortarse con otro plano o con otra línea: *La diagonal de un cuadrado es una línea oblicua.* ∎ adj./s. **[3** En anatomía, referido a un músculo, que tiene una colocación inclinada. □ ETIMOL. Del latín *obliquus*.

obligación s.f. **1** Lo que se tiene que hacer o se está obligado a hacer: *Tus obligaciones como estudiante son ir a clase y estudiar.* **2** Imposición o exigencia moral que debe regir la voluntad libre: *Es para mí una obligación ayudar a quien lo necesite.*

3 En economía, título o documento de deuda a largo plazo, generalmente amortizable, al portador y con interés fijo y periódico, que representa una suma exigible a su vencimiento a la persona o entidad que lo emitió: *Las obligaciones de esta empresa son negociables en bolsa.*

obligado, da adj. Forzoso, inexcusable o inevitable.

obligar ∎ v. **1** Hacer que se realice o se cumpla lo que se pide: *No vayas si no quieres, porque nadie te obliga.* **2** Tener fuerza o autoridad suficiente para imponer lo que se ordena; ligar: *Esta normativa obliga a todas las empresas del sector.* ∎ prnl. **3** Comprometerse a cumplir algo o a llevarlo a cabo: *Desde hoy me obligo a dejar de fumar.* □ ETIMOL. Del latín *obligare* (atar, sujetar por contrato, forzar). □ ORTOGR. La *g* se cambia en *gu* delante de *e* →PAGAR. □ SINT. 1. Constr. *obligar A hacer algo*. 2. Constr. como pronominal: *obligarse A algo*.

obligatoriedad s.f. Necesidad de ser hecho, cumplido u obedecido.

obligatorio, ria adj. Que tiene que ser hecho, cumplido u obedecido. □ ETIMOL. Del latín *obligatorius*.

obliteración s.f. En medicina, obstrucción o cierre de un conducto o de una cavidad. □ PRON. [ob·literación].

obliterar v. **1** En medicina, referido a un conducto o a una cavidad, obstruirlos o cerrarlos: *Los cálculos pueden obliterar el conducto biliar.* **2** Anular, tachar o borrar: *Tras descubrir el error, hay que obliterar todo lo proyectado desde entonces.* □ ETIMOL. Del latín *oblitterare* (olvidar, borrar). □ PRON. [ob·literár].

oblongo, ga adj. Que es más largo que ancho. □ ETIMOL. Del latín *oblongus*.

obnubilación s.f. **1** Oscurecimiento, confusión u ofuscación del entendimiento: *El estado de coma suele estar precedido por un período de obnubilación.* **[2** Fascinación o deslumbramiento: *No entiendo que una simple excursión en barco te produzca tal 'obnubilación'.*

obnubilar v. **1** Oscurecer, ofuscar o confundir: *Tantos problemas están obnubilando mi capacidad de decisión. Me obnubilé ante tamaña injusticia y no supe reaccionar a tiempo.* **[2** Deslumbrar o dejar fascinado: *Lo que allí pude ver me 'obnubiló' y me tuvo obsesionada varios días. ¡Anda, rico, que te 'obnubilas' con cada tontería...!* □ ETIMOL. Del latín *obnubilare*.

oboe s.m. **1** Instrumento musical de viento, de la familia de las maderas, formado por un tubo que puede tener de dieciséis a veintidós orificios, un complejo mecanismo de llaves y una boquilla con lengüeta doble por donde se sopla. **2** Músico que toca este instrumento. □ ETIMOL. Del francés *hautbois*, y éste de *haut* (alto) y *bois* (madera). □ PRON. Incorr. *[óboe].* ✂ viento

óbolo s.m. Pequeña cantidad de dinero con que se contribuye a un fin determinado: *Contribuyó con un óbolo a la campaña contra el hambre.* □ ETIMOL. Del griego *obolós* (moneda griega de escaso valor). □ ORTOGR. Dist. de *óvolo.*

obra s.f. **1** Producción del entendimiento en ciencias, letras o artes, esp. si es de alguna importancia; trabajo: *En esa sala hay expuestas obras de los mejores pintores españoles del siglo XVII.* **2** Trabajo de construcción, de remodelación o de reparación: *La calle está cortada por obras.* **3** Lo que hace o produce un agente: *La erosión de este valle es obra del aire y del agua.* **4** Volumen o conjunto de volúmenes en los que se contiene un trabajo literario completo: *Me estoy comprando las obras completas de Galdós.* **5** Medio, virtud o poder: *Según un dogma de fe, la Virgen María concibió por obra y gracia del Espíritu Santo.* **6** Acción o hecho, esp. los considerados moralmente positivos: *Todos lo conocen por sus buenas obras. Pecó de intención, pero no de obra, porque no hizo la barbaridad que había pensado.* **7** Trabajo y tiempo que se necesitan para la realización de algo: *Este bordado tiene mucha obra.* ☐ ETIMOL. Del latín *opera* (trabajo, labor).

obrador s.m. Taller en el que se elaboran productos manufacturados, esp. los de confitería o repostería. ☐ ETIMOL. Del latín *operator*.

obrar v. **1** Ejecutar una acción o comportarse de un modo determinado: *Debemos obrar de acuerdo con nuestra conciencia.* **2** Referido a un efecto, causarlo, producirlo o hacerlo: *La medicina no obraba ninguna mejoría en el enfermo.* **3** *euf.* Defecar: *Llevaba varios días sin obrar, y le tuvieron que dar un laxante.* **4** Existir, estar o hallarse: *Tranquilos, que el documento obra en mi poder.* ☐ ETIMOL. Del latín *operari* (trabajar).

obrerismo s.m. **1** Conjunto de actitudes y doctrinas sociales encaminadas a mejorar las condiciones de vida de los obreros. **2** Teoría económica que considera al obrero como elemento de producción y creador de riqueza.

obrero, ra ∎ adj. **1** De los trabajadores o relacionado con ellos: *clase obrera.* ∎ s. **2** Trabajador manual asalariado, esp. el del sector industrial o de servicios; operario. ☐ ETIMOL. Del latín *operarius*.

obscenidad s.f. **1** Grosería u ofensa al pudor, esp. en lo relacionado con el sexo. **2** Hecho o dicho obscenos.

obsceno, na adj./s. Que se considera grosero u ofensivo al pudor, esp. en lo relacionado con el sexo. ☐ ETIMOL. Del latín *obscenus.* ☐ MORF. La RAE sólo lo registra como adjetivo.

obscurantismo s.m. →oscurantismo.

obscurantista adj./s. →oscurantista. ☐ MORF. **1**. Como adjetivo es invariable en género. **2**. Como sustantivo es de género común: *el obscurantista, la obscurantista.*

obscurecer v. →oscurecer. ☐ MORF. Irreg. →PARECER.

obscurecimiento s.m. →oscurecimiento.

obscuridad s.f. →oscuridad.

obscuro, ra adj./s.m. →oscuro.

obsequiar v. Referido a una persona, agasajarla o favorecerla con atenciones o regalos: *Me obsequiaron con unas entradas para la ópera por el favor que les hice.* ☐ ORTOGR. La *i* nunca lleva tilde. ☐ SINT. Constr. *obsequiar* CON *algo.*

obsequio s.m. Agasajo o regalo hechos para complacer. ☐ ETIMOL. Del latín *obsequium* (complacencia, deferencia).

obsequioso, sa adj. Que intenta complacer, agradar o contentar a alguien con atenciones y regalos.

observación s.f. **1** Examen, estudio o contemplación detenidos y atentos: *El enfermo permanece en observación.* **2** Cumplimiento de una ley o de un

mandato: *La observación de las leyes incumbe a todos los ciudadanos.* **3** Objeción, reparo o inconveniente puestos a algo: *No hizo ninguna observación a mi propuesta, de lo cual deduje que la aceptaba.* **4** En un escrito, nota puesta para aclarar o precisar un dato dudoso: *El texto trae observaciones a pie de página para aclarar las palabras anticuadas.* ☐ SEM. Dist. de *observancia* (cumplimiento exacto).

observador, -a ∎ adj. **1** Que observa, esp. si lo hace con mucho detalle o se fija mucho. ∎ s. **2** Persona encargada de seguir el desarrollo de algún acontecimiento importante, esp. político o militar, o de asistir a él.

observancia s.f. Cumplimiento exacto y puntual de lo que se manda ejecutar. ☐ ETIMOL. Del latín *observantia.* ☐ SEM. Dist. de *observación* (examen o estudio detenidos).

observante adj. Que observa. ☐ MORF. Invariable en género.

observar v. **1** Examinar, estudiar o contemplar atentamente: *Observamos el ala de una mosca con el microscopio.* **2** Advertir o reparar: *Observo que habéis hecho mejoras en esta habitación.* **3** Mirar atentamente y con cautela; atisbar: *El detective observaba todos los movimientos del sospechoso.* **4** Referido esp. a una ley o a una orden, guardarlas y cumplirlas exactamente: *Todos debemos observar la ley.* ☐ ETIMOL. Del latín *observare* (vigilar, examinar atentamente, cumplir). ☐ SEM. En la acepción 2, no debe emplearse con el significado de 'señalar' (galicismo): *¿Cuántas veces has {*observado > señalado} ya que no estás de acuerdo?*

observatorio s.m. Lugar dotado de todo lo necesario para la observación científica, generalmente astronómica y meteorológica.

obsesión s.f. Idea, preocupación o deseo que no se pueden alejar de la mente. ☐ ETIMOL. Del latín *obsessio* (bloqueo).

obsesionar v. Despertar o causar una obsesión: *¿No te obsesiona la idea de triunfar? No te obsesiones con esas tonterías.*

obsesivo, va adj. **1** Que produce obsesión: *Tengo un sueño obsesivo en el que me veo repitiendo continuamente el mismo error.* **2** Referido a una persona, que se obsesiona con facilidad: *Algunas personas obsesivas viven en una angustia permanente.*

obseso, sa adj./s. Referido a una persona, que está dominada por una obsesión, esp. si ésta es de carácter sexual. ☐ ETIMOL. Del latín *obsessus.*

obsidiana s.f. Roca volcánica, frágil y de color negro brillante, que se origina por el rápido enfriamiento de la lava. ☐ ETIMOL. Del latín *obsidianus lapis*, por confusión con *obsianus lapis* (piedra de Obsius), porque el romano Obsius fue el descubridor de dicha piedra.

obsoleto, ta adj. Anticuado, desusado, caduco o inadecuado a las circunstancias actuales: *maquinaria obsoleta.* ☐ ETIMOL. Del latín *obsoletus.* ☐ SEM. No debe usarse con el significado de 'antiguo', porque algo puede estar obsoleto y no ser antiguo: *La moda del año pasado ya ha quedado obsoleta.*

obstaculizar v. Referido a un propósito, ponerle obstáculos o dificultar su consecución: *No pienso consentir que obstaculices mi relación con él. Esos paquetes están obstaculizando el paso.* ☐ ORTOGR. La *z* se cambia en *c* delante de *e* →CAZAR.

obstáculo s.m. **1** Lo que resulta un impedimento,

un inconveniente o una dificultad. **2** En algunos deportes, cada una de las barreras físicas que se interponen en un recorrido. ☐ ETIMOL. Del latín *obstaculum*. ☐ USO En la acepción 1, es innecesario el uso del anglicismo *handicap*.

obstante ‖**no obstante**; enlace gramatical coordinante con valor adversativo; sin embargo: *Está muy ocupada; no obstante, los recibirá.* ☐ ETIMOL. De *obstar*. ☐ SEM. En la lengua escrita, se usa mucho con el significado de 'a pesar de': *No obstante tu opinión en contra, emprenderemos el viaje.*

obstar v. Ser un obstáculo o un impedimento: *Su pequeña indisposición no obsta para que asista a la conferencia.* ☐ ETIMOL. Del latín *obstare* (ponerse enfrente, cerrar el paso). ☐ MORF. Se usa más en infinitivo, en tercera persona y en expresiones negativas.

obstetricia s.f. Parte de la medicina que se ocupa de las mujeres durante la gestación, el parto y el período de tiempo que sigue a éste; tocología. ☐ ETIMOL. Del latín *obstetrix* (comadrona).

obstétrico, ca adj. De la obstetricia o relacionado con esta parte de la medicina.

obstinación s.f. Tenacidad o porfía en el mantenimiento de una idea o de una resolución, a pesar de las presiones y las dificultades.

obstinado, da adj. Perseverante o muy tenaz. ☐ ETIMOL. Del latín *obstinatus*.

obstinarse v.prnl. Mantenerse firme o tenaz en una idea o en una resolución a pesar de las presiones o de las dificultades: *¿Por qué te obstinas en seguir adelante, si sabes que no llevas razón?* ☐ SINT. Constr. *obstinarse EN algo.*

obstrucción s.f. **1** Cierre o corte del paso por un lugar: *Los restos de comida han producido la obstrucción de la tubería del fregadero. En algunos deportes, la obstrucción a un jugador se castiga con falta.* **2** Impedimento o estorbo del desarrollo de una acción: *Han criticado a ese partido por favorecer la obstrucción política para retrasar el acuerdo.*

obstruccionismo s.m. Práctica o ejercicio de la obstrucción política como táctica para impedir o retrasar un acuerdo.

obstruccionista ‖ adj. **1** Del obstruccionismo o relacionado con esta práctica política: *política obstruccionista.* ‖ adj./s. **2** Que practica el obstruccionismo: *El portavoz obstruccionista fue recriminado.* ☐ MORF. 1. Como adjetivo es invariable en género. 2. Como sustantivo es de género común: *el obstruccionista, la obstruccionista.*

obstructor, -a adj./s. Que impide o dificulta el paso por un lugar o el desarrollo de una acción.

obstruir v. **1** Referido a un lugar, estorbar o cerrar el paso por él: *El desprendimiento de rocas ha obstruido el camino. El desagüe se ha obstruido.* **2** Referido al desarrollo de una acción, impedirlo o estorbarlo: *Ese cretino disfruta obstruyendo la actuación de los demás.* ☐ ETIMOL. Del latín *obstruere* (taponar). ☐ MORF. Irreg. →HUIR.

obtención s.f. **1** Alcance o logro de lo que se pretende, se merece o se solicita, por el propio esfuerzo o por concesión de otro: *La obtención del premio me llenó de satisfacción.* **2** Fabricación o extracción de una materia o de un producto: *La obtención de un nuevo tejido elástico ha sacado a esa empresa textil de la crisis.*

obtener v. **1** Conseguir, lograr o llegar a tener, por esfuerzo personal o por concesión de otro: *Ha obtenido el puesto que deseaba. El cociente se obtiene dividiendo el dividendo por el divisor.* **2** Referido esp. a un producto, fabricarlo o extraerlo: *De esa mina se obtiene carbón.* ☐ ETIMOL. Del latín *obtinere* (poseer plenamente, conservar, mantener). ☐ MORF. Irreg. →TENER.

obtenible adj. Que se puede obtener. ☐ MORF. Invariable en género.

obturación s.f. Taponamiento o cerramiento de una abertura o de un conducto.

obturador s.m. Lo que sirve para obturar o cerrar una abertura: *En una cámara fotográfica, el obturador regula el tiempo de exposición abriendo y cerrando el paso de la luz.*

obturar v. Referido esp. a una abertura, taparla o cerrarla introduciendo o aplicando un cuerpo: *Para cortar la hemorragia de la nariz hay que obturar el orificio nasal con un algodón. La cañería se ha obturado y no sé cómo desatascarla.* ☐ ETIMOL. Del latín *obturare* (tapar, cerrar estrechamente).

obtuso, sa adj. **1** Chato y sin punta: *¿Cómo pretendes clavar esa estaca con lo obtusa que es?* **2** Torpe o lento en comprender: *Ya sé que soy un poco obtuso, pero ¿te importaría explicármelo otra vez?* ☐ ETIMOL. Del latín *obtusus*, de *obtundere* (achatar).

obús s.m. **1** Pieza de artillería de mayor alcance que un mortero y menor que un cañón. **2** Proyectil disparado por cualquier pieza de artillería. ☐ ETIMOL. Del francés *obus*, y éste del alemán *haubitze*.

obviar v. **1** Referido a un obstáculo, evitarlo, apartarlo o ignorarlo: *Obviaremos las dificultades y comenzaremos a trabajar.* **2** Referido a algo que se considera sabido, evitar nombrarlo: *Obviaré los detalles y pasaré a relataros lo principal.* ☐ ETIMOL. Del latín *obviare* (salir al encuentro). ☐ ORTOGR. La *i* nunca lleva tilde.

[obviedad s.f. Evidencia o claridad manifiestas.

obvio, via adj. Evidente, claro, manifiesto o fácil de entender: *Como es obvio, sin vuestra ayuda no podré hacerlo.* ☐ ETIMOL. Del latín *obvius* (que sale al paso, que ocurre a todo el mundo).

oc →lengua de oc. ☐ ETIMOL. Del provenzal *oc* (sí).

oca s.f. **1** Ave palmípeda, con la parte superior del cuerpo de color ceniciento, los bordes de las alas y de las plumas más claros y la parte inferior blanca, que se alimenta de vegetales y vive en zonas pantanosas; ánsar, ganso. **2** Juego que consiste en un tablero con sesenta y tres casillas diferentes a través de las cuales hay que avanzar con una ficha según el número que sale en un dado y realizar lo que cada casilla significa. ☐ ETIMOL. Del latín *auca*. ☐ MORF. En la acepción 1, es un sustantivo epiceno: *la oca macho, la oca hembra.*

ocapi s.m. →okapi. ☐ MORF. Es un sustantivo epiceno: *el ocapi macho, el ocapi hembra.*

ocarina s.f. Instrumento musical de viento, de timbre muy dulce, hecho generalmente de barro y con forma de pequeña vasija ovalada provista de ocho agujeros que se tapan con los dedos para producir los distintos sonidos. ☐ ETIMOL. Del italiano *ocarina* y éste de *oca* (ganso) porque el inventor de la ocarina aludía a las flautas de los pastores de ocas. 🎵 viento

ocasión s.f. **1** Momento o lugar en los que se sitúa un hecho o a los que se asocian determinadas circunstancias: *Recuerdo que en aquella ocasión yo* *aún no te conocía.* **2** Oportunidad favorable o apropiada para hacer o conseguir algo: *El viaje será una buena ocasión para conocernos mejor.* **3** ‖**con ocasión de** algo; con motivo de ello: *La directora pronunció un discurso con ocasión de la fiesta de inauguración.* ‖**de ocasión**; referido a una mercancía, que se compra a bajo precio. ☐ ETIMOL. Del latín *occasio,* y éste de *occidere* (caer).

ocasional adj. **1** Que ocurre por casualidad: *un encuentro ocasional.* **2** Que no es regular ni habitual, sino apto para una ocasión determinada: *Sólo consigo trabajos ocasionales, pero no encuentro nada fijo.* ☐ MORF. Invariable en género.

ocasionar v. Referido esp. a un suceso, causarlo o ser su origen: *No te preocupes, porque no me ocasionas ninguna molestia.*

ocaso s.m. **1** Puesta del Sol o de otro astro. **2** Decadencia, finalización o declive: *La pérdida de las últimas colonias americanas marcó el ocaso del imperio español.* ☐ ETIMOL. Del latín *occasus.* ☐ ORTOGR. Dist. de *acaso.*

occidental ∎ adj. **1** Del Occidente u Oeste, o relacionado con este punto cardinal. ∎ adj./s. **2** De Occidente o relacionado con este conjunto de países. ☐ MORF. 1. Como adjetivo es invariable en género. 2. Como sustantivo es de género común: *el occidental, la occidental.*

[occidentalizar v. Dar características que se consideran propias de la cultura o de la sociedad occidentales: *Ese país 'se ha ido occidentalizando' progresivamente.* ☐ ORTOGR. La *z* se cambia en *c* delante de *e* →CAZAR.

occidente s.m. **1** Oeste: *El Sol se pone por el Occidente.* **2** Conjunto de países del oeste europeo y del norte del continente americano, caracterizado por regirse generalmente por sistemas democráticos y por practicar una economía de mercado: *Vive en Moscú y no piensa volver a Occidente.* ☐ ETIMOL. Del latín *occidens,* y éste de *occidere* (caer). ☐ MORF. En la acepción 1, referido al punto cardinal, la RAE lo registra como nombre propio. ☐ SINT. En la acepción 1, se usa mucho en aposición, pospuesto a un sustantivo: *Iniciamos la travesía con rumbo occidente.* ☐ USO Se usa más como nombre propio.

occipital ∎ adj. **1** Del occipucio o relacionado con esta parte de la cabeza. ∎ s.m. **2** →**hueso occipital.** ☐ ETIMOL. Del latín *occiput* (nuca). ☐ MORF. Como adjetivo es invariable en género.

occipucio s.m. Parte posterior e inferior de la cabeza, por donde ésta se une con las vértebras del cuello. ☐ ETIMOL. Del latín *occiput* (nuca) por cruce con *occipitium,* y éste de *caput* (cabeza).

occiso, sa adj./s. En derecho, que ha muerto de manera violenta. ☐ ETIMOL. Del latín *occisus,* y éste de *occidere* (matar).

occitano, na ∎ adj./s. **1** De Occitania (antigua región del sur francés) o relacionado con ella. ∎ s.m. **2** Conjunto de dialectos romances que en la época medieval se hablaban en la zona sur francesa; lengua de oc, provenzal.

oceánico, ca adj. Del océano o relacionado con él.

oceánidas u **[oceánides** s.f.pl. En la mitología grecolatina, ninfas o diosas menores del mar.

océano s.m. **1** Mar grande y extenso que cubre la mayor parte de la superficie terrestre: *El océano cubre aproximadamente las tres cuartas partes de*

nuestro planeta. **2** Cada una de las cinco partes en que se considera dividida esta gran masa de agua: *océano Pacífico.* **3** Inmensidad o gran extensión: *Estoy inmersa en un océano de problemas.* ☐ ETIMOL. Del latín *oceanus.*

oceanografía s.f. Ciencia que estudia los océanos y los mares. ☐ ETIMOL. De *océano* y *-grafía* (descripción).

oceanográfico, ca adj. De la oceanografía o relacionado con esta ciencia.

[oceanógrafo, fa s. Persona que se dedica al estudio de océanos y mares, esp. si ésta es su profesión.

ocelado, da adj. Que tiene ocelos.

ocelo s.m. **1** En un artrópodo, esp. en un insecto, cada uno de los ojos simples que forman el ojo compuesto: *Los ojos de las moscas están formados por ocelos.* **2** En las alas de algunos insectos o en las plumas de algunas aves, dibujo redondeado y de dos colores: *Muchas mariposas tienen vistosos ocelos en las alas.* ☐ ETIMOL. Del latín *ocellus* (ojito).

ocelote s.m. Mamífero carnívoro de pequeño tamaño, pelaje brillante y suave con manchas más oscuras, que vive en los bosques, caza de noche y se alimenta de aves, ratas y pequeños mamíferos. ☐ MORF. Es un sustantivo epiceno: *el ocelote macho, el ocelote hembra.* 🐾 felino.

ochava s.f. **1** Octava parte de un todo. **2** Chaflán de un edificio.

ochavo s.m. **1** Antigua moneda española de cobre, con peso de un octavo de onza y valor de dos maravedíes. **2** ‖**no tener (ni) un ochavo**; col. No tener dinero. ☐ ETIMOL. Del latín *octavus.* ☐ ORTOGR. Se admite también *chavo.*

ochenta ∎ numer. **1** Número 80: *ochenta pasajeros.* ∎ s.m. **2** Signo que representa este número: *Los romanos escribían el ochenta como 'LXXX'.* ☐ ETIMOL. Del latín *octaginta.* ☐ MORF. Como numeral es invariable en género y en número.

ochentavo, va numer. Referido a una parte, que constituye un todo junto con otras setenta y nueve iguales a ella; octogésimo. ☐ SEM. Su uso como numeral ordinal es incorrecto: *Llegué en (*ochentava > octogésima) posición.*

ochentón, -a adj./s. col. Referido a una persona, que tiene más de ochenta años y aún no ha cumplido los noventa.

ocho ∎ numer. **1** Número 8: *ocho platos.* ∎ s.m. **2** Signo que representa este número: *Los romanos escribían el ocho como 'VIII'.* **3** ‖**[dar igual ocho que ochenta**; col. Resultar indiferente o no importar nada: *No me extraña que se quede tan fresco, porque a éste le 'da igual ocho que ochenta'.* ☐ ETIMOL. Del latín *octo.* ☐ MORF. Como numeral es invariable en género y en número.

ochocientos, tas ∎ numer. **1** Número 800: *ochocientos invitados.* ∎ s.m. **2** Conjunto de signos que representan este número: *Los romanos escribían el ochocientos como 'DCCC'.* ☐ MORF. 1. Como numeral es invariable en número. 2. Incorr. *página {*ochocientos > ochocientas}.*

ocio s.m. Tiempo libre, fuera de las obligaciones y ocupaciones habituales. ☐ ETIMOL. Del latín *otium* (reposo).

ociosidad s.f. Estado de quien tiene tiempo de ocio o permanece en situación de inactividad.

ocioso, sa adj. **1** Inútil, innecesario o sin provecho: *Esas preguntas sobre mi vida privada son ociosas, porque esto es una entrevista sobre mi trabajo.* **2** Que no tiene el uso o el ejercicio al que está destinado: *Yo ya no lo necesito y prefiero que lo uses tú a tenerlo aquí ocioso.* **3** Referido a una persona, que está inactiva o no trabaja porque no tiene qué hacer, porque no quiere hacerlo o porque ha terminado sus obligaciones: *No ha entrado ningún cliente y llevo ociosa toda la mañana.*

ocluir v. En medicina, referido esp. a un conducto o a una abertura, cerrarlos u obstruirlos de forma que no se puedan abrir por medios naturales: *La operación quirúrgica es urgente porque el intestino está ocluido.* □ ETIMOL. Del latín *occludere* (cerrar). □ MORF. Irreg. →HUIR.

oclusión s.f. **1** En medicina, cierre u obstrucción de un conducto de forma que no se pueda abrir por medios naturales. **2** En fonética y fonología, cierre completo del canal vocal en la articulación de un sonido.

oclusivo, va ▮ adj. **1** De la oclusión, que la produce o relacionado con ella: *tumor oclusivo.* **2** En lingüística, referido a un sonido consonántico, que se articula cerrando momentáneamente los órganos articulatorios y abriéndolos bruscamente para expulsar el aire acumulado: *En español, los sonidos [p] y [t] son oclusivos.* ▮ s.f. **3** Letra que representa este sonido. □ ETIMOL. Del latín *occlusus.*

ocre ▮ adj./s.m. **1** De color pardo amarillento y oscuro. ▮ s.m. **2** Roca arcillosa de este color, que se deshace fácilmente, es un óxido de hierro y aparece frecuentemente mezclado con arcilla. □ ETIMOL. Del francés *ocre*, y éste del griego *okhrós* (amarillo). □ MORF. Como adjetivo es invariable en género.

octaedro s.m. Cuerpo geométrico limitado por ocho polígonos o caras. □ ETIMOL. Del griego *oktáedros*, y éste de *októ* (ocho) y *hedra* (superficie).

octagonal adj. Del octágono o con su forma. □ ORTOGR. Se admite también *octogonal.* □ MORF. Invariable en género.

octágono s.m. En geometría, polígono que tiene ocho lados y ocho ángulos. □ ETIMOL. Del griego *oktágonos*, y éste de *októ* (ocho) y *gonía* (ángulo). □ ORTOGR. Se admite también *octógono.*

octanaje s.m. Número o porcentaje de octano de la gasolina. □ MORF. La RAE lo registra como femenino.

octano s.m. Unidad en la que se expresa el poder antidetonante de la gasolina, para lo que se toma como base una mezcla de hidrocarburos. □ ETIMOL. Del latín *octo* (ocho) y la terminación de *metano.*

octava s.f. Véase **octavo, va.**

octavilla s.f. **1** Hoja o impreso propagandísticos, de tema político o ideológico, y generalmente de pequeño formato. **2** En métrica, estrofa formada por ocho versos de arte menor, de rima consonante, y cuyos esquemas más frecuentes son *abbecdde* y *ababbccb.* □ ETIMOL. De *octava.*

octavo, va ▮ numer. **1** En una serie, que ocupa el lugar número ocho. **2** Referido a una parte, que constituye un todo junto con otras siete iguales a ella. ▮ s.f. **3** En métrica, estrofa o combinación de ocho versos. **4** En música, serie de ocho notas constituida por los siete sonidos de una escala y la repetición del primero de ellos. **5** En la iglesia católica, período de ocho días que dura la celebración de una fiesta solemne, o último de estos días. **6** ‖ **octava** {real/

rima); estrofa de origen italiano, formada por ocho versos endecasílabos de rima consonante, cuyo esquema es *ABABABCC.* ‖ **octavos de final**; en una competición deportiva, fase eliminatoria en la se enfrentan dieciséis participantes, de los cuales sólo pasan a la fase siguiente los ocho que resulten vencedores. □ ETIMOL. Las acepciones 1-2, del latín *octavus.* Las acepciones 3-5, del latín *octava.*

octeto s.m. **1** Composición musical escrita para ocho instrumentos o para ocho voces. **2** Conjunto formado por este número de instrumentos o de voces. □ ETIMOL. Del latín *octo* (ocho).

octingentésimo, ma numer. **1** En una serie, que ocupa el lugar número ochocientos. **2** Referido a una parte, que constituye un todo junto con otras setecientas noventa y nueve iguales a ella.

octogenario, ria adj./s. Que tiene más de ochenta años y aún no ha cumplido los noventa. □ ETIMOL. Del latín *octogenarius*, y éste de *octogeni* (de ochenta en ochenta).

octogésimo, ma numer. **1** En una serie, que ocupa el lugar número 80. **2** Referido a una parte, que constituye un todo junto con otras setenta y nueve iguales a ella; ochentavo. □ MORF. Del latín *octogesimus.* □ MORF. *Octogésima primera* (incorr. **octogésimo primera*), etc.

octogonal adj. →**octagonal.** □ MORF. Invariable en género.

octógono s.m. →**octágono.**

octópodo, da ▮ adj./s. **1** Referido a un molusco, que tiene ocho tentáculos con ventosas: *El pulpo es un octópodo.* ▮ s.m.pl. **2** En zoología, orden de estos moluscos. □ ETIMOL. Del griego *októ* (ocho) y *-podo* (pie).

octosilábico, ca adj. **1** Del octosílabo, en octosílabos o relacionado con este tipo de verso. **2** →**octosílabo.**

octosílabo, ba adj./s.m. De ocho sílabas, esp. referido a un verso. □ ETIMOL. Del latín *octosyllabus.* □ SEM. Como adjetivo, es sinónimo de *octosilábico.*

octubre s.m. Décimo mes del año, entre septiembre y noviembre. □ ETIMOL. Del latín *october*, y éste de *octo* (ocho), porque octubre era el octavo mes del año, antes de agregarse julio y agosto al calendario romano.

óctuple u **óctuplo, pla** numer. Referido a una cantidad, que es ocho veces mayor que otra. □ MORF. *Óctuple* es invariable en género.

ocular ▮ adj. **1** Del ojo o relacionado con este órgano de la vista; oftálmico: *infección ocular.* **2** Realizado con los ojos o con la vista: *Fue testigo ocular del asesinato.* ▮ s.m. **3** En algunos aparatos ópticos, parte por la que mira el observador. □ ETIMOL. Del latín *ocularis.* □ MORF. Como adjetivo es invariable en género.

oculista s. col. Médico especialista en las enfermedades de los ojos; oftalmólogo. □ ETIMOL. Del latín *oculus* (ojo). □ MORF. Es de género común: *el oculista, la oculista.*

ocultación s.f. Encubrimiento de algo para impedir que sea visto, sabido o notado.

ocultar v. **1** Esconder, tapar, encubrir a la vista o impedir que se note: *Se ocultó detrás de una columna.* **2** Referido a algo que se debe decir, callarlo voluntariamente o falsearlo: *Dice que me lo cuenta todo, pero intuyo que me oculta algo.* □ ETIMOL. Del latín *occultare.*

ocultismo s.m. Conjunto de conocimientos o de prácticas que tratan de dominar los fenómenos que carecen de explicación racional y no pueden ser demostrados científicamente. ☐ SEM. No debe emplearse con el significado de 'ocultación': *Se critica tu {*ocultismo > ocultación} en temas que nos afectan a todos.*

ocultista adj. Del ocultismo o relacionado con este conjunto de conocimientos o de prácticas. ☐ MORF. Invariable en género.

oculto, ta adj. Escondido, encubierto a la vista, disimulado o ignorado. ☐ ETIMOL. Del latín *occultus*, y éste de *occulere* (esconder, disimular).

[ocupa s. col. →okupa. ☐ MORF. Es de género común: *el 'ocupa', la 'ocupa'.*

ocupación s.f. **1** Actividad o trabajo en los que una persona emplea su tiempo: *Mi principal ocupación es el estudio.* **2** Preocupación o responsabilidad: *No nos vemos nunca porque tiene numerosas ocupaciones.* **3** Utilización o uso de algo: *Cuando vieron que la ocupación de los asientos era total, cerraron las puertas del local.* **4** Invasión, toma de posesión o apropiación de un lugar, esp. si es de forma violenta o ilegal: *La ocupación del ministerio por parte de los huelguistas dio lugar a la intervención policial.* ☐ MORF. La acepción 2 se usa más en plural.

ocupacional adj. De la ocupación laboral o relacionado con ella: *taller ocupacional.* ☐ ETIMOL. Del inglés *occupational therapy.* ☐ MORF. Invariable en género.

ocupante adj./s. **1** Que ocupa un lugar o que habita en él: *Los ocupantes del vagón tuvieron que desalojarlo.* **2** Que realiza una ocupación o una invasión: *La población se oponía al ejército ocupante.* ☐ MORF. 1. Como adjetivo es invariable en género. Como sustantivo es de género común: *el ocupante, la ocupante.*

ocupar ▌ v. **1** Referido a un espacio o a un tiempo, llenarlos: *Los libros ocupan toda su mesa de trabajo. Terminar este trabajo me ocupará tres horas.* **2** Referido a un objeto, utilizarlo de forma que nadie más pueda hacerlo: *No puedo pasar al servicio porque está ocupado.* **3** Referido a un lugar, habitarlo o instalarse en él: *Una abogada ocupará la oficina de enfrente.* **4** Referido a un lugar, invadirlo o apoderarse de él, esp. si es de forma violenta o ilegal: *Los manifestantes ocuparon la fábrica.* **5** Referido a un cargo o a un empleo, obtenerlo, desempeñarlo o tomar posesión de él: *Hace dos años ocupa la vicepresidencia.* **6** Referido a una persona, darle qué hacer o en qué trabajar: *Me pidió que ocupara a su hija en mi empresa.* ▌ prnl. **7** Referido a una tarea o a un asunto, emplearse en ellos o asumir su responsabilidad: *¿Quién se ocupará de organizar la fiesta?* **8** Referido esp. a una persona, preocuparse de ella o prestarle atención: *Se ocupa de su anciana madre.* ☐ ETIMOL. Del latín *occupare.* ☐ SINT. 1. Constr. de la acepción 6: *ocupar a alguien EN algo.* 2. Constr. de las acepciones 7 y 8: *ocuparse DE {algo / alguien}.*

ocurrencia s.f. **1** Idea repentina e inesperada: *Temo tus ocurrencias, porque siempre nos metes en algún embrollo.* **2** Hecho u dicho ingeniosos o originales: *Nos reímos mucho con él, porque tiene cada ocurrencia...* **[3** Frecuencia de uso: *En este corpus, la 'ocurrencia' de este término es muy elevada.* ☐ ETIMOL. De *ocurrir.*

ocurrente adj. Que hace o dice cosas ingeniosas y originales. ☐ MORF. Invariable en género.

ocurrir ▌ v. **1** Suceder o acontecer: *¿Qué te ocurre, que estás tan pálido? Cuéntame cómo ocurrió.* ▌ prnl. **2** Referido esp. a una idea, venirse a la mente de repente o tener intención de hacerla: *Como se te ocurra hacer eso, te vas a enterar.* ☐ ETIMOL. Del latín *occurrere* (salir al paso). ☐ MORF. Es verbo defectivo: sólo se usa en tercera persona y en las formas no personales (infinitivo, gerundio y participio).

oda s.f. Composición poética lírica de tono elevado, generalmente extensa y dividida en estrofas o partes iguales. ☐ ETIMOL. Del latín *oda*, y éste del griego *ode* (canto).

odalisca s.f. Esclava o concubina turca. ☐ ETIMOL. Del francés *odalisque*, y éste del turco *ôdah liq* (concubina).

odeón s.m. Teatro o lugar destinados a la representación de espectáculos musicales, esp. de óperas. ☐ ETIMOL. Del latín *odeum*.

odiar v. Sentir odio o un fuerte sentimiento de antipatía, aversión o rechazo: *No digas que me odias, porque yo sé que me aprecias. Odio tener que madrugar.* ☐ ORTOGR. La *i* nunca lleva tilde.

odio s.m. Sentimiento muy acentuado de hostilidad, antipatía y rechazo. ☐ ETIMOL. Del latín *odium* (odio, conducta odiosa).

odioso, sa adj. **1** Que merece o provoca un sentimiento de odio: *No soporto esa odiosa sonrisa que pone delante del jefe.* **[2** col. Muy desagradable o muy antipático: *Hoy hace un tiempo 'odioso', y no apetece salir a la calle.* ☐ ETIMOL. Del latín *odiosus*.

odisea s.f. Sucesión de dificultades, aventuras y problemas que le ocurren a alguien. ☐ ETIMOL. Por alusión al viaje del griego Odiseo, relatado por Homero en su poema épico 'La Odisea'.

odontología s.f. Estudio de los dientes y de sus enfermedades. ☐ ETIMOL. Del griego *odús* (diente) y *-logía* (estudio, ciencia).

odontólogo, ga s. Especialista en odontología.

odorífero, ra adj. Que huele bien, que tiene buen olor o fragancia. ☐ ETIMOL. Del latín *odorifer*, y éste de *odor* (olor) y *ferre* (llevar).

odorífico, ca adj. Que da buen olor. ☐ ETIMOL. Del latín *odor* (olor) y *facere* (hacer).

odre s.m. Recipiente hecho de piel de cabra o de otro animal y que sirve para contener líquidos, generalmente vino o aceite; cuero, pellejo. ☐ ETIMOL. Del latín *uter*.

[oenegé s.f. col. Organización que trabaja ayudando a los más desfavorecidos, que no tiene ánimo de lucro y que no depende de ningún gobierno. ☐ ETIMOL. Es un acrónimo que procede de la sigla de *Organización No Gubernamental*.

oeste s.m. **1** Punto cardinal que cae hacia donde se pone el Sol: *Esta habitación está orientada al Oeste, y le da el sol por las tardes.* **[2** Respecto de un lugar, otro que cae hacia ese punto: *Antes de la llegada de los blancos, el 'oeste' norteamericano estaba poblado por tribus indias.* **3** Viento que sopla o viene de dicho punto. ☐ MORF. En la acepción 1, la RAE lo registra como nombre propio. ☐ SINT. Se usa mucho en aposición, pospuesto a un sustantivo: *El enemigo atacó por el flanco oeste.* ☐ SEM. Es sinónimo de *poniente.* ☐ USO En la acepción 1, se usa más como nombre propio.

ofender ▌ v. **1** Hacer o decir algo que molesta o

que demuestra desprecio y falta de respeto: *Ofendió a su familia con aquellos insultos.* **2** Producir o causar una impresión desagradable en los sentidos, o atentar contra lo que se considera de buen gusto o de buena educación: *Esta película tan violenta ofende mi sensibilidad.* ▮ prnl. **3** Enfadarse por sentirse insultado o despreciado: *Se ofendió porque le dije que estaba muy gordo.* ☐ ETIMOL. Del latín *offendere* (chocar, atacar).

ofendido, da adj./s. Que ha recibido una ofensa o que se siente despreciado.

ofensa s.f. **1** Hecho o dicho que molestan o demuestran desprecio y falta de respeto: *Esa acusación es una ofensa que no olvidaré.* **2** Impresión desagradable que molesta a los sentidos, o atentado contra lo que se considera de buen gusto o de buena educación: *Esa corbata tan horrorosa es una ofensa a la elegancia.* ☐ ETIMOL. Del latín *offensa* (choque, ofensa).

ofensivo, va ▮ adj. **1** Que ofende o puede ofender: *Me parece ofensivo que presumas de tus riquezas delante de gente necesitada.* **2** Que sirve para atacar: *arma ofensiva.* ▮ s.f. **3** Ataque que una fuerza militar realiza contra otra para destruirla o vencerla, o para ocupar uno o varios objetivos: *La conquista de la capital se consiguió tras la ofensiva de las tropas aliadas.* **[4** Actuación que se emprende para conseguir algo: *Algunas naciones democráticas han lanzado una 'ofensiva' diplomática para que se respeten los derechos humanos.*

ofensor, -a adj./s. Que ofende, molesta o demuestra desprecio y falta de respeto.

oferente adj./s. Que ofrece, referido esp. a quien ofrece oraciones o promesas a una divinidad para obtener su ayuda. ☐ ETIMOL. Del latín *offerens*, y éste de *offerre* (ofrecer). ☐ MORF. 1. Como adjetivo es invariable en género. 2. Como sustantivo es de género común: *el oferente, la oferente.*

oferta s.f. **1** Ofrecimiento o propuesta de dar, cumplir o realizar algo: *La oferta de espectáculos de este fin de semana es muy amplia.* **2** Presentación o anuncio de un producto para su venta, esp. si está rebajado de precio: *En esta tienda hay una oferta de televisores.* **3** Producto que se vende a precio rebajado: *Esta camisa es una oferta, y por eso sale tan barata.* **4** En economía, cantidad de mercancías o conjunto de servicios que se ofrecen en el mercado: *Bajaron los precios de los automóviles por el exceso de oferta.* **5** ‖ **estar {de/en} oferta**; tener el precio muy rebajado. ☐ ETIMOL. Del latín *offerre* (ofrecer).

ofertar v. Referido a un producto, ofrecerlo en venta a un precio rebajado: *Los grandes almacenes ofertan sus artículos por fin de temporada.* ☐ SEM. Su uso como sinónimo de *ofrecer* es innecesario.

ofertorio s.m. Parte de la misa en la que el sacerdote ofrece el pan y el vino a Dios antes de consagrarlos. ☐ ETIMOL. Del latín *offertorium* (acción de ofrecer).

[off (anglicismo) ‖ **[en off**; en cine, en teatro o en televisión, referido a una voz, que se oye de fondo, pero no pertenece a ninguna de las personas que están presentes. ‖ **[off the record**; referido a una información, que ha sido transmitida de manera confidencial y extraoficial, y no debe hacerse pública. ☐ PRON. [of de récord] con la *d* final suave y [en of]. ☐ USO El uso de *'off the record'* es innecesario y puede

sustituirse por una expresión como *de manera confidencial.*

[office (anglicismo) s.m. →**antecocina**. ☐ PRON. [ófis].

[offset (anglicismo) s.m. **1** En imprenta, procedimiento de impresión en el que el molde o plancha no imprime directamente sobre el papel, sino sobre un cilindro de caucho que, a su vez, imprime sobre el papel. **2** En imprenta, máquina que emplea este sistema de impresión. ☐ PRON. [ófset].

[offside s.m. →**fuera de juego**. ☐ PRON. [ófsaid]. ☐ USO Es un anglicismo innecesario.

oficial adj. **1** Que tiene autenticidad y emana de una autoridad derivada del Estado, y no es particular o privado: *Necesito un impreso oficial para la solicitud de la beca.* **2** Referido esp. a una institución, que es costeada con fondos públicos y depende del Estado o de las entidades territoriales: *un centro oficial de enseñanza.* **3** Referido a un alumno, que se encuentra inscrito en un centro dependiente del Estado y que está obligado a asistir a las clases para poder ser examinado. ☐ ETIMOL. Del latín *officialis*. ☐ MORF. Invariable en género. ☐ SEM. En la acepción 1, dist. de *oficioso* (sin validez oficial).

oficial, -a ▮ s. **1** En un oficio manual, persona que ha terminado el aprendizaje pero no es maestra. **2** En una oficina, persona que trabaja en tareas administrativas y cuya categoría profesional es superior a la de auxiliar e inferior a la de jefe. ▮ s.m. **3** En los Ejércitos de Tierra y del Aire y en la Armada, persona cuyo empleo militar es superior al de suboficial superior. **4** En los Ejércitos de Tierra y del Aire y en la Armada, persona cuya categoría militar es superior a la de suboficial e inferior a la de jefe.

oficialía s.f. En el ejército o en la Administración pública, categoría, cargo o grado de oficial de contaduría, secretaría o semejante.

oficialidad s.f. Validez o autenticidad de lo que es oficial.

oficialismo s.m. **[**Tendencia a apoyar lo oficial.

oficialista adj./s. Partidario o seguidor del oficialismo. ☐ MORF. 1. Como adjetivo es invariable en género. 2. Como sustantivo es de género común: *el oficialista, la oficialista.*

oficializar v. Dar validez o carácter oficial: *El portavoz del gobierno oficializó la subida de la gasolina.* ☐ ORTOGR. La *z* se cambia en *c* delante de *e* →CAZAR.

oficiante s.m. Sacerdote que celebra o dirige un acto o una ceremonia religiosos.

oficiar v. **1** Referido a un acto religioso o a una ceremonia, celebrarlos o dirigirlos: *El obispo ofició la misa ayudado por tres sacerdotes.* **2** Seguido de la preposición 'de', actuar haciendo la función que se indica: *El Ministerio de Industria ofició de mediador en el conflicto laboral.* ☐ ETIMOL. De *oficio.* ☐ ORTOGR. La *i* nunca lleva tilde.

oficina s.f. **1** Lugar en el que se realizan tareas burocráticas o administrativas: *Las oficinas de la empresa están en el centro de la ciudad.* **2** Lugar donde se hace, se ordena o se trabaja algo: *oficina de correos.* ☐ ETIMOL. Del latín *officina* (taller, fábrica).

oficinesco, ca adj. De una oficina o con características que se consideran propias de ésta. ☐ USO Tiene un matiz despectivo.

oficinista s. Persona que se dedica profesionalmente a las tareas burocráticas o administrativas en una oficina. ☐ MORF. Es de género común: *el oficinista, la oficinista.*

oficio s.m. **1** Trabajo o profesión, esp. si es manual: *Tiene oficio de carpintero en una serrería.* **2** Función propia de algo: *Uno de los oficios del sustantivo en la oración es hacer de sujeto.* **3** Comunicación escrita y oficial que realiza un organismo de la Administración del Estado sobre asuntos relacionados con el servicio público: *El oficio que le llegó estaba firmado por el secretario del Ministerio de Hacienda.* **4** Ceremonia religiosa, esp. la de Semana Santa. **5** ‖ **de oficio;** [**1** Referido a un abogado, que defiende de forma gratuita en un juicio a los procesados que no han nombrado un defensor propio. **2** Referido a una diligencia judicial, que se inicia por ley sin que lo solicite nadie: *La investigación sobre el asesinato se hizo de oficio.* ‖ **sin oficio ni beneficio;** *col.* Sin tener profesión u ocupación: *Es un holgazán que está sin oficio ni beneficio.* ☐ ETIMOL. Del latín *officium* (servicio, función). ☐ MORF. La acepción 4 se usa más en plural.

oficiosidad s.f. [Falta de validez oficial.

oficioso, sa adj. Referido esp. a una información, que no tiene validez oficial, aunque procede de una fuente autorizada. ☐ ETIMOL. Del latín *officiosus.* ☐ SEM. Dist. de *oficial* (con carácter o confirmación oficial).

ofidio ∎ adj./s.m. **1** Referido a un reptil, que tiene el cuerpo cilíndrico, escamoso y alargado, carente de extremidades, y provisto de boca, estómago y tronco dilatables: *La boa es un ofidio no venenoso.* ∎ s.m.pl. **2** En zoología, grupo de estos reptiles. ☐ ETIMOL. Del griego *óphis* (culebra).

[ofimática s.f. **1** Aplicación de los recursos y programas informáticos en el trabajo de oficina; burótica. **2** Conjunto de estos recursos y programas. ☐ ETIMOL. De *oficina* e *informática.*

[ofiura s.f. Animal marino con cinco brazos largos, delgados y cilíndricos, y con un disco central bien diferenciado: *Las 'ofiuras' son muy parecidas a las estrellas de mar.* ☐ ETIMOL. Del latín *ophiura.*

[ofiuroideo, a ∎ adj./s.m. **1** Referido a un animal marino, que tiene forma estrellada, disco central bien diferenciado y cinco brazos muy flexibles, largos y cilíndricos. ∎ s.m.pl. **2** En zoología, clase de estos animales, perteneciente al tipo de los equinodermos. ☐ ETIMOL. De *ofiura* y *-oideo* (relación, semejanza).

ofrecer ∎ v. **1** Presentar o dar voluntariamente: *Te ofrezco mi ayuda para lo que necesites.* **2** Presentar, manifestar o mostrar: *Este trabajo ofrece muchas dificultades.* **[3** Dar o celebrar: *Le 'ofrecimos' una fiesta de despedida.* **4** Prometer hacer o dar: *Ofrezco una gratificación a quien encuentre a mi perrito.* **5** Referido a un esfuerzo o a un sacrificio, consagrarlos a una divinidad o dedicarlos a una causa noble: *Ofreció varias misas por su difunto esposo.* **6** Referido a una cantidad de dinero, que se va a estar dispuesto a pagar: *¿Cuánto me ofreces por el coche?* ∎ prnl. **7** Referido a una acción, mostrar disposición para hacerla o presentarse voluntario para ello: *Estuvo muy amable cuando se ofreció a llevarme a casa.* **8** Referido a un suceso, ocurrir o suceder: *En tiempos de crisis hay que estar preparado para cualquier cosa que pueda ofrecerse.* **9** ‖ **ofrecérsele** algo a alguien; desearlo o necesitarlo: *¿Qué se te ofrece tan tempra-*

no? ☐ ETIMOL. Del latín *offerre*, y éste de *ferre* (llevar). ☐ MORF. Irreg. →PARECER.

ofrecimiento s.m. **1** Proposición, propuesta u oferta. **2** Promesa de dar o de hacer algo. **3** Consagración a una divinidad o dedicación a una causa noble.

ofrenda s.f. Ofrecimiento o donación en un gesto de gratitud, de amor o de respeto. ☐ ETIMOL. Del latín *offerenda* (cosas que se deben ofrecer).

ofrendar v. Ofrecer o entregar en un gesto de gratitud, de amor o de respeto: *Ofrendaron a la Virgen un hermoso ramo de flores.* ☐ ETIMOL. De *ofrenda.*

oftálmico, ca adj. Del ojo o relacionado con este órgano de la vista; ocular.

oftalmología s.f. Parte de la medicina que estudia las enfermedades de los ojos. ☐ ETIMOL. Del griego *ophthalmós* (ojo) y *-logía* (estudio, ciencia).

oftalmólogo, ga s. Médico especialista en oftalmología; oculista.

ofuscación s.f. u **ofuscamiento** s.m. Trastorno o confusión del entendimiento.

ofuscar v. Referido al entendimiento, trastornarlo o confundirlo: *La ira te ofusca la razón y no te deja pensar con claridad. Se ofuscó por la avaricia y perdió todo su dinero.* ☐ ETIMOL. Del latín *offuscare* (oscurecer). ☐ ORTOGR. La *c* cambia en *qu* delante de *e* →SACAR.

ogaño adv. →**hogaño.**

ogro s.m. **1** Ser fantástico con forma humana y de tamaño gigantesco. **2** *col.* Persona desagradable, cruel o de mal carácter. ☐ ETIMOL. Del francés *ogre* (monstruo humano devorador).

oh interj. Expresión que se usa para indicar extrañeza, sorpresa, admiración o disgusto: *¡Oh, qué vestido más bonito llevas! ¡Oh, no me esperaba este suspenso!*

ohm u **ohmio** s.m. En el Sistema Internacional, unidad de resistencia eléctrica que equivale a la resistencia que existe entre dos puntos de un conductor cuando una diferencia de potencial constante de un voltio produce una corriente de intensidad de un amperio: *El símbolo del ohmio es la letra griega* Ω. ☐ ETIMOL. Por alusión a G. S. Ohm, físico alemán. ☐ ORTOGR. *Ohm* es la denominación internacional del *ohmio.* ☐ MORF. El plural de *ohm* es *ohms.*

oíble adj. Que se puede oír; audible. ☐ MORF. Invariable en género.

oídas ‖ **de oídas;** por haberlo oído de otros y no por propia experiencia: *No sé si es un buen restaurante o no, porque sólo lo conozco de oídas.*

oído s.m. **1** Sentido corporal que permite percibir los sonidos. **2** En anatomía, órgano que sirve para percibir los sonidos: *El oído de las personas consta de tres partes: el oído externo, el oído medio y el oído interno.* ⚒ oído **[3** *col.* En el aparato auditivo, parte interior: *El bebé llora porque tiene una inflamación de 'oídos'.* **4** Aptitud o capacidad para percibir y reproducir los sonidos musicales. **5** ‖ **abrir {el oído/ los oídos};** escuchar u oír con atención. ‖ **al oído;** referido al modo de hablar, en voz muy baja y acercándose mucho al oyente para que nadie más pueda oír. ‖ **{dar/prestar} oídos;** creer lo que se dice o escucharlo con gusto: *No prestes oídos a los cotilleos.* ‖ **de oído;** referido a la forma de aprender o interpretar música, por uno mismo, sin estudiar. ‖ **duro de oído;** referido a una persona, que es un poco sorda. ‖ **entrar por un oído y salir por el otro;** no hacer

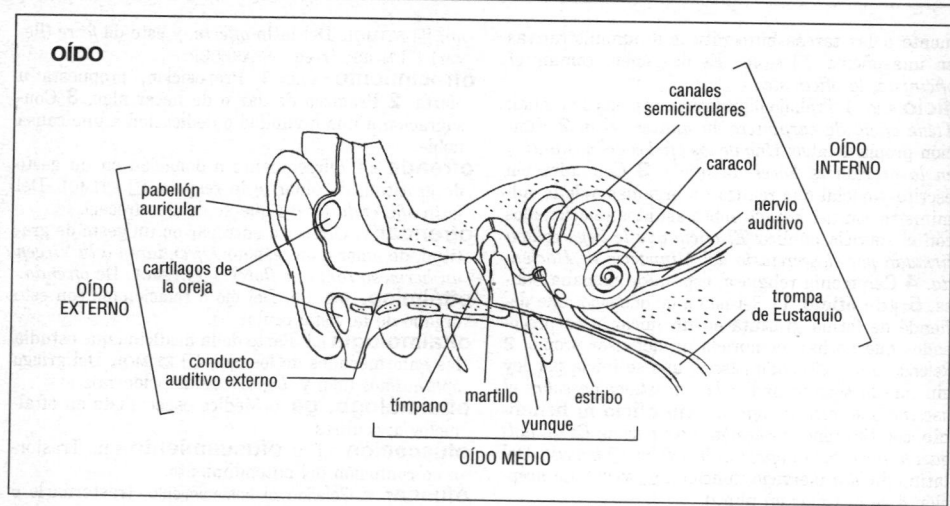

OÍDO

canales semicirculares

caracol

OÍDO INTERNO

nervio auditivo

pabellón auricular

cartílagos de la oreja

OÍDO EXTERNO

trompa de Eustaquio

conducto auditivo externo

tímpano   martillo   estribo

yunque

OÍDO MEDIO

efecto: *Mis regañinas le entran por un oído y le salen por el otro*. ‖ **[hacer oídos sordos**; no escuchar o no atender una petición o un ruego. ‖**llegar a oídos de** alguien; llegar a su conocimiento: *Ha llegado a mis oídos la noticia de que te casas*. ‖**regalar el oído**; *col*. Alabar y elogiar diciendo cosas agradables. ‖**ser todo oídos**; escuchar con atención o curiosidad. ☐ ETIMOL. Del latín *auditus*.

oiga interj. Expresión que se usa para llamar la atención del oyente e indicar extrañeza, sorpresa, admiración o disgusto. ☐ USO Se usa cuando el hablante trata de usted al oyente, frente a *oye*, que se usa cuando lo trata de tú.

oíl →**lengua de oíl**. ☐ ETIMOL. Del francés antiguo *ol* (sí).

oír v. **1** Referido a un sonido, percibirlo por medio del oído: *Se levantó de la cama al oír un ruido sospechoso*. **2** Referido a un ruego o a un aviso, atenderlos: *La empresa oirá las propuestas de los sindicatos si se desconvoca el paro de la próxima semana*. **3** Referido a aquello de que se habla, hacerse cargo de ello o darse por enterado: *¿Estás oyendo lo que te digo, o te lo repito?* **4** En derecho, referido a lo expuesto por las partes antes de resolver un caso, admitirlo una autoridad, esp. un juez: *La juez dictó sentencia después de oír las alegaciones del fiscal y del abogado*. **5** ‖**como quien oye llover**; *col*. Sin prestar atención o sin hacer caso: *Si se meten contigo, tú, como quien oye llover*. ☐ ETIMOL. Del latín *audire*. ☐ MORF. Irreg. →OÍR. ☐ SEM. Dist. de *escuchar* (oír con atención deliberada).

ojal s.m. En una prenda de vestir, pequeña abertura alargada y reforzada con hilo en sus bordes, hecha para pasar por ella un botón y abrocharlo. ☐ ETIMOL. De *ojo*. 🪡 costura

ojalá interj. Expresión que se usa para indicar un deseo fuerte de que suceda algo: *¡Ojalá mañana no llueva y podamos ir al campo! ¡Ojalá seas muy feliz!* ☐ ETIMOL. Del árabe *wa-sa' Allah* (y quiera Dios).

ojeada s.f. Mirada rápida o superficial, sin fijarse mucho ni prestar gran atención. ☐ ETIMOL. De *ojear*.

ojeador, -a s. **1** En caza, persona que se dedica al

ojeo o al registro ruidoso del terreno para hacer que los animales salgan de sus escondites y se dirijan al lugar en el que están los cazadores. [**2** *col*. En algunos deportes, persona que se dedica a localizar jugadores de otros equipos para ficharlos en el suyo. ☐ MORF. La RAE sólo registra el masculino.

ojear v. **1** Mirar de manera rápida y superficial, sin fijarse ni prestar gran atención: *Ojeó los titulares de los periódicos expuestos en el quiosco*. **2** En caza, referido a los animales, espantarlos haciendo ruido para que salgan de sus escondites y se dirijan hacia el lugar en el que están los cazadores: *Algunos hombres ojearon a las perdices hasta la línea de tiro*. **3** En zonas del español meridional, aojar o echar mal de ojo. ☐ SEM. La acepción 1, de *ojo*. La acepción 2, de *oxear* (espantar la caza). ☐ SEM. Dist. de *hojear* (pasar las hojas de un texto escrito).

ojén s.m. Aguardiente preparado con anís y con azúcar, originario de Ojén (localidad malagueña).

ojeo s.m. En caza, registro ruidoso del terreno para hacer que los animales salgan de sus escondites y se dirijan al lugar donde están los cazadores.

ojera s.f. Mancha o coloración más oscura que se forma en la zona que rodea el párpado inferior del ojo. ☐ MORF. Se usa más en plural.

ojeriza s.f. Antipatía o mala voluntad que se tienen contra alguien; manía. ☐ ETIMOL. De *ojo*.

ojeroso, sa adj. Que tiene ojeras.

ojete s.m. **1** En un tejido, agujero pequeño y redondo, reforzado en el borde, que sirve como adorno o para pasar por él una cinta: *Al lavar las zapatillas de cordones, se oxidaron los aritos metálicos que refuerzan los ojetes*. **2** *vulg*. Ano.

[ojímetro ‖**a ojímetro**; *col*. Haciendo un cálculo aproximado y sin exactitud: *Echó la sal 'a ojímetro', se pasó y la comida le quedó saladísima*.

ojiva s.f. **1** Figura formada por dos arcos de circunferencia de igual radio que se cortan en uno de sus extremos, de forma que sus concavidades se presentan enfrentadas. **2** En arquitectura, arco que tiene esta figura. ☐ ETIMOL. Del francés *ogive*.

ojival adj. **1** Con forma de ojiva: *arco ojival*. **2** En arte, del estilo arquitectónico que se desarrolló en

Europa durante los tres últimos siglos de la época medieval y que se caracterizó por el empleo de la ojiva para todo tipo de arcos. □ MORF. Invariable en género.

ojo ▮ s.m. **1** En una persona o en un animal, órgano que sirve para ver: *El funcionamiento de una cámara fotográfica es semejante al del ojo.* **2** En la cara, parte visible de este órgano: *Tengo tanto sueño que se me cierran los ojos.* **3** Mirada o vista: *No me quita los ojos de encima.* **4** Atención, cuidado o advertencia que se pone en algo: *Ten mucho ojo y no cometas ninguna imprudencia con el coche.* **5** Abertura que tiene algo de parte a parte: *Metí el hilo por el ojo de la aguja.* **6** En una herramienta, agujero o abertura para meter los dedos de la mano o el mango con el que se maneja: *los ojos de las tijeras.* **7** En una cerradura, agujero por el que se mete la llave. **8** En una masa esponjosa, cada uno de los huecos o cavidades redondeados que tiene: *Compró un queso con ojos.* **9** En un puente, cada uno de los espacios abiertos que existen entre los pilares; arcada. **10** Manantial o corriente de agua que brota en un llano: *los ojos del Guadiana.* **11** Parte central de algo, esp. de una tormenta o de un huracán. ▮ interj. **12** Expresión que se usa para llamar la atención sobre algo: *En la puerta recién pintada pusieron un cartel con '¡Ojo, mancha!'.* **13** ‖ **a ojo (de buen cubero)**; *col.* Calculando aproximadamente, sin medir ni pesar: *Así, a ojo de buen cubero, yo creo que el pez que pescaste pesaría unos tres kilos.* ‖ **a ojos cerrados** o **[con los ojos cerrados**; **1** Sin reflexionar o sin reparar en los riesgos o inconvenientes que puedan sobrevenir: *No importa dónde sea el viaje y lo que pueda costar, porque me apunto a ojos cerrados.* **[2** Sin vacilar o con toda seguridad: *Eso es tan fácil que lo hago 'con los ojos cerrados'.* ‖ **a ojos vistas**; de manera visible y clara: *La situación se agrava a ojos vistas.* ‖ **abrir los ojos**; *col.* Prestar atención o ponerse en actitud vigilante. ‖ **abrir los ojos**; ver o hacer que las cosas tal como son: *Es muy joven y muy inocente, pero los años le irán abriendo los ojos.* ‖ **cerrar los ojos**; **[**no querer reconocer la existencia o la razón de algo, o no querer saber nada de ello. ‖ **comer con los ojos** a alguien; *col.* Mostrar en la mirada una pasión o un deseo intensos. ‖ **comer con los ojos**; *col.* **[**Referido a los alimentos, mirarlos fijamente pensando que se va a ser capaz de comer más de lo que realmente se puede. ‖ **con {diez/cien/...} ojos**; con mucha atención o precaución. ‖ **cuatro ojos**; *col.* Persona que usa gafas. ‖ **dichosos los ojos**; expresión que se usa para indicar alegría o satisfacción al ver a alguien que hacía tiempo que no se veía. ‖ **echar el ojo** a algo; *col.* Fijarse en algo con el propósito de llegar a tenerlo. ‖ **[echar un ojo** a algo; *col.* Estar atento a ello para cuidarlo. ‖ **en un abrir (y cerrar) de ojos**; *col.* En un instante, o con mucha brevedad. ‖ **entrar {por el ojo derecho/por el ojo izquierdo}**; Referido a una persona, ser aceptada con simpatía o con antipatía, respectivamente. ‖ **entrar por los ojos**; gustar por su aspecto externo. ‖ **írsele** a alguien **los ojos tras** algo; mirarlo con un gran deseo o pasión. ‖ **mirar con {buenos ojos/malos ojos}** a alguien; acogerlo con simpatía o antipatía, respectivamente. ‖ **mirar con otros ojos**; cambiar el concepto, la estimación o el aprecio que se tienen de algo. ‖ **no pegar ojo**; *col.* No poder

dormir. ‖ **no tener ojos en la cara**; *col.* Referido a una persona, no darse cuenta de lo que es muy claro o evidente. ‖ **ojo a la funerala**; *col.* El que tiene el párpado amoratado como consecuencia de un golpe. ‖ **[ojo al parche**; *col.* Expresión que se usa para avisar. ‖ **ojo avizor**; alerta o con cuidado: *Estad ojo avizor para que no os timen.* ‖ **ojo (clínico)**; capacidad especial que tiene una persona para apreciar o captar con facilidad las circunstancias de algo o sus cualidades. ‖ **ojo compuesto**; en un artrópodo, el que está formado por numerosos ojos simples u ocelos: *El saltamontes común tiene un par de ojos compuestos y tres ojos simples.* ‖ **ojo con**; expresión que se usa para indicar advertencia, aviso o amenaza: *¡Ojo con meterte conmigo, o lo lamentarás!* ‖ **ojo de buey**; ventana pequeña y circular, esp. la que tienen los barcos en la parte superior del casco. ‖ **ojo de {gallo/pollo}**; callo redondo y algo cóncavo hacia el centro, que se forma generalmente en los dedos de los pies. ‖ **ojo de gato**; variedad de ágata de forma circular, color blanco amarillento y con fibras minerales. ‖ **ojo de perdiz**; **[**tejido que tiene en el cruce de los hilos un adorno en forma de lenteja. ‖ **ojo del culo**; *vulg.* →**ano.** ‖ **ojos {de besugo/de sapo/reventones}**; *col.* Los que sobresalen más de lo habitual y parecen estar fuera de sus órbitas. ‖ **ojos de carnero** ({**[**degollado/moribundo}); *col.* Los que expresan mucha pena o tristeza. ‖ **poner los ojos en** algo; escogerlo o mostrar predilección por ello. ‖ **saltar un ojo** a alguien; herírselo o cegárselo. ‖ **ser todo ojos**; *col.* Mirar con mucha atención. ‖ **ser** una persona **el ojo derecho de** otra; *col.* Gozar de su mayor confianza, cariño o estima. ‖ **[tener ojos para** algo; dedicarle toda la atención: *Está orgullosa porque su madre sólo 'tiene ojos para' el más pequeño de la familia.* ‖ **un ojo de la cara**; *col.* Mucho dinero: *El viaje me costó un ojo de la cara.* ‖ **volver los ojos a** alguien; atenderle o interesarse por él. □ ETIMOL. Del latín *oculus.* □ MORF. 1. Cuando se antepone a una palabra para formar compuestos, adopta la forma *oji-*: *ojituerto.* 2. Incorr. *a ojos vistos > *a ojos vistas.* □ SINT. 1. Con {*diez/cien/...*} *ojos* se usa más con los verbos *estar, andar, ir* o equivalentes. 2. *Ojo avizor* se usa más con los verbos *ir* y *estar.* 3. *Tener ojos para* se usa más en las expresiones *sólo tener ojos para* y *no tener ojos más que para.* □ USO *Cuatro ojos* tiene un matiz despectivo.

okapi s.m. Mamífero rumiante de pelaje corto y color castaño oscuro, con la cara blanquecina y las extremidades con franjas blancas, de hábitos nocturnos y solitarios: *El okapi macho tiene cuernos cubiertos de piel y proyectados hacia atrás.* □ ORTOGR. Se admite también *ocapi.* □ MORF. Es un sustantivo epiceno: *el okapi macho, el okapi hembra.*

[okupa s. *col.* Persona que vive ilegalmente en una vivienda deshabitada. □ ORTOGR. Se usa también *ocupa.* □ MORF. Es de género común: *el 'okupa', la 'okupa'.* □ USO Es innecesario el uso del anglicismo *squatter.*

[okupación s.f. Utilización ilegal de un local desocupado.

[okupar v. Habitar o utilizar ilegalmente una vivienda o un local desocupados: *Varias personas 'okuparon' los locales de la antigua fábrica.*

ola s.f. **1** Onda de gran amplitud formada sobre la superficie del agua, generalmente por efecto del viento o de las corrientes. **2** Fenómeno atmosférico que produce un cambio repentino en la temperatura de un lugar: *ola de calor*. **[3** Aparición repentina de gran cantidad de algo: *'ola' de violencia*. **4** Movimiento impetuoso de mucha gente apiñada: *La policía no podía contener la ola de manifestantes*. **5** ‖ **[nueva ola**; en música, tendencia que aglutina varios estilos musicales de una forma más comercial y asequible: *La 'nueva ola' tuvo su auge a finales de los setenta y principios de los ochenta*. ☐ ETIMOL. De origen incierto. ☐ ORTOGR. Dist. de *hola*. ☐ SEM. En las acepciones 3 y 4, es sinónimo de *oleada*. ☐ USO En la acepción 5, es innecesario el uso del anglicismo *new wave*.

ole u **olé** interj. Expresión que se usa para animar y mostrar aprobación o entusiasmo: *¡Ole, qué bien habla mi niña!* ☐ ETIMOL. De origen expresivo.

oleáceo, a ‖ adj./s.f. **1** Referido a una planta, que se caracteriza por tener hojas opuestas y alternas y flores generalmente hermafroditas, y que crece en climas cálidos y templados: *El jazmín es una oleácea*. ‖ s.f.pl. **2** En botánica, familia de estas plantas, perteneciente a la clase de las dicotiledóneas. ☐ ETIMOL. Del latín *oleaceus*.

oleada s.f. **1** Embate y golpe de una ola. **[2** Aparición repentina de gran cantidad de algo: *'oleada' de protestas*. **3** Movimiento impetuoso de mucha gente apiñada: *La escena más lograda de la película es la de los soldados del fuerte repeliendo la oleada de indios*. ☐ SEM. En las acepciones 2 y 3, es sinónimo de *ola*.

oleaginoso, sa adj. **1** Que tiene aceite: *El aceite se extrae de frutos oleaginosos, como las pipas y las aceitunas*. **2** Que es graso y espeso como el aceite: *El petróleo es un líquido oleaginoso*. ☐ ETIMOL. Del latín *oleaginus* (aceitoso). ☐ SEM. Es sinónimo de *aceitoso* y de *oleoso*.

oleaje s.m. Sucesión continuada de olas.

oleicultura s.f. Cultivo de olivos para la obtención de aceite. ☐ ETIMOL. Del latín *oleum* (aceite) y *-cultura* (cultivo).

óleo s.m. **[1** Pintura que se obtiene disolviendo sustancias colorantes en aceites vegetales o animales. **2** Obra pictórica realizada con estas pinturas. **3** Aceite que se utiliza en la administración de los sacramentos y en otras ceremonias religiosas: *los santos óleos*. **4** ‖ **al óleo**; con estas pinturas: *La pintura al óleo permite plasmar los más suaves matices*. ☐ ETIMOL. Del latín *oleum* (aceite). ☐ MORF. La acepción 3 se usa más en plural.

oleoducto s.m. Tubería especialmente preparada para el transporte de petróleo y de sus derivados a lugares alejados. ☐ ETIMOL. Del latín *oleum* (aceite) y *ductus* (conducción).

oleoso, sa adj. **1** Que tiene aceite: *Las patatas fritas han dejado una mancha oleosa en el mantel*. **2** Que es graso y espeso como el aceite: *No me gustan las cremas bronceadoras muy oleosas*. ☐ ETIMOL. Del latín *oleosus*. ☐ SEM. Es sinónimo de *aceitoso* y de *oleaginoso*.

oler v. **1** Referido a un olor, percibirlo: *Cuando estoy constipada, no huelo nada*. **2** Referido a un olor, procurar percibirlo o identificarlo: *Huele esta salsa, a ver si te parece que está buena*. **3** Producir o despedir olor: *Los huevos podridos huelen muy mal*. **4** Referido a algo oculto, conocerlo o sospecharlo: *Olí que estaban maquinando algo*. **5** ‖ **oler a** algo; col. Pa-

recerlo o dar esa impresión: *Tanto jaleo me huele a boda repentina en la familia*. ☐ ETIMOL. Del latín *olere*. ☐ MORF. Irreg. →OLER. ☐ SINT. Constr. de las acepciones 1, 2 y 3: *oler A algo*.

olfatear v. **1** Oler con empeño e insistencia: *El perro olfateaba la calle para seguir el rastro de su amo*. **2** col. Indagar o tratar de averiguar con mucha curiosidad: *¿Quieres dejar de olfatear en mi vida, so cotilla?* ☐ ETIMOL. De *olfato*.

olfateo s.m. **1** Uso del olfato para oler con insistencia. **2** col. Indagación o intento de averiguar algo.

olfativo, va adj. Del sentido del olfato o relacionado con él: *nervio olfativo*.

olfato s.m. **1** Sentido corporal que permite la percepción de los olores. **2** Astucia o facilidad para descubrir algo o para darse cuenta de lo que está encubierto. ☐ ETIMOL. Del latín *olfactus*, y éste de *olfacere* (percibir olores).

oligarca s. Persona que forma parte de una oligarquía. ☐ MORF. 1. Es de género común: *el oligarca, la oligarca*. 2. La RAE sólo lo registra como sustantivo masculino.

oligarquía s.f. **1** Sistema de gobierno en el que un pequeño grupo de personas, generalmente pertenecientes a una misma clase social, ejercen el poder supremo. **[2** Estado que tiene este sistema de gobierno: *La antigua Cartago era una 'oligarquía'*. **3** Grupo minoritario de personas, generalmente con gran poder e influencia, que dirige y controla una organización, institución o colectividad. ☐ ETIMOL. Del griego *oligarkhía*, y éste de *olígoi* (pocos) y *árkho* (yo mando, gobierno).

oligárquico, ca adj. De la oligarquía o relacionado con ella: *gobierno oligárquico*.

oligo- Elemento compositivo que significa 'poco': *oligoelemento, oligofrenia*. ☐ ETIMOL. Del griego *olígos*.

oligoceno, na ‖ adj. **1** En geología, del tercer período de la era terciaria o cenozoica, o relacionado con él. ‖ adj./s.m. **2** En geología, referido a un período, que es el tercero de la era terciaria o cenozoica. ☐ ETIMOL. De *oligo-* (poco) y el griego *kainós* (reciente).

oligoelemento s.m. En biología, elemento químico indispensable para el crecimiento y la reproducción de plantas y animales, y que aparece en los seres vivos en muy pequeñas cantidades: *El hierro y el flúor son algunos de los oligoelementos del organismo animal*. ☐ ETIMOL. De *oligo-* (poco) y *elemento*.

oligofrenia s.f. Deficiencia mental grave que se caracteriza por la alteración del sistema nervioso, por algunas deficiencias intelectuales y por perturbaciones instintivas o afectivas. ☐ ETIMOL. De *oligo-* (poco) y el griego *phrén* (inteligencia).

oligofrénico, ca ‖ adj. **1** De la oligofrenia o relacionado con esta deficiencia mental: *trastornos oligofrénicos*. ‖ adj./s. **2** Referido a una persona, que padece oligofrenia.

oligopolio s.m. Situación de mercado en la que un número reducido de vendedores acapara y controla la venta de un producto. ☐ ETIMOL. De *oligo-* (poco) y el griego *poléo* (yo vendo).

olimpiada u **olimpíada** s.f. **1** Competición internacional de juegos deportivos que se celebra cada cuatro años en un lugar señalado de antemano. **2** En la antigua ciudad griega de Olimpia, fiesta o juego que se celebraba cada cuatro años y que incluía competiciones atléticas y artísticas. □ ORTOGR. Se usa mucho como nombre propio. □ MORF. La acepción 1 se usa mucho en plural. □ USO *Olimpíada* es el término menos usual.

olímpico, ca ∎ adj. **1** De las Olimpiadas o relacionado con ellas: *juegos olímpicos.* **2** Del Olimpo (monte sagrado del norte griego donde vivían los dioses), o relacionado con él. ∎ adj./s. **[3** Referido a un deportista, que ha participado en alguna Olimpiada.

[olimpismo s.m. Conjunto de normas y valores de las competiciones olímpicas.

oliscar v. **1** Oler con cuidado y persistencia: *El perro oliscaba tratando de encontrar el rastro.* **2** Buscar o tratar de averiguar o de saber: *Deja de oliscar en los asuntos de tu hermana.* **3** Empezar a oler mal: *Tira esa carne, porque está oliscando.* □ ORTOGR. La c se cambia en *qu* delante de *e* →SACAR.

olisquear v. **1** Oler, esp. si se hace con inspiraciones cortas y rápidas: *No sé qué busca el perro, porque ha olisqueado todos los rincones de la casa.* **2** Husmear o curiosear: *¡Ya estás olisqueando entre mis cosas!* □ ETIMOL. De *oliscar* (oler con persistencia).

oliva s.f. Fruto del olivo, del que se extrae aceite, de forma ovalada, color verde y con un hueso grande y duro que encierra la semilla; aceituna. □ ETIMOL. Del latín *oliva* (aceituna).

olivar s.m. Terreno plantado de olivos.

olivarero, ra adj./s. Referido a una persona, que se dedica al cultivo del olivo.

olivera s.f. Árbol de tronco corto, grueso y retorcido, copa ancha y abundantes ramas, hojas persistentes elípticas, estrechas y puntiagudas, verdes por el haz y blanquecinas por el envés, flores blancas pequeñas, y cuyo fruto es la aceituna; aceituno, olivo.

olivicultor, -a s. Persona que se dedica a la olivicultura.

olivicultura s.f. Cultivo y aprovechamiento del olivo. □ ETIMOL. Del latín *olivus* (olivo) y *-cultura* (cultivo).

olivo s.m. **1** Árbol de tronco corto, grueso y retorcido, copa ancha y abundantes ramas, hojas persistentes elípticas, estrechas y puntiagudas, verdes por el haz y blanquecinas por el envés, flores blancas pequeñas, y cuyo fruto es la aceituna; aceituno, olivera. **2** Madera de este árbol. **3** ∥**olivo silvestre**; el que es propio de zonas áridas, tiene menos ramas que el cultivado y da como fruto la acebuchina; acebuche. □ ETIMOL. Del latín *olivus*.

olla s.f. **1** Recipiente de forma redondeada, con una o dos asas, que se utiliza para cocinar. **2** Guiso preparado con carne, tocino, legumbres y hortalizas. **3** ∥**olla** {a presión/exprés}; la que se cierra herméticamente y permite la cocción de los alimentos rápidamente. □ ETIMOL. Del latín *olla.* □ ORTOGR. Dist. de *hoya.*

olmo s.m. Árbol de tronco grueso con la corteza dura y resquebrajada, hojas simples, caducas y con forma acorazonada en la base, flores pequeñas y agrupadas, que alcanza gran altura y suele vivir muchos años. □ ETIMOL. Del latín *ulmus.*

olor s.m. **1** Emanación que producen los cuerpos y que se percibe por el sentido del olfato: *Las rosas producen muy buen olor.* **2** ∥**al olor de** algo; *col.*

Atraído por ello: *Cuando murió, aparecieron muchos herederos al olor del dinero.* ∥**[en olor de multitudes**; aclamado por muchas personas: *El cantante llegó al aeropuerto 'en olor de multitudes'.* ∥**en olor de santidad**; con fama de santo: *Murió en olor de santidad.* □ ETIMOL. Del latín *olor.*

oloroso, sa ∎ adj. **1** Que despide un olor agradable. ∎ s.m. **2** Vino de Jerez (ciudad andaluza) de color dorado oscuro, muy aromático.

olvidadizo, za adj. Referido a una persona, que se olvida de las cosas con facilidad.

olvidar v. **1** Referido a algo sabido, dejar de tenerlo en la memoria: *He olvidado su número de teléfono. No te olvides de ir a recoger el paquete.* **2** Referido a algo querido, dejar de sentir afecto o cariño por ello: *Ya ha olvidado a su antiguo novio. Cuando se hizo rico, se olvidó de los amigos de su infancia.* **3** No tener en cuenta: *Cuando hables con él, olvida la faena que te hizo. Olvídate de que soy tu hijo y háblame como a un amigo.* □ ETIMOL. Del latín **oblitare.* □ SINT. Constr. como pronominal: *olvidarse DE algo.*

olvido s.m. **1** Pérdida de la memoria o del recuerdo. **2** Pérdida del afecto o del cariño. **3** Descuido de algo que se debía atender o tener presente.

ombligo s.m. **1** En los mamíferos, cicatriz con forma redonda y arrugada que queda en el centro del vientre tras cortar el cordón umbilical que unía la placenta y el feto. **2** Centro, punto medio o punto más importante de algo: *¿Cuándo vas a dejar de creerte el ombligo del mundo?* □ ETIMOL. Del latín *umbilicus.*

ombliguero s.m. Venda que se pone alrededor de la cintura del bebé hasta que ha cicatrizado el resto del cordón umbilical y se ha formado del ombligo.

[ombliguismo s.m. *col.* Tendencia a considerarse el centro de todo o lo más importante.

[ombudsman (del sueco) s.m. →**defensor del pueblo.** □ PRON. [ómbudsman]. □ USO Su uso es innecesario.

omega s.f. En el alfabeto griego clásico, nombre de la vigésima cuarta y última letra: *La grafía de la omega mayúscula es* Ω.

omeya ∎ adj. **1** De la primera dinastía islámica que formaron los descendientes del jefe árabe Muhawiyya: *arquitectura omeya.* ∎ adj./s. **2** Miembro de la primera dinastía islámica, descendiente del jefe árabe Muhawiyya. □ MORF. 1. Como adjetivo es invariable en género. 2. Como sustantivo es de género común: *el omeya, la omeya.*

ómicron s.f. En el alfabeto griego clásico, nombre de la decimoquinta letra: *La grafía de la ómicron es* o.

ominoso, sa adj. Abominable, despreciable y digno de condena. □ ETIMOL. Del latín *ominosus* (de mal agüero).

omisible adj. Que se puede omitir. □ MORF. Invariable en género.

omisión s.f. **1** Abstención de hacer o de decir algo: *La omisión de su nombre en la lista de agradecimientos fue premeditada.* **2** Falta que se comete por haber dejado de hacer o de decir algo: *No ayudar a un herido es un delito por omisión.* □ ETIMOL. Del latín *omissio.*

omitir v. Dejar de decir, de registrar o de hacer: *Os contaré lo sucedido, pero omitiré los detalles desagradables.* □ ETIMOL. Del latín *omittere.*

ómnibus s.m. Vehículo automóvil para el transporte público, generalmente entre poblaciones, y con capacidad para gran número de personas. □ ETIMOL. Del latín *omnibus* (para todos). □ PRON. Incorr. *[omnibús].

omnímodo, da adj. Que lo abarca y comprende todo: *Creo firmemente en el poder omnímodo de Dios.* □ ETIMOL. Del latín *omnimodus*, y éste de *omnis* (todo, cada uno) y *modus* (manera).

omnipotencia s.f. Poder total, absoluto y tan grande que abarca y comprende todo: *omnipotencia divina.*

omnipotente adj. Que tiene un poder total, absoluto y tan grande que lo abarca y comprende todo. □ ETIMOL. Del latín *omnipotens*, y éste de *omnis* (todo, cada uno) y *posse* (poder). □ MORF. Invariable en género.

omnipresencia s.f. **1** Capacidad de estar en todas partes a la vez; ubicuidad. **2** Presencia de quien quiere estar en todas partes y acude deprisa a ellas: *La omnipresencia de esta alcaldesa la ha llevado a aparecer en un mismo día en más de quince actos públicos distintos.* □ ETIMOL. Del latín *omnis* (todo, cada uno) y *praesentia* (presencia). □ USO La acepción 2 se usa con un sentido humorístico.

omnipresente adj. **1** Presente en todas partes al mismo tiempo; ubicuo: *En catequesis aprendemos que Dios puede estar con todos nosotros porque sólo Él es omnipresente.* **[2** Que está siempre presente: *El amor es un sentimiento 'omnipresente' en su obra.* □ MORF. Invariable en género.

omnisciencia s.f. Conocimiento de todas las cosas reales o posibles.

omnisciente adj. Que posee conocimiento de todas las cosas reales o posibles: *Para los cristianos, Dios es omnisciente.* □ ETIMOL. Del latín *omnis* (todo, cada uno) y *scientia* (ciencia). □ MORF. Invariable en género.

omnívoro, ra adj./s.m. Referido a un animal, que tiene un aparato digestivo adaptado para digerir alimentos de origen animal y vegetal. □ ETIMOL. Del latín *omnivorus*, y éste de *omnis* (todo, cada uno) y *vorare* (comer). ◁► pico

omoplato u **omóplato** s.m. Cada uno de los dos huesos anchos, casi planos y de forma triangular, situados a uno y otro lado de la espalda, donde se articulan los húmeros y las clavículas; escápula. □ ETIMOL. Del griego *omopláte*, y éste de *omós* (espalda) y *pláte* (llano).

[on line (anglicismo) ‖ En informática, que es accesible en cualquier momento, esp. si lo es a través de la red telefónica. □ PRON. Le láin].

onagro s.m. Asno salvaje o silvestre, que se agrupa en grandes manadas. □ ETIMOL. Del griego *ónagros*. □ MORF. Es un sustantivo epiceno: *el onagro macho, el onagro hembra.*

onanismo s.m. **1** Hecho de acariciarse o tocarse el cuerpo, esp. los órganos genitales, para obtener o producir placer sexual; masturbación. **[2** Interrupción del acto sexual antes de la eyaculación: *Algunas parejas utilizan el 'onanismo' como método anticonceptivo.* □ ETIMOL. Por alusión a Onán, personaje bíblico.

[onanista adj. Del onanismo o relacionado con él. □ MORF. Invariable en género.

once ▌ numer. **1** Número 11: *once hermanos.* ▌ s.m. **2** Signo que representa este número: *Los romanos escribían el once como 'XI'.* ▌ s.f. **[3** En zonas del es-

pañol meridional, merienda o pequeña comida que se toma por la tarde. □ ETIMOL. Del latín *undecim.* □ MORF. **1.** Como numeral es invariable en género y en número. **2.** La acepción 3, en plural tiene el mismo significado que en singular.

onceavo, va numer. Referido a una parte, que constituye un todo junto con otras diez iguales a ella. □ ORTOGR. Se admite también *onzavo.* □ SEM. **1.** Es sinónimo de *onceno* y *undécimo.* **2.** Su uso como numeral ordinal es incorrecto: *Llegué en {*onceava > undécima} posición.*

onceno, na numer. **1** En una serie, que ocupa el lugar número once. **2** Referido a una parte, que constituye un todo junto con otras diez iguales a ella; onceavo, onzavo. □ SEM. Es sinónimo de *undécimo.*

[onco- Elemento compositivo que significa 'tumor': *oncología, oncogén.* □ ETIMOL. Del griego *ónkos.*

oncogén s.m. Gen con un fuerte potencial transformador que puede ocasionar la aparición de tumores cancerígenos. □ ETIMOL. De *onco-* (tumor) y *gen.*

oncología s.f. Parte de la medicina que estudia los tumores. □ ETIMOL. De *onco-* (tumor) y *-logía* (estudio, ciencia).

oncológico, ca adj. De la oncología o relacionado con esta parte de la medicina.

oncólogo, ga s. Persona especializada en oncología.

onda s.f. **1** En la superficie de un líquido, elevación que se forma al perturbar el líquido: *El viento produce ondas en la superficie del lago.* **2** En un cuerpo flexible, curva con forma de 'S' que se produce natural o artificialmente: *Las ondas de su cabello son naturales.* **3** En física, perturbación o vibración periódica a través de un determinado medio o del vacío: *El sonido se propaga por medio de ondas a través del aire.* **4** Adorno de forma curva utilizado generalmente como remate de un borde, esp. en una tela: *El embozo de la sábana tiene pequeñas ondas bordadas.* **5** ‖ **captar la onda**; entender una indirecta o una insinuación. ‖ **[estar en la misma (longitud de) onda**; *col.* Tener inclinaciones o puntos de vista afines. ‖ **[estar en la onda**; *col.* Conocer las últimas tendencias de un asunto o materia. ‖ **onda corta**; la que tiene una longitud comprendida entre 10 y 50 metros. ‖ **onda larga**; la que tiene una longitud de 1.000 metros o menos. ‖ **onda {[media/ normal]}**; la que tiene una longitud comprendida entre los 200 y los 500 metros. □ ETIMOL. Del latín *unda* (ola, onda, remolino). □ ORTOGR. Dist. de *honda.* □ MORF. La acepción 2 se usa más en plural.

ondeado s.m. Lo que tiene ondas: *¿El ondeado de tu pelo es natural o de peluquería?*

ondear v. Moverse haciendo ondas: *La bandera ondea en lo alto del mástil.* □ ORTOGR. Dist. de *hondear.*

ondina s.f. En mitología, ser fantástico o divinidad con forma de mujer que habita en el fondo de las aguas. □ ETIMOL. Del francés *ondine.*

ondulación s.f. Formación o presencia de ondas en un cuerpo o en una superficie.

ondulado, da adj. Con ondas: *pelo ondulado.*

[ondulante adj. Que hace ondas: *La superficie 'ondulante' de tu pelo me recuerda a las olas del mar.* □ MORF. Invariable en género.

ondular v. Referido a algo flexible, esp. el pelo, hacer ondas en ello: *El peluquero me ha ondulado el ca-*

bello. El papel se ha ondulado por la humedad. □ ETIMOL. Del francés *onduler*.

ondulatorio, ria adj. Que se extiende o que se propaga en forma de ondas.

oneroso, sa adj. **1** Pesado, molesto o difícil de soportar. **2** Que ocasiona un gasto o que resulta costoso. □ ETIMOL. Del latín *onerosus* (que tiene mucho peso).

ónice s.m. Variedad de ágata formada por cuarzo listado con colores alternantes claros y oscuros; ónix: *El ónice se utiliza mucho para hacer camafeos.* □ ETIMOL. Del griego *ónyx* (uña), porque el ónice tiene un color parecido al de las uñas. □ MORF. La RAE lo registra como femenino.

[onicofagia s.f. Hábito o costumbre de morderse las uñas. □ ETIMOL. Del griego *ónyx* (uña) y *-fagia* (comer).

onírico, ca adj. De los sueños, con sus características o relacionado con ellos. □ ETIMOL. Del griego *óneiros* (sueño).

ónix s.m. Variedad de ágata formada por cuarzo listado con colores alternantes claros y oscuros; ónice. □ MORF. 1. La RAE lo registra como femenino. 2. Invariable en número.

onomasiología s.f. En lingüística, parte de la semántica que, a partir de un concepto, busca los signos lingüísticos que le corresponden: *La onomasiología establece, por ejemplo, las estructuras conceptuales del parentesco en una cultura dada.* □ ETIMOL. Del griego *onomasía* (denominación) y *-logía* (estudio).

onomasiológico, ca adj. De la onomasiología o relacionado con ella: *diccionario onomasiológico.*

onomástico, ca ∎ adj. **1** De los nombres, esp. de los nombres propios, o relacionado con ellos: *Cuando llegue su día onomástico le haré un regalo.* ∎ s.f. **2** Conmemoración del santo de una persona: *El día de mi onomástica suelo dar una gran fiesta.* **3** Día en el que se celebra dicha conmemoración: *Mi onomástica es el 8 de diciembre.* **4** Ciencia que estudia y cataloga los nombres propios: *En ese tratado de onomástica, encontrarás el origen de tu nombre.* **[5** Conjunto de los nombres propios de persona de una época o de un lugar: *'Álvaro' era muy frecuente en la 'onomástica' medieval.* □ ETIMOL. Del griego *onomastikós*, y éste de *ónoma* (nombre). □ SEM. En la acepción 2, incorr. *felicitar a alguien {*por > en} su onomástica.*

onomatopeya s.f. Palabra que imita el sonido de algo: *'Tilín' es la onomatopeya del sonido de una campanita.* □ ETIMOL. Del griego *onomatopoiía*, y éste de *ónoma* (nombre) y *poiéo* (yo hago, creo).

onomatopéyico, ca adj. De la onomatopeya, con onomatopeyas o relacionado con este tipo de palabra.

ontología s.f. En filosofía, parte de la metafísica que estudia el ser y sus propiedades trascendentales. □ ETIMOL. Del griego *ón* (el ser) y *-logía* (estudio, ciencia). □ ORTOGR. Dist. de *antología.*

ontológico, ca adj. De la ontología o relacionado con esta parte de la metafísica. □ ORTOGR. Dist. de *antológico.*

onubense adj./s. De Huelva o relacionado con esta provincia española o con su capital. □ MORF. 1. Como adjetivo es invariable en género. 2. Como sustantivo es de género común: *el onubense, la onubense.*

onza s.f. **1** Unidad de peso que equivale aproximadamente a 28,7 gramos. **[2** En el sistema anglosajón, unidad de masa que equivale aproximadamente a 28,3 gramos. **3** Mamífero felino y carnicero domesticable, de pelaje claro con manchas oscuras, que vive en algunos desiertos asiáticos y africanos; gatopardo, guepardo. ✕ felino **4** ‖ **[onza de chocolate**; cada una de las ocho porciones en que se divide una tableta. ‖ **onza (de oro)**; antigua moneda española fabricada con ese metal y que pesaba aproximadamente 28,7 gramos: *La onza valía 320 reales.* □ ETIMOL. Las acepciones 1 y 2, del latín *uncia* (duodécima parte de la libra y de otras medidas). La acepción 3, del latín **luncea* y éste de *lynx* (lince). □ MORF. En la acepción 3, es un sustantivo epiceno: *la onza macho, la onza hembra.* □ USO En la acepción 1, es una medida tradicional española.

onzavo, va numer. →**onceavo.**

opa ∎ adj./s. **1** En zonas del español meridional, idiota o retrasado mental. ∎ s.f. **[2** En economía, oferta pública de adquisición de acciones de una empresa para comprarla. **3** ‖ **[opa hostil**; la realizada con la intención de controlar una empresa en contra de la voluntad de sus dirigentes. □ ETIMOL. La acepción 2, es un acrónimo que procede de la sigla de *Oferta pública de adquisición de acciones.*

opacidad s.f. **1** Falta de la transparencia necesaria para permitir el paso de la luz. **2** Falta de brillo o luminosidad.

opaco, ca adj. **1** Que impide el paso de la luz: *La madera es un cuerpo opaco.* **2** Sin brillo, oscuro o sombrío: *No toques tanto la plata, que la estás dejando opaca.* □ ETIMOL. Del latín *opacus* (sombrío, oscuro, tenebroso).

opalescente adj. Con las características propias del ópalo o con sus irisaciones. □ MORF. Invariable en género.

opalino, na adj. **1** Del ópalo o relacionado con esta variedad de cuarzo. **2** De color blanco azulado con reflejos irisados: *vidrio opalino.* **3** Referido a un objeto, que está fabricado con un vidrio de estas características.

ópalo s.m. Variedad de cuarzo, dura, translúcida u opaca, de brillo similar al de la resina y de diversos colores. □ ETIMOL. Del latín *opalus.*

[opar v. En economía, hacer una opa sobre una empresa para intentar controlar un gran número de sus acciones: *Esta empresa 'fue opada' por un gran banco que compró todas sus acciones.*

opción s.f. **1** Libertad o facultad de elegir: *Tienes la opción de venir o de no venir, según te apetezca.* **2** Lo que se ha elegido: *Esta opción es la mejor de todas.* **3** Derecho que se tiene a obtener algo: *Sólo tú y yo tenemos opción al cargo, ya que somos los más antiguos en la empresa.* **4** Posibilidad de obtener algo: *Si ganamos este partido, todavía tenemos opción al título de campeones.* **5** ‖ **[opción (de {compra/venta})**; en economía, derecho de compra o de venta de una acción, una obligación, una divisa o una materia prima, a un precio predeterminado: *mercado de 'opciones'.* □ ETIMOL. Del latín *optio* (elección).

opcional adj. Que se puede elegir y no resulta obligatorio. □ MORF. Invariable en género.

open s.m. En deporte, competición abierta a todas

las categorías de participantes; abierto: *open de te-nis.* □ ETIMOL. Del inglés *open.*

ópera s.f. **1** Obra dramática que combina música, poesía y escenografía. **2** Género formado por estas obras. **[3** Teatro en el que se representan estas obras dramáticas. □ ETIMOL. Del italiano *opera.*

[ópera prima (italianismo) ‖ Primera obra de un artista.

operable adj. **1** Que puede hacerse o es factible. **2** Que puede ser operado quirúrgicamente. □ MORF. Invariable en género.

operación s.f. **1** Realización o ejecución de algo: *Esta máquina sustituye a los obreros en las operaciones que se llevan a cabo con sustancias tóxicas.* **2** Intervención quirúrgica en un cuerpo vivo que se realiza generalmente para quitar, implantar o corregir órganos, miembros o tejidos. **3** En matemáticas, correspondencia en la que a uno o más elementos de uno o varios conjuntos les corresponde un elemento de otro conjunto: *La suma, la resta, la multiplicación y la división son las cuatro operaciones matemáticas fundamentales.* **4** Acto delictivo: *La policía consiguió desbaratar la operación.* **5** Negociación o contrato de valores o mercancías: *En unas operaciones gano dinero, pero en otras lo pierdo.* **6** ‖ **[operación retorno**; la que regula el tráfico de entrada de las grandes ciudades después de un período vacacional. ‖ **[operación salida**; la que regula el tráfico de salida de las grandes ciudades en el inicio de un período vacacional.

operacional adj. **1** De las operaciones comerciales, matemáticas o militares, o relacionado con ellas. **2** Referido a una unidad militar, que está en condiciones de llevar a cabo acciones de guerra: *batallones operacionales.* □ MORF. Invariable en género.

operador, -a ‖ s. **1** Persona especializada en el manejo de aparatos técnicos: *operador de cámara.* **2** En una central telefónica, persona encargada de establecer las comunicaciones no automáticas. **[3** Empresa telefónica que establece comunicaciones o que transmite datos a través de su red telefónica. ‖ s.m. **4** Símbolo matemático que indica el conjunto de operaciones que han de realizarse para pasar de un elemento a su imagen: *'x^3' es un operador matemático.* □ ETIMOL. Del latín *operator* (el que hace). □ MORF. En la acepción 3, es de género ambiguo: *el 'operador' telefónico, la 'operadora' telefónica.*

operante adj. **1** Que produce el resultado esperado: *Fue una medida muy poco operante, y no sirvió de nada.* **2** Que realiza algo: *Las tropas operantes en la zona han empezado a evacuar civiles.* □ MORF. Invariable en género.

operar ‖ v. **1** Realizar una intervención quirúrgica: *Ésta es la cirujana que operó a mi prima. El día de su jubilación, el cirujano recordó la primera vez que operó.* **2** Realizar, efectuar o llevar a cabo: *El medicamento ha operado cambios en el enfermo. En primavera se operan en la naturaleza grandes transformaciones.* **3** Realizar operaciones matemáticas: *El problema está bien planteado, pero te has equivocado al operar.* **4** Llevar a cabo actos delictivos: *La policía ha detenido a una banda de ladrones que operaba en el barrio.* **5** Negociar o realizar actividades comerciales: *Esta empresa opera con otras empresas del ramo.* **6** Trabajar o ejecutar una ocupación: *La empresa ha reunido a todos los representantes que operan en esta ciudad.* ‖ prnl. **7**

Someterse a una intervención quirúrgica: *El médicc me dijo que me operara de apendicitis.* □ ETIMOL Del latín *operari* (trabajar).

operario, ria s. Trabajador manual asalariado esp. el del sector industrial o de servicios; obrero. □ ETIMOL. Del latín *operarius.*

[operatividad s.f. Efectividad o capacidad para realizar una función.

operativo, va adj. Que obra y hace el efecto para el que está destinado: *Las medidas del Ayuntamiento no fueron operativas y no se solucionó el problema.*

operatorio, ria adj. De las operaciones quirúrgicas o relacionado con ellas.

opereta s.f. Ópera ligera, de corta extensión y tema frívolo, en la que hay diálogos hablados, canciones y danzas. □ ETIMOL. Del italiano *operette.*

operístico, ca adj. De la ópera o relacionado con ella: *género operístico.*

opiáceo, a adj. Del opio, con opio o con las propiedades calmantes de éste.

opinar v. **1** Referido a una opinión, tenerla formada: *Creo que opina muy bien de nosotros.* **2** Referido a una opinión, expresarla de palabra o por escrito: *Opino que deberías irte a dormir, porque mañana tienes que madrugar. Prefiero no opinar, porque luego me llamas entrometida.* □ ETIMOL. Del latín *opinari* (conjeturar). □ SINT. Constr. de la acepción 1: *opinar {DE/SOBRE} algo.*

opinión s.f. Concepto o parecer que se tienen sobre una cuestión. □ ETIMOL. Del latín *opinio.* □ SINT. Está muy extendida la omisión incorrecta de la preposición *de* en expresiones como *ser de la opinión {*que > de que}...*

opio s.m. Sustancia amarga y de olor fuerte que se obtiene de las plantas llamadas *adormideras verdes* y se usa como narcótico: *El opio es una droga que crea adicción.* □ ETIMOL. Del latín *opium,* éste del griego *ópion,* y éste de *opós* (zumo, esp. el de la adormidera).

opíparo, ra adj. Referido esp. a una comida, que es abundante y espléndida. □ ETIMOL. Del latín *opiparus,* y éste de *ops* (riqueza) y *parare* (proporcionar).

oponente adj./s. Que se opone a algo: *Se enfrentó a sus oponentes con gran valor y logró derrotarlos.* □ MORF. **1.** Como adjetivo es invariable en género. **2.** Como sustantivo es de género común: *el oponente, la oponente.*

oponer ‖ v. **1** Referido esp. a un argumento, proponerlo contra lo que otro dice o siente: *Cuando le expliqué mi teoría, me dijo que no estaba de acuerdo y opuso sus razones.* **2** Referido a una cosa, ponerla contra otra para estorbar o impedir su efecto: *Opón una silla contra la puerta y así no podrá entrar nadie.* ‖ prnl. **3** Referido a una cosa, ser contraria a otra: *Lo bueno se opone a lo malo.* **4** Referido a una cosa, estar situada o colocada enfrente de otra: *En la sala, un cuadro se oponía a un bonito tapiz.* **5** Manifestar o expresar oposición, esp. si se ponen obstáculos o impedimentos a un propósito: *Me opuse a que saliera porque hacía mucho frío.* □ ETIMOL. Del latín *opponere.* □ MORF. **1.** Su participio es *opuesto.* **2.** Irreg. →PONER. □ SINT. Constr. de las acepciones 3, 4 y 5: *oponerse A algo.*

oporto s.m. Vino tinto y aromático, ligeramente dulce, originario de Oporto (ciudad portuguesa).

oportunidad ∎ s.f. **1** Circunstancia o situación en que existe la posibilidad de hacer algo: *Nunca he tenido la oportunidad de viajar al extranjero.* **2** Conveniencia de tiempo y de lugar para hacer algo: *Me había dormido, y la oportunidad de tu llamada evitó que llegara tarde al trabajo.* ∎ pl. **[3** En un establecimiento comercial, sección en la que se venden productos rebajados de precio.

oportunismo s.m. Actitud que tiende a aprovechar las circunstancias del momento en beneficio propio, esp. si no se respetan principios ni convicciones. ☐ ETIMOL. De *oportuno.*

oportunista adj./s. Del oportunismo o que tiene esta actitud. ☐ MORF. **1.** Como adjetivo es invariable en género. **2.** Como sustantivo es de género común: *el oportunista, la oportunista.*

oportuno, na adj. **1** Que se hace o sucede en el momento conveniente, justo o adecuado. **2** Referido a una persona, que resulta ingeniosa u ocurrente en una conversación. ☐ ETIMOL. Del latín *opportunus* (bien situado, cómodo).

oposición s.f. **1** Relación entre elementos que se oponen por ocupar posiciones contrarias o enfrentadas: *No hay oposición entre las dos propuestas.* **2** Conjunto de ejercicios selectivos en los que los aspirantes a un puesto demuestran sus conocimientos ante un tribunal. **3** Grupo político o social que se opone a la política del poder establecido. ☐ ETIMOL. Del latín *oppositio.* ☐ MORF. En la acepción 2, en plural tiene el mismo significado que en singular.

opositar v. Hacer oposiciones para acceder a un puesto o a un cargo: *Ha decidido opositar para ser profesor de instituto.* ☐ SINT. Constr. *opositar A un puesto.*

opositor, -a s. **1** Persona que se presenta a una oposición para acceder a un puesto o a un cargo. **2** Persona que se opone a otra en cualquier materia. ☐ MORF. Incorr. su uso como adjetivo: *fuerzas {*opositoras > oponentes} a esa política.*

opresión s.f. **1** Molestia producida por algo que oprime o sensación parecida a ésta. **2** Limitación o privación de los derechos y de las libertades. ☐ ETIMOL. Del latín *oppressio.*

opresivo, va adj. Que oprime.

opresor, -a adj./s. Que oprime, somete o tiraniza, llegando incluso a privar de derechos y libertades.

oprimir v. **1** Apretar, hacer fuerza o ejercer presión: *Estos zapatos tan estrechos me oprimen los pies.* **2** Referido esp. a una persona, someterla o tiranizarla privándola de sus derechos y de sus libertades: *Las dictaduras oprimen a los ciudadanos.* ☐ ETIMOL. Del latín *opprimere*, y éste de *premere* (apretar).

oprobiar v. Causar oprobio o vergüenza y deshonra públicas: *No entiendo tu afán por oprobiar a todo el que te contradice.* ☐ ORTOGR. La *i* nunca lleva tilde.

oprobio s.m. Vergüenza o deshonra que se sufren públicamente. ☐ ETIMOL. Del latín *opprobrium*, y éste de *probrum* (torpeza, infamia).

oprobioso, sa adj. Que causa oprobio o provoca la vergüenza y la deshonra públicas.

optar v. **1** Decidirse por una posibilidad entre varias: *No sabía qué hacer y al final opté por ir al cine.* **2** Referido esp. a un empleo o a un puesto, aspirar a conseguirlos: *Esta atleta opta a uno de los mejores puestos de la clasificación.* ☐ ETIMOL. Del latín *op-*

tare (escoger, desear). ☐ MORF. Incorr. **opcionar.* ☐ SINT. **1.** Constr. de la acepción 1: *optar POR algo.* **2.** Constr. de la acepción 2: *optar A algo.*

optativo, va adj. **1** Que puede ser elegido: *asignaturas optativas.* **2** Que expresa deseo: *En el griego clásico existía el modo optativo.* ☐ ETIMOL. Del latín *optativus* (del deseo).

óptica s.f. Véase **óptico, ca.**

óptico, ca ∎ adj. **1** De la óptica o relacionado con esta parte de la física o con esta técnica: *aparato óptico.* ∎ s. **2** Persona que se dedica a la venta de objetos relacionados con la visión. **3** Persona especializada en trabajos relacionados con el estudio de las leyes y fenómenos de la luz o con la fabricación de instrumentos para mejorar la visión. ∎ s.f. **4** Parte de la física que estudia las leyes y los fenómenos de la luz. **[5** Técnica de fabricar instrumentos para mejorar la visión. **6** Establecimiento en el que se venden estos instrumentos. **7** Forma de considerar algo, esp. un asunto; punto de vista: *Desde esa óptica, el problema tendría fácil solución.* ☐ ETIMOL. Las acepciones 1-3, del griego *optikós*, y éste de *óps* (vista). Las acepciones 4-7, del griego *optiké.*

optimación s.f. →optimización.

optimar v. →optimizar.

optimismo s.m. Tendencia a ver y a juzgar las cosas teniendo en cuenta su aspecto más favorable.

optimista adj./s. Que tiende a ver o a juzgar las cosas con optimismo o del modo más favorable. ☐ MORF. **1.** Como adjetivo es invariable en género. **2.** Como sustantivo es de género común: *el optimista, la optimista.*

[optimización s.f. Logro de un resultado óptimo. ☐ USO Aunque la RAE sólo registra *optimación*, se usa más *'optimización'.*

optimizar v. Lograr un resultado óptimo; optimar: *La nueva dirección quiere optimizar la producción para obtener mayores beneficios.* ☐ ORTOGR. La *z* se cambia en *c* delante de *e* →CAZAR. ☐ USO Aunque la RAE prefiere *optimar*, se usa más *optimizar.*

óptimo, ma superlat. irreg. de **bueno.** ☐ ETIMOL. Del latín *optimus* (el mejor, excelente).

[optometría s.f. Medición de la agudeza visual para poder corregir los defectos de la visión.

opuesto, ta ∎ **1** part. irreg. de **oponer.** ∎ adj. **2** Enfrentado o contrario: *ideas opuestas.* **3** Referido a determinadas partes de una planta, que nacen unas enfrente de las otras o que están encontradas: *El olivo tiene hojas opuestas.*

opulencia s.f. Gran abundancia, riqueza o cantidad.

opulento, ta adj. Abundante o rico en algo, o sobrado de bienes. ☐ ETIMOL. Del latín *opulentus* (rico, poderoso).

[opus (latinismo) s.m. En música, obra o conjunto de obras con un número asignado que corresponde a su orden de catalogación dentro del conjunto de las composiciones de su compositor. ☐ MORF. Invariable en número.

oquedad s.f. En un cuerpo sólido, espacio que queda vacío: *Las cuevas son oquedades del terreno.* ☐ ETIMOL. De *hueco.*

ora conj. Enlace gramatical con valor distributivo y que, repetido, se usa para coordinar: *Ora presta atención, ora se entretiene, y así nunca aprenderá.* ☐ ETIMOL. Por acortamiento de *ahora.* ☐ ORTOGR.

Dist. de *hora*. ☐ USO Su uso es característico del lenguaje culto o escrito.

oración s.f. **1** En algunas religiones, ruego o súplica hechos a una divinidad o a un santo: *El padrenuestro y la salve son oraciones cristianas*. **2** En algunas religiones, elevación de la mente a una divinidad para alabarla o para suplicarle: *Los templos religiosos son lugares de oración*. **3** En lingüística, palabra o conjunto de palabras que tienen un sentido gramatical completo; proposición. **4** ‖ **(oración) completiva**; la subordinada sustantiva, esp. si funciona como objeto directo: *En la oración 'Quiero que vengas', 'que vengas' es una oración completiva*. ☐ ETIMOL. Del latín *oratio*.

oracional adj. De la oración gramatical o relacionado con ella: *estructura oracional*. ☐ MORF. Invariable en género.

oráculo s.m. **1** Mensaje o respuesta que una divinidad da a quienes la consultan. **2** Lugar, estatua o imagen que representan la divinidad a la que se pide esta respuesta. ☐ ETIMOL. Del latín *oraculum* (santuario).

orador, -a s. Persona que habla en público, esp. la que con sus palabras es capaz de persuadir y de conmover a los que la escuchan. ☐ ETIMOL. Del latín *orator* (el que habla).

oral adj. **1** Expresado con la palabra: *examen oral*. **2** De la boca o relacionado con ella: *vía oral*. **[3** En lingüística, referido a un sonido, que se articula dejando salir el aire totalmente por la boca: *La 'l' y la 'p' son consonantes 'orales'*. ☐ ETIMOL. Del latín *oralis*, y éste de *os* (boca). ☐ MORF. Invariable en género. ☐ SEM. En la acepción 3, dist. de *nasal* (parte del aire sale por la nariz).

orangután s.m. Mono robusto y de gran tamaño, sin rabo, de piel negra y pelaje rojizo, que tiene la cara alargada, las piernas cortas y los brazos muy largos, y se alimenta fundamentalmente de hojas y de frutos. ☐ ETIMOL. Del malayo *ôrang ûtan* (hombre salvaje). ☐ MORF. Es un sustantivo epiceno: *el orangután macho, el orangután hembra*. 🐾 primate

orar v. Dirigir oraciones a una divinidad, en voz alta o mentalmente: *El fraile oraba en la capilla. Oremos todos a Dios por la paz en el mundo*. ☐ ETIMOL. Del latín *orare* (rogar, solicitar).

orate s. Persona insensata o poco juiciosa. ☐ ETIMOL. Del catalán *orat*, y éste de *aura* (viento, aire). ☐ MORF. Es de género común: *el orate, la orate*.

oratoria s.f. Véase **oratorio, ria**.

oratorio, ria ▮ adj. **1** De la oratoria, de la elocuencia, del orador o relacionado con ellos. ▮ s.m. **2** Lugar destinado para retirarse a orar. **3** Composición musical de gran extensión, para coro, cantantes solistas y orquesta, de tema sagrado o profano, que se ejecuta sin escenificar. ▮ s.f. **4** Arte de hablar con elocuencia, o de persuadir y conmover por medio de las palabras. **5** Género literario formado por las obras escritas según este arte: *Discursos, sermones y panegíricos forman parte de la oratoria*. ☐ ETIMOL. La acepción 1, del latín *oratorius*. La acepción 2 y 3, del latín *oratorium*. La acepción 4 y 5, del latín *oratoria*.

orbe s.m. Conjunto de todo lo creado o existente. ☐ ETIMOL. Del latín *orbis* (círculo, disco). ☐ SEM. Es sinónimo de *cosmos, creación, mundo* y *universo*.

órbita s.f. **1** Trayectoria descrita por un cuerpo en su movimiento. **2** En anatomía, cuenca del ojo. **3** Espacio, ámbito o área de influencia: *Esos hechos entran ya en la órbita del derecho penal*. ☐ ETIMOL. Del latín *orbita* (carril, huella de un carro).

orca s.f. Mamífero marino con el lomo azul oscuro y el vientre blanco, aletas pectorales muy largas y la cabeza redondeada con veinte o veinticinco dientes en cada mandíbula. ☐ ETIMOL. Del latín *orca*. ☐ ORTOGR. Dist. de *horca*. ☐ MORF. Es un sustantivo epiceno: *la orca macho, la orca hembra*.

orco s.m. En la antigua Roma, lugar adonde iban a parar los muertos. ☐ ETIMOL. Del latín *orcus* (ultratumba). ☐ ORTOGR. Se admite también *horco*.

órdago s.m. **1** En el juego del mus, apuesta de todo lo que falta para ganar ese juego. **2** ‖ **de órdago**; *col.* Excelente o de calidad superior. ☐ ETIMOL. Del vasco *ordago* (ahí está).

ordalía s.f. En la época medieval, prueba o práctica a las que era sometido un acusado para averiguar su inocencia o su culpabilidad. ☐ ETIMOL. Del latín *ordalia*. ☐ MORF. Se usa más en plural.

orden ▮ s.m. **1** Colocación con determinado criterio de organización en el lugar apropiado o en el que corresponde: *orden alfabético*. **2** Concierto o buena disposición de las cosas entre sí o de las partes que forman un todo: *Tienes que poner orden en tus ideas*. **3** Serie, sucesión o clase de las cosas: *Aunque es de otro orden de cosas, os contaré una anécdota. Hizo un trabajo de primer orden*. **4** En la iglesia católica, sacramento por el cual son instituidos los sacerdotes y los ministros del culto; orden sacerdotal. **5** En arquitectura, forma, disposición y proporción de los cuerpos principales que componen un edificio según un modelo establecido. **6** En determinadas épocas, grupo o categoría social: *Los órdenes más prestigiosos de la antigua Roma eran el senatorial y el ecuestre*. **7** En biología, en la clasificación de los seres vivos, categoría superior a la de familia e inferior a la de clase. **8** En matemáticas, calificación que se da a una función o a una gráfica según el grado de la ecuación que la representa: *'3x + 2 = 0' es una ecuación de primer orden*. ▮ s.f. **9** Mandato que se debe obedecer, observar y ejecutar. **10** Instituto religioso aprobado por el Papa y cuyos individuos viven bajo las reglas establecidas por su fundador o por sus reformadores: *orden de Carmelo*. **11** Organización civil o militar creada para premiar con condecoraciones los méritos de una persona: *orden de Santiago*. **12** En la iglesia católica, cada uno de los grados del sacramento que van recibiendo sucesivamente los que van a ser sacerdotes: *Las órdenes sagradas actuales son tres: diácono, presbítero y sacerdote*. **13** ‖ **a la orden**; expresión que se usa para manifestar respeto u obediencia a otra persona, esp. en el lenguaje militar. ‖ **del orden de**; seguido de una expresión de cantidad, indica que ésta es más o menos lo que expresa: *Este autobús tarda en llegar del orden de unos diez minutos*. ‖ **estar a la orden del día**; estar de moda o ser habitual. ‖ **llamar al orden** a alguien; reprenderlo o advertirlo para que cambie de actitud o comportamiento. ‖ **(orden) compuesto**; el que tiene el capitel adornado con volutas jónicas y con hojas corintias. ‖ **(orden) corintio**; el que tiene el capitel adornado con dos filas de hojas de acanto y con una voluta en cada ángulo. ‖ **orden del día**; determinación de lo que se ha de hacer o tratar durante el día: *Un asunto del orden* *del día en la junta de vecinos es la reforma del portal.* ‖ **(orden) dórico**; el que tiene la columna sencilla, sin basa y con el fuste estriado, el capitel sin decoración y el friso adornado con triglifos y metopas. ‖ **(orden) jónico**; el que tiene la columna sobre una basa y el fuste acanalado, el capitel con volutas y el friso corrido. ‖ **orden público**; situación y estado de legalidad normal en los que los ciudadanos respetan y obedecen sin protesta lo establecido por las autoridades: *Los detuvieron por alteración del orden público.* ‖ **(orden) toscano**; el que tiene la columna con basa y el fuste liso. □ ETIMOL. Del latín *ordo.* □ MORF. 1. En las acepciones 1, 2, 3 y 12, la RAE lo registra como sustantivo de género ambiguo. 2. La acepción 12 se usa más en plural. □ SEM. En las acepciones 1 y 2, es sinónimo de *ordenación.*

ordenación s.f. **1** →orden. **2** En el cristianismo, administración del sacramento del orden a una persona para consagrarla o convertirla en sacerdote.

ordenado, da ∎ adj. **1** Referido a una persona, que guarda orden y método en sus acciones y en sus cosas. ∎ s.f. **2** En matemáticas, en un sistema de coordenadas, línea o eje verticales.

ordenador s.m. Máquina capaz de efectuar un tratamiento automático de la información, realizando operaciones aritméticas y lógicas con gran rapidez bajo el control de un programa previamente cargado. □ ETIMOL. Del francés *ordinateur.*

ordenamiento s.m. Breve código de leyes o de normas que regulan alguna actividad o materia: *ordenamiento jurídico.*

ordenancista adj./s. Que cumple o hace cumplir rigurosamente las normas o reglas. □ MORF. 1. Como adjetivo es invariable en género. 2. Como sustantivo es de género común: *el ordenancista, la ordenancista* 3. La RAE sólo lo registra como adjetivo. □ USO Tiene un matiz despectivo.

ordenanza ∎ s. **1** En una oficina, persona cuyo trabajo consiste en hacer recados, recoger el correo, hacer fotocopias y realizar otros cometidos no especializados. ∎ s.m. **2** En el ejército, soldado que está a las órdenes de un oficial o de un jefe para los asuntos del servicio. ∎ s.f. **3** Conjunto de preceptos o de normas que regulan una materia, una comunidad o una ciudad: *ordenanzas municipales.* □ ETIMOL. De *ordenar.* □ MORF. 1. En la acepción 1, aunque la RAE sólo lo registra como masculino, en la lengua actual es de género común: *el ordenanza, la ordenanza.* 2. La acepción 3 se usa más en plural.

ordenar v. **1** Poner en el lugar apropiado, en el lugar que corresponde o de una forma organizada: *Haz el favor de ordenar tus cosas.* **2** Referido a una acción, exigir su realización o decir con autoridad que se haga: *La policía le ordenó detener el coche y aparcar en el arcén.* **3** Referido a una persona, conferirle las órdenes sagradas: *El obispo ordenará hoy a tres seminaristas. Mi hermano se ordenará sacerdote el próximo sábado.* □ ETIMOL. Del latín *ordinare.*

ordeñar v. Referido a un animal hembra, extraerle la leche exprimiendo la ubre: *En esta granja se ordeñan las vacas con procedimientos mecánicos.* □ ETIMOL. Del latín **ordinare* (arreglar), porque para los pastores dejar los animales ordeñados era el arreglo más importante de todos.

ordeño s.m. Extracción de la leche de la ubre.

ordinal ∎ adj. **1** Que expresa la idea de orden o sucesión: *Primero, segundo y tercero son numerales ordinales.* ∎ s.m. **2** →número ordinal. □ MORF. 1. Como adjetivo es invariable en género. 2. En la acepción 2, la RAE sólo lo registra como adjetivo.

ordinariez s.f. **1** Falta de educación o de cortesía. **2** Hecho o dicho ordinarios, vulgares o groseros. □ ETIMOL. De *ordinario.*

ordinario, ria ∎ adj. **1** Común, corriente o que ocurre habitualmente. **2** Que no destaca ni por ser bueno ni por ser malo. **3** Referido a un juez o a un tribunal, que es de la justicia civil. **4** Referido al correo, que se diferencia del exprés, del certificado, del aéreo y del urgente. ∎ adj./s. **5** Referido a una persona, que es basta, vulgar o grosera. **6** ‖ **de ordinario**; comúnmente, con frecuencia o muchas veces: *De ordinario paso por aquí al salir del trabajo.* □ ETIMOL. Del latín *ordinarius.* □ MORF. En la acepción 5, la RAE sólo lo registra como adjetivo.

ordovícico, ca ∎ adj. **1** En geología, del segundo período de la era primaria o paleozoica, o de los terrenos que se formaron en él. ∎ adj./s.m. **2** En geología, referido a un período, que es el segundo de la era primaria o paleozoica. □ ETIMOL. De *Ordovices,* antigua tribu del norte de Gales.

orea, oréada u **oréade** s.f. En la mitología grecolatina, ninfa o divinidad menor que residía en los bosques y montes. □ ETIMOL. Del latín *oreas,* y éste del griego *oreiás* (que vive en los montes).

orear ∎ v. **1** Referido esp. a un lugar o a un tejido, refrescarlos, quitarles la humedad o el olor por medio de la acción del aire: *Por las mañanas abro las ventanas para orear la habitación. Tiende fuera la manta para que se oree.* ∎ prnl. **2** Referido a una persona, salir a tomar el aire: *Llevo tres horas estudiando, así que voy a salir un rato para orearme.* □ ETIMOL. Del latín *aura* (aire).

orégano s.m. Planta herbácea aromática, con tallos verdosos y flores purpúreas o rosadas en espiga, muy empleada como condimento. □ ETIMOL. Del latín *origanum.*

oreja s.f. **1** En una persona y en algunos animales, cartílago que forma la parte externa del órgano de la audición. ⚕ carne **2** Pieza parecida a este cartílago que forma parte de un objeto: *sillón de orejas.* **3** ‖ **aplastar/planchar la oreja**; col. Dormir. ‖ **con las orejas {caídas/gachas}**; col. Con tristeza y sin haber conseguido lo que se deseaba. ‖ **[oreja de soplillo**; col. La que está muy separada de la cabeza. ‖ **ver las orejas al lobo**; hallarse en gran riesgo o darse cuenta de un peligro próximo: *El infarto que sufrió le hizo ver las orejas al lobo, y ahora hace vida más sana.* □ ETIMOL. Del latín *auricula.*

orejera s.f. Cada una de las dos piezas con que se cubren las orejas para protegerlas, esp. del frío. □ MORF. Se usa más en plural. ⚕ sombrero

orejón ∎ adj./s. **1** →orejudo. ∎ s.m. **2** Trozo de fruta, esp. de melocotón, secado al aire o al sol. □ MORF. En la acepción 1, la RAE sólo lo registra como adjetivo.

orejudo, da adj./s. Que tiene las orejas grandes y largas; orejón. □ MORF. La RAE sólo lo registra como adjetivo.

orensano, na adj./s. De Orense o relacionado con esta provincia gallega o con su capital.

oreo s.m. **1** Exposición de algo al aire: *Estas sábanas necesitan un oreo para que se les quite el olor.*

2 Salida al aire libre para refrescarse o respirar mejor: *Cuando acabe esto me daré un oreo.* □ ETIMOL. De *orear*.

orfanato s.m. Institución que recoge a huérfanos y que se ocupa de ellos. □ ETIMOL. Del latín *orphanus* (huérfano). □ USO Es innecesario el uso de *orfelinato*.

orfandad s.f. Estado o situación del niño que no tiene padre o madre, o ninguno de los dos, porque han muerto.

orfebre s. Persona que se dedica a labrar objetos artísticos de metales preciosos o de sus aleaciones, esp. si ésta es su profesión. □ ETIMOL. Del francés *orfèvre*, y éste del latín *aurifaber* (metalúrgico de oro). □ MORF. Es de género común: *el orfebre, la orfebre*.

orfebrería s.f. Arte y técnica de labrar objetos artísticos en metales preciosos.

[orfelinato s.m. →**orfanato**. □ ETIMOL. Del francés *orphelinat*. □ USO Su uso es innecesario.

orfeón s.m. Agrupación musical de personas que cantan en coro sin acompañamiento instrumental; coral. □ ETIMOL. Del francés *orphéon*, y éste de *Orfeo* (músico de la mitología griega).

organdí s.m. Tela de algodón muy fina y transparente. □ ETIMOL. Del francés *organdi*. □ MORF. Aunque su plural en la lengua culta es *organdíes*, se usa mucho *organdís*. □ USO Aunque la RAE sólo registra *organdí*, se usa mucho *organza*.

orgánico, ca adj. **1** Referido a un cuerpo, que tiene vida o aptitud para ella: *Las plantas y los animales son seres orgánicos.* **2** De los órganos, formado por ellos o relacionado con ellos: *tejido orgánico.* **3** En química, referido a un compuesto de origen no mineral, que tiene el carbono como elemento constante. **4** Que tiene armonía y consonancia: *Un colegio ha de ser un todo orgánico en el que las materias se impartan de forma coordinada.* □ ETIMOL. Del latín *organicus*.

organigrama s.m. Esquema gráfico de la organización de una entidad, de una empresa o de una actividad. □ ETIMOL. De *organización* y *-grama* (representación).

organillero, ra s. Persona que se dedica a tocar el organillo, esp. si ésta es su profesión.

organillo s.m. Instrumento musical con forma de órgano o de piano pequeño, generalmente portátil, y con un mecanismo interior formado por un cilindro con púas que, al hacerse girar mediante una manivela, levanta unas láminas metálicas y las hace sonar. 🎵 cuerda

organismo s.m. **1** Conjunto de órganos de un cuerpo animal o vegetal y de las leyes por las que se rigen: *El organismo necesita una alimentación equilibrada.* **2** Ser vivo. **3** Institución, cuerpo o asociación organizados que realizan una función o un trabajo determinado: *organismo internacional.* □ ETIMOL. Del inglés *organism*.

organista s. Músico que toca el órgano. □ MORF. Es de género común: *el organista, la organista*.

organización s.f. **1** Disposición, estructuración, arreglo u orden. **2** Conjunto de personas pertenecientes a un grupo o asociación organizados: *organización benéfica.* **3** Disposición de los órganos de la vida, o manera de estar organizado el cuerpo animal o vegetal.

organizador, -a adj./s. Que organiza.

organizar ▌ v. **1** Establecer, estructurar o reformar para lograr un fin, esp. si es coordinando los medios y las personas adecuadas: *El nuevo jefe organizó el trabajo para obtener un mejor rendimiento.* **2** Poner en orden: *Estoy organizando el archivo.* **3** Preparar todo lo necesario para algo: *¿Quién se encargó de organizar esta fiesta tan maravillosa?* **4** Referido a un conjunto de personas, disponerlo y prepararlo para lograr un fin determinado: *La profesora de educación física organizó a los muchachos en dos equipos para jugar al fútbol. Nada más saberse la noticia, se organizó una patrulla de salvamento.* **[5** Hacer, causar o producir: *Cuando leyó las notas, los muchachos 'organizaron' un enorme alboroto.* ▌ prnl. **[6** Referido a una persona, ordenarse su tiempo y sus asuntos: *¿Cómo 'te organizas' para poder estudiar, trabajar y cuidar a los hijos cada día?* □ ORTOGR. La *z* se cambia en *c* delante de *e* →CAZAR.

[organizativo, va adj. col. Que sirve para organizar o preparar algo de acuerdo con un orden, un plan o un proyecto previos.

órgano s.m. **1** En anatomía, cada una de las partes del cuerpo animal o vegetal que ejercen una función específica: *El corazón, el hígado y el oído son órganos de las personas y de algunos animales.* **2** En música, instrumento de viento compuesto por uno o más teclados, varios pedales y tubos de diferentes tamaños en los que se produce el sonido. 🎵 viento **3** Lo que sirve de instrumento o de medio para la realización de algo: *órgano consultivo.* **[4** Cactus gigante americano que tiene el tallo recto y que llega a tener hasta diez metros de altura. **[5** vulg. →**pene**. □ ETIMOL. Del latín *organum* (herramienta, instrumento musical).

orgánulo s.m. En una célula, parte o estructura que desempeña una función concreta: *Los ribosomas de una célula son orgánulos.*

[organza s.f. →**organdí**.

orgasmo s.m. Culminación del placer sexual. □ ETIMOL. Del griego *orgáo* (yo deseo ardientemente).

orgía s.f. **1** Fiesta en la que se come y se bebe con exageración, y se cometen otros excesos, generalmente sexuales. **2** Desenfreno en la satisfacción de los deseos y de las pasiones. □ ETIMOL. Del francés *orgie* (juerga).

orgiástico, ca adj. De la orgía o relacionado con ella: *fiesta orgiástica.*

orgullo s.m. **1** Exceso de estimación propia o sentimiento que hace que una persona se considere superior a las demás: *Su orgullo le impide pedir perdón.* **2** Satisfacción grande que siente una persona por algo propio que considera muy bueno o digno de mérito: *Enseñaba con orgullo la foto de sus nietos.* **3** Amor propio, valoración y estima que se tiene uno mismo, esp. como merecedora de un mínimo respeto o consideración: *No le ofrecí dinero para no herir su orgullo.* □ ETIMOL. Del catalán *orgull*.

orgulloso, sa adj./s. Que tiene o que siente orgullo. □ SINT. Constr. *orgulloso DE algo*.

[oribi o **[oribí** s.m. Mamífero de pelaje rojizo, cuello largo y cuernos cortos, parecido al antílope. □ MORF. 1. Es un sustantivo epiceno: *el {'oribi'/'oribí'} macho, el {'oribi'/'oribí'} hembra.* 2. Aunque el plural de *oribí* en la lengua culta es *oribíes*, la RAE admite también *oribís*. □ USO *Oribi* es el término menos usual.

orientación s.f. **1** Posición o dirección de una cosa respecto a un punto cardinal: *El salón de mi casa tiene orientación Este, y le da el sol por las mañanas.* **2** Colocación en una posición determinada: *Han cambiado la orientación de la antena parabólica y ahora vemos otras cadenas.* **3** Información o consejo sobre algo cuyo conocimiento se considera necesario para saber desenvolverse en un asunto: *En mi colegio hay un gabinete de orientación escolar.* **4** Tendencia o dirección hacia un punto determinado: *Este partido es de orientación conservadora.* **5** Determinación de la posición o de la dirección: *Los animales tienen un gran sentido de la orientación.*

orientador, -a adj./s. Que orienta.

oriental ▮ adj. **1** Del Oriente o relacionado con este punto cardinal. ▮ adj./s. **2** Del continente asiático y de las regiones europeas y africanas inmediatas a él, o relacionado con estos territorios. ☐ MORF. 1. Como adjetivo es invariable en género. 2. Como sustantivo es de género común: *el oriental, la oriental.*

orientalismo s.m. **1** Estudio de la lengua, la literatura y la cultura orientales. **2** Gusto o inclinación por la cultura oriental. **3** Conjunto de rasgos o de características que se consideran propios de la cultura oriental.

orientalista ▮ adj. **1** Del orientalismo o relacionado con él: *estética orientalista.* ▮ adj./s. **2** Referido a una persona, que está especializada en el estudio de la lengua y la cultura orientales. ☐ MORF. 1. Como adjetivo es invariable en género. 2. Como sustantivo es de género común: *el orientalista, la orientalista.*

orientar v. **1** Colocar en una posición dirigida hacia un punto cardinal: *Esta casa está orientada hacia el Norte.* **2** Determinar la posición o la dirección respecto a un punto cardinal o a un lugar: *La brújula me orienta. Los marinos se orientan siguiendo las estrellas.* **3** Referido a una persona, informarla de lo que ignora o desea saber, para ayudarla a desenvolverse: *¿Podría orientarme usted sobre los cursos que se imparten aquí?* **4** Dirigir o encaminar hacia un fin o un lugar determinados: *Orientó su vida hacia la ciencia y se convirtió en un gran investigador. El partido se orientó hacia posiciones más conservadoras.* ☐ ETIMOL. De oriente.

oriente s.m. **1** Este. **2** Conjunto de los países asiáticos y de las regiones europeas y africanas inmediatas al continente asiático. **3** En una perla, brillo especial. ☐ ETIMOL. Del latín *oriens* (que está saliendo). ☐ MORF. En la acepción 1, referido al punto cardinal, la RAE lo registra como nombre propio. ☐ SINT. En la acepción 1, se usa mucho en aposición, pospuesto a un sustantivo: *Iniciamos el viaje con rumbo oriente.* ☐ USO En las acepciones 1 y 2, se usa más como nombre propio.

orificio s.m. **1** Agujero, abertura o boca. **2** Abertura de algunos conductos del cuerpo que los comunica con el exterior: *orificios nasales.* ☐ ETIMOL. Del latín *orificium* (boca, abertura).

origen s.m. **1** Principio, nacimiento o primer momento de existencia: *En su origen, esta empresa sólo contaba con el capital de los dos socios. Vivo en Madrid, pero Vigo es mi ciudad de origen.* **2** Procedencia o lugar en el que se produjo ese principio o nacimiento: *La policía localizó el origen de la llamada.* **3** Causa o motivo desencadenantes: *Se cree que el* origen de la epidemia está en un virus. **4** Ascendencia o grupo social del que se procede: *Cuando se enriqueció, renegó de sus orígenes humildes.* **5** En matemáticas, en un sistema de coordenadas, punto de intersección de los ejes: *El origen se toma como punto cero de las líneas.* ☐ ETIMOL. Del latín *origo*, y éste de *oriri* (salir los astros, ser oriundo).

original ▮ adj. **1** Del origen o relacionado con él: *sentido original.* **2** Raro o distinto de lo usual o de lo que se considera normal. ▮ adj./s.m. **3** Referido a una obra artística, que es la producida directamente por su autor, y no una reproducción. **4** Referido a un texto escrito, que no es copia o reproducción de otro, o que se utiliza para obtener copias o reproducciones suyas. ▮ s.m. **5** Texto de una obra que se entrega a la imprenta para su impresión. **6** Lo que sirve de modelo para una reproducción, esp. para un retrato artístico. ☐ ETIMOL. Del latín *originalis.* ☐ MORF. Como adjetivo es invariable en género.

originalidad s.f. **1** Carácter novedoso o distinto que presenta todo aquello que se aparta de lo común o de lo que se considera normal. **2** Hecho o dicho originales.

originar v. Referido a un hecho, causarlo o dar lugar a que se inicie: *La lluvia originó un gran embotellamiento en la carretera. El incendio se originó en el sótano.* ☐ ETIMOL. De origen.

originario, ria adj. Que procede de donde se indica o que tuvo su origen allí; oriundo: *Este queso es originario de La Mancha.* ☐ SINT. Constr. *originario DE un lugar.*

orilla s.f. **1** Borde o límite de una superficie, esp. el que hay entre una extensión de tierra y otra de agua: *Fuimos andando hasta la orilla misma del mar. En la orilla del camino han nacido muchas flores.* **2** Franja o zona contiguas a este borde: *Acampamos en la orilla derecha del río.* ☐ ETIMOL. Del latín *ora* (borde, término).

orillar v. **1** Arrimar a la orilla: *El policía me ordenó orillar el coche al borde del camino.* [**2** Referido esp. a un obstáculo, evitarlo o dejarlo de lado: *'Orilla' todas esas discusiones inútiles y céntrate en tu trabajo.* **3** Referido a una tela, reforzar o proteger su orilla con un remate: *Orillé la tela con puntadas largas para que no se deshilachase.*

orín s.m. **1** Capa rojiza de óxido que se forma en la superficie del hierro por efecto de la humedad. **2** →**orina.** ☐ ETIMOL. La acepción 1, del latín *aurigo* (roya de los cereales, ictericia). ☐ MORF. La acepción 2 se usa más en plural.

orina s.f. Líquido amarillento que se produce en los riñones de los mamíferos con los residuos del filtrado y la depuración de la sangre, y que se expulsa al exterior por la uretra; orín. ☐ ETIMOL. Del latín *urina.*

orinal s.m. Recipiente portátil para defecar u orinar.

orinar ▮ v. **1** Expulsar orina del cuerpo de forma natural: *Ha ido al retrete a orinar.* **2** Referido a un líquido del organismo distinto de la orina, expulsarlo por la uretra mezclado con la orina: *Fue al médico porque orinaba sangre.* ▮ prnl. **3** Expulsar orina de forma involuntaria y sin poderlo controlar: *Se orina a cada momento porque tiene una enfermedad de la vejiga.*

oriol s.m. Pájaro de plumaje amarillo, con alas, cola, pico y patas negros en los machos adultos, que hace el nido colgándolo de las ramas horizontales de los árboles de forma que se mueva con el viento; oropéndola: *La hembra del oriol tiene el plumaje verdoso.* ☐ ETIMOL. Del catalán *oriol*, y éste del latín *aureolus* (oropéndola). ☐ MORF. Es un sustantivo epiceno: *el oriol macho, el oriol hembra*.

oriundo, da adj. Que procede de donde se indica o que tuvo su origen allí; originario: *Es oriundo de Asturias porque nació en Gijón.* ☐ ETIMOL. Del latín *oriundus*. ☐ SINT. Constr. *oriundo DE un lugar*.

[órix s.m. Mamífero rumiante y de gran robustez, que tiene el pelaje generalmente de color castaño, la cola larga con un mechón en su extremo y en la cabeza grandes cuernos curvados hacia atrás. ☐ MORF. 1. Es sustantivo epiceno: *el 'órix' macho, el 'órix' hembra*. 2. Invariable en número. ☐ USO Se usa también *óryx*.

orla s.f. 1 En una superficie, esp. en una tela o en una hoja de papel, tira o franja que adorna sus bordes. 2 Lámina en la que se agrupan las fotografías de los alumnos de una misma promoción académica o profesional cuando terminan sus estudios y obtienen el título correspondiente. ☐ ETIMOL. Del latín **orula* (bordecillo).

orlar v. 1 Adornar con orlas: *Me gusta orlar los puños de las camisas con cintas de encaje.* [2 Rodear adornando, o servir de orla: *Una serie de motivos florales 'orlaban' el retrato de la poetisa.*

ornamentación s.f. 1 Colocación de adornos para embellecer: *Un famoso decorador se encargó de la ornamentación de la sala.* 2 Conjunto de elementos artísticos o decorativos que adornan o embellecen: *La ornamentación de los monasterios románicos es sencilla.*

ornamental adj. 1 De la ornamentación, del adorno o relacionado con ellos. [2 Que carece de utilidad, de función o de valor prácticos. ☐ MORF. Invariable en género.

ornamentar v. Poner adornos para embellecer; adornar, ornar: *Ornamentó el palacio con lujosos cortinajes de seda y alfombras persas.*

ornamento ▌ s.m. 1 Adorno o conjunto de adornos que sirven para embellecer algo o hacerlo más vistoso. ▌ pl. 2 Vestiduras sagradas que se pone el sacerdote para celebrar una ceremonia religiosa. ☐ ETIMOL. Del latín *ornamentum*.

ornar v. 1 Poner adornos para embellecer; ornamentar: *Suele ornar sus relatos con digresiones sobre costumbres orientales.* 2 Servir de adorno: *Unas estatuas de mármol ornan la escalinata del palacio.* 3 Referido esp. a una persona, dotarla de cualidades positivas: *Érase una vez una princesa que había sido ornada con muchas virtudes.* ☐ ETIMOL. Del latín *ornare* (adornar, preparar, aderezar). ☐ SEM. Es sinónimo de *adornar*.

ornato s.m. Adorno, ornamento o conjunto de ellos, esp. si son lujosos. ☐ ETIMOL. Del latín *ornatus*.

ornitología s.f. Parte de la zoología que estudia las aves. ☐ ETIMOL. Del griego *órnis* (ave) y *-logía* (ciencia, estudio).

ornitológico, ca adj. De la ornitología o relacionado con esta parte de la zoología.

ornitólogo, ga s. Persona que se dedica profesionalmente al estudio de las aves o que está especializada en ornitología.

ornitomancia u **ornitomancía** s.f. Adivinación a través de la interpretación del vuelo y del canto de las aves. ☐ ETIMOL. Del griego *órnis* (ave) y *-mancia* o *-mancía* (adivinación). ☐ USO *Ornitomancía* es el término menos usual.

ornitorrinco s.m. Mamífero primitivo australiano, con la cabeza casi redonda y provista de unas mandíbulas córneas y ensanchadas semejantes a las del pato, con el cuerpo aplanado y cubierto de un pelaje gris muy fino, y con patas terminadas en pies palmeados y adaptadas al medio acuático. ☐ ETIMOL. Del griego *órnis* (ave) y *rýnkhos* (pico). ☐ MORF. Es un sustantivo epiceno: *el ornitorrinco macho, el ornitorrinco hembra*.

oro ▌ s.m. 1 Elemento químico, metálico y sólido, de número atómico 79, pesado, fácilmente deformable y de color amarillo brillante: *una sortija de oro.* 2 Conjunto de joyas o de objetos fabricados con ese metal. 3 Medalla hecha con ese metal, que se otorga al primer clasificado: *Consiguió el oro en el campeonato.* 4 Riqueza o dinero. 5 En la baraja española, carta del palo que se representa con una o varias monedas de oro. ⬧ baraja 6 Color amarillo brillante. ▌ pl. 7 En la baraja española, palo que se representa con una o varias monedas de oro. ⬧ baraja 8 ‖ **como oro en paño**; referido a la forma de tratar algo, con el extraordinario cuidado que corresponde al aprecio que se le tiene: *Guarda sus trofeos deportivos como oro en paño.* ‖ **de oro**; 1 Extraordinariamente bueno o valioso: *una ocasión de oro.* 2 Referido a una época, que es la de mayor esplendor: *La juventud es la edad de oro de una persona.* ‖ **el oro y el moro**; col. Expresión que se usa para exagerar las dimensiones o la cantidad de lo que se ofrece o de lo que se pide: *Me prometió el oro y el moro, pero luego todo quedó en nada.* ‖ **hacerse de oro**; enriquecerse mucho. ‖ **oro negro**; col. Petróleo. ☐ ETIMOL. Del latín *aurum*. ☐ ORTOGR. En la acepción 1, su símbolo químico es *Au*. ☐ SINT. 1. En la acepción 6 se usa más en aposición, pospuesto a un sustantivo. 2. La expresión *el oro y el moro* se usa más con los verbos *prometer*, *ofrecer* o equivalentes. ☐ USO En la acepción 5, *un oro* designa cualquier carta de oros, y *el oro* designa al as.

orogénesis s.f. [Generación de relieve, en forma de montañas, que se produce como consecuencia de los plegamientos y movimientos tectónicos de la corteza terrestre. ☐ MORF. Invariable en número. ☐ SEM. Aunque la RAE la considera sinónimo de *orogenia*, en círculos especializados no lo es.

orogenia s.f. 1 Parte de la geología que estudia la formación de las montañas. [2 Conjunto de movimientos tectónicos que han producido alteraciones de la corteza terrestre y han originado formaciones montañosas. ☐ ETIMOL. Del griego *óros* (montaña) y *génos* (origen). ☐ SEM. Aunque la RAE lo considera sinónimo de *orogénesis*, en círculos especializados no lo es.

orogénico, ca adj. De la orogenia o relacionado con esta parte de la geología: *movimientos orogénicos*.

orografía s.f. 1 Parte de la geografía física que estudia el relieve terrestre. 2 Conjunto de montes que forman el relieve de un lugar. ☐ ETIMOL. Del griego *óros* (montaña) y *-grafía* (representación gráfica).

orondo, da adj. 1 col. Grueso o gordo. 2 col. Orgulloso de sí mismo o lleno de presunción. ☐ ETIMOL. De origen incierto.

oropel s.m. Lámina muy fina de latón que imita al oro. ☐ ETIMOL. Del francés *oripel*, y éste del latín *aurea pellis* (piel de oro).

oropéndola s.f. Pájaro de plumaje amarillo, con alas, cola, pico y patas negros en los machos adultos, que hace el nido colgándolo de las ramas horizontales de los árboles de forma que se mueva con el viento; oriol. ☐ ETIMOL. Del latín *aurus* (dorado) y *péndola* (pluma), por su plumaje dorado. ☐ MORF. Es un sustantivo epiceno: *la oropéndola macho, la oropéndola hembra*. ☐ SEM. Dist. de *escolopendra* (especie de gusano).

orozuz s.m. Planta herbácea con tallos casi leñosos, hojas puntiagudas, flores pequeñas y azuladas, que suele crecer en la orilla de los ríos y cuya raíz produce un jugo dulce que se utiliza en medicina; paloduz, regaliz. ☐ ETIMOL. Del árabe *'uruq sus* (raíces de regaliz).

orquesta s.f. **1** Conjunto de músicos que toca bajo las órdenes de un director, esp. referido al conjunto con una sección de instrumentos de cuerda, otra de viento y otra de percusión. **2** En un teatro, lugar destinado para los músicos, generalmente entre el patio de butacas y el escenario. **3** ‖ **[orquesta de cámara**; la formada por un número reducido de músicos, que generalmente no sobrepasa los cuarenta. ☐ ETIMOL. Del latín *orchestra*, y éste del griego *orkhéstra* (estrado donde se colocaba el coro o donde tocaban los músicos, situado entre el escenario y los espectadores).

orquestación s.f. [**1** Arte de componer o de arreglar música para que pueda ser interpretada por una orquesta, combinando y distribuyendo las voces y partes de la partitura entre los distintos instrumentos. **2** Preparación o arreglo de una composición musical según este arte.

orquestal adj. De la orquesta o relacionado con ella. ☐ MORF. Invariable en género.

orquestar v. **1** Referido a una composición musical, prepararla o arreglarla para que pueda ser interpretada por una orquesta: *Esta compositora ha orquestado muchas canciones populares.* [**2** Referido esp. a una actividad, organizarla o dirigirla: *'Orquestaron' una gran campaña publicitaria para lanzar un nuevo producto al mercado.*

orquestina s.f. Orquesta formada por pocos y variados instrumentos, que generalmente ejecuta música bailable.

orquidáceo, a ▌ adj./s.f. **1** Referido a una planta, que se caracteriza por tener hojas envainadoras que nacen de la raíz, flores de formas y colores extraños, y raíz con dos tubérculos simétricos; orquídeo: *La vainilla es una orquidácea.* ▌ s.f.pl. **2** En botánica, familia de estas plantas, perteneciente a la clase de las monocotiledóneas. ☐ ETIMOL. De *Orchis* (nombre de un género de plantas).

orquídeo, a ▌ adj./s.f. **1** Referido a una planta, que se caracteriza por tener hojas envainadoras que nacen de la raíz, flores de formas y colores extraños, y raíz con dos tubérculos simétricos; orquidáceo. ▌ s.f. **2** Flor de esta planta. ☐ ETIMOL. La acepción 1, del griego *órkhis* (testículo). La acepción 2, del griego *orklúdion* (planta con dos tubérculos), y éste de *órkhis* (testículo).

orquitis s.f. Inflamación de un testículo. ☐ ETIMOL. Del griego *órkhis* (testículo) e *-itis* (inflamación). ☐ MORF. Invariable en número.

[orsay s.m. →**fuera de juego.** ☐ ETIMOL. Del inglés *offside*. ☐ PRON. [órsay]. ☐ USO Su uso es innecesario.

ortiga s.f. **1** Planta herbácea con pequeñas flores verdosas y hojas ovaladas con el borde dentado y cubiertas de pelos que segregan una sustancia que produce irritación en la piel. **2** ‖ **ortiga de mar**; en algunas regiones, medusa. ☐ ETIMOL. Del latín *urtica*.

orto s.m. Salida o aparición del Sol o de otro astro por el horizonte. ☐ ETIMOL. Del latín *ortus*.

orto- Elemento compositivo que significa 'recto' o 'correcto': *ortogonal, ortografía*. ☐ ETIMOL. Del griego *orthós*.

[ortocentro s.m. En un triángulo, punto en el que se cortan las alturas. ☐ ETIMOL. Del griego *orthós* (recto, derecho, justo) y *centro*.

ortodoncia s.f. **1** Parte de la odontología que se ocupa de la corrección de las malformaciones y de los defectos de la dentadura. **2** Tratamiento y corrección de las malformaciones y de los defectos de la dentadura. ☐ ETIMOL. Del griego *orthós* (recto) y *odús* (diente).

[ortodoncista s. Persona especializada en ortodoncia. ☐ MORF. Es de género común: *el 'ortodoncista', la 'ortodoncista'.*

ortodoxia s.f. **1** Conformidad con los principios de una doctrina, de una ideología o de una determinada forma de pensar. **2** Conformidad con el dogma católico. **3** Conjunto de las iglesias cristianas orientales separadas de Roma.

ortodoxo, xa ▌ adj. **1** Referido a alguna de las iglesias cristianas, que se separó en el siglo XI de la iglesia católica romana siguiendo al patriarca de Constantinopla. ▌ adj./s. **2** Conforme con los principios de una doctrina, de una ideología o de una determinada forma de pensar. **3** Conforme con el dogma católico. **4** Partidario o seguidor de las religiones orientales separadas de Roma. ☐ ETIMOL. Del latín *ortodoxus*, y éste del griego *orthós* (recto) y *dóxa* (opinión, creencia).

[ortoedro s.m. Prisma recto de base rectangular. ☐ ETIMOL. Del griego *orthós* (recto) y *-edro* (cara).

ortofonía s.f. Corrección de los defectos de la voz y de la pronunciación. ☐ ETIMOL. Del griego *orthós* (recto) y *phoné* (voz).

ortogonal adj. Que está en ángulo recto o que lo forma. ☐ ETIMOL. Del griego *orthós* (recto) y *gonía* (ángulo). ☐ MORF. Invariable en género.

ortografía s.f. **1** Parte de la gramática que da normas para el empleo correcto de las letras y de los signos auxiliares de la escritura. **2** Escritura correcta de las palabras de una lengua, de acuerdo con estas normas: *faltas de ortografía.* ☐ ETIMOL. Del griego *orthographía*, y éste de *orthós* (recto) y *grápho* (yo escribo).

ortográfico, ca adj. De la ortografía o relacionado con ella: *reglas ortográficas.*

ortología s.f. [Parte de la gramática que establece las normas necesarias para la correcta pronunciación de los sonidos de una lengua. ☐ ETIMOL. Del griego *orthología*, y éste de *orthós* (recto) y *lógos* (lenguaje).

ortopeda s. Persona especializada en ortopedia; ortopedista. ☐ MORF. Es de género común: *el ortopeda, la ortopeda.*

ortopedia s.f. Técnica que permite corregir y evitar las deformaciones físicas por medio de aparatos o de ejercicios corporales. ☐ ETIMOL. Del griego *orthós* (recto) y *paidéia* (educación).

ortopédico, ca adj. De la ortopedia o relacionado con esta técnica: *pierna ortopédica.*

ortopedista s. → **ortopeda**. ☐ MORF. Es de género común: *el ortopedista, la ortopedista.*

[ortoplastia s.f. Intervención quirúrgica para modificar la formación defectuosa de alguna parte del cuerpo.

ortosa s.f. Variedad de feldespato de color blanco o gris amarillento, opaco y muy abundante en las rocas ígneas: *La ortosa es un componente básico en la industria de la porcelana.* ☐ ETIMOL. Del griego *orthós* (recto).

[ortotipografía s.f. **1** Normas para el empleo correcto de la tipografía. **2** Tipografía correcta: *En los trabajos mecanografiados, no basta con evitar las faltas ortográficas sino que es igualmente importante la 'ortotipografía'.* ☐ ETIMOL. Del griego *orthós* (recto, derecho, justo) y *tipografía.*

oruga s.f. **1** Larva de los insectos lepidópteros, con el cuerpo en forma de gusano y dividido en anillos, con una serie de apéndices para la locomoción, y que se alimenta de hojas: *El gusano de seda es una oruga.* 🐛 metamorfosis **2** En un vehículo, llanta continua y articulada, generalmente metálica, que sustituye o rodea a las ruedas para posibilitar el avance por terrenos accidentados: *Los tanques tienen orugas para avanzar más fácilmente a campo traviesa.* ☐ ETIMOL. Del latín *uruca.*

orujo s.m. **1** Pellejo o residuo que queda tras exprimir, moler o prensar la aceituna u otros frutos. **[2** Aguardiente que se elabora a partir del pellejo de las uvas. ☐ ETIMOL. Del latín *voluclum.*

orvallo s.m. Llovizna continua y finísima: *El orvallo es propio de zonas gallegas y asturianas.* ☐ ETIMOL. Del galaico-portugués *orvallo.*

[óryx s.m. → **órix.**

orza s.f. Vasija de barro vidriado, alta, sin asas y con forma de tinaja pequeña. ☐ ETIMOL. Del latín *urceus* (jarro, olla).

orzuelo s.m. Grano o inflamación que nace en el borde del párpado. ☐ ETIMOL. Del latín *hordeolus.*

os pron.pers. Forma de la segunda persona del plural que corresponde a la función de complemento sin preposición: *Sólo os estaba mirando. Os prometo que fue así. ¿Os ibais sin despediros de mí?* ☐ ETIMOL. Del latín *vos* (vosotros). ☐ MORF. No tiene diferenciación de género.

osadía s.f. Atrevimiento, audacia o resolución en la forma de actuar.

osado, da adj./s. Que tiene o manifiesta osadía. ☐ MORF. La RAE sólo lo registra como adjetivo.

osamenta s.f. **1** Esqueleto interior de los vertebrados, esp. el de los animales de gran tamaño: *En el museo tienen expuesta la osamenta de un diplodoco.* **2** Conjunto de huesos que componen el esqueleto: *Los buitres se comieron toda la carroña y sólo dejaron la osamenta del caballo muerto.* ☐ ETIMOL. Del latín *ossa* (huesos).

osar v. Referido a una acción, atreverse a hacerla o emprenderla con audacia o descaro: *Nadie osó acercarse al león, aunque estaba dormido.* ☐ ETIMOL. Del latín *ausare.*

osario s.m. **1** En un cementerio o en una iglesia, lugar destinado a reunir los huesos que se sacan de las

sepulturas. **2** Lugar en el que se encuentran huesos enterrados. ☐ ETIMOL. Del latín *ossarium.*

[oscar s.m. **1** Premio cinematográfico que anualmente concede la Academia de Artes y Ciencias Cinematográficas de Hollywood (ciudad estadounidense). **2** Estatuilla de bronce recubierta de oro que se entrega a los ganadores de este premio cinematográfico. ☐ PRON. [óscar].

oscense adj./s. De Huesca o relacionado con esta provincia española o con su capital. ☐ MORF. 1. Como adjetivo es invariable en género. 2. Como sustantivo es de género común: *el oscense, la oscense.*

oscilación s.f. **1** Movimiento alternativo de vaivén, de un lado hacia otro: *Sus ojos seguían la oscilación del péndulo.* **2** Crecimiento y disminución alternativos de la intensidad, del valor o de la cantidad de algo; fluctuación: *oscilaciones de temperatura.*

oscilador s.m. **[1** Sistema o dispositivo que tiene movimiento oscilatorio periódico: *Un péndulo es un tipo de 'oscilador'.* **2** Circuito electrónico que convierte la energía eléctrica continua en una oscilación eléctrica o mecánica: *El oscilador se emplea en aparatos emisores de radio.*

oscilar v. **1** Efectuar movimientos de vaivén: *Cuando el reloj se para, el péndulo deja de oscilar. Sus sentimientos oscilan entre el amor y el odio.* **[2** Vibrar o moverse continuamente sin desplazarse: *Le gusta mirar cómo 'oscilan' las llamas de la hoguera.* **3** Referido al valor de algo, crecer y disminuir alternativamente con más o menos regularidad; fluctuar: *Ayer la temperatura mínima osciló entre los tres y los cinco grados centígrados.* ☐ ETIMOL. Del latín *oscillare* (balancearse).

oscilatorio, ria adj. Referido esp. a un movimiento, que oscila o va alternativamente de un lado para otro.

osco, ca I adj./s. **1** De un antiguo pueblo italiano de la zona central o relacionado con él. **I** s.m. **2** Lengua indoeuropea de este pueblo. ☐ ORTOGR. Distinto de *hosco.*

ósculo s.m. *poét.* Beso: *El enamorado se despidió de su amada con un casto ósculo en la frente.* ☐ ETIMOL. Del latín *osculum.*

oscurantismo s.m. **1** Oposición a la difusión de la cultura y de la enseñanza entre las clases populares. **[2** Tendencia a ocultar parte de la información. ☐ ORTOGR. Se admite también *obscurantismo.*

oscurantista I adj. **[1** Del oscurantismo o relacionado con él: *política 'oscurantista'.* **I** adj./s. **2** Partidario del oscurantismo. ☐ ORTOGR. Se admite también *obscurantista.* ☐ MORF. 1. Como adjetivo es invariable en género. 2. Como sustantivo es de género común: *el oscurantista, la oscurantista.* ☐ SEM. No debe emplearse con el significado de 'oscuro': *El panorama de la economía es {*oscurantista > oscuro}.*

oscurecer v. **1** Quitar luz o claridad, o hacer más oscuro: *Para oscurecer un color, mézclalo con negro. La pintura de la pared se ha oscurecido con el tiempo.* **2** Referido al valor, disminuir(lo): *Su triunfo fue oscurecido por la ausencia de buenos competidores.* **3** Hacer difícil de comprender: *Tantas citas oscurecen el mensaje del discurso.* **4** Referido esp. a la razón, turbarla o confundirla: *El odio te oscurece la razón y te impide ver las cosas objetivamente.* **5** Anochecer o disminuir la luz del Sol cuando éste empieza a

ocultarse: *Vuelve a casa antes de que oscurezca.* □
ORTOGR. Se admite también *obscurecer.* □ MORF. 1.
Irreg. →PARECER. 2. En la acepción 5, es uniperso-
nal.

oscurecimiento s.m. **1** Disminución de la claridad o de la cantidad de luz. **2** Disminución del prestigio, de la estimación o del valor de algo. **3** Entorpecimiento de la comprensión de algo. □ ORTOGR.
Se admite también *obscurecimiento.*

oscuridad s.f. **1** Falta de luz o de claridad para
percibir las cosas: *Aprovechó la oscuridad de la noche para huir.* **[2** Lugar en el que hay poca o ninguna luz: *Se escondió en la 'oscuridad' y nadie lo
vio.* **3** Confusión o falta de claridad para comprender: *La profesora nos desaconsejó leer ese manual
por la oscuridad de sus explicaciones.* **4** Carencia
de noticias o de información: *El ministerio mantiene
la oscuridad sobre este asunto.* **[5** Falta de fama,
de éxito o de difusión: *Sus novelas son buenas, pero
la 'oscuridad' en la que se hallan se debe a los muchos enemigos que tiene el autor.* **6** Humildad o falta
de consideración personal o social: *No lo admitían
en las fiestas de sociedad por la oscuridad de su
linaje.* □ ORTOGR. Se admite también *obscuridad.*

oscuro, ra adj. **1** Que tiene poca luz o claridad, o
que carece de ellas. **2** Referido a un color, que se acerca al negro o que está más cerca del negro que de
otro de su misma gama: *azul oscuro.* **3** Referido al
cielo, nublado o cubierto de nubes. **4** Referido esp. a
un linaje, que es humilde, bajo o poco conocido. **5**
Confuso, poco claro o difícil de comprender. **6** Incierto, inseguro o peligroso: *Mi futuro profesional
está bastante oscuro.* **7** ‖ **a oscuras;** sin luz. □ ETI-
MOL. Del latín *obscurus.* □ ORTOGR. Se admite también *obscuro.*

óseo, a adj. Del hueso, hecho de hueso o relacionado con él. □ ETIMOL. Del latín *osseus.*

osera s.f. Guarida del oso.

osezno s.m. Cría del oso. □ MORF. Es un sustantivo epiceno: *el osezno macho, el osezno hembra.*

osificarse v.prnl. Referido esp. a un tejido orgánico, convertirse en hueso o adquirir su consistencia: *El
calcio ayuda a que los huesos se osifiquen.* □ ETI-
MOL. Del latín *os* (hueso) y *facere* (hacer). □ OR-
TOGR. La *c* se cambia en *qu* delante de *e* →SACAR.

osmio s.m. Elemento químico, metálico y sólido, de
número atómico 76, maleable, duro y de color blanco azulado, parecido al platino. □ ETIMOL. Del griego *osmé* (olor), porque el óxido de este metal tiene
un olor muy fuerte. □ ORTOGR. Su símbolo químico
es *Os.*

osmosis u **ósmosis** s.f. **1** Difusión de un disolvente a través de una membrana semipermeable
que separa dos disoluciones de diferente concentración: *Las plantas absorben los minerales del suelo
por ósmosis.* **[2** Influencia mutua, esp. en el campo
de las ideas: *Has adquirido esas ideas por 'ósmosis',
de tanto oírselas a tus compañeros.* □ ETIMOL. Del
griego *osmós* (acción de empujar). □ MORF. Invariable en número. □ USO *Osmosis* es el término menos
usual.

oso, sa s. **1** Mamífero plantígrado de gran tamaño, pelaje largo y abundante, generalmente pardo,
cabeza grande con orejas redondeadas, cola corta y
patas gruesas terminadas en cinco dedos cada una,
que es capaz de trepar a los árboles y de ponerse
sobre las patas para atacar o para defenderse. **2**

OSO · PLANTÍGRADOS · oso hormiguero · oso pardo · oso polar · oso panda · oso marino · oso negro

‖ **[anda la osa;** *col.* Expresión que se usa para indicar sorpresa, admiración o asombro: *¡Anda la
osa', dijo que no podría asistir a la reunión y ha
sido el primero en llegar!* ‖ **oso hormiguero;** mamífero de pelaje largo y grisáceo, cola larga y prensil, hocico muy desarrollado, puntiagudo y sin dientes, que se alimenta de hormigas usando su larga
lengua casi cilíndrica. ‖ **oso marino;** mamífero marino, parecido a la foca, que tiene los ojos prominentes, las orejas puntiagudas y el pelaje pardo rojizo. ‖ **[(oso) panda;** mamífero trepador, de origen
asiático, que tiene el pelaje espeso, blanco en la cabeza y en la región media del tronco y negro en las
orejas, alrededor de los ojos y en el resto del cuerpo,
que se alimenta principalmente de bambú. □ ETI-
MOL. Del latín *ursus.* □ MORF. *Oso hormiguero, oso
marino* y *oso panda* son epicenos: *el oso hormiguero
{macho/hembra}, el oso marino {macho/hembra}, el
'oso panda' {macho/hembra}.* 🐾 oso

[ossobuco (italianismo) s.m. Comida que se hace
con tibia de ternera o de vaca, con la carne, cortada
en rodajas, generalmente acompañada de arroz y
tomate.

[osteíctio ‖ adj./s.m. **1** Referido a un pez, que se caracteriza por tener el esqueleto total o parcialmente
osificado y por tener el cuerpo recubierto de escamas óseas dérmicas: *La trucha es un 'osteíctio'.* ‖
s.m.pl. **2** En zoología, clase de estos peces. □ ETIMOL.
Del griego *ostéon* (hueso) e *ikhthýs* (pez).

ostensible adj. Muy claro, patente o manifiesto:
Caminaba con una ostensible cojera. □ ETIMOL. Del
latín *ostendere* (mostrar). □ MORF. Invariable en género. □ SEM. Dist. de *ostentoso* (lujoso, con ostentación).

ostensivo, va adj. Que ostenta o muestra claramente. □ ETIMOL. Del latín *ostendere* (mostrar).

ostensorio s.m. **1** Custodia que se usa para la
exposición de la hostia consagrada. **2** En una custodia, parte superior en la que se coloca la caja de
cristal que encierra la hostia consagrada. □ ETIMOL.
Del latín *ostensus,* y éste de *ostendere* (mostrar).

ostentación s.f. **1** Exhibición que se hace con orgullo, afectación o vanidad. **2** Grandeza o riqueza
exterior y visible.

ostentar v. **1** Exhibir con orgullo, vanidad o presunción: *El capitán del equipo ostentaba el trofeo
delante de los periodistas.* **2** Mostrar o llevar de forma visible: *Los jugadores ostentaban un brazalete
negro en señal de duelo por su antiguo entrenador.*
[3 Referido a un cargo o a un título, ocuparlos o estar

en posesión de ellos: *'Ostenta' el cargo de directora de la compañía.* ☐ ETIMOL. Del latín *ostentare*.

ostentoso, sa adj. **1** Magnífico, aparatoso, lujoso o digno de verse. **[2** Que se hace para que los demás lo vean. ☐ SEM. Dist. de *estentóreo* (sonido muy fuerte o ruidoso) y de *ostensible* (claro, patente).

osteología s.f. Parte de la anatomía que estudia los huesos. ☐ ETIMOL. Del griego *ostéon* (hueso) y *-logía* (estudio, ciencia).

osteomielitis s.f. Inflamación simultánea del hueso y de la médula ósea, generalmente de origen infeccioso. ☐ ETIMOL. Del griego *ostéon* (hueso) y *mielitis*. ☐ MORF. Invariable en número.

[osteópata s. Persona que se dedica profesionalmente a la osteopatía. ☐ MORF. Es de género común: *el 'osteópata', la 'osteópata'*.

osteopatía s.f. **1** En medicina, enfermedad ósea. **[2** Método curativo basado en los masajes. ☐ ETIMOL. Del griego *ostéon* (hueso) y *-patía* (enfermedad).

[osteoporosis s.f. Formación anormal de huecos en los huesos, o disminución anormal de su densidad por descalcificación. ☐ ETIMOL. Del griego *ostéon* (hueso) y *póros* (vía, pasaje). ☐ MORF. Invariable en número.

[ostiolo s.m. En el envés de las hojas de los vegetales, orificio a través del cual se realizan la transpiración y la respiración.

ostra s.f. **1** Molusco marino de carne comestible, sin cabeza diferenciada, que tiene dos conchas casi circulares, rugosas y de color pardo verdoso por fuera, y lisas y de color nacarado por dentro, y que vive pegado a las rocas. ✦ marisco **2** ‖**aburrirse como una ostra**; col. Aburrirse mucho. ☐ ETIMOL. Del portugués *ostra*.

ostracismo s.m. Aislamiento al que se somete una persona. ☐ ETIMOL. Del griego *ostrakismós*, y éste de *óstrakon* (concha), porque los atenienses escribían el nombre de los desterrados en un tejuelo en forma de concha.

ostras interj. Expresión que se usa para indicar extrañeza, sorpresa, admiración o disgusto: *¡Ostras, mira quién viene por ahí! ¡Ostras, qué faena!* ☐ PRON. Aunque la pronunciación correcta es [óstras], está muy extendida [ostrás].

ostricultura s.f. Técnica e industria de la cría de ostras. ☐ ETIMOL. De *ostra* y *-cultura* (cultivo).

ostrogodo, da adj./s. De un antiguo pueblo germánico establecido en la zona oriental europea, que se dispersó y desapareció en el siglo VI debido a la expansión bizantina, o relacionado con él.

osuno, na adj. Del oso, con sus características o relacionado con él.

otalgia s.f. Dolor de oídos. ☐ ETIMOL. Del griego *ûs* (oído) y *-algia* (dolor). ☐ SEM. Dist. de *otitis* (inflamación del oído).

[otárido ‖ adj./s.m. **1** Referido a un mamífero, que es marino, se alimenta de carne y tiene las extremidades adaptadas para la propulsión en el agua y para desplazarse en el suelo: *Los leones marinos son 'otáridos'.* ‖ s.m.pl. **2** En zoología, familia de estos mamíferos: *Los 'otáridos' se diferencian de las focas por tener pabellón auditivo externo.*

otear v. Mirar u observar desde un lugar alto: *Subió a la torre para otear el horizonte.* ☐ ETIMOL. Del antiguo *oto*, y éste del latín *altus* (alto).

[otelo s.m. col. Hombre muy celoso. ☐ ETIMOL. Por

alusión a Otelo, protagonista de una obra teatral del escritor inglés Shakespeare, que mata por celos.

otero s.m. Cerro aislado en un terreno llano. ☐ ETIMOL. Del antiguo *oto*, y éste del latín *altus* (alto).

otitis s.f. Inflamación del oído. ☐ ETIMOL. Del griego *ûs* (oído) e *-itis* (inflamación). ☐ MORF. Invariable en número. ☐ SEM. Dist. de *otalgia* (dolor de oídos).

otología s.f. Parte de la medicina que estudia las enfermedades del oído. ☐ ETIMOL. Del griego *ûs* (oído) y *-logía* (estudio).

otomán s.m. Tela de seda, de algodón o de lana que forma cordoncitos en sentido horizontal.

otomano, na adj./s. De Turquía (país europeo y asiático), o relacionado con ella; turco.

otoñal adj. Del otoño o relacionado con él. ☐ MORF. Invariable en género.

otoño s.m. **1** Estación del año entre el verano y el invierno, y que en el hemisferio norte transcurre aproximadamente entre el 21 de septiembre y el 21 de diciembre. **2** Período de la vida de una persona cercano a la vejez: *Sus cabellos plateados indicaban que estaba en el otoño de su vida.* ☐ ETIMOL. Del latín *autumnus*. ☐ SEM. En la acepción 1, en el hemisferio sur transcurre aproximadamente entre el 21 de marzo y el 21 de junio.

otorgamiento s.m. En derecho, entrega de una escritura o de un documento con el que se prueba o se justifica algo.

otorgar v. **1** Referido a lo que se pide, concederlo o consentir en ello: *Me otorgó la gracia que le había pedido.* **2** Referido esp. a una ley, darla o promulgarla: *En las democracias, los parlamentos otorgan las leyes.* **3** Dar o conceder como premio o galardón: *El Rey le ha otorgado un título nobiliario por sus servicios prestados.* ☐ ETIMOL. Del latín **auctoricare*, y éste de *auctor* (garante, vendedor). ☐ ORTOGR. La *g* se cambia en *gu* delante de *e* →PAGAR.

[otorrino s. col. →**otorrinolaringólogo**. ☐ MORF. Es de género común: *el 'otorrino', la 'otorrino'*.

otorrinolaringología s.f. Parte de la medicina que estudia las enfermedades que afectan a la garganta, la nariz y los oídos. ☐ ETIMOL. Del griego *ûs* (oído), *rhís* (nariz), *lárynx* (laringe) y *-logía* (estudio, ciencia).

otorrinolaringólogo, ga s. Médico especializado en las enfermedades de la garganta, la nariz y los oídos. ☐ MORF. Se usa mucho la forma abreviada *otorrino*.

otro, tra ‖ indef. **1** Indica la gran semejanza que hay entre dos personas o cosas distintas: *Le gusta mucho pintar y quiere ser otro Velázquez.* **2** Precedido de artículo determinado y seguido de sustantivos como 'día', 'mañana', 'tarde' y 'noche', los sitúa en un pasado cercano: *El otro día me encontré con tu primo.* ‖ adj./s. **3** Designa algo distinto de aquello de lo que se habla: *Estas tuercas están bien, pero necesito otras más grandes. Ese coche no está mal, pero el otro es mucho mejor. Una cosa es que no lo hagas, y otra, que me contestes así de mal.* **4** ‖**otro que tal (baila)**; expresión que se utiliza para indicar la igualdad de cualidades, esp. de las negativas: *Si no la crees a ella, tampoco lo creas a él, que es otro que tal.* ☐ ETIMOL. Del latín *alter* (el otro entre dos). ☐ SEM. En expresiones como *al otro día* o *al otro mes*, equivale a *siguiente*.

otrora adv. ant. En otro tiempo: *Otrora, se celebra-*

ban en el pueblo fiestas de gran boato. □ ETIMOL.
De *otra hora.*

otrosí ∎ s.m. **1** En un texto jurídico, petición añadida
a la principal y que comienza con esta palabra: *El
otrosí equivaldría a la posdata de las cartas.* ∎ adv.
2 *ant.* →**además.** □ ETIMOL. Del latín *alter* (el otro
entre dos) y *sic* (así).

[ouija s.f. Tablero alfabético usado en espiritismo,
sobre el que se desliza un vaso o algún otro objeto
para ir formando mensaje. □ ETIMOL. Extensión del
nombre de una marca comercial. □ PRON. [uíja].

[out adj. Que no está de moda o de actualidad. □
PRON. [aut]. □ MORF. Invariable en género y en número. □ USO Es un anglicismo innecesario.

[output (anglicismo) s.m. **1** En informática, término
que se utiliza para determinar todos los procesos de
salida de datos hacia un periférico: *Obtengo datos
en mi monitor con el 'output'.* **2** En economía, producción de una empresa o de un sector económico:
el 'output' anual. □ PRON. [áuput].

[outsider (anglicismo) s. **1** Competidor desconocido y con pocas posibilidades de éxito. **2** Persona que
está al margen de las corrientes o tendencias más
comunes. □ PRON. [autsáider]. □ MORF. Es de género común: *el 'outsider', la 'outsider'.*

ovación s.f. Aplauso ruidoso tributado por un grupo de personas. □ ETIMOL. Del latín *ovatio* (triunfo
menor), que concedían los romanos a un jefe o general por una victoria de poca consideración.

ovacionar v. Aclamar con una ovación o un gran
aplauso colectivo: *Al recibir el premio, fue ovacio-
nado por todos lo asistentes al acto.*

ovado, da adj. →**ovalado.**

oval adj. →**ovalado.** □ MORF. Invariable en género.

ovalado, da adj. Con forma de óvalo o semejante
a esa curva; ovado, oval.

ovalar v. Dar forma de óvalo: *He llevado la mesa
redonda al carpintero para que la ovale añadiéndole
una tabla central. Se me cayó el anillo, lo pisaron y
se ha ovalado.*

óvalo s.m. Curva cerrada parecida a la elipse y simétrica respecto de uno o de dos ejes: *La silueta de
una cara tiene forma de óvalo.* □ ETIMOL. Del italiano *ovolo* (adorno en figura de huevo), con influencia de *oval.*

ovar v. →**aovar.**

ovárico, ca adj. Del ovario o relacionado con él:
quiste ovárico.

ovario s.m. **1** En una hembra, cada uno de los órganos glandulares del aparato reproductor, que producen hormonas y óvulos. **2** En una flor, parte inferior y más ancha del pistilo, en la que están los
óvulos. ✂ flor □ ETIMOL. Del latín *ovarium.*

ovas s.f.pl. Huevecillos de algunos peces: *El caviar
se elabora con las ovas del esturión.* □ ETIMOL. Del
latín *ova* (huevo).

oveja s.f. **1** Hembra del **carnero. 2** ‖**oveja** {des-
carriada/negra}; en un grupo, persona que destaca
negativamente: *Por su carácter rebelde, lo consideran la oveja negra de la familia.* □ ETIMOL. Del latín *ovicula.*

ovejero, ra adj./s. Que cuida o guarda las ovejas:
perro ovejero.

ovejuno, na adj. De la oveja o relacionado con
ella: *leche ovejuna.*

[overbooking (anglicismo) s.m. Contratación ilegal de un número de plazas mayor de las disponi-

bles, esp. en hoteles y medios de transporte. □
PRON. [overbúkin].

overol s.m. En zonas del español meridional, mono de
trabajo. □ ETIMOL. Del inglés *overall.*

ovetense adj./s. De Oviedo o relacionado con esta
ciudad asturiana. □ MORF. **1.** Como adjetivo es invariable en género. **2.** Como sustantivo es de género
común: *el ovetense, la ovetense.*

ovicida adj./s.m. Referido a un compuesto químico, que
se utiliza para destruir los huevos de algunos insectos y parásitos. □ ETIMOL. Del latín *ovum* (huevo) y *-cida* (que mata). □ MORF. Como adjetivo es
invariable en género.

óvido ∎ adj./s.m. **1** Referido a un mamífero, que es
rumiante, generalmente con abundante pelo o lana,
y cuyo macho suele tener dos cuernos: *Las cabras
y las ovejas son óvidos.* ∎ s.m.pl. **[2** En zoología, subfamilia de estos mamíferos. □ ETIMOL. Del latín *ovis*
(oveja). □ ORTOGR. Dist. de *bóvido.* □ SEM. Dist. de
ovino (tipo de óvido).

ovillar ∎ v. **1** Hacer ovillos: *He ovillado dos made-
jas de lana.* ∎ prnl. **2** Encogerse y recogerse hacién-
dose un ovillo: *Tenía tanto frío que me ovillé en el
sofá y me tapé con una manta.*

ovillo s.m. **1** Bola o lío que se forma enrollando
hilo, cuerda o un material semejante: *ovillo de lana.*
✂ costura **2** Lo que está enrollado y tiene forma
redondeada: *Hizo un ovillo con la ropa sucia y lo
metió en la lavadora.* □ ETIMOL. Del latín *globellum*
(bolita).

ovino, na adj./s.m. Referido al ganado o a un animal,
que tiene lana o pertenece al ganado lanar. □ ETI-
MOL. Del latín *ovis* (oveja). □ SEM. Dist. de *óvido*
(grupo al que pertenecen los ovinos).

ovíparo, ra adj./s. Referido a un animal o a una especie, que nace de un huevo que se abre fuera de la
madre: *Las aves son animales ovíparos.* □ ETIMOL.
Del latín *oviparus,* y éste de *ovum* (huevo) y *parere*
(engendrar). □ SEM. Dist. de *ovovivíparo* (que nace
de un huevo que se rompe dentro de la madre) y de
vivíparo (que se ha desarrollado dentro de la madre
y nace por un parto).

[ovni s.m. Objeto volador de origen desconocido. □
ETIMOL. Es un acrónimo que procede de la sigla de
objeto volador no identificado. □ USO Es innecesario
el uso del anglicismo *ufo.*

ovoide u **ovoideo, a** adj. Con forma de huevo.
□ ETIMOL. *Ovoide,* del latín *ovum* (huevo) y *-oide*
(semejanza). *Ovoideo,* de *ovoide.* □ MORF. *Ovoide* es
invariable en género. □ SEM. Es sinónimo de *aovado.*

óvolo s.m. **1** En arquitectura, adorno en figura de
huevo rodeado por una cáscara y con puntas de flecha o dardo intercaladas entre cada dos. **2** Moldura
convexa y lisa cuya sección tiene forma de un cuarto de cilindro: *El marco de la puerta es un óvolo de
madera.* □ ETIMOL. Del latín *ovulum,* y éste de
ovum (huevo). □ ORTOGR. Dist. de *óbolo.*

ovovivíparo, ra adj./s. Referido a un animal o a una
especie, que nace de un huevo que se abre dentro de
las vías uterinas de la madre. □ ETIMOL. Del latín
ovum (huevo) y *viviparus* (vivíparo). □ SEM. Dist.
de *ovíparo* (que nace de un huevo que se rompe fuera de la madre) y de *vivíparo* (que se ha desarrollado dentro de la madre y nace en un parto).

ovulación s.f. Desprendimiento de uno o varios
óvulos maduros del ovario.

ovular ∎ adj. **1** Del óvulo, de la ovulación o relacionado con ellos. ∎ v. **2** Realizar la ovulación: *Las mujeres ovulan cada veintiocho días aproximadamente.* ☐ ORTOGR. Dist. de *uvular*. ☐ MORF. Como adjetivo es invariable en género.
[ovulatorio, ria adj. De la ovulación o relacionado con ella: *ciclo 'ovulatorio'.*
óvulo s.m. **1** En los animales, célula sexual femenina que se forma en el ovario. **2** En una flor, órgano en forma de saco que contiene las células reproductoras femeninas: *Los óvulos maduros forman las semillas.* ⚶ flor **[3** Medicamento de forma ovalada que se funde a la temperatura del cuerpo y que se administra por vía vaginal: *El médico le ha mandado unos 'óvulos' de antibióticos para curarle la infección vaginal.* ⚶ medicamento ☐ ETIMOL. Del latín *ovulum*, y éste de *ovum* (huevo).
ox interj. Expresión que se utiliza para espantar a la aves domésticas: *¡Ox, ox, gallinas, fuera de aquí!*
oxidable adj. Que se puede oxidar. ☐ MORF. Invariable en género.
oxidación s.f. **[1** En química, pérdida de uno o más electrones por la acción de un agente oxidante. **2** Formación de una costra de óxido en una superficie, debida al oxígeno atmosférico.
oxidante s.m. Sustancia que oxida o sirve para oxidar: *El cloro es un oxidante.*
oxidar ∎ v. **1** Referido a un material o a un cuerpo, alterarlos la acción del oxígeno atmosférico o de otro oxidante: *Si no pintas la barandilla, el agua la oxidará. Si pelas una manzana y no la comes, se oxida y se pone rojiza.* **[2** col. Referido esp. a una parte del cuerpo, hacer que deje de funcionar o perder su buen funcionamiento: *La falta de ejercicio 'ha oxidado' mis articulaciones. Hay que hacer gimnasia para que los músculos no 'se oxiden'.* **[3** En química, hacer perder o perder uno o varios electrones: *Los agentes oxidantes 'oxidan' los elementos con los que reaccionan. El hidrógeno 'se oxida' al reaccionar con el oxígeno.* ∎ prnl. **[4** Referido a un elemento químico, reaccionar con el oxígeno para dar óxidos: *El aluminio al 'oxidarse' da óxido de aluminio.* ☐ ETIMOL. De *óxido.*
óxido s.m. **1** En química, compuesto formado por la combinación del oxígeno con un elemento químico, esp. un metal. **[2** Capa o costra que se forman sobre los metales por la acción del oxígeno atmosférico u otro oxidante. ☐ ETIMOL. Del griego *oxýs* (ácido).

oxigenación s.f. **[**Aumento del oxígeno molecular: *Las plantas verdes permiten la 'oxigenación' del aire gracias a la fotosíntesis.*
oxigenar ∎ v. **[1** Aumentar la proporción de oxígeno molecular: *Las grandes masas forestales 'oxigenan' el aire. La sangre 'se oxigena' al pasar por los pulmones.* ∎ prnl. **2** Referido a una persona, airearse o respirar aire libre: *Vivo en la ciudad, y los fines de semana me gusta ir a la sierra para oxigenarme.*
oxígeno s.m. **1** Elemento químico, no metálico o gaseoso, de número atómico 8, incoloro, inodoro e insípido, que forma parte del aire y que es esencial para la respiración y para la combustión. **[2** col. Aire puro: *Nos fuimos a la montaña para respirar 'oxígeno'.* ☐ ETIMOL. Del griego *oxýs* (ácido) y *gennáo* (yo engendro). ☐ ORTOGR. En la acepción 1, su símbolo químico es *O.*
oxítono, na adj. **1** Referido a una palabra, que lleva el acento en la última sílaba: *'Café' y 'salir' son vocablos oxítonos.* **2** Referido a un verso, que termina en palabra acentuada en la última sílaba. ☐ ETIMOL. Del griego *oxýs* (agudo) y *tónos* (intensidad). ☐ ORTOGR. Para la acepción 1 →APÉNDICE DE ACENTUACIÓN. ☐ SEM. Es sinónimo de *agudo.*
oye interj. Expresión que se usa para llamar la atención del oyente e indicar extrañeza, sorpresa, admiración o disgusto. ☐ MORF. Incorr. *{*Oyes > Oye}, tú, cállate.* ☐ USO Se usa cuando el hablante trata de tú al oyente, frente a *oiga*, que se usa cuando do lo trata de usted.
oyente ∎ adj./s. **1** Que oye: *Los oyentes de este programa de radio que acierten esta pregunta están invitados a una fiesta en la emisora.* ∎ s. **2** Persona que asiste a una clase sin estar matriculada como alumno. ☐ ETIMOL. De *oír.* ☐ MORF. 1. Como adjetivo es invariable en género. 2. Como sustantivo es de género común: *el oyente, la oyente.*
ozono s.m. Oxígeno modificado, producto de la acción de descargas eléctricas: *La capa atmosférica de ozono nos protege de las radiaciones solares.* ☐ ETIMOL. Del griego *ózo* (yo huelo), porque el ozono tiene un olor fuerte.
[ozonosfera s.f. En la atmósfera terrestre, capa que se encuentra entre los 15 y los 40 kilómetros de altura aproximadamente, compuesta principalmente por ozono. ☐ ETIMOL. De *ozono* y el griego *sphâira* (esfera).

P p

p s.f. Decimoséptima letra del abecedario. ☐ PRON. Representa el sonido consonántico bilabial oclusivo sordo.

pabellón s.m. **1** Construcción o edificio que forma parte de un conjunto. **2** Edificio que forma parte de otro mayor y que está inmediato o próximo a éste. **3** Ensanchamiento cónico en el extremo de un tubo, de una sonda o de un conducto: *pabellón auricular.* 🞲 oído **4** Bandera nacional. **5** Nación a la que pertenecen los barcos mercantes: *El barco en el que se encontró el alijo de droga era de pabellón colombiano.* ☐ ETIMOL. Del francés antiguo *paveillon,* y éste del latín *papilio* (mariposa). ☐ SEM. En la acepción 1, dist. de *stand* (instalación provisional).

pabilo o **pábilo** s.m. En una vela o en una antorcha, cordón, generalmente de hilo o de algodón, que está colocado en el centro y que sirve para que alumbre al arder. ☐ ETIMOL. Del latín *papyrus* (papiro). ☐ ORTOGR. *Pábilo,* dist. de *pábulo.* ☐ USO Aunque la RAE prefiere *pabilo,* se usa más *pábilo.*

pábulo ‖ **dar pábulo** a algo; ser motivo de ello: *Con esa conducta vas a dar pábulo a chismorreos.* ☐ ETIMOL. Del latín *pabulum.* ☐ ORTOGR. Dist. de *pábilo.*

paca s.f. **1** Fardo o lío muy apretados, esp. de lana, de algodón, de forrajes o paja. **2** Mamífero roedor suramericano de pelaje rojizo con líneas longitudinales de manchas claras, de extremidades y cola cortas, que se alimenta de vegetales y cuya carne es muy apreciada. ☐ ETIMOL. La acepción 1, del francés antiguo *pacque.* La acepción 2, del guaraní *paka.* ☐ MORF. En la acepción 2, es un sustantivo epiceno: *la paca macho, la paca hembra.*

pacato, ta adj./s. Que se escandaliza fácilmente. ☐ ETIMOL. Del latín *pacatus,* y éste de *pacare* (pacificar).

pacense adj./s. De Badajoz o relacionado con esta provincia española o con su capital. ☐ MORF. 1. Como adjetivo es invariable en género. 2. Como sustantivo es de género común: *el pacense, la pacense.*

pacer v. Referido al ganado, comer hierba en los campos; pastar: *Las vacas pacían en el prado.* ☐ ETIMOL. Del latín *pascere* (apacentar). ☐ MORF. Irreg. →PARECER.

pachá s.m. En el antiguo imperio turco, persona que obtenía algún mandato superior; bajá. ☐ ETIMOL. Del francés *pacha.* ☐ MORF. Aunque su plural en la lengua culta es *pachaes,* se usa mucho *pachás.*

pachanga s.f. Jolgorio ruidoso y desordenado.

pachanguero, ra adj. Referido esp. a la música, fácil, bulliciosa y pegadiza.

[pachanguita s.f. En fútbol, juego de peloteo relajado, esp. se da en entrenamiento.

pacharán s.m. Licor de origen navarro, que se elabora con endrinas. ☐ ETIMOL. Del vasco *patxaran* (endrina). ☐ USO Es innecesario el uso del término vasco *patxaran.*

[pachas ‖ **[a pachas**; *col.* A medias: *Nos compramos un pastel y nos lo comimos 'a pachas'.*

pacho, cha adj. *col.* En zonas del español meridional, que actúa con pachorra o con excesiva calma.

pachón, -a adj./s. **1** Referido a un perro, de la raza que se caracteriza por ser de talla mediana, orejas largas y caídas, boca grande con los labios colgantes, patas algo torcidas y pelaje corto, fino y de color amarillento. **2** *col.* Referido a una persona, de carácter excesivamente tranquilo, calmado y difícil de alterar. ☐ MORF. En la acepción 2, la RAE sólo lo registra como sustantivo masculino.

pachorra s.f. *col.* Calma o despreocupación excesivas en la forma de actuar; parsimonia.

pachorrudo, da adj. *col.* Referido a una persona, que tiene mucha pachorra.

pachucho, cha adj. **1** *col.* Pasado o demasiado maduro. **2** *col.* Decaído o ligeramente enfermo.

[pachuco, ca adj./s. En zonas del español meridional, referido a un latinoamericano, que combina su cultura con la estadounidense.

pachulí s.m. Perfume de olor penetrante que se extrae de una planta del mismo nombre. ☐ ETIMOL. Del francés *patchouli.* ☐ PRON. Incorr. *[pachúli]. ☐ MORF. Aunque su plural en la lengua culta es *pachulíes,* se usa mucho *pachulís.*

paciencia s.f. **1** Capacidad para sufrir o soportar las penas y los infortunios sin perturbarse: *Lleva su enfermedad con mucha paciencia.* **2** Capacidad para hacer trabajos minuciosos o pesados: *Hacer esta maqueta con palillos requiere mucha paciencia.* **3** Calma y tranquilidad cuando se espera algo que se desea: *Ten paciencia y no te pongas nerviosa, porque sólo se está retrasando diez minutos.* **4** Galleta pequeña y redonda fabricada con harina, huevo y azúcar.

paciente ‖ adj. **1** Que tiene paciencia o sufre las penas sin perturbarse. ‖ adj./s.m. **2** Que recibe o padece la acción de algo: *sujeto paciente.* ‖ s. **3** Persona que se encuentra bajo atención médica. ☐ ETIMOL. Del latín *patiens* (el que soporta). ☐ MORF. 1. Como adjetivo es invariable en género. 2. En la acepción 3, es de género común: *el paciente, la paciente.* 3. Se usa mucho el femenino coloquial *pacienta.*

pacificación s.f. Establecimiento de la paz donde antes había guerra, discordia o alteración.

pacificador, -a adj./s. Que pacifica.

pacificar v. Establecer la paz donde había guerra, discordia o alteración: *El ejército envió patrullas para pacificar la zona.* ☐ ETIMOL. Del latín *pacificare.* ☐ ORTOGR. La *c* se cambia en *qu* delante de *e* →SACAR.

pacífico, ca adj. Tranquilo, sosegado o no alterado por enfrentamientos o disturbios.

pacifismo s.m. Conjunto de doctrinas encaminadas a mantener la paz y a evitar cualquier tipo de violencia.

pacifista ‖ adj. **1** Del pacifismo o relacionado con esta tendencia a defender la paz y evitar la violencia. ‖ adj./s. **2** Que sigue o que defiende el pacifismo. ☐ MORF. 1. Como adjetivo es invariable en género. 2. Como sustantivo es de género común: *el pacifista, la pacifista.*

[pack (anglicismo) s.m. Envase que contiene varios productos de la misma clase: *Esta cerveza se vende también en un 'pack' de seis botellas.* ☐ PRON. [pak]. ☐ USO Su uso es innecesario y puede sustituirse por una expresión como *lote.*

paco, ca s. *col.* En zonas del español meridional, policía.

pacotilla ‖ **de pacotilla**; de mala calidad o de poca importancia. ☐ ETIMOL. De *paca* (fardo).

pactar v. Referido a un acuerdo, llegar a él dos o más partes, comprometiéndose a cumplirlo: *Hemos pactado que un día vengas tú y otro día vaya yo. Mis dos enemigos pactaron para no dejarme conseguir mi objetivo.* ☐ ETIMOL. Del latín **pactare.*

pacto s.m. **1** Acuerdo al que llegan dos o más partes y que compromete a ambas. **2** ‖ **[pacto a la griega**; acuerdo político entre dos grupos opuestos ideológicamente, a fin de conseguir el poder. ☐ ETIMOL. Del latín *pactum.* ☐ USO *Pacto a la griega* tiene un matiz despectivo.

[paddle (anglicismo) s.m. Deporte parecido al tenis, que se juega en un campo de menor tamaño y con unas raquetas más pequeñas y de madera. ☐ PRON. [pádel]. ☐ ORTOGR. Se usa también la forma castellanizada *pádel.*

[paddock (anglicismo) **1** En un hipódromo o en un canódromo, lugar cercado donde se muestran al público los caballos o los galgos que van a correr. **2** En un circuito automovilístico, lugar cercado en el que los participantes se instalan antes de la carrera. ☐ PRON. [pádok].

padecer v. **1** Referido a algo negativo, sentirlo, soportarlo, ser objeto de ello: *Padezco frecuentes mareos. El pasaje padeció un trato desconsiderado por parte de la tripulación.* **2** Sufrir: *Padece del estómago. Padeció mucho con aquellos falsos rumores.* ☐ ETIMOL. Del latín *pati* (sufrir, soportar). ☐ MORF. Irreg. →PARECER.

padecimiento s.m. Sufrimiento de algo que resulta desagradable, esp. una enfermedad, una injuria o un daño.

[pádel s.m. →**paddle.**

padrastro s.m. **1** Respecto de los hijos llevados por una mujer al matrimonio, actual marido de ésta: *Aunque realmente es su padrastro, lo quieren como si fuese su verdadero padre.* **2** Piel que se levanta en la zona del nacimiento de las uñas de los dedos y que causa dolor. ☐ ETIMOL. Del latín *patraster.* ☐ MORF. En la acepción 1, su femenino es *madrastra.*

padrazo s.m. *col.* Padre muy bueno y cariñoso con sus hijos. ☐ MORF. Su femenino es *madraza.*

padre ‖ adj. **1** Muy grande: *Se puso a protestar y armó el lío padre.* **[2** *col.* En zonas del español meridional, muy bueno o estupendo. **‖** s.m. **3** Respecto de un hijo, macho que lo ha engendrado: *Ese toro es el padre de este ternerito.* **4** Macho que ha engendrado: *Está muy contento porque va a ser padre.* **5** Cabeza de una descendencia, familia o pueblo: *Por ser la persona de mayor edad, es considerado el padre de su tribu.* **6** Animal macho destinado a la reproducción: *Venderemos todos los toros menos éste, que lo dejaremos para padre.* **7** Tratamiento que se da a algunos religiosos o sacerdotes: *Hoy vendrá a decir misa el padre José.* **8** Persona autora de una obra, inventora de una idea o creadora de una ciencia o un arte: *Saussure es considerado el padre de la lingüística moderna.* **‖** s.m.pl. **9** Respecto de un hijo, pareja formada por la hembra y el macho que lo han engendrado: *Fui al cine con mis padres.* **10** En una familia, abuelos y demás parientes en línea directa: *Esta tradición la hemos heredado de nuestros padres.* **11** ‖ **de padre y muy señor mío**; *col.*

Muy grande: *Armaron un escándalo de padre y muy señor mío.* ‖ **padre de familia**; hombre que es cabeza de familia a efectos legales: *Mi hermano mayor se casó y es padre de familia aunque aún no tiene hijos.* ‖ **[padre de la Iglesia** o **Santo Padre**; tratamiento que reciben los primeros doctores de las iglesias griega y latina. ‖ **padre nuestro**; →**padrenuestro.** ☐ ETIMOL. Del latín *pater.* ☐ MORF. **1.** En las acepciones 3 y 4, su femenino es *madre.* **2.** Como adjetivo es invariable en género.

padrenuestro s.m. Oración enseñada por Jesucristo y que empieza con las palabras *Padre nuestro.* ☐ ORTOGR. Se admite también *padre nuestro.*

padrinazgo s.m. **1** Actuación como padrino en un bautizo o en un acto público. **2** Protección o favor que se da a una persona.

padrino ‖ s.m. **1** Respecto de una persona, hombre que la representa o la asiste al recibir ciertos sacramentos o algún honor: *padrino de boda.* **2** Hombre que defiende los derechos de la persona a la que acompaña o asiste en ciertos actos o ceremonias: *Eligió a su mejor amigo para que fuese su padrino en el duelo.* **‖** pl. **3** *col.* Influencias para conseguir algo o para desenvolverse en la vida: *Si no tienes padrinos, no conseguirás ese empleo.* **4** Respecto de una persona, pareja formada por el hombre y la mujer que la representan o la asisten al recibir ciertos sacramentos o algún honor: *En mi bautizo, mis padrinos fueron mi abuela y mi tío.* ☐ ETIMOL. Del latín **patrinus,* y éste de *pater* (padre). ☐ MORF. Su femenino es *madrina.*

padrón s.m. Lista de los habitantes de una población. ☐ ETIMOL. Del latín *patronus* (patrono, protector, defensor).

padrote s.m. **[**En zonas del español meridional, chulo.

paella s.f. **1** Comida elaborada con arroz y con otros ingredientes, esp. carne, mariscos y legumbres. **2** →**paellera.** ☐ ETIMOL. Del valenciano *paella.*

[paellada s.f. Comida cuyo componente principal es la paella.

paellera s.f. Recipiente metálico, ancho, de poco fondo y con dos asas, en el que se suele cocinar la paella; paella.

paga s.f. **1** Sueldo que se recibe periódicamente, esp. el que se recibe cada mes. **2** ‖ **(paga) {extra/extraordinaria}**; la que se recibe como sobresueldo, generalmente dos o tres veces al año.

pagadero, ra adj. Que tiene que pagarse en un tiempo determinado: *Este crédito es pagadero en seis años.*

pagador s.m. Persona encargada de pagar ciertas cantidades de dinero, esp. sueldos, créditos o pensiones.

[paganini s. *col.* Persona que acostumbra a pagar los gastos ocasionados entre varios. ☐ MORF. Es de género común: *el 'paganini', la 'paganini'.*

paganismo s.m. Religión de los paganos.

paganizar v. Dar características que se consideran propias de lo pagano: *En la sociedad moderna, según algunos filósofos y moralistas, las costumbres se han paganizado.* ☐ ORTOGR. La *z* se cambia en *c* delante de *e* →CAZAR.

pagano, na adj./s. **1** Que adora o rinde culto a ídolos o a varias representaciones de la divinidad, esp. referido a los antiguos griegos y romanos. **2** Que no está bautizado. ☐ ETIMOL. Del latín *paganus* (campesino), porque los campesinos ofrecieron resistencia a la cristiandad.

pagar v. **1** Referido a algo que se debe, darlo o satisfacerlo; abonar: *El camarero lo acusó de quererse ir sin pagar. Si no pagas la factura del teléfono, te cortarán la línea. ¿Con desprecio es como pagas mis sacrificios por ti?* **2** Referido a un gasto, sufragarlo o costearlo: *Un mecenas desconocido le pagó los estudios.* **3** Referido esp. a un delito, cumplir la pena o el castigo impuestos por ello: *Pagó su crimen con veinte años de cárcel.* **4** ‖**pagarla** o **pagarlas (todas juntas)**; *col.* Sufrir el culpable el castigo que se merece: *Por esta vez te has librado, pero ya me las pagarás.* ☐ ETIMOL. Del latín *pacare* (apaciguar). ☐ ORTOGR. La *g* se cambia en *gu* delante de *e* →PAGAR. ☐ USO La acepción 4 se usa mucho para amenazar a alguien.

pagaré s.m. Documento en el que alguien se compromete a pagar cierta cantidad de dinero en un tiempo determinado. ☐ ETIMOL. Del futuro de *pagar*, palabra con que suelen dar principio estos documentos.

página s.f **1** En un libro o en un escrito, cada una de la dos caras de una hoja. 📖 libro **2** Lo que está escrito o impreso en ellas: *He leído las páginas de cultura del periódico.* **3** Suceso o etapa en la historia de una vida: *Cuando se casó empezó una nueva página de su vida.* **4** ‖ **[páginas amarillas**; las que incluyen teléfonos y direcciones comerciales: *Encontré la dirección de ese fontanero en las 'páginas amarillas'.* ☐ ETIMOL. Del latín *pagina*.

paginación s.f. Numeración de las páginas de un documento.

paginar v. Numerar ordenadamente las páginas: *Antes de entregar el trabajo tengo que paginarlo.*

pago s.m. **1** Entrega de lo que se debe o adeuda: *Ya realicé el primer pago de diez mil pesetas.* **[2** Lo que se ha de pagar: *¿Cuál será el 'pago' mensual si me conceden este crédito?* **3** Satisfacción, premio o recompensa: *Como pago a sus esfuerzos, consiguió una medalla en la competición.* **4** Lugar, pueblo o región: *Hacía tiempo que no venía por estos pagos.* ☐ ETIMOL. Las acepciones 1-3, de *pagar*. La acepción 4, del latín *pagus* (pueblo, aldea). ☐ MORF. La acepción 4 se usa más en plural.

pagoda s.f. Templo budista en forma de torre, con pisos superpuestos separados por cornisas. ☐ ETIMOL. Del portugués *pagode*.

paila s.f. En zonas del español meridional, sartén. ☐ ETIMOL. Del latín *patella* (sartén pequeña).

paipay s.m. Abanico plano, con forma de pala redondeada y con un mango, hecho generalmente de tela o de hoja de palmera. ☐ MORF. Su plural es *paipáis*.

pairo ‖**al pairo**; *col.* A la expectativa o sin tomar una resolución: *Me quedé al pairo hasta ver que hacían mis contrincantes.* ☐ MORF. Se usa más con los verbos *estar, quedarse* y equivalentes.

país s.m. **1** Territorio que constituye una unidad cultural o política: *En las últimas vacaciones nos recorrimos el País Vasco.* **2** Estado independiente: *A la reunión fueron representantes de todos los países que forman la ONU.* **3** Papel, piel, tela u otro material que cubre la parte superior de las varillas de un abanico. ☐ ETIMOL. Del francés *pays*.

paisaje s.m. **1** Terreno visto desde un lugar, esp. si se considera desde un punto de vista estético. **2** Pintura o dibujo que lo representa. ☐ ETIMOL. Del francés *paysage*.

paisajista adj./s. Referido a un pintor, que pinta paisajes. ☐ MORF. 1. Como adjetivo es invariable en género. 2. Como sustantivo es de género común: *el paisajista, la paisajista.*

paisajístico, ca adj. Del paisaje en su aspecto artístico, o relacionado con él.

[paisanada s.f. *col.* En zonas del español meridional, grupo de campesinos.

paisanaje s.f. Situación o estado entre las personas que son de un mismo lugar: *Sólo nos une una relación de paisanaje.*

paisano, na ▌ adj./s. **1** Respecto de una persona, otra que es de su mismo país, provincia o lugar. ▌ s. **2** Persona que vive y trabaja en el campo; campesino. **3** ‖ **de paisano**; referido esp. a un militar, que no viste de uniforme. ☐ ETIMOL. Del francés *paysan* (campesino).

paja s.f. **1** Caña de algunas gramíneas, seca y separada del grano: *En la trilla, se separa el grano de la paja.* **2** Conjunto de estas cañas: *Dormimos en un pajar, tumbados sobre la paja.* **3** Tubo delgado, generalmente de plástico, que se usa para sorber líquidos. **4** Lo inútil y desechable en cualquier materia: *Antes del examen, la profesora nos aconsejó que no metiéramos paja.* **5** ‖**hacerse** alguien **una paja**; *vulg.* →**masturbarse**. ‖**paja brava**; hierba americana de la familia de las gramíneas muy apreciada como pasto y como combustible. ‖**por un quítame allá esas pajas**; *col.* Por algo que tiene poca importancia: *Es tan agresivo que, por un quítame allá esas pajas, me arreó un puñetazo.* ☐ ETIMOL. Del latín *palea* (corteza exterior de los cereales).

pajar s.m. Lugar en el que se encierra y conserva la paja. ☐ ETIMOL. Del latín *palearium*.

pajarera s.f. Véase **pajarero, ra**.

pajarería s.f. Establecimiento en el que se venden pájaros y otros animales domésticos.

pajarero, ra ▌ s. **1** Persona que se dedica a la caza, a la cría o a la venta de pájaros. ▌ s.f. **2** Jaula grande en la que se guardan o se crían los pájaros.

pajarita s.f. **1** Lazo de tela que se coloca como adorno alrededor del cuello de la camisa. **2** Figura de papel que resulta de doblar éste varias veces y que tiene forma de pájaro. ☐ ETIMOL. De *pájara*.

pajarito ‖**quedarse** alguien **pajarito**; *col.* Pasar mucho frío.

pájaro, ra ▌ s. **1** Persona astuta o mal intencionada que intenta aprovecharse de los demás. ▌ s.m. **2** Ave voladora: *La gallina es un ave, pero no un pájaro.* **3** Ave voladora de pequeño tamaño que se caracteriza por tener las patas con tres dedos hacia delante y uno hacia atrás, lo que le permite aferrarse a los árboles: *El canario, el gorrión y el herrerillo son pájaros.* ▌ s.f. **4** En algunos deportes, esp. en el ciclismo, desfallecimiento repentino que se sufre durante una prueba tras realizar un gran esfuerzo físico. **5** ‖**matar dos pájaros de un tiro**; *col.* Conseguir varias cosas de una sola vez. ‖**pájaro bobo**; ave acuática, incapaz de volar pero buena nadadora, que habita principalmente en las zonas polares del hemisferio sur, se alimenta de peces y crustáceos y se caracteriza por la postura erguida y el plumaje muy espeso, negro en el lomo y blanco en el pecho y en el vientre; pingüino. ✺ ave ‖ **pájaro carpintero**; ave con el pico largo, delgado y potente, con el que perfora el tronco de los árboles para construir su nido y para buscar su alimento. ‖ **[tener pájaros en la cabeza**; *col.* Ser poco juicioso o tener excesivas ilusiones. ☐ ETIMOL. Del latín *passer* (gorrión, pardillo). ☐ MORF. *Pájaro bobo* y *pájaro carpintero* son epicenos y la diferencia de sexo se señala mediante la oposición *el pájaro bobo {macho / hembra}.*

pajarraco, ca s. **1** Pájaro grande y que se considera feo, o pájaro cuyo nombre se desconoce. **2** *col.* Persona astuta y con malas intenciones. ☐ MORF. La RAE sólo registra el masculino. ☐ USO Es despectivo.

paje s.m. Antiguamente, criado que acompañaba a su amo y se dedicaba a las tareas domésticas. ☐ ETIMOL. Del francés *page* (criado, aprendiz, grumete).

[pajillero, ra s. Que se masturba o que masturba a otra persona.

pajizo, za adj. Del color de la paja, con paja, o parecido a ella.

pajolero, ra adj./s. *col.* Que resulta impertinente, molesto o despreciable; repajolero: *Toda tu pajolera vida has sido un sinvergüenza. Me negué a contestar las estúpidas preguntas de ese pajolero.* ☐ ETIMOL. De *pajuela* (diminutivo de paja). ☐ USO Es despectivo.

pala s.f. **1** Herramienta formada por una plancha con forma rectangular o redondeada, sujeta a un mango grueso, cilíndrico y largo, y que se utiliza para cavar, para trasladar algo o para cogerlo. ✺ apero **2** Especie de raqueta sin cuerdas, generalmente de madera, de forma redonda o elíptica, que sirve para golpear una pelota. **3** Parte ancha y plana de algunos objetos: *la pala del remo.* **4** Diente incisivo superior. ☐ ETIMOL. Del latín *pala.*

palabra ∎ s.f. **1** Sonido o conjunto de sonidos articulados que expresan una idea; voz, término: *Sólo oí palabras sueltas de la conversación.* **2** Representación gráfica de este sonido o conjunto de sonidos articulados: *Este texto no tiene más de cien palabras.* **3** Facultad de hablar para expresar ideas: *Los animales no tienen el don de la palabra.* **4** Aptitud o elocuencia para expresarse: *Es una oradora de palabra fácil.* **5** Promesa de cumplir o de mantener lo que se dice: *Dio su palabra de que vendría a la excursión.* **6** Derecho o turno para hablar: *Pidió la palabra para hacer una propuesta.* ∎ pl. **7** Dichos vanos o superficiales no responden a ninguna realidad: *Eso que dices no son más que palabras.* **8** ‖ **[buenas palabras**; dichos o promesas agradables para convencer o contentar. ‖ **dejar** a alguien **con la palabra en la boca**; interrumpirlo cuando habla o dejar de escucharlo de golpe. ‖ **dirigir la palabra** a alguien; hablarle. ‖ **medias palabras**; insinuación encubierta. ‖ **medir las palabras**; hablar con cuidado y moderación para no decir algo que pueda resultar inoportuno. ‖ **ni (media) palabra**; nada en absoluto: *De ese tema no sé ni media palabra.* ‖ **palabra (de honor)**; expresión que se usa para afirmar o asegurar que lo que se dice es verdad. ‖ **palabras mayores**; lo que resulta de gran importancia o interés: *Ten cuidado con lo que dices, porque esas acusaciones son palabras mayores.* ‖ **quitar** a alguien **la palabra de la boca**; adelantarse en decir lo que estaba a punto de expresar. ‖ **tener**

unas palabras con alguien; discutir de forma más o menos agresiva. ‖ **tomarle la palabra** a alguien; valerse de lo que promete u ofrece para obligarlo a que lo cumpla: *Ya que te ofreces, te tomo la palabra y acepto tu ayuda.* ‖ **última palabra**; decisión definitiva e inalterable: *Es mi última palabra: o aceptas o te vas.* ☐ ETIMOL. Del latín *parabola* (comparación, símil). ☐ SEM. En las acepciones 1 y 2, es sinónimo de *vocablo.*

palabrería s.f. Exceso de palabras inútiles o vacías de contenido.

palabro s.m. **1** Palabra o expresión raras o mal dichas. **2** Expresión ofensiva, indecente o grosera; palabrota.

palabrota s.f. Expresión ofensiva, indecente o grosera; palabro.

palacete s.m. Casa parecida a un palacio, pero más pequeña. ✺ vivienda

palaciego, ga adj. Del palacio, de la corte o relacionado con ellos.

palacio s.m. **1** Casa grande y muy lujosa destinada a la residencia de grandes personalidades, esp. de reyes, de príncipes o de nobles. **[2** Edificio público de gran tamaño: *'Palacio' de Justicia.* ☐ ETIMOL. Del latín *palatium.* ✺ vivienda

palada s.f. **1** Cantidad que cabe en una pala. **2** Golpe dado al agua con la pala de un remo. **3** Movimiento hecho al usar la pala: *Al dar una palada se me salió el mango.*

paladar s.m. **1** En la boca, parte interior y superior que separa las fosas nasales y la cavidad bucal; cielo de la boca. **2** Capacidad o sensibilidad para apreciar y valorar algo inmaterial: *No tienes paladar para la música clásica.* ☐ ETIMOL. Del latín *palatare.*

paladear v. **1** Referido a comida o bebida, disfrutar su sabor poco a poco: *Paladeó un bombón dejando que se le derritiese en la boca.* **2** Referido esp. a una obra artística, tomarle gusto o disfrutar con ella: *Paladeó cada una de las hojas de la novela.* ☐ ETIMOL. De *paladar.*

paladín s.m. **1** Antiguamente, caballero que luchaba en la guerra voluntariamente y que se distinguía por sus hazañas. **2** Defensor a ultranza de una persona, una idea o una causa. ☐ ETIMOL. Del italiano *paladino*, y éste del latín *palatinus* (palaciego).

paladio s.m. Elemento químico, metálico y sólido, de número atómico 46, de color blanco, dúctil, maleable e inalterable al aire. ☐ ETIMOL. Del griego *Pallás*, nombre de Minerva y de un asteroide, dado a este elemento químico porque su descubrimiento en 1803 coincidió con el de dicho asteroide. ☐ ORTOGR. Su símbolo químico es *Pd.*

palafito s.m. Vivienda primitiva construida sobre estacas o postes de madera, generalmente dentro de un lago, un río o un pantano. ☐ ETIMOL. Del italiano *palafitta.* ✺ vivienda

palafrén s.m. **1** Caballo manso en el que solían montar las mujeres y a veces los reyes y los príncipes. **2** Caballo en el que montaba el criado cuando acompañaba a su amo. ☐ ETIMOL. Del catalán *palafré.*

palafrenero s.m. **1** Criado que llevaba del freno al caballo o que montaba el palafrén. **2** Persona que se dedicaba al cuidado de los caballos. ☐ MORF. Incorr. **palafranero.*

palanca s.f. **1** Barra rígida que se apoya en un

punto y sirve para transmitir la fuerza aplicada en uno de sus extremos con el fin de mover o levantar un cuerpo situado en el extremo opuesto: *Las pinzas y los cascanueces son palancas.* **2** Plataforma desde la que salta al agua un nadador. **3** *col.* En zonas del español meridional, recomendación o enchufe. □ ETIMOL. Del latín **palanca,* y éste del griego *phálanx* (rodillo, garrote).

palancana o **palangana** s.f. Vasija de gran diámetro y de poca profundidad, que se utiliza esp. para lavarse la cara y las manos; jofaina. □ ETIMOL. De origen incierto.

palanganero s.m. Soporte en el que se colocan la palangana y otros utensilios para el aseo personal; aguamanil.

palangre s.m. Arte de pesca formado por un cordel largo y grueso del que cuelgan ramales con anzuelos en sus extremos. □ ETIMOL. Del catalán *palangre.* 🖾 pesca

palangrero s.m. Barco de pesca con palangre. 🖾 embarcación

palanquero, ra s. [Ladrón que entra en casas y edificios usando la palanqueta.

palanqueta s.f. **1** Barra que sirve para forzar las puertas o las cerraduras. **2** Dulce que se elabora con almendras, cacahuetes, nueces o pepitas tostadas y caramelo.

palanquín s.m. Asiento sostenido por dos varas paralelas usado en los países orientales para transportar a personas importantes. □ ETIMOL. Del portugués *palanquim.*

palatal ∎ adj. **1** En lingüística, referido a un sonido, que se articula poniendo en contacto el dorso de la lengua con el paladar: *[ch] e [i] son sonidos palatales.* ∎ s.f. **2** Letra que representa este sonido: *La 'ñ' es una palatal.* □ ETIMOL. Del latín *palatum* (paladar). □ MORF. Como adjetivo es invariable en género.

palatalizar v. En lingüística, referido a un sonido, hacerlo palatal o pronunciarlo seguido si fuera palatal: *En la palabra 'mancha' el fonema 'n' se palataliza.* □ ORTOGR. La *z* se cambia en *c* delante de *e* →CAZAR.

palatino, na adj. **1** Del paladar. **2** De un palacio o relacionado con él: *vida palatina.* □ ETIMOL. La acepción 1, del latín *palatum* (paladar). La acepción 2, del latín *palatinus* (palaciego).

palazo s.m. Golpe dado con una pala.

palco s.m. **1** En un teatro, espacio independiente en forma de balcón, con varios asientos. **2** Tarima en que se sitúan los espectadores para ver un espectáculo público. □ ETIMOL. Del italiano *palco.*

[palé s.m. Plataforma de tablas de madera sobre la que se colocan las mercancías para su transporte y almacenaje. □ ETIMOL. Del inglés *pallet.* □ USO Es innecesario el uso del anglicismo *pallet.*

palenque s.m. **1** Terreno cercado para celebrar en él algún acto público y solemne. **2** Valla que se hace para cerrar un terreno. □ ETIMOL. Del catalán *palenc* (empalizada).

palentino, na adj./s. De Palencia o relacionado con esta provincia española o con su capital.

paleo- Elemento compositivo que significa 'antiguo' o 'primitivo': *paleocristiano, paleografía, paleontología.* □ ETIMOL. Del griego *palaiós.*

paleoceno, na adj./s.m. En geología, referido a un período, que es el primero de la era terciaria o ce-

nozoica. □ ETIMOL. De *paleo-* (antiguo) y el griego *kainós* (nuevo).

paleocristiano, na ∎ adj. **1** De las primeras comunidades cristianas o relacionado con ellas. ∎ s.m. **2** Arte realizado por las primeras comunidades cristianas que se caracteriza por sintetizar la cultura clásica y por tratar de representar esencialmente la verdad espiritual frente a la realidad física. □ ETIMOL. De *paleo-* (antiguo, primitivo) y *cristiano.*

paleógeno, na adj./s.m. Referido a una etapa geológica, que es la primera de la era terciaria o cenozoica, en la que se engloban los períodos paleoceno, eoceno y oligoceno. □ ETIMOL. De *paleo-* (antiguo) y el griego *gennáo* (yo engendro). □ MORF. La RAE sólo lo registra como adjetivo.

paleografía s.f. Arte y técnica de leer la escritura y los signos contenidos en libros y documentos antiguos. □ ETIMOL. De *paleo-* (antiguo) y *grafía-* (descripción).

paleográfico, ca adj. De la paleografía o relacionado con esta técnica.

paleógrafo, fa s. Persona que se dedica profesionalmente al estudio de la escritura de los documentos antiguos, o que está especializada en paleografía.

paleolítico, ca ∎ adj. **1** Del paleolítico o relacionado con este período prehistórico. ∎ adj./s.m. **2** Referido a un período prehistórico, que es anterior al mesolítico y se caracteriza por la fabricación de utensilios de piedra tallada. **3** ‖ [paleolítico inferior]; primera etapa de este período, que se caracteriza por la aparición de los primeros homínidos. ‖ [paleolítico medio]; segunda etapa de este período, que se caracteriza por un mayor perfeccionamiento de los instrumentos de sílex. ‖ [paleolítico superior]; tercera etapa de este período, que se caracteriza por la fabricación de instrumentos de hueso y de marfil. □ ETIMOL. De *paleo-* (antiguo) y el griego *líthos* (piedra).

paleólogo, ga s. Persona que conoce las lenguas antiguas.

paleontografía s.f. Descripción de los organismos hallados en forma fósil. □ ETIMOL. De *paleo-* (antiguo), el griego *ón* (ente, ser) y *-grafía* (descripción).

paleontográfico, ca adj. De la paleontografía o relacionado con esta descripción de los organismos.

paleontología s.f. Ciencia que estudia los organismos cuyos restos han sido hallados en forma fósil. □ ETIMOL. De *paleo-* (antiguo), el griego *ón* (ente, ser) y *-logía* (ciencia).

paleontológico, ca adj. De la paleontología o relacionado con esta ciencia.

paleontólogo, ga s. Persona que se dedica profesionalmente al estudio de los organismos hallados en forma fósil, o que está especializada en paleontología.

paleozoico, ca ∎ adj. **1** En geología, de la era primaria, segunda de la historia de la Tierra, o relacionado con ella; primario. ∎ s.m. **2** →era paleozoica. □ ETIMOL. De *paleo-* (antiguo) y el griego *zôion* (animal).

palestino, na adj./s. De Palestina (región asiática situada entre el mar Mediterráneo y el río Jordán), o relacionado con ella.

palestra s.f. **1** Antiguamente, lugar en el que se luchaba. **2** Lugar en el que se celebran ejercicios literarios públicos o en el que se habla de cualquier

tema: *La profesora me dijo que saliera a la palestra y que explicara la Constitución.* **3** ‖ [**saltar a la palestra**; *col.* Darse a conocer ante el público. ☐ ETIMOL. Del latín *palestra*, y éste del griego *paláistra* (lugar donde se lucha).
paleta s.f. Véase **paleto, ta.**
paletada s.f. Hecho o dicho propios de un paleto; paletería.
paletería s.f. **1** Hecho o dicho propios de un paleto; paletada. [**2** En zonas del español meridional, heladería.
paletero, ra s. En zonas del español meridional, heladero.
paletilla s.f. [En algunos cuadrúpedos, cuarto delantero; espaldilla. 🡒 carne
paleto, ta ‖ adj./s. **1** Rústico, sin educación o sin refinamiento. ‖ s.f. **2** En pintura, tabla pequeña que tiene un orificio en un extremo para introducir el dedo pulgar, y que se utiliza para ordenar y mezclar los colores. **3** En construcción, herramienta formada por una placa metálica de forma triangular y un mango generalmente de madera, que se utiliza para manejar y aplicar la mezcla o el mortero. **4** En cocina, cubierto formado por un platillo redondo unido a un mango largo que se utiliza generalmente para servir las comidas. **5** En una rueda hidráulica, cada una de las tablas o planchas que reciben la acción del agua. **6** En una hélice, cada una de las piezas unidas a una parte central para girar movidas por el aire, el agua o cualquier otra fuerza. **7** En zonas del español meridional, polo o golosina con un palito encajado. ☐ ETIMOL. De *pala*. ☐ USO En la acepción 1, tiene un matiz despectivo.
paletó s.m. Abrigo de paño grueso, largo, entallado y sin faldas. ☐ ETIMOL. Del francés *paletot*. ☐ MORF. Su plural es *paletoes*; incorr. **paletós.*
pali s.m. Antigua lengua de la India, de la misma familia que el sánscrito, y que hoy en día se conserva sólo como lengua religiosa.
paliacate s.m. En zonas del español meridional, pañuelo grande de algodón estampado.
paliar v. Referido a algo negativo, suavizarlo, atenuarlo, disimularlo o encubrirlo: *Esta buena noticia paliará su tristeza.* ☐ ETIMOL. Del latín *palliare* (tapar). ☐ ORTOGR. La *i* puede llevar tilde en los presentes, excepto en las personas *nosotros* y *vosotros* →GUIAR, o no llevarla nunca.
paliativo, va adj./s.m. **1** Referido esp. a un remedio, que mitiga, suaviza o atenúa. **2** Que sirve para encubrir, disimular o justificar algo. ☐ SEM. 1. En la acepción 2, como adjetivo es sinónimo de *paliatorio*. 2. Es incorrecto el uso de la expresión *sin paliativos* referida a algo que se considera positivo: *un triunfo* {**sin paliativos* > *contundente*}.
paliatorio, ria adj. Que sirve para encubrir, disimular o justificar algo; paliativo.
palidecer v. **1** Ponerse pálido: *Cuando le dieron la noticia, palideció y se echó a llorar.* **2** Referido a la importancia o el esplendor, disminuir o atenuarse: *Su gloria ha palidecido y ahora sólo tiene unos cuantos seguidores.* ☐ MORF. Irreg. →PARECER. ☐ SEM. Es sinónimo de *empalidecer.*
palidez s.f. **1** Pérdida o disminución del color rosado de la piel humana. **2** Pérdida del color natural de algo.
pálido, da adj. Con palidez o con un color de tono

poco intenso. ☐ ETIMOL. Del latín *pallidus*, y éste de *pallere* (estar o ser pálido, palidecer).
palier s.m. En algunos vehículos, cada una de las dos mitades en las que se divide el eje de las ruedas motrices. ☐ ETIMOL. Del francés *palier*.
palillero s.m. Recipiente en el que se guardan los palillos o mondadientes.
palillo ‖ s.m. **1** Mondadientes de madera. **2** Varita redonda, generalmente de madera, que se utiliza para tocar el tambor y otros instrumentos de percusión. [**3** En zonas del español meridional, pinza para la ropa. ‖ pl. **4** Par de varitas largas y estrechas que se utilizan como cubiertos en algunos países orientales.
palíndromo s.m. Palabra o frase que se lee de igual forma de derecha a izquierda que de izquierda a derecha: *La frase 'Nada, yo soy Adán' es un palíndromo, porque leyéndola al revés dice lo mismo que al derecho.* ☐ ETIMOL. Del griego *pálin* (nuevo) y *drómos* (carrera). ☐ PRON. Incorr. **[palindrómo].*
palio s.m. Dosel rectangular, de tela rica y lujosa que, colocado sobre cuatro o más varas largas, se usa generalmente en las procesiones para cubrir al sacerdote que lleva el Santísimo Sacramento y a las imágenes. ☐ ETIMOL. Del latín *pallium.*
palique s.m. *col.* Charla o conversación intrascendentes, esp. si se mantienen animadamente y sin prisas; cháchara. ☐ ETIMOL. De *palillo* (conversación sin importancia). ☐ SINT. Se usa más en la expresión *dar palique.*
palista s. [**1** Deportista que practica el remo. **2** Deportista que practica el juego de pelota con pala. ☐ MORF. Es de género común: *el palista, la palista.*
palitroque s.m. Palo pequeño, tosco o mal labrado.
paliza s.f. **1** Serie de golpes dados a una persona o a un animal. **2** *col.* Derrota importante sufrida en una competición. **3** *col.* Trabajo o esfuerzo agotadores. **4** ‖dar la paliza; *col.* Molestar, aburrir o cansar. ‖ [**darse la paliza**; *vulg.* Referido a una pareja, besuquearse y toquetearse. ‖ [**ser** alguien **un paliza(s)**; *col.* Ser muy pesado y latoso. ☐ ETIMOL. De *palo*. ☐ SINT. La acepción 3 se usa mucho en la expresión *darse una paliza a hacer algo.*
[**pallet** s.m. →palé. ☐ PRON. [palé]. ☐ USO Es un anglicismo innecesario.
palloza s.f. Choza circular con la base de piedra y cubierta de paja, en la que vivían juntas las personas y el ganado. ☐ ETIMOL. Del gallego *palloza.*
palma ‖ s.f. **1** En una mano, cara inferior y cóncava. 🡒 mano **2** Árbol de tronco áspero y cilíndrico, y de copa sin ramas formada por hojas largas, duras y puntiagudas que tienen un nervio central recto y leñoso; palmera. **3** Hoja de este árbol, esp. la amarillenta y trenzada que se lleva a bendecir el Domingo de Ramos (último domingo de cuaresma). ‖ pl. **4** Palmadas de aplausos. **5** ‖batir (las) palmas; acompañar con palmadas el baile o la música andaluces. ‖ {ganar/llevarse} la palma; sobresalir, destacar o aventajar: *Mis hijos son traviesos, pero los tuyos sí que llevan la palma.* ☐ ETIMOL. Del latín *palma* (palma de la mano, palmito, palma enana).
palmáceo, a ‖ adj./s.f. **1** Referido a una planta, que tiene el tallo leñoso, recto y sin ramas, y coronado por un penacho de grandes hojas: *La palmera es una planta palmácea.* ‖ s.f.pl. **2** En botánica, familia de estas plantas, perteneciente a la clase de las mo-

nocotiledóneas. □ MORF. En la acepción 1, la RAE sólo lo registra como adjetivo.

palmada s.f. **1** Golpe dado con la palma de la mano. **2** Ruido que hacen al chocar entre sí las palmas de las manos.

palmar ❚ s.m. **1** Terreno plantado de palmeras. ❚ v. **2** col. Morir: *La palmó en un accidente de coche.* □ SINT. La acepción 2 se usa mucho en la expresión *palmarla.*

palmarés s.m. **1** En una competición, lista de vencedores: *El primer clasificado inscribirá su nombre en el palmarés de los mejores ciclistas.* **2** Historial o relación de méritos, esp. en el deporte: *A esta competición sólo invitan a atletas con un palmarés importante.* □ ETIMOL. Del francés *palmarès* (lista de alumnos laureados).

palmario, ria adj. Claro, patente y manifiesto. □ ETIMOL. De *palmar* (de un palmo).

palmatoria s.f. Candelero o utensilio formado por un cilindro bajo, con mango y con un pie en forma de platillo, que sirve para sostener una vela. □ SEM. Dist. de *candelabro* (candelero de varios brazos). ✦ alumbrado

palmeado, da adj. Referido esp. a los dedos de algunos animales, que están unidos entre sí por una membrana: *Los patos tienen dedos palmeados.*

palmear v. **1** Dar palmadas, esp. en señal de alegría o de aplauso; palmotear: *El público palmeaba al compás de la música.* [**2** En baloncesto, referido al balón, golpearlo con la palma de la mano un jugador que está cerca de la canasta para introducirlo en el aro: *Cuando el balón rebotó en el aro, el alero lo 'palmeó' y consiguió los dos puntos.*

[**palmense** adj./s. De Las Palmas de Gran Canaria (provincia canaria), o relacionado con ella. □ MORF. 1. Como adjetivo es invariable en género. 2. Como sustantivo es de género común: *el 'palmense', la 'palmense'.* □ USO Su uso es característico del lenguaje escrito.

palmeo s.m. **1** Golpeteo de las palmas de las manos entre sí. [**2** En baloncesto, golpe dado al balón con la palma de la mano para introducirlo en la canasta.

palmera s.f. Véase **palmero, ra.**

palmeral s.m. Terreno poblado de palmeras.

palmero, ra ❚ adj./s. **1** De la isla canaria de La Palma o relacionado con ella. ❚ s. **2** Persona que acompaña con palmas los bailes y los cantes flamencos. **3** Persona que cuida un terreno poblado de palmeras. ❚ s.f. **4** Árbol de tronco áspero y cilíndrico, y de copa sin ramas formada por hojas largas, duras y puntiagudas que tienen un nervio central recto y leñoso; palma. [**5** Pastelito de hojaldre con forma de corazón. □ MORF. En la acepción 3, la RAE sólo registra el masculino.

palmesano, na adj./s. De Palma de Mallorca o relacionado con esta ciudad balear.

palmeta s.f. Regla o tabla alargadas que se usaban en las escuelas para golpear en la palma de la mano a los alumnos, como castigo.

palmetazo s.m. Golpe dado con la palmeta.

palmípedo, da ❚ adj./s.f. **1** Referido a un ave, que tiene las patas en forma palmeada, con los dedos unidos por unas membranas: *El ganso, el pingüino y el pelícano son aves palmípedas.* ❚ s.f.pl. **2** En zoología, grupo de estas aves. □ ETIMOL. Del latín *palmipes*, y éste de *palma* (palma) y *pes* (pie).

palmita ‖ {llevar/[tener} a alguien **en palmitas**; complacerlo y tratarlo muy bien.

palmito s.m. **1** Planta parecida a una palmera, de flores amarillas y de fruto rojizo, cuyas hojas, en forma de abanico, se utilizan en la fabricación de escobas o de esteras. **2** Tallo blanco y comestible que es el cogollo de esta planta. **3** col. Tipo o talle esbeltos, esp. los de la mujer: *¡Menudo palmito tiene esa mujer!* □ ETIMOL. Las acepciones 1 y 2, de *palma.* La acepción 3, de *palmo.*

palmo s.m. **1** Unidad de longitud que equivale aproximadamente a 20 centímetros; cuarta. **2** Espacio muy pequeño, esp. de tierra: *En la playa no había ni un palmo libre para poner la toalla.* **3** Juego infantil que consiste en tirar monedas contra una pared, y el que consigue que la suya caiga cerca de la de un compañero, gana su moneda. **4** ‖ **con un palmo de narices**; col. Sin lo que se esperaba conseguir: *Aunque cree que nada mejor que yo, gané la carrera y la dejé con un palmo de narices.* ‖ **palmo a palmo**; con minuciosidad o completamente. □ ETIMOL. Del latín *palmus.*

palmotear v. Dar palmadas, esp. en señal de alegría o de aplauso; palmear: *Cuando vio los regalos el niño empezó a palmotear.*

palmoteo s.m. Golpeteo dado al chocar entre sí las palmas de las manos.

palo s.m. **1** Trozo de madera más largo que grueso, generalmente cilíndrico y fácil de manejar. **2** Golpe dado con un trozo de madera de este tipo. **3** col. Experiencia difícil y desagradable porque supone un fuerte daño o un gran perjuicio: *Para mí es un palo decirte que ya no te quiero.* **4** col. Madera: *pata de palo.* **5** En una embarcación, cada uno de los maderos largos y redondos que sirven para sostener las velas; árbol. **6** En la baraja, cada una de las cuatro series o clases en que se dividen los naipes. **7** En una letra, trazo que sobresale hacia arriba o hacia abajo: *La 'p' tiene un palo hacia abajo.* [**8** En algunos deportes, esp. en fútbol, cada uno de los postes o maderos laterales que sujetan el travesaño o madero superior. **9** En algunos deportes, instrumento con el que se golpea la pelota: *palo de golf.* [**10** Lo que resulta muy delgado y alargado: *Está tan delgada que no tiene piernas sino 'palos'.* **11** En zonas del español meridional, árbol. **12** ‖ **a palo seco**; col. Sin más o sin nada accesorio: *Se tomó el filete a palo seco, sin patatas ni ensalada.* ‖ [**dar palo** algo; col. Ser desagradable o molesto: *Me 'da palo' decirte la verdad, pero tienes que saberla.* ‖ **dar palos de ciego**; col. [Actuar sin saber exactamente cuáles serán las consecuencias. ‖ **no dar un palo al agua**; col. Vaguear y holgazanear. ‖ **palo dulce**; raíz del paloduz. ‖ **palo mayor**; el más alto y que sostiene la vela principal. ‖ **palo santo**; madera de un árbol tropical americano, de color generalmente oscuro y muy dura, que se utiliza en ebanistería. □ ETIMOL. Del latín *palus* (poste). □ ORTOGR. En la acepción 12, incorr. **palosanto.* □ SINT. La acepción 3 se usa más con los verbos *dar, llevar* o *recibir.* □ SEM. En las acepciones 1 y 2, es incorrecto hablar de {**palos* > *barras*} de metal.

paloduz s.m. Planta herbácea con tallos casi leñosos, hojas puntiagudas, flores pequeñas y azuladas, que suele crecer en la orilla de los ríos y cuya raíz produce un jugo dulce que se utiliza en medicina; orozuz, regaliz.

[*paloma* s.f. Véase **palomo, ma**.

palomar s.m. **1** Lugar en el que se crían palomas. **2** ‖**alborotar el palomar**; *col.* Referido a un grupo de gente, alterarlo o perturbar su orden: '*Ese alumno tan travieso me alborota todo el palomar*', *se quejaba el profesor*.

palometa s.f. Pez marino, de cabeza pequeña, boca redonda con dientes finos y largos, cuerpo aplastado y de forma ovalada, y que vive en aguas mediterráneas; japuta. □ ETIMOL. Del griego *pelamýs* (bonito). □ MORF. Es un sustantivo epiceno: *la palometa macho, la palometa hembra*.

palomilla s.f. **[1** Tuerca con dos aletas laterales para poder enroscarla y desenroscarla con los dedos; mariposa. **2** Armazón de tres piezas en forma de triángulo rectángulo que sirve para sostener algo.

palomino s.m. **1** Cría de algunos tipos de palomas. **2** *col.* Mancha de excremento en la ropa interior. □ ETIMOL. Del latín *palombinus*.

palomita s.f. **1** Grano de maíz que, al ser tostado, aumenta de tamaño y se ablanda. **[2** En algunos deportes. esp. en el fútbol, estirada espectacular del portero para detener el balón. **3** Refresco de agua con un poco de anís. □ MORF. La acepción 1 se usa más en plural.

palomo, ma ∎ s. **1** Ave rechoncha de alas cortas y plumaje generalmente gris o azulado, de cola amplia y de vuelo rápido, que puede ser domesticada. ⟨⟩ ave **2** Persona de poca malicia y fácil de engañar: *El timador encontró un palomo y lo estafó.* ∎ s.f. **[3** Persona que es partidaria de la línea conciliatoria en un partido u organismo: *Las 'palomas' de aquel gobierno apoyan la política de negociación y de paz.* **4** ‖**paloma mensajera**; la que se utiliza para enviar breves mensajes escritos, ya que por su instinto vuelve al palomar después de recorrer largas distancias. ‖ **(paloma torcaz)**; la de mayor tamaño, con una mancha blanca a cada lado del cuello y una banda del mismo color en la cola, que habita generalmente en el campo y anida en los árboles más altos. ‖**palomo ladrón**; el que con arrullos y caricias lleva las palomas ajenas al palomar propio, esp. el adiestrado para ello. □ ETIMOL. *Palomo*, del latín *palumbus. Paloma*, del latín *palumba*. □ MORF. 1. En la acepción 1, el femenino es el término genérico, y sirve para designar indistintamente al macho y a la hembra. 2. En la acepción 2, la RAE sólo registra el femenino.

palote s.m. Cada uno de los trazos o rayas que hacen los niños como ejercicio para aprender a escribir.

palpable adj. **1** Que se puede tocar con las manos. **2** Muy claro y evidente. □ MORF. Invariable en género.

palpación s.f. o **palpamiento** s.m. Hecho de tocar algo con las manos para percibirlo o reconocerlo mediante el sentido del tacto.

palpar v. **1** Tocar con las manos para percibir o reconocer mediante el sentido del tacto: *El médico palpó el vientre de la embarazada. La luz se fue y tuve que bajar las escaleras palpando.* **2** Percibir tan claramente como si se tocara: *En el ambiente se palpa un gran nerviosismo.* □ ETIMOL. Del latín *palpare* (tocar levemente, acariciar).

palpitación s.f. **1** Contracción y dilatación alternativas del corazón: *Se puso la mano en el pecho y sintió las palpitaciones.* **2** Latido del corazón, más fuerte y rápido de lo normal, y que es claramente percibido: *Se puso nerviosísimo y empezó a sentir fuertes palpitaciones.* **3** Movimiento interior, tembloroso e involuntario, de una parte del cuerpo: *Noto palpitaciones en los párpados.* □ MORF. Se usa más en plural.

palpitante adj. **1** *col.* Que resulta de actualidad y tiene gran interés. **[2** Referido a una luz, que se apaga o se enciende de manera rítmica y alternativa. □ MORF. Invariable en género.

palpitar v. **1** Referido al corazón, contraerse y dilatarse alternativamente: *No está muerto porque su corazón todavía palpita.* **2** Referido al corazón, aumentar su número natural de palpitaciones a causa de una emoción: *Mi corazón empezó a palpitar cuando me dijeron que había ganado el concurso.* **3** Referido a una parte del cuerpo, moverse o agitarse interiormente con un movimiento tembloroso e involuntario: *Cuando estoy nerviosa me palpita mucho el ojo izquierdo.* **4** Referido a un sentimiento, manifestarse con vehemencia: *En sus ojos palpitaba la alegría de vivir.* □ ETIMOL. Del latín *palpitare* (agitarse, palpitar).

pálpito s.m. Presentimiento o corazonada de que algo va a ocurrir.

palpo s.m. En los artrópodos, cada uno de los apéndices articulados y movibles que tienen alrededor de la boca para localizar y sujetar el alimento. □ ETIMOL. Del latín *palpum*.

palta s.f. En zonas del español meridional, aguacate.

palto s.m. En zonas del español meridional, árbol del aguacate.

palúdico, ca ∎ adj. **1** Del paludismo o relacionado con esta enfermedad. ∎ adj./s. **2** Referido a una persona, que padece paludismo.

paludismo s.m. Enfermedad caracterizada por fiebres altas e intermitentes, transmitida por la picadura del mosquito anofeles hembra; malaria. □ ETIMOL. Del latín *palus* (pantano, estanque).

palurdo, da adj./s. *col.* Referido a una persona, que no tiene educación ni refinamiento. □ ETIMOL. Del francés *balourd* (torpe, lerdo). □ USO Tiene un matiz despectivo.

palustre adj. De la laguna o del pantano. □ ETIMOL. Del latín *paluster*, y éste de *palus* (pantano). □ MORF. Invariable en género.

pamela s.f. Sombrero de paja, de copa baja y ala ancha, usado por las mujeres generalmente en verano. □ ETIMOL. Por alusión a Pamela, protagonista de la novela del mismo nombre, que solía llevar esta prenda. ⟨⟩ sombrero

pamema s.f. **1** *col.* Hecho o dicho sin sentido o sin importancia. **2** *col.* Delicadeza aparente o fingida en las palabras o en los modales; melindre. □ ETIMOL. De *pamplina*, por el cruce con *memo*.

pampa s.f. Llanura extensa sin vegetación arbórea, propia de algunos países suramericanos.

pámpana s.f. →**pámpano**.

pámpano s.m. **1** Brote nuevo, verde, tierno y delgado de la vid. **2** Hoja de la vid; pámpana. □ ETIMOL. Del latín *pampinus* (hoja de vid, sarmiento tierno). □ USO En la acepción 2, aunque la RAE prefiere *pámpana*, se usa más *pámpano*.

pamplina s.f. *col.* Lo que se considera de poca importancia, sin contenido o de escasa utilidad: *Déjate de pamplinas, y coge otro pastel.* □ ETIMOL. De **pa-*

paverina, y éste del latín *papaver* (amapola, adormidera), porque se alimentaba a los canarios con esta planta y, por ello, se la consideraba de poca importancia. □ MORF. Se usa más en plural.

pamplonés, -a adj./s. De Pamplona o relacionado con esta ciudad navarra. □ USO Cuando se refiere a las personas de Pamplona se usa más la forma coloquial *pamplonica*.

pamplonica adj./s. *col*. →**pamplonés**. □ MORF. 1. Como adjetivo es invariable en género. 2. Como sustantivo es de género común: *el pamplonica, la pamplonica*.

pan s.m. **1** Masa de harina y de agua que, una vez fermentada y cocida al horno, sirve de alimento: *¿Tienes pan para hacerme un bocadillo?* 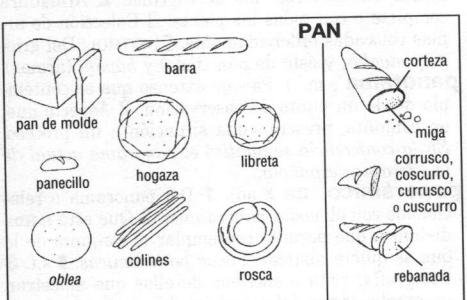 pan **2** Pieza grande, redonda y achatada, hecha con esta masa de harina y agua: *En el pueblo compré un pan de dos kilos.* **3** Masa muy sobada y delicada, con aceite o manteca, empleada en la fabricación de pasteles y empanadas: *¡Qué bueno está el pan de esta empanada!* **4** Masa de otras sustancias, esp. alimenticias: *El pan de higo está hecho con higos secos mezclados con almendras.* **5** Lo que sirve para el sustento diario: *Afortunadamente, en esta casa nunca ha faltado el pan.* **6** Hoja muy fina de oro, plata u otros metales, que sirve para dar el aspecto del oro o de la plata a una superficie. **7** ‖**con su pan se lo coma**; *col*. Expresión que se usa para indicar la indiferencia que se siente ante el comportamiento de otra persona: *Si organiza una fiesta y no me invita, con su pan se lo coma.* ‖**llamar al pan, pan y al vino, vino**; *col*. Hablar claramente y sin rodeos. ‖**[más bueno que el pan**; *col*. Muy bueno por su calidad, su sabor o su aspecto. ‖**pan {ácimo/ázimo}**; el que no tiene levadura. ‖**(pan) candeal**; el que está hecho con harina de trigo candeal. ‖**pan de molde**; el que tiene forma rectangular, con una corteza fina y uniforme, y está cortado en rebanadas. ‖ **[pan de muerto**; en zonas del español meridional, el que se prepara el día 2 de noviembre para festejar a los muertos. ‖ **[pan de Viena**; el que se hace con harina de trigo, cortado en pequeños bollos redondos de corteza muy brillante por haber sido untada con clara de huevo antes de la cocción. ‖ **[pan molido**; en zonas del español meridional, pan rallado. ‖**pan rallado**; el que se tritura hasta convertirlo en migas, y se utiliza para rebozar alimentos. ‖ **[pan y circo**; *col*. Necesidades básicas y distracción: *La prensa criticó la política 'pan y circo' con que el Gobierno intentó acallar las protestas callejeras.* ‖**pan y quesillo**; planta herbácea, de hojas estrechas, flores blancas y frutos con forma triangular. ‖**ser el pan (nuestro) de cada día**; *col*. Ser muy normal u ocurrir con gran frecuencia: *Desgraciadamente, los accidentes de tráfico son el pan nuestro de cada día.* ‖**ser pan comido**; *col*. Resultar muy fácil de hacer o de conseguir: *Para mí, trepar a ese árbol es pan comido.* □ ETIMOL. Del latín *panis*. □ USO La expresión 'pan y circo' tiene un matiz despectivo.

pan- Elemento compositivo que significa 'totalidad': *panamericano, paneuropeísmo, panislamista, panteísmo*. □ ETIMOL. Del griego *pan-*.

pana s.f. **1** Tela gruesa parecida al terciopelo, que generalmente forma un dibujo de pequeños surcos paralelos en relieve. **2** ‖**[quedarse en pana**; referido a un vehículo, averiarse. □ ETIMOL. Del francés *panne*, y éste del latín *pinna* (plumaje de un animal).

panacea s.f. Solución o remedio generales para cualquier problema o para cualquier mal. □ ETIMOL. Del latín *panacea*, y éste del griego *panákeia* (planta a la que se atribuía la virtud de curar todos los males).

[panaché (galicismo) s.m. Comida preparada con diversas verduras cocidas.

panadería s.f. Establecimiento en el que se hace o se vende pan.

panadero, ra s. Persona que se dedica profesionalmente a la fabricación o a la venta de pan.

panal s.m. Conjunto de pequeñas celdas hexagonales de cera que las abejas construyen dentro de la colmena para depositar la miel y los huevos para la reproducción. □ ETIMOL. De *pan* (masa de varias materias).

panamá s.m. **1** Tela de algodón de hilos gruesos, que se utiliza esp. para bordar. **2** Sombrero flexible, con el ala recogida o doblada que suele bajarse sobre los ojos. 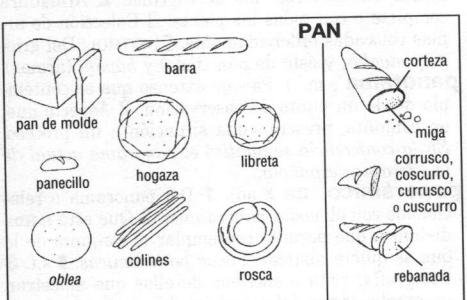 sombrero □ ETIMOL. De *Panamá* (país), porque el sombrero se fabricaba en Ecuador y se exportaba a través de Panamá.

panameño, ña adj./s. De Panamá o relacionado con este país centroamericano.

panamericanismo s.m. Tendencia que defiende el fomento de las relaciones entre las naciones americanas, esp. entre los Estados Unidos de Norteamérica y los países hispanoamericanos. □ ETIMOL. De *pan-* (todo) y *americanismo*.

panamericano, na adj. **1** Del panamericanismo o relacionado con esta tendencia: *ideas panamericanas.* **[2** De todas las naciones americanas: *juegos 'panamericanos'.*

[panavisión s.f. Técnica cinematográfica de filmación y de proyección en la que se emplean unas lentes especiales y una película de sesenta y cinco milímetros: *La 'panavisión' ofrece las imágenes cinematográficas en grandes dimensiones.*

pancarta s.f. Cartel grande en el que aparece algo escrito o dibujado y que se exhibe en reuniones públicas, esp. en las políticas o deportivas. □ ETIMOL. Del francés *pancarte*, y éste del latín *pancharta* (documento donde figuraban todos los bienes de una iglesia).

panceta s.f. Tocino fresco con vetas de carne. 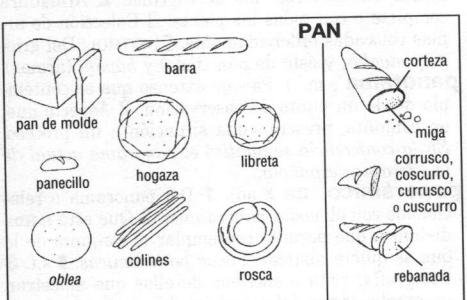 carne

[panchito s.m. *col*. Cacahuete pelado y frito.

pancho, cha ∎ adj. **1** *col*. Tranquilo, reposado o satisfecho: *No le afectaron mis críticas, porque se*

PAN

barra — corteza

pan de molde — miga

panecillo — hogaza — libreta — corrusco, coscurro, currusco o cuscurro

oblea — colines — rosca — rebanada

quedó tan pancha. ∎ s.m. **[2** En zonas del español meridional, perrito caliente.

páncreas s.m. Glándula situada en el abdomen junto al duodeno y detrás del estómago, que elabora y segrega enzimas digestivas y que produce hormonas: *El páncreas elabora la insulina.* □ ETIMOL. Del griego *pánkreas* (todo carne). □ MORF. Invariable en número.

pancreático, ca adj. Del páncreas o relacionado con esta glándula.

pancromático, ca adj. Referido esp. a una película, que tiene igual sensibilidad para los diversos colores del espectro. □ ETIMOL. Del griego *pân* (todo) y *chromatikós* (de color).

panda ∎ s.m. **[1** →*oso panda.* ∎ s.f. **2** col. Grupo de personas que se reúnen para divertirse: *Fuimos al cine toda la panda de amigos.* **3** Grupo de personas, esp. si se reúnen para hacer daño: *Una panda de gamberros volcó los contenedores de basura.* □ ETIMOL. Las acepciones 2 y 3, del antiguo *pando* (curvo, torcido). □ MORF. En la acepción 1, es un sustantivo epiceno: *el 'panda' macho, el 'panda' hembra.*

pandemónium s.m. Lugar en el que hay mucho ruido y confusión. □ ETIMOL. Del griego *pân* (todo) y *daímonion* (demonio).

pandereta s.f. Pandero pequeño, con sonajas o cascabeles en sus bordes. 🔊 percusión

pandero s.m. **1** Instrumento musical de percusión, formado por uno o dos aros superpuestos, con una piel muy lisa tensada sobre ellos y generalmente con sonajas o cascabeles en los laterales. 🔊 percusión **2** col. Culo. □ ETIMOL. Del latín *pandorius.*

pandilla s.f. Grupo habitual de amigos.

pandillero, ra s. Persona que forma parte de una pandilla.

panecillo s.m. Pieza pequeña de pan, equivalente a la ración de pan que una persona normal consume en una comida o bocadillo. 🔊 pan

panegírico, ca ∎ adj. **1** Del discurso en alabanza de una persona o con sus características. ∎ s.m. **2** Escrito en alabanza de una persona. □ ETIMOL. Del griego *panegyrikós* (discurso solemne en una reunión pública).

panel s.m. **1** Cada una de las partes lisas o compartimentos en que se divide una superficie: *La pared estaba cubierta por cuatro paneles de corcho.* **2** Elemento prefabricado que se utiliza en construcción, generalmente para dividir o para separar espacios: *El despacho del jefe está separado de la sala de trabajo por paneles de cristal.* **3** Cartelera grande montada sobre una estructura metálica que sirve para colocar propaganda e información en ella. **[4** Placa de material aislante que se emplea como soporte de los aparatos indicadores de funcionamiento y de maniobra que forman parte de un circuito eléctrico: *'panel' de mandos.* **5** Grupo de personas que intervienen en una discusión pública sobre algún asunto: *Un panel de expertos trató de establecer las posibles causas del accidente.* □ ETIMOL. Las acepciones 1-4, del francés antiguo *panel,* y éste de *pan* (lienzo de pared). La acepción 5, del inglés *panel.*

panera s.f. Véase **panero, ra.**

panero, ra ∎ adj. **1** Que come mucho pan o que le gusta mucho. ∎ s.f. **2** Recipiente en el que se coloca el pan, esp. el que se pone en la mesa.

paneuropeísmo s.m. Tendencia que defiende la unión política y económica de todas las naciones europeas. □ ETIMOL. De *pan-* (todo) y *europeísmo.*

[paneuropeísta adj./s. Que sigue o que defiende el paneuropeísmo. □ MORF. 1. Como adjetivo es invariable en género. 2. Como sustantivo es de género común: *el 'paneuropeísta', la 'paneuropeísta'.*

paneuropeo, a adj. Del continente europeo o relacionado con él.

pánfilo, la adj./s. **[1** Tonto, simple y muy cándido. **2** Que actúa de forma lenta y pausada. □ ETIMOL. Del latín *Pamphilus* (nombre propio), y éste del griego *pámphilos* (bondadoso).

panfletario, ria adj. Con el estilo propio de los panfletos o relacionado con ellos.

panfleto s.m. **1** Papel o folleto de propaganda política. **2** Lo que resulta excesivamente propagandístico, esp. si es agresivo o difama: *La película me pareció un panfleto a favor de la guerra.* □ ETIMOL. Del inglés *pamphlet.*

paniaguado, da s. Persona protegida y favorecida por otra. □ ETIMOL. Del antiguo *apaniguado,* y éste de *apaniguar* (alimentar, dar pan a alguien). □ MORF. La RAE sólo registra el masculino.

pánico s.m. Miedo grande o temor muy intenso, esp. si es colectivo. □ ETIMOL. Del griego *panikón,* y éste de *dêima panikón* (terror causado por Pan, dios mitológico a quien se atribuían los ruidos que se escuchaban en montes y valles).

panificadora s.f. Establecimiento donde se cuece y se vende el pan; horno, tahona.

panizo s.m. Planta herbácea con varios tallos redondos que salen de la raíz, hojas planas, largas, estrechas y ásperas, y con flores en espigas grandes y apretadas. □ ETIMOL. Del latín *panicium.*

panocha s.f. Véase **panocho, cha.**

panocho, cha ∎ adj./s. **1** De la huerta murciana o relacionado con ella. ∎ s.m. **2** Variedad del español que se habla en la huerta murciana. ∎ s.f. **3** →**panoja.** □ ETIMOL. Del latín *panucha* (cabellera de una mazorca).

panoja s.f. **1** Mazorca del maíz, del panizo o del mijo. **2** En botánica, conjunto de espigas simples o compuestas que nacen de un eje común: *La avena tiene el fruto en panoja.* □ ETIMOL. Del latín *panucula* (mazorca). □ SEM. Es sinónimo de *panocha.*

panoli adj./s. col. Simple, de poco carácter o sin voluntad. □ ETIMOL. Del valenciano *panoli,* y éste de *pa en oli* (pan con aceite), por lo simple de este alimento. □ MORF. 1. Invariable en género. 2. Es de género común: *el panoli, la panoli.*

panoplia s.f. **1** Tabla, generalmente en forma de escudo, en la que se colocan floretes, sables y otras armas blancas, esp. las de esgrima. **2** Armadura completa o con todas las piezas. **3** Colección de armas colocadas ordenadamente. □ ETIMOL. Del griego *panoplía,* y éste de *pân* (todo) y *hóplon* (arma).

panorama s.m. **1** Paisaje extenso que se contempla desde un punto de observación. **2** Aspecto que, en conjunto, presenta una situación o un proceso: *En la conferencia se analizó el panorama actual de la literatura española.*

panorámico, ca ∎ adj. **1** Del panorama o relacionado con él: *visita panorámica.* **2** Que está a una distancia que permite contemplar el conjunto de lo que se quiere abarcar: *vistas panorámicas.* ∎ s.f. **3** Fotografía, vista o sucesión de ellas que muestran un amplio sector del paisaje visible desde un punto.

[panqué s.m. Pan que se suele cocer en un molde rectangular sobre papel.

[panqueque s.m. En zonas del español meridional, crepe. ☐ ETIMOL. Del inglés *pan* (sartén) y *cake* (torta, pastel).

pantagruélico, ca adj. Referido a una comida, muy abundante o en cantidad excesiva. ☐ ETIMOL. Por alusión a un personaje literario famoso por su voracidad y creado por el escritor francés Rabelais. ☐ PRON. Incorr. *[pantacruélico].

pantalán s.m. Muelle o embarcadero para barcos pequeños, que se adentra algo en el mar.

[pantaleta s.f. En zonas del español meridional, braga. ☐ MORF. En plural tiene el mismo significado que en singular.

pantalla s.f. **1** Lámina que se sujeta delante o alrededor de la luz artificial para que no moleste en los ojos o para dirigirla hacia donde se quiere. 🔍 alumbrado **2** Telón o superficie sobre los que se proyectan las imágenes de cine o de otro aparato de proyecciones. **3** col. Mundo que rodea a la televisión o al cine: *Esa revista cuenta la vida privada de los personajes de la pantalla.* **4** En zonas del español meridional, tapadera o lo que sirve para encubrir algo. **5** ‖[pantalla de humo; noticia o información que se dan para distraer la atención que debería recaer sobre un asunto. ‖pantalla (electrónica); en un aparato electrónico, superficie sobre la que se proyectan imágenes. ‖pequeña pantalla; col. Televisión. ☐ ETIMOL. De origen incierto.

pantallazo s.m. col. En informática, cada serie de imágenes que aparece de una vez en la pantalla de un ordenador.

pantalón ▌ s.m. **1** Prenda de vestir que se ajusta a la cintura y que llega generalmente hasta los tobillos, cubriendo las dos piernas por separado. ▌ pl. **[2** col. Hombre: *Siempre que hay unos 'pantalones' delante, se hace la interesante.* **3** ‖bajarse los pantalones; col. Ceder en condiciones deshonrosas o ante algo indigno. ‖llevar los pantalones; col. Imponer la propia autoridad en un sitio, esp. en el hogar. ‖(pantalón) {bávaro/bombacho}; el que es ancho y por abajo va ajustado a las pantorrillas. 🔍 alpinismo ‖(pantalón) {vaquero/tejano}; [el que es ajustado y tiene los bolsillos de detrás superpuestos, esp. el confeccionado con una tela resistente de color azul. ☐ ETIMOL. Del francés *pantalon*, y éste de *Pantalone*, personaje de una comedia italiana que llevaba un pantalón largo a la veneciana. ☐ MORF. La acepción 1 en plural tiene el mismo significado que en singular. ☐ USO Es innecesario el uso del anglicismo *jeans* en lugar de *pantalón vaquero.*

pantano s.m. **1** Gran depósito artificial de agua, que se forma generalmente cerrando la boca de un valle. **2** Hondonada, con fondo más o menos cenagoso, en la que se recogen y se detienen las aguas de forma natural. ☐ ETIMOL. Del italiano *pantano.*

pantanoso, sa adj. Referido a un terreno, que tiene pantanos, charcos o cenagales.

panteísmo s.m. Sistema filosófico y teológico que identifica a Dios con todo lo que existe. ☐ ETIMOL. De *pan-* (todo) y el griego *theós* (dios).

panteísta ▌ adj. **1** →panteístico. ▌ adj./s. **2** Que sigue o que defiende el panteísmo. ☐ MORF. 1. Como adjetivo es invariable en género. 2. Como sustantivo es de género común: *el panteísta, la panteísta.*

panteístico, ca adj. Del panteísmo o relacionado con este sistema filosófico; panteísta.

panteón s.m. Monumento funerario destinado al enterramiento de varias personas. ☐ ETIMOL. Del latín *pantheon*, y éste del griego *pántheion* (templo de todos los dioses). ☐ SEM. Dist. de *cenotafio* (monumento funerario que no contiene el cadáver).

pantera s.f. Leopardo de pelaje negro propio de los continentes asiático y africano. ☐ ETIMOL. Del latín *panthera*, éste del griego *pánthera*, y éste de *pân* (enteramente) y *thér* (fiera). ☐ MORF. Es un sustantivo epiceno: *la pantera macho, la pantera hembra.* ☐ SEM. Aunque la RAE lo considera sinónimo de *leopardo*, *pantera* es un tipo de leopardo. 🔍 felino

pantocrátor s.m. En el arte bizantino y románico, representación de Jesucristo (hijo de Dios) sentado y bendiciendo, enmarcado por una curva en forma de almendra. ☐ ETIMOL. Del griego *pantokrátor* (todopoderoso). ☐ PRON. Incorr. *[pantócrator].

pantomima s.f. **1** Representación, generalmente teatral, por medio de mímica y sin intervención de la palabra; mimo. **2** Fingimiento para aparentar algo o para encubrir un engaño; comedia. ☐ ETIMOL. Del latín *pantomimus*, y éste del griego *pantómimos* (que lo imita todo).

pantorrilla s.f. Parte carnosa y abultada de la pierna, por debajo de la parte de atrás de la rodilla. ☐ ETIMOL. Quizá del latín *pantex* (barriga) por cruce con *pandorium* (bandurria).

[pants (anglicismo) s.m.pl. En zonas del español meridional, chándal.

pantufla s.f. Zapatilla sin talón, usada para andar por casa. ☐ ETIMOL. Del francés *pantoufle*. 🔍 calzado

[panty (anglicismo) s.m. Leotardos de nailon. ☐ MORF. Se usa más en plural.

panza s.f. **1** Barriga o vientre, esp. los muy abultados. **2** En el estómago de los rumiantes, primera de las cuatro cavidades de que consta. **3** Parte abultada de algunas cosas, esp. de una vasija; barriga, vientre. **4** ‖panza de burra; col. Cielo uniformemente cubierto y de color gris oscuro. ☐ ETIMOL. Del latín *pantex* (tripa, barriga).

panzada s.f. **1** col. Exceso en una actividad: *Te diste una buena panzada si pintaste tú solo la casa.* **2** Golpe dado con la panza: *Se tiró desde el trampolín y se dio una panzada en el agua.* ☐ USO En la acepción 2, aunque la RAE sólo registra *panzada*, se usa también *panzazo.*

[panzazo s.m. →panzada.

[panzer (germanismo) s.m. Tipo de tanque o carro de combate. ☐ PRON. [pánzer].

panzudo, da adj. Que tiene mucha panza.

pañal s.m. **1** Pieza hecha con material absorbente que se coloca a los niños pequeños entre las piernas a modo de braga. **2** ‖estar en pañales; col. Estar en el comienzo, tener poca experiencia o encontrarse en un estado poco avanzado. ☐ ETIMOL. De *paño*. ☐ MORF. En plural tiene el mismo significado que en singular.

pañito s.m. Pieza de tela o labor hecha de encaje o ganchillo, que se usan para cubrir o para adornar.

paño s.m. **1** Tejido fuerte y muy tupido, generalmente de lana. **2** Pieza de lienzo o de otra tela, esp. si tiene forma cuadrada o rectangular: *Secó los platos con un paño.* **3** ‖en paños menores; col. En ropa interior o casi desnudo. ‖paño de lágrimas;

persona en la que se encuentra generalmente atención, consuelo o ayuda. || **paños calientes**; *col.* Hecho o dicho con los que se intentan suavizar el rigor o la aspereza con la que se ha de actuar en un asunto. ☐ ETIMOL. Del latín *pannus* (pedazo de paño, trapo, harapo).

pañoleta s.f. Prenda de vestir femenina, de forma triangular, que se suele colocar sobre los hombros como adorno o como abrigo.

pañuelo s.m. **1** Pieza de tela de pequeño tamaño y de forma cuadrangular que se utiliza generalmente para limpiarse la nariz. **2** Pieza de tela, generalmente de forma cuadrada, que se usa como adorno o como abrigo. ☐ ETIMOL. De *paño*.

papa ▪ s.m. **1** Sumo pontífice o autoridad máxima de la iglesia católica. **2** *col.* Padre. ▪ s.f. **3** Patata. ▪ s.f.pl. **4** Comida blanda hecha de leche y de harina. **5** ||**no** {saber/entender} **ni papa**; *col.* No comprender nada. || **[papa caliente**; *col.* Problema difícil que se intenta evitar. || **[papa negro**; *col.* Superior general de los jesuitas. ☐ ETIMOL. La acepción 1, del latín *papas*. La acepción 2, del latín *papa*. La acepción 3, del quechua *papa*. Las acepciones 3 y 4, del latín *papa* (comida de niños). ☐ USO En la acepción 1, se usa más como nombre propio.

papá ▪ s.m. **1** *col.* Padre. ▪ pl. **2** *col.* El padre y la madre: *Mis papás me llevarán al circo.* ☐ ETIMOL. Del francés *papa*.

papable adj. En la iglesia católica, referido a un cardenal, que tiene posibilidades de ser elegido Papa. ☐ MORF. Invariable en género.

papachos s.m.pl. *col.* En zonas del español meridional, caricias y mimos. ☐ MORF. La RAE sólo lo registra en singular.

papada s.f. **1** Abultamiento carnoso que se forma debajo de la barbilla; sotabarba. **2** En algunos animales, pliegue de la piel que sobresale del borde inferior del cuello y que se extiende hasta el pecho: *Los toros y las vacas tienen papada.* ☐ ETIMOL. De *papo*.

papado s.m. **1** Dignidad de Papa. **2** Tiempo durante el que un Papa desempeña su ministerio.

papagayo, ya ▪ s. **1** Ave tropical trepadora, con un pico fuerte, grueso y encorvado, patas prensoras y plumaje de colores vistosos, que se alimenta de semillas y frutas y que aprende a repetir palabras y frases; loro. ▪ s.m. **[2** En zonas del español meridional, cometa. ☐ ETIMOL. De origen incierto.

papal adj. Del Papa o relacionado con esta dignidad de la iglesia católica. ☐ MORF. Invariable en género.

papalote s.m. En zonas del español meridional, cometa.

papamoscas s.m. **1** Pájaro muy pequeño que tiene el plumaje de color gris y blanco, con el pecho también blanco, y que se alimenta de insectos que caza al vuelo. **2** *col.* Persona simple e inocente, muy fácil de engañar; papanatas. ☐ ETIMOL. De *papar* (comer) y *mosca*. ☐ MORF. **1.** En la acepción 1, es un sustantivo epiceno: *el papamoscas macho, el papamoscas hembra.* **2.** Invariable en número.

[papamóvil s.m. *col.* Vehículo blindado de color blanco y acristalado que utiliza el Papa para sus recorridos por las ciudades que visita.

papanatas s. *col.* Persona simple e inocente, muy fácil de engañar; papamoscas. ☐ ETIMOL. De *papar*

(comer) y *nata*. ☐ MORF. **1.** Es de género común: *el papanatas, la papanatas.* **2.** Invariable en número.

[papanatería s.f. *col.* Excesiva simpleza y facilidad para ser engañado.

[papanatismo s.m. *col.* Simplismo excesivo.

papar v. *col.* Comer: *Se papó el plato de sopa en un santiamén.* ☐ ETIMOL. Del latín *pappare* (comer).

[paparazzi (italianismo) s.m.pl. Fotógrafos de prensa que se dedican a conseguir fotografías de personajes de la vida pública sin su autorización. ☐ PRON. [paparátsi].

paparrucha o **paparruchada** s.f. *col.* Hecho o dicho sin sentido ni fundamento.

papaveráceo, a ▪ adj./s.f. **1** Referido a una planta, que es herbácea, tiene las hojas alternas, y el fruto en forma de cápsula con muchas semillas de pequeño tamaño en su interior: *La amapola es una planta papaverácea.* ▪ s.f.pl. **2** En botánica, familia de estas plantas, perteneciente a la clase de las dicotiledóneas. ☐ ETIMOL. Del latín *papaver* (adormidera).

papaya s.m. Fruto del papayo, hueco, de forma más larga que ancha, y cuya parte blanda, parecida a la del melón, es de color amarillo o anaranjado y de sabor dulce.

papayo s.m. Árbol tropical, de tronco fibroso y de poca consistencia, cuyas hojas nacen en su parte más alta.

papear v. *col.* [Comer: *Vamos a papear, que tengo hambre.*

papel ▪ s.m. **1** Lámina delgada hecha con pasta de fibras vegetales, blanqueadas y disueltas en agua, que después se hace secar y endurecer por procedimientos especiales, y que se utiliza generalmente para escribir o para dibujar en ella. **2** Pliego, hoja o pedazo de este material: *papel cuadriculado.* **3** Documento, carta o credencial de cualquier tipo: *¿Tienes ya todos los papeles para pedir la beca?* **4** En teatro, parte de la obra que ha de representar cada actor: *Para el ensayo de mañana tenemos que llevar aprendidos nuestros papeles.* **5** En una obra dramática, personaje representado por el actor: *Lleva muchos años representando el papel de galán en los escenarios teatrales.* **6** Función desempeñada en una situación o en la vida: *La tenista española hizo un buen papel durante el torneo.* ▪ pl. **7** *col.* Periódico. **[8** *col.* Billetes: *Esta radio me costó unos cuantos 'papeles'.* **9** ||**papel biblia**; el que es muy delgado, resistente y de buena calidad, muy apropiado para imprimir obras muy extensas en poco espacio. ||**papel carbón**; el que tiene una sustancia de color oscuro en una de sus caras y se usa para la obtención de copias. || **[papel carbónico**; en zonas del español meridional, papel carbón. ||**papel cebolla**; el que es muy fino y transparente y se usa para copiar en él. || **(papel) celo**; cinta plástica, transparente y adhesiva por uno de sus lados, que se usa para pegar. || **[(papel) celofán**; el que es transparente y flexible, y se usa para envolver. ||**[papel charol**; el que es muy brillante, fino y de diversos colores. || **(papel) cuché**; el muy satinado y barnizado, que se usa generalmente en revistas ilustradas. ||**papel de {aluminio/estaño/plata}**; lámina muy fina de aluminio o de estaño aleado, usada generalmente para envolver y conservar alimentos. ||**papel de calco**; el que se utiliza para calcar o sacar copias. ||**papel de china**; en zonas del español meridional, papel de seda. ||**papel de estraza**; el que es muy basto, áspero, sin cola y sin blanquear. ‖ **papel de fumar**; el que se usa para liar cigarrillos. ‖ **[papel de oficio**; en zonas del español meridional, folio. ‖ **papel de pagos (al Estado)**; hoja timbrada que vende el Ministerio de Hacienda a través de los estancos y que sirve para pagar al Estado. ‖ **papel de seda**; el que es fino, transparente y flexible, y se usa para envolver productos u objetos delicados. ‖ **papel del Estado**; documento emitido por éste en el que reconoce haber recibido una cantidad de dinero de quien lo posea. ‖ **[papel glacé**; en zonas del español meridional, papel charol. ‖ **[papel guarro**; el que es fuerte y granulado, y se usa para dibujar con acuarela. ‖ **papel higiénico**; el que es fino y se usa en los retretes. ‖ **[papel lustre**; en zonas del español meridional, papel charol. ‖ **[papel maché**; el que se machaca y se humedece para realizar generalmente figuras o relieves. ‖ **papel mojado**; *col.* Lo que es de poca importancia, inútil o sin valor: *Si el contrato está sin firmar es papel mojado.* ‖ **[papel picado**; en zonas del español meridional, confeti. ‖ **[papel pinocho**; el que es muy fino y arrugado, y se usa para envolver o decorar. ‖ **papel pintado**; el que tiene varios colores y dibujos y se usa para la decoración de las paredes. ‖ **papel satinado**; el que tiene brillo. ‖ **papel secante**; el que, por ser muy poroso, se usa para secar lo escrito. ‖ **papel vegetal**; el satinado y transparente que usan generalmente los delineantes y arquitectos. ‖ **[perder los papeles**; *col.* Actuar sin control sobre uno mismo o sobre la situación, generalmente a causa del nerviosismo. ‖ **[sobre el papel**; en teoría: *Este equipo era el favorito 'sobre el papel', pero al final perdió el partido.* □ ETIMOL. Del catalán *paper*, y éste del latín *papynus* (papiro). Las expresiones *papel celo* y *papel celofán* son extensión de nombres de marcas comerciales. □ MORF. La acepción 3 se usa más en plural.

[papela s.f. *vulg.* Documentación oficial, esp. referido al carné de identidad.

papeleo s.m. Conjunto de documentos y de trámites necesarios para la resolución de un asunto.

papelera s.f. Véase papelero, ra.

papelería s.f. Establecimiento en el que se vende papel y otros objetos de escritorio.

papelero, ra ▌ adj. **1** Del papel o relacionado con él. ▌ s.f. **2** Recipiente que se usa para tirar papeles inservibles y otros desperdicios; cesto de los papeles.

papeleta s.f. **1** Papel pequeño en el que aparece escrita cierta información de carácter oficial. **2** *col.* Situación o asunto difíciles de resolver.

papelillo s.m. **1** Sobre pequeño que contiene una pequeña dosis medicinal en polvo. ✎ medicamento **[2** *col.* Papel de fumar.

[papelina s.f. En el lenguaje de la droga, envoltorio pequeño que contiene una dosis, generalmente de heroína o de cocaína.

[papelinero, ra s. Persona que vende papelinas de heroína.

papelón s.m. Actuación o papel difíciles, ridículos o poco lucidos.

papelorio s.m. *col.* Conjunto desordenado de papeles. □ USO Tiene un matiz despectivo.

[papeo s.m. *col.* Comida.

paperas s.f.pl. Inflamación de las glándulas salivales, que produce un abultamiento de las zonas situadas debajo de las orejas. □ ETIMOL. De *papo*.

[papi s.m. *col.* Padre. □ USO Su uso es característico del lenguaje infantil.

papiamento s.m. Lengua criolla que se habla en Curaao (isla caribeña) y que está formada por una mezcla de portugués, holandés, español y lenguas africanas. □ ETIMOL. Del antiguo *papear* (chapurrear).

papila s.f. **1** En la piel o en las membranas mucosas, esp. de la lengua, pequeña masa de tejido prominente. **2** En algunas plantas, cada uno de los abultamientos cónicos que tienen algunos órganos. □ ETIMOL. Del latín *papilla* (pezón de teta).

papilionáceo, a ▌ adj./s.f. **1** Referido a una planta, que se caracteriza por tener flores con corola amariposada, con cinco pétalos, y el fruto generalmente en legumbre: *La retama y el algarrobo son plantas papilionáceas.* ▌ s.f.pl. **2** En botánica, familia de estas plantas, perteneciente a la clase de las dicotiledóneas. □ ETIMOL. Del latín *papilio* (mariposa).

papilla s.f. **1** Comida triturada que forma una masa espesa, destinada generalmente a niños pequeños o enfermos. **2** Sustancia opaca a los rayos X que es utilizada en el estudio radiológico del aparato digestivo. **3** ‖ **echar la (primera) papilla**; *col.* Vomitar. ‖ **[hacer papilla**; *col.* Dejar en muy malas condiciones físicas o anímicas.

papiloma s.m. Bulto formado por el aumento de volumen de ciertas zonas de la piel. □ ETIMOL. De *papila* y *-oma* (tumor).

papión s.m. Mono de mediano tamaño, con mandíbula saliente y grandes dientes caninos, de pelaje gris o pardo claro, con callosidades rojas en las nalgas, y que vive en las sabanas y en zonas semidesérticas africanas formando manadas, con una jerarquía social muy estricta. □ MORF. Es un sustantivo epiceno: *el papión macho, el papión hembra.* ✎ primate

papiro s.m. **1** Planta herbácea de origen oriental, de hojas largas y estrechas y cañas cilíndricas, lisas y desnudas que terminan en un penacho de espigas con pequeñas flores verdosas. **2** Lámina obtenida del tallo de esta planta, que se usaba en la Antigüedad para escribir en ella. **3** Manuscrito realizado sobre esta lámina. □ ETIMOL. Del latín *papyrus.* □ ORTOGR. Dist. de *pápiro.*

papiroflexia s.f. Arte y técnica de hacer figuras a partir de un trozo de papel doblado sucesivas veces. □ ETIMOL. De *papiro* (papel) y del latín *flexus* (doblado).

papirología s.f. Ciencia que estudia los papiros. □ ETIMOL. De *papiro* y *-logía* (ciencia).

papirotada s.f. o **papirotazo** s.m. Golpe que se da, generalmente en la cabeza, haciendo resbalar la uña de un dedo con fuerza sobre la yema del pulgar; capirotazo.

papisa s.f. Mujer papa.

papista ‖ **ser más papista que el papa**; *col.* Ser extremadamente riguroso en el cumplimiento de un deber o de una recomendación.

papo s.m. **1** En los animales, parte abultada entre la barba y el cuello. **2** En las aves, ensanchamiento del esófago donde se reblandecen los alimentos; buche. **[3** *col.* Desfachatez, descaro o desvergüenza. □ ETIMOL. De *papar* (comer), por ser el lugar donde las aves reblandecen la comida.

páprika (del húngaro) s.f. Variedad de pimentón que es típica de la cocina húngara y que se usa como condimento.

papú o **papúa** adj./s. De Papúa Nueva Guinea, de las islas Fidji, o relacionado con estos países de Oceanía occidental. ☐ MORF. Aunque el plural de *papú* en la lengua culta es *papúes*, se usa también *papús*.

paquebot o **paquebote** s.m. Barco preparado para el transporte del correo y de pasajeros de un puerto a otro. ☐ ETIMOL. Del francés *paquebot*, éste del inglés *packboat*, y éste de *pack* (paquete) y *boat* (barco).

paquete s.m. **1** Envoltorio bien ordenado y no muy grande. **2** *col.* En un vehículo de dos ruedas, persona que acompaña al conductor. **[3** *col.* Castigo, multa o arresto. **4** Serie, colección o conjunto de cosas que tienen una característica común. **[5** *vulg.* En un hombre, órganos genitales. **6** ‖**paquete postal**; el que se envía por correo y debe ajustarse a determinados requisitos. ☐ ETIMOL. Del francés *paquet*.

paquetería s.f. Conjunto de productos o mercancías que se venden o transportan preparados en paquetes.

paquidérmico, ca adj. **1** De los paquidermos o relacionado con estos animales. **2** Con las características que se consideran propias del elefante.

paquidermo adj./s.m. Referido a un mamífero no rumiante, que se caracteriza por tener la piel muy gruesa y dura, y tres o cuatro dedos en cada extremidad: *El elefante y el hipopótamo son dos ejemplos de paquidermos.* ☐ ETIMOL. Del griego *pakhýdermós* (de piel gruesa), y éste de *pakhýs* (grueso) y *dérma* (piel).

paquistaní adj./s. De Paquistán (país asiático), o relacionado con él. ☐ MORF. 1. Como adjetivo es invariable en género. 2. Como sustantivo es de género común: *el paquistaní, la paquistaní.* 3. Aunque su plural en la lengua culta es *paquistaníes*, se usa mucho *paquistanís*.

par ‖ adj. **1** Igual o totalmente semejante. **2** Referido a un órgano de un ser vivo, que se corresponde simétricamente con otro igual. ‖ s.m. **3** →**número par**. **4** Conjunto de dos elementos de una misma clase. **[5** Conjunto pequeño de elementos, de número indeterminado. **[6** En golf, número de golpes establecidos como referencia para completar el recorrido de un campo o de un hoyo. **7** En algunos países, título honorífico. **8** ‖**a la par**; a un tiempo, a la vez. ‖**a pares**; de dos en dos. ‖**de par en par**; totalmente abierto. ‖**pares y nones**; juego que consiste en adivinar si el número de elementos escondidos en la mano es par o impar. ‖**sin par**; singular, o que no tiene igual. ☐ ETIMOL. Del latín *par* (igual, semejante, par). ☐ ORTOGR. La expresión *sin par*, incorr. *simpar*. ☐ MORF. Como adjetivo, es invariable en género.

para prep. **1** Indica finalidad o utilidad: *Su hija le pidió dinero para ir al cine. Dime para qué lo necesitas.* **2** Indica la dirección de un movimiento con respecto al punto de su término; hacia: *Al salir del cine nos fuimos para casa.* **3** Indica el tiempo en el que va a finalizar algo o en el que se va a ejecutar: *La chaqueta estará terminada para cuando comience el frío.* **4** Indica capacidad, utilidad o conveniencia: *No vale para nada.* **5** Indica contraposición, relación o comparación: *Los aprecia poco, para lo efi-*

cientes que son. **6** Indica motivo o causa: *¿Para qué has venido a verme?* **7** Indica la proximidad o la inminencia de que ocurra algo: *Está para llover.* **8** ‖**para eso**; expresión que se usa para indicar que algo es inútil o demasiado fácil: *Podías quedarte en tu casa, porque para eso no había hecho falta que vinieras.* ‖**para** {**mí/ti/**}; según el punto de vista propio: *Para mí, que este negocio no va a salir bien.* ‖**[que para qué**; *col.* Expresión que se usa para enfatizar el tamaño, la importancia o la intensidad de algo: *Se puso a gritar y armó un escándalo 'que para qué'.* ☐ ETIMOL. Del antiguo *pora*, y éste del latín *pro ad*.

para- Prefijo que significa 'junto a' y 'al margen de': *paraestatal, paraoficial, paramilitar, paranormal, parapsicología.* ☐ ETIMOL. Del griego *pará*.

[parabellum (germanismo) s.f. Arma de fuego automática corta. ☐ ETIMOL. Extensión del nombre de una marca comercial. ☐ PRON. [parabélum].

parabién s.m. Manifestación de la satisfacción que alguien siente por algún suceso feliz que le ha ocurrido a otra persona; felicitación. ☐ ETIMOL. De la expresión *para bien sea*, que solía decir la persona que era favorecida por algo.

parábola s.f. **1** Narración de un suceso fingido de la que se deduce una enseñanza moral o una verdad importante. **2** En matemáticas, curva abierta, simétrica respecto de un eje, y con un solo foco, que resulta de cortar un cono recto por un plano paralelo a una de sus generatrices. ☐ ETIMOL. Del latín *parabola* (comparación, símil).

parabólico, ca ‖ adj. **1** De la parábola o relacionado con este tipo de narración. **2** De la parábola o relacionado con esta curva matemática. ‖ s.f. **3** Antena de televisión que, debido a su forma de parábola, concentra el haz que se recibe desde un satélite y permite captar emisoras situadas a gran distancia.

parabrisas s.m. En un automóvil, cristal delantero. ☐ MORF. Invariable en número.

paraca s. *col.* [→**paracaidista**. ☐ MORF. Es de género común: *el 'paraca', la 'paraca'.*

paracaídas s.m. Dispositivo formado por una tela fuerte y por un sistema de cuerdas que, al extenderse en el aire, sirve para frenar la velocidad de caída de un cuerpo. ☐ MORF. Invariable en número.

paracaidismo s.m. Actividad militar o deportiva que consiste en el lanzamiento con paracaídas desde un avión.

paracaidista ‖ adj. **[1** Del paracaidismo o relacionado con esta actividad. ‖ s. **2** Persona que practica el paracaidismo. ☐ MORF. 1. Como adjetivo es invariable en género. 2. Como sustantivo es de género común: *el paracaidista, la paracaidista.* 3. En la lengua coloquial, como sustantivo, se usa también la forma abreviada *paraca*.

[paracetamol s.m. Compuesto químico muy usado en medicamentos para combatir la fiebre y el dolor.

parachoques s.m. En un automóvil, pieza de la parte delantera y trasera que sirve para amortiguar los efectos de un choque. ☐ MORF. Invariable en número.

parada s.f. Véase **parado, da**.

paradero s.m. **1** Lugar en el que se para o en el que se está alojado. **2** En zonas del español meridional, parada de transporte público.

paradigma s.m. **1** Modelo o ejemplo. **2** En algunas escuelas lingüísticas, conjunto de unidades fonológicas, morfológicas, léxicas o sintácticas que pueden aparecer en un mismo contexto porque realizan la misma función: *'Tarde', 'temprano' y 'pronto' pertenecen al paradigma de los adverbios temporales.* **3** En gramática, cada uno de los esquemas formales de flexión: *Los verbos en español se conjugan siguiendo tres paradigmas distintos.* □ ETIMOL. Del griego *parádeigma* (modelo, ejemplo).

paradigmático, ca adj. De un paradigma o relacionado con él.

[paradiña s.f. En fútbol, procedimiento para ejecutar penaltis que consiste en que el lanzador se detiene un breve instante inmediatamente antes de golpear el balón, con el fin de despistar al portero. □ ETIMOL. Del portugués *paradinha*.

paradisiaco, ca o **paradisíaco, ca** adj. Del paraíso, o con las características de éste.

parado, da ▌ adj. **1** Tímido o indeciso. ▌ adj./s. **2** Referido a una persona, que está sin trabajo de forma forzosa; desempleado. ▌ s.f. **3** Finalización de un movimiento, de una acción o de una actividad. **4** Detención de algo que estaba en movimiento. **5** Alojamiento o detención en un lugar. **6** Lugar en el que se para. **7** Lugar en el que se detienen los vehículos destinados al transporte público para que suban o bajen los viajeros. **8** Formación de tropas para pasarles revista o para un desfile. **9** ‖ **[parada (nupcial)**; entre algunos animales, comportamiento de los machos y de las hembras en la época de la reproducción encaminado a fijar la pareja para ese fin. ‖ **salir {bien/mal} parado**; tener buena o mala suerte.

paradoja s.f. **1** Hecho extraño, absurdo u opuesto a la opinión o al sentir generales. **2** Figura retórica consistente en unir ideas aparentemente contradictorias e irreconciliables. □ ETIMOL. Del griego *parádoxa*, y éste de *parádoxos* (contrario a la opinión común).

paradójico, ca adj. De la paradoja, con paradojas o relacionado con ella.

parador ‖ **parador (nacional de turismo)**; establecimiento hotelero que depende de organismos oficiales.

parafernalia s.f. Lo que rodea a algo, haciéndolo ostentoso, llamativo o solemne.

parafina s.f. Sustancia sólida compuesta por una mezcla de hidrocarburos obtenidos en la fabricación de derivados del petróleo. □ ETIMOL. Del latín *parum affinis* (que tiene poca afinidad con otras sustancias).

parafrasear v. Referido a un texto, hacer una paráfrasis suya: *Parafraseó una cita famosa que no recordaba literalmente.*

paráfrasis s.f. Interpretación ampliada de un texto para hacerlo más claro. □ ETIMOL. Del griego *paráphrasis*. □ ORTOGR. Dist. de *perífrasis*. □ MORF. Invariable en número.

paragoge s.f. Adición de un sonido, generalmente una vocal, al final de una palabra: *Decir 'clipe' en vez de 'clip' es un ejemplo de paragoge.* □ ETIMOL. Del griego *paragogé* (derivación gramatical).

paragógico, ca adj. En lingüística, referido a un sonido, que se añade por paragoge.

[paragolpe o **[paragolpes** s.m. En zonas del español meridional, parachoques. □ MORF. *'Paragolpes'* es invariable en número.

parágrafo s.m. →**párrafo.** □ ETIMOL. Del latín *paragraphus*, y éste del griego *parágraphos* (señal para distinguir las distintas partes de un tratado).

paraguas s.m. **1** Utensilio portátil compuesto por un bastón y por unas varillas plegables cubiertas por una tela impermeable, que se utiliza para protegerse de la lluvia. **[2** Ámbito de acción o de influencia. □ MORF. Invariable en número.

paraguayo, ya ▌ adj./s. **1** De Paraguay (país suramericano), o relacionado con él. ▌ s.f. **2** Fruta jugosa y aplastada, que tiene una piel suave y aterciopelada.

paraguazo s.m. Golpe dado con un paraguas.

paragüero s.m. Mueble o recipiente que sirve para guardar paraguas y bastones.

paraíso s.m. **1** En el Antiguo Testamento, lugar de felicidad en el que vivían Adán y Eva (primer hombre y primera mujer creados por Dios) antes del pecado original. **2** Lugar en el que, según la tradición cristiana, se goza de la presencia de Dios; alturas, cielo. **3** Lugar tranquilo y agradable. **4** ‖ **[paraíso fiscal**; país o territorio con una legislación cambiaria, fiscal y financiera propia y muy permisiva. □ ETIMOL. Del latín *paradisus*, y éste del griego *parádeisos* (paraíso terrenal). □ USO En la acepción 1, se usa más como nombre propio.

paraje s.m. Lugar o sitio, esp. si es alejado o si está aislado. □ ETIMOL. De *parar*.

paralela s.f. Véase **paralelo, la.**

paralelas s.f.pl. Véase **paralelo, la.**

paralelepípedo s.m. Cuerpo geométrico limitado por seis paralelogramos iguales, y paralelos dos a dos. □ ETIMOL. Del griego *parállelos* (paralelo) y *epípedon* (plano).

paralelismo s.m. **1** Igualdad de distancia permanente entre líneas o planos. **[2** En literatura, disposición del discurso de modo que se repita un mismo pensamiento o una misma estructura en dos o más frases, versos, estrofas o miembros oracionales sucesivos. **[3** Semejanza o equivalencia.

paralelo, la ▌ adj. **1** Semejante, correspondiente o comparable. ▌ adj. **2** Referido a una recta o a un plano, que se mantiene equidistante respecto de otro, sin llegar a cortarse. ▌ s.m. **3** *col.* Correspondencia o comparación. **4** En geografía, cada uno de los círculos equidistantes entre sí que rodean la Tierra paralelamente al Ecuador. 🜨 globo ▌ s.f.pl. **5** →**barras paralelas. 6** ‖ **(paralelas) asimétricas;** →**barras paralelas asimétricas.** □ ETIMOL. Del latín *parallelus.* □ MORF. En la acepción 2, la RAE sólo lo registra como adjetivo. □ SEM. *En paralelo* se usa mucho con el significado de 'al mismo tiempo'.

paralelogramo s.m. Figura geométrica limitada por cuatro líneas o lados, paralelos dos a dos: *El cuadrado, el rectángulo y el rombo son paralelogramos.* □ ETIMOL. Del griego *parállelos* (paralelo) y *grammé* (línea).

[paralimpiada s.f. Olimpiada en la que participan exclusivamente personas minusválidas. □ ORTOGR. Se usa mucho como nombre propio. □ USO Se usa también *paraolimpiada.*

[paralímpico, ca adj. De la Paralimpiada o relacionado con esta competición atlética para minusválidos. □ USO Se usa también *paraolímpico.*

[paralís s.m. *vulg.* →**parálisis.**

parálisis s.f. Pérdida total o parcial de la capacidad de movimiento y de la sensibilidad de una o de varias partes del cuerpo. □ ETIMOL. Del griego *parálysis* (relajación, parálisis). □ PRON. Incorr. *[paralís]. □ MORF. 1. Incorr. su uso como masculino: *sufrió {*un > una} parálisis.* 2. Invariable en número.

paralítico, ca adj./s. Que sufre parálisis. □ ETIMOL. Del griego *parálysis* (relajación, parálisis).

paralización s.f. Detención de algo que está en acción o que tiene movimiento.

paralizador, -a adj. Que paraliza.

paralizar v. **1** Causar parálisis: *Una enfermedad vírica paralizó sus piernas.* **2** Referido esp. a una acción o a un movimiento, detenerlos, entorpecerlos o impedirlos: *Paralizaron las obras porque no tenían permiso municipal.* □ ETIMOL. Del francés *paralyser.* □ ORTOGR. La *z* se cambia en *c* delante de *e* →CAZAR.

paramecio s.m. Organismo microscópico unicelular que se mueve por medio de cilios y que suele ser de vida libre. □ ETIMOL. Del griego *paramékes* (alargado).

paramento s.m. **1** Adorno con que se cubre algo. **2** Cada una de las caras de una pared o de un sillar labrado. □ ETIMOL. Del latín *paramentum.*

parámetro s.m. **1** En matemáticas, una familia de elementos, variable que sirve para identificarlos mediante un valor numérico: *En las ecuaciones de segundo grado, 'a', 'b' y 'c' son los parámetros.* **[2** Dato que se tiene en cuenta en el análisis de una cuestión. □ ETIMOL. Del latín *parametrum.*

paramilitar adj. Referido a una organización civil, que tiene una estructura de tipo militar. □ ETIMOL. De *para-* (junto a) y *militar.* □ MORF. Invariable en género.

páramo s.m. Terreno llano con escasa vegetación. □ ETIMOL. Del latín *paramus.*

parangón s.m. Comparación o semejanza.

parangonar v. Hacer una comparación: *No se puede parangonar lo que siente por sus hijos con lo que siente por sus alumnos.* □ ETIMOL. Del italiano *paragonare* (someter el oro a la prueba de la piedra de toque). □ SINT. Constr. *parangonar una cosa* CON *otra.*

paraninfo s.m. Salón de actos en una universidad. □ ETIMOL. Del latín *paranymphus*, y éste del griego *paránymphos* (padrino de bodas).

paranoia s.f. Trastorno mental que se caracteriza por una profunda alteración de algún área de la personalidad, y por la fijación en una idea. □ ETIMOL. Del griego *paránoia* (demencia).

paranoico, ca ▌ adj. **1** De la paranoia o relacionado con esta enfermedad mental. ▌ adj./s. **2** Que padece paranoia.

paranomasia s.f. →**paronomasia.**

[paranormal adj. Referido a un fenómeno, que no puede ser explicado con métodos científicos. □ ETIMOL. De *para-* (al margen de) y *normal.* □ MORF. Invariable en género.

[paraoficial adj. Que no es oficial pero funciona de forma paralela a lo oficial. □ ETIMOL. De *para-* (al margen de) y *oficial.* □ MORF. Invariable en género.

[paraolimpiada s.f. →**paralimpiada.**

[paraolímpico, ca adj. →**paralímpico.**

[parapente (galicismo) s.m. **1** Modalidad de pa-

racaidismo que se practica con un paracaídas rectangular, y que consiste en lanzarse desde una pendiente muy pronunciada y hacer un descenso controlado. **2** Paracaídas con el que se practica esta modalidad de paracaidismo.

parapetar v. Proteger o resguardar, esp. mediante parapetos: *Las trincheras y los terraplenes parapetaron a los soldados. El policía se parapetó detrás de un coche para protegerse de los disparos.*

parapeto s.m. **1** Terraplén o defensa construida generalmente con sacos y piedras, que protege a los soldados de los ataques enemigos. **2** En algunas construcciones, pared o baranda que se coloca para evitar las caídas. □ ETIMOL. Del italiano *parapetto*, y de *parare* (parar golpes, defender) y *petto* (pecho).

paraplejia o **paraplejía** s.f. Parálisis que afecta a la mitad inferior del cuerpo. □ ETIMOL. Del griego *paraplexía.* □ MORF. *Paraplejía* es el término menos usual, aunque la RAE lo prefiere a *paraplejia.*

parapléjico, ca ▌ adj. **1** De la paraplejia o relacionado con este tipo de parálisis. ▌ adj./s. **2** Que padece una paraplejia.

parapsicología s.f. Estudio de los fenómenos que no pueden ser explicados por métodos científicos. □ ETIMOL. De *para-* (junto a) y *psicología.* □ PRON. [parasicología]. □ ORTOGR. Se admite también *parasicología.*

parapsicológico, ca adj. De la parapsicología o relacionado con este estudio. □ PRON. [parasicológico]. □ ORTOGR. Se admite también *parasicológico.*

parapsicólogo, ga s. Persona que se dedica a la parapsicología. □ PRON. [parasicólogo]. □ ORTOGR. Se admite también *parasicólogo.*

parar v. **1** Cesar o interrumpirse en el movimiento o en la acción: *Para de dar saltos, que me pones nervioso. Si la lavadora se para otra vez, tendré que llamar al técnico.* **2** Terminar o desembocar: *No sabemos en que parará este feo asunto.* **3** Recaer o llegar a manos de otra persona: *La abuela se preguntaba a quién irían a parar sus cosas después de su muerte.* **4** Alojarse o hallarse: *Dime dónde para tu padre.* **5** Referido a algo que se mueve, detenerlo e impedir su movimiento: *El portero paró el balón.* **6** Referido a una acción, detenerla e impedirla: *El general logró parar el ataque del ejército enemigo.* **[7** Referido a un toro, frenarlo en su embestida al torero haciendo que fije su atención antes de embestir: *Con los pies juntos y el capote suelto, 'paró' al toro en la embestida.* **8** En zonas del español meridional, levantar o poner de pie. **9** ‖**dónde va a parar**; expresión que se usa para exagerar las excelencias de una cosa en comparación con otra: *¡Mi coche es mucho mejor que éste, dónde va a parar!* ‖**dónde {vamos/iremos/...} a parar**; col. Expresión que se usa para indicar asombro o consternación: *No sé dónde iremos a parar con tantas guerras.* □ ETIMOL. Del latín *parare* (preparar, disponer). □ MORF. La acepción 8 se usa también como pronominal.

pararrayos o **pararrayo** s.m. Aparato compuesto por una o por varias varillas metálicas unidas con la tierra o con el agua, que se coloca en los edificios y en otras construcciones para protegerlos de los rayos. □ MORF. *Pararrayos* son invariables en número. □ USO Aunque la RAE prefiere *pararrayo*, en la lengua actual se usa más *pararrayos.*

parasicología s.f. →**parapsicología.**

parasicológico, ca adj. →**parapsicológico.**

parasicólogo, ga s. →**parapsicólogo**.

[parasimpático, ca adj./s.m. Referido a una parte del sistema nervioso vegetativo, que se opone a las acciones del sistema simpático y cuya función más importante es la regulación de la función cardíaca. □ ETIMOL. De *para-* (junto a) y *simpático*.

parasíntesis s.f. Procedimiento de formación de palabras por medio de la composición y de la derivación simultáneas. □ ETIMOL. Del griego *parasýnthesis*. □ MORF. Invariable en número.

parasintético, ca adj. Referido a una palabra, que se ha formado por parasíntesis.

parasitario, ria adj. De los parásitos, producido por parásitos o relacionado con ellos.

parasiticida adj./s.m. Referido a una sustancia, que se usa para destruir a los parásitos. □ ETIMOL. De *parásito* y *-cida* (que mata). □ MORF. Como adjetivo es invariable en género.

parasitismo s.m. Asociación entre dos individuos u organismos de distinta especie, en la que uno de ellos vive a expensas del otro, causándole un perjuicio.

parásito, ta ∎ adj./s. **1** Referido a un organismo animal o vegetal, que vive a costa de otro de distinta especie, alimentándose de él y causándole algún perjuicio: *Los piojos son parásitos.* ∎ s. **2** col. Persona que vive a costa ajena. □ ETIMOL. Del latín *parasitus*, y éste del griego *parásitos* (comensal).

parasitología s.f. Parte de la biología que estudia los parásitos. □ ETIMOL. De *parásito* y *-logía* (estudio).

parasol s.m. **1** Especie de paraguas que se utiliza para protegerse del sol; quitasol, sombrilla. **[2** En un automóvil, accesorio articulado colocado en el interior sobre el parabrisas, y que sirve para evitar que el sol deslumbre al conductor o al acompañante. □ ETIMOL. De *parar* y *sol*.

parataxis s.f. Relación gramatical que se establece entre dos elementos sintácticos del mismo nivel o con la misma función, pero independientes entre sí; coordinación: *En la oración 'Come y bebe' la conjunción copulativa 'y' establece una parataxis.* □ ETIMOL. Del griego *parátaxis* (coordinación). □ MORF. Invariable en número.

paratífico, ca ∎ adj. **1** De la paratifoidea o relacionado con esta enfermedad. ∎ adj./s. **2** Que padece esta enfermedad.

[paratiroideo, a adj. De la paratiroides o relacionado con esta glándula.

paratiroides s.f. →**glándula paratiroides**. □ ETIMOL. De *para-* (al lado de) y *tiroides*. □ MORF. Invariable en número.

parca s.f. Véase **parco, ca**.

[parcasé s.m. En zonas del español meridional, parchís.

parcela s.f. **1** Porción pequeña en que se divide un terreno. **2** En el catastro, cada una de las tierras de distinto dueño que constituyen un término o un distrito. **3** Parte pequeña de un todo. □ ETIMOL. Del francés *parcelle* (partícula).

parcelación s.f. División en parcelas.

parcelar v. Dividir en parcelas: *Para vender mejor la finca la parcelaron.*

parcelario, ria adj. De la parcela o relacionado con esta porción de terreno.

parche s.m. **1** Lo que se pega o se cose sobre una superficie para tapar un agujero o un desperfecto.

[2 col. Arreglo o cura provisionales. **3** Retoque o añadido que estropea la forma original o que desentona del conjunto. **4** En un instrumento de percusión, piel sobre la que se golpea para hacerlo sonar. □ ETIMOL. Del francés antiguo *parche* (badana, cuero).

parchear v. Poner parches: *Voy a parchear el flotador, porque está pinchado.*

parchís s.m. Juego que se practica entre varios jugadores sobre un tablero con cuatro o más casillas de salida, y que consiste en mover las fichas tantas casillas como indique el dado al tirarlo, y en el que gana el jugador que antes haga llegar sus cuatro fichas a la casilla central. □ ETIMOL. Del indostánico *pacisi*, y éste de *pacis* (veinticinco).

parcial ∎ adj. **1** Relacionado con una parte de un todo. **2** Incompleto o no entero. **3** Que juzga o que procede con parcialidad. ∎ s.m. **4** Examen de una parte de una asignatura. **[5** En algunos deportes, resultado o tanteo al que se llega en un momento determinado del partido. □ ETIMOL. Del latín *partialis*, y éste de *pars* (parte). □ MORF. Como adjetivo es invariable en género.

parcialidad s.f. Falta de neutralidad al juzgar o al proceder.

parco, ca ∎ adj. **1** Corto, escaso o moderado. ∎ s.f. **2** En mitología, cada una de las tres deidades con figura de vieja, de las cuales una hilaba el hilo de la vida de las personas, la otra lo devanaba y la otra lo cortaba. **3** ‖**la parca**; *poét.* La muerte. □ ETIMOL. La acepción 1, del latín *parcus*, y éste de *parcere* (ahorrar). La acepción 2, del latín *parca*.

pardiez interj. *ant.* Juramento que expresaba cólera (por sustitución eufemística de *por Dios*): *¡Pardiez, esos bellacos pagarán cara su afrenta!* □ ETIMOL. De la expresión *par Dios* (por Dios).

pardillo, lla ∎ adj./s. **1** Referido a una persona, que es incauta y fácil de engañar. ∎ s.m. **2** Pájaro de pequeño tamaño, de plumaje pardo rojizo y blanco en el abdomen, que se alimenta de semillas y que es fácilmente domesticable. □ ETIMOL. De *pardo*. □ MORF. En la acepción 2, es un sustantivo epiceno: *el pardillo macho, el pardillo hembra*.

pardo, da adj. **1** Del color marrón de la tierra. **2** Referido esp. a las nubes o al día, oscuros o con poca luz. □ ETIMOL. Del latín *pardus* (leopardo), por el color de su piel.

pardusco, ca adj. De color pardo o con tonalidades pardas. □ PRON. Incorr. *[pardúzco].

pareado, da ∎ adj. **1** En métrica, referido a un verso, que va unido a otro con el que rima. ∎ adj./s.m. **[2** Referido esp. a un chalé, que está construido unido a otro. ∎ s.m. **3** En métrica, estrofa formada por dos versos que riman entre sí.

parear v. **1** Unir o colocar dos cosas por pares, esp. si son iguales o muy parecidas: *He pareado los calcetines que estaban revueltos en el cajón.* **2** En tauromaquia, poner banderillas; banderillear: *Ese peón ha pareado muy bien al toro.*

parecer ∎ s.m. **1** Opinión, juicio o dictamen: *Me preguntaron mi parecer y yo dije lo que pensaba.* **2** Apariencia exterior de una persona, esp. si es agradable: *Es un joven de buen parecer.* ∎ v. **3** Tener un aspecto o una apariencia determinados: *El trabajo parecía fácil, pero era complicado.* **4** Referido a algo que se expresa, haber señales o indicios de ello: *Parece que este invierno va a ser más frío que el anterior.* ∎ prnl. **5** Tener o mostrar semejanza: *Tú te* *tu hermano os parecéis como dos gotas de agua.* **6** ‖**a lo que parece** o **al parecer**; juzgando por lo que se ve: *Al parecer han discutido, porque ya no salen juntos.* ‖**parecer** {bien/mal} algo; según la propia opinión, ser o no ser acertado: *No me parece bien lo que has hecho.* ☐ ETIMOL. Las acepciones 1 y 2, de *parecer*. Las acepciones 3-6, del latín **parescere*. ☐ MORF. 1. Irreg. →PARECER. 2. En la acepción 4, es un verbo unipersonal.

parecido, da ∎ adj. **1** Que se parece a otro. ∎ s.m. **2** Conjunto de características que hacen que una cosa se parezca a otra; semejanza. **3** ‖{bien/mal} **parecido**; referido a una persona, con un aspecto físico atractivo o poco agraciado, respectivamente. ☐ USO En expresiones negativas, se usa mucho con valor intensificador: *Jamás oí cosa parecida.*

pared s.f. **1** Construcción vertical de albañilería que sirve para cerrar o separar un espacio o para sostener el techo. **2** Cara o superficie lateral de un cuerpo. **3** Corte vertical en la cara de una montaña. [**4** En fútbol, pase del balón de un jugador a otro de su mismo equipo para que se lo devuelva enseguida salvando algún jugador contrario. **5** ‖**las paredes oyen**; expresión que se usa para indicar que hay que hablar con cuidado porque cualquier persona puede oír la conversación. ‖**pared maestra**; la principal y más gruesa, que mantiene y sostiene el edificio. ‖[**poner** a alguien **contra la pared**; *col.* Ponerlo en una situación en la que forzosamente tiene que tomar una decisión. ‖**subirse por las paredes**; *col.* Mostrarse muy irritado. ☐ ETIMOL. Del latín *paries.*

paredaño, ña adj. Referido a una casa o a una habitación, que está separada de otra sólo por una pared.

paredón s.m. Muro contra el que se sitúa a las personas que van a ser fusiladas.

pareja s.f. Véase **parejo, ja.**

parejo, ja ∎ adj. **1** Igual o semejante. ∎ s.f. **2** Conjunto de dos elementos, esp. si guardan entre sí alguna correlación o semejanza. **3** Conjunto de dos personas o de dos animales de distinto sexo. **4** Respecto de una persona o de un elemento, otra u otro con el que forma un conjunto de dos. **5** Respecto de una persona, compañero sentimental. **6** ‖**correr parejas** dos o más cosas; ser iguales o semejantes. ‖[**vivir en pareja**; referido a una persona, vivir con otra con la que mantiene relaciones sexuales sin estar casada con ella. ☐ ETIMOL. La acepción 1, del latín *par* (igual). Las acepciones 2-5, de *parejo.*

paremiología s.f. Estudio de los refranes. ☐ ETIMOL. Del griego *paroimía* (proverbio) y *-logía* (estudio).

paremiológico, ca adj. De la paremiología o relacionado con este estudio.

parentela s.f. *col.* Conjunto de parientes. ☐ ETIMOL. Del latín *parentela.*

[**parenteral** adj. Referido esp. a la forma de administración de un medicamento, que no es la digestiva. ☐ ETIMOL. De *para-* (al margen de) y el griego *énteron* (intestino). ☐ MORF. Invariable en género.

parentesco s.m. **1** Relación o vínculo entre dos individuos por consanguinidad o por afinidad. **2** Unión o relación entre dos cosas.

paréntesis s.m. **1** En un texto escrito, signo gráfico formado por dos líneas curvas, una con forma de 'C' abierta y la otra a la inversa, que se usa para intercalar elementos que aclaran algo en una oración principal o para aislar una expresión algebraica: *Los signos ( ) son paréntesis.* **2** Oración o frase que aclaran algo encerradas entre estos signos. **3** Suspensión o interrupción. ☐ ETIMOL. Del latín *parenthesis*, y éste del griego *parénthesis* (interposición, inserción). ☐ ORTOGR. Para la acepción 1 →APÉNDICE DE SIGNOS DE PUNTUACIÓN. ☐ MORF. Invariable en número.

parentético, ca adj. **1** Del paréntesis, con paréntesis o relacionado con él. [**2** Introducido como paréntesis.

pareo s.m. Prenda de vestir femenina que consiste en una tela ligera que se enrolla alrededor del cuerpo formando un vestido o una falda.

paria s. **1** Persona que pertenece a la casta más baja de los hindúes. **2** Persona que se considera inferior y a la que se excluye de las ventajas y del trato que gozan otros. ☐ ETIMOL. Del inglés *pariah*, y éste del portugués *pariá.* ☐ MORF. Es de género común: *el paria, la paria.*

parida s.f. *col.* [Dicho estúpido, inoportuno o sin sentido.

paridad s.f. **1** Igualdad o semejanza. **2** En economía, valor de una moneda en relación con el patrón monetario internacional vigente o con respecto a otra. ☐ ETIMOL. Del latín *paritas.*

paridera ∎ adj. **1** Referido a una hembra, que es fecunda. ∎ s.f. **2** Lugar en el que pare el ganado, esp. el lanar.

pariente, ta s. *col.* Respecto de una persona, cónyuge o compañero sentimental. ☐ ETIMOL. Del latín *parens* (padre y madre).

pariente s. Persona que tiene relaciones familiares con otra; deudo. ☐ MORF. Es de género común: *el pariente, la pariente.*

parietal s.m. →**hueso parietal.** ☐ ETIMOL. Del latín *parietalis*, y éste de *paries* (pared).

parihuela s.f. **1** Cama estrecha y portátil, que se usa para transportar enfermos, heridos o cadáveres; camilla. **2** Utensilio formado por dos varas gruesas en las que se apoyan tablas atravesadas, que se utiliza para transportar pesos o cargas entre dos personas. ☐ ETIMOL. De origen incierto. ☐ MORF. Se usa más en plural.

paripé s.m. Ficción, simulación o acto engañoso. ☐ ETIMOL. Del caló *paruipén* (cambio, trueque).

parir v. **1** Referido a una hembra de una especie vivípara, expulsar el feto al final de la gestación: *A estas ovejas les faltan pocos días para parir. La vaca ha parido dos terneritos.* **2** Producir o causar: *Parió esta novela durante la convalecencia de una enfermedad.* **3** ‖[**parirla**; *vulg.* Cometer una equivocación muy difícil de solucionar: *¡Porras, ya 'la he parido otra vez'!* ‖**poner a parir** a alguien; *col.* Hablar mal de él: *Cuando te fuiste te puso a parir.* ☐ ETIMOL. Del latín *parere* (dar a luz, producir, proporcionar).

parisiense adj./s. →**parisino.** ☐ MORF. 1. Como adjetivo es invariable en género. 2. Como sustantivo es de género común: *el parisiense, la parisiense.*

parisílabo, ba adj. [Referido esp. a una palabra o a un verso, que tienen un número par de sílabas. ☐ ETIMOL. Del latín *par* (igual) y *sílaba.*

parisino, na adj./s. De París (capital francesa) o relacionado con ella; parisiense. ☐ MORF. La RAE sólo lo registra como adjetivo. ☐ USO Aunque la RAE prefiere *parisiense*, se usa más *parisino.*

paritario, ria adj. Referido esp. a un organismo social, que está constituido por partes que tienen el mismo número de representantes y los mismos derechos. □ ETIMOL. Del latín *paritas* (paridad).

paritorio s.m. En un centro hospitalario, sala preparada y destinada para los partos.

[parka s.f. Prenda de abrigo parecida a la trenca, pero con la capucha forrada de piel.

[parking s.m. →**aparcamiento**. □ PRON. [párkin]. □ USO Es un anglicismo innecesario.

[párkinson s.m. Enfermedad causada por una lesión cerebral, y que se caracteriza principalmente por temblores y rigidez muscular. □ ETIMOL. Por alusión a Parkinson, médico inglés.

parlamentar v. Dialogar o entrar en conversaciones para alcanzar un acuerdo o una solución: *La policía parlamentó con los manifestantes.*

parlamentario, ria ▌ adj. **1** Del Parlamento o relacionado con este órgano político. **▌** s. **2** Miembro de un Parlamento.

parlamentarismo s.m. Sistema político en el que el Parlamento ejerce el poder legislativo y controla la actuación del Gobierno.

parlamento s.m. **1** Órgano político formado por los representantes de la nación y compuesto por una o dos cámaras, que tiene como misión principal la elaboración y aprobación de leyes y de presupuestos. **[2** Edificio o sede de este órgano. **3** En el teatro, recitación o monólogo largos de un actor. **4** Diálogo o conversación para alcanzar un acuerdo o una solución. □ ETIMOL. Del francés *parlement*. □ USO En la acepción 1, se usa más como nombre propio.

parlanchín, -a adj./s. *col.* Que habla mucho, esp. si dice lo que debería callar. □ ETIMOL. De *parlar*.

parlante ▌ adj. **1** Que es capaz de hablar o de imitar la voz humana. **▌** s.m. **[2** En zonas del español meridional, altavoz. □ MORF. Como adjetivo es invariable en género.

parlar v. *col.* Hablar: *Estuvimos parlando toda la tarde.* □ ETIMOL. Del provenzal *parlar* (hablar).

parlotear v. *col.* Charlar o hablar de cosas intrascendentes, por diversión o pasatiempo: *Tomamos café juntos y parloteamos un rato.*

parloteo s.m. Charla o conversación sobre cosas intrascendentes, por diversión o pasatiempo.

parmesano, na ▌ adj./s. **1** De Parma (ciudad y antiguo ducado italiano), o relacionado con ellos. **▌** s.m. **2** Queso de pasta dura y de sabor fuerte, elaborado con leche cocida de vaca que se deja madurar lentamente.

[parnasianismo s.m. Movimiento literario francés, de la segunda mitad del siglo XIX, que defendía la búsqueda de la perfección formal en la poesía y la objetividad en sus expresiones.

parnaso s.m. Conjunto de todos los poetas de un pueblo o de un tiempo determinados. □ ETIMOL. Por alusión al monte Parnaso, que era el monte de las Musas y lugar sagrado de los poetas.

parné s.m. *col.* Dinero. □ ETIMOL. Del caló *parné*.

paro s.m. **1** Terminación de un movimiento, de una acción o de una actividad. **2** Carencia de trabajo por causas ajenas al trabajador y generalmente también al patrono; desempleo. **[3** Conjunto de las personas que no están empleadas. **[4** Cantidad de dinero que percibe la persona que no está empleada

y que tiene derecho a cobrar un subsidio de desempleo.

parodia s.f. Imitación burlesca de una cosa seria. □ ETIMOL. Del griego *paroidia* (imitación burlesca de una obra literaria).

parodiar v. Hacer una parodia o imitar de forma burlesca: *Este humorista parodia muy bien a los políticos.* □ ORTOGR. La *i* nunca lleva tilde.

paródico, ca adj. De la parodia o relacionado con esta imitación burlesca.

paronimia s.f. Relación o semejanza entre dos o más palabras por su etimología, por su forma o por su sonido.

parónimo, ma adj./s.m. Referido a una palabra, que tiene relación o semejanza con otra o con otras por su etimología, por su forma o por su sonido: ‘Caballo’ y ‘cabello’ son parónimos. □ ETIMOL. Del griego *parónymos*, y éste de *pará* (al lado) y *ónoma* (nombre). □ MORF. La RAE sólo lo registra como adjetivo.

paronomasia s.f. **1** Figura retórica consistente en colocar próximas en la frase palabras parónimas o fonéticamente semejantes. **2** Semejanza entre dos o más vocablos que sólo se diferencian por la vocal acentuada. □ ETIMOL. Del latín *paronomasia*, éste del griego *paronomasía*, y éste de *pará* (al lado) y *ónoma* (nombre). □ ORTOGR. En la acepción 2, se admite también *paronomasia*.

paronomástico, ca adj. De la paronomasia o relacionado con ella.

parótida s.f. Cada una de las dos glándulas salivales situadas en la parte más lateral y posterior de la boca, debajo de las orejas y detrás de la mandíbula inferior. □ ETIMOL. Del latín *parotis*, éste del griego *parotís*, y éste de *pará* (junto a) y *ûs* (oreja, oído).

paroxismo s.m. **1** Exaltación o intensificación extremas de las pasiones o de los sentimientos. **2** Agravamiento o ataque violento de una enfermedad o de un síntoma de ésta. □ ETIMOL. Del griego *paroxysmós* (irritación, paroxismo).

paroxístico, ca adj. Del paroxismo o relacionado con él.

paroxítono, na adj. **1** Referido a una palabra, que lleva el acento en la penúltima sílaba: ‘Cárcel’ y ‘mañana’ son palabras paroxítonas. **2** Referido a un verso, que termina en palabra acentuada en la penúltima sílaba. □ ETIMOL. Del griego *paroxytonos*. □ ORTOGR. Para la acepción 1 →APÉNDICE DE ACENTUACIÓN. □ SEM. Es sinónimo de *grave* y *llano*.

parpadear v. **1** Abrir y cerrar repetidamente los párpados: *Miraba con tanta atención que ni siquiera parpadeaba.* **2** Referido esp. a la luz de un cuerpo o a una imagen, vacilar u oscilar su luminosidad: *La luz de los intermitentes del coche parpadea.*

parpadeo s.m. **1** Apertura y cierre repetidos de los párpados. **2** Vacilación u oscilación de la luminosidad de la luz de un cuerpo o de una imagen.

párpado s.m. Pliegue movible de piel que sirve para proteger los ojos. □ ETIMOL. Del latín *palpetrum*.

parque s.m. **1** Terreno con plantas y arbolado que se utiliza generalmente como lugar de recreo. **2** Conjunto de instrumentos, de aparatos o de materiales destinados a un servicio público: *parque de incendios.* **[3** Lugar en el que hay distintas instalaciones o materiales destinados a un servicio o a un uso determinados: *'parque de atracciones'*. **4** Armazón rodeado con una malla y con el suelo acolchado, en el que se deja a los niños muy pequeños para que jueguen; corral. **5** En zonas del español meridional, munición. **6** ‖ **[parque de diversiones**; en zonas del español meridional, parque de atracciones. ‖ **parque móvil**; conjunto de vehículos del Estado o de un organismo estatal. ‖ **parque nacional**; el que es muy extenso, no está cultivado, y ha sido acotado por el Estado para la conservación de su fauna, de su flora y de su belleza naturales. ‖ **[parque natural**; el que está protegido por el Estado por su valor ecológico y paisajístico. ☐ ETIMOL. Del francés *parc*.

parqué s.m. **1** Entarimado o suelo de maderas finas que, ensambladas o unidas de determinada manera, forman figuras geométricas. **[2** En bolsa, lugar donde se negocian los valores que cotizan. ☐ ETIMOL. Del francés *parquet*.

parqueadero s.m. En zonas del español meridional, aparcamiento.

parquear v. En zonas del español meridional, aparcar. ☐ ETIMOL. Del inglés *to park*.

parquedad s.f. Moderación y templanza, esp. en el gasto o en el uso de las cosas.

parquímetro s.m. En un lugar de aparcamiento, aparato que mide el tiempo de estacionamiento de un vehículo. ☐ ETIMOL. De *parque* y *-metro* (medidor). ⬥medida

parra s.f. **1** Variedad de vid de tronco y ramas leñosos, a la que se hace crecer trepando por un emparrado o armazón. **2** ‖ **subirse** alguien **a la parra**; *col.* Tomarse atribuciones que no le corresponden: *No le des mucha confianza, o se te acabará subiendo a la parra.* ☐ ETIMOL. De origen incierto.

parrafada s.f. *col.* Conversación larga e ininterrumpida.

parrafear v. Hablar mucho y sólo de cosas intrascendentes: *Me entretuve parrafeando con un vecino.*

párrafo s.m. En un escrito, cada una de las partes o divisiones separada del resto por un punto y aparte; parágrafo. ☐ ETIMOL. Del latín *paragraphus*, y éste del griego *parágraphos* (señal para distinguir las distintas partes de un tratado).

parral s.m. **1** Conjunto de parras sostenidas con un armazón. **2** Terreno plantado de parras.

parranda s.f. Juerga o diversión bulliciosa, esp. si se hace yendo de un sitio a otro. ☐ ETIMOL. De origen incierto.

parricida adj./s. Que mata a un pariente o familiar, esp. a su padre, a su madre o a su cónyuge. ☐ ETIMOL. Del latín *parricida*. ☐ MORF. 1. Como adjetivo es invariable en género. 2. Como sustantivo es de género común: *el parricida, la parricida.*

parricidio s.m. Muerte dada a un pariente o familiar, esp. a los padres o al cónyuge.

parrilla s.f. **1** Utensilio de cocina formado por unas barras metálicas en forma de rejilla, con un mango y unas patas para colocarlo sobre las brasas, y que se utiliza para asar o tostar alimentos, esp. carnes y pescados. **2** Restaurante en el que se sirven carnes asadas con este utensilio, generalmente a la vista del público. **3** En zonas del español meridional, baca. **[4** Programación de televisión. **5** ‖ **parrilla de salida**; en un circuito, lugar en el que se sitúan los vehículos para comenzar la carrera. ☐ ETIMOL. De *parra*, por comparación con la forma de enrejado de

las glorietas o emparrados. ☐ USO En las acepciones 1 y 2, es innecesario el uso del anglicismo *grill*.

parrillada s.f. Comida compuesta de pescados, mariscos o carne asados a la parrilla.

párroco adj./s.m. Referido a un sacerdote, que es el encargado de una parroquia. ☐ ETIMOL. Del griego *párokhos* (el que provee).

parroquia s.f. **1** Iglesia en la que se administran los sacramentos y se atiende espiritualmente a los fieles. **2** Territorio que está bajo la jurisdicción espiritual de un párroco. **3** Conjunto de los feligreses de este territorio e iglesia. ☐ ETIMOL. Del latín *parroquia*, y éste del griego *paroikía* (avecindamiento). ☐ SEM. En las acepciones 2 y 3, es sinónimo de *feligresía*.

parroquial adj. De una parroquia o relacionado con ella. ☐ MORF. Invariable en género.

parroquiano, na ‖ adj./s. **1** Que pertenece a una determinada parroquia. ‖ s. **2** Cliente habitual de un establecimiento público.

parsimonia s.f. Calma o despreocupación excesivas en la forma de actuar. ☐ ETIMOL. Del latín *parsimonia* (economía, sobriedad). ☐ SEM. Es sinónimo de *cachaza, cuajo* y *pachorra*.

parsimonioso, sa adj. Que actúa con parsimonia o calma excesiva.

parsismo s.m. Religión de los antiguos persas basada en la creencia de que existen dos principios divinos, uno bueno y creador del mundo, y otro malo y destructor; mazdeísmo.

parte ‖ s.m. **1** Comunicación o información que se transmite: *parte médico*. ‖ s.f. **2** Porción o cantidad de un todo o de un conjunto numeroso. **3** En una reparto o en una distribución, porción que corresponde a cada uno. **4** Sitio, lugar o lado. **5** Aspecto en el que algo puede ser considerado: *Por una parte, es un trabajo muy apetecible, pero por otra, me parece muy arriesgado.* **6** En un enfrentamiento, cada uno de los dos bandos. **7** En derecho, cada una de las personas que contratan entre sí o que tienen participación o interés en un mismo negocio. **8** ‖ **dar parte**; dar cuenta de lo sucedido, esp. a la autoridad: *Fue a la comisaría a dar parte del robo del coche.* ‖ **de parte de** alguien; en su nombre o por orden suya. ‖ **en parte**; no enteramente. ‖ **no ir** algo **a ninguna parte**; *col.* No tener apenas importancia. ‖ **parte de la oración**; cada una de las clases de palabras que en la oración tienen distinto oficio. ‖ **partes (pudendas)**; *euf.* En una persona, órganos sexuales externos. ‖ **salva sea la parte**; *euf.* Culo. ☐ ETIMOL. Del latín *pars*.

parteluz s.m. En arquitectura, elemento vertical, largo y estrecho, que divide un vano en dos partes; mainel. ☐ ETIMOL. De *partir* y *luz*.

[partenaire (galicismo) s. Respecto de una persona, otra que forma pareja con ella en determinadas ocasiones, esp. en algunas actividades artísticas. ☐ PRON. [partenér]. ☐ MORF. Es de género común: *el 'partenaire', la 'partenaire'*. ☐ USO Su uso es innecesario y puede sustituirse por una expresión como *pareja* o *compañero*.

partenogénesis s.f. Forma de reproducción sexual sin participación directa del sexo masculino. ☐ ETIMOL. Del griego *parthénos* (doncella, virgen) y *génesis* (generación). ☐ MORF. Invariable en número.

partero, ra s. Persona que ayuda y asiste a las parturientas.

parterre s.m. Jardín o parte de él, generalmente de forma geométrica, con césped, flores y anchos paseos. □ ETIMOL. Del francés *parterre* (por tierra).

partición s.f. **1** División o reparto de un todo entre varias partes. **2** Cada una de estas partes. □ ETIMOL. Del latín *partitio*.

participación s.f. **1** Intervención en una actividad. **2** Obtención de una parte de algo. **3** Parte o cantidad que se juega en un décimo de lotería. **4** Billete en el que consta esta parte que se juega en un décimo de lotería. **5** Notificación o comunicación que se da de algo.

[participacionismo s.m. Movimiento que defiende la participación de los trabajadores en los beneficios de la empresa.

participado, da adj. [Referido esp. a una empresa, que pertenece en parte a otra.

participante adj./s. Que participa en algo. □ MORF. 1. Como adjetivo es invariable en género. 2. Como sustantivo es de género común: *el participante, la participante*.

participar v. **1** Referido a una actividad, tener o tomar parte en ella: *Nuestra empresa participa en la construcción de esa autopista. Ésta es la segunda vez que participa en un torneo de alta competición.* **2** Referido a un todo, recibir una parte de él: *Los obreros participan también de los beneficios de la empresa. Participo de tu alegría por el éxito.* **3** Notificar, comunicar o dar parte: *Ya ha llegado la invitación en la que nos participan su boda.* □ ETIMOL. Del latín *participare*. □ SINT. 1. Constr. de la acepción 1: *participar EN algo*. 2. Constr. de la acepción 2: *participar DE algo*.

[participativo, va adj. *col.* Que suele participar en actividades colectivas.

partícipe adj./s. Que tiene parte en algo o que participa de ello con otros. □ ETIMOL. Del latín *particeps*, y éste de *pars* (parte) y *capere* (tomar). □ MORF. 1. Como adjetivo es invariable en género. 2. Como sustantivo es de género común: *el partícipe, la partícipe*.

participio s.m. **1** Forma no personal del verbo, con morfemas de género y número, y que posee valor de verbo y de adjetivo: *'Mareante' es el participio activo o de presente de 'marear', y 'mareado', su participio pasivo o pasado.* **2** ‖ **[participio absoluto**; construcción gramatical formada por esta forma verbal y por un sustantivo concordados en género y en número, separada del resto de la oración por pausas o comas: *En la oración 'Terminado el trabajo, salieron a comer', el 'participio absoluto' es 'terminado el trabajo'.* □ ETIMOL. Del latín *participium*.

partícula s.f. **1** Parte muy pequeña de materia. **2** En gramática, parte invariable de la oración, generalmente de poco cuerpo fonético, que puede aparecer aislada o como prefijo de una palabra compuesta: *Las preposiciones y las conjunciones son partículas.* **3** ‖ **partícula elemental**; en física, elemento cuya estructura interna se ignora. □ ETIMOL. Del latín *particula*.

particular ‖ adj. **1** Que es propio, privativo o característico de algo. **2** Raro, especial o extraordinario en su línea. **3** Singular, individual o concreto. **4** Privado, o que no es de propiedad o de uso público. ‖ adj./s. **5** Referido a una persona, que no tiene título ni empleo que la distingan de las demás. ‖ s.m. **6** Punto o materia de los que se trata. **7** ‖ **en**

particular; de forma distinta, separada o especial. ‖ **sin otro particular**; **1** Sin nada más que añadir. **2** Con el objeto exclusivo. □ ETIMOL. Del latín *particularis*. □ MORF. 1. Como adjetivo es invariable en género. 2. En la acepción 5, como sustantivo es de género común: *el particular, la particular*.

particularidad s.f. **1** Característica, rasgo o detalle que sirven para distinguir o para singularizar algo en relación con otro elemento de la misma especie o clase. **2** Circunstancia o detalle sin importancia general.

particularismo s.m. Preferencia exagerada por el interés particular o propio sobre el general o común.

particularista ‖ adj. **1** Del particularismo o relacionado con esta preferencia exagerada por el interés particular. ‖ adj./s. **2** Partidario del particularismo. □ MORF. 1. Como adjetivo es invariable en género. 2. Como sustantivo es de género común: *el particularista, la particularista*.

particularización s.f. **1** Diferenciación o distinción de algo en relación con otros elementos de la misma especie o clase. **2** Expresión de algo señalando sus circunstancias y particularidades.

particularizar v. **1** Referido a algo, distinguirlo o diferenciarlo en relación con otros elementos de la misma especie o clase: *Es una novela del montón y no posee ninguna característica especial que la particularice.* **2** Expresar o hablar de algo señalando todas sus circunstancias y particularidades: *Explicó con detalle la época de la Reconquista y particularizó las batallas más importantes.* □ ORTOGR. La *z* se cambia en *c* delante de *e* →CAZAR.

partida s.f. **1** Marcha de un lugar. **2** Cantidad de una mercancía o de un producto que se entrega, se envía o se recibe de una vez. **3** En una cuenta o en una factura, cada uno de los artículos y cantidades que se anotan en ellas. **4** Registro o anotación de hechos relacionados con la vida de una persona, que se escribe en los libros de las parroquias o en el registro civil. **5** Copia certificada de alguno de estos registros. **6** Conjunto de personas reunidas para un fin, esp. si están armadas y sujetas a algún tipo de organización. **7** En algunos juegos, conjunto de jugadas que se realizan hasta que alguien resulta ganador.

partidario, ria adj./s. Defensor o seguidor de una idea, una persona o un movimiento. □ SINT. Constr. *partidario DE algo*. □ SEM. No debe emplearse con el significado de 'partidista': *Acusaron al Gobierno de hacer una política {*partidaria > partidista}.*

partidismo s.m. **1** Adhesión a las opiniones de un partido con preferencia a los intereses generales. **2** Inclinación a favor de algo sobre lo que se debería ser imparcial.

partidista adj./s. **1** Que se adhiere incondicionalmente a las opiniones de un partido. **2** Que se muestra a favor de algo sobre lo que debería mostrarse imparcial. □ MORF. 1. Como adjetivo es invariable en género. 2. Como sustantivo es de género común: *el partidista, la partidista*.

partido s.m. **1** Conjunto de personas que siguen o defienden unas ideas o intereses determinados, esp. si están agrupadas en una organización política. **2** En algunos deportes, competición en la que se enfrentan dos equipos o dos jugadores. **3** Provecho o beneficio que se obtiene de algo. **4** ‖ **partido judicial**; demarcación o territorio que comprende varias poblaciones de una provincia, y sobre el que ejercen su jurisdicción los mismos órganos judiciales. ‖ **ser** alguien **un buen partido**; *col.* Estar en edad casadera y disfrutar de una buena posición social. ‖ **tomar partido**; definirse y adoptar una actitud favorable a un bando determinado: *No tomó partido por ninguno de los candidatos.* □ USO En la acepción 2, es innecesario el uso del anglicismo *match.*

partir I v. **1** Referido a un todo, dividirlo o separarlo en varias partes: *Partió la cuerda en dos trozos. Parte el jamón en tacos pequeños.* **2** Referido a una parte, cortarla y separarla de un todo: *Me partió un trozo de queso.* **3** Referido a un todo, repartirlo o distribuirlo entre varios: *Partió todas sus posesiones entre sus familiares.* **4** Romper o rajar: *Parte las nueces con el cascanueces. Partió el pan con el cuchillo. Se partió un brazo al caerse.* **[5** *col.* Contrariar, perjudicar o causar fastidio: *Me 'parte' tener que salir.* **6** Ponerse en marcha: *El tren partió de la estación.* **7** Arrancar, proceder o tener el origen: *¿De quién partió la idea?* **I** prnl. **8** *col.* Reírse mucho: *Cuenta unos chistes que son para partirse.* **9** ‖ **a partir de**; desde: *A partir de ese día, no volví a verlo.* □ ETIMOL. Del latín *partiri* (dividir, repartir). □ SINT. Constr. de la acepción 7: *partir DE algo o alguien.*

partisano, na s. Guerrillero que forma parte de un grupo civil armado y clandestino que lucha contra un ejército de ocupación, o contra las autoridades de su propio país. □ ETIMOL. Del francés *partisán.*

partitivo, va adj. Que expresa la idea de división de un todo en partes. □ ETIMOL. Del latín *partitus* (repartido).

[partitocracia s.f. Poder excesivo de los partidos políticos en un sistema político.

partitura s.f. Texto escrito de una composición musical, que contiene las partes correspondientes a sus distintas voces o instrumentos. □ ETIMOL. Del italiano *partitura.*

parto, ta I adj./s. **1** De Partia (antigua región asiática), o relacionado con ella. **I** s.m. **2** Expulsión del feto por una hembra de una especie vivípara al final de la gestación. **3** Producción o creación de obras propias del entendimiento o del ingenio humanos. **4** ‖ **el parto de los montes**; *col.* Lo que, tras haber sido anunciado como algo importante o de gran valor, resulta ser ridículo o de poca importancia. □ ETIMOL. La acepción 2, del latín *partus.*

parturienta adj./s.f. Referido a una mujer, que está de parto o que acaba de parir. □ ETIMOL. Del latín *parturiens*, y éste de *parturire* (estar de parto).

[party (anglicismo) s.m. Fiesta privada o particular que se celebra generalmente en una casa. □ PRON. [párti]. □ USO Su uso es innecesario y puede sustituirse por una expresión como *fiesta privada* o *guateque.*

parva s.f. Véase **parvo, va.**

parvedad s.f. Pequeñez o escasez en cantidad o en número.

parvo, va I adj. **1** Escaso en cantidad o en número. **2** De pequeño tamaño. **I** s.f. **3** Mies o cereal maduro extendido en la era para trillarlo, o ya trillado, antes de separar el grano. □ ETIMOL. Las acepciones 1 y 2, del latín *parvus* (pequeño). La acepción 3, del latín *parva* (pequeña). □ USO En las

acepciones 1 y 2, su uso es característico del lenguaje escrito.

parvulario s.m. Lugar en el que se cuida y se educa a los párvulos.

párvulo, la s. Niño de corta edad. □ ETIMOL. Del latín *parvulus* (pequeñito).

pasa s.f. Véase **paso, sa.**

pasable adj. [Aceptable o que se considera suficiente. □ MORF. Invariable en género.

[pasabocas s.m.pl. *col.* En zonas del español meridional, tapa o aperitivo.

pasacalle s.m. Composición musical popular de origen español y de ritmo muy vivo que tocan las bandas de música en fiestas o en desfiles. □ MORF. Incorr. **el pasacalles.*

[pasacasete o **[pasacassette** s.m. En zonas del español meridional, casete. □ PRON. [pasacasét].

pasada s.f. Véase **pasado, da.**

pasadero, ra adj. **1** Que se puede pasar, admitir o soportar, aunque tenga algún defecto. **2** Referido esp. a la salud o a una cualidad, que se posee en un grado medio o que es aceptable.

[pasadiscos s.m. En zonas del español meridional, tocadiscos. □ MORF. Invariable en número.

pasadizo s.m. Paso estrecho que sirve para ir de una parte a otra atajando camino.

pasado, da I adj. **1** Que está obsoleto, que ha sido usado o que ha perdido las propiedades que tenía. **I** adj./s.m. **[2** En gramática, referido a un tiempo verbal, que indica que la acción ya ha sucedido. **I** s.m. **3** Tiempo que ha transcurrido o hecho que ha sucedido. **I** s.f. **[4** Paso de una cosa sobre una superficie de modo que la vaya tocando. **5** Realización de un último repaso o retoque en un trabajo. **6** Planchado realizado de forma ligera. **7** Paso de un lugar a otro. **[8** Vuelo que realiza una aeronave sobre un lugar a una altura determinada. **9** Puntada larga que se da en la ropa al bordarla o al zurcirla. **10** *col.* Lo que destaca por su exageración, por su calidad o por salirse de lo normal. **11** ‖ **de pasada**; de forma ligera o superficial, y sin dedicarle mucha atención; de paso. ‖ **mala pasada**; *col.* Hecho malintencionado que perjudica a otro.

pasador s.m. **1** Alfiler o aguja grande que se usa para sujetar el pelo. **2** Imperdible que sirve para sujetar la corbata a la camisa. **3** En una puerta o en una ventana, barra pequeña de metal sujeta con grapas, que sirve para asegurarlas. **[4** En zonas del español meridional, horquilla.

pasaje s.m. **1** Paso de un lugar a otro. **2** Precio que se paga por el viaje en avión o en barco. **3** Billete para un viaje. **4** Conjunto de personas que viajan en un avión o en un barco. **5** Paso público estrecho entre dos calles, generalmente cubierto. **6** En una obra literaria o en una composición musical, fragmento. **7** Estrecho situado entre dos islas o entre una isla y la tierra firme.

pasajero, ra I adj. **1** Que pasa rápido o que dura poco tiempo. **I** s. **2** Persona que viaja en un vehículo sin formar parte de su tripulación.

pasamanería s.f. Labor textil hecha como adorno para vestidos y todo tipo de telas. 🔊 pasamanería

pasamanos s.m. En una barandilla, barra alargada a la que se fijan los balaústres por su parte superior o inferior; barandal. □ MORF. Invariable en número.

pasamontañas s.m. Gorro que cubre toda la cabeza hasta el cuello, excepto los ojos y la nariz, y que se usa para defenderse del frío. □ MORF. Invariable en número. 🔏 sombrero

pasante s. Persona que trabaja como auxiliar de un abogado para ayudarlo y para adquirir experiencia profesional. □ MORF. Es de género común: *el pasante, la pasante.*

pasantía s.f. **1** Actividad del pasante. **2** Tiempo durante el que un pasante ejerce su actividad.

[pasapalo s.m. En zonas del español meridional, tapa o aperitivo.

pasaportar v. **1** Referido a una persona, despedirla o echarla de un lugar: *El portero del local pasaportó al joven que inició la pelea.* **2** col. Matar: *Pasaportó al individuo que le había traicionado.*

pasaporte s.m. Documento que sirve para acreditar la identidad y la nacionalidad de alguien que viaja de un país a otro. □ ETIMOL. Del francés *passeport.*

pasapurés s.m. Utensilio de cocina que se utiliza para triturar mediante presión sustancias o alimentos sólidos. □ MORF. Invariable en número.

pasar ▮ v. **1** Llevar, conducir o mover de un lugar a otro: *Pásame el pan, por favor.* **2** Mudar o cambiar de lugar, de situación, de categoría o de nivel: *Cuando terminó la película, el cine pasó de estar lleno a estar totalmente vacío.* **3** Penetrar o traspasar: *El túnel pasa la montaña.* **4** Enviar, dar o transferir: *¿Quién te ha pasado esa información?* **5** Ir más allá de un punto o un límite determinados: *La aguja del reloj ha pasado ya la una.* **6** Sufrir, tolerar o aguantar: *Ya no te paso ningún error más.* **7** Exceder o aventajar: *Nadie te pasa en hermosura.* **8** Cesar, acabar o terminar: *Ya pasó la tormenta. ¿Se te ha pasado ya el dolor?* **9** Contagiar, extenderse o comunicarse: *Me has pasado las ganas de bostezar. Algunas enfermedades pasan de padres a hijos.* **10** Estropear, hacer perder las cualidades que tenía: *El sol y el cloro han pasado las gomas del bañador.* **11** Introducir o introducirse a través de un agujero o un hueco: *Pasó el hilo por el ojo de la aguja.* **12** Referido a un lugar, recorrerlo desde una parte a otra; atravesar, cruzar: *Pasaron el umbral cogidos de la mano.* **13** Referido a una prueba, superarla: *Pasó el examen de anatomía con muy buena nota.* **14** Referido a un producto, introducirlo en un lugar de forma ilegal: *Pasó cocaína oculta en paquetes de azúcar.* **[15** Referido esp. a un texto, volverlo a escribir: *Ya 'pasé' a máquina lo que me diste.* **16** Referido a una cosa, llevarla, moverla o deslizarla por encima de otra: *Pásale un paño a esta mesa.* **[17** Referido a los elementos de una serie, hacerlos cambiar de posición o correrlos sucesiva y ordenadamente:

'Pasó' *las hojas del periódico.* **18** Referido a la comida o a la bebida, tragarlas: *Esta carne está tan seca que no puedo pasarla.* **19** Referido esp. a una preocupación, callarla, omitirla u olvidarla: *He pasado ese tema para evitar enfados. Se me pasó ir a recoger el encargo.* **20** Referido esp. a una película, proyectarla: *Esta noche pasarán una película de humor por la televisión.* **21** Referido a un período de tiempo, ocuparlo: *Pasó la tarde oyendo música.* **22** Referido a algo sobre lo que se puede opinar, no poner reparo, censura o falta en ello: *Es amigo de la directora y le pasaron los errores sólo por eso.* **23** En algunos juegos, no jugar en una baza: *Esta vez paso, porque mis cartas son muy malas.* **24** Vivir a gusto: *No puedo pasar sin ver a mis hijos. Nadie puede pasarse sin tener tiempo libre.* **25** Entrar o ir al interior: *'Pase sin llamar', decía un cartel.* **26** Vivir o poder mantenerse: *No sé cómo pasaré este mes. Sin dinero se pasa muy mal.* **27** Referido a un lugar, andar, moverse o transitar por él: *El autobús pasa por aquí a las ocho. Por mi pueblo pasa un río.* **28** Referido a una cosa, convertirse o cambiarse en otra: *Con el frío el agua pasa a hielo.* **29** Seguido de a y de un infinitivo, comenzar a realizar la acción que éste expresa: *Paso a dictarte la carta.* **30** Referido a un período de tiempo, transcurrir: *Se queja de que los años pasan demasiado deprisa.* **31** Referido esp. a una idea, surgir o aparecer en la imaginación: *Pasó por mi cabeza invitarte a cenar.* **32** Seguido de por y de una expresión que indica cualidad, ser considerado como lo que ésta significa: *Es muy inteligente, aunque pase por tonto.* **33** Ocurrir o suceder: *¿Qué ha pasado? Calma, que no pasa nada.* ▮ prnl. **34** Cambiarse o marcharse por cuestiones generalmente ideológicas o económicas: *Se pasó al enemigo sólo por dinero.* **35** Excederse o sobrepasar un límite: *No suele beber, pero hoy se ha pasado.* **36** Referido a un alimento, esp. a la fruta, pudrirse o estropearse: *Tiró las manzanas que se habían pasado.* **37** ‖ **[pasar** de algo; col. No preocuparse seriamente de ello o mantener una actitud indiferente hacia ello: *'Paso' de todo.* ‖ **pasar de largo**; no parar o no detenerse: *Pasó de largo sin saludar.* ‖ **pasar por** algo; tolerarlo o aceptarlo: *Pase que me ignores, pero que me difames no lo tolero.* ‖ **pasar por alto**; hacer caso omiso: *Pasé por alto lo que dijo.* ‖ **pasar por encima de** algo; obrar sin miramiento o sin ningún tipo de consideración: *Pasa por encima de cualquiera con tal de conseguir lo que quiere.* ‖ **pasárselo**; col. Vivir o experimentar una serie de circunstancias: *¿Cómo te lo has pasado en la playa?* □ ETIMOL. Del latín *passare*, y éste de *passus* (paso). □ MORF. En la acepción 33, es invariable en número. □ SINT. **1.** Constr. de la acepción 7: *pasar EN algo.* **2.** Constr. de las acepciones 28 y 34: {*pasar/pasarse*} *A algo.* **3.** Constr. de las acepciones 11 y 27: *pasar POR un lugar.* **4.** Constr. de la acepción 35: *pasarse DE algo.*

pasarela s.f. **1** Puente pequeño de uso peatonal, situado generalmente sobre una carretera o una autopista. **2** Pasillo estrecho y algo elevado sobre el que desfilan los modelos de ropas. **[3** Posibilidad de cambiar de carrera universitaria, que viene ofrecida por los planes de estudio. □ ETIMOL. Del italiano *passerella.*

pasatiempo s.m. Diversión, juego o entretenimiento que sirve para pasar el tiempo.

pascal s.m. En el Sistema Internacional, unidad de pre-

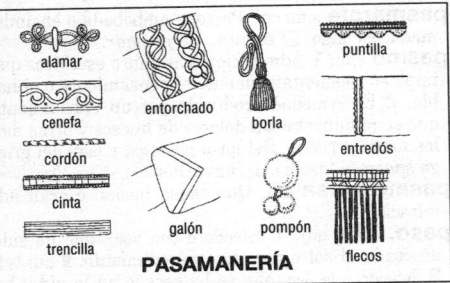

alamar

cenefa

cordón

cinta

trencilla

entorchado

borla

galón

pompón

puntilla

entredós

flecos

PASAMANERÍA

sión que equivale a la presión uniforme que ejerce una fuerza total de un newton al actuar sobre una superficie plana de un metro cuadrado: *El símbolo del pascal es 'Pa'.* ☐ ETIMOL. Por alusión a B. Pascal, matemático y físico francés.

pascana s.f. En zonas del español meridional, etapa o parada en un viaje.

pascua s.f. **1** En la iglesia católica, fiesta en la que se conmemora la resurrección de Jesucristo. **2** En la religión católica, fiestas del nacimiento de Jesucristo, de la adoración de los Reyes Magos o de la venida del Espíritu Santo. **3** Fiesta del pueblo hebreo con la que conmemoraban el fin de su cautiverio en tierras egipcias. **4** ‖ **de Pascuas a Ramos**; *col.* Con poca frecuencia. ‖ **estar** alguien **como unas pascuas**; *col.* Encontrarse muy alegre o muy animado. ‖ **hacer la pascua** a alguien; *col.* Fastidiarlo o perjudicarlo. ‖ **santas pascuas**; *col.* Expresión que se usa para indicar que hay que conformarse con lo que sucede, se hace o se dice. ☐ ETIMOL. Del latín *pascha*, y éste del hebreo *pesah* (sacrificio por la inmunidad del pueblo). ☐ MORF. La RAE lo registra como nombre propio. ☐ USO En las acepciones 1, 2 y 3, se usa más como nombre propio.

pascual adj. De la Pascua o relacionado con estas fiestas religiosas. ☐ MORF. Invariable en género.

pase s.m. **1** Permiso o autorización que se da por escrito, esp. para entrar en determinados lugares. **2** Cambio de lugar, de situación, de categoría o de nivel. **3** Desfile de modelos. **4** Proyección de una película o representación de un espectáculo. **5** En algunos deportes, lanzamiento o entrega que se hace del balón o de la pelota a un compañero. **6** En tauromaquia, cada una de las veces que el torero deja pasar al toro, después de haberle llamado con la muleta. **7** Cada uno de los movimientos que realiza un hipnotizador o un mago con sus manos. **8** ‖ **(pase de) pernocta**; el que se da a un soldado para poder dormir fuera del cuartel.

paseante s. Persona que pasea. ☐ MORF. Es de género común: *el paseante, la paseante.*

pasear ∎ v. **1** Andar o desplazarse por distracción o por ejercicio, esp. si se hace a pie: *Procuro pasear todos los días. Se paseó en bici por el jardín.* **2** Referido a un caballo, andar con movimiento o paso naturales: *La yegua paseaba lentamente.* **3** Llevar de paseo: *Todas las mañanas paseo un rato al perro.* **4** Referido a un objeto, llevarlo de un lugar a otro o mostrarlo en distintos lugares: *Paseó por toda la oficina las fotos de su viaje.* ∎ prnl. **[5** *col.* Ganar con facilidad: *Nuestro equipo 'se paseó' y ganó por cinco goles a cero.* ☐ ETIMOL. De *paso.*

paseíllo s.m. En tauromaquia, desfile de los toreros y de sus cuadrillas por el ruedo antes de comenzar la corrida de toros. ☐ USO Se usa más en la expresión *hacer el paseíllo.*

paseo s.m. **1** Desplazamiento por distracción o por ejercicio, esp. si se hace a pie. **2** Lugar público en el que se puede pasear. **3** Distancia corta que se puede recorrer en poco tiempo. **4** ‖ **[dar el paseo** a alguien; *col.* Llevarlo a las afueras de una población y matarlo. ‖ **mandar a paseo**; *col.* Rechazar o ignorar.

paseriforme ∎ adj./s.m. **1** Referido a un ave, que tiene tres dedos dirigidos hacia delante y uno hacia atrás, lo que le sirve para poder agarrarse con facilidad a las ramas: *Los gorriones son aves paseri-*

formes. ∎ s.m.pl. **2** En zoología, orden de estas aves, perteneciente a la superclase de los tetrápodos. ☐ ETIMOL. Del latín *passer* (pájaro) y *-forme* (forma). ☐ MORF. **1.** Como adjetivo es invariable en género. **2.** En la acepción 1, la RAE sólo lo registra como adjetivo. **3.** En la acepción 2, la RAE lo registra como femenino.

pasiego, ga adj./s. Del Valle del Pas (comarca de la comunidad autónoma cántabra) o relacionado con él.

pasillo s.m. **1** En un edificio, pieza de paso, alargada y estrecha a la que dan las puertas de habitaciones y salas; corredor. **[2** Paso estrecho que se abre en medio de una multitud. ☐ ETIMOL. De *paso.*

pasión s.m. **1** Perturbación del ánimo, o sentimiento muy intenso. **2** Inclinación o preferencia exagerada hacia algo. **[3** Lo que se desea con fuerza. **4** Padecimiento o sufrimiento, esp. referido al de Jesucristo antes de su muerte. **[5** Composición musical basada en el relato evangélico de este padecimiento de Jesucristo. ☐ ETIMOL. Del latín *pasio.* ☐ USO En la acepción 4, se usa más como nombre propio.

pasional adj. De la pasión, esp. la amorosa, o relacionado con ella. ☐ MORF. Invariable en género.

pasionaria s.f. Planta herbácea, trepadora, de hojas verdes partidas en tres, cinco o siete lóbulos, flores olorosas y solitarias y de color morado. ☐ ETIMOL. De *pasión*, porque las diferentes partes de la flor recuerdan a los atributos de la Pasión de Jesucristo.

pasividad s.f. Actitud de la persona que deja que los demás actúen sin hacer ella nada.

pasivo, va ∎ adj. **1** Referido a una persona o a su comportamiento, que deja que los demás actúen sin hacer ella nada. **2** Que recibe una acción que otro realiza: *sujeto pasivo.* **3** En gramática, que expresa que el sujeto no realiza la acción verbal sino que la recibe. ∎ s.m. **4** Conjunto de las deudas y de las obligaciones de una persona, empresa o institución. **5** ‖ **pasiva refleja**; en gramática, construcción oracional con sentido pasivo, que se forma con el pronombre 'se', el verbo en tercera persona y en voz activa, y sin complemento agente. ☐ ETIMOL. Del latín *passivus* (el que soporta).

[pasma s.m. *col.* Policía. ☐ USO Es despectivo.

pasmado, da adj./s. Referido a una persona, que está atontada, absorta o distraída. ☐ MORF. La RAE sólo lo registra como adjetivo.

pasmar ∎ v. **1** *col.* Hacer perder o suspender los sentidos o el asombro, esp. por el asombro o por la sorpresa: *Pasmó al público con una actuación impresionante. Me pasma su frialdad.* ∎ prnl. **2** Enfriarse de forma intensa o rápida: *Si nos quedamos aquí nos pasmaremos de frío.*

pasmarote s.m. *col.* Persona embobada o ensimismada por algo. ☐ ETIMOL. De *pasmar.*

pasmo s.m. **1** Admiración o asombro excesivos que impiden momentáneamente el pensamiento o el habla. **2** Enfermedad producida por un enfriamiento que se manifiesta con dolores de huesos y otras molestias. ☐ ETIMOL. Del latín *pasmus*, y éste del griego *spasmós* (espasmo, convulsión).

pasmoso, sa adj. Que causa pasmo o gran admiración.

paso, sa ∎ adj. **1** Referido a una fruta, que ha sido desecada al sol o por otro procedimiento. ∎ adj./s.f. **2** Referido a la uva, que se ha secado en la vid o ha sido desecada artificialmente. ▮ s.m. **3** Movimiento de cada uno de los pies que se realiza al andar. **4** Espacio que se avanza en cada uno de esos movimientos. **5** Manera de andar. **6** Movimiento continuo con el que anda alguien. **7** Movimiento regular con el que camina un animal cuadrúpedo. **8** Cruce de un lugar a otro. **9** Circulación o tránsito por un lugar. **10** Lugar por el que se pasa de una parte a otra. **11** Transcurso, esp. referido al del tiempo. **12** Tránsito por un determinado lugar, o estancia en él. **13** Gestión o trámite que se hacen para pedir algo. **14** Huella que queda impresa al andar. **15** Suceso o acontecimiento importantes o difíciles en la vida de alguien. **16** Avance o progreso conseguidos en una situación o en una actividad. **17** Escultura o grupo escultórico que representan los hechos más importantes de la Pasión de Jesucristo (padecimiento que sufrió antes de su muerte), y que se sacan en las procesiones de Semana Santa. **18** Cada una de las variaciones que se hacen en un baile. **19** Pieza dramática muy breve, generalmente de carácter cómico o satírico, que solía intercalarse en las representaciones teatrales de obras más largas. **20** Estrecho de mar. **21** Cada uno de los avances que realiza un aparato contador. ▮ s.m.pl. **22** En algunos deportes, esp. en baloncesto o en balonmano, falta que comete un jugador al dar más de tres pasos o zancadas llevando la pelota en la mano sin botarla. **23** ‖ **a cada paso**; de forma continuada o frecuente. ‖ **a {un/dos/cuatro} pasos**; a corta distancia. ‖ **apretar el paso**; *col.* Andar o ir más deprisa. ‖ **[dar un paso al frente**; admitir o reconocer algo. ‖ **de paso**; **1** Aprovechando la ocasión. **2** De forma ligera o superficial, o sin dedicarle mucha atención; de pasada. **3** De forma provisional o sin permanencia fija. ‖ **[paso a desnivel**; en zonas del español meridional,lugar en el que se cruza a otro nivel de un camino. ‖ **paso a nivel**; lugar en el que se cruzan una vía del tren y un camino o una carretera. ‖ **[paso a paso**; poco a poco. ‖ **paso de cebra**; lugar señalado con unas franjas blancas y paralelas, por el que se cruza una calle y en el que el peatón tiene preferencia sobre un vehículo. ‖ **[paso de (la) oca**; el que se usa en algunos ejércitos levantando mucho la pierna que avanza. ‖ **[paso de peatones**; en zonas del español meridional, paso de cebra. ‖ **paso del Ecuador**; fiesta o viaje que organizan los estudiantes que se encuentran en la mitad de la carrera. ‖ **seguir los pasos a alguien**; espiarlo o vigilarlo. ‖ **seguir los pasos de alguien**; imitarlo en lo que hace. □ ETIMOL. Las acepciones 1 y 2, del latín *passus* (extendido, secado al sol). Las acepciones 3-23, del latín *passus* (paso). □ MORF. La acepción 13 se usa más en plural. □ USO En la acepción 22, se usa también *cámino*.

pasodoble s.m. **1** Composición musical de ritmo muy vivo y en compás de cuatro por cuatro. **2** Baile que se ejecuta al compás de esta música.

[pasota adj./s. Referido a una persona, que muestra desinterés, indiferencia o despreocupación por todo aquello que la rodea. □ MORF. 1. Como adjetivo es invariable en género. 2. Como sustantivo es de género común: *el 'pasota', la 'pasota'.*

[pasotismo s.m. Actitud de desinterés, indiferencia y despreocupación hacia todo.

paspartú s.m. Recuadro de cartón o de tela que delimita los bordes de un dibujo o de un cuadro y que se coloca entre éstos y el marco. □ ETIMOL. Del francés *passe-partout.*

pasquín s.m. Escrito anónimo que se fija en un sitio público y que contiene expresiones satíricas o acusaciones. □ ETIMOL. Por alusión a Pasquino, nombre de una estatua en la ciudad de Roma, en la que solían fijarse escritos satíricos.

[passing shot (anglicismo) ‖ En tenis, golpe rápido que, generalmente en respuesta a una volea, sobrepasa al jugador contrario cuando éste se halla próximo a la red. □ PRON. [pásin chot], con *ch* suave.

pasta s.f. **1** Masa hecha de sustancias sólidas machacadas y mezcladas con un líquido. **2** Masa hecha con manteca o aceite y otros ingredientes que se utiliza generalmente para hacer pasteles, hojaldres o empanadas. **3** Masa de harina de trigo y agua con la que se hacen los fideos, macarrones y otros alimentos semejantes. **4** Conjunto de los alimentos hechos con esta masa. **5** Dulce pequeño hecho con masa de harina y otros ingredientes, cocido al horno, y normalmente recubierto con chocolate o mermelada. **6** Encuadernación de los libros hecha con cartones que generalmente se cubren con piel, tela u otros materiales. **7** *col.* Dinero. **8** Carácter o forma de ser de una persona. **9** ‖ **[pasta {de dientes/dentífrica}**; preparado que se utiliza para la limpieza de los dientes. ‖ **[pasta gansa**; gran cantidad de dinero. □ ETIMOL. Del latín *pasta*, y éste del griego *páste* (harina mezclada con salsa).

pastar v. Referido al ganado, comer hierba en los campos; pacer: *Llevó a las vacas a pastar al prado.*

pastel s.m. **1** Masa hecha con harina y manteca, cocida al horno, que generalmente se rellena de crema, dulce, carne, fruta o pescado. **2** Lápiz o pintura en forma de barra, hecho con una materia colorante y agua. **3** Técnica pictórica caracterizada por el empleo de este tipo de lápices sobre una superficie rugosa y áspera. **[4** Obra pictórica realizada mediante esta técnica. **5** *col.* Convenio o plan secretos realizados con malos fines. **[6** En zonas del español meridional, tarta. **7** ‖ **al pastel**; con estas pinturas. □ ETIMOL. Del francés antiguo *pastel*. □ SINT. En la acepción 2 se usa mucho en aposición, pospuesto a un sustantivo que designa color.

pastelería s.f. **1** Establecimiento en el que se hacen o se venden pasteles, pastas u otros dulces. **2** Arte o técnica de hacer pasteles, pastas u otros dulces.

pastelero, ra ▮ adj. **1** De la pastelería o relacionado con ella. ▮ s. **2** Persona que se dedica profesionalmente a la venta o a la fabricación de pasteles, pastas u otros dulces.

pasterización s.f. →**pasteurización**.

pasterizar v. →**pasteurizar**. □ ORTOGR. La *z* se cambia en *c* delante de *e* →CAZAR.

pasteurización s.f. Operación que consiste en elevar la temperatura del alimento líquido, esp. de la leche, hasta un nivel inferior al de su punto de ebullición durante un corto espacio de tiempo, y en enfriarlo después rápidamente para así destruir las bacterias y gérmenes dañinos sin alterar su composición y cualidades. □ ORTOGR. Se admite también *pasterización*.

pasteurizar v. Referido a un alimento líquido, esp. a la leche, elevar su temperatura hasta un nivel inferior al de su punto de ebullición durante un corto espacio de tiempo y enfriarlo después rápidamente, para así destruir las bacterias y gérmenes dañinos sin alterar su composición y cualidades: *La central lechera pasteuriza la leche.* □ ETIMOL. Del francés *pasteuriser*, y éste de *Pasteur* (biólogo que inventó este procedimiento). □ ORTOGR. 1. Se admite también *pasterizar*. 2. La *z* se cambia en *c* delante de *e* →CAZAR.

pastiche s.m. **1** Imitación de un artista o de un estilo artístico tomando diversos elementos y combinándolos de forma que parezcan una creación original. **[2** Mezcla de diferentes elementos sin ningún orden. □ ETIMOL. Del francés *pastiche.* □ USO En la acepción 2, tiene un matiz despectivo.

pastilla s.f. **1** Porción pequeña, sólida y generalmente redondeada de una sustancia medicinal. 🔍 medicamento **2** Porción de pasta de diferentes sustancias, más o menos dura y generalmente de forma geométrica: *pastilla de jabón.* **3** ‖ **[a toda pastilla**; *col.* Muy deprisa o a gran velocidad. □ ETIMOL. De *pasta.*

pastillero, ra ▌ s. **[1** *col.* Persona que consume con cierta frecuencia pastillas con efectos estimulantes o alucinógenos, esp. la droga llamada *éxtasis.* ▌ s.m. **2** Estuche pequeño que se utiliza para guardar pastillas.

pastizal s.m. Terreno de pasto abundante.

pasto s.m. **1** Hierba que el ganado come en el campo. **2** Campo en el que hay abundante hierba para que paste el ganado. **3** Lo que fomenta una actividad o es consumido por ésta: *La arboleda fue pasto de las llamas.* **4** En zonas del español meridional, hierba o césped. **5** ‖ **a todo pasto**; *col.* De forma abundante o sin restricciones. □ ETIMOL. Del latín *pastus.* □ MORF. La acepción 2 se usa más en plural.

pastor, -a s. **1** Persona que guía y cuida del ganado, generalmente el de ovejas. **2** Eclesiástico que tiene la obligación de cuidar de los fieles encomendados a él. **3** ‖ **pastor alemán**; referido a un perro, de la raza que se caracteriza por tener un pelaje espeso de color pardo amarillento, tamaño medio y gran fortaleza, huesos bien proporcionados, cola muy poblada, y que es muy apreciado por su inteligencia y su capacidad de aprendizaje. 🔍 perro □ ETIMOL. Del latín *pastor.* □ MORF. 1. En la acepción 2, la RAE sólo lo registra como masculino. 2. *Pastor alemán* y *'pastor de Brie'*, como adjetivo, son invariables en género.

pastoral ▌ adj. **1** De los pastores de una iglesia o relacionado con ellos. ▌ s.f. **2** Composición literaria o musical de carácter pastoril, que suele girar en torno a una idealización de la vida de los pastores en el campo. **3** →**carta pastoral.** □ MORF. 1. Como adjetivo es invariable en género. 2. En la acepción 3, la RAE lo registra como sustantivo de género ambiguo.

pastorear v. Referido al ganado, guiarlo y cuidarlo mientras está por el campo: *Un muchacho pastoreaba el rebaño de ovejas.*

pastorela s.f. **1** Composición poética de origen provenzal y generalmente de carácter dialogado, en la que se describe el encuentro y enamoramiento entre un caballero y una pastora. **2** Música y canto de carácter sencillo y alegre, como el que se atribuye a los pastores. □ ETIMOL. Del francés *pastourelle.*

pastoreo s.m. Guía y vigilancia del ganado mientras está por el campo.

pastoril adj. Referido a una obra o un género literario, que tiene como tema la vida idílica y amorosa de los pastores. □ MORF. Invariable en género.

pastoso, sa adj. **1** Que está más espeso de lo normal, o que forma una pasta blanda o moldeable. **[2** Que está pegajoso o demasiado seco.

pata s.f. Véase **pato, ta.**

patache s.m. Embarcación de guerra que se utilizaba para llevar avisos, reconocer la costa y guardar las entradas de los puertos.

patada s.f. **1** Golpe dado con el pie o con la pata. **2** ‖ **a patadas**; *col.* Con excesiva abundancia. ‖ **[dar cien patadas** algo; *col.* Disgustar mucho o resultar muy molesto. ‖ **[en dos patadas**; rápidamente o con facilidad.

patalear v. **1** Mover las piernas o las patas de forma rápida y repetida: *La cucaracha estaba boca abajo y pataleaba.* **2** Dar patadas en el suelo de forma violenta: *El niño lloró y pataleó como un loco.*

pataleo s.m. **1** Sucesión de golpes dados en el suelo con los pies de forma violenta. **2** *col.* Queja violenta por algo que ya es inevitable.

pataleta s.f. *col.* Ataque de nervios, o demostración exagerada de enfado o contrariedad.

patán ▌ adj./s.m. **1** *col.* Referido a un hombre, que es grosero, ignorante o maleducado. ▌ s.m. **2** *col.* Hombre rústico o tosco. □ ETIMOL. De *pata.* □ USO Tiene un matiz despectivo.

patata s.f. **1** Planta herbácea anual de origen americano, de flores blancas o moradas y cuyo tubérculo es comestible. **2** Tubérculo de la raíz de esta planta, redondeado, con piel de color terroso e interior amarillento y carnoso, muy apreciado en la alimentación por su valor nutritivo. **[3** *col.* Cosa de poco valor o de mala calidad. **4** ‖ **[ni patata**; *col.* Absolutamente nada. ‖ **[patata caliente**; *col.* Problema difícil que se intenta evitar. □ ETIMOL. De *papa*, por cruce con *batata.* □ SEM. En las acepciones 1, 2 y 4 es sinónimo de *papa.*

patatal o **patatar** s.m. Terreno plantado de patatas.

patatero, ra ▌ adj. **1** De la patata o relacionado con esta planta. ▌ adj./s. **2** Referido a una persona, que cultiva o vende patatas.

patatín ‖ **que (si) patatín, que (si) patatán**; *col.* Expresión que se usa como resumen para no explicar algo que se considera poco importante o que se desea callar: *Empezó que si patatín, que si patatán.*

patatús s.m. *col.* Desmayo, ataque de nervios o fuerte impresión. □ MORF. Invariable en número.

paté s.m. Pasta comestible, generalmente elaborada con carne o hígado picados y sazonada con especias, que se suele consumir fría. □ ETIMOL. Del francés *pâté.*

patear v. **1** *col.* Dar golpes con los pies: *El caballo pateó a su cuidador. El público pateó para demostrar su indignación.* **2** *col.* Referido a un lugar, recorrerlo a pie: *Tuve que patear varias oficinas. Estuvimos en la ciudad veinte días pateándola.* **[3** En golf, dar a la bola para meterla en el hoyo: *Tuve que 'patear' dos veces en el green para meter la bola.* □ SEM. En la acepción 1, en el lenguaje del deporte, está muy extendido su uso transitivo con el significado de 'lanzar con fuerza con el pie': *El delantero {*pateó > disparó} la pelota con fuerza.*

patena s.f. **1** Platillo sobre el que se coloca la hostia en la misa. **2** ‖ **como una patena**; muy limpio o reluciente. ☐ ETIMOL. Del latín *patena* (pesebre).

patentar v. Conceder u obtener una patente: *Un organismo público es el encargado de patentar los nuevos inventos. Patentó su nuevo modelo de grifo.*

patente I adj. **1** Claro y manifiesto. **I** s.f. **2** Documento en el que se acredita una condición, un mérito o una autorización. **3** Documento en el que oficialmente se otorga el derecho exclusivo a poner en práctica una determinada invención por un período de tiempo. [**4** En zonas del español meridional, matrícula de un vehículo. **5** ‖ **patente de corso**; autorización que alguien tiene para realizar actos prohibidos para los demás. ☐ ETIMOL. Del latín *patens* (que está abierto). ☐ MORF. Como adjetivo es invariable en género. ☐ SEM. Dist. de *latente* (oculto, no manifiesto).

pateo s.m. Sucesión de golpes o patadas dados de forma continuada y en señal de enfado, dolor o desagrado.

páter s.m. *col.* Sacerdote, esp. el de un regimiento militar. ☐ ETIMOL. Del latín *pater* (padre).

patera s.f. [Barca de poco calado. ☐ ORTOGR. Dist. de *pátera*.

pátera s.f. Plato de poco fondo y generalmente decorado, que se usaba en la antigua Roma para los sacrificios. ☐ ETIMOL. Del latín *patella* (especie de fuente o plato grande de metal). ☐ ORTOGR. Dist. de *patera*.

paternal adj. Con las características que se consideran propias de un padre, como el afecto, la comprensión y la protección. ☐ MORF. Invariable en género.

paternalismo s.m. Tendencia a adoptar una actitud protectora propia de un padre y aplicarla a relaciones sociales de distinto tipo. ☐ USO Tiene un matiz despectivo.

paternalista adj./s. Que manifiesta paternalismo o que actúa dejándose llevar por esta tendencia. ☐ MORF. Como adjetivo es invariable en género y como sustantivo es de género común: *el paternalista, la paternalista.* ☐ USO Tiene un matiz despectivo.

paternidad s.f. Estado o situación del hombre que es padre.

paterno, na adj. Del padre o de los padres. ☐ ETIMOL. Del latín *paternus.*

patético, ca adj. Que produce una tristeza, un sufrimiento o una melancolía muy intensos. ☐ ETIMOL. Del griego *pathetikós*, y éste de *épathon* (yo sufrí).

patetismo s.m. Capacidad para provocar una tristeza, un sufrimiento o una melancolía muy intensos.

patibulario, ria adj. **1** Del patíbulo o relacionado con él. **2** Que es muy desagradable o que provoca un horror parecido al que provocaban, por su aspecto, los condenados al patíbulo.

patíbulo s.m. Lugar, generalmente elevado sobre un armazón de tablas, en el que se ejecutaba a los condenados a muerte. ☐ ETIMOL. Del latín *patibulum.*

[**paticorto, ta**] adj. Que tiene las patas o las piernas más cortas de lo normal.

patidifuso, sa adj. *col.* Asombrado, sorprendido o lleno de extrañeza. ☐ ETIMOL. De *pata* y *difuso* (extendido).

patilla s.f. **1** Franja de barba o de pelo que se deja

crecer por delante de las orejas en cada uno de los carrillos. **peinado 2** En un objeto, pieza alargada y estrecha que sobresale de él y que le sirve para sujetarse o encajarse en otro: *Los binóculos son gafas sin patillas.* **gafas 3** En zonas del español meridional, sandía. ☐ MORF. En las acepciones 1 y 2 se usa más en plural.

patilludo, da adj. Referido a una persona, que tiene unas patillas largas y espesas.

patín s.m. **1** Especie de bota adaptable al pie y dotada de cuatro ruedas o de una especie de cuchilla, según sea para patinar deslizándose sobre suelos lisos o sobre hielo. **2** Juguete consistente en una plataforma alargada sobre ruedas, generalmente provista de una barra y de un manillar para conducirla, y que se conduce poniendo un pie sobre ella e impulsándose en el suelo con el otro; patinete. [**3** Embarcación compuesta por dos flotadores paralelos unidos por dos o más travesaños y movida por un sistema de paletas accionado por pedales. **4** ‖ [**patín del diablo**; en zonas del español meridional, patinete. ☐ ETIMOL. Del francés *patin.*

pátina s.f. Tono o debilitamiento del color que toma naturalmente un objeto antiguo con el paso del tiempo y que altera levemente su aspecto externo. ☐ ETIMOL. Del latín *patina* (fuente, cacerola).

patinador, -a s. Persona que practica el patinaje.

patinaje s.m. Deporte en el que una persona realiza diversos ejercicios deslizándose sobre patines.

patinar v. **1** Deslizarse sobre patines: *En el nuevo pabellón polideportivo podemos patinar sobre hielo.* **2** Resbalar o derrapar: *El coche patinó porque había una capa de hielo en la carretera.* **3** *col.* Equivocarse o errar: *Has patinado sacando conclusiones antes de tiempo.*

patinazo s.m. **1** Resbalón o derrape bruscos. **2** *col.* Equivocación o error que comete una persona.

[**patineta** s.f. En zonas del español meridional, monopatín.

patinete s.m. Juguete consistente en una plataforma alargada sobre ruedas, generalmente provista de una barra y de un manillar para conducirla, y que se dirige poniendo un pie sobre ella e impulsándose en el suelo con el otro; patín.

patio s.m. **1** En el interior o al lado de un edificio, espacio sin techar. **2** ‖ [**cómo está el patio**; *col.* Expresión que se usa para indicar la agitación o el nerviosismo reinantes. ‖ **patio (de butacas)**; en un teatro, planta baja ocupada por butacas; platea. ☐ ETIMOL. Quizá del provenzal *pàti* (lugar de pasto comunal, terreno baldío).

patitieso, sa adj. **1** *col.* Sin capacidad de mover los pies o las piernas. **2** *col.* Asombrado o sorprendido por la novedad o la extrañeza de algo. ☐ ETIMOL. De *pata* y *tieso.*

patizambo, ba adj./s. Que tiene las piernas torcidas hacia fuera y las rodillas muy juntas.

pato, ta I s. **1** Ave palmípeda, de pico aplanado más ancho en la punta que en la base, cuello corto y patas pequeñas; ánade. **2** *col.* Persona sosa y patosa. **I** s.f. **3** Cada una de las extremidades de un animal. **4** *col.* Pierna de una persona. **5** Pieza que sirve como base o apoyo de algo, esp. de un mueble. [**6** En zonas del español meridional, etapa. **7** *col.* En zonas del español meridional, desfachatez o descaro. **8** ‖ **a cuatro patas**; apoyándose en el suelo con las manos y los pies o las rodillas. ‖ **a la pata coja**;

apoyado sobre un pie y con el otro en el aire. ‖ **a la pata la llana**; llanamente, con naturalidad o con confianza. ‖ **a pata**; *col.* A pie o andando. ‖ **[de pata negra**; **1** Referido esp. a un jamón, que es de una raza de cerdo ibérico que destaca por su gran calidad. col. **2** Que es de una calidad excepcional. ‖ **estirar la pata**; *col.* Morir. ‖ **mala pata**; mala suerte. ‖ **meter la pata**; *col.* Hacer o decir algo poco acertado. ‖ **pagar el pato**; *col.* Sufrir el castigo de algo sin merecerlo. ‖ **pata de gallo**; **1** Arruga con tres surcos divergentes que se forma en el ángulo externo del ojo a medida que avanza la edad de una persona. **[2** Tejido y dibujo en dos colores formado por figuras cuadrangulares y cruzadas que recuerdan las huellas de gallos y gallinas. ‖ **[pata de rana**; en zonas del español meridional, aleta para bucear. ‖ **patas arriba**; desordenado o al revés. ‖ **poner** a alguien **de patas en la calle**; *col.* Echarlo de algún lugar, generalmente de malas maneras. ‖ **[ser el patito feo**; *col.* Ser despreciado o ser poco valorado. □ ETIMOL. Las acepciones 1 y 2, de origen onomatopéyico. Las acepciones 3-6, de origen incierto. □ MORF. 1. En las acepciones 3, 4 y 5, cuando se antepone a una palabra para formar compuestos, adopta la forma *pati-*: *paticorto*. 2. *Poner de patas en la calle* se usa mucho con el diminutivo *poner de patitas en la calle*.

patochada s.f. Hecho o dicho tonto, disparatado o inoportuno. □ ETIMOL. De *pata*.

[patogénesis s.f. →**patogenia**. □ MORF. Invariable en número.

patogenia s.f. **1** Parte de la patología que estudia las causas y el desarrollo de las enfermedades. **2** Desarrollo de una enfermedad y causas que lo provocan. □ ETIMOL. Del griego *páthos* (enfermedad) y *gennáo* (yo engendro). □ USO En la acepción 1, se usa también *patogénesis*.

patógeno, na adj. Que produce o puede producir una enfermedad. □ ETIMOL. Del griego *páthos* (dolencia) y *-geno* (que produce).

patología s.f. Parte de la medicina que estudia las enfermedades. □ ETIMOL. Del griego *páthos* (enfermedad) y *-logía* (estudio, ciencia). □ SEM. No debe emplearse con el significado de 'enfermedad': *Padece una {*patología > enfermedad} cancerosa*.

patológico, ca adj. Que indica o que constituye una enfermedad.

patoso, sa adj./s. **1** Que es torpe, poco ágil o carece de habilidad. **2** Que pretende ser gracioso sin conseguirlo. □ ETIMOL. De *pata*. □ MORF. La RAE sólo lo registra como adjetivo.

patraña s.f. Mentira o noticia totalmente inventada, que se hace pasar por verdadera. □ ETIMOL. Del antiguo *pastraña* (mentira fabulosa).

patria s.f. Véase **patrio, tria**.

patriarca s.m. **1** En la Biblia, cierto personaje del Antiguo Testamento que fue jefe o cabeza de una numerosa descendencia. **2** En algunas iglesias, esp. orientales, obispo que ostenta cierto título de dignidad. **3** Persona que por su edad y sabiduría resulta más respetada o con mayor autoridad moral dentro de una familia o de una colectividad. □ ETIMOL. Del griego *patriárkhes* (jefe de familia), y éste de *patriá* (linaje, tribu) y *árkho* (yo gobierno).

patriarcado s.m. **1** Dignidad de patriarca. **2** Territorio sobre el que ejerce su autoridad un patriarca. **3** Tiempo durante el que un patriarca ostenta

esa dignidad. **4** Predominio o mayor autoridad del hombre en una sociedad o en un grupo.

patriarcal adj. **1** Del patriarca o relacionado con él, con su autoridad o con su gobierno. **2** Referido a la autoridad o al gobierno, que son ejercidos con sencillez y benevolencia. □ MORF. Invariable en género.

patricio, cia ▪ adj. **1** De los patricios o relacionado con los miembros de este grupo social romano. **▪** adj./s. **2** En la antigua Roma, referido a una persona, que descendía de las familias más antiguas que participaron en la fundación de la ciudad, y formaba parte de una clase social privilegiada. □ ETIMOL. Del latín *patricio*, (propio de los *patres*, que era el nombre honorífico de los senadores).

patrimonial adj. **1** Del patrimonio o relacionado con él. **2** Que pertenece a una persona por ser de su padre, de sus antepasados o de su país. **3** En lingüística, referido esp. a una palabra, que pertenece al léxico más antiguo de una lengua y que ha seguido las leyes generales de evolución fonética de dicha lengua. □ MORF. Invariable en género.

patrimonio s.m. **1** Conjunto de bienes que pertenecen a una persona o una entidad. **2** Conjunto de bienes que una persona hereda de sus ascendientes o antepasados directos. **3** En economía, diferencia entre los valores económicos que pertenecen a una persona o a una entidad y las deudas u obligaciones de que responde. □ ETIMOL. Del latín *patrimonium* (bienes heredados de los padres).

patrio, tria ▪ adj. **1** De la patria o relacionado con ella. **▪** s.f. **2** País en el que ha nacido una persona o al que se siente ligada por vínculos jurídicos, históricos o afectivos. **3** ‖ **patria celestial**; Cielo. ‖ **patria chica**; lugar en el que se ha nacido. □ ETIMOL. La acepción 1, del latín *patrius* (relativo al padre). Las acepciones 2 y 3, del latín *patria*.

patriota adj./s. Que ama a su patria y procura el bien de ésta. □ ETIMOL. Del griego *patriótes* (compatriota). □ MORF. 1. Como adjetivo es invariable en género. 2. Como sustantivo es de género común: *el patriota, la patriota*. 2. La RAE sólo lo registra como sustantivo.

patriotería s.f. *col.* Actitud de quien presume excesivamente de patriotismo o de quien manifiesta un patriotismo superficial. □ USO Tiene un matiz despectivo.

patriotero, ra adj./s. *col.* Que presume excesivamente de patriotismo, o que manifiesta un patriotismo superficial. □ USO Tiene un matiz despectivo.

patriótico, ca adj. Del patriota, de la patria o relacionado con ellos.

patriotismo s.m. Amor a la patria.

patrístico, ca ▪ adj. **1** De la patrística o relacionado con esta ciencia. **▪** s.f. **2** Ciencia que estudia la vida, la obra y la doctrina de los Padres de la Iglesia. **[3** Colección de los escritos de los Padres de la Iglesia. □ ETIMOL. Las acepciones 2 y 3, del latín *patres* (padres). □ SEM. En las acepciones 2 y 3, es sinónimo de *patrología*.

patrocinador, -a adj./s. Que patrocina a alguien o a algo, esp. una actividad deportiva. □ USO Es innecesario el uso del anglicismo *sponsor*.

patrocinar v. **1** Referido a una persona o a un determinado proyecto, defenderlos, protegerlos o favorecerlos alguien que tenga medios para ello: *Esta investigación la patrocina la propia directora del laboratorio*. **2** Referido a una actividad, sufragar sus gastos

con fines publicitarios: *Una fábrica de material deportivo patrocina nuestro equipo.* □ USO Es innecesario el uso del anglicismo *sponsorizar* y de la forma castellanizada *esponsorizar.*

patrocinio s.m. Ayuda o protección que alguien
con medios suficientes proporciona a quien lo necesita, esp. la económica que se ofrece con fines publicitarios. □ ETIMOL. Del latín *patrocinium* (protección, patronato).

patrología s.f. **1** Ciencia que estudia la vida, la
obra y la doctrina de los Padres de la Iglesia. **2**
Colección de los escritos de los Padres de la Iglesia.
□ ETIMOL. Del griego *patér* (padre) y *-logía* (ciencia,
estudio). □ SEM. Es sinónimo de *patrística.*

patrón, -a ∎ s. **1** Persona que contrata empleados
para realizar un trabajo. **2** Amo o señor. **3** Dueño
de la casa en la que alguien está alojado. **4** Santo
o Virgen a quienes se dedica una iglesia o que son
elegidos como protectores de un lugar o de una congregación. **5** Defensor o protector. **6** Miembro de un
patronato. ∎ s.m. **7** Persona que manda y dirige una
pequeña embarcación dedicada al transporte de
mercancías y pasajeros. **8** Lo que sirve de modelo
para hacer otra cosa igual o para medir y valorar
algo. ✂ costura **9** ∥**cortado por el mismo patrón**; referido a algo que se compara con otro elemento,
que tiene gran semejanza con éste. □ ETIMOL. Del
latín *patronus* (patrono, protector, defensor). □ SEM.
En las acepciones 1, 2, 3, 4 y 6, es sinónimo de
patrono.

patronal ∎ adj. **1** Del patrono, del patronato o relacionado con ellos. ∎ s.f. **2** Conjunto de patronos o
de empresarios. □ MORF. Como adjetivo es invariable en género.

patronato s.m. **1** Institución o asociación que se
dedica a una obra benéfica. **2** Grupo de personas
que ejercen funciones de dirección, de asesoramiento o de vigilancia en una institución para que ésta
cumpla debidamente sus fines. **3** Corporación que
forman los patronos.

patronazgo s.m. Derecho, poder o facultad que
son propios de un patrono.

patronear v. Referido a una embarcación, ejercer en
ella el cargo de patrón: *El propio armador patronea
el pesquero.*

patronímico, ca ∎ adj. **1** En la Antigüedad clásica,
referido a un nombre de persona, que se derivaba del
de algún antecesor y expresaba la pertenencia de
dicha persona a una determinada familia. ∎ adj./
s.m. **2** Referido a un apellido, que se ha formado por
derivación del nombre del padre o de un antecesor:
'Ramírez' es un patronímico derivado de 'Ramiro'. □
ETIMOL. Del griego *patronymikós*, y éste de *patér*
(padre) y *ónoma* (nombre).

patrono, na s. →**patrón.**

patrulla s.f. **1** Grupo pequeño de soldados o de personas armadas que rondan o vigilan un lugar o que
están encargadas de realizar una misión militar. **2**
Grupo pequeño de personas con un objetivo común.
3 Grupo de barcos o de aviones que realizan una
función de defensa, de vigilancia o de observación
en un lugar. **4** Servicio de defensa, de vigilancia o
de observación que realiza uno de estos grupos.

[patrullaje s.m. Operación que realiza una patrulla recorriendo un lugar.

patrullar v. Referido a un lugar, recorrerlo una patrulla para defenderlo, vigilarlo o realizar una mi-

sión: *La policía patrulla la zona. Dos misiles alcanzaron a los barcos que patrullaban por la costa.* □
ETIMOL. Del francés *patrouiller.*

patrullera s.f. Embarcación que patrulla o está
destinada a labores de defensa, vigilancia u observación.

patrullero, ra adj./s. Referido a un vehículo, que patrulla y está destinado a labores de defensa, vigilancia u observación.

patuco s.m. Calzado, generalmente de punto y en
forma de bota, que usan los niños que aún no saben
andar, o los adultos para abrigarse los pies en la
cama.

patudo, da adj./s. col. [En zonas del español meridional, caradura o desvergonzado.

patulea s.f. col. Grupo numeroso y desordenado de
personas, esp. si arman mucho jaleo.

[patxaran s.m. →**pacharán.** □ PRON. [pacharán].
□ USO Es un término vasco innecesario.

paúl ∎ adj./s.m. **1** Referido a un religioso, que pertenece a la congregación de misioneros fundada en el
siglo XVII por san Vicente de Paúl (sacerdote francés). ∎ s.m. **2** Lugar pantanoso o cubierto de hierbas.

paular s.m. Terreno pantanoso. □ ETIMOL. De *paúl*
(sitio pantanoso).

paulatino, na adj. Que se produce o se realiza
despacio o lentamente. □ ETIMOL. Del latín *paula-
tim* (poco a poco).

paulino, na adj. Del apóstol san Pablo o relacionado con él.

paupérrimo, ma adj. superlat. irreg. de **pobre.**

pausa s.f. **1** Interrupción breve de una acción o de
un movimiento. **2** Tardanza o lentitud. **3** En fonética,
silencio de duración variable que se produce al hablar para delimitar un grupo de sonidos o una oración. **4** En música, breve intervalo en que se deja de
cantar o de tocar. □ ETIMOL. Del latín *pausa.*

pausado, da adj. Que actúa o que se produce con
pausa o lentitud.

pausado adv. Con lentitud o tardanza.

pausar v. Referido a un movimiento o a una acción,
interrumpirlos o retardarlos: *Si pausas un poco los
movimientos, el ejercicio durará más tiempo.* □ ETI-
MOL. Del latín *pausare.*

pauta s.f. **1** Lo que sirve como norma o modelo
para realizar algo. **2** Conjunto de rayas horizontales y con la misma separación entre sí que se hacen
en el papel para no torcerse al escribir en él. □
ETIMOL. Del plural latino de *pactum* (ley, regla).

pautar v. **1** Referido al papel, hacer sobre él rayas
horizontales con la misma separación entre sí para
no torcerse al escribir sobre él: *Como se me acabaron las hojas cuadriculadas tuve que pautar un folio.* **2** Dar normas o instrucciones para determinar
el modo de realizar algo: *La profesora nos pautó la
elaboración del comentario de texto.*

pava s.f. Véase **pavo, va.**

pavada s.f. **1** Manada de pavos. **2** col. Hecho o
dicho sin gracia. **3** col. En zonas del español meridional,
tontería.

pavana s.f. **1** Composición musical de carácter cortesano, normalmente en compás binario, de ritmo
lento y solemne, y que se divulgó por varios países
europeos en los siglos XVI y XVII. **2** Baile de pasos
simples y repetitivos que se ejecuta al compás de

esta música. □ ETIMOL. Del italiano *pavana*, y éste de *padovana* (de Padua).

pavés s.m. [Pavimento rústico hecho con adoquines. □ ETIMOL. Del francés *pavé* (adoquín).

pavesa s.f. Parte pequeña y ligera que salta de un cuerpo en combustión y acaba por convertirse en ceniza. □ ETIMOL. Del latín **pulvisia*, y éste de *pulvis* (polvo).

pavía s.f. 1 Variedad del melocotonero, cuyo fruto tiene la piel lisa y la carne jugosa y pegada al hueso. 2 Fruto de este árbol. □ ETIMOL. De *Pavía*, ciudad de Italia, de donde procede el árbol.

pavimentación s.f. Revestimiento de un suelo con losas, con ladrillos o con otro material semejante.

pavimentar v. Referido a un suelo, revestirlo o cubrirlo con losas, con ladrillos o con otro material semejante: *Van a pavimentar con asfalto este camino de tierra*.

pavimento s.m. 1 Superficie artificial con que se cubre el piso para que esté sólido y llano. [2 Material utilizado para elaborar esta superficie artificial. □ ETIMOL. Del latín *pavimentum*, y éste de *pavire* (golpear el suelo, aplanar).

pavisoso, sa adj. *col.* Referido a una persona, que tiene poca gracia y poca desenvoltura.

pavo, va ∎ adj./s. 1 *col.* Referido a una persona, que tiene poca gracia o poca desenvoltura. ∎ s. 2 Ave que tiene el cuello largo y la cabeza pequeña, desprovistos ambos de plumas y cubiertos por unas carnosidades de color rojo, y cuya carne es muy apreciada. ∎ s.m. [3 *col.* Duro: *Préstame cinco 'pavos'*. [4 Timidez, falta de gracia o de desenvoltura. ∎ s.f. 5 Tetera de metal para calentar el agua. 6 ‖ **pavo real**; ave de origen asiático cuyo macho tiene plumaje de vistosos colores, un penacho de plumas sobre la cabeza y una larga cola que abre en forma de abanico. ⟶ ave ‖ **pelar la pava**; *col.* Referido a una pareja de novios, tener conversaciones amorosas. □ ETIMOL. Las acepciones 1-4, del latín *pavus* (pavo real). La acepción 5, del inglés *pipe* (tubo).

pavón s.m. 1 Mariposa de gran tamaño cuyas alas tienen manchas circulares. 2 Capa superficial de óxido abrillantado con que se cubren los objetos de hierro o de acero para mejorar su aspecto y evitar su corrosión. □ ETIMOL. Del latín *pavo* (pavo real), por las manchas redondeadas de sus alas.

pavonearse v.prnl. Presumir exageradamente o hacer una ostentación excesiva de algo que se posee: *No suele caer bien porque se pavonea demasiado*. □ ETIMOL. De *pavón* (pavo).

pavoneo s.m. Ostentación excesivas de algo que se posee.

pavor s.m. Miedo grande o terror excesivo, esp. si produce espanto y sobresalto. □ ETIMOL. Del latín *pavor*.

pavoroso, sa adj. Que produce pavor.

payasada s.f. 1 Hecho o dicho propios de un payaso. 2 Hecho o dicho ridículos o inoportunos.

payaso, sa ∎ adj./s. 1 *col.* Referido a una persona, que tiene facilidad para hacer reír con sus hechos o con sus dichos. [2 *col.* Referido a una persona, que tiene poca seriedad en su comportamiento o que resulta ridícula. ∎ s. 3 Artista de circo que hace de gracioso y que utiliza una vestimenta y un maquillaje muy llamativos. □ ETIMOL. Del italiano *pagliaccio* (saco de paja), porque un payaso se viste torpemente para hacer reír.

payés, -a s. Campesino catalán o balear. □ ETIMOL. Del catalán *pagés*.

payo, ya adj./s. En el lenguaje de los gitanos, que no pertenece a este grupo étnico. □ ETIMOL. De origen incierto. □ MORF. La RAE lo registra sólo como sustantivo.

paz s.f. 1 Ausencia de guerra. 2 Tratado o convenio por el que las partes enfrentadas en una guerra ponen fin a la misma. 3 Estado de tranquilidad y de entendimiento entre las personas. 4 Sosiego, calma o ausencia de agitaciones. 5 En la misa, ceremonia que precede a la comunión y en la que el sacerdote y los fieles se desean mutuamente ese estado de tranquilidad y sosiego en señal de reconciliación. 6 ‖ **aquí paz y después gloria**; *col.* Expresión que se usa para indicar que se da por terminado un asunto. ‖ **dejar en paz**; no molestar ni importunar. ‖ {**descansar/reposar**} **en paz**; en la iglesia católica, haber fallecido. ‖ {**estar/quedar**} **en paz**; 1 Estar saldada una deuda. 2 Haber devuelto una ofensa o un favor recibidos. ‖ **hacer las paces**; reconciliarse o rehacer las amistades. ‖ **ir en paz**; expresión que se usa como fórmula de despedida. ‖ **y en paz**; *col.* Expresión que se usa para indicar que se da por terminado un asunto. □ ETIMOL. Del latín *pax*.

pazguatería s.f. Hecho o dicho propios de un pazguato.

pazguato, ta adj./s. Referido a una persona, que se admira o se escandaliza de todo lo que oye o ve. □ ETIMOL. Quizá de *apazguado* (el que ha firmado paces con su enemigo), por cruce con *pacato*.

pazo s.m. En la comunidad autónoma gallega, casa antigua y noble de una familia. □ ETIMOL. Del latín *palatium*.

pche o **pchs** interj. Expresión que se usa para indicar indiferencia, desagrado o reserva. □ ETIMOL. De origen expresivo.

pe s.f. 1 Nombre de la letra *p*. 2 ‖ **de pe a pa**; *col.* Desde el principio hasta el fin.

peaje s.m. 1 Cantidad de dinero que hay que pagar para poder pasar por un determinado lugar. [2 Lugar en el que se paga esta cantidad de dinero. □ ETIMOL. Del francés *péage* o del catalán *peatge*.

peana s.f. Base, soporte o apoyo sobre los que se coloca una figura. □ ETIMOL. Del latín *pes* (pie).

peatón, -a s. Persona que va o se traslada a pie; viandante. □ ETIMOL. Del francés *piéton* (soldado de a pie).

peatonal adj. Del peatón o relacionado con él. □ MORF. Invariable en género.

pebetero s.m. Recipiente que se utiliza para quemar perfumes y esparcir su olor, esp. si tiene la cubierta agujereada. □ ETIMOL. De *pebete*.

peca s.f. Mancha pequeña de color pardo que aparece en la piel, esp. en la cara. □ ETIMOL. Quizá de *picar* (herir levemente, causar un principio de caries).

pecado s.m. 1 En religión, hecho, dicho, pensamiento u omisión que van en contra de la ley de Dios y de sus preceptos o mandamientos. [2 En religión, estado del que ha cometido estas faltas. 3 Acto o comportamiento lamentables o que se apartan de lo que es recto o justo. 4 ‖ **pecado mortal**; en el cristianismo, el que destruye la caridad en el corazón del hombre por una infracción grave de la ley de Dios y lo aparta de Él. ‖ **pecado original**; en el cristianismo, el que se ha transmitido al hombre desde Adán y Eva (los primeros padres). ‖ **pecado venial**; en el cristianismo, el que se opone levemente a la ley de Dios y, por tanto, deja subsistir la caridad en el corazón, aunque la ofende y la hiere. ☐ ETIMOL. Del latín *peccatum*.

pecador, -a adj./s. Que está sujeto al pecado o que puede cometerlo.

pecaminoso, sa adj. Del pecado, del pecador, o relacionado con ellos. ☐ ETIMOL. Del latín *peccamen* (pecado).

pecar v. **1** En religión, desobedecer la ley de Dios: *Peca todo aquel que no cumple los mandamientos.* **2** Tener en un alto grado la cualidad que se expresa: *Pequé de ingenua y me engañaron.* ☐ ETIMOL. Del latín *peccare* (faltar, fallar). ☐ ORTOGR. La *c* se cambia en *qu* delante de *e* →SACAR. ☐ SINT. Constr. de la acepción 2: *pecar DE una cualidad.*

pecarí s.m. Mamífero parecido al jabalí, de cabeza aguda y hocico prolongado, pelaje pardo con una franja blanca, sin cola, y que tiene una glándula en lo alto del lomo por la que segrega un olor fétido. ☐ ORTOGR. Incorr. *pekari. ☐ MORF. 1. Es un sustantivo epiceno: *el pecarí macho, el pecarí hembra.* 2. Aunque su plural en la lengua culta es *pecaríes*, se usa mucho *pecarís*.

peccata minuta (latinismo) ‖*col.* Expresión que se usa para indicar la poca importancia de algo, porque son faltas pequeñas.

pecera s.f. **1** Recipiente de cristal transparente lleno de agua que sirve para mantener vivos a los peces. [**2** Sala acristalada, esp. en un estudio de radio o de televisión.

[**pechamen** s.m. *vulg.* Pechos femeninos, esp. si son grandes.

pechar v. **1** En la Edad Media, pagar o satisfacer los pechos o tributos: *En la sociedad feudal, el pueblo llano tenía obligación de pechar.* **2** Referido a algo negativo, asumirlo como una carga o sufrir sus consecuencias: *Siempre me toca a mí pechar con el trabajo más pesado.* ☐ ETIMOL. De *pecho* (tributo). ☐ SINT. Constr. de la acepción 2: *pechar CON algo.*

pechera s.f. Véase **pechero, ra**.

pechero, ra ∎ adj./s. **1** En la Edad Media, referido a una persona, que estaba obligada a pagar o contribuir con un tributo. ∎ s.f. **2** En una prenda de vestir, parte que cubre el pecho. **3** *col.* Pecho, esp. el femenino.

pechina s.f. **1** En arquitectura, cada uno de los cuatro triángulos curvilíneos que forman el anillo de una cúpula con los arcos sobre los que se apoya. **2** Concha vacía de un molusco con dos valvas, esp. la de la vieira. ☐ ETIMOL. Del latín *pecten* (concha).

pecho s.m. **1** En el cuerpo de una persona, parte que va desde el cuello hasta el vientre y en cuya cavidad están situados el corazón y los pulmones. **2** Zona externa de esta parte del cuerpo. **3** Aparato respiratorio, esp. el de las personas. **4** En una mujer, cada una de las mamas o el conjunto de ellas. **5** En los animales cuadrúpedos, parte del cuerpo que va desde el cuello a las patas delanteras. **6** Parte interior o espiritual de una persona. **7** Valor, fortaleza o constancia para hacer algo: *Hay un refrán que dice: 'A lo hecho, pecho'.* **8** En la Edad Media, tributo que se pagaba al rey o al señor feudal. **9** ‖**a pecho descubierto**; con sinceridad y nobleza. ‖ **dar el pecho**;

referido a un niño de corta edad, amamantarlo. ‖ [**partirse el pecho por** algo; *col.* Esforzarse por ello. ‖**tomar(se)** algo ‖[**a pecho/a pechos**}; **1** *col.* Mostrar mucho interés o empeño en ello. **2** *col.* Ofenderse por ello o tomarlo demasiado en serio. ☐ ETIMOL. Las acepciones 1-7 y 9, del latín *pectus*. La acepción 8, del latín *pactum* (pacto).

pechuga s.f. **1** Pecho de las aves, que está dividido en dos partes. **2** Cada una de estas partes. **3** *col.* Pecho de una persona.

pechugón, -a adj./s. *col.* Referido esp. a una mujer, que tiene los pechos muy grandes o abultados.

peciolo o **pecíolo** s.m. En la hoja de una planta, tallo pequeño de la hoja por el que se une al tallo de la planta. ☐ ETIMOL. Del latín *pecciolus* (piececito). ☐ USO *Pecíolo* es el término menos usual, aunque la RAE lo prefiere a *peciolo*.

pécora s.f. ‖**ser una mala pécora**; *col.* Tener malas intenciones, o ser astuto y hábil en el engaño. ☐ ETIMOL. Del italiano *pecora* (oveja).

pecoso, sa adj./s. Que tiene pecas. ☐ MORF. La RAE sólo lo registra como adjetivo.

pectina s.f. Sustancia química de origen vegetal que se utiliza en alimentación para dar consistencia a mermeladas y gelatinas. ☐ ETIMOL. Del griego *pektós* (coagulado).

pectoral ∎ adj. **1** Del pecho o relacionado con él. ∎ adj./s.m. **2** Útil o beneficioso para el pecho. ∎ s.m. **3** Cruz que llevan sobre el pecho los obispos y otros prelados. ☐ ETIMOL. Del latín *pectoralis*. ☐ MORF. Como adjetivo es invariable en género.

pecuario, ria adj. Del ganado o relacionado con él. ☐ ETIMOL. Del latín *pecuarius*. ☐ ORTOGR. Dist. de *pecuniario*.

peculiar adj. **1** Propio o característico de algo. [**2** Raro, poco común o fuera de lo normal. ☐ ETIMOL. Del latín *peculiaris* (relativo a la fortuna particular). ☐ MORF. Invariable en género.

peculiaridad s.f. Rasgo o característica propios de algo, que lo diferencian de otros.

peculio s.m. Conjunto de bienes o cantidad de dinero que alguien posee. ☐ ETIMOL. Del latín *peculium*. ☐ PRON. Incorr. *[pecunio].

pecuniario, ria adj. Del dinero en efectivo, o relacionado con él. ☐ ETIMOL. Del latín *pecuniarius*. ☐ ORTOGR. Dist. de *pecuario*.

pedagogía s.f. **1** Ciencia que se ocupa de la educación y de la enseñanza. **2** Teoría o práctica educativas. [**3** Habilidad para educar y enseñar.

pedagógico, ca adj. **1** De la pedagogía o relacionado con esta ciencia. **2** Que enseña de forma clara y que aprende con facilidad.

pedagogo, ga s. Persona especializada en pedagogía. ☐ ETIMOL. Del latín *paedagogus* (ayo, preceptor), éste del griego *paidagogós*, y éste de *páis* (niño) y *ágo* (yo conduzco).

pedal s.m. **1** Palanca que se acciona con los pies y que, al oprimirla, pone en movimiento un mecanismo. **2** En algunos instrumentos musicales, dispositivo o palanca que se acciona con los pies y que sirve para producir determinados sonidos o para modificar la altura o el sonido de las notas. [**3** *col.* Borrachera. ☐ ETIMOL. Del latín *pedalis* (del pie).

pedalada s.f. Empuje dado al pedal e impulso que produce.

pedalear v. **1** Mover los pedales, esp. los de la bicicleta: *Pedaleaba con fuerza para subir la cuesta.*

2 ‖ [**pedalearle**; *col.* En zonas del español meridional, esforzarse.
pedaleo s.m. Movimiento de los pedales, esp. los de la bicicleta.
pedanía s.f. Aldea o pequeño núcleo de población dependientes de un municipio y bajo la jurisdicción de un alcalde o de un juez que intervienen en asuntos de poca importancia.
pedante adj./s. Referido esp. a una persona, que presume ostentosamente de ser muy erudita o de poseer muchos conocimientos. ☐ ETIMOL. Del italiano *pedante*. ☐ MORF. **1.** Como adjetivo es invariable en género. **2.** Como sustantivo es de género común: *el pedante, la pedante*.
pedantería s.f. **1** Vanidad del que presume inoportunamente de erudición o de conocimientos. **2** Hecho o dicho inoportunos que tienen como fin presumir de erudición. ☐ USO Tiene un matiz despectivo.
pedazo s.m. **1** Parte de algo separada del todo. **2** ‖ **caerse a pedazos** o **estar hecho pedazos**; *col.* Estar en muy malas condiciones físicas o psíquicas. ‖ **ser** alguien **un pedazo de pan**; *col.* Ser muy bueno. ☐ ETIMOL. Del latín *pittacium* (trozo de cuero). ☐ SEM. Seguido de un insulto, se usa para enfatizar éste: *¡Pedazo de alcornoque, cállate!*
pederasta s.m. Persona que abusa sexualmente de los niños. ☐ ETIMOL. Del griego *paiderastés*, y éste de *pâis* (niño) y *erastés* (amante).
pederastia s.f. Abuso sexual que se comete contra los niños.
pedernal s.m. **1** Variedad de cuarzo formada principalmente por sílice, muy dura y de color gris amarillento, rojo o negro, que se caracteriza porque su fractura origina bordes cortantes; sílex. **2** *col.* Lo que es muy duro. ☐ ETIMOL. Del antiguo *pedrenal*, y éste del latín *petrinus*, y éste del griego *pétrinos* (relativo a la piedra).
pedestal s.m. **1** Cuerpo sólido, que sirve para sostener algo, esp. una estatua o una columna. **2** ‖ [**en un pedestal**; *col.* En muy buena consideración. ☐ ETIMOL. Del francés *piédestal*, y éste del italiano *piedistallo*. ☐ SINT. *En un pedestal* se usa más con los verbos *tener, poner, estar* o equivalentes.
pedestre adj. **1** Referido a una carrera deportiva, que se realiza a pie, andando o corriendo. **2** Vulgar, inculto u ordinario. ☐ ETIMOL. Del latín *pedestris*. ☐ MORF. Invariable en género.
pedestrismo s.m. **1** Conjunto de carreras deportivas que se disputan a pie, esp. en campo abierto. **[2** Vulgaridad y falta de finura o de calidad.
pediatra s. Médico especialista en pediatría o medicina infantil. ☐ MORF. Es de género común: *el pediatra, la pediatra*. ☐ SEM. Dist. de *puericultor* (persona especializada en lo relacionado con el desarrollo del niño).
pediatría s.f. Rama de la medicina que estudia la salud y las enfermedades de los niños. ☐ ETIMOL. Del griego *pâis* (niño) e *-iatría* (curación). ☐ SEM. Dist. de *puericultura* (estudio del sano desarrollo del niño).
[pediátrico, ca adj. De la pediatría o relacionado con esta rama de la medicina.
pedículo s.m. En botánica, rabo o tallo pequeños que unen una flor, una hoja o un fruto al tallo de la planta; pedúnculo. ☐ ETIMOL. Del latín *pediculus*, y éste de *pes* (pie). ⚘ flor

[pedicura s.f. Véase **pedicuro, ra.**
pedicuro, ra ▌ s. **1** Persona que se dedica profesionalmente al tratamiento de problemas de los pies, como callos y uñeros; callista. ▌ s.f. **[2** Hecho de cuidar y embellecer los pies y las uñas. ☐ ETIMOL. Del latín *pes* (pie) y *curare* (curar). ☐ SEM. Dist. de *podólogo* (médico especialista en podología).
pedida s.f. Petición de la mano de una mujer, o solicitud de matrimonio a sus padres.
pedido s.m. Encargo de géneros o mercancías hecho a un fabricante o a un vendedor. ☐ ETIMOL. Del latín *petitus*.
[pedigree s.m. →**pedigrí**. ☐ PRON. [pedigrí]. ☐ USO Es un anglicismo innecesario.
pedigrí s.m. Conjunto de antepasados de un animal con calidad de origen o de linaje. ☐ ETIMOL. Del inglés *pedigree*. ☐ USO Es innecesario el uso del anglicismo *pedigree*.
pedigüeño, ña adj./s. Que pide con frecuencia, con insistencia o de manera inoportuna.
pedir v. **1** Referido a algo generalmente necesario, rogar o decir a alguien que lo dé o que lo haga: *Un mendigo pedía limosna. Sólo te pido que me escuches*. **2** Referido a un precio, establecerlo o ponérselo a lo que se vende: *¿Cuánto piden por esta casa?* **3** Requerir, necesitar o exigir: *Este coche tan sucio está pidiendo un buen lavado*. **4** Querer, desear o apetecer: *De postre pido siempre un helado*. **5** Mendigar o solicitar limosna: *Cada vez hay más gente pidiendo por las calles*. **[6** Solicitar benevolencia o ayuda a una divinidad mediante la oración: *'Pido' a Dios todos los días por la paz en el mundo*. **7** Referido a una mujer, solicitarla a sus padres como esposa: *Mañana piden a mi hermana pequeña*. ☐ ETIMOL. Del latín *petere*. ☐ MORF. Irreg. →PEDIR. ☐ SINT. Constr. de las acepciones 2 y 6: *pedir POR algo*.
pedo s.m. **1** *col.* Expulsión de gases intestinales por el ano. **[2** *col.* Borrachera. **[3** *col.* En el lenguaje de la droga, estado producido por el consumo de alguna de ellas. **[4** *col.* En zonas del español meridional, dificultad o problema. ☐ ETIMOL. Del latín *peditum*.
[pedofilia s.f. Atracción sexual que experimenta un adulto hacia niños del mismo o de distinto sexo. ☐ ETIMOL. Del griego *pâis* (niño) y *-filia* (gusto, amor).
pedorrear v. *col.* Tirarse pedos de manera repetida: *El bebé pedorreaba porque tenía gases*.
pedorrero, ra ▌ adj./s. **1** Que echa pedos con frecuencia o sin reparo. ▌ s.f. **2** *col.* Expulsión ruidosa y repetida de gases intestinales por el ano.
pedorreta s.f. *col.* Sonido hecho con la boca y que imita al de un pedo.
pedorro, rra adj./s. **1** *col.* Que se tira pedos frecuentemente. **[2** *col.* Referido a una persona, que resulta tonta, molesta o desagradable. ☐ USO Se usa como insulto.
pedrada s.f. **1** Golpe dado con una piedra lanzada. **2** Señal que deja este golpe.
pedrea s.f. **1** *col.* Conjunto de los premios menores de la lotería nacional. **2** Lucha a pedradas. **3** Granizada o caída abundante de granizo.
pedregal s.m. Terreno cubierto de piedras sueltas. ☐ ETIMOL. Del latín *petra* (roca).
pedregoso, sa adj. Referido a un terreno, que está cubierto de piedras. ☐ ETIMOL. Del latín *petra* (roca).

pedregullo s.m. En zonas del español meridional, grava. ☐ ETIMOL. De *piedra*.
pedrería s.f. Conjunto de piedras preciosas.
pedrisco s.m. Granizo grueso que cae en abundancia y con fuerza.
pedrusco s.m. *col.* Trozo de piedra grande sin labrar.
pedunculado, da adj. Referido esp. a una flor o un fruto, que tienen un pedúnculo o una especie de rabito para unirse al tallo.
pedúnculo s.m. **1** En botánica, rabo o tallo pequeños que unen una flor, una hoja o un fruto al tallo de una planta; pedículo. 🔬 flor **2** En algunos animales, prolongación del cuerpo mediante la cual están fijos al suelo o a las rocas. ☐ ETIMOL. Del latín *pedunculus*, y éste de *pes* (pie).
[peeling (anglicismo) s.m. Tratamiento de belleza que consiste en la regeneración de la piel mediante el desprendimiento de las células muertas. ☐ PRON. [pílin].
peerse v.prnl. *col.* Expulsar los gases intestinales por el ano; ventosear: *Es tan grosero que cuando algo le gusta dice que se pee del gusto.* ☐ ETIMOL. Del latín *pedere*.
pega s.f. **1** *col.* Dificultad o inconveniente que generalmente se presentan de modo imprevisto. **2** Sustancia que sirve para pegar. **3** ‖ **de pega;** *col.* De mentira, falso o no auténtico. ☐ ETIMOL. De *pegar*.
pegada s.f. Véase **pegado, da.**
pegadizo, za adj. Que se graba en la memoria con facilidad.
pegado, da ∎ adj. **[1** *col.* Muy sorprendido o muy asombrado. ∎ s.f. **2** En algunos deportes, esp. en fútbol o en boxeo, capacidad para golpear o lanzar con fuerza. **3** ‖ **[pegada de carteles;** actividad que consiste en poner publicidad electoral en las calles.
pegajoso, sa ∎ adj. **1** Que se pega con facilidad. **[2** En zonas del español meridional, pegadizo. ∎ adj./s. **3** *col.* Referido a una persona, que molesta por su afectación y excesivas muestras de cariño; empalagoso. ☐ MORF. En la acepción 3, la RAE sólo lo registra como adjetivo.
pegamento s.m. Sustancia que sirve para pegar.
[pegamín s.m. *col.* Pegamento.
pegamoide s.m. Celulosa disuelta que se aplica sobre una tela o un papel para darles resistencia. ☐ ETIMOL. De *pegamento* y *-oide* (relación, semejanza).
pegar ∎ v. **1** Referido a una cosa, unirla con otra por medio de una sustancia que impida su separación: *Tienes que pegar con pegamento el jarrón roto. Pega los sellos en las cartas.* **2** Unir o juntar por medio de un cosido o un atado: *Pega la manga a la chaqueta con un pespunte doble.* **3** Acercar o arrimar hasta poner en contacto: *Pega la mesa a la pared, por favor.* **4** *col.* Contagiar por medio del contacto, de la proximidad o del trato: *No te doy un beso porque puedo pegarte la gripe. Se te ha pegado el acento de la ciudad.* **5** Maltratar o dar patadas, bofetadas o algún otro tipo de golpes: *Le pegó con una vara. Haced las paces y no os peguéis más.* **6** *col.* Dar, producir o realizar: *Empezó a pegar saltos de alegría. Se pegó un susto de muerte.* **7** *col.* Tener intensos efectos: *¡Cómo pega hoy el sol!* **[8** *col.* Gustar o interesar mucho, o tener mucho éxito: *Esa moda viene 'pegando' fuerte.* **9** *col.* Armonizar, corresponder, quedar bien o ser oportuno: *La combi-*

nación de esos colores no pega nada. En una excursión campestre no pega el zapatito fino.* **10** Estar próximo o contiguo: *Mi casa pega con la tuya.* **11** Dar, chocar o tropezar, esp. si es con un fuerte impulso: *El granizo pega con fuerza en los cristales. Al salir me pegué contra la mesa.* **12** *col.* Referido esp. a una acción, hacerla o realizarla con decisión o esfuerzo: *Harto de su novia, pegó fuego a las cartas que le había escrito.* **13** Unir a causa de las propias características, de forma que la separación resulta difícil: *Los bollos se han pegado unos a otros en el horno.* **14** *col.* Rimar: *'Frío' pega con 'río'.* ∎ prnl. **15** Referido a un guiso, adherirse al recipiente en que se hace por haberse quemado; agarrarse: *No pongas el fuego muy fuerte para que no se peguen las lentejas.* **16** *col.* Referido a una persona, agregarse o unirse a otra sin haber sido invitada: *Se nos pegó un pesado y nos fastidió la tarde.* **[17** Grabarse con facilidad en la memoria: *'Se me ha pegado' una melodía y no me la quito de la cabeza.* **18** ‖ **pegársela a** alguien; *col.* **1** Engañarlo o burlarse de su buena fe: *Siempre me engañas, pero esta vez no me la vas a pegar.* col. **2** Serle infiel: *Como me entere de que me la pegas, me largo y no vuelves a verme.* ‖ **[pegársela;** *col.* Caerse, chocarse o tener un accidente violento: *Bájate de la mesa, que 'te la vas a pegar'.* ☐ ETIMOL. Del latín *picare* (embadurnar o pegar con pez). ☐ ORTOGR. La *g* se cambia en *gu* delante de *e* →PAGAR.
pegatina s.f. Adhesivo pequeño que lleva impreso algo, esp. propaganda.
pego ‖ **dar el pego;** *col.* Engañar con falsas apariencias o aparentar lo que no se es. ☐ ETIMOL. De *pegar*, porque una trampa del juego de los naipes consistía en pegar disimuladamente dos cartas.
pegón, -a adj./s. *col.* Referido esp. a un niño, que pega mucho a los demás.
pegote s.m. **1** *col.* Lo que está muy espeso y se pega. **[2** *col.* Cosa chapucera o mal hecha. **3** En una obra literaria o artística, añadido inútil o que no guarda armonía con el conjunto. **4** *col.* Parche o añadido que afea o que estropea el conjunto. **[5** *col.* Mentira. **6** *col.* Persona pesada que no se aparta de otra, generalmente con el fin de sacar un beneficio de ellas. ☐ ETIMOL. De *pegar*.
[pegotero, ra adj./s. *col.* Mentiroso.
peinado s.m. **1** Forma en que está arreglado el pelo. 🔬 peinado **[2** Arreglo del pelo. **[3** Examen o rastreo minuciosos de una zona para buscar algo.
peinador s.m. Tela que se ajusta al cuello para cubrir la ropa de la persona que se peina, se afeita o se corta el pelo.
peinar v. **1** Referido al pelo, desenredarlo, arreglarlo o componerlo: *Este peine es especial para peinar el pelo rizado. Va todas las semanas a la peluquería a peinarse.* **2** Referido al pelo o a la lana de algunos animales, desenredarlos o limpiarlos: *Después de lavar al perro, lo seca con una toalla y lo peina.* **3** Referido a un lugar, rastrearlo cuidadosamente buscando algo: *La policía peinó el bosque para encontrar a los muchachos desaparecidos.* ☐ ETIMOL. Del latín *pectinare*.
peine s.m. **1** Utensilio formado por varios dientes paralelos, más o menos juntos, que se utiliza para arreglar el pelo. **2** Lo que es semejante a este utensilio por su forma o por su función. ☐ ETIMOL. Del latín *pecten*.

PEINADO

melena · estilo *paje* · peinado afro

corte a lo garçon · coleta o cola de caballo · trenzas · moño

flequillo · raya · calva

caracol · copete o tupé

patilla · tirabuzones

peineta s.f. Especie de peine curvado que se utiliza como adorno o para sujetar el peinado. 🖊 joya

peinilla s.f. **1** En zonas del español meridional, machete. **2** En zonas del español meridional, peine.

pejiguero, ra ▮ adj./s. **[1** *col.* Que resulta molesto o que presenta muchas dificultades. **▮** s.f. **2** *col.* Lo que sólo ofrece dificultades o molestias y es de poco provecho. ☐ ETIMOL. Del latín *persicaria*.

pela s.f. *col.* [Peseta.

peladilla s.f. Almendra recubierta de un baño de azúcar endurecido, liso, redondeado y generalmente blanco.

pelado, da ▮ adj. **1** Que carece de lo que naturalmente lo cubre, adorna o rodea. **2** Referido a un número, que consta de decenas, de centenas o de millares justos: *Sólo me cobró mil pesetas peladas.* **[3** Referido a una calificación académica, justa y no holgada. **▮** adj./s. **4** *col.* Pobre o sin dinero. **[5** *col.* En zonas del español meridional, crío o mocoso. **▮** s. **6** En zonas del español meridional, grosero. **▮** s.m. **7** *col.* Corte de pelo.

peladura s.f. **1** Cáscara o desperdicio de lo que se monda; monda, mondadura. **2** Eliminación de la capa, la superficie o el envoltorio de algo.

pelagatos s. *col.* Persona mediocre e insignificante, a la que no se reconoce ningún valor; pelafustán. ☐ MORF. 1. Aunque la RAE lo registra como masculino, en la lengua actual es de género común: *el pelagatos, la pelagatos.* 2. Invariable en número. ☐ USO Tiene un matiz despectivo.

pelagianismo s.m. Doctrina religiosa defendida por Pelagio (monje británico del siglo IV), que niega el pecado original y la necesidad de la gracia para la salvación.

pelágico, ca adj. **1** Del piélago o relacionado con esta extensión marina. **[2** Referido a una zona marina, que corresponde a profundidades mayores a la plataforma continental. **3** De esta zona marina.

pelagra s.f. Enfermedad causada por la falta de ciertas vitaminas y caracterizada por la aparición de manchas y erupciones en la piel, alteraciones del sistema nervioso y trastornos digestivos. ☐ ETIMOL. Del italiano *pellagra*.

pelaje s.m. **1** Pelo o lana de un animal. **2** *col.* Aspecto, clase o condición. ☐ USO En la acepción 2, es despectivo.

pelambre s. Cantidad abundante de pelo, esp. el que está muy crecido y enredado. ☐ ETIMOL. De *pelo*. ☐ MORF. Es de género ambiguo: *el pelambre enredado, la pelambre enredada.*

pelambrera s.f. *col.* Cantidad abundante de pelo o de vello muy crecido o revuelto.

pelanas s.m. *col.* Persona poco importante, a la que no se reconoce ningún valor. ☐ MORF. Invariable en número. ☐ USO Tiene un matiz despectivo.

pelandusca s.f. *col.* Prostituta. ☐ ETIMOL. De *pelar*, quizá porque las pelaban como castigo. ☐ PRON. Incorr. *[pelandrusca].

pelar ▮ v. **1** Cortar, arrancar o raer el pelo: *En la mili suelen pelar a los soldados. Siempre me pelo en la misma peluquería.* **2** Referido a un ave, desplumarla o quitarle las plumas: *Antes de guisar un pollo, hay que pelarlo.* **3** Referido a un animal, despellejarlo o quitarle la piel: *He llevado a pelar el jabalí que cacé.* **4** Referido esp. a un fruto o a un tubérculo, quitarles la piel, la cáscara o la corteza; mondar: *Para comerse una naranja hay que pelarla primero.* **5** Referido a algo con un envoltorio que lo cubre, quitar o desprender dicho envoltorio: *Para unir esos dos cables hay que pelar sus extremos.* **6** *col.* Quitar los bienes ajenos mediante engaño, arte o violencia: *Cuando llegó al hotel, se dio cuenta de que lo habían pelado en aquellas calles tan concurridas.* **▮** prnl. **7** Caerse o desprenderse la piel, esp. por haber tomado mucho sol: *Me quemé la espalda en la piscina y ahora se me está pelando.* **8** ‖**que pela**; referido a una temperatura, que resulta extrema y produce una fuerte impresión: *Abrígate bien, porque hace un frío que pela.* ‖**que se las pela**; *alguien; col.* Referido a la forma de hacer algo, con rapidez, con intensidad o con fuerza: *Ese jugador corre que se las pela, y es muy bueno en el contraataque.* ‖**ser duro de pelar**; *col.* Ser difícil de tratar o de convencer: *Mi padre es duro de pelar y no creo que me deje ir a tu fiesta.* ☐ ETIMOL. Del latín *pilare* (quitar el pelo).

pelargonio s.m. Planta del tipo del geranio, pero de hojas más grandes y con el borde dentado, y flores con más pétalos. ☐ ETIMOL. Del griego *pelargós* (cigüeña).

peldaño s.m. En una escalera, cada una de las partes que sirve para apoyar el pie al subir o bajar por ella; escalón. ☐ ETIMOL. De origen incierto.

pelea s.f. **1** Enfrentamiento, lucha o disputa. **2** Esfuerzo o trabajo para conseguir algo.

pelear ▮ v. **1** Luchar, enfrentarse o reñir: *Deja de pelearte con tu hermano. Los dos perros peleaban por el hueso.* **2** Trabajar o esforzarse mucho para conseguir algo, venciendo dificultades u oposiciones: *Peleó con todas sus fuerzas para salir de la droga.* **▮** prnl. **3** Referido a dos o más personas, enemistarse o romper una relación o una amistad: *Se pelearon por un malentendido.* ☐ ETIMOL. De *pelo*, porque en principio *pelear* significó *agarrarse por el pelo.* ☐ SINT. Su uso como transitivo es incorrecto, aunque está muy extendido: *Esa jugadora pelea {*todos los balones > por todos los balones}.*

pelechar v. **1** Referido a un animal, echar pelo o pluma, o cambiarlos: *Ese polluelo está pelechando.* [**2** Referido esp. a una tela o a una prenda, perder el pelo: *Este abrigo de visón 'se está pelechando' porque es muy viejo.*

pelele s.m. **1** Persona simple que se deja manejar fácilmente por los demás. **2** Muñeco de figura humana, hecho con trapos o con pajas, que se utiliza en algunas fiestas populares para apalearlo o mantearlo. ☐ ETIMOL. De origen incierto.

peleón, -a adj. **1** Referido a una persona, que tiende a pelearse o a discutir con frecuencia. **2** *col.* Referido esp. al vino, que es muy ordinario o de mala calidad.

peletería s.f. **1** Establecimiento en el que se venden o confeccionan prendas de piel. **2** Industria dedicada a las pieles finas de animales.

peletero, ra ▌ adj. **1** De la peletería o relacionado con ella. ▌ s. **2** Persona que se dedica profesionalmente al trabajo con pieles curtidas o a su venta. ☐ ETIMOL. Del francés *pelletier*.

peliagudo, da adj. *col.* Complicado y difícil de entender o de resolver.

pelicano o **pelícano** s.m. Ave acuática de plumaje blanco o pardo, de pico largo, ancho y recto, con una membrana grande en la mandíbula inferior que forma una bolsa con la que caza los peces. ☐ ETIMOL. Del latín *pelicanus*. ☐ MORF. Es un sustantivo epiceno: *el pelícano macho, el pelícano hembra.* ☐ USO *Pelicano* es el término menos usual. 🦅 ave

película s.f. **1** Conjunto de imágenes cinematográficas que componen una historia. **2** Cinta de un material plástico y flexible que sirve como soporte para la grabación o para la fijación de imágenes. **3** Piel o capa finas y delgadas que cubren algo. **4** ▌[**allá películas**; *col.* Expresión con la que uno se desentiende de las responsabilidades que pueden derivarse por no haber sido obedecido en sus consejos. ▌[**de película**; *col.* Muy bueno o muy bien. ☐ ETIMOL. Del latín *pellicula* (pielecita). ☐ SEM. En la acepción 3, aunque la RAE lo considera sinónimo de *cutícula*, ésta se ha especializado para designar la piel que rodea la uña. ☐ USO Es innecesario el uso del anglicismo *film*.

peliculero, ra adj. *col.* Que se deja llevar por la imaginación o que suele contar historias fantásticas o difíciles de creer.

peliculón s.m. *col.* Película cinematográfica muy buena.

peligrar v. Estar en peligro: *¿Cómo pretendes que esté tranquilo sabiendo que su vida peligra?*

peligro s.m. **1** Situación en la que es posible que ocurra algo malo. **2** Lo que puede causar u ocasionar un daño. ☐ ETIMOL. Del latín *periculum* (ensayo, prueba). ☐ SEM. Dist. de *peligrosidad* (riesgo o posibilidad de un peligro).

peligrosidad s.f. Riesgo de un daño, o posibilidad de ocasionarlo. ☐ SEM. Dist. de *peligro* (situación en la que puede ocurrir algo malo).

peligroso, sa adj. **1** Que tiene peligro o que puede causar un daño. **2** Referido esp. a una persona, que puede causar un daño o cometer actos delictivos.

pelillo ▌**pelillos a la mar**; expresión que se usa para indicar el olvido de las ofensas y el restablecimiento del trato amistoso.

pelirrojo, ja adj./s. Con el pelo rojizo.

pella s.f. **1** Conjunto de los tallitos de la coliflor y de otras plantas semejantes antes de florecer, y que son la parte más apreciada. **2** Masa de forma redondeada. **3** ▌**hacer pellas**; *col.* Dejar de asistir a algún sitio al que se tiene obligación de ir, esp. a clase. ☐ ETIMOL. Del latín *pilula* (pelotita).

pellejo, ja ▌ adj./s. [**1** Referido a una persona, que es astuta y malintencionada. ▌ s.m. **2** Piel humana o de un animal. **3** Recipiente hecho de piel de cabra o de otro animal, y que sirve para contener líquidos, generalmente vino o aceite; cuero, odre. **4** Piel fina de algunas frutas. **5** ▌**el pellejo**; *col.* La vida. ▌{**estar/hallarse**} alguien **en el pellejo** de otra persona; *col.* Estar en su misma situación o en iguales circunstancias. ☐ ETIMOL. *Pellejo*, de *pelleja* (piel quitada de un animal). *Pelleja*, del latín *pellicula* (pielecita).

pellejudo, da adj. Que tiene la piel floja o sobrante.

pellica s.f. Zamarra o especie de abrigo largo hecho de pieles de animales.

pelliza s.f. Prenda de abrigo hecha o forrada de piel; zamarra. ☐ ETIMOL. Del latín *pelliceus* (hecho de piel).

pellizcar v. **1** Coger una pequeña porción de piel y de carne entre los dedos apretándola con fuerza: *Me pellizqué para ver si estaba soñando.* **2** Quitar o coger una pequeña cantidad: *¿Me dejas que pellizque un poco de tu bollo?* ☐ ETIMOL. De *pizcar* (pellizcar), con influencia de *vellegar, y éste del latín *vellicare*. ☐ ORTOGR. La *c* se cambia en *qu* delante de *e* →SACAR.

pellizco s.m. **1** Presión hecha sobre algo al cogerlo fuertemente con dos dedos o con otras dos cosas. **2** Trozo pequeño de algo, esp. el que se toma o se quita. **3** ▌[**un buen pellizco**; *col.* Gran cantidad de dinero.

pelma o **pelmazo, za** adj./s. **1** *col.* Molesto, fastidioso o importuno. **2** *col.* Pesado o lento en sus acciones. ☐ ETIMOL. *Pelma*, de *pelmazo*. *Pelmazo*, quizá del griego *pêgma* (materia congelada o coagulada). ☐ MORF. 1. La RAE sólo los registra como sustantivos. 2. *Pelma* como adjetivo es invariable en género y como sustantivo es de género común: *el pelma, la pelma.*

pelo s.m. **1** Filamento cilíndrico que nace de la piel de casi todos los mamíferos y de algunos otros animales. **2** Conjunto de estos filamentos. **3** Conjunto de estos filamentos de la cabeza humana; cabello. **4** Hebra delgada de lana, de seda o de otra cosa semejante. **5** En algunos tejidos, hilos muy finos que sobresalen y cubren su superficie. **6** *col.* Cantidad mínima o insignificante de algo. **7** *col.* En algunas frutas y plantas, vello de la cáscara o de las hojas, tallos y raíces. [**8** Sierra u hoja de acero muy finas, que se utilizan en trabajos de marquetería. **9** ▌a pelo; **1** Referido a la manera de montar en una caballadura, sin silla o sin otras guarniciones. [**2** Sin protección o sin ayuda. ▌**al pelo**; *col.* A punto, oportunamente o como se desea. ▌**caérsele el pelo** a alguien; *col.* Recibir un escarmiento o sufrir las consecuencias por algo que ha hecho. ▌**con pelos y señales**; *col.* Con detalles y con minuciosidad. ▌**dar**

para el pelo a alguien; *col.* Regañarlo o darle una tunda o azotaina. ‖ **de medio pelo**; *col.* De poca categoría, de poco mérito o sin importancia. ‖ **de pelo en pecho**; *col.* Referido a una persona, que es fuerte, atrevida o valiente. ‖ **no tener pelos en la lengua**; *col.* Decir sin reparos lo que se piensa. ‖ **no ver el pelo** a alguien; *col.* Notarse su ausencia de los lugares que solía frecuentar. ‖ **pelo de camello**; tejido hecho con el pelo de este animal o imitado con el del macho cabrío. ‖ **poner los pelos de punta**; *col.* Causar gran pavor. ‖ **por los pelos**; *col.* En el último instante, o por muy poco. ‖ **soltarse el pelo**; *col.* Lanzarse a actuar de forma despreocupada y decidida. ‖ **tirarse de los pelos**; *col.* Arrepentirse de algo o estar muy furioso por ello. ‖ **tomar el pelo** a alguien; *col.* Burlarse o reírse de él aprovechando su ingenuidad. ☐ ETIMOL. Del latín *pilus.* ☐ MORF. Cuando se antepone a una palabra para formar compuestos, adopta la forma *peli-*: *pelicano.* ☐ USO *De medio pelo* tiene un matiz despectivo.

pelón, -a adj./s. **1** Que no tiene pelo, que tiene muy poco o que lo tiene muy corto. **2** ‖ **[la pelona**; *col.* La muerte.

pelota ▌ adj./s. **1** *col.* Referido a una persona, que alaba a alguien para obtener un trato de favor; pelotero. ▌ s.f. **2** Bola, generalmente hecha de un material elástico, llena de aire o maciza, que se usa para jugar. **3** Juego que se ejecuta con esta esfera. **4** Bola de materia blanda y fácilmente amasable. ▌ s.f.pl. **[5** *vulg.malson.* →**testículos. 6** ‖ **devolver la pelota** a alguien; *col.* Responder a una acción o a un dicho con otros semejantes. ‖ **en pelotas** o **[en pelota {picada/viva}**; *col.* Desnudo. ‖ **hacer la pelota** a alguien; *col.* Adularlo para conseguir un trato de favor. ‖ **[pasarse la pelota**; *col.* Pasarse la culpa o la responsabilidad de uno a otro. ‖ **pelota vasca**; conjunto de deportes que se practican con una pelota en un frontón adecuado. ☐ ETIMOL. Del provenzal *pelota.* ☐ MORF. 1. En la acepción 1, como adjetivo es invariable en género y como sustantivo es de género común: *el pelota, la pelota.* 2. En la acepción 1, la RAE sólo lo registra como sustantivo. 3. En la acepción 1, se usa mucho el diminutivo *pelotilla.* ☐ USO 1. En la acepción 1, tiene un matiz despectivo. 2. En la acepción 5, se usa como palabra comodín en expresiones vulgares malsonantes. 3. El uso del término vasco *jai-alai* en lugar de *pelota vasca* es innecesario.

pelotari s. Deportista que juega a la pelota vasca. ☐ ETIMOL. Del vasco *pelotari.* ☐ MORF. Es de género común: *el pelotari, la pelotari.*

pelotazo s.m. **1** Golpe dado con una pelota. **2** *col.* Trago de bebida alcohólica; latigazo, lingotazo. **[3** Enriquecimiento rápido mediante la especulación y el amiguismo.

pelotear v. Jugar con una pelota como entrenamiento, sin intención de hacer un partido: *Antes de comenzar el partido, los dos tenistas pelotearon unos minutos. Baja conmigo al parque a pelotear un ratito.*

peloteo s.m. **1** Intercambio de pases de pelota entre varios jugadores como entrenamiento, sin intención de hacer un partido. **2** *col.* Alabanza o adulación con el fin de obtener un trato de favor. ☐ USO 1. Aunque la RAE sólo registra *peloteo*, se usa tam-

bién *pelotilleo.* 2. En la acepción 2, tiene un matiz despectivo.

pelotera s.f. Véase **pelotero, ra.**

pelotero, ra ▌ adj./s. **[1** *col.* Adulador. ▌ s.f. **2** *col* Riña o discusión fuertes. ☐ ETIMOL. De *pelote,* y éste de *pelo.* ☐ USO En la acepción 1, tiene un matiz despectivo.

pelotilla s.f. **[1** Bola pequeña de algún material. **2** →**pelota.** USO Tiene un matiz despectivo.

[pelotilleo s.m. *col.* →**peloteo.** ☐ USO Tiene un matiz despectivo.

pelotillero, ra adj./s. *col.* Que adula para conseguir un trato favorable. ☐ USO Tiene un matiz despectivo.

pelotón s.m. **1** En el ejército, pequeña unidad de infantería que forma parte de una sección. **2** Conjunto numeroso de personas. **3** Grupo desordenado. ☐ ETIMOL. Del francés *peloton.*

[pelotudo, da ▌ adj. **1** *vulg.* Muy bueno. ▌ adj./s **2** *vulg.malson.* En zonas del español meridional, imbécil. ☐ USO La acepción 2 se usa como insulto.

peluca s.f. Cabellera postiza. ☐ ETIMOL. Del francés *perruque,* con influencia de *pelo.*

peluche s.m. **1** Tejido de felpa con pelo largo por una de sus caras. **2** Muñeco fabricado con este tejido. ☐ ETIMOL. Del francés *peluche.*

[peluco s.m. *col.* Reloj.

peludo, da adj. Que tiene mucho pelo.

peluquería s.f. **1** Establecimiento donde se peina se corta y se arregla el pelo. **2** Técnica de peinar, cortar y arreglar el pelo.

peluquero, ra s. Persona que se dedica profesionalmente a peinar, cortar y arreglar el pelo. ☐ ETIMOL. De *peluca.*

peluquín s.m. **1** Peluca pequeña que sólo cubre una parte de la cabeza. **2** Peluca con bucles y coleta que se usaba antiguamente. **3** ‖ **[ni hablar del peluquín**; *col.* Expresión que se usa para rechazar rotundamente una propuesta.

pelusa s.f. **1** En una persona, vello muy fino y débil que crece en la cara y en otras zonas del cuerpo. **2** En una fruta o en una planta, pelo suave y corto que las recubre y les da un aspecto aterciopelado; vello. **3** Pelo menudo que se desprende de algunos tejidos. **4** *col.* Envidia o celos propios de los niños. **5** Aglomeración de polvo y suciedad que se forma en suelos y superficies cuando no se limpian con frecuencia. ☐ ETIMOL. De *pelo.*

[peluso s.m. *col.* Recluta.

pelvis s.f. **1** En el esqueleto de un mamífero, parte que conecta el tronco con las extremidades inferiores y que está formada por el hueso sacro, el ilion, el isquion y el pubis. **2** Cavidad comprendida entre estos huesos. ☐ ETIMOL. Del latín *pelvis* (caldero). ☐ MORF. Invariable en número.

pena s.f. **1** Castigo impuesto por la autoridad a la persona que ha cometido un delito o una falta. **2** Sentimiento de lástima, de tristeza o de aflicción causados por un suceso adverso o desgraciado. **3** Lo que produce estos sentimientos: *Fue una 'pena' que no llegaras a tiempo.* **4** Dificultad o trabajo que cuesta hacer algo. **5** En zonas del español meridional, vergüenza. **6** ‖ **a duras penas**; con gran dificultad. ‖ **[de pena**; *col.* Muy mal. ‖ **[hecho una pena**; *col.* En muy malas condiciones físicas o psíquicas. ‖ **{merecer/valer} la pena** algo; compensar el interés o el esfuerzo que cuesta. ‖ **pena capital**; la de muerte. ‖ **sin pena ni gloria**; sin destacar para bien ni para mal. ‖ **so pena de**; enlace gramatical subordinante con valor negativo, que equivale a 'a menos que'. ☐ ETIMOL. Del latín *poena*, y éste del griego *poiné* (multa).

penacho s.m. **1** Conjunto de plumas que algunas aves tienen en la parte superior de la cabeza. **2** Adorno de plumas que sobresale. 🗪 sombrero ☐ ETIMOL. Del italiano *pennacchio*, y éste de *penna* (pluma).

penado, da s. Persona que ha sido condenada a una pena.

penal ▮ adj. **1** De la pena, relacionado con ella o que la incluye. **2** De las leyes, las instituciones o las acciones que están destinadas a perseguir y castigar los crímenes o los delitos. ▮ s.m. **3** Lugar en el que los condenados a una pena cumplen condenas superiores a la de arresto menor. [**4** En zonas del español meridional, penalti. ☐ ETIMOL. Del latín *poenalis*. ☐ MORF. Como adjetivo es invariable en género.

penalidad s.f. Molestia, incomodidad o sufrimiento. ☐ ETIMOL. De *penal*. ☐ MORF. Se usa más en plural.

penalista adj./s. Que se dedica profesionalmente al derecho penal o que está especializado en él. ☐ MORF. 1. Como adjetivo es invariable en género. 2. Como sustantivo es de género común: *el penalista, la penalista.*

penalización s.f. Imposición de una sanción o de un castigo.

penalizar v. Imponer una sanción o un castigo: *Han penalizado a esa deportista porque había ingerido sustancias anabolizantes. En el parchís se penaliza al que saque un seis tres veces seguidas.* ☐ ORTOGR. La *z* se cambia en *c* delante de *e* →CAZAR.

penalti s.m. **1** En fútbol y otros deportes, falta cometida por un equipo en su propia área de meta y castigada con la máxima sanción. **2** ‖ **casarse de penalti**; *vulg.* Casarse por estar embarazada la mujer. ☐ ETIMOL. Del inglés *penalty*. ☐ USO Es innecesario el uso del anglicismo *penalty*.

[**pénalti** s.m. En zonas del español meridional, penalti. ☐ ETIMOL. Del inglés *penalty*.

[**penalty** s.m. →**penalti**. ☐ USO Es un anglicismo innecesario.

penar v. **1** Referido a una persona, imponerle una pena: *La juez penó al acusado con tres años de prisión.* **2** Referido a un acto, señalar la ley su castigo correspondiente: *La ley pena el asesinato.* **3** Padecer, sufrir o tolerar un dolor o una pena: *Pena porque su amor no es correspondido.*

penates s.m.pl. En la mitología romana, divinidades menores que protegían a la familia, esp. contra la pobreza y falta de alimentos. ☐ ETIMOL. Del latín *penates.*

penca s.f. **1** Nervio principal grueso de las hojas de algunas plantas. [**2** En zonas del español meridional, racimo. ☐ ETIMOL. De origen incierto.

[**pencar** v. *col.* →**apencar**. ☐ ORTOGR. La *c* se cambia en *qu* delante de *e* →SACAR.

penco s.m. Caballo muy flaco. ☐ ETIMOL. De *penca* (nervio principal de las hojas de algunas plantas).

[**pendejada** s.f. *col.* En zonas del español meridional, imbecilidad.

pendejo, ja s. **1** *col.* Persona de vida irregular y desordenada; pendón. **2** *col.* En zonas del español me-

ridional, imbécil. ☐ ETIMOL. Del latín **pectiniculus*, y éste de *pecten* (pelo del pubis). ☐ USO Se usa como insulto.

pendencia s.f. Discusión o riña. ☐ ETIMOL. Del latín *paenitentia* (pesar).

pendenciero, ra adj./s. Inclinado a discusiones, riñas o pendencias. ☐ MORF. La RAE sólo lo registra como adjetivo.

pender v. Estar colgado, suspendido o inclinado: *La lámpara pende de un cable.* ☐ ETIMOL. Del latín *pendere* (estar colgado).

pendiente ▮ adj. **1** Que todavía no está resuelto o terminado. **2** Que está muy atento o preocupado por algo. ▮ s.m. **3** Adorno que se pone en el lóbulo de la oreja. 🗪 joya ▮ s.f. **4** Terreno que está en cuesta. **5** Declive o grado de inclinación. ☐ ETIMOL. Del latín *pendens.*

pendón s.m. **1** Asta de la que cuelga una tela alargada y terminada en dos puntas, que tienen como insignia las iglesias y las cofradías. **2** Bandera, generalmente más larga que ancha, que servía de insignia militar. **3** *col.* Persona de vida irregular y desordenada; pendejo. **4** *col.* Mujer de vida licenciosa. ☐ ETIMOL. Del francés antiguo *penon*. ☐ MORF. En las acepciones 3 y 4, se usa también el femenino coloquial *pendona.*

pendonear v. *col.* [Llevar una vida irregular y desordenada: *Le gusta 'pendonear' y sale frecuentemente de noche.* ☐ ETIMOL. De *pendón*. ☐ USO Tiene un matiz despectivo.

pendoneo s.m. *col.* [Vida irregular y desordenada. ☐ USO Tiene un matiz despectivo.

pendular adj. Del péndulo o relacionado con él. ☐ MORF. Invariable en género.

péndulo s.m. Cuerpo que, suspendido de un punto que está por encima de su centro de gravedad, puede oscilar libremente alrededor de dicho punto debido a su inercia y a la fuerza de la gravedad. ☐ ETIMOL. Del latín *pendulus* (pendiente, que pende).

pene s.m. Órgano genital masculino que permite la cópula y que forma parte del último tramo del aparato urinario; falo. ☐ ETIMOL. Del latín *penis* (pene, rabo).

[**penene** s. Profesor no numerario o que no tiene una plaza fija en un instituto o en una universidad. ☐ ETIMOL. Es un acrónimo que procede de la sigla de *profesor no numerario*. ☐ MORF. Es de género común: *el 'penene', la 'penene'.*

penetrable adj. Que puede penetrarse o comprenderse fácilmente. ☐ ETIMOL. Del latín *penetrabilis*. ☐ MORF. Invariable en género.

penetración s.f. **1** Introducción en el interior de algo. **2** Infiltración en algo o introducción por sus poros. **3** Comprensión de algo difícil u oculto. [**4** Introducción del pene en la vagina.

penetrante adj. **1** Profundo, que penetra mucho. **2** Referido esp. a un sonido, que es agudo, alto o elevado. ☐ MORF. Invariable en género.

penetrar v. **1** Introducirse en el interior: *El romanticismo penetró en España en el siglo XIX. Una bala le penetró el pecho y acabó con su vida.* **2** Referido a un cuerpo, infiltrarse por sus poros: *La lluvia penetró en la pared e hizo una mancha. El agua de lluvia penetra la tierra.* **3** Referido esp. a una sensación, notarse o percibirse con gran agudeza o intensidad: *Este frío penetra hasta los huesos. Había un aroma que penetraba los sentidos.* [**4** Introducir el pene en la vagina: *La víctima declaró que su agresor no la 'había penetrado'.* □ ETIMOL. Del latín *penetrare.*

penibético, ca adj. De la cordillera Penibética (sistema montañoso del sur español), o relacionado con ella.

penicilina s.f. Sustancia antibiótica que se extrae de los cultivos de un hongo y que se emplea para combatir algunas enfermedades bacterianas. □ ETIMOL. Del latín *penicillus* (pincel), porque el hongo de la penicilina se caracteriza por unos filamentos en forma de pincel.

península s.f. Extensión de tierra rodeada de agua por todas partes excepto por una zona estrecha con la que se une a otro territorio mayor. □ ETIMOL. Del latín *paeninsula,* y éste de *paene* (casi) e *insula* (isla).

peninsular adj./s. De una península o relacionado con este territorio. □ MORF. 1. Como adjetivo es invariable en género. 2. Como sustantivo es de género común: *el peninsular, la peninsular.*

penique s.m. Moneda británica equivalente a la centésima parte de la libra esterlina. □ ETIMOL. Del inglés antiguo *pennig* (dinero).

penitencia s.f. 1 En la iglesia católica, sacramento por el cual el sacerdote perdona los pecados en nombre de Jesucristo. 2 Lo que el confesor impone al penitente para expiar o borrar una culpa. 3 *col.* Lo que resulta desagradable o molesto, esp. si se realiza como acto de mortificación. □ ETIMOL. Del latín *paenitentia.*

penitencial adj. De la penitencia o relacionado con este sacramento. □ MORF. Invariable en género.

penitenciaría s.f. Cárcel, prisión o lugar en el que se sufre condena para expiar un delito.

penitenciario, ria adj. De la penitenciaría o relacionado con este lugar en el que se expían los delitos.

penitente s. Persona que hace penitencia privada o públicamente. □ MORF. Es de género común: *el penitente, la penitente.*

penoso, sa adj. 1 Que causa pena. 2 Que resulta trabajoso o presenta gran dificultad.

pensado, da ‖ {bien/mal} **pensado**; referido a una persona, que tiende a pensar o a juzgar positiva o negativamente. □ SEM. *Bien pensado* es dist. de *bien pensante* (que piensa o juzga de acuerdo con lo socialmente aceptable).

pensador, -a ‖ adj./s. 1 Que piensa, medita o reflexiona. ‖ s. 2 Filósofo o persona que profundiza en estudios elevados.

pensamiento s.m. 1 Facultad o capacidad de pensar. [2 Lo que se piensa. 3 Idea o sentencia destacada. 4 Conjunto de ideas propias de una persona o de una colectividad. [5 Planta herbácea de jardín, con flores de cinco pétalos redondeados de tres colores. 6 Flor de esta planta. 7 ‖ [leer el **pensamiento**; adivinar lo que alguien piensa aunque no lo manifieste. □ SEM. En las acepciones 5 y 6, es sinónimo de *trinitaria.*

[pensante adj. 1 Que piensa. 2 ‖ [bien **pensante**; referido a una persona, que piensa o juzga de acuerdo con lo que se considera socialmente aceptable. □ MORF. Invariable en género. □ SEM. *Bien pensante* dist. de *bien pensado* (que piensa o juzga positivamente).

pensar v. 1 Referido a una idea o un concepto, for-

marlos o darles forma en la mente, relacionándolos unos con otros: *Tengo que pensar algo para salir de aquí. ¿Has pensado ya dónde vamos?* 2 Referido a una idea, examinarla cuidadosamente para formar un juicio o reflexionar sobre ella: *Piensa bien en ello. Yo pienso que la herida no es grave.* 3 Referido a una acción, decidir hacerla o tener la intención de llevarla a cabo: *He pensado tomarme unas vacaciones. ¿Tú qué piensas hacer en el futuro?* □ ETIMOL. Del latín *pensare* (pesar, calcular). □ MORF. Irreg. →PENSAR. □ SINT. Constr. de la acepción 2: *pensar EN algo.*

pensativo, va adj. Que está absorto en sus pensamientos.

pensil o **pénsil** ‖ adj. 1 Que pende o cuelga en el aire. ‖ s.m. 2 Jardín delicioso. □ ETIMOL. Del latín *pensilis* (colgante). □ ORTOGR. Dist. de *prensil.* □ MORF. Como adjetivo es invariable en género.

pensión s.f. 1 Cantidad de dinero que recibe una persona periódicamente y como ayuda, y que se asigna desde instituciones oficiales. 2 Establecimiento público en el que se da alojamiento a cambio de dinero, y que es de categoría inferior a la del hotel. 3 Precio que se paga por este alojamiento. 4 Ayuda de dinero que se concede bajo ciertas condiciones, para ampliar o estimular estudios y actividades científicas, literarias o artísticas, y por otros motivos. 5 ‖ **media pensión**; 1 En un establecimiento hotelero, régimen de alojamiento que incluye habitación, desayuno y una de las dos comidas fuertes. 2 En un establecimiento educativo, régimen que incluye la enseñanza y la comida del mediodía. ‖ **pensión completa**; en un establecimiento hotelero, régimen de alojamiento que incluye la habitación y todas las comidas del día. □ ETIMOL. Del latín *pensio* (pago).

pensionado, da ‖ adj./s. 1 En zonas del español meridional, pensionista. ‖ s.m. 2 Centro en el que residen personas internas, esp. alumnos; internado.

pensionista s. 1 Persona que cobra una pensión o tiene derecho a recibirla. 2 Persona que recibe alojamiento y comida en una casa particular, y paga por ello. 3 Alumno que recibe enseñanza, comida y alojamiento, y paga por ello una determinada cantidad. 4 ‖ [medio pensionista; el alumno que recibe enseñanza y comida, pero no alojamiento. □ MORF. Es de género común: *el pensionista, la pensionista.*

penta- Elemento compositivo que significa 'cinco': *pentágono, pentasílabo, pentadáctilo, pentagrama.* □ ETIMOL. Del griego *pénte.*

pentadecágono s.m. En geometría, polígono que tiene quince lados y quince ángulos. □ ETIMOL. De *penta-* (cinco) y *decágono.*

pentaedro s.m. Cuerpo geométrico limitado por cinco polígonos o caras. □ ETIMOL. De *penta-* (cinco) y *-edro* (cara).

pentagonal adj. Con forma de pentágono o que tiene cinco ángulos y cinco lados. □ MORF. Invariable en género.

pentágono s.m. En geometría, polígono que tiene cinco lados y cinco ángulos. □ ETIMOL. Del griego *pentágonos,* y éste de *pénte* (cinco) y *gonía* (ángulo).

pentagrama o **pentágrama** s.m. Conjunto de cinco líneas paralelas y situadas a la misma distancia unas de otras, sobre las que se escribe la música. □ ETIMOL. De *penta-* (cinco) y *-grama* (línea). □ USO *Pentágrama* es el término menos usual.

pentámero, ra adj. En botánica, referido esp. a una planta, que tiene algunos órganos formados por cinco piezas. ☐ ETIMOL. Del griego *pentamerés* (compuesto de cinco partes).

pentasílabo, ba adj./s.m. De cinco sílabas, esp. referido a un verso. ☐ ETIMOL. De *penta-* (cinco) y *sílaba*.

pentatlón s.m. Conjunto de cinco pruebas atléticas, que actualmente son las de 200 y 1.500 metros lisos, salto de longitud y lanzamiento de disco y de jabalina. ☐ ETIMOL. Del griego *péntathlon*, y éste de *pénte* (cinco) y *âthlon* (premio de una lucha, lucha).

[pentotal s.m. Droga de efectos anestésicos que se aplica por vía intravenosa y que hace que el paciente hable sin ser consciente de sus propias palabras. ☐ ETIMOL. Extensión del nombre de una marca comercial.

penúltimo, ma adj./s. Inmediatamente anterior al último. ☐ ETIMOL. Del latín *paenultimus*, y éste de *paene* (casi) y *ultimus* (último).

penumbra s.f. Sombra débil, o estado intermedio entre la luz y la oscuridad. ☐ ETIMOL. Del latín *paene* (casi) y *umbra* (sombra).

penuria s.f. Escasez o falta de lo necesario. ☐ ETIMOL. Del latín *paenuria*.

peña s.f. **1** Piedra grande, según se encuentra en la naturaleza. **2** Monte o cerro con piedras grandes y elevadas. **3** *col.* Grupo de amigos. **4** *col.* Asociación recreativa o deportiva. ☐ ETIMOL. Del latín *pinna* (almena).

peñascal s.m. Terreno cubierto de peñascos.

peñasco s.m. Peña grande y elevada.

peñascoso, sa adj. Referido a un lugar, con muchos peñascos.

[peñazo adj./s.m. *col.* Pesado, molesto o aburrido.

[peñiscar v. En zonas del español meridional, pellizcar. ☐ ORTOGR. La *c* se cambia en *qu* delante de *e* →SACAR.

peñíscola s.f. *ant.* →**península**.

peñón s.m. Monte rocoso.

peón s.m. **1** Obrero no especializado que ocupa el grado más bajo en su escala profesional. **2** En el juego del ajedrez, cada una de las ocho piezas negras o blancas que son iguales. 🔲 ajedrez **3** En algunos juegos de tablero, pieza o ficha. **4** Antiguamente, soldado de a pie. **[5** *col.* Persona o recurso de los que se puede disponer para conseguir un fin. **6** ‖**peón caminero**; el que se dedica a la conservación y reparación de los caminos y las carreteras públicas. ‖**peón (de brega)**; torero subalterno que ayuda al matador durante la lidia. ☐ ETIMOL. Del latín *pedo*, y éste de *pes* (pie). ☐ SEM. En la acepción 1, aunque la RAE lo considera sinónimo de *bracero*, éste se ha especializado para referirse a los jornaleros del campo.

peonada s.f. **1** Trabajo que realiza un peón en un día, esp. en tareas agrícolas. **2** Conjunto de peones que trabajan en una obra; peonaje.

peonaje s.m. **1** Conjunto de peones que trabajan en una obra; peonada. **[2** Conjunto de peones que componen las cuadrillas para lidiar los toros.

peonía s.f. **1** Planta herbácea, de grandes flores rojas, blancas o amarillas, propia de lugares húmedos y laderas montañosas, que se cultiva como planta ornamental. **[2** Flor de esta planta. ☐ ETIMOL. Del latín *paeonia*.

peonza s.f. Juguete formado por una pieza de forma cónica, generalmente de madera, sobre la que se enrolla una cuerda, para lanzarla y hacerla girar. ☐ ETIMOL. De *peón*, por comparación con el movimiento de un soldado de a pie.

peor ∎ adj. **1** comp. de superioridad de **malo**. ∎ adv. **2** comp. de superioridad de mal. **3** ‖**peor que**; expresión que se usa para indicar que lo que se propone como remedio empeora aún más las cosas. ‖**ponerse en lo peor**; suponer que sucederá algo muy desfavorable o perjudicial. ☐ MORF. Como adjetivo es invariable en género.

pepa s.f. En zonas del español meridional, hueso o pepita.

[pepinazo s.m. *col.* Estallido, disparo o lanzamiento potentes y ruidosos.

pepinillo s.m. Variedad del pepino, de pequeño tamaño, que se suele conservar en vinagre.

pepino s.m. **1** Planta herbácea, con tallos largos, blandos, rastreros y vellosos, flores amarillas, masculinas y femeninas, y fruto comestible de forma cilíndrica y alargada, de color verde oscuro por fuera y blanco y con pepitas por dentro. **2** Fruto de esta planta. **[3** *col.* Billete de mil pesetas. **4** ‖**un pepino**; muy poco o nada. ☐ ETIMOL. Del latín *pepo* (melón). ☐ SINT. *Un pepino* se usa más con el verbo *importar* o equivalentes y en expresiones negativas.

pepita s.f. **1** Semilla de algunas plantas; pipa. **2** Trozo de oro u otro metal que se halla en los terrenos formados por los materiales arrastrados por las corrientes de los ríos. ☐ ETIMOL. De origen incierto.

pepito s.m. **1** Bocadillo que tiene dentro un filete de carne. **2** Bollo alargado y relleno de crema o de chocolate.

pepitoria ‖**en pepitoria**; referido esp. al pollo o a la gallina, guisados con una salsa espesa cuya base es la yema de huevo. ☐ ETIMOL. Del antiguo *petitoria*, y éste del francés antiguo *petite-oie* (guiso de menudillos de ganso).

pepla s.f. *col.* Lo que es de muy mala calidad o está en muy malas condiciones.

pepona s.f. Muñeca grande, generalmente de cartón.

pepsina s.f. En los animales vertebrados, sustancia segregada por ciertas glándulas del estómago, que forma parte del jugo gástrico y ayuda a la digestión. ☐ ETIMOL. Del griego *pésso* (yo digiero).

pequeñez s.f. **1** Tamaño o importancia pequeños. **2** Lo que tiene poco valor o escasa importancia.

pequeño, ña ∎ adj. **1** Corto, limitado, de dimensiones reducidas o menores de lo normal. **2** Breve o de poca importancia. ∎ adj./s. **3** De corta edad. ☐ ETIMOL. De origen expresivo. ☐ MORF. 1. Su comparativo de superioridad es *menor*. 2. Sus superlativos son *pequeñísimo* y *mínimo*.

pequinés, -a adj./s. **1** De Pequín (capital china), o relacionado con ella. **2** Referido a un perro, de la raza que se caracteriza por tener tamaño pequeño y pelo muy largo, patas cortas, cabeza ancha y nariz aplastada. 🔲 perro

per cápita ‖Por persona, por cabeza o individualmente: *renta per cápita*. ☐ ETIMOL. Del latín *per capita*.

[per saecula saeculorum (latinismo) ‖ →**sécula seculórum**. ☐ PRON. [per sécula seculórum].

per se (latinismo) ‖Por sí o por sí mismo.

pera ∎ adj./s. **1** *col.* Referido a una persona, que es presumida, demasiado elegante y con aires de refinamiento. ▌ s.f. **2** Fruto del peral, de forma cónica, con pepitas oscuras y ovaladas en su interior y con sabor más o menos dulce según su variedad. **3** Instrumento manual de goma con la forma de este fruto, que se usa para impulsar aire o un líquido. **4** Interruptor de luz o de timbre de forma parecida a la del fruto. **5** ‖**pedir peras al olmo**; *col.* Pedir o pretender algo imposible. ‖**pera en dulce**; *col.* Referido esp. a una persona, con excelentes cualidades. ‖**poner** a alguien **las peras a cuarto**; *col.* [Reprender con severidad. ‖ [**ser la pera**; *col.* Ser indignante, intolerable o sorprendente. ☐ ETIMOL. Del latín *pira*. ☐ MORF. En la acepción 1: 1. Como adjetivo es invariable en género y como sustantivo es de género común: *el pera, la pera*. 2. La RAE sólo lo registra como adjetivo. ☐ SINT. *Pera en dulce* se usa más con el verbo *ser* o equivalentes.

peral s.m. Árbol frutal de tronco liso y recto, hojas ovaladas y puntiagudas y flores blancas, cuyo fruto es la pera.

peraltar v. **1** Referido esp. a la curva de un arco o de una bóveda, darle más altura de la correspondiente al semicírculo: *Peraltando el arco, se ganó medio metro en altura en la puerta.* **2** Referido esp. a la curva de una carretera o de una vía férrea, elevar o levantar su parte exterior: *Han peraltado las curvas de la carretera para que sean menos peligrosas.*

peralte s.m. **1** En la curva de un arco o de una bóveda, lo que excede en altura a la del semicírculo correspondiente. **2** En una curva de carretera o de vía férrea, mayor elevación de su parte exterior en relación con la interior. ☐ ETIMOL. Del latín *per* y *alto*.

perborato s.m. Sal de boro en la que este elemento actúa con valencia cinco. ☐ ETIMOL. Del latín *per* (exceso de un elemento) y *borato*.

perca s.f. Pez de agua dulce, cubierto de escamas duras y ásperas, que es verdoso en el lomo, plateado en el vientre y dorado con rayas negras en los costados, y cuya carne es comestible y delicada. ☐ ETIMOL. Del portugués *perca*. ☐ MORF. Es un sustantivo epiceno: *la perca macho, la perca hembra.* 🐟 pez

percal s.m. **1** Tela de algodón de baja calidad. **2** ‖ [**conocer el percal**; *col.* Conocer bien un asunto o a una persona. ☐ ETIMOL. Del francés *percale*.

percance s.m. Contratiempo o perjuicio imprevistos. ☐ ETIMOL. Del antiguo *percanzar* (alcanzar, obtener).

percatarse v.prnl. Advertir o darse cuenta: *Se percató de cómo era en realidad.* ☐ ETIMOL. Del antiguo *catar* (examinar, considerar). ☐ SINT. Constr. *percatarse DE algo.*

percebe s.m. **1** Crustáceo comestible de forma cilíndrica y alargada, con un pedúnculo carnoso que le permite agarrarse a los peñascos y que se cría formando grupos. 🐟 marisco **2** *col.* Persona torpe e ignorante. ☐ ETIMOL. Del latín *pollicipes*, y éste de *pollex* (pulgar) y *pes* (pie).

[**percentil** s.m. Cada uno de los noventa y nueve valores que resultan de dividir una distribución en cien partes de igual frecuencia; centil.

percepción s.f. **1** Recepción o cobro de algo material. **2** Apreciación de la realidad a través de los sentidos. **3** Comprensión o conocimiento por medio de la inteligencia. ☐ ETIMOL. Del latín *perceptio*.

perceptible adj. Que se puede percibir. ☐ MORF. Invariable en género.

perceptivo, va adj. Que percibe: *capacidad perceptiva.*

perceptor, -a adj./s. Que percibe: *Su cliente fue el perceptor de la indemnización.*

percha s.f. **1** Utensilio que consta de un soporte con un gancho en su parte superior para poder ser suspendido de algún sitio, y que sirve para colgar algo en él. **2** Mueble con ganchos en los que se cuelga o se sujeta algo, esp. la ropa; perchero. **3** Cada uno de estos ganchos. [**4** *col.* Figura o tipo de una persona. **5** Palo horizontal destinado a que se posen sobre él las aves. ☐ ETIMOL. Del francés *perche* o del catalán *perxa*, y éstos del latín *pertica* (pértiga).

perchar v. Referido al paño, colgarlo y sacarle el pelo con un un cepillo especial: *En esta sala del taller perchan el paño.* ☐ ETIMOL. De *percha*.

perchero s.m. Mueble con ganchos en los que se cuelga o se sujeta algo, esp. la ropa; percha.

percherón, -a adj./s. Referido a un caballo o a una yegua, que pertenecen a una raza francesa de gran fuerza y corpulencia. ☐ ETIMOL. Del francés *percheron* (de la Perche, región francesa).

percibir v. **1** Referido a algo material, recibirlo y hacerse cargo de ello: *Para el trabajo que hace, percibe un buen sueldo.* **2** Referido a la realidad, recibirla o apreciarla a través de uno de los sentidos: *Algunos animales perciben sonidos que el hombre no oye.* **3** Comprender o conocer por medio de la inteligencia: *No percibí la importancia de aquellas palabras.* ☐ ETIMOL. Del latín *percipere* (percibir, sentir).

percusión s.f. **1** Golpeo o choque repetidos. [**2** En música, en una orquesta o en una banda, conjunto de los instrumentos que se tocan golpeándolos, generalmente con mazas, varillas o baquetas. 🔷 percusión ☐ ETIMOL. Del latín *percussio*.

percusionista s. Músico que toca instrumentos de percusión. ☐ MORF. Es de género común: *el percusionista, la percusionista.*

percutir v. Dar golpes repetidos: *El martillo de un arma percute el cartucho y produce la chispa.*

percutor s.m. Pieza que golpea en cualquier máquina, esp. la que hace detonar la carga explosiva del cartucho en las armas de fuego. ☐ ETIMOL. Del francés *percuteur.*

perdedor, -a adj./s. Que pierde.

perder ▌ v. **1** Referido a algo que se tiene, dejar de tenerlo o no hallarlo: *En ese negocio perdí mucho dinero. Se me ha perdido el bolígrafo.* **2** Desperdiciar, malgastar o emplear de mala manera: *Perdí tres años de mi vida esperándote.* **3** Referido a algo que se necesita, fracasar en el intento de conseguirlo: *Perdí el tren.* **4** Ocasionar un perjuicio o un daño: *Tu orgullo y tu soberbia te pierden.* **5** Referido a algo que se disputa, no conseguir obtenerlo: *Perdimos el trofeo porque somos peores.* **6** Referido esp. a un enfrentamiento, resultar vencido en él: *Hemos perdido esta batalla. Mi equipo ha vuelto a perder.* **7** Referido a un contenido, escaparse del recipiente que lo contiene: *Este cubo pierde agua.* **8** Decaer o empeorar de aspecto, salud, estado o calidad: *Este programa ha perdido mucho.* ▌ prnl. **9** Equivocarse en el camino que se llevaba: *Se perdió y apareció en Albacete.* **10** No encontrar camino ni salida: *En un laberinto es fácil perderse.* **11** Aturdirse o no encontrar una solución: *Me pierdo con tantas cifras.* **12** Distraerse de un discurso o de una idea: *Me perdí cuando el conferenciante empezó a hablar de *fórmulas físicas.* **[13** *col.* Dejar de disfrutar: *No 'te pierdas' el concierto.* **14** Amar o anhelar con gran intensidad: *Me pierdo por mis sobrinos. Se pierde por los coches de carreras.* **15** Caer en una situación de deshonor o de vergüenza: *Dice que su nieta se ha perdido, porque está viviendo con un hombre sin estar casada con él.* **16** ‖**[piérdete**; *col.* Expresión que se usa para indicar a alguien que se vaya: *¡'Piérdete' y no vuelvas por aquí!* ‖**tener {buen/ mal} perder**; aceptar bien o mal una derrota: *Tiene muy mal perder y cuando no gana, se enfada.* □ ETIMOL. Del latín *perdere.* □ MORF. Irreg. →PERDER. □ SINT. Constr. de la acepción 14: *perderse POR algo.*

perdición s.f. **1** Caída en una situación de deshonor o de vergüenza. **2** Daño o perjuicio muy graves. **3** Lo que provoca este daño. **4** Condenación eterna.

pérdida s.f. **1** Carencia o privación de lo que se poseía. **2** Daño que se produce en algo. **3** Cantidad que se pierde, esp. si es de dinero. **[4** Desperdicio o mal empleo de algo. **5** ‖**no tener pérdida**; *col.* Ser fácil de encontrar. □ ETIMOL. Del latín *perdita* (perdida).

perdido, da ▌adj. **1** Sin un destino determinado. **2** Pospuesto a un adjetivo, aumenta e intensifica lo que éste significa: *Está tonto perdido.* **[3** Sin solución o sin remedio: *un caso 'perdido'.* ▌adj./s. **4** Referido a una persona, que es viciosa o tiene malas costumbres. ▌s.f. **5** Prostituta. **6** ‖**ponerse perdido**; *col.* Ensuciarse mucho. □ MORF. 1. En la acepción 5, la RAE sólo registra el masculino.

perdigón s.m. **1** Grano de plomo que forma la munición o carga de un arma de caza. **2** Pollo o cría de la perdiz. **[3** *col.* Partícula de saliva que se despide al hablar. □ ETIMOL. De *perdiz.*

perdigonada s.f. Disparo de perdigón hecho con arma de caza.

perdiguero, ra adj./s. Referido a un perro, de la raza que se caracteriza por ser de talla mediana, por tener cuello ancho y fuerte, cabeza fina, hocico saliente, orejas muy grandes y caídas, patas altas, cola larga y pelaje corto y fino, y por ser muy apreciado para la caza por su buen olfato.

perdiz s.f. **1** Ave de cuerpo grueso, cuello corto y blanco con un collar negro, cabeza pequeña, pico y pies rojizos y plumaje grisáceo en la parte superior y azulado con manchas negras en el pecho. **2** ‖**[marear la perdiz**; *col.* Perder el tiempo o demorar el inicio de algo. □ ETIMOL. Del latín *perdix.* □ MORF. Es un sustantivo epiceno: *la perdiz macho, la perdiz hembra.*

perdón s.m. **1** Olvido, por parte de la persona perjudicada, de una ofensa recibida. **2** ‖**(con) perdón**; expresión que se usa para disculparse por un hecho o un dicho que pueden molestar a otras personas.

perdonar v. **1** Referido esp. a una falta o a una deuda, no tenerlas en cuenta u olvidarlas deliberadamente la persona perjudicada: *Te perdono la deuda. Perdona que te haya pisado.* **2** Referido a una persona, librarla de un castigo o de una obligación: *La juez perdonó al homicida. Hoy te toca fregar a ti, pero te perdono.* **3** *col.* Referido a algo que se desea, privarse de ello o dejar pasar la ocasión de obtenerlo: *No perdona la siesta después de comer.* **[4** En el lenguaje del fútbol, referido a un equipo, desaprovechar las ocasiones de meter gol: *Nuestro equipo 'perdonó' repetidas veces y terminó perdiendo el partido.* □ ETIMOL. Del latín *perdonare.* □ USO La acepción 3 se usa más en expresiones negativas.

perdonavidas s. *col.* Persona que presume de valiente sin serlo. □ MORF. 1. Es de género común: *el*

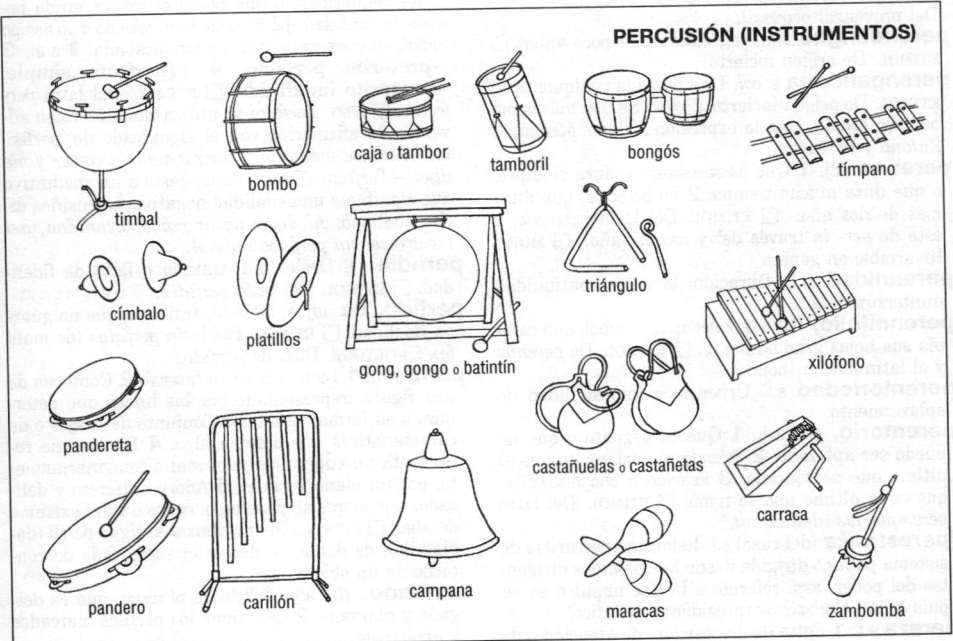

PERCUSIÓN (INSTRUMENTOS)

timbal

bombo

caja o tambor

tamboril

bongós

tímpano

címbalo

platillos

triángulo

gong, gongo o batintín

xilófono

panderatra

castañuelas o castañetas

carraca

pandero

carillón

campana

maracas

zambomba

perdonavidas, la perdonavidas. **2.** Invariable en número.

perdulario, ria adj./s. **1** Muy descuidado con sus intereses o con su persona. **2** Vicioso incorregible. **3** Que pierde las cosas frecuentemente.

perdurabilidad s.f. Duración eterna o muy larga.

perdurable adj. **1** Perpetuo o que dura siempre. **2** Que dura mucho tiempo. □ MORF. Invariable en género.

perdurar v. Durar mucho, o mantenerse en un mismo estado al cabo del tiempo: *El odio perduró durante años.* □ ETIMOL. Del latín *perdurare.*

perecedero, ra adj. De poca duración, o destinado a perecer o a terminarse.

perecer v. **1** Morir, esp. si es de forma violenta: *Más de cien personas han perecido en el terremoto.* **2** Dejar de existir o acabarse: *Todas sus ilusiones perecieron.* □ ETIMOL. Del latín *perire.* □ MORF. Irreg. →PARECER.

peregrinación s.f. o **peregrinaje** s.m. **1** Viaje a un lugar sagrado, esp. a un santuario, por devoción o para cumplir un voto. **2** *col.* Recorrido de distintos lugares para resolver algo.

peregrinar v. **1** Viajar a un lugar sagrado, esp. a un santuario, por devoción o para cumplir un voto: *Por este camino pasan todos los que peregrinan a Santiago de Compostela.* **2** *col.* Recorrer distintos lugares para resolver algo: *Para obtener este certificado he tenido que peregrinar por varias oficinas públicas.* □ ETIMOL. Del latín *peregrinare.*

peregrino, na ▌ adj. **1** Extraño, poco visto o carente de lógica. ▌ adj./s. **2** Que viaja a un lugar sagrado, esp. a un santuario, por devoción o para cumplir un voto. □ ETIMOL. Del latín *peregrinus* (extranjero).

perejil s.m. Planta herbácea con hojas aromáticas divididas en lóbulos aserrados y de color verde oscuro, que se emplea como condimento. □ ETIMOL. Del provenzal *peiressil.*

perendengue s.m. *col.* Adorno de poco valor. □ ETIMOL. De origen incierto.

perengano, na s. *col.* Una persona cualquiera. □ ETIMOL. De origen incierto. □ USO Se usa más como nombre propio, y en la expresión *Fulano, Mengano, Zutano y Perengano.*

perenne adj. **1** Que es incesante y dura siempre, o que dura mucho tiempo. **2** En botánica, que dura más de dos años. □ ETIMOL. Del latín *perennis,* y éste de *per-* (a través de) y *annus* (año). □ MORF. Invariable en género.

perennidad s.f. Duración larga o continuidad ininterrumpida.

perennifolio, lia adj. Referido a un árbol, que cambia sus hojas gradualmente. □ ETIMOL. De *perenne* y el latín *folium* (hoja).

perentoriedad s.f. Urgencia o imposibilidad de aplazamiento.

perentorio, ria adj. **1** Que es urgente o que no puede ser aplazado. **2** Referido a un plazo, que es el último que se concede. **3** Referido a una resolución, que es la última que se toma. □ ETIMOL. Del latín *peremptorius* (definitivo).

[perestroika (del ruso) s.f. Reforma aperturista de sistema político dirigida desde los máximos dirigentes del poder, esp. referido a la que impulsó en su país Mijaíl Gorbachov (presidente soviético).

pereza s.f. **1** Falta de disposición, de atención o de

interés para hacer lo que se debe. **2** ‖**sacudir la pereza**; vencerla o eliminarla. □ ETIMOL. Del latín *pigritia.*

perezoso, sa ▌ adj./s. **1** Que tiene pereza o actúa con ella. ▌ s.m. **2** Mamífero desdentado con la cabeza pequeña, las extremidades provistas de uñas largas y fuertes y el pelaje áspero y largo, que está adaptado a la vida en los árboles y se caracteriza por sus movimientos lentos. □ MORF. En la acepción 2, es un sustantivo epiceno: *el perezoso macho, el perezoso hembra.*

perfección s.f. **1** Terminación o mejoramiento de algo para hacerlo más perfecto. **2** Ausencia absoluta de errores o de fallos. **3** Lo que es perfecto. **4** ‖**a la perfección**; de manera perfecta. □ ETIMOL. Del latín *perfectio.*

perfeccionamiento s.m. Transformación consistente en mejorar o terminar algo, con el mayor grado de perfección.

perfeccionar v. Mejorar, hacer más perfecto o acabar con el mayor grado de perfección: *Está haciendo un curso en París para perfeccionar su francés.*

perfeccionismo s.m. Tendencia a mejorar algo indefinidamente, sin decidirse nunca a considerarlo acabado.

perfeccionista adj./s. Que tiende al perfeccionismo. □ MORF. **1.** Como adjetivo es invariable en género. **2.** Como sustantivo es de género común: *el perfeccionista, la perfeccionista.*

perfectibilidad s.f. Posibilidad de ser mejorado por no ser perfecto.

perfectible adj. Que puede ser mejorado o perfeccionado. □ MORF. Invariable en género.

perfectivo, va adj. En lingüística, que expresa una acción acabada. □ ETIMOL. Del latín *perfectivus.*

perfecto, ta ▌ adj. **1** Que tiene todas las cualidades requeridas, o que posee el mayor grado posible de cualidad. **[2** En gramática, referido a un tiempo verbal, que expresa una acción acabada. ▌ s.m. **3** →**pretérito perfecto. 4** ‖**[perfecto simple**; →**pretérito indefinido.** □ ETIMOL. Del latín *perfectus.* □ SINT. *Perfecto* se utiliza también como adverbio de afirmación con el significado de 'perfectamente': *Le pregunté si quería venir a comer y me dijo: —Perfecto.* □ SEM. Antepuesto a un sustantivo que signifique una cualidad negativa, intensifica dicha cualidad: *Al dejar pasar esa oportunidad, demostró ser un perfecto imbécil.*

perfidia s.f. Deslealtad, traición o falta de fidelidad. □ ETIMOL. Del latín *perfidia.*

pérfido, da adj./s. Desleal, traidor o que no guarda fidelidad. □ ETIMOL. Del latín *perfidus* (de mala fe). □ ORTOGR. Dist. de *pórfido.*

perfil s.m. **1** Lado o postura lateral. **2** Contorno de una figura, representado por las líneas que determinan su forma; silueta. **3** Conjunto de rasgos o de características que definen algo. **4** Figura que representa un cuerpo cortado, real o imaginariamente, por un plano vertical. **5** Adorno discreto y delicado, esp. el que se pone en el canto o en el extremo de algo. □ ETIMOL. Del provenzal antiguo *perfil* (dobladillo), de donde se deriva el significado de contorno de un objeto.

perfilado, da adj. **1** Referido al rostro, que es delgado y alargado. **2** Que tiene los perfiles marcados y atractivos.

perfilador s.m. Cosmético que sirve para perfilar el contorno de los labios o de los ojos y que se presenta generalmente en forma de lápiz o rotulador de puntas muy finas.

perfilar v. **1** Dar, mostrar o marcar el perfil o los perfiles: *Para perfilarme los ojos utilizo un lápiz especial. Las casas del pueblo se perfilaban en la niebla.* **2** Perfeccionar o rematar con esmero: *Tu idea es buena, pero hay que perfilarla más.*

perforación s.f. **1** Realización de agujeros atravesando algo de parte a parte, o atravesando sólo alguna de sus capas. **2** En medicina, rotura de las paredes de un órgano o de una víscera hueca.

perforador, -a ∎ adj./s. **1** Que perfora. ∎ s.f. **2** Máquina, herramienta o utensilio que sirven para perforar.

perforar v. Hacer agujeros atravesando de parte a parte, o atravesando sólo alguna capa: *Para construir un pozo primero hay que perforar el terreno.* □ ETIMOL. Del latín *perforare*, y éste de *forare* (horadar).

[*performance* (anglicismo) s.f. Espectáculo o representación pública, esp. si tiene un carácter innovador. □ PRON. [performáns]. □ USO Su uso es innecesario y puede sustituirse por una expresión como *representación*.

perfumador s.m. Recipiente o aparato que se utiliza para quemar o para esparcir perfumes.

perfumar v. **1** Impregnar de buen olor: *Perfumó la habitación con aroma a lavanda. Antes de salir me perfumé un poco.* **2** Despedir perfume o un olor agradable: *El incienso perfuma intensamente.* □ ETIMOL. Del latín *per* (por) y *fumare* (producir humo), porque antes se perfumaba quemando materias aromáticas.

perfume s.m. **1** Sustancia que desprende un olor agradable. **2** Olor agradable, esp. el desprendido por estas sustancias.

perfumería s.f. **1** Establecimiento donde se venden perfumes y otros productos de aseo. **2** Técnica e industria de fabricar o comercializar perfumes, cosméticos y otros productos de tocador.

perfumista s. Persona que se dedica a la preparación o a la venta de perfumes, esp. si ésta es su profesión. □ MORF. Es de género común: *el perfumista, la perfumista.*

pergamino s.m. **1** Piel de una res preparada convenientemente para escribir sobre ella o para otros usos. **2** Documento escrito sobre esta piel. □ ETIMOL. Del latín *pergaminum*, y éste de *Pergamum* (Pérgamo) ciudad donde se desarrolló el comercio de pergaminos.

pergeñar v. *col.* Referido esp. a un plan, tramarlo o prepararlo rápidamente y sin mucha precisión: *Déjate de disimulos y dime qué has estado pergeñando a mis espaldas.* □ ETIMOL. De *pergeño.* □ PRON. Incorr. *[pergueñar].

pérgola s.f. Armazón para sostener una planta trepadora. □ ETIMOL. Del italiano *pergola.*

peri- Prefijo que significa 'alrededor de': *pericarpio, perímetro.* □ ETIMOL. Del griego *perí.*

periantio o **perianto** s.m. Conjunto formado por el cáliz y la corola de una flor, y que envuelve sus órganos sexuales. □ ETIMOL. De *peri-* (alrededor de) y el griego *ánthos* (flor). □ USO *Perianto* es el término menos usual, aunque la RAE lo prefiere a *periantio.*

pericardio s.m. Tejido membranoso que envuelve el corazón. □ ETIMOL. Del griego *perikárdion*, y éste de *perí* (alrededor) y *kardía* (corazón). □ ORTOGR. Dist. de *pericarpio.*

pericarpio o **[pericarpo** s.m. En un fruto, parte exterior que rodea a la semilla. □ ETIMOL. Del griego *perikárpion*, y éste de *perí* (alrededor) y *karpós* (fruto). □ ORTOGR. Dist. de *pericardio.* □ USO *Pericarpio* es el término más usual.

pericia s.f. Habilidad y destreza en el conocimiento de una ciencia o en el desarrollo de una actividad. □ ETIMOL. Del latín *peritia.*

pericial adj. Del perito o relacionado con él. □ MORF. Invariable en género.

perico s.m. **1** →**periquito**. **2** *col.* Orinal o bacín. [**3** *col.* En el lenguaje de la droga, cocaína. **4** En zonas del español meridional, café cortado. □ ETIMOL. De *Perico*, diminutivo de *Pero* (Pedro), porque así se llamaba al papagayo.

[peridotita s.f. Roca magmática consolidada en el interior de la corteza terrestre, de color oscuro y densidad elevada, compuesta por olivino y otros minerales.

periferia s.f. Espacio que rodea un núcleo central. □ ETIMOL. Del griego *periphería* (circunferencia).

periférico, ca ∎ adj. **1** De la periferia o relacionado con ella. ∎ s.m. [**2** En un sistema informático, cada uno de los dispositivos que permiten la entrada o la salida de datos.

perifollo s.m. **1** Planta herbácea de tallos finos, ramosos, huecos y exagonales, flores blancas y semillas pequeñas y negras, y hojas muy aromáticas que se utilizan como condimento. **2** *col.* Adorno excesivo y de mal gusto, esp. el de las prendas de vestir. □ ETIMOL. Del latín *caerefolium*, con influencia de *perejil.* □ MORF. Se usa más en plural.

perífrasis s.f. **1** Figura retórica consistente en expresar por medio de un rodeo lo que podría decirse con menos palabras, generalmente para conseguir un efecto estético o una fuerza expresiva mayores. **2** ∥ [perífrasis verbal; en gramática, construcción formada por un verbo auxiliar en forma personal seguido del infinitivo, gerundio o participio del verbo conjugado: *'Tengo que estudiar' es una perífrasis verbal.* □ ETIMOL. Del griego *períphrasis.* □ ORTOGR. Dist. de *paráfrasis.* □ MORF. Invariable en número.

perifrástico, ca adj. De la perífrasis, con perífrasis o relacionado con esta figura retórica.

perilla s.f. **1** Barba que se deja crecer en la barbilla. **2** En una silla de montar, parte superior del arco que forma por delante su armazón. arreos **3** ∥ **de perilla(s)**; *col.* Muy bien, muy a tiempo o a propósito. □ ETIMOL. De *pera.*

perillán, -a adj./s. Referido a una persona, que es pícara o astuta. □ ETIMOL. Del antiguo *Pero* (Pedro) e *Illán* (Julián).

perimétrico, ca adj. Del perímetro o relacionado con él.

perímetro s.m. **1** Contorno de una superficie. **2** En geometría, contorno de una figura expresado en unidades de longitud. □ ETIMOL. Del griego *perímetros*, y éste de *perí* (alrededor) y *métron* (medida).

[perinatal adj. Del período de tiempo inmediatamente anterior o posterior al nacimiento de una persona. □ ETIMOL. De *peri-* (alrededor de) y *natal.* □ MORF. Invariable en género.

periné s.m. En anatomía, zona situada entre el ano y los órganos sexuales; perineo.

perineal adj. Del periné o relacionado con esta parte anatómica. ☐ MORF. Invariable en género.

perineo s.m. →**periné.** ☐ ETIMOL. Del latín *perinaeon.*

periodicidad s.f. Repetición regular o cada cierto tiempo.

periódico, ca ▌ adj. **1** Que sucede, se repite o se hace regularmente o cada cierto tiempo. **2** Referido a una fracción decimal, que tiene período: *La fracción 2/3 es periódica ya que es igual a 0,666...* ▌ s.m. **3** Publicación informativa que sale diariamente. **4** ‖[**periódico mural**; en zonas del español meridional, información que se pone en un muro. ☐ ETIMOL. Del griego *periodikós.*

periodismo s.m. **1** Actividad profesional relacionada con la selección, la clasificación y la elaboración de información, que se transmite a través de los medios de comunicación. [**2** Conjunto de estudios necesarios para tener la carrera de periodista.

periodista s. Persona que se dedica profesionalmente a la difusión o comunicación de la información. ☐ MORF. Es de género común: *el periodista, la periodista.*

periodístico, ca adj. De los periódicos, de los periodistas o relacionado con ellos.

periodo o **período** s.m. **1** Espacio de tiempo, esp. el que comprende la duración total de algo. **2** En la mujer y en las hembras de los simios, eliminación por vía vaginal de sangre y materia celular procedentes del útero. **3** En una división matemática no exacta, cifra o conjunto de cifras que se repiten de manera indefinida después del cociente entero. **4** En gramática, conjunto de oraciones que, enlazadas entre sí, tienen sentido completo: *'Subo a casa y bajo enseguida' son dos oraciones coordinadas que forman un solo período.* **5** Tiempo que tarda un fenómeno en recorrer todas sus fases. ☐ ETIMOL. Del griego *periodós* (movimiento de los astros, periodicidad). ☐ SEM. En la acepción 2, es sinónimo de *menstruación, menstruo* y *regla.*

periostio s.m. Membrana conjuntiva que rodea los huesos y que sirve para su nutrición y renovación. ☐ ETIMOL. Del griego *periósteon,* y éste de *perí* (alrededor) y *ostéon* (hueso).

peripatético, ca adj. *col.* Ridículo o extravagante en lo que se dice. ☐ ETIMOL. Del griego *preripatetikós.*

peripecia s.f. Suceso repentino o imprevisto que altera el curso o el estado de las cosas. ☐ ETIMOL. Del griego *peripéteia* (cambio rápido).

periplo s.m. **1** Viaje de largo recorrido con regreso al punto de partida, esp. si se realiza por diversos países. **2** Antiguamente, navegación que se hacía alrededor de un lugar o dando la vuelta al mundo. ☐ ETIMOL. Del griego *períplus* (que navega alrededor).

peripuesto, ta adj. *col.* Referido a una persona, que pone excesivo cuidado en vestirse y arreglarse. ☐ ETIMOL. De *peri-* (intensificación) y *puesto.*

periquete s.m. *col.* Espacio de tiempo muy breve. ☐ SINT. Se usa más en la expresión *en un periquete.*

periquito, ta ▌ adj./s. [**1** *col.* Del Real Club Deportivo Español (club deportivo catalán) o relacionado con él. ▌ s. **2** Ave prensora, de pequeño tamaño, que tiene el pico fuerte y encorvado, el plumaje de colores vistosos, esp. verdes, amarillos y azules, y la cola fina y muy larga; perico. [**3** *col.* Muchacho o chico joven. ▌ s.m. [**4** Aspersor giratorio que se coloca en los jardines. ☐ MORF. La RAE sólo registra el masculino. ☐ USO En la acepción 2 aunque la RAE prefiere *perico,* se usa más *periquito.*

periscopio s.m. Aparato óptico formado por un tubo vertical en cuyo interior hay un juego de espejos, y que se utiliza para ver lo que se halla por encima de un obstáculo que impide la visión directa. ☐ ETIMOL. De *peri-* (alrededor) y *-scopio* (aparato para ver) (yo miro, observo).

perisodáctilo ▌ adj./s.m. **1** Referido a un mamífero que tiene un número impar de dedos cubiertos por pezuñas y el dedo central más desarrollado: *El rinoceronte es un animal perisodáctilo.* ▌ s.m.pl. **2** En zoología, orden de estos mamíferos, perteneciente a la superclase de los tetrápodos. 🠴🠴 ungulado ☐ ETIMOL. Del griego *perissós* (extraordinario) y *-dáctilo* (dedo).

perista s. Persona que se dedica al comercio de objetos robados sabiendo que lo son. ☐ MORF. Es de género común: *el perista, la perista.*

peristáltico, ca adj. Referido esp. al movimiento de los intestinos, que se produce en el sentido de avance normal debido a contracciones sucesivas. ☐ ETIMOL. Del griego *peristaltikós* (que tiene la propiedad de contraerse).

peristilo s.m. **1** Galería de columnas que rodea un edificio o una parte de él. **2** Patio interior o lugar rodeado de columnas. ☐ ETIMOL. Del latín *peristylum,* y éste del griego *perí* (alrededor) y *stýlos* (columna).

peritación s.f. Trabajo o estudio que hace un perito; peritaje.

peritaje s.m. **1** Trabajo o estudio que hace un perito; peritación. [**2** Informe que resulta de este trabajo o estudio. **3** Conjunto de estudios o carrera de perito o ingeniero técnico.

peritar v. Referido a un perito, evaluar o realizar un informe técnico: *Sólo los peritos pueden peritar los daños producidos en el accidente.*

perito, ta ▌ adj./s. **1** Referido a una persona, que es experta o entendida en una ciencia o un arte. ▌ s. **2** Persona que ha realizado los estudios necesarios para obtener un grado medio en una ingeniería. **3** En derecho, persona que posee especiales conocimientos teóricos o prácticos y que informa bajo juramento o promesa al juez sobre los puntos en litigio. **4** ‖**perito mercantil**; el que se dedica profesionalmente al comercio. ☐ ETIMOL. Del latín *peritus* (experimentado, entendido). ☐ SINT. Constr. de la acepción 1: *perito EN algo.*

peritoneo s.m. En algunos animales, esp. en los vertebrados, membrana que cubre la superficie interior de la cavidad abdominal y forma varios pliegues que envuelven las vísceras situadas en ella. ☐ ETIMOL. Del griego *peritónaion,* y éste de *periteíno* (yo extiendo alrededor).

peritonitis s.f. Inflamación del peritoneo. ☐ ETIMOL. De *peritoneo* e *-itis* (inflamación). ☐ MORF. Invariable en número.

perjudicar v. Ocasionar daño material o moral: *Ese escándalo perjudicó su carrera política.* ☐ ETIMOL. Del latín *praeiudicare.* ☐ ORTOGR. La *c* se cambia en *qu* delante de *e* →SACAR.

perjudicial adj. Que perjudica o que puede perjudicar. ☐ ETIMOL. Del latín *praeiudicium* (perjuicio que causa una decisión prematura). □ MORF. Invariable en género.

perjuicio s.m. Daño material o moral. □ ORTOGR. Dist. de *prejuicio*.

perjurar v. **1** Jurar en falso: *Perjuró durante el juicio.* **2** Jurar con frecuencia, por costumbre o por añadir fuerza al juramento: *Jura y perjura que él no cogió el dinero que falta.* □ ETIMOL. Del latín *periurare.*

perjurio s.m. **1** Juramento que se hace en falso. **2** Incumplimiento de un juramento.

perjuro, ra adj./s. **1** Que jura en falso. **2** Que rompe el juramento que ha hecho.

perla s.f. **1** Masa de nácar más o menos esférica y de color blanco grisáceo, que se forma en el interior de algunos moluscos. **2** Lo que resulta muy apreciado por sus cualidades. **3** ‖ **de perlas**; muy bien o de manera oportuna. ‖ **[perla cultivada**; la que produce la madreperla como defensa contra un cuerpo extraño introducido en ella de forma artificial. □ ETIMOL. De origen incierto.

perlado, da adj. **1** Del color de la perla o con su brillo. **2** Con forma de perla o formado por trozos parecidos a las perlas. **3** Adornado con perlas.

perlar v. *poét.* Cubrir de gotas: *El sudor perlaba su frente. Las hojas de las flores se perlaron con el rocío.*

perlé (galicismo) s.m. Fibra de algodón que se utiliza en las labores de costura, esp. para bordar o para hacer ganchillo o punto.

perlesía s.f. Debilidad muscular que va acompañada de temblores y que padecen, generalmente, las personas de mucha edad. □ ETIMOL. Del griego *parálysis* (relajación, parálisis).

permanecer v. **1** Mantenerse sin cambio en un lugar, en una situación o en una condición: *Permanecerá en silencio hasta que tú le digas que hable.* **2** Estar en un lugar durante cierto tiempo: *Siempre permaneceré a tu lado.* □ ETIMOL. Del latín *permanere.* □ MORF. Irreg. →PARECER.

permanencia s.f. **1** Conservación en un mismo estado, lugar, situación o condición. **2** Estancia en un lugar durante cierto tiempo.

permanente ∎ adj. **1** Que permanece. ∎ s.f. **2** *col.* Rizado del cabello hecho artificialmente y que dura mucho tiempo. □ MORF. Como adjetivo es invariable en género.

permanganato s.m. Sal formada por la combinación del ácido derivado del manganeso con una base.

permeabilidad s.f. Capacidad de ser penetrado por un líquido, esp. por el agua.

permeable adj. **1** Que puede ser penetrado por el agua o por otros líquidos. **[2** Referido a una persona, que se deja influir por emociones u opiniones ajenas. □ ETIMOL. Del latín *permeabilis* (penetrable). □ MORF. Invariable en género.

pérmico, ca ∎ adj. **1** En geología, del sexto período de la era primaria o relacionado con él. ∎ adj./s.m. **2** En geología, referido a un período, que es el sexto de la era primaria o paleozoica.

permisible adj. Que se puede permitir. □ MORF. Invariable en género.

permisión s.f. **1** Consentimiento por parte del que tenga autoridad, para que alguien haga o deje de hacer algo. **2** Falta de impedimento a lo que se pudiera y debiera evitar.

permisividad s.f. Tolerancia, esp. si es excesiva.

permisivo, va adj. Que permite o que consiente.

permiso s.m. **1** Autorización o consentimiento dados por quien tiene autoridad para ello. **[2** Tiempo en que se autoriza a alguien a dejar temporalmente su trabajo, sus estudios, el servicio militar u otras obligaciones. □ ETIMOL. Del latín *permissum.* □ USO *Con permiso* se usa mucho como expresión de cortesía: *Con permiso, ¿me deja usted pasar?*

permitir ∎ v. **1** Referido a una acción, consentir o admitir que se haga quien tiene autoridad competente para ello: *Mis padres no me permiten salir tarde por la noche.* **2** Referido a algo que se puede y se debe evitar, no impedirlo o dejar que se haga: *Acusó a su Gobierno de permitir malos tratos en las cárceles.* **3** Hacer posible: *El ordenador permite trabajar con mayor rapidez.* ∎ prnl. **4** Referido a una acción, atreverse a realizarla o tomarse esa libertad: *Me permito recordarte que mañana tienes una cita con la dentista.* □ ETIMOL. Del latín *permittere.*

permuta s.f. **1** →**permutación. 2** Cambio entre dos funcionarios públicos de los empleos que tienen.

permutabilidad s.f. Posibilidad de algo para ser cambiado por otra cosa.

permutación s.f. **1** Cambio de una cosa por otra; permuta. **2** Variación de la disposición o el orden en el que estaban dos o más cosas.

permutar v. **1** Referido a una cosa, cambiarla por otra, sin que en el cambio entre el dinero, excepto si ese dinero es para igualar el valor de lo que se intercambia: *Permuté mi casa en la ciudad por una en el campo.* **2** Referido a dos empleos o cargos públicos, cambiarlos entre sí: *Esta semana permutarán varios puestos importantes en el Ministerio de Hacienda.* **3** Referido a dos o más cosas, variar la disposición o el orden en el que estaban: *Aunque permutes los sumandos, el resultado de la suma no variará.* □ ETIMOL. Del latín *permutare.*

pernera s.f. En un pantalón, parte que cubre cada pierna.

pernicioso, sa adj. Muy malo o muy perjudicial. □ ETIMOL. Del latín *perniciosus*, y éste de *pernicies* (ruina, desgracia).

pernil s.m. En un animal, anca y muslo, esp. los del cerdo. □ ETIMOL. Del latín *perna* (pierna, esp. la de un animal).

pernio s.m. Gozne que se fija al marco de una puerta o de una ventana para que giren las hojas al abrirlas y cerrarlas. □ ETIMOL. Del italiano *pernio.* □ ORTOGR. Dist. de *perno.*

perno s.m. Pieza larga y cilíndrica con cabeza redonda en un extremo y con un remache o una tuerca en el otro, que se utiliza para reforzar piezas de gran volumen. □ ETIMOL. Del catalán *pern.* □ ORTOGR. Dist. de *pernio.*

pernocta ∎ s.f. **1** →**pase de pernocta**. ∎ s.m. **[2** En el ejército, soldado que tiene permiso para dormir fuera del cuartel.

pernoctar v. Pasar la noche en un lugar, esp. si es fuera del domicilio propio; dormir: *Pernoctaremos en algún hotel que nos pille de camino.* □ ETIMOL. Del latín *pernoctare.*

pero ∎ s.m. **1** *col.* Reparo, objeción o inconveniente: *Le gusta poner peros a todo lo que hago.* ∎ conj. **2** Enlace gramatical coordinante con valor adversativo; mas: *El proyecto es bueno pero muy utópico.* **3** En principio de oración, se utiliza para dar énfasis o mayor fuerza de expresión a lo que se dice: *¡Pero qué guapo es mi niño! Pero ¿dónde vas tan deprisa?* **4** ‖**pero que muy;** antepuesto a un adjetivo o un adverbio, refuerza lo que éstos indican: *Con la llegada de su hijo está pero que muy feliz.* □ ETIMOL. Del latín *per hoc* (por esto, por lo tanto). □ MORF. La acepción 1 se usa más en plural.

perogrullada s.f. *col.* Verdad o certeza que, por ser tan evidentes, resultan simples o tontas si se dicen.

perogrullo ‖**de Perogrullo;** *col.* Tan evidente o conocido que resulta tonto o simple decirlo. □ ETIMOL. De *Pero* (Pedro) y *grullo* (cateto, palurdo). □ SINT. La RAE sólo lo registra en la expresión *verdad de Perogrullo.*

perol s.m. Recipiente con forma de media esfera, que se utiliza para cocinar. □ ETIMOL. Del catalán *perol.*

perola s.f. Perol pequeño.

peroné s.m. Hueso largo y delgado de la pierna, situado en su parte externa, junto a la tibia. □ ETIMOL. Del francés *peroné.*

peronismo s.m. Sistema y movimiento políticos fundados por el general Juan Domingo Perón (presidente argentino entre 1946 y 1955).

perorar v. *col.* Pronunciar un discurso: *Cuando te pones a perorar sobre el sentido de la vida no hay quien te soporte.* □ ETIMOL. Del latín *perorare.* □ USO Tiene un matiz despectivo.

perorata s.f. Discurso o razonamiento molestos, inoportunos o fastidiosos. □ USO Tiene un matiz despectivo.

perpendicular adj./s.f. Referido esp. a una línea o a un plano, que forman ángulo recto con otros. □ ETIMOL. Del latín *perpendicularis.* □ MORF. Como adjetivo es invariable en género.

perpendicularidad s.f. Relación entre una recta o un plano que forman ángulo recto con otros.

perpetración s.f. Realización de un delito o de una falta grave.

perpetrar v. Referido a un delito o a una falta grave, cometerlos o consumarlos: *Perpetró el crimen sin ayuda de cómplices.* □ ETIMOL. Del latín *perpetrare.* □ PRON. Incorr. *[perpetrear].

perpetuación s.f. Conservación durante mucho tiempo o para siempre.

perpetuar v. Hacer durar para siempre o por mucho tiempo: *Las estatuas perpetúan la imagen de las grandes personalidades. Su obra literaria se perpetuará a lo largo de los años.* □ ETIMOL. Del latín *perpetuare.* □ ORTOGR. La *u* lleva tilde en los presentes, excepto en las personas *nosotros* y *vosotros* → ACTUAR.

perpetuidad s.f. Duración sin fin o muy larga.

perpetuo, tua adj. **1** Que dura o que permanece mucho tiempo o para siempre. **2** Referido a un cargo o a un puesto, que pueden ser desempeñados por sus titulares de manera ininterrumpida hasta su jubilación. □ ETIMOL. Del latín *perpetuus* (continuo, sin interrupción).

perplejidad s.f. Duda o confusión del que no sabe qué hacer o qué pensar en una determinada situación.

perplejo, ja adj. Dudoso o confuso ante lo que se debe hacer o pensar en una determinada situación. □ ETIMOL. Del latín *perplexus* (embrollado).

perra s.f. Véase **perro, rra.**

perrera s.f. Véase **perrero, ra.**

perrería s.f. *col.* Hecho o dicho malintencionados que causan un perjuicio; faena.

perrero, ra ‖ s. **1** Persona que se dedica profesionalmente a recoger los perros abandonados o vagabundos. **2** Persona que cuida o que tiene a su cargo los perros de caza. ‖ s.f. **3** Lugar o sitio en el que se encierra a los perros. **4** Coche o furgoneta municipales destinados a la recogida de perros vagabundos. [**5** En zonas del español meridional, caseta para perros.

[**perrilla** s.f. En zonas del español meridional, orzuelo.

perrito ‖**perrito (caliente);** pan blando y alargado con una salchicha dentro a la que generalmente se le añade mostaza o salsa de tomate. □ ETIMOL. Traducción del inglés *hot-dog.*

perro, rra ‖ adj. **1** *col.* Muy malo o indigno. ‖ s. **2** Mamífero cuadrúpedo, doméstico, con un olfato muy fino, y que se suele emplear como animal de compañía, de vigilancia o para la caza; can. [icon] perro **3** Persona despreciable, malvada o miserable. ‖ s.f. **4** *col.* Rabieta o llanto fuerte y seguido, esp. los de un niño. **5** Deseo muy grande o exagerado, o idea fija. **6** *col.* Dinero o riqueza. **7** ‖**atar los perros con longaniza;** *col.* Ser rico y espléndido. ‖**como el perro y el gato;** referido a la forma de relacionarse dos personas, muy mal. ‖**de perros;** *col.* Muy malo o muy desagradable. ‖{echar/soltar} **los perros a** alguien; *col.* Regañarlo o echarle una bronca. ‖**perra chica;** *col.* Moneda antigua de poco valor. ‖**perra gorda;** *col.* Antigua moneda de diez céntimos. ‖ [(perro) **Alaska malamute;** el de la raza que se caracteriza por tener pelo abundante, negro y blanco, las orejas en punta y generalmente ojos azules; alaska malamute. ‖**perro caliente;** en zonas del español meridional, perrito caliente. ‖**perro {de aguas/de lanas};** el de la raza que se caracteriza por tener cuerpo grueso, cuello corto, cabeza redonda, orejas caídas y pelo largo, rizado y abundante. ‖**perro de Terranova;** el de la raza que se caracteriza por tener gran tamaño, pelo largo, sedoso y ondulado, de color blanco, con grandes manchas negras y cola algo encorvada hacia arriba; terranova. ‖ (perro) **faldero; 1** El de tamaño pequeño, apreciado como animal de compañía. *col.* [**2** Persona que muestra total sumisión y obediencia ante otra. ‖**perro gozque;** el pequeño y muy ladrador. ‖**perro policía;** el que se caracteriza por estar adiestrado para ayudar a la policía en sus funciones. ‖ [**perro salchicha;** *col.* El que se caracteriza por tener cuerpo y hocico alargados, patas cortas y orejas caídas. ‖ [**perro San Bernardo;** el de la raza que se caracteriza por tener cuerpo y cabeza de gran tamaño y pelo blanco con manchas marrones; san bernardo. ‖**perro viejo;** *col.* Persona muy astuta y con mucha experiencia, por lo que resulta difícil engañarla. □ ETIMOL. De origen incierto. □ MORF. La acepción 6 se usa más en plural. □ SINT. Las acepciones 5 y 6 se usan más con el verbo *coger.* □ USO 1. En la acepción 1, es despectivo. 2. La locución *atar los perros con longaniza* se usa más en expresiones interrogativas y negativas.

perruno, na adj. Del perro, propio de él o relacionado con él.

persa ‖ adj./s. **1** De Persia o relacionado con esta antigua nación asiática. ‖ s.m. **2** Lengua indoeuropea de esta nación y otros países. □ MORF. 1. Como

PERRO

PERROS DE PASTOR

collie

pastor alemán

pastor de Brie

PERROS DE GUARDA Y DEFENSA

Alaska malamute

boxer

de Terranova

San Bernardo

bulldog

dobermann

mastín

PERROS DE CAZA

GALGOS Y PERROS DE RASTRO

basset

perro salchicha

galgo afgano

galgo español

podenco ibicenco

PERROS DE MUESTRA

pointer

cocker spaniel

setter inglés

setter irlandés

PERROS DE COMPAÑÍA

caniche

dálmata

chow-chow

chihuahua

pequinés

foxterrier

adjetivo es invariable en género. **2.** Como sustantivo es de género común: *el persa, la persa.*
persecución s.f. **1** Intento de alcanzar lo que huye. **2** Acoso con malos tratos, castigos y penas corporales que se da a una persona o a un grupo por motivos ideológicos. **3** Intento de acabar con algo que se considera negativo. □ ETIMOL. Del latín *persecutio.*
persecutorio, ria adj. Relacionado con la persecución o que la implica.
perseguidor, -a adj./s. Que persigue.
perseguir v. **1** Referido a una persona, esp. si huye, seguirla para alcanzarla: *El ladrón logró despistar a los policías que lo perseguían.* **2** Seguir a todas partes, con frecuencia o de forma importuna: *Un vendedor me perseguía para que le comprara una enciclopedia a plazos.* **3** Molestar, hacer sufrir o procurar hacer el mayor daño posible: *Los primeros cristianos fueron muy perseguidos en Roma.* **4** Referido a algo que se desea, tratar de obtenerlo poniendo todos los medios posibles: *Los jugadores perseguían el gol del empate.* **5** Referido a una persona, a una falta o a un delito, proceder judicialmente contra ellos: *Persiguen el tráfico de drogas para acabar con ese mal de la sociedad actual.* □ ETIMOL. Del latín *persequi.* □ MORF. Irreg. →SEGUIR.
perseverancia s.f. Firmeza y constancia en la ejecución de propósitos y resoluciones o en la realización de algo.
[perseverante adj. Que persevera. □ MORF. Invariable en género.
perseverar v. Mantenerse constante en la realización o en la continuación de algo: *Para ser un campeón olímpico hay que perseverar en los entrenamientos. Debes perseverar hasta conseguir lo que quieres.* □ ETIMOL. Del latín *perseverare* (persistir en la seriedad). □ SINT. Constr. *perseverar EN algo.*
persiana s.f. **1** Cierre formado por tablitas o láminas largas y estrechas, que se coloca en el hueco de puertas y ventanas, y que se puede subir o bajar para regular el paso de la luz. **2** ‖ **[(persiana) veneciana**; la que está formada por tiras delgadas de aluminio con las que se puede graduar la entrada de la luz girando una varilla. □ ETIMOL. Del francés *persienne.*
persianista s. Persona que se dedica profesionalmente a la construcción, la colocación o el arreglo de persianas. □ MORF. Es de género común: *el persianista, la persianista.*
persignar v. Hacer la señal de la cruz en la frente, en la boca y en el pecho, y santiguarse después: *El sacerdote persigna al bebé durante el bautismo. Se persignó y oró implorando la ayuda divina.* □ ETIMOL. Del latín *persignare.* □ SEM. Dist. de *santiguar* (hacer la señal de la cruz desde la frente al pecho y desde un hombro al otro).
persistencia s.f. **1** Insistencia, firmeza o constancia en algo. **2** Duración de algo por largo tiempo.
[persistente adj. **1** Que persiste. **2** Referido esp. a una hoja, que perdura en la planta una vez finalizada su función biológica. □ MORF. Invariable en género.
persistir v. **1** Mantenerse firme o constante: *Si persistes, lograrás lo que te propones. Persisten en ir de excursión este fin de semana, por más que llueva o nieve.* **2** Durar por largo tiempo: *Si persiste la sequía, se perderá la cosecha.* □ ETIMOL. Del latín

persistere. □ SINT. Constr. de la acepción 1: *persisti EN algo.*
persona s.f. **1** Individuo de la especie humana. **2** Hombre o mujer cuyo nombre se ignora o se omite **3** Hombre o mujer valorados por su capacidad, su disposición o su prudencia. **4** En lingüística, categoría gramatical propia del verbo y de algunos pronombres, que designa el individuo que habla, al que se habla o a aquel o aquello de los que se habla. **5** En teología, Padre, Hijo o Espíritu Santo. **6** ‖ **en persona**; por uno mismo o estando presente. ‖ **persona física**; en derecho, cualquier individuo de la especie humana. ‖ **persona grata**; la que es bien aceptada en un grupo social. ‖ **persona (jurídica social)**; en derecho, entidad pública o privada susceptible de obligaciones. ‖ **primera persona**; la que designa al hablante. ‖ **segunda persona**; la que designa al oyente. ‖ **[ser persona de orden**; respetar las convenciones socialmente establecidas. ‖ **tercera persona**; designa lo que no es ni el hablante ni el oyente. □ ETIMOL. Del latín *persona.* □ USO *Persona grata* se usa más en expresiones negativas.
personación s.f. En derecho, comparecencia formal como parte implicada en un juicio.
personaje s.m. **1** Persona que sobresale o destaca por algo. **2** En una obra de ficción, ser ideado por el autor y que interviene en la acción de ésta.
personal ▌ adj. **1** De la persona, o propio o particular de ella. **[2** En lingüística, que se refiere o que se asocia a las personas gramaticales: *Las formas 'personales' del verbo son las de todos los tiempos excepto el infinitivo, el gerundio y el participio.* ▌ s.m. **3** Conjunto de las personas que trabajan en una misma empresa u organismo. **[4** Mano de obra que emplea una empresa. **[5** col. Gente o conjunto de personas. ▌ s.f. **6** En baloncesto, falta que comete un jugador al tocar o empujar a otro del equipo contrario. □ ETIMOL. Del latín *personalis.* □ MORF Como adjetivo es invariable en género.
personalidad s.f. **1** Conjunto de cualidades o de características que configuran la forma de ser de una persona, esp. si son originales o destacables. **2** Manera de ser o de hacer las cosas que diferencia a una persona de las demás. **3** Persona que destaca en una actividad o en un ambiente social.
personalismo s.m. **1** Adhesión a una persona o a las tendencias que representa. **2** Tendencia a subordinar el interés común a intereses personales o propios.
personalizar v. **1** Referirse a una persona en particular al decir algo: *Nos regañó sin personalizar, pero todos sabíamos a quién se estaba refiriendo.* **2** Dar carácter personal, o adaptar al gusto o a las necesidades personales: *En esta academia tenemos un programa personalizado para cada alumno.* □ ORTOGR. La *z* se cambia en *c* delante de *e* →CAZAR.
personarse v.prnl. Acudir o presentarse personalmente a un sitio: *La policía se personó en el lugar del atraco.* □ ORTOGR. Se admite también *apersonarse.*
personificación s.f. **1** Representación en forma de persona de algo que no lo es. **2** Encarnación o imagen viva. **3** Figura retórica consistente en atribuir a un ser irracional o a una cosa inanimada o abstracta cualidades o acciones propias de los seres humanos; prosopopeya.

personificar v. **1** Referido esp. a un animal o a una cosa, atribuirles acciones o cualidades propias del ser humano: *Los fabulistas personifican a los animales para que su comportamiento sirva como ejemplo moralizante.* **2** Referido esp. a una idea o a un sistema, representarlos o encarnarlos: *La historia personifica el Imperio español en Carlos V.* □ ETIMOL. De *persona* y el latín *facere* (hacer). □ ORTOGR. La *c* se cambia en *qu* delante de *e* →SACAR.

perspectiva s.f. **1** Técnica para representar en una superficie plana los objetos en la forma y en la disposición en las que aparecen a la vista. **2** Aspecto general que se presenta a la vista. **3** Posibilidad que se puede prever, esp. si es beneficiosa. **[4** Punto de vista o manera de considerar algo. **[5** Alejamiento o distancia desde los que se observa o se considera algo. □ ETIMOL. Del latín *perspectivus* (relativo a lo que se mira). □ MORF. La acepción 3 se usa más en plural.

[perspectivismo s.m. **1** Pensamiento filosófico que sostiene que la realidad sólo puede ser captada desde el punto de vista que cada uno tiene. **2** Técnica literaria, esp. en novela, que consiste en presentar personajes y acontecimientos desde distintos puntos de vista.

perspicacia s.f. Facilidad para darse cuenta de las cosas o para entenderlas con agudeza.

perspicaz adj. Que se da cuenta de las cosas con agudeza y las entiende con facilidad. □ ETIMOL. Del latín *perspicax* (de vista penetrante). □ MORF. Invariable en género.

persuadir v. Referido a una persona, convencerla para que haga algo: *Lo persuadí para que continuara sus estudios. Persuádete de que la culpa no ha sido tuya.* □ ETIMOL. Del latín *persuadere*.

persuasión s.f. Capacidad de convencer a alguien para que haga algo.

persuasivo, va adj. Que tiene fuerza y eficacia para persuadir.

pertenecer v. **1** Ser propiedad de alguien: *Me lo regalaste y ahora me pertenece.* **2** Formar parte de algo: *Pertenece a un partido político progresista.* □ ETIMOL. Del latín *pertinere.* □ MORF. Irreg. →PARECER. □ SINT. Constr. *pertenecer A algo.*

[perteneciente adj. Que pertenece a algo o forma parte de ello. □ MORF. Invariable en género.

pertenencia s.f. **1** Lo que pertenece a una persona o a una cosa, o lo que forma parte de ellas. **[2** Integración en un conjunto. □ MORF. La acepción 1 se usa más en plural.

pértiga s.f. Vara larga, esp. la que se utiliza para practicar una de las modalidades atléticas de salto de altura. □ ETIMOL. Del latín *pertica.*

pertinaz adj. **1** Referido a una persona, que es obstinada, terca o muy tenaz en sus actos y opiniones. **2** Que dura mucho y que se mantiene sin cambios. □ ETIMOL. Del latín *pertinax.* □ MORF. Invariable en género.

pertinencia s.f. Conveniencia, oportunidad o adecuación de algo.

pertinente adj. **1** Que pertenece o que se refiere a algo. **2** Apropiado, oportuno o que viene a propósito. □ MORF. Invariable en género.

pertrechar v. Abastecer de lo necesario o proporcionarlo y prepararlo para la ejecución de algo: *Antes de salir de maniobras pertrecharon a los soldados con armas, munición y víveres. Nos pertrecha-*

mos de víveres y tiendas para la acampada. □ ETIMOL. De *pertrecho.* □ SINT. Constr. *pertrechar {CON/DE} algo.*

pertrechos s.m.pl. Instrumentos útiles para la realización de determinada actividad, esp. referido a todo lo necesario para una operación militar. □ ETIMOL. Del latín *protractum* (producto).

perturbación s.f. **1** Alteración del orden o del desarrollo normales de algo. **2** Trastorno de las facultades mentales.

perturbado, da s. Persona que tiene trastornadas sus facultades mentales.

perturbador, -a adj./s. Que perturba.

perturbar v. **1** Referido esp. a una persona o a una situación, alterar o trastornar el orden o el desarrollo normales que tenían: *Los ruidos perturban el sueño del niño.* **2** Quitar la paz o la tranquilidad: *Me perturba pensar el incierto futuro que me espera.* **3** Hacer perder el juicio o volver loco: *Las desgracias lo han perturbado. Se perturbó al saber que él fue el culpable del accidente.* □ ETIMOL. Del latín *perturbare.*

peruano, na adj./s. De Perú (país suramericano), o relacionado con él.

perversidad s.f. Maldad muy grande e intencionada.

perversión s.f. Perturbación o corrupción, esp. si son morales, causadas por malas doctrinas o por malos ejemplos.

perverso, sa adj./s. Que tiene mucha maldad, o que hace daño intencionadamente. □ ETIMOL. Del latín *perversus.*

[pervertido, da adj./s. Con costumbres sexuales que se consideran negativas o inmorales. □ USO Es despectivo.

pervertidor, -a adj./s. Que pervierte.

pervertir v. Corromper o dañar con malas doctrinas o con malos ejemplos: *No leas esta basura, porque se te va a pervertir el gusto por la buena literatura. Sus padres dicen que su hijo se pervirtió por culpa de las malas compañías.* □ ETIMOL. Del latín *pervertere* (trastornar). □ MORF. Irreg. →SENTIR.

pervivencia s.f. Permanencia con vida a lo largo del tiempo o a pesar de los inconvenientes.

pervivir v. Permanecer o seguir vivo a pesar del tiempo o de los inconvenientes: *Su recuerdo ha pervivido en mí a pesar del tiempo transcurrido.* □ ETIMOL. Del latín *pervivere.*

pesa s.f. **1** Pieza, generalmente metálica, que se utiliza como término de comparación para determinar el peso de un cuerpo mediante una balanza. **2** Pieza que se cuelga de una cuerda y que sirve de contrapeso o para dar movimiento a algunos relojes. **3** Pieza muy pesada que se usa en halterofilia o para hacer gimnasia. □ ETIMOL. De *pesar.* □ MORF. La acepción 3 se usa más en plural.

pesadez s.f. **1** Lentitud, tranquilidad o duración excesivas. **2** Lo que resulta trabajoso o exige mucha atención. **3** Lo que resulta aburrido, molesto o insoportable. **4** Sensación de peso o de embotamiento.

pesadilla s.f. **1** Sueño que produce angustia o temor. **2** Preocupación grave y continua. □ ETIMOL. De *pesada.*

pesado, da ▌ adj. **1** Que tiene mucho peso. **2** Que es trabajoso o que precisa mucha atención. **3** Que tiene o que produce una sensación de pesadez. **4** Ofensivo, molesto o que enfada. **5** Referido al sueño, que es intenso o profundo. **6** Muy lento o muy tranquilo. **7** Aburrido o que no despierta ningún interés. ▮ adj./s. **8** Referido a una persona, que es excesivamente tranquila, o que resulta difícil de aguantar. ☐ MORF. En la acepción 8, la RAE sólo lo registra como adjetivo.

pesadumbre s.f. Sentimiento de disgusto o de pena.

pesaje s.m. Determinación del peso de un cuerpo y forma de hacerlo.

pésame s.m. Expresión con la que se indica a una persona allegada a un difunto, que se participa en su dolor y en su pena; condolencia: *dar el pésame.* ☐ ETIMOL. De *pesar* (dolor) y *me*.

pesar ▮ s.m. **1** Sentimiento de pena o de dolor interior. **2** Lo que causa este sentimiento. **3** Arrepentimiento o dolor que se sienten por algo mal hecho. ▮ v. **4** Tener un peso determinado: *¿Cuánto pesas? Yo peso poco.* **5** Tener mucho peso: *Te ayudo a llevar esta caja, que pesa.* **6** Influir o tener valor o estimación: *Los comentarios de este periódico pesan mucho en la opinión pública.* **7** Referido a un cuerpo, determinar su peso o su masa mediante una balanza u otro instrumento adecuado: *Esta balanza pesa mal porque está estropeada. Me he pesado esta mañana y he adelgazado dos kilos.* **8** Referido a un hecho o a un dicho, causar dolor o arrepentimiento: *No sabes cómo me pesa haberte ofendido.* **9** ‖ a {mi/tu/...} **pesar**; contra {mi/tu/...} *voluntad: Lo hice obligado, y muy a mi pesar.* ‖ **a pesar de** algo; contra la dificultad o la resistencia que esto ofrece: *A pesar de que salí tarde de casa, llegué a tiempo a la reunión.* ‖ **a pesar de los pesares**; *col.* Contra todos los obstáculos: *A pesar de los pesares, conseguí salirme con la mía.* ‖ **pese a** algo; contra la dificultad o la resistencia que ofrece: *Pese a todas las dificultades, logró terminar con éxito su trabajo.* ☐ ETIMOL. Las acepciones 1-3, del verbo *pesar*. Las acepciones 4-8, del latín *pensare*.

pesaroso, sa adj. Arrepentido o con pesadumbre.

pesca s.f. **1** Actividad que consiste en coger o sacar animales acuáticos de dentro del agua. ✿ pesca **2** Conjunto de animales pescados o que se pueden pescar. **3** ‖ **pesca de arrastre**; la realizada por embarcaciones que llevan las redes a remolque. ‖ **pesca de bajura**; la realizada por pequeñas embarcaciones cerca de la costa. ‖ **[y toda la pesca**; *col.* En una enumeración, expresión que se usa para sustituir su parte final y evitar detallarla.

pescadería s.f. Establecimiento o lugar en el que se vende pescado.

pescadero, ra s. Persona que se dedica profesionalmente a la venta de pescado.

pescadilla s.f. Cría de la merluza.

pescado s.m. **1** Pez sacado del agua, muerto y destinado a la alimentación. **2** ‖ **pescado azul**; el que tiene abundante grasa. ‖ **pescado blanco**; el que tiene poca grasa. ☐ ETIMOL. Del latín *piscatus*.

pescador, -a s. Persona que se dedica a la pesca, esp. si ésta es su profesión.

pescante s.m. En algunos carruajes, asiento exterior desde el que se gobiernan los caballos o las mulas.

pescar v. **1** Coger o sacar animales acuáticos de dentro del agua: *Prepara la caña, que mañana vamos a ir a pescar. Se hizo una foto al lado del atún que pescó.* **2** *col.* Sacar de dentro del agua: *He tenido muy mala suerte y sólo he pescado una bota.* **3** *col.* Coger, agarrar o tomar: *Estuve todo el día buscándolo y al final lo pesqué cuando salía de la oficina.* **4** *col.* Entender, comprender o captar el sig-

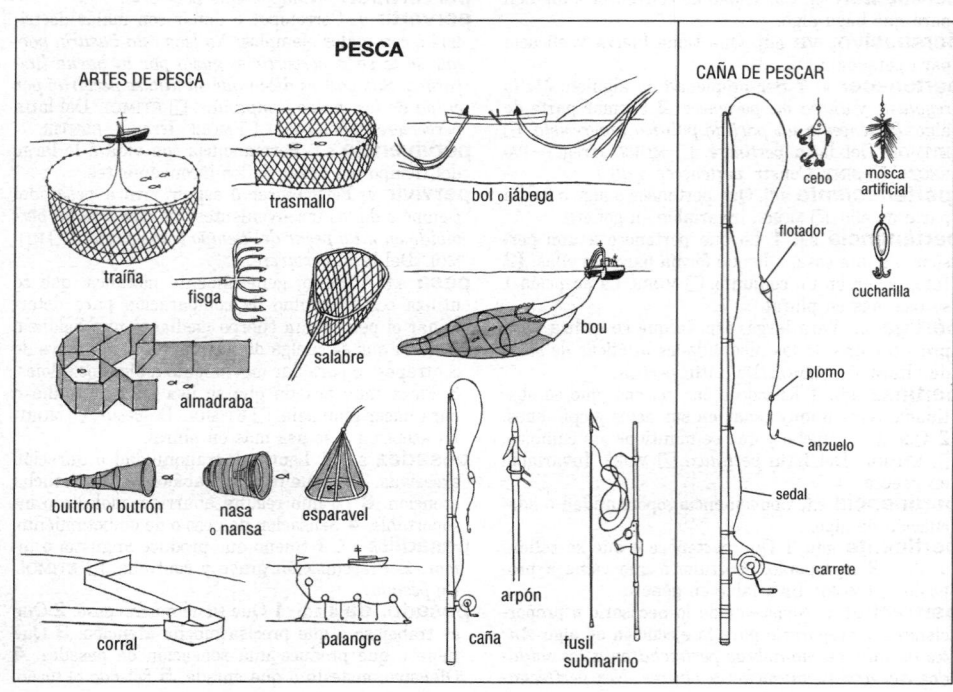

PESCA

ARTES DE PESCA

trasmallo

bol o jábega

traíña

fisga

salabre

bou

almadraba

buitrón o butrón

nasa o nansa

esparavel

corral

palangre

caña

arpón

fusil submarino

CAÑA DE PESCAR

cebo

mosca artificial

flotador

cucharilla

plomo

anzuelo

sedal

carrete

nificado: *Repíteme otra vez el chiste, porque todavía no lo he pescado.* **5** col. Referido esp. a una enfermedad o a un estado de ánimo, contraerlos, adquirirlos o alcanzarlos; coger: *Si no te abrigas vas a pescar un resfriado. El sábado pescó una buena borrachera.* **6** col. Referido esp. a una persona, sorprenderla haciendo algo a escondidas: *Lo pescaron copiando en un examen.* **7** col. Conseguir astutamente: *Presumía de que nunca se casaría, pero llegó ella y lo pescó.* □ ETIMOL. Del latín *piscari.* □ ORTOGR. La c se cambia en *qu* delante de *e* →SACAR.

pescozón s.m. Golpe dado con la mano en el pescuezo o en la cabeza.

pescuezo s.m. **1** En el cuerpo de una persona o en un animal, parte que va desde la nuca hasta el tronco. **2** ‖{retorcer/torcer} **el pescuezo** a alguien; col. Matarlo. □ ETIMOL. Del latín *post* (detrás) y *cuezo* (cogote).

pesebre s.m. **1** Lugar en el que comen algunos animales domésticos. **2** Representación con figuras del nacimiento de Jesucristo (en el cristianismo, hijo de Dios). □ ETIMOL. Del latín *praesepe.*

peseta s.f. **1** Unidad monetaria española. **2** Moneda con el valor de esta unidad. **3** ‖**mirar la peseta**; ser ahorrativo y tratar de gastar la mínima cantidad de dinero. □ ETIMOL. De *peso* (moneda).

pesetero, ra adj./s. col. Referido a una persona, que concede mucha importancia al dinero. □ MORF. La RAE sólo lo registra como adjetivo. □ USO Tiene un matiz despectivo.

pesimismo s.m. Tendencia a ver y a juzgar las cosas teniendo en cuenta sus aspectos menos favorables. □ ETIMOL. De *pésimo.*

pesimista adj./s. Que tiende a ver y a juzgar las cosas con pesimismo o del modo menos favorable. □ MORF. 1. Como adjetivo es invariable en género. 2. Como sustantivo es de género común: *el pesimista, la pesimista.*

pésimo, ma superlat. irreg. de **malo.** □ MORF. Incorr. **más pésimo* o **pesimísimo.*

peso s.m. **1** En física, fuerza con la que la Tierra atrae a un cuerpo. **2** Cantidad que, por ley o convenio, debe pesar algo. **3** En algunos deportes, número de kilos que deben pesar los deportistas y que sirve para establecer las distintas categorías en las que compiten. **4** Lo que resulta muy pesado. **5** Instrumento que sirve para pesar. **6** Unidad monetaria de distintos países. **7** En atletismo, bola de hierro o de acero que se usa en una de las pruebas de lanzamiento. **8** Influencia o valor. **9** Carga u obligación. **10** Dolor o preocupación. **11** ‖**caer algo por su (propio) peso**; resultar evidente. ‖**peso atómico**; el de un átomo, que se halla tomando como referencia la doceava parte del isótopo 12 del carbono. ‖**peso específico**; en física, el de un cuerpo por unidad de volumen. ‖**peso gallo**; en boxeo, *categoría inferior a la de peso pluma y superior a la de peso mosca.* ‖**peso ligero**; en boxeo, categoría inferior a la de peso pesado y superior a la de peso pluma. ‖**peso molecular**; el de una molécula, que se halla sumando los pesos atómicos que entran a formar parte en un compuesto. ‖**peso mosca**; en boxeo, categoría inferior a la de peso gallo. ‖**peso pesado**; **1** En boxeo, categoría superior a la de peso ligero. [**2** Persona muy importante. ‖**peso pluma**; en boxeo, categoría inferior a la de peso ligero y superior a la de peso gallo. ‖[**peso welter**; en boxeo,

categoría inferior a la de peso pesado y en parte equivalente a la de peso ligero. □ ETIMOL. Del latín *pensum* (peso de lana por hilar).

pespuntar v. →**pespuntear.**

pespunte s.m. Labor de costura que se hace dando pequeñas puntadas seguidas que quedan unidas. □ ETIMOL. Del latín *post* (detrás) y *punto.*

pespuntear v. Coser con pespunte; pespuntar: *Pespunteó los bajos del pantalón.*

pesquero, ra ▌ adj. **1** De la pesca o relacionado con esta actividad. [**2** col. Referido a un pantalón largo, que no llega a cubrir el tobillo. ▌ s.m. **3** Embarcación que se dedica a la pesca. ✍ embarcación

pesquis s.m. col. Inteligencia o perspicacia, o gran capacidad de entendimiento; cacumen. □ MORF. Invariable en número.

pesquisa s.f. Indagación o investigación para descubrir algo. □ ETIMOL. Del antiguo *pesquerir* (investigar).

pestaña s.f. **1** Pelo que nace en el borde de los párpados. **2** Parte estrecha y saliente en el borde de algo. **3** ‖**pestaña vibrátil**; en algunos protozoos y en algunas células, filamento delgado y corto, localizado en su membrana junto con otros muchos, todos los cuales actúan conjuntamente como aparato locomotor o con otros fines; cilio. □ ETIMOL. De origen incierto.

pestañear v. **1** Abrir y cerrar los párpados rápida y repetidamente: *Pestañeo mucho porque tengo una mota de polvo en el ojo.* **2** ‖**sin pestañear**; **1** Con mucha atención: *La conferencia era tan interesante que la escuché sin pestañear.* **2** Sin titubear o con prontitud: *Obedeció mis órdenes sin pestañear.*

pestañeo s.m. Movimiento rápido y repetido de los párpados.

[**pestazo** s.m. col. Olor muy desagradable.

peste ▌ s.f. **1** Enfermedad contagiosa y grave que causa un gran número de muertos. **2** Enfermedad que causa gran mortandad. **3** Mal olor; pestilencia. **4** Lo que resulta malo o negativo, o puede ocasionar graves daños. **5** col. Lo que resulta muy molesto. ▌ pl. **6** Palabras de enojo o de amenaza. **7** ‖**decir pestes** de alguien; col. Hablar mal de él. □ ETIMOL. Del latín *pestis* (ruina, destrucción, epidemia). □ USO *Decir pestes* se usa también con los verbos *contar, hablar* y *echar.*

pesticida adj./s.m. Referido a un producto, que se usa para combatir una plaga u otra cosa dañina y abundante. □ ETIMOL. De *peste* y *-cida* (que mata). □ MORF. Como adjetivo es invariable en género.

pestífero, ra adj. **1** Que tiene muy mal olor. **2** Que es muy malo o que puede ocasionar graves daños. □ ETIMOL. Del latín *pestifer*, y éste de *pestis* (peste) y *ferre* (llevar). •

pestilencia s.f. Mal olor; peste.

pestilente adj. Que desprende mal olor. □ ETIMOL. Del latín *pestilens.* □ MORF. Invariable en género.

pestillo s.m. **1** Pieza que sirve para asegurar puertas y ventanas. **2** En una cerradura, pieza que entra en el agujero correspondiente al girar la llave. □ ETIMOL. Del latín *pestellus.*

pestiño s.m. **1** Dulce que se hace friendo una masa de harina y huevos, y que se baña con miel. [**2** col. Lo que resulta pesado o molesto. □ ETIMOL. Del latín *pistus* (batido, majado).

pestorejo s.m. Parte posterior del cuello, esp. cuando es gruesa y abultada. □ ETIMOL. Del latín *post auriculum* (detrás de la oreja).

[peta s.m. *col.* →petardo.
petaca s.f. **1** Estuche que se usa para llevar cigarros o tabaco picado. **[2** Botella plana de pequeño tamaño que se usa para llevar algún licor. **3** En zonas del español meridional, maleta. **4** *col.* En zonas del español meridional, nalga. **5** ‖ **[hacer la petaca;** *col.* Hacer un broma que consiste en doblar la sábana superior de la cama para que al acostarse no se puedan estirar las piernas.
pétalo s.m. En una flor, cada una de las partes iguales que forman la corola; hoja. □ ETIMOL. Del griego *pétalon* (hoja). ✍ flor, hoja
petanca s.f. Juego que consiste en lanzar primero una bola pequeña y después otras de mayor tamaño que deben quedar lo más cerca posible de la pequeña.
petar v. *col.* Apetecer o agradar: *Hoy me peta ir al cine.* □ ETIMOL. Quizá del catalán *petar* (peer), en el sentido de *tener el capricho de hacer algo.*
petardo s.m. **1** Tubo de un material poco resistente, relleno de un explosivo para que al prenderle fuego produzca una detonación. **[2** *col.* Lo que resulta aburrido o de mala calidad. **[3** *col.* Cigarrillo de hachís, marihuana u otra droga, generalmente mezclado con tabaco; porro. □ ETIMOL. Del francés *pétard*, y éste de *péter* (peer, estallar). □ USO En la acepción 3, se usa mucho la forma abreviada *peta.*
petate s.m. **1** Lío de ropa, esp. el de un soldado, un marinero o un penado. **2** *col.* Equipaje de un viajero. **[3** En zonas del español meridional, tejido de palma con el que se hacen distintos objetos. **4** En zonas del español meridional, estera hecha con este tejido que se usa para dormir sobre ella. **5** ‖ **liar el petate;** *col.* Abandonar una vivienda o un trabajo, esp. si es por despido.
petenera s.f. **1** Cante flamenco de tono grave y de gran intensidad dramática, con coplas de cuatro versos octosílabos. **2** ‖ **salir por peteneras;** *col.* Hacer o decir algo que no tiene relación con lo que se está tratando. □ ETIMOL. De origen incierto.
petición s.f. Ruego o solicitud. □ ETIMOL. Del latín *petitio.*
peticionario, ria adj./s. Que pide o solicita oficialmente algo.
petimetre, tra s. Persona que cuida excesivamente su aspecto y que sigue demasiado las modas. □ ETIMOL. Del francés *petit-maître* (señorito).
petirrojo s.m. Pájaro de plumaje rojo en el cuello, la frente, la garganta y el pecho, y verdoso en el dorso, que es muy común en la península Ibérica. □ ETIMOL. De *peto* y *rojo.* □ MORF. Es un sustantivo epiceno: *el petirrojo macho, el petirrojo hembra.*
petiso, sa ∎ adj./s. **1** En zonas del español meridional, persona de baja estatura. ∎ s. **2** En zonas del español meridional, caballo pequeño. □ ORTOGR. En la acepción 1, se admite también *petizo.* □ MORF. En la acepción 1, la RAE sólo lo registra como sustantivo. 2. En la acepción 2, la RAE sólo lo registra como adjetivo.
[petisú s.m. Pastel pequeño hecho con una masa de harina azucarada y frita, rellena de crema o de nata. □ ETIMOL. Del francés *petit chou.* □ MORF. Aunque su plural en la lengua culta es *petisúes,* se usa mucho *petisús.* □ USO Es innecesario el uso del galicismo *petit chou.*
[petit chou ‖ →petisú. □ PRON. [petisú]. □ USO Es un galicismo innecesario.

[petit comité (galicismo) ‖ **en petit comité;** referido al modo de hacer algo, entre pocas personas y sin contar con los demás. □ PRON. [en petí comité].
[petit point (galicismo) ‖ Tipo de bordado sobre un tejido en medio punto de cruz. □ PRON. [petí puán].
petitorio, ria adj. De la petición o relacionado con ella. □ ETIMOL. Del latín *petitorius.*
petizo, za adj./s. En zonas del español meridional, persona de baja estatura. □ ORTOGR. Se admite también *petiso.* □ MORF. La RAE sólo lo registra como adjetivo.
peto s.m. **1** En una armadura, parte de la coraza que protegía el pecho. ✍ armadura **2** Pieza que se coloca sobre el pecho, esp. si va unida a una prenda de vestir. **[3** Prenda de vestir con una pieza que cubre el pecho. **[4** En tauromaquia, defensa de cuero y lana que protege el pecho y el costado derecho del caballo del picador. □ ETIMOL. Del italiano *petto* (pecho).
petrarquismo s.m. Corriente literaria que parte de la imitación e influencia de la obra de Petrarca (poeta italiano del siglo XIV), esp. de su poemario amoroso titulado 'Canzoniere'.
petrel s.m. Ave palmípeda común en todos los mares, de plumaje pardo negruzco, que se alimenta de peces, moluscos y crustáceos que captura nadando en las crestas de las olas y que anida entre las rocas de las costas desiertas. □ ETIMOL. De origen incierto. □ MORF. Es un sustantivo epiceno: *el petrel macho, el petrel hembra.*
pétreo, a adj. De piedra, roca o peñasco, o con sus características. □ ETIMOL. Del latín *petreus.*
petrificación s.f. Transformación en piedra o endurecimiento como el de una piedra.
petrificar v. **1** Transformar o convertir en piedra, o dar la dureza de la piedra: *Los fósiles son animales o plantas que el paso del tiempo ha petrificado. El cemento se petrifica cuando se seca.* **2** Referido a una persona, dejarla inmóvil de asombro o de terror: *La visión del accidente petrificó su semblante. Su respuesta me petrificó y no supe qué contestar.* □ ETIMOL. Del latín *petra* (piedra) y *facere* (hacer). □ ORTOGR. La c se cambia en *qu* delante de *e* →SACAR.
petro- Elemento compositivo que significa 'piedra' (*petroglifo*) o 'petróleo' (*petrodólar, petroquímica*). □ ETIMOL. Del griego *petro-,* y éste de *pétra* (roca, piedra), o de *petróleo.*
petrodólar s.m. Dólar obtenido por los países productores de petróleo, especialmente los árabes, gracias a la venta de crudos. □ ETIMOL. De *petro-* (petróleo) y *dólar.*
petroglifo s.m. Grabado o dibujo hecho sobre piedra, que es propio de la época prehistórica o de una cultura primitiva. □ ETIMOL. De *petro-* (piedra) y *glípho* (yo grabo, esculpo).
petrolear v. **1** Pulverizar, bañar o limpiar con petróleo: *En el taller me petrolearon el motor del coche.* **2** Referido a un buque, abastecerse de petróleo: *Antes de zarpar, el buque debe petrolear.*
petróleo s.m. Líquido natural, inflamable y de color negro, formado por una mezcla de hidrocarburos, que se encuentra en yacimientos subterráneos y que es muy apreciado como fuente de energía y con fines industriales. □ ETIMOL. Del latín *petroleum,* y éste de *petra* (piedra) y *oleum* (aceite). □

MORF. Cuando se añade a una palabra para formar compuestos, puede adoptar la forma *petro-*.

petroleoquímico, ca adj./s.f. →**petroquímico**.

petrolero, ra ▮ adj. **1** Del petróleo o relacionado con él. ▮ s.m. **2** Barco preparado para el transporte de petróleo. ☐ SEM. Dist. de *petrolífero* (que contiene petróleo).

petrolífero, ra adj. Que contiene petróleo. ☐ ETIMOL. De *petróleo* y el latín *ferre* (llevar). ☐ SEM. Dist. de *petrolero* (del petróleo; barco que transporta petróleo).

petroquímico, ca ▮ adj. **1** De la petroquímica o relacionado con esta industria. ▮ s.f. **2** Industria, ciencia o técnica basadas en el empleo del petróleo o el gas natural como materias primas para la obtención de productos químicos. ☐ ETIMOL. De *petro-* (petróleo) y *química*. ☐ SEM. Es sinónimo de *petroleoquímico*. ☐ USO Aunque la RAE prefiere *petroleoquímico*, se usa más *petroquímico*.

petulancia s.f. Insolencia o presunción excesivas de quien está convencido de la propia superioridad.

[petulante adj./s. Insolente, presuntuoso o ridículamente convencido de su superioridad sobre los demás. ☐ ETIMOL. Del latín *petulans* (travieso, insolente). ☐ MORF. 1. Como adjetivo es invariable en género. 2. Como sustantivo es de género común: *el 'petulante', la 'petulante'*.

petunia s.f. **1** Planta herbácea de hojas alternas y ovaladas, flores grandes, olorosas y de diversos colores, que se cultiva mucho en jardines. **[2** Flor de esta planta. ☐ ETIMOL. Del francés antiguo *petun* (tabaco).

peúco s.m. Calcetín o botita de lana para los niños pequeños. ☐ ETIMOL. De *pie*.

peyorativo, va adj. Que expresa una idea desfavorable, despectiva o negativa. ☐ ETIMOL. Del latín *peior* (peor).

[peyote s.m. Planta de la familia del cactus, de tallo grueso y globuloso y con flores tubulares, que está cubierto de púas en forma de gancho y que contiene una sustancia cuya ingestión produce efectos narcóticos y alucinógenos.

pez s.m. **1** Animal vertebrado acuático que respira por branquias, que generalmente tiene el cuerpo cubierto de escamas y las extremidades en forma de aleta, y que se reproduce por huevos. ⚓ pez ▮ s.m.pl. **2** En zoología, tipo de estos animales. ▮ s.f. **3** Sustancia pegajosa de color oscuro, insoluble al agua, que se emplea generalmente para impermeabilizar superficies y es un residuo de la destilación del alquitrán. **4** ‖**como pez en el agua**; *col.* Cómodamente o con desenvoltura. ‖**estar pez**; *col.* No saber nada o ignorarlo todo. ‖**pez espada**; el marino, con piel sin escamas, áspera y negruzca por el lomo y blanca por el vientre, con cabeza apuntada y mandíbula superior en forma de espada de dos cortes, y cuya carne es muy apreciada para la alimentación; emperador. ‖**[pez globo**; el marino, con el cuerpo cubierto de espinas, que para defenderse se hincha de aire, con lo que se le erizan las escamas espinosas. ‖**pez gordo**; *col.* Persona con poder e influencia. ‖**pez luna**; el marino, de cuerpo muy comprimido, casi circular, que carece de aleta caudal y que tiene la piel sin escamas y de color plateado. ‖**pez martillo**; el marino, que se caracteriza por tener dos prolongaciones laterales en la cabeza, en cuyos extremos están los ojos. ‖**pez sierra**; el marino, que tiene el tercio anterior transformado en

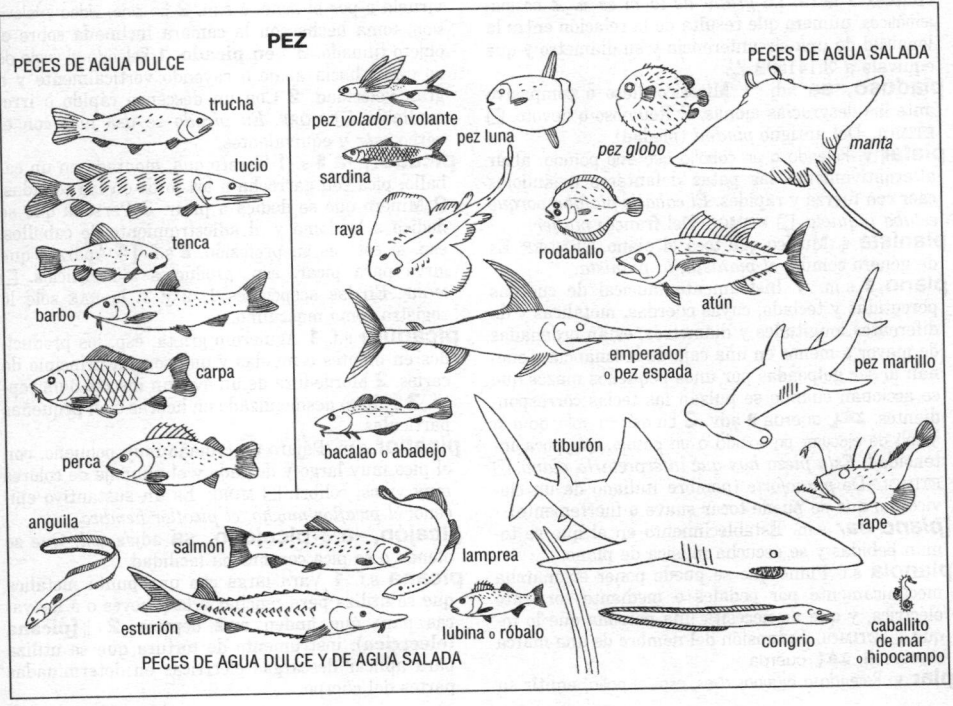

PEZ

PECES DE AGUA DULCE

trucha

lucio

tenca

barbo

carpa

perca

anguila

salmón

esturión

pez *volador* o volante

sardina

raya

bacalao o abadejo

lamprea

lubina o róbalo

pez luna

rodaballo

emperador o pez espada

tiburón

congrio

PECES DE AGUA SALADA

pez globo

manta

atún

pez martillo

rape

caballito de mar o hipocampo

PECES DE AGUA DULCE Y DE AGUA SALADA

una especie de sierra, con la que escarba el fondo buscando alimentos o con la que ataca a bancos de peces. ‖ **pez volante** o **[(pez) volador**; el marino, que tiene la cabeza gruesa con el hocico saliente, el cuerpo con manchas rojas, blancas y pardas, las aletas negruzcas con lunares azules, y las pectorales tan largas que plegadas llegan a la cola y desplegadas le permiten dar grandes saltos fuera del agua. ☐ ETIMOL. Las acepciones 1 y 2, del latín *piscis*. La acepción 3, del latín *pix*. ☐ MORF. *Pez espada*, '*pez globo*', *pez luna, pez martillo, pez sierra* y *pez volante* son sustantivos epicenos y la diferencia de sexo se señala mediante la oposición *el pez espada* {*macho / hembra*}.

pezón s.m. En un pecho, parte abultada que sobresale y que las crías chupan para succionar la leche. ☐ ETIMOL. Del latín **pecciolus* (piececito).

pezonera s.f. Pieza redonda con un hueco en el centro usada por las mujeres como protección del pezón y para facilitar al bebé la succión de la leche.

pezuña s.f. **1** En algunos animales, conjunto de los dedos de una pata que están totalmente cubiertos en su extremo por uñas. **[2** *col.* Pie o mano de las personas. ☐ ETIMOL. Del latín *pedis* (del pie) y *ungula* (uña). ☐ USO En la acepción 2, tiene un matiz despectivo.

phi s.f. En el alfabeto griego clásico, nombre de la vigésima primera letra: *La grafía de la phi es* φ. ☐ PRON. [fi]. ☐ ORTOGR. Aunque la RAE sólo registra *phi*, se usa más *fi*.

[photofinish (anglicismo) s.f. Toma fotográfica de llegada de una carrera deportiva, mediante una cámara situada en la línea de meta. ☐ PRON. [fotofínis]. ☐ USO Se usa también *foto finish*.

pi s.f. **1** En el alfabeto griego clásico, nombre de la decimosexta letra: *La grafía de la pi es* π. **2** En matemáticas, número que resulta de la relación entre la longitud de una circunferencia y su diámetro y que equivale a '3,141592...'.

piadoso, sa adj. **1** Misericordioso o compasivo ante las desgracias ajenas. **2** Religioso o devoto. ☐ ETIMOL. Del antiguo *piadad* (piedad).

piafar v. Referido a un caballo que está parado, alzar alternativamente las patas delanteras dejándolas caer con fuerza y rapidez: *El caballo piafaba porque estaba inquieto*. ☐ ETIMOL. Del francés *piaffer*.

pianista s. Músico que toca el piano. ☐ MORF. Es de género común: *el pianista, la pianista*.

piano ‖ s.m. **1** Instrumento musical de cuerdas percutidas y teclado, cuyas cuerdas, metálicas y de diferentes longitudes y diámetros, están ordenadas de mayor a menor en una caja de resonancia y suenan al ser golpeadas por unos pequeños mazos que se accionan cuando se pulsan las teclas correspondientes. ⚒ cuerda ‖ adv. **2** En música, referido a la forma de ejecutar un sonido o un pasaje, con poca intensidad: *Esta pieza hay que interpretarla piano*. ☐ ETIMOL. De *pianoforte* (nombre italiano de un clavicordio que se puede tocar suave o fuertemente).

[piano-bar s.m. Establecimiento en el que se toman bebidas y se escucha música de piano.

pianola s.f. Piano que se puede poner en marcha mecánicamente por pedales o mediante corriente eléctrica, y que no necesita una persona que lo toque. ☐ ETIMOL. Extensión del nombre de una marca comercial. ⚒ cuerda

piar v. Referido a algunas aves, esp. al pollo, emitir su voz característica: *Los polluelos pían alrededor de la gallina*. ☐ ETIMOL. De origen onomatopéyico. ☐ ORTOGR. La *i* lleva tilde en los presentes, excepto en las personas *nosotros* y *vosotros* →GUIAR.

piara s.f. Manada de cerdos. ☐ ETIMOL. De origen incierto. ☐ ORTOGR. Dist. de *tiara*.

piastra s.f. Moneda fraccionaria de distintos países. ☐ ETIMOL. Del italiano *piastra*.

[pib s.m. *col.* En economía, valor de la producción total en el interior de un país. ☐ ETIMOL. Es un acrónimo que procede de la sigla de *Producto Interior Bruto*.

pibe, la s. *col.* Muchacho o chaval.

pica, la s.f. **1** Especie de lanza larga que usaban los soldados y que tenía un hierro pequeño y agudo en su extremo superior. **2** Vara larga para picar toros desde el caballo. ‖ pl. **3** En la baraja francesa, palo que se representa con uno o varios corazones negros invertidos y con pie triangular. ⚒ baraja ☐ ETIMOL. De *picar*.

picacho s.m. Punta aguda y picuda que tienen algunos montes y riscos.

picadero s.m. **1** Lugar en el que se adiestran los caballos y se aprende a montar en ellos. **[2** *col.* Vivienda o lugar que se usa para tener relaciones sexuales generalmente clandestinas. ☐ ETIMOL. De *picar*.

picadillo s.m. **1** Lomo de cerdo picado y adobado para hacer embutidos. **2** Guiso que se hace picando carne cruda con tocino, verduras y ajos y cociéndolo y sazonándolo todo con especias y huevos batidos. **3** ‖ [hacer picadillo; *col.* Dejar en muy malas condiciones físicas o anímicas.

picado, da ‖ adj. **1** Referido a la piel, llena de marcas o de cicatrices, generalmente producidas por la viruela o por el acné. ‖ s.m. **2** En cine, vídeo y televisión, toma hecha con la cámara inclinada sobre el objeto filmado. **3** ‖ en picado; **1** Referido al vuelo de un avión, hacia abajo o cayendo verticalmente y a gran velocidad. **2** Con un descenso rápido o irremediable. ☐ MORF. *En picado* se usa más con el verbo *caer* y equivalentes.

picador, -a ‖ s. **1** Torero que, montado en un caballo, pica con garrocha a los toros en las corridas. **2** Minero que se dedica a picar. **3** Persona que se dedica a la doma y al adiestramiento de caballos, esp. si ésta es su profesión. ‖ s.f. **[4** Aparato que sirve para picar, esp. productos alimenticios. ☐ MORF. En las acepciones 1, 2 y 3, la RAE sólo lo registra como masculino.

picadura s.f. **1** Agujero o grieta, esp. los producidos en dientes o muelas y que son un principio de caries. **2** Mordedura de un ave, un insecto o un reptil. **3** Tabaco desmenuzado en hebras o en pequeñas partículas.

picaflor s.m. Pájaro de tamaño muy pequeño, con el pico muy largo y delgado y el plumaje de colores muy vivos; colibrí. ☐ MORF. Es un sustantivo epiceno: *el picaflor macho, el picaflor hembra*.

picajón, -a o **picajoso, sa** adj./s. *col.* Que se ofende o se pica con mucha facilidad.

picana s.f. **1** Vara larga con una punta metálica que se utiliza para pinchar a los bueyes o a las vacas para que anden más deprisa. **2** ‖ [picana (eléctrica); instrumento de tortura que se utiliza para aplicar descargas eléctricas en determinadas partes del cuerpo.

picante ❙ adj. **1** Con gracia llena de malicia y ligeramente ofensiva al pudor en cuestiones sexuales. ❙ adj./s.m. **2** Que produce una sensación de picor o quemazón en el paladar. ▢ MORF. Como adjetivo es invariable en género.

[picantería s.f. En zonas del español meridional, restaurante modesto.

picapedrero s.m. Hombre que se dedica profesionalmente a picar piedras.

picapica s.m. Sustancia que causa picor o que hace estornudar. ▢ MORF. **1.** La RAE lo registra como femenino. **2.** Se usa mucho en aposición, pospuesto a un sustantivo.

picapleitos s. col. Abogado. ▢ MORF. Es de género común: *el picapleitos, la picapleitos.* **2.** Invariable en número. ▢ USO Tiene un matiz despectivo.

picaporte s.m. **1** En una puerta o una ventana, dispositivo para abrirlas o cerrarlas. **2** Palanca que facilita el manejo de este dispositivo. ▢ ETIMOL. Del catalán *picaportes* (aldaba).

picar ❙ v. **1** Cortar en trozos pequeños: *¿Te voy picando la cebolla?* **2** Corroer o desgastar: *El óxido pica el metal. El plástico de la correa se ha picado.* **3** Referido a una superficie, agujerearla: *Se te van a picar las muelas de comer tanto dulce.* **4** Referido a una superficie, pincharla o atravesarla levemente con un instrumento punzante: *Picaba las aceitunas con un palillo.* **5** Referido a una materia dura, golpearla con un pico o con un instrumento similar: *Para arreglar las tuberías hay que picar la pared.* **6** Referido a un billete o a una entrada, taladrarlos el revisor: *El revisor del tren me picó el billete.* **7** Referido a un toro, herirlo el picador clavándole la pica en el morrillo y procurando detenerlo en su acometida: *El picador picó bien el toro.* **8** Referido a una caballería, avivarla el jinete utilizando las espuelas: *Picó al caballo y éste inició un galope ligero.* **9** Referido a una persona, estimularla o animarla a hacer algo: *Me picaron y acabé yendo al cine con ellos.* **10** col. Referido a una persona, ofenderla o enfadarla: *Me picó mucho que me dieran plantón. Se picó porque no la invitamos.* **11** Referido a una sustancia, comerlos en pequeñas cantidades: *Piqué unas almendras. Cuando estoy guisando no puedo evitar la tentación de picar.* **[12** Referido a un balón, pasarlo haciendo que dé un bote: *El pivot 'picó' el balón y la defensa cortó el pase.* Caer en un engaño: *He vuelto a picar y me he creído su historia.* **14** Referido a ciertos animales, morder o herir con el pico o con la boca: *Está en el hospital porque le ha picado una víbora.* **15** Referido a un ave, tomar la comida con el pico: *Las gallinas picaban los granos de maíz.* **16** Referido a un pez, morder el cebo puesto en el anzuelo para pescarlo: *¿Cuántos peces han picado hoy?* **17** Referido a un alimento, producir una sensación de irritación o de escozor en el paladar: *Esta guindilla pica mucho. Echó tabasco a las judías para que picaran.* **18** Referido a una parte del cuerpo, experimentar picor o escozor: *Me pica la pierna.* **19** Referido a algo que vuela, bajar su parte delantera por debajo de la horizontal: *El avión picó haciendo piruetas.* **20** Referido al sol, calentar mucho: *Va a haber tormenta, porque pica mucho el sol.* ❙ prnl. **21** Referido al vino, estropearse o avinagrarse: *Se ha picado nuestro mejor vino.* **22** Referido al mar, agitarse levantando olas pequeñas: *Volvimos al puerto cuando el mar empezó a picarse.* **[23** col. En el lenguaje de la droga, inyectarse una dosis de droga:

Es heroinómano y 'se pica' todos los días. **24** ❙ picar (muy) alto; aspirar a algo que está por encima de las propias posibilidades: *Pica muy alto cuando dice que quiere llegar a presidente.* ▢ ETIMOL. De origen expresivo. ▢ MORF. La *c* se cambia en *qu* delante de *e* →SACAR. ▢ SINT. La acepción 8 se usa más en la expresión *picar espuelas.* ▢ SEM. **1.** En las acepciones 8 y 9, es sinónimo de *espolear.* **2.** En las acepciones 9 y 23, es sinónimo de *pinchar.*

picardía s.f. **1** Astucia o habilidad en la forma de actuar, a fin de conseguir algo en provecho propio. **2** Atrevimiento o ligera falta de pudor en lo relacionado con cuestiones sexuales. **3** Travesura de niños o burla inocente. ▢ ETIMOL. De *pícaro.*

picardías s.m. Camisón corto, generalmente transparente. ▢ MORF. Invariable en número.

picaresco, ca ❙ adj. **1** Del pícaro o relacionado con él. **2** Referido esp. a una obra literaria, que tiene como tema el relato de la vida de un pícaro. ❙ s.f. **3** →novela picaresca. **4** Forma de vida ruin, astuta y carente de honradez.

pícaro, ra ❙ adj./s. **1** Que tiene picardía, o que es astuto, malicioso o aprovechado. ❙ s. **2** Tipo de persona descarada, astuta, traviesa, de la más humilde condición social y que se las arregla para salir adelante en la vida valiéndose de su astucia y de toda clase de engaños y de estafas. ▢ ETIMOL. De origen incierto.

picatoste s.m. Trozo pequeño de pan tostado o frito. ▢ ETIMOL. De *picar* (cortar) y *tostar.*

picazón s.f. Molestia que causa un picor.

picha s.f. vulg.malson. →pene.

pichi s.m. Prenda de vestir femenina, semejante a un vestido sin mangas y escotado, que se pone encima de otra prenda.

[pichichi s.m. En el fútbol español, trofeo que premia al mayor goleador de la liga. ▢ ETIMOL. Por alusión al apodo de un futbolista español que fue un gran goleador.

pichincha s.f. col. En zonas del español meridional, ganga. ▢ ETIMOL. Del portugués *pechincha.*

pichón s.m. Pollo o cría de la paloma doméstica. ▢ ETIMOL. Del italiano *piccione.* ▢ MORF. Es un sustantivo epiceno: *el pichón macho, el pichón hembra.* ▢ USO El uso de *pichón, pichona* aplicado a personas tiene un matiz cariñoso.

[pichurri interj. Expresión que se usa como apelativo para indicar cariño.

[pick-up s.m. →tocadiscos. ▢ PRON. [pícap]. ▢ USO Es un anglicismo innecesario.

[picnic (anglicismo) s.m. Comida en el campo o al aire libre. ▢ PRON. [pícnic].

pícnico, ca adj./s. Referido a una persona, que tiene el cuerpo rechoncho, pequeña estatura y tendencia a la obesidad. ▢ ETIMOL. Del griego *pyknós* (espeso, tupido). ▢ MORF. La RAE sólo lo registra como adjetivo.

pico s.m. **1** En un ave, parte saliente de la cabeza, compuesta por dos piezas córneas que recubren los huesos de las mandíbulas y que le permite tomar los alimentos. 🖾 pico **2** Parte puntiaguda que sobresale de la superficie o del borde de algo. **3** Herramienta formada por un mango al que se sujeta una barra resistente y un poco curva, con uno de sus extremos terminado en punta, y que se utiliza para cavar. **4** En una montaña, cúspide puntiaguda. 🖾 montaña **5** Montaña que tiene

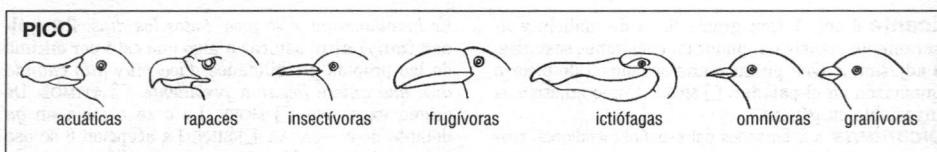

PICO

acuáticas   rapaces   insectívoras   frugívoras   ictiófagas   omnívoras   granívoras

esta cúspide. **6** Cantidad indeterminada de dinero, esp. si es elevada. **7** Parte pequeña que excede a una cantidad o a una unidad de tiempo expresada. **8** Pañal triangular que se pone a los niños pequeños y que generalmente está hecho con tela parecida a la felpa. **9** *col.* Boca. **10** Facilidad y soltura de palabra. [**11** *col.* En el lenguaje de la droga, dosis que se inyecta. **12** ‖**de picos pardos**; *col.* De juerga o de diversión. ‖**pico de oro**; *col.* Persona que habla muy bien. ☐ ETIMOL. Del celta *beccus*. ☐ SINT. La expresión *de picos pardos* se usa más con los verbos *andar, irse* o equivalentes.
[**picoleto** s.m. *col.* Miembro de la guardia civil. ☐ MORF. Se usa mucho la forma abreviada *pico*.
picón s.m. Carbón muy menudo de origen vegetal y que sólo sirve para los braseros. ☐ ETIMOL. De *picar*.
picor s.m. **1** Sensación desagradable o irritación que produce en el cuerpo algo que pica. **2** Ardor que se siente en el paladar o en la lengua por haber comido algo picante.
picota s.f. **1** Variedad de cereza que se caracteriza por la forma algo apuntada, una consistencia carnosa y un tamaño mayor que el de la cereza normal. **2** Columna que había en la entrada de algunos lugares y en la que se exponía la cabeza de las personas ajusticiadas. [**3** *col.* Nariz. **4** ‖**poner** a alguien **en la picota**; ponerlo en vergüenza criticándolo o exponiendo sus faltas. ☐ ETIMOL. Quizá de *pico* (punta).
picotazo s.f. Mordedura de un ave, de un reptil o de un insecto.
picotear v. **1** Referido a un ave, golpear o herir repetidas veces con el pico: *La gallina picoteaba los granos de maíz.* **2** Comer repetidas veces y en pequeñas cantidades: *¿Pedimos unas raciones para picotear?* ☐ ETIMOL. De *pico*.
picoteo s.m. **1** Golpe repetido del pico de un ave sobre algo. **2** Comida de distintos alimentos en pequeñas cantidades.
pictografía s.f. Escritura ideográfica que consiste en dibujar los objetos que han de explicarse con palabras. ☐ ETIMOL. Del latín *pictus* (pintado) y *-grafía* (escritura, representación gráfica).
pictograma s.m. Signo que tiene un significado en un sistema de escritura de figuras o símbolos. ☐ ETIMOL. Del latín *pictus* (pintado) y *-grama* (representación).
pictórico, ca adj. De la pintura o relacionado con ella. ☐ ETIMOL. Del latín *pictor* (pintor).
picudo, da adj. **1** Con pico o con forma de pico. [**2** *col.* En zonas del español meridional, muy bueno o estupendo.
[**pidgin** (anglicismo) s.m. Lengua híbrida o criolla, esp. la utilizada en los puertos de China (país asiático) y constituida por un vocabulario inglés adaptado al sistema gramatical del chino. ☐ ETIMOL. De la pronunciación china de la palabra inglesa *busi-*

ness (negocio). ☐ PRON. [pídyin]. ☐ MORF. Invariable en número.
pídola s.f. Juego de muchachos en el que uno de ellos se coloca encorvado y los demás saltan por encima de él con las piernas abiertas.
pidón, -a adj./s. *col.* Pedigüeño.
pie s.m. **1** En el cuerpo de una persona, extremidad de la pierna, que va desde el tobillo hasta la punta de los dedos, se apoya en el suelo y sirve principalmente para andar y sostener el cuerpo cuando está erguido. ✍ pie **2** En una prenda de vestir, parte que cubre esta extremidad de la pierna. **3** En algunos animales, parte del cuerpo que les sirve para moverse o desplazarse. **4** Base o parte en la que se apoya algo. ✍ alumbrado **5** En una planta, tronco o tallo. **6** En un verso, cada una de las partes de dos o más sílabas que lo componen, teniendo en cuenta la cantidad o el acento. **7** En una representación dramática, palabra con que termina lo que dice un personaje cada vez que le toca hablar a otro. **8** En un escrito, parte final y espacio en blanco que la sigue. **9** En el sistema anglosajón, unidad básica de longitud que equivale aproximadamente a 38,5 centímetros. **10** Parte opuesta a la cabecera o a la parte principal de algo. **11** En una fotografía o en un dibujo, explicación o comentario breve que se pone debajo. ✍ libro **12** ‖**a los pies de** alguien; a su entero servicio. ‖**a pie**; andando o caminando. ‖**a pies juntillas**; firmemente o sin la menor duda. ‖**al pie de** algo; cercano, próximo o inmediato a ello. ‖**al pie de la letra**; literalmente. ‖**al pie del cañón**; atento y sin abandonar el deber. ‖**buscarle {cinco/tres} pies al gato**; *col.* Empeñarse en encontrar dificultades, inconvenientes o complicaciones. ‖**cojear del mismo pie**; *col.* Tener el mismo defecto. ‖**con {buen/mal} pie**; *col.* Con buena o mala suerte. ‖**con el pie derecho**; *col.* Con acierto o buena suerte. ‖[**con el pie izquierdo**; *col.* Sin acierto o con mala suerte. ‖**con los pies por delante**; *col.* Muerto o sin vida. ‖**con pies de plomo**; *col.* Despacio, con cuidado o con cautela. ‖**con un pie en** un lugar; *col.* Próximo a él. ‖**dar pie**; ocasión o motivo. ‖**de a pie**; [referido a una persona, normal o modesta. ‖**de (los) pies a (la) cabeza**; *col.* Completamente, o con todo lo necesario. ‖**{de/en} pie**; Erguido. ‖**en pie de guerra**; en disposición de combatir o dispuesto a tener un enfrentamiento agresivo. ‖**en pie de igualdad**; de igual a igual. ‖**hacer pie**; tocar el fondo para poder mantener la cabeza fuera del agua sin necesidad de nadar. ‖**nacer de pie**; tener muy buena suerte. ‖**no dar pie con bola**; no acertar absolutamente nada. ‖**no tener pies ni cabeza**; *col.* No ser lógico o no tener sentido. ‖**parar los pies** a alguien; *col.* ‖[**pie cavo**; el que tiene un puente excesivo. ‖[**pie de atleta**; enfermedad de la piel causada por hongos, que suele producir enrojecimiento, grietas y pequeñas ampollas. ‖[**pie de foto**; texto que, en los

impresos ilustrados, aparece bajo una fotografía con información sobre su contenido. ‖ **pie de imprenta**; conjunto de datos sobre la edición o impresión de un libro, que generalmente figuran al principio o al final de éste. ‖ **pie plano**; el que apenas tiene puente. ‖ **pie quebrado**; en algunas composiciones métricas, verso corto, de cinco sílabas como máximo, que alterna con otros más largos. ‖ **poner los pies en un lugar**; col. Ir a él. ‖ **poner pies en polvorosa**; col. Salir corriendo o huir. ‖ **por pies**; col. Corriendo o muy deprisa. ‖ **saber de qué pie cojea** alguien; col. Saber cuál es su punto débil. ‖ **sacar los pies del plato**; col. Actuar con descaro o fuera de las pautas socialmente establecidas. ‖ **sin pies ni cabeza**; col. Sin lógica ni sentido. □ ETIMOL. Del latín *pes*. □ MORF. Su plural es *pies*; incorr. *pieses. □ SINT. *Por pies* se usa más con los verbos *irse, marcharse, salir* o equivalentes.

piedad s.f. **1** Comportamiento misericordioso, o sentimiento de amor al prójimo y de compasión ante las desgracias ajenas. **2** Devoción o fervor religiosos. **3** Representación en pintura o en escultura de la Virgen María (madre de Jesucristo) sosteniendo el cadáver de su Hijo descendido de la cruz. □ ETIMOL. Del latín *pietas*.

piedra s.f. **1** Cuerpo mineral duro y compacto. **2** Trozo labrado de este cuerpo, esp. si se utiliza en la construcción. **3** col. Acumulación anormal y más o menos compacta de sales y minerales que se forma en conductos y órganos huecos; cálculo. **4** En un encendedor, aleación de hierro y de cerio que se emplea para producir la chispa. **5** Granizo grueso. **6** ‖ **de piedra**; col. Muy sorprendido o impresionado. ‖ **piedra angular**; base o fundamento principal de algo. ‖ **piedra berroqueña**; la que es de granito. ‖ **piedra (de molino)**; en un molino tradicional, rueda de este material que gira sobre otra fija para moler lo que se pone entre ambas; muela. ‖ **piedra de toque**; lo que sirve para confirmar la calidad de algo. ‖ **piedra filosofal**; materia con la que los alquimistas pretendían hacer oro artificial. ‖ **piedra pómez**; la que es volcánica, esponjosa, frágil, de textura fibrosa y de color grisáceo. ‖ **piedra (preciosa)**; la que es fina, dura, escasa y generalmente transparente. ‖ **tirar piedras contra el propio tejado**; col. Comportarse de forma perjudicial para los propios intereses. □ ETIMOL. Del latín *petra* (roca).

piel s.f. **1** Tejido externo que cubre y protege el cuerpo de las personas y de los animales. **2** Pellejo que cubre el cuerpo de los animales, curtido y preparado para su uso en la industria; cuero. **3** Cuero curtido de forma que conserva el pelo natural. **4** Parte exterior que cubre la parte carnosa de algunos frutos. **5** ‖ **piel de gallina**; la que toma un aspecto granuloso o semejante a la de esta ave, generalmente por efecto de un estremecimiento; carne de gallina. ‖ **piel roja**; indio indígena de las tierras norteamericanas. ‖ **ser (de) la piel del diablo**; col. Ser muy travieso o revoltoso. □ ETIMOL. Del latín *pellis*.

piélago s.m. *poét.* Mar. □ ETIMOL. Del latín *pelagus*.

pienso s.m. Alimento, esp. el seco, para el ganado. □ ETIMOL. Del latín *pensum*, y éste de *pendere* (pesar).

[piercing (anglicismo) s.m. Práctica que consiste en hacerse perforaciones para llevar pendientes en cualquier parte del cuerpo. □ PRON. [pírsin].

pierna s.f. **1** En el cuerpo de una persona, miembro o extremidad inferior que va desde el tronco hasta el pie. **2** Parte de esta extremidad que comprende desde la rodilla al pie. **3** En algunos animales, muslo. ✄ carne **4** ‖ **dormir a pierna {suelta/tendida}**; col. Dormir profundamente o muy bien. ‖ **estirar las piernas**; moverse para desentumecerlas después de haber estado mucho tiempo sentado. ‖ **[por piernas**; col. Corriendo o muy deprisa. □ ETIMOL. Del latín *perna*. □ MORF. Cuando se antepone a una palabra para formar compuestos, adopta la forma *pierni-*: *piernicorto*.

piernas s.m. **1** col. Persona sin autoridad ni categoría. **[2** col. Policía municipal que hace la ruta a pie. □ MORF. Invariable en número. □ USO Es despectivo.

[pierrot (galicismo) s.m. Personaje cómico de teatro francés, que lleva un calzón amplio y blusa o camisola blanca amplia y con grandes botones.

pieza s.f. **1** En un conjunto, cada una de las partes o de las unidades que lo componen. **2** En un aparato, cada una de las partes que lo componen. **3** Trozo de tela con la que se remienda una prenda de vestir u otro tejido. **4** Trozo de tejido que se fabrica de una vez. **5** Animal de caza o de pesca. **6** Figura de algunos juegos de tablero, esp. la del ajedrez y las damas. **7** Obra dramática, esp. si sólo tiene un acto. **8** En música, composición suelta, de carácter vocal o instrumental. **9** En una casa, sala o cuarto. **10** Alhaja, herramienta, utensilio o mueble trabajados con arte. **11** ‖ **de una pieza**; col. Muy sorprendido o impresionado. ‖ **pieza de artillería**; cualquier arma que se carga con pólvora. □ ETIMOL. Del céltico *pettia (pedazo). □ USO *De una pieza* se usa más con los verbos *dejar* y *quedarse*.

pífano s.m. Instrumento musical de viento, semejante a una flauta pequeña y de tono muy agudo. □ ETIMOL. Del alemán *pfeife* (silbato).

pifia s.f. col. Error, descuido o dicho poco acertados. □ PRON. Incorr. *[picia].

pifiar v. col. [Estropear, malograr o echar a perder: *El delantero 'pifió' el penalti*. □ ORTOGR. La *i* nunca lleva tilde.

pigmentación s.f. Coloración de la piel o de otros tejidos por diversas causas.

pigmentar v. **1** Dar color o colorear: *Pigmentaron las pieles con colores vivos*. **2** Producir coloración anormal y prolongada en la piel y otros tejidos por

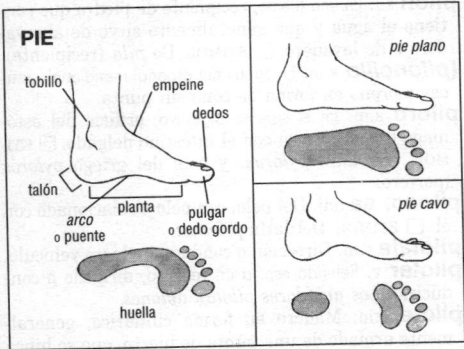

PIE

pie plano

tobillo
empeine
dedos
talón
arco
o puente
planta
pulgar
o dedo gordo

pie cavo

huella

diversas causas: *Las rodillas y los codos pueden pigmentarse más fácilmente que las piernas y los brazos.*
pigmento s.m. **1** Sustancia colorante que se halla en muchas células animales y vegetales. **2** Materia colorante que se usa en pintura. ☐ ETIMOL. Del latín *pigmentum* (colorante, color para pintar).
pigmeo, a adj./s. De un conjunto de pueblos diseminados por regiones africanas y asiáticas, que se caracterizan por ser de muy baja estatura y por tener la piel oscura y el cabello crespo. ☐ ETIMOL. Del latín *pygmaens*, y éste del griego *pygmâios* (grande como el puño). ☐ MORF. La RAE sólo lo registra como sustantivo.
pignoración s.f. Entrega de un objeto a cambio de un préstamo. ☐ ETIMOL. Del latín *pignorari* (tomar en prenda).
pignorar v. Empeñar o dejar en prenda: *Pignoró el reloj de su abuelo para poder comprarse un abrigo.* ☐ ETIMOL. Del latín *pignorare.*
pijada s.f. **1** *col.* Lo que se considera sin importancia o de poco valor; tontería. **2** *col.* Hecho o dicho inoportunos, impertinentes o molestos.
pijama s.m. Prenda de dormir de dos piezas, generalmente formada por una chaqueta y por un pantalón. ☐ ETIMOL. Del inglés *pyjamas.* ☐ ORTOGR. Se admite también *piyama.*
[pijería s.f. *col.* Ostentación afectada y presuntuosa de una buena posición social y económica. ☐ USO Es despectivo.
[pijerío s.m. *col.* Conjunto de gente pija. ☐ USO Es despectivo.
pijo, ja ▌ adj. **[1** *col.* Característico de quien ostenta de forma afectada una buena posición social y económica. ▌ adj./s. **[2** *col.* Referido a una persona, que ostenta de forma afectada una buena posición social y económica. **3** ‖ **[un pijo**; *vulg.* Muy poco o nada. ☐ ETIMOL. De origen incierto. ☐ USO Es despectivo.
[pijotada s.f. *col.* Lo que se considera de poco valor o de poca importancia, pese a sus pretensiones; pijotería. ☐ USO Es despectivo.
pijotería s.f. *col.* Lo que se considera de poco valor o de poca importancia, pese a sus pretensiones; pijotada. ☐ USO Tiene un matiz despectivo.
pijotero, ra adj. *col.* Que causa molestia o enfado, esp. si concede importancia a lo que se considera que no la tiene. ☐ USO Tiene un matiz despectivo.
pil-pil ‖ **al pil-pil**; referido esp. al bacalao, que está guisado con aceite, guindilla y ajo. ☐ ETIMOL. De origen onomatopéyico.
pila s.f. **1** Pieza cóncava y profunda donde cae o se echa el agua para diversos usos. **2** *col.* Montón de cosas puestas unas sobre otras. **3** Generador de corriente eléctrica, que utiliza la energía liberada en una reacción química. **4** ‖ **[cargar las pilas**; *col.* Referido a una persona, cargarse de energía. ‖ **[como una pila**; *col.* Muy nervioso y excitado. ‖ **pila (bautismal)**; aquella sobre la que se administra el sacramento del bautismo. ‖ **[pila de botón**; la que es muy pequeña, del tamaño y forma de un botón. ‖ **[ponerse las pilas**; *col.* Hacer algo con diligencia. ‖ **[una pila**; *col.* Gran cantidad. ☐ ETIMOL. La acepción 1, del latín *pila* (mortero). Las acepciones 2 y 3, del latín *pila* (pilar).
pilar s.m. **1** En arquitectura, elemento vertical que sirve para sostener estructuras u otros elementos y que puede tener sección cuadrada, con forma de polígono o circular: *La estatua irá colocada sobre un pilar de granito.* **2** Lo que sostiene o sirve de apoyo, base o fundamento: *Esos dos jugadores son los pilares del equipo.* ☐ ETIMOL. Del latín **pilare.*
pilastra s.f. En arquitectura, pilar de sección cuadrangular, esp. si está adosado a una pared. ☐ ETIMOL. Del italiano *pilastro.*
pilchas s.f.pl. *col.* [En zonas del español meridional, prendas de vestir.
[pilche s.m. En zonas del español meridional, vasija de madera.
píldora s.f. **1** Parte pequeña de medicamento, generalmente en forma de bolita, que se toma por vía oral. ✍ medicamento **2** Anticonceptivo que se toma por vía oral. **3** ‖ **dorar la píldora** a alguien; *col.* Suavizarle la mala noticia que se le da o la contrariedad que se le causa. ‖ **tragarse la píldora** alguien; *col.* Creer una mentira. ☐ ETIMOL. Del latín *pillula.*
pileta s.f. **1** Pila pequeña para contener agua. **2** En zonas del español meridional, lavabo. **3** ‖ **pileta (de natación)**; en zonas del español meridional, piscina.
[pilífero, ra adj. En botánica, con pelos. ✍ raíz
[pililla s.f. *col.* →**pene.**
pillaje s.m. Robo o saqueo, esp. el hecho por los soldados en un país enemigo.
pillar v. **1** *col.* Coger, agarrar o tomar: *Los ladrones han pillado todo lo que han podido.* **2** *col.* Alcanzar o atropellar embistiendo: *Casi lo pilla un coche por cruzar en rojo.* **3** *col.* Sorprender o coger desprevenido: *Me pilló la tormenta en pleno monte.* **4** Aprisionar o sujetar: *Mi hermano me pilló la mano al cerrar la puerta. Me pillé el vestido con la puerta del coche.* **5** Referido a una persona, hallarla o cogerla en determinada situación: *Llegó tan tarde que me pilló en pijama.* **6** *col.* Referido a un engaño, descubrirlo: *No es cierto que ayer no estuvieses en casa, así que te he pillado la mentira.* **[7** *col.* Referido a una enfermedad o a un estado de ánimo, contraerlos, adquirirlos o alcanzarlos; coger: *'Pilló' el catarro por no abrigarse.* **[8** *col.* Entender, comprender o captar el significado: *Explícame el chiste, porque no lo 'he pillado'.* **9** *col.* Referido a algo, hallarse en determinada situación con respecto a una persona: *Iré en autobús, porque tu casa me pilla muy lejos.* ☐ ETIMOL. Del italiano *pigliare* (coger).
pillastre s.m. *col.* Pillo.
pillería s.f. *col.* Hecho o dicho propios de un pillo.
pillo, lla adj./s. *col.* Referido a una persona, esp. a un niño, que es astuto o travieso. ☐ ETIMOL. De *pillar.*
pilón s.f. En una fuente, recipiente de piedra que contiene el agua y que generalmente sirve de abrevadero o de lavadero. ☐ ETIMOL. De *pila* (recipiente).
[piloncillo s.m. En zonas del español meridional, azúcar moreno en forma de cono sin punta.
píloro s.m. En el sistema digestivo, orificio del estómago que comunica con el intestino delgado. ☐ ETIMOL. Del latín *pylorus*, y éste del griego *pylorós* (portero).
piloso, sa adj. Del pelo, con pelo o relacionado con él. ☐ ETIMOL. Del latín *pilosus.*
pilotaje s.m. Dirección o conducción de un vehículo.
pilotar v. Referido esp. a un vehículo, dirigirlo o conducirlo: *Los aviadores pilotan aviones.*
pilote s.m. Madero en forma cilíndrica, generalmente armado de una punta de hierro, que se hinca

en tierra para consolidar cimientos. ☐ ETIMOL. Del francés antiguo *pilot*.

pilotear v. En zonas del español meridional, pilotar.

piloto ▌ s. **1** Persona que dirige o que conduce un vehículo. ▌ s.m. **2** En un vehículo, luz roja situada en la parte posterior. **[3** En algunos aparatos, luz que indica que está en funcionamiento. **4** Modelo o prototipo. ☐ ETIMOL. Del italiano *piloto*. ☐ MORF. En la acepción 1, aunque la RAE sólo lo registra como masculino, en la lengua actual es de género común: *el piloto, la piloto*. ☐ SINT. En la acepción 4, se usa en aposición, pospuesto a un sustantivo.

[pilsen (germanismo) adj./s.f. Referido a la cerveza, que es de un tipo suave y tiene un color muy pálido. ☐ PRON. [pílsen].

piltra s.f. *col.* Cama. ☐ ETIMOL. Del francés antiguo *peautre* (catre).

piltrafa s.f. Lo que está muy estropeado o tiene muy mal aspecto. ☐ ETIMOL. De origen incierto.

pimentero s.m. Recipiente en el que se sirve en la mesa la pimienta molida.

pimentón s.m. Polvo que se obtiene moliendo pimientos encarnados secos y que se usa como condimento.

pimienta s.f. Fruto en forma de baya, redondeado y carnoso, que tiene una semilla esférica, dura y aromática que se usa como condimento por su sabor picante. ☐ ETIMOL. Del latín *pigmenta*.

pimiento s.m. **1** Planta herbácea de flores blancas y hojas lanceoladas, cuyo fruto puede tener diferentes formas y tamaños pero es siempre hueco y con pequeñas semillas planas, circulares y amarillentas en su interior. **2** Fruto comestible de esta planta, de color rojo o verde y de forma más o menos piramidal. **3** ‖**pimiento morrón**; variedad que tiene el fruto grueso y muy dulce. ‖ **un pimiento**; *col.* **1** Muy poco o nada. **[2** *col.* Expresión que se usa para indicar negación o rechazo. ☐ ETIMOL. Del latín *pigmentum* (colorante, color de pintura). ☐ SINT. La expresión *un pimiento*, en su primera acepción, se usa más con los verbos *importar, valer* o equivalentes y en expresiones negativas.

pimpante adj. *col.* Airoso, satisfecho o ufano. ☐ ETIMOL. Del francés *pimpant*. ☐ MORF. Invariable en género.

pimpinela s.f. Planta herbácea con tallos rojizos, hojas compuestas de bordes dentados, flores en umbela, sin corola y con el cáliz purpurino, que se usó en medicina como tónico. ☐ ETIMOL. Del latín *pimpinella*.

pimplar v. *col.* Referido a una bebida alcohólica, beberla, esp. si es con exceso: *Pimpló la copa de coñac de un trago. Entre los tres se pimplaron cuatro botellas de vino.* ☐ ETIMOL. De origen onomatopéyico.

pimpollo s.m. **1** Árbol o rama nuevos y recién salidos. **2** Persona, esp. si es joven, que se distingue por su belleza y por su gracia. ☐ ETIMOL. De *pino* y *pollo* (animal o vegetal joven).

pimpón s.m. →**ping-pong**.

[pin (anglicismo) s.m. Insignia con forma de chincheta, que generalmente se coloca como adorno en una prenda de vestir.

[pinacle s.m. Juego de cartas de origen inglés que se juega con cincuenta y dos cartas y dos comodines y que consiste en agrupar cartas correlativas de un mismo palo.

pinacoteca s.f. Galería o museo en los que se ex-

ponen pinturas. ☐ ETIMOL. Del latín *pinacotheca*, éste del griego *pinakothéke*, y éste de *pínax* (tabla) y *théka* (depósito).

pináculo s.m. **1** Parte superior y más alta de un edificio. **2** En arte, esp. en la arquitectura gótica, adorno terminal de forma piramidal o cónica. ☐ ETIMOL. Del latín *pinnaculum*.

pinada s.f., **pinar** o **[pinatar** s.m. Lugar poblado de pinos. ☐ USO *Pinada* y *'pinatar'* son los términos menos usuales.

pincel s.m. Instrumento de pintura que consta de un mango largo con un conjunto de pelos o de cerdas en uno de los extremos. ☐ ETIMOL. Del catalán *pinzell*.

pincelada s.f. **1** Trazo hecho con el pincel. **2** Expresión condensada de una idea o de un rasgo muy característico. **3** ‖**dar las últimas pinceladas** a algo; perfeccionarlo o acabarlo.

pincha s.f. de pinche.

pinchadiscos s. Persona encargada del equipo de sonido en una discoteca. ☐ MORF. 1. Es de género común: *el pinchadiscos, la pinchadiscos*. 2. Invariable en número. ☐ USO Es innecesario el uso del anglicismo *disc jockey*.

pinchar ▌ v. **1** Picar o herir con algo punzante; punzar: *Pinchó el globo con un alfiler. Se pinchó mientras cosía.* **2** Sujetar o coger, clavando algo puntiagudo: *Pinché la aceituna con el palillo.* **3** Enojar, mortificar o hacer sentir molesto: *Le gusta pinchar a su hermana diciéndole que está gorda.* **4** Referido a una persona, estimularla o moverla a hacer algo; espolear: *Me pinchó para que me apuntara a clases de informática.* **5** Referido esp. al teléfono, intervenirlo o controlarlo para descubrir algo: *La policía le pinchó el teléfono.* **[6** *col.* Referido a un disco, ponerlo en el tocadiscos para que suene: *La locutora de la radio 'pinchó' un disco de mi grupo favorito.* **7** *col.* Poner inyecciones: *He ido a pincharme al ambulatorio.* **8** Sufrir un pinchazo en una rueda: *Pinchamos en la autopista. El coche se pinchó en una curva.* **[9** En informática, referido a una pieza, instalarla en el ordenador: *Un informático nos 'pinchó' la tarjeta de sonido en el ordenador.* ▌ prnl. **[10** *col.* En el lenguaje de la droga, inyectarse una dosis de droga: *Ha ingresado en una clínica de desintoxicación porque quiere dejar de 'pincharse'.* **11** ‖**ni pinchar ni cortar** alguien; *col.* Tener poco valor o influencia. ☐ ETIMOL. De origen incierto. ☐ SEM. En las acepciones 4 y 10, es sinónimo de *picar*.

pinchaúvas s.m. Hombre despreciable o de poco valor. ☐ MORF. Invariable en número.

pinchazo s.m. **1** Introducción de un objeto punzante o puntiagudo que se clava. **2** Señal o herida que deja un objeto punzante al ser introducido. **3** Perforación de una rueda que hace que pierda el aire. **4** *col.* Inyección. **[5** *col.* Dolor agudo y punzante. **6** Intervención de un teléfono para controlar las conversaciones que se mantienen.

pinche s. Persona que presta servicios auxiliares en la cocina. ☐ MORF. La RAE lo registra como sustantivo de género común *(el pinche, la pinche)*, aunque admite también *pincha* como forma del femenino.

pincho s.m. **1** Aguijón o varilla con una punta aguda y afilada. **2** Trozo de comida que se toma de aperitivo, y que generalmente va pinchada en un palillo. **3** ‖**pincho moruno**; carne troceada y ensartada en una varilla, que se sirve asada.

pindonga s.f. *col.* Mujer que lleva una vida irregular y desordenada. ☐ ETIMOL. De *pendón*. ☐ USO Tiene un matiz despectivo.

pindonguear v. **1** *col.* Pasear o corretear por las calles sin dirección fija; callejear: *Los sábados pindongueamos por las calles del centro.* [**2** *col.* Llevar una vida irregular y desordenada: *¿Cuándo vas a dejar de 'pindonguear' y te vas a volver una persona responsable?* ☐ USO 1. Aunque la RAE sólo registra *pindonguear*, se usa mucho *pingonear*. 2. En la acepción 2, tiene un matiz despectivo.

pindongueo s.m. **1** *col.* Paseo por las calles sin dirección fija. [**2** *col.* Vida irregular y desordenada. ☐ USO En la acepción 2, tiene un matiz despectivo.

ping-pong s.m. Deporte parecido al tenis, que se juega sobre una mesa rectangular, con una pelota pequeña y lisa, y con palas de madera; tenis de mesa. ☐ ETIMOL. Extensión del nombre de una marca comercial. ☐ PRON. [pimpón]. ☐ ORTOGR. Se admite también *pimpón*. ☐ USO Aunque la RAE prefiere *pimpón*, se usa más *ping-pong*.

pingajo s.m. **1** *col.* Trozo de ropa roto que cuelga; pingo. [**2** *col.* Lo que está muy estropeado o deteriorado.

pingar v. **1** Pender o colgar: *Tendrás que arreglarte el bajo de la falda para que no te pingue por delante.* **2** ‖**poner pingando** a alguien; *col.* Hablar muy mal de él: *Te puso pingando por el plantón que le diste.* ☐ ETIMOL. Del latín **pendicare*, y éste de *pendere* (pender, estar colgado). ☐ ORTOGR. La *g* se cambia en *gu* delante de *e* →PAGAR.

pingo s.m. **1** *col.* Trozo de ropa roto que cuelga; pingajo. **2** *col.* Persona que lleva una vida irregular y desordenada. **3** ‖**de pingo**; *col.* [De juerga. ☐ ETIMOL. De *pingar*. ☐ SINT. *De pingo* se usa más con los verbos *andar*, *estar* e *ir*.

[pingonear v. *col.* →**pindonguear.**

[pingoneo ‖[de pingoneo; *col.* De juerga. ☐ SINT. *De pingoneo* se usa más con los verbos *andar*, *estar* e *ir*.

pingorota s.f. Parte más alta y aguda de algo elevado, esp. de una montaña.

pingorotudo, da adj. *col.* Muy alto o muy elevado.

pingüe adj. Abundante, copioso o fértil. ☐ ETIMOL. Del latín *pinguis* (gordo). ☐ MORF. Invariable en género. ☐ USO Se usa más antepuesto a un nombre en plural: *pingües ganancias, pingües beneficios.*

pingüino s.m. Ave acuática incapaz de volar pero buena nadadora, que habita principalmente en las zonas polares del hemisferio sur, se alimenta de peces y crustáceos y se caracteriza por la postura erguida y el plumaje muy espeso, negro en el lomo y blanco en el pecho y en el vientre; pájaro bobo. ☐ ETIMOL. Del francés *pingouin*. ☐ MORF. Es un sustantivo epiceno: *el pingüino macho, el pingüino hembra*. 🐧 ave

pinitos s.m.pl. **1** Primeros pasos de un niño. **2** Primeros pasos en una ciencia o en un arte. ☐ ETIMOL. De *pino* (levantado). ☐ SINT. Se usa más con los verbos *dar*, *hacer* y equivalentes.

pinnado, da adj. En botánica, referido a una hoja, con el peciolo ramificado en hojuelas que están insertas a un lado y al otro. ☐ ETIMOL. Del latín *pinnatus* (alado).

pinnípedo ∎ adj./s.m. **1** Referido a un mamífero marino, que se caracteriza por tener las patas anteriores con membranas interdigitales y las posteriores en forma de aleta, y por tener una gruesa capa de grasa bajo la piel. ∎ s.m.pl. **2** En zoología, orden de estos mamíferos, perteneciente a la superclase de los tetrápodos. ☐ ETIMOL. Del latín *pinna* (aleta) y *pes* (pie).

pino s.m. **1** Árbol de tronco recto, hojas estrechas y puntiagudas como agujas que persisten durante el invierno, y cuya flor es una piña. **2** Madera de este árbol. **3** Ejercicio gimnástico que consiste en poner el cuerpo vertical con los pies hacia arriba apoyando las manos en el suelo. **4** ‖**[en el quinto pino**; *col.* Muy lejos. ☐ ETIMOL. Las acepciones 1-3, del latín *pinus*. ☐ SINT. La acepción 3 se usa más en la expresión *hacer el pino*.

pinrel s.m. *col.* Pie. ☐ ETIMOL. Del caló *pinré*.

pinsapo s.m. Árbol parecido al abeto que tiene la corteza blanquecina, las hojas cortas, punzantes y persistentes, y piñas derechas. ☐ ETIMOL. Del latín *pinus* (pino) y el prerromano **sappus* (abeto).

pinta s.f. Véase **pinto, ta.**

pintada s.f. Véase **pintado, da.**

pintado, da ∎ adj. [**1** *col.* Muy parecido o semejante. **2** *col.* En zonas del español meridional, muy natural. ∎ s.f. **3** Letrero, generalmente de contenido político o social, escrito o pintado en un lugar. **4** ‖**el más pintado**; *col.* El más adecuado o el más hábil. ‖**que ni pintado**; *col.* Muy a propósito.

pintalabios s.m. Cosmético que sirve para pintarse los labios y que se presenta generalmente en forma de barra y dentro de un estuche; carmín. ☐ MORF. Invariable en número. ☐ USO Es innecesario el uso del galicismo *rouge*.

pintamonas s. **1** *col.* Pintor que tiene poca habilidad. [**2** *col.* Persona de poco valor o de poca importancia. ☐ MORF. 1. Es de género común: *el pintamonas, la pintamonas*. 2. Invariable en número.

pintar ∎ v. **1** Representar una imagen mediante las líneas y los colores adecuados: *Este artista sólo pinta paisajes montañosos.* **2** Referido a una superficie, cubrirla de un color: *¿De qué color vas a pintar las paredes?* **3** Describir o representar por medio de la palabra: *Me pintaron una situación difícil.* **4** Referido a un utensilio para escribir, dibujar o hacer trazos: *Tengo la pluma rota y no pinta.* **5** Referido a un juego de la baraja, ser triunfo: *En esta partida pintan oros.* **6** Importar o valer: *Vete, porque aquí no pintas nada.* ∎ prnl. **7** Ponerse en la cara colores o maquillaje: *Mis amigas se pintan todos los días.* ☐ ETIMOL. Del latín **pinctare*. ☐ MORF. La acepción 6 se usa más en expresiones interrogativas y negativas.

pintarrajear v. Pintar mal o haciendo trazos sin sentido.

pintarrajo s.m. *col.* Pintura mal hecha o mal trazada.

pintaúñas s.m. Cosmético que sirve para colorear las uñas y darles brillo; esmalte de uñas. ☐ MORF. Invariable en número.

pintiparado, da adj. *col.* Muy adecuado o a propósito. ☐ ETIMOL. De *pinto* y *parado*.

pinto, ta ∎ adj. **1** De varios colores. ∎ s.f. **2** Mancha o señal pequeña, generalmente en forma de lunar o de mota. **3** En algunos juegos de cartas, naipe que se descubre al comienzo y que designa el palo del triunfo. **4** En una carta de la baraja, señal en sus extremos que sirve para identificar el palo antes de descubrirla totalmente. **5** Aspecto exterior. **6** En el sistema anglosajón, unidad de volumen que equivale aproximadamente a 0,57 litros. **[7** Jarra de cerveza con este volumen. **[8** *col.* En zonas del español meridional, pintada. **9** ‖**entre Pinto y Valdemoro**; *col.* Entre dos opciones muy cercanas. □ ETIMOL. La acepción 1, del latín **pinctus* (pintado). Las acepciones 2, 3, 4 y 5, de *pintar*, que tomó el sentido figurado de *tomar color la fruta*, y de ahí pasó a *tener buen o mal aspecto*. Las acepciones 6 y 7, quizá del francés *pinte*.

pintor, -a s. **1** Persona que se dedica al arte de la pintura. **2** Persona que se dedica profesionalmente a cubrir superficies con pintura. □ ETIMOL. Del latín *pinctor*.

pintoresco, ca adj. Que resulta raro, que llama la atención o que despierta extrañeza. □ ETIMOL. Del italiano *pittoresco*.

pintura s.f. **1** Arte o técnica de representar un objeto sobre una superficie mediante las líneas y los colores adecuados. **2** Obra hecha siguiendo este arte. **3** Producto preparado para pintar. **4** ‖**no poder ver ni en pintura**; *col.* No soportar. □ ETIMOL. Del latín *pinctura*.

pinturero, ra adj./s. *col.* Que va muy arreglado y presume de ello. □ ETIMOL. De *pintura*.

pinza ▌ s.f. **1** Instrumento cuyos extremos se aproximan haciendo presión, y que se usa para sujetar cosas. **2** En algunos animales artrópodos, última pieza articulada de algunas de sus patas, formada por dos piezas que pueden aproximarse entre sí y que sirve como órgano prensor. **3** Pliegue que se cose en una tela para darle una forma determinada. **[4** Modalidad específica de alianza política, consistente en la acción concertada desde la derecha y desde la izquierda para presionar simultáneamente sobre el centro. **[5** En zonas del español meridional, alicate. **▌** pl. **6** Instrumento formado por dos piezas unidas a modo de tenacillas, y que sirve para coger o para sujetar. □ ETIMOL. Del francés *pince*, y éste de *pincer* (pellizcar). □ SEM. La acepción 4 no debe aplicarse a las alianzas que no presionan desde los flancos opuestos sobre un adversario situado en una posición central.

[pinzamiento s.m. Opresión de un órgano, de un músculo o de un nervio entre dos superficies.

pinzar v. **1** Sujetar con pinzas: *Pinzó el mosquito para estudiarlo mejor.* **2** Coger con algo a manera de pinza: *Pinzó aquel papel pringoso con los dedos.* **[3** En política, actuar desde la derecha y desde la izquierda para presionar simultáneamente sobre el centro: *Los dos partidos de la oposición pactaron 'pinzar' al Gobierno.* □ ORTOGR. La *z* se cambia en *c* delante de *e* →CAZAR.

pinzón s.m. Pájaro de pequeño tamaño y de canto muy agradable, de pico cónico bastante largo, y cuyo macho tiene un vistoso plumaje. □ ETIMOL. Del latín **pincio*. □ MORF. Es un sustantivo epiceno: *el pinzón macho, el pinzón hembra.*

piña s.f. **1** Flor femenina de algunos árboles, esp. del pino, que tiene forma de cono y se compone de piezas leñosas y triangulares colocadas en torno a un eje en forma de escamas, y que guarda piñones en su interior. **2** Planta americana con hojas rígidas de bordes espinosos y terminadas en punta aguda, flores de color morado y fruto comestible. **3** Fruto

de esta planta, de gran tamaño y forma cónica, con la pulpa dulce y carnosa de color amarillento, y terminado en una corona de hojas verdes. **4** Conjunto de personas o de objetos unidos estrechamente. □ ETIMOL. Del latín *pinea*. □ SEM. En las acepciones 2 y 3, es sinónimo de *ananá* y *ananás.*

piñata s.f. Recipiente lleno de golosinas y de pequeños regalos que, al ser roto, deja caer su contenido. □ ETIMOL. Del italiano *pignatta* (olla).

piño s.m. *col.* Diente. □ ETIMOL. Del latín *pinna* (saliente, punta). □ MORF. Se usa más en plural.

piñón s.m. **1** Semilla del pino. **2** Almendra comestible de la semilla del pino. **3** En un sistema de transmisión de movimiento, rueda pequeña dentada que encaja con otra igual o de distinto tamaño. **4** ‖**[a piñón fijo**; *col.* Sin pensar en otra cosa o sin dejarse influir por nada. ‖**estar a partir un piñón**; referido a dos o más personas, entenderse muy bien. ‖**[ser de piñón fijo**; *col.* Ser terco y mantener una idea a pesar de cualquier razón en contra. □ ETIMOL. Las acepciones 1 y 2, de *piña*. La acepción 3, del francés *pignon* (rueda almendrada).

pío, a adj. **1** Devoto, manifiestamente inclinado a la piedad o al culto religioso. **2** ‖**no decir ni pío**; *col.* No decir nada. □ ETIMOL. La acepción 1, del latín *pius* (piadoso). □ USO Se usa a veces con sentido despectivo, en oposición a *piadoso*, para indicar una religiosidad sólo externa.

piojo s.m. Insecto de pequeño tamaño, cuerpo ovalado y aplanado, antenas cortas, sin alas, que vive como parásito en los mamíferos, y que puede transmitir enfermedades. □ ETIMOL. Del latín *peduculus*. □ MORF. Es un sustantivo epiceno: *el piojo macho, el piojo hembra.* 🔍 insecto

piojoso, sa adj. **1** Con piojos, esp. si es a causa de la suciedad o de la pobreza. **2** Mezquino, miserable o despreciable. □ USO Se usa como insulto.

piola ▌ adj. **[1** *col.* En zonas del español meridional, estupendo. **▌** adj./s. **[2** *col.* En zonas del español meridional, astuto. **▌** s.f. **3** En zonas del español meridional, cuerda. **[4** En zonas del español meridional, juego de pídola. □ MORF. 1. Como adjetivo es invariable en género. 2. En la acepción 2, como sustantivo es de género común: *el 'piola', la 'piola'.*

piolet (anglicismo) s.m. Instrumento con forma de pico que se utiliza en montañismo para asegurar los movimientos sobre la nieve o el hielo. □ PRON. [piolét]. 🔍 alpinismo

piolín s.m. En zonas del español meridional, cordel.

pionero, ra ▌ adj./s. **1** Que da los primeros pasos en una actividad o en una disciplina. **▌** s. **2** Persona que inicia la exploración de nuevas tierras. □ ETIMOL. Del francés *pionnier*, y éste del latín *pedo* (peón).

piorrea s.f. Flujo de pus, esp. en las encías. □ ETIMOL. Del griego *pyórroia*, y éste de *pýon* (pus) y *rhêi* (corre).

pipa ▌ s.f. **1** Utensilio para fumar, formado por un tubo terminado en una cazoleta o recipiente donde se echa el tabaco picado; cachimba. **2** Semilla de algunas plantas; pepita. **[3** *col.* Pistola. **[4** En zonas del español meridional, camión cisterna. **▌** adv. **[5** *col.* Muy bien o estupendamente. □ ETIMOL. La acepción 1, del latín **pipa*.

pipermín s.m. Licor de menta que se obtiene mezclando alcohol, menta y agua azucarada. □ ETIMOL. Del inglés *pepper-mint*.

pipero, ra s. Persona que vende pipas y otras golosinas en la calle.

pipeta s.f. Tubo de vidrio ensanchado en su parte central, que sirve para trasladar pequeñas cantidades de líquido de un recipiente a otro. ☐ ETIMOL. De *pipa*. ✍ medida, química

pipí s.m. *euf.* Piojo.

pipí s.m. **1** *euf. col.* Orina. **2** ‖ [hacer pipí; orinar.

pipiolo, la s. **1** *col.* Persona novata o inexperta. **2** Persona muy joven. ☐ ETIMOL. Del latín *pipio* (pichón, polluelo).

pipirijaina s.f. *col.* Compañía de cómicos ambulantes.

pipo s.m. Pipa o semilla de algunos frutos.

pique s.m. **1** *col.* Resentimiento o enfado. **2** Empeño en conseguir algo por amor propio o por rivalidad. **3** ‖ irse a pique; **1** Referido esp. a una embarcación, *hundirse en el agua.* col. **2** Frustrarse o acabarse. ☐ ETIMOL. De *picar*.

piqué s.m. Tela de algodón con dibujos en relieve. ☐ ETIMOL. Del francés *piqué* (picado).

piqueta s.f. **1** Herramienta de albañilería formada por un mango al que se sujeta una pieza metálica terminada por un lado en una forma plana como la del martillo, y por el otro en una forma puntiaguda como la del pico. [**2** Estaca pequeña que se clava en el suelo.

piquete s.m. **1** Grupo de personas que intenta, de forma pacífica o violenta, imponer o mantener una huelga. **2** Grupo pequeño de soldados encargado de realizar un servicio extraordinario. ☐ ETIMOL. De *pico*. ☐ SEM. Es incorrecto su uso para designar a cada componente del piquete.

pira s.f. Hoguera, esp. la que se hace para quemar los cuerpos de los difuntos o de las víctimas de los sacrificios. ☐ ETIMOL. Del griego *pyrá*.

pirado, da adj./s. *col.* Alocado o con poco juicio.

piragua s.f. **1** Embarcación larga y estrecha, mayor que la canoa, hecha generalmente de una sola pieza, y que navega con remos o con vela. ✍ embarcación **2** Embarcación pequeña, estrecha y ligera, que se usa en los ríos y en algunas playas. ☐ ETIMOL. De origen *caribe*.

piragüismo s.m. Deporte que consiste en una competición de dos o más piraguas de remo.

piragüista s. Deportista que forma parte de la tripulación de una piragua. ☐ MORF. Es de género común: *el piragüista, la piragüista*.

piramidal adj. Con forma de pirámide. ☐ MORF. Invariable en género.

pirámide s.f. **1** Cuerpo geométrico que tiene como base un polígono y que está limitado por caras triangulares que se juntan en un solo punto o vértice. **2** En arquitectura, monumento que tiene la forma de este cuerpo geométrico. ☐ ETIMOL. Del latín *pyramis*, y éste del griego *pyramís*.

piraña s.f. Pez de río que tiene la boca provista de numerosos y afilados dientes, que vive en grupos y que es carnívoro. ☐ MORF. Es un sustantivo epiceno: *la piraña macho, la piraña hembra*.

pirarse v.prnl. **1** *col.* Fugarse o irse: *A media mañana se pira del despacho.* [**2** Volverse loco o perder el juicio: *Cuando 'se pira' por una chica, no hace ningún caso a los amigos.* ☐ ETIMOL. De *pira* (huida). ☐ SINT. La acepción 1 se usa mucho en la expresión *pirárselas*.

pirata ‖ adj. **1** Del pirata, de la piratería o característico de ellos. **2** Clandestino o ilegal. ‖ s. **3** Persona que navega sin licencia y asalta y roba barcos en el mar o en las costas; corsario. [**4** Persona que se apropia del trabajo ajeno. **5** ‖ pirata aéreo; persona que, mediante amenazas, obliga a la tripulación de un avión a modificar su rumbo. ☐ ETIMOL. Del latín *pirata*, y éste del griego *peiratés* (bandido, pirata). ☐ MORF. **1**. Como adjetivo es invariable en género. **2**. Como sustantivo, aunque la RAE sólo lo registra como masculino, en la lengua actual es de género común: *el pirata, la pirata*.

piratear v. **1** Asaltar y robar barcos en el mar o en las costas: *El pirata Drake pirateaba con autorización de la Corona inglesa.* **2** Referido a trabajos y bienes ajenos, apropiarse de ellos y usarlos como propios: *Piratear programas informáticos es un delito.*

[pirateo s.m. *col.* Piratería.

piratería s.f. **1** Asalto y robo de barcos en el mar o en las costas. **2** Apropiación del trabajo o de los bienes ajenos para usarlos como si fueran propios; pirateo.

pirca s.f. En zonas del español meridional, pared de piedra sin argamasa, que se levanta para cercar o delimitar fincas.

pirenaico, ca adj./s. Del sistema montañoso de los Pirineos o relacionado con él.

[pírex s.m. →**pyrex**. ☐ MORF. Invariable en número.

piripi adj. *col.* Ligeramente borracho. ☐ MORF. Invariable en género.

pirita s.f. Mineral de hierro, de color amarillo y brillante. ☐ ETIMOL. Del griego *pyrítes*, y éste de *pŷr* (fuego).

piro s.m. *col.* Fuga o huida. ☐ SINT. Se usa más en la expresión *darse el piro*.

piro- Elemento compositivo que significa 'fuego' o 'temperatura muy elevada': *pirograbado, pirotecnia, pirómano*. ☐ ETIMOL. Del griego *pŷr*.

pirograbado s.m. **1** Técnica que consiste en dibujar, grabar o tallar superficialmente la madera con un instrumento incandescente. **2** Obra o talla que se obtiene por medio de esta técnica. De *piro-* (fuego) y *grabado*.

pirómano, na s. Que tiene una tendencia patológica a provocar fuego.

piropear v. Decir piropos: *¿Cómo no voy a piropearte, con lo elegante que vienes?*

piropeo s.m. Hecho de decir piropos.

piropo s.m. Expresión de elogio o de alabanza dirigida a una persona, esp. por su belleza. ☐ ETIMOL. Del latín *pyropus* (mezcla de colores, oro con tonos de rojo brillante) y éste del griego *pyrópos* (semejante al fuego, de color encendido), porque se empleaba con frecuencia en tratados y poesías retóricas como símbolo de lo brillante. ☐ SINT. Se usa más con los verbos *echar*, *decir* y equivalentes.

pirotecnia s.f. Arte o técnica de preparar explosivos y fuegos artificiales. ☐ ETIMOL. De *piro-* (fuego) y el griego *tékhné* (arte, industria, habilidad).

pirotécnico, ca adj. De la pirotecnia o relacionado con este arte.

pirrar v. *col.* Gustar mucho: *El cine me pirra. Me pirro por los helados de chocolate.* ☐ PRON. Incorr. *[pirriar].* ☐ SINT. Constr. como pronominal: *pirrarse POR algo*.

pírrico, ca adj. Referido a una victoria, que ha sido obtenida con más daños para el vencedor que para el vencido. ☐ ETIMOL. Del griego *pyrrhikós*, y éste de *Pyrrós* (Pirro), que fue un rey de Epiro vencido por los romanos, aunque los vencedores tuvieron tantos daños como los vencidos. ☐ SEM. Dist. de *insuficiente o por los pelos*.

[*pirruris* s. *col.* En zonas del español meridional, persona que muestra en su forma de actuar que tiene dinero. ☐ MORF. 1. Es de género común: *el 'pirruris', la 'pirruris'*. 2. Invariable en número. ☐ USO Es despectivo.

pirueta s.f. **1** Movimiento ágil y rápido en el aire. **2** En danza, salto que da el bailarín cruzando varias veces los pies en el aire; cabriola. **3** En un ejercicio acrobático, salto consistente en uno o varios giros alrededor del eje vertical del saltador. ☐ ETIMOL. Del francés *pirouette* (cabriola).

[*pirula* s.f. **1** *col.* Faena. **2** *col.* Trampa. **3** *col.* Píldora estimulante.

[*piruleta* s.f. Caramelo grande, redondo y plano, que se chupa cogiéndolo de un palillo clavado en su base. ☐ ETIMOL. Extensión del nombre de una marca comercial.

pirulí s.m. Caramelo alargado, generalmente de forma cónica, que se chupa cogiéndolo de un palillo clavado en su base. ☐ MORF. Aunque su plural en la lengua culta es *pirulíes*, se usa mucho *pirulís*.

pis s.m. **1** *euf. col.* Orina. **2** ‖ [**hacer pis**; *col.* Orinar.

[*pis-pas* ‖ [**en un pis-pas**; *col.* En un momento. ☐ USO Se usa también *en un pispás*.

pisada s.f. **1** Colocación del pie sobre algo, esp. en el suelo para andar. **2** Presión que se hace con el pie. **3** Huella o señal del pie. ☐ SEM. Es sinónimo de *pisadura*.

pisadura s.f. →pisada.

pisapapeles s.m. Objeto pesado que se pone sobre los papeles para que no se muevan. ☐ MORF. Invariable en número.

pisar v. **1** Poner alternativamente los pies en el suelo al andar: *Cuando entre en casa, pisaré despacio para no despertarte*. **2** Apretar con el pie: *En mi pueblo el vino todavía se hace pisando la uva*. **3** Poner el pie encima: *Bailo tan mal que siempre piso a mi pareja*. **4** Referido a un lugar, entrar en él o aparecer por allí: *Desde que discutí con ellos, no he vuelto a pisar su casa*. **5** *col.* Referido a un objetivo o un proyecto, iniciarlo o llevarlo a cabo antes que otra persona: *Fue más listo y me pisó el negocio de los aperitivos a domicilio*. **6** Referido a una persona, humillarla o tratarla mal: *No debes dejarte pisar por nadie*. **7** Referido a una tecla o a una cuerda de un instrumento musical, apretarlas con los dedos: *La profesora me dijo que me faltaba agilidad al pisar las cuerdas de la guitarra en el punteo*. **8** Referido a un objeto, cubrir parcialmente a otro: *La moqueta no está bien colocada porque los trozos se pisan unos a otros*. **9** ‖ [**pisar fuerte**; *col.* Actuar con seguridad o con empuje. ☐ ETIMOL. Del latín *pinsare*. ☐ USO La acepción 4 se usa más en expresiones negativas.

pisci- Elemento compositivo que significa 'pez': *piscicultura, piscicultor, piscívoro*. ☐ ETIMOL. Del latín *piscis*.

piscícola adj. De la piscicultura o relacionado con esta técnica de cría. ☐ ETIMOL. De *pisci-* (pez) y *-cola* (relación). ☐ MORF. Invariable en género.

piscicultura s.f. Técnica para dirigir y fomentar la reproducción de peces y mariscos, generalmente

con fines comerciales. ☐ ETIMOL. De *pisci-* (pez) y *-cultura* (cultivo).

piscifactoría s.f. Lugar acondicionado para criar peces y mariscos con fines comerciales. ☐ ETIMOL. De *pisci-* (pez) y *factoría*.

piscina s.f. Estanque destinado al baño, a la natación o a la práctica de deportes acuáticos. ☐ ETIMOL. Del latín *piscina* (vivero).

piscis adj./s. Referido a una persona, que ha nacido entre el 19 de febrero y el 20 de marzo aproximadamente. ☐ ETIMOL. Del latín *Piscis* (duodécimo signo zodiacal). ☐ MORF. 1. Como adjetivo es invariable en género. 2. Como sustantivo es de género común: *el piscis, la piscis*. 3. Invariable en número.

piscívoro, ra adj./s. Que se alimenta de peces; ictiófago. ☐ ETIMOL. De *pisci-* (pez) y *-voro* (come).

pisco s.m. **1** Aguardiente de uva moscatel. **2** ‖ [**pisco** {**sauer/saur/sour**}; cóctel elaborado con pisco, zumo de limón y azúcar.

piscolabis s.m. *col.* Comida ligera, compuesta generalmente por aperitivos y pinchos. ☐ ETIMOL. De origen incierto. ☐ MORF. Invariable en número.

pisiforme s.m. →hueso pisiforme. ☐ ETIMOL. Del latín *pisum* (guisante) y *-forme* (forma).

piso s.m. **1** Superficie natural o artificial sobre la que se pisa. **2** En un edificio o un medio de transporte, cada una de las diferentes plantas que se superponen y forman su altura. **3** En un edificio de varias alturas, conjunto de habitaciones que constituyen una vivienda independiente. **4** En el calzado, suela o parte que toca el suelo. [**5** Cada una de las capas superpuestas que, en su conjunto, forman una unidad. [**6** En zonas del español meridional, taburete. **7** ‖ [**piso franco**; el que ocupa un comando terrorista y no ha sido localizado por la policía.

pisotear v. **1** Pisar repetidamente estropeando o destrozando: *No pisotees las flores*. **2** Humillar o maltratar: *No te dejes pisotear por nadie*.

pisoteo s.m. **1** Rotura o deterioro de algo por haberlo pisado repetidamente. **2** Humillación, abuso o maltrato.

pisotón s.m. Pisada fuerte que se da sobre algo, esp. sobre un pie.

pispajo s.m. *col.* Persona pequeña y vivaracha.

[*pispás* ‖ [**en un pispás**; *col.* En un momento. ☐ USO Se usa también *en un pispas*.

pista s.f. **1** Huella o rastro que un animal o una persona dejan por donde pasan. **2** Conjunto de señales o datos que podrían descubrir algo que está oculto. **3** Terreno liso preparado para practicar deportes, esp. carreras. **4** Espacio destinado al baile en algunos locales de recreo. **5** Terreno acondicionado para el despegue y aterrizaje de aviones. **6** Camino que se construye provisionalmente y se usa como carretera. **7** En un circo o en una sala de fiestas, espacio en el que actúan los artistas. ☐ ETIMOL. Del italiano *pista*.

pistache s.m. [En zonas del español meridional, pistacho. ☐ ETIMOL. Del francés *pistache*.

pistacho s.m. Fruto seco, de forma ovalada, que consta de una cáscara muy dura que contiene una especie de almendra pequeña, muy sabrosa y de color verdoso. ☐ ETIMOL. Del italiano *pistacchio*.

pistilo s.m. En una flor, órgano femenino situado generalmente en el centro y que está compuesto de ovario, estilo y estigma. ☐ ETIMOL. Del latín *pisti-*

llum (mano del almirez), por comparación con su forma. ✿ **flor**

pisto s.m. **1** Plato cuyos principales ingredientes son el pimiento, el tomate y la cebolla, fritos y muy picados. **2** ‖ **darse pisto**; *col.* Darse importancia. □ ETIMOL. Del latín *pistus* (machacado).

pistola s.f. **1** Arma de fuego de pequeño tamaño y de corto alcance, que puede usarse con una sola mano y que va provista de un cargador en la culata. ✿ arma **2** Utensilio de forma parecida, que sirve generalmente para proyectar pintura u otros líquidos pulverizados. **3** Barra de pan. □ ETIMOL. Del alemán *pistole*. □ USO En la acepción 1, es innecesario el uso de la expresión *a punta de pistola*, que puede sustituirse por *pistola en mano*: *Fue atracado* {*a punta de pistola > pistola en mano*}.

pistolero, ra ‖ s. **1** Persona experta en el manejo de la pistola y que suele utilizarla para cometer actos delictivos. ‖ s.f. **2** Estuche o funda para guardar la pistola. □ MORF. En la acepción 1, la RAE sólo lo registra como masculino.

pistoletazo s.m. Disparo de pistola.

pistón s.m. **1** En un motor de explosión, émbolo de un cilindro. **2** En algunos instrumentos musicales de viento, llave en forma de émbolo. **3** Pieza o parte central de una cápsula que lleva la materia que hace estallar una carga explosiva. □ ETIMOL. Del francés *piston*.

pistonudo, da adj. *col.* Muy bueno, superior o estupendo.

pita ‖ s.f. **1** Planta con largas hojas carnosas en forma de pirámide triangular provistas de espinas en los bordes y en la punta, flores amarillentas que salen de un tallo central que se eleva sobre el resto de la planta y de la que se extrae una fibra que se usa en la fabricación de cuerdas y tejidos. **2** Hilo que se hace con las hojas de esta planta. ‖ interj. **3** Expresión que se utiliza para llamar a las gallinas.

pitada s.f. **[1** Conjunto de silbidos o pitidos que el público da como señal de desagrado, descontento o nerviosismo. **2** Sonido del pito. **[3** *col.* En zonas del español meridional, chupada o calada.

pitagórico, ca ‖ adj. **1** De Pitágoras (filósofo y matemático griego) o de su escuela. ‖ adj./s. **2** Que defiende o sigue el pitagorismo.

[pitagorín s. *col.* Estudiante que todo lo sabe. □ MORF. Es de género común: *el 'pitagorín', la 'pitagorín'*. □ USO Tiene un matiz despectivo o humorístico.

pitanza s.f. *col.* Comida cotidiana. □ ETIMOL. Del francés *pitance*, y éste de *pitié* (caridad).

pitañoso, sa adj./s. Con muchas legañas; legañoso.

pitar v. **1** Referido esp. a un pito, sonar o hacerlo sonar: *Este silbato no pita. El guardia de tráfico pitó para que nos parásemos.* **2** Zumbar o hacer un ruido continuado: *Dicen que si te pitan los oídos es porque alguien se está acordando de ti.* **3** *col.* Marchar, funcionar bien o dar el rendimiento esperado: *Afortunadamente, el negocio pita cada día mejor.* **4** Dar silbidos o hacer ruidos como señal de desagrado, descontento o nerviosismo: *Los aficionados pitaron al árbitro cuando señaló penalti.* **[5** Referido a un partido, arbitrarlo: *Al árbitro que 'pitó' el partido lo acusaron de casero.* **6** En zonas del español meridional, dar una calada al cigarrillo. **7** ‖ **pitando**; *col.* Muy deprisa: *Vete pitando al colegio, que vas a llegar tar-*

de. □ SINT. *Pitando* se usa más con los verbos *irse marcharse, salir* o equivalentes.

[pitcher (anglicismo) s. En béisbol, jugador que lanza la pelota al bateador. □ PRON. [pítcher], con *r* suave. □ MORF. Es de género común: *el 'pitcher', la 'pitcher'*.

pitido s.m. **1** Silbido del pito. **2** Zumbido o ruido continuado.

pitillera s.f. Petaca o estuche que se usa para llevar pitillos.

pitillo s.m. **1** Cigarro pequeño y delgado, hecho con picadura y liado con papel de fumar; cigarrillo. **[2** En zonas del español meridional, paja para beber.

pitiminí s.m. **1** →**rosal de pitiminí**. **2** ‖ **de pitiminí**; *col.* Pequeño, delicado o de poca importancia. □ ETIMOL. Del francés *petit* (pequeño) y *menu* (menudo). □ MORF. Aunque su plural en la lengua culta es *pitiminíes*, la RAE admite también *pitiminís*.

pito s.m. **1** Instrumento pequeño y hueco que produce un sonido agudo cuando se sopla por él; silbato. **[2** Voz o sonido muy fuertes y muy agudos. **3** Chasquido o sonido que resulta de juntar el dedo medio con el pulgar y hacerlo resbalar con fuerza. **4** *col.* Bocina o. claxon. **5** *col.* Cigarrillo. **[6** *col.* →**pene**. **7** ‖ **por pitos o (por) flautas**; *col.* Por un motivo o por otro. ‖ **tomar** a alguien **por el pito del sereno**; *col.* Darle poca o ninguna importancia. ‖ **un pito**; *col.* Muy poco o nada. □ ETIMOL. De origen onomatopéyico. □ SINT. *Un pito* se usa más con los verbos *importar, valer* o equivalentes y en expresiones negativas.

pitón s.m. **1** →**serpiente pitón**. **2** En algunos animales, punta del cuerno, o cuerno que empieza a salir. **[3** En tauromaquia, cuerno del toro. □ ETIMOL. La acepción 1, del griego *python* (dragón, demonio). Las acepciones 2 y 3, de *pito*. □ MORF. En la acepción 1, se usa también como femenino.

[pitonazo s.m. Herida hecha con el pitón.

pitonisa s.f. Mujer que adivina el futuro. □ ETIMOL. Por alusión a Pitonisa, sacerdotisa del dios griego Apolo. □ MORF. Se usa también el masculino coloquial *pitoniso*.

[pitopausia s.f. *col.* Andropausia. □ USO Tiene un matiz humorístico.

[pitopáusico, ca adj./s.m. *col.* Referido a un hombre, que está viviendo el período de la andropausia. □ USO Tiene un matiz humorístico.

pitorrearse v.prnl. *col.* Burlarse, guasearse o tomarse a risa; chotearse: *No te pitorrees de mí, que estoy hablando muy en serio.* □ SINT. Constr. *pitorrearse DE algo.*

pitorreo s.m. *col.* Burla o guasa.

pitorro s.m. **1** En un botijo o un porrón, tubo cónico que sirve para moderar la salida del líquido que en ellos se contiene. **[2** *col.* Pieza semejante a este tubo. □ ETIMOL. De *pito*.

pitote s.m. Situación confusa o agitada, esp. si va acompañada de alboroto y tumulto.

pituco, ca ‖ adj. **[1** *col.* En zonas del español meridional, referido esp. a la ropa, que es elegante o distinguida. ‖ adj./s. **[2** *col.* En zonas del español meridional, pijo o chulo.

[pitufo, fa s. **1** *col.* Niño o persona de baja estatura. **2** Guardia municipal. □ ETIMOL. Por alusión a los Pitufos, que son unos enanitos azules de cuentos infantiles. □ USO En la acepción 1, tiene un matiz cariñoso.

pituitaria s.f. →**membrana pituitaria.** □ MORF. La RAE sólo lo registra como adjetivo.

pituso, sa s. *col.* Niño.

pívot s. **1** En baloncesto, jugador cuya función primordial es la de situarse cerca del tablero para recoger los rebotes o anotar puntos. **[2** En balonmano, jugador de ataque que trata de abrir huecos en la defensa del equipo contrario. □ ETIMOL. Del francés *pivot.* □ MORF. Es de género común: *el pívot, la pívot.*

pivotante adj. Referido a una raíz, que tiene una parte principal más desarrollada que las partes secundarias, y que penetra en el suelo como una prolongación del tronco. □ MORF. Invariable en género. ⟶ raíz

pivotar v. **1** Girar o dar vueltas sobre un pivote o sobre un eje: *La pantalla de mi ordenador pivota sobre un soporte circular.* **[2** En algunos deportes, esp. en baloncesto, girar un jugador sobre un pie para cambiar de posición: *El base 'pivotó' y después tiró a canasta.*

pivote s.m. **1** Pieza fija o giratoria, generalmente cilíndrica, en la que se apoya o se inserta otra. **[2** Poste o barra que se colocan en un lugar, generalmente para impedir el aparcamiento de vehículos. □ ETIMOL. Del francés *pivot.*

[píxel (anglicismo) s.m. Punto de luz mínimo que forma una imagen, esp. en la pantalla de un ordenador. □ PRON. [píxel].

piyama s.m. En zonas del español meridional, pijama. □ MORF. En algunos países de América se usa como femenino.

pizarra s.f. **1** Roca metamórfica, de grano muy fino, generalmente de color negro, que se divide con facilidad en hojas o láminas planas y delgadas. **2** Superficie de material duro, de color generalmente negro o verde, que se utiliza para escribir en ella con tiza y poder borrar con facilidad, y que suele colgarse de una pared; encerado. □ ETIMOL. De origen vasco.

pizarral s.m. Lugar en el que se hallan o abundan las pizarras.

pizarrería s.f. Lugar del que se extraen pizarras y se labran.

pizarrín s.m. **1** Barra pequeña, generalmente cilíndrica, que se usa para escribir o dibujar en las pizarras. **[2** *vulg.* →**pene.**

pizarrón s.m. En zonas del español meridional, pizarra.

pizca s.f. **1** *col.* Parte o cantidad muy pequeñas. **2** ‖ **ni pizca;** *col.* Nada. □ ETIMOL. De *pizco* (pellizco).

pizpireto, ta adj. *col.* Referido a una persona, que es viva, graciosa y simpática. □ ETIMOL. De origen onomatopéyico. □ MORF. La RAE sólo lo registra en femenino.

pizza (italianismo) s.f. Comida compuesta de una masa redonda hecha de harina de trigo sobre la que se coloca queso, anchoas, aceitunas y otros ingredientes, y que se cuece en el horno. □ PRON. [pítsa].

pizzería s.f. Lugar en el que se elaboran, se venden y se consumen pizzas. □ PRON. [pitsería].

[pizzero, ra s. Persona que hace pizzas o que las reparte a domicilio. □ PRON. [pitséro].

pizzicato (italianismo) s.m. En una composición musical, pasaje que se ejecuta pellizcando con los dedos las cuerdas de un instrumento de arco. □ PRON. [pitsicáto].

placa s.f. **1** Plancha o lámina rígida y poco gruesa. **2** Letrero que se coloca en un lugar público y visible para orientar o informar. **3** Insignia o distintivo, generalmente de metal, que llevan los agentes de policía para identificarse como tales; chapa. **4** Lámina rígida y cubierta por una capa de sustancia alterable por la luz, con la que se hacen algunos tipos de fotografías. **5** Lámina, capa o película que está superpuesta a algo: *placa de sarro.* **6** En geología, cada una de las partes de la litosfera, que flotan sobre el manto, y cuyas zonas de choque forman los cinturones de actividad volcánica, sísmica y tectónica. **7** En zonas del español meridional, matrícula. □ ETIMOL. Del francés *plaque.*

[placaje s.f. En algunos deportes, esp. en rugby, detención del ataque de un jugador contrario que lleva el balón, sujetándolo con las manos. □ ETIMOL. Del francés *placage.*

placar v. **[** En rugby, referido al jugador que lleva el balón, detener su ataque sujetándolo con las manos: *El zaguero placó al delantero cuando éste iba a conseguir un ensayo.* □ ORTOGR. La *c* se cambia en *qu* delante de *e* →SACAR.

[placard (galicismo) s.m. En zonas del español meridional, armario empotrado. □ PRON. [placár].

placebo s.m. Sustancia sin acción terapéutica, que puede producir un efecto curativo en un enfermo si éste la recibe convencido de que sí la tiene. □ ETIMOL. Del latín *placebo* (agradaré).

pláceme s.m. Manifestación de la satisfacción que alguien recibe por algún suceso feliz que le ha ocurrido a otra persona; felicitación. □ ETIMOL. De *placer* y *me* (me place). □ MORF. Se usa más en plural.

placenta s.f. **1** Órgano redondeado y plano, que durante la gestación se desarrolla en el interior del útero y que funciona como intermediario entre la madre y el feto. **2** En una flor, parte del ovario en la que se insertan los óvulos. □ ETIMOL. Del latín *placenta* (torta).

placentario, ria ∎ adj. **1** De la placenta o relacionado con esta estructura orgánica. **∎** adj./s.m. **[2** Referido a un animal, que se desarrolla en el útero de la madre, con formación de placenta. **∎** s.m.pl. **3** En zoología, grupo de estos animales.

placentero, ra adj. Que resulta agradable, alegre o apacible.

placer ∎ s.m. **1** Goce o alegría espiritual. **2** Sensación agradable o de plena satisfacción. **3** Diversión o entretenimiento. **∎** v. **4** Agradar o dar gusto: *Si te place, puedes acompañarme. Haz lo que te plazca y déjame a mí en paz.* □ ETIMOL. Las acepciones 1-3, del verbo *placer.* La acepción 4, del latín *placere* (gustar). □ MORF. Irreg. →PLACER.

placero, ra s. En zonas del español meridional, vendedor callejero.

plácet s.m. Aprobación u opinión favorable, esp. la que da un Gobierno al embajador de otro país. □ ETIMOL. Del latín *placet* (place, agrada).

placidez s.f. **1** Quietud, sosiego o falta de agitación. **2** Tranquilidad o agrado que se experimentan.

plácido, da adj. **1** Quieto, sosegado y sin perturbación. **2** Que proporciona un placer agradable y tranquilo. □ ETIMOL. Del latín *placidus.*

[pladur s.m. Material empleado en construcción y en decoración, que se utiliza esp. para hacer estanterías o en la elaboración de tabiques y techos fal-

SOS. ☐ ETIMOL. Extensión del nombre de una marca comercial.

plafón s.m. Lámpara plana que se coloca pegada al techo para ocultar las bombillas. ☐ ETIMOL. Del francés *plafond*, y éste de *plat* (achatado, plano) y *fond* (fondo). 🔛 alumbrado

plaga s.f. **1** Desastre o desgracia sufridos por un pueblo o una comunidad. **2** Abundancia de animales o de vegetales que causan daño o destrucción. **3** Gran abundancia de algo que se considera nocivo o molesto. ☐ ETIMOL. Del latín *plaga* (llaga, herida). ☐ USO En la acepción 3, tiene un matiz despectivo.

plagar v. Llenar o cubrir de algo nocivo, molesto o desagradable: *La sierra se plaga de gente en el fin de semana.* ☐ ORTOGR. La *g* se cambia en *gu* delante de *e* →PAGAR. ☐ SINT. Constr. *plagarse DE algo.*

plagiar v. Referido esp. a una obra o una idea ajenas, copiarlas en lo sustancial y presentarlas como propias: *Ese novelista plagió la obra de otro autor.* ☐ ORTOGR. La *i* nunca lleva tilde.

plagio s.m. Copia o presentación de una obra o de una idea ajenas como si fueran propias. ☐ ETIMOL. Del latín *plagium* (apropiación de esclavos ajenos).

plan s.m. **1** Intención o proyecto de hacer algo. **2** Programa en el que se presenta cómo debe hacerse un trabajo y de qué partes debe constar. **3** Dieta o régimen alimenticio. **[4** *col.* Actitud, modo o manera. **5** *col.* Relación amorosa superficial y pasajera. **6** *col.* Persona con la que se mantiene esta relación. **7** ‖ **[a todo plan**; *col.* Con mucho lujo. ‖ **[no ser plan** algo; *col.* No ser útil, conveniente o agradable. ☐ ETIMOL. De *plano.* ☐ SEM. En las acepciones 5 y 6, es sinónimo de *ligue.*

plana s.f. Véase **plano, na.**

plancha s.f. **1** Utensilio, generalmente eléctrico, formado por una superficie triangular y lisa en la parte inferior y un asa para agarrarla en la superior, que se utiliza para planchar. 🔛 electrodoméstico **2** Lámina lisa y delgada. **3** Conjunto de prendas de vestir planchadas o para planchar. **4** →**planchado. 5** *col.* Equivocación o error que deja a alguien en ridículo. **6** Placa que se usa para asar o tostar algunos alimentos. **7** Postura horizontal que adopta el cuerpo cuando salta o mientras está en el aire. **8** En imprenta, reproducción preparada para la impresión. **9** ‖ **a la plancha**; referido a un alimento, asado o tostado sobre una placa caliente. ☐ ETIMOL. Del francés *planche* (tabla, plancha de hierro).

planchado, da ■ adj. **1** *col.* Sorprendido y sin capacidad de reacción. ■ s.m. **2** Eliminación de las arrugas de un tejido por medio de una plancha; plancha. ■ s.f. **[3** En zonas del español meridional, planchado de la ropa.

planchador, -a ■ s. **1** Persona que se dedica profesionalmente a planchar. ■ s.f. **[2** Máquina industrial para planchar.

planchar v. **1** Referido esp. a un tejido, quitarle las arrugas por medio de una plancha caliente o por otros procedimientos: *Ya he planchado todas las camisas. Planchar en verano da mucho calor.* **2** *col.* Alisar o estirar: *Para planchar estas hojas de rosal, métalas debajo de algo pesado.*

planchazo s.m. **[1** Golpe dado con el vientre en el agua cuando alguien se lanza en una postura totalmente horizontal. **2** Error o desacierto grandes.

plancton s.m. Conjunto de pequeños organismos animales o vegetales acuáticos que flotan y se desplazan pasivamente en el agua. ☐ ETIMOL. Del griego *planktón* (lo que va errante).

planeador s.m. Aeronave ligera y sin motor, que despega al ser arrastrada por otra y que se mantiene en el aire aprovechando las corrientes térmicas. **[planeadora** s.f. Barca de diseño aerodinámico, con motor fueraborda y muy rápida.

planear v. **1** Referido a una obra o a una idea, trazar o formar su plan: *Planeó su huida de la cárcel con otros presos.* **2** Referido esp. a un proyecto, pensar realizarlo o tener intención de hacerlo: *Planea salir este fin de semana de excursión.* **3** Referido esp. a una aeronave, volar o descender sin usar el motor: *Llegamos al aeropuerto planeando.* **4** Referido a un ave, volar con las alas extendidas e inmóviles: *Los buitres planeaban en círculo sobre la res muerta.* ☐ SEM. Dist. de *planificar* (trazar el plan de un proyecto).

planeo s.m. **1** Vuelo o descenso de una aeronave sin usar el motor. **2** Vuelo de un ave con las alas extendidas e inmóviles.

planeta s.m. Cuerpo sólido celeste, sin luz propia, que gira alrededor del Sol o de otra estrella de la que recibe la luz que refleja. ☐ ETIMOL. Del latín *planeta*, y éste del griego *planétes* (vagabundo), porque los planetas se movían, a diferencia de las estrellas que parecían fijas.

planetario, ria ■ adj. **1** De los planetas o relacionado con estos cuerpos sólidos celestes. ■ s.m. **2** Lugar en el que se representan los planetas del sistema solar y sus movimientos.

planicie s.f. Terreno llano de gran extensión. ☐ ETIMOL. Del latín *planities.*

planificación s.f. Elaboración de un plan detallado y organizado para conseguir un objetivo. ☐ SEM. Es innecesario el uso del anglicismo *planning.*

planificar v. Referido esp. a un proyecto, trazar un plan detallado y organizado para su realización: *La profesora planificó el curso repartiendo el temario en tres trimestres.* ☐ ORTOGR. La *c* se cambia en *qu* delante de *e* →SACAR. ☐ SEM. Dist. de *planear* (hacer planes sobre una acción).

planilla s.f. Impreso o formulario que hay que rellenar para hacer una petición o una declaración, esp. ante la Administración pública. ☐ ETIMOL. De *plana.*

planisferio s.m. Mapa en el que se representa la esfera terrestre o la celeste en un plano. ☐ ETIMOL. De *plano* y *esfera.*

[planning s.m. **1** →**planificación. 2** Esquema en el que están señaladas diferentes variables de trabajo. ☐ PRON. [plánin]. ☐ USO Es un anglicismo innecesario.

plano, na ■ adj. **1** Llano, liso o sin estorbos. ■ s.m. **2** Representación gráfica y a escala en una superficie, de un terreno, de la planta de un edificio, de una ciudad o de algo semejante. **[3** En cine, vídeo y televisión, cada uno de los fragmentos de una película que han sido rodados de una vez. **4** En geometría, superficie que puede contener una línea recta en cualquier posición. **[5** Superficie imaginaria formada por puntos o por objetos que se sitúan a una misma distancia y se consideran desde el punto de vista del espectador. **6** Posición o punto de vista desde el que se puede considerar algo. ■ s.f. **7** En una hoja de papel, cada una de las caras. **8** Página impresa, esp. en un periódico o revista. **9** ‖ **[a toda plana**; ocupando una página entera. ‖ {**corregir/ enmendar**} **la plana** a alguien; descubrir o advertir defectos en lo que ha hecho. ‖ **plana mayor**; *col.* [Conjunto de jefes, de superiores o de directivos. ▢ ETIMOL. Del latín *planus* (llano).

planta s.f. **1** Ser orgánico que crece y vive sin capacidad para cambiar de lugar por impulso voluntario; vegetal. **2** En el pie, parte inferior sobre la que se sostiene el cuerpo. ⚆ pie **3** En un edificio, cada uno de los pisos o niveles que tiene. **4** Representación gráfica de la sección horizontal de un edificio. **5** Aspecto o presencia de una persona. **6** Fábrica o instalación industriales. **7** En arquitectura, figura que forman sobre el terreno los cimientos de un edificio. [**8** En zonas del español meridional, plantilla de una empresa. **9** ‖ **de nueva planta**; referido esp. a un edificio o a un proyecto, que se construye o se realiza desde los cimientos o partiendo de cero. ‖ **de planta**; [en zonas del español meridional, referido a un empleado del hogar, que vive en la casa en la que trabaja. ▢ ETIMOL. Del latín *planta*.

plantación s.f. Terreno en el que se cultivan plantas de una misma clase.

plantar ▮ v. **1** Referido esp. a una planta, meterla en tierra para que arraigue: *He plantado un rosal en el jardín.* **2** Referido a un terreno, poblarlo de plantas: *Quiere plantar sus tierras de árboles frutales.* **3** *col.* Referido esp. a un beso, darlo: *Estaba tan contenta que le planté dos besos.* **4** *col.* Referido a una persona, abandonarla o faltar a una cita con ella: *No llegaron a casarse, porque plantó al novio en la puerta de la iglesia.* **5** *col.* Referido esp. a una opinión, decirla claramente: *Le planté en la cara todo lo que pensaba de él.* **6** Colocar o poner en un lugar: *Es un desordenado y cuando llega a casa planta la cartera en cualquier sitio.* ▮ prnl. **7** *col.* Ponerse en pie ocupando un lugar: *Se plantó delante de mí y no me dejó pasar.* **8** *col.* Llegar en poco tiempo a un lugar: *Había tan poco tráfico que nos plantamos en las afueras en diez minutos.* **9** Resistirse a hacer algo: *El niño se plantó y no hubo forma de que se acabara la cena.* **10** *col.* En algunos juegos de cartas, no querer más de las que se tienen: *Me planté, porque jugaba a la siete y media y tenía un siete.* ▢ ETIMOL. Del latín *plantare* (plantar clavando con la planta del pie). ▢ SEM. En las acepciones 3, 6 y 8, es sinónimo de *plantificar*.

plante s.m. Protesta colectiva de personas que están agrupadas bajo una misma autoridad o que trabajan en común, y consistente en abandonar su cometido. ▢ ETIMOL. De *plantarse*.

planteamiento s.m. **1** Trazado de un boceto o elaboración de un proyecto. **2** Exposición, juicio o valoración de un problema o de una dificultad. ▢ SEM. Es sinónimo de *planteo*.

plantear ▮ v. **1** Referido a algo que no está hecho, enfocar su ejecución o trazar un boceto: *Ya he planteado el problema de física, ahora sólo me queda hacer las operaciones.* **2** Referido esp. a un problema, exponerlo o suscitarlo: *Le plantearé la cuestión a tu madre y que ella decida qué hacer.* ▮ prnl. **3** Considerar, examinar o juzgar: *Me estoy planteando la posibilidad de irme a vivir al extranjero.* ▢ ETIMOL. De *planta*.

plantel s.m. [**1** Conjunto de personas con alguna

característica común. **2** En zonas del español meridional, plantilla. ▢ ETIMOL. De *planta*.

planteo s.m. →**planteamiento.**

plantificar ▮ v. **1** *col.* Referido esp. a un beso, darlo: *En cuanto me vio, me plantificó dos besos.* [**2** *col.* Colocar o poner en un lugar: *'Plantificó' las manos sucias en las cortinas de la habitación.* ▮ prnl. **3** *col.* Llegar en poco tiempo a un lugar: *Con la nueva carretera, me plantifico en tu casa en un momento.* ▢ ETIMOL. Del latín *planta* (planta) y *facere* (hacer). ▢ ORTOGR. La *c* se cambia en *qu* delante de *e* →SACAR. ▢ SEM. Es sinónimo de *plantar*.

plantígrado, da adj./s. Referido a un cuadrúpedo, que al andar apoya completamente la planta de los pies y las manos. ▢ ETIMOL. Del latín *planta* (planta del pie) y *gradi* (caminar).

plantilla s.f. **1** Pieza con que se cubre el interior de la planta de un calzado. **2** Tabla o plancha que se pone sobre otra y que sirve como modelo o como guía para cortarla o para dibujarla. **3** Relación de los empleados de una empresa. [**4** En deporte, conjunto de jugadores de un equipo. ▢ ETIMOL. De *planta*.

plantillazo s.m. En el fútbol, entrada violenta que se hace a un contrario con la planta del pie.

planto s.m. Composición poética en la que se lamenta un hecho desgraciado, generalmente la muerte de una persona. ▢ ETIMOL. Del latín *planctus* (lamentación).

plantón s.m. **1** Planta joven que debe ser trasplantada. **2** *col.* Retraso o no asistencia a una cita.

plañidero, ra ▮ adj. **1** Lloroso y lastimero. ▮ s.f. **2** Mujer a la que se paga para que asista y llore en los entierros.

plañido s.m. Lamento, queja y llanto.

plañir v. Gemir y llorar con sollozos: *Los hijos del difunto plañían durante el velatorio.* ▢ ETIMOL. Del latín *plangere* (golpear, lamentarse). ▢ MORF. Irreg. →PLAÑIR.

plaqueta s.f. **1** Célula de la sangre de los vertebrados, de pequeño tamaño y sin núcleo, que interviene en la coagulación sanguínea; trombocito. [**2** Baldosa o azulejo de cerámica, generalmente de un espesor menor de un centímetro, que se utilizan principalmente para cubrir suelos. ▢ ETIMOL. Del francés *plaquette*. ▢ ORTOGR. Dist. de *claqueta*.

plasma s.m. Parte líquida de la sangre en la que se encuentran los elementos celulares que la componen. ▢ ETIMOL. Del griego *plásma* (formación).

plasmación s.f. Realización o representación de un proyecto o de una idea.

plasmar v. Dar forma o representar: *Plasmó sus sentimientos en un precioso poema.* ▢ ETIMOL. Del latín *plasmare*.

plasta ▮ adj./s. **1** *col.* Referido a una persona, que resulta pesada o molesta. ▮ s.f. **2** Sustancia o materia que tiene una consistencia blanda y espesa. **3** *col.* Objeto que tiene una forma aplastada. [**4** *col.* Excremento. ▢ ETIMOL. De *plaste* (masa para llenar agujeros). ▢ MORF. En la acepción 1, como adjetivo es invariable en género y como sustantivo es de género común: *el plasta, la plasta.*

[***plastelina*** s.f. Material blando y fácilmente modelable de diferentes colores, que utilizan generalmente los niños para hacer objetos. ▢ ORTOGR. Se usa también *plastilina*.

plasticidad s.f. **1** Propiedad que presenta un material de cambiar de forma al ejercer una fuerza sobre él, y de mantener dicha forma de manera permanente. **2** Concisión, exactitud y fuerza expresiva del lenguaje, mediante las cuales se consigue realzar las ideas que se manifiestan.

plástico, ca ∎ adj. **1** Referido a un material, que puede cambiar de forma al ejercer una fuerza sobre él, y mantener dicha forma de manera permanente. **2** Referido esp. al lenguaje, que consigue dar gran realce a las ideas o a las imágenes mentales, gracias a la concisión, exactitud o fuerza expresiva con que las manifiesta. **3** De la plástica o relacionado con este arte. ∎ adj./s.m. **4** Referido a un material, que es sintético, compuesto principalmente de derivados de celulosa, de resinas y de proteínas, y que puede moldearse fácilmente. ∎ s.f. **5** Arte o técnica de trabajar y dar forma al barro, al yeso o a otros materiales semejantes. ☐ ETIMOL. Las acepciones 1-4, del griego *plastikós* (relativo al modelado). La acepción 5, del griego *plastiké*.

plastificación s.f. o **plastificado** s.m. Cubrimiento de algo con una lámina de un material plástico.

plastificar v. Recubrir con una lámina de material plástico: *Plastifiqué el carné de la biblioteca.* ☐ ETIMOL. De *plástico* y el latín *facere* (hacer). ☐ ORTOGR. La *c* se cambia en *qu* delante de *e* →SACAR.

[**plastilina** s.f. →**plastelina**.

[**plasto** s.m. Orgánulo del citoplasma de las células vegetales que se caracteriza por la acumulación de pigmentos y de sustancias de reserva. ☐ ETIMOL. Del griego *plastós* (modelado).

plastrón s.m. **1** Corbata muy ancha que cubría el centro de la pechera de la camisa. [**2** Pechera de camisa masculina, esp. si es sobrepuesta. ☐ ETIMOL. Del francés *plastron*.

plata s.f. **1** Elemento químico, metálico y sólido, de número atómico 47, fácilmente moldeable, que puede extenderse en láminas finas, es de color blanco grisáceo y con brillo metálico, y se emplea en joyería. **2** Conjunto de joyas o de objetos fabricados con este metal. **3** col. Dinero o riqueza. **4** Medalla hecha con plata, que se otorga al segundo clasificado. **5** ‖ **en plata**; col. Referido a la forma de hablar, claramente y sin rodeos. ☐ ETIMOL. Del latín **plattus* (lámina metálica), porque en la península Ibérica se especializó pasando a designar el metal *argentum*. ☐ ORTOGR. En la acepción 1, su símbolo químico es *Ag*.

plataforma s.f. **1** Superficie horizontal, descubierta y elevada respecto del nivel del suelo. **2** Conjunto de personas, normalmente representativas, que dirigen un movimiento para reivindicar algo. [**3** Lo que sirve como medio para conseguir un fin. [**4** En informática, estructura general de un equipo informático, de un sistema operativo o del conjunto de ambos. **5** ‖ **plataforma continental**; superficie del fondo marino que va desde la costa hasta profundidades no superiores a doscientos metros. ‖ [**plataforma petrolífera**; instalación destinada a la extracción de petróleo en el mar. ☐ ETIMOL. Del francés *plate-forme*, y éste de *plat* (plano) y *forme* (forma).

platal s.m. col. En zonas del español meridional, dineral.

platanal o **platanar** s.m. Terreno plantado de bananos o plataneros. ☐ SEM. Es sinónimo de *bana-*

nal, bananar y *platanera*. ☐ USO *Platanal* es el término menos usual.

platanera s.f. Véase **platanero, ra.**

platanero, ra ∎ adj. **1** De las bananas o plátanos, o de su planta. ∎ s. **2** Árbol tropical, con forma de palmera, de grandes hojas verdes y cuyo fruto es la banana o el plátano; banano. ∎ s.f. **3** Terreno plantado de bananos o plataneros. ☐ SEM. 1. En las acepciones 1 y 2, es sinónimo de *bananero*. 2. En la acepción 3, es sinónimo de *bananal, bananar, platanal* y *platanar*.

plátano s.m. **1** Fruto comestible del banano o plátanero, de forma alargada y curva, y con una cáscara verde que amarillea cuando madura; banana. **2** Árbol de tronco cilíndrico y de corteza lisa y clara, de hojas caducas y palmeadas, que se suele plantar en calles y paseos y que da abundante sombra. ☐ ETIMOL. Del griego *plátanos* (tipo de árbol). ☐ SEM. En la acepción 2, dist. de *bananero* y *banano* (árbol frutal tropical).

platea s.f. En un teatro, planta baja ocupada por las butacas; patio de butacas. ☐ ETIMOL. De origen incierto.

plateado, da adj. Del color de la plata o semejante a él.

platear v. **1** Cubrir con un baño de plata: *He mandado platear el marco de esta fotografía en una joyería.* [**2** poét. Encanecer: *Después de tanto tiempo sin verlo noté que los años le habían plateado las sienes.*

platelminto ∎ adj./s.m. **1** Referido a un gusano, que tiene el cuerpo aplanado, carece de sistema circulatorio y respiratorio, es hermafrodita y, generalmente, parásito. ∎ s.m.pl. **2** En zoología, tipo de estos gusanos, perteneciente al reino de los metazoos. ☐ ETIMOL. Del griego *platýs* (ancho) y *hélmins* (gusano).

plateresco, ca ∎ adj. **1** Del plateresco o con rasgos propios de este estilo. ∎ s.m. **2** Estilo arquitectónico español de los siglos XV y XVI que se caracteriza por tener una estructura gótica con influencias italianas y ornamentación abundante.

platería s.f. **1** Arte y técnica de labrar la plata. **2** Lugar en el que trabaja o vende el platero. **3** Calle o barrio en el que estaban estos lugares.

platero, ra s. **1** Artista o artesano que labra la plata. **2** Persona que se dedica profesionalmente a la venta de objetos de joyería labrados. ☐ MORF. La RAE sólo registra el masculino.

plática s.f. **1** Charla o conversación entre varias personas. **2** Sermón breve. ☐ ETIMOL. Del latín *practice*. ☐ USO Se usa mucho en zonas del español meridional.

platicar v. **1** Conversar o hablar, esp. si es de forma tranquila y distendida: *Tomamos el café juntos y estuvimos platicando un rato.* **2** En zonas del español meridional, contar o referir. ☐ ORTOGR. La *c* se cambia en *qu* delante de *e* →SACAR.

platija s.f. Pez marino parecido al lenguado, de color pardo, con manchas amarillas en la cara superior, que tiene los ojos generalmente en el lado derecho y que vive en los fondos de las desembocaduras de algunos ríos. ☐ ETIMOL. Del latín *platissa*. ☐ MORF. Es un sustantivo epiceno: *la platija macho, la platija hembra.*

platillo ∎ s.m. **1** Pieza pequeña semejante a un plato. **2** Chapa metálica con forma de plato, que forma parte de algunos instrumentos musicales de percusión. **[3** En zonas del español meridional, guiso muy sabroso. **‖ pl. 4** Instrumento musical de percusión formado por dos de estas chapas y que generalmente se toca haciéndolas chocar una contra otra. ⚒ percusión **5 ‖ platillo {volador/volante}**; objeto volante de origen desconocido al que se le atribuye una procedencia extraterrestre.

platinado s.m. Recubrimiento con un baño de platino.

platino s.m. **1** Elemento químico, metálico y sólido, de número atómico 78, muy duro y menos deformable que el oro, que apenas resulta atacado por los ácidos. **2** En el sistema de encendido de un motor de explosión, pieza que permite que salte la chispa en las bujías. □ ETIMOL. De *platina*, y éste de *plata*, porque el color de estos dos metales es muy parecido. □ ORTOGR. En la acepción 1, su símbolo químico es *Pt*.

plato s.m. **1** Recipiente bajo, generalmente redondo, con una concavidad central más o menos honda, que se usa para servir las comidas. **2** Comida que se sirve en este recipiente. **3** Alimento preparado para ser comido. **4** Lo que tiene forma de disco de poco grosor y más o menos plano. **5** En deporte, disco de arcilla que se usa como blanco en algunas pruebas de tiro. **[6** En un tocadiscos, pieza circular giratoria sobre la que se coloca el disco; giradiscos. **[7** En una bicicleta, rueda con dientes que, combinada con un piñón, permite obtener un desarrollo concreto. **8 ‖ no haber roto un plato** alguien; *col*. No haber cometido ninguna falta. **‖ pagar los platos rotos**; *col*. Ser castigado o reñido injustamente por una falta que no se ha cometido o de la que no se es el único culpable. **‖ plato combinado**; el compuesto por varios alimentos diferentes y que sirve como comida completa. **‖ plato fuerte**; *col*. Lo más importante entre varias cosas. □ ETIMOL. Del latín **plattus* (plano, aplastado).

plató (galicismo) s.m. En un estudio de cine o de televisión, recinto cubierto en el que se ruedan películas o programas televisivos.

platón s.m. En zonas del español meridional, jofaina o palangana.

platónico, ca adj. **1** *col*. Desinteresado, honesto y con un fuerte componente idealista. **2** De Platón (filósofo griego del siglo V a. C.) o de su sistema filosófico. □ ETIMOL. Del latín *Platonicus*.

platonismo s.m. **1** Sistema filosófico creado por Platón (filósofo griego del siglo V a. C.) y que parte de que la realidad del mundo es una reproducción en materia de la ideas, que son eternas y perfectas. **[2** Actitud desinteresada y honesta.

platudo, da adj. *col*. En zonas del español meridional, adinerado o rico.

plausible adj. **1** Digno de aplauso o de alabanza. **2** Admisible, recomendable o justificado. □ ETIMOL. Del latín *plausibilis* (que es digno de aplauso). □ ORTOGR. Dist. de *posible*. □ MORF. Invariable en género.

[play off (anglicismo) **‖** En algunas competiciones deportivas, fase final o segunda fase de desempate. □ USO Su uso es innecesario y puede sustituirse por una expresión como *fase final*.

playa s.f. **1** Extensión más o menos plana de arena, en la orilla del mar o de un río o un lago grandes. **2** Porción de mar contigua a esta ribera. **3 ‖ playa**

de estacionamiento; en zonas del español meridional, aparcamiento. □ ETIMOL. Del latín *plagia*.

[playback (anglicismo) s.m. En un espectáculo, música grabada previamente y que sirve como base a la interpretación. □ PRON. [pléibac].

[playboy (anglicismo) s.m. Hombre conquistador y mujeriego. □ PRON. Está muy extendida la pronunciación anglicista [pléiboy]. □ USO Su uso es innecesario y puede sustituirse por una expresión como *conquistador* o *donjuán*.

playera s.f. Véase **playero, ra**.

playero, ra ‖ adj. **1** Referido esp. a una prenda de vestir, que es adecuada para estar en la playa. **‖** s.f. **2** Zapatilla de lona y con suela de goma, que se suele utilizar en verano. **[3** En zonas del español meridional, prenda de vestir parecida a una camiseta larga.

plaza s.f. **1** En una población, lugar ancho y espacioso en el que confluyen varias calles. **2** Mercado o lugar en el que se venden artículos comestibles. **3** Sitio en el que cabe una persona o cosa. **4** Puesto de trabajo o empleo. **5** Lugar fortificado en el que la gente o las tropas se defienden del enemigo. **6 ‖ plaza de armas**; en una posición militar, lugar en el que forman y hacen el ejercicio las tropas. **‖ plaza de toros**; instalación de forma circular en la que se celebran corridas de toros. □ ETIMOL. Del latín *platea* (calle ancha, plaza). □ SINT. En la acepción 1, el nombre de la plaza debe ir precedido por la preposición *de*, salvo si es un adjetivo: *plaza de España*.

plazo s.m. **1** Espacio o período de tiempo señalado para algo. **2** Cada una de las partes en que se divide una cantidad total que se paga en dos o más veces. **3 ‖ [a {corto/largo/medio} plazo**; dentro de un período de tiempo corto, largo o medio, respectivamente. **‖ a plazo fijo**; referido esp. a un depósito bancario, sin poder retirarlo hasta que se haya cumplido el límite estipulado. □ ETIMOL. Del latín *dies placitus* (día de plazo aprobado por la autoridad).

plazoleta s.f. Espacio abierto, más pequeño que una plaza, y que suele estar en jardines o alamedas.

pleamar s.f. **1** Fin del movimiento de ascenso de la marea: *Hasta las diez de la noche no habrá pleamar*. **2** Tiempo que dura el final del ascenso de la marea: *Zarparemos durante la pleamar*. □ ETIMOL. Del portugués *prea mar*. □ SEM. Dist. de *marea alta* (movimiento de ascenso del mar).

plebe s.f. **1** Clase social más baja en la escala social. **2** En la antigua Roma, clase social que carecía de los privilegios de los patricios. □ ETIMOL. Del latín *plebs* (pueblo, populacho).

plebeyo, ya ‖ adj. **1** De la plebe o relacionado con ella. **‖** adj./s. **2** Que no es noble ni hidalgo. **3** En la antigua Roma, que pertenecía a la plebe. □ ETIMOL. Del latín *plebeius*.

plebiscito s.m. Consulta que hace el Gobierno a todos los electores para que aprueben o rechacen determinada cuestión. □ ETIMOL. Del latín *plebiscitum* (decisión del pueblo).

plegable adj. Que puede ser plegado. □ MORF. Invariable en género.

plegado s.m. Doblado de una cosa con pliegues o para reducir su tamaño; plegadura.

plegadura s.f. →**plegado**.

plegamiento s.m. Proceso geológico por el que los

estratos sedimentarios se doblan o se pliegan al estar sometidos a presiones laterales; pliegue.

plegar ∎ v. **1** Doblar haciendo pliegues o dobleces: *Plegó el folio y lo metió en un sobre.* ∎ prnl. **2** Doblarse, ceder o someterse a algo: *En la democracia hay que plegarse a la opinión de la mayoría.* ☐ ETIMOL. Del latín *plicare* (doblar). ☐ ORTOGR. Aparece una *u* después de la *g* cuando le sigue *e*. ☐ MORF. **1.** Irreg. →REGAR. **2.** Puede usarse también como regular.

plegaria s.f. Petición o súplica, esp. las que se dirigen a un dios o a una divinidad. ☐ ETIMOL. Del latín *precaria*.

pleistoceno, na ∎ adj. **1** En geología, del primer período de la era cuaternaria o antropozoica, o relacionado con él. ∎ adj./s.m. **2** En geología, referido a un período, que es el primero de la era cuaternaria o antropozoica. ☐ ETIMOL. Del griego *plêiston* (lo más) y *kainós* (nuevo).

[pleiteante adj. Que pleitea. ☐ MORF. Invariable en género.

pleitear v. Disputar o contender en un juicio: *Pleitea con su primo, porque ambos pretenden la herencia del tío que murió sin hijos.*

pleitesía s.f. Manifestación o muestra reverente de cortesía o de obediencia. ☐ ETIMOL. Del antiguo *pleités* (representante, apoderado).

pleitista s. *col.* Persona que tiende a provocar discusiones o peleas; buscapleitos. ☐ MORF. Es de género común: *el pleitista, la pleitista.*

pleito s.m. Contienda, discusión o disputa que se desarrolla en un juicio. ☐ ETIMOL. Del francés antiguo *plait.*

plenario, ria adj. Referido esp. a una sesión o a una reunión, que cuenta con la asistencia de todos los miembros del grupo de que se trata. ☐ ETIMOL. Del latín *plenarius.*

plenilunio s.m. Fase lunar durante la cual la Luna se percibe desde la Tierra como un disco completo iluminado; luna llena. ☐ ETIMOL. Del latín *plenilunium.* 🗝️ fase

plenipotenciario, ria adj./s. Referido a un representante de un rey o de un Gobierno, que tiene plenos poderes y facultades para tratar y ajustar acuerdos u otros intereses. ☐ ETIMOL. Del latín *plenus* (pleno) y *potens* (que puede).

plenitud s.f. Apogeo o momento de mayor intensidad, fuerza o perfección. ☐ ETIMOL. Del latín *plenitudo.*

pleno, na ∎ adj. **1** Lleno o completo. **2** Que se encuentra en el momento central, culminante o de mayor intensidad. ∎ s.m. **3** Reunión o junta general de una corporación. **[4** En un juego de azar, esp. en una quiniela, acierto de todos sus resultados. **5** ‖ en **pleno**; entero o en su totalidad. ☐ ETIMOL. Del latín *plenus* (lleno).

pleonasmo s.m. Figura retórica consistente en emplear en la oración palabras innecesarias para su exacta y completa comprensión, pero que aportan gracia y fuerza expresivas. ☐ ETIMOL. Del griego *pleonasmós* (superabundancia).

[plesiosaurio o **plesiosauro** s.m. Reptil acuático que existió en la era secundaria, de cuello largo y cabeza pequeña, que tenía las extremidades transformadas en aletas. ☐ ETIMOL. Del griego *plesíos* (próximo) y *sâuros* (lagarto).

pletina s.f. **[1** Aparato en el que se coloca una cinta

magnética para grabar o reproducir sonidos. **2** Pieza metálica fina y de forma rectangular.

plétora s.f. **1** Abundancia excesiva de algo. **2** Exceso de sangre o de otros líquidos en el cuerpo. ☐ ETIMOL. Del griego *plethóre* (plenitud, gran abundancia).

pletórico, ca adj. Con abundancia de un rasgo de carácter que se considera positivo.

pleura s.f. En anatomía, membrana que cubre las paredes de la cavidad torácica y la superficie de los pulmones. ☐ ETIMOL. Del griego *pleurá* (costado, costilla).

pleural adj. De la pleura o relacionado con esta membrana; pleurítico. ☐ MORF. Invariable en género.

pleuresía s.f. Enfermedad que consiste en la inflamación de la pleura. ☐ ETIMOL. Del francés *pleurésie.*

pleuritis s.f. Inflamación de la pleura. ☐ ETIMOL. Del latín *pleuritis.* ☐ MORF. Invariable en número.

plexiglás s.m. Resina sintética parecida al vidrio, resistente al agua y de fácil moldeado. ☐ ETIMOL. Extensión del nombre de una marca comercial.

pléyade s.f. Grupo de personas famosas, esp. en el campo de las letras, que viven en una misma época. ☐ ETIMOL. Del griego *Pleiás* (nombre de un grupo formado por siete poetas alejandrinos).

plica s.f. Sobre cerrado y sellado en el que se guarda algún documento o noticia que no pueden hacerse públicos hasta la fecha o la ocasión señaladas para ello. ☐ ETIMOL. Del latín *plica.*

pliego s.m. **1** Trozo o pieza de papel de forma cuadrangular doblada por el medio. **2** Hoja de papel que no se vende doblada. **3** Papel o documento en los que se pone algo de manifiesto. ☐ ETIMOL. De *plegar.*

pliegue s.m. **1** Doblez, arruga o desigualdad que se forman o se hacen en un tejido o en algo flexible. **2** Proceso geológico por el que los estratos sedimentarios se doblan o se pliegan al estar sometidos a presiones laterales; plegamiento.

[plin ‖ **[a mí plin;** *col.* Expresión con que se indica que algo no importa absolutamente nada.

plinto s.m. **1** En una columna arquitectónica, elemento de poca altura, generalmente cuadrangular, sobre el que se asienta la base. **2** En gimnasia, aparato formado por varios cajones de madera, con la superficie almohadillada, que se utiliza para realizar pruebas de salto y otros ejercicios. 🗝️ gimnasio ☐ ETIMOL. Del latín *plinthus*, y éste del griego *plínthos* (ladrillo).

plioceno, na ∎ adj. **1** En geología, del quinto período de la era terciaria o cenozoica, o relacionado con él. ∎ adj./s.m. **2** En geología, referido a un período, que es el quinto de la era terciaria o cenozoica. ☐ ETIMOL. Del griego *plêion* (más) y *kainós* (nuevo).

[plis-plas ‖ **[en un plis-plas;** *col.* En un momento.

plisado s.m. Doblado de una tela o de algo flexible para que quede formando pliegues.

plisar v. Referido esp. a una tela, hacer que quede formando pliegues: *Plisar esta tela de cuadros es fácil si doblas siempre por las líneas del dibujo.* ☐ ETIMOL. Del francés *plisser.*

plomada s.f. **1** Pesa de plomo o de otro metal pesado que, colgada de una cuerda, sirve para señalar una línea vertical. **2** Cuerda con un peso en un extremo, que sirve para medir la profundidad de las aguas.

plomería s.f. En zonas del español meridional, fontanería.

[**plomífero, ra** adj. **1** Que contiene plomo; plumbífero. **2** col. Que resulta muy soso, pesado o aburrido. ☐ ETIMOL. De *plomo* y *-fero* (que lleva, tiene). ☐ ORTOGR. Dist. de *plumífero*.

plomizo, za adj. De color gris azulado, como el del plomo; aplomado.

plomo ▮ s.m. **1** Elemento químico, metálico y sólido, de número atómico 82, blando, fácilmente moldeable, que puede extenderse en láminas finas y es de color gris azulado. **2** Pieza o trozo de este metal que se pone en algunas cosas para darles peso. ✍ pesca **3** Carga explosiva, o bala de un arma de fuego. **4** col. Lo que resulta pesado y molesto. ▮ pl. **5** En una instalación eléctrica, cortacircuitos o fusible. **6** ‖ **a plomo**; de forma vertical. ☐ ETIMOL. Del latín *plumbum*. ☐ ORTOGR. En la acepción 1, su símbolo químico es *Pb*.

[**plotter** (anglicismo) s.m. En informática, aparato que se usa para trazar gráficos o dibujos mayores y más complejos que los que puede realizar una impresora. ☐ PRON. [plóter].

pluma s.f. **1** En un ave, cada una de las piezas que recubren su piel. **2** Conjunto de estas piezas de ave, usadas generalmente como relleno para almohadas y objetos similares. **3** Instrumento de escritura que necesita tinta líquida, formado generalmente por una punta y por un mango. **4** En una grúa, mástil o estructura vertical de gran altura respecto a la base. [**5** En un hombre, rasgo de amaneramiento o de afeminamiento. **6** ‖ **a vuela pluma**; →**vuelapluma**. ‖ (**pluma**) **estilográfica**; la que lleva incorporado un depósito recargable para la tinta. ‖ [**pluma fuente**; en zonas del español meridional, estilográfica. ☐ ETIMOL. Del latín *pluma*.

plumado, da adj. Que tiene plumas.

plumaje s.m. Conjunto de plumas.

[**plumas** s.m. col. →**plumífero**. ☐ MORF. Invariable en número.

plumazo ‖ **de un plumazo**; referido esp. a la forma de acabar o de suprimir algo, de forma brusca, rápida y eficaz.

plúmbeo, a adj. **1** De plomo. **2** col. Que pesa mucho. [**3** col. Pesado, aburrido o fastidioso. ☐ ETIMOL. Del latín *plumbeus*.

plúmbico, ca adj. Del plomo o relacionado con él.

[**plumbífero, ra** adj. Que contiene plomo; plomífero. ☐ ETIMOL. Del latín *plumbum* (plomo) y *-fero* (que lleva). ☐ ORTOGR. Dist. de *plumífero*.

[**plumcake** (anglicismo) s.m. Bizcocho con frutas confitadas y pasas. ☐ PRON. [plumkéik].

plumero s.m. **1** Utensilio para quitar el polvo, formado generalmente por un conjunto de plumas atadas al extremo de un palo. **2** Penacho o adorno de plumas. **3** ‖ **vérsele el plumero** a alguien; col. Descubrirse sus intenciones o pensamientos.

plumier s.m. Caja o estuche que sirve para guardar lápices y otros instrumentos de escritura. ☐ ETIMOL. Del francés *plumier*.

plumífero, ra ▮ adj. **1** poét. Que tiene o que lleva plumas. ▮ s.m. **2** Prenda de abrigo hecha de tela impermeable y rellena de plumas de ave. ☐ ETIMOL. Del latín *pluma* y *ferre* (llevar). ☐ ORTOGR. Dist. de *plomífero* y de *plumbífero*. ☐ USO En la acepción 2,

en la lengua coloquial se usa mucho la forma coloquial *plumas*.

plumilla s.f. **1** Instrumento metálico que, colocado en el extremo de una pluma de escribir y mojado en tinta, sirve para escribir y dibujar. [**2** En zonas del español meridional, púa que se utiliza para tocar un instrumento de cuerda.

plumín s.m. En una pluma de escribir, esp. en una estilográfica, pequeña lámina de metal que está fija en su extremo para poder dibujar o escribir.

plumón s.m. **1** Pluma muy delgada que tienen las aves debajo del plumaje exterior. [**2** En zonas del español meridional, rotulador.

plural ▮ adj. **1** Que es múltiple o que se presenta en más de un aspecto. ▮ adj./s.m. **2** En lingüística, referido a la categoría gramatical del número, que hace referencia a dos o más personas o cosas. **3** ‖ **plural de modestia**; en gramática, uso del pronombre personal de primera persona en plural cuando alguien quiere quitarse importancia. ‖ **plural mayestático**; en gramática, uso del pronombre personal de primera persona del plural, en lugar del singular, para expresar la autoridad o dignidad del que habla. ☐ ETIMOL. Del latín *pluralis* (que consta de muchos). ☐ MORF. Como adjetivo es invariable en género.

[**pluralia tantum** (latinismo) ‖ En gramática, vocablo únicamente usado en plural. ☐ PRON. [plurália tántum].

pluralidad s.f. **1** Multitud o abundancia de algunas cosas. **2** Variedad o presencia de elementos distintos. ☐ ETIMOL. Del latín *pluralitas*.

pluralismo s.m. Sistema por el que se acepta o se reconoce la pluralidad o la multitud de doctrinas o de métodos en algo, esp. en política.

[**pluralista** adj. Que sigue o que defiende el pluralismo. ☐ MORF. Invariable en género.

pluralizar v. **1** Dar número plural a palabras que generalmente no lo tienen: *Los 'Garcías' es un apellido que se pluraliza para hablar de toda la familia.* **2** Referido a algo peculiar de alguien, atribuirlo a dos o más personas, pero sin generalizarlo: *Cuando te quejas por lo que pasó, no pluralices, porque yo no tengo nada que ver con ese asunto.* ☐ ORTOGR. La *z* se cambia en *c* delante de *e* →CAZAR.

pluri- Elemento compositivo que significa 'varios'. ☐ ETIMOL. Del latín *pluris*.

pluricelular adj. Referido a un organismo, que tiene el cuerpo formado por muchas células. ☐ ETIMOL. De *pluri-* (varios) y *celular*. ☐ MORF. Invariable en género.

pluriempleado, da adj./s. Que tiene más de un empleo remunerado. ☐ MORF. La RAE sólo lo registra como sustantivo.

pluriempleo s.m. Desempeño, por parte de una sola persona, de más de un trabajo remunerado. ☐ ETIMOL. De *pluri-* (varios) y *empleo*.

plurilingüe adj. **1** Referido a un hablante o a una comunidad de hablantes, que utiliza más de una lengua. **2** Referido a un texto, que está escrito en más de un idioma. ☐ ETIMOL. De *pluri-* (varios) y el latín *lingua* (lengua). ☐ MORF. Invariable en género.

[**pluripartidismo** s.m. Existencia de más de dos partidos políticos en una nación.

[**pluripartidista** adj. Que permite la existencia de diversos partidos políticos. ☐ MORF. Invariable en género.

plurivalente adj. Que tiene varios valores o usos; polivalente. ☐ MORF. Invariable en género.

plus s.m. Cantidad de dinero suplementaria que se paga o que se recibe además del sueldo. ☐ ETIMOL. Del latín *plus* (más). ☐ MORF. Su plural es *pluses*.

pluscuamperfecto s.m. →**pretérito pluscuamperfecto.** ☐ ETIMOL. Del latín *plus quam perfectum* (más que perfecto).

[plusmarca s.f. En deporte, mejor resultado técnico homologado.

plusmarquista s. Deportista que tiene la mejor marca en su especialidad. ☐ MORF. Es de género común: *el plusmarquista, la plusmarquista.*

plusvalía s.f. **1** Aumento del valor de algo, esp. de un bien. **[2** *col.* Impuesto que grava el beneficio obtenido por la diferencia entre el precio al que se adquirió un terreno o un bien inmueble y aquel al que se vende. ☐ SEM. Dist. de *minusvalía* (disminución del valor).

plutocracia s.f. **1** Gobierno en el que el poder lo ostenta la clase social más poderosa económicamente. **2** Predominio social de la clase más rica de un país. ☐ ETIMOL. Del griego *plûtos* (riqueza) y *kratéo* (yo domino).

plutónico, ca adj. Referido a una roca, que se ha consolidado en el interior de la corteza terrestre, generalmente a partir del magma.

plutonio s.m. Elemento químico, metálico y artificial, de número atómico 94, que pertenece al grupo de las tierras raras, es de color blanco plateado, muy tóxico y se usa como combustible nuclear. ☐ ETIMOL. Del latín *Pluto* (Plutón). ☐ ORTOGR. Su símbolo químico es *Pu*.

pluvial adj. De la lluvia. ☐ ETIMOL. Del latín *pluvialis*. ☐ MORF. Invariable en género.

pluviómetro s.m. Instrumento que sirve para medir la lluvia que cae en un lugar y en un tiempo determinado. ☐ ETIMOL. Del latín *pluvia* (lluvia) y *-metro* (medidor). 🌀 medida

pluviosidad s.f. Cantidad de lluvia que recibe un lugar en un período determinado de tiempo.

pluvioso, sa adj. *poét.* →**lluvioso.**

poblacho s.m. Pueblo pequeño, pobre, mal conservado o mal considerado. ☐ USO Es despectivo.

población s.f. **1** En un territorio, conjunto de sus habitantes. **[2** Conjunto de seres vivos que pertenecen a una misma especie o que comparten unas mismas características. **3** Conjunto de edificios y espacios de un lugar habitado. **4** ‖**población activa**; la que trabaja y recibe remuneración por ello, o está en edad de hacerlo. ‖ **[población (callampa)**; en zonas del español meridional, barrio de chabolas. ☐ ETIMOL. Del latín *populatio*. ☐ SEM. Dist. de *demografía* (estudio estadístico de la población humana).

poblado s.m. Lugar en el que vive un conjunto de personas.

poblador, -a adj./s. **1** Que habita en un lugar. **2** Fundador de una colonia.

poblamiento s.m. En geografía, proceso de asentamiento de un grupo humano en un determinado lugar.

poblar v. **1** Referido a un lugar, ocuparlo para vivir en él: *Los conquistadores poblaban los territorios conseguidos.* **2** Referido a un lugar, habitarlo o estar viviendo en él: *Algunas de las especies que pueblan los mares están a punto de extinguirse.* **3** Llenar con abundancia o profusión: *Las estrellas pueblan el cie-*

lo. ☐ ETIMOL. Del latín *populus* (pueblo). ☐ MORF. Irreg. →CONTAR.

pobre ‖ adj. **1** Escaso o insuficiente. **2** De poco valor, calidad o significación. ‖ adj./s. **3** Referido a una persona, que carece de lo necesario para vivir o que lo tiene con mucha escasez. **4** Infeliz, desdichado, triste o que inspira compasión. ‖ s. **5** Persona que habitualmente pide limosna; mendigo. **6** ‖**pobre de mí**; expresión que se utiliza para expresar lo desamparado o lo infeliz que uno mismo se siente. ‖**pobre de {ti/él}**; expresión que se utiliza como amenaza. ☐ ETIMOL. Del latín *pauper*. ☐ MORF. 1. Sus superlativos son *pobrísimo* y *paupérrimo*. 2. Como adjetivo es invariable en género. 3. Como sustantivo es de género común: *el pobre, la pobre.* ☐ USO En la acepción 4, se usa más antepuesto al nombre.

pobreza s.f. **1** Escasez o carencia de lo necesario para vivir. **2** Falta o escasez.

pocero, ra s. **1** Persona que se dedica profesionalmente a la construcción de pozos o a trabajar en ellos. **2** Persona que se dedica profesionalmente a la limpieza de pozos, cloacas o depósitos de desechos. ☐ ETIMOL. Del latín *putearius*. ☐ MORF. La RAE sólo lo registra como masculino.

pocha s.f. Véase **pocho, cha.**

pocho, cha ‖ adj. **1** Referido esp. a un alimento, que está podrido o empezando a pudrirse. **2** *col.* Referido a una persona, que no tiene buena salud. **[3** *col.* En zonas del español meridional, referido a un hispanoamericano, que procura hablar y actuar como un estadounidense. **[4** *col.* En zonas del español meridional, referido a una persona, que habla mezclando español e inglés. ‖ s.f. **5** Judía blanca temprana. **[6** Juego de cartas en el que cada jugador debe adivinar en cada ronda, y antes de jugar, las bazas que se va a hacer.

[pocholada s.f. *col.* Lo que resulta bonito o gracioso.

[pocholo, la adj. *col.* Bonito o gracioso.

pocilga s.f. **1** Establo para los cerdos; cochiquera. **2** *col.* Lugar sucio, desordenado o con mal olor. ☐ ETIMOL. Del latín **porcicula*.

pocillo s.m. Taza pequeña, generalmente de loza. ☐ ETIMOL. Del latín *pocillum*, y éste de *poculum* (copa).

pócima s.f. **1** Preparado medicinal realizado mediante la cocción de materias vegetales. **2** *col.* Bebida de sabor raro o desagradable. ☐ ETIMOL. Del latín *apozema*, y éste del griego *apózema* (cocimiento).

poción s.f. Bebida preparada y con propiedades mágicas o medicinales. ☐ ETIMOL. Del latín *potio* (acción de beber).

poco, ca ‖ indef. **1** Escaso y reducido, o que posee menos cantidad o calidad de lo normal o necesario. ‖ s.m. **2** Cantidad corta o escasa. **3** ‖**un poco**; seguido de un adjetivo, indica que la cualidad expresada por éste existe, pero en pequeña cantidad. ☐ ETIMOL. Del latín *paucus* (poco numeroso). ☐ MORF. En la acepción 2, incorr. su uso como femenino: {**una poca > un poco*} *de agua.*

poco adv. **1** En una cantidad o en un grado reducidos o escasos, o menos de lo normal o de lo necesario. **2** Corto período de tiempo. **3** Seguido de otro adverbio, denota idea de comparación. **4** ‖**a poco (de)**; pasado un breve espacio de tiempo. ‖**poco a**

poco; despacio, con lentitud o gradualmente. ‖ **poco más o menos**; aproximadamente o con escasa diferencia. ‖ **por poco**; expresión que se usa para indicar que casi sucede algo.

poda s.f. **1** Eliminación de las ramas inútiles de un árbol o de otra planta para que se desarrolle con más fuerza. **2** Tiempo en que se realiza. □ SEM. Es sinónimo de *podadura*.

podadera s.f. Herramienta parecida a unas grandes tijeras, que se usa para podar.

podadura s.f. →**poda**.

podar v. Referido a una planta, quitarle las ramas inútiles para que se desarrolle con más fuerza: *Debes podar los rosales en invierno.* □ ETIMOL. Del latín *putare* (limpiar).

podenco, ca adj./s. Referido a un perro, de la raza que se caracteriza por tener cabeza redonda, orejas tiesas, lomo recto, pelo medianamente corto, cola enroscada y patas largas y fuertes. □ ETIMOL. De origen incierto. 🐕 perro

poder ‖ s.m. **1** Capacidad o facultad para hacer algo. **2** Dominio, mando, influencia o autoridad para mandar. **3** Gobierno de un país. **4** Cada uno de los tipos de funciones en que se divide el gobierno de un Estado: *Los tres poderes del Estado son el ejecutivo, el legislativo y el judicial.* **5** Fuerza, vigor o eficacia. **6** Autorización legal que una persona o entidad da a otra para que la represente o actúe en su nombre. **7** Posesión de algo. ‖ v. **8** Referido a una acción, tener la capacidad, la facultad o la posibilidad de llevarla a cabo: *Este verano no podré ir de vacaciones.* **9** Tener autorización o derecho: –¿*Puedo quedarme a ver la tele?* **10** Ser más fuerte que otro o ser capaz de vencerlo: *Cuando nos peleamos, mi hermano siempre me puede.* **11** Referido a un suceso, ser posible: *Puede que venga con nosotros.* **12** ‖ **a más no poder** o **hasta más no poder**; todo lo posible: *Anduvimos hasta más no poder.* ‖ **de poder a poder**; de igual a igual. ‖ **en poder de** alguien; en su propiedad o bajo su dominio. ‖ **no poder con** algo; **1** No ser capaz de dominarlo, hacerlo, sostenerlo o levantarlo. **2** Sentir aversión por algo o no aguantarlo: *Es un estúpido y no puedo con él.* ‖ **no poder más**; **3** Estar muy cansado de hacer algo y considerar imposible continuar su ejecución. **4** Verse superado por algo: *No puedo más de frío.* ‖ **no poder menos**; ser incapaz de evitar algo o de dejar de hacerlo: *Al oír aquella tontería, no pude menos que reírme.* ‖ **[poderes fácticos**; conjunto de instituciones que tienen fuerza de hecho para influir en la política de un Estado. ‖ **poderes públicos**; conjunto de autoridades que gobiernan un Estado. ‖ **¿se puede?**; expresión que se usa para pedir permiso de entrada en un lugar donde hay alguien. □ ETIMOL. Las acepciones 1-7, del verbo *poder*. Las acepciones 8-11, del latín *potere*. □ MORF. **1.** La acepción 6 se usa más en plural. **2.** En la acepción 11, es verbo intransitivo y defectivo. **3.** Verbo irreg. →PODER. □ SINT. **1.** *En poder de* se usa más con los verbos *estar* y *obrar*. **2.** En las acepciones 8 y 9, cuando va seguido de infinitivo, funciona como verbo auxiliar de una perífrasis.

poderío s.m. **1** Poder, dominio o influencia grandes. **2** Vigor o fuerza grandes.

poderoso, sa ‖ adj. **1** Eficaz, capaz de lograr algo o excelente en su línea. ‖ adj./s. **2** Que tiene poder, influencia o fuerza. **3** Que es muy rico y posee muchos bienes.

podio o **podium** s.m. **1** Plataforma o tarima sobre la que se coloca a una persona para honrarla u homenajearla; podium. **2** En arquitectura, pedestal largo sobre el que descansan varias columnas. □ ETIMOL. Del latín *podium* (repisa).

podología s.f. Rama de la medicina que tiene por objeto el tratamiento de las enfermedades y deformaciones de los pies, cuando éstas no rebasan los límites de la cirugía menor. □ ETIMOL. Del griego *pûs* (pie) y *-logía* (estudio, ciencia).

podólogo, ga s. Médico especialista en podología. □ SEM. Dist. de *callista* y *pedicuro* (no son médicos).

podómetro s.m. Aparato que se usa para contar el número de pasos que da la persona que lo lleva y la distancia recorrida por ésta; cuentapasos. □ ETIMOL. Del griego *pûs* (pie) y *-metro* (medidor). 🦶 medida

podredumbre s.f. **1** Putrefacción o descomposición de la materia. **2** Lo que está podrido. **3** Corrupción moral.

podrido, da ‖ **1** part. irreg. de pudrir. ‖ adj. **2** Corrompido o dominado por la inmoralidad o el vicio. **3** ‖ **[estar podrido de** algo; col. Tenerlo en abundancia.

podrir v. →**pudrir**. □ MORF. Se usa sólo en infinitivo y en participio.

poema s.m. **1** Obra literaria perteneciente al género de la poesía, esp. si está escrita en verso. **[2** col. Lo que resulta ridículo, dramático o extraño. **3** ‖ **poema en prosa**; obra en prosa, generalmente de corta extensión, y con un contenido y características propios del género poético. ‖ **poema sinfónico**; composición musical de carácter orquestal, de grandes dimensiones y generalmente en un solo movimiento, y cuyo tema o desarrollo están sugeridos por una idea poética o por una obra literaria. □ ETIMOL. Del latín *poema*.

poemario s.m. Conjunto o colección de poemas.

poesía s.f. **1** Manifestación de la belleza o del sentimiento estético por medio de la palabra, en prosa o en verso. **2** Arte de componer obras que supongan una manifestación de este tipo. **3** Cada uno de los géneros literarios a los que pertenecen las obras compuestas según este arte, esp. referido al género de las composiciones líricas. **4** Poema en verso, esp. si es de carácter lírico. **5** Conjunto de características que producen un profundo sentimiento de belleza o de armonía. □ ETIMOL. Del latín *poesis*.

poeta s.m. Autor de versos o de obras poéticas, esp. si está dotado para ello. □ ETIMOL. Del latín *poeta*. □ MORF. Aunque su femenino es *poetisa*, *poeta* se usa mucho como sustantivo de género común: *el poeta, la poeta.*

poetastro s.m. Mal poeta.

poético, ca ‖ adj. **1** De la poesía, relacionado con ella, o con rasgos propios de este género literario. **2** Apto o conveniente para este género literario. **3** Que tiene o expresa la belleza, la fuerza estética u otras características propias de la poesía. ‖ s.f. **4** Ciencia o disciplina que se ocupa de la naturaleza, de los géneros y de los principios y procedimientos de la poesía, con especial atención al lenguaje literario. **5** Conjunto de principios o de reglas a los que se atienen un género literario, una escuela o un autor. ☐ ETIMOL. Las acepciones 1-3, del latín *poeticus*. La acepción 4, del latín *poetica*.

poetisa s.f. de **poeta**. ☐ ETIMOL. Del latín *poetissa*.

poetizar v. Dar carácter poético, o embellecer con el encanto o con los rasgos propios de la poesía: *Cuando nos vamos haciendo viejos, poetizamos los recuerdos de la juventud.* ☐ ORTOGR. La *z* se cambia en *c* delante de *e* →CAZAR.

[*pointer* (anglicismo) adj./s. Referido a un perro, de la raza que se caracteriza por tener tamaño mediano, cabeza alargada, orejas caídas y pelo corto. ☐ PRON. [póinter]. ☐ MORF. Como adjetivo es invariable en género. 🗲 perro

polaco, ca ▌ adj./s. **1** De Polonia (país centroeuropeo), o relacionado con ella. ▌ s.m. **2** Lengua eslava de Polonia.

polaina s.f. Prenda que cubre la pierna hasta la rodilla y generalmente se abotona o se abrocha por la parte de afuera. ☐ ETIMOL. Del francés antiguo *polaine*. 🗲 alpinismo

polar adj. Del polo terrestre o relacionado con él. ☐ MORF. Invariable en género.

polaridad s.f. **1** Propiedad de algunos cuerpos de orientarse en dirección Norte-Sur. **2** En física, tendencia de una molécula o de un compuesto a ser atraídos o repelidos por cargas eléctricas debido al ordenamiento asimétrico de los átomos alrededor del núcleo.

polarizar v. **1** Referido a un rayo luminoso, modificar su propagación de forma que vibre en un solo plano: *En el laboratorio pudimos comprobar cómo ciertos minerales polarizan los rayos de luz.* **2** Referido esp. a la atención o al ánimo, concentrarlos en algo o atraerlos hacia ello: *El equipo polarizó sus esfuerzos en terminar el trabajo cuanto antes. La atención del público se polarizó hacia una pelea en las gradas.* ☐ ETIMOL. Del griego *poléo* (yo giro). ☐ ORTOGR. La *z* se cambia en *c* delante de *e* →CAZAR.

[*polaroid* s.f. Cámara fotográfica que realiza el revelado instantáneo de la película que se impresiona. ☐ ETIMOL. Extensión del nombre de una marca comercial.

polca s.f. **1** Composición musical en compás binario y de ritmo rápido. **2** Baile de parejas que se ejecuta al compás de esta música. ☐ ETIMOL. Quizá del checo *polka*. ☐ USO Es innecesario el uso del término *polka*.

pólder s.m. Terreno pantanoso ganado al mar, rodeado de diques para evitar inundaciones. ☐ ETIMOL. Del holandés *polder*.

[*pole position* (anglicismo) ‖ En una carrera de coches o de motos, posición de salida del primero. ☐ PRON. [póul posísion]. ☐ USO Su uso es innecesario y puede sustituirse por una expresión como *primera posición*.

polea s.f. **1** Rueda que gira alrededor de un eje y que tiene un canal o hundimiento en su perímetro por el que se hace pasar una cuerda, que sirve para disminuir el esfuerzo necesario para elevar un cuerpo; garrucha. **2** Rueda metálica de llanta plana, que gira sobre su eje y se usa para transmitir el movimiento a través de una correa. ☐ ETIMOL. Quizá del latín *polidia*.

polémica s.f. Véase **polémico, ca**.

polémico, ca ▌ adj. **1** Que suscita discusión o controversia. ▌ s.f. **2** Discusión entre dos o más personas sobre cierta materia, esp. si se hace por escrito. ☐ ETIMOL. Del griego *polemikós* (relativo a la guerra).

polemista ▌ adj./s. **1** Referido a una persona, que mantiene una polémica o que es aficionada a mantenerlas. ▌ s. **2** Escritor que sostiene polémicas. ☐ MORF. 1. Como adjetivo es invariable en género. 2. Como sustantivo es de género común: *el polemista, la polemista*. 3. La RAE sólo lo registra como sustantivo.

polemizar v. Entablar o mantener una polémica: *La ministra no quiso polemizar con el representante sindical.* ☐ ORTOGR. La *z* se cambia en *c* delante de *e* →CAZAR.

polen s.m. Conjunto de granos diminutos que se producen en las anteras de una flor y que contienen las células sexuales masculinas. ☐ ETIMOL. Del latín *pollen* (flor de la harina).

poleo s.m. **1** Planta herbácea de tallos con abundantes ramas y velludos, olor agradable, hojas pequeñas casi redondas y dentadas, flores azuladas o moradas, que se usa para preparar infusiones. **[2** Hojas secas de esta planta. **[3** Infusión que se hace con estas hojas. ☐ ETIMOL. Del latín *puleium*.

[*polera* s.f. En zonas del español meridional, camiseta.

[*poli* s.f. col. →**policía**.

poli- Elemento compositivo que indica pluralidad o abundancia. ☐ ETIMOL. Del griego *polýs* (mucho).

[*poliamida* s.f. Sustancia natural o sintética formada por una reacción química, que se utiliza mucho como fibra o plástico. ☐ ETIMOL. De *poli-* (varios) y *amida*.

poliandria s.f. **1** Estado o situación de la mujer que tiene varios maridos a la vez. **2** En botánica, presencia de muchos estambres en una misma flor. **3** En zoología, régimen social de algunos animales, en el que varios machos conviven con una hembra. ☐ ETIMOL. De *poli-* (pluralidad, abundancia) y el griego *anér* (varón).

poliarquía s.f. Forma de gobierno en la que el poder es ejercido por muchas personas. ☐ ETIMOL. Del griego *polyarkhía*, de *polýs* (mucho) y *árkho* (yo mando, yo gobierno).

[*polibán* s.m. Bañera pequeña con un asiento en un lado.

polichinela s.m. Personaje burlesco de teatro, procedente de la antigua comedia del arte italiana, que tiene la nariz arqueada y ganchuda, una joroba por delante y por detrás y va vestido con un traje abotonado y con un sombrero de dos puntas que caen a ambos lados de la cabeza; pulchinela.

policía ▌ s. **1** Miembro o agente del cuerpo de la policía. ▌ s.f. **2** Cuerpo encargado de mantener el orden público y de cuidar de la seguridad de los ciudadanos, que está a las órdenes de las autoridades políticas. **3** ‖**policía militar**; en el ejército, la que se encarga de vigilar a sus miembros. ‖**policía secreta**; la que realiza misiones de especial delicadeza e intenta pasar inadvertida. ☐ ETIMOL. Del latín *politia*, y éste del griego *politeía* (organización política, gobierno). ☐ MORF. 1. En la lengua coloquial se usa mucho la forma abreviada *poli*. 2. En la acepción 1, es de género común: *el policía, la policía*. ☐ SINT. En la acepción 1, se usa mucho en aposición, pospuesto a un sustantivo.

policiaco, ca o **policíaco, ca** adj. **1** De la policía o relacionado con ella; policial. **2** Referido esp.

a una novela o a una película, que tiene el argumento centrado en la investigación de policías o detectives.

policial adj. De la policía o relacionado con ella; policiaco, policíaco. □ MORF. Invariable en género.

policlínica s.f. o [**policlínico** s.m. Centro médico, generalmente privado, en el que se prestan servicios de distintas especialidades. □ ETIMOL. *Policlínica*, de *poli-* (varios) y *clínica*.

policromado, da adj. Referido esp. a una escultura, que está pintada de varios colores.

policromar v. Referido a una superficie, aplicarle diversos colores: *Aquel artesano policromó una estatua de madera que representaba a la Virgen.*

policromía s.f. Combinación o presencia de varios colores.

policromo, ma o **polícromo, ma** adj. De varios colores. □ ETIMOL. Del griego *polýkhromos*, y éste de *polýs* (mucho) y *khrôma* (color).

polideportivo, va adj./s.m. Referido esp. a un conjunto de instalaciones, que están destinadas a la práctica de varios deportes. □ ETIMOL. De *poli-* (varios) y *deportivo*.

poliedro s.m. Cuerpo geométrico limitado por superficies planas. □ ETIMOL. Del griego *polýedros*, y éste de *polýs* (mucho) y *hédra* (asiento, base).

poliéster o [**poliestireno** s.m. Resina plástica obtenida por una reacción química, que se endurece a la temperatura ordinaria, es muy resistente a la humedad, a los productos químicos y a las fuerzas mecánicas, y se emplea fundamentalmente para la fabricación de fibras artificiales. □ ETIMOL. Del inglés *polyester*. □ USO Es innecesario el uso del anglicismo *polyester*.

polifacético, ca adj. Referido a una persona, que realiza actividades muy diversas o que tiene múltiples capacidades. □ ETIMOL. De *poli-* (mucho) y *faceta*.

polifonía s.f. Música que combina varios sonidos simultáneos que forman un todo armónico. □ ETIMOL. Del griego *polyphonía* (mucha voz).

polifónico, ca adj. De la polifonía o relacionado con esta música.

poligamia s.f. **1** Estado o situación del hombre que tiene varias esposas. **2** Régimen familiar que permite tener varias esposas a la vez.

polígamo, ma I adj. [**1** De la poligamia o relacionado con ella. **2** Referido a un animal macho, que se aparea con varias hembras. **3** Referido a una planta, que tiene, en uno o más pies, flores masculinas, femeninas y hermafroditas. **I** adj./s.m. **4** Referido a hombre, que tiene más de una esposa al mismo tiempo. □ ETIMOL. Del griego *polýgamos*, y éste de *polýs* (mucho) y *gaméo* (me caso).

poliglotismo s.m. Dominio de varios idiomas.

poligloto, ta o **polígloto, ta I** adj. **1** Escrito en varias lenguas. **I** adj./s. **2** Referido a una persona, que conoce varias lenguas. **I** s.f. **3** Biblia impresa en varias lenguas. □ ETIMOL. Del griego *polýglottos*, y éste de *polýs* (mucho) y *glôssa* (lengua). □ MORF. 1. Como adjetivo, aunque la RAE sólo lo registra con género variable, se usan mucho las formas *poligloto/políglota* como invariables en género. 2. Como sustantivo, *poligloto/políglota* se usa mucho con género común: *el* {*poligloto/políglota*}, *la* {*poligloto/políglota*}. □ USO En la acepción 3, se usa también como nombre propio.

poligonal adj. Del polígono, con su forma o rela-

cionado con esta figura geométrica. □ MORF. Invariable en género.

polígono s.m. **1** Figura geométrica plana limitada por tres o más líneas rectas que se cortan en vértices. **2** Sector urbanístico constituido por una superficie de terreno destinada a un fin concreto, generalmente industrial, comercial o residencial. **3** || **polígono de tiro**; terreno o campo de instrucción utilizado por el ejército para hacer estudios y prácticas de artillería. □ ETIMOL. Del griego *polýs* (mucho) y *gonía* (ángulo).

polilla s.f. **1** Mariposa, generalmente nocturna, de pequeño tamaño y color grisáceo, cuya larva es dañina. ✿ insecto **2** Larva de esta mariposa. □ ETIMOL. De origen incierto.

polinesio, sia adj./s. De Polinesia o relacionado con este grupo de archipiélagos del océano Pacífico central y oriental.

polinización s.f. Proceso mediante el cual un grano de polen se sitúa en el pistilo de una flor, donde germinará.

polinizar v. Referido a una flor, efectuar su polinización: *El viento y los insectos polinizan las flores.* □ ORTOGR. La *z* se cambia en *c* delante de *e* →CAZAR.

polinomio s.m. Expresión matemática compuesta por dos o más términos algebraicos unidos por el signo de la suma o por el de la resta: $2x + 3y - 5$ *es un polinomio.* □ ETIMOL. Del griego *polýs* (mucho) y la terminación de *binomio*.

polinosis s.f. En medicina, trastorno alérgico producido por el polen. □ ETIMOL. Del latín *pollen* (polen) y *-osis* (enfermedad). □ MORF. Invariable en número.

polio s.f. col. →**poliomielitis**.

[**poliomielítico, ca** adj./s. Que padece o ha padecido poliomielitis.

poliomielitis s.f. Enfermedad producida por un virus que daña la médula espinal y provoca la atrofia o la parálisis de algunos miembros, generalmente de las piernas. □ ETIMOL. Del griego *poliós* (gris) y *mielitis*. □ MORF. 1. Invariable en número. 2. En la lengua coloquial, se usa mucho la forma abreviada *polio*.

pólipo s.m. **1** Tumor que se forma y crece en las membranas mucosas de diferentes cavidades, principalmente de la nariz, del tubo digestivo, de la vagina o de la matriz, y que se sujeta a ellas por medio de un pedúnculo. **2** Animal marino celentéreo, en una fase de su ciclo biológico en la que tiene el cuerpo en forma de saco con una abertura rodeada de tentáculos y vive sujeto al fondo del mar o a las rocas por un pedúnculo. □ ETIMOL. Del latín *polypus*, y éste del griego *polýpus* (animal de muchos pies).

[**polis** s.f. En la antigua Grecia, comunidad política constituida por una ciudad que se administraba a sí misma. □ ETIMOL. Del griego *pólis* (ciudad). □ MORF. Invariable en número.

[**polisario, ria** adj./s. De la organización política saharaui que defiende la existencia del antiguo Sahara español (territorio del noroeste africano situado junto al océano Atlántico) como estado independiente, o relacionado con ella.

polisemia s.f. En lingüística, pluralidad de significados en una misma palabra: *La polisemia de 'operación' es clara porque puede referirse a una ope-*

ración quirúrgica, bancaria o matemática. ☐ ETI-MOL. De *poli-* (varios) y el griego *sêma* (significado). ☐ SEM. Dist. de *homonimia* (identidad ortográfica y de pronunciación entre palabras con distinto significado y distinto origen) y de *sinonimia* (coincidencia de significado en varias palabras).

[polisémico, ca adj. Referido a una palabra, que tiene varios significados.

polisílabo, ba adj./s.m. Referido a una palabra, que tiene varias sílabas. ☐ ETIMOL. Del griego *polysýllabos*, y éste de *polýs* (mucho) y *syllabé* (sílaba).

polisíndeton s.m. Figura retórica consistente en el empleo reiterado de conjunciones que no son estrictamente necesarias, pero que aportan fuerza expresiva. ☐ ETIMOL. Del griego *polysýndeton*, y éste de *polýs* (mucho) y *syndéo* (yo ato). ☐ SEM. Dist. de *asíndeton* (omisión de las conjunciones).

polisintético, ca adj. Referido a una lengua o a un idioma, que se caracteriza porque une unas partes de la oración con otras formando palabras de muchas sílabas. ☐ ETIMOL. De *poli-* (abundancia) y *sintético*.

polisón s.m. Prenda que llevaban las mujeres bajo la falda para abultarla por detrás. ☐ ETIMOL. Del francés *polisson*.

polistilo, la adj. **1** En arquitectura, que tiene muchas columnas. **2** Referido a una flor, que tiene muchos estilos o estructura que parte del ovario y sostiene el estigma. ☐ ETIMOL. Del griego *polýstylos*, y éste de *polýs* (mucho) y *stýlos* (columna).

[politburó adj. (del ruso) s.m. Máximo órgano de gobierno del partido comunista de la antigua Unión Soviética (país euroasiático) y de los partidos comunistas de otras naciones.

politécnico, ca adj. Referido esp. a un centro de enseñanza, que abarca muchas ciencias, técnicas o campos del saber. ☐ ETIMOL. De *poli-* (varios) y *técnico*.

politeísmo s.m. Creencia o concepción religiosa que admite la existencia de muchos dioses. ☐ ETIMOL. De *poli-* (mucho) y el griego *theós* (dios).

politeísta ▌ adj. **1** Del politeísmo o relacionado con esta concepción religiosa. **▌** adj./s. **2** Que tiene como concepción religiosa el politeísmo. ☐ MORF. 1. Como adjetivo es invariable en género. 2. Como sustantivo es de género común: *el politeísta, la politeísta.*

política s.f. Véase **político, ca.**

politicastro, tra s. Político poco honesto o que actúa con fines y medios turbios. ☐ MORF. La RAE sólo lo registra como masculino. ☐ USO Es despectivo.

político, ca ▌ adj. **1** De la política o relacionado con esta doctrina o actividad. **2** Referido a un parentesco, que no se tiene por consanguinidad sino que se ha adquirido por los lazos conyugales. **▌** adj./s. **3** Referido a una persona, que se dedica a la política, esp. si ésta es su profesión. **▌** s.f. **4** Ciencia, doctrina u opinión referente al gobierno y a la organización de las sociedades humanas, esp. de los estados. **5** Actividad de los que gobiernan o aspiran a gobernar los asuntos públicos. **6** Conjunto de orientaciones o directrices que rigen la actuación de una persona o de una entidad en un asunto o en un campo determinados. ☐ ETIMOL. Las acepciones 1-3, del latín *politicus*, y éste del griego *politikós* (relativo a la ciudad). Las acepciones 4-6, del griego *politiké.*

politiquear v. **1** col. Hablar de política, generalmente con superficialidad o ligereza: *Cuando queda*

con sus amigos politiquean durante un buen rato. **2** *col.* Intervenir o actuar en política, esp. si se busca el logro de una pretensión: *Intentó politiquear pero el partido le cerró las puertas.* ☐ USO Es despectivo.

politiqueo s.m. **1** col. Charla o conversación superficial y ligera sobre política. **2** col. Intervención o actuación en política, esp. si se busca el logro de alguna pretensión. ☐ USO Es despectivo.

[politización s.f. **1** Adquisición de una orientación o de un contenido políticos. **2** Adquisición de una formación o de una conciencia política.

politizar v. **1** Dar o adquirir orientación o contenido políticos: *Sus declaraciones han servido para politizar la elección de reina de las fiestas. La romería se politizó al ser organizada por el Ayuntamiento.* **2** Inculcar una formación o una conciencia política: *En aquel país los miembros más jóvenes de la sociedad han sido muy politizados.* ☐ ORTOGR. La *z* se cambia en *c* delante de *e* →CAZAR.

[politraumatismo s.m. Traumatismo de carácter múltiple. ☐ ETIMOL. De *poli-* (varios) y *traumatismo.*

[poliuretano s.m. Sustancia sintética que suele utilizarse para fabricar cauchos, plásticos o fibras.

poliuria s.f. Producción y expulsión de gran cantidad de orina. ☐ ETIMOL. De *poli-* (abundancia) y el griego *ûron* (orina).

polivalencia s.f. Capacidad de algo para poder ser aplicado a varios usos.

polivalente adj. **1** Que tiene varios valores o usos; plurivalente. **2** Referido a un elemento químico, que tiene varias valencias. **3** Referido a un suero o a una vacuna, que pueden inmunizar contra varios tipos de microbios. **[4** Referido a una persona, que vale para muchas cosas distintas. ☐ ETIMOL. De *poli-* (mucho) y el latín *valens.* ☐ MORF. Invariable en género.

póliza s.f. **1** Documento acreditativo de un contrato o de una operación financiera, en el que se recogen las condiciones o cláusulas de los mismos. **2** Sello de papel necesario en algunos documentos oficiales, y que se exigía a modo de impuesto. ☐ ETIMOL. Del italiano *polizza.*

polizón s.m. Persona que embarca clandestinamente o a escondidas. ☐ ETIMOL. Del francés *polisson* (vagabundo). ☐ SEM. Dist. de *polizonte* (agente de policía).

polizonte s.m. *col.* Agente de policía. ☐ SEM. Dist. de *polizón* (persona que embarca clandestinamente). ☐ USO Tiene un matiz humorístico.

[polka s.f. →**polca.**

polla s.f. **1** Gallina joven que todavía no pone huevos o que ha empezado a ponerlos. **2** *vulg.malson.* →**pene.** ☐ ETIMOL. De *pollo.*

pollera s.f. Véase **pollero, ra.**

pollería s.f. Establecimiento en el que se venden huevos y aves de corral destinados al consumo.

pollero, ra ▌ s. **1** Persona que se dedica a la crianza o a la venta de pollos. **▌** s.f. **2** En zonas del español meridional, falda.

pollino, na ▌ adj./s. **1** Referido a una persona, que es simple, ignorante o ruda. **▌** s. **2** Mamífero cuadrúpedo, doméstico, más pequeño que el caballo, con largas orejas, pelo áspero y normalmente grisáceo, y que se suele emplear como montura o como animal de carga o de tiro; asno. ☐ ETIMOL. Del latín *pullus* (cría de un animal).

pollito, ta s. *col.* Muchacho joven.

pollo s.m. **1** Cría de un ave, esp. de una gallina. [**2** Gallo o gallina jóvenes destinados al consumo. **3** col. Muchacho joven. **4** col. Escupitajo o saliva que se echa por la boca. □ ETIMOL. Del latín *pullus*. □ ORTOGR. Dist. de *poyo*. □ MORF. En la acepción 3, se usa mucho el diminutivo *pollito*.

polo s.m. **1** En una esfera o en un cuerpo redondeado, cualquiera de los dos extremos del eje de rotación, esp. referido a los extremos de la Tierra. **2** En la Tierra, región inmediata a cada uno de estos extremos. ✍ globo **3** En electricidad, cada uno de los extremos del circuito de una pila o de ciertas máquinas eléctricas. **4** En física, cualquiera de los dos puntos opuestos de un cuerpo, en los cuales se acumula en mayor cantidad la energía de un agente físico. [**5** Punto de convergencia, esp. si es centro de atención o de interés. **6** Helado alargado que se chupa cogiéndolo de un palillo hincado en su base. **7** Prenda de vestir deportiva que cubre el cuerpo desde el cuello hasta más abajo de la cintura, con cuello camisero y abotonada por delante hasta la altura del pecho. **8** Deporte que se juega sobre un campo de hierba entre dos equipos de cuatro jinetes y en el que éstos intentan introducir una pelota de madera entre dos postes situados en el campo del rival, con ayuda de un mazo de madera que se maneja con una sola mano. **9** ‖**polo magnético**; cada uno de los dos puntos del globo terrestre situados en las regiones polares, hacia los que se dirige naturalmente la aguja de una brújula. □ ETIMOL. Las acepciones 1-5, del latín *polus*, y éste del griego *pólos* (eje). La acepción 6 es extensión del nombre de una marca comercial. Las acepciones 7 y 8, del inglés *polo*.

pololear v. col. En zonas del español meridional, salir de novios.

pololo, la ▌ s. **1** En zonas del español meridional, novio. **▌** s.m. **2** Pantalón corto y generalmente bombacho, que usan los niños. **3** Prenda de ropa interior femenina en forma de pantalones bombachos cortos, que se ponía debajo de la falda y de la enagua. [**4** En zonas del español meridional, chapuza o trabajo esporádico. □ MORF. 1. En plural tiene el mismo significado que en singular. 2. En la acepción 3, la RAE sólo lo registra en plural.

polonesa s.f. **1** Composición musical inspirada en un tipo de danza tradicional polaca y que se caracteriza por enlazar las dos primeras notas de cada compás. [**2** Baile de origen polaco que se ejecuta al compás de esta música y que tiene movimiento moderado y ritmo acentuado.

[*poltergeist* (germanismo) s.m. Fenómeno extraño, fantasma o espíritu que se manifiesta generalmente a través de ruidos. □ PRON. [póltergaist].

poltrón, -a ▌ adj. **1** Perezoso, haragán o excesivamente comodón. **▌** s.f. **2** Butaca amplia y cómoda, con brazos, y más baja de lo normal. □ ETIMOL. Del italiano *poltrone*, y éste de *poltro* (cama).

poltrona s.f. Véase **poltrón, -a**.

poltronería s.f. Pereza, vaguería o aversión al trabajo.

polución s.f. **1** Contaminación o deterioro del medio ambiente, esp. del aire o del agua, a causa de la acción de residuos de procesos industriales y biológicos. **2** Expulsión de semen. □ ETIMOL. Del latín *pollutio*.

[*polucionar* v. Referido al medio ambiente, contaminarlo o dañarlo con residuos de procesos industriales o biológicos: *Esa fábrica de plásticos 'poluciona' la atmósfera.*

polvareda s.f. **1** Cantidad de polvo que se levanta de la tierra, agitado por el viento o por otra causa. **2** Escándalo o agitación en la opinión pública. □ ORTOGR. Incorr. [*polvoreda].

polvera s.f. Caja o estuche que contiene unos polvos que se usan como maquillaje y la almohadilla con la que éstos suelen aplicarse; polvorera.

polvo ▌ s.m. **1** Conjunto de partículas muy pequeñas de tierra seca que se levantan en el aire con cualquier movimiento: *Nos metimos por un camino sin asfaltar y el coche se llenó de polvo.* **2** Conjunto de partículas sólidas y minúsculas que flotan en el aire y se posan sobre los objetos. **3** Conjunto de partículas sólidas y minúsculas a que queda reducida una sustancia. **4** vulg.malson. →**coito. ▌** pl. **5** Producto cosmético que se utiliza como maquillaje. **6** ‖[**echar un polvo**; vulg.malson. →**copular.** ‖**hacer polvo**; col. Destrozar o dejar en muy malas condiciones. ‖**morder el polvo**; ser humillado o vencido. ‖**polvo de hornear**; en zonas del español meridional, levadura. ‖**sacudir el polvo** a alguien; col. Darle golpes. □ ETIMOL. Del latín *pulvus*.

pólvora s.f. Mezcla explosiva que, a cierto grado de calor, se inflama y desprende gran cantidad de gases. □ ETIMOL. Del latín *pulvis* (polvo).

polvorera s.f. →**polvera**.

polvoriento, ta adj. Lleno o cubierto de polvo.

polvorilla s. col. Persona muy inquieta, impulsiva y vivaz. □ MORF. Es de género común: *el polvorilla, la polvorilla.*

polvorín s.m. **1** Lugar destinado a guardar la pólvora y otros explosivos. **2** Mezcla de explosivos triturados que se usan para cargar las armas de fuego. [**3** col. Lugar con una situación conflictiva y a punto de estallar.

polvorón s.m. Dulce elaborado con manteca, harina y azúcar, generalmente de forma redondeada, que se deshace fácilmente al comerlo. □ ETIMOL. De *pólvora* (partículas a las que se reduce una cosa sólida).

[*polyester* s.m. →**poliéster.** □ USO Es un anglicismo innecesario.

pomada s.f. **1** Mezcla de una sustancia grasa y otros ingredientes que se usa generalmente como cosmético o como medicamento de uso externo. ✍ medicamento **2** ‖[**ser algo la pomada**; col. Ser lo mejor: *Conozco un sitio para cenar que 'es la pomada'.* □ ETIMOL. Del francés *pommade*.

pomelo s.m. Fruto redondeado, parecido a una naranja pero un poco más aplanado y de color amarillo. □ ETIMOL. Del inglés *pommelo*.

pomo s.m. **1** En una puerta, un cajón o algo semejante, agarrador o tirador de forma más o menos esférica. **2** En una espada, parte que está entre el puño y la hoja y que sirve para mantenerlos firmemente unidos. □ ETIMOL. Del latín *pomum* (un tipo de fruto), porque tiene forma redondeada.

pompa s.f. **1** Gran despliegue de medios en una celebración: *La inauguración estuvo rodeada de una gran pompa.* **2** Grandeza, vanidad o lujo extraordinario: *Vive con mucha pompa en un palacete.* **3** Ampolla llena de aire que se forma en un líquido o en otra sustancia: *pompas de jabón.* [**4** col. En zonas del español meridional, nalga. **5** ‖**pompas fúnebres**;

ceremonias en honor de un difunto. ☐ ETIMOL. Del latín *pompa*, y éste del griego *pompé* (escolta, procesión).

[pompi o **[pompis** s.m. *euf. col.* Culo. ☐ MORF. *Pompis* es invariable en número.

pompón s.m. Bola de hebras de lana, de cintas o de otros materiales, que generalmente se utiliza como adorno. ☐ ETIMOL. Del francés *pompon*. ✍ pasamanería

pomposidad s.f. **1** Grandiosidad u ostentación excesivas. **2** Abundancia de adornos excesivos y rebuscados.

pomposo, sa adj. **1** Ostentoso, magnífico o lujoso. **2** Referido esp. al lenguaje, que es excesivamente retórico o adornado. ☐ ETIMOL. Del latín *pomposus*.

pómulo s.m. **1** Hueso que forma la parte saliente de las mejillas; hueso malar. **2** Parte de la cara que corresponde a este hueso. ☐ ETIMOL. Del latín *pomulum* (fruto pequeño), porque el pómulo tiene esta forma.

[ponchar v. En zonas del español meridional, pinchar. ☐ MORF. Se usa también como pronominal.

ponche s.m. Bebida alcohólica que se hace mezclando un licor, generalmente con agua, limón y azúcar, o con té. ☐ ETIMOL. Del inglés *punch*.

ponchera s.f. Recipiente en el que se prepara y se sirve el ponche.

poncho s.m. Prenda de abrigo que consiste en una manta con una abertura en el centro por la que se introduce la cabeza, y que cubre hasta más abajo de la cintura.

ponderable adj. **1** Digno de ponderación o de elogio. **2** Que se puede pesar: *Los sentimientos no son ponderables.* ☐ MORF. Invariable en género.

ponderación s.f. **1** Atención, consideración o cuidado con los que se hace o se dice algo. **2** Elogio desmedido o alabanza exagerada.

ponderado, da adj. Referido a una persona, que actúa con tacto y con prudencia.

ponderar v. **1** Examinar o sopesar con cuidado: *Antes de aceptar, tengo que ponderar las ventajas y los inconvenientes.* **2** Exagerar o alabar mucho: *Siempre pondera la amabilidad con que lo tratamos.* ☐ ETIMOL. Del latín *ponderare* (evaluar).

ponderativo, va adj. Que pondera o elogia.

ponedor, -a adj./s.f. Referido a un ave, esp. a una gallina, que ya pone huevos o que ha sido destinada a ese fin. ☐ MORF. La RAE sólo lo registra como adjetivo.

ponencia s.f. Comunicación o exposición de un tema ante un grupo de personas.

ponente adj./s. Referido a una persona, que presenta una ponencia. ☐ ETIMOL. Del latín *ponens*, y éste de *ponere* (colocar). ☐ MORF. 1. Como adjetivo es invariable en género. 2. Como sustantivo es de género común: *el ponente, la ponente.*

poner ∎ v. **1** Colocar o situar en un lugar o en una situación determinados, o disponer en la forma o en el grado adecuados: *Pon los libros en la estantería. Este invierno el termómetro ha llegado a ponerse a quince grados bajo cero.* **2** Introducir, incluir o añadir: *Pon vinagre a la ensalada.* **3** Disponer o preparar con lo necesario para algún fin: *Pon la mesa, que vamos a comer.* **4** Suponer o dar por sentado: *Pongamos que no voy, ¿pasaría algo?* **5** Vestir o cubrir el cuerpo o una parte de él con una prenda: *No tengo ropa limpia para poner al niño. Se puso el*

sombrero y se fue. **6** Establecer, instalar o montar: *Ha puesto una tienda de electrodomésticos.* **7** Adoptar o empezar a tener: *Cuando le dieron la noticia puso cara de sorpresa.* **8** Exponer a la acción de un agente determinado: *Ponlo al aire, para que se seque.* **9** Decir, expresar o expresarse: *En ese cartel pone que está prohibido pisar el césped.* **10** Escribir o anotar: *¿Qué estás poniendo en la pizarra?* **11** Referido a un ave, producir y depositar huevos: *La paloma ha puesto dos huevos.* **12** Referido a un asunto, dejarlo a la determinación o a la decisión de otra persona: *He puesto mis esperanzas en mi abogado, y espero que gane el pleito.* **13** Referido esp. a un aparato eléctrico, hacer lo necesario para que funcione: *Voy a poner la televisión para ver una película.* **14** Referido esp. a un nombre o a un mote, darlos o aplicarlos: *Entre varios amigos le pusieron 'El Largo'.* **15** *col.* Referido a una obra de teatro o a una película, representarla o proyectarla: *¿Qué ponen hoy por la tele?* **16** Referido a una sustancia, untarla, darla o aplicarla: *Ponte esta pomada en la quemadura para que no te duela.* **17** Referido esp. a una facultad o a una cualidad, utilizarlas o aplicarlas para conseguir un fin determinado: *Puso todo su empeño en aprobar todo en junio.* **18** En el juego, referido a una cantidad de dinero, arriesgarla o apostarla: *Cuando juego a la ruleta siempre pongo un par de fichas al siete.* **19** Referido a una persona, dedicarla a un oficio o empeño: *Como su hijo no quería estudiar lo ha puesto a trabajar. Se ha puesto de dependienta en unos almacenes.* **20** Referido a una obligación, imponerla o señalarla: *Hoy no nos han puesto deberes.* **[21** Referido a una forma de comunicación, esp. a una conferencia o a un telegrama, establecerlos, mandarlos o llevarlos a cabo: *Tengo que 'poner' un telegrama para que venga rápidamente.* **22** Seguido de por o como y de un sustantivo, utilizar a alguien como lo que este sustantivo indica: *Me puso por testigo para asegurar que no había salido de casa.* **23** Seguido de de, por o como y de un sustantivo, tratar a alguien como lo que este sustantivo indica: *Cuando me enteré de que me había engañado, lo puse de mentiroso delante de todos.* **24** Seguido de una expresión que indica cualidad, hacer adquirir esa condición o ese estado: *Me pones nervioso con tanta pregunta.* ∎ prnl. **25** Llegar a un lugar: *Me puse en el pueblo en una hora.* **26** *col.* Decir: *Y se puso:* —*Ven conmigo inmediatamente.* **27** Referido a un astro, ocultarse en el horizonte: *El Sol se pone por el oeste.* **[28** En el lenguaje de la droga, drogarse o colocarse: *'Se pone' muy a menudo y va a terminar mal.* **29** ‖**poner {bien/mal}** algo; *col.* Hablar bien o mal de ello, respectivamente: *La profesora te puso muy bien delante de toda la clase.* ‖**ponerse a** hacer algo; empezar a hacerlo: *Estaba tan contenta que me puse a cantar.* ‖**[ponerse con** algo; comenzar a hacerlo: *Cuando termine de planchar 'me pondré' con la comida.* ☐ ETIMOL. Del latín *ponere* (colocar). ☐ MORF. Irreg.: 1. Su participio es *puesto.* 2. →PONER. ☐ SINT. En la acepción 26, siempre introduce el estilo directo y nunca el indirecto: incorr. **Se puso que fuera con él.* ☐ USO El empleo abusivo de este verbo como palabra comodín, indica pobreza de lenguaje.

póney o **poni** s.m. Caballo de una raza que se caracteriza por su poca alzada y por su fortaleza. ☐ ETIMOL. Del inglés *pony*. ☐ MORF. Es un sustantivo epiceno: *el {póney/poni} macho, el {póney/poni}* *hembra.* □ USO Es innecesario el uso del anglicismo *pony.*

poniente s.m. Oeste: *El Sol se oculta por Poniente. Se aproxima un poniente acompañado de lluvias.* □ ETIMOL. Del latín *ponens*, y éste de *ponere* (colocar). □ MORF. Referido al punto cardinal, la RAE lo registra como nombre propio. □ SINT. Se usa mucho en aposición, pospuesto a un sustantivo: *Nos sorprendió un fuerte viento poniente.* □ USO Referido al punto cardinal, se usa más como nombre propio.

ponqué s.m. En zonas del español meridional, tarta. □ ETIMOL. Del inglés *pancake.*

pontevedrés, -a adj./s. De Pontevedra o relacionado con esta provincia española o con su capital.

pontificado s.m. **1** En la iglesia católica, cargo de pontífice. **2** Tiempo durante el que un pontífice ejerce su cargo.

pontifical adj. En la iglesia católica, del papa, del obispo, del arzobispo o relacionado con ellos. □ MORF. Invariable en género.

pontificar v. *col.* Exponer opiniones con tono dogmático como si fueran verdades innegables: *Es un presuntuoso y, en vez de hablar, pontifica.* □ ORTOGR. La c se cambia en *qu* delante de *e* →SACAR.

pontífice s.m. Obispo o arzobispo de una diócesis. □ ETIMOL. Del latín *pontifex* (alto funcionario romano que cuidaba del puente del Tíber).

pontificio, cia adj. Del pontífice o relacionado con él.

pontón s.m. **1** Puente hecho de maderos o de una sola tabla. **2** Barco chato que se utiliza generalmente para cruzar los ríos o para construir puentes. □ ETIMOL. Del latín *ponto* (barca de paso empleada donde no hay puente).

[pony s.m. →**póney.** □ USO Es un anglicismo innecesario.

ponzoña s.f. **1** Sustancia nociva para la salud o para la vida. **2** Lo que resulta perjudicial para las buenas costumbres. □ ETIMOL. Del antiguo *ponzoñar* (emponzoñar).

ponzoñoso, sa adj. Que tiene ponzoña.

[pool (anglicismo) s.m. **1** Agrupación temporal de empresas independientes con el fin de imponerse en el mercado mediante una orientación común. **2** Conjunto de personas o de instrumentos que forman parte de una empresa o que prestan sus servicios en ella: *Estuve hablando con la encargada del 'pool' de secretarias del departamento.* □ PRON. [pul]. □ USO Su uso es innecesario y puede sustituirse por una expresión como *grupo* o *agrupación.*

pop (anglicismo) ▌ adj. **1** Del pop o relacionado con este estilo musical. ▌ s.m. **2** Género musical derivado de los estilos musicales negros y de la música folclórica británica. □ MORF. 1. Como adjetivo es invariable en género. 2. Invariable en número.

popa s.f. Parte posterior de una embarcación. □ ETIMOL. Del latín *puppis*. 🐚 embarcación

pope s.m. **1** Sacerdote de las iglesias ortodoxas. **[2** Persona con mucho poder e influencia. □ ETIMOL. Del ruso *pop* (sacerdote).

popelín s.m. o **popelina** s.f. Tela delgada de algodón o de seda, que tiene un poco de brillo. □ ETIMOL. Del francés *popeline*, y éste del inglés *poplin*. □ USO *Popelina* es el término menos usual, aunque la RAE lo prefiere a *popelín*.

[popó s.m. *euf. col.* Caca: *hacer popó.*

popote s.m. En zonas del español meridional, paja para beber.

[popper (anglicismo) s.m. Tipo de droga sintética y alucinógena que se inhala. □ PRON. [póper].

populachero, ra adj. Del populacho o relacionado con él. □ USO Tiene un matiz despectivo.

populacho s.m. Gente vulgar o de baja categoría social, esp. si está alborotada. □ ETIMOL. Del italiano *popolaccio*, que es despectivo de *popolo* (pueblo). □ USO Es despectivo.

popular ▌ adj. **1** Del pueblo o relacionado con él: *poesía popular.* **2** Que está al alcance de la gente con pocos medios económicos: *precio popular.* **3** Que es conocido o estimado por la mayoría de la gente: *Esta cantante es muy popular.* ▌ adj./s. **[4** De un partido político cuyo nombre incluya la palabra *popular*, o relacionado con él. □ ETIMOL. Del latín *popularis*. □ MORF. 1. Como adjetivo es invariable en género. 2. Como sustantivo es de género común: *el 'popular', la 'popular'.*

popularidad s.f. Aceptación o fama entre un número mayoritario de personas.

popularismo s.m. Tendencia o afición a lo popular.

popularista adj. Del popularismo o relacionado con esta tendencia. □ MORF. Invariable en género.

popularización s.f. Conversión de algo en popular.

popularizar v. Hacer popular: *Quieren popularizar el precio del cine para que la gente acuda a las salas. Este actor se popularizó con una película de mucho escándalo.* □ ORTOGR. La z se cambia en c delante de *e* →CAZAR.

[populismo s.m. **1** Doctrina política que se basa en la defensa de los intereses y de las aspiraciones del pueblo o de la burguesía. **2** Actitud del que defiende los intereses del pueblo con la intención de atraer su apoyo para conseguir poder. □ USO En la acepción 2, tiene un matiz despectivo.

populista ▌ adj. **[1** Del populismo o relacionado con esta doctrina política: *Las medidas 'populistas' lograron una mayor industrialización.* **[2** Que tiene la intención de agradar al pueblo para conseguir su apoyo. ▌ adj./s. **[3** Que sigue o que defiende el populismo. □ MORF. 1. Como adjetivo es invariable en género. 2. Como sustantivo es de género común: *el 'populista', la 'populista'.* □ USO En la acepción 2, tiene un matiz despectivo.

populoso, sa adj. Referido a un lugar, que está muy poblado. □ ETIMOL. Del latín *populosus*.

popurrí s.m. **1** Composición musical formada por fragmentos de otras. **2** *col.* Mezcla de cosas distintas. □ ETIMOL. Del francés *pot pourri*, y éste traducido del castellano *olla podrida*. □ PRON. Incorr. *[pupúrri].* □ MORF. Su plural es *popurrís..* □ USO Es innecesario el uso del galicismo *pot-pourri.*

poquedad s.f. **1** Timidez o falta de decisión. **2** Lo que tiene poco valor o poca entidad. □ ETIMOL. Del latín *paucitas*, con influencia de *poco.*

póquer s.m. **1** Juego de cartas en el que se reparten cinco a cada jugador, se hacen apuestas y gana el que reúne la combinación superior de las varias establecidas. **[2** En este juego, combinación de cuatro cartas iguales. □ ETIMOL. Del inglés *poker.*

por ▌ s.m. **[1** En matemáticas, signo gráfico formado por una pequeña cruz en forma de aspa que se coloca entre dos cantidades para indicar multiplicación. ∎ prep. **2** Indica paso o tránsito a través de algo, esp. de un lugar: *El tren pasa por mi pueblo. Mete la cuerda por este agujero.* **3** Indica lugar o tiempo aproximados: *Nos veremos por Navidad.* **4** Indica una parte o un lugar concretos: *La taza se coge por el asa.* **5** Indica el medio o instrumento con el que se realiza algo: *Está hablando por teléfono.* **6** Indica el modo de realizar algo: *Nos pillaron por sorpresa.* **7** Indica motivo o causa: *¿Por qué has hecho esto? No lo hice por que vinieras, sino por que te callaras.* **8** Indica finalidad: *Me voy por no verla.* **9** Indica que una cantidad se reparte de manera igualitaria: *Tocamos a mil pesetas por persona.* **10** Indica proporción: *Me hacen un descuento del tres por ciento.* **11** Indica una comparación: *Médico por médico, prefiero el mío.* **12** Indica separación de los elementos que forman una serie: *Os contaré mis secretos uno por uno.* **13** Introduce un complemento agente: *Fue recibido por la directora general.* **14** A favor de o en defensa de: *Estoy por la paz y no por la guerra.* **15** En lo que se refiere a algo: *Por mí, ya puedes irte.* **16** En calidad de o en condición de: *Te quiero por amigo, no por esclavo.* **17** A cambio de o en sustitución de: *Ve tú por mí. Me vende el piso por diez millones.* **18** Precedido de verbos de movimiento, en busca de: *Voy por vino.* **19** Seguido de algunos infinitivos, indica que la acción de éstos no está realizada: *La mayor parte del trabajo está por hacer.* **20** Seguido de un adjetivo o de un adverbio, y de la conjunción *que*, introduce expresiones concesivas: *Por cerca que esté, tardaré una hora como poco.* **21** Precedido de un verbo y seguido del infinitivo de este mismo verbo, indica falta de utilidad de la acción descrita por el mismo: *Hablas por hablar, porque no sabes de qué va el asunto.* **22** ‖**no por**; expresión que se usa para introducir una frase concesiva: *No por correr ahora, recuperarás el tiempo perdido.* ☐ ETIMOL. Del latín *pro* (por). ☐ USO 1. Se usa para indicar la operación matemática de la multiplicación: *Dos por dos son cuatro.* 2. En la acepción 18, aunque la RAE rechaza la combinación de las preposiciones *a por* con verbos de movimiento, su uso está muy extendido en la lengua actual: *Voy {*a por > por} agua.* 3. En la lengua coloquial, se usa mucho como forma abreviada de *¿por qué?*.

porcelana s.f. **1** Loza fina translúcida y con brillo, que se hace con una mezcla de caolín, sílice y feldespato principalmente. **2** Vasija o figura hecha con este material. ☐ ETIMOL. Del italiano *porcellana*.

porcentaje s.m. Cantidad que representa proporcionalmente una parte de un total de cien; tanto por ciento: *Un alto porcentaje de jóvenes no encuentra trabajo.* ☐ ETIMOL. Del inglés *porcentage*.

porcentual adj. Referido esp. a una composición o a una distribución, que están calculadas o expresadas en tantos por cientos. ☐ MORF. Invariable en género.

porche s.m. En un edificio, espacio cubierto que precede a la entrada principal o que está adosado a alguno de los lados de su fachada. ☐ ETIMOL. Del catalán *porxe*, y éste del latín *porticus* (pórtico).

porcino, na adj. Del cerdo o relacionado con este animal; porcuno. ☐ ETIMOL. Del latín *porcinus*.

porción s.f. **1** Cantidad separada de otra mayor o de algo que se puede dividir. **2** En un reparto o en una distribución, cantidad que corresponde a cada uno. ☐ ETIMOL. Del latín *portio* (parte, porción).

porcuno, na adj. →**porcino**.

pordiosear v. **1** Mendigar o pedir limosna: *Muchos mendigos pordioseaban todos los domingos a la puerta de la iglesia.* **2** Pedir o solicitar con insistencia y humildad: *Su orgullo le impide pordiosear un trabajo.*

pordioseo s.m. **1** Petición de limosna. **2** Petición de algo con insistencia y humildad.

pordiosero, ra adj./s. Que pide limosna. ☐ ETIMOL. De la forma de pedir limosna con las palabras *por Dios.*

porfía s.f. **1** Discusión o lucha mantenidas con obstinación y tenacidad. **2** Insistencia tenaz y repetida: *Te rogó con porfía.* **3** Empeño para conseguir algo que presenta dificultad: *Su porfía en el estudio le permitió acabar la carrera brillantemente.* ☐ ETIMOL. Del latín *perfidia* (mala fe), que pasó a significar *herejía*, y éste se generalizó en *obstinación.*

porfiado, da adj./s. Que es obstinado y terco en las opiniones.

porfiar v. **1** Discutir o disputar con obstinación y tenacidad: *Los dos porfiaban sobre si las islas Baleares estaban en el Atlántico o en el Mediterráneo.* **2** Insistir con pesadez o rogar repetidamente: *Por más que porfíes no te contaré cuál es mi secreto.* **3** Continuar o insistir en una acción para conseguir algo que presenta dificultad: *Porfió en derribar el muro y no paró hasta que lo consiguió.* ☐ ORTOGR. La *i* lleva tilde en los presentes, excepto en las personas *nosotros* y *vosotros* →GUIAR. ☐ SINT. Constr. de la acepción 3: *porfiar EN algo.*

pormenor s.m. Detalle o circunstancia secundarios o de poca importancia. ☐ ETIMOL. De *por* y *menor*. ☐ MORF. Se usa más en plural.

pormenorizar v. Describir o enumerar minuciosamente: *Me lo contó pormenorizando todos los detalles.* ☐ ORTOGR. La *z* se cambia en *c* delante de *e* →CAZAR.

porno ∎ adj. **1** →**pornográfico**. ∎ s.m. **[2** →**pornografía**. ☐ MORF. Como adjetivo es invariable en género.

pornografía s.f. Obscenidad y falta de pudor en la expresión de lo relacionado con el sexo. ☐ ETIMOL. Del griego *pornográphos* (el que describe la prostitución), y éste de *pórne* (prostituta) y *grápho* (yo describo). ☐ MORF. En la lengua coloquial se usa mucho la forma abreviada *porno.* ☐ SEM. Dist. de *erotismo* (expresión del amor físico en el arte).

pornográfico, ca adj. De la pornografía, con pornografía o relacionado con ella. ☐ MORF. En la lengua coloquial se usa mucho la forma abreviada *porno.*

poro s.m. **1** Orificio o agujero que hay en una superficie y que no resultan visibles a simple vista: *El sudor sale por los poros de la piel.* **[2** Planta que se cultiva en las huertas y que tiene un sabor parecido al de la cebolla. ☐ ETIMOL. La acepción 1, del latín *porus*, y éste del griego *póros* (paso, vía de comunicación).

porosidad s.f. Existencia de poros.

poroso, sa adj. Que tiene poros.

poroto s.m. En zonas del español meridional, judía.

porque conj. **1** Enlace gramatical subordinante con valor causal: *No podemos ir al campo porque está lloviendo.* **2** Enlace gramatical subordinante con valor final: *Reza porque no te haya visto.* ☐ ETI-

MOL. De *por* y *que*. □ ORTOGR. Dist. de *por que, por qué* y *porqué*.

porqué s.m. Causa, razón o motivo: *Ignoro el porqué de tu actitud.* □ ETIMOL. De *por* y *qué*. □ ORTOGR. Dist. de *por qué, porque* y *por que*.

porquería s.f. **1** *col.* Suciedad o basura; guarrería. **2** *col.* Lo que está viejo, roto o no desempeña su función. **3** *col.* Lo que se considera indecoroso o contrario a la moral establecida; guarrada. **4** *col.* Lo que tiene poco valor. **5** *col.* Alimento indigesto o de poco valor nutritivo.

porquerizo, za ▮ s. **1** →**porquero.** ▮ s.f. **2** Pocilga o lugar donde se crían y recogen los cerdos. □ MORF. En la acepción 1, la RAE sólo lo registra como masculino.

porquero, ra s. Persona que cuida cerdos; porquerizo. □ ETIMOL. Del latín *porcarius*.

porra s.f. **1** Palo toscamente labrado, que va aumentando de diámetro desde la empuñadura hasta el extremo opuesto. **2** Instrumento con la forma de este palo y usado como arma por los miembros de algunos cuerpos encargados de mantener el orden. **3** Masa frita parecida al churro, pero más larga y más gruesa. **[4** Juego en el que varias personas apuestan una cantidad de dinero a un número o a un resultado, y la que acierta se lleva el dinero de todos. **5** En zonas del español meridional, hinchada. **6** ‖ **[irse** algo **a la porra**; *col.* Estropearse o echarse a perder: *A los tres meses el negocio 'se fue a la porra' y lo traspasé.* ‖ **[mandar a la porra**; *col.* Rechazar: *Si ahora viene pidiéndote que vuelvas, 'mándalo a la porra'.* □ ETIMOL. Del latín *porrum* (puerro), por la forma que tiene.

porra o **porras** interj. *col.* Expresión que se usa para indicar disgusto, rechazo o contrariedad.

porrazo s.m. **1** Golpe dado con alguna cosa, esp. con una porra. **2** Golpe recibido al caer o al chocar contra algo duro.

porrero, ra adj./s. *col.* Que fuma porros de forma habitual.

porreta ‖ **en porreta** o **en porretas**; *col.* Completamente desnudo; en cueros.

porrillo ‖ **a porrillo**; *col.* En gran cantidad: *Tienes ropa a porrillo.*

porro s.m. **1** Cigarrillo de hachís, marihuana u otra droga, generalmente mezclado con tabaco; canuto. **[2** *col.* En zonas del español meridional, persona a la que se paga para provocar un desorden público.

porrón s.m. Recipiente con una gran panza y un pitorro largo y fino, que se usa para beber a chorro. □ ETIMOL. De origen incierto.

porta s.f. **1** →**vena porta.** **2** En una embarcación, abertura a modo de puerta situada en los costados y en la popa.

portaaviones s.m. Barco de guerra de grandes dimensiones y con las instalaciones necesarias para el traslado de aviones y para su despegue y aterrizaje. □ ORTOGR. Incorr. **portaviones*. □ MORF. Invariable en número. 👁 embarcación

portada s.f. **1** En un libro impreso, página del comienzo en la que aparece el título completo y, generalmente, el nombre del autor y los datos de publicación. 👁 libro **[2** En un periódico o en una revista, primera página. **[3** *col.* Tapa o cubierta delantera de un libro. 👁 libro **4** En un edificio monumental, fachada principal. **5** Obra arquitectónica o escultórica con la que se realza la puerta o la fachada principal de un edificio. □ ETIMOL. De *puerta*. □ SEM. En la acepción 1, dist. de *cubierta* (parte exterior de un libro).

portadilla s.f. En un libro impreso, hoja que precede a la portada y en la que sólo suele ponerse el título de la obra; anteportada. 👁 libro

portador, -a s. **1** Persona que posee legalmente un título o un valor que está emitido a favor de quien lo posea: *El portador del presente recibo de lotería juega la cantidad de mil pesetas.* **2** Persona que lleva en su cuerpo el germen de una enfermedad sin sufrirla y actúa como propagador de la misma. **3** ‖ **al portador**; expresión que se usa para indicar que el pago del importe que figura en un documento se realizará a la persona que presente dicho documento: *cheque al portador*.

portaequipaje o **portaequipajes** s.m. **1** En un automóvil, espacio cubierto por una tapa que sirve para guardar el equipaje. **2** En un automóvil, soporte, generalmente en forma de parrilla, que se coloca sobre el techo y que sirve para llevar bultos; baca. □ MORF. *Portaequipajes* es invariable en número.

[portaesquís s.m. Soporte que se coloca en el techo de un automóvil y que sirve para llevar los esquís. □ MORF. Invariable en número.

portafolio o **portafolios** s.m. Carpeta o cartera de mano que se usa para llevar libros y papeles. □ ETIMOL. Del francés *porte-feuille* (cartera). □ MORF. *Portafolios* es invariable en número.

portal s.m. **1** En un edificio, pieza inmediata a la puerta principal, que da paso a las viviendas. **2** En un nacimiento navideño, representación del establo donde nació Jesucristo. **3** En zonas del español meridional, pórtico o soportal. □ ETIMOL. De *puerta*.

portalámpara o **portalámparas** s.f. Pieza en la que se introduce el casquillo de la bombilla y que asegura la conexión de ésta con el circuito eléctrico. □ MORF. *Portalámparas* es invariable en número.

portalón s.m. En un edificio, esp. en un palacio antiguo, puerta grande que cierra un patio descubierto.

[portamaletas s.m. Maletero de un vehículo. □ MORF. Invariable en número.

portaminas s.m. Utensilio de forma cilíndrica que contiene minas recambiables y que se utiliza como lápiz. □ MORF. Invariable en número.

portamonedas s.m. Bolsa o cartera de pequeño tamaño que se utiliza para llevar monedas. □ MORF. Invariable en número.

portante ‖ {**coger/tomar**} **el portante**; *col.* Marcharse, esp. si es de forma brusca o repentina. □ ETIMOL. De *portar*.

portaobjeto o **portaobjetos** s.m. En un microscopio, pieza o lámina adicional en la que se coloca el objeto que se va a observar. □ MORF. 1. *Portaobjetos* es invariable en número. 2. Se usa mucho la forma abreviada *porta*.

portar ▮ v. **1** Llevar o traer: *El atracador portaba una pistola.* ▮ prnl. **2** Seguido de una expresión de modo, actuar o comportarse como ésta indica: *Si te portas mal te quedarás sin postre.* **3** Responder a lo que otros desean o esperan: *A ver si esta vez te portas y me traes buenas notas.* □ ETIMOL. Del latín *portare*.

portarretrato o **[portarretratos** s.m. Soporte que se usa para colocar retratos o fotografías en él. □ MORF. *'Portarretratos'* es invariable en número.

[portarrollo o **[portarrollos** s.m. Utensilio, generalmente fijado a la pared, donde se coloca un rollo de papel. ☐ MORF. *'Portarrollos'* es invariable en número.

portátil adj. Que se puede llevar fácilmente de un sitio a otro: *ordenador portátil.* ☐ MORF. Invariable en género.

portaviandas s.m. En zonas del español meridional, fiambrera. ☐ MORF. Invariable en número.

portavoz s. Persona autorizada para representar a un determinado grupo o para hablar en su nombre. ☐ MORF. Aunque la RAE sólo lo registra como masculino, en la lengua actual es de género común: *el portavoz, la portavoz.*

portazgo s.m. **1** Derechos que se pagan por pasar por un sitio determinado de un camino. **2** Edificio donde se cobran estos derechos. ☐ ETIMOL. Del latín *portaticum*, y éste de *porta* (puerta).

portazo s.m. **1** Golpe fuerte que una puerta da al cerrarse. **2** Cierre de una puerta con brusquedad al salir de un lugar para mostrar enfado o disgusto. ☐ SINT. La acepción 2 se usa más con el verbo *dar* o equivalentes.

porte s.m. **1** Aspecto externo que algo presenta, esp. si éste es elegante o distinguido: *Tu novio tiene muy buen porte.* **2** Calidad, categoría o importancia de algo: *Yo solo no puedo resolver un problema de este porte.* **3** Transporte de algo de un sitio a otro por un precio acordado: *Esta empresa hace portes y mudanzas.* ☐ ETIMOL. De *portar.* ☐ MORF. La acepción 3 se usa más en plural.

porteador, -a s. Persona que se dedica al transporte de mercancías a cambio del pago de sus servicios.

portear v. Llevar de un sitio a otro por un precio acordado: *Una hilera de nativos porteaba el equipaje de los exploradores.*

portento s.m. **1** Lo que causa admiración o asombro por su extrañeza o novedad. **2** Persona digna de admiración por poseer una cualidad excepcional. ☐ ETIMOL. Del latín *portentum* (presagio, prodigio).

portentoso, sa adj. Que causa admiración, sorpresa o asombro por su singularidad.

porteño, ña adj./s. De Buenos Aires (capital argentina), o relacionado con ella.

portería s.f. **1** Cuarto pequeño que hay en la entrada de un edificio, y desde el cual el portero vigila las entradas y salidas del mismo. **2** Vivienda del portero. **3** En algunos deportes, espacio rectangular limitado por dos postes y un larguero por donde ha de entrar el balón para marcar un tanto. ☐ SEM. En la acepción 3, es sinónimo de *marco, meta* y *puerta.*

portero, ra ▮ s. **1** Persona que se dedica profesionalmente al cuidado y vigilancia del portal de un edificio. **2** En algunos deportes de equipo, jugador que debe evitar que el balón entre en la portería. ▮ s.f. **[3** col. Cotilla o chismoso. **4** ‖**portero (automático/eléctrico)**; mecanismo que permite abrir el portal desde el interior de la vivienda. ☐ ETIMOL. Del latín *portarius.* ☐ SEM. En la acepción 2, es sinónimo de *cancerbero, guardameta* y *meta.* ☐ USO En la acepción 3, es despectivo.

portezuela s.f. Puerta pequeña, esp. la de un carruaje.

porticado, da adj. Referido a una construcción, que tiene pórticos o soportales.

pórtico s.m. **1** En un templo o en otro edificio monumental, lugar cubierto y con columnas que se cons-

truye delante de ellos. **2** Galería con arcadas o con columnas, a lo largo de un muro de fachada o de patio: *Muchas plazas mayores españolas tienen pórticos.* ☐ ETIMOL. Del latín *porticus.*

portilla s.f. Abertura a modo de ventana situada en el costado de una embarcación. ☐ ETIMOL. De *puerta.*

portillo s.m. En un muro, abertura o paso. ☐ ETIMOL. De *puerta.*

portorriqueño, ña adj./s. →**puertorriqueño.**

portuario, ria adj. Del puerto de mar o relacionado con él.

portugués, -a ▮ adj./s. **1** De Portugal (país europeo), o relacionado con él; lusitano, luso. ▮ s.m. **2** Lengua románica de este y otros países. ☐ MORF. Cuando se antepone a una palabra para formar compuestos, adopta la forma *luso-.*

porvenir s.m. **1** Hecho o tiempo futuros: *¿Qué nos deparará el porvenir?* **2** Situación o posición futuras de una persona o de una empresa: *El porvenir de esta empresa no es muy claro, debido a la crisis económica.* ☐ ETIMOL. De *por* y *venir.*

pos ‖**en pos de**; detrás de algo: *Salió en pos de ellos.* ☐ ETIMOL. Del latín *post* (después de).

pos- Prefijo que significa 'detrás de' o 'después de': *posgraduado, posguerra, posparto, posmodernidad.* ☐ ETIMOL. Del latín *post.* ☐ MORF. Puede adoptar la forma *post-: postoperatorio, postbalance, postventa.*

posada s.f. **1** Establecimiento en el que se da hospedaje a viajeros. **2** Alojamiento o refugio que se da a alguien. **[3** En zonas del español meridional, fiesta popular católica en la que se recuerda a María y a José pidiendo posada, y que se suele celebrar en casas particulares. ☐ ETIMOL. De *posar* (hospedarse en una posada o casa particular).

posaderas s.f.pl. Véase **posadero, ra.**

posadero, ra ▮ s. **1** Persona que es dueña de una posada o que la regenta. ▮ s.f.pl. **2** col. Nalgas.

posar ▮ v. **1** Poner con suavidad: *Posé la mano sobre su frente y noté que tenía fiebre.* **2** Permanecer en una determinada postura para retratarse o para servir de modelo: *Esta modelo ha posado para las mejores revistas de moda.* ▮ prnl. **3** Cesar de volar y detenerse en un lugar con suavidad: *Una mariposa se iba posando en las flores.* ☐ ETIMOL. Las acepciones 1 y 3, del latín *pausare* (cesar, pararse). La acepción 2, del francés *poser.*

posavasos s.m. Especie de plato pequeño que se coloca debajo de los vasos para que no dejen manchas en las mesas. ☐ MORF. Invariable en número.

[posbalance s.m. →**postbalance.** ☐ SINT. Se usa en aposición, pospuesto a un sustantivo: *venta 'posbalance'.*

posbélico, ca adj. Del período posterior a una guerra o relacionado con él. ☐ ORTOGR. Aunque la RAE sólo registra *posbélico*, también se usa *postbélico.*

posdata s.f. En una carta, parte que se añade a lo que ya se ha expuesto, al final y después de la firma. ☐ ETIMOL. Del latín *post datam* (después de la fecha). ☐ ORTOGR. Se admite también *postdata.*

pose s.f. **1** Postura o posición poco naturales, esp. las que alguien adopta para ser fotografiado. **2** Actitud fingida en la manera de hablar y de comportarse. ☐ ETIMOL. Del francés *pose.*

poseedor, -a adj./s. Que posee.

poseer v. **1** Tener en propiedad: *Posee un apartamento en la playa.* **2** Referido a algo, disponer de ello o tenerlo: *Posee buenos conocimientos de inglés.* ☐ ETIMOL. Del latín *possidere.* ☐ ORTOGR. En las formas cuya desinencia contiene un diptongo *ie, io,* esta *i* se cambia en *y* →LEER. ☐ MORF. Tiene un participio regular (*poseído*), que se usa más en la conjugación, y otro irregular (*poseso*), que se usa sólo como adjetivo o sustantivo.

poseído, da adj./s. →**poseso.**

posesión s.f. **1** Propiedad o acto de poseer algo con intención de conservarlo como propio: *Los documentos están en posesión de un notario.* **2** Lo que se posee: *Este castillo medieval forma parte de sus posesiones.* **3** ‖**tomar posesión**; empezar a desempeñar oficialmente un cargo: *Hoy tomarán posesión los nuevos ministros.* ☐ MORF. La acepción 2 se usa más en plural.

posesionar ▌ v. **1** Poner en posesión de algo: *El jefe lo posesionó en su nuevo despacho. Mañana se posesionará de su plaza de juez.* ▌ prnl. **[2** Apoderarse de algo o utilizarlo de forma exclusiva o indebida: *'Se posesionó' de la habitación y no deja entrar a nadie.* ☐ SINT. Constr. como pronominal: *posesionarse DE algo.*

posesivo, va ▌ adj. **[1** Referido a una persona, que tiene muy desarrollado el sentido de la posesión y resulta muy absorbente en su trato con los demás. ▌ s.m. **2** Clase de palabras que indican posesión o pertenencia: *'Mi', 'vuestros' y 'suyas' son posesivos.* ☐ ETIMOL. Del latín *possessivus.*

poseso, sa adj./s. Referido a una persona, que está dominada por un espíritu maligno; poseído. ☐ ETIMOL. Del latín *possessus.*

[posgrado s.m. →**postgrado.**

[posgraduado, da adj./s. →**postgraduado.**

posguerra s.f. Tiempo que sigue al final de una guerra, y durante el cual se notan los efectos de ésta. ☐ ORTOGR. Aunque la RAE sólo registra *posguerra,* se usa también *postguerra.*

posibilidad s.f. **1** Ocasión o probabilidad de que algo exista u ocurra: *Hay posibilidades de que mañana llueva.* **2** Aptitud o capacidad para realizar algo: *Con esta beca tienes la posibilidad de estudiar en el extranjero.* **3** Medios o recursos que permiten hacer o conseguir algo: *Comprarme un piso no está dentro de mis posibilidades económicas.* ☐ MORF. La acepción 3 se usa más en plural.

posibilismo s.m. Tendencia a aprovechar las posibilidades que ofrecen las doctrinas, las instituciones o las circunstancias, para la realización de determinados fines o ideales.

posibilitar v. Referido a algo que ofrece dificultad, facilitarlo y hacerlo posible: *El diálogo posibilitó un acuerdo entre las partes enfrentadas.*

posible ▌ adj. **1** Que puede ser o suceder. **2** Que se puede realizar o conseguir. ▌ s.m.pl. **3** Bienes o recursos económicos que alguien posee: *Es una mujer de posibles, y ha viajado por todo el mundo.* ☐ ETIMOL. Del latín *possibilis.* ☐ ORTOGR. Dist. de *plausible.* ☐ MORF. Como adjetivo es invariable en género.

posición s.f. **1** Postura, actitud o modo en que algo está puesto: *Me han hecho varias fotos en distintas posiciones.* **2** Lugar o situación que ocupa algo: *Mi equipo ocupa la última posición de la tabla.* **3** Categoría o condición social de una persona respecto de las demás: *Pertenece a una familia de excelente posición económica.* **4** Manera de pensar o de obrar: *¿No hay nada que haga cambiar vuestra posición en este asunto?* **5** En el ejército, en una acción militar, lugar fortificado o estratégico. ☐ ETIMOL. Del latín *positio.* ☐ SEM. No debe emplearse con el significado de 'circunstancia, condición, situación' (anglicismo): *No está en {*posición > condición} de criticar a nadie.*

[posicional adj. De la posición o relacionado con ella. ☐ MORF. Invariable en género.

posicionamiento s.m. Adopción de una posición, de una actitud o de una postura.

posicionar ▌ v. **[1** Colocar en una posición, una actitud o una postura: *El técnico del equipo 'posicionó' a tres jugadores en la línea ofensiva.* **2** En el lenguaje comercial, referido a una marca o a un producto, situarlos en determinado segmento del mercado: *Para 'posicionar' una marca en el mercado, es necesaria una investigación comercial previa.* ▌ prnl. **3** Adoptar una posición: *Un grupo de miembros del partido se posicionó en contra de la opinión de la mayoría.*

[positivar v. En fotografía, referido esp. a un negativo, pasarlo a positivo o tratarlo de modo que se reproduzcan los tonos claros y oscuros tal como se ven en la realidad: *Para revelar las fotos hay que 'positivar' el carrete.*

positivismo s.m. Doctrina filosófica que admite sólo el método experimental y rechaza toda noción a priori y todo concepto universal y absoluto. ☐ ETIMOL. Del francés *positivisme.*

positivista ▌ adj. **1** Del positivismo o relacionado con él: *filosofía positivista.* ▌ adj./s. **2** Partidario del positivismo. ☐ MORF. **1.** Como adjetivo es invariable en género. **2.** Como sustantivo es de género común: *el positivista, la positivista.*

positivo, va ▌ adj. **1** Que contiene o expresa afirmación: *respuesta positiva.* **2** Útil, práctico o beneficioso: *una experiencia positiva.* **3** Cierto, verdadero o que no ofrece duda: *La ciencia se suele ocupar de hechos positivos.* **4** Referido esp. a un análisis clínico, que indica la existencia de algo y no su falta: *Si el análisis sobre el embarazo es positivo, estás embarazada.* **[5** Referido a una persona, que tiende a ver y a juzgar las cosas por el aspecto más favorable. **6** En matemáticas, referido esp. a una cantidad, que tiene un valor mayor que cero. **7** En electrónica, referido al polo de un generador, que posee mayor potencial eléctrico. ▌ adj./s.m. **8** Referido esp. a una imagen fotográfica, que reproduce los tonos claros y oscuros tal como se ven en la realidad y no invertidos como en el negativo. ▌ s.m. **[9** En algunos deportes, cantidad que se añade a la puntuación de un equipo en la clasificación, si empata o gana en su propio estadio. ☐ ETIMOL. Del latín *positivus* (convencional).

[posmodernidad s.f. Movimiento cultural iniciado en los años ochenta, que da mayor importancia a las formas que a las cuestiones ideológicas.

[posmoderno, na adj./s. De la posmodernidad, relacionado con este movimiento cultural, o defensor de sus posturas ideológicas.

poso s.m. **1** Conjunto de las partículas sólidas de un líquido que se depositan en el fondo del recipiente que lo contiene: *posos del café.* **[2** Huella o recuerdo que dejan el sufrimiento o la pena: *Los* *desengaños amorosos de juventud le dejaron un 'poso' de pesimismo.* □ ETIMOL. De *posar*.

posología s.f. Parte de la terapéutica que trata de las dosis en que deben administrarse los medicamentos. □ ETIMOL. Del griego *póson* (cuánto) y *-logía* (ciencia).

[posoperatorio, ria adj./s.m. →**postoperatorio**.

[posparto s.m. Período de tiempo inmediatamente posterior al parto. □ SINT. Se usa mucho en aposición, pospuesto a un sustantivo: *depresión 'posparto'*. □ USO Se usa también *postparto*.

posponer v. Colocar detrás en el tiempo, en el espacio o en el orden de prioridad: *Tuve que posponer mi viaje. Tras el imperativo hay que posponer el pronombre átono.* □ ETIMOL. Del latín *postponere*, y éste de *post* (después de) y *ponere* (poner). □ MORF. 1. Su participio es *pospuesto*. 2. Irreg. →PONER. □ SINT. Constr. *posponer una cosa A la otra*.

posposición s.f. **1** Retraso de algo para realizarlo más adelante. **2** Colocación de una cosa detrás de otra.

pospuesto, ta part. irreg. de **posponer**. □ MORF. Incorr. **posponido*.

[posromanticismo s.m. Período inmediatamente posterior al Romanticismo y que conserva muchas características culturales de éste. □ ORTOGR. Se usa también *postromanticismo*.

post- →**pos-**.

[post-it (anglicismo) s.m. Hoja pequeña de papel adherente y generalmente amarillo, que se usa para escribir notas. □ ETIMOL. Extensión del nombre de una marca comercial. □ PRON. [póstit], aunque está muy extendida [pósit].

[post meridiem (latinismo) ‖ Después del mediodía. □ USO Se usa mucho la abreviatura *p.m.* Su uso es característico del lenguaje técnico o formal.

[post mortem (latinismo) ‖ Después de la muerte. □ PRON. [post mórtem].

posta s.f. **1** Antiguamente, lugar en el que se encontraban las caballerías que se ponían en los caminos cada cierta distancia, para cambiar por ellas las de los correos y las de las diligencias. **2** Bala pequeña de plomo, más grande que un perdigón, que se utiliza como munición en algunas armas de fuego. **[3** En zonas del español meridional, casa de socorro. **4** ‖ **a posta**; *col.* →**aposta**. □ ETIMOL. Del italiano *posta*.

postal ‖ adj. **1** Del servicio de correos o relacionado con él. ‖ s.f. **2** →**tarjeta postal**. □ ETIMOL. De *posta*. □ MORF. Como adjetivo es invariable en género.

[postbalance s.m. Período inmediatamente posterior a la realización de un balance anual. □ ORTOGR. Se usa también *posbalance*. □ SINT. Se usa mucho en aposición, pospuesto a un sustantivo: *venta 'postbalance'*.

[postbélico, ca adj. →**posbélico**.

postdata s.f. →**posdata**.

poste s.m. **1** Madero, piedra o columna que se colocan verticalmente y que sirven de apoyo o de señal: *poste telefónico.* **2** En algunos deportes, cada uno de los dos maderos laterales que sujetan el travesaño o madero superior de la portería. □ ETIMOL. Del latín *postis*.

postema s.f. →**apostema**.

póster s.m. Cartel que se coloca en una pared y que se utiliza como elemento decorativo. □ ETIMOL. Del inglés *poster*.

postergación s.f. **1** Retraso o aplazamiento de algo para hacerlo más adelante. **2** Aprecio escaso, o menor del que se recibía.

postergar v. **1** Retrasar o dejar atrasado: *Posterga esas tareas y vente a dar un paseo.* **2** Referido a algo, apreciarlo menos que otra cosa o menos que antes: *Me has postergado a un segundo plano.* □ ETIMOL. Del latín *postergare* (dejar atrás, descuidar, despreciar). □ ORTOGR. La *g* se cambia en *gu* delante de *e* →PAGAR.

posteridad s.f. **1** Conjunto de personas que vivirá después de cierto momento o de cierta persona: *La posteridad admira la obra del genial pintor renacentista.* **2** Fama después de la muerte: *Tu obra artística te llevará a la posteridad.* □ ETIMOL. Del latín *posteritas*, y éste de *posterus* (posterior). □ ORTOGR. Dist. de *posterioridad*.

posterior adj. **1** Que ocurre o que viene después. **2** Que está detrás o en la parte de atrás. □ ETIMOL. Del latín *posterior*. □ MORF. Invariable en género. □ SINT. Constr. de la acepción 1 y 2: *posterior A algo*.

posterioridad s.f. Situación temporal futura de una cosa respecto de otra anterior. □ ORTOGR. Dist. de *posteridad*.

[postgrado s.m. Ciclo de estudios posterior al título de la licenciatura. □ ORTOGR. Se usa también *posgrado*.

[postgraduado, da adj./s. Referido a un estudiante, que está en el ciclo de estudios posterior a la licenciatura. □ ORTOGR. Se usa también *posgraduado*.

[postguerra s.f. →**posguerra**.

postigo s.m. En el marco de una puerta o de una ventana, tablero sujeto con goznes o con bisagras para poder cubrir la parte acristalada cuando convenga. □ ETIMOL. Del latín *posticum* (puerta trasera).

postín s.m. **1** Presunción afectada de lujo o de riqueza: *Se da mucho postín porque sus abuelos eran nobles.* **2** ‖ **de postín**; de lujo o de distinción: *Se compró un coche de postín.* □ ETIMOL. Del caló *postín* (piel, pellejo).

postizo, za ‖ adj. **1** Que no es natural sino artificial, imitado, añadido o fingido: *dentadura postiza.* ‖ s.m. **2** Pelo natural o artificial que se pone como adorno o para suplir la falta o la escasez del pelo propio. □ ETIMOL. Del latín *appositicius*, y éste de *apponere* (añadir).

postónico, ca adj. Que está después de una sílaba tónica o acentuada: *En la palabra 'trágico', la sílaba 'gi' es la sílaba postónica.*

postoperatorio, ria ‖ adj. **1** Que se produce o que se aplica después de una operación quirúrgica. ‖ s.m. **2** Período de tiempo inmediatamente posterior a una operación quirúrgica. □ ORTOGR. Aunque la RAE sólo registra *postoperatorio*, se usa también *posoperatorio*.

postor, -a s. Persona que ofrece una cantidad de dinero por un objeto en una subasta: *El jarrón chino lo compró el mejor postor.* □ ETIMOL. Del latín *positor*. □ MORF. La RAE sólo registra el masculino.

[postparto s.m. →**posparto**.

postración s.f. Decaimiento a causa de una enfermedad o de un sufrimiento.

postrar ‖ v. **1** Referido a una persona, debilitarla o quitarle las fuerzas o el ánimo: *Ese nuevo fracaso lo postró en la desesperación. Una enfermedad me postró en cama durante una semana.* ‖ prnl. **2** Arrodillarse o ponerse a los pies de alguien en señal de respeto, de veneración o de ruego: *Se postró ante el sagrario y oró con devoción.* □ ETIMOL. Del latín *prostrare.*

postre s.m. **1** Alimento que se sirve al final de una comida. **2** ‖ **a la postre**; al final o en definitiva: *Si estudias ahora, a la postre te alegrarás.*

postrer adj. →**postrero.** □ MORF. Apócope de *postrero* ante sustantivo masculino singular.

postrero, ra adj. En una serie, último o final; postrimero: *En los postreros momentos de mi vida tendré un recuerdo para ti.* □ ETIMOL. Del latín *postrarius.* □ MORF. Ante sustantivo masculino singular se usa la apócope *postrer.*

postrimería s.f. Último período de la duración de algo. □ ETIMOL. De *postrimero.* □ MORF. Se usa más en plural.

postrimero, ra adj. En una serie, último o final; postrero. □ ETIMOL. Del latín *postremus.*

[postromanticismo s.m. →**posromanticismo.**

[postromántico, ca adj. →**posromántico.**

postulación s.f. Petición de algo con fines benéficos o religiosos.

postulado s.m. **1** Proposición cuya verdad se admite sin pruebas y que sirve de base para posteriores razonamientos. **[2** Idea o principio defendidos por alguien.

postular v. **1** Pedir con fines benéficos o religiosos: *Estos chicos postulan para recaudar fondos para una asociación contra el cáncer.* **2** Afirmar o defender: *El movimiento ecologista postula la defensa del medio ambiente.* □ ETIMOL. Del latín *postulare* (pedir, solicitar, pretender).

póstumo, ma adj. Que sale a la luz después de la muerte del padre o del autor. □ ETIMOL. Del latín *postumus* (el último, hijo nacido después de muerto el padre).

postura s.f. **1** Manera o modo en que está puesto algo: *Me duele el brazo porque he dormido en una mala postura.* **2** Posición o actitud respecto de un asunto: *Mi postura ante el aborto sigue siendo la misma.* **3** Precio que el comprador ofrece por algo que se vende o arrienda en una subasta: *Ésta es mi última postura por el cuadro, porque ya no puedo ofrecer más dinero.* **[4** Sitio en el que se oculta un cazador para poder disparar a la caza; puesto. □ ETIMOL. Del latín *positura.*

[postventa s.f. →**posventa.** □ SINT. Se usa en aposición, pospuesto a un sustantivo: *servicio 'postventa'.*

posventa s.f. Período inmediatamente posterior a la venta de algo, durante el cual se garantiza un servicio de asistencia, de mantenimiento o de reparación. □ ORTOGR. Aunque la RAE sólo registra *posventa,* se usa también *postventa.* □ SINT. Se usa en aposición, pospuesto a un sustantivo: *servicio posventa.*

[pot-pourri s.m. →**popurrí.** □ PRON. [popurrí]. □ USO Es un galicismo innecesario.

potabilizar v. Referido a un líquido, esp. al agua, hacerlo potable: *El cloro se utiliza para potabilizar el agua.* □ ORTOGR. La *z* se cambia en *c* delante de *e* →CAZAR.

potable adj. **1** Referido a un líquido, esp. al agua, que se puede beber porque no es dañino para la salud. **2** col. Pasable, aceptable o bueno. □ ETIMOL. Del latín *potabilis,* y éste de *potare* (beber). □ MORF. Invariable en género. □ SEM. Dist. de *bebible* (que

se puede beber sin que resulte desagradable al paladar).

potaje s.m. **1** Guiso hecho con legumbres, verduras y otros ingredientes. **2** col. Conjunto desordenado, revuelto y enredado; lío. □ ETIMOL. Del francés *potage* (puchero, cocido).

potasa s.f. Hidróxido de potasio, sólido y de color blanco: *La potasa se emplea en la fabricación de jabones.* □ ETIMOL. Del francés *potasse,* y éste del alemán *Pottasche* (ceniza de pucheros).

potásico, ca adj. Del potasio o relacionado con este elemento químico.

potasio s.m. Elemento químico, metálico y sólido, de número atómico 19, blando, de color brillante y que se oxida rápidamente por la acción del aire. □ ORTOGR. Su símbolo químico es *K.*

pote s.m. **1** Vaso cilíndrico con un asa, hecho de un material resistente: *En los campamentos bebemos en potes metálicos.* **2** Olla o vasija redonda, generalmente de hierro, con barriga y boca ancha y con tres pies, que suele tener dos asas pequeñas a cada lado y una grande en forma de semicírculo, que sirve para cocinar. **3** Guiso elaborado con legumbres, hortalizas, tocino y patatas. **4** ‖ **darse pote**; col. Darse tono o presumir: *No te des tanto pote, que aquí todos somos iguales.* □ ETIMOL. Del catalán *pot* (bote, tarro).

potencia s.f. **1** Capacidad, fuerza o poder para ejecutar algo o para producir un efecto: *Este telescopio tiene gran potencia y vemos los mares de la Luna.* **2** Nación o estado independientes, esp. los que tienen gran poder económico y militar: *El desarrollo tecnológico ha convertido ese país en la primera potencia mundial.* **3** Cada una de las tres facultades del alma: *Las tres potencias son entendimiento, voluntad y memoria.* **4** Capacidad que tiene una cosa de cambiar ella misma o de producir un cambio: *Aristóteles explicaba el movimiento como paso de la potencia al acto.* **5** En física, trabajo realizado en la unidad de tiempo. **6** En matemáticas, producto que resulta de multiplicar una cantidad por sí misma una o más veces. **7** ‖ **elevar** una cantidad **a una potencia**; multiplicarla tantas veces por sí misma como indica el exponente. ‖ **en potencia**; que está en estado de capacidad, de disposición o de aptitud para algo: *Una semilla es una planta en potencia.* □ ETIMOL. Del latín *potentia.* □ SINT. *En potencia* se usa más con el verbo *estar.*

potenciación s.f. Desarrollo, incremento o impulso de algo para que pueda ser o existir.

[potenciador, -a adj./s. Que potencia o incrementa.

potencial ■ adj. **1** Que puede suceder o existir: *Cuidado con ellos, porque son enemigos potenciales.* ■ s.m. **2** Fuerza o poder disponibles: *potencial militar de una nación.* **3** En gramática, condicional: *El potencial de 'bailar' es 'yo bailaría, tú bailarías...'.* □ MORF. Como adjetivo es invariable en género. □ USO En la acepción 3, *potencial* se usa menos que *condicional.*

potencialidad s.f. Posibilidad de que algo exista u ocurra.

potenciar v. Comunicar potencia o incrementar la que ya se tiene: *Para aumentar la producción de coches hay que potenciar su exportación.* □ ORTOGR. La *i* nunca lleva tilde.

potentado, da s. Persona que tiene muchas riquezas y poder. ☐ ETIMOL. Del latín *potentatus*.

potente adj. **1** Que tiene poder, eficacia o fuerza para algo. **2** *col.* Grande, desmesurado o fuerte. ☐ ETIMOL. Del latín *potens* (el que puede). ☐ MORF. Invariable en género.

potestad s.f. **1** Dominio, poder o autoridad que se tienen sobre algo. **2** ∥**patria potestad**; autoridad legal de los padres sobre sus hijos menores de edad. ☐ ETIMOL. Del latín *potestas* (poder).

potestativo, va adj. Referido a un acto, que no es necesario, sino que libremente se puede hacer u omitir; facultativo.

potingue s.m. **1** *col.* Comida o bebida de aspecto y de sabor desagradables. **2** *col.* Producto cosmético o de belleza, esp. el que se presenta en forma de crema. ☐ ETIMOL. Del provenzal *poutingo*, y éste de *poutingaire* (boticario). ☐ MORF. La acepción 2 se usa más en plural.

potito s.m. Alimento preparado para niños pequeños, en forma de puré, que generalmente se vende envasado en tarros de cristal herméticamente cerrados.

[poto s.m. Planta trepadora con hojas en forma de corazón, de color verde claro con vetas blancas, que se utiliza como planta ornamental de interiores.

potosí s.m. **1** Riqueza extraordinaria: *Tiene una casa preciosa por la que pagó un potosí.* **2** ∥**valer un Potosí**; ser de mucho valor. ☐ ETIMOL. Por alusión a Potosí, región boliviana famosa por sus minas de plata.

potra s.f. Véase **potro, tra**.

potrada s.f. Manada de potros.

potranco, ca s. Caballo o yegua que no superan los tres años de edad.

potrero, ra ∥ s. **1** Persona encargada del cuidado de los potros. ∥ s.m. **2** En zonas del español meridional, terreno cercado destinado a la cría de ganado. **3** En zonas del español meridional, solar.

potrillo s.m. [En zonas del español meridional, vaso grande.

potro, tra ∥ s. **1** Caballo desde que nace hasta que cambia los dientes de leche. ∥ s.m. **2** En gimnasia, aparato formado por cuatro patas que sostienen un prisma rectangular, forrado de cuero o de otro material, que se utiliza para realizar pruebas de salto. 🔾 gimnasio **3** Instrumento de tortura consistente en un asiento de madera en el que se sentaba e inmovilizaba al reo para torturarlo. ∥ s.f. **4** *col.* Buena suerte. ☐ ETIMOL. Las acepciones 1-3, del latín **pulliter*, y éste de *pullus* (animal joven). La acepción 4, de origen incierto.

poyo s.m. Banco de piedra o de albañilería que se construye generalmente junto a una pared. ☐ ETIMOL. Del latín *podium* (repisa, muro grueso que formaba una plataforma alrededor del anfiteatro). ☐ ORTOGR. Dist. de *pollo*. ☐ MORF. Se usa mucho el diminutivo *poyete*.

poza s.f. **1** Charca o concavidad en las que hay agua detenida. **2** En un río, sitio o lugar en el que es más profundo.

pozo s.m. **1** Hoyo profundo que se hace en la tierra, esp. el que se hace para sacar agua o petróleo subterráneos. **2** Hoyo profundo para bajar a las minas. **[3** *col.* Boca: *Sólo sabes abrir el 'pozo' para decir tonterías.* **4** ∥**pozo artesiano**; el que está situado a gran profundidad de manera que el agua, contenida entre dos capas subterráneas e impermeables, asciende de forma natural. ∥ **[pozo sin fondo**; lo que parece no tener fin o cuesta cada vez más dinero. ∥**ser un pozo de** una cualidad; poseerla o tenerla en gran cantidad: *Esta profesora es un pozo de sabiduría.* ☐ ETIMOL. Del latín *puteus* (hoyo, pozo). *Pozo artesiano*, del francés *artésien*, por alusión a Artois, ciudad francesa donde se cavó el primer pozo de este tipo.

práctica s.f. Véase **práctico, ca**.

practicable adj. **[1** Referido esp. a un camino, que resulta fácilmente transitable. **2** En un decorado teatral, referido a una puerta o a otro accesorio, que no se simulado sino que puede usarse. ☐ MORF. Invariable en género.

practicante ∥ adj./s. **1** Referido a una persona, que profesa una religión y que cumple y obedece sus normas y preceptos. **[2** En zonas del español meridional, referido a una persona, que realiza una actividad con conocimiento y eficacia. ∥ s. **3** Persona que se dedica a poner inyecciones, esp. si ésta es su profesión. ☐ MORF. 1. Como adjetivo es invariable en género. 2. Como sustantivo es de género común: *el practicante, la practicante*. 2. En la acepción 3, se usa también el femenino coloquial *practicanta*.

practicar v. **1** Referido a algo que se ha aprendido o que se conoce, ejercitarlo o realizarlo de forma habitual: *Practicar un deporte es muy saludable.* **2** Desempeñar, ejercer o llevar a cabo de forma continuada: *Practica la medicina en nuestro pueblo.* **3** Ejecutar, hacer o realizar: *Practicaron la autopsia al cadáver para conocer las causas de la muerte.* **4** Referido esp. a una religión, profesarla y cumplir y obedecer sus normas y preceptos: *En mi familia todos practicamos el catolicismo.* **5** Referido a algo que se quiere perfeccionar, ensayarlo, entrenarlo o repetirlo varias veces: *Los bailarines practican cada paso horas y horas.* ☐ ORTOGR. La *c* se cambia en *qu* delante de *e* →SACAR.

práctico, ca ∥ adj. **1** De la práctica o relacionado con la acción y los resultados y no con la teoría o las ideas: *Prefiere los conocimientos prácticos a la especulación teórica.* **2** Útil o que produce un provecho inmediato: *Resulta muy práctico conocer otro idioma.* **3** Que tiene experiencia y destreza en algo: *Es una cirujana muy práctica en este tipo de operaciones, porque ha realizado muchas.* **[4** Que ve o que juzga la realidad tal y como es y que actúa guiado por ella. ∥ s.m. **5** Marino que se dedica profesionalmente a la dirección de las operaciones de entrada y de salida de los barcos en un puerto. **[6** Embarcación que utiliza este marino para realizar su trabajo. ∥ s.f. **7** Realización o ejercicio de una actividad de forma habitual: *Me han recomendado la práctica de la natación para mis problemas de espalda.* **8** Habilidad y destreza adquiridas con esta realización: *Tengo práctica cuidando niños.* **9** Costumbre, hábito o modo habitual de hacer algo: *Desconozco las prácticas de los habitantes de ese pueblo en lo que se refiere a sus fiestas.* **10** Aplicación de una idea o de una doctrina, o contraste experimental de una teoría: *La teoría dice que todos lo hacen así, pero la práctica demuestra que tres de cada cinco lo hacen de otra forma.* **11** Ejercicio, prueba o curso que, bajo la dirección de una persona experta y durante un período de tiempo determinado, tiene que hacer una persona para adquirir habilidad en una materia o en una profesión: *Estoy en esta empresa con un contrato en prácticas.* **12** ‖**en la práctica**; en la realidad: *En la teoría es fácil saber cómo hay que hacer las cosas, pero en la práctica es normal equivocarse.* ‖**llevar a la práctica** o **poner en práctica**; referido esp. a un plan o a una idea, realizarlos. ☐ ETIMOL. Las acepciones 1-5, del latín *practicus*, y éste del griego *praktikós* (activo, que obra). Las acepciones 7-11, del latín *practice*, y éste del griego *praktiké* (ciencia práctica). ☐ MORF. La acepción 11 se usa más en plural.

practicón, -a s. *col.* Persona experta en una actividad por haberla practicado mucho, más que por saber mucho de ella.

pradera s.f. **1** Prado grande. **2** Lugar del campo llano y con hierba.

pradería s.f. Conjunto de prados.

prado s.m. **1** Terreno llano, muy húmedo o de regadío, en el que se deja crecer o se siembra la hierba para pasto del ganado. **2** Sitio agradable, generalmente llano y cubierto de hierba, por el que se pasea. [**3** En zonas del español meridional, pradera o césped. ☐ ETIMOL. Del latín *pratum.*

pragmático, ca ‖ adj. **1** Del pragmatismo o relacionado con este movimiento filosófico. **2** De la pragmática o relacionado con esta disciplina lingüística. ‖ s.f. **3** Parte de la lingüística que estudia el lenguaje en relación con sus usuarios y con las circunstancias de la comunicación.

pragmatismo s.m. Movimiento filosófico basado en los efectos prácticos como único criterio válido para juzgar la verdad de toda doctrina científica, moral o religiosa. ☐ ETIMOL. Del inglés *pragmatism.*

[**praguense** adj./s. De Praga (capital checa), o relacionado con ella. ☐ MORF. 1. Como adjetivo es invariable en género. 2. Como sustantivo es de género común: *el 'praguense', la 'praguense'.*

praliné s.m. **1** Crema de chocolate y almendra o avellana. [**2** Chocolate o bombón relleno de alguna crema. ☐ ETIMOL. Del francés *praline.*

praxis s.f. **1** Práctica, en oposición a la teoría. [**2** En la filosofía marxista, actividad humana transformadora del mundo. ☐ ETIMOL. Del griego *prâxis*, y éste de *prásso* (yo obro, cumplo). ☐ MORF. Invariable en número.

pre- Prefijo que indica anterioridad en el espacio (*prepalatal*, *predorsal*) o en el tiempo (*precalentamiento, preclásico, precontrato, preacuerdo, prematrimonial*). ☐ ETIMOL. Del latín *prae.*

[**preacuerdo** s.m. Acuerdo previo e inicial que puede convertirse en definitivo.

preámbulo s.m. Lo que se dice al principio de algo que se va a tratar. ☐ ETIMOL. Del latín *praeambulus* (que va delante).

[**preaviso** s.m. Aviso previo y anterior a otro definitivo.

prebenda s.f. **1** Renta o dinero que conllevan algunos cargos u oficios eclesiásticos. **2** Trabajo o empleo con buen sueldo y con poco que hacer. [**3** Beneficio, favor o ventaja concedidos de forma arbitraria y no por méritos propios o por el esfuerzo realizado. ☐ ETIMOL. Del latín *praebenda*, y éste de *praebere* (dar, ofrecer).

preboste s.m. [**1** *col.* Persona con mucho poder e influencia en un determinado grupo o actividad. **2** Persona que preside o gobierna una comunidad. ☐ ETIMOL. Del catalán *prebost.*

precalentamiento s.m. **1** Ejercicio que realiza el deportista como preparación para el esfuerzo que ha de realizar después. **2** Calentamiento de un motor o de otra cosa antes de someterlos a la función que deben desempeñar.

precámbrico, ca ‖ adj. **1** En geología, de los períodos inmediatamente anteriores a la era primaria o paleozoica, o relacionado con ellos. ‖ adj./s.m. **2** En geología, referido a un período, que pertenece a los tiempos inmediatamente anteriores a la era primaria o paleozoica.

[**precampaña** s.f. Período de tiempo que transcurre hasta el comienzo oficial de una campaña.

precariedad s.f. **1** Falta de los medios o recursos necesarios. **2** Falta de estabilidad, o duración escasa.

precario, ria adj. **1** Que no posee los medios o recursos suficientes: *Tras la guerra, la situación en esa zona es muy precaria.* **2** Que no es seguro o que tiene poca duración: *Mi precaria situación laboral me impide comprarme un piso.* ☐ ETIMOL. Del latín *precarius* (que se obtiene por ruegos), porque lo que se obtiene de esta manera es de poca estabilidad.

precaución s.f. Cuidado que se pone al hacer algo, para evitar inconvenientes, dificultades y daños. ☐ ETIMOL. Del latín *praecautio.*

precautorio, ria adj. Que sirve de precaución.

precaver v. Referido a un riesgo, a un daño o a un peligro, prevenirlos o tomar medidas para evitarlos: *Llevo todo tipo de ropa para precaver cualquier cambio de tiempo. Lleva una vida sana para precaverse de las enfermedades del sistema circulatorio.* ☐ ETIMOL. Del latín *praecavere.* ☐ SINT. Constr. *precaverse* {DE/CONTRA} *algo.*

precavido, da adj. Que obra con precaución o que previene las cosas.

precedente ‖ adj. **1** Que precede. ‖ s.m. **2** Lo que ha ocurrido antes y condiciona lo que ocurre después; antecedente: *Este tipo de acción no tiene precedentes entre nosotros.* ☐ MORF. Como adjetivo es invariable en género.

preceder v. **1** Ir delante en el tiempo o en el espacio; anteceder: *El mes de octubre precede al de noviembre.* **2** Tener preferencia, supremacía o superioridad: *En el protocolo oficial, el Rey precede al presidente del Gobierno.* ☐ ETIMOL. Del latín *praecedere.*

preceptista ‖ adj./s. **1** Referido a una persona, que da o que enseña preceptos y reglas. ‖ s. **2** Tratadista de preceptiva literaria. ☐ MORF. 1. Como adjetivo es invariable en género. 2. Como sustantivo es de género común: *el preceptista, la preceptista.*

preceptivo, va ‖ adj. **1** Que es obligatorio, que debe ser obedecido porque está ordenado por un precepto. ‖ s.f. **2** Conjunto de preceptos o normas aplicables a determinada materia.

precepto s.m. Norma u orden que hay que cumplir porque así está establecido o mandado. ☐ ETIMOL. Del latín *praeceptus*, y éste de *praecipere* (dar instrucciones, recomendar).

preceptor, -a s. Persona que se dedica a la educación y formación de uno o varios niños, generalmente en el hogar de éstos. ☐ ETIMOL. Del latín *praeceptor.*

preceptuar v. Imponer como precepto o como norma: *La ley preceptúa el uso del cinturón de seguridad en los vehículos automóviles.* ☐ ORTOGR. La *u*

986

lleva tilde en los presentes, excepto en las personas *nosotros* y *vosotros* →ACTUAR.

preces s.f.pl. Oraciones de súplica o de ruego que se dirigen a Dios, a la Virgen o a los santos. ☐ ETIMOL. Del latín *preces* (ruegos).

preciado, da adj. Precioso, excelente y de mucha estimación.

preciarse v.prnl. Presumir o mostrarse orgulloso: *Se precia de ser el mejor bailarín del conjunto.* ☐ ETIMOL. Del latín *pretiare*. ☐ ORTOGR. La *i* nunca lleva tilde. ☐ SINT. Constr. *preciarse DE algo*.

precintado s.m. →**precinto**.

precintar v. Cerrar o señalar con un precinto: *Los discos se precintan para que nadie pueda usarlos antes de comprarlos. La policía precintó el bar por orden judicial.*

precinto s.m. **1** Señal sellada que se pone en un lugar para mantenerlo cerrado y asegurar que sólo lo abrirá la persona autorizada para ello: *Estas galletas llevan precinto de garantía.* **2** Colocación de esta señal sellada: *La policía llevó a cabo el precinto de la casa en la que había ocurrido el asesinato.* ☐ ETIMOL. Del latín *praecinctus* (acción de ceñir). ☐ SEM. Es sinónimo de *precintado*.

precio s.m. **1** Cantidad de dinero en que se estima el valor de algo. **2** Esfuerzo, pérdida o sufrimiento necesarios para obtener algo: *Consiguió la fama, sí, pero al precio de perder a sus amigos.* **3** ‖ **a precio de coste**; por lo que cuesta algo, sin ganancia alguna. ‖ **no tener precio**; ser de mucho valor. ☐ ETIMOL. Del latín *pretium*. ☐ SINT. Incorr. *a {*más > mayor} precio*.

preciosidad s.f. **1** Conjunto de cualidades bellas y agradables: *En la ropa de vestir valoro más la comodidad que la preciosidad.* **2** Lo que resulta precioso: *¡Qué preciosidad de casa!*

preciosismo s.m. Refinamiento extremado en el estilo.

preciosista adj./s. Del preciosismo, con preciosismo o relacionado con este refinamiento extremado. ☐ MORF. 1. Como adjetivo es invariable en género. 2. Como sustantivo es de género común: *el preciosista, la preciosista*.

precioso, sa adj. **1** De mucho valor: *metal precioso*. **2** Que resulta bello o agradable al ser percibido por la vista o por el oído; hermoso. ☐ ETIMOL. Del latín *pretiosus*.

precipicio s.m. Terreno con una pendiente profunda y casi vertical. ☐ ETIMOL. Del latín *praecipitium*.

precipitación s.f. **1** Caída desde un lugar alto. **2** Acción de desencadenarse rápidamente un hecho, generalmente antes de lo previsto: *La precipitación de los acontecimientos nos pilló desprevenidos.* **3** En una disolución química, depósito de la sustancia sólida que se hallaba disuelta. **4** Imprudencia o prisa: *La precipitación no es buena para tomar decisiones.* **5** Agua atmosférica que cae en la Tierra en forma líquida o sólida: *El parte meteorológico anuncia precipitaciones en forma de nieve.*

precipitado, da ▪ adj. **1** Que está hecho con mucha prisa. ▪ s.m. **2** En química, sustancia que se obtiene por precipitación.

precipitar ▪ v. **1** Referido a un hecho, desencadenarlo o acelerarlo: *Las pruebas encontradas precipitaron su detención. Los hechos se precipitaron y la directora tuvo que dimitir.* **2** En química, referido a una disolución, producir una materia sólida que cae

al fondo: *Las soluciones salinas saturadas precipitan en cristales de sal.* **3** Despeñar o arrojar desde un lugar alto: *Precipitó el coche desde el acantilado para que no quedaran pruebas del asesinato. El suicida se precipitó desde un quinto piso.* ▪ prnl. **4** Lanzarse imprudentemente a hacer algo: *No te precipites y lee bien el documento antes de firmarlo.* ☐ ETIMOL. Del latín *praecipitare* (despeñar, apresurar).

precisar v. **1** Fijar o determinar de modo preciso: *Sé que ocurrió en noviembre, pero no puedo precisar el día exacto.* **2** Necesitar o considerar necesario e indispensable: *Precisó de mi ayuda para terminar el trabajo y me llamó. Se precisa mucha fuerza para levantar esa piedra.* ☐ SINT. Constr. de la acepción 2: *precisar algo* o *precisar DE algo*.

precisión s.f. **1** Exactitud, puntualidad o determinación. **2** Referido esp. al lenguaje, concisión y exactitud rigurosas. **3** ‖ **de precisión**; referido esp. a un mecanismo, que está construido para obtener resultados exactos: *aparatos de precisión*.

preciso, sa adj. **1** Necesario o indispensable para un fin: *Es preciso que vengas cuanto antes.* **2** Justo o exacto: *Salió en ese preciso momento.* **3** Referido esp. al lenguaje, que es conciso, exacto y riguroso. **4** Que se distingue con claridad: *Cuando levantó la niebla, volvieron a verse los contornos precisos de las cosas.* ☐ ETIMOL. Del latín *praecisus* (cortado, recortado).

preclaro, ra adj. Ilustre, famoso y digno de admiración o respeto. ☐ ETIMOL. Del latín *praeclarus* (muy claro, muy conocido, muy ilustre).

preclásico, ca adj. Que antecede a lo clásico.

precocidad s.f. Carácter temprano o prematuro, esp. referido a una etapa de un proceso.

[precocinado, da] adj. Referido a una comida, que se vende ya cocinada y que se tarda poco en preparar.

precolombino, na adj. Anterior a los viajes y descubrimientos de Cristóbal Colón (navegante italiano que, al servicio de Castilla, llegó al continente americano en 1492). ☐ ETIMOL. De *pre-* (antes) y *Columbus* (Colón).

preconcebido, da adj. [Referido esp. a una idea, que se ha formado sin tener en cuenta los datos reales ni la experiencia.

preconcebir v. Referido esp. a un proyecto o a un pensamiento, pensarlos previamente teniendo en cuenta todos sus pormenores: *Para andar sobre seguro es mejor preconcebir un plan.* ☐ MORF. Irreg. →PEDIR.

preconización s.f. **[1** Defensa o apoyo de lo que se considera bueno. **2** En la religión católica, nombramiento de un nuevo obispo por parte del Papa.

preconizar v. [Referido a algo que se considera bueno, defenderlo o apoyarlo: *Algunos concejales 'preconizan' el cierre del tráfico rodado en el centro de la ciudad.* ☐ ETIMOL. Del latín *praeconizare* (anunciar, proclamar). ☐ ORTOGR. La *z* se cambia en *c* delante de *e* →CAZAR.

precontrato s.m. Contrato preliminar por el que dos o más personas se comprometen a firmar el contrato definitivo en un plazo de tiempo determinado.

precoz adj. **1** Referido esp. a una persona, que destaca pronto por su talento en alguna actividad; adelantado. **2** Referido esp. a un proceso o a un fenómeno, que aparece o se manifiesta antes de lo habitual: *El* *año pasado el invierno fue precoz y las primeras ne-vadas ocurrieron a principios de octubre.* **3** Referido a una etapa de un proceso, esp. a una enfermedad, que es temprana o se encuentra en el inicio: *Las enfermedades se combaten mejor si se diagnostican en una fase precoz.* ☐ ETIMOL. Del latín *praecox*, y éste de *prae-* (antes) y *coqui* (madurar). ☐ MORF. Invariable en género.

precursor, -a adj./s. Que precede, origina o anuncia algo que se desarrollará más tarde. ☐ ETIMOL. Del latín *praecursor* (el que corre delante de otro).

predador, -a adj./s. Referido a un animal, que mata animales de otra especie para comérselos. ☐ ETIMOL. Del latín *praedator*.

predatorio, ria adj. De la captura de una presa por parte de un animal, o relacionado con ella. ☐ ETIMOL. Del latín *praedatorius*.

predecesor, -a s. **1** Persona que ha desempeñado un cargo, trabajo o dignidad antes de la que lo ejerce actualmente; antecesor. **2** Persona de la que se desciende. ☐ ETIMOL. Del latín *praedecessor* (el que murió antes). ☐ MORF. La acepción 2 se usa más en plural. ☐ SEM. En la acepción 2, es sinónimo de *ancestro*, *antecesor* y *antepasado*.

predecir v. Referido a algo que va a suceder, avisarlo o anunciarlo con antelación: *La meteoróloga predijo temperaturas suaves para el fin de semana.* ☐ ETIMOL. Del latín *praedicere*. ☐ MORF. Irreg.: 1. Su participio es *predicho*. 2. →PREDECIR. 3. También se usa la forma *prediré* para la primera persona singular del futuro de indicativo; las formas *prediría*, *predirías*... para el condicional; y *predí (tú)* para el imperativo.

predestinación s.f. En teología, elección divina por la que Dios tiene destinados y elegidos desde siempre a los que por medio de su gracia han de lograr la gloria.

predestinar v. En teología, referido a Dios, destinar y elegir desde siempre a los que por medio de su gracia han de lograr la gloria: *Calvino afirmaba que Dios predestina a los hombres.* ☐ ETIMOL. Del latín *praedestinare*.

predeterminar v. Fijar o establecer algo de antemano, esp. si no hay posibilidad de cambio posterior: *La herencia genética predetermina el color de la piel de las personas.*

prédica s.f. Sermón o discurso adoctrinador, esp. los que dirige un predicador a sus fieles. ☐ ETIMOL. De *predicar*.

predicación s.f. **1** Doctrina que se predica o enseñanza que se da con ella. **2** Pronunciación de un sermón. **3** Divulgación de unas ideas.

predicado s.m. **1** En lingüística, parte de la oración gramatical cuyo núcleo es el verbo: *En la oración 'Juana corre mucho', 'corre mucho' es el predicado.* **2** ‖**predicado nominal**; el unido al sujeto por un verbo copulativo, como *ser* o *estar*: *En la oración 'Yo soy rubia', el predicado nominal es 'soy rubia'.* ‖**predicado verbal**; el formado por un verbo no copulativo y sus complementos: *En la oración 'Mis hermanos y yo vamos al mismo colegio', 'vamos al mismo colegio' es el predicado verbal.*

predicador s.m. Orador que predica la palabra de Dios.

predicamento s.m. Prestigio o estimación. ☐ ETIMOL. Del latín *praedicamentum*.

predicar v. **1** Dar o pronunciar un sermón: *El sa-*

cerdote predicaba desde el púlpito. **2** Referido esp. a una doctrina o a unas ideas, hacerlas patentes, propagarlas o extenderlas: *Por más que el alcalde predique el ahorro de agua, la gente no hace caso.* **3** En lingüística, referido esp. a una cualidad o a una acción del sujeto, decirlas o enunciarlas: *El verbo predica la acción que realiza el sujeto.* ☐ ETIMOL. Del latín *praedicare*. ☐ ORTOGR. La *c* se cambia en *qu* delante de *e* →SACAR.

predicativo, va ∎ adj. **1** En gramática, que pertenece al predicado, que realiza esta función o que posee un predicado. ∎ s.m. **2** →**complemento predicativo.**

predicción s.f. Aviso o anuncio de algo que va a suceder.

predicho, cha part. irreg. de **predecir.** ☐ MORF. Incorr. **predecido.*

predilección s.f. Preferencia o cariño especial que se sienten por algo.

predilecto, ta adj. Que se prefiere entre varios. ☐ ETIMOL. De *pre-* (primero) y el latín *dilectus* (amado).

predisponer v. Referido a una persona, prepararla o influir en ella para que adopte determinada actitud: *No quiero que mis críticas te predispongan contra él.* ☐ ETIMOL. Del latín *praedisponere.* ☐ MORF. Irreg.: 1. Su participio es *predispuesto*. 2. →PONER.

predisposición s.f. Tendencia o inclinación hacia algo.

predispuesto, ta part. irreg. de **predisponer.** ☐ MORF. Incorr. **predisponido.*

[predominante adj. Que predomina. ☐ MORF. Invariable en género.

predominar v. **1** Sobresalir o destacar entre varios: *Entre todas sus cualidades predomina la bondad.* **[2** Dominar en número o ser más abundante: *En mi familia 'predominan' las personas de ojos claros.*

predominio s.m. **1** Poder, superioridad o influencia de una cosa sobre otras. **[2** Abundancia de unas cosas sobre otras: *En tu biblioteca hay un claro 'predominio' de los libros de poesía.*

predorsal ∎ adj. **1** En lingüística, referido a un sonido, que se articula con la parte anterior del dorso de la lengua: *Una variante de pronunciación de la 's' andaluza es predorsal.* **2** Situado en la parte anterior de la espina dorsal. ∎ s.f. **3** Letra que representa este sonido: *La 'ch' es una predorsal.* ☐ MORF. Como adjetivo es invariable en género.

predorso s.m. En fonética y fonología, parte anterior del dorso de la lengua.

[preelectoral adj. Que precede a las elecciones. ☐ MORF. Invariable en género.

preeminencia s.f. Privilegio o ventaja que tiene una persona sobre otra. ☐ ETIMOL. Del latín *praeminentia.*

preeminente adj. Que es más importante que otros. ☐ ETIMOL. Del latín *praeminens.* ☐ ORTOGR. Dist. de *prominente.* ☐ MORF. Invariable en género.

preescolar adj./s. Referido esp. a un período de la educación, que es anterior a la enseñanza primaria. ☐ MORF. 1. Como adjetivo es invariable en género. 2. La RAE sólo lo registra como adjetivo.

preestablecido, da adj. Que está establecido con anterioridad, por ley o reglamento.

[preestreno s.m. En cine, proyección de una película anterior al estreno.

prefabricado, da adj. Referido esp. a una construcción, que ha sido fabricada fuera del lugar en el que se va a establecer, y que se construye con sólo acoplar sus piezas.

prefacio s.m. Prólogo o introducción de un libro. □ ETIMOL. Del latín *praefatio* (lo que se dice al principio).

prefecto, ta ∎ s. [**1** En zonas del español meridional, bedel de un centro oficial. ∎ s.m. **2** En la antigua Roma, jefe militar o civil. **3** En una comunidad eclesiástica, ministro que preside y manda. □ ETIMOL. Del latín *praefectus*, y éste de *praeficere* (poner como jefe).

prefectura s.f. **1** Cargo de prefecto. **2** Lugar de trabajo de un prefecto. **3** Territorio sobre el que un prefecto ejerce su autoridad.

preferencia s.f. **1** Primacía o ventaja que se tienen sobre algo: *En este cruce, tienen preferencia los coches que vienen por la derecha.* **2** Inclinación favorable que se siente hacia algo.

[preferencial adj. Que tiene preferencia sobre algo. □ MORF. Invariable en género.

[preferente adj. Que tiene preferencia o ventaja sobre otros. □ MORF. Invariable en género.

preferir v. Referido a algo, tener o sentir preferencia por ello: *Prefiero los helados de fresa a los de chocolate. ¿No prefieres sentarte en el sofá?* □ ETIMOL. Del latín *praeferre* (llevar delante). □ MORF. Irreg. →SENTIR. □ SINT. Constr. *preferir una cosa A otra.*

prefigurar v. Referido a una cosa, representarla anticipadamente: *Debido al descontento general, se prefigura la derrota del partido del Gobierno en las próximas elecciones.* □ ETIMOL. Del latín *praefigurare.*

prefijación s.f. Formación de nuevas palabras por medio de prefijos.

prefijar v. **1** Determinar, señalar o fijar anticipadamente: *Los trenes deberían llegar a la hora prefijada.* **2** En lingüística, referido a una palabra, anteponerle un prefijo: *'Desempleo' es resultado de prefijar 'empleo'.* □ ORTOGR. Mantiene la *j* en toda la conjugación.

prefijo, ja ∎ adj./s.m. **1** En lingüística, referido a un morfema, que se une por delante a una palabra o a una raíz para formar derivados o palabras compuestas: *En 'preacuerdo', el prefijo 'pre-' significa 'antes'.* ∎ s.m. **2** Conjunto de cifras o de letras que indican zona, ciudad o país, y que se marcan antes que el número de teléfono para establecer comunicación telefónica. □ ETIMOL. Del latín *praefixus* (fijado por delante o de antemano). □ SEM. En la acepción 1, es dist. de *infijo* (que se introduce en el interior de la palabra) y de *sufijo* (que se une por detrás).

pregón s.m. **1** Anuncio que se hace en voz alta en los lugares públicos para que sea conocido por todos. **2** Discurso elogioso que anuncia al público la celebración de una fiesta e incita a participar en ella. □ ETIMOL. Del latín *praeco* (pregonero).

pregonar v. **1** Referido esp. a una noticia, ponerla en conocimiento de todos en voz alta: *Antiguamente, los bandos municipales eran pregonados en la plaza del pueblo.* **2** Referido a una cualidad, elogiarla públicamente: *Va pregonando tus virtudes entre sus amigos.* **3** Referido a algo oculto o que debe callarse, darlo

a conocer: *Le conté un secreto y el muy cotilla lo ha ido pregonando por ahí.* **4** Referido a una mercancía que se quiere vender, vocearla o anunciarla: *El frutero ambulante recorre las calles pregonando su mercancía.* □ ETIMOL. Del latín *praeconari.*

pregonero, ra s. Persona que pronuncia el pregón de unas fiestas o que lee los pregones municipales. □ MORF. La RAE sólo registra el masculino.

pregunta s.f. Formulación de una cuestión o demanda de información; interrogación.

preguntar v. **1** Hacer preguntas: *Desde que te fuiste, se pasa el día preguntando por ti.* **2** Referido a una cuestión, formularla o demandar información sobre ella: *Le pregunté si iba a venir o no. Me pregunto si habrá recibido mi carta.* **3** Referido a un asunto, exponerlo en forma de interrogación para ponerlo en duda o para darle mayor énfasis: *Señores, yo me pregunto si realmente bajarán los impuestos.* □ ETIMOL. Del latín *percontari* (someter a interrogatorio).

preguntón, -a adj./s. col. Que pregunta con insistencia.

prehistoria s.f. **1** Período de la vida de la humanidad que comprende desde el origen del hombre hasta la aparición de los primeros documentos escritos. **2** Estudio de este período.

prehistórico, ca adj. **1** De la prehistoria o relacionado con este período. **2** col. Muy viejo o anticuado.

[preinscripción s.f. Inscripción previa.

[prejubilación s.f. Jubilación anticipada a la edad determinada por la ley.

prejuicio s.m. Juicio u opinión que se forman de antemano y sin tener los datos adecuados. □ ETIMOL. Del latín *praeiudicium* (juicio previo, decisión prematura). □ ORTOGR. Dist. de *perjuicio.*

prejuzgar v. Juzgar antes de tiempo o sin tener un conocimiento adecuado: *No prejuzgues tu actuación; primero deja que se explique.* □ ETIMOL. Del latín *praeiudicare.* □ ORTOGR. La *g* se cambia en *gu* delante de *e* →PAGAR.

prelacía s.f. →**prelatura.**

prelación s.f. Antelación o preferencia con la que se debe atender un asunto respecto de otro: *El asunto del robo tiene prelación sobre los demás casos.* □ ETIMOL. Del latín *praelatio* (poner antes).

prelado s.m. Superior eclesiástico. □ ETIMOL. Del latín *praelatus* (puesto delante, preferido).

prelatura s.f. Dignidad o cargo de prelado; prelacía.

preliminar adj./s.m. Que sirve de preámbulo o de introducción; liminar. □ ETIMOL. De *pre-* (antes) y el latín *liminaris* (del umbral, de la puerta). □ MORF. 1. Como adjetivo es invariable en género. 2. Como sustantivo se usa más en plural.

preludiar v. Iniciar o dar entrada: *Estos fríos otoñales preludian el invierno.* □ ORTOGR. La *i* nunca lleva tilde.

preludio s.m. **1** Lo que precede o sirve de entrada, de preparación o de principio a algo. **2** Composición musical de carácter instrumental, breve y sin una forma definida, y que originariamente servía de introducción en las fugas, suites u otras obras extensas. □ ETIMOL. Del latín *praeludium* (lo que precede a una representación).

premamá adj. De la mujer embarazada o relacionado con ella. □ MORF. Invariable en género y en número.

prematrimonial adj. Que se realiza antes del matrimonio. □ MORF. Invariable en género.

prematuro, ra ∎ adj. **1** Que ocurre, sucede o se produce antes de tiempo: *El otoño ha llegado este año de forma prematura.* ∎ adj./s. **2** Referido a un niño, que ha nacido antes de tiempo. □ ETIMOL. Del latín *praematurus* (que todavía no está maduro).

premeditación s.f. En derecho, circunstancia que agrava la responsabilidad criminal de un acusado y que consiste en una actitud más reflexiva de lo normal por parte de éste a la hora de perpetrar un delito.

premeditar v. Referido esp. a una idea o a un proyecto, pensarlos de manera reflexiva antes de realizarlos: *No digas que no te has dado cuenta, porque seguro que lo habías premeditado para que saliera así.* □ ETIMOL. Del latín *praemeditari*.

premiar v. Galardonar o destacar con un premio: *El guión de esta película ha sido premiado en el festival.* □ ORTOGR. La *i* nunca lleva tilde.

[premier (anglicismo) s. En algunos países, esp. en Gran Bretaña (país europeo), jefe de Gobierno o primer ministro. □ PRON. [premiér]. □ ORTOGR. Es innecesario y puede sustituirse por una expresión como *primer ministro.* □ MORF. Es de género común: *el 'premier', la 'premier'.*

[première (galicismo) s.f. Estreno de una obra teatral o cinematográfica. □ PRON. [premiér]. □ USO Su uso es innecesario y puede sustituirse por una expresión como *estreno.*

premio s.m. **1** Recompensa que se da por un mérito o por un servicio: *He conseguido el primer premio del concurso de poesía.* **2** Recompensa que se otorga en rifas, sorteos o concursos. **3** En la lotería nacional, cada uno de los lotes sorteados: *El primer premio de la lotería está dotado con muchos millones de pesetas.* **4** ‖ **(premio) gordo**; *col.* El mayor que sortea la lotería pública, y esp. el del sorteo de Navidad. ‖ **[(premio) Nobel**; *col.* Cada uno de los premios que anualmente concede la fundación Alfred Nobel (químico sueco del siglo XIX) a las personas que han destacado en distintos ámbitos; nobel. **2** Persona que ha obtenido este galardón; nobel. □ ETIMOL. Del latín *praemium* (recompensa).

premiosidad s.f. Lentitud o dificultad para hacer algo. □ SEM. Dist. de *premura* (prisa).

premioso, sa adj. Torpe, lento o pausado. □ ETIMOL. Del antiguo *premiar* (apremiar).

premisa s.f. **1** En filosofía, en un silogismo, cada una de las dos primeras proposiciones, de las cuales se infiere la conclusión. **2** Idea que sirve de base. □ ETIMOL. Del latín *praemissa* (puesta o colocada delante).

premolar s.m. →**diente premolar.** 🦷 dentadura

premonición s.f. Presentimiento de que algo va a ocurrir.

premonitorio, ria adj. Que predice o anuncia algo. □ ETIMOL. Del latín *praemonitorius* (que avisa anticipadamente).

[premonizar v. Referido a algo futuro, presentirlo o anunciarlo: *El locutor 'premonizó' que el torero iba a ser cogido.* □ ORTOGR. La *z* se cambia en *c* delante de *e* →CAZAR. □ SEM. Es un anglicismo innecesario que puede sustituirse por *presentir, anunciar* o pre-

decir: *Todo {*premonizaba > anunciaba} la tragedia.*

premura s.f. Prisa o urgencia. □ ETIMOL. Del italiano *premura.* □ SEM. Dist. de *premiosidad* (lentitud).

prenatal adj. Que existe o se produce antes del nacimiento. □ MORF. Invariable en género.

prenda ∎ s.f. **1** Cada una de las partes de las que se compone la vestimenta de una persona: *La chaqueta es una prenda de abrigo.* **2** Lo que se entrega como garantía del cumplimiento de una obligación o del pago de una deuda: *Para que confíes en que volveré, te dejo mi anillo como prenda.* **3** Lo que se hace en prueba o en demostración de algo: *Me hizo un regalo como prenda de su amistad.* **4** Cualidad física o moral de una persona: *La inteligencia y la sinceridad son tus prendas más notorias.* **5** Lo que es muy querido, esp. si es una persona: *¿Dónde vas, prenda?* **[6** En zonas del español meridional, joya o alhaja. ∎ pl. **7** Juego infantil en el que el perdedor tiene que entregar algo y cumplir lo que se le ordena para recuperarlo. **8** ‖ **no soltar prenda**; *col.* Callar o no contestar a lo que se pregunta: *Por más que pregunté qué había pasado, allí nadie soltó prenda.* □ ETIMOL. Del latín *pignora.* □ USO La acepción 5 se usa mucho como apelativo.

prendar ∎ v. **1** Gustar muchísimo o dejar encantado: *Me prendó tu sonrisa.* ∎ prnl. **2** Quedarse encantado o enamorado: *Me prendé de ti desde el primer día que te vi.* □ ETIMOL. De *prenda.* □ SINT. Constr. como pronominal: *prendarse DE algo.*

prendedor s.m. **1** Lo que sirve para prender o sujetar: *prendedor de corbata.* **2** En zonas del español meridional, broche o joya que se lleva en la ropa.

prender v. **1** Sujetar o agarrar, esp. con algo que tenga punta: *Prendió los bajos del vestido con alfileres.* **2** Privar de la libertad o detener, esp. por un delito cometido: *La policía ha conseguido prender al fugitivo.* **3** Referido al fuego o a la luz, causarlos o encenderlos: *Prendió fuego a la fábrica para cobrar el seguro.* **4** Referido a una materia combustible, empezar a arder o a quemarse: *La madera húmeda no prende bien. La casa se prendió debido a un cortocircuito.* **5** Arraigar o propagarse: *El amor prendió en su corazón. La nueva moda ha prendido rápidamente en la gente.* **6** Referido a una planta, arraigar en la tierra: *El esqueje ha prendido y está echando hojas nuevas.* **[7** En zonas del español meridional, encender o conectar. □ ETIMOL. Del latín *prehendere* (coger, atrapar). □ MORF. Tiene un participio regular (*prendido*), que se usa en la conjugación, y otro irregular (*preso*), que se usa sólo como adjetivo o sustantivo.

prendido s.m. Adorno que se engancha o se prende en algo, esp. el que se pone en la cabeza para sujetar el pelo. □ ETIMOL. De *prender.*

prendimiento s.m. Detención de una persona para privarla de la libertad, esp. por un delito cometido.

prensa s.f. **1** Máquina que sirve para comprimir. **2** Taller o lugar en el que se imprime; imprenta: *Mi último libro está en prensa.* **3** Conjunto de publicaciones periódicas, esp. si son diarias: *La prensa nos informa de lo que ocurre a nuestro alrededor.* **4** Conjunto de personas que se dedican profesionalmente al periodismo. **5** ‖ **tener {buena/mala}**

prensa algo; gozar de buena o mala fama, respectivamente. ☐ ETIMOL. Del catalán *premsa*.

prensar v. Apretar o comprimir en la prensa: *Para obtener el vino hay que prensar las uvas.*

prensil adj. Que sirve para coger o agarrar: *Los elefantes tienen una trompa prensil.* ☐ ETIMOL. Del latín *prehensus*, y éste de *prehendere* (coger). ☐ ORTOGR. Dist. de *pensil.* ☐ MORF. Invariable en género.

prensor, -a adj. Que prende o agarra: *Las aves rapaces tienen patas prensoras.* ☐ ETIMOL. Del latín *prehensus*, y éste de *prehendere* (coger).

[prenupcial adj. Que precede a la boda o se hace antes de ella. ☐ MORF. Invariable en género.

preñar v. **1** Referido a una hembra, fecundarla o hacerla concebir: *Este semental ha preñado a todas las vacas de la comarca.* **2** Llenar, rellenar o colmar: *Preñó el discurso de tecnicismos y entenderlo me resultó difícil.*

preñez s.f. Embarazo de una hembra.

preocupación s.f. **1** Inquietud, intranquilidad o temor. **2** Lo que despierta interés, cuidado o atención.

[preocupante adj. Que preocupa. ☐ MORF. Invariable en género.

preocupar ▌v. **1** Producir intranquilidad, angustia, inquietud o temor: *Me preocupa el futuro de mis hijos. No te preocupes, que no llegaré tarde.* ▌prnl. **2** Referido esp. a un asunto, prestarle atención o interesarse por él: *Precúpate de tus asuntos y déjame en paz.* ☐ ETIMOL. Del latín *praeoccupare* (ocupar antes que otro). ☐ ORTOGR. La *c* se cambia en *qu* delante de *e* →SACAR. ☐ SINT. Constr. de la acepción 2: *preocuparse {DE/POR} algo.*

prepalatal ▌adj. **1** En lingüística, referido a un sonido, que se pronuncia poniendo en contacto el dorso de la lengua con la parte anterior del paladar: *[ll] es un sonido prepalatal.* ▌s.f. **2** Letra que representa este sonido: *La 'ñ' es una prepalatal.* ☐ MORF. Como adjetivo es invariable en género.

preparación s.f. **1** Realización o disposición de todo lo necesario para un fin: *Lo más difícil de esta receta es la preparación de todos los ingredientes.* **2** Disposición o prevención de una persona para una acción futura: *preparación al parto.* **3** Entrenamiento para una prueba deportiva: *Yo me encargaré de tu preparación física.* **4** Estudio de una materia o de un examen: *Va a una academia para la preparación de la asignatura que suspendió.* **5** Conjunto de conocimientos de una materia: *De este colegio se sale con muy buena preparación.* **6** Material dispuesto para su estudio microscópico: *Después de teñir y de secar esta preparación de tejidos vegetales, la observaremos al microscopio.*

preparado s.m. Sustancia o producto preparados y dispuestos para su uso.

preparador, -a s. **1** Persona que prepara a los estudiantes que se van a presentar a una oposición. **2** Persona que prepara a un deportista o a un equipo, y que es responsable de su rendimiento.

preparar ▌v. **1** Disponer para un fin: *Prepara las maletas, que nos vamos de viaje. Ya he preparado todos los ingredientes para hacer el gazpacho.* **2** Dar clases o enseñar: *En este colegio preparan muy bien a los alumnos.* **3** Entrenar o adiestrar, esp. si es en la práctica de un deporte: *Mi trabajo consiste en preparar perros para la detección de droga. Se prepara duramente para participar en esa competición.*

4 Referido a una persona, prevenirla o disponerla para una acción futura: *Antes de darles la noticia, debes preparar a tus padres.* **5** Referido a una materia o a un examen, estudiarlos: *He preparado el examen durante varios días. Me estoy preparando unas oposiciones.* ▌prnl. **[6** Referido a algo que todavía no ha sucedido, darse las condiciones necesarias para que ocurra o estar próximo a ocurrir: *Por el color del cielo creo que 'se está preparando' una buena nevada.* ☐ ETIMOL. Del latín *praeparare.*

preparativo s.m. Lo que se hace para preparar algo. ☐ MORF. Se usa más en plural.

[preparatoria s.f. Véase **preparatorio, ria.**

preparatorio, ria ▌adj. **1** Que prepara o dispone para algo. ▌s.f. **[2** En zonas del español meridional, bachillerato.

preponderancia s.f. Dominio, superioridad o abundancia de una cosa frente a otra.

preponderar v. Referido esp. a una opinión, prevalecer o hacer más fuerza que otra: *Al final preponderó la opinión de los que estaban a favor.* ☐ ETIMOL. Del latín *praeponderare* (pesar más).

preposición s.f. En gramática, parte invariable de la oración cuya función es hacer de nexo entre dos palabras o entre dos términos: *'Ante' y 'con' son preposiciones.* ☐ ETIMOL. Del latín *praepositio.*

preposicional adj. **1** De la preposición, relacionado con ella o que funciona como tal; prepositivo: *'Antes de' es una locución preposicional.* **2** En gramática, referido a un sintagma, que está introducido por una preposición: *'Con alegría' y 'desde allí' son sintagmas preposicionales.* ☐ MORF. Invariable en género.

prepositivo, va adj. De la preposición, relacionado con ella o que funciona como tal; preposicional.

prepotencia s.f. Poder superior al de otros, esp. cuando se abusa de él. ☐ ETIMOL. Del latín *praepotentia* (omnipotencia).

prepotente adj./s. Que tiene mucho poder y abusa de él. ☐ MORF. **1.** Como adjetivo es invariable en género. **2.** Como sustantivo es de género común: *el prepotente, la prepotente.*

prepucio s.m. Piel móvil que cubre el extremo final del pene. ☐ ETIMOL. Del latín *praeputium.*

prerrogativa s.f. **1** Privilegio concedido por una dignidad, un cargo o un empleo. **2** Facultad de alguno de los poderes supremos del Estado. ☐ ETIMOL. Del latín *praerogativa* (privilegio, elección previa).

prerromance adj./s.m. Referido a una lengua, que existía en los territorios en los que después se implantó el latín. ☐ MORF. Como adjetivo es invariable en género.

prerrománico, ca ▌adj. **1** Del prerrománico o relacionado con este estilo artístico. ▌s.m. **2** Estilo artístico medieval que se desarrolló en el occidente europeo antes del románico y que reúne elementos germánicos, orientales y clásicos.

presa s.f. Véase **preso, sa.**

presagiar v. Referido a algo que todavía no ha ocurrido, anunciarlo o preverlo a partir de presagios o de indicios: *Esos negros nubarrones presagian lluvias.* ☐ ORTOGR. La *i* nunca lleva tilde.

presagio s.m. **1** Señal que anuncia o que indica algo futuro. **2** Adivinación de un suceso futuro mediante señales o intuiciones. □ ETIMOL. Del latín *praesagium*.

presbicia s.f. Defecto en la visión por el que se proyecta la imagen detrás de la retina, haciendo que se vean de forma confusa los objetos próximos y nítidamente los lejanos; vista cansada.

présbita o **présbite** adj./s. Que padece presbicia. □ ETIMOL. Del francés *presbyte*, y éste del griego *présbys* (viejo), porque la presbicia suele sobrevenir con la edad. □ MORF. 1. Como adjetivos son invariables en género. 2. Como sustantivos son de género común: *el {présbita/présbite}, la {présbita/présbite}*.

[**presbiterianismo** s.m. Rama del protestantismo surgida en Escocia (región británica) a finales del siglo XVI, que confiere el gobierno de la Iglesia a una asamblea formada por sacerdotes y por laicos.

presbiteriano, na ∎ adj. 1 Del presbiterianismo o relacionado con esta rama del protestantismo. ∎ adj./s. 2 Que sigue o que defiende el presbiterianismo.

presbiterio s.m. En una iglesia, espacio entre el altar mayor y el pie de los peldaños por los que se sube a él. □ ETIMOL. Del latín *presbyterium* (función del presbítero).

presbítero s.m. Clérigo que puede decir misa, o sacerdote. □ ETIMOL. Del latín *presbyter*, y éste del griego *presbýteros* (más viejo), porque el presbítero era más viejo que el diácono.

prescindir v. 1 Referido esp. a algo que no se considera esencial, no contar con ello, omitirlo o no tenerlo en cuenta: *El entrenador prescindirá de los jugadores que no rindan en los entrenamientos.* 2 Referido esp. a algo que se considera necesario, abstenerse o privarse de ello: *Tengo que prescindir de tus servicios porque no puedo pagarte.* □ ETIMOL. Del latín *praescindere* (separar). □ SINT. Constr. *prescindir DE algo*.

prescribir v. 1 Ordenar o mandar: *El código de circulación prescribe que los vehículos deben circular por la derecha.* 2 Referido a un remedio, recetarlo o recomendarlo: *El médico me ha prescrito un jarabe para la tos.* 3 Referido esp. a un derecho, a una acción o a una obligación, extinguirse o concluirse: *La multa ha prescrito y ya no tengo que pagarla.* □ ETIMOL. Del latín *praescribere*. □ ORTOGR. Dist. de *proscribir*. □ MORF. Su participio es *prescrito*.

prescripción s.f. 1 Orden o mandato: *Debo permanecer en cama por prescripción facultativa.* 2 Conclusión de un derecho, de una acción o de una obligación. □ ETIMOL. Del latín *praescriptio*.

prescriptible adj. Que puede prescribir o prescribirse. □ MORF. Invariable en género.

prescrito, ta part. irreg. de **prescribir**. □ ORTOGR. Dist. de *proscrito*. □ MORF. Incorr. **prescribido*.

presencia s.f. 1 Asistencia personal, o estado de la persona que se halla en el mismo lugar que otras: *Su presencia en la reunión fue muy comentada.* 2 Existencia de algo en un lugar o en un momento determinados: *La presencia de fiebre me hace pensar que tienes algo más que un golpe en el brazo.* 3 Aspecto exterior o apariencia: *Esta tarta tiene una presencia estupenda.* 4 ‖**presencia de ánimo**; tranquilidad y serenidad ante un suceso. □ ETIMOL. Del latín *praesentia*.

presencial adj. Que presencia algo. □ MORF. Invariable en género.

presenciar v. Referido esp. a un acontecimiento, asistir a él o verlo: *Estaba allí y pude presenciar el atraco.* □ ORTOGR. La *i* nunca lleva tilde.

presentable adj. Con buen aspecto o en condiciones de ser visto. □ MORF. Invariable en género.

presentación s.f. 1 Manifestación, exposición, muestra o exhibición. 2 Aspecto o apariencia exterior de algo. 3 Proposición de una persona para una dignidad o para un oficio. 4 Conjunto de comentarios de un programa o de un espectáculo hechos por el presentador. 5 Acto de dar el nombre de una persona a otra para que se conozcan.

presentador, -a s. Persona que se dedica profesionalmente a la presentación de espectáculos o de programas de radio o de televisión.

presentar ∎ v. 1 Manifestar, mostrar o poner en presencia de alguien: *Me presentó sus excusas por no haber llegado a tiempo. Tienes que presentar mejor este trabajo.* 2 Dar a conocer al público: *En la convención presentarán los nuevos modelos de coches.* 3 Referido a una característica, tenerla o mostrarla: *La herida no presenta buen aspecto.* 4 Referido a una persona, proponerla para una dignidad o para un oficio: *El partido ha presentado su candidato para las próximas elecciones. Se presentará para delegado de clase.* 5 Referido esp. a un espectáculo, anunciarlo o comentarlo: *Para presentar el programa eligieron a un conocido actor.* 6 Referido a una persona, dar su nombre a otra para que se conozcan: *Me presentó a todos sus amigos. Me presenté yo misma a tu vecina.* ∎ prnl. 7 Ofrecerse voluntariamente para un fin: *Cuando pidieron gente para apagar el incendio, me presenté rápidamente.* 8 Comparecer en un lugar, en un acto o ante una autoridad: *Los presos que están en libertad provisional deben presentarse a la policía cada ciento tiempo.* 9 Aparecer en un lugar de forma inesperada: *Se presentó en mi casa a las tres de la madrugada.* 10 Producirse, mostrarse o aparecer: *Se me presentó la ocasión de irme de vacaciones y no la desaproveché.* □ ETIMOL. Del latín *praesentare*.

presente ∎ adj./s. 1 Que está en presencia de alguien o que concurre con él en el mismo sitio: *Estuve presente en tu conferencia.* ∎ adj./s.m. 2 Que ocurre en el momento en el que se habla: *En el presente, la técnica nos ha hecho la vida más cómoda.* 3 En gramática, referido a un tiempo verbal, que indica que la acción del verbo está realizándose: *El tiempo de la oración 'Quiero agua' es presente.* ∎ s.m. 4 Obsequio o regalo que se da a alguien en señal de reconocimiento o de afecto. 5 ‖**mejorando lo presente**; expresión que se utiliza por cortesía cuando se alaba a una persona delante de otra: *Ya te dije que es muy buen muchacho, mejorando lo presente.* ‖**por el presente**; por ahora o en este momento: *Por el presente, la cosa va bien, pero ya veremos cómo termina.* ‖ [**presente histórico**; el que se usa para narrar acciones pasadas: *El presente de 'Colón descubre América en 1492' es un 'presente histórico'.* □ ETIMOL. Del latín *praesens*, y éste de *praesse* (estar presente). □ MORF. Como adjetivo es invariable en género. En la acepción 1, como sustantivo es de género común: *el presente, la presente*.

presentimiento s.m. 1 Sensación de que algo va a ocurrir o de que va a ocurrir de una determinada forma. **2** Lo que se presiente o intuye. □ SEM. Es sinónimo de *corazonada*.

presentir v. Referido a algo que no ha sucedido, adivinarlo o tener la sensación de que va a suceder: *Presiento que ganarás el primer premio de ese concurso.* □ ETIMOL. Del latín *praesentire*. □ MORF. Irreg. →SENTIR.

preservación s.f. Protección contra algún daño.

preservar v. Proteger o resguardar de algún daño o peligro: *Los invernaderos sirven para preservar las plantas del frío.* □ ETIMOL. Del latín *praeservare*, y éste de *prae* (antes) y *servare* (guardar). □ SINT. Constr. *preservar DE algo.* □ SEM. No debe emplearse con el significado de 'conservar': *Algunos alimentos se {*preservan > conservan} mejor en frío.*

preservativo s.m. Funda fina y elástica que se usa para cubrir el pene durante el coito y evitar así la fecundación o la transmisión de enfermedades; condón, profiláctico.

presidencia s.f. **1** Cargo de presidente. **2** Tiempo durante el que un presidente ejerce su cargo. **3** Lugar de trabajo de un presidente. **4** Persona o conjunto de personas que presiden algo.

presidencial adj. Del presidente, de la presidencia o relacionado con ellos. □ MORF. Invariable en género.

presidencialismo s.m. Sistema de organización política caracterizado porque el presidente de la república es también el jefe del Gobierno.

presidente, ta s. **1** Persona que preside. **2** En un Gobierno, en una colectividad o en un organismo, persona que ejerce su dirección o que ocupa su puesto más importante. **3** En un régimen republicano, jefe del Estado, generalmente elegido para un plazo fijo. □ ETIMOL. Del latín *praesidens*, y éste de *praesidere* (estar sentado al frente).

presidiario, ria s. Persona que está en presidio cumpliendo una condena.

presidio s.m. **1** Establecimiento penitenciario en el que cumplen sus condenas los castigados a penas de privación de libertad. **2** Pena consistente en la privación de libertad durante un período de tiempo determinado. □ ETIMOL. Del latín *praesidium* (guarnición, puesto militar).

presidir v. **1** Tener u ocupar el primer puesto o el lugar más importante en un acto, en una colectividad o en un organismo: *La directora del colegio presidió la entrega de diplomas.* [**2** Estar en el mejor lugar o en el más destacado: *Un retrato del fundador de la fábrica 'preside' el despacho del director.* **3** Predominar o tener gran influencia o poder: *La honestidad preside sus actos.* □ ETIMOL. Del latín *praesidere* (estar sentado al frente, proteger).

presilla s.f. Cordoncillo o pieza metálica pequeños y finos que se cosen al borde de una prenda de vestir para abrochar un corchete, un botón o un broche. □ ETIMOL. De *presa*. 🪡 costura

presión s.f. **1** Compresión, opresión, empuje o fuerza que se ejerce sobre algo: *Este tapón se cierra a presión.* **2** En física, fuerza que ejerce un cuerpo sobre cada unidad de superficie: *Los submarinos están preparados para soportar enormes presiones.* **3** Influencia que se ejerce sobre una persona o sobre una colectividad para obligarlas a hacer o a decir algo: *En el trabajo está sometido a fuertes presiones para alcanzar los plazos previstos.* [**4** En algunos deportes de equipo, vigilancia insistente sobre uno o varios jugadores contrarios para impedir o dificultarles las jugadas. **5** ‖**presión arterial**; la que ejerce la sangre sobre la pared de las arterias; tensión arterial. ‖**presión atmosférica**; peso que ejerce una columna de aire, con la altura total de la atmósfera, sobre la superficie de los cuerpos inmersos en ella. □ ETIMOL. Del latín *pressio*, y éste de *premere* (apretar). □ USO En la acepción 4, es innecesario el uso del anglicismo *pressing*.

presionar v. **1** Referido esp. a un objeto, ejercer presión o fuerza sobre él: *Presiona el tubo para que salga el dentífrico.* **2** Someter a presión, o ejercer tal influencia que se obligue a hacer algo: *Por mucho que me presiones, jamás conseguirás que te desvele el secreto.* [**3** En algunos deportes, referido esp. a un jugador, vigilarlo y perseguirlo insistentemente para dificultarle las jugadas: *El defensa 'presiona' al delantero para que no meta goles.*

preso, sa ‖ adj./s. **1** Referido a una persona, que sufre prisión. ‖ s.f. **2** Lo que es apresado o robado. **3** Animal que es o que puede ser cazado o pescado. **4** En un río, en un arroyo o en un canal, muro grueso que se construye para retener y almacenar el agua. **5** Lugar en el que las aguas están detenidas o almacenadas, natural o artificialmente; represa. □ ETIMOL. La acepción 1, del latín *prensus*. Las acepciones 2-5, del catalán *presa*. □ SEM. En la acepción 1, dist. de *prisionero* (persona privada de libertad, esp. si es por motivos que no son delito).

[***pressing*** s.m. →**presión**. □ ETIMOL. Del francés *pressing*, y éste del inglés *to press* (presionar). □ PRON. [présin]. □ USO Su uso es innecesario.

prestación ‖ s.f. **1** Servicio que se da o que se ofrece a alguien: *Los subsidios de paro y de jubilación son prestaciones de la Seguridad Social.* **2** Realización de un servicio, una ayuda, una asistencia o algo semejante: *Los objetores de conciencia están obligados a la prestación de un servicio social.* ‖ pl. **3** En una máquina, esp. en un automóvil, características técnicas que presenta: *Compró el modelo de coche que más prestaciones tenía.*

prestado ‖**de prestado**; **1** Con cosas prestadas: *No tenía traje para la boda, así que se lo pedí a mi prima y fui de prestado.* **2** De forma provisional o poco segura: *Estoy en este puesto de prestado, porque sustituyo a un enfermo.*

prestamista s. Persona que se dedica al préstamo de dinero. □ MORF. Es de género común: *el prestamista, la prestamista.*

préstamo s.m. [**1** Entrega o cesión de algo provisionalmente a condición de que sea devuelto. **2** Lo que se presta o se da provisionalmente. **3** En lingüística, elemento, generalmente léxico, que una lengua toma de otra: *En español, 'chalé' es un préstamo del francés.*

prestancia s.f. Aspecto distinguido y elegante. □ ETIMOL. Del latín *praestantia*.

prestar ‖ v. **1** Referido esp. a una posesión, entregarla o darla provisionalmente, a condición de que sea devuelta; dejar: *Préstame dinero, por favor.* **2** Seguido de un sustantivo, realizar la acción expresada por éste: *He prestado mucha atención a tus palabras.* **3** Dar o comunicar: *La actriz de doblaje prestó su voz a la protagonista de la película.* ‖ prnl. **4** Ofrecerse, avenirse o acceder: *Dice que es honrado y que nunca se prestaría a falsificar documentos.* **5** Dar motivo u ocasión: *Es una frase ambigua que se presta a* *diversas interpretaciones.* ☐ ETIMOL. Del latín *praestare* (proporcionar, garantizar). ☐ SINT. Constr. como pronominal: *prestarse A algo.*

prestatario, ria adj./s. Que toma algo en préstamo, esp. dinero.

preste s.m. *ant.* Sacerdote o presbítero, esp. el que celebra misa asistido del diácono y del subdiácono. ☐ ETIMOL. Del francés antiguo *prestre*, y éste del latín *presbyter* (presbítero).

presteza s.f. Rapidez o prontitud en hacer o en decir algo. ☐ ETIMOL. De *presto.*

prestidigitación s.f. Arte y técnica de hacer juegos de manos y otros trucos.

prestidigitador, -a s. Persona que se dedica a la prestidigitación, esp. si ésta es su profesión. ☐ ETIMOL. Del francés *prestidigitateur.*

prestigiar v. Dar prestigio, renombre o importancia: *La gran obra de Cervantes prestigia la literatura española.* ☐ ORTOGR. La *i* nunca lleva tilde.

prestigio s.m. Renombre, buena fama o buen crédito. ☐ ETIMOL. Del latín *praestigium* (fantasmagoría, juegos de manos).

prestigioso, sa adj. Que tiene prestigio, renombre o importancia.

presto, ta ∎ adj. **1** Preparado y dispuesto para algo. **2** Rápido, diligente o ligero en la ejecución de algo: *Exijo una presta aclaración.* ∎ s.m. **3** En música, composición o pasaje que se ejecutan con un aire muy rápido. ☐ ETIMOL. Las acepciones 1 y 2, del latín *praestus* (pronto, dispuesto). La acepción 3, del italiano *presto.* ☐ SINT. En la acepción 2, se usa también como adverbio de modo.

presto adv. *poét.* Al instante o con gran rapidez: *Acude presto, hermosa mía, a la llamada del amor.*

presumido, da adj./s. **1** Que presume o que tiene un alto concepto de sí mismo. **2** Que se compone o que se arregla mucho. ☐ MORF. En la acepción 2, la RAE sólo lo registra como adjetivo.

presumir v. **1** Sospechar, juzgar o conjeturar a raíz de determinados indicios: *Presumo que vendrá acompañado, porque me dijo que preparara un cubierto más.* **2** Vanagloriarse o tener alto concepto de sí mismo: *Presume de tener muy buena memoria. No presumas tanto, porque no eres tan guapo como tú te crees.* **3** Referido a una persona, cuidar mucho su aspecto externo para aparecer atractiva: *Se compra mucha ropa porque le gusta presumir.* ☐ ETIMOL. Del latín *praesumere* (tomar de antemano), que luego significó *imaginar de antemano, atreverse* y *mostrarse orgulloso.* ☐ MORF. Tiene un participio regular (*presumido*) y otro irregular (*presunto*) que se usa sólo como adjetivo. ☐ SINT. Constr. de la acepción 2: *presumir DE algo.* ☐ SEM. Dist. de *asumir* (aceptar algo).

presunción s.f. **1** Vanagloria o alto concepto que una persona tiene de sí misma. **2** Sospecha o conjetura de algo a raíz de determinados indicios: *Que vaya a venir hoy es sólo una presunción mía, porque él no me ha dicho nada.* **3** Lo que la ley considera verdadero mientras no exista una prueba en contra: *presunción de inocencia.* ☐ ETIMOL. Del latín *praesumptio.*

presunto, ta adj. Que se supone o que se sospecha, aunque no es seguro.

presuntuosidad s.f. Presunción, vanagloria o alto concepto que una persona tiene de sí misma.

presuntuoso, sa adj./s. Que presume o se muestra excesivamente orgulloso de sí mismo. ☐ ETIMOL. Del latín *praesumptuosus.*

presuponer v. **1** Dar por sentado, por cierto o por sabido de forma anticipada: *No presupongas que no sé nada del tema, porque podrías llevarte una sorpresa.* **[2** Necesitar como condición previa: *Una buena red de carreteras 'presupone' una gran inversión.* ☐ ETIMOL. De *pre-* (antes) y *suponer.* ☐ MORF. Irreg.: 1. Su participio es *presupuesto.* 2. →PONER.

presuposición s.f. **1** Suposición previa o con pocos elementos de juicio. **2** Lo que se supone que es causa o motivo de algo.

[presupuestación s.f. Elaboración de un presupuesto.

presupuestar v. Referido a algo que cuesta dinero, hacer un presupuesto de ello: *Le dije al albañil que presupuestara la obra para ver si podía hacerla este mes.*

presupuestario, ria adj. Del presupuesto o relacionado con él.

presupuesto, ta ∎ **1** part. irreg. de **presuponer.** ∎ s.m. **2** Cálculo anticipado del coste de una obra, un servicio o un proyecto, o estimación más o menos detallada de los gastos e ingresos previstos durante un período de tiempo. **3** Cantidad de dinero que se calcula y que se destina para hacer frente a los gastos: *¿Qué presupuesto tienes para las vacaciones?* **4** Hipótesis, supuesto o suposición previos: *Su argumentación es falsa porque parte de presupuestos erróneos.* ☐ MORF. 1. En la acepción 1, incorr. **presuponido.*

presura s.f. **1** Prisa, rapidez y ligereza. **[2** En los siglos IX y X, forma legal de ocupación de la tierra que consistía en la ocupación y el cultivo de los territorios despoblados o reconquistados por los cristianos a los musulmanes. ☐ ETIMOL. Del latín *pressura.*

presurizar v. Referido a un recinto, mantener en él la presión atmosférica adecuada para un ser humano, independientemente de la presión exterior: *Es necesario que en un avión la cabina de los pasajeros esté presurizada para que la presión externa no afecte a las personas.* ☐ ETIMOL. Del inglés *to pressurize.* ☐ ORTOGR. La *z* se cambia en *c* delante de *e* →CAZAR.

presuroso, sa adj. Rápido, ligero y veloz. ☐ ETIMOL. Del antiguo *presura* (aprieto, congoja).

[prêt-à-porter (galicismo) ‖ Referido a la ropa, que está hecha en serie según unas medidas o tallas fijadas de antemano. ☐ PRON. [pretapórtér].

[pretemporada s.f. Período inmediatamente anterior a una temporada.

pretencioso, sa adj. Que pretende pasar por muy elegante o lujoso, o que pretende ser más de lo que es en realidad. ☐ ETIMOL. Del francés *prétentieux.*

pretender v. **1** Referido esp. a un logro, intentarlo o querer conseguirlo: *Pretendo aprobar todo en junio.* **[2** Referido a algo de cuya realidad se duda, afirmarlo o creerlo: *'Pretende' haber visto extraterrestres.* **3** Referido a una persona, cortejarla o intentar conquistarla, esp. si es para hacerse novios o para casarse: *Mi padre siempre cuenta que estuvo un año pretendiendo a mi madre sin que ella le hiciera caso.* ☐ ETIMOL. Del latín *praetendere* (tender por delante, dar como excusa).

[pretendido, da adj. Supuesto o que intenta ser

lo que no es realmente: *Su 'pretendida' buena suerte no funcionó y no ganamos nada en las apuestas.*

pretendiente s.m. Hombre que aspira a casarse con una mujer. ☐ MORF. En la lengua coloquial, se usa mucho el femenino *pretendienta*.

pretensión s.f. [**1** col. Intención o propósito, esp. si parecen difíciles de conseguir: *Mi única 'pretensión' es intentar ser feliz.* **2** Aspiración ambiciosa o desmedida: *Ha escrito una novela entretenida, pero sin muchas pretensiones.* **3** Derecho que alguien cree tener sobre algo: *Tiene pretensiones sobre la finca porque dice que perteneció hace siglos a su familia.* ☐ ETIMOL. Del latín *praetensio.*

[**preter-** Elemento compositivo que significa 'más allá': *preternatural.* ☐ ETIMOL. Del latín *praeter.*

preterición s.f. **1** Olvido intencionado de alguien o de algo. **2** Figura retórica que consiste en aparentar que se quiere omitir o pasar por alto lo que se está claramente diciendo.

preterir v. No hacer caso intencionadamente: *He decidido preterir los datos que se oponían a mis tesis.* ☐ ETIMOL. Del latín *praeterire* (pasar adelante). ☐ MORF. Verbo defectivo: sólo se usa el infinitivo y el participio.

pretérito, ta ∎ adj. **1** Que ya ha pasado o que ya ha sucedido: *épocas pretéritas.* ∎ adj./s.m. **2** En gramática, referido a un tiempo verbal, que indica que la acción ya ha sucedido: *'Amé' es un pretérito.* **3** ‖**pretérito anterior**; el tiempo compuesto que indica una acción inmediatamente anterior a otra pasada: *El pretérito anterior de 'comer' es 'hube comido'.* ‖**(pretérito) imperfecto**; el que indica que la acción del verbo ya ha pasado pero aún no ha terminado: *El pretérito imperfecto de indicativo de 'comer' es 'comía' y el de subjuntivo, 'comiera o comiese'.* ‖**(pretérito) {indefinido/perfecto simple}**; el que indica que la acción del verbo ya ha pasado y ha terminado: *El pretérito perfecto simple de 'amar' es 'amé'.* ‖**(pretérito) perfecto**; el tiempo compuesto que indica que la acción del verbo ya ha pasado y ha terminado: *El pretérito perfecto de 'jugar' es 'he jugado'.* ‖**(pretérito) pluscuamperfecto**; el tiempo compuesto que indica una acción pasada y terminada antes de otra que también ha pasado y terminado ya: *El pretérito pluscuamperfecto de indicativo de 'llorar' es 'había llorado' y el de subjuntivo, 'hubiera o hubiese llorado'.* ☐ ETIMOL. Del latín *praeteritus*, y éste de *praeterire* (pasar de algo).

pretextar v. Referido a algo que sirve de pretexto, alegarlo o valerse de él como disculpa: *Pretextó el tráfico intenso para justificar su retraso.*

pretexto s.m. Lo que se alega como excusa para justificar algo. ☐ ETIMOL. Del latín *praetextus.*

pretil s.m. Muro pequeño o barandilla que se ponen en los puentes y en otros lugares para evitar caídas. ☐ ETIMOL. Del latín **pectorile*, y éste de *pectus* (pecho).

pretor s.m. En la antigua Roma, magistrado que ejercía jurisdicción en la capital o en las provincias. ☐ ETIMOL. Del latín *praetor*, y éste de *praeire* (ir a la cabeza).

pretorial adj. →**pretoriano**. ☐ MORF. Invariable en género.

pretorianismo s.m. Influencia política abusiva o excesiva que ejerce un grupo militar.

pretoriano, na ∎ adj. **1** Del pretor o relacionado con él; pretorial. ∎ adj./s.m. **2** En la antigua Roma,

referido esp. a un soldado, que pertenecía a la guardia de los emperadores romanos.

prevalecer v. **1** Dominar o tener superioridad o ventaja; prevalir: *La razón debe prevalecer sobre la pasión.* [**2** Continuar o seguir existiendo: *En esta comarca aún 'prevalecen' algunas costumbres medievales.* ☐ ETIMOL. Del latín *praevalere.* ☐ MORF. Irreg. →PARECER. ☐ SINT. Constr. de la acepción 1: *prevalecer SOBRE algo.*

prevaler ∎ v. **1** →**prevalecer**. ∎ prnl. **2** Referido a una circunstancia, valerse, servirse o aprovecharse de ella para conseguir algo: *Se prevalió de su cargo público para hacer buenos negocios.* ☐ ETIMOL. Del latín *praevalere.* ☐ MORF. Irreg. →VALER. ☐ SINT. Constr. de la acepción 2: *prevalerse DE algo.*

prevaricación s.f. Delito que consiste en el incumplimiento por parte de los funcionarios públicos de sus obligaciones específicas o en el dictado de resoluciones manifiestamente injustas, esp. si lo hacen para obtener un beneficio propio.

prevaricar v. Referido a un funcionario público, cometer un delito que consiste en el incumplimiento de sus obligaciones específicas o en el dictado de una resolución manifiestamente injusta: *El funcionario que descubre secretos oficiales a cambio de dinero prevarica.* ☐ ETIMOL. Del latín *praevaricari* (entrar en complicidad el abogado con la parte adversa). ☐ ORTOGR. La *c* se cambia en *qu* delante de *e* →SACAR.

prevención s.f. **1** Impedimento u obstaculización de algo negativo que ha sido previsto con antelación. **2** Preparación y disposición anticipadas para evitar un riesgo o para realizar una acción. **3** Concepto u opinión desfavorables que se tienen de algo.

prevenir v. **1** Referido a una persona, advertirla, avisarla o informarla de un peligro: *Te prevengo de las dificultades que vas a encontrar en ese trabajo.* **2** Referido a un daño o un perjuicio, preverlo o conocerlo de antemano o con anticipación: *Previno que habría mucha gente esa tarde y por eso llamó al restaurante para reservar mesa.* **3** Referido esp. a un mal, evitarlo o impedirlo: *Mi dentista me ha recomendado un dentífrico con flúor para prevenir la caries.* **4** Referido a una persona, influir en ella o persuadirla para que prejuzgue algo, esp. si es para que tenga una opinión desfavorable de ello: *Me previnieron contra él, pero al tratarlo vi que era una buena persona.* ☐ ETIMOL. Del latín *praevenire.* ☐ MORF. Irreg. →VENIR.

preventivo, va adj. Que previene un mal o un riesgo, o que trata de evitarlos.

prever v. **1** Referido a algo futuro, conocerlo o creer saberlo por anticipado, generalmente a raíz de determinados indicios: *Yo había previsto que tendríamos atasco para salir de la ciudad, porque comienzan las vacaciones.* **2** Referido esp. a algo que es necesario para un fin o para evitar un mal, disponerlo o prepararlo por adelantado: *Se han previsto diversas medidas para evitar incendios en verano.* ☐ ETIMOL. Del latín *praevidere.* ☐ ORTOGR. 1. Incorr. **preveer.* 2. Dist. de *proveer.* ☐ MORF. Irreg.: 1. Su participio es *previsto.* 2. →VER.

previo, via adj. Que se realiza o que sucede antes que otra cosa, a la que generalmente sirve de preparación. ☐ ETIMOL. Del latín *praevius.*

previsible adj. Que puede ser previsto o que entra

dentro de las previsiones normales. ☐ MORF. Invariable en género.

previsión s.f. **1** Conjetura de algo que va a suceder, a raíz de determinados indicios: *Todo está saliendo según nuestras previsiones.* **2** Disposición o preparación de lo necesario para atender una necesidad o para evitar un mal: *Las cárceles tienen rejas y vigilantes en previsión de posibles fugas.* ☐ ETIMOL. Del latín *praevisio.* ☐ ORTOGR. Dist. de *provisión.*

previsor, -a adj./s. Que prevé o que previene.

previsto, ta part. irreg. de **prever.** ☐ ORTOGR. Dist. de *provisto.* ☐ MORF. Incorr. **preveído.*

prez s. Honor, estima o consideración que se adquieren o se ganan con una acción gloriosa. ☐ ETIMOL. Del provenzal antiguo *pretz* (valor). ☐ MORF. Es de género ambiguo: *el prez glorioso, la prez gloriosa.*

priapismo s.m. Erección continua y dolorosa del pene que no va acompañada de deseo sexual. ☐ ETIMOL. Del griego *priapismós,* y éste de *Príapos* (dios de la fecundación, miembro viril).

prieto, ta adj. **1** Ajustado, ceñido o estrecho: *un traje prieto.* **2** Duro o denso: *Es una mujerona de carnes prietas.* ☐ ETIMOL. De *prieto.*

prima s.f. Véase **primo, ma.**

[prima donna (italianismo) ‖ En una ópera, cantante femenina que interpreta el papel principal.

prima facie (latinismo) ‖ A primera vista: *Prima facie parece un buen negocio, pero asegúrate.* ☐ USO Su uso es característico del lenguaje jurídico o coloquial.

primacía s.f. Superioridad o ventaja de una cosa respecto de otra de su misma clase.

primado s.m. En la iglesia católica, primero y más importante de todos los arzobispos y obispos de un reino o región. ☐ ETIMOL. Del latín *primatus* (primacía). ☐ SINT. Se usa mucho en aposición, pospuesto a un sustantivo.

primar v. [**1** Conceder una prima o cantidad extra de dinero, a modo de recompensa o de estímulo: *'Primaron' a los jugadores que consiguieron la clasificación para la final europea.* **2** Predominar, sobresalir o tener más importancia: *En poesía, la subjetividad del poeta suele primar sobre cualquier otra consideración.* ☐ ETIMOL. La acepción 2, del francés *primer.*

primario, ria ▌ adj. **1** Principal o primero en orden o en grado: *Mi objetivo primario este curso es aprobar todo en junio.* **2** Básico o fundamental: *colores primarios.* **3** Primitivo o poco civilizado. **4** En geología, de la era paleozoica, segunda era de la historia de la Tierra, o relacionado con ella; paleozoico. [**5** Referido al carácter de una persona, con predominio del impulso sobre la reflexión. ▌ s.f. **6** →**enseñanza primaria. 7** →**educación primaria.** ☐ ETIMOL. Del latín *primarius* (de primera fila).

primate ▌ adj./s.m. **1** Referido a un mamífero, que se caracteriza por tener cinco dedos provistos de uñas, siendo el pulgar oponible, cerebro lobulado y complejo, vista frontal y dentadura poco diferenciada: *Los monos y los seres humanos son primates.* ▌ s.m.pl. **2** En zoología, orden de estos mamíferos. ☐ ETIMOL. Del latín *primas.* ☐ MORF. Como adjetivo es invariable en género. 🐵 primate

primavera ▌ adj./s. **1** *col.* Referido a una persona, que es ingenua y se deja engañar fácilmente: *Eres tan bueno que te toman por un primavera y todos te quieren timar.* ▌ s.f. **2** Estación del año entre el invierno y el verano, y que en el hemisferio norte transcurre entre el 21 de marzo y el 21 de junio. **3** Época en la que algo está en su mayor vigor y hermosura: *Tiene veinte años y está en la primavera de la vida.* **4** Planta herbácea, con las hojas anchas, largas y ásperas, que se extienden sobre la tierra, y unos tallos que sobresalen con flores amarillas. **5**

PRIMATE

gorila

orangután (hembra)

chimpancé

tití

macaco

násico

papión

gibón

mandril

Cada año de edad de una persona joven: *Este mes ha cumplido veinticinco primaveras*. ☐ ETIMOL. La acepción 1, de *primo* (incauto). Las acepciones 2-5, del latín *prima vera* (al principio de la primavera). ☐ MORF. 1. En la acepción 1, como adjetivo es invariable en género y como sustantivo es de género común: *el primavera, la primavera*. 2. La acepción 5 se usa más en plural. ☐ SEM. En la acepción 2, la primavera transcurre en el hemisferio sur entre el 23 de septiembre y el 22 de diciembre.

primaveral adj. De la primavera o relacionado con esta estación. ☐ MORF. Invariable en género.

[prime time (anglicismo) ‖ En radio o televisión, período u horario de máxima audiencia. ☐ PRON. [práim táim]. ☐ USO Su uso es innecesario y puede sustituirse por una expresión como *horario estelar* u *horario de máxima audiencia*.

primer adj. →primero. ☐ MORF. Apócope de *primero* ante sustantivo masculino singular.

primerizo, za adj./s. Que hace algo por primera vez o que es nuevo en una profesión o actividad.

primero adv. **1** En primer lugar o antes de todo. **2** Antes, más bien, o de mejor gana: *Primero por las buenas que por las malas*. ☐ ETIMOL. Del latín *primarius* (de primera fila).

primero, ra ∎ numer. **1** En una serie, que ocupa el lugar número uno. **2** Excelente, o que es mejor o más importante en relación con algo de la misma especie o clase: *Tú eres el primero de la clase*. ∎ s.f. **3** En el motor de algunos vehículos, marcha o velocidad más corta: *Para arrancar el coche tienes que meter la primera*. **4** ‖ **a primeros** de un período de tiempo; hacia sus primeros días: *a primeros de mes*. ‖ **de primera**; col. Muy bueno o excelente: *Organizaron una fiesta de primera*. ‖ **no ser el primero**; expresión que se usa para disculpar o quitar importancia a lo que alguien ha hecho: *No te preocupes, no eres el primero que cae en la trampa*. ☐ ETIMOL. Del latín *primarius*. ☐ MORF. Ante sustantivo masculino singular se usa la apócope *primer*.

primicia s.f. **1** Primer fruto de algo: *Este premio es la primicia de mi trabajo*. **2** Noticia o hecho que se da a conocer por primera vez. ☐ ETIMOL. Del latín *primitia*.

primigenio, nia adj. Primero, originario o anterior: *Volvió de la ciudad al campo y recuperó su primigenia vida de campesino*. ☐ ETIMOL. Del latín *primigenius*, y éste de *primus* (primero) y *genere* (engendrar).

primípara adj./s.f. Referido a una hembra, que pare por primera vez. ☐ ETIMOL. Del latín *primipara*, y éste de *primus* (primero) y *parere* (parir).

primitivismo s.m. **1** Conjunto de características propias de los pueblos primitivos. **2** Tosquedad o rudeza. **3** En arte, conjunto de características de una época anterior a la que se considera clásica en una civilización o en un estilo.

primitivo, va ∎ adj. **1** De los orígenes o primeros tiempos de algo, o relacionado con ellos: *El ala sur del palacio todavía conserva su primitiva distribución*. **2** Referido a un pueblo, a una civilización o a sus manifestaciones, que están poco desarrollados en relación con otros: *Las figurillas de barro forman parte del arte primitivo de muchos pueblos*. **3** Referido a una palabra, que no se deriva de otra perteneciente a la misma lengua: *'Lechero' y 'lechería' son derivados de la palabra primitiva 'leche'*. **4** Elemental,

rudimentario o poco desarrollado: *El rendimiento es mínimo porque trabajamos con una maquinaria muy primitiva*. ∎ adj./s. **5** Referido a un artista o a su obra, que pertenece a una época anterior a la que se considera clásica dentro de una civilización o de un estilo: *Los artistas primitivos occidentales son los anteriores al Renacimiento*. ∎ s.f. **6** →lotería primitiva. ☐ ETIMOL. Del latín *primitivus*.

primo, ma ∎ adj./s. **1** col. Referido a una persona, que es ingenua y se deja engañar con facilidad. ∎ s. **2** Respecto de una persona, otra que es hijo o hija de su tío o de su tía. ∎ s.f. **3** Cantidad extra de dinero que se da a alguien como premio, estímulo o gratificación. **4** Cantidad de dinero que un asegurador paga al asegurador. **5** En la iglesia católica, tercera de las horas canónicas. **6** ‖ **[hacer el primo**; col. Hacer algo que no va a ser valorado o que no va a tener recompensa: *'Hice el primo' quedándome a esperarlo, porque no vino*. ‖ **[prima única]**; operación para guardar una plusvalía sin gravamen fiscal durante un período de tiempo. ☐ ETIMOL. Del latín *primus* (primero).

primogénito, ta adj./s. Referido a un hijo, que es el primero que ha nacido. ☐ ETIMOL. Del latín *primogenitus*, y éste de *primo* (primeramente) y *genitus* (engendrado).

primogenitura s.f. Dignidad, privilegios o derechos que corresponden al primogénito.

primor s.m. **1** Esmero, habilidad o delicadeza en la forma de hacer algo: *Mi abuela cose con primor*. **[2** Lo que se ha hecho de esta forma: *He hecho unas cortinas de ganchillo que son un 'primor'*. **3** Persona que destaca por sus buenas cualidades. ☐ ETIMOL. Del latín *primores* (cosas de primer orden).

primordial adj. Fundamental, básico o muy importante. ☐ ETIMOL. Del latín *primordialis*. ☐ MORF. 1. Invariable en género. 2. No admite grados; incorr. *más primordial*.

primoroso, sa adj. Que está hecho con primor, o que es excelente, delicado y perfecto.

prímula s.f. Planta herbácea de pequeño tamaño que tiene hojas anchas y largas, arrugadas, ásperas al tacto y tendidas sobre la tierra, y flores de distintos colores. ☐ ETIMOL. Del latín *primula*.

primuláceo, a ∎ adj./s.f. **1** Referido a una planta, que es herbácea y que se caracteriza por tener flores hermafroditas, con cuatro o cinco pétalos, y el fruto en forma de cápsula, con muchas semillas en su interior: *La prímula es una primulácea*. ∎ s.f.pl. **2** En botánica, familia de estas plantas, perteneciente a la clase de las dicotiledóneas. ☐ ETIMOL. Del latín *primula* (primavera, tipo de planta).

princesa s.f. de **príncipe**. ☐ ETIMOL. Del francés *princesse*.

principado s.m. **1** Título o dignidad de príncipe. **2** Territorio sobre el que recae este título, o sobre el que un príncipe ejerce su autoridad.

principal ∎ adj. **1** Que tiene el primer lugar en estimación o importancia, y se prefiere a otros elementos de la misma especie o clase: *El mayordomo era el principal sospechoso*. **2** Esencial o fundamental. ∎ adj./s.m. **3** Referido al piso de un edificio, que está sobre el bajo o sobre el entresuelo. ☐ ETIMOL. Del latín *principalis*. ☐ MORF. 1. Como adjetivo es invariable en género. 2. Como adjetivo no admite grados: incorr. *más principal*.

príncipe s.m. **1** Hijo del rey y heredero de la corona. **2** Miembro de una familia real o imperial. **3** Soberano de un Estado, esp. de un principado. **4** ‖ **príncipe azul**; hombre ideal soñado o esperado por una mujer. ‖ [**príncipe de Gales**; tejido con un estampado de cuadros y de colores suaves. ‖ **príncipe de las tinieblas**; el diablo. ☐ ETIMOL. Del latín *princeps* (el primero, soberano, principal). ☐ MORF. En las acepciones 1, 2 y 3, su femenino es *princesa*.

principesco, ca adj. Que es o parece propio de un príncipe o de una princesa. ☐ ETIMOL. Del italiano *principesco*.

principiante, ta adj./s. Que empieza a ejercer una profesión o una actividad. ☐ MORF. 1. Como adjetivo es invariable en género. 2. *Principiante*, como sustantivo, se usa mucho con género común: *el principiante, la principiante*.

principiar v. Empezar o dar comienzo: *El libro principia con un diálogo muy interesante*. ☐ ORTOGR. La *i* nunca lleva tilde.

principio s.m. **1** Primer momento de la existencia de algo: *Muchos científicos afirman que el momento de la concepción es el principio de la vida del ser humano*. **2** Primera etapa o primera parte de algo: *Esta parada es el principio del trayecto del autobús. Cuéntame lo sucedido desde el principio*. **3** Origen o causa de algo: *La afición al juego fue el principio de todas sus desgracias*. **4** Razón, concepto o idea fundamentales en las que se basa una disciplina o en las que se apoya un razonamiento: *¿Sabes qué dice el principio de Arquímedes?* **5** Noción básica o fundamento de una materia de estudio: *Este libro recoge los principios de la gramática española*. **6** Norma o idea fundamental que rige el pensamiento o la conducta: *No intentes chantajearla, porque es una mujer de principios*. **7** Cada uno de los componentes de un cuerpo o de una sustancia: *Un medicamento suele estar formado por varios principios*. **8** ‖ **a principios** de un período de tiempo; hacia su comienzo: *Este suceso ocurrió a principios de siglo*. ‖ **al principio**; en el comienzo: *Al principio nos aburríamos en la fiesta, pero después nos animamos*. ‖ **en principio**; de forma general y sin un análisis profundo o detenido: *En principio tu idea parece buena, pero habrá que estudiarla más a fondo*. ☐ ETIMOL. Del latín *principium* (comienzo, origen). ☐ MORF. Las acepciones 5 y 6 se usan más en plural.

pringado, da ∎ adj./s. **1** *col.* Que se deja engañar fácilmente, o que aguanta los abusos. ∎ s.f. **2** Rebanada de pan empapada en pringue o en aceite. ☐ MORF. En la acepción 1, la RAE sólo lo registra como sustantivo. ☐ USO En la acepción 1, tiene un matiz despectivo.

pringar v. **1** Empapar o manchar con pringue o con otra sustancia grasienta o pegajosa: *Me he pringado las manos de aceite. No lo toques, que pringa*. **2** Referido a un alimento, esp. al pan, untarlo o mojarlo en alguna sustancia grasienta o pegajosa: *Pringa el pan en la salsa*. **3** *col.* Referido a una persona, hacerle tomar parte en un asunto sucio o dudoso: *A mí no me pringues en tus negocios, porque yo soy una persona honrada*. [**4** *col.* Trabajar más que otros, o realizar los trabajos más duros o desagradables: *En esta empresa sólo 'pringamos' cuatro, y los demás viven como señoritos*. **5** ‖ [**pringarla**; 1 *col.* Hacer

algo erróneo o estropear algo: *'La pringaste' cuando dijiste que su madre era una imbécil*. **2** *vulg.* Morir: *Mi colega 'la pringó' en un accidente de tráfico*. ☐ ETIMOL. De origen incierto. ☐ ORTOGR. La *g* se cambia en *gu* delante de *e* →PAGAR.

pringoso, sa adj. Que está grasiento y pegajoso.

pringue s. **1** Grasa que sueltan algunos alimentos, esp. el tocino, cuando se fríen o asan. **2** Suciedad grasienta o pegajosa. ☐ MORF. Es de género ambiguo: *el pringue asqueroso, la pringue asquerosa*.

prior, -a s. **1** En algunas órdenes religiosas, superior del convento. **2** En algunas órdenes religiosas, segundo prelado después del abad o de la superiora. ☐ ETIMOL. Del latín *prior* (primero entre dos, anterior, superior).

prioridad s.f. **1** Preferencia de un elemento sobre otro en el tiempo o en el orden: *La fama y el poder no cuentan entre mis prioridades*. **2** Mayor importancia o superioridad de un elemento sobre otro: *En el trabajo tiene prioridad sobre mí porque es mi superior*. ☐ ETIMOL. Del latín *prior* (anterior).

prioritario, ria adj. Que tiene prioridad o preferencia respecto de otro elemento.

[**priorizar** v. Dar prioridad o preferencia: *El Gobierno 'priorizará' las medidas para combatir el paro*. ☐ ORTOGR. La *z* se cambia en *c* delante de *e* →CAZAR.

prisa s.f. **1** Rapidez con que algo sucede o se hace: *Todos estos fallos son consecuencia de la prisa*. **2** Necesidad o deseo de que algo se realice lo antes posible: *Despáchame pronto, que tengo mucha prisa*. **3** ‖ **a prisa**; →aprisa. ‖ **correr prisa**; ser urgente: *Termina pronto el informe, que corre prisa*. ‖ **darse prisa**; *col.* Apresurarse en la realización de algo: *¡Date prisa, que llegamos tarde!* ‖ **de prisa**; →deprisa. ‖ **de prisa y corriendo**; con la mayor prontitud, sin pausa o de forma irreflexiva: *Hizo los deberes de prisa y corriendo, y así están de mal*. ‖ **meter prisa** a alguien; intentar que haga algo con rapidez. ☐ ETIMOL. Del antiguo *priessa* (rebato, alarma).

prisión s.f. **1** Cárcel o lugar en el que se encierra y asegura a una persona para privarla de libertad. **2** En derecho, pena de privación de libertad inferior a la reclusión y superior al arresto. **3** Lo que ata o detiene física o moralmente. ☐ ETIMOL. Del latín *prehensio* (acción de coger).

prisionero, ra adj./s. **1** Privado de libertad, esp. si es por motivos que no son delito. **2** Dominado por un sentimiento, por una pasión o por una dependencia. ☐ MORF. La RAE sólo lo registra como sustantivo. ☐ SEM. Dist. de *preso* (persona que sufre prisión).

prisma s.m. **1** Cuerpo geométrico limitado por dos polígonos paralelos e iguales llamados bases, y lateralmente, por tantos paralelogramos como lados tienen éstas. **2** Cuerpo geométrico limitado por dos bases paralelas triangulares, que es generalmente de cristal y que se usa para producir la reflexión, la refracción y la descomposición de la luz. **3** Punto de vista o perspectiva: *Creo que no enfocas la cuestión desde el prisma adecuado*. ☐ ETIMOL. Del latín *prisma*.

prismático, ca ∎ adj. **1** Con prismas o con figura de prisma. ∎ s.m.pl. **2** Aparato formado por dos tubos que contienen en su interior una combinación de lentes y de prismas, y que sirve para mirar por

los dos ojos y ver ampliados los objetos lejanos. □
SEM. En la acepción 2, dist. de *binoculares* (cualquier aparato formado por dos tubos con lentes).

prístino, na adj. Primitivo, original o tal y como era en un principio. □ ETIMOL. Del latín *pristinus* (de otros tiempos). □ SEM. No debe emplearse con el significado de 'claro' o 'puro': *Nos reflejábamos en las {*prístinas > claras} aguas del arroyo.*

[priva s.f. *col.* Consumo de bebidas alcohólicas.

[privacidad s.f. Propiedad de lo que pertenece a la intimidad o a la vida privada de una persona.

privación s.f. **1** Pérdida, retirada o falta de algo que se poseía o disfrutaba. **2** Ausencia, carencia o escasez de algo, esp. de lo necesario para vivir. □ MORF. La acepción 2 se usa más en plural.

privado, da ▪ adj. **1** Que pertenece o está reservado a una sola persona o a un número limitado y escogido de personas: *fiesta privada.* **2** Particular o personal: *La presidenta realizó un visita de carácter privado.* **[3** De propiedad o título no estatal: *empresa 'privada'.* **▪** s.m. **4** Persona que ocupa el primer lugar en la confianza de una persona, esp. si ésta es de elevada condición: *El duque de Lerma fue uno de los privados de Felipe III.* **5** ‖ **[en privado**; en la intimidad: *De ese tema mejor será que hablemos 'en privado'.*

privar ▪ v. **1** Referido a algo que se posee o se disfruta, despojar de ello o dejar sin ello: *Al meterlo en la cárcel lo han privado de libertad.* **2** *col.* Gustar mucho: *Me privan los helados de café.* **3** Estar de moda o tener gran aceptación: *En la poesía romántica lo que priva es la exaltación de los sentimientos.* **▪** prnl. **4** Renunciar voluntariamente a algo: *No te prives de los placeres de la vida si no son dañinos.* □ ETIMOL. Del latín *privare* (privar, despojar). □ SINT. 1. Constr. de la acepción 1: *privar A alguien DE algo.* 2. Constr. de la acepción 4: *privarse DE algo.*

privativo, va adj. **1** Que causa o supone la privación o la pérdida de algo. **2** Propio y exclusivo de una persona o de una cosa.

privatización s.f. Transformación de una empresa o una actividad públicas o estatales en una empresa o actividad privadas.

privatizar v. Referido esp. a una actividad estatal, hacerla privada: *El Gobierno ha planteado la posibilidad de privatizar la Sanidad.* □ ORTOGR. La *z* se cambia en *c* delante de *e* →CAZAR.

privilegiado, da ▪ adj. **[1** *col.* Extraordinario o destacado en relación con algo de su misma especie o clase: *Tiene una memoria 'privilegiada'.* **▪** adj./s. **2** Que tiene algún privilegio, esp. económico: *clases privilegiadas.*

privilegiar v. Conceder privilegio: *Una política social no debe privilegiar a los más favorecidos económicamente.* □ ORTOGR. La *i* nunca lleva tilde.

privilegio s.m. Ventaja, beneficio o derecho especial que no goza todo el mundo. □ ETIMOL. Del latín *privilegium.*

pro s.m. **1** Ventaja o aspecto favorable que presenta un asunto. **2** ‖ **de pro**; referido a una persona, que es considerada gente de bien: *Tienes que estudiar mucho para convertirte en un hombre de pro el día de mañana.* ‖ **en pro de** algo; en favor de ello: *Trabaja en pro de la conservación de la naturaleza.* ‖ **pro forma**; para cumplir con una formalidad: *Aunque recibí el paquete ayer, fecharé el cheque hoy, pro forma.* □ ETIMOL. Del latín *prode* (provecho). □ SINT.

Antepuesto a un sustantivo, se usa mucho con el significado de 'a favor de': *Han creado una asociación pro marginados sociales.* □ USO Se usa siempre en contraposición a *contra*: *Los pros y los contras de una cuestión.*

pro- Prefijo que significa 'en vez de' (*procónsul*) o 'movimiento o impulso hacia adelante' (*promover*). □ ETIMOL. Del latín *pro.*

pro indiviso (latinismo) ‖ En derecho, referido a bien, que no ha sido aún repartido entre sus propietarios.

proa s.f. **1** Parte delantera de una embarcación. ✍ embarcación **2** ‖ **[poner la proa a alguien**; *col.* Tomarle gran antipatía o ponerse en contra suya. □ ETIMOL. Del antiguo *proda.*

probabilidad s.f. **1** Posibilidad de que algo ocurra o suceda. **[2** En matemáticas, relación que hay entre el número de veces que se produce un suceso con el número de veces en que podría suceder.

probabilísimo, ma superlat. irreg. de probable.

probabilismo s.m. Doctrina moral que sostiene que el conocimiento de las cosas sólo puede ser aproximado.

[probabilístico, ca adj. Que se basa o se apoya en el cálculo matemático de probabilidades.

probable adj. **1** Que es fácil que ocurra o que suceda. **2** Que se puede probar. **3** Que tiene apariencia de verdadero o que se funda en una razón válida. □ ETIMOL. Del latín *probabilis.* □ MORF. 1. Invariable en género. 2. Su superlativo es *probabilísimo.*

probado, da adj. Demostrado y confirmado por la experiencia.

probador s.m. Lugar o habitación pequeña que se utiliza para que una persona se pruebe una prenda de vestir antes de comprarla.

probar v. **1** Referido esp. a algo que debe ser útil, examinarlo o utilizarlo para comprobar su correcto funcionamiento o si resulta adecuado para un fin: *Prueba la radio para ver si te la han arreglado bien. Pruébate el vestido antes de comprarlo.* **2** Referido a una persona o a sus cualidades, examinarlas para comprobar sus conocimientos o sus cualidades: *Probaron a todos los candidatos para ver quién era el más indicado. ¿Me estás probando para ver cuánta paciencia tengo, rico?* **3** Referido a un alimento o a una bebida, tomar una pequeña cantidad de ellos: *Prueba la salsa para ver si está bien de sal.* **4** Referido a un alimento o a una bebida, comerlo o beberla: *Desde que quiere adelgazar no prueba el dulce.* **5·** Referido a la verdad o a la existencia de algo, justificarla y demostrarla, esp. si se hace mediante razones, instrumentos o testigos: *Esos reproches prueban que entre vosotros ya no hay amistad.* **6** Referido a una acción, intentarla: *Probó a saltar el muro, pero no lo consiguió.* □ ETIMOL. Del latín *probare* (ensayar, comprobar). □ MORF. Irreg. →CONTAR. □ SINT. Constr. de la acepción 6: *probar A hacer algo.*

probativo, va adj. →**probatorio.**

probatorio, ria ▪ adj. **1** Que sirve para probar o averiguar la verdad de algo; probativo. **▪** s.f. **2** Término o límite que la ley o el juez conceden para proponer y mostrar las pruebas.

probatura s.f. *col.* Ensayo o prueba.

probeta s.f. Recipiente de cristal de forma cilíndrica y alargada, generalmente graduado y con pie, que se emplea en laboratorios como tubo de ensayo o para medir volúmenes. ☐ ETIMOL. De *probar.* ✖️ medida, química

probidad s.f. Respeto de unos valores morales, rectitud de ánimo e integridad en la forma de actuar; honradez: *No te engañará nunca, porque es persona de gran probidad.* ☐ ETIMOL. Del latín *probitas.*

problema s.m. **1** Cuestión que se intenta aclarar o resolver: *Me planteó un problema de amores y no supe qué contestarle.* **2** Situación dudosa o perjudicial y de difícil solución: *El consejo tratará en su próxima reunión del problema de la especulación urbanística.* **3** Conjunto de hechos o circunstancias que dificultan la consecución de un fin: *Hemos tenido muchos problemas para salir adelante.* **4** Disgusto o preocupación: *Esos tipos no traen más que problemas.* **5** Pregunta o proposición dirigidos a averiguar el modo de obtener un resultado a partir de algunos datos conocidos: *El examen de matemáticas constará de cinco problemas.* ☐ ETIMOL. Del latín *problema,* y éste del griego *próblema* (tarea, problema). ☐ MORF. En la acepción 4, se usa más en plural. ☐ SEM. 1. Se usa mucho como palabra comodín para designar de manera imprecisa una dificultad, un obstáculo o un conflicto. 2. Dist. de *dilema* (duda o disyuntiva).

problemático, ca ▌ adj. **1** Incierto, dudoso o con más de una solución. **[2** Que causa problemas o plantea dificultades. ▌ s.f. **3** Conjunto de cuestiones y dificultades relativas a una determinada disciplina o actividad. ☐ SEM. En la acepción 3, es un nombre colectivo y no debe usarse con el significado de 'problema': *Tengo {*una problemática > un problema} que no sé cómo resolver.*

[problematizar] v. Referido esp. a un hecho o a un asunto, ponerlos en cuestión o plantearlos para analizar los aspectos que pueden ofrecer más problemas: *En cierto modo, la función de la oposición es 'problematizar' las medidas del Gobierno.* ☐ ORTOGR. La *z* se cambia en *c* delante de *e* →CAZAR.

probo, ba adj. Respetuoso con los valores morales e íntegro en la forma de actuar. ☐ ETIMOL. Del latín *probus* (bueno, virtuoso).

[proboscídeo o **proboscidio** ▌ adj./s. **1** Referido a un mamífero, que es de gran tamaño, con la piel gruesa y que tiene una probóscide o trompa prensil formada por la soldadura de la nariz con el labio superior: *El elefante es un 'proboscídeo'.* ▌ s.m.pl. **2** En zoología, orden de estos mamíferos. ☐ USO Aunque la RAE sólo registra *proboscidio,* en círculos especializados se usa más 'proboscídeo'.

procacidad s.f. Desvergüenza, insolencia o atrevimiento. ☐ SEM. Se usa esp. referido a todo lo relacionado con la moral sexual.

procaz adj. Desvergonzado, insolente o atrevido. ☐ ETIMOL. Del latín *procax* (que pide de forma desvergonzada). ☐ MORF. Invariable en género. ☐ SEM. Se usa esp. referido a todo lo relacionado con la moral sexual.

procedencia s.f. **1** Origen o principio de donde nace o desciende algo: *Es de ilustre procedencia.* **2** Punto de partida o lugar de donde algo viene: *¿Puede decirme cuál es la procedencia del tren que han anunciado?*

procedente adj. Que procede de un sitio. ☐ MORF. Invariable en número.

proceder ▌ s.m. **1** Manera de actuar o de comportarse una persona. ▌ v. **2** Referido a un efecto, originarse a partir de una causa o ser resultado de ella: *La neumonía procede de un resfriado mal curado.* **3** Referido esp. a un objeto o un producto, nacer, originarse u obtenerse a partir de otro: *Las lenguas romances proceden del latín.* **4** Referido esp. a una persona, descender de otra o tener su origen en un determinado lugar: *Procede de una estirpe de nobles.* **5** Referido a una persona, actuar o comportarse de una manera determinada: *Ese modo de proceder me parece intolerable.* **6** Venir o haber salido de un lugar: *Los muebles del museo proceden de un antiguo palacio.* **7** Referido a una acción, pasar a ejecutarla, generalmente si para ello han sido necesarias diligencias previas: *El secretario procederá a la lectura del acta.* **8** Ser conveniente, resultar apropiado o estar justificado: *No procede que le llames a estas horas.* **9** ‖ **proceder contra** alguien; en derecho, iniciar o seguir un procedimiento contra él: *El juzgado procederá contra las fábricas que contaminan el río.* ☐ ETIMOL. La acepción 1, del verbo *proceder.* Las acepciones 2-9, del latín *procedere* (adelantar, pasar a otra cosa). ☐ SINT. 1. Constr. de las acepciones 2, 3, 4 y 6: *proceder DE algo.* 2. Constr. de la acepción 7: *proceder A algo.* ☐ USO La acepción 8 se usa más en expresiones negativas.

[procedimental] adj. Del procedimiento o relacionado con él. ☐ MORF. Invariable en género.

procedimiento s.m. **1** Método o sistema para ejecutar algo. **2** En derecho, serie de trámites judiciales o administrativos: *El interesado puede saber en qué fase del procedimiento se encuentra su reclamación.*

proceloso, sa adj. Tempestuoso, tormentoso o agitado. ☐ ETIMOL. Del latín *procellosus,* y éste de *procella* (tormenta, borrasca). ☐ USO Su uso es característico del lenguaje culto.

prócer s.m. Persona noble, ilustre y respetada. ☐ ETIMOL. Del latín *procer.*

procesado, da s. Persona contra la que se ha dictado un auto de procesamiento y contra la que se sigue un proceso judicial.

procesador s.m. **1** Circuito formado por numerosos transistores integrados, que tiene diversas aplicaciones y realiza las funciones de unidad central en un ordenador. **2** Programa informático capaz de procesar información: *procesador de textos.*

procesal adj. Del proceso judicial o relacionado con esta causa criminal: *derecho procesal.* ☐ MORF. Invariable en género.

procesamiento s.m. **1** Sometimiento de una persona a un proceso judicial. **2** Sometimiento de datos a una serie de operaciones informáticas programadas. **3** Sometimiento a un proceso de transformación física, química o biológica.

procesar v. **1** En derecho, referido a una persona, someterla a un juicio o proceso judicial dictándole auto de procesamiento: *Procesaron al presunto asesino.* **2** En informática, referido a un dato, someterlo a una serie de operaciones programadas: *Procesó los datos y éstos están ya almacenados.* **3** Someter a un proceso de transformación física, química o biológica: *En esta planta industrial procesamos cartón usado para convertirlo en papel.*

procesión s.f. **1** Sucesión de personas que caminan lentamente y de forma solemne y ordenada, con un motivo religioso, y portando imágenes u otros objetos de culto. **2** col. Sucesión de personas, animales o cosas que van lentamente uno tras otro formando una hilera: *una procesión de orugas.* ☐ ETIMOL. Del latín *processio* (acción de adelantarse, salida solemne).

procesional adj. De la procesión o relacionado con ella. ☐ MORF. Invariable en género.

procesionaria s.f. Oruga de algunas especies de insectos lepidópteros, que causa grandes daños a árboles como los pinos y las encinas, y que suele desplazarse en grupos organizados en filas.

proceso s.m. **1** Conjunto de las fases sucesivas de un fenómeno natural o de una operación artificial: *El proceso de elaboración del vino es bastante lento.* **2** En derecho, causa criminal o conjunto de actuaciones realizadas por un juzgado o tribunal y ante él para determinar una culpa o aplicar una pena. ☐ ETIMOL. Del latín *processus* (progresión), porque un proceso consta de etapas sucesivas.

proclama s.f. **1** Discurso hablado o escrito, generalmente de carácter político o militar, que se expone públicamente. **2** Anuncio público u oficial: *Las amonestaciones son las proclamas matrimoniales.*

proclamación s.f. **1** Publicación o anuncio solemne de una información oficial. **2** Actos públicos y ceremonias con los que se celebra el comienzo de algo, esp. de un reinado o una forma de gobierno.

proclamar ▮ v. **1** Decir o anunciar públicamente y en voz alta: *No le cuentes secretos porque los proclama a voz en grito.* **2** Referido esp. a un reinado o a una forma de gobierno, declarar solemnemente su comienzo: *Tras el fracaso de la monarquía de Amadeo I, fue proclamada la Primera República española.* **3** Otorgar un título o un cargo por acuerdo de una mayoría: *Fue proclamada vencedora del concurso literario.* **4** Mostrar con claridad y sin equívoco: *Las arrugas de la cara proclaman su edad.* **▮** prnl. **5** Referido a una persona, declararse investida de un cargo, de una autoridad o de un mérito: *Dio un golpe militar y se proclamó jefe del Estado.* ☐ ETIMOL. Del latín *proclamare.*

proclisis s.f. En gramática, unión de una palabra átona a una tónica que la sigue, formando parte de un mismo grupo de pronunciación: *El pronombre 'se' delante de un verbo va en proclisis con éste.* ☐ MORF. Invariable en número.

proclítico, ca adj. En gramática, referido a una palabra átona, que se pronuncia apoyada en la palabra siguiente: *'Lo' en 'lo vi' es un pronombre proclítico.* ☐ ETIMOL. Del griego *proklíno* (me inclino hacia adelante).

proclive adj. Referido esp. a algo considerado negativo, inclinado o propenso a ello. ☐ ETIMOL. Del latín *proclivis.* ☐ MORF. Invariable en género. ☐ SINT. Constr. *proclive A algo.* ☐ SEM. No debe usarse para cosas que se consideran positivas.

proclividad s.f. Inclinación o propensión a algo generalmente negativo.

procónsul s.m. En la antigua Roma, gobernador de una provincia con la jurisdicción y los honores de un cónsul. ☐ ETIMOL. Del latín *proconsul.*

procordado ▮ adj./s.m. **1** Referido a un animal cordado, que no tiene encéfalo ni esqueleto y que respira por branquias situadas en la pared de la faringe. **▮** s.m.pl. **2** En zoología, grupo de estos animales cordados.

procreación s.f. Propagación de la propia especie por medio de la reproducción.

procreador, -a adj./s. Que procrea.

procrear v. Propagar la propia especie, por medio de la reproducción: *La unión sexual permite procrear.* ☐ ETIMOL. Del latín *procreare.*

procurador, -a s. Persona legalmente autorizada para representar a otra en los tribunales de justicia.

procurar v. **1** Referido a una acción, hacer todo lo posible para conseguir realizarla: *Procura terminar los deberes antes de cenar.* **2** Conseguir o proporcionar: *Nos procuró un estupendo alojamiento. Se procuró un estupendo coche deportivo.* ☐ ETIMOL. Del latín *procurare.*

prodigalidad s.f. **[1** Generosidad o desprendimiento. **2** Desperdicio o consumo de la propia hacienda en gastos inútiles e incontrolados. **3** Abundancia o gran cantidad.

prodigar ▮ v. **1** Dar en gran cantidad o abundancia: *Prodiga cuidados a su anciano padre.* **2** Gastar con exceso e inutilidad: *Prodigó su fortuna y ahora está arruinado.* **3** Referido esp. a elogios, expresarlos u ofrecerlos de forma insistente y repetida: *Prodiga sus elogios hacia ti cada vez que me ve. Cuando habla de su madre, se prodiga en elogios hacia ella.* **▮** prnl. **4** Dejarse ver con frecuencia en ciertos lugares: *Ya no te prodigas por aquí, ¿te pasa algo?* ☐ ETIMOL. De *pródigo.* ☐ ORTOGR. La *g* se cambia en *gu* delante de *e* →PAGAR. ☐ SINT. Constr. de la acepción 3 como pronominal: *prodigarse EN algo.*

prodigio s.m. **1** Lo que es extraordinario o maravilloso y no tiene causa natural aparente. **2** Lo que resulta extraño o produce admiración por su rareza o por sus excelentes cualidades. ☐ ETIMOL. Del latín *prodigium* (milagro, prodigio).

prodigioso, sa adj. **1** Extraordinario o maravilloso y sin causa natural aparente. **2** Extraño y admirable por sus excelentes cualidades.

pródigo, ga adj. **1** Que tiene o produce gran cantidad de algo: *Galdós fue un pródigo escritor.* **2** Referido a una persona, que es muy generosa y desprendida. **3** Referido a una persona, que desperdicia o consume su hacienda en gastos inútiles e incontrolados. ☐ ETIMOL. Del latín *prodigus,* y éste de *prodigere* (gastar mucho). ☐ SINT. Constr. *ser pródigo EN algo.*

producción s.f. **1** Obtención de frutos de la naturaleza: *El objetivo de este año es el incremento de la producción de carbón.* **2** Fabricación o elaboración de un objeto: *La producción de juguetes se ha incrementado en los últimos años.* **3** Creación de una obra intelectual: *Su producción poética ha aumentado en los últimos años.* **4** Financiación de una obra artística: *Se dedica a la producción de discos musicales.* **5** Obra intelectual o artística: *Esta noche se estrena una nueva producción cinematográfica.* **6** Conjunto de productos del suelo o de la industria: *La producción maderera ha aumentado este año.*

producir v. **1** Originar, ocasionar o causar: *La cafeína produce insomnio. Tras la discusión se produjo una pelea.* **2** Referido a la naturaleza, dar fruto: *Estos campos producen buenas cosechas.* **3** Referido a un objeto, fabricarlo o elaborarlo: *Esta fábrica produce un millón de envases al día.* **4** Referido a una obra intelectual, crearla o hacerla aparecer: *Produce cuatro novelas al año y sin ningún esfuerzo.* **5** Referido a una obra artística, proporcionar el dinero necesario para llevar a cabo su realización: *No sabemos quién producirá la nueva serie televisiva.* **6**

Rentar o dar beneficios económicos: *Es necesario producir más y mejor.* □ ETIMOL. Del latín *producere* (hacer salir, criar). □ MORF. Irreg. →CONDUCIR.

productividad s.f. **1** Capacidad de producir. **2** Capacidad de ser útil y provechoso. **3** Grado de producción en relación a los medios con los que se cuenta. **4** En economía, aumento o disminución de los rendimientos físicos o financieros que se originan en la variación de alguno de los factores que intervienen en la producción.

[productivismo s.f. Afán exagerado por aumentar la producción sin tener en cuenta los costes sociales.

productivo, va adj. **1** Que produce o que es capaz de producir. **2** Útil o provechoso. **3** En economía, que tiene un resultado favorable de valor entre precios y costes: *inversión productiva.*

producto s.m. **1** Lo que se produce: *El jabón y los detergentes son productos de limpieza.* **2** Resultado o consecuencia: *Esta novela es producto de un gran esfuerzo.* **3** Beneficio o ganancia: *Se han dado a conocer los datos sobre el producto interior bruto del pasado año.* **4** En matemáticas, resultado de una multiplicación. □ ETIMOL. Del latín *productus.*

productor, -a ∎ adj./s. **1** Que produce. ∎ s. **2** Persona con responsabilidad financiera y comercial, que financia y organiza la realización de una obra artística: *productor de cine.* ∎ s.f. **3** Empresa dedicada a la producción de obras artísticas, generalmente cinematográficas.

proemio s.m. En un libro, prólogo o discurso que lo precede a modo de introducción. □ ETIMOL. Del griego *proóimion* (preámbulo).

proeza s.f. Hazaña o acción valerosa. □ ETIMOL. De origen incierto.

profanación s.f. **1** Tratamiento irreverente o irrespetuoso de algo sagrado. **2** Deshonra o uso indigno de algo respetable. □ SEM. Es sinónimo de *profanamiento.*

profanador, -a adj./s. Que profana.

profanamiento s.m. →**profanación**.

profanar v. **1** Referido a algo sagrado, tratarlo sin el debido respeto o dedicarlo a usos profanos: *Profanaron la iglesia quemando las imágenes y arrojando basura en la pila de agua bendita.* **2** Referido a algo respetable, deshonrarlo o hacer un uso indigno de ello: *No profanes la memoria de los muertos.* □ ETIMOL. Del latín *profanare.*

profano, na adj. **1** No sagrado o no religioso. **2** Que no muestra respeto por lo sagrado. **3** Inexperto o no entendido en una materia. □ ETIMOL. Del latín *profanus* (lo que está fuera del templo).

profecía s.f. **1** Predicción o anuncio de algo futuro, que se hace en virtud de un don sobrenatural. **2** col. Juicio o conjetura, formados a partir de señales observables. □ ETIMOL. Del latín *prophetia.*

proferir v. Referido a palabras o sonidos, pronunciarlos o articularlos en voz muy alta: *Salió muy enfadado y profiriendo insultos contra todos.* □ ETIMOL. Del latín *proferre* (echar fuera de la boca). □ MORF. Irreg. →SENTIR.

profesar v. **1** Ingresar en una orden religiosa y hacer los votos correspondientes: *Quiero ser monja y voy a profesar en las carmelitas.* **2** Referido esp. a una creencia, manifestarla o aceptarla voluntariamente: *Profesa el catolicismo.* **3** Referido a un sentimiento, tenerlo y perseverar voluntariamente en él:

Profesa gran cariño a sus padres. **4** Referido a una ciencia o a una profesión, ejercerla o desempeñarla: *Profesa la medicina desde hace veinte años.* □ ETIMOL. Del latín *profiteri* (declarar abiertamente, hacer profesión).

profesión s.f. **1** Actividad en la que una persona trabaja a cambio de un salario. **2** Ingreso en una orden religiosa haciendo los votos correspondientes. **3** Manifestación o aceptación voluntaria de una creencia: *En el credo se hace profesión de fe.* □ ETIMOL. Del latín *professio* (declaración pública, oficio).

profesional ∎ adj. **1** De la profesión o relacionado con la actividad en la que una persona trabaja. **2** Hecho por personas especializadas y no por aficionados: *deporte profesional.* ∎ adj./s. **3** Referido a una persona, que ejerce una profesión o que practica habitualmente una actividad de la cual vive. ∎ s. **4** Persona que ejerce su profesión con gran capacidad y honradez. □ MORF. **1.** Como adjetivo es invariable en género. **2.** Como sustantivo es de género común: *el profesional, la profesional.*

profesionalidad s.f. **1** Ejercicio de una profesión, o práctica habitual de una actividad de la cual se vive. **2** Ejercicio de una profesión con gran capacidad y honradez.

[profesionalización s.f. Transformación en profesional.

profesionalizar v. **1** Referido a una actividad, darle carácter de profesión: *No considero acertado que se profesionalice la filatelia.* **2** Referido a una persona, convertirla de aficionado en profesional: *Ese futbolista juvenil ha fichado por un equipo de primera división y se ha profesionalizado.* □ ORTOGR. La *z* se cambia en *c* delante de *e* →CAZAR.

profeso, sa adj./s. Referido a un religioso, que ha profesado o ingresado en una orden. □ ETIMOL. Del latín *professus*, y éste de *profiteri* (declarar abiertamente, hacer profesión).

profesor, -a s. Persona que se dedica a la enseñanza, esp. si ésta es su profesión. □ ETIMOL. Del latín *professor* (el que hace profesión de algo).

profesorado s.m. **1** Conjunto de profesores. **2** Cargo de profesor.

profeta s.m. **1** Persona que posee el don sobrenatural de la profecía. **2** col. Persona que hace predicciones. □ ETIMOL. Del latín *propheta*, éste del griego *prophétes*, y éste de *próphemi* (yo predigo, pronostico). □ MORF. Su femenino es *profetisa.*

profético, ca adj. De la profecía, del profeta o relacionado con ellos.

profetisa s.f. de profeta.

profetizar v. Hacer profecías: *Muchos profetas del Antiguo Testamento profetizaron el nacimiento de Cristo.* □ ORTOGR. La *z* se cambia en *c* delante de *e* →CAZAR.

profiláctico, ca ∎ adj. **1** En medicina, que sirve para proteger de la enfermedad o para evitar que ésta se extienda: *Las vacunas son medidas profilácticas.* ∎ s.m. **2** Funda fina y elástica que se usa para cubrir el pene durante el coito y evitar así la fecundación o la transmisión de enfermedades; condón, preservativo. ∎ s.f. **3** Parte de la medicina que tiene por objeto la conservación de la salud y la prevención de enfermedades.

profilaxis s.f. Protección o preservación de la enfermedad. □ ETIMOL. Del griego *prophylátto* (yo tomo precauciones). □ MORF. Invariable en número.

[profiterol s.m. Pastel pequeño relleno de crema y que suele servirse con chocolate caliente por encima. □ ETIMOL. Del francés *profiterole*.

prófugo, ga ▮ adj./s. **1** Referido a una persona, que va huyendo de la justicia o de una autoridad. ▮ s.m. **2** Joven que se escapa o se oculta para evitar hacer el servicio militar. □ ETIMOL. Del latín *profugus*.

profundidad s.f. **1** Intensidad, fuerza o grandeza: *Duermo con tal profundidad, que ningún ruido me despierta*. **2** Lugar o parte más honda: *Analiza las profundidades del alma humana*. **3** Distancia entre una superficie y su fondo: *Aunque la fachada es estrecha, esa casa tiene mucha profundidad*. **4** Distancia que hay entre el fondo de algo y su borde superior; fondo: *La piscina tiene una profundidad de tres metros*. **5** Intensidad o sinceridad de un sentimiento: *Nadie pone en duda la profundidad de sus afectos*. **6** Viveza o capacidad de penetración del pensamiento: *El tema de esta película es de gran profundidad*. **7** ‖ **[en profundidad**; de forma completa y con rigor: *Analizaremos el poema 'en profundidad'*. □ SEM. En las acepciones 4, 5 y 6, es sinónimo de *hondura*.

[profundización s.f. Aumento de la profundidad de algo o examen atento de una cuestión.

profundizar v. **1** Referido a algo hondo, hacerlo más profundo: *Para encontrar la raíz, tienes que profundizar más el hoyo*. **2** Referido a un asunto, examinarlo con atención para llegar a su perfecto conocimiento: *Si sigues profundizando en esa cuestión, quizá encuentres la respuesta a tus problemas*. □ ORTOGR. La *z* se cambia en *c* delante de *e* →CAZAR. □ SEM. Su uso como sinónimo de *perfeccionar* es incorrecto.

profundo, da adj. **1** Intenso, fuerte o muy grande: *Siente una profunda tristeza*. **2** Que tiene mucho fondo o que está extendido a lo largo: *Entramos en un profundo túnel*. **3** Referido a un recipiente o a una cavidad, con el fondo muy distante del borde superior: *Necesito una cazuela más profunda*. **4** Referido a un terreno, que tiene la parte inferior mucho más abajo que lo circundante: *El cañón del río es muy profundo*. **5** Que penetra mucho o va hasta muy adentro: *una herida profunda*. **6** Difícil de penetrar o de comprender: *Desconozco las profundas intenciones que le han llevado a esta decisión*. **[7** Referido esp. a un sonido, que es potente o de tono muy grave. □ ETIMOL. Del latín *profundus*. □ SEM. En las acepciones 3, 4, 5 y 6, es sinónimo de *hondo*. □ USO En la acepción 3, *hondo* se aplica esp. a objetos pequeños o a concavidades cuyo fondo dista poco de la superficie.

profusión s.f. Gran cantidad o abundancia excesiva.

profuso, sa adj. Muy abundante o excesivo. □ ETIMOL. Del latín *profusus*, y éste de *profundere* (derramar extensamente).

progenie s.f. **1** Descendencia o conjunto de hijos de alguien. **2** Familia de la que alguien desciende. □ ETIMOL. Del latín *progenies*.

progenitor, -a s. Ascendiente directo de una persona, esp. referido a los padres. □ ETIMOL. De *progignere* (engendrar).

progenitura s.f. Familia de la que alguien procede.

[progesterona s.f. Hormona sexual segregada principalmente por el ovario femenino.

programa s.m. **1** Anuncio o exposición resumida y ordenada de las partes que componen algo que se va a realizar o desarrollar, o de aquellos elementos que lo caracterizan: *En el programa de la excursión se incluye una visita al monasterio*. **2** Declaración previa de lo que se piensa hacer: *programa electoral*. **3** Impreso en que aparecen esta exposición o esta declaración: *Al entrar en el teatro nos dieron un programa con el reparto de los actores*. **4** Conjunto de las unidades temáticas que emite una emisora de radio o de televisión: *Hoy la televisión autonómica tiene un buen programa*. **5** Cada una de estas unidades temáticas: *Los martes hay un programa cultural en esta emisora de radio*. **6** Proyecto o conjunto ordenado de actividades programadas: *La dirección del teatro ya ha confeccionado el programa para toda la temporada*. **7** Conjunto de operaciones que, de forma ordenada, realizan algunas máquinas: *Esta lavadora dispone de un programa especial para ropa delicada*. **8** En informática, conjunto de instrucciones que se dan a un ordenador para que éste ejecute una determinada tarea. □ ETIMOL. Del griego *prógramma*, y éste de *prográpho* (yo anuncio por escrito).

[programable adj. Que se puede programar. □ MORF. Invariable en género.

programación s.f. **1** Elaboración del programa de algo: *Este teatro incluye obras extranjeras en su programación*. **2** Conjunto de los programas de radio o televisión. **3** Preparación por anticipado de algunas máquinas o mecanismos para que realicen un determinado trabajo. **4** En informática, realización de un programa informático.

programador, -a ▮ s. **1** Persona que se dedica profesionalmente a realizar programas informáticos. ▮ s.m. **2** Dispositivo mediante el cual se programa algo: *El programador de la calefacción está estropeado*.

programar v. **1** Elaborar un programa: *Esta cadena de televisión ha programado una serie de documentales informativos*. **2** Idear y ordenar las acciones necesarias para realizar algo: *Cuando programes la excursión, recuerda que debemos volver antes de las diez*. **3** Referido a algunas máquinas o mecanismos, prepararlos por anticipado para que realicen un determinado trabajo: *He programado el radiador para que se ponga en marcha a las seis*. **4** En informática, realizar un programa informático: *Estoy aprendiendo a programar*.

programático, ca adj. Del programa o relacionado con esta declaración previa de lo que se piensa hacer.

[progre adj./s. col. →**progresista**. □ MORF. 1. Como adjetivo es invariable en género. 2. Como sustantivo es de género común: *el 'progre', la 'progre'*. □ SEM. Tiene un matiz despectivo.

progresar v. **1** Hacer progresos o mejorar: *El enfermo progresa rápidamente y pronto volverá a casa*. **2** Avanzar o ir hacia adelante: *Escondidos entre la vegetación veían progresar los tanques enemigos*.

[progresía s.f. col. Conjunto de progres o progresistas. □ USO Tiene un matiz despectivo.

progresión s.f. **1** Mejora o perfeccionamiento de algo: *El niño hace continuas progresiones en la lectura*. **2** Avance o evolución de algo: *La progresión de la fiebre del enfermo alarmó al médico*. **3** En matemáticas, sucesión de números o de términos algebraicos entre los cuales hay una ley de formación constante. **4** ‖**progresión aritmética**; aquella en la que cada término es igual al anterior más una cantidad constante: *2, 4, 6, 8... es una progresión aritmética.* ‖**progresión geométrica**; aquella en la que cada término es igual al anterior multiplicado por una cantidad constante: *2, 4, 8, 16... es una progresión geométrica.* ☐ ETIMOL. Del latín *progressio* (progresión, graduación).

progresismo s.m. **1** Conjunto de ideas y doctrinas avanzadas o innovadoras. **2** Corriente o tendencia política que defiende estas ideas.

progresista adj./s. Que tiene ideas avanzadas o innovadoras y está a favor de los cambios y de la evolución social. ☐ MORF. **1.** Como adjetivo es invariable en género. **2.** Como sustantivo es de género común: *el progresista, la progresista.* ☐ USO En la lengua coloquial se usa mucho la forma abreviada *progre.*

progresivo, va adj. **1** Que progresa o aumenta en cantidad o en perfección: *Este método permite adquirir rápidos y progresivos conocimientos de la lengua que se estudia.* [**2** Que crece o se desarrolla poco a poco y de forma ininterrumpida: *Esta semana se producirá un aumento 'progresivo' de las temperaturas.*

progreso s.m. **1** Desarrollo favorable, perfeccionamiento o mejora de algo: *La profesora está satisfecha de los progresos que hacen sus alumnos.* [**2** Desarrollo continuo y general de la civilización y de la cultura: *El 'progreso' ha supuesto la pérdida de muchos valores tradicionales.* **3** Avance o movimiento hacia adelante: *Las tropas siguen su lento progreso a campo traviesa.* ☐ ETIMOL. Del latín *progressus*, y éste de *progredi* (caminar adelante).

prohibición s.f. Negación del uso o de la realización de algo.

prohibir v. Referido al uso o a la realización de algo, impedirlos o negarlos: *Por haber suspendido todas, mis padres me han prohibido ver la tele.* ☐ ETIMOL. Del latín *prohibere* (apartar, mantener lejos, impedir). ☐ ORTOGR. La *i* de la raíz lleva tilde en los presentes, excepto en las personas *nosotros* y *vosotros* →PROHIBIR.

prohibitivo, va adj. **1** col. Demasiado caro o excesivamente elevado en precio. **2** →**prohibitorio**.

prohibitorio, ria adj. Que prohíbe; prohibitivo.

prohijar v. Referido a una persona, adoptarla como hijo: *Para prohijar a un niño hay que cumplir determinados trámites legales.* ☐ ETIMOL. Del latín *pro* (por) y *filius* (hijo). ☐ ORTOGR. **1.** Conserva la *j* en toda la conjugación. **2.** La *i* lleva tilde en los presentes, excepto en las personas *nosotros* y *vosotros* →GUIAR.

prohombre s.m. Hombre ilustre que goza de especial consideración entre los de su clase. ☐ ETIMOL. De origen incierto.

prójimo, ma ‖ s. [**1** col. Persona cuya identidad se ignora o no se quiere decir; individuo: *¡Menuda 'prójima' se ha echado por mujer!* ‖ s.m. **2** Respecto de una persona, todas o cada una de las demás personas que forman la colectividad humana. ☐ ETIMOL. Del latín *proximus* (el más cercano, muy cercano). ☐ USO En la acepción 1, tiene un matiz despectivo.

prole s.f. **1** Descendencia o conjunto de hijos. **2** col. Conjunto numeroso de personas con algo en común. ☐ ETIMOL. Del latín *proles.*

prolegómeno s.m. **1** En una obra o en un escrito, tratado que se pone al principio para establecer los fundamentos generales de la materia que se va a tratar. **2** Preparación o introducción excesiva o innecesaria. ☐ ETIMOL. Del griego *prolegómena* (cosas dichas primero). ☐ MORF. Se usa más en plural. ☐ SEM. Su uso como sinónimo de *principio* es incorrecto, aunque está muy extendido: *En los {*prolegómenos > comienzos} del partido.*

proletariado s.m. Grupo social formado por los trabajadores que no son propietarios de los medios de producción.

proletario, ria ‖ adj. **1** Del proletariado o relacionado con este grupo social. ‖ s. **2** Persona que no es propietaria de los medios de producción y que vende la fuerza de su trabajo a cambio de un salario. ☐ ETIMOL. Del latín *proletarius* (procreador de hijos), porque los proletarios parece que sólo le importan al Estado como procreadores.

proliferación s.f. Multiplicación abundante del número de algo.

proliferar v. **1** Aumentar en número o multiplicarse de forma abundante: *En este barrio han proliferado los grandes edificios.* **2** En biología, reproducirse por división: *Las bacterias proliferan más rápidamente si están en un medio favorable para su desarrollo.*

prolífico, ca adj. **1** Que puede engendrar, esp. si es de forma abundante: *Las ratas son animales muy prolíficos.* **2** Referido a un artista, que tiene una producción muy extensa. ☐ ETIMOL. Del latín *proles* (prole) y *facere* (hacer). ☐ SEM. Dist. de *prolijo* (extenso o de larga duración).

prolijidad s.f. **1** Extensión o duración excesivas de una exposición o una explicación. **2** Cuidado o esmero con los que se hace algo.

prolijo, ja adj. **1** Largo o excesivamente extenso en sus explicaciones. **2** Cuidadoso o esmerado. ☐ ETIMOL. Del latín *prolixus* (largo, profuso). ☐ SEM. Dist. de *prolífico* (que tiene una producción muy extensa).

prologar v. Referido a una obra, escribirle un prólogo: *Este diccionario lo ha prologado un premio Nobel de Literatura.* ☐ ORTOGR. La *g* se cambia en *gu* delante de *e* →PAGAR.

prólogo s.m. **1** En un libro, texto que precede al cuerpo de la obra y que generalmente sirve para hacer su presentación o la de su autor, o para explicar algo relacionado con ella. **2** Lo que precede a otra cosa y le sirve de presentación o de preparación: *El aperitivo fue prólogo de un espléndido banquete.* ☐ ETIMOL. Del griego *prólogos*, y éste de *pro* (antes) y *légo* (yo digo, hablo). ☐ SEM. No debe usarse con el significado de 'principio o comienzo': *Estamos en el {*prólogo > comienzo} del partido, pues sólo han transcurrido cinco minutos.*

prologuista s. Persona que escribe el prólogo de un libro. ☐ MORF. Es de género común: *el prologuista, la prologuista.*

prolongación s.f. o **prolongamiento** s.m. **1** Extensión en el espacio o en el tiempo: *Pidieron una prolongación del plazo de matrícula.* **2** Parte prolongada de algo: *La cola de los animales es una prolongación de la columna vertebral.*

prolongar v. **1** Alargar o extender en el espacio: *Han prolongado mi calle y ahora llega hasta la plaza.* **2** Hacer durar más tiempo: *Si nos queda dinero,* *podemos prolongar las vacaciones. La conferencia se prolongó y resultó pesada.* □ ETIMOL. Del latín *prolongare*. □ ORTOGR. La *g* se cambia en *gu* delante de *e* →PAGAR.

[*promecio* s.m. →prometio. □ ORTOGR. Su símbolo químico es *Pm*.

promediar v. Calcular el promedio: *Si promediamos las ganancias, nos quedarán unas diez mil pesetas para cada uno.* □ ORTOGR. La *i* nunca lleva tilde.

promedio s.m. Cantidad igual o más próxima a la media aritmética de un conjunto de varias cantidades; término medio: *Las ventas han alcanzado un promedio de unas veinte mil pesetas al día.* □ ETIMOL. Del latín *pro medio* (como término medio).

promesa s.f. **1** Afirmación de la obligación que alguien se impone a sí mismo de hacer o decir algo: *No cumpliste tu promesa de venir a verme.* **2** Ofrecimiento solemne, equivalente al juramento, de cumplir con las obligaciones y exigencias que conllevan un cargo o unos principios. **3** Ofrecimiento que se hace a Dios o a los santos. **4** Lo que da muestras de poseer unas cualidades especiales que pueden llevarlo al triunfo: *Este muchacho es una promesa del fútbol.* **5** Señal o indicio que hace esperar algún bien: *Los hijos son promesa de futuras alegrías.* □ ETIMOL. Del latín *promissa*.

prometedor, -a adj. Que ofrece esperanzas de algo positivo: *un futuro prometedor.*

prometer ∎ v. **1** Referido a una acción, comprometerse u obligarse a hacerla: *Prometo estar contigo en las alegrías y en las penas. Me prometió que dejaría de fumar.* **2** Referido a lo que se dice, asegurarlo como cierto: *Te prometo que yo no me he comido el pastel.* [**3** Referido esp. a un cargo o a unos principios, comprometerse solemnemente y con promesa de fidelidad y obediencia a cumplir con las obligaciones y exigencias que éstos conllevan: *Los ministros 'prometieron' su cargo ante el monarca.* **4** Dar muestras de ser tal y como se expresa: *La fiesta promete ser divertida.* **5** Dar muestras de poseer unas especiales cualidades que pueden llevar al triunfo: *La crítica opina que esta joven novelista promete.* ∎ prnl. **6** Darse mutuamente palabra de casamiento; comprometerse: *Se prometieron cuando sólo tenían dieciocho años.* **7** Esperar que algo se produzca de determinada manera: *Me prometía una tarde aburrida, pero al final resultó interesante.* **8** ‖**prometérselas (muy) felices**; col. Tener, sin gran fundamento, esperanzas de que algo salga bien: *Aunque estaba lleno de deudas, se las prometía muy felices con ese negocio porque confiaba en su suerte.* □ ETIMOL. Del latín *promittere*.

prometido, da s. Respecto de una persona, otra que le ha dado palabra de matrimonio.

prometio s.m. Elemento químico, metálico y artificial, de número atómico 61 y que pertenece al grupo de las tierras raras. □ ETIMOL. Del griego *Prométhéos* (Prometeo). □ ORTOGR. Su símbolo químico es *Pm*. □ USO Aunque la RAE sólo registra *prometio*, en círculos especializados se usa más *promecio*.

prominencia s.f. Abultamiento o elevación de algo sobre lo que está a su alrededor.

prominente adj. **1** Que se levanta o sobresale sobre lo que está alrededor. **2** Ilustre y famoso, o que destaca sobre otros. □ ETIMOL. Del latín *prominens*, y éste de *prominere* (adelantarse, formar saliente).

□ ORTOGR. Dist. de *preeminente*. □ MORF. Invariable en género.

promiscuidad s.f. **1** Convivencia desordenada de personas de distinto sexo. **2** Mezcla o confusión.

promiscuo, cua adj. **1** Referido a una persona, que mantiene relaciones sexuales con muchas otras. **2** Mezclado de forma confusa o indiferente. □ ETIMOL. Del latín *promiscuus*.

promisión s.f. Promesa de hacer o de cumplir algo. □ ETIMOL. Del latín *promissio*. □ USO Se usa mucho en la locución *tierra de promisión*.

promisorio, ria adj. Que lleva o incluye una promesa.

promoción s.f. **1** Preparación de las condiciones adecuadas para dar a conocer algo o para aumentar sus ventas. **2** Elevación de una persona a una dignidad o empleo superiores a los que tenía. **3** Impulso de la realización de algo, o elevación y mejora de su calidad. **4** Conjunto de personas que obtienen al mismo tiempo un título de estudios o un empleo. [**5** En algunos deportes, torneo en el que se enfrentan deportistas o equipos para determinar quiénes pasarán a la categoría superior. □ ETIMOL. Del latín *promotio*.

promocionar v. **1** Elevar o preparar las condiciones adecuadas para mejorar en prestigio, categoría, reputación o puesto social: *Una buena campaña publicitaria promocionará el turismo en la región. El ejecutivo actual se promociona mediante cursos especializados.* **2** Referido esp. a un producto, preparar las condiciones adecuadas para darlo a conocer o para aumentar sus ventas: *Muchas marcas, para promocionar sus productos, rebajan transitoriamente los precios.* **3** Referido a un equipo deportivo, jugar con otro para subir de categoría o para mantener la que posee: *Promocionará el tercer equipo de segunda división con el penúltimo de primera, y el que gane pasará a primera.*

promontorio s.m. Elevación apreciable del terreno, esp. si avanza dentro del mar. □ ETIMOL. Del latín *promontorium* (cabo).

promotor, -a adj./s. Que promueve o promociona haciendo las gestiones oportunas para el logro de algo.

promover v. **1** Referido a una acción, iniciarla o impulsar su realización: *El Gobierno ha decretado nuevas medidas para promover el ahorro.* **2** Referido a una persona, ascenderla o elevarla a una dignidad, categoría o empleo superiores a los que tenía: *El coronel fue promovido a general.* [**3** col. Dar lugar, causar o producir: *Sus declaraciones 'promovieron' un gran escándalo.* □ ETIMOL. Del latín *promovere*, y éste de *pro* (adelante) y *movere* (mover). □ MORF. Irreg. →MOVER.

promulgación s.f. Publicación de forma solemne o formal de algo, esp. de una disposición de la autoridad para que sea cumplida obligatoriamente.

promulgar v. **1** Referido a una ley o a una disposición de la autoridad, publicarlas formalmente para que sean cumplidas obligatoriamente: *El Gobierno promulgará nuevas leyes sobre la utilización del material informático.* **2** Publicar de forma solemne: *El Rey promulgó su renuncia al trono.* □ ETIMOL. Del latín *promulgare* (publicar una ley o un proyecto de ley). □ ORTOGR. La *g* se cambia en *gu* delante de *e* →PAGAR.

pronombre s.m. **1** En gramática, clase de palabras

que funcionan en la oración como los sustantivos: *La mayoría de los pronombres españoles tienen flexión*. **2** ‖ **(pronombre) demostrativo**; aquel con el que se muestra o señala algo: *'Esto', 'eso' y 'aquello' son pronombres demostrativos*. ‖ **(pronombre) indefinido**; el que alude de forma vaga e indeterminada a algo: *'Nada', 'algo', 'nadie' y 'alguien' son pronombres indefinidos*. ‖ **(pronombre) numeral**; el que expresa idea de cantidad, de orden, de partición o de multiplicación: *'Millón' es un pronombre numeral*. ‖ **pronombre personal**; el que designa directamente al hablante, al oyente o a lo que no es ninguno de los dos: *'Yo' es el pronombre personal de primera persona del singular, que corresponde al hablante, y 'tú' es el que designa al oyente*. ‖ **(pronombre) relativo**; el que se refiere a una persona, a un animal o a una cosa anteriormente mencionados: *'Que' y 'cuales' son pronombres relativos*. ☐ ETIMOL. Del latín *pronomen*.

pronominal adj. Del pronombre, con pronombres o que participa de su naturaleza. ☐ MORF. Invariable en género.

pronosticar v. Referido a algo que sucederá en un futuro, adivinarlo a raíz de determinados indicios; anunciar: *Los meteorólogos han pronosticado lluvias*. ☐ ORTOGR. La *c* se cambia en *qu* delante de *e* →SACAR.

pronóstico s.m. **1** Conocimiento, a raíz de algunos indicios, de algo que sucederá en un futuro: *pronóstico meteorológico*. **2** Señal que permite hacer juicios probables o adivinar algo que sucederá en un futuro; anuncio: *Esos nubarrones negros son pronóstico de tormenta*. **3** En medicina, juicio que forma el médico, a partir de los síntomas detectados, sobre la gravedad, evolución, duración y terminación de una enfermedad: *Esa enfermedad es de pronóstico grave*. **4** ‖ **pronóstico reservado**; el que no es emitido por un médico por la posibilidad de algún contratiempo que se prevé en los efectos de una lesión, o porque los síntomas no son suficientes para formar un juicio seguro. ☐ ETIMOL. Del latín *pronosticum*.

prontitud s.f. Rapidez o velocidad en realizar algo. ☐ ETIMOL. Del latín *promptitudo*.

pronto, ta ▌ adj. **1** Rápido, ligero o veloz. ▌ s.m. **2** col. Decisión o impulso repentinos y motivados por una pasión o por algo que ocurre de forma inesperada: *Sus prontos de cólera son temibles*. **3** col. Ataque repentino de algún mal: *Le dio un pronto y se quedó sin habla*. ☐ ETIMOL. Del latín *promptus* (disponible, resuelto). ☐ SINT. Cuando es adjetivo, se usa más antepuesto al sustantivo.

pronto adv. **1** Rápido o en un breve espacio de tiempo: *Vístete pronto, que tenemos poco tiempo. Pronto llegará el otoño*. **2** Con anticipación, o antes de lo previsto o de lo oportuno: *Este año ha llegado pronto el buen tiempo. Aún es pronto para entrar a clase*. **3** ‖ **al pronto**; en el primer momento o a primera vista: *Al pronto, todo parece estar bien*. ‖ **de pronto**; sin esperarlo nadie o sin pensarlo: *De pronto dijo que se iba*. ‖ **por {de/lo} pronto**; por ahora o por el momento: *Por lo pronto, no tomaré ninguna decisión*. ‖ **[tan pronto]**; expresión que, repetida o coordinada con *como*, se usa para introducir dos o más oraciones que expresan acciones en alternancia: *'Tan pronto' te dice que sí 'como' te dice que no*.

prontuario s.m. Compendio de reglas de una ciencia o un arte. ☐ ETIMOL. Del latín *promptuarium* (despensa).

pronunciable adj. Que se pronuncia fácilmente. ☐ MORF. Invariable en género.

pronunciación s.f. **1** Emisión y articulación de un sonido para hablar. **[2** Manera de pronunciar; dicción: *Su 'pronunciación' es muy clara*. **3** Expresión o declaración en voz alta y, generalmente, en público: *La pronunciación del discurso tendrá lugar tras los postres*. **4** Manifestación pública a favor o en contra de algo: *La pronunciación de la ministra sobre este asunto puede determinar el curso de los acontecimientos*. **5** En derecho, publicación de una sentencia, de un auto o de otra resolución judicial.

pronunciamiento s.m. **1** Alzamiento militar contra el Gobierno. **2** Declaración, condena o mandato del juez.

pronunciar ▌ v. **1** Referido a un sonido, emitirlo y articularlo para hablar: *Tiene un defecto que le impide pronunciar bien la 'r'*. **2** Decir en voz alta y ante el público: *El director pronunció su conferencia en el aula magna*. **3** En derecho, referido a una sentencia, un auto u otra resolución judicial, publicarlas: *El tribunal de justicia pronunciará hoy su sentencia*. **4** Resaltar, acentuar o destacar: *Esos pantalones tan ajustados te pronuncian mucho el trasero. La rivalidad entre los dos hermanos cada vez se pronuncia más*. ▌ prnl. **5** Declararse o mostrarse a favor o en contra de algo: *No quiero pronunciarme sin tener todos los datos*. **6** Referido esp. a un militar, sublevarse, rebelarse o levantarse: *Una facción del ejército se pronunció contra el poder establecido*. ☐ ETIMOL. Del latín *pronuntiare*. ☐ ORTOGR. La *i* nunca lleva tilde.

propagación s.f. **1** Extensión o difusión de algo para que llegue a muchos lugares o a muchas personas. **2** Multiplicación por generación o por otra forma de reproducción.

propagador, -a adj./s. Que propaga.

propaganda s.f. **1** Información o actividad destinadas a dar a conocer algo y a convencer de sus cualidades o de sus ventajas. **2** Material o medios que se emplean para este fin. ☐ ETIMOL. Del latín *propaganda fide* (sobre la propagación de la fe), que es el título de una congregación del Vaticano.

propagandista adj./s. Referido a una persona, que hace propaganda, esp. en materia política. ☐ MORF. 1. Como adjetivo es invariable en género. 2. Como sustantivo es de género común: *el propagandista, la propagandista*.

propagandístico, ca adj. De la propaganda o relacionado con esta actividad.

propagar v. **1** Extender, aumentar o hacer llegar a muchos lugares o a muchas personas: *La radio y la televisión propagan las noticias por el mundo. El fuego se propagó con rapidez*. **2** Multiplicar por generación o por otra forma de reproducción: *Según la Biblia, Dios creó al hombre y a la mujer para que propagaran la especie. Las hiedras se propagan con facilidad*. ☐ ETIMOL. Del latín *propagare*. ☐ ORTOG. La *g* se cambia en *gu* delante de *e* →PAGAR. ☐ SEM. Dist. de *propalar* (divulgar una cosa oculta).

propalar v. Referido a algo que se tenía oculto, darlo a conocer: *El laboratorio no debe propalar estos descubrimientos hasta que no se hayan perfeccionado*. ☐ ETIMOL. Del latín *propalare*, éste de *propalam*, y éste de *palam* (en público, en forma patente). ☐ SEM. Dist. de *propagar* (extender, aumentar).

propano s.m. Hidrocarburo gaseoso derivado del petróleo que se usa como combustible.

proparoxítono, na adj. **1** Referido a una palabra, que lleva el acento en la antepenúltima sílaba: *'Máquina' lleva tilde porque es palabra proparoxítona.* **2** Referido a un verso, que termina en palabra acentuada en la antepenúltima sílaba. ☐ ETIMOL. Del griego *pró* (antes) y *paroxýtonos* (grave). ☐ ORTOGR. Para la acepción 1 →APÉNDICE DE ACENTUACIÓN. ☐ SEM. Es sinónimo de *esdrújulo.*

propasar ∎ v. **1** Pasar más adelante de lo debido o excederse en lo que se hace o se dice: *Tu insolencia ya ha propasado todos los límites. No te propases con la bebida, porque tienes que conducir.* ∎ prnl. **2** Cometer un atrevimiento o una falta de respeto, esp. un hombre con una mujer: *Intentó propasarse conmigo.* ☐ SINT. Constr. como pronominal: *propasarse* CON *algo.*

propedéutico, ca ∎ adj. **1** De la propedéutica o relacionado con esta enseñanza. ∎ s.f. **2** Enseñanza preparatoria para el estudio de una disciplina. ☐ ETIMOL. Del griego *pró* (antes) y *paideutikós* (docente).

propender v. Tener una inclinación hacia algo: *Es optimista y propende a la alegría.* ☐ ETIMOL. Del latín *propendere* (inclinarse hacia delante). ☐ MORF. Irreg.: Su participio es *propenso.* ☐ SINT. Constr. *propender* A *algo.*

propensión s.f. Inclinación hacia algo, esp. si está determinada por la naturaleza de la persona.

propenso, sa ∎ ∎ part. irreg. de propender. ∎ adj. **2** Que tiene inclinación o afición a algo. ☐ SINT. Constr. como adjetivo: *propenso* A *algo.*

propiciar v. **1** Referido a una acción, favorecer su ejecución: *La situación política propició el levantamiento del ejército.* **2** Referido esp. a la benevolencia de alguien, atraerla, ganarla u obtenerla: *No sabía qué hacer para propiciarse la ayuda de ese hombre.* ☐ ETIMOL. Del latín *propitiare.* ☐ ORTOGR. La *i* nunca lleva tilde. ☐ SEM. No debe emplearse con los significados de 'proporcionar' o 'dar': *El defensa {*propició > dio} el pase del primer gol al delantero.*

propiciatorio, ria adj. Que tiene la capacidad de convertir algo en propicio o favorable: *Muchos pueblos antiguos sacrificaban víctimas propiciatorias para calmar la ira de sus dioses.*

propicio, cia adj. Favorable, adecuado o inclinado a algo. ☐ ETIMOL. Del latín *propitius* (favorable, benévolo).

propiedad s.f. **1** Derecho o facultad de poseer algo y poder disponer de ello dentro de los límites legales: *La casa en la que vive es de su propiedad.* **2** Lo que se posee, esp. si es un bien inmueble: *Esta finca es una de sus muchas propiedades.* **3** Cualidad esencial de algo: *La raíz de esta planta tiene propiedades medicinales.* **4** Sentido o significado peculiar, exacto y preciso de las palabras o frases: *Si hablases con propiedad, no dirías una cosa por otra.* ☐ ETIMOL. Del latín *proprietas.*

propietario, ria ∎ adj. **1** Que es el titular permanente de un cargo u oficio. ∎ s. **2** Persona o entidad que tienen derecho de propiedad sobre algo, esp. sobre bienes inmuebles.

propina s.f. **1** Gratificación con la que se recompensa un servicio, esp. la que se da de más sobre el precio convenido. **[2** col. En un espectáculo, pieza que se ofrece sin estar prevista en el programa. **3** ‖ **de propina**; col. También, o además de: *Nos tomamos el postre y, de propina, un helado.* ☐ ETIMOL. Del latín *propina* (dádiva, convite).

propinar v. Referido a algo desagradable o doloroso, darlo o infligirlo: *Los atracadores me propinaron una paliza. El equipo contrario les propinó una merecida derrota.* ☐ ETIMOL. Del latín *propinare,* y éste del griego *propíno* (doy de beber, doy).

propincuo, cua adj. Próximo o cercano. ☐ ETIMOL. Del latín *propinquus* (cercano).

propio, pia adj. **1** Que pertenece a alguien o que es de su propiedad: *Va al trabajo en coche propio.* **2** Característico o peculiar: *El optimismo es propio de su carácter.* **3** Conveniente o adecuado: *Ese vestido es muy propio para las fiestas elegantes.* ☐ ETIMOL. Del latín *proprius.* ☐ SINT. Constr. de la acepción 2: *propio* DE *algo.* ☐ SEM. Se antepone a ciertas expresiones para enfatizar que se trata precisamente de la persona o de la cosa citadas: *La propia autora nos presentó su obra. Mi propia madre está sorprendida.*

proponer ∎ v. **1** Referido a una idea, exponerla o manifestarla a fin de que sea aceptada por los demás: *Me propuse un plan estupendo que no pude rechazar.* **2** Referido a una persona, presentarla o recomendarla para un puesto: *Para cubrir la baja del dibujante propuso a un conocido suyo.* ∎ prnl. **3** Referido a un objetivo, decidirse a cumplirlo: *Se propuso aprobar todas las asignaturas en junio.* ☐ ETIMOL. Del latín *proponere.* ☐ MORF. Irreg.: 1. Su participio es *propuesto.* 2. →PONER.

proporción s.f. **1** Correspondencia o equilibrio entre las partes y el todo o entre cosas relacionadas entre sí: *Para que se salga bien la tarta tienes que respetar las proporciones de los ingredientes.* **2** Dimensión de algo: *Los disturbios callejeros adquirieron grandes proporciones.* **3** En matemáticas, igualdad entre dos razones: *'a/b=c/d' es una proporción.* ☐ ETIMOL. Del latín *proportio,* y éste de *pro portione* (según la parte). ☐ MORF. La acepción 2 se usa más en plural.

proporcionado, da adj. Que tiene armonía entre sus diferentes partes.

proporcional adj. De la proporción, con proporción o relacionado con ella. ☐ MORF. Invariable en género.

proporcionar v. **1** Referido a algo que se necesita o que conviene, ponerlo a disposición de alguien: *Le proporcioné el dinero para pagar las deudas.* **2** Referido a las partes de un todo, disponerlas y ordenarlas con la debida correspondencia: *Proporciona las partes de este dibujo para que tenga armonía.* **[3** Referido esp. a un sentimiento, producirlo o causarlo: *El nacimiento de su hijo les 'ha proporcionado' una inmensa alegría.* ☐ ETIMOL. De *proporción.* ☐ SEM. No debe emplearse con el significado de 'dar algo negativo': *El jugador {*proporcionó > dio} un puñetazo al delantero del equipo rival.*

proposición s.f. **1** Idea que se manifiesta y que se ofrece para lograr un fin: *Tu proposición de montar un negocio a medias no me interesa.* **2** Recomendación o presentación de alguien para un puesto: *La jefa no aceptó mi proposición para el ascenso.* **3** Manifestación o presentación de algo para darlo a conocer o para inducir a hacerlo: *Tu proposición* *de ir al cine ha sido hecha en un momento poco adecuado.* **4** En filosofía, expresión verbal de un juicio: *En lógica, 'p no es q' es una proposición.* **5** En gramática, en una oración compuesta, cada una de las partes con estructura oracional que la componen: *En la oración 'Quiero que vengas', 'que vengas' es una proposición subordinada.* **6** En lingüística, palabra o conjunto de palabras que tienen un sentido gramatical completo; oración: *'Juan come deprisa' es una proposición.* ☐ ETIMOL. Del latín *propositio.* ☐ SEM. En las acepciones 1 y 2, es sinónimo de *propuesta.*

propósito s.m. **1** Ánimo o intención de hacer algo. **2** Lo que se pretende conseguir. **3** ‖ **a propósito**; **1** Voluntaria o deliberadamente. **2** Expresión que se usa para indicar que lo que se menciona ha sugerido o recordado la idea de hablar de otra cosa: *A propósito de lo que hablábamos antes, creo que estás equivocado.* ☐ ETIMOL. Del latín *propositum.*

propuesta s.f. Véase propuesto, ta.

propuesto, ta ∎ **1** part. irreg. de **proponer.** ∎ s.f. **2** Idea que se manifiesta y se ofrece para lograr un fin: *Las propuestas para mejorar el edificio fueron rechazadas por la junta de vecinos.* **3** Presentación o recomendación de una persona para un puesto. ☐ SEM. En las acepciones 2 y 3, es sinónimo de *proposición.*

propugnar v. Defender o apoyar algo como útil, conveniente y apropiado: *Propugnamos la asistencia médica gratuita para todos.* ☐ ETIMOL. Del latín *propugnare.*

propulsar v. Impulsar o empujar hacia delante: *Esas medidas económicas han conseguido propulsar la industria de la zona. Los cohetes espaciales se propulsan mediante potentes motores.* ☐ ETIMOL. Del latín *propulsare* (rechazar, apartar).

propulsión s.f. **1** Empuje hacia delante. **2** ‖ **propulsión a chorro**; procedimiento empleado para producir movimiento mediante la expulsión de los gases que se originan.

propulsor, -a adj./s. Que sirve para propulsar.

prorrata s.f. Cada una de las partes proporcionales de una cantidad que se reparte entre varios. ☐ ETIMOL. Del latín *pro rata parte* (a parte o en porción fija).

prorratear v. Referido a una cantidad de dinero, repartirla proporcionalmente entre varios: *Los beneficios se prorratean entre los inversores.*

prorrateo s.m. Reparto proporcional de una cantidad de dinero, de una carga o de una obligación entre varios.

prórroga s.f. **1** Prolongación del plazo o de la duración de algo; prorrogación. **2** En algunos deportes, tiempo suplementario que se añade cuando al final del partido existe un empate. **3** Aplazamiento del servicio militar que se concede, según la legislación vigente, a los llamados a filas.

prorrogación s.f. →prórroga.

prorrogar v. **1** Alargar o prolongar la duración: *Debido a las interrupciones que hubo, el árbitro prorrogó el partido cinco minutos. El plazo para la presentación de las instancias se ha prorrogado una semana.* **2** Suspender o aplazar: *La juez ha prorrogado la publicación de la sentencia hasta la próxima semana.* ☐ ETIMOL. Del latín *prorogare.* ☐ ORTOGR. *La g se cambia en gu delante de e* →PAGAR.

prorrumpir v. Referido esp. a un sentimiento, exteriorizarlo repentinamente y con fuerza: *Cuando se enteró de la triste noticia prorrumpió en sollozos. El público prorrumpió en aplausos cuando apareció el famoso cantante.* ☐ ETIMOL. Del latín *prorumpere.* ☐ SINT. Constr. *prorrumpir EN algo.* ☐ SEM. Dist. de *irrumpir* (entrar violentamente).

prosa s.f. **1** Forma que toma el lenguaje para expresar ideas y que, a diferencia del verso, no está sujeta a una medida ni a una distribución determinada de los acentos y de las pausas. **2** col. Exceso de palabras para decir cosas poco importante. ☐ ETIMOL. Del latín *prosa.*

prosaico, ca adj. Que resulta vulgar o sin interés, por carecer de ideales o por estar demasiado apegado a lo material y convencional. ☐ ETIMOL. Del latín *prosaicus.*

prosaísmo s.m. **1** En una obra en verso, falta de armonía o de otras características propias de la poesía. **2** Vulgaridad o trivialidad.

prosapia s.f. Ascendencia o linaje de una persona, esp. si son ilustres o aristocráticos. ☐ ETIMOL. Del latín *prosapia* (abolengo, linaje). ☐ USO Se usa mucho con matiz despectivo.

proscenio s.m. **1** En los antiguos teatros grecolatinos, lugar situado entre la escena y la orquesta y en el cual estaba el tablado sobre el que representaban los actores. **2** En un escenario, parte más cercana al público. ☐ ETIMOL. Del griego *proskéninon,* y éste de *pro-* (ante) y *skené* (escena).

proscribir v. **1** Referido a una persona, expulsarla de su patria, generalmente por razones políticas: *El dictador proscribió a los máximos dirigentes de la oposición al régimen.* **2** Referido esp. a una costumbre o a algo usual, excluirlos o prohibirlos: *En los años treinta, la llamada 'ley seca' proscribió el consumo de bebidas alcohólicas en Estados Unidos.* ☐ ETIMOL. Del latín *proscribere.* ☐ ORTOGR. Dist. de *prescribir.* ☐ MORF. Su participio es *proscrito.*

proscrito, ta ∎ **1** part. irreg. de **proscribir.** ∎ adj./s. **2** Desterrado o expulsado de la propia patria. ☐ ORTOGR. Dist. de *prescrito.* ☐ MORF. 1. Incorr. **proscribido.* 2. En la acepción 2, la RAE sólo lo registra como adjetivo.

prosecución s.f. Seguimiento o continuación de algo ya empezado. ☐ ETIMOL. Del latín *prosecutio.*

proseguir v. Referido a algo empezado, seguir, continuar o llevarlo adelante: *Se permitió un pequeño descanso antes de proseguir el trabajo. Si no se llega a un acuerdo, la huelga proseguirá indefinidamente.* ☐ ETIMOL. Del latín *prosequi.* ☐ ORTOGR. La *gu* se cambia en *g* delante de *a, o.* ☐ MORF. Irreg. →SEGUIR.

proselitismo s.m. Interés o esmero que se ponen en ganar prosélitos o adeptos.

proselitista adj./s. Que pone interés o esmero en ganar prosélitos o adeptos. ☐ MORF. 1. Como adjetivo es invariable en género. 2. Como sustantivo es de género común: *el proselitista, la proselitista.*

prosélito s.m. Partidario ganado para una causa, para una doctrina o para un grupo. ☐ ETIMOL. Del latín *proselytus,* y éste del griego *prosélytos* (convertido a una religión).

prosificación s.f. Puesta en prosa de una composición poética.

prosificar v. Referido a una composición poética, ponerla en prosa: *Los cronistas medievales prosifica-*

ron en sus crónicas fragmentos de poemas épicos. □
ORTOGR. La *c* se cambia en *qu* delante de *e* →SACAR.
prosista s. Escritor de obras en prosa. □ MORF. Es
de género común: *el prosista, la prosista.*
prosístico, ca adj. De la prosa literaria o relacionado con ella.
prosodia s.f. **1** Parte de la gramática que enseña
la correcta pronunciación y acentuación. **2** Estudio
de los rasgos sonoros, esp. los acentos y la cantidad
silábica, que afectan a la métrica. **3** Parte de la fonología que estudia los rasgos sonoros que afectan
a unidades inferiores o superiores al fonema: *El
acento y la entonación son rasgos estudiados por la
prosodia.* □ ETIMOL. Del griego *prosoidía.*
prosódico, ca adj. De la prosodia o relacionado
con esta parte de la gramática.
prosopopeya s.f. **1** Figura retórica consistente
en atribuir a un ser irracional o a una cosa inanimada o abstracta cualidades o acciones propias de
los seres humanos; personificación. **2** *col.* Gravedad
afectada y solemnidad en la manera de actuar. □
ETIMOL. Del griego *prosopopoiía,* y éste de *prósopon*
(aspecto de una persona, personaje) y *poiéo* (yo
hago). □ USO La acepción 2 tiene un matiz despectivo.
prospección s.f. **1** Exploración del subsuelo basada en el examen de las características del terreno
y encaminada a descubrir yacimientos geológicos. **2**
Estudio de las posibilidades futuras de algo a partir
de datos del presente. □ ETIMOL. Del latín *prospec-
tio.*
prospectivo, va ▌ adj. **1** Que se refiere al futuro:
visión prospectiva. ▌ s.f. **2** Conjunto de análisis y de
estudios que se hacen con el fin de explorar o de
predecir el futuro de algo.
prospecto s.m. **1** Papel que acompaña a algunos
productos, esp. a los medicamentos, y en el que se
informa sobre su composición, utilidad, modo de
empleo u otros datos de interés. **2** Papel en el que
se expone o anuncia algo: *prospectos de propaganda.* □ ETIMOL. Del latín *prospectus* (acción de considerar algo).
prosperar v. **1** Tener prosperidad o gozar de ella:
*Si el negocio prospera, es probable que contrate a
más empleados. No prosperarás en la vida si no estás dispuesto a esforzarte.* **[2** Referido esp. a una propuesta, ganar fuerza, salir adelante o imponerse:
*Para que el proyecto de ley 'prospere', tiene que ob-
tener la mayoría de los votos de la Cámara.* □ ETI-
MOL. Del latín *prosperare.*
prosperidad s.f. **1** Desarrollo favorable, buena
suerte o éxito. **[2** Bienestar o buena situación social
y económica.
próspero, ra adj. **1** Favorable o venturoso. **[2**
Que cada vez es más rico o más poderoso: *una nación 'próspera'.* □ ETIMOL. Del latín *prosperus* (feliz,
afortunado, próspero).
próstata s.f. En los machos de los mamíferos, glándula
del aparato genital, de pequeño tamaño y de forma
irregular, que se halla situada sobre el cuello de la
vejiga de la orina y que segrega un líquido blanquecino y viscoso. □ ETIMOL. Del griego *prostátes*
(que está delante).
prosternarse v.prnl. Arrodillarse, postrarse o inclinarse en señal de respeto: *Al pasar frente al altar, el sacerdote se prosternó y se santiguó.* □ ETI-
MOL. Del francés *prosterner,* y éste del latín *pros-*

ternere (echar al suelo). □ PRON. Incorr.
[posternarse].
prostibulario, ria adj. Del prostíbulo, con sus características o relacionado con él.
prostíbulo s.m. Establecimiento público en el que
se ejerce la prostitución; burdel. □ ETIMOL. Del latín *prostibulum.*
prostitución s.f. Actividad de la persona que mantiene relaciones sexuales con otras a cambio de dinero.
prostituir v. **1** Referido a una persona, dedicarla a la
prostitución: *Lo acusaron de prostituir a su propia
hija para obtener dinero. Sin familia y sin recursos
económicos, se prostituyó para sobrevivir.* **2** Deshonrar o envilecer, generalmente por dinero o para lograr algún beneficio: *Con estas acciones prostituyes
el buen nombre de tu familia. Al aceptar dinero a
cambio de la información confidencial se prostituyó.*
□ ETIMOL. Del latín *prostituere* (exponer en público,
poner en venta). □ MORF. Irreg. →HUIR.
prostituto, ta s. Persona que se dedica a la prostitución. □ MORF. La RAE sólo registra el femenino.
protactinio s.m. Elemento químico metálico y sólido, de número atómico 91, de color blanco grisáceo, y que se encuentra en los minerales de uranio.
□ ETIMOL. De *proto-* (primero, anterior) y *actinio*
(cuerpo simple radiactivo). □ ORTOGR. Su símbolo
químico es *Pa.*
protagonismo s.m. **1** Condición de lo que es protagonista o desempeña el papel principal. **2** Afán
de destacar o de mostrarse como la persona más
cualificada y necesaria en una actividad.
protagonista s. **1** En una obra de ficción, personaje
principal. **2** Lo que desempeña el papel principal o
más destacado en algo, esp. en un suceso. □ ETI-
MOL. Del griego *prôtos* (primero) y *agonistés* (actor).
□ MORF. Es de género común: *el protagonista, la
protagonista.* □ SINT. Se usa mucho en aposición,
pospuesto a un sustantivo. □ SEM. **Primer protagonista* y **protagonista principal* son expresiones
redundantes e incorrectas, aunque están muy extendidas.
protagonizar v. **1** Referido esp. a una obra de ficción
o a uno de sus papeles, representarlos en calidad de
protagonista: *Esta película la protagoniza un gran
actor.* **2** Referido esp. a un suceso, desempeñar en
el papel más importante o destacado: *Iba borracho
y protagonizó un escándalo en la calle.* □ ORTOGR.
La *z* se cambia en *c* delante de *e* →CAZAR.
prótasis s.f. En gramática, en una oración subordinada
condicional, parte que expresa la condición: *En la
oración condicional 'si no te cuidas, enfermarás', 'si
no te cuidas' es la prótasis y 'enfermarás' es la apódosis.* □ ETIMOL. Del griego *prótasis.* □ ORTOGR.
Dist. de *prótesis.* □ MORF. Invariable en número.
protección s.f. **1** Defensa que se hace de algo
para evitar un peligro o un perjuicio. **2** Ayuda, apoyo o amparo. □ ETIMOL. Del latín *protectio.*
proteccionismo s.m. **1** Política económica que
grava la entrada en un país de productos extranjeros que pueden hacer competencia a los nacionales. **2** Doctrina económica que defiende esta política.
proteccionista ▌ adj. **1** Del proteccionismo o relacionado con. ▌ adj./s. **2** Que defiende o sigue el

proteccionismo. ☐ MORF. 1. Como adjetivo es invariable en género. 2. Como sustantivo es de género común: *el proteccionista, la proteccionista.*

protector, -a ∎ adj. 1 Que protege. ∎ s.m. 2 En algunos deportes, pieza que protege las zonas más expuestas a los golpes. ☐ ETIMOL. Del latín *protector.*

protectorado s.m. 1 Soberanía parcial que ejerce un Estado, esp. en materia de relaciones exteriores, sobre un territorio que no ha sido incorporado plenamente al de su nación y que tiene autoridades propias. 2 Territorio sobre el que se ejerce esta soberanía.

proteger v. 1 Resguardar de un peligro o de un perjuicio: *Han puesto puertas blindadas para proteger la casa frente a posibles robos. No se hizo ningún rasguño en la cara, porque se la protegió con los brazos.* 2 Ayudar, apoyar o favorecer: *Los mecenas del Renacimiento protegían las artes ayudando a su financiación.* ☐ ETIMOL. Del latín *protegere.* ☐ ORTOGR. La *g* se cambia en *j* delante de *a, o* →COGER.

proteico, ca adj. En química, relacionado con las proteínas; proteínico. ☐ ETIMOL. Del griego *prôtos* (primero), porque las sustancias proteicas son materias primas de los seres vivos.

proteína s.f. Compuesto orgánico nitrogenado, generalmente soluble en agua, que forma parte de la materia fundamental de las células y de los organismos animales y vegetales. ☐ ETIMOL. Del griego *proteîon* (preeminente, primer premio).

proteínico, ca adj. Relacionado con las proteínas; proteico.

protervo, va adj./s. Malvado, perverso o vil. ☐ ETIMOL. Del latín *protervus* (violento, audaz). ☐ USO Su uso es característico del lenguaje literario.

protésico, ca ∎ adj. 1 De la prótesis o relacionado con este procedimiento de reparación artificial de órganos. ∎ s. 2 Persona que se dedica profesionalmente a la preparación y ajuste de las piezas y aparatos que se emplean en las prótesis dentales.

prótesis s.f. 1 Pieza o dispositivo usados para reparar artificialmente la falta de un órgano o de parte de él: *prótesis dental.* 2 En cirugía, procedimiento mediante el cual se hace esta reparación artificial de un órgano. 3 En lingüística, adición de un sonido al comienzo de una palabra: *Cuando dices '[amatar]' por '[matar]', estás haciendo una prótesis.* ☐ ETIMOL. Del griego *próthesis* (anteposición). ☐ ORTOGR. Dist. de *prótasis.* ☐ MORF. Invariable en número.

protesta s.f. Manifestación de disconformidad o de queja.

protestante ∎ adj. 1 Del protestantismo o relacionado con él. ∎ adj./s. 2 Que defiende o sigue cualquiera de las doctrinas religiosas del protestantismo. ☐ MORF. 1. Como adjetivo es invariable en género. 2. Como sustantivo es de género común: *el protestante, la protestante.*

protestantismo s.m. 1 Conjunto de comunidades religiosas cristianas surgidas de la reforma de Lutero (religioso alemán del siglo XVI). 2 Doctrina religiosa de estas comunidades.

protestar v. 1 Manifestar disconformidad o queja: *Organizaron una manifestación para protestar contra la falta de puestos de trabajo.* 2 En economía, referido a una letra de cambio que no ha sido cobrada en el tiempo fijado, iniciar las diligencias notariales para cobrarla: *El banco le ha protestado las dos letras que no ha pagado.* ☐ ETIMOL. Del latín *protestari* (declarar en voz alta, afirmar).

[protestón, -a adj./s. *col.* Que protesta mucho o por cualquier cosa.

[protista ∎ adj./s.m. 1 Referido a un organismo, que se caracteriza por su pequeño tamaño y por carecer de órganos y de tejidos diferenciados: *La ameba es 'protista'.* ∎ s.m.pl. 2 En zoología, reino de estos organismos. ☐ MORF. Como adjetivo es invariable en género.

proto- Elemento compositivo que significa 'primero o anterior': *protohistoria.* ☐ ETIMOL. Del griego *prôtos.*

protocolario, ria adj. [1 Del protocolo o relacionado con este conjunto de reglas para la celebración de actos. 2 Que se hace con una solemnidad innecesaria, y sólo por cortesía o por respetar la costumbre.

protocolo s.m. 1 Conjunto de reglas establecidas, por decreto o por costumbre, para la celebración de actos diplomáticos o solemnes. 2 Acta o cuaderno de actas de un acuerdo, de una conferencia o de un congreso diplomático. [3 En informática, conjunto de normas y procedimientos necesarios para la transmisión de datos, que debe ser seguido tanto por el emisor como por el receptor. ☐ ETIMOL. Del latín *protocollum*, y éste del griego *protókollon* (hoja que se pegaba a un documento para darle autenticidad).

protón s.m. En un átomo, partícula elemental del núcleo que tiene carga eléctrica positiva. ☐ ETIMOL. Del griego *prôton* (primero).

protoplasma s.m. En una célula, sustancia de consistencia más o menos líquida, de composición química compleja y con gran contenido de agua, y en la que se encuentran disueltos o en suspensión numerosos cuerpos orgánicos y otras sustancias. ☐ ETIMOL. De *proto-* (primero) y el griego *plásma* (formación).

prototípico, ca adj. Del prototipo o relacionado con él.

prototipo s.m. 1 Ejemplar original que sirve de modelo para hacer otros de la misma clase: *Si el prototipo de coche que han presentado supera todas las pruebas, será construido en serie.* 2 Ejemplar más perfecto y que sirve como modelo: *Tan cariñoso, comprensivo y trabajador, para mí es el prototipo de hombre ideal.* ☐ ETIMOL. Del griego *protótypos*, y éste de *prôtos* (primero) y *týpos* (modelo).

protozoo ∎ adj./s.m. 1 Referido a un animal, esp. a un microorganismo, que está formado por una sola célula o por una colonia de células iguales entre sí, y que vive en medios acuosos o en líquidos internos de organismos superiores: *La ameba es un protozoo.* ∎ s.m.pl. 2 En zoología, grupo de estos animales. ☐ ETIMOL. De *proto-* (primero) y el griego *zóion* (animal).

protráctil adj. En zoología, referido a la lengua de algunos animales, que puede proyectarse mucho fuera de la boca. ☐ ETIMOL. Del latín *protractilis*, y éste de *protrahere* (alargar, extender). ☐ MORF. Invariable en género.

protuberancia s.f. Elevación o abultamiento más

o menos redondeados y que sobresalen. □ ETIMOL. Del latín *protuberare* (sobresalir).

protuberante adj. Que sobresale o que sale más de lo normal. □ MORF. Invariable en género.

provecho s.m. **1** Beneficio o utilidad que se obtienen de algo o que se proporcionan a alguien: *El alcalde trabaja en provecho de su pueblo.* **2** Aprovechamiento, adelantamiento o buen rendimiento en una actividad: *Puede irse tranquilo de vacaciones porque ha terminado el curso con provecho.* **3** ‖**buen provecho**; *col.* Expresión que se usa para indicar el deseo de que algo, esp. la comida, resulte útil o conveniente para la salud o para el bienestar de alguien. ‖**de provecho**; referido *a una persona,* que es considerada como alguien de bien o útil para la sociedad. □ ETIMOL. Del latín *profectus* (utilidad).

provechoso, sa adj. Que causa provecho o resulta de utilidad.

provecto, ta adj. Caduco, viejo, maduro o entrado en años. □ ETIMOL. Del latín *provectus.* □ USO Su uso es característico del lenguaje culto.

proveedor, -a s. Persona o empresa que proveen o abastecen de lo necesario a grandes grupos; provisor.

proveer v. **1** Referido esp. *a una persona,* dotarla de lo necesario para un fin, suministrárselo: *Las gasolineras proveen de gasolina a los automovilistas. La empresa que nos provee cierra en agosto. Se proveyó de todo lo necesario para el viaje.* **2** Referido esp. *a un asunto,* tramitarlo, resolverlo o darle salida: *No sé quién va a proveer las soluciones a este problema.* **3** Referido esp. *a un empleo,* darlo o asignarlo: *Proveerán las plazas vacantes con personal interino.* **4** En derecho, referido *a una resolución,* dictarla un juez o un tribunal: *La juez proveyó una resolución provisional que, tras expirar el plazo de apelación, se convirtió en definitiva.* □ ETIMOL. Del latín *providere.* □ ORTOGR. 1. Incorr. **prover.* 2. Dist. de *prever.* 3. En las formas cuya desinencia contiene un diptongo *ie, io,* esta *i* se cambia en *y* →LEER. □ MORF. Su participio es *provisto.* □ SINT. Constr. de la acepción 1: *proveer A alguien DE algo.*

proveniencia s.f. Nacimiento, procedencia u origen.

[proveniente adj. Que proviene de un sitio. □ MORF. 1. Invariable en género. 2. Incorr. **proviniente* y **provinente.*

provenir v. Nacer, proceder u originarse: *Tu ansiedad proviene del estrés al que estás sometida.* □ ETIMOL. Del latín *provenire* (aparecer, nacer, producirse). □ MORF. Irreg. →VENIR. □ SINT. Constr. *provenir DE algo.*

provenzal ‖ adj./s. **1** De la Provenza (antigua región del sur francés), o relacionado con ella. ‖ s.m. **2** Lengua románica de esta región. **3** Conjunto de dialectos romances que en la época medieval se hablaban en la zona sur francesa; lengua de oc, occitano. □ MORF. Como adjetivo es invariable en género.

proverbial adj. **1** Del proverbio, con proverbios o relacionado con él. **2** Conocido de siempre o de todos: *Nos recibió con su proverbial amabilidad.* □ MORF. Invariable en género.

proverbio s.m. Sentencia, refrán o frase breve que

expresan una enseñanza o una advertencia moral. □ ETIMOL. Del latín *proverbium.*

providencia s.f. **1** Disposición, prevención o cuidado que se toman para lograr un fin o para evitar o remediar un daño, esp. referido al cuidado de Dios para con sus criaturas. **2** En derecho, resolución judicial a la que la ley no exige fundamentos jurídicos por tratar cuestiones de trámite o peticiones sencillas. □ ETIMOL. Del latín *providentia.*

providencial adj. **1** De la providencia, esp. de la divina, o relacionado con ella. **2** Referido esp. *a un hecho,* que se produce de manera casual o inesperada, evitando un daño o un perjuicio inminentes. □ MORF. Invariable en género.

providencialismo s.m. Doctrina según la cual todo sucede por disposición de la providencia divina.

providencialista adj./s. Que defiende o sigue la doctrina del providencialismo. □ MORF. 1. Como adjetivo es invariable en género. 2. Como sustantivo es de género común: *el providencialista, la providencialista.*

próvido, da adj. Dispuesto o diligente para proveer generosamente de lo necesario. □ ETIMOL. Del latín *providus.* □ USO Su uso es característico del lenguaje culto.

provincia ‖ s.f. **1** En el territorio de un Estado, cada una de las grandes divisiones o demarcaciones que lo constituyen, sujetas generalmente a una autoridad administrativa. **2** En un territorio sobre el que actúa una orden religiosa, cada uno de los distritos en que ésta lo divide y que comprende un determinado número de casas o de conventos. **3** En la antigua Roma, territorio conquistado fuera de la península Itálica, sujeto a las leyes romanas y administrado por un gobernador. ‖ pl. **[4** en contraposición a *capital,* el resto de las ciudades de un país. □ ETIMOL. Del latín *provincia.*

provincial, -a s. En una orden religiosa, persona que gobierna las casas y conventos de una provincia.

provincial adj. De la provincia o relacionado con ella. □ ETIMOL. Del latín *provincialis.* □ MORF. Invariable en género.

provincianismo s.m. Estrechez de espíritu y apego excesivo a la mentalidad o a las costumbres particulares de una provincia o de una sociedad, con exclusión de las demás. □ USO Tiene un matiz despectivo.

provinciano, na ‖ adj. **1** De la provincia o relacionado con ella. **2** *col.* Poco elegante o poco refinado. ‖ adj./s. **3** Caracterizado por una estrechez de espíritu y por un excesivo apego a la mentalidad o a las costumbres particulares de una provincia o de una sociedad, con exclusión de las demás. □ MORF. En la acepción 3, la RAE sólo lo registra como adjetivo. □ USO En las acepciones 2 y 3, tiene un matiz despectivo.

provisión s.f. **1** Conjunto de cosas, esp. alimentos, que se guardan o reservan para un fin: *Iremos al supermercado porque nos hemos quedado sin provisiones.* **2** Suministro o entrega de lo necesario, esp. mediante venta o de forma gratuita: *Hasta la próxima semana no llegará la provisión de material quirúrgico.* **3** Preparación o reunión de lo necesario para un fin: *En el puerto los barcos hacen provisión de combustible.* **4** Tramitación o resolución, esp. de un asunto: *La provisión de este problema es competencia del jefe de personal.* **5** Asignación de algo, esp. de un empleo: *La provisión de las jefaturas de servicio se realizará por libre designación.* **6** En derecho, dictado de una resolución que hace un juez o un tribunal: *El sospechoso ingresó en prisión por provisión del juez.* □ ETIMOL. Del latín *provisio.* □ ORTOGR. Dist. de *previsión.* □ MORF. La acepción 1 se usa más en plural.

provisional adj. Temporal o no permanente; provisorio. □ MORF. Invariable en género.

provisor, -a ▌ s. **1** Persona o empresa que proveen o abastecen de lo necesario a grandes grupos o colectivos; proveedor. ▌ s.m. **2** Juez diocesano nombrado por el obispo, con quien constituye un mismo tribunal, y que tiene potestad ordinaria para ocuparse de causas eclesiásticas. □ ETIMOL. Del latín *provisor.* □ ORTOGR. Dist. de *previsor.* □ MORF. En la acepción 1, la RAE sólo registra el masculino.

provisorio, ria adj. →**provisional**.

provisto, ta part. irreg. de **proveer**. □ ORTOGR. Dist. de *previsto.* □ MORF. Incorr. **proveído.*

provocación s.f. **1** Producción o causa de algo, esp. si es como reacción o respuesta. **2** Lo que irrita o estimula para un enfado. **[3** Lo que produce deseo sexual, esp. si es intencionado.

provocador, -a adj. Que provoca.

provocar v. **1** Producir como reacción o como respuesta: *Mi respuesta provocó su ira.* **2** Referido a una persona, irritarla o estimularla para que se enfade: *El futbolista provocó al público haciendo gestos obscenos.* **[3** Referido a una persona, intentar despertar deseo sexual: *Lleva la ropa tan ajustada que va 'provocando'.* **4** En zonas del español meridional, apetecer. □ ETIMOL. Del latín *provocare* (llamar para que algo salga fuera, excitar). □ ORTOGR. La c se cambia en *qu* delante de *e* →SACAR.

provocativo, va adj. Que provoca o excita.

proxeneta s. Persona que induce a otras a la prostitución y se beneficia de las ganancias que obtienen. □ ETIMOL. Del latín *proxeneta* (intermediario). □ MORF. Es de género común: *el proxeneta, la proxeneta.*

proxenetismo s.m. **1** Actividad de la persona que se beneficia de las ganancias que obtienen otras que se prostituyen. **[2** Incitación o mantenimiento de la prostitución.

proximidad s.f. **1** Cercanía o poca distancia en el espacio o en el tiempo. **2** ‖**en las proximidades de**; cerca de.

próximo, ma ▌ adj. **1** Cercano o poco distante, esp. en el espacio o en el tiempo. ▌ adj./s. **2** Siguiente o inmediatamente posterior. □ ETIMOL. Del latín *proximus* (el más cercano, muy cercano).

proyección s.f. **1** Lanzamiento, dirección o impulso de algo hacia adelante o a distancia. **[2** Alcance, trascendencia o repercusión. **3** Trazado o formación de la idea de un plan para realizar una acción. **4** Visualización de una figura o de una sombra sobre una superficie. **5** Acción de reflejar sobre una pantalla la imagen óptica amplificada de una película o de una diapositiva. **6** Imagen que se fija temporalmente sobre una superficie plana mediante un foco luminoso. **7** En el psicoanálisis, atribución a otro de los defectos o intenciones que una persona no

quiere reconocer en ella misma. **8** En geometría, trazado de líneas rectas desde todos los puntos de un cuerpo o de una figura y según determinadas reglas, hasta su encuentro con una superficie generalmente plana en la que se obtendrá su representación. □ ETIMOL. Del latín *proiectio* (acción de echar adelante o a lo lejos).

proyectar v. **1** Lanzar o dirigir hacia adelante o a distancia: *Varios focos proyectan luz sobre el escenario.* **2** Referido a una acción, idear o trazar el plan para realizarla: *Proyectaron irse juntos el fin de semana.* **3** Referido esp. a una obra de arquitectura o de ingeniería, hacer su proyecto, con los planos y cálculos necesarios para su ejecución: *Leonardo da Vinci proyectó numerosas máquinas.* **4** Referido a una figura o a una sombra, hacerlas visibles sobre una superficie: *La iluminación nocturna proyecta la figura del castillo y la realza. Nos asustamos al ver unas sombras que se proyectaban en la pared.* **5** Referido esp. a una película o a una diapositiva, reflejar sobre una pantalla su imagen óptica amplificada: *Esta película se está proyectando en varios cines.* **[6** Referido esp. a un impulso o a un sentimiento, dirigirlos, volcarlos o reflejarlos sobre algo: *El poeta 'proyectó' en el poema toda su tristeza.* **7** En geometría, referido esp. a un cuerpo o a una figura, trazar líneas rectas desde todos sus puntos y según determinadas reglas, hasta una superficie generalmente plana en la que se obtendrá su representación: *El ejercicio de dibujo lineal consistía en proyectar un cono sobre un plano perpendicular a él.* □ ETIMOL. Del latín *proiectare.*

proyectil s.m. Cuerpo arrojadizo, esp. los que se lanzan con armas de fuego. □ ETIMOL. Del latín *proiectum*, y éste de *proiicere* (echar adelante).

proyecto s.m. **1** Propósito o pensamiento de hacer algo. **2** Disposición, plan o diseño que se hacen para la realización de un tratado o para la ejecución de algo importante. **3** Primer esquema o plan de trabajo que se hacen como prueba antes de darles forma definitiva. **4** En arquitectura o ingeniería, conjunto de planos, cálculos e instrucciones necesarios para llevar a cabo una obra. **5** ‖**proyecto de ley**; propuesta de ley elaborada por el Gobierno y sometida al Parlamento para su aprobación. □ ETIMOL. Del latín *proiectus.*

proyector s.m. **1** Aparato eléctrico que sirve para proyectar imágenes sobre una pantalla. **2** Aparato que sirve para proyectar un haz luminoso de gran intensidad. ⚞ alumbrado

prudencia s.f. **1** Sensatez o buen juicio. **2** Moderación, comedimiento o cautela. □ ETIMOL. Del latín *prudentia.*

prudencial adj. **1** De la prudencia o relacionado con ella. **2** Que no es exagerado ni excesivo. □ MORF. Invariable en género.

prudente adj. Que tiene prudencia y actúa con moderación y cautela. □ ETIMOL. Del latín *prudens* (previsor, competente). □ MORF. Invariable en género.

prueba s.f. **1** Examen o uso para comprobar el funcionamiento de algo o si resulta adecuado para un fin. **2** Justificación o demostración de la verdad o de la existencia de algo. **3** Medio utilizado para justificar o demostrar la verdad o la existencia de algo. **4** Intento o propósito: *He hecho la prueba de levan-*

tarme sin despertador y me he quedado dormida. **5** Indicio, señal o muestra: *una prueba de amistad.* **6** Ensayo o experimento de algo provisional, para saber cómo resultará en su forma definitiva: *En la primera prueba del vestido, la modista me dijo que me quedaba corto.* **7** Examen para demostrar unos conocimientos o unas capacidades: *No logré pasar la prueba de química.* [**8** Circunstancia o condición difíciles o penosas: *Quedarse sin trabajo fue una dura 'prueba' para ella.* **9** Análisis médico. **10** Degustación de un alimento en pequeña cantidad. **11** Parte pequeña de un todo, que se recoge para examinar su calidad. **12** En algunos deportes, competición. **13** En matemáticas, operación que se ejecuta para averiguar la exactitud de otra operación ya hecha. **14** En artes gráficas, muestra provisional a partir de la cual se realizan las oportunas correcciones: *pruebas de imprenta.* **15** ‖ **a prueba de** algo; resistente a ello. ‖ **a prueba**; en situación de poder comprobar su calidad, su capacidad o su buen funcionamiento. ‖ **de prueba**; referido al modo de hacer algo, de forma experimental, como comprobación. ‖ **prueba de fuego**; la más difícil y decisiva. ‖ [**prueba objetiva**; *euf.* Examen. □ ETIMOL. De *probar.*

pruna s.f. En algunas regiones, ciruela. □ ETIMOL. Del latín *pruna.*

pruno s.m. En algunas regiones, ciruelo. □ ETIMOL. Del latín *prunus.*

prurito s.m. **1** Picazón o comezón patológicas producidas en el cuerpo. **2** Deseo excesivo y persistente de hacer algo de la mejor forma posible: *prurito profesional.* □ ETIMOL. Del latín *pruritus* (comezón).

prusiano, na adj./s. De Prusia (antiguo Estado alemán del norte), o relacionado con ella.

pseudo- →**seudo-**. □ PRON. [séudo].

[**pseudópodo** s.m. →**seudópodo**. □ PRON. [seudópodo].

psi s.f. En el alfabeto griego clásico, nombre de la letra vigésima tercera: *La grafía de la psi es* ψ. □ PRON. [psi].

psico- Elemento compositivo que significa 'alma' o 'actividad mental': *psicología, psicoanálisis, psicopatía, psicoterapia.* □ ETIMOL. Del griego *psykhé.* □ PRON. [síco]. □ MORF. Puede adoptar la forma *sico-:* sicología, sicólogo, sicoanálisis.

[**psico-killer** (anglicismo) s. Asesino psicópata. □ PRON. [síco kíler]. □ MORF. Invariable en género: *el 'psico-killer', la 'psico-killer'.* □ USO Su uso es innecesario.

psicoanálisis s.m. **1** Teoría psicológica desarrollada principalmente por Sigmund Freud (neurólogo austriaco nacido a mediados del siglo XIX), que se basa en la investigación de los procesos mentales inconscientes y concede importancia decisiva a la permanencia en el subconsciente de los impulsos instintivos reprimidos por la conciencia. **2** Método de tratamiento de los desórdenes mentales basado en esta teoría. □ ETIMOL. De *psico-* (alma, actividad mental) y *análisis.* □ PRON. [sicoanálisis]. □ ORTOGR. Se admite también *sicoanálisis.* □ MORF. **1.** Invariable en número. **2.** Aunque la RAE lo registra como sustantivo de género ambiguo, en la lengua actual es de género masculino.

psicoanalista s. Persona que se dedica a aplicar

las técnicas del psicoanálisis, esp. si ésta es su profesión. □ PRON. [sicoanalísta]. □ MORF. Es de género común: *el psicoanalista, la psicoanalista.*

psicoanalítico, ca adj. Del psicoanálisis o relacionado con esta teoría y método psicológicos. □ PRON. [sicoanalítico].

psicoanalizar v. Referido a una persona, aplicarle el psicoanálisis: *Psicoanaliza a un mismo paciente desde hace ocho años. Todos los psicoanalistas se han psicoanalizado antes.* □ PRON. [sicoanalizárlo]. □ MORF. La *z* se cambia en *c* delante de *e* →CAZAR.

[**psicodelia** s.f. Tendencia o movimiento cultural surgido en los años sesenta, y que se caracteriza por el intento de expresar musicalmente los efectos producidos por las drogas alucinógenas. □ PRON. [sicodélia]. □ USO Se usa también *sicodelia.*

psicodélico, ca adj. **1** Relacionado con la manifestación de elementos psíquicos que en condiciones normales están ocultos, o con la estimulación intensa de potencias psíquicas. **2** Referido esp. a una droga, que produce un estado específico caracterizado por la potenciación de los sentidos y las alucinaciones. **3** *col.* Raro, extravagante o fuera de lo normal. □ ETIMOL. Del inglés *psychedelic.* □ PRON. [sicodélico]. □ ORTOGR. Aunque la RAE sólo registra *psicodélico,* se usa también *sicodélico.*

psicodrama s.m. Técnica relacionada con el psicoanálisis que consiste en hacer que los pacientes representen como actores situaciones relacionadas con sus conflictos patológicos, para liberarlos y tomar conciencia de ellos. □ ETIMOL. De *psico-* (actividad mental) y *drama.* □ PRON. [sicodráma].

[**psicofisiología** s.f. Estudio de la interrelación entre las funciones corporales y los procesos mentales. □ PRON. [sicofisiología].

[**psicofonía** s.f. Fenómeno fónico del más allá que puede escucharse en la realidad. □ PRON. [sicofonía].

psicogénico, ca o **psicógeno, na** adj. De origen psicológico. □ PRON. [sicogénico] o [sicógeno].

[**psicolingüístico, ca** ‖ adj. **1** De la psicolingüística o relacionado con esta ciencia. ‖ s.f. **2** Ciencia que estudia el lenguaje y el comportamiento verbal en relación con el mecanismo psicológico que lo hace posible. □ PRON. [sicolingüístico].

psicología s.f. **1** Ciencia que estudia la actividad psíquica o mental y el comportamiento humanos. **2** Manera de sentir o de pensar de una persona o de un grupo: *psicología adolescente.* **3** Lo referido a la conducta de los animales: *La fidelidad al amo es una característica de la psicología de los perros.* □ ETIMOL. De *psico-* (alma, actividad mental) y *-logía* (estudio, ciencia). □ PRON. [sicología]. □ ORTOGR. Se admite también *sicología.*

psicológico, ca adj. **1** De la psique o relacionado con la mente humana. **2** De la psicología o relacionado con esta ciencia. [**3** Muy adecuado y oportuno para algo: *gol psicológico.* □ PRON. [sicológico]. □ ORTOGR. Se admite también *sicológico.*

psicólogo, ga s. **1** Persona que se dedica profesionalmente a la psicología. **2** Persona con especial capacidad para conocer el temperamento o las reacciones de los demás. □ PRON. [sicólogo]. □ ORTOGR. Se admite también *sicólogo.*

psicometría s.f. Medición de la duración y frecuencia de los fenómenos psíquicos. □ ETIMOL. De *psico-* (actividad mental) y *-metría* (medición). □ PRON. [sicometría].

[psicomotor, -a adj. De la psicomotricidad o relacionado con ella. □ PRON. [sicomotór]. □ MORF. Se usa también el femenino *'psicomotriz'*.

[psicomotricidad s.f. Relación entre la actividad psíquica y la función motriz o capacidad de movimiento del cuerpo humano. □ PRON. [sicomotricidád].

[psicomotriz adj.f. de **psicomotor.**

psicópata s. En psiquiatría, persona que padece una psicopatía. □ PRON. [sicópata]. □ ORTOGR. Se admite también *sicópata*. □ MORF. Es de género común: *el psicópata, la psicópata.*

psicopatía s.f. En psiquiatría, enfermedad mental, esp. la caracterizada por una alteración patológica de las relaciones interpersonales y la conducta social del individuo, sin ser manifiestas las alteraciones emocionales ni intelectuales. □ ETIMOL. De *psico-* (alma, actividad mental) y *-patía* (enfermedad). □ PRON. [sicopatía]. □ ORTOGR. Se admite también *sicopatía.*

psicopedagogía s.f. Rama de la psicología que estudia los fenómenos psicológicos con el fin de hacer más adecuados los métodos didácticos y pedagógicos. □ PRON. [sicopedagogía].

psicosis s.f. En psiquiatría, enfermedad mental que se caracteriza por una profunda alteración de la psique. □ ETIMOL. De *psico-* (alma, actividad mental) y *-osis* (enfermedad). □ PRON. [sicósis]. □ ORTOGR. Se admite también *sicosis.* □ MORF. Invariable en número.

psicosomático, ca adj. Que produce o implica una acción de la mente sobre el cuerpo o del cuerpo sobre la mente. □ ETIMOL. Del griego *psico-* (alma, actividad mental) y *sôma* (cuerpo). □ PRON. [sicosomático]. □ ORTOGR. Aunque la RAE sólo registra *psicosomático*, se usa también *sicosomático.*

psicotecnia s.f. Rama de la psicología que estudia y clasifica las aptitudes de los individuos mediante pruebas adecuadas y con fines de orientación y selección. □ ETIMOL. De *psico-* (actividad mental) y el griego *tékhne* (habilidad). □ PRON. [sicotécnia].

psicotécnico, ca adj. De la psicotecnia o relacionado con esta rama de la psicología. □ PRON. [sicotécnico]. □ ORTOGR. Aunque la RAE sólo registra *psicotécnico*, se usa también *sicotécnico.*

psicoterapia s.f. Tratamiento de algunas enfermedades nerviosas o alteraciones de conducta por medio de distintas técnicas psicológicas. □ PRON. [sicoterápia]. □ ORTOGR. Se admite también *sicoterapia.*

[psicótico, ca adj./s. En psiquiatría, referido esp. a una persona, que padece psicosis. □ PRON. [sicótico].

psique s.f. Mente humana. □ ETIMOL. Del griego *psikhé.* □ PRON. [síke]. □ ORTOGR. Se admite también *psiquis.*

psiquiatra s. Médico que está especializado en psiquiatría. □ PRON. [sikiátra]. □ ORTOGR. Se admite también *siquiatra.* □ MORF. Es de género común: *el psiquiatra, la psiquiatra.*

psiquiatría s.f. Ciencia que estudia las enfermedades mentales. □ ETIMOL. De *psico-* (alma, activi-

dad mental) y *-iatría* (curación). □ PRON. [sikiatría]. □ ORTOGR. Se admite también *siquiatría.*

psiquiátrico, ca ▮ adj. **1** De la psiquiatría o relacionado con esta ciencia. ▮ s.m. **2** Hospital para enfermos mentales. □ PRON. [sikiátrico]. □ SEM. Dist. de *psíquico* (de la mente humana).

psíquico, ca adj. De la mente humana. □ PRON. [síkico]. □ ORTOGR. Se admite también *síquico.* □ SEM. 1. Dist. de *psiquiátrico* (de la psiquiatría). 2. Aunque la RAE lo considera sinónimo de *anímico*, en la lengua actual no se usa como tal.

psiquis s.f. −**psique.** □ PRON. [síkis]. □ MORF. Invariable en número.

psiquismo s.m. Conjunto de los caracteres y las funciones de la mente humana y de los fenómenos relacionados con ella. □ PRON. [sikísmo].

psitácida ▮ adj./s.f. **1** Referido a un ave, que tiene las patas prensoras, el pico corto, alto y muy encorvado, las plumas de colores vivos, y que generalmente es originaria de países tropicales: *El papagayo es una psitácida.* ▮ s.f.pl. **2** En zoología, familia de estas aves. □ ETIMOL. Del griego *psittakós* (papagayo). □ PRON. [sitácida]. □ ORTOGR. Se admite también *sitácida.*

psoriasis s.f. Enfermedad de la piel, generalmente crónica, caracterizada por el enrojecimiento y la aparición de costras, escamas u otras erupciones. □ ETIMOL. Del griego *psóra* (sarna). □ PRON. [soriásis]. □ ORTOGR. Aunque la RAE no registra *psoriasis*, se usa también *soriasis.* □ MORF. Invariable en número.

pteridofito, ta ▮ adj./s.f. **1** Referido a una planta, que tiene reproducción con alternancia de generaciones, los tallos con tejidos conductores y que vive en ambientes húmedos. ▮ s.f.pl. **2** En botánica, división de estas plantas, perteneciente al reino de las metafitas. □ ETIMOL. Del griego *ptéris* (helecho) y *phytón* (planta). □ PRON. [teridofíto]. □ ORTOGR. Se admite también *teridofito.* □ MORF. En la acepción 1, la RAE no lo registra como adjetivo.

ptero- Elemento compositivo que significa 'ala': *pterodáctilo.* □ ETIMOL. Del griego *pterón* (ala). □ PRON. [téro].

pterodáctilo s.m. Reptil volador que existió en la era secundaria, que tenía las extremidades anteriores y posteriores unidas por una membrana, y una gran prominencia en la parte posterior de la cabeza. □ ETIMOL. De *ptero-* (ala) y *dáctilo* (dedo). □ PRON. [terodáctilo].

púa s.f. **1** Diente de un peine o de un cepillo. **2** En algunos animales, cada uno de los pinchos o espinas que cubren su cuerpo. **3** Chapa o lámina de forma triangular u ovalada, que se utiliza para tocar algunos instrumentos de cuerda. □ ETIMOL. De origen incierto.

[pub (anglicismo) s.m. Establecimiento en el que se toman bebidas y se escucha música, y que generalmente tiene una decoración más cuidada y cómoda que la de un bar. □ PRON. [pab], con *b* suave.

púber adj./s. Que ha llegado a la pubertad. □ ETIMOL. Del latín *puber.* □ MORF. 1. Como adjetivo es invariable en género. 2. Como sustantivo es de género común: *el púber, la púber.*

pubertad s.f. Primera fase de la adolescencia, en la que se producen las modificaciones propias del paso de la infancia a la edad adulta. □ ETIMOL. Del latín *pubertas*.

pubiano, na adj. Del pubis o relacionado con esta zona anatómica.

pubis s.m. 1 En anatomía, cada uno de los dos huesos que se unen al ilion y al isquion para formar la pelvis. 2 Parte inferior del vientre que corresponde a la zona de proyección de este hueso. □ ETIMOL. Del latín *pubis* (vello viril, bajo vientre). □ MORF. Invariable en plural.

publicación s.f. 1 Difusión o comunicación de una información para que sea conocida. 2 Difusión por medio de la imprenta o de otro procedimiento. 3 Obra o escrito impreso que han sido publicados.

publicano s.m. En la antigua Roma, arrendador de los impuestos o rentas públicas y de las minas del Estado. □ ETIMOL. Del latín *publicanus*.

publicar v. 1 Referido a una información, difundirla o darla a conocer: *Ese periódico fue el primero en publicar la noticia.* 2 Referido a algo secreto u oculto, revelarlo o decirlo: *No debes ir por ahí publicando sus defectos.* 3 Difundir por medio de la imprenta o de otro procedimiento: *Envió su cuento a una editorial y se lo han publicado.* □ ETIMOL. Del latín *publicare*. □ ORTOGR. La *c* se cambia en *qu* delante de *e* →SACAR.

publicidad s.f. 1 Divulgación o información sobre algo de forma que pasa a ser de conocimiento general o público. 2 Conjunto de técnicas, actividades y medios para divulgar o dar a conocer algo. 3 Divulgación de noticias o de anuncios de algo con carácter comercial. 4 ‖ **[publicidad redaccional;** la presentada en forma de redacción periodística.

publicista s. Persona que se dedica profesionalmente a la publicidad. □ MORF. Es de género común: *el publicista, la publicista.*

[publicitar v. Dar a conocer mediante la publicidad: *Los nuevos modelos de automóviles 'serán publicitados' en breve.*

publicitario, ria adj. De la publicidad con fines comerciales, o relacionado con ella.

público, ca ‖ adj. 1 Que es visto, sabido o conocido por todos: *Me lo contó como un secreto, porque no sabía que ya era algo público.* 2 De todo el pueblo o relacionado con él: *un parque público.* 3 Del Estado, de su administración o relacionado con ellos: *una empresa pública.* 4 Referido a una persona, que es conocida por la mayoría de la gente, generalmente por las actividades a las que se dedican. ‖ s.m. 5 Conjunto de personas que forman una colectividad: *En las taquillas de la estación están expuestos al público los precios de los billetes.* 6 Conjunto de personas que asisten a un acto o a un espectáculo. 7 Conjunto de personas con aficiones o características comunes: *público juvenil.* 8 ‖**el gran público**; la mayoría de la gente. ‖ **en público**; a la vista de todos. □ ETIMOL. Del latín *publicus* (oficial, público).

publirreportaje s.m. Reportaje publicitario, generalmente de larga duración o extensión. □ ORTOGR. Incorr. **publireportaje.*

[pucelano, na adj./s. De Valladolid o relacionado con esta provincia española o con su capital.

pucha interj. *col.* En zonas del español meridional, caramba.

pucherazo s.m. Fraude electoral que consiste en alterar el resultado del escrutinio o del reconocimiento y recuento de votos. □ SINT. Se usa más con el verbo *dar.*

puchero s.m. 1 Vasija o recipiente algo abombados y con una o dos asas, que se utilizan para cocinar. 2 Gesto de la cara que precede al llanto: *El bebé empezó a hacer pucheros.* 3 En algunas regiones, cocido. □ ETIMOL. Del latín *pultarius.* □ MORF. La acepción 2 se usa más en plural.

pucho s.m. *col.* En zonas del español meridional, colilla.

pudendo, da adj. Que causa pudor o vergüenza, o que debe causarlos. □ ETIMOL. Del latín *pudendus* (lo que debe causar pudor).

pudibundo, da adj. Con un pudor afectado y exagerado en todo lo relacionado con el sexo. □ ETIMOL. Del latín *pudibundus.*

púdico, ca adj. Que tiene o que muestra pudor o vergüenza, esp. en lo relacionado con el sexo. □ ETIMOL. Del latín *pudicus.*

pudiente adj. Que tiene poder, riqueza y bienes. □ MORF. Invariable en género.

[pudin o **pudín** s.m. 1 Dulce de consistencia pastosa, hecho con frutas y pan o bizcocho reblandecidos en leche. 2 Comida no dulce de consistencia pastosa que se hace en un molde con diversos ingredientes. □ ETIMOL. Del inglés *pudding.* □ ORTOGR. Se admite también *budín.*

pudor s.m. **[1** Sentimiento de vergüenza, esp. en lo relacionado con el sexo. 2 Modestia, humildad o recato. □ ETIMOL. Del latín *pudor.*

pudrir v. 1 Referido esp. a una materia orgánica, hacer que se altere o se descomponga: *Algunos hongos y bacterias pudren los alimentos. Si dejas la madera a la intemperie se pudrirá.* 2 *col.* Consumir, molestar o causar mal: *La tuberculosis ha podrido sus pulmones. Casi me pudro de tanto esperarte.* □ ETIMOL. Del latín *putrere* (pudrirse). □ ORTOGR. Se admite también *podrir.* □ MORF. Irreg.: Su participio es *podrido.*

pueblerino, na adj./s. 1 De un pueblo pequeño o aldea o relacionado con él. 2 Referido a una persona, que tiene poca cultura o modales poco refinados. □ USO En la acepción 2, tiene un matiz despectivo.

pueblo s.m. 1 Ciudad, villa o lugar. 2 Población pequeña o de menor categoría, esp. la que vive de actividades relacionadas con el sector primario. 3 Conjunto de personas de un lugar, de una región o de un país. 4 Conjunto de los habitantes de un país, en relación con sus gobernantes: *El pueblo elegirá a sus representantes en las próximas elecciones.* 5 País con gobierno independiente: *La firma del tratado de paz puso fin a la guerra entre los dos pueblos.* 6 En una población, conjunto de personas de las clases más humildes. □ ETIMOL. Del latín *populus* (pueblo, conjunto de ciudadanos).

puente s.m. 1 Construcción colocada sobre un río, un foso o un desnivel para poder pasarlos. 2 Día laborable que está entre dos festivos y se toma de vacaciones. 3 Esta vacación: *El próximo mes hay un puente de cinco días.* 4 Pieza metálica que utilizan los dentistas para sujetar los dientes artificiales en los naturales. 5 En la cubierta de una embarcación, plataforma con barandilla que va de banda a banda y está colocada a cierta altura, y desde la cual el oficial de guardia comunica sus órdenes. **6** En la montura de las gafas, pieza central que une los dos cristales. ✗✗ gafas **7** En la planta del pie, curva o arco de la parte interior. ✗✗ pie **8** En un instrumento musical de cuerda, pieza de madera colocada sobre la tapa, que sujeta las cuerdas y transmite su vibración a la tapa misma y a la caja. **9** Contacto que se hace para poner en marcha un circuito eléctrico: *Robaron el coche haciendo un puente con dos cables.* **10** Ejercicio gimnástico que consiste en arquear el cuerpo hacia atrás de forma que descanse sobre las manos y los pies. [**11** Lo que sirve para acercar o para aproximar algo, esp. si está alejado o enfrentado: *El delegado de clase es el 'puente' entre los alumnos y los profesores.* **12** ‖ **puente aéreo; 1** Comunicación frecuente y continua que, por medio de aviones, se establece entre dos lugares para facilitar el desplazamiento de personas y de mercancías. **2** En un aeropuerto, conjunto de instalaciones que están al servicio de esta comunicación. ‖ **puente colgante**; el que está sostenido por cables o por cadenas de hierro o acero. ☐ ETIMOL. Del latín *pons*. ☐ MORF. Su uso como femenino es antiguo o propio de algunas regiones.

puentear v. **1** Colocar un puente en un circuito eléctrico: *Los ladrones de coches puentean el mecanismo de arranque.* [**2** col. En una jerarquía, referido a una persona, no contar con ella y saltársela para llegar al escalón inmediatamente superior: *Cuando tiene una idea, 'puentea' a su jefe de sección y se la cuenta a la directora del departamento.*

[**puenting** s.m. Deporte que consiste en lanzarse al vacío desde un puente al que se está sujeto. ☐ PRON. [puéntin].

puerco, ca ∎ adj./s. **1** Sucio o falto de limpieza. **2** Referido a una persona, que tiene mala intención o carece de escrúpulos. ∎ s. **3** Mamífero doméstico de cuerpo grueso, cola en forma de espiral, patas cortas y cabeza grande con un hocico casi cilíndrico, que se cría para aprovechar su carne. **4** ‖ **puerco {espín/espino}**; mamífero roedor, de cuerpo rechoncho, cabeza pequeña y hocico agudo, que tiene el cuello cubierto de pelos fuertes y el cuerpo cubierto de púas con las que se defiende de sus enemigos. ☐ ETIMOL. Del latín *porcus*. ☐ ORTOGR. Incorr. **puercoespín.* ☐ MORF. *Puerco espín* es epiceno: *el puerco {espín/espino} {macho/hembra}.* ☐ SEM. En las acepciones 1, 2 y 3, es sinónimo de *cerdo*. ☐ USO Las acepciones 1 y 2 se usan como insulto.

puericultor, -a s. Persona especializada en puericultura. ☐ SEM. Dist. de *pediatra* (médico especializado en enfermedades infantiles).

puericultura s.f. Ciencia que se ocupa del sano desarrollo del niño. ☐ ETIMOL. Del latín *puer* (niño) y -*cultura* (cuidado). ☐ SEM. Dist. de *pediatría* (parte de la medicina que se ocupa de las enfermedades infantiles).

pueril adj. **1** Del niño, o con alguna de las características que tradicionalmente se le atribuyen. **2** Que carece de importancia o de fundamento: *un asunto pueril.* ☐ ETIMOL. Del latín *puerilis*, y éste de *puer* (niño, muchachito). ☐ MORF. Invariable en género.

puerilidad s.f. **1** Lo que se considera propio de un niño. **2** Lo que es de poca importancia o de poco valor.

puerperal adj. Del puerperio o período inmediatamente posterior a un parto, o relacionado con él. ☐ MORF. Invariable en género.

puerperio s.m. Período de tiempo inmediatamente posterior al parto. ☐ ETIMOL. Del latín *puerperium*, y éste de *puer* (niño) y *parere* (parir).

puerro s.m. **1** Hortaliza de tallo y bulbo alargados, con hojas planas y verdes, y con flores rosas. **2** Bulbo o tallo subterráneo de esta hortaliza: *Los puerros dan muy buen sabor al puré de verduras.* ☐ ETIMOL. Del latín *porrum*.

puerta s.f. **1** En un muro o en una pared, vano que va desde el suelo hasta una altura conveniente para poder pasar y entrar por él. **2** Armazón o plancha movibles que se sujetan a un marco y sirven para abrir o cerrar algo: *la puerta de un salón.* **3** Agujero o abertura que sirve para entrar y salir por ellos de un lugar: *la puerta de una tienda de campaña.* **4** Entrada a una población, que antiguamente era una abertura en la muralla. **5** Camino, principio o medio para alcanzar algo: *Dicen que el éxito es la puerta de la fama.* **6** En el lenguaje del deporte, portería. **7** ‖ **a las puertas**; col. Cerca o muy próximo. ‖ **a puerta cerrada**; en secreto, en privado o de manera no pública. ‖ **dar con la puerta en las narices**; col. Desairar o negar bruscamente lo que se pide o desea. ‖ **[de puertas abiertas**; referido esp. a un período de tiempo, que se dedica a dar a conocer determinados servicios o instalaciones a los que normalmente no se tiene acceso: *En la jornada 'de puertas abiertas' del instituto, los padres visitaron todas las instalaciones.* ‖ **de puertas adentro**; en la intimidad o en privado: *Aquí parece muy simpática, pero de puertas adentro tiene un genio endemoniado.* ‖ **por la puerta grande**; triunfalmente o con dignidad: *Con este libro has entrado por la puerta grande en el mercado editorial.* ‖ **[puerta a puerta**; referido esp. a una venta, que se realiza casa por casa, sin que el vendedor haya concertado una cita previa con el posible comprador. ‖ **[puerta cangrejo**; sistema de acceso integrado por dos puertas seguidas, una de las cuales no se abre si la otra no está cerrada. ☐ ETIMOL. Del latín *porta* (portón).

puerto s.m. **1** En la costa o en la orilla de un río, lugar defendido de los vientos y dispuesto para que puedan detenerse y refugiarse las embarcaciones. **2** Localidad en la que existe este lugar. **3** En una localidad, barrio en la que está el puerto. **4** Lugar, generalmente estrecho, que permite el paso entre montañas. [**5** Punto más elevado de este lugar de paso entre montañas. [**6** En informática, componente físico del ordenador que permite la entrada y salida de datos: *Uno de los 'puertos' de mi ordenador está conectado a la impresora.* ☐ ETIMOL. Del latín *portus* (entrada de un puerto, puerto).

puertorriqueño, ña adj./s. De Puerto Rico o relacionado con este país centroamericano. ☐ ORTOGR. Se admite también *portorriqueño.*

pues conj. **1** Enlace gramatical subordinante con valor causal; puesto que: *Vuélvemelo a contar, pues no me he enterado de nada.* **2** Enlace gramatical con valor condicional: *Pues tanto te lo ha pedido,*

vete con él de excursión. **3** Enlace gramatical con valor consecutivo: *Usted no sabe nada, pues cállese.* **4** En comienzo de oración, refuerza o enfatiza lo que en ella se dice: *¿Quieres saberlo?, pues bien, te lo voy a contar. ¡Pues estamos apañados!* ☐ ETIMOL. Del latín *post* (después, detrás). ☐ USO En la acepción 3, entre pausas, equivale a *por tanto: Lo compró ella; la elección, pues, fue cosa suya.*
puesta s.f. Véase puesto, ta.
puesto, ta ∎ **1** part. irreg. de **poner.** ∎ adj. **2** Bien vestido o arreglado: *Iba todo puesto con su traje nuevo.* **[3** col. Seguido de la preposición en, con muchos conocimientos de la materia que se indica. ∎ s.m. **4** Sitio, espacio o posición que algo ocupa: *primer puesto.* **5** Lugar señalado para la realización de una determinada actividad, esp. referido al que ocupan los soldados o los policías que realizan un servicio. **6** Establecimiento comercial pequeño, esp. si es desmontable y se coloca en la calle. **7** Empleo, cargo u oficio. **8** Destacamento permanente de guardia civil o de carabineros cuyo jefe inmediato tiene grado inferior al de oficial. **9** Sitio en el que se oculta un cazador para poder disparar a la caza; postura. ∎ s.f. **10** Colocación en un lugar o en una situación determinados, o disposición en la forma o en el grado adecuados: *Para la puesta en pie de la columna se utilizó un mecanismo con palancas y poleas.* **11** Disposición o preparación de lo necesario para algún fin: *La puesta en marcha de la empresa fue un proceso largo y costoso.* **12** Ocultación de un astro en el horizonte: *puesta de Sol.* **13** Producción y depósito de huevos que hace un animal, esp. un ave. **14** Conjunto de huevos puestos de una vez. **15** ‖**puesta a punto**; operación que consiste en regular un mecanismo para que funcione correctamente: *He llevado el coche al taller para que le hagan una puesta a punto.* ‖**[puesta al día**; actualización. ‖**puesta de largo**; fiesta con la que se celebra la presentación de una joven en sociedad y en la que ésta, generalmente, viste su primer traje largo. ‖**puesta en escena**; montaje y realización de un texto teatral o de un guión cinematográfico. ‖**puesta en marcha**; mecanismo del automóvil que se utiliza para arrancar. ‖**puesto que**; enlace gramatical subordinante con valor causal; pues. ☐ MORF. En la acepción 1, incorr. **ponido.*
puf ∎ s.m. **[1** Asiento bajo, sin respaldo y generalmente hecho de un material blando. ∎ interj. **2** Expresión que se usa para indicar cansancio, molestia o repugnancia, esp. si éstas están causadas por malos olores o por algo que produce náuseas. ☐ ETIMOL. La acepción 1, del francés *pouf.*
pufo s.m. *col.* Timo, estafa o engaño. ☐ ETIMOL. Del francés *pouf.*
púgil s.m. **1** Persona que se dedica profesionalmente a boxear. **2** En la antigua Roma, gladiador o persona que en los juegos públicos combatía con otra a puñetazos. ☐ ETIMOL. Del latín *pugil.*
pugilato s.m. Disputa o discusión en las que se acentúan la obstinación y la tenacidad.
pugilista s.m. Luchador profesional, esp. si es boxeador.
pugilístico, ca adj. Del boxeo o relacionado con este deporte.

pugna s.f. Oposición o rivalidad entre personas, naciones o bandos, o entre ideas enfrentadas.
pugnar v. Luchar o pelear con energía, esp. si se hace de forma no material: *Los finalistas pugnan por conseguir la victoria.* ☐ ETIMOL. Del latín *pugnare* (pelear). ☐ SINT. Constr. *pugnar POR algo.*
puja s.f. **1** Ofrecimiento de una cantidad mayor de la anteriormente ofrecida por algo que se subasta. **2** Lucha por conseguir algo venciendo los obstáculos que se interpongan para ello.
pujante adj. Que tiene pujanza o fuerza. ☐ MORF. Invariable en género.
pujanza s.f. Fuerza con la que algo crece o se desarrolla o con la que se ejecuta una acción; brío.
pujar v. **1** Aumentar el precio anteriormente ofrecido por algo que se subasta: *Se llevó el mejor cuadro de la subasta porque pujó más que nadie.* **2** Hacer fuerza para conseguir algo, intentando vencer los obstáculos que se oponen a ello: *Pujó por conseguir un buen empleo y lo ha conseguido.* ☐ ETIMOL. La acepción 1, del latín *podium* (poyo). La acepción 2, del latín *pulsare* (empujar). ☐ ORTOGR. Conserva la *j* en toda su conjugación.
pujo s.m. Deseo continuo o frecuente de defecar o de orinar, que se acompaña de dolores y de imposibilidad o gran dificultad para lograrlo. ☐ ETIMOL. Del latín *pulsus* (impulso). ☐ MORF. La acepción 2 se usa más en plural.
pulchinela s.m. →polichinela. ☐ ETIMOL. Del italiano *pulcinella* (personaje de la comedia napolitana).
pulcritud s.f. Aseo, limpieza y buen aspecto.
pulcro, cra adj. Aseado, limpio y de buen aspecto. ☐ ETIMOL. Del latín *pulcher* (hermoso). ☐ MORF. Sus superlativos son *pulcrísimo* y *pulquérrimo.*
pulga s.f. **1** Insecto que mide unos tres milímetros de longitud, sin alas, de color negro rojizo, con patas fuertes para saltar y boca chupadora, que vive como parásito de aves y mamíferos, de cuya sangre se alimenta. 🔬 insecto **[2** col. Bocadillo pequeño de forma redondeada. **3** ‖**buscar las pulgas** a alguien; col. Molestarlo o provocarlo. ‖**tener malas pulgas**; col. Tener mal genio o enfadarse con facilidad. ☐ ETIMOL. Del latín *pulex.* ☐ MORF. En la acepción 1, es un sustantivo epiceno: *la pulga macho, la pulga hembra.*
pulgada s.f. En el sistema anglosajón, unidad de longitud que equivale aproximadamente a 2,5 centímetros. ☐ ETIMOL. Del latín **pollicata.*
pulgar s.m. →dedo pulgar. ☐ ETIMOL. Del latín *pollicaris* (del dedo gordo). 🔬 mano
pulgón s.m. Insecto de pequeño tamaño, que tiene el cuerpo ovalado, de color generalmente verde o pardo, cuyas hembras y larvas viven parásitas sobre las hojas y partes blandas de algunas plantas. 🔬insecto
pulgoso, sa adj. Que tiene pulgas; pulguero.
pulguero, ra ∎ adj. **1** Que tiene pulgas; pulgoso. ∎ s. **2** Lugar donde hay muchas pulgas.
pulguillas s. *col.* Persona inquieta y que se enfada fácilmente. ☐ MORF. 1. Aunque la RAE sólo lo registra como masculino, es de género común: *el pulguillas, la pulguillas.* 2. Invariable en número.
pulimentar v. Referido a una superficie, alisarla o

darle tersura y brillo; pulir: *Los hombres del neolítico pulimentaban sus armas de piedra.*

pulir v. **1** Referido a una superficie, alisarla o darle tersura y brillo; pulimentar: *Antes de barnizar el parqué hay que pulirlo.* **2** Referido a una persona, educarla para que sea más refinada y elegante: *El trato con personas educadas lo ha pulido y ya no dice tacos. Se pulió desde que empezó a ir a sitios elegantes.* **3** Perfeccionar o revisar, corrigiendo fallos y errores: *Aún tengo que pulir un poco el estilo de esta redacción.* **4** col. Hurtar o robar: *Me han pulido la cartera en el metro.* **5** col. Derrochar, malgastar o dilapidar: *He pulido en un día la paga de la semana.* □ ETIMOL. Del latín *polire* (alisar, pulir).

pulla s.f. Dicho agudo o irónico, esp. el que tiene intención de picar o herir a alguien. □ ETIMOL. De origen incierto. □ USO Se usa también *puyazo.*

[pullman s.m. →**autocar.** □ PRON. [púlman]. □ USO Es un anglicismo innecesario.

[pullover (anglicismo) s.m. Jersey de cuello redondo. □ PRON. [pulóver]. □ USO Su uso in innecesario.

pulmón I s.m. **1** En una persona o en un animal vertebrado que respira aire, órgano de la respiración de estructura esponjosa, blando, que se comprime y se dilata, y en el que se produce la oxigenación de la sangre. **2** En algunos animales arácnidos y en algunos moluscos terrestres, órgano de la respiración que consiste en una cavidad cuyas paredes están provistas de vasos sanguíneos que comunican con el aire exterior a través de un orificio. **[3** En un lugar contaminado, zona con abundante vegetación que sirve para oxigenarlo. **I** pl. **[4** col. Capacidad para emitir la voz fuerte y potente. **[5** col. Capacidad para soportar un esfuerzo físico grande. **6** ‖**pulmón {de acero/[artificial};** cámara en la que se introduce al enfermo para provocar en él los movimientos respiratorios mediante cambios alternativos de la presión del aire regulados automáticamente. □ ETIMOL. Del latín *pulmo.*

pulmonar adj. Del pulmón o relacionado con este órgano. □ MORF. Invariable en género.

pulmonía s.f. Inflamación del pulmón o de parte de él, causada generalmente por un microorganismo; neumonía.

[pulóver s.m. En zonas del español meridional, jersey. □ ETIMOL. Del inglés *pullover.*

pulpa s.f. **1** En una fruta, parte carnosa y blanda de su interior. **2** En una planta leñosa, parte esponjosa que se halla en el interior de su tronco o tallos. **3** Masa blanda a la que se reduce un vegetal triturado o del que se ha extraído su jugo, y que tiene distintos usos industriales. □ ETIMOL. Del latín *pulpa* (carne, pulpa de los frutos).

pulpería s.f. En zonas del español meridional, tienda en la que también se consumían bebidas alcohólicas. □ ETIMOL. De *pulpa,* porque en las pulperías el principal producto que se vendía era un dulce hecho con la pulpa de algunos frutos tropicales.

púlpito s.m. En una iglesia, plataforma elevada, generalmente provista de una baranda, desde la que se predica, se canta o se realizan otros ejercicios religiosos. □ ETIMOL. Del latín *pulpitum* (tarima, tablado).

pulpo s.m. **1** Molusco marino que tiene el cuerpo en forma de saco, cabeza con ojos muy desarrollados

y rodeada de ocho largos tentáculos con ventosas, que es muy voraz, y cuya carne es comestible. ▓ marisco **[2** col. Persona que siempre intenta acariciar o tocar el cuerpo de otra para buscar una satisfacción sexual. **[3** Cinta elástica terminada en ganchos metálicos por ambos lados, que sirve para sujetar objetos. □ ETIMOL. Del latín *polypus,* y éste del griego *polýpus* (animal de muchos pies). □ MORF. En la acepción 1, es un sustantivo epiceno: *el pulpo macho, el pulpo hembra.*

pulposo, sa adj. Que tiene **pulpa.**

pulquérrimo, ma superlat. irreg. de **pulcro.**

pulsación s.f. **1** Golpe, presión o toque realizados con la mano o con la yema de los dedos. **2** Cada uno de los latidos que produce la sangre en las arterias.

pulsador s.m. Botón que se pulsa para hacer funcionar un aparato o un mecanismo, esp. un timbre eléctrico.

pulsar v. **1** Golpear, presionar o dar un toque con la mano o con la yema de los dedos: *Los mecanógrafos pulsan a toda velocidad las teclas de la máquina de escribir.* **2** Referido a una opinión, examinarla o tratar de conocerla para poder valorarla: *Las encuestas sirven para pulsar la opinión pública.* □ ETIMOL. Del latín *pulsare* (empujar).

pulsera s.f. **1** Joya o pieza en forma de aro que se pone alrededor de la muñeca. ▓ joya **2** Correa o cadena con la que se sujeta el reloj a la muñeca.

pulsímetro s.m. Instrumento empleado para medir el pulso. □ ETIMOL. Del latín *pulsus* (pulso) y *-metro* (medidor). □ ORTOGR. Incorr. **pulsómetro.*

[pulsión s.f. Fuerza biológica inconsciente o impulso que provoca ciertas conductas: *'pulsiones' sexuales.*

pulso s.m. **1** Variación de la presión de los vasos sanguíneos a consecuencia de la expulsión de sangre del corazón, y que se percibe como latidos en varias partes del cuerpo, esp. en la muñeca. **2** Parte de la muñeca donde se siente el latido de la arteria. **3** Seguridad o firmeza en la mano para realizar una acción que requiere precisión: *No puedo enhebrar la aguja porque tengo muy mal pulso.* **4** Prudencia o cuidado para tratar un asunto: *Llevó las negociaciones con buen pulso.* **[5** Oposición entre dos personas o grupos que están más o menos igualadas en cuanto a su fuerza o poder. **6** ‖**a pulso;** haciendo fuerza con la muñeca y la mano y sin apoyar el brazo en ninguna parte, para levantar o sostener algo. ‖**echar un pulso;** cogerse dos personas de las manos y, apoyando los codos en un lugar firme, probar cuál de ellas tiene más fuerza y logra abatir el brazo del contrario. □ ETIMOL. Del latín *pulsus* (impulso, choque).

pulular v. Abundar en un lugar o moverse mucho por él: *Cientos de periodistas pululaban alrededor del aeropuerto.* □ ETIMOL. Del latín *pullulare.*

pulverización s.f. **1** Transformación de un cuerpo sólido en polvo. **2** Aplicación de un líquido en forma de partículas muy pequeñas. **3** Destrucción completa de algo no material.

pulverizador s.m. Utensilio que sirve para esparcir un líquido en forma de partículas muy pequeñas; vaporizador.

pulverizar v. **1** Referido a un cuerpo sólido, convertirlo en polvo: *La erosión pulveriza las rocas blandas.* **2** Referido a una superficie, esparcir un líquido sobre ella en forma de partículas muy pequeñas: *Se pulverizó el pelo con laca.* **3** Destruir o deshacer por completo: *Sus reproches pulverizaron todas mis ilusiones.* □ ETIMOL. Del latín *pulverizare.* □ ORTOGR. La *z* se cambia en *c* delante de *e* →CAZAR.

pum ‖ **ni pum**; *col.* Nada en absoluto: *No he entendido ni pum.*

puma s.m. Mamífero americano que tiene el pelaje suave y de color amarillento, y que se alimenta sobre todo de otros mamíferos que caza. □ MORF. Es un sustantivo epiceno: *el puma macho, el puma hembra.* 🐾 felino

puna s.f. **1** Terreno elevado próximo a la cordillera suramericana de los Andes. **2** *col.* En zonas del español meridional, mal de montaña.

[punching ball (anglicismo) s.m. ‖ En boxeo, pelota de gran tamaño sujeta al suelo mediante un alambre, que sirve para golpearla y que se utiliza en los entrenamientos. □ PRON. [púnchin bol].

punción s.f. En medicina, operación que consiste en abrir los tejidos con un instrumento punzante. □ ETIMOL. Del latín *punctio* (acción de punzar).

puncionar v. Hacer punciones.

pundonor s.m. Sentimiento de dignidad personal. □ ETIMOL. De *punto de honor.*

pundonoroso, sa adj./s. Que tiene o que muestra pundonor.

[pungente adj. *poét.* Que causa tristeza o dolor. □ MORF. Invariable en género.

punible adj. Que merece castigo. □ MORF. Invariable en género.

punición s.f. Castigo que se impone a un culpado. □ ETIMOL. Del latín *punitio.* □ USO Su uso es característico del lenguaje culto.

púnico, ca adj./s. De Cartago (antigua ciudad norteafricana), o relacionado con ella.

punitivo, va adj. Del castigo o relacionado con él.

[punk o **[punki** (anglicismo) ‖ adj./s. **1** Del punk o con características de este movimiento musical y juvenil. ‖ s.m. **2** Movimiento musical y juvenil, de origen británico, que surge como protesta ante el convencionalismo y que se manifiesta por una indumentaria antiestética y por la actitud violenta de sus miembros. □ PRON. Se usan mucho las pronunciaciones anglicistas [pank] o [pánki]. □ MORF. 1. Como adjetivo es invariable en género. 2. En la acepción 1, como sustantivo es de género común: *el {'punk'/'punki'}, la {'punk'/'punki'}.*

punta ‖ s. **[1** En fútbol, jugador que ocupa las posiciones de ataque con la misión de marcar goles. ‖ s.f. **2** Extremo o parte final de algo, esp. si sobresale y tiene una forma más o menos angular. 🔪 cuchillo **3** Extremo agudo de un arma o de otro instrumento con el que se puede herir. **4** Pequeña cantidad de algo: *una punta de sal.* **5** Clavo pequeño. **6** En zonas del español meridional, puntilla. ‖ pl. **[7** Zapatillas especiales que tienen un pequeño círculo de material duro en su extremo, y con las que los bailarines ejecutan los pasos apoyándose sobre los extremos de los pies: *La bailarina se está atando los cordones de las 'puntas'.* **8** ‖ **[a punta (de) pala**; *col.* En gran cantidad. ‖ **de punta en blanco**; *col.* Muy bien vestido o arreglado. ‖ **[de punta**; rec-

to, tieso, o con la punta hacia arriba. ‖ **[la punta del iceberg**; *col.* La parte conocida de un asunto mucho más grave de lo que parece y que no se conoce por completo. ‖ **por la otra punta**; *col.* Expresión que se usa para indicar lo contrario de lo que se dice. ‖ **[punta de velocidad**; velocidad máxima a la que se llega con el máximo esfuerzo. ‖ **sacar punta** a algo; *col.* Encontrarle sentido malicioso o un significado que no tiene. ‖ **[ser una punta** de algo; *col.* En zonas del español meridional, tener varias personas algo en común. ‖ **tener** algo **en la punta de la lengua**; estar a punto de decirlo o de recordarlo. □ ETIMOL. Del latín *puncta* (estocada). □ MORF. En la acepción 1, es de género común: *el 'punta', la 'punta'.* □ USO Es innecesario el uso de la expresión *a punta de pistola,* que puede sustituirse por *pistola en mano: Fue atracado {*a punta de pistola > pistola en mano}.*

puntada s.f. **1** Cada una de las pasadas que se hacen con aguja e hilo en un tejido o en un material que se van cosiendo. **2** Espacio que media entre de estas pasadas próximas entre sí. **3** Porción de hilo que ocupa este espacio. □ ETIMOL. De *punto.*

puntal s.m. **1** Madero o barra de material resistente que se fijan en un lugar para sostener una estructura o parte de ella. **2** Lo que sirve de apoyo, de ayuda o de fundamento. □ ETIMOL. De *punta.*

puntapié s.m. Golpe dado con la punta del pie.

puntazo s.m. **1** Herida hecha con la punta de un arma o de un instrumento punzantes. **[2** *col.* Lo que se considera muy bueno.

puntear v. **1** Dibujar, pintar o grabar con puntos: *En clase de dibujo hemos aprendido a puntear siluetas.* **2** Tocar la guitarra u otro instrumento semejante pulsando sus cuerdas por separado: *Ese guitarrista punteaba de maravilla.* **3** Referido a una cuenta o a una lista, comprobar una por una sus partes o sus nombres: *El contable punteaba las cantidades del balance.*

punteo s.m. **1** Dibujo, pintura o marca hechos con puntos. **2** Interpretación de una música con una guitarra o con otro instrumento semejante pulsando sus cuerdas por separado. **3** Comprobación de una cuenta o de una lista revisando uno por uno sus partes o sus nombres.

puntera s.f. Véase **puntero, ra.**

puntería s.f. **1** Acción de apuntar o colocar un arma arrojadiza o de fuego de forma que al lanzarla o dispararla se alcance el objetivo deseado: *ejercicios de puntería.* **2** Destreza o habilidad de un tirador para dar en el blanco. □ ETIMOL. De *puntero.*

puntero, ra ‖ adj./s. **1** Que aventaja a los su misma clase o que sobresale entre ellos. ‖ s.m. **2** Palo o vara largos con los que se señala una cosa para llamar la atención sobre ella. ‖ s.f. **3** En una media o en un calcetín, parte que cubre la punta del pie. **4** En el calzado, remiendo o refuerzo de la punta. □ ETIMOL. Del latín *punctarius.*

puntiagudo, da adj. Que tiene la punta aguda o que acaba en ella.

puntilla s.f. **1** Encaje estrecho con los bordes en forma de puntas o de ondas, que generalmente se coloca como adorno en la ropa. 🔪 pasamanería **2** Puñal o cuchillo corto y agudo para despedazar las reses; cachetero. **3** ‖ **dar la puntilla**; *col.* Rematar o causar la ruina total de algo. ‖ **de puntillas**; apoyándose sobre las puntas de los pies y levantando los talones.

puntillero s.m. En tauromaquia, torero que remata al toro con la puntilla o puñal; cachetero.

puntilloso, sa adj. **1** Que se enfada fácilmente o sin motivo. **[2** Que es muy cuidadoso y exigente al hacer algo.

punto s.m. **1** Señal de pequeño tamaño, generalmente circular, que destaca en una superficie por contraste de relieve o de color. **2** En una obra de costura, puntada que se da para hacer una labor sobre la tela: *punto de cruz.* **3** Lazada o nudo pequeños que forman el tejido de algunas prendas: *Saca los puntos de la aguja y deshaz la manga.* **4** En una media de vestir, rotura que se hace al soltarse alguno de estos nudos o lazadas pequeños: *Se me hizo un punto en las medias.* **5** Clase de tejido que se hace enlazando y anudando un hilo: *Lleva una camiseta de punto de algodón.* **6** En una pluma de escribir, parte por la que sale la tinta y que determina el grosor del trazo: *Escribo con pluma de punto fino.* **7** Valor de una carta de la baraja o de las caras del dado. **8** Unidad de valoración o de calificación: *Esa canasta vale tres puntos.* **9** Sitio o lugar: *punto de llegada.* **10** Instante, momento o porción muy pequeña de tiempo: *En ese punto dijo que se le había hecho tarde y se fue.* **11** Cada una de las partes o asuntos de que trata algo: *Se trataron cinco puntos en la reunión.* **12** Estado o fase de algo: *Mi empresa se encuentra en un punto crítico.* **13** Grado de una escala: *Es generoso hasta el punto de quedarse sin nada por darlo a los demás.* **14** Puntada que da el cirujano pasando la aguja por los labios de la herida para que se unan: *Se abrió una brecha en la ceja y el médico le dio cuatro puntos.* **15** Grado de temperatura necesario para que se produzcan determinados fenómenos físicos: *punto de ebullición.* **16** En geometría, elemento de la recta, del plano o del espacio al que sólo es posible asignar una posición pero no una extensión porque no posee dimensiones: *Un punto se representa por la intersección de dos rectas que se cortan.* **17** En ortografía, signo gráfico que se coloca encima de la 'i' y de la 'j' y detrás de las abreviaturas. **18** En ortografía, signo gráfico de puntuación que indica una pausa y que señala el fin del sentido gramatical y lógico de una o más oraciones: *El signo '.' es un punto.* **19** En tipografía, medida que equivale a la duodécima parte de un cícero: *Vamos a reducir dos puntos la interlínea de este texto.* **[20** Hecho o dicho muy buenos, favorables o acertados. **[21** col. Borrachera ligera. **22** ‖ **a punto**; **1** Oportunamente o a tiempo. **2** Que está preparado para cumplir su fin o en su mejor estado: *He llevado el coche al taller para que lo pongan a punto para el viaje.* ‖ **a punto de** algo; seguido de infinitivo, expresa la proximidad o la disposición de que ocurra la acción expresada por éste: *Estaba a punto de irme.* ‖ **[a punto de caramelo**; perfectamente preparado y dispuesto para un fin. ‖ **de al punto**; rápidamente o sin perder tiempo. ‖ **de todo punto**; enteramente o completamente. ‖ **dos puntos**; signo gráfico de puntuación que indica que se ha acabado el sentido gramatical de la oración pero no el sentido lógico, o que se cita textualmente:

Los dos puntos se representan por el signo ':'. ‖ **en punto**; referido a la hora, exacta. ‖ **en su punto**; en su manera, fase o estado mejores: *El arroz está en su punto.* ‖ **{[ganar/perder} puntos**; ganar o perder estimación o prestigio. ‖ **hasta cierto punto**; en cierta manera, o no del todo. ‖ **poner los puntos sobre las íes**; referido a algo que no estaba suficientemente claro, puntualizarlo o precisarlo. ‖ **punto cardinal**; cada uno de los cuatro que dividen el horizonte en otras tantas partes iguales y que sirven para la orientación: *Los puntos cardinales son Norte, Sur, Este y Oeste.* ‖ **punto de apoyo**; lugar fijo sobre el que descansa una palanca u otra máquina para que la potencia pueda vencer la resistencia. ‖ **[punto de equilibrio** o **[punto muerto**; en economía, volumen de ventas que proporciona unos ingresos totales iguales a los costes totales en los que una empresa incurre: *A partir del 'punto muerto', el incremento de las ventas origina un beneficio.* ‖ **[punto de media**; el que se realiza con dos o más agujas que van formando un tejido de pequeñas lazadas en cada vuelta sobre las que vuelven a pasar las de la vuelta siguiente: *un jersey de 'punto de media'.* ‖ **punto de nieve**; aquel en el que la clara de huevo batida adquiere espesor y consistencia. ‖ **[punto de turrón**; en zonas del español meridional, punto de nieve. ‖ **punto de vista**; forma de considerar algo, esp. un asunto; óptica. ‖ **punto {débil/flaco}**; aspecto o parte más fáciles de dañar o de quebrantar. ‖ **punto en boca**; expresión que se usa para advertir a alguien de que debe callar o guardar un secreto. ‖ **punto final**; el que indica que acaba un escrito o una división importante del texto. ‖ **punto {final/redondo}**; col. Hecho o dicho con los que se da por terminado un asunto o una discusión. ‖ **[punto fuerte**; aspecto o cuestión en que algo destaca positivamente. ‖ **punto muerto**; **1** En el motor de un vehículo, posición de la caja de cambios en la que el movimiento del árbol no se transmite al mecanismo que actúa sobre las ruedas. **2** En un asunto, estado en que, por cualquier motivo, éste no puede llevarse adelante. ‖ **[punto negro**; **3** Lo que resulta muy negativo. **4** Poro de la piel en el que se acumula grasa y suciedad. ‖ **punto por punto**; sin olvidar ningún detalle. ‖ **punto y aparte**; el que indica que termina el párrafo y que se continúa en otro renglón. ‖ **punto y coma**; signo gráfico de puntuación que indica una pausa mayor que la coma: *El signo ';' es un punto y coma.* ‖ **punto y seguido**; el que indica que acaba una oración y que sigue otra inmediatamente. ‖ **puntos suspensivos**; signo gráfico de puntuación que indica que el sentido de la oración queda incompleto, o que indica temor, duda o asombro por lo que se expresa después, o que indica que lo citado no es un texto completo: *Los puntos suspensivos se representan con el signo '...'.* ‖ **[ser** alguien **un punto**; col. Ser una persona peligrosa o de cuidado. □ ETIMOL. Del latín *punctum* (punto, señal minúscula). □ ORTOGR. Para la acepción 18 →APÉNDICE DE SIGNOS DE PUNTUACIÓN. □ SINT. 1. *En su punto* se usa más con los verbos *estar* y *poner.* 2. *Punto {final/redondo}* se usa más con el verbo poner. 3. Incorr. **punto y final.* □ USO El punto decimal es un anglicismo innecesario que debe sustituirse por la coma decimal: $_5.2$ > *5,2*.

puntuable adj. Que puede ser calificado con puntos. ☐ MORF. Invariable en género.

puntuación s.f. **1** Colocación en un texto escrito de los signos ortográficos necesarios para su correcta lectura, comprensión e interpretación. **2** Calificación en puntos de una prueba, un ejercicio o una competición. ☐ ORTOGR. En la acepción 1 →APÉNDICE DE SIGNOS DE PUNTUACIÓN.

puntual ∎ adj. **1** Que llega o suele llegar a la hora convenida o anunciada. **2** Que hace las cosas a su tiempo sin retrasarlas. **3** Exacto, detallado o cierto: *una narración puntual.* [**4** Concreto, preciso o bien delimitado: *los aspectos 'puntuales' de una cuestión.* ∎ adv. **5** A tiempo o a la hora prevista. ☐ ETIMOL. Del latín *punctum* (punto). ☐ MORF. Como adjetivo, es invariable en género.

puntualidad s.f. **1** Característica de lo que se hace o llega en el tiempo convenido o anunciado. **2** ‖ [**puntualidad inglesa**; la muy exacta y precisa.

[*puntualización* sf. Explicación o aclaración precisas sobre algo concreto.

puntualizar v. **1** Contar o explicar describiendo todos los puntos o circunstancias con detalle: *La juez pidió al testigo que puntualizase su narración de los hechos.* [**2** Hacer un comentario o una aclaración para precisar y evitar malas interpretaciones: *Sólo 'puntualizaré' que acepto la decisión de la mayoría, pero que no estoy de acuerdo con ella.* ☐ ORTOGR. La *z* se cambia en *c* delante de *e* →CAZAR.

puntuar v. **1** Referido a un texto escrito, ponerle los signos ortográficos necesarios para su correcta lectura, comprensión e interpretación: *Si no puntúas bien un texto, nadie entenderá lo que quieres decir.* **2** Referido a un ejercicio o a una prueba, calificarlos con puntos: *La profesora puntuó tu trabajo con un diez.* **3** Referido a un ejercicio o a una competición, entrar su resultado en el cómputo de una prueba superior: *Es un partido amistoso, y no puntúa para la liga.* **4** En algunos juegos, obtener o conseguir puntos o unidades de tanteo: *No puntuó en la primera ronda y tendrá que esperar a la próxima.* ☐ ETIMOL. Del latín *punctum* (punto). ☐ ORTOGR. La *u* lleva tilde en los presentes, excepto en las personas *nosotros* y *vosotros* →ACTUAR.

punzada s.f. Dolor agudo, repentino y pasajero, que suele repetirse cada cierto tiempo.

punzante adj. **1** Que punza o pincha. **2** Referido esp. a una palabra o a un estilo, que molestan o hieren por ser mordaces o irónicos. **3** Referido a un dolor, que se aviva de cuando en cuando y es parecido al que produce un pinchazo. ☐ MORF. Invariable en género.

punzar v. Pinchar o herir con algo puntiagudo: *Me puncé el lóbulo de la oreja para poder ponerme pendientes.* ☐ ETIMOL. Del latín **punctiare.* ☐ ORTOGR. La *z* se cambia en *c* delante de *e* →CAZAR.

punzón s.m. Instrumento puntiagudo de acero que se utiliza para grabar metales; buril. ☐ ETIMOL. Del latín *punctio* (acción de punzar).

puñado s.m. **1** Lo que cabe en el puño. **2** Poca cantidad de algo de lo que suele haber más.

puñal s.m. **1** Arma blanca de acero, de dos o tres decímetros de largo y de hoja puntiaguda, que sólo hiere de punta. ⚔ arma **2** ‖ [**poner un puñal en**

el pecho a alguien; *col.* Ponerlo en tal situación que no tenga más remedio que aceptar lo que se le propone. ☐ ETIMOL. De *puño.*

puñalada s.f. **1** Herida hecha con un puñal o con otra arma semejante. **2** Pesadumbre, disgusto o pena dados de repente. **3** ‖ **puñalada trapera**; hecho o dicho realizados con engaño o con mala intención para perjudicar a alguien.

[*puñeta* s.f. **1** *col.* Lo que resulta difícil, molesto o embarazoso. **2** *col.* Lo que es de poca importancia o de poco valor. **3** Adorno de bordados y puntillas que se colocaba en las mangas de las vestiduras. **4** ‖ **hacer la puñeta**; *col.* Fastidiar o molestar. ‖ **irse a hacer puñetas**; *col.* Fracasar. ‖ **mandar a hacer puñetas**; *col.* Despedir con desconsideración o con malos modos. ☐ USO Se usa mucho como interjección para expresar sorpresa, extrañeza, admiración o disgusto.

puñetazo s.m. Golpe dado con el puño cerrado. ☐ ETIMOL. De *puñete* (golpe dado con la mano cerrada).

[*puñetero, ra* ∎ adj. **1** *col.* Difícil o complicado. ∎ adj./s. **2** *col.* Que fastidia o molesta. **3** *col.* Que tiene malas intenciones.

puño s.m. **1** Mano cerrada. **2** En una camisa y en otras prendas de vestir, parte de la manga que rodea la muñeca. **3** En un arma blanca, en una herramienta o en un utensilio, parte o pieza por las que se cogen o se agarran. **4** ‖ **de puño y letra** de alguien; referido a un texto, que es autógrafo o está manuscrito por su autor. ☐ ETIMOL. Del latín *pugnus.*

pupa s.f. **1** *col.* Herida que sale en los labios; calentura. **2** Cualquier daño o dolor corporales: *¿Dónde se ha hecho pupa mi chiquitín?* **3** En zoología, insecto que está en una fase de desarrollo posterior a la larva y anterior al adulto. **4** ‖ [**ser un pupas**; *col.* Tener muy mala suerte o ser muy desafortunado. ☐ ETIMOL. De *buba.* ☐ SEM. En la acepción 3, aunque la RAE lo considera sinónimo de *crisálida*, éste se ha especializado para la pupa de los insectos lepidópteros. ☐ USO El uso de la acepción 2 es característico del lenguaje infantil.

pupila s.f. Véase **pupilo, la.**

pupilo, la ∎ s. **1** Persona que está bajo la tutela de un tutor o de un educador. ∎ s.f. **2** En el ojo, círculo negro y pequeño que se encuentra en el centro del iris y que varía el diámetro según sea la intensidad de la luz que pase por él; niña. ☐ ETIMOL. La acepción 1, del latín *pupillus* (pupilo, menor). La acepción 2, del latín *pupilla.*

pupitre s.m. Mesa con una tapa en forma de plano inclinado para escribir sobre él. ☐ ETIMOL. Del francés *pupitre*, y éste del latín *pulpitum* (atril).

purasangre adj./s.m. Referido a un caballo, que es de una raza descendiente de tres sementales árabes que se cruzaron con yeguas inglesas en el siglo XVIII. ☐ MORF. Como adjetivo es invariable en género.

puré s.m. **1** Comida elaborada con patatas, verduras, legumbres y otros alimentos cocidos y triturados hasta obtener una crema más o menos espesa. **2** ‖ [**hacer puré**; *col.* Destrozar. ☐ ETIMOL. Del francés *purée.*

[*pureta* adj./s. **1** *col.* Anciano. **2** *col.* Purista. ☐ MORF. 1. Como adjetivo es invariable en género. 2.

Como sustantivo es de género común: *el 'pureta', la 'pureta'*. ☐ USO Tiene un matiz despectivo.

pureza s.f. **1** Falta de mezcla con otra cosa. **2** Falta de imperfecciones. **3** Virginidad o doncellez. **[4** Inocencia, esp. en lo relativo al sexo. **5** ‖ **pureza de sangre**; falta de antecedentes familiares judíos o de otro grupo social considerado inferior.

purga s.f. **1** Medicina que se toma para evacuar excrementos. **[2** Evacuación de los excrementos provocada por la ingestión de sustancias que producen este efecto. **[3** Limpieza o purificación de lo que se considera malo o inconveniente. **4** Expulsión o eliminación de los miembros de una organización, de una empresa o de un partido, decretadas generalmente por motivos políticos. **5** ‖ **la purga de Benito**; *col.* Remedio del que se esperan demasiados resultados. ☐ SEM. En las acepciones 2 y 3, es sinónimo de *purgación*.

purgación s.f. **1** →**purga**. **[2** *col.* Enfermedad infecciosa de transmisión sexual, que consiste en la inflamación de las vías urinarias y genitales, que produce un flujo excesivo de moco; blenorragia. ☐ MORF. La acepción 2 se usa más en plural.

purgante s.m. Medicamento que sirve para purgar a una persona y hacerle evacuar los excrementos.

purgar v. **1** Limpiar o purificar eliminando lo que se considera malo o inconveniente: *El fontanero purgó de aire los radiadores.* **2** Hacer evacuar los excrementos por medio de sustancias que producen este efecto: *Antes, las madres daban a sus hijos aceite de ricino para purgarlos.* **3** En la doctrina de la iglesia católica, referido al alma de la persona muerta en gracia, padecer las penas del purgatorio para purificarse de los restos de pecado y poder entrar en la gloria: *Cuando han purgado sus faltas en el purgatorio, las almas pasan al cielo.* **4** Referido a un delito o a una culpa, sufrir el castigo que se merece por ellos: *Este delincuente purga su delito en la cárcel.* ☐ ETIMOL. Del latín *purgare* (purificar). ☐ ORTOGR. La *g* se cambia en *gu* delante de *e* →PAGAR.

purgativo, va adj. Que purga o que puede purgar.

purgatorio s.m. **1** En la doctrina de la iglesia católica, estado de purificación en el que los que han muerto en gracia, pero sin haber hecho en esta vida penitencia completa por sus culpas, sufren las penas que deben por sus pecados para después gozar de la gloria eterna. **2** *col.* Lo que supone penalidad o sufrimiento. ☐ ETIMOL. Del latín *purgatorius* (que purifica).

puridad ‖ **en puridad**; con claridad y sin rodeos. ☐ ETIMOL. Del latín *puritas*.

purificación s.f. Eliminación de impurezas, de suciedades o de imperfecciones.

purificar v. **1** Referido a algo, quitarle lo que es extraño, volviéndolo a su estado original: *Está enfermo del riñón y acude a sesiones de diálisis para purificar su sangre.* **2** Referido a algo no material, quitarle toda imperfección: *El sacramento de la penitencia purifica el alma.* ☐ ETIMOL. Del latín *purificare*, y éste de *purus* (puro) y *ficare* (hacer). ☐ ORTOGR. La *c* se cambia en *qu* delante de *e* →SACAR.

purismo s.m. **1** Actitud que intenta preservar la lengua de voces extranjeras y neologismos innecesarios. **[2** Actitud que defiende mantener un arte,

una técnica o una doctrina dentro de la más estricta ortodoxia, sin cambios ni innovaciones.

purista adj./s. **1** Que intenta preservar la lengua de voces extranjeras y neologismos innecesarios. **[2** Que defiende mantener un arte, una técnica o una doctrina dentro de su ortodoxia, sin cambios ni innovaciones. ☐ ETIMOL. Del francés *puriste*. ☐ MORF. 1. Como adjetivo es invariable en género. 2. Como sustantivo es de género común: *el purista, la purista*. 3. La RAE sólo lo registra como adjetivo.

puritanismo s.m. **1** Movimiento político y religioso de la iglesia anglicana surgida en los siglos XVI y XVII, y que defiende la eliminación de todo resto de catolicismo en la liturgia y una rigidez moral extrema y rigurosa. **2** Conjunto de los partidarios de este movimiento. **3** Rigor y escrupulosidad excesivos en el modo de actuar.

puritano, na ‖ adj. **1** Del puritanismo o relacionado con este movimiento. ‖ adj./s. **2** Seguidor o partidario del puritanismo. **3** Que cumple con rigor las virtudes públicas o privadas y hace alarde de ello. ☐ ETIMOL. Del inglés *puritan*. ☐ USO En la acepción 3, tiene un matiz despectivo.

puro, ra ‖ adj. **1** Libre y exento de mezcla con otra cosa. **2** Libre y exento de imperfecciones morales. **3** Casto, honesto y respetuoso con los principios morales que se consideran propios de las buenas costumbres. **4** Mero, solo, no acompañado de otra cosa o sin implicar nada más: *Te estoy diciendo la pura verdad.* ‖ s.m. **5** →**cigarro puro**. **[6** *vulg.* Castigo o sanción: *El sargento lo vio mal afeitado y le metió un 'puro'.* ☐ ETIMOL. Las acepciones 1-4, del latín *purus*.

púrpura adj./s.m. De color rojo violáceo. ☐ ETIMOL. Del latín *purpura*. ☐ MORF. 1. Como adjetivo es invariable en género. 2. En la acepción 1, la RAE sólo lo admite como sustantivo femenino.

purpúreo, a adj. De color púrpura o con tonalidades rojo violáceo; purpurino.

purpurino, na ‖ adj. **1** →**purpúreo**. ‖ s.f. **2** Polvo muy fino hecho generalmente de bronce o de metal blanco, que se utiliza para recubrir objetos artísticos. **[3** Pintura brillante preparada con estos polvos.

purrela s.f. **1** Vino de muy mala calidad. **2** *col.* Lo que se considera despreciable, de mala calidad o de poco valor. ☐ ETIMOL. De origen expresivo.

[purrusalda (del vasco) s.f. Guiso de puerros, patatas troceadas y bacalao hecho migas.

purulencia s.f. **[**Presencia o secreción de pus.

purulento, ta adj. Que tiene o segrega pus. ☐ ETIMOL. Del latín *purulentus*.

pus s.m. Líquido espeso y amarillento que segregan a veces las heridas o tejidos inflamados e infectados. ☐ ETIMOL. Del latín *pus*. ☐ MORF. Incorr. su uso como femenino: *El médico limpió {*la > el*} pus de la herida.*

pusilánime adj./s. Falto de ánimo o de valor para soportar las desgracias o para intentar cosas grandes. ☐ ETIMOL. Del latín *pusillanimis*, y éste de *pusillus* (pequeño) y *anima* (aliento). ☐ MORF. 1. Como adjetivo es invariable en género. 2. Como sustantivo es de género común: *el pusilánime, la pusilánime*.

pusilanimidad s.f. Falta de ánimo o de valor para soportar las desgracias o para intentar cosas grandes.

pústula s.f. Ampolla de la piel llena de pus. □ ETI-MOL. Del latín *pustula* (ampolla, pústula).

puta s.f. *vulg.* Véase **puto, ta.**

putada s.f. *vulg.* Hecho que causa un perjuicio, esp. si es malintencionado; faena.

putañero adj. *col.* Referido a un hombre, que frecuenta el trato con prostitutas; putero.

putativo, va adj. Referido a un familiar, esp. a un padre o a un hijo, considerado o tenido como legítimo sin serlo. □ ETIMOL. Del latín *putativus* (que se supone).

puteada s.f. *vulg.* En zonas del español meridional, taco o palabra grosera o malsonante.

putear v. *vulg.* Fastidiar: *No me putees más, tío.*

[puteo s.m. *vulg.* Molestia o perjuicio que se le hace a una persona.

[puterío s.m. *vulg.* Prostitución.

putero adj. *vulg.* Referido a un hombre, que frecuenta el trato con prostitutas; putañero.

[puticlub s.m. *col.* Prostíbulo.

puto, ta ▌ adj. **[1** *vulg.* Difícil o complicado. ▌ s.m. **2** *vulg.* Homosexual masculino, esp. el pasivo y el que se prostituye. ▌ s.f. **3** *vulg.* →prostituta. **[4** *vulg.* Sota de la baraja española. **5** ‖ **[pasarlas putas**; *vulg.* Encontrarse en una situación muy difícil o apurada. □ SEM. Se usa mucho como adjetivo antepuesto a un sustantivo para indicar descontento

o fastidio. □ USO 1. Se usa como insulto. 2. En las acepciones 2 y 3 se usa mucho el aumentativo *putón.*

putrefacción s.f. Descomposición de una materia. □ ETIMOL. Del latín *putrefactio.*

putrefacto, ta adj. Podrido o corrompido; pútrido.

pútrido, da adj. Podrido o corrompido; putrefacto. □ ETIMOL. Del latín *putridus.*

puya s.f. Punta acerada que tienen en una extremidad las varas o garrochas de los vaqueros o picadores, con la que estimulan o castigan a las reses. □ ETIMOL. Del latín **pugia*, y éste de *pugio* (puñal).

puyazo s.m. **1** Herida que se hace con la puya. **[2** *col.* →pulla.

puzzle (anglicismo) s.m. Juego que consiste en formar una figura combinando correctamente las partes de ésta que figuran en distintos pedazos o piezas planos. □ PRON. [púzle]. □ SEM. Aunque la RAE lo considera sinónimo de *rompecabezas, puzzle* se ha especializado para el juego de piezas planas.

[pyme s.f. Pequeña o mediana empresa. □ ETIMOL. Es un acrónimo que procede de la sigla de *pequeña y mediana empresa.* □ MORF. Se usa más en plural.

[pyrex s.m. Tipo de vidrio que resiste temperaturas muy elevadas. □ ETIMOL. Extensión del nombre de una marca comercial. □ PRON. [pírex]. □ MORF. Invariable en número. □ USO Se usa también *pírex.*

Q q

q s.f. Decimoctava letra del abecedario. □ PRON. Representa el sonido consonántico velar oclusivo sordo. □ ORTOGR. Ante la *e* o la *i* se escribe siempre interponiendo una *u* que no se pronuncia: *querer* [kerér], *química* [kímica]. Sí se pronuncia esa *u* ante *a*, *o*: *quásar* [cuásar], *quórum* [cuórum].

[quadrivium (latinismo) s.m. →**cuadrivio.** □ PRON. [cuadrívium].

quark s.m. Partícula elemental hipotética que forma parte del neutrón y del protón. □ ETIMOL. Del inglés *quark*. □ PRON. [cuárc].

quásar s.m. Cuerpo celeste muy brillante que se aleja en el universo, cuya naturaleza exacta es desconocida y que es una poderosa fuente de radiación. □ ETIMOL. Es un acrónimo procedente de la sigla *Quasi-Stellar Radio Source* (fuente de radiación cuasi-estelar). □ PRON. [cuásar].

que ▌ pron.relat. **1** Designa una persona, un objeto o un hecho ya mencionados o que se sobrentienden: *El señor que te saludó es mi padre.* ▌ conj. **2** Enlace gramatical subordinante que introduce una oración subordinada sustantiva: *Sabes que iré.* **3** Enlace gramatical subordinante con valor comparativo: *Prefiero ir al cine que ver la televisión.* **4** Enlace gramatical subordinante con valor causal: *Ahora no salgo, que llueve.* **5** Enlace gramatical subordinante con valor final: *Trajo esta tarta, que nos la comamos.* **6** Enlace gramatical coordinante con valor copulativo y adversativo: *Tiemblo porque tengo frío, que no miedo.* **7** Enlace gramatical coordinante con valor distributivo y que, repetido, se usa para relacionar dos o más posibilidades que se excluyen mutuamente: *Que vaya yo, que vengas tú, el resultado será el mismo.* **8** Enlace gramatical subordinante con valor consecutivo: *Me lo dijo tan bajito que sólo lo oí yo.* **9** Pospuesto a un juramento sin verbo expreso, precede al verbo con que se expresa la afirmación o el juramento: *¡Por mis niños, que yo no he sido!* **10** Pospuesto a los adverbios *sí* o *no*, da un valor enfático a lo que se dice: *Sí que lo sé.* **11** Precedido y seguido de un mismo verbo en imperativo o en la tercera persona del presente de indicativo, encarece la acción del verbo y denota su progreso: *Estuvimos toda la tarde charla que te charla.* **12** ‖**el que más y el que menos**; todos sin excepción: *Nadie lo reconoce, pero, el que más y el que menos, todos hemos tenido algo que ver.* □ ETIMOL. Del latín *quid*. □ ORTOGR. Dist. de *qué*. □ MORF. Como pronombre es invariable en género y en número. □ SINT. 1. Es incorrecto el uso de este pronombre seguido de un posesivo en sustitución del pronombre *cuyo*: *Ahí viene el niño {*que su > cuyo} padre es profesor.* 2. Es un relativo con antecedente, que puede ir o no precedido de determinante. 3. Como conjunción puede preceder a oraciones independientes: *¡Que todo salga bien!* 4. Como conjunción forma parte de muchas locuciones conjuntivas o adverbiales: *a menos que, así que*, etc.

qué ▌ interrog. **1** Pregunta por la naturaleza, la cantidad, la calidad o la intensidad de algo: *¿Qué persona sería capaz de hacer este sacrificio?* ▌ exclam. **2** Se usa para encarecer o ponderar la naturaleza, la cantidad, la calidad o la intensidad de algo: *¡Qué día tan bonito hace! ¡Qué de invitados han venido a tu fiesta!* **3** ‖**por qué**; expresión que se usa para preguntar la razón, la causa o el motivo. ‖**qué tal**; **1** Expresión que se usa como saludo. **2** Expresión que se usa para preguntar cómo: *¿Qué tal te ha caído mi primo?* ‖**y qué**; expresión que se usa para indicar que lo dicho o lo hecho no convencen o no importan. □ ETIMOL. Del latín *quid*. □ ORTOGR. Dist. de *que*. □ MORF. Invariable en género y en número. □ USO 1. Se usa para responder a un interlocutor dándole a entender que no se ha oído o que no se ha entendido: *Cuando le dije que era culpa suya, me contestó: '¿Qué?'*. 2. Se usa como fórmula de contestación: *—Oye, Pedro. —¿Qué?*

quebrada s.f. Véase *quebrado, da*.

quebradero ‖**quebradero de cabeza**; col. Preocupación o problema que perturba el ánimo.

quebradizo, za adj. **1** Que se rompe o se quiebra con mucha facilidad. **2** Referido a la salud o al ánimo, débil que se deteriora con facilidad.

quebrado, da ▌ adj. **1** Referido a un terreno, que es tortuoso, desigual o tiene muchos desniveles. **[2** col. En zonas del español meridional, que se ha quedado sin dinero. ▌ s.m. **3** →**número quebrado.** ▌ s.f. **4** Abertura o paso estrecho entre dos montañas. **[5** En zonas del español meridional, arroyo.

quebrantable adj. Que se puede quebrantar. □ MORF. Invariable en género.

quebrantado, da adj. Muy dolorido.

quebrantahuesos s.m. Ave rapaz de gran tamaño, parecida al buitre pero con la cabeza y el cuello con plumas, que se alimenta generalmente de animales muertos y vive en pequeños grupos en lugares inaccesibles para el hombre. □ MORF. 1. Es un sustantivo epiceno: *el quebrantahuesos macho, el quebrantahuesos hembra.* 2. Invariable en número. 🐦rapaz

quebrantamiento s.m. **1** Violación de una ley, una norma, una promesa o algo semejante. **2** Disminución o ausencia de la fuerza o de la vitalidad. □ SEM. Es sinónimo de *quebranto*.

quebrantar v. **1** Referido a una norma o a una obligación, violarlas o no cumplirlas: *Quebrantaste tu promesa y no me fiaré más de ti.* **2** Referido esp. a la salud o al ánimo, hacer que disminuya su fuerza o su brío: *Nada quebranta su salud de hierro.* **3** Referido esp. a algo duro, cascarlo o ponerlo en un estado en que se rompe fácilmente: *Los cambios bruscos de temperatura quebrantan las rocas.* **4** Referido esp. a un lugar sagrado o privado, profanarlo o entrar en él sin permiso: *Cuenta la leyenda que el que quebrante este panteón no encontrará la paz.* □ ETIMOL. Del latín **crepantare*, y éste de *crepare* (crujir, chasquear, estallar).

quebranto s.m. **1** Daño o pérdida muy grandes. **2** Aflicción o dolor muy grandes. **3** →**quebrantamiento.**

quebrar v. **1** Referido a algo duro o rígido, agrietarlo o romperlo en uno o varios trozos: *Apretó con tanta fuerza la copa de cristal que la quebró.* **2** Interrumpir, cortar o impedir el curso o el desarrollo normal: *Con tu marcha quebraste mis esperanzas. Cuando nos contó el accidente se le quebraba la voz.* **3** Doblar o torcer: *Es un buen bailarín y quiebra la cin-*

tura con agilidad. **4** Referido esp. a un negocio, fracasar o arruinarse: *Los grandes supermercados han hecho quebrar a muchos pequeños comerciantes.* **[5** En fútbol, referido a un jugador, esquivarlo haciendo un quiebro con el cuerpo: *El jugador 'quebró' perfectamente al defensa.* □ ETIMOL. Del latín *crepare* (crujir, chasquear, estallar). □ MORF. Irreg. →PENSAR.

quechua ∎ adj./s. **1** De un antiguo pueblo indio que se estableció en la región andina de los actuales Perú y Bolivia (países suramericanos), o relacionado con él. ∎ s.m. **2** Lengua hablada por este pueblo. □ MORF. En la acepción 1, como adjetivo es invariable en género; como sustantivo es de género común: *el quechua, la quechua.*

quedar ∎ v. **1** Estar forzosa o voluntariamente en un lugar, o permanecer en él: *¿Dónde quedó tu hermano, que no lo veo? Ayer no salí y me quedé en casa.* **2** Permanecer, mantenerse o resultar en un estado o en una situación, o empezar a estar en ellos con cierta estabilidad: *El misterio quedó sin resolver. Se quedó trabajando hasta tarde. Me quedé muda del susto. Ya puedes quedar tranquilo.* **3** Restar, seguir existiendo o seguir estando: *Del viejo templo romano sólo quedan ya las columnas. Sólo nos queda poner las lámparas.* **4** Dar como resultado o tener como efecto: *Las promesas quedaron en nada.* **5** Concertar una cita: *¿Quedamos mañana a las seis? Quedé con unos amigos.* **6** Estar situado: *El colegio queda a dos manzanas de aquí.* **[7** Referido a una prenda de vestir, sentar como se indica: *Ese pantalón te 'queda' largo.* ∎ prnl. **8** Referido a algo propio o ajeno, apoderarse de ello y retenerlo en su poder: *No te quedes con todos los libros. Quédate con estos datos porque son importantes.* **9** euf. col. Morir: *El abuelo se quedó en la operación.* **10** ‖**quedar** {bien/mal} alguien; producir una impresión buena o mala, o terminar bien o mal considerado: *Si quieres quedar bien, lleva una caja de bombones.* ‖**quedar en** algo; ponerse de acuerdo en ello o convenirlo: *Quedamos en traer cada uno una cosa.* ‖**quedarse con** alguien; col. Engañarlo o abusar de su ingenuidad: *Te estás quedando conmigo, porque lo que cuentas no puede ser verdad.* □ ETIMOL. Del latín *quietare* (aquietar, hacer callar). □ SINT. 1. Su uso como transitivo es incorrecto aunque está muy extendido: {**queda > deja*} *el libro ahí.* 2. Constr. de la acepción 4: *quedar EN algo.* 3. Constr. de la acepción 8: *quedarse CON algo.*

quedo, da adj. Quieto, sosegado, sin alteración o sin ruido. □ ETIMOL. Del latín *quietus* (quieto, apacible, tranquilo).

quedo adv. En voz baja.

quehacer s.m. Ocupación, negocio o tarea que han de hacerse. □ ETIMOL. De *que* y *hacer.* □ MORF. Se usa más en plural.

queimada s.f. Bebida alcohólica que se toma caliente, hecha con orujo quemado, trozos de limón y azúcar. □ ETIMOL. Del gallego *queimada.*

queja s.f. **1** Expresión de dolor, pena o sentimiento; lamentación. **2** Expresión de disconformidad, disgusto o enfado, esp. si se presenta ante una autoridad. **3** Motivo para quejarse.

quejarse v.prnl. **1** Expresar con la voz el dolor o la pena que se sienten: *Se queja porque le duele un pie. Siempre se ha quejado de la espalda.* **2** Manifestar disconformidad, disgusto o enfado: *Nunca se ha quejado del ruido que hacen sus vecinos.* **3** Pre-

sentar querella: *Me quejaré a las autoridades por este atropello de mis derechos civiles.* □ ETIMOL. Del latín **quassiare*, y éste de *quassare* (golpear violentamente). □ ORTOGR. Conserva la *j* en toda la conjugación. □ SINT. Constr. *quejarse A alguien* {DE/ POR} *algo.*

quejica adj./s. col. Que se queja con frecuencia, de forma exagerada o sin motivo. □ MORF. 1. Como adjetivo es invariable en género. 2. Como sustantivo es de género común: *el quejica, la quejica.* 3. La RAE sólo lo registra como adjetivo. □ USO Tiene un matiz despectivo.

quejicoso, sa adj. Que se queja mucho y, a veces, sin motivo.

quejido s.m. Voz o sonido lastimeros motivados por un dolor o una pena que afligen y atormentan.

quejigo s.m. Árbol de tronco grueso, copa recogida, hojas duras y dentadas, verdes por el haz y vellosas por el envés, que tiene flores muy pequeñas y su fruto en forma de bellota.

quejoso, sa adj. Que tiene queja de algo o de alguien.

quejumbroso, sa adj. **1** Que manifiesta dolor, pena o sentimiento. **2** Que se queja con frecuencia y sin apenas motivo.

[queli s.m. col. Casa. □ ORTOGR. Se usa también *quelo.*

[quelo s.m. col. →queli.

quelonio ∎ adj./s.m. **1** Referido a un reptil, que se caracteriza por tener cuatro extremidades cortas y fuertes, mandíbulas córneas, sin dientes, y el cuerpo protegido por un caparazón duro: *La tortuga es un quelonio.* ∎ s.m.pl. **2** En zoología, orden de estos reptiles. □ ETIMOL. Del griego *khelóne* (tortuga).

quema s.f. **1** Incendio o destrucción por el fuego. **2** ‖**huir de la quema**; evitar un peligro, un daño o un desastre.

quemado, da ∎ s. **1** Persona que ha sufrido quemaduras graves. ∎ s.m. **2** Lo que se ha quemado.

quemador s.m. Aparato que regula la salida de un combustible para facilitar o controlar su combustión.

quemadura s.f. Lesión, herida o señal producidas por el fuego o por algo que quema.

quemar ∎ v. **1** Abrasar o consumir con fuego: *He quemado los papeles que no valen. El fuego quemó la cosecha.* **2** Referido a una planta, secarla el calor o el frío excesivos: *La helada ha quemado los rosales.* **3** col. Referido a una persona, desazonarla, desanimarla o agotarla: *Buscar trabajo día tras día quema a cualquiera.* **[4** Gastar o consumir en exceso: *'Quemó' su fortuna y ahora está arruinado.* **5** Desprender mucho calor: *La sopa está quemando. Hoy el sol quema.* **6** Producir una sensación de picor muy fuerte: *Esta guindilla quema.* **7** Referido esp. a una sustancia corrosiva, destruir: *La sosa cáustica quema los tejidos.* **[8** col. En zonas del español meridional, poner en evidencia o en ridículo. ∎ prnl. **9** Sentir mucho calor: *No sé cómo aguantas al sol si yo me estoy quemando.* **10** col. Estar muy cerca de encontrar algo: *Inténtalo otra vez, que ahora casi te quemas.* **[11** Desprestigiarse o agotarse en el desempeño de una actividad: *Esta actriz empezó a hacer películas desde tan pequeña que ha terminado 'quemándose', y ahora nadie le da un papel.* □ ETIMOL. Quizá del latín **caimare.*

quemarropa ‖**a quemarropa**; **1** Referido a la forma de disparar, desde muy cerca. [**2** Referido a la forma de actuar, de forma brusca y sin rodeos. □ ORTOGR. Se admite también *a quema ropa*.

quemazón s.f. **1** Sensación de calor, picor o ardor excesivos. **2** Sentimiento desagradable de molestia o de incomodidad.

quena s.f. Flauta originaria de comarcas suramericanas, hecha generalmente con una caña agujereada o con varias cañas de distintas longitudes, y cuyo sonido resulta muy característico por su expresividad y timbre quejumbroso. ✍ viento

[queo ‖ **[dar el queo** a alguien; *col.* Darle un aviso para que no lo sorprendan haciendo algo.

quepis s.m. Gorra militar de forma cilíndrica y ligeramente cónica, con visera horizontal. □ ETIMOL. Del francés *képi*. □ PRON. Se usa mucho [quepís]. □ ORTOGR. Aunque la RAE sólo registra *quepis*, se usan también *kepí* y *kepis*. □ MORF. Invariable en número. ✍ sombrero

queratina s.f. Proteína que se origina en las capas superiores de la epidermis y que integra formaciones muy consistentes. □ ETIMOL. Del griego *keratíne* (de cuerno).

querella s.f. **1** Acusación que se presenta ante un juez o un tribunal competentes, en la que se le imputa a alguien la comisión o la responsabilidad de un delito. **2** Discordia, conflicto o enfrentamiento. □ ETIMOL. Del latín *querella*. □ SEM. Dist. de *demanda* (reclamación o acción judicial contra alguien), y de *denuncia* (comunicación ante una autoridad judicial de que se ha cometido una falta o un delito).

querellarse v.prnl. Presentar una querella o acusación. □ SINT. Constr. *querellarse* ANTE *alguien* {CONTRA/DE} *algo*.

querencia s.f. **1** Inclinación o tendencia de un ser hacia algo, esp. hacia el lugar donde se crió o donde solía estar. **2** En tauromaquia, preferencia del toro por quedarse en determinado lugar de la plaza.

querendón, -a adj. *col.* En zonas del español meridional, muy cariñoso.

querer ‖ s.m. **1** Amor o cariño: *Siempre fue fiel en su querer*. ‖ v. **2** Anhelar, apetecer o tener un fuerte deseo o aspiración: *Quiero que vengan mis padres. ¿Quieres otro café? No te quejes, que aquí estás como quieres*. **3** Amar, tener o sentir cariño o inclinación por algo: *¡Cuánto te quiero, abuela!* **4** Tener voluntad o determinación para hacer algo: *Quiero ser astronauta y lo voy a conseguir*. **5** Decidir, determinar o tomar una resolución: *Quiero dejaros la herencia a vosotros*. **6** Pretender, intentar, procurar o hacer lo posible para conseguir algo: *¿Quieres que me crea que has subido tú solo el piano a casa?* **7** Referido a algo que se considera conveniente, pedirlo o requerirlo: *Estas cortinas ya quieren un lavado*. **8** Estar próximo a ser, a ocurrir o a verificarse: *Parece que quiere llover*. **9** En algunos juegos de cartas, referido a un envite, aceptarlo o tomarlo: *No quiero tu envite a la grande con estas cartas tan bajas*. **10** ‖ **como quiera que**; de cualquier modo, o de un modo determinado: *Como quiera que lo hagas, me gustará*. ‖ **cuando quiera**; en cualquier tiempo: *Cuando quiera que te venga bien, vente por casa y lo vemos juntos*. ‖ **donde quiera**; →**dondequiera**. ‖ **que si quieres**; *col.* Expresión que se usa para destacar la dificultad o la imposibilidad de hacer o lograr algo: *Le dije que se diera prisa y que si quieres, aún estoy esperando*. ‖ **querer bien** a alguien; [desear

que le suceda lo mejor: *Yo sé que me 'quieres bien'.* ‖ **querer decir**; significar, dar a entender o indicar: *No sé qué quiere decir 'berlina'*. ‖ **sin querer**; sin intención ni premeditación: *No te ofendas, que lo dije sin querer*. □ ETIMOL. La acepción 1, del verbo querer. La acepción 2, del latín *quaerere* (buscar, inquirir, pedir). □ MORF. Irreg.: 1. En la acepción 8, es verbo unipersonal. 2. →QUERER.

querido, da s. Persona que mantiene relaciones sexuales con otra que está casada. □ USO Tiene un matiz despectivo.

[querindongo, ga s. *col.* Amante. □ USO Es despectivo.

quermes s.m. Insecto, parecido a la cochinilla, del que se extrae un pigmento rojo que se utilizaba como colorante. □ ETIMOL. Del árabe *quirmiz* (grana, cochinilla). □ ORTOGR. **1**. Se admite también *kermes*. **2**. Dist. de *quermés*. □ MORF. **1**. Es un sustantivo epiceno: *el quermes macho, el quermes hembra*. **2**. Invariable en número.

quermés s.f. →**kermés**. □ ORTOGR. Dist. de *quermes*.

queroseno s.m. Mezcla de hidrocarburos líquidos, obtenida por refinado y destilación del petróleo natural, que se utiliza como combustible y en la fabricación de insecticidas. □ ETIMOL. Del griego *kerós* (cera).

querubín s.m. **1** Ángel muy cercano a Dios. **2** Persona muy hermosa. □ ETIMOL. Del latín *cherubin*.

quesadilla s.m. [Tortilla de harina de maíz, doblada y rellena de algún alimento que se toma caliente.

quesería s.f. Establecimiento en el que se fabrica o se vende queso.

quesero, ra ‖ adj. **1** Del queso o relacionado con él. **2** Referido a una persona, que es muy aficionada a comer queso. ‖ s. **3** Persona que se dedica profesionalmente a la fabricación o a la venta de queso. ‖ s.f. **4** Recipiente en el que se guarda, se conserva o se sirve el queso.

quesito s.m. Cada una de las partes o unidades envueltas y empaquetadas en que se divide un queso cremoso.

queso s.m. **1** Producto alimenticio que se obtiene haciendo cuajar la leche. **2** *col.* Pie. **3** ‖ **dársela con queso** a alguien; engañarlo o burlarse de él. ‖ **queso de bola**; el que tiene forma esférica y corteza roja. ‖ **[queso de Burgos**; el que es blanco y cremoso, originario de la provincia burgalesa. □ ETIMOL. Del latín *caseus*.

quetzal s.m. **1** Ave trepadora de plumaje de vivos colores, verde en las partes superiores del cuerpo y rojo en el pecho y el abdomen, con la cabeza gruesa con un moño sedoso y verde, y con el pico y las patas amarillentos. **2** Unidad monetaria guatemalteca. □ MORF. En la acepción 1, es un sustantivo epiceno: *el quetzal macho, el quetzal hembra*.

quevedos s.m.pl. Lentes o anteojos de forma circular con una montura especial para que se sujeten sólo en la nariz. □ ETIMOL. Por alusión al escritor español Quevedo, que usaba estas lentes. ✍ gafas

quia interj. *col.* Expresión que se usa para indicar negación u oposición; ca. □ ETIMOL. De la expresión *¡qué ha de ser!*

quianti s.m. Vino tinto, de sabor ligeramente picante, originario de Chianti (comarca de la región italiana de Toscana). □ ETIMOL. Del italiano *chian-*

ti. □ USO Es innecesario el uso del italianismo *chianti.*

quiasmo s.m. Figura retórica consistente en la disposición en cruz de los miembros que constituyen dos sintagmas o dos proposiciones ligadas entre sí, de modo que dichos miembros presenten ordenaciones inversas. □ ETIMOL. Del griego *khiasmós* (disposición en forma de cruz).

quiche (galicismo) s.f. [1 Pastel caliente salado relleno de ingredientes variados, esp. de cebolla, huevo, queso, carne o verdura. 2 ‖**quiche lorraine;** [la que está rellena de beicon, huevo, queso y cebolla. □ PRON. [kich], con *ch* suave. □ ORTOGR. Dist. de *quiché.* □ MORF. Se usa también como masculino.

quiché ▮ adj./s. 1 De un pueblo indígena, de origen maya, que habita al oeste de Guatemala (república centroamericana), o relacionado con él. ▮ s.m. 2 Lengua indígena de este pueblo. □ ORTOGR. Dist. de *quiche.* □ MORF. En la acepción 1, como adjetivo es invariable en género y como sustantivo es de género común: *el quiché, la quiché.*

quicio s.m. 1 En una puerta o ventana, parte en la que están los goznes y las bisagras. 2 ‖**sacar de quicio** a alguien; exasperarlo, irritarlo o ponerlo fuera de sí. ‖**sacar de quicio** algo; darle una interpretación o un sentido distinto al natural.

quid s.m. Razón o punto esencial de algo. □ ETIMOL. Del latín *quid* (qué cosa). □ SEM. Dist. de *busilis* (punto en el que radica la dificultad de algo). □ USO Se usa sólo en singular y precedido del artículo *el.*

quid pro quo (latinismo) ‖Una cosa por otra. □ PRON. [cuíd pro cuó].

quiebra s.f. 1 En economía, interrupción de la actividad comercial motivada por la imposibilidad de hacer frente a las deudas o a las obligaciones contraídas; bancarrota. 2 Pérdida, menoscabo, disminución o deterioro. 3 Rotura o abertura de algo por alguna parte.

quiebro s.m. 1 Ademán o movimiento que se hace doblando el cuerpo por la cintura. 2 *col.* Elevación repentina del tono de voz, que se vuelve más agudo. 3 ‖[hacer un quiebro; *col.* Eludir, apartarse o esquivar.

quien pron.relat. 1 Designa una persona ya mencionada o sobrentendida: *Si eres tú quien llega primero, reserva sitio para los demás.* 2 ‖no ser quien para algo; *col.* No tener capacidad o habilidad para ello. ‖[quien más, quien menos; *col.* Todas las personas sin excepción. □ ETIMOL. Del latín *quem.* □ ORTOGR. Dist. de *quién.* □ MORF. No tiene diferenciación de género. □ SINT. Es un relativo sin antecedente y nunca va precedido de determinante.

quién ▮ pron.interrog. 1 Pregunta por la identidad de una persona: *¿Quién ha venido contigo? Dime con quiénes hemos quedado.* ▮ pron.exclam. 2 Se usa para encarecer o ponderar la identidad de una persona: *¡Quién pudiera hacerlo!* □ ETIMOL. Del latín *quem.* □ ORTOGR. Dist. de *quien.* □ MORF. No tiene diferenciación de género.

quienesquiera pron.indef. pl. de **quienquiera.** □ MORF. No tiene diferenciación de género.

quienquiera pron.indef. Designa una persona indeterminada: *Quienquiera que diga eso se equivoca.* □ ETIMOL. De *quien* y *quiera.* □ MORF. 1. No tiene diferenciación de género. 2. Su plural es *quienesquiera.* □ SINT. Se usa antepuesto a una oración de relativo con *que.*

quieto, ta adj. 1 Que no tiene o no hace movimiento. 2 Pacífico, sosegado, tranquilo o sin alteración. □ ETIMOL. Del latín *quietus* (tranquilo, quieto, apacible).

quietud s.f. 1 Carencia o falta de movimiento. 2 Sosiego, tranquilidad, reposo o descanso. □ ETIMOL. Del latín *quietudo.*

quijada s.f. Cada una de las dos mandíbulas de un vertebrado que tiene dientes. □ ETIMOL. Del latín **capseum* (semejante a una caja).

quijotada s.f. Hecho o dicho propios de un quijote.

quijote ▮ adj./s.m. 1 Referido a una persona, que antepone sus ideales a su propio provecho y que obra de forma desinteresada y comprometida en defensa de causas que considera justas. ▮ s.m. 2 En una armadura, pieza que cubre y que defiende el muslo. 🗟 armadura □ ETIMOL. La acepción 1, por alusión a Don Quijote, personaje literario. La acepción 2, del catalán *cuixot,* y éste del latín *coxa* (cadera). □ MORF. 1. Como adjetivo es invariable en género. 2. En la acepción 1, la RAE sólo lo registra como sustantivo.

quijotería s.f. Forma de proceder propia de un quijote.

quijotesco, ca adj. Con características que se consideran propias de Don Quijote (personaje literario).

quijotismo s.m. Conjunto de caracteres y de actitudes propios de Don Quijote (personaje literario).

quilate s.m. 1 Unidad de pureza del oro que equivale a una veinticuatroava parte de este metal en una aleación. 2 Unidad de peso para las perlas y las piedras preciosas. □ ETIMOL. Del árabe *qirat.*

quilla s.f. 1 En una embarcación, pieza de madera o de hierro que va de popa a proa por su parte inferior y en la que se apoya toda su armazón. 2 En un ave, parte saliente y afilada del esternón. □ ETIMOL. Del francés *quille.*

quilo s.m. 1 →**quilogramo.** 2 Linfa o líquido orgánico de aspecto blanquecino y espeso que resulta de la absorción de las grasas en el intestino delgado. □ ETIMOL. La acepción 2, del griego *khylós* (jugo).

quilo- →**kilo-.**

quilogramo s.m. →**kilogramo.** □ MORF. Se usa mucho la forma abreviada *quilo.*

quilolitro s.m. →**kilolitro.**

quilométrico, ca adj. →**kilométrico.**

quilómetro s.m. →**kilómetro.**

quimbambas ‖en las quimbambas; *col.* En un lugar lejano o impreciso.

quimera s.f. 1 En mitología, monstruo mitad león, mitad cabra, con cola de reptil o de dragón. 🗟 mitología 2 Lo que se presenta a la imaginación como posible o verdadero sin serlo. □ ETIMOL. Del latín *chimaera,* y éste del griego *khímaira* (animal fabuloso).

quimérico, ca adj. Fabuloso, imaginado, irreal o sin fundamento.

químico, ca ▮ adj. 1 De la química o relacionado con esta ciencia. 2 De la composición de los cuerpos o relacionado con ella: *fórmula química.* ▮ s. 3 Persona que se dedica al estudio de la química, esp. si es licenciada en esta carrera universitaria. ▮ s.f. 4 Ciencia que estudia las transformaciones de unas sustancias en otras sin que se alteren los elementos que las integran. 🗟 química [5 *col.* Alimento compuesto por aditamentos artificiales o que los contiene en abundancia. ☐ ETIMOL. La acepción 4, del latín *ars chimica*, y éste de *chimia* (alquimia).

quimioterapia s.f. Tratamiento y curación de las enfermedades por medio de sustancias químicas. ☐ ETIMOL. De *química* y -*terapia* (curación).

quimo s.m. Pasta homogénea y agria en la que se transforman los alimentos en el estómago por la digestión. ☐ ETIMOL. Del griego *khymós* (jugo).

quimono s.m. **1** Prenda de vestir japonesa, con forma de túnica de mangas largas y anchas, abierta por delante y ceñida a la cintura con un cinturón. **[2** Vestimenta deportiva, formada por chaqueta y pantalón, amplia y de tela resistente, que se usa para practicar artes marciales. ☐ ETIMOL. De origen

japonés. ☐ USO Es innecesario el uso del término japonés *kimono*.

quina s.f. **1** Corteza del quino, muy usada en medicina por su capacidad para hacer disminuir la fiebre; quino. **2** Líquido elaborado con esta corteza y con otras sustancias, que se toma como medicina, como tónico o como bebida de aperitivo. **3** ‖ [ser más malo que la quina; *col.* Ser muy malo. ‖ tragar quina; *col.* Soportar o sobrellevar algo desagradable.

quinado, da adj. Referido al vino o a otro líquido, que se prepara con quina.

quincalla s.f. Conjunto de objetos metálicos, generalmente de poco valor. ☐ ETIMOL. Del francés antiguo *quincaille*.

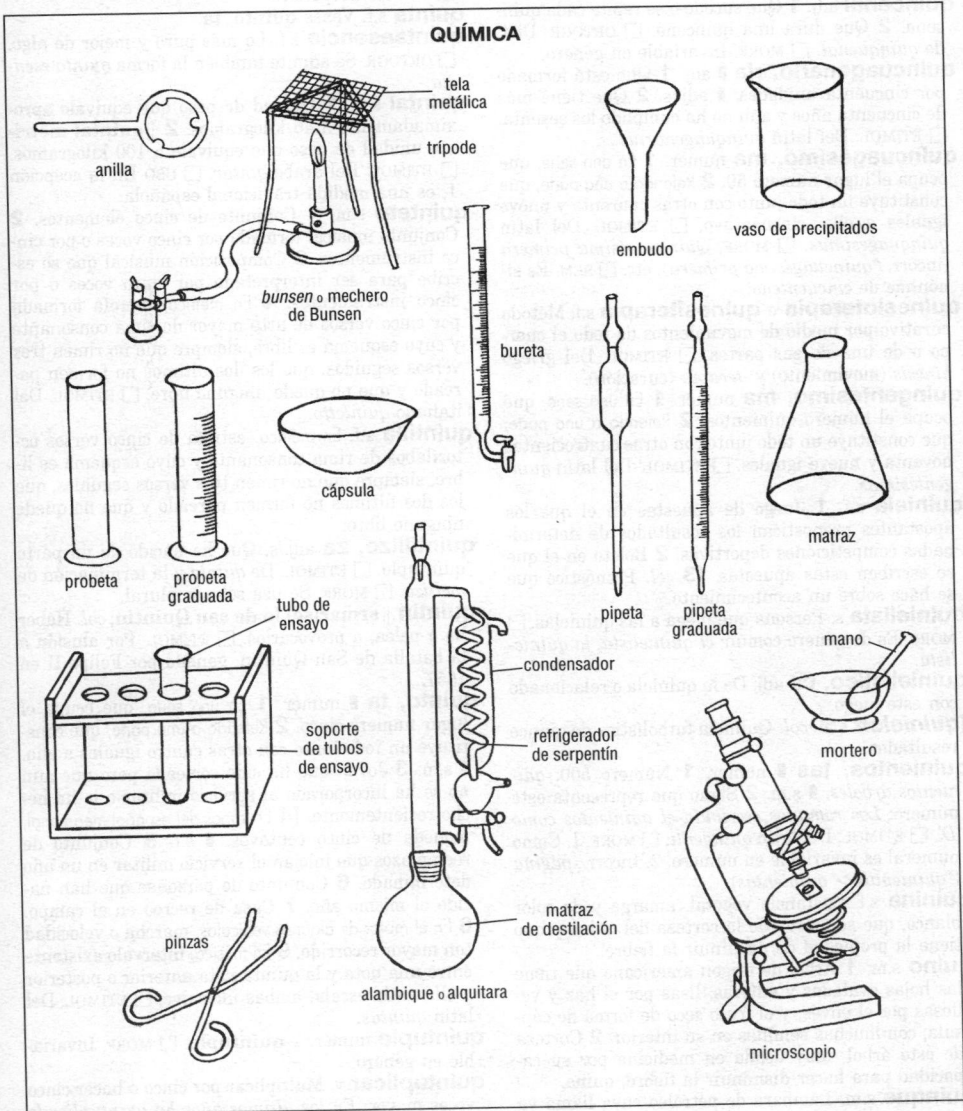

QUÍMICA

tela metálica
trípode
anilla
bunsen o mechero de Bunsen
bureta
cápsula
probeta
probeta graduada
tubo de ensayo
soporte de tubos de ensayo
condensador
refrigerador de serpentín
pinzas
matraz de destilación
alambique o alquitara
embudo
vaso de precipitados
matraz
pipeta
pipeta graduada
mano
mortero
microscopio

quince ▮ numer. **1** Número 15: *quince personas.* ▮ s.m. **2** Signo que representa este número: *Los romanos escribían el quince como* XV. □ ETIMOL. Del latín *quindecim,* y éste de *quinque* (cinco) y *decem* (diez). □ MORF. Como numeral es invariable en género y en número.

quinceañero, ra adj./s. Referido a una persona, que tiene alrededor de quince años.

quinceavo, va numer. Referido a una parte, que constituye un todo junto con otras catorce iguales a ella. □ SEM. 1. Es sinónimo de *quinzavo.* 2. Su uso como numeral ordinal es incorrecto: *Llegué en* {*quinceava > decimoquinta} posición.*

quincena s.f. **1** Período de tiempo de quince días. **2** Cantidad de dinero que se cobra o que se paga cada uno de estos períodos.

quincenal adj. **1** Que sucede o se repite cada quincena. **2** Que dura una quincena. □ ORTOGR. Dist. de *quinquenal.* □ MORF. Invariable en género.

quincuagenario, ria ▮ adj. **1** Que está formado por cincuenta unidades. ▮ adj./s. **2** Que tiene más de cincuenta años y aún no ha cumplido los sesenta. □ ETIMOL. Del latín *quinquagenarius.*

quincuagésimo, ma numer. **1** En una serie, que ocupa el lugar número 50. **2** Referido a una parte, que constituye un todo junto con otras cuarenta y nueve iguales a ella; cincuentavo. □ ETIMOL. Del latín *quinquagesimus.* □ MORF. *Quincuagésima primera* (incorr. *quincuagésimo primera*), etc. □ SEM. Es sinónimo de *cincuenteno.*

quinesioterapia o **quinesiterapia** s.f. Método curativo por medio de movimientos de todo el cuerpo o de una de sus partes. □ ETIMOL. Del griego *kínesis* (movimiento) y *-terapia* (curación).

quingentésimo, ma numer. **1** En una serie, que ocupa el número quinientos. **2** Referido a una parte, que constituye un todo junto con otras cuatrocientas noventa y nueve iguales. □ ETIMOL. Del latín *quingentesimus.*

quiniela s.f. **1** Juego de apuestas en el que los apostantes pronostican los resultados de determinadas competiciones deportivas. **2** Boleto en el que se escriben estas apuestas. **[3** col. Pronóstico que se hace sobre un acontecimiento.

quinielista s. Persona que juega a las quinielas. □ MORF. Es de género común: *el quinielista, la quinielista.*

quinielístico, ca adj. De la quiniela o relacionado con este juego.

[quinielón s.m. col. Quiniela futbolística de quince resultados.

quinientos, tas ▮ numer. **1** Número 500: *quinientos árboles.* ▮ s.m. **2** Signo que representa este número: *Los romanos escribían el quinientos como* 'D'. □ ETIMOL. Del latín *quingenti.* □ MORF. 1. Como numeral es invariable en número. 2. Incorr.: *página* {*quinientos > quinientas}.*

quinina s.f. Sustancia vegetal, amarga y de color blanco, que se extrae de la corteza del quino y que tiene la propiedad de disminuir la fiebre.

quino s.m. **1** Árbol de origen americano que tiene las hojas ovaladas y enteras, lisas por el haz y vellosas por el envés, y el fruto seco de forma de cápsula, con muchas semillas en su interior. **2** Corteza de este árbol, muy usada en medicina por su capacidad para hacer disminuir la fiebre; quina.

quinqué s.m. Lámpara de petróleo cuya llama va protegida por un tubo de cristal. □ ETIMOL. Del francés *quinquet,* y éste de *Quinquet,* nombre del fabricante de esta clase de lámparas. 🔦 alumbrado

quinquenal adj. **1** Que dura cinco años. **2** Que tiene lugar cada cinco años. □ ETIMOL. Del latín *quinquennalis.* □ ORTOGR. Dist. de *quincenal.* □ MORF. Invariable en género.

quinquenio s.m. **1** Espacio de tiempo de cinco años; lustro. **2** Aumento de sueldo que se recibe cuando se llevan cinco años de antigüedad en un puesto de trabajo. □ ETIMOL. Del latín *quinquennium,* y éste de *quinque* (cinco) y *annus* (año).

quinqui s. Persona que pertenece a un grupo social marginado por la sociedad por su forma de vida. □ MORF. Es de género común: *el quinqui, la quinqui.* □ USO Es despectivo.

quinta s.f. Véase **quinto, ta**.

quintaesencia s.f. Lo más puro y mejor de algo. □ ORTOGR. Se admite también la forma *quinta esencia.*

quintal s.m. **1** Unidad de peso que equivale aproximadamente a 46 kilogramos. **2** ∥ **quintal métrico**; unidad de peso que equivale a 100 kilogramos. □ ETIMOL. Del árabe *qintar.* □ USO En la acepción 1, es una medida tradicional española.

quinteto s.m. **1** Conjunto de cinco elementos. **2** Conjunto musical formado por cinco voces o por cinco instrumentos. **3** Composición musical que se escribe para ser interpretada por cinco voces o por cinco instrumentos. **4** En métrica, estrofa formada por cinco versos de arte mayor de rima consonante y cuyo esquema es libre, siempre que no rimen tres versos seguidos, que los dos últimos no formen pareado y no quede ninguno libre. □ ETIMOL. Del italiano *quintetto.*

quintilla s.f. En métrica, estrofa de cinco versos octosílabos de rima consonante y cuyo esquema es libre, siempre que no rimen tres versos seguidos, que los dos últimos no formen pareado y que no quede ninguno libre.

quintillizo, za adj./s. Que ha nacido de un parto quíntuple. □ ETIMOL. De *quinto* y la terminación de *mellizo.* □ MORF. Se usa sólo en plural.

quintín ∥ **armar(se) la de san Quintín**; col. Haber lío o pelea, o provocarlos. □ ETIMOL. Por alusión a la batalla de San Quintín, ganada por Felipe II en 1557.

quinto, ta ▮ numer. **1** En una serie, que ocupa el lugar número cinco. **2** Referido a una parte, que constituye un todo junto con otras cuatro iguales a ella. ▮ s.m. **3** Joven que ha sido sorteado pero que aún no se ha incorporado al servicio militar o lo ha hecho recientemente. **[4** En zonas del español meridional, moneda de cinco centavos. ▮ s.f. **5** Conjunto de reemplazos que inician el servicio militar en un año determinado. **6** Conjunto de personas que han nacido el mismo año. **7** Casa de recreo en el campo. **8** En el motor de algunos vehículos, marcha o velocidad con mayor recorrido. **9** En música, intervalo existente entre una nota y la quinta nota anterior o posterior a ella en la escala, ambas inclusive. □ ETIMOL. Del latín *quintus.*

quíntuple numer. →**quíntuplo**. □ MORF. Invariable en género.

quintuplicar v. Multiplicar por cinco o hacer cinco veces mayor: *En los últimos años ha quintuplicado*

su fortuna. □ ETIMOL. Del latín *quintuplicare.* □
ORTOGR. La *c* se cambia en *qu* delante de *e* →SACAR.
quíntuplo, pla numer. Referido a una cantidad, que
es cinco veces mayor que otra; quíntuple. □ ETIMOL.
Del latín *quintuplus.*
quinzavo, va numer. →quinceavo. □.
quiosco s.m. **1** Caseta que se instala en la calle o
en otros lugares públicos y en la que se venden generalmente periódicos o flores. **2** Construcción en
forma de templete, abierta por los lados, que se instala en parques y en jardines. □ ETIMOL. Del francés *kiosque.* □ ORTOGR. Se admite también *kiosko.*
quiosquero, ra s. Propietario o encargado de un
quiosco.
quiqui s.m. [Mechón de pelos cortos, peinado en
forma de palmera.
quirófano s.m. En un hospital o en una clínica, sala
acondicionada para realizar operaciones de cirugía.
□ ETIMOL. De *quirúrgico* y *diáfano,* porque las salas
de operaciones están provistas de cristales que permiten observar la marcha de la intervención.
quiromancia o **quiromancía** s.f. Adivinación
a través de la interpretación de las rayas de la
mano. □ ETIMOL. Del griego *kheiromanteía,* y éste
de *khéir* (mano) y *mantéia* (adivinación). □ USO
Quiromancía es el término menos usual.
quiromántico, ca ∎ adj. **1** De la quiromancia o
relacionado con esta adivinación. ∎ s. **2** Persona especializada en quiromancia.
[quiromasaje s.m. Masaje que se efectúa únicamente mediante las manos. □ ETIMOL. Del griego
khéir (mano) y *masaje.*
[quiromasajista s. Persona que se dedica profesionalmente a dar masajes con las manos. □ MORF.
Es de género común: *el 'quiromasajista', la 'quiromasajista'.*
[quiropráctico, ca ∎ s. **1** Persona que cura enfermedades óseas valiéndose de las manos. ∎ s.f. **2**
Curación de enfermedades óseas o musculares mediante el uso de las manos.
quiróptero ∎ adj./s. **1** Referido a un mamífero, que
se caracteriza por tener dos alas formadas por una
delgada membrana que le permiten volar: *El murciélago es un quiróptero.* ∎ s.m.pl. **2** En zoología, orden de estos mamíferos. □ ETIMOL. Del griego *khéir*
(mano) y *-ptero* (ala).
quirúrgico, ca adj. De la cirugía o relacionado
con esta parte de la medicina. □ ETIMOL. Del latín
chirurgicus, y éste del griego *kheirurgikós.*
quisque o **quisqui** s.m. *col.* Individuo. □ ETIMOL.
Del latín *quisque* (cada uno). □ SINT. Se usa sólo en
las expresiones *cada {quisque/quisqui} y todo {quis-
que/quisqui}.*
quisquilla s.f. Crustáceo marino comestible que
tiene el abdomen extendido en forma de cola, cinco
pares de patas y las antenas muy largas; camarón.
□ ETIMOL. Del latín *quisquilla* (menudencia). □
MORF. Es un sustantivo epiceno: *la quisquilla macho, la quisquilla hembra.* 🦐 marisco
quisquilloso, sa adj./s. **1** Que se ofende fácilmente. **2** Que se fija en pequeñeces o en cosas sin
importancia.

quiste s.m. Bolsa membranosa que se puede desarrollar en distintas partes del cuerpo y que contiene
generalmente líquidos o materias alteradas. □ ETI-
MOL. Del griego *kýstis* (vejiga).
quisto, ta *ant.* part. irreg. de querer. □ SINT. Se
usa más en las expresiones *bien quisto, mal quisto:*
Era bien quisto de todos.
quitaesmalte s.m. Sustancia líquida, compuesta
de acetona, que sirve para quitar el esmalte de las
uñas.
quitaipón ∥ de quitaipón; *col.* **1** Referido esp. a un
juego de dos prendas de vestir, que se tiene para quitarse una cuando está sucia y ponerse la otra. [**2**
Para poner y quitar. □ ORTOGR. Se admite también
de quita y pon.
quitamanchas s.m. Producto que sirve para quitar las manchas. □ MORF. Invariable en número.
quitamiedos s.m. Lo que se pone en lugares elevados o peligrosos para proteger o dar seguridad al
que pasa por ellos. □ MORF. Invariable en número.
quitanieves s.f. Máquina para quitar la nieve de
los caminos. □ MORF. Invariable en número.
quitar ∎ v. **1** Referido a un objeto, tomarlo separán-
dolo de otros o del lugar en el que estaba: *Tengo
que quitar las malas hierbas del jardín.* **2** Referido
a algo ajeno, tomarlo o cogerlo en contra de la voluntad de su dueño: *Me han quitado el monedero
sin que yo me enterara.* **3** Referido a algo que se posee
o se disfruta, despojar de ello o dejar sin ello: *Los
disgustos me quitan el hambre. Se quitó la vida de
un disparo.* **4** Suprimir, eliminar o hacer desaparecer: *Este detergente quita muy bien las manchas.*
5 Ser un obstáculo o un impedimento: *Que hoy no
me apetezca ir al cine no quita para que mañana sí
vaya.* **6** *col.* Prohibir o vedar: *El médico me ha quitado el tabaco y el alcohol.* ∎ prnl. **7** Irse, apartarse
o separarse de un lugar: *Quítate de ahí, que moles-
tas.* **8** Dejar de hacer algo o apartarse de ello: *Se
ha quitado de fumar y está muy nerviosa.* **9** ∥de
quita y pon; →quitaipón; ∥quitar de {en medio/
encima}; referido a algo peligroso o desagradable, librar de ello: *No sé cómo quitarme de encima este
problema.* □ ETIMOL. Quizá del latín *quietare* (apaciguar). □ SEM. En imperativo, en la lengua coloquial, se usa mucho para indicar rechazo o desaprobación: *¡Quita, hombre, no digas más tonterías!*
quitasol s.m. Especie de paraguas que se usa para
protegerse del sol; parasol, sombrilla.
quite s.m. **1** En tauromaquia, suerte que ejecuta un
torero para librar a otra persona de una embestida
del toro. **2** ∥estar al quite; estar preparado para
ayudar a alguien. ∥ {ir/salir} al quite; acudir rápidamente en ayuda de alguien.
quivi s.m. →kiwi.
quizá o **quizás** adv. Indica duda o posibilidad. □
ETIMOL. Del latín *qui sapit* (quién sabe).
quórum s.m. **1** En una reunión, número de individuos necesario para que se pueda llegar a un acuerdo o tomar una decisión. **2** Proporción de votos favorables necesaria para que haya acuerdo. □ ETI-
MOL. Del latín *quorum* (de quién es). □ PRON.
[cuórum]. □ MORF. Invariable en número.

R r

r s.f. Decimonovena letra del abecedario. ☐ PRON. **1.** La grafía *r* en posición inicial de palabra o a continuación de *n*, *l*, *s* y la grafía *rr* entre vocales representan el sonido alveolar vibrante múltiple sonoro: *rosa, enredo, jarra*. **2.** La grafía *r* entre vocales, a final de sílaba o combinada con otras consonantes, representa el sonido alveolar vibrante simple sonoro: *cara, mar, arte, brazo, cruje, precio, grasa*. ☐ ORTOGR. La grafía *rr* es indivisible a final de línea; incorr. *bar-ran-co* > *ba-rran-co*.

raba s.f. En algunas regiones, calamar frito.

rabadán s.m. Pastor principal que está al mando de una cabaña entera de ganado. ☐ ETIMOL. Del árabe *rabb ad-da'n* (el dueño de los carneros).

rabadilla s.f. **1** Extremo de la columna vertebral formado por la última pieza del hueso sacro y el coxis. **2** En las aves, parte móvil y final de la columna vertebral, sobre la que están las plumas de la cola. **3** En una res, carne para el consumo, correspondiente a la zona de las ancas entre la tapa y el lomo. 🖾 carne ☐ ETIMOL. De *rabada* (cuarto trasero de las reses).

rabanero, ra adj./s. *col.* Que se considera ordinario, vulgar y desvergonzado.

rabanillo s.m. Planta herbácea de hojas ásperas y con lóbulos desigualmente dentados, flores blancas o amarillas con venas casi negras, y raíz con forma de huso de color blanco rojizo: *El rabanillo es una hierba nociva y abunda en los sembrados*.

rábano s.m. **1** Planta herbácea de tallo velludo, hojas grandes y ásperas, flores blancas, amarillas o púrpuras en racimos terminales y raíz carnosa, redondeada o con forma de huso, de color blanco, rojo, amarillento o negro y de sabor picante. **2** Raíz de esta planta. **3** ‖ **{coger/tomar} el rábano por las hojas**; *col.* Equivocarse totalmente en la interpretación o la ejecución de algo: *Has cogido el rábano por las hojas y me has entendido mal.* ‖ **un rábano**; *col.* **1** Muy poco o nada: *Me importa un rábano que te quedes o te vayas.* col. **2** Expresión que se usa para indicar negación o rechazo: *¡Y un rábano, yo no quiero eso!* ☐ ETIMOL. Del latín *raphanus*.

rabear v. Referido a un animal, mover el rabo de un lado a otro.

rabí s.m. →**rabino**. ☐ ETIMOL. Del hebreo *rabbí* (mi señor, mi maestro). ☐ MORF. Aunque su plural en la lengua culta es *rabíes*, la RAE admite también *rabís*.

rabia s.f. **1** Enfermedad infecciosa producida por un virus, que padecen algunos animales y que se transmite al hombre o a otros animales por mordedura; hidrofobia: *Síntomas de rabia son un fuerte dolor al tragar, la aversión al agua y la salivación espumosa.* **2** Ira, enojo o enfado muy grandes: *Me da mucha rabia llegar tarde.* **3** Sentimiento de antipatía o de mala voluntad: *Dice que suspende matemáticas porque la profesora le tiene rabia.* **4** ‖ **con rabia**; referido esp. a una cualidad negativa, en exceso: *Cuando te enfadas te pones feo con rabia.* ☐ ETIMOL. Del latín *rabies*.

rabiar v. **1** Mostrar de forma colérica la impaciencia o el enfado que se sienten: *No hagas rabiar al niño y dale el muñeco.* **2** Referido a un deseo, querer conseguirlo con vehemencia: *Rabio por tener una casa con jardín y la conseguiré.* **3** *col.* Seguido de una cualidad, tenerla en gran cantidad o en exceso: *Rabia de felicidad.* **4** ‖ **a rabiar**; *col.* Mucho o en exceso: *Le gusta el chocolate a rabiar.* ☐ ORTOGR. La *i* nunca lleva tilde. ☐ SINT. Constr. de la acepción 2: *rabiar* POR *algo*.

rábida s.m. Antiguamente, fortaleza militar y religiosa musulmana edificada en la frontera con los reinos cristianos. ☐ ETIMOL. Del árabe *rabita* (ermita, convento de monjes guerreros).

rabieta s.f. *col.* Enfado grande pero que dura poco y que generalmente está motivado por una tontería.

rabillo s.m. **1** En una planta, pedúnculo que sostiene la hoja o el fruto: *Quítale los rabillos a las cerezas, que vamos a hacer mermelada.* **2** Prolongación alargada en forma de rabo: *Su bigote acababa en dos finos rabillos.* **3** ‖ **mirar con el rabillo del ojo**; *col.* Mirar de lado y con disimulo: *Miraba el examen de su compañero de mesa con el rabillo del ojo.*

rabínico, ca adj. De los rabinos, de su lengua, de su doctrina o relacionado con ellos.

rabino s.m. Maestro hebreo que interpreta el libro sagrado; rabí. ☐ ETIMOL. De *rabí*.

rabioso, sa ▮ adj. **1** Airado, colérico o muy enfadado: *Está rabiosa porque se merecía el premio pero se lo han dado a otro.* **2** Grande, total o absoluto: *Tengo una noticia de rabiosa actualidad.* ▮ adj./s. Que padece la enfermedad de la rabia: *Sacrificaron a un perro rabioso.*

rabiza s.f. **1** En la caña de pescar, punta donde se ata el sedal. **2** Cuerda o cabo corto y delgado, unido por un extremo a un objeto para facilitar su manejo o su sujeción: *Los marineros sujetaron los salvavidas a la borda con rabizas.* **3** *vulg.* Prostituta. ☐ USO En la acepción 3, es despectivo.

rabo s.m. **1** En algunos animales, extremidad posterior del cuerpo y de la columna vertebral; cola: *¿Has probado alguna vez la sopa de rabo de toro?* 🖾 carne **2** Lo que cuelga de forma parecida a la cola de un animal: *La 'a' minúscula es una 'o' con un rabo a la derecha.* **3** En una planta, pedúnculo que sostiene la hoja o el fruto; rabillo: *Me gustan tanto las manzanas que me como hasta el rabo.* **4** *vulg.* →**pene**. **5** ‖ **con el rabo entre las piernas**; *col.* Abochornado o con vergüenza: *Llegó muy altivo, pero se fue con el rabo entre las piernas.* ☐ ETIMOL. Del latín *rapum* (nabo), porque el follaje del tubérculo se comparó con la cola de los animales. ☐ MORF. Cuando se antepone a una palabra que empieza por mar-, adopta la forma *rabi-*: *rabilargo*.

rabón, -a adj. Referido a un animal, que tiene el rabo más corto de lo normal o que no lo tiene.

rabudo, da adj. Que tiene el rabo grande.

racanear v. **1** *col.* Actuar como un avaro. **[2** *col.* Trabajar lo menos posible.

[racaneo s.m. o **[racanería** s.f. **1** *col.* Tacañería o tendencia a dar la menor cantidad de dinero posible: *No empecemos con 'racanerías' y paga lo que te corresponde.* **2** *col.* Holgazanería o vagancia en el trabajo: *Llega a las diez a trabajar y se dedica al 'racaneo' hasta la hora de irse.*

rácano, na adj./s. **1** *col.* Avaro. **2** *col.* Vago, holgazán o poco trabajador.

racha s.f. **1** Breve período de tiempo de buena o de mala suerte. **2** Golpe o ráfaga de viento. ☐ ETIMOL. De origen incierto.

racheado, da adj. Referido al viento, que sopla a rachas o a ráfagas.

rachear v. Referido al viento, soplar a rachas o a ráfagas: *Cuando el viento es fuerte y rachea mucho, es peligroso conducir en motocicleta.*

racial adj. De la raza o relacionado con ella. ☐ MORF. Invariable en género.

racimo s.m. **1** Conjunto de uvas unidas a un eje común, que a su vez va unido al tallo de la vid. **2** Lo que tiene esta disposición. **3** En botánica, inflorescencia formada por un eje de cuyos lados salen flores unidas a un pedúnculo: *El aligustre tiene flores en racimo.* 🖾 inflorescencia ☐ ETIMOL. Del latín *racemus.*

[racinguista adj./s. De cualquier equipo deportivo en cuyo nombre figure la palabra *rácing*, o relacionado con él. ☐ ETIMOL. Del inglés *racing* (carrera a pie). ☐ MORF. 1. Como adjetivo es invariable en género. 2. Como sustantivo es de género común: *el 'racinguista', la 'racinguista'.*

raciocinio s.m. **1** Facultad de usar la razón para conocer y juzgar: *El raciocinio distingue a las personas de los animales.* **2** Razonamiento o idea pensados por una persona: *Sus raciocinios nos convencieron a todos.* ☐ ETIMOL. Del latín *ratiocinium.*

ración s.f. **1** Cantidad de comida que corresponde a una persona o a un animal: *Compré una tarta de seis raciones.* **2** Cantidad de comida que se sirve en determinados establecimientos, como bares o cafeterías: *Camarero, póngame una ración de calamares.* **[3** *col.* Cantidad suficiente de algo: *Hoy ya he hecho mi 'ración' de ejercicio.* ☐ ETIMOL. Del latín *ratio* (medida, proporción).

racional ▮ adj. **1** De la razón o relacionado con ella. **2** Conforme a la razón: *Hay que tomar medidas racionales y no abusivas para acabar con la delincuencia.* ▮ adj./s. **3** Dotado de razón: *Las personas somos animales racionales.* ☐ ETIMOL. Del latín *rationalis.* ☐ MORF. 1. Como adjetivo es invariable en género. 2. Como sustantivo es de género común: *el racional, la racional.*

racionalidad s.f. **1** Lógica o conformidad con la razón. **2** Existencia o posesión de razón.

racionalismo s.m. **1** Sistema filosófico que considera la razón como única fuente de conocimiento: *El racionalismo moderno se inicia con el filósofo francés Descartes.* **[2** Tendencia a dar primacía a la razón sobre otras capacidades humanas como el sentimiento, la emoción o la intuición: *En su poesía, prima el 'racionalismo' y falta la emoción.*

racionalista ▮ adj. **[1** Del racionalismo o relacionado con él. ▮ adj./s. **2** Que sigue o que defiende el racionalismo. ☐ MORF. 1. Como adjetivo es invariable en género. 2. Como sustantivo es de género común: *el racionalista, la racionalista.*

racionalización s.f. **1** Reducción a normas o conceptos racionales: *No es aconsejable una excesiva racionalización de las emociones.* **2** Organización del trabajo o de la producción de forma que aumenten los rendimientos o se reduzcan los costos con el mínimo esfuerzo: *Este año se han obtenido más bene-*

ficios que el año pasado gracias a la racionalización del trabajo.

racionalizar v. **1** Reducir a normas o a conceptos racionales: *Si racionalizas todas tus emociones, acabarás con problemas afectivos.* **2** Referido esp. al trabajo o a la producción, organizarlos de forma que aumenten los rendimientos o se reduzcan los costos con el mínimo esfuerzo: *Hay que racionalizar el trabajo para que el esfuerzo sea menor.* ☐ ORTOGR. La *z* se cambia en *c* delante de *e* →CAZAR. ☐ SEM. Dist. de *racionar* (distribuir algo de forma controlada).

racionamiento s.m. **1** Reparto o distribución controlados y racionales de algo que escasea: *racionamiento de alimentos.* **[2** Control o limitación del consumo de algo para evitar consecuencias negativas: *Un 'racionamiento' de los alimentos grasos mejorará tu nivel de colesterol.*

racionar v. **1** Referido a algo que escasea, repartirlo o distribuirlo de forma ordenada y racional: *La sequía está durando mucho y han empezado a racionar el agua.* **[2** Referido esp. al consumo de algo, controlarlo o limitarlo para evitar consecuencias negativas: *Para evitar engordar, 'racionaré' el consumo de pasteles.* ☐ SEM. Dist. de *racionalizar* (reducir a normas o conceptos racionales).

racismo s.m. **1** Tendencia o actitud de desprecio y rechazo hacia individuos de sociedades y culturas distintas a la propia: *El racismo resurge generalmente en momentos de crisis.* **2** Doctrina que sostiene que la composición genética de las distintas razas determina las principales diferencias culturales manifestadas por diferentes grupos de personas: *Muchos movimientos totalitarios adoptan el racismo.*

racista ▮ adj. **1** Del racismo o relacionado con él. ▮ adj./s. **2** Que sigue o que defiende el racismo. ☐ MORF. 1. Como adjetivo es invariable en género. 2. Como sustantivo es de género común: *el racista, la racista.*

racor s.m. **1** Tubo delgado y flexible, generalmente con una rosca en sentido inverso en cada extremo, que sirve para comunicar una cosa con otra; latiguillo: *Para inflar la rueda de la bicicleta, utilizaremos el racor.* **[2** En una película cinematográfica, coherencia entre las imágenes de una misma escena o de escenas consecutivas en el tiempo: *En esa escena no hay 'racor', porque el vaso de la protagonista unas veces está vacío y otras, lleno.* ☐ ETIMOL. Del francés *raccord.* ☐ PRON. Se usa mucho la pronunciación galicista [rácor].

rada s.f. Bahía o ensenada donde las embarcaciones pueden estar ancladas y protegidas de los vientos. ☐ ETIMOL. Del francés *rade.*

radar (anglicismo) s.m. **1** Sistema que permite descubrir la presencia, la posición y la trayectoria de un objeto que no se ve, mediante la emisión de ondas electromagnéticas que se reflejan en el objeto y vuelven al punto de partida. **2** Aparato detector que utiliza este sistema. ☐ ETIMOL. Es un acrónimo que procede de la sigla *Radio Detection and Ranging* (detección y situación por radio). ☐ PRON. Incorr. *[rádar].

radiación s.f. **1** Emisión y propagación de luz, de calor o de otro tipo de energía: *En los países mediterráneos hay más horas de radiación solar que en los países nórdicos.* **2** Sometimiento o exposición a la acción de determinada radiación: *En medicina* *se utiliza la radiación con fines curativos.* **3** Transmisión, difusión o propagación de algo, esp. de sentimientos o de pensamientos: *Actualmente Estados Unidos es el centro principal de radiación cultural.* **4** En física, energía que se propaga en el espacio: *Las personas que han estado sometidas a radiación nuclear es fácil que desarrollen algún tipo de cáncer.* □ ETIMOL. Del latín *radiatio.* □ SEM. En las acepciones 1 y 3, es sinónimo de *irradiación.*

radiactividad s.f. Propiedad de algunos elementos cuyos átomos se desintegran espontáneamente. □ ORTOGR. Incorr. **radioactividad.*

radiactivo, va adj. De la radiactividad, con radiactividad o relacionado con ella. □ ORTOGR. Incorr. **radioactivo.*

radiado, da adj. **1** Dispuesto como los radios de una circunferencia, partiendo del centro; radial: *La red principal de carreteras españolas es una red radiada.* **2** Con sus partes interiores o exteriores situadas alrededor de un eje central: *Las estrellas de mar son animales radiados.*

radiador s.m. **1** Aparato de calefacción formado por tubos o placas huecos por los que circula un líquido caliente: *Los radiadores de la calefacción de mi casa son de hierro.* [**2** Aparato de calefacción, generalmente eléctrico: *El 'radiador' de mi habitación está formado por una placa que se calienta con una resistencia eléctrica.* **3** En algunos motores de explosión, aparato de refrigeración formado por tubos huecos por los que circula agua fría: *El motor de mi coche se calienta mucho porque se ha roto el radiador.*

radial adj. [**1** →radiado. **2** Del radio geométrico o relacionado con él: *Para calcular el área de un círculo es necesario saber la longitud radial.* [**3** En zonas del español meridional, que se emite por radio. □MORF. Invariable en género.

radián s.m. En el Sistema Internacional, unidad de ángulo plano que equivale al ángulo comprendido entre dos radios de un círculo que interceptan un arco de longitud igual a la del radio. □ ETIMOL. Del inglés *radian.*

radiante adj. **1** Muy brillante o resplandeciente. **2** Que siente y manifiesta alegría y gozo grandes: *Iba radiante a recoger el premio.* □ ETIMOL. Del latín *radians*, y éste de *radiare* (centellear). □ MORF. Invariable en género.

radiar v. **1** Transmitir o difundir por medio de la radio: *No televisan ese partido, pero lo radiarán.* **2** Referido a una lesión o a un cuerpo lesionado, tratarlos con rayos X o con otro tipo de radiación: *Radiaron el tumor para destruirlo.* **3** En física, referido a una radiación, producirla o emitirla: *Algunos materiales radian una energía que puede ser peligrosa.* □ ETIMOL. Del latín *radiare.* □ ORTOGR. La *i* nunca lleva tilde.

radical ▌ adj. **1** De la raíz o relacionado con ella: *En la palabra 'perro', el elemento radical es 'perr'.* **2** Fundamental, completo y total: *Con esta medicina, el enfermo mostrará una mejoría radical.* **3** Tajante, inflexible, intransigente o que no admite términos medios: *Es una persona radical en sus opiniones sobre la droga.* **4** En botánica, referido a una parte de una planta, que nace inmediatamente de la raíz: *Algunas plantas no tienen tallos y tienen hojas radicales.* ▌ adj./s. **5** Partidario o defensor del radicalismo: *Ese político radical pretende privatizar*

todos los servicios del Estado. ▌ s.m. **6** En gramática, parte del significante que es común a varios vocablos de una misma familia: *'Sopa' y 'sopera' tienen el mismo radical.* **7** En matemáticas, signo gráfico formado por una especie de 'V' con que se indica la raíz: $\sqrt{}$ *es el símbolo del radical..* **8** En química, agrupamiento de átomos que interviene como una unidad en un compuesto químico y pasa sin alterarse de unas combinaciones a otras: *El alcohol etílico está formado por dos radicales, uno un etilo y otro un hidroxilo.* **9** ‖ [**radical libre**; parte de una molécula que tiene uno o más electrones sin estar unidos, y que es muy reactiva: *La publicidad de esta crema cosmética dice que evita el envejecimiento prematuro de la piel porque acaba con los 'radicales libres'.* □ ETIMOL. Del latín *radicalis*, y éste de *radix* (raíz). □ MORF. 1. Como adjetivo es invariable en género. 2. En la acepción 5, como sustantivo es de género común: *el radical, la radical.*

radicalismo s.m. **1** Conjunto de ideas que pretenden reformar de forma tajante algún aspecto de la vida social o todos ellos: *El radicalismo ideológico no me parece viable en la sociedad actual.* **2** Falta de tolerancia o actitud inflexible, intransigente y que no admite términos medios: *Es difícil llevarse bien contigo por tu radicalismo e intransigencia.*

[radicalización s.f. Transformación en algo más radical, inflexible o intolerante.

radicalizar v. Volver más radical, inflexible, extremo o intolerante: *Sindicatos y patronal han radicalizado sus posturas y es imposible alcanzar un acuerdo. Ese partido ha perdido militantes porque se ha radicalizado mucho.* □ ORTOGR. La *z* se cambia en *c* delante de *e* →CAZAR.

radicar v. **1** Estribar o estar basado; consistir: *La clave del asunto radica en encontrar el dinero necesario para financiarnos.* **2** Estar o encontrarse: *Esa empresa radica en Vigo.* □ ETIMOL. Del latín *radicare.* □ ORTOGR. 1. Dist. de *erradicar.* 2. La *c* se cambia en *qu* delante de *e* →SACAR. □ SINT. Constr. *radicar EN algo.*

radicular adj. De la raíz o relacionado con ella. □ MORF. Invariable en género.

radio ▌ s.m. **1** En un círculo, línea recta que sale de su centro y llega a un punto cualquiera de la circunferencia. ⟲ círculo [**2** Espacio o distancia determinada por una línea de este tipo: *La policía registró la zona en un 'radio' de diez kilómetros.* **3** En algunas ruedas, cada una de las varillas que unen el eje con la llanta. **4** En el antebrazo, hueso más corto y fino de los dos que lo forman. **5** Elemento químico, metálico y sólido, de número atómico 88, y radiactivo. ▌ s.f. **6** Utilización de ondas hertzianas para transmitir algo: *El radar es un sistema de detección por radio.* **7** Emisión destinada al público que se realiza por medio de ondas hertzianas: *Aquí no se capta ninguna emisora de radio.* **8** Conjunto de procedimientos o instalaciones destinados a este tipo de emisión: *Todos los barcos llevan radio.* **9** Medio de comunicación que hace este tipo de emisiones: *La radio es un medio de comunicación rápido y directo.* **10** Aparato que recibe estas emisiones y las reproduce en señales o sonidos: *¿Tienes radio en el coche?* **11** ‖ [**radio despertador**; la que además lleva incorporada un reloj despertador. ‖ **radio macuto**; *col.* Divulgación popular de rumores o noticias sin confirmar: *Sé la noticia por radio macuto, así que no hagas mucho caso.* □ ETIMOL. Las acepciones 1-4, del latín *radius* (varita, rayo). La acepción 5, de *radium* (nombre dado por sus descubridores). □ ORTOGR. En la acepción 5, su símbolo químico es *Ra*. □ MORF. 1. En las acepciones 7, 8 y 9, es la forma abreviada y usual de *radiodifusión*. 2. En la acepción 10, es la forma abreviada y usual de *radiorreceptor*. 3. En la acepción 10, en zonas del español meridional se usa como masculino.

radio- Elemento compositivo que significa 'radiación' o 'radiactividad' (*radioterapia, radiodiagnóstico, radiología*) o que indica relación con la radiodifusión (*radiofrecuencia, radiotelégrafo, radiotaxi, radionovela*).

radioaficionado, da s. Persona legalmente autorizada para emitir y recibir mensajes radiados privados, usando bandas de frecuencia jurídicamente establecidas. □ ETIMOL. De *radio-* (radio) y *aficionado*.

[radiobaliza s.f. Instalación que señala la posición o situación de algo enviando información por medio de señales radioeléctricas: *Las 'radiobalizas' se emplean para marcar rutas de navegación.* □ ETIMOL. De *radio-* (radio) y *baliza*.

radiocasete s.m. Aparato electrónico formado por una radio y un casete. □ ETIMOL. De *radio-* (radio) y *casete*. □ USO En la lengua coloquial, se usa mucho la forma abreviada *casete*.

radiocomunicación s.f. Sistema de comunicación a larga distancia por medio de ondas de radio. □ ETIMOL. De *radio-* (radio) y *comunicación*.

[radiodiagnóstico s.m. Diagnóstico realizado por medio de rayos X u otras técnicas radiológicas. □ ETIMOL. De *radio-* (radiación) y *diagnóstico*.

radiodifusión s.f. →radio.

radioelectricidad s.f. **1** Producción, propagación y recepción de las ondas hertzianas: *La radioelectricidad hace posible la existencia de las emisoras de radio.* **2** Parte de la física que estudia estos fenómenos: *Las ondas de baja frecuencia son estudiadas por la radiolectricidad.* □ ETIMOL. De *radio-* (radio) y *electricidad*.

radioeléctrico, ca adj. De la radioelectricidad o relacionado con ella.

radioescucha s. Persona que escucha las emisiones radiotelefónicas y radiotelegráficas. □ ETIMOL. De *radio-* (radio) y *escucha*. □ ORTOGR. Incorr. *radio escucha*. □ MORF. Es de género común: *el radioescucha, la radioescucha*.

radiofonía s.f. Sistema de comunicación telefónica por medio de ondas electromagnéticas; radiotelefonía.

radiofónico, ca adj. **1** De la comunicación por medio de ondas hertzianas o relacionado con ella: *Esta emisora radiofónica se dedica en exclusiva a la música clásica.* **2** Que se difunde por medio de ondas hertzianas: *Como estaré en la tienda, sólo podré escuchar la retransmisión radiofónica del partido.*

radiografía s.f. **1** Técnica o procedimiento de hacer fotografías por medio de rayos X: *La radiografía es muy utilizada en medicina como método de diagnóstico.* **2** Fotografía obtenida por este procedimiento: *En la radiografía se observa que tiene fractura de tibia.* □ ETIMOL. De *radio-* (radiación) y *-grafía* (representación).

radiografiar v. Hacer una radiografía o fotografía por medio de los rayos X: *La traumatóloga mandó que radiografiaran el brazo del paciente para ver si había fractura.* □ ORTOGR. La *i* final de la raíz lleva tilde en los presentes, excepto en las personas *nosotros* y *vosotros* →GUIAR.

radiolario ▌adj./s.m. **1** Referido a un protozoo marino, que se caracteriza por tener un esqueleto formado por agujas silíceas y por vivir en solitario o formando colonias. ▌s.m.pl. **2** En zoología, orden de estos protozoos. □ ETIMOL. Del latín *radiolus*, y éste de *radius* (radio), por la disposición de los pedúnculos de estos animales.

radiología s.f. Parte de la medicina que estudia las radiaciones, esp. los rayos X, en su aplicación al diagnóstico y al tratamiento de las enfermedades. □ ETIMOL. De *radio-* (radiación) y *-logía* (ciencia, estudio).

radiológico, ca adj. De la radiología o relacionado con ella.

radiólogo, ga s. Médico especializado en radiología.

radionovela s.f. Obra radiofónica que se transmite en emisiones sucesivas. □ ETIMOL. De *radio-* (radio) y *novela*.

radiorreceptor s.m. →radio.

radiosonda s.f. Instrumento transportado por un globo y conectado a una pequeña emisora de radio, que transmite a la superficie terrestre información sobre las condiciones meteorológicas de la atmósfera. □ ETIMOL. De *radio-* (radio) y *sonda*.

[radiotaxi s.m. En un taxi, aparato receptor y emisor de radio conectado con una central que comunica al taxista los servicios solicitados por los clientes. □ ETIMOL. De *radio-* (radio) y *taxi*.

[radiotelecomunicación s.f. Conjunto de sistemas, de técnicas y de procedimientos de comunicación a larga distancia por medio de ondas electromagnéticas.

radiotelefonía s.f. Sistema de comunicación telefónica por medio de ondas electromagnéticas; radiofonía.

radioteléfono s.m. Teléfono sin hilos, en el que la comunicación se establece por medio de las ondas electromagnéticas.

radiotelegrafía s.f. Sistema de comunicación telegráfica por medio de las ondas hertzianas. □ ETIMOL. De *radio-* (radio) y *telegrafía*.

radiotelegrafista s. Persona que se dedica profesionalmente a la instalación, conservación y manejo de aparatos de radiocomunicación. □ MORF. Es de género común: *el radiotelegrafista, la radiotelegrafista*.

[radiotelégrafo s.m. Aparato que sirve para transmitir y recibir señales telegráficas por medio de ondas hertzianas.

radiotelegrama s.m. Telegrama transmitido por radio. □ ETIMOL. De *radio-* (radio) y *telegrama*.

[radiotelevisión s.m. **1** Transmisión de sonidos y de imágenes a distancia por medio de ondas electromagnéticas: *Este grupo de ingenieros está dedicado a perfeccionar la 'radiotelevisión' por satélite.* **2** Organismo que engloba servicios de radio y de televisión: *En España existen varias empresas de 'radiotelevisión'.* □ ETIMOL. De *radio-* (radio) y *televisión*.

radioterapia s.f. Tratamiento y curación de enfermedades mediante la utilización de rayos X u otro tipo de radiaciones. □ ETIMOL. De *radio-* (radiación) y *-terapia* (curación).

radiotransmisor s.m. Aparato empleado en comunicaciones que sirve para producir y enviar las ondas portadoras de señales. □ ETIMOL. De *radio-* (radio) y *transmisor*.

radioyente s. Persona que oye lo que se transmite por radio. □ ETIMOL. De *radio-* (radio) y *oyente*. □ MORF. Es de género común: *el radioyente, la radioyente*.

radón s.m. Elemento químico, no metálico, gaseoso y artificial, de número atómico 86, radiactivo, pesado, incoloro e inodoro: *El radón es un gas noble.* □ ETIMOL. De *radio* (metal). □ ORTOGR. Su símbolo químico es *Rn*.

raer v. Referido a una superficie, rasparla con un instrumento áspero o cortante, o gastarla por el uso: *Llevas muy largos los pantalones y les has raído el bajo.* □ ETIMOL. Del latín *radere* (afeitar, pulir, raspar). □ MORF. Irreg. →RAER.

ráfaga s.f. **1** Golpe de viento fuerte, repentino y corto: *Una ráfaga le arrebató el sombrero.* **2** Golpe de luz breve e instantáneo: *Como iba a adelantar, avisé con una ráfaga al conductor que iba delante de mí.* **3** Conjunto de proyectiles que dispara en sucesión rapidísima un arma automática: *Las ráfagas cortas suelen ser de cuatro o cinco disparos, y las largas, de diez o más.* □ ETIMOL. De origen incierto.

rafia s.f. Material textil que se obtiene de un tipo de palmera y que resulta resistente y muy flexible: *Tengo un bolso de rafia de colores fuertes.* □ ETIMOL. Voz de Madagascar. □ ORTOGR. Dist. de *razia*.

[rafting (anglicismo) s.m. Deporte que consiste en descender por los rápidos de los ríos con una balsa neumática. □ PRON. [ráftin].

raglán adj. →**manga raglán**. □ ETIMOL. Por alusión a lord Raglan, almirante de la armada inglesa en Crimea que vestía un gabán con este tipo de manga. □ SEM. Es sinónimo de *ranglan*.

ragú s.m. Guiso de carne cortada en trozos pequeños y acompañada de patatas y verduras. □ ETIMOL. Del francés *ragoût*. □ MORF. Aunque su plural en la lengua culta es *ragúes*, la RAE admite también *ragús*.

raído, da adj. Referido a una tela, muy gastada por el uso, aunque no rota.

raigambre s.f. **1** Arraigo, base o fundamento que hacen firme y estable algo: *Los encierros de toros son una costumbre de raigambre en muchos pueblos españoles.* **2** Origen, raíz o procedencia que ligan a un lugar: *Pertenece a una familia de raigambre montañesa.*

raíl s.m. **1** Carril de las vías férreas: *Las vías del tren están formadas por dos raíles paralelos.* **[2** Carril o guía sobre los que se desplaza algo: *Las puertas correderas se mueven sobre 'raíles'.* □ ETIMOL. Del inglés *rail*.

raíz s.f. **1** En una planta, parte que le sirve de sostén y tiene la función de absorber las materias necesarias para su crecimiento y desarrollo, crece en dirección contraria al tallo y carece de hojas: *Existen distintos tipos de raíces en las plantas.* 🔍 raíz **2** Causa u origen de algo: *La envidia y el egoísmo son la raíz de muchos problemas.* **3** Base de algo o parte de ello que queda oculta y de la cual procede lo que se manifiesta o se ve: *Esta crema se aplica en la raíz de las uñas para fortalecerlas.* **4** En lingüística, elemento base e irreductible, común a todos los representantes de una familia de palabras: *La raíz de 'gato' es 'gat-'.* **5** En los dientes de algunos vertebrados, parte que está dentro de los huecos de las mandíbulas: *La dentista me dijo que tenía una infección en la raíz de la muela.* 🔍 dentadura **6** En matemáticas, cantidad que hay que multiplicar por sí misma una o más veces para obtener un número determinado: *5 es la raíz cuadrada de 25.* **7** Origen o procedencia: *Muchos ritmos musicales tienen raíces africanas.* **8** ‖ **a raíz de** algo; a causa de ello: *A raíz de aquel golpe no volvió a encontrarse bien del todo.* ‖ **de raíz**; desde el principio o completamente: *Para acabar con el problema de la droga hay que atajarlo de raíz.* ‖ **echar raíces**; **1** Fijarse o establecerse en un lugar: *Al principio no me gustaba la ciudad, pero he echado raíces y ya no me iré.* **2** Arraigarse o hacerse firme o estable: *Algunas costumbres de los conquistadores echaron raíces entre la población conquistada.* ‖ **raíz cuadrada**; canti-

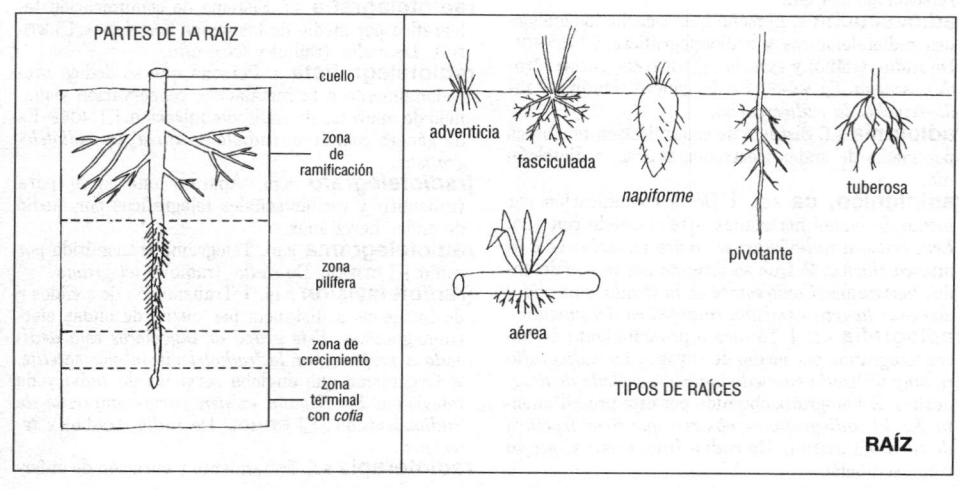

PARTES DE LA RAÍZ

cuello

zona de ramificación

zona pilífera

zona de crecimiento

zona terminal con *cofia*

adventicia

fasciculada

napiforme

pivotante

aérea

tuberosa

TIPOS DE RAÍCES

RAÍZ

dad que se ha de multiplicar por sí misma una vez para obtener un número determinado: *2 es la raíz cuadrada de 4.* ‖ **raíz cúbica**; cantidad que se ha de multiplicar por sí misma dos veces para obtener un número determinado: *2 es la raíz cúbica de 8.* □ ETIMOL. Del latín *radix.*

raja s.f. **1** Hendidura, abertura o corte. **2** Pedazo de una fruta o de otro alimento que se corta a lo largo o a lo ancho. □ ORTOGR. Dist. de *rajá.*

rajá s.m. Soberano de la India (país del sur asiático). □ ETIMOL. Del francés *rajah.* □ ORTOGR. Dist. de *raja.* □ MORF. Aunque su plural en la lengua culta es *rajáes,* se usa mucho *rajás.*

rajadura s.f. En zonas del español meridional, grieta.

rajar ▮ v. **1** Abrir, partir o separar en partes o en rajas: *Raja la sandía para probarla. Se cayó la jarra de plástico y se rajó.* **2** col. Hablar mucho o de forma indiscreta: *Fui a su casa a tomar café y estuvimos toda la tarde rajando.* **[3** col. Herir con arma blanca: *Un ladrón me amenazó con 'rajarme' si no le daba el dinero.* **4** col. En zonas del español meridional, acusar o desacreditar. ▮ prnl. **5** col. Echarse atrás o dejar de hacer algo en el último momento: *Iba a venir de viaje con nosotros, pero al final se rajó y nos dejó colgados.* □ ETIMOL. De origen incierto. □ ORTOGR. Conserva la *j* en toda la conjugación. □ SEM. En la acepción 1, dist. de *rasgar* (desgarrar mediante la fuerza y sin ayuda de ningún instrumento).

rajatabla ‖ **a rajatabla**; col. Rigurosamente, sin contemplaciones o sin reparar en riesgos. □ ORTOGR. Se admite también *a raja tabla.*

ralea s.f. Clase, género o condición: *Es un vago y un sinvergüenza, y no me gusta que vayas con gente de su ralea.* □ ETIMOL. De origen incierto. □ USO Es despectivo.

ralentí s.m. **1** Número de revoluciones por minuto al que debe funcionar un motor de explosión cuando no está acelerado: *Cuando paras el coche en un semáforo, se queda al ralentí.* **2** En cine, cámara lenta. □ ETIMOL. Del francés *ralenti.* □ MORF. Aunque su plural en la lengua culta es *ralentíes,* la RAE admite también *ralentís.* □ USO La acepción 1 se usa más en la expresión *al ralentí.*

ralentización s.f. Disminución de la velocidad de algo, esp. de una acción o de un proceso.

ralentizar v. Referido esp. a una acción o a un proceso, imprimirles lentitud o disminuir su velocidad: *Esta tecla permite ralentizar la imagen de la pantalla para observar los detalles con mayor claridad.* □ ORTOGR. La *z* se cambia en *c* delante de *e* →CAZAR.

rallador s.m. Utensilio de cocina formado generalmente por una chapa metálica curvada, con agujeritos de borde saliente, que sirve para rallar o desmenuzar alimentos.

ralladura s.f. Conjunto de trozos pequeños en que queda lo que se ha rallado.

rallar v. **1** Referido esp. a un alimento, desmenuzarlo raspándolo con el rallador: *Rallé un poco de pan para empanar los filetes.* **2** col. Molestar y fastidiar con pesadez: *Vete de aquí y no me ralles más.* □ ETIMOL. De *rallo* (rallador). □ ORTOGR. Dist. de *rayar.*

[rally (anglicismo) s.m. Competición automovilística en la que los participantes han de llegar al lugar indicado en un tiempo determinado y tras superar varias pruebas: *En la jornada de hoy del 'rally', el*

conductor español ha conseguido el mejor tiempo.* □ PRON. [ráli].

ralo, la adj. Con componentes, partes o elementos más separados de lo normal. □ ETIMOL. Del latín *rarus* (poco numeroso, poco frecuente).

rama s.f. **1** En una planta, cada una de las partes que nacen del tronco o tallo principal y en las que brotan generalmente hojas, flores y frutos: *Colgué un columpio de la rama de un árbol.* **2** Serie de personas que tienen su origen en el mismo tronco: *Mi hija se casó con un López de la rama de Valladolid.* **3** Parte secundaria que nace o se deriva de otra principal: *Pertenezco a la rama más conservadora del partido.* **4** Cada una de las partes en que se divide una disciplina o un campo del saber: *Lingüística y literatura son dos ramas de filología.* **5** ‖ {andarse/irse} **por las ramas**; col. Detenerse en lo menos importante de un asunto, dejando olvidado o aparte lo más importante: *Deja de irte por las ramas y cuenta lo que nos interesa.* ‖ **en rama**; referido a algunas materias, que se encuentran en un estado natural o sin elaborar: *Para hacer arroz con leche necesitas canela en rama y canela molida.* □ ETIMOL. Del latín *rama.*

ramadán s.m. Noveno mes del calendario musulmán. □ ETIMOL. Del árabe *ramadan* (mes del ayuno).

ramaje s.m. Conjunto de ramas de una planta, esp. de un árbol.

ramal s.m. Vía que arranca de la línea o camino principales.

ramalazo s.m. **1** col. Acción repentina y no premeditada: *Cuando le da el ramalazo, se va a la sierra y no aparece en un mes.* **2** col. Afeminamiento o amaneramiento: *Ese actor, entre la voz, los gestos y cómo viste, ¡menudo ramalazo tiene!* **3** col. Golpe súbito y repentino de una emoción o de un dolor: *En un ramalazo de ira tiró el libro a la basura.*

rambla s.f. Calle ancha y con árboles, generalmente con un arcén central. □ ETIMOL. Del árabe *ramla* (arenal).

ramera s.f. col. Prostituta. □ ETIMOL. De *ramo,* porque las prostitutas ponían un ramo en su puerta para fingir que tenían una taberna.

ramificación s.f. **1** División en ramas o extensión y propagación: *La ramificación de esa ideología dio lugar a diversos partidos.* **2** Consecuencia de un hecho o de un acontecimiento: *En la Edad Media, las epidemias y el hambre eran ramificaciones de la sequía.* **3** Cada una de las partes en que se ramifica algo: *En esa lámina, podemos ver las ramificaciones de las arterias.*

ramificarse v.prnl. Dividirse o separarse en ramas: *Las arterias y las venas de nuestro cuerpo se ramifican para llegar a todos los órganos.* □ ETIMOL. Del latín *ramus* (rama) y *facere* (hacer). □ ORTOGR. La *c* se cambia en *qu* delante de *e* →SACAR.

ramillete s.m. **1** Ramo pequeño de flores o de hierbas. **2** Colección o grupo de cosas exquisitas, selectas o útiles: *Publicó en una revista un ramillete de sus mejores poemas.*

[ramirense adj. De cualquiera de los reyes de Asturias y León (antiguos reinos españoles) que se llamaron Ramiro, o relacionado con ellos. □ MORF. Invariable en género.

ramo s.m. **1** Conjunto o manojo de flores, ramas o hierbas. **2** Rama cortada del árbol. **3** Cada una de las partes en que se divide una ciencia, una industria o una actividad: *Los albañiles trabajan en el ramo de la construcción.* □ ETIMOL. Del latín *ramus* (rama).

ramonear v. **1** Referido a un árbol, cortarle las puntas de las ramas: *El jardinero ramoneaba los árboles para que las ramas no se hicieran demasiado largas.* **2** Referido al ganado, comer las hojas tiernas de los árboles; ahojar: *Las cabras ramonearon las hojas que habíamos cortado de los frutales.* □ ETIMOL. De *ramón.*

ramoso, sa adj. Con muchas ramas.

rampa s.f. Plano o terreno inclinado por el que se sube o se baja de un lugar a otro. □ ETIMOL. Del francés *rampe.*

rampante adj. **1** Referido a un animal, esp. a un león, que está con la zarpa abierta y con las garras tendidas como para agarrar o asir algo: *El escudo de su familia tiene un león rampante en el lado derecho.* **2** En arquitectura, referido esp. a un arco, que tiene sus puntos de arranque a distinta altura: *El puente se ha construido sobre arcos rampantes porque el terreno está en pendiente.* □ ETIMOL. Del francés *rampant*, y éste del germánico *rampa* (garra). □ MORF. Invariable en género.

[rampla s.f. En zonas del español meridional, remolque de un camión.

ramplón, -a adj. col. Vulgar, excesivamente simple o de poca calidad y mérito. □ ETIMOL. De origen incierto.

ramplonería s.f. **1** Vulgaridad, simpleza o falta de calidad y de mérito: *Me sorprende que te guste la ramplonería de esos versos.* **2** Hecho o dicho vulgares o excesivamente simples: *Estuve en su conferencia y no dijo más que ramplonerías.*

rana s.f. **1** Anfibio de cabeza grande y ojos saltones, con las extremidades posteriores muy desarrolladas para saltar o nadar y la piel brillante, suave y generalmente verde. ⚡ metamorfosis **2** Juego que consiste en introducir, desde determinada distancia, un objeto pequeño por la boca abierta de una figura que representa a este animal: *Tiene muy buena puntería y siempre gana jugando a la rana.* **[3** Prenda de vestir de bebé de una sola pieza y que deja las piernas al descubierto: *Como hace mucho calor, le voy a poner una 'ranita' al bebé.* **4 ‖ cuando las ranas críen pelo**; col. Nunca: *Es tan tacaño que te invitará cuando las ranas críen pelo.* **‖ salir rana**; col. Defraudar o resultar lo contrario de lo que se esperaba: *Confié en él, pero me salió rana y me engañó en cuanto pudo.* □ ETIMOL. Del latín *rana.* □ MORF. En la acepción 1, es un sustantivo epiceno: *la rana macho, la rana hembra.*

ranchero, ra ‖ s. **1** Persona que vive o trabaja en un rancho. **‖** s.f. **2** Composición musical de carácter popular y tono alegre, típica de algunos países suramericanos: *Las rancheras se suelen cantar con acompañamiento de mariachis.* **[3** col. Coche que tiene la parte del maletero adaptada para que puedan viajar personas en ella: *Como somos muchos en casa, estuvimos dudando entre comprarnos una furgoneta o una 'ranchera'.*

rancho s.m. **1** Comida que se hace para muchas personas, y que generalmente consta de un solo guiso: *Los soldados pasan en fila para que el cocinero les sirva el rancho.* **2** Granja en la que se crían caballos y otros cuadrúpedos, propia de algunos países americanos: *El ganado pastaba en los terrenos del*

rancho. ⚡ vivienda □ ETIMOL. De *rancharse* o *ranchearse* (alojarse).

ranciedad s.f. **1** Sabor y olor más fuertes de lo habitual que adquieren el vino y algunos alimentos grasientos con el paso del tiempo: **2** Antigüedad o apego a las cosas antiguas.

rancio, cia adj. **1** Referido a un alimento, que ha adquirido un sabor y un olor más fuertes con el paso del tiempo: *Este queso rancio ya sólo sirve para rallar.* **2** Muy antiguo o muy apegado a la tradición: *Procede de una familia de rancio abolengo.* **[3** Referido a una persona, antipática o de carácter seco: *Ése es un chico muy 'rancio' y nadie quiere hablar con él.* □ ETIMOL. Del latín *rancidus.*

randa ‖ s.m. **1** col. Granuja o ladrón, esp. el que comete robos pequeños. **‖** s.f. **2** Adorno de encaje que se utiliza para vestidos, sábanas y otras prendas de ropa. **3** Encaje de bolillos.

ranglan adj. →**manga ranglan.** □ SEM. Es sinónimo de *raglán.*

rango s.m. Categoría de una persona según su situación profesional o social. □ ETIMOL. Del francés *rang.*

[ranking s.m. →**lista.** □ PRON. [ránkin]. □ USO Es un anglicismo innecesario.

ránula s.f. En medicina, abultamiento blando que se forma debajo de la lengua por acumulación de líquido: *La ránula se debe a la obstrucción del conducto de secreción de una de las glándulas salivares de la zona.* □ ETIMOL. Del latín *ranula* (ranita).

ranunculáceo, a ‖ adj./s.f. **1** Referido a una planta, que es herbácea, con hojas generalmente simples y enteras, flores de colores brillantes y fruto seco o carnoso: *La peonía es una ranunculácea.* **‖** s.f.pl. **2** En botánica, familia de estas plantas, perteneciente a la clase de las dicotiledóneas. □ ETIMOL. Del latín *ranunculus* (ranita).

ranura s.f. Hendidura estrecha en la superficie de un cuerpo sólido. □ ETIMOL. Del francés *rainure.*

[rap (anglicismo) s.m. **1** Música de tono monótono y ritmo marcado, en la que la letra de las canciones se recita en su mayor parte. **2** Baile que se ejecuta al compás de esta música.

[rapado, da s. →**cabeza rapada.**

rapadura s.f. **1** Corte de pelo, de forma que quede muy corto: *Cuando empieza el verano, siempre me hago una rapadura para que el pelo no me dé calor.* **2** Afeitado de la barba: *La rapadura te ocupa muy poco tiempo porque tienes muy poca barba.*

rapapolvo s.m. col. Reprimenda o regañina fuertes: *Si llegas tarde sin avisar, te van a echar un buen rapapolvo.*

rapar v. **1** col. Referido al pelo, cortarlo dejándolo muy corto: *El peluquero me ha rapado las melenas y ahora parezco un cepillo. Voy a la peluquería a raparme, porque en verano el pelo me da mucho calor.* **2** Referido a la barba, afeitarla: *Va al barbero para que le rape la barba.* □ ETIMOL. Del germánico *rapon.*

rapaz ‖ adj./s.f. **1** Referido a un ave, que se caracteriza por ser carnívora y tener el pico y las uñas muy fuertes, encorvados y puntiagudos: *El águila es un ave rapaz.* **‖** s.f.pl. **2** En zoología, grupo de estas aves. □ ETIMOL. Del latín *rapax.* □ MORF. Como adjetivo es invariable en género. ⚡ rapaz, pico.

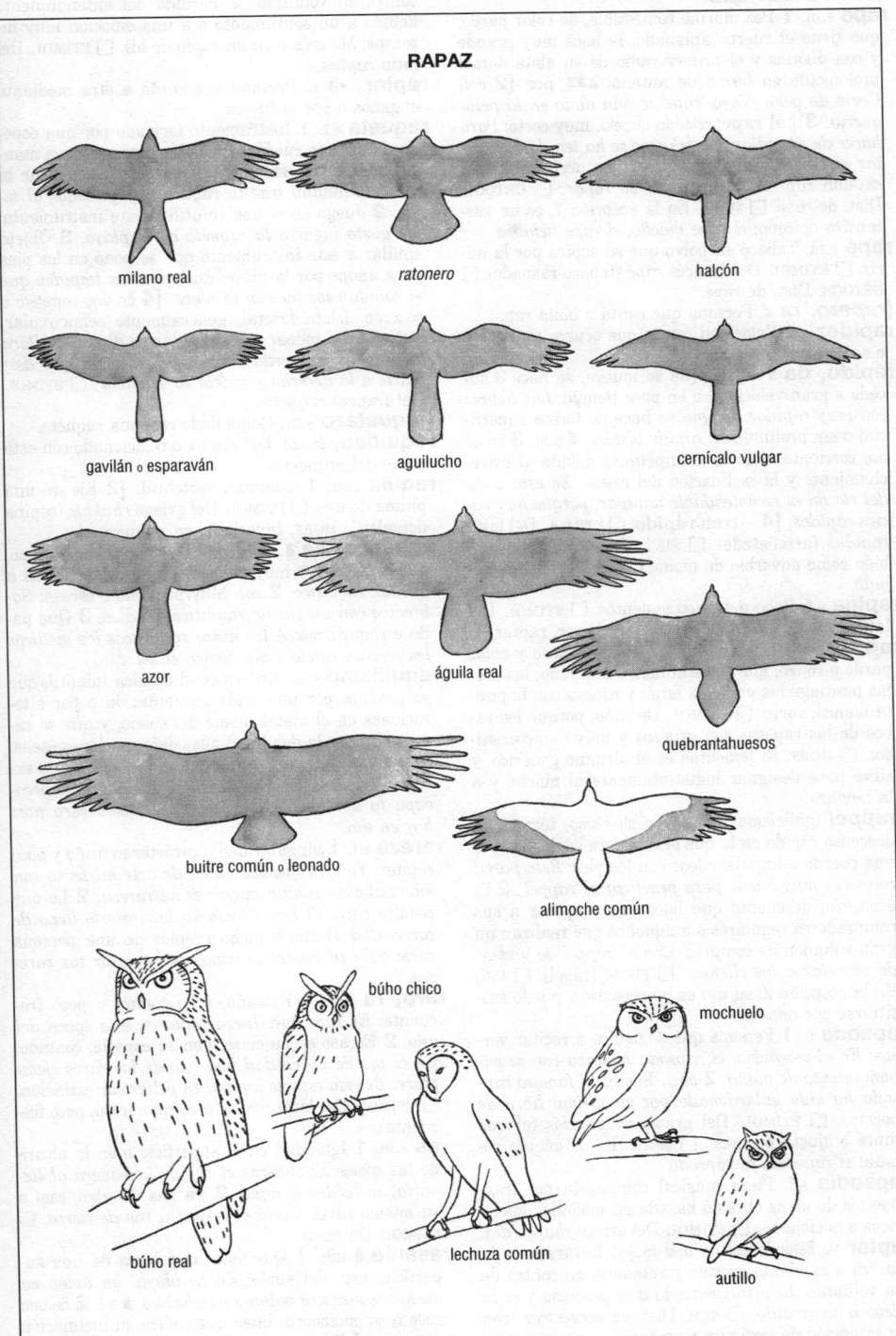

RAPAZ

milano real

ratonero

halcón

gavilán o esparaván

aguilucho

cernícalo vulgar

azor

águila real

quebrantahuesos

buitre común o leonado

alimoche común

búho chico

mochuelo

búho real

lechuza común

autillo

rapaz, -a s. *col.* Muchacho de corta edad. □ ETIMOL. Del latín *rapax*.

rape s.m. **1** Pez marino comestible, de color pardo, que tiene el cuerpo aplanado, la boca muy grande y con dientes y el primer radio de su aleta dorsal prolongado en forma de antena. ⚥ pez **[2** *col.* Corte de pelo: *¡Vaya 'rape' te han dado en la peluquería!* **3** ‖**al rape**; referido al pelo, muy corto: *Para hacer de presidiario, este actor se ha tenido que cortar el pelo al rape.* □ ETIMOL. La acepción 1, del catalán *rap*. La acepción 2, de *rapar*. □ ORTOGR. Dist. de *rapé*. □ MORF. En la acepción 1, es un sustantivo epiceno: *el rape macho, el rape hembra.*

rapé s.m. Tabaco en polvo que se aspira por la nariz. □ ETIMOL. Del francés *râpé* (tabaco raspado). □ ORTOGR. Dist. de *rape*.

[rapero, ra s. Persona que canta o baila rap.

rapidez s.f. Velocidad con la que ocurre un suceso o se ejecuta una acción.

rápido, da ‖ adj. **1** Que se mueve, se hace o sucede a gran velocidad o en poco tiempo: *Las liebres son muy rápidas.* **2** Que se hace de forma superficial o sin profundizar: *rápido vistazo.* ‖ s.m. **3** En un río, corriente violenta o impetuosa debida al estrechamiento y la inclinación del cauce: *En esta zona del río no es recomendable navegar, porque hay varios rápidos.* **[4 →tren rápido.** □ ETIMOL. Del latín *rapidus* (arrebatado). □ SINT. *Rápido* se usa también como adverbio de modo: *Comes demasiado rápido.*

rapiña s.f. Robo o saqueo violentos. □ ETIMOL. Del latín *rapina*, y éste de *rapere* (arrebatar, raptar).

raposo, sa s. Mamífero de pelaje espeso y color pardo o rojizo, que tiene el morro alargado, las orejas puntiagudas y la cola larga y espesa con la punta blanca; zorro. □ ETIMOL. De *rabo*, porque los rabos de las raposas son gruesos y muy característicos. □ MORF. El femenino es el término genérico, y sirve para designar indistintamente al macho y a la hembra.

[rappel (galicismo) s.m. **1** En alpinismo, técnica de descenso rápido en la que el alpinista se desliza por una cuerda e impulsándose con los pies: *Esta pared rocosa es muy buena para practicar el 'rappel'.* **2** En economía, descuento que hace una empresa a sus compradores regulares o a aquellos que realizan un gran volumen de compras: *Con el 'rappel' se pretende vincular a los clientes.* □ PRON. [rápel]. □ USO En la acepción 2, su uso es innecesario y puede sustituirse por *retorno.*

rapsoda s. **1** Persona que se dedica a recitar versos: *En el escenario, el rapsoda recitaba con acompañamiento de piano.* **2** *poét.* Poeta: *El famoso rapsoda ha sido galardonado por su último libro de poemas.* □ ETIMOL. Del griego *rhapsoidós* (el que junta o ajusta poemas). □ MORF. Es de género común: *el rapsoda, la rapsoda.*

rapsodia s.f. Pieza musical compuesta por fragmentos de otras obras o basada en melodías folclóricas o nacionales. □ ETIMOL. Del griego *rhapsoidia*.

raptar v. Referido esp. a una mujer, llevársela a la fuerza o mediante engaño y retenerla en contra de su voluntad: *El príncipe raptó a la princesa y se la llevó a su castillo.* □ SEM. Dist. de *secuestrar* (con la intención de pedir un rescate).

rapto s.m. **1** Secuestro o retención de una persona contra su voluntad. **2** Pérdida del entendimiento debido a un sentimiento o a una emoción muy intensos: *Me golpeó en un rapto de ira.* □ ETIMOL. Del latín *raptus*.

raptor, -a s. Persona que rapta a otra mediante engaños o por la fuerza.

raqueta s.f. **1** Instrumento formado por una especie de aro con cuerdas cruzadas entre sí y con mango, que se usa en algunos juegos para golpear la pelota: *Mañana trae tu raqueta y jugaremos al tenis.* **2** Juego en el que se utiliza este instrumento: *Me gusta jugar a la raqueta en la playa.* **3** Objeto similar a este instrumento que se pone en los pies para andar por la nieve: *Las raquetas impiden que se hundan los pies en la nieve.* **[4** En una carretera u otra vía, isleta lateral, generalmente semicircular, que se debe rodear para cambiar de dirección: *Para girar a la izquierda en este cruce tienes que desviarte a la derecha y rodear la 'raqueta'.* □ ETIMOL. Del francés *raquette.*

[raquetazo s.m. Golpe dado con una raqueta.

raquídeo, a adj. Del raquis o relacionado con esta parte del esqueleto.

raquis s.m. **1** Columna vertebral. **[2** Eje de una pluma de ave. □ ETIMOL. Del griego *rhákhis* (espina dorsal). □ MORF. Invariable en número.

raquítico, ca ‖ adj. **1** *col.* Referido a una persona, que está débil y muy delgada: *Si no comes te vas a quedar raquítico.* **2** *col.* Muy pequeño o escaso: *Sobrevive con un sueldo raquítico.* ‖ adj./s. **3** Que padece raquitismo: *A los niños raquíticos los médicos les recetan calcio y que tomen el sol.*

raquitismo s.m. Enfermedad crónica infantil, que se produce por una mala alimentación o por alteraciones en el metabolismo del calcio, y que se caracteriza por la debilidad y las deformaciones óseas.

rara avis (latinismo) ‖ Lo que se considera una excepción dentro de la regla: *Si realmente no te preocupa la opinión de los demás, eres una rara avis hoy en día.*

rareza s.f. **1** Singularidad o carácter extraño y poco común: *Yo creo que las obras de arte moderno son más valiosas cuanto mayor es su rareza.* **2** Lo que resulta raro: *El brujo tenía su laboratorio lleno de rarezas.* **3** Hecho o dicho propios de una persona rara: *Sólo tu madre es capaz de soportar tus rarezas.*

raro, ra adj. **1** Extraño, poco común o poco frecuente: *Es raro que llueva tanto en esta época del año.* **2** Escaso en su clase o en su especie; contado: *En el zoo de mi ciudad hay uno de los raros ejemplares de esta especie animal en peligro de extinción.* □ ETIMOL. Del latín *rarus* (poco numeroso, poco frecuente).

ras s.m. **1** Igualdad en la superficie o en la altura de las cosas: *Si superas el ras de la bañera al llenarla, se saldrá el agua.* **2** ‖**a ras de** algo; casi a su mismo nivel: *Cortó el césped a ras de tierra.* □ ETIMOL. De *rasar.*

rasante ‖ adj. **1** Que está muy cerca de una superficie, pero por encima del suelo: *En la playa, un avión en vuelo rasante tiró balones hinchables.* ‖ s.f. **2** En una calle o en un camino, línea que indica su inclinación o su paralelismo respecto a la horizontal: *En los* *cambios de rasante no se debe adelantar porque no hay visibilidad.* □ MORF. Como adjetivo es invariable en género.

rasar v. Referido a un recipiente lleno hasta el borde, igualar su contenido con algún instrumento: *Rasa bien las cucharadas de azúcar para que el postre no quede demasiado dulce.* □ ETIMOL. De *raso*.

rasca ∎ adj. [**1** col. En zonas del español meridional, ordinario o vulgar. ∎ s.f. **2** col. Frío muy intenso: *¡Vaya rasca que hace aquí por las noches...!* [**3** col. En zonas del español meridional, borrachera. □ MORF. Como adjetivo es invariable en género.

rascacielos s.m. Edificio de gran altura y de muchos pisos. □ ETIMOL. Traducción del inglés *sky-craper*. □ MORF. Invariable en número. 🔀 vivienda

rascador s.m. Utensilio que sirve para rascar.

rascadura s.f. Frotamiento que se hace con algo agudo o áspero.

rascar v. **1** Frotar fuertemente con algo agudo o áspero: *Me rasco los granos porque me pican.* **2** col. Referido a un instrumento musical de cuerda, tocarlo mal, haciéndole emitir un sonido desagradable: *Deja de rascar el violín, que me da dolor de cabeza.* [**3** col. Producir una sensación de aspereza al rozar la piel: *Esta toalla 'rasca' porque no le he puesto suavizante.* [**4** col. Referido a un vino o a un licor, raspar o resultar ásperos al beberlos: *No me gustan los vinos peleones porque 'rascan'.* □ ETIMOL. Del latín *rasicare. □ ORTOGR. La *c* se cambia en *qu* delante de *e* →SACAR.

[**rasear** v. En fútbol, referido al balón, impulsarlo de forma que vaya a ras de suelo: *El jugador 'raseó' el balón y metió un gol.*

rasero s. ‖ **por el mismo rasero**; referido a la forma de juzgar algo, con total igualdad: *Al poner las notas, la profesora califica a los alumnos por el mismo rasero.* □ ETIMOL. Del latín *rasorium*.

rasgado, da adj. Referido a los ojos o a la boca, que tienen una forma más alargada de lo normal.

rasgadura s.f. **1** Rotura de algo mediante el uso de la fuerza: *Si seguimos tirando a la vez del papel, sólo conseguiremos su rasgadura.* **2** Roto o rasgón de una tela.

rasgar v. Referido a algo de poca consistencia, romperlo o hacerlo pedazos mediante la fuerza y sin ayuda de ningún instrumento; desgarrar: *En un ataque de ira, rasgó la carta y la tiró a la papelera.* □ ETIMOL. Del latín *resecare* (cortar, recortar). □ PRON. En zonas del español meridional no debe confundirse con *rajar*. □ ORTOGR. La *g* se cambia en *gu* delante de *e* →PAGAR. □ SEM. Dist. de *rajar* (hacer rajas).

rasgo s.m. **1** Línea o trazo que se hacen al escribir: *El grafólogo me dijo que los rasgos de mi letra indicaban un carácter fuerte.* **2** Facción del rostro de una persona: *Tiene los mismos rasgos que su padre.* **3** Característica o propiedad distintivas: *El profesor nos dictó los rasgos propios del estilo arquitectónico que estábamos estudiando.* **4** ‖ **a grandes rasgos**; sin pormenorizar: *Nos explicó el proyecto a grandes rasgos, porque no había tiempo para entrar en detalles.* □ MORF. La acepción 2 se usa más en plural.

rasgón s.m. Roto en un vestido o en una tela.

rasguear v. Referido a un instrumento musical, esp. a la guitarra, tocarlo rozando varias cuerdas a la vez con la punta de los dedos: *Rasgueó la guitarra para*

ver si estaba afinada. □ ETIMOL. De *rasgar*. □ ORTOGR. La *gu* se cambia en *g* delante de *a* y *o* →DISTINGUIR.

rasguño s.m. Herida o corte superficiales hechos en la piel con las uñas o por un roce violento.

rasilla s.f. Ladrillo hueco y delgado empleado en la construcción. □ ETIMOL. De *raso*.

raso, sa ∎ adj. **1** Plano, liso, uniforme o sin estorbos: *Lijó la madera para dejarla rasa.* **2** Que carece de título o de otra característica que lo distinga: *En el ejército, los soldados rasos son los que tienen la categoría más baja.* **3** Referido esp. al cielo, despejado o sin nubes ni nieblas: *Ya podemos salir a la calle, porque ha dejado de llover y está raso.* **4** Referido a un recipiente, que está lleno hasta sus bordes: *El médico me ha dicho que tome una cucharada rasa de jarabe.* ∎ s.m. **5** Tela de seda con brillo: *Me puse un lazo de raso en el pelo.* **6** ‖ **al raso**; al aire libre, sin ningún techado ni protección: *No pudimos poner la tienda de campaña y dormimos al raso.* □ ETIMOL. Las acepciones 1-4, del latín *rasus* (afeitado). La acepción 5, quizá del antiguo *paño de Ras*, y éste de *Arrás* (ciudad francesa, famosa por sus tapices).

raspa ∎ s. [**1** col. En zonas del español meridional, persona vulgar. ∎ s.f. **2** Espina del pescado, esp. la columna vertebral. □ MORF. En la acepción 1, es de género común: *el 'raspa', la 'raspa'.*

raspado s.m. **1** Operación de rascar o lijar suavemente para eliminar la parte superficial de algo; raspadura: *Cuando acabes con el raspado del barniz antiguo, puedes barnizar la silla de nuevo.* **2** Señal que queda en una superficie al rozarla con algo duro o áspero: *Al sacar el coche del aparcamiento le hice un raspado.* **3** Operación quirúrgica consistente en raspar una parte del organismo, esp. la cavidad uterina o un hueso, para limpiarlos de sustancias adheridas o para obtener muestras de éstas; legrado: *Después de sufrir el aborto le hicieron un raspado para evitar infecciones.*

raspadura s.f. **1** Conjunto de los restos que quedan después de raspar una superficie: *Después de raspar la pintura de la puerta, barrí las raspaduras.* **2** →raspado.

raspar v. **1** Rascar suavemente para eliminar la parte superficial: *Raspé la pintura con papel de lija.* [**2** Referido a una superficie, dañarla al rozarla con algo duro: *'He raspado' la puerta del coche con la columna del garaje. Al caer 'me raspé' la rodilla.* **3** Referido al vino o a otro licor, resultar ásperos al beberlos: *Este aguardiente tan fuerte raspa.* **4** Producir una sensación de aspereza en la piel: *Estas toallas raspan.* □ ETIMOL. Del germánico *raspon*.

raspón o **rasponazo** s.m. Herida o marca superficiales causadas por un roce violento.

rasposo, sa adj. Que resulta áspero al tacto o al paladar.

[**rastafari** adj./s. Que pertenece a un movimiento religioso y político jamaicano que preconiza la vuelta de los negros jamaicanos a África y que espera la llegada de un rey mesiánico. □ MORF. **1.** Es de género común: *el 'rastafari', la 'rastafari'.* **2.** En la lengua coloquial se usa mucho la forma abreviada *rasta*.

rastras ‖ **a rastras**; **1** Referido a la forma de moverse, arrastrándose: *Para poder entrar en la cueva tendréis que ir a rastras un trecho.* **2** De mala gana, obligado o forzado: *Me llevaron a rastras al cine, porque no me apetecía ir.*

rastreador, -a s. Persona que se dedica a buscar algo siguiendo un rastro.

rastrear v. Buscar siguiendo un rastro: *La policía rastrea el bosque en busca del evadido.*

rastreo s.m. Búsqueda de algo mediante el rastro o las señales que ha dejado.

rastrero, ra adj. **1** Que va arrastrándose o pegado al suelo: *Algunas plantas tienen tallos rastreros.* **2** Bajo, malo o despreciable: *No sé qué haces con un tipo tan rastrero y repugnante.*

[rastrilladora s.f. Máquina agrícola provista de un mecanismo con grandes púas y empleada para recoger el heno o la paja segados, u otros productos similares.

rastrillar v. Referido esp. a un terreno, limpiarlo de hierba, hojas, paja o de otro tipo de cosas con el rastrillo: *En otoño hay que rastrillar los jardines frecuentemente.*

rastrillo s.m. **1** Instrumento formado por un mango largo con un travesaño con púas a modo de dientes en uno de sus extremos, que sirve para recoger hierba, paja, hojas y otro tipo de elementos: *He amontonado las hojas secas del jardín con el rastrillo.* apero **[2** En zonas del español meridional, maquinilla de afeitar. □ ETIMOL. Del latín *rastellum.*

rastro s.m. **1** Señal, huella o indicio dejados por algo: *El herido dejó un rastro de sangre por donde pasó.* **2** Mercado al aire libre que se celebra un determinado día de la semana, en el que se venden todo tipo de objetos usados o nuevos: *Todos los domingos se monta un rastro en un antiguo barrio de Madrid.* **3** En zonas del español meridional, matadero. □ ETIMOL. Del latín *rastrum* (rastrillo de labrador), por la huella que dejaba.

rastrojar v. Referido a un lugar, arrancar los rastrojos que tiene: *En verano hay que rastrojar las tierras para evitar incendios.* □ ORTOGR. Conserva la *j* en toda la conjugación.

rastrojo s.m. Restos de tallos de mies que quedan en la tierra después de segar. □ ETIMOL. Del antiguo *restrojo.*

rasura s.f. Corte del pelo, esp. del de la cara, a ras de la piel. □ ETIMOL. Del latín *rasura.*

[rasuradora s.f. En zonas del español meridional, máquina eléctrica de afeitar.

rasurar v. Referido a una parte del cuerpo, cortarle a ras de piel el pelo que hay en ella; afeitar: *Los ciclistas se rasuran las piernas.* □ ETIMOL. De *rasura* (acción de raer y de rasurar).

rata s. **1** *col.* Persona tacaña. **2** *col.* En zonas del español meridional, ratero o ladrón. s.f. **3** Mamífero roedor de pelaje gris oscuro, cabeza pequeña, hocico puntiagudo, orejas tiesas, cola fina, larga, escamosa y patas cortas. roedor **[4** *col.* Persona despreciable: *No puedo creer que esa 'rata' asquerosa sea amigo tuyo.* □ ETIMOL. De origen incierto. □ MORF. 1. En las acepciones 1 y 2, es de género común: *el rata, la rata.* 2. En la acepción 3, es un sustantivo epiceno: *la rata macho, la rata hembra.* □ SEM. En la acepción 3, dist. de *ratón* (roedor mucho más pequeño y menos dañino).

ratear v. *col.* Actuar con tacañería: *No ratees en la comida porque hay que alimentar bien a los niños.*

ratería s.f. **1** Robo de cosas de poco valor: *Lo de-* tuvieron varias veces por hacer raterías en los grandes almacenes. **2** Ruindad o tacañería: *Tu ratería hace que cada vez tengas menos amigos.*

ratero, ra s. Ladrón que roba con habilidad y cautela cosas de poco valor.

raticida s.m. Sustancia que sirve para matar ratas y ratones; matarratas. □ ETIMOL. De *rata* y *-cida* (que mata).

ratificación s.f. Aprobación o confirmación de actos, palabras o escritos dándolos por válidos o ciertos.

ratificar v. Referido esp. a actos, palabras o escritos, aprobarlos o confirmarlos dándolos por válidos o ciertos: *La ministra ratificó las declaraciones del día anterior ante un grupo de periodistas.* □ ETIMOL. Del latín *ratus* (confirmado) y *facere* (hacer). □ ORTOGR. La *c* se cambia en *qu* delante de *e* →SACAR. □ SEM. Dist. de *corroborar* (confirmar con nuevos datos) y de *rectificar* (corregir algo dicho o hecho anteriormente).

ratificatorio, ria adj. Que ratifica, aprueba o confirma.

[rating (anglicismo) s.m. Porcentaje de personas u hogares que sintonizan un programa específico de televisión o de radio, en relación con el total de personas u hogares que tienen televisión o radio. □ PRON. [rátin].

[ratio (anglicismo) s.f. Relación que se establece entre dos cantidades o dos medidas: *En mi colegio la 'ratio' alumno/profesor es de veintiocho a uno.* □ ETIMOL. Del latín *ratio.* □ MORF. Se usa mucho como masculino.

rato s.m. **1** Espacio de tiempo más o menos corto: *Sólo tardaré un rato en vestirme.* **2** ‖ **a ratos**; en unos momentos sí y en otros no: *Con tanto calor, esta noche sólo he dormido a ratos.* ‖ **para rato**; para mucho tiempo: *Con esto tengo para rato, así que no me molestes.* ‖ **pasar el rato**; ocupar el tiempo, generalmente haciendo algo entretenido: *Mientras esperas, puedes pasar el rato hojeando revistas.* ‖ **ratos perdidos**; tiempo libre entre alguna actividad: *Acepto el encargo, pero tardaré en acabarlo, porque lo haré en los ratos perdidos.* □ ETIMOL. Del latín *raptus* (arrebatamiento), porque el arrebatamiento normalmente dura un instante.

ratón, -a s. **1** Mamífero roedor más pequeño que la rata, de pelaje gris o blanco, muy fecundo y ágil, que vive generalmente en las casas o en el campo. roedor s.m. **2** En un ordenador, mando separado del teclado que sirve para modificar lo que hay en la pantalla deslizándolo sobre una superficie. □ SEM. Dist. de *rata* (roedor mucho más grande y dañino).

ratonero, ra adj. **1** De los ratones o relacionado con ellos; ratonil. s.m. **[2** Ave rapaz diurna, de alas anchas, cuello corto, cola amplia y redondeada de color gris con bandas pardas, y plumaje oscuro con la parte inferior manchada de blanco: *El 'ratonero' hace los nidos en los árboles y se alimenta de pequeños vertebrados y escarabajos.* rapaz s.f. **3** Trampa para cazar ratones: *Ha puesto un trozo de queso como cebo en la ratonera.* **4** Madriguera o agujero donde viven ratones: *En el desván he visto dos ratoneras.* **5** Trampa o engaño contra alguien: *¡Qué tonto eres, mira que caer en semejante ratonera!* **[6** Casa o habitación muy pequeñas: *Acostumbrado a vivir en una enorme casa de campo,*

cualquier apartamento me parece una 'ratonera'. □
MORF. En la acepción 2, es un sustantivo epiceno:
el ratonero macho, el ratonero hembra.

ratonil adj. →**ratonero**. □ MORF. Invariable en género.

raudal s.m. **1** Caudal abundante de agua u otro
líquido, que corre violentamente: *Con las lluvias torrenciales, por las calles bajaban raudales de agua.*
2 Gran cantidad de algo que sale o surge de repente
y con energía: *Los aficionados recibieron al árbitro
con un raudal de insultos.* **3** ‖**a raudales**; en gran
cantidad o muy abundantemente: *Por estos ventanales entra luz a raudales.* □ ETIMOL. De raudo.

raudo, da adj. Rápido, veloz o precipitado. □ ETIMOL. Del latín **raptus*, por cruce entre *raptus*
(arrebatado) y *rapidus* (arrebatado).

raviolis s.m.pl. Pasta alimenticia delgada y cortada
en pequeños trozos cuadrados, rellena de algún alimento muy picado. □ ETIMOL. Del italiano *ravioli*.
□ MORF. 1. Invariable en número. 2. Se usa más en
plural.

raya s.f. **1** Trazo o marca delgados y alargados: *Las
rayas de las carreteras son muy importantes para
la conducción nocturna.* **2** Término o límite que se
pone a algo, tanto físico como moral: *Cuando trates
conmigo no te pases de la raya.* **3** Línea que queda
en la cabeza al separar el pelo con el peine hacia
lados opuestos: *Siempre me peino con raya en medio.* 🖾 peinado **4** En una prenda de vestir, esp. en un
pantalón, doblez vertical que se marca al plancharla:
*La raya de los pantalones divide las perneras en dos
partes iguales.* **5** En ortografía, signo gráfico más largo que el guión y que se usa generalmente para
separar incisos o para iniciar diálogos: *El signo '—'
es una raya.* **6** col. En el lenguaje de la droga, dosis
de una droga en polvo, esp. de cocaína, que se aspira por la nariz: *Jamás en mi vida he esnifado una
raya de cocaína.* **7** Pez marino con el cuerpo muy
plano, con una cola larga y delgada, aletas dorsales
pequeñas y situadas en la cola y una fila longitudinal de espinas: *La raya es un pez muy abundante
en los mares españoles.* 🖾 pez **[8** En zonas del español meridional, paga o salario. **9** ‖**a raya**; dentro
de los límites establecidos: *Tendré que ponerme seria para mantenerte a raya.* ‖**tres en raya**; juego
que consiste en poner en línea recta tres fichas sobre un dibujo que representa un cuadrado cruzado
por cuatro líneas: *En el juego de las tres en raya,
la ficha central no puede moverse.* □ ETIMOL. Las
acepciones 1-6 y 8, del latín *radius* (radio de carro,
rayo de luz). La acepción 7, del latín *raia*. □ ORTOGR. 1. Dist. de *ralla* (del verbo rallar). 2. Para la
acepción 5 →APÉNDICE DE SIGNOS DE PUNTUACIÓN. □
MORF. En la acepción 7, es un sustantivo epiceno:
la raya macho, la raya hembra. □ SEM. En las acepciones 1 y 6, es sinónimo de *línea.*

rayado, da ∎ adj. **1** Con rayas. ∎ s.m. **2** Conjunto
de rayas o líneas de una superficie: *Quiero un cuaderno con el rayado de color azul.*

rayano, na adj. **1** Que linda con algo: *Tengo una
finca rayana con la de mis padres.* **2** Semejante o
muy parecido a algo: *Vive con una humildad rayana en la miseria.*

rayar v. **1** Hacer rayas: *Los alumnos debían rayar
las respuestas que considerasen incorrectas.* **2** Tachar con una o varias rayas: *De la lista, raya lo que
no quieras.* **3** Referido a una superficie lisa o pulida, de-

teriorarla o estropearla con rayas o incisiones: *Has
rayado la mesa al poner las llaves.* **4** Referido a una
cosa, estar muy cerca de otra: *Tu bondad a veces
raya en la tontería.* **5** Seguido de palabras como *alba,
sol, día o luz*, comenzar a aparecer lo que éstas significan: *Salimos al rayar el alba.* □ ORTOGR. Dist.
de *rallar.* □ SINT. Constr. de la acepción 4: *rayar
{EN/CON} algo.*

[rayista adj./s. De la Agrupación Deportiva Rayo
Vallecano (club deportivo madrileño) o relacionado
con ella. □ MORF. 1. Como adjetivo es invariable en
género. 2. Como sustantivo es de género común: *el
'rayista', la 'rayista'.*

rayo s.m. **1** Chispa eléctrica producida por una descarga entre dos nubes o entre una nube y la tierra:
*En las tormentas, primero se ve el rayo y después se
oye el trueno.* **2** Línea de luz que procede de un
cuerpo luminoso, esp. del Sol: *En esta casa tan oscura en invierno no entra ni un rayo de sol.* **3** Línea
que parte del punto en que se produce una forma
de energía y señala la dirección en la que ésta se
propaga: *Los rayos ultravioletas ponen la piel morena.* **4** col. Persona muy lista o muy hábil para
algo: *Es un rayo y lo entiende todo a la primera.* **5**
col. Lo que es rápido y veloz: *Tengo que hacer la
maleta, pero no tardaré nada porque soy un rayo.* **6**
‖**a rayos**; col. Muy mal o de una forma muy desagradable: *Abre la ventana, que aquí huele a rayos.*
‖**rayos gamma**; ondas electromagnéticas muy penetrantes, producidas en las transiciones nucleares
o en la aniquilación de partículas: *Algunos núcleos
radiactivos emiten rayos gamma.* ‖ **[rayos UVA**; rayos ultravioletas: *En el gimnasio al que voy se pueden tomar sesiones de 'rayos uva' para ponerte moreno.* ‖**rayos X**; radiaciones electromagnéticas muy
penetrantes que atraviesan ciertos cuerpos, producidas por la emisión de electrones internos del átomo: *Los rayos X se utilizan en medicina como medio
de investigación y de tratamiento.* □ ETIMOL. Del latín *radius* (varita, radio de carro, rayo de luz). *Rayos UVA* procede del acrónimo de *Ultravioleta.* □
MORF. En la expresión *rayos UVA* se usa mucho la
forma abreviada *uva.* □ SEM. 1. La acepción 1 se
aplica esp. a una chispa de gran intensidad, frente
a *centella*, que se prefiere para las chispas poco intensas.

rayón s.m. Material textil que se obtiene de la celulosa y que imita a la seda. □ ETIMOL. Del inglés
rayon.

rayuela s.f. Juego infantil que consiste en sacar
una piedra plana de un dibujo pintado en el suelo,
impulsándola con golpes dados con un pie mientras
se está con el otro en el aire.

raza s.f. **1** En la clasificación de los seres vivos, categoría inferior a la de especie: *Mi perro es de raza
pastor alemán.* **2** ‖ **de raza**; referido a un animal, que
pertenece a una raza seleccionada: *Me he comprado
un perro de raza para ir a cazar.* □ ETIMOL. Quizá
del latín *ratio* (índole, modalidad, especie). □ SEM.
No debe usarse este término para clasificar distintos grupos dentro de la población humana: la tradicional clasificación de la población humana en las
razas negroide, mongoloide, caucásica y cobriza estaba basada en el supuesto popular de que las diferencias externas entre cada una de ellas respondían a unos rasgos genéticos; actualmente, en cambio, al menos la mitad de la población del mundo

exhibe rasgos raciales con los que no cuentan los estereotipos populares.

razia s.f. **1** Ataque o incursión rápidos e inesperados en territorio enemigo: *En la aldea temían las razias del ejército enemigo.* **2** Redada hecha generalmente por la policía: *En la última razia policial en esa discoteca, detuvieron a dos delincuentes peligrosos.* ☐ ORTOGR. 1. Se admite también *razzia*. 2. Dist. de *rafia*.

razón s.f. **1** Capacidad de pensar o discurrir que permite elaborar juicios, ideas y conceptos: *Las personas se distinguen de los animales por la razón.* **2** Argumento o demostración con que se intenta apoyar algo: *No entiendo las razones que me das para explicar tu mal comportamiento.* **3** Motivo o causa: *No hay razón para asustarse.* **4** Apoyo cierto o verdad en lo que se dice o se hace: *Si tú lo dices será verdad, porque siempre tienes razón.* **5** Información o conjunto de palabras con que se expresa algo: *¿Quién podría darme razón de su paradero?* **6** En matemáticas,cociente de dos números o de dos cantidades comparables entre sí: *5 es la razón de 10/2.* **7** En zonas del español meridional, recado o mensaje: *Me llegó la razón que me enviaste.* **8** ‖**a razón de**; expresión que se usa para indicar la cantidad que corresponde a cada uno en un reparto: *Tocamos a razón de quince pesetas por persona.* ‖**atender a razones**; escuchar los razonamientos de otro: *Contigo no se puede hablar tranquilamente porque no atiendes a razones.* ‖**dar la razón** a alguien; aceptar que está en lo cierto: *En este caso te doy la razón a ti, porque yo me equivoqué.* ‖**entrar en razón**; darse cuenta de lo que es razonable: *Hasta que no entres en razón, no volvemos a hablar del tema.* ‖**perder la razón**; volverse loco: *Está en un manicomio porque perdió la razón.* ‖**razón de Estado**; consideración de interés superior con que se justifica la actuación del Estado para hacer algo contra la ley o el derecho: *En nombre de la razón de Estado se han cometido muchos crímenes a lo largo de la historia.* ‖**razón social**; nombre y firma legales de una sociedad mercantil o de una empresa: *La razón social de nuestra sociedad anónima es Juan Mano, S.A.* ☐ ETIMOL. Del latín *ratio* (razonamiento, razón).

razonable adj. **1** Lógico, justo y conforme a la razón. **2** Suficiente o bastante. ☐ MORF. Invariable en género.

razonado, da adj. Basado en razones, documentos o pruebas.

razonamiento s.m. Conjunto de pensamientos, ideas o conceptos que sirven para probar o demostrar algo.

razonar v. **1** Pensar y reflexionar, ordenando ideas en la mente para llegar a una conclusión: *Eres un insensato y no razonas.* **2** Referido a lo que se dice, dar razones que lo prueben: *No contestes con un simple 'no' porque debes razonar la respuesta.*

razzia (galicismo) s.f. →**razia**.

re s.m. En música, segunda nota de la escala de do mayor. ☐ ETIMOL. De la primera sílaba de la palabra *resonare*, que aparece en el himno de San Juan Bautista, de donde se sacó el nombre de todas las notas musicales. ☐ MORF. Su plural es *res*.

re- Prefijo que indica repetición (*reabrir, revender, reacuñar, realojar, reaparecer, reorganización*), o intensificación (*rebuscar, recoser, rebonito, repintado,*

resecar). ☐ ETIMOL. Del latín *re-*. ☐ MORF. Con adjetivos o adverbios puede adoptar la forma *requete-* (*requeteguapo, requetebién*) para reforzar el valor superlativo.

reabrir v. Referido a algo que se ha cerrado, volver a abrirlo: *Se ha reabierto el debate sobre el sistema público de pensiones.* ☐ MORF. 1. Irreg.: Su participio es *reabierto*. 2. Se usa más como pronominal.

reabsorberse v.prnl. En medicina, referido esp. a un producto de la exudación, desaparecer del lugar en que se había producido: *El absceso se reabsorbió y no fue necesario extirparlo.* ☐ ETIMOL. De *re-* (repetición) y *absorber*.

reabsorción s.f. Desaparición de una sustancia, esp. si es un producto de exudación, del lugar en que se había producido: *La reabsorción de un embrión sólo puede producirse en las primeras etapas de su formación.*

reacción s.f. **1** Acción que se hace como respuesta a algo: *Ante una luz muy fuerte, los ojos se cierran por una reacción instintiva.* **2** En química, transformación de una sustancia en otra distinta mediante la formación de nuevos enlaces químicos: *La reacción entre el ácido clorhídrico y la sosa cáustica da sal común.* **3** Recuperación de la normalidad o vuelta a la actividad: *Con lo enfermo que estuviste, tu reacción ha sido asombrosa.* ☐ ETIMOL. De *re-* (oposición) y *acción*.

reaccionar v. **1** Actuar como respuesta a algo: *El organismo reaccionó a la vacuna con fiebre.* **2** Recuperar la normalidad o volver a tener actividad: *A los pocos minutos de haber perdido el sentido, empezó a reaccionar.* **3** En química, referido a una sustancia, actuar en combinación con otra para producir otra nueva: *Los ácidos reaccionan con las bases dando sales.*

reaccionario, ria adj. Que se opone a las innovaciones, esp. en materia política.

reacio, cia adj. Referido a una persona, que es contrario a una acción o que muestra resistencia a realizarla. ☐ ETIMOL. De origen incierto. ☐ SINT. Constr. *reacio A hacer algo.* ☐ SEM. Dist. de *reticente* (reservado, receloso, desconfiado).

[reactancia s.f. Resistencia de algunos de los elementos de un circuito eléctrico de corriente alterna al paso de esta corriente: *Los condensadores y las bobinas se caracterizan por su 'reactancia'.*

reactivación s.f. Recuperación de la actividad perdida.

reactivar v. Volver a activar: *Estas medidas económicas reactivarán la producción de automóviles tras la crisis.*

reactivo, va ▌ adj./s.m. **1** Que produce reacción: *Se adoptaron una serie de medidas reactivas y la recuperación no se hizo esperar.* **▌** s.m. **2** En química, sustancia empleada para descubrir la presencia de otra: *Los reactivos permiten identificar otras sustancias porque, al combinarse con ellas, producen reacciones ya conocidas.*

reactor s.m. **1** Motor que produce movimiento mediante la expulsión de los gases que él mismo produce; motor de reacción: *Este avión cuenta con cuatro reactores.* **2** Avión que utiliza este tipo de motor: *Los modernos aviones de pasajeros son reactores.* **3** Instalación preparada para que en su interior se produzcan reacciones químicas o nucleares: *La cen-*

tral nuclear está parada porque detectaron una fuga en el reactor nuclear.

reacuñar v. Referido a una moneda, volver a acuñarla: *Esas monedas viejas serán reacuñadas con fines conmemorativos.*

[**readaptación** s.f. Nueva adaptación.

readmisión s.f. Admisión por segunda vez y sucesivas.

readmitir v. Volver a admitir: *La sentencia establece que los trabajadores despedidos sean readmitidos.*

reafirmar ∎ v. **1** Referido a una parte del cuerpo, ponerla firme mediante el empleo de un producto cosmético: *Estoy utilizando una crema que reafirma el escote y los senos.* ∎ prnl. **2** Corroborar o mantener lo ya expuesto o argumentado: *Me reafirmo en todas mis declaraciones anteriores.* ☐ SINT. Constr. de la acepción 2: *reafirmarse EN algo.*

reagravar v. Hacer más grave: *Las últimas revueltas han reagravado la situación.* ☐ ETIMOL. De *re-* (intensificación) y *agravar.*

reagrupación s.f. o **reagrupamiento** s.m. Nueva agrupación de algo, esp. si se hace de modo diferente a como estuvo antes: *Ante el gran número de bajas, el coronel ordenó el reagrupamiento del batallón.*

reagrupar v. Referido a algo que ya estuvo agrupado, agruparlo de nuevo, esp. si se hace de modo diferente: *Antes los libros estaban agrupados por materias, y ahora los he reagrupado por autores.*

reajustar v. Referido esp. a precios, salarios o impuestos, cambiarlos en función de las circunstancias políticas y económicas del momento: *La subida del precio del petróleo obligará a reajustar los precios de las gasolinas.*

reajuste s.m. Cambio que se realiza en función de las circunstancias políticas y económicas del momento: *reajuste presupuestario.* ☐ SEM. Está muy extendido el uso eufemístico de *reajuste de precios* con el significado de *subida de precios.*

real ∎ adj. **1** Que tiene existencia verdadera: *El hambre es un problema real en muchos países del mundo.* **2** Del rey, de la realeza o relacionado con ellos; regio: *Los reyes se trasladaron al palacio real.* ∎ s.m. **3** Moneda equivalente a 25 céntimos de peseta: *En España se han utilizado reales de plata y de otros metales.* **4** En zonas del español meridional, moneda fraccionaria. ☐ ETIMOL. La acepción 1, del latín *realis*, y éste de *res* (cosa). Las acepciones 2-4, del latín *regalis.* ☐ MORF. Como adjetivo es invariable en género.

realce s.m. **1** Grandeza, adorno o esplendor sobresalientes: *La asistencia de la académica dio realce a la entrega de premios.* [**2** Engrandecimiento o puesta de relieve: *Con un maquillaje adecuado, se consigue el 'realce' de la belleza natural.* **3** Adorno o labor que sobresale en la superficie de algo: *Esta moldura es un bello realce para las esquinas del mueble.*

realengo, ga adj. En la Edad Media, referido a un territorio, que pertenecía a la corona, estaba bajo el dominio de los monarcas y era administrado por funcionarios reales: *Las villas y pueblos realengos pagaban sus tributos al rey, no a la Iglesia ni a los nobles.* ☐ ETIMOL. De *real* (regio).

realeza s.f. **1** Dignidad o soberanía real: *La corona y el cetro forman parte de los atributos de la realeza.*

2 Conjunto de familias, familiares y personas emparentadas con el rey: *A la recepción asistió toda la realeza española.*

realidad s.f. **1** Existencia verdadera y efectiva; verdad: *Nadie duda de la realidad de los dinosaurios porque nos han quedado restos suyos.* **2** Todo lo que existe y forma el mundo real: *Una forma de conocimiento de la realidad es la experiencia personal de cada uno.* **3** Lo que ocurre verdaderamente: *La crisis económica es una realidad en muchos países.* **4** ∥**en realidad**; verdadera o efectivamente: *En realidad, las pérdidas fueron menores de lo que se pensaba.* ∥**realidad virtual**; reproducción de cosas que podrían existir, pero que no son reales, mediante la utilización de elementos cibernéticos: *La 'realidad virtual' hace que el usuario perciba como auténticamente real algo que no lo es.* ☐ ETIMOL. Del latín *realitas.*

realismo s.m. **1** Estilo artístico que busca la representación fiel de la realidad. **2** Forma de ver las cosas tal como son realmente. **3** ∥**realismo mágico**; movimiento literario hispanoamericano, surgido a mediados del siglo XX y que se caracteriza por la introducción de elementos fantásticos dentro de una narrativa que se presenta como realista. ☐ USO En la acepción 1, se usa como nombre propio cuando se refiere al movimiento artístico de la segunda mitad del siglo XIX.

realista adj. **1** Del realismo, con realismo o relacionado con él. **2** Que actúa con sentido práctico o que trata de ajustarse a la realidad. ☐ MORF. Como adjetivo es invariable en género.

[**reality show** (anglicismo) ∥Programa de televisión que muestra como espectáculo los sucesos más crudos o marginales de la realidad. ☐ PRON. [réaliti chóu], con *ch* suave.

realización s.f. **1** Ejecución o puesta en práctica de algo: *La realización de este trabajo me ocupará toda la semana.* **2** En cine, vídeo y televisión, dirección de las operaciones necesarias para llevar a cabo una película o un programa: *La propia actriz se ha ocupado de la realización de la película.* **3** Sensación de satisfacción por haber conseguido el desarrollo de las propias aspiraciones: *En el ejercicio de la medicina he encontrado mi realización personal.*

realizador, -a s. En cine, vídeo y televisión, persona que dirige las operaciones de preparación y realización de una película o de un programa.

realizar ∎ v. **1** Referido a una acción, hacerla, efectuarla o llevarla a cabo: *Los profesores realizan una labor educativa.* **2** Referido a una película cinematográfica o a un programa televisivo, dirigir su ejecución: *Realizar una película requiere muchos conocimientos de la técnica cinematográfica.* ∎ prnl. **3** Sentirse satisfecho por haber conseguido el desarrollo de las propias aspiraciones: *Todos deberíamos realizarnos en nuestro trabajo.* ☐ ETIMOL. De *real* (que tiene existencia verdadera). ☐ ORTOGR. La *z* se cambia en *c* delante de *e* →CAZAR.

[**realojamiento** s.m. →**realojo**.

[**realojar** v. Referido a una persona, alojarla o instalarla en un nuevo lugar: *Los habitantes de las chabolas 'fueron realojados' en pisos de protección oficial.* ☐ ORTOGR. Conserva la *j* en toda la conjugación.

[**realojo** s.m. Alojamiento de una persona en un nuevo lugar; realojamiento.

realquilar v. **1** Referido a algo alquilado, alquilarlo de nuevo a otra persona: *Yo vivo en una casa de alquiler y quiero realquilar una habitación a un estudiante.* **2** Referido a algo alquilado, tomarlo en alquiler de nuevo, pero no a su dueño: *Cuando te vayas a ir del piso en el que vives alquilado, yo te lo realquilo.*

realzar v. Poner de relieve, destacar o engrandecer: *Realzamos en negrita las palabras que consideramos más importantes.* □ ETIMOL. De *re-* (intensificación) y *alzar*. □ ORTOGR. La *z* se cambia en *c* delante de *e* →CAZAR.

reanimación s.f. **1** Restablecimiento de las fuerzas o del ánimo: *En los estados de depresión, un entorno afectivo contribuye a la reanimación del enfermo.* **2** Recuperación del conocimiento: *Cuando pasen los efectos de la anestesia, se producirá la reanimación del paciente.* **3** Conjunto de medidas terapéuticas que se aplican para recuperar las constantes vitales del organismo: *En los cursillos de primeros auxilios se estudian técnicas de reanimación.*

reanimar v. **1** Dar vigor o restablecer las fuerzas: *Un caldito caliente me reanimará.* **2** Hacer recobrar el conocimiento: *El socorrista intentaba reanimar al ahogado.* **3** Referido a una persona desanimada, darle ánimo o infundirle valor: *Seguro que tu visita lo reanima. Al oír tus palabras de consuelo, se reanimó.* □ ETIMOL. Del latín *redanimare*.

reanudación s.f. Continuación de algo que se había interrumpido. □ MORF. Incorr. **reinicio.*

reanudar v. Referido a algo que se había interrumpido, seguir haciéndolo o continuarlo: *Después de comer, reanudaremos nuestro trabajo.* □ ETIMOL. Traducción del francés *renouer*. □ SEM. Dist. de *reiniciar* (volver a iniciar).

reaparecer v. Referido esp. a una persona, volver a aparecer o a mostrarse: *Tras dos meses sin jugar a causa de una lesión, hoy reaparece el delantero centro titular del equipo.* □ ETIMOL. De *re-* (repetición) y *aparecer*. □ MORF. Irreg. →PARECER.

reaparición s.f. Aparición de algo que había desaparecido, esp. de la persona que desarrolla una actividad pública.

rearme s.m. Aumento y mejora del armamento militar ya existente. □ ETIMOL. Del latín *redarmare*.

[reasegurar v. Hacer un contrato de reaseguro: *Mi madre ha 'reasegurado' sus fábricas.*

reaseguro s.m. Contrato por el cual un asegurador toma a su cargo, total o parcialmente, un riesgo ya cubierto por otro asegurador, sin alterar lo convenido entre éste y el asegurado: *El reaseguro evita que los asegurados se queden sin sus indemnizaciones en el caso de que el asegurador inicial no pueda hacerse cargo de ellas.*

reasumir v. **1** Asumir de nuevo, esp. referido a un cargo o a una función: *Tras su total restablecimiento, el gerente reasumirá su puesto.* **[2** Referido esp. a un cargo o a una función, asumirlas una persona con una categoría superior: *Tras la dimisión del ministro, el vicepresidente del gobierno 'reasumió' la cartera de Asuntos Exteriores.* □ ORTOGR. Dist. de *resumir*.

reasunción s.f. Vuelta al desempeño de un cargo o de una función: *A todos nos sorprendió la reasunción del puesto por parte de ese incompetente.*

reata s.f. **1** Hilera de caballerías que van unidas por una cuerda: *El mozo conducía una reata de mu-*

las. **2** En zonas del español meridional, cuerda. □ ETIMOL. De *reatar*.

reatar v. **1** Atar otra vez: *Te pasas el día atando y reatando el lazo de la blusa.* **2** Atar apretando mucho: *Para que no se desate el saco, reátalo bien.* **3** Referido a dos o más caballerías, atarlas de forma que vayan unas detrás de otras: *El labriego reató los cuatro asnos para que ninguno se quedara atrás.* □ ETIMOL. Del latín **reaptare* (atar).

reavivación s.f. Aumento de la fuerza o de la intensidad: *Los resultados de las últimas encuestas han dado lugar a una reavivación de la polémica.*

reavivar v. Hacer más fuerte o más intenso: *Los troncos secos reavivaron el fuego de la chimenea.*

rebaba s.f. Porción de materia sobrante que sobresale en los bordes o en la superficie de algo: *Después de afilar una herramienta, queda el filo con rebaba.*

rebaja ▮ s.f. **1** Disminución o reducción de algo, esp. del precio de un producto: *Me hicieron una rebaja por pagar al contado.* ▮ pl. **2** Venta de productos a un precio más bajo: *Las tiendas de ropa recurren a las rebajas para liquidar las prendas de cada temporada.* **3** Período de tiempo durante el cual se realiza esta venta: *Comprar en rebajas tiene muchas ventajas.*

rebajamiento s.m. **1** Disminución del nivel o de la superficie horizontal de algo: *Como la puerta era demasiado alta, hubo que hacerle un rebajamiento para que no rozara.* **2** Disminución de la fuerza, de la intensidad o de la cantidad: *El rebajamiento de la condena se debió a su buen comportamiento.* **3** Humillación o desprecio de alguien. **4** En arquitectura, disminución de la altura de un arco o de una bóveda a menos de lo que corresponde al semicírculo. **5** En el ejército, dispensa a un militar de un servicio o de una obligación. □ USO En la acepción 5, aunque la RAE sólo registra *rebajamiento*, se usa más *rebaje*.

rebajar v. **1** Hacer más bajo: *El Ayuntamiento me ha ordenado rebajar la altura del tejado de la casa que estoy construyendo.* **2** Referido a un artículo, disminuir o reducir su precio: *Esta tienda ha rebajado todos sus artículos.* **3** Hacer disminuir la fuerza, la intensidad o la cantidad: *Rebajó los colores del cuadro. He rebajado la lejía añadiéndole agua.* **4** Referido a una persona, humillarla o despreciarla: *Me rebajó insultándome ante todos. Rebajarse para pedirme perdón fue un acto de humildad por su parte.* □ ETIMOL. De *re-* (intensificación) y *bajar*. □ ORTOGR. Conserva la *j* en toda la conjugación.

rebaje s.m. **1** Parte del canto de un madero o de otra pieza en la que se ha disminuido el espesor por medio de un corte en forma de ranura; rebajo: *Incrustaremos esta pestaña en un rebaje del tablero.* **[2** →rebajamiento.

rebajo s.m. →rebaje.

rebalsar ▮ v. **1** Referido al agua o a otro líquido, recogerlos de modo que formen balsa en un hueco del terreno: *Los agricultores rebalsaban el agua del arroyo para poder regar.* ▮ prnl. **[2** En zonas del español meridional, rebosar. □ MORF. En la acepción 1, se usa más como pronominal.

rebalse s.m. **1** Recogida del agua o de otro líquido, de manera que formen balsa en un hueco del terreno: *El rebalse del agua de lluvia se utiliza para dar de beber a los animales.* **2** Estancamiento de aguas que normalmente corren, esp. el que se hace de forma artificial: *Han hecho un rebalse en el río para que el molino tenga agua.*

rebanada s.f. Trozo ancho, alargado y de poco grosor que se separa de una pieza de pan o de otro alimento parecido. 🔲 pan

rebanar v. **1** Cortar en rebanadas: *Rebané una barra de pan para dar de merendar a los niños.* **2** Cortar o dividir de parte a parte: *Casi me rebano el dedo con el cuchillo.* 🔲 ETIMOL. De origen incierto.

rebañar v. Aprovechar los restos que quedan en un recipiente: *Tenía tanta hambre que rebañé el plato.* 🔲 ETIMOL. De origen incierto.

rebaño s.m. **1** Grupo más o menos numeroso de cabezas de ganado, esp. del lanar: *El pastor conduce el rebaño a los pastos.* **2** Conjunto de personas, esp. si se dejan dirigir en sus actos: *Tengo mis propias ideas y me niego a formar parte de ese rebaño de imbéciles.* 🔲 ETIMOL. De origen incierto.

rebasar v. **1** Referido a un límite o a una señal, pasarlo o excederlo: *La corredora ha rebasado la línea de meta.* **2** Dejar atrás o adelantar: *Los más rápidos nos rebasaron al poco tiempo de comenzar la marcha.* 🔲 ORTOGR. Dist. de *rebosar*.

rebatible adj. Que se puede rebatir. 🔲 MORF. Invariable en género.

rebatir v. Referido a algo dicho, contradecirlo u oponerse a ello mediante argumentos o razones: *Rebatió todas sus razones con argumentos muy lógicos.* 🔲 ETIMOL. De *re-* (oposición) y *batir* (enfrentarse en combate).

rebato ‖ **tocar a rebato**; dar la señal de alarma ante un peligro: *Las campanas de la iglesia tocan a rebato porque hay un incendio.* 🔲 ETIMOL. Del árabe *ribat* (ataque repentino).

rebeca s.f. Chaqueta de punto sin cuello, abierta por delante y con botones. 🔲 ETIMOL. Por alusión a la película *Rebeca*, cuya protagonista solía llevar esta prenda.

rebeco s.m. Mamífero rumiante del tamaño de una cabra, que tiene las astas negras, lisas y sólo curvadas en sus extremos, patas largas, gran agilidad para los saltos, y que habita en zonas de rocas escarpadas; gamuza. 🔲 ETIMOL. De origen prerromano. 🔲 MORF. Es un sustantivo epiceno: *el rebeco macho, el rebeco hembra.* 🔲 rumiante

rebelarse v.prnl. **1** Sublevarse y faltar a la obediencia debida: *Se rebeló contra su jefa y decidió no volver más a ese trabajo.* **2** Oponerse absolutamente a algo: *Me rebelo contra la hipocresía y me niego a mentir.* 🔲 ETIMOL. Del latín *rebellare.* 🔲 ORTOGR. Dist. de *relevar* y *revelar*. 🔲 SINT. Constr. rebelarse CONTRA algo.

rebelde ▮ adj. **1** Que opone resistencia, esp. a ser educado o controlado: *A ese niño tan rebelde lo que le hace falta son unos azotes.* ▮ adj./s. **2** Que se rebela o se subleva faltando a la obediencia debida: *Tropas rebeldes y oficiales se enfrentaron en un duro ataque.* 🔲 ETIMOL. Del latín *rebellis*, y éste de *bellum* (guerra). 🔲 MORF. 1. Como adjetivo es invariable en género. 2. Como sustantivo es de género común: *el rebelde, la rebelde.*

rebeldía s.f. **1** Resistencia a ser educado y controlado, o falta de conformidad y de obediencia: *Tu rebeldía te causará problemas si no sabes controlarla.* **2** En derecho, estado procesal en el que se halla la persona que no acude a un llamamiento a juicio he-

cho por un juez, o que no cumple alguna orden o requerimiento de éste: *Se le declaró en rebeldía porque no compareció ni a la citación ni al llamamiento judicial.*

rebelión s.f. **1** Sublevación o levantamiento en los que se falta a la obediencia debida: *Lo que empezó siendo una protesta formal acabó siendo una auténtica rebelión.* **2** En derecho, levantamiento público y hostil contra los poderes del Estado con el fin de derrocarlos: *Una rebelión es un delito contra el orden público que está penado por la ley.* 🔲 ETIMOL. Del latín *rebellio*.

reblandecer v. Ablandar o poner tierno: *La humedad ha reblandecido el pan. Su corazón de piedra se fue reblandeciendo con el paso de los años.* 🔲 ETIMOL. De *re-* (intensificación) y *blando*. 🔲 MORF. Irreg. →PARECER.

reblandecimiento s.m. Ablandamiento o pérdida de la dureza.

rebobinado s.m. Paso de una cinta o de una película de una bobina a otra para situarla en una posición distinta.

rebobinar v. Referido esp. a una cinta o a una película, desenrollarla de una bobina y enrollarla en la otra: *Cuando termine la película, rebobínala hacia atrás para que quede colocada al comienzo.* 🔲 SEM. Dist. de *bobinar* (enrollar alrededor de una bobina).

rebollo s.m. Variedad de roble, de pequeño tamaño, que cuando se corta puede rebrotar. 🔲 ETIMOL. De origen incierto.

reborde s.m. Tira estrecha y saliente a lo largo del borde de un objeto.

[rebosante adj. Que rebosa. 🔲 MORF. Invariable en género.

rebosar v. **1** Referido a un líquido, salirse por encima de los bordes del recipiente que lo contiene: *El agua rebosó y cayó sobre la mesa.* **2** Referido a un recipiente, dejar salir por encima de sus bordes el líquido que contiene: *No eches más vino porque el vaso ya rebosa.* **3** Tener en abundancia: *La chica rebosaba alegría con su sobresaliente. Toda la familia rebosa dinero.* 🔲 ETIMOL. De origen incierto. 🔲 ORTOGR. Dist. de *rebasar*.

rebotado, da ▮ adj. **[1** Que se encuentra desplazado o fuera de lugar: *En este trabajo me encuentro 'rebotado' porque no hago nada relacionado con mis estudios.* ▮ adj./s. **2** Que ha dejado una actividad para dedicarse a otra, esp. si lo hace por haber fracasado en la primera: *Este profesor es un rebotado de las matemáticas que se pasó a la lengua.*

rebotar v. **1** Referido a un cuerpo en movimiento, retroceder o cambiar de dirección al chocar contra un obstáculo: *El balón rebotó en el tablero de la canasta.* **2** col. Enfurecer o hacer enfadar: *Lo que me rebotó fue la ironía con que me dio la enhorabuena. Te rebotas por tonterías porque eres un quisquilloso.*

rebote s.m. **1** Bote o retroceso que da un cuerpo al chocar con algo: *El rebote del balón contra la portería terminó en gol.* **[2** En baloncesto, pelota que rebota contra la canasta y cae de nuevo al terreno de juego. **[3** col. Enfado o disgusto: *¡Menudo 'rebote' cogió porque no la llamamos!* **4** ‖ **de rebote**; indirectamente o por casualidad: *Si tienes algo que decirme, dímelo a mí, porque no quiero enterarme de rebote.*

[reboteador, -a adj./s. En baloncesto, referido a un

jugador, que se ocupa de recoger la pelota tras el rebote.

[rebotear v. En baloncesto, saltar a coger la pelota tras un rebote: *Normalmente los jugadores más altos son los que mejor 'rebotean'.*

rebotica s.f. Trastienda o habitación trasera de una botica o farmacia.

rebozar v. **1** Referido a un alimento, bañarlo en huevo batido y harina o en otros ingredientes para freírlo después: *El pescado frito está más sabroso si antes lo rebozas.* **2** Manchar o cubrir totalmente con una sustancia: *Un coche me salpicó y me rebozó de barro. Se cayó en el fango y se rebozó de pies a cabeza.* □ ORTOGR. La *z* se cambia en *c* delante de *e* →CAZAR.

rebozo s.m. **[1** Prenda de vestir femenina que se usa en América, hecha de algodón, lana o seda, y con la que se cubre la espalda, el pecho y a veces la cabeza. **2** ‖ **sin rebozo**; abiertamente y con franqueza o sinceridad: *Háblame sin rebozo para que yo entienda de una vez qué te está pasando.*

rebrotar v. Volver a brotar: *Ya están rebrotando los rosales.*

rebrote s.m. Brote nuevo.

rebufo s.m. **1** Expansión del aire producida alrededor de la boca de un arma de fuego al salir el tiro. **[2** col. Estela que deja un cuerpo que avanza: *El ciclista rezagado cogió el 'rebufo' de un compañero para protegerse del aire.* □ ETIMOL. De *rebufar.*

rebujar v. Arrebujar, envolver o cubrir: *El niño se rebujó con las sábanas y se durmió hecho un ovillo.* □ ETIMOL. De *reburujar* (cubrir haciendo un burujo o aglomeración). □ ORTOGR. Conserva la *j* en toda la conjugación.

rebujo s.m. Lío, envoltorio o revoltijo, generalmente de papeles o de trapos, hechos sin cuidado y de modo desordenado.

rebullir v. Referido a algo que estaba quieto, moverse o empezar a moverse: *El bebé rebullía en su cuna y parecía que se despertaba. Cuando el perro se rebulle, es señal de que ha visto algo raro.* □ ETIMOL. Del latín *rebullire.* □ MORF. Irreg. →PLAÑIR.

rebuscado, da adj. Demasiado complicado o raro.

rebuscamiento s.m. **1** Exceso de arreglo, de complicación y de afectación en el uso del lenguaje o en la forma de actuar. **2** Búsqueda hecha con cuidado, esp. la que se hace en un montón de cosas: *Para encontrar cualquier cosa en este caos hay que hacer una labor de rebuscamiento agotadora.*

rebuscar v. **1** Buscar con cuidado, esp. en un montón de cosas: *Me gusta ir a los mercadillos para rebuscar objetos que me gusten.* **2** Referido a un fruto, recogerlo después de terminada la cosecha: *Pasada la vendimia, iremos a rebuscar los racimos que hayan quedado.* □ ORTOGR. La *c* se cambia en *qu* delante de *e* →SACAR.

rebuznar v. Referido a un asno, dar rebuznos o emitir su voz característica: *El asno rebuzna en la cuadra.* □ ETIMOL. Del latín *re-* (repetición) y *bucinare* (tocar la trompeta).

rebuzno s.m. Voz característica del asno.

recabar v. Pedir o intentar conseguir por medio de súplicas insistentes: *La periodista entrevistó a los posibles implicados para recabar información sobre el caso.* □ ETIMOL. De *cabo* (extremo, cuerda), porque *recabar* significó *conseguir del todo, hasta el cabo.*

recadero, ra s. Persona que lleva recados de un sitio a otro.

recado s.m. **1** Mensaje que se da o se envía a otro: *Me mandó recado con su hermano de que no podía venir esta tarde.* **2** Encargo, gestión o tarea de los que tiene que ocuparse alguien: *Salgo a hacer un recado, pero enseguida vuelvo.* **3** En zonas del español meridional, montura de una caballería. □ ETIMOL. Del antiguo *recabdar* (despachar), y éste del latín *recapitare* (recoger).

recaer v. **1** Referido a una persona, empeorar o volver a caer enferma de la enfermedad de la que se estaba recuperando: *Cuando ya estaba casi curado, recayó y tuvo que volver a guardar cama.* **2** Corresponder o ir a parar: *En 'rebullir', el acento recae en la última sílaba.* □ MORF. Irreg. →CAER. □ SINT. Constr. de la acepción 2: *recaer {EN/SOBRE} algo.*

recaída s.f. Empeoramiento de una enfermedad de la que se estaba recuperando una persona.

recalar v. **1** Referido a un barco, llegar a un puerto o a un punto de la costa para hacer una parada: *Durante el crucero, recalamos en varios puertos del Mediterráneo.* **2** col. Referido a una persona, aparecer o pasarse por algún sitio: *Vayamos por donde vayamos, al final siempre recalamos en el mismo bar.* □ ETIMOL. De *re-* (repetición) y *calar* (penetrar, sumergir).

recalcar v. Pronunciar o expresar poniendo especial énfasis; acentuar, subrayar: *Me recalcó que a la primera falta de puntualidad sería despedido.* □ ETIMOL. Del latín *recalcare.* □ ORTOGR. La *c* se cambia en *qu* delante de *e* →SACAR.

recalcitrante adj. Obstinado, reincidente o reacio a variar una opinión o una forma de actuar. □ ETIMOL. Del latín *recalcitrans.* □ MORF. Invariable en género.

recalentamiento s.m. Calentamiento excesivo.

recalentar v. **1** Volver a calentar: *Tuve que recalentar la sopa porque se había enfriado.* **2** Calentar demasiado: *El radiador del coche va mal y se recalienta el motor.* □ ETIMOL. De *re-* (intensificación) y *calentar.* □ MORF. Irreg. →PENSAR.

recalentón s.m. Calentamiento rápido y fuerte.

[recalificación s.f. Procedimiento mediante el cual se otorga a un terreno una consideración, rústica o urbana, distinta de la que tenía.

[recalificar v. Referido esp. a un terreno, otorgarle una consideración, rústica o urbana, distinta de la que tenía: *'Han recalificado' los terrenos para la construcción de las viviendas.* □ ORTOGR. La *c* se cambia en *qu* delante de *e* →SACAR.

recamado s.m. Bordado que sobresale de la superficie de la tela.

recamar v. Hacer bordados que sobresalgan en la superficie de la tela: *El sastre recama los trajes de los toreros con hilos dorados.* □ ETIMOL. Del italiano *ricamare.*

recámara s.f. **1** Cuarto contiguo a la cámara o habitación principal y destinado generalmente a guardar vestidos y joyas: *El criado sacó un traje de la recámara y ayudó a vestirse al barón.* **2** En un arma de fuego, parte hueca del cañón situada en el extremo opuesto a la boca y en la que se colocan el cartucho o la bala para ser disparados. **3** Interior de una persona: *No te guardes nada en la recámara y* *cuéntamelo todo.* **4** En zonas del español meridional, dormitorio.

[recambiable adj. Que se puede recambiar. ☐ MORF. Invariable en género.

recambiar v. Referido a una pieza, sustituirla por otra de su misma clase: *Llevo siempre en el coche un juego de lámparas por si necesito recambiar alguna.* ☐ ORTOGR. La *i* nunca lleva tilde.

recambio s.m. **1** Sustitución de una pieza por otra de su misma clase. **2** Pieza destinada a sustituir a otra de su misma clase en caso necesario; repuesto: *recambio de tinta.*

recapacitar v. Referido esp. a los propios actos, reflexionar cuidadosamente sobre ellos: *Recapacitó sobre su actitud e hizo firme propósito de enmienda.* ☐ ETIMOL. Quizá del latín *recapitare* (recordar, recabar). ☐ SINT. Constr. *recapacitar SOBRE algo.*

recapitulación s.f. Exposición resumida y ordenada con que se recuerda lo que antes se ha expuesto por extenso.

recapitular v. Referido a algo ya dicho, recordarlo o volver a exponerlo de manera resumida y ordenada: *La profesora dedica los primeros minutos de la clase a recapitular las explicaciones de la clase anterior.* ☐ ETIMOL. Del latín *recapitulare.*

[recargable adj. Que se puede recargar. ☐ MORF. Invariable en género.

recargamiento s.m. Acumulación excesiva de elementos, esp. en arte o en literatura.

recargar v. **1** Someter a una carga o trabajo mayores o excesivos: *Procura no recargarte de trabajo, que luego no puedes con todo.* **2** Adornar con exceso: *Tantos muebles recargan la habitación y la hacen más pequeña.* ☐ ORTOGR. La *g* se cambia en *gu* delante de *e* →PAGAR.

recargo s.m. Cantidad o tanto por ciento que se añade a un pago, generalmente por efectuarlo con retraso.

recatado, da adj. **1** Cauto o prudente en los actos: *En asuntos delicados, conviene ser recatado y discreto.* **2** Honesto, modesto y respetuoso con la moralidad establecida: *Por la vida tan recatada y recogida que lleva, pensaba que era una religiosa.*

recatar ∎ v. **1** Ocultar para impedir que se vea o que se sepa: *Un velo recataba la mirada de aquella misteriosa mujer.* ∎ prnl. **2** Mostrar recato o recelo, generalmente al tomar una decisión: *Como no vi claro el asunto, me recaté para no dar un paso en falso.* ☐ ETIMOL. Del latín **recaptare*, y éste de *re-* (repetición) y *captare* (coger). ☐ SINT. Constr. de la acepción 2: *recatarse DE alguien.*

recato s.m. **1** Cautela o reserva con que se hace algo: *Actuó con tal recato que nadie se dio cuenta de sus maniobras.* **2** Honestidad, modestia o respeto a la moralidad establecida: *Viste siempre con recato y evitando el escándalo.*

recauchutado s.m. Cubrimiento con caucho de una superficie, esp. el de la cubierta de una rueda.

recauchutar v. Referido esp. a la cubierta de una rueda, recubrirla de caucho: *En ese taller recauchutan cubiertas usadas.*

recaudación s.f. **1** Cobro o percepción de una cantidad de dinero o de otros bienes: *El Ministerio de Hacienda se ocupa de la recaudación de los impuestos.* **2** Cantidad obtenida en este cobro o percepción: *La recaudación por la venta de entradas para el partido ascendió a varios millones.*

recaudador, -a s. Persona encargada de recaudar o cobrar dinero, esp. el que se paga al Estado.

recaudar v. Referido esp. a una cantidad de dinero, cobrarla o percibirla; colectar: *El Estado recauda dinero público a través de diversos impuestos.* ☐ ETIMOL. Del latín **recapitare* (recoger).

recaudatorio, ria adj. De la recaudación o relacionado con ella.

[recaudería s.f. En zonas del español meridional, frutería.

recaudo ‖a **buen recaudo**; en lugar seguro y bien guardado o vigilado: *Guardó el boleto de lotería premiado a buen recaudo.* ☐ SINT. Se usa más con los verbos *estar* y *poner.*

[rección s.f. **1** En lingüística, relación de dependencia gramatical que una palabra establece sobre otras: *La 'rección' de un verbo sobre su complemento directo viene marcada por la preposición 'a' cuando dicho complemento es de persona.* **2** En lingüística, exigencia de que tras una palabra se dé la presencia de otra o de determinado rasgo gramatical: *La 'rección' del verbo 'depender' obliga a que su complemento vaya precedido de la preposición 'de'.*

recelar v. Temer, desconfiar o sentir sospecha: *Recelo de las personas que me adulan constantemente.* ☐ ETIMOL. De *re-* (intensificación) y *celar* (desconfiar). ☐ SINT. Constr. *recelar DE algo.*

recelo s.m. Temor, falta de confianza o sospecha que se sienten hacia algo o hacia alguien.

receloso, sa adj. Que tiene o muestra recelo o falta de confianza.

recensión s.f. Reseña o comentario, generalmente breves, que se hacen de una obra literaria o científica. ☐ ETIMOL. Del latín *recensio* (revista, enumeración). ☐ ORTOGR. Dist. de *recesión.*

recental adj./s.m. Referido a un ternero o a un cordero, que no ha pastado todavía. ☐ MORF. Invariable en género.

recentísimo, ma superlat. irreg. de **reciente.** ☐ MORF. Es la forma culta de *recientísimo.*

recepción s.f. **1** En un centro de reunión, dependencia u oficina donde se inscriben e informan los clientes, asistentes o participantes: *En la recepción del hotel le darán la llave de su habitación.* **2** Fiesta o ceremonia solemnes en las que se recibe a alguien: *Esta noche se celebrará una recepción en honor del presidente del país vecino.* **3** Captación de ondas radioeléctricas por un receptor: *La recepción de las emisiones de onda corta es de mejor calidad en horario nocturno.* **4** Atención que se presta a una visita: *Cada médico tiene su horario para la recepción de enfermos.* **5** Acogida o admisión de una persona como compañera o como miembro de una colectividad: *Se ha abierto el plazo para la recepción de nuevos socios.* **6** Hecho de recibir y sostener la fuerza que un cuerpo hace sobre otro: *La función de un contrafuerte es la recepción y transmisión de las cargas que descansan sobre él.* **7** Aceptación, aprobación o admisión de algo como bueno: *Lo encontré abierto a la recepción de consejos e ideas nuevas.* ☐ ETIMOL. Del latín *receptio.* ☐ SEM. En las acepciones 2, 3, 4, 5, 6 y 7, es sinónimo de *recibimiento.*

recepcionista s. Persona encargada de atender al público en la recepción de un hotel o de otro centro de reunión. ☐ MORF. Es de género común: *el recepcionista, la recepcionista.*

receptáculo s.m. Cavidad en la que puede contenerse una sustancia. ☐ ETIMOL. Del latín *receptaculum*.

receptividad s.f. Capacidad de recibir.

receptivo, va adj. Que recibe o que tiene capacidad o disposición favorable para recibir estímulos exteriores.

receptor, -a ∎ adj. **1** Que recibe: *Las personas receptoras de las subvenciones serán seleccionadas según criterios fijos.* ∎ s.m. **2** En lingüística, persona que recibe el mensaje en un acto de comunicación: *El receptor puede descifrar el mensaje del emisor si ambos utilizan el mismo código.* **3** Aparato que sirve para recibir señales eléctricas, telegráficas, telefónicas o radiofónicas: *Los televisores son receptores de televisión.* ☐ ETIMOL. Del latín *receptor*.

recesión s.f. **1** En economía, descenso relativamente pasajero de la actividad económica, de la producción y del consumo, con el consiguiente decrecimiento de los beneficios, salarios y nivel de empleo. **2** Retroceso, retirada o disminución. ☐ ETIMOL. Del latín *recessio*. ☐ ORTOGR. Dist. de *recensión*.

recesivo, va adj. **1** En economía, que tiende a la recesión o que la produce. **2** En biología, referido a un carácter hereditario, que sólo se manifiesta cuando el gen que lo codifica es igual en los dos cromosomas homólogos.

receso s.m. **1** Apartamiento o separación: *Los dos países sufren un receso en sus relaciones motivado por intereses comerciales contrarios.* [**2** Interrupción o descanso que se hacen en una actividad: *Después de tantas horas de trabajo, necesitamos un 'receso'.* ☐ ETIMOL. Del latín *recessus* (retirada).

receta s.f. **1** Nota escrita en la que figuran los medicamentos mandados por el médico: *Algunos medicamentos no se despachan sin receta.* **2** Nota en la que figuran los componentes de algo, así como el modo de hacerlo o prepararlo: *Si quieres aprender a cocinar, cómprate un libro de recetas.* **3** Procedimiento adecuado para hacer algo: *Para aprobar, a mí no me sirve otra receta que el estudio.* [**4** col. Multa. ☐ ETIMOL. Del latín *recepta* (cosas tomadas).

recetar v. Referido a un medicamento o a un tratamiento, mandarlo el médico al paciente, con indicación de la dosis que debe tomar y del uso que debe hacer de él: *El médico me recetó unas pastillas que debo tomar tres veces al día.*

recetario s.m. Conjunto de recetas, generalmente las que indican cómo hacer algo.

[**rechace** s.m. Resistencia de un cuerpo hacia otro forzándolo a retroceder en su curso o movimiento.

[**rechazable** adj. Que merece ser rechazado. ☐ MORF. Invariable en género.

rechazar v. **1** No aceptar o no admitir: *El acusado rechazó todas las acusaciones.* **2** Mostrar oposición o desprecio: *No me rechaces cuando te pido ayuda.* **3** Referido a un cuerpo, resistirlo otro forzándolo a retroceder en su curso o movimiento: *El portero rechazó el balón con los puños.* **4** Referido esp. a un enemigo, resistir su ataque obligándolo a retroceder: *Varias unidades rechazaron a las tropas enemigas en la frontera.* ☐ ETIMOL. Del francés antiguo *rechacier*. ☐ ORTOGR. La *z* se cambia en *c* delante de *e* →CAZAR.

rechazo s.m. **1** No aceptación o no admisión de algo: *El rechazo de las acusaciones que se le imputaban alargó el juicio.* **2** Oposición o desprecio hacia algo: *Me dolió mucho el rechazo que sufrí por parte*

de mis compañeros. **3** En medicina, fenómeno por el que un organismo reconoce como extraño un órgano o tejido procedente del exterior y crea anticuerpos que lo atacan: *Al realizar un trasplante de órganos se administran medicamentos para evitar el rechazo.*

rechifla s.f. col. Burla o ridiculización de algo.

rechiflar ∎ v. **1** Silbar con insistencia: *El público de las gradas rechiflaba al árbitro.* ∎ prnl. **2** Burlarse de alguien o ridiculizarlo: *Algunos niños se rechiflaban de ella porque no sabía pronunciar la 'r'.* ☐ ETIMOL. De *re-* (repetición) y *chiflar*.

rechinar v. Referido a un objeto, producir un sonido desagradable al rozar con otro; chirriar: *Cuando se pone nervioso, le rechinan los dientes.* ☐ ETIMOL. De origen onomatopéyico.

rechinido s.m. En zonas del español meridional, chirrido.

rechistar v. Hablar para protestar: *Ya es tarde, así que vete a la cama sin rechistar.* ☐ ETIMOL. De *chistar*. ☐ USO Se usa mucho en expresiones negativas.

rechoncho, cha adj. col. Grueso y de poca altura. ☐ ETIMOL. De origen incierto.

rechupete ‖ **de rechupete**; col. Extraordinario o muy bueno: *Las natillas están de rechupete.* ☐ ETIMOL. De *re-* (intensificación) y *chupete*, y éste de *chupar*. ☐ SINT. Se usa también como adverbio de modo con el significado de 'muy bien': *Lo pasamos de rechupete en la feria.*

recibí s.m. En un documento o en una factura, expresión que aparece como fórmula, debajo de la cual se firma para indicar que se ha recibido lo que se hace constar en ellos.

recibidor s.m. En una casa, cuarto pequeño que está a la entrada.

recibimiento s.m. →**recepción**.

recibir ∎ v. **1** Referido a algo que se da o que se envía, tomarlo, aceptarlo, captarlo o ser su destinatario: *Recibe mi felicitación más sincera. Recibió la orden de no intervenir.* **2** Referido a una acción, padecerla o sufrirla: *Al caer, recibió un fuerte golpe en la cabeza.* **3** Referido a una visita, atenderla, generalmente en un día y hora fijados con anterioridad: *Mi médico recibe de cuatro a seis de la tarde.* **4** Referido a alguien que viene de fuera, esperarlo o encontrarse con él como muestra de hospitalidad o de afecto: *Me recibió en la puerta de casa.* **5** Referido a una persona, admitirla como compañera o dejarla entrar como miembro de una colectividad: *El convento recibirá dos nuevos hermanos novicios.* **6** Sustentar o sostener: *El pilar recibe las vigas del techo.* **7** Aceptar, aprobar o dar por bueno: *Eres incapaz de recibir una sugerencia.* **8** Admitir o recoger: *Este río recibe aguas de muchos torrentes.* **9** En tauromaquia, referido a un torero, cuadrarse en la suerte de matar y mantener esta postura para citar al toro, resistir la embestida y clavar la estocada: *El torero se preparó para recibir al toro.* ∎ prnl. **10** En zonas del español meridional, licenciarse o graduarse. ☐ ETIMOL. Del latín *recipere* (tomar, coger). ☐ SINT. Constr. de la acepción 10: *recibirse DE algo*.

recibo s.m. **1** Escrito o resguardo, generalmente firmado o sellado, en el que se declara haber recibido algo, esp. un pago. **2** ‖ **ser** algo **de recibo**; col. Ser aceptable o reunir las cualidades necesarias para darle curso o para ser distribuido. ☐ SINT. *De recibo* se usa más en expresiones negativas.

reciclado, da ▌ adj. [1 Hecho a partir de materiales sometidos a un proceso de reciclaje. ▌ s.m. 2 →reciclaje.

reciclaje o **reciclamiento** s.m. [1 Sometimiento de desperdicios o de materiales usados a un proceso que los haga nuevamente utilizables. 2 Actualización o puesta al día de un profesional en su capacitación técnica o en sus conocimientos. ☐ SEM. Es sinónimo de *reciclado*.

reciclar v. [1 Referido a desperdicios o a materiales usados, someterlos a un proceso que los haga nuevamente utilizables: *El Ayuntamiento recoge papel y vidrio usados para 'reciclarlos'*. 2 Referido esp. a un profesional, actualizarlo o ponerlo al día en su capacitación técnica o en sus conocimientos: *Muchos trabajadores de industrias anticuadas pierden su trabajo y necesitan reciclarse para encontrar otro*. ☐ ETIMOL. Del francés *recycler*.

recién adv. 1 Desde hace muy poco tiempo: *recién nacido*. 2 En zonas del español meridional, apenas o hace un momento. ☐ ETIMOL. Por acortamiento de *reciente*. ☐ SINT. En la acepción 1, se usa antepuesto a un participio.

reciente adj. 1 Nuevo, fresco o acabado de hacer. 2 Sucedido hace poco tiempo. ☐ ETIMOL. Del latín *recens* (nuevo, fresco). ☐ MORF. 1. Invariable en género. 2. Sus superlativos son *recientísimo* y *recentísimo*.

recinto s.m. Espacio cerrado o limitado por algo: *recinto ferial*. ☐ ETIMOL. Quizá del italiano *recinto*.

recio adv. De manera vigorosa y violenta.

recio, cia adj. 1 Fuerte, robusto y vigoroso. 2 Duro o difícil de soportar. ☐ ETIMOL. De origen incierto.

recipiendario, ria s. Persona que es recibida solemnemente en una corporación o en una institución para formar parte de ellas. ☐ ETIMOL. Del latín *recipiendus* (que ha de ser recibido).

recipiente s.m. Objeto, utensilio o cavidad destinados a contener o a conservar algo. ☐ ETIMOL. Del latín *recipiens* (el que recibe o contiene).

reciprocidad s.f. 1 Correspondencia mutua entre dos cosas. [2 En gramática, intercambio mutuo de la acción entre dos o más sujetos, recayendo ésta sobre todos ellos: *Los pronombres 'nos', 'os' y 'se' pueden expresar 'reciprocidad'*.

recíproco, ca adj. 1 Referido esp. a una acción o un sentimiento, recibidos en la misma medida que se dan. 2 En gramática, que expresa que una acción se intercambia entre dos o más sujetos y recae sobre todos ellos: *'Tú y yo nos queremos' es una oración recíproca*. ☐ ETIMOL. Del latín *reciprocus* (que vuelve atrás, que repercute).

recitación s.f. 1 Pronunciación de algo en voz alta y con una determinada entonación. 2 Repetición de memoria y en voz alta. ☐ SEM. Es sinónimo de *recitado*.

recitado s.m. 1 →recitación. 2 En música, poema u obra que se declaman sobre un fondo musical.

recitador, -a s. Persona que recita, esp. poemas o textos literarios.

recital s.m. 1 Espectáculo musical a cargo de un solo artista o de un dúo de instrumentistas, esp. si interpreta música clásica o popular. 2 Lectura o recitación de composiciones literarias, esp. si son de un solo autor o si los lee una sola persona. ☐ SEM.

Dist. de *concierto* (de música, esp. de la instrumental).

recitar v. 1 Referido esp. a un poema, pronunciarlo o decirlo en voz alta y con una determinada entonación: *Si no recitas bien el poema, no entenderán su contenido*. 2 Referir o decir de memoria y en voz alta: *Cuando yo era pequeña, aprendí a recitar las tablas de multiplicar*. ☐ ETIMOL. Del latín *recitare* (leer en voz alta, pronunciar de memoria).

recitativo, va adj./s.m. Referido a un estilo o a una composición musicales, que son un término medio entre la recitación y el canto. ☐ MORF. La RAE sólo lo registra como adjetivo.

reclamación s.f. 1 Queja para protestar por lo que se considera injusto o insatisfactorio. 2 Petición o exigencia que se hace con derecho o con insistencia.

reclamar v. 1 Manifestar una queja por algo que se considera injusto o insatisfactorio: *Reclamó en el hotel porque las sábanas estaban sucias*. 2 Pedir o exigir por derecho o con insistencia: *Los niños reclaman tu presencia*. 3 Referido a una persona, llamarla para que vaya o pedir su presencia: *Te reclaman en el taller*. 4 Referido a un ave, llamar a otra de su misma especie: *Las perdices se reclamaban con su canto*. ☐ ETIMOL. Del latín *reclamare*.

reclamo s.m. 1 Lo que se utiliza para atraer la atención de algo. 2 Llamada con la que se intenta atraer la atención de algo: *El palomo no atendía al reclamo de la paloma*. 3 En un texto, señal que se pone para remitir al lector a otro lugar de la misma obra, en el que generalmente se facilitan explicaciones o datos complementarios; llamada. 4 En zonas del español meridional, reclamación o queja.

reclinar v. Inclinar apoyando en algo: *Reclinó la cabeza sobre mis hombros y se durmió. No te reclines sobre la pared*. ☐ ETIMOL. Del latín *reclinare*.

reclinatorio s.m. 1 Especie de silla, pero con las patas muy cortas y el respaldo muy alto, que se usa para arrodillarse. 2 Objeto o mueble preparado y dispuesto para reclinarse.

recluir v. Encerrar en un lugar para no salir: *Recluyeron al ladrón en una cárcel de máxima seguridad. Se recluyó en su casa durante una semana*. ☐ ETIMOL. Del latín *recludere* (encerrar). ☐ MORF. Irreg.: 1. Tiene un participio regular (*recluido*), que se usa más en la conjugación, y otro irregular (*recluso*), que se usa sólo como adjetivo o sustantivo. 2. →HUIR.

reclusión s.f. Encierro o prisión voluntarios o forzados. ☐ ETIMOL. Del latín *reclusio*.

recluso, sa adj./s. Que está en la cárcel. ☐ ETIMOL. Del latín *reclusus*.

recluta s.m. Persona que es llamada al cumplimiento del servicio militar, hasta que termina el período de instrucción básica.

reclutamiento s.m. 1 Inscripción o llamamiento para la incorporación al ejército. 2 Reunión para un fin determinado.

reclutar v. 1 Inscribir o llamar para la incorporación al ejército: *Al estallar la guerra, reclutaron a muchos jóvenes*. 2 Reunir para un fin determinado: *Para la realización del proyecto, reclutó a los mejores profesionales*. ☐ ETIMOL. Del latín *recruter*.

recobrar ▌ v. 1 Volver a tener: *Gracias al reposo absoluto ya ha recobrado la salud*. ▌ prnl. 2 Recuperarse o ponerse bien: *Se ha recobrado muy bien* *de la operación y ya está trabajando.* **3** Volver en sí después de haber perdido el sentido o el conocimiento: *Tardó varios minutos en recobrarse del desmayo.* ☐ ETIMOL. Del latín *recuperare.* ☐ SINT. Constr. de las acepciones 2 y 3: *recobrarse DE algo.*

recochinearse v.prnl. *col.* Hablar o actuar con recochineo: *No te recochinees de su fracaso.* ☐ SINT. Constr. *recochinearse DE algo.*

recochineo s.m. *col.* Burla que se añade para molestar o burlarse más.

recodo s.m. Ángulo o curva cerrados que se forma en un lugar que cambia de dirección: *Nos bañamos en uno de los recodos del río.*

recogedor s.m. Utensilio parecido a una pala, que se usa para recoger cosas, esp. basura; cogedor.

recogepelotas s. Persona que se encarga de recoger las pelotas que pierden los jugadores durante un partido de tenis. ☐ MORF. 1. Es de género común: *el recogepelotas, la recogepelotas.* 2. Invariable en número.

recoger ∎ v. **1** Guardar, colocar o disponer de forma ordenada: *Cuando termines de pintar, recoge las brochas.* **2** Referido a algo caído, cogerlo: *Recoge la basura del suelo.* **3** Referido a cosas dispersas, reunirlas o cogerlas y juntarlas: *Los vendimiadores recogen la uva.* **4** Referido a algo, ir a buscarlo al lugar en que se encuentra para llevarlo consigo: *Si tienes tiempo, recoge al niño del colegio.* **5** Acoger, dar asilo o dar alojamiento: *En esa institución recogen a los niños huérfanos.* **6** Ir juntando y guardando poco a poco: *Recogí mucha información sobre el asunto.* **7** Volver a plegar o a doblar: *Recoge el toldo, que ya no da al sol.* **8** Estrechar o ceñir para reducir la longitud o el volumen: *Recoge las faldas de la mesa camilla, porque arrastran.* ∎ prnl. **9** Retirarse a algún lugar, generalmente para descansar o dormir: *Las gallinas se recogen muy temprano.* ☐ ETIMOL. Del latín *recolligere.* ☐ ORTOGR. La *g* se cambia en *j* delante de *a, o* →COGER.

recogido, da ∎ adj. **1** Retirado del trato y de la comunicación con los demás. **2** Referido a un lugar, que resulta acogedor, resguardado y agradable. ∎ s.m. **3** Parte que se recoge o se junta: *un recogido de pelo.* ∎ s.f. **4** Reunión de cosas dispersas o separadas: *la recogida de la aceituna.* **5** Retirada a algún lugar, generalmente para descansar o dormir.

recogimiento s.m. Aislamiento o apartamiento de todo lo que distrae o impide la meditación.

recolección s.f. **1** Recogida de la cosecha o de los frutos maduros. **2** Época durante la que se lleva a cabo la recogida de la cosecha. ☐ ETIMOL. Del latín *recollectio*, y éste de *recolligere* (recoger).

recolectar v. **1** Referido a la cosecha, recogerla: *Como es época de vendimia, están recolectando la uva.* **2** Reunir o juntar: *Se propusieron muchas actividades para recolectar dinero.* ☐ ETIMOL. Del latín *recolligere* (recoger). ☐ SEM. Dist. de *colectar* (recaudar dinero).

recolector, -a s. Persona que se dedica a la recolección de la cosecha.

recoleto, ta adj. Referido a un lugar, solitario, apartado y tranquilo. ☐ ETIMOL. Del latín *recollectus* (el que se recoge en sí mismo).

recomendable adj. Que debe ser recomendado o que es conveniente. ☐ MORF. Invariable en género.

recomendación s.f. **1** Consejo que se da porque se considera beneficioso. **2** Ventaja, influencia o trato de favor con que cuenta una persona para conseguir algo.

recomendado, da ∎ adj. **[1** En zonas del español meridional, referido al correo, certificado. ∎ s. **2** Persona en cuyo favor se ha hecho una recomendación.

recomendar v. **1** Referido a algo que se considera beneficioso, aconsejarlo: *El médico me recomendó que dejara de fumar.* **2** Referido a una persona o a un negocio, encomendárselos a alguien para que les conceda un trato de favor: *Desgraciadamente, si no se recomienda nadie, tienes pocas posibilidades de conseguir ese trabajo.* ☐ ETIMOL. De *re-* (intensificación) y el antiguo *comendar* (recomendar). ☐ MORF. Irreg. →PENSAR.

recomendatorio, ria adj. Que recomienda o que sirve para recomendar.

recompensa s.f. Compensación, premio o retribución de un mérito, un favor o un servicio.

recompensar v. Referido a un mérito, un favor o un servicio, compensarlos, premiarlos o retribuirlos: *Mis padres han recompensado mis buenas notas con una bicicleta.* ☐ ETIMOL. De *re-* (intensificación) y *compensar.*

reconcentrar ∎ v. **1** Aumentar la concentración: *El humo se ha reconcentrado y no hay quien respire en esta habitación.* ∎ prnl. **2** Dejar de ocuparse del entorno para concentrarse en los propios actos o pensamientos: *Cuando te reconcentras en ti mismo, se te olvida todo lo demás.* ☐ ETIMOL. De *re-* (intensificador) y *concentrar.*

[reconciliable adj. Que puede reconciliarse. ☐ MORF. Invariable en género.

reconciliación s.f. Restablecimiento de la amistad, la armonía o la relación perdidas.

reconciliar v. Restablecer la amistad, la armonía o la relación perdidas: *Su cariño logró reconciliar a padres e hijos. Me reconcilié con mi hermano después de la disputa.* ☐ ETIMOL. Del latín *reconciliare.* ☐ ORTOGR. La *i* nunca lleva tilde.

reconcomer v. Consumir de impaciencia, de pesar o de otro sufrimiento: *La envidia te reconcome. Se reconcomía al ver lo tarde que era.* ☐ ETIMOL. De *re-* (repetición) y *concomerse.* ☐ MORF. La RAE sólo lo registra como pronominal. ☐ SEM. Como pronominal es sinónimo de *concomerse.*

recóndito, ta adj. Muy escondido, reservado u oculto. ☐ ETIMOL. Del latín *reconditus*, y éste de *recondere* (encerrar).

reconducir v. Dirigir o guiar al sitio en que se estaba, u orientar de manera distinta: *La moderadora intentó reconducir el debate.* ☐ ETIMOL. Del latín *reconducere.* ☐ MORF. Irreg. →CONDUCIR.

reconfortante s.m. Lo que reconforta o hace recuperar las fuerzas o los ánimos perdidos.

reconfortar v. Devolver la fuerza o el ánimo perdidos o darlos de manera más intensa y eficaz: *Tus palabras de ánimo me reconfortan.*

reconocer v. **1** Distinguir o identificar entre otros por rasgos o características propios: *Reconocería tu voz en cualquier parte. No me reconozco en esta foto.* **2** Examinar con atención y cuidado para conocer o identificar: *El capitán mandó reconocer el terreno.* **3** Referido a un hecho real, admitirlo o aceptarlo: *Reconozco que me he equivocado.* **4** Referido a un paciente, examinarlo para averiguar su estado de salud o para diagnosticar una posible enfermedad: *Voy al* *hospital a que me reconozcan.* □ ETIMOL. Del latín *recognoscere.* □ MORF. Irreg. →PARECER.

reconocible adj. Que se puede reconocer. □ MORF. Invariable en género.

reconocido, da adj. Agradecido por un favor o un beneficio recibidos.

reconocimiento s.m. **1** Distinción e identificación entre otros por rasgos o características propios. **2** Observación detallada o examen minucioso para conocer o identificar. **3** Admisión o aceptación de un hecho real. **4** Examen médico que se hace a un paciente para averiguar su estado de salud o para diagnosticarle una posible enfermedad. **5** Sentimiento que nos obliga a estimar un favor o un beneficio que se nos ha hecho y a corresponder a él de alguna manera; gratitud.

reconquista s.f. Recuperación de algo que se había perdido. □ ORTOGR. Cuando designa un período de la historia de España, se usa como nombre propio.

reconquistar v. Referido a algo que se había perdido, recuperarlo o volver a conquistarlo: *Espero reconquistar tu afecto.*

reconstitución s.f. **1** Nueva formación o establecimiento de algo desaparecido o deshecho. **2** Devolución al organismo o a una parte de él de sus condiciones normales.

reconstituir v. **1** Referido a algo desaparecido o deshecho, formarlo o establecerlo de nuevo: *Pretenden reconstituir el partido que se disolvió hace dos años.* **2** Referido al organismo o a una parte de él, devolverle sus condiciones normales: *Estos medicamentos ayudarán a reconstituir el organismo del enfermo.* □ ETIMOL. De *re-* (repetición, intensificación) y *constituir.* □ MORF. Irreg. →HUIR.

reconstituyente s.m. Remedio o medicamento que fortalece el organismo.

reconstrucción s.f. **1** Reparación, restauración o construcción de algo destruido o deshecho. **2** Reproducción o presentación completa de un hecho o de un acontecimiento a través de recuerdos, indicios o declaraciones.

reconstruir v. **1** Referido a algo deshecho o destruido, repararlo, completarlo o construirlo de nuevo: *Van a reconstruir esa iglesia románica.* **2** Referido esp. a un hecho o a un acontecimiento, reproducirlo o presentarlo de manera completa a través de recuerdos, indicios o declaraciones: *Intenta reconstruir todos tus movimientos de aquella mañana.* □ ETIMOL. Del latín *reconstruere.* □ MORF. Irreg. →HUIR.

reconvención s.f. Censura o riña suaves; admonición.

reconvenir v. Censurar, reñir o reprender suavemente por lo que se ha hecho o se ha dicho: *Reconvino a su hijo por su comportamiento.* □ ETIMOL. De *re-* (intensificación) y *convenir* (ser adecuado, decidir). □ MORF. Irreg. →VENIR.

reconversión s.f. Proceso de modernización de una empresa o de una industria.

[reconversor, -a adj./s. Referido a una persona, que lleva a cabo una reconversión.

reconvertir v. Referido esp. a una industria, someterla a un nuevo proceso de estructuración para conseguir su modernización: *Si queremos competir con otros países, es necesario reconvertir la industria naval.* □ MORF. Irreg. →SENTIR.

recopilación s.f. Reunión de varias cosas disper-

sas, generalmente obras escritas, bajo un criterio que les da unidad.

recopilador, -a s. Persona que recopila o reúne algo disperso y relacionado.

recopilar v. Referido esp. a escritos dispersos, juntarlos o reunirlos bajo un criterio que les dé unidad: *Busqué en varias bibliotecas para recopilar información sobre el tema.* □ ETIMOL. Del latín *compilare* (saquear, plagiar).

[recopilatorio, ria adj. Que sirve para recopilar o que contiene una recopilación: *disco 'recopilatorio'.*

recórcholis interj. *col.* Expresión que se usa para indicar extrañeza, sorpresa, admiración o disgusto.

récord s.m. **1** En deporte, mejor resultado técnico homologado; marca, plusmarca: *Batió el récord del mundo en salto de altura.* **2** Lo que representa el máximo nivel conseguido en una actividad: *Con su disco ha batido un récord de ventas.* □ ETIMOL. Del inglés *record.* □ PRON. [récor]. □ SINT. En la acepción 2, se usa mucho en aposición, pospuesto a un sustantivo: *una recaudación récord.*

recordar v. **1** Traer a la memoria o retener en ella: *Es mejor no recordar los malos momentos.* **2** Hacer que se tenga presente o que no se olvide: *Recuerda la cita con el médico.* **3** Referido a una cosa, guardar cierta semejanza con otra o sugerir, por su parecido, cierta relación con ella: *Esta moda recuerda a la de los años veinte.* □ ETIMOL. Del latín *recordari.* □ MORF. Irreg. →CONTAR. □ SINT. Es incorrecto su uso como pronominal: **Me recuerdo de todo > Recuerdo todo.*

recordatorio s.m. Tarjeta o impreso breve en que se recuerda la fecha de algún acontecimiento, esp. si es religioso.

[recordman (anglicismo) s.m. Hombre que consigue un récord. □ PRON. [récorman].

[recordwoman (anglicismo) s.f. Mujer que consigue un récord. □ PRON. [recorguóman].

recorrer v. Referido a un espacio, atravesarlo en toda su extensión o pasar sucesivamente por todos los puntos que lo forman: *Recorrí el horizonte con la mirada. Me recorrí el museo entero buscándote.* □ ETIMOL. Del latín *recurrere.*

recorrido s.m. **1** Desplazamiento por un espacio atravesándolo en toda su extensión o pasando sucesivamente por todos los puntos que lo forman. **2** Ruta o itinerario prefijados.

recortable s.m. Hoja de papel o cartulina con dibujos que se pueden recortar como juego, entretenimiento o enseñanza.

recortado, da adj. Que tiene los bordes o el contorno con muchos entrantes y salientes.

recortar ∎ v. **1** Referido a algo sobrante, cortarlo: *Hay que recortar los hilos que sobresalen de los bajos.* **2** Cortar lo que sobra dando forma: *Recorta el papel siguiendo el patrón.* **3** Disminuir o hacer más pequeño: *Los sindicatos se niegan a que se recorten los salarios.* ∎ prnl. **4** Referido a una cosa, dibujarse su perfil sobre otra: *El castillo se recortaba en el horizonte.* □ ETIMOL. De *re-* (repetición) y *cortar.*

recorte s.m. **1** Corte de algo que sobra o corte de algo a lo que hay que dar determinada forma. **2** Trozo que se recorta. **3** Disminución o reducción de la cantidad o del tamaño.

recoser v. Volver a coser: *Recose estas costuras para que no se descosan.*

recostar v. Inclinar apoyando sobre algo: *Recostó*

la cabeza sobre mi hombro. Se recostó en el sofá para descansar. □ ETIMOL. De re- (intensificación) y el antiguo costa (costado). □ MORF. Irreg. →CONTAR.

recoveco ∎ s.m. **1** Escondrijo, rincón o lugar escondido. **2** Entrante o curva que se forma al cambiar la dirección varias veces. ∎ pl. **3** Aspectos complicados, poco claros u oscuros en la forma de ser de una persona.

recreación s.f. Creación o reproducción siguiendo las características de un modelo.

recrear v. **1** Crear o reproducir siguiendo las características de un modelo: En la película se recrea el ambiente de los años cuarenta. **2** Alegrar, divertir, entretener o disfrutar: Este paisaje tan hermoso recrea la vista. El abuelo se recreaba viendo jugar a sus nietos. □ ETIMOL. Del latín recreare.

recreativo, va adj. Que divierte, que entretiene o que es capaz de ello.

recreo s.m. **1** Placer, diversión, entretenimiento o descanso. **2** Interrupción de las clases para que los alumnos descansen. **3** Lugar preparado o destinado para divertirse.

recriminación s.f. Reproche, crítica o censura que se hacen a alguien por su comportamiento.

recriminar v. Censurar, criticar o juzgar negativamente: Me recrimina que no haya asistido a su boda. Me recriminó por no haberte acompañado a casa. □ ETIMOL. De re- (intensificación) y el antiguo criminar (acusar).

recriminatorio, ria adj. Que recrimina o censura.

recrudecerse v.prnl. Referido a algo desagradable o perjudicial, aumentar la intensidad de sus efectos cuando parecía que empezaban a disminuir o ceder: Los enfrentamientos se han recrudecido en los últimos días. □ ETIMOL. Del latín recrudescere. □ MORF. Irreg. →PARECER.

recrudecimiento s.m. Aumento de la intensidad de algo desagradable o perjudicial cuando parecía que empezaba a disminuir o ceder.

recta s.f. Véase **recto, ta**.

rectal adj. Del recto o relacionado con esta parte del intestino. □ MORF. Invariable en género.

rectangular adj. **1** Con forma de rectángulo. **2** En geometría, que tiene uno o más ángulos rectos. □ MORF. Invariable en género.

rectángulo, la ∎ adj. **1** En geometría, referido a una figura geométrica, que tiene uno o varios ángulos rectos. ∎ s.m. **2** En geometría, polígono que tiene cuatro lados, iguales dos a dos, y cuatro ángulos rectos. □ ETIMOL. Del latín rectangulus.

rectificación s.f. **1** Corrección o modificación. **2** Ajuste de un aparato o pieza para corregir sus fallos.

rectificar v. **1** Corregir o modificar, esp. si es para eliminar imperfecciones, errores o defectos: No me gusta que me rectifiques cuando hablo en público. **2** Modificar la conducta, las palabras o las opiniones propias: Si no rectificas tendrás que irte de mi casa. **3** Referido a un aparato o una pieza, ajustarlos para corregir sus fallos: Han rectificado el motor de mi coche. □ ETIMOL. Del latín rectificare, y éste de rectus (recto) y facere (hacer). □ ORTOGR. La c se cambia en qu delante de e →SACAR. □ SEM. Dist. de ratificar (aprobar o confirmar algo dándolo por válido).

rectilíneo, a adj. **1** Que se compone de líneas rectas o que se desarrolla en línea recta. **2** Que no tiene cambios y es recto y firme. □ ETIMOL. Del latín rectilineus.

rectitud s.f. **1** Carácter de lo que es recto o justo, esp. en el sentido moral. **2** Ausencia de inclinación, de curvas o de ángulos.

recto, ta ∎ adj. **1** Que no está inclinado o torcido y no hace curvas ni ángulos: Aprovechó el tramo recto de la carretera para adelantar. **2** Que no se desvía del punto al que se dirige: La bala siguió una trayectoria recta. **3** Justo, honrado o firme en la forma de actuar. **4** Referido a un significado, que es el literal o primitivo: Debes entender mis palabras en su sentido recto. ∎ s.m. **5** En los mamíferos y en otros animales, última parte del intestino, que termina en el ano. ∎ s.f. **6** En geometría, línea formada por una sucesión continua de puntos en la misma dirección: Las rectas tienen una longitud infinita. 🔊 línea **7** Lo que tiene la forma de esta línea: La meta de la carrera estaba al final de una recta. **8** ‖ [recta final; última etapa o último período de alguna situación. □ ETIMOL. Del latín rectus. □ MORF. Cuando se antepone a una palabra para formar compuestos, adopta la forma recti-.

rector, -a ∎ adj./s. **1** Que rige o que gobierna: principios rectores. ∎ s. **2** Persona que se encarga del gobierno y del mando de una institución o de una comunidad, esp. del gobierno de una universidad. □ ETIMOL. Del latín rector.

rectorado s.m. **1** Cargo de rector. **2** Tiempo durante el que un rector ejerce su cargo. **3** Oficina del rector.

rectoral ∎ adj. **1** Del rector o relacionado con él. ∎ s.f. **2** Habitación o despacho del párroco. □ MORF. Como adjetivo es invariable en género.

rectoscopia s.f. En medicina, exploración del recto, mediante la introducción de un rectoscopio. □ ETIMOL. Del latín rectus (recto) y -scopia (exploración).

rectoscopio s.m. Instrumento óptico que se utiliza en medicina para examinar internamente el recto. □ ETIMOL. Del latín rectus (recto) y -scopio (instrumento para ver).

recua s.f. **1** Conjunto de animales de carga que se utilizan para acarrear o transportar mercancías. **2** col. Conjunto numeroso de personas o de cosas que van unas detrás de otras. □ ETIMOL. Del árabe rakuba (caravana).

recuadrar v. [Poner un recuadro o rodear con él: 'Recuadra' los párrafos del texto que consideres más importantes.

recuadro s.m. **1** Línea cerrada en forma de cuadrado o de rectángulo. **2** División o parte de una superficie que queda limitada por esta línea.

recubierto, ta part. irreg. de **recubrir**.

recubrimiento s.m. [Cubrimiento por completo.

recubrir v. [Cubrir por completo: Al desbordarse el río, el agua 'recubrió' toda la zona cercana. □ MORF. Su participio es recubierto.

recuento s.m. **1** Comprobación del número de personas o de objetos que forman un conjunto. **2** Hecho de volver a contar algo. □ SEM. No debe usarse con el significado de cómputo: el {*recuento > cómputo} de los votos.

recuerdo ∎ s.m. **1** Presencia en la mente de algo ya pasado; memoria. **2** Lo que sirve para recordar algo: Siempre que viaja, me trae algún recuerdo. ∎

pl. **3** Saludo afectuoso que se envía a una persona ausente por escrito o a través de un intermediario: *Tu primo me dio recuerdos para ti.*

recular v. **1** Retroceder o andar hacia atrás: *Para que recule el coche debes meter la marcha atrás.* **2** col. Ceder o rectificar: *Parece mentira que no recules.* □ ETIMOL. Quizá del francés *reculer.*

recuperación s.f. **1** Adquisición de lo que se había perdido. **2** Puesta en servicio de algo que se consideraba inservible: *Se están estudiando nuevas formas de recuperación de los plásticos usados.* **3** Superación de una asignatura o de un examen después de haberlos suspendido. **4** Vuelta en sí de la pérdida de los sentidos o del conocimiento. **5** Vuelta a un estado de normalidad.

recuperar ▮ v. **1** Referido a algo que se había perdido, volver a tenerlo o a adquirirlo: *He recuperado parte del dinero que perdí.* **2** Referido a algo inservible, volver a ponerlo en servicio: *El Ayuntamiento ha instalado un sistema para recuperar el vidrio y el papel usados.* **3** Referido a una asignatura o a un examen, aprobarlos tras haberlos suspendido anteriormente: *En septiembre recuperé las dos asignaturas que tenía pendientes.* **4** Referido al tiempo perdido, trabajar o realizar una actividad para compensarlo: *Tengo que recuperar el día libre que me cogí.* ▮ prnl. **5** Volver en sí o volver a estar sano: *Cuando te recuperes, nos iremos de vacaciones.* **6** Volver a un estado de normalidad: *Gracias a las nuevas inversiones, la economía del país se ha recuperado.* □ ETIMOL. Del latín *recuperare.*

recurrencia s.f. [Aparición repetida de algo.

recurrente ▮ adj. **1** Que vuelve a ocurrir o a aparecer, esp. después de un intervalo. **2** En anatomía, referido a un vaso o a un nervio, que en algún punto de su trayecto vuelven al lugar de origen. ▮ adj./s. **3** Que entabla o tiene entablado un recurso. □ MORF. 1. Como adjetivo es invariable en género. 2. Como sustantivo es de género común: *el recurrente, la recurrente.*

recurrir v. **1** Referido a una persona o a una cosa, acudir a ellas en caso de necesidad para que ayuden a solucionar algo: *Cuando no se conoce el significado de una palabra, hay que recurrir al diccionario.* **2** En derecho, entablar un recurso contra una resolución: *Si la sentencia no nos es favorable, podemos recurrir.* □ ETIMOL. Del latín *recurrere* (volver a correr). □ SINT. En la acepción 2, su uso como transitivo es excesivo, aunque está muy extendido: *recurrieron {*la sentencia > contra la sentencia}.*

recurso ▮ s.m. **1** Medio que permite conseguir lo que se pretende y al que se acude en caso de necesidad: *Es una persona con muchos recursos y siempre sale de las situaciones difíciles.* **2** En derecho, reclamación contra las resoluciones dictadas por un juez o un tribunal. ▮ pl. **3** Bienes, riqueza u otras cosas que pueden utilizarse para hacer algo: *La familia cuenta con pocos recursos porque el padre no trabaja.* **4** ||**(recurso de) casación**; el que se interpone ante el Tribunal Supremo para que anule una sentencia dictada por un tribunal de justicia. □ ETIMOL. Del latín *recursus.*

recusación s.f. **1** Rechazo o no admisión de algo. **2** En derecho, interposición de un impedimento legítimo para que una persona, esp. un juez, un testigo o un perito, no actúe en un procedimiento o juicio.

recusar v. Rechazar o no querer aceptar: *El director recusó tus explicaciones.* □ ETIMOL. Del latín *recusare.*

red s.f. **1** Tejido hecho con hilos, cuerdas o alambres trabados en forma de malla, que está preparado para distintos usos. **2** Engaño o trampa. **3** Conjunto organizado de distintos elementos, esp. hilos conductores, cañerías o vías de comunicación: *red de carreteras.* **4** Conjunto de personas organizadas para un mismo fin: *red de tráfico de drogas.* **5** Conjunto de establecimientos, instalaciones o construcciones del mismo tipo o con una misma función, organizados en un sistema y pertenecientes a una sola empresa o sometidos a una sola dirección; cadena: *red de supermercados.* □ ETIMOL. Del latín *rete.*

redacción s.f. **1** Expresión de algo por escrito. **2** Ejercicio escolar que consiste en redactar unos hechos o pensamientos. **3** Lugar u oficina en los que se redacta: *Hemos visitado la redacción de un periódico.* **4** Conjunto de los redactores de una publicación periódica. □ ETIMOL. Del latín *redactio.*

redactar v. Expresar por escrito: *Ésta es la periodista que redacta las noticias deportivas.* □ ETIMOL. Del latín *redactus*, y éste de *redigere* (compilar, poner en orden).

redactor, -a adj./s. Referido a una persona, que se dedica a la redacción.

redada s.f. Operación policial consistente en detener de una vez a un conjunto más o menos numeroso de personas. □ ETIMOL. De *redar* (echar la red de pescar).

redaño ▮ s.m. **1** col. Repliegue membranoso del peritoneo que une el intestino con la pared del abdomen; entresijo, mesenterio. ▮ pl. **2** Fuerzas, decisión o valor. □ ETIMOL. De *red.* □ ORTOGR. Incorr. **reaño.*

redar v. Echar la red de pescar: *Con los prismáticos vimos cómo redaban unos marineros.*

redecilla s.f. **1** Especie de bolsa hecha con tejido de malla que se utiliza para recoger el pelo o para adornar la cabeza. **2** En un rumiante, segunda de las cuatro cavidades en que se divide su estómago.

rededor ||{al/en} **rededor**; →**alrededor.**

redención s.f. **1** Liberación de una obligación, de una situación poco favorable o de un dolor. **2** Rescate de una persona cautiva o esclava mediante el pago de una cantidad.

redentor, -a adj./s. Que redime. □ ETIMOL. Del latín *redemptor.*

redentorista ▮ adj. **1** De la congregación religiosa fundada por san Alfonso María de Ligorio (doctor de la Iglesia y obispo italiano) en el siglo XVIII, o relacionado con ella. ▮ adj./s. **2** Perteneciente a esta congregación. □ MORF. 1. Como adjetivo es invariable en género. 2. Como sustantivo es de género común: *el redentorista, la redentorista.*

redicho, cha adj./s. col. Referido a una persona, que utiliza palabras excesivamente escogidas o las pronuncia con una perfección afectada. □ ETIMOL. De *re-* (intensificación) y *dicho.*

rediez interj. col. Expresión que se usa para indicar extrañeza, sorpresa, admiración o disgusto (por sustitución eufemística de *rediós*). □ ETIMOL. Eufemismo por *rediós.*

[redifusión s.f. Difusión de una señal a través de la red de satélites.

redil s.m. Terreno cercado para resguardar el ganado. ☐ ETIMOL. De *red*, porque el cercado de los rediles se hacía con red.

redimir v. Referido esp. *a una obligación o un dolor*, librar de ellos: *Para los cristianos, Cristo redimió de los pecados a toda la humanidad. El preso se redimió de algunos años de cárcel por su buen comportamiento.* ☐ ETIMOL. Del latín *redimere* (rescatar, redimir). ☐ SINT. Constr. *redimir DE algo*.

rediós interj. *vulg.* Expresión que se usa para indicar extrañeza, sorpresa, admiración o disgusto.

redistribución s.f. Nueva distribución, esp. si resulta diferente a la anterior.

redistribuir v. Distribuir de nuevo, esp. si se hace de forma diferente a como se había hecho: *Hay que redistribuir las tareas.* ☐ MORF. Irreg. →HUIR.

rédito s.m. Renta o beneficio que rinde un capital. ☐ ETIMOL. Del latín *reditus* (regreso, vuelta, renta). ☐ MORF. Se usa más en plural.

redivivo, va adj. Aparecido o resucitado. ☐ ETIMOL. Del latín *redivivus* (renovado).

redoblar v. **1** Hacer aumentar mucho o el doble: *Tuvo que redoblar esfuerzos para terminar el trabajo.* **2** Tocar redobles con el tambor: *Hicieron redoblar los tambores.* ☐ ETIMOL. De *re-* (intensificador) y *doblar*.

redoble s.m. Toque de tambor vivo y sostenido, que se produce haciendo rebotar rápidamente los palillos.

redomado, da adj. Acompañado de una cualidad negativa, indica que ésta se tiene en alto grado. ☐ ETIMOL. De *re-* (intensificación) y *domar*, quizá por el sentido de *mal domado*, referido al caballo.

redondeado, da adj. Con forma más o menos redonda.

redondear v. **1** Dar forma redonda: *La costurera redondeaba el bajo de la falda.* **2** *col.* Terminar o completar de modo satisfactorio: *Para redondear el texto sólo me queda pulir su estilo.* **3** Referido a una cifra, añadirle o restarle lo necesario para que exprese una cantidad aproximada mediante unidades completas de cierto orden: *Son 1.050, pero te redondearé el precio en 1.000 pesetas.*

redondel s.m. **1** *col.* Circunferencia y superficie delimitada por ella. **2** En una plaza de toros, ruedo.

redondeo s.m. **1** Dotación de forma redonda. **2** Adición o resta de lo necesario para que una cifra exprese una cantidad aproximada mediante unidades completas de cierto orden: *Eran 12.320, pero con el redondeo se me quedó en 12.000 pesetas.*

redondez s.f. Conjunto de características de lo que es redondo, como la ausencia de ángulos y aristas.

redondilla s.f. **1** En métrica, estrofa formada por cuatro versos de arte menor y cuyo esquema es *abba.* **2** →letra redondilla.

redondo, da ∎ adj. **1** Con forma circular o esférica, o semejante a ellas: *Las ruedas son redondas.* **2** *col.* Perfecto, completo o bien logrado: *El trabajo me salió redondo.* **3** *col.* Claro o que no ofrece duda: *Me respondió con un no tan redondo que supe que de nada serviría insistir.* **4** Referido a una cifra o a un número, que se le ha añadido o restado lo necesario para que exprese una cantidad aproximada mediante unidades completas de cierto orden: *El piso costó diez millones en números redondos.* ∎ s.m. **5** Pieza de carne cortada de forma casi cilíndrica y que for-

ma parte de la pata del animal: *redondo de ternera.* 🐂 carne **[6** En *tauromaquia*, pase natural en semicírculo, en el que se saca la muleta por delante de la cara del toro. ∎ s.f. **7** En *música*, nota que dura cuatro negras y que se representa con un círculo no relleno. **8** →letra redonda. **9** ‖a la redonda; en torno o alrededor de un punto: *No hay ninguna casa en cinco kilómetros a la redonda.* ‖caer redondo; caer al suelo por un desmayo o por otro accidente. ‖en redondo; **1** Dando una vuelta completa alrededor de un punto: *La bailarina giró varias veces en redondo.* col. **2** De forma clara o rotunda: *Se negó en redondo a acompañarme.* ☐ ETIMOL. Las acepciones 1-6, del latín *rotundus.*

redor ‖en redor; *poét.* Alrededor. ☐ ETIMOL. Del antiguo *redol* (círculo), éste de *redolar* (dar vueltas), y éste del latín *rotulare* (rodar).

reducción s.f. **1** Disminución en tamaño, en cantidad o en intensidad. **2** Sujeción o sometimiento a la obediencia. **3** En *matemáticas*, expresión del valor de una cantidad en otra unidad distinta. **4** En un vehículo, cambio de una marcha larga a otra más corta.

[reduccionismo s.m. Simplificación excesiva de algo que es complejo.

reducible adj. →reductible. ☐ MORF. Invariable en género.

reducido, da adj. Estrecho o de pequeñas dimensiones.

reducir v. **1** Disminuir en tamaño, en cantidad o en intensidad: *Reduje la velocidad. Hemos reducido los gastos a la mitad.* **2** Referido a una cosa, transformarla en otra diferente, más pequeña o de menos valor: *El terremoto redujo la ciudad a escombros. El papel se redujo a cenizas al quemarlo.* **3** Resumir en pocas razones o en algo más simple: *Reduce la felicidad a tener mucho dinero. El problema se reduce a un malentendido.* **4** Sujetar o someter a obediencia: *La policía redujo a los alborotadores.* **5** En *matemáticas*, referido a una cantidad, expresar su valor en otra unidad distinta y menor: *Si reducimos un metro a centímetros, obtenemos cien centímetros.* **6** En un vehículo, cambiar de una marcha larga a otra más corta: *Para subir la cuesta reduje a segunda.* ☐ ETIMOL. Del latín *reducere* (llevar hacia atrás). ☐ MORF. Irreg. →CONDUCIR. ☐ SINT. Constr. *reducir A algo.*

reductible adj. Que se puede reducir. ☐ ORTOGR. Se admite también *reducible.* ☐ MORF. Invariable en género.

reducto s.m. **[**Lugar o grupo en los que se mantienen elementos o características ya pasados o destinados a desaparecer. ☐ ETIMOL. Del latín *reductus* (apartado, retirado).

reductor, -a ∎ adj. **1** Que reduce o que sirve para reducir. ∎ adj./s.m. **2** En *química*, referido a una sustancia, que cede electrones: *Los agentes reductores se oxidan.*

redundancia s.f. Repetición innecesaria de una palabra o de un concepto: *Decir 'bajar abajo' es una redundancia.*

[redundante adj. Que sobra o que es una redundancia. ☐ MORF. Invariable en género.

redundar v. Resultar finalmente o terminar siendo beneficioso o perjudicial para alguien: *La paz redunda en beneficio de todos. Esas pérdidas redun-*

darán en perjuicio de la economía de la empresa. □ ETIMOL. Del latín *redundare.* □ SINT. Constr. *redundar EN algo.*

reduplicación s.f. **1** Aumento grande o al doble. **2** Figura retórica consistente en la repetición consecutiva de una palabra o de una parte de la frase, esp. al final de un verso o de un grupo sintáctico y al comienzo del siguiente.

reduplicar v. Aumentar mucho o el doble: *Fue necesario reduplicar los esfuerzos para acabar el trabajo. El paro se ha reduplicado por culpa de la crisis.* □ ETIMOL. Del latín *reduplicare.* □ ORTOGR. La c se cambia en *qu* delante de *e* →SACAR.

reedición s.f. Segunda o posterior edición de un impreso.

reedificar v. Referido a algo parcial o totalmente destruido, volver a edificarlo: *Los edificios fueron reedificados.* □ ORTOGR. La c se cambia en *qu* delante de *e* →SACAR.

reeditar v. Referido a un impreso, editarlo por segunda vez y otras veces sucesivas: *Han reeditado la revista.*

reelección s.f. Elección de una persona que había sido elegida una vez anterior.

reelecto, ta adj. Referido a una persona, que ha sido reelegida.

reelegir v. Referido a una persona, volver a ser elegida para algo: *Ha sido reelegido tres veces como presidente del gobierno.* □ ORTOGR. La g se cambia en *j* delante de *a*, *o*. □ MORF. Irreg: 1. Tiene un participio regular (*reelegido*), que se usa en la conjugación, y otro irregular (*reelecto*) que se usa como adj. 2. →ELEGIR.

reembolsar v. Referido a una cantidad de dinero, devolverla a quien la había desembolsado: *Si no queda satisfecho con sus compras, le reembolsamos el importe total.* □ ORTOGR. Se admite también *rembolsar.*

reembolso s.m. **1** Devolución de una cantidad de dinero a quien la había desembolsado. **2** Cantidad de dinero que se paga en el momento de recibir un objeto enviado por correo o por una agencia de transportes: *Me enviaron el paquete contra reembolso.* □ ORTOGR. Se admite también *rembolso.*

reemplazar v. **1** Referido a una cosa, sustituirla por otra que hace sus veces: *He reemplazado la bombilla por una lámpara halógena.* **2** Referido a una persona, sustituirla o sucederla en el cargo o en el ejercicio de sus funciones: *¿Quién será el encargado de reemplazar al jefe de servicio?* □ ORTOGR. 1. Se admite también *remplazar.* 2. La z se cambia en c delante de *e* →CAZAR.

reemplazo s.m. **1** Sustitución de una cosa por otra que hace sus veces. **2** Renovación parcial en los plazos que marca la ley del personal del ejército que presta servicio activo: *Estos soldados se licencian cuando llegue el siguiente reemplazo.* □ ORTOGR. Se admite también *remplazo.*

reencarnación s.f. Encarnación de un espíritu en un nuevo cuerpo.

reencarnarse v. Referido esp. a un ser espiritual, volver a encarnarse o a tomar forma material: *Los budistas creen que las almas se reencarnan.*

reencontrar v. Volver a encontrar: *Nos reencontramos después de varios años.* □ ORTOGR. Se admite también *rencontrar.* □ MORF. Se usa más como pronominal.

reencuentro s.m. Hecho de encontrarse de nuevo. □ ORTOGR. Se admite también *rencuentro.*

reengancharse v.prnl. **1** Continuar en el ejército después de haber cumplido el servicio militar a cambio de un sueldo: *Como no tenía empleo, decidió reengancharse en la marina.* [**2** *col.* Volver a realizar una actividad: *Aunque ya he visto la película, 'me reengancho' cuando quieras.*

reenganche s.m. **1** Permanencia de una persona en el ejército después de haber cumplido el servicio militar a cambio de un sueldo. [**2** *col.* Realización de una actividad por segunda vez.

[reescritura s.f. Escritura que corrige lo que ya estaba escrito.

reestrenar v. Referido a un espectáculo público, volver a representarlo, a proyectarlo o a ejecutarlo tiempo después de haber sido estrenado: *La obra teatral se reestrenó con gran éxito.*

reestreno s.m. Representación, proyección o ejecución de un espectáculo público tiempo después de haber sido estrenado.

reestructuración s.f. Modificación de la estructura de una organización.

reestructurar v. Referido a una organización, modificar su estructura: *El sector bancario será reestructurado y desaparecerán muchos bancos pequeños.*

refacción s.f. **1** Comida moderada que se toma para recuperar fuerzas. **2** En zonas del español meridional, reparación o arreglo. **3** En zonas del español meridional, restauración, esp. de un edificio. □ ETIMOL. Del latín *refectio*, y éste de *reficere* (rehacer).

refaccionar v. **1** En zonas del español meridional, reparar o arreglar. **2** En zonas del español meridional, restaurar, esp. un edificio.

refajo s.m. Falda corta y de vuelo, generalmente de paño, usada por las mujeres encima de las enaguas o como prenda interior de abrigo. □ ETIMOL. De *re-* (intensificador) y *fajar.*

[refanfinflar v. *vulg.* Traer sin cuidado: *Lo que me diga, me la 'refanfinfla'.* □ SINT. Se usa más en la expresión *refanfinflársela algo a alguien.* □ USO Es despectivo.

refectorio s.m. En un convento, sala utilizada como comedor común. □ ETIMOL. Del latín *refectorius* (que rehace).

[referee (anglicismo) s.m. En zonas del español meridional, árbitro de fútbol. □ PRON. [referí] o [réferi]. □ ORTOGR. Se usan también las formas *referí* y *réferi.*

referencia s.f. **1** Narración, relato o noticia de palabra o por escrito: *No obtuve ninguna referencia sobre sus actividades actuales.* **2** En un escrito, remisión a otra parte del escrito o a otro escrito distinto: *En la página 30 hay una referencia que nos manda al apéndice.* **3** Lo que sirve como base, modelo o comparación: *Cervantes es mi punto de referencia como novelista.* **4** Informe acerca de la honradez, las cualidades o los recursos de una persona: *Antes de contratarme pidieron referencias a mi anterior empresa.* [**5** Lo que sirve como fuente de información para buscar, consultar o investigar: *Los diccionarios, las enciclopedias y las bibliografías son obras de 'referencia'.* □ ETIMOL. Del latín *referens* (referente). □ MORF. La acepción 4 se usa más en plural.

[referencial adj. Que describe algo tal y como es

sin dejarse llevar por las emociones. ☐ MORF. Invariable en género.

[referenciar v. Hacer referencia o dar información: *En esta revista 'han referenciado' el libro que publiqué.* ☐ ORTOGR. La *i* nunca lleva tilde.

referendo o **referéndum** s.m. Procedimiento jurídico por el que se somete a votación popular algo de especial importancia para que sea aprobado por el pueblo. ☐ ETIMOL. Del latín *referendum* (lo que debe referirse). ☐ ORTOGR. Dist. de *refrendo*. ☐ MORF. Su plural es *referendos*, aunque se usa mucho como invariable en número: *los referéndum*.

referente ∎ adj. **1** Que se refiere a algo o que trata de ello: *Me interesan todos los datos referentes a temas económicos.* ∎ s.m. **2** En lingüística, aquello a lo que se refiere un signo lingüístico: *El referente de 'yo' varía en cada caso, según quién sea la persona que habla.* ☐ MORF. Como adjetivo es invariable en género.

[referí o **[réferi** s.m. En zonas del español meridional, árbitro de fútbol. ☐ ETIMOL. Del inglés *referee*. ☐ ORTOGR. Se usa también *referee*.

referir ∎ v. **1** Contar o dar a conocer de palabra o por escrito: *Me refirió las aventuras de estas vacaciones.* ∎ prnl. **2** Aludir o mencionar directa o indirectamente: *Hizo duras críticas, sin referirse a nadie en concreto.* ☐ ETIMOL. Del latín *referre*. ☐ MORF. Irreg. →SENTIR.

refilón ‖ **de refilón**; *col.* **1** De lado o de forma oblicua: *Desde mi sitio, veo la calle de refilón.* col. **2** Referido al modo de hacer algo, de pasada y sin profundizar.

refinado, da ∎ adj. **1** Delicado, muy fino o excelente. **2** Muy perfeccionado o muy detallado. ∎ s.m. **3** Eliminación de impurezas y añadidos para hacer más pura una sustancia.

refinamiento s.m. **1** Esmero o cuidado exquisitos. **2** Detalle y perfección extremas.

refinar v. **1** Referido esp. a una sustancia, hacerla más fina y pura eliminando sus impurezas y añadidos: *El petróleo es refinado en grandes plantas petroquímicas.* **2** Referido a una persona, hacerla más exquisita en sus gustos y en su forma de actuar: *Desde que sale contigo, se ha refinado mucho.* **3** Perfeccionar para adecuar a un fin determinado: *Este escultor ha refinado su técnica.*

refinería s.f. Instalación industrial en la que se refina un producto.

[reflectante adj. Que refleja, esp. la luz: *Los guardias de tráfico llevan de noche manguito 'reflectantes'.* ☐ MORF. Invariable en género.

reflectar v. Referido esp. a la luz, al calor o al sonido, reflejarse en una superficie: *El sonido reflecta en las paredes y se distorsiona.* ☐ ETIMOL. Del latín *reflectere* (volver hacia atrás).

reflector, -a ∎ adj./s.m. **1** Referido a un cuerpo, que refleja: *Si sales de noche con la bici, pon algún reflector en el sillín.* ∎ s.m. **2** Aparato que sirve para lanzar la luz de un foco en determinada dirección: *Los potentes reflectores de la cárcel se movían para buscar al evadido.*

reflejar ∎ v. **1** Referido a la luz, al calor o al sonido, hacerlos rebotar o hacerlos cambiar de dirección: *Las paredes blancas reflejan la luz. La Luna se refleja en el agua.* **2** Manifestar, mostrar o dejar ver: *El arte refleja la naturaleza. Su vitalidad se refleja en múltiples ocupaciones.* ∎ prnl. **3** Referido a un do-

lor, sentirse en una parte del cuerpo distinta a aquella en la que se originó: *El dolor de un infarto se refleja en el brazo izquierdo.* ☐ ORTOGR. Conserva la *j* en toda la conjugación.

reflejo, ja ∎ adj. **1** Referido esp. a un movimiento o a un sentimiento, que se produce de forma involuntaria como respuesta a un estímulo. **[2** Referido a un dolor, que se siente en una parte del cuerpo distinta a aquella en la que se originó. ∎ s.m. **3** Luz reflejada: *Los cristales de mis gafas disminuyen los reflejos.* **4** Imagen reflejada en una superficie. **5** Lo que reproduce, muestra o pone de manifiesto algo: *Esas afirmaciones son reflejo de su ideología.* **[6** Reacción involuntaria y automática que se produce como respuesta a un estímulo. ∎ s.m.pl. **7** Capacidad de reaccionar rápida y eficazmente. ☐ ETIMOL. Del latín *reflexus* (retroceso).

[réflex ∎ adj. **1** Referido a una cámara fotográfica, que tiene un visor con un sistema de espejos que permite ver la imagen que se imprimirá en la película. ∎ s.f. **2** Cámara fotográfica que tiene este tipo de visor. ☐ ETIMOL. Del inglés *reflex*. ☐ MORF. 1. Como adjetivo es invariable en género. 2. Invariable en número.

reflexión s.f. **1** Pensamiento, meditación o consideración de algo con detenimiento. **2** Advertencia o consejo con los que una persona intenta convencer a otra. **3** En física, retroceso o cambio de dirección de la luz, del calor o del sonido al oponerles una superficie. ☐ ETIMOL. Del latín *reflexio*.

reflexionar v. Pensar o considerar despacio o con detenimiento: *Espero que reflexiones sobre lo que te acabo de decir.* ☐ SINT. Constr. *reflexionar SOBRE algo.* ☐ SEM. Aunque la RAE lo considera sinónimo de *repensar*, en la lengua actual no se usa como tal.

reflexivo, va adj. **1** Que habla o actúa después de haber pensado las cosas. **2** En gramática, que expresa una acción que es realizada y recibida a la vez por el sujeto: *'Vestirse' o 'afeitarse' son verbos reflexivos. 'Me lavo' es una oración reflexiva.*

[reflotación s.f. o **[reflotamiento** s.m. Recuperación de los beneficios económicos o superación de una crisis.

reflotar v. **1** Referido a un barco sumergido o encallado, volver a ponerlo a flote: *Dos potentes remolcadores reflotaron el mercante.* **[2** Volver a tener beneficios económicos o conseguir superar una crisis: *La empresa 'reflotó' y se mantuvieron todos los puestos de trabajo.*

reflujo s.m. Movimiento descendente de la marea. ☐ SEM. Dist. de *flujo* (movimiento ascendente de la marea).

refocilarse v.prnl. Divertirse, entretenerse o alegrarse, esp. con las cosas groseras: *Se refocila con los chistes más guarros.* ☐ ETIMOL. Del latín *refocillare* (recalentar, reconfortar).

reforestación s.f. Repoblación de un terreno con plantas forestales.

reforestar v. Referido a un terreno, repoblarlo con plantas forestales: *Reforestarán las zonas que han sido taladas masivamente.*

reforma s.f. **1** Modificación o cambio que se hace con intención de mejorar. **2** Movimiento religioso iniciado en el siglo XVI que dio origen a la formación de las iglesias protestantes. ☐ USO En la acepción 2, se usa más como nombre propio.

reformado, da adj./s. **1** Referido a una orden religiosa, que ha experimentado una reforma para volver a sus reglas o su disciplina primitivas. **2** Que defiende o sigue una religión en la que se ha establecido la primitiva disciplina.

reformador, -a adj./s. Que reforma.

reformar v. **1** Modificar o rehacer con intención de mejorar: *Tiene más clientes desde que reformó el negocio.* **2** Referido esp. a una persona, enmendarla o corregirla, haciendo que abandone comportamientos que se consideran negativos: *Reformó a su cónyuge y éste ya no se emborracha. Se reformó y ahora es una persona muy responsable.* □ ETIMOL. Del latín *reformare.*

reformatorio s.m. Establecimiento penitenciario en el que viven menores de edad que han cometido algún hecho delictivo.

reformismo s.m. Tendencia o doctrina que pretenden conseguir el cambio y las mejoras graduales de una situación o de un sistema, sin intentar sustituir radicalmente el sistema existente.

reformista adj./s. Partidario de hacer reformas, o que las hace. □ MORF. 1. Como adjetivo es invariable en género. 2. Como sustantivo es de género común: *el reformista, la reformista.*

reforzar v. **1** Hacer más fuerte: *Han reforzado los cimientos de la casa.* **2** Aumentar o añadir más cantidad: *Ante la llegada de la presidenta, han reforzado la vigilancia.* □ ORTOGR. La *z* se cambia en *c* delante de *e.* □ MORF. Irreg. →FORZAR.

refracción s.f. Cambio de dirección de un rayo de luz al pasar oblicuamente de un medio a otro de distinta densidad.

[refractante adj. Que refracta la luz. □ MORF. Invariable en género.

refractar v. Referido a un rayo de luz, hacer que cambie de dirección al pasar oblicuamente de un medio a otro de distinta densidad: *El agua refracta los rayos de luz.*

refractario, ria adj. **1** Referido a un material, que resiste la acción del fuego sin cambiar de estado ni descomponerse. **2** Referido a una persona, que le cuesta entender algo, o que se niega a aceptar o comprender algo. □ ETIMOL. Del latín *refractarius* (obstinado, pertinaz).

refrán s.m. Dicho agudo de uso común que suele contener una advertencia o una enseñanza moral y que se transmite generalmente por tradición popular. □ ETIMOL. Del francés *refrain.*

refranero s.m. Colección o conjunto de refranes.

refregar v. **1** *col.* Referido a una cosa, frotarla con otra: *Refregaba la sartén con un estropajo de níquel.* **2** *col.* Referido a algo que puede ofender, decírselo a alguien para que se ofenda: *Cada vez que se monta conmigo en el coche me refriega que conduzco muy mal.* □ ETIMOL. Del latín *refricare.* □ MORF. Irreg. →PENSAR.

refregón s.m. *col.* Frotamiento brusco de una cosa con otra.

refreír v. **1** Volver a freír: *Refríe este filete, porque está casi crudo.* **2** Freír demasiado: *Has refreído las patatas y están casi quemadas.* □ ETIMOL. Del latín *refrigere.* □ MORF. Irreg.: 1. Tiene un participio regular (*refreído*), que se usa más en la conjugación, y otro irregular (*refrito*) que se usa como adjetivo o como sustantivo. 2. →REÍR.

refrenar v. Contener, dominar o hacer menos vio-

lento: *Aunque es muy colérico, sabe refrenar sus impulsos.* □ ETIMOL. Del latín *refrenare.*

refrendar v. **1** Referido a un documento, darle validez firmándolo la persona autorizada para ello: *El presidente del Gobierno refrenda casi todas las decisiones del Rey.* **2** Aceptar, corroborar o confirmar de nuevo: *Los alumnos refrendaron en votación secreta el nuevo reglamento disciplinario.* □ ETIMOL. De *referéndum.*

refrendo s.m. **1** Legalización de un documento firmándolo la persona autorizada para ello. **2** Firma que acredita esta legalización. □ ETIMOL. Del latín *referendum* (lo que debe referirse). □ ORTOGR. Dist. de *referendo.*

[refrescante adj. Que refresca. □ MORF. Invariable en género.

refrescar v. **1** Disminuir el calor o la temperatura: *Regó la puerta de su casa para refrescar el ambiente. Me mojé la cabeza para refrescarme.* **2** Recordar o volver a tener en la memoria: *El cursillo me sirvió para refrescar conocimientos.* □ ETIMOL. De *re-* (intensificación) y *fresco.* □ ORTOGR. La *c* se cambia en *qu* delante de *e* →SACAR.

refresco s.m. **1** Bebida que se toma para que disminuya el calor corporal, esp. la que no contiene alcohol. **2** ‖ **de refresco**; como refuerzo o como sustituto: *Cambió los caballos cansados por otros de refresco.*

refriega s.f. Riña violenta o batalla poco importante. □ ETIMOL. De *refregar* (restregar, frotar).

refrigeración s.f. **1** Disminución del calor o de la temperatura con algún tipo de procedimiento técnico. **[2** Sistema para refrigerar.

refrigerador s.m. o **refrigeradora** s.f. Electrodoméstico que sirve para guardar y conservar los alimentos por medio del frío.

refrigerar v. **1** Referido a un lugar, hacerlo más frío con algún tipo de procedimiento técnico: *Refrigeró el salón con un aparato de aire acondicionado.* **2** Referido esp. a un alimento, enfriarlo en cámaras especiales para garantizar su conservación: *Los frigoríficos refrigeran la comida.* □ ETIMOL. Del latín *refrigerare* (enfriar).

refrigerio s.m. Comida ligera que se toma para recuperar fuerzas; tentempié. □ ETIMOL. Del latín *refrigerium.*

refrito s.m. **1** Especie de salsa elaborada con ajo, cebolla, pimentón y otros ingredientes fritos en aceite, que se añade a algunos guisos. **2** Lo que está rehecho o es una refundición de elementos de distintas procedencias: *Ese libro es un refrito de artículos ya publicados.*

refuerzo s.m. **[1** Fortalecimiento o aumento de la fuerza. **2** Lo que fortalece, aumenta la fuerza o hace más grueso y resistente algo. 🔪 cuchillo **3** Ayuda que se presta ante una necesidad. **4** Conjunto de personas que se unen a otras para aumentar su fuerza o su eficacia. □ MORF. La acepción 4 se usa más en plural.

refugiado, da s. Persona que busca refugio fuera de su país de origen, generalmente porque huye de una guerra, de una catástrofe o de una persecución política. □ SEM. Dist. de *exiliado* (expulsado de su país de origen, generalmente por motivos políticos).

refugiar ‖ v. **1** Acoger, amparar o servir de refugio: *Los túneles del metro refugiaron a muchos ciudadanos durante los bombardeos.* ‖ prnl. **2** Buscar ayuda, protección o consuelo: *Me refugié de la lluvia bajo el porche.* □ ORTOGR. La *i* nunca lleva tilde. □ SINT. Constr. *refugiarse DE algo o EN algo o EN alguien.*

refugio s.m. **1** Acogida o amparo. **2** Lugar que sirve para protegerse de algún peligro. ⚞ vivienda **3** Lo que sirve de ayuda, protección o consuelo. **4** ‖**refugio** {atómico/[nuclear}; espacio habitable que está protegido contra los efectos de una explosión nuclear y de las radiaciones que puede originar. □ ETIMOL. Del latín *refugium.*

refulgente adj. Que resplandece o brilla. □ ETIMOL. Del latín *refulgens,* y éste de *refulgere* (resplandecer). □ MORF. Invariable en género.

refulgir v. Resplandecer o brillar: *Las estrellas refulgían en el cielo nocturno.* □ ETIMOL. Del latín *refulgere.* □ ORTOGR. La *g* se cambia en *j* delante de *a, o* →DIRIGIR.

refundición s.f. **1** Reunión o inclusión de varias cosas en una. **2** Obra refundida con el fin de modernizarla o mejorarla.

refundir v. **1** Referido a varias cosas, incluirlas o reunirlas en una sola: *El proyecto refunde propuestas individuales. En el manifiesto se refunden las ideas de los intelectuales firmantes.* **2** Referido esp. a un escrito, darle nueva forma y organización, con el fin de modernizarlo o de mejorarlo: *En la segunda edición del tratado, la autora refundió el texto de la primera.* □ ETIMOL. Del latín *refundere* (volver a fundir).

refunfuñar v. col. Emitir voces confusas o palabras mal articuladas como muestra de enojo o de enfado; renegar: *Ha refunfuñado un poco, pero ha terminado haciendo lo que le pedí.* □ ETIMOL. De origen onomatopéyico.

refunfuñón, -a adj. col. Que refunfuña mucho.

refutar v. Contradecir, rebatir o invalidar con algún argumento o razón: *Refutó públicamente aquella teoría.* □ ETIMOL. Del latín *refutare* (rechazar).

regadera s.f. **1** Recipiente que se usa para regar y que está compuesto por un depósito del que sale un tubo terminado en una boca con orificios por los que sale esparcida el agua. [**2** En zonas del español meridional, ducha. **3** ‖**como una regadera**; col. Loco o chiflado.

regadío s.m. Tierra de cultivo que necesita un riego abundante.

regalado, da adj. **1** Placentero, agradable o muy cómodo: *Lleva una vida regalada.* **2** Muy barato.

regalar v. **1** Dar sin recibir nada a cambio, generalmente como muestra de afecto o consideración: *Mis padres me regalaron un reloj.* **2** Agradar, agasajar, halagar o proporcionar placeres o diversiones: *Nos regalaron con todo tipo de atenciones.* □ ETIMOL. Quizá del francés *régaler* (agasajar).

regalía s.f. **1** Derecho o privilegio que tiene alguien, esp. el que tiene un rey en su reino o el que le ha sido concedido por el Papa. **2** Participación en los ingresos, o cantidad que se paga al propietario de un derecho a cambio del permiso de ejercerlo. □ ETIMOL. Del latín *regalis* (regio).

regalismo s.m. Movimiento que defendía las regalías de la corona en las relaciones entre la iglesia católica y el Estado.

regaliz s.m. **1** Planta herbácea con tallos casi leñosos, hojas puntiagudas, flores pequeñas y azuladas, que suele crecer en la orilla de los ríos y cuya raíz produce un jugo dulce que se utiliza en medicina; orozuz, paloduz. **2** Tallo horizontal y subterráneo de esta planta. **3** Pasta que se hace con el jugo de este tallo y que se toma como golosina en pastillas o en barritas. □ ETIMOL. Del latín *liquiritia,* éste del griego *glykýrrhiza,* y éste de *glykýs* (dulce) y *rhíza* (raíz).

regalo s.m. **1** Lo que se da a alguien sin recibir nada a cambio, generalmente como muestra de afecto y consideración. **2** Gusto, placer o agrado: *Esta música es un regalo para los oídos.* □ USO En la acepción 1, aunque la RAE lo considera sinónimo de *cortesía,* en la lengua actual no se usa como tal.

regalón, -a adj. col. En zonas del español meridional, preferido o mimado.

regañadientes ‖**a regañadientes**; referido a la forma de hacer algo, de mala gana, protestando o con disgusto. □ ORTOGR. Se admite también *a regaña dientes.*

regañar v. **1** col. Reprender o llamar la atención por algo que se ha hecho mal: *Si quieres educar bien a tus hijos, creo que debes regañarlos si hacen algo mal.* **2** Discutir o reñir: *Ha regañado con su hermano y no se hablan.* □ ETIMOL. De origen incierto. □ SINT. Constr. de la acepción 2: *regañar CON alguien.*

regañina s.f. col. Reprimenda o llamada de atención sobre algo que se ha hecho mal.

regar v. **1** Referido a una superficie o a una planta, esparcir agua sobre ellas: *En verano riegan las calles para refrescarlas.* **2** Referido a un territorio, ser atravesado por un río o por un canal: *El río Miño riega las ciudades de Lugo y Orense.* [**3** Referido a una zona del cuerpo, recibir sangre de una arteria: *Numerosos vasos sanguíneos 'riegan' el cerebro.* **4** Esparcir o derramar: *Los invitados regaron el suelo del salón con confeti.* □ ETIMOL. Del latín *rigare* (regar, mojar). □ ORTOGR. Aparece una *u* después de la *g* cuando le sigue *e.* □ MORF. Irreg. →REGAR.

regata s.f. Competición deportiva en la que un grupo de embarcaciones de la misma clase deben hacer determinado recorrido en el menor tiempo posible. □ ETIMOL. Del italiano *regata* (disputa).

regate s.m. Movimiento del cuerpo rápido y brusco que se hace para evitar algo: *El futbolista hizo tres regates y no le quitaron el balón.*

[regateador, -a adj./s. Que regatea.

regatear v. **1** Referido al precio de un producto, discutirlo el comprador y el vendedor: *La compradora regateó el precio hasta conseguir la rebaja.* **2** Hacer un movimiento brusco con el cuerpo para evitar o esquivar algo: *El extremo regateó al defensa del equipo contrario.* **3** col. Ahorrar o escatimar: *No regateó esfuerzos para conseguir aquel premio.* □ ETIMOL. De origen incierto. □ USO La acepción 3 se usa más en expresiones negativas.

regateo s.m. Discusión del comprador y del vendedor sobre el precio de algo.

[regatista s. Persona que participa en regatas, esp. si ésta es su profesión. □ MORF. Es de género común: *el 'regatista', la 'regatista'.*

regato s.m. Arroyo o canal pequeños. □ ETIMOL. De *regar.*

regazo s.m. En una persona sentada, parte que comprende desde la cintura hasta la rodilla. □ ETIMOL. De *regazar* (remangar las faldas).

regencia s.f. **1** Gobierno de un Estado durante la

minoría de edad, la ausencia o la incapacidad del príncipe o del monarca legítimos. **2** Tiempo que dura este gobierno. **3** Dirección, gobierno o mando sobre algo. □ ETIMOL. Del latín *regentia*, y éste de *regens* (regente).

regeneración s.f. **1** Restablecimiento de algo destruido, estropeado o gastado. **2** En biología, mecanismo de recuperación de los organismos vivos mediante la reconstrucción de partes perdidas o dañadas. **3** Abandono de hábitos o conductas considerados como negativos o perjudiciales.

regeneracionismo s.m. Movimiento ideológico español surgido a finales del siglo XIX y comienzos del XX, que defendía la urgente renovación de la vida política para solucionar los problemas de país.

regeneracionista ▌ adj. **1** Del regeneracionismo o relacionado con este movimiento ideológico. ▌ adj./s. **2** Partidario o seguidor del regeneracionismo. □ MORF. 1. Como adjetivo es invariable en género. 2. Como sustantivo es de género común: *el regeneracionista, la regeneracionista*.

regenerar v. **1** Mejorar, restablecer o volver a poner en buen estado: *Para regenerar la situación política se convocarán nuevas elecciones. Durante la juventud, la piel se regenera fácilmente.* **2** Referido a una persona, hacerle abandonar hábitos o conductas que se consideran negativos o perjudiciales: *Las atenciones de su familia lo han regenerado. Se regeneró y dejó de beber.* **3** Referido a una materia desechada, someterla a un proceso para volver a utilizarla: *En esta planta industrial regeneran papel usado.* □ ETIMOL. Del latín *regenerare*.

regenerativo, va adj. Que regenera.

regenta s.f. Mujer del regente.

regentar v. **1** Dirigir o gobernar: *La madre regenta la empresa familiar desde hace años.* **2** Referido a un cargo o a un empleo, desempeñarlos de forma temporal: *El vicedirector regentó la presidencia de la empresa durante la convalecencia de la directora.* □ ETIMOL. De *regente*.

regente s. Persona que desempeña una regencia o gobierno durante la minoría de edad, ausencia o incapacidad del príncipe o monarca legítimos. □ ETIMOL. Del latín *regens*. □ MORF. Es de género común: *el regente, la regente*.

[reggae (anglicismo) s.m. Estilo musical popular de origen jamaicano, de ritmo alegre, simple y repetitivo, que alcanzó gran difusión en los años setenta. ▌ PRON. [régue].

regicidio s.m. Muerte violenta dada a un monarca, a su consorte, al príncipe heredero, o al regente.

regidor, -a s. **1** Persona que rige o gobierna. **2** En teatro, cine y televisión, persona encargada de mantener el orden y de la realización de los movimientos y efectos escénicos dispuestos por el director. **3** Concejal que no ejerce ningún otro cargo municipal. □ MORF. En la acepción 1, la RAE sólo lo registra como adjetivo.

régimen s.m. **1** Conjunto de normas que gobiernan o rigen el funcionamiento de algo: *régimen disciplinario.* **2** Conjunto de normas que regulan la alimentación que ha de seguir una persona: *El médico le puso un régimen para adelgazar.* **3** Sistema político por el que se rige una nación: *régimen monárquico.* **4** Forma habitual en que se produce algo: *El régimen de lluvias de esta región se caracteriza por lluvias abundantes en otoño y primavera.* **5** En

lingüística, en una oración, dependencia que una palabra tiene respecto de otra: *El régimen de un verbo transitivo es su complemento directo.* **6** En lingüística, preposición exigida por un verbo o rasgo gramatical exigido por una preposición: *El régimen del verbo 'arrepentirse' es la preposición 'de'.* □ ETIMOL. Del latín *regimen*. □ MORF. Su plural es *regímenes*.

regimiento s.m. **1** En el ejército, unidad militar integrada por varios batallones, grupos de escuadrones o grupos de baterías y que generalmente está a las órdenes de un coronel. **2** col. Conjunto numeroso de personas. □ ETIMOL. Del latín *regimentum*.

regio, gia adj. **1** Del rey, de la realeza o relacionado con ellos; real. **2** Grande, magnífico o con mucho lujo. **[3** col. En zonas del español meridional, estupendo o fenomenal. □ ETIMOL. Del latín *regius* (perteneciente al rey).

región s.f. **1** Parte de un territorio que se distingue por determinadas características geográficas o socioculturales. **2** Cada uno de los espacios geográficos en que militarmente se divide el territorio nacional. **3** En anatomía, cada una de las partes en que se divide el exterior del cuerpo: *región torácica.* □ ETIMOL. Del latín *regio*.

regional adj. De la región o relacionado con ella. □ ETIMOL. Del latín *regionalis*. □ MORF. Invariable en género.

regionalismo s.m. **1** Tendencia o doctrina políticas que defienden el gobierno de un Estado atendiendo a las características propias de cada región. **2** Inclinación sentimental hacia una determinada región y a las características que la definen. **3** En lingüística, palabra, significado o construcción sintáctica propios de una región determinada.

regionalista ▌ adj. **1** Del regionalismo o relacionado con esta tendencia o doctrina políticas. ▌ adj./s. **2** Partidario o seguidor del regionalismo. □ MORF. 1. Como adjetivo es invariable en género 2. Como sustantivo es de género común: *el regionalista, la regionalista*.

[regionalizar v. Referido esp. a un organismo, organizarlo en regiones o en zonas: *En este país todas las instituciones públicas están 'regionalizadas' según las diferentes provincias.* □ ORTOGR. La *z* se cambia en *c* delante de *e* →CAZAR.

regir v. **1** Dirigir, gobernar o mandar: *Debes saber cuáles son las normas que rigen nuestra comunidad. Él se rige por sus propios principios morales.* **2** En gramática, referido a una palabra, establecer sobre otra una relación de dependencia: *El verbo de una oración transitiva rige su complemento directo.* **3** En gramática, referido a una palabra, exigir la presencia de otra o de determinado rasgo gramatical: *La preposición rige su término.* **4** Referido esp. a una ley o norma, estar vigente: *Esa ley rigió hasta la muerte del monarca.* **5** Referido a una persona, conservar sus facultades mentales: *El abuelo rige muy bien.* □ ETIMOL. Del latín *regere* (gobernar). □ ORTOGR. La *g* se cambia en *j* delante de *a, o.* □ MORF. Irreg. →ELEGIR.

registrador, -a s. Persona que tiene a su cargo un registro público, esp. el de la propiedad.

registrar ▌ v. **1** Examinar minuciosamente para encontrar algo: *La detective registró el despacho buscando alguna huella.* **2** Referido esp. a una firma o a un nombre comercial, inscribirlos con fines jurídicos o comerciales: *Tenemos que registrar la marca de* nuestros productos para evitar fraudes. **3** Anotar o señalar: *Este diccionario registra el género gramatical de cada palabra.* **4** Referido a la imagen o al sonido, grabarlos en el soporte adecuado para poder reproducirlos: *Registraron la ceremonia de la boda en una cinta de vídeo.* ■ prnl. **5** Producirse o suceder: *Este mes no se han registrado lluvias.* ◻ ETIMOL. De *registro*.

registro s.m. **1** Examen minucioso para encontrar algo: *La policía efectuó el registro del piso.* **2** Inscripción en una lista oficial, generalmente con fines de ordenación, jurídicos o comerciales: *Al efectuar el registro de un invento se otorga una patente.* **3** Lugar u oficina en el que se realiza esta inscripción, esp. si pertenece a una dependencia de la administración pública: *He pasado por el registro para solicitar una partida de nacimiento.* **4** Libro o escrito en el que se hacen constar estas anotaciones. **5** Enumeración de algo: *El reloj en el que fichamos lleva el registro de las entradas y salidas de cada trabajador.* **[6** Variedad lingüística empleada en función de la situación social del hablante: *'No dar pie con bola' es una expresión propia del 'registro' coloquial.* **7** En música, cada una de las tres grandes partes en que puede dividirse la escala musical: *Los tres registros de la escala musical son el grave, el medio y el agudo.* **8** En música, parte de la escala musical que se corresponde con un tipo de voz humana: *El registro del tenor es más agudo que el del barítono.* **[9** En informática, unidad completa de almacenamiento. ◻ ETIMOL. Del latín *regesta*, y éste de *regerere* (transcribir).

regla s.f. **1** Instrumento de forma rectangular y alargada que se utiliza principalmente para trazar líneas rectas o para medir la distancia entre dos puntos. **2** Lo que debe cumplirse por estar establecido. **3** Conjunto de preceptos fundamentales de los religiosos de una orden. **4** Modo en que se produce normalmente algo: *Por regla general, no trabajo los sábados.* **5** Método de hacer algo: *Una regla para hallar el área de un triángulo es multiplicar su base por su altura y dividirla entre dos.* **6** *col.* Menstruación. **7** ‖ **en regla**; de manera correcta o como corresponde: *Si no tienes el pasaporte en regla, no puedes viajar al extranjero.* ‖ **las cuatro reglas**; **1** Las cuatro operaciones de sumar, restar, multiplicar y dividir. **[2** Los principios básicos de algo. ◻ ETIMOL. Del latín *regula* (regla, barra de metal o de madera).

reglaje s.m. Reajuste de las piezas de un mecanismo para que siga funcionando correctamente.

reglamentación s.f. Conjunto de reglas o principios.

reglamentar v. Someter a un reglamento: *Las leyes reglamentan la vida en común de los ciudadanos.*

reglamentario, ria adj. **1** Del reglamento o relacionado con él. **2** Exigido por alguna disposición obligatoria: *uniforme reglamentario.*

reglamento s.m. **1** Colección ordenada de normas que regulan el funcionamiento o la realización de algo. **2** En derecho, norma jurídica que desarrolla el contenido de una ley. ◻ ETIMOL. De *reglar*.

reglar v. Someter a unas reglas: *Hay que reglar el horario de salidas de los trenes.* ◻ ETIMOL. Del latín *regulare*.

regleta s.f. **[1** Especie de regla de madera con forma de cubo o de prisma rectangular, que se utiliza para aprender a contar. **2** En imprenta, tira de metal que se utilizaba para espaciar los renglones. **3** Soporte aislante sobre el cual se colocan los componentes de un circuito eléctrico.

regocijar v. Alegrar o producir placer: *La noticia del premio me regocijó. Se regocija contemplando a sus nietos.* ◻ ORTOGR. Conserva la *j* en toda la conjugación.

regocijo s.m. Alegría, júbilo o satisfacción manifiestos. ◻ ETIMOL. De *re-* (intensificación) y *gozo*.

regodearse v.prnl. **1** *col.* Deleitarse o complacerse en lo que gusta o resulta agradable, deteniéndose en ello: *Me regodeo paladeando un buen helado de chocolate.* **2** *col.* Complacerse con malicia en la desgracia que le ocurre a otro: *Te regodeas al ver cómo tus compañeros suspenden mientras tú apruebas.* ◻ ETIMOL. De *re-* (intensificación) y *godo* (rico, persona principal).

regodeo s.m. **1** *col.* Complacencia en lo que gusta o resulta agradable. **2** *col.* Disfrute malicioso en la desgracia ajena. **3** *col.* Diversión o fiesta.

regordete, ta adj. *col.* Pequeño y grueso. ◻ ETIMOL. De *re-* (intensificación) y *gordo*.

regresar v. **1** Ir de nuevo al punto de partida; volver: *Anoche regresó temprano a casa.* **2** En zonas del español meridional, devolver algo a su poseedor. ◻ MORF. En la acepción 1, en zonas del español meridional se usa como pronominal. ◻ SINT. 1. Constr. *regresar A un sitio.* 2. En la acepción 1, es incorrecto su uso como transitivo aunque está muy extendido: **nos regresaron > nos hicieron regresar.*

regresión s.f. Retroceso o vuelta hacia atrás. ◻ ETIMOL. Del latín *regressio*.

regresivo, va adj. Que retrocede o hace retroceder.

regreso s.m. Vuelta al lugar del que se partió; venida. ◻ ETIMOL. Del latín *regressus* (retorno).

regüeldo s.m. Expulsión por la boca y haciendo ruido de los gases del estómago; eructo.

reguera s.f. →**reguero**.

reguero s.m. **1** Línea o señal continua que deja un líquido que se va derramando. **2** Corriente pequeña de algo líquido. **3** Canal o surco que se hace en la tierra para conducir el agua de riego; reguera. ◻ ETIMOL. De *regar*.

regulable adj. Que puede ser regulado. ◻ MORF. Invariable en género.

regulación s.f. **1** Sometimiento a unas normas o puesta en orden de algo; regularización. **2** Ajuste o control del funcionamiento de un sistema.

regulador s.m. **1** Mecanismo que sirve para regular u ordenar el movimiento o los efectos de una máquina o de alguna de sus piezas. **2** En música, signo con forma de ángulo agudo, que se coloca horizontalmente sobre el pentagrama y que indica, según el sentido de su abertura, que debe aumentarse o disminuirse gradualmente la intensidad del sonido.

regular ■ adj. **1** Uniforme o sin grandes cambios, alteraciones o fallos en la forma o en su desarrollo. **2** De tamaño o condición habituales o inferiores a algo de su misma especie: *Hiciste un examen regular, poco brillante pero sin fallos.* **3** En gramática, que sigue un modelo morfológico establecido: *El participio regular del verbo 'imprimir' es 'imprimido'.* **4** En geometría, referido a un polígono, que tiene los lados y los ángulos iguales entre sí. **5** En geometría, referido a un poliedro, que tiene sus caras y sus ángulos iguales entre sí. **6** Referido a una unidad militar o a sus miembros, que forman parte del ejército estable de un país. ∎ v. **7** Someter a unas normas o poner en orden; regularizar: *Los semáforos regulan el tráfico de forma automática*. **8** Ajustar o controlar el funcionamiento de un sistema: *Esta rueda permite regular la intensidad de la luz*. ∎ adv. **9** De forma mediana o no muy bien: *El examen me salió regular*. **10** ‖**por lo regular**; común u ordinariamente. ☐ ETIMOL. Las acepciones 1-6 y 9, del latín *regularis* (conforme a una regla). Las acepciones 7 y 8, del latín *regulare*. ☐ MORF. Como adjetivo es invariable en género.

regularidad s.f. Uniformidad o ausencia de grandes cambios, alteraciones o fallos en la forma o en el desarrollo: *Viene a visitarnos con regularidad*.

regularización s.f. Sometimiento a unas normas o puesta en orden de algo; regulación.

regularizar v. Someter a unas normas o poner en orden; regular: *Todos los emigrantes deben regularizar su situación de residencia en el país en el que están. Tras quitar la nieve de las vías, se regularizaron las comunicaciones ferroviarias*. ☐ ORTOGR. La *z* se cambia en *c* delante de *e* →CAZAR.

regurgitar v. Referido a sustancias contenidas en el esófago o en el estómago, expulsarlas por la boca, sin el esfuerzo del vómito: *Algunas aves alimentan a sus polluelos con la pasta que ellas mismas regurgitan*. ☐ ETIMOL. Del latín *regurgitare*.

regusto s.m. **1** Gusto o sabor que queda de lo que se ha comido o bebido. **2** Gusto o afición que queda a algo. **3** Sensación o recuerdo imprecisos y generalmente placenteros o dolorosos. **4** Impresión de semejanza o asociación con algo que sugieren algunas cosas.

rehabilitación s.f. **1** Conjunto de técnicas y de métodos curativos encaminados a recuperar la actividad o las funciones del organismo perdidas o disminuidas por efecto de una enfermedad o de una lesión. **2** Habilitación o reforma de un edificio para devolverlo a su antiguo estado.

rehabilitar v. Referido a una persona o un edificio, habilitarlos de nuevo o devolverlos a su antiguo estado: *Cuando rehabiliten el viejo palacio, instalarán en él un museo. Tiene que hacer ejercicios para rehabilitar la rodilla lesionada*.

rehacer ∎ v. **1** Referido a algo deshecho o mal hecho, volver a hacerlo: *El trabajo tenía tantos errores que tuve que rehacerlo entero*. **2** Referido a algo estropeado, dañado o disminuido, repararlo, arreglarlo o restablecerlo: *Conseguí rehacer mi vida gracias al apoyo de mi familia*. ∎ prnl. **3** Fortalecerse o tomar nuevo brío: *Necesita tomar vitaminas para terminar de rehacerse*. **4** Referido a una persona, dominar una emoción y recuperar la serenidad o el ánimo: *Es difícil rehacerse tras la pérdida de un ser querido*. ☐ ETIMOL. Del latín *refacere*. ☐ ORTOGR. La *i* sólo lleva tilde en las formas *rehíce* y *rehízo*. ☐ MORF. Irreg.: 1. Su participio es *rehecho*. 2. →HACER.

rehala s.f. **1** Jauría o conjunto de perros de caza mayor. **2** Rebaño de ganado lanar, formado por animales de diferentes dueños. ☐ ETIMOL. Del árabe *rahala* (hato, rebaño).

rehecho, cha part. irreg. de **rehacer**. ☐ MORF. Incorr. **rehacido*.

rehén s.m. Persona a la que se retiene y se utiliza como garantía para obligar a otro a cumplir determinadas condiciones. ☐ ETIMOL. Del árabe *rahn* (prenda).

rehilete s.m. [En zonas del español meridional, molinillo de viento.

rehogar v. Referido a un alimento, freírlo ligeramente a fuego lento y sin agua de modo que el aceite, la grasa o los condimentos con que se fríe lo penetren: *Una vez cocida la verdura, se le quita el agua y se rehoga*. ☐ ETIMOL. Del latín *re* (repetición) y *focus* (fuego). ☐ ORTOGR. La *g* se cambia en *gu* delante de *e* →PAGAR.

rehuir v. **1** Evitar o rechazar, generalmente por repugnancia o por temor de un riesgo: *No rehúyas el trabajo, porque antes o después tendrás que hacerlo*. **2** Referido esp. a una persona, evitar o eludir su trato o su compañía: *Si fueras más amable, la gente no te rehuiría de esa manera*. ☐ ETIMOL. Del latín *refugere*. ☐ ORTOGR. La *u* lleva tilde en los presentes, excepto en las personas *nosotros* y *vosotros*. ☐ MORF. Irreg. →HUIR.

rehumedecer v. Humedecer bien: *Con la lluvia, se ha rehumedecido la ropa tendida*. ☐ MORF. Irreg. →PARECER.

rehundir v. **1** Hundir o sumergir hasta lo más hondo: *Un cañonazo consiguió rehundir el barco*. **2** Referido a una cavidad o a un agujero, hacerlos más hondos: *Rehundió un hoyo en la arena para clavar más profundo el pie de la sombrilla*. ☐ ORTOGR. La *u* lleva tilde en los presentes, excepto en las personas *nosotros* y *vosotros*.

rehusar v. Rechazar o no aceptar, generalmente con alguna excusa: *Rehusó mi invitación de ir al cine diciendo que tenía mucho trabajo*. ☐ ETIMOL. Del latín **refusare*, de *refusus* (rechazado). ☐ ORTOGR. La *u* lleva tilde en los presentes, excepto en las personas *nosotros* y *vosotros* →ACTUAR. ☐ SINT. Es incorrecto su uso seguido de la preposición *a*: **rehusó a venir > rehusó venir*.

reidor, -a adj./s. Que ríe con frecuencia.

reimplantación s.f. Intervención quirúrgica consistente en la colocación en su lugar correspondiente de un órgano o de una parte del cuerpo que habían sido seccionados de él.

reimplantar v. **[1** En cirugía, referido a un órgano o a una parte del cuerpo seccionados de él, volver a colocarlos en su lugar correspondiente: *Lo sometieron a una operación para 'reimplantarle' los dedos amputados en el accidente*. **2** Volver a implantar: *A este paciente tuvieron que reimplantarle la prótesis*.

reimportar v. Referido a algo que había sido exportado, importarlo en el país de origen: *Los países pobres exportan materias primas y las reimportan transformadas*.

reimpresión s.f. Segunda o posterior impresión de un texto o de una ilustración.

reimpreso, sa part. irreg. de **reimprimir**. ☐ USO Se usa más como adjetivo, frente al participio regular *reimprimido*, que se usa más en la conjugación.

reimprimir v. Referido a un texto o a una ilustración, imprimirlos o repetir su impresión por segunda vez y otras veces sucesivas: *Si sigue vendiéndose tan bien, tendrán que reimprimir el libro*. ☐ MORF. Tiene un participio regular (*reimprimido*), que se usa más en la conjugación, y otro irregular (*reimpreso*), que se usa más como adjetivo.

reina s.f. **1** s.f. de **rey**. **2** Mujer del rey. [**3** En un festejo, mujer elegida, generalmente por su belleza, para presidirlo honoríficamente. **4** En el juego del ajedrez, pieza más importante después del rey. 🌟 **ajedrez 5** En una comunidad de insectos sociales, hembra fecunda y cuya función casi exclusiva es la reproducción: *abeja reina*. □ ETIMOL. Del latín *regina*. □ USO Se usa como apelativo: *No llores más, reina.*

reinado s.m. **1** Tiempo durante el que un rey ejerce su mandato o sus funciones como jefe del Estado. **2** Tiempo durante el que algo predomina o está en auge: *El reinado del petróleo terminaría si se encontraran fuentes de energía menos contaminantes.*

[**reinante** adj./s. Que reina. □ MORF. Invariable en género.

reinar v. **1** Referido a un rey o a un soberano, regir o mandar: *El descubrimiento de América se produjo cuando reinaban en España los Reyes Católicos.* **2** En una monarquía, ejercer la jefatura del Estado: *En una monarquía parlamentaria, el rey reina, pero no gobierna.* **3** Dominar, predominar o tener predominio: *¡Nunca reinará la calma en esta casa de locos!* □ ETIMOL. Del latín *regnare*.

reincidencia s.f. Reiteración de una misma falta, delito o error o nueva caída en ellos.

[**reincidente** adj. Que reincide. □ MORF. Invariable en género.

reincidir v. Referido esp. a una falta o a un error, volver a caer en ellos: *Si reincides en tus mentiras, el castigo será mayor.* □ ETIMOL. De re- (repetición) e *incidir*. □ SINT. Constr. *reincidir EN algo*.

reincorporación s.f. Nueva incorporación de algo o de alguien.

reincorporar v. **1** Referido a algo separado de un cuerpo político o moral, volver a incorporarlo o a unirlo a ellos: *La nueva dirección pretende reincorporar al partido a militantes que habían sido expulsados.* **2** Referido a una persona, volver a incorporarla a un servicio o a un puesto de trabajo: *Terminado el período de excedencia, deberás reincorporarte a tu puesto.* □ ETIMOL. Del latín *reincorporare*.

reineta s.f. Variedad de manzana, de color pardo o verdoso, piel áspera y sabor ácido. □ ETIMOL. Del francés *reinette*, y éste del francés antiguo *raine* (rana), por la piel rugosa de estas manzanas. □ SINT. Se usa mucho en aposición, pospuesto a un sustantivo: *manzana reineta*.

[**reinicializar** o [**reiniciar** v. En informática, volver a iniciar: *'Reinicializa' el ordenador para que arranque correctamente.* □ ORTOGR. **1.** La última *i* nunca lleva tilde. **2.** En *reinicializar*, la *z* se cambia en *c* delante de *e* →CAZAR. □ SEM. Dist. de *reanudar* (continuar algo que se había interrumpido). □ USO Es innecesario el uso de los anglicismos *botar* y *resetear*.

reino s.m. **1** Territorio o Estado y conjunto de sus habitantes sobre los que ejerce sus funciones un rey. **2** Ámbito propio de una actividad; campo: *En el reino de la imaginación, todo es posible.* **3** En biología, en la clasificación de los seres vivos, categoría superior a la de tipo o a la de división: *Los hongos son uno de los cinco reinos.* □ ETIMOL. Del latín *regnum*.

[**reinona** s.f. col. Hombre homosexual con los ademanes muy amanerados o que se traviste.

[**reinserción** s.f. Integración en la sociedad de una persona que estaba marginada de ella.

[**reinsertado** s. Persona marginada que vuelve a integrarse en la sociedad.

[**reinsertar** v. Referido a una persona marginada de la sociedad, volver a integrarla en ella: *El Estado debe procurar 'reinsertar' a los ex presidiarios. Es difícil que alguien que sale de la cárcel pueda 'reinsertarse' sin ayuda.*

reintegración s.f. **1** Incorporación de nuevo de una persona al ejercicio de una actividad, a una situación o a un colectivo. **2** →**reintegro**.

reintegrar ▌ v. **1** Referido esp. a una cantidad de dinero, restituirla, devolverla o satisfacerla por entero: *Si no está conforme con la compra, le reintegramos su dinero.* ▌ prnl. **2** Incorporarse de nuevo al ejercicio de una actividad, a una situación o a un colectivo: *En pocos días podrá reintegrarse a su trabajo.* □ ETIMOL. Del latín *redintegrare*. □ SINT. Constr. de la acepción 2: *reintegrarse A algo*.

reintegro s.m. **1** Restitución, devolución o satisfacción íntegras que se hacen de algo, esp. de una cantidad de dinero; reintegración. **2** En el juego de la lotería, premio igual a la cantidad jugada.

reinversión s.f. En economía, empleo de los beneficios obtenidos de una actividad productiva en el aumento del capital de la misma.

[**reinvertir** v. En economía, referido a los beneficios de una actividad, volver a emplearlos en el aumento de su capital: *Vamos a 'reinvertir' todos los beneficios de este año.*

reír ▌ v. **1** Manifestar regocijo o alegría mediante determinados movimientos de la boca y del rostro y emitiendo sonidos característicos: *Los niños ríen cuando les haces cosquillas. Me hizo tanta gracia que empecé a reírme a carcajadas.* **2** Celebrar con muestras de aprobación con risas: *En vez de reírle todo lo que hace, corrígelo para que aprenda.* ▌ prnl. **3** Burlarse, despreciar o no hacer caso de algo: *Me sacaron la lengua y se rieron de mí.* □ ETIMOL. Del latín *ridere*. □ MORF. Irreg. →REÍR. □ SINT. Constr. de la acepción 3: *reírse DE algo*.

reiteración s.f. Repetición o realización de nuevo de lo que se ha hecho.

reiterado, da adj. Hecho o sucedido repetidamente.

reiterar v. Referido a algo que se hace o se dice, repetirlo o volver a hacerlo: *Te reitero que no pienso ir contigo. Me reitero en lo que te he dicho antes.* □ ETIMOL. Del latín *reiterare*. □ SINT. Constr. como pronominal: *reiterarse alguien EN algo*.

reiterativo, va adj. Que se repite o que indica repetición.

reivindicación s.f. **1** Reclamación, exigencia o recuperación de algo que corresponde por derecho. **2** Reclamación para sí de la autoría de una acción. □ ETIMOL. Del latín *rei vindicatio* (vindicación de una cosa).

reivindicar v. **1** Referido a algo que corresponde por derecho, reclamarlo, exigirlo o recuperarlo: *Los trabajadores reivindican mejores condiciones laborales.* **2** Referido a una acción, reclamar para sí su autoría: *Hasta el momento, nadie ha reivindicado el atentado.* □ ORTOGR. La *c* se cambia en *qu* delante de *e* →SACAR.

reivindicativo, va adj. Que reivindica.

reivindicatorio, ria adj. En derecho, que sirve

para reivindicar o que tiene relación con la reivindicación.

reja s.f. **1** Conjunto de barrotes enlazados, que se pone en las ventanas o en otras aberturas de los muros como medida de seguridad o como adorno, o en el interior de algunas construcciones para delimitar un espacio. **2** En un arado, pieza de hierro que sirve para surcar y remover la tierra. **3** ‖ {entre/ tras las} rejas; *col.* En la cárcel. □ ETIMOL. La acepción 1, de origen incierto. La acepción 2, del latín *regula* (barra de madera o de metal).

rejilla s.f. **1** Red o lámina calada que suele ponerse en puertas, ventanas u otros huecos para ocultar el interior, para evitar que entre algo o como medida de seguridad. **[2** En la programación de una emisora de radio o televisión, espacio horario: *Un concurso ocupa la 'rejilla' de máxima audiencia de esa cadena.*

rejón s.m. En tauromaquia, palo largo de madera con una cuchilla en la punta, que se usa para rejonear. □ ETIMOL. De *reja* (pieza de hierro).

rejonazo s.m. En tauromaquia, golpe y herida producidos con un rejón.

rejoneador, -a s. Torero que hace la lidia completa del toro desde un caballo, usando los rejones para matar al toro.

rejonear v. **[1** Torear a caballo usando los rejones: *Uno de los toreros toreó a pie y los otros dos 'rejonearon'.* **2** En el toreo a caballo, referido al toro, herirlo con el rejón, rompiendo éste en el lomo del animal y dejándole clavada la punta: *El rejoneador hizo un quiebro ante el toro y lo rejoneó al girarse.*

rejoneo s.m. **[1** Toreo a caballo. **2** Acción de herir al toro con el rejón.

[rejuvenecedor, -a adj. Que rejuvenece.

rejuvenecer v. Referido a una persona, darle o adquirir un aspecto más joven o una fortaleza y vigor propios de la juventud: *Los colores alegres te rejuvenecen. Rejuvenecí al volverte a ver.* □ ETIMOL. De *re-* (intensificación, repetición) y el latín *iuvenescere.* □ MORF. Irreg. →PARECER.

rejuvenecimiento s.m. Vuelta a un aspecto más joven o a una fortaleza y un vigor propios de la juventud.

relación ∎ s.f. **1** Conexión o correspondencia entre dos cosas: *Entre una causa y su efecto hay una relación de consecuencia.* **2** Trato, comunicación o conexión entre dos personas o entidades. **3** Lista de nombres o de elementos. **4** Relato que se hace de un hecho. **5** En matemáticas, resultado de comparar dos cantidades expresadas en números: *La relación de igualdad en matemáticas se expresa con el signo* =. ∎ pl. **6** Trato o comunicación de carácter amoroso o sexual que mantienen dos personas. **[7** Personas influyentes social o profesionalmente y con las que se tiene trato. **8** ‖relaciones públicas; **1** Actividad profesional consistente en intentar difundir y dar prestigio a la imagen de una persona o de una entidad mediante el trato personal y atento con el público destinatario de este mensaje. **2** Persona que se dedica a esta actividad o que está especializada en ella. □ ETIMOL. Del latín *relatio.* □ SINT. Incorr. *en relación a > en relación con, con relación a: No sé qué hacer en relación {*a > con} ese asunto.*

relacionar ∎ v. **1** Referido a dos o más cosas o personas, asociarlas, ponerlas en conexión o establecer una correspondencia entre ellas: *Para un examen conviene saber relacionar unas ideas con otras. Ro-*

gamos que nos comuniquen cualquier nuevo dato que se relacione con lo sucedido. ∎ prnl. **2** Tener trato o comunicación con otras personas o entidades, esp. con las que son influyentes: *Desde que nos hicieron aquella faena, dejamos de relacionarnos con ellos.*

relajación s.f. **1** Disminución de la tensión de algo. **2** Distracción o estado de reposo conseguidos con algún tipo de descanso. **3** Disminución de la severidad de una norma establecida o del rigor en su cumplimiento u obediencia. □ SEM. Es sinónimo de *relajamiento.*

relajado, da adj. **[1** Que no produce tensión o que no requiere mucho esfuerzo. **2** En fonética, referido a un sonido, que se articula con una tensión muscular escasa o menor de la habitual: *En español, la 'd' en posición final de palabra se pronuncia relajada.*

relajamiento s.m. →**relajación.**

relajante adj. Que relaja. □ MORF. Invariable en género.

relajar v. **1** Referido esp. a algo tenso, aflojarlo o disminuir su tensión: *Al extender el brazo, relajamos el bíceps. Las cuerdas vocales se relajan después de haber emitido un sonido.* **2** Referido esp. a una persona, distraerla o tranquilizarla mediante algún tipo de descanso: *Hacer ejercicio me relaja de la tensión del trabajo. Mi mente se relaja escuchando música.* **3** Referido esp. a las normas establecidas, hacer menos severo o menos riguroso su cumplimiento u obediencia: *El nuevo código penal relaja antiguas disposiciones. Mi abuelo dice que ahora los principios morales se han relajado mucho.* □ ETIMOL. Del latín *relaxare.* □ ORTOGR. Conserva la *j* en toda la conjugación.

relajo s.m. **1** *col.* Falta de orden o falta de seriedad. **[2** *col.* Descanso o tranquilidad; relax. **3** Laxitud en el cumplimiento de las normas. **4** *col.* En zonas del español meridional, alboroto o barullo.

relamerse v.prnl. **1** Lamerse los labios una o varias veces: *El niño se relamía saboreando el helado.* **2** Encontrar mucho gusto o satisfacción: *Se relame pensando en las próximas vacaciones.* □ ETIMOL. Del latín *relambere.*

relamido, da adj. Afectado o excesivamente aseado o esmerado, esp. en los modales; lamido.

relámpago s.m. **1** Resplandor muy vivo e instantáneo producido en las nubes por efecto de una descarga eléctrica. **2** Lo que pasa muy deprisa o es muy rápido en su actividad. □ ETIMOL. Del latín *lampare,* y éste del griego *lámpo* (yo brillo). □ SINT. En la acepción 2, se usa mucho en aposición, pospuesto a un sustantivo para indicar rapidez o carácter repentino: *viaje relámpago.*

relampaguear v. **1** Haber o producirse relámpagos: *Cuando empieza a relampaguear es que la tormenta está ya cerca.* **2** Despedir luz o brillar de manera intensa e intermitente: *La luz del faro relampagueaba en la oscuridad de la noche.* □ MORF. En la acepción 1, es unipersonal.

relampagueo s.m. **1** Producción de relámpagos. **2** Emisión de luz o brillo intensos e intermitentes.

relanzar v. **[1** Reactivar, estimular o volver a lanzar dando nuevo impulso: *La campaña publicitaria pretende 'relanzar' al partido.* **2** Referido esp. a algo que viene lanzado con fuerza, rechazarlo o repelerlo: *Al rebotar el balón en la defensa, éste lo relanzó in-*

voluntariamente. ☐ ORTOGR. La *z* se cambia en *c* delante de *e* →CAZAR.

relatar v. Referido a un hecho, narrarlo o darlo a conocer con palabras: *Os relataré lo que me pasó.* ☐ ETIMOL. De *relato.*

relatividad s.f. **1** Carácter de lo que no se considera de manera absoluta, sino en relación con otra cosa o en función de otros elementos: *Le molestó que le demostrara la relatividad de aquellas afirmaciones suyas tan tajantes.* **2** En física, teoría según la cual algunos o todos los sistemas de referencia en movimiento relativo, unos respecto de otros, son equivalentes para la descripción de la naturaleza: *La relatividad formulada por el físico alemán Einstein sostiene que el espacio y el tiempo son conceptos relativos.*

relativismo s.m. Doctrina filosófica que defiende la relatividad del conocimiento humano, ya que lo absoluto es inalcanzable para él, que sólo puede ocuparse de las relaciones entre las cosas.

relativizar v. Referido a un asunto, considerarlo en relación con otros aspectos que rebajen su importancia o su gravedad: *Acostúmbrate a relativizar tus éxitos.* ☐ ORTOGR. La *z* se cambia en *c* delante de *e* →CAZAR.

relativo, va ∎ adj. **1** Que se refiere a algo o que tiene relación con ello: *De lo relativo a las ventas se ocupa el departamento comercial.* **2** Que no es absoluto o que está considerado en relación con otra cosa o en función de otros elementos: *Fue sincero de una manera relativa, porque contó sólo lo que quiso.* **3** Que tiene una cantidad, una intensidad o una importancia escasas, pero que puede ser bastante: *En cuanto ahorra una suma de relativa importancia, la invierte.* **[4** Que es discutible o que debe ser considerado desde otro punto de vista. ∎ s.m. **5** →**pronombre relativo.** ☐ ETIMOL. Del latín *relativus.* ☐ SEM. No debe usarse referido a una oración gramatical con el significado de 'adjetiva o de relativo': *El pronombre 'que' introduce oraciones {*relativas > de relativo}.*

relato s.m. **1** Cuento o narración de carácter literario y generalmente breve. **2** Narración o comunicación con palabras de un hecho. ☐ ETIMOL. Del latín *relatus.*

relax s.m. Relajación física o mental, generalmente producida por una situación de bienestar o de tranquilidad. ☐ ETIMOL. Del inglés *to relax* (relajarse). ☐ MORF. Invariable en número.

relé s.m. En electrónica, aparato o dispositivo destinados a producir una modificación dada en un circuito, cuando se cumplen determinadas condiciones en dicho circuito o en otro conectado con él: *El relé puede influir sobre otro circuito mediante la apertura o cierre de sus contactos.* ☐ ETIMOL. Del francés *relais.*

relegar v. Apartar, posponer o dejar en un lugar o posición menos destacados: *Cuando compró la cámara de vídeo, relegó la de fotos.* ☐ ETIMOL. Del latín *relegare.* ☐ ORTOGR. La *g* se cambia en *gu* delante de *e* →PAGAR. ☐ SINT. Constr. *relegar algo A un lugar.*

relente s.m. Humedad que se nota en la atmósfera en las noches sin nubes. ☐ ETIMOL. Del francés *relent.*

relevancia s.f. Importancia o significación.

relevante adj. **1** Importante o significativo. **2** Ex-

celente o de gran calidad. ☐ MORF. Invariable en género.

relevar v. **1** Referido a una persona, reemplazarla o sustituirla por otra en una actividad o en un puesto: *Un jugador de reserva ha relevado al titular lesionado.* **2** Liberar, aliviar, apartar o privar de un peso, de una obligación o de un cargo: *Me ha relevado del trabajo más pesado.* ☐ ETIMOL. Del latín *relevare.* ☐ ORTOGR. Dist. de *rebelarse* y *revelar.*

relevista adj./s. Referido a un deportista, que participa en pruebas de relevos. ☐ MORF. **1.** Como adjetivo es invariable en género. **2.** Como sustantivo es de género común: *el relevista, la relevista.*

relevo ∎ s.m. **1** Sustitución de una persona por otra en una actividad o en un puesto. **2** Persona o conjunto de personas que realizan esta sustitución. ∎ pl. **3** Carrera deportiva entre equipos cuyos miembros actúan de uno en uno y se van relevando.

relicario s.m. Estuche o lugar donde se guarda alguna reliquia u objeto de valor sentimental.

relieve s.m. **1** Lo que sobresale o resalta sobre una superficie. **2** Conjunto de accidentes geográficos de la superficie de la Tierra. **3** Importancia, mérito o renombre de algo. **4** ∥**alto relieve;** →**altorrelieve.** ∥**bajo relieve;** →**bajorrelieve.** ∥**poner de relieve;** destacar, subrayar o resaltar con énfasis. ☐ ETIMOL. Del italiano *rilievo.*

religión s.f. Conjunto de creencias y de prácticas relacionadas con lo que se considera sagrado. ☐ ETIMOL. Del latín *religio* (escrúpulo, delicadeza).

religiosidad s.f. **1** Condición o característica de la persona religiosa. **2** Puntualidad, exactitud y rigor al cumplir o realizar algo.

religioso, sa ∎ adj. **1** De la religión o relacionado con ella o con sus seguidores. **2** Que practica una religión y cumple con sus normas y preceptos, esp. si lo hace con especial devoción. **3** Puntual, exacto o riguroso en el cumplimiento de un deber. ∎ adj./s. **4** Que ha ingresado en una orden o congregación religiosas.

relinchar v. Referido a un caballo, dar relinchos o emitir su voz característica. ☐ ETIMOL. Del antiguo *reninchar.*

relincho s.m. Voz característica del caballo.

reliquia s.f. **1** Parte del cuerpo de un santo o algo que se venera por haber estado en contacto con él. **2** Vestigio, huella o resto de algo pasado, esp. si tiene un gran valor sentimental. ☐ ETIMOL. Del latín *reliquiae* (restos, residuos).

rellano s.m. **1** En una escalera, parte llana en que termina cada uno de sus tramos; descansillo, descanso. **2** En un terreno, llano que interrumpe su pendiente.

rellenar v. **1** Volver a llenar de forma que no quede ningún espacio vacío: *Rellena la jarra, que está medio vacía.* **2** Referido a un espacio, introducir en él lo necesario para llenarlo: *Rellenó la funda de los cojines con espuma.* **3** Referido a un alimento, poner en su interior distintos ingredientes: *Rellenó el pollo con tortilla, jamón y no sé cuántas cosas más.* **4** Referido esp. a un impreso, escribir los datos que se solicitan en los espacios destinados para ello; llenar: *Rellena la instancia con letra mayúscula.* ☐ ETIMOL. De *re-* (repetición, intensificación) y *llenar.*

relleno, na ∎ adj. **1** Con su interior ocupado o lleno de algo: *aceitunas rellenas.* **2** Referido a un impreso, que tiene los datos que se solicitan en los espacios destinados para ello. **3** *col.* Referido a una persona, que está un poco gruesa o que tiene formas redondeadas. ▪ s.m. **4** Llenado de un recipiente, de forma que no quede ningún espacio vacío. **5** Puesta de distintos ingredientes en el interior de un ave o de otro alimento. **6** Lo que se necesita para llenar o rellenar algo. **7** ‖ [**relleno nórdico**; el que se coloca dentro de una funda nórdica y puede ser de plumas o sintético.

reloj s.m. **1** Instrumento, aparato o dispositivo que sirve para medir el tiempo o dividirlo en horas, minutos o segundos. 🕰 medida **2** ‖**como un reloj**; *col.* Muy bien o con mucha precisión. ‖**contra reloj**; **1** Modalidad de carrera ciclista en la que los corredores toman la salida de uno en uno e intentan llegar a la meta en el menor tiempo posible. **2** Referido a la realización o a la resolución de algo, en un plazo de tiempo muy corto o muy rápidamente. □ ETIMOL. Del latín *horologium*. □ MORF. Su plural es *relojes*; incorr. *relós.

relojería s.f. **1** Arte o técnica de hacer relojes. **2** Establecimiento en el que se hacen, se arreglan o se venden relojes. **3** ‖**de relojería**; referido esp. a un mecanismo o a una bomba, que constan de un reloj que acciona o detiene un dispositivo en un determinado momento.

relojero, ra s. Persona que se dedica profesionalmente a la fabricación, a la reparación o a la venta de relojes.

[**reluciente** adj. Que reluce. □ MORF. Invariable en género.

relucir v. **1** Brillar o despedir rayos de luz: *Las estrellas relucen en el cielo.* **2** Sobresalir o ser importante: *Relucía por su inteligencia.* **3** ‖{sacar/salir} **a relucir** algo; *col.* Decirlo o mencionarlo de manera inesperada o inoportuna: *No saques a relucir nuestras antiguas diferencias.* □ ETIMOL. Del latín *relucere*. □ MORF. Irreg. →LUCIR.

relumbrar v. Resplandecer o despedir intensos rayos de luz: *Las armaduras de los caballeros relumbraban bajo el sol.* □ ETIMOL. Del latín *reluminare*.

[**rem** (anglicismo) s.m. En física, unidad de medida del nivel de radiación. □ ETIMOL. Es un acrónimo que procede de la sigla de *Roentgen Equivalent in Man* (efecto de los rayos Roentgen en el organismo humano).

remachar v. **1** Referido a un clavo ya clavado, machacar su punta o su cabeza para darle mayor firmeza: *Remachó los clavos de las patas del mueble.* **2** Colocar o poner remaches: *El zapatero no remachó bien el cinturón.* **3** Recalcar insistiendo mucho: *De pequeño me remacharon que debía ayudar siempre a un amigo.* □ ETIMOL. De *re-* (repetición e intensificación) y *machar* (golpear).

remache s.m. Clavo con cabeza en un extremo que después de haber sido clavado se remacha por el extremo opuesto; roblón. 🔪 cuchillo

[**remake** (anglicismo) s.m. Nueva versión de una obra que ya se había realizado. □ PRON. [riméik].

remanente s.m. Lo que queda o se reserva de algo. □ ETIMOL. Del latín *remanens*, y éste de *remanere* (permanecer).

remangar v. Referido a una manga o a la ropa, levantarlas o recogerlas hacia arriba: *La enfermera me dijo que me remangara la camisa para ponerme la inyección.* □ ETIMOL. De *re-* (intensificador) y

manga. □ ORTOGR. La *g* se cambia en *gu* delante de *e* →PAGAR.

remanguillé ‖**a la remanguillé**; *col.* En mal estado, en completo desorden o sin ningún cuidado.

remansarse v.prnl. Referido a una corriente de agua, detenerse, suspenderse o correr muy lentamente: *Nos bañaremos donde la corriente del río se remansa.*

remanso s.m. **1** Lugar en el que se detiene o se hace más lenta una corriente de agua. **2** ‖ [**remanso de paz**; lugar muy tranquilo. □ ETIMOL. Del latín *remanere* (detenerse).

remar v. Mover los remos en el agua para impulsar una embarcación; bogar: *Para alcanzar pronto la orilla debemos remar con fuerza.* □ SEM. Dist. de *navegar* (avanzar sobre el agua).

remarcar v. [Hacer notar con insistencia o con énfasis: *La profesora 'remarcó' la importancia de la Revolución Francesa.* □ ORTOGR. La *c* se cambia en *qu* delante de *e* →SACAR.

[**remasterizar** v. Referido a una grabación, volverla a grabar para realizar una nueva versión: *Se han remasterizado estas antiguas grabaciones para filtrar los ruidos de fondo.* □ ORTOGR. La *z* se cambia en *c* delante de *e* →CAZAR.

rematado, da adj. Acompañado de una cualidad negativa, indica que ésta se tiene en alto grado.

rematador, -a adj./s. Que remata.

rematar v. **1** Dar fin, hacer concluir o hacer terminar: *La cantante remató su actuación interpretando su canción más famosa.* **2** Referido a una persona o a un animal moribundos, poner fin a su vida: *El diestro remató el toro con el descabello.* [**3** *col.* Referido a algo que ya estaba mal, acabar de estropearlo o de agravarlo: *Si el proyecto ya iba mal, este nuevo fracaso lo va a 'rematar'.* **4** Agotar, consumir o gastar totalmente: *Antes de empezar otro, remata éste.* **5** Referido a una costura o a un cosido, asegurar su última puntada dando otra encima o haciendo un nudo a la hebra: *Si no rematas las costuras, se descoserán.* **6** En fútbol y otros deportes, dar término a una serie de jugadas lanzando el balón hacia la meta contraria: *El jugador remató de cabeza.* **7** En zonas del español meridional, liquidar o vender a un precio rebajado. **8** En zonas del español meridional, subastar. □ ETIMOL. De *re-* (intensificación) y *matar*.

remate s.m. **1** Conclusión o terminación. [**2** *col.* Agravamiento o destrozo definitivo de lo que ya estaba mal. **3** Fin, extremo o punta. **4** En fútbol y otros deportes, lanzamiento del balón a la meta contraria, esp. si es la finalización de una serie de jugadas. **5** En costura, forma de asegurar la última puntada consistente en dar otra encima o haciendo un nudo a la hebra. **6** En zonas del español meridional, liquidación o venta a precio rebajado. **7** En zonas del español meridional, subasta. **8** ‖**de remate**; *col.* Pospuesto a un término que indica una cualidad negativa, intensifica el significado de éste: *Está loco de remate.*

rembolsar v. →reembolsar.

rembolso s.m. →reembolso.

remedar v. Intentar parecer o imitar, sin llegar a la semejanza perfecta: *Su casa remeda un palacete señorial.* □ ETIMOL. Del latín **reimitari*.

remediar v. **1** Referido a un daño, ponerle remedio o intentar repararlo: *Quiero remediar con mi ayuda los daños causados.* **2** Referido a algo de consecuencias negativas, evitar que suceda: *Si Dios no lo remedia,* *me parece que la lluvia arruinará la cosecha.* □ OR-TOGR. La *i* nunca lleva tilde.

remedio s.m. **1** Medio o procedimiento para solucionar o reparar un daño. **2** Enmienda o corrección. **3** Auxilio o socorro de una necesidad. **4** ‖ **no haber más remedio**; *col.* Ser absolutamente necesario: *Si queremos terminar a tiempo, no hay más remedio que trabajar sábados y domingos.* ‖ **qué remedio**; *col.* Expresión que se usa para indicar resignación: *No me gusta trabajar por la noche, pero si no tengo otra cosa, ¡qué remedio!* □ ETIMOL. Del latín *remedium*, y éste de *mederi* (curar).

remedo s.m. Imitación o copia, esp. si son imperfectas.

remembranza s.f. Recuerdo de una cosa pasada.

rememorar v. Referido a algo pasado, recordarlo o traerlo a la memoria: *Los dos amigos rememoraron sus tiempos de estudiantes.* □ ETIMOL. Del latín *rememorare*.

remendar v. Referido a algo viejo o roto, esp. a la ropa, ponerle un remiendo o zurcirlo para reforzarlo: *Remendó las rodilleras del vaquero con tela de colores.* □ ETIMOL. Del latín *re-* y *emendare* (enmendar, corregir). □ MORF. Irreg. →PENSAR.

remendón, -a adj. Que se dedica a remendar, esp. referido a un zapatero.

[remera s.f. Véase **remero, ra**.

remero, ra ∎ adj./s.f. **1** Referido a una pluma de ave, que es una de las grandes en que termina el borde posterior de las alas. ∎ s. **2** Persona que rema. ∎ s.f. **[3** En zonas del español meridional, camiseta.

remesa s.f. Envío que se hace de un lugar a otro: *La última remesa de aceite que recibimos se está acabando.* □ ETIMOL. Del latín *remissa* (remitida).

remeter v. **1** Meter más adentro: *Ven para que te remeta la camisa por el pantalón.* **2** Referido a un objeto, empujarlo para meterlo en un lugar: *Remeto bien las mantas bajo el colchón para no destaparme.*

remezón s.m. **1** En zonas del español meridional, terremoto ligero. **2** En zonas del español meridional, temblor breve del suelo. **[3** *col.* En zonas del español meridional, sacudida brusca. □ ETIMOL. De *remecer*.

remiendo s.m. **1** Trozo de tela u otro material que se pone para arreglar algo. **2** *col.* Arreglo o reparación, generalmente provisional, que se hace en caso de urgencia.

remilgado, da adj. Que finge o muestra una delicadeza exagerada o un escrúpulo excesivo.

remilgo s.m. Manifestación exagerada de delicadeza o de escrúpulos, generalmente mediante gestos expresivos. □ ETIMOL. Quizá de *re-* (intensificación) y el latín *mellicus*, y éste de *mellitus* (meloso).

reminiscencia s.f. **1** Recuerdo vago e impreciso. **2** Influencia o parecido. □ ETIMOL. Del latín *reminiscentia*.

remirado, da adj. **1** Que reflexiona mucho sobre sus acciones. **2** Que finge o muestra una delicadeza exagerada; melindroso. □ USO Tiene un matiz despectivo.

remirar v. Mirar repetidamente o mirar intensamente y con atención: *Por más que remiré, no fui capaz de encontrarlo.*

remisible adj. Que se puede remediar o perdonar. □ MORF. Invariable en género.

remisión s.f. **1** Envío que se hace a otro lugar: *En tu trabajo hay continuas remisiones a estudios anteriores.* **2** Disminución o pérdida de intensidad. **3** Perdón o liberación de una pena o de una obligación. □ ETIMOL. Del latín *remissio*.

remiso, sa adj. Reacio, contrario o poco dispuesto a la realización de algo. □ ETIMOL. Del latín *remissus*, y éste de *remittere* (aflojar).

remite s.m. Nota que se pone en un envío por correo, en la que constan el nombre y dirección de la persona que hace dicho envío.

remitente s. Persona que hace un envío y cuyo nombre consta en el remite de un sobre o paquete. □ MORF. Es de género común: *el remitente, la remitente.*

remitir ∎ v. **1** Referido a algo, enviarlo a determinada persona de otro lugar: *Mañana mismo te remitiré la carta.* **2** Disminuir o perder intensidad: *Dentro de unos días remitirá el calor.* **3** En un escrito, hacer una indicación para que se consulte un lugar donde aparece información de lo tratado: *Esta autora remite constantemente a su anterior obra.* ∎ prnl. **4** Referido a lo hecho o a lo dicho, atenerse a ello: *Como prueba de lo que digo, me remito a tus declaraciones en el periódico.* □ ETIMOL. Del latín *remittere*. □ SINT. 1. Constr. de la acepción 3: *remitir A algo.* 2. Constr. de la acepción 4: *remitirse A algo.*

remo s.m. **1** Especie de pala alargada y estrecha que sirve para mover una embarcación al hacer con ella fuerza en el agua. **2** Deporte que consiste en recorrer distancias en una embarcación impulsada por estas palas. □ ETIMOL. Del latín *remus*.

[remodelación s.f. Modificación de una forma, de una estructura o de una composición.

[remodelar v. Modificar la forma, la estructura o la composición: *'Remodelarán' el viejo cine para convertirlo en teatro.*

remojar v. Empapar o meter en un líquido, esp. en agua: *Remojó la ropa antes de meterla en la lavadora.* □ ETIMOL. De *re-* (intensificación) y *mojar.* □ ORTOGR. Conserva la *j* en toda la conjugación.

remojo ‖ {a/en remojo}; dentro del agua durante un cierto tiempo.

remojón s.m. Baño de agua o de otro líquido hasta empapar algo; mojadura.

remolacha s.f. **1** Planta herbácea de hojas grandes que salen directamente de la raíz, flores pequeñas y verdosas en espiga y raíz carnosa en forma de huso, de color rojizo o blanco. **2** Raíz de esta planta: *La remolacha es comestible.* □ ETIMOL. Quizá del italiano *ramolaccio* (rábano silvestre).

remolcador s.m. Barco preparado para el remolque de otras embarcaciones. ▰ embarcación

remolcar v. Referido esp. a un vehículo, arrastrarlo o llevarlo sobre una superficie tirando de él: *Un barco remolcó el yate hasta el puerto.* □ ETIMOL. Del latín *remulcare*, y éste del griego *rhymulkéo* (yo remolco). □ ORTOGR. La *c* se cambia en *qu* delante de *e* →SACAR.

remolino s.m. **1** Movimiento giratorio y rápido, esp. del aire, el agua o el polvo. **2** Conjunto de pelos que salen en diferentes direcciones y que son difíciles de peinar. **3** Amontonamiento desordenado de gente.

remolón, -a adj./s. Que intenta evitar el trabajo o la realización de algo. □ ETIMOL. Del antiguo *remorar* (retardar).

remolonear v. Evitar esfuerzos o trabajos, generalmente por pereza: *Deja ya de remolonear y empieza a estudiar.*

remolque s.m. **1** Desplazamiento de un vehículo tirando de él. **2** Vehículo sin motor que es remolcado por otro. **3** ‖**a remolque; 1** Remolcando o siendo remolcado: *La grúa llevaba el coche averiado a remolque*. **2** Por impulso o incitación de otra persona: *Fui a remolque a la cena, pero luego me divertí mucho*. ☐ ETIMOL. De *remolcar*.

[remontada s.f. Ascenso en el puesto de una clasificación.

remontar ▌ v. **1** Referido a una pendiente, subirla: *Al terminar de remontar la cuesta, nos sentamos a descansar*. **2** Navegar o nadar aguas arriba: *Gracias al esfuerzo de los remeros consiguieron remontar el río*. **3** Elevar en el aire: *El águila remontó el vuelo con majestuosidad*. **4** Superar o sobrepasar: *Tras remontar algunas dificultades, el negocio empezó a dar frutos*. ▌ prnl. **5** Retroceder en el tiempo hasta una época pasada: *Para buscar el origen de esa costumbre hay que remontarse a la época medieval*. **6** Situarse o tener lugar: *La construcción de este palacio se remonta al siglo XV*. **7** Referido a una cantidad, ascender a la cifra que se indica: *Los gastos de limpieza se remontan a cien mil pesetas*. **8** Volver, ir hacia arriba o hacia atrás: *Cuando teoriza, se remonta a conceptos abstractos muy difíciles de entender*. ☐ ETIMOL. De *re-* (intensificación) y *montar*. ☐ SINT. Constr. como pronominal: *remontarse A algo*.

remonte s.m. **1** Aparato utilizado para remontar una pista de esquí. **2** Recorrido de una corriente aguas arriba. **3** Superación de algo o avance.

rémora s.f. **1** Pez marino de color grisáceo, con una aleta dorsal y otra ventral que nacen en la mitad del cuerpo y se prolongan hasta la cola y un disco oval sobre la cabeza que utiliza a modo de ventosa para adherirse a otros peces o a objetos flotantes. **2** Impedimento para llevar algo a buen fin; lastre. ☐ ETIMOL. Del latín *remora* (retraso). ☐ MORF. En la acepción 1, es un sustantivo epiceno: *la rémora macho, la rémora hembra*.

remorder v. Inquietar, alterar o desasosegar interiormente: *Se portó muy mal conmigo y ahora le remuerde la conciencia*. ☐ ETIMOL. Del latín *remordere*. ☐ MORF. Irreg. →MORDER.

remordimiento s.m. Inquietud o pesar interno que queda después de realizar una acción que se considera mala o perjudicial.

remoto, ta adj. **1** Distante o apartado en el tiempo o en el espacio. **2** Que es difícil que suceda o que sea verdad: *una remota posibilidad*. **3** Pequeño, vago o impreciso: *un remoto recuerdo*. ☐ ETIMOL. Del latín *remotus* (retirado, apartado).

remover ▌ v. **1** Mover repetidas veces agitando o dando vueltas: *El jardinero removía la tierra con el azadón*. **2** Referido a algo olvidado, volver a tratarlo o a pensarlo: *Lo mejor será no remover ese viejo tema*. **3** En zonas del español meridional, destituir: *El ministro fue removido a causa de los incidentes ocurridos*. ▌ prnl. **4** Moverse o pasar de un lugar a otro: *¿Qué te pasa que te remueves inquieto en el sillón?* ☐ ETIMOL. Del latín *removere* (apartar). ☐ MORF. Irreg. →MOVER.

remozamiento s.m. Modernización o dotación de un aspecto más nuevo.

remozar v. Dar un aspecto nuevo o moderno: *Han remozado la fachada del edificio con una capa de pintura*. ☐ ETIMOL. De *re-* (repetición) y *mozo* (nue-

vo). ☐ ORTOGR. La *z* se cambia en *c* delante de *e* →CAZAR.

remplazar v. →**reemplazar**. ☐ ORTOGR. La *z* se cambia en *c* delante de *e* →CAZAR.

remplazo s.m. →**reemplazo**.

remuneración s.f. Pago o recompensa por un servicio o por un trabajo; retribución.

remunerar v. Referido esp. a un servicio o a un trabajo, recompensarlos o pagar dinero por ellos; retribuir: *La empresa le remuneró las horas extras trabajadas*. ☐ ETIMOL. Del latín *remunerari*, y éste de *munus* (regalo).

renacentista ▌ adj. **1** Del Renacimiento o relacionado con este movimiento cultural. ▌ adj./s. **2** Que cultiva los estudios o el arte propios de este movimiento. ☐ MORF. **1.** Como adjetivo es invariable en género. **2.** Como sustantivo es de género común: *el renacentista, la renacentista*.

renacer v. Tomar nuevas fuerzas y energías o recuperar la importancia perdida: *Con estas vacaciones he renacido. En los siglos XV y XVI renacen en el arte los temas de la Antigüedad clásica*. ☐ ETIMOL. Del latín *renasci*. ☐ MORF. Irreg. →PARECER.

renacimiento s.m. **1** Movimiento cultural europeo que se desarrolla principalmente entre los siglos XV y XVI y que supone una vuelta a los valores de la antigüedad grecolatina. **2** Recuperación de la importancia perdida. ☐ USO En la acepción 1, se usa más como nombre propio.

renacuajo s.m. **1** Larva de un anfibio, esp. de una rana o de un sapo, que se diferencia del animal adulto por tener cola, carecer de patas y respirar por medio de branquias. 🔷 metamorfosis **2** col. Persona pequeña en edad o en estatura. **[3** col. En zonas del español meridional, persona antipática o molesta. ☐ ETIMOL. De *ranacuajo*, y éste de *rana*. ☐ MORF. En la acepción 1, es un sustantivo epiceno: *el renacuajo macho, el renacuajo hembra*. ☐ USO En la acepción 2, aplicado a un niño tiene un matiz cariñoso.

renal adj. De los riñones o relacionado con ellos; nefrítico. ☐ ETIMOL. Del latín *renalis*. ☐ MORF. Invariable en género.

rencilla s.f. Riña que da lugar a una enemistad. ☐ ETIMOL. De **rencir*, y éste del latín *ringi* (estar furioso). ☐ MORF. Se usa más en plural.

renco, ca adj./s. Cojo por una lesión de cadera. ☐ ETIMOL. De origen incierto.

rencontrar v. →**reencontrar**.

rencor s.m. Sentimiento de enojo por algo pasado. ☐ ETIMOL. Del latín *rancor* (ranciedad).

rencoroso, sa adj./s. Que tiene o guarda rencor.

rencuentro s.m. →**reencuentro**.

rendibú s.m. Manifestación de respeto o sumisión, generalmente con la intención de adular. ☐ ETIMOL. Del francés *rendez-vous* (cita que se da a alguien). ☐ MORF. Aunque su plural en la lengua culta es *rendibúes*, se usa mucho *rendibús*.

rendición s.f. **1** Vencimiento, derrota o sometimiento a la voluntad de alguien. **2** Obligación a admitir algo.

rendido, da adj. Sumiso, amable o atento: *Es un rendido admirador de esa actriz*.

rendija s.f. Abertura larga y estrecha que se forma en un cuerpo o que separa dos elementos muy próximos. ☐ ETIMOL. Del antiguo *rehendija* (hendidura).

rendimiento s.m. Beneficio o utilidad que algo produce.

rendir ▮ v. **1** Vencer o derrotar: *Los soldados rindieron varias plazas del enemigo.* **2** Someter a la voluntad de alguien: *A fuerza de atenciones y regalos consiguió rendirla. El atracador se rindió al verse rodeado de policías.* **3** Dar fruto, utilidad o beneficio: *Si lo haces como yo digo, te rendirá más el trabajo.* **4** Dar, ofrecer o entregar: *Los antiguos romanos rendían culto a muchos dioses.* **5** Cansar o fatigar: *Este trabajo rinde a cualquiera.* **▮** prnl. **6** Admitir o aceptar: *Tuve que rendirme a los hechos.* □ ETIMOL. Del latín *reddere* (devolver, entregar). □ MORF. Irreg. →PEDIR.

renegado, da adj./s. Que ha abandonado sus creencias, esp. las religiosas.

renegar v. **1** Referido a las creencias, esp. a las religiosas, abandonarlas y rechazarlas: *Renegó de su fe cristiana y se hizo musulmán.* **2** Rechazar con desprecio: *Nunca renegaré de mi familia.* **3** Decir blasfemias o maldecir; blasfemar: *Renegaba de todos aquellos amigos que le habían dado la espalda.* **4** *col.* Emitir voces confusas o palabras mal articuladas como muestra de enojo o de enfado; refunfuñar: *Se pasó el día renegando.* □ ETIMOL. Del latín *renegare.* □ ORTOGR. Aparece una *u* después de la *g* cuando le sigue *e.* □ MORF. Irreg. →REGAR. □ SINT. Constr. de las acepciones 1, 2 y 3: *renegar DE algo.*

renegrido, da adj. De color oscuro o ennegrecido.

renglón ▮ s.m. **1** En un escrito, conjunto de palabras o caracteres comprendidos en una horizontal; línea. **2** Cada una de las líneas horizontales que permiten escribir sin torcerse: *Necesito un cuaderno con los renglones marcados.* **▮** pl. **3** *col.* Escrito breve: *Le enviaré unos renglones para agradecerle su invitación.* **4** ‖ **a renglón seguido**; a continuación o inmediatamente. □ ETIMOL. De *reglón,* y éste de *regla.*

rengo, ga adj. En zonas del español meridional, cojo.

renguear v. →**renquear.**

renguera s.f. En zonas del español meridional, cojera.

renio s.m. Elemento químico, metálico y sólido, de número atómico 75, de color blanco brillante, muy denso y que se funde difícilmente. □ ETIMOL. Del latín *Rhenus* (el Rin), por el lugar de nacimiento de la mujer de su descubridor. □ ORTOGR. Su símbolo químico es *Re.*

reno s.m. Mamífero parecido al ciervo, con cuernos muy ramificados y pelaje espeso, que habita en las regiones del hemisferio norte, se domestica fácilmente y se utiliza como animal de tiro para los trineos. □ ETIMOL. Del francés *renne.* □ MORF. Es un sustantivo epiceno: *el reno macho, el reno hembra.* 🐾 rumiante

renombrado, da adj. Célebre o famoso.

renombre s.m. Fama o prestigio. □ ETIMOL. Del latín *renomen.*

renovable adj. Que se puede renovar. □ MORF. Invariable en género.

renovación s.f. **1** Sustitución de una cosa por otra equivalente, pero más nueva, más moderna o que sea válida. **2** Reanudación o restablecimiento de la fuerza, de la vitalidad o de la intensidad de algo.

renovador, -a adj/s Que renueva.

renovar v. **1** Referido a una cosa, sustituirla por otra equivalente, pero más nueva, más moderna o que sea válida: *Tengo que renovar el vestuario, porque*

se me ha quedado anticuado. **2** Dar nueva fuerza, intensidad o vitalidad: *Cuando se levantó el telón, el público renovó los aplausos. Con unas vacaciones renovaré fuerzas.* □ ETIMOL. Del latín *renovare.* □ MORF. Irreg. →CONTAR.

[renqueante adj. Que renquea. □ MORF. Invariable en género.

renquear v. **1** Tener dificultad en la realización de algo: *El negocio empieza a renquear.* **2** Andar moviéndose de un lado a otro, como cojeando: *Tiene una lesión en la cadera y renquea un poco.* □ ETIMOL. De *renco* (cojo). □ ORTOGR. En la acepción 2, se admite también *renguear.*

renqueo s.m. Movimiento de un lado para otro, como cojeando, al andar.

renta s.f. **1** Beneficio o utilidad que produce periódicamente algo. **2** Lo que se paga por un arrendamiento o alquiler a su propietario. **3** ‖ **[renta fija**; la que es constante o da siempre la misma cantidad de beneficio. ‖ **renta per cápita**; la que resulta de dividir el dinero que tiene un país por su número de habitantes. ‖ **[renta variable**; la que varía el beneficio producido según diversas condiciones. ‖ **[vivir de las rentas**; *col.* Aprovecharse de lo que se ha conseguido en el pasado: *Con su primera profesora de latín aprendió muchísimo y después 'vivió de las rentas' y sacó la asignatura sin estudiar.* □ ETIMOL. Del latín **rendita.*

rentabilidad s.f. Capacidad de producir un beneficio suficiente o que valga la pena.

[rentabilizar v. Hacer que los beneficios superen a los gastos: *Modernizaremos la maquinaria para 'rentabilizar' la empresa y obtener más beneficios.* □ ORTOGR. La *z* se cambia en *c* delante de *e* →CAZAR.

rentable adj. Que produce un beneficio suficiente o que merece la pena. □ MORF. Invariable en género.

rentar v. **1** Producir beneficio o utilidad periódicamente: *Lo que le rentan los pisos que tiene alquilados le permite vivir con desahogo.* **[2** En zonas del español meridional, alquilar. □ ETIMOL. La acepción 2, del inglés *to rent* (alquilar).

rentista s. Persona que recibe una renta o un beneficio por alguna propiedad. □ MORF. Es de género común: *el rentista, la rentista.*

rentoy s.m. **1** *col.* Pulla o indirecta. **2** Juego de cartas parecido al tresillo en el que se reparten tres cartas a cada jugador y se deja otra de triunfo. □ ETIMOL. Quizá del francés *rends-toi* (acude, entrégate). □ MORF. Su plural es *rentóis.* □ SINT. La acepción 1 se usa más con los verbos *tirar, echar* y equivalentes.

renuencia s.f. Oposición o resistencia a hacer algo.

renuente adj. Que se opone o se resiste a hacer algo. □ ETIMOL. Del latín *renuens.* □ MORF. Invariable en género.

renuevo s.m. Ramo tierno que echa un árbol o una planta después de haber sido podados o cortados.

renuncia s.f. **1** Abandono voluntario de algo que se posee o a lo que se tiene derecho. **2** Documento que recoge este abandono voluntario. **3** Desprecio o abandono de algo.

renunciar v. **1** Referido a algo que se posee o a lo que se tiene derecho, dejarlo o abandonarlo voluntariamente: *Renunció a su herencia en favor de sus sobrinos.* **2** Despreciar o no aceptar: *El médico le aconsejó que renunciara al alcohol.* □ ETIMOL. Del latín *renuntiare*. □ ORTOGR. La *i* nunca lleva tilde. □ SINT. Constr. *renunciar* A *algo*.

renuncio s.m. *col.* Mentira o contradicción en que se sorprende a alguien.

renvalso s.m. En una pieza de madera, esp. en la hoja de una puerta o de una ventana, rebaje que se hace en su borde para que encaje con otra pieza.

reñido, da adj. **1** Referido a una persona, enemistada con otra de forma que no mantiene trato con ella. **2** Referido esp. a una elección o a una competición, que se desarrolla con mucha rivalidad entre los participantes por tener éstos méritos parecidos.

reñir v. **1** Referido a una persona, reprenderla o regañarla con rigor: *Me riñeron por no dejar recogida la habitación.* **2** Discutir, pelear o sostener opiniones contrarias: *Estos críos siempre están riñendo.* **3** Enemistarse o dejar de tener relación con alguien: *¿No sabes que riñeron y suspendieron la boda?* □ ETIMOL. Del latín *ringi* (gruñir mostrando los dientes, estar furioso). □ MORF. Irreg. →CEÑIR.

reo s. Persona acusada de un delito o declarada culpable. □ ETIMOL. Del latín *reus* (el que es parte de un proceso, acusado). □ MORF. Es de género común: *el reo, la reo;* incorr. **la rea.*

[reoca ‖ **ser la reoca**; *col.* Ser extraordinario o salirse de lo corriente.

reojo ‖ **de reojo**; de forma disimulada, dirigiendo la vista por encima del hombro o hacia un lado: *Lo vi de reojo cuando pasó por mi lado.*

[reordenar v. Referido a algo que ya estuvo ordenado, ordenarlo de nuevo, esp. si se hace de modo diferente: *Me encontré los libros ordenados por título, pero yo los 'reordené' por orden alfabético de autores.*

reorganizar v. Referido a algo que ya estuvo organizado, organizarlo de nuevo, esp. si se hace de modo diferente: *Ante la ausencia de dos de los ponentes, han reorganizado el orden de las conferencias.* □ ORTOGR. La *z* se cambia en *c* delante de *e* →CAZAR.

repajolero, ra adj. **1** *col.* →pajolero. **[2** *col.* Muy gracioso o muy simpático. □ USO En la acepción 1 es despectivo.

[repámpanos interj. Expresión que se usa para indicar sorpresa, enfado o disgusto.

repanchigarse o **[repanchingarse** v.prnl. *col.* Sentarse cómodamente, extendiendo y recostando el cuerpo; repantigarse: *Cuando llega del trabajo, se repanchiga en su sillón preferido.* □ ETIMOL. De *re-* (intensificación) y *pancho*. □ ORTOGR. 1. Se admite también *arrepanchigarse*. 2. La *g* se cambia en *gu* delante de *e* →PAGAR. □ USO Aunque la RAE prefiere *repantigarse*, se usa más *repanchigarse*.

repanocha ‖ **ser la repanocha**; *col.* Ser extraordinario o salirse fuera de lo normal.

repantigarse v.prnl. *col.* →**repanchigarse**. □ ETIMOL. Del latín **repanticare*, y éste de *pantex* (tripa, barriga). □ ORTOGR. La *g* se cambia en *gu* delante de *e* →PAGAR.

reparable adj. Que se puede reparar o remediar. □ MORF. Invariable en género.

reparación s.f. **1** Arreglo de algo roto o estropeado. **2** Compensación o satisfacción completa por una ofensa o un daño.

reparador, -a adj./s. Que repara o mejora.

reparar v. **1** Arreglar o poner en buen estado: *Llevé a reparar el televisor averiado.* **2** Referido a un daño o una ofensa, remediarlos o corregirlos: *Reparó su ofensa pidiéndome perdón.* **3** Referido esp. a las fuerzas, restablecerlas o mejorarlas: *Necesito un descanso que me permita reparar fuerzas.* **4** Notar, advertir o darse cuenta: *¿Has reparado en que aquí no hay sillas?* □ ETIMOL. Del latín *reparare* (preparar o disponer de nuevo). □ SINT. Constr. de la acepción 4: *reparar* EN *algo*.

reparo s.m. **1** Advertencia u observación sobre algo, esp. para señalar una falta o defecto: *No puso reparos a mis planes.* **2** Duda, dificultad o inconveniente: *No tuvo reparos en volver a pedirme dinero.* □ ETIMOL. De *reparar*.

repartición s.f. →**reparto**.

repartidor, -a s. Persona que se dedica profesionalmente al reparto o distribución de algo, generalmente de productos comerciales.

repartimiento s.m. →**reparto**.

repartir v. **1** Referido a un todo, distribuirlo dividiéndolo en partes: *El que corta la tarta la reparte. Los dos socios se repartieron las ganancias.* **2** Distribuir por lugares distintos o entre personas diferentes: *Repartió a los huéspedes entre las habitaciones de la planta alta. Los perseguidores se repartieron por toda la ciudad en busca del escapado.* **3** Referido esp. a encargos o envíos, entregarlos a sus respectivos destinatarios: *Un repartidor reparte el periódico a los suscriptores. Las cartas certificadas se reparten a domicilio.* **4** Extender o distribuir uniformemente por una superficie: *Reparte bien la pintura por toda la pared para que no queden manchas.* **5** Referido a papeles dramáticos, adjudicarlos a los actores que van a representarlos: *Hoy se repartirán los papeles y mañana empezamos los ensayos.* □ ETIMOL. De *re-* (repetición) y *partir*.

reparto s.m. **1** Distribución de un todo dividiéndolo en partes. **2** Asignación del destino o de la colocación convenientes: *El reparto del peso en un avión es un factor de seguridad.* **3** Entrega que se hace de algo, esp. de encargos o envíos a sus destinatarios: *reparto a domicilio.* **4** Distribución uniforme de una materia por una superficie. **5** Adjudicación de los papeles de una obra dramática a los actores que van a representarla. **6** Lista o relación de estos actores y de los personajes que encarnan. □ SEM. En las acepciones 1-4, es sinónimo de *repartición* y de *repartimiento*. □ USO En la acepción 6, es innecesario el uso del anglicismo *cast*.

repasador s.m. En zonas del español meridional, paño de cocina.

repasar v. **1** Referido esp. a una obra terminada, examinarla o volver a mirarla, generalmente para retocarla o para corregir sus errores: *Repasa las cuentas hasta que descubras por qué no cuadran.* **2** Referido esp. a algo que se ha estudiado, mirarlo de nuevo para afianzarlo en la memoria: *Si has estudiado durante el curso, la víspera del examen te basta con repasar los puntos fundamentales.* **3** Referido a una lección, volver a explicarla: *La profesora repasó brevemente en clase los temas más importantes.* **4** Examinar muy por encima pasando la vista rápidamente: *Hay días en que sólo se puede repasar el periódico y leer los titulares.* **5** Referido esp. a una prenda de vestir, coserla o remendarla para arreglar sus desperfectos: *Enseguida se me desgastan los calcetines por el talón y tengo que repasarlos.*

repaso s.m. **1** Examen o reconocimiento que se hace de algo, generalmente para corregir sus errores. **2** Recorrido o estudio ligero que se hace de algo ya estudiado. **3** Nueva explicación de una lección. **4** Examen que se hace muy por encima y pasando la vista rápidamente. **5** Remiendo de una prenda de vestir o de una tela para arreglar sus desperfectos. **6** ‖ **dar un repaso**; *col.* [Reprimir, criticar o amonestar: *Me dio un buen 'repaso' cuando le conté lo que había hecho.* ☐ SEM. Su uso con el significado de 'descripción detallada' es incorrecto, aunque está muy extendido: *En su discurso, la afamada compositora {*dio un repaso a > hizo una descripción de} la historia de la música occidental.*

repatear v. *col.* Fastidiar o desagradar mucho: *Me repatea tener que madrugar tanto.*

repatriación s.f. Devolución de una persona a la patria propia.

repatriado, da s. Persona devuelta a su patria.

repatriar v. Referido a una persona, devolverla a su patria: *Las autoridades repatriarán a los inmigrantes ilegales.* ☐ ETIMOL. Del latín *repatriare.* ☐ ORTOGR. La *i* puede llevar tilde o no en los presentes, excepto en las personas *nosotros* y *vosotros*, en las que no la lleva nunca →AUXILIAR.

repecho s.m. Cuesta con bastante pendiente y no muy larga. ☐ ETIMOL. De *re-* (oposición) y *pecho* (cuesta, pendiente).

repeinado, da adj. Referido a una persona, que está arreglada de forma exagerada, esp. en lo tocante al peinado.

repeinar v. **1** Volver a peinar: *Cuando volví de la peluquería tuve que repeinarme.* **2** Peinarse con mucho cuidado: *Cuando la invitan a una fiesta, se arregla y se repeina para ir impecable.*

repelente ∎ adj. **1** Repulsivo, repugnante o que da asco. **2** *col.* Referido a una persona, que es redicha o resulta impertinente por presumir o dar la impresión de saberlo todo. ∎ s.m. **3** Sustancia o producto que se usan para alejar a ciertos animales. ☐ MORF. Como adjetivo es invariable en género.

repeler v. **1** Arrojar, lanzar o echar de sí con impulso o con violencia: *El portero repelió el lanzamiento y lo envió a córner.* **2** Causar repugnancia, oposición o rechazo: *La violencia me repele.* **3** Rechazar o no admitir en la propia masa o composición: *Dos cargas eléctricas de distinto signo se repelen entre sí.* ☐ ETIMOL. Del latín *repellere.*

repelús s.m. *col.* Sensación de temor o de repugnancia que inspira algo.

repensar v. Pensar o considerar de nuevo o con detenimiento: *Antes de decidirme, tengo que repensar bien el asunto.* ☐ MORF. La *e* final de la raíz diptonga en *ie* en los presentes, excepto en las personas *nosotros* y *vosotros* →PENSAR. ☐ SEM. Aunque la RAE lo considera sinónimo de *reflexionar*, en la lengua actual no se usa como tal.

repente s.m. **1** Impulso brusco e inesperado que mueve a hacer o a decir algo. **2** ‖ **de repente**; de forma repentina, inesperada o sin pensar. ☐ ETIMOL. Del latín *repens* (súbito, imprevisto).

repentino, na adj. Que no se espera o que no está previsto.

[repera ‖ **ser la repera**; *col.* salirse de lo corriente: *Mi amigo 'es la repera' porque siempre lleva un calcetín de cada color y va tan contento.*

repercusión s.f. **1** Influencia, efecto o trascendencia posteriores. **2** Resonancia, divulgación o eco que adquiere un hecho.

repercutir v. **1** Influir, causar efecto o tener tras-

cendencia en algo posterior; incidir: *Tus esfuerzos de hoy repercutirán en tu futuro.* **2** Referido a un sonido, resonar o producir eco: *Dio un puñetazo en la mesa que repercutió en toda la casa.* ☐ ETIMOL. Del latín *repercutere.* ☐ SINT. 1. Constr. *repercutir EN como transitivo es incorrecto aunque está muy extendido: debemos {*repercutir > hacer repercutir} ese dinero en mejoras sociales.*

repertorio s.m. **1** Conjunto de obras o de números que un artista, un grupo o una compañía han puesto en escena o tienen preparados para ello. **2** Libro, índice o registro en que se recogen datos e informaciones remitiendo a textos donde se tratan más extensamente. **3** Colección o recopilación de cosas. ☐ ETIMOL. Del latín *repertorium*, y éste de *reperiri* (encontrar).

repesca s.f. *col.* En una prueba, nueva admisión o concesión de una segunda oportunidad a alguien que ha sido eliminado: *examen de repesca.*

repescar v. *col.* En una prueba, referido a alguien que ha sido eliminado, volver a admitirlo o darle una nueva oportunidad: *En la final participarán los ganadores de cada prueba y los atletas que se repesquen por haber hecho buenos tiempos.* ☐ ORTOGR. La *c* se cambia en *qu* delante de *e* →SACAR.

repetición s.f. **1** Nueva realización o pronunciación de algo que ya se ha hecho o dicho. **2** Figura retórica consistente en la reiteración intencionada de palabras o de conceptos. **3** ‖ **de repetición**; referido a un mecanismo, esp. a un arma de fuego, que repite mecánicamente su acción una vez puesto en funcionamiento.

repetidor, -a ∎ adj./s. **1** Referido a un alumno, que vuelve a cursar un curso o una asignatura. ∎ s.m. **2** Aparato electrónico que recibe una señal electromagnética y la vuelve a transmitir amplificada: *repetidor de televisión.*

repetir ∎ v. **1** Volver a hacer o a decir: *Repite el ejercicio hasta que te salga perfecto. Los niños repiten todo lo que oyen.* **2** En una comida, referido a un alimento, volver a servírselo: *Voy a repetir ensaladilla porque está buenísima.* **3** Referido a lo que se come o se bebe, volver a la boca su sabor: *El pepino repite mucho.* ∎ prnl. **4** Volver a ocurrir o suceder regularmente: *Todos los años por estas fechas se repiten las nevadas.* **5** Referido a una persona, insistir en las mismas actitudes, motivos o tratamientos: *Esa pintora se repite mucho.* ☐ ETIMOL. Del latín *repetere* (volver a dirigirse hacia algún sitio, volver a pedir). ☐ MORF. Irreg. →PEDIR.

[repetitivo, va adj. Que se repite o se ha repetido mucho.

repicar v. Referido esp. a una campana, sonar repetidamente y con cierto compás, generalmente en señal de fiesta o de alegría: *Las campanas repicaron todo el día.* ☐ ORTOGR. La *c* se cambia en *qu* delante de *e* →SACAR.

repintar ∎ v. **1** Pintar sobre lo ya pintado para restaurarlo o para perfeccionarlo: *La restauración era tan buena que apenas se notaban las zonas que habían repintado.* ∎ prnl. **2** Pintarse o maquillarse mucho o muy mal: *Se repinta de tal modo que parece un esperpento.*

repipi adj./s. Pedante, presuntuoso y poco natural en la forma de hablar. ☐ MORF. 1. Como adjetivo es invariable en género. 2. Como sustantivo es de género común: *el repipi, la repipi.*

repique s.m. Conjunto de sonidos de una campana o de otro instrumento producidos repetidamente, generalmente en señal de fiesta o de alegría.

repiquetear v. **1** Referido esp. a una campana, repicar con mucha viveza: *Cuando hay bautizo, las campanas de la iglesia repiquetean para que todos se enteren.* **2** Golpear repetidamente haciendo ruido: *La profesora repiquetea en la mesa con el bolígrafo.*

repiqueteo s.m. Golpeteo muy vivo y repetido.

repisa s.f. Estante o placa colocados horizontalmente contra la pared y que sirven para colocar cosas sobre ellos.

replantear v. Referido a un problema o a un asunto, plantearlos de nuevo, generalmente para darles una orientación distinta: *Si con estas medidas no se soluciona el tema, habrá que replantearlo.*

[replay (anglicismo) s.m. **1** En televisión, repetición de algunos fragmentos de un programa. **2** En un reproductor de discos compactos, tecla o mecanismo que permiten repetir un fragmento de la grabación. ☐ PRON. [ripléi], aunque está muy extendida [repláy]. ☐ USO Su uso es innecesario y puede sustituirse por una expresión como *repetición.*

replegar ▌ v. **1** Referido a una tropa militar, retirarla o hacerla retroceder de manera ordenada a posiciones defensivas: *El ataque enemigo obligó a replegar las tropas.* ▌ prnl. **[2** Referido a una persona, encerrarse en sí misma: *Cuando tiene algún problema, 'se repliega' y no quiere hablar con nadie.* ☐ ETIMOL. Del latín *replicare* (desplegar, desarrollar). ☐ ORTOGR. Aparece una *u* después de la *g* cuando le sigue *e.* ☐ MORF. 1. Irreg. →REGAR. 2. Puede usarse también como verbo regular.

repleto, ta adj. Muy lleno o lleno por completo. ☐ ETIMOL. Del latín *repletus*, y éste de *replere* (rellenar).

réplica s.f. **1** Respuesta o argumento que se hacen poniendo objeciones a algo que se ha dicho o se ha mandado. **2** Copia exacta o muy parecida de un original.

replicar v. Referido a algo que se dice o que se manda, responder a ello con objeciones: *Obedece sin replicar y no hagas que me enfade.* ☐ ETIMOL. Del latín *replicare* (desplegar, desarrollar). ☐ ORTOGR. La *c* se cambia en *qu* delante de *e* →SACAR.

repliegue s.m. Movimiento de retroceso a posiciones defensivas que realiza una tropa militar de manera ordenada.

repoblación s.f. **1** Poblamiento que se vuelve a hacer de un lugar. **2** Recuperación de la vegetación de un lugar que se hace plantando de nuevo árboles u otras plantas.

repoblador, -a adj./s. Que repuebla.

repoblar v. **1** Referido a un lugar abandonado por sus pobladores, volver a poblarlo, generalmente con pobladores nuevos: *Los conquistadores repoblaron las zonas abandonadas por los indígenas.* **2** Referido a un lugar, volver a plantarlo de árboles u otras plantas: *Las autoridades se proponen repoblar el monte quemado para evitar su desertización.* ☐ MORF. Irreg. →CONTAR.

repollo s.m. Variedad de col, de hojas firmes y tan unidas y apretadas entre sí que forman una especie de cabeza. ☐ ETIMOL. Del latín *pullus* (cría), que significó retoño de cualquier planta y después retoño de col.

repolludo, da adj. **1** Referido a una persona, que es gruesa y de baja estatura. **2** Referido esp. a una planta, que forma repollo o que tiene esta forma.

reponer ▌ v. **1** Referido a una persona o a una cosa, volver a ponerlas o a colocarlas en el puesto, lugar o estado que antes tenían: *Lo repusieron en su antiguo cargo.* **2** Referido esp. a algo que falta, reemplazarlo o poner algo igual en su lugar: *Después del trabajo hay que reponer fuerzas.* **3** Referido a un espectáculo, volver a ponerlo en escena, a proyectarlo o a emitirlo: *En la filmoteca suelen reponer obras clásicas del cine.* **4** Responder o replicar, generalmente poniendo objeciones: *A las preguntas del periodista, la entrevistada repuso que ella no tenía por qué dar cuenta de sus actos.* ▌ prnl. **5** Recuperarse recobrando la salud o la tranquilidad: *Hasta que no te repongas no debes volver al trabajo.* **6** Tranquilizarse o recuperar la serenidad: *Procura reponerte, que no te vean llorar los niños.* ☐ ETIMOL. Del latín *reponere.* ☐ MORF. Irreg.: 1. Su participio es *repuesto.* 2. →PONER. 3. En la acepción 4, es verbo defectivo: se usa sólo en pretérito indefinido y en futuro y pretérito imperfecto de subjuntivo; en los demás tiempos, es sustituido por las formas correspondientes del verbo *responder.*

[repóquer s.m. En el juego del póquer, combinación de cinco cartas iguales.

reportaje s.m. Trabajo periodístico, cinematográfico o televisivo de carácter informativo y referente a un personaje o a un tema. ☐ ETIMOL. Del francés *reportage*, y éste del inglés *reporter* (reportero).

reportar v. **1** Producir o traer como consecuencia: *Ese asunto sólo te ha reportado preocupaciones.* **2** Reprimir, contener o moderar: *Reporta tu ira y actúa con cabeza. Repórtate y no montes aquí una escena, por favor.* ☐ ETIMOL. Del latín *reportare.*

reportero, ra s. Periodista que recoge y redacta noticias, esp. si está especializado en la elaboración de informes y reportajes. ☐ ETIMOL. Del inglés *reporter.*

[reposabrazos s.m. Pieza que sirve para reposar o apoyar en ella el brazo. ☐ MORF. Invariable en número.

[reposacabezas s.m. Pieza o parte superior que sirven para reposar o apoyar en ellas la cabeza. ☐ MORF. Invariable en número.

reposado, da adj. Tranquilo, sosegado o quieto.

reposapiés s.m. En una motocicleta, pieza situada a cada uno de sus lados a modo de estribo y que sirve para apoyar en ella el pie. ☐ MORF. Invariable en número.

reposar v. **1** Descansar o interrumpir la fatiga o el trabajo: *Paremos en esa fuente para beber agua y reposar de la caminata.* **2** Permanecer en quietud, sin actividad ni alteración: *Antes de servir el té, déjalo reposar unos minutos.* **3** Apoyar o poner sobre algo: *Reposa la cabeza en mi hombro si quieres descansar.* **[4** Referido a una idea o proyecto, pensarlos o reflexionar sobre ellos durante un tiempo: *Antes de ponerte manos a la obra, deberías 'reposar' un poco todos esos proyectos.* **5** ‖**reposar la comida**; descansar después de comer para hacer mejor la digestión: *Si tienes digestiones pesadas, te conviene reposar la comida.* ☐ ETIMOL. Del latín *repausare.*

reposera s.f. En zonas del español meridional, tumbona. ☐ ETIMOL. De *reposo.*

reposición s.f. **1** Colocación de algo en el lugar,

en el puesto o en el estado que antes tenía. **2** Reemplazo o recuperación de algo que falta o colocación de algo igual en su lugar. **3** Nueva puesta en escena, proyección o emisión de una obra o de un espectáculo estrenados en una temporada anterior.

reposo s.m. **1** Descanso o interrupción de la fatiga o del trabajo. **2** Quietud, falta de actividad o de alteración. **3** En física, inmovilidad de un cuerpo respecto de un sistema de referencia.

[repostaje s.m. Abastecimiento de combustible o de provisiones cuando se terminan.

repostar v. Referido esp. al combustible o a las provisiones, reponerlos o abastecerse de ellos cuando se terminan: *El vuelo tiene dos escalas para repostar combustible.*

repostería s.f. **1** Oficio que consiste en la elaboración de tartas, pasteles y otros tipos de dulces. **2** Conjunto de los productos que se elaboran en este oficio.

repostero, ra ❚ s. **1** Persona que se dedica profesionalmente a la elaboración de tartas, pasteles y otro tipo de dulces. ❚ s.m. **2** Paño que suele colgarse en un muro y que está adornado con emblemas heráldicos. **[3** En zonas del español meridional, despensa. ☐ ETIMOL. Del latín *repositarius* (oficial que guarda el servicio de mesa).

reprehender v. →reprender.

reprehensible adj. →reprensible. ☐ MORF. Invariable en género.

reprehensión s.f. →reprensión.

reprender v. Referido a una persona, corregirla o regañarla desaprobando su conducta: *La profesora me reprendió por mis continuas faltas de puntualidad.* ☐ ETIMOL. Del latín *reprendere* (coger, retener). ☐ ORTOGR. Se admite también *reprehender.*

reprensible adj. Digno de ser reprendido o corregido. ☐ ORTOGR. Se admite también *reprehensible.* ☐ MORF. Invariable en género.

reprensión s.f. No aprobación de la conducta de alguien que se hace corrigiéndolo o regañándolo. ☐ ORTOGR. Se admite también *reprehensión.*

represa s.f. **1** Construcción, hecha generalmente de cemento armado, destinada a contener o a regular el curso de las aguas: *Una represa es más pequeña que una presa.* **2** Lugar donde las aguas están detenidas o almacenadas, natural o artificialmente; presa. ☐ ETIMOL. Del latín *repressus* (contenido).

represalia s.f. **1** Daño causado a alguien en venganza de otro recibido. **2** Medida que un Estado adopta contra otro como castigo a una acción de éste. ☐ ETIMOL. Del latín *represaliae.*

represar v. **1** Referido a una corriente de agua, detenerla o estancar su caudal: *Construyen embalses para represar y almacenar el agua.* **2** Reprimir, contener o impedir el avance o el crecimiento: *Una persona reflexiva tiende a represar sus impulsos.* ☐ ETIMOL. Del latín *reprehensare.*

representación s.f. **1** Construcción de una imagen, de un símbolo o de una imitación de algo. **2** Imagen o símbolo que sustituyen o imitan a la realidad. **3** Actuación en nombre de una persona o de una entidad. **4** Persona o conjunto de personas que realizan esta actuación. **5** Interpretación o ejecución en público de una obra o de un papel dramáticos.

representante s. **1** Persona que actúa en nombre o en representación de otra o de una entidad. **2** Persona que trabaja para una casa comercial y se dedica profesionalmente a promover y a concertar la venta de sus productos. **3** En el mundo del espectáculo, persona que representa a compañías, artistas u otros profesionales en la gestión de sus contratos y asuntos laborales. ☐ MORF. Es de género común: *el representante, la representante.* ☐ USO En la acepción 3, es innecesario el uso del anglicismo *manager.*

representar v. **1** Ser imagen, símbolo o imitación de algo: *Una balanza de dos brazos representa la justicia.* **2** Referido a una persona o a una entidad, actuar otra en su nombre: *Los diputados representan a sus electores en el Parlamento.* **3** Referido a una obra o a un papel dramáticos, interpretarlos o ejecutarlos en público: *La compañía representará la comedia por todo el país.* **4** Referido a una edad, aparentarla o dar la impresión de tenerla: *Representas más edad de la que tienes.* **5** Suponer, significar o importar: *Un hijo representa mucho para un padre.* **6** Describir o dar una imagen: *¿Cómo podría yo representar el concepto 'alma'?* ☐ ETIMOL. Del latín *repraesentare.*

representatividad s.f. **1** Capacidad para representar otra cosa. **2** Condición de lo que es característico, resulta ejemplar o puede servir como modelo.

representativo, va adj. **1** Que sirve o que tiene capacidad para representar algo. **2** Característico, ejemplar o con condición de modelo.

represión s.f. **1** Contención, moderación o freno, esp. de un impulso o de un sentimiento. **2** Freno, impedimento o castigo de una actuación política o social, generalmente desde el poder y haciendo uso de la violencia.

represivo, va adj. Que reprime la libre actuación, generalmente desde el poder o haciendo uso de la violencia.

represor, -a adj. Que reprime.

reprimenda s.f. Represión o regañina fuertes. ☐ ETIMOL. Del latín *reprimenda* (cosa que debe reprimirse).

[reprimido, da adj./s. Referido esp. a una persona, que no manifiesta sus sentimientos ni sus emociones, esp. en lo relacionado con el sexo. ☐ USO Es despectivo.

reprimir v. **1** Referido esp. a un impulso o a un sentimiento, contenerlos, moderarlos o ponerles freno: *Debes reprimir tus ganas de comer si quieres adelgazar. A veces es mejor desahogarse y no reprimirse tanto.* **2** Referido a una actuación política o social, frenarla, impedirla o castigarla, generalmente desde el poder y haciendo uso de la violencia: *Las fuerzas del orden reprimirán con las armas cualquier manifestación de oposición al régimen.* ☐ ETIMOL. Del latín *reprimere.*

[reprise (galicismo) s.m. Capacidad del motor de un automóvil para acelerar o para pasar a un régimen superior de revoluciones rápidamente. ☐ PRON. [reprís]. ☐ USO Su uso es innecesario y puede sustituirse por una expresión como *aceleración.*

[reprivatizar v. Referido a una propiedad o a una actividad económica nacionalizadas por el Estado, devolverlas al sector privado: *El Gobierno 'reprivatizará' las empresas expropiadas.* ☐ ORTOGR. La *z* se cambia en *c* delante de *e* →CAZAR.

reprobable adj. Digno de ser reprobado o desaprobado. □ MORF. Invariable en género.

reprobación s.f. No aprobación o consideración negativa de algo, esp. de una persona o de su conducta.

reprobar v. **1** Referido esp. a una persona o a su conducta, no aprobarlas o considerarlas negativas: *Si no estás dispuesto a admitir críticas, no repruebes los actos de los demás.* **2** En zonas del español meridional, suspender. □ ETIMOL. Del latín *reprobare*. □ MORF. Irreg. →CONTAR.

reprobatorio, ria adj. Que reprueba o que sirve para reprobar o censurar.

réprobo, ba adj. Malvado o digno de ser reprobado. □ ETIMOL. Del latín *reprobus* (malvado).

reprochar v. Censurar, recriminar o echar en cara: *Te reprocho que no me ayudaras. Me reprocho a mí mismo no haberme dado cuenta de la gravedad del asunto.*

reproche s.m. Censura o recriminación. □ ETIMOL. Del francés *reproche*.

reproducción s.f. **1** Proceso mediante el cual unos seres vivos producen otros de su misma especie. **2** Nueva producción de algo. **3** Copia o repetición que imita o reproduce algo.

reproducir ▌ v. **1** Producir de nuevo o volver a hacer: *La grabadora reproduce sonidos. Las lluvias torrenciales se reproducirán mañana.* **2** Repetir o volver a decir: *No te puedo reproducir sus palabras exactas.* **3** Hacer una copia: *Una fotocopiadora reproduce fielmente los originales.* **4** Ser copia o representación exacta de un original: *Esta lámina reproduce una famosa obra de Goya.* ▌ prnl. **5** Referido a un ser vivo, producir otros de su misma especie: *Algunos animales se reproducen de forma asexual.* □ MORF. Irreg. →CONDUCIR.

reproductor, -a adj./s. Que reproduce o que está destinado a reproducir.

reprografía s.f. Reproducción o copia exacta de documentos por distintos medios. □ ETIMOL. Del inglés *reprography*, y éste de *reproduction* y *photography*.

reprográfico, ca adj. De la reprografía o relacionado con la reproducción de documentos.

reptar v. Andar o desplazarse arrastrando el cuerpo: *Las serpientes reptan.* □ ETIMOL. Del latín *reptare*, y éste de *repere* (andar arrastrándose).

reptil ▌ adj./s.m. **1** Referido a un vertebrado, que se caracteriza por tener la sangre fría, la respiración pulmonar, el cuerpo cubierto de escamas o con un caparazón, y por caminar rozando la tierra con el vientre por carecer de extremidades o por tenerlas muy cortas: *El lagarto, la tortuga y el galápago son reptiles.* ▌ s. **2** col. Persona rastrera y vil. ▌ s.m.pl. **3** En zoología, clase de estos vertebrados, perteneciente al tipo de los cordados. □ ETIMOL. Del latín *reptilis* (que se arrastra). □ MORF. 1. Como adjetivo es invariable en género. 2. En la acepción 2, es de género común: *el 'reptil', la 'reptil'.* □ USO En la acepción 2, es despectivo.

república s.f. **1** Sistema de gobierno en el que la jefatura del Estado está en manos de un presidente elegido por los ciudadanos. **2** Estado que tiene este sistema de gobierno: *Portugal, Francia e Italia son repúblicas.* □ ETIMOL. Del latín *res publica* (la cosa pública, el Estado).

republicanismo s.m. **1** Inclinación ideológica a la república como forma de gobierno. **2** Sistema de organización política que proclama la república como forma de gobierno.

republicano, na ▌ adj. **1** De la república o relacionado con este sistema de gobierno. ▌ adj./s. **2** Partidario o defensor de la república.

repudiar v. **1** Referido a la esposa, rechazarla legalmente su marido: *El sultán repudió a una de sus esposas porque no era virgen.* **2** Condenar, rechazar o no aceptar: *Repudió mis consejos.* □ ETIMOL. Del latín *repudiare*. □ ORTOGR. La *i* nunca lleva tilde.

repudio s.m. **1** Rechazo legal de una esposa por parte de su marido. **2** Condena, rechazo o no aceptación.

repuesto, ta ▌ **1** part. irreg. de **reponer**. ▌ s.m. **2** Pieza destinada a sustituir a otra de su misma clase en caso necesario; recambio. **3** col. Lo que se tiene para un caso de necesidad: *Tengo unas zapatillas de repuesto para cuando lavo éstas.* **4** ‖ **de repuesto**; para sustituir o para cambiar: *rueda de repuesto.*

repugnancia s.f. **1** Alteración del estómago causada por algo que resulta muy desagradable, y que generalmente provoca náuseas o vómitos; asco. **2** Rechazo o antipatía hacia algo.

repugnante adj. Que causa repugnancia. □ MORF. Invariable en género.

repugnar v. Causar repugnancia: *Me repugna el olor a pescado crudo.* □ ETIMOL. Del latín *repugnare* (luchar contra algo).

repujado s.m. **1** Labrado de una lámina metálica o de otra cosa, que se hace con un martillo o con un instrumento punzante para conseguir figuras en relieve. **2** Obra así labrada.

repujar v. Labrar con un martillo o con un instrumento punzante para conseguir figuras en relieve: *Esa artesana repuja el estaño y hace unos relieves preciosos.* □ ETIMOL. Del catalán *repujar*. □ ORTOGR. Conserva la *j* en toda la conjugación.

repulsa s.f. Rechazo, desprecio o condena enérgica de algo. □ ETIMOL. Del latín *repulsa*.

repulsión s.f. **1** Repugnancia, asco o rechazo. **2** Condena o desprecio.

repulsivo, va adj. Que causa o produce repulsión.

repuntar v. **1** Referido esp. a un cambio de tiempo o a una enfermedad, empezar a manifestarse: *La primavera repunta ya, después del largo invierno.* **2** Referido a la marea, empezar a subir o a bajar: *Cuando la marea alta repunte, nos iremos a comer.*

repunte s.m. [En economía, subida de las cotizaciones de la bolsa o de cualquier variable económica.

reputación s.f. **1** Opinión que la gente tiene de una persona: *Tiene mala reputación.* **2** Prestigio o buena fama: *Lo operó un cirujano de reputación.*

reputado, da adj. Reconocido públicamente por ser excelente.

reputar v. Atribuir determinada cualidad: *Sus profesores lo reputan de inteligente.* □ ETIMOL. Del latín *reputare* (calcular, meditar). □ SINT. Constr. *reputar {DE/COMO} algo.*

requebrar v. Halagar, elogiar o piropear: *Le encanta requebrar a las chicas jóvenes.* □ ETIMOL. Del latín *recrepare*. □ MORF. Irreg. →PENSAR.

requemado, da adj. De color oscuro por haber estado al fuego o a la intemperie.

requemar ▌ v. **1** Tostar demasiado: *La empanada se ha requemado.* **2** Referido a una comida o una bebida, causar picor o ardor en la boca o en la garganta: *Este licor tan fuerte requema la garganta.* **3** Referido a una planta, perder su verdor o secarse: *En agosto, el césped se requemó por falta de riego.* ∎ **prnl. 4** Causar sufrimiento interior algo que se calla: *No cuenta el motivo de su enfado y se requema cada vez más.* **5** ‖ **requemar la sangre**; impacientar o sacar de quicio: *Ese chico requema la sangre a cualquiera.*

requerimiento s.m. **1** Necesidad, petición o exigencia. **2** Acto judicial por el que se exige a alguien que haga o deje de hacer algo. ☐ SEM. Dist. de *requisito* (circunstancia o condición necesarias para algo).

requerir v. Necesitar, pedir o exigir: *Esta planta tan delicada requiere muchos cuidados. El magistrado requirió la presencia de los testigos.* ☐ ETIMOL. Del latín *requirere*. ☐ MORF. Irreg. →SENTIR.

requesón s.m. Masa blanca y mantecosa que se obtiene cuajando la leche y quitando el suero. ☐ ETIMOL. De re- (intensificador) y *queso*.

requeté s.m. Soldado del cuerpo de voluntarios que lucharon en las guerras civiles españolas en defensa de la tradición religiosa y monárquica.

requete- →re-.

requetebién adv. *col.* Muy bien.

requiebro s.m. Expresión con la que se halaga, elogia o piropea.

réquiem s.m. [**1** Oración por los difuntos. **2** Composición musical que se canta con el texto litúrgico de la misa de difuntos. ☐ ETIMOL. De la primera palabra latina del Introito de la misa de difuntos *Requiem aeternam* (paz eterna). ☐ MORF. Invariable en número.

requisa s.f. **1** Apropiación de mercancías o bienes por parte de la autoridad competente, esp. si se hace porque son de utilidad pública. **2** En zonas del español meridional, registro o inspección. ☐ ETIMOL. Del francés *réquisition*.

requisar v. Referido a mercancías o bienes, expropiarlos o apoderarse de ellos la autoridad competente, esp. si se hace porque son de utilidad pública: *El Gobierno mandó requisar la gasolina para los vehículos militares.*

requisito s.m. Circunstancia o condición necesarias para algo. ☐ ETIMOL. Del latín *requisitus*. ☐ SEM. Dist. de *requerimiento* (petición o exigencia; acto judicial).

res s.f. Animal cuadrúpedo de ciertas especies domésticas y de algunas salvajes; cabeza. ☐ ETIMOL. Quizá del latín *res* (cosa).

resabiado, da adj. **1** Referido a una persona, que, por su experiencia, ha perdido la ingenuidad y se ha vuelto desconfiada o agresiva. **2** Referido esp. a un animal, que tiene un vicio o una mala costumbre difíciles de quitar. [**3** En tauromaquia, referido a un toro, que no embiste al capote rojo sino al cuerpo del torero porque ha sido toreado antes. ☐ SEM. En la acepción 1, dist. de *resabido* (que se precia de ser entendido en algo).

resabiar v. Referido a una persona, hacerle adquirir un vicio o una mala costumbre: *Las malas compañías te están resabiando.*

resabido, da adj./s. Referido a una persona, que se precia de ser entendida en algo. ☐ SEM. Dist. de *resabiado* (que ha perdido la ingenuidad y se ha vuelto desconfiado).

resabio s.m. Vicio o mala costumbre adquiridos. ☐ ETIMOL. Del latín *resapidus.

resaca s.f. **1** Movimiento de retroceso de las olas después de que han llegado a la orilla. **2** *col.* Malestar físico que siente al despertar la persona que ha bebido alcohol en exceso. ☐ ETIMOL. Del antiguo *resacar* (sacar).

resalado, da adj. *col.* Que tiene salero, gracia y desenvoltura.

resaltar v. **1** Destacar o hacer notar más entre otros: *La profesora resaltó los puntos más importantes.* **2** Sobresalir o ser más visible sobre algo: *La cúpula resalta sobre el conjunto de la ciudad.*

resarcimiento s.m. Compensación por un daño o por un perjuicio.

resarcir v. Compensar por un daño o por un perjuicio: *Piensa resarcirnos del esfuerzo con una importante suma de dinero. Se resarcirá del agravio.* ☐ ETIMOL. Del latín *resarcire*. ☐ ORTOGR. La *c* se cambia en *z* delante de *a*, *o* →ZURCIR. ☐ SINT. Constr. *resarcir* A *alguien* DE *algo*.

resbaladizo, za adj. Que resbala o se escurre fácilmente; lúbrico.

resbalar v. **1** Escurrirse, deslizarse o moverse rápidamente sobre una superficie: *El agua resbala por el impermeable. Me resbalé y me caí por las escaleras.* **2** *col.* Dejar indiferente: *Mis consejos y reprimendas le resbalan.* ☐ ETIMOL. Del antiguo *resvarar*.

resbalón s.m. **1** Movimiento rápido rozando una superficie y que no puede controlarse: *Cuidado, no des un resbalón, que el suelo está mojado.* **2** En algunas cerraduras, pieza móvil que puede entrar y salir gracias a un muelle, permitiendo que la puerta quede cerrada.

rescatar v. **1** Referido a algo de lo que alguien se ha apoderado, recuperarlo por la fuerza o a cambio de dinero: *La policía rescató al secuestrado en pocos minutos.* **2** Recuperar del olvido o del abandono: *Este disfraz fue rescatado de un viejo arcón.* **3** Liberar de un daño, un peligro o una situación difícil: *Los bomberos rescataron a tres personas en un incendio.* ☐ ETIMOL. Del latín *captare* (tratar de coger).

rescate s.m. **1** Recuperación de lo que alguien se había apropiado sin derecho. **2** Dinero que se pide o que se paga por la liberación de alguien retenido ilegalmente y contra su voluntad. **3** Liberación de un daño, un peligro o una situación difícil. **4** Juego infantil en el que participan dos equipos que se persiguen para atraparse, pudiendo los atrapados ser rescatados por sus compañeros de equipo.

rescindir v. Referido esp. a un contrato, anularlo o dejarlo sin efecto: *El contrato puede ser rescindido a petición de cualquiera de las dos partes firmantes.* ☐ ETIMOL. Del latín *rescindere*.

rescisión s.f. Anulación o ruptura de un contrato u otro acuerdo.

rescoldo s.m. **1** Resto de un sentimiento. **2** Brasa pequeña que queda debajo de la ceniza; borrajo. ☐ ETIMOL. Del antiguo *rescaldo*, y éste del antiguo *caldo* (caliente).

resecar v. **1** Hacer secar mucho: *Si la piel se te reseca debes ponerte una crema hidratante.* **2** En cirugía, referido a un órgano o a un tejido, efectuar su resección o separación de lo que lo rodea: *La cirujana resecó completamente el quiste antes de ex-*

traerlo. □ ORTOGR. La *c* se cambia en *qu* delante de *e* →SACAR.

reseco, ca adj. **1** Demasiado seco. **2** Flaco, delgado o de pocas carnes.

resentido, da adj./s. Que tiene o que muestra resentimiento.

resentimiento s.m. Disgusto o pena causados por algo que se considera una falta de afecto o una desconsideración.

resentirse v.prnl. **1** Sentir dolor o molestia en alguna parte del cuerpo a causa de alguna enfermedad o dolencia pasadas: *Ya tengo la pierna bien, sólo me resiento cuando el tiempo está húmedo.* **2** Debilitarse o empezar a perder fuerza: *El agobio y el exceso de actividad hacen que el corazón se resienta.* **3** Disgustarse o apenarse por algo que se considera una falta de afecto o una desconsideración: *Aunque no tuve intención de herirla, se resintió por lo que le dije.* □ ETIMOL. De re- (intensificación, repetición) y *sentir.* □ MORF. Irreg. →SENTIR.

reseña s.f. **1** Noticia o escrito informativo sobre una obra literaria o científica, acompañados de un análisis o de un comentario crítico. **2** Narración o descripción breve o resumida.

reseñar v. **1** Referido a una obra literaria o científica, dar noticia de ella comentándola y criticándola brevemente: *Reseñó el último libro de la famosa filósofa.* **2** Narrar de forma breve y precisa: *Reseñó en su programa la noticia del accidente.* □ ETIMOL. Del latín *resignare* (tomar nota, apuntar, escribir).

reserva ▮ s. **1** En una competición deportiva, persona que sustituye a otra en caso de que sea necesario. ▮ s.m. **2** Vino o licor que tiene una crianza mínima de tres años en envase de roble o en botella. ▮ s.f. **3** Retención o conservación de algo para más adelante o para una ocasión apropiada. **4** Atribución exclusiva de algo para un uso o para una persona determinada: *Hice la reserva de la habitación por teléfono.* **5** Discreción, prudencia o comedimiento: *Habla con mucha reserva sobre asuntos personales.* **6** Recelo, desacuerdo o falta de confianza: *Aceptó la propuesta sin reservas.* **7** Parte del ejército que no está en el servicio activo, pero que puede ser movilizada. **8** Territorio acotado, esp. si es estimado por su valor ecológico o paisajístico. ▮ s.f.pl. **9** Elementos disponibles que se dejan para resolver una necesidad o para llevar a cabo una empresa: *Es un país pobre y tiene pocas reservas naturales.* **10** Sustancia que se almacena en determinadas células y que es utilizada por el organismo para su nutrición: *Las reservas de grasa, en caso necesario, se transforman en energía.* □ MORF. En la acepción 1, es de género común: *el reserva, la reserva.*

reservado, da ▮ adj. **1** Que se calla o que debe callarse: *información reservada.* **2** Discreto, prudente o comedido. ▮ s.m. **3** Habitación o compartimiento que se destina a una o varias personas o a un uso determinado.

reservar ▮ v. **1** Guardar para más adelante o para una ocasión apropiada: *Reservó dinero para gastos imprevistos. Me reservo mi opinión para cuando estemos solos.* **2** Destinar o atribuir de modo exclusivo para un uso o una persona determinados: *Reservó la habitación a nombre de los señores Pérez.* **3** Referido a algo que se reparte, separarlo o apartarlo reteniéndolo para sí o para entregar a otro: *Me reservé la pechuga porque es la tajada que más me gusta.*

▮ prnl. **4** Conservarse o no actuar esperando mejor ocasión: *No tomo segundo plato porque me reservo para el postre.* □ ETIMOL. Del latín *reservare.*

reservista adj./s.m. Referido esp. a un militar o a un antiguo soldado, que está en la reserva o que no pertenece al servicio activo, pero que puede ser movilizado. □ MORF. Como adjetivo es invariable en género.

[resetear v. →reinicializar. □ ETIMOL. Del inglés *reset.*

resfriado s.m. [Malestar físico que se produce generalmente por cambios bruscos de temperatura; catarro, constipado.

resfriarse v.prnl. Coger un resfriado o catarro: *Estornudo tanto porque me he resfriado.* □ ETIMOL. De re- (intensificación, repetición) y el antiguo *esfriar* (resfriar). □ ORTOGR. La *i* lleva tilde en los presentes, excepto en las personas *nosotros* y *vosotros* →GUIAR.

resfrío s.m. En zonas del español meridional, resfriado o catarro.

resguardar v. Proteger o defender: *Este abrigo me resguarda del frío. Nos resguardamos de la lluvia bajo el porche de la casa.* □ ETIMOL. De *guardar.* □ SINT. Constr. *resguardar DE algo.*

resguardo s.m. **1** Documento que acredita que alguien ha realizado determinada gestión o acción. **2** Lo que sirve de protección o seguridad.

residencia s.f. **1** Establecimiento o estancia en un lugar en el que se hace vida habitual: *Durante bastantes años fijó su residencia en Londres.* **2** Lugar en el que se reside o se está establecido: *Mi residencia habitual es Orense.* **3** Casa o edificio donde se vive, esp. si son grandes y lujosos: *Estuve un fin de semana en mi residencia de las afueras.* **4** Casa o institución en la que conviven personas con alguna característica común: *residencia de ancianos.* **5** Establecimiento público en el que se da alojamiento a viajeros o huéspedes a cambio de dinero y que es de categoría inferior al hotel y superior a la pensión. [6 Centro hospitalario en el que hay enfermos internados.

residencial ▮ adj. **1** Referido a un lugar, que está destinado solamente a viviendas, esp. si éstas son de lujo. ▮ s. [2 En zonas del español meridional, pensión barata. □ MORF. 1. Como adjetivo es invariable en género. 2. Como sustantivo es de género ambiguo: *el 'residencial' barato, la 'residencial' barata.*

residente adj./s. **1** Que reside. **2** Referido a un funcionario o a un empleado, que reside o vive en el lugar donde tiene su empleo: *médico residente.* □ MORF. 1. Como adjetivo es invariable en género. 2. Como sustantivo es de género común: *el residente, la residente.* 3. En la acepción 1, la RAE sólo lo registra como adjetivo.

residir v. **1** Estar establecido en un lugar o vivir habitualmente en él: *Está estudiando en la capital, pero reside en un pueblo.* **2** Estar basado o consistir: *El atractivo de esta zona reside en el paisaje.* □ ETIMOL. Del latín *residere* (permanecer, quedar). □ SINT. Constr. *residir EN algo.*

residual adj. Del residuo o relacionado con él. □ MORF. Invariable en género.

residuo s.m. Parte que queda o que sobra de algo, esp. si es inservible. □ ETIMOL. Del latín *residuus* (que queda, que resta).

resignación s.f. Conformidad, tolerancia y paciencia para aceptar lo que no tiene remedio.

resignarse v.prnl. Conformarse o aceptar con paciencia y conformidad: *No me resigno a haberlo perdido. Resígnate, hombre, que eso no tiene solución.* □ ETIMOL. Del latín *resignare* (entregar, devolver). □ SINT. Constr. *resignarse A algo.*

resina s.f. Sustancia pegajosa de consistencia pastosa, insoluble en agua y soluble en alcohol y en algunos aceites, que se obtiene de algunas plantas o de forma artificial. □ ETIMOL. Del latín *resina.*

resinífero, ra adj. →**resinoso.**

resinoso, sa adj. **1** Que tiene o destila resina; resinífero. **2** Con características de la resina.

resistencia s.f. **1** Oposición a una fuerza contraria. **2** Oposición tenaz a realizar una acción. **3** Capacidad para resistir o aguantar. **4** Fuerza que se opone al movimiento de una máquina y ha de ser vencida por la potencia. **5** Pieza de un circuito eléctrico que se opone al paso de la corriente eléctrica o la convierte en calor. □ SINT. Incorr.: {*poner > oponer*} *resistencia.*

[resistente adj. Que resiste. □ MORF. Invariable en género.

resistible adj. Que puede ser resistido o soportado. □ MORF. Invariable en género.

resistir █ v. **1** Pervivir, durar o permanecer a pesar del paso del tiempo o de otra fuerza destructora: *Mi abuelo, enfermo desde hace diez años, aún resiste.* **2** Aguantar, soportar o mantenerse sin ceder: *Resistí su mirada para demostrarle que yo era más fuerte. Los soldados resistieron con valor.* **█** prnl. **3** Oponerse con fuerza a hacer lo que se expresa: *Se resistió a quedarse en la cama unos días para curarse la gripe.* **4** Oponer dificultades o fuerza: *Los ladrones se entregaron sin resistirse.* **5** ∥**resistírsele** algo a alguien; col. Resultar difícil y no conseguir hacerlo bien: *La informática se me resiste.* □ ETIMOL. Del latín *resistere,* y éste de *sistere* (colocar, tenerse).

resma s.f. Conjunto de quinientos pliegos de papel. □ ETIMOL. Del árabe *rizma* (paquete).

resol s.m. **1** Reflejo del sol: *Aunque está nublado, me deslumbra el resol.* **2** Luz y calor producidos por este reflejo.

resoli o **resolí** s.m. Aguardiente con canela, azúcar y otros ingredientes aromáticos. □ ORTOGR. Se admite también *rosoli* o *rosolí.*

resollar v. Respirar con fuerza y haciendo ruido: *Las mulas resollaban al subir la cuesta.* □ ETIMOL. Del latín *re-* (intensificación, repetición) y *sufflare* (soplar). □ MORF. Irreg. →CONTAR.

resoluble adj. Que se puede resolver. □ MORF. Invariable en género.

resolución s.f. **1** Determinación, decisión u opción que se toma, esp. si ha habido dudas. **2** Solución a un problema o a una duda. **3** Ánimo, valor o energía para hacer algo. **4** En derecho, decisión de una autoridad gubernativa o judicial. **[5** En una pantalla, calidad de imagen que está determinada por el número de columnas de puntos de luz que pueden ser mostradas.

resolutivo, va adj. Que resuelve o soluciona con facilidad o con eficacia.

resolutorio, ria adj. Que tiene o denota resolución.

resolver █ v. **1** Tomar una determinación o incli-

narse definitivamente por una opción; decidir: *He resuelto comprar un coche nuevo.* **2** Referido esp. a un problema o a una duda, solucionarlos o encontrar su solución: *Resolví el problema yo solo. Un tanto en el último minuto resolvió el partido.* **█** prnl. **3** Decidirse a hacer algo: *Se resolvió a salir de madrugada para evitar el tráfico.* □ ETIMOL. Del latín *resolvere* (desligar). □ MORF. Irreg.: 1. Su participio es *resuelto.* 2. →VOLVER.

resonancia s.f. **1** Prolongación de un sonido que se repite y va disminuyendo gradualmente: *caja de resonancia.* **2** Sonido producido por repercusión de otro: *Esta sala no tiene buena acústica porque se oyen resonancias.* **3** Repercusión, difusión o fama adquiridas por un suceso. **4** ∥**resonancia magnética;** [en medicina, técnica para la obtención de imágenes corporales a partir de un campo magnético aplicado sobre el cuerpo.

resonante adj. Que ha alcanzado mucha difusión, fama o resonancia. □ MORF. Invariable en género.

resonar v. **1** Sonar mucho o hacer un ruido fuerte: *Los martillazos resuenan en toda la casa.* **2** Sonar reflejando el sonido que llega procedente de otro sitio: *El valle resonaba con el eco de nuestras voces.* **3** Reproducirse en la memoria: *Sus dulces promesas aún resuenan en mis oídos.* □ ETIMOL. Del latín *resonare.* □ MORF. Irreg. →CONTAR.

resoplar v. Respirar fuerte y con ruido, generalmente en señal de cansancio o de disgusto: *La atleta llegó a la meta agotada y resoplando.*

resoplido s.m. Respiración violenta y con ruido, que generalmente manifiesta cansancio o disgusto.

resorte s.m. **1** Pieza elástica, generalmente metálica, que se comprime y deforma cuando se aplica una presión sobre ella y que, cuando desaparece dicha presión, tiende a recuperar su forma, desarrollando al hacerlo una fuerza aprovechable para usos mecánicos; muelle. **2** Medio del que alguien se vale para conseguir un fin: *He tocado todos los resortes posibles para conseguir el permiso de obra.* **[3** En zonas del español meridional, elástico de una prenda de vestir. □ ETIMOL. Del francés *ressort.*

[resortera s.f. En zonas del español meridional, tirachinas.

respaldar v. Apoyar, proteger o dar garantías: *Todos estos datos respaldan mis teorías. Mi padre me respalda en este negocio.*

respaldo s.m. **1** En un asiento, parte en la que se apoya la espalda. **2** Apoyo, protección o garantía.

respectar v. Corresponder, referirse o afectar: *Por lo que respecta a ese asunto, ha dicho que él se encarga de todo.* □ ETIMOL. Del latín *respectare* (considerar, mirar con atención). □ MORF. Verbo defectivo: sólo se usa en tercera persona del singular del presente de indicativo. □ SINT. Se usa sólo en las expresiones *en lo que respecta a* y *por lo que respecta a.*

respectivo, va adj. Referido a los elementos de un conjunto, que se corresponden uno a uno con los elementos de otro conjunto: *Según os vaya nombrando, me entregáis vuestros respectivos trabajos.* □ MORF. Se usa más en plural.

respecto ∥**al respecto;** en relación con lo que se trata: *No tengo nada que decir al respecto.* ∥**respecto {a/de}** algo o **con respecto a** algo; por lo que se refiere a ello: *No quiero escuchar nada respecto de mis notas.* □ ETIMOL. Del latín *respectus* (consideración, miramiento). □ SINT. Incorr. *con respecto de.*

respetabilidad s.f. Respeto que se merece alguien.

respetable adj. **1** Digno de respeto. **2** Que cumple las leyes o las normas morales y éticas de un grupo. **3** Bastante grande o bastante importante. **4** ‖**el respetable**; col. El público que asiste a un espectáculo. □ MORF. Como adjetivo es invariable en género.

respetar v. **1** Tener o mostrar miramiento, consideración o buena educación: *No opinamos lo mismo, pero respeto tus ideas.* **2** Acatar, admitir o aceptar como bueno: *Es necesario que todos respetemos la ley.* □ ETIMOL. Del latín *respectar.*

respeto s.m. **1** Consideración y reconocimiento del valor de algo: *Hay que inculcar a los niños el respeto a la naturaleza.* **2** Miedo, temor, recelo o aprensión. **3** ‖**campar alguien por sus respetos**; hacer lo que quiere sin atender a ningún consejo. ‖ **presentar** una persona **sus respetos** a otra; mostrar o manifestar acatamiento por cortesía o por educación: *Preséntale mis respetos a tus padres y diles que iré a verlos en cuanto pueda.* □ ETIMOL. Del latín *respectus* (consideración, miramiento).

respetuoso, sa adj. Que guarda o muestra respeto.

[respingado, da adj. *col.* En zonas del español meridional, respingón.

respingar v. Referido a una prenda de vestir, levantarse el borde por estar mal hecha o mal colocada: *Hay que arreglar esa falda porque te respinga por detrás.* □ ETIMOL. Del latín *repedinare*, y éste de *repedare* (recular). □ ORTOGR. La *g* se cambia en *gu* delante de *e* →PAGAR.

respingo s.m. Sacudida brusca del cuerpo, causada generalmente por un sobresalto.

respingón, -a adj. **1** col. Referido esp. a la nariz, que tiene la punta un poco levantada. **[2** Referido a una prenda de vestir, que tiene el borde o una parte de él levantado, generalmente por estar mal hecha o mal puesta. □ MORF. La RAE sólo registra el femenino.

respirable adj. Que puede ser respirado sin que dañe la salud. □ MORF. Invariable en género.

respiración s.f. **[1** Función fisiológica de un ser vivo que consiste en utilizar el oxígeno en los procesos metabólicos celulares. **2** Absorción y expulsión de aire para retener parte de sus sustancias en el organismo. **3** Entrada y salida de aire en un lugar cerrado: *Es una habitación interior y sin respiración.* **4** ‖**respiración artificial**; conjunto de acciones que se practican en el cuerpo de una persona con parada respiratoria para que recupere la capacidad de respirar por sí misma. ‖ **[respiración asistida]**, la ayudada por medio de aparatos mecánicos. ‖**sin respiración**; col. Muy impresionado, muy sorprendido o muy asustado. □ SINT. *Sin respiración* se usa más con los verbos *dejar, estar, quedar* o equivalentes.

respiradero s.m. Abertura por donde entra y sale el aire.

respirador ▮ adj. **1** Referido a un músculo, que sirve para realizar la respiración. ▮ s.m. **[2** Aparato que permite la respiración, por medios artificiales, de la persona que esté conectada a él.

respirar v. **1** Referido a un ser vivo, absorber el aire para tomar parte de las sustancias y expelerlo modificado: *Necesito respirar aire fresco.* **2** Referido a una persona, descansar o sentirse aliviada después de alguna situación cansada, difícil o agobiante: *Estos niños no me dejan respirar.* **3** Referido a un estado de ánimo, mostrarlo de forma clara: *Deben irte bien las cosas, porque respiras felicidad.* **4** Dejar salir el aire viciado y entrar aire nuevo: *Levanta el capó para que respire el motor.* **5** ‖**sin respirar**; **1** Sin descanso ni interrupción: *Trabajamos ocho horas seguidas sin respirar.* **2** Con mucha atención: *Le encantan los cuentos y los escucha sin respirar.* □ ETIMOL. Del latín *respirare.*

respiratorio, ria adj. De la respiración, que sirve para la respiración o relacionado con ella.

respiro s.m. **1** Rato de descanso en un trabajo, en una actividad o en un esfuerzo. **2** Alivio en medio de un dolor, de una preocupación o de una pena.

resplandecer v. **1** Brillar intensamente o despedir rayos de luz: *Ha dejado tan limpia la plata que resplandece.* **2** Referido esp. al rostro, mostrar alegría, satisfacción o felicidad: *Su cara resplandece cada vez que ve a sus hijos.* **3** Sobresalir o aventajar: *Tu hijo resplandece en clase por su inteligencia.* □ ETIMOL. Del latín *resplendescere.* □ MORF. Irreg. →PARECER.

[resplandeciente adj. Que resplandece. □ MORF. Invariable en género.

resplandor s.m. **1** Luz muy clara que despide un cuerpo luminoso. **2** Brillo intenso. □ ETIMOL. Del latín *resplendor.*

responder v. **1** Referido esp. a una pregunta, a una duda o a una propuesta, contestarlas, satisfacerlas o darles solución: *El político respondió a todas las preguntas. Me respondió que sí.* **2** Referido esp. a una llamada, contestarla o decir que se ha oído: *Aunque llamen al timbre, no respondas. Siempre responde a mi saludo.* **3** Referido esp. a una carta, escribir y mandar otra en respuesta a ésta: *Ya he respondido a tu última carta.* **4** Referido esp. a una necesidad o a una demanda, satisfacerlas o cubrirlas: *Necesito un coche que responda a mis necesidades.* **5** Referido a una persona, replicarle u oponérsele: *No respondas a tu madre.* **6** Referido esp. a una acción, devolverla con otra: *A mis atenciones responde con indiferencia.* **7** Responsabilizarse o hacerse cargo: *La empresa responde de la seguridad del edificio. Yo respondo de mis actos.* **8** Experimentar el resultado o el efecto deseados: *El enfermo mejora porque ha respondido al tratamiento.* **9** Referido a un animal, corresponder con su voz a otro de su especie o al reclamo: *En una rama, un gorrión cantaba y otro lejano le respondía.* **10** ‖**responder por** alguien; hacerse responsable de su comportamiento: *Yo respondo por ti si tienes algún problema.* □ ETIMOL. Del latín *respondere.* □ MORF. Irreg. Su pretérito indefinido admite dos formas: *respondí* o *repuse* →RESPONDER. □ SINT. 1. Constr. de las acepciones 1 y 2: *responder algo* o *responder A algo.* 2. Constr. de las acepciones 3, 4 y 6: *responder A algo.* 3. Constr. de la acepción 7: *responder DE algo.*

respondón, -a adj./s. Que acostumbra a replicar de forma irrespetuosa.

responsabilidad s.f. **1** Conocimiento y cumplimiento de los propios deberes y obligaciones. **2** Deber u obligación que corresponde a alguien. **3** Cargo, obligación moral o deuda de los que alguien debe responder.

responsabilizar v. Referido a una persona, hacerla responsable: *Te responsabilizo de lo que pueda ocurrir mientras yo no estoy. Vete tranquilo, que yo me responsabilizo de los niños.* □ ORTOGR. La *z* se cambia en *c* delante de *e* →CAZAR.

responsable ∎ adj. **1** Referido a una persona, que conoce sus deberes y obligaciones y trata de cumplirlos. ∎ adj./s. **2** Que está obligado a responder de algo o de alguna persona. **3** Culpable de algo. □ ETIMOL. Del latín *responsus*, y éste de *respondere* (responder). □ MORF. **1.** Como adjetivo es invariable en género. **2.** Como sustantivo es de género común: *el responsable, la responsable.* **3.** La RAE sólo lo registra como adjetivo.

responso s.m. **1** Oración o conjunto de versículos, separados del rezo, que se dicen por la salvación del alma de un difunto. **2** *col.* Regañina o reprimenda. □ ETIMOL. Del latín *responsus* (respuesta).

respuesta s.f. **1** Satisfacción a una pregunta, a una duda o a una dificultad. **2** Contestación a una llamada o a una carta escrita. **3** Acción con la que se corresponde a la de otro. **4** Efecto o resultado que se pretende conseguir.

resquebrajadizo, za adj. Que se resquebraja con gran facilidad.

resquebrajadura s.f. Hendidura, grieta o raja, generalmente de poca profundidad.

resquebrajamiento s.m. Realización de hendiduras o grietas, generalmente de poca profundidad.

resquebrajarse v.prnl. Referido a un cuerpo sólido, tener hendiduras o grietas, generalmente de poca profundidad: *El cuenco de barro se ha resquebrajado al cocerlo.* □ ETIMOL. De *quebrajar* (hender). □ ORTOGR. Conserva la *j* en toda la conjugación.

resquemor s.m. Sentimiento desagradable que causa cierta inquietud o pesadumbre.

resquicio s.m. **1** Abertura estrecha que queda entre el quicio y la puerta. **2** Abertura pequeña y estrecha. □ ETIMOL. Del antiguo *rescriezo* (grieta, rendija).

resta s.f. **1** En matemáticas, operación mediante la cual se calcula la diferencia entre dos cantidades; sustracción. **2** En matemáticas, resultado de esta operación: *La resta de 4 menos 2 es 2.*

restablecer ∎ v. **1** Establecer de nuevo: *Tras varios años sin verse, restablecieron sus antiguas relaciones.* ∎ prnl. **2** Recuperarse de un daño o de una dolencia: *En cuanto me restablezca, volveré al trabajo.* □ ETIMOL. De *re-* (repetición) y *establecer.* □ MORF. Irreg. →PARECER.

restablecimiento s.m. **1** Fundación, institución o creación llevadas a cabo por segunda vez. **2** Recuperación después de haber sufrido un daño o una dolencia.

restallar v. Referido a un látigo o a algo parecido, hacer un ruido seco al sacudirlo en el aire con fuerza o hacer que produzca ese sonido: *El látigo del domador restalló entre los leones.* □ ETIMOL. De *estallar.*

restallido s.m. Ruido seco que produce algo al restallar.

restante adj. Que resta o que queda. □ MORF. Invariable en género.

restañar v. Referido esp. a una herida, parar o detener la salida de un líquido por ella: *El médico logró*

restañar *la herida presionándola con fuerza.* □ ETIMOL. Del latín *stagnare* (inmovilizar, hacer que algo quede estancado).

restar v. **1** Quitar, disminuir o hacer más pequeño: *Restó importancia a los hechos.* **2** En matemáticas, realizar la operación aritmética de la resta o sustracción; sustraer: *El resultado de restarle 5 a 8 es 3.* **3** Quedar o faltar todavía por hacer, ocurrir o transcurrir: *Restan dos meses para las vacaciones.* **4** En tenis y otros juegos de pelota, devolver el saque contrario: *La tenista restó con gran habilidad y ganó el partido.* □ ETIMOL. Del latín *restare* (detenerse, resistir).

restauración s.f. **1** Reparación de algo que se ha deteriorado. **2** Restablecimiento en un país del régimen político que existía anteriormente y que había sido sustituido por otro. **3** Reparación, renovación o vuelta al estado que se tenía antes. [**4** Parte de la hostelería que comprende todo lo relacionado con los restaurantes.] □ ETIMOL. Las acepciones 1-3, del latín *restauratio*. La acepción 4, del francés *restauration.*

restaurador, -a s. **1** Persona que se dedica profesionalmente a la restauración de objetos artísticos y valiosos. **2** Persona que tiene un restaurante o que lo dirige.

restaurante s.m. Establecimiento público en el que se sirven comidas y bebidas que se consumen en el mismo local. □ ETIMOL. Del francés *restaurant.*

restaurar v. **1** Referido esp. a algo antiguo que se ha deteriorado, repararlo para que quede como estaba: *Han restaurado la capilla de la iglesia.* **2** Poner como estaba antes: *La policía restauró el orden en las calles.* **3** Referido esp. a un régimen político, volver a establecerlo: *Tras morir el dictador, restauraron la democracia.* □ ETIMOL. Del latín *restaurare* (reparar, renovar, restaurar).

restitución s.f. **1** Devolución al anterior poseedor. **2** Restablecimiento o recuperación.

restituir v. **1** Devolver al anterior poseedor: *El dictamen de la juez restituye la casa a su antiguo propietario.* **2** Restablecer o poner en su estado anterior: *Una alimentación sana restituirá tu salud.* □ ETIMOL. Del latín *restituere* (reponer, restablecer). □ MORF. Irreg. →HUIR.

resto ∎ s.m. **1** Parte que queda en un todo. **2** En matemáticas, resultado de una resta; diferencia. [**3** En matemáticas, en una división, diferencia entre el dividendo y el producto del divisor por el cociente. **4** En tenis y otros juegos de pelota, devolución del saque del contrario. ∎ pl. **5** Residuos o sobras de comidas. **6** ‖**echar el resto**; *col.* Hacer todo el esfuerzo posible para conseguir algo. ‖**restos (mortales)**; cadáver de una persona o parte de él.

restregamiento s.m. →**restregadura.**

restregar v. Frotar repetidas veces y con fuerza: *Restriega la cazuela con el estropajo para quitar bien la grasa. El gato se restregó contra la pared para rascarse.* □ ETIMOL. De *re-* (intensificación, repetición) y *estregar* (frotar con fuerza). □ ORTOGR. Aparece una *u* después de la *g* cuando le sigue *e.* □ MORF. Irreg. →REGAR.

restregón s.m. **1** Frotamiento de una superficie con algo repetidas veces y con fuerza. **2** Señal que queda después de este frotamiento.

restricción s.f. **1** Reducción de algo a unos límites

menores. **2** Limitación o reducción impuesta en el suministro de productos, generalmente motivada por la escasez de éstos: *restricciones de agua.* □ MORF. La acepción 2 se usa más en plural.

restrictivo, va adj. Que restringe o reduce a límites menores. □ ETIMOL. Del latín *restrictum*, y éste de *restringere* (restringir).

restringir v. Ceñir o reducir a límites menores: *La sequía obligó a restringir el consumo de agua. Con esa ley se restringe la libertad de expresión.* □ ETIMOL. Del latín *restringere.* □ ORTOGR. La g se cambia en *j* delante de *a, o* →DIRIGIR.

resucitar v. **1** Referido a una persona, volver a la vida tras haber muerto: *Creo firmemente que Jesucristo resucitó.* **2** *col.* Restablecer, renovar o dar nuevas energías: *Nos tomamos una sopa caliente que nos resucitó.* □ ETIMOL. Del latín *resuscitare* (hacer resucitar).

resuello s.m. **1** Aliento o respiración, esp. la que es fuerte y ruidosa. **[2** Fuerza o energía. □ ETIMOL. De *resollar.*

resuelto, ta ▮ **1** part. irreg. de **resolver.** ▮ adj. **2** Decidido, audaz y valiente.

resulta ‖ **de resultas**; por consecuencia o por efecto: *De resultas de aquella pelea, perdieron la amistad.*

resultado s.m. **1** Efecto y consecuencia de un hecho o de una operación. **2** En matemáticas, solución de una operación aritmética. **3** Dato obtenido a partir de un proceso o una operación: *¿Cuándo estarán los resultados de los análisis?* **4** En una competición, tanteo o puntuación finales. **5** Rendimiento, beneficio o utilidad: *Estos pantalones me han dado muy buen resultado.*

resultante adj./s.f. Referido a una fuerza, que equivale al conjunto de otras. □ MORF. Como adjetivo es invariable en género.

resultar v. **1** Originarse o producirse como consecuencia de algo: *Y de aquella conversación resultó nuestra amistad posterior.* **2** Ser, quedar o mostrarse de la forma en que se indica: *La conferencia resultó aburridísima. Estas lluvias resultan buenas para el campo.* **3** Dar el beneficio o la utilidad esperados: *El negocio resultó y se hicieron ricos.* **4** *col.* Referido a una persona, ser atractiva físicamente: *Este chico no es muy guapo, pero resulta.* □ ETIMOL. Del latín *resultare* (rebotar). □ USO En tercera persona del singular, en la lengua coloquial puede preceder a oraciones independientes: *Ahora resulta que no quiere venir con nosotros de excursión.*

resultón, -a adj. *col.* Atractivo.

resumen s.m. **1** Exposición breve de lo esencial de un asunto. **2** ‖**en resumen**; como conclusión o recapitulación.

resumidero s.m. En zonas del español meridional, sumidero o alcantarilla.

resumir ▮ v. **1** Referido a un asunto, reducirlo a términos breves y precisos o exponer de forma breve su aspecto esencial: *Te voy a resumir la noticia en pocas palabras. Este texto puede resumirse en cuatro líneas.* ▮ prnl. **2** Referido a un asunto, terminar siendo menos de lo que se esperaba: *Afortunadamente, todo se resumió en un susto sin consecuencias.* □ ETIMOL. Del latín *resumere* (repasar, tomar de nuevo). □ ORTOGR. Dist. de *reasumir.* □ SINT. Constr. como pronominal: *resumir EN algo.*

resurgimiento s.m. Recuperación de nuevas fuerzas o nuevos ánimos.

resurgir v. **1** Recuperar las fuerzas o recobrar nuevos ánimos: *La nueva fábrica hizo resurgir la economía de la región.* **2** Volver a la vida: *Según la mitología, el ave Fénix ardía y resurgía de sus propias cenizas.* □ ETIMOL. Del latín *resurgere.* □ ORTOGR. La g se cambia en *j* delante de *a, o* →DIRIGIR.

resurrección s.f. **1** Vuelta a la vida de un ser muerto. **2** *col.* Restablecimiento, renovación o aportación de nueva vida. □ ETIMOL. Del latín *resurrectio.*

retablo s.m. **1** En arquitectura, obra que cubre el muro que hay detrás de un altar. **2** Colección de tallas o de figuras pintadas que representan en serie una historia o un suceso, esp. de la historia sagrada. □ ETIMOL. Del latín *retaulus*, y éste de *retro* (detrás) y *tabula* (tabla).

retaco, ca adj./s. *col.* Referido a una persona, que es gruesa y de baja estatura.

retaguardia s.f. **1** En el ejército, parte de las fuerzas militares que se mantiene más alejada del enemigo o que avanza en último lugar. **2** En una zona ocupada por una fuerza militar, parte que está más alejada del enemigo. **[3** *col.* Parte última o final de algo: *La 'retaguardia' de un equipo de fútbol la forman sus defensas.*

retahíla s.f. Serie o conjunto de elementos que están, suceden o se mencionan uno tras otro. □ ETIMOL. Quizá del latín *recta fila* (hileras rectas).

retal s.m. Trozo que sobra de una pieza mayor de tela, piel o chapa. □ ETIMOL. Del catalán *retall* (recorte).

retama s.f. Planta con numerosas ramas largas, delgadas y flexibles, hojas escasas y pequeñas, flores amarillas y fruto en vaina; hiniesta. □ ETIMOL. Del árabe *ratama.*

retar v. **1** Desafiar a un duelo, a una pelea o a competir en cualquier terreno: *El príncipe retó al caballero enmascarado. Te reto a una partida de ajedrez.* **2** En zonas del español meridional, regañar. □ ETIMOL. Del latín *reputare* (calcular, considerar, reflexionar).

retardar v. Referido a una acción, retrasarla en el tiempo; demorar, atrasar: *Este problema retardará nuestra marcha. La inauguración no puede retardarse.* □ ETIMOL. Del latín *retardare.*

retazo s.m. **1** Retal o trozo de una pieza mayor, esp. de una tela. **2** Trozo o fragmento de algo.

retemblar v. Temblar con movimientos repetidos: *La explosión hizo retemblar los cristales de las ventanas.* □ MORF. Irreg. →PENSAR.

retén s.m. **1** Conjunto de personas que permanece preparado para actuar en caso de necesidad: *En el lugar del incendio quedó un retén de bomberos.* **2** En zonas del español meridional, puesto de policía. □ ETIMOL. De *retener.*

retención s.f. **1** Detención o marcha muy lenta de muchos vehículos. **2** Descuento de una cantidad de dinero en un pago o en un cobro para algún fin, esp. para el pago de impuestos. **3** En medicina, conservación de una materia o un líquido que el organismo debería expulsar. **4** Conservación en la memoria. **5** Hecho de obstaculizar el movimiento o el alejamiento de algo.

retener v. **1** Conservar, detener o guardar en sí: *La esponja absorbe y retiene el agua.* **2** Conservar en la memoria: *No conseguí retener su nombre*. **3** Referido a una persona, impedir su alejamiento de un lugar: *Ya nada me retiene en este pueblo*. **4** Referido al curso normal de algo, interrumpirlo o dificultarlo: *Un camión volcado retiene el tráfico en la autopista*. **5** Referido a una cantidad de dinero, descontarla de un pago o de un cobro para algún fin, esp. para el pago de impuestos: *Todos los meses me retienen una cantidad para los impuestos*. **6** Referido esp. a un sentimiento o a un deseo, reprimirlo o contenerlo: *Tuve que retener las ganas de llorar. Porque me retengo, que si no, le diría cuatro cosas*. ☐ ETIMOL. Del latín *retinere*. ☐ MORF. Irreg. →TENER.

retentiva s.f. Memoria o capacidad para recordar.

reticencia s.f. **1** Reserva, recelo o falta de confianza. **2** Declaración parcial de algo o encubrimiento manifiesto y malicioso de lo que debiera o pudiera decirse. **3** Figura retórica que consiste en dejar incompleta una frase, dando a entender, sin embargo, su sentido. ☐ ETIMOL. Del latín *reticentia*, y éste de *reticere* (callar).

reticente adj. Reservado, receloso o desconfiado. ☐ MORF. Invariable en género. ☐ SEM. Dist. de *reacio* (contrario a realizar algo).

rético, ca ∎ adj. **1** De la Retia (antigua región europea en la zona central alpina) o relacionado con ella. ∎ s.m. **2** Lengua románica de Suiza (país europeo). ☐ SEM. Es sinónimo de *retorromano, romanche* y *ladino*.

retina s.f. En el ojo, membrana interna constituida por varias capas de células en la que se reciben las impresiones luminosas y de la cual parten las fibras que forman el nervio óptico. ☐ ETIMOL. Del latín *retina*, y éste de *rete* (red), porque el tejido de fibras que constituye la retina tiene forma de red.

retintín s.m. *col.* Tono y modo de hablar irónicos o maliciosos.

retinto, ta adj. Referido esp. a una res vacuna, que tiene un color castaño muy oscuro.

retirada s.f. Véase **retirado, da**.

retirado, da ∎ adj. **1** Muy alejado o apartado de un lugar. ∎ adj./s. **2** Referido a una persona, que ha dejado de trabajar o de prestar servicio, aunque sigue conservando algunos derechos, esp. el de cobrar una pensión. ∎ s.f. **3** Separación o alejamiento de algo o de un lugar. **4** Eliminación de algo que estaba en un lugar. **5** Abandono de una actividad. **6** Movimiento de retroceso del ejército abandonando el campo de batalla, esp. si se hace de forma ordenada. **7** ‖ [**batirse en retirada**; abandonar un combate o un enfrentamiento por no tener posibilidades de salir airoso de ellos.

retirar ∎ v. **1** Apartar o separar de algo o de un lugar: *Retira las sillas de la pared. Retírate de la lumbre, que te van a saltar chispas*. **2** Referido a algo que está en un sitio, llevárselo o hacerlo desaparecer: *Retira esa foto de mi vista*. **3** Referido a una persona, hacer que abandone una actividad o deje de realizarla: *Una lesión lo retiró del atletismo. El agotamiento me obligó a retirarme de la carrera*. **4** Referido a lo que se ha dicho, afirmar públicamente que ya no se mantiene: *La mujer retiró la denuncia por malos tratos*. **5** Negar o dejar de dar: *Me retiró el saludo a raíz de una tonta discusión*. ∎ prnl. **6** Apartarse o separarse del trato, de la comunicación o de la amistad con los demás: *El ermitaño se retiró a la montaña para hacer penitencia*. **7** Irse a un lugar, generalmente a la propia casa, para descansar o dormir: *Cenó y se retiró a su habitación*. **8** Abandonar una actividad: *Cuando me retire, viajaré más que ahora*. ☐ ETIMOL. De *re-* (repetición) y *tirar*.

retiro s.m. **1** Alejamiento temporal de las ocupaciones ordinarias: *retiro espiritual*. **2** Lugar apartado del bullicio de la gente. **3** Abandono de una actividad, esp. si es profesional. **4** Situación de la persona que ha dejado de trabajar o de prestar servicio activo pero conserva algunos derechos, esp. el de cobrar una pensión. **5** Sueldo o pensión que recibe esta persona.

reto s.m. **1** Desafío o provocación al duelo, a la pelea o a la competición en cualquier terreno. **2** Objetivo o empeño difíciles de realizar y que constituyen un estímulo para quien los afronta.

retocado s.m. Aplicación de los últimos toques para el perfeccionamiento, restauración o reparación de algo.

retocar v. Referido a una obra acabada, darle los últimos toques o hacerle las últimas correcciones o añadidos para perfeccionarla, repararla o terminarla definitivamente: *Voy a retocarme el peinado porque el viento me lo ha revuelto*. ☐ ETIMOL. De *re-* (intensificación) y *tocar*. ☐ ORTOGR. La *c* se cambia en *qu* delante de *e* →SACAR.

retomar v. **1** Referido a algo que se había interrumpido, continuarlo o reanudarlo: *Retomaremos la lección en el punto en el que la dejamos ayer*. **2** Volver a tomar: *El ejército retomó la ciudad cuando volvieron a estallar los disturbios*.

retoñar v. Referido a una planta, volver a echar brotes o ramas: *Los rosales retoñan en primavera*. ☐ ETIMOL. De *re-* (repetición) y *otoñar* (volver a brotar la hierba en otoño).

retoño s.m. **1** Brote o tallo nuevos de una planta. **2** *col.* Hijo de una persona, esp. el de corta edad.

retoque s.m. Pequeño arreglo o cambio que se hace en una obra para terminarla, perfeccionarla o eliminar faltas y desperfectos.

retorcer ∎ v. **1** Torcer dando vueltas alrededor de sí mismo: *Retuerce el paño de cocina para escurrirlo*. ∎ prnl. **2** Hacer movimientos o contorsiones, esp. de dolor o de risa: *Cuando lo ingresaron en el hospital, se retorcía de dolor*. ☐ ETIMOL. Del latín *retorquere*. ☐ ORTOGR. La *c* se cambia en *z* delante de *a, o*. ☐ MORF. Irreg. →COCER.

retorcido, da adj. **1** Referido esp. a una persona, que tiene malas intenciones o que las muestra. **2** Referido esp. al lenguaje, que resulta confuso o difícil comprensión.

retorcimiento s.m. **1** Torcimiento de algo, dándole vueltas. **2** Contorsión o movimiento brusco causado por un dolor o por la risa.

retórica s.f. Véase **retórico, ca**.

retórico, ca ∎ adj. **1** De la retórica o relacionado con este arte. [**2** Referido al lenguaje o a la forma de expresarse, que resultan rebuscados o excesivamente afectados. ∎ s.f. **3** Arte de hablar y escribir bien y de emplear el lenguaje de manera eficaz para deleitar, persuadir o conmover. **4** Forma de hablar o de escribir afectadas o rebuscadas. ☐ ETIMOL. Las acepciones 1 y 2, del latín *rhetoricus*. Las acepciones 3 y 4, del latín *rhetorica*.

[**retornable** adj. Referido a un envase, que puede

volver a ser utilizado. □ MORF. Invariable en género.

retornar v. Volver a un lugar o a una situación anteriores: *Retornó a su patria tras el exilio. La alegría retornó al hogar cuando volviste.* □ ETIMOL. De *re-* (repetición) y *tornar.*

retorno s.m. **1** Vuelta a un lugar o a una situación anteriores. [**2** En economía, descuento que hace una empresa a sus compradores regulares o a aquellos que realizan un gran volumen de compras. □ USO En la acepción 2, es innecesario el uso del galicismo *rappel.*

retorromano s.m. Lengua románica de Suiza (país europeo). □ SEM. Es sinónimo de *rético*, *romanche* y *ladino.*

retortero ‖ **al retortero**; *col.* [Revuelto o en total desorden. □ ETIMOL. Del latín **retortorium.*

retortijón s.m. *col.* Dolor breve e intenso en el estómago o en el abdomen.

retostado, da adj. De color oscuro, como el de algo muy tostado.

retostar v. Tostar en exceso: *Si no retiras el asado del horno lo vas a retostar y va a quedar seco.* □ MORF. La *o* diptonga en *ue* en los presentes, excepto en las personas *nosotros* y *vosotros* →CONTAR.

retozar v. **1** Saltar y brincar o jugar alegremente: *Los niños retozaban en el césped.* **2** Practicar juegos amorosos: *La pareja retozaba en un banco del jardín.* □ ETIMOL. Quizá del antiguo *tozo* (burla). □ ORTOGR. La *z* se cambia en *c* delante de *e* →CAZAR.

retozo s.m. **1** Jugueteo con saltos y brincos. **2** Práctica de juegos amorosos.

retozón, -a adj. Que retoza con frecuencia o que siente inclinación a ello.

retractación s.f. Declaración que cambia o que modifica lo que antes se había dicho o prometido.

retractarse v. Referido a algo que se ha dicho, desdecirse de ello: *Exijo que te retractes de tus declaraciones porque son injurias.* □ ETIMOL. Del latín *retractare* (retocar, revisar, rectificar). □ SINT. Constr. *retractarse DE algo.*

retráctil adj. Que puede retraerse doblándose o retirándose: *La uñas de algunos félidos son retráctiles.* □ ETIMOL. Del latín *retractum*, y éste de *rethaere* (llevar hacia atrás). □ MORF. Invariable en género.

[**retractilar** v. Referido a un producto, envolverlo con una película transparente que se ajusta a su forma: *Esta empresa se dedica a 'retractilar' y empaquetar todo tipo de mercancías.*

retraer ‖ v. [**1** Referido esp. a una parte del cuerpo, esconderla u ocultarla doblándola o retirándola: *El caracol puede 'retraer' sus cuernos.* **2** Apartar o disuadir de un intento o de un propósito: *Quería estudiar esa carrera, pero sus palabras me retrajeron. Cuando me hablaron de lo peligroso del viaje, me retraje y no fui.* ‖ prnl. **3** Referido a una persona, retirarse, esconderse o guarecerse del trato con la gente, esp. por timidez: *Es tan vergonzoso que se retrae delante de gente desconocida.* □ MORF. Irreg. →TRAER.

retraimiento s.m. Apartamiento o alejamiento del trato o de la comunicación con la gente, esp. por timidez.

retranca s.f. Intención disimulada, oculta o velada. □ ETIMOL. De *redro-* (detrás) y *tranca.*

retransmisión s.f. Transmisión o difusión desde

una emisora de radio o de televisión de algo que ha sido transmitido a ella desde otro lugar.

retransmitir v. Referido esp. a un espectáculo, a un programa o a una noticia, difundirlos desde la emisora de radio o de televisión que ha recibido la transmisión: *Retransmitieron la entrega de premios.*

retrasado, da ‖ adj. **1** Referido a una persona, a una planta o a un animal, que no han llegado al desarrollo normal de su edad. ‖ adj./s. **2** Referido a una persona, que no tiene el desarrollo mental normal.

retrasar ‖ v. **1** Referido a un reloj, correr hacia atrás sus agujas: *Si llevas el reloj adelantado, tendrás que retrasarlo.* **2** Referido a una acción, demorarla o dejar para más adelante su ejecución: *Retrasaron la comida para que me diera tiempo a llegar. Procura no retrasarte en los pagos.* **3** Referido esp. a un movimiento o a un desarrollo, hacerlo más lento de lo normal: *Un accidente en la carretera está retrasando el tráfico.* ‖ prnl. **4** Llegar tarde: *El tren se retrasó casi dos horas.* □ ETIMOL. De *re-* (intensificación) y *tras* (detrás de). □ SEM. En las acepciones 1 y 4, es sinónimo de *atrasar.*

retraso s.m. **1** Llegada a un lugar más tarde de lo previsto. **2** Demora o atraso en la ejecución de una acción: *El tren lleva un retraso de 20 minutos.* **3** Desarrollo inferior al normal.

retratar v. **1** Referido a una imagen, copiarla, dibujarla o fotografiarla: *La pintora retrató a su hijo con increíble realismo. Nos retrató a toda la familia en su estudio fotográfico.* **2** Describir con más o menos fidelidad: *Hay escritores que retratan la vida de su tiempo.* □ ETIMOL. Del italiano *ritrattare.*

retratista s. Persona que hace retratos. □ MORF. Es de género común: *el retratista, la retratista.*

retrato s.m. **1** Pintura o imagen que representan a una persona o a un animal. **2** Descripción de las cualidades de una persona. **3** Lo que se asemeja o se parece mucho a algo. **4** ‖ [**retrato robot**; **1** Dibujo con los rasgos físicos de una persona a partir de datos ofrecidos por otra. **2** Conjunto de los rasgos o de las características de una persona que se consideran ideales.

retreta s.f. Toque militar que se usa generalmente para avisar a la tropa por la noche para que se recoja en el cuartel. □ ETIMOL. Del francés *retraite* (retirada).

retrete s.m. **1** Recipiente conectado con una tubería y provisto de una cisterna con agua que sirve para evacuar los excrementos; inodoro, váter. **2** Cuarto con este recipiente y otras instalaciones o aparatos que sirven para la higiene y el aseo personal. □ ETIMOL. Del provenzal o catalán *retret* (retraído).

retribución s.f. Pago o recompensa por un servicio o por un trabajo; remuneración.

retribuir v. Referido esp. a un servicio o a un trabajo, recompensarlos o pagar dinero por ellos; remunerar: *Te devolveré lo que me prestaste cuando me retribuyan el trabajo que acabo de entregar.* □ ETIMOL. Del latín *retribuere.* □ MORF. Irreg. →HUIR.

retributivo, va adj. Que sirve para retribuir un trabajo o un servicio realizados.

retro adj. [Anticuado, de un tiempo pasado, que lo imita o que lo evoca.

retro- Elemento compositivo que significa 'hacia atrás': *retrotraer, retropropulsión, retrocarga, retrocuenta.* □ ETIMOL. Del latín *retro.*

retroactividad s.f. Producción de efectos en algo ya pasado.

retroactivo, va adj. Que actúa o tiene fuerza sobre lo pasado: *La subida de su sueldo tiene carácter retroactivo y pagarán los meses pasados desde enero.* □ ETIMOL. Del latín *retroactum*, y éste de *retroagere* (hacer retroceder).

[retroalimentación s.f. En medicina, sistema de regulación de procesos metabólicos en el que una determinada concentración de un compuesto hace que disminuya su propia producción.

retroceder v. **1** Volver o ir hacia atrás: *Se me cayó la bufanda y tuve que retroceder para recogerla.* **2** Detenerse ante un peligro o ante un obstáculo: *Es emprendedora y no retrocede ante ningún problema.* □ ETIMOL. Del latín *retrocedere*.

retroceso s.m. **1** Vuelta hacia atrás. **[2** Empuje brusco hacia atrás que produce un arma de fuego al ser disparada.

retrógrado, da adj./s. Partidario de instituciones políticas o sociales propias de tiempos pasados. □ ETIMOL. Del latín *retrogradus*. □ USO Tiene un matiz despectivo.

retronar v. Hacer un gran ruido o producir un estruendo retumbante: *Cuando empezó a gritar su voz retronaba en toda la sala.* □ ETIMOL. Del latín *retonare*. □ MORF. Irreg. →CONTAR.

retropropulsión s.f. Sistema de propulsión o empuje hacia adelante de un móvil en el que la fuerza que causa el movimiento se produce por reacción a la expulsión hacia atrás de un chorro, generalmente de gas, lanzado por el propio móvil.

retrospección s.f. Mirada, observación o examen del pasado.

retrospectivo, va ▮ adj. **1** Que se refiere al pasado. ▮ s.f. **[2** Exposición de obras de arte en la que se muestra toda la trayectoria de un artista, una escuela o una época. □ ETIMOL. Del latín *retrospicere* (mirar hacia atrás).

retrotraer v. Retroceder o volver a un tiempo pasado para tomarlo como referencia o punto de partida: *La testigo retrotrajo su pensamiento a la noche del crimen para contar lo que vio. Para contar la historia se retrotrajo a los tiempos de su juventud.* □ ETIMOL. Del latín *retro trahere* (echar hacia atrás). □ MORF. Irreg. →TRAER.

[retrovirus s.m. Virus que contiene una molécula de ARN (ácido ribonucleico): *El virus del sida es un 'retrovirus'.* □ MORF. Invariable en número.

retrovisor s.m. →**espejo retrovisor.** □ ETIMOL. De *retro-* (hacia atrás) y *visor.*

retruécano s.m. Figura retórica consistente en contraponer dos frases con las mismas palabras, pero con un orden invertido o diferente, de forma que sus sentidos contrasten o se opongan. □ ETIMOL. De origen incierto.

retumbar v. **1** Resonar mucho o hacer un ruido muy grande: *Sus fuertes pisadas retumbaban en el pasillo.* **[2** Temblar o producir ruido al recibir las vibraciones de un sonido: *Cuando los aviones pasan por encima de nuestra casa, el suelo comienza a 'retumbar'.* □ ETIMOL. De origen onomatopéyico.

reuma s. →**reumatismo.** □ ETIMOL. Del latín *rheuma*, y éste del griego *rhêuma* (flujo, catarro). □ MORF. Aunque es de género ambiguo (*el reúma doloroso, la reúma dolorosa*), se usa más en masculino.

reumático, ca ▮ adj. **1** Del reumatismo o relacionado con esta enfermedad. ▮ adj./s. **2** Que padece reumatismo.

reumatismo s.m. Enfermedad que se caracteriza principalmente por dolores en las partes musculares o fibrosas del cuerpo o por inflamaciones dolorosas en estas partes; reuma, reúma.

reunión s.f. **1** Formación de un grupo o de un conjunto, esp. si es con un fin determinado. **2** Sesión en la que varias personas se juntan para tratar un determinado asunto. **3** Personas que asisten a esta sesión.

reunir v. Juntar, congregar, amontonar o agrupar, esp. si es con un fin determinado: *Este candidato reúne los requisitos que pedíamos para ocupar el puesto. Los directivos de la compañía se reunieron para buscar una solución.* □ ORTOGR. La *u* lleva tilde en los presentes, excepto en las personas *nosotros* y *vosotros* →REUNIR.

[reutilizar v. Volver a utilizar: *Siempre me repites que la clave de la ecología es reducir, reciclar y 'reutilizar'.* □ ORTOGR. La *z* se cambia en *c* delante de *e* →CAZAR.

reválida s.f. Examen que se hacía al acabar algunos estudios.

revalidar v. Ratificar, confirmar o dar nueva validez: *Revalidó el título de campeón del mundo, obtenido el pasado año.*

revalorización s.f. **1** Aumento del valor de algo; valoración. **2** Recuperación del valor o la estimación perdidos.

revalorizar v. **1** Aumentar el valor; valorar: *La especulación ha revalorizado la vivienda en esta zona. El suelo se ha revalorizado por la construcción del centro comercial.* **2** Devolver el valor o la estimación perdidos: *Los nuevos estudios críticos han revalorizado la obra de este poeta.* □ ORTOGR. La *z* se cambia en *c* delante de *e* →CAZAR.

revancha s.f. Venganza de un daño o de un disgusto recibidos. □ ETIMOL. Del francés *revanche*.

revanchismo s.m. Actitud de quien mantiene un espíritu de revancha o venganza.

revanchista ▮ adj. **1** Del revanchismo o relacionado con esta actitud. ▮ adj./s. **2** Referido a una persona, que es partidaria del revanchismo. □ MORF. 1. Como adjetivo es invariable en género. 2. Como sustantivo es de género común: *el revanchista, la revanchista.*

[revascularizar v. Referido a una zona o a un tejido, hacer que vuelva a tener el riego sanguíneo que había perdido: *La cirujana que 'revascularizó' el brazo dijo que la operación había sido un éxito.* □ ORTOGR. La *z* se cambia en *c* delante de *e* →CAZAR.

revelación s.f. **1** Descubrimiento o manifestación de algo ignorado o secreto. **2** Manifestación que hace Dios de sí mismo y de su plan de salvación.

revelado s.m. Conjunto de operaciones necesarias para revelar una película fotográfica.

revelador, -a ▮ adj./s. **1** Que revela o descubre. ▮ s.m. **2** Producto que se utiliza para revelar una película fotográfica.

revelar ▮ v. **1** Referido a algo ignorado o secreto, descubrirlo o manifestarlo: *Me reveló su deseo más oculto. Se reveló como una gran jugadora de tenis.* **2** Proporcionar indicios, certidumbres o evidencias:

Su rostro demacrado y ojeroso revela cansancio. **3** Referido esp. a una película fotográfica, hacer visible la imagen impresa en ella: *¿Has revelado ya el carrete de las vacaciones?* ∎ prnl. **4** Referido a Dios, manifestarse y dar a conocer su plan de salvación: *Dios se ha revelado a los hombres por medio de Jesucristo.* □ ETIMOL. Del latín *revelare* (quitar el velo, revelar). □ ORTOGR. Dist. de *rebelarse* y de *relevar*.

revender v. Referido a algo que se ha comprado, volver a venderlo, generalmente por más precio: *Cerca del estadio, revendían entradas para la final.* □ ETIMOL. Del latín *revendere*.

revenirse v.prnl. Referido esp. a los alimentos crujientes, ponerse blandos y correosos con el calor y la humedad: *No comas los churros que sobraron de ayer porque se han revenido.* □ ETIMOL. Del latín *revenire*. □ MORF. Irreg. →VENIR.

reventa s.f. Venta de algo que se ha comprado, esp. de las entradas de un espectáculo, y generalmente por un precio superior al pagado.

reventar v. **1** Referido a algo cerrado, abrirse bruscamente por no poder soportar la presión interior o como consecuencia de una fuerte presión exterior: *Las cañerías reventaron porque se había congelado el agua. Se reventó la bolsa al caer al suelo.* **2** col. Tener ansia o un fuerte deseo de algo: *Revienta por enterarse de lo que te dije cuando te llamé.* **3** col. Referido esp. a un sentimiento, sentirlo y manifestarlo muy intensamente: *Cada vez que veo un niño hambriento, reviento de rabia.* **4** col. Referido a una acción, realizarla con ganas o violentamente: *Contó un chiste tan gracioso que reventábamos de risa. Me reviento a estudiar para sacar las mejores notas.* **5** col. Morir: *Me tratas mal, pero el día que reviente me echarás de menos.* **6** col. Molestar, fastidiar o enfadar: *Me revienta que fume en la habitación del bebé.* **7** col. Referido esp. a un espectáculo, hacerlo fracasar mostrando desagrado de forma ruidosa: *Varios espectadores reventaron el estreno silbando y pateando nada más subirse el telón.* **8** Cansar muchísimo o dejar exhausto: *El jinete galopó hasta quedar reventado.* **9** Estar muy lleno o tener en gran cantidad: *El árbol revienta de manzanas. Cuando nos vamos toda la familia de viaje, llenamos el coche hasta reventar.* □ ETIMOL. De origen incierto. □ MORF. Irreg. →PENSAR.

reventón, -a ∎ adj. **1** Que revienta o que parece que va a reventar. ∎ s.m. **2** Abertura brusca y violenta de algo cerrado.

reverberación s.f. **1** Reflejo de la luz en una superficie brillante. **2** Permanencia de un sonido en un espacio más o menos cerrado después de haber cesado la fuente sonora: *El eco es una forma de reverberación.*

reverberar v. **1** Referido esp. a la luz, reflejarse en una superficie brillante: *Los rayos del sol reverberan en el agua.* **2** Referido al sonido, rebotar en una superficie que no lo absorba: *El eco se produce al reverberar el sonido contra una pared.* **[3** Referido a una superficie o a un objeto, brillar mucho al recibir la luz: *La carrocería de los coches 'reverberaba' bajo el sol.* □ ETIMOL. Del latín *reverberare* (rebotar, reflejar los rayos).

reverdecer v. **1** Empezar a ponerse verde o volver a hacerlo: *La lluvia hizo reverdecer el campo.* **2** Renovarse o tomar nuevas fuerzas: *Sus deseos de vol-*

ver a pintar reverdecen cada vez que acude a una exposición. □ MORF. Irreg. →PARECER.

reverencia s.f. **1** Movimiento que se hace con el cuerpo en señal de respeto o de cortesía. **2** Respeto grande que se tiene a algo. □ ETIMOL. Del latín *reverentia*, y éste de *revereri* (reverenciar).

reverencial adj. Que tiene o que manifiesta reverencia o respeto. □ MORF. Invariable en género.

reverenciar v. Referido a algo que se estima, sentir o mostrar reverencia o respeto hacia ello: *Debemos reverenciar la memoria de nuestros antepasados.* □ ORTOGR. La *i* nunca lleva tilde.

reverencioso, sa adj. Que hace muchas reverencias o muestras de respeto.

reverendísimo, ma adj. Tratamiento honorífico que se da a las altas dignidades eclesiásticas, esp. a los cardenales y arzobispos.

reverendo, da adj./s. Tratamiento que se da a sacerdotes y religiosos. □ ETIMOL. Del latín *reverendus*.

reverente adj. Que muestra reverencia o respeto. □ MORF. Invariable en género.

reversa s.f. En zonas del español meridional, marcha atrás en un vehículo.

reversible adj. **1** Que puede volver a su estado o a su condición anteriores. **2** Referido a una prenda de vestir, que puede usarse tanto del derecho como del revés. □ MORF. Invariable en género.

reverso s.m. **1** En una moneda o en una medalla, lado o superficie opuestos al anverso o cara principal. **2** Revés o parte opuesta al frente. □ ETIMOL. Del latín *reversus* (vuelto).

reverter v. Rebosar o salir de un límite o de un término: *Ha llenado demasiado el depósito y ahora revierte por los lados.* □ ETIMOL. Del latín *revertere*. □ ORTOGR. Dist. de *revertir*. □ MORF. Irreg. →PERDER.

revertir v. **1** Referido a una cosa, transformarse o ir a parar a otra: *El arreglo del piso revertirá en nuestra comodidad.* **2** Volver al anterior dueño o pasar a uno nuevo: *Los edificios que el Estado había expropiado revertirán a sus anteriores dueños.* □ ETIMOL. Del latín *reverti* (volverse). □ ORTOGR. Dist. de *reverter*. □ MORF. Irreg. →SENTIR.

revés s.m. **1** En un objeto, parte opuesta a la que se considera principal. **2** Golpe dado con la mano vuelta. **3** Desgracia o contratiempo. **4** En tenis y otros juegos similares, golpe dado a la pelota cuando viene por el lado contrario a la mano que empuña la raqueta. **5** ‖ **al revés**; al contrario o invirtiendo el orden normal. □ ETIMOL. Del latín *reversus* (vuelto del revés).

revestimiento s.m. **1** Colocación de una capa o de una cubierta para proteger u ocultar algo. **2** Capa o cubierta que sirven para este fin.

revestir ∎ v. **1** Cubrir con una cubierta para proteger u ocultar: *Han revestido el tubo con acero para que dure más.* **2** Referido esp. a una característica, tenerla o presentarla: *La herida no reviste importancia.* **3** Referido al lenguaje o a un escrito, acompañarlos de adornos retóricos o de ideas complementarias: *Revistió su exposición de tecnicismos innecesarios.* ∎ prnl. **4** Disponerse con lo necesario para algo: *Me revestí de valor y salí a defenderlos.* □ ETIMOL. Del latín *revestire*. □ MORF. Irreg. →PEDIR.

revisar v. **1** Ver con atención o con cuidado: *Revisó* *el paquete para ver si estaba todo el pedido.* **2** Referido a algo que ha sido examinado, someterlo a un nuevo examen para repararlo o para corregirlo: *Pidieron a la juez que revisara la sentencia.* ☐ ETIMOL. Del latín *revisare*.

revisión s.f. **1** Examen atento o cuidadoso de algo. **2** Sometimiento a un nuevo examen para reparar o para corregir algo.

revisionismo s.m. Tendencia a someter a revisión lo ya establecido, con la intención de actualizarlo.

revisionista ∎ adj. **1** Del revisionismo o relacionado con esta tendencia. ∎ adj./s. **2** Que sigue o que defiende el revisionismo. ☐ MORF. 1. Como adjetivo es invariable en género. 2. Como sustantivo es de género común: *el revisionista, la revisionista.*

revisor, -a ∎ adj. **1** Que revisa o comprueba algo. ∎ s. **2** Persona que se dedica profesionalmente a revisar o a comprobar algo.

revista s.f. **1** Publicación periódica que contiene escritos sobre varias materias o sobre una sola. **2** Espectáculo teatral en el que alternan números musicales con números dialogados. **3** ‖ **pasar revista**; inspeccionar o revisar algo. ☐ ETIMOL. Traducción del francés *revue.*

revistar v. Referido a la tropa, pasarle revista una autoridad: *El presidente revistó las tropas que le rendían honores.*

revistero s.m. Mueble o lugar destinado a la colocación de las revistas y de los periódicos.

revitalización s.f. Suministro de más fuerza o de más vitalidad.

revitalizar v. Dar más fuerza o más vitalidad: *Estas vitaminas te revitalizarán el pelo. Con el descenso del precio de los hoteles se revitalizará el turismo.* ☐ ORTOGR. La *z* se cambia en *c* delante de *e* →CAZAR.

[revival (anglicismo) s.m. Resurgimiento, recuperación o revalorización de estilos de vida y de modas pasados. ☐ PRON. [riváival]. ☐ USO Su uso en innecesario.

revivir v. **1** Resucitar o volver a la vida: *En esta película de terror, los cadáveres revivían.* **2** Referido a algo que parecía muerto, recuperar la vitalidad: *En cuanto regué la planta, revivió.* **3** Referido a algo que parecía olvidado, renovarlo o reproducirlo: *Aquella afrenta revivió su antigua enemistad.* **4** Referido al pasado, evocarlo o recordarlo con viveza: *Unas fotografías nos hicieron revivir nuestra juventud.* ☐ ETIMOL. Del latín *revivere.*

revocación s.f. **1** Anulación de una concesión, de un mandato o de una resolución. **2** Anulación, sustitución o enmienda de una orden o de un fallo, por una autoridad distinta a la que los había dictado. **3** Acto jurídico que deja sin efecto otro anterior por la voluntad del otorgante.

revocar v. **1** Referido esp. a una norma o a un mandato, dejarlos sin efecto: *El Tribunal Supremo ha revocado la sentencia.* **2** Referido esp. a las paredes de un edificio, arreglarlas o pintarlas de nuevo por la parte exterior: *El Ayuntamiento ha concedido unas ayudas para revocar las fachadas antiguas de la ciudad.* ☐ ETIMOL. Del latín *revocare.* ☐ ORTOGR. La *c* se cambia en *qu* delante de *e* →SACAR.

revolcar ∎ v. **1** Referido a una persona, derribarla y hacerle dar vueltas por el suelo pisoteándola: *En un descuido del matador, el toro lo embistió y lo revolcó.* ∎ prnl. **2** Echarse sobre algo dando vueltas y

restregándose: *Los cerdos se revuelcan en el barro.* **[3** *vulg.* Practicar juegos amorosos: *Al anochecer siempre hay alguna pareja 'revolcándose' en el parque.* ☐ ETIMOL. De *re-* (intensificación) y *volcar.* ☐ ORTGR. La *c* se cambia en *qu* delante de *e.* ☐ MORF. Irreg. →TROCAR.

revolcón s.m. **1** Derribo de una persona acompañado de pisotones y de vueltas por el suelo. **2** *col.* En un enfrentamiento, victoria clara de un adversario sobre otro; baño. **[3** *col.* Jugueteo amoroso con mucho toqueteo.

revolotear v. **1** Volar haciendo giros o movimientos rápidos: *Las gaviotas revoloteaban en la costa.* **[2** Referido a una persona, moverse continuamente en torno a otra o de un sitio a otro: *Alrededor de la cantante 'revolotean' siempre secretarias, asesores y fans.*

revoloteo s.m. **1** Vuelo con movimientos rápidos y muchos giros. **[2** Movimiento continuo de una persona en torno a otra.

revoltijo s.m. **1** Conjunto de muchos elementos desordenados. **[2** Comida fría mejicana que se prepara con carne cocida, lechuga, cebolla, tomate, aguacate, aceite y otros ingredientes. ☐ ORTOGR. En la acepción 1, se admite también *revoltillo.*

revoltillo s.m. →**revoltijo.**

revoltoso, sa adj./s. Muy travieso y vivaracho. ☐ MORF. La RAE sólo lo registra como adjetivo.

revolución s.f. **1** Cambio violento en las instituciones políticas, económicas y sociales de un país. **2** Cambio rápido y profundo. **3** Inquietud, alboroto o levantamiento colectivos. **4** En mecánica, giro o vuelta que da una pieza en torno a su eje. ☐ ETIMOL. Del latín *revolutio* (revolución, regreso).

revolucionar v. **1** Provocar un estado de revolución: *Con sus travesuras revoluciona a toda la clase.* **2** Referido esp. a un cuerpo que gira, imprimirle más revoluciones: *Cuanto más aceleras el coche, más revolucionas el motor.*

revolucionario, ria ∎ adj. **1** De la revolución o relacionado con este cambio violento o profundo. ∎ adj./s. **2** Que sigue o que defiende la revolución. **3** Que cambia o renueva algo.

revolver ∎ v. **1** Mezclar o mover en todas las direcciones: *Revuelve bien la ensalada para que se mezcle el aliño.* **2** Alterar el buen orden o la disposición: *Esas escenas tan sangrientas me han revuelto el estómago.* **3** Mirar, registrar o investigar a fondo: *Los periodistas han empezado a revolver en el pasado de ese político.* ∎ prnl. **4** Moverse de un lado a otro en un lugar: *¿Por qué te revuelves inquieto en el sillón?* **5** Enfrentarse a alguien, plantarle cara o atacarle: *El perro se revolvió contra su dueño.* **6** Referido al tiempo atmosférico, empeorar o ponerse borrascoso: *El tiempo se ha revuelto y no saldremos de excursión.* ☐ ETIMOL. Del latín *revolvere.* ☐ ORTOGR. Dist. de *revólver.* ☐ MORF. Irreg.: 1. Su participio es *revuelto.* 2. →VOLVER.

revólver s.m. Arma de fuego parecida a la pistola pero provista de un tambor o cilindro giratorio en el que se colocan las balas. ☐ ETIMOL. Del inglés *revolver.* ☐ ORTGR. Dist. de *revolver.* 🖎 arma

revoque s.m. **1** Cubrimiento de una pared con una capa de cal y arena o con otro material. **2** Capa o mezcla con las que se revoca.

revuelo s.m. Turbación, agitación o confusión entre un grupo de personas.

revuelta s.f. Véase **revuelto, ta.**

revuelto, ta ▮ 1 part. irreg. de revolver. ▮ s.m. **2** Comida que se elabora mezclando huevos con otro ingrediente y que se cuaja sin darle ninguna forma determinada. ▮ s.f. **3** Alboroto o alteración del orden público. **4** Curva o cambio de dirección pronunciado, esp. en una carretera. ▢ MORF. En la acepción 1, incorr. *revolvido*.

revulsivo, va adj./s.m. [Que produce un cambio brusco, generalmente para bien. ▢ ETIMOL. Del latín *revulsum*, y éste de *revellere* (arrancar, separar).

rey ▮ s.m. **1** En un reino, soberano y jefe del Estado. **2** En el juego del ajedrez, pieza principal, cuya pérdida supone el final de la partida y que generalmente sólo puede ser movida de casilla en casilla. ⌨ ajedrez **3** En una baraja, carta que representa a un monarca. **4** Lo que sobresale por su excelencia entre los demás de su clase. ▮ pl. [**5** Regalo o conjunto de regalos que se reciben con motivo de la fiesta de los Reyes Magos (festividad religiosa con que se conmemora la llegada de tres reyes de Oriente para adorar al Niño Jesús recién nacido). ▢ ETIMOL. Del latín *rex*. ▢ ORTOGR. En la acepción 1, se usa más como nombre propio. ▢ MORF. En las acepciones 1 y 4, su femenino es *reina*. ▢ USO Se usa como apelativo: *El padre le dijo al niño: '¡Ven a mis brazos, rey mío!'.*

reyerta s.f. Disputa, contienda o riña entre dos o más personas. ▢ ETIMOL. Del latín *referitare*, y éste de *referre* (replicar, rechazar).

reyezuelo s.m. Pájaro de alas cortas y redondeadas y de plumaje de colores vistosos, que vive en los bosques de coníferas. ▢ MORF. Es un sustantivo epiceno: *el reyezuelo macho, el reyezuelo hembra*.

rezagarse v.prnl. Quedarse atrás: *Una de las corredoras se rezagó para ayudar a una de sus compañeras.* ▢ ETIMOL. De *rezaga* (retaguardia). ▢ ORTOGR. La g se cambia en *gu* delante de *e* →PAGAR.

rezar v. **1** Referido a una oración religiosa, dirigirla a la divinidad: *Siempre rezo un padrenuestro antes de acostarme.* **2** Dirigirse a una divinidad o a un ser digno de culto: *Rezaba para pedir la curación de su familiar.* **3** col. Constar o decirse en un escrito: *El bando rezaba: 'Mañana permanecerán cerrados los comercios'.* **4** ‖**rezar** algo **con** alguien; col. Pertenecerle o corresponderle: *Lo que me estás contando no reza conmigo.* ▢ ETIMOL. Del latín *recitare*. ▢ ORTOGR. La z se cambia en c delante de e →CAZAR.

rezo s.m. **1** Elevación de oraciones, de súplicas o de alabanzas a la divinidad o a un ser digno de culto. **2** Oración o conjunto de palabras que se rezan.

rezongar v. Gruñir o refunfuñar en voz baja, obedeciendo de mala gana: *Me molesta que cuando te pido algo lo hagas rezongando.* ▢ ETIMOL. De origen onomatopéyico. ▢ ORTOGR. La g se cambia en *gu* delante de e →PAGAR.

rezongón, -a adj. col. Que rezonga con frecuencia.

rezumar v. **1** Referido a un líquido, salir a través del cuerpo poroso que lo contiene: *El agua rezuma por la cañería.* **2** Referido a un cuerpo, estar tan empapado de un líquido que éste escurre por él: *Con las lluvias, la pared rezuma humedad.* [**3** Referido a una característica o a una cualidad, manifestarlas claramente o dejarlas traslucir: *Sus poemas 'rezuman' optimismo.* ▢ ETIMOL. De *re-* (intensificación) y *zumo*.

rho s.f. En el alfabeto griego clásico, nombre de la decimoséptima letra: *La grafía de la rho es* ρ.

ría s.f. **1** Penetración del mar en la desembocadura de un río debida al hundimiento de esa zona de la costa. **2** En algunas competiciones deportivas, hoyo lleno de agua que se coloca en el recorrido como obstáculo. ▢ ETIMOL. De *río*.

riachuelo s.m. Río pequeño y de poco caudal.

riada s.f. Gran aumento del caudal de un río, que suele causar inundaciones.

ribazo s.m. Terreno con una pendiente pronunciada, esp. el que divide dos fincas que están a distinto nivel. ▢ ETIMOL. De *riba* (ribera).

ribeiro s.m. Vino tinto o blanco de poca graduación, originario de la comarca gallega de Ribeiro.

ribera s.f. **1** Margen y orilla del mar o de un río. **2** Tierra cercana a los ríos. ▢ ETIMOL. Del latín *riparia*, y éste de *ripa* (orilla). ▢ ORTOGR. Dist. de *rivera*.

ribereño, ña adj./s. De una ribera o relacionado con ella.

ribete ▮ s.m. **1** Cinta o adorno que se pone en el borde de algo como adorno o como refuerzo. ▮ pl. **2** Asomos, indicios o señales. ▢ ETIMOL. De origen incierto.

ribeteado s.m. Aplicación de ribetes, esp. en una prenda de vestir o en un calzado.

ribetear v. Poner ribetes como adorno o como refuerzo: *Ha ribeteado la colcha con una puntilla.*

ribonucleico adj. Referido a un ácido, que constituye el material genético de las células y se encuentra fundamentalmente en el citoplasma de éstas.

ribosoma s.m. En una célula, orgánulo del citoplasma que participa en la síntesis de proteínas.

ricacho, cha s. col. Persona acaudalada. ▢ USO Tiene un matiz despectivo.

ricino s.m. Planta de origen africano que tiene el tronco verde rojizo, las hojas muy grandes y partidas, las flores en racimo y el fruto esférico y espinoso, y de cuyas semillas se extrae una sustancia purgante. ▢ ETIMOL. Del latín *ricinus*.

rico, ca ▮ adj. **1** Gustoso, sabroso o de sabor agradable. **2** Que tiene algo en gran cantidad. [**3** col. Simpático, gracioso o agradable. ▮ adj./s. **4** Acaudalado o que posee muchas riquezas. **5** ‖**nuevo rico**; persona que ha conseguido su riqueza de forma rápida, esp. si hace ostentación de ella. ▢ ETIMOL. Del germánico *rikja*. ▢ USO Se usa como apelativo: *Anda, rico, que te estás pasando.*

rictus s.m. Gesto o aspecto del rostro que manifiesta algún sentimiento o una sensación. ▢ ETIMOL. Del latín *rictus* (boca entreabierta). ▢ MORF. Invariable en número.

ricura 1 col. [Lo que resulta bello o simpático. ▢ USO Se usa como apelativo: *Anda, 'ricura', acaba una vez.*

ridiculez s.f. **1** Hecho o dicho ridículos o extravagantes. **2** Lo que resulta pequeño o de poca estimación.

[**ridiculización** s.f. Burla que se hace para poner en ridículo algo.

ridiculizar v. Referido a algo que se considera extravagante o incorrecto, burlarse de ello intentando que parezca ridículo: *Ridiculizó mi dibujo delante de todos porque le parecía feo.* ▢ ORTOGR. La z se cambia en c delante de e →CAZAR.

ridículo, la ▪ adj. **1** Que produce risa debido a su rareza o a su extravagancia. **2** Escaso o de poca importancia. ▪ s.m. **3** Situación que sufre una persona que produce risa en los demás. **4** ‖ **en ridículo**; expuesto a la burla de los demás. ☐ ETIMOL. Del latín *ridiculus*, y éste de *ridere* (reír).

riego s.m. **1** Esparcimiento o suministro de agua sobre una superficie o una planta. **2** Agua disponible para regar. **3** ‖ **riego sanguíneo**; [aporte de sangre a una determinada zona del cuerpo.

riel s.m. [**1** Barra o pieza alargada sobre la que se desliza algo. **2** Carril de una vía férrea. ☐ ETIMOL. Del catalán *riell*.

rielar v. *poét.* Referido a la luz, reflejarse de forma temblorosa: *La luz de la Luna rielaba en el estanque.* ☐ ETIMOL. De *rehilar* (temblar).

rienda ▪ s.f. **1** Cada una de las dos correas o cintas que van sujetas al bocado de una caballería y que sirven para dirigirla y gobernarla. ⟨⟩ arreos ▪ pl. **2** Gobierno o dirección de algo. **3** ‖ **a rienda suelta**; con toda libertad o sin ningún control. ‖ **dar rienda suelta**; permitir la manifestación o el curso de algo. ☐ ETIMOL. Del latín **retina*, y éste de *retinere* (retener). ☐ MORF. La acepción 1 se usa más en plural.

riesgo s.m. **1** Posibilidad o proximidad de un daño. **2** Cada uno de los sucesos o imprevistos que puede cubrir un seguro. **3** ‖ **correr el riesgo**; estar expuesto a algo. ☐ ETIMOL. De origen incierto. ☐ SEM. Es incorrecto su uso con el significado de 'posibilidad'; así, por ejemplo, sólo se puede hablar de *riesgo de lluvias* cuando éstas supongan un serio daño.

rifa s.f. Sorteo cuyo ganador es el que tiene una papeleta con un número que se escoge al azar.

rifar v. **1** Sortear por medio de una rifa: *Voy a rifar tres libros entre todos vosotros.* **2** ‖ [**rifarse** a alguien; *col.* Solicitarlo o desearlo con intensidad: *Ese actor gusta tanto que las productoras 'se lo rifan'.* ‖ [**rifársela**; *col.* En zonas del español meridional, arriesgarse. ☐ ETIMOL. De origen onomatopéyico.

rifirrafe s.m. *col.* Riña o pelea sin importancia o sin trascendencia. ☐ ETIMOL. De origen onomatopéyico.

rifle s.m. Carabina de origen americano que tiene estrías en espiral en la parte interior del cañón. ☐ ETIMOL. Del inglés *rifle* (fusil con estrías). ⟨⟩ arma

rigidez s.f. **1** Imposibilidad o dificultad para doblarse o torcerse. **2** Severidad, inflexibilidad o rigor.

rígido, da adj. **1** Que no se puede doblar o torcer. **2** Riguroso, inflexible o severo. ☐ ETIMOL. Del latín *rigidus*.

rigodón s.m. Danza de origen provenzal en compás de dos por dos, o de dos por cuatro. ☐ ETIMOL. Del francés *rigodon*.

rigor s.m. **1** Severidad excesiva y escrupulosa. **2** Precisión y exactitud. **3** Intensidad o crudeza. **4** ‖ **de rigor**; indispensable u obligatorio por la costumbre o la moda. ‖ **en rigor**; en realidad o estrictamente. ☐ ETIMOL. Del latín *rigor* (rigidez, inflexibilidad).

[**rigor mortis** (latinismo) ‖ Rigidez que tiene un cuerpo después de la muerte. ☐ PRON. [rígor mórtis].

rigorista adj./s. Muy severo, esp. en cuestiones morales o disciplinarias. ☐ MORF. 1. Como adjetivo es invariable en género. 2. Como sustantivo es de género común: *el rigorista, la rigorista*.

rigoroso, sa adj. → **riguroso**. ☐ ETIMOL. Del latín *rigorosus*.

rigurosidad s.f. **1** Severidad o rigidez extremas o crueldad. **2** Precisión, exactitud o minuciosidad. **3** Dureza o crudeza que hace que algo sea difícil de soportar.

riguroso, sa adj. **1** Muy severo o muy rígido. **2** Exacto, preciso o minucioso. **3** Extremado o difícil de soportar. ☐ ORTOGR. Se admite también *rigoroso*.

rijosidad s.f. Muestra evidente de deseo sexual.

rijoso, sa adj. Que tiene o muestra deseos sexuales incontenibles. ☐ ETIMOL. Del latín *rixosus* (pendenciero).

rilar ▪ v. **1** Temblar, tiritar o vibrar: *La ira contenida hacía rilar sus labios.* ▪ prnl. [**2** *col.* Abandonar una decisión o echarse atrás en ella: *No hagas caso a los demás y no 'te riles', porque debes seguir adelante con tu proyecto.* ☐ ETIMOL. La acepción 1, de *rehilar*.

rima s.f. **1** Identidad de todos los sonidos o sólo de los vocálicos en la terminación de dos o más palabras a partir de su última vocal acentuada, esp. si dichas palabras son finales de versos. **2** Composición lírica en verso. **3** ‖ **octava rima**; en métrica, estrofa de origen italiano, formada por ocho versos endecasílabos de rima consonante, cuyo esquema es *ABABABCC*; octava real. ‖ **sexta rima**; en métrica, estrofa de origen italiano, formada por seis versos endecasílabos, y cuyo esquema originario es ABABCC; sextina. ☐ ETIMOL. Del provenzal antiguo *rima*. ☐ MORF. La acepción 2 se usa más en plural.

rimar v. **1** Componer versos: *El profesor de literatura nos enseñó a rimar.* **2** Referido a una palabra, tener rima consonante o asonante con otra: *'Caña' rima con 'maña', y 'zapato', con 'barato'. 'Perro' y 'canguro' no riman.*

rimbombante adj. Ostentoso o llamativo. ☐ MORF. Invariable en género.

rímel s.m. Cosmético que se usa para dar color y espesor a las pestañas. ☐ ETIMOL. Extensión del nombre de una marca comercial.

[**rin** s.m. En zonas del español meridional, llanta de una rueda o aro metálico sobre el que se monta el neumático. ☐ ETIMOL. Del inglés *rim*.

rincón s.m. **1** Ángulo entrante que se forma en el encuentro de dos paredes o de dos superficies. **2** Escondrijo o lugar apartado. **3** Espacio pequeño. **4** *col.* Lugar donde se vive habitualmente. ☐ ETIMOL. Del árabe *rukn* (esquina, ángulo).

rinconera s.f. Mueble de forma apropiada para ser colocado en un rincón; esquinera.

[**ring** s.m. → **cuadrilátero**. ☐ USO Es un anglicismo innecesario.

ringorrango s.m. Adorno exagerado, extravagante e innecesario. ☐ ETIMOL. De origen onomatopéyico.

rinitis s.f. Inflamación de la mucosa de la nariz. ☐ ETIMOL. Del griego *rhís* (nariz) e *-itis* (inflamación). ☐ MORF. Invariable en número.

rino- Elemento compositivo que significa 'nariz': *rinología, rinoscopia*. ☐ ETIMOL. Del griego *rhís* (nariz).

rinoceronte s.m. Mamífero de gran tamaño, de cuerpo grueso y piel dura, cabeza estrecha con el hocico puntiagudo y uno o dos cuernos encorvados y colocados uno más arriba que otro en la línea media de la nariz, y que se alimenta de vegetales. ☐ ETIMOL. Del griego *rhinokéros*, y éste de *rhís* (nariz) y *kéras* (cuerno). □ MORF. Es un sustantivo epiceno: *el rinoceronte macho, el rinoceronte hembra.* ⌖ ungulado

rinofaringe s.f. En anatomía, parte de la faringe contigua a las fosas nasales. □ ETIMOL. Del griego *rhís* (nariz) y *faringe*.

rinoplastia s.f. Operación quirúrgica para corregir un defecto o un problema de la nariz. □ ETIMOL. Del griego *rhís* (nariz) y *plásso* (yo modelo).

riña s.f. Discusión o pelea entre dos o más personas.

riñón ▌ s.m. **1** En los vertebrados, órgano, generalmente con forma de habichuela, encargado de filtrar la sangre y eliminar sus impurezas en la orina. ▌ pl. **2** Parte del cuerpo que corresponde al lugar donde están estos órganos. **3** ▐riñón artificial; aparato para filtrar la sangre de una forma artificial en casos de insuficiencia renal aguda o crónica. ▐un riñón; *col.* Mucho dinero. □ ETIMOL. Del latín **renio.* □ USO *Un riñón* se usa más con los verbos *costar, valer* y equivalentes.

riñonada s.f. **1** Zona del cuerpo que corresponde a los riñones. **2** Guiso de riñones.

[riñonera s.f. **1** Faja que se usa para proteger la zona de los riñones. **2** Cinturón provisto de una pequeña bolsa.

río s.m. **1** Corriente continua de agua, más o menos caudalosa, que desemboca en otra, en un lago o en el mar. **2** Gran cantidad de algo que sale, se mueve, fluye o circula, esp. de un líquido. □ ETIMOL. Del latín *rivus* (arroyo, canal). □ ORTOGR. Dist. de *río* (del verbo *reír*).

rioja s.m. Vino tinto o blanco originario de La Rioja (región, provincia y comunidad autónoma).

riojano, na adj./s. De la comunidad autónoma de La Rioja, de su provincia o relacionado con ellas.

rioplatense adj./s. Del estuario suramericano del Río de la Plata (formado por la desembocadura de los ríos Paraná y Uruguay, y situado entre Argentina y Uruguay), o relacionado con él. □ MORF. 1. Como adjetivo es invariable en género. 2. Como sustantivo es de género común: *el rioplatense, la rioplatense.*

ripio s.m. **1** Palabra o frase que se emplea en un verso sólo para conseguir la rima o el número de sílabas necesarios. **2** ▐no perder ripio; *col.* Estar muy atento para enterarse de todo. □ ETIMOL. De origen incierto.

riqueza s.f. **1** Abundancia o gran cantidad de bienes, de dinero o de cosas valiosas. **2** Abundancia de recursos económicos o naturales. **3** Abundancia o diversidad de algo. □ ETIMOL. De *rico.* □ MORF. La acepción 1 en plural tiene el mismo significado que en singular.

risa s.f. **1** Movimiento de la boca y de otras partes de la cara que demuestra alegría o diversión y que suele ir acompañado de carcajadas. **2** Sonido o voz que suele acompañar a este gesto de alegría. **3** *col.* Lo que hace reír. **4** ▐muerto de risa; *col.* Inactivo o sin usar. □ ETIMOL. Del latín *risus.*

risco s.m. Peñasco alto, escarpado y peligroso para andar por él. ⌖ montaña

risible adj. Que produce risa o se la merece. □ ETIMOL. Del latín *risibilis.* □ MORF. Invariable en género.

risión s.f. Lo que es objeto de risa o de burla.

risotada s.f. Risa o carcajada muy ruidosas.

ristra s.f. **1** Trenza formada con los tallos de las cebollas o de los ajos. **2** Conjunto de cosas seguidas unas detrás de otras. □ ETIMOL. Del latín *restis* (cuerda).

ristre s.m. **1** En una armadura antigua, pieza de hierro situada en la parte derecha del peto para encajar y afianzar en ella la lanza. ⌖ armadura **2** ▐[en ristre; *col.* Precedido de un instrumento, con él sujeto y preparado para hacer algo. □ ETIMOL. Quizá del catalán *rest,* y éste de *restar* (descansar, apoyarse).

risueño, ña adj. **1** Que muestra risa en el semblante. **2** Próspero o favorable. □ ETIMOL. Del latín *risus* (risa).

rítmico, ca adj. Del ritmo, con ritmo o relacionado con él.

ritmo s.m. **1** En música, orden a que se somete una sucesión de sonidos, atendiendo a su distribución y duración en el tiempo y a su acentuación. **2** En el lenguaje, combinación y sucesión armoniosas de palabras, frases, acentos y pausas. **3** Orden acompasado en la sucesión de las cosas. [**4** Velocidad constante con que sucede o se hace algo. □ ETIMOL. Del latín *rhythmus.*

rito s.m. **1** Conjunto de reglas establecidas para el culto y las ceremonias religiosas. **2** Ceremonia o costumbre que se repite siempre de la misma manera. □ ETIMOL. Del latín *ritus* (costumbre, ceremonia religiosa).

ritual ▌ adj. **1** Del rito o relacionado con él. ▌ s.m. **2** Conjunto de ritos de una religión, de una iglesia o de una costumbre. □ ETIMOL. Del latín *ritualis.* □ MORF. Es invariable en género.

rival adj./s. Que lucha o compite con otro para conseguir un mismo objetivo o para superarlo. □ ETIMOL. Del latín *rivalis* (competidor). □ MORF. 1. Como adjetivo es invariable en género. 2. Como sustantivo es de género común: *el rival, la rival.*

rivalidad s.f. Enemistad o competencia provocadas por el intento de conseguir un mismo objetivo que otro o de superarlo.

rivalizar v. **1** Referido esp. a una persona o a un animal, luchar con otros por un mismo objetivo: *Cuando juegues con tus amigos intenta divertirte, no rivalizar con ellos.* **2** Presentarse en igualdad de condiciones: *Estos dos alumnos rivalizan en inteligencia.* □ ORTOGR. La *z* se cambia en *c* delante de *e* →CAZAR. □ SEM. Es sinónimo de *competir.*

rivera s.f. **1** Río de pequeño tamaño y de poco caudal. **2** Cauce por el que discurre. □ ETIMOL. Del latín *rivus* (riachuelo). □ ORTOGR. Dist. de *ribera.*

rizado s.m. Ondulación del pelo de forma natural o artificial.

rizador s.m. Sustancia o aparato que sirve para rizar.

rizar v. **1** Referido esp. al pelo, hacerle rizos, tirabuzones, ondas o bucles: *Hoy me rizaré el pelo con unas tenacillas.* **2** Referido esp. al mar, levantarle el viento olas pequeñas: *El viento ha comenzado a rizar el mar. Si ves que el mar empieza a rizarse, vuelve a la playa con la barca.* □ ORTOGR. La *z* se cambia en *c* delante de *e* →CAZAR.

rizo s.m. **1** Mechón de pelo que tiene forma de sortija, de bucle o de tirabuzón. [**2** Acrobacia aérea que consiste en realizar en el aire un círculo completo en sentido vertical. ⌖ acrobacia **3** ▐rizar el rizo; *col.* Complicar más de lo necesario. □ ETIMOL. Del latín *ericius* (erizo).

rizoma s.m. Tallo subterráneo que crece horizontalmente y del que nacen raíces y otros tallos y hojas. ☐ ETIMOL. Del griego *rhíza* (raíz).

rizópodo ∎ adj./s.m. **1** Referido a un protozoo, que se caracteriza por ser capaz de emitir seudópodos que le sirven para desplazarse y para alimentarse. ∎ s.m.pl. **2** En zoología, clase de estos protozoos. ☐ ETIMOL. Del griego *rhíza* (raíz) y -*podo* (pie).

[road book (anglicismo) s.m. ‖ Libro de ruta que se suele utilizar en un rally y en el que está marcado el recorrido. ☐ PRON. [róud buk]. ☐ USO Su uso es innecesario y puede sustituirse por una expresión como *libro de ruta*.

[road movie (anglicismo) s.m. ‖ Película cuya acción se desarrolla a través de un viaje por carretera y en automóvil. ☐ PRON. [róud múvi]. ☐ USO Su uso es innecesario y puede sustituirse por una expresión como *película de carretera*.

[roastbeef (anglicismo) s.m. →**rosbif**. ☐ PRON. [rosbíf]. ☐ USO Su uso es innecesario.

róbalo s.m. Pez marino de cuerpo alargado y color plateado, que vive en las costas rocosas de la desembocadura de los ríos, comestible y de carne muy apreciada; lubina. ☐ ETIMOL. De *lobarro, y éste de *lobo*, que se aplicó metafóricamente a este pez. ☐ MORF. Es un sustantivo epiceno: *el róbalo macho, el róbalo hembra*. 𝕩 pez

robar v. **1** Referido a algo ajeno, quitarlo o tomarlo para sí contra la voluntad del poseedor, esp. si se hace utilizando la violencia o la fuerza: *Unos ladrones robaron en un banco.* **2** Referido a algo inmaterial, hacerlo suyo alguien, esp. si es por medio del engaño o de la seducción: *Esa persona me ha robado el corazón.* **3** Referido a una parte de algo, quitársela al todo: *Estas tierras y campos han sido robados al mar por medio de diques.* **4** En algunos juegos, referido a una carta o a una ficha del montón, cogerlas: *Roba una carta y tira la que no te valga.* ☐ ETIMOL. Del germánico *raubôn* (saquear, arrebatar).

roble s.m. **1** Árbol de tronco grueso, madera dura, ramas retorcidas, hojas lobuladas, flores de color verde amarillento y fruto en forma de bellota. **2** Madera de este árbol. **3** Persona fuerte y robusta. ☐ ETIMOL. Del latín *robur*.

robledo s.m. Terreno poblado de robles.

robo s.m. **1** Apropiación de algo ajeno contra la voluntad del poseedor, esp. si se hace utilizando la violencia o la fuerza. **2** Lo que se roba. **3** Estafa, perjuicio o abuso injustos. ☐ SEM. Dist. de *hurto* (apropiación de objetos sin usar la violencia ni la fuerza).

robot s.m. **1** Máquina electrónica capaz de ejecutar automáticamente operaciones o movimientos diversos. **2** Persona que actúa maquinalmente o que se deja dirigir por otra; autómata. **3** ‖ **[robot de cocina**; electrodoméstico que sirve para realizar diversas funciones como picar, triturar, batir o amasar. ☐ ETIMOL. Del inglés *robot*, y éste del checo *robota* (trabajo). ☐ MORF. Aunque su plural es *robotes*, se usa más *robots*.

robótica s.f. Ciencia y técnica que aplican la informática al diseño y a la utilización de aparatos que realicen operaciones o trabajos en sustitución de las personas.

[robotizar v. Referido a un proceso o a una industria, aplicar máquinas automáticas: *La fabricación de automóviles se abarató mucho cuando se pudo 'ro-*

botizar'. ☐ ORTOGR. La *z* se cambia en *c* delante de *e* →CAZAR.

robustecer v. Hacer más fuerte y más resistente: *Los contrafuertes robustecerán las paredes del edificio. Con estas vitaminas te robustecerás.*

robustez s.f. Fuerza, resistencia y salud.

robusto, ta adj. Fuerte, resistente o vigoroso. ☐ ETIMOL. Del latín *robustus*.

roca s.f. **1** Material que constituye la corteza terrestre y que está formado por diversos tipos de minerales. **2** Bloque o trozo más o menos grandes de este material. **3** Lo que resulta duro, firme e inalterable. ☐ ETIMOL. De origen incierto.

rocambolesco, ca adj. Extraordinario, exagerado, fantástico e increíble. ☐ ETIMOL. Por alusión a Rocambole, personaje creado por el novelista francés Ponson du Terrail.

[rocanrolero, ra ∎ adj. **1** *col.* Del rock and roll o relacionado con este tipo de música. ∎ adj./s. **2** *col.* Referido a una persona, que es aficionada al rock and roll. ☐ ORTOGR. Se usa también *rockanrolero*.

roce s.m. **1** Presión ligera entre dos superficies al deslizarse una sobre otra o estar en contacto; rozamiento. **2** Raspadura o marca que deja esta presión. **3** Trato y relación frecuente entre dos o más personas. **[4** Discusión o enfrentamiento pequeños.

rociada s.f. Esparcimiento del agua o de otro líquido en gotas menudas.

rociar v. **1** Esparcir algún líquido en gotas menudas: *Roció los rosales con insecticida para matar los pulgones.* **[2** Referido a una comida, acompañarla con alguna bebida: *'Rociaremos' esta carne con un buen tinto.* ☐ ETIMOL. Del latín *roscidus*, y éste de *ruscidus* (lleno de rocío, húmedo). ☐ ORTOGR. La *i* lleva tilde en los presentes, excepto en las personas *nosotros* y *vosotros* →GUIAR.

rociero, ra s. Persona que acude a la romería de la Virgen del Rocío (fiesta onubense).

rocín s.m. Caballo de mala apariencia. ☐ ETIMOL. De origen incierto.

rocío s.m. Conjunto de gotas muy menudas que se forman cuando el vapor de agua se condensa en la atmósfera con el frío de la noche. ☐ ETIMOL. De *rociar*.

[rock (anglicismo) adj. **1** Del rock and roll o relacionado con este estilo musical. **2** ‖ **rock (and roll); 1** Género musical de ritmo fuerte, generalmente interpretado con instrumentos eléctricos. **2** Baile de pareja al compás de esta música, con movimientos rápidos y marcados. ☐ PRON. [rocanról]. ☐ MORF. Como adjetivo es invariable en género.

[rockabilly (anglicismo) s.m. Variante del rock and roll surgida en el sur estadounidense por influencia de un tipo de canciones tradicionales de los montañeses, y que se basa su instrumentación en las guitarras. ☐ PRON. [rocabíli].

[rockanrollero, ra adj./s. →**rocanrolero**. ☐ PRON. [rocanroléro].

[rocker s. Seguidor del género musical del rock and roll. ☐ PRON. [róker]. ☐ MORF. Es de género común: *el 'rocker', la 'rocker'.* ☐ USO Es un anglicismo innecesario.

[rockero, ra adj./s. →**roquero**. ☐ PRON. [roquéro].

[rockódromo s.m. →**rocódromo**. ☐ PRON. [rocódromo].

rococó ∎ adj. **1** Del rococó o con rasgos propios de este estilo. ∎ s.m. **2** Estilo artístico que triunfó en

Europa en el siglo XVIII y que se caracteriza por la libertad y la abundancia de decoración y el gusto exquisito y refinado. □ ETIMOL. Del francés *rococo*, y éste de *rocaille* (rocalla). □ MORF. Como adjetivo es invariable en género.

[**rocódromo** s.m. Lugar al aire libre en el que se celebran actuaciones musicales, esp. si son de rock. □ ORTOGR. Se usa también *rockó-dromo*.

rocoso, sa adj. Referido o un lugar, lleno de rocas.

rodaballo s.m. Pez marino de cuerpo aplanado y cabeza pequeña, con los ojos en el lado izquierdo, con la aleta dorsal tan larga como todo el cuerpo y la cola casi redonda: *El rodaballo puede llegar a alcanzar un metro de ancho.* □ ETIMOL. De origen incierto. □ Es un sustantivo epiceno: *el rodaballo macho, el rodaballo hembra.* 🔁 pez

rodada s.f. Véase rodado, da.

rodado, da ∎ adj. **1** Del tránsito de vehículos de ruedas y del transporte que se realiza valiéndose de ellos. ∎ s.f. **2** Señal que deja la rueda de un vehículo en el suelo por donde pasa. **3** ‖ [venir algo **rodado**; col. Presentarse o desarrollarse de forma beneficiosa y favorable sin haberlo preparado o sin mucha dificultad.

rodador, -a s. Ciclista que corre bien en terreno llano: *En este equipo ciclista hay buenos rodadores.* □ MORF. La RAE sólo registra el masculino. □ USO Es innecesario el uso del galicismo *routier*.

rodaja s.f. Trozo circular de un alimento. □ ETIMOL. De *rueda*.

rodaje s.m. **1** Filmación, impresión o grabación de una película cinematográfica. **2** Situación en la que se encuentra un vehículo mientras no haya superado el recorrido aconsejado por el constructor para hacerlo funcionar a pleno rendimiento. [**3** col. Preparación, entrenamiento o experiencia práctica.

rodamiento s.m. Pieza que permite o facilita que un mecanismo gire o dé vueltas.

rodapié s.m. Banda o franja horizontal que suele instalarse o pintarse en la parte inferior de las paredes; friso, zócalo. □ ETIMOL. De *rodear* y *pie*. □ SEM. Se usa referido esp. a frisos o zócalos estrechos.

rodar v. **1** Referido a un cuerpo, dar vueltas alrededor de su eje; rotar: *La botella rodó por el suelo hasta que chocó con la pared.* **2** Moverse por medio de ruedas: *Este coche rueda mejor en una autopista que en un camino.* **3** Ir de un lado a otro: *He rodado de oficina en oficina y no logro establecerme.* **4** Referido esp. a un asunto, suceder, desarrollarse o transcurrir: *El negocio fracasó porque rodó mal desde el principio.* **5** Referido a un vehículo, hacer que marche sin rebasar las revoluciones indicadas por el constructor para el rodaje: *Tengo que rodar el coche durante mil kilómetros sin pasar de cuatro mil revoluciones.* **6** Referido a una película cinematográfica, filmarla, impresionarla o grabarla: *La directora rodó las escenas del desierto en escenarios naturales.* [**7** Representar un papel en una película cinematográfica: *Es un actor muy joven que ya 'ha rodado' seis películas.* □ ETIMOL. Del latín *rotare*. □ MORF. Irreg. →CONTAR.

rodear v. **1** Estar, ir o andar alrededor: *Esa valla rodea la finca.* **2** ‖ **rodear de** algo; proporcionarlo: *Rodeó a sus hijos de toda clase de comodidades.Se ha rodeado de gente importante.* □ ETIMOL. De *rueda*.

rodela s.f. Escudo redondo y delgado, que se sujetaba con un asa por la que se pasaba el brazo izquierdo, y que cubría el pecho del que peleaba con espada: *La infantería española de los siglos XV y XVI usaba rodela.* □ ETIMOL. Del italiano *rotella*.

rodeo s.m. **1** Recorrido más largo que el recto u ordinario. **2** Manera de decir algo indirectamente, empleando términos y expresiones que no lo expresan de una forma clara. **3** En algunos países americanos, deporte o espectáculo que consiste en montar potros salvajes o reses vacunas y hacer en ellos algunos ejercicios.

rodera s.f. Rodada o señal que deja un vehículo en el suelo: *La carretera estaba nevada y se veían las roderas de los coches.* □ ETIMOL. De *rueda*.

rodete s.m. **1** Rosca que se hace con el pelo trenzado y enrollándolo sobre sí mismo para tenerlo recogido o como adorno. **2** Rosca generalmente de tela que se pone en la cabeza para cargar y llevar sobre ella un peso. □ ETIMOL. De *rueda*.

rodilla s.f. **1** Parte externa y prominente de la articulación del muslo con la pierna. **2** En un cuadrúpedo, unión del antebrazo con la caña. **3** ‖ **de rodillas**; **1** Con esta parte de las piernas doblada y apoyada en el suelo. **2** En tono suplicante o con empeño. □ ETIMOL. Del latín *rotella*, y éste de *rota* (rueda).

rodillazo s.m. Golpe dado con la rodilla.

rodillera s.f. **1** En algunas prendas de vestir, pieza que se pone en la rodilla como remiendo o adorno. **2** En algunas prendas de vestir, deformación o desgaste en la parte que cubre la rodilla. **3** Tira o venda de material elástico que se coloca ciñendo la rodilla para sujetarla o para protegerla. **4** En una armadura, pieza que cubre y protege la rodilla. 🔁 armadura

rodillo s.m. **1** Utensilio de cocina de forma cilíndrica que se utiliza para estirar las masas. **2** Pieza cilíndrica y giratoria que forma parte de diversos mecanismos. □ ETIMOL. Del latín *rotella*.

rodio s.m. Elemento químico, metálico y sólido, de número atómico 45, de color blanco, que se funde con dificultad y no es atacado por los ácidos. □ ETIMOL. Del griego *rhódon* (rosa), por el color de las sales de este metal. □ ORTOGR. Su símbolo químico es *Rh*.

rododendro s.m. Arbusto de hojas perennes, lanceoladas, de color verde brillante, con flores vistosas y acampanadas, y fruto en cápsula. □ ETIMOL. Del griego *rhódon* (rosa) y *déndron* (árbol).

[**rodofícea** adj./s.f. En botánica, división de las algas rojas que son en su mayoría marinas. □ ETIMOL. Del griego *rhódon* (rosa) y *phýkos* (alga).

rodrigón s.m. Estaca que se clava al lado de una planta o de un árbol jóvenes para atar su tallo y que no crezcan torcidos.

[**rodríguez** s.m. col. Marido que se queda en casa por cuestiones de trabajo mientras su familia se va fuera de vacaciones. □ MORF. Invariable en número. □ USO Se usa más en la expresión *estar de rodríguez*.

roedor, -a ∎ adj./s.m. **1** Referido a un mamífero, que se caracteriza por tener dos incisivos en cada mandíbula, largos, fuertes y encorvados hacia fuera, cuyo crecimiento es continuo y que le sirven para roer: *La ardilla, el ratón y el castor son roedores.* ∎ s.m.pl. **2** En zoología, orden de estos mamíferos. 🔁 roedor

roedura s.f. **1** Hecho de roer algo. **2** Marca que queda en algo que ha sido roído.

roentgen o **roentgenio** s.m. Unidad de dosis radiactiva que equivale a la radiación capaz de ionizar un metro cúbico de aire. □ ETIMOL. Por alusión a Roentgen, físico alemán que describió los rayos X. □ ORTOGR. *Roentgen* es la denominación internacional de *roentgenio*.

roer v. **1** Referido a algo duro, cortarlo menuda y superficialmente con los dientes: *Vi una ardilla que roía una piña.* **2** Referido a un hueso, quitarle poco a poco la carne que se le quedó pegada: *El perro se entretiene royendo un hueso.* **3** Gastar o quitar superficialmente, poco a poco y por trozos pequeños: *El óxido roe la verja de hierro.* **4** Molestar, atormentar o causar pena y sufrimiento interiormente y con frecuencia: *Los remordimientos por mis malas acciones me roen la conciencia.* □ ETIMOL. Del latín *rodere*. □ MORF. Irreg. →ROER.

rogar v. Pedir con súplicas, con mucha educación o como favor: *Rogó que le permitieran ver a sus hijos. Te ruego que te quedes.* □ ETIMOL. Del latín *rogare* (rogar y preguntar). □ MORF. Irreg. →CONTAR.

rogativo, va ∎ adj. **1** Que implica ruego. ∎ s.f. **2** Oración pública que se hace a Dios para conseguir el remedio de una grave necesidad.

rogatorio, ria ∎ adj. **1** Que implica ruego. ∎ s.f. **2** →**comisión rogatoria**.

[rojeras adj./s. *col.* Izquierdista. □ ORTOGR. Se usa también *rojelio.* □ MORF. 1. Como adjetivo es invariable en género. 2. Como sustantivo es de género común: *el 'rojeras', la 'rojeras'.* 3. Invariable en número.

rojez s.f. **1** Propiedad de ser o de parecer de color rojo. **2** Mancha roja en la piel.

[rojiblanco, ca adj./s. *col.* De cualquier equipo deportivo cuya camiseta tenga los colores rojo y blanco, o relacionado con él; blanquirrojo.

rojizo, za adj. De color semejante al rojo o con tonalidades rojas.

rojo, ja adj./s. **1** Del color de la sangre o de las amapolas. **2** *col.* En política, de ideología de izquierdas. **3** ‖**al rojo (vivo); 1** Referido al hierro, que toma este color por efecto de una temperatura elevada. **2** Referido esp. a una situación, muy acalorada o con los ánimos o pasiones muy exaltados. □ ETIMOL. Del latín *russeus* (rojo fuerte).

rol s.m. **[1** Papel o función que desempeña una persona. **2** Lista de nombres. **3** Licencia que lleva el capitán de un barco, y en la que consta la lista de la tripulación. □ ETIMOL. Del francés *rôle*.

[rollista adj./s. *col.* Referido a una persona, que resulta pesada, fastidiosa y molesta, esp. por lo mucho que habla. □ MORF. 1. Como adjetivo es invariable en género. 2. Como sustantivo es de género común: *el 'rollista', la 'rollista'.*

rollizo, za adj. Robusto y grueso.

rollo s.m. **1** Lo que tiene forma cilíndrica. **2** *col.* Lo que resulta molesto, fastidioso, largo o pesado. **[3** *col.* Actividad, medio, asunto, mundo o ambiente. **[4** *col.* Asunto o lío sentimental. **5** ‖**[rollo patatero**; *col.* Lo que resulta pesado, aburrido o difícil de soportar. ‖**[tener rollo**; *col.* Hablar o escribir mucho sin decir nada interesante. □ ETIMOL. Del latín *rotulus* (cilindro).

romana s.f. Véase **romano, na**.

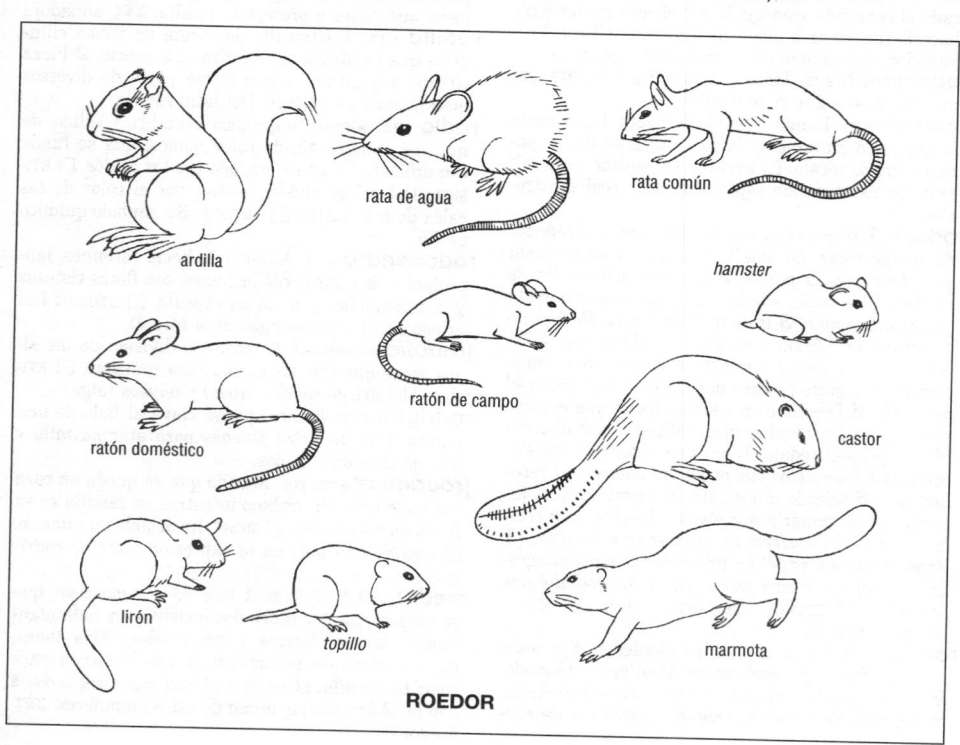

rata de agua

rata común

ardilla

hamster

ratón de campo

ratón doméstico

castor

lirón

topillo

marmota

ROEDOR

romance ∎ adj./s.m. **1** Referido a una lengua, que deriva del latín. ∎ s.m. **2** Composición poética de origen español, formada por una serie de versos, generalmente octosílabos, de los cuales los pares tienen rima asonante y los impares quedan sueltos. **3** Relación amorosa pasajera o breve. ☐ ETIMOL. Del latín *romanice* (en románico). ☐ MORF. Como adjetivo, es invariable en género. ☐ SEM. Como adjetivo, es sinónimo de *románico*.

romancero s.m. Colección de romances.

romanche s.m. [Lengua románica de Suiza (país europeo); rético, retorromano.

[romaní s.m. Lengua indoeuropea de los gitanos.

románico, ca ∎ adj. **1** Del románico o con rasgos propios de este estilo; romance. **2** Referido a una lengua, que es derivada del latín. ∎ s.m. **3** Estilo artístico que triunfó en Europa en los siglos XI, XII y parte del XIII y que se caracteriza por su carácter religioso, sobrio, sólido, tosco y expresivo. ☐ ETIMOL. Del latín *Romanicus* (romano).

romanista ∎ adj./s. **1** Que se dedica profesionalmente al derecho romano o que está especializado en él. ∎ s. **2** Persona especializada en el estudio de las lenguas y de las culturas romances. ☐ MORF. 1. Como adjetivo es invariable en género. 2. Como sustantivo es de género común: *el romanista, la romanista*.

romanización s.f. Difusión o adopción de las características que se consideran propias de lo romano, esp. de su civilización, de sus leyes y de su cultura.

romanizar v. Dar o adquirir características que se consideran propias de lo romano: *Los romanos no consiguieron romanizar a los vascos. Los pueblos hispanos se romanizaron*. ☐ ORTOGR. La *z* se cambia en *c* delante de *e* →CAZAR.

romano, na ∎ adj. **1** De la iglesia católica. ∎ adj./s. **2** De Roma (capital italiana), o relacionado con ella. **3** De la antigua Roma, de cada uno de los estados antiguos y modernos de los que ha sido metrópoli o relacionado con ellos. ∎ s.f. **4** Balanza que tiene un solo platillo y una barra por la que corre el contrapeso hasta el extremo,de modo que siempre descanse en una de las dos divisiones marcadas. 🖾 medida

romanticismo s.m. **1** Movimiento cultural que se desarrolló en el continente europeo durante la primera mitad del siglo XIX y que se caracterizó por la defensa del individualismo y de la libertad y por el predominio de los aspectos emocionales y sentimentales. **2** Período histórico durante el que se desarrolló este movimiento. **3** Sentimentalismo o tendencia a ser soñador y a guiarse por los sentimientos. ☐ USO En las acepciones 1 y 2, se usa más como nombre propio.

romántico, ca ∎ adj. **1** Del Romanticismo o relacionado con este movimiento cultural. ∎ adj./s. **2** Que defiende o sigue este movimiento cultural. **3** Que es muy sentimental o que da mucha importancia a los sentimientos y a las emociones. ☐ ETIMOL. Del francés *romantique*. ☐ MORF. En la acepción 3, la RAE sólo lo registra como adjetivo.

romanza s.f. Composición musical, vocal o instrumental, de carácter generalmente sencillo, lírico o romántico. ☐ ETIMOL. Del italiano *romanza*.

romanzar v. →**romancear**. ☐ ORTOGR. La *z* se cambia en *c* delante de *e* →CAZAR.

rombo s.m. En geometría, polígono que tiene cuatro lados iguales y paralelos dos a dos, y dos de sus cuatro ángulos mayores que los otros dos. ☐ ETIMOL. Del latín *rhombus*.

romboedro s.m. Cuerpo geométrico oblicuo limitado por seis polígonos o caras y cuyas bases son rombos iguales. ☐ ETIMOL. De *rombo* y *-edro* (cara).

romboidal adj. Con forma de romboide. ☐ MORF. Invariable en género.

romboide s.m. En geometría, polígono que tiene cuatro lados iguales dos a dos, y dos de sus cuatro ángulos mayores que los otros dos. ☐ ETIMOL. Del griego *rhómbos* (rombo) y *-oide* (forma).

romeo s.m. col. [Hombre que está muy enamorado de alguna mujer. ☐ ETIMOL. Por alusión a Romeo, personaje literario que muere por amor.

romería s.f. **1** Viaje o peregrinación, esp. los que se hacen por devoción a una ermita o a un santuario. **2** Fiesta popular que se celebra al lado de una ermita o de un santuario el día de la festividad del lugar. ☐ ETIMOL. De *romero* (peregrino).

romero, ra ∎ s. **1** Persona que participa en una romería. ∎ s.m. **2** Arbusto de hojas pequeñas, lineales y duras, y flores azuladas, que tiene un olor agradable. ☐ ETIMOL. La acepción 1, del latín *romaeus*, y éste del griego *româios* (romano, aplicado a los peregrinos que se dirigían a Roma). La acepción 2, del latín *ros maris*.

romo, ma adj. Redondeado o sin punta. ☐ ETIMOL. De origen incierto.

rompecabezas s.m. **1** Juego que consiste en formar una figura combinando correctamente sus partes, que están separadas en cubos o en piezas. **2** Problema o acertijo que resulta difícil de solucionar. ☐ MORF. Invariable en número. ☐ SEM. Aunque la RAE lo considera sinónimo de *puzzle*, rompecabezas se ha especializado para el juego de piezas en forma de cubo.

[rompecorazones s. col. Persona que tiene mucho atractivo y que es capaz de enamorar con facilidad a otras personas. ☐ MORF. Es de género común: *el 'rompecorazones', la 'rompecorazones'*.

rompehielos s.m. Embarcación que se usa para abrir caminos en los mares helados. ☐ MORF. Invariable en número. 🖾 embarcación

rompeolas s.m. En un puerto, muro que se construye adentrado en el mar para proteger de las aguas la parte que queda entre él y la tierra firme; malecón. ☐ MORF. Invariable en número.

[rompepiernas adj./s.m. En ciclismo, referido a una carretera, que tiene continuas subidas y bajadas. ☐ MORF. 1. Como adjetivo es invariable en género. 2. Invariable en número.

romper v. **1** Quebrar o hacer pedazos: *Ten cuidado con esa figurita, no la vayas a romper. Se rompió la silla y me caí.* **2** Gastar, destrozar o estropear: *No andes arrastrando los pies, que vas a romper los zapatos. El televisor se ha roto y tendré que llamar al técnico.* **3** Hacer una abertura o una raja: *He roto los pantalones en la rodilla. Se rompió la cabeza y le dieron puntos.* **4** Referido a algo no material, interrumpir su continuidad: *El profesor cuenta chistes para romper la monotonía de la clase.* **5** Referido esp. a una norma, quebrantarla o no cumplirla: *Le gusta romper las normas establecidas y escandalizar.* **6** Tener principio, comenzar o empezar: *Se levantaron al romper el día.* [**7** col. Obtener un gran éxito o destacar por ello: *Con este vestido tan espectacular seguro que 'rompes' en la fiesta.* **8** Referido a las flores, abrirse: *Es todavía muy pronto para que los capullos del rosal rompan.* **9** Referido a una ola, deshacerse en espuma: *Las olas rompían en el acantilado.* **10** ‖**de rompe y rasga**; *col.* De gran decisión y coraje: *Esta atrevida decisión sólo podía tomarla una persona de rompe y rasga.* ‖**romper a** hacer algo; empezar a hacerlo: *Cuando le dieron la noticia, rompió a llorar de alegría.* ‖**romper con** algo; no querer saber nada más sobre ello: *Desde que ha roto con su novio, no quiere salir de casa.* □ ETIMOL. Del latín *rumpere*. □ MORF. Su participio es *roto*.

[rompetechos s. **1** *col.* Persona de muy baja estatura. **2** *col.* Persona que ve poco. □ MORF. 1. Invariable en número. 2. Es de género común: *el 'rompetechos', la 'rompetechos'.*

rompible adj. Que se puede romper. □ MORF. Invariable en género.

rompiente s.m. Lugar que corta el curso del agua y en el que ésta rompe y se levanta.

rompimiento s.m. **1** Cese de relaciones con una persona; ruptura. **2** Transformación de las olas en espuma, esp. al chocar con algo.

ron s.m. Licor transparente o de color parecido al caramelo que se obtiene de la caña de azúcar. □ ETIMOL. Del inglés *rum*.

roncar v. Emitir un sonido grave al respirar cuando se está dormido: *Tiene un problema de desviación del tabique nasal y ronca cuando duerme.* □ ETIMOL. Del latín *rhonchare*, y éste de *rhonchus* (ronquido). □ ORTOGR. La *c* se cambia en *qu* delante de *e* →SACAR.

roncha s.f. Bulto que se forma en la piel a causa de una alergia o de la picadura de un insecto; habón. □ ETIMOL. De origen incierto.

ronchar v. Referido a un alimento quebradizo, masticarlo de forma que haga ruido: *No ronches el caramelo y deja que se deshaga en la boca.* □ ETIMOL. De origen incierto.

ronco, ca adj. **1** Referido a una persona, que padece ronquera. **2** Referido a la voz o a un sonido, que son ásperos y poco sonoros. □ ETIMOL. Del latín *raucus*.

ronda s.f. **1** Recorrido de un lugar en misión de vigilancia. **2** Reunión nocturna de muchachos para tocar y cantar por las calles. **3** Vuelta o carrera ciclista por etapas. **4** En una ciudad, calle o paseo amplios que originariamente la rodeaban. **5** En algunos juegos, vuelta completa en la que han jugado todos los jugadores. **6** *col.* Conjunto de consumiciones que se distribuyen a la vez entre un grupo de personas. **[7** Serie de cosas que se desarrollan sucesivamente y con cierto orden: *'ronda' de negociaciones.* **8** En zonas del español meridional, juego del corro. □ ETIMOL. Del árabe *rubt*.

rondalla s.f. Conjunto musical de instrumentos de cuerda.

rondana s.f. En zonas del español meridional, arandela.

rondar v. **1** Referido esp. a un lugar, recorrerlo de noche en misión de vigilancia: *Los policías rondan las calles en sus coches.* **2** Referido a una muchacha, galantearla un muchacho paseando por su calle: *Mi madre siempre cuenta que mi padre la estuvo rondando hasta que ella accedió a salir con él.* **3** Referido a un lugar, dar vueltas a su alrededor: *El gato rondaba la casa para buscar comida.* **4** *col.* Referido

esp. a una idea o a una sensación, aparecer o empezar a surgir: *Me ronda la idea de pasar las vacaciones en la montaña.*

rondeña s.f. Música típica de Ronda (ciudad malagueña), parecida al fandango y con la que se cantan coplas de cuatro versos octosílabos.

rondín s.m. En zonas del español meridional, vigilante.

rondó s.m. Composición musical cuyo tema principal se repite varias veces, alternando con otros secundarios. □ ETIMOL. Del francés *rondeau*.

ronquera s.f. Afección de la laringe que produce el cambio del timbre de la voz a otro más áspero o grave y poco sonoro; enronquecimiento. □ ETIMOL. De *ronco*.

ronquido s.m. Ruido grave y gutural que emiten algunas personas al respirar cuando están dormidas.

ronronear v. Referido a un gato, emitir un sonido semejante a un ronquido como señal de contento: *El gato ronroneaba recostado cerca de la chimenea.* □ ETIMOL. De origen onomatopéyico. □ ORTOGR. Dist. de *runrunear*.

ronroneo s.m. Emisión que hace el gato de un sonido semejante a un ronquido como señal de contento. □ ORTOGR. Dist. de *runruneo*.

ronzal s.m. Cuerda que se ata al cuello o a la cabeza de algunos équidos, esp. al de los caballos, para sujetarlos o para llevarlos caminando. □ ETIMOL. Del árabe *rasan* (cabestro).

roña ▌ s. **1** *col.* Avaro. ▌ s.f. **2** Porquería o suciedad que están muy pegadas. **3** Óxido de los metales. **4** *col.* Roñosería. **[5** En zonas del español meridional, sarna. □ MORF. En la acepción 1, es de género común: *el roña, la roña.*

roñería s.f. *col.* Roñosería.

roñica s. *col.* Avaro. □ MORF. Es de género común: *el roñica, la roñica.*

roñosería s.f. Tacañería, mezquindad o excesivo deseo de atesorar bienes y no gastarlos; roñería.

roñoso, sa adj. **1** *col.* Avaro. **2** Con suciedad o con óxido. **3** En zonas del español meridional, enfermo de sarna.

[rookie (anglicismo) adj./s. Referido a una persona, que es considerada una novata. □ PRON. [rúki]. □ USO Su uso es innecesario.

ropa s.f. **1** Conjunto de prendas de tela, esp. las que sirven para vestirse. **2** ‖**a quema ropa**; →**quemarropa**. ‖**ropa blanca**; la que se emplea para el uso doméstico. ‖**ropa interior**; la de uso personal, que no es visible exteriormente y que generalmente se coloca sobre la piel. □ ETIMOL. Del germánico *rauba* (botín).

ropaje s.m. Vestido o adorno exterior del cuerpo, esp. si es vistoso o lujoso.

ropero s.m. Armario o cuarto en los que se guarda la ropa.

roque ▌ adj. **1** *col.* Dormido. ▌ s.m. **2** En el juego del ajedrez, pieza que representa una torre y que se mueve en línea recta en todas direcciones; torre. 🔖 ajedrez □ ETIMOL. La acepción 2, del árabe *rujj* (torre del ajedrez). □ MORF. Como adjetivo es invariable en género. □ SINT. En la acepción 1, se usa más con los verbos *estar*, *quedar* o equivalentes.

[roquefort (galicismo) s.m. Queso de sabor y de olor fuertes y de color verdoso, elaborado con leche de oveja y originario de la ciudad francesa de Roquefort.

[roquero, ra ∎ adj. **1** De la música rock o relacionado con ella. ∎ adj./s. **2** Que sigue esta música o que es aficionado a ella. ∎ s. **3** Músico o cantante de rock. ☐ ORTOGR. Se usa también *rockero*.

rorro s.m. *col.* Bebé o niño muy pequeño. ☐ ETIMOL. De *ro* (voz para arrullar a los niños).

ros s.m. Gorro de forma cónica y con visera, más alto por delante que por detrás y que formaba parte del uniforme militar. ☐ ETIMOL. Por alusión al general Ros de Olano, que introdujo esta prenda en el uniforme.

rosa ∎ adj./s.m. **1** Del color que resulta de mezclar rojo y blanco. ∎ s.f. **2** Flor del rosal, que suele tener una agradable fragancia y espinas en el tallo. **3** ‖ **como una rosa**; *col.* Muy bien o perfectamente. ‖ **ir de rositas**; *col.* Escabullirse o hacer las cosas sin ningún esfuerzo. ‖ **rosa de los vientos**; círculo con forma de estrella que tiene marcados alrededor los treinta y dos rumbos en que se divide la vuelta del horizonte. ☐ ETIMOL. Del latín *rosa*. ☐ MORF. Como adjetivo, es invariable en género.

rosáceo, a adj. De color rosa o con tonalidades rosas.

rosado, da ∎ adj. **1** De color rosa o con tonalidades rosas. ∎ s.m. **2** →**vino rosado**.

rosal s.m. **1** Arbusto de tallos generalmente espinosos, hojas compuestas con un número impar de hojuelas, y las flores con pétalos de forma acorazonada. **2** ‖ **(rosal de) pitimini**; el de tallos trepadores del que florecen muchas rosas de pequeño tamaño.

rosaleda s.f. Lugar plantado de rosales.

rosario s.m. **1** En la iglesia católica, conjunto de oraciones que se rezan en conmemoración de los quince misterios principales de la vida de Jesucristo y de la Virgen. **2** Conjunto de cuentas ensartadas y separadas de diez en diez, que sirve para seguir este rezo. **3** Serie de sucesos encadenados, esp. si es muy larga o parece no tener fin: *un rosario de preguntas*. **4** ‖ **acabar como el rosario de la aurora**; *col.* Acabar mal o en desacuerdo. ☐ ETIMOL. Del latín *rosarium*, y éste de *rosa* (rosa), porque en las oraciones muchas veces se compara a la Virgen con una rosa.

rosbif s.m. Carne de vaca asada, que se corta en lonchas finas y que se come fría o caliente. ☐ USO Es innecesario el uso del anglicismo *roastbeef*.

rosca s.f. **1** Lo que tiene forma circular u ovalada y deja un espacio vacío en el centro. 🖾 pan **2** Hendidura en forma de espiral que tienen las tuercas, los tornillos, los tapones y otros objetos. **3** *col.* En zonas del español meridional, camarilla política. **4** ‖ **hacer la rosca**; *col.* Halagar para conseguir algo. ‖ **[no comerse una rosca**; *col.* No lograr lo que se desea. ‖ **pasarse de rosca**; *col.* Excederse o ir más allá de lo debido. ☐ ETIMOL. De origen incierto. ☐ USO En la acepción 3, es despectivo.

rosco s.m. **1** Pan o bollo de forma redonda u ovalada, con un agujero en el centro. **[2** *col.* Cero.

roscón s.m. Bollo en forma de rosca grande.

roseta s.f. **1** Mancha rosada que sale en las mejillas. **2** En una regadera, pieza agujereada por donde sale el agua en pequeños chorros.

rosetón s.m. **1** Ventana circular calada y adornada. **2** Adorno circular que se coloca en los techos.

rosoli o **rosolí** s.m. →**resoli**. ☐ ETIMOL. Quizá del latín *ros solis* (rocío del sol), porque en su preparación se emplea una planta llamada *rocío del sol*.

rosquete ∎ adj./s.m. **[1** *vulg.* En zonas del español meridional, hombre homosexual. ∎ s.m. **2** Rosquilla algo mayor de lo normal. ☐ USO Es despectivo.

rosquilla s.f. **1** Dulce en forma redondeada y con un agujero en el centro. **2** ‖ **rosquilla lista**; la que tiene una costra de azúcar blanca por encima y es de masa dulce. ‖ **rosquilla tonta**; la que tiene anís y poca azúcar.

rosticería o **[rostisería** s.f. En zonas del español meridional, tienda de alimentos preparados. ☐ ETIMOL. Del italiano *rosticceria*.

rostro s.m. **1** Cara de una persona. **[2** *col.* Cara dura. ☐ ETIMOL. Del latín *rostrum* (pico, hocico).

rotación s.f. **1** Movimiento de un cuerpo alrededor de su eje. **2** Alternancia de varias cosas. **[3** Ritmo con el que las existencias de un determinado producto se renuevan en un período de tiempo determinado.

rotar v. **1** Referido a un cuerpo, dar vueltas alrededor de su eje; rodar: *Los coches se mueven porque las ruedas rotan*. **[2** Referido esp. a dos o más personas, encargarse de algo de forma sucesiva y cíclica: *Todos los vecinos 'rotamos' en el desempeño de la presidencia de la comunidad*. **[3** Referido esp. a dos o más cultivos, alternarlos sucesivamente para evitar que el campo se agote: *En este campo 'se rotan' tres cultivos para que la tierra se regenere*. **[4** En economía, referido a un producto, renovarse sus existencias en un período de tiempo determinado: *Los libros que 'rotan' mucho suelen estar colocados en los mejores lineales de las grandes librerías*. ☐ ETIMOL. Del latín *rotare*.

rotativo, va ∎ adj./s.f. **1** En imprenta, referido a una máquina, que imprime con movimiento continuo y a gran velocidad los ejemplares de un periódico. ∎ s.m. **2** Periódico impreso con este tipo de máquina. ☐ ETIMOL. De *rotar*.

rotatorio, ria adj. Que tiene un movimiento circular.

[rotisería s.m. En zonas del español meridional, tienda de alimentos preparados. ☐ ETIMOL. Del francés *rôtiserie*.

roto, ta ∎ **1** part. irreg. de romper. ∎ adj. **[2** *col.* Muy cansado o agotado. ∎ s. **[3** *col.* En zonas del español meridional, individuo o tipo. **4** *col.* En zonas del español meridional, persona de baja extracción social. ∎ s.m. **5** Agujero o desgarrón en un material, esp. en un tejido. ☐ MORF. Incorr. *rompido*.

rotonda s.f. **1** Plaza de forma circular. **2** Edificio o sala de forma circular. ☐ ETIMOL. Del italiano *rotonda* (redonda).

rotor s.m. En una máquina electromagnética o en una turbina, parte o pieza que gira. ☐ ETIMOL. Del inglés *rotor*, y éste del latín *rotator* (que rueda).

[rtring s.m. Rotulador de gran precisión en el grosor de su trazo. ☐ ETIMOL. Extensión del nombre de una marca comercial. ☐ PRON. [rótrin].

rótula s.f. Hueso en forma de disco, situado en la articulación de la rodilla, entre el fémur y la tibia. ☐ ETIMOL. Del latín *rotula* (ruedecita), porque la rótula tiene esta forma.

rotulación s.f. Colocación o realización de un rótulo.

rotulador s.m. Especie de bolígrafo que tiene en su interior un material muy poroso empapado en tinta y que acaba en una punta de material absorbente.

rotular v. Referido esp. a un objeto, ponerle un rótulo: *Rotula el título del cuento con pinturas de colores.*

rotulista s. Persona que se dedica profesionalmente a hacer rótulos. ☐ MORF. Es de género común: *el rotulista, la rotulista.*

rótulo s.m. Letrero o inscripción con que se indica algo. ☐ ETIMOL. Del latín *rotulus* (rollo de papel desdoblado).

rotundidad s.f. **1** Seguridad, firmeza o imposibilidad de admitir duda. **2** Sonoridad y claridad del lenguaje. **[3** Redondez de las formas o de las partes del cuerpo.

rotundo, da adj. **1** Muy claro y terminante o que no admite ninguna duda. **2** Referido esp. al lenguaje, sonoro y claro. **[3** Referido al cuerpo de una persona, redondeado y voluminoso. ☐ ETIMOL. Del latín *rotundus.*

rotura s.f. **1** Separación más o menos violenta de algo en trozos o producción de aberturas, agujeros o grietas. **2** Abertura, grieta o agujero formados en un cuerpo sólido. **3** ‖**rotura de stocks**; **[**en economía, falta de existencias de determinado producto. ☐ ETIMOL. Del latín *ruptura.* ☐ ORTOGR. Dist. de *ruptura.*

roturar v. Referido a un terreno, ararlo o labrarlo por primera vez para ponerlo en cultivo: *Han roturado parte del monte para cultivar cereales.* ☐ ETIMOL. De *rotura.*

[rouge (galicismo) s.m. →**pintalabios.** ☐ PRON. [ruch], con *ch* suave.

[roulotte (galicismo) s.f. Caravana o remolque acondicionado como vivienda que se engancha a un coche para desplazarlo. ☐ PRON. [rulót]. 🖼️ vivienda

[round s.m. →**asalto.** ☐ PRON. [raun]. ☐ SEM. Es un anglicismo innecesario.

[rover (anglicismo) s.m. Vehículo diseñado para la exploración espacial. ☐ PRON. [róver].

[royalty (anglicismo) s.m. Derecho que se debe pagar al titular de una obra, de una patente, de un invento o de algo semejante, para poder utilizarlo o explotarlo comercialmente. ☐ PRON. [royálti].

roza s.f. Canal o pequeño surco que se hace en una pared, en el suelo o en el techo para meter tubos o cables por ellos.

rozadura s.f. **1** Herida superficial en la piel, causada generalmente por el roce con algo duro. **2** Roce o raspadura.

rozagante adj. Orgulloso, satisfecho o con buen aspecto. ☐ ETIMOL. Del catalán *rossegant*, que en principio sirvió para designar cierta ropa que arrastraba por el suelo.

rozamiento s.m. **1** →**roce. 2** Resistencia que se opone a la rotación o al deslizamiento de un cuerpo sobre otro.

rozar v. **1** Referido a una cosa, pasar o estar tan cerca de otra que se tocan u oprimen ligeramente: *La silla roza la pared.* **2** Referido a una superficie, rasparla o quitarle una capa finísima al tocarla con algo duro: *La tira de la sandalia me roza la parte de atrás del pie. Se ha rozado todo el barniz de la mesa.* **[3** Referido esp. a un objetivo, estar muy cerca de él: *El precio 'roza' las dos mil pesetas.* ☐ ETIMOL. Del latín **ruptiare*, y éste de *rumpere* (romper). ☐ ORTOGR. La *z* se cambia en *c* delante de *e* →CAZAR.

rúa s.f. Calle de una población. ☐ ETIMOL. Del latín *ruga* (calle).

[ruana s.f. Véase **ruano, na.**

[ruandés, -a adj./s. De Ruanda o relacionado con este país africano.

ruano, na ■ adj. **1** Referido a un caballo o a su pelo, de color blanco, gris y bayo mezclados. **2** De la calle o relacionado con ella. **■** s.f. **[3** En zonas del español meridional, poncho.

rubéola s.f. Enfermedad infecciosa, contagiosa y epidémica producida por un virus, y que se caracteriza por la aparición en la piel de pequeñas manchas rosadas parecidas a las del sarampión. ☐ ETIMOL. De *rúbeo* (que tira a rojo). ☐ PRON. Aunque la pronunciación correcta es [rubéola], está muy extendida [rubeóla]. ☐ ORTOGR. Siempre lleva tilde.

rubí s.m. Mineral cristalizado de gran dureza, muy brillante y de color rojo. ☐ ETIMOL. Del latín **rubinus*, y éste de *rubeus* (rojo). ☐ MORF. Aunque su plural en la lengua culta es *rubíes*, se usa mucho *rubís.*

rubiales adj./s. *col.* Referido a una persona, de pelo rubio. ☐ MORF. 1. Como adjetivo es invariable en género. 2. Como sustantivo es de género común: *el rubiales, la rubiales.* 3. Invariable en número.

rubicán, -a adj. Referido a un caballo o a una yegua, que tiene el pelaje mezclado de blanco y rojo. ☐ ETIMOL. De *rubio* y *cano.*

rubicón ‖**pasar el rubicón**; dar un paso decisivo aceptando algún riesgo. ☐ ETIMOL. Por alusión al cruce del río Rubicón, efectuado por Julio César.

rubicundo, da adj. **1** Referido a una persona, que tiene buen color y parece gozar de buena salud. **2** Rubio con tonalidades rojizas. ☐ ETIMOL. Del latín *rubicundus.*

rubidio s.m. Elemento químico, metálico y sólido, de número atómico 37, pesado y de color blanco. ☐ ETIMOL. Del latín *rubidus* (rojo pardusco), porque el espectro del rubidio presenta dos rayas rojas. ☐ ORTOGR. Su símbolo químico es *Rb.*

rubio, bia ■ adj./s. **1** De color amarillo parecido al del oro, esp. referido al pelo o a la persona que lo tiene. **■** adj./s.m. **[2** Referido a un tipo de tabaco, que es de color claro y tiene un olor y un sabor suaves. **■** s.f. **[3** *col.* Peseta. **4** ‖**rubio platino**; el muy claro. ☐ ETIMOL. Del latín *rubeus* (rojizo).

rublo s.m. Unidad monetaria de la antigua Unión Soviética (antiguo país euroasiático) y de algunos de los países nacidos después de que se desintegrara. ☐ ETIMOL. Del ruso *rubl.*

rubor s.m. **1** Color rojo muy encendido. **2** Sentimiento de vergüenza que produce un enrojecimiento del rostro. ☐ ETIMOL. Del latín *rubor.*

ruborizar ■ v. **1** Causar rubor o vergüenza: *Me ruboriza la mala educación de algunas personas.* **■** prnl. **2** Referido a una persona, ponérsele el rostro de color rojo, esp. si es por un sentimiento de vergüenza; enrojecer, sonrojarse: *Me gusta ver cómo se ruboriza con cualquier cosa que se le dice.* ☐ ORTOGR. La *z* se cambia en *c* delante de *e* →CAZAR.

ruboroso, sa adj. Que tiene rubor.

rúbrica s.f. En una firma, trazo o conjunto de trazos que acompañan al nombre. ☐ ETIMOL. Del latín *rubrica* (tierra roja, título escrito en rojo). ☐ SEM. Dist. de *firma* (nombre y apellidos que se ponen al pie de un documento).

rubricar v. **1** Poner la rúbrica, acompañada o no

del nombre del que firma: *Escribieron sus nombres en el contrato y los rubricaron.* **2** Referido esp. a algo que se dice, confirmarlo o dar testimonio de ello: *Rubrico lo que nos ha contado porque yo también lo vi.* □ ORTOGR. La *c* se cambia en *qu* delante de *e* →SACAR.

rucio, cia ▌ adj. [**1** col. En zonas del español meridional, rubio. ▌ s. **2** Caballería de pelaje pardo claro, blanquecino o canoso. □ ETIMOL. Del latín *roscidus* (lleno de rocío), por comparación del pelaje canoso con una superficie cubierta de gotas de rocío.

rudeza s.f. **1** Aspereza o falta de educación, de cortesía o de tacto. **2** Dureza o dificultad para ser soportado o realizado. **3** Tosquedad o falta de finura.

rudimentario, ria adj. **1** Que está en un estado de desarrollo imperfecto. **2** Simple, elemental o básico.

rudimento ▌ s.m. **1** Parte de un ser orgánico imperfectamente desarrollada. ▌ pl. **2** Conocimientos básicos o primarios. □ ETIMOL. Del latín *rudimentum* (aprendizaje).

rudo, da adj. **1** Áspero, poco cortés, sin educación o sin tacto. **2** Riguroso, duro o difícil de soportar o de hacer. **3** Tosco, basto o sin finura. □ ETIMOL. Del latín *rudis* (grosero, burdo).

[rue s.f. col. Calle de una población. □ ETIMOL. Del francés *rue*.

rueca s.f. Instrumento que sirve para hilar y que se compone de una vara en uno de cuyos extremos se pone la materia textil, un huso movido por una rueda y varias poleas donde se va enrollando el hilo. □ ETIMOL. Del latín **rocca*.

rueda s.f. **1** Objeto o mecanismo de forma circular y que puede girar sobre un eje. **2** Lo que tiene esta forma circular. **3** ‖**chupar rueda**; col. Aprovecharse del trabajo o del esfuerzo de otro. ‖**rueda de prensa**; reunión de periodistas en torno a una persona para escuchar sus declaraciones y hacerle una serie de preguntas. ‖**rueda de presos**; reunión de presos que se hace para intentar identificar al culpable de determinado delito entre todos ellos. ‖ **[sobre ruedas**; col. Muy bien o sin problemas. □ ETIMOL. Del latín *rota*.

ruedo s.m. **1** En una plaza de toros, parte redonda, cubierta de arena y limitada por la barrera, en la que se lidian los toros. **2** Lo que tiene forma circular y rodea a algo. **[3** En zonas del español meridional, dobladillo. □ ETIMOL. De *rodar*.

ruego s.m. Petición o súplica humildes que se hacen con el fin de conseguir algo.

rufián s.m. Hombre sin honor, perverso o despreciable. □ ETIMOL. Quizá del italiano *ruffiano*.

rufo, fa adj. Muy orgulloso, satisfecho y contento. □ ETIMOL. Del latín *rufus*.

[rugby (anglicismo) s.m. Deporte que se practica entre dos equipos generalmente de quince jugadores con un balón ovalado que hay que dejar detrás de la línea de fondo del campo contrario o pasarlo por encima del travesaño horizontal de la portería. □ PRON. [rúgbi].

rugido s.m. **1** Voz característica del león y de otros animales salvajes. **2** Grito o voz furiosa de una persona muy enfadada. **3** Ruido muy fuerte y bronco. **4** Sonido producido por las tripas.

rugir v. **1** Referido a un animal salvaje, esp. al león, dar rugidos o emitir su voz característica: *El león y los tigres rugían al domador.* **2** Referido a una persona

muy enfadada, gritar o hablar con furia: *No sabes cómo ruge mi padre cuando llego muy tarde.* **3** Producir un ruido fuerte o bronco: *Las olas rugían al romper en los acantilados.* **4** Referido esp. a un objeto, sonar con algún ruido: *Me rugen las tripas de hambre.* □ ETIMOL. Del latín *rugire.* □ ORTOGR. La *g* se cambia en *j* delante de *a, o* →DIRIGIR.

rugosidad s.f. Presencia de arrugas o de pequeños desniveles o hendiduras en una superficie.

rugoso, sa adj. Que tiene arrugas o pequeños desniveles o hendiduras. □ ETIMOL. Del latín *rugosus.*

ruido s.m. **1** Sonido confuso y más o menos fuerte, esp. si es desagradable o molesto. **2** Alboroto, tumulto o discordia. **3** ‖**mucho ruido y pocas nueces**; col. Expresión que se usa para indicar decepción: *Después de tanto hablarnos de lo maravilloso que era aquel restaurante, mucho ruido y pocas nueces.* ‖ **[ruido de sables**; señal de pelea: *No disimules, que desde lejos se oía el 'ruido de sables' entre tú y él.* □ ETIMOL. Del latín *rugitus.*

ruidoso, sa adj. Que causa mucho ruido.

ruin adj. **1** Vil, despreciable o con malas intenciones. **2** Avaro y reacio a gastar dinero. □ ETIMOL. De *ruina.* □ MORF. Invariable en género.

ruina ▌ s.f. **1** Destrucción, decadencia o daño muy grandes. **2** Causa de este destrozo o de esta decadencia. **[3** Lo que está en decadencia o en malas condiciones. **4** Pérdida cuantiosa de bienes. ▌ pl. **5** Restos de un edificio o de varios destruidos. □ ETIMOL. Del latín *ruina* (derrumbe, desmoronamiento).

ruindad s.f. **1** Vileza o maldad. **2** Lo que resulta ruin.

ruinoso, sa adj. **1** Que amenaza ruina o que empieza a estar destruido. **2** Que causa la ruina o la destrucción.

ruiseñor s.m. Pájaro de pequeño tamaño, de color pardo rojizo y vientre claro, que se alimenta de insectos y que tiene un canto muy melodioso. □ ETIMOL. Del provenzal antiguo *rossinhol.* □ MORF. Es un sustantivo epiceno: *el ruiseñor macho, el ruiseñor hembra.*

rular v. col. [Funcionar: *La máquina de fotos no 'rula'.* □ ETIMOL. Del francés *rouler.*

rulero s.m. En zonas del español meridional, rulo.

ruleta s.f. **1** Juego de azar que consta de una especie de rueda giratoria con casillas colocada horizontalmente y de un tapete con el mismo número de casillas, y que consiste en apostar sobre el número que saldrá en la rueda. **[2** Rueda que se usa en este juego y en otros semejantes. **3** ‖ **[ruleta rusa**; juego de azar que consiste en dispararse por turnos en la sien con un revólver cargado con una sola bala. □ ETIMOL. Del francés *roulette.*

rulo s.m. Pequeña pieza de peluquería cilíndrica, hueca y perforada, sobre la que se enrolla un mechón de pelo para rizarlo. □ ETIMOL. De *rular.*

ruma s.f. En zonas del español meridional, montón.

rumano, na ▌ adj./s. **1** De Rumanía (país europeo), o relacionado con ella. ▌ s.m. **2** Lengua románica de este país.

rumba s.f. **1** Composición musical popular de origen cubano y de compás binario. **2** Baile que se ejecuta al compás de esta música.

rumbero, ra adj. **1** De la rumba o relacionado con ella. **2** Aficionado a la rumba o experto en este baile.

rumbo s.m. **1** Forma en que van ocurriendo las co-

RUMIANTE

gamuza o rebeco

cabra montés

muflón

cabra

gacela

búfalo

bisonte americano o búfalo

impala

antílope

gamo (hembra)

corzo (hembra)

reno

ciervo o venado

alce

dromedario

camello

jirafa

vaca

llama

vicuña

alpaca

sas. **2** Camino o dirección que sigue algo. ☐ ETIMOL. Del latín *rhombus* (rombo), porque ésta era la figura que estaba representada en las brújulas.

rumboso, sa adj. **1** *col.* Generoso o desprendido. **2** *col.* Que ostenta o que manifiesta lujo. ☐ ETIMOL. De *rumbo* (pompa, ostentación).

rumiante ▮ adj./s.m. **1** Referido a un mamífero, que se caracteriza por ser herbívoro, tener el estómago dividido en cuatro cavidades y por carecer de dientes incisivos en el maxilar superior: *La vaca y el camello son rumiantes.* ▮ s.m.pl. **2** En zoología, categoría a la que pertenecen estos mamíferos. ☐ MORF. Como adjetivo es invariable en género. 🖎 rumiante

rumiar v. **1** Referido a un alimento que ya se había tragado, volverlo a la boca y masticarlo por segunda vez: *Las vacas rumian la hierba.* **2** *col.* Considerar o pensar despacio o con detenimiento: *No sé qué andarás rumiando, pero seguro que no es nada bueno.* ☐ ETIMOL. Del latín *rumigare*, de *rumar* (primer estómago de los rumiantes). ☐ ORTOGR. La *i* nunca lleva tilde.

rumor s.m. **1** Noticia que corre entre la gente. **2** Ruido confuso de voces. **3** Ruido bajo, sordo y continuado. ☐ ETIMOL. Del latín *rumor* (ruido).

rumorarse v. En zonas del español meridional, rumorearse.

rumorearse v.prnl. Referido a un rumor, difundirse entre la gente; murmurarse: *Se rumorea que este año habrá cambio de ministros.* ☐ MORF. Es unipersonal.

[rumorología s.f. **1** *col.* Difusión de rumores. **2** *col.* Conjunto de rumores.

rumoroso, sa adj. *poét.* Que produce rumor.

runrunear v. Hacer un ruido suave, esp. referido al agua o al viento; susurrar: *El agua del arroyo runruneaba entre las piedras.* ☐ ETIMOL. De origen onomatopéyico. ☐ ORTOGR. Dist. de *ronronear.*

runruneo s.m. Ruido confuso y continuo. ☐ ORTOGR. Dist. de *ronroneo.*

rupestre adj. Referido esp. a una pintura prehistórica, que está realizada sobre rocas o en cuevas. ☐ ETIMOL. Del latín *rupestris*, y éste de *rupes* (roca). ☐ MORF. Invariable en género.

rupia s.f. **1** Unidad monetaria hindú. **2** Unidad monetaria de distintos países: *La rupia paquistaní y la nepalí tienen distinto valor.* **[3** *col.* Peseta. ☐ ETIMOL. Las acepciones 1 y 2, del sánscrito *rupya* (moneda de plata).

ruptura s.f. Interrupción o término de una relación o del trato entre personas; rompimiento. ☐ ETIMOL. Del latín *ruptura.* ☐ ORTOGR. Dist. de *rotura.*

rural adj. Del campo o relacionado con él. ☐ ETIMOL.

Del latín *ruralis*, y éste de *rus* (campo). ☐ MORF. Invariable en género.

ruralismo s.m. Conjunto de características que definen el mundo rural.

ruso, sa ▮ adj./s. **1** De Rusia (país europeo y antiguo imperio), o relacionado con ella. ▮ s.m. **2** Lengua eslava de este país.

rústico, ca adj. **1** Del campo o relacionado con él. **2** Tosco, grosero o poco pulido. **3** ‖**en rústica**; referido a un tipo de encuadernación, que es ligera y con las cubiertas de cartulina o de papel fuerte. ☐ ETIMOL. Del latín *rusticus* (del campo, campesino). ☐ USO En la acepción 3, es innecesario el uso del anglicismo *paperback.*

ruta s.f. **1** Trayecto que se sigue para llegar a un lugar; itinerario. **2** En zonas del español meridional, carretera. ☐ ETIMOL. Del francés *route* (camino abierto).

rutáceo, a ▮ adj./s.f. **1** Referido a una planta, que se caracteriza por ser arbustiva o arbórea, tener hojas alternas u opuestas, simples o compuestas, flores con cuatro o cinco pétalos y glándulas secretoras de esencias: *Algunas rutáceas, como el naranjo, se cultivan por sus frutos.* ▮ s.f.pl. **2** En botánica, familia de estas plantas, perteneciente a la clase de las dicotiledóneas. ☐ ETIMOL. Del latín *ruta* (ruda).

rutar v. Murmurar o refunfuñar: *No es agradable oírte siempre rutando.* ☐ ETIMOL. De origen onomatopéyico.

rutenio s.m. Elemento químico, metálico y sólido, de número atómico 44, y cuyos óxidos son de color rojo. ☐ ETIMOL. Del latín *Ruthenia* (Rusia), donde se encontró este mineral. ☐ ORTOGR. Su símbolo químico es *Ru.*

[rutilante adj. Que resplandece o brilla mucho. ☐ ETIMOL. Del latín *rutilans*, y éste de *rutilare* (brillar como el oro). ☐ MORF. Invariable en género.

rutilar v. *poét.* Brillar, resplandecer o emitir rayos de luz: *Las estrellas rutilaban en la noche.* ☐ ETIMOL. Del latín *rutilare.*

rutina s.f. Costumbre o hábito de hacer las cosas de forma mecánica y sin razonar. ☐ ETIMOL. Del francés *routine* (marcha por un camino conocido).

rutinario, ria adj. **1** Que se hace por costumbre o rutina, sin que intervenga en exceso la razón. **2** Referido a una persona, que actúa por rutina. ☐ SEM. No debe emplearse con el significado de *habitual*: *Para mí es algo {*rutinario > habitual} leer en la cama antes de dormirme.*

[rythm and blues (anglicismo) ‖Estilo musical que se desarrolló en los años 40 a partir del blues, pero con instrumentos eléctricos. ☐ PRON. [ridmanblús].

S s

s s.f. **1** Vigésima letra del abecedario. **2** ‖ **[s líqui-da**; la *s* inicial de palabra y seguida de consonante. □ PRON. Representa el sonido consonántico apicoalveolar fricativo sordo, aunque en algunas regiones está muy extendida su pronunciación como [z]: *susurro, sapo* [zuzurro, zapo] →ceceo.

sábado s.m. Sexto día de la semana, entre el viernes y el domingo. □ ETIMOL. Del latín *sabbatum*, y éste del hebreo *sabath* (descansar).

sabana s.f. Llanura muy extensa propia de las zonas de clima tropical y que se caracteriza por el predominio de vegetación herbácea y la ausencia de árboles. □ ORTOGR. Dist. de *sábana*.

sábana s.f. **1** Cada una de las dos piezas de tela que se colocan en la cama y entre las que se introduce la persona que se acuesta. **[2** col. Papel de fumar. **3** ‖ **pegársele** a alguien **las sábanas**; *col.* Levantarse más tarde de lo que debe o de lo que acostumbra. □ ETIMOL. Del latín *sabana*. □ ORTOGR. Dist. de *sabana*.

sabandija s.f. **1** Reptil pequeño o insecto, esp. si resultan molestos o perjudiciales. **2** col. Persona despreciable o malvada. □ ETIMOL. Quizá de origen prerromano.

sabañón s.m. Abultamiento y enrojecimiento acompañado de intenso picor que se produce generalmente en las manos, en los pies o en las orejas a causa del frío. □ ETIMOL. De origen incierto.

sabático, ca adj. **1** Del sábado o relacionado con él. **2** Referido a un año, el que algunas universidades conceden a su personal docente y administrativo, con licencia de sueldo y generalmente cada siete años.

sabatino, na adj. Del sábado o relacionado con él. **[sabbat** (del hebreo) s.m. En el judaísmo, sábado, que es el día dedicado a Dios. □ PRON. [sábat].

sabelotodo adj./s. *col.* Que cree saberlo todo o que presume de saber mucho más de lo que realmente sabe. □ MORF. 1. Invariable en número. 2. Como adjetivo es invariable en género. 3. Como sustantivo es de género común: *el sabelotodo, la sabelotodo*. 4. La RAE sólo lo registra como sustantivo. □ USO Tiene un matiz despectivo.

saber ▪ s.m. **1** Conocimiento profundo de una materia, una ciencia o un arte; sabiduría: *Dicen que el saber no ocupa lugar.* ▪ v. **2** Conocer, tener noticia o estar informado: *No sabía que ibas a venir y por eso no te esperé.* **3** Poseer elevados conocimientos sobre alguna materia, esp. si se han adquirido por medio del estudio: *Sabe mucho de historia.* **4** Tener capacidad, habilidad, destreza o preparación para hacer algo: *Sabe cocinar muy bien.* **5** Tener sabor: *Esta comida sabe mucho a ajo.* **[6** En zonas del español meridional, soler. **7** ‖ **[saber a poco** algo; *col.* Resultar insuficiente: *Se ha marchado muy pronto y su visita me 'ha sabido a poco'.* ‖ **[saber lo que es bueno**; *col.* Recibir un castigo o una reprimenda: *Como te coja, vas a 'saber lo que es bueno'.* □ ETIMOL. La acepción 1, del verbo *saber*. Las acepciones 2-7, del latín *sapere* (tener gusto, ejercer el sentido del gusto). □ MORF. Irreg. →SABER. □ SINT. 1. Constr. de las acepciones 2 y 3: *saber DE algo.* 2.

En la acepción 6, se usa siempre seguido de infinitivo.

sabido, da adj. Habitual, conocido o de siempre.

sabiduría s.f. **1** Conocimiento profundo de una materia, una ciencia o un arte; saber. **2** Prudencia en la vida o en un asunto.

sabiendas ‖ **a sabiendas**; de manera intencionada o con conocimiento y deliberadamente. □ ETIMOL. Del latín *sapiendus*, y éste de *sapere* (saber).

sabihondo, da adj./s. *col.* →**sabiondo**.

sabio, bia ▪ adj. **1** Que instruye o que manifiesta sabiduría. **2** Referido a *un animal*, que está amaestrado y realiza gracias y habilidades. ▪ adj./s. **3** Referido a *una persona*, que posee profundos conocimientos en una materia, una ciencia o un arte. **4** Prudente, cuerdo o juicioso. □ ETIMOL. Del latín *sapidus* (prudente, juicioso).

sabiondo, da adj./s. *col.* Que presume de saber mucho o más de lo que realmente sabe. □ ETIMOL. Del latín **sapibundus*. □ ORTOGR. Se admite también *sabihondo*. □ USO Tiene un matiz despectivo.

sablazo s.m. *col.* Petición de dinero a alguien con la intención de no devolvérselo.

sable s.m. Arma blanca parecida a la espada, ligeramente curva y de un solo filo. □ ETIMOL. Del francés *sabre*. 🗡️ arma

sablear v. *col.* Referido esp. a *una persona*, conseguir que preste dinero, pero con la intención de no volvérselo: *No me volverás a sablear porque no te presto más si no me devuelves lo que me debes.*

sablista adj./s. *col.* Que tiene por costumbre sacar dinero a los demás, generalmente con habilidad o con insistencia. □ MORF. 1. Como adjetivo es invariable en género. 2. Como sustantivo es de género común: *el sablista, la sablista.*

sabor s.m. **1** Cualidad de una sustancia que se percibe por el sentido del gusto. 🗡️ sabor **2** Parecido o semejanza. **3** ‖ **sabor (de boca)**; impresión que algo produce o deja en el ánimo. □ ETIMOL. Del latín *sapor.*

saborear v. **1** Referido a *algo* que se come o se bebe, percibir su sabor detenidamente y deleitándose en

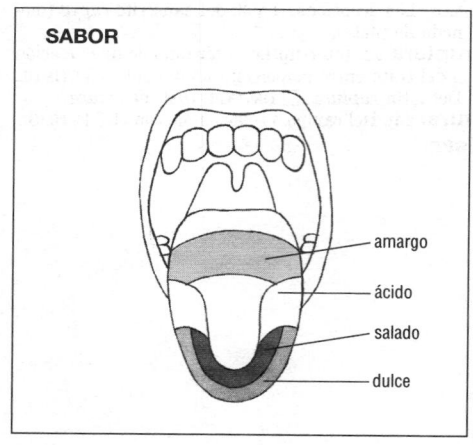

SABOR

amargo
ácido
salado
dulce

él: *Para saborear la comida hay que comer despacio.* **2** Apreciar o disfrutar con detenimiento y tranquilidad: *Saboreas el triunfo por anticipado.*

saboreo s.m. **1** Percepción del sabor de una comida o de una bebida con detenimiento y para deleitarse en él. **2** Disfrute lento de algo que resulta agradable.

sabotaje s.m. **1** Daño o destrucción de instalaciones, productos, servicios u otras cosas que pertenecen o representan un poder contra el que se lucha. **2** Oposición u obstrucción disimuladas contra un proyecto, una orden, una decisión o una idea. □ ETIMOL. Del francés *sabotage.*

saboteador, -a s. Persona que hace sabotaje.

sabotear v. Hacer sabotaje: *Por envidia ha saboteado mi proyecto y lo ha hecho fracasar.* □ ETIMOL. Del francés *saboter* (entorpecer el trabajo).

sabroso, sa adj. **1** De buen sabor o agradable al gusto. **2** Interesante o importante. □ ETIMOL. Del latín *saporosus.*

sabueso, sa ▌ adj./s. **1** Referido a un perro, de la raza que se caracteriza por tener cabeza grande, piel con numerosos pliegues, pelaje corto, orejas grandes y caídas, y cola delgada y larga. ▌ s. **2** Persona que posee una especial capacidad o habilidad para investigar y descubrir algo. □ ETIMOL. Del latín *segusius,* y éste probablemente de *Segusia* (valle de Susa, en el Piamonte), de donde procedería esta raza de perros. □ MORF. En la acepción 2, la RAE sólo lo registra como masculino.

saca s.f. Saco grande de tela fuerte más largo que ancho.

sacacorchos s.m. **1** Utensilio consistente en una espiral metálica encajada en un soporte al que se da vueltas, que se usa para sacar los corchos de las botellas. **2** ▌[**sacar** algo a alguien **con sacacorchos**; *col.* Conseguir con gran esfuerzo que le diga o hable de ello. □ MORF. Invariable en número.

sacacuartos o **sacadineros** ▌ s. **1** *col.* Persona que tiene habilidad para sacar dinero a otra. ▌ s.m. **2** *col.* Lo que tiene poco valor o constituye un despilfarro de dinero. □ MORF. 1. Invariables en número. 2. En la acepción 1, son de género común: *el* {*sacacuartos / sacadineros*} *, la* {*sacacuartos / sacadineros*} *.* □ USO 1. Aunque la RAE prefiere *sacadineros,* se usa más *sacacuartos.* 2. En la acepción 1, se usa también *sacaperras.*

sacaleches s.m. Aparato que sirve para extraer la leche del pecho de una mujer. □ MORF. Invariable en número.

sacamantecas s. *col.* Asesino que abre el cuerpo de sus víctimas y les saca órganos y vísceras. □ MORF. Invariable en género y en número.

sacamuelas s. *col.* Dentista. □ MORF. 1. Es de género común: *el sacamuelas, la sacamuelas.* 2. Invariable en número. □ USO Tiene un matiz despectivo.

[sacaperras s. →**sacacuartos.** □ MORF. 1. Invariable en número. 2. Es de género común: *el 'sacaperras', la 'sacaperras'.*

sacapuntas s.m. Instrumento o aparato que sirve para sacar punta a los lápices; afilalápices. □ MORF. Invariable en número.

sacar v. **1** Referido a algo, ponerlo fuera del lugar en que está contenido o encerrado; extraer: *Saca los cubiertos del cajón.* **2** Referido a una persona o a una cosa, quitarlas o apartarlas del lugar o de la con-

dición en que están: *Una llamada me sacó de la reunión. Una propina de lotería no me sacará de pobre.* **3** Conocer, descubrir o hallar, generalmente por señales o por indicios: *He sacado que sois hermanos por vuestro gran parecido. No me saques faltas.* **4** Obtener, conseguir o lograr: *El aceite de oliva se saca de las aceitunas.* **5** Producir, inventar o crear y poner en circulación: *¿Has visto el nuevo modelo de coche que han sacado?* **6** Mostrar, manifestar o dar a conocer: *Cuando saca su malhumor no hay quien lo aguante.* **7** Referido a una cuestión, aprenderla, resolverla o averiguarla, generalmente por medio de una operación intelectual: *Vamos a sacar la cuenta de lo que te debo.* **8** Referido a una prenda de vestir, cambiarle las costuras para ensancharla o alargarla: *Sácame la falda, que me está estrecha.* **9** Referido a una entrada o a un billete, comprarlos: *Ya he sacado el billete de avión.* **10** En algunos deportes, referido a la pelota, ponerla en juego o darle el impulso inicial: *Esa tenista saca muy bien.* **11** Quitar o hacer desaparecer: *La leche saca muy bien las manchas de tinta.* **12** Aventajar en lo expresado: *Soy más alto que tú y te saco diez centímetros.* **13** Alargar, adelantar o hacer sobresalir: *Al oír mis halagos, sacó pecho y empezó a presumir.* **14** *col.* Retratar, fotografiar o filmar: *En esta foto me has sacado fatal.* **15** Citar, nombrar o traer a la conversación: *No creo que sea el momento adecuado de sacar ese tema.* **16** ‖**sacar adelante** algo; hacer que prospere o salga bien: *Sacó adelante a diez hijos. Saqué adelante el negocio con mucho esfuerzo.* □ ETIMOL. De origen incierto. □ ORTOGR. La *c* se cambia en *qu* delante de *e* →SACAR.

sacárido s.m. Compuesto orgánico formado por carbono, hidrógeno y oxígeno, en el que el hidrógeno está en doble proporción que el oxígeno; glúcido, hidrato de carbono. □ ETIMOL. Del latín *saccharum,* y éste del griego *sákkharon* (azúcar).

sacarina s.f. Véase **sacarino, na.**

sacarino, na ▌ adj. **1** Con características del azúcar. ▌ s.f. **2** Sustancia sólida, soluble en agua, de color blanco, sabor muy dulce y que se usa generalmente para endulzar en sustitución del azúcar. □ ETIMOL. Del latín *saccharum* (azúcar).

sacarosa s.f. En química, sustancia sólida, generalmente de color blanco, de sabor muy dulce y que se extrae de la caña dulce, de la remolacha o de otros vegetales; azúcar. □ ETIMOL. Del latín *saccharum* (azúcar).

sacerdocio s.m. Cargo, estado y función del sacerdote.

sacerdotal adj. Del sacerdote o relacionado con él. □ MORF. Invariable en género.

sacerdote s.m. **1** En la iglesia católica, hombre que ha consagrado su vida a Dios y que ha sido ungido y ordenado para celebrar y ofrecer el sacrificio de la misa. **[2** En otras religiones, eclesiástico con funciones semejantes a éste. **3** Hombre dedicado a la celebración y ofrecimiento de ritos religiosos o de sacrificios a una deidad. □ ETIMOL. Del latín *sacerdos,* y éste de *sacer* (sagrado). □ MORF. 1. En la acepción 2, para indicar el femenino, se usa como aposición pospuesto a un sustantivo: *una mujer sacerdote.* En la acepción 3, su femenino es *sacerdotisa.*

sacerdotisa s.f. Mujer dedicada al ofrecimiento de sacrificios a una deidad y al cuidado de su templo o a la realización de ritos religiosos. □ ETIMOL.

Del latín *sacerdotissa*. □ MORF. Su masculino es *sacerdote*.

saciar v. Referido a un deseo o a una necesidad, satisfacerlos por completo: *Comió y bebió hasta saciar el hambre y la sed. Estoy llenísimo porque he comido hasta saciarme.* □ ETIMOL. Del latín *satiare*, y éste de *satis* (suficientemente). □ ORTOGR. La *i* nunca lleva tilde.

saciedad s.f. Hartura que se produce al satisfacer en exceso un deseo o una necesidad. □ ETIMOL. Del latín *satietas*, y éste de *satis* (suficientemente).

saco s.m. **1** Receptáculo hecho de un material flexible, abierto por uno de sus extremos y que se utiliza para llevar o contener algo. **2** Órgano o estructura orgánica con esta forma que contiene generalmente un fluido o que sirve de protección. **3** Saqueo o robo de un lugar. **4** En zonas del español meridional, chaqueta o americana. **5** ∥**echar en saco roto** algo; *col.* Olvidarlo o no tenerlo en cuenta. ∥**entrar a saco**; saquear. ∥**[meter en el mismo saco**; *col.* Considerar de la misma condición o naturaleza. ∥**saco (de dormir)**; el forrado de plumas, guata u otro material semejante y en el que se introduce una persona para dormir, esp. si es al aire libre o en una tienda de campaña. □ ETIMOL. Del latín *saccus* (saco, vestido grosero). □ USO En algunas expresiones, se usa con valor eufemístico para sustituir a *culo*.

[sacón s.m. En zonas del español meridional, chaquetón.

sacralizar v. Dar carácter sagrado: *Las religiones sacralizan muchos ritos tradicionales.* □ ETIMOL. Del francés *sacraliser*. □ ORTOGR. La *z* se cambia en *c* delante de *e* →SACAR.

sacramental adj. De los sacramentos o relacionado con ellos. □ MORF. Invariable en género.

sacramentar v. En el cristianismo, administrar los sacramentos: *El sacerdote sacramentó al enfermo, que murió minutos más tarde.*

sacramento s.m. **1** En el cristianismo, signo visible instituido por Jesucristo para transmitir un efecto interior que Dios obra en las almas de los hombres: *El bautismo y el matrimonio son sacramentos.* **2** ∥**últimos sacramentos**; los de la penitencia, eucaristía y extremaunción, que se administran a alguien que está en peligro de muerte. □ ETIMOL. Del latín *sacramentum*.

sacratísimo, ma superlat. irreg. de **sagrado**. □ MORF. Incorr. *sagradísimo*.

sacrificar ∎ v. **1** Hacer sacrificios u ofrecer algo en reconocimiento de la divinidad: *Los antiguos sacrificaban animales o víctimas a sus dioses para que sus peticiones se cumplieran.* **2** Referido esp. a un animal, matarlo, esp. para dedicarlo al consumo: *En el matadero sacrifican a las reses y las distribuyen a las carnicerías.* **3** Referido a algo, renunciar a ello o ponerlo en una situación desfavorable para conseguir otra cosa: *Sacrifico unas horas de sueño para acabar el trabajo. Muchos soldados sacrificaron su vida por la patria.* ∎ prnl. Realizar algo que resulta costoso, esp. si con ello se espera obtener un beneficio: *Se sacrifica por su familia renunciando a sus aficiones para estar con sus hijos.* □ ETIMOL. Del latín *sacrificare*. □ ORTOGR. La *c* se cambia en *qu* delante de *e* →SACAR.

sacrificio s.m. **1** Ofrenda de una víctima a una divinidad en señal de reconocimiento o de arrepen-

timiento. **[2** Ejecución de animales, esp. para dedicarlos al consumo. **3** Lo que se hace sin ganas o sin desearse, generalmente por obligación y con gran esfuerzo. **4** Acto de abnegación inspirado en el cariño. **5** En la misa, acto del sacerdote al ofrecer el cuerpo de Jesucristo representado por el pan y el vino.

sacrilegio s.m. Daño o tratamiento irreverente hacia lo que se considera sagrado.

sacrílego, ga ∎ adj. **1** Del sacrilegio o relacionado con él. ∎ adj./s. **2** Referido esp. a una persona, que comete sacrilegio. □ ETIMOL. Del latín *sacrilegus* (ladrón de objetos sagrados).

sacristán s.m. Hombre que se encarga del cuidado y arreglo de una iglesia y que ayuda al sacerdote en la misa. □ ETIMOL. Del latín *sacrista*.

sacristía s.f. Parte de una iglesia en la que se guardan las ropas y los objetos necesarios para el culto y donde los sacerdotes se revisten. □ ETIMOL. Del latín *sacristia*, y éste de *sacra* (objeto sagrado).

sacro, cra ∎ adj. **1** De la divinidad o relacionado con el culto divino; sagrado. ∎ s.m. **2** →**hueso sacro**. □ ETIMOL. Del latín *sacer* (santo, augusto).

sacrosanto, ta adj. Que es al mismo tiempo sagrado y santo. □ ETIMOL. Del latín *sacrosanctus*.

sacudida o **sacudimiento** s.f. **1** Movimiento brusco, esp. el que se hace agitando algo a uno u otro lado. **[2** Fuerte impresión. □ USO *Sacudimiento* es el término menos usual.

sacudir v. **1** Mover bruscamente a uno y otro lado: *El aire sacudía las plantas del jardín.* **2** Golpear o agitar en el aire para limpiar: *Todas las mañanas sacudo las alfombras por la ventana.* **3** Pegar o dar golpes: *Como no te calles, te sacudo.* **4** Arrojar o despedir de sí de forma brusca: *Sacúdete la tristeza y vamos a bailar.* **[5** Impresionar mucho: *La noticia de su muerte 'sacudió' al mundo entero.* **[6** En zonas del español meridional, quitar el polvo. □ ETIMOL. Del latín *succutere*.

sádico, ca ∎ adj. **1** Del sadismo o relacionado con él. ∎ adj./s. **2** Referido a una persona, que disfruta con el sufrimiento ajeno.

sadismo s.m. **1** Tendencia sexual que consiste en obtener disfrute erótico causando dolor físico o moral a otra persona. **2** Crueldad refinada que produce placer a quien la ejecuta. □ ETIMOL. Del francés *sadisme*, y éste del nombre del Marqués de Sade (novelista francés) por el contenido de sus obras.

[sadomasoquismo s.m. Tendencia sexual que consiste en obtener disfrute erótico causando dolor físico o sufrimiento a otra persona y recibiendo de ésta malos tratos y humillaciones. □ ETIMOL. De *sadismo* y *masoquismo*.

[sadomasoquista ∎ adj. **1** Del sadomasoquismo o relacionado con esta tendencia sexual. ∎ adj./s. Referido a una persona, que practica el sadomasoquismo. □ MORF. 1. Como adjetivo es invariable en género. 2. Como sustantivo es de género común: *el 'sadomasoquista', la 'sadomasoquista'.*

saduceo, a adj./s. Referido a una persona, que pertenece a la aristocracia sacerdotal judía que negaba la inmortalidad del alma. □ ETIMOL. Del latín *sadducaeus*, y éste del hebreo *sadduq* (justo).

saeta s.f. **1** Arma arrojadiza formada por una varilla delgada y ligera con una punta triangular y afilada en su vértice que se dispara con un arco;

flecha. 2 En un reloj o en una brújula, manecilla o aguja. **3** Cante flamenco de carácter religioso y tono patético y desgarrado. ☐ ETIMOL. Del latín *sagitta*.

saetero, ra ∎ adj. **1** De las saetas o flechas. ∎ s. [**2** Persona que canta saetas. ∎ s.m. **3** Hombre que luchaba con arco y saeta. ∎ s.f. **4** Ventana muy estrecha que se suele abrir en las escaleras y en otros lugares, esp. la abierta en el muro de una fortificación usada para disparar por allí las flechas.

safari s.m. **1** Expedición para cazar animales de gran tamaño que se realiza en algunas regiones africanas. **2** Expedición por algún lugar de difícil acceso. [**3** Parque zoológico en el que los animales están en libertad. ☐ ETIMOL. Del suajili *safari*.

safena s.f. →**vena safena**. ☐ MORF. La RAE sólo lo registra como adjetivo.

sáfico, ca adj. En métrica grecolatina, referido a un verso, que consta de once sílabas y que fue muy utilizado en los inicios de la lírica griega, esp. en la lírica eolia. ☐ ETIMOL. Por alusión a Safo, poetisa griega que compuso estrofas con este tipo de verso.

saga s.f. **1** Relato novelesco que cuenta la historia de dos o más generaciones de una familia. [**2** Familia o dinastía familiar. **3** Leyenda poética contenida en las colecciones de primitivas tradiciones heroicas y mitológicas escandinavas. ☐ SEM. En las acepciones 1 y 2, es incorrecto su uso para designar grupos de personas no emparentadas.

sagacidad s.f. Astucia, prudencia y capacidad de previsión. ☐ ORTOGR. Dist. de *salacidad*.

sagaz adj. **1** Astuto y prudente o que prevé y previene las cosas. **2** Referido a un animal, esp. a un perro, que localiza a sus presas siguiéndoles el rastro. ☐ ETIMOL. Del latín *sagax* (que tiene buen olfato). ☐ MORF. Invariable en género.

[**sagitado, da**] adj. Con forma de saeta o flecha.

sagitario adj./s. Referido a una persona, que ha nacido entre el 23 de noviembre y el 21 de diciembre aproximadamente. ☐ ETIMOL. Del latín *sagittarius* (noveno signo zodiacal). ☐ MORF. **1.** Como adjetivo es invariable en género. **2.** Como sustantivo es de género común: *el sagitario, la sagitario*.

sagrado, da adj. **1** De la divinidad o relacionado con el culto divino; sacro. **2** Que es digno de veneración o de respeto. ☐ ETIMOL. Del latín *sacratus* (sagrado, consagrado). ☐ MORF. Su superlativo es *sacratísimo*.

sagrario s.m. Pequeño recinto, generalmente un cofre, armario o un templete, en el que se guardan el copón y las hostias consagradas. ☐ ETIMOL. Del latín *sacrarium*.

sah (del persa) s.m. Rey de Persia (antiguo reino asiático) o Irán (país asiático en el que se convirtió aquel antiguo reino). ☐ ORTOGR. Se escribe también *sha*.

saharaui adj./s. →**sahariano**. ☐ PRON. Está muy extendida la pronunciación con *h* aspirada: [saharáui], con *h* aspirada. ☐ MORF. **1.** Como adjetivo, es invariable en género. **2.** Como sustantivo, es de género común: *el saharaui, la saharaui*.

sahariano, na ∎ adj. **1** Del desierto del Sahara (desierto africano que se extiende desde el océano Atlántico hasta el mar Rojo y desde el monte Atlas hasta el país de Sudán), o relacionado con él. ∎ adj./ s. **2** Del Sahara (territorio del noroeste africano situado junto al océano Atlántico) o relacionado con él. ∎ s.f. **3** Chaqueta amplia de tejido ligero y color

claro, que tiene bolsillos de parche y se suele ajustar con un cinturón. ☐ PRON. Está muy extendida la pronunciación con *h* aspirada: [sahariáno], con *h* aspirada. ☐ SEM. En las acepciones 1 y 2, es sinónimo de *saharaui*.

[**sahib**] s.m. En la India, forma de tratamiento con la que los criados indígenas se dirigían a sus amos. ☐ ETIMOL. Del hindi.

sahumar v. Dar humo aromático para purificar o para perfumar: *Me gusta quemar incienso o encender velas aromáticas para sahumar la sala*. ☐ ETIMOL. Del latín *suffumare*, y éste de *sub* (bajo) y *fumus* (humo). ☐ ORTOGR. La *u* lleva tilde en los presentes, excepto en las personas *nosotros* y *vosotros* →ACTUAR.

sahumerio s.m. **1** Purificación o perfume de algo que se produce mediante la aplicación de humo aromático. **2** Humo procedente de una materia aromática que se quema. **3** Esta materia.

sainete s.m. **1** Pieza teatral en un solo acto, cómica y de carácter popular, que solía representarse al final de una función o como intermedio. **2** Obra teatral generalmente cómica, de ambiente y personajes populares, en uno o en varios actos, y que se representa como función independiente. ☐ ETIMOL. De *saín* (tocino de un animal), porque sainete significó *bocado sabroso* o *salsa para acompañar la comida* y luego *pieza jocosa para acompañar la representación principal*.

sainetero, ra o **sainetista** s. Escritor de sainetes. ☐ MORF. **1.** *Sainetista* es de género común: *el sainetista, la sainetista*. **2.** La RAE sólo los registra como masculinos.

sajar v. En medicina, cortar o incidir en alguna parte del cuerpo para curarlo: *Me sajaron el quiste que tenía en el brazo*. ☐ ETIMOL. Del francés antiguo *jarser*. ☐ ORTOGR. Conserva la *j* en toda la conjugación.

sajón, -a adj./s. **1** De un antiguo pueblo germánico que se estableció en el siglo V en las islas de Gran Bretaña o relacionado con él. **2** De Sajonia (antiguo Estado alemán que corresponde a los actuales de Baja Sajonia, Sajonia Anhalt y Sajonia), o relacionado con él.

sake s.m. Bebida alcohólica que se obtiene por la fermentación del arroz y que es típicamente japonesa. ☐ ETIMOL. Del japonés *sake*.

sal ∎ s.f. **1** Sustancia cristalina, muy soluble en agua, generalmente blanca y de sabor característico, que se utiliza para condimentar alimentos, conservar carnes y en la industria química; cloruro sódico. **2** En química, compuesto obtenido al reaccionar un ácido con una base. **3** Agilidad, gracia y desenvoltura en la expresión o en los gestos. ∎ pl. **4** Sustancia salina que generalmente contiene amoniaco y que se utiliza para reanimar a una persona desmayada. **5** ‖ **sales (de baño)**; sustancia perfumada que se disuelve en el agua para el baño. ☐ ETIMOL. Del latín *sal*.

sala s.f. **1** Local o dependencia para diversos usos. **2** En una vivienda, habitación en la que hace vida la familia. **3** ‖ **sala de fiestas**; establecimiento público en el que se puede bailar y consumir bebidas y en el que normalmente se ofrecen cenas y espectáculos. ‖ [**sala X**; cine especializado en proyectar películas pornográficas. ☐ ETIMOL. Del germánico *sal* (edificio que consta solamente de una gran sala de recepción). ☐ USO 1. Es innecesario el uso del galicismo *boite* y del anglicismo *nightclub* en lugar de *sala de fiestas*. 2. En la acepción 2, se usa más la expresión *sala de estar*.

salabre s.m. Red de pesca de uso individual, consistente en una bolsa de red sujeta a un armazón con mango. ☐ ETIMOL. De origen incierto. ✦ pesca

salacot s.m. Sombrero de copa esférica y rígida que se usa en países cálidos. ☐ ETIMOL. Del tagalo *salakót*. ✦ sombrero

saladar s.m. Terreno salino formado por la desecación de las marismas.

saladero s.m. Lugar en el que se salan carnes o pescados.

salado, da adj. 1 Con sal o con más sal de la necesaria. ✦ sabor 2 Ágil, gracioso y desenvuelto en la expresión o en los gestos. 3 En zonas del español meridional, con mala suerte o que la atrae.

saladura s.f. 1 Introducción en sal de un alimento, esp. una carne o un pescado, para su conservación. 2 Aplicación de sal a un alimento.

salamandra s.f. Anfibio con la piel lisa de color negruzco y grandes manchas amarillentas o rojizas, que tiene una gran cola redondeada, vive en bosques húmedos y se mueve muy despacio. ☐ ETIMOL. Del latín *salamandra*. ☐ MORF. Es un sustantivo epiceno: *la salamandra macho, la salamandra hembra*.

salamanquesa s.f. Reptil que se alimenta de insectos, es de color grisáceo y pardo rojizo, tiene una gran cola y los dedos anchos en sus extremos provistos de laminillas adhesivas. ☐ ETIMOL. De *salamandra*. ☐ MORF. Es un sustantivo epiceno: *la salamanquesa macho, la salamanquesa hembra*.

salame s.m. En zonas del español meridional, salami.

salami s.m. Embutido parecido al salchichón, pero de mayor grosor, que se hace con carne de vaca y de cerdo picadas y mezcladas en determinadas proporciones. ☐ ETIMOL. Del italiano *salami*.

salar v. 1 Referido esp. a un alimento, echarlo en sal para su conservación: *Hay que salar los jamones para que no se estropeen*. 2 Sazonar con sal o añadir la sal conveniente: *¿Has salado los filetes antes de freírlos?* 3 En zonas del español meridional, estropear. 4 En zonas del español meridional, gafar.

salarial adj. Del salario o relacionado con él. ☐ MORF. Invariable en género.

salario s.m. 1 Cantidad de dinero con que se retribuye un trabajo, generalmente el de los trabajadores manuales. 2 ‖ **salario mínimo**; el estipulado por la ley que debe ser pagado como mínimo a todo trabajador en activo. ‖ **[salario social**; el que recibe de la administración una persona que está sin trabajo. ☐ ETIMOL. Del latín *salarium* (sueldo; suma que se daba a los soldados para que se compraran sal).

salazón s.f. 1 Operación para conservar alimentos metiéndolos en sal. 2 Carnes o pescados salados.

salce s.m. →**sauce**. ☐ ETIMOL. Del latín *salix* (sauce).

salchicha s.f. Embutido delgado y alargado, elaborado generalmente con carne de cerdo picada y condimentada con sal, pimienta y otras especias. ☐ ETIMOL. Del italiano *salciccia*.

salchichería s.f. Establecimiento en el que se venden salchichas y otros embutidos.

salchichero, ra s. Persona que se dedica a la fabricación o a la venta de salchichas y otros embutidos, esp. si ésta es su profesión.

salchichón s.m. Embutido elaborado con jamón, tocino y pimienta en grano, prensado y curado.

salcochar v. Cocer carnes, pescados u otros alimentos en agua con sal: *Prefiero salcochar el pescado porque prepararlo de otra forma lleva más tiempo*. ☐ ETIMOL. De *sal* y *cocho* (cocido).

saldar v. 1 Referido a una cuenta, liquidarla completamente pagando lo que se adeuda o recibiendo lo que sobra: *Saldó las cuentas que tenía con varios bancos*. 2 Referido esp. a un asunto o a una deuda, acabarlos, liquidarlos o darlos por terminados: *Con esos años de cárcel, saldó sus deudas con la justicia*. ☐ ETIMOL. Del italiano *saldare* (soldar, consolidar), y éste de *saldo* (entero, intacto).

saldo s.m. 1 En economía, cantidad que resulta a favor o en contra en una cuenta corriente, como diferencia entre el debe y el haber. [2 Lo que se obtiene a favor o en contra al liquidar o al dar por terminado un asunto. 3 Mercancía que se vende a bajo precio para terminar con las existencias. [4 Venta de mercancías con estas características. ☐ SEM. No debe emplearse con el significado de 'número': *Aquel terremoto terminó con un {*saldo > número} de cien mil muertos*.

saledizo s.m. En un edificio, parte que sobresale de la fachada o de otra pared principal.

salero s.m. 1 Recipiente en el que se guarda o se sirve la sal. 2 *col.* Gracia o desenvoltura en la forma de actuar.

saleroso, sa adj./s. Que tiene salero o gracia.

salesiano, na ∎ adj. 1 De la Sociedad de san Francisco de Sales (congregación fundada en el siglo XIX por san Juan Bosco), o relacionado con ella. ∎ adj./s. 2 Referido a un religioso, que pertenece a esta congregación.

salguera s.f. o **salguero** s.m. →**sauce**. ☐ ETIMOL. Del latín **salicaria* y **salicarius*, y éstos de *salix* (sauce).

sálica adj. →**ley sálica**.

salicáceo, a ∎ adj./s.f. 1 Referido a una planta, que es arbórea o arbustiva, tiene hojas sencillas y alternas, flores unisexuales en espiga y fruto en cápsula con muchas semillas: *El sauce y el chopo son árboles salicáceos*. ∎ s.f.pl. 2 En botánica, familia de estas plantas, perteneciente a la clase de las dicotiledóneas. ☐ ETIMOL. Del latín *Salix* (sauce), que es el nombre de un género de plantas.

salicilato s.m. Sal formada por el ácido salicílico y una base.

salicílico adj. Referido a un ácido, que es orgánico y se utiliza como conservante y en la síntesis de colorantes y medicamentos. ☐ ETIMOL. Del latín *salix* (sauce).

[salicultura s.f. Explotación industrial y comercial de las salinas. ☐ ETIMOL. De *sal* y *-cultura* (cultivo, cuidado).

salida s.f. Véase **salido, da**.

salido, da ∎ adj. 1 Que sobresale en un cuerpo más de lo normal. 2 Referido a la hembra de un animal, que está en celo. ∎ adj./s. 3 *vulg.* Referido a una persona, que siente gran deseo sexual. ∎ s.f. 4 Paso de dentro a fuera. 5 Partida hacia otro lugar. 6 Lugar por el que se sale. 7 Lugar del que se parte para hacer un recorrido. 8 Fin o término de un oficio, actividad, condición o dependencia. **9** Aparición, manifestación o muestra: *la salida del sol*. **10** *col.* Dicho agudo y ocurrente. **11** Escapatoria, recurso o solución con que se vence una dificultad o un peligro. **12** Puesta en venta de un producto. [**13** Posibilidad o perspectivas de venta. **14** En contabilidad, anotación en el haber de una cuenta. ▮ s.f.pl. **15** Posibilidades laborales o profesionales de futuro que ofrecen algunos estudios. [**16** En informática, informaciones que proporciona un ordenador después de procesar los datos. **17** ‖ **salida de tono**; *col.* Dicho inconveniente o impertinente. ☐ MORF. En la acepción 3, la RAE sólo lo registra como adjetivo. ☐ USO En la acepción 3, es despectivo.

saliente ▮ adj. **1** Que sale. ▮ s.m. **2** Parte que sobresale en algo. ☐ MORF. Invariable en género.

salina s.f. Véase **salino, na**.

salinidad s.f. **1** Propiedad de lo que tiene sal. **2** Cantidad proporcional de sal que contiene disuelta el agua del mar o una solución química.

salino, na ▮ adj. **1** Que contiene sal. ▮ s.f. **2** Mina o yacimiento de sal. **3** Laguna o depósito de poca profundidad en los que se acumula agua salada para que se evapore y se precipite la sal.

salir ▮ v. **1** Pasar de dentro a fuera: *Sal al jardín. El agua se sale por la tubería*. **2** Partir a otro lugar: *Mañana salimos de vacaciones*. **3** Referido a algo molesto, librarse de algo: *Con ese préstamo, saldremos del apuro*. **4** Aparecer, manifestarse, mostrarse o dejarse ver: *Es tan vergonzoso que enseguida le salen los colores a la cara. Salió en televisión un político famoso*. **5** Ocurrir, sobrevenir u ofrecerse como novedad: *Me ha salido una oferta de colaboración en un periódico*. **6** Resultar, quedar o acabar siendo: *Tras mucho esfuerzo, todo salió bien*. **7** Ir a la calle a pasear o a divertirse: *Todos los sábados salgo con mis amigos*. **8** Ser novio o novia: *Llevan un año saliendo y ya piensan casarse*. **9** Sobresalir, destacar o estar más alto o más afuera: *El que sale por detrás en la foto es mi primo*. **10** Originarse, nacer o tener su procedencia: *El néctar sale de las flores*. **11** Ser elegido por votación: *Salí delegada por mayoría*. **12** Ir a parar o desembocar: *El camino sale a una carretera comarcal*. **13** Referido esp. a una planta o a una de sus partes, nacer o brotar: *Las flores salen en primavera*. **14** Referido a una mancha, quitarse, borrarse o desaparecer: *La tinta sale con la leche*. **15** Referido a un producto, ponerse en venta: *Este periódico sale todos los días*. **16** Referido a una compra, costar o valer: *Si compras en grandes cantidades, te saldrá más barato*. **17** Referido a una tarea o a una cuenta, resultar bien hechos o ajustados: *¿Cómo te va a salir la división si no te sabes la tabla de multiplicar?* **18** En algunos juegos, iniciar la partida: *En esta partida de damas, salen las blancas*. ▮ prnl. **19** Referido a un líquido, rebosar al hervir: *Se salió la leche y puso toda la cocina de pena*. **20** ‖ **salir a** alguien; parecérsele o heredar sus rasgos: *Ha salido a su padre hasta en el mal genio*. ‖ **salir con** algo; hacerlo o manifestarlo de manera inesperada: *¡No me salgas ahora con esa tontería, hombre!* ‖ **salirse** alguien **con la suya**; hacer su voluntad en contra de la opinión de otros o a pesar de su oposición: *Se puso tan pesado que al final se salió con la suya*. ☐ ETIMOL. Del latín *salire* (saltar). ☐ MORF. Irreg. →SALIR.

salitre s.m. **1** En química, nitrato de potasio, que se encuentra en forma de agujas o de polvo blanquecino en la superficie de los terrenos húmedos y salados; nitro. **2** Sustancia salina. ☐ ETIMOL. Del catalán *salnitre*, y éste del latín *sal* (sal) y *nitrum* (salitre).

saliva s.f. **1** Líquido acuoso y algo viscoso, segregado por unas glándulas situadas en la boca de las personas y de algunos animales, y que sirve para reblandecer los alimentos y hacer más fácil su deglución y su digestión. **2** ‖ **gastar saliva**; *col.* Hablar, esp. cuando resulta inútil. ‖ **tragar saliva**; *col.* Soportar en silencio y sin protestar algo que ofende o que molesta. ☐ ETIMOL. Del latín *saliva*.

salivación s.f. Segregación de saliva.

salivadera s.f. En zonas del español meridional, escupidera.

salival adj. De la saliva o relacionado con ella. ☐ MORF. Invariable en género.

salivar v. Arrojar o segregar saliva: *Las glándulas salivales salivan fundamentalmente cuando hay alimentos en la boca*.

salivazo s.m. Saliva que se escupe de una vez.

salmantino, na adj./s. De Salamanca o relacionado con esta provincia española o con su capital.

salmer s.m. En arquitectura, piedra del muro, cortada con inclinación, de donde arranca un arco adintelado. ☐ ETIMOL. Del provenzal *saumier* (bestia de carga, viga). ⟨≖⟩ arco

salmo s.m. Composición o canto de alabanza a Dios, esp. referido a los que figuran en la Biblia compuestos por David (profeta y rey israelita). ☐ ETIMOL. Del latín *psalmus*.

salmodia s.f. **1** Música o canto con que se entonan los salmos. **2** *col.* Canto monótono, aburrido y poco expresivo. [**3** *col.* Lo que se repite o se pide de manera insistente ⨍ molesta. ☐ ETIMOL. Del griego *psalmoidía*.

salmodiar v. Cantar salmos o salmodias: *Desde el claustro se oía salmodiar a los monjes*. ☐ ORTOGR. La *i* nunca lleva tilde.

salmón ▮ adj./s.m. **1** De color rosa anaranjado. ▮ s.m. **2** Pez de color gris azulado, con puntos negros por los costados y carne rosa anaranjada, que vive en el mar en su fase adulta y que remonta los ríos contra corriente para desovar y reproducirse en ellos. ⟨≖⟩ pez ☐ ETIMOL. Del latín *salmo*. ☐ MORF. En la acepción 2, es un sustantivo epiceno: *el salmón macho, el salmón hembra*.

[**salmonella** s.f. Bacteria que se desarrolla en algunos alimentos y que produce salmonelosis. ☐ ETIMOL. Por alusión a D. E. Salmon, médico inglés. ☐ PRON. [salmonéla].

[**salmonelosis** s.f. Intoxicación o infección intestinal producidas por el consumo de alimentos contaminados con 'salmonellas'. ☐ ETIMOL. De *salmonella* y *-osis* (enfermedad). ☐ MORF. Invariable en número.

salmonete s.m. Pez marino de color rosado, cabeza grande con dos barbillas en su mandíbula inferior, cola en forma de horquilla y cuya carne es muy apreciada en gastronomía. ☐ ETIMOL. Del francés *surmulet*. ☐ MORF. Es un sustantivo epiceno: *el salmonete macho, el salmonete hembra*.

salmónido ▮ adj./s.m. **1** Referido a un pez, que tiene el cuerpo alargado y cubierto de escamas, el esqueleto completamente osificado, una segunda aleta dorsal adiposa o grasa y mandíbulas provistas de *dientes: La trucha es un salmónido.* ▮ s.m.pl. **2** En zoología, familia de estos peces. ☐ ETIMOL. De *salmón.*

salmuera s.f. Agua con mucha sal. ☐ ETIMOL. Del latín *sal* (sal) y *muria* (salmuera).

salobre adj. Que contiene sal. ☐ ETIMOL. De origen incierto. ☐ ORTOGR. Dist. de *salubre.* ☐ MORF. Invariable en género.

salobridad s.f. Sabor a sal que presenta una sustancia. ☐ ORTOGR. Dist. de *salubridad.*

salomón s.m. Hombre de gran sabiduría. ☐ ETIMOL. Por alusión a Salomón, rey bíblico israelita, famoso por su sabiduría y prudencia al gobernar.

salomónico, ca adj. [Referido esp. a la justicia o a una decisión, que se caracteriza por su sabiduría y por su carácter equilibrado y justo.

salón s.m. **1** Sala o local de grandes dimensiones en los que se celebran reuniones o actos públicos con numerosos asistentes. **2** En una vivienda, habitación principal en la que se suele recibir a las visitas y que sirve a menudo como cuarto de estar y comedor. **3** Establecimiento en el que se prestan determinados servicios: *salón de belleza.* **4** Exposición pública de carácter comercial, artístico o científico, que suele celebrarse periódicamente. **[5** En zonas del español meridional, aula o clase. **6** ‖ **[de salón;** frívolo, mundano o de aceptación en ambientes de moda.

[salpicadera s.f. En zonas del español meridional, guardabarros.

salpicadero s.m. En un automóvil, tablero situado en su interior, delante del asiento del conductor, y en el que se encuentran algunos mandos y aparatos indicadores.

salpicadura s.f. **1** Esparcimiento de un líquido, producido al saltar en gotas pequeñas. **2** Mancha producida con estas gotas.

salpicar v. **1** Referido a un líquido, saltar esparciéndose o esparcirlo en gotas menudas: *Cada vez que frío un huevo salpico el aceite por toda la cocina.* **2** Mojar o manchar con estas gotas: *Pasó un coche por el charco y me salpicó de barro.* **[3** Afectar, implicar o alcanzar indirectamente, generalmente manchando la reputación: *El escándalo financiero 'salpicó' a varios altos cargos.* **4** Referido esp. a una superficie, esparcir por ella elementos sueltos: *Salpicó la tarta con unas cerezas.* ☐ ETIMOL. De origen incierto. ☐ ORTOGR. La *c* se cambia en *qu* delante de *e* →SACAR.

salpicón s.m. Plato elaborado con carne o con pescado o marisco, todo ello cocido, desmenuzado y condimentado con sal, pimienta, aceite, vinagre y cebolla.

salpimentar v. Condimentar o adobar con sal y pimienta: *Para elaborar chorizos, se pica y salpimienta carne de cerdo.* ☐ MORF. Irreg. →PENSAR.

salpresar v. Referido a un alimento, ponerle sal para que se conserve y prensarlo: *En algunos puertos salpresan los bacalaos.* ☐ ETIMOL. Del latín *sal* (sal) y *pressare* (apretar, prensar).

salpullido s.m. →sarpullido.

salsa s.f. **1** Caldo o crema elaborado con varias sustancias mezcladas y desleídas y que se prepara para acompañar o para condimentar comidas. **[2** Jugo que suelta un alimento al cocinarlo. **3** Lo que anima o hace más atractivo, agradable o excitante. **[4** Música de origen caribeño en la que se mezclan ritmos africanos y latinos muy vivos y alegres. **5**

‖ **en su (propia) salsa**; en su ambiente o rodeado de un entorno que le resulta propio o agradable y cómodo. ☐ ETIMOL. Del latín *salsa* (salada).

salsera s.f. Véase **salsero, ra.**

[salsería s.f. Establecimiento en el que se sirven patatas fritas con diversas salsas.

salsero, ra ▮ adj. **[1** De la salsa o relacionado con este tipo de música. ▮ s.f. **2** Recipiente en el que se sirve salsa.

saltador, -a ▮ s. **1** Deportista que practica algún tipo de salto. ▮ s.m. **2** Cuerda que se usa para saltar con ella de diversas maneras.

saltamontes s.m. Insecto de color verde, gris o pardo, de cuerpo cilíndrico, antenas largas, dos pares de alas y patas traseras muy fuertes que le permiten desplazarse a grandes saltos. ☐ MORF. **1.** Es un sustantivo epiceno: *el saltamontes macho, el saltamontes hembra.* **2.** Invariable en número. 🔄 insecto

saltar ▮ v. **1** Levantarse con impulso del suelo o del lugar en que se está para caer en el mismo sitio o en otro: *El jugador saltó con fuerza para encestar el balón.* **2** Lanzarse desde una altura para caer más abajo: *La nadadora saltó desde un trampolín de dos metros.* **3** Destacar, sobresalir o hacerse notar: *Salta a la vista lo limpio que está.* **4** Intervenir o decir algo en la conversación de forma inesperada: *Le pregunté que por qué no había venido y me saltó con que no lo habíamos invitado.* **5** Pasar de una situación a otra sin pasar por estados intermedios: *En un momento saltas de la alegría a la tristeza.* **6** En deporte, salir al terreno de juego: *Los jugadores saltaron al campo en medio de grandes ovaciones.* **7** Referido a una persona, molestarse o resentirse y manifestarlo exteriormente: *No te metas con él, que salta enseguida.* **8** Referido a un líquido, salir hacia arriba con ímpetu: *Si cae agua en la sartén, el aceite caliente salta.* **[9** Referido a un mecanismo, empezar a funcionar: *Al tocar el cuadro, 'saltó' el dispositivo de seguridad.* **10** Omitir o pasar por alto: *Me he saltado un capítulo que era muy aburrido. Se saltó un semáforo en rojo.* **11** Romper o ser destruido violentamente: *Los ladrones saltaron la cerradura. El cristal saltó en mil pedazos.* **12** Soltar, separar o desprender: *De la lumbre saltaban chispas.* ▮ prnl. **13** Referido a una norma, infringirla o incumplirla: *Si te saltas nuestras reglas serás expulsado del equipo.* ☐ ETIMOL. Del latín *saltare* (bailar, dar saltitos). ☐ SEM. En el lenguaje del deporte, están muy extendidas expresiones como *saltar al campo* o *saltar al terreno de juego* con el significado de 'salir a él'.

saltarín, -a adj./s. Inquieto o que se mueve mucho.

salteador, -a s. Persona que asalta y roba en los despoblados o caminos.

saltear v. **1** Asaltar y robar, esp. en los caminos y lugares despoblados: *En el siglo XIX era frecuente que los bandoleros saltearan a los viajeros de las diligencias.* **2** Referido a una acción, realizarla de forma discontinua sin seguir el orden debido o dejando sin hacer parte de ella: *Leí el libro salteando los capítulos que me parecían más aburridos.* **3** Referido a un alimento, freírlo ligeramente: *He salteado el jamón y la zanahoria antes de echarlos a cocer.*

salterio s.m. Instrumento musical de cuerda formado por una caja de madera generalmente con forma de prisma, más estrecha y abierta por la parte superior, y sobre la que se extienden varias hileras de cuerdas que se suelen tocar con un pequeño mazo, con una púa o con las uñas. ☐ ETIMOL. Del griego *psaltérion* (especie de cítara). ✄ cuerda

saltimbanqui s. *col.* Persona que realiza saltos y ejercicios de acrobacia, esp. si lo hace en espectáculos públicos al aire libre. ☐ ETIMOL. Del italiano *saltimbancchi.* ☐ MORF. 1. Es de género común: *el saltimbanqui, la saltimbanqui.* 2. La RAE sólo lo registra como masculino.

salto s.m. **1** Elevación con impulso del suelo o del lugar en el que se está para caer en el mismo sitio o en otro. **2** Lanzamiento desde una altura para caer más abajo. **3** Omisión de un elemento. **4** Paso de una situación a otra sin pasar por estados intermedios. **5** Despeñadero profundo. **6** Caída de un caudal de agua. **7** En deporte, modalidad deportiva que consiste en saltar una altura o una longitud. **8** ‖ **a salto de mata; 1** Huyendo y ocultándose. **2** Aprovechando las ocasiones que se presentan casualmente. ‖ **salto de cama;** bata amplia de mujer que se utiliza al levantarse de la cama. ‖ **[salto del ángel];** en natación, salto de trampolín que se realiza extendiendo los brazos en forma de cruz y volviéndolos a juntar al entrar en el agua. ‖ **salto mortal;** el que se realiza lanzándose de cabeza y dando una vuelta en el aire. ‖ **triple salto;** salto de longitud en el que el atleta apoya los pies dos veces antes de caer con los dos pies juntos. ☐ ETIMOL. Del latín *saltus.* ☐ USO Es innecesario el uso del galicismo *deshabillé* en lugar de *salto de cama.*

saltón, -a adj. Que sobresale más de lo normal, esp. referido a los ojos.

salubérrimo, ma superlat. irreg. de **salubre.**

salubre adj. Saludable o bueno para la salud. ☐ ETIMOL. Del latín *saluber.* ☐ ORTOGR. Dist. de *salobre.* ☐ MORF. 1. Invariable en género. 2. Su superlativo es *salubérrimo.*

salubridad s.f. **1** Propiedad de lo que es salubre. **[2** En zonas del español meridional, sanidad. ☐ ORTOGR. Dist. de *salobridad.*

salud ‖ s.f. **1** Estado en el que un organismo vivo realiza normalmente todas sus funciones. **2** Condiciones físicas en que se encuentra el organismo de un ser vivo en un determinado momento. **3** Buen estado o buen funcionamiento de algo. ‖ interj. **[4** Expresión que se usa para brindar. **5** *col.* Expresión que se usa para saludar o para desear un bien a alguien. **6** ‖ **curarse** alguien **en salud;** prevenirse de un daño o de un mal ante la más pequeña amenaza. ☐ ETIMOL. Del latín *salus* (buen estado físico, salvación, conservación).

saludable adj. **1** Que sirve para conservar o para restablecer la salud corporal. **2** Que tiene o manifiesta buena salud o aspecto sano. **3** Bueno o provechoso para algo. ☐ MORF. Invariable en género. ☐ SEM. Es sinónimo de *salutífero.*

saludar v. **1** Referido a una persona, dirigirle palabras o gestos de cortesía al encontrarla o al despedirse de ella: *Desde que se enfadaron ni siquiera se saludan.* **2** Realizar un gesto o ademán de respeto o ciertos actos en honor de algo: *Al entrar el príncipe en el cuartel lo saludaron con veintiuna salvas de cañón.* ☐ ETIMOL. Del latín *salutare.*

saludo s.m. **1** Pronunciación de palabras o realización de gestos de cortesía al encontrar a una persona o al despedirse de ella; salutación. **2** Realización de un gesto o ademán de respeto o de ciertos

actos en honor de algo. **3** Palabra, fórmula o gesto que se utilizan para saludar.

salutación s.f. Pronunciación de palabras o realización de gestos de cortesía al encontrar a una persona o al despedirse de ella; saludo. ☐ ETIMOL. Del latín *salutatio.*

salutífero, ra adj. →**saludable.** ☐ ETIMOL. Del latín *salutifer,* y éste de *salus* (salud) y *ferre* (llevar).

salva s.f. Véase **salvo, va.**

salvación s.f. **1** Rescate o liberación de un peligro o de un daño. **2** Prevención de la pérdida, de la destrucción o del daño de algo. **3** En religión, liberación del pecado y de sus consecuencias y alcance de la gloria eterna. ☐ SEM. En las acepciones 1 y 2, es sinónimo de *salvamento.*

salvado s.m. Cáscara desmenuzada del grano de los cereales; afrecho.

salvador, -a adj./s. Que salva.

salvadoreño, ña adj./s. De El Salvador (país centroamericano), o relacionado con él.

salvaguarda s.f. →**salvaguardia.**

salvaguardar v. Defender o proteger: *El Tribunal Constitucional salvaguarda el cumplimiento de la Constitución.* ☐ ETIMOL. Del francés *sauvegarder* (proteger).

salvaguardia s.f. Custodia o protección de algo; salvaguarda.

salvajada s.f. Hecho o dicho propios de un salvaje.

salvaje ‖ adj. **1** Referido a un animal, que no es doméstico o que no vive totalmente condicionado al hombre. **2** Referido a una planta, que se ha criado en el campo de forma natural y sin cultivo. **3** Referido a un terreno, que es abrupto y está sin cultivar. **[4** *col.* Incontrolable o irrefrenable. ‖ adj./s. **5** Que mantiene formas primitivas de vida y no se ha incorporado al desarrollo de la civilización. **6** *col.* Obstinado, de poca inteligencia o que no tiene educación. **[7** *col.* Cruel o inhumano. ☐ ETIMOL. Del catalán y del provenzal *salvatge,* y éste del latín *silvaticus* (propio del bosque). ☐ MORF. 1. Como adjetivo es invariable en género. 2. Como sustantivo es de género común: *el salvaje, la salvaje.* ☐ USO La acepción 5 tiene un matiz despectivo.

salvajismo s.m. **1** Modo de ser o de actuar propio de los salvajes. **2** Crueldad y falta de humanidad.

salvamanteles s.m. Pieza sobre la que se colocan objetos muy calientes para proteger el mantel. ☐ MORF. Invariable en número.

salvamento s.m. **1** Rescate o liberación de un peligro o de un daño. **2** Prevención de la pérdida, de la destrucción o del daño de algo. ☐ SEM. Es sinónimo de *salvación.*

salvar v. **1** Librar de un peligro, de un daño o de la destrucción: *El socorrista me salvó. Estas lluvias salvarán la cosecha. Sólo dos libros se salvaron del fuego.* **2** Referido esp. a una dificultad, vencerla, superarla o evitarla: *El caballo salvó el obstáculo saltando por encima.* **3** Exceptuar o dejar aparte: *Salvando los fallos del equipo técnico, la representación ha sido buena. Todos son unos ladrones, el secretario es el único que se salva.* **4** Referido a una distancia, recorrerla: *Salvó en media hora 50 km.* **5** En religión, librar del pecado y dar o alcanzar la gloria eterna: *Sólo Dios puede salvar al hombre. Los que mueren en gracia de Dios se salvan.* ☐ ETIMOL. Del latín *salvare.* ☐ MORF. 1. Tiene un participio regular (*salvado*), que se usa en la conjugación, y otro irregular (*salvo*), que se usa como adjetivo y preposición.

salvavidas s.m. **1** Flotador u otra cosa que permite sostenerse sobre la superficie del agua, esp. el que tiene forma de anillo: *bote salvavidas*. **[2** En zonas del español meridional, socorrista. □ MORF. Invariable en número. □ SINT. La acepción 1 se usa en aposición pospuesto a un sustantivo.

salve s.f. **1** Oración con la que se saluda y se ruega a la Virgen María. **2** Composición musical para el canto de esta oración. □ ETIMOL. Del latín *salve* (te saludo).

salvedad s.f. Excepción o advertencia que se emplean como excusa o limitación a algo. □ ETIMOL. De *salvo*.

salvia s.f. Planta herbácea que tiene flores generalmente azuladas y en espiga, y hojas estrechas con borde ondulado que, cocida, tiene propiedades digestivas. □ ETIMOL. Del latín *salvia*, y éste de *salvus* (salvo), porque la salvia tiene propiedades beneficiosas.

salvo adv. Fuera de, excepto.

salvo, va ▌ adj. **1** Que no ha sufrido daño o que se ha librado de un peligro. **2** Omitido o exceptuado: *Me di un golpe en salva sea la parte*. ▌ s.f. **3** Disparo o grupo de disparos que se hacen como saludo, como aviso o para celebrar algo. **4** ‖**a salvo**; seguro o fuera de peligro. ‖**salva de aplausos**; aplausos numerosos y generalizados. □ ETIMOL. Las acepciones 1 y 2, del latín *salvus*. La acepción 3, de *salvar*.

salvoconducto s.m. **1** Documento expedido por una autoridad y que permite a la persona que lo lleva transitar libremente por determinada zona o territorio. **2** Libertad o privilegio para hacer algo sin ser castigado por ello.

samaritano, na adj./s. **1** De Samaria (antigua ciudad asiática) o relacionado con ella. **[2** Persona que ayuda a otra.

samba s.f. **1** Composición musical de origen brasileño, de compás binario y ritmo rápido. **2** Baile que se ejecuta al compás de esta música.

sambenito s.m. Mala fama o descrédito que pesa sobre alguien. □ SINT. Se usa más con los verbos *colgar*, *poner* o equivalentes.

samovar s.m. Recipiente provisto de un tubo interior en el que se pone carbón y que se usa para preparar el té. □ ETIMOL. Del ruso *samovar* (agua que bulle por sí misma).

samuray (del japonés) s.m. En la antigua sociedad feudal japonesa, miembro de una clase inferior de la nobleza formada por los militares que estaban al servicio de los señores feudales. □ MORF. Su plural es *samuráis*.

san adj. →**santo**. □ MORF. Apócope de *santo* ante nombre propio de varón, excepto los de Tomás, Tomé, Toribio y Domingo.

sanador, -a s. Persona que ejerce prácticas curativas sin ser médico.

sanar v. Recuperar la salud o restituirla: *Sanará pronto porque es una mujer fuerte*. □ ETIMOL. Del latín *sanare*. □ SEM. Dist. de *sanear* (dar las condiciones higiénicas necesarias a un lugar, recuperar o mejorar algo).

sanatorio s.m. Establecimiento preparado para que en él residan enfermos que necesitan someterse a un tratamiento.

sanción s.f. **1** Autorización o aprobación que se da a cualquier acto, uso o costumbre. **2** Pena o castigo que se aplica a quien no cumple una ley o una norma, esp. si están recogidos legalmente. □ ETIMOL. Del latín *sanctio*, y éste de *sancire* (consagrar).

sancionador, -a adj./s. Que sanciona.

sancionar v. **1** Referido a una disposición, darle fuerza de ley: *El rey sanciona las leyes que se aprueban en las Cortes*. **2** Referido a un acto, a un uso o a una costumbre, autorizarlos o aprobarlos: *Un bando del alcalde sanciona la costumbre de festejar también la víspera del día del patrón del pueblo*. **3** Aplicar una sanción o un castigo: *Lo sancionaron con una multa por aparcar en lugar prohibido*. □ ETIMOL. De *sanción*.

sanctasanctórum s.m. **1** Parte o lugar más respetado, reservado o secreto. **2** Lo que tiene mucho valor para una persona. **3** En el tabernáculo judío, parte interior y más sagrada. □ ETIMOL. Del latín *sancta sanctorum* (lugar más santo de los santos). □ MORF. Invariable en número.

sanctus s.m. Oración de alabanza que se reza durante la misa. □ ETIMOL. Del latín *sanctus* (sagrado, santo).

sandalia s.f. **1** Calzado formado por una suela que se sujeta al pie mediante correas o cintas. 🖾 calzado **2** Zapato ligero y muy abierto. □ ETIMOL. Del latín *sandalia*.

sándalo s.m. **1** Árbol parecido al nogal, con hojas elípticas, opuestas y muy verdes, flores pequeñas, fruto parecido a la cereza y madera amarillenta de excelente olor. **2** Madera olorosa de este árbol. **[3** Esencia que se obtiene mediante la destilación de la madera de este árbol. □ ETIMOL. Del griego *sántalon*.

sandez s.f. **1** Ignorancia o simpleza. **2** Hecho o dicho ignorante, inconveniente o carente de sentido. □ ETIMOL. Del antiguo *sandéo* (necio). □ USO Es innecesario el uso del galicismo *boutade*.

sandía s.f. **1** Planta herbácea de tallo flexible, tendido por el suelo, hojas de color verde oscuro, flores amarillas y fruto redondo, de gran tamaño y color verde por fuera y rojo, jugoso y muy dulce por dentro. **2** Fruto de esta planta. □ ETIMOL. Del árabe *sindiyya* (perteneciente a la región del Sind, en Paquistán).

[sandinismo s.m. Movimiento político nicaragüense representado por el Frente Sandinista de Liberación Nacional (organización política y militar fundada en los años sesenta), que defiende las ideas de César Augusto Sandino (nicaragüense de la primera mitad del siglo XX).

[sandinista ▌ adj. **1** Del sandinismo o relacionado con este movimiento político. ▌ adj./s. **2** Partidario o seguidor del sandinismo. □ MORF. 1. Como adjetivo es invariable en género. 2. Como sustantivo es de género común: *el 'sandinista', la 'sandinista'*.

[sánduche s.m. En zonas del español meridional, sándwich o bocadillo. □ ETIMOL. Del inglés *sandwich*.

sandunga s.f. col. Gracia, agudeza o desenvoltura en la forma de actuar. □ ETIMOL. De origen incierto.

sandunguero, ra adj. col. Que tiene sandunga.

sándwich s.m. **1** Bocadillo elaborado con dos rebanadas de pan de molde; emparedado. **[2** En zonas del español meridional, bocadillo. ☐ ETIMOL. Del inglés *sandwich*. ☐ PRON. 1. [sángüich]. 2. En zonas del español meridional, también [sánguche]. ☐ MORF. Su plural es *sándwiches*.

[sandwichera s.m. Electrodoméstico que sirve para hacer sándwiches. ☐ PRON. [sangüichéra].

[sandwichería s.f. En zonas del español meridional, bocadillería. ☐ PRON. [sangüichería] o [sanguchería].

saneado, da adj. Referido esp. a los bienes o a las rentas, que están libres de cargas o de descuentos.

saneamiento s.m. **1** Dotación de condiciones higiénicas. **2** Reparación, mejora o recuperación de algo. **3** Conjunto de técnicas, de servicios, de dispositivos o de piezas destinados a mantener las condiciones de higiene en edificios o lugares.

sanear v. **1** Referido esp. a un lugar, darle las condiciones higiénicas necesarias o preservarlo de la humedad o de las vías de agua: *Para acabar con la humedad del sótano hay que sanearlo*. **2** Reparar, mejorar o hacer que se recupere: *Para sanear la economía hace falta promover el ahorro*. ☐ ETIMOL. De *sano*. ☐ SEM. Dist. de *sanar* (recuperar la salud o restituirla).

sanedrín s.m. **1** Máximo órgano de gobierno de los judíos, en el que se trataban y decidían los asuntos de estado y de religión. **2** Lugar donde se reunía este consejo.

[sanfermines s.f.pl. Fiestas populares que se celebran en Pamplona (capital de la comunidad autónoma navarra) durante una semana a partir del 7 de julio. ☐ ETIMOL. De san Fermín, santo que se celebra el día 7 de julio.

[sanfrancisco s.m. Bebida sin alcohol elaborada con una mezcla de zumos de diferentes frutas.

sangrado s.m. En imprenta, comienzo de una línea más adentro que el resto de la página; sangría.

sangrante adj. **1** Que sangra. **2** Que ofende o indigna en exceso. ☐ MORF. Invariable en género.

sangrar v. **1** Echar sangre: *La herida todavía le sangra*. **2** Abrir o punzar una vena para que salga cierta cantidad de sangre: *Antiguamente se sangraba a los enfermos para ver si sanaban*. **3** Referido a un árbol, hacerle incisiones en la corteza del tronco para que salga la resina: *Sangran los pinos para obtener resina*. **4** col. Referido a una persona, aprovecharse de ella, esp. sacándole dinero con frecuencia y de forma abusiva: *No te doy ni una peseta más porque ya me has sangrado bastante*. **5** En un escrito, referido esp. a una línea o a un párrafo, empezarlos un poco más adentro que el resto de la página: *No tienes que sangrar todo el párrafo, sólo la primera línea*.

sangre s.f. **1** Líquido de color rojo que circula por las arterias y las venas de las personas y de los animales. **2** Linaje, parentesco o familia. **3** ‖**a sangre fría**; conscientemente, con premeditación y tranquilidad. ‖**chupar la sangre**; col. Abusar de alguien. ‖**de sangre caliente**; referido a un animal, que tiene una temperatura corporal que no depende de la ambiental. ‖**de sangre fría**; referido a un animal, que tiene una temperatura corporal que depende de la ambiental. ‖**hacerse** alguien **mala sangre**; sentir mucha rabia por algo que no se puede evitar. ‖**llevar** algo **en la sangre**; ser innato o hereditario. ‖**no llegar la sangre al río**; col. No tener consecuencias graves. ‖**no tener sangre en**

las venas; ser de carácter demasiado tranquilo. ‖**sangre azul**; la que es noble. ‖**sangre fría**; serenidad, tranquilidad o calma. ‖**subírsele** a alguien **la sangre a la cabeza**; col. Perder la serenidad, irritarse mucho o encolerizarse. ☐ ETIMOL. Del latín *sanguis*.

sangría s.f. **1** Derramamiento abundante de sangre. **2** Punción o corte de una vena para que salga cierta cantidad de sangre. **3** Pérdida, gasto o robo de algo, esp. de dinero, que se hace poco a poco y sin notarse mucho. **4** Bebida refrescante hecha con agua, vino y trozos de frutas. **5** En imprenta, comienzo de una línea más adentro que el resto de la página; sangrado.

sangriento, ta adj. **1** Que causa abundante derramamiento de sangre; cruento. **2** Manchado de sangre o mezclado con ella; sanguinolento. **3** Que ofende gravemente por su crueldad o mala intención. ☐ ETIMOL. Del latín *sanguinentus*.

[sánguche s.m. En zonas del español meridional, bocadillo. ☐ ETIMOL. Del inglés *sandwich*.

[sangüiche s.m. En zonas del español meridional, sándwich o bocadillo.

sanguijuela s.f. **1** Gusano de agua dulce, de cuerpo anillado y una ventosa en cada extremo, con la boca en el centro de una de ellas, que se alimenta de la sangre que le chupa a los animales. **2** col. Persona que se aprovecha de otra, generalmente sacándole dinero poco a poco o viviendo a su costa. ☐ ETIMOL. Del latín **sanguisugiola*.

sanguina s.f. [→**naranja sanguina**. ☐ ETIMOL. Del latín *sanguis* (sangre).

sanguinario, ria adj. Referido esp. a una persona, que se complace en derramar sangre y es cruel y despiadada. ☐ ETIMOL. Del latín *sanguinarius*.

sanguíneo, a adj. **1** De la sangre o relacionado con ella. **2** Que contiene sangre o es abundante en ella. ☐ ETIMOL. Del latín *sanguineus*.

sanguinolento, ta adj. **1** Manchado de sangre o mezclado con ella; sangriento. [**2** Referido esp. al ojo, con la esclerótica llena de venas rojas. ☐ ETIMOL. Del latín *sanguinolentus*.

sanidad s.f. Conjunto de servicios, de personal y de instalaciones dedicados a mantener o cuidar la salud pública y las condiciones higiénicas de un país, de una región o de una zona. ☐ ETIMOL. Del latín *sanitas*.

sanitario, ria ▌adj. **1** De la sanidad o relacionado con ella. ▌adj./s.m. **2** Referido a un aparato o a una instalación, que sirven para la higiene y el aseo personales. ▌s. **3** Persona que trabaja en los servicios de sanidad civiles o militares. ▌s.m. **4** En zonas del español meridional, servicio o retrete. ☐ ETIMOL. Del latín *sanitas* (sanidad).

[sanjacobo s.m. Comida hecha con dos filetes finos, generalmente de lomo o de jamón, entre los que se coloca una loncha de queso, que se rebozan en huevo y pan rallado y se fríen.

sanmartín s.m. **1** Época en que se realiza la matanza del cerdo, en torno al 11 de noviembre. **2** Matanza del cerdo que se realiza en esta época. **3** ‖(**llegarle/venirle**} a alguien **su sanmartín**; col. Llegarle o venirle el momento en que se acaben sus placeres y comience a sufrir. ☐ ETIMOL. De san Martín, santo que se celebra el día 11 de noviembre.

sano, na adj. **1** Con buena salud; bueno. **2** Bueno o beneficioso para la salud. **3** En buen estado o sin daño. **4** Sin vicios ni costumbres moral o psicológicamente reprochables. **5** ‖ **cortar por lo sano**; *col.* Remediar algo con un procedimiento drástico o radical. ☐ ETIMOL. Del latín *sanus* (sano, sensato).

sánscrito, ta ∎ adj. **1** De los brahmanes hindúes, de su lengua o relacionado con ella. ∎ s.m. **2** Antigua lengua de los brahmanes hindúes. ☐ ETIMOL. Del sánscrito *sámskrta* (perfecto (gramaticalmente)).

sanseacabó interj. *col.* Expresión que se usa para dar por terminado un asunto. ☐ ORTOGR. Se admite también *san se acabó.*

santanderino, na adj./s. De Santander o relacionado con esta ciudad cántabra.

santateresa s.f. Insecto masticador, de cuerpo verdoso y patas anteriores erguidas y juntas cuando permanecen en reposo, cuya hembra suele devorar al macho después de la cópula; mantis religiosa. ☐ MORF. Es un sustantivo epiceno: *la santateresa macho, la santateresa hembra.* 🔬 insecto

santería s.f. Devoción supersticiosa o demostración exagerada o falsa de devoción religiosa.

santero, ra ∎ adj./s. **1** Que muestra una devoción exagerada o supersticiosa a las imágenes de los santos. ∎ s. [**2** Curandero que pide la ayuda de los santos para realizar sus curaciones.

santiamén ‖ **en un santiamén**; en un instante. ☐ ETIMOL. Del latín *Spiritus Sancti, Amén* (expresión con que finalizan algunas oraciones).

santidad s.f. **1** Cualidad o estado de santo. **2** Tratamiento honorífico que se da al Papa (máximo representante de la iglesia católica). ☐ USO La acepción 2 se usa más como nombre propio y en la expresión ⟨*Su / Vuestra*⟩ *Santidad.*

santificación s.f. **1** Conversión en santo. **2** En el cristianismo, dedicación de algo a Dios. **3** Reconocimiento de algo como santo, honrándolo y rindiéndole culto.

santificar v. **1** Hacer santo: *Han santificado a un niño.* **2** En el cristianismo, dedicar a Dios: *Uno de los diez mandamientos es el de santificar las fiestas.* **3** Hacer venerable por la presencia o el contacto con lo que es santo: *Ha llevado a la iglesia una vela para santificarla.* **4** Referido a algo santo, reconocerlo como tal y honrarlo y rendirle culto como merece: *Hemos de santificar el nombre de Dios.* ☐ ETIMOL. Del latín *sanctificare*, y éste de *sanctus* (santo) y *facere* (hacer). ☐ ORTOGR. La *c* se cambia en *qu* delante de *e* →SACAR.

santiguar v. Hacer la señal de la cruz tocando con los dedos de la mano derecha, primero la frente y el pecho, y después el hombro izquierdo y el hombro derecho: *Al santiguarnos se invoca a la Santísima Trinidad.* ☐ ETIMOL. Del latín *sanctificare*, y éste de *sanctus* (santo) y *facere* (hacer). ☐ ORTOGR. 1. La *u* lleva diéresis cuando la sigue *e*. 2. La *u* permanece siempre átona →AVERIGUAR. ☐ SEM. Dist. de *persignar* (hacer la señal de la cruz en la frente, la boca y el pecho y santiguar a continuación). ☐ USO Se usa más como pronominal.

santo, ta ∎ adj. **1** Dedicado esp. a Dios o a alguna divinidad, relacionado con ellos o venerable por algún motivo de religión. **2** Conforme a la ley de Dios. **3** Seguido de un sustantivo, matiza de forma enfática el significado de la frase: *Estoy harto de que hagas*

siempre tu santa voluntad. ∎ adj./s. **4** Referido a una persona, que ha sido reconocida por la iglesia católica como alguien que ha llevado una vida de perfección religiosa y ha alcanzado el cielo, y que debe ser venerada como tal. **5** Referido a una persona, que tiene especial virtud y sirve de ejemplo. ∎ s.m. **6** En una publicación impresa, viñeta, grabado, estampa o dibujo que la ilustran. **7** Respecto de una persona, día dedicado por la Iglesia al santo que coincide con el nombre de ésta. **8** ‖ **a santo de qué**; con qué motivo o por qué razón. ‖ **írsele** a alguien **el santo al cielo**; *col.* Olvidarse totalmente de algo. ‖ **llegar y besar el santo**; *col.* Lograr a la primera lo que se quiere. ‖ **quedarse para vestir santos**; *col.* Referido esp. a una mujer, quedarse soltera. ‖ **santo y seña**; [palabra o conjunto de palabras que sirven de contraseña. ☐ ETIMOL. Del latín *sanctus.* ☐ MORF. Ante nombre propio de varón, excepto los de Domingo, Tomás, Tomé y Toribio, se usa la apócope *san.*

santón s.m. Persona que lleva una vida austera y que no pertenece a la religión cristiana.

santoral s.m. **1** Libro que contiene la vida o los hechos de los santos. **2** Lista de los santos cuya festividad se conmemora en cada uno de los días del año.

santuario s.m. **1** Lugar en el que se venera a una divinidad o a otros seres sagrados. [**2** Lugar que se considera importante o valioso por alguna circunstancia. [**3** Lugar o recinto en el que se encuentra refugio o protección. ☐ ETIMOL. Del latín *sanctuarium.*

santurrón, -a adj./s. Que muestra una devoción, unos escrúpulos o unas virtudes exagerados o falsos. ☐ USO Tiene un matiz despectivo.

santurronería s.f. Muestra o manifestación de una devoción, de unos escrúpulos o de unas virtudes exageradas o falsos. ☐ USO Tiene un matiz despectivo.

saña s.f. **1** Intención cruel, rencorosa o malintencionada. **2** Furor, furia, rabia o enojo. ☐ ETIMOL. De origen incierto.

sañudo, da adj. Que tiene saña.

sapiencia s.f. *col.* Sabiduría. ☐ ETIMOL. Del latín *sapientia.*

sapiencial adj. De la sabiduría o relacionado con ella. ☐ MORF. Invariable en género.

[sapientísimo, ma adj. *col.* Muy sabio. ☐ USO Tiene un matiz humorístico.

sapo s.m. **1** Anfibio parecido a la rana, con ojos muy saltones, extremidades delanteras cortas y piel gruesa de aspecto rugoso. **2** ‖ **sapos y culebras**; juramentos, maldiciones y palabras ofensivas o malsonantes que se dicen cuando se está muy enfadado. ☐ ETIMOL. De origen incierto. ☐ MORF. En la acepción 1, es un sustantivo epiceno: *el sapo macho, el sapo hembra.* ☐ SINT. La expresión *sapos y culebras* se usa más con los verbos *echar, soltar* o equivalentes.

saprofito, ta adj. Referido a una planta o a un microorganismo, que vive a expensas de materias orgánicas muertas o en descomposición. ☐ ETIMOL. Del griego *saprós* (podrido) y *phytón* (planta). ☐ PRON. Incorr. [saprófito].

saque s.m. **1** En deporte, puesta en juego de una pelota o lanzamiento con el que se inicia o reanuda el juego. **2** *col.* Capacidad para comer o beber mucho. **3** ‖**saque de esquina**; en fútbol y en otros deportes, el realizado desde una esquina del campo como castigo a una jugada en la que el balón sale fuera por la línea de meta; córner. ☐ SEM. En la acepción 1, aunque la RAE lo considera sinónimo de *servicio*, éste se ha especializado para el saque en el tenis y en el balonvolea.

saqueador, -a adj./s. Que saquea.

saquear v. **1** Referido esp. a un lugar, apoderarse por la fuerza de lo que en él se encuentra: *Los soldados enemigos saquearon la ciudad.* **2** Robar o coger todo o casi todo lo que hay en un lugar: *Cuando viene a mi casa aprovecha para saquear mi biblioteca.* ☐ ETIMOL. Del italiano *saccheggiare*.

saqueo s.m. **1** Apropiación por la fuerza de lo que se encuentra en un lugar. **2** Apropiación de todo o de casi todo lo que hay en un lugar.

sarampión s.m. Enfermedad contagiosa que se manifiesta por multitud de manchas pequeñas y rojas y que va precedida y acompañada de lagrimeo, estornudos, tos y otros síntomas catarrales. ☐ ETIMOL. Del latín *sirimpio* (erupción de la piel).

sarao s.m. **1** Fiesta o reunión nocturna con música y baile. **[2** *col.* Situación confusa, agitada o embarazosa, esp. si va acompañada de gran alboroto y tumulto; lío. ☐ ETIMOL. Del gallego *serao* (anochecer).

sarape s.m. Prenda de vestir mejicana que consiste en una especie de manta de colores vivos con una abertura en el centro para meter la cabeza.

sarasa s.m. *col.* Hombre afeminado u homosexual. ☐ USO Tiene un matiz despectivo.

sarcasmo s.m. Burla o ironía crueles o mordaces con las que se ofende o se maltrata. ☐ ETIMOL. Del latín *sarcasmus*.

sarcástico, ca adj. Que muestra, expresa o implica sarcasmo.

sarcófago s.m. Sepulcro en el que se entierra un cadáver. ☐ ETIMOL. Del latín *sarcophagus*, y éste del griego *sarkophágos* (el que devora la carne).

sarcoma s.m. Tumor maligno del tejido conjuntivo. ☐ ETIMOL. Del latín *sarcoma*, y éste del griego *sárkoma* (aumento de carne).

sardana s.f. **1** Composición musical típica de la tradición catalana. **2** Baile en corro que se ejecuta al compás de esta música. ☐ ETIMOL. Del catalán *sardana*.

sardina s.f. Pez marino con el cuerpo en forma de huso, de color negro azulado por encima, dorado en la cabeza y plateado en los costados y el vientre, que vive en grandes grupos. ☐ ETIMOL. Del latín *sardina*. ☐ MORF. Es un sustantivo epiceno: *la sardina macho, la sardina hembra.* ↘ pez

sardinel s.m. **1** En zonas del español meridional, bordillo. **[2** En zonas del español meridional, acera.

sardinero, ra adj. De la sardina o relacionado con ella.

sardo, da ∎ adj./s. **1** De Cerdeña (isla mediterránea italiana), o relacionado con ella. ∎ s.m. **2** Lengua románica hablada en esta isla.

sardónico, ca adj. **1** Referido a la risa, que resulta afectada y no es natural. **[2** Que expresa ironía.

sargento, ta ∎ s. **[1** Persona autoritaria o mandona. ∎ s.m. **2** En el ejército, persona cuyo empleo militar es superior al de cabo primero e inferior al de sargento primero. **3** ‖**sargento primero**; en el ejército, persona cuyo empleo militar es superior al de sargento e inferior al de brigada. ☐ ETIMOL. Del francés *sergent* (sirviente).

sarí s.m. Prenda de vestir femenina, con forma de túnica, hecha de una sola pieza de tela. ☐ ETIMOL. Del hindi *sari*. ☐ PRON. Aunque la pronunciación culta es [sarí], está muy extendida *sari*.

[sarín s.m. →**gas sarín**.

sarmiento s.m. En una vid, rama o rebrote largos, flexibles y nudosos, de los cuales brotan las hojas y los racimos. ☐ ETIMOL. Del latín *sarmentum*, y éste de *sarpere* (podar la vid).

sarna s.f. Enfermedad cutánea contagiosa, producida por un parásito que se alimenta de células superficiales de la piel o que excava túneles debajo de ella. ☐ ETIMOL. Del latín *sarna*.

sarnoso, sa adj./s. Que tiene sarna.

sarpullido s.m. Erupción leve y pasajera en la piel que se caracteriza por la aparición de muchos granitos o ronchas. ☐ ORTOGR. Se admite también *salpullido*.

sarraceno, na adj./s. Mahometano o que tiene como religión el islamismo.

sarro s.m. Sustancia amarillenta que se adhiere al esmalte de los dientes. ☐ ETIMOL. De origen incierto.

sarta s.f. **1** Serie de cosas metidas por orden en un hilo, en una cuerda o en algo semejante. **2** Serie de cosas iguales o parecidas: *una sarta de disparates.* ☐ ETIMOL. Del latín *serta* (guirnalda, corona).

sartén s.f. **1** Recipiente de cocina, generalmente de metal, de forma circular, poco hondo y con mango largo, que se usa para guisar. **2** ‖**tener la sartén por el mango**; *col.* Ser dueño de la situación, poder decidir o mandar. ☐ ETIMOL. Del latín *sartago*. ☐ MORF. En zonas del español meridional se usa como masculino.

sartenazo s.m. Golpe dado con una sartén.

sartorio adj./s.m. →**músculo sartorio**.

sastre, tra s. Persona que se dedica profesionalmente al corte y a la costura de vestidos, esp. de hombre. ☐ ETIMOL. Del provenzal o del catalán *sastre*, y éste del latín *sartor* (sastre remendón).

sastrería s.f. Lugar en el que se hacen, arreglan o venden vestidos, esp. de hombre.

satán o **satanás** s.m. Persona muy mala y perversa. ☐ ETIMOL. Por alusión a Satán o Satanás, dos de los nombres del demonio. ☐ USO Es despectivo.

satánico, ca adj. **1** De Satanás (el demonio), con sus características o relacionado con él. **[2** Del satanismo o relacionado con este conjunto de creencias y prácticas.

satanismo s.m. **[1** Conjunto de creencias y prácticas relacionadas con Satán (el demonio), o con su culto. **2** Maldad o perversidad satánicas o extremas.

satélite s.m. **1** Cuerpo celeste que describe una órbita alrededor de un planeta; luna. **2** Estado o nación dominados política y económicamente por otro estado más poderoso. **3** Población situada fuera del recinto de una ciudad importante que está vinculada a ésta de algún modo. **4** ‖**satélite artificial**; aparato puesto en órbita alrededor de la Tierra o de otro astro. ☐ ETIMOL. Del latín *satelles* (miembro de una escolta). ☐ SINT. En las acepciones 2 y 3, se usa en aposición a un sustantivo. ☐ USO En la acepción 2, tiene un matiz despectivo.

satén s.m. Tela brillante de seda o de algodón, parecida al raso, pero de menor calidad. ☐ ETIMOL. Del francés *satin*.

satinado s.m. Tratamiento que se da, mediante presión, a un papel o a una tela para dejarlos lisos y brillantes.

satinar v. Referido a un papel o a una tela, alisarlos y darles brillo por medio de la presión: *Para satinar el papel hay que someterlo a la acción de la calandria.* ☐ ETIMOL. Del francés *satiner*, y éste de *satin* (satén).

sátira s.f. Escrito, dicho o hecho cuyo objeto es censurar, criticar o ridiculizar de forma cruel o mordaz. ☐ ETIMOL. Del latín *satyra*.

satírico, ca ∎ adj. **1** De la sátira o relacionado con ella. ∎ adj./s. **2** Referido a una persona, que cultiva la sátira.

satirizar v. Censurar o criticar de forma cruel o mordaz: *En su última película satiriza el mundo del periodismo.* ☐ ORTOGR. La *z* se cambia en *c* delante de *e* →CAZAR.

sátiro s.m. **1** En la mitología grecolatina, divinidad lasciva o dominada por el deseo sexual que habitaba en los campos y que tenía figura de hombre con barba, patas y orejas de macho cabrío y cola de cabra o de caballo. **2** Hombre lascivo o dominado por el deseo sexual. ☐ ETIMOL. Del latín *satyrus*.

satisfacción s.f. **1** Gusto o placer que se siente por algo. **2** Cumplimiento del deseo, del gusto o de una necesidad. **3** Premio que se da por una acción meritoria. **4** Razón, hecho o modo con los que se contesta y responde a una queja, a una ofensa, a un sentimiento o a algo en contra.

satisfacer v. **1** Referido a una deuda, pagarla por completo: *Ha satisfecho su deuda y ya no nos debe nada.* **2** Referido esp. a una sensación o a un sentimiento, saciarlos o hacer que cesen: *Con tanta comida ya he satisfecho mi hambre.* **3** Referido a una duda o a una dificultad, darles solución o resolverlas: *Dime qué parte de la explicación no ha quedado clara y satisfaré tu pregunta.* **[4** Referido esp. a un deseo, conseguirlo o realizarlo: *Con este viaje 'he satisfecho' mi deseo de visitar Nueva York.* **5** Referido a un requisito o a una exigencia, cubrirlos o llenarlos: *Tu perfil satisface todos los requisitos necesarios para este puesto de trabajo.* **6** Referido a un agravio o a una ofensa, deshacerlos o hacer algo para compensarlos: *Debes pedirle disculpas para satisfacer la ofensa que le has hecho.* **7** Referido a una acción meritoria, premiarla enteramente: *Tengo que satisfacerte por el favor que me hiciste el otro día.* **[8** Gustar, agradar o complacer: *Me 'satisface' ver que habéis hecho las paces y que ahora os lleváis tan bien.* ☐ ETIMOL. Del latín *satisfacere*, de *satis* (suficientemente) y *facere* (hacer). ☐ MORF. Irreg.: 1. Su participio es *satisfecho*. 2. →HACER, excepto en el imperativo: {*satisfaz/satisface*}.

satisfactorio, ria adj. **1** Que puede satisfacer. **2** Grato, favorable o propicio.

satisfecho, cha ∎ **1** part. irreg. de satisfacer. ∎ adj. **2** Contento, complacido o conforme. ☐ MORF. En la acepción 1, incorr. *satisfacido*.

sátrapa s. **1** col. Persona que gobierna y manda abusando de su autoridad o poder. **[2** col. Persona que vive con mucho lujo. ☐ ETIMOL. Del latín *satrapa*, y éste del griego *satrápes*. ☐ MORF. En la acepción 1, la RAE sólo lo registra en masculino.

saturación s.f. **1** Hartazgo o satisfacción que se producen por haber saciado por completo algo. **2** Ocupación de algo por completo o del todo. **3** En química, estado de equilibrio de una disolución que ya no admite más cantidad de la sustancia que se disuelve.

saturar v. **1** Hartar, saciar o satisfacer por completo: *Estas navidades he terminado saturado de turrón.* **2** Colmar, llenar completamente u ocupar del todo: *Cada día hay más fábricas de electrodomésticos y así el mercado se satura.* **3** En química, referido a una disolución, añadir una sustancia de forma que no admita más cantidad de ésta: *Para obtener cristales de sal, tuvimos que saturar una disolución salina y dejarla en reposo.* ☐ ETIMOL. Del latín *saturare* (hartar).

saturnal ∎ adj. **1** De Saturno (dios romano de la abundancia y de las cosechas, y planeta que lleva su nombre) o relacionado con él. ∎ s.f. **2** En la antigua Roma, fiesta que se celebraba en honor de este dios. **3** Orgía desenfrenada o fiesta en la que se cometen todo tipo de excesos. ☐ MORF. 1. Como adjetivo es invariable en género. 2. La acepción 2 se usa más en plural.

sauce s.m. **1** Árbol de tronco grueso y derecho, con abundantes ramas y ramillas colgantes y hojas alternas lanceoladas, verdes por el haz y blancas por el envés. **2** ‖ **sauce llorón**, el que tiene las ramas muy largas, flexibles y colgantes y suele plantarse como árbol ornamental. ☐ ETIMOL. Del latín *salix*. ☐ SEM. Es sinónimo de *salce*, *salguera* y *salguero*.

saudade s.f. poét. Nostalgia, añoranza o sentimiento de soledad. ☐ ETIMOL. Del portugués *saudade*.

[saudí o **[saudita** adj./s. De Arabia Saudí (país asiático occidental). ☐ MORF. 1. Como adjetivo es invariable en género. 2. Como sustantivo es de género común: *el {'saudí'/'saudita'}, la {'saudí'/'saudita'}*. 3. Aunque el plural de *saudí* en la lengua culta es *saudíes*, se usa mucho *saudís*.

sauna s.f. **1** Baño de vapor a muy altas temperaturas que hace sudar abundantemente y que se suele tomar para eliminar grasas y toxinas y para limpiar la piel. **2** Establecimiento en el que se toman estos baños. ☐ ETIMOL. Del finlandés *sauna*. ☐ MORF. En zonas del español meridional se usa como masculino: *un baño sauna*.

saurio ∎ adj./s.m. **1** Referido a un reptil, que tiene el cuerpo y la cola alargados, la piel escamosa, generalmente cuatro extremidades cortas y mandíbula provista de dientes: *El cocodrilo es un saurio.* ∎ s.m.pl. **2** En zoología, grupo de estos reptiles. ☐ ETIMOL. Del griego *sauros* (lagarto).

savia s.f. **1** En algunas plantas, sustancia líquida que circula por sus vasos conductores y de la que se nutren sus células. **2** Lo que da vitalidad o energía. ☐ ETIMOL. Del latín *sapa* (vino cocido, mosto), porque se consideraba que era el zumo de los árboles. ☐ ORTOGR. Dist. de *sabia* (f. de *sabio*).

[savoir faire (galicismo) ‖ Saber hacer o tener desenvoltura y destreza para realizar algo. ☐ PRON. [savuár fer]. ☐ USO . Su uso es innecesario y puede sustituirse por una expresión como *saber hacer*.

saxo s.m. **1** →saxofón. ⚞ viento **[2** →saxofonista.

saxofón s.m. Instrumento musical de viento, formado por un tubo metálico y cónico en forma de 'U', provisto de llaves y con embocadura de madera. □ ETIMOL. Del inglés *saxophone*, y éste de Sax (nombre del inventor del instrumento) y el griego *phoné* (sonido). □ MORF. En la lengua coloquial, se usa mucho la forma abreviada *saxo*. □ USO Aunque la RAE prefiere *saxófono*, se usa más *saxofón*. 🔊 viento

[saxofonista s. Músico que toca el saxofón. □ MORF. 1. Es de género común: *el 'saxofonista', la 'saxofonista'*. 2. En la lengua coloquial se usa mucho la forma abreviada *saxo*.

saxófono s.m. →**saxofón**. 🔊 viento

saya s.f. Falda o enagua. □ ETIMOL. Del latín *sagia*, y éste de *sagum* (especie de manto).

sayal s.m. **1** Tela muy basta hecha de lana. **2** Prenda de vestir hecha con esta tela.

sayo s.m. Prenda de vestir amplia, larga y sin botones, que cubre el cuerpo desde el cuello hasta más abajo de la rodilla. □ ETIMOL. Del latín *sagum*.

sayón s.m. **1** En una procesión de Semana Santa, cofrade o persona que desfila vestido con una túnica larga. **2** Antiguamente, verdugo que ejecutaba los castigos a los que eran condenados los reos. □ ETIMOL. Del gótico latinizado *sagio*.

sazón s.f. **1** Punto, madurez o estado de perfección: *Me gusta la fruta cuando está en sazón*. **2** ‖**a la sazón**; en aquel tiempo u ocasión: *Entonces llegó mi hermano, a la sazón, director del gabinete de prensa*. □ ETIMOL. Del latín *satio* (tiempo de sembrar).

sazonar v. Referido a una comida, darle gusto y sabor, generalmente con los condimentos adecuados: *Sazona el guiso con sal, pimienta y perejil*.

[scalextric s.m. →**escaléxtric**. □ PRON. [escaléxtric]. □ USO Es un anglicismo innecesario y puede sustituirse por una expresión como *paso elevado*.

[scanner s.m. →**escáner**. □ PRON. [escáner]. □ USO Es un anglicismo innecesario.

[scherzo (italianismo) s.m. Pieza musical de forma libre y ritmo muy vivo y alegre. □ PRON. [eskértso]. □ MORF. Se usa mucho el plural italiano *scherzi*.

[schop s.m. En zonas del español meridional, cerveza de barril que se sirve en jarra. □ PRON. [chop].

[schopería s.f. En zonas del español meridional, cervecería. □ PRON. [chopería].

[scooter (anglicismo) s.m. Motocicleta de poca cilindrada, de ruedas pequeñas, con un asiento alargado sobre el receptáculo del motor y con espacio entre éste y una plancha protectora frontal para que el conductor ponga las piernas. □ PRON. [escúter].

[scotch (anglicismo) s.m. Whisky escocés. □ PRON. [escóch]. □ USO Su uso es innecesario.

[scout (anglicismo) ▌ adj. **1** Del escultismo o relacionado con este movimiento juvenil: *campamento 'scout'*. ▌ adj./s. **2** Que es miembro de este movimiento. □ PRON. [escáut]. □ MORF. 1. Como adjetivo es invariable en género. 2. Como sustantivo es de género común: *el 'scout', la 'scout'*.

[scratch (anglicismo) Técnica empleada por algunos pinchadiscos, que consiste en girar el plato hacia delante y hacia atrás con la mano. □ PRON. [escrách].

[script (anglicismo) s. En un rodaje cinematográfico, persona que trabaja como ayudante del director anotando los detalles y pormenores de las escenas filmadas. □ PRON. [escríp].

se pron.pers. **1** Forma de la tercera persona que

corresponde al complemento sin preposición: *Se ducha todos los días. Se abrazaron emocionados*. **2** Forma de la tercera persona que corresponde al complemento indirecto *le* y *les* cuando éste va acompañado de las formas pronominales de complemento directo *lo, la, los, las*: En 'No se lo dije', 'se' es el complemento indirecto. □ ETIMOL. La acepción 1, del latín *se*. La acepción 2, del latín *illi* (ellos). □ ORTOGR. Dist. de *sé* (del verbo *saber*). □ MORF. No tiene diferenciación de género ni de número. □ SINT. Se usa para construir oraciones impersonales y de pasiva: *Se supone que yo no lo sé. Se venden pisos*.

sebáceo, a adj. De sebo o que tiene semejanza o relación con él.

sebo s.m. Grasa sólida que se saca de los animales. □ ETIMOL. Del latín *sebum*.

seborrea s.f. Aumento anormal de la secreción de las glándulas sebáceas de la piel. □ ETIMOL. Del latín *sebum* (sebo) y *-rrea* (expulsión).

seborreico, ca adj. De la seborrea o relacionado con este aumento de secreción sebácea.

seboso, sa adj. Que tiene sebo o grasa, esp. si es en cantidad.

[secada s.f. En zonas del español meridional, secado.

secadero s.m. **1** Lugar preparado para secar, de forma natural o artificial, frutos u otros productos. **[2** En zonas del español meridional, tendedero.

secado s.m. Eliminación del líquido o de la humedad.

secador s.m. Electrodoméstico que sirve para secar, esp. el pelo. 🔊 electrodoméstico

secadora s.f. Aparato o máquina, generalmente eléctrico, que sirve para secar, esp. la ropa.

secano s.m. Tierra de cultivo que no se riega y que sólo recibe agua cuando llueve. □ ETIMOL. Del latín *siccanus*.

secante ▌ adj./s.f. **1** En geometría, referido a una línea o a una superficie, que cortan a otras líneas o superficies. ▌ s.m. **2** Sustancia que se añade a la pintura para hacer que ésta seque pronto. □ ETIMOL. La acepción 1, del latín *secans*, y éste de *secare* (cortar). La acepción 2, de *secar*. □ MORF. Como adjetivo es invariable en género.

secar ▌ v. **1** Dejar sin agua, sin líquido, sin jugo o sin humedad: *Seca tus manos en la toalla. Tiende la colada para que se seque*. **2** Referido a una planta, quitarle su verdor o causar su muerte: *Tanto calor secará los rosales. En otoño se secan las hojas de los árboles y caen al suelo*. **3** Referido esp. al corazón o al entendimiento, embotarlos o disminuir su fuerza o su afectividad: *Se le secó la imaginación y no volvió a escribir*. **4** Referido esp. a una herida, cerrarla o cicatrizarla: *Si se te abre la herida, déjala descubierta para que se seque*. ▌ prnl. **5** Adelgazar excesivamente, por lo general a causa de la enfermedad o de la vejez: *El pobre anciano se iba secando y estaba ya en los huesos*. □ ETIMOL. Del latín *siccare*. □ ORTOGR. La *c* se cambia en *qu* delante de *e* →SACAR.

secarral s.m. Terreno muy seco.

sección s.f. **1** En un todo, parte o grupo en que se divide o se considera dividido. **2** Figura o dibujo de una superficie o de un cuerpo al ser cortado por un plano, generalmente vertical, con objeto de mostrar su estructura o su disposición interior. **3** En geometría, figura que resulta de la intersección de una superficie o de un cuerpo con otra superficie. **4**

En el ejército, unidad homogénea que forma parte de una compañía, de un escuadrón o de una batería y que suele estar mandada por un teniente o por un alférez. **5** Separación o corte que se hacen en un cuerpo sólido con un instrumento cortante. ☐ ETI-MOL. Del latín *sectio* (cortadura).

seccionar v. Cortar separando, fraccionar o dividir en secciones: *Seccioné un tablero para hacer varios estantes.*

secesión s.f. Separación de parte del pueblo y del territorio de una nación, generalmente para independizarse o para unirse a otra. ☐ ETIMOL. Del latín *secessio*, y éste de *secedere* (separarse).

secesionismo s.m. Tendencia u opinión favorables a la secesión política.

secesionista ∎ adj. **1** De la secesión, del secesionismo o relacionado con ellos. ∎ adj./s. **2** Partidario o defensor de la secesión o del secesionismo. ☐ MORF. 1. Como adjetivo es invariable en género. 2. Como sustantivo es de género común: *el secesionista, la secesionista.*

seco, ca adj. **1** Sin agua, sin líquido, sin jugo o sin humedad. **2** Referido esp. a un lugar o a su tiempo atmosférico, que se caracteriza por la escasez de lluvias. **3** Referido esp. a una planta, que ha perdido su verdor y vigor o que está muerta. [**4** Referido a la piel o al pelo, con menos grasa o menos hidratación de lo normal. **5** Referido a un sonido, que es ronco, áspero o cortado. **6** Referido a un golpe, que se produce con fuerza, rapidez y sin resonar. **7** Referido a una bebida alcohólica, de sabor poco dulce. **8** Referido a una persona o a su trato, que son bruscos, poco afectuosos o poco expresivos. **9** Flaco o con poca carne. **10** col. Muerto en el acto. [**11** col. Con mucha sed. [**12** col. Muy sorprendido o impresionado. **13** ‖ **a secas**; sin añadir nada. ‖ **en seco**; bruscamente o de repente. ☐ ETIMOL. Del latín *siccus*. ☐ SINT. La acepción 10 se usa más en las expresiones *dejar seco a alguien* o *quedarse seco.*

secoya s.f. → **secuoya.**

secreción s.f. **1** Producción y expulsión de una sustancia por una glándula. [**2** Sustancia que se segrega. ☐ ETIMOL. Del latín *secretio* (separación).

secretar v. Referido a una sustancia del organismo, segregarla o producirla y expulsarla por una glándula: *Las glándulas endocrinas secretan hormonas.* ☐ ETIMOL. Del latín *secretum*, y éste de *secernere* (segregar).

secretaría s.f. **1** Cargo de secretario. **2** Oficina de un secretario. **3** En una organización, sección que se ocupa de las tareas administrativas. ☐ SEM. En las acepciones 1 y 2, es sinónimo de *secretariado.*

secretariado s.m. **1** Conjunto de estudios formativos para ejercer un cargo de secretario. **2** → **secretaría.**

secretario, ria s. **1** En una oficina, en una organización o en una reunión, persona encargada de escribir la correspondencia, archivar documentos, extender actas, dar fe de acuerdos y realizar otras tareas semejantes. **2** Persona que trabaja al servicio de otra como asistente para tareas administrativas o de organización. ☐ ETIMOL. Del latín *secretarius.*

secretear v. col. Hablar en secreto con alguien: *Dejad de secretear entre vosotros.*

secreteo s.m. col. Conversación en secreto con alguien.

secreter s.m. Mueble con un tablero para escribir y con cajones para guardar papeles. ☐ ETIMOL. Del francés *secrétaire.*

[secretismo s.m. Tendencia a actuar en secreto u ocultándose.

secreto, ta ∎ adj. **1** Oculto, ignorado o reservado para muy pocos y apartado de la vista o del conocimiento de los demás. ∎ s.m. **2** Lo que se tiene reservado y oculto. **3** Lo que resulta un misterio por la reserva con que se guarda o por la imposibilidad de conocerlo o de comprenderlo. **4** ‖ **secreto a voces**; col. El que en la práctica ha dejado de serlo por haber sido confiado o comunicado a muchos. ☐ ETIMOL. Del latín *secretus* (separado, aislado).

secretor, -a o **secretorio, ria** adj. Referido a un órgano o a una glándula, que tienen la misión o la facultad de secretar. ☐ USO *Secretorio* es el término menos usual.

secta s.f. **1** Grupo reducido que se separa de una iglesia o de una tendencia ideológica. **2** Conjunto de los seguidores de una doctrina, ideología o religión consideradas falsas. ☐ ETIMOL. Del latín *secta* (partido, escuela filosófica, línea de conducta a seguir).

sectario, ria ∎ adj. **1** Seguidor fanático e intransigente de un partido o de una idea. ∎ adj./s. **2** Que sigue una secta.

sectarismo s.m. Actitud propia de una persona sectaria, generalmente por su fanatismo o intransigencia.

sector s.m. **1** En un todo, esp. en una colectividad, parte, sección o grupo diferenciados o con caracteres peculiares. **2** En economía, parte o área diferenciadas dentro de la actividad productiva y económica. **3** En geometría, parte del círculo comprendida entre dos radios y el arco que delimitan. ⬟ círculo **4** ‖ **[sector cuaternario**; el que engloba las actividades destinadas a satisfacer las necesidades y demandas relacionadas con el ocio: *Las empresas de espectáculos se engloban en el 'sector cuaternario'.* ‖ **[sector primario**; el que engloba las actividades productivas en las que apenas se realizan transformaciones sobre las materias primas y productos originarios: *Al 'sector primario' pertenecen actividades como la agricultura y la ganadería.* ‖ **[sector secundario**; el que engloba las actividades productivas en las que las materias primas y productos originarios son sometidos a transformaciones industriales para obtener los productos de consumo: *La industria es la principal actividad del 'sector secundario'.* ‖ **[sector terciario**; el que engloba las actividades relacionadas con los servicios que se ofrecen a los ciudadanos: *El transporte, el comercio y la administración están incluidos en el 'sector terciario'.* ☐ ETIMOL. Del latín *sector* (cortador, el que corta).

sectorial adj. Del sector o relacionado con él. ☐ MORF. Invariable en género.

secuaz s. Seguidor del bando o de las ideas y posiciones de otro. ☐ ETIMOL. Del latín *sequax* (dócil, que sigue fácilmente). ☐ MORF. Es de género común: *el secuaz, la secuaz.*

secuela s.f. Consecuencia o huella, generalmente negativas, de algo. ☐ ETIMOL. Del latín *sequela* (séquito, consecuencia).

secuencia s.f. **1** En cine, vídeo o televisión, sucesión ininterrumpida de planos o de escenas que tienen una unidad de conjunto dentro de la película. **2** Serie o sucesión de elementos encadenados o relacionados entre sí. **3** En matemáticas, conjunto de cantidades o de operaciones ordenadas de tal modo que cada una determina la siguiente: *En la secuencia '2, 4, 8, 16...', di qué número sigue al último de la serie.* ☐ ETIMOL. Del latín *sequentia* (serie). ☐ SEM. Dist. de *escena* (parte de una secuencia).

secuencial adj. De la secuencia o relacionado con ella. ☐ MORF. Invariable en género.

secuenciar v. Establecer una sucesión o una serie de cosas relacionadas entre sí: *Tenemos que secuenciar los contenidos de nuestro programa docente, para graduar bien los niveles.*

secuestrador, -a s. Persona que comete un secuestro.

secuestrar v. **1** Referido a una persona, retenerla, generalmente por la fuerza y con intención de exigir un rescate a cambio de su puesta en libertad: *Unos encapuchados secuestraron al hijo de un acaudalado industrial.* **2** Referido a un medio de transporte, tomar su mando por las armas, reteniendo a la tripulación y a los pasajeros para exigir un rescate o la concesión de determinadas peticiones: *El grupo extremista secuestró un avión para exigir la liberación de varios presos.* **[3** Referido a una publicación, censurarla impidiendo su distribución: *Los alumnos protestaron porque el rector de la universidad 'secuestró' la revista que habían realizado.* ☐ ETIMOL. Del latín *sequestrare* (depositar judicialmente en poder de un mediador). ☐ SEM. En la acepción 1, dist. de *raptar* (sacar a una mujer de su casa por la fuerza o con engaño).

secuestro s.m. **1** Retención de una persona, generalmente por la fuerza y con intención de exigir un rescate a cambio de su puesta en libertad. **2** Apropiación del mando de un vehículo y retención de su tripulación y de sus pasajeros por medio de las armas para exigir un rescate o la concesión de determinadas peticiones a cambio de su puesta en libertad. **[3** Censura de una publicación impidiendo su distribución. ☐ ETIMOL. Del latín *sequestrum.*

secular adj. **1** Referido al clero o a un sacerdote, que no viven sujetos a una regla religiosa. **2** Del mundo o de la vida y sociedad civiles y no religiosas; seglar. **3** Que dura un siglo o desde hace siglos. ☐ ETIMOL. Del latín *saecularis*, y éste de *saeculum* (siglo). ☐ MORF. Invariable en género.

secularizar v. **1** Referido a algo eclesiástico, esp. a un bien, hacerlo secular: *Durante la desamortización de Mendizábal se secularizaron muchas tierras y propiedades de la iglesia.* **2** Referido a un religioso, autorizarlo para que pueda vivir fuera de la disciplina de su orden o como laico: *Se secularizó y contrajo matrimonio.* **[3** Dar o adquirir carácter secular abandonando comportamientos y valores religiosos: *La vida moderna ha ido 'secularizándose' a pasos agigantados.* ☐ ORTOGR. La *z* se cambia en *c* delante de *e* →CAZAR.

secundar v. Referido a una persona o a sus propósitos, apoyarlos o cooperar con ella para la realización de éstos: *No salió el proyecto porque nadie me secundó. Nadie secundará unos planes tan descabellados.* ☐ ETIMOL. Del latín *secundare* (ser favorable).

secundario, ria ∎ adj. **1** Segundo en orden o en importancia y no principal. **2** En geología, de la era mesozoica, tercera de la historia de la Tierra, o relacionado con ella; mesozoico. ∎ s.f. **3** →**educación**

secundaria obligatoria. ☐ ETIMOL. Del latín *secundarius* (que va en segundo lugar).

secuoya s.f. Árbol conífero de grandes dimensiones y larga vida, de tronco muy leñoso, copa estrecha y hojas persistentes. ☐ ETIMOL. Del inglés *sequoia.* ☐ ORTOGR. Se admite también *secoya.*

sed s.f. **1** Sensación producida por la necesidad de beber. **2** Deseo muy intenso o necesidad que se siente de satisfacerlo. ☐ ETIMOL. Del latín *sitis.*

seda s.f. **1** Sustancia viscosa que segregan algunos insectos y que se solidifica en contacto con el aire y forma hebras muy finas y flexibles. **2** Hilo fino, flexible y brillante formado por las hebras de esta sustancia producidas por determinado gusano. **3** Tejido que se confecciona con este hilo. **4** ‖ **como {una/la} seda**; *col.* Muy bien o que funciona o marcha sin tropiezos ni dificultades. ☐ ETIMOL. De origen incierto.

sedación s.f. Apaciguamiento, calma o desaparición de la excitación nerviosa, esp. si se lleva a cabo con calmantes.

sedal s.m. Hilo fino y resistente de una caña de pescar, al extremo del cual se coloca el anzuelo. ☐ ETIMOL. De *seda.* 🖾 pesca

[sedan (anglicismo) s.m. Automóvil de carrocería cerrada, con al menos cuatro plazas y con un maletero espacioso. ☐ PRON. [sedán].

sedante adj./s.m. Que disminuye la excitación nerviosa o produce sueño. ☐ MORF. Como adjetivo es invariable en género.

sedar v. Calmar, tranquilizar, apaciguar o hacer desaparecer la excitación nerviosa, esp. si esto se lleva a cabo con calmantes: *Han sedado al enfermo y duerme tranquilo.* ☐ ETIMOL. Del latín *sedare* (posar o hacer sentar).

sede s.f. **1** Lugar en el que está situado o tiene su domicilio una empresa, un organismo o una entidad, o en el que se desarrolla algún acontecimiento o actividad importante. **2** Diócesis o territorio bajo la jurisdicción de un prelado. ☐ ETIMOL. Del latín *sedes* (residencia).

sedentario, ria adj. **1** Referido esp. a una actividad o a un tipo de vida, que requiere o tiene poco movimiento o poca agitación. **2** Referido a una comunidad humana o a una especie animal, que está formada por individuos establecidos o asentados en un lugar y que viven en él de forma permanente. ☐ ETIMOL. Del latín *sedentarius*, y éste de *sedere* (estar sentado).

sedente adj. Referido esp. a una imagen escultórica o pictórica, que está sentada. ☐ ETIMOL. Del latín *sedens* (que está sentado). ☐ MORF. Invariable en género.

sedería s.f. **1** Establecimiento comercial en el que se venden tejidos de seda. **2** Industria o actividad relacionada con la seda. **3** Conjunto de géneros o mercancías de seda.

sedición s.f. Levantamiento o alzamiento colectivo y violento contra la autoridad, el orden público o la disciplina militar sin llegar a la gravedad de la rebeldía. ☐ ETIMOL. Del latín *seditio* (discordia, rebelión).

sediento, ta ∎ adj. **1** Que desea o necesita algo con intensidad. ∎ adj./s. **2** Que tiene sed.

sedimentación s.f. Depósito de partículas en suspensión o formación de sedimentos.

sedimentar ∎ v. **1** Referido a un líquido, depositarse sus sedimentos: *Deja que sedimente el agua turbia del charco y verás cómo se hace transparente.* ∎ prnl. **2** Referido a una sustancia en suspensión, quedarse en el fondo del lugar en el que está el líquido que la contiene: *Al sedimentarse el polvo fino transportado por el viento se forma el loess.* **[3** Referido esp. a conocimientos o a sentimientos, afianzarse o consolidarse: *Los conocimientos que se aprenden en el colegio 'se sedimentan' con la lectura.*

sedimentario, ria adj. Del sedimento, formado por sedimentos o relacionado con él.

sedimento s.m. Materia que, habiendo estado en suspensión en un líquido o en el aire, se deposita en un lugar. ☐ ETIMOL. Del latín *sedimentum.*

sedoso, sa adj. Con características de la seda, esp. con su suavidad.

seducción s.f. Fascinación o atracción que provoca afecto, admiración o deseo.

seducir v. **1** Atraer, cautivar o despertar una atracción que provoca afecto, admiración o deseo: *No me seduce la idea de ir de acampada.* **2** Convencer con habilidad o con promesas, halagos o mentiras, esp. si es para tener relaciones sexuales: *Un buen vendedor sabe seducir a los clientes para que compren los productos que vende. Me sedujo y ahora no quiere saber nada de mí.* ☐ ETIMOL. Del latín *seducere.* ☐ MORF. Irreg. →CONDUCIR.

seductor, -a adj./s. Que seduce.

sefardí ∎ adj./s. **1** Referido a un judío, que procede de España (país europeo), que sigue las prácticas religiosas de los judíos españoles sin tener sus orígenes en este país, o que está relacionado con ellos; sefardita. ∎ s.m. **2** Dialecto romance de este pueblo. ☐ ETIMOL. Del hebreo *sefardi,* y éste de *Sefarad* (España). ☐ MORF. 1. Como adjetivo es invariable en género. 2. En la acepción 1, como sustantivo es de género común: *el sefardí, la sefardí.* 3. Aunque su plural en la lengua culta es *sefardíes,* se usa mucho *sefardís.*

sefardita adj./s. →**sefardí.** ☐ MORF. 1. Como adjetivo es invariable en género. 2. Como sustantivo es de género común: *el sefardita, la sefardita.*

segador, -a ∎ s. **1** Persona que siega los campos. ∎ s.f. **2** Máquina que sirve para segar.

segar v. **1** Referido a la hierba o al cereal, cortarlos con la hoz, la guadaña o una máquina a propósito: *Ya casi nadie siega con la hoz o la guadaña.* **2** Referido esp. a algo que sobresale, cortarlo: *La sierra mecánica segó el dedo pulgar del leñador.* **3** Interrumpir de manera violenta y brusca: *Esa grave enfermedad segó muchas de sus ilusiones juveniles.* ☐ ETIMOL. Del latín *secare* (cortar). ☐ ORTOGR. Aparece una *u* después de la *g* cuando le sigue *e.* ☐ MORF. Irreg. →REGAR.

seglar ∎ adj. **1** Del mundo o de la vida y sociedad civiles y no religiosas; secular. ∎ adj./s. **2** Que no ha recibido órdenes religiosas o que no tiene estado religioso; laico. ☐ ETIMOL. Del latín *saecularis,* y éste de *saeculum* (siglo). ☐ MORF. 1. Como adjetivo es invariable en género. 2. Como sustantivo es de género común: *el seglar, la seglar.*

segmentación s.f. División en segmentos.

segmentado, da adj. Referido esp. al cuerpo de algunos animales, que consta de partes o segmentos dispuestos en línea.

segmentar v. Cortar o dividir en segmentos: *Al señalar tres puntos sobre una recta la he segmen-*

tado en dos partes. *Debemos segmentar bien el mercado, a fin de poder establecer distintas acciones comerciales para cada producto.*

segmento s.m. **1** Parte que se corta, se divide o se separa de un todo. **2** En geometría, parte de una recta comprendida entre dos puntos. ✍ círculo, línea **3** En el cuerpo de algunos animales o en algunos órganos, cada una de las partes dispuestas en línea que lo forman. **4** ‖ **[segmento de mercado**; en economía, cada uno de los grupos homogéneos en que se divide un mercado a fin de que cada grupo pueda diferenciarse a efectos de la política comercial de la empresa. ☐ ETIMOL. Del latín *segmentum,* y éste de *secare* (cortar).

segoviano, na adj./s. De Segovia o relacionado con esta provincia española o con su capital.

segregación s.f. **1** Separación de la convivencia común a causa de alguna diferencia, esp. si implica marginación. **2** Producción y expulsión de una sustancia por un órgano o una glándula.

segregacionismo s.m. Movimiento político y social que defiende y practica la segregación racial.

segregar v. **1** Referido esp. a una persona, apartarla de la convivencia común a causa de sus diferencias, esp. si implica marginación: *Algunos colectivos se segregan de la sociedad para conservar puras sus costumbres.* **2** Referido a una sustancia, producirla y expulsarla por una glándula: *El hígado segrega bilis.* ☐ ETIMOL. Del latín *segregare* (separar de un rebaño). ☐ ORTOGR. La *g* se cambia en *gu* delante de *e* →PAGAR.

seguidilla s.f. **1** En métrica, estrofa formada por cuatro versos de arte menor, de los cuales el primero y el tercero son heptasílabos y sin rima, y el segundo y el cuarto, pentasílabos y con rima asonante, y cuyo esquema es *abcb.* **2** Música popular española, de aire generalmente vivo y con distintas variantes según las regiones. **3** Baile que se ejecuta al compás de este cante. ☐ ETIMOL. De *seguida.* ☐ ORTOGR. Dist. de *seguiriya.*

seguido, da adj. **1** Continuo, sucesivo, sin interrupción. **2** Que está en línea recta. **3** ‖ **en seguida**; →**enseguida.**

seguidor, -a s. Persona que sigue algo o que lo apoya o defiende. ☐ USO Es innecesario el uso del anglicismo *fan.*

seguimiento s.m. **1** Persecución o acoso para dar alcance. **2** Observación exhaustiva o estrecha vigilancia de la evolución, el desarrollo o el movimiento de algo.

seguir ∎ v. **1** Ir detrás en el espacio o suceder en el tiempo por orden, turno o número: *El perro sigue a su amo. El martes sigue al domingo.* **2** Ir por un determinado camino sin apartarse de él: *Sigue por esta calle y llegarás a la plaza.* **3** Actuar conforme a determinadas pautas: *Si sigues mis indicaciones nada te ocurrirá.* **4** Proseguir o continuar en lo empezado: *Sigo trabajando en el bar.* **5** Permanecer, mantenerse en el tiempo o extenderse en el espacio: *Muchas tradiciones siguen vivas. El camino sigue hasta el bosque.* **6** Imitar o actuar tomando como modelo: *Los bailarines seguían los movimientos de su profesor de baile.* **7** Perseguir o acosar para dar alcance: *La policía sigue a los atracadores.* **8** col. Comprender o mantener un razonamiento: *Intenté seguir la explicación, pero no entendí nada.* **9** Referido a una actividad, ejercerla, realizarla o dedicarse a ella: *Sigue un curso de mecanografía en esta academia.* **10** Referido a algo en desarrollo o en movimiento, observarlo o estar atento a su evolución: *Seguí con los prismáticos el vuelo de los buitres.* ▌prnl. **11** Deducirse o derivarse como consecuencia, efecto o resultado: *Dijo que no participaría, de donde se sigue que no está de acuerdo con el plan.* □ ETIMOL. Del latín *sequi.* □ ORTOGR. La *gu* se cambia en *g* delante de *a, o.* □ MORF. Irreg. →SEGUIR.

[seguiriya s.f. Cante flamenco de tono solemne y lastimero, con copla de cuatro versos y cuya música es de compás muy libre. □ ORTOGR. 1. Dist. de *seguidilla.* 2. Se escribe también *siguiriya.*

según ▌prep. **1** Indica conformidad o punto de vista: *Según la ley, esto es delito.* ▌adv. **2** Con conformidad a, o del mismo modo que: *Se te premiará según lo que hagas.* **3** Dependiendo de que: *Me enfadaré o no, según me lo diga con educación o sin ella.* **4** Indica progresión simultánea entre dos acciones: *Según vayas avanzando, te irán surgiendo más problemas.* □ ETIMOL. Del latín *secundum* (según).

segundero s.m. En un reloj, manecilla que señala los segundos.

segundo, da ▌numer. **1** En una serie, que ocupa el lugar número dos. ▌s.m. **2** Respecto de una persona, otra que la sigue inmediatamente en jerarquía. **3** En el Sistema Internacional, unidad básica de tiempo. ▌s.f. **4** En el motor de algunos vehículos, marcha que tiene mayor velocidad que la primera y mayor potencia que la tercera. ▌s.f.pl. **5** Dobles intenciones o propósitos ocultos y generalmente malévolos. □ ETIMOL. Del latín *secundus* (el siguiente). □ SEM. En la acepción 3, se usa mucho para designar un breve período de tiempo: *Espérame aquí, que sólo tardo un segundo en volver.*

segundón, -a ▌s. **1** *col.* Persona que ocupa el siguiente puesto al más importante o al de mayor categoría, esp. referido al que no consigue ascender. ▌s.m. **2** Segundo hijo de una familia, esp. en aquellas en que existe mayorazgo o título nobiliario. **3** Cualquier hijo no primogénito de una familia. □ MORF. La RAE sólo lo registra como masculino. □ USO En la acepción 1, es despectivo.

seguridad s.f. **1** Ausencia de peligro, de daño o de riesgo. **2** Firmeza, estabilidad, constancia o imposibilidad de que algo falle. **3** Certeza o ausencia de duda. **4** ‖**[seguridad social**; conjunto de organismos y medios de la Administración pública cuyo fin es prevenir y remediar ciertas necesidades sociales de los ciudadanos. □ ORTOGR. *Seguridad Social* se usa más con nombre propio.

seguro adv. **1** Sin duda. **2** De manera bastante probable. □ SEM. Se usa también como adverbio de afirmación: —¿Estarás en tu casa? —Seguro.

seguro, ra ▌adj. **1** Libre de peligro, daño o riesgo. **2** Firme, estable, constante o sin peligro de que falle. **3** Cierto o que no ofrece duda. **4** Que no tiene duda. ▌s.m. **5** Contrato por el cual una persona o entidad aseguradora se compromete, a cambio de una cuota estipulada, a pagar determinada cantidad de dinero al asegurado en caso de daño o de pérdida. **6** Dispositivo para impedir que algo se ponga en funcionamiento o para aumentar la firmeza de un cierre. **[7** *col.* Seguridad Social u otra

asociación médica a la que alguien se ha asociado. **8** ‖**a buen seguro** o **de seguro**; con certeza. ‖**sobre seguro**; sin correr ningún riesgo. □ ETIMOL. Del latín *securus* (tranquilo, sin cuidado, sin peligro).

seis ▌numer. **1** Número 6: *seis coches.* ▌s.m. **2** Signo que representa este número: *Los romanos escribían el seis como 'VI'.* □ ETIMOL. Del latín *sex.* □ MORF. 1. Como numeral es invariable en género y en número. 2. En la acepción 2, su plural es *seises.*

seisavo, va numer. adj./s. Referido a una parte, que constituye un todo junto con otras cinco iguales a ella; sexto.

seiscientos, tas ▌numer. **1** Número 600: *seiscientos trabajadores.* ▌s.m. **2** Signo que representa este número: *Los romanos escribían el seiscientos como 'DC'.* □ ETIMOL. Del latín *sexcentos.* □ MORF. 1. Como numeral es invariable en número. 2. Incorr. *página* {*seiscientos > seiscientas}.

seise s.m. Cada uno de los niños que, generalmente en número de seis, bailan y cantan vestidos con un traje peculiar en algunas catedrales durante determinadas festividades: *Los seises más conocidos son los de las catedrales de Sevilla y Zaragoza.* □ ETIMOL. De *seis.*

seísmo s.m. Terremoto o temblor que se produce en la corteza terrestre por causas internas. □ ETIMOL. Del griego *seismós* (sacudida). □ ORTOGR. Se admite también *sismo.*

[seláceo, a o **selacio, cia** ▌adj./s.m. **1** Referido a un pez marino, que tiene esqueleto cartilaginoso, cuerpo aplastado o en forma de huso, piel muy áspera, boca casi semicircular, con numerosos dientes triangulares y de bordes cortantes o aserrados, mandíbula inferior móvil y varias hendiduras branquiales: *El tiburón es un pez selacio.* ▌s.m.pl. **2** En zoología, subclase de estos peces. □ ETIMOL. Del griego *selákios*, y éste de *sélakhos* (pez de piel cartilaginosa). □ USO Aunque la RAE sólo registra *selacio*, en círculos especializados se usa más *'seláceo'.*

selección s.f. **1** Elección de lo que se considera mejor o más adecuado para un fin de entre un conjunto o grupo. **2** Equipo que se forma con deportistas de distintos lugares seleccionados para participar en una competición o torneo, esp. si es de carácter internacional. □ ETIMOL. Del latín *selectio.*

seleccionador, -a s. Persona que selecciona a los deportistas que han de formar un equipo.

seleccionar v. Referido a algo que se considera mejor o adecuado, escogerlo de entre un conjunto o un grupo: *He seleccionado los libros que me parecían más interesantes.*

selectividad s.f. Conjunto de pruebas o exámenes que se realizan para poder acceder a la universidad.

selectivo, va adj. Que implica selección.

selecto, ta adj. Que es o se considera lo mejor en relación con algo de la misma especie o clase; escogido. □ ETIMOL. Del latín *selectus*, y éste de *seligere* (seleccionar).

selector, -a adj./s.m. Que selecciona o escoge.

selénico, ca adj. De la Luna (satélite de la Tierra) o relacionado con ella.

selenio s.m. Elemento químico, no metálico y sólido, de número atómico 34, con características semejantes al azufre y semiconductor. □ ETIMOL. Del griego *selénion* (resplandor de la luna). □ ORTOGR. Su símbolo químico es *Se*.

selenita s. Supuesto habitante de la Luna (satélite terrestre). □ ETIMOL. Del griego *selenítes* (perteneciente a la luna). □ MORF. Es de género común: *el selenita, la selenita*.

[self-control s.m. →**autocontrol.** □ PRON. [sélfcontról]. □ USO Es un anglicismo innecesario.

[self-service s.m. →**autoservicio.** □ PRON. [sélfsérvis. □ USO Es un anglicismo innecesario.

sellado s.m. **1** Estampación o impresión hechos con un sello. **2** Cerramiento o taponamiento de algo para que resulte más difícil abrirlo.

sellador, -a adj./s.m. Que sirve para sellar.

sellar v. **1** Marcar o imprimir con un sello: *Este documento sin sellar no tiene validez.* **2** Cerrar de modo que resulte más difícil de abrir: *Sellaron las ventanas con silicona.* **3** Concluir o dar por terminado: *Sellaron la alianza con un apretón de manos.*

sello s.m. **1** Trozo pequeño de papel con un dibujo impreso que se pega en los envíos por correo o en algunos documentos oficiales. **2** Utensilio, generalmente provisto de mango, que sirve para estampar o imprimir lo que está grabado en él. **3** Lo que queda estampado o impreso con este utensilio. **4** Anillo ancho que lleva grabado en su parte superior algo, las iniciales de una persona o el escudo de su apellido. **5** Carácter peculiar de algo que lo hace diferente a lo demás. **6** En zonas del español meridional, cruz o reverso de una moneda. **[7** Marca o nombre que un fabricante da a un producto para diferenciarlo de otros similares. □ ETIMOL. Del latín *sigillum* (signo, marca).

seltz s.m. →**agua de Seltz.** □ MORF. La RAE sólo lo registra como nombre propio.

selva s.f. Bosque ecuatorial y tropical que se caracteriza por una abundante y variada vegetación. □ ETIMOL. Del latín *silva* (bosque).

selvático, ca adj. De la selva, con sus características o relacionado con ella.

[sema s.m. En lingüística, cada uno de los rasgos que componen el significado de una palabra: *'Iglú', 'palafito', 'choza' y 'palacio' tienen el 'sema' común de 'vivienda'.* □ ETIMOL. Del griego *sêma* (signo).

semáforo s.m. Aparato eléctrico que emite señales luminosas y se usa para regular la circulación; disco. □ ETIMOL. Del griego *sêma* (signo) y *phéro* (yo llevo).

semana s.f. **1** Período de tiempo de siete días consecutivos. **2** ‖**entre semana**; cualquier día de ella, excepto sábado y domingo. ‖ **[semana blanca**; la de vacaciones que generalmente se disfruta en colegios e institutos en el mes de febrero. ‖**semana santa**; la última de la cuaresma, que va desde el domingo de Ramos (entrada y aclamación de Jesucristo en Jerusalén) hasta el domingo de Resurrección (subida de Jesucristo a los cielos). □ ETIMOL. Del latín *septimana*. □ ORTOGR. Incorr. **entresemana*. □ MORF. *Semana Santa* se usa más como nombre propio.

semanal adj. **1** Que sucede o se repite cada semana. **2** Que dura cada semana o se corresponde con ella. □ MORF. Invariable en género.

semanario s.m. Publicación que aparece cada semana.

semantema s.m. En lingüística, denominación que en algunas escuelas recibe el lexema o unidad léxica provista de significación: *El semantema de la palabra 'niños' es 'niñ-'.*

semántico, ca ▌ adj. **1** Del significado de las palabras o relacionado con él. **▌** s.f. **2** Parte de la lingüística que estudia el significado de las palabras. □ ETIMOL. La acepción 2, del francés *sémantique*, y éste del griego *semantikós* (significativo). □ SEM. No debe usarse con el significado de 'significado' o 'interpretación': *Desconozco {*la semántica > el significado}* de esta palabra.

semantista s. Lingüista especializado en semántica. □ MORF. Es de género común: *el semantista, la semantista.*

semasiología s.f. En lingüística, parte de la semántica que, a partir de un signo lingüístico, llega a la determinación del concepto. □ ETIMOL. Del griego *semasía* (significación) y *-logía* (estudio, ciencia).

semblante s.m. Expresión del rostro; cara. □ ETIMOL. Del catalán *semblant*.

semblanza s.f. Explicación breve, general y vaga de la vida de una persona. □ ETIMOL. Del catalán *semblana* (parecido).

sembradío, a adj./s.m. Referido a un terreno, destinado a la siembra.

sembrado s.m. Tierra sembrada.

sembrador, -a ▌ s. **1** Persona que siembra. **▌** s.f. **2** Máquina para sembrar.

sembrar v. **1** Referido a una semilla, arrojarla, esparcirla o colocarla en la tierra para que crezca: *He sembrado margaritas en un tiesto.* **2** Llenar esparciendo o desparramando: *El día del Corpus sembraron la puerta de la iglesia con pétalos de flores.* □ ETIMOL. Del latín *seminare*, y éste de *semen* (semilla). □ MORF. Irreg. →PENSAR. □ SINT. Constr. *sembrar de algo.*

semejante ▌ adj. **1** Que es casi igual o se parece mucho. **▌** s.m. **2** Respecto de una persona, otra cualquiera. □ MORF. Como adjetivo es invariable en género. □ USO 1. En la acepción 1, se usa mucho con valor intensificador: *Nunca pensé cosa semejante.* 2. En la acepción 1, puede funcionar como determinante con el significado de 'tal': *No tengo tiempo de leer semejante cantidad de libros.*

semejanza s.f. Conjunto de características que hacen que una cosa se parezca a otra; parecido.

semejar v. Referido a una cosa, parecerse a otra o guardar semejanza con ella: *El edificio de esta maqueta semeja un castillo del siglo XVI. Mis hijos se semejan mucho a mí en el carácter.* □ ETIMOL. Del latín **similiare*, y éste de *similis* (semejante). □ ORTOGR. Conserva la *j* en toda la conjugación. □ SINT. Constr. como pronominal: *semejarse A algo.*

semen s.m. Líquido que contiene los espermatozoides que se producen en el aparato genital masculino de los animales y del hombre. □ ETIMOL. Del latín *semen* (semilla).

semental adj./s.m. Referido a un animal macho, que se destina a la reproducción. □ ETIMOL. Del latín *sementis* (simiente). □ MORF. Como adjetivo es invariable en género.

sementera s.f. **1** Siembra o colocación de una semilla en la tierra para que crezca. **2** Tiempo apropiado para la siembra. **3** Lo que se siembra. **4** Terreno sembrado.

semestral adj. **1** Que tiene lugar cada seis meses. **2** Que dura un semestre. □ MORF. Invariable en género.

semestre s.m. Período de tiempo de seis meses. □
ETIMOL. Del latín *semestris*.
semi- Elemento compositivo que significa 'medio':
*semirrecta, semicircular, semiconserva, semisótano,
semidormido, semipermeable*. □ ETIMOL. Del latín
semi-.
[semiadaptado, da adj. Parcialmente adaptado.
semicilindro s.m. Cada una de las dos partes de
un cilindro al ser cortado por un plano que pasa por
su eje.
semicircular adj. Con forma de semicírculo. □
MORF. Invariable en género.
semicírculo s.m. En geometría, cada una de las dos
mitades del círculo separadas por un diámetro; hemiciclo. □ ETIMOL. Del latín *semicirculus*. 🔍 círculo
semicircunferencia s.f. En geometría, cada una
de las dos mitades de la circunferencia.
semiconserva s.f. Alimento de origen animal o
vegetal envasado sin esterilizar en un recipiente cerrado. □ ETIMOL. De *semi-* (medio) y *conserva*.
semiconsonante adj./s.f. En fonética y fonología,
referido a las vocales 'i' o 'u', que son el primer elemento de un diptongo o de un triptongo, o que tienen una pronunciación cercana a la de una consonante. □ ETIMOL. De *semi-* (medio) y *consonante*. □
MORF. Como adjetivo es invariable en género.
semicorchea s.f. En música, nota que dura la mitad de una corchea y que se representa con un círculo relleno, una barrita vertical pegada a uno de
sus lados y dos pequeños ganchos en el extremo de
ésta.
semicultismo s.m. Palabra influida por el latín o
por una lengua culta, y que no ha completado su
evolución fonética normal. □ ETIMOL. De *semi-* (medio) y *cultismo*.
[semidesértico, ca adj. Que casi es un desierto.
[semidesnatado, da adj. Referido esp. un producto
lácteo, que está libre de una parte de su grasa, pero
no de toda.
semidiós, -a s. En mitología, héroe que por sus hazañas ha pasado a estar entre los dioses. □ ETIMOL.
De *semi-* (medio) y *dios*.
semidormido, da adj. Medio dormido o casi dormido.
semiesfera s.f. Cada una de las dos mitades de
una esfera dividida por un plano que pasa por su
centro; hemisferio.
semiesférico, ca adj. Con forma de media esfera.
semifinal s.f. En una competición o un concurso, cada
uno de los dos penúltimos encuentros o pruebas que
se ganan por eliminación del contrario y no por
puntos. □ ETIMOL. De *semi-* (medio) y *final*.
semifinalista adj./s. Que juega o que compite en
una semifinal. □ MORF. 1. Como adjetivo es invariable en género. 2. Como sustantivo es de género
común: *el semifinalista, la semifinalista*.
semifusa s.f. En música, nota que dura la mitad de
una fusa y que se representa con un círculo relleno,
una barrita vertical pegada a uno de sus lados y
cuatro pequeños ganchos en el extremo de ésta. □
ETIMOL. De *semi-* (medio) y *fusa*.
semilla s.f. **1** Parte del fruto de los vegetales que
contiene el embrión de una futura planta. **2** Lo que
es la causa o el origen de algo. □ ETIMOL. De origen
incierto. □ SEM. Es sinónimo de *simiente*.

semillero s.m. **1** Lugar en el que se siembran semillas para trasplantar las plantas cuando nazcan;
almáciga. **2** Origen y principio de donde nacen o se
propagan algunas cosas.
semilunar s.m. →**hueso semilunar**.
[semimetálico, ca adj. Referido a un elemento químico, que tiene propiedades intermedias entre un
metal y un no metal.
seminal adj. **1** Del semen o relacionado con él. **2**
De la semilla o relacionado con ella. □ MORF. Invariable en género.
seminario s.m. **1** Centro de enseñanza en el que
estudian y se forman los que van a ser sacerdotes.
2 Conjunto de actividades desarrolladas en común
por el profesor y los alumnos y que se encaminan a
adiestrar a éstos en la investigación o en la práctica
de alguna disciplina. **3** Clase o lugar donde se llevan a cabo estas actividades. **[4** En un centro de enseñanza secundaria, despacho en el que trabajan y se
reúnen los profesores de una misma materia. **[5**
Estos profesores. □ ETIMOL. Del latín *seminarius*
(semillero).
seminarista s. Alumno de un seminario religioso.
□ MORF. Es de género común: *el seminarista, la seminarista*.
[seminómada adj. Que vive permanentemente
en un lugar, pero sólo durante algunos períodos del
año. □ MORF. Invariable en género.
seminternado s.m. **1** Media pensión o régimen
de un centro educativo que incluye la enseñanza y
la comida del mediodía. **2** Centro de enseñanza con
este régimen.
semiología s.f. **1** Ciencia que estudia los signos
en la vida social; semiótica. **2** Parte de la medicina
que estudia los signos o síntomas de las enfermedades desde el punto de vista del diagnóstico y del
pronóstico. □ ETIMOL. Del griego *semêion* (signo) y
-logía (estudio, ciencia).
semiótico, ca ▌ adj. **1** De la semiótica o relacionado con esta ciencia. ▌ s.f. **2** Ciencia que estudia
los signos en la vida social; semiología. □ ETIMOL.
Del griego *semeiotiké*, y éste de *semêion* (signo).
semipermeable adj. Referido a una superficie o a
una membrana, que permite el paso de unos elementos, pero no de otros. □ ETIMOL. De *semi-* (medio) y
permeable. □ MORF. Invariable en género.
semiplano s.m. En geometría, cada una de las dos
partes del plano dividido por una recta.
[semiprecioso, sa adj. Que no tiene tanto valor
como algo precioso, pero tiene alguna de sus características: *El jade es una piedra 'semipreciosa'*.
semirrecta s.f. En geometría, cada una de las dos
regiones en las que queda dividida una recta por
cualquiera de sus puntos. 🔍 línea
semisótano s.m. Local situado en parte por debajo del nivel de la calle. □ ETIMOL. De *semi-* (medio) y *sótano*.
semita ▌ adj. **1** De los semitas o relacionado con
los pueblos descendientes de Sem (patriarca bíblico). ▌ adj./s. **2** Descendiente de Sem (personaje bíblico, primogénito del patriarca Noé). □ MORF. 1.
Como adjetivo es invariable en género. 2. Como sustantivo es de género común: *el semita, la semita*.
semítico, ca adj. **1** De los semitas o relacionado
con estos pueblos. **[2** Referido a una lengua, que pertenece al grupo de lenguas que hablan estos pue-

blos: *El hebreo, el arameo y el árabe son lenguas 'semíticas'.*

semitismo s.m. En lingüística, palabra, significado o construcción sintáctica propios de las lenguas semíticas empleados en otra lengua.

semitista s. Persona especializada en el estudio de la lengua y la cultura semitas. □ MORF. Es de género común: *el semitista, la semitista.*

semitono s.m. En música, cada una de las dos partes en que se divide el intervalo de un tono. □ ETIMOL. De *semi-* (medio) y *tono.*

semitransparente adj. Casi transparente. □ MORF. Invariable en género.

semivocal adj./s.f. **1** En fonética y fonología, referido a las vocales 'i' o 'u', que son el último elemento de un diptongo. **2** En fonética y fonología, referido a una consonante, que puede pronunciarse sin que se perciba directamente el sonido de una vocal: *Las consonantes fricativas como la 'f' son semivocales.* □ ETIMOL. De *semi-* (medio) y *vocal.* □ MORF. Como adjetivo es invariable en género.

sémola s.f. Pasta alimenticia en forma de pequeños granos hecha con harina de trigo, arroz u otro cereal. □ ETIMOL. Del italiano *semola,* y éste del latín *simila* (flor de la harina).

semoviente s.m. →**bienes semovientes.** □ ETIMOL. Se usa *moventis* (que se mueve a sí mismo). □ MORF. Se usa más en plural.

sempiterno, na adj. Que es eterno o que dura siempre, porque teniendo principio no tendrá fin. □ ETIMOL. Del latín *sempiternus.* □ USO Su uso es característico del lenguaje literario.

senado s.m. **1** En países con poder legislativo bicameral, cámara de representación territorial. **2** Edificio en el que se celebran las sesiones de esta cámara. **3** En la antigua Roma, asamblea de patricios que formaba el consejo supremo. □ ETIMOL. Del latín *senatus* (Consejo de los Ancianos).

senador, -a s. Miembro del senado. □ ETIMOL. Del latín *senator.*

senatorial adj. Del senado, de los senadores o relacionado con ellos. □ MORF. Invariable en género.

sencillez s.f. **1** Ausencia de ostentación y adornos. **2** Ausencia de dificultad o de complicación.

sencillo, lla ▮ adj. **1** Que no está compuesto por varias cosas o que tiene una sola parte. **2** Sin ostentación ni adornos. **3** Sin dificultad ni complicación. **4** Claro y natural. ▮ s.m. **5** →**disco sencillo. 6** En zonas del español meridional, calderilla o dinero suelto. □ ETIMOL. Del latín *singellus,* y éste de *singulus* (uno, único). □ USO En la acepción 5, es innecesario el uso del anglicismo *single.*

senda s.f. **1** Camino estrecho, esp. el abierto por el paso de personas o animales. **2** Procedimiento o medio para hacer o para conseguir algo. **3** En zonas del español meridional, carril de una carretera. □ ETIMOL. Del latín *semita.* □ SEM. En las acepciones 1 y 2, es sinónimo de *sendero.*

[senderismo s.m. Actividad deportiva consistente en recorrer a pie senderos campestres.

[senderista s. Persona que practica el senderismo. □ MORF. Es de género común: *el 'senderista', la 'senderista'.*

sendero s.m. →**senda.** □ ETIMOL. Del latín *caminus seminatorius* (camino de senda).

sendos, das adj.pl. Respecto de dos o más, uno para cada uno: *Los tres niños iban en sendas bici-* cletas. □ ETIMOL. Del latín *singulos* (uno cada uno). □ SINT. Siempre precede al nombre. □ SEM. Dist. de *ambos* (los dos).

séneca s.m. Hombre de mucha sabiduría. □ ETIMOL. Por alusión a Séneca, filósofo latino de Córdoba.

senectud s.f. Último período del ciclo vital de una persona. □ ETIMOL. Del latín *senectus* (vejez).

senegalés, -a adj./s. De Senegal (país africano), o relacionado con él.

senil adj. De la vejez o relacionado con ella. □ ETIMOL. Del latín *senilis,* y éste de *senex* (viejo). □ MORF. Invariable en género.

senilidad s.f. Carácter o estado de la persona que, por su avanzada edad, presenta decadencia física.

[sénior ▮ adj. **1** Referido a una persona, que es mayor que otra de su familia que tiene el mismo nombre. ▮ adj./s. **2** Referido a un deportista, que, por edad, pertenece a la categoría superior, posterior a la de júnior. □ ETIMOL. Del latín *senior* (anciano). □ MORF. 1. Como adjetivo es invariable en género. 2. Como sustantivo es de género común: *el 'sénior', la 'sénior'.*

seno s.m. **1** Hueco o concavidad de una superficie con respecto del que las mira. **2** Pecho o mama de una mujer. **3** Matriz de las hembras de los mamíferos, esp. la de una mujer. **4** Parte interna de algunas cosas. **5** En trigonometría, razón entre el cateto opuesto de un ángulo y la hipotenusa. **6** En medicina, cavidad de algunos huesos. □ ETIMOL. Del latín *sinus* (sinuosidad, concavidad).

sensación s.f. **1** Impresión sentida por medio de los sentidos. **2** Efecto sorprendente que produce algo. **[3** Presentimiento o corazonada de que algo va a ocurrir de una determinada manera. □ ETIMOL. Del latín *sensatio.*

sensacional adj. **1** Que llama fuertemente la atención o que causa sensación. **[2** Estupendo, muy bueno o maravilloso. □ MORF. Invariable en género. □ SINT. *Sensacional* se usa también como adverbio de modo con el significado de 'muy bien': *La excursión resultó sensacional.*

sensacionalismo s.m. Tendencia a presentar los aspectos más llamativos de algo para producir una sensación o una emoción grandes.

sensacionalista adj./s. Que tiende a presentar los aspectos más llamativos de algo. □ MORF. 1. Como adjetivo es invariable en género. 2. Como sustantivo es de género común: *el sensacionalista, la sensacionalista.*

sensatez s.f. Prudencia, buen juicio o inclinación a reflexionar antes de actuar.

sensato, ta adj. Prudente, de buen juicio o que reflexiona antes de actuar. □ ETIMOL. Del latín *sensatus,* y éste de *sensa* (pensamientos).

sensibilidad s.f. **1** Facultad de sentir algo. **2** Inclinación a dejarse llevar por los sentimientos de compasión, humanidad y ternura. **3** Capacidad de respuesta a pequeñas excitaciones o estímulos. □ ETIMOL. Del latín *sensibilitas.*

sensibilización s.f. Dotación de sensibilidad.

sensibilizado, da adj. Que ha sido sometido a sensibilización y reacciona de forma positiva.

sensibilizar v. **1** Dotar de sensibilidad: *Las campañas sanitarias sensibilizaron a la opinión pública sobre los peligros del tabaco.* **2** En fotografía, hacer sensible a la luz: *Este líquido sensibiliza las placas* *fotográficas.* ☐ ORTOGR. La *z* se cambia en *c* delante de *e* →CAZAR.

sensible adj. **1** Que tiene capacidad de sentir. **2** Referido a una persona, que se impresiona o emociona con facilidad. **3** Que puede ser conocido a través de los sentidos. **4** Evidente, claro o manifiesto. **5** Referido esp. a un instrumento, que reacciona fácilmente o de forma precisa a la acción de un fenómeno o de un agente natural. ☐ ETIMOL. Del latín *sensibilis.* ☐ MORF. Invariable en género.

sensiblería s.f. Sentimentalismo exagerado o fingido. ☐ USO Tiene un matiz despectivo.

sensiblero, ra adj. Con un sentimentalismo exagerado. ☐ USO Tiene un matiz despectivo.

[sensismo s.m. →**sensualismo.**

sensitivo, va adj. **1** De las sensaciones producidas en los sentidos, esp. en la piel. **2** Capaz de recibir sensaciones, impresiones o emociones. **3** Que excita o estimula la sensibilidad.

sensor s.m. Dispositivo que capta determinados fenómenos o alteraciones y los transmite de forma adecuada. ☐ ETIMOL. Del inglés *sensor.*

sensorial adj. De la sensibilidad o relacionado con ella. ☐ MORF. Invariable en género.

sensual adj. **1** Que incita o satisface el placer de los sentidos. **2** Referido a una persona, inclinada a los placeres de los sentidos. ☐ ETIMOL. Del latín *sensualis.* ☐ ORTOGR. Dist. de *sexual.* ☐ MORF. Invariable en género.

sensualidad s.f. **1** Capacidad de incitar o satisfacer el placer de los sentidos. **2** Inclinación excesiva a los placeres de los sentidos. ☐ ORTOGR. Dist. de *sexualidad.*

sensualismo s.m. **1** Inclinación a los placeres de los sentidos. **2** Doctrina filosófica que defiende que el origen de las ideas está exclusivamente en los sentidos. ☐ ETIMOL. De *sensual.* ☐ USO En la acepción 2, aunque la RAE sólo registra *sensualismo*, en círculos especializados también se usa *sensismo.*

sentado, da ∎ adj. **1** Que es juicioso y prudente o que actúa con reflexión y sensatez. **2** En biología, sin pedúnculo. ∎ s.f. **3** Tiempo durante el cual alguien permanece sentado. **4** Establecimiento o permanencia de un grupo de personas sentadas en el suelo durante un período de tiempo, para manifestar una protesta o para apoyar una petición. **5** ‖ **de una sentada**; *col.* De una vez o sin levantarse. ☐ ORTOGR. En la acepción 1, se admite también *asentado.*

sentar v. **1** Referido a una persona, colocarla de manera que quede apoyada y descansando sobre las nalgas: *Sentó al niño en su sillita. Me senté con las piernas cruzadas.* **2** Producir un efecto o resultar del modo que se expresa: *Te sentará bien un vaso de leche. Ese corte de pelo te sienta muy mal. Me sienta fatal tener que salir ahora.* **[3** Referido esp. a lo que sirve de apoyo, establecerlo, fundamentarlo o ponerlo: *La reunión 'sentó' las bases de nuestra futura colaboración.* ☐ ETIMOL. Del latín **sedentare.* ☐ MORF. Irreg. →PENSAR.

sentencia s.f. **1** Resolución de un juez o de un tribunal que pone fin a un juicio o proceso. **2** Decisión que da alguien acerca de algo que debe juzgar o componer. **3** Dicho breve que encierra una enseñanza, generalmente de carácter moral. ☐ ETIMOL. Del latín *sententia* (opinión, consejo, voto).

sentenciar v. **1** Dar o pronunciar una sentencia:

El tribunal sentenciará mañana el pleito. **2** Condenar o culpar: *La juez lo sentenció a tres años de prisión.* **[3** Resolver o decidir: *Con el quinto gol, el equipo rojiblanco 'sentenció' el encuentro.* **[4** Afirmar o asegurar: *—No sabes lo que dices—, 'sentenció' con tono solemne.* ☐ ORTOGR. La *i* nunca lleva tilde.

sentencioso, sa adj. **1** Que encierra una enseñanza, esp. si es de carácter moral, expresada con gravedad y agudeza. **2** Referido al tono o al modo de hablar, que tiene una afectada gravedad, como si pronunciara continuamente sentencias.

sentido, da ∎ adj. **1** Que contiene o que expresa un sentimiento. **2** Referido a una persona, que se molesta o se ofende con mucha facilidad. ∎ s.m. **3** Capacidad para percibir, mediante determinados órganos corporales, impresiones externas. **4** Capacidad que se tiene para realizar algo. **5** Entendimiento o capacidad de razonar. **6** Lógica, finalidad o razón de ser. **7** Modo particular de entender algo. **8** Significado de una palabra o de un conjunto de palabras. **9** Cada una de las dos orientaciones que tiene una misma dirección. **10** ‖ **sentido común**; capacidad para juzgar razonablemente. ‖ **[sexto sentido**; cualidad especial para apreciar lo que a otros les pasa inadvertido.

sentimental ∎ adj. **1** Que expresa o produce sentimientos, generalmente de amor, ternura o pena. **[2** Relacionado con los sentimientos, esp. con el amoroso. ∎ adj./s. **3** Que se deja llevar por los sentimientos o que muestra sensibilidad de un modo ridículo o exagerado. ☐ MORF. 1. Como adjetivo es invariable en número. 2. Como sustantivo es de género común: *el sentimental, la sentimental.*

sentimentalismo s.m. Conjunto de características relacionadas con los sentimientos.

[sentimentaloide adj./s. *col.* Sentimental. ☐ MORF. 1. Como adjetivo es invariable en género. 2. Como sustantivo es de género común: *el 'sentimentaloide', la 'sentimentaloide'.* ☐ USO Tiene un matiz humorístico o despectivo.

sentimiento s.m. **1** Impresión que producen las cosas o los hechos en el ánimo. **[2** Estado de ánimo. **[3** Parte afectiva y emocional de una persona.

sentir ∎ s.m. **1** Opinión, juicio o sentimiento sobre algo: *El sentir popular se manifiesta en las elecciones.* ∎ v. **2** Percibir a través de los sentidos: *Sentí frío al salir a la calle. Sentí tus pasos.* **3** Referido esp. a una sensación o a un sentimiento, experimentarlos o notarlos: *Siento miedo cuando estoy sola. Sentí mucha alegría al verte.* **4** Referido a algo que no ha ocurrido, presentirlo o tener la impresión de que va a ocurrir: *Siento que este asunto acabará mal.* **5** Lamentar o considerar doloroso y malo: *Siento que no hayas podido venir.* ∎ prnl. **6** Referido a un estado o una situación, encontrarse o estar en ellos: *Se siente triste y solo. Hoy me siento mejor.* ☐ ETIMOL. La acepción 1, del verbo *sentir.* Las acepciones 2, 6, del latín *sentire* (percibir por los sentidos, darse cuenta, pensar, opinar). ☐ MORF. Irreg. →SENTIR.

[senyera (catalanismo) s.f. Bandera o estandarte, esp. si sirven como insignia de una corporación. ☐ PRON. [señéra].

seña s.f. **1** Nota o detalle que permite reconocer y distinguir algo. **[2** Gesto con el que se da a entender algo; señal. **3** Signo o medio utilizado para recordar algo. **[4** En zonas del español meridional, señal o anticipo. ❚ pl. **5** Datos que constituyen una dirección, esp. la de una persona. ▢ ETIMOL. Del latín *signa* (señales, marcas). ▢ MORF. La acepción 1 se usa más en plural.

señal s.m. **1** Marca que se hace para reconocer o distinguir algo. **2** Huella o impresión que queda de algo. **3** Indicio o muestra de algo. **4** Lo que representa, sustituye o evoca un objeto, un fenómeno o una acción; signo: *señal de tráfico*. **[5** Gesto con el que se da a entender algo; seña. **6** Indicación que se da para que alguien realice algo. **7** Cantidad de dinero que se paga como anticipo del precio total de algo. **8** Sonido que producen algunos aparatos, esp. el teléfono, para avisar o informar de algo. **9** ‖**en señal**; en prueba o en muestra de algo. ‖**señal de la cruz**; cruz dibujada con dos dedos de la mano o con el movimiento de ésta y que representa la cruz en la que murió Jesucristo. ▢ ETIMOL. Del latín *signalis*, y éste de *signum* (marca).

señalado, da adj. Importante, insigne o que goza de fama.

señalamiento s.m. **1** Indicación o muestra, esp. si es por medio de una señal. **2** En derecho, designación de un día para un juicio oral o una vista, y asunto que ha de tratarse ese día.

señalar ❚ v. **1** Referido esp. a un objeto, ponerle una señal para conocerlo o para distinguirlo: *Señala la respuesta verdadera con una cruz. Señalé en rojo las faltas de ortografía.* **2** Apuntar, mostrar o indicar: *Señalar con el dedo es de mala educación. Hay que señalar la importancia de este trabajo.* **3** Referido esp. a una superficie, dejarle una marca o señal: *La viruela le señaló la cara.* **4** Fijar o decidir: *Tengo señalada esta botella de vino para el día de mi cumpleaños.* ❚ prnl. **5** Distinguirse o destacarse: *En esta temporada te has señalado como un gran deportista.*

señalización s.f. Indicación por medio de señales, esp. de las de tráfico. ▢ SEM. No debe usarse con el significado de *señalamiento*: {*La señalización > El señalamiento} de la falta por parte del árbitro.

señalizar v. Indicar con señales, esp. con las de tráfico: *La carretera estaba mal señalizada y el conductor no vio el desnivel.* ▢ ORTOGR. La *z* se cambia en *c* delante de *e* →CAZAR. ▢ SEM. No debe usarse con el significado de *señalar*: *El árbitro {*señalizó > señaló} falta.*

señero, ra adj. **1** Solitario o separado. **2** Único o destacado. ▢ ETIMOL. Del latín *singularius* (solitario, único).

señor, -a ❚ adj. **1** col. Seguido de algunos sustantivos, intensifica o da fuerza al significado de éstos: *Vive en una señora casa.* ❚ adj./s. **2** Dueño de algo o que tiene dominio sobre ello. ❚ s. **[3** col. Persona adulta. **4** Persona respetable y de cierta edad. **5** Respecto de un criado, amo o persona para la que trabaja. **6** Tratamiento de respeto que se da a una persona adulta. **7** Persona que tiene un título nobiliario, generalmente de origen feudal. ❚ s.m. **8** Poseedor de estados y lugares, esp. si tiene sobre ellos dominio y jurisdicción. ❚ s.f. **9** Mujer casada o esposa. ▢ ETIMOL. Las acepciones 1-8, del latín *senior* (más viejo). La acepción 9, de *señor*. ▢ USO 1. Se usa antepuesto al apellido de un hombre o de una mujer, o al cargo que una persona desempeña: *El señor García lo recibirá en un momento.* 2. Su uso antepuesto al nombre de pila se considera un vulgarismo: {*Señora > *Doña María*}.

señorear v. **1** Dominar o mandar como dueño: *En aquella novela, los hijos de aquel terrateniente señorean las fincas del padre.* **2** Sobresalir o estar en una situación superior o de mayor altura: *La torre de la catedral señoreaba toda la ciudad.* **3** Referido esp. a una pasión, contenerla mediante la razón para mandar sobre las propias acciones: *Has de aprender a señorear tus impulsos.*

señoría s.f. Tratamiento que se da a las personas que poseen cierta dignidad.

señorial adj. **1** Del señorío o relacionado con él. **2** Noble o majestuoso. ▢ ETIMOL. De *señorío*. ▢ MORF. Invariable en género.

señorío s.m. **1** Dominio o mando sobre algo. **2** Territorio sobre el que antiguamente un señor ejercía su autoridad. **3** Gravedad, moderación y prudencia en el aspecto o al actuar.

señoritingo, ga s. col. Señorito. ▢ USO Es despectivo.

señoritismo s.m. Actitud social y comportamiento de señorito ocioso y presumido. ▢ USO Es despectivo.

señorito, ta ❚ s. **1** Hijo de un señor o de una persona distinguida. **2** col. Respecto de un criado, amo, esp. si es joven. **3** col. Persona joven, de buena posición económica y social y que generalmente no trabaja. ❚ s.f. **4** Tratamiento que se da a la mujer soltera. **5** Tratamiento que se da a las mujeres que desempeñan ciertos trabajos, esp. a las maestras. ▢ MORF. En la acepción 3, la RAE sólo lo registra como masculino.

señorón, -a adj./s. Referido a una persona, que es muy rica o importante.

señuelo s.m. **1** Lo que se utiliza para atraer a las aves. **2** Lo que sirve para atraer a alguien o convencerlo de algo con engaño. ▢ ETIMOL. De *seña*.

seo s.f. En algunas regiones, catedral. ▢ ETIMOL. Del catalán *seu*, y éste del latín *sedes* (residencia).

sépalo s.m. En una flor, cada una de las partes que forman el cáliz. ▢ ETIMOL. Del latín *separ* (separado) y la terminación de *pétalo*. 🌿 flor

separación s.f. **1** Hecho de separar o separarse dos o más elementos. **[2** Distancia o espacio que existe entre dos elementos separados. **3** Interrupción de la vida en común de dos cónyuges por conformidad o por resolución judicial sin que se produzca la ruptura del vínculo matrimonial. **4** ‖**separación de bienes**; régimen matrimonial que permite que cada uno de los cónyuges conserve sus bienes propios administrándolos sin intervención del otro. ▢ SEM. En la acepción 3, dist. de *divorcio* (ruptura del vínculo matrimonial).

[separado, da adj./s. Referido a una persona, que ha interrumpido la vida en común con su cónyuge sin que se haya producido la ruptura del vínculo matrimonial. ▢ SEM. Dist. de *divorciado* (con disolución del vínculo matrimonial).

separador s. Lo que sirve para separar. ▢ ETIMOL. Del latín *separator*.

separar ❚ v. **1** Referido a un elemento, alejarlo o hacer que deje de estar cerca de otro: *Separa las sillas de la mesa. Sepárate del televisor.* **2** Considerar de forma aislada: *Para analizar este tema hay que se-*

parar el aspecto social y el económico. ∎ prnl. **3** Referido a dos cónyuges, interrumpir su vida en común por conformidad o por resolución judicial sin que se produzca la ruptura del vínculo matrimonial: *Se separaron hace dos años y ahora les han concedido el divorcio.* **4** Referido a una comunidad política, hacerse autónomo respecto a otra a la que pertenecía: *Las naciones que componían la antigua URSS se separaron entre 1991 y 1992.* **5** Renunciar a la asociación o relación que se mantenía con algo: *Los socios se separaron y dividieron el capital de la empresa.* □ ETIMOL. Del latín *separare.*

separata s.f. Artículo o capítulo de una revista o libro que se publica por separado.

separatismo s.m. Doctrina política que defiende la separación de un territorio para alcanzar su independencia o para anexionarse a otro país.

separatista ∎ adj. **1** Del separatismo o relacionado con esta doctrina política. ∎ adj./s. **2** Partidario o seguidor del separatismo. □ MORF. 1. Como adjetivo es invariable en género. 2. Como sustantivo es de género común: *el separatista, la separatista.*

sepelio s.m. Enterramiento de un cadáver con las correspondientes ceremonias, esp. si éstas son religiosas. □ ETIMOL. Del latín *sepelire* (enterrar).

sepia ∎ adj./s.m. [**1** De color rosa anaranjado. ∎ s.f. **2** Molusco cefalópodo marino, de cuerpo oval y con diez tentáculos, parecido al calamar; jibia. □ ETIMOL. Del latín *sepia.* □ MORF. 1. Como adjetivo es invariable en género. 2. En la acepción 2, es un sustantivo epiceno: *la sepia macho, la sepia hembra.*

[**sepiolita** s.f. Mineral de color blanco amarillento, blando, ligero y suave al tacto y que se usa en trabajos de artesanía y como material refractario.

septembrino, na adj. Del mes de septiembre o relacionado con él.

septenario, ria ∎ adj. **1** Que consta de siete partes o elementos. ∎ s.m. **2** Conjunto de siete días, esp. los que se dedican a alguna práctica religiosa. □ ETIMOL. Del latín *septenarius.* □ ORTOGR. En la acepción 2, se admite también *setenario.*

septenio s.m. Período de tiempo de siete años. □ ETIMOL. Del latín *septennium.*

septeno, na numer. **1** En una serie, que ocupa el lugar número siete. **2** Referido a una parte, que constituye un todo junto con otras seis iguales a ella. □ SEM. Es sinónimo de *séptimo.*

septentrión s.m. Norte. □ ETIMOL. Del latín *septentriones* (las siete estrellas de la Osa Menor). □ MORF. Referido al punto cardinal, la RAE lo registra como nombre propio. □ SINT. Se usa mucho en aposición pospuesto a un sustantivo: *El barco se vio sacudido por un inesperado viento septentrión.* □ USO Referido al punto cardinal, se usa más como nombre propio.

septentrional adj. En astronomía y geografía, del septentrión o del norte; boreal. □ MORF. Invariable en género.

septeto s.m. **1** Composición musical escrita para siete instrumentos o para siete voces. **2** Conjunto formado por siete instrumentos o por siete voces. □ ETIMOL. Del latín *septem* (siete).

septicemia s.f. Proceso infeccioso grave producido por el paso de gérmenes patógenos a la sangre y su multiplicación en ella. □ ETIMOL. Del griego *septikós* (que corrompe) y *-emia* (sangre).

séptico, ca adj. **1** Que produce putrefacción o que es causado por ella: *La carne se pudrió porque estaba expuesta a los agentes sépticos del aire.* **2** Que contiene gérmenes patógenos: *De una herida séptica se puede derivar una infección generalizada.* □ ETIMOL. Del griego *septós* (podrido).

septiembre s.m. Noveno mes del año, entre agosto y octubre. □ ETIMOL. Del latín *september*, y éste de *septem* (siete), porque era el séptimo mes del calendario romano antes de la introducción de julio y agosto. □ ORTOGR. Se admite también *setiembre.*

[**septillizo, za** Que ha nacido de un parto séptuplo.

séptimo, ma ∎ numer. **1** En una serie, que ocupa el lugar número siete. **2** Referido a una parte, que constituye un todo junto con otras seis iguales a ella. ∎ s.f. **3** En música, intervalo existente entre una nota y la séptima nota anterior o posterior a ella en la escala, ambas inclusive. □ ETIMOL. Del latín *septimus.* □ ORTOGR. Se admite también *sétimo.* □ SEM. Es sinónimo de *septeno.*

septingentésimo, ma numer. **1** En una serie, que ocupa el lugar número setecientos. **2** Referido a una parte, que constituye un todo junto con otras seiscientas noventa y nueve iguales a ella. □ ETIMOL. Del latín *septingentesimus.*

septuagenario, ria adj./s. Que tiene más de setenta años y aún no ha cumplido los ochenta.

septuagésimo, ma numer. **1** En una serie, que ocupa el lugar número setenta. **2** Referido a una parte, que constituye un todo junto con otras sesenta y nueve iguales a ella. □ ETIMOL. Del latín *septuagesimus.* □ MORF. *Septuagésima primera* (incorr. **septuagésimo primera*), etc.

septuplicar v. Multiplicar por siete o hacer siete veces mayor: *En un solo año he septuplicado mis ahorros.* □ ETIMOL. Del latín *septem* (siete) y *plicare* (doblar). □ ORTOGR. La *c* se cambia en *qu* delante de *e* →SACAR.

séptuplo, pla numer. Referido a una cantidad, que es siete veces mayor que otra. □ ETIMOL. Del latín *septuplus.*

sepulcral adj. Del sepulcro, con alguna de sus características o relacionado con él. □ MORF. Invariable en género.

sepulcro s.m. **1** Construcción generalmente de piedra y levantada sobre el suelo en la que se da sepultura a uno o a varios cadáveres; enterramiento. **2** En un altar, hueco en el que se depositan las reliquias y que luego se cubre y se sella. □ SEM. Dist. de *cenotafio* (monumento funerario que no contiene el cadáver).

sepultar v. **1** Referido al cuerpo de un difunto, enterrarlo o ponerlo en la sepultura: *Lo han sepultado en el cementerio de su pueblo.* **2** Ocultar, esconder o cubrir totalmente: *El barro arrastrado por la riada sepultó calles y aceras.*

sepultura s.f. **1** Enterramiento del cuerpo de un difunto. **2** Lugar en el que se entierra un cadáver; enterramiento. **3** Concavidad que se hace en la tierra para enterrar un cadáver; hoya, hoyo. □ ETIMOL. Del latín *sepultura.* □ SEM. En la acepción 3, es sinónimo de *hoya, hoyo* y *huesa.*

sepulturero, ra s. Persona que se dedica profesionalmente a abrir sepulturas y a enterrar cadáveres; enterrador. □ MORF. La RAE sólo lo registra como masculino.

sequedad s.f. **1** Ausencia de líquido o de humedad. **2** Falta de cariño o de amabilidad.

sequía s.f. Período prolongado de tiempo seco o sin lluvias.

séquito s.m. Conjunto de personas que acompañan y siguen a alguien importante o famoso. □ ETIMOL. Del italiano *seguito*, y éste de *seguitare* (seguir).

ser ▌ s.m. **1** Cualquier cosa creada, esp. si está dotada de vida. **2** Persona. **3** Esencia o naturaleza: *La fiereza es parte del ser de muchos animales salvajes.* **4** Vida o existencia: *Agradéceles a tus padres el haberte dado el ser.* ▌ v. **5** Seguido de una expresión que indica cualidad o condición, poseerla, esp. si es de forma inherente, permanente o duradera: *Yo soy morena y tú eres rubio. La cuchara es para comer sopa. Soy zamorana.* **6** Seguido de una expresión que describe una acción, consistir en ella: *Su encanto es saber reírse de sí misma.* **7** Seguido de la preposición de y de algunos infinitivos, resultar previsible la acción expresada por éstos: *Era de suponer que llegarías tarde.* **8** Referido a un acontecimiento, suceder, ocurrir o producirse: *¿Sabes cómo fue el incendio?* **9** Haber o existir: *Érase un país donde sólo había niños.* **10** Valer o costar: *¿A cómo es el cordero?* **11** Corresponder o tocar: *No he hecho esas tareas porque no eran mías.* **12** Indica hora o fecha: *Hoy es lunes.* **13** Indica el resultado de una operación aritmética: *Dos y dos son cuatro.* **14** ‖ [**ser** alguien **muy suyo**; ser muy independiente o tener muchas rarezas: *Siempre 'fuiste muy tuya' y tomaste las decisiones por tu cuenta. Le gusta coger las vacaciones en invierno porque 'es muy suyo'.* □ ETIMOL. Las acepciones 1-4, del verbo *ser*. Las acepciones 5-14, del latín *sedere* (estar sentado). □ MORF. Irreg.: 1. Su participio es *sido*. 2. →SER. 3. En las acepciones 9 y 12, es verbo unipersonal. □ SINT. 1. En la perífrasis *ser + participio*, se usa como auxiliar para formar la voz pasiva: *fue asesinado, ha sido atropellado, serás premiada.* □ USO En tercera persona del singular: 1. Se usa para afirmar o negar lo dicho: *'Así es', contestó cuando le pregunté si seguía trabajando. Tú dirás lo que quieras, pero eso no es así.* 2. En la lengua coloquial, puede preceder a oraciones independientes: *Es que no he llegado a ese capítulo todavía. ¿Cómo es que te vas?*

seráfico, ca adj. De los serafines o relacionado con estos ángeles.

serafín s.m. Ángel que está ante el trono de Dios. □ ETIMOL. Del latín *seraphim* (serafines).

serbio, bia ▌ adj./s. **1** De Serbia (república de la antigua Yugoslavia), o relacionado con ella. ▌ s.m. **2** Lengua eslava de esta república. □ ORTOGR. Se admite también *servio*. □ MORF. Cuando se antepone a una palabra para formar compuestos adopta la forma *serbo-*.

[serbobosnio, nia adj./s. De los serbios de Bosnia-Herzegovina (república de la antigua Yugoslavia) o relacionado con ellos.

serbocroata ▌ adj./s. **1** De Serbia y de Croacia (países europeos) o relacionado con ellos. ▌ s.m. **2** Lengua eslava de estos y otros países. □ MORF. 1. Como adjetivo es invariable en género. 2. Como sustantivo es de género común: *el serbocroata, la serbocroata.* 3. En la acepción 1, la RAE sólo lo registra como adjetivo.

serenar v. **1** Apaciguar, sosegar o calmar la agitación: *Con aquel discurso intentaba serenar a la población. El mar se serenó cuando cesó el viento.* **2** En zonas del español meridional, enfriar agua al sereno o al fresco. □ ETIMOL. Del latín *renrenare*.

serenata s.f. **1** Música en la calle o al aire libre y durante la noche en honor de una persona. [**2** col. Lo que se repite con una insistencia que molesta. □ ETIMOL. Del italiano *serenata*.

serenidad s.f. Tranquilidad o calma. □ ETIMOL. Del latín *serenitas*.

serenísimo, ma adj. Tratamiento honorífico que en España (país europeo) correspondía a los príncipes hijos de los reyes.

sereno, na ▌ adj. **1** Claro, despejado o sin nubes ni nieblas. **2** Apacible o sosegado. [**3** Que no está borracho. ▌ s.m. **4** Persona que vigilaba las calles durante la noche y abría las puertas de los portales cuando uno de los propietarios quería entrar. **5** En zonas del español meridional, relente o ambiente húmedo nocturno. **6** ‖ **al sereno**; a la intemperie durante la noche; al fresco. □ ETIMOL. Las acepciones 1 y 2, del latín *serenus* (sereno, sin nubes, apacible). Las acepciones 4-6, del latín *serenum*, y éste de *serum* (la tarde, la noche).

serial s.m. Obra que se emite en capítulos por radio o por televisión, esp. la que tiene un carácter muy emotivo y pretende conmover y hacer llorar.

seriar v. Poner en serie o formar series: *En el test nos daban unos datos que debíamos seriar en el menor tiempo posible.* □ ORTOGR. La i nunca lleva tilde.

sericicultura s.f. →**sericultura**. □ ETIMOL. Del latín *sericus* (de seda) y *-cultura* (cultivo).

sericultura s.f. Arte y técnica de la producción de la seda; sericicultura. □ USO Aunque la RAE prefiere *sericicultura*, se usa más *sericultura*.

serie s.f. **1** Conjunto de cosas relacionadas entre sí que se suceden unas a otras. [**2** Conjunto de personas o cosas que tienen algo en común. **3** Obra que se emite por capítulos en radio o en televisión. **4** Conjunto de sellos, billetes o billetes de lotería que forman parte de una misma emisión. [**5** En algunas competiciones deportivas, cada una de las pruebas eliminatorias para seleccionar a los mejores, que se enfrentarán en la final. **6** ‖ **en serie**; referido a una forma de fabricación, que produce muchos objetos iguales, según un mismo patrón. ‖ **fuera de serie**; muy bueno, mucho mejor de lo que se considera normal. □ ETIMOL. Del latín *series*, y éste de *serere* (entretejer, encadenar).

seriedad s.f. **1** Responsabilidad, rigor y cuidado con que se hace algo. **2** Severidad o falta de humor o de alegría.

[serigrafía s.f. Procedimiento de impresión en el que la imagen se graba tamizando la tinta con una pieza de seda. □ ETIMOL. Del latín *sericus* (de seda) y *-grafía* (representación gráfica).

serio, ria adj. **1** Riguroso o responsable en la forma de actuar. **2** De aspecto severo o que impone respeto. **3** Importante o de consideración. **4** ‖ **en serio**; sin engaño o burla. □ ETIMOL. Del latín *serius*.

sermón s.m. **1** Discurso u oración de carácter didáctico que predica el sacerdote ante los fieles. **2** col. Amonestación, reprensión o consejos, esp. cuando resultan largos y pesados. ☐ ETIMOL. Del latín *sermo* (conversación, diálogo, lengua, estilo). ☐ USO La acepción 2 tiene un matiz despectivo.

sermonear v. Echar sermones: *Cuando suspendo, mis padres me sermonean para que estudie más.* ☐ USO Tiene un matiz despectivo.

[seronegativo, va adj./s. Referido esp. a una persona, que ha dado negativo en un serodiagnóstico, esp. en el que se hace para detectar el sida. ☐ ETIMOL. Del inicio de *serodiagnóstico* y *negativo.*

[seropositivo, va adj./s. Referido esp. a una persona, que ha dado positivo en un serodiagnóstico, esp. en el que se hace para detectar el sida. ☐ ETIMOL. Del inicio de *serodiagnóstico* y *positivo.*

serosidad s.f. **1** Líquido segregado por las membranas serosas del cuerpo. **2** Líquido que se acumula en las ampollas que salen en la piel. ☐ ETIMOL. Del latín *serum* (suero).

seroso, sa ▌ adj. **1** Del suero o de la serosidad, con sus características o relacionado con ellos. **2** Que produce serosidad. ▌ s.f. **3** →**membrana serosa.**

seroterapia s.f. →**sueroterapia.**

serpentear v. Moverse o extenderse dando vueltas o haciendo eses como las serpientes: *El sendero serpentea y sube hasta la cima de la montaña.*

serpenteo s.m. Movimiento o dibujo que forma eses, como el de las serpientes al desplazarse.

serpentín s.m. Tubo largo enrollado en espiral que generalmente se usa para enfriar líquidos y vapores. ☐ ETIMOL. De *serpiente.*

serpentina s.f. Tira de papel enrollada que se usa en las fiestas, lanzándola sujeta por uno de los extremos.

serpiente s.f. **1** Reptil de cuerpo cilíndrico, escamoso y muy alargado, que no tiene patas y que vive en la tierra o en el agua; culebra. **2** ‖**serpiente de**

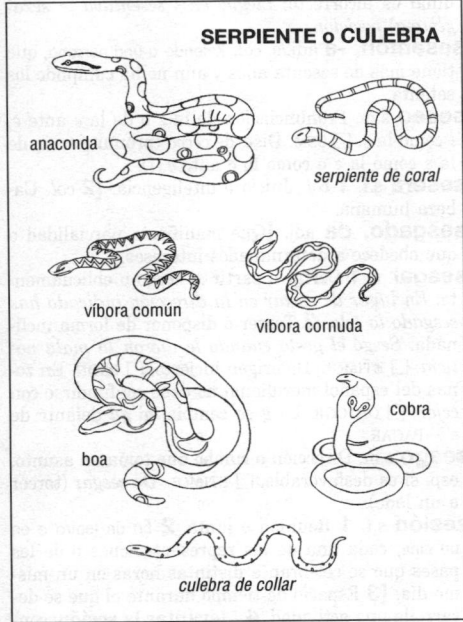

SERPIENTE o CULEBRA

anaconda

serpiente de coral

víbora común

víbora cornuda

cobra

boa

culebra de collar

cascabel; la venenosa que tiene en el extremo de la cola unos anillos con los que emite un ruido particular al moverse; crótalo. ‖ **[serpiente de coral**; la venenosa que tiene el cuerpo cubierto de escamas de color rojo, amarillo y negro y que se alimenta de otras serpientes. ‖ **(serpiente) pitón**; la de gran tamaño que tiene la cabeza parcialmente cubierta de escamas pequeñas y que es propia de los continentes asiático y africano. ☐ ETIMOL. Del latín *serpens*, y éste de *serpere* (arrastrarse). ☐ MORF. Es un sustantivo epiceno: *la serpiente macho, la serpiente hembra.* 🐍 serpiente

serrado, da adj. Con dientes semejantes a los de una sierra.

serrador, -a ▌ s. **1** →**aserrador.** ▌ s.f. **2** →**aserradora.**

serrallo s.m. En las viviendas musulmanas, parte destinada a las mujeres; harem, harén. ☐ ETIMOL. Del italiano *serraglio*, y éste del persa *saray* (palacio).

serranía s.f. Terreno formado por montañas y sierras.

serranilla s.f. Composición poética, generalmente en versos de arte menor, que narra el encuentro en la sierra entre un caminante y una serrana, entre los que se suele entablar un diálogo de contenido erótico.

serrano, na ▌ adj. **[1** *col.* Lozano o hermoso. ▌ adj./s. **2** De una sierra, de una serranía o relacionado con ellas.

serrar v. Cortar o dividir con una sierra: *Ese tronco tan grande no cabe en la chimenea y tendrás que serrarlo.* ☐ ETIMOL. Del latín *serrare.* ☐ ORTOGR. admite también *aserrar.* ☐ MORF. Irreg. →PENSAR.

serrería s.f. Taller en el que se sierra madera. ☐ ORTOGR. Se admite también *aserrería.*

serrín s.m. Conjunto de partículas de madera que se desprenden al serrar. ☐ ETIMOL. Del latín *serrago.* ☐ ORTOGR. Se admite también *aserrín.*

[serruchar v. En zonas del español meridional, aserrar.

serrucho s.m. Sierra de hoja ancha que generalmente sólo tiene una empuñadura.

serventesio s.m. **1** En métrica, estrofa formada por cuatro versos de arte mayor, de rima consonante, y cuyo esquema es *ABAB*. **2** Composición poética provenzal, generalmente de tema moral o político y de tendencia satírica; sirventés. ☐ ETIMOL. Del provenzal *sirventes.*

servicial adj. Referido a una persona, que sirve con cuidado y que acude con prontitud a complacer y a servir. ☐ MORF. Invariable en género.

servicio s.m. **1** Utilidad de algo para un fin o para el desempeño de una tarea o función: *No tires el paraguas porque todavía me hace un buen servicio.* **2** Beneficio o favor que se hacen a otra persona. **3** Reparto o suministro de algo. **4** En algunos deportes, esp. en el tenis, saque o puesta en juego de la pelota desde el campo propio. **5** Conjunto de objetos que se utilizan para algo: *un servicio de té.* **6** Organización y personal destinados a satisfacer las necesidades de una entidad o de los ciudadanos: *servicio médico.* **7** En economía, prestación que satisface necesidades que no consisten en la producción de bienes materiales. **8** *euf.* Retrete. **9** ‖**al servicio de** alguien; expresión de cortesía que se usa como ofrecimiento para algo: *Mi coche está a tu servicio.* ‖ **de servicio**; desempeñando un cargo o una función durante un turno de trabajo. ‖ **(servicio de) inteligencia**; organización secreta de un país para dirigir y organizar el espionaje. ‖ **servicio (doméstico)**; persona o conjunto de personas que se dedican profesionalmente a las tareas del hogar. ‖ **servicio (militar)**; el que presta un ciudadano a su país actuando como soldado en el ejército durante un período de tiempo determinado; mili, milicia. ‖ **[servicio social sustitutorio**; el que prestan los objetores, en sustitución del servicio militar. ‖ **[servicios mínimos**; los que se mantienen en una huelga. ☐ ETIMOL. Del latín *servitium*. ☐ SINT. *De servicio* se usa más con los verbos *entrar, estar, salir* o equivalentes. ☐ SEM. En la acepción 4, aunque la RAE lo considera sinónimo de *saque*, se ha especializado para el saque en el tenis o en el balonvolea.

servidor, -a ‖ s. **1** *col.* Expresión que usa la persona que habla para referirse a sí misma. ‖ s.m. **[2** En un sistema informático, dispositivo que se encarga de almacenar datos y dar servicio de los mismos a los clientes. **3** ‖ **[servidor público**; en zonas del español meridional, funcionario. ☐ ETIMOL. Del latín *servitor*. ☐ MORF. En la acepción 1, se usa con el verbo en tercera persona del singular. ☐ SINT. En la acepción 1, suele usarse precedido del artículo indeterminado. ☐ USO En la acepción 1, se usaba como expresión de cortesía para contestar cuando se era llamado: *Cuando decían en clase mi nombre, yo contestaba con un 'servidora'.*

servidumbre s.f. **1** Conjunto de criados que sirven en un tiempo o en una casa. **2** Estado o condición de siervo. **3** Obligación o carga inexcusables. ☐ ETIMOL. Del latín *servitudo*.

servil adj. Que indica o manifiesta servilismo. ☐ ETIMOL. Del latín *servilis*. ☐ MORF. Invariable en género.

servilismo s.m. Sometimiento o ciega adhesión a la autoridad.

servilleta s.f. Pieza de tela o de papel que sirve para limpiarse las manos o los labios durante las comidas. ☐ ETIMOL. Del francés *serviette*.

servilletero s.m. Utensilio que sirve para meter las servilletas.

servio, via adj. →**serbio**.

servir ‖ v. **1** Valer o ser de utilidad para un fin determinado: *Estos datos servirán para mi estudio.* **2** Estar al servicio de otro o hacer algo en su beneficio o en su favor: *Se dedica a servir en una casa de las afueras. El espía se justificó diciendo que servía a su patria.* **3** Referido a una persona, estar sujeto a ella, haciendo lo que ésta quiere o dispone: *Los escuderos servían a los caballeros.* **4** Ser soldado en activo: *Sirve en un regimiento de caballería.* **5** Atender una mesa, trayendo o repartiendo los alimentos o las bebidas: *En este restaurante sirven cuatro camareros. Llevamos media hora esperando a que nos sirvan.* **6** En algunos deportes, esp. en el tenis, poner la pelota en juego desde el propio campo: *Esta tenista sirve con mucha potencia.* **[7** Repartir o suministrar mercancías: *El repartidor sólo 'sirve' los lunes.* **8** Referido a comida o a bebida, ponerlas en el plato o en el vaso: *¿Me sirves un poco más de arroz, por favor?* **9** Referido a Dios o a los santos, adorarlos o dedicarse a glorificarlos y venerarlos: *Las monjas se dedican a servir a Dios.* ‖ prnl. **10** Referido a una acción, que-

rer hacerla o acceder a ello: *Sírvase venir cuando tenga un momento.* **11** Utilizar para el uso propio: *Se sirvió de unas amistades para obtener la información.* ☐ ETIMOL. Del latín *servire* (ser esclavo, hacer de esclavo). ☐ MORF. Irreg. →PEDIR. ☐ SINT. Constr. de la acepción 11: *servirse DE algo.*

servo- Elemento compositivo que significa 'mecanismo o sistema auxiliar': *servodirección, servofreno, servomotor.* ☐ ETIMOL. Del latín *servus* (siervo).

[servodirección s.f. En un vehículo, mecanismo adicional que facilita el movimiento del volante. ☐ ETIMOL. De *servo-* (mecanismo auxiliar) y *dirección*.

servofreno s.m. En un vehículo, freno cuya acción es amplificada por medio de un dispositivo eléctrico o mecánico. ☐ ETIMOL. De *servo-* (mecanismo auxiliar) y *freno*.

servomotor s.m. Motor auxiliar que aumenta la potencia del motor principal cuando éste lo necesita. ☐ ETIMOL. De *servo-* (mecanismo auxiliar) y *motor*.

sésamo s.m. **1** Planta herbácea con flores acampanadas cuyo fruto contiene numerosas semillas amarillentas, muy usadas como alimento y para la obtención de aceite. **2** Semilla de esta planta. ☐ ETIMOL. Del latín *sesamum*. ☐ SEM. Es sinónimo de *ajonjolí*.

sesear v. Pronunciar la *z* o la *c* ante *e*, *i* como la *s*: *Si al leer 'zona' pronuncias [sona], estás seseando.* ☐ SEM. Dist. de *cecear* (pronunciar la *s* como la *z* o como la *c* ante *e*, *i*).

sesenta ‖ numer. **1** Número 60: *sesenta años.* ‖ s.m. **2** Signo que representa este número: *Los romanos escribían el sesenta como 'LX'.* ☐ ETIMOL. Del latín *sexaginta*. ☐ MORF. Como numeral es invariable en género y en número.

sesentavo, va numer. Referido a una parte, que constituye una de tanto junto con otras cincuenta y nueve iguales a ella. ☐ SEM. Su uso como numeral ordinal es incorrecto: *Llegué en {*sesentava > sexagésima} posición.*

sesentón, -a adj./s. *col.* Referido a una persona, que tiene más de sesenta años y aún no ha cumplido los setenta.

seseo s.m. Pronunciación de la *z* o de la *c* ante *e*, *i* como la *s*. ☐ SEM. Dist. de *ceceo* (pronunciación de la *s* como la *z* o como la *c* ante *e*, *i*).

sesera s.f. **1** *col.* Juicio o inteligencia. **[2** *col.* Cabeza humana.

sesgado, da adj. **[**Que manifiesta parcialidad o que obedece a determinados intereses.

sesgar v. **1** Cortar o partir al sesgo u oblicuamente: *En lugar de cortar en la dirección indicada has sesgado la tela.* **2** Torcer o disponer de forma inclinada: *Sesgó el gesto cuando le dieron la mala noticia.* ☐ ETIMOL. De origen incierto. ☐ PRON. En zonas del español meridional no debe confundirse con *cejar*. ☐ ORTOGR. La *g* se cambia en *gu* delante de *e* →PAGAR.

sesgo s.m. Dirección o rumbo que toma un asunto, esp. si es desfavorable. ☐ ETIMOL. De *sesgar* (torcer a un lado).

sesión s.f. **1** Reunión o junta. **2** En un teatro o en un cine, cada una de las representaciones o de los pases que se celebran a distintas horas en un mismo día. **[3** Espacio de tiempo durante el que se desarrolla una actividad. **4** ‖ **levantar la sesión**; concluirla o darla por terminada. □ ETIMOL. Del latín *sessio.*

seso s.m. **1** Masa de tejido nervioso contenida en el cráneo. ✼ᴥ✼ carne **2** Madurez, juicio o prudencia. **3** ‖**devanarse los sesos**; *col.* Pensar mucho en algo. ‖**sorberle el seso** a alguien; ejercer sobre él una gran influencia. □ ETIMOL. Del latín *sensus* (acción de percibir, inteligencia). □ ORTOGR. Dist. de *sexo.*

sesqui- Elemento compositivo que significa 'unidad y media': *sesquicentenario.* □ ETIMOL. Del latín *sesqui-.*

sesteadero s.m. Lugar donde sestea el ganado; sesteo: *Esa arboleda es el sesteadero de los caballos que hay por aquí.*

sestear v. **1** Dormir la siesta o descansar después de la comida: *Por las tardes suele sestear una media hora.* **2** Agruparse el ganado en un lugar con sombra para descansar: *En aquella pradera el ganado sesteaba bajo la sombra de algunos árboles.* □ ETIMOL. De *siesta.*

sesteo s.m. **1** Descanso durante el que se duerme la siesta: *Por nada del mundo perdono mi hora de sesteo.* **2** Lugar donde sestea el ganado; sesteadero: *El pastor llevó las ovejas al sesteo que hay a las afueras del pueblo.*

sestercio s.m. Antigua moneda romana de plata. □ ETIMOL. Del latín *sestertius.*

sesudo, da adj. **1** Que tiene prudencia, buen juicio o sentido común. **2** *col.* Inteligente o muy listo.

[set (anglicismo) s.m. **1** En algunos deportes, cada una de las partes en que se divide un partido. **2** Conjunto formado por una serie de elementos que sirven para el mismo fin o tienen una función común: *'set' de limpieza.*

seta s.f. Parte visible de algunos hongos que forma el aparato reproductor y que suele tener forma de sombrilla. □ ETIMOL. De origen incierto.

setecientos, tas ‖ pron.numer. **1** Número 700: *setecientas personas.* ‖ s.m. **2** Signo que representa este número: *Los romanos escribían el setecientos como 'DCC'.* □ MORF. 1. Como numeral es invariable en número. 2. Incorr. *página* {**setecientos > setecientas*}.

setenario s.m. →**septenario.**

setenta ‖ numer. **1** Número 70: *setenta casas.* ‖ s.m. **2** Signo que representa este número: *Los romanos escribían el setenta como 'LXX'.* □ ETIMOL. Del latín *septuaginta.* □ MORF. Como numeral es invariable en género y en número.

setentavo, va numer. Referido a una parte, que constituye un todo junto con otras sesenta y nueve iguales a ella. □ SEM. Su uso como numeral ordinal es incorrecto: *Llegué en* {**setentava > septuagésima*} *posición.*

setentón, -a adj./s. *col.* Referido a una persona, que tiene más de setenta años y aún no ha cumplido los ochenta. □ MORF. La RAE sólo lo registra como adjetivo.

setiembre s.m. →**septiembre.**

sétimo, ma numer. →**séptimo.**

seto s.m. Cercado o valla hechos con palos o con ramas entretejidas o con plantas muy juntas. □ ETIMOL. Del latín *saeptum* (barrera, recinto).

[setter (anglicismo) adj./s.m. Referido a un perro, de la raza que se caracteriza por tener pelo largo, sedoso y ondulado, cabeza alargada y orejas caídas. □

PRON. [séter]. □ MORF. Como adjetivo es invariable en género. ✼ᴥ✼ perro

seudo- Elemento compositivo que significa 'falso': *seudópodo, seudoprofeta, seudovacaciones.* □ ETIMOL. Del griego *pseudo-*, y éste de *pseudés* (mentiroso, falso). □ MORF. Puede adoptar la forma *pseudo-.* □ USO Se usa mucho en la lengua coloquial.

seudónimo s.m. Nombre falso utilizado por un autor para encubrir su nombre verdadero. □ ETIMOL. Del griego *pseudónymos*, y éste de *pseudés* (falso) y *ónoma* (nombre). □ SEM. Dist. de *heterónimo* (nombre con que un autor firma parte de su obra cuando adopta una personalidad fingida).

seudópodo s.m. Prolongación transitoria de algunas células que les permite el movimiento y la nutrición. □ ETIMOL. De *seudo-* (falso) y *-podo* (pie). □ MORF. Aunque la RAE sólo registra *seudópodo*, en círculos especializados se usa más *pseudópodo.*

severidad s.f. **1** Rigor, dureza o falta de tolerancia o de comprensión. **2** Exactitud y rigidez en el cumplimiento de una ley, una norma o una regla.

severo, ra adj./s. **1** Riguroso, áspero o duro en el comportamiento o falto de tolerancia y comprensión. **2** Exacto y rígido en el cumplimiento de una ley, una norma o una regla. □ ETIMOL. Del latín *severus.* □ SEM. Sólo debe usarse referido a personas: *Recibí un* {**severo > fuerte*} *castigo.*

sevillano, na ‖ adj./s. **1** De Sevilla o relacionado con esta provincia o con su capital. ‖ s.f.pl. **2** Música típicamente sevillana y con la cual se cantan seguidillas. **3** Baile de pareja o individual que se ejecuta al compás de esta música.

[sevillista adj./s. Del Sevilla Fútbol Club (club deportivo andaluz) o relacionado con él. □ MORF. 1. Como adjetivo es invariable en género. 2. Como sustantivo es de género común: *el 'sevillista', la 'sevillista'.*

[sex appeal (anglicismo) ‖Atractivo físico o sexual de una persona. □ PRON. [sexapíl].

[sex-shop (anglicismo) s.f. Tienda en la que se venden artículos eróticos o que ofrece servicios relacionados con el erotismo o con la excitación sexual. □ PRON. [sexchóp], con *ch* suave.

[sex-symbol (anglicismo) s.m. Persona que es considerada como representante del atractivo sexual. □ PRON. [sexímbol].

sexagenario, ria adj./s. *col.* Que tiene más de sesenta años y aún no ha cumplido los setenta. □ ETIMOL. Del latín *sexagenarius*, y éste de *sexageni* (de sesenta en sesenta).

sexagesimal adj. Referido a un sistema de numeración o de medida, que tiene como base el número sesenta. □ MORF. Invariable en género.

sexagésimo, ma numer. **1** En una serie, que ocupa el lugar número sesenta. **2** Referido a una parte, que constituye un todo junto con otras cincuenta y nueve iguales a ella. □ ETIMOL. Del latín *sexagesimus*, y éste de *sexaginta* (sesenta). □ MORF. *Sexagésima primera* (incorr. **sexagésimo primera*), etc.

sexcentésimo, ma numer. **1** En una serie, que ocupa el lugar número seiscientos. **2** Referido a una parte, que constituye un todo junto con otras quinientas noventa y nueve iguales a ella. □ ETIMOL. Del latín *sexcentesimus.* □ MORF. *Sexcentésima primera* (incorr. **sexcentésimo primera*).

sexenio s.m. Período de tiempo de seis años. □ ETIMOL. Del latín *sexennium*, y éste de *sex* (seis) y *annus* (año).

sexismo s.m. Discriminación o valoración de las personas según su sexo.

sexista adj./s. Que discrimina o valora a las personas según su sexo. □ MORF. 1. Como adjetivo es invariable en género. 2. Como sustantivo es de género común: *el sexista, la sexista*.

sexo s.m. **1** Condición orgánica de los seres vivos por la que se distingue el macho de la hembra. **2** Conjunto de individuos de una especie que tienen esta condición orgánica igual. **3** Órganos sexuales externos. **[4** Lo que está relacionado con el placer o con la reproducción sexuales. □ ETIMOL. Del latín *sexus*. □ ORTOGR. Dist. de *seso*.

sexología s.f. Estudio del comportamiento sexual humano y de lo relacionado con él. □ ETIMOL. De *sexo* y *-logía* (estudio, ciencia).

sexólogo, ga s. Especialista en sexología.

sextante s.m. Instrumento astronómico para las observaciones marítimas que está formado por un sector de círculo dividido en sesenta grados y un juego de lentes y espejos. □ ETIMOL. Del latín *sextans* (sexta parte).

sexteto s.m. **1** Composición musical escrita para seis instrumentos o para seis voces. **2** Conjunto formado por este número de instrumentos o de voces. **3** En métrica, estrofa formada por seis versos de arte mayor, generalmente endecasílabos. □ ETIMOL. Del latín *sextum* (sexto).

sextilla s.f. En métrica, estrofa formada por seis versos de arte menor.

[sextillizo, za adj./s. Que ha nacido de un parto séxtuplo.

sextina s.f. **1** Composición poética de origen provenzal, que consta de seis estrofas con seis versos endecasílabos y una última estrofa con tres, y en las cuales las palabras finales van formando una serie que se repite con distinto orden en cada estrofa. **2** En métrica, estrofa de seis versos endecasílabos que forma parte de esta composición. **3** En métrica, estrofa de origen italiano, formada por seis versos endecasílabos, y cuyo esquema originario es ABABCC; sexta rima. □ ETIMOL. De *sexta*.

sexto, ta ∎ numer. **1** En una serie, que ocupa el lugar número seis. **2** Referido a una parte, que constituye un todo junto con otras cinco iguales a ella; seisavo. ∎ s.f. **3** En la iglesia católica, quinta de las horas canónicas. □ ETIMOL. Del latín *sextus*.

sextuplicación s.f. Multiplicación por seis, o conversión en algo seis veces mayor.

sextuplicar v. Multiplicar por seis o hacer seis veces mayor: *He sextuplicado mi fortuna.* □ ETIMOL. Del latín *sextus* (sexto) y *plicare* (doblar). □ ORTOGR. La *c* se cambia en *qu* delante de *e* →SACAR.

séxtuplo, pla numer. Referido a una cantidad, que es seis veces mayor que otra. □ ETIMOL. Del latín *sextuplus*.

sexuado, da v. Referido a un ser vivo, que tiene órganos sexuales bien desarrollados y aptos para la fecundación.

sexual adj. Del sexo, de la sexualidad o relacionado con ellos. □ ETIMOL. Del latín *sexualis* (femenino). □ ORTOGR. Dist. de *sensual*. □ MORF. Invariable en género.

sexualidad s.f. **1** Conjunto de características anatómicas, fisiológicas y psicológicas propias de cada sexo o de cada persona en lo relacionado con el sexo. **2** Deseo sexual o tendencia a disfrutar del placer sexual. □ ORTOGR. Dist. de *sensualidad*.

[sexy (anglicismo) adj. Que tiene atractivo sexual o que lo resalta. □ PRON. [séxi].

[sfumato (italianismo) s.m. Técnica pictórica que consiste en dar a las figuras contornos difusos, difuminados o borrosos para crear un juego de sombras suaves. □ PRON. [sfumáto].

[sha (anglicismo) s.m. →**sah**. □ PRON. [cha], con *ch* suave.

[share (anglicismo) s.m. Porcentaje de audiencia de un programa de radio o de televisión. □ PRON. [chér], con *ch* suave. □ USO Su uso es innecesario y puede sustituirse por una expresión como *porcentaje de audiencia*.

[sheriff (anglicismo) s.m. En algunos países, esp. en Estados Unidos, persona encargada de mantener la ley y el orden en algunas circunscripciones. □ PRON. [chérif], con *ch* suave.

[sherpa (voz tibetana) adj./s. Del pueblo nepalí que habita en la zona del Himalaya (cadena montañosa asiática), o relacionado con él. □ PRON. [chérpa], con *ch* suave. □ MORF. 1. Como adjetivo es invariable en género. 2. Como sustantivo es de género común: *el 'sherpa', la 'sherpa'*.

[shiatsu s.m. Técnica curativa de origen oriental que consiste en presionar con los dedos en determinados puntos del cuerpo humano para curar ciertas enfermedades.

[shock s.m. →**choque**. □ USO Es un anglicismo innecesario.

[shopping (anglicismo) s.m. **1** *col.* Compra de objetos. **2** ‖ **[shopping centre**; centro comercial que agrupa a diversas tiendas de distintos tipos. □ PRON. [chópin], [chópin sénter], con *ch* suave. □ USO Su uso es innecesario.

[short (anglicismo) s.m. **1** Pantalón corto que llega como mucho a la mitad del muslo. **2** ‖ **[short (de baño)**; en zonas del español meridional, bañador de hombre. □ PRON. [chort], con *ch* y *t* suaves.

[show (anglicismo) s.m. **1** Espectáculo o número de variedades. **2** Situación o acción en las que se llama la atención de la gente. □ PRON. [chóu], con *ch* suave. □ USO La acepción 2 se usa más en la expresión *montar un 'show'*.

[show-bussiness (anglicismo) s.m. Negocio del mundo del espectáculo. □ PRON. [chóu bísnes], con *ch* suave.

[showman (anglicismo) s.m. Presentador o artista famoso que interviene en un espectáculo. □ PRON. [chóuman], con *ch* suave. □ MORF. Como femenino se usa *showoman*.

si ∎ s.m. **1** En música, séptima nota de la escala de do mayor. ∎ conj. **2** Enlace gramatical subordinante con valor condicional que expresa condición o suposición: *Saldré si no llueve.* **3** Enlace gramatical subordinante que introduce oraciones interrogativas indirectas, a veces con matiz de duda: *No sé si va a venir.* **4** Precedida del adverbio *como* o de la conjunción *que*, indica comparación: *Grita como si lo estuvieran matando.* **5** Enfatiza expresiones de duda o afirmación: *Fíjate si es tonto que cree que las vacas* *vuelan.* **6** Introduce oraciones desiderativas: *Si pudieras ayudarme...* **7** Enlace gramatical con valor distributivo y que, repetido, se usa para coordinar: *Si voy te quejas, si no voy también.* **8** Enlace gramatical coordinante con valor adversativo: *Si aprobé las matemáticas, suspendí la física.* **9** Seguido del adverbio de negación no, forma expresiones elípticas que equivalen a *en caso contrario o de otra forma*: *Limpia los zapatos, si no, te quedas aquí.* **10** ∥**si bien**; enlace gramatical coordinante con valor adversativo; aunque: *Si bien yo no puedo, buscaré a alguien que lo haga.* □ ETIMOL. La acepción 1, de las iniciales de las palabras *Sancte Ioannes*, que aparecen en el himno de San Juan Bautista, de donde se sacó el nombre de todas las notas musicales. Las acepciones 2-10, del latín *si*. □ ORTOGR. 1. Dist. de *sí*. 2. En la acepción 9, dist. de *sino*. □ MORF. En la acepción 1, su plural es *sis*.

sí ∥ pron.pers. **1** Forma reflexiva de la tercera persona que corresponde a la función de complemento precedido de preposición: *Volvió en sí después de estar un minuto inconsciente.* ∥ s.m. **2** Permiso o consentimiento: *Esperó el sí con ansiedad.* ∥ adv. **3** Expresa afirmación, esp. en respuesta a una pregunta: *Sí, quiero verte.* **4** Expresa un énfasis especial: *Tu casa sí que es bonita.* **5** ∥**de por sí**; sin tener en cuenta otras cosas o aparte de lo demás. ∥**porque sí**; *col.* Sin causa justificada y sólo por propia voluntad. □ ETIMOL. La acepción 1, del latín *sibi* (dativo de *sui*, suyo). Las acepciones 2-4, del latín *sic* (así). □ ORTOGR. Dist. de *si*. □ MORF. 1. Como pronombre, no tiene diferenciación de género ni de número. 2. Como sustantivo, aunque su plural en la lengua culta es *síes*, la RAE admite también *sís*.

siamés, -a ∥ adj./s. **1** Referido a un gato, de la raza que se caracteriza por ser de color pardo o grisáceo, con las orejas, las patas, el hocico y la cola más oscuros. ∥ s.m.pl. **2** →**hermanos siameses.** □ ETIMOL. De Siam (antiguo nombre de Tailandia).

sibarita adj./s. Aficionado al lujo y a los placeres refinados. □ ETIMOL. Del latín *sybarita*, y éste del griego *sybarítes* (habitante de Síbaris, ciudad italiana), porque tenían fama de ser dados al lujo. □ MORF. 1. Como adjetivo es invariable en género. 2. Como sustantivo es de género común: *el sibarita, la sibarita.*

siberiano, na adj./s. De Siberia o relacionado con esta región asiática.

sibila s.f. Mujer a la que los antiguos griegos y romanos atribuían el poder de predecir el futuro. □ ETIMOL. Del latín *sibylla*, y éste del griego *síbylla* (profetisa).

sibilante ∥ adj. **1** Referido a un sonido, que se articula haciendo pasar el aire por un estrecho canal formado por la lengua y los alveolos superiores; silbante. ∥ s.f. **2** Letra que representa ese sonido: *La 's' es una sibilante.* □ ETIMOL. Del latín *sibilans*, y éste de *sibilare* (silbar). □ MORF. Como adjetivo es invariable en género.

sibilino, na adj. Oscuro, misterioso o que encubre varios significados.

sic (latinismo) Así, de este modo o tal y como se reproduce: *En un cartel de propaganda había escrito 'Tenga las mejores bacaciones (sic) de su vida'.* □ USO Se usa en textos escritos, generalmente entre

paréntesis, para dar a entender que una palabra que pudiera parecer un error es textual.

sicalíptico, ca adj. Pícaro o malicioso en el terreno sexual. □ ETIMOL. Del griego *sykon* (vulva) y *aleiptikós* (lo que sirve para frotar o excitar), palabra creada para anunciar una obra pornográfica.

sicario s.m. **1** Asesino a sueldo. **[2** Persona que coopera servilmente con otra más poderosa y la ayuda en sus acciones y planes. □ ETIMOL. Del latín *sicarius*, y éste de *sica* (puñal).

siciliano, na ∥ adj./s. **1** De Sicilia (isla mediterránea italiana), o relacionado con ella. ∥ s.m. **2** Dialecto del italiano que se habla en esta isla.

sico- →**psico-.**

sicoanálisis s.m. →**psicoanálisis.**

[sicodelia s.f. →**psicodelia.**

[sicodélico, ca adj. →**psicodélico.**

sicología s.f. →**psicología.**

sicológico, ca adj. →**psicológico.**

sicólogo, ga s. →**psicólogo.**

sicomoro o **sicómoro** s.m. Árbol de tronco amarillento y madera muy resistente, que tiene las hojas ásperas y el fruto pequeño y comestible en forma de higo. □ ETIMOL. Del latín *sicomorus*, y éste del griego *sykon* (higo) y *móros* (moral). □ USO *Sicómoro* es el término menos usual.

sicópata s. →**psicópata.** □ MORF. Es de género común: *el sicópata, la sicópata.*

sicopatía s.f. →**psicopatía.**

sicosis s.f. →**psicosis.** □ MORF. Invariable en número.

[sicosomático, ca adj. →**psicosomático.**

[sicotécnico, ca adj. →**psicotécnico.**

sicoterapia s.f. →**psicoterapia.**

sida s.m. Enfermedad infecciosa producida por un virus, que se transmite sexualmente o a través de la sangre y que destruye los mecanismos de defensa del cuerpo humano. □ ETIMOL. Es un acrónimo que procede de la sigla de *síndrome de inmunodeficiencia adquirida.*

sidecar s.m. Especie de cochecito con una rueda lateral que se acopla al costado de una motocicleta para transportar a una o dos personas. □ ETIMOL. Del inglés *side* (lado) y *car* (coche).

sideral o **sidéreo, a** adj. De los astros, de las estrellas o relacionado con ellos. □ ETIMOL. *Sideral* del latín *sideralis*, y éste de *sidus* (constelación, estrella). □ MORF. *Sideral* es invariable en género. □ USO *Sidéreo* es el término menos usual.

[siderometalúrgico, ca adj. De la siderurgia y la metalurgia conjuntamente, o relacionado con ellas.

siderurgia s.f. Técnica de extraer y de elaborar industrialmente el hierro. □ ETIMOL. Del griego *síderos* (hierro) y *érgon* (obra).

siderúrgico, ca adj. De la siderurgia o relacionado con ella.

[sidoso, sa adj./s. *col.* Referido a una persona, que padece sida.

sidra s.f. Bebida alcohólica obtenida por la fermentación de zumo de manzanas. □ ETIMOL. Del latín *sicera* (bebida embriagante de los hebreos).

sidrería s.f. Establecimiento en el que se vende sidra o se sirve como especialidad.

sidrero, ra ∥ adj. **1** De la sidra o relacionado con ella. ∥ adj./s. **[2** Referido a una persona, que tiene especial gusto por la sidra. ∎ s. **3** Persona que se dedica a la elaboración o venta de sidra.

siega s.f. **1** Corte o recolección del cereal maduro o de la hierba. **2** Tiempo en que se siega. **3** Conjunto de cereal segado.

siembra s.f. **1** Colocación o esparcimiento de las semillas sobre la tierra para que germinen. **2** Tiempo en que se siembra.

siempre adv. **1** En todo momento o durante toda la vida. **2** En todo caso o por lo menos: *Aunque no puedo acompañarte, siempre tienes la posibilidad de llamar a alguien*. **3** ‖**hasta siempre**; expresión que se usa como despedida y que encierra un sentimiento positivo muy profundo. ‖**siempre {que/y cuando}**; enlace gramatical subordinante con valor condicional: *Saldrás a jugar siempre que hayas hecho los deberes*. □ ETIMOL. Del latín *semper*. □ SEM. La acepción 1, en la expresión *siempre jamás*, tiene un matiz intensivo.

siempreviva s.f. **1** Planta herbácea que tiene flores que duran sin alterarse mucho tiempo después de ser cortadas. **2** Flor de esta planta.

sien s.f. Cada una de las dos partes laterales de la cabeza comprendidas entre la frente, la oreja y la mejilla. □ ETIMOL. De origen incierto.

sierpe s.f. **1** Serpiente o culebra, esp. las de gran tamaño. **2** Persona antipática o que está muy enfadada. **3** Lo que se mueve de forma ondulante como una serpiente. □ ETIMOL. Del latín *serpens* (serpiente).

sierra s.f. **1** Herramienta formada por una hoja de acero dentada provista de una empuñadura, que sirve para cortar madera u otros objetos duros. **2** Cordillera montañosa de poca extensión o con montes y peñascos cortados. □ ETIMOL. Del latín *serra*.

siervo, va s. **1** En el sistema feudal, campesino sometido personalmente al poder del señor. **[2** Persona totalmente entregada al servicio de otra. □ ETIMOL. Del latín *servus* (esclavo).

sieso, sa ∎ adj./s. **[1** *col.* Referido esp. a una persona o a su carácter, que es antipático, seco o poco amable. ∎ s.m. **2** Parte del cuerpo humano que comprende el ano y la parte inferior del intestino recto.

siesta s.f. Sueño breve que se echa después de comer. □ ETIMOL. Del latín *hora sexta* (la sexta hora del día, que correspondía a las doce).

siete ∎ numer. **1** Número 7: *siete años*. ∎ s.m. **2** Signo que representa este número: *Los romanos escribían el siete como 'VII'*. **3** *col.* Roto en forma de ángulo que se hace en un vestido o en una tela. **4** ‖**(las) siete y media**; juego de cartas en el que gana el jugador que alcanza 7,5 puntos exactos o el que se acerque más a ellos sin sobrepasarlos. □ ETIMOL. Del latín *septem*. □ MORF. Como numeral es invariable en género y en número.

sietemesino, na adj./s. Que nace a los siete meses de gestación en vez de a los nueve normales.

sífilis s.f. Enfermedad infecciosa de transmisión sexual que puede ser tratada en sus primeras fases con penicilina y que ha ocasionado una gran mortandad en tiempos pasados. □ ETIMOL. Del latín *Syphilis* (título de un poema cuyo protagonista contrae este mal).

sifilítico, ca ∎ adj. **1** De la sífilis o relacionado con ella. ∎ adj./s. **2** Que padece sífilis.

sifón s.m. **1** Botella cerrada herméticamente que contiene agua con gas carbónico y que tiene en la boca un mecanismo que, al ser presionado, deja salir el agua empujada por la presión del gas. **2** Agua carbónica que contiene esta botella. **3** Tubo doblemente acodado que retiene el agua y que impide así la salida de los gases de las cañerías al exterior. □ ETIMOL. Del latín *sipho*, y éste del griego *síphon* (tubo, cañería).

sigilo s.m. Secreto con el que se hace algo. □ ETIMOL. Del latín *sigilum* (signo, marca, sello), porque un asunto llevado con sigilo es como si estuviera guardado bajo sello.

sigilografía s.f. Estudio de los sellos empleados para autorizar documentos, cerrar pliegos u otros usos oficiales. □ ETIMOL. Del antiguo *sigilo* (sello) y *-grafía* (descripción, tratado).

sigiloso, sa adj. Con sigilo.

sigla s.f. Término formado con las iniciales de otras palabras que forman un enunciado: *'ONU' es la sigla de 'Organización de las Naciones Unidas'*. □ ETIMOL. Del latín *sigla* (cifras, abreviaturas). □ USO →APÉNDICE DE SIGLAS Y ACRÓNIMOS.

siglo s.m. Período de tiempo de cien años; centuria. □ ETIMOL. Del latín *saeculum* (generación, época). □ USO El siglo XX acaba el 31 de diciembre del año 2000 (y no el 31 de diciembre de 1999).

sigma s.f. En el alfabeto griego clásico, nombre de la decimoctava letra: *La grafía de la sigma minúscula en final de palabra es similar a nuestra 's' y en los demás casos es 'σ'*.

signar v. **1** Hacer, poner o imprimir un signo o sello: *El aduanero signa las maletas revisadas con una cruz blanca*. **2** Poner la firma: *El contrato deberán signarlo el comprador, el vendedor y el notario*. **3** Hacer la señal de la cruz sobre algo: *Al dar el sacramento de la confirmación, el sacerdote signa la frente con óleo*. □ ETIMOL. Del latín *signare*.

signatario, ria adj./s. Que firma.

signatura s.f. Marca o nota que se pone sobre algo para distinguirlo, esp. la formada por números y letras que se pone a un libro o a un documento para indicar su colocación en una biblioteca o en un archivo. □ ETIMOL. Del latín *signatura*. □ ORTOGR. Dist. de *asignatura*.

significación s.f. **1** Sentido o significado de algo, esp. de una palabra o frase. **2** Importancia o valor de algo.

significado, da ∎ adj. **1** Conocido, importante o que goza de estimación. ∎ s.m. **2** Significación o sentido de algo. **3** En lingüística, concepto o idea que se une al significante para formar el signo lingüístico.

significante s.m. En lingüística, fonema o secuencia de fonemas o letras que se asocian al significado para constituir el signo lingüístico.

significar ∎ v. **1** Expresar, comunicar o querer decir: *La luz roja significa 'peligro'. ¿Sabes qué significa 'otero'?* **2** Representar, valer o tener importancia: *Tu opinión significa mucho para mí*. ∎ prnl. **3** Hacerse notar o distinguirse por una determinada cualidad o circunstancia: *Se ha significado en la clase por su gran inteligencia*. □ ETIMOL. Del latín *significare*, y éste de *signum* (señal) y *facere* (hacer). □ ORTOGR. La *c* se cambia en *qu* delante de *e* → SACAR.

significativo, va adj. **1** Que da a entender o a

conocer algo. **2** Que tiene importancia por significar o representar algún valor.

signo s.m. **1** Lo que representa, sustituye o evoca en el entendimiento un objeto, un fenómeno o una acción; señal: *Las letras son los signos gráficos de los sonidos de la lengua hablada.* **2** Indicio o señal de algo. **3** Gesto con el que se indica algo. **4** En astronomía, cada una de las doce partes iguales en que se considera dividido el Zodíaco (zona celeste que comprende las doce constelaciones que aparentemente recorre el Sol en un año). **5** ‖**signo lingüístico**; el formado por la unión de un conjunto de sonidos, llamado 'significante', y por un concepto o idea, llamado 'significado'. ☐ ETIMOL. Del latín *signum* (señal).

siguiente adj. Posterior o que va inmediatamente después. ☐ ETIMOL. Del latín *sequens*. ☐ MORF. Invariable en género.

[siguiriya s.f. →**seguiriya**.

[sij adj./s. De una religión nacida de una mezcla de hinduismo e islamismo o relacionado con ella.

sílaba s.f. **1** Sonido o conjunto de sonidos articulados que se pronuncian de una vez entre dos depresiones sucesivas de la emisión de voz: *Si separamos las sílabas de la palabra 'palacio' obtenemos 'pa'-'la'-'cio'.* **2** ‖**sílaba {abierta/libre}**; la que termina en vocal. ‖**sílaba {cerrada/trabada}**; la que termina en consonante. ☐ ETIMOL. Del latín *syllaba*. ☐ ORTOGR. →APÉNDICE DE SIGNOS DE PUNTUACIÓN.

silabación s.f. División en sílabas, tanto en la pronunciación como en la escritura. ☐ ORTOGR. →APÉNDICE DE SIGNOS DE PUNTUACIÓN.

silabario s.m. Libro o cartel con sílabas sueltas y palabras divididas en sílabas, que se utiliza para enseñar a leer.

silabear v. Referido a una palabra, pronunciar separadamente sus sílabas: *El niño silabea las palabras. Está aprendiendo a leer y todavía silabea.*

silabeo s.m. Pronunciación separada de las sílabas de una palabra.

silábico, ca adj. De la sílaba o relacionado con ella.

silba s.f. Manifestación de desagrado o de desaprobación mediante silbidos o con otras demostraciones ruidosas. ☐ ORTOGR. Dist. de *silva*.

silbante adj. →**sibilante**. ☐ MORF. Invariable en género.

silbar v. Dar o producir silbidos o sonidos semejantes: *Oye cómo silba el viento en la noche. Silbaba la música de una canción.* ☐ ETIMOL. Del latín *sibilare*.

silbato s.m. Instrumento pequeño y hueco que produce un sonido agudo cuando se sopla por él; pito.

silbido s.m. **1** Sonido agudo que se produce al hacer salir el aire por la boca a través de los labios fruncidos o teniendo los dedos colocados en ella de una determinada manera. **2** Sonido agudo.

silbo s.m. Silbido. ☐ ETIMOL. Del latín *sibilus*.

silenciador s.m. En algunos mecanismos, dispositivo que se acopla para amortiguar el sonido.

silenciar v. **1** Callar u omitir: *Un periodista no debe silenciar hechos que interesen a la opinión pública.* **2** Hacer callar o volver al silencio: *Los aplausos silenciaron las protestas que se levantaban contra el alcalde.* ☐ ORTOGR. La *i* nunca lleva tilde.

silencio s.m. **1** Ausencia de palabras habladas. **2** Ausencia de ruido. **3** ‖**silencio administrativo**; omisión de respuesta o de resolución por parte de la Administración a las peticiones o escritos presentados en el plazo establecido. ☐ ETIMOL. Del latín *silentium*, y éste de *silere* (callar, estar callado). ☐ USO Se usa para mandar callar: *¡Silencio!, no quiero oír ni una voz.*

silencioso, sa adj. **1** Que calla o que tiene el hábito de callar. **2** Sin ruidos. **3** Que hace poco ruido o ninguno.

silepsis s.f. **1** Figura retórica consistente en un quebrantamiento de las leyes de la concordancia gramatical en el género o en el número de las palabras. **2** Figura retórica consistente en el empleo de una palabra en un sentido propio y en otro figurado a la vez. ☐ ETIMOL. Del griego *sýllepsis* (comprensión). ☐ MORF. Invariable en número.

sílex s.m. Variedad de cuarzo formada principalmente por sílice, muy dura y de color gris amarillento, rojo o negro, que se caracteriza porque su fractura origina bordes cortantes; pedernal. ☐ ETIMOL. Del latín *silex* (sílice).

sílfide s.f. [Mujer bella y esbelta. ☐ ETIMOL. De *silfo* (espíritu elemental del aire), por alusión a las ninfas mitológicas del aire.

silicato s.m. **1** Sal compuesta de ácido silícico y una base. [**2** Cada una de las especies de un grupo de compuestos sólidos cristalinos que incluye minerales y productos de síntesis y que están constituidos principalmente por silicio y oxígeno. ☐ ETIMOL. Del latín *silex* (guijarro).

sílice s.f. Compuesto de silicio y oxígeno. ☐ ETIMOL. Del latín *silex* (guijarro).

silíceo, a adj. De sílice o semejante a este compuesto.

silícico, ca adj. De la sílice, del silicio o relacionado con ellos.

silicio s.m. Elemento químico, semimetálico y sólido, de número atómico 14, con color amarillento y de gran dureza. ☐ ORTOGR. Su símbolo químico es *Si*.

silicona s.f. Sustancia sintética formada por silicio y oxígeno, que resiste la oxidación y las altas temperaturas y que repele el agua. ☐ ETIMOL. Del inglés *silicone*.

silicosis s.f. Enfermedad crónica producida por la infiltración de polvo de sílice en el aparato respiratorio. ☐ ETIMOL. De *silicio* y *-osis* (enfermedad). ☐ MORF. Invariable en número.

silla s.f. **1** Asiento para una sola persona, con respaldo y generalmente cuatro patas. **2** ‖**silla (de montar)**; aparejo sobre el que se sienta el jinete para montar a caballo y que está formado por un armazón de madera cubierto generalmente de cuero y relleno de crin. 🐎 arreos ‖**silla de ruedas**; la que dispone de dos ruedas laterales grandes y permite que se desplace una persona que no puede andar. ‖**silla eléctrica**; la que está preparada para ejecutar a los condenados a muerte mediante una descarga eléctrica. ☐ ETIMOL. Del latín *sella*.

sillar s.m. Piedra labrada, generalmente con forma de paralelepípedo rectangular, que forma parte de una construcción, esp. de los muros. ☐ ETIMOL. De *silla*, porque con el sillar se forma la base sobre la que se asienta un edificio.

sillería s.f. **1** Conjunto de sillas y sillones de una misma clase. **2** Taller o tienda en los que se hacen o se venden sillas. **3** Construcción hecha con silla-res o piedras labradas.

sillín s.m. **1** En algunos vehículos, esp. en una bicicleta, asiento sobre el que se monta una persona. **2** Silla de montar más ligera y sencilla que la común. ⚘ arreos

sillón s.m. Asiento grande para una persona, con respaldo y con brazos y generalmente recubierto con un material mullido.

silo s.m. Lugar en el que se almacenan forrajes o semillas, esp. el trigo. ☐ ETIMOL. De origen prerro-mano.

silogismo s.m. En lógica, argumento que consta de tres proposiciones, la última de las cuales se deduce de las otras dos. ☐ ETIMOL. Del griego *syllogismós* (razonamiento).

silueta s.f. **1** Contorno de una figura, representado por las líneas que determinan su forma; perfil. **2** Forma que presenta un objeto más oscuro que el fondo sobre el que está. ☐ ETIMOL. Del francés *silhouette*, y éste de *portrait à la Silhouette* (dibujo que tomó el nombre de su inventor E. de Silhouet-te).

siluetear v. Referido a un objeto, dibujarlo o reco-rrerlo siguiendo su silueta: *Puse mi mano en un pa-pel y la silueteé.*

siluriano, na o **silúrico, ca** ■ adj. **1** En geología, del tercer período de la era primaria o paleozoica o de los terrenos que se formaron en él. ■ adj./s.m. **2** En geología, referido a un período, que es el tercero de la era primaria o paleozoica. ☐ ETIMOL. Del inglés *Silurian*, y éste del latín *Silures* (pueblo que habi-taba parte del país de Gales en la época romana). ☐ USO *Siluriano* es el término menos usual.

silva s.f. Combinación métrica formada por una se-rie ilimitada de versos endecasílabos y heptasílabos con rima consonante, aunque pueden quedar algu-nos sueltos, y distribuidos al gusto del poeta. ☐ ETI-MOL. Del latín *silva* (bosque). ☐ ORTOGR. Dist. de *silba.*

silvestre adj. **1** Referido a un árbol o a una planta, que se cría sin cultivo en la selva o en el campo; bravío. **2** Sin cultivar o agreste. ☐ ETIMOL. Del latín *silvestris.* ☐ MORF. Invariable en género.

silvicultura s.f. **1** Cultivo de los bosques o de los montes. **2** Ciencia que trata de este cultivo. ☐ ETI-MOL. Del latín *silva* (bosque) y *-cultura* (cultivo, cui-dado).

sima s.m. **[1** En geología, capa interna de la corteza terrestre, que está compuesta principalmente por sílice y magnesio. **2** Cavidad grande y muy profun-da en la tierra. ☐ ETIMOL. La acepción 1, del inicio de *silicio* y el inicio de *magnesio.* La acepción 2, de origen incierto. ☐ ORTOGR. Dist. de *cima.*

simbiosis s.f. En biología, asociación entre dos in-dividuos u organismos de distinta especie con mu-tuo beneficio para la supervivencia de ambos. ☐ ETIMOL. Del griego *syn-* (junto con) y *bíos* (vida). ☐ MORF. Invariable en número.

simbiótico, ca adj. De la simbiosis o relacionado con ella.

simbólico, ca adj. **1** Del símbolo, relacionado con él o expresado por medio de él. **2** Que tiene un valor simplemente representativo.

simbolismo s.m. **1** Sistema de símbolos que se utiliza para representar algo. **[2** Significado sim-bólico de algo. **3** Movimiento artístico, esp. poético

y pictórico, que surge en Francia (país europeo) a finales del siglo XIX y que se caracteriza por su re-chazo a nombrar directamente los objetos, prefirien-do sugerirlos o evocarlos mediante símbolos e imá-genes.

simbolista ■ adj. **[1** Del simbolismo o relacionado con este movimiento artístico. ■ adj./s. **2** Que sigue o que practica el simbolismo. **3** Que utiliza símbo-los. ☐ MORF. 1. Como adjetivo es invariable en gé-nero. 2. Como sustantivo es de género común: *el simbolista, la simbolista.* 3. La RAE sólo lo registra como sustantivo.

simbolizar v. Referido a un objeto, servir como sím-bolo de otro, representarlo y explicarlo por alguna relación o semejanza: *En muchas culturas, el toro simboliza la fuerza.* ☐ ORTOGR. La *z* se cambia en *c* delante de *e* →CAZAR.

símbolo s.m. **1** Objeto material que representa otra realidad inmaterial mediante una serie de ras-gos que se asocian por una convención socialmente aceptada: *La balanza es el símbolo de la justicia.* **2** En una ciencia, letra o conjunto de letras con las que se designa por convención un concepto o un ele-mento: *El símbolo químico del hidrógeno es 'H'.* ☐ ETIMOL. Del latín *symbolum*, éste del griego *símbo-lon*, y éste de *symbállo* (yo junto, hago coincidir). ☐ ORTOGR. En la acepción 2, nunca se escriben con punto final →APÉNDICE DE ABREVIATURAS.

simbología s.f. Conjunto o sistema de símbolos. ☐ ETIMOL. De *símbolo* y *-logía* (estudio, ciencia).

simetría s.f. Regularidad en la disposición de las partes de un cuerpo de modo que se corresponden en posición, forma y dimensiones a uno u otro lado de un punto, de un eje o de un plano. ☐ ETIMOL. Del griego *symmetría*, y éste de *syn-* (conjuntamen-te) y *métron* (medida).

simétrico, ca adj. De la simetría, con simetría o relacionado con ella.

simiente s.f. **1** Parte del fruto de los vegetales que contiene el embrión de una futura planta. **2** Lo que es la causa o el origen de donde procede algo. ☐ ETIMOL. Del latín *sementis* (siembra). ☐ SEM. Es si-nónimo de *semilla.*

simiesco, ca adj. Que se parece al simio o que tiene alguna de sus características.

símil s.m. **1** Figura retórica consistente en estable-cer una semejanza entre dos términos mediante vínculos gramaticales expresos; comparación. **2** Comparación o semejanza entre dos elementos. ☐ ETIMOL. Del latín *similis* (semejante). ☐ SEM. En la acepción 1, dist. de *metáfora* (figura en la que se emplea un término con el significado de otro, ba-sándose en una comparación no expresa entre ellos).

similar adj. Que tiene semejanza o analogía con algo. ☐ MORF. Invariable en género.

similicadencia s.f. Figura retórica consistente en el empleo de palabras en el mismo accidente gra-matical o con sonidos semejantes al final de dos o más oraciones o de dos o más miembros de un pe-ríodo. ☐ ETIMOL. Del latín *similis* (semejante) y *ca-dencia.*

similitud s.f. Semejanza o parecido. ☐ ETIMOL. Del latín *similitudo.*

simio, mia ■ s. **1** Mamífero muy ágil que tiene la cara desprovista de pelo, cuatro extremidades con manos y pies prensiles y los dedos pulgares opuestos al resto, y que es capaz de andar a cuatro patas o erguido; mono. ▪ s.m.pl. **2** En zoología, grupo de estos mamíferos. ☐ ETIMOL. Del latín *simius* (mono).

simón s.m. Coche de caballos de alquiler destinado al servicio público y que tiene un punto fijo de parada en una plaza o calle. ☐ ETIMOL. De *Simón*, que era una persona que alquilaba coches en Madrid. 🖲 carruaje

simonía s.f. Compra o venta deliberada de cosas espirituales o religiosas, esp. de los sacramentos o de los cargos religiosos, o propósito de realizar estas acciones. ☐ ETIMOL. Del latín *simonia*, y éste del nombre de *Simón el Mago*, porque éste ofreció dinero a los Apóstoles para que le diesen el don de conferir el Espíritu Santo.

simpatía s.f. **1** Inclinación afectiva y positiva entre personas o hacia algo. **2** Modo de ser o de actuar de una persona que la hacen atractiva y agradable a los demás. **3** Relación de actividad fisiológica y patológica de algunos órganos que no tienen entre sí conexión directa: *Aunque la dolencia está localizada en este órgano, te duele también ese otro por simpatía.* ☐ ETIMOL. Del griego *sympátheia* (acto de sentir igual que otro).

simpático, ca adj./s. **1** Que tiene o que inspira simpatía. **2** Referido a una parte del sistema nervioso vegetativo, que se opone a las acciones del sistema parasimpático y cuya función más importante el la regulación del funcionamiento visceral. ☐ MORF. La RAE sólo lo registra como adjetivo.

simpatizante adj./s. Que siente inclinación por un partido, ideología o movimiento sin pertenecer a ellos. ☐ MORF. 1. Como adjetivo es invariable en género. 2. Como sustantivo es de género común: *el simpatizante, la simpatizante.*

simpatizar v. Sentir simpatía: *Simpatizaron pronto porque tienen muchas aficiones comunes.* ☐ ORTOGR. La z se cambia en c delante de e →CAZAR.

simple ▪ adj. **1** Que no tiene composición o que está formado por un solo elemento. **2** Que no tiene complicación ni dificultades. **3** Referido a un tiempo verbal, que se conjuga sin la ayuda de ningún verbo auxiliar. ▪ adj./s. **4** Sin malicia, sin mucho entendimiento y fácil de engañar. ☐ ETIMOL. Del latín *simplus.* ☐ MORF. 1. Como adjetivo es invariable en género. 2. Como sustantivo es de género común: *el simple, la simple.* 3. Sus superlativos son *simplísimo* y *simplicísimo.* ☐ USO Antepuesto a un sustantivo y precedido de la preposición *con,* se usa mucho para indicar que lo expresado es suficiente para algo: *Con un simple guiño de ojos me lo dijo todo.*

simpleza s.f. **1** Lo que tiene poco valor o poca importancia. **2** Escasez de juicio o de entendimiento. ☐ SEM. Dist. de *simplicidad* (sencillez o falta de adorno).

simplicidad s.f. **1** Sencillez o ingenuidad. **2** Falta de composición o de adorno. ☐ SEM. Dist. de *simpleza* (poca importancia o poco entendimiento).

simplícisimo, ma superlat. irreg. de **simple.** ☐ SEM. Es sinónimo de *simplísimo,* más coloquial.

simplificación s.f. **1** Transformación en algo más sencillo o más fácil. **2** En matemáticas, reducción de una cantidad, una expresión o una ecuación a su forma más breve.

simplificar v. **1** Hacer más sencillo o más fácil: *La mecanización ha simplificado el trabajo. Se han*

simplificado los trámites para la obtención del pasaporte. **2** En matemáticas, referido a una cantidad, una expresión o una ecuación, reducirlas a su forma más breve o más sencilla: *Esta fracción se puede simplificar dividiendo el numerador y el denominador entre 2.* ☐ ETIMOL. Del latín *simplex* (simple) y *facere* (hacer). ☐ ORTOG. La c se cambia en qu delante de e →SACAR.

simplismo s.m. Exceso de simplificación o sencillez.

simplista adj./s. Que simplifica o que tiende a simplificar. ☐ MORF. 1. Como adjetivo es invariable en género. 2. Como sustantivo es de género común: *el simplista, la simplista.*

simplón, -a adj./s. Que es sencillo o ingenuo, o que actúa de forma inocente.

simposio s.m. Reunión o conferencia de carácter científico en la que se debate o discute sobre un tema con la asistencia de especialistas. ☐ ETIMOL. Del griego *sympósion* (festín). ☐ ORTOGR. Incorr. **symposium.*

simulación s.f. Presentación de algo imaginado o inexistente como si fuera cierto o real.

simulacro s.m. Lo que siendo falso se presenta como si fuera verdadero. ☐ ETIMOL. Del latín *simulacrum.*

[simulado, da] adj./s. Referido a una persona, que es falsa y encubre la verdad para parecer lo que no es. ☐ USO Tiene un matiz despectivo.

simulador ▪ adj./s. **1** Que simula o encubre la verdad. ▪ s.m. **2** Aparato o sistema que simula o reproduce el funcionamiento de otro.

simular v. Presentar como cierto o como real: *El decorado simula la sala de un castillo medieval.* ☐ ETIMOL. Del latín *simulare.*

simultanear v. Referido a dos o más actividades, hacerlas al mismo tiempo: *Estuvo todo el año simultaneando el estudio con el trabajo.*

simultaneidad s.f. Coincidencia en el tiempo de dos actividades o de dos operaciones.

simultáneo, a adj. Referido a una actividad o a una operación, que se hace al mismo tiempo que otra. ☐ ETIMOL. Del latín *simultas* (competencia, rivalidad), con influencia de *simul* (juntamente).

sin prep. **1** Indica falta o carencia: *No puedo comprarlo porque estoy sin dinero.* **2** Seguido de un infinitivo, actúa como negación: *Pasé toda la noche sin dormir.* **3** Fuera o aparte de: *El coche nos salió por dos millones, sin el seguro.* **4** ‖sin embargo; enlace gramatical coordinante con valor adversativo: *No nos conocíamos, sin embargo nos hicimos amigos enseguida.* ☐ ETIMOL. Del latín *sine.*

sinagoga s.f. Edificio destinado al culto judío; aljama. ☐ ETIMOL. Del latín *synagoga,* y éste del griego *synagogé* (reunión, lugar de reunión).

sinalefa s.f. En métrica y en fonética, unión o pronunciación en una misma sílaba de la vocal final de una palabra y de la inicial de la palabra siguiente. ☐ ETIMOL. Del latín *synaloepha,* éste del griego *synaloiphé,* y éste de *synaléipho* (confundo, mezclo). ☐ SEM. Dist. de *hiato* (pronunciación separada de la vocal final de una palabra y de la inicial de la palabra siguiente).

sinapismo s.m. **1** Medicamento que se aplica sobre la piel y que está hecho con polvo de mostaza. **2** *col.* Persona o cosa que molesta o exaspera. ☐

ETIMOL. Del latín *sinapismo*, éste del griego *sina-pismós*, y éste de *sínapi* (mostaza).

sinapsis s.f. Relación funcional de contacto entre las terminaciones de las células nerviosas. □ ETIMOL. Del griego *synápsis* (unión, enlace). □ MORF. Invariable en número.

sincerarse v.prnl. Referido a una persona, contarle a otra algo con sinceridad, esp. si lo hace para justificar algo o para aliviar su conciencia: *Sincérate conmigo y cuéntame lo que piensas sin tapujos.* □ ETIMOL. Del latín *sincerare* (purificar). □ SINT. Constr. *Sincerarse {ANTE/CON} alguien.*

sinceridad s.f. Veracidad, sencillez o falta de fingimiento.

sincero, ra adj. Que actúa o habla con sinceridad. □ ETIMOL. Del latín *sincerus* (intacto, natural, no corrompido).

sinclinal adj./s.m. Referido a un plegamiento del terreno, que tiene forma cóncava. □ ETIMOL. Del griego *sýn* (junto con) y *klíneo* (yo pliego). □ MORF. Como adjetivo es invariable en género. □ SEM. Dist. de *anticlinal* (que tiene forma convexa) y de *monoclinal* (con estratos paralelos).

síncopa s.f. Supresión de uno o de más sonidos en el interior de una palabra. □ ETIMOL. Del latín *syncopa*, y éste del griego *synkópe* (acortamiento).

sincopar v. 1 Abreviar o hacer más corto: *Sincopó su discurso porque vio que el público se estaba aburriendo.* 2 Hacer sincopada una palabra o una nota musical: *Si pronuncio deprisa la palabra 'experimentar' sincopo la 'e' y digo [esprimentár].*

síncope s.m. En medicina, detención momentánea de la actividad del corazón o de los pulmones que produce una pérdida repentina del conocimiento y de la sensibilidad. □ ETIMOL. Del latín *syncope*, y éste del griego *synkópe* (colisión, desvanecimiento).

sincretismo s.m. En lingüística, concentración de dos o más funciones gramaticales en una sola forma: *En la desinencia '-o' de la forma 'canto' hay sincretismo de las categorías de persona, número, tiempo, aspecto y modo.* □ ETIMOL. Del griego *sycretismós* (coalición de dos adversarios contra un tercero).

sincronía s.f. 1 Coincidencia en el tiempo de hechos o de fenómenos. 2 En lingüística, consideración de la lengua o de un fenómeno lingüístico en un momento dado de su existencia histórica. □ ETIMOL. Del griego *sýn* (con) y *khrónos* (tiempo). □ SEM. En la acepción 2, dist. de *diacronía* (evolución de una lengua a través del tiempo).

sincrónico, ca adj. De la sincronía o relacionado con ella.

sincronismo s.m. Coincidencia en el tiempo entre las diferentes partes de un proceso.

sincronizar v. Referido esp. a dos o más movimientos o fenómenos, hacer que coincidan en el tiempo: *El coreógrafo insistió en que sincronizáramos los movimientos de piernas y manos.* □ ORTOGR. La *z* se cambia en *c* delante de *e* →CAZAR.

[síndic de greuges] ‖Defensor del pueblo en Cataluña o en la Comunidad Valenciana (comunidades autónomas). □ PRON. [síndic de gréuyes].

sindical adj. Del sindicato, de sus afiliados o relacionado con ellos. □ MORF. Invariable en género.

sindicalismo s.m. Sistema de organización social por medio de sindicatos que se ocupa de defender los intereses económicos y sociales de los trabajadores, esp. de los obreros.

sindicalista ▌ adj. 1 Del sindicalismo o relacionado con este sistema de organización social. ▌ s. 2 Partidario o defensor del sindicalismo. □ MORF. 1. Como adjetivo es invariable en género. 2. Como sustantivo es de género común: *el sindicalista, la sindicalista.*

sindicato s.m. Asociación formada para la defensa de los intereses económicos o sociales de los asociados, esp. referido a la de trabajadores.

síndico s.m. 1 En una comunidad o una corporación, persona elegida como representante para la defensa de los intereses comunes. 2 En un juicio por deudas o en una quiebra, persona encargada de liquidar el activo y el pasivo del deudor. □ ETIMOL. Del latín *syndicus* (abogado y representante de una ciudad).

síndrome s.m. 1 Conjunto de síntomas característicos de una enfermedad o un trastorno físico o mental. 2 Conjunto de fenómenos que caracterizan una situación determinada. 3 ‖**síndrome de abstinencia**; el que presenta una persona adicta a las drogas cuando deja de tomarlas. ‖ **[síndrome de Down]**; malformación congénita producida al triplicarse total o parcialmente un cromosoma, que origina retraso mental y del crecimiento y ciertas anomalías físicas; mongolismo. ‖ **[síndrome de Estocolmo]**; aceptación y progresiva adopción, por parte de una persona secuestrada, de las ideas o las conductas de su secuestrador. ‖**síndrome de inmunodeficiencia adquirida**; →sida. □ ETIMOL. Del griego *syndromé* (acción de juntarse). □ PRON. *Síndrome de Down* se pronuncia [síndrome de dáun].

sine die (latinismo) ‖Sin fecha o sin plazo fijos.

sine qua non (latinismo) Necesario de modo absoluto para que algo pueda realizarse o cumplirse: *Para presentarse a esta oposición es condición sine qua non tener el título de licenciado.* □ PRON. [sinekuanón]; incorr. *[sinekuánon].

sinécdoque s.f. Figura retórica consistente en designar una cosa con el nombre de otra, ampliando, restringiendo o alterando así el significado de ésta. □ ETIMOL. Del latín *synecdoche*, éste del griego *synekdókke*, y éste de *synekdékhomai* (yo abarco conjuntamente).

sinéresis s.f. En métrica y en fonética, reducción a una sola sílaba de vocales de una misma palabra que normalmente se pronuncian en sílabas distintas. □ ETIMOL. Del griego *synáiresis* (contracción). □ MORF. Invariable en número.

sinergia s.f. 1 Acción de dos o más causas que producen un efecto superior a la suma de los efectos individuales: *La sinergia que existe en mi empresa entre los recursos económicos y una tecnología avanzada hace posible un crecimiento acelerado.* 2 Colaboración de varios órganos para realizar una función. □ ETIMOL. Del griego *synergía* (cooperación).

sinestesia s.f. Figura retórica consistente en unir dos imágenes o dos sensaciones que proceden de distintos campos sensoriales. □ ETIMOL. Del griego *sýn* (con) y *aísthesis* (sensación).

sinfín s.m. Infinidad, gran cantidad o sinnúmero.

sinfonía s.f. 1 Composición musical para orquesta. 2 Combinación armónica de varios elementos. □ ETIMOL. Del griego *symphonía* (armonía, concierto).

sinfónico, ca adj. 1 De la sinfonía o relacionado con ella. **[2** Referido esp. a una orquesta, que está formada por las tres grandes familias de instrumentos musicales y que suele interpretar composiciones de gran categoría.

[sinfonier s.m. →**chiffonnier.**

singladura s.f. **1** Distancia recorrida por una nave en veinticuatro horas. **2** Rumbo, dirección o recorrido. □ SEM. En la acepción 1, no debe usarse para períodos de tiempo más largos; incorr. *una {*singladura > travesía} de varias semanas.*

[single s.m. →**disco sencillo.** □ PRON. [sínguel]. □ USO Es un anglicismo innecesario.

singular ∎ adj. **1** Extraordinario, excelente o fuera de lo común; único. ∎ adj./s.m. **2** En lingüística, referido a la categoría gramatical del número, que hace referencia a una sola persona o cosa. □ ETIMOL. Del latín *singularis.* □ MORF. Como adjetivo es invariable en género.

[singularia tantum (latinismo) ‖ En gramática, vocablo usado únicamente en singular: *Las palabras 'sed' o 'cariz' son dos ejemplos de 'singularia tantum'.* □ PRON. [singulária tántum].

singularidad s.f. Característica de lo que es singular.

singularizar v. Referido a algo, diferenciarlo mediante una señal o una peculiaridad: *La secta singulariza a sus miembros rapándoles la cabeza. En el grupo, él se singulariza por un agudo sentido del humor.* □ ORTOGR. La *z* se cambia en *c* delante de *e* →CAZAR.

sinhueso s.f. *col.* Lengua. □ ORTOGR. Se admite también *sin hueso.*

siniestra s.f. Véase **siniestro, tra.**

siniestrado, da adj./s. Que ha padecido un siniestro o daño importante.

siniestralidad s.f. Frecuencia o índice de siniestros.

siniestro, tra ∎ adj. **1** Malo o con mala intención. **2** Desgraciado o de suerte contraria a lo que se desea. ∎ s.m. **3** Daño o destrucción importantes sufridos por una persona o por una propiedad, esp. los que pueden ser indemnizados por una compañía de seguros. ∎ s.f. **4** Mano izquierda. □ ETIMOL. Del latín *sinister* (izquierdo), porque encontrarse un ave a la izquierda del camino se consideraba de mal agüero.

sinnúmero s.m. Número o cantidad muy grandes o incalculables.

sino ∎ s.m. **1** Destino o fuerza desconocida que actúa sobre las personas y determina el desarrollo de los acontecimientos. ∎ conj. **2** Enlace gramatical coordinante con valor adversativo que se usa para contraponer un concepto a otro: *No estoy comiendo carne, sino pescado.* **3** Solamente o tan sólo: *No espero sino que me creas.* **4** Precedida de 'no sólo', se usa para añadir algo a lo ya expresado: *No sólo es, sino simpática.* □ ETIMOL. La acepción 1, del latín *signum.* La acepción 2, de *si* (conjunción) y *no* (negación). □ ORTOGR. Dist. de *si no.* □ SINT. En la acepción 3, se usa siempre pospuesto a una negación. □ SEM. Como conjunción se usa también para indicar excepción: *Nadie vendrá sino tú.*

sínodo s.m. **1** Concilio o junta de obispos. **2** En algunas iglesias protestantes, junta de ministros o pastores encargados de decidir sobre asuntos eclesiásticos. □ ETIMOL. Del griego *sýnodos* (reunión).

sinonimia s.f. En lingüística, coincidencia de significado entre varias palabras. □ SEM. Dist. de *ho-*

monimia (identidad ortográfica o de pronunciación entre palabras con distinto significado y distinto origen) y de *polisemia* (pluralidad de significados en una misma palabra).

sinónimo, ma adj./s.m. Referido a una palabra o a una expresión, que tienen el mismo significado o muy parecido que otra. □ ETIMOL. Del griego *synóhymos*, y éste de *sýn-* (con) y *ónoma* (nombre).

sinopsis s.f. Esquema, resumen o exposición general de algo que se presenta en sus líneas esenciales. □ ETIMOL. Del griego *sýnopsis* (resumen que se abarca de una ojeada). □ MORF. Invariable en número.

sinóptico, ca adj. Con la forma o las características de una sinopsis.

sinovia s.f. Líquido que actúa como lubricante en las articulaciones de los huesos. □ ETIMOL. Del latín *synovia.*

sinovial adj. **1** De la sinovia o relacionado con este líquido. **2** Referido esp. a una membrana, que segrega sinovia o la contiene. □ MORF. Invariable en género.

sinrazón s.f. Acción hecha contra la razón o contra la ley.

sinsabor s.m. Pesar, disgusto o sensación anímica de intranquilidad. □ MORF. Se usa más en plural.

sinsonte s.m. Pájaro de plumaje gris oscuro en el dorso y blanco en el vientre, de cuerpo esbelto, cola larga y pico curvado, y que tiene un canto muy melodioso. □ MORF. Es un sustantivo epiceno: *el sinsonte macho, el sinsonte hembra.*

sintáctico, ca adj. De la sintaxis o relacionado con ella.

sintagma s.m. En una oración gramatical, elemento o conjunto de elementos que funcionan como unidad: *El sintagma nominal tiene como núcleo un nombre.* □ ETIMOL. Del griego *sýntagma* (unidad).

sintagmático, ca adj. Del sintagma o relacionado con él.

[sintasol s.m. Material plástico muy utilizado para recubrir suelos.

sintaxis s.f. **1** En lingüística, parte de la gramática que estudia la coordinación y unión de palabras para formar oraciones y expresar conceptos. **[2** Ordenación y conexión de las palabras o las expresiones. □ ETIMOL. Del griego *sýntaxis* (acción de disponer algo junto). □ MORF. Invariable en número.

síntesis s.f. **1** Composición de un todo por la unión de sus partes. **2** Resumen o compendio breve. **3** En química, proceso por el que se obtiene una sustancia partiendo de sus componentes. **[4** En biología, proceso por el que se producen conjuntos y materias más complejas a partir de moléculas simples. □ ETIMOL. Del griego *sýnthesis.* □ MORF. Invariable en número.

sintético, ca adj. **1** De la síntesis o relacionado con ella. **2** Referido a un producto, que se obtiene por procedimientos químicos o industriales y que reproduce la composición o las propiedades de algún cuerpo natural.

sintetizador s.m. Instrumento electrónico capaz de producir sonidos de cualquier frecuencia e intensidad, combinarlos y mezclarlos, de manera que se imiten los sonidos de cualquier instrumento conocido o que se obtengan efectos sonoros especiales.

sintetizar v. **1** Hacer una síntesis: *Esta antología sintetiza lo mejor de su obra. Sintetizó los tres temas en un folio.* **2** Referido a una sustancia, obtenerla a partir de sus componentes: *Se pueden sintetizar proteínas partiendo de aminoácidos.* □ ORTOGR. La *z* se cambia en *c* delante de *e* →CAZAR.

sintoísmo s.m. Religión tradicional de los japoneses, que da culto a los antepasados y a las fuerzas de la naturaleza. □ ETIMOL. Del japonés *shinto* (camino de dioses).

síntoma s.m. **1** Fenómeno o alteración causados por una enfermedad. **2** Señal de algo que está sucediendo o va a suceder. □ ETIMOL. Del latín *symptoma*, y éste del griego *sýmptoma* (coincidencia).

sintomático, ca adj. Del síntoma o relacionado con él.

[sintomatología s.f. Conjunto de síntomas que caracterizan una enfermedad o que se presentan en un enfermo. □ ETIMOL. Del griego *sýmptoma* (síntoma) y -*logía* (estudio).

sintonía s.f. **1** Adecuación de un circuito eléctrico a la misma frecuencia de vibración que otro, consiguiendo la resonancia entre ambos. **2** En radio y televisión, señal sonora o melodía que anuncian el comienzo de un programa. **[3** Buen entendimiento entre dos o más personas o entre una persona y un medio. □ ETIMOL. Del griego *sýn-* (con) y *tónos* (tono).

sintonización s.f. **1** Ajuste de la frecuencia de resonancia de un circuito a una frecuencia determinada. **2** Coincidencia de dos o más personas en sentimientos o en pensamientos.

sintonizar v. **1** Ajustar la frecuencia de resonancia de un circuito a una frecuencia determinada: *He sintonizado el televisor para captar esa nueva cadena.* **2** Coincidir dos o más personas en sentimientos o en pensamientos: *Sintonizo con él porque tenemos las mismas aficiones.* □ ORTOGR. La *z* se cambia en *c* delante de *e* →CAZAR.

sinuosidad s.f. **1** Presencia de concavidades, ondulaciones o recodos. **2** Concavidad o hueco, esp. el formado por algo curvo. **3** Dificultad para conocer el propósito o la intención de algo.

sinuoso, sa adj. **1** Que tiene concavidades, ondulaciones o recodos. **2** Referido esp. a una acción, que trata de ocultar su propósito o su intención. □ ETIMOL. Del latín *sinuosus*.

sinusitis s.f. Inflamación de los senos del cráneo que comunican con la nariz. □ ETIMOL. Del latín *sinus* (sinuosidad, concavidad) e -*itis* (inflamación). □ MORF. Invariable en número.

sinusoide s.f. En matemáticas, curva que representa gráficamente la función trigonométrica del seno de un ángulo. □ ETIMOL. Del latín *sinus* (seno) y -*oide* (relación, semejanza).

sinvergüenza adj./s. **1** Referido a una persona, que es descarada y desvergonzada o que tiene habilidad para engañar y para no dejarse engañar. **2** Referido a una persona, que comete actos ilegales o inmorales. □ ORTOGR. Dist. de *sin vergüenza.* □ MORF. **1.** Como adjetivo es invariable en género. **2.** Como sustantivo es de género común: *el sinvergüenza, la sinvergüenza.*

sionismo s.m. Movimiento político judío que intenta recobrar Palestina (país histórico de Oriente Medio) como patria. □ ETIMOL. De Sión (ciudadela de Palestina que fue el núcleo de Jerusalén).

[sioux adj./s. De un conjunto de pueblos indígenas que vivían en las llanuras centrales de los actuales Estados Unidos de América (país americano), o relacionado con él. □ PRON. [síux]. □ MORF. **1.** Invariable en número. **2.** Como adjetivo es invariable en género. **3.** Como sustantivo es de género común: *el 'sioux', la 'sioux'.*

siquiatra s. →**psiquiatra**. □ MORF. Es de género común: *el siquiatra, la siquiatra.*

siquiatría s.f. →**psiquiatría**.

síquico, ca adj. →**psíquico**.

siquiera ▌ adv. **1** Por lo menos o tan sólo: *Quédate siquiera un par de días.* ▌ conj. **2** Enlace gramatical coordinante con valor adversativo: *Empieza tú, siquiera sea por una vez.* □ ETIMOL. De *si* (conjunción) y *quiera* (del verbo *querer*).

[sir (anglicismo) s.m. En algunos países, esp. en Gran Bretaña, tratamiento honorífico que se da a los hombres que tienen el título de caballero. □ PRON. [sér].

sirena s.f. **1** En la mitología grecolatina, ninfa o divinidad menor que vivía en el mar y que tenía cuerpo de mujer hasta la cintura y de pez o de ave hasta los pies. 🖈 mitología **2** Instrumento o aparato que produce un sonido potente que se oye a distancia y que se usa para avisar de algo. □ ETIMOL. Del latín *sirena*.

[sirénido o **sirenio ▌** adj./s.m. **1** Referido a un mamífero, que tiene forma de pez, está adaptado a la vida acuática y se caracteriza por tener un labio superior muy desarrollado y dirigido hacia abajo y por sus extremidades anteriores transformadas en aletas: *El manatí y la vaca marina son mamíferos sirenios.* ▌ s.m.pl. **2** En zoología, orden de estos mamíferos. □ ETIMOL. De *sirena.* □ USO Aunque la RAE sólo registra *sirenio*, en círculos especializados se usa más '*sirénido*'.

sirga s.f. Cuerda gruesa que se usa generalmente en la navegación fluvial para tirar las redes o para remolcar las embarcaciones desde tierra. □ ETIMOL. De origen incierto.

siriaco, ca o **siríaco, ca** adj./s. →**sirio**.

sirimiri s.m. Llovizna muy fina y persistente. □ ORTOGR. Se admite también *chirimiri*.

sirio, ria adj./s. De Siria o relacionado con este país asiático; siriaco, siríaco.

[sirla s.f. *vulg.* Navaja.

[sirlero, ra s. *vulg.* Navajero.

siroco s.m. Viento cálido y seco del sudeste procedente del continente africano que sopla en la zona mediterránea. □ ETIMOL. De origen incierto.

[sirope s.m. Líquido espeso de naturaleza azucarada que se usa en la industria alimentaria. □ ETIMOL. Del francés *sirop*.

[sirtaki (del griego) s.m. Baile popular de origen griego que se ejecuta deslizando los pies sobre el suelo mientras se dan pasos cortos.

sirventés s.m. Composición poética provenzal, generalmente de tema moral o político y de tendencia satírica; serventesio. □ ETIMOL. Del provenzal *sirventes*, y éste de *servus* (esclavo), porque el sirventés solía escribirlo un trovador a sueldo de un príncipe.

sirviente, ta ▌ s. **1** Persona que sirve a otra. ▌ s.f. **2** Empleada del servicio doméstico; chacha, muchacha. □ USO Tiene un matiz despectivo.

sisa s.f. En una prenda de vestir, corte curvo que corresponde a la parte de la axila. □ ETIMOL. Del francés antiguo *assise* (impuesto), que en castellano se especializó en *impuesto sobre géneros comestibles* acortando las medidas.

sisar v. **1** Referido a pequeñas cantidades de dinero, hurtarlas, generalmente de la compra diaria: *Cuando me dio la vuelta vi que me había sisado cincuenta pesetas.* **2** Hacer una sisa en una prenda de vestir: *Cuando llegues a la altura del sobaco tienes que empezar a sisar.*

sisear v. Emitir de forma repetida un sonido parecido al de la 's' o al de la 'ch', generalmente en señal de desacuerdo o de desaprobación; chichear: *La conferenciante siseó para pedir silencio.* □ ETIMOL. De origen onomatopéyico.

siseo s.m. Emisión de un sonido semejante al de la 's' o al de la 'ch' de forma repetida, generalmente en señal de desagrado o de desaprobación; chicheo.

sísmico, ca adj. De un terremoto o relacionado con él. □ ETIMOL. Del griego *seismós* (temblor de tierra).

sismo s.m. →seísmo.

sismógrafo s.m. Instrumento que señala la amplitud y la dirección de los temblores terrestres durante un terremoto. □ ETIMOL. Del griego *seismós* (sacudida) y *-grafo* (que escribe).

sismología s.f. Parte de la geología que estudia los seísmos o terremotos. □ ETIMOL. Del griego *seismós* (sacudida, conmoción) y *-logía* (estudio, ciencia).

sistema s.f. **1** Método, ordenación o estructura sobre una materia o conjunto de reglas relacionadas entre sí: *El kilo es la unidad de masa del sistema internacional.* **2** Conjunto de elementos relacionados entre sí y que constituyen una unidad: *sistema planetario.* **3** En biología, conjunto de órganos que intervienen en alguna de las funciones vegetativas: *sistema nervioso.* **4** En lingüística, estructura de una lengua, entendida como un conjunto organizado de elementos, todos ellos relacionados entre sí: *sistema fonológico.* **5** ‖ **por sistema**; referido a la forma de hacer algo, por costumbre o sin justificación. ‖ **sistema cegesimal**; el que tiene por unidades de longitud, de masa y de tiempo el centímetro, el gramo y el segundo, respectivamente. ‖ **[sistema experto**; en informática, programa que usa procedimientos deductivos para resolver situaciones complejas que requerirían la intervención de un experto humano. ‖ **sistema métrico (decimal)**; el que tiene por unidades de longitud, de masa y de tiempo el metro, el kilogramo y el segundo, respectivamente. ‖ **sistema operativo**; en informática, programa o conjunto de programas que realizan las funciones básicas y permiten el desarrollo de otros programas secundarios. ‖ **sistema periódico**; en física, el de los elementos químicos ordenados en una tabla según su número atómico. □ ETIMOL. Del griego *sýstema* (conjunto).

sistemático, ca adj. **1** Que sigue o que se ajusta a un sistema. **2** Referido a una persona, que actúa de forma metódica.

sistematización s.f. Organización u ordenación de acuerdo con un sistema.

sistematizar v. Organizar u ordenar de acuerdo con un sistema: *Si sistematizas los datos podrás estudiarlos mejor.* □ ORTOGR. La *z* se cambia en *c* delante de *e* →CAZAR.

sístole s.f. Movimiento de contracción del corazón y de las arterias que sirve para expeler e impulsar la sangre contenida en ellos. □ ETIMOL. Del griego *systolé* (contracción). □ SEM. Dist. de *diástole* (movimiento de dilatación).

sitácida adj./s.f. →psitácida. □ MORF. La RAE sólo lo registra como adjetivo.

[sitar (del hindi) s.m. Instrumento musical de cuerda, de origen persa, parecido al laúd pero con el mástil más largo, con trastes y generalmente con siete cuerdas metálicas que se tocan con una púa sujeta al pulgar derecho. □ PRON. [sitár].

sitiador, -a adj./s. Que sitia una plaza o una fortaleza.

sitiar v. Referido a una plaza o a una fortaleza, cercarlas para combatirlas y apoderarse de ellas: *Cuando los habitantes de la ciudad vieron que los habían sitiado se apresuraron a organizar la defensa.* □ ETIMOL. De sitio. □ ORTOGR. La *i* nunca lleva tilde.

sitio s.m. **1** Espacio ocupado o que puede ser ocupado; lugar. **2** Espacio a propósito para algo. **[3** Puesto que corresponde a una persona en un determinado momento. **4** Cerco que se pone a una plaza o a una fortaleza para combatirlas y apoderarse de ellas. **5** ‖ {dejar/quedarse} **en el sitio**; col. Dejar o quedarse muerto en el acto. □ ETIMOL. Las acepciones 1-3, de origen incierto.

sito, ta adj. Situado o localizado. □ ETIMOL. Del latín *situs*, y éste de *sinere* (dejar).

situación s.f. **1** Posición o colocación en un lugar o en un tiempo determinados. **2** Estado o condición.

situar ‖ v. **1** Poner en un determinado lugar o en un tiempo: *Los arqueólogos sitúan estas ruinas en el siglo III a. C. Se ha situado en un buen lugar para ver la entrega de las medallas.* ‖ prnl. **2** Lograr una buena posición social, económica o política: *Estoy orgulloso de ti porque has sido capaz de situarte en la vida.* □ ETIMOL. Del latín *situare*. □ ORTOGR. La *u* lleva tilde en los presentes, excepto en las personas *nosotros* y *vosotros* →ACTUAR.

siútico, ca adj. col. En zonas del español meridional, cursi o repipi.

[ska (anglicismo) s.m. Estilo musical surgido en los años sesenta que mezcla elementos del blues y de músicas caribeñas. □ PRON. [escá].

[skateboard s.m. →monopatín. □ PRON. [skéitbor], con *r* suave. □ MORF. Se usa también la forma abreviada 'skate'. □ USO Es un anglicismo innecesario.

[skater (anglicismo) s. Persona entusiasta del uso del monopatín. □ PRON. [eskéiter].

[skay (anglicismo) s.m. Material sintético o plástico que imita la piel o el cuero y que se suele usar en tapicería. □ PRON. [escái]. □ ORTOGR. Se usan mucho las formas castellanizadas *escay* y *eskay*.

[sketch (anglicismo) s.m. **1** En una representación o en una película, escena corta, generalmente de tono humorístico. **2** →bosquejo. □ PRON. [eskéch]. □ USO En la acepción 2, su uso es innecesario.

[ski s.m. →esquí. □ PRON. [eskí]. □ USO Es un galicismo innecesario.

[skin o **[skin head** ‖ →cabeza rapada. □ PRON. [eskín] o [eskínhed], con *h* aspirada. □ ORTOGR. Se usa también *skinhead*. □ USO Es un anglicismo innecesario.

[slalom (del noruego) s.m. →eslalon. □ PRON. [eslálon]. □ USO Su uso es innecesario.

[slip (anglicismo) s.m. Calzoncillo ajustado que sólo

llega hasta las ingles. □ PRON. [eslíp]. □ ORTOGR. Se usa mucho la forma castellanizada *eslip*.

[slogan s.m. →**eslogan.** □ PRON. [eslógan]. □ USO Es un anglicismo innecesario.

[smog (anglicismo) s.m. Niebla producida por la contaminación atmosférica. □ PRON. [esmóg].

[smoking (anglicismo) s.m. →**esmoquin.** □ USO Su uso es innecesario.

[snack (anglicismo) s.m. Comida que se sirve de aperitivo. □ PRON. [esnác]. □ USO Es un anglicismo innecesario y puede sustituirse por un expresión como *aperitivo.*

[snob adj./s. →**esnob.** □ PRON. [esnób]. □ MORF. 1. Como adjetivo es invariable en género. 2. Como sustantivo es de género común: *el 'snob', la 'snob'.* □ USO Es un anglicismo innecesario.

[snorkel (anglicismo) s.m. En zonas del español meridional, tubo de respirar en buceo. □ PRON. [esnórkel].

[snowboard (anglicismo) s.m. Deporte que consiste en descender por la nieve sobre una tabla. □ PRON. [esnóubord].

[snowboarder (anglicismo) s. Persona que practica el deporte del snowboard. □ PRON. [esnoubórder].

so ▌ prep. **1** *ant.* Bajo o debajo de: *No me dejan entrar, so pretexto de que es una fiesta privada.* **▌** interj. **2** Expresión que se usa para hacer parar a un animal de carga, esp. a una caballería. □ ETIMOL. La acepción 1, del latín *sub.* La acepción 2, de origen expresivo. □ SEM. Seguido de un insulto, se usa para enfatizar éste: *¡So bruto, deja eso, que lo vas a romper!.*

soba s.f. *col.* Paliza.

sobaco s.m. Concavidad que forma el arranque del brazo con el cuerpo; axila. □ ETIMOL. De origen incierto.

sobado, da ▌ adj. **1** Muy usado o muy tratado. **▌** s.m. **2** Bollo que tiene manteca o aceite.

sobaquina s.f. Sudor de los sobacos, que se caracteriza por su mal olor.

sobar v. **1** Manosear o tocar repetidamente: *El frutero no permite que los clientes soben la fruta.* **[2** *col.* Dormir: *Este fin de semana no pienso hacer otra cosa que 'sobar'.* □ ETIMOL. De origen incierto.

[sobe s.m. *col.* Manoseo o toqueteo.

soberanía s.f. **1** Autoridad suprema del poder público. **2** Alteza o excelencia no superadas.

soberano, na ▌ adj. **1** Grande, excelente o difícil de superar. **▌** adj./s. **2** Que ejerce o que posee autoridad suprema o independiente. □ ETIMOL. Del latín **superianus,* y éste de *superius* (más arriba). □ SEM. No debe usarse en plural con el significado de 'el rey y la reina'.

soberbia s.f. Véase **soberbio, bia.**

soberbio, bia ▌ adj. **1** Que muestra una actitud de arrogancia. **2** Grandioso, magnífico o estupendo. **▌** s.f. **3** Satisfacción y arrogancia en la contemplación de las cualidades propias, con menosprecio de las de los demás. □ ETIMOL. Las acepciones 1 y 2, del latín *superbus,* por influencia de *soberbia.* La acepción 3, del latín *superbia.*

[sobetear v. *col.* Sobar repetidamente: *Deja de 'sobetear' el libro, que lo vas a romper.*

sobo s.m. *col.* Toqueteo que se hace de algo repetidamente.

sobón, -a adj./s. Referido a una persona, que soba mucho. □ USO Tiene un matiz despectivo.

sobornar v. Referido a una persona, darle dinero u otro tipo de recompensa para conseguir un favor, esp. si es ilícito o injusto; comprar: *Para escaparse sobornó al policía que lo vigilaba.* □ ETIMOL. Del latín *subornare.*

soborno s.m. **1** Entrega de dinero o de otro tipo de recompensa a cambio de un favor, esp. si es ilícito o injusto. **2** Lo que se entrega con este fin.

sobra ▌ s.f. **1** Abundancia o exceso, esp. en el peso o en el valor de algo. **▌** pl. **2** Lo que sobra o queda de algo, esp. al recoger la mesa después de la comida. **3** ‖**de sobra; 1** En abundancia o suficiente. **2** Sin necesidad o inútilmente.

sobrado ▌ s.m. **1** En una casa, parte más alta, inmediatamente bajo el tejado, que suele usarse para guardar objetos viejos o que ya no se usan; desván. **▌** pl. **2** En zonas del español meridional, sobras de una comida. □ ETIMOL. Quizá del latín *superadditum* (añadido encima), y éste de *super* (sobre) y *addere* (añadir).

sobrante adj./s. Que sobra. □ MORF. Invariable en género.

sobrar ▌ v. **1** Haber más cantidad de la que se necesita: *Sobra comida para que quedemos todos hartos.* **2** Quedar como excedente o como resto: *Todos comimos, y aún sobró media olla.* **3** Estar de sobra o ser inútil: *Me dieron a entender que yo sobraba.* **▌** prnl. **[4** *col.* Pasarse de la raya: *'Se sobró' con ellos, y le cayó una bronca de cuidado.* □ ETIMOL. Del latín *superare* (ser superior, abundar).

sobrasada s.f. Embutido de carne de cerdo muy picada y sazonada con sal y pimentón. □ ETIMOL. Del catalán *sobrassada.* □ ORTOGR. Se admite también *sobreasada.*

sobre ▌ s.m. **1** Cubierta, generalmente de papel, en la que se mete una carta, un documento u otro escrito para enviarlos por correo. **[2** Envase con esta forma. **[3** *col.* Cama. **▌** prep. **4** Encima de. **5** Acerca de. **6** Indica aproximación en una cantidad o en un número: *Llegaré a casa sobre las diez.* **7** Cerca de algo, con más altura que ello y dominándolo: *Su casa de la playa tiene varias ventanas sobre el mar.* **8** Indica dominio y superioridad: *El rey mandaba sobre sus siervos.* □ ETIMOL. Las acepciones 4-8, del latín *super.* □ SINT. Incorr. *cometer falta {*sobre > contra} el delantero.* □ SEM. Precedido y seguido de un mismo sustantivo, indica reiteración o acumulación: *Como no cambies de actitud, seguirás teniendo castigo sobre castigo.*

sobre- Elemento compositivo que significa 'encima de' (*sobrearco, sobrecuello, sobrecama, sobrefalda*) o 'con exceso' (*sobrealimentación, sobreañadir, sobrecarga, sobreexcitar, sobrestimar, sobrepeso*). □ ETIMOL. Del latín *super-.*

sobreabundar v. Abundar mucho: *En esta región sobreabundan las palmeras.*

sobrealimentar v. Referido a un individuo, darle más alimento del que normalmente necesita para su manutención: *No sobrealimentes al niño porque lo puedes convertir en un niño obeso.*

sobrearco s.m. Arco construido sobre un dintel para descargar el peso que recaería sobre éste.

sobreasada s.f. →**sobrasada.**

sobrecama s.f. Cobertura de la cama que sirve de adorno y de abrigo; cubrecama.

sobrecarga s.f. Exceso de carga o de peso.
sobrecargar v. **1** Cargar en exceso: *Han sobre-cargado el camión con doscientos kilos más.* **2** Referido a una costura, coserla por segunda vez redoblando un borde sobre el otro para que quede bien rematada: *Sobrecargó todas las costuras de la blusa.* ☐ ORTOGR. La *g* se cambia en *gu* delante de *e* →PAGAR.
sobrecargo s.m. **1** En un buque mercante o de pasajeros, persona que se ocupa del cargamento o del pasaje. **2** En un avión, miembro de la tripulación que se ocupa del pasaje y de ciertas funciones auxiliares.
sobrecogedor, -a adj. Que sobrecoge.
sobrecoger v. Asustar, sorprender, impresionar o intimidar: *La noticia del accidente sobrecogió a toda la población. Se sobrecogieron cuando oyeron aquel estallido.* ☐ ORTOGR. La *g* se cambia en *j* delante de *a*, *o* →COGER.
sobrecogimiento s.m. Susto, impresión o intimidación.
sobrecubierta s.f. Segunda cubierta que se pone a algo para protegerlo mejor.
sobrecuello s.m. Tira suelta de tela endurecida o de material rígido, que se ciñe al cuello y que es propia del traje de los eclesiásticos; alzacuello.
[sobredimensionar v. Dar demasiada importancia: *La crisis 'ha sido sobredimensionada', y en realidad la situación está mejor de lo que parece.*
sobredosis s.f. Dosis excesiva de una droga o de alguna sustancia medicamentosa que puede llegar a producir alteraciones en el funcionamiento normal del organismo que la sufre. ☐ MORF. Invariable en número.
sobreentender v. →sobrentender.
sobreesdrújulo, la adj. →sobresdrújulo.
sobreexcitar v. Excitar mucho o más de lo normal: *Esas películas de miedo sobreexcitan a los niños.* ☐ ORTOGR. Se admite también *sobrexcitar.*
sobrefalda s.f. Falda corta que se coloca como adorno sobre otra.
sobrehilado s.m. Puntadas que se dan en el borde de una tela cortada para que no se deshilache.
sobrehilar v. Referido a una tela cortada, dar puntadas en sus bordes para que no se deshilache: *La blusa está casi acabada, sólo me falta sobrehilarla y rematarla. Su nueva máquina de coser sobrehíla y borda.* ☐ ORTOGR. La *i* lleva tilde en los presentes, excepto en las personas *nosotros y vosotros* →GUIAR.
sobrehumano, na adj. Que excede o supera lo que se considera propio de un ser humano.
sobrellevar v. Referido esp. a una carga o a un mal, soportarlos, llevarlos sobre sí o sufrirlos: *Tengo que aprender a sobrellevar los disgustos.*
sobremanera adv. Mucho o en alto grado. ☐ ORTOGR. Se admite también *sobre manera.*
sobremesa s.f. Tiempo que se está a la mesa después de haber comido. ☐ ORTOGR. Se admite también *sobre mesa.*
sobrenatural adj. Que excede los límites y las leyes de la naturaleza. ☐ ETIMOL. Del latín *supernaturalis.* ☐ MORF. Invariable en género.
sobrenombre s.m. Nombre calificativo con el que se distingue de una forma especial a una persona.
sobrentender v. Referido a algo que no está expresado, entenderlo o comprenderlo, esp. porque se puede deducir o suponer de lo antes dicho o de la

materia de la que se trata: *No necesitas invitación para venir a casa porque se sobrentiende que estás invitado siempre.* ☐ ORTOGR. Se admite también *sobreentender.* ☐ MORF. Irreg. →PERDER.
sobrepasar v. Referido esp. a un punto, pasarlo o rebasarlo: *Las temperaturas sobrepasarán los treinta grados.* ☐ ETIMOL. Traducción del francés *surpasser.*
sobrepelliz s.f. Vestidura blanca de tela fina, con mangas abiertas o muy anchas, que llega desde el hombro hasta la cintura aproximadamente y que llevan los sacerdotes sobre la sotana y algunas personas que ayudan en algunas funciones de la Iglesia. ☐ ETIMOL. Del latín *superpellicium,* y éste de *super* (sobre) y *pellicium* (vestimenta de piel).
[sobrepeso s.m. Exceso de peso.
sobreponer ∎ v. **1** Añadir o poner por encima; superponer: *Si sobrepones ese tul al vestido, quedará precioso.* ∎ prnl. **2** Referido esp. a un impulso o a una adversidad, dominarlos o vencerlos: *Es una mujer capaz de sobreponerse a las desgracias.* ☐ ETIMOL. Del latín *superponere.* ☐ MORF. Irreg.: 1. Su participio es *sobrepuesto.* 2. →PONER. ☐ SINT. Constr. de la acepción 2: *sobreponerse A algo.*
sobrepuesto, ta part. irreg. de **sobreponer.** ☐ MORF. Incorr. *sobreponido.*
sobrepujar v. Exceder o superar a otro en algo: *El trabajo de este alumno sobrepuja a los del resto de la clase en calidad y en claridad.* ☐ ETIMOL. Del catalán *sobrepujar.* ☐ ORTOGR. Conserva la *j* en toda la conjugación.
sobrero s.m. En tauromaquia, toro que se tiene de más por si alguno de los que se destinan a una corrida no resulta apto para la lidia.
sobresaliente s.m. Calificación académica que indica que se ha superado brillantemente el nivel exigido.
sobresalir v. **1** Destacar en altura o en anchura: *El balcón sobresale de la fachada de la casa.* **2** Distinguirse entre los demás: *Sobresale entre sus compañeros de clase por su inteligencia.* ☐ MORF. Irreg. →SALIR. ☐ SEM. Es sinónimo de *descollar.*
sobresaltar v. Asustar, producir angustia o hacer perder la tranquilidad y la calma repentinamente: *El teléfono sonó a las tres de la mañana y nos sobresaltó. Me sobresalté al oír el trueno.*
sobresalto s.m. Sensación producida por un acontecimiento repentino e imprevisto.
sobresdrújulo, la adj. Referido a una palabra, que lleva el acento en la sílaba anterior a la antepenúltima: *'Llámamelo' se escribe con tilde, como todas las palabras sobresdrújulas.* ☐ ORTOGR. 1. Se admite también *sobreesdrújulo.* 2. →APÉNDICE DE ACENTUACIÓN.
sobreseer v. Referido a una instrucción de un sumario o a un proceso criminal, suspenderlos o dejarlos sin curso: *La juez ha sobreseído el caso por considerar que no existen pruebas.* ☐ ETIMOL. Del latín *supersedere* (sentarse ante algo, abstenerse de algo). ☐ ORTOGR. En las formas cuya desinencia contiene un diptongo *ie, io,* esta *i* se cambia en *y* →LEER.
sobreseimiento s.m. Suspensión de una instrucción sumarial o de un proceso criminal.
sobrestimar v. Referido a algo, estimarlo por encima de su valor: *Sobrestimé tu amistad, pero veo que me equivoqué.* ☐ ORTOGR. Incorr. *sobreestimar.*

sobresueldo s.m. Retribución o cantidad de dinero que se añade al sueldo fijo.
sobretodo s.m. **1** Prenda de vestir ancha, larga y con mangas, que se lleva generalmente encima del traje normal. **2** En zonas del español meridional, abrigo de caballero.
[sobrevalorar v. →**supervalorar.**
sobrevenir v. Venir de improviso o de forma repentina o inesperada: *Estábamos junto al río cuando sobrevino una tormenta.* □ ETIMOL. Del latín *supervenire.* □ MORF. Irreg. →VENIR.
sobrevivir v. **1** Vivir después de la muerte de alguien o después de determinado suceso o plazo: *Aunque era el mayor de los hermanos, sobrevivió a todos.* **[2** Vivir con estrechez o con lo mínimo necesario: *Con lo que gano en este trabajo sólo tengo para poder 'sobrevivir'.* □ ETIMOL. Del latín *supervivere.*
sobrevolar v. Referido esp. a un lugar, volar por encima de él: *El piloto nos anunció que estábamos sobrevolando Cádiz.* □ MORF. Irreg. →CONTAR.
sobrexcitar v. →**sobreexcitar.**
sobriedad s.f. **1** Moderación y templanza en el modo de actuar. **2** Carencia de adornos superfluos.
sobrino, na s. Respecto de una persona, otra que es hijo o hija de su hermano o de su hermana. □ ETIMOL. Del latín *sobrinus.*
sobrio, bria adj. **1** Moderado o templado en la forma de actuar. **2** Que carece de adornos superfluos. **3** Que no está borracho. □ ETIMOL. Del latín *sobrius.*
socaire s.m. Abrigo o defensa que ofrece algo, en el lado opuesto al que sopla el viento. □ ETIMOL. De origen incierto.
[socarrat s.m. Arroz que queda pegado en el fondo de la paella. □ ETIMOL. Del catalán *socarrar* (quemar). □ PRON. [socarrát].
socarrón, -a adj./s. Que manifiesta socarronería. □ ETIMOL. De *socarrar* (mofarse).
socarronería s.f. Actitud burlesca, irónica y disimulada.
socavación s.f. Debilitamiento o pérdida de la base o del apoyo.
socavar v. **1** Excavar por debajo, dejando huecos: *Las riadas han socavado los cimientos de la casa.* **[2** Debilitar física o moralmente: *Tantos desastres 'han socavado' su moral.* □ ETIMOL. De *so* (debajo) y *cavar.*
socavón s.m. Hundimiento en el suelo producido generalmente por una pérdida subterránea de terreno.
[soccer (anglicismo) s.m. →**fútbol.** □ PRON. [sóker]. □ USO Su uso es innecesario.
sociabilidad s.f. Facilidad para el trato y la relación con las personas.
[sociabilizar v. Hacer sociable o acostumbrar a vivir en sociedad: *Esa pedagoga afirma que la asistencia a la guardería ayuda a 'sociabilizar' a los niños.* □ MORF. La *z* se cambia en *c* delante de *e* →CAZAR.
sociable adj. Que siente inclinación por el trato y la relación con las personas o que tiene facilidad para ello. □ ETIMOL. Del latín *sociabilis.* □ MORF. Invariable en género.
social adj. **1** De una sociedad o relacionado con esta agrupación de individuos. **2** De una compañía o sociedad, de los miembros que las forman o rela-

cionado con ellos. **[3** Que beneficia a los sectores más pobres de la sociedad. **[4** Referido a algunas especies de insectos, que se organizan en sociedades. □ ETIMOL. Del latín *socialis* (sociable, aliado). □ MORF. Invariable en género.
[socialdemocracia s.f. Corriente política socialista que admite la democracia y el pluralismo político.
[socialdemócrata ∎ adj. **1** De la socialdemocracia o relacionado con esta corriente política. ∎ adj./s. **2** Que sigue o que defiende la socialdemocracia. □ MORF. Como adjetivo es invariable en género. 2. Como sustantivo es de género común: *el 'socialdemócrata', la 'socialdemócrata'.*
socialismo s.m. **1** Movimiento político y sistema de organización social y económico basados en la propiedad, administración y distribución colectiva o estatal de los bienes de producción. **2** ‖ **socialismo utópico**; el caracterizado por basar muchos de sus argumentos en conceptos morales y religiosos.
socialista ∎ adj. **1** Del socialismo o relacionado con él. ∎ adj./s. **2** Que sigue o que defiende el socialismo. □ MORF. **1.** Como adjetivo es invariable en género. 2. Como sustantivo es de género común: *el socialista, la socialista.*
socializar v. Referido esp. a propiedades o a instituciones privadas, transferirlas al Estado o a otro órgano colectivo: *El marxismo soviético socializó los medios de producción.* □ ORTOGR. La *z* se cambia en *c* delante de *e* →CAZAR.
[sociata s. col. →**socialista.** □ MORF. Es de género común: *el 'sociata', la 'sociata'.* □ USO Es despectivo.
sociedad s.f. **1** Conjunto de todos los seres humanos. **2** Agrupación de individuos con una característica común. **3** Agrupación de individuos que cooperan para lograr un fin común. **4** Agrupación de comerciantes, o hombres de negocios o de accionistas de una compañía. **5** ‖ **alta sociedad**; grupo formado por las personas económica y culturalmente más favorecidas. ‖ **sociedad anónima**; aquella en la que el capital está dividido en acciones e integrada por los socios o accionistas. ‖ **[sociedad civil**; conjunto de los individuos de un país. ‖ **(sociedad) cooperativa**; la formada por productores, vendedores o consumidores para la utilidad común de los socios. ‖ **sociedad de consumo**; aquella en la que se estimula la necesidad de adquirir productos, aunque no sean necesarios. ‖ **sociedad (de responsabilidad) limitada**; aquella sociedad mercantil que tiene un capital mínimo de constitución y que se divide en participaciones sociales que se reparten entre los socios. ‖ **[sociedad instrumental**; la constituida por el capital de una empresa mayor para el desarrollo específico de un proyecto determinado. □ ETIMOL. Del latín *societas* (compañía).
socio, cia s. **1** Persona que está asociada con otra o forma parte de una asociación. **[2** col. Amigo o compañero. □ ETIMOL. Del latín *socius* (compañero).
socio- Elemento compositivo que significa 'social' (*sociocultural, socioeconómico, sociopolítico*) o 'sociedad' (*sociología, sociolingüística, sociológico*).
sociocultural adj. De la cultura y de la sociedad a la vez o relacionado con ellas. □ MORF. Invariable en género.
sociolingüístico, ca ∎ adj. **1** De la sociolingüística o relacionado con ella. ∎ s.f. **2** Parte de la lin-

güística que estudia la influencia de la sociedad en el lenguaje.

sociología s.f. Ciencia que estudia las condiciones de existencia y de desarrollo de las sociedades humanas. □ ETIMOL. Del latín *socius* (compañero) y -*logía* (ciencia, estudio).

sociólogo, ga s. Persona que se dedica profesionalmente al estudio de las sociedades humanas o que está especializada en sociología.

sociometría s.f. Estudio por medio de métodos estadísticos de las formas o tipos de relación que se establecen en un grupo de personas.

socorrer v. Prestar ayuda o auxilio en un peligro o en una necesidad: *El automovilista se detuvo para socorrer al herido.* □ ETIMOL. Del latín *succurrere*.

socorrido, da adj. Referido a un recurso, que frecuentemente y de forma fácil sirve para solucionar algo.

socorrismo s.m. Conjunto de conocimientos y de técnicas destinadas a poder prestar socorro inmediato en caso de accidente.

socorrista s. Persona que trabaja prestando socorro en caso de accidente. □ MORF. Es de género común: *el socorrista, la socorrista.*

socorro s.m. Ayuda o auxilio que se prestan en caso de necesidad o de peligro. □ SEM. Se usa para solicitar ayuda urgente.

soda s.f. Bebida gaseosa elaborada con agua y ácido carbónico. □ ETIMOL. Del italiano *soda.*

sódico, ca adj. Del sodio o relacionado con este elemento químico.

sodio s.m. Elemento químico metálico y sólido, de número atómico 11, blando, ligero y de color y brillo plateados, que se oxida rápidamente en contacto con el aire. □ ETIMOL. De *soda* (sosa). □ ORTOGR. Su símbolo químico es *Na.*

sodomía s.f. Coito anal. □ ETIMOL. Por alusión a Sodoma, antigua ciudad de Palestina.

sodomita adj./s. Referido a una persona, que practica la sodomía. □ MORF. 1. Como adjetivo es invariable en género. 2. Como sustantivo es de género común: *el sodomita, la sodomita.* □ SEM. Aunque la RAE lo considera sinónimo de *invertido,* en la lengua actual no se usa como tal.

[sodomizar v. Someter a sodomía: *El líder de la secta fue acusado de 'sodomizar' a algunos miembros del grupo.* □ ORTOGR. La *z* se cambia en *c* delante de *e* →CAZAR.

soez adj. Bajo, grosero o de mal gusto. □ ETIMOL. De origen incierto. □ MORF. Invariable en género.

sofá s.m. 1 Asiento cómodo para dos o más personas, con respaldo y con brazos. 2 ‖**sofá cama**; el que puede transformarse en cama. □ ETIMOL. Del francés *sofa.* □ MORF. Su plural es *sofás;* incorr. **sofases.*

sofisma s.m. Razonamiento o argumento aparente con que se pretende defender algo falso o convencer de ello. □ ETIMOL. Del latín *sophisma,* y éste del griego *sophisma* (habilidad).

sofista ▮ adj./s. 1 Que se vale de sofismas o argumentos aparentes. ▮ s.m. 2 En la antigua Grecia, persona que se dedicaba a la enseñanza de la filosofía , esp. referido a los que enseñaban con un método para convencer por medio del arte de la palabra y de la argumentación a partir del siglo V a. c.. □ MORF. En la acepción 1, como adjetivo es invariable en género y como sustantivo es de género común: *el sofista, la sofista.*

sofisticación s.f. **[1** Concesión o adquisición de un refinamiento afectado o falto de naturalidad. **[2** Concesión o adquisición de un carácter complicado, esp. en un aparato o en una técnica.

sofisticado, da adj. 1 Falto de naturalidad o con un refinamiento afectado. 2 Referido esp. a un aparato o a una técnica, que son complicados y completos.

sofisticar v. **[**Dar o adquirir carácter sofisticado: *Los adelantos científicos 'han sofisticado' la forma de vida. Los instrumentos de laboratorio 'se han sofisticado' mucho.* □ ETIMOL. De *sofístico* (aparente). □ ORTOGR. La *c* se cambia en *qu* delante de *e* →SACAR.

sofocación s.f. 1 Ahogamiento o incorrecta oxigenación. 2 Extinción o apagamiento de algo, esp. de un fuego o de una sublevación, impidiendo su propagación o su continuación. 3 Irritación o producción de nerviosismo o de sonrojo en una persona.

sofocar v. 1 Ahogar o impedir la correcta oxigenación: *El ejercicio te sofoca porque no estás en forma. Los asmáticos se sofocan fácilmente.* 2 Referido esp. a un fuego o a una sublevación, apagarlos, extinguirlos o dominarlos impidiendo su propagación o su continuación: *Los bomberos consiguieron sofocar las llamas.* 3 Referido a una persona, irritarla, molestarla mucho o ponerla nerviosa, generalmente mediante el acoso: *¡Me sofocas con tanta pregunta! No merece la pena que te sofoques por tan poca cosa.* 4 Avergonzar, sonrojar o hacer sentir bochorno: *Es tan tímido que, con un piropo que le digas, lo sofocas. En cuanto lo insultan se sofoca.* □ ETIMOL. Del latín *suffocare.* □ ORTOGR. La *c* se cambia en *qu* delante de *e* →SACAR.

sofoco s.m. 1 Ahogo o imposibilidad de respirar. 2 Sonrojo o bochorno producidos en una persona. 3 Irritación o disgusto grandes. 4 *col.* En una mujer, sensación de calor que suele presentarse durante la menopausia.

sofocón s.m. *col.* Desazón o disgusto muy grandes.

sofoquina s.f. *col.* Sofoco, generalmente intenso.

sofreír v. Freír ligeramente: *Aunque el tomate de lata ya viene frito, me gusta sofreírlo un poco antes de servirlo.* □ ETIMOL. Del latín *subfrigere.* □ MORF. Irreg.: 1. Tiene un participio regular (*sofreído*), que se usa más en la conjugación, y otro irregular (*sofrito*), que se usa más como adjetivo o sustantivo. 2. Irreg. →REÍR.

sofrito, ta ▮ 1 part. irreg. de **sofreír.** ▮ s.m. 2 Salsa o condimento que se añaden a un guiso y que se hacen con diversos ingredientes fritos en aceite, esp. cebolla o ajo. □ MORF. La acepción 1 se usa más como adjetivo, frente al participio regular *sofreído,* que se usa más en la conjugación.

[software (anglicismo) s.m. Conjunto de programas, instrucciones y elementos no físicos que constituyen un equipo informático. □ PRON. [sóftgüer], con la *e* muy abierta.

soga s.f. Cuerda gruesa de esparto o de cáñamo. □ ETIMOL. Del latín *soca.*

[soirée (galicismo) s.f. Acto social o espectáculo público, generalmente de cine o de teatro, que tiene lugar por la noche. □ PRON. [suaré]. □ USO Su uso es innecesario.

soja s.f. 1 Planta herbácea de tallo recto, hojas compuestas, flores blancas o violetas en racimo y fruto en vaina que contiene unas semillas de las que se extrae aceite y harina. **2** Fruto de esta planta.

sojuzgar v. Someter o dominar con violencia: *El Imperio Romano consiguió sojuzgar gran parte de Europa.* □ ETIMOL. Del latín *subiugare*. □ ORTOGR. La *g* se cambia en *gu* delante de *e* →PAGAR.

sol s.m. **1** Estrella que es centro de un sistema planetario. 🔊 eclipse **2** Luz, calor o influjo del Sol sobre la Tierra. **3** col. Lo que se considera muy bueno o encantador. **4** En música, quinta nota de la escala de do mayor. **5** Unidad monetaria peruana. **6** ‖de sol a sol; desde que sale el Sol hasta que se pone. ‖no dejar a alguien (ni) a sol ni a sombra; col. Seguirlo sin descanso o acompañarlo en todo momento y lugar. ‖sol de justicia; el que calienta mucho. ‖ [sol y sombra; combinado de anís y coñac. □ ETIMOL. Las acepciones 1-3, del latín *sol*. La acepción 4, de la primera sílaba de la palabra *solve*, que aparece en el himno de San Juan Bautista, de donde se sacó el nombre de todas las notas musicales. □ ORTOGR. En la acepción 1, referido a la estrella del sistema al que pertenece la Tierra, es nombre propio. □ MORF. También en la acepción 4 su plural es *soles*.

solana s.f. **1** Lugar en el que da el sol de lleno. **2** En una casa, corredor para tomar el sol. □ ETIMOL. Del latín *solana*.

solanáceo, a ▌adj./s.f. **1** Referido a una planta, que es herbácea, arbustiva o arbórea, con hojas simples y alternas acampanadas y fruto carnoso en forma de cápsula o de baya: *La tomatera, el pimiento y el tabaco son plantas solanáceas.* ▌s.f.pl. **2** En botánica, familia de estas plantas, perteneciente a la clase de las dicotiledóneas. □ ETIMOL. De latín *solanum* (hierba mora).

solapa s.f. **1** En una prenda de vestir, parte correspondiente al pecho, que suele ir doblada hacia fuera sobre la misma prenda. **2** En la sobrecubierta de un libro, prolongación lateral que se dobla hacia dentro. 🔊 libro [**3** Parte o prolongación del borde del ajuar, que se dobla para cubrir su interior o para cerrarlo. □ ETIMOL. De *so* (bajo, debajo de) y el latín *lapis* (losa).

solapado, da adj. Referido a una persona, que suele ocultar maliciosamente sus pensamientos o sus intenciones.

solapar v. Referido esp. a la verdad de algo o a una intención, ocultarlas o encubrirlas maliciosamente: *Solapa su envidia con fingidas alabanzas.* □ ETIMOL. De *lapa* (cueva, roca que sobresale cubriendo un lugar).

solar ▌adj. **1** Del Sol o relacionado con esta estrella. ▌s.m. **2** Terreno de edificación. ▌v. **3** Revestir el suelo con losas, ladrillos u otro material: *Para terminar la casa, sólo nos queda solar la cocina.* □ ETIMOL. La acepción 1, del latín *solaris*. Las acepciones 2 y 3, del latín *solum* (suelo). □ MORF. 1. Como adjetivo es invariable en género. 2. Es verbo irreg. →CONTAR.

solariego, ga adj. Antiguo y noble.

solárium s.m. Lugar reservado para tomar el sol. □ ETIMOL. Del latín *solarium*.

solaz s.m. Placer, distracción o alivio de los trabajos o penalidades. □ ETIMOL. Del provenzal antiguo *solatz*.

solazar v. Dar solaz: *Se entrega a la lectura para solazar el espíritu. Los abuelos se solazan con los*

nietos. □ ORTOGR. La *z* se cambia en *c* delante de *e* →CAZAR.

soldada s.f. Salario o sueldo, esp. referido al de un soldado. □ ETIMOL. De *sueldo*.

soldado s.m. Militar o persona que sirve en el ejército, esp. referido al que no tiene graduación. □ ETIMOL. Del italiano *soldato*, y éste de *soldare* (pagar el sueldo).

soldador s.m. Aparato que sirve para soldar.

soldadura s.f. Pegado y unión sólida de dos cosas o de dos partes de una misma cosa que se hace generalmente por medio del mismo material de las piezas.

soldar v. Referido a dos cosas o a dos partes de la misma cosa, pegarlas y unirlas una con otra con mucha solidez, generalmente por medio del mismo material de las piezas: *Utiliza un soplete para soldar los tubos de la cañería.* □ ETIMOL. Del latín *solidare* (consolidar, endurecer). □ MORF. Irreg. →CONTAR.

soleá s.f. **1** Cante flamenco de carácter melancólico cuya copla es una estrofa de tres o de cuatro versos octosílabos. **2** Baile que se ejecuta al compás de este cante. □ ETIMOL. De *soledad*. □ MORF. Su plural es *soleares*.

soleado, da adj. [**1** Referido al tiempo atmosférico, con sol y sin nubes. **2** Referido a un lugar, expuesto al sol.

solear v. →asolear.

solecismo s.m. En gramática, incorrección consistente en el mal uso de una construcción o en una falta de sintaxis. □ ETIMOL. Del latín *soloecismus*, éste del griego *soloikismós* (falta contra las reglas del idioma), y éste de *Sóloi* (nombre de una colonia ateniense en Cilicia, donde se hablaba un griego corrompido). □ SEM. Dist. de *barbarismo* (alteración de la forma escrita o hablada de un vocablo o uso de vocablos impropios).

soledad s.f. **1** Falta de compañía. **2** Ausencia de ocupantes o de habitantes. □ ETIMOL. Del latín *solitas*.

solemne adj. **1** De gran importancia o significación. **2** Majestuoso, imponente o con aire de gravedad. **3** Referido esp. a un compromiso, que es formal y firme, esp. si va acompañado de las circunstancias o requisitos necesarios. □ ETIMOL. Del latín *sollemnis* (consagrado, que se celebra en fechas fijas). □ MORF. Invariable en género. □ SEM. Con algunos sustantivos, enfatiza despectivamente el significado de éstos: *No te hago caso porque lo que estás diciendo es una solemne tontería.*

solemnidad s.f. **1** Importancia o significación. **2** Majestuosidad o gravedad. **3** Formalidad y firmeza de un compromiso, esp. si va acompañado de las circunstancias o de los requisitos necesarios.

solemnizar v. Dar carácter solemne: *Organizaron una gran ceremonia para solemnizar el momento.* □ ORTOGR. La *z* se cambia en *c* delante de *e* →CAZAR.

soler v. **1** Acostumbrar o tener por hábito: *Suelo levantarme temprano por las mañanas.* **2** Ser frecuente u ocurrir habitualmente: *Aquí en invierno suele llover mucho.* □ ETIMOL. Del latín *solere* (acostumbrar, tener costumbre). □ MORF. 1. Irreg. →MOVER. 2. Verbo defectivo: no suele usarse en las formas que expresan la acción acabada. □ SINT. Se usa siempre seguido de infinitivo.

solera s.f. **1** Carácter tradicional o arraigado por el uso o la costumbre. **2** Vejez o carácter añejo de un vino. □ ETIMOL. Del latín *solaria*, y éste de *solum* (suelo).

solfa s.f. **1** Arte o técnica de leer y entonar la música marcando el compás y pronunciando los nombres de las notas que se cantan. **2** *col.* Paliza. **3** ‖ **poner** algo **en solfa**; *col.* Ridiculizarlo o burlarse de ello. □ ETIMOL. De *sol* y *fa* (notas musicales). □ USO En la acepción 1, aunque la RAE sólo registra *solfa*, se usa más *solfeo*.

solfear v. Cantar o entonar marcando el compás y pronunciando los nombres de las notas: *Para aprender a cantar conviene saber solfear.*

solfeo s.m. **1** Entonación que se hace marcando el compás y pronunciando los nombres de las notas que se cantan. **[2** →**solfa.** □ ETIMOL. Del italiano *solfeggio.*

solicitación s.f. **1** Petición que se hace de un modo respetuoso o siguiendo los trámites o los procedimientos debidos. **2** Pretensión o intento de conseguir los servicios o el amor de una persona.

solicitante adj./s. Que solicita. □ MORF. 1. Como adjetivo es invariable en género. 2. Como sustantivo es de género común: *el solicitante, la solicitante.*

solicitar v. **1** Pedir con respeto o siguiendo los trámites o procedimientos debidos: *Si me siento incapaz de hacerlo sola, solicitaré tu ayuda.* **2** Referido a una persona, pretenderla o intentar conseguir su amor o sus servicios: *La abuela cuenta que de joven la solicitaban muchos pretendientes.* □ ETIMOL. Del latín *sollicitare*, y éste de *sollus* (entero) y *citus* (movido).

solícito, ta adj. Que actúa con prontitud o diligencia. □ ETIMOL. Del latín *sollicitus*, de *sollus* (entero) y *citus* (movido).

solicitud s.f. **1** Escrito o documento en los que se solicita algo. **2** Prontitud o diligencia en la forma de actuar.

solidaridad s.f. Adhesión o apoyo a una causa ajena, esp. los que se prestan en una situación difícil.

solidario, ria adj. Que presta o muestra adhesión o apoyo a una causa ajena, esp. en situaciones difíciles. □ ETIMOL. De *sólido.*

solidarizar v. Referido a una persona, hacerla solidaria con otra, esp. en una situación difícil: *La opresión solidariza a los pueblos. Me solidarizo contigo en tus reivindicaciones.* □ ORTOGR. La z se cambia en c delante de e →CAZAR.

solideo s.m. Gorro de seda o de otra tela ligera en forma de casquete, que usan algunos eclesiásticos y que cubre la coronilla. □ ETIMOL. Del latín *soli Deo* (a Dios sólo), porque se lo quitan solamente ante el sagrario.

solidez s.f. Firmeza, fuerza o seguridad.

solidificar v. Referido a un fluido, hacerlo sólido: *Para solidificar un líquido hay que someterlo a bajas temperaturas. Cuando una sustancia se solidifica, se hace más consistente.* □ ETIMOL. Del latín *solidus* (sólido) y *facere* (hacer). □ ORTOGR. La c se cambia en qu delante de e →SACAR. □ SEM. Dist. de *consolidar* (afianzar o dar firmeza).

sólido, da ‖ adj. **1** Firme, seguro y fuerte. ‖ adj./s.m. **2** Referido esp. a una sustancia, que se caracteriza porque sus moléculas presentan una fuerte cohesión entre sí. □ ETIMOL. Del latín *solidus.*

soliloquio s.m. Discurso o reflexión en voz alta que hace una persona que habla a solas o consigo misma, esp. los de un personaje dramático; monó-

logo. □ ETIMOL. Del latín *soliloquium*, y éste de *solus* (solo) y *loqui* (hablar).

solista s. **1** Persona que canta o interpreta un solo en una composición musical. **[2** En un conjunto musical, cantante principal. □ MORF. Es de género común: *el solista, la solista.*

solitario, ria ‖ adj. **1** Desierto, abandonado o sin gente. ‖ adj./s. **2** Solo, aislado o sin compañía. ‖ s.m. **3** Juego para una sola persona, esp. el de cartas. joya **4** Brillante grueso engarzado como única piedra preciosa en una joya, esp. en un anillo. ‖ s.f. **5** Tenia en fase adulta que vive como parásito en el intestino del hombre. □ ETIMOL. Las acepciones 1-4, del latín *solitarius*. La acepción 5, del latín *solitaria*. □ SEM. En la acepción 5, aunque la RAE lo considera sinónimo de *tenia*, *solitaria* se ha especializado para un tipo de tenia.

soliviantar v. **1** Referido esp. a un grupo, inducirlo a adoptar una actitud de rebeldía o de hostilidad: *Los jefes golpistas soliviantaron a la tropa contra el Gobierno. Las nuevas medidas represivas conseguirán que las masas se solivianten.* **2** Referido a una persona, inquietarla, irritarla o alterar su ánimo: *Me solivianta tu desinterés. Te soliviantas enseguida porque no tienes paciencia.* □ ETIMOL. Del antiguo *solevar* (sublevar).

sollozar v. Producir, generalmente al llorar y por un movimiento convulsivo, varias inspiraciones bruscas y entrecortadas, seguidas de una espiración: *El niño sollozaba porque no encontraba a sus padres.* □ ORTOGR. La z se cambia en c delante de e →CAZAR.

sollozo s.m. Producción, por un movimiento convulsivo, de varias inspiraciones bruscas y entrecortadas, seguidas de una espiración. □ ETIMOL. Del latín *suggluttium.*

solo, la ‖ adj. **1** Único y sin otros de su especie: *De ese libro nos queda un solo ejemplar.* **2** Sin otra cosa, sin añadidos o considerado por separado: *un café solo.* **3** Referido esp. a una persona, sin compañía o sin nadie que le dé protección, ayuda o consuelo. ‖ s.m. **4** Composición o pasaje musicales que interpreta una única persona. **5** ‖ **a solas**; sin la compañía ni la ayuda de otro. □ ETIMOL. Del latín *solus.*

solo o **sólo** adv. Únicamente o solamente. □ ORTOGR. Aunque es palabra llana, se puede escribir con tilde para evitar la confusión con el adjetivo *solo.*

solomillo s.m. En una res que se despieza para el consumo, masa muscular que se extiende a ambos lados de la columna vertebral, en la zona en la que hay costillas. □ ETIMOL. De *solomo* (solomillo). carne

solsticio s.m. Época del año en la que el Sol, en su trayectoria aparente, se halla sobre uno de los dos trópicos y da lugar a la máxima desigualdad entre el día y la noche: *El solsticio de verano se produce entre el 21 y el 22 de junio.* □ ETIMOL. Del latín *solstitium*, y éste de *sol* (sol) y *stare* (estar detenido).

soltar ‖ v. **1** Desatar o desceñir: *Soltó los cabellos y peinó su larga melena. Los cordeles que atan el paquete se han soltado.* **2** Referido a una persona o a un animal, dejarlos ir o darles libertad: *Han soltado al preso porque ya ha cumplido su condena.* **3** Referido a algo que está sujeto, dejar de sostenerlo o de sujetarse: *Solté el libro y cayó al suelo.* **4** Referido a algo que estaba detenido, **darle salida:** *Para soltar el agua abre la llave de paso.* **5** Referido al vientre, hacerlo evacuar con frecuencia: *Estas hierbas son buenas para soltar el vientre. Si comes tanta fruta se te soltará el vientre.* **6** Referido a algo que se tenía contenido o que debería callarse, decirlo con violencia o franqueza: *Si me vuelve a decir algo le soltaré cuatro verdades.* **[7** Despedir o desprender: *La carne 'suelta' jugo al asarse.* ∎ prnl. **8** Adquirir agilidad o desenvoltura en la realización de algo: *El nuevo botones ya se ha soltado y trabaja con rapidez.* ☐ MORF. 1. Tiene un participio regular (*soltado*), que se usa en la conjugación, y otro irregular (*suelto*), que se usa como adjetivo. 2. Irreg. →CONTAR.

soltería s.f. Estado de la persona que no ha contraído matrimonio.

soltero, ra adj./s. Que no está casado. ☐ ETIMOL. Del latín *solitarius*.

solterón, -a adj./s. Que tiene edad para estar casado y no lo está.

soltura s.f. Facilidad, desenvoltura o agilidad para hacer algo.

solubilidad s.f. Capacidad para poderse disolver o desleír.

soluble adj. **1** Que se puede disolver o desleír. **2** Que se puede resolver. ☐ ETIMOL. Del latín *solubilis* (que se puede soltar). ☐ MORF. Invariable en género.

solución s.f. **1** Resolución de una duda o de una dificultad. **2** En matemáticas, resultado de una operación aritmética o de un problema. **3** Desunión o separación en un líquido de las partículas de un cuerpo sólido, líquido o gaseoso, de forma que queden incorporadas a él. **[4** Mezcla o sustancia que se forma al realizar esta desunión de partículas en un líquido. **5** ‖**solución de continuidad**; interrupción o falta de continuidad. ☐ ETIMOL. Del latín *solutio* (disolución de una dificultad).

solucionar v. Referido a un asunto, resolverlo o hallar su solución: *Este dinero solucionará mis problemas económicos.*

solvencia s.f. Carencia de deudas o capacidad para satisfacerlas.

solventar v. **1** Referido a una dificultad o a un asunto, darles solución: *La directora tendrá que solventar el tema de los despidos.* **2** Referido a una deuda, pagarla o liquidarla: *Ya he solventado mis deudas.* ☐ ETIMOL. De *solvente*.

solvente ∎ adj. **1** Que tiene recursos suficientes para hacer frente a las deudas o que goza de buena situación económica. **2** Que merece crédito. ∎ adj./s.m. **3** Referido a una sustancia, que es capaz de disolver otra. ☐ ETIMOL. Del latín *solvens*. ☐ MORF. Como adjetivo es invariable en género.

[somalí ∎ adj./s. **1** De Somalia o relacionado con este país del nordeste africano. ∎ s.m. **2** Lengua africana de éste y de otros países. ☐ MORF. 1. En la acepción 1, como adjetivo es invariable en género y como sustantivo es de género común: *el 'somalí', la 'somalí'.* 2. Aunque su plural en la lengua culta es 'somalíes', se usa mucho 'somalís'.

somanta s.f. col. Zurra o paliza. ☐ ETIMOL. De *so* (debajo) y *manta*, porque *somanta* significó *zurra dada por debajo de las mantas de la cama* o *cubrir de azotes.*

somático, ca adj. Perteneciente a la parte material o corpórea de un ser animado, o relacionado con ella. ☐ ETIMOL. Del griego *somatikós* (corporal).

[somatizar v. Referido a un problema psíquico, convertirlo de forma inconsciente en una dolencia física: *Este paciente 'somatiza' los estados de ansiedad en vómitos.* ☐ ORTOGR. La *z* se cambia en *c* delante de *e* →CAZAR.

sombra s.f. **1** Imagen oscura que proyecta sobre una superficie un cuerpo opaco situado entre un foco de luz y dicha superficie. **2** Falta o ausencia de luz. **3** En pintura o en dibujo, color oscuro con el que se representa la falta de luz. **4** En telecomunicación, lugar al que no llegan las imágenes, sonidos o señales transmitidos por un aparato o por una estación emisora. **5** Espectro o aparición de la imagen de una persona ausente o difunta. **6** Apariencia o semejanza de algo: *En sus ojos hay una sombra de tristeza.* **7** col. Suerte o fortuna. **8** ‖**a la sombra**; col. En la cárcel. ‖**hacer sombra** a alguien; impedirle otra persona que prospere o destaque por su superioridad o mayor mérito. ‖**mala sombra**; col. Mala intención. ‖**sombra (de ojos)**; producto cosmético que se utiliza para maquillar o dar color a los párpados. ‖**sombras chinescas**; espectáculo que consiste en proyectar sobre una superficie las sombras de títeres o de figuras hechas con las manos. ☐ ETIMOL. Del latín *umbra*. ☐ MORF. La acepción 2 se usa más en plural.

sombreado s.m. Aplicación de sombras a una pintura o a un dibujo.

sombrear v. Referido a una pintura o a un dibujo, ponerle sombras: *Sombreó el dibujo para darle mayor relieve.*

sombrerería s.f. Taller o tienda en los que se hacen o se venden sombreros.

sombrerero, ra ∎ s. **1** Persona que hace o vende sombreros. ∎ s.f. **2** Caja que sirve para guardar el sombrero. 🖅 equipaje

sombrerillo s.m. En una seta, parte superior, abombada y más o menos redondeada que está sujeta a un pie cilíndrico.

sombrero s.m. **1** Prenda de vestir que cubre la cabeza y que generalmente está compuesta de copa y ala. 🖅 sombrero **2** Lo que tiene la forma de esta prenda de vestir. **3** ‖**quitarse** alguien **el sombrero**; demostrar admiración por algo. ‖**(sombrero) calañés**; el que tiene el ala vuelta hacia arriba y la copa baja en forma de cono truncado. ‖**(sombrero) castoreño**; el fabricado con pelo de castor o con algo parecido, como el fieltro. ‖**sombrero cordobés**; el de fieltro, de ala ancha y plana y con la copa baja y de forma cilíndrica. ‖**sombrero de copa**; el de ala estrecha y copa alta, casi cilíndrica y plana por arriba, generalmente forrado de felpa de seda negra; chistera. ‖**(sombrero de) teja**; el que tiene las dos mitades laterales del ala levantadas y abarquilladas en forma de teja. ‖**sombrero de tres picos**; el que tiene el ala levantada y abarquillada por partes de modo que su base forma un triángulo. ‖**(sombrero) hongo**; sombrero de ala estrecha y copa baja, rígida y redondeada, hecho generalmente de fieltro; bombín. ☐ ETIMOL. De *sombra*.

sombrilla s.f. Especie de paraguas que se utiliza para protegerse del sol; parasol, quitasol. ☐ ETIMOL. Traducción del francés *ombrelle*.

sombrío, a adj. **1** Referido a un lugar, que tiene

SOMBRERO

toca

cofia

pamela

gorro de dormir

pompón

gorro de cocinero

gorro de lana

gorro de cosaco

pasamontañas

boina

chapela

barretina

gorra con orejeras

orejera

gorra de plato

visera

gorra de ciclista

quepis, *kepí* o *kepis*

birrete

borla

bonete

mitra

tiara

teja

capelo

chistera
o sombrero de copa

copa

cinta

ala

sombrero flexible

sombrero hongo
o bombín

canotier

panamá

calañés

salacot

sombrero tirolés

sueste

sombrero cordobés

montera

castoreño

barbiquejo,
barboquejo
o barbuquejo

chichonera

capucha

capirote

turbante

fez

bicornio

tricornio o sombrero de tres picos

casquete

casco de motorista

casco de buzo

penacho

yelmo

poca luz y que suele tener sombras. **2** Triste, demasiado serio o melancólico.

somero, ra adj. Ligero, superficial o hecho con poca profundidad. ☐ ETIMOL. Del antiguo *somo*, y éste del latín *summus* (el más alto).

someter v. **1** Imponer por la fuerza o por la violencia el dominio y la autoridad sobre alguien: *Los romanos sometieron a muchos pueblos.* **2** Sujetar o subordinar al interés, opinión o decisión de alguien: *En un acto de generosidad sometió sus intereses a los de la colectividad. El pueblo se sometió al invasor.* **3** Referido a algo, hacer que reciba o soporte una determinada acción: *Sometieron al animal a una cruel tortura. Se sometió a una operación quirúrgica.* ☐ ETIMOL. Del latín *submittere.*

sometimiento s.m. **1** Imposición del dominio y de la autoridad o sujeción a ellos. **2** Exposición de algo a una determinada acción.

somier s.m. Soporte sobre el que se coloca el colchón. ☐ ETIMOL. Del francés *someier.* ☐ MORF. Su plural es *somieres.*

[sommelier s.m. →**sumiller.** ☐ PRON. [somelié]. ☐ USO Es un galicismo innecesario.

somnífero, ra adj./s.m. Referido esp. a un medicamento, que produce sueño. ☐ ETIMOL. Del latín *somnifer.*

somnolencia s.f. Pesadez y torpeza producidos por el sueño; soñolencia.

somnoliento, ta adj. Que tiene o que produce sueño; soñoliento. ☐ ETIMOL. Del latín *somnolentus.*

somontano, na adj./s. Referido a un terreno o a una región, que están situados al pie de una montaña. ☐ ETIMOL. De *somonte.*

somonte s.m. Terreno situado en la falda de una montaña. ☐ ETIMOL. De *so* (bajo, debajo de) y *monte.*

somormujo s.m. Ave acuática que tiene el pico recto y puntiagudo, las alas cortas, vuela poco y se puede mantener mucho tiempo debajo del agua. ☐ MORF. Es un sustantivo epiceno: *el somormujo macho, el somormujo hembra.*

son s.m. **1** Sonido agradable, esp. si es musical. **2** Modo o manera de hacer algo. **3** ‖**en son de**; del modo y manera que se expresa: *en son de guerra.* ‖**sin (ton ni) son**; *col.* Sin razón o sin fundamento. ☐ ETIMOL. Del latín *sonus.*

sonado, da adj. **1** Célebre o que goza de fama. **2** *col.* Loco o con el juicio trastornado; chiflado.

sonajero s.m. Juguete para bebés que produce ruido cuando se agita.

sonambulismo s.m. Trastorno del sueño que se caracteriza por la realización por parte de una persona dormida de diversos actos que luego no recuerda al despertar. ☐ SEM. Dist. de *noctambulismo* (inclinación a hacer vida nocturna).

sonámbulo, la adj./s. Referido a una persona, que padece un trastorno del sueño caracterizado por la realización de actos mientras está dormida. ☐ ETIMOL. Del latín *somnus* (sueño) y *ambulare* (andar). ☐ SEM. Dist. de *noctámbulo* (que hace vida nocturna).

sonante adj. →**sonoro.** ☐ MORF. Invariable en género.

sonar ∎ s.m. **1** En náutica, aparato que sirve para detectar la presencia y la situación de objetos u obstáculos sumergidos, mediante la emisión de vibraciones de alta frecuencia: *Los barcos de guerra uti-* lizan el sonar para detectar submarinos y minas. ∎ v. **2** Producir ruido o sonido: *Ha sonado el timbre del teléfono. He afinado la guitarra y ahora suena muy bien.* **3** *col.* Producir un recuerdo vago de algo por haber tenido un conocimiento anterior de él: *Ese nombre me suena, pero no sé de qué.* **4** Mencionarse o citarse: *Su nombre suena en los círculos intelectuales del país.* **5** Referido a la nariz, limpiarla de mocos expulsándolos con una espiración violenta: *Suena la nariz al niño. Se le ha puesto la nariz roja de tanto sonarse.* ☐ ETIMOL. La acepción 1, es un acrónimo que procede de la sigla de *Sound Navigation Ranging* (Navegación por el alcance del sonido). Las acepciones 2-5, del latín *sonare.* ☐ PRON. En la acepción 1, aunque la pronunciación correcta es [sonár], está muy extendida [sónar]. ☐ MORF. 1. Como sustantivo es invariable en número. 2. Como verbo, es irreg. →CONTAR.

sonata s.f. Composición musical de carácter instrumental y que consta generalmente de tres o de cuatro movimientos de distinto carácter. ☐ ETIMOL. Del italiano *sonata.*

sonatina s.f. Sonata relativamente corta y de fácil ejecución, escrita generalmente para piano.

sonda s.f. **1** En medicina, instrumento más o menos largo, delgado y con forma de cilindro hueco, que se utiliza generalmente para explorar o dilatar cavidades y conductos naturales, introducir sustancias en el organismo o extraerlas de él. **2** Cuerda con un peso de plomo que sirve para medir la profundidad de las aguas y explorar el fondo. **[3** Instrumento o aparato que se utiliza para explorar y examinar zonas de difícil acceso. ☐ ETIMOL. Del francés *sonde.*

sondar v. **1** En medicina, referido a una persona o a una parte de su cuerpo, introducir en ella algún instrumento que permita combatir estrecheces, destruir obstáculos, realizar una exploración, o introducir o extraer sustancias: *Han sondado al enfermo para que expulse la orina.* **2** Medir o explorar con una sonda; sondear: *Han sondado el río y han comprobado que en esta zona alcanza los cuatro metros de profundidad.*

sondear v. **1** Medir o explorar con una sonda; sondar: *Han sondeado la laguna para saber su profundidad.* **2** Referido a una persona, hacerle preguntas para intentar averiguar algo: *Para conocer la aceptación de las reformas políticas podemos sondear a la opinión pública.*

sondeo s.m. **1** Medición o exploración de algo mediante una sonda. **2** Realización de averiguaciones sobre algo.

soneto s.m. Composición poética de origen italiano formada por catorce versos generalmente endecasílabos, de rima consonante, distribuidos en dos cuartetos y dos tercetos y cuyo esquema clásico es *ABBA ABBA CDC DCD.* ☐ ETIMOL. Del italiano *sonetto*, y éste de *suono* (sonido, música que se pone a una canción).

sonido s.m. **1** Sensación producida en el oído por el movimiento vibratorio de los cuerpos que se transmite por medio de ondas. **2** En fonética, conjunto de rasgos que caracterizan el habla y la pronunciación de una letra: *La 'e' tiene un sonido más abierto que la 'u'.* **[3** Conjunto de aparatos y sistemas que sirven para emitir, grabar, reproducir o modificar el ruido, la voz y la música. □ ETIMOL. Del latín *sonitus* (ruido, estruendo).

soniquete s.m. **1** Ruido o sonido poco intensos, pero continuados y generalmente molestos. **2** Tono particular de la voz que tiene determinado matiz, esp. uno monótono. □ SEM. Es sinónimo de *sonsonete*.

sonoridad s.f. **1** Resonancia que produce la vibración de las cuerdas vocales. **2** Conjunto de las características sonoras de un lugar cerrado. **3** Capacidad para producir un sonido agradable o intenso.

sonorización s.f. **1** Incorporación de sonido a una cinta cinematográfica. **2** Instalación de los equipos necesarios para conseguir una buena audición en un lugar. **3** En fonética y fonología, conversión de una consonante sorda en sonora.

sonorizar v. **1** Referido a una cinta cinematográfica, incorporarle sonido: *Los técnicos han sonorizado algunas películas antiguas de cine mudo.* **2** Referido a un lugar, instalar en él los equipos necesarios para conseguir una buena audición: *Van a sonorizar la sala de conferencias.* □ ORTOGR. La *z* se cambia en *c* delante de *e* →CAZAR.

sonoro, ra adj. **1** Que suena o va acompañado de sonido. **2** Que produce un sonido agradable, esp. si es intenso. **3** Que transmite y difunde bien el sonido. **4** En fonética, referido a un sonido, que se articula con vibración de las cuerdas vocales. □ ETIMOL. Del latín *sonorus*. □ SEM. Es sinónimo de *sonante*.

[sonotone s.m. *col.* Audífono. □ ETIMOL. Extensión del nombre de una marca comercial.

sonreír v. **1** Reír suavemente, curvando los labios y sin producir ningún sonido: *Estaba triste y sólo sonreía ante mis gracias. Cuando se me cayeron todos los libros se sonrió burlonamente.* **2** Mostrarse favorable o prometedor: *La vida le sonríe porque es joven y rico.* □ ETIMOL. Del latín *subridere*. □ MORF. Irreg. →REÍR.

sonriente adj./s. Que sonríe. □ MORF. Invariable en género.

sonrisa s.f. **1** Curvatura suave de los labios, producida generalmente por algo gracioso o agradable y que no va acompañada de ninguna manifestación sonora. **2** ‖ **sonrisa {colgate/profidén}**; *col.* La que resulta tan radiante que parece propia de un anuncio de dentífrico.

sonrojar v. Poner el rostro de color rojo, esp. si es por un sentimiento de vergüenza: *Con tantas alabanzas y elogios me vas a sonrojar. Es muy tímido y se sonroja con facilidad.* □ ETIMOL. Del latín *sub* (bajo, debajo) y *rojo*. □ ORTOGR. Conserva la *j* en toda la conjugación. □ SEM. Como pronominal es sinónimo de *enrojecer* y de *ruborizarse*.

sonrojo s.m. Enrojecimiento de la cara originado generalmente por la vergüenza sentida.

sonrosar v. Dar, poner o causar color rosado: *El aire fresco ha sonrosado las mejillas del bebé.* □ ETIMOL. Del latín *sub* (bajo, debajo) y *rosa*.

sonsacar v. Referido esp. a una información, conseguir con habilidad y astucia que alguien la diga: *Lo invité a comer y le sonsaqué los nombres de los ganadores.* □ ETIMOL. Del latín *sub* (bajo, debajo) y *sacar*. □ ORTOGR. La *c* se cambia en *qu* delante de *e* →SACAR.

sonsonete s.m. **1** Ruido o sonido poco intensos, pero continuados y generalmente molestos. **2** Tono particular de la voz que tiene determinado matiz,

esp. uno monótono. □ SEM. Es sinónimo de *soniquete*.

soñador, -a adj./s. Que sueña mucho o que considera real o cierto lo que no lo es.

soñar v. **1** Referido esp. a un suceso o una imagen, representarlas en la mente mientras se duerme: *Anoche soñé que era un soldado en una guerra medieval. Cuando sueñas hablas en alto.* **2** Referido a algo que no se tiene, desearlo permanentemente: *Siempre he soñado que viviría junto al mar.* **3** Referido a algo muy difícil o que no es cierto, considerarlos como reales: *Me gusta soñar que soy rica y famosa.* **4** ‖ **ni soñarlo o ni lo sueñes**; *col.* Expresión que se usa para indicar que algo es totalmente imposible: *No podemos acabarlo mañana, ni lo sueñes.* ‖ **soñar despierto**; considerar como real o cierto lo que no lo es: *Si crees que te voy a dejar ir, sueñas despierto.* □ ETIMOL. Del latín *somniare*. □ MORF. Irreg. →CONTAR.

soñarrera s.f. *col.* Somnolencia.

soñolencia s.f. →somnolencia.

soñoliento, ta adj. →somnoliento.

sopa s.f. **1** Caldo o líquido alimenticio al que se añade pasta, pan, verduras u otros alimentos, generalmente cocidos en él. **2** Trozo de pan mojado en una salsa u otro líquido alimenticio. **3** Pasta, verdura u otro alimento que se echa en el caldo para hacer este tipo de comida. **4** ‖ **dar sopas con honda** a alguien; *col.* Demostrar gran superioridad. ‖ **{estar/quedarse} sopa**; *col.* Estar o quedarse dormido. ‖ **hasta en la sopa**; *col.* En todas partes. ‖ **{hecho/como} una sopa**; *col.* Muy mojado. ‖ **[ser un sopas**; *col.* Ser aburrido o soso. ‖ **sopa (boba)**; comida que se da a los pobres en algunos conventos, generalmente consistente en algún tipo de caldo. ‖ **[sopa de letras]**; pasatiempo que consiste en encontrar algunas palabras en un rectángulo que contiene letras ordenadas horizontal y verticalmente. ‖ **sopa juliana**; la que se hace con diversos tipos de verduras troceadas. □ ETIMOL. Del germánico *suppa* (trozo de pan empapado en un líquido).

[sopapa s.f. En zonas del español meridional, desatascador.

sopapina s.f. *col.* Zurra de sopapos.

sopapo s.m. Golpe dado con la mano en la cara, esp. en la papada. □ ETIMOL. De *so* (debajo) y *papo*.

sopera s.f. Véase **sopero, ra**.

sopero, ra ‖ adj. **1** Que se utiliza para la sopa. **2** Referido a una persona, que es muy aficionada a comer sopa. ‖ s.f. **2** Recipiente hondo que se usa para servir la sopa en la mesa.

sopesar v. **1** Referido esp. a un objeto, calcular aproximadamente su peso levantándolo o cogiéndolo en la mano: *Cogió la cadena de oro para sopesarla.* **2** Referido a un asunto, examinar con atención los pros y los contras que tiene: *Sopesó las ventajas e inconvenientes antes de decidirse.* □ ETIMOL. De *so* (debajo) y *pesar*.

sopetón ‖ **de sopetón**; brusca e inesperadamente. □ ETIMOL. Del latín *subitus* (súbito).

sopicaldo s.m. Sopa o caldo con pocas cosas sólidas.

sopla interj. Expresión que se usa para indicar sorpresa o admiración.

soplado s.m. Operación que consiste en soplar con fuerza o en inyectar aire en la pasta de vidrio fundido para moldearla.

soplador, -a s. Persona que se dedica profesionalmente al soplado del vidrio.

[soplagaitas s. *col.* Persona tonta o estúpida. □ MORF. 1. Es de género común: *el 'soplagaitas', la 'soplagaitas'.* 2. Invariable en número. □ USO Se usa como insulto.

soplamocos s.m. *col.* Golpe dado en la cara, esp. si se hace tocando las narices. □ MORF. Invariable en número.

[soplapollas s. *vulg.malson.* →soplagaitas. □ MORF. 1. Es de género común. 2. Invariable en número.

soplar ▌ v. **1** Expulsar aire por la boca, alargando un poco los labios y dejando una pequeña abertura: *¿Te soplo en la herida para que no te escueza?* **2** Referido al viento, correr de forma que se note: *La brisa que sopla desde el mar refresca el ambiente.* **3** *col.* Beber mucho, esp. bebidas alcohólicas: *Con lo que has soplado no te atrevas a conducir. Se sopló más de cuatro botellines de cerveza.* **4** *col.* Referido a una información, decírsela a alguien disimuladamente: *El que sople suspende automáticamente. Le sopló a la policía el nombre de los contrabandistas.* **5** *col.* Quitar con disimulo o a escondidas: *Me han soplado la cartera.* **6** Referido esp. a una cosa o a un sitio, echarles aire con la boca: *No soples la sopa y si te quema espera un poco.* **7** En las damas u otros juegos, referido a una pieza, eliminarla por no comer cuando debía hacerlo: *En las damas es obligatorio comer, y si no lo haces te soplo la ficha.* ▌ prnl. **[8** *col.* En zonas del español meridional, aguantarse o tragarse. □ ETIMOL. Del latín *sufflare.* □ MORF. En la acepción 3, la RAE sólo lo registra como pronominal.

soplete s.m. Instrumento que se usa para fundir o soldar metales, que lanza un gas o una mezcla gaseosa inflamada. □ ETIMOL. Traducción del francés *souffet.*

soplido s.m. Cantidad de aire que se expulsa de una vez por la boca o con algún instrumento; soplo.

soplillo s.m. Utensilio de forma redondeada, generalmente con mango, que se usa para avivar el fuego.

soplo s.m. **1** Cantidad de aire que se expulsa de una vez por la boca o con algún instrumento; soplido. **2** Movimiento perceptible de viento. **3** Información que se da en secreto y con cautela. **4** Espacio muy breve de tiempo. **5** Sonido peculiar de algunos órganos del cuerpo que puede ser normal o no.

soplón, -a adj./s. *col.* Referido a una persona, que pasa información a otra en secreto, esp. si es una acusación. □ ETIMOL. De *soplar* (sugerir).

soponcio s.m. *col.* Desmayo, indisposición pasajera, angustia o susto grandes. □ ETIMOL. De origen incierto.

sopor s.m. Adormecimiento o somnolencia muy grandes. □ ETIMOL. Del latín *sopor* (sueño profundo).

soporífero, ra adj. Aburrido hasta el punto de producir sueño. □ ETIMOL. Del latín *soporifer,* y éste de *sopor* (sueño profundo) y *ferre* (llevar). □ ORTOGR. Dist. de *saporífero.*

soportable adj. Que se puede soportar. □ MORF. Invariable en género.

soportal s.m. En un edificio, una manzana de casas o una plaza, espacio cubierto que precede a sus entradas principales. □ ETIMOL. De *so* (debajo) y *portal.*

soportar v. **1** Referido a una carga o a un peso, sostenerlos o llevarlos sobre sí: *Las vigas y las columnas soportan el peso del techo.* **2** Tolerar o aguantar con paciencia: *No soporto que se hable mal de los que no están presentes.* □ ETIMOL. Del latín *supportare* (llevar de abajo arriba, soportar).

soporte s.m. **1** Lo que sirve de apoyo o de sostén. **[2** Medio material sobre el que puede fijarse algo.

soprano s. En música, persona cuyo registro de voz es el más agudo de los de las voces humanas. □ ETIMOL. Del italiano *soprano.* □ MORF. Es de género común: *el soprano, la soprano.*

soquete s.m. En zonas del español meridional, calcetín corto. □ ETIMOL. Del francés *socquette.*

sor s.f. Mujer que vive en una comunidad religiosa o que pertenece a ella sin tener ninguna de las órdenes clericales; hermana. □ ETIMOL. Del catalán antiguo *sor* (hermana carnal).

sorber v. **1** Beber aspirando: *Sorbía el refresco por una pajita.* **2** Referido a la mucosidad nasal, retenerla en la nariz respirando con fuerza hacia dentro: *No sorbas los mocos y suénate en el pañuelo. Cuando está acatarrado no deja de sorber.* □ ETIMOL. Del latín *sorbere.*

sorbete s.m. Refresco helado de consistencia pastosa, compuesto generalmente por zumo de frutas, agua y azúcar. □ ETIMOL. Del italiano *sorbetto.*

sorbo s.m. **1** Trago que se da aspirando. **2** Cantidad pequeña de un líquido.

sordera s.f. Privación o disminución de la capacidad de oír.

sordez s.f. En fonética, ausencia de vibración en las cuerdas vocales al articular un sonido.

sordidez s.f. **1** Pobreza, miseria y suciedad grandes. **2** Inmoralidad, escándalo o indecencia.

sórdido, da adj. **1** Pobre, mísero y sucio. **2** Lo que se considera impuro, indecente o escandaloso. □ ETIMOL. Del latín *sordidus* (ínfimo, despreciable, innoble).

sordina s.f. En música, pieza que tienen algunos instrumentos o que se ajusta a ellos para disminuir la intensidad y variar el timbre de su sonido. □ ETIMOL. Quizá del italiano *sordina.*

sordo, da ▌ adj. **1** Con poco ruido o que se oye poco. **2** De sonido grave o apagado. **3** Insensible o que no hace caso. **4** En fonética, referido a un sonido, que se articula sin vibración de las cuerdas vocales. ▌ adj./s. **5** Que no oye nada o que no oye bien. ▌ {sordo como/más sordo que} una tapia; *col.* Muy sordo. □ ETIMOL. Del latín *surdus.*

sordomudo, da adj./s. Referido a una persona, que carece de habla por tener sordera de nacimiento.

sorgo s.m. **1** Cereal con tallos de hasta cuatro metros de altura, que tiene hojas planas y largas con flores en racimo colgante. **2** Grano de este cereal. □ ETIMOL. Del italiano *sorgo.*

soriano, na adj./s. De Soria o relacionado con esta provincia española o con su capital.

[soriasis s.f. →psoriasis. □ MORF. Invariable en número.

sorna s.f. Tono de burla o irónico al hablar o decir algo. □ ETIMOL. De origen incierto.

soroche s.m. En zonas del español meridional, mal de montaña.

sorprendente adj. Que sorprende o que admira. □ MORF. Invariable en género.

sorprender v. **1** Coger desprevenido: *La tormenta me sorprendió en la calle.* **2** Referido esp. a algo imprevisto, raro o incomprensible, producir o causar sorpresa: *Me sorprende que no lo hayan traído porque lo encargué hace un mes.* **3** Referido esp. a algo que estaba oculto o disimulado, descubrirlo o encontrarlo: *La policía sorprendió la guarida de los ladrones.* ☐ ETIMOL. Del francés *surprendre*.

sorpresa s.f. **1** Impresión de conmoción, de emoción o de maravilla que produce lo inesperado, lo raro o lo incomprensible. **2** Lo que produce esta impresión. **3** ‖ **por sorpresa**; sin que se espere.

sorpresivo, va adj. Que ocurre o que se produce por sorpresa o de modo inesperado.

sortear v. **1** Referido a algo que se quiere dar o repartir, asignarlo de forma que la suerte decida cómo hacerlo y empleando diversos medios fortuitos: *Después de comer sortearemos quién friega los platos.* **2** Referido esp. a un obstáculo, un riesgo o una dificultad, evitarlos o eludirlos con habilidad o astucia: *En la vida hay que sortear muchos peligros.* ☐ ETIMOL. Del latín *sors* (suerte).

sorteo s.m. Asignación de algo que se decide por medio de la suerte o del azar.

sortija s.f. Anillo que se lleva en los dedos, esp. si es como adorno. ☐ ETIMOL. Del latín *sorticula* (objeto empleado para echar la suerte). ✍ joya

sortilegio s.m. **[1** Encantamiento, hechizo o embrujo. **2** Adivinación por medio de la magia. ☐ ETIMOL. Del latín *sortilegus* (adivino), y éste de *sor* (suerte) y *legere* (leer).

sosa s.f. Véase **soso, sa.**

sosaina adj./s. *col.* Referido esp. a una persona, muy sosa o sin nada de gracia; soseras. ☐ MORF. 1. Como adjetivo es invariable en género. 2. Como sustantivo es de género común: *el sosaina, la sosaina.*

sosedad s.f. →**sosería.**

sosegar v. Aquietar, calmar o hacer desaparecer la agitación o el movimiento: *Sosegó mi ánimo con palabras cariñosas. Tras la tormenta, las aguas se han sosegado.* ☐ ETIMOL. Del latín **sesicare* (asentar, hacer descansar). ☐ ORTOGR. Aparece una *u* después de *g* cuando la sigue *e.* ☐ MORF. Irreg. →REGAR.

[soseras adj./s. *col.* Referido esp. a una persona, muy sosa o sin nada de gracia; sosaina. ☐ MORF. 1. Como adjetivo es invariable en género. 2. Como sustantivo es de género común: *el 'soseras', la 'soseras'.* 3. Invariable en número.

sosería s.f. **1** Insulsez o falta de gracia y de viveza. **2** Dicho o hecho insulso y sin gracia. ☐ ETIMOL. De *soso* (sin gracia). ☐ SEM. Es sinónimo de *sosedad.*

sosia s.m. Persona muy parecida a otra en el físico. ☐ ETIMOL. Por alusión a Sosia, personaje idéntico a otro en una comedia de Plauto.

sosiego s.m. Tranquilidad, quietud o serenidad.

soslayar v. Esquivar o pasar por alto para evitar una dificultad: *Supo soslayar las preguntas cuyas respuestas podían comprometerlo.*

soslayo ‖ **de soslayo; 1** De lado o de forma oblicua. **2** De largo, de pasada o por encima para evitar una dificultad. ☐ ETIMOL. Del francés antiguo *d'eslais* (impetuosamente, a gran velocidad).

soso, sa ‖ adj. **1** Con poca sal o sin ella. **[2** Con poco sabor o sin él. ‖ adj./s. **3** Sin gracia ni viveza. **4** ‖**sosa (cáustica)**; sustancia blanca, compuesta por hidróxido de sodio, que quema los tejidos orgá-

nicos y se usa en la elaboración de detergentes y para neutralizar ácidos. ☐ ETIMOL. Las acepciones 1-3, del latín *insulsus.* La acepción 4, del catalán *sosa.*

sospecha s.f. Creencia o suposición de algo a partir de señales o de indicios reales o verdaderos.

sospechar v. **1** Referido a algo que no se sabe con certeza, creerlo o imaginarlo a partir de señales o indicios reales o verdaderos: *La policía sospecha que el cajero ha sido el autor del desfalco.* **2** Referido a una persona, desconfiar de ella o creer que ha sido ella la autora de determinada acción: *Nunca he sospechado de ti porque sé que no me mentirías.* ☐ ETIMOL. Del latín *suspectare.* ☐ SINT. Constr. de la acepción 2: *sospechar DE alguien.*

sospechoso, sa ‖ adj. **1** Que da motivos para sospechar o para desconfiar. ‖ adj./s. **2** Referido a una persona, que puede haber cometido determinada acción porque hay indicios que así lo indican.

sostén s.m. **1** Lo que sirve para sostener, apoyar o mantener algo. **2** Prenda interior femenina que sirve para ceñir y sujetar el pecho; sujetador.

sostener v. **1** Mantener firme evitando que caiga o se tuerza: *Las vigas sostienen el techo. El niño ya se sostiene solo.* **2** Referido esp. a una idea o a una teoría, defenderlas: *Según sus investigaciones, sostiene que hay vida en otros planetas.* **3** Proseguir, mantener o hacer que continúe: *Sostuvimos una larga conversación sobre ti.* **4** Referido esp. a una persona, satisfacer sus necesidades de manutención: *Es la madre la que sostiene a la familia.* ☐ ETIMOL. Del latín *sustinere.* ☐ MORF. Irreg. →TENER.

[sostenible adj. Que puede ser sostenido. ☐ MORF. Invariable en género.

sostenido, da adj. En música, referido a una nota, que está alterada en un semitono por encima de su sonido natural.

sostenimiento s.m. **1** Mantenimiento de algo de forma que no se caiga o que no se tuerza. **2** Sustento o provisión de alimentos. **3** Defensa de una idea o de una teoría.

sota s.f. En la baraja española, carta que representa a un paje o infante. ☐ ETIMOL. Del latín *subtus* (debajo).

sotabarba s.f. **1** Abultamiento carnoso que se forma debajo de la barbilla; papada. **2** Barba que se deja crecer debajo de la barbilla. ☐ ETIMOL. Del antiguo *sota* (debajo de) y *barba.*

sotana s.f. Vestidura que llega hasta los tobillos y se abrocha con botones desde el cuello hasta los pies, esp. la que usan algunos sacerdotes católicos. ☐ ETIMOL. Del italiano *sottana.*

sótano s.m. En un edificio, piso o parte situados a un nivel más bajo que el de la calle. ☐ ETIMOL. Del latín **subtulum*, y éste de *subtus* (debajo).

sotavento s.m. En una embarcación, lado o dirección opuestos al lado por donde viene el viento. ☐ ETIMOL. Del latín *subtus* (debajo) y *ventus* (viento). ☐ SEM. Dist. de *barlovento* (dirección por donde viene el viento).

soterrar v. Ocultar, esconder o guardar de forma que no se vea: *Soterró sus sentimientos para sentirse más seguro.* ☐ ETIMOL. De *so* (debajo) y el latín *terra* (tierra). ☐ MORF. Irreg. →PENSAR.

soto s.m. Lugar poblado de árboles y arbustos, y a veces también de maleza y matas. ☐ ETIMOL. Del latín *saltus* (pastizales, desfiladero).

[sotto voce (italianismo) ‖ **1** En música, referido a la forma de interpretar un pasaje, de modo suave y a media voz. **2** En voz baja. ☐ PRON. [sóto vóche].

[soufflé (galicismo) s.m. Comida que se prepara con claras de huevo batidas a punto de nieve y cocidas al horno. ☐ PRON. [suflé].

[soul (anglicismo) ▮ adj. **1** Del soul o relacionado con este estilo musical. ▮ s.m. **2** Música popular estadounidense de expresión sentimental e intimista. ☐ MORF. Como adjetivo es invariable en género.

[soutien (galicismo) s.m. En zonas del español meridional, sujetador. ☐ PRON. [sutién].

[souvenir (galicismo) s.m. Lo que se compra como recuerdo de un lugar. ☐ PRON. [suvenír].

soviet s.m. En la antigua Unión Soviética (país euroasiático), consejo de obreros y soldados revolucionarios. ☐ ETIMOL. Del ruso *sovét*. ☐ MORF. Su plural es *soviets*.

soviético, ca adj./s. De la antigua Unión de Repúblicas Socialistas Soviéticas (antiguo país euroasiático), o relacionado con ella.

soya s.f. En zonas del español meridional, soja.

[spaghetti (italianismo) s.m. **1** →espagueti. **2** ‖ **[spaghetti western**; película ambientada en el Oeste americano pero realizada esp. por italianos. ☐ PRON. 1. [espaguéti]. 2. [espaguéti güéster]. ☐ USO En la acepción 1, su uso es innecesario.

[spanglish s.m. Modalidad lingüística que mezcla español e inglés y que hablan algunos hispanos de los Estados Unidos (país americano). ☐ PRON. [espánglis]. ☐ ORTOGR. Se usa mucho la forma castellanizada *espanglish*.

[sparring (anglicismo) s.m. Persona que pelea con un boxeador para que éste se entrene. ☐ PRON. [espárrin]. ☐ ORTOGR. Se usa mucho la forma castellanizada *esparrin*.

[speaker s.m. →locutor. ☐ ETIMOL. Del francés *speaker*, y éste del inglés. ☐ PRON. [espíker]. ☐ USO Su uso es innecesario.

[speech s.m. →discurso. ☐ PRON. [espích]. ☐ USO Es un anglicismo innecesario.

[speed (anglicismo) s.m. Tipo de droga sintética que actúa como estimulante del sistema nervioso central. ☐ PRON. [espíd].

[spleen s.m. →esplín. ☐ PRON. [esplín]. ☐ USO Es un anglicismo innecesario.

[spoiler (anglicismo) s.m. Alerón que se coloca en la parte trasera de algunos automóviles, esp. si son deportivos. ☐ PRON. [espóiler].

[sponsor (anglicismo) s.m. Persona o entidad que, con fines publicitarios, sufraga los gastos que origina una actividad. ☐ PRON. [espónsor]. ☐ ORTOGR. Se usa mucho la forma castellanizada *espónsor*. ☐ USO Su uso es innecesario y puede sustituirse por una expresión como *patrocinador* (esp. en los ámbitos empresarial o deportivo) o *mecenas* (en el ámbito cultural).

[sponsorizar v. →patrocinar. ☐ PRON. [esponsorizár]. ☐ USO 1. Es un anglicismo innecesario. 2. Se usa mucho la forma castellanizada *esponsorizar*.

[spontex s.f. Especie de bayeta de material plástico o sintético que se usa para absorber los líquidos. ☐ ETIMOL. Extensión del nombre de una marca comercial. ☐ PRON. [espóntex]. ☐ ORTOGR. Se usa mucho la forma castellanizada *espóntex*.

[sport (anglicismo) ‖ **(de) sport**; referido al vestido, que es cómodo, informal y de aire deportivo. ☐ PRON. [espór].

[spot (anglicismo) ▮ adj. **1** Al contado. ▮ s.m. **2** Anuncio publicitario en televisión. ☐ PRON. [espót]. ☐ ORTOGR. En la acepción 2, se usa mucho la forma castellanizada *espot*.

[spray s.m. →aerosol. ☐ PRON. [esprái]. ☐ USO Es un anglicismo innecesario.

[spread s.m. →diferencial. ☐ PRON. [espréd]. ☐ USO Es un anglicismo innecesario.

[sprint (anglicismo) s.m. **1** En una carrera deportiva, esfuerzo momentáneo que hace un deportista, esp. al final, para conseguir la mayor velocidad. **2** Esfuerzo final que permite conseguir o lograr algo. ☐ PRON. [esprín]. ☐ ORTOGR. Se usan mucho las formas castellanizadas *esprín* o *esprint*.

[squash (anglicismo) s.m. Deporte que se practica en un espacio cerrado y que consiste en lanzar una pelota de goma contra la pared, golpeándola con una raqueta. ☐ PRON. [escuás].

[squatter s. →okupa. ☐ PRON. [escuáter]. ☐ USO Es un anglicismo innecesario.

[staccato (italianismo) s.m. **1** En música, modo de ejecutar un pasaje disminuyendo la duración normal de las notas y haciendo pequeñas pausas entre ellas. **2** En una composición musical, pasaje que se ejecuta de este modo. ☐ PRON. [estacáto].

[staff (anglicismo) s.m. En una empresa u organización, conjunto de personas que, dependiendo directamente de la dirección, desempeñan tareas de asesoramiento y coordinación, a diferencia del personal adscrito a la línea de producción. ☐ PRON. [estáf]. ☐ USO Su uso es innecesario.

[stand (anglicismo) s.m. Caseta, puesto o instalación provisionales y desmontables en los que se expone o se vende un producto en una exposición o en una feria. ☐ PRON. [están]. ☐ SEM. Dist. de *pabellón* (edificio que forma parte de un conjunto mayor).

[stand by (anglicismo) ‖ **1** En economía, créditos abiertos por los bancos y empresas de un país en otros países. **2** Dispuesto, a disposición. ☐ PRON. [están bái]. ☐ USO Su uso es innecesario.

[standard s.m. →estándar. ☐ PRON. [estándar]. ☐ USO Es un anglicismo innecesario.

[standing (anglicismo) s.m. Categoría, nivel o rango, esp. si es social. ☐ PRON. [estándin]. ☐ USO Su uso es innecesario.

[star (anglicismo) s. Estrella de cine. ☐ PRON. [estár]. ☐ USO Su uso es innecesario.

[starlet (anglicismo) s.f. →starlette. ☐ PRON. [estárlet].

[starlette (galicismo) s.f. Joven actriz que aspira a convertirse en estrella cinematográfica. ☐ PRON. [estarlét]. ☐ ORTOGR. Se usa también el anglicismo *starlet*.

[starter (anglicismo) s.m. En un vehículo con motor de explosión, mecanismo que regula la entrada de aire al carburador; estrangulador. ☐ PRON. [estárter].

statu quo (latinismo) ‖ Estado de cosas en un determinado momento. ☐ PRON. [estátu cuó]. ☐ ORTOGR. Incorr. *status quo*.

[status (latinismo) s.m. Posición que ocupa una persona en un grupo o en la sociedad. ☐ PRON. [estátus]. ☐ ORTOGR. Se usa mucho la forma castellanizada *estatus*.

[step (anglicismo) s.m. Tipo de gimnasia que se practica con acompañamiento de música y que consiste en subir y bajar repetidamente una especie de escalón. ☐ PRON. [estép].

[**stereo** adj. *col.* →**estéreo**. ☐ USO Es un anglicismo innecesario.

[**stick** (anglicismo) s.m. Palo de hockey. ☐ PRON. [estíc].

[**stock** (anglicismo) s.m. Conjunto de mercancías o productos que almacena generalmente una empresa o un establecimiento para su uso o para su venta. ☐ PRON. [estóc]. ☐ ORTOGR. Se usa mucho la forma castellanizada *estock*.

[**stop** (anglicismo) s.m. **1** Señal de tráfico que obliga a detenerse en un cruce y a ceder el paso. **2** En un aparato eléctrico, tecla o posición que indica parada. **3** En un telegrama, señal que indica punto. ☐ PRON. [estóp].

[**store** s.m. →**estor**. ☐ PRON. [estór]. ☐ USO Es un galicismo innecesario.

[**stradivarius** (italianismo) s.m. Violín u otro instrumento musical de cuerda fabricados por la familia Stradivari (prestigiosos violeros italianos del siglo XVIII). ☐ PRON. [estradivárius].

[**streaking** (anglicismo) s.m. Forma de protesta que consiste en desnudarse en lugares públicos o ante mucha gente. ☐ PRON. [estríkin]. ☐ ORTOGR. Se usa mucho la forma castellanizada *estriquin*.

[**stress** s.m. →**estrés**. ☐ USO Es un anglicismo innecesario.

[**strike** (anglicismo) s.m. En béisbol, lanzamiento correcto de la pelota al bateador, pero que éste no puede devolver o lo hace de forma incorrecta. ☐ PRON. [estráik].

[**striptease** (anglicismo) s.m. Espectáculo en el que una persona se va quitando poco a poco la ropa de forma sexualmente excitante. ☐ PRON. [estríptis]. ☐ ORTOGR. Se usa mucho la forma castellanizada *estriptis*.

su poses. →**suyo**. ☐ MORF. 1. Invariable en género. 2. Es apócope de *suyo* y de *suya* cuando precede a un sustantivo determinándolo: *su sombrero, sus buenas intenciones*. ☐ SEM. Se usa mucho para dar un carácter indeterminado al sustantivo al que acompaña: *Tendrá sus buenos setenta años*.

[**suajili** s.m. Lengua bantú de Tanzania, Kenia (países africanos) y otros lugares.

suave adj. **1** Liso, blando y agradable al tacto. **2** Agradable a los sentidos porque no es fuerte o porque no tiene contrastes. **3** Dócil, manso, apacible o manejable. [**4** Sin brusquedad, sin oponer resistencia o que no requiere mucho esfuerzo. ☐ ETIMOL. Del latín *suavis* (dulce). ☐ MORF. Invariable en género.

suavidad s.f. **1** Lisura y blandura de algo que resulta agradable al tacto. **2** Docilidad, mansedumbre o dulzura. **3** Moderación, benignidad o placidez. ☐ ETIMOL. Del latín *suavitas*.

[**suavización** s.f. Moderación del rigor o de la dureza de algo.

suavizante adj./s.m. Que suaviza, esp. la ropa o el pelo. ☐ MORF. Como adjetivo es invariable en género.

suavizar v. Hacer suave: *Este detergente quita la grasa de los platos y suaviza las manos. El calor suavizará al atardecer*. ☐ ORTOGR. La *z* se cambia en *c* delante de *e* →CAZAR.

sub- Prefijo que significa 'bajo' o 'debajo de' (*submarino, subterráneo, subsuelo, subrayar*), 'de menor

categoría o importancia' (*subjefe, subdirector, subafluente, subcultura*) o 'con escasez' (*subdesarrollo, subalimentar*). ☐ ETIMOL. Del latín *sub-*.

sub júdice ‖ En derecho, referido a una cuestión, que está pendiente de una resolución. ☐ ETIMOL. Del latín *sub iudice* (bajo el juez). ☐ PRON. [sub yúdice].

subalterno, na ▌ s. **1** Empleado de categoría inferior. ▌ s.m. **2** Torero que forma parte de la cuadrilla de un matador. ☐ ETIMOL. Del latín *subalternus*.

subarrendar v. Referido a algo arrendado, volver a arrendarlo a un tercero: *He alquilado un piso muy amplio y subarriendo habitaciones a estudiantes*. ☐ MORF. Irreg. →PENSAR.

subarriendo s.m. Arriendo a un tercero de algo ya arrendado.

subasta s.f. **1** Venta pública en la que se adjudica lo que se vende al mejor postor o a quien ofrece más dinero. **2** Adjudicación que se hace de un contrato de obra o de la prestación de un servicio siguiendo este sistema de venta. ☐ SINT. Se usa más en la expresión *pública subasta*.

subastar v. Vender u ofrecer en pública subasta: *Esta galería de arte subasta cuadros el primer martes de cada mes*. ☐ ETIMOL. Del latín *subhastare*, y éste de *sub hasta vendere*, porque cuando se subastaban los bienes de un deudor del fisco, se colocaba una asta en el lugar de la venta.

[**subastero, ra** s. Persona que se dedica a pujar con algunas ventajas en subastas, esp. si son inmobiliarias.

[**subatómico, ca** adj. Referido esp. a una partícula, que forma parte del átomo.

[**subcampeón, -a** adj./s. Que consigue el segundo puesto en un campeonato.

subcelular adj. Con una estructura más elemental que la de la célula. ☐ MORF. Invariable en género.

subclase s.f. En biología, en la clasificación de los seres vivos, categoría superior a la de orden e inferior a la de clase.

subclavio, via ▌ adj. **1** En anatomía, que está debajo de la clavícula. ▌ s.f. **2** →**vena subclavia**.

[**subcomandante** s.m. En algunos ejércitos, cargo militar inferior al de comandante.

subcomisión s.f. En una comisión, grupo de individuos que tiene un cometido determinado.

[**subconjunto** s.m. En matemáticas, conjunto cuyos elementos pertenecen a otro conjunto.

subconsciente ▌ adj. **1** Que está por debajo de la conciencia psicológica de forma que el sujeto no es consciente de ello. ▌ s.m. **2** Conjunto de contenidos psíquicos que escapan de la conciencia del individuo. ☐ PRON. Incorr. *[subsconsciente]. ☐ MORF. Como adjetivo es invariable en género.

[**subcontrata** s.f. Contrato que hace una empresa a otra para que realice servicios que la primera no puede llevar a cabo.

[**subcontratar** v. Referido esp. a una empresa, contratarla otra para que realice servicios que ésta no puede realizar: *La empresa que construye el colegio 'ha subcontratado' a otra constructora para que construya el tejado*.

[**subcultura** s.f. Cultura minoritaria o que se considera de menor categoría o importancia.

subcutáneo, a adj. **1** Que está inmediatamente debajo de la piel. [**2** Que se pone debajo de la piel. ☐ ETIMOL. Del latín *subcutaneus*.

subdelegación s.f. **1** Traslado o cesión que hace un delegado de su potestad o jurisdicción a otra persona. **2** Distrito u oficina de un subdelegado.

subdelegado, da adj./s. Referido a una persona, que ocupa el cargo inmediatamente inferior al de delegado o que sustituye a éste en sus funciones.

subdelegar v. Referido a una potestad o a una jurisdicción, trasladarlas o darlas el delegado que las posee a otra persona: *Subdelegaron en mí la decisión acerca de la firma del contrato.* ☐ ETIMOL. Del latín *subdelegare*, y éste de *sub* (bajo) y *delegare* (delegar). ☐ ORTOGR. La *g* se cambia en *gu* delante de *e* →PAGAR.

subdesarrollado, da adj. Referido esp. a una comunidad humana, que se encuentra en una situación en la que no alcanza determinados niveles económicos, sociales, culturales o políticos.

subdesarrollo s.m. Referido esp. a una comunidad humana, atraso o situación que no alcanza determinados niveles económicos, sociales, políticos o culturales.

subdiácono s.m. *ant.* Un tipo de clérigo. ☐ ETIMOL. Del latín *subdiaconus*.

subdirección s.f. **1** Cargo de subdirector. **2** Lugar de trabajo del subdirector.

subdirector, -a s. Persona que ocupa el cargo inmediatamente inferior al de director o que sustituye a éste en sus funciones.

súbdito, ta ∎ adj./s. **1** Referido a una persona, que está sujeta a la autoridad de un superior y que tiene la obligación de obedecerle. ∎ s. **2** Ciudadano de un país que está sujeto a las autoridades políticas de éste. ☐ ETIMOL. Del latín *subditus*, y éste de *subdere* (someter, sujetar).

subdividir v. Referido a algo que ha sido dividido, volverlo a dividir: *Subdivide en puntos diferentes cada apartado de tu artículo. La ciudad se divide en distritos y éstos se subdividen en barrios.* ☐ ETIMOL. Del latín *subdividere*.

subdivisión s.f. Nueva división que se hace en algo ya dividido.

subestimar v. Referido a algo, estimarlo por debajo de su valor: *Perdieron porque subestimaron a sus rivales y se confiaron.*

[subfamilia s.f. En biología, en la clasificación de los seres vivos, categoría superior a la de género e inferior a la de familia.

subgénero s.m. Cada uno de los grupos particulares en los que se divide un género.

subgobernador, -a s. Persona que ocupa el cargo inmediatamente inferior al de gobernador y que sustituye a éste en sus funciones. ☐ MORF. La RAE sólo registra el masculino.

[subgrupo s.m. Cada una de las partes en que se divide un grupo.

subida s.f. Véase **subido, da**.

subido, da ∎ adj. **1** Referido esp. a un color, que es muy fuerte. ∎ s.f. **2** Paso a un lugar, a un punto o a un grado superiores o más altos; ascenso. **3** Aumento de algo en su intensidad, su cantidad o su valor. **4** Terreno inclinado, cuando se ve desde abajo.

subíndice s.m. Letra o número que se añade a un símbolo para distinguirlo de otros semejantes.

subinspección s.f. **1** Cargo de subinspector. **2** Lugar de trabajo del subinspector.

subinspector, -a s. Persona que ocupa el cargo inmediatamente inferior al de inspector. ☐ MORF. La RAE sólo registra el masculino.

subintendencia s.f. **1** Cargo de subintendente. **2** Lugar de trabajo del subintendente.

subintendente s. Persona que ocupa el cargo inmediatamente inferior al de intendente o que sustituye a éste en sus funciones. ☐ MORF. **1.** Es de género común: *el intendente, la 'intendente'.* **2.** La RAE sólo lo registra como masculino.

subir ∎ v. **1** Ir a un lugar o a una posición superiores o más altos: *Subimos la montaña más rápido de lo que habíamos calculado. Se subió al árbol y luego no sabía cómo bajar.* **2** Poner en un lugar o en una posición superiores: *Sube la figura al estante de arriba para que no la rompa el niño. Súbete los calcetines, que los llevas enrollados en el tobillo.* **3** Aumentar en intensidad, cantidad o valor: *Sube el volumen porque esta canción me encanta.* **4** Entrar en un medio de transporte: *Se despidió y subió al tren. Se subió al autobús cuando arrancaba.* **5** Cabalgar o montar: *Subimos en camellos para visitar el Teide. Nunca me he subido a un caballo .* **6** En música, ascender de un tono grave a uno más agudo: *Esa cantante puede subir hasta tonos muy agudos sin esfuerzo.* ∎ prnl. **7** Referido esp. a una bebida alcohólica, ocasionar aturdimiento o empezar a hacer efecto: *Se me ha subido la cerveza y estoy algo mareada.* ☐ ETIMOL. Del latín *subire* (ponerse o venir debajo de algo). ☐ SEM. **Subir arriba* es una expresión redundante e incorrecta, aunque está muy extendida.

súbito, ta adj. **1** Imprevisto, inesperado o repentino. **2** ‖ **de súbito**; de repente, de forma inesperada o sin preparación. ☐ ETIMOL. Del latín *subitus*.

subjefe, fa s. Persona que hace las funciones de jefe y está bajo sus órdenes. ☐ MORF. La RAE sólo registra el masculino.

subjetividad s.f. Parcialidad en la forma de considerar una idea o un sentimiento, siguiendo criterios o intereses personales y analizando la realidad como algo interior al sujeto.

subjetivismo s.m. Predominio de lo subjetivo o de todo lo relacionado con el sujeto.

subjetivo, va adj. **1** Del sujeto o relacionado con él. **2** Que sigue criterios o intereses personales o que está marcado por el modo de pensar o de sentir de uno mismo. ☐ ETIMOL. Del latín *subiectivus*.

subjuntivo, va adj. →**modo subjuntivo**. ☐ ETIMOL. Del latín *subiunctivus* (relativo a la subordinación).

sublevación s.f. o **sublevamiento** s.m. Rebelión o movimiento de protesta contra una autoridad establecida.

sublevar v. **1** Alzar en motín o provocar un estado de revolución: *La insostenible situación sublevó al pueblo contra los gobernantes. Varias unidades militares se sublevaron.* **2** Indignar, enfadar o enojar mucho: *Me subleva pensar que todo lo que estoy haciendo no valdrá para nada.* ☐ ETIMOL. Del latín *sublevare* (levantar).

sublimación s.f. **1** Engrandecimiento o exaltación. **2** En química, paso directo de un cuerpo en estado sólido a estado gaseoso.

sublimar v. Engrandecer, exaltar o alabar mucho: *La historia se encargó de sublimar la hazaña de ese guerrero.*

sublime adj. Admirable, extremadamente bueno o

extraordinario. ☐ ETIMOL. Del latín *sublimis* (muy alto). ☐ MORF. Invariable en género.

subliminal adj. Referido a una percepción, que es captada por la mente sin que el sujeto tenga conciencia de ello. ☐ ETIMOL. De *sub-* (bajo, debajo de) y el latín *limen* (umbral). ☐ PRON. [sub·liminál]. ☐ MORF. Invariable en género.

sublunar adj. Que está debajo de la luna, esp. referido a todo lo que ocurre en la Tierra. ☐ ETIMOL. Del latín *sublunaris*. ☐ PRON. [sub·lunár]. ☐ MORF. Invariable en género.

submarinismo s.m. Conjunto de las actividades que se realizan bajo la superficie del mar por medio del buceo.

submarinista ▌ adj. **1** Del submarinismo o relacionado con este conjunto de actividades. ▌ adj./s. **2** Que practica el submarinismo. ☐ MORF. 1. Como adjetivo es invariable en género. 2. Como sustantivo es de género común: *el submarinista, la submarinista.*

submarino, na ▌ adj. **1** De la zona que está bajo la superficie marina o relacionado con ella. [**2** adj./s. Referido esp. a una persona, que se ha infiltrado en una organización. ▌ s.m. **3** Buque que puede sumergirse y navegar bajo la superficie del mar. 🔧 embarcación [**4** Bocadillo hecho con una barra de pan larga y generalmente estrecha. ☐ ETIMOL. De *sub-* (bajo, debajo de) y *marino.*

submúltiplo, pla adj./s. En matemáticas, referido a un número, que está contenido exactamente dos o más veces en otro; divisor: *5 es un número submúltiplo de 25.* ☐ ETIMOL. Del latín *submultiplus.* ☐ SEM. Como sustantivo es sinónimo de *factor.*

[**submundo** s.m. Ambiente marginal.

subnormal adj./s. col. Referido a una persona, que sufre una deficiencia mental de carácter patológico. ☐ MORF. 1. Como adjetivo es invariable en género. 2. Como sustantivo es de género común: *el subnormal, la subnormal.* ☐ USO Es despectivo y se usa como insulto.

suboficial s.m. En el ejército, persona cuya categoría militar es inferior a la de oficial y superior a las clases de tropa.

suborden s.m. En biología, en la clasificación de los seres vivos, categoría superior a la de familia e inferior a la de orden.

subordinación s.f. **1** Sujeción o sometimiento. **2** Relación gramatical que se establece entre dos oraciones cuando una depende de la otra y ésta funciona como principal; hipotaxis.

subordinado, da ▌ adj./s. **1** Referido a una persona, que depende de otra. ▌ adj./s.f. **2** En lingüística, referido esp. a una oración, que depende de otra: *En la frase 'Quiero que vengas', 'que vengas' es una oración subordinada completiva.*

subordinante adj. Que subordina. ☐ MORF. Invariable en género.

subordinar v. **1** Hacer depender o colocar bajo la dependencia de algo: *Los trabajadores de este sector están subordinados al jefe del departamento de exportación.* **2** En gramática, referido a un elemento, depender de otro de diferente nivel o función que lo rige: *En la oración 'Espero que llueva', el verbo principal 'espero' subordina a la oración 'que llueva'.* ☐ ETIMOL. De *sub-* (bajo, debajo de) y el latín *ordinare* (ordenar).

subrayar v. **1** Referido esp. a algo escrito, señalarlo con una raya por debajo: *En el texto siguiente, subraya las palabras que empiecen por 'b'.* **2** Pronunciar o expresar poniendo especial énfasis; acentuar, recalcar: *La profesora subrayó la importancia de la lectura.* ☐ PRON. [sub·rayár].

subrepticio, cia adj. Que se hace ocultamente o a escondidas. ☐ ETIMOL. Del latín *subrepticius*, y éste de *subripere* (sustraer). ☐ PRON. [sub·reptício].

subrogación s.f. En derecho, sustitución de una persona o de una cosa por otra. ☐ PRON. [sub·rogación].

subrogar v. En derecho, referido a una persona o a una cosa, sustituirlas o ponerlas en el lugar de otras: *Al comprar la casa se subrogó la hipoteca del vendedor en favor del comprador.* ☐ ETIMOL. Del latín *subrogare* (elegir a uno en reemplazo de otro). ☐ PRON. [sub·rogár]. ☐ ORTOGR. La *g* se cambia en *gu* delante de *e* →PAGAR.

subsanar v. Referido esp. a un defecto o a un daño, repararlos, remediarlos o resarcirlos: *Ha consultado el diccionario para subsanar las faltas de ortografía de su redacción.*

subscribir v. →**suscribir**. ☐ MORF. Su participio es *subscrito.*

subscripción s.f. →**suscripción**.

subscriptor, -a s. →**suscriptor**.

subscrito part. irreg. de **subscribir**. ☐ SEM. Es sinónimo de *suscrito.*

subsecretaría s.f. **1** Cargo de subsecretario. **2** Lugar de trabajo del subsecretario.

subsecretario, ria s. **1** Persona que ocupa el cargo inmediatamente inferior al de secretario o que lo sustituye en sus funciones. **2** En la Administración española, persona cuyo cargo es inmediatamente inferior al de secretario de Estado o, en caso de que éste no exista, al de ministro.

subsecuente adj. Respecto de lo expresado o sobrentendido, que lo sigue inmediatamente; subsiguiente. ☐ ETIMOL. Del latín *subsequens.* ☐ MORF. Invariable en género.

subsidiario, ria adj. **1** Que se da o se manda en socorro o en subsidio de alguien. **2** Referido esp. a una acción o a una responsabilidad, que sustituyen o que fortalecen a otras principales. [**3** Referido esp. a una empresa, que es delegada en el extranjero de una empresa multinacional.

subsidio s.m. Ayuda o auxilio económico de carácter extraordinario. ☐ ETIMOL. Del latín *subsidium* (reserva de tropas, refuerzo).

subsiguiente adj. Respecto de lo expresado o sobrentendido, que lo sigue inmediatamente; subsecuente. ☐ MORF. Invariable en género.

subsistencia s.f. Vida o mantenimiento de la vida.

subsistir v. **1** Permanecer, mantenerse, durar o conservarse: *En esta región subsisten viejas costumbres que ya han desaparecido en las ciudades.* **2** Mantener la vida o seguir viviendo: *Los refugiados subsisten gracias a la ayuda que reciben de los organismos de paz internacionales.* ☐ ETIMOL. Del latín *subsistere.*

substancia s.f. →**sustancia**.

substancial adj. →**sustancial**. ☐ MORF. Invariable en género.

substanciar v. →**sustanciar**. ☐ ORTOGR. La *i* nunca lleva tilde.

substancioso, sa adj. →**sustancioso**.

substantivación s.f. →sustantivación.
substantivar v. →sustantivar.
substantivo, va adj./s.m. →sustantivo.
substitución s.f. →sustitución.
substituir v. →sustituir. ☐ MORF. Irreg. →HUIR.
substitutivo, va adj. →sustitutivo.
substituto, ta s. →sustituto.
substracción s.f. →sustracción.
substraendo s.m. →sustraendo.
substraer v. →sustraer. ☐ MORF. Irreg. →TRAER.
substrato s.m. →sustrato.
subsuelo s.m. Capa del terreno que está debajo de una capa de la superficie terrestre.
subte s.m. *col.* En zonas del español meridional, metro. ☐ MORF. Es la forma abreviada de *subterráneo*.
subteniente s.m. [En el ejército, persona cuyo empleo militar es superior al de brigada e inferior al de alférez.
subterfugio s.m. Escapatoria, pretexto o recurso que se utiliza para sortear o evitar una dificultad o un compromiso. ☐ ETIMOL. Del latín *subterfugium*.
subterráneo, a ∎ adj. **1** Que está bajo tierra. ∎ s.m. **2** Lugar o espacio que está bajo tierra. **3** En zonas del español meridional, metro. ☐ ETIMOL. Del latín *subterraneus*. ☐ MORF. En la acepción 3, se usa mucho la forma abreviada *subte*.
subtipo s.m. Cada uno de los grupos taxonómicos en que se dividen los tipos de animales y de plantas.
subtitular v. **1** Referido esp. a una película, incorporarle subtítulos: *Vi una película francesa que había sido subtitulada en español.* **2** Escribir subtítulos: *Ha titulado su novela 'Lucha bajo el sol' y la ha subtitulado 'Historia de un odio'.*
subtítulo s.m. **1** En una película cinematográfica, letrero que aparece en la parte inferior de su imagen, generalmente con la traducción del texto hablado. **2** Título secundario que se pone a veces después del título principal.
suburbano, na ∎ adj. **1** Referido esp. a un lugar, próximo a la ciudad. **2** De un suburbio o relacionado con él; suburbial. ∎ s.m. **3** Ferrocarril que comunica el centro de una gran ciudad con sus núcleos de las afueras. ☐ ETIMOL. Del latín *suburbanus*.
[suburbial adj. De un suburbio o relacionado con él; suburbano. ☐ MORF. Invariable en género.
suburbio s.m. Barrio cercano a una ciudad o que está dentro de su jurisdicción, esp. el habitado por una población de bajo nivel económico. ☐ ETIMOL. Del latín *suburbium*.
subvención s.f. Ayuda económica con la que se contribuye al sostenimiento o al logro de algo. ☐ ETIMOL. Del latín *subventio*.
subvencionar v. Favorecer con una subvención o ayuda económica: *El Ministerio de Cultura subvenciona películas y obras de creación literaria.*
subvenir v. **1** Venir en auxilio o ayudar en las necesidades: *El Estado debe subvenir a los necesitados.* **[2** Costear, sufragar o pagar un gasto: *Los padres han de 'subvenir' a la educación de los hijos.* ☐ ETIMOL. Del latín *subvenire*. ☐ MORF. Irreg. →VENIR. ☐ SINT. Constr. *subvenir A algo.*
subversión s.f. Trastorno, cambio violento o destrucción.
subversivo, va adj. Que intenta desestabilizar el

orden público o que protesta contra lo establecido. ☐ ETIMOL. Del latín *suversum*, y éste de *subvertere* (destruir, revolver).
subvertir v. Trastornar, invertir, revolver o destruir: *Esa filósofa opina que si se subvierten los conceptos del bien y del mal, reinará la confusión.* ☐ ETIMOL. Del latín *subvertere* (volver cabeza abajo). ☐ MORF. Irreg. →SENTIR.
subyacer v. Estar oculto detrás de algo: *En toda su obra subyace un sentimiento de melancolía.* ☐ ETIMOL. Del latín *subiacere*. ☐ MORF. Irreg. →YACER.
subyugar v. **1** Someter o dominar poderosa o violentamente: *Los soldados subyugaron a los habitantes de la tierra conquistada.* **[2** Agradar o gustar mucho: *'Me subyuga' la música de este compositor barroco.* ☐ ETIMOL. Del latín *subiugare*, y éste de *sub* (bajo) y *iugun* (yugo). ☐ ORTOGR. La *g* se cambia en *gu* delante de *e* →PAGAR.
succión s.f. **1** Extracción de algo chupando con los labios. **[2** Absorción, aspiración o atracción hacia el interior. ☐ ETIMOL. Del latín *suctio*, y éste de *sugere* (chupar).
succionar v. **1** Chupar o extraer con los labios: *El bebé succionaba el biberón con ímpetu.* **2** Absorber, aspirar o atraer hacia el interior: *Las plantas succionan el agua del suelo.*
sucedáneo, a ∎ adj./s.m. **1** Referido esp. a una sustancia, que puede reemplazar a otra por tener propiedades parecidas. ∎ s.m. **[2** Lo que, por su mala calidad, se considera una imitación mal conseguida. ☐ ETIMOL. Del latín *succedaneus* (que reemplaza).
suceder v. **1** Referido a un hecho, producirse, realizarse u ocurrir; acaecer, acontecer: *Eso sucedió hace mucho. No sé qué te sucede, porque estás muy raro.* **2** Seguir o ir detrás en orden, tiempo o número: *Noviembre sucede a octubre.* **3** Referido a una persona, sustituir a otra en el desempeño de un cargo o función: *El príncipe heredero sucederá al rey en la jefatura del Estado.* ☐ ETIMOL. Del latín *succedere* (venir después de alguien o de algo). ☐ MORF. En la acepción 1, es verbo unipersonal.
sucedido s.m. *col.* Suceso o hecho que ha ocurrido.
sucesión s.f. **1** Serie de elementos que se suceden en el espacio o en el tiempo. **2** Sustitución en el desempeño de un cargo o de una función. **3** Conjunto de descendientes de una persona. **4** En matemáticas, conjunto ordenado de términos que cumplen una ley determinada: *'1, 2, 3, 4...' es una sucesión de números naturales.* ☐ ETIMOL. Del latín *successio*.
sucesivo, va adj. **1** Que sucede o sigue a algo. **2** ‖**en lo sucesivo**; en adelante o a partir de este momento.
suceso s.m. Lo que sucede u ocurre, esp. si es un hecho de importancia. ☐ ETIMOL. Del latín *successus* (secuencia, sucesión, éxito).
sucesor, -a adj./s. Referido a una persona, que sucede a otra, esp. si es en el desempeño de un cargo o de una función. ☐ ETIMOL. Del latín *succesor*.
sucesorio, ria adj. De la sucesión o relacionado con ella.
suciedad s.f. **1** Presencia o existencia de manchas, impurezas o imperfecciones. **2** Falta de ética o de respeto a las reglas.
sucinto, ta adj. Breve, preciso o con las palabras justas. ☐ ETIMOL. Del latín *succinctus* (apretado,

achaparrado). □ SEM. No debe emplearse con el significado de 'detallado' o 'pormenorizado': *Presenté un amplio y {*sucinto > detallado} informe.*

sucio, cia adj. **1** Con manchas, impurezas o imperfecciones. **2** Que se ensucia con facilidad. **3** Referido a una persona, que no cuida su higiene ni su aspecto. **4** Que produce suciedad. **5** Deshonesto o sin ética en la forma de actuar. □ ETIMOL. Del latín *sucidus* (húmedo, jugoso); se aplicaba esp. a la lana recién cortada, que solía estar sin limpiar, llena de sudor y, por tanto, húmeda.

sucio adv. Referido a una forma de actuar, sin seguir las normas ni respetar las leyes.

sucre s.m. Unidad monetaria ecuatoriana. □ ETIMOL. Por alusión a A. J. de Sucre, general venezolano.

suculento, ta adj. Sabroso, jugoso o nutritivo. □ ETIMOL. Del latín *suculentus*, y éste de *sucus* (jugo).

sucumbir v. **1** Ceder, dejar de oponerse, rendirse o someterse: *Sucumbí a la tentación de comer bombones.* **2** Morir, perecer, dejar de existir o desaparecer: *El Imperio Romano sucumbió en el siglo V con las invasiones de los bárbaros.* □ ETIMOL. Del latín *succumbere* (desplomarse, sucumbir).

sucursal adj./s.f. Referido esp. a un establecimiento, que depende de otro principal y que desempeña sus mismas funciones. □ ETIMOL. Del francés *succursale* (suplente). □ MORF. Como adjetivo es invariable.

[sudaca s. col. Suramericano. □ MORF. Es de género común: *el 'sudaca', la 'sudaca'.* □ USO Es despectivo.

sudación s.f. Expulsión de sudor, esp. si es abundante. □ USO Aunque la RAE sólo registra *sudación*, se usa más *sudoración.*

sudadera s.f. [Prenda de vestir deportiva que cubre desde el cuello hasta la cintura y tiene manga larga.

sudafricano, na adj./s. De la zona sur del continente africano, de la República Sudafricana (país de esta zona), o relacionado con ellos. □ USO Aunque la RAE sólo registra *sudafricano*, se usa también *surafricano.*

sudamericano, na adj./s. →**suramericano**. □ MORF. La RAE sólo lo registra como adjetivo.

sudanés, -a adj./s. De Sudán (país africano), o relacionado con él.

sudar v. **1** Expulsar el sudor a través de los poros de la piel: *Al sudar se eliminan toxinas.* **2** col. Trabajar o esforzarse mucho: *Los jugadores tuvieron que sudar para ganar el partido.* **3** Empapar con sudor: *Hacía tanto calor que he sudado la blusa.* □ ETIMOL. Del latín *sudare.*

sudario s.m. Tela que se pone sobre el rostro de un difunto o con la que se envuelve el cadáver. □ ETIMOL. Del latín *sudarium* (pañuelo).

sudeste s.m. **1** Punto medio o lugar entre el Sur y el Este. **2** Viento que sopla o viene de este punto. □ ORTOGR. Se admite también *sureste*. □ SINT. Se usa mucho en aposición pospuesto a un sustantivo: *Navegamos con rumbo sudeste.*

sudista adj./s. En la guerra de Secesión estadounidense, partidario de los estados del sur; confederado. □ MORF. 1. Como adjetivo es invariable en género. 2. Como sustantivo es de género común: *el sudista, la sudista.*

sudoeste s.m. **1** Punto medio o lugar entre el Sur y el Oeste. **2** Viento que sopla o viene de este punto.

□ ORTOGR. Se admite también *suroeste*. □ SINT. Se usa mucho en aposición pospuesto a un sustantivo: *Volamos en dirección sudoeste.*

sudor s.m. **1** Líquido transparente que segregan las glándulas sudoríparas de la piel de los mamíferos. **2** col. Trabajo o esfuerzo grande. □ ETIMOL. Del latín *sudor.*

[sudoración s.f. Expulsión de sudor, esp. si es abundante. □ USO Aunque la RAE sólo registra *sudación*, se usa más *sudoración.*

sudoríparo, ra adj. Referido esp. a una glándula, que produce o segrega sudor. □ ETIMOL. Del latín *sudor* y *parere* (producir).

sudoroso, sa adj. Lleno de sudor.

sueco, ca ▌ adj./s. **1** De Suecia (país del norte europeo), o relacionado con ella. ▌ s.m. **2** Lengua germánica de este país. **3** ‖**hacerse** alguien **el sueco**; *col.* Desentenderse de algo o fingir que no se oye, ve o entiende.

suegro, gra s. Respecto de una persona, padre o madre de su cónyuge. □ ETIMOL. *Suegra*, del latín *socra. Suegro*, del latín *socrus.*

suela s.f. **1** Parte del calzado que está en contacto con el suelo. **2** Cuero curtido. □ ETIMOL. Del latín **sola.*

sueldo s.m. Cantidad de dinero que recibe regularmente una persona por el desempeño de un cargo o de un servicio profesional. □ ETIMOL. Del latín *solidus* (moneda sólida, consolidada).

suelo s.m. **1** Superficie de la tierra. **2** Terreno en que viven o pueden vivir las plantas. **3** Superficie sobre la que se pisa. □ ETIMOL. Del latín *solum* (base, fondo, tierra en que se vive).

suelto, ta ▌ adj. **1** Disgregado, poco compacto o no pegado. **2** Libre o sin sujeción. **3** Que no forma parte de un conjunto o que se ha separado de él. **4** Que padece diarrea. **5** Referido a un producto, que no está envasado o empaquetado. ▌ adj./s.m. **6** Referido a dinero, en monedas fraccionarias.

sueño s.m. **1** Estado de reposo mientras se duerme. **2** Representación de sucesos y de imágenes en la mente mientras se duerme. **3** Ganas de dormir. **4** Lo que carece de realidad o fundamento y que no tiene probabilidad de realizarse. **5** ‖**conciliar el sueño**; conseguir dormirse. ‖**quitar el sueño**; *col.* Preocupar mucho. □ ETIMOL. Del latín *somnus* (acto de dormir).

suero s.m. **1** Parte de la sangre o de la linfa que permanece líquida después de que éstas se coagulen. **2** Parte líquida que se separa al coagularse la leche. **3** Disolución salina o de otras sustancias que se inyecta en el organismo con distintos fines medicinales, esp. como alimentación. □ ETIMOL. Del latín **sorum.*

suerte s.f. **1** Destino, casualidad o fuerza desconocida que determina el desarrollo de los acontecimientos. **2** Circunstancia de que lo que ocurre resulte favorable o adverso; ventura. **3** Circunstancia favorable. **4** Lo que puede ocurrir en un futuro. **5** Tipo, clase, género o especie. **6** En tauromaquia, cada uno de los lances de la lidia. □ ETIMOL. Del latín *sors.*

[suertudo, da adj./s. *col.* Referido a una persona, que tiene muy buena suerte.

sueste s.m. Sombrero impermeable cuya ala, estrecha y levantada por delante, es muy ancha y caída por detrás. 🖾 sombrero

suéter s.m. Prenda de vestir, generalmente de punto y con manga larga, que cubre el cuerpo desde el cuello hasta más abajo de la cintura; jersey. ☐ ETIMOL. Del inglés *sweater*, y éste de *sweat* (sudar). ☐ MORF. Su plural es *suéteres*.

suevo, va adj./s. De un conjunto de antiguos pueblos germánicos originarios del norte europeo que, en el siglo V, invadieron el territorio galo y la península Ibérica, y relacionado con ellos.

sufí adj./s. Que defiende o sigue la doctrina del sufismo. ☐ MORF. 1. Como adjetivo es invariable en género. 2. Como sustantivo es de género común: *el sufí, la sufí*. 3. Aunque su plural en la lengua culta es *sufíes*, se usa mucho *sufís*.

suficiencia s.f. **1** Capacidad o aptitud adecuadas para lo que se necesita. **2** Presunción o pedantería que hacen creer que se es más apto que los demás.

suficiente ∎ adj. **1** Bastante o adecuado para lo que se necesita. ∎ s.m. **[2** Calificación académica mínima que indica que se ha superado el nivel exigido; aprobado. ☐ ETIMOL. Del latín *sufficiens*, y éste de *sufficere* (bastar). ☐ MORF. Como adjetivo es invariable en género. ☐ USO Se usa mucho como adverbio de cantidad: *¿Has comido suficiente o quieres más?*

sufijación s.f. Formación de nuevas palabras por medio de sufijos.

sufijo, ja adj./s.m. En lingüística, referido a un morfema, que se une por detrás a una palabra o a su raíz para formar derivados o palabras compuestas: *La partícula sufija '-ito' forma derivados como 'librito' o 'cachorrito'.* ☐ ETIMOL. Del latín *suffixus*, y éste de *suffigere* (clavar por debajo). ☐ MORF. →APÉNDICE DE SUFIJOS. ☐ SEM. Dist. de *infijo* (que se introduce en el interior de la palabra) y de *prefijo* (que se une por delante).

sufismo s.m. Doctrina mística que deriva del islamismo, y que nació entre los siglos VIII y XIX como reacción a las formas mundanas que había. ☐ ETIMOL. Del *sufí*.

sufragar v. Costear, satisfacer o pagar los gastos: *Su tío sufraga sus estudios universitarios.* ☐ ETIMOL. Del latín *suffragari* (votar por alguien, apoyarlo, favorecerlo). ☐ ORTOGR. La *g* se cambia en *gu* delante de *e* →PAGAR.

sufragio s.m. **1** Sistema electoral por el que se elige, mediante una votación, a la persona que ocupará un cargo. **2** Voto de quien tiene el derecho de elegir. **3** Ayuda o socorro, esp. a una colectividad y con medios económicos. ☐ ETIMOL. Del latín *suffragium* (voto que se da a alguien, derecho de elección).

sufragismo s.m. Movimiento surgido en la segunda mitad del siglo XIX que luchaba por la concesión del derecho al voto de la mujer.

sufragista adj./s. Partidario o defensor del sufragismo. ☐ MORF. 1. Como adjetivo es invariable en género. 2. Como sustantivo es de género común: *el sufragista, la sufragista*.

sufrido, da adj. **1** Que sufre con resignación. **2** Que disimula la suciedad.

sufrimiento s.m. Padecimiento, dolor o pena que se padecen.

sufrir v. **1** Referido a un daño moral o físico, experimentarlos, sentirlos o vivirlos con intensidad: *Sufre continuos dolores de cabeza.* **2** Referido a un daño moral o físico, recibirlos con resignación o aceptarlos sin quejas: *Sufría en silencio aquellos desplantes.* **3** So-

portar, tolerar, aguantar o consentir: *No sufro que me chillen.* **4** Referido esp. a un peso, sostenerlo o resistirlo: *Los cimientos sufren el peso del edificio.* ☐ ETIMOL. Del latín *sufferre* (soportar, tolerar, aguantar).

sugerencia s.f. Insinuación o proposición sutil. ☐ SEM. Dist. de *sugestión* (influencia en la forma de pensar).

[sugerente adj. Que sugiere. ☐ MORF. Invariable en género.

sugerir v. Referido esp. a una idea, proponerla o inspirarla de forma sutil: *Le sugerí que se cambiara de vestido para ir a la cena. ¿Qué te sugiere esa música?* ☐ ETIMOL. Del latín *suggerere* (llevar por debajo). ☐ MORF. Irreg. →SENTIR.

sugestión s.f. Influencia en la forma de pensar o de enjuiciar las cosas, generalmente mediante el ofuscamiento de la razón. ☐ ETIMOL. Del latín *suggestio*. ☐ SEM. Dist. de *sugerencia* (insinuación).

sugestionar v. Influir en la forma de pensar o de enjuiciar las cosas, generalmente ofuscando la razón: *Con su discurso, el orador intentaba sugestionar al público para que pensara como él. Intento sugestionarme para no tener frío.*

sugestivo, va adj. **1** Que sugiere. **2** Que provoca emoción o que resulta atrayente.

sui géneris ‖ De un género o de una especie singulares. ☐ ETIMOL. Del latín *sui generis*.

suicida ∎ adj. **1** Del suicidio o relacionado con él. **2** Referido a una acción o a una conducta, que daña o que destruye al que la realiza. ∎ adj./s. **3** Referido a uno, que intenta o que consigue suicidarse. ☐ MORF. 1. Como adjetivo es invariable en género. 2. Como sustantivo es de género común: *el suicida, la suicida*.

suicidarse v. Quitarse la vida voluntariamente: *Se suicidó ingiriendo una sobredosis de barbitúricos.*

suicidio s.m. Privación voluntaria de la vida. ☐ ETIMOL. Del latín *sui* (de sí mismo) y la terminación de *homicidio*.

suido ∎ adj./s.m. **1** Referido a un mamífero, que tiene el cuerpo rechoncho, con la piel dura y gruesa, y generalmente cubierta de cerdas, el morro prominente y unos colmillos largos y fuertes que le sobresalen de la boca: *El jabalí es un suido.* ∎ s.m.pl. **2** En zoología, familia de estos mamíferos. ☐ ETIMOL. Del latín *sus* (cerdo).

[suite s.f. **1** En música, selección de fragmentos de ballets, de óperas o de otras composiciones extensas, generalmente para su interpretación en concierto. **2** En un hotel, conjunto de varias habitaciones intercomunicadas que forman una unidad. ☐ PRON. [suít]. ☐ USO 1. En la acepción 1, es un galicismo. 2. En la acepción 2, es un anglicismo.

suizo, za ∎ adj./s. **1** De Suiza (país europeo) o relacionado con ella; helvecio, helvético. ∎ s.m. **2** En pastelería, bollo de forma ovalada, elaborado con harina, huevos y azúcar.

sujeción s.f. **1** Contención o fijación mediante la fuerza. **2** Lo que sirve para sujetar o para inmovilizar. ☐ ETIMOL. Del latín *subiectio*.

sujetador s.m. Prenda interior femenina que sirve para ceñir o sostener el pecho; sostén.

sujetar v. **1** Contener o aguantar para evitar el movimiento o la caída: *Dos ayudantes sujetaban al enfermo mientras el médico lo exploraba. Sujeta la ta-*

bla con dos clavos. **2** En zonas del español meridional, someter. □ ETIMOL. Del latín *subiectare.* □ MORF. Tiene un participio regular (*sujetado*), que se usa en la conjugación, y otro irregular (*sujeto*), que se usa como adjetivo o sustantivo. □ SINT. Constr. de la acepción 1: *sujetarse A algo.*

sujeto, ta ∎ adj. 1 Propenso o expuesto a aquello que se expresa. ∎ s.m. **2** Persona cuya identidad se ignora o no se quiere decir; individuo. **3** En lingüística, función oracional, generalmente desempeñada en español por un sintagma nominal que concuerda en número y persona con el núcleo del predicado: *En 'Me gustan tus cuadros', 'tus cuadros' funciona como sujeto porque concuerda con el verbo 'gustar'.* **4** En lingüística, constituyente que desempeña esta función: *En español, el sujeto suele ser un sintagma nominal.* **5** ‖**sujeto agente**; el de una oración con el verbo en voz activa: *El sujeto agente suele realizar la acción expresada por el verbo.* ‖**sujeto paciente**; el de una oración con el verbo en voz pasiva: *El sujeto paciente suele recibir la acción expresada por el verbo.* ‖**[sujeto pasivo**; el contribuyente del impuesto sobre la renta: *El 'sujeto pasivo' está obligado a presentar la declaración de la renta.* □ ETIMOL. Del latín *subiectus* (sometido, sujeto).

sulfamida s.f. Sustancia química que se usa en el tratamiento de algunas enfermedades infecciosas producidas por bacterias.

sulfatar ∎ v. 1 Impregnar o bañar con sulfato: *Las vides se sulfatan para prevenir algunas enfermedades.* ∎ prnl. **[2** Referido esp. a una pila o a una batería, acumularse sulfato por una reacción química interna: *Las baterías 'se sulfataron' porque estaban gastadas.*

sulfato s.m. En química, sal derivada del ácido sulfúrico. □ ETIMOL. Del latín *sulphur* (azufre).

sulfito s.m. En química, sal derivada del ácido sulfuroso. □ ETIMOL. Del latín *sulphur* (azufre).

sulfurar v. **1** Referido a un compuesto, combinarlo químicamente con el azufre: *Al sulfurar un compuesto químico, se transforma en corrosivo.* **2** Irritar, encolerizar o enfadar mucho: *Tu perfeccionismo sulfura a cualquiera. No le contradigas si no quieres que se sulfure.* □ ETIMOL. Del latín *sulphur* (azufre).

sulfúreo, a adj. Del azufre, que lo contiene o relacionado con él; sulfuroso.

sulfúrico adj. Referido a un ácido, que es un compuesto de azufre, oxígeno e hidrógeno, y es un líquido de consistencia oleosa, incoloro, venenoso y muy cáustico.

sulfuro s.m. En química, sal derivada del ácido sulfhídrico. □ ETIMOL. Del latín *sulphur* (azufre).

sulfuroso, sa adj. Del azufre, que lo contiene o relacionado con él; sulfúreo.

sultán, -a ∎ s.m. 1 Antiguamente, emperador turco. **2** En algunos países musulmanes, príncipe o gobernador. ∎ s.f. **3** Mujer del sultán o la que goza de esta consideración. □ ETIMOL. Del árabe *sultan* (soberano).

sultanato s.m. **1** Cargo o dignidad del sultán. **2** Tiempo durante el que un sultán ejerce su cargo o dignidad. **[3**

suma s.f. Véase **sumo, ma.**

sumando s.m. En una suma, cada una de las cantidades parciales que se suma o se añade para cal-

cular el total: *En 2 + 3 = 5, 2 y 3 son los sumandos.* □ ETIMOL. Del latín *summandus.*

sumar v. **1** En matemáticas, realizar la operación aritmética de la suma: *Es muy pequeño y todavía no sabe sumar.* **2** Referido a un total, formarlo a partir de dos o más cantidades: *Dos y dos suman cuatro.* **[3** Añadir o incorporar: *Si a mi cansancio 'sumas' el hambre que tengo, comprenderás por qué tengo ganas de irme. Varios vecinos se sumaron a mi protesta.* □ ETIMOL. Del latín *summare.*

sumarial adj. De un sumario o relacionado con estas actuaciones preparatorias de un juicio. □ MORF. Invariable en género.

sumario, ria ∎ adj. 1 Breve, conciso o resumido. ∎ s.m. **2** En derecho, conjunto de actuaciones preparatorias de un juicio en las que se aportan pruebas, datos y testimonios que posibilitan el fallo del tribunal. **3** Resumen, compendio o recopilación. □ ETIMOL. Del latín *summarius.*

sumergible s.m. Embarcación que puede navegar debajo del agua.

sumergimiento s.m. Introducción total en un líquido, esp. en agua; sumersión.

sumergir v. **1** Introducir totalmente en un líquido, esp. en agua: *Sumerge la blusa en agua y déjala un ratito. Los submarinos se sumergen en el mar.* **2** Hundir o meter de lleno: *La novela nos sumerge en la vida de la sociedad medieval. Se sumergió en un profundo sueño.* □ ETIMOL. Del latín *submergere.* □ ORTOGR. La *g* se cambia en *j* delante de *a*, *o* →DIRIGIR.

sumerio, ria ∎ adj./s. 1 De Sumeria (país mesopotámico), o relacionado con ella. ∎ s.m. **2** Antigua lengua de esta zona.

sumersión s.f. Introducción total en un líquido, esp. en agua; sumergimiento.

sumidero s.m. **1** Abertura o conducto que sirve de desagüe. **[2** Túnel o grieta que se abre en una roca calcárea por la acción del agua.

sumiller s.m. En algunos hoteles y restaurantes, persona encargada del servicio de los vinos y de los licores. □ ETIMOL. Del francés *sommelier.* □ USO Es innecesario el uso del galicismo *sommelier.*

suministración s.f. →**suministro.**

suministrador, -a adj./s. Que suministra.

suministrar v. Referido a algo que se necesita, darlo o proporcionarlo: *Una ayudante me suministró los datos para que yo pudiera hacer el estudio. El repartidor suministra el género a esta tienda.* □ ETIMOL. Del latín *subministrare.*

suministro s.m. **1** Abastecimiento o provisión de algo que resulta necesario; suministración. **2** Lo que se suministra.

sumir v. **1** Referido a una persona, sumergirla o hacerla caer en determinado estado: *La noticia los sumió en un mar de preocupaciones. Se sumió en la desesperación y no quería ver a nadie.* **2** Hundir o meter debajo del agua o de la tierra: *El temporal sumió el barco en las aguas.* □ ETIMOL. Del latín *sumere* (tomar).

sumisión s.f. Sometimiento de una persona a otra.

sumiso, sa adj. Que obedece dócilmente. □ ETIMOL. Del latín *submissus*, y éste de *submittere* (someter).

súmmum ‖**el súmmum**; el colmo o lo máximo. □ ETIMOL. Del latín *summum.*

sumo, ma ∎ adj. 1 Supremo, altísimo o que no

tiene superior. **2** Muy grande o enorme. ∎ s.m. **[3** Modalidad de lucha japonesa en la que los participantes combaten en el interior de un círculo trazado en el suelo y en la que el ganador es el que consigue derribar al contrario o sacarlo fuera de dicho círculo. ∎ s.f. **4** En matemáticas, operación mediante la cual se reúnen en una sola varias cantidades homogéneas; adición. **5** Realización de esta operación. **6** Lo que resulta al efectuar esta operación. **7** Conjunto de varios elementos, esp. de dinero. **8** ‖ **a lo sumo; 1** Como mucho o al nivel máximo al que se puede llegar. **2** Si acaso. ‖ **en suma**; en resumen o recapitulando. ☐ ETIMOL. Las acepciones 1 y 2, del latín *summus* (el más alto). Las acepciones 4-7, del latín *summa* (lo más alto, el total). ☐ USO En la acepción 4, es un término del japonés.

[suní o **[sunita** ∎ adj. **1** De la rama mayoritaria u ortodoxa de la religión islámica o relacionado con ella. ∎ adj./s. **2** Partidario o seguidor de esta rama religiosa. ☐ ORTOGR. Se usan también *sunní* y *sunnita*. ☐ MORF. 1. Como adjetivo son invariables en género. 2. Como sustantivo son de género común: *el {'suní'/'sunita'}, la {'suní'/'sunita'}.*

[sunní o **[sunnita** adj./s. →**suní**. ☐ MORF. 1. Como adjetivo son invariables en género. 2. Como sustantivo son de género común: *el {'sunní'/'sunnita'}, la {'sunní'/'sunnita'}.*

suntuario, ria adj. Del lujo o relacionado con él. ☐ ETIMOL. Del latín *sumptuarius*.

suntuoso, sa adj. Grande, lujoso y costoso. ☐ ETIMOL. Del latín *sumptuosus*, y éste de *sumptus* (gasto).

supeditación s.f. **1** Subordinación o dependencia. **2** Condicionamiento de una cosa al cumplimiento de otra.

supeditar v. **1** Referido a una cosa, subordinarla o hacerla depender de otra: *Es muy juicioso y supedita la diversión al estudio. Si quieres que te aceptemos en el grupo, tienes que supeditarte a nuestras normas.* **2** Referido a una cosa, condicionarla al cumplimiento de otra: *Su jefa ha supeditado el aumento de sueldo de los empleados a sus rendimientos.* ☐ ETIMOL. Del latín *suppeditare*.

[súper ∎ adj. **1** col. Muy bueno, superior, excelente o magnífico. ∎ s.m. **2** *col.* →**supermercado.** ∎ s.f. **3** Gasolina de calidad superior. ☐ MORF. 1. Como adjetivo es invariable en género. 2. Invariable en número. ☐ SINT. Se usa también como adverbio de modo con el significado de 'muy bien': *Estuvimos viendo una película en su casa y lo pasamos 'súper'.*

super- Elemento compositivo que significa 'encima de' (*superponer, superestrato*), 'con exceso' (*superabundancia, superproducción, superpoblación*), o que indica grado máximo (*superdotado, superconductividad, superfino, superligero*). ☐ ETIMOL. Del latín *super-*. ☐ USO Su uso con el significado de 'muy' es propio de la lengua coloquial: *superfeliz, supermoderno, supercerca, superbién.*

superabundancia s.f. Abundancia muy grande. ☐ ETIMOL. Del latín *superabundare*.

superación s.f. **1** Hecho de rebasar un límite o una marca. **2** Vencimiento de un obstáculo o de una dificultad. **3** Perfeccionamiento o mejora de una persona.

superar ∎ v. **1** Ser superior o mejor: *Este modelo de coche supera en velocidad al anterior.* **2** Referido a un obstáculo o a una dificultad, vencerlos o pasarlos:

He superado con éxito los exámenes. **[3** Referido esp. a una marca o a un límite, sobrepasarlos o pasar más allá: *Las temperaturas no 'superarán' los diez grados.* ∎ prnl. **4** Hacer algo mejor que en otras ocasiones: *Intenta superarse en todo lo que hace.* ☐ ETIMOL. Del latín *superare.*

superávit s.m. **1** En economía, diferencia que hay entre los ingresos y los gastos cuando los segundos son menores que los primeros. **2** Abundancia o exceso de algo que se considera necesario. ☐ MORF. Invariable en número. ☐ SEM. Dist. de *déficit* (diferencia entre ingresos y gastos cuando aquéllos son menores; falta o escasez de algo).

superchería s.f. **1** Engaño o fraude que se hacen para conseguir algo. **[2** Superstición o creencias falsas. ☐ ETIMOL. Del italiano *superchieria* (abuso de fuerza).

superciliar adj. Que está en el hueso frontal, en la zona que corresponde a la sobreceja. ☐ ETIMOL. Del latín *supercilium* (sobreceja). ☐ MORF. Invariable en género.

[superclase s.f. En biología, en la clasificación de los seres vivos, categoría superior a la de clase e inferior a la de tipo.

superconductor, -a adj./s.m. Referido a un material o a un compuesto, que pierde su resistencia al paso de la electricidad por debajo de su temperatura crítica. ☐ ETIMOL. De *super-* (grado máximo, con exceso) y *conductor.*

superdotado, da adj./s. Referido a una persona, que posee cualidades y aptitudes que exceden de lo normal, esp. si éstas son intelectuales.

[superego (anglicismo) s.m. →**superyó.**

superestrato s.m. En lingüística, influencia de la lengua de un invasor sobre la lengua propia del país invadido.

superficial adj. **1** De la superficie o relacionado con ella. **2** Que está o que se queda en la superficie. **3** Frívolo, sin fundamento o que se basa en las apariencias. ☐ MORF. Invariable en género.

superficialidad s.f. Falta de profundidad o de fundamento.

superficie s.f. **1** Límite de un cuerpo que lo separa o lo distingue del exterior. **2** Extensión de tierra. **3** Extensión plana en la que sólo se consideran la anchura y la altura. **4** Aspecto externo de algo. **5** ‖ **[grandes superficies**; establecimientos o centros comerciales de grandes dimensiones. ‖ **[superficie de venta**; en el lenguaje comercial, aquella parte del establecimiento en que los compradores pueden moverse libremente para observar o tomar los productos que deseen adquirir. ☐ ETIMOL. Del latín *superficies*, y éste de *super-* (encima de) y *facies* (forma, aspecto).

superfluo, flua adj. Que es innecesario o que está de más. ☐ ETIMOL. Del latín *superfluus*, y éste de *superfluere* (desbordarse).

superfosfato s.m. Sustancia química que se utiliza como abono, compuesta principalmente por fósforo.

superhombre s.m. Hombre que es considerado superior a los demás. ☐ ETIMOL. Traducción del alemán *bermensch.*

superintendencia s.f. **1** Empleo o cargo de superintendente. **2** Oficina del superintendente.

superintendente s. Persona que está a cargo de

la dirección y del cuidado de algo, y que es su máximo responsable. □ ETIMOL. De *super-* (grado máximo) e *intendente*. □ MORF. Es de género común: *el superintendente, la superintendente*.

superior ∎ adj. **1** comp. de superioridad de **alto**. **2** Que es mayor en calidad o en cantidad. **3** Referido a un ser vivo, que tiene una organización compleja y que se supone evolucionado. **4** Excelente o muy bueno. ∎ adj./s.m. **5** Referido a una persona, que tiene otras a su cargo. ∎ s. **6** Persona que manda o gobierna una congregación o una comunidad, esp. religiosas. □ ETIMOL. Del latín *superior* (más alto). □ MORF. Como adjetivo es invariable en género. □ SINT. 1. Incorr. {*más superior > superior*}. 2. Constr. *superior* A *algo*. 3. Se usa también como adverbio de modo con el significado de 'muy bien': *En la fiesta lo pasamos superior*.

superioridad s.f. Estado o situación de lo que es superior en cantidad o en calidad.

superlativo, va ∎ adj. **1** Muy grande o muy bueno en su línea. [**2** Que expresa superioridad. ∎ s.m. **3** Grado del adjetivo o del adverbio que expresa el significado de éstos en su mayor intensidad: '*Muy alto*' *es el superlativo de* '*alto*', *y* '*lejísimos*', *de* '*lejos*'. **4** ‖**superlativo absoluto**; el que denota el más alto grado de cualidad que con él se expresa: '*Pésimo*' *es el superlativo absoluto de* '*malo*'. ‖**superlativo relativo**; el que denota el grado máximo o mínimo de cualidad en relación con un grupo: *En la frase* '*El más pobre de la ciudad*', *hay un superlativo relativo*. □ ETIMOL. Del latín *superlativus*, y éste de *superferre* (levantar por encima).

[**supermán, -a** adj./s. col. Persona superior a las demás. □ ETIMOL. Del inglés *Superman*, personaje de cómic que tenía poderes extraordinarios y sobrehumanos.

supermercado s.m. Establecimiento, generalmente de productos alimenticios, en el que el cliente se sirve a sí mismo y paga a la salida. □ MORF. En la lengua coloquial, se usa mucho la forma abreviada *súper*.

[**supermujer** s.f. Mujer que es considerada superior a las demás.

[**supernova** s.f. En astronomía, estrella en explosión que libera una inmensa cantidad de energía y que se manifiesta a través de un gran aumento de brillo en una estrella que ya era visible, o por su aparición en un punto del espacio que aparentemente estaba vacío. □ ETIMOL. De *super-* (con exceso) y *nova*.

[**superpoblar** v. Poblar en exceso: *Cada día nuevos inmigrantes* '*superpueblan*' *las grandes ciudades*. □ MORF. Irreg. →CONTAR.

superponer v. **1** Añadir o poner por encima; sobreponer: *Si superpones un cristal rojo sobre uno amarillo, obtendrás el color naranja*. [**2** Anteponer o considerar más importante o más valioso: *Estaría bien que por una vez* '*superpusieras*' *los deseos de tus padres a los tuyos propios*. □ ETIMOL. Del latín *superponere*. □ MORF. Irreg.: 1. Su participio es *superpuesto*. 2. →PONER.

superposición s.f. Colocación de una cosa sobre otra.

[**superpotencia** s.f. Nación con gran poder económico y militar.

superproducción s.f. **1** Exceso de producción o producción en cantidad superior a la que es posible vender con beneficios. **2** Obra cinematográfica o teatral que se presenta como excepcional y que supone un gran costo.

superpuesto, ta part. irreg. de **superponer**. □ MORF. Incorr. **superponido*.

superrealismo s.m. →**surrealismo**.

superrealista adj./s. →**surrealista**. □ MORF. 1. Como adjetivo es invariable en género. 2. Como sustantivo es de género común: *el superrealista, la superrealista*.

supersónico, ca adj. Referido a una velocidad o a una aeronave, que puede superar la velocidad del sonido.

superstición s.f. Creencia extraña a la fe religiosa y contraria a la razón o al entendimiento. □ ETIMOL. Del latín *superstitio* (supervivencia).

supersticioso, sa ∎ adj. **1** De la superstición o relacionado con esta creencia. ∎ adj./s. **2** Referido a una persona, que cree en supersticiones.

supervalorar v. Referido a algo, otorgarle mayor valor del que realmente tiene: *Cuando te conocí me impresionaste y te supervaloré*. □ USO Aunque la RAE sólo registra *supervalorar*, se usa mucho *sobrevalorar*.

[**superventas** s.m. Libro, disco o algo semejante que ha tenido un gran éxito de ventas. □ MORF. Invariable en número.

supervisar v. Referido a una actividad, inspeccionarla un superior: *El aparejador y la arquitecta supervisan las obras del edificio*.

supervisión s.f. Inspección que lleva a cabo un superior sobre una actividad realizada por otra persona.

supervivencia s.f. **1** Conservación de la vida. [**2** Continuación de la existencia de algo.

superviviente adj./s. Que sobrevive. □ ETIMOL. Del latín *supervivens* (que sobrevive). □ MORF. 1. Como adjetivo es invariable en género. 2. Como sustantivo es de género común: *el superviviente, la superviviente*.

[**superwoman** (anglicismo) s.f. col. Mujer superior a las demás. □ PRON. [superguóman].

superyó s.m. En psicoanálisis, ideal del yo. □ ETIMOL. De *super-* (grado máximo) y *yo*. □ USO Aunque la RAE sólo registra *superyó*, en círculos especializados se usa también *superego*.

supino, na adj. **1** Que está tendido sobre la espalda. **2** Referido a una cualidad negativa, que es enorme o extraordinaria. □ ETIMOL. Del latín *supinus* (tendido sobre el dorso).

suplantación s.f. Sustitución ilegal de una persona por otra para aprovecharse de algún beneficio.

suplantar v. Referido a una persona, ocupar otra su lugar de forma ilegal para aprovecharse de algún beneficio: *Suplantó a un amigo en un examen y lo expulsaron*. □ ETIMOL. Del latín *supplantare* (reemplazar subrepticiamente).

suplementario, ria adj. Que sirve para suplir algo que falta o para completarlo.

suplemento s.m. **1** Lo que suple, completa o amplía algo. **2** Hoja o publicación independientes que se venden junto con un periódico o una revista. [**3** En algunas escuelas lingüísticas, complemento preposicional exigido por el verbo: *En* '*Acordarse de los amigos*', '*de los amigos*' *es el* '*suplemento*'. **4** En geometría, ángulo que falta a otro para sumar ciento ochenta grados; ángulo suplementario. □ ETIMOL. Del latín *supplementum*.

suplencia s.f. Sustitución de una persona por otra en una tarea.

suplente adj./s. Que suple o sustituye a otra persona en una tarea. □ MORF. 1. Como adjetivo es invariable en género. 2. Como sustantivo es de género común: *el suplente, la suplente.*

supletorio, ria ▌ adj. **1** Que suple una falta o una deficiencia. **▌** adj./s.m. **2** Referido a un aparato telefónico, que está conectado a uno principal. □ ETIMOL. Del latín *suppletorium.* □ MORF. En la acepción 2, la RAE sólo lo registra como adjetivo.

súplica s.f. Petición de algo con humildad y sumisión.

suplicante adj./s. Que suplica. □ MORF. 1. Como adjetivo es invariable en género. 2. Como sustantivo es de género común: *el suplicante, la suplicante.*

suplicar v. Pedir con humildad y sumisión: *Me suplicó que le prestara dinero para el alquiler.* □ ETIMOL. Del latín *supplicare*, y éste de *supplex* (el que se arrodilla ante alguien). □ ORTOGR. La *c* se cambia en *qu* delante de *e* →SACAR.

suplicatorio s.m. **1** En derecho, instancia que un juez o un tribunal dirigen a un cuerpo legislativo pidiendo permiso para proceder contra un miembro de ese cuerpo. **2** En derecho, documento que dirige un tribunal o juez a otro superior.

suplicio s.m. Grave sufrimiento o dolor físico o moral. □ ETIMOL. Del latín *supplicium* (sacrificio).

suplir v. **1** Referido a una carencia, remediarla: *Suple la falta de presupuesto con una gran imaginación.* **2** Referido a una persona o a una cosa, reemplazarla o sustituirla en una tarea por otra: *Mi hermana suple en el trabajo a una de las secretarias.* □ ETIMOL. Del latín *supplere.* □ SINT. 1. Constr. de la acepción 1: *suplir* CON *algo.* 2. Constr. de la acepción 2: *suplir* A *alguien* EN *algo.*

suponer v. **1** Considerar como cierto o como posible: *Dada la hora que es, supongo que está en su casa.* **2** Traer consigo, significar o costar: *Una casa supone muchos gastos.* **3** Tener valor o importancia: *Cervantes supone mucho en la historia de la literatura.* □ ETIMOL. Del latín *suponere* (poner debajo). □ MORF. Irreg.: 1. Su participio es *supuesto.* 2. →PONER. □ SINT. En la acepción 1, es incorrecto su uso como pronominal: **me supongo que irás > supongo que irás.*

suposición s.f. Consideración de algo como cierto o como posible. □ ETIMOL. Del latín *suppositio.*

supositorio s.m. Medicamento de forma cilíndrica, fino y terminado en punta que se introduce en el recto. □ ETIMOL. Del latín *suppositorium.* ▨▧ medicamento

[supporter (anglicismo) s. Hincha de un equipo de fútbol. □ PRON. [supórter]. □ USO Su uso es innecesario y puede sustituirse por una expresión como *hincha.*

supra- Elemento compositivo que significa 'sobre' o 'situado por encima'. □ ETIMOL. Del latín *supra.*

[supranacional adj. Referido a un organismo o a una institución, que afecta a más de una nación o que tiene un poder que está por encima del gobierno de una nación. □ MORF. Invariable en género.

suprarrenal adj. Que está situado encima de los riñones. □ MORF. Invariable en género.

supremacía s.f. **1** Estado o situación de lo que tiene el grado supremo o más alto. **2** Superioridad jerárquica. □ ETIMOL. Del inglés *supremacy.*

supremo, ma adj. Con el grado más alto. □ ETIMOL. Del latín *supremus.*

supresión s.f. Eliminación, suspensión o desaparición de algo.

suprimir v. Eliminar, suspender o hacer desaparecer: *Los problemas económicos la obligaron a suprimir ciertos lujos.* □ ETIMOL. Del latín *supprimere* (hundir, ahogar).

supuesto, ta ▌ 1 part. irreg. de **suponer. ▌** adj. **2** Hipotético, posible, simulado o no verdadero. **▌** s.m. **3** Hipótesis, suposición o afirmación no demostrada. **4** ‖ **por supuesto**; ciertamente o sin duda. □ MORF. En la acepción 1, incorr. **suponido.*

supuración s.f. Formación o expulsión de pus, esp. en una herida.

supurar v. Formar o expulsar pus, referido esp. a una herida: *Déjate la gasa hasta que la herida deje de supurar.* □ ETIMOL. Del latín *suppurare.*

sur s.m. **1** Punto cardinal que cae hacia el polo antártico y detrás de un observador a cuya derecha esté el Este. **2** Respecto de un lugar, otro que cae hacia este punto. **3** Viento que sopla o viene de dicho punto. □ ETIMOL. Del inglés antiguo *sûth.* □ MORF. 1. En la acepción 1, la RAE lo registra como nombre propio. 2. Cuando se antepone a otra palabra para formar compuestos, puede adoptar la forma *sud-.* □ SINT. Se usa mucho en aposición pospuesto a un sustantivo: *El piloto giró en dirección sur.* □ USO En la acepción 1, se usa más como nombre propio.

sura s.f. Capítulo del Corán (libro sagrado del islamismo). □ ETIMOL. Del árabe *sura.*

[surafricano, na adj./s. →**sudafricano.**

suramericano, na adj./s. De América del Sur (conjunto de países del sur del continente americano), o relacionado con ella. □ ORTOGR. Se admite también *sudamericano.*

surcar v. **1** Referido esp. al agua o al espacio, atravesarlos o navegar por ellos: *El barco surcaba los mares.* **2** Formar surcos o hendiduras: *Era muy anciano y las arrugas surcaban su rostro.* □ ETIMOL. Del latín *sulcare.* □ ORTOGR. La *c* se cambia en *qu* delante de *e* →SACAR.

surco s.m. **1** Señal o hendidura, esp. las que se hacen en la tierra con el arado. **2** Arruga en la cara o en otra parte del cuerpo. **[3** En un disco, ranura por donde se desliza la aguja del aparato que reproduce el sonido. □ ETIMOL. Del latín *sulcus.*

sureño, ña ▌ adj. **1** Del Sur o relacionado con él. **▌** adj./s. **2** Que está situado o que procede del sur de un territorio. □ MORF. En la acepción 2, la RAE sólo lo registra como adjetivo.

sureste s.m. →**sudeste.**

[surf (anglicismo) s.m. →**surfing.** □ PRON. [surf], con *f* suave.

[surfer s. →**surfista.** □ PRON. [súrfer]. □ USO Es un anglicismo innecesario.

[surfing (anglicismo) s.m. Deporte náutico que se practica deslizándose sobre las olas en una tabla o patín. □ PRON. [súrfin]. □ USO Se usa también *surf.*

[surfista s. Deportista que practica surfing. □ MORF. Es de género común: *el 'surfista', la 'surfista'.* □ USO Es innecesario el uso del anglicismo *surfer.*

[surgimiento s.m. Aparición, manifestación o muestra de algo.

surgir v. **1** Aparecer, manifestarse, mostrarse o dejarse ver: *Esperemos que no surjan nuevas dificultades.* **2** Referido al agua, brotar hacia arriba: *Un géi-*

ser es una fuente natural de agua caliente que surge de la tierra. □ ETIMOL. Del latín *surgere.* □ ORTOGR. La *g* se cambia en *j* delante de *a, o* →DIRIGIR.

suroeste s.m. →**sudoeste.**

surrealismo s.m. **1** Movimiento artístico de origen europeo que se inició en la segunda década del siglo XX, y que se caracteriza por el intento de sobrepasar la realidad impulsando lo imaginario y lo irracional. **[2** Forma de expresión con rasgos propios de este movimiento. □ ETIMOL. Del francés *surréalisme.* □ SEM. Es sinónimo de *superrealismo.* □ USO Aunque la RAE prefiere *superrealismo,* se usa más *surrealismo.*

surrealista ▪ adj. **1** Del surrealismo o con rasgos propios de este movimiento artístico. **▪** adj./s. **2** Que defiende o sigue el surrealismo. □ MORF. 1. Como adjetivo es invariable en género. 2. Como sustantivo es de género común: *el surrealista, la surrealista.* 3. En la acepción 2, la RAE sólo lo registra como adjetivo. □ SEM. Es sinónimo de *superrealista.* □ USO Aunque la RAE prefiere *superrealista,* se usa más *surrealista.*

[sursureste s.m. →**sudsudeste.**

[sursuroeste s.m. →**sudsudoeste.**

surtido, da adj./s.m. Que está compuesto por cosas distintas pero de la misma clase.

surtidor, -a s.m. **1** En una gasolinera, bomba que extrae la gasolina de un depósito subterráneo y permite abastecer a los vehículos. **2** Chorro de un líquido, esp. el que brota hacia arriba, o fuente que lo tiene.

surtir v. Referido esp. a algo que se necesita, proporcionarlo, suministrarlo o abastecer de ello: *En la pescadería me surten de congelados.* □ ETIMOL. De origen incierto. □ SINT. Constr. *surtir DE algo.*

susceptibilidad s.f. **1** Característica de la persona susceptible. **[2** Enfado que se produce por un malentendido.

susceptible adj. **1** Referido a una persona, que se ofende o se enfada con facilidad. **2** Capaz de sufrir el efecto que se indica. □ ETIMOL. Del latín *susceptibilis.* □ MORF. Invariable en género. □ SINT. Constr. de la acepción 2: *susceptible DE algo.*

suscitar v. Levantar, promover o provocar: *La fuente de los datos que has utilizado suscita dudas sobre su veracidad.* □ ETIMOL. Del latín *suscitare* (hacer levantar, despertar). □ SEM. Dist. de *concitar* (instigar a uno contra otro).

suscribir ▪ v. **1** Referido a un escrito, firmar al pie o al final de él: *El que suscribe esta instancia es el interesado. La reclamación estaba suscrita por veinte personas.* **2** Referido a una opinión o una propuesta, estar de acuerdo con ellas: *Tiene un punto de vista muy sensato y suscribo sus opiniones.* **▪** prnl. **3** Referido esp. a una publicación, abonarse a ella para recibirla periódicamente: *Se suscribió a una revista y la recibe en su casa cada mes.* □ ETIMOL. Del latín *subscribere.* □ ORTOGR. Se admite también *subscribir.* □ MORF. Su participio es *suscrito.*

suscripción s.f. Abono a una publicación periódica. □ ORTOGR. Se admite también *subscripción.*

suscriptor, -a s. Persona que realiza una suscripción. □ ORTOGR. Se admite también *subscriptor.*

suscrito part. irreg. de **suscribir.** □ MORF. Incorr. **suscribido.* □ SEM. Es sinónimo de *subscrito.*

susodicho, cha adj./s. Dicho arriba o mencio-

nado con anterioridad. □ ETIMOL. Del antiguo *suso* (arriba) y *dicho.*

suspender v. **1** Referido a una cosa, colgarla en alto o en el aire sosteniéndola por un punto: *Suspendió la lámpara de un gancho colocado en el techo. Me suspendí de una rama y después me dejé caer.* **2** Referido a una acción, detenerla, interrumpirla por algún tiempo o dejarla sin efecto: *El campo estaba encharcado y el árbitro suspendió el partido.* **3** Referido esp. a un examen, no llegar al nivel mínimo exigido: *Suspendí por poner faltas de ortografía. La profesora me suspendió.* □ ETIMOL. Del latín *suspendere.* □ MORF. Tiene un participio regular (*suspendido*), que se usa en la conjugación, y otro irregular (*suspenso*), que se usa como adjetivo. □ SINT. En la acepción 3, la RAE sólo lo registra como transitivo.

suspense s.m. Emoción o misterio de una situación causada por el desconocimiento de lo que puede suceder. □ ETIMOL. Del inglés *suspense.*

suspensión s.f. **1** Detención o interrupción por un tiempo de una acción. **2** En un vehículo, conjunto de piezas y mecanismos que hacen más suave o más elástico el apoyo de la carrocería sobre el eje de las ruedas. **3** Compuesto que resulta de mezclar determinadas sustancias en un fluido, de forma que éstas parecen disueltas por la extremada pequeñez de sus partículas. **4 ‖en suspensión;** referido esp. a una sustancia o a sus partículas, suspendidas o flotando en un fluido. □ ETIMOL. Del latín *suspensio.*

suspenso, sa ▪ adj. **1** Que ha suspendido un examen. **▪** s.m. **2** Calificación académica que indica que no se ha superado un examen o una asignatura. **3** En zonas del español meridional, suspense. **4 ‖en suspenso;** interrumpido o sin conocer su final o su desenlace.

suspensorio, ria ▪ adj. **1** Que sirve para suspender en alto o en el aire. **▪** s.m. **2** Bolsa o especie de vendaje que se usa para sostener un órgano o una parte del cuerpo, esp. el que se usa para sostener el escroto.

suspicacia s.f. Tendencia a tener sospechas o desconfianza.

suspicaz adj./s. Que sospecha, desconfía o piensa mal de todo y con frecuencia. □ ETIMOL. Del latín *suspicax.* □ MORF. 1. Como adjetivo es invariable en género. 2. Como sustantivo es de género común: *el suspicaz, la suspicaz.* 3. La RAE sólo lo registra como adjetivo.

suspirado, da adj. Deseado con impaciencia.

suspirar v. **1** Dar suspiros: *Últimamente está muy triste y suspira profundamente.* **2 ‖suspirar por** algo; desearlo o quererlo mucho: *Suspira por unas vacaciones en la montaña.* □ ETIMOL. Del latín *suspirare* (respirar hondo).

suspiro s.m. **1** Respiración profunda y prolongada que suele expresar alivio, pena, deseo o dolor. **2** *col.* Espacio muy breve de tiempo.

sustancia s.f. **1** Cualquier materia en cualquier estado. **2** Conjunto de elementos nutritivos de los alimentos o jugo que se extrae de ellos. **3** Contenido importante o fundamental de algo. □ ETIMOL. Del latín *substantia,* y éste de *substare* (estar debajo). □ ORTOGR. Se admite también *substancia.*

sustancial adj. **1** De la sustancia o relacionado con ella. **2** Fundamental, principal o muy importante. ☐ ORTOGR. Se admite también *substancial*. ☐ MORF. Invariable en género.

sustanciar v. **1** Compendiar, extractar o resumir: *No te extiendas tanto en tus explicaciones, y sustáncialas un poco.* **2** En derecho, referido a un asunto o a un juicio, conducirlo por la vía procesal adecuada hasta ponerlo en estado de sentencia: *Este pleito se sustanciará por los trámites del juicio de menor cuantía.* ☐ ORTOGR. 1. Se admite también *substanciar*. 2. La *i* nunca lleva tilde.

sustancioso, sa adj. **1** De gran valor nutritivo. **2** De importante valor o estimación. ☐ ORTOGR. Se admite también *substancioso*.

sustantivación s.f. En lingüística, concesión del valor o de la función del sustantivo a otra parte de la oración. ☐ ORTOGR. Se admite también *substantivación*.

sustantivar v. En lingüística, referido a una parte de la oración, darle valor o función de sustantivo: *Para sustantivar un adjetivo basta con anteponerle un determinante: 'el bueno', 'mi pequeño'.* ☐ ORTOGR. Se admite también *substantivar*.

sustantivo, va ▌adj. **1** Importante, fundamental o esencial. [**2** En gramática, que funciona como un sustantivo. ▌s.m. **3** En gramática, parte de la oración con morfemas de género y número que funciona como núcleo del sintagma nominal y puede desempeñar, entre otras, la función de sujeto de la oración: *'Mano', 'amor' y 'caballo' son sustantivos.* ☐ ETIMOL. Del latín *substantivus* (sustancial). ☐ ORTOGR. Se admite también *substantivo*.

sustentación s.f. **1** Mantenimiento en una determinada posición. **2** Lo que sirve de apoyo o de sostén; sustentáculo. **3** Aprovisionamiento de alimentos o de lo necesario. **4** Mantenimiento, defensa o apoyo de algo, esp. de una opinión o de una teoría.

sustentáculo s.m. →**sustentación**.

sustentar v. **1** Proveer de alimento o de lo necesario: *La hermana mayor sustenta a toda su familia. Ese pobre se sustenta de lo que encuentra en los cubos de basura.* **2** Sostener o mantener firme o en una determinada posición: *Los análisis favorables sustentan mis esperanzas de recuperación. El cobertizo se sustenta sobre cuatro pilares.* **3** Referido a una opinión, defenderla o sostenerla: *Nadie se atrevía a decirle que las ideas que sostenía eran erróneas.* [**4** Basar o apoyar: *Sus experimentos le han servido para 'sustentar' sus teorías. Sus razonamientos no 'se sustentan' en ideas lógicas.* ☐ ETIMOL. Del latín *sustentare* (soportar, sostener).

sustento s.m. **1** Manutención o alimento. **2** Sostén o apoyo.

sustitución s.f. Cambio por algo que pueda ejercer la misma función. ☐ ORTOGR. Se admite también *substitución*.

sustituir v. Poner o ponerse en lugar de otro: *Sustituye las casillas en blanco por letras y obtendrás la solución. El portero reserva sustituyó al titular lesionado.* ☐ ETIMOL. Del latín *substituere* (poner a una persona en el lugar de otra). ☐ ORTOGR. Se admite también *substituir*. ☐ MORF. Irreg. →HUIR.

sustitutivo, va adj./s.m. Que se puede usar para reemplazar algo. ☐ ORTOGR. Se admite también *substitutivo*. ☐ USO Aunque la RAE sólo registra *sustitutivo* y *substitutivo*, se usa también *sustitutorio*.

sustituto, ta adj./s. Referido a una persona, que hace

las veces de otra o que desempeña las mismas funciones. ☐ ORTOGR. Se admite también *substituto*.

[sustitutorio, ria adj. →**sustitutivo**.

susto s.m. Impresión, generalmente repentina, causada por la sorpresa, el miedo o el temor. ☐ ETIMOL. De origen incierto.

sustracción s.f. **1** Hurto o robo de bienes ajenos. **2** En matemáticas, operación mediante la cual se calcula la diferencia entre dos cantidades; resta. ☐ ORTOGR. Se admite también *substracción*.

sustraendo s.m. En una resta matemática, cantidad que debe restarse de otra llamada *minuendo* para obtener la diferencia: *En la resta '8 − 2 = 6', el sustraendo es 2.* ☐ ORTOGR. Se admite también *substraendo*.

sustraer ▌v. **1** Referido a bienes ajenos, hurtarlos o robarlos: *Le sustrajeron el monedero en el metro.* **2** En matemáticas, realizar la operación aritmética de la resta o sustracción; restar: *Si le sustraes 10 a 22, el resultado será 12.* ▌prnl. **3** Referido esp. a una obligación, a un problema o a un proyecto, separarse o apartarse de ellos: *Se sustrajo del compromiso con sus socios y abandonó la empresa.* ☐ ETIMOL. Del latín *substrahere*. ☐ ORTOGR. Se admite también *substraer*. ☐ MORF. Irreg. →TRAER. ☐ SEM. En la acepción 3, dist. de *abstraerse* (apartar la atención).

sustrato s.m. **1** Respecto de un terreno, otro que está situado debajo de él. **2** En lingüística, influencia que deja una lengua que ha desaparecido al haber sido sustituida por otra. ☐ ETIMOL. Del latín *substratus* (acción de extender por debajo de algo). ☐ ORTOGR. Se admite también *substrato*.

susurrar v. **1** Hablar en voz muy baja: *Un colaborador le susurró algo al oído.* **2** Hacer un ruido muy suave, esp. referido al agua o al viento; runrunear: *La corriente del río susurraba en la noche.* ☐ ETIMOL. Del latín *susurrare* (zumbar, murmurar).

susurro s.m. Ruido suave, esp. el producido al hablar en voz muy baja.

sutil adj. **1** Delicado y suave. **2** Agudo, ingenioso o muy penetrante; alambicado. ☐ ETIMOL. Del latín *subtilis* (fino, delgado, penetrante). ☐ MORF. Invariable en género.

sutileza s.f. **1** Agudeza, ingenio o habilidad para hacer algo. **2** Dicho ingenioso pero que carece de exactitud o de profundidad.

sutura s.f. **1** Cosido quirúrgico que se hace para cerrar una herida. **2** Hilo con que se hace este cosido. ☐ ETIMOL. Del latín *sutura* (costura).

suturar v. Referido a una herida, coserla: *La cirujana le suturó la herida del brazo con ocho puntos.*

suyo, ya poses. **1** Indica pertenencia a la tercera persona. **2** ‖**la suya**; *col.* Expresión con que se indica que ha llegado la ocasión favorable para la persona de la que se habla. ‖**tener lo suyo**; *col.* Resultar más difícil o complejo de lo que parece. ☐ ETIMOL. Del latín *suus*. ☐ MORF. Se usa la forma apocopada *su* cuando precede a un sustantivo determinándolo.

swástica s.f. →**esvástica**.

[swing (anglicismo) s.m. **1** Estilo musical de jazz que se popularizó en los años treinta, de ritmo vivo y bailable. **2** Tensión emocional en la interpretación de una música o una canción y que se considera característica de la música negra. **3** En golf, movimiento del jugador para golpear la pelota. ☐ PRON. [suin].

T t

t s.f. Vigésima primera letra del abecedario. □ PRON. Representa el sonido consonántico dental oclusivo sordo.

taba s.f. **1** Hueso de la primera fila del tarso, que está articulado con la tibia y el peroné; astrágalo. **2** Juego que se realiza con huesos de este tipo o con objetos similares. □ ETIMOL. De origen incierto.

tabacalero, ra ▮ adj. **1** Del tabaco, de su industria o relacionado con ellos. ▮ adj./s. **2** Que cultiva, fabrica o vende tabaco. □ SEM. Es sinónimo de *tabaquero*.

tabaco s.m. **1** Planta con tallo velloso, flores en racimo generalmente rojizas y hojas grandes y lanceoladas que contienen nicotina y desprenden un fuerte olor. **2** Producto obtenido a partir de las hojas secas de esta planta. □ ETIMOL. De origen incierto. □ ORTOGR. Dist. de *tabasco*.

tábano s.m. Insecto parecido a la mosca pero de mayor tamaño, con aparato bucal chupador muy desarrollado, y que suele picar a las caballerías para alimentarse de su sangre. □ ETIMOL. Del latín *tabanus*. □ MORF. Es un sustantivo epiceno: *el tábano macho, el tábano hembra*.

tabaquera s.f. Recipiente para guardar el tabaco.

tabaquero, ra ▮ adj. **1** Del tabaco, de su industria, o relacionado con ellos. ▮ s. **2** Persona que fabrica tabaco o comercia con él. ▮ s.f. **3** Recipiente para guardar o llevar el tabaco. □ SEM. En las acepciones 1 y 2, es sinónimo de *tabacalero*.

tabaquismo s.m. Intoxicación crónica producida por el abuso del tabaco.

tabaquista s. Persona que entiende sobre la calidad del tabaco. □ MORF. Es de género común: *el tabaquista, la tabaquista*.

tabardillo s.m. *col.* Malestar o trastorno producidos por una prolongada exposición a los rayos solares; insolación.

tabardo s.m. Prenda de abrigo ancha y larga, hecha de paño grueso. □ ETIMOL. De origen incierto.

tabarra s.f. **1** *col.* Lo que resulta molesto, fastidioso o importuno; incordio. **2** ‖ **dar la tabarra**; molestar, fastidiar o importunar. □ ETIMOL. De *tabarro* (tábano), porque el ruido que hacen estos insectos es muy molesto.

tabasco s.m. Salsa roja muy picante que se usa como condimento. □ ETIMOL. Extensión del nombre de una marca comercial. □ ORTOGR. Dist. de *tabaco*.

taberna s.f. Establecimiento, generalmente modesto, en el que se sirven comidas y bebidas; tasca. □ ETIMOL. Del latín *taberna* (tienda, almacén de venta al público).

tabernáculo s.m. **1** Lugar en el que los hebreos tenían colocada el arca de la alianza. **2** Sagrario en el que se guardan el copón y las sagradas formas. **3** Tienda que habitaban los antiguos hebreos. □ ETIMOL. Del latín *tabernaculum* (tienda de campaña).

tabernero, ra s. Propietario o encargado de una taberna.

tabicar v. **1** Referido esp. a una puerta o a una ventana, cerrarlas con un tabique: *Esta casa tenía dos puertas, pero tabicamos la de la parte posterior.* **2** Referido a algo que debería estar abierto, cerrarlo u obs-

truirlo: *La porquería terminó por tabicar la tubería hasta atascarla.* □ ORTOGR. La *c* se cambia en *qu* delante de *e* →SACAR.

tabique s.m. **1** Pared delgada construida para separar espacios interiores. **2** División plana y delgada que separa dos huecos. [**3** En zonas del español meridional, ladrillo. □ ETIMOL. Del árabe *tasbik* (pared de ladrillo).

tabla ▮ s.f. **1** Pieza de madera plana, poco gruesa y cuyas dos caras son paralelas entre sí. **2** Pieza plana y de poco grosor de cualquier otra materia rígida. **3** Pintura hecha sobre esta pieza de madera. **4** Lista de cosas puestas en orden o que mantienen alguna relación. **5** En una tela, pliegue ancho y plano que se hace como adorno. ▮ pl. **6** Situación final en la que se produce empate o no hay ganador ni vencedor. **7** Escenario de un teatro. **8** Soltura o experiencia para realizar una actividad. **9** En una plaza de toros, tercio o parte del ruedo inmediato a esta valla. **10** ‖ **a raja tabla**; →rajatabla. ‖ **hacer tabla rasa de algo**; prescindir o no hacer caso de ello. ‖ **tablas de la ley**; piedras que, según la Biblia, Dios entregó a Moisés con los mandamientos de la ley divina. □ ETIMOL. Del latín *tabula* (tabla, tablero de juego, tableta de escribir).

tablado s.m. Suelo de tablas elevado sobre el suelo por un armazón. □ ETIMOL. Del latín *tabulatum*.

tablajería s.f. *ant.* →carnicería.

tablajero s.m. *ant.* →carnicero.

tablao s.m. **1** Escenario destinado para espectáculos de cante y baile flamencos. **2** Local dedicado a este tipo de espectáculos.

tablazón s.f. Conjunto de tablas unidas, esp. el de las cubiertas de las embarcaciones o el de sus costados.

tablear v. **1** Referido a una tela, hacer tablas en ella: *Voy a tablear esta tela para después hacerme una falda con ella.* **2** Referido a un madero, dividirlo en tablas: *El carpintero tableaba unos troncos con la sierra.*

tablero s.m. **1** Tabla grande y más o menos rígida. **2** En una mesa, superficie horizontal. **3** Superficie dibujada y coloreada de forma conveniente para jugar a determinados juegos. **4** Superficie preparada para exponer alguna información.

tableta s.f. **1** Pastilla o pieza de chocolate o de turrón. **2** Porción pequeña y sólida de un medicamento. 🗶 medicamento

tableteo s.m. **1** Choque de tablas que produce ruido. **2** Producción de un ruido semejante a éste.

tablilla s.f. **1** Tabla pequeña barnizada o encerada, en la que se escribía con un punzón. [**2** En zonas del español meridional, chocolatina.

tablón s.m. **1** Tabla gruesa. **2** *col.* Borrachera. **3** ‖ **tablón (de anuncios)**; tabla o tablero en los que se fijan informaciones.

tabú s.m. Lo que no se puede nombrar, tratar, tocar o hacer, a causa de determinados prejuicios o convenciones sociales. □ ETIMOL. Del inglés *taboo*, y éste de una lengua polinesia. □ MORF. Aunque su plural en la lengua culta es *tabúes*, se usa mucho *tabús*. □ SINT. Se usa mucho en aposición, pospuesto a un sustantivo.

tabulación s.f. **1** Sangrado de un texto por medio del tabulador de la máquina de escribir o del ordenador. **2** Establecimiento de los topes del tabulador. **3** Expresión de valores, magnitudes u otros datos por medio de tablas.

tabulador s.m. En una máquina de escribir o en el teclado de un ordenador, mecanismo que permite colocar los márgenes en el lugar deseado.

tabular v. **1** Referido esp. a un texto, sangrarlo o establecer su márgenes accionando el tabulador de la máquina de escribir o del ordenador: *Tienes que tabular dos veces para centrar el título.* **2** Referido a valores, magnitudes u otros datos, expresarlos por medio de tablas: *Para poder utilizar estos datos numéricos, hay que tabularlos primero.*

taburete s.m. Asiento para una persona, sin brazos y sin respaldo. □ ETIMOL. Del francés *tabouret*, y éste del francés antiguo *tabour* (tambor), porque el taburete tiene forma de tambor.

tacada s.f. **1** Golpe dado con el taco a la bola de billar. **2** ‖ **[de una tacada**; *col.* De una sola vez o de un tirón.

tacañear v. *col.* Actuar con tacañería o intentando gastar lo menos posible: *No tacañees tanto y convídanos a una ronda para celebrar tu ascenso.*

tacañería s.f. **1** Cualidad del que es tacaño. **2** Hecho propio de un tacaño.

tacaño, ña adj./s. Que intenta gastar lo menos posible, hasta resultar miserable y mezquino; agarrado. □ ETIMOL. De origen incierto.

tacatá o **tacataca** s.m. Armazón formado por un asiento y por patas provistas de ruedas que se utiliza para que los niños aprendan a andar sin caerse.

tacha s.f. **1** Falta o defecto que hace imperfecto algo. **2** Clavo pequeño, mayor que una tachuela. □ ETIMOL. Del francés *tache* (mancha).

tachadura s.f. **1** Raya o conjunto de rayas hechas sobre algo escrito para taparlo o para indicar que no vale; tachón. **2** Realización de estas rayas.

tachar v. **1** Referido a algo escrito, taparlo haciendo rayas o trazos encima, para indicar que no vale: *Si escribes con lapicero, podrás borrar cuando te equivoques sin necesidad de tachar.* **2** Referido esp. a un defecto, atribuírselo a alguien: *Lo tachan de irresponsable, aunque no sé los motivos.* □ SINT. Constr. de la acepción 2: *tachar* DE *algo*.

tacho ‖ **tacho de (la) basura**; En zonas del español meridional, cubo de la basura. □ ETIMOL. Quizá del portugués *tacho*.

tachón s.m. Raya o conjunto de rayas hechas sobre algo escrito para taparlo o para indicar que no vale; tachadura.

tachonar v. **1** Referido a un objeto, adornarlo clavándole tachuelas: *Aquel artesano tachonó el baúl con clavos de oro y plata.* **2** Referido a una superficie, estar cubierta casi por completo: *El cielo está tachonado de estrellas.*

tachuela s.f. Clavo corto y de cabeza gruesa.

tácito, ta adj. Que no se expresa o no se dice formalmente, pero se supone o se sabe. □ ETIMOL. Del latín *tacitus*, y éste de *tacere* (callar). □ SEM. Dist. de *taciturno* (callado).

taciturno, na adj. Referido a una persona, callada, silenciosa y melancólica. □ ETIMOL. Del latín *taci-*

turnus. □ SEM. Dist. de *tácito* (que no se dice pero se supone).

taco ∎ s.m. **1** Pieza corta y más o menos gruesa que se encaja en un hueco. **2** En billar, vara cilíndrica y larga, más gruesa por un extremo que por otro, que se utiliza para golpear las bolas. **3** *col.* Palabra ofensiva, grosera o malsonante. **4** *col.* Trozo pequeño y grueso que se corta de un alimento, esp. del queso o del jamón. **5** *col.* Confusión, lío o barullo. **6** Conjunto de hojas superpuestas, esp. si están pegadas o sujetas por uno de sus lados de modo que puedan desprenderse fácilmente. **7** *col.* Conjunto de cosas puestas unas sobre otras, generalmente sin orden; montón. **8** *col.* En el calzado deportivo, pieza cónica o puntiaguda de la suela. **9** En zonas del español meridional, tacón. **[10** Tortilla de maíz o de harina que se enrolla con algún otro ingrediente. **[11** En zonas del español meridional, comida ligera o poco abundante. ∎ pl. **12** *col.* Año de edad de una persona; castaña. □ ETIMOL. De origen incierto.

tacómetro s.m. Instrumento que sirve para medir el número de revoluciones de un eje o la velocidad de revolución de un mecanismo; taquímetro. □ ETIMOL. Del griego *táchos* (rapidez) y *-metro* (medidor). □ ORTOGR. Se admite también *taquímetro*.

tacón s.m. En un zapato o en una bota, pieza que se une exteriormente a la suela por la parte correspondiente al talón. □ ETIMOL. De *taco*. [imagen] calzado

taconazo s.m. Golpe dado con el tacón.

taconear v. Pisar con fuerza y repetidamente para hacer ruido, generalmente con el tacón: *Los bailaores de flamenco taconean al ritmo de la música.*

taconeo s.m. Pisada repetida y rítmica, que se hace generalmente con el tacón, para hacer ruido.

táctico, ca ∎ adj. **1** De la táctica o relacionado con ella. ∎ adj./s. **2** Experto en táctica. ∎ s.f. **3** Plan o sistema para realizar o para conseguir algo. **4** En el ejército, conjunto de reglas a las que se ajustan las operaciones militares. □ ETIMOL. Las acepciones 3 y 4, del griego *taktiké* (arte de disponer y manejar las tropas). Las acepciones 1 y 2, del griego *taktikós* (relativo a la disposición de cualquier cosa).

táctil adj. Del sentido del tacto o relacionado con él. □ ETIMOL. Del latín *tactilis*. □ ORTOGR. Incorr. **tactil*. □ MORF. Invariable en género.

[tactismo s.m. En biología, movimiento de aproximación o de huida de un organismo ante un estímulo.

tacto s.m. **1** Sentido corporal que permite apreciar las cosas mediante el contacto. **2** Cualidad de un objeto que se percibe mediante el contacto. **3** Hecho de tocar o palpar. **4** Habilidad para tratar con una persona o para actuar con acierto en asuntos delicados; tiento. □ ETIMOL. Del latín *tactus*.

[tae kwon do (del coreano) ‖ Deporte de origen coreano que utiliza un modo de lucha semejante al kárate pero con un mayor desarrollo de las técnicas de salto. □ PRON. [taecuóndo].

tafetán s.m. Tela de seda, delgada, muy tupida y de brillo apagado. □ ETIMOL. Del persa *taftè* (variedad de tejido de seda).

tafilete s.m. Piel de cabra curtida y pulida, muy fina y flexible. □ ETIMOL. Por alusión a Tafilete, región al sudeste de Marruecos donde se preparaban estos cueros.

tagalo, la ■ adj./s. **1** Del principal grupo indígena de Filipinas (país del sudeste asiático), o relacionado con él. ■ s.m. **2** Lengua malayo-polinesia hablada por este grupo.

tahona s.f. Establecimiento donde se cuece y se vende el pan; horno, panificadora. □ ETIMOL. Del árabe *tahuna* (molino de cereales).

tahúr s.m. Persona aficionada a los juegos de azar o muy hábil en ellos o que hace trampas. □ ETIMOL. De origen incierto.

[tai-chi (del japonés) s.m. Tipo de yoga basado en movimientos lentos y generalmente circulares para los que son esenciales la respiración y la concentración. □ PRON. [tai-chí].

taifa s.f. Cada uno de los pequeños reinos en los que se dividió el territorio español de dominación musulmana al disolverse el califato cordobés. □ ETIMOL. Del árabe *ta'ifa* (grupo, facción).

taiga s.f. Selva de subsuelo helado y formada en su mayor parte por coníferas, que es propia del norte de Rusia y de Siberia (territorios de clima continental situados en el hemisferio Norte). □ ETIMOL. De origen ruso.

tailandés, -a adj./s. De Tailandia o relacionado con este país asiático.

taimado, da adj. Astuto, disimulado y hábil para engañar y no ser engañado. □ ETIMOL. Del portugués *taimado*.

taíno, na ■ adj./s. **1** De un conjunto de pueblos indígenas que se asentaba en las Antillas y las Bahamas (grupos de islas caribeñas), o relacionado con él. ■ s.m. **2** Lengua de estos pueblos.

taita s.m. En zonas del español meridional, padre. □ ETIMOL. Del latín *tata* (padre).

tajada s.f. **1** Trozo cortado de algo, esp. de carne. **2** *col.* Ventaja o provecho, esp. en algo que se distribuye entre varios. **3** *col.* Borrachera.

tajamar s.m. **1** En una embarcación, tablón de forma curva que sirve, al navegar, para cortar la superficie del agua. **2** En un puente, construcción curva o en forma de ángulo que se añade a los pilares de cara a la corriente de agua para cortarla y disminuir su empuje; espolón. □ ETIMOL. De *tajar* (cortar) y *mar*.

tajante adj. Que no admite réplica, discusión o términos medios. □ MORF. Invariable en género.

tajar ■ v. **1** Dividir en dos o más partes con un instrumento cortante: *El leñador tajó el tronco con un hacha.* ■ prnl. **[2** *col.* Emborracharse: *Si 'te tajas' todos los viernes por la noche terminarás siendo un alcohólico.* □ ETIMOL. Del latín *taleare* (cortar). □ ORTOGR. Conserva la *j* en toda la conjugación.

tajo s.m. **1** Corte profundo hecho con un instrumento cortante. **2** En un terreno, corte casi vertical. **3** *col.* Tarea o trabajo.

tal ■ adj. **1** Igual, semejante o de la misma forma. **2** Tan grande o muy grande: *Me dio un susto tal que casi me caigo de la silla.* ■ adj./s. **3** Se usa para determinar o señalar lo que no está especificado, o lo ya mencionado o sobrentendido. **4** Designa una persona, un animal o una cosa no determinados. ■ adv. **5** *ant.* →*así.* **6** Expresa comparación. **7** ∥**con tal de**; seguido de un infinitivo o de una oración encabezada por que, expresa la condición expresada por éstos. ∥ **tal cual**; [así, de esta forma o de esta manera. □ ETIMOL. Del latín *talis.* □ MORF. Como adjetivo es invariable en género. □ SINT. **1.** En las acepciones 3 y 4, suele usarse precedido del artículo

determinado. **2.** La omisión de la preposición *de* en la expresión *con tal de* es incorrecta aunque está muy extendida: *con tal {*que > de que} vengas.*

tala s.f. Corte de los árboles por la parte baja del tronco.

taladradora s.f. Aparato formado por un taladro o una barrena y que se utiliza para hacer agujeros.

taladrar v. **1** Referido a una superficie, agujerearla o perforarla con un instrumento agudo o cortante: *Para colocar esas escarpias hay que taladrar la pared en dos sitios.* **2** Referido al oído, molestarlo muchísimo o herirlo un sonido continuo: *Ese martilleo me taladra los oídos.*

taladro s.m. **1** Instrumento agudo o cortante que sirve para perforar algo. **[2** Agujero hecho con este instrumento. □ ETIMOL. Del latín *taratrum.*

tálamo s.m. **1** *poét.* Lecho conyugal o cama de los casados. **2** En los hemisferios cerebrales, cada uno de los dos núcleos de tejido nervioso situados a ambos lados de la línea media, por encima del hipotálamo. □ ETIMOL. Del latín *thalamus*, y éste del griego *thálamos* (lecho nupcial, boda).

talante s.m. Humor o disposición de ánimo que tiene una persona. □ ETIMOL. Del latín *talentum*, y éste del griego *tálanton* (plato de la balanza, peso).

talar ■ adj. **1** Referido a una vestidura, que llega hasta los talones: *Los trajes de los eclesiásticos suelen ser talares.* ■ v. **2** Referido a un árbol, cortarlo por la parte baja de su tronco: *Usaron sierras mecánicas para talar los robles.* □ ETIMOL. La acepción 1, del latín *talaris*, y éste de *talus* (talón). La acepción 2, del germánico **talon* (arrancar). □ MORF. Como adjetivo es invariable en género.

talasocracia s.f. **1** Dominio político y económico de los mares y de la navegación. **2** Sistema político o sistema cuya potencia reside en este dominio. □ ETIMOL. Del griego *thálassa* (mar) y *-cracia* (poder).

[talayot o **talayote** s.m. Monumento megalítico prehistórico, propio del archipiélago balear y semejante a una torre de poca altura. □ ETIMOL. Del mallorquín *talayot.* □ ORTOGR. Aunque la RAE sólo registra *talayote*, en círculos especializados se usa más *talayot.*

talco s.m. **1** Mineral de silicato de magnesio, suave al tacto, muy blando, brillante y de color verdoso. **2** Polvo extraído de este mineral, que se utiliza en higiene y en cosmética. □ ETIMOL. Del árabe *talq* (amianto, yeso).

taled s.m. Chal de lana con que los judíos se cubren la cabeza y el cuello en sus ceremonias religiosas. □ ETIMOL. Del hebreo *tal-let* (cubrir). □ USO Es innecesario el uso del término hebreo *talit.*

talega s.f. Saco o bolsa ancha y corta, de lienzo basto o de otra tela; talego. □ ETIMOL. Del árabe *ta'liga* (saco o bolsa colgada).

talegazo s.m. **1** *col.* Golpe dado con un talego. **2** *col.* Golpe fuerte dado al caer de espaldas o de costado; costalada, costalazo.

talego s.m. **1** →**talega. 2** *vulg.* Cárcel. **3** *vulg.* Billete de mil pesetas. **[4** En zonas del español meridional, bolsa. **5** ∥ **[talego de dormir**; en zonas del español meridional, saco de dormir.

taleguilla s.f. Pantalón del traje de torero.

talento s.m. **1** Capacidad artística o intelectual. **[2** Persona inteligente o que tiene esta capacidad. **3** Moneda de los griegos y de los romanos. □ ETIMOL.

Del latín *talentum*, y éste del griego *tálanton* (plato de la balanza, peso).

talentoso, sa o **talentudo, da** adj. *col.* Con talento.

talgo s.m. Tren articulado y ligero, que alcanza mucha velocidad. ☐ ETIMOL. Es un acrónimo que procede de la sigla de *tren articulado ligero Goicoechea Oriol*.

[talidomida s.f. Fármaco que se usa como sedante y como hipnótico.

[talidomídico, ca adj./s. Referido a una persona, que presenta grandes malformaciones corporales producidas por la talidomida tomada por su madre durante el embarazo.

talio s.m. Elemento químico, metálico y sólido, de número atómico 81, parecido al plomo y que se oxida en presencia de aire húmedo. ☐ ETIMOL. Del griego *thallós* (rama verde), por el color verde que tiene la solución de sales de talio en alcohol. ☐ ORTOGR. Su símbolo químico es *Tl*.

talión s.m. Pena que consiste en hacer sufrir al delincuente un daño igual al que causó. ☐ ETIMOL. Del latín *talio*.

talismán s.m. Objeto al que se atribuyen virtudes o poderes sobrenaturales. ☐ ETIMOL. Del francés *talisman*.

[talit (del hebreo) s.m. →**taled**. ☐ USO Su uso es innecesario.

talla s.f. **1** Obra de escultura, esp. la que está realizada en madera. **2** Estatura o altura de las personas. **3** Medida de las prendas de vestir. **4** Importancia o valor, esp. moral o intelectual. **[5** →**tallado. 6** ‖**dar la talla**; ser apto para algo.

tallado s.m. Trabajo de un material para darle forma; talla.

tallar v. **1** Referido esp. a la madera o las piedras preciosas, trabajarlos: *Talló un trozo de madera con el cuchillo e hizo un muñeco.* **2** Referido a una persona, medir su estatura: *Tallan a los mozos antes de ir al servicio militar.* **[3** En zonas del español meridional, frotar. ☐ ETIMOL. Quizá del italiano *tagliare*.

tallarín s.m. Pasta alimenticia elaborada con harina de trigo y cortada en tiras muy estrechas y largas. ☐ ETIMOL. Del italiano *taglierino*. ☐ MORF. Se usa más en plural.

talle s.m. **1** En el cuerpo humano, cintura o parte más estrecha encima de las caderas. **2** En una prenda de vestir, parte que se corresponde con esta zona del cuerpo. **3** Medida que se toma para un vestido o un traje que comprende desde el cuello hasta la cintura. **[4** En zonas del español meridional, talla. **5** ‖**[talle de avispa**; el muy delgado y fino. ☐ ETIMOL. Del francés *taille*.

taller s.m. **1** Lugar en el que se realizan obras y trabajos manuales. **2** Escuela o seminario de ciencias o de artes. **3** Lugar en el que se hacen reparaciones. ☐ ETIMOL. Del francés *atelier*.

tallista s. Persona que se dedica a la talla, esp. a la de la madera o las piedras preciosas. ☐ MORF. Es de género común: *el tallista, la tallista.*

tallo s.m. En una planta, parte que crece y se prolonga en sentido contrario al de la raíz y que sirve de sostén a las ramas. ☐ ETIMOL. Del latín *thallus* (tallo con hojas).

talludo, da adj. Referido a una persona, que ya no es joven. ☐ MORF. Se usa mucho el diminutivo *talludito*.

talo s.m. En botánica, cuerpo vegetativo que equivale al conjunto de la raíz, el tallo y las hojas de las plantas metafitas. ☐ ETIMOL. Del griego *thálos* (retoño, rama joven).

talofita ∎ adj./s.f. **1** Referido a planta, que carece de tejidos vasculares y que no posee raíz, tallo y hojas verdaderos. ∎ s.f.pl. **2** En botánica, grupo de estas plantas. ☐ ETIMOL. Del griego *thálos* (retoño, rama joven) y *phytón* (vegetal).

talón s.m. **1** En el pie humano, parte posterior, de forma redondeada. 🔊 pie **2** Parte del calzado, la media o el calcetín que cubre esta zona del pie. **3** Hoja que se corta de un cuadernillo en el que queda una parte como resguardo. **4** ‖**pisar los talones** a alguien; seguirlo de cerca o estar a punto de alcanzarlo. ‖**talón de Aquiles**; punto débil o vulnerable. ☐ ETIMOL. Del latín *talo*. La expresión *talón de Aquiles*, por alusión a la leyenda de Aquiles, héroe mitológico griego que sólo podía morir si era herido en un talón.

talonario s.m. Cuadernillo de talones, esp. si son cheques.

talud s.m. Inclinación de un terreno o de un muro. ☐ ETIMOL. Del francés *talus*.

tamaño, ña ∎ adj. **1** Semejante o tan grande. ∎ s.m. **2** Volumen, dimensión o conjunto de medidas de algo. ☐ ETIMOL. Del latín *tam magnus* (tan grande). ☐ USO Como adjetivo, se usa más antepuesto al nombre.

tamarindo s.m. **1** Árbol de tronco grueso, elevado y de corteza parda, con la copa extensa, hojas compuestas y flores amarillentas en espiga. **2** Fruto de este árbol. ☐ ETIMOL. Del árabe *tamr hindí*.

tambalearse v.prnl. **1** Menearse de un lado a otro: *El borracho caminaba tambaleándose y tropezando.* **2** Estar a punto de perder toda fuerza moral o física o todo poder: *No podía entender la muerte de su hijo y esto hizo que su fe se tambaleara.* ☐ ETIMOL. De origen incierto.

tambaleo s.m. **1** Meneo o movimiento de un lado a otro. **2** Manifestación de la posible pérdida de toda fuerza moral o física.

también adv. Indica igualdad, semejanza, conformidad o relación de una cosa con otra: *Este instrumento sirve para marcar y también para cortar.* ☐ ETIMOL. De *tan* y *bien*.

tambo s.m. **1** En zonas del español meridional, vaquería. **2** En zonas del español meridional, posada.

tambor s.m. **1** Instrumento musical de percusión, de forma cilíndrica, hueco, cubierto por sus bases con una piel tensa, que se toca con dos palillos; caja. 🔊 percusión **2** Lo que por su forma hueca y cilíndrica y por sus proporciones recuerda a este instrumento. **3** En un revólver, cilindro giratorio de hierro en el que van las balas. **[4** En zonas del español meridional, somier. ☐ ETIMOL. Del árabe *tambur*.

tambora s.f. **1** En zonas del español meridional, bombo. **[2** En zonas del español meridional, conjunto musical formado por éste y otros instrumentos.

tamboril s.m. Tambor pequeño que se toca llevándolo colgado del brazo y golpeándolo con un solo palillo o baqueta. 🔊 percusión

tamborilear v. **1** Tocar el tamboril: *Está aprendiendo a tamborilear para salir con la banda.* **2** Dar golpes ligeros y repetidos con los dedos sobre una superficie imitando el ruido del tambor; tabalear: *Cuando está nervioso tamborilea sobre la mesa.*

tamborileo s.m. **1** Toque de tamboril. **2** Conjunto de golpes ligeros dados con los dedos sobre una superficie imitando el ruido del tambor.

tamborilero, ra s. Músico que toca el tamboril o el tambor.

tamil ▌ adj./s. **1** De un pueblo que habita el sudeste de la India (país asiático) y parte de Sri Lanka (país insular asiático, antes llamado Ceilán), o relacionado con él. ▌ s.m. **2** Lengua asiática de Sri Lanka y de otros países. ☐ ETIMOL. Del inglés *tamil*. ☐ MORF. En la acepción 1, como adjetivo es invariable en género y como sustantivo es de género común: *el tamil, la tamil.*

tamiz s.m. **1** Cedazo o utensilio formado por un aro ancho cubierto por uno de sus lados con una rejilla o un tejido semejante, generalmente muy tupidos, que se utiliza para separar sustancias de distinto grosor. [**2** Examen, selección o elección de lo que más interesa. ☐ ETIMOL. Del francés *tamis* (cedazo).

tamizar v. Pasar por el tamiz: *Para espolvorear la tarta, tamiza un poco de azúcar.* ☐ ORTOGR. La z se cambia en c delante de e →CAZAR.

tamojo s.m. →matojo. ☐ ETIMOL. Es una metátesis de *matojo.*

tampoco adv. Indica negación después de haberse negado otra cosa: *No ha venido y tampoco ha llamado por teléfono.* ☐ ETIMOL. De *tan* y *poco.*

tampón s.m. **1** Cajita con una sustancia blanda impregnada en tinta en la que se mojan los sellos antes de estamparlos. **2** Rollo de celulosa que se introduce en la vagina para que absorba el flujo menstrual de la mujer. ☐ ETIMOL. Del francés *tampon.*

tamtam s.m. Tambor africano de gran tamaño que se toca con las manos. ☐ ETIMOL. De origen onomatopéyico. ☐ PRON. Se usa mucho la pronunciación [tamtám].

tan adv. **1** Indica aumento o intensificación. **2** En correlación con como, expresa comparación de igualdad: *Ya estás tan alta como tu padre.* **3** En correlación con que, expresa consecuencia: *Es tan caro que no puedo comprármelo.* **4** ‖ **[tan es así**; enlace gramatical subordinante con valor consecutivo: *Estoy muy sorprendida, 'tan es así', que no puedo dejar de pensar en ese asunto.* ‖ **(tan) siquiera**; por lo menos o al menos: *Ayúdame tan siquiera a subir los bultos más pesados.* ☐ ETIMOL. De *tanto.*

tanatorio s.m. Edificio acondicionado para poder velar un cadáver y realizar otros servicios relacionados con ello. ☐ ETIMOL. Del griego *thánatos* (muerte).

tanda s.f. **1** Número indeterminado de cosas de un mismo género. **2** Turno, vez u orden según el cual se sucede algo. ☐ ETIMOL. De origen incierto.

tándem s.m. **1** Bicicleta para dos o más personas, en la que se sienta una detrás de otra, y que tiene pedales para cada una de ellas. **2** Unión o grupo de dos personas que desarrollan una actividad común o que colaboran en algo. ☐ ETIMOL. Del inglés *tándem*, y éste del latín *tandem* (a lo largo de). ☐ MORF. Aunque su plural es *tándemes* o *tándems*, se usa mucho como invariable en número: *los tándem.*

tanga s.m. Traje de baño muy pequeño, que sólo cubre los genitales. ☐ ETIMOL. Del portugués *tanga.*

tangencial adj. **1** De la tangente o relacionado con

ella. **2** Referido esp. a un asunto o a una idea, que se refieren a algo de forma parcial, accesoria o superficial. ☐ MORF. Invariable en género.

tangente ▌ adj./s.f. **1** En geometría, referido a una línea o a una superficie, que tocan otras líneas o superficies o que tienen puntos en común con ellas sin cortarse. ▌ s.f. **2** En trigonometría, razón entre el cateto opuesto de un ángulo y el contiguo. **3** ‖ **{irse/salir} por la tangente**; col. Utilizar evasivas o valerse de ellas para salir hábilmente de una situación apurada. ☐ MORF. Como adjetivo es invariable en género.

tangible adj. **1** Que se puede tocar. **2** Que se puede percibir de una manera precisa. ☐ ETIMOL. Del latín *tangens*, y éste de *tangere* (tocar). ☐ MORF. Invariable en género.

tango s.m. **1** Composición musical de origen argentino, de ritmo lento y en compás de dos por cuatro. **2** Baile de pareja enlazada que se ejecuta al compás de esta música. ☐ ETIMOL. Quizá de origen onomatopéyico.

tanguillo s.m. Variedad de cante y baile flamencos alegre y de ritmo vivo.

tanguista ▌ s. [**1** Cantante de tangos. ▌ s.f. **2** Mujer contratada en ciertos locales públicos para bailar con los clientes. ☐ MORF. En la acepción 1, es de género común: *el 'tanguista', la 'tanguista'.*

tanque s.m. **1** Automóvil de guerra, blindado y articulado, que se mueve sobre dos llantas flexibles o cadenas sin fin que le permiten andar por terrenos irregulares y escabrosos. **2** Depósito o recipiente grande, generalmente cerrados, que se utilizan para contener líquidos o gases. [**3** Vaso grande de una bebida, generalmente de cerveza. ☐ ETIMOL. Del inglés *tank.*

tanqueta s.f. Vehículo parecido al tanque, pero de mayor movilidad y velocidad.

tantalio o [***tántalo** s.m. Elemento químico, metálico y sólido, de número atómico 73, gris brillante, muy duro, deformable e inflamable. ☐ ETIMOL. Por alusión a *Tántalo*, que es un personaje mítico condenado a estar sumergido en el agua hasta la barba, pero sin poder beber de ella, porque el tántalo es un metal que no absorbe con facilidad los ácidos. ☐ ORTOGR. Su símbolo químico es *Ta.*

tanteador s.m. En deporte, tablero en el que se anotan los tantos obtenidos por un jugador o un equipo; marcador.

tantear v. **1** Intentar averiguar disimuladamente y con cuidado la intención de una persona o el interés de algo: *Tengo que tantear a mis padres para ver si me dejan ir contigo.* **2** Calcular a ojo o aproximadamente: *Tanteé los gastos que supondría ese viaje para ver si podía permitírselo.* **3** En tauromaquia, referido a un toro, probarlo con distintas suertes antes de empezar la faena para conocer su estado, su bravura o sus intenciones: *El torero tanteó al toro con varios pases.* ☐ ETIMOL.

tanteo s.m. **1** Intento disimulado de averiguación de la intención de una persona o del interés de algo. **2** Cálculo aproximado o a ojo de algo. **3** Número de tantos que se obtienen en una competición deportiva o en un juego. **4** En tauromaquia, realización de distintas suertes al toro para probar antes de la faena su estado, su bravura o sus intenciones.

tanto adv. **1** De tal manera, de tal grado o hasta tal punto. **2** Expresa larga duración. **3** En correlación con *cuanto* y *como*, expresa idea de equivalencia o de igualdad: *Puedes hablar tanto como yo de este asunto.* 4 ‖{en/entre} tanto; →entretanto. ‖por (lo) tanto; enlace gramatical subordinante con valor consecutivo: *Estudiando tan poco no conseguirás aprobar, por tanto debes estudiar más.*

tanto, ta ∎ adj./s. 1 Expresa idea de calificación o de ponderación. ∎ s.m. 2 Cantidad o número determinado de algo. 3 En algunos juegos, unidad de cuenta o de calificación. ∎ s.m.pl. 4 Pospuesto a una cantidad, indica que es algo más de lo que expresa. 5 ‖al tanto de algo; al corriente o enterado de ello. ‖las tantas; *col.* Expresión con la que se indica una hora muy avanzada del día o de la noche. ‖otro tanto; lo mismo o cosa igual. ‖tanto por ciento; cantidad que representa proporcionalmente una parte de un total de cien; porcentaje. ☐ ETIMOL. Del latín *tantus* (tan grande). ☐ SINT. *Al tanto de* se usa más con los verbos *estar, quedar, poner* o equivalentes.

[**tantra** s.m. Colección de textos hindúes que tratan de las ceremonias de culto, de las prácticas rituales y de otros temas diversos. ☐ ETIMOL. Del sánscrito.

tañer v. Referido a un instrumento musical de cuerda o de percusión, tocarlos o hacerlos sonar. ☐ ETIMOL. Del latín *tangere* (tocar). ☐ ORTOGR. Dist. de *atañer*. ☐ MORF. Irreg. →TAÑER.

tañido s.m. Toque o sonido de un instrumento musical de cuerda o de percusión.

[**tao** s.m. En el taoísmo, curso de las cosas.

taoísmo s.m. Corriente filosófica y religiosa china que concibe el universo como un todo en el que cada ser y cada cosa forma parte de una corriente infinita que transcurre inexorablemente y donde se equilibran fuerzas contrarias.

tapa s.f. 1 Pieza que cubre o cierra por su parte superior algo que se puede abrir. 2 En un zapato, capa de suela que se pone en la parte inferior del tacón. 3 En un libro u otro objeto encuadernado, cada una de las dos cubiertas. 4 Porción de alimento que se toma de aperitivo, como acompañamiento de la bebida. ☐ ETIMOL. Quizá de origen germánico.

tapacubos s.m. En una rueda de un vehículo, pieza metálica o plástica que tapa la parte exterior de la llanta. ☐ MORF. Invariable en número.

tapadera s.f. 1 Tapa que se ajusta a la boca de un recipiente para cubrirlo. 2 Lo que sirve para encubrir o disimular algo.

tapadillo ‖de tapadillo; a escondidas o de manera oculta.

[**tapado** s.m. 1 Persona que goza de la confianza de otra para ocupar un cargo público. 2 En zonas del español meridional, abrigo de mujer o de niño.

tapajuntas s.m. Listón o moldura que sirve para tapar las juntas de unión de materiales de construcción, esp. la unión del cerco de una puerta o de una ventana con la pared. ☐ MORF. Invariable en número.

tapar v. 1 Referido a algo abierto o descubierto, cerrarlo o cubrirlo, esp. con una tapa o con una cobertura: *Cuando hayas acabado con la mermelada, tapa el tarro.* 2 Referido a una abertura o a una hendidura, rellenarlas o ponerles algo de modo que queden cubiertas: *Me tapé los oídos con unos algodones para que no me entrase agua.* 3 Cubrir o encubrir de modo que se impida la visión: *El cuadro tapa el desconchón de la pared. En las películas de miedo*

se tapa los ojos cuando entra el malo. 4 Cubrir para proteger de algo exterior, esp. del frío: *Tápate bien, que hace frío.* [5 En zonas del español meridional, atascar. ☐ ETIMOL. De tapa.

taparrabo o **taparrabos** s.m. Trozo pequeño de tela o de otra materia con el que los miembros de algunos pueblos o tribus se cubren los genitales. ☐ MORF. *Taparrabos* es invariable en número.

[**tapear** v. Tomar tapas: *Antes de ir a comer, 'tapeamos' algo en el bar de la esquina.*

tapete s.m. 1 Cubierta o pieza de cualquier material que se colocan sobre una mesa u otros muebles como protección o adorno. 2 En zonas del español meridional, alfombra pequeña. 3 ‖sobre el tapete; de forma descubierta para que todos lo sepan. ☐ ETIMOL. Del latín *tapete*.

tapia s.f. Muro o pared que separa o aísla un terreno. ☐ ETIMOL. De origen incierto.

tapiado s.m. 1 Levantamiento de tapias o aislamiento con ellas. 2 Cierre u obstrucción de un hueco con un muro o con un tabique.

tapiar v. 1 Rodear con tapias: *Ha tapiado la huerta para que no entre nadie.* 2 Referido a un hueco, cerrarlo u obstruirlo con un muro o tabique: *Tapiaron la ventana con un muro de ladrillos.* ☐ ORTOGR. La *i* nunca lleva tilde.

tapicería s.f. 1 Lugar de trabajo o taller de un tapicero. 2 Tela o conjunto de tejidos que se utilizan para hacer cortinas, para tapizar o para hacer otra obra de decoración. 3 Arte o técnica de hacer tapices o de tapizar.

tapicero, ra s. Persona que se dedica profesionalmente al tapizado de muebles y muros, y a la colocación de alfombras, cortinajes y otros elementos decorativos.

tapioca s.f. Harina fina que se extrae de la mandioca; mandioca.

tapir s.m. Mamífero herbívoro, de tamaño semejante al jabalí, con la nariz prolongada en una pequeña trompa, que tiene las patas anteriores con cuatro dedos y las posteriores con tres, de los cuales el central está más desarrollado. ☐ MORF. Es un sustantivo epiceno: *el tapir macho, el tapir hembra.*

tapiz s.m. Paño, generalmente de gran tamaño, tejido con lana, seda u otras materias en el que se reproduce un dibujo y que se usa para cubrir paredes o como adorno. ☐ ETIMOL. Del francés *tapis*.

tapizado s.m. 1 Colocación de tela u otro material a modo de cubierta. 2 Material que se usa para tapizar.

tapizar v. 1 Referido esp. a un mueble o a una pared, forrarlos con tela u otro material: *He mandado tapizar el sillón con tela oscura.* 2 Cubrir o revestir totalmente: *Miles de flores tapizaban los campos.* ☐ ORTOGR. La *z* se cambia en *c* delante de *e* →CAZAR.

tapón s.m. 1 Pieza que se introduce en un orificio para taparlo e impedir la salida de un líquido. 2 Lo que impide o dificulta el paso. 3 Masa de algodón u otra materia con la que se obstruye una herida o una cavidad del cuerpo. 4 En el oído, acumulación de cera que puede dificultar la audición y producir otros trastornos. 5 En baloncesto, obstrucción de la trayectoria del balón lanzado por el contrario a la canasta. 6 *col.* Persona baja, esp. si también es gruesa. ☐ ETIMOL. Quizá del francés *tapon*. ⚡ tapón

taponamiento s.m. Obstrucción o atasco que impide el paso de algo.

taponar v. **1** Referido a un orificio, cerrarlo con un tapón: *Le han taponado la nariz con gasa para cortar la hemorragia.* **2** Obstruir, atascar o dificultar el paso: *Ese coche parado en medio de la calle tapona la circulación.*

tapujo s.m. Reserva, disimulo o rodeo con que se oculta u oscurece una verdad.

[taquería s.f. Establecimiento donde se venden tacos.

[taquete s.m. En zonas del español meridional, taco de madera o plástico.

taquicardia s.f. En medicina, frecuencia del ritmo de los latidos o de las contracciones cardíacas superior a la normal. □ ETIMOL. Del griego *takhýs* (rápido) y *-cardia* (corazón).

taquigrafía s.f. Método de escritura en el que se utilizan signos y abreviaturas especiales y que permite escribir a la velocidad con que se habla. □ ETIMOL. Del griego *tarkhýs* (rápido) y *-grafía* (escritura).

taquigrafiar v. Escribir por medio de taquigrafía: *En las Cortes, hay personas que taquigrafían las intervenciones de los diputados.* □ ORTOGR. La *i* nunca lleva tilde.

taquígrafo, fa s. Persona que se dedica profesionalmente a la escritura en taquigrafía.

taquilla s.f. **1** Ventanilla, mostrador o despacho donde se venden entradas o billetes de transporte. **2** Armario o compartimento individual para guardar la ropa y otros efectos personales. **3** Recaudación que se obtiene en cada función de un espectáculo. □ ETIMOL. De *taca* (alacena pequeña).

taquillero, ra ∎ adj. **1** Referido esp. a un espectáculo, que atrae a mucho público y que proporciona grandes recaudaciones. ∎ s. **2** Persona que se dedica profesionalmente a la venta de entradas o billetes de transporte en una taquilla.

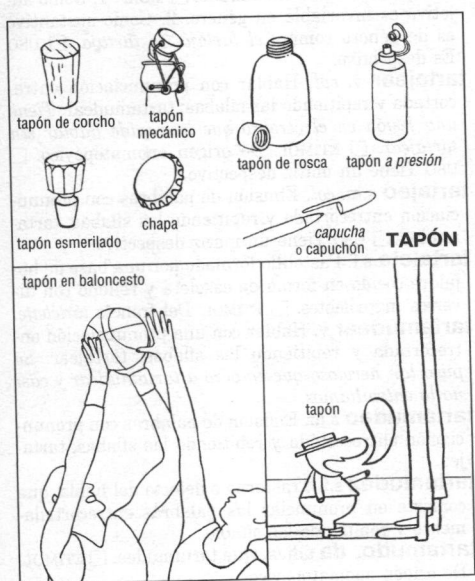

tapón de corcho   tapón mecánico

tapón de rosca   tapón *a presión*

chapa

tapón esmerilado   capucha o capuchón   **TAPÓN**

tapón en baloncesto

tapón

taquillón s.m. Mueble de poca altura que suele colocarse en la entrada o recibidor de una casa.

taquimecanografía s.f. Conjunto de conocimientos del que sabe mecanografía y taquigrafía. □ ETIMOL. Del griego *takhýs* (rápido) y *mecanografía*.

taquímetro s.m. **1** Instrumento topográfico que sirve para medir distancias y ángulos horizontales y verticales. **2** →**tacómetro**. □ ETIMOL. Del griego *takhýs* (rápido) y *-metro* (medidor).

tara s.f. **1** Defecto físico o psíquico graves que tiene una persona. **2** Defecto que disminuye el valor de algo. **3** Peso de un recipiente o de un vehículo independiente del peso de su contenido. □ ETIMOL. Del árabe *tarha* (lo que se quita, el peso en los embalajes).

tarado, da adj./s. Que tiene alguna tara física o psíquica. □ MORF. La RAE sólo lo registra como adjetivo. □ USO Se usa como insulto.

tarambana adj./s. *col.* Referido a una persona, alocada y de poco juicio. □ ETIMOL. De origen incierto. □ MORF. **1**. Como adjetivo es invariable en género. **2**. Como sustantivo es de género común: *el tarambana, la tarambana.* □ SEM. Como sustantivo es sinónimo de *balarrasa*.

tarantela s.f. **1** Composición musical de origen napolitano, de movimiento muy vivo y en compás de seis por ocho. **2** Baile de parejas que se ejecuta al compás de esta música. □ ETIMOL. Del italiano *tarantella*.

tarántula s.f. Araña grande de abdomen casi redondo y patas fuertes, color negro por encima y rojizo por debajo y con el tórax velloso. □ ETIMOL. Del italiano *tarantola*, y éste de *Taranto* (Tarento), porque las tarántulas abundan en los alrededores de esta ciudad. □ MORF. Es un sustantivo epiceno: *la tarántula macho, la tarántula hembra.*

tarara adj./s. *col.* Loco o de poco juicio. □ ETIMOL. De origen onomatopéyico. □ MORF. **1**. Como adjetivo es invariable en género. **2**. Como sustantivo es de género común: *el tarara, la tarara.*

tarará interj. →**tararí** o **tararira.**

tararear v. Cantar sin pronunciar palabras, aunque generalmente repitiendo alguna sílaba: *Mientras se ducha, siempre tararea alguna canción de moda.* □ ETIMOL. De *ta ra ra*, sílabas que suelen formar la letra del tarareo. □ ORTOGR. Se admite también *tatarear.*

tararreo s.m. Canto sin pronunciar palabras, aunque generalmente repitiendo algunas sílabas.

tararí o **tararira** interj. *col.* Expresión que se usa para indicar burla, negación rotunda o falta de conformidad con algo; tarará.

tarasca s.f. **1** Figura de serpiente monstruosa, de boca muy grande, que se saca en algunos lugares en la procesión del Corpus (fiesta católica en que se celebra la institución de la eucaristía). **2** *col.* Mujer muy fea, desvergonzada o temible por su carácter. □ ETIMOL. De origen incierto. □ USO En la acepción 2, es despectivo.

tarascada s.f. Golpe fuerte, mordisco o arañazo rápidos. □ ETIMOL. De *tarascar* (morder).

tardanza s.f. Retraso o empleo de mucho tiempo en la realización de una acción.

tardar v. **1** Referido a una cantidad de tiempo, emplearla en realizar una acción: *Tardaré dos días en terminar el trabajo.* **2** Emplear mucho tiempo o más del habitual en realizar una acción: *No sé si le ha-*

tarde

brá pasado algo, porque tarda en llegar. ☐ ETIMOL. Del latín *tardare* (retrasar, entretener, tardar).

tarde ∎ s.f. **1** Período de tiempo comprendido entre el mediodía y el anochecer, esp. el que transcurre antes del anochecer. ∎ adv. **2** A una hora avanzada del día o de la noche. **3** Con retraso o después de lo previsto o de lo oportuno. **4** ‖**buenas tardes**; expresión que se usa como saludo después del mediodía y antes de la noche. ‖**de tarde en tarde**; de manera poco frecuente o dejando pasar largo tiempo entre una y otra vez. ☐ ETIMOL. Del latín *tarde* (tardíamente, fuera de tiempo).

tardío, a adj. **1** Que sucede después de lo previsto o de lo habitual, o al final de una trayectoria. **2** Referido esp. a un fruto, que tarda en madurar algún tiempo más del habitual, o que madura más tarde que otros.

tardo, da adj. Que emplea mucho tiempo o más del habitual en realizar una acción. ☐ ETIMOL. Del latín *tardus* (lento).

[tardo- Elemento compositivo que significa 'tardío' o 'final'.

tardón, -a adj./s. Referido a una persona, que suele retrasarse o que hace las cosas con mucha calma y tranquilidad.

tarea s.f. **1** Cualquier trabajo, esp. el que debe hacerse en un tiempo determinado. **[2** En zonas del español meridional, deberes escolares. ☐ ETIMOL. Del árabe *tariha* (encargo de alguna obra en cierto tiempo).

tarifa s.f. **1** Precio fijo que hay que pagar por recibir algún servicio, esp. si está establecido oficialmente. **2** Tabla de precios, derechos o impuestos. **3** ‖**[(tarifa) apex**; un tipo de tarifa reducida de vuelo, que incluye la condición de pasar un fin de semana en el lugar de destino. ☐ ETIMOL. Del árabe *tarifa* (definición, determinación).

tarifar v. col. Reñir, enfadarse o pelearse: *Siempre que hablo contigo, salimos tarifando.*

tarima s.f. **1** Plataforma hecha a poca altura del suelo. **2** Suelo de madera que se hace ensamblando y uniendo tablas más alargadas y gruesas que las del parqué. ☐ ETIMOL. Del árabe *tarima* (estrado de madera).

tarjeta s.f. **1** Pieza de pequeño tamaño de cartulina u otro material, generalmente de forma rectangular, que lleva algo impreso o escrito. **2** En fútbol y en otros deportes, cartulina de un determinado color con la que un árbitro advierte o castiga a un jugador por una falta; cartulina. **[3** En informática, placa con circuito integrado, que se pincha en la placa base de un ordenador para dar una nueva funcionalidad al equipo. **4** ‖**tarjeta (de crédito)**; la que facilita una entidad bancaria y permite pagar a crédito o sin dinero en efectivo. ‖**[tarjeta de débito**; la que facilita una entidad bancaria y permite pagar sin dinero en efectivo o sacar dinero de un cajero automático. ‖**tarjeta (de visita)**; la que lleva el nombre, la dirección y el cargo o profesión de una o más personas. ‖**[tarjeta monedero**; la de crédito que permite pagar cantidades de dinero menores de mil pesetas. ‖**(tarjeta) postal**; la que se envía por correo y tiene una ilustración en un lado, y por el otro, un espacio en blanco para escribir. ☐ ETIMOL. Del francés antiguo *targette* (escudo pequeño que estaba adornado con las armas o los símbolos familiares).

tarjetero s.m. Cartera o pequeña caja que se usan para guardar tarjetas, esp. las de visita.

tarot s.m. **1** Baraja formada por setenta y ocho cartas que llevan dibujadas diversas figuras y que se usa como medio de adivinación. **2** Práctica adivinatoria que se hace con esta baraja. ☐ ETIMOL. Del francés *tarot*.

tarra s. col. Persona que ya no es joven. ☐ MORF. Es de género común: *el tarra, la tarra.* ☐ USO Tiene un matiz despectivo.

tarraconense adj./s. **1** De Tarragona o relacionado con esta provincia española o con su capital. **2** De la antigua Tarraco (provincia y ciudad romanas), o relacionado con ella. ☐ MORF. 1. Como adjetivo es invariable en género. 2. Como sustantivo es de género común: *el tarraconense, la tarraconense.*

tarrina s.f. Recipiente pequeño, con tapa y que generalmente se usa como envase de algunos alimentos.

tarro s.m. **1** Recipiente de vidrio, barro o porcelana, generalmente cilíndrico y más alto que ancho. **2** col. Cabeza o mente. **3** ‖**comer el tarro** a alguien; col. Hacer que piense de determinada manera. ‖**comerse** alguien **el tarro**; col. Darle muchas vueltas a algo o pensar mucho en ello. ☐ ETIMOL. De origen incierto.

tarso s.m. **1** En un mamífero, en un anfibio o en algunos reptiles, conjunto de los huesos cortos que forman parte del esqueleto de sus extremidades posteriores o inferiores, situado entre los huesos de la pierna y el metatarso. **2** En un ave, parte más delgada de sus patas, que une los dedos con la tibia. ☐ ETIMOL. Del griego *tarsós* (huesos de los dedos del pie). ☐ SEM. Aunque la RAE lo considera sinónimo de *corvejón*, en círculos especializados no lo es.

tarta s.f. Pastel grande, generalmente de forma redondeada y muy decorado. ☐ ETIMOL. Del francés *tarte*.

tartaja adj./s. col. Tartamudo. ☐ MORF. 1. Como adjetivo es invariable en género. 2. Como sustantivo es de género común: *el tartaja, la tartaja.* ☐ USO Es invariable.

tartajear v. col. Hablar con pronunciación entrecortada y repitiendo las sílabas; tartamudear: *Tiene una lesión en el cerebro que le impide hablar sin tartajear.* ☐ ETIMOL. De origen onomatopéyico. ☐ USO Tiene un matiz despectivo.

tartajeo s.m. col. Emisión de palabras con pronunciación entrecortada y repitiendo las sílabas; tartamudeo. ☐ USO Tiene un matiz despectivo.

tartaleta s.f. Pastelillo formado por una base de hojaldre cocido en forma de cazoleta y relleno con diversos ingredientes. ☐ ETIMOL. Del francés *tartelette*.

tartamudear v. Hablar con una pronunciación entrecortada y repitiendo las sílabas; tartajear: *Se puso tan nervioso que empezó a tartamudear y casi no lo entendíamos.*

tartamudeo s.m. Emisión de palabras con pronunciación entrecortada y repitiendo las sílabas; tartajeo.

tartamudez s.f. Trastorno o defecto del habla, que consiste en pronunciar las palabras entrecortadamente y repitiendo las sílabas.

tartamudo, da adj./s. Que tartamudea. ☐ ETIMOL. De origen onomatopéyico.

tartán s.m. Material formado por una mezcla de amianto, caucho y plástico, muy empleado como superficie de pistas de atletismo por sus condiciones de resistencia e inalterabilidad al agua. □ ETIMOL. Extensión del nombre de una marca comercial.

tartana s.f. **1** Carro con un toldo en forma de bóveda, provisto de asientos laterales y generalmente con dos ruedas y dos varas para engancharlo a los caballos o animales de tiro. 🐎 carruaje **2** col. Cosa vieja y en mal estado, esp. referido a un automóvil. □ ETIMOL. Del provenzal *tartano* (embarcación).

tártaro, ra ■ adj./s. **1** De un antiguo pueblo de origen turco y mongol que a partir del siglo XIII se estableció en el extremo oriental europeo, o relacionado con él. ■ s.m. **2** poét. Infierno. **3** ‖ [a la tártara; referido esp. a un plato de carne, que está preparado en crudo y adobado o aderezado con diversas especias e ingredientes. □ ETIMOL. La acepción 2, del latín *Tartarus*, y éste del griego *Tártaros*.

tartera s.f. Recipiente que se cierra herméticamente y que sirve para llevar o para conservar comida. □ ETIMOL. De *tarta*.

tartesio, sia adj./s. De un antiguo pueblo hispánico prerromano que habitó la Tartéside (región occidental del actual territorio andaluz), o relacionado con él.

tarugo s.m. **1** Trozo de madera, generalmente corto y grueso. **2** col. Persona poco inteligente. □ ETIMOL. De origen incierto.

tarumba adj. col. Atontado, confundido o con el juicio trastornado. □ MORF. Invariable en género.

tas s.m. Yunque pequeño y cuadrado que usan los plateros y hojalateros. □ ETIMOL. Del francés *tas*.

tasa s.f. **1** Tributo o pago que se exige por el uso o disfrute de un servicio. **2** Relación entre dos magnitudes, expresada normalmente en términos de porcentaje. **3** Fijación oficial del precio máximo o mínimo de una mercancía. **4** Restricción o limitación.

tasación s.f. Determinación del precio o del valor de un objeto o de un trabajo.

tasador, -a s. Persona habilitada o autorizada para tasar el precio o el valor de algo.

tasajo s.m. Trozo de carne seco y salado para que se conserve. □ ETIMOL. De origen incierto.

tasar v. **1** Referido a un objeto o a un trabajo, determinar su precio o su valor: *Un joyero me tasó el collar en una millonada.* **2** Referido a una mercancía, fijar oficialmente su precio máximo o mínimo: *En tiempos de racionamiento, las autoridades suelen tasar los productos de primera necesidad.* □ ETIMOL. Del latín *taxare* (estimar, evaluar).

tasca s.f. Establecimiento, generalmente modesto, en el que se sirven comidas y bebidas; taberna. □ ETIMOL. De *tascar*.

tascar v. Referido a la hierba, cortarla haciendo ruido un animal cuando pasta: *En la pradera sólo se oía a los caballos tascando hierba.* □ ETIMOL. De origen incierto. □ ORTOGR. La *c* se cambia en *qu* delante de *e* →SACAR.

tasquear v. col. Frecuentar tascas o tabernas: *Me gusta salir con los amigos a tasquear y tomar unos vinitos.*

tata s.f. Véase **tato, ta.**

tatami (del japonés) s.m. Tapiz acolchado sobre el que se practican el judo, el kárate y otros deportes.

tatarabuelo, la s. Respecto de una persona, padre o

madre de su bisabuelo o de su bisabuela. □ ETIMOL. De *tataranieto* y *abuelo.*

tataranieto, ta s. Respecto de una persona, hijo o hija de su bisnieto o de su bisnieta. □ ETIMOL. Del antiguo *trasnieto* (biznieto).

tatarear v. →**tararear.**

tate interj. col. Expresión que se usa para indicar sorpresa o que se acaba de entender algo o de caer en la cuenta de ello: *¡Tate, así que era por eso!* □ ETIMOL. De origen expresivo.

tato, ta ■ s. **1** col. Hermano. ■ s.f. **2** col. Niñera o mujer empleada en el servicio doméstico. □ ETIMOL. Del latín *tata* (padre). □ USO Tiene un matiz cariñoso.

tatuaje s.m. Dibujo que se hace en la piel introduciendo materias colorantes bajo la epidermis para que no se borre con el tiempo. □ ETIMOL. Del francés *tatouage.*

tatuar v. Referido a un dibujo, grabarlo en la piel, introduciendo materias colorantes bajo la epidermis para que no se borre con el tiempo: *El pirata se tatuó la figura de una mujer en el pecho.* □ ETIMOL. Del inglés *to tattoo.* □ ORTOGR. La *u* lleva tilde en los presentes, excepto en las personas *nosotros* y *vosotros* →ACTUAR.

tau s.f. **1** En el alfabeto griego clásico, nombre de la decimonovena letra: *La grafía de la tau es* τ. **[2** En física, partícula subatómica elemental, con la misma carga que el electrón, pero con una masa que es unas cuatro mil veces mayor: *'Tau' es una partícula subatómica.*

taumaturgia s.f. Facultad de realizar milagros o actos extraordinarios.

taurino, na adj. Del toro, de las corridas de toros, o relacionado con ellos. □ ETIMOL. Del latín *taurinus.*

tauro adj./s. Referido a una persona, que ha nacido entre el 20 de abril y el 21 de mayo aproximadamente. □ ETIMOL. Del latín *taurus* (toro). □ MORF. 1. Como adjetivo es invariable en género. 2. Como sustantivo es de género común: *el tauro, la tauro*

taurómaco, ca adj./s. Entendido en tauromaquia.

tauromaquia s.f. **1** Arte o técnica de lidiar toros. **2** Libro que trata de este arte y en el que se exponen sus reglas. □ ETIMOL. Del griego *tâuros* (toro) y *mákhomai* (yo peleo).

tautología s.f. Repetición de un mismo pensamiento expresado de distintas maneras: *La frase 'Tú eres lo que me sostiene, lo que me mantiene en pie' encierra una tautología.* □ ETIMOL. Del griego *tò autó* (lo mismo) y *-lógos* (discurso).

[tav s.m. Tren de alta velocidad. □ ETIMOL. Es un acrónimo que procede de la sigla de *tren de alta velocidad.*

taxativo, va adj. Que no admite discusión. □ ETIMOL. Del latín *taxatum*, y éste de *taxare* (estimar, evaluar).

taxi s.m. Automóvil de alquiler con conductor, que recoge pasajeros y los traslada al lugar deseado generalmente dentro de una ciudad. □ ETIMOL. Por acortamiento de *taxímetro.* □ PRON. Incorr. *[taxis].

taxidermia s.f. Arte o técnica de disecar animales para conservarlos con apariencia de vivos. □ ETIMOL. Del griego *táxis* (arreglo, ordenación) y *dérma* (piel).

taxidermista s. Persona que se dedica a la disecación de animales, esp. si ésta es su profesión. □

MORF. Es de género común: *el taxidermista, la taxidermista.*

taxímetro s.m. En un taxi, aparato que marca automáticamente en cada momento el importe por el trayecto recorrido. ☐ ETIMOL. Del francés *taximètre*. ⚡medida

taxista s. Persona que se dedica profesionalmente a conducir un taxi. ☐ MORF. Es de género común: *el taxista, la taxista.*

taxonomía s.f. **1** Ciencia o disciplina que trata de los principios, métodos y fines de la clasificación. **2** Clasificación hecha de acuerdo con esta ciencia, esp. referido a la que en biología ordena de manera sistemática los grupos de animales y vegetales. ☐ ETIMOL. Del griego *táxis* (arreglo, colocación) y *-nomía* (ley).

taza s.f. **1** Recipiente pequeño, más ancho que alto y provisto de un asa, que suele usarse para tomar líquidos. **2** En un retrete, receptáculo en el que se evacuan los excrementos. **[3** En zonas del español meridional, tazón. ☐ ETIMOL. Del árabe *tassa* (escudilla).

tazar v. Referido a la ropa, estropearla con el uso, esp. por el roce o los dobleces: *Estos pantalones están viejos y los bajos se han tazado mucho.* ☐ MORF. La *z* se cambia en *c* delante de *e* →CAZAR.

tazón s.m. Recipiente con forma de taza grande casi semiesférica y sin asas; bol.

te ▌pron.pers. **1** Forma de la segunda persona del singular que corresponde a la función de complemento sin preposición: *Te he dicho que vengas.* ▌s.f. **2** Nombre de la letra *t*. ☐ ETIMOL. La acepción 1, del latín *te*. ☐ ORTOGR. Dist. de *té*. ☐ MORF. Como pronombre, no tiene diferenciación de género.

té s.m. **1** Arbusto originario de zonas orientales de hojas perennes, alternas y en forma de lanza, flores blancas y fruto en cápsula. **2** Hoja de este arbusto, seca y ligeramente tostada. **3** Infusión que se prepara con estas hojas, que tiene propiedades estimulantes y digestivas. ☐ ETIMOL. Del chino *tscha*, que en algunas zonas se pronuncia [te]. ☐ ORTOGR. Dist. de *te*.

tea s.f. Trozo de leño o palo impregnados con resina y que, encendidos, sirven para alumbrar. ☐ ETIMOL. Del latín *taeda*.

teatral adj. **1** Del teatro o relacionado con él. **2** Afectado o exagerado en la forma de actuar; teatrero. ☐ ETIMOL. Del latín *theatralis*. ☐ MORF. Invariable en género.

teatralidad s.f. **1** Carácter de lo que es teatral o constituye un hecho teatral. **2** Afectación o exageración en la forma de actuar.

teatralizar v. **1** Referido esp. a un tema o a un texto, darles forma teatral o representable: *En su última comedia, la autora teatraliza un conocido cuento popular.* **2** Referido esp. a una actitud o a una expresión, hacerlas espectaculares, exageradas o llamativas: *Siempre fue enemigo de esos funerales ceremoniosos en los que se teatraliza el dolor.* ☐ ORTOGR. La *z* se cambia en *c* delante de *e* →CAZAR.

teatrero, ra adj./s. **1** col. Muy aficionado al teatro. **2** col. Afectado o exagerado en la forma de actuar. ☐ SEM. En la acepción 2, como adjetivo es sinónimo de *teatral*.

teatro s.m. **1** Literatura o género literario dramáticos, al que pertenecen las obras destinadas a ser representadas en un escenario. **2** Conjunto de las obras dramáticas de este género con alguna característica común. **3** Lugar destinado a la represen-

tación de obras dramáticas o de otros espectáculos de carácter escénico. **4** col. Afectación, exageración o fingimiento en la forma de actuar. ☐ ETIMOL. Del latín *theathrum*, éste del griego *théatron*, y éste de *theáomai* (yo miro, contemplo). ☐ SINT. La acepción 4 se usa más con los verbos *echar, hacer* y *tener*.

tebano, na adj./s. De Tebas (antigua ciudad griega), o relacionado con ella.

tebeo s.m. **1** Revista infantil de historietas cuyo asunto se desarrolla en series de dibujos. **2** ‖**estar más visto que el tebeo**; *col.* Ser muy conocido. ☐ ETIMOL. Extensión del nombre de una revista española.

teca s.f. **1** Árbol originario de zonas asiáticas orientales y tropicales, muy corpulento, de grandes hojas casi redondas, flores blanquecinas, fruto en drupa o carnoso, y cuya madera es muy apreciada por su elasticidad y dureza. **[2** En la antera de una flor, cavidad en la que se forman los granos de polen. ☐ ETIMOL. La acepción 1, del tagalo *ticla*. La acepción 2, del griego *théke* (estuche, vaina).

techado s.m. →techo.

techar v. Referido a una construcción, cubrirla con un techo: *Techaremos la casa y después haremos las divisiones interiores.*

techo s.m. **1** En una construcción, parte que las cubre y las cierra; techado. **2** Cara interior de esta parte de la construcción, que constituye la superficie que cierra por arriba una habitación o un recinto. **3** Casa o lugar en el que cobijarse. **4** Altura o límite máximo que se puede alcanzar o que resultan insuperables. **5** ‖**[sin techo**; persona que vive en la calle y suele mantenerse de la mendicidad. ‖ **[techo solar**; en un vehículo, mampara transparente que se coloca en el techo y que puede abrirse como si fuera una ventana más. ☐ ETIMOL. Del latín *tectum*, y éste de *tegere* (cubrir, ocultar, proteger). ☐ USO Es innecesario el uso del anglicismo *homeless*, en lugar de la expresión *sin techo*.

techumbre s.f. Conjunto formado por la estructura y los elementos de cierre de un techo.

tecla s.f. **1** En algunos instrumentos musicales, pieza que, al ser pulsada, hace que se produzca un sonido. **2** En una máquina de escribir o en un aparato semejante, pieza móvil que se pulsa para que se imprima una letra u otro signo. **3** Pieza que se pulsa para accionar o poner en funcionamiento un mecanismo. ☐ ETIMOL. De origen incierto.

teclado s.m. Conjunto de teclas de un instrumento musical o de una máquina.

tecleado s.m. →tecleo.

teclear v. Mover o pulsar las teclas, esp. las de un instrumento musical o las de una máquina: *Aunque me pase la tarde tecleando, no creo que acabe de mecanografiarlo hoy todo.* ☐ SINT. Su uso con complemento directo es incorrecto, aunque está muy extendido: *Introduzca su tarjeta y {*teclee > marque} su número secreto.*

tecleo s.m. Movimiento o pulsación de las teclas, esp. de las de un instrumento musical o las de una máquina; tecleado.

[teclista s. **1** Músico que toca un instrumento de teclado. **2** Persona que se dedica a escribir textos en el ordenador. ☐ MORF. Es de género común: *el ʻteclistaʼ, la ʻteclistaʼ.*

técnica s.f. Véase **técnico, ca**.

tecnicismo s.m. Palabra propia y característica

del lenguaje especializado de una ciencia, de un arte o de una profesión: *'Implemento' y 'sintagma' son tecnicismos lingüísticos.*

técnico, ca ■ adj. **1** De la técnica o relacionado con esta aplicación práctica de las ciencias o de las artes. [**2** Que domina la técnica o los procedimientos y recursos de una ciencia, de un arte o de una actividad. **3** Referido esp. a palabra, que es propia y característica del lenguaje especializado de una ciencia, de un arte o de una profesión. ■ s. **4** Persona que domina los conocimientos específicos de una ciencia, de un arte o de una actividad. [**5** Entrenador de un equipo deportivo. ■ s.f. **6** Procedimiento o recurso de los que se sirve una ciencia, un arte o una actividad. **7** Aplicación práctica de los métodos y conocimientos científicos o artísticos. □ ETIMOL. Del latín *technicus*, y éste del griego *tekhnikós* (relativo a un arte, técnico).

tecnicolor s.m. Procedimiento cinematográfico que permite reproducir los colores de los objetos en la pantalla. □ ETIMOL. Extensión del nombre de una marca comercial. □ ORTOGR. Es un anglicismo (technicolor) adaptado al español.

tecnificar v. **1** Referido a una rama o a un sector de producción, dotarlos de procedimientos técnicos modernos con los que no contaban: *El Estado concederá ayudas para tecnificar el sector agrario y hacerlo más competitivo.* **2** Mejorar o hacer más eficiente desde el punto de vista tecnológico: *Los avances informáticos han ayudado a tecnificar mucho las tareas de gestión.* □ ORTOGR. La c se cambia en *qu* delante de *e* →SACAR.

[tecno-pop (anglicismo) s.m. Tipo de música pop que está realizada con instrumentos tecnológicamente avanzados. □ PRON. [tecnopóp].

tecnocracia s.f. **1** Sistema político que trata de resolver los problemas económicos con medidas técnicas, por encima de otras consideraciones ideológicas o políticas. [**2** Conjunto de técnicos y especialistas en economía y administración. □ ETIMOL. Del griego *tékhne* (técnica) y *-cracia* (dominio, poder).

[tecnocrático, ca adj. De la tecnocracia o relacionado con ella.

tecnología s.f. **1** Conjunto de medios técnicos, instrumentos y procedimientos industriales de un sector o campo. **2** Conjunto de conocimientos propios y específicos de un oficio mecánico o de un arte industrial. □ ETIMOL. Del griego *tekhnología*, y éste de *tekhné* (industria, arte) y *lógos* (tratado).

tecolote s.m. En la iglesia católica, cántico que co En zonas del español meridional, lechuza. □ MORF. Es un sustantivo epiceno: *el tecolote macho, el tecolote hembra.*

tectónico, ca ■ adj. **1** En geología, de la estructura de la corteza terrestre o relacionado con ella. ■ s.f. **2** Parte de la geología que estudia esta estructura y los fenómenos relacionados con ella. □ ETIMOL. Del griego *tektonikós* (perteneciente a la estructura).

tedéum s.m. En la iglesia católica, cántico que comienza por las palabras latinas 'Te Deum,' y que se entona para dar gracias a Dios. □ ETIMOL. De *Te Deum* (a ti Dios), primeras palabras de un himno medieval. □ MORF. Invariable en número.

tedio s.m. Aburrimiento extremado o estado de ánimo producidos cuando se soporta algo que no interesa. □ ETIMOL. Del latín *taedium* (fastidio, aversión).

tedioso, sa adj. Que produce tedio o que aburre.

[teenager (anglicismo) →**adolescente.** □ PRON. [tinéiyer]. □ USO Es un anglicismo innecesario.

teflón s.m. Material aislante, muy resistente al calor y a la corrosión y muy empleado en la industria para revestimientos. □ ETIMOL. Extensión del nombre de una marca comercial.

tegumento s.m. **1** En zoología, membrana que cubre el cuerpo de un animal o alguno de sus órganos internos. **2** En una planta, tejido que cubre algunas de sus partes, esp. los óvulos y las semillas. □ ETIMOL. Del latín *tegumentum* (lo que cubre o envuelve).

teína s.f. Sustancia o principio activo del té, que tiene propiedades estimulantes.

teísmo s.m. Doctrina filosófica que afirma la existencia de un dios personal y creador, y su acción en el mundo. □ ETIMOL. Del griego *Theós* (Dios).

teja ■ s.f. **1** Pieza de barro cocido que se usa para cubrir los tejados y dejar escurrir el agua de lluvia. **2** →**sombrero de teja.** 🖾 sombrero ■ s.m. [**3** Color marrón rojizo, como el del barro cocido. **4** ‖ **a toca teja**; col. →**tocateja.** □ ETIMOL. Del latín *tegula.* □ SINT. En la acepción 3, se usa más en aposición, pospuesto a un sustantivo.

tejadillo s.m. Tejado de una sola vertiente adosado a una pared.

tejado s.m. Cubierta o parte superior de un edificio, generalmente recubiertos de tejas.

tejano, na ■ adj. [**1** Referido esp. a una prenda de vestir, que está confeccionada con una tela resistente de color azul más o menos oscuro y con un diseño que recuerda la ropa de los ganaderos del oeste norteamericano. ■ s.m.pl. **2** →**pantalón tejano.** □ SEM. Es sinónimo de *vaquero.*

tejar v. Cubrir de tejas: *Cuando terminen de tejar su casa empezará a vivir en ella.* □ ORTOGR. Conserva la *j* en toda la conjugación.

tejedor, -a ■ s. **1** Persona que se dedica profesionalmente a tejer. ■ s.m. **2** Insecto de cuerpo negro, ovalado y alargado con las dos patas delanteras y cortas y las cuatro posteriores muy largas y delgadas, que tiene movimientos muy rápidos sobre la superficie del agua; zapatero. 🖾 insecto ■ s.f. **3** Máquina para hacer tejido de punto; tricotosa. □ MORF. En la acepción 2, es un sustantivo epiceno: *el tejedor macho, el tejedor hembra.*

tejedura s.f. **1** Realización de un tejido entrelazando hilos. **2** Disposición de los hilos de una tela.

tejemaneje s.m. **1** col. Actividad o movimiento intensos y continuos. **2** col. Enredo poco claro para conseguir algo. □ ETIMOL. De *tejer* y *manejar.*

tejer v. **1** Referido esp. a un tejido, realizarlo entrelazando hilos u otra materia flexible: *La araña teje su tela en las esquinas.* **2** Referido a un hilo u otro material flexible, entrelazarlo para hacer diversos tipos de tejidos: *¿Puedo tejer estas cintas para hacer un adorno?* **3** Hacer punto; tricotar: *Me gusta tejer mientras veo la tele.* **4** Referido esp. a una idea o a un plan, discurrirlos o idearlos: *Tejió un complicado plan para hacerse con el poder.* □ ETIMOL. Del latín *texere.* □ ORTOGR. Mantiene la *j* en toda la conjugación.

tejido s.m. **1** Material que resulta de entrelazar hilos u otro material flexible. **2** En biología, asociación de células semejantes entre sí por su origen, estructura o funciones. **3** ‖**tejido** {conectivo/conjuntivo); el formado por células que están inmersas en una sustancia intercelular homogénea, semilíquida y con haces de fibras de colágeno, y cuya función principal es unir, envolver y reforzar los demás tejidos. ‖ **tejido linfático**; el formado por una trama en parte celular y en parte fibrosa y numerosas células, principalmente linfocitos.

tejo s.m. **1** Árbol de tronco grueso y poco elevado, ramas casi horizontales y copa ancha, hojas perennes, planas, aguzadas y de color verde oscuro, flores poco visibles y semilla con una envoltura carnosa de color rojo. **2** Trozo pequeño de teja, piedra, metal u otro material, que se usa para jugar a juegos como la rayuela o el truque. **3** Juego infantil que consiste en darle pequeños golpes con el pie a uno de estos trozos pequeños para que recorra un dibujo pintado en el suelo. **4** ‖ **tirar los tejos** a alguien; insinuarle el interés que se tiene por él, esp. en el sentido amoroso. □ ETIMOL. La acepción 1, del latín *taxus*.

[tejolote s.m. En zonas del español meridional, mano o mazo del mortero.

tejón s.m. Mamífero carnívoro de piel dura, pelaje largo y espeso de color negro, blanco y pardo, que habita en madrigueras profundas y se alimenta por la noche de pequeños animales y frutos. □ ETIMOL. Del latín *taxo*. □ MORF. Es un sustantivo epiceno: *el tejón macho, el tejón hembra*.

tejuelo s.m. En un libro, trozo de papel, de cuero o de otro material similar que se pega en el lomo para poner el título, la signatura u otro tipo de información. □ ETIMOL. De *tejo*. 🖼 libro

tela ▌ s.f. **1** Tejido hecho de muchos hilos que, cruzados entre sí alternativa y regularmente en toda su longitud, forman una especie de hoja o lámina. **2** Membrana o tejido de forma laminar y de consistencia blanda. **[3** Tejido fuerte que está preparado para pintar sobre él. **4** Pintura hecha sobre este tejido. **5** *col.* Dinero. **6** *col.* Asunto, materia o quehacer. ▌ adv. **7** *col.* Mucho. **8** ‖ **{poner/quedar} en tela de juicio**; poner o quedar en duda. ‖ **[tela {adhesiva/emplástica}**; en zonas del español meridional, esparadrapo. ‖ **[tela asfáltica**; material delgado e impregnado de asfalto que se usa como aislante de humedad. ‖ **tela de araña**; →**telaraña**. ‖ **tela metálica**; tejido hecho con alambre. □ ETIMOL. Del latín *tela*. □ SEM. En las acepciones 3 y 4, es sinónimo de *lienzo*. □ USO En las acepciones 5 y 6, se usa mucho la expresión intensificadora *tela marinera*.

telar s.m. **1** Máquina para tejer por medio de un entramado de hilos. **2** Fábrica de tejidos. **3** En un teatro, parte superior del escenario de donde bajan los telones, las bambalinas y otros elementos móviles del decorado. □ ETIMOL. De *tela*. □ MORF. La acepción 2 se usa más en plural.

telaraña s.f. **1** Tela en forma de red que forma la araña con los hilos que segrega. **2** ‖ **mirar las telarañas**; *col.* Estar completamente distraído. □ ORTOGR. Se admite también *tela de araña*.

tele s.f. *col.* →**televisión**.

tele- Elemento compositivo que significa 'a distancia' (*telecomunicación, telecontrol, teledirigido, telescopio*) o 'de televisión' (*telefilme, teleteatro, telenovela, teleadicto*). □ ETIMOL. Del griego *têle* (lejos).

[teleadicto, ta adj./s. Que es muy aficionado a ver la televisión.

[telebanca s.f. Servicio de banco que no requiere de la presencia física del cliente en la sucursal.

[telebasura s.f. *col.* Conjunto de programas de televisión de baja calidad.

telecabina s.f. Teleférico de cable único para la tracción y la suspensión, provisto de cabinas.

teleclub s.m. Lugar de reunión para ver la televisión.

[telecomedia s.f. Comedia que se emite por televisión en forma de serie.

[telecompra s.f. Compra que se realiza sin que sea necesaria la presencia física del comprador en el establecimiento.

telecomunicación s.f. Sistema de comunicación a distancia.

telecontrol s.m. Control a distancia de un aparato o de una máquina.

telediario s.m. Programa informativo de noticias de actualidad emitido diariamente por una cadena de televisión. □ ETIMOL. Extensión del nombre de una marca comercial.

teledirigido, da adj. Que está dirigido por medio de un mando a distancia.

[teledirigir v. Dirigir o controlar a distancia: *El niño 'teledirige' su coche de juguete con el mando a distancia*. □ ORTOGR. La g se cambia en j delante de a, o →DIRIGIR.

telefax s.m. →**fax**.

teleférico s.m. Sistema de transporte en el que los vehículos van suspendidos de un cable de tracción. □ ETIMOL. Del francés *telephérique*.

telefilme s.m. Película rodada para ser emitida por televisión.

telefonazo s.m. *col.* Llamada telefónica.

telefonear v. **1** Llamar por teléfono: *Me ha telefoneado para invitarme a su fiesta de cumpleaños*. **2** Referido esp. a un mensaje, transmitirlo por teléfono: *Cuando lo sepa te telefonearé el resultado del análisis*.

telefonía s.f. Sistema de transmisión a distancia de sonidos por medios eléctricos o electromagnéticos.

telefónico, ca adj. De la telefonía, que se realiza por medio de la telefonía o relacionado con este sistema de comunicación.

telefonillo s.m. Mecanismo para la comunicación oral dentro de un edificio, esp. el que está conectado al portero electrónico.

telefonista s. Persona que se dedica profesionalmente al servicio de teléfonos, esp. si es la encargada de recibir llamadas. □ MORF. Es de género común: *el telefonista, la telefonista*.

teléfono s.m. **1** Sistema eléctrico de comunicación a distancia que permite la transmisión de la palabra o de cualquier tipo de sonido a través de hilos conductores. **2** Aparato para emitir y recibir comunicaciones sonoras a distancia. **3** Número o clave que se marca en uno de estos aparatos para establecer una comunicación. **4** ‖ **teléfono {celular/móvil/portátil}**; el que no tiene cables y se puede llevar de un sitio a otro. □ ETIMOL. De *tele-* (lejos) y *-fono* (voz).

[telegenia s.f. Condición para salir favorecido en la televisión.

[telegestión s.f. Gestión que se realiza a distancia por medios técnicos.

telegrafía s.f. Sistema de transmisión a distancia de mensajes escritos utilizando un código preestablecido que se transmite por cable mediante impulsos eléctricos. □ ETIMOL. De *tele-* (lejos) y *-grafía* (descripción, tratado).

telegrafiar v. Comunicar por medio del telégrafo: *Los mensajes que se telegrafían deben ser lo más breves posible.* □ ORTOGR. La *i* lleva tilde en los presentes, excepto en las personas *nosotros* y *vosotros* → GUIAR.

telegráfico, ca adj. **1** Del telégrafo, de la telegrafía o relacionado con ellos. **2** Referido esp. al estilo del lenguaje, muy conciso, con frases cortas y con la menor cantidad de palabras posible.

telegrafista s. Persona que se dedica profesionalmente al servicio del telégrafo. □ MORF. Es de género común: *el telegrafista, la telegrafista.*

telégrafo ▌ s.m. **1** Sistema de comunicación a distancia que permite la transmisión de mensajes escritos por medio de impulsos eléctricos. [**2** Aparato para recibir y transmitir este tipo de mensajes escritos. ▌ pl. **3** Administración encargada de este sistema de comunicación.

telegrama s.m. Comunicación o mensaje transmitido por telégrafo. □ ETIMOL. De *tele-* (lejos) y *-grama* (escrito).

telekinesia o [**telekinesis** s.f. → **telequinesia**. □ MORF. *'Telekinesis'* es invariable en número.

telele s.m. *col.* Desmayo, ataque de nervios o impresión muy grande.

[**telemarketing** s.m. Servicio de venta por teléfono que prestan algunas empresas especializadas en este campo.

[**telemática** s.f. Conjunto de técnicas y servicios que combinan la telecomunicación y la informática. □ ETIMOL. De *telecomunicación* e *informática.*

telemetría s.f. **1** Medición de distancias entre objetos lejanos mediante el telémetro. **2** Sistema de medidas de magnitudes físicas en lugares de difícil acceso y que permite transmitir el resultado de la medición a un observador lejano. □ ETIMOL. De *tele-* (a distancia) y *-metría* (medición).

telémetro s.m. Sistema óptico que permite apreciar desde un punto de mira la distancia a la que está un objeto lejano. □ ETIMOL. De *tele-* (a distancia) y *-metro* (medidor).

telenovela s.f. Historia filmada y televisada en emisiones sucesivas, esp. si tiene un argumento sentimental.

teleobjetivo s.m. En un instrumento óptico, objetivo que permite fotografiar objetos muy lejanos. □ ETIMOL. De *tele-* (lejos) y *objetivo.*

teleología s.f. Modo de explicación basado en las causas finales. □ ETIMOL. Del griego *télos* (fin) y *-logía* (ciencia, estudio). □ ORTOGR. Dist de *teología.*

teleósteo ▌ adj./s.m. **1** Referido a un pez, que se caracteriza por tener el esqueleto completamente osificado. ▌ s.m.pl. **2** En zoología, orden de estos peces. □ ETIMOL. Del griego *téleios* (completo) y *ostéon* (hueso).

telepatía s.f. Transmisión de contenidos psíquicos entre personas sin intervención de medios físicos aparentes. □ ETIMOL. De *tele-* (lejos) y *-patía* (sentimiento).

telepático, ca adj. De la telepatía o relacionado con ella.

[**telepedido** s.m. Pedido o encargo a distancia de un producto, por medio de una red informática.

[**telepizza** s.m. Cadena de restaurantes que permite encargar pizza a domicilio por teléfono. □ ETIMOL. Extensión del nombre de una marca comercial. □ PRON. [telepítsa].

[**teleproducto** s.m. Producto que se vende a través de la televisión.

telequinesia o [**telequinesis** s.f. Desplazamiento de objetos sin causa física aparente, utilizando el poder mental. □ ETIMOL. De *tele-* (a distancia) y el griego *kínesis* (movimiento). □ ORTOGR. 1. Se admite también *telekinesia.* 2. Se usa también *telekinesis.* □ MORF. *Telequinesis* es invariable en número.

telera s.f. [En zonas del español meridional, tipo de bollo de pan casi redondo.

telerruta s.f. Servicio oficial que informa del estado de las carreteras.

telescópico, ca adj. **1** Del telescopio o relacionado con él. **2** Que sólo puede verse con un telescopio. **3** Que está formado por piezas longitudinalmente sucesivas que pueden recogerse encajando cada una en la anterior.

telescopio s.m. Instrumento óptico formado básicamente por un tubo con un juego de lentes de aumento en su interior que se utiliza para observar ampliados objetos sumamente lejanos, esp. cuerpos celestes. □ ETIMOL. De *tele-* (lejos) y *-scopio* (aparato para ver).

[**teleserie** s.f. Serie que se emite por televisión.

telesilla s.m. Sistema de transporte de personas a un lugar elevado, esp. a la cumbre de una montaña, formado por una serie de sillas o asientos suspendidos de un cable de tracción.

telespectador, -a s. Persona que ve la televisión; televidente.

telesquí s.m. Sistema que permite transportar a los esquiadores sobre sus esquís hasta las pistas, formado por una serie de enganches suspendidos de un cable de tracción. □ ETIMOL. De *tele-* (lejos) y *esquí.* □ MORF. Su plural es *telesquís.*

teletexto s.m. Servicio informativo que consiste en la transmisión televisiva de textos escritos. □ ETIMOL. Del inglés *Teletext,* extensión del nombre de una marca comercial.

[**teletienda** s.f. Servicio de venta de productos a través de la televisión.

teletipo s.m. **1** Sistema telegráfico de transmisión de textos mediante un teclado que permite emitir y recibir mensajes e imprimirlos. **2** Mensaje transmitido por este sistema. [**3** Aparato semejante al teclado de una máquina de escribir que permite emitir, recibir e imprimir ese tipo de textos. □ ETIMOL. La acepción 1 es extensión del nombre de una marca comercial. □ MORF. La RAE registra la acepción 1 como sustantivo ambiguo.

[**televendedor, -a** s. Persona que se dedica profesionalmente a la venta de productos por vía telefónica.

televidente s. Persona que ve la televisión; telespectador. □ MORF. Es de género común: *el televidente, la televidente.*

televisar v. Transmitir por televisión: *Esta tarde televisan un partido muy importante.*

televisión s.f. **1** Sistema de transmisión a distancia de imágenes y sonidos por medio de ondas hertzianas. **2** Empresa dedicada a hacer este tipo de transmisiones. **3** Aparato receptor y reproductor de estas imágenes y sonidos; televisor. ✖ electrodoméstico **4** ‖ [**(televisión por) cable**; sistema de televisión en el que la imagen no es captada por una antena, sino que es transmitida por un cable. □ ETIMOL. De *tele-* (lejos) y *visión*. □ USO En la lengua coloquial se usa mucho la forma abreviada *tele*.

televisivo, va adj. **1** De la televisión o relacionado con ella. **2** Que tiene buenas condiciones para ser televisado.

televisor s.m. Aparato receptor y reproductor de imágenes y sonidos transmitidos a distancia por medio de ondas hertzianas; televisión. □ USO En la lengua coloquial se usa mucho la forma abreviada *tele*. ✖ electrodoméstico

télex s.m. **1** Sistema telegráfico internacional por el que se comunican sus usuarios, mediante el teletipo. **2** Mensaje transmitido por este sistema. □ ETIMOL. Del inglés *telex*. Es extensión del nombre de una marca comercial. □ MORF. Invariable en número.

telón s.m. **1** Cortina de grandes dimensiones con que se cierra el escenario de un teatro o se cubre la pantalla de un cine. **2** ‖ [**telón de fondo**; asunto que subyace en otro más concreto. □ ETIMOL. De *tela*.

telonero, ra adj./s. Referido esp. a un artista o a un orador, que interviene antes de la actuación principal.

telúrico, ca adj. De la Tierra como planeta o relacionado con ella. □ ETIMOL. Del latín *Tellus* (Tierra, globo terráqueo).

telurio s.m. Elemento químico, semimetálico y sólido, de número atómico 52, que es quebradizo y fácilmente fusible. □ ETIMOL. Del latín *Tellus* (Tierra, globo terráqueo). □ ORTOGR. 1. Se usa también *teluro*. 2. Su símbolo químico es *Te*.

telurismo s.m. Influencia del suelo o del terreno en los seres vivos.

[**teluro** s.m. →telurio.

tema s.m. **1** Idea, asunto o materia de que trata algo. [**2** Cada una de las unidades de estudio en que se divide una asignatura, una oposición o algo semejante. **3** En una composición musical, parte o melodía fundamentales y en función de las cuales se desarrolla el resto de la obra. **4** En lingüística, forma que presenta un radical para recibir los morfemas de flexión: *El verbo 'caber' tiene tres temas, que son 'cab-', 'quep-' y 'cup-'.* [**5** Canción o composición musical. □ ETIMOL. Del griego *théma*. □ USO El uso abusivo de la acepción 1 en lugar de *problema* o *cuestión* indica pobreza de lenguaje.

temario s.m. Conjunto de temas de una asignatura, de un estudio, de una conferencia o de algo semejante.

temático, ca ∎ adj. **1** Del tema o relacionado con él. **2** En gramática, referido a un elemento, que modifica la raíz de un vocablo, para la flexión. ∎ s.f. **3** Conjunto de los temas contenidos en un asunto general.

temblar v. **1** Agitarse o vibrar con sacudidas breves, rápidas y frecuentes: *Lo encontré sin abrigo y temblando de frío. Cuando me pongo nervioso me tiembla la voz.* **2** Tener mucho miedo, mucho nerviosismo o mucho recelo: *El examen de conducir me hace temblar.* **3** ‖ **temblando**; col. Próximo a arruinarse o a acabarse. □ ETIMOL. Del latín *tremulare*,

y éste de *tremulus* (tembloroso). □ SINT. *Temblando* se usa más con los verbos *dejar*, *estar*, *quedar* o equivalentes.

tembleque s.m. Temblor continuado del cuerpo.

temblor s.m. **1** Vibración o agitación con sacudidas breves, rápidas y frecuentes. **2** ‖ **temblor de tierra**; agitación violenta o sacudida del terreno, ocasionada por fuerzas que actúan en el interior del globo terrestre; terremoto.

tembloroso, sa adj. Que tiembla o vibra.

temer v. **1** Referido esp. *a una persona, a un animal o a una cosa,* tenerles miedo, temor o sentir recelo por ellos: *Temo mucho a los ladrones.* **2** Referido esp. *a algo que se considera negativo o inconveniente,* pensar con algún fundamento que va a suceder: *Temo que venga y no estemos en casa. Me temo que va a llover.* **3** Sentir temor o preocupación: *Temo por tu salud porque fumas demasiado.* □ ETIMOL. Del latín *timere*.

temerario, ria adj. **1** Que se dice, se hace o se piensa sin fundamento, sin razón o sin motivo. **2** Excesivamente imprudente al enfrentarse a un peligro. □ ETIMOL. Del latín *temerarius* (irreflexivo, que se hace a la ligera). □ SEM. Dist. de *temeroso* (que tiene temor).

temeridad s.f. **1** Imprudencia excesiva al exponerse a algún peligro o riesgo. **2** Hecho o dicho temerarios o excesivamente imprudentes. □ ETIMOL. Del latín *temeritas*.

temeroso, sa adj. Que tiene temor o recelo. □ SEM. Dist. de *temerario* (excesivamente imprudente).

temible adj. Capaz o digno de ser temido. □ MORF. Invariable en género.

temor s.m. **1** Sentimiento de inquietud y desprotección que impide, al que lo padece, acercarse a lo que considera dañino, arriesgado o peligroso. **2** Sospecha o recelo de un daño futuro. **3** ‖ **temor de Dios**; en el catolicismo, el respetuoso que se debe tener a Dios. □ ETIMOL. Del latín *timor*.

témpano s.m. Trozo plano y extendido de una materia dura, esp. de hielo. □ ETIMOL. Del latín *tympanum* (pandero).

témpera s.f. Pintura o color que se obtienen con líquidos pegajosos y calientes; temple.

temperamental adj. **1** Del temperamento o relacionado con él. **2** Referido *a una persona,* que tiene el genio vivo y que cambia de humor con frecuencia. □ MORF. Invariable en género.

temperamento s.m. **1** Carácter o forma de ser o de reaccionar de una persona. **2** Tenacidad, energía o firmeza de una persona. □ ETIMOL. Del latín *temperamentum*.

temperancia s.f. Moderación o templanza en el comportamiento. □ ETIMOL. Del latín *temperantia*.

temperatura s.f. Grado de calor de un cuerpo o del ambiente. □ ETIMOL. Del latín *temperatura caeli* (composición del cielo). □ SEM. No debe usarse con el significado de 'fiebre': *No me encuentro bien y creo que tengo {*temperatura > fiebre}*.

tempestad s.f. Perturbación atmosférica que se caracteriza fundamentalmente por fuertes vientos, lluvias y truenos; temporal, tormenta. □ ETIMOL. Del latín *tempestas* (clase de tiempo que hace, especialmente el malo).

tempestuoso, sa adj. Que causa una tempestad o que la constituye.

templado, da adj. **1** Que no es ni frío ni caliente. **2** col. Sereno, tranquilo o valiente.

templanza s.f. Moderación o sobriedad, esp. en los apetitos o en los sentimientos. ☐ ETIMOL. Del latín *temperantia*.

templar v. **1** Quitar el frío por medio del calor: *He puesto la leche al fuego para templarla*. **2** Referido a algo fuerte o intenso, moderar o suavizar su fuerza y su intensidad: *Templa tu ira y no insultes a nadie*. **3** Referido a un material, enfriarlo bruscamente en un líquido para mejorar algunas de sus propiedades: *Para hacer las espadas hay que templar el hierro cuando está al rojo*. **4** Referido a un instrumento musical, afinarlo o prepararlo para que pueda producir con exactitud los sonidos que le son propios: *La guitarrista templó la guitarra antes de comenzar su actuación*. ☐ ETIMOL. Del latín *temperare* (moderar, templar).

templario, ria adj./s. De la orden del Temple (orden militar fundada en el siglo XII), o relacionado con ella. ☐ MORF. La RAE sólo registra el masculino.

temple s.m. **1** Fortaleza o valentía serenas para afrontar las dificultades. **2** Preparación de un instrumento musical para que emita con exactitud los sonidos que le son propios. **3** Pintura o color que se obtienen con líquidos pegajosos y calientes; témpera. **4** ‖**al temple**; con estas pinturas. ☐ ETIMOL. De *templar*.

templete s.m. Construcción que consta de una cúpula sostenida por columnas.

templo s.m. **1** Lugar o edificio públicos destinados al culto. **2** Lugar en el que se cultiva o se practica una actividad noble. ☐ ETIMOL. Del latín *templum*.

tempo s.m. Ritmo o velocidad con que se hace algo. ☐ ETIMOL. Del italiano *tempo*.

témpora s.f. Tiempo de ayuno en el comienzo de cada una de las estaciones del año. ☐ ETIMOL. Del latín *tempora* (tiempos). ☐ MORF. Se usa más en plural.

temporada s.f. **1** Período de tiempo que se considera como un conjunto. **2** ‖**de temporada**; que existe o que se usa sólo durante un cierto período de tiempo. ☐ ETIMOL. Del latín *tempus* (tiempo).

temporal ❚ adj. **1** Del tiempo o relacionado con él. **2** Que sólo dura por un tiempo. **3** Que pasa con el tiempo o que no es eterno: *La belleza externa es algo temporal*. [**4** Que expresa o que manifiesta temporalidad o tiempo: '*Cuando*' *es un adverbio que puede introducir oraciones* '*temporales*'. **5** Profano, secular o de este mundo. **6** De la sien o relacionado con esta zona de la cabeza. ❚ s.m. **7** →**hueso temporal. 8** Perturbación atmosférica que se caracteriza fundamentalmente por fuertes vientos, lluvias y truenos; tempestad, tormenta. ☐ ETIMOL. Las acepciones 1-5 y 8, del latín *temporalis* (relativo al tiempo). La acepción 6 y 7, del latín *temporalis* (relativo a las sienes), y éste de *tempus* (sien). ☐ MORF. Como adjetivo es invariable en género.

temporalidad s.f. **1** Transitoriedad en la duración de algo. **2** Pertenencia al mundo secular o profano.

temporalizar v. Referido a algo eterno o espiritual, convertirlo en temporal o tratarlo como tal: *La publicidad y el afán consumista han temporalizado las fiestas navideñas*. ☐ ORTOGR. La *z* se cambia en *c* delante de *e* →CAZAR.

temporario, ria adj. En zonas del español meridional, temporal o provisional.

temporero, ra adj./s. Referido a una persona, que ejerce un trabajo temporalmente, esp. relacionado con la agricultura.

temporizador s.m. Mecanismo de control que sirve para abrir o para cerrar un circuito y que, conectado a un dispositivo, lo pone en funcionamiento.

temporizar v. →**contemporizar**. ☐ ORTOGR. La *z* se cambia en *c* delante de *e* →CAZAR.

tempranero, ra ❚ adj. **1** Adelantado o que ocurre antes de lo normal; temprano. ❚ adj./s. **2** Que tiene costumbre de madrugar; madrugador.

temprano, na adj. Adelantado o que ocurre antes de lo normal; tempranero. ☐ ETIMOL. Del latín *temporanus* (que se hace a tiempo).

temprano adv. **1** En las primeras horas del día o de la noche, o al principio de un período de tiempo. **2** Muy pronto o antes de lo previsto.

ten ‖**ten con ten**; col. Expresión que indica tacto o moderación al tratar algo. ☐ ETIMOL. De *tener*.

tenacidad s.f. Firmeza y constancia para conseguir un propósito.

tenacillas s.f.pl. Utensilio de peluquería que sirve para rizar el pelo.

tenaz adj. **1** Firme y decidido a conseguir un propósito. **2** Que resulta difícil de quitar o de separar. ☐ ETIMOL. Del latín *tenax*. ☐ MORF. Invariable en género.

tenaza s.f. **1** Herramienta de metal, compuesta de dos brazos unidos por un eje que permiten abrirla y cerrarla y sirve para coger, arrancar o cortar determinadas cosas. **2** Pinzas de las patas de algunos artrópodos. ☐ ETIMOL. De *tenaz*. ☐ MORF. Se usa más en plural, con el mismo significado que en singular.

tenca s.f. Pez de agua dulce, de color verdoso, que suele vivir en aguas poco profundas y cenagosas. ☐ ETIMOL. Del latín *tinca*. ☐ MORF. Es un sustantivo epiceno: *la tenca macho, la tenca hembra*. 🐟 pez

tendedero s.m. Lugar o sitio donde se tiende algo.

tendencia s.f. **1** Propensión o inclinación hacia determinado fin. **2** Idea o movimiento, esp. políticos, artísticos o religiosos, que se orientan en una dirección determinada. ☐ ETIMOL. De *tender* (tener inclinación hacia algo).

tendencioso, sa adj. Que presenta o que manifiesta parcialidad, obedeciendo a una tendencia o a una idea. ☐ USO Tiene un matiz despectivo.

tender v. **1** Referido a la ropa mojada, extenderla al aire, al sol o al fuego para que se seque: *Cuando se pare la lavadora, tenderé la colada*. **2** Referido a una cosa, alargarla aproximándola a otra: *Me tendió la mano en señal de saludo*. [**3** Referido a un engaño o a una trampa, prepararlos para hacer caer a alguien en ellos: *Es demasiado listo como para caer en la trampa que le 'han tendido'*. **4** Tumbar o extender en una superficie: *Los enfermeros tendieron al enfermo en la cama. El perro estaba agotado y se tendió en el suelo*. **5** Colocar, construir o suspender, apoyando dos puntos: *Han tendido un puente para comunicar los dos lados del barranco*. **6** Mostrar tendencia, inclinación o propensión a alcanzar un estado o cualidad: *Estas medidas tienden a mejorar la salud pública*. **7** En matemáticas, referido a una variable o a una función, aproximarse progresivamente a un valor determinado, sin llegar nunca a alcanzarlo: *Haced este límite, cuando la variable tiende a infinito.* ☐ ETIMOL. Del latín *tendere* (tender, desplegar). ☐ MORF. Irreg. →PERDER. ☐ SINT. Constr. de las acepciones 7 y 8: *tender A algo.*

tenderete s.m. Puesto de venta al aire libre. ☐ ETIMOL. De *tender.*

tendero, ra s. Propietario o encargado de una tienda, esp. de comestibles.

tendido s.m. **1** Conjunto de cables que constituyen la conducción eléctrica. **2** Colocación de algo colgándolo de dos puntos. **3** En una plaza de toros, graderío descubierto y próximo a la barrera.

[tendinitis s.f. Inflamación de un tendón. ☐ MORF. Invariable en número.

tendón s.m. Estructura formada por haces fibrosos dispuestos paralelamente, que une los músculos a los huesos. ☐ ETIMOL. Del latín *tendo.*

tenebrismo s.m. Tendencia pictórica del Barroco que se caracteriza por el contraste de luces y sombras, que hace que los objetos iluminados destaquen violentamente. ☐ ETIMOL. Del latín *tenebrae* (tinieblas).

tenebroso, sa adj. **1** Oscuro o cubierto de tinieblas. **2** Sombrío, tétrico y perverso. ☐ ETIMOL. Del latín *tenebrosus.*

tenedor, -a ∎ s. **1** Persona que posee algo, esp. una letra de cambio. ∎ s.m. **2** Cubierto formado por un mango y por una serie de dientes, que sirve para llevarse a la boca alimentos sólidos o de cierta consistencia. **3** En un restaurante, signo convencional que indica su categoría, en graduación de uno a cinco. **4** ‖**tenedor de libros**; persona encargada de llevar los libros de contabilidad.

teneduría s.f. **1** Cargo de tenedor de libros. **2** Oficina de un tenedor de libros.

tenencia s.f. Posesión actual de algo.

tener v. **1** Poseer o disfrutar: *En verano tenemos vacaciones.* **2** Asir o sujetar con las manos: *Tenme el libro mientras me abrocho el zapato, por favor.* **3** Contener o incluir en sí: *Esta casa tiene tres habitaciones.* **4** Mantener o sostener firme o derecho: *Estoy tan cansada que casi no me tengo en pie.* **5** Referido a una ocupación, deber hacerla: *Esta tarde tengo una reunión.* **6** Referido a una edad, haberla alcanzado: *Tengo treinta años.* **7** Referido esp. a una sensación, sentirla, vivirla o padecerla: *Tengo miedo a los monstruos.* **8** Referido a una enfermedad, sufrirla o padecerla: *No puede salir porque tiene gripe.* **9** ‖**no tenerlas** alguien **todas consigo**; *col.* Sentir recelo o temor. ‖**tener a bien** algo; estimar que es justo o conveniente, o dignarse a hacerlo. ‖**tener** algo **en**; seguido de una expresión que indica cantidad, valorarlo como se expresa. ‖**tener** algo **por**; creerlo o considerarlo. ‖**tener que ver**; haber relación o conexión. ☐ ETIMOL. Del latín *tenere* (tener agarrado u ocupado, mantener, retener). ☐ MORF. Irreg. →TENER. ☐ SINT. 1. La perífrasis *tener + que + infinitivo* indica obligación o necesidad: *Tengo que estudiar más si quiero aprobar.* 2. Como verbo auxiliar puede funcionar sustituyendo a *haber*: *Te tengo dicho las novelas que me gustan.* ☐ SEM. Se usa mucho para atribuir una cualidad, un estado o una circunstancia al sujeto o al complemento: *Esto tiene fácil arreglo. Me tiene frita.*

tenia s.f. Gusano plano o en forma de cinta, blanquecino y formado por numerosos segmentos iguales, que es parásito del hombre y de los animales. ☐ ETIMOL. Del griego *tainía* (cinta). ☐ SEM. Aunque la RAE lo considera sinónimo de *solitaria*, ésta se ha especializado para un tipo de tenia.

tenida s.f. En zonas del español meridional, traje.

tenienta s.f. de **teniente.**

teniente ∎ adj. **1** *col.* Sordo. ∎ s. **2** En el ejército, persona cuyo empleo es superior al de alférez e inferior al de capitán. **3** Persona que ejerce el cargo de otra, y que es su sustituta. **4** ‖**teniente coronel**; en el ejército, persona cuyo empleo es superior al de comandante e inferior al de coronel. ‖**teniente de navío**; en la Armada, persona cuyo empleo es superior al de alférez de navío e inferior al de capitán de corbeta. ‖**teniente general**; en los Ejércitos de Tierra y del Aire, persona cuyo empleo es superior al de general de división e inferior al de capitán general. ☐ ETIMOL. De la terminación de *lugarteniente.* ☐ MORF. 1. Como adjetivo es invariable en género. 2. Como sustantivo es de género común: *el teniente, la teniente.* 3. En la acepción 2, la RAE admite también la forma de femenino *tenienta.* 4. En la acepción 3, la RAE sólo lo registra como masculino. ☐ SEM. *Teniente de navío* es dist. de *capitán* (en los Ejércitos de Tierra y del Aire).

tenis ∎ s.m. **1** Deporte que se juega con una pelota forrada de tela y una raqueta, en un campo rectangular y dividido en dos mitades por una red. ∎ pl. **2** Calzado de tipo deportivo. **3** ‖**tenis de mesa**; deporte que se juega sobre una mesa rectangular, con una pelota pequeña y lisa, y con palas de madera; pimpón, ping-pong. ☐ ETIMOL. Del inglés *tennis.* ☐ MORF. Invariable en número.

tenista s. Deportista que juega al tenis. ☐ MORF. Es de género común: *el tenista, la tenista.*

tenor s.m. **1** En música, persona que tiene una voz de registro intermedio entre la de contralto y la de barítono. **2** ‖**a tenor de**; [según o teniendo en cuenta. ☐ ETIMOL. La acepción 1, del italiano *tenore.* La acepción 2, del latín *tenor*, y éste de *tenere* (tener).

tenora s.f. Instrumento musical de viento, de la familia de los metales, parecido al oboe pero de mayor tamaño y de sonido mucho más potente. ☐ ETIMOL. De *tenor.*

tenorio s.m. Hombre seductor de mujeres e inclinado a meterse en riñas. ☐ ETIMOL. Por alusión a don Juan Tenorio, personaje literario que enamoraba a las mujeres que quería y las abandonaba después.

tensar v. Poner tenso: *Los marineros tiraban de la cuerda para tensarla.* ☐ MORF. 1. Tiene un participio regular (*tensado*), que se usa en la conjugación, y otro irregular (*tenso*), que se usa como adjetivo. ☐ USO Es innecesario el uso de *tensionar* con este mismo significado.

tensión s.f. **1** Estado en el que se encuentra un cuerpo estirado por la acción de las fuerzas opuestas que soporta. **2** Situación de oposición o de hostilidad no manifestada abiertamente entre personas o entre grupos humanos. **3** Estado emocional caracterizado por la excitación, la impaciencia o la exaltación. **4** En electrónica, voltaje con que se realiza una transmisión de energía eléctrica. **5** ‖**tensión arterial**; la que ejerce la sangre sobre la pared de las arterias; presión arterial. ☐ ETIMOL. Del latín *tensio.*

[tensionar v. →**tensar.** □ USO Su uso es innecesario.

tenso, sa adj. **1** Referido a un cuerpo, que está estirado por la acción de las fuerzas opuestas que soporta; tirante. **2** En estado de tensión emocional. **[3** En una situación de oposición y hostilidad. □ ETIMOL. Del latín *tensus*, y éste de *tendere* (tender).

tensor, -a ▌ adj./s.m. **1** Referido esp. a un músculo, que tensa o que produce tensión. **▌** s.m. **2** Mecanismo que se utiliza para tensar algo.

tentación s.f. Estímulo o impulso que induce a la realización de algo, esp. si es algo censurable o perjudicial.

tentacular adj. Del tentáculo o relacionado con él. □ MORF. Invariable en género.

tentáculo s.m. En algunos animales invertebrados, apéndice móvil y blando que desempeña distintas funciones, esp. la del tacto y la del desplazamiento. □ ETIMOL. Del latín *tentaculum*, y éste de *tentare* (palpar).

tentador, -a adj. Que hace caer en la tentación o que resulta muy apetecible o muy estimulante.

tentar v. **1** Examinar y reconocer por medio del tacto: *Me tenté el bolsillo de la chaqueta para ver si llevaba la cartera.* **2** Estimular o inducir a la realización de algo, esp. si es censurable o perjudicial: *Me han hecho una oferta de trabajo que me tienta mucho, pero tendría que irme del país.* **3** Referido a un becerro, probarlo con la garrocha para apreciar su bravura: *Tentaron a los becerros para elegir los que iban a ser lidiados.* □ ETIMOL. Del latín *temptare* (palpar, intentar, causar tentación). □ MORF. Irreg. →PENSAR.

tentativa s.f. Acción con la que se intenta, se prueba o se tantea algo. □ ETIMOL. Del latín *temptatus* (tentado).

tentempié s.m. **1** *col.* Comida ligera que se toma para recuperar fuerzas; refrigerio. **2** Juguete que lleva un contrapeso en la base y que, movido en cualquier dirección, vuelve siempre a quedar vertical; tentetieso.

tentetieso s.m. Juguete que lleva un contrapeso en la base y que, movido en cualquier dirección, vuelve siempre a quedar vertical; tentempié.

tentón ▌ adj./s.m. **1** En tauromaquia, referido a un caballo, que se utiliza en la tienta. **▌** s.m. **2** *col.* Acción de tentar de forma rápida y brusca.

tenue adj. Delgado, débil o delicado. □ ETIMOL. Del latín *tenuis* (delgado, fino, menguado). □ MORF. Invariable en género.

teñido s.m. Aplicación sobre algo de un color distinto del que antes tenía. □ SEM. Es sinónimo de *tinción, tinte* y *tintura*.

teñir v. **1** Referido esp. a una tela, aplicarle un nuevo color distinto del que tenía; tintar: *Voy a teñir de azul esta falda blanca. Es morena, pero se tiñe de rubio.* **2** Referido esp. a las palabras o a los sentimientos, aportarles un carácter una apariencia que no es el suyo propio: *Mi amigo tiñó sus palabras de amargura.* □ ETIMOL. Del latín *tingere* (mojar, empapar). □ MORF. 1. Irreg. →CEÑIR. 2. Tiene un participio regular (*teñido*), que se usa en la conjugación, y otro irregular (*tinto*), que se usa como adjetivo. □ SINT. Constr. *teñir algo DE algo*.

teo- Elemento compositivo que significa 'dios'. □ ETIMOL. Del griego *théos*.

teocracia s.f. **1** Concepción del Estado según la cual el poder temporal depende del poder espiritual. **2** Sociedad en la que la autoridad política se considera emanada de Dios y se ejerce a través de sus ministros. □ ETIMOL. Del griego *theokratía*, y éste de *theós* (dios) y *krátos* (dominio).

teocrático, ca adj. De la teocracia o relacionado con ella.

teologal adj. De la teología o relacionado con esta ciencia. □ MORF. Invariable en género.

teología s.f. **1** Ciencia que trata de Dios y de sus atributos y perfecciones. **2 ║[teología de la liberación**; movimiento teológico cristiano, surgido en países suramericanos, que propone una nueva lectura del Evangelio en la que se funden el proyecto divino y la lucha contra la opresión y la explotación del hombre. **║teología natural**; la que trata de Dios y de sus atributos a la luz de los principios de la razón, independientemente de las verdades reveladas. □ ETIMOL. Del griego *theología*, y éste de *théos* (dios) y *lógos* (tratado). □ ORTOGR. Dist. de *teleología*.

teologizar v. Discutir sobre principios o razones teológicas: *En el concilio Vaticano I, los obispos teologizaron sobre la infalibilidad del Papa.* □ ORTOGR. La *z* se cambia en *c* delante de *e* →CAZAR.

teólogo, ga s. Persona que se dedica profesionalmente al estudio de la teología o que tiene especiales conocimientos en esta ciencia.

teorema s.m. Proposición demostrable a través de la lógica mediante reglas de deducción aceptadas. □ ETIMOL. Del griego *theórema* (investigación, tratado).

teoría s.f. **1** Conocimiento que se tiene a base de suposiciones lógicas y que se considera independientemente de su aplicación práctica. **2** Conjunto de las leyes o principios que sirven para explicar determinados fenómenos o para relacionarlos en un orden. **3** Hipótesis cuyas consecuencias se aplican a toda una ciencia o a una parte muy importante de la misma. **4 ║en teoría**; sin haberlo comprobado con la práctica. □ ETIMOL. Del griego *theoría* (contemplación, meditación).

teórico, ca ▌ adj. **1** De la teoría o relacionado con ella. **▌** adj./s. **2** Que conoce o considera las cosas mediante la meditación o la reflexión, pero no por la práctica. □ MORF. En la acepción 2, la RAE sólo lo registra como adjetivo.

teorizar v. Referido a un asunto, tratarlo de forma teórica: *Tú teorizas sobre las causas de la actual crisis económica, pero no das soluciones.* □ ORTOGR. La *z* se cambia en *c* delante de *e* →CAZAR.

teosofía s.f. Conjunto de doctrinas que pretenden alcanzar un conocimiento de la divinidad a partir de procedimientos filosóficos y de experiencias místicas y religiosas, mezclados a veces con elementos ocultistas. □ ETIMOL. Del griego *theosophía*, y éste de *théos* (dios) y *sophós* (sabio).

tepalcate s.m. **1** En zonas del español meridional, fragmento de un recipiente o de un utensilio de barro. **2** En zonas del español meridional, utensilio de barro viejo o deteriorado.

tépalo s.m. En algunas flores, cada uno de los sépalos u hojas del cáliz coloreados de la misma forma que los pétalos. □ ETIMOL. Por analogía con *sépalo*.

tequila s.m. Bebida mejicana de alta graduación alcohólica y de color transparente, originaria de Tequila (municipio de México).

tera- Elemento compositivo que significa 'un billón'. □ ETIMOL. Del griego *téras* (prodigio, monstruo).

terapeuta s. Persona que se dedica profesionalmente a la terapéutica o a la curación de las enfermedades. □ ETIMOL. Del griego *therapeutés* (servidor). □ MORF. Es de género común: *el terapeuta, la terapeuta*.

terapéutico, ca ▪ adj. **1** De la terapéutica o relacionado con esta parte de la medicina. ▪ s.f. **2** Parte de la medicina que se ocupa del tratamiento de las enfermedades; terapia. □ ETIMOL. La acepción 2, del latín *therapeutica* (tratados de medicina).

terapia s.f. **1** Parte de la medicina que se ocupa del tratamiento de las enfermedades; terapéutica. **2** Tratamiento que se aplica para la curación de una enfermedad. □ ETIMOL. Del griego *therapeía* (cuidado).

teratología s.f. Estudio de las malformaciones del organismo animal o vegetal, esp. las de origen embrionario. □ ETIMOL. Del griego *téras* (prodigio, monstruo) y *-logía* (estudio).

tercer adj. →**tercero**. □ MORF. Apócope de *tercero* ante sustantivo masculino..

tercerilla s.f. En métrica, estrofa formada por tres versos de arte menor, dos de los cuales tienen rima consonante, y cuyo esquema más frecuente es *aba*. □ ETIMOL. De *tercera*.

tercermundista adj. **1** Del tercer mundo o relacionado con este conjunto de países menos desarrollados. **[2** Propio del tercer mundo o característico de este conjunto de países menos desarrollados. □ MORF. Invariable en género. □ USO En la acepción 2, tiene un matiz despectivo.

tercero, ra ▪ numer. **1** Referido a una parte, que constituye un todo junto con otras dos iguales a ella. ▪ adj./s. **2** En una serie, que ocupa el lugar número tres. ▪ adj./s. **3** Que media entre dos o más personas. ▪ s. **4** Persona que busca para otro alguien con quien mantener una relación amorosa o sexual, o que actúa como intermediario en una de estas relaciones; alcahuete, celestino. ▪ s.m. **5** Persona que no es ninguna de quienes se trata o de quienes intervienen en un asunto: *En los problemas familiares no deben intervenir terceros.* ▪ s.f. **6** En el motor de algunos vehículos, marcha que tiene mayor velocidad y menor potencia que la segunda y menor velocidad y mayor potencia que la cuarta. **7** En música, intervalo existente entre una nota y la tercera nota anterior o posterior a ella en la escala, ambas inclusive. □ ETIMOL. Las acepciones 1-5, del latín *tertiarius*. Las acepciones 6 y 7, del latín *tertiaria*. □ MORF. La acepción 5 se usa más en plural.

terceto s.m. **1** En métrica, estrofa formada por tres versos de arte mayor, cuyo esquema más frecuente es *ABA*. **2** Conjunto musical formado por tres instrumentos o por tres voces; trío. □ ETIMOL. Del italiano *terzetto*.

tercia s.f. Véase **tercio, cia**.

terciado, da adj. Mediano o de tamaño intermedio.

terciar ▪ v. **1** Interponerse o mediar para terminar con una discusión o para tomar partido por alguno de los que disputan: *Mi madre tuvo que terciar en la riña.* **2** Tomar parte en la acción que estaban realizando otros: *Yo también tercié en la conversa-*

ción para matizar algunos puntos. **3** Dividir en tres partes: *El padre decidió terciar la herencia para repartirla entre sus tres hijos.* ▪ prnl. **4** Suceder de forma inesperada o presentarse casualmente la oportunidad de realizar algo: *Si se tercia, iremos al cine.* □ ETIMOL. Del latín *tertiare*. □ ORTOGR. La *i* nunca lleva tilde. □ MORF. En la acepción 4, es unipersonal.

terciario, ria ▪ adj. **1** Tercero en orden, en grado o en importancia. **2** En geología, de la era cenozoica, cuarta de la historia de la Tierra, o relacionado con ella; cenozoico. ▪ s.m. **3** →**era terciaria**. □ ETIMOL. Del latín *tertiarius*.

tercio, cia ▪ numer. **1** Parte que constituye un todo junto con otras dos iguales a ella. ▪ s.m. **2** En el ejército español de los siglos XVI y XVII, regimiento de infantería. **3** En el ejército español, cuerpo o batallón de infantería. **4** En tauromaquia, cada una de las tres partes en que se divide la lidia de un toro. **5** En una plaza de toros, cada una de las tres partes concéntricas en que se considera dividido el ruedo, esp. referido a la comprendida entre las tablas y los medios. **[6** Botella de cerveza que contiene la tercera parte de un litro. ▪ s.f. **7** En la iglesia católica, cuarta de las horas canónicas. □ ETIMOL. Del latín *tertius* (tercero).

terciopelo s.m. Tela muy tupida, generalmente de seda, que está formada por dos urdimbres y una trama, y cuyos hilos se cortan una vez tejidos para dejar una superficie suave y con pelo. □ ETIMOL. De *tercio* (tercero) y *pelo*, porque es un tejido con dos urdimbres y una trama.

terco, ca adj./s. Firme, perseverante o excesivamente tenaz en un propósito. □ ETIMOL. De origen incierto. □ MORF. La RAE sólo lo registra como adjetivo.

teresiano, na ▪ adj. **1** De santa Teresa de Jesús (religiosa y escritora española del siglo XVI), o relacionado con ella. **2** Referido a un instituto religioso, que está afiliado a la tercera orden carmelita y que tiene por patrona a santa Teresa. ▪ adj./s.f. **3** Referido a una religiosa, que tiene votos simples y pertenece a uno de estos institutos religiosos. □ MORF. En la acepción 3, la RAE sólo lo registra como adjetivo.

tergal s.m. Tejido de fibra sintética muy resistente. □ ETIMOL. Extensión del nombre de una marca comercial.

tergiversar v. Interpretar de forma forzada o errónea: *El periodista tergiversó mis palabras y publicó afirmaciones que yo no había hecho.* □ ETIMOL. Del latín *tergiversari* (desentenderse de algo, buscar escapatorias).

teridofito, ta adj. →**pteridofito**.

termal adj. De las termas o relacionado con estos baños de aguas minerales. □ MORF. Invariable en género.

termas s.f.pl. **1** Baños de aguas minerales calientes; caldas. **2** En la antigua Roma, baños públicos. □ ETIMOL. Del latín *thermae*.

termes s.m. Insecto roedor, propio de zonas tropicales o cálidas, de coloración pálida, que vive en colonias organizadas por castas y se alimenta comúnmente de madera; comején, termita. □ ETIMOL. Del latín *termes* (insecto que mastica madera). □ MORF.

1. Es un sustantivo epiceno: *el termes macho, el termes hembra.* **2.** Invariable en número. 🐜 insecto

térmico, ca adj. **1** Del calor, de la temperatura o relacionado con ellos. **2** Que conserva la temperatura. ☐ ETIMOL. Del griego *thérme* (calor).

terminación s.f. **1** Fin, conclusión, remate o final. **2** Parte final de algo. **3** En gramática, letra o conjunto de letras que siguen al radical de un vocablo.

terminal ▌ adj. **1** Que acaba o pone término a algo. **2** Que está en el extremo de alguna parte de una planta. **▌** s. **3** En informática, máquina con teclado y pantalla conectados a una computadora a la que se le facilitan datos o de la que se obtiene información. **▌** s.f. **4** Cada uno de los extremos de una línea de transporte público. ☐ MORF. 1. Como adjetivo es invariable en género. 2. En la acepción 3, es de género ambiguo: *el terminal conectado, la terminal conectada.*

terminante adj. Categórico, concluyente o que no se puede rebatir o discutir. ☐ MORF. Invariable en género.

terminar v. **1** Referido a algo, concluirlo o ponerle término: *Termina de una vez la comida, que tengo que fregar.* **2** Rematar con esmero; acabar: *Tienes que terminar mejor las costuras para poder entregar el encargo.* **3** Acabar o llegar al fin; cesar: *Os vais a la cama en cuanto termine la película. Cuando se terminen los exámenes, vamos al cine.* **4** ‖ **terminar con** alguien; dejar de tratarse con él: *'Terminé con' ella cuando se portó tan mal conmigo.* ☐ ETIMOL. Del latín *terminare* (limitar, acabar).

término ▌ s.m. **1** Fin, remate o conclusión. **2** Último punto de un lugar. **3** Último punto en un espacio temporal. **4** Línea divisoria en el territorio. **5** Sonido o conjunto de sonidos articulados que expresan una idea; palabra, vocablo. **6** Objetivo, meta o intento al que se dirige una acción. **7** Estado o situación en los que se halla alguien. **8** En gramática, cada uno de los elementos necesarios en una relación gramatical: *En la expresión preposicional 'con mi madre', 'mi madre' es el término de la preposición 'con'.* **9** En matemáticas, numerador o denominador de un quebrado. **10** En una expresión matemática, cada una de las partes unidas entre sí por el signo de sumar o de restar. **11** Plano en el que se considera dividida una escena. **12** Lugar, puesto u orden. **▌** pl. **13** Condiciones con las que se plantea un asunto o que se establecen en un contrato. **14** ‖ **término medio**; cantidad igual o más próxima a la media aritmética de un conjunto de varias unidades; promedio. ‖ **término (municipal)**; territorio que comprende la división administrativa menor que está a cargo de un solo organismo; municipio. ☐ ETIMOL. Del latín *terminus* (mojón, linde).

terminología s.f. Conjunto de términos o palabras propios de una profesión, de una ciencia o de una materia determinadas.

terminológico, ca adj. De un término, de una terminología, de su empleo o relacionado con ellos.

termita s.f. Insecto roedor, propio de zonas tropicales o cálidas, de coloración pálida, que vive en colonias organizadas por castas y se alimenta comúnmente de madera; comején, termes. ☐ ETIMOL. Del francés *termite*. ☐ MORF. Es un sustantivo epiceno: *la termita macho, la termita hembra.* 🐜 insecto

termo s.m. **1** Vasija de paredes dobles y con cierre hermético, que se utiliza para que las sustancias en ella introducidas conserven su temperatura sin que influya la del ambiente. **2** *col.* →**termosifón.** ☐ ETIMOL. Extensión del nombre de una marca comercial.

termo- Elemento compositivo que significa 'calor' (*termodinámica, termoelectricidad, termoterapia*) o 'temperatura' (*termología, termómetro, termostato*). ☐ ETIMOL. Del griego *thermós.*

termodinámico, ca ▌ adj. **[1** De la termodinámica o relacionado con esta parte de la física. **▌** s.f. **2** Parte de la física que estudia las relaciones entre el calor y las restantes formas de energía. ☐ ETIMOL. La acepción 2, de *termo-* (calor) y *dinámica.*

termoelectricidad s.f. Energía eléctrica producida por el calor.

termoestable adj. Que no se altera fácilmente por la acción del calor. ☐ MORF. Invariable en género.

[termofón s.m. En zonas del español meridional, termosifón o calentador.

termometría s.f. Parte de la física que trata de la medición de la temperatura.

termómetro s.m. Instrumento que sirve para medir la temperatura. ☐ ETIMOL. De *termo-* (calor) y *-metro* (medidor). 🐜 medida

termonuclear adj. De la fusión de núcleos ligeros a muy altas temperaturas con liberación de energía o relacionado con ella. ☐ ETIMOL. De *termo-* (calor) y *nuclear.* ☐ MORF. Invariable en género.

[termosfera s.f. En la atmósfera terrestre, capa que se encuentra por encima de los ochenta kilómetros y en la que la temperatura aumenta con la altura.

termosifón s.m. Aparato que sirve para calentar agua y para distribuirla por medio de tuberías a los lavabos, baños y pilas de una casa. ☐ ETIMOL. De *termo-* (calor) y el latín *sipho*, y éste del griego *síphon* (tubo, cañería). ☐ MORF. En la lengua coloquial se usa mucho la forma abreviada *termo.*

termostato s.m. Aparato que se conecta a una fuente de calor y que, por medio de un dispositivo automático, impide que la temperatura suba o baje del grado conveniente. ☐ ETIMOL. De *termo-* (calor) y el griego *statós* (estable). 🐜 medida

terna s.f. Conjunto de tres personas o de tres cosas. ☐ ETIMOL. Del latín *terna* (triple).

ternario, ria adj. Que se compone de tres partes o elementos. ☐ ETIMOL. Del latín *ternarius.*

terne adj. **1** *col.* Que presume de valiente o de guapo. **2** *col.* Perseverante, obstinado o que se mantiene firme y constante en algo. **3** *col.* Fuerte y robusto de salud. ☐ ETIMOL. Del gitano *terno* (joven). ☐ MORF. Invariable en género.

ternero, ra ▌ s. **1** Cría de la vaca; choto, jato. **▌** s.f. **2** Carne de este animal. ☐ ETIMOL. De *tierno.*

terneza s.f. **1** Expresión tierna con la que se halaga o se piropea. **2** Cariño, amabilidad o sentimiento de amor o afecto; ternura.

ternilla s.f. Cartílago o pieza formada por un tejido duro y flexible, con propiedades intermedias entre el óseo y el conjuntivo. ☐ ETIMOL. De *tierna.*

terno s.m. Conjunto de pantalón, chaleco y chaqueta, u otra prenda similar, hechos de una misma tela. ☐ ETIMOL. Del latín *ternus.*

ternura s.f. Cariño, amabilidad o sentimiento de amor o afecto; terneza.

terquedad s.f. Firmeza, perseverancia o tenacidad excesiva.

terracota

terracota s.f. **1** Arcilla modelada y endurecida al calor del horno. **2** Escultura de pequeño tamaño hecha de esta arcilla. □ ETIMOL. Del italiano *terra* (tierra) y *cotta* (cocida).

terral s.m. [En zonas del español meridional, polvareda.

[terranova s.m. →**perro de Terranova.**

terraplén s.m. **1** Desnivel del terreno con una cierta pendiente. **2** Montón de tierra con el que se rellena un hueco o que se levanta para hacer una defensa, un camino u otra obra semejante. □ ETIMOL. Del francés *terre-plein.*

terráqueo, a adj. De la Tierra. □ ETIMOL. Del latín *terra* (tierra) y *aqua* (agua). □ USO Se usa sólo en las expresiones *esfera terráquea* y *globo terráqueo.*

terrario s.m. Instalación adecuada para mantener vivos y en las mejores condiciones a determinados animales, esp. reptiles y anfibios. □ ETIMOL. Del latín *terra* (tierra) y la terminación de *acuario.*

terrateniente s. Persona que posee tierras, esp. si son grandes extensiones agrícolas. □ ETIMOL. Del latín *terra* (tierra) y *tenens* (que tiene). □ MORF. Es de género común: *el terrateniente, la terrateniente.*

terraza s.f. **1** En una casa, parte abierta o semiabierta al exterior, por encima del nivel del suelo. **2** Terreno situado delante de un establecimiento de comidas o de bebidas en el que los clientes se pueden sentar al aire libre. **3** En la ladera de una montaña, espacio de terreno llano dispuesto en forma de escalón. **4** En un edificio, cubierta plana y utilizable, que está provista de barandas y muros. □ ETIMOL. De *terrazo.*

terrazo s.m. Pavimento formado por una capa de cemento con piedras o trozos de mármol, cuya superficie se pulimenta después. □ ETIMOL. Del latín *terraceus* (de tierra).

terremoto s.m. Agitación violenta o sacudida del terreno, ocasionada por fuerzas que actúan en el interior del globo terrestre; temblor de tierra. □ ETIMOL. Del italiano *terremoto*, y éste del latín *terrae motus* (movimiento de la tierra).

terrenal adj. De la tierra o relacionado con ella, en contraposición a lo que pertenece al cielo; terreno. □ MORF. Invariable en género.

terreno, na ∎ adj. **1** De la tierra o relacionado con ella, en contraposición a lo que pertenece al cielo; terrenal. ∎ s.m. **2** Sitio o espacio de tierra. **3** Campo o esfera de acción en los que mejor se pueden mostrar la índole, la naturaleza o las cualidades de algo; territorio. **4** Orden o serie de materias o de ideas de las que se trata. **5** En geología, conjunto de sustancias minerales que tienen un origen común o que se han formado en la misma época. **6** En tauromaquia, parte del ruedo en la que es más eficaz la acción ofensiva del toro o la del torero. **7** ∥{allanar/preparar} el terreno a alguien; *col.* Conseguirle un ambiente o una situación favorables. ∥**saber** alguien **el terreno que pisa**; conocer muy bien el asunto que tiene entre manos o las personas con las que se trata. ∥**terreno abonado**; situación o circunstancia en la que se dan las condiciones óptimas para que algo suceda o se produzca. ∥**terreno (de juego)**; el acondicionado para la práctica de algún deporte. □ ETIMOL. Del latín *terrenus* (terrenal). □ SEM. En las acepciones 3 y 4, es sinónimo de *área.*

térreo, a adj. De la tierra o que tiene semejanza con ella. □ ETIMOL. Del latín *terreus.*

terrestre adj. **1** De la Tierra como planeta o relacionado con ella. **2** De la tierra o relacionado con ella, en contraposición al aire y al mar: *Los elefantes son animales terrestres, y los peces, acuáticos.* □ ETIMOL. Del latín *terrestris.* □ MORF. Invariable en género.

terrible adj. **1** Que causa terror. **2** Difícil de tolerar o de sufrir. **3** Muy grande o desmesurado. □ ETIMOL. Del latín *terribilis.* □ MORF. Invariable en género.

terrícola adj./s. Que habita en la Tierra. □ ETIMOL. Del latín *terricola*, y éste de *terra* (tierra) y *colere* (habitar). □ MORF. 1. Como adjetivo es invariable en género. 2. Como sustantivo es de género común: *el terrícola, la terrícola.*

[terrier (galicismo) adj./s. **1** Referido a un grupo de razas de perros, que se caracteriza por ser de origen inglés, por tener tamaño mediano o pequeño, y pelo de longitud variable. **2** ∥**[terrier de) yorkshire**; referido a un perro, que es pequeño, con el pelo largo, oscuro y brillante en el lomo, y marrón en la cabeza y en las patas. □ PRON. [terriér] y [terriér de yórkser]. □ MORF. Como adjetivo es invariable en género.

terrífico, ca adj. →**terrorífico.**

terrina s.f. Recipiente de barro cocido o de otros materiales, con forma de cono truncado invertido que se utiliza para conservar o vender algunos alimentos. □ ETIMOL. Del francés *terrine.*

territorial adj. De un territorio o relacionado con él. □ MORF. Invariable en género.

territorialidad s.f. **1** Característica de la ley según la cual ésta se aplica a todos los que están dentro del territorio de un Estado. **2** Ficción jurídica por la que los buques y los domicilios de los representantes diplomáticos se consideran parte del territorio de la nación a la que representan, aunque se encuentren en otro territorio.

territorio s.m. **1** Parte de la superficie terrestre que corresponde a una división establecida. **2** Campo o esfera de acción en los que mejor se pueden mostrar la índole, la naturaleza o las calidades de algo; área, terreno. □ ETIMOL. Del latín *territorium.*

terrizo, za adj. De tierra o que tiene semejanza o relación con ella; terroso.

terrón s.m. **1** Masa pequeña y suelta de tierra compacta. **2** Masa pequeña y compacta de alguna sustancia.

terror s.m. **1** Miedo muy intenso o muy fuerte. **2** ∥**[el terror**; lo más temible. □ ETIMOL. Del latín *terror*, y éste de *terrere* (espantar, aterrar).

terrorífico, ca adj. **1** Que infunde o produce terror; terrífico. [**2** Muy intenso, muy fuerte o muy grande.

terrorismo s.m. Táctica política que pretende lograr sus objetivos por medio de la violencia y el asesinato.

terrorista ∎ adj. **1** Del terrorismo o relacionado con él. ∎ adj./s. **2** Que practica o que defiende el terrorismo. □ MORF. 1. Como adjetivo es invariable en género. 2. Como sustantivo es de género común: *el terrorista, la terrorista.*

terroso, sa adj. De tierra o que tiene semejanza o relación con ella; terrizo.

terruño s.m. **1** *col.* Terreno de pequeñas dimensiones. **2** Comarca o tierra, esp. el lugar en el que se ha nacido.

1181

testimonio

tersar v. Poner terso: *Se sometió a una operación de cirugía estética para tersar la piel de su cara y eliminar arrugas.*

terso, sa adj. **1** Liso y sin arrugas. **2** Limpio, claro, brillante o resplandeciente. ☐ ETIMOL. Del latín *tersus* (frotado, limpio).

tersura s.f. **1** Lisura y ausencia de arrugas. **2** Limpieza, claridad, brillo o resplandor.

tertulia s.f. **1** Reunión de personas que se juntan para conversar. **2** ‖estar de tertulia; *col.* Conversar o hablar. ☐ ETIMOL. De origen incierto.

tertuliano, na adj./s. Referido a una persona, que participa en una tertulia. ☐ SEM. Como sustantivo es sinónimo de *contertulio.*

tesalonicense o **tesalónico, ca** adj./s. De Tesalónica (ciudad de la antigua Grecia) o relacionado con ella. ☐ MORF. *Tesalonicense* como adjetivo es invariable en género y como sustantivo es de género común: *el tesalonicense, la tesalonicense.*

tesela s.f. Pieza de pequeño tamaño que se utiliza en la elaboración de mosaicos. ☐ ETIMOL. Del latín *tessella.*

tesina s.f. Trabajo de investigación escrito, exigido para la obtención de algunos grados inferiores al de doctor.

tesis s.f. **1** Conclusión o idea que se mantiene con razonamientos. **2** Disertación o trabajo de investigación escritos que se presentan a la universidad para la obtención del título de doctor. ☐ ETIMOL. Del latín *thesis*, y éste del griego *thésis* (acción de poner). ☐ MORF. Invariable en número.

tesitura s.f. **1** En música, altura propia de cada voz o de cada instrumento, determinada por el conjunto de notas que pueden abarcar, desde las más graves a las más agudas. **2** Coyuntura, situación o estado. ☐ ETIMOL. Del italiano *tessitura* (tejedura). ☐ ORTOGR. Dist. de *textura.*

tesón s.m. Firmeza, decisión o constancia para hacer o conseguir algo. ☐ ETIMOL. Del latín *tensio.*

tesorería s.f. Oficina o despacho del tesorero.

tesorero, ra s. Persona que se encarga de guardar y administrar el dinero de una empresa o de una colectividad.

tesoro s.m. **1** Dinero, joyas u objetos de valor reunidos y guardados, esp. si están o han estado guardados. **2** Erario, hacienda pública o conjunto de bienes, rentas o impuestos que tiene o que recauda el Estado para satisfacer las necesidades de la nación. **3** Lo que se considera de gran valor o muy digno de estimación. **4** Diccionario, catálogo o colección de palabras, esp. los que pretenden ser un inventario total y absoluto de todas las voces posibles de una lengua. **5** ‖[tesoro (público); órgano de la administración del Estado que dirige la política monetaria de un país. ☐ ETIMOL. Del latín *thesaurus.* ☐ USO 1. *Tesoro público* se usa más como nombre propio. 2. Se usa como apelativo: *Tesoro, ¿qué es lo que quieres tú?*

test (anglicismo) s.m. **1** Examen o prueba. **2** Prueba psicológica para estudiar la capacidad psíquica o las funciones mentales. ☐ PRON. [tés].

testa s.f. *poét.* Cabeza o frente. ☐ ETIMOL. Del italiano *testa* (cabeza).

testado, da adj. **1** En derecho, referido a una persona, que ha muerto habiendo hecho testamento. **2** Controlado o comprobado mediante un test.

testador, -a s. Persona que hace testamento.

testaferro s.m. En derecho, persona que presta su nombre en un contrato, una petición o un negocio que en realidad es de otro. ☐ ETIMOL. Del italiano *testa de ferro* (cabeza de hierro).

testamentaría s.f. **1** Ejecución de lo dispuesto en un testamento. **2** Conjunto de documentos y papeles que atañen al cumplimiento de la voluntad del testador. **3** Juicio para inventariar, conservar, liquidar y partir la herencia del testador.

testamento s.m. **1** Declaración voluntaria que hace una persona, en la que dispone cómo se deben distribuir sus bienes o solucionar sus asuntos después de su fallecimiento. **2** Escrito exageradamente largo. ☐ ETIMOL. Del latín *testamentum.*

testar v. **1** Hacer testamento: *Testó a favor de su hijastro.* **2** Controlar o comprobar mediante un test: *‘Se ha testado’ este medicamento y su eficacia ha quedado comprobada.* ☐ ETIMOL. La acepción 1, del latín *testari* (atestiguar, confiscar, tachar, borrar). La acepción 2, del inglés *test.*

testarada s.f. o **testarazo** s.m. Golpe dado con la testa o cabeza.

testarudez s.f. Terquedad, obstinación o inflexibilidad.

testarudo, da adj./s. Terco, obstinado o difícil de convencer aun con razones claras. ☐ ETIMOL. De *testa.*

testicular adj. De los testículos o relacionado con ellos. ☐ MORF. Invariable en género.

testículo s.m. En el aparato reproductor masculino, cada una de las dos glándulas sexuales de forma redondeada que producen los espermatozoides. ☐ ETIMOL. Del latín *testiculus* (testigo de la virilidad).

testificar v. **1** En un acto judicial, declarar como testigo; atestiguar: *Esta tarde testificarán los que vieron el accidente.* **2** Referido a una cosa, afirmarla o probarla teniendo en cuenta testigos o documentos auténticos: *La abogada defensora testificó una nueva versión de los hechos.* **3** Ser prueba o demostración de algo: *Las afirmaciones del forense testifican la verdad de lo expuesto.* ☐ ETIMOL. Del latín *testificare*, y éste de *testis* (testigo) y *facere* (hacer). ☐ ORTOGR. La *c* se cambia en *qu* delante de *e* →SACAR.

testigo ‖ s. **1** Persona que da testimonio de algo o que lo atestigua. **2** Persona que está presente mientras ocurre algo. **‖** s.m. **3** Lo que prueba o atestigua la verdad de algo. **4** Lo que se deja como señal o marca de algo. **5** En algunas carreras de relevos, especie de palo que se intercambian los corredores de un mismo equipo, para demostrar que la sustitución ha sido realizada de forma correcta. **6** ‖testigo de cargo; el que declara en contra de un procesado ante una audiencia judicial. ‖ [testigo de Jehová; persona que practica una religión cristiana surgida a finales del siglo XIX en Estados Unidos (país americano) y caracterizada por la interpretación literal de los textos bíblicos. ☐ ETIMOL. Del antiguo *testiguar* (atestiguar). ☐ MORF. En las acepciones 1 y 2, es de género común: *el testigo, la testigo.*

testimonial adj. Que da testimonio de algo. ☐ MORF. Invariable en género.

testimoniar v. Atestiguar o servir como testigo: *Estos monumentos megalíticos testimonian la existencia de una civilización prehistórica en la región.* ☐ ORTOGR. La *i* nunca lleva tilde.

testimonio s.m. **1** Declaración o explicación de alguien que asegura algo. **2** Prueba o demostración de la verdad de algo. □ ETIMOL. Del latín *testimonium*.

[testosterona s.f. Hormona sexual masculina que colabora en el desarrollo de los órganos sexuales y en la manifestación de los caracteres sexuales primarios y secundarios. □ ETIMOL. Del latín *testis* (testículo).

testuz s.f. **1** En algunos animales, esp. en el caballo, frente o parte superior de la cara. **2** En algunos animales, esp. el toro o la vaca, nuca o parte correspondiente a la unión de la columna vertebral con la cabeza. □ MORF. La RAE lo registra como sustantivo de género ambiguo: *el testuz negro, la testuz negra*.

teta s.f. **1** *col.* Órgano glandular de los mamíferos que en las hembras segrega la leche que sirve para alimentar a las crías; mama. **2** ‖ **de teta**; en período de lactancia. □ ETIMOL. De origen expresivo. □ MORF. Cuando se antepone a una palabra para formar compuestos, adopta la forma *teti*-: *teticoja*.

[tetamen s.m. *vulg.* Pechos de una mujer.

tétano o **tétanos** s.m. Enfermedad infecciosa grave producida por una bacteria que penetra generalmente por las heridas y que ataca al sistema nervioso. □ ETIMOL. Del griego *tétanos* (tensión, rigidez). □ MORF. *Tétanos* es invariable en número.

[tête à tête (galicismo) ‖A solas los dos, frente a frente. □ PRON. [tét·a·tét]. □ USO Su uso es innecesario y puede sustituirse por una expresión como *frente a frente* o *cara a cara*.

tetera s.f. Recipiente parecido a una jarra, pero con tapadera, asa y un pico más o menos largo, que se usa para preparar y servir el té.

tetilla s.f. Teta de un mamífero macho.

tetina s.f. Boquilla o pezón de goma con un pequeño agujero que se ajusta al biberón para que el bebé succione. □ ETIMOL. Del francés *tetine*.

tetona adj. *col.* Referido a una mujer, que tiene tetas grandes.

tetra- Elemento compositivo que significa 'cuatro'. □ ETIMOL. Del griego *tetra*-.

[tetra brik ‖Recipiente de cartón, generalmente de forma rectangular, que se usa para envasar líquidos. □ ETIMOL. Extensión del nombre de una marca comercial. □ MORF. En la lengua coloquial se usa mucho la forma abreviada *brik*.

[tetraciclina s.f. Familia de antibióticos que se usa generalmente para tratar infecciones en las vías respiratorias.

tetraedro s.m. Cuerpo geométrico limitado por cuatro polígonos o caras. □ ETIMOL. Del griego *tetráedron*, y éste de *tetra*- (cuatro) y *hédra* (asiento, base).

tetragonal adj. Con forma de tetrágono. □ MORF. Invariable en género.

tetrágono adj./s.m. En geometría, referido a un polígono, que tiene cuatro lados o cuatro ángulos. □ ETIMOL. Del latín *tetragonum*, éste del griego *tetrágonon*, y éste de *tetra*- (cuatro) y *gonía* (ángulo).

tetralogía s.f. Conjunto de cuatro obras generalmente literarias, que tienen entre sí un enlace histórico o una unidad temática o de pensamiento. □ ETIMOL. De *tetra*- (cuatro) y -*logía* (estudio).

tetrápodo, da ∎ adj./s.m. **1** Referido a un animal vertebrado, que tiene cuatro extremidades con cinco dedos más o menos desarrollados en cada una de ellas. ∎ s.m.pl. **2** En zoología, superclase de estos animales, perteneciente al tipo de los cordados. □ ETIMOL. De *tetra*- (cuatro) y -*podo* (pie).

tetrasílabo, ba adj. De cuatro sílabas, esp. referido a un verso.

tetravalente adj. En química, que funciona con cuatro valencias. □ ETIMOL. De *tetra*- (cuatro) y *valente*. □ MORF. Invariable en género.

tétrico, ca adj. Triste, sombrío o relacionado con la muerte. □ ETIMOL. Del latín *taetricus*.

tetuda adj. *col.* Referido a una mujer, que tiene las tetas muy grandes.

teutón, -a adj./s. **1** De un antiguo pueblo germano asentado en las costas del mar Báltico cerca de la desembocadura del río Elba, o relacionado con él. **2** *col.* Alemán.

teutónico, ca adj. De los teutones o relacionado con ellos.

textil adj. **1** De la tela y de los tejidos o relacionado con ellos. **2** Referido a una materia, que sirve para la fabricación de telas y tejidos. □ ETIMOL. Del latín *textilis*. □ MORF. Invariable en género.

texto s.m. **1** Conjunto de palabras que forman un documento escrito. ↘ libro **2** →**libro de texto**. □ ETIMOL. Del latín *textum* (tejido).

textual adj. **1** Del texto o relacionado con él. **2** Exacto o preciso. □ MORF. Invariable en género.

textura s.f. Estructura, disposición o un material o sensación que produce al tacto. □ ETIMOL. Del latín *textura*. □ ORTOGR. Dist. de *tesitura*.

tez s.f. Superficie o aspecto externo del rostro humano. □ ETIMOL. Quizá del antiguo *aptez* (perfección), y éste del latín *aptus* (apropiado, robusto, sano).

theta s.f. En el alfabeto griego clásico, nombre de la octava letra: *La grafía de la theta es* θ.

[thriller (anglicismo) s.m. Película de suspense, en la que generalmente hay algún asesinato. □ PRON. [zríler]. □ SEM. Dist. de *tráiler* (remolque de un camión; avance de una película).

ti pron.pers. Forma de la segunda persona del singular que corresponde a la función de complemento precedido de preposición. □ ETIMOL. Del latín *tibi*. □ ORTOGR. Incorr. **tí*. □ MORF. No tiene diferenciación de género.

tianguis s.m. En zonas del español meridional, mercadillo semanal.

tiara s.f. **1** Gorro alto, usado por el Papa, formado por tres coronas y rematado en una cruz sobre un globo. ↘ sombrero **2** Sombrero alto que usaban los persas y otros pueblos antiguos. □ ETIMOL. Del latín *tiara*.

[tiarrón, -a s. *col.* Persona alta y fuerte.

tiberio s.m. *col.* Jaleo, confusión o alboroto. □ ETIMOL. De origen incierto.

tibetano, na adj./s. Del Tíbet o relacionado con esta región asiática.

tibia s.f. Véase **tibio, bia**.

tibieza s.f. Estado intermedio entre el frío y el calor.

tibio, bia ∎ adj. **1** Templado o que no está ni caliente ni frío. **2** Indiferente, poco afectuoso o con poco entusiasmo. ∎ s.f. **3** En una pierna, hueso principal y anterior, que se articula con el fémur, el peroné y el astrágalo. **4** ‖**poner tibio** a alguien; *col.* Hablar mal de él. ‖**ponerse tibio de** algo; *col.* Hartarse de ello, esp. de comida. □ ETIMOL. Del latín *tepidus*.

tiburón s.m. **1** Pez marino con hendiduras branquiales laterales y una gran boca arqueada en forma de media luna que está provista de varias filas de dientes cortantes y situada en la parte inferior de la cabeza. 🐟 pez [**2** Persona muy ambiciosa que busca el triunfo o el éxito a toda costa. □ ETIMOL. De origen incierto. □ MORF. En la acepción 1, es un sustantivo epiceno: *el tiburón macho, el tiburón hembra.*

tic s.m. Movimiento inconsciente, que se repite con frecuencia y que está producido por la contracción involuntaria de uno o varios músculos. □ ETIMOL. Del francés *tic.* □ MORF. Su plural es *tics.*

[**ticket** s.m. →**tique.** □ USO Es un anglicismo innecesario.

tico, ca adj./s. *col.* En zonas del español meridional, costarricense.

tictac s.m. Ruido acompasado que produce un reloj. □ ETIMOL. De origen onomatopéyico.

[**tie-break** (anglicismo) s.m. →**muerte súbita.** □ PRON. [tái- bréik].

tiempo s.m. **1** Duración de las cosas sujetas a cambio. **2** Período concreto de esta duración. **3** Este período, si es largo. **4** Época durante la que vive una persona o sucede algo, o período caracterizado por ciertas condiciones. **5** Oportunidad, ocasión o momento apropiado para algo. **6** Período o intervalo que se dispone para hacer algo. **7** Cada una de las fases sucesivas y diferenciadas en que se divide la ejecución de algo. **8** Estación o época del año. **9** Estado atmosférico de un período concreto, generalmente no muy largo. **10** Edad de una persona, o antigüedad de una cosa. **11** En lingüística, categoría gramatical que distingue, en el verbo, los diferentes momentos en que transcurre la acción: *En español, los tiempos verbales son presente, pasado y futuro.* **12** En música, cada una de las partes de igual duración en que se divide un compás. **13** ‖ [**a tiempo completo**; referido a un contrato de trabajo, que ocupa toda la jornada laboral y excluye otros posibles trabajos. ‖ **a tiempo**; en el momento oportuno o cuando aún no es tarde. ‖ [**a tiempo parcial**; referido a un contrato de trabajo, que ocupa parte de la jornada laboral y permite la compatibilidad con otros trabajos. ‖ **al mismo tiempo** o **a un tiempo**; de manera simultánea o a la vez. ‖ **con tiempo**; *col.* Anticipadamente, con adelanto. ‖ **dar tiempo al tiempo**; esperar la oportunidad o el momento apropiado para hacer algo. ‖ **de un tiempo a esta parte**; expresión que indica el tiempo presente o el tiempo de que se trata, con relación a un tiempo pasado. ‖ **del tiempo**; referido a una bebida, a la temperatura ambiente. ‖ **faltar tiempo** a alguien **para** algo; hacerlo inmediatamente. ‖ **hacer tiempo** alguien; entretenerse hasta que llegue el momento oportuno para algo. ‖ **tiempo compuesto**; forma verbal formada por el verbo auxiliar 'haber' y por el participio pasivo del verbo que se conjuga. ‖ **tiempo muerto**; en algunos deportes, suspensión momentánea del juego que solicita el entrenador de uno de los equipos. ‖ [**tiempo real**; en informática, operación que ha sido ordenada desde una terminal y que se realiza rápidamente. ‖ **tiempo simple**; forma verbal que se conjuga sin verbo auxiliar. □ ETIMOL. Del latín *tempus.* □ MORF. La acepción 4 en plural tiene el mismo significado que en singular. □ USO Es innecesario el uso del anglicismo *full-time* en lugar de 'a tiempo completo'.

tienda s.f. **1** Establecimiento comercial o puesto en el que se venden artículos, esp. al por menor. **2** Armazón de tubos metálicos o de palos, de los cuales algunos se hincan en tierra, y que se cubre con una lona, tela o pieles y que sirve de alojamiento al aire libre. **3** ‖ **tienda (de campaña)**; la de lona o tela impermeable que se monta en el campo como alojamiento transitorio. 🏕 vivienda □ ETIMOL. Del latín *tenda*, y éste de *tendere* (tender, desplegar).

tienta s.f. **1** En tauromaquia, prueba que se hace con la garrocha y desde un caballo, para apreciar la bravura de los becerros. **2** ‖ **a tientas**; tocando para reconocer algo en la oscuridad o por falta de vista. □ ETIMOL. De *tentar.*

tiento s.m. **1** Habilidad para tratar con una persona sensible o de la que se pretende conseguir algo, o para hablar o actuar con acierto en asuntos delicados; tacto. **2** ‖ **dar un tiento** a algo; beber o comer de ello.

tierno, na adj. **1** Que se deforma fácilmente por la presión y que es fácil de romper o de partir. **2** Que manifiesta o que produce un sentimiento afectuoso, cariñoso, dulce o amable. **3** Referido a la edad infantil, que es dócil o delicada. □ ETIMOL. Del latín *tener.*

tierra s.f. **1** Superficie del planeta en el que vivimos no ocupada por el agua. **2** Materia inorgánica desmenuzable que se compone principalmente el suelo natural. **3** Terreno dedicado al cultivo o adecuado para ello. **4** Nación, región o territorio de una división territorial. **5** Lugar en el que se ha nacido. **6** ‖ [**dar tierra** a alguien; *col.* Enterrarlo. ‖ **de la tierra**; referido a un fruto o a un producto, del país o comarca en que se da. ‖ **echar por tierra** algo; *col.* Derribarlo, acabar con ello o hacerlo caer. ‖ **poner** alguien **tierra {en/por} medio**; alejarse o desaparecer de un lugar. ‖ **quedarse** alguien **en tierra**; *col.* No conseguir subirse a un medio de transporte, o no hacer un viaje que se había planeado. ‖ **tierra adentro**; en un lugar interior y alejado de las costas. ‖ **tierra de promisión**; **1** En la Biblia, tierra que Dios prometió al pueblo de Israel para instalarse en ella. **2** Tierra donde alguien va a instalarse, esp. cuando es muy fértil y rica. ‖ **tierra firme**; la de los continentes, en contraposición al agua. ‖ [**tierra quemada**; táctica de guerra que consiste en arrasar el terreno para que el enemigo no pueda aprovecharse de éste. ‖ **tierra rara**; elemento químico que tiene un número atómico comprendido entre el 57 y el 71 o entre el 89 y el 103, ambos inclusive. ‖ **tomar tierra**; **1** Referido a una embarcación o a sus ocupantes, desembarcar o llegar a puerto. **2** Referido a una aeronave o a sus ocupantes, aterrizar o descender sobre la superficie terrestre. ‖ **trágame tierra**; *col.* Expresión que se usa para indicar la gran vergüenza que se siente y el deseo de desaparecer de la vista. ‖ **venirse a tierra** algo; fracasar o destruirse. □ ETIMOL. Del latín *terra.* □ SEM. Como nombre propio designa el planeta en que habitamos. □ USO *Tierra de promisión* se usa más como nombre propio.

[**tierral** s.m. En zonas del español meridional, polvareda.

tieso, sa adj. **1** Duro, firme o rígido. **2** Tenso, tirante o estirado. **3** Referido a una persona, que es muy seria y se muestra orgullosa o superior en su trato con los demás. [**4** col. Con mucho frío. [**5** col. Muerto en el acto. [**6** col. Que no tiene dinero. **7** ‖ [{de-jar/quedar} tieso; causar o recibir una gran impresión. □ ETIMOL. Del latín *tensus* (tendido, estirado).

tiesto s.m. **1** Recipiente, generalmente de barro cocido y más ancho por la boca que por el fondo, que sirve para cultivar plantas. [**2** Conjunto formado por este recipiente, la tierra y la planta que contiene. □ ETIMOL. Del latín *testu* (tapadera de barro, vasija de barro). ‖ SEM. Es sinónimo de *maceta*.

tifoideo, a ∎ adj. **1** Del tifus o con sus características. ∎ s.f. **2** →fiebre tifoidea. □ ETIMOL. Del griego *týphos* (humor, estupor) y *-oideo* (semejante).

tifón s.m. Huracán tropical propio del mar de la China (país asiático). □ ETIMOL. Del griego *typhôn* (torbellino).

[tifosi] (italianismo) s.m.pl. Hinchas de fútbol italiano. □ PRON. [tifósi]. □ MORF. Es un plural italiano, y su singular es *tifoso*: incorr. *un tifosi*.

tifus s.m. Cierta enfermedad infecciosa grave que se caracteriza por fiebres muy altas y estados de delirio o inconsciencia. □ ETIMOL. Del griego *týphos* (estupor, humo). □ MORF. Invariable en número.

tigre s.m. **1** Mamífero felino y carnicero de pelaje rojizo o amarillento con rayas negras en el lomo y en la cola, y de color blanco en el vientre. 🐾 felino [**2** col. Retrete o servicio, esp. si es en un establecimiento público. **3** En zonas del español meridional, jaguar. **4** ‖ [oler a tigre; col. Oler muy mal. □ ETIMOL. Del latín *tigris*. □ MORF. En las acepciones 1 y 3, es un sustantivo epiceno: *el tigre macho, el tigre hembra*, pero en la acepción 1 admite también la forma femenina *tigresa*.

tigresa s.f. **1** Hembra del **tigre**. [**2** col. Mujer provocadora, atractiva y activa en las relaciones amorosas.

tigrillo s.m. En zonas del español meridional, ocelote. □ MORF. Es un sustantivo epiceno: *el tigrillo macho, el tigrillo hembra*.

tijera s.f. **1** Utensilio que sirve para cortar y está formado por dos hojas de acero de un solo filo, unidas a modo de aspas por un eje para que se puedan abrir y cerrar. 🐾 costura **2** ‖ de tijera; referido a un objeto, que tiene dos piezas que se mueven y se articulan de modo semejante a este utensilio. ‖ meter la tijera; cortar, censurar o suprimir sin dudar. □ ETIMOL. Del latín *forfices tonsorias* (tijeras de esquilar). □ MORF. En plural tiene el mismo significado que en singular.

tijereta s.f. Insecto de cuerpo estrecho y largo, de color negro, cabeza rojiza, boca masticadora y abdomen terminado en dos piezas córneas a modo de alicates. □ MORF. En la acepción 1, es un sustantivo epiceno: *la tijereta macho, la tijereta hembra*. 🐾 insecto

tijeretazo s.m. Corte hecho de modo brusco y rápido con una tijera.

tijeretear v. Dar cortes con las tijeras sin cuidado: *Dile al niño que pare de tijeretear el periódico*.

tila s.f. **1** Árbol de gran altura, tronco recto y grueso, copa amplia, hojas acorazonadas, puntiagudas y con los bordes dentados, y flores blanquecinas y olorosas que se usan con fines medicinales; tilo. **2** Flor de este árbol. **3** Infusión que se hace con estas flo-

res y que tiene propiedades sedantes. □ ETIMOL. De *tilo*.

tílburi s.m. Carruaje de dos ruedas, sin cubierta y para dos personas, y tirado generalmente por una sola caballería. □ ETIMOL. Del inglés *tilbury*, y éste por alusión al nombre de su inventor.

tildar v. Referido a una persona, atribuirle o achacarle un defecto o algo negativo: *Me tildaron de sinvergüenza y caradura, pero no me lo merezco*. □ SINT. Constr. *tildar DE algo*.

tilde s.f. Acento gráfico, rasgo de la 'ñ' o cualquier señal que aparece sobre algunas abreviaturas: *La tilde distingue el sustantivo 'té' y el pronombre personal 'te'*. □ ETIMOL. Del latín *titulus* (inscripción, anuncio). □ ORTOGR. →APÉNDICE DE ACENTUACIÓN. □ MORF. La RAE lo registra como sustantivo de género ambiguo.

tiliche s.m. col. En zonas del español meridional, cachivache o trasto.

tilín ‖ hacer tilín; col. Gustar o caer en gracia. □ ETIMOL. De origen onomatopéyico.

tilo s.m. Árbol de tronco recto y grueso, copa amplia, hojas acorazonadas, puntiagudas y con los bordes dentados, y flores blanquecinas y olorosas que se usan con fines medicinales; tila. □ ETIMOL. Del francés antiguo *til*.

timador, -a s. Persona que tima.

timar v. **1** Quitar o robar con engaño: *No se han equivocado al hacer la cuenta, sino que me han timado dos mil pesetas*. **2** Engañar, esp. en una venta o en un trato, al no cumplir las condiciones o promesas que se han asegurado: *Me timaron con la parcela, porque no tiene alcantarillado y ni llega el tendido eléctrico*. □ ETIMOL. De origen incierto.

timba s.f. col. Partida de un juego de azar.

timbal s.m. Instrumento musical de percusión, parecido al tambor pero con la caja de resonancia metálica y semiesférica. □ ETIMOL. Del latín *timpanum*. 🐾 percusión

timbrado, da adj. Referido a un sonido, que tiene un timbre agradable o adecuado. □ USO Se usa más la expresión *bien timbrado*.

timbrar v. **1** Estampar un timbre, sello o membrete: *Para enviar los sobres por correo hay que timbrarlos*. [**2** En zonas del español meridional, tocar el timbre: *'Timbré' repetidas veces pero nadie me abrió*.

timbrazo s.m. Toque fuerte de un timbre.

timbre s.m. **1** Dispositivo, generalmente eléctrico, que emite un sonido que sirve de llamada o de aviso. **2** Cualidad del sonido de un instrumento musical o de la voz de una persona, que lo hacen propio y característico, y permite diferenciarlo de otros sonidos de igual tono e intensidad. **3** Sello que se pone sobre un documento y en el que se indica la cantidad de dinero que se paga como impuesto o en concepto de derechos por realizar un servicio. □ ETIMOL. Del francés *timbre* (señal del correo).

timidez s.f. Falta de seguridad en uno mismo y dificultad para entablar una conversación, actuar en público o relacionarse con los desconocidos.

tímido, da ∎ adj. [**1** De poca intensidad o que no se percibe claramente. ∎ adj./s. **2** Referido a una persona, que tiene dificultades para entablar una conversación, para actuar en público o para relacionarse con personas desconocidas. □ ETIMOL. Del latín *timidus* (temeroso). ☐ MORF. En la acepción 2, la RAE sólo lo registra como adjetivo.

timo s.m. **1** *col.* Robo o engaño, esp. en una venta o en un trato, al no cumplir las condiciones o promesas que se habían asegurado. **2** En los animales vertebrados, glándula de secreción interna situada en el tórax, detrás del esternón, que participa de la función inmunitaria del organismo. **3** ‖ **[timo de la estampita**; el que consiste en mostrar, con aparente inocencia, un taco de billetes para venderlos como si fueran estampas de poco valor y, cuando se decide la compra, cambiarlos por un taco de papeles sin valor sin que el timado se dé cuenta. ☐ ETIMOL. La acepción 2, del latín *thymus*.

timón s.m. **1** En una embarcación o en un avión, pieza situada en la parte trasera y articulada sobre goznes que sirve para modificar la dirección. **[2** Rueda o palanca que se mueve para transmitir el movimiento a la pieza o a las piezas que sirven para dirigir la dirección. **3** Dirección o gobierno de algo. **4** En zonas del español meridional, volante de un automóvil. ☐ ETIMOL. Del latín *temo* (timón de carro o de arado).

timonear v. **1** Gobernar el timón: *El capitán timoneó hasta llegar al puerto.* **2** Referido esp. a un negocio, manejarlo o dirigirlo: *Mi abuelo timoneó aquella vieja imprenta hasta su muerte.*

timonel s.m. Persona que maneja el timón de un barco.

timorato, ta adj. **1** Tímido, indeciso o que se avergüenza fácilmente. **2** Que se escandaliza con facilidad por lo que no está conforme con la moral tradicional. ☐ ETIMOL. Del latín *timoratus*.

tímpano s.m. **1** En anatomía, membrana extendida y tensa que limita exteriormente el oído medio y que lo separa del oído externo. 🔊 oído **2** En arquitectura, espacio triangular que queda entre las dos cornisas inclinadas de un frontón y la horizontal de su base. **3** En arquitectura, en la portada de una iglesia, superficie delimitada por el dintel de la puerta y las arquivoltas. **4** Instrumento musical de percusión, compuesto por varias tiras desiguales de vidrio colocadas de mayor a menor sobre dos cuerdas o cintas, y que se toca con una especie de mazo pequeño de corcho o forrado de badana. 🔊 percusión ☐ ETIMOL. Del latín *tympanum* (pandero).

tina s.f. **1** Vasija grande de barro, más ancha por el medio que por la base y la boca, que se utiliza generalmente para guardar líquidos; tinaja. **2** Vasija de madera con forma de media cuba. **3** Pila que sirve para bañarse. **[4** En zonas del español meridional, bañera. ☐ ETIMOL. Del latín *tina* (especie de botella de vino que tiene el cuello largo y una tapadera).

tinaco s.m. En zonas del español meridional, depósito grande de agua.

tinaja s.f. Vasija grande de barro, más ancha por el medio que por la base y la boca, que se utiliza generalmente para guardar líquidos; tina. ☐ ETIMOL. Del latín **tinacula*, y éste de *tina*.

tincar v. **[** En zonas del español meridional, presentir. ☐ ORTOGR. La *c* se cambia en *qu* delante de *e* →SACAR.

tinción s.f. Aplicación sobre algo de un color distinto del que antes tenía. ☐ ETIMOL. Del latín *tinctio*. ☐ SEM. Es sinónimo de *teñido, tinte* y *tintura.*

tinerfeño, ña adj./s. De Tenerife (isla canaria), o relacionado con ella.

tinglado s.m. **1** Trama de algo de forma oculta,

generalmente con el fin de perjudicar. **[2** Situación confusa, agitada o embarazosa, esp. si va acompañada de gran alboroto y tumulto. **[3** Conjunto desordenado, revuelto y enredado. ☐ ETIMOL. Del francés antiguo *tingler* (tapar con piezas de madera los huecos de una estructura del mismo material). ☐ SEM. En las acepciones 2 y 3, es sinónimo de *lío.*

tiniebla ▌ s.f. **1** Falta de luz. **▌** pl. **2** Gran ignorancia y confusión por falta de conocimientos. ☐ ETIMOL. Del latín *tenebrae.* ☐ MORF. La acepción 1 se usa más en plural.

tino s.m. **1** Habilidad o destreza para acertar. **2** Prudencia o sentido común. ☐ ETIMOL. De origen incierto.

tinta s.f. **1** Sustancia líquida y coloreada que se utiliza para escribir, dibujar o imprimir. **2** Líquido de color oscuro que lanzan los moluscos cefalópodos para su defensa. **3** ‖ **{[cargar/recargar} las tintas**; *col.* Exagerar. ‖ **[correr ríos de tinta sobre** algo; provocar gran interés y dar lugar a muchos escritos. ‖ **medias tintas**; *col.* Palabras o hechos imprecisos o indefinidos que revelan precaución y recelo. ‖ saber algo **de buena tinta**; *col.* Estar informado de ello por una fuente fiable. ‖ **sudar tinta**; *col.* Realizar un gran esfuerzo. ‖ **tinta china**; la que se hace con negro de humo y que se usa sobre todo para dibujar. ☐ ETIMOL. Del latín *tincta*, y éste de *tingere* (teñir).

tintar v. Referido esp. a una tela, aplicarle un nuevo color distinto del que tenía; teñir: *Quiero tintar el abrigo de marrón.*

tinte s.m. **1** Sustancia o color que se utiliza para teñir. **2** Aplicación sobre algo de un color distinto del que antes tenía. **3** *col.* →tintorería. **4** Artificio o apariencia con que se da un determinado carácter o aspecto. ☐ ETIMOL. De *tintar*. ☐ SEM. En la acepción 2, es sinónimo de *teñido, tinción* y *tintura.*

tintero s.m. **1** Recipiente que contiene la tinta de escribir. **2** ‖ dejar(se) algo **en el tintero**; *col.* Olvidarlo u omitirlo.

tintinar o **tintinear** v. **1** Referido esp. a una campanilla, producir su sonido característico: *La campanilla tintineó cuando la agitó el monaguillo.* **2** Referido a algunos objetos, producir un sonido semejante a éste: *Las copas tintinearon al chocar.* ☐ ETIMOL. De origen onomatopéyico.

tintineo s.m. Sonido característico de la campanilla y de otros objetos similares.

tinto, ta ▌ adj. **1** *poét.* Teñido. **▌** s.m. **2** →vino tinto. **3** En zonas del español meridional, café solo. ☐ ETIMOL. Del latín *tinctus.*

tintorería s.f. Establecimiento en el que se tiñe o se limpian tejidos, esp. prendas de vestir. ☐ MORF. En la lengua coloquial se usa mucho la forma abreviada *tinte.*

tintorero, ra ▌ s. **1** Persona que se dedica profesionalmente a teñir tejidos o limpiarlos. **▌** s.f. **2** Tiburón de color azulado, que alcanza los cuatro metros de longitud, tiene dientes triangulares y cortantes y habita en los mares templados. ☐ ETIMOL. La acepción 1, de **tinturero*, y éste de *tintura.* La acepción 2, del antiguo *tinturar* (teñir). ☐ MORF. En la acepción 2, es un sustantivo epiceno: *la tintorera macho, la tintorera hembra.*

tintorro s.m. *col.* Vino tinto, esp. si es de mala calidad.

tintura s.f. **1** Sustancia con que se tiñe. **2** Aplicación sobre algo de un color diferente del que antes tenía. □ ETIMOL. Del latín *tinctura*. □ SEM. En la acepción 2, es sinónimo de *teñido, tinción* y *tinte*.

tiña s.f. Enfermedad contagiosa de la piel producida por hongos parásitos, que aparece principalmente sobre el cuero cabelludo, y que puede producir costras, úlceras o caída del cabello. □ ETIMOL. Del latín *tinea* (polilla).

tiñoso, sa adj./s. **1** Que padece tiña. **2** Escaso, miserable o que manifiesta ruindad.

tío, a s. **1** Respecto de una persona, otra que es el hermano o el primo de su padre o de su madre. **2** *col.* Persona cuya identidad no se quiere decir; individuo. **3** ∥**no hay tu tía**; *col.* Expresión que se usa para indicar la dificultad o la imposibilidad de realizar algo o de evitarlo. ∥ **tío bueno**; persona que tiene un cuerpo físicamente atractivo. ∥ **[tío Sam**; *col.* Gobierno y administración estadounidenses en su conjunto. □ ETIMOL. Del latín *thius*. □ SEM. Seguido de un insulto, se usa para enfatizar éste: *¡Tío guarro, deja de mirar por la cerradura!* □ USO 1. Se usa como apelativo: *Le dijo a su amigo: 'Mira, tío, déjame en paz'.* 2. En algunas zonas rurales se usa como fórmula de tratamiento: *El tío Benito me ha regalado una gallina.*

tiovivo s.m. Atracción de feria formada por una plataforma giratoria sobre la que hay reproducciones a pequeña escala de caballos y otros animales donde los niños se pueden montar; caballitos, carrusel.

tiparraco, ca s. Persona ridícula, despreciable o poco importante; tipejo. □ USO Es despectivo.

[tipazo s.m. **1** *col.* Cuerpo muy atractivo. **2** *col.* Persona muy atractiva.

tipejo, ja s. Persona ridícula, despreciable o poco importante; tiparraco. □ MORF. La RAE no registra el femenino *tipeja*. □ USO Es despectivo.

[tipi s.m. Tienda de piel, con forma cónica, sostenida por una armadura de madera, que utilizan los indios de las grandes llanuras norteamericanas. ⟩⟨ vivienda

tipicidad s.f. Propiedad de lo que es típico.

típico, ca adj. Característico o representativo de algo. □ ETIMOL. Del latín *tipicus*.

tipificar v. **1** Referido a varias cosas semejantes, adaptarlas a un tipo, a un modelo o a una norma comunes; estandarizar, normalizar: *Delitos como ese están tipificados en el código penal.* **2** Referido a una persona o a un objeto, representar el modelo de la especie o de la clase a la que pertenecen: *Este chico tipifica muy bien a la juventud del momento.* □ ORTOGR. La c se cambia en *qu* delante de *e* →SACAR.

tipismo s.m. Conjunto de caracteres o de rasgos típicos.

tiple ∎ s. **1** En música, persona cuyo registro de voz es el más agudo de los de las voces humanas, esp. referido a cantantes de revista con voz de soprano. ∎ s.m. **2** Instrumento musical de viento, parecido al oboe soprano, que suelen emplear los conjuntos musicales que interpretan sardanas. **3** Guitarra pequeña de voces muy agudas. □ ETIMOL. De origen incierto. □ MORF. En la acepción 1, es de género común: *el tiple, la tiple.*

tipo s.m. **1** Persona cuya identidad se ignora o no se quiere decir; individuo. **2** Modelo o ejemplo característico de una especie o de un género que reúne las peculiaridades de ella. **3** Clase, modalidad o

naturaleza de algo. **4** Figura o talle de una persona. **5** En imprenta, pieza con un signo en relieve para que pueda estamparse; letra. **6** En biología, en la clasificación de los seres vivos, categoría superior a la de superclase e inferior a la de reino. **7** ∥**jugarse el tipo**; *col.* Exponer la integridad corporal o la vida a un peligro. ∥ **mantener el tipo**; *col.* Mantener la calma o la tranquilidad ante una situación difícil o peligrosa. ∥ **tipo de interés**; porcentaje que se aplica en el cobro de la ganancia que produce un capital. □ ETIMOL. Del latín *typus*, y éste del griego *týpos* (tipo, modelo). □ MORF. En la acepción 1, se usa mucho el femenino coloquial *tipa*. □ USO En la acepción 1 es despectivo.

tipografía s.f. Arte o técnica de reproducir textos o ilustraciones por medio de presión mecánica u otro procedimiento; imprenta. □ ETIMOL. De *tipo* y *-grafía* (escritura).

tipográfico, ca adj. De la tipografía o relacionado con ella.

tipología s.f. Estudio, clasificación o conjunto de los diferentes tipos de algo. □ ETIMOL. De *tipo* y *-logía* (estudio, ciencia).

tipómetro s.m. Instrumento que se utiliza en imprenta para medir los puntos tipográficos. □ ETIMOL. De *tipo* y *-metro* (medidor).

[tippex s.m. Líquido blanco que se utiliza para tapar los errores en el papel. □ ETIMOL. Extensión del nombre de una marca comercial. □ PRON. [típex].

tique s.m. **1** Resguardo en el que aparecen anotados una serie de datos, esp. los correspondientes a un pago. **2** Tarjeta o entrada que da derecho a utilizar un servicio durante un número limitado de veces. □ ETIMOL. Del inglés *ticket*. □ USO Es innecesario el uso del anglicismo *ticket*.

tiquete s.m. En zonas del español meridional, billete o tique.

tiquismiquis ∎ adj./s. **1** Referido a una persona, que es muy escrupulosa o que muestra una delicadeza exagerada. ∎ s.m.pl. **2** Escrúpulos o reparos de poca importancia. □ ETIMOL. Del latín *tichi michi* (para ti, para mí). □ ORTOGR. Se admite también *tiquis miquis*. □ MORF. 1. En la acepción 1, es de género común: *el tiquismiquis, la tiquismiquis*. 2. La acepción 1 es invariable en número.

tira s.f. **1** Trozo largo y estrecho de un material delgado y flexible; lista. **[2** Serie de dibujos o de viñetas que narran una historia o parte de ella. **3** ∥**la tira**; *col.* Muchísimo o muchísimos. ∥ **[tira emplástica**; en zonas del español meridional, esparadrapo.

tirabuzón s.m. Rizo de cabello, largo y que cuelga en espiral. □ ETIMOL. Del francés *tire-bouchon*. ⟩⟨ peinado

tirachinas s.m. Horquilla que tiene unas gomas sujetas a sus dos extremos y que sirve para lanzar piedrecillas u otros objetos; tirador, tiragomas. □ MORF. Invariable en número.

tirada s.f. Véase **tirado, da**.

tirado, da ∎ adj. **1** Muy barato. **[2** Muy fácil. **[3** Sin medios o sin ayuda. **[4** *col.* En zonas del español meridional, sucio o desordenado. ∎ s.f. **5** Distancia, generalmente larga, que hay de un lugar o de un tiempo a otros. **6** Serie de cosas que se dicen o se escriben de un tirón o de una vez. **7** En algunos juegos, utilización de los dados o de otros instrumentos con que se juegan para realizar una jugada. **8** En imprenta, reproducción de un texto o de una ilustración aplicando los procedimientos de la imprenta u otros similares; impresión, tiraje. **9** En imprenta, número de ejemplares de que consta una edición. **10** ‖{de/en} una tirada; *referido a la forma de hacer algo, de un golpe o de una vez.*

tirador, -a ∎ s. **1** Persona que tira o dispara, esp. si lo hace con destreza y habilidad. ∎ s.m. **2** Asa o agarrador con el que se tira de algo. **3** Cordón o cadena del que se tira para hacer sonar una campanilla o un timbre. **4** Horquilla que tiene unas gomas sujetas a sus dos extremos y que sirve para lanzar piedrecillas u otros objetos; tirachinas, tiragomas. **5** En zonas del español meridional, tirante. □ MORF. La acepción 5 se usa más en plural.

tiragomas s.m. Horquilla que tiene unas gomas sujetas a sus dos extremos y que sirve para lanzar piedrecillas u otros objetos; tirador, tirachinas. □ MORF. Invariable en número.

tiraje s.m. **1** Reproducción de un texto o de una ilustración aplicando los procedimientos de la imprenta u otros similares; impresión. **2** Número de ejemplares de que consta una edición. □ ETIMOL. Del francés *tirage*. □ SEM. Es sinónimo de *tirada*.

tiralíneas s.m. Instrumento con la punta metálica y con forma de pinza, cuya abertura se gradúa mediante un tornillo y que sirve para trazar líneas con tinta. □ ETIMOL. De *tirar* y *línea*. □ MORF. Invariable en número.

[tiramisú s.m. Postre elaborado con bizcocho empapado en café con licor, y claras de huevo a punto de nieve mezcladas con un queso muy suave. □ ETIMOL. Del italiano *tiramisú* (anímame).

tiranía s.f. **1** Forma de gobierno caracterizada por la concentración ilegítima del poder en una persona, esp. si lo ejerce sin justicia y según su voluntad. **2** Dominio excesivo o abuso de autoridad. □ ETIMOL. Del griego *tyrannía*.

tiránico, ca adj. De la tiranía, con tiranía o relacionado con ella.

tiranizar v. **1** Referido a un Estado, gobernarlo un tirano: *Aquel país fue tiranizado por un dictador durante muchos años.* **2** Dominar de forma tiránica: *La droga tiraniza la voluntad de los que la consumen.* □ ORTOGR. La *z* se cambia en *c* delante de *e* →CAZAR.

tirano, na adj./s. **1** Que obtiene el gobierno de un Estado de forma ilegítima y generalmente lo ejerce sin justicia y según su voluntad. **2** Que abusa de su fuerza, poder o superioridad. □ ETIMOL. Del latín *tyrannus*, y éste del griego *týrannos* (reyezuelo, soberano local).

[tiranosaurio s.m. Reptil del grupo de los dinosaurios que existió en la era secundaria, carnívoro, con una potente mandíbula y unos dientes muy desarrollados, que se desplazaba por medio de las extremidades posteriores.

tiranta s.f. [En zonas del español meridional, tirante. □ MORF. Se usa más en plural.

tirante ∎ adj. **1** Referido a un cuerpo, que está estirado por la acción de las fuerzas opuestas que soporta; tenso. **2** Referido a una situación, que es violenta o embarazosa. ∎ s.m. **3** Cinta o tira de tela con que se sujeta a los hombros una prenda de vestir. **4** Pieza generalmente de hierro o de acero, destinada a soportar una fuerza o tensión. □ ETIMOL. De

tirar. □ MORF. **1.** Como adjetivo es invariable en género. **2.** La acepción 3 se usa más en plural.

tirantez s.f. **1** Conjunto de características de lo que está tirante. **2** Situación caracterizada por la tensión o la hostilidad.

tirar ∎ v. **1** Lanzar o despedir de la mano, esp. si se hace en una dirección determinada: *Tírame la pelota y yo te la tiro a ti.* **2** Derribar o echar abajo: *Van a tirar el edificio en ruinas para evitar peligros.* **3** Desechar o dejar por inservible: *Lo que no te sirva, tíralo y no lo guardes.* **4** Disparar con una cámara fotográfica: *El que tiró la foto no enfocó bien y ha salido borrosa.* **5** Disparar con un arma de fuego: *Tiraron un cañonazo que agujereó el casco del barco.* **6** Referido a un artificio explosivo, lanzarlo o hacerlo explotar: *Tiraron cohetes para anunciar el comienzo de las fiestas.* **[7** col. Referido a una persona, suspenderla o eliminarla en un examen o en una prueba: *En gimnasia siempre me 'tiran'.* **8** Referido esp. al dinero o a los bienes que se poseen, malgastarlos, despilfarrarlos o malvenderlos: *No tires el dinero comprando tonterías.* **9** Referido esp. a una publicación periódica, imprimirla, publicarla o editarla: *Si esta edición se vende bien, es probable que tiren otra.* **10** En algunos juegos, referido esp. a los dados, hacer uso de ellos para realizar una jugada: *Ahora tiras tú y, si empatas mi jugada, ganas.* **11** Atraer ganando el afecto o la inclinación: *Su padre quería que hiciese una carrera, pero a él no le tiran los libros.* **12** Atraer de manera natural: *La fuerza de la gravedad tira de los cuerpos hacia la tierra.* **13** Hacer fuerza para traer hacia sí o para arrastrar tras de sí: *Dos hombres tiraban de una cuerda intentando arrastrar un camión.* **[14** Actuar como motor o como impulsador: *En estos tiempos de crisis, el sector público es el que está 'tirando' de la economía del país.* **15** Durar, mantenerse o seguir adelante: *Tiraré con el mismo coche hasta que ahorre para otro.* **16** Torcer o dirigirse en la dirección que se indica: *Siga recto por esta calle y luego tire por la primera a la izquierda.* **17** Referido esp. a un color, parecerse o tener semejanza: *Era un rojo muy oscuro que tiraba a granate.* **[18** Referido esp. a un mecanismo, funcionar, rendir o desarrollar su actividad: *Mi coche es viejo y no 'tira' en las cuestas.* **19** Prender bien o mantenerse encendido: *Un cigarrillo con el papel un poco roto no tira bien.* **20** Referido esp. a una prenda de vestir, apretar o ser demasiado estrecha o corta: *No me pongo esa blusa porque desde que engordé me tira mucho.* ∎ prnl. **21** Arrojarse, abalanzarse o dejarse caer: *Dos policías se tiraron sobre el ladrón y lo inmovilizaron.* **[22** col. Permanecer o estar: *Vino para unos días y 'se tiró' aquí un año.* **[23** vulg. Referido a una persona, tener una relación sexual con ella: *Me parece una inmadurez que tu máxima preocupación sea 'tirarte' a alguien cada fin de semana.* **24** ‖tira y afloja; col. Expresión que indica tacto o moderación en la alternancia entre el rigor y la suavidad en una negociación. ‖ [tirarle a algo; en zonas del español meridional, intentar o desear convertirse en ello. □ ETIMOL. De origen incierto. □ SINT. **1.** Constr. de las acepciones 11, 12 y 13: *tirar DE algo.* **2.** Constr. de la acepción 17: *tirar A algo.*

tirilla s.f. En una camisa, tira de tela que une el cuello al escote o que remata éste si no tiene cuello.

[tirillas s.m. *col.* Persona muy delgada y de constitución física débil. ☐ MORF. Invariable en número.
tirio, ria adj./s. **1** De Tiro (antigua ciudad fenicia y actual ciudad libanesa). **2** ‖ **tirios y troyanos**; partidarios o defensores de posturas, opiniones o intereses opuestos.
[tirita s.f. Pequeña tira de esparadrapo o de otro material adhesivo, que tiene en su centro una gasa con sustancias desinfectantes y que se usa para cubrir y proteger pequeñas heridas en la piel. ☐ ETIMOL. Extensión del nombre de una marca comercial.
tiritar v. **1** Temblar o estremecerse de frío o por causas como la fiebre o el miedo: *Con este frío, no puedo evitar tiritar y que me castañeteen los dientes.* **2** ‖ **tiritando**; *col.* Próximo a arruinarse o a acabarse: *Con los últimos pagos, se me ha quedado la cuenta del banco tiritando.* ☐ ETIMOL. De origen onomatopéyico. ☐ ORTOGR. En la acepción 1, se admite también *titiritar.* ☐ SINT. *Tiritando* se usa más con los verbos *dejar, estar, quedar* o equivalentes.
tiritera s.f. →**tiritona**.
tiritón s.m. Cada uno de los estremecimientos que se sienten al tiritar.
tiritona s.f. *col.* Temblor corporal producido por el frío o por la fiebre; tiritera.
tiro s.m. **1** Lanzamiento en una dirección determinada. **2** Disparo con un arma de fuego. **3** En deporte, conjunto de especialidades olímpicas en las que el objetivo es acertar o derribar una serie de blancos por medio de armas de fuego o arrojadizas. **4** Arrastre de algo usando la fuerza. **5** Conjunto de caballerías que tiran de un carro. **6** En una chimenea, hueco o tubo por los que pasa la corriente de aire que aviva el fuego y que arrastra al exterior los gases y humos de la combustión. **7** Cuerda o correa que se ata a las guarniciones de las caballerías y sirve para tirar de un carruaje. 🐎 arreos **8** ‖ a **tiro**; al alcance. ‖ **a tiro de**; seguido del nombre de un proyectil, se usa para indicar una distancia aproximada a la que alcanzan éstos. ‖ **[(caer/sentar)** algo **como un tiro**; *col.* Caer o sentar muy mal. ‖ **de tiros largos**; *col.* Referido esp. a la forma de ir vestido, de gala o con mucho lujo. ‖ **ni a tiros**; *col.* De ningún modo. ‖ **por ahí (van/iban) los tiros**; *col.* Expresión que se usa para dar a entender lo acertado de una suposición o de una conjetura. ‖ **salir el tiro por la culata**; *col.* Producirse un resultado contrario a lo pretendido o deseado. ‖ **tiro al blanco**; deporte o ejercicio consistente en disparar con un arma a un blanco. ‖ **tiro al plato**; deporte o ejercicio consistente en disparar con una escopeta a un plato especial que se lanza al vuelo. ‖ **tiro de gracia**; el que se da a alguien que está gravemente herido para rematarlo o para asegurarse de su muerte. ‖ **tiro de pichón**; deporte o ejercicio consistente en disparar con una escopeta a un pichón al vuelo. ‖ **[tiro libre**; en baloncesto, el que se lanza desde un punto determinado y directamente a la canasta, como sanción para castigar faltas personales o técnicas cometidas por el equipo contrario.
tiroideo, a adj. Del tiroides o relacionado con él.
tiroides s.m. →**glándula tiroides**. ☐ ETIMOL. Del griego *thyroeidés* (semejante a una puerta), a su vez de *thýra* (puerta) y *êidos* (forma). ☐ MORF. Invariable en número.
tirolés, -a adj./s. Del Tirol (región alpina comprendida entre el este suizo y el norte italiano), o relacionado con él.

tirón s.m. **1** Movimiento brusco, violento o hecho de golpe al tirar. **2** Acelerón brusco, esp. el que se da para conseguir una ventaja respecto de otros. **3** Atractivo o capacidad para conseguir seguidores. **[4** *col.* Contracción muscular. **5** Robo que se hace de un bolso o de otro objeto por el procedimiento de tirar de él violentamente y darse a la fuga. **[6** En economía, gran movimiento de las cotizaciones. **7** ‖ **de un tirón**; referido a la forma de hacer algo, de golpe o de una vez.
tiroriro s.m. *col.* Sonido producido por los instrumentos musicales que se tocan con la boca. ☐ ETIMOL. De origen onomatopéyico.
tirotear v. Disparar repetidamente con armas de fuego: *En su huida, los atracadores tirotearon a sus perseguidores.*
tiroteo s.m. Serie de disparos repetidos hechos con arma de fuego.
[tiroxina s.f. Hormona segregada por la glándula tiroides.
tirreno, na ▌ adj. **1** Del mar Tirreno (parte del mar Mediterráneo entre la península Itálica y las islas de Sicilia, Córcega y Cerdeña), o relacionado con él. ▌ adj./s. **2** De la antigua Etruria (territorio del noroeste de la península Itálica), o relacionado con ella; etrusco.
tirria s.f. Manía, odio o antipatía que se sienten hacia algo o hacia alguien. ☐ ETIMOL. De origen onomatopéyico.
tisana s.f. Bebida medicinal que se prepara cociendo en agua hierbas y otros ingredientes. ☐ ETIMOL. Del griego *ptisáne* (bebida de cebada machacada).
tísico, ca ▌ adj. **1** De la tisis. ▌ adj./s. **2** Que padece tisis; hético.
tisis s.f. Tuberculosis que afecta a los pulmones. ☐ ETIMOL. Del griego *phthísis* (extensión, decadencia). ☐ MORF. Invariable en número.
[tissue (anglicismo) s.m. Pañuelo de papel. ☐ PRON. [tisú]. ☐ USO Su uso es innecesario.
tisú s.m. Tela de seda entretejida con hilos de oro o de plata que pasan desde el haz al envés. ☐ ETIMOL. Del francés *tissu* (tejido). ☐ MORF. Aunque su plural en la lengua culta es *tisúes*, se usa mucho *tisús*.
tisular adj. En biología, de los tejidos orgánicos o relacionado con ellos. ☐ MORF. Invariable en género.
titán s.m. **1** Persona que destaca por su fuerza excepcional o por sus cualidades en una actividad. **2** En la mitología griega, cada uno de los doce gigantes que se enfrentaron a los dioses olímpicos y fueron finalmente vencidos y expulsados a los infiernos por éstos. ☐ ETIMOL. Del latín *Titan*, y éste del griego *Titán*. ☐ MORF. En la acepción 2, la RAE lo registra como nombre propio.
titánico, ca adj. Desmedido, enorme o excesivo. ☐ ETIMOL. Por alusión a Titán, que es un gigante mitológico que se distinguió por su fuerza.
titanio s.m. Elemento químico, metálico y sólido, de número atómico 22, de color gris y de gran dureza. ☐ ETIMOL. Del latín *Titanium*, nombre dado por su descubridor, ya que los Titanes eran hijos de Urano, y el uranio fue el primer elemento que descubrió. ☐ ORTOGR. Su símbolo químico es *Ti*.
títere s.m. **1** Muñeco o figurilla vestida que se mueve mediante hilos o introduciendo una mano en su interior. **[2** Persona de escasa voluntad, que se deja

dominar fácilmente o que actúa obedeciendo la voluntad o los mandatos de otros. **3** *col.* Persona de aspecto ridículo, muy presumida y engreída. **4** ‖ **no** {dejar/quedar} **títere con cabeza**; *col.* Dejar o quedar todo destrozado o deshecho. □ ETIMOL. De origen incierto.

[tití s.f. *col.* Mujer. □ ORTOGR. Dist. de *tití*. □ USO En la lengua coloquial, se usa como apelativo para ambos sexos: *¡Qué pasa, 'tití', cuánto tiempo sin verte!*.

tití s.m. Mono de color ceniciento, con rayas oscuras transversales sobre el lomo y anilladas por la cola, cara blanca y pelada con una mancha negruzca sobre la nariz y la boca, y mechones blancos alrededor de las orejas. □ ETIMOL. De origen onomatopéyico. □ ORTOGR. Dist. de *tití*. □ MORF. 1. Es un sustantivo epiceno: *el tití macho, el tití hembra*. 2. Aunque su plural en la lengua culta es *titíes*, la RAE admite también *titís*. 🐒 primate

titilar v. Referido a un cuerpo luminoso, centellear o despedir rayos de luz con un ligero temblor: *Las estrellas titilan en el cielo.* □ ETIMOL. De origen incierto.

titileo s.m. Centelleo con un ligero temblor de un cuerpo luminoso.

titiritaina s.f. **1** *col.* Ruido confuso de flautas u otros instrumentos. **2** *col.* Bulla o ruido confusos y alegres o festivos. □ ETIMOL. De origen onomatopéyico.

titiritero, ra s. **1** Persona que maneja títeres o hace representaciones teatrales con ellos. **2** Persona que hace ejercicios acrobáticos andando o saltando por el aire sobre una cuerda o alambre, esp. si ésta es su profesión.

tito, ta ‖ s. **1** *col.* Tío. ‖ s.m. **2** En algunas regiones, hueso o pepita de la fruta. **3** Planta herbácea con el tallo ramoso, hojas en forma de punta de lanza, flores moradas y blancas, y cuyo fruto es una legumbre. **4** Fruto y semilla de esta planta. □ MORF. La acepción 1 es diminutivo irregular de *tío*. □ SEM. En las acepciones 3 y 4, es sinónimo de *almorta*, *guija* y *muela*. □ USO En la acepción 1, tiene un matiz cariñoso.

[titubeante adj. Que titubea. □ MORF. Invariable en género.

titubear v. **1** Sentir perplejidad o duda sobre lo que se debe hacer en un punto o en un asunto: *Si se lo propones, a lo mejor titubea al principio, pero seguro que acaba aceptando.* **2** Vacilar o tropezar al hablar en la pronunciación o en la elección de las palabras: *El testigo estaba tan nervioso que titubeaba constantemente.* □ ETIMOL. Del latín *titubare* (oscilar, trastabillar).

titubeo s.m. **1** Sentimiento de perplejidad o de duda sobre lo que se debe hacer en un punto o en un asunto. **2** Vacilación o tropiezo al hablar, en la pronunciación o en la elección de las palabras.

titulación s.f. Obtención de un título académico.

titulado, da adj./s. Referido a una persona, que ha obtenido un título académico. □ MORF. La RAE sólo lo registra como sustantivo. □ SINT. Constr. *titulado EN algo*.

titular ‖ adj./s. **1** Referido a una persona, que ocupa un cargo o ejerce su profesión teniendo el título o el nombramiento correspondientes. **2** Referido esp. a una persona o a una entidad, que dan su nombre para

que figure como título de algo o para que conste que son sus propietarios o los sujetos de un derecho. ‖ s.m. **3** En una publicación periódica, título que encabeza una noticia o un texto y que aparece impreso en tipos de letra de mayor tamaño. ‖ v. **4** Referido esp. a una obra de creación, ponerle título, nombre o inscripción. ‖ prnl. **5** Referido a una persona, obtener un título académico. □ ETIMOL. Las acepciones 4 y 5, del latín *titulare*. □ MORF. 1. En las acepciones 2 y 3, la RAE lo registra sólo como adjetivo. 2. La acepción 3 se usa más en plural.

titularidad s.f. **1** Condición que se adquiere por poseer el título o el nombramiento correspondientes para ocupar un cargo o para ejercer una profesión. **[2** En deporte, condición del deportista que juega u ocupa su puesto dentro de su equipo de forma habitual. **3** Condición de la persona o de la entidad que dan su nombre para que figure como título de algo o para que conste que son sus propietarios.

titulatura s.f. Conjunto de títulos que posee una persona o una entidad. □ SEM. No debe emplearse con el significado de 'titulación' o de 'título': *La {*titulatura > titulación} en derecho se obtiene después de cursar y aprobar cinco cursos.*

[titulitis s.f. *col.* Valoración excesiva de los títulos académicos o de los certificados como garantía de una buena preparación profesional. □ MORF. Invariable en número. □ USO Tiene un matiz despectivo.

título s.m. **1** Palabra o conjunto de palabras que se asignan a una obra o a una de sus partes con nombre o como anuncio de su contenido. **2** Renombre o distinción con que se conoce a una persona por sus cualidades o por sus actos. **3** Documentación que acredita la capacitación para ejercer una profesión o un cargo o el haber realizado y superado determinados estudios y sus correspondientes exámenes. **4** Dignidad o categoría nobiliarias. **5** Documento jurídico en el que se otorga un derecho o se establece una obligación. **6** En una ley, en un reglamento o en otro texto jurídico, apartado o división mayores y que suelen estar a su vez subdivididos. **7** ‖ **a título** de algo; con ese pretexto o actuando en calidad de ello. □ ETIMOL. Del latín *titulus* (inscripción, título de un libro, rótulo, anuncio).

tiza s.f. Arcilla blanca o de colores, en forma de barrita, que se usa para escribir en pizarras y encerados.

tiznar v. Manchar con tizne, con hollín o con otra materia semejante: *El humo ha tiznado el trozo de pared que está junto a la chimenea. Los soldados se tiznaron la cara.* □ ETIMOL. De *tizón*.

tizne s. Humo que se pega a los cacharros que se ponen al fuego o a las superficies que están cerca de él. □ MORF. Aunque es de género ambiguo *(el tizne negro, la tizne negra)*, se usa más como sustantivo masculino.

tizón s.m. Palo a medio quemar. □ ETIMOL. Del latín *titio*.

tizona s.f. Espada. □ ETIMOL. Por alusión a Tizona, nombre de la espada del héroe medieval castellano conocido como 'el Cid'.

[tlapalería s.f. En zonas del español meridional, ferretería.

toalla s.f. **1** Pieza de felpa, de algodón o de otro tejido absorbente, que se usa para secarse el cuerpo. **2** ‖ {arrojar/tirar} **la toalla**; *col.* Abandonar, desistir o darse por vencido en un empeño. ‖ **[toalla sanitaria**; en zonas del español meridional, compresa. ☐ ETIMOL. Del germánico *thwahljo*.

toallero s.m. Mueble, soporte o utensilio que sirve para colgar toallas.

[toast (anglicismo) s.m. Pan de molde en rebanadas y tostado. ☐ PRON. [tóust]. ☐ USO Su uso es innecesario y puede sustituirse por una expresión como *pan tostado*.

toba s.f. *col.* [Golpe que se da haciendo resbalar los dedos índice o corazón sobre el pulgar.

tobillero, ra ▌ adj. [**1** Referido a una prenda de vestir, que llega hasta los tobillos. **▌** s.f. **2** Tira o venda, generalmente elásticas, que se colocan ciñendo el tobillo para sujetarlo o para protegerlo.

tobillo s.m. Parte del cuerpo humano por la que se articula la pierna con el pie y en cuyos lados sobresalen dos abultamientos formados respectivamente por la tibia y por el peroné. ☐ ETIMOL. Del latín **tubellum*, y éste de *tuber* (bulto, nudo). 🔁 pie

tobogán s.m. Construcción en forma de rampa por la que las personas se dejan resbalar sentadas o tendidas. ☐ ETIMOL. Del inglés *toboggan*.

toca s.f. Prenda de tela que se ciñe al rostro y que usan las monjas para cubrirse la cabeza. ☐ ETIMOL. De origen incierto. 🔁 sombrero

[tocacintas s.m. En zonas del español meridional, grabadora o casete. ☐ MORF. Invariable en número.

tocadiscos s.m. Aparato, generalmente electrónico, capaz de reproducir el sonido grabado en un disco. ☐ MORF. Invariable en número. ☐ USO 1. En la lengua coloquial se usa mucho la forma *tocata*. 2. Es innecesario el uso del anglicismo *pick-up*.

tocado, da ▌ adj. **1** Con la razón un poco perturbada o ligeramente loco. **2** Afectado por alguna enfermedad, por alguna lesión o por algún problema. **3** Referido esp. a la fruta, que ha empezado a estropearse. **▌** s.m. **4** Peinado, adorno que se lleva sobre la cabeza o prenda con que se cubre.

tocador s.m. **1** Mueble, generalmente en forma de mesa, con espejo y otros utensilios, que se utiliza para el peinado y aseo personales. **2** Habitación o dependencia destinadas a este fin y en la que suele haber uno de estos muebles. ☐ ETIMOL. De *tocarse* (cubrirse la cabeza con un tocado).

tocamiento s.m. Acercamiento de dos cosas de forma que entren en contacto.

tocante ‖ **tocante a** algo; referente a ello, relacionado con ello o en lo que le afecta.

tocar ▌ v. **1** Referido a un objeto o a una superficie, acercar la mano u otra parte del cuerpo a ellos de forma que entren en contacto: *No toques la plancha, que quema.* **2** Referido esp. a un objeto, entrar o ponerlo en contacto con otro: *Separa esa silla porque está tocando la pared.* **3** Referido a un instrumento musical, hacerlo sonar según unas reglas artísticas: *¿Sabes tocar la trompeta?* **4** Referido a un objeto, hacerlo sonar: *Toca el timbre para que te abran.* **5** Referido a una pieza musical, interpretarla con un instrumento: *Ahora vamos a tocar un pasodoble.* **6** Cambiar, modificar o alterar: *No toques más el dibujo porque terminarás estropeándolo.* **7** Referido esp. a un tema o a un asunto, empezar a hablar de ellos de forma superficial: *La conferenciante tocó muchos temas, pero no se detuvo en ninguno.* **8** Referido a una acción, llegar el momento oportuno de hacerla: *Esta tarde toca ir a la compra.* **9** Afectar,

concernir o ser obligación o responsabilidad de alguien: *La protección de la naturaleza nos toca a todos.* **10** Corresponder como premio o en suerte: *Le ha tocado un buen premio de la lotería.* **11** Referido a una parte de un todo que se reparte, corresponderle o pertenecerle a alguien: *Tocamos a ocho caramelos cada uno.* **12** Estar muy próximo o muy cerca: *Sus contestaciones tocan ya la mala educación.* **13** Referido a una persona, tener parentesco con otra: *Ese señor, aunque tiene mi mismo apellido, no me toca nada.* **▌** prnl. **14** Cubrirse la cabeza con un gorro, un sombrero, un pañuelo o algo semejante: *La madrina se tocó con una mantilla de encaje.* **15** ‖ **[tocar fondo**; llegar a una situación crítica e irreversible. ☐ ETIMOL. Las acepciones 1-13, de origen onomatopéyico. La acepción 14, de *toca*. ☐ ORTOGR. La *c* se cambia en *qu* delante de *e* →SACAR. ☐ USO La acepción 6 se usa más en expresiones interrogativas y negativas.

tocata ▌ s.m. [**1** *col.* →tocadiscos. **▌** s.f. **2** Composición musical de carácter instrumental y estilo libre, generalmente destinada a instrumentos de teclado y compuesta en un solo movimiento. ☐ ETIMOL. La acepción 2, del italiano *toccata*.

tocateja ‖ **a tocateja**; *col.* Referido a la forma de pagar, dando todo el dinero a la vez, en mano y al contado. ☐ ORTOGR. Se admite también *a toca teja*.

tocayo, ya s. Referido a una persona, que tiene el mismo nombre que otra. ☐ ETIMOL. De origen incierto.

tocho, cha adj./s. *col.* [De gran tamaño.

[tocineta s.f. En zonas del español meridional, beicon.

tocino s.m. **1** Capa de tejido adiposo de algunos mamíferos, esp. el del cerdo. 🔁 carne **2** ‖ **tocino de cielo**; dulce elaborado con yema de huevo y almíbar, que se cuecen hasta que se cuajan. ‖ **tocino entreverado**; el que tiene hebras de carne. ☐ ETIMOL. Del latín *tuccetum* (carne de cerdo conservada en salmuera).

[tocoginecología s.f. Parte de la medicina que se ocupa del estudio de los órganos sexuales y reproductores femeninos, el tratamiento y prevención de sus enfermedades y de la gestación y el parto. ☐ ETIMOL. Del griego *tókos* (parto) y *ginecología*.

tocología s.f. Parte de la medicina que se ocupa de las mujeres durante la gestación, el parto y el período de tiempo que sigue a éste; obstetricia. ☐ ETIMOL. Del griego *tókos* (parto) y *-logía* (estudio, ciencia).

tocólogo, ga s. Médico especialista en tocología.

[tocomocho s.m. *col.* Timo que consiste en vender un billete de lotería falso, supuestamente premiado, por un valor inferior al del premio.

tocón, -a ▌ adj./s. [**1** *col.* Referido a una persona, que disfruta toqueteando las cosas. **▌** s.m. **2** En un árbol talado, parte del tronco que queda unido a la raíz y que sobresale de la tierra. ☐ ETIMOL. La acepción 2, de origen incierto.

tocuyo s.m. En zonas del español meridional, tela basta de algodón. ☐ ETIMOL. Quizá de *Tocuyo*, ciudad y puerto de Venezuela, donde se fabricaban paños.

todavía adv. **1** Hasta un momento determinado; aún: *Cuando me fui de su casa todavía no había llegado.* **2** Expresa encarecimiento o ponderación: *Esta falda es todavía más cara que la otra.* **3** Sin embargo o a pesar de algo: *Es muy rica, pero todavía quiere tener más dinero.* **4** Enlace gramatical con valor concesivo: *Si no tuvieras dinero, todavía entendería que no gastaras, pero teniendo tanto, no tiene justificación.* ☐ ETIMOL. De *toda* y *vía*, porque se pasó de la idea de *por todos los caminos o vías* a en *todo tiempo.*

todo adv. **1** Enteramente o completamente: *Esa ciudad es todo contaminación y ruido.* **2** ‖**así y todo**; a pesar de eso: *Me engañó una vez pero, así y todo, sigo confiando en él.* ‖**con todo**; enlace gramatical coordinante con valor adversativo: *Ya me han dado de alta pero, con todo, no me atrevo todavía a salir a la calle.* ‖**del todo**; sin excepción o sin limitación, totalmente: *Estás del todo equivocado.* ‖**sobre todo**; en primer lugar en importancia: *Sé prudente y, sobre todo, si bebes no conduzcas.* ‖**y todo**; expresión que se usa para encarecer o ponderar lo que se ha expresado antes: *Vinieron los abuelos y todo.*

todo, da ∎ indef. **1** Antepuesto a un adjetivo o a un sustantivo, intensifica lo que expresan. ∎ adj./s. **2** Indica que algo se toma o se considera por entero o en su conjunto. ∎ s.m. **3** Cosa íntegra o considerada como la suma de sus elementos o partes. **4** ‖**de todas todas**; con total y absoluta seguridad o certeza. ‖**jugarse el todo por el todo**; arriesgarse de forma extrema para conseguir algo. ‖**ser todo uno**; ser consecuencia inmediata e inevitable. ☐ ETIMOL. Del latín *totus* (todo entero). ☐ MORF. Seguido de un sustantivo en singular y sin artículo, se usa con valor de plural: *Todo hombre es mortal.* ☐ SEM. Su uso en plural equivale a 'cada': *Voy al cine todos los domingos.*

todopoderoso, sa adj. Que lo puede todo o que es muy poderoso.

[todoterreno ∎ adj./s.m. **1** Referido a un vehículo, que es resistente y se adapta a todo tipo de terrenos. ∎ s. **2** Persona que sirve para todo. ☐ MORF. En la acepción 2, es de género común: *el 'todoterreno', la 'todoterreno'.* ☐ USO En la acepción 1, es innecesario el uso de los anglicismos *jeep* y *land rover*.

[tofe s.m. Caramelo blando, generalmente de café con leche o de chocolate. ☐ ETIMOL. Del inglés *toffee*.

toga s.f. **1** Traje exterior de ceremonia amplio, largo y generalmente negro, que usan determinadas personas encima del habitual. **2** En la antigua Roma, prenda principal exterior que se ponía sobre la túnica. ☐ ETIMOL. Del latín *toga*.

togado, da adj./s. Que viste toga, referido esp. a algunos magistrados y jueces.

[toilet (anglicismo) s.m. En zonas del español meridional, aseo o servicio públicos. ☐ PRON. Se usa la pronunciación galicista [tualét].

[toilette (galicismo) s.f. Cuarto de baño o aseo, esp. los que están en establecimientos públicos. ☐ PRON. [tualét]. ☐ MORF. En zonas del español meridional se usa como masculino.

toisón s.m. **1** Orden de caballería fundada en el siglo XV por Felipe el Bueno (duque de Borgoña). **2** Insignia de esta orden. ☐ ETIMOL. Del francés *toison* (vellón cortado de un animal), que era la insignia de esta orden de caballería en recuerdo del vellocino rescatado por el personaje mitológico Jasón.

tojo s.m. Planta que tiene las hojas verdes convertidas en espinas, flores amarillas y fruto en vaina aplastada. ☐ ETIMOL. De origen incierto.

toldo s.m. Cubierta de tela gruesa que se tiende

para dar sombra o para proteger de las inclemencias del tiempo. ☐ ETIMOL. De origen incierto.

toledano, na adj./s. De Toledo o relacionado con esta provincia española o con su capital.

tolerable adj. Que se puede tolerar. ☐ MORF. Invariable en género.

[tolerado, da adj. Referido esp. a una película, que se considera adecuada para niños, por no tener un contenido que pueda herir su sensibilidad.

tolerancia s.f. **1** Respeto o consideración hacia las opiniones o actitudes ajenas. **2** Resistencia o aguante a determinadas sustancias.

tolerante adj. Que tolera. ☐ MORF. Invariable en género.

tolerar v. **1** Sufrir o llevar con paciencia: *Me costó acostumbrarme, pero ya voy tolerando madrugar.* **2** Referido a algo que se considera ilícito, permitirlo sin aprobarlo expresamente: *Hoy he tolerado que llegues tarde, pero mañana ya no.* **3** Resistir o soportar: *Me han cambiado el medicamento porque el anterior no lo toleraba.* ☐ ETIMOL. Del latín *tolerare* (soportar, aguantar).

tolteca adj./s. De un antiguo pueblo indígena que dominó cultural y económicamente en el actual territorio mejicano entre los siglos IX y XI. ☐ MORF. 1. Como adjetivo es invariable en género. 2. Como sustantivo es de género común: *el tolteca, la tolteca.*

tolva s.f. Recipiente en forma de pirámide o de cono invertidos, con una abertura en la parte inferior, en los que se echa el material que se quiere triturar para que vaya cayendo poco a poco sobre el mecanismo triturador. ☐ ETIMOL. Del latín *tubula* (tubo).

toma s.f. **1** Conquista u ocupación de un lugar por las armas o por la fuerza. **2** Parte de algo, esp. de un medicamento, que se come o se bebe de una vez. **3** Operación por la que se bebe o se come algo. **4** Abertura para desviar o dar salida a una cantidad de agua. **5** Lugar por donde se deriva una corriente de fluido o de electricidad. **6** Filmación o fotografiado. **7** Aceptación o adquisición de algo. **8** ‖**toma de tierra**; conductor o dispositivo que une una parte de una instalación o de un aparato eléctricos a tierra como medida de seguridad.

tomado, da ∎ adj. **1** Referido a la voz, que está baja y sin sonoridad debido a una afección de garganta. ∎ adj./s. **2** col. En zonas del español meridional, borracho.

tomador, -a s. En economía, persona o entidad a favor de la cual se gira una letra de cambio, una póliza de seguro o un documento semejante. ☐ MORF. La RAE sólo lo registra como masculino.

tomadura ‖**tomadura de pelo**; col. Engaño o burla.

[tomahawk s.m. Hacha de guerra de algunas tribus indias norteamericanas. ☐ PRON. [tomajók]. ☒ arma

tomar v. **1** Asir o agarrar: *Tomó la figurita con las dos manos.* **2** Coger o adquirir: *Me paré para tomar aliento. No tomé bien sus datos y ahora no puedo localizarlo.* **3** Comer o beber: *Tómate la leche sin protestar.* **4** Adoptar o emplear: *Hay que tomar medidas para que no vuelva a suceder.* **5** Entender, juzgar o interpretar del modo que se expresa: *Debes tomar en serio sus amenazas.* **6** Fotografiar, filmar o recoger con una cámara: *¿Nos has tomado bien con la cámara de vídeo?* **7** Referido a algo que se ofrece, recibirlo o aceptarlo: *Tomé a los niños bajo* *mi protección.* **8** Referido a un lugar, ocuparlo o conquistarlo, esp. si es por la fuerza: *El ejército enemigo tomó la fortaleza.* **9** Referido a un medio de transporte, subir en él: *Tomo el autobús todas las mañanas para ir a trabajar.* **10** Referido a algo, recibir sus efectos: *Tienes la piel muy blanca y no es aconsejable que tomes mucho sol.* **11** Referido a una dirección o a un camino, empezar a seguirlos o encaminarse por ellos: *Cuando llegues al cruce, toma la primera a la derecha.* **12** Seguido de algunos sustantivos, realizar la acción expresada por éstos: *Hace poco que lo conozco, pero ya le he tomado cariño.* **13** En zonas del español meridional, beber alcohol. **14** ‖**toma y daca**; *col.* Intercambio entre dos o más personas. ‖**tomar** algo **por**; creerlo o considerarlo equivocadamente. ‖**tomarla con** alguien; *col.* Tenerle manía y molestarlo continuamente. ☐ ETIMOL. De origen incierto.

tomatazo s.m. Golpe dado con un tomate.

tomate s.m. **1** Planta herbácea que tiene los tallos vellosos y endebles, las hojas dentadas, las flores amarillas, y cuyo fruto es carnoso, redondeado, rojizo y jugoso; tomatera. **2** Fruto de esta planta. **3** *col.* Roto o agujero en una prenda de punto, esp. en unos calcetines. **[4** *col.* Situación confusa, agitada o embarazosa, esp. si va acompañada de gran alboroto y tumulto; lío. **5** ‖**como un tomate**; *col.* Rojo de vergüenza. ‖**[tomate de milpa**; en zonas del español meridional, el que tiene menor tamaño y más sabor. ☐ ETIMOL. Del náhuatl *tomatl.*

tomatera s.f. Planta herbácea que tiene los tallos vellosos y endebles, las hojas dentadas, las flores amarillas, y cuyo fruto es carnoso, redondeado, rojizo y jugoso; tomate.

tomavistas s.m. Cámara para filmar en cine, pero de pequeño tamaño y muy manejable. ☐ ETIMOL. De *tomar* y *vista*. ☐ MORF. Invariable en número.

tómbola s.f. **1** Rifa pública de objetos, cuyos beneficios se destinan generalmente a fines benéficos. **2** Lugar en el que se realiza esta rifa. ☐ ETIMOL. Del italiano *tombola.*

tomillo s.m. Planta olorosa de tallos leñosos, hojas perennes y pequeñas, y flores blancas o rosáceas, que se usa en perfumería, como condimento o en la elaboración de infusiones. ☐ ETIMOL. Del latín *thymum.*

tomismo s.m. Sistema filosófico creado por Tomás de Aquino (filósofo del siglo XIII), que intenta conciliar la filosofía aristotélica con la teología cristiana. ☐ ETIMOL. De *Tomás* (santo Tomás de Aquino). ☐ ORTOGR. Dist. de *atomismo.*

tomo s.m. **1** Cada una de las partes en que se divide una obra impresa o manuscrita y que se encuadernan separadamente para facilitar su manejo. **2** ‖**de tomo y lomo**; *col.* De consideración o de importancia. ☐ ETIMOL. Del latín *tomus*, y éste del griego *tómos* (sección).

ton ‖**sin ton ni son**; *col.* Sin razón o sin motivo. ☐ ETIMOL. Por acortamiento de *tono.*

tonada s.f. **1** Composición métrica compuesta para ser cantada. **2** Música de esta composición. ☐ ETIMOL. De *tono.*

tonadilla s.f. Canción alegre y ligera, esp. si es de carácter folclórico.

tonadillero, ra s. Persona que compone o que canta tonadillas.

tonal adj. En música, del tono, de la tonalidad o relacionado con ellos. ☐ MORF. Invariable en género.

tonalidad s.f. **1** En lingüística, secuencia sonora de los tonos con que se emite el discurso oral, y que puede contribuir al significado de éste; entonación. **2** Sistema o gradación de tonos.

tonel s.m. **1** Recipiente de gran tamaño, generalmente de madera, formado por tablas curvas unidas por aros metálicos, y cerrado por bases circulares. **[2** *col.* Persona muy gruesa. ☐ ETIMOL. Del francés antiguo *tonel.*

tonelada s.f. En el Sistema Internacional, unidad de masa que equivale a mil kilogramos; tonelada métrica. ☐ ETIMOL. De *tonel.*

tonelaje s.m. Capacidad de carga de un barco u otro vehículo. ☐ ETIMOL. De *tonel.*

[tonema s.m. En fonética, inflexión que recibe la entonación de una frase enunciativa a partir de la última sílaba: *Las frases de terminación descendente como 'El niño es guapo' tienen un 'tonema' de cadencia.*

[toner (anglicismo) s.m. En una impresora láser o en una fotocopiadora, polvo muy fino, que puede estar disuelto en un líquido, que se usa para pigmentar el papel y producir una imagen. ☐ PRON. [tóner]. ☐ ORTOGR. Se usa mucho la forma castellanizada *tóner.*

tongo s.m. En una competición, trampa o engaño por el que uno de los participantes se deja ganar.

tónica s.f. Véase **tónico, ca.**

tonicidad s.f. Grado de tensión de los tejidos orgánicos. ☐ ETIMOL. De *tónico.*

tónico, ca ▌ adj. **1** Referido a una vocal, a una sílaba o a una palabra, que se pronuncian con acento de intensidad: *La 'a' de 'ático' es una vocal tónica.* ▌ adj./s.m. **2** Que entona, vigoriza o reconstituye. ▌ s.m. **3** Loción que se usa para limpiar el cutis o para vigorizar el cabello. ▌ s.f. **4** →**agua tónica.** **[5** Característica o tono general. ☐ ETIMOL. Del griego *tonikós*, y éste de *tónos* (tensión).

tonificación s.f. Fortalecimiento o tensión que se da al cuerpo o al organismo.

tonificar v. Referido esp. al organismo, darle tensión o vigor; entonar: *Dame un masaje para tonificar los músculos.* ☐ ORTOGR. La *c* se cambia en *qu* delante de *e* →SACAR.

tonillo s.m. Tono particular de la voz o del habla que tiene determinado matiz.

tono s.m. **1** Cualidad de los sonidos que depende de su frecuencia o número de vibraciones por segundo y que permite ordenarlos de graves a agudos; altura. **2** Inflexión de la voz y forma peculiar de hablar según la intención o el estado de ánimo. **3** Carácter o modo particular de la expresión y del estilo de una obra literaria o un discurso, según el asunto que trata. **4** Fuerza o intensidad de un sonido. **5** Carácter, matiz intelectual, moral o político que se refleja en una conversación, una actividad, un escrito o algo semejante. **6** Grado de color o de intensidad. **7** En música, intervalo o distancia que media entre una nota y su inmediata en la escala, excepto entre mi y fa, y entre si y do. **8** Aptitud, vigor, energía o fuerza que el organismo o sus partes tienen para ejercer las funciones que les corresponden. **[9** Señal sonora que tiene diversos significados. **10** ‖**a tono**; en armonía. ‖**darse tono**; *col.* Darse importancia. ‖**de {buen/mal} tono**; propio de gente elegante o de gente sin elegancia. ‖ **[fuera de tono**; fuera de lugar o inoportuno. ‖ **[subido de tono**; ligeramente grosero u obsceno. ‖ **subir de tono**; aumentar la arrogancia o la violencia. ☐ ETIMOL. Del latín *tonus*, y éste del griego *tónos* (tono, acento).

tonsura s.f. **1** En la iglesia católica, grado preparatorio para recibir las órdenes menores. **[2** Corte de pelo redondeado en la coronilla que simboliza este grado eclesiástico. ☐ ETIMOL. Del latín *tonsura*, y éste de *tonsus* (esquilado).

tontada s.f. Hecho o dicho sin fundamento o sin base lógica; tontería.

tontaina adj./s. *col.* Que es tonto y sin gracia. ☐ MORF. 1. Como adjetivo es invariable en género. 2. Como sustantivo es de género común: *el tontaina, la tontaina.*

tontarrón, -a adj./s. → **tontorrón.**

tontear v. **1** Hacer o decir tonterías o bobadas: *En las vacaciones pasa bastante tiempo tonteando.* **2** *col.* Coquetear o jugar con fines eróticos de forma frívola o sin buscar ningún compromiso: *A su madre no le gusta que sus hijas ya empiecen a tontear con los chicos.*

tontería s.f. **1** Falta o escasez de inteligencia o de lógica. **2** Hecho o dicho sin fundamento o sin base lógica. **3** Lo que se considera sin importancia o de poco valor.

tonto, ta ▮ adj. **1** Sin fundamento o sin base lógica. **[2** Que ocurre sin un motivo o sin una causa aparentemente importantes. **[3** Inútil o sin sentido. **[4** Pesado, excesivamente cariñoso o molesto. ▮ adj./s. **5** Que tiene poca inteligencia o poco entendimiento; bobo. **[6** *col.* Que tiene alguna deficiencia mental. **7** ‖ **a tontas y a locas**; sin orden ni finalidad. ‖ **[hacer el tonto**; *col.* Perder el tiempo sin hacer nada de provecho o juguetear sin un fin determinado. ‖ **hacerse el tonto**; *col.* Aparentar no advertir cosas que no interesan. ‖ **tonto {de capirote/ [del bote/de remate/perdido}**; *col.* El que lo es rematadamente. ☐ ETIMOL. De origen expresivo.

tontorrón, -a adj./s. Muy tonto. ☐ ORTOGR. Se admite también *tontarrón.* ☐ USO Tiene un matiz cariñoso.

tontuna s.f. Hecho o dicho sin fundamento o sin base lógica; tontería.

top (anglicismo) s.m. **[1** Prenda de vestir femenina, muy ajustada al cuerpo y que cubre el pecho como mucho hasta la cintura. **2** ‖ **[top model**; modelo muy solicitado y muy cotizado. ‖ **[top secret**; muy secreto. ☐ PRON. [top sécret]; [top módel].

topacio s.m. Piedra fina, muy dura y de color amarillo transparente. ☐ ETIMOL. Del griego *topázion.*

topadora s.f. En zonas del español meridional, bull-dozer.

topar v. **1** Encontrar o encontrarse casualmente o de forma inesperada: *Me topé con tu padre en el parque.* **2** Referido a una cosa, chocar con otra, esp. si es de forma suave: *Deja caer suavemente el coche hasta que topes con el de atrás.* ☐ ETIMOL. De origen onomatopéyico.

tope s.m. **1** Límite o punto máximos. **2** Parte por donde una cosa puede topar con otra. **3** Pieza que sirve para detener un movimiento o para impedir que se pase al otro lado. **4** ‖ **a tope**; *col.* [Hasta el límite.

topetazo o **topetón** s.m. Encuentro o golpe de una cosa con otra.

tópico, ca ▮ adj. **1** Referido esp. a una idea o a un dicho, que resultan triviales, vulgares y sin originalidad porque se dicen o utilizan con mucha frecuencia. **[2** Referido a la aplicación de un medicamento, que se realiza sobre la piel. **▮** s.m. **3** Expresión trivial, vulgar y sin originalidad porque se dice o se utiliza con mucha frecuencia. ☐ ETIMOL. Del griego *Topiká* (tratado de Aristóteles sobre los *tópoi* o lugares comunes).

[*topillo* s.m. Roedor de pelaje grisáceo y orejas velludas, que vive en zonas montañosas o en terrenos cultivados, y que se alimenta fundamentalmente de semillas, raíces y cortezas. ☐ MORF. Es un sustantivo epiceno: *el 'topillo' macho, el 'topillo' hembra.* 🐀 roedor

[*topless* (anglicismo) s.m. **1** Desnudez de una mujer de cintura para arriba. **2** Bar o local de espectáculos en los que las camareras están desnudas de cintura para arriba. ☐ PRON. [tóp·les].

topo s.m. **1** Mamífero insectívoro del tamaño de un ratón, de pelaje negruzco, suave y tupido, hocico afilado, ojos pequeños y manos con cinco dedos provistos de fuertes uñas que le sirven para abrir las galerías subterráneas donde vive. **2** *col.* Persona que ve mal. **3** *col.* Persona que se infiltra en una organización para actuar al servicio de otros. **[4** En una tela, dibujo de forma redondeada y de pequeño tamaño. ☐ ETIMOL. Del latín *talpa.* ☐ MORF. En la acepción 1, es un sustantivo epiceno: *el topo macho, el topo hembra.*

topografía s.f. **1** Técnica de describir y representar detalladamente la superficie de un terreno. **2** Conjunto de características que presenta un terreno en su superficie. ☐ ETIMOL. Del griego *tópos* (lugar) y -*grafía* (descripción).

topógrafo, fa s. Persona que se dedica profesionalmente al estudio de la superficie de un terreno o que está especializada en topografía.

topología s.f. Parte de las matemáticas que estudia las propiedades de las figuras que permanecen invariantes ante ciertas transformaciones. ☐ ETIMOL. Del griego *tópos* (lugar) y -*logía* (ciencia, estudio).

toponimia s.f. **1** Estudio de los nombres propios de lugar. **[2** Conjunto de los nombres propios de lugar de un territorio. ☐ ETIMOL. Del griego *tópos* (lugar) y *ónoma* (nombre).

topónimo s.m. Nombre propio de lugar. ☐ USO Los topónimos deben usarse en su forma española siempre que ésta exista: *Vive en {*München > Múnich}*

toque s.m. **1** Golpe o roce suaves. **2** Sonido producido por algún instrumento. **3** Llamamiento, indicación o advertencia. **4** Detalle, matiz o característica. **5** Operación que se hace para concluir o comenzar una obra. **[6** En fútbol, estilo de juego que consiste en pasarse muchas veces el balón a la espera de que se produzca un hueco en la defensa contraria. **7** ‖ **toque de queda**; prohibición de circular o permanecer en la calle durante determinadas horas, que impone un Gobierno en circunstancias excepcionales.

toquetear v. Tocar repetida e insistentemente: *Deja de toquetear la fruta.*

[*toqueteo* s.m. Toque repetitivo e insistente.

toquilla s.f. Pañuelo más o menos grande, generalmente triangular, con que se cubre los hombros o la espalda. ☐ ETIMOL. De *toca*.

torácico, ca adj. Del tórax o relacionado con él.

tórax s.m. **1** En algunos animales, esp. en el hombre, parte del cuerpo comprendida entre el cuello y el abdomen, en cuyo interior se encuentran el corazón y los pulmones. **2** En un artrópodo, segmento del cuerpo situado entre la cabeza y el abdomen. ☐ ETIMOL. Del latín *thorax*. ☐ MORF. Invariable en número.

torbellino s.m. **1** Remolino de viento. **2** Gran cantidad de cosas que ocurren o se producen al mismo tiempo. **3** *col.* Persona muy inquieta o muy apasionada. ☐ ETIMOL. De *torbenino*, y éste del latín *turbo*.

torcaz s.f. →**paloma torcaz**. ☐ ETIMOL. Del latín *torques* (collar).

torcedura s.f. **1** Hecho de doblar o curvar lo que estaba recto. **2** Movimiento brusco o forzado de una articulación del cuerpo. **3** Cambio o desviación de una dirección. ☐ SEM. Es sinónimo de *torcimiento*.

torcer ▮ v. **1** Referido a algo que está recto, doblarlo o encorvarlo: *Se me ha torcido la aguja y ya no sirve para coser.* **2** Desviar o inclinar: *Te llevaré al oculista porque tuerces la vista.* **3** Referido esp. al gesto o al morro, ponerlos de forma que indiquen desagrado, enojo u hostilidad: *Haz lo que te digo y no tuerzas el morro.* **4** Referido esp. a un miembro del cuerpo, doblarlo o moverlo bruscamente o de forma forzada: *Me torcí el tobillo y se me ha hinchado.* **5** Referido esp. a las palabras o los significados, interpretarlos de forma errónea: *No tuerzas mis palabras, que no quiero que haya un malentendido.* **6** Cambiar de dirección: *Al llegar a la plaza debes torcer por la calle de la derecha.* ▮ prnl. **7** Referido esp. a un asunto o negocio, ir mal o fracasar: *A última hora mis planes se torcieron y no los concluí.* ☐ ETIMOL. Del latín *torquere*. ☐ MORF. Irreg. →COCER.

torcimiento s.m. →**torcedura**.

tordo, da ▮ adj. **1** Torpe, tonto o poco hábil. ▮ adj./s. **2** Referido a una caballería, que tiene el pelaje blanco mezclado con pelo negro. ▮ s.m. **3** Pájaro de cuerpo grueso, plumaje grisáceo en la parte superior y amarillento con manchas pardas en el vientre y pico delgado y negro. ☐ ETIMOL. La acepción 1, del latín *torpidus*. Las acepciones 2 y 3, del latín *turdus*. ☐ MORF. En la acepción 3, es un sustantivo epiceno: *el tordo macho, el tordo hembra.* ☐ USO En la acepción 1 es despectivo.

torear v. **1** Lidiar los toros en la plaza: *En una corrida suelen torearse seis toros.* **2** Referido a algo molesto o desagradable, evitarlos de forma habilidosa: *Torea muy bien problemas y dificultades.* **3** Referido a una persona, burlarse de ella o mantener sus esperanzas engañándola: *Si no tienes el dinero, dímelo, pero no me torees diciendo que me lo pagarás mañana.*

toreo s.m. **1** Arte y técnica de torear toros. **2** Conjunto de acciones que se realizan para esquivar al toro según este arte. **3** ‖ [**toreo de salón**; el que se hace sin toro, generalmente para aprender.

torera s.f. Véase torero, ra.

torería s.f. Conjunto de toreros o de personas relacionadas con el mundo de los toros.

torero, ra ▮ adj. **1** *col.* Del toreo, con las características que se atribuyen a los toreros o relacionado con ellos. ▮ s. **2** Persona que se dedica profesionalmente al toreo. ▮ s.f. **3** Chaqueta ceñida al cuerpo, generalmente sin botones, y que no llega a la cintura. **4** ‖ **saltarse** algo **a la torera**; *col.* Evitarlo de forma audaz o sin escrúpulos. ☐ ETIMOL. Del latín *taurarius* (gladiador que lidiaba toros). ☐ USO En la lengua coloquial se usa como elogio: *El público aclamaba al cantante gritándole: ¡Torero! ¡Torero!'.*

toril s.m. En una plaza de toros, lugar donde están encerrados los toros antes de ser lidiados.

torio s.m. Elemento químico, metálico y sólido, de número atómico 90, que pertenece al grupo de las tierras raras y es más pesado que el hierro. ☐ ETIMOL. De *Thor* (dios de la mitología escandinava). ☐ ORTOGR. Su símbolo químico es *Th*.

tormenta s.f. **1** Perturbación atmosférica que se caracteriza fundamentalmente por fuertes vientos, lluvias y truenos. **2** Manifestación violenta de un estado de ánimo excitado. [**3** Aparición brusca y violenta de algo. **4** Desgracia, infelicidad o situación difícil. ☐ ETIMOL. Del latín *tormenta* (tormentos). ☐ SEM. En la acepción 1, es sinónimo de *tempestad* y *temporal*, aunque éstos se prefieren para designar a las tormentas más fuertes.

tormento s.m. **1** Sufrimiento o dolor físico muy intensos que se causan a alguien para obligarlo a confesar algo. **2** Angustia, aflicción o preocupación muy intensas. **3** Lo que causa gran dolor físico o moral. ☐ ETIMOL. Del latín *tormentum*.

tormentoso, sa adj. **1** Referido esp. al tiempo atmosférico, con tormenta, que amenaza tormenta o que la ocasiona. [**2** Referido a una situación, que es conflictiva o abundante en problemas y tensiones.

torna s.f. **1** Vuelta o regreso a un lugar o a una situación. **2** ‖ {**cambiar/volverse**} **las tornas**; cambiar en sentido opuesto el transcurso de una situación o de la suerte de una persona.

tornadizo, za adj. Que cambia o que varía con mucha facilidad.

tornado s.m. Huracán o viento giratorio e impetuoso, esp. el de América del Norte y África. ☐ ETIMOL. Del inglés *tornado*, y éste del español *tronada* (tormenta).

tornar v. **1** Cambiar o transformar la naturaleza, el estado o el carácter: *Eras muy alegre, pero tantas desgracias juntas te han tornado triste. El día se tornó nublado y gris.* **2** Referido a un lugar o a una situación, volver a ellos: *Los emigrantes esperaban poder tornar a su tierra natal.* **3** Seguido de a y de un infinitivo, volver a hacer lo que éste expresa: *Cada vez que recuerdo el accidente torno a llorar.* ☐ ETIMOL. Del latín *tornare* (tornear, labrar al torno).

tornasol s.m. Reflejo, cambio de color o de tonalidad que produce la luz en una tela o en una superficie tersa. ☐ ETIMOL. Quizá del italiano *tornasole*.

tornasolado, da adj. Que tiene o hace tornasoles. ☐ ORTOGR. Se admite también *atornasolado*.

[**torneado, da** ▮ adj. **1** Referido esp. a una parte del cuerpo, de suaves curvas o bien formada. ▮ s.m. **2** Trabajo que se hace dando forma con un torno.

tornear v. **1** Dar forma con un torno: *Mi padre es carpintero y me ha enseñado a tornear la madera.* [**2** Referido esp. al cuerpo, suavizar sus curvas: *Deberías hacer gimnasia para 'tornear' tu figura.* **3** Combatir en un torneo: *Los caballeros acudieron a la ciudad dispuestos a tornear.*

torneo s.m. **1** Combate a caballo que se celebraba entre varios caballeros de bandos opuestos. **2** Serie de competiciones o de juegos en los que compiten entre sí varias personas o equipos que se van eliminando unos a otros progresivamente.

tornillo s.m. **1** Pieza cilíndrica parecida a un clavo, con una parte en forma de espiral y que entra en un agujero a rosca. **2** ‖apretarle a alguien los tornillos; col. Obligarlo o presionarlo para que actúe de determinada manera o para que haga algo. ‖faltarle a alguien un tornillo; col. Estar loco o tener poco sentido común. □ ETIMOL. De torno.

torniquete s.m. **1** Medio que se usa para detener una hemorragia en las extremidades mediante presión. **2** Mecanismo en forma de cruz, que gira horizontalmente sobre un eje y que se coloca en una entrada para que pase la gente de uno en uno. □ ETIMOL. Del francés tourniquet.

torno s.m. **1** Máquina en la que se hace que un objeto gire sobre sí mismo, generalmente para poder modelarlo. **2** Máquina formada por un cilindro que se hace girar alrededor de su eje para que se vaya enrollando en él una cuerda y así arrastrar la carga colocada en su extremo. **3** Máquina para labrar en redondo algunos objetos. [**4** Instrumento eléctrico formado por una barra con una pieza giratoria en su punta que usan los dentistas generalmente para limpiar o limar los dientes. **5** Armazón giratorio que se acopla al hueco de una pared y que se usa para pasar objetos de un lado a otro sin que entren en contacto o se vean las personas que los dan o que los reciben. **6** ‖en torno a; acerca de. ‖en torno; alrededor de. □ ETIMOL. Del latín tornus, y éste del griego tórnos.

toro ▌ s.m. **1** Mamífero rumiante adulto, de cabeza gruesa provista de dos cuernos curvos y puntiagudos, pelaje corto y cola larga. **2** Hombre fuerte y robusto. **3** En arquitectura, moldura convexa y lisa de sección semicircular. ▌ pl. **4** Fiesta o corrida en la que se lidian reses bravas. **5** ‖coger el toro por los cuernos; col. Enfrentarse con decisión a una dificultad. ‖[pillar el toro; col. Echarse el tiempo encima, esp. si ello impide la realización o la terminación de algo. ‖[toro de lidia; el bravo que se destina a torearlo en las corridas. □ ETIMOL. Las acepciones 1, 2 y 4, del latín taurus. La acepción 3, del latín torus. □ MORF. 1. En la acepción 1, la hembra se designa con el sustantivo femenino vaca. 2. Cuando se antepone a otra palabra para formar compuestos, adopta la forma tauro-. 🐾 ungulado

torpe adj. **1** Falto de habilidad, agilidad o destreza. **2** Falto de inteligencia o lento en comprender. **3** Inconveniente, inoportuno o falto de pudor o decoro. □ ETIMOL. Del latín turpis (feo, innoble). □ MORF. Invariable en número.

torpedear v. **1** Atacar con torpedos: El submarino torpedeó al destructor y lo hundió. **2** Referido a un asunto, hacerlo fracasar: Torpedeó mis negocios para arruinarme.

torpedero, ra s.m. Barco de guerra preparado para el lanzamiento de torpedos.

torpedo s.m. **1** Proyectil cilíndrico de gran tamaño provisto de una carga de gran potencia explosiva y que se lanza bajo el agua. **2** Pez marino de piel lisa, con el cuerpo aplanado y en forma de disco, dos aletas a los lados y dos órganos musculosos en la cabeza que producen descargas eléctricas que utilizan como defensa o para atrapar a sus presas. □ ETIMOL. Del latín torpedo, y éste de torpedere (sufrir parálisis). □ MORF. En la acepción 2, es un sustantivo epiceno: el torpedo macho, el torpedo hembra.

torpeza s.f. **1** Falta de habilidad, de agilidad o de destreza. **2** Falta de inteligencia o lentitud en comprender. **3** Falta de conveniencia, oportunidad, pudor o decoro.

torrar v. Tostar mucho: Si pasas tantas horas al sol, te vas a torrar. □ ETIMOL. Del latín torrere (tostar). □ SEM. Aunque la RAE lo considera sinónimo de tostar, torrar tiene un matiz intensivo.

torre s.f. **1** Construcción o edificio más alto que ancho y con distintas funciones. 🏠 vivienda **2** Edificio de mucha más altura que superficie. **3** En el juego del ajedrez, pieza que representa esta construcción y que se mueve en línea recta en todas las direcciones, excepto en diagonal; roque. ♟ ajedrez [**4** Estructura metálica de gran altura. **5** ‖torre de Babel; lugar en el que existe gran desorden y confusión, esp. si es porque muchas personas hablan a la vez; babel. ‖torre de control; en un aeropuerto, construcción con altura suficiente para observar todas las pistas y desde la que se regula la entrada y salida de aviones. □ ETIMOL. Del latín turris. La expresión torre de Babel, por alusión a la confusión de lenguas que se produjo cuando, según la Biblia, los hombres quisieron construir una torre en Babel para ver a Dios y éste los castigó.

torreja s.f. En zonas del español meridional, torrija.

torrencial adj. Con características del torrente. □ MORF. Invariable en género.

torrente s.m. **1** Corriente de agua rápida y veloz que se forma en tiempo de muchas lluvias o de deshielos rápidos. **2** Abundancia de cosas que se producen a un mismo tiempo. **3** ‖torrente de voz; voz muy fuerte y sonora. □ ETIMOL. Del latín torrens, y éste de torrere (secarse).

torrentera s.f. Cauce de un torrente o lugar por donde corren sus aguas.

torreón s.m. Torre grande para la defensa de una fortificación o de un castillo.

torreta s.m. Torre o estructura metálica, esp. la que está acorazada y sirve para sostener piezas de artillería.

torrezno s.m. Trozo de tocino frito o para freír. □ ETIMOL. De torrar.

tórrido, da adj. Muy caliente o muy caluroso. □ ETIMOL. Del latín torridus.

torrija s.f. **1** Rebanada de pan empapada en vino o leche, rebozada en huevo, frita y endulzada con azúcar o miel. [**2** col. Borrachera. □ ETIMOL. De torrar.

torsión s.f. Vuelta o giro de un objeto sobre sí mismo. □ ETIMOL. Del latín torsio.

torso s.m. **1** En el cuerpo de una persona, tronco o parte de él sin tener en cuenta la cabeza ni las extremidades. **2** Estatua a la que le faltan la cabeza, los brazos y las piernas. □ ETIMOL. Del italiano torso.

torta s.f. **1** Masa de harina y otros ingredientes, de forma redonda y aplanada, que se cuece a fuego lento o se fríe. **2** Cualquier masa con esta forma. **3** col. Golpe dado con la palma de la mano, esp. en la cara. **4** col. Golpe fuerte, caída o accidente. **5** En zonas del español meridional, tarta. [**6** En zonas del español meridional, bocadillo. **7** ‖[ni torta; col. Nada.

|| **[no tener ni media torta**; *col.* Ser muy débil o no tener fuerza física. ☐ ETIMOL. De origen incierto.

tortazo s.m. **1** *col.* Golpe dado en la cara con la mano abierta; bofetada. **2** *col.* Golpe fuerte o violento al caerse o al chocar contra algo.

[tortel s.m. Bollo, generalmente de hojaldre, en forma de rosco.

torticolis o **tortícolis** s.f. Contracción involuntaria y dolorosa de los músculos del cuello, que obliga a tener éste inmovilizado o torcido. ☐ ETIMOL. Del francés *torticolis*, y éste quizá del italiano *torti colli* (cuellos torcidos). ☐ PRON. Incorr. [tortículis]. ☐ MORF. **1.** Invariable en número. **2.** La RAE lo recoge como sustantivo de género ambiguo. ☐ USO *Torticolis* es el término menos usual.

tortilla s.f. **1** Comida que se hace con huevos batidos, a veces con otros ingredientes, y que se fríe en una sartén con aceite. **2** Alimento de forma circular y plana, que se hace con harina de maíz o de trigo. **3** ||**tortilla española**; la que se hace añadiendo al huevo trozos de patatas, fritas previamente. || **tortilla francesa**; la que se hace sólo con huevos. ||**tortilla paisana**; la que se hace con huevo, patata, verduras y chorizo. || **volverse la tortilla**; *col.* Cambiar la suerte o la situación. ☐ ETIMOL. De *torta*.

tortillera adj./s.f. *col.* [Lesbiana. ☐ USO Es despectivo.

tortillería s.f. Establecimiento comercial en el que se hacen y se venden tortillas.

tortita s.f. **[1** Torta hecha con una masa de agua y harina que se suele rellenar o acompañar con otros alimentos. **[2** En zonas del español meridional, tortilla. ☐ MORF. La acepción 2 se usa más en plural.

tortolito adj./s.m. Atolondrado o sin experiencia. ☐ MORF. La RAE no lo registra como adjetivo.

tórtolo, la s. **1** Ave migratoria parecida a la paloma, de plumaje rojizo en la parte superior y rosado en la garganta y en el pecho, cola negra con los bordes blancos, y que tiene un vuelo rápido. **2** *col.* Persona muy enamorada y que da abundantes muestras de cariño. ☐ ETIMOL. *Tórtola*, del latín *turtur*. *Tórtolo*, de *tórtola*. ☐ MORF. **1.** En la acepción 1, el femenino es el término genérico, y sirve para designar indistintamente al macho y a la hembra. **2.** En la acepción 2, se usa mucho el diminutivo *tortolito*.

tortuga s.f. **1** Reptil marino o terrestre con el cuerpo cubierto con un caparazón óseo del que sobresalen las extremidades, que se alimentan generalmente de vegetales. **[2** *col.* Lo que se mueve muy lentamente. ☐ ETIMOL. Quizá del latín *tartaruchus* (demonio), porque se consideraba que la tortuga, que habitaba en el lodo, era la representación del mal. ☐ MORF. En la acepción 1, es un sustantivo epiceno: *la tortuga macho, la tortuga hembra*.

tortuoso, sa adj. **1** Con muchas vueltas o rodeos. **2** Malicioso, indirecto y poco claro. ☐ ETIMOL. Del latín *tortuoso*.

tortura s.f. **1** Dolor físico o moral muy intenso que se causa a una persona como castigo o para obtener su confesión. **2** Lo que causa gran sufrimiento, malestar o disgusto. ☐ ETIMOL. Del latín *tortura*.

torturar v. Atormentar o causar tortura: *Estaban torturando al prisionero en el potro y se oían sus gritos. Lo torturaban unos horribles celos. Se torturaba pensando en lo que le esperaba.*

torva s.f. Véase torvo, va.

torvo, va ∎ adj. **1** Fiero, temible o que causa miedo o espanto, esp. referido a la mirada. ∎ s.f. **2** Remolino de lluvia o de nieve. ☐ ETIMOL. La acepción 1, del latín *torvus*. La acepción 2, del latín *turba* (confusión, tumulto).

[tory (anglicismo) adj./s. Del partido conservador británico o relacionado con él. ☐ PRON. [tóri]. ☐ MORF. **1.** Como adjetivo es invariable en género. **2.** Como sustantivo es de género común: *el 'tory', la 'tory'.*

tos s.m. **1** Expulsión brusca y ruidosa del aire de los pulmones después de una inspiración profunda. **2** ||**tos ferina**; enfermedad infecciosa que afecta a las vías respiratorias y que se caracteriza por causar una tos muy violenta e intensa. || **tos perruna**; la áspera, seca y desagradable. ☐ ETIMOL. Del latín *tussis*. ☐ ORTOGR. Incorr. **tosferina*.

toscano, na ∎ adj. **1** En arte, del orden toscano. ∎ s.m. **[2** →**orden toscano**.

tosco, ca adj. **1** Basto, sin pulimento o de escasa calidad o valor. **2** Sin delicadeza o sin educación ni cultura. ☐ ETIMOL. Del latín *tuscus* (disoluto, vil).

toser v. **1** Tener tos o provocarla voluntariamente: *Cuando tosas pon la mano delante de la boca.* **2** ||**toser a** alguien; *col.* Replicarle o enfrentarse a él: *En tu especialidad eres la mejor y no hay quien te tosa.* ☐ ETIMOL. Del latín *tussire*.

tosquedad s.f. **1** Falta de refinamiento, de delicadeza, de educación o de cultura. **2** Falta de pulimento, calidad o valor.

tostada s.f. Véase tostado, da.

tostadero, ra s.m. **1** Lugar o instalación en los que se tuesta. **2** Lugar en el que hace excesivo calor.

tostado, da ∎ adj. **1** Referido a un color, que es oscuro. ∎ s.m. **2** Sometimiento de algo a la acción del fuego, realizado lentamente hasta que toma un color dorado sin llegar a quemarse; tueste. ∎ s.f. **3** Rebanada de pan tostada. **[4** Tortilla mexicana frita. **[5** Comida que se prepara con estas tortillas fritas y otros alimentos encima de ellas.

tostador s.m. Aparato que sirve para tostar. ☒ electrodoméstico

tostar v. **1** Referido esp. a un alimento, ponerlo al fuego lentamente hasta que tome un color dorado sin llegar a quemarse: *Tostó el pan en una sartén y luego le untó mantequilla.* **2** Referido a la piel, curtirla o ponerla morena el sol y el viento: *El sol tuesta el cuerpo de los bañistas. Si te pones al sol se te tostará la cara.* ☐ ETIMOL. Del latín *tostare*. ☐ MORF. Irreg. →CONTAR. ☐ SEM. En la acepción 1, aunque la RAE lo considera sinónimo de *torrar*, éste tiene un matiz intensivo.

tostón s.m. **1** *col.* Lo que resulta molesto, fastidioso o importuno; incordio. **2** Trozo pequeño de pan frito que se añade a algunos alimentos. **3** En zonas del español meridional, medio peso mejicano. ☐ ETIMOL. Las acepciones 1 y 2, de *tostar*. La acepción 3, del portugués *tosto*. ☐ MORF. La acepción 3 se usa más en plural.

total ∎ adj. **1** General, completo o que afecta a todos los elementos. ∎ s.m. **2** Resultado de una suma. **[3** Conjunto de todos los elementos que forman un grupo; totalidad. ∎ adv. **4** En resumen o en conclusión. **[5** En realidad o en el fondo. ☐ ETIMOL. Del latín *totalis*. ☐ MORF. **1.** Como adjetivo es invariable en género. 2. Como adjetivo no admite grados: incorr. *más total.*

totalidad s.f. Conjunto de todos los elementos que forman un grupo; total.

totalitario, ria adj. 1 Que incluye la totalidad de las partes o elementos que integran algo. 2 Del totalitarismo o relacionado con este régimen político.

totalitarismo s.m. Régimen político caracterizado por la concentración de los poderes estatales en un grupo o partido que no permite la actuación de otros y que ejerce una fuerte intervención en todos los órdenes de la vida nacional.

totalizar v. Sumar o determinar el total de distintas cantidades: *Ese futbolista ha totalizado treinta goles en toda la temporada.* □ ORTOGR. La z se cambia en c delante de e →CAZAR.

tótem s.m. Objeto de la naturaleza o representación que se toma como símbolo protector de una tribu o de un individuo. □ ETIMOL. Del inglés *totem.*

totemismo s.m. Sistema de creencias y de organización de una sociedad basado en un tótem.

tótum revolútum ‖Conjunto de cosas desordenadas. □ ETIMOL. Del latín *totum revolutum* (todo revuelto).

[tour (galicismo) s.m. 1 →tur. 2 ‖[tour de force; demostración de fuerza o esfuerzo muy grande. ‖[tour operador; persona o empresa que se dedica a la organización de viajes colectivos. □ PRON. [tur], [tur de fors]. □ ORTOGR. En la acepción 2, se usan también *touroperador* y *tour-operador.*

[tournedos s.m. →turnedó. □ PRON. [turnedó]. □ USO Es un galicismo innecesario.

[tournée (galicismo) s.f. Gira artística. □ PRON. [turné]. □ USO 1. Se usa también *turné.* 2. Su uso es innecesario y puede sustituirse por una expresión como *gira.*

[touroperador, -a s. →tour operador.

toxicidad s.f. Capacidad de ser tóxico o venenoso.

tóxico, ca adj./s.m. Referido a una sustancia, que es venenosa. □ ETIMOL. Del latín *toxicum* (veneno).

toxicología s.f. Parte de la medicina que trata de los venenos. □ ETIMOL. Del griego *toxikón* (veneno) y *-logía* (estudio, ciencia).

toxicólogo, ga s. Médico especialista en toxicología.

toxicomanía s.f. Hábito de consumir drogas, calmantes u otro tipo de sustancias que pueden ser tóxicas. □ ETIMOL. Del griego *toxikón* (veneno) y *-manía* (afición desmedida).

toxicómano, na adj./s. Que padece toxicomanía.

toxina s.f. Sustancia elaborada por los seres vivos que actúa como veneno. □ ETIMOL. Del griego *toxikón* (veneno).

tozudez s.f. Persistencia en una idea fija, y negativa a dejarse convencer o dominar.

tozudo, da adj. 1 Que mantiene una idea fija y no se deja convencer. 2 Referido a un animal, que no se deja dominar con facilidad. □ ETIMOL. De *tozo* (cabeza).

traba s.f. 1 Lo que estorba o impide la realización o el logro de algo. 2 ‖[traba (de corbata); en zonas del español meridional, alfiler de corbata. □ ETIMOL. Del latín *trabs* (madero).

trabajado, da adj. Realizado con esmero y gran cuidado.

trabajador, -a ▌adj. 1 Que trabaja mucho. ▌s. 2 Persona que trabaja a cambio de un salario, esp. si realiza un trabajo manual.

trabajar v. 1 Realizar una actividad, esp. si requiere un esfuerzo físico o intelectual: *Se quedó estudiando, pero no sé si habrá trabajado mucho.* 2 Ejercer un oficio o profesión: *Trabaja como mecánico en una fábrica de coches.* [3 Funcionar o desarrollar adecuadamente una actividad: *La máquina sólo puede 'trabajar' cuatro horas al día.* [4 Mantener relaciones comerciales con una determinada empresa o entidad: *Ya no 'trabajamos' con esa empresa porque hemos conseguido un distribuidor más barato.* 5 Referido a la tierra, cultivarla: *Para que la tierra dé frutos hay que trabajarla.* [6 Referido a una materia o a una sustancia, manipularlas para darles forma: *Este escultor sólo 'trabaja' el mármol.* □ ETIMOL. Del latín **tripaliare* (torturar). □ ORTOGR. Conserva la *j* en toda la conjugación.

trabajo s.m. 1 Realización de una actividad o de un oficio. 2 Ocupación u oficio por el que se recibe una cantidad de dinero. [3 Lugar en el que se ejerce esta ocupación. 4 Producción del entendimiento en ciencias, letras o artes, esp. si es de alguna importancia; obra. 5 Estudio, ejercicio o ensayo de algo. 6 Cultivo de la tierra. 7 Actividad o esfuerzo. 8 ‖[trabajo de campo; el de investigación práctica, a partir del cual se elabora una teoría. ‖trabajos {forzados/forzosos}; trabajos físicos que debe realizar un preso como parte de la pena que se le impone.

trabajoso, sa adj. Que se realiza con mucho trabajo o esfuerzo.

trabalenguas s.m. Palabra o expresión difíciles de pronunciar, esp. las que se usan como juego. □ MORF. Invariable en número.

trabar ▌v. 1 Agarrar, prender, juntar o coger con fuerza: *El defensa trabó con sus piernas las del delantero y lo hizo caer.* 2 Referido esp. a las palabras o a las ideas, enlazarlas o unirlas: *En un razonamiento hay que trabar unas ideas con otras.* 3 Referido esp. a un desarrollo, impedirlos o dificultarlos: *Debes educar a tu hijo de forma que no trabes ninguna de sus aptitudes.* 4 Referido a un líquido o a una masa, espesarlo o darle mayor consistencia: *Para trabar la salsa tendrás que ponerle más aceite.* 5 Emprender o comenzar, esp. referido a una conversación o una amistad: *En estas vacaciones he trabado muchas amistades.* ▌prnl. 6 Tartamudear o hablar con dificultad: *Cuando se pone nervioso se traba y parece tartamudo.* □ ETIMOL. De *traba.* □ ORTOGR. Dist. de *tramar.*

trabazón s.f. 1 Unión o enlace de dos o más elementos. 2 Conexión de varios elementos o dependencia que tienen entre sí. □ ETIMOL. De *trabar.*

trabe s.f. Viga larga y gruesa de madera, que sirve para techar y sostener edificios. □ ETIMOL. Del latín *trabs* (madero).

trabilla s.f. En una prenda de vestir, tira de tela o de otro material cosida sólo por sus dos extremos. □ ETIMOL. De *traba.*

trabucar v. Referido esp. a letras, sílabas o palabras, pronunciarlas o escribirlas equivocadamente sustituyendo unas por otras: *Trabuqué 'tío' por 'lío' y el texto no tenía sentido. Se trabucó y escribió 'perosna' en lugar de 'persona'.* □ ETIMOL. Del catalán o del provenzal *trabucar* (volver lo de arriba abajo, caer, tropezar). □ ORTOGR. La *c* se cambia en *qu* delante de *e* →SACAR.

trabucazo s.m. **1** Disparo de trabuco. **2** Herida o daño producidos por este disparo.

trabuco s.m. Arma de fuego más corta y de mayor calibre que la escopeta normal, y con el cañón ensanchado por la boca. □ ETIMOL. Del catalán *trabuc*.

traca s.f. Artificio de pólvora que consiste en una serie de petardos colocados a lo largo de una cuerda y que estallan sucesivamente. □ ETIMOL. De origen onomatopéyico.

tracción s.f. Arrastre o empuje que se hace por medio de la fuerza. □ ETIMOL. Del latín *tractio*.

tracería s.f. Decoración arquitectónica formada por combinaciones de figuras geométricas. □ ETIMOL. De *trazo*.

tracio, cia adj./s. De la antigua Tracia (antigua región del sureste europeo) o relacionado con ella.

tracto s.m. Estructura anatómica con forma alargada que realiza una función de conducción entre dos lugares del organismo. □ ETIMOL. Del latín *tractus*.

[tractomula s.f. En zonas del español meridional, tráiler.

tractor, -a ▌ adj. **1** Que produce tracción o arrastre de algo. ▌ s.m. **2** Vehículo de motor con cuatro ruedas, las dos posteriores muy grandes y preparadas para adherirse al terreno, que se emplea para realizar determinadas tareas agrícolas y para arrastrar máquinas u otros vehículos. □ ETIMOL. Del latín *tractus*, y éste de *trahere* (arrastrar). □ MORF. En la acepción 1, la RAE sólo lo registra como sustantivo.

[trade mark (anglicismo) ‖ Marca registrada o distintivo legal que un fabricante pone a sus productos. □ PRON. [tréid marc]. □ USO Su uso es innecesario.

tradición s.f. **1** Transmisión de costumbres, creencias o elementos culturales hecha de generación en generación. **2** Lo que se ha transmitido de este modo. **[3** Desarrollo a lo largo del tiempo de un determinado arte o ciencia o conocimiento. □ ETIMOL. Del latín *traditio* (entrega, transmisión).

tradicional adj. **1** De la tradición o relacionado con ella. **[2** Que sigue las normas o costumbres del pasado o de un tiempo anterior. □ MORF. Invariable en género.

tradicionalismo s.m. **[**Actitud de defensa o de apego a las tradiciones del pasado.

[trading (anglicismo) s.m. En economía, comercio. □ PRON. [tréidin]. □ USO Su uso es innecesario.

traducción s.f. **1** Expresión en una lengua de lo que está escrito o expresado en otra distinta. **2** Explicación o interpretación, esp. la que se da a un texto. **3** ‖ **traducción directa**; la que se hace de un idioma extranjero al idioma del traductor. ‖ **traducción inversa**; la que se hace del idioma del traductor a un idioma extranjero. □ ETIMOL. Del latín *traductio*.

traducir v. **1** Referido a algo que está en determinada lengua, expresarlo en otra: *La propia autora tradujo su novela del francés al español.* **2** Explicar o interpretar: *Tradúceme lo que dijo el médico porque no me he enterado de nada.* **3** Convertir o transformar en otra cosa: *La revisión del examen tradujo el suspenso en un aprobado. La avería de la caldera se tradujo en una semana sin calefacción.* □ ETIMOL.

Del latín *traducere* (hacer pasar de un lugar a otro). □ MORF. Irreg. →CONDUCIR.

traductor, -a ▌ adj. **1** Que traduce. ▌ s. **2** Persona que se dedica a la traducción, esp. si ésta es su profesión.

traer v. **1** Conducir o trasladar hasta el lugar del que se habla o en el que se encuentra el hablante: *Tráeme un vaso de agua, por favor.* **2** Causar o provocar: *La sequía ha traído la ruina a muchas familias de agricultores.* **3** Vestir o lucir: *Traía un traje muy bonito.* **4** Referido a una persona, tenerla en el estado que se expresa: *Las manías de este muchacho me traen loca.* **5** Referido a una publicación, contener lo que se expresa: *Este libro trae muchas fotografías.* **[6** Referido a una sensación, tenerla o experimentarla: *Hoy 'traigo' mucha hambre.* **7** ‖ **traérselas** algo; *col.* Ser muy difícil o muy malo: *Este asunto se las trae y no es tan fácil como parecía.* □ ETIMOL. Del latín *trahere* (arrastrar). □ MORF. Irreg. →TRAER.

traficante adj./s. Que trafica con dinero o con alguna mercancía, esp. si lo hace de forma ilícita. □ MORF. **1.** Como adjetivo es invariable en género. **2.** Como sustantivo es de género común: *el traficante, la traficante.*

traficar v. Comerciar o negociar con dinero o con mercancías, esp. si se hace de forma ilícita: *Lo detuvieron por traficar con armas.* □ ETIMOL. Del italiano *trafficare*. □ ORTOGR. La *c* se cambia en *qu* delante de *e* →SACAR. □ SINT. Constr. *traficar {CON/ EN}* algo.

tráfico s.m. **1** Comercio o negociación con dinero o con mercancías, esp. si se hace de forma ilegal. **2** Circulación de vehículos. **3** ‖ **tráfico de influencias**; utilización ilegal de la influencia o del poder de alguien para conseguir algo. □ ETIMOL. Del italiano *traffico*.

tragacanto s.m. **1** Arbusto con ramas abundantes, hojas compuestas, flores blancas en espiga, fruto pequeño en vaina, y del que se obtiene una goma blanquecina. **2** Goma que se obtiene del tronco y de las ramas de este arbusto. □ ETIMOL. Del griego *tragákantha* (espina del macho cabrío), porque este arbusto es espinoso.

tragaderas s.f.pl. **1** *col.* Facilidad para creer cualquier cosa. **2** *col.* Falta de escrúpulos o facilidad para admitir o tolerar algo inconveniente o de dudosa moralidad.

tragadero s.m. Agujero o conducto por el que se introduce algo, esp. un líquido.

trágala s.m. **1** Canción con la que los liberales españoles se burlaban de los partidarios del gobierno absoluto durante el primer tercio del siglo XIX. **2** Hecho por el cual se obliga a alguien a aceptar o soportar algo. □ ETIMOL. De *Trágala, tú, servilón*, palabras con las que empezaba el estribillo de la canción.

tragaldabas s. *col.* Persona que traga o come mucho. □ MORF. **1.** Es de género común: *el tragaldabas, la tragaldabas.* **2.** Invariable en número.

tragaluz s.m. Ventana abierta en el techo o en la parte superior de una pared.

tragaperras s.f. →**máquina tragaperras**. □ MORF. Invariable en número.

tragar ▌ v. **1** Referido esp. a un alimento, hacerlo pasar de la boca al aparato digestivo: *Tragarás mejor la pastilla si bebes un sorbo de agua. Traga más des-*

pacio porque te vas a atragantar. **2** Dejar pasar al interior o a la parte más profunda de algo: *Este lavabo está atascado y no traga el agua. La aspiradora se ha tragado una moneda.* **3** Referido a algo que se cuenta, creerlo fácilmente: *Me inventé una excusa para no acompañar a tu primo y se la tragó.* **4** Aguantar, soportar o tolerar: *Me tragué el rollo de la conferencia porque me daba vergüenza salir a la mitad.* **[5** Acceder o aceptar: *Si sigues insistiendo, terminará por 'tragar'.* ■ prnl. **[6** col. Referido esp. a un obstáculo, no verlo y chocar con él: *Iba mirando para atrás y 'me tragué' una farola.* **7** ‖**no tragar algo;** Sentir antipatía hacia ello. ☐ ETIMOL. De origen incierto. ☐ ORTOGR. La *g* se cambia en *gu* delante de *e* →PAGAR.

[tragasables s. Artista de circo que realiza números espectaculares tragándose objetos que pueden dañar su cuerpo, esp. armas blancas. ☐ MORF. 1. Es de género común: *el tragasables, la tragasables.* 2. Invariable en número.

tragedia s.f. **1** Obra dramática cuya acción presenta conflictos de apariencia fatal, que incitan a la compasión y al espanto y que terminan en un final funesto. **2** Obra literaria o artística en la que predominan los sucesos desgraciados. **3** Género al que pertenecen este tipo de obras. **4** Situación o suceso que resultan trágicos. ☐ ETIMOL. Del latín *tragoedia*, y éste del griego *tragoidía* (canto o drama heroico).

trágico, ca ■ adj. **1** De la tragedia o relacionado con ella. **2** Desgraciado y hondamente conmovedor. **3** Referido a un actor, que representa tragedias o papeles que mueven a la compasión. ■ adj./s. **4** Referido a un escritor, que escribe tragedias.

tragicomedia s.f. Obra dramática con rasgos de comedia y de tragedia.

tragicómico, ca adj. **1** De la tragicomedia o relacionado con ella. **2** Que participa de las cualidades de lo trágico y de lo cómico.

trago s.m. **1** Parte de un líquido que se traga de una vez. **2** Bebida alcohólica. **3** col. Disgusto, contratiempo o situación difícil que se sufre con dificultad.

tragón, -a adj./s. col. Que traga o que come mucho.

tragonería s.f. col. Vicio o costumbre del que es tragón.

traición s.f. **1** Acción o comportamiento que quebranta o rompe la lealtad que se debía tener. **2** ‖**a traición;** faltando a la confianza o con engaño. ☐ ETIMOL. Del latín *traditio* (entrega, transmisión).

traicionar v. **1** Romper la confianza o la lealtad debida: *Traicionó a su mejor amigo. Traicionó a su mujer liándose con otra.* **[2** No resultar como se esperaba porque no ha podido ser controlado: *Me 'traicionaron' los nervios y fallé el tiro.*

traicionero, ra adj./s. →traidor.

traidor, -a ■ adj. **1** Que implica traición o falsedad. **2** Referido a un animal, astuto y falso. **[3** col. Que produce daño o perjuicio aunque parece inofensivo. ■ adj./s. **4** Que comete traición. ☐ ETIMOL. Del latín *traditor* (entregador, traidor). ☐ SEM. Es sinónimo de *traicionero.*

[trail (anglicismo) s.m. Modalidad deportiva de motociclismo, que se practica por caminos y veredas agrestes. ☐ PRON. [tréil].

tráiler s.m. **1** Remolque de un camión. **2** Avance de una película. ☐ ETIMOL. Del inglés *trailer.* ☐ SEM.

En la acepción 2, dist. de *thriller* (película de suspense).

traílla s.f. **1** Cuerda o correa para sujetar a un perro en las cacerías. **2** Pareja de perros atados con una de estas cuerdas. ☐ ETIMOL. Del latín **tragella.*

trainera s.f. **1** Embarcación que se usa para pescar con redes de arrastre. **[2** Embarcación impulsada mediante remos que se usa en competiciones deportivas. ✍ embarcación

[training s.m. **1** →**entrenamiento. 2** Curso de formación o período de prácticas. ☐ PRON. [tréinin]. ☐ USO Es un anglicismo innecesario.

traíña s.f. Red de pesca con forma de gran bolsa, muy usada en la pesca de la sardina. ☐ ETIMOL. Del gallego *traíña.* ✍ pesca

traje s.m. **1** Vestido exterior completo de una persona. **2** Vestido de hombre que consta de chaqueta, pantalón y a veces chaleco, hechos del mismo color y de la misma tela. **3** ‖**traje de luces;** el que se pone un torero para torear. ‖**traje de noche;** el femenino que se usa para fiestas de etiqueta. ‖**traje regional;** el tradicional de un lugar. ‖**traje (sastre);** el de mujer que imita al masculino. ☐ ETIMOL. Del portugués *traje.*

trajeado, da adj. **1** Que va vestido con traje. **2** Arreglado en la forma de vestir.

trajear v. Vestir con traje: *Se empeñó en trajearme para la cena.*

trajín s.m. Gran actividad o movimiento continuo e intenso.

trajinar v. Tener gran actividad o andar de un sitio a otro continuamente: *En el comercio no dejamos de trajinar porque tenemos muchos clientes.* ☐ ETIMOL. Del latín **traginare* (arrastrar).

tralla s.f. **1** Látigo provisto de una trencilla en su extremo para que haga ruido al sacudirlo. **2** ‖**[dar tralla;** col. Golpear o criticar con dureza. ☐ ETIMOL. Del latín *tragula.*

trallazo s.m. **[1** Golpe violento. **2** Golpe dado con una tralla.

trama s.f. **1** En una tela, conjunto de los hilos que, colocados horizontalmente, se cruzan con los de la urdimbre para formarla. **2** Confabulación o astucia para llevar a cabo un engaño o una traición. **3** Argumento de una obra dramática o narrativa. **[4** En televisión, conjunto de líneas que forman la imagen. **[5** En biología, conjunto de células y fibras que constituyen la estructura de un tejido. **[6** En artes gráficas, conjunto de puntos en los que se descompone una imagen cuando se reproduce en fotomecánica, y cuyo tamaño, forma y número dependen de la intensidad del tono que representan. **[7** Papel con puntos, líneas o pequeños dibujos, transparente y adhesivo, que se utiliza en ilustración o en diseño gráfico. ☐ ETIMOL. Del latín *trama* (artificio, hilos que cruzados con la urdimbre forman la tela).

tramar v. **1** Referido a un engaño o una traición, organizarlo con astucia o mediante una confabulación: *Fueron detenidos los militares que tramaban el golpe de Estado.* **2** Referido a algo complicado o difícil, disponerlo con habilidad: *La propia ministra tramó la organización del departamento.* ☐ ORTOGR. Dist. de *trabar.*

tramilla s.f. Cordel delgado y resistente hecho de cáñamo; bramante. ☐ ETIMOL. De *trama.*

tramitación s.f. Realización de los trámites necesarios para que un asunto o un negocio puedan ser resueltos.

tramitar v. Referido a un asunto o un negocio, hacerlo pasar por los trámites necesarios para que pueda ser resuelto: *Ha terminado el plazo para tramitar el cobro de la indemnización.*

trámite s.m. Cada una de las gestiones o pasos que hay que hacer en un negocio o en un asunto para resolverlos. □ ETIMOL. Del latín *trames* (senda).

tramo s.m. **1** Cada una de las partes en que se divide una superficie más o menos lineal. **2** Parte de una escalera situada entre dos rellanos o descansillos. **[3** Cada una de las partes en que se divide un contenido o algo que dura un tiempo. □ ETIMOL. Quizá del latín *trames* (sendero, camino).

tramontano, na ‖ adj. **1** Del otro lado de los montes. ‖ s.f. **2** Viento que sopla o viene del norte. □ ETIMOL. Del latín *transmontanus*.

tramoya s.f. **1** En un teatro, máquina o conjunto de máquinas que se usan para cambiar los decorados y para producir los efectos escénicos. **2** Enredo, intriga o trampa que se disponen de forma ingeniosa o disimulada.

tramoyista s.m. Persona que se dedica profesionalmente a diseñar, construir, montar o manejar las tramoyas de un teatro. □ MORF. Es de género común: *el tramoyista, la tramoyista.*

trampa s.f. **1** Dispositivo o mecanismo para cazar, en el que la presa cae por descuido o por engaño. **2** Engaño o treta para burlar o perjudicar a alguien. **3** Incumplimiento disimulado de una ley o una regla, pensando en el propio beneficio. □ ETIMOL. De origen onomatopéyico.

trampantojo s.m. En arte, trampa con que se engaña la vista haciendo que vea lo que no es. □ ETIMOL. De *trampa ante ojo.*

trampear v. **1** Pedir prestado o fiado con trampas y engaños: *El negocio sigue abierto porque trampea todo lo que puede.* **2** Vivir soportando y superando las dificultades: *Va trampeando, unas veces con salud y otras sin ella.*

trampero, ra s. Persona que pone trampas para cazar. □ MORF. La RAE sólo lo registra como masculino.

trampilla s.f. Puerta o ventana pequeñas que se abren hacia arriba y que están situadas en el techo o en un suelo. □ ETIMOL. De *trampa.*

trampolín s.m. **1** Mecanismo o estructura que sirve para lanzar o impulsar un cuerpo. 🛒 gimnasio **2** Lo que alguien utiliza para mejorar su posición o su situación. □ ETIMOL. Del italiano *trampolino.*

tramposo, sa adj./s. Que hace trampas.

[tran ‖ **al tran tran**; *col.* **1** De cualquier manera y sin cuidado. col. **2** Despacito y con buena letra.

tranca s.f. **1** Palo grueso y fuerte, esp. el que se pone como puntal o se atraviesa detrás de una puerta para asegurarla. **2** *col.* Borrachera. **3** ‖ **a trancas y barrancas**; *col.* Con dificultades, superando muchos obstáculos o de forma intermitente. □ ETIMOL. De origen incierto.

trancar v. Cerrar con una tranca o un cerrojo: *El último que entre que tranque la puerta.* □ ORTOGR. La *c* se cambia en *qu* delante de *e* →SACAR.

trancazo s.m. **1** *col.* Gripe o resfriado. **2** Golpe fuerte. **[3** *col.* En zonas del español meridional, puñetazo.

trance s.m. **1** Momento difícil, crítico y decisivo por

el que pasa alguien. **2** Estado en el que un médium manifiesta fenómenos paranormales. □ ETIMOL. Quizá del francés *transe.*

tranco s.m. **1** Paso largo o salto que se da abriendo mucho las piernas. **2** Umbral de la puerta.

tranquilidad s.f. **1** Sosiego, quietud o falta de agitación. **2** Mansedumbre, falta de nerviosismo o de excitación.

tranquilizador, -a adj. Que tranquiliza.

tranquilizante adj./s.m. Referido a una sustancia, esp. a un medicamento, que tiene efecto tranquilizador o sedante. □ MORF. Como adjetivo es invariable en género.

tranquilizar v. Poner tranquilo: *Tranquiliza a tu madre, que está muy nerviosa. Cuando te tranquilices hablaremos mejor.* □ ORTOGR. La *z* se cambia en *c* delante de *e* →CAZAR.

tranquilo, la adj. **1** Sosegado, quieto o sin agitación. **2** Pacífico, sin nerviosismo o sin excitación. □ ETIMOL. Del latín *tranquillus.*

trans- Prefijo que significa 'al otro lado' o 'a través de'. □ ETIMOL. Del latín *trans.* □ MORF. Puede adoptar la forma *tras-*: *trasalpino, trasmediterráneo.*

transacción s.f. Trato, convenio o negocio. □ ETIMOL. Del latín *transatio.*

transalpino, na adj. **1** Referido a una región, que está situada en el lado norte de la cordillera alpina. **2** De esta región o relacionado con ella. □ ETIMOL. Del latín *transalpinus.* □ ORTOGR. Se admite también *trasalpino.*

[transaminasa s.f. Enzima que realiza el transporte de un grupo amino de una molécula a otra.

transandino, na adj. Que atraviesa la cordillera andina. □ ETIMOL. De *trans-* (a través de) y *andino.* □ ORTOGR. Se admite también *trasandino.*

transatlántico, ca ‖ adj. **1** Referido esp. al comercio o a un medio de locomoción, que atraviesa el Atlántico (océano situado entre las costas europeas, africanas y americanas). ‖ s.m. **2** Embarcación de grandes dimensiones destinada al transporte de pasajeros. 🛒 embarcación □ ETIMOL. De *trans-* (a través de) y *atlántico.* □ ORTOGR. Se admite también *trasatlántico.*

transbordador s.m. **1** Embarcación que hace el recorrido entre dos puntos, navegando en los dos sentidos, y que se utiliza para transportar viajeros y vehículos. 🛒 embarcación **[2** Aeronave espacial que se usa para transportar una carga al espacio y que despega verticalmente como un cohete y aterriza como un avión. □ USO En la acepción 1, es innecesario el uso de los anglicismos *ferry* o *ferryboat.*

transbordar v. En un viaje en ferrocarril o en metro, cambiar de línea o de vehículo: *Cuando lleguemos a la próxima estación tenemos que transbordar para coger el tren que nos interesa.* □ ETIMOL. De *trans-* (al otro lado) y *bordo.* □ ORTOGR. Se admite también *trasbordar.*

transbordo s.m. En un viaje, cambio de línea, de ferrocarril o de metro. □ ORTOGR. Se admite también *trasbordo.*

transcendencia s.f. →**trascendencia.**

transcendental adj. →**trascendental.** □ MORF. Invariable en género.

[transcendente adj. →**trascendente.** □ MORF. Invariable en género.

transcender v. →trascender. ☐ MORF. Irreg. →PERDER.

transcontinental adj. Que atraviesa un continente. ☐ MORF. Invariable en género.

transcribir v. 1 Referido a algo que está escrito en un sistema de caracteres, escribirlo en otro sistema; transliterar: *Una experta en paleografía transcribía los textos antiguos al lenguaje actual.* 2 Referido a algo que está escrito en una parte, copiarlo o escribirlo en otra: *Tienes que transcribir palabra por palabra el texto del libro.* ☐ ETIMOL. Del latín *transcribere.* ☐ ORTOGR. Se admite también *trascribir.* ☐ MORF. Su participio es *transcrito.*

transcripción s.f. 1 Representación de un escrito mediante un sistema de caracteres distinto al original; transliteración. 2 Representación de elementos lingüísticos mediante un determinado sistema de escritura. 3 Copia de un escrito. ☐ ETIMOL. Del latín *transcriptio.* ☐ ORTOGR. Se admite también *trascripción.*

transcriptor, -a adj./s. Que transcribe o que hace transcripciones.

transcrito part. irreg. de **transcribir.** ☐ MORF. Incorr. *transcribido.* ☐ SEM. Es sinónimo de *trascrito.*

transcurrir v. Referido esp. al tiempo, desarrollarse o pasar de ser presente a pasado: *Los meses transcurrieron sin incidentes.* ☐ ETIMOL. Del latín *transcurrere.* ☐ ORTOGR. Se admite también *trascurrir.*

transcurso s.m. Paso o desarrollo de un período de tiempo. ☐ ETIMOL. Del latín *transcursus.* ☐ ORTOGR. Se admite también *trascurso.*

transeúnte adj./s. 1 Que transita o que pasa por un lugar. 2 Que está de paso o que reside transitoriamente en un lugar. ☐ ETIMOL. Del latín *transiens,* y éste de *transire* (pasar más allá, traspasar). ☐ MORF. 1. Como adjetivo es invariable en género. 2. Como sustantivo es de género común: *el transeúnte, la transeúnte.*

transexual adj./s. Referido a una persona, que adquiere los caracteres sexuales del sexo opuesto mediante un tratamiento hormonal y quirúrgico. ☐ ETIMOL. De *trans-* (al otro lado) y *sexual.* ☐ MORF. 1. Como adjetivo es invariable en género. 2. Como sustantivo es de género común: *el transexual, la transexual.*

transexualidad s.f. o *[transexualismo* s.m. Condición de la persona que ha cambiado de sexo mediante un tratamiento hormonal y quirúrgico. ☐ USO *Transexualismo* es el término menos usual.

[transfer (anglicismo) s.m. En fútbol, traspaso de un jugador de un equipo a otro. ☐ PRON. [tránsfer]. ☐ USO Su uso es innecesario y puede sustituirse por el término *traspaso.*

transferencia s.f. 1 Paso de un lugar a otro. 2 Remisión de una cantidad de dinero de una cuenta bancaria a otra. 3 Cesión de un derecho, un dominio o una atribución a otra persona. ☐ ORTOGR. Se admite también *trasferencia.*

transferir v. 1 Pasar de un lugar a otro: *Me han transferido a la sección de ropa infantil porque faltaba personal.* 2 Referido a fondos bancarios, remitirlos de una cuenta a otra: *He transferido las cien mil pesetas que te debía a tu cuenta.* 3 Ceder a otra persona: *Ha transferido la presidencia de la empresa a su hijo.* ☐ ETIMOL. Del latín *transferre.* ☐ ORTOGR. Se admite también *trasferir.* ☐ MORF. Irreg. →SENTIR.

transfigurar v. Cambiar la figura o el aspecto exterior: *Creyó ver un fantasma y se le transfiguró la cara.* ☐ ETIMOL. Del latín *transfigurare.* ☐ ORTOGR. Se admite también *trasfigurar.*

transformación s.f. 1 Cambio de aspecto o de costumbres. 2 Conversión de una cosa en otra. [3 En rugby, introducción del balón entre los dos palos verticales y por encima del horizontal de la portería, impulsándolo con el pie, después de un ensayo. ☐ ORTOGR. Se admite también *trasformación.*

transformacional adj. En lingüística, de la transformación de unos esquemas oracionales en otros por la aplicación de determinadas reglas. ☐ MORF. Invariable en género.

transformador, -a adj./s. 1 Que transforma. ▮ s.m. 2 Aparato que sirve para transformar una corriente eléctrica de un voltaje a otro. ☐ ORTOGR. Se admite también *trasformador.*

transformar v. 1 Cambiar las costumbres o el aspecto: *La felicidad ha transformado tu cara.* 2 Referido a una cosa, convertirla en otra: *El frío intenso transformó el agua en hielo.* [3 En rugby, introducir el balón entre los palos verticales, por encima del horizontal de la portería, impulsándolo con el pie, después de un ensayo: *El equipo logró 'transformar' y ahora tiene dos puntos más.* [4 En fútbol, referido a una falta, marcar gol al ejecutarla: *Herrero 'transformó' un penalti.* ☐ ETIMOL. Del latín *transformare.* ☐ ORTOGR. Se admite también *trasformar.*

transformativo, va adj. Que puede transformar. ☐ ORTOGR. Se admite también *trasformativo.*

transformismo s.m. Arte o técnica de cambiar con mucha rapidez de trajes y de personajes para interpretar.

transformista s. Actor o payaso que cambia rapidísimamente de trajes y de personajes para interpretar. ☐ MORF. Es de género común: *el transformista, la transformista.*

tránsfuga s. 1 Persona que huye de un lugar a otro. 2 Persona que pasa de un partido político a otro. ☐ ETIMOL. Del latín *transfuga.* ☐ ORTOGR. Se admite también *trásfuga.* ☐ MORF. La RAE registra *tránsfuga* como sustantivo de género común (el tránsfuga, la tránsfuga), aunque admite también *tránsfugo* como forma del masculino.

[transfuguismo s.m. Paso de una persona de un partido político a otro.

transfundir v. Hacer una transfusión: *Transfundieron un litro de sangre al accidentado.* ☐ ETIMOL. Del latín *transfundere.* ☐ ORTOGR. Se admite también *trasfundir.*

transfusión s.f. Introducción de sangre o de plasma sanguíneo procedentes de una persona en el sistema circulatorio de otra. ☐ ETIMOL. Del latín *transfusio.* ☐ ORTOGR. Se admite también *trasfusión.*

transgredir v. Referido esp. a una ley, quebrantarla o violarla: *Los delincuentes son detenidos por transgredir las normas.* ☐ ETIMOL. Del latín *transgredi* (pasar a través). ☐ ORTOGR. Se admite también *trasgredir.* ☐ MORF. Verbo defectivo: sólo se usan las formas que presentan *i* en su desinencia. →ABOLIR.

transgresión s.f. Violación de un precepto, de una ley o de un estatuto. ☐ ETIMOL. Del latín *transgressio.* ☐ ORTOGR. Se admite también *trasgresión.*

transgresivo, va adj. Que implica transgresión.

transgresor, -a adj./s. Que comete una trasgresión. ☐ ORTOGR. Se admite también *trasgresor*.

transiberiano, na ∎ adj. **1** Referido esp. al comercio o a un medio de locomoción, que atraviesan la región siberiana. ∎ s.m. **[2** Tren que hace este recorrido.

transición s.f. Paso de una situación o de una forma de ser a otra distinta. ☐ ETIMOL. Del latín *transitio* (acción de pasar más allá).

transido, da adj. Fatigado o consumido por una angustia o una necesidad. ☐ ETIMOL. Del antiguo *transir* (morir). ☐ SINT. Constr. *transido* DE *algo*.

transigencia s.f. Tolerancia o aceptación de lo que no se considera justo, razonable o verdadero, para no discutir.

transigir v. Referido a algo que no se cree justo, razonable o verdadero, aceptarlo o consentirlo para poner fin a una discusión: *Con la mentira no transijo de ninguna manera.* ☐ ETIMOL. Del latín *transigere* (hacer pasar a través, concluir un negocio). ☐ ORTOGR. La *g* se cambia en *j* delante de *a, o* →DIRIGIR. ☐ SINT. Constr. *transigir* EN *algo*.

transistor s.m. **1** Dispositivo electrónico de pequeño tamaño que sirve para rectificar y amplificar los impulsos eléctricos. **2** Aparato de radio provisto de estos dispositivos. ☐ ETIMOL. Del inglés *transistor*.

transitable adj. Referido a un lugar, que permite que se transite por él. ☐ MORF. Invariable en género.

transitar v. Ir de un punto a otro por la vía pública: *Está prohibido que los coches transiten por las calles peatonales.* ☐ ETIMOL. De *tránsito*. ☐ SINT. Su uso como transitivo es incorrecto, aunque está muy extendido: *mucha gente transita {*ese camino > por ese camino}.*

transitividad s.f. Exigencia de complemento directo: *El verbo 'dar' se caracteriza por su transitividad.*

transitivo, va adj. En lingüística, referido esp. a un verbo o a una oración, que se construyen con complemento directo. ☐ ETIMOL. Del latín *transitivus*.

tránsito s.m. **1** Paso de un punto a otro por una vía pública. **2** Actividad o movimiento de personas y de vehículos. **3** Paso o estancia. **[4** En zonas del español meridional, tráfico. ☐ ETIMOL. Del latín *transitus*.

transitoriedad s.f. Duración limitada de algo que no es definitivo.

transitorio, ria adj. Pasajero, temporal o que no es definitivo. ☐ ETIMOL. Del latín *transitorio*.

translación s.f. →**traslación**.

translaticio, cia adj. →**traslaticio**.

transliteración s.f. Representación de un escrito mediante un sistema de caracteres distinto al original; transcripción.

transliterar v. Referido a algo que está escrito en un sistema de caracteres, escribirlo en otro sistema; transcribir, trascribir: *La voz griega* αναтομία *se translitera como 'anatomía'.* ☐ ETIMOL. De *trans-* (al otro lado) y el latín *littera* (letra).

translúcido, da adj. Referido a un cuerpo, que permite el paso de la luz sin dejar que se vean nítidamente los objetos. ☐ ETIMOL. Del latín *translucidus*. ☐ ORTOGR. Se admite también *traslúcido*. ☐ SEM. Dist. de *transparente* (que permite el paso de la luz y de las imágenes a través de él).

translucir v. →**traslucir**. ☐ MORF. Irreg. →LUCIR.

transmediterráneo, a adj. Referido esp. al comercio o a un medio de locomoción, que atraviesan el Mediterráneo (mar situado entre las costas europeas, africanas y asiáticas). ☐ ETIMOL. De *trans-* (a través de) y *mediterráneo*. ☐ ORTOGR. Se admite también *trasmediterráneo*.

transmigración s.f. Paso del alma de un cuerpo a otro tras la muerte. ☐ ORTOGR. Se admite también *trasmigración*.

transmigrar v. Referido al alma, pasar de un cuerpo a otro tras la muerte: *Las personas que creen en la reencarnación aseguran que al morir, el alma transmigra a otro cuerpo.* ☐ ETIMOL. Del latín *transmigrare*. ☐ ORTOGR. Se admite también *trasmigrar*.

transmisión s.f. **1** Traslado o transferencia de algo de un lugar a otro. **2** Emisión o difusión de un programa de radio o de televisión. **3** Comunicación de una noticia o de un mensaje a otra persona. **4** Contagio de una enfermedad o de un estado de ánimo. ☐ ORTOGR. Se admite también *trasmisión*.

transmisor, -a ∎ adj./s. **1** Que transmite o que puede transmitir. ∎ s.m. **2** Aparato telefónico o telegráfico que transmite vibraciones o señales que son recogidas por el receptor.

transmitir v. **1** Trasladar, transferir o llevar de un lugar a otro: *Los ascendientes transmiten a sus descendientes los caracteres hereditarios.* **2** Referido a un programa, difundirlo o emitirlo a larga distancia: *Esta tarde transmiten por la televisión un concierto de música clásica.* **3** Referido a un mensaje o a una noticia, hacerlos llegar a alguien: *Si ves a tu hermano, transmítele mis saludos.* **4** Referido a una enfermedad o a un estado de ánimo, comunicarlos o pasarlos a otras personas: *El payaso transmitía su alegría a los niños. La gripe se transmite por el aire.* ☐ ETIMOL. Del latín *transmittere*. ☐ ORTOGR. Se admite también *trasmitir*. ☐ SEM. Está muy extendido su uso como intransitivo con el significado de 'comunicar emoción': *El torero no 'transmitía' y el público se aburrió.*

transmutable adj. Que se puede transmutar. ☐ ORTOGR. Se admite también *trasmutable*. ☐ MORF. Invariable en género.

transmutación s.f. Cambio o conversión de una cosa en otra distinta. ☐ ORTOGR. Se admite también *trasmutación*.

transmutar v. Referido a una cosa, cambiarla o convertirla en otra: *Jesucristo realizó el milagro de transmutar el agua en vino.* ☐ ETIMOL. Del latín *transmutare*. ☐ ORTOGR. Se admite también *trasmutar*.

[transnacional adj./s.f. Referido esp. a una empresa o a una sociedad mercantil, que tiene sus intereses y actividades repartidos en varios países; multinacional. ☐ MORF. Como adjetivo es invariable en género.

transoceánico, ca adj. Que atraviesa un océano. ☐ ETIMOL. De *trans-* (a través de) y *oceánico*.

transparencia s.f. **1** Capacidad de un cuerpo para dejar pasar la luz y las imágenes a través de él. **2** Claridad o evidencia. **[3** Lámina transparente de acetato sobre la que aparece un texto o una imagen impresos o manuscritos, y que se proyecta sobre una superficie. **4** En el cine, fondo que se proyecta sobre una pantalla, y que se usa para llevar a un estudio imágenes del exterior. **5** En zonas del español meridional, diapositiva. ☐ ORTOGR. Se admite también *trasparencia*.

transparentar v. **1** Referido a un cuerpo, permitir que se vea o se perciba algo a través de él: *Estas cortinas tan delgadas transparentan la luz.* **2** Dejar ver o mostrar: *Tus palabras transparentan el terror que sientes.* □ ORTOGR. Se admite también *trasparentar.*

transparente adj. **1** Referido a un cuerpo, que permite el paso de la luz y de las imágenes a través de él. **2** Claro, evidente o que se entiende sin dar lugar a dudas. □ ETIMOL. De *trans-* (a través) y *parens* (que aparece). □ ORTOGR. Se admite también *trasparente.* □ MORF. Invariable en género. □ SEM. Dist. de *translúcido* (que permite el paso de la luz sin dejar que se vean los objetos).

transpiración s.f. Salida del líquido contenido en un cuerpo a través de sus poros. □ ORTOGR. Se admite también *traspiración.*

transpirar v. Referido a un cuerpo, pasar el líquido de su interior al exterior a través de su tegumento o de su piel: *Cuando hace mucho calor las personas transpiran.* □ ETIMOL. De *trans-* (a través) y *spirare* (exhalar, brotar). □ ORTOGR. Se admite también *traspirar.*

transpirenaico, ca adj. Que atraviesa la cordillera pirenaica. □ ETIMOL. De *trans-* (al otro lado) y *pirenaico.* □ ORTOGR. Se admite también *traspirenaico.*

[transponedor s.m. Elemento de un satélite que actúa como repetidor o canal de recepción y transmisión amplificada de señales electromagnéticas.

transponer ▌ v. **1** Cruzar al otro lado, de forma que quede oculto a la vista: *El Sol transpuso las montañas y la oscuridad comenzó a extenderse.* **2** Referido a una persona o a una cosa, ponerlas más allá, en un lugar distinto del que estaban: *Transpón el mueble hacia la pared, para que quede más espaciosa la sala.* ▌ prnl. **3** Dormirse ligeramente: *Me senté en el sillón y me transpuse.* □ ETIMOL. Del latín *transponere.* □ ORTOGR. Se admite también *trasponer.* □ MORF. Irreg.: 1. Su participio es *transpuesto.* 2. →PONER. □ USO En la acepción 3 se usa mucho la expresión *quedarse transpuesto.*

transportador s.m. Círculo o semicírculo graduados que sirven para medir o trazar los ángulos de un dibujo geométrico. □ ORTOGR. Se admite también *trasportador.* 🖉 medida

transportar v. **1** Llevar de un lugar a otro: *Las mulas transportaban el equipaje de los exploradores.* **2** Enajenar el sentido, esp. por la pasión o por el éxtasis: *Esta maravillosa música me transporta.* □ ETIMOL. Del latín *transportare.* □ ORTOGR. Se admite también *trasportar.*

transporte s.m. **1** Traslado de algo de un lugar a otro. **[2** Medio de locomoción que se utiliza para el traslado de un lugar a otro. □ ORTOGR. Se admite también *trasporte.*

transportista adj./s. Que se dedica a hacer transportes por un precio convenido. □ MORF. 1. Como adjetivo es invariable en género. 2. Como sustantivo es de género común: *el transportista, la transportista.* 3. La RAE sólo lo registra como sustantivo.

transposición s.f. Movimiento de una cosa al cruzar algo, hasta que queda oculta. □ ORTOGR. Se admite también *trasposición.*

transpuesto, ta ▌ **1** part. irreg. de **transponer.** ▌ adj. **2** Medio dormido. □ ORTOGR. Se admite también *traspuesto.* □ MORF. Incorr. *transponido.*

transubstanciación s.f. En la misa, conversión de las sustancias del pan y del vino, durante la eucaristía, en el cuerpo y en la sangre de Jesucristo. □

ETIMOL. Del latín *transubstantiatio.* □ ORTOGR. Incorr. **transustanciación.*

transvasar v. Referido a un líquido, pasarlo de un recipiente a otro: *Para transvasar el vino de las garrafas a las botellas uso un embudo.* □ ETIMOL. De *trans-* (a través) y *vaso.* □ ORTOGR. Se admite también *trasvasar.*

transvase s.m. Paso de un líquido de un sitio a otro. □ ORTOGR. Se admite también *trasvase.*

transversal adj. **1** Que se halla o se extiende atravesado de un lado a otro. **2** Que se aparta o se desvía de la dirección principal o recta. □ ORTOGR. Se admite también *trasversal.* □ MORF. Invariable en género.

transverso, sa adj. Que está colocado o dirigido de forma atravesada. □ ETIMOL. Del latín *transversus.* □ ORTOGR. Se admite también *trasverso.*

tranvía s.m. Vehículo para el transporte urbano de viajeros, que se mueve por electricidad, circula por carriles y obtiene la energía de un tendido de cables. □ ETIMOL. Del inglés *tramway* (línea de carriles para tranvía).

trapacería s.f. Engaño o trampa que alguien usa para perjudicar y defraudar a otro, en una compra, una venta o un cambio. □ ETIMOL. De *trapacero.*

trapajoso, sa adj. **1** Roto, sucio o hecho pedazos. **2** Referido a la forma de hablar, con una pronunciación confusa o deficiente; estropajoso. □ ETIMOL. De *trapo.*

trapalear v. **1** Hacer ruido al andar de un lado a otro: *En el silencio de la noche se oyó trapalear a un caballo.* **2** col. Hacer o decir embustes o cosas sin importancia: *Deja de trapalear y habla sinceramente.*

trapatiesta s.f. →**zapatiesta.**

[trapeador s.m. En zonas del español meridional, fregona.

trapear v. En zonas del español meridional, fregar.

trapecio s.m. **1** Barra horizontal colgada de dos cuerdas por sus extremos, que se usa para ejercicios gimnásticos o circenses. **2** En geometría, polígono de cuatro lados que sólo tiene paralelos dos de ellos. **3** →**hueso trapecio. 4** En anatomía, cada uno de los dos músculos situados en la parte dorsal del cuello, que permite mover el hombro y girar e inclinar la cabeza. □ ETIMOL. Del griego *trapézion,* y éste de *trápeza* (mesa de cuatro pies).

trapecista s. Artista de circo que realiza ejercicios y acrobacias en el trapecio. □ MORF. Es de género común: *el trapecista, la trapecista.*

trapense ▌ adj. **1** De la Trapa (congregación religiosa perteneciente a la orden del Císter). ▌ adj./s.m. **2** Referido a un religioso, que pertenece a esta congregación. □ MORF. Como adjetivo es invariable en género.

trapero, ra s. Persona que se dedica a recoger, comprar o vender trapos de desecho y otros objetos usados.

trapezoidal adj. Con forma de trapecio o de trapezoide. □ MORF. Invariable en género.

trapezoide s.m. **1** En geometría, polígono de cuatro lados que no tiene ningún lado paralelo a otro. **2** →**hueso trapezoide.** □ ETIMOL. Del griego *trapezoeidés,* y éste de *trápeza* (mesa de cuatro pies) y *éidos* (forma).

[trapi s.m. col. →**trapicheo.**

trapichear v. Negociar comprando o vendiendo

mercancías al por menor, esp. si es de forma ilegal: *Si trapicheas con objetos robados te puedes meter en un lío.*

trapicheo s.m. *col.* Venta o compra de mercancías al por menor, esp. si es de forma ilegal. ☐ USO Se usa mucho la forma abreviada *trapi.*

trapillo ‖ **de trapillo**; *col.* Con vestido sencillo, habitual o de andar por casa. ☐ ETIMOL. De *trapo* (trozo de tela inútil).

trapío s.m. *col.* Referido a un toro de lidia, gallardía y buena planta.

trapisonda s.f. *col.* Riña o alboroto. ☐ ETIMOL. Por alusión a Trapisonda, ciudad de Asia Menor, muy nombrada en los libros de caballerías y en el Quijote.

trapo s.m. **1** Trozo de tela viejo, roto o inútil. **2** Paño o tela, esp. el que se usa para limpiar. **3** *col.* Pieza de tela con vuelo, de color vivo, que se utiliza para torear; capa, capote de brega. **4** ‖ **a todo trapo**; *col.* Muy deprisa. ‖ **como un trapo**; *col.* **1** Humillado o avergonzado. col. **[2** Muy cansado o agotado. ‖ **[entrar al trapo**; lanzarse con ímpetu y sin preámbulos ante una insinuación o una provocación. ‖ **sacar los trapos sucios**; *col.* Echar en cara las faltas y hacerlas públicas. ☐ ETIMOL. Del latín *drappus.*

tráquea s.f. **1** En el sistema respiratorio de algunos vertebrados, parte de las vías respiratorias que va desde la laringe a los bronquios. **2** En los insectos y otros artrópodos, órgano respiratorio formado por conductos aéreos ramificados. ☐ ETIMOL. Del griego *trakhêia artería* (conducto áspero).

traqueal adj. **1** De la tráquea, o relacionado con esta parte de las vías respiratorias de algunos vertebrados. **2** Referido a un insecto o a otro artrópodo, que respira por medio de tráqueas. ☐ MORF. Invariable en género.

traqueotomía s.f. En medicina, operación quirúrgica que consiste en hacer una abertura en la tráquea para comunicarla con el exterior y facilitar la respiración. ☐ ETIMOL. Del griego *trakhêia* (tráquea) y *-tomía* (incisión).

traquetear v. Moverse o agitarse repetidamente o de una parte a otra, produciendo un sonido característico: *El tren traqueteaba a lo lejos.* ☐ ETIMOL. De *traque.*

traqueteo s.m. Movimiento repetitivo o de una parte a otra que produce un sonido característico.

tras prep. Indica posterioridad en el espacio o en el tiempo. ☐ ETIMOL. Del latín *trans* (al otro lado de, más allá de).

tras- 1 →**trans-**. **2** Prefijo que significa 'detrás de'.

trasalpino, na adj. →**transalpino.**

trasandino, na adj. →**transandino.**

trasatlántico, ca adj./s.m. →**transatlántico.** 🔍 embarcación

trasbordar v. →**transbordar.**

trasbordo s.m. →**transbordo.**

trascendencia s.f. Gravedad o importancia. ☐ ORTOGR. Se admite también *transcendencia.*

trascendental adj. De gran importancia y gravedad, esp. por sus consecuencias. ☐ ORTOGR. Se admite también *transcendental.* ☐ MORF. Invariable en género.

[trascendente adj. Muy importante por sus consecuencias. ☐ ORTOGR. Se usa también *transcendente.* ☐ MORF. Invariable en género.

trascender v. **1** Referido a algo que estaba oculto, empezar a ser conocido o sabido: *No querían que el escándalo trascendiera y no informaron a la prensa.* **2** Comunicar o extender un efecto, produciendo consecuencias: *La huelga ha trascendido del ámbito laboral al político.* **3** Sobrepasar o superar: *Algunos filósofos defienden que el conocimiento puede trascender el ámbito de la experiencia empírica.* ☐ ETIMOL. Del latín *transcendere* (rebasar). ☐ ORTOGR. Se admite también *transcender.* ☐ MORF. Irreg. →PERDER.

trascoro s.m. En una iglesia, zona que está situada detrás del coro. ☐ ETIMOL. De *tras-* (detrás) y *coro.*

trascribir v. →**transcribir.** ☐ MORF. Su participio es *trascrito.*

trascripción s.f. →**transcripción.**

trascrito part. irreg. de trascribir. ☐ MORF. Incorr. **trascribido.* ☐ SEM. Es sinónimo de *transcrito.*

trascurrir v. →**transcurrir.**

trascurso s.m. →**transcurso.**

trasdós s.m. En un arco o en una bóveda, superficie que queda a la vista por su parte exterior. ☐ ETIMOL. Del francés *extrados.* 🔍 arco

trasegar v. **1** Cambiar de un lugar a otro, esp. líquidos de un recipiente a otro: *Trasegaremos este vino de la garrafa a las botellas.* **2** Referido a una bebida alcohólica, beberla en gran cantidad: *Terminará alcohólica de tanto trasegar licores. Se trasegó una botella de vino él solo.* ☐ ETIMOL. De origen incierto. ☐ ORTOGR. Aparece una *u* después de la *g* cuando le sigue *e.* ☐ MORF. Irreg. →REGAR.

trasero, ra ▌ adj. **1** Que está o queda detrás, o que viene de atrás. ▌ s.m. **2** *col.* Culo. ☐ ETIMOL. De *tras* (detrás de).

trasferencia s.f. →**transferencia.**

trasferir v. →**transferir.** ☐ MORF. Irreg. →SENTIR.

trasfigurar v. →**transfigurar.**

trasfondo s.m. Lo que está o aparece detrás del fondo visible de algo, esp. de una acción humana.

trasformación s.f. →**transformación.**

trasformador s.m. →**transformador.**

trasformar v. →**transformar.**

trasformativo, va adj. →**transformativo.**

trásfuga s. →**tránsfuga.** ☐ MORF. La RAE registra *trásfuga* como sustantivo de género común (el trásfuga, la trásfuga), aunque admite también *trásfugo* como forma del masculino.

trasfundir v. →**transfundir.**

trasfusión s.f. →**transfusión.**

trasgo s.m. Espíritu fantástico y travieso, que suele representarse con figura de viejo o de niño, y del que se dice que habita en algunas casas y lugares, causando en ellos alteraciones y desórdenes; duende. ☐ ETIMOL. De origen incierto.

trasgredir v. →**transgredir.** ☐ MORF. Verbo defectivo: sólo se usan las formas que presentan *i* en su desinencia →ABOLIR.

trasgresión s.f. →**transgresión.**

trasgresor, -a adj./s. →**transgresor.**

trashumancia s.f. Pastoreo estacional en el que el ganado se traslada desde las zonas de pastos de invierno a las de verano y viceversa. ☐ ETIMOL. Del latín *trans* (de la otra parte) y *humus* (tierra).

trashumante adj. Referido al ganado, que realiza la trashumancia.

trasiego s.m. **1** Cambio de lugar de una cosa, esp.

un líquido de un recipiente a otro. **2** Ajetreo, jaleo o movimiento continuo de mucha gente.

traslación s.f. Movimiento de los astros a lo largo de su órbita. □ ORTOGR. Se admite también *translación*.

trasladar v. **1** Llevar o cambiar de un lugar a otro: *Le ayudé a trasladar la mesa a la otra habitación.* **2** Traducir o pasar de una lengua a otra: *Este gran traductor se encargará de trasladar el libro del español al alemán.* **3** Referido a un escrito, copiarlo o reproducirlo: *Al trasladar el texto del libro a los folios han cometido varios errores.* **4** Referido a una persona, cambiarla de un puesto o de un cargo a otros de la misma categoría: *Me han trasladado a la sección de deportes porque lo he pedido.* **5** Referido esp. a una reunión o a una cita, retrasar o anticipar su celebración: *He trasladado la cita del médico porque hoy no podía ir.*

traslado s.m. [**1** Cambio de algo de un lugar a otro. **2** Cambio de un puesto de trabajo a otro de la misma categoría. □ ETIMOL. Del latín *translatus* (acción de transportar).

traslaticio, cia adj. Referido al sentido de una palabra, que se utiliza para que signifique algo distinto de lo que expresaba originalmente o en su acepción más corriente. □ ORTOGR. Se admite también *translaticio*.

traslúcido, da adj. →**translúcido**.

traslucir v. Manifestar o dejar ver: *Tu cara deja traslucir la tristeza. De lo que me cuentas se trasluce que tu vecino no te cae bien.* □ ETIMOL. Del latín *translucere*. □ ORTOGR. Se admite también *translucir*. □ MORF. Irreg. Aparece una *z* delante de la *c* cuando la siguen *a, o* →LUCIR.

trasluz ‖ **al trasluz**; referido a la forma de mirar un objeto, colocándolo entre el ojo y la luz. □ ETIMOL. De *tras-, trans-* (a través de) y *luz*.

trasmallo s.m. Red de pesca formada por tres redes superpuestas, de las cuales la central es la más tupida. □ ETIMOL. Del latín *trimaculum* (tres mallas). ✪ pesca

trasmano ‖ **a trasmano**; **1** Fuera del alcance de la mano. **2** En un lugar apartado o fuera de la ruta que se sigue. □ ETIMOL. De *tras-* (al otro lado de) y *mano*.

trasmediterráneo, a adj. →**transmediterráneo**.

trasmigración s.f. →**transmigración**.

trasmigrar v. →**transmigrar**.

trasmisión s.f. →**transmisión**.

trasmitir v. →**transmitir**.

[**trasmundo** s.m. Mundo fantástico o imaginario.

trasmutable adj. →**transmutable**. □ MORF. Invariable en género.

trasmutación s.f. →**transmutación**.

trasmutar v. →**transmutar**.

trasnochado, da adj. Pasado de moda o sin novedad ni originalidad.

trasnochador, -a adj./s. Que trasnocha.

trasnochar v. Pasar la noche o parte de ella sin dormir: *Los sábados trasnocho porque salgo de juerga.* □ ETIMOL. De *tras-, trans-* (a través de) y *noche*.

traspapelar v. Referido esp. a un documento, confundirlo o perderlo de vista entre otros o respecto al lugar en el que se encontraba: *He traspapelado la factura y no la encuentro.* □ ETIMOL. De *tras-* (al otro lado de) y *papel*.

trasparencia s.f. →**transparencia**.

trasparentar v. →**transparentar**. □ MORF. La RAE sólo lo registra como pronominal.

trasparente adj. →**transparente**. □ MORF. Invariable en género.

traspasar v. **1** Pasar o llevar de un sitio a otro: *Ha traspasado los muebles a la otra habitación para poder pintar sin mancharlos.* **2** Cruzar o pasar a la otra parte: *La tinta del rotulador ha traspasado el papel.* **3** Referido a un cuerpo, pasarlo o atravesarlo con un arma o con un instrumento: *La bala le traspasó el corazón.* **4** Referido al derecho o al dominio que se tiene sobre algo, cederlos en favor de otra persona: *Traspasó sus bienes a su hijo.* **5** Referido esp. a una norma, transgredirla o quebrantarla: *Lo multaron por traspasar la velocidad permitida en esa carretera.* **6** Referido esp. a un dolor, llenar totalmente o hacerse sentir profundamente: *La pena me traspasó el corazón.* □ ETIMOL. De *tras-, trans-* (a través de) y *pasar*.

traspaso s.m. **1** Traslado de algo de un lugar a otro. **2** Cesión del dominio o del derecho que se tienen sobre algo en favor de otra persona.

traspié s.m. **1** Resbalón o tropezón. **2** Error, equivocación o fallo. □ ETIMOL. De *tras-, trans-* (a través de) y *pie*.

traspiración s.f. →**transpiración**.

traspirar v. →**transpirar**.

traspirenaico, ca adj. →**transpirenaico**.

trasplantar v. **1** Referido a una planta, trasladarla del lugar en el que estaba plantada a otro lugar: *Tengo que trasplantar estas margaritas a un tiesto mayor.* **2** En medicina, referido a un órgano, introducirlo en el cuerpo de un individuo para sustituir al equivalente enfermo: *Le trasplantaron el riñón de una persona muerta en un accidente.* **3** Referido esp. a ideas o movimientos culturales, introducirlos en un lugar diferente al de origen: *Los españoles que fueron a América trasplantaron allí muchas costumbres europeas.* □ ETIMOL. De *tras-, trans-* (de una parte a otra) y *plantar*.

trasplante s.m. **1** Traslado de una planta del lugar en el que estaba plantada a otro distinto. **2** En medicina, introducción de un órgano sano en un individuo para sustituir otro equivalente enfermo.

trasponer v. →**transponer**. □ MORF. Irreg.: 1. Su participio es *traspuesto*. 2. →PONER.

trasportador s.m. →**transportador**.

trasportar v. →**transportar**.

trasporte s.m. →**transporte**.

trasposición s.f. →**transposición**.

traspuesto, ta ‖ **1** part. irreg. de **trasponer**. ‖ adj. **2** Medio dormido. □ ORTOGR. Se admite también *transpuesto*. □ MORF. Incorr. *trasponido*.

traspunte s. En teatro, persona que indica a los actores cuándo deben salir a escena. □ ETIMOL. De *tras-* (detrás de) y *apunte*. □ MORF. Es de género común: *el traspunte, la traspunte*.

trasquilar v. **1** Cortar el pelo de forma desigual: *No vuelvo a esa peluquería porque me han trasquilado.* **2** Referido a un animal, esp. a una oveja, cortarle el pelo o la lana; esquilar: *En verano, el pastor trasquila a las ovejas y vende la lana.* □ ETIMOL. De *tras-* (cambio) y *esquilar*.

trasquilón s.m. Corte desigual de pelo.

trastabillar v. **1** Dar traspiés o tropezar: *No se cayó de milagro, porque trastabilló al bajar la es-*

calera. **2** Tambalearse o vacilar: *Dio un golpe en la mesa y el jarrón se quedó trastabillando*. □ ETIMOL. De *trastrabillar*, y éste de *tras* y *traba*.

trastada s.f. *col.* Travesura o acción mala de poca importancia.

trastazo s.m. Golpe o porrazo más o menos fuertes. □ ETIMOL. De *trasto*.

traste s.m. **1** En una guitarra o en otros instrumentos semejantes, cada uno de los salientes de metal, hueso u otro material, colocados horizontalmente a lo largo del mástil, y que sirven para facilitar al ejecutante el pisado de las cuerdas. **2** →**trasto**. **3** *col.* En zonas del español meridional, trasero o culo. **4** ‖ **dar al traste con** algo; echarlo a perder. ‖ **[irse al traste;** fracasar totalmente. □ ETIMOL. Las acepciones 1, 2 y 4, del latín *trastum* (banco de remeros), porque los trastes del mástil de la guitarra se compararon con la serie de bancos de una galera.

trastear v. **1** Referido a las cuerdas de un instrumento musical con trastes, pisarlas u oprimirlas con los dedos: *Las cuerdas de la guitarra se trastean con los dedos de la mano izquierda*. **2** Referido a un toro, darle el torero pases de muleta: *El torero trasteó al toro para entrarle a matar*. **3** *col.* Revolver, cambiar o mover trastos de un sitio a otro: *Me he pasado la mañana trasteando en mi habitación*. **[4** *col.* Hacer travesuras: *¿Dónde estará 'trasteando' el niño?*

trastero, ra ▮ adj./s. **1** Referido a una habitación o a un cuarto, que están destinados para guardar trastos u objetos de poco uso. ▮ s.m. **[2** En zonas del español meridional, escurridor. **[3** En zonas del español meridional, alacena.

trastienda s.f. **1** Habitación o cuarto situados detrás de una tienda. **2** Cautela excesiva o falta de sinceridad en el modo de actuar. □ ETIMOL. De *tras-* (detrás) y *tienda*.

trasto ▮ s.m. **1** Mueble, aparato o utensilio, esp. si son viejos, inútiles o no se usan. **[2** Lo que resulta demasiado grande o estorba mucho. **3** Persona muy inquieta, traviesa o inútil. ▮ pl. **4** Utensilios o herramientas de una actividad. **[5** En zonas del español meridional, platos y utensilios de cocina. **6** ‖ **tirarse los trastos a la cabeza**; *col.* Discutir violentamente. □ ETIMOL. Del latín *transtrum* (banco de remeros). □ SEM. En las acepciones 1, 2 y 3, es sinónimo de *traste*.

trastocar v. **1** Referido a algo con un orden o un desarrollo determinados, trastornarlo, cambiarlo o alterar su orden: *Este incidente trastoca mis planes*. **2** Referido a una persona, trastornar o perturbar su razón: *El accidente lo trastocó y ha perdido la razón. Se trastocó a raíz de una enfermedad nerviosa*. □ ETIMOL. De *trastrocar* (cambiar). □ ORTOGR. 1. La *c* se cambia en *qu* delante de *e* →SACAR. 2. Dist. de *trastrocar*. □ MORF. En la acepción 2, la RAE sólo lo registra como pronominal.

trastornar v. **1** Referido a algo con un orden o un desarrollo determinados, cambiarlo o alterar su orden: *La huelga de tren trastorna mis planes*. **2** Referido a una persona, causarle grandes molestias: *Si no te trastorna mucho, recógeme a la salida*. **3** Referido a una persona, alterar o perturbar su sentido, su conciencia, su conducta o su razón: *El amor te ha trastornado. Se trastornó cuando perdió a su hijo*. □ ETIMOL. De *tras-*, *trans-* (de una parte a otra) y *tornar*.

trastorno s.m. **1** Cambio o alteración del orden o

del desarrollo de algo. **2** Molestia o perturbación grandes porque generalmente suponen la alteración de un plan. **3** Alteración leve de la salud.

trastrocar v. Referido a algo que es de determinada manera, cambiar su ser o su estado por otro diferente: *El sentido etimológico de 'enervar' se ha trastrocado*. □ ETIMOL. De *tras-* (cambio) y *trocar*. □ ORTOGR. 1. La *c* se cambia en *qu* ante *e*. 2. Dist. de *trastocar*. □ MORF. Irreg. →TROCAR.

trasunto s.m. Imitación exacta, imagen o representación de algo. □ ETIMOL. Del latín *transsumptus* (copia).

trasvasar v. →**transvasar**.

trasvase s.m. →**transvase**.

trasversal adj. →**transversal**. □ MORF. Invariable en género.

trasverso, sa adj. →**transverso**.

trata s.f. **1** Tráfico o comercio de personas. **2** ‖ **trata de blancas**; la que se realiza con mujeres.

tratable adj. Que se puede o se deja tratar fácilmente. □ MORF. Invariable en género.

tratado s.m. **1** Obra que trata sobre una materia determinada. **2** Acuerdo sobre un asunto, esp. el que atañe a dos o más estados. □ ETIMOL. Del latín *tractatus* (cultivo, estudio).

tratamiento s.m. **1** Comportamiento o manera de portarse, de proceder o de hablar con una persona o un animal; trato. **2** Fórmula de cortesía o manera de dirigirse a alguien según su categoría social, su sexo, su edad u otras características. **3** Modo de trabajar una materia para su transformación. **4** Sistema curativo que se aplica para eliminar una enfermedad. **5** ‖ **[tratamiento de choque**; actuación rápida y enérgica ante una situación delicada. ‖ **[tratamiento de textos**; en informática, programa informático que permite la edición y modificación de un texto.

tratante s. Persona que se dedica profesionalmente a la compra de género o de animales para su venta posterior. □ MORF. Es de género común: *el tratante, la tratante*.

tratar v. **1** Referido a una persona o a un animal, portarse o proceder con ellos de la manera que se expresa: *Te trataré como si fuera mi hijo. Trátame con cariño*. **2** Referido a un objeto, utilizarlo o manejarlo de la manera que se expresa: *Te dejo la cámara de vídeo, pero trátala bien*. **3** Referido a una persona, hablar y tener relación con ella: *Por su negocio trata a muchas personas. No me trato con nadie porque nadie me aguanta*. **4** Referido a una persona, darle el tratamiento que se indica: *No me trates de tú*. **5** Referido a un asunto, analizarlo, discutirlo o estudiarlo: *En la reunión trataremos el asunto del aparcamiento*. **6** Referido esp. a un asunto o una idea, hablar sobre ellos o tenerlos como tema: *El libro trata sobre el hambre mundial*. **7** Referido a una sustancia, someterla a la acción de otra: *El agua de las piscinas se trata con cloro*. **8** Referido esp. a algo que se desea o se debe hacer, intentar conseguirlo o intentar lograrlo: *Trato de estar a gusto en cualquier lugar*. **[9** Administrar o aplicar un tratamiento curativo: *Quiero que me 'trate' el mejor médico*. **10** Comerciar o comprar y vender: *Esa librera trata en libros y documentos antiguos*. □ ETIMOL. Del latín *tractare* (tocar, manejar, administrar). □ SINT. 1. Constr. de las acepción 3: *tratar(se)* CON alguien. 2. Constr. de

la acepción 6: *tratar {ACERCA DE / DE / SOBRE} algo*. 3.
Constr. de la acepción 8: *tratar DE hacer algo*. 4.
Constr. de la acepción 10: *tratar EN algo*.

trato s.m. **1** Comportamiento o forma de portarse,
de proceder o de hablar con una persona o un animal; tratamiento. **2** Manera de usar o manejar algo.
3 Relación o comunicación con una persona. **4** Tratado o acuerdo sobre un asunto entre dos o más
personas. **5** ‖ [malos tratos; daños físicos y psíquicos que una persona produce a otra. ‖ trato carnal; relación sexual.

[trattoria (italianismo) s.f. Restaurante italiano. □
PRON. [tratoría].

trauma s.m. **1** Choque emocional o sentimiento
muy fuerte que deja una impresión negativa y duradera en el subconsciente. **2** col. Impresión fuerte,
duradera y negativa. □ ETIMOL. Del griego *trâuma*
(herida).

traumático, ca adj. **1** Del traumatismo o relacionado con él. [2 Que produce un trauma.

traumatismo s.m. Lesión de los tejidos causada
por agente mecánico, esp. por un golpe. □ ETIMOL.
Del griego *traumatismós* (acción de herir).

traumatizar v. Producir un trauma: *La muerte de
sus padres cuando él era niño lo traumatizó. No te
traumatices por el accidente y trata de superarlo*. □
ORTOGR. La *z* se cambia en *c* delante de *e* →CAZAR.
□ MORF. Incorr. **traumar*.

traumatología s.f. Parte de la medicina que estudia y trata los traumatismos y sus efectos. □ ETI-
MOL. Del griego *trâuma* (herida) y *-logía* (ciencia,
estudio).

traumatólogo, ga s. Médico especializado en
traumatología.

travelín s.m. **1** En cine, vídeo y televisión, desplazamiento horizontal que la cámara realiza sobre una
plataforma para filmar en movimiento. **2** Plano rodado por medio de este desplazamiento. □ ETIMOL.
Del inglés *travelling*. □ SEM. Dist. de *barrido* (recorrido que realiza la cámara enfocando desde un
punto fijo). □ USO Aunque la RAE sólo registra *travelín*, se usa más *travelling* [trávelin].

[travelling (anglicismo) s.m →**travelín**. □ PRON.
[trávelin].

[travelo s.m. col. Travesti.

través ‖a través de algo; **1** De un lado a otro de
ello. **2** Por entre ello: *El sol se filtraba a través de
las ramas de los árboles*. **3** Por medio o por intermedio de ello: *Algunas enfermedades se transmiten
a través de la sangre*. ‖de través; en dirección
transversal. □ ETIMOL. Del latín *transversus*.

travesaño s.m. **1** Pieza de madera o de hierro que
atraviesa de una parte a otra. **2** En una portería deportiva, palo superior y horizontal que une los dos
postes; larguero. □ ETIMOL. Del antiguo *travesar*
(atravesar).

travesero, ra adj. Que se pone de través.

travesía s.f. **1** Calle estrecha que atraviesa entre
dos calles principales. **2** Viaje por mar o por aire.
3 Parte de una carretera que queda dentro del casco de una población. □ ETIMOL. De *través*.

[travesti o **[travestí** s.m. Persona que viste con
ropas propias del sexo contrario; travestido. □
MORF. Aunque el plural de *travestí* en la lengua culta es travestíes, la RAE admite también *travestís*.

travestido, da adj./s. Referido a una persona, que
viste con ropas propias del sexo contrario. □ ETIMOL.

Del italiano *travestito*. □ MORF. La RAE sólo lo registra como adjetivo. □ SEM. Como sustantivo es sinónimo de *travesti* y *travestí*.

[travestismo s.m. Hecho de vestirse una persona
con ropas propias del sexo contrario.

travesura s.f. Hecho o dicho propios de una persona traviesa.

traviesa s.f. Véase **travieso, sa**.

travieso, sa ‖ adj. **1** Referido esp. a un niño, revoltoso, que no se está quieto o que enreda mucho. ‖
s.f. **2** Cada una de las piezas que se atraviesan en
una vía férrea para asentar sobre ellas los raíles. □
ETIMOL. La acepción 1, del latín *transversus* (transversal). La acepción 2, del latín *transversa*.

trayecto s.m. **1** Espacio que se recorre o que puede
recorrerse de un punto a otro. **2** Recorrido o desplazamiento que se hacen por este espacio. □ ETI-
MOL. Del francés *trajet*.

trayectoria s.f. **1** Línea descrita en el espacio por
un punto que se mueve. [2 Evolución o desarrollo
de algo en cierta actividad y a lo largo del tiempo.
□ ETIMOL. Del francés *trajectoire*.

traza s.f. **1** Apariencia, aspecto, modo o figura. **2**
Huella, vestigio o señal. □ ETIMOL. De *trazar*. □
USO Se usa más en plural.

trazado s.m. **1** Diseño que se hace para la construcción de un edificio o de otra obra. **2** Recorrido
o dirección de una vía de comunicación sobre el terreno. **3** Delineación o dibujo de trazos.

trazar v. **1** Referido esp. a líneas o figuras geométricas,
dibujarlas: *Traza un triángulo y señala su hipotenusa*. **2** Referido esp. a un plan, discurrirlo y disponerlo para conseguir algo: *He trazado un plan de
viaje muy variado para el fin de semana*. □ ETIMOL.
Del latín **tractiare* (tirar una línea). □ ORTOGR. La
c se cambia en *z* delante de *e* →CAZAR.

trazo s.m. Línea o raya que se escribe o dibuja.

trébol ‖ s.m. **1** Planta herbácea anual, de hojas
compuestas por tres hojuelas casi redondeadas y
con flores blancas o moradas en cabezuelas apretadas. [2 En zonas del español meridional, conjunto de
cruces y puentes en una autopista. ‖ pl. **3** En la baraja francesa, palo que se representa con una o varias
hojas de esta planta. ⊷ baraja □ ETIMOL. Del catalán *trèvol*.

trece ‖ numer. **1** Número 13: *trece lápices*. ‖ s.m.
2 Signo que representa este número: *Los romanos
escribían el trece como 'XIII'*. **3** ‖ {mantenerse/se-
guir} en sus trece; persistir o mantener a toda
costa una opinión o idea: *Aunque le digas que no se
hace así, él sigue en sus trece*. □ ETIMOL. Del latín
tredecim. □ MORF. Como numeral es invariable en
género y en número.

treceavo, va numer. Referido a una parte, que constituye un todo junto con otras doce iguales a ella;
trezavo. □ SEM. Su uso como numeral ordinal es
incorrecto: *Llegué en {*treceava > decimotercera}
posición*.

trecho s.m. Espacio o distancia de lugar o de tiempo. □ ETIMOL. Del latín *tractus* (acción de tirar).

tregua s.f. **1** Suspensión de hostilidades, durante
determinado tiempo, entre los enemigos que están
en guerra. **2** Descanso o interrupción temporal de
una acción. □ ETIMOL. Del gótico *triggwa* (tratado).

treinta ‖ numer. **1** Número 30: *treinta días*. ‖ s.m.

2 Signo que representa este número: *Los romanos escribían el treinta como 'XXX'.* □ ETIMOL. Del latín *triginta.* □ MORF. Como numeral es invariable en género y en número.
[**treintañero, ra** adj./s. *col.* Referido a una persona, que tiene más de treinta años y menos de cuarenta.
treintavo, va numer. Referido a una parte, que constituye un todo junto a otras veintinueve iguales a ella. □ SEM. Su uso como numeral ordinal es incorrecto: *Llegué en {*treintava > trigésima} posición.*
treintena s.f. Conjunto de treinta unidades.
[**trekking** (anglicismo) s.m. Actividad deportiva que consiste en recorrer a pie zonas agrestes o de difícil tránsito. □ PRON. [trékin].
tremebundo, da adj. Horrendo, que espanta o que hace temblar. □ ETIMOL. Del latín *tremebundus.*
tremendismo s.m. **1** Corriente estética desarrollada en la literatura y en las artes españolas en el siglo XX, y que se caracteriza por exagerar la expresión de los aspectos más crudos de la vida real. [**2** Tendencia a exagerar de manera alarmante.
tremendista ▌ adj. **1** Del tremendismo o relacionado con esta corriente estética. ▌ adj./s. **2** Partidario o seguidor del tremendismo. **3** Inclinado a contar noticias exageradas y alarmantes. □ MORF. 1. Como adjetivo es invariable en género. 2. Como sustantivo es de género común: *el tremendista, la tremendista.* 3. En la acepción 2, la RAE sólo lo registra como adjetivo.
tremendo, da adj. **1** Terrible o digno de ser temido. **2** Muy grande, excesivo o extraordinario. **3** ‖**tomarse** algo **a la tremenda**; darle demasiada importancia. □ ETIMOL. Del latín *tremendus* (a quien se debe temer).
trementina s.f. Jugo casi líquido, pegajoso, de buen olor y sabor picante, que se obtiene de árboles como el pino, el abeto y el alerce. □ ETIMOL. Del latín *terebinthina* (de terebinto).
trémulo, la adj. **1** Tembloroso o que tiembla. **2** Que tiene un movimiento o una agitación semejantes al temblor. □ ETIMOL. Del latín *tremulus* (tembloroso).
tren s.m. **1** Medio de transporte que circula sobre raíles, formado por varios vagones arrastrados por una locomotora; ferrocarril. **2** Conjunto de instrumentos, de máquinas y de útiles que se emplean para realizar una misma operación o servicio. **3** Ostentación, pompa, grandeza y lujo con los que se vive. **4** ‖**a todo tren**; **1** Sin reparar en gastos o con mucho lujo y ostentación. **2** A gran velocidad. ‖**estar como un tren**; *col.* Referido a una persona, ser muy atractiva. ‖**para parar un tren**; *col.* En gran abundancia. ‖ [**tren cremallera**; el que circula por lugares de montaña de difícil acceso. ‖ [**tren de alta velocidad**; el que puede superar los doscientos kilómetros por hora y que tiene un ancho de vía más estrecho que el normal. ‖ [**tren de largo recorrido**; el que efectúa viajes de larga duración. ‖ (**tren) rápido**; el que lleva mayor velocidad que el expreso. ‖ (**tren){exprés/expreso}**; el de viajeros que sólo se detiene en las estaciones principales del trayecto y que circula a gran velocidad. □ ETIMOL. Del francés *train.*

trena s.f. *col.* Cárcel. □ ETIMOL. Del latín *trina* (triple), porque las cadenas que se llevaban en la cárcel tenían forma de trenza.
trenca s.f. Prenda de abrigo con capucha y con unos botones en forma de cilindros alargados que se abrochan en una serie de presillas. □ ETIMOL. De origen incierto.
trencilla s.f. Galón trenzado de seda, de algodón o de lana, que se usa generalmente como adorno de una tela. ✂ pasamanería
trenza s.f. **1** Conjunto de tres o más mechones que se entretejen cruzándolos alternativamente; trenzado. ✂ peinado [**2** Bollo que tiene la forma de este tejido y que suele estar recubierto de azúcar.
trenzado s.m. **1** →**trenza**. **2** En danza, salto ligero en el que los pies baten rápidamente uno contra otro, cruzándose.
trenzar v. Hacer trenzas: *Mamá, trénzame el pelo, que ya me voy al colegio.* □ ETIMOL. Del latín **trinitiare*, y éste de *trini* (de tres). □ ORTOGR. La *z* se cambia en *c* delante de *e* →CAZAR.
trepa s. *col.* Persona ambiciosa que sólo aspira a conseguir un puesto más importante o una posición social más elevada. □ MORF. Es de género común: *el trepa, la trepa.* □ USO Tiene un matiz despectivo.
trepador, -a ▌ adj. **1** Referido a una planta, que trepa o sube agarrándose a un árbol o a otra superficie por medio de algún órgano. ▌ adj./s. **2** Referido a un ave, que tiene el pico débil y recto, y los dedos adaptados para trepar con facilidad.
trepanación s.f. Perforación del cráneo con fines curativos o de diagnóstico.
trepanar v. Referido esp. al cráneo, perforarlo o hacerle un orificio con fin curativo o para realizar un diagnóstico: *Los antiguos trepanaban los cráneos de los enfermos para intentar curarlos.* □ ETIMOL. De *trépano* (instrumento para trepanar).
trépano s.m. **1** Instrumento de cirugía que se usa para trepanar. [**2** En una taladradora, pieza que sustituye a la broca para realizar agujeros de mayor diámetro. [**3** Máquina utilizada en perforaciones y excavaciones del suelo para romper las rocas. □ ETIMOL. Del griego *trýpanon* (instrumento para trepanar, taladro).
trepar v. **1** Referido a un lugar alto o poco accesible, subir a ellos valiéndose o ayudándose de los pies y de las manos: *De niño trepaba a los árboles.* **2** Referido a una planta, crecer y subir agarrándose a un árbol o a otra superficie por medio de algún órgano: *Plantó madreselva para que trepara por las paredes exteriores de su casa.* **3** *col.* Conseguir un puesto más importante o una posición social más elevada con ambición y sin escrúpulos: *No tienes escrúpulos y sólo te interesa mi amistad mientras te sirva para trepar en el trabajo.* □ ETIMOL. De origen onomatopéyico.
trepidante adj. [Rápido, vivo o fuerte. □ MORF. Invariable en género.
trepidar v. Temblar o vibrar con fuerza: *Si subes tanto el volumen, trepida la tela de los altavoces.* □ ETIMOL. Del latín *trepidare* (agitarse, temblar).
tres ▌ numer. **1** Número 3: *tres días.* ▌ s.m. **2** Signo que representa este número: *Los romanos escribían el tres como 'III'.* **3** ‖**de tres al cuarto**; *col.* De muy poco valor: *un negocio de tres al cuarto.* ‖**ni a la**

de tres; *col.* De ningún modo: *No soy capaz de resolver este problema ni a la de tres.* ☐ ETIMOL. Del latín *tres.* ☐ MORF. 1. Como numeral es invariable en género y en número. 2. En la acepción 2, su plural es *treses.*

trescientos, tas ∎ numer. **1** Número 300: *trescientas invitaciones.* ∎ s.m. **2** Signo que representa este número: *Los romanos escribían el trescientos como 'CCC'.* ☐ ETIMOL. Del latín *trecenti.* ☐ MORF. 1. Como numeral es invariable en número. 2. Incorr. *página {*trescientos > trescientas}.*

tresillo s.m. Sofá de tres plazas o conjunto de un sofá y dos butacas que hacen juego. ☐ ETIMOL. De *tres.*

treta s.f. Lo que se hace con habilidad y astucia para conseguir algo, esp. para engañar a alguien. ☐ ETIMOL. Del francés *traite* (tirada). ☐ SEM. Es sinónimo de *ardid, artimaña* y *astucia.*

trezavo numer. →**treceavo.**

tri- Elemento compositivo que significa 'tres'. ☐ ETIMOL. Del latín *tri-.*

triaca s.f. Preparado farmacéutico compuesto principalmente por opio y que se usaba como antídoto para las mordeduras de algunos animales venenosos. ☐ ETIMOL. Del latín *theriaca*, y éste del griego *theriaké* (remedio contra el veneno de los animales).

trial s.m. Prueba de motociclismo de habilidad, en la que los participantes corren por terrenos accidentados, montañosos o con obstáculos preparados para dificultar más el recorrido. ☐ ETIMOL. Del inglés *trial.*

triangular ∎ adj. **1** De forma de triángulo o que tiene semejanza con él. ∎ v. **2** Disponer o mover de modo que forme triángulo: *El base triangula el balón con los aleros para que el pívot pueda cruzar la zona.* **3** En topografía, fijar tres o más puntos en el terreno para que sirvan de referencia al trazar un plano o mapa: *El topógrafo trianguló el terreno antes de realizar el plano topográfico.* ☐ MORF. Como adjetivo es invariable en género.

triángulo s.m. **1** Figura geométrica formada por tres líneas o lados que se cortan mutuamente formando tres ángulos. **2** Instrumento musical de percusión, formado por una varilla metálica doblada en forma triangular y con un extremo abierto, que se toca suspendiéndolo en el aire y golpeándolo con una varilla. 🎵 percusión **3** ‖ **triángulo acutángulo**; el que tiene los tres ángulos agudos. ‖ **triángulo amoroso**; relación amorosa en la que participan tres personas. ‖ **triángulo equilátero**; el que tiene·los tres lados iguales. ‖ **triángulo escaleno**; el que tiene los tres lados desiguales. ‖ **triángulo obtusángulo**; el que tiene uno de sus ángulos obtuso. ☐ ETIMOL. Del latín *triangulus.*

triásico, ca ∎ adj. **1** En geología, del primer período de la era secundaria o mesozoica o de los terrenos que se formaron en él. ∎ adj./s.m. **2** En geología, referido a un período, que es el primero de la era secundaria o mesozoica. ☐ ETIMOL. Del griego *triás* (conjunto de tres), porque las rocas de este período son de tres órdenes.

[triatlón s.m. Competición deportiva de atletismo que consta de tres carreras, una de natación, una ciclista y otra a pie. ☐ ETIMOL. De *tri-* (tres) y el griego *âthlon* (premio de una lucha, lucha).

tribal adj. De una tribu o relacionado con ella. ☐ MORF. Invariable en género.

tribu s.f. **1** Organización social, política y económica que unifica a un grupo de personas, generalmente con un mismo origen, que tienen un mismo jefe y que comparten creencias y costumbres. **[2** *col.* Grupo numeroso de personas con alguna característica común. ☐ ETIMOL. Del latín *tribus* (cada una de las divisiones tradicionales del pueblo romano).

tribulación s.f. **1** Dificultad o situación adversa o desfavorable. **2** Preocupación, disgusto, pena o sufrimiento moral. ☐ ETIMOL. Del latín *tribulatio.* ☐ ORTOGR. Se admite también *atribulación.*

tribuna s.f. **1** Plataforma elevada, generalmente con una barandilla, para hablar o poder ver desde ella. **[2** Medio de comunicación desde el que se expresa una opinión. **3** En un campo de deporte, localidad preferente. ☐ ETIMOL. Del latín *tribuna* (púlpito del tribuno).

tribunal s.m. **1** Persona o conjunto de personas legalmente autorizadas para administrar justicia y dictar sentencias. **2** Edificio o lugar donde este grupo de personas ejercen o administran justicia y dictan sentencias. **3** Conjunto de personas autorizadas para valorar algo y emitir un juicio sobre ello. ☐ ETIMOL. Del latín *tribunal.*

tribuno s.m. En la antigua Roma, magistrado elegido por el pueblo que tenía la facultad de poner veto a las resoluciones del senado. ☐ ETIMOL. Del latín *tribunus* (magistrado de la tribu).

tributación s.f. **1** Pago de un tributo. **2** Ofrecimiento o manifestación de reconocimiento como una prueba de respeto, de admiración o de agradecimiento.

tributar v. **1** Pagar un tributo: *Todos los ciudadanos tributamos al pagar los impuestos.* **2** Referido a una muestra de reconocimiento, ofrecerla o manifestarla como prueba de respeto, de agradecimiento o de admiración: *Te admiro y te tributo el mayor de los respetos.*

tributario, ria ∎ adj. **1** Del tributo o relacionado con él. ∎ adj./s. **2** Que paga tributo o está obligado a pagarlo.

tributo s.m. **1** Lo que ha de pagar un ciudadano al Estado o a otro organismo para sostener los gastos públicos. **2** En el feudalismo, lo que el vasallo debía entregar a su señor como reconocimiento de su señorío. **3** Manifestación de reconocimiento como muestra de respeto, de admiración o de agradecimiento. **4** Carga u obligación que impone el uso o el disfrute de algo. ☐ ETIMOL. Del latín *tributum* (impuesto atribuido a cada tribu).

[tricéfalo, la adj. Con tres cabezas. ☐ ETIMOL. De *tri-* (tres) y el griego *kephalé* (cabeza).

tricenal adj. **1** Que dura treinta años. **2** Que tiene lugar cada treinta años. ☐ ETIMOL. Del latín *tricennalis.* ☐ ORTOGR. Dist. de *trienal.* ☐ MORF. Invariable en género.

tricentenario s.m. **1** Espacio de tiempo de trescientos años. **2** Tercer centenario.

tricentésimo, ma numer. **1** En una serie, que ocupa el lugar número trescientos. **2** Referido a una parte, que constituye un todo junto con otras doscientas noventa y nueve iguales a ella. ☐ ETIMOL. Del platín *tricentesimus.*

tríceps s.m. →**músculo tríceps**. ☐ ETIMOL. Del latín *triceps*, y éste de *tri-* (triple) y *caput* (cabeza). ☐ ORTOGR. Aunque es palabra llana terminada en *s*, debe llevar tilde. ☐ MORF. Invariable en número.

[triceratops s.m. Reptil herbívoro del grupo de los dinosaurios que existió en la era secundaria y tenía dos cuernos sobre los ojos y otro sobre el morro. ☐ PRON. [tricerá tops].

triciclo s.m. Vehículo de tres ruedas, dos traseras y una delantera, esp. el que se mueve mediante dos pedales. ☐ ETIMOL. De *tri-* (tres) y el griego *kýklos* (círculo, rueda).

triclinio s.m. En las antiguas Grecia y Roma, diván en el que se reclinaban las personas para comer. ☐ ETIMOL. Del latín *triclinium*, éste del griego *triklínion*, y éste de *trêis* (tres) y *klíne* (lecho).

tricolor adj. De tres colores. ☐ ETIMOL. De *tri-* (tres) y *color*. ☐ MORF. Invariable en género.

tricorne adj. *poét*. De tres cuernos. ☐ ETIMOL. Del latín *tricornis*. ☐ MORF. Invariable en género.

tricornio s.m. **1** Sombrero de ala doblada de modo que forma tres picos. 🔊 sombrero **[2** *col*. Miembro de la guardia civil. ☐ ETIMOL. Del francés *tricorne*.

tricota s.f. En zonas del español meridional, jersey.

[tricotadora s.f. →**tricotosa**.

tricotar v. Hacer punto; tejer: *A mi madre le gusta tricotar mientras ve la televisión*. ☐ ETIMOL. Del francés *tricoter*.

tricotosa s.f. Máquina para hacer tejido de punto; tejedora. ☐ ETIMOL. Del francés *tricoteuse*. ☐ USO Aunque la RAE sólo registra *tricotosa*, se usa también *tricotadora*.

tricromía s.f. En imprenta, impresión o grabado en tres colores. ☐ ETIMOL. De *tri-* (tres) y el griego *chrôma* (color).

tricúspide s.f. →**válvula tricúspide**. ☐ ETIMOL. De *tri-* (tres) y *cúspide*.

tridente s.m. Especie de arpón de tres dientes. ☐ ETIMOL. Del latín *tridens* (que tiene tres dientes).

tridimensional adj. Con las tres dimensiones espaciales de altura, anchura y largura. ☐ ETIMOL. De *tri-* (tres) y *dimensional*. ☐ MORF. Invariable en género.

trienal adj. **1** Que dura tres años. **2** Que tiene lugar cada tres años. ☐ ORTOGR. Dist. de *tricenal*. ☐ MORF. Invariable en género.

trienio s.m. **1** Período de tiempo de tres años. **2** Incremento económico que se obtiene sobre el sueldo o sobre el salario por cada tres años trabajados. ☐ ETIMOL. Del latín *triennium*.

trifásico, ca adj. Referido a un sistema eléctrico, que tiene tres corrientes eléctricas alternas iguales, procedentes del mismo generador, y cuyas fases se distancian entre sí un tercio de ciclo.

trifoliado, da adj. Referido esp. a una planta, que tiene hojas compuestas de tres hojuelas. 🔊 hoja

trifolio s.m. [Elemento decorativo formado por tres arcos o lóbulos dispuestos en forma radial que se cortan entre sí, generalmente inscritos en un círculo. ☐ ETIMOL. Del latín *trifolium*. ☐ ORTOGR. Dist. de *triforio*.

triforio s.m. En algunas iglesias, galería construida sobre los arcos de las naves, y que suele tener ventanas de tres huecos. ☐ ETIMOL. Del latín *tres* (tres) y *fores* (puerta exterior). ☐ ORTOGR. Dist. de *trifolio*.

triforme adj. De tres formas o figuras. ☐ ETIMOL. Del latín *triformis*. ☐ MORF. Invariable en género.

trifulca s.f. *col*. Riña o pelea entre dos o más personas, esp. si se hace con mucho alboroto. ☐ ETIMOL. De origen incierto.

trifurcación s.f. **1** División en tres ramales o brazos separados. **2** Punto donde se produce esta división.

trifurcarse v.prnl. Dividirse en tres ramales o brazos separados: *Al llegar a la desembocadura, el río se trifurca y llega al mar*. ☐ ORTOGR. La *c* se cambia en *qu* delante de *e* →SACAR.

trigal s.m. Campo sembrado de trigo.

trigésimo, ma numer. **1** En una serie, que ocupa el lugar número treinta. **2** Referido a una parte, que constituye un todo junto con otras veintinueve iguales a ella. ☐ ETIMOL. Del latín *trigesimus*. ☐ MORF. *Trigésima primera* (incorr. **trigésimo primera*), etc.

[triglicérido s.m. Compuesto químico que es un éster de la glicerina o de los ácidos grasos, y que está presente en la naturaleza.

triglifo o **tríglifo** s.m. En un friso dórico, elemento ornamental con forma de rectángulo saliente con tres pequeños canales o estrías verticales. ☐ ETIMOL. Del latín *triglyphus*, éste del griego *tríglyphos*, y éste de *trêis* (tres) y *glýpho* (yo esculpo o grabo). ☐ USO *Tríglifo* es el término menos usual.

trigo s.m. **1** Cereal de tallo hueco y espigas terminales compuestas de cuatro o más hileras de granos, de los que se obtiene la harina. 🔊 cereal **2** Grano de este cereal. **3** ‖**no ser trigo limpio**; *col*. No ser tan claro u honesto como parece. ‖**(trigo) candeal**; el que tiene aristas, espiga cuadrada, recta y granos ovales. ☐ ETIMOL. Del latín *triticum*.

trigonometría s.f. Parte de las matemáticas que estudia las relaciones existentes entre los lados y los ángulos de un triángulo. ☐ ETIMOL. Del griego *trígonos* (triángulo) y *métron* (medida).

trigonométrico, ca adj. De la trigonometría o relacionado con ella.

trigueño, ña adj. De color moreno dorado parecido al trigo maduro.

triguero, ra adj. **1** Del trigo o relacionado con él. **2** Que se cría o vive entre el trigo: *espárragos trigueros*.

trilateral adj. Realizado con la intervención de tres partes: *tratado trilateral*. ☐ ETIMOL. De *tri-* (tres) y el latín *latus* (lado). ☐ ORTOGR. Dist. de *trilátero*. ☐ MORF. Invariable en género.

trilátero, ra adj. De tres lados. ☐ ORTOGR. Dist. de *trilateral*.

[trilero, ra s. *col*. Persona que dirige el juego de apuestas de los triles, generalmente con la intención de quedarse con el dinero del que juega.

triles s.m.pl. *col*. Juego de apuestas que consiste en adivinar en qué lugar de los tres posibles está el objeto que previamente ha sido mostrado: *Los triles son un juego callejero ilegal*.

trilingüe adj. **1** Referido a un hablante o a una comunidad de hablantes, que usa indistintamente tres lenguas diferentes. **2** Referido a un texto, que está escrito en tres lenguas. ☐ ETIMOL. Del latín *trilinguis*. ☐ MORF. Invariable en género.

trilla s.f. **1** Hecho de triturar y desmenuzar un cereal, esp. el trigo, para separar el grano de la paja. **2** Tiempo en que se realiza esta faena.

trilladora s.f. Máquina para trillar cereales, esp. el trigo.

trillar v. **1** Referido a un cereal, esp. al trigo, triturarlo para separar el grano de la paja: *Antes se trillaba con los trillos el trigo extendido en la era*. **2** col. Estar muy utilizado o ser muy común y muy conocido: *Quiero hacer un estudio de un tema que no haya sido muy trillado por otros especialistas*. □ ETIMOL. Del latín *tribulare*.

trillizo, za adj./s. Que ha nacido de un parto triple. □ ETIMOL. De *tri-* (tres) y la terminación de *mellizo*.

trillo s.m. Instrumento utilizado antiguamente para trillar cereales formado por un tablón con trozos cortantes incrustados en la parte que está en contacto con el suelo, y sobre el que iba una persona dirigiendo al animal que tiraba de él. □ ETIMOL. Del latín *tribulum*.

trillón ∎ pron.numer. **1** Número 1.000.000.000.000.000.000: *Un trillón es un millón de billones*. ∎ s.m. **[2** Signo que representa este número: *Un 'trillón' es un uno seguido de dieciocho ceros*. □ ETIMOL. De *tri-* (tres) y la terminación de *millón*. □ SINT. Va precedido por *de* cuando le sigue el nombre de aquello que se numera (un trillón de pesetas), pero no cuando le siguen uno o más numerales (un trillón cien mil pesetas).

trilobites s.m. Artrópodo marino fósil de cuerpo ovalado y aplanado, dividido en tres regiones y recorrido a lo largo por dos surcos. □ ETIMOL. Del griego *trílobos* (trilobulado). □ MORF. Invariable en número.

trilogía s.f. Conjunto de tres obras diferentes de un mismo autor que constituyen una unidad. □ ETIMOL. Del griego *trilogía*, y éste de *tri-* (tres) y *lógos* (tratado).

trimembre adj. De tres miembros o partes. □ ETIMOL. Del latín *trimembris*. □ MORF. Invariable en género.

trimensual adj. Que sucede tres veces al mes. □ MORF. Invariable en género. □ SEM. Dist. de *trimestral* (que sucede cada tres meses o que dura tres meses).

trimestral adj. **1** Que tiene lugar cada tres meses. **2** Que dura tres meses. □ MORF. Invariable en género. □ SEM. Dist. de *trimensual* (que sucede tres veces al mes).

trimestre s.m. **1** Período de tiempo de tres meses. **2** Conjunto de números de una publicación, publicados durante tres meses. □ ETIMOL. Del latín *trimestris* (trimestral).

trinar v. **1** Referido a un pájaro o a una persona, hacer quiebros o cambios de voz con la garganta; gorjear: *Se oía trinar a los jilgueros en el jardín*. **2** Referido a una persona, manifestar o sentir gran enfado o impaciencia: *Está que trina por el golpe que le han dado en el coche*. □ ETIMOL. Quizá de origen onomatopéyico.

trinca s.f. col. Pequeño grupo de amigos.

trincar v. **1** col. Referido a una persona, cogerla, detenerla o atraparla: *Me trincó mi madre fumando en el cuarto de baño*. **2** col. Robar: *Trincó un par de libros de la biblioteca y al salir sonó la alarma*. **3** col. Referido a una bebida, tomarla: *Trincó él solo toda la jarra de sangría. Se trincó un trago de la botella de agua*. □ ETIMOL. De origen incierto. □ ORTOGR. La *c* se cambia en *qu* delante de *e* → SACAR.

trincha s.f. Ajustador con hebilla o botón situado generalmente en la parte posterior de algunos chalecos y pantalones, y que sirve para ceñirlos. □ ETIMOL. De *trinchar*, porque parece que la trincha parte el cuerpo en dos.

trinchar v. Referido a la comida, partirla en trozos para servirla: *Trincha el asado y sírvelo con la salsa*. □ ETIMOL. Del francés antiguo *trenchier*.

trinchera s.f. **1** Zanja defensiva, más o menos larga, que permite disparar a cubierto del enemigo. **2** Gabardina de aspecto militar. □ ETIMOL. Del antiguo *trinchea* (trinchera).

trineo s.m. Vehículo provisto de patines o esquís en lugar de ruedas, para deslizarse sobre la nieve o el hielo. □ ETIMOL. Del francés *traîneau*.

trinidad s.f. Asociación de tres personas o grupos en algún negocio o asunto. □ ETIMOL. Del latín *trinitas*. □ USO Tiene un matiz despectivo.

trinitario, ria ∎ adj./s. **1** Referido a un monje o a una monja, que pertenece a la Trinidad (orden religiosa aprobada y confirmada a finales del siglo XII), o relacionado con ella. ∎ s.f. **2** Planta herbácea de jardín, con flores de cinco pétalos redondeados y de tres colores. **3** Flor de esta planta. □ ETIMOL. La acepción 1, del latín *Trinitas* (trinidad). Las acepciones 2 y 3, del latín *trinitas* (conjunto de tres), por los tres colores de la flor. □ SEM. En las acepciones 2 y 3, es sinónimo de *pensamiento*.

trinitrotolueno s.m. Producto sólido de color amarillento, tóxico e inflamable, que se utiliza principalmente como explosivo. □ MORF. Se usa más la sigla *TNT*.

trino s.m. Canto o voz de algunos pájaros; gorjeo. □ ETIMOL. De origen onomatopéyico.

trinomio s.m. Expresión matemática compuesta de tres términos algebraicos unidos por el signo de la suma o por el de la resta: '$6x + 2y - 4z$' es un trinomio. □ ETIMOL. De *tri-* (tres) y la terminación de *binomio*.

trío s.m. **1** Conjunto formado por tres elementos. **2** Composición musical escrita para tres instrumentos o para tres voces. **3** Conjunto formado por este número de instrumentos o de voces; terceto. □ ETIMOL. Del italiano *trio*.

[trip s.m. →**tripi**. □ USO Es un anglicismo innecesario.

tripa ∎ s.f. **1** col. En el cuerpo humano o en el de otros mamíferos, parte comprendida entre el tórax y la pelvis, en la que se sitúa la mayor parte de los aparatos digestivo y reproductor; abdomen, vientre. **2** col. Intestino. **[3** col. En una persona, abultamiento que se forma en esa parte del cuerpo, esp. si es por acumulación de grasa. ∎ pl. **4** Lo interior de algunas cosas: *Tiró el reloj al suelo y se le salieron las tripas*. **5** ‖**hacer de tripas corazón**; esforzarse por soportar algo: *Si no te gustan los garbanzos, haz de tripas corazón y cómelos*. ‖**qué tripa se le ha roto** a alguien; col. Expresión que se usa para indicar extrañeza o desagrado por algo inoportuno o urgente: *Me ha vuelto a llamar, ¿qué tripa se le habrá roto ahora?* ‖**revolver** algo o alguien **las tripas**; producir disgusto o repugnancia. □ ETIMOL. De origen incierto. □ SEM. En las acepciones 1 y 3, es sinónimo de *barriga*.

tripartición s.f. División en tres partes.

tripartir v. Referido a un todo, dividirlo en tres par-

tes: *Tripartiré mi hacienda en partes iguales entre mis tres hijos.*
tripartito, ta adj. Dividido en tres partes, órdenes o clases, o formado por ellos. □ ETIMOL. Del latín *tripartitus.*
[tripi s.m. *col.* En el lenguaje de la droga, dosis de ácido alucinógeno. □ ETIMOL. Del inglés *trip* (viaje). □ USO 1. Es innecesario el uso del anglicismo *trip.* 2. Se usa también *tripis.*
[tripié s.m. En zonas del español meridional, trípode.
[tripis s.m. *col.* →**tripi.** □ MORF. Invariable en número.
triple ▌ numer. 1 Que consta de tres o que es adecuado para tres: *triple salto; habitación triple.* ▌ adj./s.m. 2 Referido a una cantidad, que es tres veces mayor que otra: *Se consiguió una recaudación triple de la prevista.* ▌ s.m. [3 En baloncesto, enceste que se realiza desde una distancia superior a un límite fijado y que vale tres puntos. □ ETIMOL. Del latín *triplus.* □ MORF. Como numeral es invariable en género.
triplicación s.f. 1 Multiplicación por tres o aumento de algo en tres veces. 2 Reproducción de algo en dos copias.
[triplicado ‖ [por triplicado; en tres ejemplares: *Los cuentos deberán ser enviados al jurado 'por triplicado'.*
triplicar v. Multiplicar por tres o hacer tres veces mayor: *Triplicarás las ganancias del año pasado.* □ ETIMOL. Del latín *triplicare.* □ ORTOGR. La c se cambia en *qu* delante de e →SACAR.
[triplista s. En baloncesto, jugador especialista en triples o canastas de tres puntos. □ MORF. Es de género común: *el 'triplista', la 'triplista'.*
trípode s.m. Armazón de tres pies que se utiliza como soporte. □ ETIMOL. Del latín *tripus,* éste del griego *trípus,* y éste de *trêis* (tres) y *pús* (pie). 🔬 química
tripón, -a adj./s. *col.* Que tiene mucha tripa; tripudo.
tríptico s.m. 1 Pintura, grabado o relieve distribuidos en tres hojas, unidas de modo que las dos laterales puedan doblarse sobre la central. 2 Libro o tratado que consta de tres partes. □ ETIMOL. Del griego *tríptykhos* (triple).
[triptongación s.f. Pronunciación de tres vocales en una sola sílaba formando triptongo.
triptongar v. Referido a tres vocales, pronunciarlas en una sola sílaba formando triptongo: *En poesía es posible triptongar vocales que en la lengua normal no forman triptongo.* □ ORTOGR. La g se cambia en *gu* delante de e →PAGAR.
triptongo s.m. Conjunto de tres vocales que se pronuncian en una misma sílaba: *En la última sílaba de 'cambiéis' hay un triptongo.* □ ETIMOL. De *tri-* (tres) y el griego *phthóngos* (sonido). □ ORTOGR. →APÉNDICE DE ACENTUACIÓN.
tripudo, da adj./s. →**tripón.**
tripulación s.f. Conjunto de personas encargadas de conducir una embarcación o un vehículo aéreo, o de prestar servicio en ellos.
tripulante s. Miembro de una tripulación. □ MORF. Es de género común: *el tripulante, la tripulante.*
tripular v. Referido a una embarcación o a un vehículo aéreo, conducirlos o prestar servicio en ellos: *El piloto que tripula el avión es experimentado.* □ ETIMOL. Del latín *interpolare* (hacer reformas, alterar).

triquina s.f. Gusano parásito, cuya larva se enquista en los músculos de algunos mamíferos y puede producir la triquinosis en el hombre. □ ETIMOL. Del griego *tríkhinos,* y éste de *thríx* (pelo), porque este parásito es semejante a un pelo.
triquinosis s.f. Enfermedad producida por la invasión de larvas de triquina que penetran en las fibras musculares, y que se manifiesta con fiebre alta, desarreglos intestinales y dolores muy agudos. □ MORF. Invariable en número.
triquiñuela s.f. *col.* Rodeo, recurso o artimaña de los que se sirve alguien para salvar una dificultad o para conseguir un fin. □ ETIMOL. De origen onomatopéyico.
triquitraque s.m. Serie de golpes que producen ruido. □ ETIMOL. De origen onomatopéyico.
trirreme s.m. Antigua embarcación con tres filas de remos a cada lado. □ ETIMOL. Del latín *triremis.* □ MORF. Se usa también como femenino. 🔬 embarcación
tris ‖ en un tris de; *col.* A punto de. ‖ un tris; *col.* Muy poco o casi nada: *Faltó un tris para que metieras la pata.* □ ETIMOL. De origen onomatopéyico.
triscar v. Retozar o dar saltos de un lugar a otro de manera alegre o juguetona: *Un par de corderos triscaban alegres por el monte.* □ ETIMOL. Del gótico *thriskan* (trillar), que luego significó *patear, brincar.* □ ORTOGR. La c se cambia en *qu* delante de e →SACAR.
trisemanal adj. 1 Que sucede o se repite tres veces por semana. 2 Que sucede o se repite cada tres semanas. □ MORF. Invariable en género.
trisilábico, ca adj. Que tiene tres sílabas.
trisílabo, ba adj./s.m. De tres sílabas, esp. referido a un verso. □ ETIMOL. Del latín *trisillabus.*
triste adj. 1 Con pena, melancolía o tristeza. 2 Que produce pena, melancolía o tristeza. 3 Infeliz, funesto o desgraciado. 4 Doloroso o difícil de soportar. 5 Insignificante, insuficiente o escaso: *un triste sueldo.* 6 Que debiera producir alegría, pero no la produce: *Las tiendas de campaña son un triste cobijo para los refugiados que no tienen vivienda.* 7 Referido a una persona, de carácter melancólico. □ ETIMOL. Del latín *tristis.* □ MORF. Invariable en género.
tristeza s.f. 1 Sentimiento o estado melancólico en el que no se tiene ni ilusiones ni ánimo para vivir o hacer cosas y en el que generalmente se tiende al silencio o al llanto. 2 Conjunto de características de lo que produce este sentimiento. □ ETIMOL. Del latín *tristitia.*
tristón, -a adj. Con un poco de tristeza.
tristura s.f. *ant.* →**tristeza.**
tritón s.m. 1 Anfibio parecido a la lagartija, pero más grande, de piel granulosa y de color pardo con manchas negruzcas en el lomo y rojizas en el vientre. 2 Ser mitológico marino con cuerpo de hombre de cintura para arriba y de pez de cintura para abajo. 🔬 mitología □ ETIMOL. Por alusión a Tritón, hijo de Neptuno. □ MORF. En la acepción 1, es un sustantivo epiceno: *el tritón macho, el tritón hembra.*
trituración s.f. Desmenuzamiento de algo partiéndolo en trozos pequeños, pero sin convertirlo en polvo.

triturador, -a ∎ adj./s. **1** Que tritura. ∎ s.f. **2** Máquina que sirve para triturar.

triturar v. **1** Referido a algo sólido, desmenuzarlo o partirlo en trozos pequeños, pero sin convertirlo en polvo: *Con las muelas trituramos los alimentos.* **2** Referido a algo que se examina o se considera, rebatirlo y censurarlo minuciosamente y de forma inequívoca: *Trituró sus argumentos uno a uno.* **[3** col. Vencer o derrotar por completo: *Nuestro equipo 'ha triturado' al vuestro.* ☐ ETIMOL. Del latín *triturare* (trillar las mieses).

triunfador, -a adj./s. Que triunfa.

triunfal adj. Del triunfo. ☐ ETIMOL. Del latín *triumphalis.* ☐ MORF. Invariable en género.

triunfalismo s.m. Actitud de seguridad en uno mismo y de superioridad sobre los demás basada en una confianza excesiva en la propia valía.

triunfalista adj./s. Que tiene o manifiesta una excesiva seguridad y confianza en sí mismo. ☐ MORF. 1. Como adjetivo es invariable en género. 2. Como sustantivo es de género común: *el triunfalista, la triunfalista.*

triunfar v. **1** Quedar victorioso: *Nuestros atletas han triunfado en numerosas pruebas.* **2** Tener éxito: *Eres muy inteligente y triunfarás.* **3** En algunos juegos de cartas, ser el triunfo: *Triunfan oros.* ☐ ETIMOL. Del latín *triumphare.*

triunfo s.m. **1** Victoria sobre un contrario o rival. **2** Éxito o resultado perfecto en algo: *Considero a la familia como un triunfo en la vida.* **3** En algunos juegos de naipes, palo de la baraja o carta de este palo, que tiene más valor que los otros. **4** Lo que sirve de trofeo y acredita una victoria o el éxito: *Tiene sus triunfos ordenados en una vitrina.* **5** ‖**costar** algo **un triunfo**; costar un gran esfuerzo. ☐ ETIMOL. Del latín *triumphus.*

triunvirato s.m. **1** En la antigua Roma, gobierno ejercido por tres personas. **2** Junta o grupo de tres personas. ☐ ETIMOL. Del latín *triumviratus.*

trivalente adj. **[1** Que tiene un triple valor. **2** Referido a un elemento, que funciona con tres valencias. ☐ MORF. Invariable en género.

trivial adj. Que carece de importancia o de interés, esp. por ser algo ordinario o común. ☐ ETIMOL. Del latín *trivialis* (que se halla por las encrucijadas), porque las encrucijadas se consideran lugares comunes o de paso habitual. ☐ MORF. Invariable en género.

trivialidad s.f. **1** Falta de interés o de importancia de algo, por su carácter ordinario y común. **2** Lo que es trivial o carece de importancia.

trivializar v. Referido esp. a un asunto, quitarle importancia o no dársela: *No debes trivializar los temas relacionados con la pobreza mundial.* ☐ ORTOGR. La z se cambia en c delante de e →CAZAR.

trivio o **[trivium** s.m. En la Edad Media, conjunto de las tres artes relativas a la elocuencia que, junto con el cuadrivio, formaban parte de la enseñanza universitaria: *La gramática, la retórica y la dialéctica componían el trivio.* ☐ ETIMOL. Del latín *trivium.* ☐ USO Aunque la RAE sólo registra *trivio*, se usa más *'trivium'.*

triza s.f. **1** Trozo pequeño de algo. **2** ‖**hacer(se) trizas; 1** Destruir completamente o romper en pedazos menudos: *El plato cayó al suelo y se hizo trizas.* **2** Referido esp. a una persona, herirla o lastimarla

gravemente: *Sus continuos reproches me hacen trizas.* ☐ ETIMOL. De *trizar* (romper en trozos).

trocamiento s.m. **1** Modificación, alteración o conversión en algo distinto, opuesto o contrario; trueque. **2** Intercambio o entrega de una cosa por otra. ☐ SEM. Es sinónimo de *cambio.*

trocar v. **1** Modificar, alterar o convertir en algo distinto: *Él consiguió trocar mi tristeza en alegría. Mi mala suerte se trocó en buena.* **2** Intercambiar o cambiar: *En las sociedades primitivas trocaban productos agrícolas por objetos artesanos. Me troqué en el autocar con el señor de al lado porque me gusta ir junto a la ventanilla.* ☐ ETIMOL. De origen incierto. ☐ ORTOGR. La c se cambia en qu delante de e. ☐ MORF. Irreg. →TROCAR.

trocear v. Referido a un todo, dividirlo en trozos: *Si quieres que la tortilla llegue para todos, tendrás que trocearla mucho.*

troche ‖**a troche y moche**; col. De forma disparatada, sin consideración, o sin orden ni medida. ☐ ETIMOL. De *trocear* y *mochar* (cortar). ☐ ORTOGR. Se admite también *a trochemoche.*

trochemoche ‖**a trochemoche**; col. →**a troche y moche.**

trofeo s.m. **1** Objeto que se da como recuerdo o como premio de una victoria o de un triunfo. **2** Monumento, insignia u objeto que recuerda un triunfo o una victoria. ☐ ETIMOL. Del latín *trophaeum,* y éste del griego *trópaion* (monumento que recordaba la derrota del enemigo).

troglodita adj./s. Que habita en cavernas. ☐ ETIMOL. Del griego *troglodýtes* (que vive en una cueva). ☐ MORF. 1. Como adjetivo es invariable en género. 2. Como sustantivo es de género común: *el troglodita, la troglodita.*

[troika (del ruso) s.f. **1** Carruaje grande montado sobre patines y tirado por tres caballos delanteros: *Las 'troikas' se deslizan sobre hielo.* **2** En la antigua Unión Soviética, equipo dirigente soviético formado por el presidente de la república, el jefe de gobierno y el secretario general del partido comunista. **3** col. Grupo o reunión de tres políticos de alto nivel.

trola s.f. col. Mentira. ☐ ETIMOL. Del francés *drôle* (bribonzuelo).

trole s.m. **1** En un vehículo de tracción eléctrica, pértiga de hierro que le transmite la corriente del cable conductor tomándola mediante una polea o un arco que lleva en su extremo. **2** →**trolebús.** ☐ ETIMOL. La acepción 1, del inglés *trolley.*

trolebús s.m. Vehículo de tracción eléctrica con gran capacidad que se utiliza para el transporte de personas, que circula sin carriles, y que toma la corriente de un cable aéreo. ☐ MORF. En la lengua coloquial se usa mucho la forma *trole.*

trolero, ra adj./s. col. Mentiroso.

tromba s.f. **1** Columna de agua que se eleva desde el mar con movimiento giratorio por efecto de un torbellino atmosférico. **[2** Gran cantidad de algo que se produce en poco tiempo: *Como te portes mal te va a caer una 'tromba' de palos.* **3** ‖**[en tromba;** de golpe y con fuerza: *Todos los jugadores se lanzaron 'en tromba' tras el balón.* ‖**tromba (de agua);** chubasco intenso, repentino y muy violento. ☐ ETIMOL. Del italiano *tromba.*

trombo s.m. Coágulo de sangre en el interior de un vaso sanguíneo. ☐ ETIMOL. Del griego *thrómbos* (grumo, coágulo).

trombocito s.m. Célula de la sangre de los vertebrados, de pequeño tamaño y sin núcleo, que interviene en la coagulación sanguínea; plaqueta. ☐ ETIMOL. Del griego *thrómbos* (gramo) y -*cito* (célula).
tromboflebitis s.f. Inflamación de las venas con formación de trombos. ☐ ETIMOL. De *trombo* y *flebitis*. ☐ MORF. Invariable en número.
trombón s.m. **1** Instrumento musical de viento, de la familia de los metales, parecido a una trompeta grande, y que está formado por un doble tubo cilíndrico en forma de 'U' que termina en un pabellón acampanado. 🔊 viento **2** ‖**trombón de varas**; el que posee un tubo móvil que se desliza dentro del otro, alargando o acortando la columna de aire que vibra y modificando así la altura del sonido. ☐ ETIMOL. Del italiano *trombone*.
trombosis s.f. Formación de un trombo en el interior de un vaso sanguíneo. ☐ ETIMOL. Del griego *thrómbosis* (coagulación). ☐ MORF. Invariable en número.
trompa s.f. **1** Instrumento musical de viento, de la familia de los metales, formado por un tubo enroscado circularmente y que va ensanchándose desde la boquilla al pabellón. 🔊 viento **2** En algunos animales, prolongación muscular, gruesa y elástica de su nariz: *la trompa del elefante*. **3** Lo que tiene aproximadamente esta forma: *La trompa de Eustaquio comunica el oído medio con la faringe.* 🔊 oído **4** En algunos insectos, aparato chupador dilatable y contráctil. **5** *col.* Borrachera. **6** En arquitectura, bóveda pequeña semicónica que sirve de transición entre una base cuadrada y una cúpula circular u octogonal. ☐ ETIMOL. De origen onomatopéyico.
trompada s.f. o **trompazo** s.m. Porrazo o golpe fuerte.
trompear v. *col.* En zonas del español meridional, pelear.
trompeta s.f. Instrumento musical de viento, de la familia de los metales, formado por un tubo largo de metal que va ensanchándose desde la boquilla al pabellón. ☐ ETIMOL. Quizá del francés *trompette*. 🔊 viento
trompetazo s.m. Sonido excesivamente fuerte o destemplado emitido con una trompeta o con un instrumento semejante.
trompetilla s.f. **1** Instrumento en forma de pequeña trompeta que se aplicaba al oído y servía para que los sordos oyeran mejor. [**2** *col.* En zonas del español meridional, pedorreta.
trompetista s. Músico que toca la trompeta. ☐ MORF. Es de género común: el trompetista, la trompetista.
trompicar v. Dar tumbos o pasos tambaleantes: *Fui trompicando unos metros y al final conseguí no caerme*. ☐ ETIMOL. De origen incierto. ☐ ORTOGR. La *c* se cambia en *qu* delante de *e* →SACAR.
trompicón s.m. **1** Tropezón o paso tambaleante. **2** ‖**a trompicones**; de forma discontinua o con dificultades: *Recitas a trompicones*.
trompo s.m. **1** Peonza o peón. [**2** Giro que da un coche sobre sus ruedas, generalmente a consecuencia de un derrape. ☐ ETIMOL. De origen onomatopéyico.
trona s.f. [Silla con las patas muy altas, para que los bebés puedan sentarse y queden a la altura de una mesa normal.
tronado, da adj. *col.* Loco. ☐ ETIMOL. De *tronar*.

tronar v. **1** Sonar truenos: *El cielo se encapotó y comenzó a tronar*. **2** Causar un estampido o un sonido fuerte: *En medio de la batalla se oyó tronar a los cañones*. **3** *col.* Hablar de forma violenta: *El orador tronaba desde el púlpito contra la pérdida de las tradiciones*. [**4** *col.* En zonas del español meridional, suspender. ☐ ETIMOL. Del latín *tonare*. ☐ MORF. **1**. Irreg. →CONTAR. **2**. En la acepción 1, es unipersonal.
troncal adj. [Referido a una asignatura, obligatoria o común en un ciclo de estudios. ☐ MORF. Invariable en género.
tronchar ‖ v. **1** Referido esp. a un tallo o a una rama, partirlos o romperlos sin usar herramientas: *El viento tronchó una rama del árbol*. ‖ prnl. **2** *col.* Reírse mucho: *Esa película es divertidísima y me tronché con ella*. ☐ ETIMOL. De *troncho*.
troncho s.m. Tallo de las hortalizas. ☐ ETIMOL. Del latín *trunculus* (trozo de tronco).
tronco s.m. **1** Tallo leñoso de los árboles y de los arbustos. **2** Parte del cuerpo de una persona o de un animal de la que parten el cuello y las extremidades. **3** Elemento central o principal del que salen o al que llegan otros secundarios: *En el aparato respiratorio la tráquea es el tronco del que parten los dos bronquios*. **4** Ascendiente común de dos o más familias, ramas o líneas: *Las lenguas romances proceden del tronco indoeuropeo*. [**5** *col.* Amigo o compañero. **6** ‖**como un tronco**; *col.* Profundamente dormido. ☐ ETIMOL. Del latín *truncus* (talado, sin ramas). ☐ USO En la acepción 5, en la lengua coloquial, se usa como apelativo: *¿Qué pasa, 'tronco'?*
tronera s.f. **1** En una buque o en una muralla, abertura que sirve para asomar las armas de fuego y disparar. **2** Ventana pequeña por la que entra poca luz. **3** En una mesa de billar, agujero o abertura para meter las bolas. ☐ ETIMOL. De *trueno*.
tronío s.m. **1** *col.* Ostentación y riqueza: *Tu familia siempre ha vivido con mucho tronío*. [**2** *col.* Importancia, valor o mérito: *Es una cantante de mucho 'tronío'*.
trono s.m. **1** Asiento con escalones y dosel, en el que se sientan las personas de alta dignidad, esp. los reyes, en las ceremonias y en otros actos importantes. **2** Cargo o dignidad de rey o de monarca. ☐ ETIMOL. Del latín *thronus*.
tropa ‖ s.f. **1** Muchedumbre, multitud o gran cantidad de personas. [**2** En los Ejércitos de Tierra y del Aire y en la infantería de marina, categoría militar inferior a la de suboficial: *La 'tropa' está formada por soldados, cabos y cabos primero*. ‖ pl. **3** Conjunto de cuerpos que componen un ejército, una división, una guarnición u otra unidad similar: *Las tropas aliadas consiguieron la victoria*. ☐ ETIMOL. Del francés *troupe* (grupo).
[tropear v. En zonas del español meridional, referido al ganado, conducirlo.
tropel s.m. **1** Muchedumbre o multitud que se mueve de forma desordenada. **2** Conjunto de cosas mal ordenadas o mal colocadas. **3** ‖**en tropel**; en gran número o de forma desordenada o confusa. ☐ ETIMOL. Del francés antiguo *tropel*.
tropelía s.f. Atropello o acto violento cometidos generalmente por alguien que abusa de su poder o de su autoridad. ☐ ETIMOL. De *tropel*.
tropero s.m. En zonas del español meridional, **arriero**.

tropezar v. **1** Dar con los pies en un obstáculo al ir andando, lo cual puede hacer caer: *No vi el escalón y tropecé con él.* **2** Encontrar un obstáculo o una dificultad que detienen o impiden el desarrollo normal o la continuación de algo: *Quería ser físico, pero tropezó con las matemáticas.* **3** *col.* Encontrarse por casualidad con una persona: *Me tropecé con tu prima a la salida del metro.* □ ETIMOL. Del latín **interpediare.* □ ORTOGR. La *z* se cambia en *c* delante de *e* →CAZAR.

tropezón s.m. **1** Choque o tropiezo que se dan contra un obstáculo al ir andando y que pueden hacer caer. **2** *col.* Trozo pequeño de jamón o de otro alimento que se mezcla con la sopa o con las legumbres. **3** ‖ **a tropezones**; *col.* Con muchas dificultades o con impedimentos. □ MORF. La acepción 2 se usa más en plural.

tropical adj. Del trópico o relacionado con él. □ MORF. Invariable en género.

trópico s.m. **1** Cada uno de los dos círculos menores en los que se considera dividida la Tierra, que son paralelos al Ecuador: *El trópico del hemisferio Norte se llama trópico de Cáncer y el trópico del hemisferio Sur se llama trópico de Capricornio.* 🔎 globo [**2** Región comprendida entre estos dos círculos: *La vegetación de los 'trópicos' es exuberante y variada.* □ ETIMOL. Del griego *tropikós* (que da vueltas).

tropiezo s.m. [**1** Golpe que se da en un obstáculo al ir andando, que puede hacer caer. **2** Desacierto, fallo o indiscreción involuntaria, esp. en cuanto a las relaciones sexuales; desliz. **3** Obstáculo, dificultad, contratiempo o impedimento. **4** Riña, discusión o contienda.

tropismo s.m. Respuesta de un organismo ante un estímulo exterior. □ ETIMOL. Del griego *trópos* (vuelta).

tropo s.m. Figura retórica en la que se hace un empleo de las palabras con un significado distinto al que les es propio, pero con el que guardan alguna conexión, correspondencia o semejanza: *Los tropos principales son la metáfora, la metonimia y la sinécdoque.* □ ETIMOL. Del latín *tropus*, y éste del griego *trópos* (vuelta, manera, melodía).

troposfera s.f. En la atmósfera terrestre, zona que se extiende desde el suelo hasta diez kilómetros de altura aproximadamente. □ ETIMOL. Del griego *trópos* (vuelta) y *sphâira* (esfera).

troquel s.m. Molde que sirve para acuñar monedas, medallas y otras cosas semejantes. □ ETIMOL. De origen incierto.

troquelar v. Referido esp. a una moneda o a una medalla, estamparles los relieves por medio de troqueles o cuños; acuñar: *La profesora nos enseñó cómo troquelaban monedas los romanos.*

troqueo s.m. **1** En métrica grecolatina, pie formado por una sílaba larga seguida de otra breve. **2** En métrica española, pie formado por una sílaba tónica seguida de otra átona. □ ETIMOL. Del latín *trochaeus*, y éste del griego *trokhâios* (que corre), por la idea de aceleración que sugiere la sílaba breve siguiendo a la larga.

trotaconventos s.f. *col.* Alcahueta, celestina o persona que media para que otra consiga una relación amorosa o sexual. □ ETIMOL. Por alusión a Trotaconventos, personaje del 'Libro de Buen Amor',

del Arcipreste de Hita, que desempeña funciones de casamentera. □ MORF. Invariable en número.

trotador, -a adj. Referido esp. a un caballo, que trota mucho.

trotamundos s. *col.* Persona que siente afición o gusto por viajar y por recorrer países. □ MORF. **1.** Es de género común: *el trotamundos, la trotamundos.* **2.** Invariable en número.

trotar v. **1** Ir al trote o con paso acelerado: *El potro trotaba detrás de la yegua.* **2** *col.* Referido a una persona, andar mucho o con gran rapidez: *Estoy agotada de tanto trotar por el campo.* □ ETIMOL. Del alemán *trotten* (correr).

trote s.m. **1** Modo de caminar acelerado de una caballería, que consiste en avanzar saltando y apoyando alternativamente cada conjunto de mano y pie contrapuestos. **2** Trabajo o faena con prisas, fatigosos o que producen cansancio: *Fuimos de excursión sin mi padre, porque dice que él ya no está para esos trotes.*

trotón, -a adj. Referido esp. a un caballo, que tiene el trote como paso ordinario.

[**trotskismo** s.m. Teoría y práctica políticas propugnadas por Leon Trotsky (político y revolucionario soviético de los siglos XIX y XX), y que se caracterizaba principalmente por la preconización de la revolución internacional.

[**troupe** s.f. →**compañía.** □ PRON. [trup]. □ USO Es un galicismo innecesario.

trova s.f. **1** Composición métrica compuesta generalmente para ser cantada. **2** Canción amorosa compuesta o cantada por los trovadores. □ ETIMOL. De *trovar.*

trovador s.m. En la época medieval, poeta culto que componía versos en lengua romance.

trovadoresco, ca adj. De los trovadores o relacionado con ellos.

trovar v. Hacer o componer versos: *En la Edad Media se escribieron diversos tratados que contenían reglas sobre el arte de trovar.* □ ETIMOL. Del provenzal antiguo *trobar* (hallar).

trovo s.m. Composición métrica popular, generalmente de tema amoroso. □ ETIMOL. De *trova.*

troyano adj./s. De Troya (antigua ciudad asiática), o relacionado con ella. □ MORF. Como sustantivo se refiere a las personas de Troya.

trozo s.m. Parte de algo separado del resto o que se considera por separado. □ ETIMOL. Quizá del catalán o del provenzal *tròs* (pedazo).

trucar v. Disponer cambios o realizar determinados trucos para que produzcan el efecto deseado: *Llevó la moto al taller para que le trucaran el motor y fuera más potente.* □ ETIMOL. De origen incierto. □ ORTOGR. La *c* se cambia en *qu* delante de *e* →SACAR.

trucha s.f. Pez de agua dulce, con cuerpo en forma de huso, de color pardo y con pintas rojizas o negras, de cabeza pequeña y de carne blanca o rosada. □ ETIMOL. Del latín *tructa.* □ MORF. Es un sustantivo epiceno: *la trucha macho, la trucha hembra.* 🔎 pez

truco s.m. **1** Lo que se hace para conseguir un efecto que parezca real aunque no lo es en realidad. **2** Trampa que se utiliza para lograr un fin. **3** Habilidad que se adquiere por la experiencia en un arte, en un oficio o en una profesión: *Se sabe ya todos los trucos de la profesión.* [**4** *col.* Golpe o puñetazo.

truculencia s.f. Horror, crueldad o dramatismo exagerados y que sobrecogen.
truculento, ta adj. Que sobrecoge o asusta por su exagerado horror, crueldad o dramatismo. ☐ ETIMOL. Del latín *truculentus* (fiero, amenazador).
trueno s.m. **1** Estruendo o gran ruido asociado a un rayo, que se produce en las nubes por la expansión del aire que sigue a la descarga eléctrica. **2** Ruido o estampido muy fuertes. ☐ ETIMOL. De *tronar*.
trueque s.m. **1** Intercambio o entrega de una cosa por otra, esp. el intercambio de productos sin que medie dinero. **2** Modificación, alteración o conversión en algo distinto, opuesto o contrario; cambio, trocamiento.
trufa s.f. **1** Hongo comestible que crece bajo tierra, es redondeado, muy aromático, sabroso y negruzco por fuera y blanquecino o rojizo por dentro. **2** Pasta de chocolate sin refinar y con mantequilla. **3** Dulce, generalmente de forma redondeada, hecho con esta pasta y rebozado en cacao en polvo o en varillas de chocolate. ☐ ETIMOL. Del provenzal antiguo *trufa*.
trufar v. **1** Referido esp. a un ave, aderezarla o rellenarla con trufas: *Compré trufas en el supermercado para trufar el pavo.* [**2** col. Mezclar o confundir: *¿No te das cuenta de que estás 'trufando' temas distintos?*
truhán, -a s. **1** Persona que no tiene vergüenza y que vive de engaños y de estafas. **2** Persona que con sus gracias, gestos o historias hace reír o procura divertir. ☐ ETIMOL. Del francés *truand* (bribón).
trullo s.m. col. Cárcel.
truncar v. **1** Cortar una parte, esp. un extremo: *Si truncas un triángulo equilátero te quedará un trapecio.* **2** Interrumpir dejando incompleto: *La guerra truncó mi vida porque me tuve que ir al frente. Mis esperanzas se truncaron con el fracaso del proyecto.* ☐ ETIMOL. Del latín *truncare*. ☐ ORTOGR. La *c* se cambia en *qu* delante de *e* →SACAR.
truque s.m. Juego infantil que consiste en ir dando pequeños golpes a una piedra plana para que pase por un recorrido pintado en el suelo. ☐ ETIMOL. Del catalán *truc*.
[**trusa** s.f. En zonas del español meridional, faja de mujer.
[**trust** (anglicismo) s.m. Unión de empresas de un mismo campo que se reúnen de una forma estable para reducir la competencia y para controlar los precios del mercado en su propio beneficio.
[**tsé-tsé** adj./s.f. ‖ →mosca tsé-tsé.
tu poses. →tuyo. ☐ ORTOGR. Dist. de *tú*. ☐ MORF. 1. Invariable en género. 2. Es apócope de *tuyo* y de *tuya* cuando preceden a un sustantivo determinándolo: *tu chaqueta, tus buenos amigos.*
tú pron.pers. Forma de la segunda persona del singular que corresponde a la función de sujeto o de predicado nominal: *Si tú vas a verla hoy, yo iré mañana por la mañana.* ☐ ETIMOL. Del latín *tu*. ☐ ORTOGR. Dist. de *tu*. ☐ MORF. No tiene diferenciación de género.
[**tuareg** adj./s. De un pueblo bereber nómada de las regiones desérticas del norte africano, o relacionado con él.
tuba s.f. Instrumento musical de viento, de la familia de los metales, formado por un largo y amplio tubo cónico que se arrolla en espiral y está provisto

de pistones. ☐ ETIMOL. Del latín *tuba* (trompeta). ⟐ viento
tubérculo s.m. Parte de un tallo subterráneo que se engrosa considerablemente: *Las patatas que comemos son tubérculos.* ☐ ETIMOL. Del latín *tuberculum*, y éste de *tuber* (tumor).
tuberculosis s.f. Enfermedad infecciosa producida por una bacteria, que puede afectar a diferentes órganos, esp. a los pulmones, y que se caracteriza por la formación de nódulos. ☐ ETIMOL. De *tubérculo* (producto morboso redondeado) y *-osis* (enfermedad). ☐ MORF. Invariable en número.
tuberculoso, sa ▌adj. **1** De la tuberculosis o relacionado con esta enfermedad. ▌adj./s. **2** Que padece tuberculosis.
tubería s.f. Conducto con forma de tubo, a través del cual se distribuye un líquido o un gas.
tuberoso, sa adj. Que tiene abultamientos: *raíz tuberosa.* ☐ ETIMOL. Del latín *tuberosus* (lleno de tumores). ⟐ raíz
tubo s.m. **1** Pieza hueca, de forma generalmente cilíndrica, que suele estar abierta por los dos extremos. **2** Recipiente de forma generalmente cilíndrica, que suele tener uno de sus extremos cerrado y el otro abierto con un tapón, y que sirve para contener sustancias blandas o líquidas: *un tubo de pasta de dientes.* [**3** col. Metropolitano. [**4** En zonas del español meridional, auricular del teléfono. [**5** En zonas del español meridional, rulo. **6** ‖ [**por un tubo**; col. Muchísimo: *Tiene dinero 'por un tubo'.* ‖ **tubo de ensayo**; el de cristal que está abierto por uno de sus extremos y que se utiliza en los análisis químicos. ⟐ química ☐ ETIMOL. Del latín *tubus* (caño, conducto). La acepción 3, del inglés *tube* (metro).
tubular adj. Del tubo, con tubos o relacionado con ellos. ☐ ETIMOL. Del latín *tubulus* (tubito). ☐ MORF. Invariable en género.
tucán s.m. Ave trepadora de pico arqueado, muy grueso y casi tan largo como el cuerpo, y que tiene cabeza pequeña, alas cortas y cola larga, y el plumaje negro con manchas de colores vivos. ☐ MORF. Es un sustantivo epiceno: *el tucán macho, el tucán hembra.* ⟐ ave
tudesco, ca adj./s. col. De Alemania (país europeo), o relacionado con ella.
tuerca s.f. **1** Pieza con un hueco cilíndrico cuya superficie está labrada en espiral y en la que encaja un tornillo. **2** ‖ [**apretar las tuercas** a alguien; forzarlo para que haga algo: *En el interrogatorio le 'apretaron las tuercas' al detenido y acabó confesando.* ☐ ETIMOL. De origen incierto.
tuerto, ta adj./s. Falto de la vista en un ojo. ☐ ETIMOL. De *torcer*. ☐ SEM. Dist. de *bisojo* y de *bizco* (que desvía los ojos de su posición normal).
tueste s.m. Sometimiento de algo a la acción del fuego, realizado lentamente hasta que toma un color dorado sin llegar a quemarse; tostado.
tuétano s.m. **1** Sustancia que ocupa la cavidad interna de algunos huesos. **2** Parte interior de la raíz y del tallo de algunas plantas. **3** ‖ **hasta los tuétanos**; col. Hasta lo más interno, interior o profundo del hombre: *Estás enamorada hasta los tuétanos.* ☐ ETIMOL. De origen onomatopéyico. ☐ SEM. Es sinónimo de *médula*.
tufo s.m. **1** Emanación gaseosa que se desprende de las fermentaciones o de las combustiones imperfec-

tas. **2** *col.* Hedor u olor desagradable y penetrante. **3** Sospecha de algún acontecimiento o de algún engaño o trampa. □ ETIMOL. Del latín *typhus*, y éste del griego *týphos* (humo, vapor).

tugurio s.m. Lugar pequeño y sucio o que tiene mala reputación. □ ETIMOL. Del latín *tugurium* (choza).

tul s.m. Tejido fino y transparente de seda, algodón o hilo, con forma de malla. □ ETIMOL. Del francés *tulle*, y éste de *Tulle*, ciudad donde se fabricó este tejido por primera vez.

tulio s.m. Elemento químico, metálico y sólido, de número atómico 69, que pertenece al grupo de las tierras raras y cuyas sales son de color verde grisáceo. □ ETIMOL. Del latín *thule* (región europea próxima al polo Norte). □ ORTOGR. Su símbolo químico es *Tm*.

tulipa s.f. Pantalla de vidrio de una lámpara con forma parecida a un tulipán. □ ETIMOL. Del francés *tulipe*.

tulipán s.m. **1** Planta herbácea, con raíz en forma de bulbo y tallo liso, hojas enteras y lanceoladas, y una única flor grande, globosa y de seis pétalos. **2** Flor de esta planta. □ ETIMOL. Del turco *tulipant* (turbante), porque esta flor tiene una forma parecida a la del turbante.

tullido, da adj./s. Referido a una persona o a un miembro de su cuerpo, que están privados de movimiento. □ ETIMOL. Del antiguo *tollido*. □ SEM. Como adjetivo es sinónimo de *imposibilitado*. □ USO Tiene un matiz despectivo.

tullir v. Referido a una persona o a un miembro de su cuerpo, dejarles privados de movimiento: *En el accidente se le tulleron las piernas.* □ MORF. Irreg. →PLAÑIR.

tumba s.f. **1** Lugar bajo tierra o construcción en que se entierra un cadáver. **2** ‖ **[a tumba abierta**; con decisión y determinación. ‖ **ser** alguien **una tumba**; *col.* Guardar muy bien un secreto. □ ETIMOL. Del latín *tumba*, y éste del griego *týmbos* (túmulo, montón de tierra).

tumbar v. **1** Derribar o hacer caer: *El boxeador tumbó a su rival de un fuerte puñetazo.* **2** Poner en posición horizontal: *Tumbamos al herido en una camilla. Si estás cansado, túmbate un rato en la cama.* **[3** Suspender o eliminar en una prueba o en un ejercicio: *Me 'tumbaron' en el primer examen.* **[4** *col.* Matar: *En la cacería 'tumbó' un par de corzos.* □ ETIMOL. De origen onomatopéyico.

tumbo s.m. **1** Balanceo, sacudida o vaivén violentos. **2** ‖ **dar tumbos**; *col.* Tener dificultades y tropiezos. □ ETIMOL. De *tumbar*.

tumbona s.f. Silla de respaldo largo que se puede inclinar a voluntad y que permite estar tumbado sobre ella.

tumefacción s.f. Aumento de volumen de una parte del cuerpo, esp. el que se produce por efecto de una herida, de un golpe o de una acumulación de líquido; hinchazón, intumescencia. □ ETIMOL. Del latín *tumefactum*, y éste de *tumefacere* (hinchar).

tumefacto, ta adj. Referido esp. a una parte del cuerpo, hinchada o con aumento de su volumen.

tumor s.m. **1** Alteración patológica de un órgano o de una parte de él, producida por la proliferación anormal de las células que los componen. **2** ‖ **tumor benigno**; el que está localizado y no se ex-

tiende por el organismo. ‖ **tumor maligno**; el que se extiende por el organismo y puede llegar a causar la muerte de una persona. □ ETIMOL. Del latín *tumor* (hinchazón). □ SEM. Dist. de *cáncer* (tumor maligno).

tumoración s.f. **1** Bulto, tumefacción o aumento de volumen de una parte del cuerpo debido a una herida, golpe o acumulación de líquido. **2** Hinchazón o bulto que se forma anormalmente en alguna parte del cuerpo.

tumoral adj. De los tumores o relacionado con ellos. □ MORF. Invariable en género.

túmulo s.m. **1** Sepulcro levantado sobre la tierra. **2** Montículo artificial, generalmente de arena o de piedras, con el que algunos pueblos antiguos cubrían una sepultura. **3** Armazón sobre el que se coloca el ataúd en la celebración de las honras fúnebres del difunto. □ ETIMOL. Del latín *tumulus* (colina, tumba).

tumulto s.m. Disturbio, confusión o alboroto producidos por una multitud de personas. □ ETIMOL. Del latín *tumultus*.

tumultuoso, sa adj. Que causa o tiene desorden y ruido.

tuna s.f. Véase **tuno, na**.

tunante, ta adj./s. Referido a persona, que tiene astucia para engañar o para no cumplir una obligación. □ ETIMOL. De *tuno*.

tunda s.f. *col.* Paliza. □ ETIMOL. De *tundir* (golpear).

tundir v. **1** Referido a pieles y telas, cortarlas o igualarles el pelo con una tijera o una máquina especial: *Mi madre es peletera y lo que más le gusta es tundir las pieles.* **2** Dar golpes o palos a alguien: *Me han tundido bien las espaldas a garrotazos.* □ ETIMOL. La acepción 1, del latín *tondere* (trasquilar, rapar, cortar). La acepción 2, del latín *tundere* (fregar, machacar).

tundra s.f. **1** Terreno abierto y llano que tiene el subsuelo helado y se caracteriza por la ausencia de vegetación arbórea y la abundancia de líquenes y musgos. **[2** Formación vegetal característica de este terreno. □ ETIMOL. De origen finlandés.

túnel s.m. **1** Paso subterráneo abierto artificialmente para establecer comunicación entre dos lugares. **[2** Situación muy agobiante. □ ETIMOL. Del inglés *tunnel*.

tungsteno s.m. Elemento químico, metálico y sólido, de número atómico 74, de color blanco, que se utiliza en la fabricación de lámparas de incandescencia y en otros usos. □ ETIMOL. Del sueco *tungsten* (piedra pesada). □ ORTOGR. Su símbolo químico es *W*. □ SEM. Es sinónimo de *volframio*, *wólfram* y *wolframio*.

túnica s.f. **1** Vestidura amplia y larga. **2** Membrana fina que cubre o protege algo. □ ETIMOL. Del latín *tunica* (vestido interior de los romanos).

tuno, na ∎ adj./s. **1** Referido a una persona, que es astuta, traviesa o sinvergüenza. ∎ s. **2** Miembro de una tuna de estudiantes. ∎ s.f. **3** Grupo de estudiantes que forman un conjunto musical y van vestidos de época. **4** En zonas del español meridional, higo chumbo. □ ETIMOL. Las acepciones 1-3, del antiguo argot francés *tune* (hospicio de los mendigos, limosna). La acepción 4, del taíno de Haití. □ MORF. 1. En la acepción 2, la RAE sólo lo registra como mas-

culino. **2.** En la acepción 4, se usa mucho el masculino *tuno* con el mismo significado.
tuntún ‖ **al (buen) tuntún**; *col.* Sin reflexión o sin conocimiento. ☐ ETIMOL. De origen expresivo.
tupé s.m. Mechón de pelo que se lleva levantado sobre la frente. ☐ ETIMOL. Del francés *toupet.* 🔶 peinado
tupí ∎ adj./s. **1** De un pueblo amerindio que dominaba las costas brasileñas antes de la llegada de los portugueses, o relacionado con él. ∎ s.m. **2** Lengua indígena de este pueblo; tupí-guaraní. ☐ MORF. **1.** En la acepción 1, como adjetivo es invariable en género y como sustantivo es de género común: *el tupí, la tupí.* **2.** Su plural es *tupís.*
tupí-guaraní s.m. →**tupí.**
tupido, da adj. Formado por elementos que están muy juntos y apretados: *tela tupida.* ☐ ETIMOL. De *tupir.*
tupir v. Referido esp. a un tejido, apretarlo mucho, cerrando sus poros o sus intersticios: *No laves el jersey de lana con agua caliente porque se puede tupir.* ☐ ETIMOL. De origen onomatopéyico.
tur s.m. Excursión o viaje. ☐ ETIMOL. Del francés *tour.* ☐ USO Aunque la RAE sólo registra *tur,* se usa más *tour.*
turba s.f. **1** Gran cantidad de gente que se mueve de forma desordenada o confusa. **2** Combustible fósil procedente de la descomposición de materias vegetales al quedar enterradas bajo el agua y bajo sedimentos de tierra. ☐ ETIMOL. La acepción 1, del latín *turba* (muchedumbre confusa, populacho). La acepción 2, del francés *tourbe.*
turbación s.f. **1** Alteración o interrupción del estado o del curso natural de una cosa: *turbaciones del orden público.* **2** Aturdimiento de una persona de forma que no pueda hablar ni reaccionar.
turbante s.m. Prenda de vestir propia de países orientales que consiste en una banda de tela que se enrolla alrededor de la cabeza. ☐ ETIMOL. Del italiano *turbante.* 🔶 sombrero
turbar v. **1** Referido al estado o al curso natural de una cosa, alterarlo o interrumpirlo: *Tus gritos turban la paz de esta casa. El silencio se turbó con una explosión.* **2** Referido a una persona, sorprenderla o aturdirla de forma que no pueda hablar o reaccionar: *Esa mirada tan seductora me turbó. Te turbaste ante la acusación.* ☐ ETIMOL. Del latín *turbare* (perturbar).
túrbido, da adj. *poét.* Turbio: *Las aguas del río, antes transparentes, se tornaron túrbidas.* ☐ ETIMOL. Del latín *turbidus.*
turbiedad s.f. **1** Falta de claridad natural o de transparencia. **2** Falta de honradez o de legalidad. **3** Confusión o falta de claridad.
turbina s.f. Máquina que transforma la fuerza o la presión de un fluido en un movimiento giratorio por medio de una rueda con una serie de paletas que giran. ☐ ETIMOL. Del francés *turbine.*
turbio, bia adj. **1** Alterado por algo que quita la claridad natural o la transparencia: *Las aguas del río bajan turbias.* **2** Deshonesto o de dudosa legalidad: *un negocio turbio.* **3** Confuso o poco claro: *Lo veo todo turbio.* ☐ ETIMOL. Del latín *turbidus* (confuso, agitado, perturbado).
[turbo] adj. Referido esp. a un vehículo, que está provisto de un motor con turbina, que aumenta su potencia. ☐ MORF. Invariable en género.

turbo- Elemento compositivo que se usa para formar nombres de máquinas en las que el motor es una turbina: *turbocompresor, turbogenerador, turbohélice.* ☐ ETIMOL. Del latín *turbo* (remolino).
turbocompresor s.m. Compresor movido por una turbina. ☐ ETIMOL. De *turbo-* (turbina) y *compresor.*
[turbodiesel] s.m. **1** →**motor turbodiesel. 2** Coche que tiene este motor.
turbogenerador s.m. Generador eléctrico movido por una turbina de gas, de vapor o hidráulica. ☐ ETIMOL. De *turbo-* (turbina) y *generador.*
turborreactor s.m. Motor de reacción que está provisto de una turbina de gas. ☐ ETIMOL. De *turbo-* (turbina) y *reactor.*
turbulencia s.f. Remolino o agitación de un líquido o del aire.
turbulento, ta ∎ adj. **1** Referido esp. a un líquido, que está agitado, esp. si está turbio. **2** Referido esp. a una acción o a una situación, que resultan agitadas o desordenadas. ∎ adj./s. **3** Referido a una persona, que promueve disturbios o discusiones. ☐ ETIMOL. Del latín *turbulentus.*
turco, ca ∎ adj./s. **1** De un antiguo pueblo que, procedente del Turquestán (región asiática), se estableció en la zona oriental europea. **2** De Turquía (país europeo y asiático), o relacionado con ella; otomano. ∎ s.m. **3** Lengua de Turquía y de otros países.
turdetano, na adj./s. De la antigua Turdetania (zona que se correspondía aproximadamente con el occidente de la actual comunidad andaluza), o relacionado con ella.
turgencia s.f. Abultamiento o hinchazón.
turgente adj. Abultado, hinchado o elevado. ☐ ETIMOL. Del latín *turgens,* y éste de *turgere* (estar hinchado). ☐ MORF. Invariable en género.
túrgido, da adj. *poét.* Turgente: *El poeta alababa los túrgidos senos de la muchacha.* ☐ ETIMOL. Del latín *turgidus.*
turismo s.m. **1** Viaje por placer. **[2** Conjunto de personas que hace este tipo de viajes: *El 'turismo' extranjero ha aumentado en las zonas costeras.* **3** Vehículo de cuatro o cinco plazas destinado al uso particular. ☐ ETIMOL. Del inglés *tourism.*
turista s. Persona que hace turismo. ☐ MORF. Es de género común: *el turista, la turista.*
turístico, ca adj. Del turismo o relacionado con él.
[turmix] s.f. Batidora eléctrica. ☐ ETIMOL. Extensión del nombre de una marca comercial. ☐ PRON. [túrmix].
turnarse v.prnl. Referido esp. a un servicio o a una obligación, alternarlos con una persona o con varias, guardando el orden sucesivo entre todas: *Nos turnaremos en el cuidado del enfermo entre los tres.* ☐ ETIMOL. Del francés *tourner.*
[turné] s.f. →**tournée.** ☐ ETIMOL. Del francés *tournée.*
[turnedó] s.m. Filete de solomillo de buey. ☐ USO Es innecesario el uso del galicismo *tournedos.*
turno s.m. **1** Orden según el cual se alternan varias personas en el desempeño de una actividad o de una función. **2** Momento u ocasión de hacer algo por orden; vez, vuelta. **[3** Grupo de personas que se turnan en algo. **4** ‖ **de turno; 1** Correspondiente según el orden previamente establecido: *el médico de turno.* **[2** Muy conocido, habitual o sabido por

todos: *Con lo enfadada que estaba, tuvo que venir el gracioso 'de turno' a hacer la gracia.*

turolense adj./s. De Teruel o relacionado con esta provincia española o con su capital. □ MORF. 1. Como adjetivo es invariable en género. 2. Como sustantivo es de género común: *el turolense, la turolense.*

turón s.m. Mamífero carnicero de cuerpo largo y flexible, cabeza pequeña, orejas redondeadas, patas cortas y pelaje pardo oscuro con las orejas y la boca blancas. □ ETIMOL. Quizá de *toro*, por la furia característica de este mamífero. □ MORF. Es un sustantivo epiceno: *el turón macho, el turón hembra.*

turquesa ▪ adj./s.m. 1 De color azul verdoso. ▪ s.f. 2 Mineral muy duro de este color. □ ETIMOL. De *turqués* (turco), porque las turquesas proceden de Asia. □ MORF. Como adjetivo es invariable en género.

turrón s.m. 1 Dulce elaborado principalmente con frutos secos y miel. 2 ‖ [**turrón de Alicante**; el elaborado con almendra sin moler y con miel. ‖ [**turrón de Jijona**; el elaborado con almendra molida y con miel. □ ETIMOL. De origen incierto.

turronero, ra ▪ adj. [1 Del turrón o relacionado con él. ▪ s. 2 Persona que se dedica a la fabricación o a la venta de turrón.

turulato, ta adj. *col.* Alelado, pasmado o sin saber qué decir ni cómo reaccionar. □ ETIMOL. De origen expresivo.

tururú interj. *col.* [Expresión que se usa para indicar negación, rechazo o burla.

tute s.m. 1 Juego de cartas con la baraja española en el que tener una caballo y un rey del mismo palo puede valer veinte o cuarenta puntos. 2 En este juego, reunión de los cuatro reyes o los cuatro caballos. 3 *col.* Esfuerzo o trabajo muy intenso o excesivo: *Vamos a empezar ya porque nos espera un buen tute.* □ ETIMOL. Del italiano *tutti* (todos), porque gana el juego quien reúne todos los reyes o caballos.

tutear v. Referido a una persona, tratarla de 'tú' y no de 'usted': *Sólo tuteo a los clientes con los que tengo mucha confianza.* □ ETIMOL. Traducción del francés *tutoyer.*

tutela s.f. 1 Autoridad legal que se concede a una persona adulta para que cuide de un menor o de una persona legalmente incapacitada; guarda. 2 Protección o defensa de algo. □ ETIMOL. Del latín *tutela* (protección).

tutelar ▪ adj. 1 Que guía, ampara o defiende. ▪ v. 2 Referido esp. a una persona, ejercer la tutela sobre ella: *Cada profesor tutor tutela a veinte alumnos.* □ MORF. Como adjetivo es invariable en género.

tuteo s.m. Tratamiento de 'tú' y no de 'usted'.

tutiplén ‖ **a tutiplén**; *col.* En abundancia o sin medida: *Comimos a tutiplén.* □ ETIMOL. Del latín *totus* (todo) y *plenus* (lleno).

tutor, -a s. 1 Persona que ejerce la tutela legal o que protege y dirige algo. 2 En un centro de enseñanza, persona encargada de orientar a los estudiantes, esp. referido a un profesor. □ ETIMOL. Del latín *tutor* (protector).

tutoría s.f. Autoridad o cargo de tutor.

[*tutorial*] adj. De la tutoría o relacionado con ella. □ MORF. Invariable en género.

[*tutsi*] adj./s. De un grupo étnico que habita en Ruanda y Burundi (países africanos) o relacionado con él. □ MORF. 1. Como adjetivo es invariable en género. 2. Como sustantivo es de género común: *el 'tutsi', la 'tutsi'.*

[*tutti-frutti*] (italianismo) s.m. Frutas mezcladas o variadas. □ PRON. [tutifrúti].

tutú s.m. Falda usada por las bailarinas de danza clásica, de tejido ligero y vaporoso y generalmente transparente. □ ETIMOL. Del francés *tutu.* □ MORF. Su plural es *tutús.*

tuyo, ya poses. 1 Indica pertenencia a la segunda persona del singular: *Seguro que ha sido idea tuya. Casi no conozco a tu familia y me gustaría saber algo más de los tuyos.* 2 ‖ **la tuya;** *col.* Expresión con que se indica que ha llegado la ocasión favorable para la persona a la que se habla: *Aprovecha para decírselo ahora que está solo, que es la tuya.* □ ETIMOL. Del latín *tuus.* □ MORF. Como adjetivo se usa la forma apocopada *tu* cuando precede a un sustantivo determinándolo.

[*tweed*] (anglicismo) s.m. Tejido áspero de lana con hilos de diferentes colores. □ PRON. [tuid].

[*twist*] (anglicismo) s.m. Baile individual muy movido que se caracteriza por el balanceo rítmico de hombros y caderas. □ PRON. [tuís].

[*txikito*] (del vasco) s.m. Vaso pequeño de vino; chiquito. □ PRON. [chikíto].

[*txistulari*] (del vasco) s.m. →chistulari. □ PRON. [chistulári].

U u

u ∎ s.f. **1** Vigésima segunda letra del abecedario. ∎ conj. **2** →**o**. ☐ PRON. **1**. En la acepción 1, representa el sonido vocálico posterior o velar y de abertura mínima. **2**. En las grafías *gue*, *gui*, la *u* no se pronuncia: *guerra*. **3**. En las grafías con diéresis, *güe*, *güi*, la *u* sí se pronuncia: *cigüeña*, *pingüino*. ☐ MORF. En la acepción 1, aunque su plural en la lengua culta es *úes*, la RAE admite también *us*. ☐ USO Como conjunción se usa ante palabra que comienza por *o-* o por *ho-*.

ubicación s.f. Situación en un determinado espacio o lugar.

ubicar ∎ v. **1** Colocar, localizar o situar: *No acaban de ubicarme en ningún departamento.* ∎ prnl. **2** Estar situado en un determinado espacio o lugar: *El estadio se ubica en las afueras del pueblo.* [**3** En zonas del español meridional, orientar. ☐ ETIMOL. Del latín *ubi* (en donde). ☐ ORTOGR. La *c* se cambia en *qu* delante de *e* →SACAR.

ubicuidad s.f. Capacidad de estar en todas partes a la vez; omnipresencia.

ubicuo, cua adj. Presente en todas partes al mismo tiempo; omnipresente. ☐ ETIMOL. Del latín *ubique* (en todas partes).

ubre s.f. Órgano glandular de las hembras de los mamíferos que segrega la leche con que se alimentan las crías. ☐ ETIMOL. Del latín *uber* (teta).

[uci s.f. →**unidad de cuidados intensivos**. ☐ ETIMOL. Es un acrónimo que procede de la sigla de *unidad de cuidados intensivos*.

ucraniano, na ∎ adj./s. **1** De Ucrania (país europeo), o relacionado con ella. ∎ s.m. **2** Lengua eslava de este país. ☐ MORF. Incorr. **ucranio*.

uf interj. Expresión que se usa para indicar cansancio, fastidio o hartura. ☐ ETIMOL. De origen onomatopéyico.

ufanarse v.prnl. Referido a algo que se posee o se disfruta, jactarse o presumir excesivamente de ello: *No me gusta la gente que se ufana de sus riquezas.* ☐ SINT. Constr. *ufanarse {CON/DE} algo*.

ufanía s.f. **1** Arrogancia, decisión o desenvoltura en la forma de actuar. **2** Satisfacción, alegría o contento.

ufano, na adj. **1** Que actúa con decisión, desenvoltura o arrogancia. **2** Satisfecho, alegre o contento. ☐ ETIMOL. De origen incierto.

[ufo (anglicismo) s.m. →**ovni**. ☐ ETIMOL. Es un acrónimo que procede de la sigla de *Unidentified Flying Object* (objeto volador no identificado). ☐ PRON. [úfo]. ☐ USO Es un anglicismo innecesario.

[ugetista ∎ adj. **1** Del sindicato UGT (Unión General de Trabajadores) o relacionado con él. ∎ adj./s. **2** Que es miembro de este sindicato. ☐ MORF. 1. Como adjetivo es invariable en género. 2. Como sustantivo es de género común: *el 'ugetista', la 'ugetista'*.

uh interj. Expresión que se usa para indicar desilusión, desdén, cansancio o desprecio.

ujier s.m. **1** Portero de un palacio o de un tribunal. **2** En un tribunal de justicia o en un organismo público, persona que se encarga de funciones que no necesitan aptitudes técnicas. ☐ ETIMOL. Del francés *huissier*. ☐ ORTOGR. Se admite también *hujier*.

[ukelele s.m. Instrumento musical de cuerda, parecido a la guitarra pero de menor tamaño y con cuatro cuerdas. ⌛ cuerda

úlcera s.f. Herida abierta o sin cicatrizar en el cuerpo de una persona o de un animal; llaga. ☐ ETIMOL. Del latín *ulcera* (llagas).

ulcerar v. Producir úlceras: *La exposición masiva a radiaciones puede ulcerar la piel.*

ulceroso, sa adj. Con úlceras o con características suyas.

ulmáceo, a ∎ adj./s.f. **1** Referido a una planta, que es generalmente un árbol o un arbusto, que tiene las ramas alternas, las hojas aserradas y el fruto seco con una sola semilla: *El olmo es un árbol ulmáceo.* ∎ s.f.pl. **2** En botánica, familia de estas plantas, perteneciente a la clase de las dicotiledóneas. ☐ ETIMOL. Del latín *ulmus* (olmo).

ulterior adj. Que sucede o se ejecuta después de algo: *En declaraciones ulteriores se disculpó.* ☐ ETIMOL. Del latín *ulterior*. ☐ MORF. Invariable en género.

ultimación s.f. Terminación, conclusión o finalización de algo.

ultimar v. **1** Terminar, acabar, concluir o dar fin: *Enseguida acabo, sólo me queda ultimar unos detalles.* **2** En zonas del español meridional, matar o asesinar. ☐ ETIMOL. Del latín *ultimare*, y éste de *ultimus* (último). ☐ USO El uso de la acepción 2 es característico del lenguaje periodístico.

ultimátum s.m. **1** En una negociación, propuesta o conjunto de condiciones terminantes y definitivas que realiza una de las partes para solucionar un conflicto: *La guerra del Golfo estalló al no aceptar Irak el ultimátum de los aliados.* **2** col. Propuesta última y definitiva, generalmente acompañada de una amenaza. ☐ ETIMOL. Del latín *ultimatum*. ☐ MORF. Aunque la RAE propone *ultimatos* como forma de plural, está muy extendido su uso como invariable en número: *los ultimátum*.

último, ma ∎ adj. **1** Más reciente en el tiempo: *Las últimas noticias sobre su salud son optimistas.* **2** Más alejado o más escondido: *Ese periódico llega hasta el último rincón del país.* **3** Que resulta extremado o que no presenta alternativa posible: *En último caso, podemos prescindir de él.* **4** Definitivo o que no admite ningún cambio: *Es mi última propuesta.* **5** Referido a un objetivo, que es el centro al que se dirigen todas las acciones: *Mi fin último es ser la mejor abogada de la ciudad.* ∎ adj./s. **6** En una serie, que no tiene otro de la misma especie o clase detrás de sí: *Diciembre es el último mes del año.* **7** En un grupo, que es el peor o de menos importancia: *En mi casa soy el último mono.* **8** ‖**a la última**; col. Con la moda más actual: *Siempre viste a la última.* ‖**a últimos** de un período de tiempo; hacia su final. ‖**estar en las últimas**; col. Estar a punto de acabarse, morir o desaparecer. ‖**por último**; finalmente. ‖**[ser algo lo último**; col. Ser indignante, inaceptable, intolerable o sorprendente. ☐ ETIMOL. Del latín *ultimus*. ☐ MORF. En las acepciones 6 y 7, la RAE sólo lo registra como adjetivo.

ultra adj./s. Que defiende el extremismo y radicaliza la ideología o la forma de actuar. ☐ ETIMOL. Del latín *ultra* (más allá). ☐ MORF. 1. Como adjetivo es invariable en género. 2. Como sustantivo es de género común: *el ultra, la ultra.*

ultra- Elemento compositivo que significa 'más allá de' o 'al otro lado de': *ultramar, ultrasonido, ultravioleta, ultramontano.* ☐ ETIMOL. Del latín *ultra.* ☐ USO Su uso con el significado de 'muy' es propio de la lengua coloquial: *ultrarrápido, ultrafamoso, ultramoderno.*

ultracorrección s.f. Fenómeno lingüístico que consiste en la deformación de una palabra o de una construcción correctas por considerarlas erróneamente incorrectas: *Decir 'carnecería' y 'Bilbado' en lugar de 'carnicería' y 'Bilbao' es un ejemplo de ultracorrección.*

ultraísmo s.m. Movimiento poético español e hispanoamericano, surgido alrededor de 1919, y que se caracterizó por su intento de refundir todas las vanguardias. ☐ ETIMOL. Del latín *ultra* (más allá).

ultrajar v. Ofender gravemente con palabras o acciones: *La gente que ahora te alaba antaño te ultrajó.* ☐ ORTOGR. Conserva la *j* en toda la conjugación.

ultraje s.m. Ofensa grave hecha con palabras o acciones. ☐ ETIMOL. Quizá del francés antiguo *outrage.*

ultraligero, ra adj./s.m. Referido a una aeronave, que tiene un fuselaje muy simple y de poco peso.

ultramar adv. Al otro lado del mar. ☐ MORF. La RAE sólo lo registra como sustantivo masculino.

ultramarinos ▌ s.m. 1 Establecimiento comercial en el que se venden comestibles. 2 En zonas del español meridional, productos que llegan de la otra parte del mar. ▌ pl. 3 Comestibles que se conservan fácilmente porque no son perecederos. ☐ MORF. En la acepción 1, es invariable en número.

ultramontano, na ▌ adj. 1 Que está más allá de los montes o viene de allí. 2 De la doctrina y opiniones de los que defendían el pleno poder de la autoridad papal frente a la corona, o relacionado con ellas. ▌ adj./s. 3 Partidario o defensor de esta doctrina. ☐ ETIMOL. De *ultra-* (más allá) y el latín *montanus* (del monte).

ultranza ‖ a ultranza; de manera resuelta, sin reparar en obstáculos, o con pleno y total convencimiento: *Es un defensor a ultranza de la monarquía.* ☐ ETIMOL. Del francés *à outrance.*

ultrasónico, ca adj. Del ultrasonido o relacionado con éste.

ultrasonido s.m. Onda sonora cuya frecuencia de vibración es superior al límite perceptible por el oído humano.

[*ultrasur* s. Miembro de un grupo de hinchas radicales del Real Madrid Club de Fútbol (club deportivo madrileño). ☐ MORF. 1. Es de género común: *el 'ultrasur', la 'ultrasur'.* 2. Invariable en número.

ultratumba adv. Más allá de la muerte. ☐ ETIMOL. Del francés *outretombe.*

ultravioleta adj./s.m. Referido a una radiación, que se encuentra más allá del violeta visible y cuya existencia se revela por acciones químicas. ☐ ETIMOL. De *ultra-* (más allá de) y *violeta.* ☐ MORF. 1. Como adjetivo es invariable en género. 2. La RAE sólo lo registra como adjetivo.

ulular v. 1 Referido al viento, producir sonido: *El viento ululaba al colarse por las rendijas.* 2 Dar gritos o alaridos: *De noche se oía ulular a los búhos.* ☐ ETIMOL. Del latín *ululare.*

umbela s.f. En botánica, inflorescencia formada por un conjunto de flores cuyos pedúnculos, aproximadamente de la misma longitud, nacen en un mismo punto: *El apio, el perejil y la zanahoria tienen las flores en umbela.* ☐ ETIMOL. Del latín *umbela* (quitasol). ⤳ inflorescencia

umbelífero, ra ▌ adj./s.f. 1 Referido a una planta herbácea, que tiene hojas generalmente alternas y simples, flores blancas o amarillas en umbela, y fruto dividido en dos partes, cada una de las cuales tiene una sola semilla: *La zanahoria, el perejil y el comino son plantas umbelíferas.* ▌ s.f.pl. 2 En botánica, familia de estas plantas, pertenecientes a la clase de las dicotiledóneas. ☐ ETIMOL. De *umbela* y el latín *ferre* (llevar).

umbilical adj. Del ombligo o relacionado con él. ☐ ETIMOL. Del latín *umbilicaris.* ☐ MORF. Invariable en género.

umbral s.m. 1 En una puerta o en la entrada de una casa, parte inferior o escalón, generalmente de piedra. 2 Entrada o principio de un proceso: *Dicen que estamos en el umbral de una nueva época.* ☐ ETIMOL. Del antiguo *lumbral*, y éste del latín *liminaris*, de *limen* (umbral). ☐ SEM. En la acepción 1, dist. de *dintel* (parte superior horizontal de la puerta).

umbrío, a adj. Referido a un lugar, con poco sol. ☐ ETIMOL. Del latín *umbra* (sombra).

umbroso, sa adj. Que está en sombra o la produce.

un, -a art.indeterm. 1 Se usa antepuesto a un nombre para indicar que el objeto al que éste se refiere no es conocido ni por el hablante ni por el oyente: *¿No has oído un ruido? Vino un señor preguntando por ti, pero no era el del otro día. Necesito una secretaria que sepa inglés y francés.* ▌ indef. 2 →uno. ☐ MORF. 1. El plural del artículo son *unos.* 2. Se usa ante sustantivo femenino que empieza por *a* o *ha* tónicas o acentuadas. 3. En la acepción 2, es apócope de *uno* ante sustantivo masculino singular.

unánime adj. Referido esp. a una decisión, que es común a un grupo de personas. ☐ ETIMOL. Del latín *unanimis*, y éste de *unus* (uno) y *animus* (ánimo). ☐ MORF. Invariable en género.

unanimidad s.f. Acuerdo común a un grupo de personas, esp. si toman la misma decisión: *Los presupuestos se aprobaron por unanimidad.*

unción s.f. 1 →extremaunción. 2 Devoción, recogimiento o dedicación intensos en la forma de actuar. 3 Aplicación de un líquido graso, generalmente aceite o perfume, extendiéndolo sobre una superficie.

uncir v. Referido a un animal de tiro, atarlo o sujetarlo al yugo: *Uncieron los bueyes para que tiraran del carro.* ☐ ETIMOL. Del latín *iungere* (juntar, unir). ☐ ORTOGR. 1. Dist. de *ungir.* 2. La *c* se cambia en *z* delante de *a*, o →ZURCIR.

undécimo, ma numer. 1 En una serie, que ocupa el lugar número once. 2 Referido a una parte, que constituye un todo junto con otras diez iguales a ella; onceavo, onzavo. ☐ ETIMOL. Del latín *undecimus.* ☐ MORF. Incorr. *decimoprimero.* ☐ SEM. Es sinónimo de *onceno.*

undécuplo, pla numer. Referido a una cantidad, que es once veces mayor que otra. ☐ ETIMOL. Del latín *undecuplus.*

[*underground* (anglicismo) adj. Referido esp. a una manifestación artística o a sus creadores, que se apartan de los modelos y circuitos establecidos y habituales, generalmente por su carácter contestatario o experimental. ☐ PRON. [andergráun].

ungir v. **1** Referido a una superficie, aplicarle un líquido graso, generalmente aceite o perfume, extendiéndolo: *Ungió sus pies con un bálsamo de olor agradable.* **2** Referido a una persona, hacerle una señal con aceite sagrado para administrarle un sacramento o para indicar el carácter de su dignidad: *El enfermo fue ungido con los santos óleos al recibir la extremaunción.* ☐ ETIMOL. Del latín *ungere*. ☐ ORTOGR. 1. Dist. de *uncir*. 2. La *g* se cambia en *j* delante de *a*, *o* →DIRIGIR.

ungüento s.m. Sustancia líquida o pastosa que se usa para untar o ungir, esp. si tiene fines curativos o si se emplea como perfume. ☐ ETIMOL. Del latín *unguentum*.

ungulado, da ∎ adj./s. **1** Referido a un mamífero, que tiene casco o pezuña: *La vaca y el caballo son dos ungulados.* ∎ s.m.pl. **2** En zoología, grupo de estos animales. 🐾 ungulado ☐ ETIMOL. Del latín *ungulatus*.

ungular adj. De la uña de los dedos o relacionado con ella. ☐ MORF. Invariable en género.

uni- Elemento compositivo que significa 'uno': *unicornio, unifamiliar, unigénito, unilateral.* ☐ ETIMOL. Del latín *unus*.

unicameral adj. En un sistema democrático, referido al poder legislativo, que está formado por una sola cámara de representantes. ☐ MORF. Invariable en género.

unicelular adj. Referido a un organismo, que tiene el cuerpo formado por una sola célula. ☐ MORF. Invariable en género.

unicidad s.f. Carácter o índole de lo que es único.

único, ca ∎ adj. **1** Extraordinario, excelente o fuera de lo común; singular. ∎ adj./s. **2** Solo y sin otro de su especie. ☐ ETIMOL. Del latín *unicus*.

unicornio s.m. Animal fabuloso con forma de caballo y un cuerno recto en mitad de la frente. ☐ ETIMOL. Del latín *unicornis*, y éste de *unus* (uno) y *cornu* (cuerno). 🐾 mitología

unidad s.f. **1** Propiedad de lo que no puede dividirse sin que su esencia se destruya o se altere. **2** Cosa completa y diferenciada de otras: *No necesito tantas unidades, con dos me basta.* **3** Propiedad de lo que está unido o de lo que no está dividido: *En este grupo no hay unidad de criterio.* **4** Cantidad que se toma como medida o término de comparación

de las demás de su especie: *El kilogramo es la unidad de masa.* **5** En una organización, fracción o grupo de personas que realizan una función de forma más o menos independiente y generalmente al servicio de un jefe: *La división, la brigada, el regimiento y el batallón son unidades del ejército.* **[6** col. Número 1: *La 'unidad' seguida de dos ceros es el número 100.* **7** ∥**unidad de cuidados intensivos** o **unidad de vigilancia intensiva;** en un hospital, sección con los medios técnicos y humanos necesarios para controlar rigurosamente la evolución de los enfermos muy graves. ☐ ETIMOL. Del latín *unitas*. ☐ MORF. Se usan mucho los acrónimos *uci* y *uvi* en lugar de *unidad de cuidados intensivos* y de *unidad de vigilancia intensiva*, respectivamente.

unifamiliar adj. De una sola familia. ☐ ETIMOL. De *uni-* (uno) y *familiar.* ☐ MORF. Invariable en género.

unificación s.f. Unión de dos o más cosas para formar un todo.

unificar v. Referido a dos o más cosas, hacer de ellas una sola o un todo; aunar: *Unificando nuestras fuerzas seremos más poderosos. España se unificó bajo el reinado de los Reyes Católicos.* ☐ ETIMOL. De *uni-* (uno) y el latín *facere* (hacer). ☐ ORTOGR. La *c* se cambia en *qu* delante de *e* →SACAR.

uniformar v. **1** Referido a dos o más cosas, hacerlas uniformes, iguales o semejantes: *Si no uniformamos criterios, nunca llegaremos a un acuerdo.* **2** Referido a una persona, hacer que vista uniforme: *El director uniformó a los bedeles del instituto.*

uniforme ∎ adj. **1** Referido a los miembros de un conjunto, con la misma forma o con las mismas características: *Los alumnos de esa clase son uniformes en edad.* **2** Que no cambia en sus características: *La velocidad que llevo es uniforme.* ∎ s.m. **3** Traje distintivo y con una forma particular que es igual para todos los que pertenecen a una determinada actividad o categoría. ☐ ETIMOL. Del latín *uniformis.* ☐ MORF. Como adjetivo es invariable en género.

uniformidad s.f. **1** Igualdad o semejanza en las características de los miembros de un conjunto. **2** Constancia, continuidad o falta de cambio.

[uniformizar v. Hacer formar un conjunto uniforme: *En su afán por uniformizarnos a todos, nos están haciendo perder nuestra propia personalidad.* ☐ ORTOGR. La *z* se cambia en *c* delante de *e* →CAZAR.

unigénito, ta adj./s. Referido a una persona, que es hijo único. ☐ ETIMOL. Del latín *unigenitus*, y éste de *unus* (uno) y *genitus* (engendrado).

unilateral adj. Que se limita a un lado, una parte o un aspecto de algo: *El alcalde tomó una decisión unilateral, sin contar con nadie.* ☐ ETIMOL. De *uni-* (uno) y *lateral.* ☐ MORF. Invariable en género.

unión s.f. **1** Enlace de elementos distintos para formar un todo o un conjunto. **2** Relación o comunicación: *Me siento feliz por la unión que hay en mi familia.* **3** Alianza o asociación entre personas o colectividades para ayudarse mutuamente en la consecución de un fin: *La unión de los partidos permitió obtener la mayoría absoluta.* ☐ ETIMOL. Del latín *unio.*

unionismo s.m. Doctrina que defiende la unión o asociación entre naciones, partidos u otro tipo de organizaciones.

[uníparo, ra adj. Referido a un animal o a una especie, que tiene una cría en cada parto: *Las ballenas*

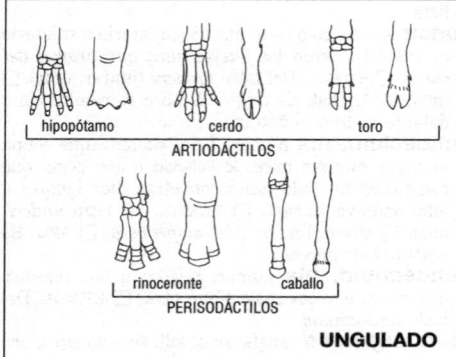

hipopótamo   cerdo   toro
ARTIODÁCTILOS

rinoceronte   caballo
PERISODÁCTILOS

UNGULADO

untar

son *'uníparas'*. □ ETIMOL. De *uni-* (uno) y *-paro* (que pare). □ SEM. Dist. de *bíparo* (que tiene dos crías en un solo parto) y de *multíparo* (que tiene varias crías en cada parto).

unipersonal adj. Que consta de una sola persona o que corresponde sólo a una persona: *Los verbos como 'llover' o 'granizar' son unipersonales porque se usan sólo en tercera persona del singular.* □ ETIMOL. De *uni-* (uno) y *personal*. □ MORF. Invariable en género.

unir ▮ v. 1 Referido a elementos distintos, juntarlos formando un todo o un conjunto: *Los rompecabezas se hacen uniendo todas las piezas.* Se unieron en matrimonio hace ya muchos años. **2** Atar, relacionar o comunicar: *Nos une una gran amistad. El problema de la sequía suele ir unido al del hambre.* **3** Acercar o aproximar, esp. para formar un conjunto o para cumplir un objetivo común: *La desgracia unió aún más al matrimonio.* ▮ prnl. **4** Referido a dos o más personas, aliarse o asociarse para ayudarse mutuamente en la consecución de un fin: *Me propusieron unirme a ellos en el negocio.* **5** Referido a una persona, juntarse o agregarse a la compañía de otra: *Únete a nosotros y participa en nuestra fiesta.* □ ETIMOL. Del latín *unire*.

[unisex adj. Referido esp. a una prenda de vestir, que es adecuada o apropiada tanto para hombre como para mujer. □ MORF. Invariable en género y en número.

unisonancia s.f. **1** Coincidencia de dos o más voces o instrumentos en un mismo tono de música. **2** Persistencia de la persona que habla en un mismo tono de voz.

unísono, na adj. **1** Que tiene el mismo tono o sonido que otra cosa. **2** ‖**al unísono**; sin discrepancia, con unanimidad o de manera uniforme: *Debemos actuar al unísono y unificar nuestras fuerzas.* □ ETIMOL. Del latín *unisonus*. □ SEM. No debe usarse *al unísono* con el significado de 'a la vez'.

unitario, ria adj. **1** De la unidad o relacionado con ella. **2** Que está formado por una sola unidad. **3** Que tiende a la unidad o desea conservarla. □ ETIMOL. Del latín *unitas* (unidad).

unitarismo s.m. **[1** Doctrina o corriente política partidaria de la centralización de un Estado o de una comunidad internacional, y contraria a la autonomía de las unidades políticas menores. **2** Doctrina protestante que no reconoce en Dios más que una sola persona.

univalvo, va ▮ adj. **1** Referido a una concha, que está formada por una sola valva o pieza: *La concha del caracol es univalva.* **2** Referido a un fruto, que tiene la cáscara o envoltura con una sola sutura: *El fruto de la peonía es univalvo.* ▮ adj./s.m. **3** Referido a un molusco, que tiene la concha formada por una sola valva o pieza. □ ETIMOL. De *uni-* (uno) y *valva*.

universal adj. **1** Del universo o relacionado con él. **2** Que se extiende a todo el mundo, a todos los países o a todos los tiempos. **3** Que existe o que es conocido en todas partes. **4** Que comprende o es común a todo el ámbito que se expresa: *sufragio universal.* □ ETIMOL. Del latín *universalis*. □ MORF. Invariable en género.

universalidad s.f. Propiedad de lo que es universal.

universalizar v. Hacer universal o generalizar mucho: *A través de los medios de comunicación las*

modas se universalizan en poco tiempo. □ ORTOGR. La *z* se cambia en *c* delante de *e* →CAZAR.

universidad s.f. **1** Institución dedicada a la enseñanza superior, que comprende diversas facultades y escuelas para los distintos campos del saber y que tiene autoridad para conceder los títulos académicos correspondientes. **2** Conjunto de edificios en los que está instalada esta institución. **3** Conjunto de las personas que forman esta institución. □ ETIMOL. Del latín *universitas* (totalidad, compañía de gente).

universitario, ria ▮ adj. **1** De la universidad o relacionado con ella. ▮ adj./s. **2** Que estudia en la universidad o que ha obtenido un título en esta institución de enseñanza. □ MORF. En la acepción 2, la RAE sólo lo registra como sustantivo.

universo s.m. **1** Conjunto de todo lo creado o existente. **[2** Ámbito o conjunto de elementos pertenecientes a un determinado medio o actividad: *El paso del tiempo es esencial en el 'universo' literario del poeta.* **3** Conjunto de personas o elementos de los que se toman algunas características que se someten a un estudio estadístico. □ ETIMOL. Del latín *universum* (conjunto de todas las cosas). □ SEM. En la acepción 1, es sinónimo de *cosmos, creación, mundo* y *orbe*.

[univitelino, na adj. Referido a los gemelos, que provienen de un sólo óvulo. □ ETIMOL. De *uni-* (uno) y *vitelino*.

univocidad s.f. Propiedad de lo que es unívoco.

unívoco, ca adj. **[1** Con un único sentido o interpretación posibles. **2** Referido esp. a una correspondencia matemática, que asocia cada uno de los elementos de un conjunto con uno, y sólo uno, de los elementos del otro conjunto. □ ETIMOL. Del latín *univocus*, y éste de *unus* (uno) y *vox* (voz).

uno, na ▮ numer. **1** Número 1: *Sólo me queda una peseta.* ▮ indef. **2** Indica una persona o cosa indeterminadas, que no se precisan ni se señalan: *Cada uno debe elegir por sí mismo. Estuve en la fiesta con unos que te conocían.* ▮ s.m. **3** Signo que representa el número 1: *Los romanos escribían el uno como 'I'.* **4** ‖**a una**; a un tiempo, o a la vez: *Lo hicimos todos a una.* ‖**no dar una**; col. Estar poco acertado: *Hoy no doy una en el trabajo.* ‖**ser todo uno**; suceder casi simultáneamente: *Decir yo que sí y tú que no es todo uno.* ‖**una de** algo; col. Una gran cantidad de ello: *¡Tienes una de amigos...!* ‖**unos cuantos**; cantidad indeterminada: *unos cuantos coches.* □ ETIMOL. Del latín *unus* (uno, único). □ ORTOGR. Dist. de *huno*. □ MORF. 1. En la acepción 1, ante sustantivo masculino singular se usa la apócope *un*. 2. En la acepción 1, la RAE sólo lo registra como adjetivo. 3. Cuando se antepone a una palabra para formar compuestos, adopta la forma *uni-*. □ SEM. *Más de uno* equivale a 'muchos': *Más de uno quisiera estar en tu puesto.*

untadura s.f. **1** Aplicación y extensión de una sustancia, esp. si es grasa, sobre la superficie de algo. **2** Corrupción o soborno de una persona con dones o con dinero. **3** Sustancia con la que se unta. □ SEM. 1. Es sinónimo de *untura*. 2. En las acepciones 1 y 2, es sinónimo de *untamiento*.

untamiento s.m. →**untadura**.

untar v. **1** Referido esp. a una sustancia grasa, aplicarla y extenderla sobre la superficie de algo: *Unta manteca a la carne para que esté más sabrosa.* **2** Referido a una superficie, aplicar y extender sobre ella una sustancia, esp. si es grasa: *Unté la tostada con mantequilla y mermelada.* **3** *col.* Referido a una persona, corromperla o sobornarla con dinero: *Untó al arquitecto municipal para que acelerara los trámites.* **[4** *col.* Pegar o golpear: *A ese chico lo 'untaron' el otro día por un ajuste de cuentas.* ☐ ETIMOL. Del latín *unctare,* y éste de *ungere* (untar, ungir).

[unte s.m. *col.* →**unto.**

unto s.m. **1** Sustancia grasa apropiada para untar. **2** En un animal, grasa o gordura del interior de su cuerpo. **3** *col.* Lo que se usa para sobornar. ☐ ETIMOL. Del latín *unctum,* y éste de *ungere* (untar). ☐ ORTOGR. En la acepción 3, se usa también *unte.*

untoso, sa adj. →**untuoso.**

untuosidad s.f. **1** Carácter pegajoso o pringoso de una sustancia grasa. **2** Carácter empalagoso de una persona.

untuoso, sa adj. **1** Graso o pegajoso. **[2** Referido a una persona, que es empalagosa o excesivamente atenta o amable. ☐ ETIMOL. Del latín *unctum* (unto). ☐ ORTOGR. Se admite también *untoso.*

untura s.f. **1** Aplicación y extensión de una sustancia, esp. si es grasa, sobre la superficie de algo. **2** Corrupción o soborno de una persona con dones o con dinero. **3** Sustancia con la que se unta. ☐ SEM. 1. Es sinónimo de *untadura.* 2. En las acepciones 1 y 2 es sinónimo de *untamiento.*

uña s.f. **1** En algunos animales y en las personas, parte dura y de naturaleza córnea que nace y crece en las extremidades de los dedos. 🔜 **mano 2** Lo que tiene una forma curvada semejante: *El alacrán pica con la uña que remata su cola.* **3** Muesca, corte o agujero que se hace en una pieza, esp. si es de madera o metálica, para moverla impulsándola con el dedo: *La tapa del plumier dispone de una uña para abrirla y cerrarla.* **4** En zonas del español meridional, púa que se utiliza para tocar un instrumento de cuerda. **5** ‖ **[con uñas y dientes**; *col.* Referido a la forma de hacer algo, con toda la intensidad o la fuerza posibles. ‖ **de uñas**; *col.* Enfadado o enemistado. ‖ {**enseñar/mostrar/sacar**} **las uñas** a alguien; *col.* Amenazarlo o mostrarse agresivo con él. ‖ **ser uña y carne**; *col.* Referido a dos o más personas, estar muy compenetradas. ☐ ETIMOL. Del latín *ungula.* ☐ SINT. La expresión *de uñas* se usa más con los verbos *estar* y *ponerse.*

uñero s.m. **1** Inflamación en la base de la uña, en la unión de ésta con la piel. **2** Herida que produce la uña cuando, al crecer demasiado y doblarse, se clava en la carne.

upa interj. **1** Expresión que usan los niños pequeños para que los cojan en brazos. **2** ‖ **a upa**; en brazos: *¡Papá, cógeme a upa!* ☐ ETIMOL. De origen expresivo. ☐ ORTOGR. *A upa* dist. de *aúpa.*

upar v. →**aupar.**

[uperisar v. →**uperizar.**

[uperizar v. Referido a un líquido, esp. a la leche, esterilizarlo mediante la inyección de vapor a presión hasta que alcanza una temperatura de 150 °C en un tiempo inferior a un segundo: *Las centrales lecheras 'uperizan' la leche antes de envasarla.* ☐ ETIMOL. De ultrapasteurizar. ☐ ORTOGR. La z se cambia en c delante de e →CAZAR. ☐ USO Se usa también *uperisar.*

[uralita s.f. Material hecho de cemento y amianto, de color grisáceo, que se usa en construcción y con

el que se fabrican tubos y placas para cubiertas y otros usos. ☐ ETIMOL. Extensión del nombre de una marca comercial.

uranio s.m. Elemento químico, metálico y sólido, de número atómico 92, grisáceo, muy pesado, fácilmente deformable y muy radiactivo. ☐ ETIMOL. De *Urano* (uno de los planetas del sistema solar). ☐ ORTOGR. Su símbolo químico es *U.*

urbanidad s.f. Corrección, educación y buenos modos en el comportamiento y en el trato con los demás. ☐ ETIMOL. Del latín *urbanitas.*

urbanismo s.m. Conjunto de conocimientos y de actividades sobre la planificación, desarrollo y reforma de los núcleos de población, encaminados a satisfacer las necesidades de sus habitantes y a mejorar las condiciones de vida.

urbanístico, ca adj. Del urbanismo o relacionado con él.

urbanización s.f. **1** Conversión de un terreno en un núcleo de población abriendo calles y dotándolo de las instalaciones y servicios necesarios. **2** Núcleo residencial de población, generalmente situado en las afueras de una ciudad, formado por construcciones de características semejantes y dotado de servicios propios.

urbanizar v. Referido a un terreno, convertirlo en un núcleo de población o prepararlo para ello, abriendo calles y dotándolo de las instalaciones y servicios necesarios: *Para terminar de urbanizar la zona, faltan algunas labores de alcantarillado y alumbrado.* ☐ ORTOGR. La z se cambia en c delante de e →CAZAR.

urbano, na adj. De la ciudad o relacionado con ella. ☐ ETIMOL. Del latín *urbanus,* y éste de *urbs* (ciudad).

urbe s.f. Ciudad, esp. la grande e importante. ☐ ETIMOL. Del latín *urbs* (ciudad).

urbi et orbi (latinismo) ‖ **1** Referido esp. a la forma de contar algo, dirigiéndose a todo el mundo o de modo que todo el mundo se entere: *Habló urbi et orbi porque no tenía nada que ocultar.* **[2** Referido a una bendición papal, que se dirige a la ciudad de Roma y al resto del mundo. ☐ ORTOGR. Incorr. **urbi et orbe, *urbe et orbi.*

urdimbre s.f. **1** En una tela, conjunto de los hilos que se colocan paralelos y longitudinales y por los que pasa horizontalmente la trama. **2** Preparación de un plan, generalmente de manera cautelosa y con intención de perjudicar.

urdir v. Referido esp. a un plan, maquinarlo o prepararlo cautelosamente con intención de perjudicar a alguien: *Urdió un plan para hundir a su rival.* ☐ ETIMOL. Del latín *ordiri.*

urea s.f. Sustancia orgánica que resulta de la degradación metabólica de las proteínas en algunos organismos animales y que se elimina en la orina y el sudor. ☐ ETIMOL. Del griego *ûron* (orina).

uréter s.m. En el sistema urinario de muchos vertebrados, conducto por el que desciende la orina desde el riñón a la vejiga o al exterior. ☐ ETIMOL. Del griego *uréter.*

uretra s.f. En el aparato urinario de los mamíferos, conducto por el que se expulsa la orina desde la vejiga al exterior. ☐ ETIMOL. Del latín *urethra,* éste del griego *uréthra,* y éste de *uréo* (orinar).

urgencia ∎ s.f. **1** Necesidad de que algo se ejecute o se solucione rápidamente. **2** Necesidad o falta apremiante de algo necesario. **[3** Lo que requiere ser atendido o solucionado rápidamente. ▌ pl. **4** En un hospital, sección en la que se atiende a los enfermos y heridos que necesitan cuidados médicos inmediatos. ☐ ETIMOL. Del latín *urgentia*.

urgente adj. **1** Que urge o requiere una rápida ejecución o solución. **2** Referido a un envío de correos o a un telegrama, que recibe un trato preferente respecto de los ordinarios para hacerlos llegar a su destinatario en un plazo mínimo. ☐ MORF. Invariable en género.

urgir v. **1** Referido esp. a una acción, correr prisa, apremiar o ser muy necesaria su rápida ejecución: *Urge recoger la basura acumulada. Envíamelos pronto, porque me urgen.* **2** Referido a una ley o a un precepto, obligar actualmente: *La ley urge al Gobierno a facilitar vivienda digna a todos los ciudadanos.* ☐ ETIMOL. Del latín *urgere* (apretar, apurar, instar). ☐ ORTOGR. La *g* se cambia en *j* delante de *a, o* →DIRIGIR. ☐ SINT. Su uso con sujeto personal es incorrecto, aunque está muy extendido: *El colectivo {*urge > reclama} soluciones inmediatas.*

urinario, ria ▌ adj. **1** De la orina o relacionado con ella. ▌ s.m. **2** Lugar destinado para orinar, esp. el de uso público; mingitorio. ☐ ETIMOL. Del latín *urina* (orina).

urna s.f. **1** Arca pequeña con una ranura en su parte superior, que se usa en votaciones secretas para depositar en ella las papeletas. **2** Caja o recipiente, generalmente de metal o de piedra, que se usa para guardar algo de valor: *Tras la incineración, entregaron a la familia una urna con las cenizas del difunto.* **3** Caja de cristal o de otro material transparente que se usa para tener dentro objetos delicados o valiosos de forma que queden protegidos y visibles al mismo tiempo. **4** En zonas del español meridional, caja transparente que gira y que se emplea para sorteos. ☐ ETIMOL. Del latín *urna* (cubo de pozo, medida de capacidad).

uro s.m. Animal bóvido salvaje, semejante al actual toro pero de mayor tamaño, que abundó en los territorios centroeuropeos hasta su extinción en el siglo XVII. ☐ ETIMOL. Del latín *urus*. ☐ MORF. Es un sustantivo epiceno: *el uro macho, el uro hembra.*

urodelo ▌ adj./s. **1** Referido a un anfibio, que se caracteriza por mantener durante toda su vida su cola larga, tener generalmente cuatro patas y la piel ceñida al cuerpo: *La salamandra y el tritón son anfibios urodelos.* ▌ s.m.pl. **2** En zoología, orden de estos anfibios. ☐ ETIMOL. Del griego *urá* (cola) y *dêlos* (visible).

urogallo s.m. Ave gallinácea silvestre de plumaje oscuro, patas y pico negros, cola en forma de abanico, y que en época de celo emite unos gritos semejantes al mugido de un toro. ☐ ETIMOL. De *uro* y *gallo*. ☐ MORF. Es un sustantivo epiceno: *el urogallo macho, el urogallo hembra.*

urología s.f. Parte de la medicina que estudia el aparato urinario y sus enfermedades. ☐ ETIMOL. Del griego *ûron* (orina) y *-logia* (estudio, ciencia).

urraca s.f. Ave de plumaje blanco en el vientre y negro con reflejos metálicos en el resto del cuerpo, de cola larga y pico robusto, que emite fuertes gritos y es fácil de domesticar. ☐ ETIMOL. De origen incierto. ☐ ORTOGR. Se admite también *hurraca*. ☐ MORF. Es un sustantivo epiceno: *la urraca macho, la urraca hembra.*

[úrsido ▌ adj./s.m. **1** Referido a un mamífero, que es de gran tamaño, y tiene el cuerpo cubierto por un espeso pelaje, las patas potentes y terminadas en garras, cola corta, y es capaz de andar apoyado únicamente sobre las patas posteriores: *El oso polar es un mamífero 'úrsido'.* ▌ s.m.pl. **2** En zoología, familia de estos mamíferos. ☐ ETIMOL. Del latín *ursus* (oso).

ursulina adj./s.f. Referido a una religiosa, que pertenece a alguna de las congregaciones que tienen como advocación y patrona a santa Úrsula (mártir del siglo III), esp. a la fundada por santa Ángela de Merici (religiosa italiana del siglo XVI).

urticáceo, a ▌ adj./s.f. **1** Referido a una planta, que es herbácea o arbustiva, de flores pequeñas y agrupadas, y hojas sencillas, opuestas o alternas, cubiertas de un vello que, al tocarlo, produce picor o escozor: *La ortiga es una planta urticácea.* ▌ s.f.pl. **2** En botánica, familia de estas plantas, perteneciente a la clase de las dicotiledóneas. ☐ ETIMOL. Del latín *urtica* (ortiga).

urticante adj. Que produce un picor o escozor semejantes a los que produce el roce de una ortiga. ☐ MORF. Invariable en género.

urticaria s.f. Enfermedad de la piel, caracterizada por la aparición de pequeños granos o de manchas rojizas y por un picor o escozor muy intenso y semejante al que produce el roce de una ortiga. ☐ ETIMOL. Del latín *urtica* (ortiga).

uruguayo, ya adj./s. De Uruguay (país suramericano), o relacionado con él.

usado, da adj. Gastado, estropeado o envejecido por el uso.

usanza s.f. Uso, costumbre o moda: *Prepararon el guiso a la antigua usanza.* ☐ SINT. Se usa mucho en la expresión *a la antigua usanza* (del modo antiguo).

usar ▌ v. **1** Hacer servir como instrumento para un fin; emplear: *Usa la cuchara para comer la sopa. La palabra 'vesania' se usa en el lenguaje culto.* **2** Referido esp. a un producto, gastarlo o consumirlo: *Mi coche usa gasolina sin plomo.* **3** Referido esp. a una prenda de vestir, llevarla o ponérsela habitualmente: *En los países nórdicos, casi todo el mundo usa sombrero.* **4** Tener por costumbre: *El que usa decir mentiras, tarde o temprano resulta cazado.* ▌ prnl. **5** Estar de moda: *Ya no se usa tratar a los padres de usted.* ☐ ETIMOL. De *uso*. ☐ SINT. En la acepción 1, se usa también en la construcción *usar DE algo: Usó de todas sus artimañas para salirse con la suya.*

usía s. Tratamiento que se usa para dirigirse a determinados cargos: *La respuesta del presidente a la diputada empezaba: —Me concederá usía que...* ☐ ETIMOL. De *vuestra señoría*. ☐ MORF. 1. Se usa con el verbo en tercera persona. 2. Procede de *vuestra señoría*.

uso s.m. **1** Utilización de algo como instrumento para un fin: *Aprendí a manejar la máquina leyendo el manual de uso. El plástico tiene muchos usos.* **2** Consumo, gasto o empleo continuado y habitual: *Cada vez se hacen más coches preparados para el uso de combustibles poco contaminantes.* **3** Costumbre, hábito o tradición consolidados. **4** ▌ **al uso**; según costumbre: *Por aquel entonces, los trajes al uso eran oscuros y muy cerrados.* ‖ **uso de razón**; capacidad de diferenciar y de juzgar que adquiere normalmente una persona cuando pasa la primera niñez. ☐ ETIMOL. Del latín *usus*.

usted pron.pers. Forma de la segunda persona que corresponde a la función de sujeto, de predicado nominal o de complemento precedido de preposición: *Usted nos dijo que viniéramos.* □ ETIMOL. De *vuestra merced*, que se inventó para sustituir a *vos*, desgastado como pronombre de respeto. □ MORF. 1. No tiene diferenciación de género. 2. Se usa con el verbo y con los posesivos correspondientes en tercera persona. 3. En zonas del español meridional, es el plural de *tú* y de *usted*. □ USO Se usa como tratamiento de respeto.

usual adj. Que se usa o se practica común o frecuentemente. □ ETIMOL. Del latín *usualis*. □ MORF. Invariable en género.

usuario, ria adj./s. Que usa ordinariamente algo o que tiene derecho a hacer uso de ello.

usufructo s.m. Derecho a usar de un bien ajeno y a obtener los beneficios que éste produzca, con la obligación de conservarlo, o de acuerdo con lo que la ley establezca y sin realizar ningún pago ni contraprestación al dueño. □ ETIMOL. Del latín *usus fructus* (uso del fruto). □ USO Su uso es característico del lenguaje jurídico.

usufructuar v. En derecho, referido a un bien ajeno, tener su usufructo: *El viudo usufructuó hasta su muerte los bienes de su esposa.* □ ORTOGR. La última *u* lleva tilde en los presentes, excepto en las personas *nosotros* y *vosotros* →ACTUAR.

usufructuario, ria adj./s. 1 En derecho, referido a una persona, que tiene usufructo sobre un bien ajeno. 2 Que posee y usa algo, obteniendo usufructo o provecho de ello.

usura s.f. Préstamo en el que se cobra un interés excesivo o abusivo. □ ETIMOL. Del latín *usura* (disfrute de un capital o de otra cosa).

usurero, ra s. 1 Persona que presta con usura o interés excesivo. 2 Persona que obtiene ganancias o beneficios desproporcionados en un negocio o en un contrato.

usurpación s.f. 1 Apropiación violenta de una propiedad o de un derecho que legítimamente pertenecen a otro. 2 Atribución y uso que se hace de un cargo o un título ajenos como si fueran propios.

usurpar v. 1 Referido a una propiedad o a un derecho que legítimamente pertenecen a otro, apoderarse de ellos, generalmente con violencia: *Los invasores usurparon las posesiones de los campesinos.* 2 Referido esp. a un cargo o a un título ajenos, atribuírselos y usarlos como si fueran propios: *El hermano gemelo del heredero usurpó la identidad de éste y reinó en su lugar.* □ ETIMOL. Del latín *usurpare*.

utensilio s.m. 1 Lo que sirve para un uso manual y frecuente: *Un cuchillo es un utensilio que sirve para cortar.* 2 Instrumento o herramienta de un oficio o de un arte. □ ETIMOL. Del latín *utensilia* (utensilios).

uterino, na adj. Del útero o relacionado con este órgano.

útero s.m. En una mujer o en un animal hembra, órgano interno hueco que forma parte de su aparato reproductor y que se comunica con el exterior a través de la vagina. □ ETIMOL. Del latín *uterus*.

útil ∎ adj. 1 Que puede servir o ser aprovechado. 2 Que produce provecho o beneficio. ∎ s.m. 3 Utensilio o herramienta de trabajo. □ ETIMOL. Las acepciones 1 y 2, del latín *utilis*. La acepción 3, del francés *outil* (herramienta), y éste del latín *utensilia* (utensilios). □ MORF. 1. Como adjetivo es invariable en género. 2. Como sustantivo se usa más en plural.

utilería s.f. 1 Conjunto de útiles o de instrumentos que se emplean en un oficio o en un arte. 2 En cine o en teatro, conjunto de objetos o de elementos que se emplean para la escenografía. □ PRON. Incorr. *[utillería]*.

utilidad s.f. 1 Capacidad de servir, de ser aprovechado o de producir provecho o beneficio. 2 Provecho, conveniencia o fruto que se saca de algo. □ ETIMOL. Del latín *utilitas*.

utilitario, ria ∎ adj. 1 Que antepone la utilidad a todo. ∎ s.m. 2 →**coche utilitario**.

utilitarismo s.m. [Tendencia a considerar la utilidad como valor máximo o a anteponerla a todo.

utilizar v. Referido a algo, emplearlo, usarlo o aprovecharse de ello: *Puedes utilizar mis cosas si te hacen falta. No me parece ético que utilices así a los demás.* □ ORTOGR. La *z* se cambia en *c* delante de *e* →CAZAR.

utillaje s.m. Conjunto de útiles o de herramientas necesarios para un trabajo. □ ETIMOL. Del francés *outillage*.

utopia o **utopía** s.f. Plan, idea o concepción que se muestra como irrealizable en el momento de ser concebido o formulado. □ ETIMOL. Del griego *u* (no) y *tópos* (lugar), porque *Utopía* es el título de un libro de Tomás Moro, con el que designa un lugar que no existe. □ USO *Utopia* es el término más usual.

utópico, ca adj./s. De la utopía, con utopía o relacionado con ella.

uva ∎ s.f. 1 Fruto de la vid, de forma esférica u ovalada, carnoso, muy jugoso y que crece agrupado con otros en racimos. ∎ s.m.pl. [2 →**rayos UVA**. 3 ‖ **[mala uva**; *col.* Mal carácter, mal humor o mala intención. □ ETIMOL. La acepción 1 y 3, del latín *uva* (uva, racimo). La acepción 2, procede del acrónimo de *ultravioleta*.

uve s.f. 1 Nombre de la letra *v*; ve. 2 ‖ **uve doble**; nombre de la letra *w*.

[uvi] s.f. →**unidad de vigilancia intensiva**. □ ETIMOL. Es un acrónimo que procede de la sigla de *unidad de vigilancia intensiva*.

úvula s.f. En anatomía, pequeña masa carnosa y muscular que cuelga en la parte media posterior del velo del paladar, a la entrada de la garganta; campanilla. □ ETIMOL. Del latín *uvula* (uvita).

uvular adj. 1 De la úvula o relacionado con esta carnosidad del paladar. 2 En lingüística, referido a un sonido, que es pronunciado con la intervención de la úvula como órgano pasivo: *La 'j' ante 'u' es un ejemplo de sonido uvular.* □ ORTOGR. Dist. de *ovular*. □ MORF. Invariable en género.

V v

v s.f. Vigésima tercera letra del abecedario. ☐ PRON. 1. Representa el sonido consonántico bilabial sonoro. 2. Pronunciarla como labiodental para distinguirla de la *b* es una incorrección.

vaca s.f. **1** Hembra del toro. 🐄 rumiante **2** Carne de este animal. **3** ‖ [**vaca loca**; *col*. La que está afectada por una enfermedad degenerativa del sistema nervioso central. ‖ **vaca marina**; mamífero herbívoro acuático, de unos cinco metros de largo, con cuerpo grueso y piel grisácea de gran espesor, labio superior muy desarrollado, extremidades anteriores transformadas en dos aletas y las posteriores unidas en una sola, y cuya carne y grasa son muy estimadas; buey marino, manatí. ‖ [**vacas flacas**; *col*. Época de dificultades y de escasez. ‖ [**vacas gordas**; *col*. Época de prosperidad económica. ☐ ETIMOL. Del latín *vacca*. ☐ ORTOGR. Dist. de *baca*. ☐ MORF. *Vaca marina* es epiceno: *la vaca marina {macho / hembra}*.

vacación s.f. Período de tiempo en el que una persona interrumpe su actividad habitual, generalmente el trabajo o los estudios. ☐ ETIMOL. Del latín *vacatio*. ☐ MORF. Se usa más en plural.

vacante adj./s.f. Referido esp. a un cargo, que está libre y en disposición de ser ocupado. ☐ ETIMOL. Del latín *vacans*. ☐ MORF. Como adjetivo es invariable en género. ☐ SEM. Dist. de *bacante*.

vaciado s.m. **1** Formación de un objeto echando en un molde hueco metal derretido u otra materia blanda. **2** Figura que se hace mediante este procedimiento.

vaciar ▌ v. **1** Referido esp. a un recipiente, dejarlo vacío: *Vacié el vaso antes de fregarlo*. **2** Referido al contenido de un recipiente, sacarlo, verterlo o arrojarlo: *Vaciamos el vino de la garrafa para meterlo en botellas. El agua de la botella se vació en el fregadero*. **3** Referido a un objeto, formarlo echando en un molde hueco metal derretido u otra materia blanda: *En ese taller vacían estatuas en bronce*. **4** Referido a un cuerpo compacto, dejarlo hueco: *Vaciaron el muro para hacer una hornacina*. ▌ prnl. [**5** *col*. Descubrir por completo la propia intimidad: *Necesitaba 'vaciarme' y se lo conté todo*. ☐ ORTOGR. La *i* lleva tilde en los presentes, excepto en las personas *nosotros* y *vosotros* →GUIAR. ☐ SINT. Constr. de la acepción 3: *vaciar EN una sustancia*.

vaciedad s.f. **1** Propiedad o característica de lo que está vacío. **2** Necedad, simpleza o falta de contenido.

vacilación s.f. **1** Movimiento inseguro o poco definido. **2** Falta de firmeza o falta de resolución.

[vacilada s.f. *col*. Hecho o dicho propios de un vacilón.

vacilar v. **1** Moverse de forma poco definida: *El borracho vacilaba al andar*. **2** Estar poco firme: *La escalera de mano vacila y corre el riesgo de caerse*. **3** Titubear, oscilar o mostrarse indeciso: *El guardia me multó sin vacilar*. [**4** *col*. Burlarse o decir en tono serio cosas graciosas o absurdas: *No 'vaciles' conmigo, que ya sé de qué vas*. ☐ ETIMOL. Del latín *vacillare* (bambolear, oscilar). ☐ ORTOGR. Dist. de *bacilar*.

[vacile s.m. *col*. Hecho o dicho propios de un vacilón.

[vacilón, -a adj./s. *col*. Que se burla o dice en tono serio cosas graciosas o absurdas.

vacío, a ▌ adj. **1** Falto de contenido: *La caja está vacía*. **2** Que no está ocupado o que no tiene la ocupación que pudiera tener: *Allí hay dos sillas vacías*. **3** Hueco o sin la solidez correspondiente: *La ardilla se escondió en un tronco vacío*. **4** Referido a un lugar, que tiene menos habitantes o visitantes de los que suele tener. ▌ s.m. **5** Abismo o precipicio: *Cayó al vacío desde el puente*. **6** Falta, carencia o ausencia de algo: *un vacío de poder*. **7** En física, espacio que no contiene aire ni otra materia perceptible. **8** ‖ [**al vacío**; referido esp. a la forma de envasar, sin aire. ☐ ETIMOL. Del latín *vacivus*.

vacuidad s.f. Vaciedad o falta de contenido. ☐ USO Su uso es característico del lenguaje culto.

vacuna s.f. Véase *vacuno, na*.

vacunación s.f. Administración de una vacuna.

vacunar v. Administrar una vacuna: *El ganadero vacunó a sus caballos contra la peste equina. Todos los otoños me vacuno contra la gripe*. ☐ SINT. Constr. *vacunar CONTRA algo*.

vacuno, na ▌ adj./s.m. **1** Del ganado bovino o relacionado con él. ▌ s.f. **2** Medicamento que se introduce en un organismo para preservarlo de una enfermedad o de una afección. [**3** *col*. En informática, antivirus o programa que permite detectar y anular un virus informático.

vacuo, cua adj. Vacío o falto de contenido: *La novela resulta vacua*. ☐ ETIMOL. Del latín *vacuus* (vacío). ☐ USO Su uso es característico del lenguaje culto.

[vacuola s.f. En una célula, cada una de las cavidades de la masa del citoplasma delimitadas por membranas, que contiene aire, algún líquido u otras sustancias y tiene diversas funciones, fundamentalmente de almacenamiento y de transporte. ☐ ETIMOL. Del latín *vacuus* (vacío, hueco).

vade retro (latinismo) ‖ Expresión que se usa para rechazar algo u oponerse a ello: *En la película, cuando aparecían los espíritus, el protagonista gritaba: −¡Vade retro, Satanás!*

vadear v. Referido a un río o a una corriente de agua, cruzarlos por un vado o por otro sitio por donde se puedan pasar a pie: *La caballería tuvo que vadear el río*.

vademécum s.m. Libro en el que se encuentran con facilidad datos de uso frecuente en una determinada materia. ☐ ETIMOL. Del latín *vade mecum* (anda conmigo).

vado s.m. **1** En un río, lugar con fondo firme, llano y poco profundo, por donde se puede pasar a pie, a caballo o en otro vehículo. **2** En una acera, parte rebajada, situada delante de una entrada, que facilita el acceso de los vehículos. ☐ ETIMOL. Del latín *vadum*.

vagabundear v. **1** Llevar la forma de vida propia de un vagabundo: *El día que sientes la cabeza y dejes de vagabundear seré feliz*. **2** Andar sin dirección ni destino fijos: *Cuando voy de vacaciones me gusta* *vagabundear por la ciudad.* □ ORTOGR. Se admite también *vagamundear.*

vagabundo, da adj./s. Que va de un lugar a otro sin tener domicilio o medio regular de vida. □ ETIMOL. Del latín *vagabundus.* □ ORTOGR. Se admite también *vagamundo.*

vagamundear v. →*vagabundear.*

vagamundo, da adj./s. →*vagabundo.*

vagancia s.f. Pereza o falta de ganas de hacer algo. □ ETIMOL. Del latín *vacantia.*

vagar v. **1** Andar sin rumbo fijo: *Me gusta vagar por la noche cuando las calles están vacías.* **2** Andar libre y suelto, o sin seguir el orden o la disposición habitual: *Dejé vagar mi imaginación y soñé que estaba en la playa.* □ ETIMOL. Del latín *vagari.* □ ORTOGR. La *g* se cambia en *gu* delante de *e* →PAGAR.

vagido s.m. Voz o llanto característicos del recién nacido. □ ETIMOL. Del latín *vagitus,* y éste de *vagire* (gritar, lanzar un vagido). □ ORTOGR. Dist. de *vahído.*

vagina s.f. En las hembras de los mamíferos, conducto de paredes membranosas que se extiende desde la vulva hasta el útero. □ ETIMOL. Del latín *vagina* (vaina).

vaginal adj. De la vagina o relacionado con ella. □ MORF. Invariable en género.

vaginitis s.f. En medicina, inflamación de la vagina. □ ETIMOL. De *vagina* e *-itis* (inflamación). □ MORF. Invariable en número.

vago, ga ❚ adj. **1** Impreciso, indeterminado o poco definido: *una respuesta vaga.* **2** Referido esp. a un ojo, que le cuesta desarrollar su actividad. ❚ adj./s. **3** Que no le gusta trabajar, hacer esfuerzos ni otra actividad. [**4** En zonas del español meridional, que está siempre en la calle. □ ETIMOL. Del latín *vagus* (vagabundo, inconstante, indefinido).

vagón s.m. En un ferrocarril, vehículo destinado al transporte de mercancías o de pasajeros. □ ETIMOL. Del francés *wagon* (vagón), y éste del inglés *waggon* (carro).

vagoneta s.f. Vagón pequeño y descubierto que se usa para el transporte de una mercancía.

vaguada s.f. En un valle, línea o lugar que marca la parte más honda. □ ETIMOL. De origen incierto.

vaguear v. Estar voluntariamente sin hacer nada y eludir cualquier actividad; holgazanear: *Te aburres porque te pasas el día vagueando.*

vaguedad s.f. Falta de precisión, de exactitud o de claridad.

[vaguería s.f. col. Vagancia.

vaharada s.f. **1** Expulsión del vaho o del aliento. **2** Ráfaga de un vaho o de un olor.

vahído s.m. Mareo o desvanecimiento breve. □ ETIMOL. Quizá de *vago* (vacío). □ ORTOGR. Dist. de *vagido.*

vaho s.m. Vapor que despide un cuerpo en determinadas circunstancias. □ ETIMOL. De origen onomatopéyico. □ ORTOGR. Dist. de *bao.*

vaina s.f. **1** Funda ajustada para un arma blanca u otro instrumento cortante. **2** Cáscara tierna y larga que contiene las semillas de algunas plantas: *Las judías y los guisantes tienen frutos en vaina.* [**3** col. Lo que carece de importancia o molesta o supone una contrariedad: *Déjate de 'vainas' y vamos al tema importante.* [**4** col. En zonas del español meridional, cosa o hecho cualquiera. □ ETIMOL. Del latín *vagina.*

vainica s.f. Labor de costura que se hace sacando hilos de la tela para dejar un pequeño calado. □ ETIMOL. De *vaina.*

vainilla s.f. **1** Planta de tallos muy largos, verdes, nudosos y trepadores, hojas enteras, flores grandes y fruto en forma de judía, que contiene pequeñas semillas. **2** Fruto de esta planta. □ ETIMOL. De *vaina* (cáscara).

vaivén s.m. **1** Balanceo o movimiento alternativo de un cuerpo hacia un lado y hacia otro sucesivamente. **2** Inconstancia o inestabilidad de las cosas en su duración o en su logro. □ ETIMOL. De *ir* y *venir.*

vajilla s.f. Conjunto de platos, fuentes, tazas y otros recipientes para el servicio de mesa. □ ETIMOL. Del latín *vascella.*

valdepeñas s.m. Vino tinto originario de Valdepeñas (municipio de la provincia ciudadrealeña). □ MORF. Invariable en número.

vale ❚ s.m. **1** Documento que se puede cambiar por un objeto, por una cantidad de dinero o por un servicio. **2** Nota firmada o sellada que se da al que tiene que entregar algo para que después acredite su entrega. ❚ interj. [**3** col. Expresión que se usa para indicar conformidad o acuerdo. □ ETIMOL. De *valer.*

valedero, ra adj. Que debe valer o que es válido.

valedor, -a s. Persona que defiende o ampara a otra.

[valedor do pobo galego (galleguismo) ‖ Defensor del pueblo en Galicia (comunidad autónoma).

valencia s.f. En química, número de enlaces con los que puede combinarse un átomo o radical. □ ETIMOL. De *valer.*

valencianismo s.m. **1** En lingüística, palabra, significado o construcción sintáctica del valenciano empleados en otra lengua. [**2** Movimiento que defiende los valores históricos y culturales valencianos y generalmente es partidario de la autonomía política valenciana.

valenciano, na ❚ adj./s. **1** De la Comunidad Valenciana (comunidad autónoma), de Valencia (ciudad y provincia de esta comunidad), o relacionado con ellas. ❚ s.m. **2** Variedad lingüística del catalán, que se habla y se escribe en la Comunidad Valenciana. ❚ s.f. [**3** Magdalena rectangular.

valentía s.f. Valor, decisión o atrevimiento.

valentísimo, ma superlat. irreg. de **valiente.** □ MORF. Incorr. **valientísimo.*

valentonada s.f. Hecho o dicho propios de un valentón.

valer ❚ s.m. **1** Valor o valía. ❚ v. **2** Ser de gran valor o tener cualidades que merecen aprecio y estimación: *Esta mujer vale mucho.* **3** Tener vigencia o validez, o ser adecuado: *Esta entrada sólo vale para hoy.* **4** Ser útil o resultar adecuado para determinada función: *Yo no valgo para actor porque soy muy vergonzoso.* **5** Tener determinado precio o valor: *Este coche vale más de dos millones.* **6** Producir, ocasionar o tener como consecuencia: *Mi torpeza me valió una bronca.* **7** Ser igual en cantidad o equivaler en número, significación o aprecio: *Un ángulo recto vale 90°.* **8** Amparar, defender o dar protección: *¡Los cielos me valgan en tan difícil momento!* ❚ prnl. **9** Utilizar en beneficio o en provecho propios: *Se valió de sucias artimañas para conspirar contra mí.* [**10** Cuidarse por sí mismo: *Mi bisabuelo* *todavía 'se vale' muy bien.* [**11** *col.* En zonas del español meridional, estar permitido. ☐ ETIMOL. La acepción 1, del verbo *valer*. Las acepciones 2-11, del latín *valere* (ser fuerte, vigoroso, potente). ☐ MORF. Irreg. →VALER. ☐ SINT. Constr. como pronominal: *valerse DE algo.*

valeriana s.f. Planta herbácea, de tallo recto, erguido y hueco, hojas partidas en hojuelas puntiagudas, flores blancas o rojizas y raíz olorosa, que se usa en medicina como tranquilizante y relajante muscular.

valerosidad s.f. Característica o cualidad del que es valeroso o tiene valentía.

valeroso, sa adj. Que tiene valentía.

[*valet* (galicismo) s.m. **1** Sirviente o criado, esp. el ayuda de cámara. **2** En la baraja francesa, carta que representa a un sirviente de armas. ☐ PRON. [valé]. ☐ ORTOGR. Dist. de *ballet.*

valetudinario, ria adj. Enfermizo, delicado o de mala salud, esp. referido a quienes sufren los achaques propios de edades avanzadas. ☐ ETIMOL. Del latín *valetudinarius.*

valí s.m. En algunos países musulmanes, gobernador de una provincia o de una parte de su territorio. ☐ ETIMOL. Del árabe *wali* (gobernador). ☐ MORF. Aunque su plural en la lengua culta es *valíes*, la RAE admite también *valís.*

valía s.f. **1** Valor o precio. **2** Cualidad de la persona que vale y que merece aprecio.

validar v. Hacer válido o firme: *No creeré tus afirmaciones si no las validas con datos.*

validez s.f. **1** Corrección, valor o legalidad de lo que es válido. **2** Capacidad o utilidad para hacer algo.

valido s.m. Persona que tiene el primer lugar en la confianza de un rey, un príncipe o una persona poderosa, esp. si ejerce gran influencia en sus decisiones. ☐ ETIMOL. De *valer.* ☐ ORTOGR. Dist. de *balido* y de *válido.*

válido, da adj. **1** Que vale porque es firme, correcto, apropiado o legal. [**2** Referido a una persona, que puede valerse por sí misma. ☐ ETIMOL. Del latín *validus* (fuerte, vigoroso). ☐ ORTOGR. Dist. de *valido.*

valiente adj./s. Que actúa con valor, con ánimo y con decisión; bizarro, gallardo. ☐ ETIMOL. Del latín *valens.* ☐ MORF. 1. Como adjetivo es invariable en género. 2. Como sustantivo es de género común: *el valiente, la valiente.* 3. Su superlativo es *valentísimo.* ☐ SEM. En frases exclamativas tiene un sentido irónico o intensificador: *¡Valiente deportista estás hecho!*

valija s.f. **1** Especie de caja, con cerradura y con una o varias asas, que se usa para llevar ropa y objetos personales en los viajes; maleta. **2** Saco, generalmente de cuero y cerrado con llave, que se emplea para llevar la correspondencia. **3** Correspondencia contenida en este tipo de saco. [**4** En zonas del español meridional, maletero o portaequipajes. **5** ‖ **valija diplomática**; cartera cerrada y precintada que contiene la correspondencia oficial entre un Gobierno y sus agentes diplomáticos en el extranjero. ☐ ETIMOL. Del italiano *valigia.*

valimiento s.m. Ayuda o protección que alguien recibe: *Siempre contó con el valimiento de sus padres.*

valioso, sa adj. Que vale mucho o que tiene mucha estimación o valor.

valkiria s.f. →**valquiria**.

valla s.f. **1** Conjunto de estacas, de tablas o de otra cosa, puestas en línea alrededor de un lugar para cerrarlo, protegerlo o señalarlo. **2** Armazón en el que se fijan carteles o anuncios publicitarios. **3** En algunas carreras deportivas, obstáculo que debe ser saltado por los participantes. ☐ ETIMOL. Del latín *valla* (empalizadas). ☐ ORTOGR. Dist. de *baya* y *vaya.*

vallado s.m. Cerco hecho con estacas, con tierra apisonada o con otro material, que se usa para defender un lugar e impedir la entrada en él. ☐ ETIMOL. Del latín *vallatus* (cerrado con empalizada).

valle s.m. **1** Llanura de tierra entre montañas. montaña **2** Cuenca de un río. [**3** Parte más baja de algo, esp. de una ola o de una onda. [**4** En un horario, hora de menor demanda y precio más barato: *tarifas 'valle'.* ☐ ETIMOL. Del latín *vallis.*

vallisoletano, na adj./s. De Valladolid o relacionado con esta provincia española o con su capital.

valón, -a ∎ adj./s. **1** De Valonia (territorio que ocupa aproximadamente el sur belga), o relacionado con él. ∎ s.m. **2** Lengua hablada por los habitantes de este territorio. ☐ ORTOGR. Dist. de *balón.*

valor ∎ s.m. **1** Utilidad o conjunto de cualidades apreciables de una cosa: *Este collar tiene gran valor sentimental para mí.* **2** Precio de algo. [**3** Validez que algo tiene. **4** Significado o importancia de algo, esp. de una acción o de una palabra: *Más tarde comprendí el valor de su frase.* **5** Capacidad de actuar con resolución o de enfrentarse a los peligros. **6** Desvergüenza o falta de consideración. **7** Equivalencia de una cosa con otra, esp. de una moneda respecto a otra que se ha tomado como patrón: *El valor de la peseta respecto al dólar ha bajado.* [**8** En matemáticas, cantidad que se atribuye a una variable: *En la ecuación 'x − 5 = 5', el 'valor' de 'x' es 10.* **9** En música, duración del sonido de una nota. ∎ pl. **10** Principios morales, ideológicos o de otro tipo que guían el comportamiento personal. **11** En economía, títulos que representan las cantidades prestadas a las sociedades o la participación en el capital de dichas sociedades: *En estos momentos de incertidumbre es mejor invertir en valores de renta fija.* **12** ‖ **armarse de valor**; reunir fuerza y ánimo para realizar o afrontar algo. ‖ **valor añadido**; **1** En economía, el que una unidad económica añade a la producción de un bien o servicio mediante la utilización de diversos factores productivos: *El IVA es el impuesto sobre el 'valor añadido'.* **2** El que resulta extraordinario y complementario: *Este libro, ya de una calidad insuperable, tiene además un 'valor añadido', que es el completísimo índice temático del final.* ‖ **valor venal**; el del precio de un objeto en el mercado, según la ley de la oferta y de la demanda. ☐ ETIMOL. Del latín *valor.* ☐ USO En la acepción 11, es innecesario el uso del anglicismo *security.*

valoración s.f. **1** Determinación del precio de algo. **2** Reconocimiento o apreciación del valor o del mérito de algo. **3** Aumento del valor de algo; revalorización. ☐ SEM. Es sinónimo de *valorización.*

valorar v. **1** Referido a algo material, señalar su precio; valuar: *Han valorado la finca en cinco millones de pesetas.* **2** Referido esp. a algo realizado, reconocer o apreciar su valor o su mérito: *En esta empresa*

saben *valorar mi trabajo.* **3** Referido a algo, aumentar su valor; revalorizar: *La construcción del supermercado valorará el barrio.* ☐ SEM. **1.** Es sinónimo
de *valorizar.* **2.** No debe emplearse con el significado de 'evaluar': *Después de las inundaciones se
deben {*valorar > evaluar} los daños.* **3.** **Valorar
positivamente* es una expresión redundante e incorrecta, aunque está muy extendida.
valorativo, va adj. Que valora.
valorización s.f. →**valoración.**
valorizar v. →**valorar.** ☐ ORTOGR. La *z* se cambia
en *c* delante de *e* →CAZAR. ☐ SEM. Es sinónimo de
valuar.
valquiria s.f. En la mitología escandinava, cada una
de las divinidades femeninas que en los combates
designaban a los héroes que debían morir, a los cuales conducían después hasta el cielo, donde les servían escanciándoles las bebidas. ☐ ETIMOL. Del escandinavo antiguo *valkyrja,* de *val* (selección) y *kor*
(acción de escoger). ☐ ORTOGR. Se admite también
valkiria. ☐ USO Se usa también *walkiria.*
vals s.m. **1** Composición musical, de ritmo ternario
y aire vivo, cuyas frases constan generalmente de
dieciséis compases. **2** Baile de pareja que se ejecuta
al compás de esta música, con desplazamientos de
giro. ☐ ETIMOL. Del alemán *walz,* y éste de *walzen*
(hacer rodar). ☐ MORF. Su plural es *valses.*
valuar v. Referido a algo material, señalar su precio;
valorar, valorizar: *Hay que valuar los daños causados por el vendaval.* ☐ ORTOGR. **1.** La *u* lleva tilde
en los presentes, excepto en las personas *nosotros* y
vosotros →ACTUAR. **2.** Dist. de *evaluar.*
valva s.f. **1** En zoología, cada una de las piezas duras
y móviles que constituyen la concha de algunos moluscos e invertebrados. **2** En botánica, cada una de
las partes que forman la cáscara de algunos frutos
y que, unidas por una o más suturas, encierran las
semillas. ☐ ETIMOL. Del latín *valva* (hoja de la puerta).
válvula s.f. **1** En una máquina o en un instrumento, pieza que está colocada en una abertura y que sirve
para abrir o cerrar el paso a través de un conducto.
2 En anatomía, pliegue membranoso, situado en el
corazón o en un conducto, que permite el paso de
los líquidos, esp. de la sangre, en una sola dirección
impidiendo el retroceso. **3** ‖(**válvula**) {bicúspide/
mitral}; en el corazón de los mamíferos, la que está
entre la aurícula y el ventrículo izquierdos. 🫀 corazón ‖(**válvula**) **tricúspide**; en el corazón de los
mamíferos, la que está entre la aurícula y el ventrículo derechos. 🫀 corazón ☐ ETIMOL. Del latín *val-
vula* (puerta pequeña).
vamos interj. Expresión que se usa para indicar
una orden o para dar ánimos: *¡Vamos, que se nos
hace tarde!* ☐ ETIMOL. El verbo *ir.*
vampiresa s.f. col. Mujer muy atractiva que suele
aprovecharse de los hombres a los que seduce.
vampirismo s.m. **[1** Creencia en la existencia de
vampiros. **2** col. Actitud de la persona carente de
escrúpulos y que se enriquece a costa de los demás.
[vampirizar v. Referido esp. a una persona, privarla
de su personalidad y conseguir su dependencia total
con respecto de algo: *Aquella secta 'vampirizaba' a
todos sus seguidores.* ☐ ORTOGR. La *z* se cambia en
c delante de *e* →CAZAR.
vampiro s.m. **1** Ser fantástico que vive por las noches y se alimenta con la sangre que chupa a sus

víctimas humanas. **2** Murciélago del tamaño de un
ratón, con dos incisivos muy afilados, que se alimenta de la sangre de animales domésticos. **3** col.
Persona carente de escrúpulos y que vive a costa de
los demás. ☐ ETIMOL. Del francés *vampire.* ☐ MORF.
En la acepción 2, es un sustantivo epiceno: *el vampiro macho, el vampiro hembra.*
vanadio s.m. Elemento químico, metálico y sólido,
de número atómico 23, fácilmente deformable, de
color blanco plateado, y que se usa para aumentar
la resistencia del acero. ☐ ETIMOL. Del latín *vana-
dium,* y éste de *Vanadis* (diosa de la mitología escandinava). ☐ ORTOGR. Su símbolo químico es V.
vanagloria s.f. Presunción o alabanza excesivas de
las propias cualidades o de las propias acciones. ☐
ETIMOL. De *vana* (arrogante) y *gloria.*
vanagloriarse v.prnl. Referido a las propias acciones
o cualidades, presumir de ellas excesivamente: *Se vanagloria de ser muy inteligente.* ☐ ORTOGR. La *i*
nunca lleva tilde. ☐ SINT. Constr. *vanagloriarse DE
algo.*
vandálico, ca adj. De los vándalos, del vandalismo o relacionado con ellos.
vandalismo s.m. **1** Inclinación a destruir y a destrozar todo sin tener respeto ni consideración por
nada. **2** Destrucción y devastación indiscriminadas.
☐ ETIMOL. Del francés *vandalisme* (destrucción de
tesoros religiosos), porque el pueblo germánico de
los vándalos saqueó Roma y asoló España y otros
países del Imperio Romano.
vándalo, la ‖ adj./s. **1** De un antiguo pueblo bárbaro de origen germánico oriental que participó en
la invasión del Imperio Romano, o relacionado con
él. ‖ s. **2** Gamberro agresivo y violento que comete
acciones propias de gente salvaje. ☐ MORF. En la
acepción 2, la RAE sólo lo registra como masculino.
vanguardia s.f. **1** Movimiento artístico o ideológico más avanzado respecto a las ideas o gustos de
su tiempo. **2** Parte de un ejército o de una fuerza
armada que va delante del cuerpo principal. ☐ ETI-
MOL. Del antiguo *avanguardia.*
vanguardismo s.m. Escuela o tendencia literaria
o artística surgida en el siglo XX con intención re-
novadora y de exploración de nuevas técnicas.
vanidad s.f. Deseo excesivo de mostrar las propias
cualidades y de que sean reconocidas y alabadas. ☐
ETIMOL. Del latín *vanitas.*
vanidoso, sa adj./s. Que tiene vanidad y la manifiesta.
vano, na ‖ adj. **1** Sin utilidad: *intento vano.* **2** Sin
fundamento, prueba o razón sólidas: *esperanza
vana.* **3** Vacío o falto de contenido: *palabras vanas.*
4 Presumido y que se satisface sólo en su propia
complacencia. **5** Referido a un fruto con cáscara, que
está vacío en su interior o que tiene la semilla seca
o podrida. ‖ s.m. **6** Hueco abierto en un muro o
pared. **7** ‖**en vano**; inútilmente o sin efecto. ☐ ETI-
MOL. Del latín *vanus* (vacío, hueco).
[vao s.m. En una carretera, carril por el que sólo pueden circular autobuses o vehículos ocupados por un
mínimo de dos personas; bus vao. ☐ ETIMOL. Es un
acrónimo que procede de la sigla de *vehículo de alta
ocupación.* ☐ SINT. Se usa normalmente como aposición de *carril.*
vapor s.m. **1** Gas en que se transforma un líquido
por la acción del calor. **2** Barco que navega movido
por una o varias máquinas de vapor. **3** ‖**al vapor;**

referido a un alimento, cocido por el vapor, sin estar en contacto con el agua: *mejillones al vapor.* □ ETIMOL. Del latín *vapor.*

[**vaporeta** s.f. Electrodoméstico que sirve para limpiar mediante un sistema de vapor a gran presión. □ ETIMOL. Extensión del nombre de una marca comercial.

[**vaporetto** (italianismo) s.m. Barco típico veneciano, que funciona con motor y se usa como transporte público.

vaporización s.f. **1** En química, paso de un cuerpo líquido a estado gaseoso por la acción del calor. **2** Esparcimiento de un líquido en forma de pequeñas gotas. **3** Uso medicinal de vapores, esp. los procedentes de aguas termales o de hierbas medicinales cocidas. □ ORTOGR. En las acepciones 1 y 2, se admite también *evaporización.*

vaporizador s.m. **1** Utensilio que sirve para esparcir un líquido en forma de partículas muy pequeñas; pulverizador. **2** Aparato que sirve para convertir en vapor un cuerpo líquido.

vaporizar v. **1** Referido a un líquido, convertirlo en vapor por la acción del calor: *En el laboratorio vaporizan muchas sustancias líquidas para analizar los efectos de sus vapores. El agua se vaporiza a 100° C.* **2** Referido a un líquido, esparcirlo en forma de pequeñas gotas: *Estos envases permiten vaporizar la colonia.* □ ORTOGR. 1. Se admite también *evaporizar.* 2. La *z* se cambia en *c* delante de *e* →CAZAR.

vaporoso, sa adj. Fino, ligero o transparente, esp. referido a una tela. □ ETIMOL. Del latín *vaporosus.*

vapulear v. **1** Golpear o dar una paliza: *Dos gamberros lo vapulearon.* **2** Zarandear o mover de un lado a otro repetidamente y con violencia: *Me vapuleó para que le contara lo ocurrido.* □ ETIMOL. Del latín *vapulare* (recibir golpes, ser azotado).

vapuleo s.m. **1** Paliza o conjunto de golpes. **2** Zarandeo o movimiento de un lado a otro repetidamente y con violencia.

vaquería s.f. Lugar en el que se tienen y se crían las vacas, y se vende su leche.

vaquerizo, za ▮ adj. **1** Del ganado bovino o relacionado con él. ▮ s. **2** →**vaquero.** ▮ s.f. **3** Lugar en el que se recoge el ganado vacuno durante el invierno.

vaquero, ra ▮ adj. [**1** Referido a un tejido, que es resistente, más o menos grueso y de color generalmente azul. [**2** Referido esp. a una prenda de vestir, que está confeccionada con esta tela y con un diseño que recuerda la ropa de los ganaderos del Oeste norteamericano. ▮ s. **3** Pastor de reses vacunas; vaquerizo. ▮ s.m. **4** →**pantalón vaquero.** □ MORF. La acepción 4 se usa más en plural. □ SEM. En las acepciones 2 y 4, es sinónimo de *tejano.*

vaquilla s.f. Ternero o cría de la vaca que tiene entre año y medio y dos años.

vara s.f. **1** Palo o rama delgados, lisos y largos. **2** Bastón que se utiliza como símbolo de autoridad. **3** Unidad de longitud que equivale aproximadamente a 83,6 centímetros. **4** En algunas plantas, tallo largo y con flores: *una vara de azucenas.* **5** ‖[**dar la vara**; *col.* Molestar o importunar. ‖**varita mágica**; aquella a la que se atribuyen poderes extraordinarios y que usan hadas, magos y otras personas para hacer prodigios. □ ETIMOL. Del latín *vara* (trave-

saño en forma de puente). □ USO En la acepción 3, es una medida tradicional española.

varada s.f. **1** Encalladura o tropiezo de una embarcación con un obstáculo, esp. rocas, arena, o la misma costa, que la hacen detenerse; varamiento. **2** Operación que consiste en sacar una embarcación a la playa y ponerla en seco para resguardarla, limpiarla o repararla. □ SEM. Es sinónimo de *varadura.*

varadero s.m. Lugar en el que se varan o se ponen en seco las embarcaciones para resguardarlas, limpiarlas o repararlas.

varadura s.f. →**varada.**

varamiento s.m. →**varada.**

varapalo s.m. **1** *col.* Daño, perjuicio o reprimenda que alguien recibe. **2** Golpe dado con un palo o con una vara. **3** Palo largo semejante a una vara.

varar ▮ v. **1** Referido a una embarcación, sacarla a la playa y ponerla en seco para resguardarla, limpiarla o repararla: *Varamos la barca en la playa para reparar las tablas.* **2** Referido a una embarcación, encallar en un obstáculo que la hace detenerse; abarrancar: *El pesquero varó en un banco de arena.* ▮ prnl. **3** En zonas del español meridional, referido a un vehículo, averiarse. □ ETIMOL. De *vara.*

varazo s.m. Golpe dado con una vara.

várdulo, la adj./s. De un antiguo pueblo hispánico prerromano de origen celta que habitaba el territorio que corresponde a la actual provincia de Guipúzcoa y a parte de las de Vizcaya y Álava, o relacionado con ellos.

varea s.f. Movimiento de un árbol con una vara para que al golpearlo caigan sus frutos. □ ORTOGR. Se admite también *vareo.*

varear v. **1** Referido a un árbol, golpearlo y moverlo con una vara para que caigan sus frutos: *Hay que varear los olivos para que las aceitunas caigan al suelo.* **2** Golpear con una vara o palo largo y delgado: *La lana de los colchones se varea para que quede suelta.*

vareo s.m. →**varea.**

vargueño s.m. →**bargueño.**

variabilidad s.f. **1** Capacidad de variar. **2** Inestabilidad o inconstancia.

variable ▮ adj. **1** Que varía o que puede variar. **2** Inestable, inconstante o que varía con facilidad. ▮ s.f. **3** En matemáticas, magnitud que puede tener distintos valores de los comprendidos en un conjunto. □ ETIMOL. Del latín *variabilis.* □ MORF. 1. Como adjetivo es invariable en género. 2. En la acepción 3, la RAE lo registra como adjetivo.

variación s.f. **1** Transformación o cambio. **2** Diversidad o diferenciación; variedad. **3** En música, imitación o recreación de un tema, introduciendo modificaciones melódicas, armónicas, rítmicas o de todo tipo. □ MORF. La acepción 3 se usa más en plural.

variante ▮ s.m. **1** Fruto que se encurte en vinagre para conservarlo. ▮ s.f. **2** Cada una de las formas distintas con que puede aparecer una misma cosa: *He recopilado tres variantes de un mismo romance.* **3** Diferencia que existe entre diversas clases de una misma cosa. **4** En las quinielas de fútbol, signo que indica un resultado de empate o de triunfo del equipo visitante. **5** Desviación de un tramo de carretera o de un camino. □ MORF. En la acepción 1, se usa más en plural.

variar v. 1 Hacer diferente o distinto de como era antes: *He variado mi forma de vestir.* 2 Dar variedad o diversidad: *Debes variar más tus comidas.* 3 Cambiar de características, de propiedad o de estado: *En las zonas costeras, las temperaturas varían menos que en el interior.* □ ETIMOL. Del latín *variare*. □ ORTOGR. La *i* lleva tilde en los presentes, excepto en las personas *nosotros* y *vosotros* →GUIAR.

varice o **várice** s.f. →**variz.**

varicela s.f. Enfermedad contagiosa causada por un virus y que se manifiesta por una erupción cutánea, precedida de debilidad, fiebre y náuseas. □ ETIMOL. Del latín *varicella* (variz pequeña), diminutivo de *variola* (viruela).

varicoso, sa adj. De las varices, con varices o relacionado con ellas. □ ETIMOL. Del latín *varicosus*.

variedad ▌ s.f. 1 Diversidad o diferenciación; variación: *Las múltiples actuaciones le dan gran variedad al espectáculo.* 2 Conjunto de elementos diversos dentro de una misma clase o unidad: *En este comercio tienen una gran variedad de camisas.* 3 Cada uno de los grupos en que se dividen algunas especies de plantas y animales y que se distinguen por la existencia de unas características comunes: *La reineta es una variedad de manzana.* ▌ pl. 4 Espectáculo alegre y ligero en el que alternan diferentes números. □ ETIMOL. Las acepciones 1-3, del latín *varietas.* La acepción 4, del francés *variétés.* □ USO En la acepción 4, es innecesario el uso del galicismo *variétés.*

[variétés s.f.pl. →**variedades.** □ PRON. [varietés]. □ USO Es un galicismo innecesario.

varilarguero s.m. Picador de toros.

varilla s.f. 1 En un paraguas, en un abanico o en otro utensilio semejante, barra o pieza larga y delgada que forma parte de su armazón. 2 En un corsé o en una prenda de vestir semejante, tira de un material duro y flexible que forma parte de su armazón. 3 Barra de hierro larga y redonda, con poco diámetro.

varillaje s.m. En un paraguas, en un abanico o en otro utensilio semejante, conjunto de las varillas que forman su armazón.

vario, ria adj. 1 Diferente, diverso o no igual: *Tengo discos y libros varios.* 2 Que tiene variedad o que está compuesto por una diversidad: *El país cuenta con una agricultura rica y varia.* 3 Cambiante o inconstante: *En primavera suele hacer un tiempo vario e imprevisible.* □ ETIMOL. Del latín *varius* (de colores variados, diverso, inconstante). □ ORTOGR. Dist. de *bario.* □ SEM. En plural equivale a 'algunos' o 'unos cuantos': *Dispongo de varios días para acabar el trabajo. No sé decirte cuántos, pero sé que eran varios.* □ USO *Varios* se usa mucho como epígrafe de secciones o de apartados en los que se engloba una diversidad de elementos: *En la librería había una sección para novela, otra para poesía y otra con el rótulo de 'varios'.*

variopinto, ta adj. Mezclado, variado, de múltiples formas o con elementos distintos. □ ETIMOL. Del italiano *variopinto.*

variz s.f. Dilatación o abultamiento anormales de una vena, producidos por una acumulación de sangre; varice, várice. □ ETIMOL. Del latín *varix.*

varón s.m. Persona de sexo masculino; hombre. □ ETIMOL. Del latín *varo* (fuerte, esforzado). □ ORTOGR. Dist. de *barón.*

varonil adj. 1 Del varón o relacionado con él. 2 Que tiene fuerza, valor, firmeza u otras características tradicionalmente consideradas propias de un varón. □ MORF. Invariable en género. □ SEM. Es sinónimo de *viril.*

vasallaje s.m. 1 En la sociedad europea medieval y del Antiguo Régimen, vínculo o relación de dependencia y de fidelidad contraídos por una persona con un señor. 2 Tributo que el vasallo estaba obligado a pagar a su señor por razón de este vínculo. 3 Sumisión, subordinación o reconocimiento de dependencia a otro.

vasallo, lla ▌ adj./s. 1 En el feudalismo, referido esp. a una persona, que estaba sujeta a un señor mediante el vínculo de vasallaje. ▌ s. 2 *col.* Persona sumisa que reconoce su dependencia e inferioridad. 3 Súbdito de un soberano o de un Gobierno independiente. □ ETIMOL. Del céltico **vasallos* (semejante a un criado).

vasco, ca ▌ adj./s. 1 Del País Vasco (comunidad autónoma), o relacionado con él; vascongado. 2 Del País Vasco francés (región del sudoeste francés), o relacionado con él; vascofrancés. ▌ s.m. 3 Lengua del País Vasco y de Navarra (comunidades autónomas) y del territorio vascofrancés. □ SEM. En la acepción 3, es sinónimo de *euskera, eusquera* y *vascuence.*

vascofrancés, -a adj./s. Del País Vasco francés (región del sudoeste francés), o relacionado con él; vasco.

[vascohablante adj./s. Que habla la lengua vasca sin dificultad, esp. si ésta es su lengua materna. □ MORF. 1. Como adjetivo es invariable en género. 2. Como sustantivo es de género común: *el 'vascohablante', la 'vascohablante'.*

vascón, -a adj./s. De la Vasconia (región hispana prerromana que se extendía por el actual territorio navarro y parte del vasco, del aragonés y del riojano), o relacionado con ella.

vascongado, da adj./s. Del País Vasco (comunidad autónoma), o relacionado con él; vasco.

vascuence adj./s.m. Referido a una lengua, que es la del País Vasco y Navarra (comunidades autónomas) y la del territorio vascofrancés. □ MORF. Como adjetivo es invariable en género. □ SEM. Como sustantivo es sinónimo de *euskera, eusquera* y *vasco.*

vascular adj. De los vasos o tejidos presentes en las plantas o en los animales y que sirven para transportar líquidos o fluidos. □ ETIMOL. Del latín *vascularis.* □ ORTOGR. Dist. de *bascular.* □ MORF. Invariable en género.

[vasectomía s.f. Operación quirúrgica que se practica a un hombre para esterilizarlo y que consiste en seccionar algunos de los conductos del órgano reproductor masculino. □ ETIMOL. Del latín *vasum* (vaso) y el griego *ektomé* (corte, extirpación).

[vasectomizar v. Referido a un hombre, realizarle una vasectomía: *El protagonista de la telecomedia había sido vasectomizado.* □ ORTOGR. La *z* se cambia en *c* delante de *e* →CAZAR.

vaselina s.f. 1 Sustancia grasa, blanquecina o transparente, que se obtiene de la parafina y aceites densos del petróleo, y que se usa mucho como lubricante y para la fabricación de pomadas y otros productos farmacéuticos. [2 En fútbol o en otros deportes, lanzamiento del balón suavemente y describiendo una parábola por encima del portero. □ ETI-

MOL. Del inglés *vaseline*. Extensión del nombre de una marca comercial.

vasija s.f. Recipiente hondo, generalmente pequeño, que se usa para contener líquidos o alimentos. ☐ ETIMOL. Del latín *vasilia*.

vaso s.m. **1** Recipiente generalmente de vidrio y de forma cilíndrica que se usa para beber. **2** Recipiente o pieza de forma cóncava, capaces de contener algo: *En el laboratorio hay vasos graduados de distintos tamaños*. **3** En un organismo animal, conducto por el que circulan la sangre o la linfa. **4** En una planta, conducto por el que circula la savia o el látex. **5** ‖ **vasos comunicantes**; los que se comunican por tubos situados en su parte inferior. ☐ ETIMOL. Del latín *vas* (vasija).

[vasoconstrictor, -a adj./s.m. Referido esp. a un medicamento, que produce vasoconstricción.

[vasodilatación s.f. En medicina, aumento del diámetro de los vasos sanguíneos, producido por relajación de las fibras musculares de sus paredes, y que conlleva una disminución de la tensión vascular. ☐ ETIMOL. De *vaso* y *dilatación*.

[vasodilatador, -a adj./s.m. Referido esp. a un medicamento, que produce vasodilatación.

[vasomotor, -a adj. **1** En medicina, del movimiento de regulación del diámetro de los vasos sanguíneos o relacionado con él. **2** Referido a un nervio o a un agente, que actúa sobre este movimiento.

vástago s.m. **1** En una planta, rama tierna que brota de ella. **2** Respecto de una persona, hijo o descendiente suyos. **3** Pieza en forma de varilla metálica que sirve para articular o sostener otras piezas: *Las dos hojas del biombo están unidas por vástagos*. ☐ ETIMOL. Quizá del latín *bastum* (palo).

vastedad s.f. Amplitud, gran extensión o grandeza. ☐ ORTOGR. Dist. de *bastedad*.

vasto, ta adj. Amplio, muy extenso o muy grande. ☐ ETIMOL. Del latín *vastus* (devastado, vacío, desierto). ☐ ORTOGR. Dist. de *basto*.

vate s.m. Poeta, esp. referido al ya consagrado o ilustre. ☐ ETIMOL. Del latín *vates* (poeta inspirado por una divinidad). ☐ ORTOGR. Dist. de *bate*. ☐ USO es característico del lenguaje culto.

váter s.m. **1** Recipiente conectado con una tubería y provisto de una cisterna con agua, que sirve para evacuar los excrementos; inodoro, retrete. **2** col. Cuarto de baño. ☐ ETIMOL. Del inglés *water*. ☐ USO Es innecesario el uso de los anglicismos *water* y *water-closet*.

vaticano, na adj. **1** Del Vaticano (ciudad estado situada en la península italiana, en la que se encuentra la sede papal), o relacionado con él. **2** Del Papa, de la corte pontificia o relacionado con ellos.

vaticinar v. Referido a un suceso futuro, pronosticarlo, profetizarlo o anunciarlo: *Si no estudias, te vaticino un futuro poco agradable*.

vaticinio s.m. Pronóstico, adivinación o predicción de un suceso futuro. ☐ ETIMOL. Del latín *vaticinium*, y éste de *vates* (adivino, profeta) y *canere* (cantar).

vatímetro s.m. Instrumento que sirve para medir los vatios de una corriente eléctrica. ☐ ETIMOL. De *vatio* y *-metro* (medidor).

vatio s.m. En el Sistema Internacional, unidad básica de potencia que equivale a la potencia que da lugar a una producción de energía igual a un julio por segundo; watt. ☐ ETIMOL. De *watt*.

vaya interj. Expresión que se usa para indicar sorpresa, satisfacción, contrariedad o disgusto. ☐ ETIMOL. De *ir*. ☐ ORTOGR. Dist. de *baya* y *valla*. ☐ SEM. En frases exclamativas, antepuesto a un sustantivo, tiene un sentido intensificador: *¡Vaya cochazo!*

ve s.f. **1** →**uve**. **2** ‖ **doble ve**; en zonas del español meridional, nombre de la letra *w*. ‖ **[ve corta**; en zonas del español meridional, nombre de la letra *v*.

vecinal adj. De los vecinos, de su municipio o relacionado con ellos. ☐ MORF. Invariable en género.

vecindad s.f. **1** Condición de la persona que vive en una misma población, barriada o casa que otros, teniendo vivienda independiente. **2** Conjunto de las personas que comparten esta condición. **3** Cercanía, proximidad o inmediatez entre dos cosas. ☐ ETIMOL. Del latín *vicinitas*.

vecindario s.m. Conjunto de los vecinos de una población, de una barriada o de una casa.

vecino, na ▌ adj. **1** Cercano, próximo o inmediato: *país vecino*. **2** Semejante, parecido o que coincide: *Las dos ciudades tienen problemas vecinos*. ▌ adj./s. **3** Referido a una persona, que vive en la misma población, barriada o casa que otros, teniendo vivienda independiente. ☐ ETIMOL. Del latín *vicinus*, y éste de *vicus* (barrio, pueblo).

vector s.m. En física, magnitud o propiedad que puede ser medida y en la que hay que considerar, además de la cuantía, la dirección, el sentido y el punto de aplicación: *La velocidad y la fuerza son vectores*. ☐ ETIMOL. Del latín *vector* (el que lleva a cuestas o conduce).

vectorial adj. De los vectores o relacionado con ellos. ☐ MORF. Invariable en género.

veda s.f. **1** Prohibición hecha por ley o por mandato. **2** Tiempo durante el que está legalmente prohibido cazar o pescar.

vedado s.m. Lugar acotado o cerrado por mandato de la ley o de alguna ordenanza.

vedar v. **1** Prohibir por ley o por mandato: *La ley veda la estancia en el país a los extranjeros indocumentados*. **2** Impedir, dificultar u obstaculizar: *Una valla veda el paso a la finca privada*. ☐ ETIMOL. Del latín *vetare* (prohibir, vetar). ☐ ORTOGR. Dist. de *vetar*.

[vedetismo o **[vedettismo** s.m. col. Comportamiento de la persona que se considera la mejor desempeñando una actividad concreta. ☐ USO Tiene un matiz despectivo.

[vedette (galicismo) s.f. Mujer que actúa como artista principal en un espectáculo de variedades. ☐ PRON. Se usa mucho la pronunciación galicista [vedét].

[védico, ca adj. De los Vedas (libros sagrados hindúes) o relacionado con ellos.

vedismo s.m. Religión hindú cuyos dogmas y preceptos están contenidos en los textos sagrados llamados Vedas.

vega s.f. Terreno bajo, llano, fértil y generalmente regado por un río. ☐ ETIMOL. Quizá de origen prerromano.

vegetación ▌ s.f. **1** Conjunto de vegetales propios de una zona o de un clima. ▌ pl. **2** Desarrollo excesivo de las amígdalas faríngea y nasal y, sobre todo, de las partes posteriores de las fosas nasales.

vegetal ▌ adj. **1** De las plantas o relacionado con ellas. **2** Que vegeta o lleva una vida propia de una planta. ▌ s.m. **3** Ser orgánico que crece y vive sin capacidad para cambiar de lugar por impulso voluntario; planta. ☐ MORF. Como adjetivo es invariable en género.

vegetar v. **1** Referido a una planta, germinar, nutrirse, crecer y desarrollarse: *Las plantas necesitan agua y sustancias minerales para vegetar.* **2** Referido a una persona, vivir de manera maquinal o sin desarrollar otra actividad que la puramente orgánica, como hacen las plantas: *La enfermedad había mermado tanto sus facultades que sólo vegetaba.* **3** col. Referido a una persona, disfrutar voluntariamente de una vida tranquila, sin trabajo ni preocupaciones: *En vacaciones me limito a vegetar.* ☐ ETIMOL. Del latín *vegetare* (animar, vivificar).

vegetarianismo s.m. Régimen alimenticio basado principalmente en el consumo exclusivo de productos vegetales.

vegetariano, na ∎ adj. **1** Del vegetarianismo o relacionado con este régimen alimenticio. ∎ adj./s. **2** Partidario o practicante del vegetarianismo. ☐ ETIMOL. Del francés *végétarien.*

vegetativo, va adj. **1** Que vegeta o tiene vigor para desarrollarse y multiplicarse: *Las plantas son organismos vegetativos.* **2** En biología, relacionado con la nutrición, el desarrollo y la reproducción, sin intervención de la voluntad.

veguer s.m. **1** En Andorra (país europeo), delegado de cada uno de los dos gobernantes que comparten la soberanía política del país: *Los dos vegueres ejercen su autoridad en nombre del copríncipe francés y del copríncipe español respectivamente.* **2** Antiguamente, en los territorios aragonés, catalán y mallorquín, magistrado nombrado por el rey para ejercer funciones de alcalde y de juez en un municipio: *Los vegueres del reino de Aragón tenían competencias similares a las de los corregidores del reino de Castilla.* ☐ ETIMOL. Del latín *vicarius* (lugarteniente).

vehemencia s.f. Apasionamiento o precipitación e irreflexión en la forma de actuar.

vehemente adj. **1** Apasionado o lleno de ardor. **2** Referido a una persona, que obra de forma irreflexiva y dejándose llevar por los impulsos. ☐ ETIMOL. Del latín *vehemens* (impulsivo, impetuoso). ☐ MORF. Invariable en género.

vehículo s.m. **1** Medio de transporte, esp. el automóvil. **2** Lo que sirve para conducir o para transmitir algo fácilmente: *El aire actúa como vehículo de las ondas sonoras.* **3** ‖ [vehículo industrial; el que sirve para transportar mercancía pesada. ☐ ETIMOL. Del latín *vehiculum*, y éste de *vehere* (llevar a cuestas, llevar en carro, transportar).

veintavo, va numer. → veinteavo.

veinte ∎ numer. **1** Número 20: *veinte sillas.* ∎ s.m. **2** Signo que representa este número: *Los romanos escribían el veinte como 'XX'.* ☐ ETIMOL. Del latín *viginti.* ☐ MORF. Como numeral es invariable en género y en número.

[**veinteañero, ra** adj./s. col. Referido a una persona, que tiene más de veinte años y menos de treinta.

veinteavo, va numer. Referido a una parte, que constituye un todo junto con otras diecinueve iguales a ella; vigésimo. ☐ ORTOGR. Se admite también *veintavo.* ☐ SEM. Su uso como numeral ordinal es incorrecto: *Llegué en {*veinteava > vigésima} posición.*

veintena s.f. Conjunto de veinte unidades.

veinticinco ∎ numer. **1** Número 25: *veinticinco años.* ∎ s.m. **2** Signo que representa este número: *Los romanos escribían el veinticinco como 'XXV'.* ☐ PRON. Incorr. *[venticínco]. ☐ MORF. Como numeral es invariable en género y en número.

veinticuatro ∎ numer. **1** Número 24: *veinticuatro horas.* ∎ s.m. **2** Signo que representa este número: *Los romanos escribían el veinticuatro como 'XXIV'.* ☐ PRON. Incorr. *[venticuátro]. ☐ MORF. Como numeral es invariable en género y en número.

veintidós ∎ numer. **1** Número 22: *veintidós años.* ∎ s.m. **2** Signo que representa este número: *Los romanos escribían el veintidós como 'XXII'.* ☐ PRON. Incorr. *[ventidós]. ☐ MORF. Como numeral es invariable en género y en número.

veintinueve ∎ numer. **1** Número 29: *veintinueve días.* ∎ s.m. **2** Signo que representa este número: *Los romanos escribían el veintinueve como 'XXIX'.* ☐ PRON. Incorr. *[ventinuéve]. ☐ MORF. **1**. Como numeral es invariable en género y en número.

veintiocho ∎ numer. **1** Número 28: *veintiocho sillones.* ∎ s.m. **2** Signo que representa este número: *Los romanos escribían el veintiocho como 'XXVIII'.* ☐ PRON. Incorr. *[ventiócho]. ☐ MORF. Como numeral es invariable en género y en número.

veintiséis ∎ numer. **1** Número 26: *veintiséis actores.* ∎ s.m. **2** Signo que representa este número: *Los romanos escribían el veintiséis como 'XXVI'.* ☐ PRON. Incorr. *[ventiséis]. ☐ MORF. Como numeral es invariable en género y en número.

veintisiete ∎ numer. **1** Número 27: *veintisiete días.* ∎ s.m. **2** Signo que representa este número: *Los romanos escribían el veintisiete como 'XXVII'.* ☐ PRON. Incorr. *[ventisiéte]. ☐ MORF. Como numeral es invariable en género y en número.

[**veintitantos, tas** numer. col. Veinte y alguno más, sin llegar a treinta. ☐ PRON. Incorr. *[ventitántos]. ☐ MORF. Invariable en número.

veintitrés ∎ numer. **1** Número 23: *veintitrés kilómetros.* ∎ s.m. **2** Signo que representa este número: *Los romanos escribían el veintitrés como 'XXIII'.* ☐ PRON. Incorr. *[ventitrés]. ☐ MORF. Como numeral es invariable en género y en número.

veintiún numer. → veintiuno. ☐ PRON. Incorr. *[ventiún]. ☐ MORF. Apócope de *veintiuno* ante sustantivo masculino y ante sustantivo femenino que empieza por *a* tónica o acentuada.

veintiuno, na ∎ numer. **1** Número 21: *veintiún días; veintiuna pesetas.* ∎ s.m. **2** Signo que representa este número: *Los romanos escribían el veintiuno como 'XXI'.* **3** ‖ (las) veintiuna; juego de cartas o de dados en el que gana el jugador que hace veintiún puntos exactos o el que se acerca más a ellos sin sobrepasarlos. ☐ PRON. Incorr. *[ventiúno]. ☐ MORF. **1**. Como numeral es invariable en número. **2**. Ante sustantivo masculino o ante femenino que empieza por *a* tónica o acentuada, se usa la apócope *veintiún.* ☐ USO En la acepción 3, es innecesario el uso del anglicismo *blackjack.*

vejación s.f. o **vejamen** s.m. Maltrato, padecimiento o molestia causados a una persona, generalmente mediante humillaciones. ☐ USO *Vejamen* es el término menos usual.

vejar v. Referido a una persona, maltratarla, molestarla o hacerla padecer, generalmente mediante humillaciones: *Hazte respetar y no consientas que te vejen.* ☐ ETIMOL. Del latín *vexare* (sacudir violentamente, maltratar). ☐ ORTOGR. Conserva la *j* en toda la conjugación.

vejatorio, ria adj. Que veja o humilla.

vejestorio s.m. *col.* Persona muy vieja. ☐ USO Tiene un matiz despectivo.

vejez s.f. **1** Estado o condición de la persona o del animal que tiene muchos años. **2** Condición de lo que no es nuevo ni reciente o está gastado por el uso. **3** Último período del ciclo vital de una persona o de un animal.

vejiga s.f. En el sistema excretor de muchos vertebrados, órgano muscular y membranoso, parecido a una bolsa, en el que se va depositando la orina procedente de los riñones y que es expulsada desde aquí al exterior a través de la uretra. ☐ ETIMOL. Del latín *vesica*.

vela ∎ s.f. **1** Cilindro de cera o de otra materia grasa, con un cordón que lo atraviesa por su centro y que, al encenderlo, produce luz; candela. 🕯 alumbrado **2** Pieza de lona o de otro tejido resistente que se amarra a los palos de un barco para recibir el viento e impulsar de esta manera la nave. [**3** Deporte de competición que se practica con este tipo de barcos. **4** Permanencia sin dormir durante el tiempo que normalmente se dedica al sueño. ∎ pl. **5** *col.* Mocos que cuelgan de la nariz. **6** ‖ **a dos velas**; *col.* **1** Con poco o ningún dinero. *col.* **2** Sin entender o enterarse de nada. ‖ **en vela**; sin dormir. ‖ **hacerse a la vela**; en zonas del español meridional, hacerse a la mar. ‖ **vela cuadra**; la que tiene forma cuadrangular. ‖ **vela latina**; la que tiene forma triangular. ☐ ETIMOL. Las acepciones 1 y 4, de *velar* (estar sin dormir). Las acepciones 2 y 3, del latín *vela* (velos, cortinas). ☐ SINT. *A dos velas* se usa más con los verbos *estar*, *quedarse* o equivalentes.

velada s.f. **1** Reunión nocturna de varias personas para entretenerse. **2** Fiesta musical, literaria o deportiva que se celebra por la noche. ☐ ETIMOL. De *velar* (estar sin dormir).

velador s.m. **1** Mesa pequeña de un solo pie y generalmente redonda. **2** En zonas del español meridional, mesilla de noche. **3** En zonas del español meridional, sereno. **4** En zonas del español meridional, vela gruesa que suele estar dentro de un vaso.

velaje o **velamen** s.m. Conjunto de velas de una embarcación. ☐ USO *Velaje* es el término menos usual.

velar ∎ adj. **1** En lingüística, referido a un sonido, que se articula con el dorso de la lengua próximo al velo del paladar o en contacto con él: *Las vocales 'o' y 'u' son velares.* ∎ s.f. **2** Letra que representa este sonido: *La 'q' es una velar.* ∎ v. **3** Estar sin dormir el tiempo que normalmente se dedica al sueño: *He velado toda la noche esperando tu llegada.* **4** Cuidar solícitamente o con esmero: *La policía vela por la seguridad de los ciudadanos.* **5** Vigilar, atender o cuidar durante la noche: *Veló a su padre enfermo por si necesitaba algo.* **6** Referido a un difunto, acompañarlo durante la noche o pasarla cuidándolo: *Velaron al difunto en una sala del tanatorio.* **7** Hacer guardia durante la noche: *Los centinelas velaban el castillo por orden de su señor.* **8** Cubrir con un velo:

El mareo hizo que se me velara la vista. **9** Cubrir, ocultar a medias, atenuar o disimular: *Ese hipócrita veló sus verdaderas intenciones.* ∎ prnl. **10** Referido a un carrete fotográfico o a una fotografía, borrarse total o parcialmente sus imágenes por la acción indebida de la luz: *Se le veló el carrete.* ☐ ETIMOL. Las acepciones 1, 2, 8-10, del latín *velum* (velo). Las acepciones 3-7, del latín *vigilare* (estar atento, vigilar). ☐ MORF. Como adjetivo es invariable en género.

velatorio s.m. **1** Acto de acompañar o cuidar a un difunto durante la noche. **2** Lugar en el que se vela a un difunto, esp. en un hospital o en un tanatorio.

velazqueño, ña adj. De Velázquez (pintor barroco español del siglo XVII) o con características de sus obras.

[velcro s.m. Sistema de cierre o de sujeción que está formado por dos tiras de tejidos diferentes que, al ponerse en contacto, se enganchan y pueden desengancharse una y otra vez. ☐ ETIMOL. Extensión del nombre de una marca comercial.

veleidad s.f. Inconstancia, ligereza o cambio frecuente. ☐ ETIMOL. Del latín *veleitas*.

veleidoso, sa s.f. adj. Inconstante o mudable en la forma de actuar, de pensar o de sentir: *No te fíes de las promesas de ese joven veleidoso.*

velero s.m. **1** Barco de vela o que aprovecha la fuerza del viento. [**2** Tipo de planeador con unas características de vuelo muy buenas.

veleta ∎ s. **1** Persona inconstante, mudable y voluble. ∎ s.f. **2** Pieza de metal, generalmente en forma de flecha, que gira alrededor de un eje impulsada por el viento, y que sirve para señalar la dirección en la que sopla. ☐ ETIMOL. Del italiano *veletta*. ☐ MORF. En la acepción 1, es de género común: *el veleta, la veleta.*

vello s.m. **1** En una persona, pelo más corto y suave que el de la cabeza y que sale en algunas zonas del cuerpo. **2** En una fruta o en una planta, pelo suave y corto que las recubre y les da un aspecto aterciopelado. ☐ ETIMOL. Del latín *villus* (pelo de los animales o de los paños). ☐ ORTOGR. Dist. de *bello*.

vellocino s.m. **1** Conjunto de la lana de un carnero o de una oveja que se han esquilado. **2** Cuero de oveja o de carnero, curtido de forma que conserve la lana, que sirve para preservar de la humedad y del frío. ☐ ETIMOL. Del latín **velluscinum*, y éste de *vellus* (montón de la lana de una res recién esquilada). ☐ SEM. Es sinónimo de *vellón*.

vellón s.m. **1** Conjunto de la lana de un carnero o de una oveja que se han esquilado. **2** Cuero de oveja o de carnero, curtido de forma que conserve la lana y que sirve para preservar de la humedad y del frío. **3** Mechón o guedeja de lana. **4** Aleación de plata y de cobre con la que se hicieron monedas antiguamente. **5** Moneda de cobre que se usó en lugar de la fabricada con esta aleación. ☐ ETIMOL. Las acepciones 1-3, del latín *vellus* (lana de una res esquilada). Las acepciones 4 y 5, del francés *billon* (lingote). ☐ SEM. En las acepciones 1 y 2, es sinónimo de *vellocino*.

vellosidad s.f. Abundancia de pelo: *Utiliza crema depilatoria para eliminar la vellosidad de las piernas.*

velloso, sa adj. Que tiene vello.

velludo, da adj. Que tiene mucho vello.

velo s.m. **1** Tela de tul, de gasa o de otro tipo que es fina o transparente, con la que se cubre algo. **2** Lo que encubre más o menos la vista clara de algo. **3** ‖ ⟨correr/echar⟩ un (tupido) velo sobre algo; col. Callarlo o dejarlo para que se olvide, porque no conviene mencionarlo o recordarlo. ‖ velo del paladar; membrana muscular que separa la cavidad bucal de la faringe. ◻ ETIMOL. Del latín *velum* (velo, cortina, tela).

velocidad s.f. **1** Ligereza o rapidez en el movimiento o en la acción. **2** Relación entre el espacio recorrido y el tiempo que se tarda en recorrerlo: *La velocidad de la luz es aproximadamente de trescientos mil kilómetros por segundo.* **3** En un vehículo, cada una de las posiciones de la caja de cambios. [**4** En informática, frecuencia o rapidez con la que trabaja el microprocesador principal de un ordenador. **5** ‖ [velocidad de crucero; la más rápida que puede desarrollar un vehículo, esp. un avión o un barco, consumiendo la menor cantidad de combustible. ‖ [velocidad de sedimentación; rapidez con la que se sedimenta la sangre. ‖ [velocidad punta; la máxima que puede alcanzar un vehículo. ◻ ETIMOL. Del latín *velocitas*.

velocímetro s.m. En un vehículo, aparato que indica la velocidad que lleva en su desplazamiento. ◻ ETIMOL. Del latín *velox* (veloz) y *-metro* (medidor).

velocípedo s.m. Vehículo formado por un asiento y dos o tres ruedas, que se mueve por medio de pedales. ◻ ETIMOL. Del latín *velox* (veloz) y *pes* (pie).

velocista s. Deportista que participa en carreras en las que la velocidad es lo más importante. ◻ MORF. Es de género común: *el velocista, la velocista.*

velódromo s.m. Lugar destinado a la celebración de carreras en bicicleta. ◻ ETIMOL. Del francés *vélodrome*, y éste de *vélo* (velocípedo) y la terminación de *hippodrome*.

velorio s.m. Velatorio, esp. el que se hace para velar a un niño difunto.

veloz adj. Ligero, ágil o que se mueve, se ejecuta o discurre con gran rapidez. ◻ ETIMOL. Del latín *velox* (veloz, rápido). ◻ MORF. Invariable en género. ◻ SINT. Se usa también como adverbio de modo: *El tiempo pasa 'veloz'.*

vena s.f. **1** En el sistema circulatorio, cada uno de los vasos o conductos por los que la sangre vuelve al corazón. 🔊 corazón **2** Inspiración o facilidad para determinada actividad: *Todos en su familia tienen vena de músicos.* **3** Lista o faja que se distingue del resto, generalmente por su calidad o por su color: *Este terreno tiene una vena de granito.* **4** Filón de metal. **5** Conducto natural por el que circula el agua en el interior de la tierra. **6** ‖ darle la vena a alguien; col. Ocurrírsele de repente una idea que le hace llevar a cabo una resolución impensada: *De vez en cuando le da la vena, nos suelta cualquier excusa y se va.* ‖ estar en vena; col. Estar inspirado o tener grandes ideas. ‖ (vena) cava; cada una de las dos mayores del cuerpo que se unen para entrar en la aurícula derecha del corazón. ‖ (vena) porta; la que conduce la sangre del intestino y del bazo al hígado. ‖ (vena) safena; cada una de las dos principales que van a lo largo de la pierna, una por la parte interior y otra por la parte exterior de la tibia. ‖ (vena) subclavia; cada una de las dos más cercanas a la principal del brazo o de la extre-

midad anterior. ‖ (vena) yugular; cada una de las dos que hay a uno y a otro lado del cuello. ◻ ETIMOL. Del latín *vena*. ◻ SEM. En las acepciones 3 y 4, es sinónimo de *veta*.

venada s.f. Véase **venado, da.**

venado, da ∎ adj. [**1** col. Ligeramente loco o con el juicio un poco trastornado. ∎ s.m. **2** Mamífero rumiante, de color pardo rojizo o gris, cuerpo esbelto, patas largas y hocico agudo, que vive generalmente en estado salvaje y cuyo macho, de mayor tamaño que la hembra, presenta grandes cuernos ramificados que renueva cada año; ciervo. 🔊 rumiante ∎ s.f. **3** Ataque de locura. ◻ ETIMOL. Del latín *venatus* (caza, producto de la caza). ◻ MORF. En la acepción 2, es un sustantivo epiceno: *el venado macho, el venado hembra.*

venal adj. **1** Que puede ser vendido o que se destina a la venta. **2** Que se deja sobornar. ◻ ETIMOL. Del latín *venalis* (que se puede vender). ◻ MORF. Invariable en género.

venalidad s.f. **1** Posibilidad que tiene algo de ser vendido o de ser destinado a la venta. **2** Consentimiento que da una persona para ser sobornada.

vencedor, -a adj./s. Que vence.

vencejo s.m. Pájaro insectívoro, de pico pequeño y algo encorvado en la punta, con alas largas y puntiagudas, plumaje blanco en la garganta y negro en el resto del cuerpo y cola muy larga con forma de horquilla. ◻ ETIMOL. Del antiguo *oncejo*. ◻ MORF. Es un sustantivo epiceno: *el vencejo macho, el vencejo hembra.*

vencer v. **1** Referido a un enemigo, sujetarlo, someterlo o derrotarlo: *Julio César venció a los galos.* **2** Referido a una persona, rendirla, fatigarla o poderla: *Me voy a la cama porque me vence el sueño.* **3** En una competición o en una comparación, aventajar, superar, exceder o resultar preferido: *El equipo español venció por cuatro puntos.* **4** Referido esp. a una pasión o a un sentimiento, sujetarlos o rendirlos a la razón: *Debes vencer la pereza y ponerte a estudiar.* **5** Referido a una dificultad o a un obstáculo, superarlos obrando contra ellos: *Debes vencer la falta de medios y presentar el trabajo como sea.* **6** Ladear, torcer o inclinar: *Siéntate bien, porque vas a vencer la silla. Se ha vencido la repisa por el peso de los libros.* **7** Referido a un plazo o a un término de tiempo, cumplirse o pasar: *El plazo de matrícula vence el próximo día 15.* ◻ ETIMOL. Del latín *vincere*. ◻ ORTOGR. La *c* se cambia en *z* delante de *a*, *o* →VENCER.

[vencido, da adj./s. Que ha sido vencido.

vencimiento s.m. **1** Inclinación o torcimiento de algo material. **2** Cumplimiento del plazo de una deuda, de una obligación o de un contrato.

venda s.f. **1** Tira de tela, de gasa o de un tejido similar, que se enrolla alrededor de una parte del cuerpo para protegerla o inmovilizarla. ◻ ETIMOL. Del germánico *binda*.

vendaje s.m. **1** Colocación de una venda alrededor de una parte del cuerpo para protegerla o inmovilizarla. [**2** Venda o conjunto de vendas colocadas de esta manera.

vendar v. Referido esp. a una parte del cuerpo, cubrirla con una venda o tira de tela: *Le vendaron la pierna otra semana más.*

vendaval s.m. Viento muy fuerte. ◻ ETIMOL. Del francés *vent d'aval* (viento de abajo).

vendedor, -a adj./s. Que vende.

vender ▌ v. **1** Referido a algo propio, cederlo u ofrecerlo a cambio de un precio convenido: *Vendí mi piso porque me compré una casa mayor.* **2** Referido a una persona, traicionarla o aprovechar su confianza, su fe y su amistad para el beneficio propio: *Me vendiste al decirles dónde podían encontrarme.* **[3** Referido a una idea, intentar que alguien se la crea: *Me intentaron 'vender' que aquel fracaso había sido una artimaña comercial.* ▌ prnl. **4** Dejarse sobornar o prestar servicios, generalmente fraudulentos, a cambio de dinero o de algo valioso: *El equipo perdedor cree que el árbitro se ha vendido.* ☐ ETIMOL. Del latín *vendere.*

[vendetta (italianismo) s.f. Venganza entre clanes rivales. ☐ PRON. [vendéta]. ☐ SEM. En el lenguaje del deporte, está muy extendido su uso con el significado de 'revancha' o 'desquite'.

vendimia s.f. **1** Recolección y cosecha de la uva. **2** Tiempo en que se recoge la uva. ☐ ETIMOL. Del latín *vindemia,* y éste de *vinum* (vino) y *demere* (quitar).

vendimiador, -a s. Persona que vendimia o recoge la cosecha de la uva, esp. si ésta es su profesión.

vendimiar v. Recoger la uva de las viñas: *En algunos lugares vendimian a finales de septiembre.* ☐ ORTOGR. La *i* nunca lleva tilde.

veneciano, na ▌ adj./s. **1** De Venecia (ciudad de Italia) o relacionado con ella. ▌ s.f. **[2 →persiana veneciana.**

veneno s.m. **1** Sustancia que ocasiona la muerte o trastornos graves. **2** Lo que resulta nocivo o perjudicial para la salud. **3** Lo que puede causar un daño moral. ☐ ETIMOL. Del latín *venenum* (droga en general).

venenoso, sa adj. **1** Que incluye o contiene veneno. **2** *col.* Que tiene mala intención.

venerable ▌ adj. **1** Digno de veneración o de respeto. **2** Referido a una persona, que es de conocida virtud. ▌ adj./s. **3** En la iglesia católica, referido a una persona, que ha muerto con fama de santidad. ☐ MORF. **1.** Como adjetivo es invariable en género. **2.** Como sustantivo es de género común: *el venerable, la venerable.*

venerar v. **1** Referido a algo que se considera positivo, respetarlo absolutamente por su santidad, su virtud, su dignidad o su significado: *Venera a sus ancianos padres.* **2** Referido a Dios, a un santo o a algo sagrado, darles o rendirles culto: *Venera a Dios con el trabajo y el sacrificio diarios.* ☐ ETIMOL. Del latín *venerari.*

venéreo, a adj. Referido a una enfermedad, que se contrae por contacto sexual. ☐ ETIMOL. Del latín *venerius* (relativo a Venus).

venezolano, na adj./s. De Venezuela (país suramericano), o relacionado con ella.

[venga interj. **1** *col.* Expresión que se usa para indicar incredulidad o rechazo: *¡Venga', eso no me lo creo!* **2** *col.* Expresión que se usa para animar a alguien o para meterle prisa: *¡Venga', 'venga', que llegamos tarde!*

vengador, -a adj./s. Que se venga.

venganza s.f. Pago o devolución de la ofensa o del daño recibidos.

vengar v. Referido a una ofensa o a un daño, responder a ellos con otra ofensa o con otro daño; vindicar: *Vengó la muerte de su padre. Cuando consiguió el éxito, se vengó de aquellos que no creyeron en ella.*

☐ ETIMOL. Del latín *vindicare* (reivindicar, reclamar, librar). ☐ ORTOGR. La *g* se cambia en *gu* delante de *e* →PAGAR. ☐ SINT. Constr. como pronominal: *vengarse DE algo.*

vengativo, va adj./s. Inclinado o decidido a vengarse de cualquier ofensa o daño. ☐ MORF. La RAE sólo lo registra como adjetivo.

venia s.f. Licencia o permiso para hacer algo concedidos por una autoridad: *Con la venia de Su Señoría, expondré los motivos por los que solicito la absolución del acusado.* ☐ ETIMOL. Del latín *venia* (favor, gracia, perdón).

venial adj. Que se opone levemente a una ley o precepto y por ello es de fácil remisión o perdón. ☐ ETIMOL. Del latín *venialis.* ☐ MORF. Invariable en género.

venialidad s.f. Levedad de un pecado o de una falta contra la ley.

venida s.f. **1** Ida o traslado al lugar en que está la persona que habla. **2** Llegada, aparición o comienzo. **3** Vuelta al lugar del que se partió; regreso.

venir v. **1** Caminar o moverse en dirección a la persona que habla: *Me asomé a la terraza para ver si venían ya.* **2** Llegar al lugar en que está la persona que habla: *¿Va a venir tu amiga?* **3** Producirse, ocurrir o llegar: *Dicen que las desgracias nunca vienen solas.* **4** Manifestarse o iniciarse: *De vez en cuando me viene un extraño mareo.* **5** Proceder, derivar o tener origen: *Esa chica viene de una familia adinerada.* **6** Figurar, aparecer o estar incluido: *En el periódico no viene nada del accidente.* **7** Surgir o aparecer en la imaginación o en la memoria: *Ya me viene a la memoria aquella tarde.* **8** Ser apropiado u oportuno: *Me viene bien quedar contigo esta tarde.* **9** Referido a una posesión, pasar su dominio de unos a otros: *La casa me vino por herencia.* **10** Referido esp. a una prenda de vestir, quedar o sentar como se indica: *Este pantalón me viene estrecho.* **11** Referido esp. a una sensación o a una enfermedad, empezar a dejarse sentir: *Tengo un poco de fiebre y creo que me va a venir una gripe.* **12** Seguido de gerundio, persistir en la acción que éste indica: *Este problema viene sucediendo desde hace tiempo.* **13** Seguido de la preposición *a* y de algunos infinitivos, denota equivalencia aproximada: *Eso viene a costar trescientas pesetas.* **14** Seguido de la preposición *con,* decir o manifestar: *No me vengas con tonterías.* **15** ‖**venir a menos;** deteriorarse, empeorar o caer del estado que se tenía: *Esa familia ha venido a menos.* ‖**venirse abajo** alguien; hundirse moralmente: *Cuando perdió el trabajo se vino abajo.* ☐ ETIMOL. Del latín *venire* (ir, venir). ☐ MORF. Irreg. →VENIR.

venoso, sa adj. **1** De las venas o relacionado con ellas. **2** Que tiene venas o que las tiene muy perceptibles.

venta s.f. **1** Cesión de algo a cambio de dinero o de otra forma de pago. **2** Cantidad de cosas vendidas. **3** Establecimiento situado en caminos y despoblados en el que antiguamente se daba hospedaje a los viajeros. **4** ‖**[venta ambulante;** [la que se realiza en espacios al aire libre, en zonas verdes o en la vía pública, en fechas determinadas. ‖**[venta puerta a puerta;** la que se efectúa en el domicilio de los compradores. ☐ ETIMOL. Del latín *vendita.*

ventaja s.f. **1** Superioridad de una persona o cosa sobre otra: *La ganadora me sacó una ventaja de dos metros.* **2** Condición, cualidad o circunstancia favorables: *Ese trabajo tiene más inconvenientes que ventajas.* **3** Ganancia que un competidor concede de antemano a otro al que considera inferior: *Dame ventaja, porque tú eres mayor que yo.* ☐ ETIMOL. Del francés *avantage*, y éste de *avant* (delante).

ventajista adj./s. Referido a una persona, que no tiene escrúpulos para intentar obtener alguna ventaja. ☐ MORF. **1.** Como adjetivo es invariable en género. **2.** Como sustantivo es de género común: *el ventajista, la ventajista.*

ventajoso, sa adj. **1** Que tiene o que proporciona ventajas, utilidad, provecho o beneficio. **[2** En zonas del español meridional, aprovechado.

ventana s.f. **1** En un muro, esp. si es de un edificio, abertura elevada sobre el suelo para que entre la luz y el aire. **2** Marco con una o más hojas, generalmente con cristales, con que se cubre esta abertura. **3** En la nariz, cada uno de sus dos orificios exteriores. **[4** En el monitor de un ordenador, pequeño recuadro que aparece en la pantalla y que muestra las distintas posibilidades de operar o las distintas opciones. **5** ‖{echar/tirar} algo **por la ventana**; desperdiciarlo o malgastarlo. ☐ ETIMOL. Del latín *ventus* (viento).

ventanal s.m. Ventana grande.

ventanazo s.m. Golpe fuerte que da una ventana al cerrarse.

ventanilla s.f. **1** En un banco o en una oficina, abertura pequeña que hay en un tabique a través de la cual se atiende al público. **2** En un vehículo, ventana pequeña lateral. **3** En algunos sobres, abertura tapada con un material transparente para poder leer lo que está en el interior.

ventarrón s.m. Viento que sopla con mucha fuerza.

ventear v. **1** Soplar el viento con fuerza: *No me gusta salir a la calle cuando ventea y llueve.* **2** Referido al aire, olfatearlo un animal: *Los perros venteaban el aire buscando la pieza herida por el cazador.* **3** Poner al viento para limpiar o secar: *Venteé la manta antes de guardarla.* ☐ MORF. En la acepción 1, es unipersonal.

ventero, ra s. Propietario o encargado de una venta para hospedar viajeros.

ventilación s.f. **1** Entrada de aire en un lugar o renovación del que hay. **2** Abertura o instalación que sirve para ventilar un lugar. ☐ ETIMOL. Del latín *ventilatio*.

ventilador s.m. Aparato formado por un aspa giratoria, que se usa para enviar o refrigerar un lugar al mover el aire. 🔌 electrodoméstico

ventilar ▪ v. **1** Referido a un lugar, hacer que entre aire en él o que se renueve el que hay: *Abrimos las ventanas para ventilar la habitación. Abre puertas y ventanas para que se ventile la casa.* **2** Exponer al viento: *Ventila la colcha para que se le vaya el olor a humo.* **3** Resolver, solucionar o concluir: *No tardé nada en ventilar el problema.* **[4** Dar a conocer o divulgar públicamente: *Este asunto es mejor no 'ventilarlo' porque es privado.* ▪ prnl. **[5** col. Referido a una persona, acabar con ella: *'Se ventilaron' al soplón en cuanto salió a la calle.* **[6** col. Terminar o acabar rápidamente: *'Se ventiló' él solo la botella de vino.* ☐ ETIMOL. Del latín *ventilare*.

ventisca s.f. **1** Tormenta de viento, o de viento y nieve, frecuente en los puertos y las gargantas de montaña. **2** Ventarrón o viento fuerte.

ventiscar o **ventisquear** v. Nevar con viento fuerte: *En invierno suele ventiscar en los desfiladeros montañosos.* ☐ ORTOGR. En *ventiscar*, la *c* se cambia en *qu* delante de *e* →SACAR. ☐ MORF. Son unipersonales.

ventisquero s.m. **1** En una montaña, lugar expuesto a las ventiscas. **2** En una montaña, lugar alto en el que se conserva la nieve y el hielo.

ventolera s.f. **1** Golpe de viento fuerte y breve. **2** col. Decisión o determinación inesperada y repentina, esp. si es extravagante.

ventosa s.f. **1** Pieza cóncava de un material elástico que, al ser oprimida contra una superficie lisa, produce el vacío en su interior y queda adherida. **2** En algunos animales, órgano parecido a esta pieza cóncava que les sirve para succionar o para sujetarse: *El pulpo se adhiere a las rocas con las ventosas de sus tentáculos.* ☐ ETIMOL. Del latín *ventosa*.

ventosear v. Expulsar los gases intestinales por el ano; peerse: *Es de mala educación ventosear en público. Alguien se ha ventoseado, porque huele fatal.* ☐ ETIMOL. De *ventoso*.

ventosidad s.f. Gas intestinal encerrado o comprimido en el cuerpo, esp. cuando se expulsa.

ventoso, sa adj. Con fuertes vientos. ☐ ETIMOL. Del latín *ventosus*.

ventral adj. Del vientre o relacionado con esta parte del cuerpo. ☐ MORF. Invariable en género.

ventrecha o **[ventresca** s.f. Vientre de los pescados. ☐ ETIMOL. *Ventrecha*, del francés antiguo *ventresche. Ventresca*, del catalán *ventresca*. ☐ USO *Ventrecha* es el término menos usual.

ventricular adj. De los ventrículos del corazón o del encéfalo, o relacionado con ellos. ☐ MORF. Invariable en género.

ventrículo s.m. **1** En un corazón, cavidad que recibe la sangre de las aurículas. 🔬 corazón **2** En el encéfalo de un mamífero, cada una de sus cuatro cavidades. ☐ ETIMOL. Del latín *ventriculus*. ☐ ORTOGR. Dist. de *ventrílocuo.*

ventrílocuo, cua adj./s. Referido a una persona, que habla sin mover los labios para que no se note, e imita diferentes voces. ☐ ETIMOL. Del latín *ventriloquus*, y éste de *venter* (vientre) y *loqui* (hablar). ☐ ORTOGR. Dist. de *ventrículo.*

ventriloquia s.f. Arte o técnica de hablar sin mover los labios para que no parezca que se habla.

ventura s.f. **1** Estado de ánimo del que se encuentra contento y satisfecho con las circunstancias de la vida; felicidad. **2** Suerte favorable. **3** Circunstancia de que lo que ocurre resulte favorable o adverso; suerte. **4** ‖**a la (buena) ventura**; sin un objeto determinado o a lo que la suerte depare. ‖**buena ventura**; →**buenaventura**. ☐ ETIMOL. Del latín *ventura* (lo que está por venir). ☐ SEM. En las acepciones 1 y 2, es sinónimo de *dicha*.

venturoso, sa adj. Que tiene o implica felicidad.

venus s.f. **1** Mujer muy hermosa. **2** Estatuilla prehistórica de figura femenina. ☐ ETIMOL. Por alusión a Venus, diosa romana de la belleza y del amor.

venusiano, na ▪ adj. **1** De Venus (planeta del sistema solar) o relacionado con él. ▪ s. **[2** Supuesto habitante de este planeta. ☐ SEM. Dist. de *venusino* (de la diosa Venus).

venusino, na adj. De Venus (diosa de la belleza y del amor en la mitología romana), o relacionado con ella. ☐ SEM. Dist. de *venusiano* (del planeta Venus).

ver ❚ s.m. **1** Apariencia o aspecto exterior: *Es un hombre de buen ver.* ❚ v. **2** Referido a algo material, percibirlo por los ojos mediante la acción de la luz: *Enciende la luz, que no veo.* **3** Percibir con cualquier sentido o con la inteligencia: *No veo claro lo que quieres decirme.* **4** Observar o contemplar: *Se quedó viendo un hormiguero.* **5** Reconocer con cuidado y atención: *Voy al médico para que me vea el estómago.* **6** Comprender o darse cuenta: *¿Ves lo que ha pasado por tu culpa?* **7** Considerar, analizar o reflexionar: *Mañana veremos ese problema.* **8** Conocer o juzgar: *No veo nada malo en ello.* **9** Examinar, averiguar o buscar: *Si ahí no están las llaves, ve a ver en el cajón.* **10** Referido a algo que aún no ha ocurrido, preverlo, presentirlo o sospecharlo: *Estaba viendo que te ibas a caer.* **11** Referido a una persona, visitarla o estar con ella: *¿Te vienes a ver a mi hermana?* **12** Referido a una imagen, imaginarla o representarla de forma material o inmaterial: *Cuando sueño, veo en mi cabeza personas que no conozco.* **13** Referido a un lugar, ser escenario de un suceso o un acontecimiento: *Estos parques han visto muchos juegos infantiles.* ❚ prnl. **14** Referido a una persona, encontrarse o estar en el estado, situación o lugar que se expresa: *Si te ves en la necesidad de pedir dinero, pídemelo a mí.* **15** ||**a ver**; col. **1** Expresión que se usa para pedir algo o para indicar expectación o curiosidad: *A ver, ¿qué es lo que no entiendes?* col. [**2** Expresión que se usa para expresar acuerdo: *Esperaré hasta que llegue, 'a ver' qué hago si no.* ||**habráse visto**; expresión que se usa para indicar un reproche: *¡Habráse visto lo cerdo que es ese tipo!* ||**hasta más ver**; expresión que se usa como despedida de alguien a quien se espera volver a ver; hasta la vista: *Hoy ya me tengo que ir, ¡hasta más ver!* ||**hay que ver**; expresión que se usa para intensificar algo o para indicar sorpresa, indignación o incredulidad: *¡Hay que ver qué guapo estás!* || [**no veas**; col. Expresión que se usa para indicar ponderación: *¡'No veas' cómo se puso de nervioso cuando le pregunté!* ☐ ETIMOL. La acepción 1, del verbo *ver*. Las acepciones 2-15, del latín *videre*. ☐ MORF. Irreg.: 1. Su participio es *visto*. 2. →VER.

vera s.f. **1** Orilla, esp. la de un río o un camino. **2** ||**a la vera** de algo; a su lado. ☐ ETIMOL. De origen incierto.

veracidad s.f. Conformidad con la verdad o ausencia de mentira. ☐ ETIMOL. Del latín *veracitas*. ☐ SINT. Incorr. *dar {*veracidad > crédito} a algo.*

veraneante adj./s. Que veranea. ☐ MORF. 1. Como adjetivo es invariable en género. 2. Como sustantivo es de género común: *el veraneante, la veraneante.*

veranear v. Pasar las vacaciones de verano en un lugar diferente del de la residencia habitual: *Yo veraneo en la costa.*

veraneo s.m. Vacaciones de verano cuando transcurren en un lugar diferente del de la residencia habitual.

veraniego, ga adj. Del verano o relacionado con esta estación del año.

veranillo s.m. Tiempo corto del otoño en el que suele hacer calor de verano.

verano s.m. Estación del año entre la primavera y el otoño, y que en el hemisferio norte transcurre aproximadamente entre el 21 de junio y el 21 de septiembre; estío. ☐ ETIMOL. Del latín *veranum tempus* (tiempo primaveral). ☐ SEM. En el hemis-

ferio sur, transcurre entre el 21 de diciembre y el 21 de marzo.

veras s.f.pl. **1** Lo que resulta cierto o verdadero: *Entre veras y bromas, acabaron insultándose.* **2** ||**de veras**; de manera cierta, segura o firme; de verdad. ☐ ETIMOL. Del latín *veras*, y éste de *verus* (verdadero).

veraz adj. Que dice siempre la verdad o que actúa según la verdad. ☐ ETIMOL. Del latín *verax*. ☐ MORF. Invariable en género.

verbal adj. **1** Relacionado con la palabra o que se sirve de ella. **2** Hablado y no por escrito. **3** En gramática, del verbo o relacionado con esta parte de la oración. ☐ ETIMOL. Del latín *verbalis*. ☐ MORF. Invariable en género.

verbalismo s.m. **1** Tendencia a basar los razonamientos en las palabras más que en los conceptos. **2** Procedimiento de enseñanza en el que se desarrolla principalmente la memoria verbal.

[verbalizar v. Pronunciar o expresar con palabras: *'Verbalizar' los sentimientos me resulta a veces muy difícil.* ☐ ORTOGR. La *z* se cambia en *c* delante de *e* →CAZAR.

verbena s.f. **1** Fiesta popular nocturna que se celebra generalmente al aire libre la víspera de algunas festividades. **2** Planta herbácea de tallo con abundantes ramas en la parte superior, hojas ásperas y flores de varios colores en largas espigas: *La infusión de hojas de verbena tiene propiedades astringentes.* ☐ ETIMOL. Del latín *verbena* (ramo de verbena, laurel, olivo o mirto), porque los sacerdotes paganos llevaban estos ramos en sus sacrificios.

verbenero, ra ❚ adj. **1** De las verbenas populares o relacionado con ellas. **2** Con características que se consideran propias de las verbenas populares, como la alegría, el bullicio y el colorido. ❚ adj./s. **3** Referido a una persona, que es aficionada a las verbenas populares. ❚ s. **4** Persona que se dedica profesionalmente al cuidado o a la atención de las atracciones de las verbenas.

verbigracia ❚ s.m. **1** col. Ejemplo. ❚ adv. **2** Por ejemplo. ☐ ETIMOL. Del latín *verbi gratia*.

verbo s.m. **1** En gramática, parte de la oración que tiene los morfemas gramaticales de persona, número, tiempo y modo: *'Leer' y 'cantar' son verbos.* **2** poét. Palabra: *Los modernistas se caracterizan por buscar el verbo más sonoro y sugerente para la expresión de cada pensamiento.* **3** ||**(verbo) auxiliar**; el que en una perífrasis verbal aporta los morfemas gramaticales de persona, número, tiempo, modo o aspecto: *La voz pasiva se forma con el verbo auxiliar 'ser' y el participio del verbo que se conjuga.* ||**verbo deponente**; en latín, el que tiene forma pasiva y significación activa: *'Loquor' es un verbo deponente porque tiene un significado activo ('hablar') y se conjuga en pasiva.* ☐ ETIMOL. Del latín *verbum* (palabra, verbo). ☐ MORF. Para la acepción 1 →APÉNDICE DE MODELOS DE CONJUGACIÓN VERBAL.

verborrea s.f. Tendencia a hablar demasiado o a utilizar un gran número de palabras para expresarse. ☐ ETIMOL. Del latín *verbum* (palabra) y *-rrea* (flujo). ☐ USO Tiene un matiz despectivo.

verbosidad s.f. Tendencia a utilizar un gran número de palabras para expresarse. ☐ ETIMOL. Del latín *verbositas*.

verdad s.f. **1** Correspondencia entre lo que se manifiesta y lo que se sabe, se cree o se piensa: *No me* *mientas, porque quiero saber la verdad.* **2** Afirmación o principio que no se pueden negar racionalmente o que son aceptados en general por una colectividad: *Que dos y dos son cuatro es una verdad matemática.* **3** Existencia verdadera y efectiva; realidad: *No sé si lo del accidente es verdad o lo he soñado.* **4** Expresión clara y directa con que se corrige o se reprende a alguien: *Le voy a decir cuatro verdades para que se calle.* **5** ‖ **bien es verdad** o **verdad es que**; expresión que se usa para contraponer dos expresiones o enunciados: *La cena salió barata; bien es verdad que algunos sólo tomamos un plato.* ‖ **de verdad; 1** Expresión que se usa para asegurar la certeza de lo que se afirma: *De verdad que no te entiendo.* **2** De manera cierta, segura o firme; de veras: *Si de verdad confías en mí, déjame actuar a mi manera.* ‖ **verdades como puños**; *col.* Las muy evidentes. ◻ ETIMOL. Del latín *veritas*, y éste de *verus* (verdadero). ◻ MORF. La acepción 4 se usa más en plural. ◻ SEM. En contextos interrogativos, se usa cuando se espera una respuesta afirmativa o cuando se pide el consentimiento o la conformidad de alguien: *¿Verdad que me llevarás al cine? Estás de acuerdo, ¿verdad?*

verdadero, ra adj. **1** Que es verdad o que la contiene. **2** Real y efectivo: *Le tiene verdadero cariño a su profesor.*

verde ∎ adj. **1** Referido a una planta o a un árbol, que no están secos. **2** Referido a la leña, que está húmeda y recién cortada de un árbol vivo. **3** Referido a una legumbre, que se come fresca: *judías verdes.* **4** Referido esp. a un fruto, que no está maduro. **5** Referido esp. a un plan o a un proyecto, que está todavía en sus principios y sin terminar de perfeccionar. **6** Referido esp. a una zona o a un espacio, que están destinados a ser parques o jardines y en ellos no se puede edificar. **7** Referido a una persona, inexperta y poco preparada. **8** Referido a una persona, que tiene una inclinación por el sexo impropia de su edad o de su situación. **9** Indecente, obsceno o que resulta ofensivo al pudor. ∎ adj./s. **10** Ecologista o que defiende la necesidad de la protección del medio ambiente y unas relaciones más armónicas entre el hombre y su entorno. ∎ adj./s.m. **11** Del color de la hierba fresca. ∎ s.m. **12** Hierba o césped. **13** Conjunto de ramas y hojas de los árboles y otras plantas, esp. si es abundante; follaje. [**14** *col.* Billete de mil pesetas. **15** ‖ **poner verde** a alguien; *col.* Hablar mal de él. ◻ ETIMOL. Del latín *viridis* (verde, vigoroso, joven). ◻ MORF. 1. Como adjetivo es invariable en género. 2. En la acepción 10, como sustantivo es de género común: *el verde, la verde.*

verdear v. **1** Referido al campo, empezar a brotar plantas en él: *Con las primeras lluvias primaverales, los campos verdean.* **2** Referido a un árbol, cubrirse de hojas verdes: *El año pasado, a finales de marzo, los árboles ya verdeaban.* **3** Referido a un objeto, ir tomando color verde, o mostrar el color verde que tiene en sí: *Algunas fachadas de piedra verdean con la humedad.* **4** Referido esp. a un color, tener tonos verdes: *El azul de tus ojos verdea con la luz del sol.*

verdecer v. Referido a la tierra o a los árboles, cubrirse de verde o reverdecer: *En primavera los campos de trigo verdecen.* ◻ MORF. Irreg. →PARECER.

verdecillo s.m. Pájaro que tiene el cuerpo rechoncho, pico corto y ancho, y plumaje grisáceo con listas

de color amarillo verdoso. ◻ MORF. Es un sustantivo epiceno: *el verdecillo macho, el verdecillo hembra.* ◻ SEM. Aunque la RAE lo considera sinónimo de *verderol* y *verderón*, en círculos especializados no lo es.

verderol o **verderón** s.m. Pájaro cantor parecido al gorrión, que tiene el plumaje gris con manchas verdosas en las alas y en la base de la cola. ◻ MORF. Es un sustantivo epiceno: *el {verderol/verderón} macho, el {verderol/verderón} hembra.* ◻ SEM. Aunque la RAE los considera sinónimos de *verdecillo*, en círculos especializados no lo son.

verdial ∎ adj. **1** Referido a una aceituna, que es alargada y conserva su color verde después de haber madurado. ∎ s.m.pl. **2** Tipo de fandango, de movimiento vivo y apasionado, que se interpreta con acompañamiento de guitarra. ◻ MORF. Como adjetivo es invariable en género.

[verdiblanco, ca adj./s. *col.* De cualquier equipo deportivo cuya camiseta tenga los colores blanco y verde; blanquiverde.

verdín s.m. Capa verde, formada por algas y otras plantas sin flores, que se cría en la superficie del agua estancada, en paredes y lugares húmedos y en la corteza de algunos frutos cuando se pudren.

verdor s.m. Color verde, esp. el intenso de las plantas.

verdoso, sa adj. Semejante al verde o con tonalidades verdes.

verdugo s.m. **1** Persona encargada de ejecutar las penas de muerte u otros castigos corporales; ejecutor. **2** Gorro de lana que cubre la cabeza y el cuello y sólo deja al descubierto los ojos, la nariz y la boca. ◻ ETIMOL. Quizá del latín *virgultum* (retoño), porque verdugo significó vara o rama de un árbol, de donde derivó al azote que se daba con este verdugo y, finalmente, persona que azotaba.

verduguillo s.m. Estoque delgado, esp. el que se emplea para descabellar al toro.

verdulería s.f. Establecimiento donde se venden verduras.

verdulero, ra s. **1** Persona que vende verduras. **2** *col.* Persona que tiene modales ordinarios, vulgares y desvergonzados. ◻ MORF. En la acepción 2, la RAE sólo la registra como femenino. ◻ USO En la acepción 2, es despectivo.

verdura s.f. **1** Hortaliza o planta comestible que se cultiva en una huerta, esp. las que tienen hojas verdes: *Las acelgas y el repollo son verduras que se comen cocidas.* **2** Verdor o color verde, esp. el intenso de las plantas.

verdusco, ca adj. Que tiene tonalidades de color verde oscuro. ◻ ORTOGR. Incorr. **verduzco.*

verecundia s.f. *poét.* Vergüenza: *La verecundia tiñó sus mejillas de rubor.* ◻ ETIMOL. Del latín *verecundia* (reserva, pudor, respeto).

vereda s.f. **1** Camino estrecho que generalmente se ha formado por el paso de las personas y del ganado. **2** En zonas del español meridional, acera. **3** ‖ **meter en vereda** a alguien; *col.* Obligarle a cumplir con sus deberes o a seguir un modo de vida que se considera ordenado y regular. ◻ ETIMOL. Del latín *vereda* (camino, vía).

veredicto s.m. **1** Fallo o sentencia definitiva pronunciados por un jurado. **2** Opinión o juicio emitidos por una persona especializada o autorizada en la materia. ◻ ETIMOL. Del inglés *verdict.*

verga s.f. **1** En un mamífero macho, órgano genital.

2 En un barco, palo que se coloca horizontalmente en el mástil y en el que se sujeta la vela. □ ETIMOL. Del latín *virga* (vara, rama).

vergajo s.m. **1** Látigo fabricado con una verga de toro después de cortada, seca y retorcida. **[2** Látigo corto hecho con cualquier material flexible.

vergel s.m. Huerto con gran variedad de flores y árboles frutales. □ ETIMOL. Del provenzal antiguo *vergier*.

vergonzante adj. Que tiene vergüenza, esp. referido a la persona que pide limosna de manera encubierta. □ MORF. Invariable en género. □ SEM. Dist. de *vergonzoso* (que causa vergüenza, o que se avergüenza con facilidad).

vergonzoso, sa ‖ adj. **1** Que causa vergüenza. **‖** adj./s. **2** Que se avergüenza con facilidad. □ SEM. Dist. de *vergonzante* (que tiene vergüenza).

vergüenza ‖ s.f. **1** Sentimiento de turbación producido por alguna falta cometida o por alguna acción que se considera deshonrosa, humillante o ridícula: *Me puse rojo de vergüenza.* **2** Sentimiento de dignidad personal o estimación de la propia honra: *Si es que tiene vergüenza, reconocerá su error.* **3** Acción que atenta contra la dignidad o contra la honradez y deja en mala opinión al que la ejecuta. **[4** Deshonor o deshonra: *Eres la 'vergüenza' de la familia.* **‖** pl. **5** col. En una persona, órganos sexuales externos. **6 ‖ [vergüenza ajena**; la que se siente por faltas o acciones cometidas por otros. □ ETIMOL. Del latín *verecundia* (reserva, pudor, respeto).

vericueto ‖ s.m. **1** Lugar estrecho y escarpado por el que se anda con dificultad. **‖** pl. **[2** Aspectos difíciles o poco claros de un asunto. □ ETIMOL. De *pericueto* (cerro escarpado).

verídico, ca adj. Que dice o que contiene verdad. □ ETIMOL. Del latín *veriducus*, y éste de *verus* (verdadero) y *dicere* (decir).

verificar v. **1** Referido a algo de lo que se duda, probar o comprobar que es verdadero: *La doctora verificó su diagnóstico al ver los análisis.* **2** Realizar, efectuar o llevar a cabo: *La policía verificó un registro en el domicilio del acusado. Los pronósticos se verificaron tres meses después.* □ ETIMOL. Del latín *verificare* (presentar como verdad). □ ORTOGR. La *c* se cambia en *qu* delante de *e* →SACAR.

verismo s.m. Realismo llevado al extremo, esp. en las obras de arte.

verja s.f. Enrejado o reja que se utiliza como puerta, ventana o cerca. □ ETIMOL. Del francés *verge*.

verme s.m. Gusano, esp. la lombriz intestinal. □ ETIMOL. Del latín *vermis* (gusano, lombriz).

vermicida adj./s.m. Referido a una sustancia o a un medicamento, que mata o expulsa las lombrices intestinales. □ ETIMOL. Del latín *vermis* (gusano, lombriz) y *-cida* (que mata). □ MORF. Como adjetivo es invariable en género.

[vermouth s.m. →**vermú.** □ PRON. [vermút]. □ USO Es un galicismo innecesario.

vermú o **vermut** s.m. Licor compuesto de vino blanco o rosado y otras sustancias amargas y tónicas. □ ETIMOL. Del alemán *wermuth* (ajenjo). □ MORF. Su plural es *vermús* y *vermuts.* □ USO Es innecesario el uso del galicismo *vermouth.*

vernáculo, la adj. Referido esp. a una lengua, que es propia de un país o lugar. □ ETIMOL. Del latín *vernaculus* (indígena, nacional).

verónica s.f. En tauromaquia, lance en el que el torero espera de frente la acometida del toro con la capa extendida o abierta con ambas manos. □ ETIMOL. Por alusión a Verónica, mujer que en el Evangelio sostenía en las manos el lienzo con la faz de Cristo.

verosímil adj. Que tiene apariencia de ser verdadero y resulta creíble. □ ETIMOL. Del latín *verisimilis*, y éste de *veris* (verdadero) y *similis* (semejante). □ MORF. Invariable en género.

verraco s.m. Cerdo que se utiliza como semental. □ ETIMOL. Del latín *verres.*

verruga s.f. Abultamiento en la piel, generalmente rugoso y con forma redonda. □ ETIMOL. Del latín *verruca.*

verrugoso, sa adj. Que tiene muchas verrugas.

versado, da adj. Experto o instruido en una determinada materia. □ SINT. Constr. *versado EN algo.*

versal s.f. →**letra versal.** □ ETIMOL. De *verso*, por emplearse esta clase de letra en principio de verso.

versalita s.f. →**letra versalita.**

versar v. Referido esp. a un libro o a un discurso, tratar sobre la materia que se indica: *Su artículo versa sobre los temas mitológicos en el teatro del siglo XVII.* □ ETIMOL. Del latín *versari* (ocuparse en algo, encontrarse habitualmente en un lugar). □ SINT. Constr. *versar SOBRE algo.*

versátil adj. Referido esp. al genio o al carácter, que es inconstante o que cambia fácilmente. □ ETIMOL. Del latín *versatilis.* □ MORF. Invariable en género. □ SEM. No debe emplearse con el significado de 'polifacético': *Se considera una artista {*versátil > polifacética}, ya que canta, escribe y también se dedica a la pintura.*

versatilidad s.f. Facilidad excesiva para el cambio, esp. en el genio o en el carácter.

versículo s.m. En algunos libros, esp. en la Biblia, cada una de las divisiones breves que se hacen en sus capítulos. □ ETIMOL. Del latín *versiculus*, y éste de *versus* (verso).

versificación s.f. **1** Composición de versos. **2** Arte o técnica de hacer versos. **3** Puesta en verso de algo.

versificador, -a adj./s. Que hace o compone versos.

versificar v. **1** Componer versos: *No todos los que versifican pueden ser considerados poetas.* **2** Poner en verso: *Muchos romances son leyendas versificadas.* □ ETIMOL. Del latín *versificare*, y éste de *versus* (verso) y *facere* (hacer). □ ORTOGR. La *c* se cambia en *qu* delante de *e* →SACAR.

versión s.f. Cada una de las formas que adopta la relación de un mismo suceso, la forma de una misma obra o la interpretación de un mismo tema: *Me gusta ver películas en versión original. Tu versión del asunto es distinta de la mía.* □ ETIMOL. Del latín *versum*, y éste de *vertere* (tornar, volver).

[versionar v. Referido esp. a una obra artística o musical, realizar una nueva versión: *Este grupo 'ha versionado' alguno de los temas más conocidos de los Beatles.*

verso s.m. **1** Unidad métrica formada por una palabra o por un conjunto de palabras, generalmente sujetas a una medida y a un ritmo determinados:

Cada verso de un poema se escribe en una línea distinta. **2** En contraposición a *prosa*, modalidad literaria a la que pertenecen este tipo de composiciones. **3** ‖ **(verso) alejandrino**; el que tiene catorce sílabas y está dividido en dos hemistiquios. ‖ **verso blanco**; el que no está sujeto a rima. ‖ **verso de arte mayor**; el que tiene más de ocho sílabas. ‖ **verso de arte menor**; el que tiene ocho sílabas o menos. ‖ **verso libre**; el que no está sujeto a rima ni a medida. ☐ ETIMOL. Del latín *versus* (hilera, línea de escritura).

versolari s.m. En el País Vasco y Aragón (comunidades autónomas), persona que compone versos de forma improvisada. ☐ ETIMOL. Del vasco *bertsolari*. ☐ USO Es innecesario el uso del término vasco *bertsolari*.

[versus (latinismo) prep. Contra, frente a: *Esta noche se celebrará el encuentro Palencia 'versus' Zaragoza.*

vértebra s.f. Cada uno de los huesos cortos y articulados entre sí que forman la columna vertebral de los vertebrados. ☐ ETIMOL. Del latín *vertebra* (articulación en torno a la cual gira un hueso).

vertebración s.f. Aportación de consistencia, cohesión, organización o estructura interna.

vertebrado, da ▪ adj. **1** Con consistencia y con estructura interna: *Nos presentó un proyecto muy bien vertebrado.* ▪ adj./s.m. **2** Referido a un animal, que tiene un esqueleto con columna vertebral y cráneo, y un sistema nervioso central constituido por la médula espinal y el encéfalo: *El hombre es un vertebrado.* ▪ s.m.pl. **3** En zoología, subtipo de estos animales, perteneciente al tipo de los cordados.

vertebral adj. De las vértebras o relacionado con ellas. ☐ MORF. Invariable en género.

vertebrar v. Dar consistencia, organización o estructura interna: *La idea de la libertad individual vertebra los pensamientos filosóficos de esta autora.*

vertedero s.m. Lugar en el que se vierten basuras o escombros.

verter v. **1** Referido esp. a un líquido, derramarlo o hacer que salga de donde está y se esparza: *La empresa fue acusada de verter productos tóxicos en el río. Se ha vertido el azúcar.* **2** Referido a un recipiente, inclinarlo o volverlo boca abajo para vaciar su contenido: *Vierte la jarra en la pila. Se me vertió la taza y el café me cayó encima.* **3** Traducir de una lengua a otra: *Ha vertido al italiano un par de novelas francesas.* **4** Referido a una corriente de agua, desembocar en otra: *El río Sil vierte sus aguas en el Miño.* ☐ ETIMOL. Del latín *vertere* (girar, cambiar, derribar). ☐ MORF. 1. Incorr. **vertir.* 2. Irreg. →PERDER.

vertical adj./s.f. Perpendicular al horizonte o a una línea o plano horizontal. ☐ ETIMOL. Del latín *verticalis.* ☐ MORF. Como adjetivo es invariable en género.

verticalidad s.f. Posición perpendicular a la línea del horizonte.

vértice s.m. **1** Punto en el que se unen dos o más líneas: *El triángulo tiene tres vértices.* 🔎 ángulo **2** Punto en el que se unen tres o más planos: *Un cubo tiene ocho vértices.* **3** En un cono, punto en el que se unen todas sus líneas generatrices. **4** En una pirámide, punto en el que se unen todos los triángulos que forman sus caras. **5** Parte más elevada de algo: *el vértice de una montaña.* 🔎 arco ☐ ETI-

MOL. Del latín *vertex* (polo, cumbre). ☐ ORTOGR. Dist. de *vórtice.*

verticilo s.m. En botánica, conjunto de tres o más ramos, hojas, flores, pétalos u otros órganos que están en un mismo plano alrededor del tallo. ☐ ETIMOL. Del latín *verticillus.*

vertido s.m. **1** Lo que se vierte, esp. referido a los restos de procesos industriales que se echan a las aguas. **[2** Derramamiento o salida de un líquido o de algo semejante. ☐ MORF. En la acepción 1, se usa más en plural.

vertiente s.f. **1** Declive o inclinación, esp. por donde corre o puede correr el agua. **2** Aspecto o punto de vista. ☐ MORF. En la acepción 1, la RAE lo registra como sustantivo de género ambiguo.

vertiginoso, sa adj. **1** Que causa vértigo o que produce esta sensación. **2** Rapidísimo o muy intenso.

vértigo s.m. Sensación de inseguridad y miedo que se produce al acercarse al borde de una altura o al imaginarse en él. ☐ ETIMOL. Del latín *vertigo* (movimiento de rotación).

vertimiento s.m. **1** Derramamiento de un líquido o de algo menudo. **2** Inclinación de un recipiente de forma que se vacíe de contenido.

vesical adj. De la vejiga o relacionado con ella. ☐ ETIMOL. Del latín *vesicalis.* ☐ ORTOGR. Dist. de *vesicular.* ☐ MORF. Invariable en género.

vesícula s.f. **1** Pequeño levantamiento de la piel que forma una especie de bolsa, generalmente llena de un líquido acuoso: *Un herpes produce pequeñas vesículas cutáneas.* **2** ‖ **vesícula (biliar)**; en el sistema digestivo, bolsita membranosa en la que se deposita la bilis producida por el hígado y que, durante la digestión, se vacía por la contracción de sus paredes. ☐ ETIMOL. Del latín *vesicula* (vejiguita).

vesicular adj. **1** Con forma de vesícula. **[2** De la vesícula o relacionado con ella. ☐ ORTOGR. Dist. de *vesical.* ☐ MORF. Invariable en género.

vespertino, na adj. De la tarde o relacionado con ella. ☐ ETIMOL. Del latín *vespertinus.*

vestal adj./s.f. En la antigua Roma, referido esp. a una doncella, que se ha consagrado al culto de Vesta (diosa romana del hogar). ☐ MORF. Como adjetivo es invariable en género.

vestíbulo s.m. En una casa o en un edificio, patio, sala o portal situados a la entrada. ☐ ETIMOL. Del latín *vestibulum.* ☐ USO Es innecesario el uso del anglicismo *hall.*

vestido s.m. **1** Prenda o conjunto de prendas exteriores con las que se cubre el cuerpo; vestidura, vestimenta. **2** Prenda exterior femenina de una sola pieza. ☐ ETIMOL. Del latín *vestitus.*

[vestidor s.m. **1** Habitación para vestirse. **2** En zonas del español meridional, vestuario.

vestidura s.f. **1** Prenda o conjunto de prendas exteriores con las que se cubre el cuerpo; vestido. **2** Vestido para un acto solemne que se pone encima del habitual, esp. el que usan los sacerdotes para el culto. **3** ‖ **rasgarse las vestiduras**; col. [Escandalizarse por algo, generalmente de forma hipócrita. ☐ MORF. La acepción 2 se usa más en plural. ☐ SEM. Es sinónimo de *vestimenta.*

vestigio s.m. Huella, señal, indicio o recuerdo que quedan de algo antiguo, pasado o destruido. ☐ ETIMOL. Del latín *vestigium* (planta del pie, suela, huella).

vestimenta s.f. →**vestidura**.

vestir v. **1** Cubrir o adornar con ropa: *Primero viste a su hijo y después se viste él.* **2** Referido a una persona, darle el dinero necesario para el vestido: *Mi tía soltera me viste y me paga los estudios.* **3** Referido a una persona, hacer los vestidos para otra: *Este modisto viste a muchas mujeres de la alta sociedad.* **4** Cubrir, adornar o embellecer: *Vistió la casa con alegres cortinajes. En primavera, los árboles se visten de hojas.* **5** Resultar elegante o apropiado: *El color blanco viste mucho.* **6** ‖ **de vestir**; col. Referido esp. a ropa, elegante o más elegante de lo habitual: *Se puso un traje 'de vestir' porque tenía una cita importante.* □ ETIMOL. Del latín *vestire.* □ MORF. Irreg. →PEDIR.

vestuario s.m. **1** Conjunto de prendas de vestir. **2** Conjunto de prendas de vestir necesarias para un espectáculo o una representación. **3** Lugar para cambiarse de ropa. □ ETIMOL. Del latín *vestiarium.*

veta s.f. **1** Lista o faja que se distingue del resto, generalmente por su calidad o por su color. **2** Filón de metal. □ ETIMOL. Del latín *vitta* (cinta). □ ORTOGR. Dist. de *beta.* □ SEM. Es sinónimo de *vena.*

vetar v. Referido a una propuesta, un acuerdo o una medida, rechazarlos o ponerles veto: *La presidenta del club vetó la entrada de los periodistas al campo.* □ ORTOGR. Dist. de *vedar.*

veteado, da adj. Con vetas.

vetear v. Señalar o pintar vetas: *Esa empresa vetea el material plástico de los muebles para que parezcan de madera.*

veteranía s.f. Antigüedad y experiencia, esp. en una profesión o una actividad.

veterano, na adj./s. Antiguo y experimentado en una profesión o una actividad. □ ETIMOL. Del latín *veteranus.*

veterinario, ria ‖ adj. **1** De la veterinaria o relacionado con esta ciencia. ‖ s. **2** Persona que se dedica a la veterinaria, esp. si ésta es su profesión. ‖ s.f. **3** Ciencia que trata de la prevención y curación de las enfermedades animales y del estudio de los productos alimenticios que éstos generan. □ ETIMOL. Del latín *veterinarius,* y éste de *veterinae* (bestias de carga).

veto s.m. Prohibición que ejerce una persona o una corporación. □ ETIMOL. Del latín *veto* (yo vedo o prohíbo).

vetusto, ta adj. Muy viejo o anticuado. □ ETIMOL. Del latín *vetustus,* y éste de *vetus* (viejo, antiguo).

vez s.f. **1** Cada una de las ocasiones en que se realiza una acción o se repite un determinado hecho. **2** Momento u ocasión determinada en que se ejecuta una acción. **3** Momento u ocasión de hacer algo por orden; turno, vuelta. **4** Posición que corresponde a una persona cuando varias han de actuar por turno. **5** ‖ **a la vez**; a un tiempo o simultáneamente. ‖ **a veces**; en algunas ocasiones. ‖ **de una vez**; de manera definitiva. ‖ **de vez en cuando**; algunas veces o de tiempo en tiempo. ‖ **en vez de**; en sustitución de o en lugar de. ‖ **hacer las veces de**; ejercer la función de. ‖ **tal vez**; posiblemente o quizá. □ ETIMOL. Del latín *vicis* (turno, función).

vía ‖ s.f. **1** Lugar por donde se transita. **2** Carril formado por dos raíles paralelos sobre los que se deslizan las ruedas de un vehículo, esp. de un tren. **3** En el cuerpo animal, conducto o canal que da paso o salida a algo. **4** Medio que sirve para hacer algo:

vía judicial. ‖ prep. **5** A través de o pasando por: *Volé a Moscú, vía Amsterdam. Esta programación de televisión se recibe vía satélite.* **6** ‖ **en vías de**; en curso o en trámite: *La empresa está en vías de conseguir el acuerdo.* ‖ **vía crucis**; **1** Conjunto de catorce cruces o cuadros que representan los catorce pasos de Jesucristo en el Calvario (monte en el que fue crucificado). **2** Oración que se reza recorriendo estos catorce pasos. ‖ **vía de agua**; en una embarcación, rotura por donde entra agua. ‖ **vía libre**; permiso o autorización que se concede para la realización de algo. ‖ **vía muerta**; **1** La que no tiene salida y sirve para apartar vagones o locomotoras. [**2** Punto en el que un asunto no puede llevarse adelante. □ ETIMOL. Del latín *via* (camino, calle, viaje).

viabilidad s.f. **1** Probabilidad de poder ser llevado a cabo. **2** Posibilidad de vivir o de existir.

viable adj. **1** Que puede ser llevado a cabo. **2** Que puede vivir o existir. □ ETIMOL. Del francés *viable* (que tiene condiciones de vida). □ MORF. Invariable en género.

viaducto s.m. Especie de puente construido sobre una hondonada para facilitar el paso y salvar el desnivel. □ ETIMOL. Del inglés *viaduct.*

viajante s. Persona que se dedica profesionalmente a mostrar y vender productos viajando de un lugar a otro, y que generalmente representa a una o a varias casas comerciales. □ MORF. Es de género común: *el viajante, la viajante.*

viajar v. **1** Trasladarse de un lugar a otro, generalmente distantes entre sí, o recorrer una ruta: *Me gusta mucho viajar en tren.* **2** Referido a una mercancía, ser transportada: *La gasolina viaja en un camión cisterna.* [**3** col. En el lenguaje de la droga, encontrarse bajo los efectos de una droga alucinógena: *Cuando 'viaja', ve la realidad distorsionada.* □ ORTOGR. Conserva la *j* en toda la conjugación.

viaje s.m. **1** Traslado o desplazamiento de un lugar a otro. **2** Trayecto, itinerario o camino que se hace para ir de un lugar a otro. [**3** col. En el lenguaje de la droga, efecto de una droga alucinógena. **4** col. Ataque o agresión inesperados. ‖ [**viaje relámpago**; el que se realiza para estar en un lugar durante muy poco tiempo y generalmente para solucionar algo de forma rápida o urgente. □ ETIMOL. Las acepciones 1 y 2, del catalán *viatge,* y éste del latín *viaticum* (provisiones para el viaje). La acepción 4, del catalán *biaix* (sesgo).

viajero, ra adj./s. Que viaja.

vial adj. De la vía o relacionado con este lugar por donde se transita. □ MORF. Invariable en género.

vianda s.f. Comida para las personas, esp. referido a la que se sirve a la mesa. □ ETIMOL. Del francés *viande.* □ MORF. Se usa más en plural.

viandante s. Persona que va o se traslada a pie; peatón. □ MORF. Es de género común: *el viandante, la viandante.*

viaraza s.f. col. En zonas del español meridional, ocurrencia o acción repentina.

viario, ria adj. De los caminos y carreteras y relacionado con ellos. □ ETIMOL. Del latín *viarius.*

viático s.m. En la iglesia católica, sacramento de la eucaristía, que se administra a los enfermos que están en peligro de muerte. □ ETIMOL. Del latín *viaticum,* y éste de *via* (camino).

víbora s.f. **1** Serpiente venenosa de cabeza triangular, con dos dientes huecos en la mandíbula superior por los que vierte el veneno, y que ataca a sus víctimas con un movimiento rápido de cabeza. 🔸 serpiente **2** *col.* Persona con malas intenciones. ☐ ETIMOL. Del latín *vipera*. ☐ MORF. En la acepción 1, es un sustantivo epiceno: *la víbora macho, la víbora hembra*.

vibración ❚ s.f. **1** Movimiento vibratorio. **2** Sonido tembloroso y entrecortado de la voz o de algo inmaterial. ❚ pl. **3** *col.* Sensación o sentimiento positivos o negativos que se intuyen.

vibrador s.m. [Aparato eléctrico con forma de pene que se usa para la estimulación sexual.

vibrante ❚ adj. **1** Que vibra o que hace vibrar. **2** En lingüística, referido a un sonido, que se articula interrumpiendo una o varias veces la salida del aire: *El sonido [r] en español puede ser vibrante simple, como en 'pera', o vibrante múltiple, como en 'carro'*. ❚ s.f. **3** Letra que representa este sonido: *La 'r' es una vibrante*. ☐ MORF. Como adjetivo es invariable en género.

vibrar v. **1** Moverse con movimientos pequeños y rápidos de un lado a otro o de arriba abajo: *Los cristales de la estación vibran cuando pasa un tren*. **2** Referido a la voz o a algo inmaterial, sonar temblorosa o entrecortadamente: *Su voz vibraba por la emoción*. **3** Conmoverse por algo: *El cantante hizo vibrar a los asistentes*. ☐ ETIMOL. Del latín *vibrare* (sacudir, lanzar, vibrar).

vibratorio, ria adj. Que vibra o que puede vibrar.

vicaría s.f. **1** Cargo de vicario. **2** Oficina o despacho del vicario. **3** ‖ **pasar por la vicaría**; *col.* Casarse.

vicarial adj. Que puede sustituir o representar algo. ☐ MORF. Invariable en género.

vicario, ria ❚ adj./s. **1** Referido a una persona, que tiene el poder y las facultades de otra o que la sustituye. ❚ s.m. **2** En la iglesia católica, juez eclesiástico nombrado y elegido por los prelados para que ejerza la jurisdicción ordinaria. [**3** En la iglesia católica, sacerdote que ayuda en su labor al párroco. ☐ ETIMOL. Del latín *vicarius* (el que hace las veces de otro).

vice- Elemento compositivo que significa 'en vez de' o 'inmediatamente inferior a'. ☐ ETIMOL. Del latín *vicis* (vez). ☐ MORF. Puede adoptar las formas *vi-* (virrey) o *viz-* (vizconde).

vicealmirante s.m. En la Armada, persona cuyo empleo militar es superior al de contraalmirante e inferior al de almirante.

vicecónsul s. Funcionario diplomático de categoría inmediatamente inferior a la del cónsul. ☐ MORF. Es de género común: *el vicecónsul, la vicecónsul*.

[**vicedirector, -a** s. Persona de categoría inmediatamente inferior a la de director y que está facultada para sustituirlo en ciertas ocasiones.

vicepresidencia s.f. Cargo de vicepresidente.

vicepresidente, ta s. En un Gobierno, en una colectividad o en un organismo, persona de categoría inmediatamente inferior a la de presidente y que está facultada para sustituirlo en ciertas ocasiones.

vicerrector, -a s. Persona de categoría inmediatamente inferior a la de rector y que está facultada para sustituirlo en ciertas ocasiones.

vicesecretaría s.f. Cargo de vicesecretario.

vicesecretario, ria s. En una oficina, en una organización o en una reunión, **persona de categoría in**mediatamente inferior a la del secretario y que está facultada para sustituirlo en ciertas ocasiones.

vicetiple s.f. *col.* En una zarzuela, en una opereta o en una revista, cantante femenina que interviene en los números de conjunto.

viceversa adv. De forma inversa, al contrario o cambiando las cosas recíprocamente: *Cuando su mujer trabaja, él atiende a los niños, y viceversa*. ☐ ETIMOL. Del latín *vice versa* (en alternativa inversa).

[**vichy** (galicismo) s.m. Tela resistente de algodón de rayas o de cuadros. ☐ PRON. [vichí].

[**vichyssoise** (galicismo) s.f. Sopa fría o caliente, hecha con puerros, cebolla, patata, mantequilla y crema de leche. ☐ PRON. [vichisuá], con *ch* suave.

viciar v. **1** Dañar, corromper o estropear: *El copista ha viciado un manuscrito con numerosas erratas. El aire de la habitación se ha viciado porque no hay ventilación*. **2** Adquirir o hacer adquirir vicios o hábitos y costumbres negativos o perjudiciales: *Has viciado tu forma de tocar la guitarra por no seguir un método. Se va a viciar con esa costumbre de salir todos los días de noche*. **3** Referido a un acto, anular o quitar su valor o su validez: *La intención de fraude vicia el contrato*. ☐ ORTOGR. La *i* nunca lleva tilde.

vicio s.m. **1** Costumbre, gusto o necesidad censurables, esp. en sentido moral. **2** Afición o gusto excesivos por algo, que incitan a consumirlo frecuentemente. **3** Lo que aficiona o gusta de forma excesiva. **4** Mala costumbre que se repite con frecuencia. **5** Defecto o error. **6** ‖ **de vicio**; *col.* [**1** Muy bueno o muy bien. **2** Sin un motivo suficiente o sin necesidad. ☐ ETIMOL. Del latín *vitium* (defecto, falta, vicio).

vicioso, sa adj./s. Que tiene vicios y se entrega a ellos.

vicisitud s.f. Sucesión alterna de sucesos prósperos y adversos. ☐ ETIMOL. Del latín *vicissitudo*. ☐ USO Se usa más en plural.

víctima s.f. **1** Persona o animal que sufren algún daño, esp. si es por alguna causa ajena. **2** Persona o animal destinados al sacrificio. ☐ ETIMOL. Del latín *victima* (persona o animal destinados a un sacrificio religioso). ☐ SEM. En la acepción 1, no es sinónimo de *muerto*: *En el accidente hubo varias víctimas, pero afortunadamente todos resultaron heridos leves*.

victoria s.f. **1** Éxito en un enfrentamiento, o superioridad demostrada al vencer a un rival. **2** ‖ **cantar victoria**; alegrarse o jactarse de un triunfo. ☐ ETIMOL. Del latín *victoria*, y éste de *victor* (vencedor).

victoriano, na adj. De la reina Victoria (reina británica del siglo XIX), de su época o relacionado con ellas.

[**victorino** s.m. Referido a un toro, que pertenece a la ganadería de Victorino Martín.

victorioso, sa adj. **1** Que ha conseguido una victoria. **2** Que supone una victoria.

vicuña s.f. **1** Mamífero rumiante parecido a la llama pero con menos lana, que tiene las orejas puntiagudas, las patas largas y el pelaje muy fino y de color amarillento. 🔸 rumiante **2** Lana de este animal. ☐ MORF. En la acepción 1, es un sustantivo epiceno: *la vicuña macho, la vicuña hembra*.

vid s.f. Planta leñosa trepadora de tronco retorcido, ramas largas, flexibles y nudosas, hojas partidas en cinco lóbulos puntiagudos y cuyo fruto es la uva. □ ETIMOL. Del latín *vitis* (vid, varita).

vida s.f. **1** Fuerza o actividad individual por la que un ser que ha nacido crece, se reproduce y muere cuando ésta cesa: *Las rocas no tienen vida.* **2** Existencia de seres con esta fuerza o actividad: *Algunos científicos opinan que puede haber vida en otros planetas.* **3** Según algunas creencias religiosas, unión del alma con el cuerpo: *Un amigo que cree en la reencarnación dice que ha tenido otras vidas.* **4** Período de tiempo que transcurre desde el nacimiento hasta la muerte. **5** Duración de las cosas. **6** Modo de vivir, o conjunto de características de la existencia de una persona. **7** Lo que es necesario para vivir o mantener la existencia: *El agua es la vida.* **[8** Actividad o conjunto de actividades de un sector social. **9** Conjunto de hechos y de sucesos de una persona mientras vive. **10** Lo que da valor, sentido o interés a la existencia: *¡Cuánto te quiero, vida mía!* **11** Según algunas creencias religiosas, estado del alma después de la muerte: *El alma tiene vida más allá de la muerte.* **12** Expresión, viveza, animación o energía. **13** ‖ **a vida o muerte**; referido al modo de hacer algo, con un gran riesgo de morir. ‖ **buscarse la vida**; *col.* Ingeniárselas para encontrar uno mismo la manera de salir adelante. ‖ **[dar vida**; referido a un personaje escénico, representarlo. ‖ **de toda la vida**; *col.* Desde hace mucho tiempo o desde que se recuerda. ‖ **esto es vida**; *col.* Expresión que se usa cuando se disfruta de algo estupendo o verdaderamente agradable. ‖ **la otra vida**; según algunas creencias religiosas, la existencia después de la muerte. ‖ **pasar a mejor vida**; *col.* Morir. ‖ **perder la vida**; morir, esp. si es de forma violenta o accidental. ‖ **vida y milagros**; *col.* Conjunto de hechos, sucesos y anécdotas personales. □ ETIMOL. Del latín *vita.*

vide (latinismo) Expresión que se escribe antes de la indicación del lugar o de la página que se ha de consultar para encontrar algo. □ ORTOGR. Se usa mucho abreviado en las formas *vid.* o *v.*

vidente adj./s. **1** Que puede ver. **2** Profeta o persona que predice el futuro o conoce cosas ocultas. □ ETIMOL. Del latín *videns* (que ve). □ ORTOGR. Dist. de *bidente.* □ MORF. 1. Como adjetivo es invariable en género. 2. Como sustantivo es de género común: *el vidente, la vidente.* 3. En la acepción 1, la RAE sólo lo registra como adjetivo. 4. En la acepción 2, la RAE sólo lo registra como sustantivo masculino.

[video s.m. En zonas del español meridional, vídeo.

vídeo s.m. **[1** Sistema que permite grabar y reproducir imágenes y sonidos en una cinta magnética. **[2** Grabación hecha mediante este sistema. **3** Aparato capaz de grabar y reproducir imágenes y sonidos de la televisión en una cinta magnética. **[4** *col.* →**videocinta.** □ ETIMOL. Del inglés *video*, y éste del latín *video* (yo veo). □ ORTOGR. En zonas del español meridional, se usa *video*, pronunciado [vidéo].

[videoaficionado, da s. Persona que tiene la afición de hacer grabaciones en vídeo.

[videocámara s.f. Cámara de filmación que permite grabar imágenes y sonidos en una cinta magnética.

[videocasete s.m. →**videocinta.** □ MORF. En la lengua coloquial, se usa mucho la forma abreviada *vídeo.*

[videocasetera s.f. En zonas del español meridional, aparato reproductor de vídeo.

videocinta s.f. Cinta magnética en la que se registran imágenes y sonidos; videocasete. □ MORF. En la lengua coloquial se usa mucho la forma abreviada *vídeo.*

[videoclip s.m. Grabación de vídeo hecha para promocionar una canción. □ ETIMOL. Del inglés *video clip.*

[videoclub s.m. Establecimiento comercial en el que pueden alquilarse cintas de vídeo.

[videoconsola s.f. Consola de videojuegos.

videodisco s.m. Disco en el que se registran imágenes y sonidos, que se reproducen por medio de un rayo láser en un televisor.

[vídeófono s.m. →**videoteléfono.**

[videojuego s.m. Juego electrónico contenido en un disquete para reproducirlo por medio de un ordenador.

[videoteca s.f. Colección de cintas de vídeo con grabaciones. □ ETIMOL. Del latín *video* (yo veo) y el griego *théke* (caja para depositar algo).

[videoteléfono s.m. Sistema de comunicación que combina el teléfono y la televisión y permite que los interlocutores puedan verse. □ USO Se usa también *videófono.*

[videotext s.m. →**videotexto.** □ USO Es un anglicismo innecesario.

[videotexto s.m. Sistema que permite ver en una pantalla textos informativos por medio de una señal televisiva o telefónica. □ USO Es innecesario el uso del anglicismo *videotext.*

vidorra s.f. *col.* Vida muy satisfactoria o muy placentera.

vidriera s.f. Véase **vidriero, ra.**

[vidrierista s. En zonas del español meridional, escaparatista. □ MORF. Es de género común: *el 'vidrierista', la 'vidrierista'.*

vidriero, ra ‖ s. **1** Persona que se dedica profesionalmente a la fabricación, a la colocación o a la venta de cristales; cristalero. **2** Persona que se dedica profesionalmente a la fabricación y venta de objetos de vidrio. ‖ s.f. **3** Marco o bastidor con cristales, esp. si son de colores y forman algún dibujo, con el que se cierra o se cubre el hueco de una puerta o de una ventana. **4** En zonas del español meridional, escaparate.

vidrio s.m. **1** Material sin estructura cristalina, duro, frágil y generalmente transparente, que está formado por una mezcla de silicatos y óxidos preparados por fusión y enfriados rápidamente. **2** Objeto que se hace con este material. **3** En zonas del español meridional, cristal. □ ETIMOL. Del latín *vitreum* (objeto de vidrio).

vidrioso, sa adj. Referido esp. a los ojos, que están cubiertos por una capa líquida y como si fueran de cristal.

vieira s.f. **1** Molusco marino de carne comestible, de concha semicircular formada por dos valvas, una plana y la otra muy convexa, de color rojizo por fuera y blancuzco por dentro, y con catorce estrías radiales. ✕ marisco **2** Concha de este molusco. □ ETIMOL. Del gallego *vieira.*

viejales s. *col.* Persona vieja. □ MORF. 1. Es de género común: *el viejales, la viejales.* 2. Invariable en número. □ USO Tiene un matiz humorístico.

viejo, ja ‖ adj. **1** Que existe desde hace mucho

tiempo. **2** De un tiempo pasado. **3** Que no es reciente ni nuevo. **4** Gastado o estropeado por el uso. ∎ adj./s. **5** Que tiene ya mucha edad o muchos años y que está en la última etapa de su vida. ∎ s. **[6** *col.* Padre o madre. **7** ‖**de viejo**; referido a una tienda, que vende artículos de segunda mano. ☐ ETIMOL. Del latín *vetulus* (de cierta edad, algo viejo).

vienés, -a adj./s. De Viena (capital austríaca), o relacionado con ella.

viento s.m. **1** Aire o corriente de aire, esp. si está en movimiento. **[2** *col.* Corriente, estilo, ambiente o circunstancias. **3** Cuerda larga o alambre que se ata a una cosa para mantenerla firme o para moverla con seguridad hacia un lado. **[4** En música, en una orquesta o en una banda, conjunto de los instrumentos que se tocan soplando y haciendo pasar una columna de aire a través de ellos. 🔊 viento **5** ‖**a los cuatro vientos**; en todas direcciones o por todas partes. ‖**beber los vientos por** alguien; *col.* Estar muy enamorado de él. ‖**con viento fresco**; *col.* Expresión de enfado o de desprecio con que se despide o se rechaza a alguien. ‖**contra viento y marea**; a pesar de cualquier obstáculo, dificultad o inconveniente. ‖ **[irse a tomar viento**; *col.* Fracasar. ‖**llevarse el viento** algo; desaparecer por ser poco seguro. ‖**viento en popa**; *col.* Con buena suerte, con prosperidad o sin dificultades. ‖**(vientos) alisios**; los que soplan con una intensidad constante durante todo el año desde los trópicos hacia la zona ecuatorial. ‖ **[(vientos) contraalisios**; los que soplan con una intensidad constante durante todo el año desde la zona ecuatorial hacia los trópicos. ☐ ETIMOL. Del latín *ventus*. ☐ SINT. Con *viento fresco* se usa más con los verbos *irse, marchar, largar, despedir* o equivalentes.

vientre s.m. **1** En el cuerpo humano o en el de otros mamíferos, parte comprendida entre el tórax y la pelvis, en la que se sitúa la mayor parte de los aparatos digestivo y reproductor; tripa. **2** Conjunto de vísceras que está contenido en esta parte del cuerpo. **3** Parte abultada de algunas cosas, esp. de una vasija; panza. **4** ‖{evacuar/exonerar/mover} el vientre; *euf.* Defecar o expulsar los excrementos por el ano. ☐ ETIMOL. Del latín *venter*. ☐ SEM. 1. Es sinónimo de *barriga*. 2. En las acepciones 1 y 2, es sinónimo de *abdomen*.

viernes s.m. Quinto día de la semana, entre el jueves y el sábado. ☐ ETIMOL. Del latín *dies Veneris* (día de Venus). ☐ MORF. Invariable en número.

vierteaguas s.m. Borde que forma una superficie inclinada para que escurra el agua de lluvia y resguarde de ella lo que está debajo. ☐ MORF. Invariable en número.

vietnamita adj./s. De Vietnam (país asiático), o relacionado con él. ☐ MORF. 1. Como adjetivo es invariable en género. 2. Como sustantivo es de género común: *el vietnamita, la vietnamita*.

viga s.f. **1** Elemento constructivo de mayor longitud que anchura y altura, de disposición horizontal o, a veces, inclinada, que forma parte de la estructura de una edificación. **2** ‖**viga maestra**; aquella sobre la que se apoyan otras. ☐ ETIMOL. De origen incierto.

vigencia s.f. Circunstancia de estar en vigor algo establecido, esp. una ley o una costumbre, o de tener fuerza para obligar a su cumplimiento o a su seguimiento.

vigente adj. Referido esp. a una ley o a una costumbre, que mantienen su vigor y que se cumplen o se siguen. ☐ ETIMOL. Del latín *vigens*. ☐ MORF. Invariable en género.

vigésimo, ma numer. **1** En una serie, que ocupa el lugar número veinte. **2** Referido a una parte, que constituye un todo junto con otras diecinueve iguales a ella; veintavo, veinteavo. ☐ ETIMOL. Del latín *vigesimus*. ☐ MORF. *Vigésima primera* (incorr. **vigésimo primera*), etc.

vigía s. Persona encargada de vigilar, generalmente desde un lugar elevado. ☐ ETIMOL. Del portugués *vigia*. ☐ MORF. Aunque la RAE lo registra como sustantivo de género ambiguo, en la lengua actual es de género común: *el vigía, la vigía*.

vigilancia s.f. **1** Cuidado y atención que alguien pone en lo que está a su cargo para que marche bien. **2** Servicio organizado y dispuesto para vigilar y llevar a cabo esta labor.

vigilante s. Persona encargada de realizar funciones de vigilancia o de velar y cuidar algo. ☐ MORF. Aunque la RAE sólo lo registra como masculino, en la lengua actual es de género común: *el vigilante, la vigilante*.

vigilar v. Velar o cuidar poniendo la máxima atención: *Vigila la comida que está en el fuego*. ☐ ETIMOL. Del latín *vigilare* (estar atento, vigilar).

vigilia s.f. **1** Permanencia de una persona despierta o en vela. **2** Comida con abstinencia o renuncia a comer carne, esp. referido a la que se hace por mandato eclesiástico. **3** Víspera de una festividad religiosa. ☐ ETIMOL. Del latín *vigilia* (vela, vigilia).

vigor s.m. **1** Fuerza, vitalidad o actividad notables, esp. en los seres animados. **2** Viveza, energía o eficacia en lo que se hace. **3** Validez, actualidad o fuerza que tienen una ley o una costumbre para obligar a ser respetadas. ☐ ETIMOL. Del latín *vigor*.

vigorizar v. Fortalecer, revitalizar o dar vigor: *El ejercicio físico vigoriza los músculos. Los fertilizantes contribuyen a que las plantas se vigoricen.* ☐ ORTOGR. La *z* se cambia en *c* delante de *e* →CAZAR.

vigoroso, sa adj. Con vigor o fuerza.

vihuela s.f. Instrumento musical de cuerda, de forma parecida a la de la guitarra, que se toca pulsándolo con arco o con púa. ☐ ETIMOL. De origen incierto. 🔊 cuerda

vikingo, ga adj./s. De un pueblo escandinavo de navegantes que entre los siglos VIII y XI realizó incursiones por las costas atlánticas y por casi todo el territorio europeo occidental, o relacionado con él.

vil adj. Muy malo, innoble o digno de desprecio. ☐ ETIMOL. Del latín *vilis* (barato, sin valor). ☐ MORF. Invariable en género.

vilano s.m. En botánica, apéndice en forma de pelusa que corona el fruto de algunas plantas y les sirve como medio de transporte por el aire. ☐ ETIMOL. De *milano*.

vileza s.f. **1** Maldad, condición despreciable o falta de dignidad. **2** Hecho o dicho malvados, infames o indignos.

vilipendiar v. Despreciar, ofender gravemente o tratar de manera denigrante y sin estima: *Nunca te perdonará que lo vilipendiaras de esa forma*. ☐ ETIMOL. Del latín *vilipendere*, y éste de *vilis* (vil) y *pendere* (estimar). ☐ ORTOGR. La *i* nunca lleva tilde.

villa s.f. **1** Población que tiene privilegios que la distinguen de otros lugares. **2** Casa de recreo situada

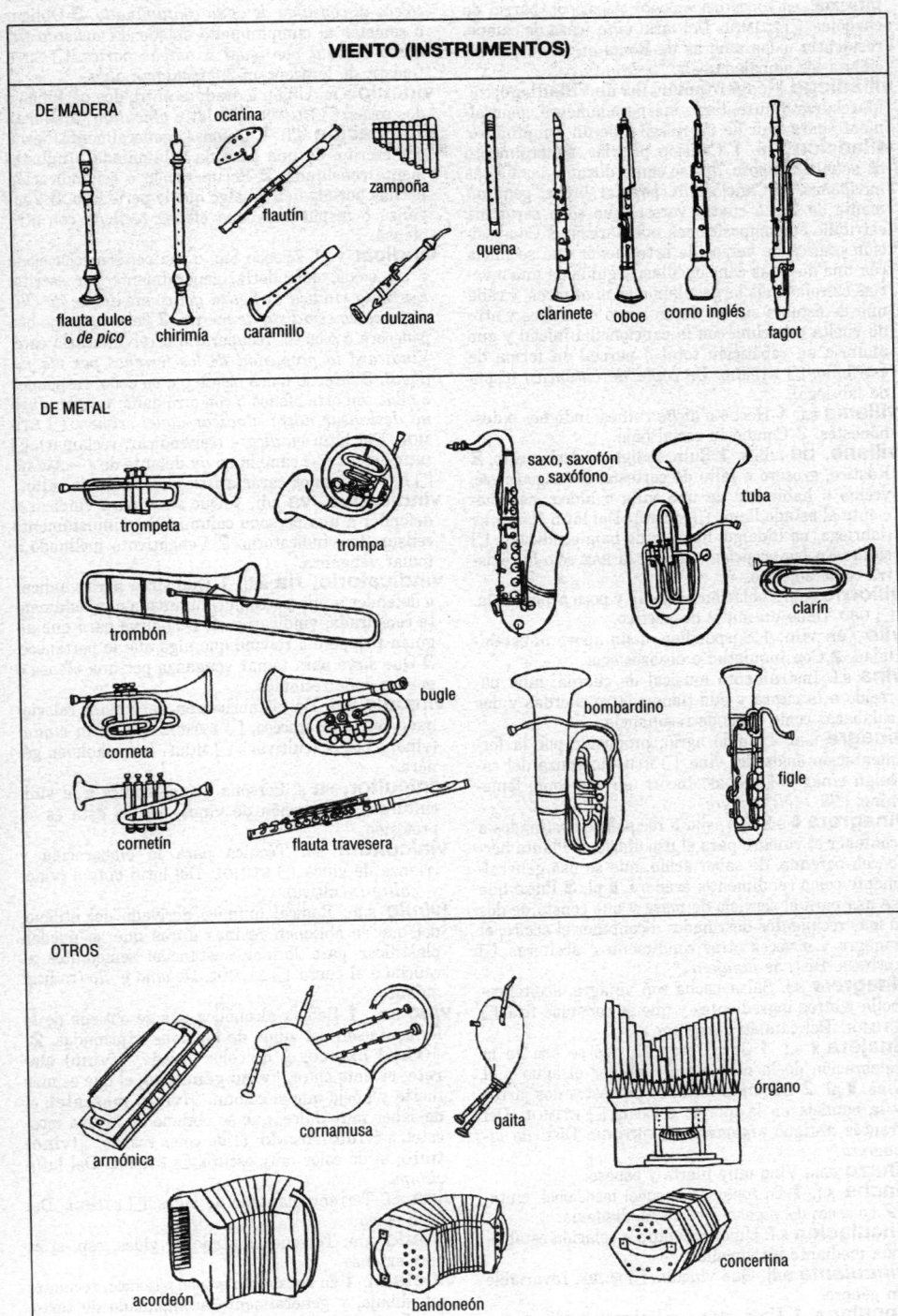

VIENTO (INSTRUMENTOS)

DE MADERA

flauta dulce o *de pico*, chirimía, caramillo, ocarina, flautín, dulzaina, zampoña, quena, clarinete, oboe, corno inglés, fagot

DE METAL

trompeta, trompa, saxo, saxofón o saxófono, tuba, trombón, clarín, corneta, bugle, bombardino, cornetín, flauta travesera, figle

OTROS

armónica, cornamusa, gaita, órgano, acordeón, bandoneón, concertina

aisladamente en el campo. 🐀 **vivienda 3** ‖ **[villa miseria**; en zonas del español meridional, barrio de chabolas. ☐ ETIMOL. Del latín *villa* (casa de campo, residencia a las afueras de Roma en la que se recibía a los embajadores).

villadiego ‖ {coger/tomar} **las de Villadiego**; *col.* Marcharse o ausentarse inesperadamente, generalmente para huir de un riesgo o de un compromiso.

villancico s.m. **1** Canción popular, generalmente de asunto religioso, que se canta durante las fiestas navideñas. **2** Cancioncilla popular breve, generalmente de dos a cuatro versos, que solía servir de estribillo en composiciones más largas. **3** Composición poética de versos de arte menor que se inicia con una de estas cancioncillas, seguida de una o varias estrofas más largas llamadas *mudanzas*, y cada una de éstas a su vez de un verso de enlace y otro de vuelta que rima con la cancioncilla inicial y que anuncia su repetición total o parcial en forma de estribillo. ☐ ETIMOL. De *copla de villancico* (copla de labriego).

villanía s.f. **1** Hecho o dicho ruines, indignos o deshonestos. **2** Condición social baja.

villano, na adj./s. **1** Ruin, indigno o deshonesto. **2** Rústico, grosero o falto de cortesía. **3** Antiguamente, vecino o habitante de una villa o aldea, perteneciente al estado llano. ☐ ETIMOL. Del latín **villanus* (labriego, no hidalgo, hombre de baja condición). ☐ MORF. En las acepciones 1 y 2, la RAE sólo lo registra como adjetivo.

villorrio s.m. Población pequeña y poco urbanizada. ☐ USO Tiene un matiz despectivo.

vilo ‖ **en vilo**; **1** Suspendido, o sin apoyo ni estabilidad. **2** Con inquietud o desasosiego.

vina s.f. Instrumento musical de cuerda, muy parecido a la cítara y que tiene cuatro cuerdas y dos calabazas como cajas de resonancia.

vinagre s.m. Líquido agrio, producido por la fermentación ácida del vino. ☐ ETIMOL. Quizá del catalán *vinagre*. ☐ MORF. Incorr. su uso como femenino: {*la > el} *vinagre*.

vinagrera ∎ s.f. **1** Vasija o recipiente destinados a contener el vinagre para el uso diario. **2** Planta herbácea perenne, de sabor ácido, que se usa generalmente como condimento; acedera. ∎ pl. **3** Pieza que se usa para el servicio de mesa y que consta de dos o más recipientes destinados a contener el aceite, el vinagre y a veces otros condimentos; aceiteras. ☐ ORTOGR. Dist. de *vinajera*.

vinagreta s.f. Salsa hecha con vinagre, aceite, cebolla y otros ingredientes y que se consume fría. ☐ ETIMOL. Del catalán *vinagreta*.

vinajera ∎ s.f. **1** Jarro pequeño que se usa en la celebración de la misa para contener el agua o el vino. ∎ pl. **2** Conjunto formado por estos dos jarros y la bandeja en la que se colocan. ☐ ETIMOL. Del francés antiguo *vinagière*. ☐ ORTOGR. Dist. de *vinagrera*.

vinazo s.m. Vino muy fuerte y espeso.

vincha s.f. **1** En zonas del español meridional, cinta. **[2** En zonas del español meridional, diadema.

vinculación s.f. Unión, atadura o relación establecida mediante un vínculo.

[vinculante adj. Que vincula. ☐ MORF. Invariable en género.

vincular v. **1** Unir, atar o relacionar mediante un vínculo: *Nos vincula una estrecha amistad.* **2** Hacer

depender: *Los médicos vinculan el último brote de cólera al consumo de agua contaminada.* **3** Obligar o someter al cumplimiento debido: *El acuerdo firmado vincula por igual a ambas partes.* ☐ SINT. Constr. de la acepción 2: *vincular* A *algo*.

vínculo s.m. Unión o atadura entre dos personas o dos cosas. ☐ ETIMOL. Del latín *vinculum* (atadura).

vindicación s.f. **1** Defensa, generalmente hecha por escrito, de una persona calumniada o injustamente censurada. **2** Recuperación o reivindicación hechas por alguien de algo que le pertenece. **3** Venganza o respuesta a una ofensa recibida con otra ofensa.

vindicar v. **1** Referido esp. a una persona calumniada o censurada, defenderla, generalmente por escrito: *Ese libro vindica la figura del conde-duque de Olivares como estadista de mérito.* **2** Referido a algo que pertenece a alguien, recuperarlo o reivindicarlo éste: *Vindicará la propiedad de los terrenos por vía judicial.* **3** Referido a una ofensa o a un daño, responder a ellos con otra ofensa o con otro daño; vengar: *Juró no descansar hasta vindicar aquel crimen.* ☐ ETIMOL. Del latín *vindicare* (reivindicar, reclamar). ☐ ORTOGR. La *c* se cambia en *qu* delante de *e* →SACAR. ☐ USO Su uso es característico del lenguaje culto.

vindicativo, va adj. **1** Que sirve para vindicar o defender a una persona calumniada o injustamente censurada; vindicatorio. **2** Vengativo o inclinado a tomar venganza.

vindicatorio, ria adj. **1** Que sirve para vindicar o defender a una persona calumniada o injustamente censurada; vindicativo. **2** Que sirve para que alguien recupere o reivindique algo que le pertenece. **3** Que sirve para tomar venganza por una ofensa o por un daño recibidos.

vinícola adj. De la fabricación del vino o relacionado con este proceso. ☐ ETIMOL. Del latín *vinum* (vino) y *colere* (cultivar). ☐ MORF. Invariable en género.

vinicultor, -a s. Persona que se dedica a la vinicultura o elaboración de vinos, esp. si ésta es su profesión.

vinicultura s.f. Técnica para la elaboración y crianza de vinos. ☐ ETIMOL. Del latín *vinum* (vino) y *-cultura* (cultivo).

[vinilo s.m. Radical químico derivado del etileno, del que se obtienen resinas duras que se pueden plastificar para formar sustancias semejantes al caucho o al cuero. ☐ ETIMOL. De *vino* e *-ilo* (radical químico).

vino s.m. **1** Bebida alcohólica que se obtiene de la fermentación del zumo de las uvas exprimidas. **2** ‖ **(vino) blanco**; el de color dorado. ‖ **(vino) clarete**; el tinto claro. ‖ **vino generoso**; el que es más fuerte y añejo que el común. ‖ **(vino) moscatel**; el de sabor muy dulce, que se obtiene de la uva moscatel. ‖ **(vino) rosado**; el de color rosado. ‖ **(vino) tinto**; el de color muy oscuro. ☐ ETIMOL. Del latín *vinum*.

viña s.f. Terreno plantado de vides. ☐ ETIMOL. Del latín *vinea*.

viñedo s.m. Terreno plantado de vides, esp. si es muy extenso.

viñeta s.f. **1** En un cómic o en una historieta, recuadro con dibujo, y generalmente acompañado de texto, que forma parte de una sucesión que compone una historia. **2** En una publicación impresa, dibujo o escena aislados, generalmente de carácter humorístico y acompañados a veces de un texto breve. **3** En zonas del español meridional, dibujo pequeño que se pone al principio o al final de los capítulos de un libro. ☐ ETIMOL. Del francés *vignette* (adorno en figura de sarmientos que se pone en las primeras páginas de un libro).

viola s.f. Instrumento musical de cuerda y arco, de la familia de los violines, de mayor tamaño, y de sonido más grave que el violín. ☐ ETIMOL. Del italiano *viola*. 🔊 cuerda

violáceo, a adj./s.m. Del color de las flores de la violeta; violado, violeta. ☐ USO Aunque la RAE prefiere *violado*, se usa más *violáceo*.

violación s.f. **1** Desobediencia, incumplimiento o quebrantamiento de una ley o de una norma. **2** Realización del acto sexual con una persona en contra de su voluntad y generalmente por la fuerza, o cuando dicha persona es menor de doce años, está sin sentido o tiene algún trastorno mental. **[3** Acción de no respetar algo.

violado, da adj. →**violáceo**.

violador, -a adj./s. **1** Que viola o infringe una ley. **2** Que obliga a otra persona a realizar el acto sexual.

violar v. **1** Referido esp. a una ley o a una norma, desobedecerlas, incumplirlas o quebrantarlas: *Un sacerdote no debe nunca violar el secreto de confesión.* **2** Referido a una persona, obligarla a realizar el acto sexual por la fuerza, mediante engaño, o cuando es menor de doce años, está sin sentido o tiene algún trastorno mental: *Lo condenaron a prisión mayor por violar a una menor.* **[3** No respetar: *Si abres una carta dirigida a otra persona, estás 'violando' el carácter privado de la correspondencia.* **4** Referido a un lugar sagrado, profanarlo realizando en él actos irrespetuosos: *Unos gamberros violaron el sagrario y esparcieron las sagradas formas por el suelo.* ☐ ETIMOL. Del latín *violare*.

violencia s.f. **1** Precipitación o tendencia a dejarse llevar fácilmente por la ira o a hacer uso de la fuerza. **2** Acción violenta producida por esta tendencia a hacer uso de la fuerza. **3** Ímpetu o fuerza extraordinarios con que algo se hace o se produce. ☐ ETIMOL. Del latín *violentia*.

violentar v. **1** Referido a algo que ofrece resistencia, someterlo o vencerlo mediante la fuerza: *Los ladrones consiguieron entrar violentando la puerta.* **2** Referido a una persona, incomodarla o ponerla en una situación embarazosa: *Si me haces una cosa así en público, conseguirás violentarme. Se violentó mucho cuando le exigieron explicaciones por su actuación.*

violento, ta adj. **1** Referido a una persona, que es impetuosa, se deja llevar fácilmente por la ira o acostumbra a hacer uso de la fuerza. **2** Que actúa con ímpetu y fuerza extraordinarios. **3** Que se hace o se produce de manera brusca, impetuosa e intensa. **4** Referido a una situación, que resulta incómoda, tensa y embarazosa. ☐ ETIMOL. Del latín *violentus*, y éste de *vis* (fuerza, poder, violencia).

violeta ∎ adj./s.m. **1** Del color de las flores de la violeta; violáceo, violado. ∎ s.f. **2** Planta herbácea de tallos rastreros, hojas ásperas y acorazonadas, flores generalmente de color morado y olor agradable y fruto en cápsula. **3** Flor de esta planta. ☐ ETIMOL. Del francés *violette*. ☐ MORF. Como adjetivo es invariable en género.

violetera s.f. Mujer que vende ramitos de violetas en lugares públicos.

violín s.m. Instrumento musical de cuerda y arco, de la familia a la que da nombre y en la que es el de menor tamaño y sonido más agudo. ☐ ETIMOL. Del italiano *violino*. 🔊 cuerda

violinista s. Músico que toca el violín. ☐ MORF. Es de género común: *el violinista, la violinista.*

violón s.m. ant. →**contrabajo**. ☐ ETIMOL. Del italiano *violone*. 🔊 cuerda

violoncelista s. →**violonchelista**. ☐ MORF. Es de género común: *el violoncelista, la violoncelista.*

violoncelo s.m. →**violonchelo**. 🔊 cuerda

violonchelista s. Músico que toca el violonchelo. ☐ ORTOGR. Se admite también *violoncelista*. ☐ MORF. Es de género común: *el violonchelista, la violonchelista.*

violonchelo s.m. Instrumento musical de cuerda y arco, de la familia de los violines, de tamaño y sonoridad intermedios entre los de la viola y los del contrabajo. ☐ ETIMOL. Del italiano *violoncello*. ☐ ORTOGR. Se admite también *violoncelo*. ☐ MORF. Se usa mucho la forma abreviada *chelo*. 🔊 cuerda

[vip (anglicismo) s. Persona que destaca mucho socialmente por su popularidad o por ocupar una posición influyente. ☐ ETIMOL. Es un acrónimo que procede de la sigla de *Very Important Person* (persona muy importante). ☐ MORF. Es de género común: *el 'vip', la 'vip'.* ☐ SINT. Se usa mucho en aposición, pospuesto a un sustantivo: *gente 'vip', sala 'vip'.*

viperino, na adj. Que busca hacer daño con palabras. ☐ ETIMOL. Del latín *viperinus.*

viraje s.m. **1** Cambio de dirección en la marcha de un vehículo. **2** Cambio de orientación, esp. en la conducta o en las ideas.

virar v. Cambiar de dirección o de rumbo. ☐ ETIMOL. Del francés o del portugués *virar.*

virgen ∎ adj. **1** Que está intacto y aún no ha sido utilizado todavía. **2** Que no ha sido sometido a procesos o manipulaciones artificiales en su elaboración. **3** Referido a un terreno, que no ha sido arado o cultivado. ∎ adj./s. **4** Referido a una persona, que no ha tenido relaciones sexuales. ∎ s.f. **5** En el cristianismo, la madre de Jesucristo. **6** ‖ **viva la Virgen**; col. Persona despreocupada e irresponsable que no quiere adquirir compromisos de ningún tipo. ☐ ETIMOL. Del latín *virgo* (muchacha, doncella, virgen). ☐ ORTOGR. Aunque la RAE sólo registra *viva la Virgen*, se usa más *vivalavirgen*. ☐ MORF. **1**. Como adjetivo es invariable en género. **2**. En la acepción 4, es de género común: *el virgen, la virgen.* ☐ USO En la acepción 5, se usa más como nombre propio.

virginal adj. **[1** De una persona virgen o relacionado con ella. **2** De la Virgen o relacionado con ella. **3** Puro, que no tiene mancha o que no ha sufrido daño ni deterioro. ☐ ETIMOL. Del latín *virginalis.* ☐ MORF. Invariable en género.

virginidad s.f. Estado de la persona que no ha tenido relaciones sexuales.

virgo ∎ adj./s. **1** Referido a una persona, que ha nacido entre el 23 de agosto y el 22 de septiembre aproximadamente. ∎ s.m. **2** En una mujer o en las hembras de algunos animales, repliegue membranoso que cierra parcialmente el orificio externo de la vagina y que se desgarra en la primera relación sexual; himen. ☐ ETIMOL. Del latín *virgo* (virgen). ☐ MORF. **1**.

Como adjetivo es invariable en género. 2. En la acepción 1, como sustantivo es de género común: *el virgo, la virgo*.

virguería s.f. **[1** *col.* Lo que se hace con gran exactitud o perfección. **2** Adorno o cosa superflua que se añade a algo. □ SINT. En la acepción 1 se usa más en la expresión *hacer virguerías*.

vírgula o **virgulilla** s.f. Raya o línea corta y muy delgada. □ ETIMOL. *Vírgula*, del latín *virgula* (varita). *Virgulilla*, diminutivo de *vírgula*.

vírico, ca adj. De los virus o relacionado con estos microorganismos.

viril adj. **1** Del varón o relacionado con él. **[2** Que tiene fuerza, valor, firmeza u otras características tradicionalmente consideradas propias de un varón. □ ETIMOL. Del latín *virilis* (masculino, vigoroso, propio del hombre adulto). □ MORF. Invariable en género. □ SEM. Es sinónimo de *varonil*.

virilidad s.f. **1** Conjunto de características que tradicionalmente se han considerado propias de un varón, como la fuerza, el valor o la firmeza. **2** Edad en la que el hombre ha adquirido toda su fuerza y vigor.

virilizarse v.prnl. Referido a una hembra, adquirir caracteres sexuales externos propios del sexo masculino. □ ORTOGR. La *z* se cambia en *c* delante de *e* →CAZAR.

virología s.f. Parte de la microbiología que estudia los virus. □ ETIMOL. Del latín *virus* (ponzoña) y *-logía* (ciencia, estudio).

[virólogo, ga s. Médico o biólogo especializado en virología.

[virósico, ca adj. En zonas del español meridional, viral o vírico.

virreina s.f. de **virrey**.

virreinato o **virreino** s.m. **1** Cargo de virrey. **2** Tiempo durante el que gobierna un virrey. **3** Territorio gobernado por un virrey. □ USO *Virreinato* es el término más usual.

virrey s.m. Persona que representaba al rey en uno de los territorios de la corona. □ ETIMOL. De *vi*, por influencia de *vice-*, y *rey*. □ MORF. 1. Su femenino es *virreina*. 2. Su plural es *virreyes*.

virtual adj. **1** Que tiene posibilidad de producir un determinado efecto, aunque no lo haga en el presente. **2** Que tiene existencia aparente y no real. □ ETIMOL. Del latín *virtualis*, y éste de *virtus* (fuerza, virtud). □ MORF. Invariable en género.

virtualidad s.f. **1** Posibilidad o capacidad que algo tiene para producir un determinado efecto aunque no lo realice en el presente. **2** Existencia aparente y no real de algo.

virtud s.f. **1** Cualidad o característica que se considera buena o positiva. **2** Capacidad o poder para producir un determinado efecto. **3** ‖**en virtud de** algo; como resultado de ello. □ ETIMOL. Del latín *virtus* (fortaleza de carácter).

virtuosismo s.m. Dominio extraordinario de la técnica necesaria para realizar algo.

virtuoso, sa adj./s. **1** Referido a una persona o a sus acciones, que posee una o varias virtudes o actúa según ellas. **2** Que domina de modo extraordinario una técnica. □ ETIMOL. Del latín *virtuosus*.

[viru s.f. *col.* →**viruta**.

viruela s.f. **1** Enfermedad contagiosa, producida por un virus, que se caracteriza por fiebre elevada y la aparición de ampollas llenas de pus sobre la piel. **2** Ampolla llena de pus producida por esta enfermedad. □ ETIMOL. del latín *variola*.

virulé ‖**a la virulé**; *col.* Referido esp. a la forma de llevar algo, estropeado, torcido o en mal estado. □ ETIMOL. Del francés *bas roulé* (media enrollada en su parte superior).

virulencia s.f. **1** Intensidad o manifestación intensa de una enfermedad. **2** Ironía o intención cruel y malintencionada que algo tiene, esp. un texto o un discurso. □ SEM. No debe emplearse con el significado de 'violencia': *En el partido de ayer, el equipo visitante mostró una gran {*virulencia > violencia} sobre el terreno de juego*.

virulento, ta adj. **1** Referido esp. a una enfermedad, que es producida por un virus o se manifiesta con gran intensidad. **2** Muy hiriente o irónico, o con intención cruel y malintencionada. □ ETIMOL. Del latín *virulentus*.

virus s.m. **1** Microorganismo de estructura sencilla, capaz de reproducirse en el seno de células vivas específicas, que está compuesto fundamentalmente por ácido ribonucleico o ácido desoxirribonucleico y por proteínas, y que es el causante de muchas enfermedades. **2** ‖**[virus (informático)**; programa informático que causa daño a las unidades de memoria del ordenador y que se introduce y se transmite a través de disquetes o de la red telefónica. □ ETIMOL. Del latín *virus* (zumo, ponzoña). □ MORF. Invariable en número.

viruta s.f. **1** Tira delgada, generalmente enrollada en espiral, que se saca de la madera o de los metales cuando se labran con un cepillo o con otra herramienta. **[2** *col.* Dinero. □ ETIMOL. De origen incierto. □ USO En la acepción 2 se usa mucho la forma abreviada *viru*.

vis ‖**vis cómica**; facultad de hacer reír, o habilidad para ello. □ ETIMOL. Del latín *vis comica* (fuerza cómica). □ ORTOGR. Dist. de *bis*.

[vis à vis (galicismo) **1** Frente a frente, o en presencia de otro. **2** Encuentro a solas de un preso con sus amistades particulares.

visa s.f. En zonas del español meridional, visado.

visado s.m. **1** Aportación de validez a un documento, esp. a un pasaporte, por parte de la autoridad competente, para un determinado uso. **[2** Sello o certificación que prueba esta validez.

visaje s.m. Gesto o movimiento exagerado del rostro, esp. el que se hace por hábito o por enfermedad. □ ETIMOL. Del francés *visage* (rostro).

visar v. **1** Referido a un documento, esp. a un pasaporte, darle la autoridad competente validez para un determinado uso: *La policía le visó el pasaporte al entrar en el país*. **2** Reconocer o examinar poniendo el visto bueno: *Un jefe de departamento debe visar todas las facturas*. □ ETIMOL. Del francés *viser*. □ ORTOGR. Dist. de *bisar*.

víscera s.f. Órgano contenido en una de las principales cavidades del cuerpo; entraña. □ ETIMOL. Del latín *viscera*.

visceral adj. **1** De las vísceras o relacionado con ellas. **[2** Referido a un sentimiento, que es muy intenso y profundo o que está muy arraigado. **[3** Que se deja llevar por este tipo de sentimientos o los manifiesta de forma exagerada. □ MORF. Invariable en género.

viscosa s.f. Véase **viscoso, sa**.

viscosidad s.f. **1** Consistencia espesa y pegajosa de algo, esp. de un líquido. **2** Sustancia viscosa.

viscoso, sa ∎ adj. **1** Referido esp. a una sustancia líquida, que es pegajosa y de consistencia espesa. ∎ s.f. **2** Producto que se obtiene mediante el tratamiento de la celulosa con productos químicos y que se emplea en la fabricación de fibras textiles. ☐ ETIMOL. Del latín *viscosus*.

visera s.f. **1** Pieza más o menos rígida de una gorra que sobresale por delante y que sirve para dar sombra a los ojos, o esta pieza sola. ✖ sombrero **[2** Gorra que tiene esta parte que sobresale.] **[3** En un automóvil, pieza móvil, situada en la parte interior y superior del parabrisas, que sirve para proteger del sol al conductor y al acompañante. **4** En un casco, parte generalmente móvil que cubre y protege el rostro. ✖ armadura ☐ ETIMOL. De *visar*.

visibilidad s.f. Posibilidad de ver o de ser visto.

visibilizar v. Referido a algo que no se puede ver a simple vista, hacerlo visible de forma artificial; visualizar: *Con los gemelos se pueden visibilizar los objetos lejanos.* ☐ ORTOGR. La *z* se cambia en *c* delante de *e* →CAZAR.

visible adj. **1** Que se puede ver. **2** Que se manifiesta de una forma tan clara y evidente que no admite duda. ☐ ETIMOL. Del latín *visibilis*. ☐ MORF. Invariable en género.

visigodo, da adj./s. De la parte del antiguo pueblo germánico de los godos que invadió el Imperio Romano y fundó un reino en la península Ibérica en el siglo V, o relacionado con ella.

visillo s.m. Cortina de tela muy fina que se coloca en la parte interior de los cristales. ☐ ETIMOL. De *viso*.

visión s.f. **1** Percepción por los ojos mediante la acción de la luz. **2** Percepción con cualquier sentido o con la inteligencia. **3** Capacidad para prever o presentir algo que va a ocurrir. **4** Opinión o punto de vista particular sobre algo. **5** Imagen sobrenatural o irreal de la fantasía o de la imaginación que se toma como verdadera. **6** Observación o contemplación de algo. **7** Lo que se ve, esp. si es algo ridículo o espantoso. **8** ‖ **ver visiones**; dejarse llevar en exceso por la imaginación y creer ver lo que no existe. ☐ ETIMOL. Del latín *visio*. ☐ SEM. En las acepciones 1 y 6, es sinónimo de *vista*.

[visionado s.m. Visión de imágenes cinematográficas o televisivas, esp. desde un punto de vista técnico o crítico.]

visionar v. Referido a imágenes cinematográficas o televisivas, verlas, esp. desde un punto de vista técnico o crítico: *La entrenadora y las jugadoras visionan vídeos de sus partidos para corregir los posibles defectos.*

visionario, ria adj./s. Referido a una persona, que se cree con facilidad cosas fabulosas o irreales que ella misma imagina. ☐ ETIMOL. De *visión*.

visir s.m. Ministro de un soberano musulmán. ☐ ETIMOL. Del árabe *wazir* (ministro).

visita s.f. **1** Ida al lugar en que está una persona para verla, esp. a su casa. **2** Persona que va a ver a alguien. **3** Ida a un lugar para verlo.

visitación s.f. Visita, esp. referido a la que hizo la Virgen María a su prima Santa Isabel. ☐ USO Se usa más como nombre propio.

visitador, -a ∎ adj./s. **1** Que realiza visitas con frecuencia. ∎ s. **2** Persona que visita a los médicos

para mostrarles los productos farmacéuticos y las novedades en el tratamiento de las enfermedades. **3** Persona que tiene a su cargo la realización de visitas de inspección o de reconocimiento.

visitante adj. [Referido a un equipo deportivo, que juega en el campo del equipo rival. ☐ MORF. Invariable en género.

visitar v. **1** Referido a una persona, ir a verla al lugar en que está: *Mientras estuvo en el hospital lo visité varias veces.* **2** Referido a un lugar, acudir a él para conocerlo: *Pasé por tu pueblo, pero no tuve tiempo de visitarlo.* **3** Referido a una persona o a un lugar, acudir a ellos con frecuencia y por un motivo determinado: *Como el niño está tan delicado, no hay mes que no tengamos que visitar al médico.* ☐ ETIMOL. Del latín *visitare* (ver con frecuencia, ir a ver).

[vislumbramiento s.m. **1** Apreciación de un objeto de forma tenue o confusa por la distancia o por la falta de luz. **2** →**vislumbre**.

vislumbrar v. **1** Referido a un objeto, verlo de forma tenue o confusa por la distancia o por la falta de luz: *A lo lejos vislumbro las montañas. En la oscuridad se vislumbró una figura humana.* **2** Referido a algo inmaterial, conocerlo ligeramente o conjeturarlo por leves indicios: *Sus respuestas nos permiten vislumbrar una posible causa de su depresión.* ☐ ETIMOL. Del latín *vix* (apenas) y *luminare* (alumbrar). ☐ SEM. Es sinónimo de *atisbar*.

vislumbre s.f. **1** Reflejo o resplandor débil de una luz cuyo foco está a una determinada distancia. **2** Sospecha, indicio o conjetura que se forma a partir de éstos; atisbo. **3** Apariencia o pequeña semejanza de una cosa con otra. **4** Conocimiento dudoso o escaso que se tiene de algo. ☐ MORF. **1.** Es incorrecto su uso como masculino. **2.** La acepción 2 se usa más en plural. ☐ USO En las acepciones 2 y 4, aunque la RAE sólo registra *vislumbre*, se usa también *vislumbramiento*.

viso s.m. **1** Aspecto o apariencia de algo. **2** Brillo o resplandor que producen algunas cosas al darles la luz. ☐ ETIMOL. Del latín *visus* (acción de ver, sentido de la vista, aspecto). ☐ MORF. Se usa más en plural.

visón s.m. **1** Mamífero de cuerpo alargado, patas cortas, cola larga, pelaje suave y de color pardo, que se alimenta de animales pequeños y habita en el norte del continente americano. **2** Piel de este animal. **3** Prenda de vestir hecha con esta piel. ☐ ETIMOL. Del francés *vison*. ☐ MORF. Es un sustantivo epiceno: *el visón macho, el visón hembra.*

visor s.m. **1** En algunos aparatos fotográficos, prisma o sistema óptico que sirve para enfocarlos rápidamente. **[2** Instrumento óptico con lentes de aumento que permite ver una diapositiva o una película que se está montando.] **[3** En una cámara de filmación, parte a través de la cual se observa la imagen captada.] **[4** En zonas del español meridional, gafas de buceo.]

víspera ∎ s.f. **1** Día inmediatamente anterior a otro determinado. ∎ pl. **2** En la iglesia católica, séptima de las horas canónicas. ☐ ETIMOL. Del latín *vespera* (la tarde y el anochecer).

vista s.f. Véase **visto, ta**.

vistazo s.m. Mirada superficial o ligera. ☐ SINT. Se usa más en la expresión {dar / echar} un vistazo.

vistillas s.f.pl. Lugar elevado desde el que se ve una zona.

visto, ta

visto, ta ▮ **1** part. irreg. de **ver**. ▮ adj. **2** col. Muy conocido y poco original. **3** En derecho, fórmula con que se da por terminada la vista pública de un asunto o se anuncia el pronunciamiento de un fallo. ▮ s.f. **4** Sentido corporal que permite percibir algo por los ojos mediante la acción de la luz. **5** Mirada o fijación de los ojos sobre algo. **6** Percepción por los ojos mediante la acción de la luz. **7** Observación o contemplación de algo. **8** Apariencia o aspecto que se ve de algo. **9** Conocimiento claro de las cosas o capacidad para descubrir lo que los demás no ven. **10** Extensión de terreno que se ve desde un lugar, o posibilidad de verlo. **11** Representación de un lugar, esp. pictórica o fotográfica, tomada del natural. **12** En derecho, actuación en la que se desarrolla un juicio o incidente ante el tribunal, con presencia de ambas partes, y en la que se oye a los defensores o interesados que a ella acudan. **13** ‖ **a la vista**; **1** De forma que puede ser visto o recordado. **2** De forma evidente y clara. **3** En perspectiva. ‖ **a la vista de** algo; **1** En presencia o delante de ello. **2** En consideración o en comparación. ‖ **a vista de pájaro**; desde un punto elevado. ‖ **comerse** algo **con la vista**; col. Mirarlo con una pasión o con un deseo intensos. ‖ **con vistas a** algo; con ese propósito. ‖ **conocer de vista** a alguien; conocerlo por haberlo visto alguna vez pero sin haber hablado con él. ‖ **corto de vista**; **1** Que tiene miopía. **2** Que es poco perspicaz. ‖ **echar la vista (encima)** a alguien; llegar a verlo o a tenerlo cerca. ‖ **en vista de** algo; en consideración o en atención de ello. ‖ **(estar bien/mal) visto**; referido esp. a un comportamiento o a una actitud, ser bien o mal considerado social o éticamente. ‖ **hacer la vista gorda**; col. Fingir con disimulo que no se ha visto algo. ‖ **hasta la vista**; expresión que se usa como despedida de alguien a quien se espera volver a ver; hasta más ver. ‖ **no perder de vista** algo; **1** Observarlo o vigilarlo sin apartarse de ello. **2** Tenerlo en cuenta o pensar continuamente en ello. ‖ **pasar la vista por** algo; [mirarlo de forma superficial. ‖ **perder de vista** algo; dejar de verlo. ‖ **por lo visto**; juzgando por lo que se ve. ‖ **vista cansada**; la de la persona que tiene un defecto en la visión por el que se proyecta la imagen detrás de la retina, haciendo que se vean de forma confusa los objetos próximos y nítidamente los lejanos; presbicia. ‖ **visto bueno**; fórmula que se pone al pie de un documento acompañada de la firma de una persona autorizada, para indicar su validez o aprobación. ‖ **visto que**; enlace gramatical subordinante con valor causal: *Visto que nadie quería hacerlo, tuve que ordenar yo sola toda la biblioteca*. ‖ **visto y no visto**; col. Con gran rapidez. ‖ **volver la vista atrás**; recordar sucesos pasados o meditar sobre ellos. ☐ MORF. En la acepción 1, incorr. *veído*. ☐ SEM. En las acepciones 7 y 8, es sinónimo de *visión*.

vistoso, sa adj. Que atrae la atención, esp. por la viveza de sus colores, su brillantez o su rica apariencia. ☐ ETIMOL. De *vista*.

visual ▮ adj. **1** De la vista o relacionado ella. ▮ s.f. **2** Línea recta imaginaria que va desde el ojo de la persona que mira hasta el objeto observado. ☐ ETIMOL. Del latín *visualis*. ☐ MORF. Como adjetivo es invariable en género.

visualidad s.f. Efecto agradable que produce la vi-

sión de un conjunto de objetos vistosos o que atraen la atención.

visualizar v. **1** Referido a algo que no se puede ver a simple vista, hacerlo visible de forma artificial; visibilizar: *Los prismáticos permiten visualizar los objetos lejanos*. **2** Referido a algo que no puede ser apreciado por la vista, representarlo mediante imágenes ópticas, como los gráficos: *Los meteorólogos visualizan en los mapas las tormentas y los vientos*. **3** Referido a un concepto abstracto, formar en la mente una imagen visual de él: *La filosofía me resulta difícil de comprender porque no puedo visualizar sus conceptos*. ☐ ORTOGR. La z se cambia en c delante de e →CAZAR.

vital adj. **1** De la vida o relacionado con ella. **2** Que tiene mucha importancia o trascendencia. **3** Referido esp. a una persona, que está dotada de mucha energía para actuar o para vivir. ☐ ETIMOL. Del latín *vitalis*. ☐ MORF. Invariable en género.

vitalicio, cia adj. Referido esp. a un cargo o a una renta, que dura hasta el fin de la vida. ☐ ETIMOL. De *vital*.

vitalidad s.f. **1** Actividad o energía que permite mantenerse y desarrollarse. **2** Fuerza expresiva.

vitalista adj./s. [Que posee gran energía o mucho impulso para actuar o para vivir. ☐ MORF. 1. Como adjetivo es invariable en género. 2. Como sustantivo es de género común: *el vitalista, la vitalista*.

[**vitalizar** v. Dar fuerza o energía: *Estas medidas 'vitalizarán' la economía*. ☐ ORTOGR. La z se cambia en c delante de e →CAZAR.

vitamina s.f. Sustancia orgánica que forma parte de los alimentos y que, en pequeñas cantidades, es necesaria para el desarrollo normal de los seres vivos. ☐ ETIMOL. Del latín *vita* (vida) y *amina* (compuesto derivado del amoniaco), porque se creyó que las vitaminas eran compuestos de amoniaco.

vitaminado, da adj. Referido a un alimento o a un medicamento, que tiene ciertas vitaminas porque se le han añadido.

vitamínico, ca adj. **1** De las vitaminas o relacionado con ellas. **2** Que contiene vitaminas.

vitela s.f. Piel de ternero recién nacido o nonnato, muy fina y curtida, que suele usarse para pintar o escribir sobre ella. ☐ ETIMOL. Del italiano *vitella* (ternera).

vitelo s.m. Conjunto de sustancias nutritivas que hay en un huevo y que sirven para la nutrición del embrión. ☐ ETIMOL. Del latín *vitellum* (yema de huevo).

vitícola ▮ adj. **1** De la viticultura o relacionado con el cultivo de la vid. ▮ s. **2** Persona especializada en viticultura. ☐ ETIMOL. Del latín *vitis* (vid) y *colere* (cultivar). ☐ MORF. 1. Como adjetivo es invariable en género. 2. Como sustantivo es de género común: *el vitícola, la vitícola*.

viticultura s.f. Técnica del cultivo de la vid. ☐ ETIMOL. Del latín *vitis* (vid) y -*cultura* (cultivo).

vitivinicultura s.f. Técnica de cultivar la vid y de elaborar el vino. ☐ ETIMOL. Del latín *vitis* (vid) y *vinicultura*.

vito s.m. **1** Composición musical andaluza, de ritmo muy vivo y alegre. **2** Baile popular andaluz que se ejecuta al compás de esta música. ☐ ETIMOL. De *baile de San Vito*, porque esta enfermedad producía convulsiones.

vitola s.f. Banda estrecha o anilla de papel que rodea a un cigarro puro. ☐ ETIMOL. De origen incierto.

vítor s.m. [**1** Manifestación de alegría, de admiración y de aprobación. **2** Letrero escrito generalmente sobre una pared, en aplauso o admiración de una persona por alguna hazaña o acción gloriosa. ☐ ETIMOL. Del latín *victor* (vencedor). ☐ MORF. Se usa más en plural.

vitorear v. Aplaudir o aclamar con vítores: *Los aficionados vitorearon al torero cuando acabó la faena.*

vitoriano, na adj./s. De Vitoria o relacionado con esta ciudad alavesa.

vitral s.m. Vidriera de colores: *Los vitrales son característicos en las catedrales góticas.* ☐ ETIMOL. Del francés *vitrail*.

vítreo, a adj. **1** De vidrio o con sus propiedades. **2** Parecido al vidrio. ☐ ETIMOL. Del latín *vitreus*.

vitrificación s.f. Operación mediante la cual un material o un objeto adquiere el aspecto del vidrio: *Después de haber pintado la jarra, procederemos a su vitrificación.*

vitrificar v. **1** Convertir en vidrio: *Los silicatos se vitrifican a altas temperaturas.* **2** Referido a un material o a un objeto, darles el aspecto del vidrio: *Este barniz es para vitrificar el barro cocido.* ☐ ETIMOL. Del latín *vitrum* (vidrio) y *facere* (hacer). ☐ ORTOGR. La *c* se cambia en *qu* delante de *e* →SACAR.

vitrina s.f. Escaparate, armario o caja con puertas o tapas de cristal para tener objetos expuestos a la vista sin que puedan tocarse. ☐ ETIMOL. Del francés *vitrine*.

vitriolo s.m. *ant.* →sulfato. ☐ ETIMOL. Del latín *vitriolum*, y éste de *vitrum* (vidrio).

[**vitrocerámico, ca** ▌ adj. **1** Hecho con vitrocerámica. ▌ s.f. **2** Cerámica recubierta por un barniz especial que le da las propiedades del vidrio y que la hace muy resistente a las altas temperaturas y a los cambios bruscos.

vitualla s.f. Conjunto de víveres o de alimentos necesarios para un grupo de personas, esp. en el ejército. ☐ ETIMOL. Del latín *victualia*, y éste de *victus* (subsistencia, víveres). ☐ MORF. Se usa más en plural.

vituperable adj. Que merece ser vituperado o criticado duramente: *Tu conducta es vituperable y yo no te la consiento.* ☐ MORF. Invariable en género.

vituperar v. Criticar y reprender con mucha dureza o censurar: *Si tienes algo que decirme, hazlo en privado y no me vituperes en público.* ☐ ETIMOL. Del latín *vituperare*.

vituperio s.m. Crítica dura, ofensiva o injuriosa.

viudedad s.f. **1** Pensión o paga que recibe una persona viuda mientras no se vuelva a casar. **2** →viudez.

viudez s.f. Estado o situación de la persona que está viuda; viudedad.

viudo, da ▌ adj. [**1** Referido esp. a un guiso, que se sirve o se cocina solo o sin acompañamiento de carne. ▌ adj./s. **2** Referido a una persona casada, que ya no tiene cónyuge porque ha muerto, y no se ha vuelto a casar. **3** ▌[**viuda negra**; araña de cuerpo pequeño y negro, que tiene un veneno muy peligroso que puede ocasionar la muerte. ☐ ETIMOL. Del latín *viduus*. ☐ MORF. 'Viuda negra' es epiceno y la diferencia de sexo se señala mediante la oposición *la 'viuda negra'* {*macho / hembra*}.

[**viura** adj./s.f. Referido a la uva o a su viñedo, de la variedad que se caracteriza por ser de color blanco o amarillo claro: *La 'viura' es muy utilizada en la elaboración de los vinos blancos de Rioja.* ☐ MORF. Como adjetivo es invariable en género.

viva interj. Expresión que se usa para indicar alegría o entusiasmo.

vivac s.m. **1** Campamento provisional o lugar para pasar la noche al aire libre, esp. las tropas del ejército; vivaque. **2** ▌[**hacer vivac**; dormir al aire libre. ☐ USO Aunque la RAE prefiere *vivaque*, se usa más *vivac*.

[**vivace** (italianismo) adv. Referido a la forma de ejecutar una composición musical, con un aire o con una velocidad vivos y muy rápidos. ☐ PRON. [viváche].

vivacidad s.f. **1** Agudeza o rapidez de comprensión y de ingenio. **2** Expresión o manifestación de energía, vitalidad o alegría. ☐ ETIMOL. Del latín *vivacitas*.

[**vivalavirgen** s. →viva la Virgen. ☐ MORF. Es de género común: *el 'vivalavirgen', la 'vivalavirgen'.*

vivales s. *col.* Persona vividora y astuta, que sabe aprovecharse de todo. ☐ MORF. **1.** Es de género común: *el vivales, la vivales.* **2.** Invariable en número.

vivaque s.m. →vivac.

vivar ▌ s.m. **1** Lugar donde se crían determinados animales, esp. conejos y peces. ▌ v. **2** En zonas del español meridional, vitorear. ☐ ETIMOL. La acepción 1, del latín *vivarium*. La acepción 2, de *viva*.

vivaracho, cha adj. *col.* Alegre, muy vivo o con mucha vitalidad.

vivaz adj. **1** Agudo o de rápida comprensión e ingenio. **2** Rápido o vigoroso en los movimientos o en las acciones. **3** Que tiene energía, vitalidad o pasión. **4** Que tiene brillantez, intensidad o fuerza, esp. referido a un color. **5** Referido a una planta, que vive más de dos años. ☐ ETIMOL. Del latín *vivax*. ☐ MORF. Invariable en género.

vivencia s.f. Experiencia personal que se experimenta.

[**vivencial** adj. De la vivencia o relacionado con ella. ☐ MORF. Invariable en género.

víveres s.m.pl. Comestibles o provisiones alimenticias para las personas. ☐ ETIMOL. Del francés *vivres* o del italiano *viveri*.

vivero s.m. **1** Terreno en el que se crían plantas para trasplantarlas a su lugar definitivo cuando crezcan un poco. **2** Lugar donde se crían y se mantienen vivos peces, moluscos, crustáceos y otros animales acuáticos. ☐ ETIMOL. Del latín *vivarium*.

[**vivérridos** s.m.pl. En zoología, familia de ciertos mamíferos carnívoros, que son ágiles, esbeltos y tienen la cola larga: *La civeta, la gineta o la mangosta son 'vivérridos'.*

viveza s.f. **1** Rapidez en movimientos o acciones. **2** Energía, exaltación o pasión. **3** Agudeza o perspicacia de ingenio. **4** Brillantez, intensidad o fuerza de algunas cosas, esp. de los colores. ☐ ETIMOL. De *vivo* (ágil).

vívido, da adj. Vivaz, expresivo, eficaz o vigoroso. ☐ ETIMOL. Del latín *vividus*.

vividor, -a adj./s. Que disfruta al máximo de la vida sin tener en cuenta cuestiones trascendentes. ☐ MORF. La RAE lo registra sólo como sustantivo masculino.

vivienda s.f. Construcción o lugar donde se habita o se vive. ☐ ETIMOL. Del latín *vivenda* (cosas de las que se ha de vivir). ✺ vivienda

VIVIENDA

castillo

iglú

cueva

cabaña

refugio de montaña

palafito

choza

palacete

tipi

rascacielos

villa

torre

palacio

casona

chalé o chalet

bungaló o *bungalow*

masía

alquería

tienda

caravana o *roulotte*

granja

cortijo

caserón

rancho

viviente adj./s. Que vive. □ MORF. 1. Como adjetivo es invariable en género. 2. Como sustantivo es de género común: *el viviente, la viviente*.

vivificar v. Dar vida: *Hace tanto calor que una simple brisa me vivifica*. □ ETIMOL. Del latín *vivificare*. □ ORTOGR. La *c* se cambia en *qu* delante de *e* →SACAR.

vivíparo, ra adj./s. Referido a un animal, que se ha desarrollado dentro de la madre y nace en un parto. □ ETIMOL. Del latín *vivus* (vivo) y *-paro* (que pare). □ SEM. Dist. de *ovíparo* (que nace de un huevo que se rompe fuera de la madre) y de *ovovivíparo* (que nace de un huevo que se rompe dentro de la madre).

vivir v. 1 Tener vida: *De mis cuatro abuelos, ya sólo vive una abuela*. 2 Referido a una persona, pasar la vida o alimentarse y tener lo suficiente para ello: *Ese trabajo no da para vivir*. 3 Ocupar un lugar y hacer vida en él: *En las selvas viven muchas especies animales*. 4 Desenvolverse o acomodarse a las circunstancias: *Sólo con libros no se aprende a vivir*. 5 Actuar u obrar de una determinada manera: *Siempre ha vivido de mala manera*. 6 Permanecer, estar presente o mantenerse en la memoria: *Su recuerdo vive entre nosotros*. 7 Experimentar, sufrir o sentir: *Vivimos en esa ocasión momentos de angustia*. [8 col. Referido a una persona, convivir con otra con la que mantiene relaciones sexuales sin estar casada con ella; amancebarse: *'Viven' juntos desde hace veinte años, y son una pareja feliz*. 9 ‖dejar vivir a alguien; dejar de molestarlo o de fastidiarlo continuamente: *Deja vivir a tus hijos y no les preguntes todos los días qué es lo que han hecho*. ‖ [no vivir alguien; col. Estar siempre muy preocupado y angustiado: *Desde que se compró la moto, sus padres 'no viven'*. □ ETIMOL. Del latín *vivere*.

vivo, va ❚ adj. 1 Que tiene vida. 2 Intenso o fuerte. 3 Que muestra inteligencia e ingenio. 4 Que dura y permanece con toda su fuerza y vigor. 5 Perdurable en la memoria. 6 Rápido o ágil. 7 Expresivo, persuasivo o con vivacidad. [8 col. En buen estado o sin daño. ❚ adj./s. 9 Que se da cuenta de las cosas con facilidad y sabe aprovecharse de ello. ❚ s.m. 10 Cinta, trencilla o cordón con que se adorna el borde de una prenda de vestir. 11 ‖en vivo; [1 En persona. 2 En directo o transmitido a la vez que está ocurriendo. ‖vivo y coleando; col. Sano y salvo. □ ETIMOL. Del latín *vivus*. □ MORF. En la acepción 9, la RAE sólo lo registra como adjetivo. □ USO 1. La expresión *'vivo y coleando'* se usa más en diminutivo: *'vivito y coleando'*. 2. En la acepción 9, se usa mucho el diminutivo *vivillo*.

vizcaíno, na adj./s. De Vizcaya o relacionado con esta provincia española.

vizcaitarra adj./s. Que es partidario de la independencia o de la autonomía de Vizcaya (provincia vasca). □ MORF. 1. Como adjetivo es invariable en género. 2. Como sustantivo es de género común: *el vizcaitarra, la vizcaitarra*. □ USO Es innecesario el uso del término vasco *bizkaitarra*.

vizcondado s.m. 1 Título nobiliario de vizconde. 2 Territorio sobre el que antiguamente un vizconde ejercía su autoridad.

vizconde s.m. Persona que tiene el título nobiliario entre el de conde y el de barón. □ ETIMOL. De *vice-* (inmediato, inferior) y *conde*. □ MORF. Su femenino es *vizcondesa*.

vizcondesa s.f. de vizconde.

voacé s. *ant.* →**usted**. □ ETIMOL. De *vosa merced* (vuestra merced).

vocablo s.m. 1 Sonido o conjunto de sonidos articulados que expresan una idea; término. 2 Representación gráfica de este signo o conjunto de signos articulados. □ ETIMOL. Del latín *vocabulum* (denominación, palabra). □ SEM. Es sinónimo de *palabra*.

vocabulario s.m. 1 Conjunto de palabras que componen una lengua o que pertenecen a una región, a una persona o a un campo determinados; léxico. 2 Libro o lista en que se contiene este conjunto de palabras explicadas de una forma más o menos breve. □ ETIMOL. Del latín *vocabulum* (vocablo).

vocación s.f. 1 Inclinación que una persona siente hacia una profesión, una actividad o una forma de vida. 2 Inspiración con que Dios llama a una persona para que tome un estado, esp. el religioso. □ ETIMOL. Del latín *vocatio* (acción de llamar, vocación divina).

vocacional adj. De la vocación, que siente vocación o relacionado con esta inclinación. □ MORF. Invariable en género.

vocal ❚ adj. 1 De la voz, que se expresa con la voz o relacionado con ella. ❚ s. 2 Persona que tiene derecho de hablar en un consejo, una congregación o una junta y ha sido llamada por derecho, por elección o por nombramiento. ❚ s.f. 3 Sonido del lenguaje humano producido al dejar salir el aire por la boca sin oponer ningún obstáculo en la cavidad bucal y faríngea: *Hay cinco vocales en español*. 4 Letra que representa este sonido. 5 ‖vocal abierta; la que se pronuncia con la lengua a una distancia del paladar mayor que en la vocal cerrada: *La 'a' es una vocal abierta*. ‖vocal cerrada; la que se pronuncia con la lengua a una distancia del paladar menor que en la vocal abierta: *La 'i' y la 'u' son vocales cerradas*. □ ETIMOL. Del latín *vocalis* (hecho con vibración de las cuerdas vocales). □ ORTOGR. Dist. de *bocal*. □ MORF. 1. Como adjetivo es invariable en número. 2. En la acepción 2, como sustantivo es de género común: *el vocal, la vocal*.

vocálico, ca adj. De la vocal o relacionado con ella.

vocalismo s.m. Conjunto o sistema de vocales de una lengua.

vocalista s. Cantante de una orquesta o de un conjunto musical. □ ETIMOL. Del inglés *vocalist*. □ MORF. Es de género común: *el vocalista, la vocalista*.

vocalizar v. Pronunciar bien y claramente las vocales y consonantes de las palabras: *Los presentadores deben saber vocalizar*. □ ORTOGR. La *z* se cambia en *c* delante de *e* →CAZAR.

vocativo s.m. [1 En lingüística, función desempeñada por una expresión que se utiliza para hacer una llamada o una invocación: *En la frase ¡Niño!, ven aquí*, *'niño' es un sintagma nominal que funciona como 'vocativo'*. [2 En lingüística, constituyente que desempeña esta función: *En '¡Oh, mundo cruel!, cómo me maltratas!', 'mundo cruel' es un 'vocativo'*. 3 →caso vocativo. □ ETIMOL. Del latín *vocativus*.

voceador, -a s. Persona que vende cosas por la calle y las vocea.

vocear v. 1 Dar voces o gritos: *No vocees, que no soy sordo*. 2 Referido esp. a una noticia, manifestarla o anunciarla a voces: *Los vendedores vocean sus productos en el mercado*. [3 En zonas del español meridional, llamar a través de un altavoz o de un equipo de megafonía.

voceras s. *col.* Persona que habla más de lo que debe y generalmente en voz alta, o que dice tonterías o fanfarronadas. □ ORTOGR. Se admite también *boceras*. □ MORF. 1. Es de género común: *el voceras, la voceras*. 2. Invariable en número. 3. La RAE lo registra sólo como sustantivo masculino. □ USO Aunque la RAE prefiere *boceras*, se usa más *voceras*.

vocerío s.m. Conjunto de voces altas y desentonadas que producen mucho ruido; griterío.

vocero s.m. En zonas del español meridional, portavoz.

vociferar v. 1 Hablar en voz muy alta o dar grandes voces: *Deja de vociferar, que vas a despertar al niño.* 2 Referido esp. a una noticia, manifestarla o darla a conocer de forma jactanciosa: *Lleva tres días vociferando su triunfo en la partida de mus.* □ ETIMOL. Del latín *vociferari*, y éste de *vox* (voz) y *ferre* (llevar).

vocinglero, ra adj./s. 1 Que habla a voces o en voz muy alta. 2 Que habla mucho sin decir nada de interés.

vodca s. →*vodka*. □ ETIMOL. De origen ruso. □ MORF. Es de género ambiguo: *el vodca, la vodca*.

vodevil s.m. Comedia frívola, intrascendente y picante, con un argumento de enredo, equívocos y temas amorosos. □ ETIMOL. Del francés *vaudeville*.

vodka s. Aguardiente de origen ruso de alta graduación alcohólica. □ ETIMOL. Del ruso. □ ORTOGR. Se admite también *vodca*. □ MORF. Es de género ambiguo: *el vodka, la vodka*.

[vol-au-vent s.m. →*volován*. □ PRON. [volován. □ USO Es un galicismo innecesario.

[voladito, ta adj. →*volado*.

voladizo, za adj./s.m. Referido esp. a elemento de construcción, que sobresale de la pared de un edificio.

volado, da adj. 1 En imprenta, referido a un signo, que está colocado en la parte superior del renglón y es de un tipo de menor tamaño que el resto de las letras: *En la abreviatura 'M°', la "°" es una letra volada.* 2 ‖ **estar volado**; *col.* Estar inquieto, sobresaltado y muy preocupado. □ USO En la acepción 1, aunque la RAE sólo registra *volado*, en círculos especializados se usa más *volada*.

volador s.m. 1 Molusco marino comestible parecido al calamar, pero de mayor tamaño y con carne de menor calidad. 2 →*pez volador*. □ ETIMOL. Del latín *volator*. □ MORF. Es un sustantivo epiceno: *el volador macho, el volador hembra*.

voladura s.f. Destrucción de algo por medio de explosivos, de forma que salte en pedazos por los aires. □ ETIMOL. Del latín *volatura*.

volandas ‖ **en volandas**; por el aire o sujetado de forma que no toque el suelo.

[volantazo s.m. Giro rápido y brusco de un vehículo en movimiento que se hace al mover el volante rápida y bruscamente.

volante ‖ adj. 1 Que va o se lleva de una parte a otra sin sitio o lugar fijo. ‖ s.m. 2 Tira, generalmente de tela, rizada, plegada o fruncida, que se coloca como adorno en prendas de vestir, de tapicería o de otro tipo. 3 En un vehículo, pieza de forma circular que permite conducirlo y dirigirlo. 4 Hoja pequeña de papel en la que se manda, se recomienda, se pide o se apunta algo en términos precisos. □ MORF. Como adjetivo es invariable en género.

volapié s.m. En tauromaquia, forma de matar al toro

en la que el torero va hacia el animal cuando éste está parado.

volar v. 1 Ir o moverse por el aire, generalmente sosteniéndose con las alas: *Una mariposa vuela alrededor de la bombilla.* 2 Viajar en un vehículo de aviación: *He volado varias veces para ir a las islas.* 3 *col.* Desaparecer rápida e inesperadamente: *Diez minutos después de abrir la caja, los bombones habían volado.* 4 Ir muy deprisa: *Ya puedes volar para llegar puntual.* [5 Conducir y dirigir un vehículo de aviación: *Quiere aprender a 'volar' para ser piloto de aviación.* 6 Referido a un objeto, elevarse o moverse durante algún tiempo por el aire: *El viento hacía volar las hojas secas de los árboles. Se me voló el sombrero y no pude alcanzarlo.* 7 Referido a un objeto, moverse por el aire por haber sido arrojado con violencia: *Como no bajéis la tele, va a salir volando por la ventana.* 8 Referido a una acción, realizarla muy deprisa: *Me peino volando y bajo contigo.* 9 Referido esp. a una noticia, extenderse o propagarse con rapidez y entre muchos: *Veo que las noticias vuelan, porque te has enterado de mi nombramiento casi antes que yo.* 10 Referido al tiempo, pasar muy deprisa: *En vacaciones, el tiempo vuela.* 11 Hacer saltar en pedazos, esp. por medio de explosivos: *El enemigo voló varios puentes.* □ ETIMOL. Del latín *volare*. □ MORF. Irreg. →CONTAR. □ USO En la acepción 8, se usa más en gerundio.

volátil adj. 1 Referido a una sustancia, que pasa al estado de vapor con facilidad. 2 Inconstante o mudable. □ ETIMOL. Del latín *volatilis*. □ MORF. Invariable en género.

volatilidad s.f. 1 En química, facilidad de una sustancia para pasar al estado gaseoso. 2 En economía, mutabilidad o variación de un índice con gran amplitud con respecto a la media.

volatilizar ‖ v. 1 Referido a una sustancia, transformarla en vapor o gas: *Para volatilizar un líquido debes llevarlo a su temperatura de ebullición. La gasolina se volatiliza en contacto con el aire.* ‖ prnl. [2 *col.* Desaparecer rápidamente: *Haz el favor de 'volatilizarte' de aquí, que me tienes harta.* □ ORTOGR. La *z* se cambia en *c* delante de *e* →CAZAR.

volatín s.m. Ejercicio de acrobacia realizado por un equilibrista al andar o saltar por el aire sobre una cuerda o alambre tensados. □ ETIMOL. Del antiguo *buratín* (acróbata), y éste del italiano *burattino* (títere).

volcán s.m. 1 Abertura en la tierra, generalmente en la cima de una montaña, por la que pueden salir o han salido materias incandescentes procedentes del interior terrestre. 2 Lo que resulta apasionado o de sentimientos ardientes, agitados o violentos. □ ETIMOL. Del latín *Vulcanus* (dios del fuego).

volcánico, ca adj. Del volcán o relacionado con él.

volcanología s.f. →*vulcanología*.

volcanólogo, ga s. →*vulcanólogo*.

volcar ‖ v. 1 Referido a un objeto, torcerlo hacia un lado o totalmente, de forma que su contenido caiga o se vierta: *Volcó la ensaladera y toda la ensalada cayó al suelo.* 2 Referido a un objeto, inclinarse hasta dar la vuelta sobre sí mismo o hasta reposar sobre un lado diferente al que estaba: *El coche volcó al dar la curva.* [3 *col.* Robar: *El otro día me 'volcaron' la cartera y no me di ni cuenta.* ‖ prnl. 4 Referido a una persona, hacer todo lo posible para conseguir algo o para agradar a alguien: *Es muy generosa y se vuelca con los demás.* □ ETIMOL. Quizá del latín *volvicare.* □ ORTOGR. La *c* se cambia en *qu* delante de *e* →SACAR. □ MORF. Irreg. →TROCAR.

volea s.f. Golpe dado en el aire a algo, esp. el que se da a una pelota antes de que toque el suelo.

volear v. 1 Golpear en el aire para dar impulso: *La tenista voleó la pelota hacia el campo contrario.* 2 Referido a una semilla, sembrarla arrojándola al aire a puñados: *El agricultor voleó las semillas con la mano.* □ ORTOGR. Dist. de *bolear.*

voleibol s.m. Deporte que se juega entre dos equipos de seis jugadores y en el que éstos intentan lanzar con las manos un balón por encima de una red que divide el terreno de juego, evitando que toque el suelo del campo propio y procurando que caiga en el del contrario; balonvolea. □ ETIMOL. Del inglés *volleyball.*

voleo ‖a voleo; *col.* Al azar, de forma arbitraria o sin criterio establecido.

volframio s.m. →wolframio. □ ORTOGR. Su símbolo químico es W.

volición s.f. En filosofía, acto de la voluntad. □ ETIMOL. Del latín *volo* (quiero).

volitivo, va adj. De la voluntad, de la volición o relacionado con ellas.

[**volován** s.m. Pequeño pastel de hojaldre, hueco y con forma redondeada, que se rellena con todo tipo de productos. □ ETIMOL. Del francés *vol-au-vent.* □ USO Es innecesario el uso del galicismo *vol-au-vent.*

volquete s.m. Camión provisto de un recipiente para llevar carga y de un dispositivo para poder volcarla. □ ETIMOL. Del catalán *bolquet.*

volt s.m. Denominación internacional del **voltio.** □ ETIMOL. De *Volta,* físico italiano.

voltaje s.m. Diferencia de potencial eléctrico entre los extremos de un conductor.

voltear ▌ v. 1 Dar la vuelta o poner abajo lo que estaba arriba: *Volteó la tortilla ayudándose de un plato. El campanero tiraba de la cuerda para voltear la campana.* 2 Referido esp. a un estado, cambiarlo, trastocarlo o alterar su orden: *Aquel accidente volteó su trayectoria profesional.* 3 En zonas del español meridional, volver: *Volteó rápidamente las hojas del diario.* [4 En zonas del español meridional, girar o torcer. ▌ prnl. [5 En zonas del español meridional, volverse o darse la vuelta.

voltereta s.f. Vuelta dada por una persona en el aire o sobre una superficie.

volteriano, na adj./s. De Voltaire (escritor y filósofo francés del siglo XVIII), del volterianismo o relacionado con ellos.

voltímetro s.m. Instrumento que sirve para medir potenciales eléctricos. □ ETIMOL. De *voltio* y *-metro* (medidor).

voltio s.m. 1 En el Sistema Internacional, unidad de tensión eléctrica que equivale a la diferencia de potencial que hay entre dos conductores cuando al transportar entre ellos un culombio se realiza un trabajo equivalente a un julio; volt. [2 *col.* Paseo.

voluble adj. 1 Inconstante o que cambia con facilidad. 2 Referido a un tallo, que crece en espiral alrededor de un soporte. □ ETIMOL. Del latín *volubilis.* □ MORF. Invariable en género.

volumen s.m. 1 Espacio ocupado por un cuerpo. 2 Tamaño, dimensiones o conjunto de medidas de algo. [3 Importancia o cantidad. 4 Intensidad de la

voz o de un sonido. 5 Obra escrita comprendida en una sola encuadernación. □ ETIMOL. Del latín *volumen* (rollo de manuscrito).

volumetría s.f. En química, procedimiento de análisis cuantitativo, basado en la medición del volumen de reactivo que hay que gastar hasta que se produce determinado fenómeno en el líquido analizado. □ ETIMOL. De *volumen* y *-metría* (medición).

voluminoso, sa adj. Que tiene mucho volumen o mucho tamaño.

voluntad s.f. 1 Facultad humana que mueve a hacer o no hacer algo. 2 Capacidad para la realización de algo, esp. si conlleva un esfuerzo. 3 Elección de algo siguiendo un criterio propio y sin tener en cuenta presiones externas. 4 Intención o resolución de hacer algo. 5 ‖buena voluntad; deseo de hacer bien algo. □ ETIMOL. Del latín *voluntas.*

voluntariado s.m. 1 Alistamiento como voluntario para realizar alguna actividad. 2 Conjunto de voluntarios.

voluntariedad s.f. 1 Disposición para realizar algo de forma voluntaria. 2 Determinación de la propia voluntad sin otra razón que el mero capricho.

voluntario, ria ▌ adj. 1 Por propia voluntad y no por fuerza, obligación o necesidad. ▌ adj./s. 2 Referido a una persona, que participa en una actividad por su propia voluntad. □ ETIMOL. Del latín *voluntarius.*

voluntarioso, sa adj. Que pone buena voluntad y se esfuerza para cumplir lo que se le encarga.

[**voluntarismo** s.m. 1 Actitud o comportamiento del que tiene mucha fuerza de voluntad. 2 Doctrina psicológica que considera superior la facultad de la voluntad a la del entendimiento. 3 En filosofía, tendencia que defiende la anterioridad y supremacía de la voluntad sobre la inteligencia.

voluptuoso, sa ▌ adj. 1 Que tiende al placer de los sentidos, o que lo produce. ▌ adj./s. 2 Referido a una persona, inclinada a los placeres de los sentidos. □ ETIMOL. Del latín *voluptuosus,* y éste de *voluptas* (placer).

voluta s.f. 1 Adorno o elemento decorativo en forma de espiral o de caracol, característico de los capiteles jónicos y compuestos. [2 Lo que tiene esta forma. □ ETIMOL. Del latín *voluta.*

volver v. 1 Ir de nuevo al punto de partida; regresar: *Volví a casa porque se me olvidó la cartera.* 2 Adquirir de nuevo el estado que antes se tenía: *Una vez recuperado de su enfermedad, volvió a su alegría de siempre.* 3 Torcer, dejar el camino o la línea recta, o cambiar de dirección: *Llega al final de la calle, vuelve a la izquierda y verás el museo.* 4 Referido a un objeto, darle la vuelta haciendo que se vea el lado que antes no se veía: *Volví la hoja para leer la otra cara.* 5 Referido a la cabeza o al cuerpo, girar sobre sí mismo: *No vuelvas la cabeza, porque nos está mirando. Vuélvete para ver cómo te queda la chaqueta.* 6 Restituir o devolver a una situación anterior: *Volvió el collar a su estuche.* 7 Transformar o cambiar de estado o de aspecto: *La lejía vuelve blanca la ropa de color. Se volvió loco.* 8 ‖volver a nacer; *col.* [Salvarse de un gran peligro: *Al salir ileso del accidente, 'volvió a nacer'.* ‖volver alguien en sí; recobrar el sentido o el conocimiento perdidos: *Se desmayó y, cuando volvió en sí, no sabía dónde estaba.* ‖volverse atrás; desdecirse o no cumplir una promesa dada: *Dijo que vendría, pero al final se volvió atrás y no vino.* ☐ ETIMOL. Del latín *volvere* (hacer rodar, enrollar, desarrollar). ☐ MORF. Irreg.: 1. Su participio es *vuelto.* **2.** →VOLVER. ☐ SINT. La perífrasis *volver* + *a* + *infinitivo* indica repetición o reiteración de una acción: *Vuelve a leer ese párrafo. El volcán ha vuelto a entrar en erupción.*

vómer s.m. Hueso de pequeño tamaño que forma parte del tabique de las fosas nasales. ☐ ETIMOL. Del latín *vomer* (reja de arado), porque el vómer tiene forma de arado.

vomitar v. **1** Referido a algo que está en el estómago, expulsarlo violentamente por la boca; arrojar, devolver: *Vomité todas las lentejas de la comida.* **2** Referido a algo que se tiene dentro, arrojarlo fuera de sí violentamente: *El volcán vomitó lava, ceniza y otras materias incandescentes.* **3** Referido a palabras, proferirlas o pronunciarlas: *Vomitó encolerizado una sarta de injurias contra su socio.* ☐ ETIMOL. Del latín *vomitare.*

vomitivo, va ∎ adj. **[1** col. Que da asco, que es muy malo o que resulta muy desagradable. ∎ adj./s.m. **2** Referido a una sustancia, que estimula el vómito; emético, vomitorio.

vómito s.m. **1** Expulsión por la boca de lo que estaba en el estómago. **2** Lo que estaba en el estómago y se arroja por la boca; devuelto. ☐ ETIMOL. Del latín *vomitus.*

vomitona s.f. col. Vómito grande o repetido.

vomitorio, ria adj./s.m. →**vomitivo.** ☐ SEM. Es sinónimo de *emético.*

voracidad s.f. **1** Consumo de comida en gran cantidad, esp. si es de forma ansiosa. **[2** Ansia o deseo desmedido al realizar una actividad.

vorágine s.f. **1** Aglomeración confusa de sucesos, de gentes o de cosas en movimiento. **2** Pasión desenfrenada o mezcla de sentimientos muy intensos. **3** En el mar, en un río o en un lago, remolino muy fuerte que se produce en un punto. ☐ ETIMOL. Del latín *vorago* (remolino impetuoso de agua).

voraginoso, sa adj. **[1** Con enorme actividad o con desenfreno. **2** Referido a un lugar, con vorágines o remolinos fuertes.

voraz adj. **1** Que come mucho, esp. si es con ansia. **2** Que consume o destruye con rapidez. **[3** Ansioso o con un deseo desmedido. ☐ ETIMOL. Del latín *vorax*, y éste de *vorare* (devorar). ☐ MORF. Invariable en género.

vórtice s.m. Centro de un ciclón. ☐ ETIMOL. Del latín *vortex.* ☐ ORTOGR. Dist. de *vértice.*

vos pron.pers. Forma de la segunda persona del singular que corresponde a la función de sujeto, de predicado nominal o de complemento precedido de preposición: *Vos venís con malas intenciones.* ☐ ETIMOL. Del latín *vos* (vosotros). ☐ MORF. 1. No tiene diferenciación de género ni de número. 2. Se usa con el verbo en plural. ☐ USO 1. Se usaba como tratamiento de respeto, frente a *tú,* que se usaba con los iguales o inferiores. 2. Hoy es muy frecuente en algunas zonas del español meridional (voseo*).

vosear v. Referido a una persona, tratarla de 'vos'.

voseo s.m. Uso de la forma pronominal *vos* en lugar de *tú.*

vosotros, tras pron.pers. Forma de la segunda persona del plural que corresponde a la función de sujeto, de predicado nominal o de complemento pre-

cedido de preposición: *¿Sabéis vosotras cuándo empieza la película?* ☐ ETIMOL. De *vos* y *otros.*

votación s.f. **1** Emisión de un voto o una opinión por parte de una persona. **2** Procedimiento o forma en que se realiza esta emisión de votos. **3** Conjunto de votos emitidos.

votante adj./s. Que vota o emite su voto. ☐ MORF. 1. Como adjetivo es invariable en género. 2. Como sustantivo es de género común: *el votante, la votante.*

votar v. **1** Dar un voto o una opinión: *En las elecciones municipales, los ciudadanos votan para elegir a los concejales.* **2** Aprobar por votación: *Hemos votado que vengas con nosotros.* ☐ ORTOGR. Dist. de *botar.*

votivo, va adj. Que se ofrece por voto o como promesa. ☐ ETIMOL. Del latín *votivus.*

voto s.m. **1** En una elección, opinión, parecer o dictamen emitidos por cada uno de los participantes. **[2** Papeleta o escrito en los que se indica esta opinión. **[3** Derecho a votar. **4** Promesa que deben hacer las personas que toman estado religioso. **5** Ruego con el que se pide a Dios una gracia. ☐ ETIMOL. Del latín *votum* (promesa que se hace a los dioses, deseo, ruego ardiente). ☐ ORTOGR. Dist. de *boto.* ☐ MORF. La acepción 5 se usa más en plural.

[vox populi (latinismo) ‖ Opinión aceptada y generalizada que se toma como verdadera. ☐ PRON. [vox pópuli].

[voyeur (galicismo) s.m. Persona que espía o mira en secreto situaciones que le resultan excitantes eróticamente. ☐ PRON. [buayér].

[voyeurismo s.m. Observación en secreto de situaciones que se consideran eróticamente excitantes. ☐ ETIMOL. Del francés *voyeurisme.* ☐ PRON. [buayerísmo].

voz s.f. **1** Sonido que produce el aire expulsado de los pulmones al salir de la laringe, haciendo que vibren las cuerdas vocales. **2** Calidad, timbre o intensidad de este sonido. **3** Grito, generalmente fuerte. **4** Cantante o músico que canta. **5** Palabra o vocablo. **6** Derecho a opinar. **7** Opinión o rumor. **8** Expresión o manifestación de alguien o de algo. **9** En lingüística, categoría gramatical que expresa si el sujeto del verbo es agente o paciente: *voz activa; voz pasiva.* **10** ‖a media voz; hablando más bajo de lo habitual. ‖a voz en {cuello/grito}; hablando muy alto o gritando. ‖correr la voz; divulgar o difundir una noticia. ‖de viva voz; de palabra o de forma oral. ‖[voz en off; la que está grabada y se emplea para acompañar una imagen determinada. ☐ ETIMOL. Del latín *vox.*

vozarrón s.m. Voz muy fuerte y potente.

vudú o **vuduismo** s.m. Creencia religiosa de origen africano que se caracteriza por las prácticas de brujería, los sacrificios rituales y el trance como medio de comunicación con sus dioses. ☐ ETIMOL. De origen africano. ☐ MORF. Aunque el plural de *vudú* en la lengua culta es *vudúes,* la RAE admite también *vudús.*

vuecencia s. Tratamiento honorífico que corresponde a determinados cargos. ☐ ETIMOL. De *vuestra excelencia.* ☐ MORF. 1. Se usa con el verbo en tercera persona. 2. Procede de *vuestra excelencia.*

vuelapluma ‖a vuelapluma; muy deprisa, de forma espontánea y sin pensar demasiado. ☐ ORTOGR. Se admite también *a vuela pluma.* ☐ SINT. Se usa más con los verbos *escribir, componer* o equivalentes.

vuelco s.m. **1** Cambio de posición de un objeto, de forma que quede apoyado en un lado diferente al que estaba. **2** Cambio o transformación brusca o total. **3** ‖**dar** a alguien **un vuelco el corazón**; *col.* Sentir de pronto un sobresalto o una alteración interior.

vuelo s.m. **1** Desplazamiento o movimiento por el aire, generalmente mediante las alas. ⚐ acrobacia **2** Viaje que se realiza en un vehículo aéreo. **3** Trayecto que recorre un avión entre el punto de partida y el de destino. **4** Amplitud de una prenda de vestir en la parte no ajustada al cuerpo. **5** En un edificio, parte que sobresale del muro que lo sostiene. **6** ‖**al vuelo**; *col.* **1** Con mucha rapidez. *col.* **[2** Mientras está en el aire. ‖ **[de altos vuelos**; *col.* De mucha importancia. ‖ **[vuelo sin motor**; el realizado por el hombre con aparatos que lo mantienen en el aire pero no lo impulsan.

vuelta s.f. Véase **vuelto, ta.**

vuelto, ta ‖ ▌ **1** part. irreg. de **volver**. ▌ s.m. **2** En zonas del español meridional, vuelta o dinero que sobra de pagar algo. ▌ s.f. **3** Movimiento alrededor de un punto o sobre un eje, hasta invertir la posición primera o hasta recobrarla de nuevo. **4** Cada una de las circunvoluciones o rodeos de una cosa alrededor de otra. **5** Curva o punto en el que algo tuerce. **6** Regreso al punto de partida. **7** Dinero que sobra de pagar algo. **8** Parte de algo opuesta a la que se tiene a la vista. **9** En ciclismo y en otros deportes, conjunto de carreras en etapas que hacen un recorrido. **10** Momento u ocasión de hacer algo por orden; turno, vez. **11** Tela sobrepuesta o doblada sobre sí que llevan algunas prendas de vestir. **12** Cada una de las series paralelas de puntos con las que se van tejiendo algunas prendas o labores. **13** En un zéjel o en un villancico, verso aislado que rima con el estribillo y que sirve para introducir su repetición total o parcial después de una estrofa. **14** ‖**a la vuelta de la esquina**; muy cerca. ‖**dar cien vueltas** a algo; *col.* Aventajarlo o ser superior a ello. ‖**dar una vuelta**; **1** Pasear un rato. **2** Ir por poco tiempo a un lugar. ‖**dar vueltas a** algo; discurrir o pensar repetidamente sobre ello. ‖**dar vueltas**; andar buscando algo sin encontrarlo. ‖**darle vueltas la cabeza** a alguien; *col.* Sentir sensación de mareo. ‖**poner** a alguien **de vuelta y media**; *col.* Insultarlo o hablar mal de él. ‖**vuelta de campana**; la que da algo volviendo a quedar en su posición inicial. ‖ **[vuelta de rosca**; *col.* Intento por conseguir algo. □ MORF. En la acepción 1, incorr. **volvido.*

vuestro, tra poses. **1** Indica pertenencia a la segunda persona del plural. **2** ‖**la vuestra**; *col.* Expresión con que se indica que ha llegado la ocasión favorable para la persona a la que se habla: *Aprovechad que es la vuestra y pasáoslo lo mejor que podáis.* □ ETIMOL. Del latín *voster.*

vulcanizar v. Referido a la goma elástica, combinarla con azufre para que ésta conserve su elasticidad en frío y en caliente: *El caucho se vulcaniza a temperaturas superiores a los 100 °C.* □ ETIMOL. Del latín

Vulcanus (Vulcano), que es el dios mitológico del fuego. □ ORTOGR. La *z* se cambia en *c* delante de *e*, *i* →CAZAR.

vulcanología s.f. Parte de la geología que estudia los volcanes y los fenómenos relacionados con éstos. □ ETIMOL. Del latín *Vulcanus* (dios del fuego) y *-logía* (estudio, ciencia). □ ORTOGR. Se admite también *volcanología.*

vulcanólogo, ga s. Persona que se dedica al estudio de los fenómenos volcánicos y está especializada en vulcanología. □ ORTOGR. Se admite también *volcanólogo.*

vulgar adj. **1** Común, corriente, que no destaca o que no es original. **2** Normal o general, porque no es específico ni técnico. **3** Que se considera impropio de una persona culta o educada. □ ETIMOL. Del latín *vulgaris.* □ MORF. Invariable en género.

vulgaridad s.f. Lo que se considera vulgar. □ USO Tiene un matiz despectivo.

vulgarismo s.m. En lingüística, expresión o construcción que no se consideran propias de la norma culta.

vulgarización s.f. **1** Generalización de algo o conversión en algo vulgar o común. **2** Adquisición de modales, costumbres y usos que se consideran impropios de una persona culta o educada. □ USO Tiene un matiz despectivo.

vulgarizar v. **1** Hacer vulgar, común, general o corriente: *Con los avances en la industria del automóvil, se vulgarizó el uso de los coches.* **2** Hacer vulgar o impropio de una persona culta y educada: *Tu descuido y tu falta de interés por formarte te han vulgarizado.* □ ORTOGR. La *z* se cambia en *c* delante de *e* →CAZAR. □ USO Tiene un matiz despectivo.

vulgo s.m. Conjunto de personas del pueblo, esp. las que no tienen mucha cultura, educación o una posición social destacada. □ ETIMOL. Del latín *vulgus* (la muchedumbre, el vulgo).

vulnerabilidad s.f. Posibilidad de ser dañado, perjudicado o deteriorado, material o moralmente.

vulnerable adj. Que puede ser vulnerado física o moralmente. □ MORF. Invariable en género.

vulneración s.f. **1** Transgresión o violación de una ley o de un precepto. **2** Daño o perjuicio materiales o morales.

vulnerar v. **1** Referido esp. a una ley, una norma o un mandato, transgredirlos, no cumplirlos o violarlos: *Vulneró su promesa de guardar el secreto que le contaron.* **2** Dañar, perjudicar u ocasionar deterioro material o moral: *Denunció a la revista porque aquellas fotografías vulneraban su vida privada.* □ ETIMOL. Del latín *vulnerare* (herir).

vulpécula o **vulpeja** s.f. Zorra. □ ETIMOL. Del latín *vulpecula* (zorra pequeña), y éste de *vulpes* (zorra). □ USO *Vulpécula* es el término menos usual.

vulpino, na adj. De la zorra, con sus características o relacionado con ella. □ ETIMOL. Del latín *vulpinus.*

vulva s.f. En las hembras de los mamíferos, parte que rodea y constituye la abertura externa de la vagina. □ ETIMOL. Del latín *vulva* (matriz, vulva).

W w

w s.f. Vigésima cuarta letra del abecedario. ☐ PRON. 1. En palabras plenamente incorporadas al español, representa el sonido consonántico bilabial sonoro y se pronuncia como la *b*: *wólfram* [bólfram] o *wolframio* [bolfrámio]. 2. En otras palabras, se conserva la pronunciación que tiene en la lengua de la que proceden: *whisky* [uíski].

[wagon-lit s.m. →**coche cama.** ☐ PRON. [vagón lit]. ☐ USO Es un galicismo innecesario.

[wahabita (arabismo) adj./s. De una secta musulmana muy conservadora que fue fundada en Arabia (país asiático) en el siglo XVIII, o relacionado con ella. ☐ PRON. [guahabíta], con *h* aspirada. ☐ MORF. 1. Como adjetivo es invariable en género. 2. Como sustantivo es de género común: *el 'wahabita', la 'wahabita'*.

[walkie-talkie (anglicismo) s.m. Aparato radiofónico portátil que permite a dos personas hablar y escucharse a una determinada distancia. ☐ PRON. [ualkitálki].

[walking (anglicismo) s.m. Ejercicio físico que consiste en andar a paso ligero. ☐ PRON. [uólkin]. ☐ USO Su uso es innecesario.

[walkiria s.f. →**valquiria.**

[walkman (anglicismo) s.m. Casete o radiocasete pequeños y portátiles con cascos. ☐ PRON. [uólman].

[warrant (anglicismo) s.m. En economía, bono de suscripción que da derecho a comprar acciones u obligaciones a un precio determinado durante un tiempo. ☐ PRON. [uárrant]. ☐ USO Su uso es innecesario y puede sustituirse por una expresión como *bono de suscripción*.

[wasp (anglicismo) s. Referido a una persona, que es de origen anglosajón y de religión protestante. ☐ ETIMOL. Es un acrónimo que procede de la sigla de *White Anglo-Saxon Protestant* (blanco anglosajón protestante). ☐ PRON. [uasp]. ☐ MORF. Es de género común: *el 'wasp', la 'wasp'*.

[water o **[water-closet** s.m. →**váter.** ☐ PRON. [báter], [báter clóset]. ☐ USO Son anglicismos innecesarios.

[waterpolista s. Persona que practica el waterpolo. ☐ PRON. [uaterpolísta]. ☐ MORF. Es de género común: *el 'waterpolista', la 'waterpolista'*.

[waterpolo s.m. Deporte que se practica en una piscina entre dos equipos de siete nadadores y en el que éstos intentan introducir una pelota en la portería del equipo contrario lanzándola con las manos. ☐ ETIMOL. Del inglés *water-polo* o *water polo*. ☐ PRON. [uaterpólo].

watt s.m. Denominación internacional del vatio. ☐ ETIMOL. Por alusión al ingeniero escocés J. Watt. ☐ PRON. [bat].

[wau s. En lingüística, sonido 'u', de carácter semiconsonántico o semivocálico según el sonido al que se agrupe: *En 'menguar' aparece un 'wau' semiconsonante. La 'u' del diptongo 'au' es un 'wau' semivocal.* ☐ MORF. Es de género ambiguo: *el 'wau' agrupado, la 'wau' agrupada.*

wéber o **weberio** s.m. En el Sistema Internacional, unidad de flujo de inducción magnética. ☐ ETIMOL. Por alusión al físico alemán G. E. Weber. ☐ PRON. [béber] o [bebério]. ☐ ORTOGR. *Wéber* es la denominación internacional del *weberio*.

[week-end s.m. →**fin de semana.** ☐ PRON. [uíkend]. ☐ USO Es un anglicismo innecesario.

[welwitschia s.f. Planta con el tallo corto y hundido en el suelo, una raíz muy larga que absorbe el agua que se encuentra a mucha profundidad, y dos grandes hojas opuestas. ☐ PRON. [velvítchia].

[western (anglicismo) s.m. **1** Película ambientada en el Oeste americano durante el período de conquista y de colonización de sus territorios. **2** Género cinematográfico al que pertenece esta clase de películas. ☐ PRON. [uéstern].

[whiskería s.f. Bar en el que las camareras que sirven las bebidas suelen ir vestidas de forma provocativa, conversan con los clientes y a menudo establecen relaciones de prostitución con ellos. ☐ PRON. [uiskería].

whisky (anglicismo) s.m. Bebida alcohólica, de graduación muy elevada, que se obtiene por fermentación de diversos cereales, esp. avena y cebada. ☐ PRON. [uíski]. ☐ ORTOGR. Se admite también *güisqui*. ☐ USO Aunque la RAE prefiere *güisqui*, se usa más *whisky*.

[windsurf o **[windsurfing** (anglicismo) s.m. Deporte acuático individual que se practica sobre una tabla que lleva una vela. ☐ PRON. [uíndsurf] o [güíndsurfin].

[windsurfista s. Persona que practica el deporte del windsurfing. ☐ PRON. [uinsurfísta]. ☐ MORF. Es de género común: *el 'windsurfista', la 'windsurfista'*.

wólfram o **wolframio** s.m. Elemento químico, metálico y sólido, de número atómico 74, de color blanco, que se utiliza en la fabricación de lámparas de incandescencia y en otros usos; tungsteno. ☐ ETIMOL. Del alemán *Wolfram*. ☐ PRON. [bólfram] o [bolfrámio]. ☐ ORTOGR. 1. Su símbolo químico es W. ☐ USO 1. Aunque la RAE prefiere *volframio*, en círculos especializados se usa más *wolframio*. 2. *Wólfram* es el término menos usual.

[wonderbra s.m. Sujetador con relleno, que da volumen al busto y lo realza. ☐ ETIMOL. Extensión del nombre de una marca comercial. ☐ PRON. [uonderbrá].

[wrestling (anglicismo) s.m. Deporte que consiste en la lucha entre dos personas que van desarmadas y que intentan derribar al oponente. ☐ PRON. [réslin].

X x

x s.f. Vigésima quinta letra del abecedario. ☐ PRON.
1. En posición inicial de palabra o en final de sílaba,
representa el sonido consonántico fricativo alveolar
sordo, y se pronuncia como [s]: *xilófono* [silófono],
extraordinario [estraordinario]. 2. Entre vocales o
en final de palabra, representa el grupo consonántico [gs]: *examen* [egsámen], *tórax* [tórags].

[xantorrea s.f. Planta australiana de tronco corto
y ancho, hojas alargadas y rígidas. ☐ PRON. [san-
torréa].

xenofobia s.f. Odio, hostilidad o antipatía hacia
los extranjeros. ☐ ETIMOL. Del griego *xénos* (extranjero) y *-fobia* (aversión). ☐ PRON. [senofóbia].

xenófobo, ba adj./s. Que siente o muestra odio,
hostilidad o antipatía hacia los extranjeros. ☐ PRON.
[senófobo]. ☐ MORF. La RAE sólo lo registra como
adjetivo.

xenón s.m. Elemento químico, no metálico y gaseoso, de número atómico 54, inerte, incoloro, inodoro
e insípido, que se encuentra en pequeñas proporciones en el aire. ☐ ETIMOL. Del griego *xénos* (extraño).
☐ PRON. [senón]. ☐ ORTOGR. Su símbolo químico es
Xe.

xerocopia s.f. Copia fotográfica obtenida por medio de la xerografía. ☐ PRON. [serocópia].

xerocopiar v. Reproducir en copia de xerografía:
*En un curso de artes gráficas nos enseñaron a xe-
rocopiar.* ☐ PRON. [serocopiár]. ☐ ORTOGR. La *i* nunca lleva tilde.

xerófilo, la adj. Referido a un organismo, que está
adaptado a la vida en ambientes secos. ☐ ETIMOL.
Del griego *xerós* (seco) y *-filo* (amigo). ☐ PRON. [se-
rófilo].

xerófito, ta adj. Referido a una planta, que está
adaptada a la vida en zonas secas: *El cacto es una
planta xerófita.* ☐ ETIMOL. Del griego *xerós* (seco) y
phytón (planta). ☐ PRON. [serófito].

xeroftalmia o **xeroftalmía** s.f. Enfermedad ocular que se caracteriza por la sequedad de la conjuntiva y por la opacidad de la córnea. ☐ ETIMOL. Del
griego *xerós* (seco) y *ophthalmós* (ojo). ☐ PRON. [se-
roftálmia] o [seroftalmía]. ☐ USO *Xeroftalmía* es el
término menos usual.

xerografía s.f. 1 Técnica que permite reproducir
textos o imágenes automáticamente por medio de
procedimientos electrostáticos. 2 Fotocopia obtenida mediante esta técnica. ☐ ETIMOL. Del griego
xerós (seco) y *-grafía* (representación gráfica). ☐
PRON. [serografía].

xerografiar v. Reproducir por medio de la xerografía: *Se pueden xerografiar textos o imágenes.* ☐
PRON. [serografiár]. ☐ ORTOGR. La *i* lleva tilde en
los presentes, excepto en las personas *nosotros* y *vosotros* →GUIAR.

xi s.f. En el alfabeto griego clásico, nombre de la decimocuarta letra: *La grafía de la xi es* ξ.

xifoides s.m. →apéndice xifoides. ☐ ETIMOL. Del
griego *xiphoeidés*, y éste de *xiphos* (espada) y *êidos*
(forma). ☐ PRON. [sifóides]. ☐ MORF. Invariable en
número.

[xilema s.m. En las plantas superiores, conjunto formado por los vasos leñosos y los tejidos que los
acompañan. ☐ ETIMOL. Del griego *xýlon* (madera). ☐
PRON. [siléma].

xilófago, ga adj./s.m. Referido a un insecto, que roe
la madera: *Las termitas son 'xilófagas'.* ☐ ETIMOL.
Del griego *xýlon* (madera) y *fago* (que come). ☐
PRON. [silófago].

[xilofonista s. Músico que toca el xilófono. ☐
PRON. [silofonísta]. ☐ MORF. Es de género común: *el
'xilofonista', la 'xilofonista'.*

xilófono s.m. Instrumento musical de percusión
formado por listones de madera de tamaños graduados, que se toca golpeándolo con unos macillos.
☐ ETIMOL. Del griego *xýlon* (madera) y *-fono* (sonido). ☐ PRON. [silófono]. 🎵 percusión

xilografía s.f. 1 Arte o técnica de grabar en madera. 2 Impresión tipográfica hecha con planchas
de madera. ☐ ETIMOL. Del griego *xýlon* (madera) y
-grafía (representación gráfica). ☐ PRON. [silogra-
fía].

xiloprotector, -a adj./s.m. Referido esp. a un pro-
ducto, que se emplea para proteger la madera. ☐
ETIMOL. Del griego *xýlon* (madera) y *protector*. ☐
PRON. [siloprotectór].

[xirgo, ga adj. En zonas del español meridional, eri-
zado.

[xoconochtle s.m. Higo chumbo agrio preparado
con azúcar o en pasta aguada. ☐ PRON. [choconócht-
le], con *ch* suave.

[xocota adj. En zonas del español meridional, referido
a la fruta, agria o verde. ☐ PRON. [chocóta], con *ch*
suave. ☐ MORF. Invariable en género.

[xumil s.m. Tipo de insecto americano comestible. ☐
PRON. [chumíl], con *ch* suave.

[xuquiquis s. col. En zonas del español meridional, sobón. ☐ PRON. [chuquíquis], con *ch* suave. ☐ MORF.
1. Es de género común: *el 'xuquiquis', la 'xuquiquis'.*
2. Invariable en número.

Y y

y ▌ s.f. **1** Vigésima sexta letra del abecedario. ▌ conj. **2** Enlace gramatical coordinante con valor copulativo y afirmativo, que se usa generalmente antes del último término de una enumeración: *Vino solo y se fue acompañado. He merendado pan y chocolate. Vimos pueblos, valles, ríos y montañas.* **3** En principio de oración, se usa para enfatizar lo que se dice: *¡Y pensar que yo no me lo creí...! Y si no viene, ¿qué diablos hacemos?* □ PRON. En la acepción 1: 1. En final de palabra o ante consonante, representa el sonido vocálico anterior o palatal, de abertura mínima: *buey, azul y rojo.* 2. Ante vocal, representa el sonido consonántico palatal sonoro y fricativo o africado: *yate, rojo y azul.* □ USO Como conjunción: 1. Ante palabra que comienza por *i-* o por *hi-* se usa la forma *e.* 2. Precedida y seguida de una misma palabra, denota idea de repetición indefinida: *Recorrí kilómetros y kilómetros.*

ya ▌ adv. **1** Indica tiempo pasado: *Esa película ya la he visto.* **2** En relación con el pasado, en el tiempo presente: *Ahora ya no lo quiero. Lo tuve, pero ya no lo tengo.* **3** En tiempo u ocasión futuros: *Ya hablaremos otro día. Mañana ya no lloverá.* **4** Ahora o inmediatamente: *Si me llama dile que ya voy. Ya veo venir a tus hijos. Corre, que ya llega tu padre. ¡Ah, ya me acuerdo de ti!* **5** Indica afirmación o apoyo de lo dicho: *Si ya te entiendo, así que no insistas más. Ya se ve que estás muy bien.* ▌ conj. **6** Enlace gramatical con valor distributivo que, repetido, se usa para relacionar dos posibilidades que se alternan: *Hoy el tiempo es inestable, ya con nubes, ya con sol.* ▌ interj. **7** col. Expresión que se usa para indicar que se recuerda algo: *¡Ah, ya!, fue aquel día que no paró de llover.* **8** col. Expresión que se usa para indicar incredulidad o negación: *¡Ya, y luego llegó una bruja volando y se llevó, ¿no? ¡Ya, como que voy a ir contigo...!* **9** ‖**ya que; 1** Enlace gramatical subordinante con valor causal: *No iré, ya que me duele la cabeza.* **2** Enlace gramatical subordinante con valor condicional: *Ya que piensas asistir a la fiesta, llega puntual al menos.* □ ETIMOL. Del latín *iam.*

yac s.m. Mamífero bóvido de gran tamaño, con el cuerpo y las patas cubiertos de pelo largo, generalmente de color oscuro o blanco y con dos cuernos en la frente ligeramente curvados. □ ETIMOL. Del inglés *yak.* □ ORTOGR. Se admite también *yak.* □ MORF. Es un sustantivo epiceno: *el yac macho, el yac hembra.*

yacaré s.m. Reptil anfibio y carnívoro parecido al cocodrilo pero mucho más pequeño, de color negruzco, hocico plano, tan largo como ancho y redondeado en la punta. □ MORF. Es un sustantivo epiceno: *el yacaré macho, el yacaré hembra.* □ SEM. Aunque la RAE lo considera sinónimo de *caimán,* en círculos especializados no lo es.

yacente adj. Que yace. □ MORF. Invariable en género.

yacer v. **1** Referido a una persona, estar tendida o acostada: *El abuelo yace enfermo en la cama.* **2** Referido a una persona muerta, estar enterrada: *En ese panteón yacen mis padres.* **3** Referido a una persona, realizar el acto sexual; copular: *Yacieron y el matrimonio se consumó.* □ ETIMOL. Del latín *iacere* (estar echado). □ MORF. Irreg. →YACER.

[yachting (anglicismo) s.m. Deporte de competición que se practica con embarcaciones de vela. □ PRON. [yátin].

yacija s.f. **1** Lecho o cama pobre en los que alguien se acuesta. **2** Sepultura, hoyo o lugar en el que está enterrado un cadáver. □ ETIMOL. Del latín **iacilia,* y éste de **iacile* (lecho).

yacimiento s.m. Lugar en el que de forma natural se encuentran minerales, fósiles, restos arqueológicos o algo semejante.

yaguar s.m. →**jaguar.** □ MORF. Es un sustantivo epiceno: *el yaguar macho, el yaguar hembra.* 🐾 felino

yak s.m. →**yac.** □ MORF. Es un sustantivo epiceno: *el yak macho, el yak hembra.*

yambo s.m. **1** En métrica grecolatina, pie formado por una sílaba breve seguida de otra larga. **2** En métrica española, pie o unidad formados por una sílaba átona seguida de otra tónica. □ ETIMOL. Del latín *iambus,* y éste del griego *íambos.*

yang s.m. En el taoísmo, principio universal activo y masculino que se complementa con su opuesto, el yin, y juntos constituyen el principio fundamental de la vida y el universo.

yanqui adj./s. **1** col. Estadounidense. **2** En la guerra de Secesión norteamericana, partidario de los estados del norte. □ ETIMOL. Del inglés *yankee.* □ MORF. 1. Como adjetivo es invariable en género. 2. Como sustantivo es de género común: *el yanqui, la yanqui.*

yantar ▌ s.m. **1** Comida o alimento: *En la posada tomaron los caballeros un buen yantar.* ▌ v. **2** Comer: *El labriego esperaba hambriento la hora de yantar.* □ ETIMOL. La acepción 1, del verbo *yantar.* La acepción 2, del latín *iantare* (almorzar). □ USO Su uso es característico del lenguaje literario.

yarda s.f. En el sistema anglosajón, unidad de longitud que equivale aproximadamente a 91,4 centímetros. □ ETIMOL. Del inglés *yard.*

yate s.m. Embarcación de recreo, generalmente lujosa. □ ETIMOL. Del inglés *yacht.* 🚢 embarcación

yayo, ya s. col. Abuelo. □ USO Tiene un matiz cariñoso.

yaz s.m. Género musical caracterizado por tener ritmos muy marcados y cambiantes y por conceder gran importancia a la improvisación, que tiene su origen en la música negra norteamericana a finales del siglo XIX. □ ETIMOL. Del inglés *jazz* o *jazz-band.* □ PRON. [yas]. □ USO Aunque la RAE sólo registra *yaz,* se usa más *jazz.*

ye s.f. Nombre de la letra 'y'; i griega.

yedra s.f. →**hiedra.**

yegua s.f. Hembra del caballo; jaca. □ ETIMOL. Del latín *equa.* □ SEM. Dist. de *caballa* (pez marino).

yeguada s.f. Conjunto de ganado caballar.

yeísmo s.m. Pronunciación de la *ll,* que es lateral, palatal y sonora, como la *y,* que es fricativa, palatal y sonora.

yeísta ▌ adj. **1** Del yeísmo o relacionado con este fenómeno fonético. ▌ adj./s. **2** Que pronuncia la *ll* como la *y.* □ MORF. 1. Como adjetivo es invariable en género. **2.** Como sustantivo es de género común: *el yeísta, la yeísta.*

yelmo s.m. En una armadura antigua, parte que cubría y protegía la cabeza y la cara. ☐ ETIMOL. Del germánico *helm*. 🔻 armadura, casco, yelmo

yema s.f. **1** En los huevos de los vertebrados ovíparos, parte central en la que se desarrolla el embrión. **2** Dulce que se elabora con esta yema del huevo de gallina y con azúcar. **3** En una planta, brote de aspecto escamoso, recién aparecido en el tallo y constituido por las hojas envueltas unas sobre otras, del cual nacerán las ramas, las hojas y las flores. **4** En un dedo, parte opuesta a la uña. ☐ ETIMOL. Del latín *gemma* (botón de vegetal, piedra preciosa).

yen s.m. Unidad monetaria japonesa.

yerba s.f. **1** →hierba. **2** ‖yerba (mate); [**1** Árbol de tronco recto, copa densa y hojas de color verde oscuro brillante. [**2** Hojas secas de este árbol que se usan para preparar el mate.

yermo, ma adj./s.m. **1** Referido a un lugar, que está despoblado o sin habitar. **2** Referido a un terreno, estéril o sin cultivo. ☐ ETIMOL. Del latín *eremus* (desierto).

yerno s.m. Respecto de una persona, marido de su hija. ☐ ETIMOL. Del latín *gener*. ☐ MORF. Su femenino es *nuera*.

yero s.m. **1** Planta herbácea leguminosa con fruto en vaina y las semillas en forma de pequeñas bolitas, que se utiliza como alimento para el ganado. **2** Semilla de esta planta. ☐ ETIMOL. Del latín *erum*. ☐ ORTOGR. Se admite también *hiero*. ☐ USO Se usa más en plural.

yerro s.m. **1** Equivocación cometida por descuido o ignorancia. **2** Falta o delito cometidos contra leyes, preceptos o reglas. ☐ ETIMOL. De *errar*. ☐ ORTOGR. Dist. de *hierro*.

yerto, ta adj. Rígido y tieso. ☐ ETIMOL. Del antiguo participio de *erguir*.

yesca s.f. **1** Materia muy seca y preparada para que pueda arder con una chispa. **2** Lo que está muy seco y arde con facilidad. **3** Lo que excita las pasiones. ☐ ETIMOL. Del latín *esca* (alimento, alimento del fuego).

yesería s.f. Lugar en el que se fabrica o se vende yeso.

yeso s.m. **1** Sulfato de calcio hidratado, compacto o terroso y generalmente blanco, con el que se elabora una pasta que se usa en la construcción y en la escultura. **2** Escultura hecha con esta materia. [**3** col. Escayola. ☐ ETIMOL. Del latín *gypsum*.

yesquero s.m. En zonas del español meridional, mechero.

[yeti s.m. Ser fantástico parecido a un hombre gigantesco y cubierto de pelo que se dice que habita en el Himalaya (cadena montañosa asiática).

[yeyé (galicismo) adj./s. Del pop de los años sesenta o seguidor de esta moda. ☐ MORF. **1.** Como adjetivo es invariable en género. **2.** Como sustantivo es de género común: *el 'yeyé', la 'yeyé'.*

yeyuno s.m. Parte del intestino delgado de los mamíferos situada entre el duodeno y el íleon. ☐ ETIMOL. Del latín *ieiunum* (intestino).

[yiffie (anglicismo) s. Joven profesional de los años noventa con una posición económica elevada. ☐ PRON. [yífi]. ☐ MORF. Es de género común: *el 'yiffie', la 'yiffie'.*

[yihad (arabismo) s.f. Guerra santa de los musulmanes. ☐ PRON. [yihád], con *h* aspirada.

yin s.m. En el taoísmo, principio universal pasivo y femenino que se complementa con su opuesto, el yang, y juntos constituyen el principio fundamental de la vida y el universo.

yo ▌ pron.pers. **1** Forma de la primera persona del singular que corresponde a la función de sujeto o de predicado nominal: *Yo prefiero el vaso azul. Ábreme la puerta, que soy yo.* ▌ s.m. **2** En psicología, parte consciente de la personalidad humana. **3** En filosofía, sujeto humano en cuanto persona. **4** ‖yo que {tú/él/...}; col. Expresión que se usa para indicar una sugerencia. ☐ ETIMOL. Del latín *ego*. ☐ MORF. Como pronombre no tiene diferenciación de género. ☐ SINT. Incorr. *yo {*de ti > que tú}.*

[yod s.f. En lingüística, sonido 'i', de carácter palatal, semiconsonante o semivocal según el sonido al que se agrupe: *La 'i' del diptongo 'ie' es una 'yod' semiconsonante.*

yodado, da adj. Que contiene yodo.

yodo s.m. Elemento químico, no metálico y sólido, de número atómico 53, de estructura laminar y de color gris negruzco. ☐ ETIMOL. Del griego *iódes* (violado). ☐ ORTOGR. Su símbolo químico es *I*. ☐ USO Aunque la RAE sólo registra *yodo*, en círculos especializados se usa también *iodo*.

yodoformo s.m. Compuesto químico sólido y de color amarillo, que tiene un olor penetrante y que se usa en medicina para prevenir y combatir las infecciones, con aplicación externa. ☐ ETIMOL. De *yodo* y *formo* (abreviatura de fórmico).

yoga s.m. **1** Conjunto de disciplinas físicas y mentales hindúes destinadas a conseguir la perfección espiritual y la unión con lo absoluto. **2** Práctica derivada de esta disciplina y dirigida a conseguir el dominio del cuerpo y la concentración mental. ☐ ETIMOL. Del sánscrito *yoga* (unión, esfuerzo).

yogui s. **1** Asceta hindú seguidor del sistema filosófico del yoga. **2** Persona que practica los ejercicios físicos y mentales del yoga. ☐ MORF. Es de género común: *el yogui, la yogui.*

yogur s.m. Producto alimenticio que se obtiene por fermentación de la leche. ☐ ETIMOL. Del turco *yoghurt.*

[yogurtera s.f. Electrodoméstico que sirve para elaborar yogures.

yola s.f. Embarcación muy ligera y estrecha, movida a remo y con vela. ☐ ETIMOL. Del francés *yole.*

[yonco, ca o **[yonqui** s. col. En el lenguaje de la droga, drogadicto. ☐ ETIMOL. Del inglés *junkie*. ☐ MORF. 'Yonqui' es de género común: *el 'yonqui', la 'yonqui'.*

yóquey o **yoqui** s.m. Jinete profesional de carreras de caballos. ☐ ETIMOL. Del inglés *jockey*. ☐ MORF. Su plural es *yoqueis* o *yoquis*. ☐ SEM. Dist. de *hockey* (un deporte). ☐ USO Aunque la RAE prefiere *yóquey* o *yoqui*, se usa más *jockey*.

[yorkshire (anglicismo) adj./s.m. →terrier de yorkshire. ☐ PRON. [yórkser]. ☐ MORF. Como adjetivo es invariable en género.

[yoyo s.m. En zonas del español meridional, yoyó.

yoyó s.m. Juguete formado por dos discos unidos por un eje, que se hace subir y bajar mediante una cuerda enrollada a dicho eje. ☐ ETIMOL. Extensión de una marca comercial.

[yoyoba s.f. →jojoba.

yuca s.f. Planta tropical americana, de tallo cilíndrico lleno de cicatrices, flores blancas y colgantes, hojas rígidas y raíz gruesa de la que se extrae harina para la alimentación.

yudo s.m. →judo.

yudoca s. Deportista que practica el judo. □ MORF. Es de género común: *el yudoca, la yudoca.* □ USO Aunque la RAE sólo registra *yudoca*, se usa más *judoca*.

yugo s.m. **1** Instrumento de madera que se coloca a los animales de tiro en el cuello o en la cabeza, y que va sujeto al carro o al arado. **2** Dominio superior que obliga a obedecer. **3** Carga pesada o atadura. **4** ‖ **sacudirse el yugo;** liberarse del dominio o de la opresión. □ ETIMOL. Del latín *iugum.*

yugoslavo, va adj./s. De la antigua Yugoslavia (país centroeuropeo), o relacionado con ella.

yugular ▌ s.f. **1** →vena yugular. ▌ v. **2** Referido a un proceso o a una actividad, detenerlos, ponerles fin o cortar su desarrollo bruscamente: *Se enviaron tropas para yugular la rebelión.*

yunque s.m. **1** Instrumento de hierro acerado, que sirve para trabajar los metales. **2** En anatomía, hueso del oído medio que se articula con el martillo y con el lenticular. ⮕ oído □ ETIMOL. Del latín *incus.*

yunta ▌ s.f. **1** Conjunto de dos animales de tiro o de labor. ▌ pl. **[2** En zonas del español meridional, gemelo: *Mi amigo venezolano siempre usa 'yuntas' con las camisas.* □ ETIMOL. Del latín *iuncta* (junta).

yuntero s.m. Persona que labra la tierra ayudado por una yunta.

[yuppie (anglicismo) s. Joven profesional que posee una carrera universitaria y una posición económica elevada. □ ETIMOL. Es un acrónimo que procede de la sigla de *Young Urban and Proffesional People* (gente joven urbana y profesional). □ PRON. [yúpi]. □ MORF. Es de género común: *el 'yuppie', la 'yuppie'.*

[yuppismo s.m. Estilo o modo de comportamiento propios de un yuppie.

yusivo, va adj. En lingüística, referido esp. al modo subjuntivo, que expresa una orden o un mandato. □ ETIMOL. Del latín *iussus*, y éste de *iubere* (ordenar).

yute s.m. **[1** Planta anual de flores amarillas y fruto en cápsula. **2** Fibra textil que se extrae de la corteza interior de esta planta. **3** Tela confeccionada con esta fibra. □ ETIMOL. Del inglés *jute.*

yuxtaponer v. **1** Colocar en la posición inmediata, sin ningún nexo de unión: *Has suspendido porque en el examen te has limitado a yuxtaponer datos sin seguir una argumentación lógica.* **2** En gramática, referido a dos elementos, unirlos sin utilizar nexos o conjunciones: *El punto y coma es un signo de puntuación muy utilizado para yuxtaponer oraciones.* □ ETIMOL. Del latín *iuxta* (cerca de) y *ponere* (poner). □ MORF. Irreg.: 1. Su participio es *yuxtapuesto.* 2. →PONER.

yuxtaposición s.f. **1** Colocación de una cosa junto a otra inmediata a ella. **2** En gramática, unión de varios elementos sin utilizar nexos o conjunciones.

[yuxtapuesto, ta part. irreg. de **yuxtaponer.** □ MORF. Incorr. **yuxtaponido.*

[yuyal s.m. Lugar cubierto de yuyos.

yuyo s.m. **1** En zonas del español meridional, mala hierba o hierbajo. **[2** En zonas del español meridional, hierba medicinal.

Z z

z s.f. Vigésima séptima letra del abecedario. ☐ PRON. Ante *a, o, u* representa el sonido consonántico interdental fricativo sordo, aunque está muy extendida la pronunciación como [s]: *zarpazo* [sarpáso] →seseo.

zacate s.m. **1** En zonas del español meridional, forraje. **2** En zonas del español meridional, estropajo.

zafarrancho s.m. **1** Preparación de parte de una embarcación para dejarla dispuesta para una determinada faena. **2** *col.* En el lenguaje militar, limpieza general. **3** *col.* Lío, riña o tumulto. ☐ ETIMOL. De *zafar* (desembarazar, quitar obstáculos) y *rancho* (espacio libre de la cubierta de un barco), porque se dejaba libre la cubierta antes de empezar un combate.

zafarse v.prnl. **1** Escaparse o esconderse para evitar un encuentro o un riesgo: *Conseguí zafarme antes de que llegaran.* **2** Referido a algo molesto, librarse de ello: *Se zafó de lavar los platos porque dijo que tenía prisa.* **[3** En zonas del español meridional, soltarse. ☐ SINT. Constr. *zafarse DE algo.*

zafiedad s.f. Falta de tacto y de elegancia en el comportamiento.

zafio, fia adj. Grosero, tosco o sin tacto en la forma de actuar. ☐ ETIMOL. Del árabe *yafi* (grosero, incivil).

zafiro s.m. Mineral de color azul o verde, formado por óxido de aluminio cristalizado, y muy utilizado en joyería. ☐ ETIMOL. Del latín *sapphirus.*

zaga s.f. **[1** En algunos deportes, grupo de jugadores que forman la defensa. **2** ‖ **a la zaga**; atrás o detrás. ‖ **no irle a la zaga** a alguien; *col.* No ser inferior a él en algo. ☐ ETIMOL. Del árabe *saqa* (retaguardia).

zagal, -a s. **1** Pastor joven. **2** Muchacho adolescente. ☐ ETIMOL. Del árabe *zagall* (joven animoso).

zaguán s.m. En una casa, espacio cubierto que sirve de entrada y que está contiguo a la puerta de la calle. ☐ ETIMOL. Del árabe *'ustuwan* (pórtico).

zaguero, ra ▌ s. **1** En algunos deportes de equipo, jugador que tiene la misión de obstaculizar la acción del contrario; defensa. ▌ s.m. **2** En el juego de pelota por parejas, jugador que se sitúa en la parte de atrás de la cancha y que lleva el peso del partido. ☐ MORF. En la acepción 1, la RAE sólo lo registra como masculino.

zaherir v. Referido a una persona, humillarla o mortificarla con palabras o con obras: *Lo zahiere con burlas crueles.* ☐ ETIMOL. De *faz* (cara) y *herir.* ☐ MORF. Irreg. →SENTIR.

zahorí s.m. **1** Persona que tiene la facultad de descubrir lo que está oculto, esp. lo que se encuentra bajo tierra. ☐ ETIMOL. Del árabe *zuhari* (servidor del planeta Venus), porque zahoríes y astrólogos utilizaban los mismos procedimientos. ☐ MORF. Aunque su plural en la lengua culta es *zahoríes,* se usa mucho *zahorís.*

zaino, na adj. Referido a un toro, que tiene el pelaje de color negro y ningún pelo blanco. ☐ ETIMOL. De origen incierto. ☐ PRON. Aunque la pronunciación correcta es [záino], está muy extendida [zaíno].

[zaireño, ña adj./s. De Zaire (país centroafricano), o relacionado con él.

zalamería s.f. Demostración de cariño exagerada y empalagosa; zalema.

zalamero, ra adj. Que hace zalamerías o que las manifiesta. ☐ ETIMOL. Del antiguo *zalama* (demostración de cariño afectada).

zalema s.f. **1** *col.* Reverencia humilde como muestra de sumisión. **2** Demostración de cariño afectada y empalagosa; zalamería. ☐ ETIMOL. Del árabe *salam* (salutación).

zamarra s.f. **1** Prenda de abrigo rústica, hecha de piel con su pelo o con su lana. **2** Prenda de abrigo hecha o forrada de piel; pelliza. ☐ ETIMOL. Del vasco *zamarra.*

zambo, ba adj./s. Referido a una persona o a un animal, que tiene las rodillas juntas y las piernas separadas hacia afuera. ☐ ETIMOL. De origen incierto.

zambomba ▌ s.f. **1** Instrumento musical popular en forma de cilindro hueco, abierto por uno de sus extremos y cerrado por el otro con una piel tirante, en cuyo centro tiene sujeto un palo que, al ser frotado con la mano humedecida, produce un sonido fuerte y ronco. ✺ percusión ▌ interj. **2** *col.* Expresión que se usa para indicar extrañeza, sorpresa, admiración o disgusto. ☐ ETIMOL. De origen onomatopéyico.

zambombazo s.m. **1** Estampido o explosión muy ruidosos y fuertes. **[2** En algunos deportes, disparo fuerte y potente.

zambra s.f. Fiesta bulliciosa de los gitanos en la que hay baile y jaleo. ☐ ETIMOL. Del árabe *samra* (fiesta nocturna, velada).

zambullida s.f. Introducción impetuosa y repentina en el agua.

zambullir ▌ v. **1** Meter debajo del agua con ímpetu o de golpe: *Como vuelvas a zambullir al perrito en la piscina, te voy a castigar. Se zambulló saltando desde el trampolín.* ▌ prnl. **[2** Meterse de lleno en una actividad: *Para preparar el papel, el actor debe 'zambullirse' en el personaje.* ☐ ETIMOL. Del latín *sepelire.* ☐ MORF. Irreg. →PLAÑIR. ☐ SINT. Constr. *zambullirse EN algo.*

zamorano, na adj./s. De Zamora o relacionado con esta provincia española o con su capital.

zampa s.f. *col.* **[Comida.**

zampabollos s. *col.* Persona que come con exceso y con ansia. ☐ MORF. 1. Es de género común: *el zampabollos, la zampabollos.* 2. Invariable en número.

zampar v. *col.* Comer o beber rápidamente y con exceso: *Te pasas el día zampando y vas a engordar. Se zampó él solo toda la tarta.* ☐ ETIMOL. De origen incierto.

zampón, -a adj./s. *col.* Referido a una persona, que come mucho.

zampoña s.f. Instrumento musical de carácter rústico, semejante a una flauta o compuesto por un conjunto de ellas. ☐ ETIMOL. Del latín **sumponia.* ✺ viento

zanahoria s.f. **1** Planta herbácea de hojas muy divididas, de flores blancas, y de fruto seco y comprimido, que tiene una raíz comestible, carnosa y de color anaranjado. **2** Raíz de esta planta. **[3** *col.* Estímulo o acicate engañosos. ☐ ETIMOL. Del árabe *isfannariya*.

zanca s.f. **1** Pata larga de algunas aves. **2** *col*. Pierna de una persona o pata de un animal cuando son largas y delgadas. ☐ ETIMOL. Del latín *zanca* (especie de calzado).

zancada s.f. Paso largo de una persona.

zancadilla s.f. **1** Cruce de una pierna por entre las de otra persona con la intención de hacerle perder el equilibrio. **2** *col*. Lo que se hace para evitar que otra persona consiga lo que desea.

zancadillear v. Poner una zancadilla: *Me zancadilleó para que no llegara antes que él a la meta*.

zancajo s.m. **1** Hueso del pie que forma el talón. **2** Talón del pie. ☐ ETIMOL. De *zanca*.

zanco s.m. Cada uno de los dos palos largos con soportes para colocar los pies que se usan para hacer juegos de equilibrios y danzas.

zancudo, da ∎ adj. **[1** Referido a una raíz, que sale de las ramas de los mangles o árboles tropicales que crecen en zonas pantanosas. ∎ adj./s.f. **2** Referido a un ave, que se caracteriza por tener los tarsos muy largos y desprovistos de plumas. ∎ s.f.pl. **3** En zoología, grupo de estas aves. ∎ s.m. **4** En zonas del español meridional, mosquito.

zanganear v. *col*. Pasar el tiempo vagueando y sin trabajar: *Estuvo zanganeando toda la mañana sin hacer nada*.

zángano, na ∎ s. **1** *col*. Persona holgazana, que intenta trabajar lo menos posible. ∎ s.m. **2** Abeja macho. ⊠ insecto ∎ ETIMOL. De origen onomatopéyico. ☐ MORF. En la acepción 1, la RAE sólo lo registra como masculino.

zangolotear v. *col*. Moverse de un lado para otro sin ningún fin: *Pasé la mañana zangoloteando por el centro*. ☐ ETIMOL. De origen onomatopéyico.

zangolotino, na adj./s. *col*. Referido a un muchacho, que se hace pasar por un niño. ☐ ETIMOL. De *zangolotear*.

zanja s.f. En un terreno, excavación larga y estrecha. ☐ ETIMOL. De origen incierto.

zanjar v. Referido a un asunto, resolverlo o solucionarlo terminando con todas las dificultades o inconvenientes: *¡A ver si zanjáis vuestras diferencias de una vez!* ☐ ORTOGR. Conserva la *j* en toda la conjugación.

zanquilargo, ga adj./s. *col*. Que tiene las piernas largas.

zapa s.f. **1** Excavación de una galería subterránea o de una zanja descubierta. **2** Maniobra oculta y disimulada, esp. la que intenta provocar un fracaso. ☐ ETIMOL. Del italiano *zappa* (azada).

zapador s.m. Soldado perteneciente al arma de ingenieros.

[zapallito s.m. En zonas del español meridional, calabacín.

zapallo s.m. En zonas del español meridional, calabaza.

zapata s.f. En un sistema de frenado, pieza que actúa contra las ruedas para moderar o impedir su movimiento.

zapatazo s.m. Golpe dado con un zapato, esp. si es muy sonoro.

zapateado s.m. Modalidad del baile español basada en el golpeteo del suelo con los zapatos.

zapatear v. Dar golpes en el suelo con los pies calzados, esp. si es al bailar flamenco: *Cuando la bai-*

laora terminó de zapatear, el público aplaudió muchísimo.

zapatería s.f. **1** Establecimiento en el que se hace o se vende calzado. **2** Industria o actividad relacionada con el calzado.

zapatero, ra ∎ adj. **1** Del calzado o relacionado con él: *Los zapadores abren trincheras y zanjas.industria zapatera*. **2** Referido a un alimento, que se pone correoso por haber sido cocinado hace bastante tiempo. ∎ s. **3** Persona que fabrica, arregla o vende calzado. **4** Insecto de cuerpo negro ovalado y alargado con las dos patas delanteras cortas y las cuatro posteriores muy largas y delgadas, que tiene movimientos muy rápidos sobre la superficie del agua; tejedor. ⊠ insecto ∎ s.m. **5** Mueble o parte de él destinado a guardar zapatos.

zapateta s.f. Golpe o palmada que se da con el pie, saltando al mismo tiempo en señal de alegría.

[zapatiesta s.f. Alboroto, jaleo o pelea ruidosos; trapatiesta.

zapatilla s.f. Zapato ligero, generalmente de tela y con suela delgada. ⊠ calzado

zapatillazo s.m. Golpe dado con una zapatilla.

[zapatista adj./s. Del movimiento agrario mejicano liderado por Zapata (líder revolucionario mejicano de principios del siglo XX), o relacionado con él. ☐ MORF. 1. Como adjetivo es invariable en género. 2. Como sustantivo es de género común: el '*zapatista*', la '*zapatista*'.

zapato s.m. Calzado que no sobrepasa el tobillo. ☐ ETIMOL. De origen incierto.

zape interj. *col*. Expresión que se usa para ahuyentar al gato. ☐ ETIMOL. De origen expresivo.

zapear v. **[**Cambiar continuamente de canal de televisión utilizando el mando a distancia: *Me gusta 'zapear' para buscar algún programa interesante en la televisión*. ☐ SEM. Se usa también *canalear*.

[zapeo s.m. →**zapping**.

[zapping (anglicismo) s.m. Cambio continuo de canal televisivo utilizando el mando a distancia. ☐ PRON. [zápin]. ☐ USO Se usa también *zapeo* y *canaleo*.

zar s.m. Antiguamente, emperador de Rusia (antiguo estado euroasiático) o soberano de Bulgaria (país del este europeo). ☐ ETIMOL. Del ruso *tsar*. ☐ MORF. Su femenino es *zarina*.

zarabanda s.f. **1** Pieza musical de danza, de ritmo ternario, lento y de carácter solemne, que forma parte de la suite y de la sonata. **2** Danza popular española de los siglos XVI y XVII. **3** Ruido fuerte, jaleo o alboroto. ☐ ETIMOL. De origen incierto.

[zaragocista adj./s. Del Real Zaragoza (club deportivo zaragozano) o relacionado con él. ☐ MORF. 1. Como adjetivo es invariable en género. 2. Como sustantivo es de género común: el '*zaragocista*', la '*zaragocista*'.

zaragozano, na adj./s. De Zaragoza o relacionado con esta provincia española o con su capital.

zarajo s.m. Tripa de cordero trenzada o enrollada, que se come asada.

zarandaja s.f. Lo que tiene poco valor o poca importancia. ☐ ETIMOL. Del latín **serotinalia*, y éste de *serotinus* (tardío). ☐ MORF. Se usa más en plural.

zarandear v. Mover o sacudir de un lado a otro, repetidamente y con cierta violencia: *El muy bruto me cogió por la solapa y me zarandeó*.

zarandeo s.m. Movimiento repetido y violento de un lado a otro.

zarandillo s.m. **1** *col.* Persona inquieta, que se mueve mucho y hace las cosas con mucha energía. **2** ‖**traer** a alguien **como un zarandillo**; *col.* Hacerlo ir y venir con frecuencia de un sitio a otro:.

zarcillo s.m. **1** Pendiente, esp. el que tiene forma de aro. 🔧 joya **2** En algunas plantas, órgano largo y delgado que les sirve para asirse a tallos u otros objetos próximos. ☐ ETIMOL. Del latín *circellus* (circulito).

zarco, ca adj. De color azul claro, esp. referido al agua o a los ojos. ☐ ETIMOL. Del árabe *zarqa* (mujer de ojos azules).

zarevich s.m. Hijo de un zar, esp. el primogénito del zar reinante. ☐ ETIMOL. Del ruso *tsarewitz.*

zarina s.f. de **zar.** ☐ ETIMOL. Del alemán *Zarin.*

zarismo s.m. Forma de gobierno absoluto ejercido por un zar.

zarista adj./s. Partidario o seguidor del zarismo. ☐ MORF. 1. Como adjetivo es invariable en género. 2. Como sustantivo es de género común: *el zarista, la zarista.* 3. La RAE sólo lo registra como sustantivo.

zarpa s.f. **1** En algunos animales, mano cuyos dedos no se mueven con independencia unos de otros y que generalmente tienen potentes uñas. **[2** *col.* En una persona, mano.

zarpar v. Referido esp. a una embarcación, salir del lugar donde estaba atracada o fondeada: *Zarparemos cuando el capitán lo crea conveniente.* ☐ ETIMOL. Quizá del italiano antiguo *sarpare.*

zarpazo s.m. Golpe dado con la zarpa y herida que produce.

zarrapastroso, sa adj./s. *col.* Desaseado, andrajoso, sucio y roto.

zarza s.f. →**zarzamora.**

zarzal s.m. Matorral de zarzas o lugar poblado de ellas.

zarzamora s.f. **1** Arbusto de tallos largos y nudosos con agudas espinas, hojas divididas en cinco hojuelas ovaladas y aserradas, flores blancas o rosadas en racimos terminales, y fruto parecido a la mora pero más pequeño. **2** Fruto de esta planta. ☐ MORF. En la acepción 1, se usa mucho la forma abreviada *zarza.*

zarzaparrilla s.f. **1** Arbusto de tallos delgados, largos y espinosos, hojas acorazonadas, ásperas y con muchos nervios, flores verdosas, fruto semejante al guisante y raíz fibrosa y casi cilíndrica. **2** Bebida refrescante elaborada con esta planta.

zarzuela s.f. **1** Obra dramática y musical típicamente española, en la que alternan partes cantadas y habladas. **2** Plato compuesto por una serie de mariscos o pescados diferentes aliñados con una salsa. ☐ ETIMOL. Por alusión al real sitio de la Zarzuela, en cuyas fiestas se empezaron a hacer representaciones con obras de este tipo.

zarzuelero, ra adj. **1** De la zarzuela o relacionado con este tipo de música. **[2** Aficionado a ver u oír zarzuelas.

zarzuelista s. Compositor de zarzuelas, esp. referido al autor de la música. ☐ MORF. Es de género común: *el zarzuelista, la zarzuelista.*

zas interj. *col.* [Expresión que se usa para indicar que algo sucede de forma rápida o inesperada. ☐ ETIMOL. De origen onomatopéyico.

zascandil s.m. *col.* Persona inconstante, enreda-

dora e inquieta. ☐ MORF. La RAE sólo lo recoge referido a hombres. ☐ USO Aplicado a niños, tiene un matiz cariñoso.

zascandilear v. Ir de un lado a otro enredando y sin hacer nada útil: *Deja de zascandilear por la casa y siéntate a hacer los deberes.*

zascandileo s.m. Ida y venida continua de un lugar a otro, enredando o sin hacer nada útil.

zebra s.f. *ant.* →**cebra.**

zeda s.f. →**zeta.**

zedilla s.f. →**cedilla.**

zéjel s.m. Composición poética de origen árabe, generalmente en octosílabos, que consta de un estribillo inicial y de un número variable de estrofas, cada una de las cuales presenta tres versos monorrimos que constituyen la *mudanza,* y un cuarto verso que rima con el estribillo y recibe el nombre de *vuelta.* ☐ ETIMOL. Del árabe *zayal.*

[zelota o **[zelote** s. →**celota.** ☐ ETIMOL. Del latín *zelotes.* ☐ MORF. Son de género común: *el {'zelota'/ 'zelote'}, la {'zelota'/'zelote'}.*

[zen (del japonés) s.m. Práctica del budismo que consiste en controlar el espíritu para detener el curso del pensamiento y alcanzar la esencia de la verdad. ☐ SINT. Se usa mucho en aposición pospuesto a un sustantivo.

zenit s.m. →**cenit.**

[zepelín s.m. →**globo dirigible.** ☐ ETIMOL. Del alemán *Zeppelin.* 🔧 globo

zeta ■ s.m. **1** Coche patrulla del Cuerpo Nacional de Policía. ■ s.f. **2** Nombre de la letra *z.* **3** En el alfabeto griego clásico, sexta letra: *La grafía de la zeta mayúscula es 'Z'.* ☐ ORTOGR. En las acepciones 2 y 3, se admiten también *ceda, ceta* o *zeda.*

zeugma s.m. Figura retórica consistente en hacer intervenir en varios enunciados un término que aparece expresado sólo en uno de ellos y que debe sobrentenderse en los otros. ☐ ETIMOL. Del griego *zêugma* (enlace). ☐ ORTOGR. Se admite también *ceugma.*

zigoto s.m. En biología, célula huevo procedente de la unión de un gameto masculino, o espermatozoide, con otro femenino, u óvulo, en la reproducción sexual. ☐ ETIMOL. Del griego *zygóo* (yo uno). ☐ ORTOGR. Se admite también *cigoto.*

zigurat s.m. Edificación religiosa propia de la cultura sumeria y acadia, formada por una torre piramidal escalonada, de base cuadrada o rectangular, en cuya parte superior se halla el templo. ☐ ETIMOL. Del acadio *ziggurat* (torre).

zigzag s.m. Línea que en su desarrollo forma ángulos alternativos entrantes y salientes. ☐ ETIMOL. Del francés *zigzag.*

zigzaguear v. Estar o moverse en zigzag: *El arroyo zigzagueaba por el valle.*

[zigzagueo s.m. Movimiento o desplazamiento en zigzag.

zinc s.m. →**cinc.** ☐ PRON. [cink] ☐ ORTOGR. Su símbolo químico es *Zn.* ☐ MORF. Su plural es *zines;* incorr. **zinces, *zincs.*

zipizape s.m. *col.* Alboroto o jaleo ruidosos. ☐ ETIMOL. De origen onomatopéyico.

[zirconio s.m. →**circonio.**

[zloty (del polaco) s.m. Unidad monetaria polaca. ☐ PRON. [zlóti].

zócalo s.m. **1** Banda o franja horizontal que suele instalarse o pintarse en la parte inferior de las paredes; friso, rodapié. **2** En zonas del español meridional, plaza principal. ☐ ETIMOL. Del italiano *zoccolo*.

zoco s.m. **1** En algunos países musulmanes, plaza con muchas tiendas y puestos de venta. **[2** Centro comercial.

[zodiac s.f. Embarcación de pequeño tamaño, hecha de caucho rígido y con motor fuera borda. ☐ ETIMOL. Extensión del nombre de una marca comercial. ☐ PRON. [zódiac].

zodiacal adj. Del Zodíaco (zona celeste que comprende las doce constelaciones que aparentemente recorre el Sol en un año), o relacionado con él. ☐ MORF. Invariable en género.

zombi ▌ adj./s. **1** *col.* Atontado, alelado o sin capacidad de reacción. ▌ s.m. **2** Cuerpo inanimado que ha sido revivido por brujería. ☐ MORF. 1. Como adjetivo es invariable en género. 2. En la acepción 1, aunque la RAE sólo lo registra como sustantivo masculino, en la lengua actual es de género común: *el zombi, la zombi*.

zona s.f. **1** Superficie o espacio que forman parte de un todo: *Me duele la zona lumbar. En la zona tropical el clima es muy húmedo.* **2** Extensión amplia de terreno, esp. si sus límites dependen de razones políticas o administrativas: *Éste es el único parque de la zona.* **3** Terreno o superficie incluidos dentro de ciertos límites: *Un jugador de baloncesto no puede estar más de tres segundos en la zona.* ☐ ETIMOL. Del latín *zona*, y éste del griego *zóne* (cinturón).

zonal adj. De una zona o relacionado con ella. ☐ MORF. Invariable en género.

zoncera s.f. *col.* En zonas del español meridional, tontería o disparate.

zoo s.m. →**zoológico**.

zoo- Elemento compositivo que significa 'animal': *zoolatría, zoología, zoófago, zoomorfo.* ☐ ETIMOL. Del griego *zóion* (animal).

zoófago, ga adj./s. Que se alimenta de organismos animales. ☐ ETIMOL. De *zoo-* (animal) y *-fago* (que come).

zoofilia s.f. Atracción sexual de las personas hacia los animales. ☐ ETIMOL. De *zoo-* (animal) y *-filia* (afición, gusto, amor).

zoolatría s.f. Adoración o culto a los animales. ☐ ETIMOL. De *zoo-* (animal) y *-latría* (adoración).

zoología s.f. Ciencia que estudia los organismos animales. ☐ ETIMOL. De *zoo-* (animal) y *-logía* (estudio, ciencia).

zoológico, ca ▌ adj. **1** De la zoología o relacionado con esta ciencia. ▌ s.m. **2** Lugar de recreo en el que se guardan y se exhiben animales, esp. los no comunes o exóticos. ☐ MORF. En la acepción 2, se usa mucho la forma abreviada *zoo*.

zoólogo, ga s. Persona que se dedica al estudio de los organismos animales, esp. si es licenciado en biología.

[zoom (anglicismo) s.m. →**zum**. ☐ PRON. [zum].

zopas s. *col.* Persona que cecea mucho. ☐ MORF. 1. Es de género común: *el zopas, la zopas*. 2. Invariable en número. ☐ USO Tiene un matiz despectivo.

zopenco, ca adj./s. *col.* Referido a una persona, que es tonta, bruta o torpe. ☐ ETIMOL. Quizá de *so penco*. ☐ USO Se usa como insulto.

zopilote s.m. Ave rapaz americana, sin plumas en la cabeza, parecida al buitre común pero de menor tamaño, y de color negro.

zoquete ▌ adj./s. **1** *col.* Referido a una persona, que tiene dificultad para entender las cosas. ▌ s.m. **2** En zonas del español meridional, trozo de madera corto y gordo. ☐ ETIMOL. Del árabe *suqat* (desecho, objeto sin valor). ☐ MORF. En la acepción 1, como adjetivo es invariable en género y como sustantivo es de género común: *el zoquete, la zoquete*. ☐ USO La acepción 1 se usa como insulto.

zorcico s.m. **1** Composición musical de carácter folclórico y propia del País Vasco (comunidad autónoma). **2** Baile de ritmo vivo que se ejecuta al compás de esta música. ☐ ETIMOL. Del vasco *zortzico* (octava), porque es una composición musical en compás de cinco por ocho.

zorongo s.m. En el traje regional masculino aragonés y navarro, pañuelo que se ata alrededor de la cabeza como una venda. ☐ ETIMOL. De origen incierto.

zorrería s.f. *col.* Astucia grande de alguien que es capaz de engañar a los demás en su propio beneficio.

zorrillo s.m. En zonas del español meridional, mofeta.

zorro, rra ▌ adj./s. **1** *col.* Referido a una persona, que es astuta y sabe ocultar sus intenciones. ▌ s. **2** Mamífero de pelaje espeso y color pardo o rojizo, que tiene el morro muy alargado, las orejas puntiagudas y la cola larga y espesa con la punta blanca; raposo. ▌ s.m. **3** Piel curtida de este animal. ▌ s.f. **4** *vulg.* Prostituta. **5** ‖**hecho unos zorros**; *col.* En muy malas condiciones. ‖ **[no tener ni zorra**; *vulg.* No saber absolutamente nada. ‖ **zorro ártico**; el de pelo blanco en invierno y pardo en verano, que habita en zonas frías; ísatis. ☐ MORF. 1. En la acepción 1, la RAE sólo lo registra como sustantivo. 2. En la acepción 2, el femenino es el término genético y sirve para designar indistintamente al macho y a la hembra. ☐ SEM. El femenino *zorra* es sinónimo de *vulpécula* y de *vulpeja*. ☐ USO La acepción 4 se usa como insulto.

zorzal s.m. Pájaro de color pardo, con el pecho claro con pequeñas motas, que tiene las patas robustas y el pico fuerte, y que generalmente se alimenta de insectos. ☐ MORF. Es un sustantivo epiceno: *el zorzal macho, el zorzal hembra*.

zotal s.m. Desinfectante o insecticida que generalmente se usa en establos y con el ganado. ☐ ETIMOL. Extensión del nombre de una marca comercial.

zote adj./s. *col.* Referido a una persona, torpe y de poca inteligencia. ☐ ETIMOL. De origen incierto. ☐ MORF. 1. Como adjetivo es invariable en género. 2. Como sustantivo es de género común: *el zote, la zote*. ☐ USO Se usa como insulto.

zozobra s.f. **1** Hundimiento de una embarcación. **2** Fracaso de una empresa o de un plan. **3** Inquietud debida a una amenaza o a un mal.

zozobrar v. **1** Referido a una embarcación, irse a pique o hundirse: *El barco zozobró y no hubo supervivientes.* **2** Referido a un asunto, fracasar o frustrarse: *Los planes zozobraron por culpa de un chivatazo.* ☐ ETIMOL. Del latín *sub* (bajo) y *supra* (encima).

zueco s.m. **1** Calzado de madera de una sola pieza, que usaban los campesinos; almadreña, madreña. **2** Calzado de cuero o de tela, con la suela de corcho o de madera, que deja el talón al descubierto. ☐ ETIMOL. Del latín *soccus* (especie de pantufla que usaban las mujeres y los comediantes). ✄ calzado

[zulo (del vasco) s.m. Escondite pequeño y generalmente subterráneo.

zulú adj./s. De una tribu sudafricana o relacionado con ella. ☐ MORF. 1. Como adjetivo es invariable en género. 2. Como sustantivo es de género común: *el zulú, la zulú.* 3. Aunque su plural en la lengua culta es *zulúes,* se usa mucho *zulús.*

zum s.m. En una cámara, objetivo de distancia de enfoque variable, que permite el acercamiento o el alejamiento ópticos de la imagen. ☐ ETIMOL. Del inglés *zoom.* ☐ USO Aunque la RAE sólo registra *zum,* se usa más *zoom.*

zumbado, da adj./s. *col.* Loco o con las facultades mentales un poco trastornadas.

zumbar v. **1** Producir un ruido o un sonido sordos y continuados, generalmente desagradables: *Los moscones zumbaban alrededor del pastel.* **2** *col.* Golpear: *Como no te estés quieto, te van a zumbar.* **3** ‖ **zumbando**; *col.* Muy deprisa: *Cuando te llame, quiero que vengas zumbando. La moto pasó zumbando.* ☐ ETIMOL. De origen onomatopéyico. ☐ SINT. *Zumbando* se usa más con los verbos *ir, marcharse, salir* y equivalentes.

zumbido s.m. Ruido sordo y continuado que resulta desagradable.

zumbón, -a adj./s. *col.* Referido a una persona, que tiene un carácter alegre y burlón.

zumo s.m. Líquido que se obtiene al exprimir frutas o verduras. ☐ ETIMOL. Del griego *zomós* (jugo).

zurcido s.m. Cosido con que se repara un agujero en una tela disimulándolo.

zurcir v. **1** Referido a un agujero en una tela, coserlo tapándolo con puntadas ordenadas para que quede disimulado: *Me hice un siete en el pantalón, pero ya lo he zurcido.* **2** ‖ **que {me/te/...} zurzan**; *col.* Expresión que indica desprecio o desinterés: *Si no quieres venir, que te zurzan.* ☐ ETIMOL. Del latín *sarcire* (remendar). ☐ ORTOGR. La *c* se cambia en *z* delante de *a, o* →ZURCIR.

zurda s.f. Véase **zurdo, da.**

zurdazo s.m. Golpe dado con la mano o con el pie izquierdos.

zurdo, da ▌ adj./s. **1** Referido a una persona, que tiene más habilidad con la mano o con la pierna izquierdas. ▌ s.f. **2** Pierna o mano izquierdas. ☐ ETIMOL. Quizá de origen prerromano.

zurear v. Referido a las palomas, hacer arrullos: *Las palomas zureaban en la ventana.* ☐ ETIMOL. De origen onomatopéyico.

zureo s.m. Emisión de arrullos por las palomas.

zurra s.f. *col.* Paliza o castigo de gran dureza.

zurrapa s.f. **1** Impureza de cualquier líquido que poco a poco se va depositando en el fondo del recipiente que lo contiene. **2** *col.* Mancha de excremento en la ropa interior. ☐ USO 1. Se usa más en plural. 2. Se usa también *zurraspa.*

zurrar ▌ v. **1** *col.* Golpear o castigar duramente: *¡No me levantes la voz, que te zurro!* ▌ prnl. **[2** *col.* En zonas del español meridional, sentir deseos incontenibles de defecar. ☐ ETIMOL. De origen incierto.

[zurraspa s.f. *col.* →**zurrapa.**

zurriagar v. Golpear con el zurriago, con un cinturón o con otra cosa similar: *El protagonista de la película fue zurriagado con crueldad.* ☐ ORTOGR. La *g* se cambia en *gu* delante de *e* →PAGAR.

zurriagazo s.m. Golpe dado con el zurriago.

zurriago s.m. Látigo que se usa para castigar. ☐ ETIMOL. De *zurriaga* (látigo).

zurrón s.m. Bolsa grande que se lleva colgada para guardar la caza o las provisiones. ☐ ETIMOL. Quizá del vasco *zorro* (saco).

zutano, na s. Una persona cualquiera. ☐ USO Se usa más como nombre propio, y en la expresión *Fulano, Mengano, Zutano y Perengano.*

APÉNDICES

1. REGLAS DE ACENTUACIÓN
2. SIGNOS DE PUNTUACIÓN
3. FORMACIÓN DE ABREVIATURAS, SIGLAS Y ACRÓNIMOS
4. SUFIJOS
5. MODELOS DE CONJUGACIÓN VERBAL

1

REGLAS DE ACENTUACIÓN

Acento prosódico es la pronunciación destacada de una sílaba, distinguiéndola de las demás por su mayor intensidad: *doctor, madre, cínico*. Este acento se marca a veces gráficamente con una **tilde** ('), que se coloca sobre la vocal correspondiente según las siguientes reglas.

REGLAS GENERALES

Las **mayúsculas** llevan tilde y se ajustan a las reglas de acentuación igual que las minúsculas (*LÓPEZ, MARTÍN*).

Según su acentuación, las palabras se clasifican en:

Agudas: las acentuadas en la última sílaba (*valor, demás*). Llevan tilde las acabadas en *-n*, en *-s* o en vocal (*balón, francés, sofá*).

Excepción: Las acabadas en *-n* o en *-s*, cuando éstas van precedidas de otra consonante (*Milans*).

Llanas o graves: Las acentuadas en la penúltima sílaba (*pata, árbol*). Llevan tilde las acabadas en consonante distinta de *-n* y de *-s* (*ámbar, Túnez*).

Excepción: Las acabadas en *-n* o en *-s*, cuando éstas van precedidas de otra consonante (*bíceps*).

Esdrújulas: Las acentuadas en la antepenúltima sílaba (*matemáticas, dámelo*). Llevan tilde todas.

Sobresdrújulas: Las acentuadas en la sílaba anterior a la antepenúltima (*preséntamelo*). Llevan tilde todas.

CASOS PARTICULARES

1. DIPTONGOS Y TRIPTONGOS

Son conjuntos de vocales que se pronuncian en la misma sílaba.

Un **diptongo** consta de dos vocales: una abierta (*a, e, o*) y otra cerrada (*i, u*), o bien las dos cerradas: *causa, ruido*.

Un **triptongo** consta de tres vocales: una abierta (la del centro) y dos cerradas (las de los lados): *limpiáis*.

Las palabras con diptongos o con triptongos siguen las reglas generales de acentuación. Si, de acuerdo con estas reglas, la sílaba que los contiene debe llevar tilde, ésta se escribirá sobre la vocal más abierta: *sa-béis, a-ve-ri-guáis* (llevan tilde por ser palabras agudas acabadas en *-s*), *sau-na* (no lleva tilde por ser palabra llana acabada en vocal).

Si el diptongo que debe llevar tilde está formado por dos vocales cerradas (*ui, iu*), la tilde se escribirá sobre la última: *cuí-da-te*.

2. HIATOS

Hiato es el contacto de dos vocales que forman sílabas distintas (*cru-el, Ma-rí-a*).

Las palabras con hiatos siguen las reglas generales de acentuación: *le-ón* (lleva tilde por ser palabra aguda acabada en *-n*), *be-o-do* (no lleva tilde por ser palabra llana acabada en vocal), *ve-hí-cu-lo* (lleva tilde por ser palabra esdrújula).

Excepción: Si la vocal en hiato sobre la que recae el acento es una *i* o una *u*, llevará tilde aunque no le corresponda según las reglas generales: *son-re-ír* (lleva tilde, a pesar de ser palabra aguda acabada en consonante distinta de *-n* y de *-s*). Esta excepción no es válida para el grupo *ui*: *je-su-i-ta, cons-tru-i-do*.

3. MONOSÍLABOS

En general, no llevan tilde (*paz, fue, don*).

Excepciones:

Algunos monosílabos llevan tilde para evitar su confusión con otras palabras: *sé* (del verbo *saber*) - *se* (pronombre); *más* (adverbio de cantidad) - *mas* (conjunción adversativa). Ver apartado 6.

La conjunción *o* se suele escribir con tilde cuando va entre cifras, para evitar su confusión con el cero: *Vive en el número 20 ó 22*.

4. PALABRAS COMPUESTAS

Cuando dos o más palabras se unen para formar un compuesto, sólo la última conserva su tilde: *decimoséptimo* (de *décimo* y *séptimo*).

Cuando dos palabras se unen por medio de guión (-), ambas conservan su tilde: *político-económico*.

Los adverbios formados sobre un adjetivo y acabados en *-mente* llevan tilde sólo si la lleva también dicho adjetivo: *fácilmente, tontamente* (aunque es palabra sobresdrújula, no lleva tilde por no llevarla tampoco el adjetivo *tonto*).

5. FORMAS VERBALES CON PRONOMBRES ENCLÍTICOS

Llevan tilde en los siguientes casos:

Si la llevan también cuando no van unidas a un pronombre enclítico: *saludóme* (conserva la tilde a pesar de ser palabra llana acabada en vocal).

Si su unión con el pronombre enclítico las ha convertido en esdrújulas o en sobresdrújulas: *márchate, cuéntamelo*.

6. PALABRAS QUE SE DISTINGUEN GRÁFICAMENTE POR LA TILDE

Algunas palabras que, según las reglas generales, no deberían llevar tilde, la llevan para evitar su confusión con otras palabras de igual forma pero de diferente significado o categoría gramatical. Esta tilde es **diacrítica**.

Los pronombres demostrativos *este, ese* y *aquel* pueden llevar tilde cuando funcionan como sustantivos; conviene que la lleven si no queda claro que tienen esta función: *Mi padre es aquél*. No llevan tilde cuando funcionan como adjetivos: *Dame ese lápiz*. (Las formas neutras *esto, eso, aquello* no llevan tilde nunca.)

Los pronombres *que, quien, cual, cuanto* y los adverbios *donde, cuando* y *como* llevan tilde cuando son interrogativos o exclamativos: *¿Qué quieres? ¡Cuánto me gusta! Pregúntale dónde quedamos*. No llevan tilde cuando son pronombres o adverbios relativos: *Perdí la pluma que me regalaste. Coge cuanto necesites. Déjalo donde estaba*.

Otras palabras:

Con tilde	Sin tilde
aún (= *todavía*)	*aun* (= *incluso*).
dé (del verbo *dar*)	*de*, prep.
él, pron.pers.	*el*, art.determ.
más, adv.	*mas*, conj.
mí, pron.pers.	*mi*, pron.poses. adj.
sé (de los verbos *ser* o *saber*) ..	*se*, pron.pers.
sí, pron.pers. o adv.	*si*, enlace gramatical
té, s.m.	*te*, pron.pers.
tú, pron.pers.	*tu*, pron.poses. adj.

7. PALABRAS CON DOS FORMAS DE ACENTUACIÓN CORRECTAS

alveolo - alvéolo	*olimpiada - olimpíada*
bereber - beréber	*periodo - período*
cardiaco - cardíaco	*policiaco - policíaco*
ibero - íbero	*reuma - reúma*

2
SIGNOS DE PUNTUACIÓN

PUNTO

Indica que la oración u oraciones precedentes tienen un sentido gramatical y lógico completos. Señala una pausa fuerte en la lectura. Después de punto se empieza a escribir siempre con mayúscula.

Se llama **punto y seguido** cuando le sigue inmediatamente otra oración, perteneciente al mismo párrafo.

Se llama **punto y aparte** cuando le sigue un párrafo nuevo, que debe empezar en un renglón distinto. Su uso indica que hay un cambio de tema o de enfoque.

COMA

Indica una pausa breve en el interior de la frase.

Se usa:

Para separar un vocativo del resto de su frase. Este vocativo irá: entre comas, si está en medio de la frase *(A vosotros, estudiantes, me dirijo);* seguido de coma, si está al principio *(Joven, venga conmigo);* precedido de coma, si está al final *(¡Hazme ese favor, Pedro!)*

Para separar los elementos que forman una enumeración o una serie y que son de la misma clase. El último de estos elementos suele ir separado por una conjunción *(y, e, o): Vinieron Pedro, Juan y María.*

Para separar las proposiciones de una oración o los distintos miembros de una cláusula: *El día era claro, corría brisa, todo estaba a punto...*

Para enmarcar un inciso, una oración de relativo explicativa u otra explicación dentro de una frase: *La vida, como decía tu padre, es un camino azaroso.*

Para separar una proposición subordinada que se antepone a la principal: *Cuando ya nos íbamos, llegó él.*

Para marcar la falta de un verbo que se sobrentiende: *Ése es mi hermano, y ésa, mi hermana.*

Para separar del resto de la oración conjunciones o expresiones *(pues, por tanto, sin embargo, no obstante, es decir): Es la mujer de mi hermano, es decir, mi cuñada.*

PUNTO Y COMA

Indica una pausa mayor que la coma, sin llegar a marcar, como el punto, el fin de una oración.

Se usa:

Para separar oraciones o miembros de un período que ya incluyen comas: *Hoy barreré, lavaré, plancharé; mañana iré a clase, estudiaré y me acostaré pronto.*

Para separar oraciones coordinadas adversativas de cierta extensión: *Tiene salud, inteligencia y todo lo necesario para triunfar; pero le falta confianza en sí mismo.*

Delante de una oración que empieza por conjunción, pero que no tiene perfecto enlace con la anterior: *Todos corrían y chillaban, todo era alboroto; y, en otros lugares, la vida seguiría igual.*

DOS PUNTOS

Indican que lo que sigue a continuación completa o aclara el sentido de la oración precedente, o responde a algo anunciado en ella.

Se usa:

Para introducir una cita textual: *Comienza un poema de Fray Luis: «Del monte, en la ladera [...]».*

Para introducir una enumeración o una frase que explica o detalla lo dicho anteriormente: *Los huesos del oído medio son tres: martillo, yunque y estribo.*

Después del encabezamiento de una carta o de otro escrito con que nos dirigimos a su destinatario: *Querido Antonio: Te escribo estas líneas...*

Después de los dos puntos se puede empezar a escribir con minúscula o con mayúscula. Se prefiere la mayúscula para iniciar una cita o el texto de una carta.

PUNTOS SUSPENSIVOS

Indican que la frase o el texto no están completos.

Se usan:

Para expresar una interrupción del hablante debida a una duda, a un temor o a otra razón: *Pero... ¿estás completamente seguro?*

Para evitar expresar por completo algo que se sobrentiende o una frase conocida de todos: *No es una joya pero, a caballo regalado...*

En una cita textual, para señalar que se ha suprimido alguna parte que se consideraba innecesaria. En este caso, los puntos suspensivos suelen ir entre corchetes: *«En un lugar de la Mancha [...], no ha mucho tiempo [...]».*

INTERROGACIÓN Y EXCLAMACIÓN

Se usan:

Para enmarcar, respectivamente, una expresión interrogativa directa *(¿Qué haces?)* o una expresión exclamativa *(¡Qué bonito!)*.

Se colocan justo donde empieza y termina la expresión interrogativa o exclamativa, aunque éstas sean parte de una oración mayor: *Después de tanto tiempo, ¿ahora me sales con ésas? Ya estoy harto, ¡demonios!*

Después de estos signos, nunca se escribe punto.

Se usa (?) y (!) para expresar, respectivamente, duda o asombro: *Sé que estarás de acuerdo conmigo (?). Se dejó insultar, sonrió y se despidió amablemente (!).*

COMILLAS

Se usan:

Para enmarcar una cita textual: *Empezó el discurso con un «Amigos todos».* Si la cita es extensa y tiene varios párrafos, se ponen comillas invertidas (») al comienzo del segundo párrafo y de los siguientes.

Para enmarcar un sobrenombre *(Leopoldo Alas «Clarín»)* o una expresión a la que se quiere dar un sentido irónico o figurado: *No sé cómo puedes concentrarte en ese ambiente tan «silencioso».*

Las comillas simples (' ') pueden desempeñar las mismas funciones que las dobles dentro de un texto que ya está entrecomillado: *Muy enfadada, le dijo: «¡Bonita 'hazaña' la tuya!».*

PARÉNTESIS

Se usan:

Para enmarcar y separar del resto de la frase una aclaración, un dato o una observación al margen: *Venían cansados, polvorientos (¡y que nosotros nos quejemos!),...*

En las obras de teatro suele enmarcar las acotaciones e indicaciones para la puesta en escena:

PEDRO. *(Asustado).—¿Quién anda ahí?*
JUAN.—*¿No me conoces? (Se acerca) ¡Soy Juan!*

∎ CORCHETES

Equivalen a los paréntesis, pero sólo **se usan** en casos especiales:

Para introducir un nuevo paréntesis en una frase que ya va entre paréntesis: *El Siglo de las Luces (y de la Revolución Francesa [1789])*...

Para introducir una aclaración o un añadido en una reproducción textual de un texto: *Según su biógrafo, «nadie como aquella mujer [su madre] influyó tanto en el poeta»*.

∎ RAYA

Se usa:

Como un paréntesis: *Te aseguro —dijo muy serio— que no desistiré.*

En los diálogos, especialmente en los de novelas, para indicar que se inicia la intervención de un nuevo interlocutor:

—*¿Llevas mucho esperando?*
—*Un rato.*

∎ GUIÓN

Se usa:

Para dividir una palabra al final de un renglón:

*Nadie quiso expli-
carme lo que pasaba.*

Para separar los elementos de una palabra compuesta, cuando no están totalmente fusionados: *cívico-militar.*

∎ DIÉRESIS

Se usa:

En las combinaciones *gue, gui,* sobre la letra *u,* para indicar que ésta debe pronunciarse: *vergüenza.*

En poesía, sobre la primera vocal de un diptongo, para indicar que éste debe leerse en dos sílabas: *rüido* (se lee [*ru·i·do*]).

∎ APÓSTROFO

Indica que se ha producido una elisión de algún sonido. En español, hoy sólo se usa para reproducir una elisión en la expresión oral y generalmente coloquial: *¡Ven p'acá!* («Ven para acá»).

∎ (1) LLAMADA

Se usa para remitir al lector a las notas a pie de página o a otro lugar de la obra donde encontrará información complementaria.

3

FORMACIÓN DE ABREVIATURAS, SIGLAS Y ACRÓNIMOS

∎ USO DE ABREVIATURAS

Una **abreviatura** es la representación de una palabra en la escritura con una o varias de sus letras. Dichas letras conservan el mismo orden que en la palabra que se quiere abreviar: **Sr.** (*señor*), **ej.** (*ejemplo*), **poét.** (*poético*).

Sólo pueden terminar en vocal si ésta es la última letra de la palabra: **Sra.** (*señora*), **avda.** (*avenida*), **apdo.** (*apartado*).

Cuando una palabra se abrevia por una sílaba que incluye más de una consonante antes de la vocal, deben escribirse todas ellas: **intr.** (*intransitivo*).

Se escriben siempre con punto final, y si llevan letras voladitas, el punto irá colocado antes de éstas (**n.º, M.ª**); y en los casos de palabras con tilde, ésta se conserva en la abreviatura: **pág.** (*página*).

Para formar el plural:

Si la abreviatura de una palabra es una sola letra, ésta se duplica: **s.** (*siguiente*), **ss.** (*siguientes*).

Si la abreviatura consta de varias letras, se añade una -*s*: **ej.** (*ejemplo*), **ejs.** (*ejemplos*).

Nunca se divide una abreviatura a final de línea.

Algunos ejemplos:

a.m.	*ante meridien (antes del mediodía)*
aprox.	*aproximadamente*
atte.	*atentamente*
cía.	*compañía*
p.m.	*post meridiem (después del mediodía)*
U., Ud.	*usted*

∎ USO DE SIGLAS Y ACRÓNIMOS

Una **sigla** es un término nuevo formado, en general, con las iniciales de otras palabras que forman un enunciado, título o denominación: ATS (**A**yudante **T**écnico **S**anitario). Su abundancia en diarios, libros, revistas, radio, cine, televisión, etc., se explica por la economía de tiempo y espacio que suponen en la lengua.

Tipos de siglas:

Propias, si se forman sólo con las iniciales de las palabras con significado: RAE (**R**eal **A**cademia **E**spañola), BOE (**B**oletín **O**ficial del **E**stado).

En su origen se escribían separando cada letra inicial con un punto, pero la lectura silábica lo ha hecho innecesario: O.N.U. → ONU (**O**rganización de **N**aciones **U**nidas).

Hay otras siglas formadas exclusivamente por consonantes que sólo pueden leerse deletreando: FM (**F**recuencia **M**odulada).

Impropias, cuando se componen con letras no sólo iniciales, o con letras de palabras no significativas —nexos, artículos—. Esta clase de siglas recibe también el nombre de **acrónimos.**

Se escriben con inicial mayúscula y el resto minúscula: Renfe (**Re**d **N**acional de los **F**errocarriles **E**spañoles), Banesto (**Ban**co **E**spañol de **C**rédito).

Cuando son siglas creadas para nombrar un nuevo objeto, se escriben con minúsculas, incluso la letra inicial: *ovni* (objeto volador no identificado).

Las siglas silábicas pueden separarse por sílabas a final de renglón: si-da (**s**índrome de **i**nmuno**d**eficiencia **a**dquirida).

Las siglas **funcionan** como un sustantivo especial.

Pueden ir acompañadas de un artículo que indica el género de la palabra más importante: la *uvi* (**u**nidad de **vi**gilancia **i**ntensiva).

No tienen plural, pero éste puede aparecer en el artículo que las acompaña: *los PVP* (los **p**recios de **v**enta al **p**úblico).

Pueden dar lugar a palabras derivadas: *los etarras.*

Algunos ejemplos:

IPC: **í**ndice de **p**recios al **c**onsumo.
IVA: **i**mpuesto sobre el **v**alor **a**ñadido.
OPA: **o**ferta **p**ública de **a**dquisición.
OTAN: **O**rganización del **T**ratado del **A**tlántico **N**orte.
UE: **U**nión **E**uropea.

4
SUFIJOS

A SUFIJOS

SUFIJO	CATEGORÍA GRAMATICAL RESULTANTE	SIGNIFICADO	EJEMPLO
-a	s.	acción y efecto	*toma, poda*
-áceo, -ácea	adj.	pertenencia	*opiáceo*
		semejanza	*grisáceo*
-acho, -acha,	adj. o s.	despectivo	*ricacho, picacho*
-aco, -aca	adj. o s.	despectivo	*pajarraco*
		gentilicio	*austriaco*
		relación	*policiaco*
-ada	s.	conjunto	*muchachada*
		golpe, herida	*pedrada*
		abundancia	*mariscada*
		ingrediente	*naranjada*
		acción	*payasada*
-ado	s.	tiempo	*reinado*
		lugar	*condado*
		empleo, dignidad	*papado*
		conjunto	*alcantarillado*
-aico, -aica	adj.	pertenencia, origen, relación	*judaico, incaico, pirenaico*
-aina	adj. o s.	conjunto	*azotaina*
		despectivo	*tontaina*
-aja	s.	diminutivo despectivo	*migaja*
-aje	s.	acción y efecto	*aterrizaje*
		lugar	*hospedaje*
		conjunto	*ramaje*
-ajo, -aja	adj. o s.	diminutivo despectivo	*pequeñajo*
-ajo	s.	diminutivo despectivo	*sombrajo*
-al	adj.	relación, pertenencia	*arbitral, primaveral*
	s.	lugar	*maizal, arenal*
-ales	adj. o s.	humorístico	*rubiales*
-ambre	s.	conjunto	*pelambre*
-amen	s.	conjunto	*velamen*
-án, -ana	adj. o s.	gentilicio	*catalán, alemán*
-anco	s.	despectivo	*potranco*
-ano, -ana	adj. o s.	origen, relación	*luterano, parroquiano*
		gentilicio	*americano, italiano*
-ano	s.	hidrocarburo saturado	*metano, propano*
-anza	s.	acción y efecto	*enseñanza, tardanza*
-ar	adj. o s.	condición, pertenencia	*familiar, angular*
-ario, -aria	adj. o s.	pertenencia, relación	*rutinario, revolucionario*
		lugar	*funeraria, campanario*
		profesión	*empresario, bibliotecario*
-astre	s.	despectivo	*pillastre*
-astro, -astra	s.	despectivo	*poetastro, medicastro*
-ata	s.	acción y efecto	*caminata, cabalgata*
	s.	abreviatura coloquial	*bocata, cubata*
-ático, -ática	adj. o s.	relación, pertenencia	*acuático, lunático*
-ato	s.	dignidad, cargo	*decanato, virreinato*
		institución	*sindicato, orfanato*
		acción y efecto	*asesinato*
		cría	*cervato, ballenato*
-avo, -ava	adj. o s.	partitivo	*doceavo, onceavo*
-az	adj. o s.	cualidad, aptitud	*veraz, vivaz*

SUFIJO	CATEGORÍA GRAMATICAL RESULTANTE	SIGNIFICADO	EJEMPLO
-azgo	s.	dignidad, cargo estado acción y efecto	*almirantazgo* *noviazgo* *mecenazgo*
-azo, -aza	s.	aumentativo golpe despectivo	*padrazo, manaza* *porrazo, cabezazo* *grasaza*
-bilidad	s.	cualidad	*amabilidad*
-ble	adj.	capacidad, actitud	*irritable, disponible*
-ción	s.	acción y efecto	*acusación, demolición*
-da	s.	acción y efecto contenido	*llegada, cogida, salida* *cucharada, paletada*
-dad	s.	cualidad	*levedad, maldad, modernidad*
-dera	s.	instrumento	*regadera, podadera*
-dero, -dera	adj. s.	posibilidad lugar	*casadero, hacedero, venidero* *matadero, apeadero*
-do, -da	adj. o s.	posesión semejanza cualidad	*barbado* *espigado, rosado* *colorido*
-do	s.	acción y efecto	*revelado, tendido*
-dor, -dora	adj. o s.	agente instrumento lugar profesión, ocupación	*pecador, bebedor* *indicador, aspiradora* *cenador, recibidor* *pescador, proveedor*
-dura	s.	acción y efecto instrumento	*raspadura, rozadura* *cerradura*
-e	s.	acción y efecto	*aguante, goce*
-ear	v.	incoativo frecuencia acción	*amarillear, verdear* *humear, vocear* *golpear, agujerear*
-ecer	v.	cambio de estado	*entristecer, palidecer*
-eda	s.	lugar	*alameda, rosaleda*
-edal	s.	lugar	*robledal, lauredal*
-edizo	adj. o s.	tendencia posibilidad	*caedizo, movedizo* *bebedizo, corredizo*
-edo	s.	lugar	*robledo, viñedo*
-ego, -ega	adj. o s.	gentilicio	*manchego, gallego*
-ejo	adj. o s.	despectivo	*animalejo, caballejo*
-ena	s.	colectivo	*docena, quincena*
-enco, -enca	adj. o s.	gentilicio	*ibicenco, jijonenco*
-engo	adj.	relación, pertenencia	*realengo, abadengo*
-eno, -ena	adj. o s.	gentilicio ordinal	*chileno, esloveno* *noveno, onceno*
-ense	adj. o s.	gentilicio	*abulense, londinense*
-ento, -enta	adj. o s.	cualidad	*amarillento, avariento*
-eño, -eña	adj. o s.	semejanza gentilicio relación	*trigueño* *extremeño, madrileño* *navideño*
-eo, -ea	adj.	cualidad relación	*marmóreo, romboideo* *arbóreo*
-ería	s.	conjunto cualidad lugar acción	*palabrería, morería* *holgazanería, sosería* *frutería, conserjería* *niñería, tontería*
-ero, -era	adj. o s.	oficio relación	*librero, panadero* *ganadero, sopero*
-ero	s.	lugar árbol	*basurero* *limonero*

SUFIJO	CATEGORÍA GRAMATICAL RESULTANTE	SIGNIFICADO	EJEMPLO
-érrimo, -érrima	adj.	superlativo	*paupérrimo, libérrimo*
-és, -esa	adj. o s.	gentilicio	*francés, genovés*
-estre	adj.	pertenencia, relación	*campestre, terrestre*
-ete	adj. o s.	diminutivo	*pobrete, abuelete*
-ez	s.	cualidad	*altivez, brillantez*
-eza	s.	cualidad	*belleza, dureza*
-ezno, -ezna	s.	cría	*osezno, lobezno*
-í	adj. o s.	gentilicio	*ceutí, marbellí*
		relación	*alfonsí, nazarí*
-ía	s.	situación	*cercanía, lejanía*
		cualidad	*alegría*
		dignidad o cargo	*alcaldía*
		acción	*majadería*
		actitud	*grosería*
		lugar	*abadía*
		comercio	*lechería*
-ica	adj. o s.	despectivo	*llorica, acusica, quejica*
-icio, -icia	adj.	relación	*catedralicio, alimenticio*
-ico, -ica	adj. o s.	diminutivo	*librico, buenecico*
		relación	*alcohólico, periodístico*
-iego, -iega	adj. o s.	pertenencia, origen, relación	*mujeriego, veraniego*
		gentilicio	*griego, pasiego*
-ificar	v.	acción	*pacificar, dulcificar*
-il	adj.	relación, pertenencia	*mujeril, varonil*
	s.	diminutivo	*tamboril*
-ilo	s.	radical químico	*etilo, acetilo*
-illo, -illa	adj. o s.	diminutivo	*mesilla, buenecillo*
-ín, -ina	adj. o s.	diminutivo	*pequeñín, neblina*
		gentilicio	*mallorquín, menorquín*
		agente	*bailarín, andarín*
-ina	s.	acción violenta	*regañina*
-íneo, -ínea	adj. o s.	semejanza, relación	*apolíneo, sanguíneo*
-ino, -ina	adj. o s.	gentilicio	*bilbaíno, santanderino*
		relación, pertenencia	*marino, diamantino*
-iño, -iña	adj. o s.	diminutivo	*bobiño, casiña*
-ío, -ía	adj. o s.	relación, pertenencia	*cabrío, sombrío*
		conjunto	*mujerío, griterío*
-is	adj. o s.	humorístico	*finolis, locatis*
-ísimo, -ísima	adj.	superlativo	*buenísimo, jovencísimo*
-ismo	s.	sistema, doctrina, movimiento	*modernismo, fascismo*
		actitud	*individualismo, egoísmo*
		deporte	*atletismo, ciclismo*
		modismo lingüístico	*anglicismo, latinismo*
-ista	adj. o s.	partidario	*anarquista, machista*
		cualidad	*optimista, vitalista*
	s.	profesión, ocupación	*taxista, pianista*
-ita	adj. o s.	gentilicio	*moscovita, israelita*
		relación, pertenencia	*jesuita, carmelita*
-ito, -ita	adj. o s.	diminutivo	*azulito, tacita*
-ito	s.	sal química	*sulfito, fosfito*
-ivo, -iva	adj. o s.	capacidad	*llamativo, defensivo*
-izar	v.	acción	*islamizar, comercializar*
-iza	s.	lugar	*caballeriza, porqueriza*
-izo, -iza	adj. o s.	semejanza, relación	*rojizo, enfermizo*
		propensión	*olvidadizo, resbaladizo*
-menta	s.	conjunto	*vestimenta, cornamenta*

SUFIJO	CATEGORÍA GRAMATICAL RESULTANTE	SIGNIFICADO	EJEMPLO
-mente	adv.	modo o manera	*vilmente, buenamente*
-mento	s.	acción y efecto	*cargamento impedimento*
-miento	s.	acción y efecto	*alejamiento, cocimiento*
-nte	adj. o s.	agente	*amante, existente*
-o, -a	adj. o s.	gentilicio	*ruso, hispano*
-o	s.	acción y efecto	*amago, socorro*
-oico	s.	ácido orgánico	*benzoico, metanoico*
-ol	s.	alcohol	*benzol, fenol*
		gentilicio	*español, mongol*
-ón, -ona	adj. o s.	aumentativo	*simplón, cabezón*
		reiteración	*preguntón, besucón*
		edad	*cuarentón, setentón*
		carencia	*pelón, rabón*
-ón	s.	acción violenta	*empujón, apagón*
-or, -ora	adj. o s.	agente	*defensor, cantor*
-or	s.	cualidad	*dulzor, amargor*
-orio, -oria	adj.	relación, pertenencia	*mortuorio, ilusorio*
-orrio	s.	despectivo	*bodorrio, villorrio*
-oso, -osa	adj. o s.	abundancia	*boscoso, nuboso*
		cualidad	*verdoso, estropajoso*
-ote, -ota	adj. o s.	aumentativo	*gordote, amigote*
-sco, -sca	adj. o s.	relación, pertenencia	*dieciochesco, morisco*
		cualidad	*pardusco, verdusco*
-terio	s.	lugar	*ministerio, monasterio*
-torio	adj. o s.	relación	*definitorio, probatorio*
	s.	lugar	*laboratorio, consultorio*
-tud	adj. o s.	cualidad	*amplitud, juventud*
-ucho, -ucha	adj. o s.	despectivo	*malucho, casucha*
-uco, -uca	adj. o s.	diminutivo despectivo	*feúco, frailuco*
-udo, -uda	adj. o s.	abundancia	*barbudo, peludo*
-uelo, -uela	adj. o s.	diminutivo	*riachuelo, jovenzuelo*
		despectivo	*mujerzuela, escritorzuelo*
-ujo, -uja	adj. o s.	diminutivo, despectivo	*pequeñujo, papelujo*
-ulento, -ulenta	adj.	abundancia	*purulento, flatulento*
-umbre	s.	conjunto	*muchedumbre, servidumbre*
		cualidad	*pesadumbre, mansedumbre*
-undo	adj. o s.	cualidad	*moribundo, iracundo*
-uno, -una	adj.	relación, pertenencia	*hombruno, gatuno*
-ura	s.	cualidad	*frescura, dulzura*
-uro	s.	sal química	*sulfuro, cloruro*
-uzco	adj.	cualidad	*blancuzco, negruzco*

ⓑ ELEMENTOS COMPOSITIVOS SUFIJOS

ELEMENTO COMPOSITIVO SUFIJO	CATEGORÍA GRAMATICAL RESULTANTE	SIGNIFICADO	EJEMPLO
-agogia, -agogía	s.	conducción, dirección	*demagogia, pedagogía*
-agogo, -agoga	adj. o s.	guía, conductor	*pedagogo, demagogo*
-algia	s.	dolor	*neuralgia*
-andria	s.	hombre	*poliandria*
-ántropo, -ántropa	adj. o s.	ser humano	*misántropo, filántropo*
-arquía	s.	gobierno, mando	*oligarquía, autarquía*
-bio	adj. o s.	vida	*microbio, anfibio*
-cardia	s.	corazón	*taquicardia*
-carpio	s.	fruto	*endocarpio, mesocarpio*
-cefalia	s.	cabeza	*hidrocefalia, microcefalia*
-céfalo, -céfala	adj. o s.	que tiene cabeza	*macrocéfalo, bicéfalo*
-ciclo	s.	círculo	*hemiciclo, triciclo*
-cida	adj. o s.	que mata	*homicida, insecticida*
-cidio	s.	acción de matar	*genocidio, suicidio*
-cito	s.	célula	*linfocito, leucocito*
-cola	adj. o s.	habitante	*terrícola, arborícola*
		relación	*agrícola, piscícola*
-cracia	s.	dominio, poder	*democracia, aristocracia*
-crata	adj. o s.	que domina, que tiene el poder	*aristócrata, teócrata*
-cromía	s.	coloración	*policromía, cuatricromía*
-cromo, -croma	adj.	color	*policromo, monocromo*
-cultor, -cultora	s.	cultivador, criador	*agricultor, piscicultor*
-cultura	s.	cultivo, cuidado	*agricultura, fruticultura*
-dáctilo	s.	dedo	*pterodáctilo, perisodáctilo*
-dromo	s.	lugar	*velódromo, aeródromo*
-edro	s.	cara, plano	*poliedro, romboedro*
-emia	s.	sangre	*anemia, leucemia*
-fagia	s.	comer	*antropofagia*
-fago, -faga	adj. o s.	que come	*antropófago, necrófago*
-fero, -fera	adj. o s.	que lleva, tiene o produce	*plumífero, acuífero*
-filia	s.	afición, gusto, amor	*bibliofilia, anglofilia*
-filo, -fila	adj. o s.	aficionado, amigo, amante	*cinéfilo, francófilo*
-floro, -flora	adj. o s.	flor	*multifloro*
-fobia	s.	aversión	*claustrofobia, hidrofobia*
-fobo, -foba	adj. o s.	que siente horror, repulsión u odio	*xenófobo, anglófobo*
-fono, -fona	adj. o s.	sonido	*homófono, polífono*
		hablante	*francófono, anglófono*
	s.	sonido	*teléfono, magnetófono*
-forme	adj. o s.	con forma	*campaniforme, cruciforme*
-fugo, -fuga	adj. o s.	que ahuyenta o hace desaparecer	*ignífugo, febrífugo*
-geno, -gena	adj. o s.	que genera o produce	*lacrimógeno, patógeno*
-gono, -gona	adj. o s.	ángulo	*polígono, decágono*
-grafía	s.	descripción, tratado	*geografía, bibliografía*
		escritura	*telegrafía, caligrafía*
		representación gráfica	*fotografía, radiografía*
		conjunto	*discografía, filmografía*
-grafo, -grafa	s.	que describe	*geógrafo, lexicógrafo*
		que escribe	*telégrafo, taquígrafo*
		profesión	*fotógrafo, topógrafo*
-grama	s.	escrito	*telegrama, ideograma*
		gráfico	*organigrama, diagrama*
		representación	*cardiograma, fotograma*
-iatra	s.	médico especialista	*pediatra, psiquiatra*
-iatría	s.	especialidad médica	*geriatría, pediatría*
-itis	s.	inflamación	*faringitis, gastritis*
-látero, -látera	adj. o s.	lado	*equilátero, cuadrilátero*
-latra	adj. o s.	que adora	*idólatra,ególatra*
-latría	s.	adoración	*idolatría, egolatría*

ELEMENTO COMPOSITIVO SUFIJO	CATEGORÍA GRAMATICAL RESULTANTE	SIGNIFICADO	EJEMPLO
-lito	s.	piedra	*aerolito, monolito*
-logía	s.	estudio, ciencia	*filología, astrología*
-logo, -loga	s	estudioso, especialista	*neurólogo, grafólogo*
-manía	s.	afición desmedida	*bibliomanía, melomanía*
-mano, -mana	adj. o s.	aficionado en exceso	*toxicómano, megalómano*
-mancia, -mancía	s.	adivinación	*cartomancia, nigromancia*
-metro	s.	medidor	*termómetro, alcoholímetro*
-metría	s.	medición	*audiometría, anemometría*
-morfo	s.	forma	*polimorfo, antropomorfo*
-nomía	s.	ley	*astronomía, economía*
-nomo	s.	estudioso	*astrónomo, gastrónomo*
-oide	adj. o s.	relación, semejanza	*asteroide*
-oideo, oidea	adj.	relación, semejanza	*tifoideo*
-oides	s.	relación, semejanza	*aracnoides*
-oidal	adj.	relación, semejanza	*esferoidal*
-oma	s.	tumor	*sarcoma, fibroma*
-opsia	s.	vista, estudio	*biopsia, autopsia*
-paro, -para	adj. o s.	que pare	*uníparo, vivíparo*
-pata	s.	que padece médico	*psicópata, ludópata* *homeópata*
-patía	s.	enfermedad medicina sentimiento	*neuropatía, cardiopatía* *homeopatía* *antipatía, telepatía*
-peda	s.	educador	*logopeda*
-pedia	s.	educación	*logopedia, ortopedia*
-podo	adj. o s.	pie	*cefalópodo, decápodo*
-poli, -polis	s.	ciudad	*metrópoli, necrópolis*
-ptero, -ptera	adj. o s.	ala	*díptero, helicóptero*
-rragia	s.	flujo, derramamiento	*hemorragia, verborragia*
-rrea	s.	flujo, emanación	*diarrea, seborrea*
-scopia	s.	exploración	*radioscopia, rectoscopia*
-scopio	s.	instrumento para ver	*microscopio, fonendoscopio*
-sis	s.	enfermedad	*tuberculosis, neurosis*
-stático, -stática	adj. o s.	equilibrio	*electrostático, aerostático*
-terapia	s.	curación	*quimioterapia, psicoterapia*
-tomía	s.	corte, incisión	*traqueotomía, ovariotomía*
-voro	adj. o s.	que come	*carnívoro, herbívoro*

C TERMINACIONES VERBALES

TERMINACIÓN		EJEMPLO
-ar	infinitivo (1.ª conjugación)	*amar*
-er	infinitivo (2.ª conjugación)	*temer*
-ir	infinitivo (3.ª conjugación)	*partir*
-ndo	gerundio	*amando, temiendo, partiendo*
-do	participio	*amado, temido, partido*

5

MODELOS DE CONJUGACIÓN VERBAL

VERBOS REGULARES

1.ª conjugación: AMAR

INDICATIVO			SUBJUNTIVO		
presente	**pretérito perfecto**		**presente**	**pretérito perfecto**	
amo	he	amado	ame	haya	amado
amas	has	amado	ames	hayas	amado
ama	ha	amado	ame	haya	amado
amamos	hemos	amado	amemos	hayamos	amado
amáis	habéis	amado	améis	hayáis	amado
aman	han	amado	amen	hayan	amado

pretérito imperfecto	**pretérito pluscuamperfecto**		**pretérito imperfecto**	**pretérito pluscuamperfecto**	
amaba	había	amado	amara, -ase	hubiera, -ese	amado
amabas	habías	amado	amaras, -ases	hubieras, -eses	amado
amaba	había	amado	amara, -ase	hubiera, -ese	amado
amábamos	habíamos	amado	amáramos, -ásemos	hubiéramos, -ésemos	amado
amabais	habíais	amado	amarais, -aseis	hubierais, -eseis	amado
amaban	habían	amado	amaran, -asen	hubieran, -esen	amado

pretérito indefinido (1)	**pretérito anterior**		**futuro imperfecto**	**futuro perfecto**	
amé	hube	amado	amare	hubiere	amado
amaste	hubiste	amado	amares	hubieres	amado
amó	hubo	amado	amare	hubiere	amado
amamos	hubimos	amado	amáremos	hubiéremos	amado
amasteis	hubisteis	amado	amareis	hubiereis	amado
amaron	hubieron	amado	amaren	hubieren	amado

IMPERATIVO	
presente	
ama	(tú)
ame	(usted)
amemos	(nosotros)
amad	(vosotros)
amen	(ustedes)

futuro imperfecto	**futuro perfecto**	
amaré	habré	amado
amarás	habrás	amado
amará	habrá	amado
amaremos	habremos	amado
amaréis	habréis	amado
amarán	habrán	amado

condicional simple	**condicional compuesto**	
amaría	habría	amado
amarías	habrías	amado
amaría	habría	amado
amaríamos	habríamos	amado
amaríais	habríais	amado
amarían	habrían	amado

FORMAS NO PERSONALES

infinitivo	**infinitivo compuesto**
amar	haber amado

gerundio	**gerundio compuesto**
amando	habiendo amado

participio

amado

(1) Se llama también **pretérito perfecto simple**.

2.ª conjugación: TEMER

INDICATIVO

presente		pretérito perfecto	
temo		he	temido
temes		has	temido
teme		ha	temido
tememos		hemos	temido
teméis		habéis	temido
temen		han	temido

pretérito imperfecto		pretérito pluscuamperfecto	
temía		había	temido
temías		habías	temido
temía		había	temido
temíamos		habíamos	temido
temíais		habíais	temido
temían		habían	temido

pretérito indefinido		pretérito anterior	
temí		hube	temido
temiste		hubiste	temido
temió		hubo	temido
temimos		hubimos	temido
temisteis		hubisteis	temido
temieron		hubieron	temido

futuro imperfecto		futuro perfecto	
temeré		habré	temido
temerás		habrás	temido
temerá		habrá	temido
temeremos		habremos	temido
temeréis		habréis	temido
temerán		habrán	temido

condicional simple		condicional compuesto	
temería		habría	temido
temerías		habrías	temido
temería		habría	temido
temeríamos		habríamos	temido
temeríais		habríais	temido
temerían		habrían	temido

SUBJUNTIVO

presente		pretérito perfecto	
tema		haya	temido
temas		hayas	temido
tema		haya	temido
temamos		hayamos	temido
temáis		hayáis	temido
teman		hayan	temido

pretérito imperfecto	pretérito pluscuamperfecto	
temiera, -ese	hubiera, -ese	temido
temieras, -eses	hubieras, -eses	temido
temiera, -ese	hubiera, -ese	temido
temiéramos, -ésemos	hubiéramos, -ésemos	temido
temierais, -eseis	hubierais, -eseis	temido
temieran, -esen	hubieran, -esen	temido

futuro imperfecto	futuro perfecto	
temiere	hubiere	temido
temieres	hubieres	temido
temiere	hubiere	temido
temiéremos	hubiéremos	temido
temiereis	hubiereis	temido
temieren	hubieren	temido

IMPERATIVO

presente

teme	(tú)
tema	(usted)
temamos	(nosotros)
temed	(vosotros)
teman	(ustedes)

FORMAS NO PERSONALES

infinitivo	infinitivo compuesto
temer	haber temido

gerundio	gerundio compuesto
temiendo	habiendo temido

participio

temido

3.ª conjugación: PARTIR

INDICATIVO

presente

parto
partes
parte
partimos
partís
parten

pretérito perfecto

he partido
has partido
ha partido
hemos partido
habéis partido
han partido

pretérito imperfecto

partía
partías
partía
partíamos
partíais
partían

pretérito pluscuamperfecto

había partido
habías partido
había partido
habíamos partido
habíais partido
habían partido

pretérito indefinido

partí
partiste
partió
partimos
partisteis
partieron

pretérito anterior

hube partido
hubiste partido
hubo partido
hubimos partido
hubisteis partido
hubieron partido

futuro imperfecto

partiré
partirás
partirá
partiremos
partiréis
partirán

futuro perfecto

habré partido
habrás partido
habrá partido
habremos partido
habréis partido
habrán partido

condicional simple

partiría
partirías
partiría
partiríamos
partiríais
partirían

condicional compuesto

habría partido
habrías partido
habría partido
habríamos partido
habríais partido
habrían partido

SUBJUNTIVO

presente

parta
partas
parta
partamos
partáis
partan

pretérito perfecto

haya partido
hayas partido
haya partido
hayamos partido
hayáis partido
hayan partido

pretérito imperfecto

partiera, -ese
partieras, -eses
partiera, -ese
partiéramos, -ésemos
partierais, -eseis
partieran, -esen

pretérito pluscuamperfecto

hubiera, -ese partido
hubieras, -eses partido
hubiera, -ese partido
hubiéramos, -ésemos partido
hubierais, -eseis partido
hubieran, -esen partido

futuro imperfecto

partiere
partieres
partiere
partiéremos
partiereis
partieren

futuro perfecto

hubiere partido
hubieres partido
hubiere partido
hubiéremos partido
hubiereis partido
hubieren partido

IMPERATIVO

presente

parte (tú)
parta (usted)
partamos (nosotros)
partid (vosotros)
partan (ustedes)

FORMAS NO PERSONALES

infinitivo

partir

infinitivo compuesto

haber partido

gerundio

partiendo

gerundio compuesto

habiendo partido

participio

partido

VERBOS IRREGULARES

ABOLIR

INDICATIVO	SUBJUNTIVO
presente	**presente**
–	–
–	–
–	–
abolimos	–
abolís	–
–	–
pretérito imperfecto	**pretérito imperfecto**
abolía	aboliera, -ese
abolías	abolieras, -eses
abolía	aboliera, -ese
abolíamos	aboliéramos, -ésemos
abolíais	abolierais, -eseis
abolían	abolieran, -esen
pretérito indefinido	**futuro imperfecto**
abolí	aboliere
aboliste	abolieres
abolió	aboliere
abolimos	aboliéremos
abolisteis	aboliereis
abolieron	abolieren
futuro imperfecto	**IMPERATIVO**
aboliré	**presente**
abolirás	–
abolirá	–
aboliremos	–
aboliréis	abolid (vosotros)
abolirán	–
condicional simple	**FORMAS NO PERSONALES**
aboliría	**infinitivo** / **gerundio**
abolirías	abolir / aboliendo
aboliría	**participio**
aboliríamos	abolido
aboliríais	
abolirían	

ACTUAR

INDICATIVO	SUBJUNTIVO
presente	**presente**
actúo	actúe
actúas	actúes
actúa	actúe
actuamos	actuemos
actuáis	actuéis
actúan	actúen
pretérito imperfecto	**pretérito imperfecto**
actuaba	actuara, -ase
actuabas	actuaras, -ases
actuaba	actuara, -ase
actuábamos	actuáramos, -ásemos
actuabais	actuarais, -aseis
actuaban	actuaran, -asen
pretérito indefinido	**futuro imperfecto**
actué	actuare
actuaste	actuares
actuó	actuare
actuamos	actuáremos
actuasteis	actuareis
actuaron	actuaren
futuro imperfecto	**IMPERATIVO**
actuaré	**presente**
actuarás	actúa (tú)
actuará	actúe (usted)
actuaremos	actuemos (nosotros)
actuaréis	actuad (vosotros)
actuarán	actúen (ustedes)
condicional simple	**FORMAS NO PERSONALES**
actuaría	**infinitivo** / **gerundio**
actuarías	actuar / actuando
actuaría	**participio**
actuaríamos	actuado
actuaríais	
actuarían	

ADQUIRIR

INDICATIVO	SUBJUNTIVO
presente	**presente**
adquiero	adquiera
adquieres	adquieras
adquiere	adquiera
adquirimos	adquiramos
adquirís	adquiráis
adquieren	adquieran
pretérito imperfecto	**pretérito imperfecto**
adquiría	adquiriera, -ese
adquirías	adquirieras, -eses
adquiría	adquiriera, -ese
adquiríamos	adquiriéramos, -ésemos
adquiríais	adquirierais, -eseis
adquirían	adquirieran, -esen
pretérito indefinido	**futuro imperfecto**
adquirí	adquiriere
adquiriste	adquirieres
adquirió	adquiriere
adquirimos	adquiriéremos
adquiristeis	adquiriereis
adquirieron	adquirieren
futuro imperfecto	**IMPERATIVO**
adquiriré	**presente**
adquirirás	adquiere (tú)
adquirirá	adquiera (usted)
adquiriremos	adquiramos (nosotros)
adquiriréis	adquirid (vosotros)
adquirirán	adquieran (ustedes)
condicional simple	**FORMAS NO PERSONALES**
adquiriría	**infinitivo** / **gerundio**
adquirirías	adquirir / adquiriendo
adquiriría	**participio**
adquiriríamos	adquirido
adquiriríais	
adquirirían	

AGORAR

INDICATIVO	SUBJUNTIVO
presente	**presente**
agüero	agüere
agüeras	agüeres
agüera	agüere
agoramos	agoremos
agoráis	agoréis
agüeran	agüeren
pretérito imperfecto	**pretérito imperfecto**
agoraba	agorara, -ase
agorabas	agoraras, -ases
agoraba	agorara, -ase
agorábamos	agoráramos, -ásemos
agorabais	agorarais, -aseis
agoraban	agoraran, -asen
pretérito indefinido	**futuro imperfecto**
agoré	agorare
agoraste	agorares
agoró	agorare
agoramos	agoráremos
agorasteis	agorareis
agoraron	agoraren
futuro imperfecto	**IMPERATIVO**
agoraré	**presente**
agorarás	agüera (tú)
agorará	agüere (usted)
agoraremos	agoremos (nosotros)
agoraréis	agorad (vosotros)
agorarán	agüeren (ustedes)
condicional simple	**FORMAS NO PERSONALES**
agoraría	**infinitivo** / **gerundio**
agorarías	agorar / agorando
agoraría	**participio**
agoraríamos	agorado
agoraríais	
agorarían	

ANDAR

INDICATIVO

presente
ando
andas
anda
andamos
andáis
andan

pretérito imperfecto
andaba
andabas
andaba
andábamos
andabais
andaban

pretérito indefinido
anduve
anduviste
anduvo
anduvimos
anduvisteis
anduvieron

futuro imperfecto
andaré
andarás
andará
andaremos
andaréis
andarán

condicional simple
andaría
andarías
andaría
andaríamos
andaríais
andarían

SUBJUNTIVO

presente
ande
andes
ande
andemos
andéis
anden

pretérito imperfecto
anduviera, -ese
anduvieras, -eses
anduviera, -ese
anduviéramos, -ésemos
anduvierais, -eseis
anduvieran, -esen

futuro imperfecto
anduviere
anduvieres
anduviere
anduviéremos
anduviereis
anduvieren

IMPERATIVO

presente
anda   (tú)
ande   (usted)
andemos   (nosotros)
andad   (vosotros)
anden   (ustedes)

FORMAS NO PERSONALES

infinitivo   **gerundio**
andar   andando

participio
andado

ARGÜIR

INDICATIVO

presente
arguyo
arguyes
arguye
argüimos
argüís
arguyen

pretérito imperfecto
argüía
argüías
argüía
argüíamos
argüíais
argüían

pretérito indefinido
argüí
argüiste
arguyó
argüimos
argüisteis
arguyeron

futuro imperfecto
argüiré
argüirás
argüirá
argüiremos
argüiréis
argüirán

condicional simple
argüiría
argüirías
argüiría
argüiríamos
argüiríais
argüirían

SUBJUNTIVO

presente
arguya
arguyas
arguya
arguyamos
arguyáis
arguyan

pretérito imperfecto
arguyera, -ese
arguyeras, -eses
arguyera, -ese
arguyéramos, -ésemos
arguyerais, -eseis
arguyeran, -esen

futuro imperfecto
arguyere
arguyeres
arguyere
arguyéremos
arguyereis
arguyeren

IMPERATIVO

presente
arguye   (tú)
arguya   (usted)
arguyamos   (nosotros)
argüid   (vosotros)
arguyan   (ustedes)

FORMAS NO PERSONALES

infinitivo   **gerundio**
argüir   arguyendo

participio
argüido

ASIR

INDICATIVO

presente
asgo
ases
ase
asimos
asís
asen

pretérito imperfecto
asía
asías
asía
asíamos
asíais
asían

pretérito indefinido
así
asiste
asió
asimos
asisteis
asieron

futuro imperfecto
asiré
asirás
asirá
asiremos
asiréis
asirán

condicional simple
asiría
asirías
asiría
asiríamos
asiríais
asirían

SUBJUNTIVO

presente
asga
asgas
asga
asgamos
asgáis
asgan

pretérito imperfecto
asiera, -ese
asieras, -eses
asiera, -ese
asiéramos, -ésemos
asierais, -eseis
asieran, -esen

futuro imperfecto
asiere
asieres
asiere
asiéremos
asiereis
asieren

IMPERATIVO

presente
ase   (tú)
asga   (usted)
asgamos   (nosotros)
asid   (vosotros)
asgan   (ustedes)

FORMAS NO PERSONALES

infinitivo   **gerundio**
asir   asiendo

participio
asido

AUXILIAR

INDICATIVO

presente
auxilío o auxilio
auxilías o auxilias
auxilía o auxilia
auxiliamos
auxiliáis
auxilían o auxilian

pretérito imperfecto
auxiliaba
auxiliabas
auxiliaba
auxiliábamos
auxiliabais
auxiliaban

pretérito indefinido
auxilié
auxiliaste
auxilió
auxiliamos
auxiliasteis
auxiliaron

futuro imperfecto
auxiliaré
auxiliarás
auxiliará
auxiliaremos
auxiliaréis
auxiliarán

condicional simple
auxiliaría
auxiliarías
auxiliaría
auxiliaríamos
auxiliaríais
auxiliarían

SUBJUNTIVO

presente
auxilíe o auxilie
auxilíes o auxilies
auxilíe o auxilie
auxiliemos
auxiliéis
auxilíen o auxilien

pretérito imperfecto
auxiliara, -ase
auxiliaras, -ases
auxiliara, -ase
auxiliáramos, -ásemos
auxiliarais, -aseis
auxiliaran, -asen

futuro imperfecto
auxiliare
auxiliares
auxiliare
auxiliáremos
auxiliareis
auxiliaren

IMPERATIVO

presente
auxilia o auxilia   (tú)
auxilíe o auxilie   (usted)
auxiliemos   (nosotros)
auxiliad   (vosotros)
auxilíen o auxilien   (ustedes)

FORMAS NO PERSONALES

infinitivo   **gerundio**
auxiliar   auxiliando

participio
auxiliado

AVERGONZAR

INDICATIVO

presente
avergüenzo
avergüenzas
avergüenza
avergonzamos
avergonzáis
avergüenzan

pretérito imperfecto
avergonzaba
avergonzabas
avergonzaba
avergonzábamos
avergonzabais
avergonzaban

pretérito indefinido
avergoncé
avergonzaste
avergonzó
avergonzamos
avergonzasteis
avergonzaron

futuro imperfecto
avergonzaré
avergonzarás
avergonzará
avergonzaremos
avergonzaréis
avergonzarán

condicional simple
avergonzaría
avergonzarías
avergonzaría
avergonzaríamos
avergonzaríais
avergonzarían

SUBJUNTIVO

presente
avergüence
avergüences
avergüence
avergoncemos
avergoncéis
avergüencen

pretérito imperfecto
avergonzara, -ase
avergonzaras, -ases
avergonzara, -ase
avergonzáramos, -ásemos
avergonzarais, -aseis
avergonzaran, -asen

futuro imperfecto
avergonzare
avergonzares
avergonzare
avergonzáremos
avergonzareis
avergonzaren

IMPERATIVO

presente
avergüenza (tú)
avergüence (usted)
avergoncemos (nosotros)
avergonzad (vosotros)
avergüencen (ustedes)

FORMAS NO PERSONALES

infinitivo   **gerundio**
avergonzar   avergonzando
participio
avergonzado

AVERIGUAR

INDICATIVO

presente
averiguo
averiguas
averigua
averiguamos
averiguáis
averiguan

pretérito imperfecto
averiguaba
averiguabas
averiguaba
averiguábamos
averiguabais
averiguaban

pretérito indefinido
averigüé
averiguaste
averiguó
averiguamos
averiguasteis
averiguaron

futuro imperfecto
averiguaré
averiguarás
averiguará
averiguaremos
averiguaréis
averiguarán

condicional simple
averiguaría
averiguarías
averiguaría
averiguaríamos
averiguaríais
averiguarían

SUBJUNTIVO

presente
averigüe
averigües
averigüe
averigüemos
averigüéis
averigüen

pretérito imperfecto
averiguara, -ase
averiguaras, -ases
averiguara, -ase
averiguáramos, -ásemos
averiguarais, -aseis
averiguaran, -asen

futuro imperfecto
averiguare
averiguares
averiguare
averiguáremos
averiguareis
averiguaren

IMPERATIVO

presente
averigua (tú)
averigüe (usted)
averigüemos (nosotros)
averiguad (vosotros)
averigüen (ustedes)

FORMAS NO PERSONALES

infinitivo   **gerundio**
averiguar   averiguando
participio
averiguado

BENDECIR

INDICATIVO

presente
bendigo
bendices
bendice
bendecimos
bendecís
bendicen

pretérito imperfecto
bendecía
bendecías
bendecía
bendecíamos
bendecíais
bendecían

pretérito indefinido
bendije
bendijiste
bendije
bendijimos
bendijisteis
bendijeron

futuro imperfecto
bendeciré
bendecirás
bendecirá
bendeciremos
bendeciréis
bendecirán

condicional simple
bendeciría
bendecirías
bendeciría
bendeciríamos
bendeciríais
bendecirían

SUBJUNTIVO

presente
bendiga
bendigas
bendiga
bendigamos
bendigáis
bendigan

pretérito imperfecto
bendijera, -ese
bendijeras, -eses
bendijera, -ese
bendijéramos, -ésemos
bendijerais, -eseis
bendijeran, -esen

futuro imperfecto
bendijere
bendijeres
bendijere
bendijéremos
bendijereis
bendijeren

IMPERATIVO

presente
bendice (tú)
bendiga (usted)
bendigamos (nosotros)
bendecid (vosotros)
bendigan (ustedes)

FORMAS NO PERSONALES

infinitivo   **gerundio**
bendecir   *bendiciendo*
participio
bendecido o *bendito*

CABER

INDICATIVO

presente
quepo
cabes
cabe
cabemos
cabéis
caben

pretérito imperfecto
cabía
cabías
cabía
cabíamos
cabíais
cabían

pretérito indefinido
cupe
cupiste
cupo
cupimos
cupisteis
cupieron

futuro imperfecto
cabré
cabrás
cabrá
cabremos
cabréis
cabrán

condicional simple
cabría
cabrías
cabría
cabríamos
cabríais
cabrían

SUBJUNTIVO

presente
quepa
quepas
quepa
quepamos
quepáis
quepan

pretérito imperfecto
cupiera, -ese
cupieras, -eses
cupiera, -ese
cupiéramos, -ésemos
cupierais, -eseis
cupieran, -esen

futuro imperfecto
cupiere
cupieres
cupiere
cupiéremos
cupiereis
cupieren

IMPERATIVO

presente
cabe (tú)
quepa (usted)
quepamos (nosotros)
cabed (vosotros)
quepan (ustedes)

FORMAS NO PERSONALES

infinitivo   **gerundio**
caber   cabiendo
participio
cabido

CAER

INDICATIVO	SUBJUNTIVO
presente	**presente**
caigo	caiga
caes	caigas
cae	caiga
caemos	caigamos
caéis	caigáis
+caen	caigan
pretérito imperfecto	**pretérito imperfecto**
caía	cayera, -ese
caías	cayeras, -eses
caía	cayera, -ese
caíamos	cayéramos, -ésemos
caíais	cayerais, -eseis
caían	cayeran, -esen
pretérito indefinido	**futuro imperfecto**
caí	cayere
caíste	cayeres
cayó	cayere
caímos	cayéremos
caísteis	cayereis
cayeron	cayeren

futuro imperfecto	IMPERATIVO
caeré	**presente**
caerás	cae (tú)
caerá	caiga (usted)
caeremos	caigamos (nosotros)
caeréis	caed (vosotros)
caerán	caigan (ustedes)

condicional simple	FORMAS NO PERSONALES
caería	**infinitivo** **gerundio**
caerías	caer cayendo
caería	
caeríamos	**participio**
caeríais	caído
caerían	

CAZAR

INDICATIVO	SUBJUNTIVO
presente	**presente**
cazo	cace
cazas	caces
caza	cace
cazamos	cacemos
cazáis	cacéis
cazan	cacen
pretérito imperfecto	**pretérito imperfecto**
cazaba	cazara, -ase
cazabas	cazaras, -ases
cazaba	cazara, -ase
cazábamos	cazáramos, -ásemos
cazabais	cazarais, -aseis
cazaban	cazaran, -asen
pretérito indefinido	**futuro imperfecto**
cacé	cazare
cazaste	cazares
cazó	cazare
cazamos	cazáremos
cazasteis	cazareis
cazaron	cazaren

futuro imperfecto	IMPERATIVO
cazaré	**presente**
cazarás	caza (tú)
cazará	cace (usted)
cazaremos	cacemos (nosotros)
cazaréis	cazad (vosotros)
cazarán	cacen (ustedes)

condicional simple	FORMAS NO PERSONALES
cazaría	**infinitivo** **gerundio**
cazarías	cazar cazando
cazaría	
cazaríamos	**participio**
cazaríais	cazado
cazarían	

CEÑIR

INDICATIVO	SUBJUNTIVO
presente	**presente**
ciño	ciña
ciñes	ciñas
ciñe	ciña
ceñimos	ciñamos
ceñís	ciñáis
ciñen	ciñan
pretérito imperfecto	**pretérito imperfecto**
ceñía	ciñera, -ese
ceñías	ciñeras, -eses
ceñía	ciñera, -ese
ceñíamos	ciñéramos, -ésemos
ceñíais	ciñerais, -eseis
ceñían	ciñeran, -esen
pretérito indefinido	**futuro imperfecto**
ceñí	ciñere
ceñiste	ciñeres
ciñó	ciñere
ceñimos	ciñéremos
ceñisteis	ciñereis
ciñeron	ciñeren

futuro imperfecto	IMPERATIVO
ceñiré	**presente**
ceñirás	ciñe (tú)
ceñirá	ciña (usted)
ceñiremos	ciñamos (nosotros)
ceñiréis	ceñid (vosotros)
ceñirán	ciñan (ustedes)

condicional simple	FORMAS NO PERSONALES
ceñiría	**infinitivo** **gerundio**
ceñirías	ceñir ciñendo
ceñiría	
ceñiríamos	**participio**
ceñiríais	ceñido
ceñirían	

COCER

INDICATIVO	SUBJUNTIVO
presente	**presente**
cuezo	cueza
cueces	cuezas
cuece	cueza
cocemos	cozamos
cocéis	cozáis
cuecen	cuezan
pretérito imperfecto	**pretérito imperfecto**
cocía	cociera, -ese
cocías	cocieras, -eses
cocía	cociera, -ese
cocíamos	cociéramos, -ésemos
cocíais	cocierais, -eseis
cocían	cocieran, -esen
pretérito indefinido	**futuro imperfecto**
cocí	cociere
cociste	cocieres
coció	cociere
cocimos	cociéremos
cocisteis	cociereis
cocieron	cocieren

futuro imperfecto	IMPERATIVO
coceré	**presente**
cocerás	cuece (tú)
cocerá	cueza (usted)
coceremos	cozamos (nosotros)
coceréis	coced (vosotros)
cocerán	cuezan (ustedes)

condicional simple	FORMAS NO PERSONALES
cocería	**infinitivo** **gerundio**
cocerías	cocer cociendo
cocería	
coceríamos	**participio**
coceríais	cocido
cocerían	

COGER

INDICATIVO

presente
cojo
coges
coge
cogemos
cogéis
cogen

pretérito imperfecto
cogía
cogías
cogía
cogíamos
cogíais
cogían

pretérito indefinido
cogí
cogiste
cogió
cogimos
cogisteis
cogieron

futuro imperfecto
cogeré
cogerás
cogerá
cogeremos
cogeréis
cogerán

condicional simple
cogería
cogerías
cogería
cogeríamos
cogeríais
cogerían

SUBJUNTIVO

presente
coja
cojas
coja
cojamos
cojáis
cojan

pretérito imperfecto
cogiera, -ese
cogieras, -eses
cogiera, -ese
cogiéramos, -ésemos
cogierais, -eseis
cogieran, -esen

futuro imperfecto
cogiere
cogieres
cogiere
cogiéremos
cogiereis
cogieren

IMPERATIVO

presente
coge   (tú)
coja   (usted)
cojamos   (nosotros)
coged   (vosotros)
cojan   (ustedes)

FORMAS NO PERSONALES

infinitivo   **gerundio**
coger   cogiendo

participio
cogido

COLGAR

INDICATIVO

presente
cuelgo
cuelgas
cuelga
colgamos
colgáis
cuelgan

pretérito imperfecto
colgaba
colgabas
colgaba
colgábamos
colgabais
colgaban

pretérito indefinido
colgué
colgaste
colgó
colgamos
colgasteis
colgaron

futuro imperfecto
colgaré
colgarás
colgará
colgaremos
colgaréis
colgarán

condicional simple
colgaría
colgarías
colgaría
colgaríamos
colgaríais
colgarían

SUBJUNTIVO

presente
cuelgue
cuelgues
cuelgue
colguemos
colguéis
cuelguen

pretérito imperfecto
colgara, -ase
colgaras, -ases
colgara, -ase
colgáramos, -ásemos
colgarais, -aseis
colgaran, -asen

futuro imperfecto
colgare
colgares
colgare
colgáremos
colgareis
colgaren

IMPERATIVO

presente
cuelga   (tú)
cuelgue   (usted)
colguemos (nosotros)
colgad   (vosotros)
cuelguen   (ustedes)

FORMAS NO PERSONALES

infinitivo   **gerundio**
colgar   colgando

participio
colgado

CONDUCIR

INDICATIVO

presente
conduzco
conduces
conduce
conducimos
conducís
conducen

pretérito imperfecto
conducía
conducías
conducía
conducíamos
conducíais
conducían

pretérito indefinido
conduje
condujiste
condujo
condujimos
condujisteis
condujeron

futuro imperfecto
conduciré
conducirás
conducirá
conduciremos
conduciréis
conducirán

condicional simple
conduciría
conducirías
conduciría
conduciríamos
conduciríais
conducirían

SUBJUNTIVO

presente
conduzca
conduzcas
conduzca
conduzcamos
conduzcáis
conduzcan

pretérito imperfecto
condujera, -ese
condujeras, -eses
condujera, -ese
condujéramos, -ésemos
condujerais, -eseis
condujeran, -esen

futuro imperfecto
condujere
condujeres
condujere
condujéremos
condujereis
condujeren

IMPERATIVO

presente
conduce   (tú)
conduzca   (usted)
conduzcamos (nosotros)
conducid   (vosotros)
conduzcan (ustedes)

FORMAS NO PERSONALES

infinitivo   **gerundio**
conducir   conduciendo

participio
conducido

CONTAR

INDICATIVO

presente
cuento
cuentas
cuenta
contamos
contáis
cuentan

pretérito imperfecto
contaba
contabas
contaba
contábamos
contabais
contaban

pretérito indefinido
conté
contaste
contó
contamos
contasteis
contaron

futuro imperfecto
contaré
contarás
contará
contaremos
contaréis
contarán

condicional simple
contaría
contarías
contaría
contaríamos
contaríais
contarían

SUBJUNTIVO

presente
cuente
cuentes
cuente
contemos
contéis
cuenten

pretérito imperfecto
contara, -ase
contaras, -ases
contara, -ase
contáramos, -ásemos
contarais, -aseis
contaran, -asen

futuro imperfecto
contare
contares
contare
contáremos
contareis
contaren

IMPERATIVO

presente
cuenta   (tú)
cuente   (usted)
contemos   (nosotros)
contad   (vosotros)
cuenten   (ustedes)

FORMAS NO PERSONALES

infinitivo   **gerundio**
contar   contando

participio
contado

DAR

INDICATIVO

presente
doy
das
da
damos
dais
dan

pretérito imperfecto
daba
dabas
daba
dábamos
dabais
daban

pretérito indefinido
di
diste
dio
dimos
disteis
dieron

futuro imperfecto
daré
darás
dará
daremos
daréis
darán

condicional simple
daría
darías
daría
daríamos
daríais
darían

SUBJUNTIVO

presente
dé
des
dé
demos
deis
den

pretérito imperfecto
diera, -ese
dieras, -eses
diera, -ese
diéramos, -ésemos
dierais, -eseis
dieran, -esen

futuro imperfecto
diere
dieres
diere
diéremos
diereis
dieren

IMPERATIVO

presente
da (tú)
dé (usted)
demos (nosotros)
dad (vosotros)
den (ustedes)

FORMAS NO PERSONALES

infinitivo   **gerundio**
dar   dando

participio
dado

DECIR

INDICATIVO

presente
digo
dices
dice
decimos
decís
dicen

pretérito imperfecto
decía
decías
decía
decíamos
decíais
decían

pretérito indefinido
dije
dijiste
dijo
dijimos
dijisteis
dijeron

futuro imperfecto
diré
dirás
dirá
diremos
diréis
dirán

condicional simple
diría
dirías
diría
diríamos
diríais
dirían

SUBJUNTIVO

presente
diga
digas
diga
digamos
digáis
digan

pretérito imperfecto
dijera, -ese
dijeras, -eses
dijera, -ese
dijéramos, -ésemos
dijerais, -eseis
dijeran, -esen

futuro imperfecto
dijere
dijeres
dijere
dijéremos
dijereis
dijeren

IMPERATIVO

presente
di (tú)
diga (usted)
digamos (nosotros)
decid (vosotros)
digan (ustedes)

FORMAS NO PERSONALES

infinitivo   **gerundio**
decir   diciendo

participio
dicho

DELINQUIR

INDICATIVO

presente
delinco
delinques
delinque
delinquimos
delinquís
delinquen

pretérito imperfecto
delinquía
delinquías
delinquía
delinquíamos
delinquíais
delinquían

pretérito indefinido
delinquí
delinquiste
delinquió
delinquimos
delinquisteis
delinquieron

futuro imperfecto
delinquiré
delinquirás
delinquirá
delinquiremos
delinquiréis
delinquirán

condicional simple
delinquiría
delinquirías
delinquiría
delinquiríamos
delinquiríais
delinquirían

SUBJUNTIVO

presente
delinca
delincas
delinca
delincamos
delincáis
delincan

pretérito imperfecto
delinquiera, -ese
delinquieras, -eses
delinquiera, -ese
delinquiéramos, -ésemos
delinquierais, -eseis
delinquieran, -esen

futuro imperfecto
delinquiere
delinquieres
delinquiere
delinquiéremos
delinquiereis
delinquieren

IMPERATIVO

presente
delinque (tú)
delinca (usted)
delincamos (nosotros)
delinquid (vosotros)
delincan (ustedes)

FORMAS NO PERSONALES

infinitivo   **gerundio**
delinquir   delinquiendo

participio
delinquido

DESOSAR

INDICATIVO

presente
deshueso
deshuesas
deshuesa
desosamos
desosáis
deshuesan

pretérito imperfecto
desosaba
desosabas
desosaba
desosábamos
desosabais
desosaban

pretérito indefinido
desosé
desosaste
desosó
desosamos
desosasteis
desosaron

futuro imperfecto
desosaré
desosarás
desosará
desosaremos
desosaréis
desosarán

condicional simple
desosaría
desosarías
desosaría
desosaríamos
desosaríais
desosarían

SUBJUNTIVO

presente
deshuese
deshueses
deshuese
desosemos
desoséis
deshuesen

pretérito imperfecto
desosara, -ase
desosaras, -ases
desosara, -ase
desosáramos, -ásemos
desosarais, -aseis
desosaran, -asen

futuro imperfecto
desosare
desosares
desosare
desosáremos
desosareis
desosaren

IMPERATIVO

presente
deshuesa (tú)
deshuese (usted)
desosemos (nosotros)
desosad (vosotros)
deshuesen (ustedes)

FORMAS NO PERSONALES

infinitivo   **gerundio**
desosar   desosando

participio
desosado

DIRIGIR

INDICATIVO

presente
dirijo
diriges
dirige
dirigimos
dirigís
dirigen

pretérito imperfecto
dirigía
dirigías
dirigía
dirigíamos
dirigíais
dirigían

pretérito indefinido
dirigí
dirigiste
dirigió
dirigimos
dirigisteis
dirigieron

futuro imperfecto
dirigiré
dirigirás
dirigirá
dirigiremos
dirigiréis
dirigirán

condicional simple
dirigiría
dirigirías
dirigiría
dirigiríamos
dirigiríais
dirigirían

SUBJUNTIVO

presente
dirija
dirijas
dirija
dirijamos
dirijáis
dirijan

pretérito imperfecto
dirigiera, -ese
dirigieras, -eses
dirigiera, -ese
dirigiéramos, -ésemos
dirigierais, -eseis
dirigieran, -esen

futuro imperfecto
dirigiere
dirigieres
dirigiere
dirigiéremos
dirigiereis
dirigieren

IMPERATIVO

presente
dirige (tú)
dirija (usted)
dirijamos (nosotros)
dirigid (vosotros)
dirijan (ustedes)

FORMAS NO PERSONALES

infinitivo   **gerundio**
dirigir   dirigiendo

participio
dirigido

DISCERNIR

INDICATIVO

presente
discierno
disciernes
discierne
discernimos
discernís
disciernen

pretérito imperfecto
discernía
discernías
discernía
discerníamos
discerníais
discernían

pretérito indefinido
discerní
discerniste
discernió
discernimos
discernisteis
discernieron

futuro imperfecto
discerniré
discernirás
discernirá
discerniremos
discerniréis
discernirán

condicional simple
discerniría
discernirías
discerniría
discerniríamos
discerniríais
discernirían

SUBJUNTIVO

presente
discierna
disciernas
discierna
discernamos
discernáis
disciernan

pretérito imperfecto
discerniera, -ese
discernieras, -eses
discerniera, -ese
discerniéramos, -ésemos
discernierais, -eseis
discernieran, -esen

futuro imperfecto
discerniere
discernieres
discerniere
discerniéremos
discerniereis
discernieren

IMPERATIVO

presente
discierne (tú)
discierna (usted)
discernamos (nosotros)
discernid (vosotros)
disciernan (ustedes)

FORMAS NO PERSONALES

infinitivo   **gerundio**
discernir   discerniendo

participio
discernido

DISTINGUIR

INDICATIVO

presente
distingo
distingues
distingue
distinguimos
distinguís
distinguen

pretérito imperfecto
distinguía
distinguías
distinguía
distinguíamos
distinguíais
distinguían

pretérito indefinido
distinguí
distinguiste
distinguió
distinguimos
distinguisteis
distinguieron

futuro imperfecto
distinguiré
distinguirás
distinguirá
distinguiremos
distinguiréis
distinguirán

condicional simple
distinguiría
distinguirías
distinguiría
distinguiríamos
distinguiríais
distinguirían

SUBJUNTIVO

presente
distinga
distingas
distinga
distingamos
distingáis
distingan

pretérito imperfecto
distinguiera, -ese
distinguieras, -eses
distinguiera, -ese
distinguiéramos, -ésemos
distinguierais, -eseis
distinguieran, -esen

futuro imperfecto
distinguiere
distinguieres
distinguiere
distinguiéremos
distinguiereis
distinguieren

IMPERATIVO

presente
distingue (tú)
distinga (usted)
distingamos (nosotros)
distinguid (vosotros)
distingan (ustedes)

FORMAS NO PERSONALES

infinitivo   **gerundio**
distinguir   distinguiendo

participio
distinguido

DORMIR

INDICATIVO

presente
duermo
duermes
duerme
dormimos
dormís
duermen

pretérito imperfecto
dormía
dormías
dormía
dormíamos
dormíais
dormían

pretérito indefinido
dormí
dormiste
durmió
dormimos
dormisteis
durmieron

futuro imperfecto
dormiré
dormirás
dormirá
dormiremos
dormiréis
dormirán

condicional simple
dormiría
dormirías
dormiría
dormiríamos
dormiríais
dormirían

SUBJUNTIVO

presente
duerma
duermas
duerma
durmamos
durmáis
duerman

pretérito imperfecto
durmiera, -ese
durmieras, -eses
durmiera, -ese
durmiéramos, -ésemos
durmierais, -eseis
durmieran, -esen

futuro imperfecto
durmiere
durmieres
durmiere
durmiéremos
durmiereis
durmieren

IMPERATIVO

presente
duerme (tú)
duerma (usted)
durmamos (nosotros)
dormid (vosotros)
duerman (ustedes)

FORMAS NO PERSONALES

infinitivo   **gerundio**
dormir   *durmiendo*

participio
dormido

ELEGIR

INDICATIVO

presente
elijo
eliges
elige
elegimos
elegís
eligen

pretérito imperfecto
elegía
elegías
elegía
elegíamos
elegíais
elegían

pretérito indefinido
elegí
elegiste
eligió
elegimos
elegisteis
eligieron

futuro imperfecto
elegiré
elegirás
elegirá
elegiremos
elegiréis
elegirán

condicional simple
elegiría
elegirías
elegiría
elegiríamos
elegiríais
elegirían

SUBJUNTIVO

presente
elija
elijas
elija
elijamos
elijáis
elijan

pretérito imperfecto
eligiera, -ese
eligieras, -eses
eligiera, -ese
eligiéramos, -ésemos
eligierais, -eseis
eligieran, -esen

futuro imperfecto
eligiere
eligieres
eligiere
eligiéremos
eligiereis
eligieren

IMPERATIVO

presente
elige (tú)
elija (usted)
elijamos (nosotros)
elegid (vosotros)
elijan (ustedes)

FORMAS NO PERSONALES

infinitivo   **gerundio**
elegir   eligiendo

participio
elegido

EMPEZAR

INDICATIVO

presente
empiezo
empiezas
empieza
empezamos
empezáis
empiezan

pretérito imperfecto
empezaba
empezabas
empezaba
empezábamos
empezabais
empezaban

pretérito indefinido
empecé
empezaste
empezó
empezamos
empezasteis
empezaron

futuro imperfecto
empezaré
empezarás
empezará
empezaremos
empezaréis
empezarán

condicional simple
empezaría
empezarías
empezaría
empezaríamos
empezaríais
empezarían

SUBJUNTIVO

presente
empiece
empieces
empiece
empecemos
empecéis
empiecen

pretérito imperfecto
empezara, -ase
empezaras, -ases
empezara, -ase
empezáramos, -ásemos
empezarais, -aseis
empezaran, -asen

futuro imperfecto
empezare
empezares
empezare
empezáremos
empezareis
empezaren

IMPERATIVO

presente
empieza (tú)
empiece (usted)
empecemos (nosotros)
empezad (vosotros)
empiecen (ustedes)

FORMAS NO PERSONALES

infinitivo   **gerundio**
empezar   empezando

participio
empezado

ENRAIZAR

INDICATIVO

presente
enraízo
enraízas
enraíza
enraizamos
enraizáis
enraízan

pretérito imperfecto
enraizaba
enraizabas
enraizaba
enraizábamos
enraizabais
enraizaban

pretérito indefinido
enraicé
enraizaste
enraizó
enraizamos
enraizasteis
enraizaron

futuro imperfecto
enraizaré
enraizarás
enraizará
enraizaremos
enraizaréis
enraizarán

condicional simple
enraizaría
enraizarías
enraizaría
enraizaríamos
enraizaríais
enraizarían

SUBJUNTIVO

presente
enraíce
enraíces
enraíce
enraicemos
enraicéis
enraícen

pretérito imperfecto
enraizara, -ase
enraizaras, -ases
enraizara, -ase
enraizáramos, -ásemos
enraizarais, -aseis
enraizaran, -asen

futuro imperfecto
enraizare
enraizares
enraizare
enraizáremos
enraizareis
enraizaren

IMPERATIVO

presente
enraíza (tú)
enraíce (usted)
enraicemos (nosotros)
enraizad (vosotros)
enraícen (ustedes)

FORMAS NO PERSONALES

infinitivo   **gerundio**
enraizar   enraizando

participio
enraizado

ERGUIR

INDICATIVO

presente
irgo o yergo
irgues o yergues
irgue o yergue
erguimos
erguís
irguen o yerguen

pretérito imperfecto
erguía
erguías
erguía
erguíamos
erguíais
erguían

pretérito indefinido
erguí
erguiste
irguió
erguimos
erguisteis
irguieron

futuro imperfecto
erguiré
erguirás
erguirá
erguiremos
erguiréis
erguirán

condicional simple
erguiría
erguirías
erguiría
erguiríamos
erguiríais
erguirían

SUBJUNTIVO

presente
irga o yerga
irgas o yergas
irga o yerga
irgamos o yergamos
irgáis o yergáis
irgan o yergan

pretérito imperfecto
irguiera, -ese
irguieras, -eses
irguiera, -ese
irguiéramos, -ésemos
irguierais, -eseis
irguieran, -esen

futuro imperfecto
irguiere
irguieres
irguiere
irguiéremos
irguiereis
irguieren

IMPERATIVO

presente
irgue o yergue (tú)
irga o yerga (usted)
irgamos o yergamos (nosotros)
erguid (vosotros)
irgan o yergan (ustedes)

FORMAS NO PERSONALES

infinitivo   **gerundio**
erguir   irguiendo

participio
erguido

3

ERRAR

INDICATIVO	SUBJUNTIVO
presente	**presente**
yerro	yerre
yerras	yerres
yerra	yerre
erramos	erremos
erráis	erréis
yerran	yerren
pretérito imperfecto	**pretérito imperfecto**
erraba	errara, -ase
errabas	erraras, -ases
erraba	errara, -ase
errábamos	erráramos, -ásemos
errabais	errarais, -aseis
erraban	erraran, -asen
pretérito indefinido	**futuro imperfecto**
erré	errare
erraste	errares
erró	errare
erramos	erráremos
errasteis	errareis
erraron	erraren

futuro imperfecto	**IMPERATIVO**
erraré	**presente**
errarás	yerra (tú)
errará	yerre (usted)
erraremos	erremos (nosotros)
erraréis	errad (vosotros)
errarán	yerren (ustedes)

condicional simple	**FORMAS NO PERSONALES**
erraría	
errarías	**infinitivo** **gerundio**
erraría	errar errando
erraríamos	
erraríais	**participio**
errarían	errado

ESTAR

INDICATIVO	SUBJUNTIVO
presente	**presente**
estoy	esté
estás	estés
está	esté
estamos	estemos
estáis	estéis
están	estén
pretérito imperfecto	**pretérito imperfecto**
estaba	estuviera, -ese
estabas	estuvieras, -eses
estaba	estuviera, -ese
estábamos	estuviéramos, -ésemos
estabais	estuvierais, -eseis
estaban	estuvieran, -esen
pretérito indefinido	**futuro imperfecto**
estuve	estuviere
estuviste	estuvieres
estuvo	estuviere
estuvimos	estuviéremos
estuvisteis	estuviereis
estuvieron	estuvieren

futuro imperfecto	**IMPERATIVO**
estaré	**presente**
estarás	está (tú)
estará	esté (usted)
estaremos	estemos (nosotros)
estaréis	estad (vosotros)
estarán	estén (ustedes)

condicional simple	**FORMAS NO PERSONALES**
estaría	
estarías	**infinitivo** **gerundio**
estaría	estar estando
estaríamos	
estaríais	**participio**
estarían	estado

FORZAR

INDICATIVO	SUBJUNTIVO
presente	**presente**
fuerzo	fuerce
fuerzas	fuerces
fuerza	fuerce
forzamos	forcemos
forzáis	forcéis
fuerzan	fuercen
pretérito imperfecto	**pretérito imperfecto**
forzaba	forzara, -ase
forzabas	forzaras, -ases
forzaba	forzara, -ase
forzábamos	forzáramos, -ásemos
forzabais	forzarais, -aseis
forzaban	forzaran, -asen
pretérito indefinido	**futuro imperfecto**
forcé	forzare
forzaste	forzares
forzó	forzare
forzamos	forzáremos
forzasteis	forzareis
forzaron	forzaren

futuro imperfecto	**IMPERATIVO**
forzaré	**presente**
forzarás	fuerza (tú)
forzará	fuerce (usted)
forzaremos	forcemos (nosotros)
forzaréis	forzad (vosotros)
forzarán	fuercen (ustedes)

condicional simple	**FORMAS NO PERSONALES**
forzaría	
forzarías	**infinitivo** **gerundio**
forzaría	forzar forzando
forzaríamos	
forzaríais	**participio**
forzarían	forzado

GUIAR

INDICATIVO	SUBJUNTIVO
presente	**presente**
guío	guíe
guías	guíes
guía	guíe
guiamos	guiemos
guiáis	guiéis
guían	guíen
pretérito imperfecto	**pretérito imperfecto**
guiaba	guiara, -ase
guiabas	guiaras, -ases
guiaba	guiara, -ase
guiábamos	guiáramos, -ásemos
guiabais	guiarais, -aseis
guiaban	guiaran, -asen
pretérito indefinido	**futuro imperfecto**
guié	guiare
guiaste	guiares
guió	guiare
guiamos	guiáremos
guiasteis	guiareis
guiaron	guiaren

futuro imperfecto	**IMPERATIVO**
guiaré	**presente**
guiarás	guía (tú)
guiará	guíe (usted)
guiaremos	guiemos (nosotros)
guiaréis	guiad (vosotros)
guiarán	guíen (ustedes)

condicional simple	**FORMAS NO PERSONALES**
guiaría	
guiarías	**infinitivo** **gerundio**
guiaría	guiar guiando
guiaríamos	
guiaríais	**participio**
guiarían	guiado

HABER

INDICATIVO	SUBJUNTIVO
presente	**presente**
he	haya
has	hayas
ha [1]	haya
hemos	hayamos
habéis	hayáis
han	hayan
pretérito imperfecto	**pretérito imperfecto**
había	hubiera, -ese
habías	hubieras, -eses
había	hubiera, -ese
habíamos	hubiéramos, -ésemos
habíais	hubierais, -eseis
habían	hubieran, -esen
pretérito indefinido	**futuro imperfecto**
hube	hubiere
hubiste	hubieres
hubo	hubiere
hubimos	hubiéremos
hubisteis	hubiereis
hubieron	hubieren
futuro imperfecto	**IMPERATIVO**
habré	**presente**
habrás	he (tú)
habrá	haya (usted)
habremos	hayamos (nosotros)
habréis	habed (vosotros)
habrán	hayan (ustedes)
condicional simple	**FORMAS NO PERSONALES**
habría	**infinitivo** **gerundio**
habrías	haber habiendo
habría	**participio**
habríamos	habido
habríais	
habrían	

HACER

INDICATIVO	SUBJUNTIVO
presente	**presente**
hago	haga
haces	hagas
hace	haga
hacemos	hagamos
hacéis	hagáis
hacen	hagan
pretérito imperfecto	**pretérito imperfecto**
hacía	hiciera, -ese
hacías	hicieras, -eses
hacía	hiciera, -ese
hacíamos	hiciéramos, -ésemos
hacíais	hicierais, -eseis
hacían	hicieran, -esen
pretérito indefinido	**futuro imperfecto**
hice	hiciere
hiciste	hicieres
hizo	hiciere
hicimos	hiciéremos
hicisteis	hiciereis
hicieron	hicieren
futuro imperfecto	**IMPERATIVO**
haré	**presente**
harás	haz (tú)
hará	haga (usted)
haremos	hagamos (nosotros)
haréis	haced (vosotros)
harán	hagan (ustedes)
condicional simple	**FORMAS NO PERSONALES**
haría	**infinitivo** **gerundio**
harías	hacer haciendo
haría	**participio**
haríamos	hecho
haríais	
harían	

HUIR

INDICATIVO	SUBJUNTIVO
presente	**presente**
huyo	huya
huyes	huyas
huye	huya
huimos	huyamos
huís	huyáis
huyen	huyan
pretérito imperfecto	**pretérito imperfecto**
huía	huyera, -ese
huías	huyeras, -eses
huía	huyera, -ese
huíamos	huyéramos, -ésemos
huíais	huyerais, -eseis
huían	huyeran, -esen
pretérito indefinido	**futuro imperfecto**
huí	huyere
huiste	huyeres
huyó	huyere
huimos	huyéremos
huisteis	huyereis
huyeron	huyeren
futuro imperfecto	**IMPERATIVO**
huiré	**presente**
huirás	huye (tú)
huirá	huya (usted)
huiremos	huyamos (nosotros)
huiréis	huid (vosotros)
huirán	huyan (ustedes)
condicional simple	**FORMAS NO PERSONALES**
huiría	**infinitivo** **gerundio**
huirías	huir huyendo
huiría	**participio**
huiríamos	huido
huiríais	
huirían	

IR

INDICATIVO	SUBJUNTIVO
presente	**presente**
voy	vaya
vas	vayas
va	vaya
vamos	vayamos
vais	vayáis
van	vayan
pretérito imperfecto	**pretérito imperfecto**
iba	fuera, -ese
ibas	fueras, -eses
iba	fuera, -ese
íbamos	fuéramos, -ésemos
ibais	fuerais, -eseis
iban	fueran, -esen
pretérito indefinido	**futuro imperfecto**
fui	fuere
fuiste	fueres
fue	fuere
fuimos	fuéremos
fuisteis	fuereis
fueron	fueren
futuro imperfecto	**IMPERATIVO**
iré	**presente**
irás	ve (tú)
irá	vaya (usted)
iremos	vayamos (nosotros)
iréis	id (vosotros)
irán	vayan (ustedes)
condicional simple	**FORMAS NO PERSONALES**
iría	**infinitivo** **gerundio**
irías	ir yendo
iría	**participio**
iríamos	ido
iríais	
irían	

(1) Cuando este verbo se usa como impersonal, la 3.ª persona del singular es *hay*.

JUGAR

INDICATIVO	SUBJUNTIVO
presente	**presente**
juego	juegue
juegas	juegues
juega	juegue
jugamos	juguemos
jugáis	juguéis
juegan	jueguen
pretérito imperfecto	**pretérito imperfecto**
jugaba	jugara, -ase
jugabas	jugaras, -ases
jugaba	jugara, -ase
jugábamos	jugáramos, -ásemos
jugabais	jugarais, -aseis
jugaban	jugaran, -asen
pretérito indefinido	**futuro imperfecto**
jugué	jugare
jugaste	jugares
jugó	jugare
jugamos	jugáremos
jugasteis	jugareis
jugaron	jugaren
futuro imperfecto	**IMPERATIVO**
jugaré	
jugarás	**presente**
jugará	juega (tú)
jugaremos	juegue (usted)
jugaréis	juguemos (nosotros)
jugarán	jugad (vosotros)
	jueguen (ustedes)
condicional simple	**FORMAS NO PERSONALES**
jugaría	
jugarías	**infinitivo** **gerundio**
jugaría	jugar jugando
jugaríamos	
jugaríais	**participio**
jugarían	jugado

LEER

INDICATIVO	SUBJUNTIVO
presente	**presente**
leo	lea
lees	leas
lee	lea
leemos	leamos
leéis	leáis
leen	lean
pretérito imperfecto	**pretérito imperfecto**
leía	leyera, -ese
leías	leyeras, -eses
leía	leyera, -ese
leíamos	leyéramos, -ésemos
leíais	leyerais, -eseis
leían	leyeran, -esen
pretérito indefinido	**futuro imperfecto**
leí	leyere
leíste	leyeres
leyó	leyere
leímos	leyéremos
leísteis	leyereis
leyeron	leyeren
futuro imperfecto	**IMPERATIVO**
leeré	
leerás	**presente**
leerá	lee (tú)
leeremos	lea (usted)
leeréis	leamos (nosotros)
leerán	leed (vosotros)
	lean (ustedes)
condicional simple	**FORMAS NO PERSONALES**
leería	
leerías	**infinitivo** **gerundio**
leería	leer leyendo
leeríamos	
leeríais	**participio**
leerían	leído

LUCIR

INDICATIVO	SUBJUNTIVO
presente	**presente**
luzco	luzca
luces	luzcas
luce	luzca
lucimos	luzcamos
lucís	luzcáis
lucen	luzcan
pretérito imperfecto	**pretérito imperfecto**
lucía	luciera, -ese
lucías	lucieras, -eses
lucía	luciera, -ese
lucíamos	luciéramos, -ésemos
lucíais	lucierais, -eseis
lucían	lucieran, -esen
pretérito indefinido	**futuro imperfecto**
lucí	luciere
luciste	lucieres
lució	luciere
lucimos	luciéremos
lucisteis	luciereis
lucieron	lucieren
futuro imperfecto	**IMPERATIVO**
luciré	
lucirás	**presente**
lucirá	luce (tú)
luciremos	luzca (usted)
luciréis	luzcamos (nosotros)
lucirán	lucid (vosotros)
	luzcan (ustedes)
condicional simple	**FORMAS NO PERSONALES**
luciría	
lucirías	**infinitivo** **gerundio**
luciría	lucir luciendo
luciríamos	
luciríais	**participio**
lucirían	lucido

MORIR

INDICATIVO	SUBJUNTIVO
presente	**presente**
muero	muera
mueres	mueras
muere	muera
morimos	muramos
morís	muráis
mueren	mueran
pretérito imperfecto	**pretérito imperfecto**
moría	muriera, -ese
morías	murieras, -eses
moría	muriera, -ese
moríamos	muriéramos, -ésemos
moríais	murierais, -eseis
morían	murieran, -esen
pretérito indefinido	**futuro imperfecto**
morí	muriere
moriste	murieres
murió	muriere
morimos	muriéremos
moristeis	muriereis
murieron	murieren
futuro imperfecto	**IMPERATIVO**
moriré	
morirás	**presente**
morirá	muere (tú)
moriremos	muera (usted)
moriréis	muramos (nosotros)
morirán	morid (vosotros)
	mueran (ustedes)
condicional simple	**FORMAS NO PERSONALES**
moriría	
morirías	**infinitivo** **gerundio**
moriría	morir muriendo
moriríamos	
moriríais	**participio**
morirían	muerto

MOVER

INDICATIVO

presente
muevo
mueves
mueve
movemos
movéis
mueven

pretérito imperfecto
movía
movías
movía
movíamos
movíais
movían

pretérito indefinido
moví
moviste
movió
movimos
movisteis
movieron

futuro imperfecto
moveré
moverás
moverá
moveremos
moveréis
moverán

condicional simple
movería
moverías
movería
moveríamos
moveríais
moverían

SUBJUNTIVO

presente
mueva
muevas
mueva
movamos
mováis
muevan

pretérito imperfecto
moviera, -ese
movieras, -eses
moviera, -ese
moviéramos, -ésemos
movierais, -eseis
movieran, -esen

futuro imperfecto
moviere
movieres
moviere
moviéremos
moviereis
movieren

IMPERATIVO

presente
mueve (tú)
mueva (usted)
movamos (nosotros)
moved (vosotros)
muevan (ustedes)

FORMAS NO PERSONALES

infinitivo   **gerundio**
mover   moviendo

participio
movido

OÍR

INDICATIVO

presente
oigo
oyes
oye
oímos
oís
oyen

pretérito imperfecto
oía
oías
oía
oíamos
oíais
oían

pretérito indefinido
oí
oíste
oyó
oímos
oísteis
oyeron

futuro imperfecto
oiré
oirás
oirá
oiremos
oiréis
oirán

condicional simple
oiría
oirías
oiría
oiríamos
oiríais
oirían

SUBJUNTIVO

presente
oiga
oigas
oiga
oigamos
oigáis
oigan

pretérito imperfecto
oyera, -ese
oyeras, -eses
oyera, -ese
oyéramos, -ésemos
oyerais, -eseis
oyeran, -esen

futuro imperfecto
oyere
oyeres
oyere
oyéremos
oyereis
oyeren

IMPERATIVO

presente
oye (tú)
oiga (usted)
oigamos (nosotros)
oíd (vosotros)
oigan (ustedes)

FORMAS NO PERSONALES

infinitivo   **gerundio**
oír   oyendo

participio
oído

OLER

INDICATIVO

presente
huelo
hueles
huele
olemos
oléis
huelen

pretérito imperfecto
olía
olías
olía
olíamos
olíais
olían

pretérito indefinido
olí
oliste
olió
olimos
olisteis
olieron

futuro imperfecto
oleré
olerás
olerá
oleremos
oleréis
olerán

condicional simple
olería
olerías
olería
oleríamos
oleríais
olerían

SUBJUNTIVO

presente
huela
huelas
huela
olamos
oláis
huelan

pretérito imperfecto
oliera, -ese
olieras, -eses
oliera, -ese
oliéramos, -ésemos
olierais, -eseis
olieran, -esen

futuro imperfecto
oliere
olieres
oliere
oliéremos
oliereis
olieren

IMPERATIVO

presente
huele (tú)
huela (usted)
olamos (nosotros)
oled (vosotros)
huelan (ustedes)

FORMAS NO PERSONALES

infinitivo   **gerundio**
oler   oliendo

participio
olido

PAGAR

INDICATIVO

presente
pago
pagas
paga
pagamos
pagáis
pagan

pretérito imperfecto
pagaba
pagabas
pagaba
pagábamos
pagabais
pagaban

pretérito indefinido
pagué
pagaste
pagó
pagamos
pagasteis
pagaron

futuro imperfecto
pagaré
pagarás
pagará
pagaremos
pagaréis
pagarán

condicional simple
pagaría
pagarías
pagaría
pagaríamos
pagaríais
pagarían

SUBJUNTIVO

presente
pague
pagues
pague
paguemos
paguéis
paguen

pretérito imperfecto
pagara, -ase
pagaras, -ases
pagara, -ase
pagáramos, -ásemos
pagarais, -aseis
pagaran, -asen

futuro imperfecto
pagare
pagares
pagare
pagáremos
pagareis
pagaren

IMPERATIVO

presente
paga (tú)
pague (usted)
paguemos (nosotros)
pagad (vosotros)
paguen (ustedes)

FORMAS NO PERSONALES

infinitivo   **gerundio**
pagar   pagando

participio
pagado

PARECER

INDICATIVO	SUBJUNTIVO
presente	**presente**
parezco	parezca
pareces	parezcas
parece	parezca
parecemos	parezcamos
parecéis	parezcáis
parecen	parezcan
pretérito imperfecto	**pretérito imperfecto**
parecía	pareciera, -ese
parecías	parecieras, -eses
parecía	pareciera, -ese
parecíamos	pareciéramos, -ésemos
parecíais	parecierais, -eseis
parecían	parecieran, -esen
pretérito indefinido	**futuro imperfecto**
parecí	pareciere
pareciste	parecieres
pareció	pareciere
parecimos	pareciéremos
parecisteis	pareciereis
parecieron	parecieren

futuro imperfecto	IMPERATIVO
pareceré	
parecerás	**presente**
parecerá	parece (tú)
pareceremos	parezca (usted)
pareceréis	parezcamos (nosotros)
parecerán	pareced (vosotros)
	parezcan (ustedes)

condicional simple	FORMAS NO PERSONALES
parecería	**infinitivo** **gerundio**
parecerías	parecer pareciendo
parecería	
pareceríamos	**participio**
pareceríais	parecido
parecerían	

PEDIR

INDICATIVO	SUBJUNTIVO
presente	**presente**
pido	pida
pides	pidas
pide	pida
pedimos	pidamos
pedís	pidáis
piden	pidan
pretérito imperfecto	**pretérito imperfecto**
pedía	pidiera, -ese
pedías	pidieras, -eses
pedía	pidiera, -ese
pedíamos	pidiéramos, -ésemos
pedíais	pidierais, -eseis
pedían	pidieran, -esen
pretérito indefinido	**futuro imperfecto**
pedí	pidiere
pediste	pidieres
pidió	pidiere
pedimos	pidiéremos
pedisteis	pidiereis
pidieron	pidieren

futuro imperfecto	IMPERATIVO
pediré	
pedirás	**presente**
pedirá	pide (tú)
pediremos	pida (usted)
pediréis	pidamos (nosotros)
pedirán	pedid (vosotros)
	pidan (ustedes)

condicional simple	FORMAS NO PERSONALES
pediría	**infinitivo** **gerundio**
pedirías	pedir pidiendo
pediría	
pediríamos	**participio**
pediríais	pedido
pedirían	

PENSAR

INDICATIVO	SUBJUNTIVO
presente	**presente**
pienso	piense
piensas	pienses
piensa	piense
pensamos	pensemos
pensáis	penséis
piensan	piensen
pretérito imperfecto	**pretérito imperfecto**
pensaba	pensara, -ase
pensabas	pensaras, -ases
pensaba	pensara, -ase
pensábamos	pensáramos, -ásemos
pensabais	pensarais, -aseis
pensaban	pensaran, -asen
pretérito indefinido	**futuro imperfecto**
pensé	pensare
pensaste	pensares
pensó	pensare
pensamos	pensáremos
pensasteis	pensareis
pensaron	pensaren

futuro imperfecto	IMPERATIVO
pensaré	
pensarás	**presente**
pensará	piensa (tú)
pensaremos	piense (usted)
pensaréis	pensemos (nosotros)
pensarán	pensad (vosotros)
	piensen (ustedes)

condicional simple	FORMAS NO PERSONALES
pensaría	**infinitivo** **gerundio**
pensarías	pensar pensando
pensaría	
pensaríamos	**participio**
pensaríais	pensado
pensarían	

PERDER

INDICATIVO	SUBJUNTIVO
presente	**presente**
pierdo	pierda
pierdes	pierdas
pierde	pierda
perdemos	perdamos
perdéis	perdáis
pierden	pierdan
pretérito imperfecto	**pretérito imperfecto**
perdía	perdiera, -ese
perdías	perdieras, -eses
perdía	perdiera, -ese
perdíamos	perdiéramos, -ésemos
perdíais	perdierais, -eseis
perdían	perdieran, -esen
pretérito indefinido	**futuro imperfecto**
perdí	perdiere
perdiste	perdieres
perdió	perdiere
perdimos	perdiéremos
perdisteis	perdiereis
perdieron	perdieren

futuro imperfecto	IMPERATIVO
perderé	
perderás	**presente**
perderá	pierde (tú)
perderemos	pierda (usted)
perderéis	perdamos (nosotros)
perderán	perded (vosotros)
	pierdan (ustedes)

condicional simple	FORMAS NO PERSONALES
perdería	**infinitivo** **gerundio**
perderías	perder perdiendo
perdería	
perderíamos	**participio**
perderíais	perdido
perderían	

PLACER

INDICATIVO	SUBJUNTIVO
presente	**presente**
plazco	plazca
places	plazcas
place	plazca o plegue
placemos	plazcamos
placéis	plazcáis
placen	plazcan
pretérito imperfecto	**pretérito imperfecto**
placía	placiera, -ese
placías	placieras, -eses
placía	placiera, -ese o plugiera, -ese
placíamos	placiéramos, -ésemos
placíais	placierais, -eseis
placían	placieran, -esen
pretérito indefinido	**futuro imperfecto**
plací	placiere
placiste	placieres
plació o plugo	placiere o pluguiere
placimos	placiéremos
placisteis	placiereis
placieron o pluguieron	placieren

futuro imperfecto	**IMPERATIVO**	
placeré	**presente**	
placerás	place	(tú)
placerá	plazca	(usted)
placeremos	plazcamos	(nosotros)
placeréis	placed	(vosotros)
placerán	plazcan	(ustedes)

condicional simple	**FORMAS NO PERSONALES**	
placería	**infinitivo**	**gerundio**
placerías	placer	placiendo
placería	**participio**	
placeríamos	placido	
placeríais		
placerían		

PLAÑIR

INDICATIVO	SUBJUNTIVO
presente	**presente**
plaño	plaña
plañes	plañas
plañe	plaña
plañimos	plañamos
plañís	plañáis
plañen	plañan
pretérito imperfecto	**pretérito imperfecto**
plañía	plañera, -ese
plañías	plañeras, -eses
plañía	plañera, -ese
plañíamos	plañéramos, -ésemos
plañíais	plañerais, -eseis
plañían	plañeran, -esen
pretérito indefinido	**futuro imperfecto**
plañí	plañere
plañiste	plañeres
plañó	plañere
plañimos	plañéremos
plañisteis	plañereis
plañeron	plañeren

futuro imperfecto	**IMPERATIVO**	
plañiré	**presente**	
plañirás	plañe	(tú)
plañirá	plaña	(usted)
plañiremos	plañamos	(nosotros)
plañiréis	plañid	(vosotros)
plañirán	plañan	(ustedes)

condicional simple	**FORMAS NO PERSONALES**	
plañiría	**infinitivo**	**gerundio**
plañirías	plañir	plañendo
plañiría	**participio**	
plañiríamos	plañido	
plañiríais		
plañirían		

PODER

INDICATIVO	SUBJUNTIVO
presente	**presente**
puedo	pueda
puedes	puedas
puede	pueda
podemos	podamos
podéis	podáis
pueden	puedan
pretérito imperfecto	**pretérito imperfecto**
podía	pudiera, -ese
podías	pudieras, -eses
podía	pudiera, -ese
podíamos	pudiéramos, -ésemos
podíais	pudierais, -eseis
podían	pudieran, -esen
pretérito indefinido	**futuro imperfecto**
pude	pudiere
pudiste	pudieres
pudo	pudiere
pudimos	pudiéremos
pudisteis	pudiereis
pudieron	pudieren

futuro imperfecto	**IMPERATIVO**	
podré	**presente**	
podrás	puede	(tú)
podrá	pueda	(usted)
podremos	podamos	(nosotros)
podréis	poded	(vosotros)
podrán	puedan	(ustedes)

condicional simple	**FORMAS NO PERSONALES**	
podría	**infinitivo**	**gerundio**
podrías	poder	pudiendo
podría	**participio**	
podríamos	podido	
podríais		
podrían		

PONER

INDICATIVO	SUBJUNTIVO
presente	**presente**
pongo	ponga
pones	pongas
pone	ponga
ponemos	pongamos
ponéis	pongáis
ponen	pongan
pretérito imperfecto	**pretérito imperfecto**
ponía	pusiera, -ese
ponías	pusieras, -eses
ponía	pusiera, -ese
poníamos	pusiéramos, -ésemos
poníais	pusierais, -eseis
ponían	pusieran, -esen
pretérito indefinido	**futuro imperfecto**
puse	pusiere
pusiste	pusieres
puso	pusiere
pusimos	pusiéremos
pusisteis	pusiereis
pusieron	pusieren

futuro imperfecto	**IMPERATIVO**	
pondré	**presente**	
pondrás	pon	(tú)
pondrá	ponga	(usted)
pondremos	pongamos	(nosotros)
pondréis	poned	(vosotros)
pondrán	pongan	(ustedes)

condicional simple	**FORMAS NO PERSONALES**	
pondría	**infinitivo**	**gerundio**
pondrías	poner	poniendo
pondría	**participio**	
pondríamos	puesto	
pondríais		
pondrían		

PREDECIR

INDICATIVO

presente
predigo
predices
predice
predecimos
predecís
predicen

pretérito imperfecto
predecía
predecías
predecía
predecíamos
predecíais
predecían

pretérito indefinido
predije
predijiste
predijo
predijimos
predijisteis
predijeron

futuro imperfecto
predeciré o prediré
predecirás o predirás
predecirá o predirá
predeciremos o prediremos
predeciréis o prediréis
predecirán o predirán

condicional simple
predeciría o prediría
predecirías o predirías
predeciría o prediría
predeciríamos o prediríamos
predeciríais o prediríais
predecirían o predirían

SUBJUNTIVO

presente
prediga
predigas
prediga
predigamos
predigáis
predigan

pretérito imperfecto
predijera, -ese
predijeras, -eses
predijera, -ese
predijéramos, -ésemos
predijerais, -eseis
predijeran, -esen

futuro imperfecto
predijere
predijeres
predijere
predijéremos
predijereis
predijeren

IMPERATIVO

presente
predice (tú)
prediga (usted)
predigamos (nosotros)
predecid (vosotros)
predigan (ustedes)

FORMAS NO PERSONALES

infinitivo	gerundio
predecir	prediciendo

participio
predicho

PROHIBIR

INDICATIVO

presente
prohíbo
prohíbes
prohíbe
prohibimos
prohibís
prohíben

pretérito imperfecto
prohibía
prohibías
prohibía
prohibíamos
prohibíais
prohibían

pretérito indefinido
prohibí
prohibiste
prohibió
prohibimos
prohibisteis
prohibieron

futuro imperfecto
prohibiré
prohibirás
prohibirá
prohibiremos
prohibiréis
prohibirán

condicional simple
prohibiría
prohibirías
prohibiría
prohibiríamos
prohibiríais
prohibirían

SUBJUNTIVO

presente
prohíba
prohíbas
prohíba
prohibamos
prohibáis
prohíban

pretérito imperfecto
prohibiera, -ese
prohibieras, -eses
prohibiera, -ese
prohibiéramos, -ésemos
prohibierais, -eseis
prohibieran, -esen

futuro imperfecto
prohibiere
prohibieres
prohibiere
prohibiéremos
prohibiereis
prohibieren

IMPERATIVO

presente
prohíbe (tú)
prohíba (usted)
prohibamos (nosotros)
prohibid (vosotros)
prohíban (ustedes)

FORMAS NO PERSONALES

infinitivo	gerundio
prohibir	prohibiendo

participio
prohibido

QUERER

INDICATIVO

presente
quiero
quieres
quiere
queremos
queréis
quieren

pretérito imperfecto
quería
querías
quería
queríamos
queríais
querían

pretérito indefinido
quise
quisiste
quiso
quisimos
quisisteis
quisieron

futuro imperfecto
querré
querrás
querrá
querremos
querréis
querrán

condicional simple
querría
querrías
querría
querríamos
querríais
querrían

SUBJUNTIVO

presente
quiera
quieras
quiera
queramos
queráis
quieran

pretérito imperfecto
quisiera, -ese
quisieras, -eses
quisiera, -ese
quisiéramos, -ésemos
quisierais, -eseis
quisieran, -esen

futuro imperfecto
quisiere
quisieres
quisiere
quisiéremos
quisiereis
quisieren

IMPERATIVO

presente
quiere (tú)
quiera (usted)
queramos (nosotros)
quered (vosotros)
quieran (ustedes)

FORMAS NO PERSONALES

infinitivo	gerundio
querer	queriendo

participio
querido

RAER

INDICATIVO

presente
rao, raigo o rayo
raes
rae
raemos
raéis
raen

pretérito imperfecto
raía
raías
raía
raíamos
raíais
raían

pretérito indefinido
raí
raíste
rayó
raímos
raísteis
rayeron

futuro imperfecto
raeré
raerás
raerá
raeremos
raeréis
raerán

condicional simple
raería
raerías
raería
raeríamos
raeríais
raerían

SUBJUNTIVO

presente
raiga o raya
raigas o rayas
raiga o raya
raigamos o rayamos
raigáis o rayáis
raigan o rayan

pretérito imperfecto
rayera, -ese
rayeras, -eses
rayera, -ese
rayéramos, -ésemos
rayerais, -eseis
rayeran, -esen

futuro imperfecto
rayere
rayeres
rayere
rayéremos
rayereis
rayeren

IMPERATIVO

presente
rae (tú)
raiga o raya (usted)
raigamos o rayamos (nosotros)
raed (vosotros)
raigan o rayan (ustedes)

FORMAS NO PERSONALES

infinitivo	gerundio
raer	rayendo

participio
raído

REGAR

INDICATIVO	SUBJUNTIVO
presente	**presente**
riego	riegue
riegas	riegues
riega	riegue
regamos	reguemos
regáis	reguéis
riegan	rieguen
pretérito imperfecto	**pretérito imperfecto**
regaba	regara, -ase
regabas	regaras, -ases
regaba	regara, -ase
regábamos	regáramos, -ásemos
regabais	regarais, -aseis
regaban	regaran, -asen
pretérito indefinido	**futuro imperfecto**
regué	regare
regaste	regares
regó	regare
regamos	regáremos
regasteis	regareis
regaron	regaren
futuro imperfecto	**IMPERATIVO**
regaré	**presente**
regarás	riega (tú)
regará	riegue (usted)
regaremos	reguemos (nosotros)
regaréis	regad (vosotros)
regarán	rieguen (ustedes)
condicional simple	**FORMAS NO PERSONALES**
regaría	infinitivo / gerundio
regarías	regar / regando
regaría	**participio**
regaríamos	regado
regaríais	
regarían	

REÍR

INDICATIVO	SUBJUNTIVO
presente	**presente**
río	ría
ríes	rías
ríe	ría
reímos	riamos
reís	riáis
ríen	rían
pretérito imperfecto	**pretérito imperfecto**
reía	riera, -ese
reías	rieras, -eses
reía	riera, -ese
reíamos	riéramos, -ésemos
reíais	rierais, -eseis
reían	rieran, -esen
pretérito indefinido	**futuro imperfecto**
reí	riere
reíste	rieres
rió	riere
reímos	riéremos
reísteis	riereis
rieron	rieren
futuro imperfecto	**IMPERATIVO**
reiré	**presente**
reirás	ríe (tú)
reirá	ría (usted)
reiremos	riamos (nosotros)
reiréis	reíd (vosotros)
reirán	rían (ustedes)
condicional simple	**FORMAS NO PERSONALES**
reiría	infinitivo / gerundio
reirías	reír / riendo
reiría	**participio**
reiríamos	reído
reiríais	
reirían	

RESPONDER

INDICATIVO	SUBJUNTIVO
presente	**presente**
respondo	responda
respondes	respondas
responde	responda
respondemos	respondamos
respondéis	respondáis
responden	respondan
pretérito imperfecto	**pretérito imperfecto**
respondía	respondiera, -ese
respondías	respondieras, -eses
respondía	respondiera, -ese
respondíamos	respondiéramos, -ésemos
respondíais	respondierais, -eseis
respondían	respondieran, -esen
pretérito indefinido	**futuro imperfecto**
respondí o repuse	respondiere
respondiste o repusiste	respondieres
respondió o repuso	respondiere
respondimos o repusimos	respondiéremos
respondisteis o repusisteis	respondiereis
respondieron o repusieron	respondieren
futuro imperfecto	**IMPERATIVO**
responderé	**presente**
responderás	responde (tú)
responderá	responda (usted)
responderemos	respondamos (nosotros)
responderéis	responded (vosotros)
responderán	respondan (ustedes)
condicional simple	**FORMAS NO PERSONALES**
respondería	infinitivo / gerundio
responderías	responder / respondiendo
respondería	**participio**
responderíamos	respondido
responderíais	
responderían	

REUNIR

INDICATIVO	SUBJUNTIVO
presente	**presente**
reúno	reúna
reúnes	reúnas
reúne	reúnas
reunimos	reunamos
reunís	reunáis
reúnen	reúnan
pretérito imperfecto	**pretérito imperfecto**
reunía	reuniera, -ese
reunías	reunieras, -eses
reunía	reuniera, -ese
reuníamos	reuniéramos, -ésemos
reuníais	reunierais, -eseis
reunían	reunieran, -esen
pretérito indefinido	**futuro imperfecto**
reuní	reuniere
reuniste	reunieres
reunió	reuniere
reunimos	reuniéremos
reunisteis	reuniereis
reunieron	reunieren
futuro imperfecto	**IMPERATIVO**
reuniré	**presente**
reunirás	reúne (tú)
reunirá	reúna (usted)
reuniremos	reunamos (nosotros)
reuniréis	reunid (vosotros)
reunirán	reúnan (ustedes)
condicional simple	**FORMAS NO PERSONALES**
reuniría	infinitivo / gerundio
reunirías	reunir / reuniendo
reuniría	**participio**
reuniríamos	reunido
reuniríais	
reunirían	

ROER

INDICATIVO

presente
roo, *roigo o royo*
roes
roe
roemos
roéis
roen

pretérito imperfecto
roía
roías
roía
roíamos
roíais
roían

pretérito indefinido (1)
roí
roíste
royó
roímos
roísteis
royeron

futuro imperfecto
roeré
roerás
roerá
roeremos
roeréis
roerán

condicional simple
roería
roerías
roería
roeríamos
roeríais
roerían

SUBJUNTIVO

presente
roa, *roiga o roya*
roas, *roigas o royas*
roa, *roiga o roya*
roamos, *roigamos o royamos*
roáis, *roigáis o royáis*
roan, *roigan o royan*

pretérito imperfecto
royera, -ese
royeras, -eses
royera, -ese
royéramos, -ésemos
royerais, -eseis
royeran, -esen

futuro imperfecto
royere
royeres
royere
royéremos
royereis
royeren

IMPERATIVO

presente
roe (tú)
roa, *roiga o roya* (usted)
roamos, *roigamos o royamos* (nosotros)
roed (vosotros)
roan, *roigan o royan* (ustedes)

FORMAS NO PERSONALES

infinitivo roer
gerundio royendo
participio roído

SABER

INDICATIVO

presente
sé
sabes
sabe
sabemos
sabéis
saben

pretérito imperfecto
sabía
sabías
sabía
sabíamos
sabíais
sabían

pretérito indefinido
supe
supiste
supo
supimos
supisteis
supieron

futuro imperfecto
sabré
sabrás
sabrá
sabremos
sabréis
sabrán

condicional simple
sabría
sabrías
sabría
sabríamos
sabríais
sabrían

SUBJUNTIVO

presente
sepa
sepas
sepa
sepamos
sepáis
sepan

pretérito imperfecto
supiera, -ese
supieras, -eses
supiera, -ese
supiéramos, -ésemos
supierais, -eseis
supieran, -esen

futuro imperfecto
supiere
supieres
supiere
supiéremos
supiereis
supieren

IMPERATIVO

presente
sabe (tú)
sepa (usted)
sepamos (nosotros)
sabed (vosotros)
sepan (ustedes)

FORMAS NO PERSONALES

infinitivo saber
gerundio sabiendo
participio sabido

SACAR

INDICATIVO

presente
saco
sacas
saca
sacamos
sacáis
sacan

pretérito imperfecto
sacaba
sacabas
sacaba
sacábamos
sacabais
sacaban

pretérito indefinido
saqué
sacaste
sacó
sacamos
sacasteis
sacaron

futuro imperfecto
sacaré
sacarás
sacará
sacaremos
sacaréis
sacarán

condicional simple
sacaría
sacarías
sacaría
sacaríamos
sacaríais
sacarían

SUBJUNTIVO

presente
saque
saques
saque
saquemos
saquéis
saquen

pretérito imperfecto
sacara, -ase
sacaras, -ases
sacara, -ase
sacáramos, -ásemos
sacarais, -aseis
sacaran, -asen

futuro imperfecto
sacare
sacares
sacare
sacáremos
sacareis
sacaren

IMPERATIVO

presente
saca (tú)
saque (usted)
saquemos (nosotros)
sacad (vosotros)
saquen (ustedes)

FORMAS NO PERSONALES

infinitivo sacar
gerundio sacando
participio sacado

SALIR

INDICATIVO

presente
salgo
sales
sale
salimos
salís
salen

pretérito imperfecto
salía
salías
salía
salíamos
salíais
salían

pretérito indefinido
salí
saliste
salió
salimos
salisteis
salieron

futuro imperfecto
saldré
saldrás
saldrá
saldremos
saldréis
saldrán

condicional simple
saldría
saldrías
saldría
saldríamos
saldríais
saldrían

SUBJUNTIVO

presente
salga
salgas
salga
salgamos
salgáis
salgan

pretérito imperfecto
saliera, -ese
salieras, -eses
saliera, -ese
saliéramos, -ésemos
salierais, -eseis
salieran, -esen

futuro imperfecto
saliere
salieres
saliere
saliéremos
saliereis
salieren

IMPERATIVO

presente
sal (tú)
salga (usted)
salgamos (nosotros)
salid (vosotros)
salgan (ustedes)

FORMAS NO PERSONALES

infinitivo salir
gerundio saliendo
participio salido

SEGUIR

INDICATIVO

presente
sigo
sigues
sigue
seguimos
seguís
siguen

pretérito imperfecto
seguía
seguías
seguía
seguíamos
seguíais
seguían

pretérito indefinido
seguí
seguiste
siguió
seguimos
seguisteis
siguieron

futuro imperfecto
seguiré
seguirás
seguirá
seguiremos
seguiréis
seguirán

condicional simple
seguiría
seguirías
seguiría
seguiríamos
seguiríais
seguirían

SUBJUNTIVO

presente
siga
sigas
siga
sigamos
sigáis
sigan

pretérito imperfecto
siguiera, -ese
siguieras, -eses
siguiera, -ese
siguiéramos, -ésemos
siguierais, -eseis
siguieran, -esen

futuro imperfecto
siguiere
siguieres
siguiere
siguiéremos
siguiereis
siguieren

IMPERATIVO

presente
sigue (tú)
siga (usted)
sigamos (nosotros)
seguid (vosotros)
sigan (ustedes)

FORMAS NO PERSONALES

infinitivo **gerundio**
seguir siguiendo

participio
seguido

SENTIR

INDICATIVO

presente
siento
sientes
siente
sentimos
sentís
sienten

pretérito imperfecto
sentía
sentías
sentía
sentíamos
sentíais
sentían

pretérito indefinido
sentí
sentiste
sintió
sentimos
sentisteis
sintieron

futuro imperfecto
sentiré
sentirás
sentirá
sentiremos
sentiréis
sentirán

condicional simple
sentiría
sentirías
sentiría
sentiríamos
sentiríais
sentirían

SUBJUNTIVO

presente
sienta
sientas
sienta
sintamos
sintáis
sientan

pretérito imperfecto
sintiera, -ese
sintieras, -eses
sintiera, -ese
sintiéramos, -ésemos
sintierais, -eseis
sintieran, -esen

futuro imperfecto
sintiere
sintieres
sintiere
sintiéremos
sintiereis
sintieren

IMPERATIVO

presente
siente (tú)
sienta (usted)
sintamos (nosotros)
sentid (vosotros)
sientan (ustedes)

FORMAS NO PERSONALES

infinitivo **gerundio**
sentir sintiendo

participio
sentido

SER

INDICATIVO

presente
soy
eres
es
somos
sois
son

pretérito imperfecto
era
eras
era
éramos
erais
eran

pretérito indefinido
fui
fuiste
fue
fuimos
fuisteis
fueron

futuro imperfecto
seré
serás
será
seremos
seréis
serán

condicional simple
sería
serías
sería
seríamos
seríais
serían

SUBJUNTIVO

presente
sea
seas
sea
seamos
seáis
sean

pretérito imperfecto
fuera, -ese
fueras, -eses
fuera, -ese
fuéramos, -ésemos
fuerais, -eseis
fueran, -esen

futuro imperfecto
fuere
fueres
fuere
fuéremos
fuereis
fueren

IMPERATIVO

presente
sé (tú)
sea (usted)
seamos (nosotros)
sed (vosotros)
sean (ustedes)

FORMAS NO PERSONALES

infinitivo **gerundio**
ser siendo

participio
sido

TAÑER

INDICATIVO

presente
taño
tañes
tañe
tañemos
tañéis
tañen

pretérito imperfecto
tañía
tañías
tañía
tañíamos
tañíais
tañían

pretérito indefinido
tañí
tañiste
tañó
tañimos
tañisteis
tañeron

futuro imperfecto
tañeré
tañerás
tañerá
tañeremos
tañeréis
tañerán

condicional simple
tañería
tañerías
tañería
tañeríamos
tañeríais
tañerían

SUBJUNTIVO

presente
taña
tañas
taña
tañamos
tañáis
tañan

pretérito imperfecto
tañera, -ese
tañeras, -eses
tañera, -ese
tañéramos, -ésemos
tañerais, -eseis
tañeran, -esen

futuro imperfecto
tañere
tañeres
tañere
tañéremos
tañereis
tañeren

IMPERATIVO

presente
tañe (tú)
taña (usted)
tañamos (nosotros)
tañed (vosotros)
tañan (ustedes)

FORMAS NO PERSONALES

infinitivo **gerundio**
tañer tañendo

participio
tañido

TENER

INDICATIVO	SUBJUNTIVO
presente	**presente**
tengo	tenga
tienes	tengas
tiene	tenga
tenemos	tengamos
tenéis	tengáis
tienen	tengan
pretérito imperfecto	**pretérito imperfecto**
tenía	tuviera, -ese
tenías	tuvieras, -eses
tenía	tuviera, -ese
teníamos	tuviéramos, -ésemos
teníais	tuvierais, -eseis
tenían	tuvieran, -esen
pretérito indefinido	**futuro imperfecto**
tuve	tuviere
tuviste	tuvieres
tuvo	tuviere
tuvimos	tuviéremos
tuvisteis	tuviereis
tuvieron	tuvieren
futuro imperfecto	**IMPERATIVO**
tendré	
tendrás	**presente**
tendrá	ten (tú)
tendremos	tenga (usted)
tendréis	tengamos (nosotros)
tendrán	tened (vosotros)
	tengan (ustedes)
condicional simple	**FORMAS NO PERSONALES**
tendría	
tendrías	**infinitivo** **gerundio**
tendría	tener teniendo
tendríamos	
tendríais	**participio**
tendrían	tenido

TRAER

INDICATIVO	SUBJUNTIVO
presente	**presente**
traigo	traiga
traes	traigas
trae	traiga
traemos	traigamos
traéis	traigáis
traen	traigan
pretérito imperfecto	**pretérito imperfecto**
traía	trajera, -ese
traías	trajeras, -eses
traía	trajera, -ese
traíamos	trajéramos, -ésemos
traíais	trajerais, -eseis
traían	trajeran, -esen
pretérito indefinido	**futuro imperfecto**
traje	trajere
trajiste	trajeres
trajo	trajere
trajimos	trajéremos
trajisteis	trajereis
trajeron	trajeren
futuro imperfecto	**IMPERATIVO**
traeré	
traerás	**presente**
traerá	trae (tú)
traeremos	traiga (usted)
traeréis	traigamos (nosotros)
traerán	traed (vosotros)
	traigan (ustedes)
condicional simple	**FORMAS NO PERSONALES**
traería	
traerías	**infinitivo** **gerundio**
traería	traer trayendo
traeríamos	
traeríais	**participio**
traerían	traído

TROCAR

INDICATIVO	SUBJUNTIVO
presente	**presente**
trueco	trueque
truecas	trueques
trueca	trueque
trocamos	troquemos
trocáis	troquéis
truecan	truequen
pretérito imperfecto	**pretérito imperfecto**
trocaba	trocara, -ase
trocabas	trocaras, -ases
trocaba	trocara, -ase
trocábamos	trocáramos, -ásemos
trocabais	trocarais, -aseis
trocaban	trocaran, -asen
pretérito indefinido	**futuro imperfecto**
troqué	trocare
trocaste	trocares
trocó	trocare
trocamos	trocáremos
trocasteis	trocareis
trocaron	trocaren
futuro imperfecto	**IMPERATIVO**
trocaré	
trocarás	**presente**
trocará	trueca (tú)
trocaremos	trueque (usted)
trocaréis	troquemos (nosotros)
trocarán	trocad (vosotros)
	truequen (ustedes)
condicional simple	**FORMAS NO PERSONALES**
trocaría	
trocarías	**infinitivo** **gerundio**
trocaría	trocar trocando
trocaríamos	
trocaríais	**participio**
trocarían	trocado

VALER

INDICATIVO	SUBJUNTIVO
presente	**presente**
valgo	valga
vales	valgas
vale	valga
valemos	valgamos
valéis	valgáis
valen	valgan
pretérito imperfecto	**pretérito imperfecto**
valía	valiera, -ese
valías	valieras, -eses
valía	valiera, -ese
valíamos	valiéramos, -ésemos
valíais	valierais, -eseis
valían	valieran, -esen
pretérito indefinido	**futuro imperfecto**
valí	valiere
valiste	valieres
valió	valiere
valimos	valiéremos
valisteis	valiereis
valieron	valieren
futuro imperfecto	**IMPERATIVO**
valdré	
valdrás	**presente**
valdrá	vale (tú)
valdremos	valga (usted)
valdréis	valgamos (nosotros)
valdrán	valed (vosotros)
	valgan (ustedes)
condicional simple	**FORMAS NO PERSONALES**
valdría	
valdrías	**infinitivo** **gerundio**
valdría	valer valiendo
valdríamos	
valdríais	**participio**
valdrían	valido

VENCER

INDICATIVO

presente
venzo
vences
vence
vencemos
vencéis
vencen

pretérito imperfecto
vencía
vencías
vencía
vencíamos
vencíais
vencían

pretérito indefinido
vencí
venciste
venció
vencimos
vencisteis
vencieron

futuro imperfecto
venceré
vencerás
vencerá
venceremos
venceréis
vencerán

condicional simple
vencería
vencerías
vencería
venceríamos
venceríais
vencerían

SUBJUNTIVO

presente
venza
venzas
venza
venzamos
venzáis
venzan

pretérito imperfecto
venciera, -ese
vencieras, -eses
venciera, -ese
venciéramos, -ésemos
vencierais, -eseis
vencieran, -esen

futuro imperfecto
venciere
vencieres
venciere
venciéremos
venciereis
vencieren

IMPERATIVO

presente
vence   (tú)
venza   (usted)
venzamos   (nosotros)
venced   (vosotros)
venzan   (ustedes)

FORMAS NO PERSONALES

infinitivo   **gerundio**
vencer   venciendo

participio
vencido

VENIR

INDICATIVO

presente
vengo
vienes
viene
venimos
venis
vienen

pretérito imperfecto
venía
venías
venía
veníamos
veníais
venían

pretérito indefinido
vine
viniste
vino
vinimos
vinisteis
vinieron

futuro imperfecto
vendré
vendrás
vendrá
vendremos
vendréis
vendrán

condicional simple
vendría
vendrías
vendría
vendríamos
vendríais
vendrían

SUBJUNTIVO

presente
venga
vengas
venga
vengamos
vengáis
vengan

pretérito imperfecto
viniera, -ese
vinieras, -eses
viniera, -ese
viniéramos, -ésemos
vinierais, -eseis
vinieran, -esen

futuro imperfecto
viniere
vinieres
viniere
viniéremos
viniereis
vinieren

IMPERATIVO

presente
ven   (tú)
venga   (usted)
vengamos   (nosotros)
venid   (vosotros)
vengan   (ustedes)

FORMAS NO PERSONALES

infinitivo   **gerundio**
venir   viniendo

participio
venido

VER

INDICATIVO

presente
veo
ves
ve
vemos
veis
ven

pretérito imperfecto
veía
veías
veía
veíamos
veíais
veían

pretérito indefinido
vi
viste
vio
vimos
visteis
vieron

futuro imperfecto
veré
verás
verá
veremos
veréis
verán

condicional simple
vería
verías
vería
veríamos
veríais
verían

SUBJUNTIVO

presente
vea
veas
vea
veamos
veáis
vean

pretérito imperfecto
viera, -ese
vieras, -eses
viera, -ese
viéramos, -ésemos
vierais, -eseis
vieran, -esen

futuro imperfecto
viere
vieres
viere
viéremos
viereis
vieren

IMPERATIVO

presente
ve   (tú)
vea   (usted)
veamos   (nosotros)
ved   (vosotros)
vean   (ustedes)

FORMAS NO PERSONALES

infinitivo   **gerundio**
ver   viendo

participio
visto

VOLVER

INDICATIVO

presente
vuelvo
vuelves
vuelve
volvemos
volvéis
vuelven

pretérito imperfecto
volvía
volvías
volvía
volvíamos
volvíais
volvían

pretérito indefinido
volví
volviste
volvió
volvimos
volvisteis
volvieron

futuro imperfecto
volveré
volverás
volverá
volveremos
volveréis
volverán

condicional simple
volvería
volverías
volvería
volveríamos
volveríais
volverían

SUBJUNTIVO

presente
vuelva
vuelvas
vuelva
volvamos
volváis
vuelvan

pretérito imperfecto
volviera, -ese
volvieras, -eses
volviera, -ese
volviéramos, -ésemos
volvierais, -eseis
volvieran, -esen

futuro imperfecto
volviere
volvieres
volviere
volviéremos
volviereis
volvieren

IMPERATIVO

presente
vuelve   (tú)
vuelva   (usted)
volvamos   (nosotros)
volved   (vosotros)
vuelvan   (ustedes)

FORMAS NO PERSONALES

infinitivo   **gerundio**
volver   volviendo

participio
vuelto

YACER

INDICATIVO

presente
yazco, yazgo o yago
yaces
yace
yacemos
yacéis
yacen

pretérito imperfecto
yacía
yacías
yacía
yacíamos
yacíais
yacían

pretérito indefinido
yací
yaciste
yació
yacimos
yacisteis
yacieron

futuro imperfecto
yaceré
yacerás
yacerá
yaceremos
yaceréis
yacerán

condicional simple
yacería
yacerías
yacería
yaceríamos
yaceríais
yacerían

SUBJUNTIVO

presente
yazca, yazga o yaga
yazcas, yazgas o yagas
yazca, yazga o yaga
yazcamos, yazgamos o yagamos
yazcáis, yazgáis o yagáis
yazcan, yazgan o yagan

pretérito imperfecto
yaciera, -ese
yacieras, -eses
yaciera, -ese
yaciéramos, -ésemos
yacierais, -eseis
yacieran, -esen

futuro imperfecto
yaciere
yacieres
yaciere
yaciéremos
yaciereis
yacieren

IMPERATIVO

presente
yace o yaz (tú)
yazca, yazga o yaga (usted)
yazcamos, yazgamos o yagamos (nosotros)
yaced (vosotros)
yazcan, yazgan o yagan (ustedes)

FORMAS NO PERSONALES

infinitivo   **gerundio**
yacer   yaciendo

participio
yacido

ZURCIR

INDICATIVO

presente
zurzo
zurces
zurce
zurcimos
zurcís
zurcen

pretérito imperfecto
zurcía
zurcías
zurcía
zurcíamos
zurcíais
zurcían

pretérito indefinido
zurcí
zurciste
zurció
zurcimos
zurcisteis
zurcieron

futuro imperfecto
zurciré
zurcirás
zurcirá
zurciremos
zurciréis
zurcirán

condicional simple
zurciría
zurcirías
zurciría
zurciríamos
zurciríais
zurcirían

SUBJUNTIVO

presente
zurza
zurzas
zurza
zurzamos
zurzáis
zurzan

pretérito imperfecto
zurciera, -ese
zurcieras, -eses
zurciera, -ese
zurciéramos, -ésemos
zurcierais, -eseis
zurcieran, -esen

futuro imperfecto
zurciere
zurcieres
zurciere
zurciéremos
zurciereis
zurcieren

IMPERATIVO

presente
zurce (tú)
zurza (usted)
zurzamos (nosotros)
zurcid (vosotros)
zurzan (ustedes)

FORMAS NO PERSONALES

infinitivo   **gerundio**
zurcir   zurciendo

participio
zurcido